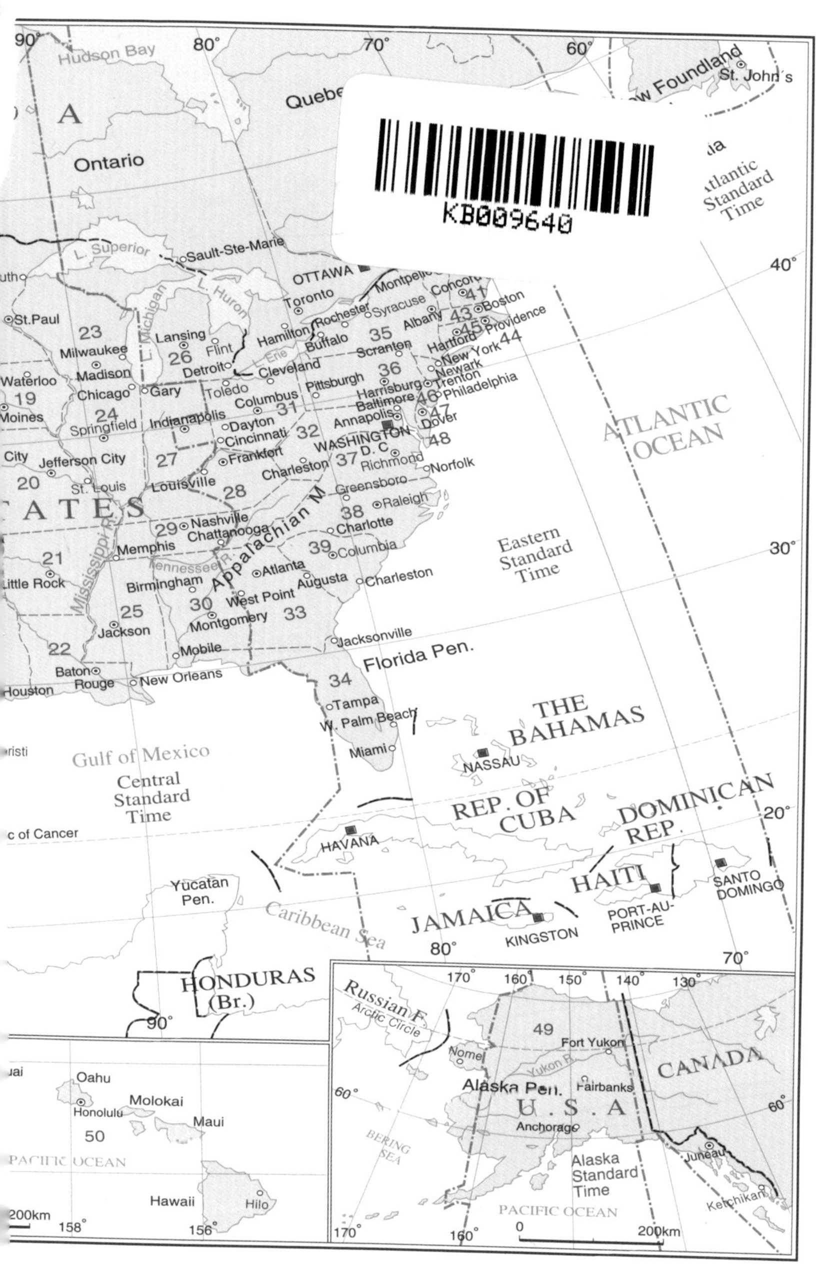

Hudson Bay
Ontario
Quebec
New Foundland
St. John's
Atlantic Standard Time
KB009640
L. Superior
Sault-Ste-Marie
OTTAWA
Toronto
Montpelier
Concord
Boston
Providence
Syracuse
Rochester
Albany
Hamilton
Buffalo
Scranton
Hartford
New York
Newark
Trenton
Philadelphia
Harrisburg
Baltimore
Annapolis
Dover
WASHINGTON D. C
Richmond
Norfolk
Greensboro
Raleigh
Charlotte
Columbia
Charleston
Atlanta
Augusta
West Point
Montgomery
Jacksonville
Florida Pen.
Tampa
W. Palm Beach
Miami
St.Paul
Milwaukee
Madison
Chicago
Gary
Lansing
Flint
Detroit
L. Michigan
L. Huron
L. Erie
Cleveland
Toledo
Columbus
Pittsburgh
Indianapolis
Dayton
Cincinnati
Frankfort
Charleston
Springfield
Jefferson City
St. Louis
Louisville
Nashville
Chattanooga
Memphis
Appalachian M.
Tennessee R.
Birmingham
Little Rock
Mississippi R.
Jackson
Mobile
Baton Rouge
New Orleans
Houston
Waterloo
Moines
City
ATES
ATLANTIC OCEAN
Eastern Standard Time
THE BAHAMAS
NASSAU
REP. OF CUBA
HAVANA
DOMINICAN REP.
HAITI
PORT-AU-PRINCE
SANTO DOMINGO
JAMAICA
KINGSTON
Gulf of Mexico
Central Standard Time
Tropic of Cancer
Yucatan Pen.
Caribbean Sea
HONDURAS (Br.)
Oahu
Honolulu
Molokai
Maui
Hawaii
Hilo
PACIFIC OCEAN
200km
Russian F.
Arctic Circle
Nome
Fort Yukon
Yukon R.
Fairbanks
Alaska Pen.
U. S. A
CANADA
Anchorage
Juneau
Ketchikan
BERING SEA
Alaska Standard Time
PACIFIC OCEAN
0
200km

동 사 문 형 표

문　　형	예　　문
1. 《~》	Birds *fly*. / Day *dawns*. / He *died*.
2. 《~+부》	He *came in*. / His book is *selling well*.
3. 《~+보》	This *is* my car. / She *looks* happy. / He *felt* hungry.
4. 《~+*to be* 보》	He *happened to be* there. / He *seems to be* asleep.
《~+(*to be*) 보》	He *seems* (*to be*) angry. / The report *proved* (*to be*) false.
5. 《~+*as* 보》	Mr. Brown *acted as* chairman. / He *died as* president.
6. 《~+전+명》	Our school *stands on* a hill. / He *looked out of* the window.
	The house *belongs to* him.
7. 《~+전+명+*to* do》	I am *waiting for* him *to* arrive.
8. 《~+*done*》	He *stood amazed*. / The knot *came untied*.
9. 《~+목》	I *like* sports. / Please *describe* what you saw.
10. 《~+목+부》	He *put* his coat *on*. / Don't *throw* them *away*. / Carry the baggage *upstairs*.
11. 《~+-*ing*》	I *sat* watch*ing* television.
	He's *stopped* smok*ing*. / She *avoided* meet*ing* him.
12. 《~+*to* do》	His ambition *is to* become a doctor.
	I *want to* see you. / I *forgot to* mail your letters.
13. 《~+목+*to* do》	I *told* him *to* wait. / Please *allow* me *to* go home.
14. 《~+목+보》	We *call* him Teddy. / He *made* her happy. / I *found* the chair quite comfortable.
15. 《~+목+*as* 보》	They *elected* him *as* chairman.
16. 《~+목+*to be* 보》	They *felt* the plan *to be* unwise.
《~+목+(*to be*) 보》	We *think* him (*to be*) a good teacher.
17. 《~+목+*do*》	I *saw* him *cross* the street. / I'll *let* you *know* it.
18. 《~+목+-*ing*》	I *saw* him cross*ing* the street.
	I can *smell* something burn*ing*.
19. 《~+목+*done*》	I *heard* my name *called*. / She *had* her purse *stolen*.
	I *had* my hair *cut*.
20. 《~+*that* 절》	I *suggested that* he (should) buy a new car.
	It *seems that* he is fond of sweets.
	It *happened that* he was busy when I called.
《~+(*that*) 절》	I *think* (*that*) he is an honest man.
	He *said* (*that*) he would send his son to college.
21. 《~+목+*that* 절》	He *promised* me *that* he would be home for dinner.
	They *warned* us *that* the roads were icy.
22. 《~+*wh. to* do》	We could not *decide what to* do.
	I don't *know how to* play chess.
23. 《~+목+*wh. to* do》	*Ask* him *where to* put it. / I *showed* her *how to* do it.
24. 《~+*wh.* 절》	He *asked why* I was late. / I *wonder whether* he will come.
	Do you *know if* he is at home today?
25. 《~+목+*wh.* 절》	*Ask* him *where* she lives.
	Can you *tell* me *how* high the mountain is?
26. 《~+목+목》	I *gave* him a watch. / She *made* herself a new dress.
27. 《~+목+부+목》	Please *bring* me *back* those books.
28. 《~+목+전+명》	I *congratulated* him *on* his success.
	He *sold* his old car *to* one of his friends.
29. 《~+전+명+*that* 절》	He *explained to* us *that* he had been delayed by the weather.

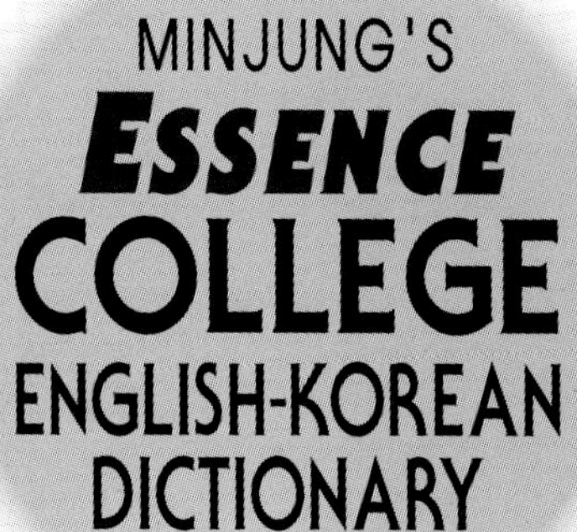

엣센스
칼리지 영한사전

민중서림 편집국 편

사전 전문
민중서림

10. **파생어** 파생어에서는 철자의 공통된 부분의 발음이 같고 악센트가 다른 것은 악센트만 표시하였으나 발음이 달라지는 것은 발음을 표시해 놓았다.

보기: **pa·cif·i·cate** [pəsífikèit] ㊁ **-ca·tò·ry** [-kətɔ̀:ri/-kətəri]

11. 관사나 대명사의 경우 강하게 발음될 때와 약하게 발음될 때로 구분되는 것은 그 앞에 「강」 또는 「약」이라고 표시하였다.

보기: **that** [ðæt, 약 ðət, ðt]

Ⅲ. 품사와 어형 변화

1. **품사** 한 낱말이 둘 이상의 품사로 나뉠 때 흔히는 동일항 내에서 **—**로 품사의 바뀜을 보였으나 복잡한 것은 별도 표제어로 제시하기도 했다.
2. **어형 변화** 불규칙한 변화 · 철자 · 발음 등은 다음처럼 표시했다.
   a) **명사의 복수형** 보기: **man** [men] (*pl.* ***men*** [men]) *n.*; **deer** [diər] (*pl.* ~, ~***s***) *n.*; **fish** [fiʃ] (*pl.* ~·***es*** [fí:ʃiz], 《집합적》 ~) *n.*; **leaf** [li:f] (*pl.* ***leaves*** [li:vz]) *n.*
   b) **대명사** 인칭대명사는 필요가 있을 때에만 변화형을 보였다.
   보기: **who** [hu:] (소유격 ***whose*** [hu:z]; 목적격 ***whom*** [hu:m], 《구어》 ***who(m)***) *pron.*
   c) **불규칙 동사의 과거형; 과거분사형; 진행형** 보기: **cut** [kʌt] (*p., pp.* ~; ***∠·ting***) *vt.*; **run** [rʌn] (***ran*** [ræn]; ***run; rún·ning***) *vi.*; **be·gin** [bigín] (***be·gan*** [-gǽn]; ***be·gun*** [-gʌ́n]; ***be·gin·ning***) *vi.*; **lie** [lai] (***lay*** [lei]; ***lain*** [lein]; ***ly·ing*** [láiiŋ]) *vi.*; **read** [ri:d] (*p., pp.* ***read*** [red]) *vt.*
   맨 마지막의 자음이 겹쳐지는 경우에는 다음과 같이 보였다.
   보기: **flip**[1] [flip] (***-pp-***) *vt.* 《과거(분사) · 현재분사 flipped; flipping》; **trav·el** [trǽvəl] (***-l-***, 《英》 ***-ll-***) *vi.* ... 《영식으로는 travelled; travelling》.
   d) **형용사 · 부사의 비교급; 최상급** 단음절어에는 -er; -est를 붙이고, 2음절 이상의 것에는 more; most를 붙여줌을 원칙으로 한다. 이렇게 되지 않는 것 또는 철자 · 발음상 주의를 요하는 것은 다음처럼 나타냈다. 보기: **good** [gud] (***bet·ter*** [bétər]; ***best*** [best]) *a.*; **free** [fri:] (***fre·er*** [fríər]; ***fre·est*** [frí:ist]) *a.*; **tired** [taiərd] (***more tired, tíred·er; most tired, tíred·est***) *a.*; **big** [big] (***-gg-***) *a.* 《비교급 · 최상급이 각기 bigger; biggest》.

Ⅳ. 풀이 · 용례 · 관용구

1. **풀이** †, ⁑, * 의 표시가 된 기본 표제어에서 근본 뜻, 또는 자주 쓰이는 뜻을 고딕체 활자로 표시하였다.
2. 풀이가 복잡한 것은 **A, B, C...** 또는 **1, 2, 3...** 이나 **a, b, c...**로 상세히 구분하였으나, 그 밖의 경우는 (,)(;)으로 구별하였다. 또, 관용구에서는 ①, ②, ③…으로, 설명 괄호 《 》 안에서는 (1), (2), (3)…으로 구별하였다.
3. 풀이 중 그 말뜻에 대한 동의어를 ( ) 속에 보였으며, 동의어 중 따로 표제어에 내세우지 못한 것은(=) 안에 고딕체로 넣고 악센트 표시를 하였다.
   보기: **float** [flout] ... 떠(돌아)다니다, 표류하다(drift) …
   lem·on [lémən] *n.* … 레몬나무(=**∠ trèe**).
4. 풀이 속 또는 풀이 끝에 [cf.]를 써서 관련어를, ↔ 또는 ⇔를 써서 반대어를 보였다. ↔는 그 해당 말뜻에, ⇔는 표제어 말뜻 전체에 관련된다.
   보기: **in·tagl·io** [intǽljou, -tá:l-] (*pl.* ~***s***) *n.* **1** [U] 음각, 요조(凹彫). ↔ *relief, relievo*.... **2** [C] (무늬를) 음각한 보석; 새겨 넣은 무늬. [cf.] cameo.
   def·i·nite [défənit] *a.* **1** ··· **4** 【문법】 한정하는··· ⇔ *indefinite*.
   또, 뜻이 비슷한 일군(一群)의 낱말들은 [SYN.] 항에 한데 모아, 서로 비교케 함으로써 그 미묘한 차이를 나타내 보였다. 그 밖의 말은 [SYN.] ⇨로써 그 중심어를 참조시켰다.
5. 풀이 앞에 (H-), (m-)과 같이 표시되어 있는 것은 각기 대문자 또는 소문자로 시작할 경우를 나타낸다.
   보기: **dev·il** [dévl] *n.* **1** [C] **악마**; 악귀; 악령; (the D-) 마왕, 사탄(Satan)...
6. **용례** 말뜻 · 구문을 분명히 하기 위하여 표제어의 역어 뒤에 (:)를 붙이고 용례를 보였으며, 그 밖의 경우에는 (¶)로 용례를 한데 묶었다.
7. **관용구** 각 품사의 말뜻 뒤에 일괄하여 이탤릭 고딕체로 수록하였다. 특히 구동사(句動詞)는 뜻에 따라 그 동사가 자동사인가 타동사인가, 동사와 연결된 말이 부사인가 전치사인가를 《 》 안에 보였다.
   보기: **get**[1] [get] ... ~ ***across*** 《*vi.*+[전]》 ① (강 · 길 등)을 건너다···. **—**《*vi.*+[부]》 ③ 건너다, 가로지르다《***to*** ···에》···. **—**《*vt.*+[전]》 ⑤ ···을 건네다···. **—**《*vt.*+[부]》 ⑥ ···을 건네 주다···.

V. 파생어 · 어원

1. **파생어의 처리** 표제어에 -ly, -ment, -ness, -ism, -fy, -ize 따위를 붙여 수월히 이루어지는 파생어나, 표제어에 약간의 형태상의 변화를 가져오는 -tion, -ce, -cy, -al 따위에 의한 파생어는 풀이를 반복해야 하는 번거로움을 덜기 위해서 해당 표제어항에 수록하고, ㉺표시로 그 소재를 밝혔다.
2. 파생어를 보일 때 표제어의 형태를 고스란히 간직한 것은 그 부분을 ~로써 나타내고, 표제어의 끝 음절에 변화를 일으킨 경우에는 끝 음절 이외의 부분을 －로써 보였다.

   보기: **mind·ful** [máindfəl] *a*. ... ㉺ **~·ness** *n*.
   live·ly [láivli] ... *a*. .... ㉺ **-li·ly** *ad*. **-li·ness** *n*.
3. **어원 표시** 어원은 원칙적으로 표제어 풀이 맨끝에 [ ] 표시로 가급적 간결히 표시했다.

   보기: **Com·in·tern** [kámintə̀ːrn/kɔ́m-] *n*. (the ~) 코민테른, 국제 공산당《제3〔적색〕인터내셔널(1919–43)》. [◂ (Third) *Com*munist *Intern*ational]
   brunch [brʌntʃ] ··· 이른 점심. [◂ *br*eakfast+l*unch*]《breakfast와 lunch의 혼성어임을 나타냄》.

VI. Ⓐ Ⓟ에 대하여

형용사가 명사 · 대명사 앞에서 직접 이를 수식하는 한정적 용법(attributive use)일 때는 Ⓐ를, 동사의 보어로 쓰이는 서술적 용법(predicative use)일 때는 Ⓟ를 표시하였다.

보기: ‡**glad**[1] [glæd] ... *a*. **1** Ⓟ 기쁜, 반가운, 유쾌한(pleased)《***about, of, at*** ···을 / ***to*** do / ***that***》... **2** Ⓟ 기꺼이 (···하다)《***to*** do》... **3** Ⓐ (표정 · 목소리 따위가) 기뻐하는; (사건 · 소식 따위가) 기쁜, 좋은...

VII. Ⓤ Ⓒ에 대하여

고유명사(보통명사화된 것은 제외)나 호칭 등 특정한 경우를 제외하고는 셀 수 있는 명사(countable noun)에는 Ⓒ를, 셀 수 없는 명사(uncountable noun)에는 Ⓤ를 표시하였다. 다만, Ⓤ 또는 Ⓒ 중 한 가지로 명확히 구분되지 않을 경우에는 Ⓤ (구체적으로는 Ⓒ), Ⓒ (요리는 Ⓤ) 따위와 같이 처리하고, Ⓤ Ⓒ 이외에 (a ~) (the ~) (*sing.*) (*pl.*) 따위와 같이 표기한 것도 있다.

그러나 이러한 표시는 어디까지나 원칙론적인 것이므로 용법상 하나의 지침으로 활용하는 것이 바람직하다.

보기: †**eight** [eit] *a*. ... **—***n*. **1 a** Ⓤ (때로 Ⓒ; 보통 관사 없이) **여덟**, 8. **b** Ⓒ 8의 기호《8, viii, VIII》. **2 a**〖복수취급〗8개〔사람〕... **b** Ⓤ 8시; 8살....

VIII. 문형(文型)

문형은 어떤 말을 활용하는 데 아주 중요하므로 이 사전에서는 특히 이에 큰 비중을 두었다. 용례도 문형과 유기적으로 관련지어 실었으며 구문상 관련된 말은 이탤릭체로 하여 주의를 환기시켰다.

1. †, ‡, *의 표가 붙은 동사의 문형(⇨p. 8 문형해설)은 풀이 앞에《 》로 묶어 보였다. 그리고 풀이 뒤에는 문형상 중요한 부사를 ( ) 안에 이탤릭체로 보이고, 전치사는《 》안에 이탤릭 고딕체로 보인 다음 풀이와 연관지어 우리말 풀이를 덧붙였다.

   보기: ‡**flame** [fleim] *n*. ... **—***vi*. ... **3**《~/+㊊/+㊌+㊔》《비유적》불타오르다; 발끈하다(*out; up*)《***at*** ···에; ***with*** (정열 · 노여움)으로》: Her passion ~*d up*. 그녀의 정열이 불타올랐다 / He ~*d up at* the words. 그는 그 말을 듣고 발끈했다 / He ~*d with* anger. 그는 발끈했다....
   ‡**cal·cu·late** [kǽlkjəlèit] *vt*. ... **3**《~+㊗/+*that* ㊞/+*wh*. ㊞》추정하다; 예측하다; 평가〔판단〕하다: ~ the merits and demerits of a project 계획의 장단점을 판단하다 / ~ *that* prices may go up again 물가가 다시 오를 것이라고 예측하다 / ~ *when* the ship will arrive in port 배가 항구에 도착하는 일시를 추정하다.
2. †, ‡, *의 표시가 없는 동사 및 형용사, 명사, 일부의 부사에도 문형을 적용하여 풀이 뒤에 이를 보였다. 문형상 중요한 부사, 전치사는 1과 같은 방식으로 처리하였으며, 뒤에 연결되는 문형의 주요소인 ***that***(접속사), ***wh.***(wh로 시작되는 의문사 또는 whether), ***to*** do 따위를 '/'으로 구분하여《 》안에 보였다.

   보기: ‡**cer·tain** [sə́ːrtən] *a*. **1** Ⓟ (아무가) **확신하는**, 자신하는(sure)《***of, about*** ···을 / ***that*** / ***wh.*** / ***wh. to*** do》: I am ~ *of* his honesty. =I am ~ (*that*) he is honest. 그의 성실함을 확신하고 있다 / I am not ~ *whether* it will succeed. 그것의 성공 여부에 대해서는 자신이 없

다 / I'm not ~ *what to* do. 어찌할 지 잘 모르겠다....

IX. NOTE에 대하여

표제어나 풀이와 관련된 주요 어법이나 참고 사항 등은 NOTE란에 일괄 처리하였다.

X. DIAL.에 대하여

일상 대화에서 흔히 쓰는 독특한 구어 형식의 말을 DIAL.란에 싣고 필요한 경우에는 설명과 용례를 덧붙였다.

XI. 여러 가지 기호

1. 〔 〕 속에 보인 것은 서로 대치할 수 있음을, ( )는 그 속에 표시된 것을 생략할 수 있음을 보이거나, 풀이 앞에서 보충적 설명, 주어, 목적어 관계 따위를 보인다. 보기: **dig... —***vi.* **1** 《~/+전+명》 (손이나 연장을 써서) 파다; 구멍을 파다: … ~ *for* gold 〔treasure〕 금〔보물〕을 찾아 땅을 파다《~ for gold 또는 ~ for treasure》; **dirt...** ***(as) cheap as ~*** 《구어》 굉장히 싼《as cheap as ~ 또는 cheap as ~》.
2. 《 》는 뜻의 부연 및 해설에 썼으며, 또한, 풀이의 앞에서 동사의 문형 표시, 주석 뒤에서 관련 전치사 · 부사 따위를 보이는 데에도 썼다.
   보기: **jack·et... 1** (소매 달린 짧은) 웃옷, 재킷《남녀 구별 없이 씀》.
   con·fess... 1 《~+목/+목+전+명/ …》 (과실 · 죄)를 **고백〔자백〕하다**, …
3. 〘 〙는 풀이 앞에 와서 문법적 관계, 그 풀이의 기본 성격 따위를 보였다.
   보기: **high·est** [háiist] *a.* 〘high의 최상급〙 **가장 높은**.
4. ⇨는 그곳에 해당 항목이 있음을 보인다.
   보기: **end** 항에서 ***be at the ~ of*** one***'s rope*** ⇨ROPE《rope 에 가 보면 이 뜻이 있다는 뜻》.
5. 풀이 대신 =로써 그 다음에 보인 소형 대문자(SMALL CAPITAL)는 '그 뜻은 다음과 같다, 그것을 보라' 의 뜻이다. 보기: **ex·plor·a·tive...** *a.* =EXPLORATORY.
   다만, 이 때 =로 보인 것이 다른 항목이 아닌 자체 항목에 있는 것일 때에는 소형 대문자로 표시하지 않고, 보통의 로만체 활자 또는 ~로 표시했다.
6. ~은 표제어의 되풀이를 피하기 위하여 썼다.
   보기: **right... 1 옳은, 올바른,** (도덕상) 정당한. … ¶ ~ conduct 정당한 행위.
7. ◇ 표는 중요한 낱말의 관련된 품사를 나타낸 것이다.
   보기: **har·mo·nize...** *vt.* **1** 조화시키다, …. ◇ harmony *n*.
8. ★ 표는 어법, 주의 사항, 참고 사항 등을 보일 때 썼다.
   보기: **dam·age...** ★ damage는 '물건' 의 손상을, '사람 · 동물' 의 손상은 injure.

해 설

(A) 발 음

1. 미음과 영음의 차이 미음과 영음은 공통점이 아주 많으므로 다른 점만을 지적하기로 한다. 사선(斜線)을 경계로 왼쪽에 미음을, 오른쪽에 영음을 들었다.

a. [æ/ɑː]: *ask* 전에는 [æsk/ɑːsk]로 표시했으나 근자에는 a의 발음을 [æ]와 [ɑː]의 한 발음 영역으로 넣는 추세에 따라 본 사전에서는 [æsk, ɑːsk]로 처리하였음.
b. [ɑ/ɔ]: *hot* [hɑt/hɔt]. 미음 [ɑ]에 영음 [ɔ]가 대응하는 예는 대단히 많다.
c. [ɔ(ː)]: *dog* [dɔ(ː)g, dɑg]. 미음 [ɔː, ɑ]에 영음 [ɔ]가 대응함을 나타냄. [r, f, θ, s, ʃ, ŋ, g] 앞에 많다: *foreign*, *wash*, etc.
d. [uː/juː]: *duty* 전에는 [d*j*úːti/djúːti]로 표시했으나 본사전에서는 미식 위주로 [d*j*úːti]로 하였음.
e. [əː*r*] [ə*r*]: *bird* [bəː*r*d=bəːd], *stir* [stəː*r*=stɚː]; *butter* [bʌ́tə*r*=bʌ́tɚ]. 미음에서는 철자에 있는 r는 앞 모음에 영향을 준다. 예를 들면 *bird*, *stir*의 모음은, [əː] 보다 좀 높게 혀의 중앙이 올라가는 동시에 혀끝이 경구개 쪽으로 반전하여 (또는 혀 전체가 뒤로 당겨져서) 독특한 모음이 된다. 이것을 'r음색(音色)의 모음(*r*-colored vowel)'이라고 한다. 이것에는 특별 기호 [ɚː]를 써도 좋으나 이 사전에서는 [əː*r*]를 [ɚː]의 뜻으로 써서 영음과 같은 기호로 나타냈다. [ə*r*]는 [əː*r*]가 약해진 음으로, 미음에서는 'r음색이 붙은' 모호한 음이며, [ɚ]의 기호로 보일 수 있으나 여기서는 [ə*r*]를 =[ɚ]의 뜻으로 썼다.
f. 이중모음 [iə*r*, εə*r*, ɔə*r*, uə*r*]도 미음으로는, 둘째 음 [ə*r*]가 [ɚ]이므로 [iɚ, εɚ, ɔɚ, uɚ]로 나타낼 수도 있다: *here* [hiə*r*=hiɚ], *more* [mɔː*r*=mɔɚ]. ★ 미음으로는 이 밖에 [ɑː*r*(=ɑɚ)]가 있다. 영음 *art* [ɑːt], *car* [kɑː]처럼 철자에 r가 있는 [ɑː]에 대응하여 쓰인다.
g. [-əːr-/-ʌr-]: *current* [kəːrənt/kʌ́rənt]도 포괄적으로 [kəːrənt, kʌ́rənt]로 했음.
h. [t]의 변종. 미음에서는 악센트 있는 모음과 악센트 없는 모음 사이에 끼인 [t]는 혀끝이 이에 닿는 시간이 짧고, 또 닿는 정도도 약하다. 그 결과 *water*는 [wátə*r*]로 '와러' 처럼 들린다. 또 [t] 바로 앞에 [n]이 있으면 이 현상의 영향으로 [t]는 뚜렷이 들리지 않는 경우가 있다. 즉 center가 '세너', twenty가 '트웨니' 처럼 된다.
i. *wh*-붙은 말: *when* [hwen, wen/wen, hwen]. 곧 미음에서는 [hwen]이 보통이나 영음에서는 [wen]쪽이 보통이다. 이 사전에서는 이러한 점을 고려하여 [*h*wen]으로 표기했다.
j. 악센트에도 《美》《英》의 차를 인정해야 할 경우가 있다. 일반적으로 미음은 영음보다도 부악센트를 잘 보존하고 있다. 이것은 *-ary*, *-ery*, *-ory*가 붙는 말에 현저하다: *secretary* [sékrətèri/-tri], *dormitory* [dɔ́ː*r*mətɔ̀ːri/-təri], *stationery* [stéiʃənèri/-nəri], etc.
k. 또 *z* [ziː/zed], *vase* [veis/vɑːz], *schedule* [skédʒu(ː)l/ʃédjuːl] 따위처럼 특정어의 차이는 일일이 들지 않았다.

이상은 《美》《英》의 발음 차이의 대강이지만 영음으로 든 것이 미음의 변종으로, 미음으로 보인 것이 영음의 변종으로 쓰이기는 흔한 일이다. 오늘날 매스 미디어와 교통 수단의 발달은 세계를 더욱 좁히고 있으므로 《美》《英》 양음이 서로 영향을 주는 기회도 많으리라고 믿는다.

2. 비영어 및 그 밖의 기호

[y] 입술을 둥글려서 [i]를 발음할 때의 소리: *Zürich* [tsýːriç]
[ø] 입술을 둥글려서 [e]를 발음할 때의 소리: *feu de joie* [fødəʒwa], *Neufchâtel* [nøʃɑtεl]
[œ] 입술을 둥글려서 [ε]를 발음할 때의 소리: *jeunesse dorée* [ʒœnεsdɔre], *oeil-de-boeuf* [œjdəbœf]
[ɑ̃] 비음화한 [ɑ]: *pensée* [pɑ̃se], *sans* [sɑ̃]
[ε̃] 비음화한 [ε]: *vin* [vε̃]
[ɔ̃] 비음화한 [ɔ]: *bonsoir* [bɔ̃swaːr], *garçon* [gɑːrsɔ̃]
[ç] 가운데혓면을 경구개에 다가서 내는 무성 마찰음: *Reich* [raiç]
[x] 뒤혓면을 경구개에 다가서 내는 무성 마찰음: *Bach* [bɑːx], *loch* [lɑx]
[ɥ] [y]에 대응하는 반모음: *ennui* [ɑ̃nɥi]
[ɲ] 구개화한 [n]: *Montaigne* [mɔ̃tεɲ]
[ɯ] 입술을 둥글리지 않는 [u]: *ugh* [ɯːx]
[Φ] 양 입술을 좁혀서 내는 무성 마찰음; 우리말「후」의 자음: *phew* **[Φː]**
[̥] 무성화의 기호: *hem* [m̥m]
[ʇ] 혀를 차면서 내는 소리: *tut* [ʇ, tʌt]

(B) 문 형(sentence pattern)

이 사전에서는 29의 동사형(動詞型)(verb pattern)을 설정하였는데, 동사형 1(완전자동사)과 동사형 9(완전타동사)의 2형은 원칙적으로 표시를 생략하였다.

1. 《~》—동사형 1은 동사형 2 및 동사형 6, 7 이외의 완전자동사를 가리킨다. 이 사전에서는 특히 필요가 있는 경우를 제외하고는, 동사형 1을 표시하지 않았다. 따라서 자동사로서 특히 문형 표시가 없으면, 그것은 동사형 1에 속하는 동사라는 뜻이다.
   보기: Birds *fly*. / He *died*. / There *is* a garden in front of the house.

2. 《~+부》—이 경우의 부는, 부사 일반을 가리키는 것이 아니라, 동사와 밀접하게 결합하는 부사적 소사(小辭)(adverbial particle) 및 일정한 자동사에 관용적으로 결합하여 쓰이는 소수의 부사를 가리킨다. 부사적 소사란, in, out, on, off, down, up, about, across, around, along, over, through, by, past, under 따위의 말을 이른다.
   보기: He *came in* 〔*out*〕. / Prices are *going up* 〔*down*〕. / He *went back* 〔*away*〕.

3. 《~+보》—이 형의 보는 주격보어(subjective complement)를 나타내며, 쓰이는 동사는 불완전자동사이다. 주격보어에는 명사 및 형용사와 그 상당 어구가 온다. 이 형으로 쓰이는 주요 동사에는 be, look, seem, appear, feel, smell, sound, taste, become, get, grow, turn, come, go, fall, run, keep, remain 등이 있다.
   보기: This *is* my car. / He *looked* happy. / She *became* a singer. / He *remained* poor all his life.

4. 《~+*to be* 보》《~+(*to be*) 보》—이 형은 자동사가 ① 반드시 to be를 수반하는 것과, ② to be가 생략될 수 있는 것의 두 가지로 이루어진다. 형용사가 afraid, asleep, awake 등의 서술형용사일 때에는 to be를 생략할 수 없으므로, ①의 형을 취한다. 이 형으로 쓰이는 주요한 동사는 seem, appear, happen, chance, prove, turn out 따위이다.
   보기: ① He *seems to be* asleep. / I *happened to be* out when she called.
   ② He *seems* (*to be*) angry. / The street *appeared* (*to be*) deserted.

5. 《~+*as* 보》—as 보란 as에 의해서 이끌리는 일종의 주격보어를 가리킨다. as 다음에는, 자격·지위·직능·구실 등을 나타내는 명사가 온다. 이 경우에 as 다음에 오는 단수형의 가산명사(countable noun)에는 부정관사를 붙이지 않는 것이 보통이다.
   보기: Mr. Brown *acted as* chairman. / He *died as* president.

6. 《~+전+명》—자동사가 그 다음에 전치사와 그 목적어인 명사 또는 명사 상당 어구를 수반할 때의 동사형이다. 전+명은 ① 장소를 나타내는 부사구일 때와, ② 자동사와 의미상 밀접히 결부되어 전체적으로 관용적인 구를 이루며, 동사에 따라 쓰이는 전치사가 일정하게 한정돼 있는 것이 있다. 후자의 경우, 자동사와 전치사의 결합이 거의 타동사에 가까운 것도 있다.
   보기: ① He *looked out of* the window. / Our school *stands on* a hill.
   ② The house *belongs to* him. / Please don't *wait for* me.

7. 《~+전+명+*to* do》—이 형은 엄밀하게는 6의 일종이며, 《~+전+명》에 to부정사가 딸린 것이다. '명사+부정사' 전체가 전치사의 목적어를 이루는 것이 많은데, 명사는 부정사의 의미상의 주어가 된다.
   보기: I am *waiting for* him *to* arrive. / They have *arranged for* a taxi *to* meet you at the airport.

8. 《~+*done*》—이 형은 3의 《~+보》의 일종으로, 보어 가운데 특히 과거분사를 취하는 경우의 형을 나타낸 것이다. "*done*"은 자동사의 주격보어에 상당한다.
   보기: He *remained undisturbed*. / The knot *came untied*.

9. 《~+목》—목은 목적어를 가리킨다. 이 동사형의 동사는 완전타동사이며, 목적어 이외의 다른 요소는 필요로 하지 않는다. 타동사가 목적어를 취함은 자명한 것이므로, 이 사전에서는 필요한 경우를 제외하고는 이 동사형의 표시는 생략하였다. 또, 이 동사형 및 아래의 타동사를 포함하는 각 동사형의 수동태에 관해서는, 이 사전에서는 수동태는 능동태의 운용형으로 간주하여 같은 동사형으로 다루었다.
   보기: I *like* sports. / He *painted* the picture. / This picture was *painted* in 1920.

10. 《~+[목]+[부]》—이 형은 2의 《~+[부]》에 대응하는 것으로서, 그 타동사형이라고 말할 수 있다. 부사는 동사와 밀접하게 결합되는 부사적 소사가 주이지만, 그 밖에도 타동사와 관용적으로 결합되어 쓰이는 약간의 부사도 포함된다. 목적어가 명사인 경우, 부사적 소사는 목적어에 선행하여 동사의 바로 뒤에 오는 수도 있다. 또, 목적어가 긴 경우에도, 부사적 소사는 동사의 직후에 오는 일이 많다. 목적어가 인칭 대명사일 때, 부사는 반드시 목적어 뒤에 온다.

보기: He *put* his coat *on*. / He *put on* his hat. / Don't *throw away* anything useful. / I *took* her *home*.

11. 《~-*ing*》—이 동사형의 -ing은 ① 자동사 다음에 놓이어 일종의 보어의 구실을 하는 현재분사와, ② 타동사의 목적어인 동명사의 두 가지로 나뉘어진다. ①은 동사형 8 《~+*done*》과 같은 종류의 것이다. 이 경우의 자동사는 반드시 불완전자동사에 한정되어 있지 않으며, 뒤에 이어지는 현재분사는 '…하면서' '…하여서'의 뜻을 나타내고, 동사와 동시적(同時的)인 동작을 나타내는 수도 있다. ②의 타동사 가운데에는 목적어로서 동명사 외에 to 부정사를 취하는 것도 있다(이 경우에는 동사형 12가 된다).

보기: ① He *stood listening* to the music. / He *came running* to meet us.
② He's *stopped smoking*. / Boys *like playing* baseball. / We must *prevent* their *coming*.

12. 《~+*to* do》—이 동사형에는, ① 동사가 자동사이며 to do가 그 보어 또는 부사적 수식어를 이루는 것과, ② 동사가 타동사이며 to do가 그 목적어인 것의 두 가지가 있다. ①의 to do는 목적·결과 등 외에 여러 가지 의미 관계를 나타낸다.

보기: ① His ambition *is to* become a doctor. / We *are to* meet at the airport. / We *stopped to* rest.
② I *want to* see you. / I'd *like to* go to the movies. / I *forgot to* mail your letters.

13. 《~+[목]+*to* do》—이 동사형은 목적어와 목적보어로서 to부정사를 수반하는 것이다. 이 가운데 동사가 생각·판단 등을 나타내고, 목적어와 to부정사와의 사이에 의미상 주어와 술어의 관계가 있는 것은, to 부정사가 to be로 되는 것이 많으며, 이것은 이 사전에서는 동사형 16으로서 따로 다루었다.

보기: I *told* him *to* wait. / He doesn't *want* his son *to* become an artist.

14. 《~+[목]+[보]》—이 형의 동사는 주로 불완전타동사이며, 목적보어를 수반하는 것이다. 목적보어에는 명사 또는 명사 상당어구 및 형용사 또는 형용사 상당어구가 쓰이며, 동사가 나타내는 동작의 결과나 동시적인 상태 따위를 나타낸다.

보기: We *call* him Teddy. / They *elected* him president. / He *made* her happy.

15. 《~+[목]+*as* [보]》—이 형은 목적보어가 as로 인도되는 어구의 경우이다. as 뒤에는 명사 또는 명사 상당어구 및 형용사 또는 형용사 상당어구가 온다. The idea *strikes* me as silly. 는 외형상 이 동사형에 속하는 것 같지만, as 이하가 주어에 대한 동격적 서술어를 이루는 특수한 예이다.

보기: We *regard* it *as* a waste of time. / I will *describe* him *as* really clever.

16. 《~+[목]+*to be* [보]》《~+[목]+(*to be*) [보]》—이 형은 부정사가 to be 임을 제외하면, 동사형 13과 같은 것이다. 이 형의 동사는 생각·판단 따위를 나타내며, 목적어와 to be [보] 사이에는 의미상 주어와 술어의 관계가 성립한다. 동사에 따라서는 to be를 생략할 수 있는 것이 있는데, 그것들은 《~+[목]+(*to be*) [보]》로 표시된다. to be를 생략한 경우는 동사형 14와 같은 것이 된다. 구어에서는 동사형 16 대신에 동사형 20이 선호된다.

보기: They *felt* the plan *to be* unwise. / We *know* him *to* have *been* a spy. / They *reported* him (*to be*) the best doctor in town.

17. 《~+[목]+*do*》—do는 원형부정사를 나타낸다. 이 형에서 쓰이는 동사는 ① 지각동사와 ② 사역동사로 나뉘어진다. 원형부정사는 이들 동사의 목적보어에 상당한다. 동사형 17에 쓰이는 주요한 동사로는, ① see, hear, feel, watch, observe, notice, ② make, let, bid, have 따위가 있다. 사역동사는 아니지만 《美》에서는 help를 이 동사형에 쓴다(영국에서는 동사형 13이 된다).

보기: ① I *saw* him *cross* the street. / Did you *notice* anyone *leave* the building?
② What *makes* you *think* so? / He *has* his secretary *type* his letters.

18. 《~+[목]+-*ing*》—이 형에서의 -ing은 현재분사로, 목적보어로서 쓰이고 있다. 이 형으로 사용되는 동사는 동사형 17의 ①과 공통되는 것 이외에, smell, find, catch, keep, leave, have, set, start 따위가 있다. 그리고, 이 형의 -ing에는 동명사로서 목적격인 명사나 인칭대명사 이외의 대명사를 의미상의 주어로 삼는 용법도 포함된다. 이에 쓰이는 주된 동사는 like, hate, mind, imagine, fancy, remember, understand 등이다.

보기: I *saw* him *crossing* the street./I *heard* her *playing* the piano./I can *smell* something *burning*./I don't *understand* him *behaving* like that./I don't *like* the boys *playing* about here.

19. 《~+목+*done*》—done은 과거분사를 나타낸다. 이 형에서는 과거분사는 목적보어로서 쓰이며, 일반적으로 목적어와의 사이에 피동의 관계가 성립한다. 이 형으로 쓰이는 주요 동사는 feel, hear, see, find, like, make, want, wish, get, have 따위이다.

보기: She *heard* her name *called*./I will *have* my watch *repaired*./He *made* himself *understood*.

20. 《~+*that* 절》《~+(*that*)절》—that 절은 접속사 that로 인도되는 명사절로서, 이 형의 문에는 ① 타동사의 목적어인 것, ② 《~+전+명》의 형에서 쓰이는 자동사 가운데 전치사 없이 직접 that 절을 수반하는 것, ③ it seems[appears] that... 또는 it happened [chanced] that... 등의 형식이 있다. 또 구어에선 think, suppose, hope, wish, say 따위처럼 흔히 쓰이는 동사 뒤에서는 보통 that가 생략되는데, 그것은 《~+(*that*)절》로 표시했다.

보기: ① I *think* (*that*) he is an honest man.

② He *insisted that* he was innocent.(*cf*. He *insisted on* his innocence.)/She *complained that* it was too hot.(*cf*. She *complained of* the heat.)

③ It *seems that* he is fond of sweets./It *happened that* he was busy when I called.

21. 《~+목+*that* 절》—이 동사형에는 ① 목적어가 간접목적어이고 that절이 직접목적어에 상당하는 것과, ② that절이 동사형 28《~+목+전+명》의 전+명에 상당하는 것의 두 가지가 포함된다. 이 형으로 쓰이는 주된 동사는 ① show, teach, tell, promise, ② assure, convince, inform, remind, satisfy, warn 따위가 있다.

보기: ① Experience has *taught* me *that* honesty pays./He *promised* me *that* he would be home for dinner.

② They *warned* us *that* the roads were icy.(*cf*. They *warned* us *of* the icy roads.)/He *informed* us *that* he was willing to help.(*cf*. He *informed* us *of* his willingness to help.)

22. 《~+*wh*. *to* do》—wh.는 주로 wh로 시작되는 의문대명사와 의문부사(how를 포함) 및 종속접속사 whether를 가리킨다. 다만, 동사형 22에서는 why는 쓰이지 아니한다. 이 동사형에서는 *wh*. *to* do는 명사구를 이루며, 동사의 목적어가 된다.

보기: We could not *decide what to* do./I don't *know how to* play chess.

23. 《~+목+*wh*. *to* do》—동사형 22의 wh. to do 앞에 목이 놓인 형식으로, 주로 목은 간접목적어에, wh. to do는 직접목적어에 상당한다. 이 동사형에 쓰이는 주요 동사는 동사형 25와 공통이며, 본래 동사형 28에서 쓰이는 동사도 여기에 포함되어, advise, ask, inform, show, tell 따위이다.

보기: *Ask* him *where to* put it./I *showed* her *how to* do it./Please *inform* me *where to* get them.

24. 《~+*wh*. 절》—이 형에서 wh.절은 타동사의 목적어에 상당하며, wh.-words로는 동사형 22에서 쓰이는 말 외에, 의문부사 why와 종속접속사 if(=whether)가 포함된다. 단, He meant *what he said*.와 같은 글에서는 what는 관계대명사로 인도되는 종속절이며, 동사형 9에 속한다.

보기: He *asked why* I was late./Do you *know if* he is at home today?

25. 《~+목+*wh*. 절》—형 23의 wh. to do 대신 wh.-words로 인도되는 종속절이 사용되는 것 외에는 동사형 23과 같다. 주로 목은 간접목적어, wh.절은 직접목적어에 해당.

보기: *Ask* him *where* she lives./Can you *tell* me *how* high the mountain is?/Please *inform* me *whether* this train stops at Yongsan.

26. 《~+목+목》—앞의 목은 간접목적어, 둘째 목은 직접목적어이다. 간접목적어는 주로 사람을, 직접목적어는 주로 물건을 나타낸다. 간접목적어가 강조될 때, 또는 긴 경우에는 문장의 균형상, 직접목적어가 먼저 오고, 간접목적어는 to나 for의 뒤에 와, 동사형 28이 된다. 수동태에선 양목적어가 다 주어로 될 수 있지만, 한 쪽만 허용되는 것도 있다.

보기: I *gave* him a watch./*Tell* me the story./Will you *buy* me some stamps?

27. 《~+목+부+목》—맨 처음의 목은 간접목적어, 다음 목은 직접목적어이다. 이 동사형에서는 부사 또는 부사적 소사는 동사와 의미상 밀접히 관련되어 관용적인 구를 이루며, 간접목적어로서의 명사 또는 대명사는 그 사이에 온다. 그 때, 직접목적어의 위치는 항상 부사의 뒤이다. 직접목적어의 위치를 앞으로 옮

기면, 《~+(직)목+부+전+명》 또는 《~+부+(직)목+전+명》이 된다. 《~+목+목+부》 또는 《~+부+목+목》으로는 되지 않는다. 전치사를 쓰는 형에서는 동사에 따라 to 또는 for가 사용된다.

보기: Please *bring* me *back* those books.(=Please *bring back* those books to me.)/He *made* me *up* a parcel of books.(=He *made up* a parcel of books for me.)

28. 《~+목+전+명》—이 동사형에는 ① 전+명이 의미상 동사와 밀접히 관련되어 관용적인 어군을 이루고, 동사에 따라 결합하는 전치사가 항상 일정한 것, ② 전치사는 주로 to 또는 for로 한정되며, 명은 동사형 26《~+목+목》의 간접목적어에 상당하는 것, ③ 전+명이 장소·방향·기간 따위의 뜻을 나타내는 부사구인 것이 포함된다. ②에 쓰이는 동사는 동사형 26과 같다. 전치사 for를 취하는 주요 동사는 buy, choose, get, save, make, grow, find, do, cook, leave, order, play, reach, prepare 따위이다.

보기: ① I *congratulated* him *on* his success./I *explained* the problem *to* him.
② He *sold* his old car *to* one of his friends./She *made* coffee *for* all of us.
③ Don't *stick* your head *out of* the car window./He *took* his children *to* the park.

29. 《~+전+명+*that* 절》—이 형에서는 that절은 동사의 직접목적어에, 전+명은 간접목적어에 상당한다. 동사형 21과 달리, 간접목적어는 반드시 전+명으로 표시된다. 전+명은 동사의 바로 뒤, that절의 앞에 오며, 전치사로는 to가 쓰인다. 이 때 쓰이는 주요 동사엔 admit, complain, confess, explain, remark, say, suggest 등이 있다. 간접화법의 전달동사로서는 *say to* a person *that*... 보다는 *tell* a person *that* ...이 보편적.

보기: He *explained to* us *that* he had been delayed by the weather./He *suggested to* John and Mary *that* they go to Spain for their holidays.

약 어 표

a.	adjective(형용사)	*pl.*	plural(복수)
ad.	adverb(부사)	*pp.*	past participle(과거분사)
aux. v.	auxiliary verb(조동사)	*pref.*	prefix(접두사)
conj.	conjunction(접속사)	*prep.*	preposition(전치사)
def. art.	definite article(정관사)	*pron.*	pronoun(대명사)
fem.	feminine(여성)	*rel. pron.*	relative pronoun(관계대명사)
imit.	imitative(의성어)	*sing.*	singular(단수)
impv.	imperative(명령법)	*suf.*	suffix(접미사)
indef. art.	indefinite article(부정관사)	*v.*	verb(동사)
int.	interjection(감탄사)	*vi.*	intransitive verb(자동사)
mas.	masculine(남성)	*vt.*	transitive verb(타동사)
n.	noun(명사)	&	and
p.	past(과거)		

Am. Ind.	American Indian	MDu	Middle Dutch	OF	Old French
Am. Sp.	American Spanish	ME	Middle English	OHG	Old High German
Can. F.	Canadian French	MHG	Middle High German	ON	Old Norse
Egypt.	Egyptian	MLG	Middle Low German	Rom.	Romanic
Finn.	Finnish	NL	Neo-Latin	Sem.	Semitic
Goth	Gothic	ODu	Old Dutch	W. Ind.	West Indies
LG	Low German	OE	Old English		

《Ar.》	Arabic	《Hung.》	Hungarian	《Port.》	Portuguese
《Austral.》	Australia	《Ind.》	India	《Russ.》	Russian
《Can.》	Canada	《Ir.》	Irish	《Sans.》	Sanskrit
《Chin.》	Chinese	《It.》	Italian	《Sc.》	Scotch
《D.》	Dutch	《Jap.》	Japanese	《Slav.》	Slavic
《F.》	French	《L.》	Latin	《Sp.》	Spanish
《G.》	German	《Malay.》	Malayan	《Swed.》	Swedish
《Gr.》	Greek	《N. Zeal.》	New Zealand	《Teut.》	Teutonic
《Haw.》	Hawaiian	《Norw.》	Norwegian	《Turk.》	Turkish
《Heb.》	Hebrew	《Per.》	Persian	《Yid.》	Yiddish
《Hind.》	Hindustani	《Pol.》	Polish		

《美》	미국 용법	《英》	영국 용법

A[1], **a**[1] [ei] (*pl.* **A's, As, a's, as** [-z]) *n.* **1** Ⓤ (구체적으로는 Ⓒ) 에이《영어 알파벳의 첫째 글자》. **2** Ⓤ (연속하는 것의) 첫번째(의 것).
from A to B 어떤 장소에서 다른 장소로. ***from A to Z*** 처음부터 끝까지, 전부: learn a subject *from A to Z* 어떤 과목을 남김없이 전부 배우다. ***the A to Z of ...*** (know, learn과 함께 사용하여) …에 관한 모든 것: He knows *the A to Z of* sports. 그는 스포츠에 관해서 정통하다.

A[2] (*pl.* **A's, As** [-z]) *n.* **1** Ⓒ A자 꼴(의 것). **2** Ⓤ (구체적으로는 Ⓒ) (5단계 평가에서) 수, 에이: all 〔straight〕 *A's* 올 에이/get an *A* in English 영어에서 A학점을 따다. **3** Ⓤ (ABO식 혈액형의) A형. **4** Ⓤ 〖음악〗 가음(고정 도 창법의 'la'); 가조: *A* major 〔minor〕 가 장조〔단조〕.

a[2] (*pl.* **a's, as** [-z]) *n.* Ⓒ 〘보통 *a*자 꼴로〙 〖수학〗 첫째 기지수(旣知數). cf. b[2].

†**a**[3], **an** [강 ei, 약 ə], [강 æn, 약 ən] *indef. art.* 〔one과 동어원〕

> **NOTE** (1) **a와 an** 자음으로 시작되는 말 앞에서는 a, 모음으로 시작되는 말 앞에서는 an을 씀: a cow, an ox; a horse, an hour [auər]; an uncle, a unit; an office girl, a one-act play; a u, an SOS.
> (2) **강형과 약형** 부정관사를 독립하여 읽거나 특히 강조해서 말할 경우에 [ei, æn]으로 발음하고 그 밖의 경우에는 [ə, ən]으로 발음함.
> (3) **어순** ⓐ a(n) (+[부])+[형]+[명]의 경우: an extremely fine day. ⓑ many, what, half, quite, rather, such+a(n)+[형]+[명]의 경우: many a boy / What a pity ! / half an hour《(美)에서는 종종 a half hour》/quite a young lady / rather an idle boy / such a fine day. ⓒ as, how, so, too+[형]+a(n)+[명]의 경우: as 〔so, too〕 heavy a book / How beautiful a day ! ⓓ no less는 a보다 앞섬: no less a person than himself 다름 아닌 바로 그 사람 자신.
> (4) this, that, some 등의 한정어나 my, his 등의 소유격은 a(n)과 나란히 쓰지 못함《a this boy, a my friend 등은 잘못임》.
> (5) 호격은 무관사: Hello, *friend !*
> (6) 보어로 쓰인 명사가 관직 · 지위 · 역할 등을 나타낼 때는 무관사: He was elected *chairperson.* 그는 의장으로 선출되었다.

1 〘많은 동종의 것 중 하나를 가리킬 때 쓰이며, 보통 번역하지 않음(one of many)〙: I am *a* boy. 나는 소년이다/Call me *a* taxi. 택시를 불러다오. ★ 처음 화제에 오르는 단수 보통 명사에 붙이는 a도 이 부류에 속함. 같은 명사가 두 번째 쓰일 때에는 the를 붙임.
2 〘one의 뜻으로〙 **하나의, 한 사람의**: *a* dollar, 1달러/in *a* day or two 하루 이틀에/in *a* word 한 마디로 말하면/*a* watch and chain 사슬 달린 시계《and는 with의 뜻》/*a* friend of mine 나의 한 친구/He is *a* poet and novelist. 그는 시인이자 소설가이다《비교: *a* poet and *a* novelist 시인과 소설가 (두 사람)》/Yes, I had *a* [ei] reply. 예, 일단 회답은 받았습니다(만)《불만스러움》.
3 〘any의 뜻으로 총칭적〙 …**라는 것은**, …은 모두: *A* dog is faithful. 개는 충실하다. ★ 복수 구문이라도 some, any는 쓰지 않음: Dogs are faithful.
4 〘some, a certain의 뜻으로〙 어떤〔어느〕 (정도의), 약간의, 조금의: for *a* time 잠시 동안/in *a* sense 어떤 의미로는/I have *a* knowledge of astronomy. 천문학에 관해 좀 알고 있다.
5 〘물질 명사에 붙여서〙 …**으로 만든 것**; 1개의; 일종의; 한 잔의《마실 것 따위》: *a* cloth (일종의) 천/*a* beer 〔coffee, tea〕 맥주〔커피, 차〕 한 잔/*a* bronze 청동 제품.
6 〘추상 명사에 붙여서〙 …의 (구체적인) **한 예**: *a* kindness 친절한 행위/*a* murder 살인 사건/have *a* sleep 한숨 자다.

> **NOTE** 이 경우 동사에서 전환된 명사나 동명사에 a가 붙는 일이 많음. 또 유일물(唯一物)에 형용사가 붙을 때 a가 쓰임. 이를테면 달은 유일물로서 일반적으로 *the* moon이지만, a가 올 때도 있음: There was *a* beautiful moon in the sky. 하늘에는 아름다운 달이 떠 있었다.

7 〘고유 명사에 붙여서〙 **a** …**라는** (이름의) **사람**: *a* Mr. Smith 스미스씨라는 사람. **b** …**와 같은** (재능 · 성질이 있는) **사람**: *an* Edison 에디슨과 같은 발명가. **c** …가문〔문중〕의 사람, …가문 출신: *a* Smith 스미스 가문의 사람/My mother was *a* Hodge. 나의 어머니는 하지 가문 출신이었다. **d** …의 작품, …의 제품: *a* Picasso 피카소의 작품/*a* Ford 포드 차. **e** 문어에서, 사람 등의 새로운 양상(樣相)이나 그때까지 알려지지 않은 면을 나타냄: *a* vengeful Peter Baron 복수심에 불타는 피터 배런.
8 〘per의 뜻〙 …당, **한** …**에**, 매 …에 (얼마): once *a* day 하루에 한 번/5 dollars *a* yard 야드당 5달러/We have English four hours *a* week. 영어가 일 주일에 4시간 있다.
9 〘관용어법으로〙 few, little, good 〔great〕 many의 앞에 붙임. cf. few, little, many.
10 〘기수사와 함께〙 약(about): *a* twenty miles 약 20마일/*a* thirty men 약 30명의 사람들.
11 〘서수사의 앞에 쓰여〙 또 한 번, 또 하나(의) (another): He tried to jump up *a* third time. (두 번 뛰고 나서) 그는 다시 한 번 뛰어오르려 했다.
12 〘of a... 형태로〙 동일한, 같은(one and the same): BIRDS *of a* feather flock together./They are *of an* age. 그들은 동갑이다.
13 〘a+최상급〙 대단히〔무척〕 …한(very): It is *a* most discreet decision. 그것은 대단히 사려 깊은 결정이다.
14 〘[ei]로 발음하여〙 훌륭한, 대단한: She has *a* voice. 그녀는 고운 목소리를 지니고 있다/She

has *a* leg! 그녀는 정말 춤을 잘 춘다 / It was *a* sight. 굉장한 구경거리였다.
15 〖a ... of a＿의 꼴로〗 …와 같은—: *a* mountain *of a* wave 산더미 같은 파도 / *an* angel *of a* wife 천사 같은 아내.

a⁴ [ə] *prep.* 《구어 · 방언》 =OF: thread *a* gold 금실 / kind*a* 〔sort*a*〕 다소(kind of).

a⁵ [ə, æ] *aux. v.* 《구어 · 방언》 〖종종 앞 조동사에 붙여〗 =HAVE: You must *a* 〔must*a*〕 done it. =You must have done it.

à [ɑː] *prep.* 《F.》 to, at, in, after 따위의 뜻: ⇨ À LA CARTE, À LA MODE, etc.

a-¹ [ə] *pref.* **1** in, into, on, to, toward 의 뜻. **a** 〖명사에 붙여〗: *a*foot 도보로 / *a*shore / *a*bed. **b** 〖동사에 붙여〗: *a*buzz. ★ a, b 모두 서술 형용사 · 부사를 만들며 명사 앞에는 오지 않음. **c** 〖현재분사에 붙여〗 《고어 · 시어 · 방언》: go *a*-hunt*ing*(=go hunting) / The house is *a*-build*ing*(=is being built). 집은 건축 중. **2 a** =AB- 《m, p, v 앞에서》: *a*vert. **b** =AD- 《gn, sc, sp, st 앞에서》: *a*scend.

a-² [ə] *pref.* non-, without-의 뜻: *a*chromatic, *a*moral, *a*tonal.

-a [ə] *suf.* '산화물'의 뜻.

A Answer; ampere; 〖화학〗 argon. **A.** absolute (temperature); Academician; Academy; Airplane; America(n); April; Army; Artillery. **a.** about; acre(s); act(ing); adjective; age(d); alto; ampere; are²; 〖야구〗 assist(s); at. **Å** angstrom.

@ [ət] *ad.* 《L.》 (=at) 〖상업〗 단가 …로.

AA, A.A. Alcoholics Anonymous; Antiaircraft; 《英》 Automobile Association (자동차 협회) 《자동차 운전자의 단체로 도로상 고장 수리 등의 서비스를 행함》.

AAA, A.A.A. [èièiéi, trípəl èi] American Automobile Association.

aard·vark [ɑ́ːrdvɑ̀ːrk] *n.* Ⓒ 〖동물〗 땅돼지 《남아프리카산 개미핥기의 일종》.

Aar·on [ɛ́ərən, ǽr-] *n.* 〖성서〗 아론 《모세의 형, 유대교 최초의 제사장》.

AB [éibìː] *n.* Ⓤ (ABO식 혈액형의) AB형.

ab- [æb, əb] *pref.* '분리 · 이탈'의 뜻: *ab*normal, *ab*use.

A.B. able-bodied (seaman); *Artium Baccalaureus* 《L.》 (=Bachelor of Arts).

ab·a·ca [æ̀bəkɑ́ː, ɑ̀ːbə-] *n.* Ⓒ 〖식물〗 마닐라삼 《필리핀 주산》; Ⓤ 그 섬유, 아바카.

ab·a·ci [ǽbəsai] *n.* ABACUS의 복수.

aback [əbǽk] *ad.* 뒤로; 〖항해〗 바람을 돛의 앞으로 받아. ***be taken*** ~ 뜻밖의 일을 당하다, 깜짝 놀라 (당황하)다 《***by, at*** …에》: I *was taken* ~ *by* the news. 나는 그 소식에 놀랐다.

ab·a·cus [ǽbəkəs] (*pl.* ~·***es, -ci*** [-sài]) *n.* Ⓒ **1** (아이들에게 셈을 가르치는) 계산기; (동양의) 주판. **2** 〖건축〗 (원주두(圓柱頭)의) 관판(冠板), 대접받침.

abaft [əbǽft, əbɑ́ːft] *ad., prep.* 〖항해〗 고물에〔로〕, (…보다) 고물에 가까이; (…의) 뒤에: wind from ~ 순풍 / ~ the mast 돛대 뒤쪽에.

ab·a·lo·ne [æ̀bəlóuni] *n.* Ⓒ 〖패류〗 전복 《껍데기로 단추 · 장식품 따위를 만듦》; Ⓤ 전복의 살.

⁑aban·don¹ [əbǽndən] *vt.* **1** (사람 · 배 · 나라 · 장소 · 지위 등)을 **버리다**, 버려 두다; 버리고 떠나다: ~ one's home 생가를 떠나다 / *Abandon* ship! (침몰하고 있는) 배를 떠나라.

SYN. **abandon**은 '책임이 있으므로 하는 수 없이 사람이나 물건을 버림'을 말함. **desert**는 abandon보다 뜻이 강하여, '의무나 맹세를 무시하고서까지 버림'을 말함. **forsake**는 '자신이 사랑하는 사람이나 물건을 버림'을 말함. **quit**는 '그만둠'을 이름: He may *quit* his job. 그는 일을 그만둘지도 모르겠다.

2 《~+목/+목+전+명》 (계획 · 습관 등)을 **단념하다**, 그만두다 《***for*** …대신에》: ~ all hope 모든 희망을 단념하다 / They ~*ed* the plan *for* another one. 그 계획을 단념하고 다른 것으로 바꾸었다. ★ give up이 구어적임.
3 《+목+전+명》 〖~ oneself〗 몸을 내맡기다 《***to*** (쾌락 따위)에》: He ~*ed himself to* pleasure(s) 〔grief〕. 그는 환락〔비탄〕에 빠졌다.

aban·don² *n.* 《F.》 Ⓤ 방종, 방자: shout and cheer with 〔in〕 gay ~ 멋대로 소리치고 환호하다 / The mobs killed with ~. 폭도들은 닥치는 대로 살해했다.

abán·doned *a.* Ⓐ 버림받은; 방탕한, 타락한; 파렴치한; 폐기된 《채굴장 · 광산 등》: an ~ child 기아(棄兒) / an ~ villain 〔woman〕 무뢰한(無賴漢)〔닳고 닳은 여자〕.

abán·don·ment *n.* Ⓤ 포기; 유기; 자포자기, 방종; 〖법률〗 위부(委付): ~ clause 위부 조항 / ~ of a right 기권.

abase [əbéis] *vt.* (지위 · 품격 등)을 깎아내리다〔낮추다〕; 〖~ oneself〗 자기를 낮추다, 비하하다.

abáse·ment *n.* Ⓤ (품위 등의) 실추, 비하: (the) ~ of the law 법의 권위 실추.

°abash [əbǽʃ] *vt.* 부끄럽게 하다; 당혹하게 하다 《★ 흔히 수동태로 쓰며, 전치사는 *at, by*》: Your kindness ~*es* me. 친절히 해주셔서 송구스럽습니다 / She *was* 〔felt〕 ~*ed at* the sight of the room filled with strangers. 낯선 사람으로 가득찬 방을 보고 그녀는 머뭇머뭇하였다. ⓜ ~·**ment** *n.* Ⓤ 수치, 곤혹.

***abate** [əbéit] *vt.* **1** (고통 · 기세 따위)를 **덜다**, 누그러뜨리다: The pain is ~*d*. 아픔이 덜해졌다. **2** 〖법률〗 (불법 방해)를 배제하다. **—** *vi.* (기세 · 격렬함이) 약해지다, 누그러지다; (홍수 · 폭풍우 · 노여움 등이) 가라앉다, 자다: The storm 〔noise〕 ~*d*. 폭풍〔소란〕이 가라앉았다.

abáte·ment *n.* **1 a** Ⓤ 인하, 감소; 감퇴; 감액: allow no ~ from the price 값을 깎아주지 않다. **b** Ⓒ 감소액; 《특히》 감세액. **2** Ⓤ 〖법률〗 (불법 방해의) 배제.

ab·a·tis, -at·tis [ǽbətìː, -tis, əbǽtis/ǽbətis] (*pl.* ~ [-tìːz], ~·***es*** [-tisiz]) *n.* Ⓒ 〖군사〗 녹채(鹿砦), 가시 울타리.

ab·at·toir [ǽbətwɑ̀ːr] *n.* 《F.》 Ⓒ 도살장 (slaughterhouse).

ab·ba·cy [ǽbəsi] *n.* Ⓒ (남자 또는 여자) 대수도원장(abbot)의 직〔지위, 임기〕.

ab·bess [ǽbis] *n.* Ⓒ 여자 대수녀원장.

***ab·bey** [ǽbi] *n.* Ⓒ **1** (abbot 또는 abbess가 관할하는) **대수도원**. **2** (본디 대수도원이었던) 대교회당 · 성당 또는 큰 저택(邸宅). **3** (the A-) = WESTMINSTER ABBEY.

°ab·bot [ǽbət] *n.* Ⓒ 대수도원장.

abbr(ev). abbreviated; abbreviation(s).

°ab·bre·vi·ate [əbríːvièit] *vt.* **1** (어 · 구)를 약(略)해서 쓰다, 생략〔단축, 요약〕하다 《***to*** …으로》: ~ "verb" *to* v. verb를 v로 줄이다 / New

York is ~*d as* N.Y. 뉴욕은 N.Y.로 단축된다. SYN. ⇨SHORTEN. **2** (이야기·방문 등)을 단축하다: ~ one's visit 일찍거니 하직하다.

*__ab·bre·vi·a·tion__ [əbrìːviéiʃən] *n.* Ⓤ **생략**, 단축; Ⓒ 생략형, 약어《***for, of*** …의》: "TV" is an ~ *for* 〔*of*〕 "television". TV는 television의 약어이다.

> **NOTE** 단어의 생략은 ⑴ period 《.》로 표시함: Jan. [◂January] / cf. [◂confer]. ⑵ 어미(語尾)를 남길 때도 같은 방식이 보통이나, 《.》를 안 쓰는 방식도 있음: Mr. or Mr [◂Mister] / Ltd. *or* Ltd [◂Limited] / Sgt. or Sgt [◂Sergeant]. ⑶ 자주 쓰이는 술어·대문자어에서는 《.》를 안 쓰는 일이 많음: OE *or* O.E. [◂Old English] / SE [◂South-East] / UNESCO [◂United Nations Educational, Scientific, and Cultural Organization]. ⑷ 생략에 의해 된 신어에서 《.》는 불필요함: bus [◂omnibus] / ad [◂advertisement] / exam [◂examination], etc.

ABC [éibìːsíː] (*pl.* **~'s, ~s** [-z]) *n.* **1** Ⓤ (보통 one's 〔the〕 ~('s)) 에이 비 시, 알파벳; 읽고 쓰기의 초보《★《美》에서 보통 복수형으로 씀》: learn one's 〔the〕 ~('s) 알파벳을 배우다. **2** (the ~('s)) 초보, 기본, 입문: an ~ book 입문서 / the ~('s) of economics 경제학 입문.
as simple 〔***plain, easy***〕 ***as*** ~ 아주 쉬운, 실로 간단한.

ABC, A.B.C. American Broadcasting Company (ABC 방송 회사)《CBS, NBC와 더불어 미국의 3대 방송사의 하나》.

ÀBC wàrfare 〔**wèapons**〕 〖군사〗 화생방전〔무기〕. [◂*a*tomic, *b*iological, and *c*hemical *warfare* 〔*weapons*〕]

ab·di·cate [ǽbdikèit] *vt.* (왕위·권리 등)을 버리다, 포기하다: the ~*d* queen (자발적으로) 양위한 여왕 / ~ the throne 〔crown〕 in the favor of …에게 양위(讓位)하다. **—***vi.* 퇴위〔양위〕하다《***from*** (왕위 등)에서》.

ab·di·ca·tion [æ̀bdikéiʃən] *n.* Ⓤ (구체적으로는 Ⓒ) 포기, 기권; 양위《***of, from*** …의》.

áb·di·cà·tor [-tər] *n.* Ⓒ 포기하는 사람; 양위자.

◇**ab·do·men** [ǽbdəmən, æbdóu-] (*pl.* **~s, *-dom·i·na*** [æbdɑ́mənə, əb-]) *n.* Ⓒ 〖해부〗 배(belly); 복부; (곤충 따위의) 복부.

ab·dom·i·nal [æbdɑ́mənəl/-dɔ́m-] *a.* 배의, 복부의: the ~ walls 〔cavity〕 복벽〔복강〕 / ~ respiration 〔breathing〕 복식 호흡 / ~ fins 배지느러미 / an ~ operation 개복 수술 / ~ typhus 장티푸스 / ~ muscles 복근.

ab·duct [æbdʌ́kt] *vt.* (폭력·술책으로) 유괴하다; 〖생리〗 외전(外轉)시키다(↔ *adduct*).

ab·duc·tion [æbdʌ́kʃən] *n.* Ⓤ **1** 유괴, 부녀유괴. **2** 〖생리〗 외전(↔ *adduction*): ~ case 유괴 사건.

ab·dúc·tor [-tər] *n.* Ⓒ 유괴자.

Abe [eib] *n.* 에이브《남자 이름; Abraham의 애칭》.

abeam [əbíːm] *ad.* 〖항해·항공〗 (배·항공기의 동체와) 직각 방향으로; 뱃전을 마주 보고: have the wind ~ 곧장 옆으로 바람을 받다.

Abel [éibəl] *n.* 〖성서〗 아벨《Adam의 둘째 아들, 형 Cain에게 피살됨; 창세기 IV: 2》.

ABEND [ɑ́ːbend] 〖컴퓨터〗 abnormal end (of task) ((작업의) 비정상 종료(終了))《컴퓨터가 그릇된 프로그램을 검출하여 작업을 도중에서 종료함》.

Ab·er·deen [æ̀bərdíːn] *n.* 애버딘《스코틀랜드 북부 Grampian 주의 주도(州都)》.

Áberdeen Ángus 스코틀랜드 원산의 뿔 없는 검은 식용우.

ab·er·rance, -ran·cy [æbérəns], [-rənsi] *n.* Ⓤ 이상, 상궤(常軌) 일탈.

ab·er·rant [əbérənt, ǽbər-] *a.* 정도를 벗어난, 상도를 벗어난; 〖생물〗 이상형(異常型)의.

ab·er·ra·tion [æ̀bəréiʃən] *n.* Ⓤ (구체적으로는 Ⓒ) **1** 정도〔상궤〕를 벗어남, 착오, 탈선(행위). **2** 〖의학〗 (일시적인) 정신 이상〔착란〕; 〖물리〗 (렌즈의) 수차(收差)(cf. chromatic 〔spherical〕 ~); 〖천문〗 광행차(光行差); 〖생물〗 이상: annual 〔diurnal〕 ~ 〖천문〗 연주(年周)〔일주(日周)〕 광행차.

abet [əbét] (***-tt-***) *vt.* (범죄 따위)를 (부)추기다, 선동〔교사〕하다; (아무)를 선동하여 저지르게 하다《***in*** (범죄 따위)를》: ~ a person *in* a theft 아무를 부추겨 도둑질하게 하다.
aid and ~ ⇨AID.
㊕ **~·ment** *n.* Ⓤ 교사, 선동.

abet·tor, -ter [əbétər] *n.* Ⓒ 교사자, 선동자. ★ 법률 용어로는 abettor.

abey·ance [əbéiəns] *n.* Ⓤ 중지, 중절, 정지; 미정: be in ~ 일시 중지로 되어 있다, 정지 중이다 / fall 〔go〕 into ~ (법률·규칙·제도 등이) 일시 정지되다 / hold 〔leave〕 ... in ~ …을 미정〔미결〕인 채로 두다. ㊕ **-ant** [-ənt] *a.* 중지(상태)의; 소유자 미정의.

◇**ab·hor** [æbhɔ́ːr, əb-] (***-rr-***) *vt.* 몹시 싫어하다, 혐오〔증오〕하다. cf. horror. ¶I ~ violence. 폭력은 질색이다. ◇ abhorrence *n.*

ab·hor·rence [æbhɔ́ːrəns, -hɑ́r-/-hɔ́r-] *n.* **1** Ⓤ (또는 an ~) 혐오; 혐오감: have an ~ of =hold ... in ~ …을 몹시 싫어하다. **2** Ⓒ 딱 질색인 것. ◇ abhor *v.*

ab·hor·rent [æbhɔ́ːrənt, -hɑ́r-/-hɔ́r-] *a.* **1** 몹시 싫은, 지겨운《***to*** …에게 있어서》; 몹시 싫어하는《***of*** …을》: Hypocrisy is ~ *to* him. 그는 위선을 몹시 싫어한다 / ~ *of* excess 극단을 싫어하는. **2** 서로 용납 안 되는, 상극인, 맞지 않는《***to, from*** …에》: ~ *to* 〔*from*〕 reason 이치에 맞지 않는.

ab·hor·rer [æbhɔ́ːrər, əb-] *n.* Ⓒ 몹시 싫어하는 사람.

◇**abide** [əbáid] (*p.*, *pp.* ***abode*** [əbóud], ***abided***) *vi.* 《고어》 **1** 머무르다, 남다《***in, at*** (장소)에; ***with*** (아무가 있는 곳)에》: *Abide with* us. 우리와 함께 있거라 / ~ *in* London 런던에 체류하다. **2** 살다《***at, in*** …에》. **—***vt.* 〖can 또는 could와 함께 의문·부정으로〗 참다《do*ing* / *to* do》: I *cannot* ~ dirt. 불결을 참을 수 없다 / I *cannot* ~ being 〔*to* be〕 made to wait. 기다리게 되면 견딜 수 없다. ◇ abode *n.*
~ ***by*** (약속·결의·법령·규칙 등)을 지키다; (협정·결정·결과·운명 따위)에 따르다; …을 감수하다: ~ *by* the decision 결정에 따르다.

abíd·ing *a.* Ⓐ 지속〔영속〕하는, 영속적인: ~ friendship 변치 않는 우정.

Ab·i·gail [ǽbəgèil] *n.* **1** 〖성서〗 아비가일《Nabal의 아내로 후에 David의 처가 됨; 사무엘上 XXV》. **2** (a-) Ⓒ 시녀, 몸종.

‡**abil·i·ty** [əbíləti] *n.* **1** Ⓤ 할 수 있음〔있는 힘〕

《**to** do》: He has the ~ *to* do the job. 그는 그 일을 할 수 있다. **2** Ⓤ **능력**, 역량, 기량《***in, for, at*** …의》: ~ *in* 〔*for*〕 one's work 일을 해낼 수 있는 능력 / She has unusual ~ *at* 〔*in*〕 music. 그녀는 비범한 음악적 재능을 갖고 있다 / to the best of one's ~ 힘이 미치는〔닿는〕 한, 힘껏.

SYN. **ability** 일을 수행하는 인간의 능력으로서 선천적 또는 후천적인 것. **capacity** 주로 잠재적인 수용 능력을 말하며, 물건 · 사람에 관해 쓸 수가 있음. **talent** 흔히 특별 분야에서의 타고난 재능을 뜻함.

3 Ⓤ (종종 *pl.*) 재능: manifold *abilities* 다방면의 재능 / a woman of literary ~ 문필의 재능이 있는 여성 / a man of ~ 〔*abilities*〕 수완가 / natural *abilities* 타고난 재능. ◇ able *a.*

-a·bil·i·ty [əbíləti] *suf.* -able에 대한 명사 어미: cap*ability*.

ab in·i·tio [æb-iníʃiòu] 《L.》 처음부터《생략: *ab init.*》.

◇**ab·ject** [ǽbdʒekt, -́] *a.* **1** 영락한, 비참한, 절망적인《생활 · 상태》: ~ poverty 적빈, 찰가난. **2** 야비한, 비열한, 경멸할, 비굴한《사람 · 행위》: make an ~ apology 손이야 발이야 빌다.

ab·jéc·tion *n.* Ⓤ 영락(한 상태), (신분의) 천함; 비열, 비굴.

ab·ju·ra·tion [æ̀bdʒəréiʃən] *n.* Ⓤ (구체적으로는 Ⓒ) 맹세하고 그만둠; (고국 · 국적) 포기.

ab·jure [æbdʒúə*r*/əb-] *vt.* 맹세하고 버리다; (공공연히) 포기하다: He ~*d* his religion. 그는 맹세코 그의 종교를 버렸다.

Ab·kha·zia [æbkéiʒiə] *n.* 압하스 공화국《Georgia 공화국내 북서부 흑해 연안에 있는 자치 공화국; 수도 Sukhumi》.

ab·la·tion [æbléiʃən] *n.* Ⓤ 제거(除去); (수술에 의한) 절제; 〖로켓〗 용발(溶發), 융제(融除)《우주선의 대기권 재돌입시 피복(被覆) 물질이 녹아 증발하는 현상》.

ab·la·tive [ǽblətiv] 〖문법〗 *a.* 탈격(奪格)의. —*n.* (the ~) 탈격《'…에서'의 뜻으로 동작의 수단 · 원인 · 장소 · 때 따위를 나타내는 라틴어 명사의 격(格); 영어의 from, by, at, in 따위로 만드는 부사구에 해당함》; Ⓒ 탈격어〔탈격형〕.

ab·laut [áːblaut, ǽb-] *n.* 《G.》 Ⓤ 〖언어〗 모음 전환(gradation)《sing, sang, sung 등》.

ablaze [əbléiz] *a.* Ⓟ **1** (활활) 타오르는; 번쩍거리는《***with*** …으로》: The sky was ~ *with* fireworks. 하늘은 폭죽〔불꽃〕으로 번쩍였다. **2** 흥분한《***with*** (노여움 · 정열 따위)로》: be ~ *with* anger 노여움으로 확 달아오르다.

†**able** [éibəl] (***abler; ablest***) *a.* **1 능력 있는**, 재능 있는, 유능한; (the ~) 〖명사적; 집합적; 복수취급〗 유능한 사람들: an ~ man 수완가.

SYN. **able** 일반적으로 능력이 있음을 나타내며 특히 보통 이상의 재주가 있음을 나타냄: an *able* teacher 뛰어난 교사. **capable** 일을 하는 데 필요한 보통 능력이 있음을 가리킴: a *capable* teacher 학생을 가르치기에 실력이 충분한 선생. **competent, qualified** 특정한 일에 대한 적임의 능력이 있음을 나타내나, 후자는 인정된 자격과 결부시켜 쓰일 때가 많음: a *qualified* teacher 자격증이 있는 선생.

2 …**할 수 있는**, …해낼 수 있는《***to*** do》: I *am* not ~ *to* go. =I cannot go. / In a few days the baby will *be* ~ *to* walk. 며칠만 있으면 아기는 걷게 될 것이다. ◇ ability *n.*

NOTE (1) 보통 생물을 주어로 하여 쓰임.
(2) be able to의 비교에는 better 〔more〕 ~; best 〔most〕 ~이 쓰임.
(3) can의 대용으로 과거 · 미래 · 완료형은 *was* 〔*were*〕 *able to*; *will* 〔*shall*〕 *be able to*; *have* 〔*has, had*〕 *been able to*로 씀: Will he *be* ~ *to* come tomorrow? 그분은 내일 오실 수 있을까요. No one *has* ever *been* ~ *to* do it. 지금까지 아무도 그것을 할 수 없었다.

-a·ble [əbəl] *suf.* **1** 타동사에 붙어서 '…할 수 있는' '…하기에 적합한' '…할 만한'의 뜻: eat*able*. **2** 명사에 붙여 '…에 적합한' '…을 좋아하는' '…을 주는'의 뜻의 형용사를 만듦: peace*able*; marriage*able*. ◇ -ability *n.*

áble-bódied *a.* 강건한, 건전한; (the ~) 〖명사적; 집합적; 복수취급〗 건장한 사람들.

áble(-bodied) séaman 〖항해〗 A.B.급 해원〔선원〕《숙련 유자격 갑판원; 생략: A.B.》.

abloom [əblúːm] *a.* Ⓟ 꽃이 핀, 개화한(in bloom).

ab·lu·tion [əblúːʃən] *n.* **1** Ⓤ (구체적으로는 Ⓒ) (특히 종교적인) 목욕재계. **2** (*pl.*) 《구어》 몸〔손〕을 씻음: perform 〔make〕 one's ~*s* 몸〔손이나 얼굴〕을 씻다.

ábly *ad.* 훌륭히, 교묘히, 솜씨 있게.

-ably *suf.* 〖부사 어미〗 …할 수 있게: agree*ably*, pleasur*ably*.

ABM antiballistic missile (탄도탄 요격 미사일).

ab·ne·gate [ǽbnigèit] *vt.* (소신 · 권리 따위)를 버리다, 포기하다; (쾌락 따위)를 끊다. ㊕ **áb·ne·gà·tor** [-tə*r*] *n.*

ab·ne·ga·tion [æ̀bnigéiʃən] *n.* Ⓤ **1** (권리 · 책임 · 신념 등의) 포기; 거절. **2** 극기, 금욕.

***ab·nor·mal** [æbnɔ́ːrməl] *a.* **1 보통과 다른**, 정상이 아닌; 변칙의; 변태의, 병적인. ↔ *normal.* ¶ have an ~ IQ 지능 지수가 아주 높다〔낮다〕 / an ~ person (법적으로) 무능력자. **2** 대단히 큰: ~ profits 엄청난 이득. SYN. ⇨ IRREGULAR. ◇ abnormality *n.* ㊕ **~·ly** *ad.*

ab·nor·mal·i·ty [æ̀bnɔːrmǽləti] *n.* **1** Ⓤ 이상, 변칙, 변태. **2** Ⓒ 이상한 것, 기형. ◇ abnormal *a.*

abnórmal psychólogy 변태〔이상〕 심리(학).

⁑**aboard** [əbɔ́ːrd] *ad.* **배〔열차, 버스, 비행기〕를 타고**: go ~ …에 승선〔승차, 탑승〕하다 / take … ~ …을 태우다, 싣다 / keep the land ~ 육지를 따라 접항(接航)하다 / have … ~ …을 태우고〔싣고〕 있다 / All ~! (승객에게) 모두 탑승해 주십시오 (출발합니다) / Welcome ~! (승무원이 승객에게) 승객 여러분 탑승해 주셔서 고맙습니다.

—*prep.* …**을 타고**: come 〔go〕 ~ a ship 승선하다 / get ~ a bus 버스를 타다 / climb ~ a plane 비행기를 타다.

abode[1] [əbóud] *n.* Ⓒ (보통 *sing.*) 〖법률〗 거주; 주소, 주거, 거처: make 〔take up〕 one's ~ 거주하다, 주거를 정하다, 체재하다 / without any fixed ~ =of 〔with〕 no fixed ~ 〖법률〗 주소 부정의. ◇ abide *v.*

abode[2] ABIDE의 과거 · 과거분사.

***abol·ish** [əbáliʃ/əbɔ́l-] *vt.* (관례 · 제도 · 법률 · 습관 등)을 **폐지〔철폐〕하다**: War should be ~*ed*. 전쟁은 없어져야 한다. ◇ abolition *n.* ㊕ **~·a·ble** *a.* **~·ment** *n.*

◇**ab·o·li·tion** [æ̀bəlíʃən] *n.* Ⓤ (법률 · 습관 등의) 폐지, 철폐, 전폐; (때로 A-) 《美》 노예(제도)

폐지. ⓟ ~·ism n. Ⓤ (사형 · 노예 제도) 폐지론. ~·ist n. Ⓒ (사형 · 노예 제도) 폐지론자.

ab·o·ma·sum, -sus [æ̀bəméisəm], [-səs] (pl. **-sa** [-sə]; **-si** [-sai, -siː]) n. Ⓒ (반추 동물의) 제4 위(胃), 주름위, 추위(皺胃).

Á-bòmb n. Ⓒ《구어》원자 폭탄(atom bomb).

◊**abom·i·na·ble** [əbɑ́mənəbəl/əbɔ́m-] a. **1** 지긋지긋한, 혐오스러운, 언어도단의: an ~ crime 극악무도한 범죄. **2**《구어》지겨운, 지독한《사람 · 행위 · 날씨 등》. ⓟ **-bly** ad. 가증스레;《구어》몹시, 지독히.

Abóminable Snówman (때로 a- s-)《구어》(히말라야의) 설인(雪人).

abom·i·nate [əbɑ́mənèit/əbɔ́m-] vt. 혐오〔증오〕하다, 몹시 싫어하다; …이 질색이다: I ~ cruelty to animals. 나는 동물 학대를 혐오한다/I ~ overpraising. 지나친 칭찬은 싫다《★ abominate to overpraise와 같이 부정사를 취하면 틀림》/I ~ snakes. 나는 뱀은 질색이다.

abòm·i·ná·tion n. **1** Ⓤ 혐오, 증오, 싫음: hold〔have〕... in ~ …을 몹시 싫어하다. **2** Ⓒ 지겨운 사물〔행위〕《**to** …에게》.

ab·orig·i·nal [æ̀bərídʒənəl] a. Ⓐ 원생(原生)의, 원래〔토착〕의; 원주민〔토착민〕의; (A-) 오스트레일리아 원주민의. **—**n. =ABORIGINE.
ⓟ ~·**ly** ad. 당초부터, 원래는.

ab·orig·i·ne [æ̀bərídʒəniː] n. Ⓒ (보통 pl.) 원주민, 토착민; (A-) 오스트레일리아 원주민.

abort [əbɔ́ːrt] vi., vt. **1** 유산〔낙태〕하다(miscarry), (임신을) 중절하다. **2**〖생물〗(동식물 · 기관(器官) 등이) 발육하지 않다, 퇴화하다. **3** (계획 따위) 좌절되다〔시키다〕. **4** (미사일의 발사 따위) 중지하다〔시키다〕.

abór·tion n. **1** Ⓤ (구체적으로는 Ⓒ) 유산(miscarriage); 임신 중절, 낙태: a criminal ~ 위법 낙태/induced ~ 인공 유산/get〔have, procure〕an ~ 낙태시키다. **2** Ⓒ 유산아; 기형적인 사람〔것〕. **3** Ⓒ 실패한 것《계획 따위의》: The attempt proved an ~. 계획은 실패로 끝났다. **4** Ⓤ (구체적으로는 Ⓒ)〖생물〗(기관의) 발육 부전(不全)〔정지〕. ◇abort v. ⓟ ~·**ist** n. Ⓒ 낙태 시술 의사; 낙태 지지자.

abor·tive [əbɔ́ːrtiv] a. 실패로 끝난, 결실 없는; 유산〔조산〕의, 발육 부전의: an ~ enterprise 실패로 끝난 일. ⓟ ~·**ly** ad.

*****abound** [əbáund] vi. **1** (동물 · 물건 · 문제 등이) **많이 있다**: Frogs ~ in this meadow. 이 초지에는 개구리가 많다. **2**《+전+명》(장소 따위가) 그득하다, 풍부하다, 충만하다《**in, with** (생물 · 물질 따위)로》: This meadow ~*s in*〔*with*〕frogs. 이 초지에는 개구리가 많다/English ~*s in*〔*with*〕idioms. 영어는 관용어가 풍부하다. ★ 1, 2는 주어를 바꾸어 문장을 구성할 수 있으나 다음 예에서는 불가함: She ~*s in* good will. 그녀는 선의에 차 있다(≠Good will ~*s* in her.)
◇abundant a. abundance n.

†**about** [əbáut] prep. **1** …에 **대〔관〕하여**: a book ~ gardening 원예(園藝)에 관한 책/talk ~ business 사업 이야기를 하다/*About* what?〔What ~?〕무슨 일인가/Tell me what it's (all) ~. 무슨 일인지 말해줘/What is this fuss all ~? 대체 무슨 일로 이렇게 시끄러운가/She is crazy〔mad〕~ Robert. 그녀는 로버트에게 미쳐〔열중해〕있다. ★ on의 경우보다 일반적인 내용의 것에 쓰임.
2 …**경(에)**, …(때)쯤: ~ the middle of June, 6월 중순경/~ noon 정오 때쯤/He came ~ four o'clock. 그는 네 시쯤 왔다.
3 …의 **근처〔부근〕에**; (건물 등의) 안 어디엔가: somewhere ~ here 이 근처 어디〔쯤〕에/He is ~ the house. 그는 집 안에 있다. ★ around는 '막연한 부근'을, about는 꽤 한정된 부근을 나타냄.
4 …**의 둘레〔주변〕에**; …의 주위에〔를〕; …을 에워싸고; …의 여기저기를: the railings ~ the excavation 굴 둘레의 울짱/put one's arms ~ a person 두 팔을 벌려 아무를 안다/travel ~ the country 나라 여기저기를 여행하다.
5 몸에 지니고, 손 가까이에; 갖고 있어: all he has ~ him 그의 소지품(所持品) 전부/I have no money ~ me. 마침 가진 돈이 없다.
6〖흔히 there is 구문으로〗…**의 신변에**, (일)에는: *There was* an air of mystery ~ her. 그녀에게는 신비한 데가 있었다/*There is* something strange ~ his behavior. 그의 행동에는 뭔가 이상한 데가 있다.
7 …**에 종사〔관계〕하고**: What is she ~? 그녀는 무엇을 하고 있는가/Be quick ~ it! 빨리 해/This is how I go ~ it. 이것이 내가 하는 식이야/Go ~ your business! 쓸데없는 참견 말고 네 일이나 해.
How ~ ...?《구어》①〖제의 · 권유〗…하면 어떤가: *How* ~ a lift? (당신) 차에 태워 주겠소? ②〖문의〗…은 어떤가: *What* ~ you in this respect? 이 점에 대한 자네 의견은 어떤가. ③〖반대 · 비난〗어떻게 되는 거야: *What* ~ our original plan, then? 그러면 처음 계획은 어떻게 되는 거야.

> **DIAL.** ***What about it?*** 그게 어떻다는 거냐, 그래서 뭐냐(=So what?).
> ***What*** 〔***How***〕 ***about that!*** 그거 대단하군《놀람 · 경탄을 나타냄》.

—ad. **1 a** 대략, 약: ~ 7 miles 약 7마일/in ~ one hour 약 한 시간쯤 해서/We walked for ~ 6 kilometers. 우리는 약 6킬로미터를 걸었다/The child is ~ five years old. 그 아이는 다섯 살 정도다/He is ~ my size〔height, age〕. 그는 대체로 나만한 몸집〔키, 나이〕이다. **b**《구어》**거의**, 대체로: I'm ~ tired of his talk. 그의 이야기엔 진저리가 날 지경이다.
2《英》**a 둘레〔주위〕에**, 둘레〔주위〕를, (둘레를) 빙 둘러(《美》around): a mile ~ 빙 둘러 1마일, 주위 1마일/Look ~ and see if you can find it. 찾아낼 수 있을지 주변을 둘러봐. **b 근처〔부근〕에** (《美》around): There was no one ~. 근처에는 아무도 없었다/He is somewhere ~. 그는 어딘가 부근에 있다. **c 여기저기에**; 널려 있어, 빈둥빈둥(《美》around): hang ~ 방황하다/travel ~ 여행하며 다니다/important papers strewn ~ 여기저기 흩어져 있는 중요 서류.
3 방향을 바꾸어, 반대 방향으로; 우회하여: turn a car ~ 차 방향을 바꾸다/go a long way ~ 죽 우회하다/the other〔wrong〕way ~ 반대로.
4 순번으로, 교대로: turn (and turn) ~ 번갈아 가며/take turns ~ 교대로〔차례로〕하다.
—a. Ⓟ **1** (침상에서) **일어난, 움직여 다니는**; 활동하는: be out and ~ (앓은 뒤) 기력이 회복되다, 일할 수 있게 되다. **2** (병 · 소문 등이) **퍼지는**, 나도는: Every kind of rumor was ~. 갖가지 소문이 나돌고 있었다.
be ~ to do 막 …하려고 하다: We *were* ~ *to*

start, when it rained. 막 떠나려는데 비가 왔다. ***not ~ to*** do《주로 美》…할 마음이 전혀 내키지 않는: I'm *not ~ to* lend you any more money. 더 이상 돈 꾸어줄 마음이 없다.

abóut-fàce *n.* Ⓒ (보통 *sing.*)《美》 뒤로 돌기, 온 방향으로 되돌아감; (주의(主義) 따위의) 전향. **—** [-ˊ-ˊ] *vi.* 〖보통 명령형〗 뒤로 돌다.

abóut-túrn [*v.* -ˊ] *n.*, *vi.*《英》 =ABOUT-FACE.

†**above** [əbʌ́v] *ad.* **1 위쪽에〔으로〕; 위에〔로〕;** 머리 위에〔로〕; 하늘에〔로〕: soar ~ 하늘로 두둥실 떠오르다/the clouds ~ 하늘의 구름.
2 (지위·신분상) 상위에〔로〕, 상급에〔으로〕: appeal to the court ~ 상급 법원에 상소하다.
3 위층에: My bedroom is just ~. 내 침실은 바로 위에 있습니다/He lives on the floor ~. 그는 위층에 산다.
4 (수량이) …이상으로: persons of sixty and ~, 60세 이상의 사람들.
5 (책 따위의) **앞에**, (페이지의) 위쪽에: as is stated 〔remarked〕 ~ 상기〔전술〕한 바와 같이.
6 (강 따위의) 상류에.
~ and beyond =***over and ~*** ⇨OVER. ***from ~*** 위에서부터; 상사에게서; 하늘에서.
— *prep.* **1** 〖공간적〗 **…의 위(쪽)에, 보다 높이:** fly ~ the earth 지상을 날다/high ~ the ocean 바다 위 높이. SYN. ⇨ON.
2 …의 위에, …에 포개어져〔겹치어〕; …의 위층에: one ~ another 겹쳐 쌓이어/He lives ~ me. 그는 나의 위층에 살고 있다.
3 〖지리적〗 보다 멀리; 보다 상류에; 보다 북쪽에: There is a waterfall ~ the bridge. 이 다리 상류에 폭포가 있다.
4 〖초과〗 **…이상인〔으로〕:** He lives ~ his means. 그는 수입 이상의 생활을 한다/not ~ five men 겨우 5명 정도/value honor ~ life 목숨보다 명예를 존중하다/Health is ~ wealth. 건강은 부보다 중하다.
5 〖우월〗 **…보다 뛰어나:** He is ~ all others in originality. 그는 독창력에 있어서 누구보다도 뛰어나다.
6 〖초월〗 **…을 초월하여:** his conduct ~ reproach 〔suspicion〕 비난〔의혹〕의 여지없는 그의 행동.
7 (능력 등이) **미치지 못하는** (곳에): This book is ~ me. 이 책은 내게는 벅차서 이해를 못하겠다.
8 〖doing을 목적어로 하여〗 (고결하여) …하지 않는, …하는 것을 수치로 여기는: He is ~ tell*ing* lies. 그는 거짓말을 할 사람이 아니다/I am not ~ ask*ing* questions. 질문하기를 부끄러워하지 않는다.
~ all (things) 다른 무엇보다도 특히, 우선 첫째로. ***~ and beyond...*** =***over and ~ ...*** …에 더하여. ***be 〔get, rise〕 ~ oneself*** 들떠 날뛰다; 자만하다, 우쭐하다.
— *a.* **1** 상기의, 전술한: the ~ facts 상기의 사실, 전술한 사항. ★ the facts (mentioned) ~ 따위가 보다 부드러운 표현.
2 (the ~) 〖명사적; 집합적; 단·복수취급〗 상기한〔이상의〕 것〔사람〕: The ~ justifies this. 이 상은 이를 입증한다/The ~ will all stand trial. 상기자는 전원 재판에 회부된다.

abóve·bòard *a.* Ⓟ 사실대로의, 솔직한; 공명정대한: His dealings are all ~. 그의 거래는 공명정대하다/He is open and ~. 그의 말은 공정하고 솔직하다.

abóve·gròund *a.* Ⓐ《美》 지상의; 공공연한: stop ~ tests 지상 실험을 중지하다.

◇**abòve-méntioned** *a.* **1** Ⓐ 상술(上述)한, 위에 말한, 전기의. **2** (the ~) 〖명사적; 집합적; 단·복수취급〗 상술한 것〔사람〕.

Abp. Archbishop. **abr.** abridge(d); abridgment.

ab·ra·ca·dab·ra [æ̀brəkədǽbrə] *n.* Ⓒ 아브라카다브라《옛날 '학질' 치유를 위한 주문》; 주문; 영문 모를 말, 헛소리.

abrade [əbréid] *vt.* (살갗)을 스쳐 까지게 하다; (바위 따위)를 삭마(削磨)하다. **—** *vi.* (살갗이) 까지다; (바위 따위가) 삭마하다.

Abra·ham [éibrəhæ̀m, -həm] *n.* **1** 에이브러햄《남자 이름》. **2** 〖성서〗 아브라함《유대인의 선조》. ***in ~'s bosom*** 천국에 잠들어; 행복하게.

abra·sion [əbréiʒən] *n.* Ⓤ (피부의) 벗겨짐; (암석의) 삭마(削磨); (기계의) 마손, 마멸; Ⓒ 찰과상; 마손 부분.

abra·sive [əbréisiv, -ziv] *a.* 닳게 하는, 연마용의〔하는〕; (겉이) 거친; 《비유적》 (남과) 마찰을 일으키는, 짜증나게 하는, 신경을 건드리는: an ~ voice 〔personality〕 거슬리는 목소리〔성격〕. **—** *n.* Ⓤ (종류·낱개는 Ⓒ) 연마제, 마분(磨粉); 금강사. ㊕ **~·ly** *ad.*

abreast [əbrést] *ad.* 나란히, 병행하여: a line two ~, 2열 종대/march four ~, 4열로 행진하다. ***be 〔keep〕 ~ (of 〔with〕)*** (the times) (시세에) 뒤지지 않고 따라가다. ★ 위의 관용구에서 of, with를 약하면 abreast는 전치사 용법.

***abridge** [əbrídʒ] *vt.* **1 요약하다:** ~ a long story 긴 이야기를 짧게 하다/This is ~*d* from the original. 이것은 원문을 요약한 것이다. **2** 단축하다: ~ a lesson 수업을 단축하다.

◇**abrídg·ment, abrídge-** *n.* **1** Ⓤ 요약, 단축. **2** Ⓒ 단축〔요약〕된 것, 초록, 초약본〔판〕.

‡**abroad** [əbrɔ́ːd] *ad.* **1 외국으로〔에〕,** 해외로〔에〕: live ~ 해외에 살다/go ~ 외국에 가다; 집 밖에 나가다/at home and ~ 국내외에서 모두/a tour ~ 외유/one's education ~ 해외 유학.
2 널리, 사방팔방으로〔에〕; (소문 따위가) 퍼져서: The rumor is ~ that.... …라는 소문이 파다하다/set ~ (소문을) 퍼뜨리다.
from ~ 해외로부터〔에서〕: news *from* ~ 해외통신.

ab·ro·gate [ǽbrəgèit] *vt.* (법률·습관 따위)를 폐지〔철폐, 파기〕하다. ㊕ **àb·ro·gá·tion** *n.*

***ab·rupt** [əbrʌ́pt] *a.* **1 느닷없는,** 갑작스러운, 뜻밖의: an ~ death 급사/come to an ~ stop 갑자기 서다〔멈추다〕. SYN. ⇨SUDDEN. **2 퉁명스러운,** 무뚝뚝한《언사·태도 등》: speak in an ~ manner 퉁명스레 말하다. **3** 험한, 가파른《길 따위》. ㊕ ◇**~·ly** *ad.* **~·ness** *n.*

abs- [æbs, əbs] *pref.* =AB-《c, t 앞에서》: *abs*tract.

Ab·sa·lom [ǽbsələm] *n.* 〖성서〗 압살롬《유대왕 다윗(David)의 셋째 아들, 부왕에게 반역하여 살해됨; 사무엘 下 XVIII》.

ab·scess [ǽbses] *n.* Ⓒ 종기, 농양(膿瘍). ㊕ **~ed** [-t] *a.* 종기가 생긴.

ab·scis·sa [æbsísə] (*pl.* **~s, -sae** [-siː]) *n.* Ⓒ 〖수학〗 가로좌표. cf. ordinate.

ab·scond [æbskɑ́nd/-skɔ́nd] *vi.* 도망〔실종〕하다; 자취를 감추다《***from*** (장소)에서; ***with*** (돈 따위)를 가지고》: ~ *with* the money 돈을 갖고

달아나다 / ~ *from* a place 어떤 장소에서 도망치다. [SYN.] ⇨ESCAPE. [파] ~·**er** *n.*

ab·seil [ɑ́:pzail] 《英》 『등산』 *n.* [C] 압자일렌, 현수(懸垂) 하강. —*vi.* 현수 하강하다(*down*).

⁑**ab·sence** [ǽbsəns] *n.* **1** [U] (구체적으로는 [C]) **부재**; 결석, 결근《*from* …에의》: during your ~ 너의 부재중에 / the long years of one's ~ *from* Seoul 서울을 떠나 있던 오랜 세월 / The teacher was worried by Tom's frequent ~*s* *from* class. 선생님은 톰의 잦은 결석을 걱정하였다 / an ~ of three weeks = three weeks' ~, 3주간의 부재. **2** [U] 없음, 결여: the ~ *of* evidence 증거 없음 / There was an ~ *of* time. 시간이 없었다. ◇ absent *a.*

~ *of mind* 방심. ***in* a person*'s* ~** 아무의 부재중에; 아무가 없는 곳에서. ***in the* ~ *of*** …이 없을 경우에; …이 없으므로: *In the* ~ *of* firm evidence the prisoner was set free. 증거 불충분으로 피고는 석방되었다.

⁑**ab·sent** [ǽbsənt] *a.* **1 부재의**; 결석한, 결근한《*from* …을》. ↔ *present.* ¶ an ~ father 부재중인 아버지 / He is ~ *from* school. 그는 학교를 결석하고 있다 / This gene is ~ in cats. 이 유전자는 고양이에게는 없다 / Long ~, soon forgotten. 《속담》 오래 떠나 있으면 소원해진다. **2** 없는, 결여된《*from* …에》: Revenge is ~ *from* his mind. 그의 마음에 복수할 생각은 없다. **3** [A] **방심 상태의**, 멍한(~-minded): (with) an ~ air 멍한 모양(으로) / in an ~ sort of way 방심한 상태로, 멍하게. ◇ absence *n.*

— [æbsént] *vt.* 《~+[목]/+[목]+[전]+[명]》 〔~ oneself〕 비우다, 결석〔결근〕하다《*from* …을》: He often ~*s* him*self from* the meeting. 그는 종종 그 모임에 빠진다.

ab·sen·tee [æ̀bsəntí:] *n.* [C] 부재자; 결석자, 불참자; 부재 지주; 부재 투표자(~ voter).

ábsentee bállot 부재자 투표 용지.

àb·sen·tée·ism *n.* [U] 부재 지주 제도; 계획적 결근《노동 쟁의 전술의 하나》; (무단) 결석〔결근〕.

ábsentee lándlord 부재 지주.

ábsentee vóte 부재자 투표.

áb·sent·ly *ad.* 멍하니, 방심하여.

◇**ábsent-mínded** [-id] *a.* 방심한, 멍한, 얼빠진, 건성의: an ~ person 맹추. [파] **~·ly** *ad.* **~·ness** *n.*

ab·sinth(e) [ǽbsinθ] *n.* [U] (낱개는 [C]) 압생트《프랑스산 독주》.

⁑**ab·so·lute** [ǽbsəlù:t, ⸗-⸗] *a.* **1 절대의**; 비할 바 없는; 완전무결한: an ~ principle 절대 원리 / the ~ being 절대적 존재, 신. **2** 확실한, 의심할 여지없는: an ~ denial 단호한 부정. **3 순수한,** 순전한; 전적인, 틀림없는: an ~ lie 새빨간 거짓말 / an ~ fool 순전한 바보 / ~ ignorance 전적인 무지. **4** 제약을 받지 않는, 무조건의; 전제적, 독재적: an ~ monarch 전제 군주. **5** 『문법』 독립한; 유리된: an ~ construction 독립 구문 / an ~ infinitive 〔participle〕 독립 부정사〔분사〕.

—*n.* (the ~) 절대적인 것〔현상〕; 『철학』 절대; (the A-) 절대자, 신.

[파] **~·ness** *n.*

ábsolute áddress 『컴퓨터』 절대 번지.

ábsolute álcohol 무수(無水) 알코올.

ábsolute céiling 『항공』 절대 상승 한도.

ábsolute érror 『수학 · 컴퓨터』 절대 오차《측정값에서 이론값을 뺀 차이》.

*****ab·so·lute·ly** [ǽbsəlù:tli, ⸗-⸗-] *ad.* **1** 절대적으로, 무조건(으로); 단호히: I refused his offer ~. 나는 그의 제의를 단호히 거절했다. **2 완전히,** 참말로, 정말로; 〔부정문〕 전혀: ~ impossible 전혀 불가능한 / I know ~ *nothing* about that. 그 일에 대해서는 전혀 모른다. **3** 《구어》 〔응답문으로〕 정말 (그렇다), 그렇고말고; 〔응답문에서 A- not ! 로〕 절대로 안 되다: Are you sure ? — *Absolutely !* 확실한가 — 확실하고말고 / May I smoke here ? — *Absolutely not !* 여기서 담배를 피워도 됩니까 — 절대로 안 됩니다. **4** 『문법』 독립적으로《예컨대, The *blind* cannot *see*. 에서 blind는 수식할 명사가 생략된 독립 용법의 형용사, see는 목적어가 생략된 독립 용법의 동사》.

ábsolute majórity 절대다수, 과반수.

ábsolute pítch 『음악』 절대 음감〔음고〕.

ábsolute témperature 『물리』 절대 온도.

ábsolute válue 『수학』 절대값.

ábsolute zéro 절대 영도《−273.16℃》.

ab·so·lu·tion [æ̀bsəlú:ʃən] *n.* **1** [U] 『법률』 면제, 방면, 무죄의 선고. **2** [U] 『교회』 사죄(赦罪), 사면(赦免)《***from, of*** …의》; (고행(苦行) · 파문(破門) 등의) 면제; [C] 사죄문: ~ *from* 〔*of*〕 sins 죄의 사면.

áb·so·lùt·ism *n.* [U] 전제주의, 전제 정치; 『철학』 절대론; 절대성. [파] **-ist** *n.* [C] 전제주의자; 절대론자.

ab·solve [æbzɑ́lv, -sɑ́lv/-zɔ́lv] *vt.* (아무)를 해제〔면제〕시키다《***from, of*** (책임 · 의무 따위)에서》; 『교회』 (아무)에게 사죄(赦罪)를 베풀다; (죄)를 용서하다: ~ a person *from* his promise 〔the blame〕 약속을 해제하다〔책임을 면하게 하다〕 / ~ a person *of* a sin 아무의 죄를 사면하다. [파] **ab·sólv·er** *n.*

⁑**ab·sorb** [æbsɔ́:rb, -zɔ́:rb] *vt.* **1 흡수하다,** 빨아들이다: A sponge ~*s* water. 스펀지는 물을 흡수한다. **2** (빛 · 소리 · 충격 따위)를 흡수하다, 완화시키다, 지우다: ~ sound and light 소리와 빛을 흡수하다 / ~ shock 〔impact〕 충격을 완화하다. **3** 《~+[목]/+[목]+[전]+[명]》 (작은 나라 · 도시 · 기업 따위)를 합병〔흡수〕하다《***into*** …에》: The empire ~*ed* all the small states. 그 제국은 작은 나라들을 모두 합병했다 / A small firm was ~*ed into* a large one. 작은 기업은 큰 기업에 흡수〔합병〕됐다. **4** (이민 · 사상 · 학문 등)을 받아들이다, 흡수 동화하다. **5** 《~+[목]/+[목]+[전]+[명]》 (사람 · 마음)을 **열중케 하다**; (시간 · 주의 따위)를 빼앗다: Work ~*s* most of his time. 그는 시간을 일에 대부분 빼앗긴다 / ~ oneself *in* a book 책에 몰두하다. ◇ absorption *n.*

[파] **ab·sórb·a·ble** *a.* 흡수되는, 흡수되기 쉬운.

ab·sórbed *a.* 마음을 빼앗긴, 열중한, 여념이 없는《***in*** …에》; 흡수〔병합〕된: be ~ *in* (*reading*) a book 책(읽기)에 열중해 있다.

[파] **ab·sórb·ed·ly** [-bidli] *ad.*

ab·sorb·en·cy [æbsɔ́:rbənsi, -zɔ́:r-] *n.* [U] 흡수성, 흡수력.

ab·sorb·ent [æbsɔ́:rbənt, -zɔ́:r-] *a.* 흡수하는《***of*** …을》, 흡수력이 있는, 흡수성의.

—*n.* [U] (종류 · 낱개는 [C]) 흡착제.

absórbent cótton 《美》 탈지면(《英》 cotton wool).

absórbent páper 압지(押紙).

ab·sórb·er *n.* [C] 흡수하는 물건〔사람〕; 흡수기(器)〔체(體), 장치〕.

A

A

◇**ab·sórb·ing** *a.* 흡수하는; 열중〔탐닉〕케 하는, 무척 재미있는. ㊞ **~·ly** *ad.*

◇**ab·sorp·tion** [æbsɔ́ːrpʃən, -zɔ́ːrp-] *n.* Ⓤ **1** 흡수 (작용). **2** 열중, 전념(專念)《*into* …에의》: ~ *in* one's studies 연구에 몰두함. **3** 병합, 편입, 동화《*into* …으로의》. ◇ absorb *v.*

absórption spèctrum 〖광학〗 흡수 스펙트럼.

ab·sorp·tive [æbsɔ́ːrptiv, -zɔ́ːrp-] *a.* 흡수하는, 흡수력 있는, 흡수성의: ~ power 흡수력.

◇**ab·stain** [æbstéin] *vi.* **1** 그만두다, 끊다, 삼가다; 금주하다《*from* …을》: ~ *from* smoking 금연하다/~ *from* food 단식하다. **2** 기권하다《*from* (투표)를》: ~ *from* voting 기권하다. ◇ abstention, abstinence *n.*

ab·stáin·er *n.* Ⓒ 절제가, 《특히》 금주가: a total ~ 절대 금주가.

ab·ste·mi·ous [æbstíːmiəs] *a.* 절제〔자제〕하는, 삼가는《*in* (음식 따위)를》; (음식이) 소박한: an ~ diet 절식/be ~ *in* drinking 음주를 절제하다. ㊞ **~·ly** *ad.* **~·ness** *n.*

ab·sten·tion [æbsténʃən] *n.* Ⓤ (구체적으로는 Ⓒ) (조심하여) 삼감, 절제, 자제; 기권《*from* …의》: ~ *from* wine 〔voting〕 금주〔기권〕. ◇ abstain *v.* ㊞ **~·ism** *n.* **~·ist** *n.*, *a.*

ab·sti·nence, -nen·cy [ǽbstənəns], [-si] *n.* Ⓤ 절제, 금욕, 금주《*from* …의》: *abstinence from* food 절식/*abstinence from* pleasure 쾌락을 끊음/total *abstinence* 절대 금주. ◇ abstain *v.*

ab·sti·nent [ǽbstənənt] *a.* 금욕적인, 자제〔절제〕하는. ㊞ **~·ly** *ad.*

⁑**ab·stract** [æbstrǽkt, ´-] *a.* **1** 추상적인. ↔ *concrete*. **2** 이론적인; 관념적인. ↔ *practical*. **3** 심원한, 난해한. **4** 방심 상태의, 멍한. **5** 〖미술〗 추상(파)의, 추상주의의: ~ art 추상 미술. ↔ *representational*.

— [´-] *n.* **1** Ⓤ 추상; 추상적 사고; Ⓒ 〖미술〗 추상주의 작품. **2** Ⓒ 적요, 요약: make an ~ *of* a book 책을 요약하다.

***in the* ~** 추상적으로, 관념적으로: She has no idea of poverty but *in the* ~. 그녀는 관념적으로밖에 가난을 모른다.

— [-´] *vt.* **1** (개념 따위)를 추상하다. **2** [´-] 《~+목/+목+전+명》 발췌하다, 요약하다: ~ a book *into* a compendium 책을 요약하다. **3** 《+목+전+명》 추출하다《*from* …에서》: ~ gold *from* ore 광석에서 금을 추출하다. **4** 《~+목/+목+전+명》 《완곡어》 빼내다, 훔치다(steal)《*from* …에서》: ~ a purse *from* a person's pocket 아무의 주머니에서 지갑을 훔치다.

㊞ **~·ly** *ad.* 추상적〔관념적〕으로. **~·ness** *n.*

ábstract dáta tỳpe 〖컴퓨터〗 추상 데이터형.

ab·strác·ted [-id] *a.* 마음을 빼앗긴, 멍한: with an ~ air 멍하니, 얼이 빠져.

㊞ **~·ly** *ad.* **~·ness** *n.*

*__ab·strac·tion__ [æbstrǽkʃən] *n.* **1** Ⓤ **추상** (작용); Ⓒ 추상 개념. **2** Ⓤ 〖화학〗 추출, 분리. **3** Ⓤ 방심, 망연자실. **4** Ⓤ 《완곡어》 훔침, 절취. **5** 〖미술〗 Ⓤ 추상; Ⓒ 추상 작품. ◇ abstract *v.*

㊞ **~·ism** *n.* **~·ist** *n.* Ⓒ 추상파 화가.

ab·strac·tive [æbstrǽktiv] *a.* 추상력 있는; 추상의.

ábstract nóun 〖문법〗 추상 명사.

ábstract númber 〖수학〗 무명수. cf. concrete number.

ab·struse [æbstrúːs] *a.* 심원한, 난해한: ~ theories. ㊞ **~·ly** *ad.* **~·ness** *n.*

*__ab·surd__ [æbsə́ːrd, -zə́ːrd/əb-] *a.* **1** **불합리한**; 부조리한; **엉터리없는**, 터무니없는: an ~ opinion 터무니없는 의견: He was nominated for the presidency.—Don't be ~! 그가 대통령 후보로 지명되었대요—아니 그럴 수가. **2** 바보스런, 어리석은《*to* do》: It's ~ to call him a fanatic. 그를 광신자라고 하는 것은 바보 같은 소리다/It was ~ *of* me 〔I was ~〕 *to* think that you loved me. 당신이 나를 사랑하는 줄로 알았으니 나도 바보였소. SYN. ⇨ FOOLISH.

—*n.* (the ~) 부조리(한 일): (the) theater of the ~ 부조리 연극.

㊞ **~·ism** *n.* Ⓤ 부조리주의. **~·ly** *ad.* **~·ness** *n.*

◇**ab·surd·i·ty** [æbsə́ːrdəti, -zə́ːr-] *n.* **1** Ⓤ (구체적으로는 Ⓒ) 불합리, 부조리. **2** Ⓤ 어리석음, 바보스러움; Ⓒ 어리석은 것〔언행〕.

Abu Dha·bi [áːbuːdáːbi] 아부다비《아랍 에미레이트 연방 구성국의 하나; 동국(同國) 및 동연방의 수도》.

*__abun·dance__ [əbʌ́ndəns] *n.* **1** Ⓤ **풍부**; 부유: in ~ 많이, 풍부히/live in ~ 유복하게 살다/a year of ~ 풍년. **2** 〖an ~ of로〗 다수(의), 다량(의): *an* ~ *of* grain 많은 곡물(穀物). ◇ abound *v.*

*__abun·dant__ [əbʌ́ndənt] *a.* **풍부한**(rich), 많은(plentiful)《*in* (자원 등)이》: an ~ harvest 풍작/an ~ supply of water 풍부한 물의 공급/be ~ *in* hospitality 융숭하게 대접하다/The river is ~ *in* salmon. 이 강에는 연어가 많다. ◇ abound *v.* ㊞ **~·ly** *ad.*

*__abuse__ [əbjúːz] *vt.* **1** (지위·특권·재능·호의 등)을 **남용하다**, 오용하다, 악용하다; (신뢰 따위)를 저버리다: ~ one's authority 직권을 남용하다/He ~*d* our trust. 그는 우리의 신뢰를 저버렸다. **2** **학대하다**, 혹사하다; (물건)을 소홀히 다루다: ~ one's eyesight 눈을 혹사하다. **3** 《~+목/+목+전+명》 …의 **욕을 하다**, …을 매도하다《*for* …때문에》: He ~*d* her *for* being a baby. 그는 그녀를 어린애 같다고 나무랐다.

— [əbjúːs] *n.* **1** Ⓤ (구체적으로는 Ⓒ) (권력·지위·특권 등의) 악용, **남용**, 오용: drug ~ 마약의 남용〔불법 사용〕/an ~ *of* power 권력의 남용. **2** Ⓤ 학대, 혹사; 소홀한 취급: child sex ~ 어린이 성폭행/physical ~ *of* horses 말의 혹사. **3** Ⓤ **욕설**: a stream 〔torrent〕 of ~ 연이어 내뱉는 욕설. **4** Ⓒ (흔히 *pl.*) 악폐, 폐습.

◇**abu·sive** [əbjúːsiv] *a.* 욕하는, 매도하는, 입정 사나운: use ~ language 욕설을 퍼붓다. ◇ abuse *v.*

㊞ **~·ly** *ad.* **~·ness** *n.*

abut [əbʌ́t] (**-tt-**) *vi.* (나라·토지·건물 따위가) 경계를 접하다, 이웃〔인접〕하다《*on, upon* …와》; (건물의 일부가) 달라붙다, 연하다《*against, on* …에》: His garden ~*s on* 〔*upon*〕 the road. 그의 정원은 도로에 접해 있다/ The stable ~*s against* the main house. 마구간은 본채와 붙어 있다.

abút·ment *n.* Ⓒ 〖건축〗 아치대, 홍예 받침대; 교대(橋臺); 받침대; 접합점.

abys·mal [əbízməl] *a.* **1** 심연의〔같은〕, 나락의; 끝도 없는, 극단의: ~ ignorance 전무식/~ poverty 찰가난. **2** 《구어》 극히 나쁜: ~ weather 악천후. ㊞ **~·ly** *ad.*

◇**abyss** [əbís] *n.* **1** Ⓒ 심연(深淵); 한없이 깊은

구렁텅이《절망 따위》; 헤아릴 수 없는〔무한한〕 것: He was in an ~ of despair. 그는 절망의 구렁텅이에 있었다 / the ~ of time 영원. **2** (the ~) (천지 창조 전의) 혼돈; 지옥, 나락의 밑바닥. ◇ abysmal *a.*

Ab·ys·sin·i·a [æ̀bəsíniə] *n.* 아비시니아《Ethiopia 의 옛 이름》.

Ab·ys·sin·i·an [æ̀bəsíniən] *a.* 아비시니아(사람, 말)의. **—*n.*** [C] 아비시니아 사람; 에티오피아 사람; [U] 아비시니아 말.

ac- [æk, ək] *pref.* AD-의 변형《c, qu 앞에서》.

-ac [æk, ək] *suf.* **1** '…적인' 의 뜻의 형용사를 만듦: elegi*ac*. **2** '…한 사람' 의 뜻의 명사 · 형용사를 만듦. ★ 지금은 이 어미의 말은 명사로서 많이 쓰이며, 형용사는 거기에 -al 을 붙여서 씀: mani*ac*, mani*acal*.

AC, A.C., a.c. 〖전기〗 alternating current. **Ac** 〖화학〗 actinium. **A.C.** air conditioning; *ante Christum* 《L.》 (=before Christ); Athletic Club. **A/C, a/c** accounting; account current; air conditioning.

◇**a·ca·cia** [əkéiʃə] *n.* [C] 〖식물〗 아카시아.

acad. academic; academy.

ac·a·deme [ǽkədìːm, ⌐-⌐] *n.* [U] 학구적인 세계; 《집합적》 대학, 학문의 장. ***the grove(s) of Academe*** 대학의 환경.

‡**ac·a·dem·ic** [æ̀kədémik] *a.* **1** 학원(學園)의, 《특히》 **대학의**: an ~ degree 학위 / an ~ curriculum 대학 과정. **2** 《美》 인문학과의, 일반 교양의: ~ subjects 인문학과목. **3** 학구적인; 이론적인; 비실용적인: an ~ discussion 탁상공론. **4** (예술 따위가) 전통에 얽매인, 틀에 박힌. ◇ academy *n.* **—*n.*** [C] 대학생, 대학 교수, 대학인; 학구(적인 사람).

ac·a·dem·i·cal [æ̀kədémikəl] *a.* =ACADEMIC. **—*n.*** (*pl.*) 대학의 예복.
[파] **~·ly** *ad.* 학문상; 이론적으로.

académic fréedom 학문의 자유; (학교에서의) 교육의 자유.

ac·a·de·mi·cian [æ̀kədəmíʃən, əkæ̀də-] *n.* [C] 예술원〔학술원〕 회원, 학회의 회원; 학문〔예술〕의 전통 존중자.

ac·a·dem·i·cism, acad·e·mism [æ̀kədéməsìzəm], [əkǽdəmìzəm] *n.* [U] 형식〔전통〕주의; 학구적 태도〔사고〕.

académic yéar 학년(도).

***acad·e·my** [əkǽdəmi] *n.* [C] **1 학술원**; 예술원; (학술 · 문예 · 미술 · 영화 따위의) 협회; 학회. **2** (종종 A-) 학원(學院), **학원(學園)** 《보통 university 보다 하급의》. **3** 전문 학교: an ~ of medicine 〔music〕 의(醫)〔음악〕학교 / ⇨ MILITARY ACADEMY; NAVAL ACADEMY.

Acádemy Awárd 〖영화〗 아카데미상. [cf] Oscar.

Aca·dia [əkéidiə] *n.* 아카디아《캐나다의 남동부, 지금의 Nova Scotia 주(州)를 포함하는 지역의 구칭》. [파] **Acá·di·an** *a.*, *n.* [C] ~의 (주민).

acan·thus [əkǽnθəs] (*pl.* **~·es, -thi** [-θai]) *n.* [C] 〖식물〗 아칸서스《지중해 지방산(產)》; 〖건축〗 (코린트식 원주두(圓柱頭) 따위의) 아칸서스 무늬.

a ca(p)·pel·la [àːkəpélə] 《It.》 〖음악〗 반주 없이, 아카펠라의〔로〕.

Aca·pul·co [àːkəpúːlkou, æ̀k-] *n.* 아카풀코《멕시코 남서부 태평양 연안의 보양 도시》.

acc. accepted; accompanied (by); according (to); account(ant); accusative.

ac·cede [æksíːd] *vi.* **1** 동의하다, 응하다《*to* (요구 등)에》: ~ *to* terms 〔an offer〕 조건〔제의〕에 응하다. **2** 오르다, 취임하다, 즉위하다, 계승하다《*to* (고위직 · 왕위 등)에》. [cf] accession. ¶ ~ *to* the throne 즉위하다. **3** 가입하다《*to* (당)에》; 참가〔가맹〕하다《*to* (조약)에》: ~ *to* a convention 협정에 가맹하다.

accel. accelerando.

ac·ce·le·ran·do [æksèlərǽndou, -ráːn-] *ad.*, *a.* 《It.》 〖음악〗 점점 빠르게〔빠른〕, 아첼레란도로〔의〕. **—**(*pl.* **~s, -di** [-di]) *n.* [C] 아첼레란도(의 악장)《생략: accel.》.

ac·cel·er·ate** [æksélərèit] *vt.* **1** 빨리하다, 가속하다(↔ *decelerate*); 진척〔촉진〕시키다: ~*d* depreciation 가속 상각(加速償却)《내용(耐用) 연수 단축으로 인한 앞당겨지는 상각》/ ~ a car 차를 가속하다 / ~ economic recovery 경제 회복을 촉진시키다. **2** …의 시기를 다그다: ~ one's departure 출발 시기를 다그다. **—*vi. 빨라지다, 속력이 더해지다. ◇ acceleration *n.*

ac·cèl·er·á·tion *n.* [U] 가속; 촉진; 〖물리〗 가속도(↔ *retardation*): positive 〔negative〕 ~ 가〔감〕속도 / ~ of gravity 중력 가속도 / ~ capability (자동차 등의) 가속 능력.

ac·cel·er·a·tive [æksélərèitiv, -rət-] *a.* 가속적인, 촉진시키는(=**ac·cél·er·a·to·ry**).

ac·cel·er·a·tor [æksélərèitər] *n.* [C] 가속자; 가속 장치, (자동차의) 가속 페달, 액셀러레이터(=∠ **pèdal**); 〖화학 · 사진〗 (현상) 촉진제; 〖물리〗 (입자의) 가속 장치; 〖컴퓨터〗 가속기《컴퓨터 속도를 높여주기 위해 기본적으로 사용되는 하드웨어에 추가적으로 설치하여 사용하는 기기》: step on the ~ 액셀러레이터를 밟다, 속도를 내다.

accélerator bòard 〔**càrd**〕 〖컴퓨터〗 증속〔가속〕 보드〔카드〕, 액셀러레이터 보드〔카드〕《본체 기판상의 CPU 나 FPU 를 대신하여 동작하는 고속의 CPU 나 FPU 를 탑재한 확장 기판》.

ac·cel·er·om·e·ter [æksèlərámitər/-rɔ́m-] *n.* [C] (항공기 · 우주선의) 가속도계.

‡**ac·cent** [ǽksent/-sənt] *n.* **1** [C] 〖음성〗 **악센트**, 강세; 〖운율〗 강음, 양음(揚音): ⇨ PRIMARY 〔SECONDARY〕 ACCENT. **2** [C] 악센트 부호《발음의 억양 · 곡절 표시의 ´ ` ˆ; 시간 · 각도의 분초 표시의 ′ ″; 피트 · 인치 표시의 ′ ″; 변수(變數) 표시의 ′ 따위》. [cf] stress, pitch¹, tone. ¶ ⇨ ACUTE 〔CIRCUMFLEX, GRAVE〕 ACCENT / mark with an ~ 악센트 부호를 붙이다. **3** [C] (보통 *sing.*) **강조** 《*on* …의》: put the ~ *on* beauty 미를 강조하다. **4** (*pl.*) 어조 : sorrowful ~*s* 슬픈 듯한 어조. **5** [C] 지방〔외국〕 **사투리**〔어투〕: English with a northern 〔foreign〕 ~ 북부〔외국〕 어투가 있는 영어.
— [ǽksent, -⌐] *vt.* **1** …에 악센트를 두다, …을 강하게 발음하다; …에 악센트 부호를 붙이다: an ~*ed* syllable 악센트 있는 음절. **2** 강조〔역설〕하다.

ác·cent·less *a.* 악센트 없는; 사투리 없는: speak the language with ~ fluency 그 언어를 사투리 없이 유창하게 말하다.

áccent màrk 〖음성 · 음악〗 악센트 부호, 강세 기호.

ac·cen·tu·al [æksέntʃuəl] *a.* 악센트의〔가 있는〕; 〖운율〗 음의 강약을 리듬의 기초로 삼는: an ~ verse 음의 강약을 기초로 하는 시.

A

°**ac·cen·tu·ate** [ækséntʃuèit] *vt.* 강조[역설]하다; 두드러지게 하다(accent); …에 악센트(부호)를 붙이다. ㊎ **ac·cèn·tu·á·tion** *n.* **1** Ⓤ 억양[강약](법); 악센트 붙이는 법. **2** Ⓤ (구체적으로는 Ⓒ) 강조, 역설; 두드러지게 함.

‡**ac·cept** [æksépt] *vt.* **1 받아들이다**, 수납하다: ~ a favor 호의를 받아들이다 / She was *~ed* at Harvard. 그녀는 하버드 대학에 입학했다. SYN. ⇨ RECEIVE.
2 (초대·제안·구혼 따위)를 **수락하다**, …에 응하다: I ~ your offer. 당신의 제의를 받아들입니다 / She *~ed* him [her suitor]. 그녀는 그[구혼자]에게 결혼 승낙을 하였다.
3 (사태 따위)를 감수하다: ~ things as they are 현재 상황을 감수하다.
4 《~+목/+목+*as* 보/+*that* 절》 (설명·학설 등)을 **용인**[인정]**하다**, 믿다: ~ an explanation 설명을 이해하다 / ~ it *as* evidence 그것을 증거로서 받아들이다 / I ~ *that* the evidence is unsatisfactory. 증거가 불충분함을 인정한다.
5 (신용 카드 등)을 받다; 『상업』 (어음)을 인수하다. ↔ *dishonor*.
— *vi.* (초대·제안 등을) 수락하다. ◇ acceptance, acceptation *n.*

DIAL. ***I can accept that.*** 알았다《네 제안이나 지적을 받아들이겠다는 뜻》.

ac·cèpt·a·bíl·i·ty *n.* Ⓤ 받아들일 수 있음, 수락; 용인성; 만족.

*****ac·cept·a·ble** [ækséptəbəl] *a.* **1 받아들일 수 있는**, 수락할 수 있는; 마음에 드는, 기꺼운: a most ~ gift 매우 기꺼운 선물. **2** 허용[용인] 되는: socially ~ behavior 사회적으로 용인되는 행위. ◇ acceptability *n.*
㊎ **-bly** *ad.*

*****ac·cept·ance** [ækséptəns] *n.* Ⓤ (구체적으로는 Ⓒ) **1 받아들임**, 수령, 수리, 가납(嘉納). **2** 수락, 승인, 용인. cf acceptation. ¶ find [gain, win] ~ with [in] …에게 승인을 얻다. **3** 『상업』 어음의 인수. ◇ accept *v.*

accéptance tèsting 『컴퓨터』 인수 시험.

ac·cep·ta·tion [æ̀kseptéiʃən] *n.* Ⓒ (일반적으로 통용되는) 어구의 뜻, 어의(語義). ◇ accept *v.*

ac·cépt·ed [-id] *a.* 일반에게 인정된.
㊎ **~·ly** *ad.*

ac·cépt·er *n.* Ⓒ 수납자, 수락자; 『상업』 어음 인수인(acceptor).

ac·cep·tor [ækséptər] *n.* Ⓒ 『상업』 어음 인수인; 『전자』 억셉터《반도체의 정공(正孔)에 기여하는 것》; 『통신』 여파기(濾波器)《특정 주파 수신 회로》.

*****ac·cess** [ǽkses] *n.* **1 a** Ⓤ **접근**, 면접, 출입《*to* (장소·사람)에의》; 접근[출입·입수·이용]하는 방법[수단·권리·자유]; 『컴퓨터』 접근; = ACCESS TIME: be easy [hard, difficult] of ~ 가까이[면회]하기 쉽다[어렵다] / gain ~ *to* …에 접근[면회]하다 / give ~ *to* …에 출입[접근]을 허가하다 / I have ~ *to* his library. 나는 그의 서재에 출입할 수 있다 / within easy ~ of Seoul 서울에서 쉽게 갈 수 있는 곳에 / the only ~ *to* the house 집으로 들어가는 유일한 길. **b** Ⓒ 진입로, 통로, 입구《*to* …에의》: an ~ *to* the airport 공항으로 가는 진입로. **2** Ⓒ (병·노여움 등의) 발작, 격발: ~ and recess (병의) 발작과 진정 / in an ~ *of* fury 불끈 성내어. — *vt.* …에 접근하다; 『컴퓨터』 (데이터)에 접근하다, …을 불러내다.

áccess àrm 『컴퓨터』 접근 막대.

ac·ces·sa·ry [æksésəri] *a., n.* 『법률』 = ACCESSORY 2.

áccess chàrge 『컴퓨터』 액세스 요금[차지]《BBS나 네트워크를 사용할 경우의 요금; 종량제와 정액제가 있음》.

áccess còde 『컴퓨터』 접근 부호[코드]《특정 서비스를 받기 위해 컴퓨터에 입력하는 숫자[문자] 코드》.

áccess contròl régister 『컴퓨터』 접근 제어 레지스터.

ac·cès·si·bíl·i·ty *n.* Ⓤ 도달 가능성; 다가갈 수 있음; 감동[영향]받기 쉬움; 입수하기 쉬움.

°**ac·ces·si·ble** [æksésəbəl] *a.* **1** 접근[가까이]하기 쉬운, 가기 쉬운[편한]《*from* …에서》; 면회하기 쉬운《*to* (아무)를》: an ~ mountain 오르기 쉬운 산 / a house that is easily ~ *from* the station 역에서 가기 편한 집 / His house is not ~ by car. 그의 집은 차로는 갈 수 없다 / He's not ~ *to* strangers. 그는 낯선 사람이 만나기는 쉽지 않다. **2** 입수하기 쉬운, 이용할 수 있는; 이해하기 쉬운《*to* (아무)에게》: a book ~ *to* the common reader 일반 독자도 잘 알 수 있는 책 / Guns are easily ~ *to* Americans. 총은 미국인에게는 구하기 쉽다. **3** 영향받기 쉬운, 감동되기 쉬운《*to* …에》: ~ *to* bribery 뇌물에 유혹당하기 쉬운 / ~ *to* pity 정에 약한 / a mind ~ *to* reason 도리를 아는 사람. ㊎ **-bly** *ad.*

ac·ces·sion [ækséʃən] *n.* **1** Ⓤ 근접, 접근; 도달《*to* (어떤 상태)로의》: ~ *to* manhood 성년에 이름. **2** Ⓤ 계승; 즉위《*to* (높은 지위 등)의》: ~ *to* the throne. **3 a** Ⓤ 증가, 추가. **b** Ⓒ 증가물, 획득물; 수납 도서《*to* (도서관 따위)의》. **4** Ⓤ (구체적으로는 Ⓒ) 승인, 응낙, 동의《*to* …에 대한》: ~ *to* a demand 요구에 대한 수락. **5** Ⓤ 가입, 가맹《*to* (조약·당)에의》.

áccess mèthod 『컴퓨터』 접근법[방식]《판독 기록된 정보를 외부 기록 매체에 전송하는 방법》.

*****ac·ces·so·ry** [æksésəri] *n.* Ⓒ **1** (보통 *pl.*) 부속물; 부속품, (부인용) 복식품(服飾品), 액세서리《장갑·손수건·브로치 따위》: car *accessories* 자동차 부속품 / toilet *accessories* 화장용품류. **2** 『법률』 종범《사람》, 방조자: an ~ after [before] the fact 사후[사전] 종범자. **3** 『컴퓨터』 액세서리《마우스나 모뎀과 같이 기본의 컴퓨터 시스템에 선택적으로 추가해 사용하는 장치》. — *a.* **1** 부속의, 보조적[부대적]인. **2** 『법률』 종범인《*to* …의》: He was made ~ *to* the crime. 그는 그 범죄의 종범자가 되었다.

áccess requèst 『컴퓨터』 접근 요구《데이터 파일을 쓰기 위해 운영 체제에 보내는 메시지》.

áccess ròad (어느 지역·고속도로 등으로의) 진입로.

áccess tìme 『컴퓨터』 접근 시간《제어 장치에서 기억 장치로 정보 전송 지령을 내고 실제로 전송이 개시되기까지의 시간》.

áccess tỳpe 『컴퓨터』 = ACCESS METHOD.

ac·ci·dence [ǽksidəns] *n.* Ⓤ 『문법』 어형 변화(론)(morphology).

‡**ac·ci·dent** [ǽksidənt] *n.* Ⓒ **1** (돌발) **사고**, 재난; 재해, 상해: have [meet with] an ~ 상처입다, 뜻밖의 화를 당하다 / a railroad [traffic] ~ 철도[교통] 사고.
SYN. **accident** 뜻하지 않은 사건 → 사고. **event** (기억에 남을) 대사건, 예상된 사건 → 행

사, 경기의 종목. **incident** 우연히 일어난 사건, 부수적인 작은 사건. **occurrence** 발생→일어난 일, 그 중요성은 부정(不定): everyday *occurrences* 항다반사(恒茶飯事).

2 우연(성); 우연한 일〔사태, 기회〕: an ~ of birth (부귀 · 귀천 따위의) 타고남.

3 부수적인 일〔성질〕.

by ~ of …라는 우연에 의하여. ***by (a mere) ~*** (아주) 우연히, 우연한 일로. ***without ~*** 무사히.

DIAL. ***Accidents will happen.*** 사고란 으레 생기는 법《재난을 당한 사람에게 위로하는 말》.

***ac·ci·den·tal** [æksidéntl] *a.* **1 우연한**, 우발적인, 뜻밖의: (an) ~ death 불의의 죽음, 사고사/an ~ fire 실화/~ homicide 과실 치사/an ~ war 우발 전쟁. **2** 비본질적인, 부수적인. **3** 〖음악〗 임시 변화의, 임시표의: an ~ note 임시 음표/~ notation 임시표(標).
—*n.* Ⓒ **1** 우발적〔부수적〕인 사물; 비본질적인 것. **2** 〖음악〗 임시표; 변화음.

àc·ci·dén·tal·ly *ad.* 우연히, 뜻밖에; 문득, 때때로; 부수적으로: ~ on purpose 《구어》 우연을 가장하고, 고의적으로.

áccident insùrance 상해〔재해〕 보험.

áccident-pròne *a.* 사고를 일으키기〔만나기〕 쉬운, 사고 다발의. ㊕ **~·ness** *n.*

°**ac·claim** [əkléim] *n.* Ⓤ 갈채, 환호; 절찬.
—*vt.* 갈채를 보내다, 환호로써 맞이하다; 갈채를 보내어 인정하다《***as*** …으로》: They *~ed* the hero of the sea. 바다의 영웅을 환호하여 맞았다/They *~ed* him (*as*) king. 환호하여 그를 임금으로 맞았다.

°**ac·cla·ma·tion** [ækləméiʃən] *n.* **1** Ⓒ (보통 *pl.*) 환호: hail with ~*s* 환호를 지르며 맞이하다/amidst the loud ~*s* of …의 대환호 속에. **2** Ⓤ (칭찬 · 찬성의) 갈채: carry a motion by ~ 만장의 갈채로 의안을 통과시키다.

ac·cli·mate [ækləmèit, əkláimit] 《美》 *vt.* **1** (사람 · 동식물 등)을 순응시키다, 순치(馴致)시키다《***to*** (새 풍토)에》: ~ a plant *to* a new environment 식물을 새 풍토에 익숙하게 하다. **2** 〘~ oneself〙 길들다, 순응하다《***to*** (새 풍토)에》: ~ one*self to* new surroundings 새 환경에 순응하다. **—***vi.* 순응하다《***to*** (새 풍토)에》.

ac·cli·ma·tion [ækləméiʃən] *n.* Ⓤ (구체적으로는 Ⓒ) **1** (새 환경에의) 순응. **2** 〖생물〗 순화(馴化).

ac·cli·ma·ti·zá·tion *n.* =ACCLIMATION.

ac·cli·ma·tize [əkláimətàiz] *vt., vi.* 《英》 =ACCLIMATE.

ac·cliv·i·ty [əklívəti] *n.* Ⓒ 오르막, 치받이 경사. ↔ *declivity*.

ac·co·lade [ǽkəlèid, ˌ-ˊ] *n.* Ⓒ 나이트작(爵) 수여(식); 칭찬, 영예, 표창; 상품: receive 〔win〕 an ~ 칭찬받다/receive the ~ 나이트 작위를 받다.

ac·com·mo·date** [əkɑ́mədèit/əkɔ́m-] *vt.* **1** 《~+목/+목+전+명》 …에 **편의를 도모하다**; …에 융통〔제공〕하다《with*** (필요한 것)을》; (소원)을 들어주다: ~ a person's wishes 아무의 소망을 들어주다/~ a person *with* lodging 〔money〕 아무에게 숙소를〔돈을〕 마련〔융통〕해 주다. **2** 〘흔히 수동태〙 (건물 · 방 등)에 설비를 공급하다: The hotel *is* well ~*d*. 그 호텔은 설비가 좋다. **3** (시설 · 탈것 따위가) …을 **수용하다**, …의 수용력이 있다: This hotel ~*s* 1000 guests. 이 호텔은 투숙객 1000명을 수용할 수 있다. **4** 묵게 하다, 투숙시키다: We can ~ him for the night. 그를 하룻밤 재워줄 수 있다. **5** 《+목+전+명》 **적응시키다, 조절하다**; 〘~ oneself〙 적응하다《***to*** (환경 · 경우 따위)에》: ~ a theory *to* the facts 이론을 사실에 적응시키다/~ one*self to* circumstances 환경에 순응하다/The eye can ~ it*self to* different distances. 눈은 거리가 다른 것들을 볼 수 있게 한다. SYN. ⇨ADJUST. **6** (대립 따위)를 조정하다, 화해시키다.

°**ac·cóm·mo·dàt·ing** *a.* 남의 편의를 잘 봐주는, 친절한, 싹싹한. ㊕ **~·ly** *ad.*

***ac·com·mo·da·tion** [əkɑ̀mədéiʃən/əkɔ̀m-] *n.* **1** Ⓤ (《美》에선 *pl.*) **a** (호텔 · 객선 · 여객기 · 병원의) **숙박〔수용〕 시설**: phone a hotel for ~(*s*) 호텔에 전화로 숙박 예약을 하다/We need ~(*s*) for six. 여섯 사람의 숙박 설비가 필요하다/This hotel has ~(*s*) for 1,000 people. 이 호텔은 1,000명을 수용할 수 있습니다. **b** (*pl.*) 《美》 (열차 · 비행기 등의) 좌석. **2** Ⓤ (구체적으로는 Ⓒ) 편의, 도움: as a matter of ~ 편의상. **3** Ⓤ 변통, 융통; 대부금. **4** Ⓤ 적응, 조화, 조절; 〖생리〗 (자동적) 시력 조절. **5** Ⓤ (구체적으로는 Ⓒ) 조정, 화해: come to an ~ 화해하다/bring ... to a friendly ~ …을 원만히 조정하다.

accommodátion bìll 〔**nòte, pàper**〕 융통 어음.

accommodátion làdder 현제(舷梯), 트랩.

°**ac·com·pa·ni·ment** [əkʌ́mpənimənt] *n.* Ⓒ **1** 부속물, 부수물; 따르는 것《***of, to*** …에》: Disease is frequent ~ *of* famine. 병은 종종 기근에 수반하여 발생한다. **2** 〖음악〗 반주(부)《***of, to*** …의》: play one's ~ 반주하다/without ~ 반주 없이《★관사 없이》/the piano ~ *to* a song 노래의 피아노 반주/to the ~ *of* (악기)의 반주로/I want to sing to his piano ~. 그의 피아노 반주로 노래하고 싶다. ◇accompany *v.*

ac·com·pa·nist, -ny·ist [əkʌ́mpənist], [-niist] *n.* Ⓒ 동반자; 〖음악〗 반주자.

‡**ac·com·pa·ny** [əkʌ́mpəni] *vt.* **1** 《~+목/+목+전+명》 …에 **동반하다**, …와 함께 가다《***to*** …에 까지》: May I ~ you on your walk? 산책에 따라가도 괜찮니/We *accompanied* the guest *to* the door. 손님을 문까지 바래다 줬다/He was *accompanied* by his wife. 그는 부인을 동반하고 있었다. ★ 능동태로는 His wife *accompanied* him.이 되지만 「부인이 그를 동반했다」라고 새기면 잘못임.

SYN. **accompany** 한 쪽이 주역, 다른 쪽이 부수적이기는 하나, 양자 사이의 지위의 우열을 고려치 않고 단지 수반 · 공존 관계를 나타냄. 사람 이외에도 사용됨: Fire is *accompanied* by heat. 불에는 열이 따른다. **attend** 지위가 낮은 사람이 윗사람에게 따라가는 것. 또 시중을 드는 것이 은연중 함축됨. **escort** 보호를 위해서 따라다니다.

2 (현상 따위가) …에 **수반하여 일어나다**: Wind *accompanied* the rain. 비에 바람이 더해졌다. **3** 《+목+전+명》 …에 수반시키다, …에 첨가시키다《***with*** …을》: ~ a speech *with* gestures 연설에 몸짓을 섞다/an operation *accompanied with* 〔*by*〕 pain 아픔이 따르는 수술/He *accompanied* his orders *with* a blow. 그는 때리며 명령하였다. **4** 《~+목/+목+전+명》 〖음악〗 …의 반주를 하다《***with, on, at*** …으로》: ~ a singer 〔the violin〕 *on* the piano 피아노로 가수〔바

이올린]의 반주를 하다. ◇ accompaniment, accomplice *n.*

◇**ac·com·plice** [əkámplis/əkɔ́m-] *n.* [C] 공범자, 연루자, 종범자《*in, of* …의》: an ~ *in* murder 살인 공범자/the ~ *of* a burglar 강도 공범자. ◇ accompany *v.*

‡**ac·com·plish** [əkámpliʃ/əkɔ́m-] *vt.* **이루다,** 성취하다, 완성하다; (목적 등)을 달성하다: ~ one's object 〔purpose〕 목적을 달성하다/~ a task 일을 완성하다. [SYN.] ⇨PERFORM.

◇**ac·cóm·plished** [-t] *a.* **1** 성취한, 완성한: an ~ fact 기정 사실(*fait accompli*). **2** 익숙〔능란〕한, 숙달된《*in, at* …에》: He is ~ *in* music. 그는 음악에 뛰어나다. **3** 교양 있는, 기예(技藝)를 갖춘, 세련된: an ~ gentleman 교양 있는 신사.

*__ac·com·plish·ment__ [əkámpliʃmənt/əkɔ́m-] *n.* **1** [U] **성취,** 완성, 수행, 이행: difficult 〔easy〕 of ~ 실행하기 어려운〔쉬운〕. **2** [C] 업적, 성과, 공적: the ~*s* of scientists 과학자의 업적. **3** [C] (흔히 *pl.*) 재예(才藝); 소양, 교양: a man of many ~*s* 재주가 많은 사람/Sewing is not among her ~*s*. 그녀는 바느질 솜씨가 없다.

*__ac·cord__ [əkɔ́ːrd] *vi.* 《~/+[전]+[명]》 **일치하다,** 조화하다《*with* …와》. ↔ *discord*. ¶His words and actions do not ~. 그는 언행(言行)이 일치하지 않는다/That does not ~ *with* what you said yesterday. 그 말은 네가 어제 했던 것과 일치하지 않는다/I rewrote the article because it didn't ~ *with* our policy. 나는 그 논설이 우리 정책에 일치하지 않으므로 다시 썼다. **—** *vt.* 《~+[목]/+[목]+[목]/+[목]+[전]+[명]》 주다, 수여하다《*to* (아무)에게》: ~ a warm welcome 따뜻이 맞이하다/~ a literary luminary due honor =~ due honor *to* a literary luminary 문호(文豪)에게 당연한 찬사를 하다.

— *n.* **1** [U] **일치,** 조화: The building is in 〔out of〕 ~ with its surroundings. 그 건물은 주변과 조화를 이룬다〔이루지 못한다〕. **2** [C] 협정; 강화《*with* …와의; *between* …간의》. **3** [U] 〖음악〗 (협)화음.

be of one* ~** (모두) 일치해 있다. ***of its own* ~** 저절로, 자연히. ***of one's own accord 자발적으로, 자진하여. ***with one* ~** 마음을〔목소리를〕 합하여, 함께, 일제히.

*__ac·cord·ance__ [əkɔ́ːrdəns] *n.* [U] **일치,** 조화. ***in* ~ *with*** …에 따라, …대로, …와 일치하여: *in* ~ *with* your instructions 당신의 지시대로.

ac·cord·ant [əkɔ́ːrdənt] *a.* [P] 일치한, 조화된《*with, to* …와》: ~ *to* reason 〔*with* truth〕 도리〔진리〕에 맞는. [파] **~·ly** *ad.*

*__ac·cord·ing__ [əkɔ́ːrdiŋ] *ad.* =ACCORDINGLY. **~ *as*** 〖접속사적〗 …함에 따라서; …에 응해서 《뒤에 절(clause)》: You may either go or stay, ~ *as* you decide. 결심 여하로 가도 되고 안 가도 된다. **~ *to*** 〖전치사적〗 ① …에 따라서, …에 응해서〔일치하여〕 《뒤에 (대)명사》: ~ *to* the orders 명령에 따라/He came ~ *to* his promise. 그는 약속대로 왔다/cut the coat ~ *to* the cloth 《비유적》 분수에 맞는 생활을 하다/You must work ~ *to* your ability. 자기 능력에 맞게 일하여야 한다. ② …에 의하면《보통 문장 첫머리에서》: *According to* the paper, there was an earthquake in Japan. 신문에 의하면 일본에 지진이 있었다고 한다.

*__ac·cord·ing·ly__ [əkɔ́ːrdiŋli] *ad.* **1** 〖접속사적〗 **따라서,** 그러므로, 그래서: I ~ sent for him. 그래서 그를 맞으러 보냈다. **2** 〖바로 앞에 동사를 수식하여〗 (그것에) 따라서, 그에 맞게, 그 나름으로: These are the rules; act ~. 이것이 규칙이므로, 이에 따라서〔맞게〕 행동하여라/We think that anyone who violates the laws should be treated ~. 누구나 법을 어긴 자는 그에 상응하는 처벌을 받아야 한다고 생각한다.

◇**ac·cor·di·on** [əkɔ́ːrdiən] *n.* [C] 아코디언, 손풍금.

accórdion dóor 접었다 폈다 하는 문.

ac·cór·di·on·ist *n.* [C] 아코디언 연주자.

accórdion pléats 아코디언 플리츠《스커트의 입체적인 가는 세로 주름》.

ac·cost [əkɔ́(ː)st, əkást] *vt.* …에게 다가가서 말을 걸다, (인사 따위의) 말을 걸며 다가가다; (매춘부가 손님)을 부르다, 끌다.

ac·couche·ment [əkúːʃmãː, -mənt] *n.* 《F.》 [U] 분만(分娩), 해산; 분만 기간.

‡**ac·count** [əkáunt] *n.* **1** [C] **계산,** 셈; 계산서, 청구서: quick at ~*s* 계산이 빠른/send (in) an ~ 청구서를 보내다/settle 〔square〕 an ~ with …와 계산을 청산하다; …에게 원한을 갚다.

2 [C] (은행 따위와의) 거래; **계정**《생략: A/C》; 예금 계좌; 외상셈(charge ~); 신용 거래: ⇨CURRENT ACCOUNT/close an ~ with 〔at〕 …와 거래를 끊다, (은행) 계좌를 종결하다/have an ~ with 〔at〕 …와 거래가 있다, (은행)에 계좌가 있다/open 〔start〕 an ~ with 〔at〕 …와 거래를 시작하다, (은행)에 계좌를 트다/charge ... to a person's ~ …을 아무의 셈으로 달다/Short ~*s* make long friends. 《속담》 대차 기간이 짧으면 교제 기간은 길어진다; 오랜 교제엔 외상 금물/Put it down to my ~. 셈은 나에게 달아 놓으세요.

3 [C] (금전 · 책임 처리에 관한) 보고(서), 전말서, 답변, 변명, 설명; (자세한) **이야기; 기술,** 기사; (흔히 *pl.*) 소문, 풍문: *Accounts* differ. 사람에 따라 말이 다르다.

4 [C] 고객, 단골.

5 [U] 이유, 근거; 원인, 동기.

6 [U] **고려, 평가; 감안:** take ~ of =take ... into ~ …을 고려〔참작〕하다/Don't wait *on* my ~. 나 때문에 기다릴 것 없다.

7 [U] 가치, 중요성: a person of little 〔no〕 ~ 하찮은 사람.

8 [U] 이익, 유익: turn ... to (good) ~ …을 이용〔활용〕하다.

by* 〔*from*〕 *all* ~*s 어느 보도에서도; 누구에게 들어도. ***call* 〔*bring, hold*〕** a person ***to* ~** 아무의 책임을 묻다, 아무에게 해명을 요구하다; 아무를 꾸짖다《*for* …때문에》. ***give a good* 〔*bad, poor*〕 ~ *of*** one***self*** 훌륭히〔서툴게〕 변명하다; 훌륭히〔서툴게〕 행동하다, (스포츠에서) 좋은〔신통치 않은〕 성적을 올리다. ***in* ~ *with*** …와 거래하여. ***on* ~** 계약금으로, 선금으로; 외상으로; 할부로. ***on* ~ *of*** (어떤 이유) 때문에; (아무)를 위하여: The picnic was put off *on* ~ *of* rain. 소풍은 비 때문에 연기되었다/We came *on* ~ *of* your sick mother. 자네 모친의 병환이 염려되어 왔네. ***on no* ~** =***not ... on any* ~** 아무리 해도 …않다, 결코 …않다: *On no* ~ should you buy it. 절대로 그것은 살 것이 못 돼. ***on*** a person***'s* ~** 아무를 위하여; 아무의 셈으로. ***on*** one***'s own* ~** 자기 책임〔비용〕으로, 자신의 발의로, 독립하여; 자기를〔이익을〕 위해.

DIAL. ***What kind of account would you like to open?—A checking account.*** 어떤 계좌를 개설하시렵니까—당좌예금 계좌요《은행 창구에서》.

—*vt.* 《+목+(*to be*) 보》 …라고 **생각하다**, 간주하다: I ~ him (*to be*) a man of sense. 그는 지각 있는 사람이라고 생각한다.

—*vi.* 《+전+명》 **1 설명하다**《**for** …의 이유를》: ~ *for* the accident 사고의 이유를 설명하다 / There is no ~*ing for* tastes. 《속담》 오이를 거꾸로 먹어도 제멋, 좋고 싫은 데엔 이유가 없다. **2 책임지다**《**for** (행위 따위)의》: ~ *for* shortages 부족액의 책임을 지다. **3** 용도[조처]를 설명[보고]하다《**to** (아무)에게; **for** (맡은 돈 따위)의》: ~ *to* a treasurer *for* the money received 출납원에게 맡은 돈의 수지 결산을 하다. **4** 원인이 되다, 설명이 되다《**for** …의》: His carelessness ~*s for* his failure. 그의 실패는 부주의 탓이다. **5** 잡다, 죽이다《**for** (사냥감 · 적 따위)를》: The dog ~*ed for* all the rabbits. 그 개가 토끼를 전부 잡았다. **6** 차지하다《**for** …의 비율을》: Imports from Japan ~*ed for* 40% of the total. 일본으로부터의 수입이 총수입의 40%를 차지했다.

ac·còunt·a·bíl·i·ty *n.* U 책임, 책무.

ac·cóunt·a·ble *a.* P **1** 책임 있는, 해명할 의무가 있는《**to** (아무)에게; **for** …에 대하여》: We are ~ *to* him *for* the loss. 그 손실에 대해선 우리가 그에게 책임이 있다. **2** 설명할 수 있는; 까닭이 있는《**for** …에 대하여》: His excitement is easily ~ (*for*). 그가 흥분하는 까닭을 쉽게 알 수 있다. 파 **-bly** *ad.*

ac·count·an·cy [əkáuntənsi] *n.* U 회계사의 직; 회계 사무.

◇**ac·count·ant** [əkáuntənt] *n.* C 회계원; 회계관; (공인) 회계사: an ~'s certificate 감사(監査) 보고서.

accóunt bòok 회계 장부.

accóunt cúrrent =CURRENT ACCOUNT.

accóunt exècutive (광고 · 서비스 회사의) 섭외부장.

ac·cóunt·ing *n.* U 회계(학); 계산, 경리.

accóunt páyable (*pl.* ***accóunts páyable***) 《美》 지불 계정, 미불 계정.

accóunt recéivable (*pl.* ***accóunts recéivable***) 《美》 수납 계정, 미수금 계정.

ac·cou·ter, 《英》 **-tre** [əkú:tər] *vt.* 〖주로 수동태〗 차려 입히다; 군장시키다: *be accoutered with* [*in*] …을 입고 있다. 파 **~·ments** *n. pl.* 옷차림, 차려 입음; 〖군사〗 (무기 · 군복 이외의) 장비.

Ac·cra [əkrá:, ǽkrə] *n.* 아크라《가나의 수도》.

ac·cred·it [əkrédit] *vt.* **1** (어떤 일)을 공으로 돌리다《**to** (아무)의》, (아무가) 한 것으로 하다《**with** (어떤 일)을》: an invention ~*ed to* him 그가 한 것으로 되어 있는 발명 / a charm ~*ed with* magic powers 마력을 가진 것으로 믿어지고 있는 부적 / He is ~*ed with* the remark. = The remark is ~*ed to* him. 그가 그런 말을 한 것으로 되어 있다. **2** 신임하다; (신임장을 주어 대사 · 공사 따위)를 파견하다《**at, to** …에》: ~ an envoy *to* a foreign country (신임장을 주어) 사절을 외국에 파견하다 / He was ~*ed to* the Court of St. James's. 그는 주영(駐英) 대사로 파견되었다.
파 **ac·crèd·i·tá·tion** *n.*

ac·créd·it·ed [-id] *a.* A **1** (학교 · 병원 따위가) 기준에 합격한, 인정된, 공인된; (우유 등이) 기준 품질 보증의: an ~ school 인가 학교. **2** (학설 등이) 일반적으로 인정된.

ac·crete [əkrí:t] *vi.* (하나로) 굳다, 융합하다, 일체가 되다; 부착[고착]하다《**to** …에》. —*vt.* …에 부착시키다.

ac·cre·tion [əkrí:ʃən] *n.* U (발육 · 부착 따위에 의한) 증대, 부착; C 증가물, 부착물.

ac·cru·al [əkrú:əl] *n.* U 자연 증식[증가], 부가; C 부가 이자.

ac·crue [əkrú:] *vi.* (이익 · 결과가) (저절로) 생기다《**to** …에; **from** …에서》; (이자가) 붙다; 〖법률〗 (권리로서) 발생하다: advantage *accruing to* society *from* …에 의하여 사회에 미치는 이익 / Four percent interest will ~ on your savings. 당신의 저금에는 4%의 이자가 붙습니다.

acct. account; accountant.

ac·cul·tur·ate [əkʌ́ltʃərèit] *vi.*, *vt.* (사회 · 집단 · 개인이[을]) 문화 변용(變容)에 의해 변화하다[시키다].

ac·cùl·tur·á·tion *n.* U 〖사회〗 문화 변용(變容); 〖심리〗 (어린이의 성장기에 있어서의) 문화적 적응.

***ac·cu·mu·late** [əkjú:mjəlèit] *vt.* (조금씩) **모으다**, (재산 따위)를 축적하다: an ~*d* fund 적립금 / ~*d* stock 체화(滯貨) / ~ a fortune 재산을 모으다. —*vi.* 쌓이다; (돈 등이) 모이다, 붇다; (불행 등이) 겹치다: Disasters ~*d* round his path. 그의 앞에는 불행이 겹쳐 있었다. ◇ accumulation *n.*

◇**ac·cù·mu·lá·tion** *n.* **1** U 집적, 축적, 누적, 이식(利殖), 축재: ~ of capital 자본 축적 / the ~ of knowledge 지식의 축적. **2** C 축적[퇴적]물, 모인 돈: an ~ of rubbish 쓰레기 더미. ◇ accumulate *v.*, accumulative *a.*

ac·cu·mu·la·tive [əkjú:mjəlèitiv, -lət-] *a.* 돈을 모으고 싶어하는, 이식(利殖)을 좋아하는; 누적하는, 누적적인: ~ deficit 누적 적자.

ac·cu·mu·la·tor [əkjú:mjəlèitər] *n.* C 누적자; 축재가; 《英》 축전지; 〖컴퓨터〗 누산기(累算器).

***ac·cu·ra·cy** [ǽkjərəsi] *n.* U **정확**, 정밀: with ~ 정확히. ◇ accurate *a.*

‡**ac·cu·rate** [ǽkjərit] *a.* **1 정확한**; 정밀한《**in, at** …에》: ~ machines 정확한 기계 / ~ statements 바른 진술 / He's ~ *at* figures. 그는 계산이 정확하다. SYN. ⇨CORRECT. **2** 빈틈없는, 신중한: an ~ typist 미스를 내지 않는 타이피스트. ◇ accuracy *n.*

***ac·cu·rate·ly** [ǽkjəritli] *ad.* **정확하게**, 정밀하게.

ac·curs·ed, ac·curst [əkə́:rsid, əkə́:rst], [əkə́:rst] *a.* 저주받은, 저주할; 지겨운, 진저리나는: an *accursed* deed 타기할 행위.

accus. accusative.

◇**ac·cu·sa·tion** [ӕkjuzéiʃən] *n.* U (구체적으로는 C) **1** 비난, 규탄《**that**》: The ~ *that* I stole the money was false. 내가 그 돈을 훔쳤다는 트집은 거짓이었다. **2** 죄(과), 죄명. **3** 〖법률〗 고발(告發), 고소: bring [lay] an ~ (of theft) against …을 (절도죄로) 고발[기소]하다. ***under an ~ of*** …의 죄로 고소되어, …을 비난받아서. ◇ accuse *v.*

ac·cu·sa·tive [əkjú:zətiv] 〖문법〗 *a.* 대격(對格)의: ~ language 대격 언어. —*n.* (the ~) 대

A

격《직접 목적어의 격》; Ⓒ 대격어, 대격형: I gave him *a book*.》.

ac·cu·sa·to·ry [əkjúːzətɔ̀ːri/-təri] *a.* (말·태도 등) 고발적〔힐문적〕인, 비난어린.

⁑**ac·cuse** [əkjúːz] *vt.* **1** 《~+목/+목+*as* 보/+목+전+명》 **고발하다**, 고소하다《*of* …으로》: His bag had been stolen and he ~*d* me. 그는 가방을 도둑맞고 나를 고발했다/~ a person *as* a murderer 아무를 살인범으로 고발하다/~ a person *of* theft 〔be*ing* a spy〕 절도〔간첩 행위〕 혐의로 아무를 고발하다. **2** 《~+목/+목+전+명/+목+*that* 절》 **비난하다**, 힐난하다, 나무라다《*of* …으로》: ~ oneself 자신을 나무라다/He was ~*d of* cowardice. 그는 비겁하다고 비난받았다/They ~*d* the man *that* he had taken bribes. 그들은 그가 수회했다고 비난했다. SYN. ⇨CHARGE. ◇accusation *n.*

ac·cúsed *a.* **1** 고발된. **2** (the ~) 〔명사적; 집합적; 단·복수취급〕 【법률】 (형사) 피고인. ★ 민사 피고인은 defendant.

ac·cús·er *n.* Ⓒ (형사) 고소인, 고발자; 비난자. cf. plaintiff.

ac·cús·ing *a.* 비난하는, 나무라는: point an ~ finger at …을 비난하다.

㊞ **~·ly** *ad.* 비난하여.

⁑**ac·cus·tom** [əkʌ́stəm] *vt.* 《+목+전+명》 **익숙케 하다**, 습관이 들게 하다《*to* …에》: ~ one's ears *to* the din 소음에 귀를 익히다/~ oneself *to* early rising 일찍 일어나는 습관을 들이다.

*__ac·cus·tomed__ [əkʌ́stəmd] *a.* **1 습관의**, 언제나의: his ~ place 늘 그가 가는 장소. **2 익숙한**, 길들여진《*to* …에/*to* do》: You will soon become ~ *to* the work. 곧 그 일에 익숙해질 것이다/He was ~ *to* sleep for an hour after lunch. 그는 점심 식사 후 1시간 자는 것이 예사였다.

ÀC/ĎC alternating current/direct current (교류 직류〔교직〕 양용(의); 《속어》 양성애(兩性愛)의).

°**ace** [eis] *n.* Ⓒ **1** (카드·주사위의) 1; 【구기】 한 번 쳐서 얻은 점수. **2** (테니스·배드민턴 등의) 상대가 못 받은 서브; 서브로 얻은 득점. **3** 《구어》 최고의 것; 최우수 선수, 명수. **4** 【군사】 격추왕 《미국에서는 5대, 영국에서는 10대 이상의 적기를 격추한》.

an ~ in the hole =***an ~ up*** one***'s sleeve*** 최후에 내놓는 으뜸패; 《구어》 비장의 술수(術數), 비결. ***within an ~ of*** 자칫〔거의〕 …할 뻔한 참에: He was *within an ~ of* death 〔be*ing* killed〕. 그는 자칫하면 죽을 뻔했다.

—*a.* Ⓐ 우수한, 일류의; 《속어》 훌륭한, 뛰어난: an ~ pitcher 최우수 투수.

ac·er·bate [ǽsərbèit] *vt.* 시게〔떫게, 쓰게〕 하다; 성나게〔짜증나게〕 하다.

acer·bic [əsə́ːrbik] *a.* **1** 신, 떫은. **2** (기질·태도·표현 등이) 거친, 표독한, 신랄한: ~ criticism 신랄한 비평.

acer·bi·ty [əsə́ːrbəti] *n.* Ⓤ 신맛, 쓴맛, 떫은 맛; (말 따위의) 가시돋침, 신랄함; Ⓒ 신랄한 말〔태도 (따위)〕.

ac·er·o·la [æ̀səróulə] *n.* Ⓒ 바르바도스 벚나무《서인도제도 원산; 신맛이 나는 버찌 비슷한 열매를 맺는 키작은 나무》.

ac·e·tate [ǽsətèit] *n.* Ⓤ 【화학】 아세트산염; 아세테이트(인견).

ácetate fíber 〔**ráyon**〕 아세테이트 섬유〔레이온〕.

ace·tic [əsíːtik, əsét-] *a.* 초의, (맛이) 신.

acétic ácid 【화학】 아세트산.

ac·e·tone [ǽsətòun] *n.* Ⓤ 【화학】 아세톤《휘발성의 무색(無色) 액체; 시약(試藥)·용제》.

ace·tyl [əsíːtl, əsétl, ǽsə-] *n.* Ⓤ 【화학】 아세틸.

acet·y·lene [əsétəlìːn, -lin] *n.* Ⓤ 【화학】 아세틸렌(가스).

acètyl·salicýlic ácid =ASPIRIN.

⁑**ache** [eik] *vi.* **1** 《~/+전+명》 **아프다**, 쑤시다 《***from, with*** …때문에》: I am *aching* all over. 나는 온몸이 쑤신다/My head ~*s*. 머리가 아프다/My hand ~*s from* writing. 필기를 했더니 손이 아프다. **2** 《+전+명》 마음이 아프다; 동정하다《***for*** …으로》: Her heart ~*d for* the homeless boy. 그 집 없는 소년 생각으로 그녀는 가슴이 아팠다. **3** 《+*to* do/+전+명》 간절히 바라다 《***for*** …을》; …하고 싶어 못 견디다: She ~*s to* see you. 그녀는 너를 만나고 싶어한다/~ *for* a person 아무를 그리워하다.

—*n.* Ⓒ **아픔**, 동통: an ~ in one's head 두통/have ~*s* and pains (몸이) 온통 아프다. SYN. ⇨PAIN.

Ach·er·on [ǽkərɑ̀n/-rɔ̀n] *n.* **1** 【그리스·로마 신화】 아케론 강, 삼도(三途)내《저승(Hades)에 있다는 강》. **2** Ⓤ 저승, 명도(冥途), 지옥.

⁑**achieve** [ətʃíːv] *vt.* **1** (일·목적)을 **이루다**, 달성〔성취〕하다, (어려운 일)을 완수하다: ~ one's aim 목적을 이루다. **2** (공적)을 세우다; (승리·명성)을 획득하다(gain): ~ victory. —*vi.* 목적을 이루다, 소기의 성과를 거두다.

㊞ **achiév·a·ble** *a.* **achiév·er** *n.*

*__achieve·ment__ [ətʃíːvmənt] *n.* **1** Ⓤ **성취**, 달성. **2** Ⓒ **업적**, 위업, 공로.

achíevement quòtient 【심리】 에이큐, 성취(成就) 지수《학력 연령을 나이로 나누고 100을 곱함; 생략: A.Q.》.

achíevement tèst 【심리】 학력 검사〔테스트〕. cf. intelligence test.

Achil·les [əkíliːz] *n.* 【그리스신화】 아킬레스 《Homer작 *Iliad*에 나오는 그리스의 영웅》. ***heel of ~*** =ACHILLES(') HEEL.

Achílles(') héel 유일한 약점《아킬레스는 발꿈치 외에는 불사신이었다 함》.

Achílles(') téndon 【해부】 아킬레스건(腱).

ách·ing *a.* 아픈, 쑤시는; 마음 아픈: an ~ heart 아픈 마음.

achoo ⇨AHCHOO.

ach·ro·mat·ic [æ̀krəmǽtik] *a.* 무색의; 【광학】 색지움의: an ~ lens 색지움 렌즈.

achy [éiki] (***ach·i·er; -i·est***) *a.* 통증이 나는, 아픈, 쑤시는.

ACIA 【컴퓨터】 asynchronous communications interface adapter(비동기 통신 인터페이스 접속기)《직렬 통신(serial communications) 경로용 집적회로》.

*__ac·id__ [ǽsid] *a.* **1** 신, 신맛의. SYN. ⇨SOUR. **2** 【화학】 산(성)의: an ~ reaction 산성 반응. **3** 언짢은; 신랄한, 심술궂은: ~ looks 찌무룩한 표정.

—*n.* **1** Ⓤ (종류는 Ⓒ) 【화학】 **산**. **2** Ⓤ 신 것(액체). **3** Ⓤ 《속어》 =LSD.

ácid dròp 《英》 (타르타르산 등으로 신맛을 가한) 드롭스.

ácid·hèad *n.* Ⓒ 《속어》 LSD 상용자(常用者).

ácid hòuse 《英》 애시드하우스《신시사이저 등

의 전자 악기를 쓰는 비트가 빠른 환각적인 록 음악》.

acid·ic [əsídik] *a.* =ACID 2.

acid·i·fi·ca·tion [əsìdəfikéiʃən] *n.* Ⓤ 산성화, 산패(酸敗).

acid·i·fy [əsídəfài] *vt.* 시게 만들다; 〖화학〗 산성화(化)하다. **—***vi.* 시어지다; 산성으로 되다.

acid·i·ty [əsídəti] *n.* Ⓤ 신맛; 〖화학〗 산도(酸度).

ac·i·do·sis [æ̀sədóusis] *n.* Ⓤ 〖의학〗 산혈증, 산독증.

ácid ráin 산성비.

ácid tést (the ~) (진위 · 가치 따위의) 엄밀한 검사.

acid·u·late [əsídʒəlèit] *vt.* 다소 신맛을 가하다〔갖게 하다〕. ⓜ **-lat·ed** [-id] *a.*

acid·u·lous, -lent [əsídʒələs], [-lənt] *a.* 다소 신맛이 도는; 신랄한. ⓜ **~·ly** *ad.*

ACK, ack 〖컴퓨터〗 acknowledgment《긍정 응답을 나타내는 ASCII 문자》.

ack-ack [ǽkæ̀k] *n.* Ⓤ (때로 *pl.*) 고사포(의 포화). ★ antiaircraft 의 약어 A.A. 의 통신용 발음.

***ac·knowl·edge** [æknálidʒ, ik-/-nɔ́l-] *vt.* **1** 《~+목/+목+*as* 보/+목+*to be* 보/+*that* 절/+-*ing*/+목+*done*》 **인정하다**, 승인하다, 용인하다, **자인(自認)하다**: He ~*d* his faults. 그는 자기 결점을 인정했다/~ it *as* true 그것을 진실로 인정하다/~ oneself *to be* wrong 자신의 잘못을 시인하다/He ~*d that* he was wrong. 그는 잘못했음을 인정했다/He did not ~ hav*ing* been defeated. =He did not ~ himself defeated. 그는 자신의 패배를 인정하지 않았다. SYN. ⇨ADMIT.
2 (편지 등)의 **도착〔수령〕을 통지하다**: I ~ (receipt of) your letter. 편지는 잘 받았습니다.
3 《~+목/+목+전+명》 (친절 · 선물 등)에 대한 **사의를 표명하다**; (인사 등)에 답례하다; …에게 알았음을 표시하다《*by, with* (표정 · 몸짓 등)으로》: ~ a gift 선물에 대한 인사를 하다/~ a greeting *by* nodd*ing* 머리를 끄덕여 인사에 답례하다.
4 〖법률〗 (정식으로) 승인하다, 인지하다: ~ a deed 증서를 (틀림없다고) 인정하다.
ⓜ **~d** *a.* 일반적으로 인정된, 정평 있는.

acknówledge chàracter 〖컴퓨터〗 긍정 응답 문자《데이터가 바르게 전해져 왔음을 전하는 전송 제어 문자; 생략: ACK》.

***ac·knowl·edg·ment,** 《英》 **-edge-** [æknálidʒmənt, ik-/-nɔ́l-] *n.* **1** Ⓤ **승인**, 용인; 자인, 자백, 고백. **2 a** Ⓤ 감사, **사례**, 인사: in ~ of …의 답례로, …을 감사하여. **b** Ⓒ 감사의 표시, 답례품; (*pl.*) (협력자에 대한 저자의) 감사의 말: bow one's ~*s* (of applause) (갈채에 대해서) 허리를 굽혀 답례하다/I record here my warmest ~*s* to him for his permission. 여기에 이를 허락해 주신 그분께 충심으로 사의를 표한다. **3** Ⓒ **수취 증명〔통지〕**, 영수증.

ac·me [ǽkmi] *n.* Ⓒ (보통 the ~) 절정, 정점; 극치; 전성기: the ~ *of* beauty 미의 극치.

ac·ne [ǽkni] *n.* Ⓤ 〖의학〗 좌창(座瘡), 여드름.

ac·o·lyte [ǽkəlàit] *n.* Ⓒ 〖가톨릭〗 (미사 때 신부를 돕는) 복사(服事); 조수; 추종자, 측근자.

Acon·ca·gua [à:kɔ:ŋká:gwa:/æ̀kənká:gwə] *n.* Andes 산맥 중의 최고봉《6960m》.

ac·o·nite [ǽkənàit] *n.* Ⓒ 〖식물〗 바곳; Ⓤ 〖약학〗 바곳의 뿌리에서 채취하는 강심 · 진통제.

°**acorn** [éikɔ:rn, -kərn] *n.* Ⓒ 도토리, 상수리: a sweet ~ 모밀잣밤나무의 열매.

ácorn cùp 각두(殼斗), 깍정이.

ácorn squàsh 《美》 도토리 모양의 호박의 일종.

acous·tic [əkú:stik] *a.* **1** 청각의; 음향(상)의; 음향학의; 〖음악〗 전자 장치를 쓰지 않은《악기》: an ~ aid 보청기/the ~ nerve 청신경/~ phonetics 음향 음성학/an ~ guitar 어쿠스틱 기타《전기로 증폭하지 않는 보통의 기타》/an ~ instrument 어쿠스틱 악기. **2** (건축 자재 등이) 방음의, 흡음의: an ~ tile 흡음 타일.
ⓜ **-ti·cal·ly** *ad.*

acóustic cóupler 〖컴퓨터〗 음향 결합기《데이터 통신에서 변복조(變復調) 장치의 하나》.

acóus·tics *n.* Ⓤ 음향학; 〖복수취급〗 (극장 따위의) 음향 효과〔상태〕: This hall has good 〔poor〕 ~. 이 홀은 음향이 좋다〔안 좋다〕.

***ac·quaint** [əkwéint] *vt.* 《+목+전+명》 …에게 **숙지〔정통〕시키다**, 알리다, 고하다《*with* …을》; 〖~ oneself〗 익숙하다, 정통하다《*with* …에》: I ~*ed* him *with* my intentions. 그에게 나의 의도를 알렸다/You must ~ your*self with* your new job. 너는 새 일에 정통해야 한다.

⁑**ac·quaint·ance** [əkwéintəns] *n.* **1** Ⓤ (또는 an ~) 지식, 익히 앎《*with, of* …의》; **면식, 친면**《*with* (아무)와의》: have a profound ~ *with* one's business 자기 일에 깊은 지식을 갖다/have 〔have no〕 ~ *with* …와 면식이 있다〔없다〕; 안면이 넓다〔좁다〕/have a bowing 〔nodding, slight〕 ~ *with*... (사람 · 사물)을 조금 알고 있다, 약간의 지식〔면식〕밖에 없다/renew one's ~ 옛 친분을 새로이 하다/gain ~ *with* …을 알다/cut 〔drop〕 one's ~ *with* …와 절교하다/make the ~ of a person =make a person's ~ 아무와 아는 사이가 되다.
2 a Ⓒ **아는 사람**, 아는 사이《friend처럼 친하지는 않음》: He is not a friend, but an ~. 친구라고 할 것까지는 없어도 안면은 있다. **b** (*sing.*) 〖집합적〗 아는 사람들: have a wide ~ 교제 범위가〔안면이, 발이〕 넓다.
keep up** one's* **~ *with …와 사귀고 있다. ***scrape* (*an*) ~ *with* ...** ⇨SCRAPE.

ac·quáin·tance·shìp [-ʃìp] *n.* (an ~) **1** 지기(知己)임, 면식《*with* …와의》. **2** 교우 관계, 교제《*with* …와의; *among* …간의》: have a wide ~ *among* …간에 아는 사람이 많다.

ac·quáint·ed [-id] *a.* Ⓟ **1** 아는, 아는 사이인《*with* …을》: He is widely ~. 그는 발이 넓다/He and I have been long ~ *with* each other. 그와 나는 서로 오랫동안 알고 지내는 사이였다. **2** 밝은, 정통한《*with* …에》: He is well ~ *with* law. 그는 법률에 정통하다.
get a person **~** 《美》 아무에게 친지를 만들어 주다, 소개해 주다. ***make*** 〔***bring***〕 a person **~ *with*** ① 아무에게 …을 알리다. ② 아무에게 …을 소개하다.

ac·qui·esce [æ̀kwiés] *vi.* 묵묵히 따르다, 묵인하다, (마지못해) 동의하다《*in* …에》: They ~*d in* our proposal. 그들은 우리 제안에 묵묵히 따랐다.

ac·qui·es·cence [æ̀kwiésəns] *n.* Ⓤ 묵낙, (어쩔 수 없는) 동의《*in* …에》: give ~ *in* …에 묵종(默從)하다.

°**ac·qui·es·cent** [æ̀kwiésənt] *a.* 묵묵히 동의

하는, 묵인하는. ㊞ ~·ly *ad*.

‡ac·quire [əkwáiər] *vt*. **1** (버릇 · 학문 따위)를 얻다, 배우다, 몸에 익히다, 습득하다: ~ a bad habit 나쁜 버릇이 붙다/~ a foreign language 외국어를 배우다. SYN. ⇨ GET. **2** (재산 · 권리 등)을 취득하다, **손에 넣다**, 획득하다: ~ industrial secrets 산업 비밀을 입수하다. **3** (레이더로) 포착하다: ~ a target 레이더로 목표물을 포착하다. ◇ acquirement, acquisition *n*.

ac·quíred *a*. 취득한, 획득한; 습성이 된; 〖생물〗 후천적인. ↔ hereditary, inborn, innate. ¶ ~ rights 기득권/~ immunity 후천적 면역성/~ characteristic 〔character〕 〖생물〗 후천성 형질(形質).

acquíred immúne deficiency 〔immunodefíciency〕 sỳndrome ⇨AIDS.

acquíred táste (반복하여) 익힌 기호〔취미〕; 몸에 익혀 좋아진 것《특히 음식》.

ac·quíre·ment *n*. **1** Ⓤ 취득; 습득. **2** Ⓒ (흔히 *pl*.) 기예, 학식, 재능: I am proud of my son's ~*s*. 내 아들의 학식이 자랑스럽다.

◇ac·qui·si·tion [æ̀kwəzíʃən] *n*. **1** Ⓤ 취득, 획득; 습득. **2** Ⓒ 취득물, 손에 넣은 물건; 입수 도서: a recent ~ to the library 도서관의 신착(新着) 도서.

ac·quis·i·tive [əkwízətiv] *a*. 얻고자〔갖고자〕 하는《**of** …을》; 탐욕스런: an ~ person 욕심쟁이/be ~ *of* knowledge 지식욕이 있다/the ~ instinct 취득 본능. ㊞ **~·ly** *ad*. **~·ness** *n*.

◇ac·quit [əkwít] (**-tt-**) *vt*. **1** 석방하다, (아무)를 무죄로 하다《**of** (죄 따위)에 대하여》: ~ a prisoner 죄인을 석방하다/The jury ~*ted* her *of* the crime. 배심원은 그녀를 무죄로 하였다. **2** (아무)에게 면제해 주다《**of** (책임 등)을》: ~ a person *of* his duty 아무의 임무를 해제하다. **3** (빚 따위)를 갚다. **4** 〖~ oneself〗 **a** 〖well 따위의 양태부사와 함께〗 행동하다, 처신하다: He ~*ted* him*self* well in battle. 그는 전투에서 잘 싸웠다. **b** 다하다《**of** (책임 따위)를》: ~ one*self of* one's duty 임무를 다하다. ◇ acquittance *n*.

ac·quit·tal [əkwítəl] *n*. Ⓤ (구체적으로는 Ⓒ) 석방, 방면, 면소; 책임 해제; (빚의) 변제.

ac·quit·tance [əkwítəns] *n*. Ⓤ 면제, 해제; 변제; Ⓒ (전액) 영수증, 채무 소멸 증서.

***acre** [éikər] *n*. **1** Ⓒ **에이커**《약 4,046.8 m²; 생략: a.》. **2** (*pl*.) 토지, 논밭: broad ~*s* 광대한 토지. **3** (*pl*.) 《구어》 다수, 대량: ~*s of* books 막대한 수의〔다량의〕 책.

acre·age [éikəridʒ] *n*. Ⓤ (또는 an ~) 에이커 수(數), 평수, 면적: The farm has a considerable ~. 그 농장은 상당히 큰 면적이다.

ac·rid [ǽkrid] *a*. 매운, 쓴; 표독스러운, 신랄한. ㊞ **~·ly** *ad*. **~·ness** *n*.

ac·ríd·i·ty [-əti] *n*. Ⓤ **1** (냄새 · 맛 따위의) 자극성; 매움; 씀. **2** (말 · 태도 등의) 신랄함, 표독함.

ac·ri·mo·ni·ous [æ̀krəmóuniəs] *a*. 매서운, 신랄한, 표독스런: an ~ dispute 험악한 논쟁. ㊞ **~·ly** *ad*.

ac·ri·mo·ny [ǽkrəmòuni] *n*. Ⓤ (태도 · 기질 · 말 등의) 표독스러움, 신랄함(bitterness).

ac·ro·bat [ǽkrəbæ̀t] *n*. Ⓒ 곡예사.

ac·ro·bat·ic [æ̀krəbǽtik] *a*. 곡예의, 재주 부리기의: an ~ feat 〔dance〕 곡예〔곡예 댄스〕. ㊞ **-i·cal·ly** *ad*.

àc·ro·bát·ics *n*. Ⓤ 곡예(술); 〖복수취급〗 (곡예에서의) 일련의 묘기: aerial ~ 곡예 비행.

ac·ro·nym [ǽkrənìm] *n*. Ⓒ 약성어(略成語), 두문자어(頭文字語)《몇 개 단어의 머리글자로 된 말. 보기: *radar* [◂*ra*dio *d*etecting *a*nd *r*anging]》.

ac·ro·pho·bia [æ̀krəfóubiə] *n*. Ⓤ 〖심리〗 고소(高所) 공포증. ㊞ **àc·ro·phó·bic** *a*.

acrop·o·lis [əkrápəlis/-rɔ́p-] *n*. **1** Ⓒ (옛 그리스 도시의 언덕 위의) 성채(城砦). **2** (the A-) 아크로폴리스《Athens의 성채; Parthenon 신전이 있음》.

†across [əkrɔ́ːs, əkrás] *ad*. **1 가로질러서; 저쪽에〔까지〕**, 건너서: hurry ~ to the other side 급히 반대쪽으로 건너다.

2 지름으로, 직경으로, 나비로: a lake 5 miles ~ 지름이 5 마일인 호수.

3 열십자로 교차하여, 엇갈리어, 어긋매껴: He was standing with his arms ~. 그는 팔짱을 끼고 서 있었다.

—*prep*. **1** …을 **가로질러**; …의 **저〔반대〕쪽에**, …을 건너서: walk ~ the street 길을 건너가다/She lives ~ the river. 그녀는 강 건너편에 살고 있다.

2 …와 **교차하여**, …와 엇갈리어: lay ~ each other 열십자로 놓다/He threw a bag ~ his shoulder. 그는 어깨에 가방을 메었다.

3 …의 전역에서: ~ the country 〔world〕 온 나라〔세계〕에, 전국〔전세계〕에.

SYN. **across** 한쪽에서 다른 쪽으로 가로지름을 강조함. **along** 끝에서 끝으로 평행하여 있음을 나타냄. **through** 한쪽에서 다른 쪽으로 빠져나감을 나타냄.

~ *from* …의 맞은쪽에(opposite): The store is ~ *from* the station. 그 가게는 역 맞은쪽에 있다/He sat ~ *from* me. 그는 (테이블을 사이에 두고) 내 맞은편에 앉았다.

acròss-the-bóard *a*. Ⓐ 전면적, 일괄의; 《美》 〖경마〗 연승식 승마(勝馬) 투표의《걸기》: a 20% ~ salary increase, 20 퍼센트의 일괄 임금 인상.

acros·tic [əkrɔ́ːstik, -rás-] *n*. Ⓒ 이합체(離合體) 시《각 행의 처음(과 끝) 글자를 맞추면 어구(語句)가 됨》. **—***a*. ~의〔같은〕.

acryl·ic [əkrílik] *n*. Ⓤ (제품은 Ⓒ), *a*. 〖화학〗 아크릴(의).

acrýlic ácid 〖화학〗 아크릴산(酸).

acrýlic résin 〖화학〗 아크릴 수지.

†act [ækt] *n*. **1** Ⓒ **소행**, 행위, 짓: a heroic 〔foolish〕 ~ 용감한〔어리석은〕 행위/an ~ of kindness 〔cruelty〕 친절〔잔혹〕한 행위/an ~ of God 〖법률〗 천재(天災), 불가항력.

SYN. **act** 일시적, 개인적인 행위로, 그 결과에 중점을 둠. **action** 어느 기간에 걸친 여러 번의 행위로, 그 과정에 중점을 둠. **behavior** 개인 성질의 자연적 표현, 또는 뱀뱀이의 결과로 여겨지는 행위. 지금은 짐승에도 쓰임. **deed** act와 마찬가지로 결과에 중점을 두고, 특히 지성과 책임을 수반하는 위대한 행위에 쓰임.

2 (the ~) 행동 (중), 현행《★ 흔히 in the (very) ~ (of do*ing*)으로 쓰임》: He was caught in the very ~ *of* steal*ing*. 그는 절도 현장에서 붙잡혔다.

3 (종종 A-) Ⓒ 법령, 조례: an *Act* of Congress 〔《英》 Parliament〕 법률, 법령.

4 (보통 the A-s) Ⓒ (법정 · 의회의) 결의(서).

5 (the A-s) 〖단수취급〗 〖성서〗 사도행전(the

Acts of the Apostles).
6 (종종 A-) Ⓒ 〖연극〗 **막**: a one ~ play 단막극/*Act* III, Scene ii 제3막 제2장.
7 Ⓒ (보통 *sing.*) ⟪구어⟫ 꾸밈, 시늉: put on an ~ 가장하다, '연극'을 하다/Her tearful farewell was all an ~. 눈물을 흘리며 헤어지던 그녀의 이별은 모두가 연극이었다.
do a disappearing ~ (필요한 때에) 자취를 감추다. ***get into*** 〔***get in on***〕 ***the ~*** ⟪구어⟫ (수지맞출) 계획에 한몫 끼다, 남이 시작한 일에 끼어들다, 쓸데없이 참견하다. ***get*** 〔***have***〕 ***one's ~ together*** ⟪구어⟫ 일관성 있게 효율적으로 행동하다.
—*vt.* **1** 〘보통 the+단수명사를 목적어로 하여〙 …**처럼 행동하다**, …**의 시늉을 하다**, …인 체하다: ~ reluctance 마음이 내키지 않는 체하다/~ the child 애처럼 행동하다/~ the knave 악인인 체하다. **2** (연극 중 인물)의 **역(할)을 하다**; (극)을 상연하다: ~ Hamlet 햄릿역을 하다.
—*vi.* **1** ⟪~/+전+명⟫ **행동하다**; 활동하다⟪***on, upon*** …에 따라⟫: ~ promptly 신속히 행동하다/~ politely 예의바르게 행동하다/~ *on* impulse 충동적으로 행동하다/She ~*ed* as if she were a queen. 그녀는 마치 여왕처럼 행동했다.
2 ⟪+전+명⟫ (기계 등이) 잘 가동하다; (약 따위가) 듣다⟪***on, upon*** …에⟫: This drug ~*ed on* his nerves. 이 약이 그의 신경과민에 들었다/The brake did not ~. 브레이크가 듣지 않았다.
3 ⟪+보⟫ …답게 행동하다, 동작〔거동〕이 …처럼 보이다: ~ old 어른답게 행동하다/Don't ~ silly. 바보처럼 행동하지 마라.
4 연기하다, (배우로서) 무대에 서다: She will ~ on the stage. 그녀는 무대에 설 것이다.
5 〘well 따위의 양태 부사를 수반하여〙 (각본이) 상연에 적합하다: His plays don't ~ well. 그의 희곡은 무대 상연에 적합치 않다.
6 ⟪+*as* 보/+전+명⟫ 직무를〔기능을, 역할을〕 다하다; 대리하다, 대행하다⟪***for*** …을⟫: ~ *as* chairperson 의장 일을 보다/~ *as* guide 〔interpreter〕 안내인〔통역〕 노릇을 하다 ⟪★ as 뒤에 오는 단수 보통 명사에는 보통 관사가 붙지 않음⟫/I'll ~ *for* you while you are away. 안 계신 동안 제가 대리로 일을 보지요.
7 가장하다, 체하다: He is only ~*ing* to get your sympathy. 그는 너의 동정을 사기 위해 연극을 하고 있을 뿐이다.
~ ***out*** ⟪*vt.*+부⟫ ① (사건 따위)를 몸짓을 섞어 가며 이야기하다; 실연(實演)하다; 행동으로 옮기다, 실행하다. ② 〖정신의학〗 (억압된 감정)을 무의식적으로 행동화하다. **—**⟪*vi.*+부⟫ ③ 〖정신의학〗 (억압된 감정을) 행동화하다. ~ ***up*** ⟪*vi.*+부⟫ ① ⟪구어⟫ 멋대로의〔거친〕 행동을 하다; 장난치다, 희롱거리다: The dog ~*ed up* as the mail carrier came to the door. 집배원이 오자 개는 날뛰며 짖어대었다. ② (기계 따위가) 상태가 좋지 않다: The car always ~*s up* in cold weather. 그 차는 날씨가 차면 언제나 상태가 좋지 않다. ③ (병·상처 따위가) 다시 더치다, 재발하다. ~ ***up to*** (주의·이상·약속 따위)에 따라 행동하다, (주의·이상 등)을 실천하다.

áct brèak 〖연극〗 막간.

ACTH, Acth [èisì:tì:éitʃ, ækθ] *n.* Ⓤ 〖생화학〗 부신피질(副腎皮質) 자극 호르몬⟪관절염 따위의 치료용 호르몬제⟫. [◂*a*dreno*c*ortico*t*rop*h*ic hormone]

°**áct·ing** *a.* Ⓐ 대리의: an ~ manager 지배인 대리. **—*n.*** Ⓤ 연기, 연출(법); 꾸밈, 꾸민 연극: a play suitable for ~ 상연에 적합한 희곡/good 〔bad〕 ~ 훌륭한〔서투른〕 연기/an ~ copy 〖연극〗 대본.

ac·tin·ic [æktínik] *a.* 〖물리〗 화학선(線)의, (방사선이) 화학선 작용이 있는: ~ rays 화학선 ⟪자외선, 방사선 따위⟫.

ac·tin·ism [ǽktənìzəm] *n.* Ⓤ 화학선 작용.

ac·tin·i·um [æktíniəm] *n.* Ⓤ 〖화학〗 악티늄 ⟪방사성 원소; 기호 Ac; 번호 89⟫.

‡ac·tion [ǽkʃən] *n.* **1** Ⓤ **활동, 행동**; 실행: ~ of the mind =mental ~ 마음의 활동/a man of ~ 활동가. **2 a** Ⓒ (구체적인) **행위**(deed). **b** (*pl.*) (평소의) 행실: *Actions* speak louder than words. ⟪속담⟫ 행동은 말보다 더한 웅변이다. SYN. ⇨ACT. **3** Ⓒ (보통 *sing.*) (신체(의 기관)·기계 장치의) **작용**, 기능; 작동; (피아노·총 등의) 기계 장치, 작동 부분, 액션: dynamic ~ 역학적 작용/~ at a distance 원격 작용/~ of the heart 심장의 기능/~ of the bowels 용변. **4** Ⓒ (보통 *sing.*) (자연 현상·약 등의) 작용⟪***on*** …에⟫: chemical ~ 화학 작용/the ~ of acid *on* iron 산이 쇠에 미치는 작용. **5** Ⓤ 조치, 방책(steps): Prompt ~ is needed. 즉각적인 조처가 필요하다. **6** Ⓤ **a** (배우·연설자 등의) 몸놀림, 연기: *Action!* 〖영화〗 연기 시작. **b** 아슬아슬한 연기(가 많은 장면): He likes movies with lots of ~. 그는 액션이 많은 영화를 좋아한다. **7** (*sing.*) (운동선수·말·개의) 몸짓, 발놀림: That horse has a graceful ~. 저 말은 동작이 우아하다. **8** Ⓤ (소설·각본의) 줄거리; 이야기의 전개. **9** Ⓒ 〖법률〗 소송(suit): a civil ~ 민사 소송/a criminal 〔penal〕 ~ 형사 소송/bring 〔take〕 an ~ against …을 상대로 소송을 제기하다. **10** Ⓤ ⟪美⟫ 결정, 판결, 의결. **11 a** Ⓤ 〖군사〗 교전(fighting): see ~ 전투에 참가하다; 실전 경험을 하다. **b** Ⓒ 전투(battle). **12** Ⓤ 〖미술〗 (인물의) 생명감, 약동감. **13** Ⓤ ⟪속어⟫ (흥분·자극적인) 행위, 도박 행위, 노름, 노름돈: go where the ~ is 활기 넘치는 곳으로 가다. ◇act *v.*
a piece of the ~ ⟪속어⟫ 할당 몫, 분담: get *a piece of the* ~ 이익의 몫을 받다. ***bring*** 〔***come***〕 ***into ~*** ① 활동시키다〔하다〕; 발휘하다〔되다〕; 실행하다〔되다〕. ② 전투에 참가시키다〔하다〕. ***in ~*** ① 활동〔실행〕하고. ② (기계 등) 작동하고. ③ 교전〔전투〕 중에: missing *in* ~ 전투 중 행방불명/be killed *in* ~ 전사하다. ***out of ~*** ① (기계 등) 움직이지 않아; (사람이 병·상처 따위로) 움직이지 못하고. ② (군함·전투기 등) 전투력을 잃고. ***put... into*** 〔***in***〕 ***~*** …을 운전시키다, …을 실행에 옮기다. ***put... out of ~*** (부상 등이 사람)을 활동하지 못하게 하다; (기계)를 움직이지 못하게 하다; (군함·비행기 등)의 전투력을 잃게 하다.

ác·tion·a·ble *a.* 〖법률〗 기소할 수 있는.

áction commìttee 〔**gròup**〕 (정치 따위의) 행동대(원).

áction-pàcked [-t] *a.* ⟪구어⟫ (영화 등이) 액션〔자극적인 것〕으로 가득 찬.

áction pàinting 〖미술〗 행동 회화⟪그림물감을 뿌리거나 하는 전위 회화⟫.

áction rèplay ⟪英⟫ =INSTANT REPLAY.

áction stàtions 〖군사〗 전투 배치.

ac·ti·vate [ǽktəvèit] *vt.* **1** 활동〔작동〕시키다. **2** 〖물리〗 …에 방사능을 부여하다, 방사성으로 하다. **3** 〖화학〗 …을 활성화하다; (가열 등으로 반응)을 촉진하다. **4** (하수)를 정화하다.

áctivated cárbon [**chárcoal**] 활성탄.

áctivated slúdge 활성 슬러지 [오니(汚泥)].

àc·ti·vá·tion *n.* Ⓤ 활동화; 〖물리〗 활성 [방사] 화.

ác·ti·và·tor [-tər] *n.* Ⓒ 활동적으로 하는 사람 [물건]; 〖화학〗 활성제(劑).

ac·tive [ǽktiv] *a.* **1 활동적인, 활발한, 일하는**, 민활한: an ~ life (공무 따위로) 바쁜 생활.

SYN. **active** 사람이나 물건이 활동적인: an *active* man 활동적인 사람. **energetic** active 보다 활동력이 강한: an *energetic* man 정력적인 사람. *energetic* laws 강력한 법률. **vigorous** 심신이 왕성한: a *vigorous* old man 원기 왕성한 노인.

2 활동 중인 《화산 따위》, 활동성의: an ~ volcano 활화산(↔ *an extinct volcano*). **3 활기 있는**(lively), **왕성한**: an ~ market 활발한 시황(市況). **4 적극적인**, 의욕적인; 능동적인. ↔ *passive*. ¶ ~ measures 적극적인 방책. **5** 〖문법〗 능동태의. ↔ *passive*. ¶ the ~ voice 능동태. **6** 〖군사〗 현역의(↔ *retired*). **7** 〖법률〗 유효한, 효력이 있는.

—*n.* (the ~) 〖문법〗 능동태(의 꼴). ***take an ~ part in*** …에서 활약하다.

㊞ **~·ness** *n.*

áctive cárbon ＝ACTIVATED CARBON.

áctive dúty 〖군사〗 현역 (근무); 전시 [전지] 근무. ***be on ~*** 〖군사〗 현역 복무 중이다.

ác·tive·ly *ad.* 활발히, 활동하여.

áctive prógram 〖컴퓨터〗 활동 프로그램 《load 되어 실행 가능 상태에 있는》.

áctive sérvice 〖군사〗 ＝ACTIVE DUTY.

áctive terminátion 〖컴퓨터〗 능동종단 《주변기기의 데이지 체인(daisy chain)에서, 전기적인 간섭을 보정하는 기능을 가진 종단법》.

ac·tiv·ism [ǽktəvìzəm] *n.* Ⓤ 행동 [실천] 주의. ㊞ **-ist** *a.*, *n.* Ⓒ 행동주의(자)(의); 활동가(의).

ac·tiv·i·ty [æktívəti] *n.* **1** Ⓤ **활동**, 활약: mental ~ 정신 활동 / be in ~ (화산 등이) 활동 중이다. **2** Ⓒ (흔히 *pl.*) (여러) 활동; 사교, 운동; (학교의 교과 외) 문화 활동: social *activities* 사회적 활동 / classroom [extracurricular] *activities* 교내 [과외] 활동. **3** Ⓤ (상황(商況) 따위의) **활기**; **호경기**: There's increased ~ on the stock market. 주식 시장은 점점 활기를 띠어 가고 있다. **4** Ⓤ 활발, 민활: full of ~ 원기 충만하여.

ac·tor [ǽktər] *n.* Ⓒ **1 배우**, **남(배)우**: a film [movie] ~ 영화 배우 / a stage ~ 무대 배우.

SYN. **actor** 무대나 영화에 출연함을 직업으로 하는 사람. **player** 무대에서 연기하는 사람이며, 초심자에게도 이름.

2 참가자, 관계자. **3** 〖법률〗 행위자.

ac·tress [ǽktris] *n.* Ⓒ 여(배)우. cf. actor.

ac·tu·al [ǽktʃuəl] *a.* Ⓐ **1 현실의**, 실제의, 사실의: in ~ fact 사실상(in fact) / an ~ example 실례 / ~ life 실생활 / an ~ line 〖수학〗 실선(實線). SYN. ⇨REAL. **2 현행의, 현재의**: ~ money 현금 / the ~ state [locality] 현(現)상황 [현지] / ~ stuff 〖상업〗 현물(現物).

áctual addréss 〖컴퓨터〗 ＝ABSOLUTE ADDRESS.

áctual instrúction 〖컴퓨터〗 실효 명령.

ac·tu·al·i·ty [æ̀ktʃuǽləti] *n.* **1** Ⓤ 현실(성), 실제; 사실: in ~ 실제로. **2** Ⓒ (흔히 *pl.*) 현상, 실정: face *actualities* 실정을 직시하다.

ác·tu·al·ìze *vt.* 실현하다; 현실화하다; 사실적으로 그려내다. ㊞ **àc·tu·al·iz·á·tion** *n.*

ac·tu·al·ly [ǽktʃuəli] *ad.* **1 현실로, 실제로**. **2** 《문장을 수식하여》 **실제(로)는**, 사실은(really): He looks a bit weak, but ~ he is very strong. 그는 좀 약해 보이지만 실은 매우 튼튼하다 / I think Susie probably passed the test.—*Actually* she failed. 수지가 시험에 합격했겠지요—실은 떨어졌어요. **3** 《강조 또는 놀람을 나타내어》 정말로(really): He ~ refused! 정말로 거절했다고요.

ac·tu·ary [ǽktʃuèri/-əri] *n.* Ⓒ 보험 회계사.

ac·tu·ate [ǽktʃuèit] *vt.* (동력원이 기계)를 움직이다; (장치 등)을 발동 [시동, 작동] 시키다; (아무)를 자극하여 …하게 하다 《*to* do》: What ~*d* him *to* kill himself? 어떤 동기로 자살하게 되었는가 / He *was* ~*d* by community spirit. 그의 행위는 공동체 의식에서 행해진 것이었다.

ACU 〖컴퓨터〗 automatic calling unit (자동 호출 장치).

acu·i·ty [əkjúːəti] *n.* Ⓤ (감각 · 재지(才智)의) 예민함; (바늘 따위의) 예리함. ◇ acute *a.*

acu·men [əkjúːmən, ǽkjə-] *n.* Ⓤ 예민, 총명; 날카로운 통찰력: business ~ 상재(商才).

acu·mi·nate [əkjúːmənit] *a.* 〖식물〗 (잎 · 잎끝이) 뾰족한 (모양의).

ac·u·pres·sure [ǽkjuprèʃər] *n.* Ⓤ 지압 (요법).

ac·u·punc·ture [ǽkjupʌ̀ŋktʃər] *n.* Ⓤ 침술(鍼術), 침 치료: ~ point 침의 혈.

㊞ **-tur·ist** *n.*

acute [əkjúːt] *a.* **1 날카로운, 뾰족한**. ↔ *obtuse*. ¶ an ~ leaf 끝이 뾰족한 잎. SYN. ⇨SHARP. **2** 민감한; 빈틈없는; 혜안의, 명민한: an ~ observer 예리한 관찰자. **3** 살을 에는 듯한 《아픔 · 괴로움 등》; 심각한 《사태 등》; 격심한 《결핍 · 부족 따위》: ~ pain 격통 / The situation is ~. 사태가 심각하다. **4** 〖수학〗 예각의: an ~ angle 예각 / an ~ triangle 예각 삼각형. **5** 〖의학〗 급성의; (병원이) 급성 환자용의. ↔ *chronic*. ¶ an ~ disease 급성병. **6** 〖음성〗 양음(揚音) 부호(′)가 붙은; 양음의. ◇ acuity *n.*

㊞ **~·ly** *ad.* 날카롭게; 격심하게; 예민하게. **~·ness** *n.* Ⓤ 날카로움; 격심함; 명민함.

acúte áccent 양음 악센트 부호(′).

ACV air-cushion vehicle.

-a·cy [əsi] *suf.* '성질, 상태, 직(職)' 따위의 뜻: accur*acy*, celib*acy*, magistr*acy*.

ad[1] [æd] *n.* Ⓒ 《美구어》 **광고**(advertisement): an ~ agency [agent] 광고 대행업소 [업자] / an ~ column 광고란 / an ~ rate 광고료 / an ~ writer 광고 문안가 / classified ~*s* (신문의) 안내 [3 행] 광고, 항목별 광고.

ad[2] *n.* 《美》 〖테니스〗 ＝ADVANTAGE 3.

ad- [æd, əd] *pref.* '접근, 방향, 변화, 첨가, 증가, 강조' 따위의 뜻: *ad*apt, *ad*here, *ad*vance.

ad. adverb.

a.d., A.D., AD [éidíː, ǽnoudɑ́mənài, -nìː/-dɔ́m-] **그리스도 기원**…, **서력**… 《*Anno Domini* 《L.》 (＝in the year of our Lord)의 간약형》. cf. B.C. ¶ A.D. 59; 59 A.D. 서력 59 년. ★ 연대의 앞 《주로 英》 또는 뒤 《주로 美》에 쓰며, the 3rd century A.D. 따위에는 항상 뒤임; 인쇄에서는 보통 small capital.

ad·age [ǽdidʒ] *n.* Ⓒ 격언, 금언; 속담. SYN.

⇨ SAYING.

ada·gio [ədáːdʒou, -ʒiòu] *ad.*, *a.* ⦅It.⦆ 〖음악〗 느리게; 느린. **—**(*pl.* **~s**) *n.* Ⓒ 〖음악〗 아다지오곡〔속도〕.

Ad·am [ǽdəm] *n.* **1** 남자 이름. **2** 〖성서〗 아담 ⦅인류의 조상, 창세기 II:7⦆; 최초의 인간.
(**as**) ***old as*** **~** 태고부터의; 진부한⦅뉴스 등⦆.
not know a person ***from*** **~** 아무를 전혀 모르다, 본 일도 없다.

ad·a·mant [ǽdəmənt, -mæ̀nt] *n.* Ⓤ 더없이 굳은〔견고무비한〕 것, ⦅시어⦆ 철석같이 굳음; (전설상의) 굳은 돌⦅옛날 금강석으로 여겨짐⦆.
(**as**) ***hard as*** **~** 쉬이 굴하지 않는; 매우 견고한.
—*a.* **1** (사람 · 태도 등이) 단호한: an ~ refusal 단호한 거절. **2** 지지 않는⦅***to*** …에 대하여⦆; 양보하지 않는, 불굴의⦅***in, on*** …에 있어서⦆; be ~ *to* temptation 완강히 유혹에 넘어가지 않다/He was ~ *in* his refusal. 그는 거절의 의지가 철석 같았다. **3** (…임을) 강경히 주장하는⦅***that***⦆: He was ~ *that* he should go. 그는 자신이 가겠다고 강경히 주장했다.

ad·a·man·tine [æ̀dəmǽnti(ː)n, -tain] *a.* (광택 등) 다이아몬드 같은, 견고무비한, 철석 같은; 견고한; 단호한: ~ courage 강용(剛勇).

ád·a·mant·ly *ad.* 단호하게, 완강히: He ~ refused. 그는 딱 잘라서 거절했다.

Ad·ams [ǽdəmz] *n.* 애덤스. **1 John ~** 미국의 제2대 대통령(1735-1826). **2 John Quincy ~** 미국의 제6대 대통령(1767-1848).

Ádam's ále 〔**wíne**〕 ⦅우스개⦆ 물(water).

Ádam's àpple 결후(結喉).

⁑**adapt** [ədǽpt] *vt.* ⦅+목+전+명⦆ **1 적합**〔적응〕 **시키다**⦅***to, for*** …에⦆: ~ one's remarks *to* one's audience 청중을 고려하여 말을 조절하다. SYN. ⇨ ADJUST. **2** 〖~ oneself〗 순응하다, 길들다⦅***to*** (새 환경 따위)에⦆: ~ one*self to* a new life 새 생활에 순응하다. **3** (건물 · 기계 등)을 개조하다⦅***for*** (용도 따위)에 맞게⦆: ~ a motorboat *for* fishing 모터보트를 낚싯배로 개조하다. **4 개작하다**; 번안〔각색, 편곡〕하다(modify)⦅***for*** …으로; ***from*** …에서⦆: ~ a novel *for* the stage 소설을 무대용으로 각색하다/a play *~ed from* the Latin original 라틴어 원전에서 번안한 희곡. **—***vi.* 순응하다⦅***to*** (환경 등)에⦆: Children ~ quickly *to* a new environment. 아이들은 새 환경에 곧 순응한다. ≠adopt. ◇ adaptation *n.*

adápt·a·ble *a.* 적응〔순응〕할 수 있는, 융통성 있는⦅***to, for*** …에⦆; 개작〔각색〕할 수 있는: Living creatures must be ~ *to* environmental change. 생물은 환경의 변화에 적응하지 않으면 안 된다. ㊞ **adàpt·a·bíl·i·ty** *n.* Ⓤ 적응〔융통〕성.

◦**ad·ap·ta·tion** [æ̀dəptéiʃən] *n.* **1** Ⓤ 적응, 적합. **2** Ⓤ (구체적으로는 Ⓒ) 개작, 번안, 각색⦅***for*** …으로의; ***from*** …에서⦆: *~s for* the screen 영화용 각색(대본)/an ~ *from* an English novel 영국 소설로부터 번안. ◇ adapt *v.*

adápt·ed [-id] *a.* **1** 개조된; 개작〔번안, 각색〕된: ~ tales from Shakespeare 셰익스피어 (작품)에서 번안된 이야기. **2** 적합한, 어울리는⦅***for, to*** …에⦆.

adápt·er, adáp·tor *n.* Ⓒ 각색자, 번안자; 〖전기 · 기계〗 어댑터.

adáp·tion *n.* = ADAPTATION.

adap·tive [ədǽptiv] *a.* 적합한, 적응하는; 적응될 수 있는; 적응을 돕는: ~ power 적응력. ㊞ **~·ly** *ad.*

adáptive contról sỳstem 〖컴퓨터〗 적응 제어계.

adáptive róuting 〖컴퓨터〗 적응 경로 선정 ⦅통신량 등의 상황 변화에 따라 메시지의 전달 경로를 선택하는 방식⦆.

ADB Asian Development Bank (아시아 개발은행). **A.D.C.** aid(e)-de-camp.

Á/D convérter 〖컴퓨터〗 A/D변환기, 연속이산변환기.

⁑**add** [æd] *vt.* **1** ⦅~+목/+목+부/+목+전+명⦆ **더하다**, 가산하다; 증가〔추가〕하다⦅***to*** …에⦆; 합산〔합계〕하다(*up; together*): ~ a little salt 소금을 조금 넣다/~ *up* the grocery bills 식료품의 계정을 합계하다/~ sugar *to* tea 홍차에 설탕을 타다/Two *~ed to* three makes five. 3+2=5. **2** ⦅+*that* 절⦆ 부언〔부기〕하다, 덧붙여 말하다: He *~ed that* he would come again soon. 근일 중 다시 오겠다고 그는 부언했다.
—*vi.* **1** 덧셈하다. **2** ⦅+전+명⦆ 늘다, 붙다⦅***to*** …에⦆. ↔ *subtract.* ¶This will ~ *to* our pleasure. 이것은 우리를 더욱 즐겁게 할 것이다. ◇ addition *n.*
~ *in* 산입하다, 더하다, 포함하다: *Add in* the sales tax. 매상고에 세금을 산입하세요. **~ *up*** ⦅*vi.*+부⦆ ① 계산이 맞다. ② ⦅구어⦆ 이치〔조리〕에 맞다, 이해되다. **—**⦅*vt.*+부⦆ ③ 합계하다(⇨ *vt.* 1). **~ *up to*** ① 총계 …이 되다: The figures ~ *up to* 794. 그 수는 합계 794가 된다. ② ⦅구어⦆ 결국 …의 뜻이 되다, …을 뜻하다(mean): His statement *~s up to* an admission of guilt. 그의 주장은 결국 죄를 인정하는 것밖에 안 된다. ***to* ~ *to*** …에 더하여: *To* ~ *to* my distress... 더욱 곤란하게도….
㊞ **∠·a·ble, ∠·i·ble** *a.* 더할 수 있는.

ad·dax [ǽdæks] (*pl.* **~**(**·es**)) *n.* Ⓒ 영양(羚羊)의 일종⦅북아프리카 · 아라비아산(産)⦆.

ad·den·dum [ədéndəm] (*pl.* **-da** [-də]) *n.* Ⓒ (책의) 보유(補遺), 부록(appendix); 추가(사항).

ad·der¹ [ǽdər] *n.* Ⓒ 〖동물〗 독사의 일종⦅살무사류⦆.

add·er² *n.* Ⓒ 덧셈하는 사람; 가산기(器)(adding machine); 〖컴퓨터〗 덧셈기.

◦**ad·dict** [ədíkt] *vt.* 〖보통 ~ oneself; 수동태〗 빠지게 하다, 몰두〔탐닉〕시키다⦅***to*** …에⦆, 마약 중독이 되게 하다. ★ 대개 나쁜 뜻. ¶~ one*self to* …에 빠지다〔열중하다〕/He is *~ed to* cocaine. 그는 코카인 중독이다.
— [ǽdikt] *n.* Ⓒ ⦅특히⦆ (마약) 중독자; 열광적인 애호〔지지〕자: a morphine ~ 모르핀 중독자.
㊞ **ad·díc·tion** [əd-] *n.* Ⓤ (구체적으로는 Ⓒ) 열중, 탐닉; (…) 중독. **ad·díc·tive** [əd-] *a.* (약 따위가) 중독성인, 습관성인.

ad·díct·ed [-id] *a.* Ⓟ (나쁜 습관 등에) 빠져 있는; 탐닉한; (마약 따위에) 중독된.

Ad·die, Ad·dy [ǽdi] *n.* 애디⦅여자 이름; Adelaide, Adelina, Adeline의 애칭⦆.

ádd·ing machìne 가산기, 계산기.

Ad·dis Aba·ba [ǽdis-ǽbəbə] 아디스아바바 ⦅Ethiopia의 수도⦆.

Ad·di·son [ǽdəsən] *n.* **Joseph ~** 애디슨⦅영국의 수필가 · 시인; 1672-1719⦆.

Áddison's disèase 애디슨병⦅피부가 갈색으로 되는 부신(副腎) 병⦆.

⁑**ad·di·tion** [ədíʃən] *n.* **1** Ⓤ **추가, 부가**. **2** Ⓒ **a** 추가 사항, 부가물⦅***to*** …에의⦆; have an ~ *to*

one's family 가족이 하나 더 늘다. **b** 《美》 증축 부분, 확장 부분《*to* (건물 · 소유지)의》: He built an ~ *to* his house. 그는 집을 증축했다. **3** Ⓤ (구체적으로는 Ⓒ) 〖수학〗 **덧셈.** ↔ *subtraction.* ◇ add *v.*

in* ~** 게다가, 그 위에. ***in* ~ *to …에 더하여, … 위에 또(besides): He writes well *in* ~ *to* being a fine thinker. 그는 뛰어난 사상가인 데다가 문장력도 훌륭하다.

***ad·di·tion·al** [ədíʃənəl] *a.* **부가의**〔**적**〕, **추가의**: an ~ budget 추가 예산/an ~ charge 할증료. ㊉ **~·ly** *ad.* 그 위에, 게다가.

ad·di·tive [ǽdətiv] *a.* 부가적인, 추가의.
— *n.* Ⓒ 부가물〔요소, 어(語)〕; 혼합〔첨가〕제 《내폭제 · 식품 첨가물 등》: a food ~ 식품 첨가물/artificial ~*s* 인공 첨가물. ◇ add *v.*

àdditive-frée *a.* 첨가물이 들지 않은.

ad·dle [ǽdl] *a.* 썩은《달걀》; 혼탁한(muddled)《머리》; 공허한. **—** *vt.* (계란)을 썩히다; (머리)를 혼란시키다: Don't ~ your mind with such a trifle. 그런 하찮은 것을 가지고 고민하지 마라. **—** *vi.* 혼란하다; (계란 따위가) 썩다.
㊉ **ád·dled** *a.*

áddle·bràined, -hèaded [-id], **-pàted** [-id] *a.* 머리가 혼란한, 논리적이 아닌; 아둔한.

ádd-òn *n.* Ⓒ **1** (컴퓨터 · 스테레오 등의) 추가 기기〔장치〕: an ~ to a computer 컴퓨터의 추가 기기. **2** (세금 · 청구액 등의) 추가.
— *a.* Ⓐ 누산〔분할〕 방식의, 애드온의; 부가〔부속〕의: an ~ hard disk (컴퓨터에 접속한) 추가 하드 디스크.

ádd-on bòard 〖컴퓨터〗 =EXPANSION BOARD.

ádd-on mémory 〖컴퓨터〗 덧기억 장치《기본 기억 장치에 기억 용량을 확장할 목적으로 부가하는 기억 장치》.

ádd operátion 〖컴퓨터〗 덧셈《연산의 결과가 두 수의 합이 되게 하는 연산》.

†**ad·dress**[1] [ədrés] *n.* **1** [美+ǽdres] Ⓒ **받는이의 주소 · 성명,** (편지 따위의) 겉봉; 주소; 〖컴퓨터〗 번지《(1) 기억 장치의 데이터가 적혀 있는 자리; 그 번호. (2) 명령의 어드레스 부분》: a person of no ~ 주소 불명인 사람. **2** Ⓒ (청중에의) **인사말,** 연설, 강연: an ~ of thanks 치사(致謝)/the opening 〔closing〕 ~ 개회〔폐회〕사/an ~ of welcome 환영사/a congratulatory ~ =an ~ of congratulation 축사/a funeral ~ 조사(弔辭)/deliver 〔give〕 an ~ 일장의 강연을 하다. SYN. ⇨SPEECH. **3** Ⓤ 응대하는 태도; 말하는〔노래하는〕 태도: a man of pleasing ~ 응대 솜씨가 좋은 사람. **4** Ⓤ 일처리 솜씨, 능란(한 솜씨): with ~ 솜씨 좋게/show great ~ 솜씨가 매우 능란하다. **5** (*pl.*) 구애, 구혼: pay one's ~*es* to …에게 구애〔구혼〕하다. **6** Ⓤ 〖골프〗 (타구 전의) 칠 자세. ***an* ~ *to the Throne*** 상주문. ***form of* ~** ⇨ FORM.

†**ad·dress**[2] [ədrés] *vt.* **1** 《~+목/+목+*as* 보》 …**에게 이야기를**〔**말을**〕 **걸다,** …에게 연설〔인사〕하다, …을 (…라고) 부르다: ~ an assembly 일동을 향해 연설〔인사〕하다/~ a person *as* 'General' 아무를 장군이라고 부르다. **2** 《~+목/+목+전+명》 (편지 등)을 **보내다,** (편지)에 **받는이의 주소 성명을 쓰다,** (편지)를 내다《*to* (아무)에게》; 〖컴퓨터〗 (데이터)를 기억 장치의 번지에 넣다: ~ a parcel 소포에 받는이의 주소 성명을 쓰다/~ a letter *to* a person 편지를 아무에게 보내다. **3** 《+목+전+명》 (문서 따위)를 제출하다, (항의 · 비평 · 기원 · 경고 따위)를 보내다, …을 전하다《*to* …에》: ~ a memorial 〔complaint〕 *to* the legislature 의회에 건의〔진정〕하다. **4** 〖골프〗 (공)을 칠 자세를 취하다. **5** (문제)를 역점을 두어 다루다; 처리하다.

~ one*self to* …에게 말을 걸다; …에 본격적으로 착수하다.

ad·dréss·a·ble *a.* 〖컴퓨터〗 어드레스로 끄집어낼 수 있는.

addréssable cúrser 〖컴퓨터〗 번지 지정 가능 커서.

addréssable póint 〖컴퓨터〗 번지 지정.

Áddress Bòok 〖컴퓨터〗 주소록《전자 우편을 주고받는 사람의 인터넷 및 PC 통신 주소를 저장 · 보관하는 것》; (a- b-) 주소록.

áddress bùs 〖컴퓨터〗 어드레스 버스, 번지(番地) 버스.

addréss decóder 〖컴퓨터〗 번지 디코더《번지 데이터를 해독하여 기억 장소를 선택하는 회로》.

ad·dress·ee [æ̀dresíː, əd-] *n.* Ⓒ (우편물 · 메시지의) 수신인, 받는이.

ad·dréss·er, -drés·sor [əd-] *n.* Ⓒ 말을 거는 사람; 이야기하는 사람; 발신인; 주소 성명 인쇄기.

addréssing lèvel 〖컴퓨터〗 번지 지정 단계.

addréss màpping 〖컴퓨터〗 번지 대응《가상 번지를 절대 번지로 변환하는 방법》.

addréss règister 〖컴퓨터〗 번지 레지스터《실행되고 있는 명령의 번지를 기억하고 있는 레지스터》.

Addréss Resolútion Pròtocol 〖컴퓨터〗 주소 도출 프로토콜《인터넷에서 네트워크에 접속돼 있는 컴퓨터 인터넷 주소와 이더넷(Ethernet) 주소를 대응시키는 프로토콜》.

áddress spàce 〖컴퓨터〗 번지 공간《CPU, OS, 응용(application) 등이 접근(access)할 수 있는 기억 번지(memory address)의 범위》.

ad·duce [ədjúːs] *vt.* (이유, 증거 따위)를 제시하다, 예증으로 들다: ~ reasons 〔evidence〕 이유〔증거〕를 제시하다.

ad·duct [ədʌ́kt] *vt.* 〖생리〗 (손 · 발 따위)를 내전(內轉)시키다. ↔ *abduct.*

ad·duc·tion [ədʌ́kʃən] *n.* Ⓤ 이유 제시, 인증(引證); 〖생리〗 내전(內轉).

-ade [éid, ɑ́ːd, ǽd] *suf.* '행위, 동작, 생성물, 결과, 과즙 음료, 행동 참가자(들)'의 뜻의 명사를 만듦: block*ade*; pom*ade*; brig*ade*.

Ad·e·laide [ǽdəlèid] *n.* 애덜레이드《South Australia 주의 주도》.

Aden [ɑ́ːdn, éi-] *n.* 아덴《예멘 남서부의 도시; 통일 전 남예멘의 수도》.

ad·e·noids [ǽdənɔ̀id] *n. pl.* 〖의학〗 **1** 인두(咽頭) 편도(扁桃). **2** Ⓤ 아데노이드, 선(腺)증식증〔인두 편도 비대증〕 (=∠ **grówth**).
㊉ **ad·e·noi·dal** [æ̀dənɔ́idl] *a.*

adept [ədépt] *a.* 숙련된; 정통한, 환한《*in, at* …에》: an ~ climber 숙련된 등산가/be ~ *at* 〔*in*〕 music 음악에 정통하다.
— [ǽdept] *n.* Ⓒ 숙련자, 명인(expert), 달인(達人)《*in, at* …의》; 열렬한 신자〔지지자〕.

ad·e·qua·cy [ǽdikwəsi] *n.* Ⓤ 적당〔타당〕함; 충분함.

***ad·e·quate** [ǽdikwət] *a.* **1 a** (어떤 목적에) **어울리는, 적당한, 충분한**; (직무를 다할) 능력이 있는, 적임의《*to, for* …에》: ~ *to* one's needs

필요를 충족시키기에 충분한/~ food *for* 50 people, 50명을 위한 충분한 음식/He is ~ *to* the job. 그는 그 일에 적임자다. **b** (…하기에) 적당한, 충분한(*to* do): data ~ *to* prove an argument 주장을 입증하기에 적절한 자료. [SYN.] ⇨ ENOUGH. **2** 그런 대로 괜찮은: The leading actor was (only) ~. 주연의 연기는 겨우 합격선이었다. [파] ~·**ly** *ad.*

A. D. F. automatic direction finder.

*__ad·here__ [ædhíər] *vi.* ((+[전]+[명])) **1 점착(부착, 유착)하다**((*to* …에)): Mud ~*d to* his clothes. 옷에 흙이 말라붙었다. **2** 집착하다((*to* …에)); 신봉하다, 지지하다((*to* …을)): ~ *to* a plan 계획을 끝까지 실행하다. ◇ adhesion, adherence *n.*

ad·her·ence [ædhíərəns] *n.* [U] 고수, 묵수(墨守); 지지((*to* …의)); 집착, 점착(粘着), 부착((*to* …에의)): ~ *to* a principle 주의(主義)의 고수. ★ 대체로 adherence는 추상적, adhesion은 구체적인 뜻으로 쓰임.

◇**ad·her·ent** [ædhíərənt] *a.* 들러붙는, 부착하는; 점착성의; 신봉하는((*to* …을)); (정식으로) 가맹한((*to* …에)); 〖식물〗 착생(着生)하는.
—*n.* [C] 자기편; 지지자, 신봉자, 신자((*of* (주의·정당 등)의; *to* …에 대한)): nominal ~*s of* a religion 이름뿐인 신자/He won (gained) numerous ~*s to* his cause. 그는 자기 주장에 대한 많은 지지자를 획득했다. [파] ~·**ly** *ad.*

ad·he·sion [ædhíːʒən] *n.* **1** [U] 점착, 부착, 고착, 흡착((*to* …에의)). **2** 〖의학〗 **a** [U] 유착. **b** [C] 유착된 곳.

ad·he·sive [ædhíːsiv, -ziv] *a.* 점착성(접착성)의; 들러붙어 떨어지지 않는; 염두에서 떠나지 않는: an ~ envelope 풀칠한 봉투. —*n.* [C] 점착물, 접착제; 접착 테이프, 반창고. [파] ~·**ly** *ad.*

adhésive tàpe 〔**plàster**〕 접착 테이프(반창고).

ad hoc [æd-hák, -hóuk] ((L.)) (=for this) 특별 목적을 위하여(위한), 특별히(한), 임시의; 이 문제에 관하여(관한): an ~ election 특별 선거.

ADI acceptable daily intake ((유해 물질의) 1일 허용 섭취량).

adieu [ədjúː] *int.* 안녕(히 가세요〔계세요〕).
—(*pl.* ~**s**, ~**x** [-z]) *n.* [C] 이별, 작별, 고별(good-bye): bid ~ to =make 〔take〕 one's ~ to …에게 이별을 고하다.

ad in·fi·ni·tum [æd-ìnfənáitəm] ((L.)) 영구히, 무한히((생략: ad. inf., ad infin.)).

ad·i·os [ædióus, àːdi-] *int.* ((Sp.)) (=to God) =ADIEU.

ad·i·pose [ǽdəpòus] *a.* [A] 지방(질)의, 지방이 많은: ~ tissue 지방 조직. —*n.* [U] 동물성 지방.

ad·i·pos·i·ty [æ̀dəpásəti/-pɔ́s-] *n.* [U] 〖의학〗 비만(증), 지방 과다(증).

Ad·i·rón·dack Móuntains [ædərándæk-/-rɔ́n-] (the ~) 미국 New York 주 북동쪽에 있는 산맥.

ad·it [ǽdit] *n.* [C] 입구; 〖광산〗 횡갱(橫坑).

adj. adjacent; adjective, adjunct.

ad·ja·cen·cy [ədʒéisənsi] *n.* **1** [U] 인접, 이웃. **2** [C] (보통 *pl.*) 인접지.

◇**ad·ja·cent** [ədʒéisənt] *a.* 인근의; 접근한, 인접한((*to* …에)). [cf.] adjoining. ¶~ villages 인근 마을들/There is a parking lot ~ *to* the building. 그 건물에 인접한 주차장이 있다.
[파] ~·**ly** *ad.* 인접하여.

ad·jec·ti·val [æ̀dʒiktáivəl] *a.* 형용사(적)인; 형용사를 만드는((접미사)); 형용사가 많은((문체)).
—*n.* [C] 형용사적 어구. [파] ~·**ly** *ad.*

*__ad·jec·tive__ [ǽdʒiktiv] *n.* [C] **형용사.**
—*a.* 형용사의(적인): an ~ clause 형용사절.

◇**ad·join** [ədʒɔ́in] *vt.* …에 인접(이웃)하다: Canada ~*s* the U.S. 캐나다는 미국과 인접해 있다. —*vi.* (두 개가) 이웃해 있다: The two houses ~. 두 집은 서로 이웃해 있다.

ad·jóin·ing *a.* 인접한; 부근(이웃)의. [cf.] adjacent. ¶~ rooms 옆방.

◇**ad·journ** [ədʒə́ːrn] *vt.* **1** (회 따위)를 휴회(산회, 폐회)하다((*for* …동안)): The court will be ~*ed for* an hour. 재판은 한 시간 동안 휴정될 것이다. **2** (심의 등)을 연기하다, 이월하다((*till, until* …까지)): The meeting was ~*ed until* the next week. 회의는 다음 주까지 연기되었다.
—*vi.* **1** 휴회(산회, 폐회)하다((*from* …으로부터; *to, until* …까지)): ~ without day 무기 연기되다/The court ~*ed from* Friday *until* Monday. 재판은 금요일부터 월요일까지 휴정되었다. **2** 자리를 옮기다((*to* …으로)): Let's ~ *to* the hall. 홀로 옮기자.

ad·jóurn·ment *n.* [U] (구체적으로는 [C]) (회의 등의) 연기; 휴회 (기간).

adjt. adjutant.

ad·judge [ədʒʌ́dʒ] *vt.* **1** 결정하다, 재결하다; 판결하다, 선고하다((*to* …에/*to* do/*that*)): The will was ~*d* (*to be*) void. =They ~*d that* the will was void. 유언이 무효 결정을 받았다/The kidnapper was ~*d to* die (*to* death). 유괴범에게 사형이 선고되었다. **2** (상 따위)를 수여하다, (법의 결정에 따라 재산 따위)를 부여하다((*to* …에게)): The prize was ~*d to* him. 상은 그에게 수여되었다.
[파] **ad·júdg(e)·ment** *n.*

ad·ju·di·cate [ədʒúːdikèit] *vt.* (소송)에 판결을 내리다; (아무)를 판결하다, 재결하다, 선고하다: The case was ~*d* in his favor. 그에게 유리하게 판결이 내려졌다/The court ~*d* him (*to be*) guilty. 법정은 그를 유죄로 선고하였다/~ a person (*to be*) bankrupt 아무에게 파산을 선고하다. —*vi.* 심사원 노릇을 하다; 판결을 내리다((*on, upon* (사건 따위)에)): He ~*d upon* the case of murder. 그가 그 살인 사건을 판결하였다. [파] **-cà·tive** [-kèitiv, -kətiv] *a.* 판결의. **-cà·tor** [-tər] *n.*

ad·jù·di·cá·tion *n.* [U] 판결(을 내림); 재결; (파산 따위의) 선고를 함.

ad·junct [ǽdʒʌŋkt] *n.* [C] 부속(종속)물((*to, of* …의)); 〖문법〗 수식어구, 부가어(附加語).
—*a.* 부속된, 부수의. [파] **adjunc·tive** [ədʒʌ́ŋktiv] *a.* 부속의, 보조의. **-tive·ly** *ad.*

ad·ju·ra·tion [æ̀dʒəréiʃən] *n.* [U] (구체적으로는 [C]) 엄명; 간원.

ad·jure [ədʒúər] *vt.* …에게 엄명하다; 간원하다, 탄원하다(entreat)((*to* do)): I ~ you *to* do it. 제발 그리 해 주세요.

*__ad·just__ [ədʒʌ́st] *vt.* **1** ((~+[목]/+[목]+[전]+[명])) (꼭) **맞추다**, 조정하다((*to* (표준·요구 따위)에)): ~ a clock 시계를 맞추다/~ expenses *to* income 지출을 수입에 맞추다/~ a telescope *to* one's eye 망원경을 눈에 맞추다. **2** 매만져 바로잡다: ~ one's tie in a mirror 거울을 보고 넥타이를 바로잡다. **3** ((+[목]+[전]+[명])) 〖~ oneself〗 순응하다((*to* (환경·상황)에)): The body ~*s itself* to changes of temperature. 인체는 기온 변화에 순응한다. **4** (분쟁 등)을 조정하다: ~ differences of opinion 의견 차이를 조정하다. **—***vi.* 《+전+명》 순응하다; 조정되다《*to* …에》: He soon ~*ed to* living alone. 그는 곧 독신 생활에 익숙해졌다.

SYN. **adjust** 낱낱의 것을 조화·조정하다. **adapt** 새로운 사태에 순응하다. **accommodate** 표면적·일시적인 조화를 나타냄. adapt 보다 양보·타협을 나타낼 때 쓰임.

㊕ **~·a·ble** *a.* 조정[조절]할 수 있는.

ad·júst·er, -jús·tor *n.* Ⓒ 조정[조절]자; 조절기[장치]; 『보험』 손해 사정인; 정산인.

***ad·just·ment** [ədʒʌ́stmənt] *n.* Ⓤ (구체적으로는 Ⓒ) **조정**(調整), 조절; 수정; 정산; (쟁의 따위의) 조정(調停): make an ~ 조정[조절]하다 / an ~ board 『노조』 조정 위원회.

ad·ju·tant [ǽdʒətənt] *n.* Ⓒ 『군사』 부관; 『조류』 무수리(=~ bìrd [stòrk]).

ad lib [ædlíb, ⌐⌐] 《부사적》 생각대로, 즉흥적으로; 《명사적》 즉흥적인 연주[대사], 임시 변통의 일. [◂ *ad libitum*]

ad-lib [ædlíb, ⌐-] (***-bb-***) *vt., vi* 《구어》 (대본에 없는 대사 따위를) 즉흥적으로 주워대다[연기하다]; (악보에 없는 것을) 즉흥적으로 노래[연주]하다. **—***a.* Ⓐ 즉흥적인; 임의[무제한]의: an ~ remark 마침 그 자리에서 생각난[떠오른] 말.

ad lib·i·tum [æd-líbətəm] 《L.》 임의로, 무제한으로; 연주자 임의의 《생략: ad lib.》.

Adm. Admiral(ty).

ád·man [-mæ̀n, -mən] (*pl.* ***-men*** [-mèn, -mən]) *n.* Ⓒ 《구어》 광고업자, 광고 권유원. ★ 여성형은 **ád·wòman.**

ád·màss *n.* Ⓤ 《英》 (매스컴·광고의 영향을 받는) 매스컴 대중: ~ entertainment 대중성 오락.

ad·min [ǽdmin] *n.* Ⓤ 《英구어》 =ADMINISTRATION.

ad·min·is·ter** [ædmínəstər, əd-] *vt.* **1 관리하다, 운영하다**; (나라·회사 등)을 다스리다, 지휘[통치]하다: ~ the affairs of state 국무(國務)를 보다 / ~ a country 나라를 통치하다. **2** (법령·의식)을 집행하다: ~ a law 법을 집행하다 / ~ the Sacrament 성찬식을 거행하다. **3** 《~+목/+목+전+명》 베풀다, 주다, 공급하다《*to* (아무)에게》: ~ aid 도움을 주다 / ~ justice *to* a person 아무를 재판에 걸다. **4** 《+목+전+명》 (약 따위)를 복용시키다《*to* (아무)에게》: ~ medicine *to* a person 아무에게 투약하다. **5** 《+목+목/+목+전+명》 (타격 따위)를 가하다《*to* (아무)에게》: ~ a person a punch on the jaw 턱에 일격을 가하다 / ~ a severe blow *to* a person 아무에게 통렬한 일격을 가하다. **6** 《+목+전+명》 선서시키다《*to* (아무)에게》: ~ an oath *to* a person 아무에게 선서케 하다. **—vi.* 관리인 노릇을 하다. ◇ administration *n.*, administrative *a.*

ad·min·is·trate [ædmínəstrèit, əd-] *vt., vi.* =ADMINISTER.

‡**ad·min·is·tra·tion** [ædmìnəstréiʃən, əd-] *n.* **1 a** Ⓤ **관리, 경영**, 지배(management). **b** Ⓒ (흔히 the ~) 《집합적》 관리 책임자들, 집행부, 경영진; (대학의) 본부: the board of ~ 이사회. **2** Ⓤ **행정**, 통치; 행정[통치] 기간[임기]: mandatory ~ 위임 통치 / give good ~ 선정을 펴다 / civil [military] ~ 민정[군정]. **3** Ⓒ (흔히 the A–) 《집합적》 《美》 내각, 정부(《英》 government): the Kennedy *Administration* 케네디 정권. **4** Ⓤ (법률 등의) 시행, 집행; (종교 의식·식전 등의) 거행: the ~ *of* justice 법의 집행, 처벌, 처형. **5** Ⓤ (요법 등의) 적용, (약 등의) 투여, (치료·원조 등의) 베풂. ◇ administer *v.*

***ad·min·is·tra·tive** [ædmínəstrèitiv, -trə-, əd-] *a.* **관리[경영]의**; 행정(상)의: ~ ability 행정 수완, 관리[경영]의 재능 / an ~ court 행정 재판소 / an ~ district 행정구(획) / ~ readjustment 행정 정리(整理). ◇ administer *v.*

㊕ **~·ly** *ad.*

ad·min·is·tra·tor [ædmínəstrèitər, əd-] *n.* Ⓒ **1 관리자**, 행정관; 통치자; 이사; 《美》 (흔히 Administration이 붙는 관청의) 장관, 국장. **2** 『법률』 (법원이 지명한, 파산 회사의) 관재인.

***ad·mi·ra·ble** [ǽdmərəbəl] *a.* **1 감탄[칭찬]할** 만한, 감복할. **2** 훌륭한, 장한(excellent): an ~ essay 뛰어난 논문. ◇ admire *v.*

◇**ád·mi·ra·bly** [ǽdmərəbəli] *ad.* 훌륭하게, 멋지게.

◇**ad·mi·ral** [ǽdmərəl] *n.* Ⓒ 해군 대장(full ~); 해군 장성; (함대) 사령관, 제독《생략: Adm., Adml.》: a fleet ~ 《美》 =an ~ of the fleet 《英》 해군 원수(元帥) / a vice ~ 해군 중장 / a rear ~ 해군 소장 / the board of *Admirals* 《美》 해군 장성 회의.

ádmiral·ship *n.* Ⓤ ~의 직[지위].

ad·mi·ral·ty [ǽdmərəlti] *n.* **1** (the A–) 《英》 해군 본부(건물). **2** 『법률』 Ⓤ 해사법; 해사 재판; Ⓒ 해사 법원.

ad·mi·ra·tion** [æ̀dməréiʃən] *n.* **1** Ⓤ **감탄**, 칭찬; 경애, 동경《of, for*** …에 대한》: have a great ~ *for* …에 크게 감탄하다 / in ~ *of* …을 찬미하여[기리어] / with ~ 감탄하여. **2** (the ~) 칭찬의 대상: He is the ~ *of* all. 그는 여러 사람의 칭찬의 대상이다. ◇ admire *v.*

‡**ad·mire** [ædmáiər, əd-] *vt.* **1** 《~+목/+목+전+명》 **감복[찬탄]하다**; 칭찬하다《***for*** …에 대하여》: ~ the view 아름다운 풍치를 찬탄하다 / We ~*d* him *for* his courage. 우리는 그의 용기를 기리었다. SYN. ⇨REGARD. **2** …을 찬탄의 눈으로 바라보다: ~ flowers in the vase 꽃병의 꽃을 넋을 잃고 바라보다. **3** …에 **감탄하다**, 경탄하다《종종 반어적》: I ~ his audacity. 저 자의 뻔뻔스러움에는 질렸어. **4** (겉치레로) 칭찬하다: I forgot to ~ her cat. 나는 그녀의 고양이를 칭찬해 주는 걸 깜박 잊었어. ◇ admiration *n.*

◇**ad·mir·er** [ædmáiərər, əd-] *n.* Ⓒ 찬미자, 팬; 구애자.

◇**ad·mir·ing** [ædmáiəriŋ, əd-] *a.* Ⓐ 찬미하는, 감복[감탄]하는: an ~ glance 감탄하는 눈초리. ㊕ **~·ly** *ad.*

ad·mis·si·ble [ædmísəbəl, əd-] *a.* 참가[입장, 입회, 입학]할 자격이 있는; 취임할 자격이 있는《*to* (지위)에》; (행위·생각·구실이) 용납[수락]할 수 있는: Adults only are ~ *to* that film. 그 영화는 성인만이 관람할 수 있다. ◇ admit *v.*

‡**ad·mis·sion** [ædmíʃən, əd-] *n.* **1** Ⓤ **들어가는 것을 허용함, 입장[입회]** (허가), **입학** (허가), 입국 (허가)《***to, into*** …에의》: applicants for ~ 입회[입학] 지망자 / ~ *to* [*into*] a society 입회 / No ~*s* are permitted after 4 p.m. 오후 4시 이후에는 입장할 수 없음.

SYN. **admission** 어떤 장소·학교·모임 등에 들어갈 허가·권리·특권. **admittance** 입장

허가. **entrance** 단순히 어떤 장소에 들어감. **2** Ⓤ **입장료**, 입회금: *Admission* free. 입장 무료. **3** Ⓒ **자인**, 고백, 자백《*of* …의 / *that*》: His silence is an ~ *of* being guilty. 그의 침묵은 죄를 자인하는 것이다 / make an ~ *of* the fact to a person 아무에게 사실을 고백하다 / make (full) ~ *of* one's guilt 죄상을 자백하다 / His ~ *that* he had stolen the money astonished his family. 그 돈을 훔쳤다는 그의 자백에 가족들은 깜짝 놀랐다. ◇ admit *v.*

by* 〔*on*〕 *one's own* ~** 본인이 인정하는 바에 의하여. ***gain* ~ *to …에 입회〔참가〕가 허락되다; …와 친해지다. ***give free* ~ *to*** …에 자유로이 들어가게 하다.

⁑ad·mit [ædmít, əd-] **(-tt-)** *vt.* **1** 《~+목/+목+전+명》 **들이다**, …에게 입장〔입회·입학·입국 따위〕를 허가하다《*in, to, into* …에》: ~ a student *to* college 학생에게 대학 입학을 허가하다 / He opened the door and ~*ted* me. 그는 문을 열고 나를 들여보냈다 / This ticket ~*s* one person. 이 표로 한 명 들어갈 수 있다. **2** (장소가) 수용할 수 있다, 들일 수 있다: The theater ~*s* 300 persons. 그 극장은 300명을 수용할 수 있다. **3** 《~+목/+목+*to be* 보/(+전+명)+*that* 절/+-*ing*》 **인정〔시인〕하다**, 자백하다; (증거·주장)을 유효〔정당〕하다고 인정하다: ~ one's guilt 자기 죄를 시인하다 / He ~*s* the charge *to be* groundless. 그는 그 고소가 사실 무근이라고 인정하고 있다 / She ~*ted* (*to* her employer) *that* she had made a mistake. 그녀는 (고용주에게) 자신이 과오를 범했음을 인정하였다 / He ~*s* hav*ing* done it himself. = He ~*s* (*that*) he did it himself. 그는 자신이 그것을 하였음을 인정하고 있다.

SYN. **admit** 본의 아니지만 사실을 인정하다. **acknowledge** 남에게 알리고 싶지 않은 것을 마지못해 털어놓다. **recognize** 무엇을 무엇으로서 인정하다: I could not *recognize* him. 나는 그라는 것을 몰랐다.

4 〖보통 부정문〗 (사실 따위가) …의 여지를 남기다, …을 허용하다: This case ~*s no* other explanation. 본건은 달리 설명할 여지가 없다.
— *vi.* 《+전+명》 **1** 〖보통 부정문〗 **허용하다**, 여지가 있다《*of* …을, …의》: Circumstances do *not* ~ *of* this. 사정이 이를 허락지 않는다 / His conduct ~*s of no* excuse. 그의 행위는 변명의 여지가 없다. **2** (길이) 인도하다, 통하다《*to* (장소)로》: This gate ~*s to* the garden. 이 문으로 뜰에 들어갈 수 있다. **3** (마지못해) 인정하다, 고백하다《*to* …을》: ~ *to* the allegation 진술을 인정하다. ◇ admission, admittance *n.*

ad·mit·tance [ædmítəns, əd-] *n.* Ⓤ 입장(허가)《*to* …에의》. cf. admission. ¶ grant 〔refuse〕 a person ~ *to* … 아무에게 …에의 입장을 허락〔거절〕하다 / gain 〔get〕 ~ *to* …에 입장이 허락되다, …에 입장하다 / No ~ (except on business). 《게시》 (용무 없는 사람) 출입 금지. ◇ admit *v.*

ad·mít·ted [-id] *a.* Ⓐ 공인〔인정〕된; 명백한: an ~ fact 공인된 사실 / an ~ liar 스스로 인정하는 거짓말쟁이.

ad·mít·ted·ly *ad.* 일반적으로 인정되어; 명백히, 틀림없이: an ~ severe punishment 누구나가 인정하는 바의 엄한 형벌 / *Admittedly*, it will be difficult, but it isn't impossible. 확실히 그것은 어렵기는 하겠지만 불가능한 것은 아니다.

ad·mix [ædmíks, əd-] *vt.* (뒤)섞다, 혼합하다《*with* …와》. **—** *vi.* 섞이다《*with* …와》.

ad·mix·ture [ædmíkstʃər] *n.* **1** Ⓤ 혼합. **2** Ⓒ (보통 *sing.*) 혼합물: an ~ *of* truth and falsehood 사실과 허위의 범벅.

°ad·mon·ish [ædmániʃ, əd-/-mɔ́n-] *vt.* **1** (아무)를 훈계하다, 타이르다(reprove), 깨우치다; 충고하다(advise)《*for* …에 대하여; *against* …하지 않도록 / *to* do / *that*》: I ~*ed* him not *to* go there. = I ~*ed* him *against* going there. = I ~*ed* him *that* he should not go there. 나는 그에게 거기에 가지 말도록 충고했다. SYN. ⇨ ADVISE. **2** (아무)에게 경고하다(warn), 주의하도록 하다《*of, about, for* …을; *against* …하지 않도록》: I ~*ed* him *of* 〔*about*〕 the danger. 나는 그에게 위험을 경고하였다 / ~ her *against* smok*ing* 그녀가 담배를 피우지 않도록 주의를 주다 / ~ a student *for* his misconduct 학생의 비행에 대하여 경고하다. ◇ admonition *n.*
㊕ **~·ing·ly** *ad.* **~·ment** *n.* = ADMONITION.

ad·mo·ni·tion [ædməníʃən] *n.* Ⓤ (구체적으로는 Ⓒ) 훈계; 권고, 충고; 경고. ◇ admonish *v.*

ad·mon·i·to·ry [ædmánitɔ̀ːri, əd-/-mɔ́nitəri] *a.* 훈계의, 충고의; 경고의.

ad nau·se·am [æd-nɔ́ːziəm, -si-, -æm] 《L.》 지겹도록, 구역질나도록: He repeats himself ~. 그는 똑같은 것을 지겹도록 되풀이해서 이야기한다.

ado [ədúː] *n.* Ⓤ 〖보통 much 〔more, further〕 ~로〗 야단법석, 소동; 노고, 고심: have 〔make〕 *much* ~ over 〔about〕 … (…하는 데) 법석을 떨다, 애쓰다 / with *much* ~ (야단)법석을 떨며; 고심한 끝에 / We had *much* ~ to get home safely. 우리들은 몹시 고생하여 무사히 집에 도착했다 / *much* ~ about nothing 공연한 법석 / without *more* 〔*further*〕 ~ 그 다음은 애도 안 먹고〔순조로이〕; 손쉽게, 척척.

ado·be [ədóubi] *n.* Ⓤ (햇볕에 말려 만든) 어도비 벽돌; 어도비 제조용 찰흙. **—** *a.* Ⓐ 어도비 벽돌로 지은.

ad·o·les·cence, 《고어》 **-cen·cy** [ædəlésəns], [-i] *n.* Ⓤ 청년기, 사춘기, 청춘기《주로 성인기에 이르는 10대의 대부분》.

°ad·o·les·cent [ædəlésənt] *a.* 청춘(기)의; 미숙한, 풋내나는. **—** *n.* Ⓒ 청춘기의 사람《남녀》, 청년, 젊은이. cf. adult.

Adon·is [ədánis, ədóu-] *n.* **1** 〖그리스신화〗 아도니스《Aphrodite에게 사랑받은 미남》. **2** Ⓒ 미청년, 미남자, 멋쟁이(beau).

Adónis blúe 〖곤충〗 부전나비.

⁑adopt [ədápt/ədɔ́pt] *vt.* **1** 《~+목/+목+*as* 보/+목+전+명》 **양자〔양녀〕로 삼다**《*into* …에》: ~ a child *as* one's heir 상속자로서 아이를 양자들이다 / ~ a person *into* a family 아무를 가족의 일원으로 맞다. **2** (의견·방침·조처 따위)를 **채용〔채택〕하다**, 골라잡다: ~ a proposal 제안을 채택하다. **3** 〖의회〗 (의안·보고 등)을 채택〔승인〕하다; 《英》 (정당이 후보자)를 지명하다. ◇ adoption *n.*

adopt·ed [-id] *a.* Ⓐ 양자가 된; 채용된: one's ~ son 〔daughter〕 양자〔양녀〕.

adopt·ee [ədaptíː/-ɔp-] *n.* Ⓒ 양자; 채용〔채택·선정〕된 사람.

adópt·er *n.* Ⓒ 채용자; 양아버지〔어머니〕.

°adóp·tion *n.* Ⓤ (구체적으로는 Ⓒ) 채용, 채택; 양자 결연; (외래어의) 차용: an ~ agency

〖법률〗 양자 알선 기관 / a son by ~ 양자. ◇ adopt *v*.

adop·tive [ədάptiv/ədɔ́p-] *a*. Ⓐ 채용하는; 양자 관계의: an ~ father 〔son〕 양부〔양자〕 / an ~ country 귀화국. ⓟ **~·ly** *ad*.

◇**ador·a·ble** [ədɔ́:rəbəl] *a*. 존경〔숭배, 찬탄〕할 만한; 《구어》 사랑스러운, 귀여운, 반하게 하는. ◇ adore *v*. ⓟ **~·ness** *n*. **-bly** *ad*.

◇**ad·o·ra·tion** [æ̀dəréiʃən] *n*. Ⓤ 예배, 숭배; 애모, 동경, 열애《*for, of* …의》: in ~ 예찬하여, 열애하여. ◇ adore *v*. ***the Adoration of the Magi*** 〔***Kings***〕 (아기 예수에 대한) 동방 박사의 경배 그림.

***adore** [ədɔ́:r] *vt*. **1** 《~+목/+목+*as* 보》 **숭배하다**(worship), 존경하다, 숭경(崇敬)하다; (신(神))을 받들다, 찬미하다; 경모〔사모, 흠모〕하다: They ~*d* her *as* a living goddess. 그들은 그녀를 살아 있는 여신으로 경모하였다. **2** 《~+목/+-*ing*》 《구어》 매우 좋아하다: I ~ baseball. 나는 야구를 매우 좋아한다 / He ~*s* listen*ing* to music. 그는 음악 듣기를 아주 좋아한다. ◇ adoration *n*. ⓟ **adór·er** [-rər] *n*. Ⓒ 숭배자.

adór·ing [-riŋ] *a*. **1** 숭배〔경모, 흠모, 열애〕하는: an ~ mother 자식을 끔찍이 사랑하는 어머니. **2** 애정이 깃든: He gave her an ~ look. 그는 그녀를 홀딱 반한 눈초리로 바라보았다. ⓟ **~·ly** *ad*. 숭배하여; 경모〔흠모〕하여.

◇**adorn** [ədɔ́:rn] *vt*. **1** 꾸미다, 장식하다《*with* …으로》. cf. decorate, ornament. ¶ ~ a bride 신부를 성장(盛裝)시키다 / ~ a room *with* flowers 방을 꽃으로 꾸미다 / ~ oneself *with* jewels 보석으로 몸치장을 하다. **2** …에 광채를〔아름다움을〕 더하다; 보다 매력적〔인상적〕으로 하다: the romances that ~ his life 그의 생애를 아름답게 한 로맨스.

adórn·ment *n*. Ⓤ 꾸밈; Ⓒ 장식품: personal ~*s* 장신구.

ADP automatic data processing. **ADR** American Depositary Receipt (미국 예탁(預託) 증권).

ad·re·nal [ədrí:nəl] *a*. 신장〔콩팥〕 부근의; 부신의. **—***n*. Ⓒ (보통 *pl*.) 부신(= ∠ **glànd**).

ad·ren·a·line [ədrénəlin, -lì:n] *n*. Ⓤ 〖생화학〗 아드레날린(epinephrine).

Adri·an [éidriən] *n*. 남자 이름.

Adri·at·ic [èidriǽtik, æ̀d-] *a*. 아드리아해(海)의.

Adriátic Séa (the ~) 아드리아해(海).

adrift [ədríft] *ad*., *a*. Ⓟ **1** (배가) 물에 떠돌아다녀, 표류하여; 닻줄이 풀려: cut 〔set〕 ... ~ (매어 놓은 밧줄을 끊고 배)를 표류시키다 / get 〔come〕 ~ (배가) 떠내려가다. **2** (정처 없이) 헤매어; (사람이) 어찌할 바를 모르고; 빈둥거리는; 일정한 직업 없이: He was ~ in Paris with no money. 그는 돈 한 푼 없이 파리를 헤매었다. **3** (부품 따위가) 헐거워져서, 벗어나서, 어긋나서. ***go*** **~** ① (물건이) 표류하다. ② 벗어나다《*from* (주제)에서》. ③ 《英구어》 (물건이) 없어지다, 도둑맞다《*from* …에서》. ④ 《英구어》 (수병 따위가) (무단으로) 배를 떠나다. ***turn*** **a person ~** 아무를 내쫓다〔거리를 방황하게 하다〕; 해고하다.

ADRMP 〖컴퓨터〗 automatic dialing recorded message program《전화에 의한 판매 활동에 이용되는 소프트웨어》.

adroit [ədrɔ́it] *a*. 교묘한; 솜씨 좋은(dexterous); 기민한, 빈틈없는《*at, in* …에》: an ~ rider 능숙한 기수(騎手) / be ~ *in* handl*ing* a person 사람 다루는 솜씨가 있다. SYN. ⇨ CLEVER. ⓟ **~·ly** *ad*. **~·ness** *n*.

ad·sorb [ædsɔ́:rb, -zɔ́:rb] *vt*. 〖화학〗 흡착(吸着)하다.

ad·sorb·ent [ædsɔ́:rbənt, -zɔ́:r-] *a*. 흡착성의. **—***n*. Ⓤ (종류 · 낱개는 Ⓒ) 흡착제.

ad·sorp·tion [ædsɔ́:rpʃən, -zɔ́:rp-] *n*. Ⓤ 흡착 (작용).

ad·sorp·tive [ædsɔ́:rptiv, -zɔ́:rp-] *a*. 흡착성〔작용〕의, 흡착력 있는.

ad·u·late [ǽdʒəlèit] *vt*. (아무)에게 아첨하다〔빌붙다〕; 덮어놓고 칭찬하다. ⓟ **àd·u·lá·tion** *n*. Ⓤ 추종; 지나친 찬사, 과찬. **ád·u·là·tor** [-tər] *n*. Ⓒ 추종자, 아첨하는 사람. **ád·u·la·tò·ry** [-lətɔ̀:ri/-lèitəri] *a*.

⁑**adult** [ədʌ́lt, ǽdʌlt] *a*. **어른의**, 성인이 된; 성숙한; 《美》 성인만의〔을 위한〕, 포르노의: ~ movies 포르노 영화. **—***n*. Ⓒ **1 성인**, 어른(grown-up); 〖법률〗 성년자: Adults Only 미성년자 사절《게시》. **2** 〖생물〗 성충; 성숙한 동식물. ⓟ **~·hood** *n*. Ⓤ 성인임; 성인기(期).

adúlt educátion 성인 교육.

adul·ter·ant [ədʌ́ltərənt] *a*. 섞음질에 쓰는, 타는《물 따위》; 혼합물의. **—***n*. Ⓒ 혼합물《우유에 탄 물 따위》.

adul·ter·ate [ədʌ́ltərèit] *vt*. …에 섞음질을 하다, …의 질을 나쁘게 하다, 품질을 떨어뜨리다《*with* …으로》: ~ milk *with* water 우유에 물을 타다. **—** [-rit, -rèit] *a*. 간통한, 불의의; 섞음질한, 품질이 나쁜; 가짜의: ~ offspring 사생아. ⓟ **adùl·ter·á·tion** *n*. Ⓤ 섞음질함; Ⓒ 조악품. **adúl·ter·à·tor** [-rèitər] *n*. Ⓒ 조악품 제조업자.

adul·ter·er [ədʌ́ltərər] *n*. Ⓒ 간부(姦夫).

adul·ter·ess [ədʌ́ltəris] *n*. Ⓒ 간부(姦婦).

adul·ter·ous [ədʌ́ltərəs] *a*. 불의의, 간통의.

◇**adul·tery** [ədʌ́ltəri] *n*. Ⓤ 간통, 불의(不義): commit ~ with …와 간통하다.

ad·um·brate [ædʌ́mbreit, ǽdəmbrèit] *vt*. **1** …의 윤곽을 슬쩍 통겨주다, (어렴풋이) …의 윤곽을 나타내다. **2** (미래)를 예시하다. **3** 어둡게 하다, 흐릿하게 하다. ⓟ **àd·um·brá·tion** *n*.

adv. adverb(ial); advertisement.

ad va·lo·rem [æd-vəlɔ́:rəm] 《L.》 (=according to the price) 가격에 따라《생략: ad val., a.v.》: an ~ duty 〔tax〕 종가세(從價稅).

⁑**ad·vance** [ædvǽns, -vά:ns, əd-] *vt*. **1** 《~+목/+목+전+명》 **나아가게 하다, 앞으로 내보내다**, 전진〔진출〕시키다《*to* …으로》: Please ~ the table a little. 책상을 조금 더 앞으로 내어 주시오 / The general ~*d* the troops *to* the front. 장군은 군대를 전선으로 전진시켰다. **2** 《~+목/+목+전+명》 (시간 · 기일)을 **앞당기다**《*from* …에서; *to* …으로》: We ~*d* (the time of) the meeting *from* 3 o'clock *to* 2 o'clock. 우리는 모임 시간을 3시에서 2시로 앞당겼다. **3** (작업 따위)를 **진척시키다**, 촉진시키다, 증진하다: ~ growth 성장을 촉진하다. **4** (의견 따위)를 **제출하다**; (반대 · 비판)을 감히 하다: ~ reasons for a tax cut 여러 가지 이유를 들어 감세의 필요성을 말하다. **5** 《~+목/+목+전+명》 **진급〔승급〕시키다**《*from* …에서; *to* …으로》: He has been ~*d* *from* lieutenant *to* captain. 그는 중위에서 대위로 진급하였다. **6** 《~+목/+목+전+명/+목+목》 선불하다, 선대(先貸)하다《*to* …에게》: ~*d* freight 선불 운임 / ~ money *to* a person 아무에게 돈을 선불하다 / Can you ~ me a few dollars till the payday? 봉급날까지 2, 3달러 가불(假拂)해 주실 수 없겠습니까.

— *vi.* **1** 《~/+전+명》 **나아가다**, 전진하다, 진격하다《*to, toward*(*s*), *on, upon, against* …을 향하여》: She ~*d to* 〔*toward*(s)〕 the table. 그녀는 테이블 쪽으로 갔다 / He ~*d on* me threateningly. 그는 나에게 위협적인 태도로 다가섰다 / The troop ~*d against* 〔*on, upon*〕 the enemy. 군대는 적을 향해 진격했다.

SYN. **advance** 목표·높은 지위를 향하여 나아가다: *advance* in office 승진하다. **proceed** 일단 정지한 후 다시 계속해 나아가다: *proceed* on one's journey 여행을 계속하다. **move on** proceed의 구어형. 나아갈 목적은 생각하지 않음: "*Move on*, there!"(경관이) 자, 그대로 가. **progress** 발전·향상의 면이 강조됨. 진척되다, 착실히 발전하다. **go on** 계속 …하다. 싫은 일이 여전히 계속되는 경우에도 씀: The fight was still *going on*. 전투는 아직도 계속되고 있었다.

2 (밤이) 이슥해지다; (계절이) 깊어지다: as (the) night ~*s* 밤이 깊어감에 따라. **3** 《+전+명》 먹다 《*in* (나이)를》: ~ *in* age 〔years〕 나이가 들다. **4** 《+전+명》 진보〔발전, 향상, 진척〕하다《*in* …에 있어서》: ~ *in* knowledge 〔rank〕 지식이〔지위가〕 향상하다 / ~ *in* life 〔*in* the world〕 출세하다. **5** 《+전+명》 승진하다《*to* …으로》: ~ *to* colonel 대령으로 진급하다.

— *n.* **1** U (구체적으로는 C) (시간의) 진행: with the ~ *of* the evening 밤이 깊어감에 따라. **2** U (구체적으로는 C) **진보**, 진척, 향상《*of* …의; *in* …에서의》: the ~ *of* knowledge 지식의 진보 / make ~*s in* one's studies 연구가 진척되다 / Information science has made remarkable ~*s* lately. 정보 과학은 최근 눈부시게 진보했다. **3** C 인상, 등귀《*in, on* (가격·요금 따위)의》: an ~ *in* the cost of living 생활비의 등귀 / There is an ~ *on* wheat. 밀 값이 올랐다 / be on the ~ 등귀하고 있다. **4** U (구체적으로는 C) 승급, 승진《*in* …에서의》. **5** C 선불, 선금; 선대(금)《*on* …의》: an ~ *on* wages 임금의 가불 / make large ~ to a person 아무에게 많은 액수를 선불해 주다. **6** (*pl.*) (교섭·교제의) 신청, 접근; (남녀간의) 구애, 유혹《*to* …에게의》: make ~*s to* a woman 여성에게 구애하다. **7** C (보통 *sing.*) 전진, 진격, 진군.

in **~** ① 미리, 앞당겨, 사전에: I'll let you know *in* ~. 미리 알려 줄게. ② 선두에 서서: She went *in* ~ to hold seats for us. 그녀는 우리들의 좌석을 확보하기 위해서 먼저 나갔다. ③ 선불로, 선금으로: pay *in* ~ 선불하다. ④ 입체하여: I am *in* ~ to him 10,000 won. 나는 그에게 만 원을 입체해 주었다. ***in*** **~** ***of*** ① …보다 앞에: pay a few days *in* ~ *of* the end of the month 월말보다 2, 3일 전에 지불하다. ② …보다 나아가서〔우수하여〕: He was *in* ~ *of* scientists of his time. 그는 같은 시대의 과학자들보다 앞서 있었다.

— *a.* A 전진한; 전의; 미리미리의; 선불의: ~ notice 사전 통고 / ~ payment 선불(先拂) / the ~ sale (표의) 예매 / an ~ ticket 예매권 / an ~ party 선발대.

advánce cópy 신간 견본《발매 전에 비평가 등에게 보내는》.

***ad·vanced** [ædvǽnst, -vɑ́ːnst, əd-] *a.* **1** **앞으로 나온**〔낸〕: with one foot ~ 한쪽 발을 앞

으로 내어. **2** 상급〔고급〕의, 고등의: an ~ class in French 프랑스어 고급반. **3** (문명·사상 따위) 진보적인; 앞선, 선구의, 유행만 즐겨 찾는: an economically ~ country 경제 선진국 / ~ ideas 진보적인 사고. **4** (시간이) 지난; (밤이) 이슥한; (철이) 깊어진: The night was far ~. 밤이 아주 이슥해졌다. **5** 늙은, 고령인《*in* (나이)가》: an ~ age 고령 / He's ~ *in* years. 그는 고령이다. **6** 전진한: an ~ base 전진 기지 / an ~ post 전초.

advánced lével 〖英교육〗 (일반 교육 증명서 시험의) 상급 과정(생략: A level).

advánced stánding 《美》 (전입 학생이 전 대학에서 얻은) 기득 학점수의 인정.

advánce guárd 〖군사〗 전위.

◇**ad·vánce·ment** *n.* U **1** 진보, 발달; 촉진, 증진, 진흥: ~ in fortune 재산의 증가 / the ~ of learning 학문의 진보 / ~ of happiness 행복의 증진. **2** 승진, 출세(promotion): ~ in life 입신출세, 영달.

⁑**ad·van·tage** [ædvǽntidʒ, -vɑ́ːn-, əd-] *n.* **1** U **유리**; 이익; 편의: ~ of education 교육의 이득 / be of great 〔no〕 ~ to …에게 크게 유리하다〔조금도 유리하지 않다〕 / I have learned it with ~. 배워서 얻는 바가 있었다. SYN. ⇨PROFIT. **2** C 이점, 강점, 장점《*of* …의; *over* …보다 나은》: get a double ~ 일거양득하다 / the ~s *of* birth, wealth, and good health 태생, 부, 건강의 이점 / gain 〔win〕 an ~ *over* a person 아무를 능가하다, 아무보다 낫다. **3** U 〖테니스〗 어드밴티지《deuce 후 1점의 득점; 《美》 ad, 《英》 van이라고도 함》: ~ in 〔out〕 서브〔리시브〕의 어드밴티지.

have the **~** ***of*** ① …의 장점이 있다. ② …보다 낫다〔유리하다〕: You *have the* ~ *of* me. 자네가 나보다 유리〔행복〕하다; 몰라 뵙겠는데 누구신지요《특히 친분을 맺고자 하는 상대에 대한 사절의 말》. ***take*** **~** ***of*** …을 이용하다; …에 편승하다; (아무)를 속이다; (여자)를 유혹하다: He *took* ~ *of* her absence to look through her papers. 그는 그녀가 없는 틈을 타 그녀의 서류를 훑어보았다. ***take*** a person ***at*** **~** 아무에게 기습을 가하다. ***to*** **~** ① 유리하게, 형편 좋게: It turned out *to* his ~. 그에게 유리해졌다. ② 뛰어나게, 훌륭히: They are seen *to* ~. 그들은 뛰어나 보인다. ***to the*** **~** ***of*** = ***to*** one***'s*** **~** …에 유리하게〔형편 좋게〕: Things turned out *to* his ~. 사태는 그에게 유리해졌다. ***turn ... to*** (one***'s***) **~** …을 이용하다, 이롭게〔유리하게〕 하다: He *turned* the confusion *to* (his) ~. 그는 그 혼란을 역으로 (잘) 이용했다. ***with*** **~** 유리〔유효〕하게: You could spend more time on English *with* ~. 영어 공부에 좀더 시간을 보내면 좋지 않겠는가.

— *vt.* …을 이롭게 하다, …에 이익을 가져오다; …을 촉진〔조장〕하다.

㊞ **~d** *a.* (태생·환경의 면에서) 혜택을 받은《아이 따위》. ↔ *disadvantaged*.

***ad·van·ta·geous** [ædvəntéidʒəs] *a.* **1** 유리한; 형편이 좋은: an ~ offer 유리한 제안. **2** 이로운《*to* …에게》: The trade agreement will be ~ *to* both countries. 그 무역 협정은 양국에 두루 이로울 것이다. ㊞ **~·ly** *ad.* **~·ness** *n.*

ad·vent [ǽdvent, -vənt] *n.* **1** (the ~) 도래(到來), 출현: the ~ *of* a new age 새 시대의 도래. **2** (A-) 예수의 강림〔재림〕(the Second A-); 강림절《크리스마스 전의 일요일을 포함한 4주

간》.

Ad·vent·ism [ǽdventìzəm, ædvént-] *n.* Ⓤ 예수 재림론. ㊞ **-ist** *n.* Ⓒ 예수 재림론자.

ad·ven·ti·tious [æ̀dvəntíʃəs] *a.* 우연의; 외래의; 〖동·식물〗 부정(不定)의, 우생(偶生)의; 〖의학〗 우발(偶發)적인: ~ roots 부정근 / an ~ disease 우발병《후천적인 병》. ㊞ **~·ly** *ad.*

Ádvent Súnday 강림절 중의 첫 일요일.

*__ad·ven·ture__ [ædvéntʃər, əd-] *n.* **1** Ⓤ **모험**(심): He is fond of ~. 그는 모험을 좋아한다. **2** Ⓒ (흔히 *pl.*) 모험담: the *Adventures* of Robinson Crusoe 로빈슨 표류기. **3** Ⓒ 모험(적인 행위); **예사롭지 않은 사건**, 진귀한 경험: What an ~ ! 참으로 굉장한 사건이다 / a strange ~ 기묘한 사건 / quite an ~ 참으로 진귀한 경험. **4** Ⓤ (구체적으로는 Ⓒ) 투기, 요행.
—*vi.* **1** 위험을 무릅쓰다. **2** 《+전+명》 대담하게 해보다《***on, upon*** …을》; 발을 디디다《***on, upon, into*** (위험한 장소)에》: ~ *on* an enterprise 기업에 손을 대다 / ~ *on* unknown seas 미지의 바다로 나아가다.

advénture plàyground 《英》 어린이의 창의성을 살리기 위해 목수 연장·건축 자재·그림물감 따위를 마련해 둔 놀이터.

◇**ad·vén·tur·er** [-tʃərər] (*fem.* **-ess** [-ris]) *n.* Ⓒ 모험가; 투기꾼, 협잡꾼; 수단을 가리지 않고 부나 권력을 구하는 사람.

ad·ven·ture·some [ædvéntʃərsəm, əd-] *a.* 모험적인(venturesome).

ad·vén·tur·ìsm [-rìzəm] *n.* Ⓤ 모험주의.

◇**ad·ven·tur·ous** [ædvéntʃərəs, əd-] *a.* **1** 모험적인; 모험을 즐기는. **2** 대담한; 위험한. ㊞ **~·ly** *ad.* 대담하게; 모험적으로. **~·ness** *n.*

*__ad·verb__ [ǽdvəːrb] *n.* Ⓒ 〖문법〗 **부사**《생략: adv., ad.》.

ad·ver·bi·al [ædvə́ːrbiəl] *a.* 부사의; 부사적인: an ~ clause 〔phrase〕 부사절〔구〕. ㊞ **~·ly** *ad.* 부사적으로, 부사로서.

ad·ver·sar·i·al [æ̀dvərsέəriəl] *a.* 반대의; 적대하는, 대립하는.

◇**ad·ver·sary** [ǽdvərsèri/-səri] *n.* **1** Ⓒ 적, 상대, 대항자. **2** (the A-) 마왕(魔王)(Satan).
—*a.* 반대하는, 적의; 〖법률〗 당사자주의의.

ad·verse [ædvə́ːrs, ´-] *a.* **1** 역(逆)의, 거스르는, 반대인, 반하는《***to*** …에》: an ~ wind 앞바람, 역풍 / an ~ current 역류 / ~ comment 〔criticism〕 비난〔악평〕 / a consequence ~ *to* one's intention 의도에 반하는 결과. **2** 불리한; 해로운; 불운〔불행〕한《***to*** …에》: an ~ trade balance 수입 초과 / under ~ circumstances 역경에 처하여 / the ~ budget 적자 예산 / have an ~ effect on …에 역효과를 미치다 / be ~ *to* one's interests 이해에 반하다.
㊞ **~·ly** *ad.* 역으로, 반대로; 불리하게.

◇**ad·ver·si·ty** [ædvə́ːrsəti, əd-] *n.* **1** Ⓤ 역경; 불행, 불운: meet with ~ 역경에 부닥치다. **2** Ⓒ 불행한 일, 재난: overcome *adversities* 재난을 극복하다.

ad·vert[1] [ædvə́ːrt, əd-] *vi.* 《문어》 유의하다, 주의를 돌리다; 논급하다, 언급하다《***to*** …에》: ~ *to* a person's opinion 아무의 의견에 유의하다.

ad·vert[2] [ǽdvəːrt] *n.* 《英구어》 =ADVERTISEMENT 2.

‡**ad·ver·tise, -tize** [ǽdvərtàiz, ``-´] *vt.* **1** 《~+목/+목+*as* 보/+목+전+명/+*that* 절》 **광고**하다, 선전하다; 《~ oneself》 자기 선전하다《***in*** …에》: ~ a house (for sale) 매가(賣家) 광고를 하다 / ~ a child *as* lost 미아 광고를 하다 / ~ one*self as* an expert in economics 경제학 전문가라고 자기 선전하다 / ~ a job *in* the newspaper 신문에 구인 광고를 내다 / ~ *that* a new medicine will go on sale 신약이 발매되리라고 선전하다. **2** 알리다, 공시하다: ~ a reward 보상을 공시하다. **3** (속셈 따위)를 드러내다: His bad manners ~ his lowly birth. 무례한 행동으로 그의 비천한 출신을 알 수 있다.
—*vi.* 《~/+전+명》 광고하다, 광고를 내다《***for*** …을 구하기 위하여》: It pays to ~. 광고는 손해가 되지 않는다 / ~ *for* a typist 타자수 모집 광고를 내다.

‡**ad·ver·tise·ment** [æ̀dvərtáizmənt, ædvə́ːrtis-, -tiz-] *n.* **1** Ⓤ **광고**, 선전. **2** Ⓒ (구체적인 낱개의) 광고, 선전《생략: adv., advt.》: an ~ for a situation 구직 광고 / an ~ column 광고란 / put an ~ in a newspaper 신문에 광고를 내다.

ád·ver·tìs·er *n.* **1** Ⓒ 광고주. **2** (A-) …신문: the Honolulu *Advertiser* 호놀룰루 신문.

◇**ád·ver·tìs·ing** *n.* **1** Ⓤ 〔집합적〕 광고. **2** Ⓤ 광고업. —*a.* 광고의: ~ expenditure 〔rates〕 광고비〔료〕 / ~ media 광고 매체.

ad·ver·tize, etc. =ADVERTISE, etc.

ad·ver·to·ri·al [æ̀dvərtɔ́ːriəl] *n.* Ⓒ (잡지 등의) 기사 형식을 취한 광고, PR기사〔페이지〕.

‡**ad·vice** [ædváis, əd-] *n.* **1** Ⓤ **충고, 조언**, 권고《***on, of, about*** …에 대한》; 전문가의 의견〔진찰, 감정〕: much good ~ 여러 가지 간곡한 조언 / act on 〔against〕 a person's ~ 아무의 충고에 따라서〔거역하여〕 행동하다 / follow a person's ~ 아무의 권유를 따르다 / give 〔tender〕 ~ 조언하다, 권고하다 / He wanted my ~ *on* the matter. 그는 그 문제에 대해 내 조언을 구했다.

> **NOTE** 셀 필요가 있을 때에는 a piece 〔bit〕 of *advice*라고 함: He gave me a useful *bit of advice*. 그는 유익한 충고를 한 가지 해 주었다.

2 Ⓒ (보통 *pl.*) 알림, 보고; 〖상업〗 통지, 안내: diplomatic ~*s* 외교 정보 / as per ~ 통지(한)대로 / a letter of ~ 발송〔수표 발행〕 통지서 / an ~ note 〔notice〕 안내장, 통지서. ***take*** (a person's) ~ 《특히》 전문가의 의견〔감정, 진찰〕을 청하다; 조언을 따라 행동하다.

ad·vìs·a·bíl·i·ty *n.* Ⓤ 권할 만함, 적당함; 득책(得策); (대책의) 적부(適否).

◇**ad·vís·a·ble** *a.* Ⓟ 권할 만한, 적당〔타당〕한; 득책인, 현명한: It would be ~ for you to do so. 그렇게 하는 것이 좋겠다. ㊞ **-bly** *ad.*

‡**ad·vise** [ædváiz, əd-] *vt.* **1** 《~+목/+목+*to* do/+목+*wh. to* do/+목+*wh.* 절/+*-ing*/+*that* 절/+목+전+명》 …에게 **충고하다**〔조언하다, 권하다〕《***on*** …에 관해서; ***against*** …하지 말라고》: ~ a change of air 전지(轉地)를 권하다 / I ~ you *to* be cautious. 조심하시도록 충고〔말씀〕드립니다 / He ~*d* me *which to* buy. 그는 어느 것을 사면 좋을지 내게 조언해 주었다 / He ~*d* me *whether* I should choose the way. 그는 내가 그 방법을 택해야 할는지 어떤지를 충고해 주었다 / I ~*d* his start*ing* at once. 그에게 곧 출발하도록 권하였다 / I ~ *that* you (should) start at once. 너는 즉시 출발하는 게 좋겠다 / ~ a person *on* the choice of a career 직업 선택에 대해 아무에게 조언하다.

SYN. **advise** 지식 · 경험이 있는 자가 취할 방법 등에 대해 조언하다. **counsel** 중대한 문제에 대해서 숙고한 후 종종 전문적인 지식에 의해 조언하다, 상담에 응하다. **admonish** 연장자 · 그럴 만한 지위에 있는 자가 실수 따위에 대해 충고 · 훈계하다. **caution, warn** 있을 수 있는 위험 · 실패 따위에 대해 경고하다. caution은 주의를 환기시키고, warn은 그것을 무시했을 때 당할 재난 · 벌을 시사함.

2 《+목+*that* 절/+목+전+명》 …에게 알리다, 통지하다《***of*** …을》: We were ~*d that* they could not accept our offer. 그들은 우리 제안을 받아들일 수 없다고 통고하였다 / Please ~ us *of* the date. 날짜를 알려 주십시오.

—*vi.* 《~/+전+명》 **1** 충고하다, 권하다《***on*** …에 대하여》: He's qualified to ~ *on* economic issues. 그는 경제 문제에 관해 조언할 자격이 있다. **2** 《美》 상담하다, 의논하다《***with*** (아무)와》: ~ *with* friends on what to do 무엇을 할 것인가에 대해 친구들과 의논하다.

ad·vísed *a.* 숙고한 후의, 곰곰이 생각한 끝의 《주로 well-advised(분별 있는), ill-advised(무분별한)로 쓰임》. 파 **ad·vís·ed·ly** [-idli] *ad.* 숙고한 뒤에; 짐짓, 고의로.

ad·víse·ment *n.* U 《美》 숙고, 숙려(熟慮): be under ~ with …와 의논 중이다 / take a thing under ~ 무엇을 곰곰이 생각하다, 무엇을 숙려〔숙고〕하다.

ad·vis·er, -vi·sor** [ædváizər, əd-] *n.* C **1** 조언자, 충고자; 고문《to*** …의》: a legal ~ *to* a firm 회사의 법률 고문. **2** 《美》 (대학 따위의) 신입생〔이수 과목〕 지도 교수. ★ adviser는 advise하는 행위를, advisor는 그 직책을 강조함; adviser가 일반적.

ad·vi·so·ry [ædváizəri, əd-] *a.* 권고의, 조언을〔충고를〕 주는; 고문〔자문〕의: an ~ letter 충고의 편지 / an ~ committee 자문 위원회 / an ~ group 고문단 / serve in an ~ capacity 고문 자격으로 일하다. **—***n.* C 《美》 상황 보고, 《특히》 (태풍 정보 따위의) 기상 보고〔통보〕.

ad·vo·ca·cy [ǽdvəkəsi] *n.* **1** U (구체적으로는 C) 옹호, 지지; 고취, 창도(唱道), 주장. **2** U 주창자〔대변자〕의 일〔직〕.

ad·vo·cate** [ǽdvəkit, -kèit] *n.* C 옹호자, 고취자; 주창자《of, for*** …의》; 대변자: an ~ *of* 〔*for*〕 peace 평화론자. **—** [ǽdvəkèit] *vt.* 《~+목/+-*ing*》 옹호〔변호〕하다; 주장하다: ~ peace 평화를 주창하다 / ~ abolish*ing* racial discrimination 인종 차별 폐지를 주장하다.

ad·vo·ca·tor [ǽdvəkèitər] *n.* C 옹호〔주창〕자.

ad·vow·son [ədváuzən, əd-] *n.* U 〖英법률〗 성직(聖職) 수여권.

advt. advertisement.

adz, adze [ædz] *n.* C 까뀌.

ad·zu·ki [ædzúːki] *n.* =ADZUKI BEAN

adzúki bèan 팥《콩과의 1년생 식물》.

A.E.A. 《英》 Atomic Energy Authority.

Ae·gé·an Íslands [i(ː)dʒíːən-] (the ~) 에게해 제도.

Aegéan Séa (the ~) 에게해, 다도해.

ae·gis [íːdʒis] *n.* (the ~) 〖그리스신화〗 Zeus 신이 딸 Athena에게 주었다는 방패. ***under the ~ of*** …의 보호 아래〔후원으로〕.

Ae·ne·as [iníːəs] *n.* 〖그리스 · 로마신화〗 아에네아스《Troy의 용사로, Anchises와 Aphrodite의 아들; 서사시 *Aeneid*의 주인공》.

Ae·o·li·an [iːóuliən] *a.* 바람의 신 Aeolus의.

aeólian hárp 〔**lýre**〕 에올리언 하프《바람을 받으면 저절로 울림》.

Ae·o·lus [íːələs] *n.* 〖그리스신화〗 아이올로스《바람의 신》.

ae·on, eon [íːən, -ɑn] *n.* C 무한히 긴 시대; 영구.

aer·ate [ɛ́əreit, éiərèit] *vt.* …을 공기에 쐬다; …에 공기를 통하게 하다; (혈액)에 호흡에 의해서 산소를 공급하다; (소다수 등을 만들기 위하여) 탄산가스를 넣다: ~*d* water(s) 《英》 탄산수(soda water). 파 **aer·á·tion** *n.*

◇**aer·i·al** [ɛ́əriəl, eiíər-] *a.* **1** 공기의, 대기의; 기체의: ~ regions 공중 / ~ currents 기류(氣流). **2** 공기와 같은, 덧없는; 공상적인, 꿈 같은; 영묘한, 천상의: ~ music 영묘한 음악. **3** 공중의; 공중에 치솟은: an ~ performance 공중 곡예 / an ~ railroad 〔railway〕 가공 철도 / ~ ropeway 〔cableway〕 가공 삭도. **4** 공중에 사는〔생기는〕, 기생(氣生)의: an ~ plant 기생 식물. **5** 항공(기)의, 항공기에 의한《★ 현재는 air를 쓰는 경우가 많음》: an ~ attack 공습 / an ~ camera 항공 사진용 카메라 / an ~ lighthouse 〔beacon〕 항공 등대〔표지〕 / an ~ line 〔route〕 항공로 / ~ navigation 항공술 / an ~ navigator 항공사 / ~ photography 항공 사진(술) (aerophotography) / ~ reconnaissance 〔inspection〕 공중 정찰〔사찰〕.

— [ɛ́əriəl] *n.* C **1** 〖전기〗 안테나. **2** 〖스키〗 에어리얼《점프하여 회전하거나 몸을 비트는 등의 연기를 하는 프리 스타일 종목》. 파 **~·ly** *ad.*

áer·i·al·ist *n.* C **1** 공중 곡예사. **2** 《속어》 (지붕을 타고 들어가는) 곡예사 같은 침입 강도.

áerial làdder (소방용) 접(摺)사닥다리.

áerial súrvey 공중 관측.

áerial tánker 공중 급유기.

aer·ie [ɛ́əri, íəri] *n.* C (매 따위의) 둥지; 높은 곳에 있는 집〔성〕.

aer·o- [ɛ́ərou, -rə] '공기, 공중, 항공'이란 뜻의 결합사: *aero*dynamics, *aero*nautics. ★ 미국에서는 보통 air-.

aer·o·bat·ic [ɛ̀ərəbǽtik] *a.* 곡예 비행의: an ~ flight 곡예 비행.

àer·o·bát·ics *n.* **1** 〖복수취급〗 곡예〔고등〕 비행. **2** U 곡예〔고등〕 비행술. [◂*aero-*+*acrobatics*]

aer·obe [ɛ́əroub] *n.* C 〖생물〗 호기성(好氣性) 생물, 호기성균(菌).

aer·o·bic [ɛəróubik] *a.* **1** 〖생물〗 (미생물 따위) 호기성의; 호기성균의〔에 의한〕: ~ bacteria 호기성균. **2** 에어로빅스의: ~ exercises 에어로빅스 체조.

aer·ó·bics *n.* U 에어로빅스《산소의 소비량을 늘려 폐 · 심장 등의 기능을 활발하게 하는 건강 운동법》.

áero·dròme *n.* C 《英》 소형 비행장, 공항.

àero·dynámic *a.* A 공기 역학(상)의. 파 **-ically** *ad.*

àero·dynámics *n.* U 공기〔항공〕 역학.

áero·fòil *n.* C 《英》 날개(airfoil)《주날개 · 꼬리날개 등의 총칭》.

aer·o·gram, aer·o·gramme [ɛ́ərəgræ̀m] *n.* C 항공 편지(air letter).

aer·o·lite, aero·lith [ɛ́ərəlàit], [-liθ] *n.* C 운석.

aer·ol·o·gy [ɛərɑ́lədʒi/-rɔ́l-] *n.* Ⓤ 고층(高層) 기상학. ㊞ **-gist** *n.* Ⓒ 고층 기상학자.

àero·mechánics *n.* Ⓤ 항공 역학; 유체 역학.

aer·o·naut [ɛ́ərənɔ̀ːt] *n.* Ⓒ 비행가; 기구〔비행선〕 조종사. [Gr. *nautēs* sailor]

aer·o·nau·tic, -ti·cal [ɛ̀ərənɔ́ːtik], [-əl] *a.* 항공의, 항공학의, 비행술의: an ~ chart 항공도.

àero·náutics *n.* Ⓤ 항공학〔술〕.

aer·o·pause [ɛ́ərəpɔ̀ːz] *n.* Ⓤ 【항공】 대기계면(大氣界面)《고도 20-23 km 간의 대기층》.

‡**aer·o·plane** [ɛ́ərəplèin] *n.* Ⓒ 《英》 **비행기** (《美》 airplane): by ~ 비행기로《★ 관사 없이》/ take an ~ 비행기에 타다.

áero·sòl *n.* **1** Ⓤ 【화학】 에어로솔, 연무질(煙霧質). **2** Ⓒ 에어로솔 분무기.

áerosol bòmb 〔**contàiner**〕 (압축 가스를 이용한) 분무기.

áero·spàce *n.* Ⓤ (대기권과 그 밖의 공간을 통틀은) 우주 공간, 대기권 내외; 항공 우주 산업; 항공 우주 과학. **—*a.*** 우주 공간의; 항공 우주(산업)의: ~ industries 항공 우주 산업/~ medicine 항공 우주 의학.

àero·státics *n.* Ⓤ 기체 정역학; 경항공기 조종술.

aery [ɛ́əri, íəri] *n.* =AERIE.

Aes·chy·lus [éskələs/íːs-] *n.* 아이스킬로스 《그리스의 비극 시인; 525-456 B.C.》.

Ae·sop, Æ·sop [íːsəp, -sɑp/-sɔp] *n.* 이솝 《그리스의 우화 작가; 619?-564? B.C.》: ~'s *Fables* 이솝 이야기.

aes·thete, es- [ésθiːt/íːs-] *n.* Ⓒ 유미(唯美)〔탐미〕주의자; 심미가, 미적 감각이 있는 사람.

◇**aes·thet·ic, es-** [esθétik/iːs-], **-i·cal** [-ikəl] *a.* 미(美)의, 미술의; 미학의; 심미적인; 심미안이 있는; 좋은 취미의: an *aesthetic* person 심미안이 있는 사람. ㊞ **-i·cal·ly** *ad.*

aes·thet·i·cism, es- [esθétəsìzəm/iːs-] *n.* Ⓤ 유미주의; 예술 지상주의.

aes·thét·ics, es- *n.* Ⓤ 【철학】 미학(美學).

aes·ti·vate, es- [éstəvèit/íːst-] *vi.* 여름을 지내다〔보내다〕; 【동물】 하면(夏眠)하다.
㊞ **àes·ti·vá·tion, ès-** [-ʃən] *n.*

ae·ta·tis [iːtéitis] *a.* 《L.》 당년 …살(의)(at the age of): ~ 10, 10살의.

aether, aethereal, etc. ⇨ETHER, ETHEREAL, etc.

aetiology ⇨ETIOLOGY.

af- [æf, əf] *pref.* =AD-《f 앞에서》: *af*firm.

A.F. Air Force; Allied Forces; Anglo-French.

A.F., a.f. audio frequency (가청 주파수).

afar [əfɑ́ːr] *ad.* 멀리, 아득히《★ far가 보다 일반적》: ~ off 멀리 저쪽에. **—*n.*** 〔다음 관용구로〕 ***from*** **~** 멀리서: I admired her *from* ~. 나는 멀리서 그녀를 그리워하였다.

AFB 《美》 Air Force Base (공군 기지). **AFC** 《美》 American Football Conference《NFL의 2대 프로 리그의 하나》; automatic flight control (자동 비행 제어). **AFDC, A.F.D.C.** 《美》 Aid to Families with Dependent Children (아동 부양 세대(世帶) 보조).

àf·fa·bíl·i·ty *n.* Ⓤ 상냥함, 붙임성 있음, 사근사근함.

◇**af·fa·ble** [ǽfəbəl] *a.* 상냥한, 붙임성 있는, 친절한, 사근사근한《*to* …에게》: She is always ~ *to* us. 그녀는 언제나 우리에게 상냥하다.
㊞ **-bly** *ad.*

‡**af·fair** [əfɛ́ər] *n.* **1** Ⓒ **a 일**, 용건: He has many ~*s* to look after. 그에게는 돌봐야 할 일이 많다. **b** (보통 *pl.*) 업무, 사무: family ~*s* 가사/human ~*s* 인사(人事)/on business ~*s* 상용으로/~*s* of state 국사(國事), 정무/private ~*s* 사사로운 일/public ~*s* 공무/a man of ~*s* 사무〔실무〕가. **2** Ⓒ (세상을 떠들썩하게 하는) 사건; 생긴 일(event); 추문: an ~ of honor 결투/the Watergate ~ 워터게이트 사건. **3** Ⓒ (one's ~) (개인적인) 문제, 관심사: That's none of your ~. 그건 네가 알 바 아니다(=That's my own ~.). **4** Ⓒ (주로) 불륜의 연애〔관계〕, 정사: an extramarital ~ 혼외 정사/have an ~ with …와 관계를 갖다. **5** Ⓒ 《구어》 〖형용사를 수반하여〗 것; 물건, 물품: a complicated ~ 복잡한 것/a cheap ~ 싸구려. **6** (*pl.*) 사태, 상황, 정세: current ~*s* 시국, 시사《★ current events가 보다 일반적》/the state of ~*s* 형세, 사태.
***settle* one's ~s** ① 일을 처리하다. ② (특히 유언장을 쓰든가 하여) 신변을 정리해 두다.

‡**af·fect**[1] [əfékt] *vt.* **1** …에 **영향을 끼치다**; …에 악영향을 미치다; …에 작용하다: This will ~ business. 이것은 장사에 영향이 있다/The climate has ~*ed* his health. 그 기후 때문에 그는 건강을 해쳤다. **2** (병이) 침범하다《★ 종종 수동태로 쓰며, 전치사는 *with*》: The cancer has ~*ed* his stomach. 그는 위암에 걸렸다/He *is* ~*ed with* rheumatism. 그는 류머티스에 걸렸다/He *is* ~*ed* in the lungs. 그는 폐병을 앓고 있다. **3** …을 **감동시키다**, …에게 감명을 주다《★ 종종 수동태로 쓰며, 전치사는 *at, by*》: She *was* ~*ed at* the news 〔*by* his words〕. 그녀는 그 소식〔그의 말〕을 듣고 감동받았다. ◇affection *n.*
—[ǽfekt] *n.* Ⓤ (구체적으로는 Ⓒ) 【심리】 감동, 정서.

◇**af·fect**[2] [əfékt] *vt.* **1** …인〔한〕 체하다, …을 가장하다, …인〔한〕 양 꾸미다《*to* do》: ~ ignorance 모르는 체하다/~ *to* be weary 피곤한 체하다. SYN. ⇨ASSUME. **2** 즐겨 사용하다: She ~*s* loud dress. 그녀는 화려한 옷을 즐겨 입는다. **3** (동식물이) …에 즐겨 살다〔생기다〕: Birds ~ the woods. 새는 숲에 즐겨 산다. **4** (물건이 어떤 형태)를 잘 취하다: Drops of fluid ~ a round figure. 액체의 방울은 둥근 형태를 취한다. ◇affectation *n.*

◇**af·fec·ta·tion** [æ̀fektéiʃən] *n.* Ⓤ (구체적으로는 Ⓒ) …인 체함, …연함; 짐짓 꾸밈〔꾸미는 태도〕: an ~ *of* speech 척하는 말/an ~ *of* kindness 겉치레의 친절/make ~ *of* …인 체하다, …을 자랑하다/without ~ 체하지〔꾸미지〕 않고, 솔직히.

◇**af·féct·ed**[1] [-id] *a.* **1** 영향을 받은; (병 따위에) 걸린, 침범된, (더위 등을) 먹은: the ~ district 피해지/the ~ parts 환부(患部). **2** 감동된, 슬픔에 잠긴; 변질된. **3** 〖양태 부사(구)와 함께〗 (…한) 마음을 품은: well 〔ill〕 ~ to 〔toward(s)〕 us 우리에게 호의〔악의〕를 가진.

◇**af·féct·ed**[2] *a.* 짐짓 꾸민, …인 체하는, 유체스러운; 부자연한: ~ airs 젠체하는〔꾸민〕 태도/an ~ sorrow 겉뿐인 슬픔.
㊞ **~·ly** *ad.* **~·ness** *n.*

af·féct·ing *a.* 감동시키는; 애절한, 애처로운: an ~ sight 애처로운 광경. ㊞ **~·ly** *ad.*

***af·fec·tion** [əfékʃən] *n.* **1** Ⓤ (또는 *pl.*) **애정**,

호의, 애착, 연모《**for, toward(s)** …에 대한》: filial ~ 효심(孝心)/~ between the sexes 남녀의 정/the ~ of a parent *for* 〔*toward(s)*〕 his child 어버이의 자식에 대한 애정/the object of one's ~*s* 사랑하는 사람, 의중의 사람/win 〔gain〕 a person's ~(*s*) 아무의 사랑을 차지하다. **2** Ⓒ **병**(disease), 질환: an ~ of the throat 인후병(咽喉病). ◇affect¹ *v*.

***af·fec·tion·ate** [əfékʃənit] *a*. **1 애정 깊은**, 사랑에 넘친: an ~ mother 〔letter〕 인자한 어머니〔애정어린 편지〕/Your ~ brother 친애하는 형으로부터《편지의 맺는 말》. **2 다정한**, 인정 많은《**to, toward, with** …에게》: He is ~ *to* 〔*toward*〕 her. 그는 그녀에게 다정하다.

◇**af·fec·tion·ate·ly** *ad*. 애정을 다하여, 애정이 넘치게: Yours ~ =*Affectionately* yours 친애하는 …으로부터《편지의 맺는 말》.

af·fec·tive [əféktiv, ǽfektiv] *a*. 감정〔정서〕적인; 〖심리〗 정동(情動)의.
㊕ **~·ly** *ad*.

af·fer·ent [ǽfərənt] *a*. 〖생리〗 (혈관이) 중심부로〔기관으로〕 인도되는; (신경이) 구심성(求心性)의. ⓒⓕ efferent. ¶ ~ veins 수입 정맥/~ nerves 구심성 신경.

af·fi·anced [əfáiənst] *a*. 약혼한(engaged)《**to** …와》: one's ~ (husband 〔wife〕) 약혼자/He's ~ *to* her. 그는 그녀와 약혼했다.

af·fi·da·vit [ǽfədéivit] *n*. Ⓒ 〖법률〗 선서서(宣誓書), 선서 진술서: ~ of support 재정 보증서/swear 〔make, take〕 an ~ (증인이) 진술서에 허위가 없음을 선서하다/take (down) an ~ (판사가) 진술서를 받다.

af·fil·i·ate [əfílièit] *vt*. …을 가입시키다, 회원으로 하다; …와 관계를 맺다; …을 지부(支部)로 하다; 합병시키다《**with, to** …에》: ~ oneself *with* 〔*to*〕 …에 가입하다/The two clubs are ~*d with* each other. 그 두 클럽은 서로 밀접한 관계가 있다/This hospital is ~*d to* the university. 이 병원은 대학 부속 병원이다. **—***vi*. **1** 관계〔가맹, 가입〕하다, 입당〔입회〕하다; 제휴하다, 손잡다《**with** …에, …와》: ~ *with* an American firm 미국 상사(商社)와 제휴하다. **2** 《美》 교제하다, 친밀히 하다《**with** …와》.
— [əfíliit, -èit] *n*. Ⓒ 가입자, 회원; 관계〔외곽〕 단체, 가맹 단체, 지부, 분회: an ~ of the Red Cross 적십자사 지부.

af·fil·i·at·ed [əfílièitid] *a*. **1** 관련 있는; 계열〔산하, 지부〕의(related): one's ~ school 출신교/an ~ company 관련〔계열〕 회사/~ societies 협회 지부. **2** 가맹〔가입, 제휴〕하고 있는; 계열하〔산하〕에 있는.

af·fil·i·á·tion *n*. Ⓤ (구체적으로는 Ⓒ) **1** 가입, 입회, 가맹. **2** 동맹, 연합; 제휴, 협력. **3** 양자 결연; 〖법률〗 (사생아의) 부친 확인. **4** 《美》 (특히 정치적) 관계, 우호 관계.

affiliátion òrder 〖英법률〗 (치안판사가 부친에게 내리는) 비(非)적출자 부양비 지급 명령.

af·fin·i·ty [əfínəti] *n*. **1** Ⓤ (구체적으로는 Ⓒ) 인척 (관계); 동족 관계. ⓒⓕ consanguinity. **2** Ⓤ (구체적으로는 Ⓒ) 유사성〔점〕, 친근성《**between** …사이의; **with** …와의》: English has many *affinities with* German. 영어는 독일어와 많은 유사점이 있다. **3** Ⓤ (구체적으로는 Ⓒ) 〖화학·생물〗 친화력《**for** …에 대한》: the ~ of iron *for* oxygen 철의 산소에 대한 친화력. **4** (an ~) 친근감, 애호《**for, to** …에 대한》: She and Tom have an ~ *for* 〔*to*〕 each other. 그녀와 톰은 서로 좋아한다.

af·firm** [əfə́ːrm] *vt*. **1** 《~+목/+*that* 절》 **확언하다**, 단언하다; 확실히 주장하다: ~ the innocence of the accused 피고의 결백을 단언하다/He ~*ed that* the news was true. 그는 그 소식이 사실이라고 단언했다. SYN. ⇨ ASSERT. **2** 〖논리〗 긍정하다. **3** 〖법률〗 (상소에 대하여 원판결 따위)를 확인하다, 지지하다; …에 관해서 무선서 증언을 하다. **—vi*. 단언〔긍정〕하다; 〖법률〗 무선서 증언을 하다; 하급심의 판결을 지지〔확인〕하다. ㊕ **~·a·ble** *a*. 단언할 수 있는.

af·fir·ma·tion [æ̀fərméiʃən] *n*. Ⓤ (구체적으로는 Ⓒ) 단언, 주장; 〖논리〗 긍정; 〖법률〗 (양심적 선서 거부자가 하는) 무선서(無宣誓) 증언; (선서에 대신하는) 확약.

◇**af·firm·a·tive** [əfə́ːrmətiv] *a*. **1** 확언〔단언〕적인. **2** 긍정의, 승낙의, 찬성의: an ~ reply 찬성하는 회답/~ votes 찬성 투표/the ~ side 찬성쪽. ⇔ *negative*. **—***n*. Ⓒ **1** 확언, 단정; 긍정어(구), 긍정적 표현: answer in the ~ 긍정하다, 그렇다고 대답하다. **2** 〖논리〗 긍정, 긍정 명제. ㊕ **~·ly** *ad*. 긍정적으로.

affírmative áction 《美》 차별 철폐 조처《소수민족의 차별 철폐·여성 고용 등을 적극 추진하는 계획》.

◇**af·fix** [əfíks] *vt*. **1** 첨부하다, 붙이다《**to, on** …에》: ~ a stamp *to* a letter 편지에 우표를 붙이다/~ a poster *on* a wall 벽에 포스터를 붙이다. **2** 더〔첨부해〕 쓰다; (도장)을 찍다; (책임 등)을 지우다《**to** …에》: ~ one's signature *to* a contract 계약에 서명하다/~ blame *to* …에게 죄를 돌리다.
— [ǽfiks] *n*. Ⓒ 첨부물; 〖문법〗 접사(接辭)《접두사·접미사》.

af·fla·tus [əfléitəs] *n*. Ⓤ (시인·예언자 등의) 영감, 인스피레이션.

***af·flict** [əflíkt] *vt*. **괴롭히다**(distress)《★ 흔히 수동태로 쓰며, 전치사는 *by, with*》: *be* ~*ed with* debts 빚에 시달리다/*be* ~*ed with* arthritis 관절염을 앓다/*be* ~*ed by* the heat 더위로 괴로워하다. SYN. ⇨ TORMENT.

***af·flic·tion** [əflíkʃən] *n*. **1** Ⓤ **고통**, 고뇌, 고생(misery): people in ~ 고통받는 사람들. **2** Ⓒ **재해** (calamity), 역경; 불행의 원인.

af·flic·tive [əflíktiv] *a*. 괴로운, 쓰라린, 비참한.

af·flu·ence [ǽflu(ː)əns, əflúː-] *n*. Ⓤ 풍부함, 풍요, 유복: live in ~ 유복하게 살다.

af·flu·ent [ǽflu(ː)ənt, əflúː-] *a*. 풍부한; 유복한《**in** …이》; 거침없이 흐르는: The land is ~ *in* natural resources. 그 땅은 천연자원이 풍부하다. SYN. ⇨ RICH. **—***n*. Ⓒ 지류(支流).
㊕ **~·ly** *ad*.

af·flu·en·tial [æ̀fluːénʃəl/-flu-] *a*. 부유하여 영향력 있는, 부자의. **—***n*. Ⓒ 부자.

áffluent socíety (the ~) 풍요한 사회.

af·flu·en·za [æ̀fluːénzə] *n*. Ⓒ 애플루엔저, 부자병《막대한 상속을 받은 여자가 무력감, 권태감, 자책감 따위를 갖는 병적 증상》.

af·flux [ǽflʌks] *n*. (an ~) (물 따위의) 흘러듦, 유입(流入)《**to** …에로의》.

⁑**af·ford** [əfɔ́ːrd] *vt*. **1** 〖보통 can, be able to와 함께〗 **a** …의 **여유가 있다**, …을 살〔지급할, 소유할〕 돈이 있다, …을 참을 여유가 있다: I *can*not ~ the expense. 그 비용을 감당할 수 없

다/I *cannot* ~ the loss of a day. 단 하루도 헛되이 할 수 없다. **b** 《+*to* do》 …**할 여유가 있다**, …할 수 있다: I *cannot* ~ *to* be generous. 나는 선심 쓸 여유가 없다/We *cannot* ~ *to* ignore the lesson of the past. 우리는 도저히 과거의 교훈을 무시할 수는 없다.
2 《~+목/+목+목/+목+전+명》 **주다**, 제공하다 《*to* …에게》, 산출하다, 낳다: Reading ~*s* pleasure. 독서는 즐거움을 준다/The transaction ~*ed* him a good profit. =The transaction ~*ed* a good profit *to* him. 그 장사로 그는 한몫 잘 보았다.

af·fórd·a·ble *a.* 줄 수 있는; 입수 가능한, (값이) 알맞은.

af·for·est [əfɔ́(ː)rist, əfɑ́r-] *vt.* …에 조림(식수)하다. ㊎ **af·fòr·est·á·tion** *n.* Ⓤ 식수, 조림.

af·fray [əfréi] *n.* Ⓒ 〖법률〗 (공공 장소에서의) 싸움, 난투; 법석, 소란, 소동; 소전투.

af·fri·cate [ǽfrikit] *n.* Ⓒ 〖음성〗 파찰음(破擦音)《[tʃ, dʒ, ts, dz] 따위》.

af·fric·a·tive [əfríkətiv, ǽfrəkèi-] *n.* Ⓒ, *a.* 〖음성〗 파찰음(의).

°**af·front** [əfrʌ́nt] *n.* Ⓒ (공공연한 · 의도적인) 무례, 모욕《*to* …에게의》: a gross ~ 심한 모욕/offer an ~ *to* =put an ~ upon …에게 모욕을 주다/suffer an ~ 모욕을 당하다.
— *vt.* (맞대놓고) 모욕하다, 욕보이다. SYN. ⇨OFFEND.

Af·ghan [ǽfgən, -gæn] *a.* 아프가니스탄(사람, 말)의. —*n.* **1** Ⓒ 아프가니스탄 사람. **2** Ⓤ 아프가니스탄 말. **3** =AFGHAN HOUND.

Áfghan hóund 아프간 개《사냥개의 일종》.

af·ghani [æfgǽni, -gɑ́ːni] *n.* Ⓒ 아프가니스탄의 화폐 단위.

Af·ghan·i·stan [æfgǽnəstæ̀n] *n.* 아프가니스탄《수도는 카불(Kabul)》.

afi·cio·na·do [əfìʃənɑ́ːdou] (*pl.* **~s**) *n.* 《Sp.》 Ⓒ 열애가(熱愛家), 열성가, 팬, 애호가.

afield [əfíːld] *ad.* 〖종종 far ~로〗 멀리 떨어져 《*of, from* …에서》; 집(고향)을 떠나 멀리에: She has ranged as *far* ~ as Boston and Seoul. 그녀는 멀리 보스턴과 서울까지 내왕한다.

afire [əfáiər] *ad., a.* Ⓟ 불타; 격하여, 흥분하여: with heart ~ 마음이 불타/The house is ~. 집이 불타고 있다. ***set*** ~ 타게 하다《★ set ... on fire가 보다 일반적》; (정신적으로) 자극하다.

aflame [əfléim] *ad., a.* Ⓟ 불타올라(ablaze), 이글이글(활활) 타올라; 낯을 붉혀, 성나서; 불타 《*with* (호기심 · 열의 따위)에》: He was ~ *with* enthusiasm. 그는 열의에 불타고 있었다. ***set*** ~ …을 타오르게 하다; (피가) 끓어오르게 하다.

AFL-CIO American Federation of Labor and Congress of Industrial Organizations (미국 노동 총연맹 산업별 회의)《1955년 AFL과 CIO가 합쳐서 결성》.

°**afloat** [əflóut] *ad., a.* Ⓟ **1** (물 · 하늘에) 떠서; (바람에) 나부끼어: be ~ in the river 강에 떠 있다. **2** 해상에; 선상(함상)에: life ~ 해상 생활/duty ~ 해상(함상) 근무/all the shipping ~ 해상의 모든 배. **3** 침수(범람)하여: The main deck was ~. 주갑판이 침수되었다. **4** (소문이) 퍼져서: There are many rumors ~. 뜬소문이 많이 돌고 있다. **5** 빚 안 지고, 파산하지 않고; 대활약하여: The company is still ~. 그 회사는 아직 파산하지 않았다. ***keep*** ~ 가라앉지 않도록 하다; 빚을 지지 않(게 하)다. ***set*** (***get***) ~ …을 띄우다; 유통(유포)시키다; 발족시키다.

afoot [əfút] *ad., a.* Ⓟ 진행 중(에); 계획되어; 활동하여: A plot is ~. 음모가 꾸며지고 있다.

afóre·mèntioned *a.* **1** Ⓐ 앞에 말한, 전술(전기)한. **2** (the ~) 〖명사적; 집합적; 단 · 복수 취급〗 전술한 사항.

afóre·sàid *a.* =AFOREMENTIONED.

afóre·thòught *a.* 〖보통 명사 뒤에 두어〗 미리 고려된, 계획적인; 고의(故意)의.

a for·ti·o·ri [ei-fɔ̀ːrʃiɔ́ːrai] 《L.》 한층 더한 이유로, 더욱더; 더 유력한 논거(이유)가 되는.

afoul [əfául] *ad., a.* Ⓟ 충돌하여; 엉클어져. ***run*** (***fall***) ~ ***of*** =run FOUL of.

Afr. Africa; African.

‡**afraid** [əfréid] *a.* Ⓟ 《★ be *much* ~는 낡은 표현이며, be *very much* ~라고도 하지만 근래에는 be *very* ~가 보통임》 **1 두려워하는**, 무서워하는, 겁내는《*of* …을/*to* do》: Don't be ~ *of* me. 나를 무서워 마라/I'm ~ *of* snakes. 뱀이 무섭다/be ~ *of* addressing (*to* address) a foreigner 외국인에게 말을 걸 용기가 없다.
2 걱정(염려)하는, 불안한《***about, for, of*** …에 대해/***that***/***lest***》: He was ~ *about* what was going to happen. 그는 무슨 일이 생겼는가 걱정이었다/I'm ~ *for* his safety. 그의 안전이 걱정된다/I was ~ *of* wounding her pride. =I was ~ (*that*) I might wound her pride. 그녀의 자존심을 상하게 하지는 않았나 염려가 되었다/He was ~ *lest* the secret (should) leak out. 그는 비밀이 새지 않을까 걱정했다.
SYN. **afraid** 불안, 걱정, 불명(不明)한 것에 대한 두려움: be *afraid* of (in) the dark 어둠이 무섭다. **alarmed** 갑자기 나타난 위험, 또는 예상되는 위험 따위를 알고 느끼는 급작스런 불안: *alarmed* by the news that war might break out 전쟁이 터질지도 모른다는 뉴스에 걱정이 되어. **frightened** 신체적인 위기를 느껴 겁냄. 일시적이지만 강렬한 공포: The child was *frightened* by the fierce dog. 어린애는 사나운 개에 겁이 났다. **terrified** 기겁을 할 정도의 무서움, 놀람.
3 …을 **섭섭하게**(유감스럽게) **생각하는**, (유감이지만) …**라고 생각하는**《★흔히 that을 생략한 명사절을 수반》: I am ~ it is not possible. 불가능하여 안됐습니다.
4 싫어하는; 꺼리는(주저하는)《*of* …을/*to* do》: He's ~ *of* formal dinners. 그는 정식 만찬회를 싫어한다/He's ~ *to* show emotion. 그는 감정을 드러내기를 꺼린다.

> DIAL. ***I'm afraid so*** (***not***)**.** (유감이지만) 그렇다고(그렇지 않다고) 생각한다《★I hope so (not).은 '그러면(그렇지 않으면) (좋다고) 생각한다'》: Does he have any chance of winning?—*I'm afraid not*. 그가 이길 가망이 있을까요—아무래도 (가망이) 없을 것 같아요.

Á-fràme 《美》 *n.* Ⓒ A꼴 구조의 집; A자 모양의 틀《무거운 물건을 받침》; 지게.

°**afresh** [əfréʃ] *ad.* 새로이, 다시(again): start ~ 다시 시작하다.

*__Af·ri·ca__ [ǽfrikə] *n.* 아프리카.

*__Af·ri·can__ [ǽfrikən] *a.* 아프리카(사람)의; 흑인의. —*n.* Ⓒ 아프리카 사람; 흑인(Negro).

Áfrican-Amérícan *n.* Ⓒ, *a.* 아프리카계 미국인(의)(Afro-American).

Áfrican víolet 〖식물〗 아프리카제비꽃《탕가니카 고지 원산》.

Af·ri·kaans [æ̀frikɑ́:ns, -z] *n.* Ⓤ (남아프리카의) 공용 네덜란드어.

Af·ri·ka·ner [æ̀frikɑ́:nər, -kǽn-] *n.* Ⓒ 아프리카너(=**Àf·ri·káa·ner**)《남아프리카 태생의 백인; 특히 네덜란드계의》.

Af·ro [ǽfrou] (*pl.* **~s**) *n.* Ⓒ 아프로《아프리카풍의 둥그런 머리형》. **—***a.* 아프로형의; 아프리카풍의.

Af·ro- [ǽfrou, -rə] '아프리카'의 뜻의 결합사: *Afro*-Asian bloc 〔Conference〕.

Àfro-Américan *n.* Ⓒ, *a.* 아프리카계 아메리카인(의), 아메리카 흑인(의).

Àfro-Ásian *a.* 아시아 아프리카의: the ~ bloc 아시아 아프리카 블록.

AFS American Field Service《미국의 국제 문화 고교생 교류 단체》.

aft [æft, ɑ:ft] *ad.* 〖항해·항공〗 고물에〔쪽으로〕, 기미(機尾)에〔로〕, 후미에〔로〕: right ~ (배의) 바로 뒤에. ***fore and* ~** ⇨FORE.

†**after** [ǽftər, ɑ́:f-] *ad.* 《순서·시간》 **뒤〔후〕에**, 다음에, 나중에; 늦게, 뒤쳐져서: follow ~ 뒤따르다, 뒤따라가다 / go ~ 나중에 가다 / soon ~ 이내(곧) / three days ~, 3일 후에(=three days later =after three days) / the day 〔week, year〕 ~ 그 다음 날〔주, 해〕/ look before and ~ 앞뒤를 둘러보다; 전후를 생각하다 / They lived happily ever ~. 그들은 그 후 내내 행복하게 살았다《동화의 결구》/ I never speak to him ~. 그 후 다시 그와는 말을 안 한다.

> NOTE 시간적인 순서가 아니라 단순히 '뒤에, 나중에'란 뜻의 부사로서는 after 대신 afterwards, later를 쓰는 것이 보통임: He will come *afterwards* 〔*later*〕.

—*prep.* **1** 《순서·장소》 **a** …**의 뒤에**〔뒤로〕; …에 이어서: Come ~ me. 나를 따라오시오《★ 약간 격식차린 Come with me.가 보통임》/ My name comes ~ yours on 〔in〕 the list. 명부에서 내 이름은 너 다음이다 / She closed the door ~ her. 그녀는 들어와 문을 닫았다. **b** 《앞뒤에 같은 명사를 써서》 …**에 계속해서**〔잇달아〕: Car ~ car passed by. 자동차가 잇달아 지나갔다《★ 명사는 흔히 관사 없이》. **c** …**의 다음에**, …**에 뒤이어**: the greatest poet ~ Shakespeare 셰익스피어 다음으로 위대한 시인.

2 《시간》 **a** …**후에**; 《美》 …지나(《英》 past): We'll leave ~ supper. 우리는 저녁식사 후에 떠날 것이다 / at ten ~ 〔《英》 past〕 five, 5시 10분에 / They will be back the day ~ tomorrow. 그들은 모레 돌아올 것이다. **b** 《앞뒤에 같은 명사를 써서》 …**에 계속해서**, …이고: day ~ day 매일(같이) / hour ~ hour 몇 시간이고《★ 명사는 흔히 관사 없이》.

> SYN. I. **after** 순서·계속의 관념을 수반함: *after* a week, 1주일 후에. **behind** (1) 정지하고 있는 것의 뒤의 위치를 나타냄: *behind* a house 집 뒤에. (2) 진보의 정도, 예정보다 늦음도 나타냄: *behind* time 시간에 늦어서.
>
> SYN. II. **after** 계속을 나타내지 않는 동사를 포함하는 절과 함께 씀: He left *after* my arrival (=*after* I arrived). 그는 내가 도착하고 나서 출발하였다. **since** 계속을 나타내는 완료형을 포함하는 절과 함께 쓰임: I have stayed here *since* my arrival(=*since* I arrived). 나는 도착한 이래 여기에 있다.

3 《인과 관계》 …**했으니**, …고로, …했음에 비추어: *After* all he has been through, he deserves a rest. 그는 꽤나 고생을 했으니 당연히 휴식을 취해야 한다 / She felt hungry ~ her long morning's walk. 아침 산책을 오래 했으므로 그녀는 배가 고팠다.

4 《흔히 all과 함께 쓰여》 …**에도 불구하고**, (그토록) …했는데도: *After all* my trouble, you have learned nothing. 그토록 애써 가르쳤는데도 너는 도무지 모른다.

5 《목적·추구》 …**의 뒤를 따라**〔**쫓아**〕, …**을 찾아**〔**추구하여**〕: The police are ~ you. 경찰이 자네 뒤를 쫓고 있네 / What are they ~? 그들은 무엇을 찾고〔노리고〕 있는가.

> SYN. **after** 추구를 강조함: run *after* a dog 개를 쫓아가다. **for** 대상 또는 목표를 강조함: long *for* peace 평화를 열망하다.

6 《모방·순응》 …**을〔에〕 따라서**, …을 본받아, …**식〔풍〕의**: name a boy ~ his grandfather 사내아이에게 그 조부의 이름을 따서 붙이다 / a picture ~ Rembrandt 렘브란트풍(風)의 그림.

7 《관심》 …**에 대하여**〔관하여〕: inquire 〔ask〕 ~ a person 아무의 안부를 묻다.

~ *all* ① 《문장 앞에서》 뭐라 하더라도; 하여간: *After all*, we are friends. 누가 뭐라 해도 우리는 친구 사이이다. ② 《문장 뒤에서》 역시, 결국: He's quite busy, but he has decided to go to the concert ~ *all*. 그는 아주 바쁘지만 결국 음악회에 가기로 결정했다. ***take* ~** ⇨TAKE.

> DIAL. ***After you.*** (주로 여성에게) 먼저 (들어, 나)가세요: *After you*, ma'am. —Thank you. 부인 먼저 가시지요—고마워요.

—*conj.* …**한 뒤〔다음〕에**, 나중에: *After* he comes, I shall start. 그이가 온 뒤에 떠날 예정이다 / I'll go with you ~ I finish 〔have finished〕 my work. 일을 마치고 너와 같이 가겠다 / I arrived ~ he (had) left. 그가 떠난 후에 도착했다. ★ 위에서와 같이 after가 이끄는 부사절에서는 미래(완료) 대신 현재(완료)를 씀. 또 after에 의해, 앞뒤의 관계를 알 수 있으므로, 종종 완료형 대신 단순 시제(현재형·과거형)를 씀.

~ *all is said* (*and done*) 역시, 결국(after all).

—*a.* Ⓐ (시간적·공간적으로) 뒤의, 나중의, 후방의; 〖항해·항공〗 고물〔미익〕(쪽)에 있는: in ~ years 후년에 / ~ ages 후세 / the ~ cabins 후부 선실.

áfter·bìrth *n.* Ⓤ (보통 the ~) 〖의학〗 후산(後産).

áfter·bùrner *n.* Ⓒ (제트 엔진의) 재연소 장치.

áfter·càre *n.* Ⓤ 병 치료 후〔산후〕의 몸조리; (형기 따위를 마친 뒤의) 보도(補導), 갱생 지도.

áfter·dàmp *n.* Ⓤ 폭발 후에 남는 갱내 가스.

áfter·dèck *n.* Ⓒ 〖항해〗 후갑판.

áfter-dínner *a.* Ⓐ 정찬〔만찬〕 후의, 식후의: an ~ speech (식후의) 탁상 연설.

áfter·effèct *n.* Ⓒ (흔히 *pl.*) 잔존 효과; 여파(餘波), 영향; (사고의) 후유증; (약 따위의) 후속 작용〔효과〕; 〖심리〗 잔효(殘效).

áfter·glòw *n.* Ⓒ (보통 *sing.*) 저녁놀; 즐거운 회상〔추억〕.

áfter-hóurs *a.* Ⓐ 폐점〔영업시간〕 후의; 근무시간 외의: ~ work 잔업《★《美》에서는 overtime work가 일반적》.

áfter·ìmage *n.* Ⓒ 〖심리〗 잔상(殘像).

áfter·lìfe (*pl.* **-lives**) *n.* **1** Ⓒ (보통 *sing.*) 내세, 저세상. **2** Ⓤ 후년, 여생: in ~ 후년에.

áfter·màth *n.* Ⓒ (보통 *sing.*) 그루갈이, 두 번째 베는 풀; (전쟁·재해 따위의) 결과, 여파, 영향; (전쟁 따위의) 직후의 시기.

áfter·mòst *a.* 가장 뒤의; 〖항해〗 최후부(部)의.

†**after·noon** [æftərnúːn, àːf-] *n.* **1** Ⓤ (수식어가 있을 때; 수를 셀 수 있을 때는 Ⓒ) **오후**《정오에서 일몰까지》: in the ~ 오후에 / on the ~ of 8th, 8일 오후에《★ 막연히 '오후에'라고 할 때는 전치사 in을, 특정한 날을 나타내는 형용사(구)가 있을 때는 전치사 on을 쓰는 것이 일반적임》/ this 〔tomorrow, yesterday〕 ~ 오늘〔내일, 어제〕 오후 / the next ~ 그 이튿날 오후《★ afternoon 앞에 this, yesterday, tomorrow, every, all, the next 따위가 붙는 경우에는 전치사 on이 불필요함》/ early 〔at five〕 in the ~ 오후 일찍〔다섯 시에〕/ during the ~ 오후 중에 / on a summer ~ 여름날 오후에 / He arrived (on) the same ~. 그는 같은 날 오후에 도착했다 / an ~ farmer 게으름뱅이 / on a Sunday ~ = in the ~ on Sunday 일요일 오후에《★《美구어》에서는 전치사 on을 생략하는 경우가 많음》.
2 (the ~) 후반, 후기: in the ~ of (one's) life 만년(晩年)에, 늘그막에.

> **DIAL.** ***Good afternoon!*** (오후의 인사) 안녕하십니까《내림조》; 안녕(히 가〔계〕십시오)《올림조》. ★ 간단히 Afternoon! 이라고도 함.

— [ˊ-ˋ, ˋ-ˊ] *a.* Ⓐ 오후의〔에 쓰는〕: an ~ nap 낮잠 / ~ classes 오후 수업.

afternoon dress 에프터눈 드레스《evening dress보다 덜 호사스런 옷》.

àf·ter·nóons *ad.* 《美》 오후엔 꼭〔언제나〕: sleep late and work ~ 늦잠 자고 오후에 일하다.

afternoon tea 《英》 오후에 마시는 차.

áf·ters *n. pl.* 《英구어》 = DESSERT.

áfter·shàve *a.* Ⓐ 면도한 뒤에 쓰는.
— *n.* Ⓤ (종류·낱개는 Ⓒ) 애프터셰이브 로션 (= ˊ **lòtion**).

áfter·shòck *n.* Ⓒ 여진(餘震); 여파.

áfter·tàste *n.* Ⓒ **1** 뒷맛. **2** (보통 an ~) (어떤 것을 경험한 후의) 뒷맛, 여운: leave a good 〔bad〕 ~ 좋은〔나쁜〕 뒷맛을 남기다.

áfter·tàx *a.* Ⓐ 세금을 뺀, 실수령의.

áfter·thòught *n.* Ⓒ **1** 되씹어 생각함; 고쳐 생각함, 재고; (일이 끝난 뒤에 나는) 때늦은 생각〔지혜〕; 결과론. **2** (계획·설계에서의) 추가 부분, 불비함을 고침, 보족. **3** 반성. **4** 〖문법〗 추가 표현.

‡**af·ter·ward,** 《英》 **-wards** [ǽftərwərd, áːf-], [-wərdz] *ad.* **뒤〔나중〕에, 그후, 이후**: They lived happily ever ~. 그들은 그후에 내내 행복하게 살았다《동화의 결구》.

áfter·wòrd *n.* Ⓒ 발문(跋文).

ag- [æg, əg] *pref.* = AD-《g 앞에서》: *aggression.*

Ag 〖화학〗 *argentum* 《L.》 (= silver). **Ag.** August. **A.G.** Attorney General.

†**again** [əgén, əgéin] *ad.* **1 다시,** 또, 다시〔또〕 한 번: Try it ~. 다시 한 번 해 보아라 / Once ~ please. 다시 한 번 (말)해 주세요 / Late ~ for school! 또 학교에 늦었구나.
2 본디 상태〔장소〕로 (되돌아와): be home ~ 집에 돌아오다 / come to life ~ 되살아나다 / get 〔be〕 well ~ 건강을 되찾다.
3 (수량이) 두 배로, 다시 또 그만큼, 같은 분량만큼 더 (추가하여): as large 〔many, much〕 ~ as …의 배나 큰〔많은〕/ half as large ~ as …의 1배 반이나 큰.
4 《옛투》 응하여, 대답하여, (소리가) 반향하여: answer ~ 말대꾸하다.
5 그 위에 (더), 그 밖에: Then ~, why did he go? 게다가 또한 그는 왜 갔을까.
6 또 한편, 다른 한편, 그 반면, 그 대신: It might happen and ~ it might not. 일어날 것 같기도 하고 또 한편 안 일어날 것 같기도 하다 / This ~ is more expensive. 이것은 또한〔그 대신, 그만큼〕 값도 비싸다.
~ and ~ 몇 번이고, 되풀이해. ***once and ~*** 다시 되풀이해, 새로. ***time and (time) ~*** = ~ and ~.

> **DIAL.** ***Not again.*** 또야, 이젠 제발 그만.

†**against** [əgénst, əgéinst] *prep.* **1 …을 향하여,** …에 대해서; …에 부딪치어: dash ~ the door 문에 부딪치다 / a regulation ~ smoking 금연법(禁煙法).
2 …에 대비(對比)하여: 3 ~ 10, 10 대 3 / by a majority of 50 votes ~ 30, 30표 대 50표의 다수로.
3 …에 기대어서: lean ~ the wall 벽에 기대다.
4 …에 반대하여, …에 적대하여; …에 거슬러: Are you ~ the plan or for it? 그 계획에 반대하는가 찬성하는가 / ~ the stream 흐름에 거슬러; 시세를 거슬러.
5 …을 배경으로 하여: ~ the setting sun 석양을 배경으로 하여.
6 〖상업〗 **…와 교환으로:** draw ~ merchandise shipped 발송 화물의 가격만큼 어음을 발행하다.
7 …에 대비하여: ~ cold 〔the winter〕 추위〔겨울〕에 대비하여 / Passengers are warned ~ pickpockets. 《게시》 소매치기 조심.
8 (기호·천성)에 맞지 않게; …에 불리하게; …의 부담〔지급〕으로서: Everything was ~ her. 모든 것이 그녀에게 불리했다 / There's nothing ~ him. 그에게 불리한 점은 없다 / enter a bill ~ his account 그 앞으로 청구서를 내다.
as ~ …와 비교하여. ***over ~*** ⇨ OVER.

Ag·a·mem·non [ægəmémnɑn, -nən] *n.* 〖그리스신화〗 아가멤논《Troy 전쟁 때의 그리스군의 총지휘관》.

agape[1] [əgéip, əgǽp] *ad., a.* Ⓟ 입을 벌려; 기가 막혀, 어이없어: set people all ~ 모두 깜짝 놀라게 하다.

aga·pe[2] [ɑːgɑ́ːpei, ɑ́ːgəpèi, ǽgə-] (*pl.* **-pae** [-pai, -pài, -pìː]) *n.* **1** Ⓒ 애찬(愛餐)《초기 기독교도의 회식》. **2** Ⓤ 사랑, 아가페《비타산적인 사랑》.

agar [ɑ́ːgɑːr, ǽgər] *n.* Ⓤ **1** 한천(寒天) (= **ágar-ágar**). **2** 한천 배양기(培養基).

ag·a·ric [ǽgərik, əgǽr-] *n.* Ⓒ 들버섯; 모균류의 버섯.

ag·ate [ǽgit] *n.* **1** Ⓤ (낱개는 Ⓒ) 〖광물〗 마노(瑪瑙). **2** Ⓤ 《美》 〖인쇄〗 애깃(《英》 ruby) 《5.5 포인트 활자》.

Ag·a·tha [ǽgəθə] *n.* 애거서《여자 이름; 애칭 Aggie》.

aga·ve [əgéivi, əgɑ́ː-] *n.* Ⓒ 용설란속(屬)의 식물.

agaze [əgéiz] *ad.* 응시하여, 바라보고; 눈이 휘둥그레져.

†**age** [eidʒ] *n.* **1 a** Ⓤ (개별적으로는 Ⓒ) **나이**, 연령: at the early ~ of …살이라는 젊음으로 / What is his ~? 그는 몇 살인가《★ How old is he?가 일반적임》/ He's ten years of ~. 그는 10살이다《★ He's ten (years old).가 일반적임》/ At his ~ he should know better. 나이가 그만하면 분별이 있어야지 / He looks young (old) for his ~. 그는 나이에 비해 젊어(늙어) 뵌다. **b** 《서술형용사처럼 써서》 …나이인(의): He is just your ~. 그는 너와 동갑이다 / a girl my ~ 내 나이 또래의 처녀 / They are the same ~. 그들은 한동갑이다. **2** Ⓒ 햇수, 연대, 시기: from ~ to ~ 대대로. **3** Ⓤ 성년, 정년(丁年)(full ~)《보통 만 20세》: come (be) of ~ 성년에 달하다(달해 있다). **4** Ⓤ 노년《보통 65세》, 만년; 고령; 《집합적》 노인들(the old). ↔ *youth.* ¶His eyes are dim with ~. 그는 고령으로 눈이 흐리다. **5** Ⓤ (인생의) 한 시기; 수명, 일생: the ~ of adolescence 청춘기 / The ~ of a horse is from 25 to 30 years. 말의 수명은 25 년에서 30 년 사이이다. **6** Ⓒ (종종 A-) **시기**, (역사상) **시대**; 【지질】 일세(一世): in this atomic ~ 이 원자력 시대에 / the spirit of an ~ 시대 정신 / the golden ~ 황금 시대 / the space ~ 우주 시대 / the Middle *Age* 중세 (시대) / the Stone (Iron) *Age* 【고고학】 석기(철기)시대. SYN. ⇨PERIOD. **7** Ⓒ (보통 *pl.*) 시대(세대) 사람들: for the ~*s* to come 미래(세대) 사람들을 위하여 / ~*s* yet unborn 후세 사람들. **8** Ⓒ (흔히 *pl.*) 《구어》 오랫동안: for an ~ =for ~*s* 오랫동안 / an ~ ago 꽤 오래 전에 / It's (been) ~*s* (an ~) since I saw you last. 정말이지 오래간만이군요.

feel* (*show*) one's ~** (피로할 때 등에) 나이를 느끼다(느끼게 하다). ***of all ~s 모든 시대(연령)의. ***the ~ of consent*** 【법률】 승낙 연령《결혼 등의 승낙이 유효로 인정되는》. ***the ~ of discretion*** 【법률】 분별 연령《형법상의 책임을 지는; 영미에서는 14 세》.

> DIAL. ***Act your age!*** 얌전하게 행동해라《나이에 걸맞게 행동해라》.
> ***Age before beauty!*** 어르신 먼저 가세요《젊은 여성 등이 연장자에게 길을 양보할 때 익살스럽게 하는 말》.

— (*p.*, *pp.* **aged** [eidʒd]; **ág(e)·ing**) *vi.* 나이 들다, 늙다, 노화하다; 원숙하다; (술·치즈 등이) 익다. —*vt.* **1** 늙게 하다: Grief ~*s* us. 슬픔은 사람을 늙게 만든다. **2** 낡게 하다; 묵히다; (술 등)을 익히다, 숙성시키다.

-age [idʒ] *suf.* '집합, 상태, 행위, 요금, …수(數)'의 뜻의 명사를 만듦: bagg*age*, bond*age*, post*age*, mile*age*, pass*age*.

áge bràcket (일정한) 연령 범위(층).

***aged** *a.* **1** [éidʒid] **a 늙은**, 나이 든; 오래된: an ~ man 노인 / an ~ pine 노송 / ~ wrinkles 늙어 생긴 주름살. SYN. ⇨OLD. **b** (the ~) 《명사적; 집합적; 복수취급》 노인들. **2** [eidʒd] 《수사를 수반하여》 …**살의**: a man ~ fifty (years), 50살 난 사람 / die ~ twenty, 20세에 죽다.
㊞ **~·ness** [éidʒidnis] *n.*

áge-gròup, -gràde *n.* Ⓒ 《집합적; 단·복수취급》 (동일) 연령층(집단) (age bracket).

ageing ⇨AGING.

age·ism, ag·ism [éidʒizəm] *n.* Ⓤ 노인 차별, 연령 차별.

áge·less *a.* 늙지 않는, 불로(不老)의; 영원의.
㊞ **~·ly** *ad.* **~·ness** *n.*

áge·lòng *a.* 오랫동안의; 영속하는: ~ struggles.

agen·cy** [éidʒənsi] *n.* **1** Ⓤ **기능**, 작용; 행위, 힘, 【철학】 작인(作因): human ~ 인력 / the ~ of Providence 하늘의 섭리, 신의 힘. **2** Ⓤ **대리(권)**, 매개, 중개, 알선. **3** Ⓒ **대리점**, 중개점, 특약점: a detective ~ 비밀 탐정사 / a news ~ 통신사, 신문 취급소 / a general ~ 총대리점 / ~ marketing 판매 대리점 / an employment ~ 직업소개소. **4** (종종 A-) Ⓒ 《美》 (정부 따위의) 기관, 청(廳), 국(局): the Central Intelligence *Agency* 《美》 중앙 정보국(생략: CIA). ***through* (*by*) *the ~ of …의 작용(힘)으로; …의 중개로.

Ágency for Internátional Devélopment (the ~) 《美》 국제 개발청《국무부의 한 청; 생략: AID》.

agen·da [ədʒéndə] (*pl.* **~s, ~**) 《★ 본디 agendum의 복수꼴; agenda의 단수취급이 확립되어 왔기 때문에 복수꼴은 ~s가 일반적》 *n. pl.* 《보통 단수취급》 예정표, 안건, 의사일정, 의제; 비망록, 메모장(memorandum book): the first item on the ~ 의사일정의 제 1 항.

‡**agent** [éidʒənt] *n.* Ⓒ **1 a 대행자**, 대리인; 중개인; 주선인; 대리점: an ~ for …대리점 / a general (sole) ~ 총대리인(총판매인). **b** 판매(보험)외교원. **2 a** (관공서의) 대표자, 《美》 정부 직원, 사무관: a diplomatic ~ 외교관. **b** 첩보원, 간첩(secret ~). **c** 조사(수사)관《경찰관·기관원 따위》. **3 a** 어떤 행위를(작용을) 하는 (능력 있는) 사람(것). **b** (반응·변화를 일으키는) **힘**, 원동력, (현상을 일으키는) 자연력: Stone is worn away by natural ~*s* such as rain and wind. 바위는 풍우 등의 자연력에 의해서 마멸된다. **4** 【문법】 동작주(主). **5** 화학적(물리적, 생물학적) 변화를 주는 것, 약품, …제(劑); 병원체: a chemical ~*s* 화학 약품.

agen·tive [éidʒəntiv] *a.*, *n.* Ⓒ 【문법】 행위자를 나타내는 (접사(接辭), 어형).

ágent nòun 【문법】 행위자 명사《보기: actor, maker, student》.

Ágent Órange 에이전트 오렌지《미군이 월남전에서 사용한 고엽제; 암 유발의 시비를 낳음》.

ágent pro·vo·ca·téur [-prəvɑ̀kətə́ːr/-vɔ̀kə-] (*pl.* ***ágents provocatéurs*** [-s-]) 《F.》 공작원《노조·정당 등에 잠입하여 불법 행위를 선동하는》, (권력층의) 밀정.

áge-òld *a.* 세월을 거친, 예로부터의: an ~ custom 예로부터의 습관.

Ag·gie [ǽgi] *n.* 애기《여자 이름; Agatha, Agnes의 애칭》.

ag·glom·er·ate [əglɑ́mərèit/-lɔ́m-] *vt.*, *vi.* 한 덩어리로 하다(되다).
— [-rit, -rèit] *a.* 덩어리진; 【식물】 (꽃이) 머리모양으로 군생(群生)한; 집적한.
— [-rit, -rèit] *n.* **1** Ⓤ (또는 an ~) 덩이, (정돈되지 않은) 집단. **2** Ⓤ 【지질】 집괴암(集塊岩). cf. conglomerate.

ag·glòm·er·á·tion *n.* Ⓤ 덩이짐, 응집; Ⓒ 단괴(團塊), 덩어리; 집단.

ag·glu·ti·nate [əglúːtənèit] *vt.*, *vi.* 점착(교착, 접합, 응집)시키다(하다); 들러붙다; 【언어】 교착에 의하여 파생어를 만들다.
— [-nit, -nèit] *a.* 교착한; (언어가) 교착성의.

ag·glù·ti·ná·tion *n.* Ⓤ 점착(粘着), 교착(膠着), 들러붙음; 【의학】 유착(癒着); (적혈구·세균

등의) 응집(凝集); 〖언어〗 교착법.

ag·glu·ti·na·tive [əglúːtənèitiv, -nə-] *a.* 점착〔교착〕하는; 〖언어〗 교착성의: an ~ form 교착형 / an ~ language 교착 언어《터키 · 헝가리 · 한국 · 일본말 따위》.

ag·gran·dize [əgrǽndaiz, ǽgrəndàiz] *vt.* **1** 확대〔확장〕하다. **2** …의 힘〔세력 · 부 등〕을 증대〔증강〕하다; …의 지위〔명예〕를 높이다. **3** 크게 하여 보이다, 과장하다. ㊕ **~·ment** [əgrǽndizmənt] *n.* Ⓤ (부 · 지위 따위의) 증대, 강화.

◇**ag·gra·vate** [ǽgrəvèit] *vt.* 악화시키다; (부담 · 죄 따위)를 한결 무겁게 하다; 성나게 하다, 괴롭히다: feel ~*d* 화나다 / Her son's death ~*d* her illness. 아들의 죽음 때문에 그녀의 병은 악화되었다. [◂grave]

ág·gra·vàt·ing *a.* **1** 악화〔심각화〕하는: ~ circumstances 점차 악화해 가는 정세. **2** 《구어》 화나는, 부아나는: It's so ~ to be beaten by a man like him. 저런 녀석에게 맞다니 매우 분통 터지는 일이다.

àg·gra·vá·tion *n.* **1** Ⓤ 악화〔격화〕시킴; Ⓒ 악화〔격화〕시키는 것. **2** Ⓤ 짜증, 화남; Ⓒ 짜증나게 하는 것〔사람〕.

◇**ag·gre·gate** [ǽgrigèit] *vt.* 모으다, 집합시키다. **—***vi.* **1** 모이다; 집합하다. **2** 달하다, 총계 …이 되다: The money collected ~*d* $1,000. 수금된 돈은 총계 천 달러가 되었다.

— [-git, -gèit] *a.* Ⓐ 집합적인; 합계〔총계〕의: ~ demand 총수요. **—** [-git, -gèit] *n.* **1** Ⓤ (구체적으로는 Ⓒ) 집합, 집성; 집단; 총수; 집합체. **2** (*sing.*) (콘크리트의) 골재《모래 · 자갈 등》. ***in the ~*** 전체로서; 총계.

ággregate fúnction 〖컴퓨터〗 집계 함수《spreadsheet에서, 표의 어느 열(列)의 모든 데이터에 작용하는 함수; 평균, 합계, 최대값 등》.

àg·gre·gá·tion *n.* Ⓤ 집합, 집성; Ⓒ 집단; 집합체, 집성물.

ag·gress [əgrés] *vi.* 싸움을 걸다, 공세로 나오다《***against*** …에 대하여》.

◇**ag·gres·sion** [əgréʃən] *n.* Ⓤ (구체적으로는 Ⓒ) (이유 없는) 공격, 침략, 침범《***on, upon*** …에의》: a war of ~ 침략 전쟁 / an ~ *upon* one's rights 권리의 침해.

***ag·gres·sive** [əgrésiv] *a.* **1 침략적인**, 공세의; 공격적인, 호전적인; 싸움조의; 공격용의: an ~ person 싸움쟁이 / ~ weapons 공격용 무기. **2 진취적〔적극적〕인**; 정력적인, 과감한. ㊕ **~·ly** *ad.* **~·ness** *n.*

ag·gres·sor [əgrésər] *n.* Ⓒ 공격〔침략〕자; 침략국.

ag·grieve [əgríːv] *vt.* (사람)을 학대하다; (권리 등)을 침해하다; (감정 · 명예 등)을 손상시키다《★ 보통 수동태로 쓰며, 전치사는 *by, at, over*》: He *was* ~*d by* 〔*at*〕 her indifference to him. 그녀의 무관심에 그는 기분이 상했다. [◂grieve]

ag·gríeved *a.* **1** 괴롭혀진; 학대받은, 불만을 품은. **2** 〖법률〗 부당한 취급을 받은, 권리를 침해당한.

ag·gro, ag·ro [ǽgrou] *n.* Ⓤ 《英속어》 항쟁, 분쟁; 도발; 화남, 성냄.

aghast [əgǽst, əgáːst] *a.* Ⓟ 소스라치게〔깜짝〕 놀란, 겁이 난《***at*** …에》: stand 〔be〕 ~ *at* …에 기가 막히다, …에 기겁을 하여 놀라다.

ag·ile [ǽdʒəl, ǽdʒail] *a.* 몸이 재빠른, 날랜, 경쾌한; 머리 회전이 빠른, 기민〔명민〕한《***in*** …에》: an ~ tongue 다변(多辯) / He's ~ *in* his movements. 그는 행동이 민첩하다. ㊕ **~·ly** *ad.* **agil·i·ty** [ədʒíləti] *n.* Ⓤ 민첩, 경쾌; 예민함, 명민함.

agin [əgín] 《구어 · 방언》 *ad.* =AGAIN. **—***prep.* =AGAINST.

ag·ing, age- [éidʒiŋ] AGE의 현재분사. **—***n.* Ⓤ 나이를 먹음; 노령화, 노화; (술 등의) 숙성(熟成): the ~ process 노화 작용 / an ~ society 노령화 사회.

agism ⇨AGEISM.

ag·i·tate** [ǽdʒətèit] *vt.* **1 심하게 움직이다**, 흔들어대다: ~ a fan 부채질하다. **2** 쑤석거리다, 동요시키다; (물결 · 액체)를 휘젓다. **3 a** 선동하다, 부추기다; (마음 · 사람)을 **동요시키다**, 들먹이다, 흥분시키다《★ 종종 수동태로 쓰며, 전치사는 *at, by, with*》: They sent agents to ~ the local people. 그들은 지방 사람들을 선동시키기 위하여 첩보원을 보냈다 / She *was* ~*d by* 〔*with*〕 grief. 그녀는 슬픔으로 마음의 평정을 잃었다. **b** 《+목+전+명》 〖~ oneself〗 초조해하다《over*** …으로》: Don't ~ your*self over* it. 그 일에 대해 초조해하지 마라. **4** (문제)를 열심히 논의하다, 검토하다, …에 관심을 환기시키다.

—*vi.* 《+전+명》 여론〔세상의 관심〕을 환기시키다, 선동하다, (정치) 운동을 하다《***for*** …을 목적으로, …에 찬성하여; ***against*** …에 반대하여》: ~ *for* 〔*against*〕 reform 개혁 찬성〔반대〕 운동을 하다. ◇agitation *n.*

ág·i·tàt·ed [-id] *a.* 흥분한, 동요한. ㊕ **~·ly** *ad.*

◇**àg·i·tá·tion** *n.* **1** Ⓤ (인심 · 마음의) 동요, 흥분: in ~ 흥분 상태에서, 흥분한 나머지 / with ~ 흥분하여. **2** Ⓤ (구체적으로는 Ⓒ) 선동, 운동, 애지테이션《***for*** …에 찬성하는; ***against*** …에 반대하는》: ~ *for* wage increase 임금 인상 운동 / an ~ *against* high prices 고물가 반대 운동. **3** Ⓤ 동요시킴; 휘저음: create 〔excite〕 ~ 소동을 일으키다. ◇agitate *v.*

agi·ta·to [æ̀dʒətáːtou] *a., ad.* 《It.》 〖음악〗 격한〔하여〕, 흥분한〔하여〕, 급속한〔히〕.

◇**ag·i·ta·tor** [ǽdʒətèitər] *n.* Ⓒ 선동자, (정치) 운동원, 선전원; 교반기(攪拌器).

ag·it·prop [ǽdʒətprɑ̀p/-prɔ̀p] *n.* Ⓤ, *a.* Ⓐ (공산주의를 위한) 선동과 선전(의), 아지프로(의).

agleam [əglíːm] *ad., a.* Ⓟ 번쩍여서, 빛나서《***with*** …으로》.

aglit·ter [əglítər] *ad., a.* Ⓟ 번쩍번쩍 빛나서.

aglow [əglóu] *ad., a.* Ⓟ (이글이글) 타올라; 벌개져서, 후끈 달아서, 흥분하여《***with*** …으로》: His face was ~ *with* excitement. 그의 얼굴은 흥분으로 상기되어 있었다.

AGM, A.G.M. annual general meeting (연차 (주주) 총회).

ag·nail [ǽgneil] *n.* Ⓒ 손거스러미.

Ag·nes [ǽgnis] *n.* 아그네스《여자 이름》.

ag·nos·tic [ægnɑ́stik/-nɔ́s-] 〖철학〗 *a.* 불가지론(자)의. **—***n.* Ⓒ 불가지론자. ㊕ **-ti·cism** [-təsìzəm] *n.* Ⓤ 불가지론.

Ag·nus Dei [ǽgnəs-díːai, -déi, áːnjus-déiː] 《L.》 (=lamb of God) **1** 하느님의 어린 양《예수의 명칭》. **2** Ⓒ 어린 양의 상(像)《예수의 상징》. **3** (the ~; 때로 a-) 〖영국국교회〗 이 구(句)로 시작되는 기도〔음악〕.

†**ago** [əgóu] *ad.* (지금부터) …**전에**, 거금(距今)《★ 형용사로 보는 사람도 있음》. ⓒⓕ before. ¶ a long 〔short〕 time ~ 오래〔조금〕 전에 / three

years ~ 3년 전에/three weeks ~ today 3주 전의 오늘/until a few years ~ 수년 전까지/a moment ~ 이제 막, 방금/a while ~ 조금 전에/long ~ 훨씬 전에, 옛적에/long long ~ 옛날옛적에/not long ~ 얼마 전에. ★ 명사 또는 부사에 수반되어 부사구를 만듦.

> NOTE **ago** 와 **before** ago는 현재를 기점으로 하여 그 이전의 때를 나타내며, 과거형과 함께 쓰고 완료형과 함께 쓰지 않음: I met him two days *ago*. 나는 이틀 전에 그를 만났다. before는 과거의 한 때를 기점으로 하여 그보다 전의 때를 나타냄. 또 간접화법의 문장 속에서 과거완료형과 함께 쓰임: I said that I had met him two days *before*. 그를 이틀 전에 만났다고 나는 말했다. before는 그 밖에 전치사·접속사로서도 쓰임: I had met him two days *before* my departure 〔*before* I departed〕. 나는 출발(하기) 이틀 전에 그를 만났다.

agog [əgɑ́g/əgɔ́g] *ad.*, *a.* Ⓟ **1** 흥분하여, 설레어《***with*** (열망·호기심 등)으로》: The audience was ~ *with* expectation. 청중은 기대감으로 설레었다. **2** 열망하여《***for*** …을》; 몹시 하고 싶어하여《***to*** do》: We were ~ *for* news about her. 우리는 그녀에 관한 보도를 가슴 설레이며 기다리고 있었다/The boys are all ~ *to* do mischief. 소년들은 모두 장난치고 싶어서 좀이 쑤신다.

à go-go [əgóugòu, ɑː-] *ad.* 충분히, 마음껏.

ag·o·nize [ǽgənàiz] *vi.* 번민〔고민〕하다, 괴로워하다《***over*** …으로》: He ~*d over* his divorce. 그는 이혼 문제로 고민했다.

ág·o·nìzed *a.* 고민하는; 필사적인: an ~ effort 필사적인 노력.

ág·o·nìz·ing *a.* 괴롭히는, 고민하게 하는: an ~ decision 괴로운 판단. ㊞ **~·ly** *ad.*

*__ag·o·ny__ [ǽgəni] *n.* **1** Ⓤ **고민, 고통**; (육체적인) 아픔: in ~ 번민〔고민〕하여. SYN. ⇨PAIN. **2** Ⓒ (흔히 *pl.*) 발버둥, 몸부림: in *agonies* 〔an ~〕 of pain 고통으로 몸부림치며. **3** Ⓒ (감정의) 격발(激發): in an ~ of joy 미칠 듯이 기뻐서.

prolong the ~ 괴로운〔싫은〕 일을 오래 끌다. ***put*** 〔***pile, turn***〕 ***on*** 〔***up***〕 ***the*** ~ 《英구어》 우는 소리를 하다: He was *piling on the* ~ about his work situation. 그는 작업 상황에 대해 우는 소리를 늘어놓았다.

ágony àunt 《英구어》 (신문·잡지의) 인생 상담 여성 회답자.

ágony còlumn (보통 the ~) 《英구어》 (신문의) 사사(私事) 광고란《찾는 사람·유실물·이혼 광고 등의》; (신문·잡지의) 신상 상담란.

ag·o·ra [ǽgərə] (*pl.* ***-rae*** [-rìː], **~*s***) *n.* Ⓒ 〖고대그리스〗 시민의 정치 집회; 집회장, 시장, 광장.

ag·o·ra·pho·bia [æ̀gərəfóubiə] *n.* Ⓤ 〖정신의학〗 광장 공포증. ⓒⓕ claustrophobia. ㊞ **-phó·bic** *a.*, *n.* Ⓒ 광장 공포증이 (사람).

agou·ti, -ty [əgúːti] *n.* Ⓒ 〖동물〗 아구티《라틴 아메리카산 설치류로 토끼 정도의 크기임》.

agr. agricultural; agriculture.

agrar·i·an [əgrɛ́əriən] *a.* 토지의; 농지의, 경작지의; 농업〔농민〕의: ~ laws 토지 균분법/~ rising 농민 폭동/~ reform 토지 개혁. **—*n.*** Ⓒ 토지 균분〔재분배〕론자. ㊞ **~·ìsm** *n.* Ⓤ 토지 균분론〔운동〕, 농지 개혁 운동.

agrav·ic [əgrǽvik, ei-] *a.* 무중력의.

†**agree** [əgríː] (*p.*, *pp.* **~*d;*** **~*·ing***) *vi.* **1** 《~/+전+명》 **동의하다**, 찬성하다, 승낙하다, 응하다

《***to*** (제안 따위)에; ***on*** (조건·안 따위)에》: I quite ~. 아주 찬성이다/~ *to* a proposal 제안에 찬동하다/We ~*d on* start*ing* at once. 우리는 즉시 출발〔시작〕하기로 합의했다.

> SYN. **agree** 처음에 서로 틀리던 의견을 조정하여 동의하다. **assent** 남의 의견을 받아들여 자신도 같은 의견이라고 말하다. **consent** 남의 희망이나 요구에 응하다.

2 《~/+전+명/+*wh.* 절/+*wh. to* do》 의견이 맞다, 동감이다《***with*** (아무)와; ***among*** …사이에; ***on, about, as to*** …에 관하여》: They ~*d among* themselves. 그들은 서로 의견이 일치했다/I cannot ~ *with* you *on* the matter. 그 건에 대해선 당신에게 동의할 수 없습니다/We could not ~ (*as to*) *where to* go 〔*where* we should go〕. 어디로 가야 할지 의견이 맞지 않았다.

> SYN. **agree** '일치'를 뜻하는 가장 일반적인 말. 모순·불일치를 제거하고 의견이 맞다. **coincide** 의견·시간 따위가 완전히 일치하다: My opinion *coincides* with yours. 나의 의견은 너의 의견과 일치한다. **correspond** 서로 달랐던 것이 유사해지거나 어울려지다: His words *correspond* with his deeds. 그의 언행은 일치한다.

3 《~/+전+명》 마음이 맞다, 사이가 좋다《***with*** …와》: They cannot ~. 그들 사이는 좋지 않다/They ~ *with* each other. 그들은 서로 잘 지내고 있다.

4 《~/+전+명》 **합치하다**, 일치〔부합〕하다, 조화하다《***with*** …와》; (음식·일이) 맞다《***with*** (아무)에게》: The figures don't ~. 숫자가 맞지 않는다/His statements do not ~ *with* the facts. 그의 진술은 사실과 일치하지 않는다/Milk does not ~ *with* me. 우유는 내게 맞지 않는다.

5 《+전+명》 〖문법〗 (인칭·성·수·격 따위가) 일치〔호응〕하다《***with*** …와》: The predicate verb must ~ *with* its subject in person and number. 서술 동사는 인칭과 수에 있어서 주어와 일치해야 한다.

—*vt.* **1** 《+*that* 절》 인정하다, **용인〔승낙〕하다**: I ~ *that* he is the ablest of us. 우리들 가운데 그가 가장 유능하다는 것을 인정한다.

2 《~+목/+*to* do/*that* 절》 …에 **동의〔찬성〕하다**, 의견이 일치하다: I must ~ your plans. 네 계획에 찬성하지 않을 수 없다/We ~*d to* start early. 우리는 일찍 출발하기로 동의했다/We ~*d* 〔It was ~*d*〕 *that* we should travel first-class. 우리는 1등석으로 여행하기로 동의했다

3 (조정 후) …에 합의하다: ~ a price 가격에 합의하다.

~ ***to differ*** 〔***disagree***〕 서로의 견해 차이를 인정하고 다투지 않기로 하다.

> DIAL. ***I couldn't agree*** (***with you***) ***more.*** 지당한 말씀입니다(← 이 이상 찬성할 수는 없다).

*__agree·a·ble__ [əgríːəbəl/əgríə-] *a.* **1 기분 좋은**, 유쾌한《***to*** …에》: ~ manners 기분 좋은 태도/~ *to* the ear 귀에 듣기 좋은/make oneself ~ *to* …와 장단을 맞추다, …에게 상냥하게 하다. SYN. ⇨PLEASANT. **2** 마음에 드는, 뜻에 맞는《***to*** (아무)의》: If this is ~ *to* you, ... 만일 좋으시다면…. **3** 호감을 주는, 상냥〔싹싹〕한. **4** 쾌히 동의(同意)〔승낙〕하는《***to*** …에》: Are you ~ (*to* the proposal)? 동의해 주시겠습니까.

◇**agrée·a·bly** *ad.* 쾌히, 기꺼이: be ~ surprised 놀랐지만 동시에 기쁘다《뜻밖의 좋은 일 따위에》.

agréed *a.* **1** 협정한, 일치한; (모두) 동의한 《**on, about, as to** …에 관하여/**to** do/**that**》: an ~ rate 협정〔할인〕 요금/meet at the ~ time 약속한 시간에 모이다/We were ~ *on* that point. 우리는 그 점에 대해선 의견이 일치하였다/We are ~ *to* accept the offer. 우리는 그 제안을 받아들이기로 동의했다/The jury are ~ *that* the defendant is not guilty. 피고는 무죄라고 배심원의 의견은 일치하였다. **2** (A-) 〖감탄사적〗 (제의에 대해) 동감인, 승낙한: He's too young to get married.—*Agreed!* 그는 결혼하기엔 너무 어려.—동감일세.

‡**agree·ment** [əgríːmənt] *n.* **1** [U] **동의,** 승낙; 조화; 일치: He nodded in ~. 그는 고개를 끄덕여 승낙하였다/by ~ 합의로/in ~ with …와 일치〔합의〕하여; …에 따라서. **2** [C] **협정,** 협약; 계약: conclude an ~ 약정하다/act up to 〔keep to〕 one's ~ 약속을 지키다/a labor 〔trade〕 ~ 노동〔무역〕 협약〔협정〕/make 〔enter into〕 an ~ with …와 계약을 맺다/come to an ~ 협정이 성립하다. **3** [U] 〖문법〗 일치, 호응.

agré·ment [àːgreimáːŋ/-mɔ́ŋ] (*pl.* **~s** [—]) *n.* 《F.》 [C] 〖외교〗 아그레망.

ag·ri·busi·ness [ǽgrəbìznis] *n.* [U] 〖집합적〗 농업 관련 산업.

***ag·ri·cul·tur·al** [æ̀grikʌ́ltʃərəl] *a.* **농업의,** 경작의; 농예(農藝)의; 농학의: the *Agricultural* Age 농경 시대/~ chemistry 농예 화학/~ implements 농기구/~ products 농산물/an ~ (experimental) station 농사 시험장. ◇ agriculture *n.* [파] **~·ly** *ad.* 농업상으로, 농업적으로.

àg·ri·cúl·tur·al·ist *n.* =AGRICULTURIST.

‡**ag·ri·cul·ture** [ǽgrikʌ̀ltʃər] *n.* [U] **1 농업**《넓은 뜻으로는 임업·목축을 포함》; 농경; 농예. **2** 농학. ◇ agricultural *a.* ***the Department of Agriculture*** 《美》 농무부《생략: DA》.

ag·ri·cul·tur·ist [æ̀grikʌ́ltʃərist] *n.* [C] 농업가, 농업 종사자; 농학자, 농업 전문가.

ag·ro- [ǽgrou, -rə] '논밭, 흙, 농사' 의 뜻의 결합사.

àgro·biólogy *n.* [U] 농업 생물학.

àgro·chémical *a.* 농예 화학의〔에 관한〕, 농약의. **—***n.* [C] 농약.

àgro·ecológical *a.* 농업 생태학의.

àgro·económic *a.* 농업 경제의.

agron·o·mist [əgránəmist/əgrɔ́n-] *n.* [C] 농학자.

agron·o·my [əgránəmi/əgrɔ́n-] *n.* [U] 경종학(耕種學); 농학.

aground [əgráund] *ad., a.* [P] 지상에; 좌초되어: run 〔go, strike〕 ~ (배가) 암초에 얹히다, 좌초하다.

agt. agent.

ague [éigjuː] *n.* [U] (구체적으로는 [C]) 〖의학〗 학질; 오한, 한기: have an 〔the〕 ~ 학질에 걸려 있다.

agu·ish [éigju(ː)iʃ] *a.* 학질에 걸리기 쉬운; 학질에 걸린〔을 일으키는〕; 오한이 나는.

***ah** [ɑː] *int.* 아아!《고통·놀라움·연민·한탄·혐오·기쁨 등을 나타냄》: *Ah,* but… 그렇지만 말이야…/*Ah* me! 아아 어쩌지/*Ah,* well, … 뭐 하는 수 없지….

aha, ah ha [ɑːhɑ́ː, əhɑ́ː], [ɑːhɑ́ː] *int.* **1** 아하!《기쁨·경멸·놀라움 따위를 나타냄》. **2** 으응!, 알았다!《상대방의 말을 이해했음을 나타냄》.

ah·choo, achoo [ɑːtʃúː] *int.* 에취《재채기 소리》.

‡**ahead** [əhéd] *ad.* **1** 〖위치·방향〗 **전방에〔으로〕,** 앞에〔으로〕: look ~ and behind 앞뒤를 보다〔생각하다〕/There is a crossing ~. 앞에 건널목 있음/Danger ~! 전방에 위험물 있음. **2** 〖시간적〗 앞에, 먼저; 전도에, 장래에 대비하여, 미리: push the time of departure ~ 출발을 앞당기다/You'll need to look ten years ~. 십 년 앞을 내다볼 필요가 있을 것이다/Next time phone ~. 다음에는 미리 전화하십시오. **3** 〖우위〗 **앞서서,** 능가하여: We are five points ~. 우리가 5점 앞섰다.

~ *of* ① …의 전방에; …보다 앞에 (나아가): Please go ~ *of* me. 앞에 가시지요. ② (시간적으로) …보다 전에: arrive ten minute ~ *of* time 정시보다 10분 전에 도착하다. ③ …보다 앞서서〔능가하여〕: materially ~ *of* other countries 물질면에서 타국을 능가하여/He is ~ *of* me in English. 그는 영어가 나보다 앞서 있다. ***go* ~** 《*vi.*+[부]》 ① 전진하다; 진행하다. ② 추진하다, 계속하다《**with** (말·일 따위)를》. ***Go* ~*!*** 《구어》 ① 자 먼저(드시〔가시〕오, 따위). ② 좋아, 하시오; 자 가거라《격려의 말》. ③ 그래서(다음은)《얘기를 재촉할 때》. ④ 《美》 〖전화〗 말씀하세요. ⑤ 〖항해〗 전진!

ahem [əhém, mmm, hm] *int.* 으흠!, 으음!, 에헴!, 에에!《주의의 환기, 의문을 나타내거나 또는 말이 막혔을 때 내는 소리》.

ahoy [əhɔ́i] *int.* 〖항해〗 어어이!《배 따위를 부를 때》. ***Ship* ~*!*** 어어이, 이봐 그 배.

AI artificial insemination; artificial intelligence.

‡**aid** [eid] *vt.* **1** 《~+[목]/+[목]+*to* do/+[목]+[전]+[명]》 **원조하다,** 돕다, 거들다《**in** (일 따위)에서; **with** (금전 따위)로》: ~ war victims 전쟁 피해자를 구원하다/She ~*ed* me *to* cook 〔*in* cook*ing*〕. 그녀는 요리하는 것을 도와 주었다《She helped me (to) cook.이 보통임》/We ~*ed* him *in* the enterprise. 우리는 그의 사업을 원조했다/She ~*ed* me *with* money and advice. 그녀는 돈도 주고 충고도 하며 나를 도와 주었다. [SYN.] ⇨HELP. **2** 조성(助成)하다, 촉진하다: Her swift recovery was ~*ed* by her youth. 그녀는 젊어서 회복이 빨랐다. **—***vi.* 원조하다, 돕다(assist).

~ *and abet* a person 〖법률〗 아무의 범행을 방조하다〔교사하다〕.

—*n.* **1** [U] **원조,** 조력, 도움: ~ and comfort 원조, 조력/give 〔lend, render〕 ~ to …을 돕다/by 〔with〕 the ~ of …의 도움으로, …의 도움을 빌려/call in a person's ~ 아무의 원조를 청하다/come 〔go〕 to a person's ~ 아무를 원조하러 오다〔가다〕. **2** [C] 조력자, 보조자, 원조자《**to** …의》; (흔히 *pl.*) 도움이 되는 것, 보조 기구, 《특히》 보청기: an ~ *to* reflection 반성의 자료/an ~ *to* memory 기억을 돕는 것/a hearing ~ 보청기/audio-visual ~*s* 시청각 교구. ***What's* (*all*) *this in* ~ *of?*** 《英구어》 이런 목적은〔이유는〕 무엇이냐; 도대체 어쩌겠다는 거냐.

AID [eid] 《美》 Agency for International Development (국제 개발처). **A.I.D.** artificial insemination by donor (비배우자간(非配偶者間) 인공 수정).

◇**aide** [eid] *n.* [C] **1** =AIDE-DE-CAMP. **2** 측근〔보

조〕자, 고문; 조수《**to** …의》: a presidential ~ 대통령 보좌관/a military ~ 군사 고문.

aide-de-camp, aid- [éiddəkǽmp, -kɑ́ːŋ] (*pl.* ***aides-, aids-*** [éidz-]) *n.* 《F.》 Ⓒ 〖군사〗 장관(將官) 전속부관《**to** …의》: the ~ *to* His Majesty 시종(侍從) 무관.

AIDS, Aids [eidz] *n.* Ⓤ 〖의학〗 에이즈, 후천성 면역 결핍증. [◂*a*cquired *i*mmuno*d*eficiency 〔*i*mmune *d*eficiency〕 *s*yndrome]

áid stàtion 〖美군사〗 전방의 응급 치료소.

ÁIDS vìrus (the ~) 에이즈 바이러스(HIV).

AIFF 〖컴퓨터〗 Audio Interchange File Format (오디오 인터체인지 파일 포맷)《애플 컴퓨터사에서 나온 디지털 오디오 파일 포맷의 하나》.

ai·gret(te) [éigret, -ˊ] *n.* Ⓒ **1** 〖조류〗 백로, 해오라기(egret). **2** (투구 · 모자 따위의) 깃털 장식; 꼬꼬마.

°**ail** [eil] *vt.* 《美 · 英고어》 …을 괴롭히다, …에게 고통을 주다: What ~*s* you? 어찌된 거냐; 어디가 아프냐. ★ 현재는 낡은 표현. **—***vi.* 〘대개 be ailing으로〙 아픔을 느끼다; (가벼이) 앓다, 찌뿌드드하다: My baby *is* ~*ing.* 아기가 아프다.

ai·le·ron [éilərɑ̀n/-rɔ̀n] *n.* Ⓒ 〖항공〗 보조익.

áil·ing *a.* 병든; 병약한; 건전치 못한: a financially ~ corporation 재정적으로 문제 있는 기업. SYN. ⇨ILL.

°**áil·ment** *n.* Ⓒ 불쾌, 우환, (특히 만성적인) 병. cf. disease. ★ 주로 slight, little, trifling 등을 수반하여 '가벼운 병' 의 뜻.

‡**aim** [eim] *vt.* 《~+목/+목+전+명》 (총 · 타격)을 **겨냥하다**; (비난 · 비꼼 따위)를 빗대어 말하다《**at** …에》: ~ a gun 총을 겨누다/~ a stone *at* a person 아무를 향해 돌을 내던지다/That remark was ~*ed at* him. 그 말은 그에게 빗대어 한 것이었다. **—***vi.* **1** 《~/+전+명》 **겨누다**《**at** …을》: ~ *at* a person with a gun 총으로 아무를 겨누다. **2** 《+전+명》 **목표삼다,** 마음먹다《**at, for** …을》: ~ *at* success 성공을 목표로 삼다/~ *for* 〔*at*〕 a new world record 세계 신기록을 목표로 삼다. **3** 《+*to* do》 …**할 작정이다,** …하려고 노력하다: She ~*s to* go tomorrow. 그녀는 내일 갈 예정이다. **4** 빗대 말하다《**at** …에》: What are you ~*ing at?* 무슨 말을 하고 싶으냐. **—***n.* **1** Ⓤ **겨냥,** 조준《**at** …에의》: take ~ (*at*) (…을) 겨냥하다/miss one's ~ 겨냥이 빗나가다. **2** Ⓒ **목적,** 뜻, 계획, 의도《**to** do》: What is your ~ in life? 자네 인생의 목표는 무엇인가/~ and end 궁극의 목적/without ~ 목적 없이, 막연히/attain 〔achieve〕 one's ~ 목적을 달성하다/with the ~ *of* master*ing* English 영어를 정복할 목적으로/His ~ is *to* become a pilot. 그의 목표는 비행사가 되는 것이다. SYN. ⇨PURPOSE.

***aim·less** [éimlis] *a.* (이렇다 할) **목적〔목표〕 없는;** 정처 없는. ㊞ **~·ly** *ad.* **~·ness** *n.*

ain't [eint] **1** am not의 간약형. ★ 의문꼴 ain't I?(=am I not?)의 경우 이외는 속어. **2** are not, is not, has not, have not의 간약형: Things ~ what they used to be. 사정이 옛날과는 다르다.

Ai·nu, Ai·no [áinuː], [áinou] *a.* 아이누 사람〔말〕의. **—***n.* Ⓒ 아이누 사람; Ⓤ 아이누 말.

†**air** [ɛər] *n.* **1 a** Ⓤ **공기:** fresh 〔foul〕 ~ 신선한〔오염된〕 공기/go away for a change of ~ 전지 요양을 가다. **b** (the ~) 대기; 하늘, 공중: fly in 〔through〕 the ~ 공중을 날다/fly up into the ~ 하늘로 날아오르다/in the open ~ 야외에서. **2 a** Ⓒ **모양,** 외견, 풍채, 태도: with a sad ~ 슬픈 듯이/You have a cheerful ~. 즐거운 모양이구나. **b** (*pl.*) 젠체하는 태도: with empty ~*s* 젠체하여/assume 〔put on〕 ~*s* = give oneself ~*s* 젠체하다, 뽐내다/~*s* and graces 젠체함, 짐짓 점잔뺌. **3** Ⓒ 〖음악〗 멜로디, 가락, 곡조; 영창(詠唱)(aria): sing an ~ 한 곡 부르다. **4** Ⓤ (보통 the ~) 전파 송신 매체; 라디오〔텔레비전〕 방송. **5** Ⓤ 항공 교통〔수송〕: command 〔mastery〕 of the ~ 제공권.

beat the* ~** 허공을 치다, 헛수고 하다. ***(build) a castle in the* ~** ⇨CASTLE. ***by* ~** 비행기로, 항공편으로; 무전으로. ***clear the* ~** 오해〔의혹 따위〕를 없애다; 공기를〔기분을〕 새롭게 하다. ***get the* ~** 《美속어》 해고되다, (오랜 교제 끝에) 버림받다《**from** …에게서》. ***give a person ***the* ~** 《美속어》 아무를 해고하다, 내쫓다; (애인 등)을 차버리다. ***in the* ~** ① 공중에. ② (소문 따위가) 떠돌아, 퍼지어. ③ (계획 따위가) 결정을 못 보고; 현실성이〔근거가〕 없는. ④ (일이) 벌어질 것 같은, (분위기가) 감돌아, 낌새가 있어. ***into thin* ~** 그림자〔자취〕도 없이: disappear 〔vanish〕 *into thin* ~ 자취도 없이 사라지다. ***off the* ~** ① 방송되지 않고; 방송이 중단되어. ② (컴퓨터가) 연산 중이 아닌. ***on the* ~** ① 방송 중인〔되어〕: go *on the* ~ 방송하다〔되다〕; 방송에 출연하다. ② 〖컴퓨터〗 연산(演算) 중인, 작동하고 있는. ***out of thin* ~** 무에서; 허공에서; 표연히; 느닷없이: appear *out of thin* ~ 느닷없이 나타나다. ***take the* ~** 바람을 쐬다; 산책하다. ***take the* ~ *out of*** a person***'s sails*** =take the WIND out of a person's sails. ***tread* 〔*float, walk*〕 *on* 〔*upon*〕 ~** 우쭐해하다, 의기양양해하다, 기뻐 어쩔 줄 몰라 하다. ***up in the* ~** ① 상공에. ② 《구어》 (계획 따위가) 미결정의. ③ 《구어》 흥분하여, 화나서. ④ 《구어》 매우 행복한, 기뻐 어쩔 줄 몰라.

—*a.* Ⓐ 공기의; 하늘의, 공중의; 항공(기)의.

—*vt.* **1** 《~+목/+목+부》 …을 공기〔바람〕에 쐬다, …에 바람을 통하게 하다(*out*): ~ a room 방에 통풍을 하다. **2** 《~+목/+목+부》 (바람 · 공기에 쐬어서) 말리다. **3** (의견)을 발표하다, (불평)을 늘어놓다: ~ one's opinion 자기 의견을 말하다. **4** 《美구어》 방송하다. **5** 〘~ oneself〙 바람쐬다, 산책하다. **—***vi.* **1** 《~/+부》 마르다(*out*). **2** 《美구어》 (프로그램 등이) 방송되다.

áir bàg 에어백, 공기주머니《자동차 충돌 때 순간적으로 부푸는 안전장치》.

áir bàse 공군〔항공〕 기지《미공군에서는 미국 영토 밖의 것》.

áir bèd 《英》 공기 베드.

áir blàdder 〖어류〗 부레; 〖식물〗 기포(氣泡).

áir·bòrne *a.* **1** 공수(空輸)의: ~ troops 공수부대. **2** 이륙하여, (공중에) 떠: become ~ 이륙〔부양〕하다. **3** 풍매(風媒)의, 공기 전달의

áir bràke 공기 제동기, 에어〔공기〕 브레이크.

áir brìck 〖건축〗 구멍 뚫린 벽돌.

áir·brùsh *n.* Ⓒ 에어브러시《사진 수정용 또는 도료 등을 뿜는 장치》. **—***vt.* 에어브러시로 뿜다〔수정하다〕.

áir·bùrst *n.* Ⓒ (폭탄 따위의) 공중 폭발.

áir·bùs *n.* Ⓒ 에어버스《중 · 단거리용 대형 여객기》: by ~ 에어버스로《★ 관사 없이》.

áir càv(alry) 〖美군사〗 공정 부대, 공수 부대.

áir chàmber (펌프 · 구명구의) 공기실; 〖생물〗 기강(氣腔); (알의) 기실(氣室).

áir chìef márshal 《英》 공군 대장.

áir clèaner 에어 클리너, 공기 정화기(淨化器).
áir còach 《美》 (근거리 · 싼 요금의) 보통 여객기.
áir commànd 《美》 공군 총사령부.
áir còmmodore 《英》 공군 준장.
áir-condìtion *vt.* …에 공기 조절 장치를 설치하다. ⓜ **~ed** *a.* 냉난방 장치를 설치한.
áir condìtioner 공기 조절 장치, 냉난방 장치, 에어 컨디셔너, 에어컨: Will you turn down the ~? It's a little too cool. —Sure. 에어컨을 좀 약하게 해 주시겠습니까. 좀 춥군요—그러죠.
áir condìtioning 공기 조절 (장치)《실내의 공기 정화, 온도 · 습도의 조절》, 냉난방.
áir-còol *vt.* (엔진 따위)를 공기 냉각하다; (방)에 냉방 장치를 하다. ⓜ **~ed** *a.* 공랭식의; 냉방 장치가 있는.
áir còrridor 항공기 전용로《국제 항공 협정에 의한》.
áir còver 〖군사〗 공중 엄호.
⁑**air·craft** [ɛ́ərkræ̀ft, -krɑ̀ːft] (*pl.* ~) *n.* Ⓒ 항공기《비행기 · 비행선 · 헬리콥터 등의 총칭》: an ~ station 기상(機上) 무전국 / by ~ 항공기로 《★ 관사 없이》.
áircraft càrrier 항공모함.
áircraft(s)·man [-mən] (*pl.* **-men** [-mən]) *n.* Ⓒ 〖英공군〗 항공 정비병, 공군 이등병.
áir cràsh (항공기의) 추락 사고.
áir·crèw *n.* Ⓒ 〘집합적; 단 · 복수취급〙 항공기 승무원.
áir cùrtain 에어 커튼.
áir cùshion **1** 공기 방석〔베개〕. **2** 〖기계〗 에어 쿠션《완충 장치》. **3** (호버크라프트를 부상(浮上)시키는) 분사 공기.
áir-cushion vèhicle 에어쿠션정(艇)(ground-effect machine); 호버크라프트《생략: ACV》.
áir·dàte *n.* Ⓒ 방송(예정)일.
air·drome [ɛ́ərdròum] *n.* Ⓒ 《美》 비행장, 공항. SYN. ⇨AIRPORT.
áir·dròp *n.* Ⓒ 공중 투하. —**(-pp-)** *vt.* (물자 등)을 공중 투하하다.
Aire·dale [ɛ́ərdèil] *n.* Ⓒ 검은 얼룩이 있는 대형 테리어종의 개(=∠ **térrier**).
áir exprèss 소화물 공수업; 〘집합적〙 공수 소화물.
áir·fàre *n.* Ⓒ 항공 운임〔요금〕.
áir·field *n.* Ⓒ 비행장; (설비 없는) 이착륙장. SYN. ⇨AIRPORT.
áir·flòw *n.* (*sing.*) 기류《운동체 주위의》.
áir·fòil *n.* Ⓒ 《美》 〖항공〗 날개(《英》 aerofoil).
áir fòrce 공군《생략: A.F.》: the Royal 〔United States〕 *Air Force* 영국〔미국〕 공군.
áir·fràme *n.* Ⓒ (비행기 · 로켓 따위의 엔진을 제외한) 기체(機體).
áir·frèight *n.* Ⓤ 항공 화물편; 항공 화물 요금; 〘집합적〙 항공 화물.
—*vt.* 항공 화물로 보내다.
áir·glòw *n.* Ⓤ 대기광《대기권 상공에서 태양 광선의 영향에 의한 작용으로 원자 · 분자가 발광하는 현상》.
áir gùn 공기총; 에어건《도료 등을 뿜는 장치》.
áir·hèad[1] *n.* Ⓒ 〖군사〗 공두보(空頭堡)《공수 부대가 확보한 적지 내의 거점; 전선 공군 기지》.
áir·hèad[2] *n.* Ⓒ 《美속어》 바보, 멍청이.
ⓜ **~·ed** *a.*
áir hòle 풍혈(風穴); 〖항공〗 =AIR POCKET; (주물의) 기포(氣泡); 공동(空洞).
áir hòstess (여객기의) 스튜어디스(stewardess). ★ 최근에는 flight attendant를 많이 쓰는 경향이 있음.
air·i·ly [ɛ́ərəli] *ad.* 경쾌하게; 쾌활하게; 가볍게; 마음이 들떠서; 떠들면서; 젠체하며.
air·i·ness [ɛ́ərinis] *n.* Ⓤ **1** 바람이 잘 통함. **2** 경묘(輕妙)함, 경쾌함, 쾌활함. **3** 젠체함.
air·ing [ɛ́əriŋ] *n.* **1** Ⓤ (또는 an ~) 공기에 쐼, 바람에 말림; 환기. **2** Ⓒ (보통 *sing.*) 야외 운동, 산책; 드라이브: take 〔go for〕 an ~ 야외 운동을〔산책을, 드라이브를〕 하다〔하러 가다〕. **3** Ⓒ (보통 *sing.*) 공표, 발표. **4** Ⓒ 《美구어》 (라디오 · 텔레비전) 방송.
áiring cùpboard 《英》 빨래가 마르도록 온수 파이프 주위에 만든 선반 · 장.
áir kìss (키스할 때와 똑같은 입모양을 내는) 키스의 흉내.
áir làne 항공로(airway).
áir·less *a.* 환기가 나쁜; 공기가 없는; 무풍의.
áir lètter 항공우편; 항공서한, 항공 봉함엽서.
áir·lìft *n.* Ⓒ 공중 보급; 공수 화물; (특히 응급책으로서의) 공수. —*vt.* 공수하다《*to* …에》.
⁑**air·line** [ɛ́ərlàin] *n.* Ⓒ **1** (정기) **항공(로)**. **2** (보통 *pl.*) 〘단수취급〙 항공회사《종종 Air Lines 라고도 씀》. **3** (보통 air line) 《美》 (두 점을 잇는) (공중) 최단거리, 대권(大圈) 코스, 일직선.
áirline hòstess 〔**stèwardess**〕 《美》 (정기 여객기의) 스튜어디스.
°**áir·lìner** *n.* Ⓒ (대형) 정기 여객기.
áir lòck 〖공학〗 에어 록, 기갑(氣閘)《잠함(潛函)의 기밀실》; (우주선 · 잠함 따위의) 기밀식(氣密式) 출입구; (파이프 · 튜브 안에서 액체의 흐름을 저지하는) 기포.
⁑**air·mail** [ɛ́ərmèil] *n.* Ⓤ **1 항공우편**: Via *Airmail* 항공편으로《봉합엽서에》. **2** 〘집합적〙 항공 우편물. —*vt.* 항공편으로 보내다. —*a.* Ⓐ 항공편의: an ~ stamp 항공우편용 우표. —*ad.* 항공편으로: send a letter ~ 항공우편으로 편지를 보내다.
áir·man [-mən] (*pl.* **-men** [-mən]) *n.* Ⓒ 비행사〔가〕; 항공병.
áir màss 〖기상〗 기단(氣團).
áir màttress 《美》 =AIR BED.
áir mìle 항공 마일《1,852m》: 500 ~*s*.
áir-mìnded *a.* 항공(사업)에 열심인; 비행기 여행을 좋아〔동경〕하는.
áir mìss 《英》 에어 미스《항공기의 공중에서의 니어 미스(near miss)》.
áir·mòbile *a.* (헬리콥터 따위로) 공수되는; 공중 기동의.
áir pìracy 항공기 납치(skyjacking), 하이잭.
†**air·plane** [ɛ́ərplèin] *n.* Ⓒ 《美》 **비행기**(《英》 aeroplane): an ~ hangar 격납고 / by ~ 비행기로《★ 관사 없이》/ take an ~ 비행기를 타다.
áir plànt 기생(氣生) 식물.
áir pòcket 〖항공〗 에어 포켓, (하강) 수직 기류.
áir polìce (종종 A- P-) 《美》 공군 헌병대《생략: AP》.
áir pollùtion 대기〔공기〕 오염.
†**air·port** [ɛ́ərpɔ̀ːrt] *n.* Ⓒ **공항**: an international ~ 국제공항 / Gimpo *Airport* 김포 공항.
SYN. **airport**는 **airdrome**과 같은 뜻이나, 특히 '설비 좋은 공항'을 뜻함《보통 세관도 있음》. **airfield**는 '항공기가 이착륙하는 곳'을 뜻함.
áir pòwer 공군력.

áir prèssure 기압(atmospheric pressure).
áir·pròof *a.* 공기를 통하게 하지 않는, 기밀(氣密)의(airtight); 내기성(耐氣性)의.
áir pùmp 공기〔배기〕 펌프.
áir ràid 공습.
áir-ràid *a.* Ⓐ 공습의: an ~ shelter 방공호/an ~ warning 〔alarm〕 공습경보.
áir rìfle (강선식) 공기총.
áir rìght 〖법률〗 공중권《땅·건물 상공의 소유권·이용권》.
áir ròute 항공로(airway).
áir sàc 〖생물〗 기낭(氣囊).
áir·scrèw *n.* Ⓒ 《英》 (비행기의) 프로펠러.
áir-sèa réscue 《英》 해공(海空) 구조 작업(대).
áir sèrvice 항공 수송 (사업).
áir shàft 수직 통풍공(孔)(air well).
◇**áir·shìp** *n.* Ⓒ 비행선(船): a rigid 〔nonrigid〕 ~ 경식(硬式)〔연식〕 비행선/by ~ 비행선으로《★ 관사 없이》.
áir shòw 항공〔비행〕 쇼.
áir·sìck *a.* 비행기 멀미가 난. ㊕ **~·ness** *n.* Ⓤ 항공병(病), 비행기 멀미.
áir·spàce *n.* Ⓤ 영공(領空); 공역(空域): controlled ~ 관제(管制) 공역.
áir·spèed *n.* Ⓤ (또는 an ~) (비행기의) 대기(對氣) 속도. ㊀ ground speed.
áir stàtion 〖항공〗 (격납고·정비 시설이 있는) 비행장.
áir·strèam *n.* Ⓒ 기류, 《특히》 고층 기류.
áir strìke 공습(air raid).
áir·strìp *n.* Ⓒ 〖항공〗 (임시) 활주로.
áir tàxi 에어 택시《근거리 여객기》.
áir tèrminal 공항 터미널《항공 여객의 출입구가 되는 건물·사무실 등; 공항에서 떨어진 시내에의 공항 연락 버스〔철도〕 발착소》.
áir·tìght *a.* 기밀(氣密)의, 공기가 통하지 않게 한; 공격할 틈이 없는, (이론 따위가) 물샐틈〔빈틈〕 없는, 완벽한.
áir·tìme *n.* Ⓤ (라디오·텔레비전의) 방송 개시 시간; (특히 광고의) 방송 시간.
áir-to-áir [-tu-, -tə-] *a.* Ⓐ 비행기에서 딴 비행기로의, 공대공(空對空)의: an ~ missile 공대공 미사일《생략: AAM》/~ refueling 공중 급유.
áir-to-gróund, áir-to-súrface [-tə-] *a.* Ⓐ 공대지(空對地)의: an *air-to-surface* 〔*air-to-ground*〕 missile 공대지 미사일《생략: ASM 〔AGM〕》.
áir-tràffic contròl 항공 교통 관제 (기관)《생략: A.T.C.》.
áir tràffic contròller 항공 교통 관제관〔원〕.
áir vice-márshal 《英》 공군 소장.
áir·wàves *n. pl.* (텔레비전·라디오의) 방송 전파.
***air·way** [ɛ́ərwèi] *n.* **1** Ⓒ **항공로**. **2** (A–) (*pl.*) 〖단수취급〗 항공 회사: British *Airways* 영국 항공 (회사). **3** Ⓒ (광산의) 통기〔바람〕 구멍.
áir·wòrthy *a.* 내공성(耐空性)이 있는, 비행에 견딜 수 있는《항공기 또는 그 부속품》. ㊕ **-wòrthiness** *n.* Ⓤ 내공성.
◇**airy** [ɛ́əri] (*air·i·er; -i·est*) *a.* **1** 바람이 잘 통하는: an ~ room. **2** 공기의, 공기와 같은. **3** 현실적이 아닌, 공허한, 환상적인: ~ dreams 허황된 꿈/~ notions 가공적인 생각. **4** 가벼운, 경쾌한; (기분이) 쾌활한; 활기 있는; 섬세한; 우아한: ~ songs 활기찬 노래/~ laughter 명랑한 웃음/an ~ tread 가벼운 걸음걸이. **5** (마음이) 들뜬; 경박한: an ~ reply 경박한 대답.
áiry-fáiry *a.* **1** 우아한, 아름다운. **2** 《구어》 공상적인, 비현실적인《생각·계획 등》.
◇**aisle** [ail] *n.* Ⓒ **1** (극장·열차·비행기의 좌석 사이) 통로; 복도: two on the ~ (극장의) 정면 통로쪽의 두 좌석《동행자가 있을 때의 가장 좋은 자리》. **2** (교회당의) 측랑(側廊). ***roll in the ~s*** 《구어》 (청중이) 배꼽을 쥐다, 포복절도하다.

> **DIAL.** ***Where're the spices?—They're in the aisle three.*** 양념은 어디 있지요—3번 통로에 있어요《슈퍼마켓 등에서》.

áisle sèat (열차 등의) 통로 쪽의 자리. ㊀ window seat.
aitch [eitʃ] *n.* Ⓒ H, h의 글자; H자 모양(의 것). ***drop*** one***'s ~es*** 〔***h's***〕 ⇨H, h.
áitch·bòne *n.* Ⓒ (소 따위의) 볼기 뼈(hipbone), 둔골(臀骨)(= **rúmp bòne**); 소의 볼기살.
ajar[1] [ədʒɑ́ːr] *ad., a.* Ⓟ (문이) 조금 열리어: leave the door ~ 문을 조금 열어 두다.
ajar[2] *ad., a.* Ⓟ 조화되지 않아; 티격이 나서 《***with*** …와》: a story ~ *with* the facts 사실과 맞지 않는 이야기/set a person's nerves ~ 아무의 신경을 거스르다.
AK 〖美우편〗 Alaska.
a.k.a., aka, AKA also known as (별칭〔별명〕은 …). ㊀ alias. ★ 본래는 경찰 용어로 인명·지명 따위에 씀.
akim·bo [əkímbou] *ad., a.* Ⓟ 양손을 허리에 대고 팔꿈치는 옆으로 벌려. ★ 보통 with arms ~로 씀.
akin [əkín] *a.* Ⓟ 혈족〔동족〕의; 같은 종류의, 유사한《***to*** …와》: He is closely ~ *to* her. 그는 그녀의 매우 가까운 친척이다.
Al [æl] *n.* 앨《남자 이름; Albert, Alfred 등의 별칭》.
al- [əl, æl] *pref.* = AD-《l 앞에 올 때의 꼴》: *al*lude.
-al *suf.* **1** [əl] '…의, …와 같은, …성질의'의 뜻의 형용사를 만듦: equ*al*. **2** [əl] 동사에서 명사를 만듦: tri*al*. **3** [æl, ɔːl, ɑl, əl/æl, ɔl, əl] 〖화학〗 aldehyde기 함유의 화학용어를 만듦: chlor*al*.
AL 〖美우편〗 Alabama. **A.L.** 〖야구〗 American League. **Al** 〖화학〗 aluminum.
à la, a la [ɑ́ːlə, -lɑː] 《F.》 …식의〔으로〕, …풍의〔으로〕; 〖요리〗 …을 곁들인.
Ala. Alabama.
Al·a·bama [æ̀ləbǽmə] *n.* 앨라배마《미국 남동부의 주; 주도 Montgomery; 생략: Ala., AL; 속칭 the Heart of Dixie, the Cotton State》. ㊕ **-bám·an, -bám·i·an** [-n], [-miən] *a., n.* Ⓒ 앨라배마의 (사람).
al·a·bas·ter [ǽləbæ̀stər, -bɑ̀ːs-] *n.* Ⓤ 설화석고; 줄마노(瑪瑙): (as) white as ~ 눈처럼 흰. **—***a.* Ⓐ 설화 석고의〔같은〕; 희고 미끈한: her ~ arms 그녀의 희고 미끈한 팔.
à la carte [ɑ̀ːləkɑ́ːrt, æ̀lə-] 《F.》 메뉴에 따라; 정가표에 따라; 일품 요리의, 좋아하는 요리의〔를 골라서〕. ㊀ table d'hôte.
alac·ri·ty [əlǽkrəti] *n.* Ⓤ 민활함, 기민〔민첩〕함, (주저 없이) 선선함: We accepted the invitation with ~. 우리는 그 초대에 선선히 응했다.
Alad·din [əlǽdn] *n.* 알라딘《*The Arabian Nights*에 나오는 청년 이름》.

Aláddin's lámp 알라딘의 램프《어떠한 소원이라도 들어 준다는 마법의 램프》.
à la king [ɑ̀:ləkíŋ, æ̀lə-] 《F.》 〖요리〗 버섯·피망 등을 넣고 소스로 조리한.
Al·a·mo [ǽləmòu] *n.* (the ~) 〖美역사〗 앨라모 요새《Texas 주 San Antonio 시에 있는 가톨릭의 전도소; 1836 년 멕시코군에 포위되어 수비대가 전멸됨》.
à la mode [ɑ̀:ləmóud, æ̀lə-] 《F.》 **1** 유행을 따라서; 유행의; …양식의. **2** 〔보통 명사 뒤에 와서〕 〖요리〗 (파이 따위에) 아이스크림을 곁들인: apple pie ~ 아이스크림을 곁들인 사과 파이.
Al·an [ǽlən] *n.* 앨런《남자 이름》.
alarm [əlɑ́:*r*m] *n.* **1** Ⓒ **경보**, 비상 신호〔통보〕: sound 〔ring〕 the ~ 경적〔경종, 비상벨〕을 울리다/give the 〔raise an〕 ~ 경보를 발하다. **2** Ⓤ **놀람**, (갑자기 위험을 느껴 생기는) 공포, 불안: take ~ 놀라다, 경계하다/without ~ 침착하여/in ~ 놀라서; 근심〔걱정〕하여/be struck with ~ 놀라다. SYN. ⇨FEAR. **3** Ⓒ 경보기〔장치〕; 경종; 자명종: a fire ~ 화재 경보(기)/a thief ~ 도난 경보(기)/set the ~ for five 자명종을 5 시에 맞추다.
—*vt.* **1** (아무)에게 경보를 발하다, 위급(함)을 알리다, 경계시키다. **2** 놀래다, 오싹하게 하다, 불안하게 하다《★ 흔히 수동태로 쓰며, 전치사는 *at*, *by*》: He *was ~ed at* the cry of "Fire". "불이야" 하는 외침 소리를 듣고 그는 경악했다/They *were ~ed by* the report of a gun. 그들은 총소리에 불안을 느꼈다. SYN. ⇨AFRAID.

> DIAL. ***I don't want to alarm you, but ...*** 겁주려는 것은 아니지만….

alárm bèll 경종, 비상벨.
alárm clòck 자명종 시계.
alárm·ing *a.* 놀라운, 걱정〔불안〕스러운; (사태 등이) 급박한. ⓟ **~·ly** *ad.* 놀랄 만큼, 걱정되리만큼.
alárm·ist *a.*, *n.* Ⓒ 인심을 소란케 하는 (사람); 군걱정하는 (사람). ***~s and excursions*** 《우스개》 떠들썩한 소동.
alas [əlǽs, əlɑ́:s] *int.* 아아, 슬프도다, 불쌍한지고《슬픔·근심 등을 나타냄》: *Alas* the day! 아아, 참으로.
Alas. Alaska.
Alas·ka [əlǽskə] *n.* 알래스카《미국의 한 주(州); 생략: Alas.》.
Aláska Híghway (the ~) 알래스카 공로(公路)《캐나다에서 알래스카로 통함; 통칭 Alcan Highway》.
Alas·kan [əlǽskən] *a.* 알래스카(사람)의. —*n.* Ⓒ 알래스카 사람.
Aláska Península (the ~) 알래스카 반도.
Aláska (Stándard) Tìme 알래스카 표준시《GMT 보다 10 시간 늦음》.
alb [ælb] *n.* Ⓒ 〖가톨릭〗 장백의(長白衣)《흰 삼베로 만든 미사 제복》. cf. chasuble.
al·ba·core [ǽlbəkɔ̀:*r*] (*pl.* **~s,** 〔집합적〕 ~) *n.* Ⓒ 〖어류〗 날개다랑어.
Al·ba·nia [ælbéiniə, -njə] *n.* 알바니아《수도 Tirana》. ⓟ **-ni·an** [-n] *a.* 알바니아(사람, 말)의. —*n.* Ⓒ 알바니아 사람; Ⓤ 알바니아 말.
Al·ba·ny [ɔ́:lbəni] *n.* 올버니《미국 New York 주의 주도》.
al·ba·tross [ǽlbətrɔ̀(:)s, -trɑ̀s] *n.* Ⓒ **1** 〖조류〗 신천옹(信天翁). **2** 《英》 〖골프〗 앨버트로스《한 홀에서 기준 타수보다 3 타 적은 스코어》. cf. eagle.
Al·bee [ɔ́:lbi:] *n.* **Edward** ~ 올비《미국의 극작가; 1928– 》.
al·be·it [ɔ:lbí:it] *conj.* 《문어》 = ALTHOUGH.
Al·bert [ǽlbə*r*t] *n.* **1** 앨버트《남자 이름; 애칭은 Al, Bert, Bertie, Berty》. **2** (Prince ~) 앨버트 공(公)《Victoria 여왕의 남편(Prince Consort); 1819–61》.
Al·ber·ta [ælbə́:*r*tə] *n.* 앨버타. **1** 여자 이름. **2** 캐나다 중서부의 주《주도 Edmonton》.
al·bi·nism [ǽlbənìzəm] *n.* Ⓤ 색소 결핍증; 〖의학〗 (선천성) 백피증(白皮症); 〖생물〗 알비노증.
al·bi·no [ælbáinou/-bí:-] (*pl.* **~s**) *n.* Ⓒ 백피증의 사람, 〖생물〗 알비노《색소가 현저히 결핍된 동·식물》.
Al·bi·on [ǽlbiən] *n.* 앨비언《잉글랜드(England)의 옛 이름·아명(雅名)》.
al·bum [ǽlbəm] *n.* Ⓒ **1 앨범**《사진첩·우표첩 따위》; 사인〔서명〕첩; 악보철. **2** 음반〔레코드〕첩. **3** 문학〔명곡·명화〕선집.
al·bu·men [ælbjú:mən] *n.* Ⓤ (알의) 흰자위; 〖식물〗 배유(胚乳), 배젖; 〖생화학〗 = ALBUMIN.
al·bu·min [ælbjú:mən] *n.* Ⓤ 〖생화학〗 알부민《생체 세포·체액(體液) 속의 단순 단백질》.
al·bu·mi·nose, -nous [ælbjú:mənòus], [-nəs] *a.* 알부민의, 알부민을 함유한; 단백성(蛋白性)의; 〖식물〗 배유(胚乳)가 있는.
Al·bu·quer·que [ǽlbəkə̀:*r*ki] *n.* 앨버커키《미국 New Mexico 주 중부의 관광 휴양지》.
Al·ca·traz [ǽlkətræ̀z] *n.* 앨커트래즈《California 주 샌프란시스코 만(灣)의 작은 섬; 연방 교도소(1934–63)가 있었음》.
al·che·mist [ǽlkəmist] *n.* Ⓒ 연금술사(師).
al·che·my [ǽlkəmi] *n.* Ⓤ **1** 연금술; 연단술. **2** 《비유적》 (평범한 물건을 가치 있는 것으로 변질시키는) 마력, 비법.
al·co·hol [ǽlkəhɔ̀(:)l, -hɑ̀l] *n.* Ⓤ (종류는 Ⓒ) 〖화학〗 **알코올**, 주정(酒精); 주정 음료, **술**.
alcohol-free *a.* 알코올이 들어 있지 않은.
al·co·hol·ic [æ̀lkəhɔ́(:)lik, -hɑ́l-] *a.* **1** 알코올(성)의: ~ (soft) drinks 〔liquors〕 알코올 (성분이 든 청량) 음료. **2** 알코올 중독의: ~ poisoning 알코올 중독/an ~ old man 알코올 중독 노인. —*n.* Ⓒ 알코올 중독자.
Alcohólics Anónymous 알코올 중독자 갱생회(更生會), 금주회《생략: Al-Anon; A.A》.
ál·co·hol·ìsm *n.* Ⓤ 알코올 중독.
al·co·hol·om·e·ter [æ̀lkəhɔ(:)lɑ́mitə*r*, -hɑl-/-hɔlɔ́m-] *n.* Ⓒ 주정계(計); 알코올 비중계.
Al·cott [ɔ́:lkət, -kɑt] *n.* **Louisa May** ~ 올커트《*Little Women*(1869)을 쓴 미국의 여류 작가; 1832–88》.
al·cove [ǽlkouv] *n.* Ⓒ **1** 방 안의 후미져 구석진 곳《침대·서가용》; 주실에 이어진 골방; 방벽의 오목한 곳, 반침; 다락 마루. **2** (공원·정원 따위의) 정자.
Ald., ald. alderman.
al·de·hyde [ǽldəhàid] *n.* Ⓤ 〖화학〗 알데히드.
al den·te [ældéntei, -ti] 《It.》 씹는 맛이 나도록 요리한《마카로니 따위》.
al·der [ɔ́:ldə*r*] *n.* Ⓒ 〖식물〗 오리나무속(屬)의 식물.

al·der·man [ɔ́:ldərmən] (*pl.* **-men** [-mən]) *n.* [C] **1** 《美》 시의회 의원. **2** 《英》 시 참사회원, 부시장. [파] **al·der·man·ic** [ɔ̀:ldərmǽnik] *a.*

Al·der·ney [ɔ́:ldərni] *n.* **1** 올더니 섬《영국 해협 Channel Islands 북단의 섬》. **2** [C] 젖소의 일종《영국 원산(原産)》.

°**ale** [eil] *n.* [U] (종류 · 낱개는 [C]) 에일《lager beer 보다는 독하나, porter 보다는 약한 맥주의 일종》.

Al·ec, -eck [ǽlik] *n.* Alexander 의 애칭.

alee [əlí:] *ad.* 〖항해〗 바람이 불어가는 쪽에〔으로〕. [cf.] lee.

alem·bic [əlémbik] *n.* [C] (옛날의) 증류기; 《비유적》 정화〔순화〕하는 것: intellect as an ~ for refinement of sensation 감각을 순화하는 정화기로서의 지성.

*__alert__ [əlɔ́:rt] *a.* **1 방심 않는,** 정신을 바짝 차린, 빈틈없는《**to** (위험 따위)에 대하여》: an ~ driver 빈틈없는 운전사 / You must be ~ *to* the coming danger. 다가오는 위험에 정신차려 대비해야 한다. **2** 기민한, 민첩한, 날쌘: an ~ boy 민첩한 소년. **3 빠릿빠릿한,** 시원시원한《**in** …에 있어서》: He was very ~ *in* answer*ing*. 그는 아주 시원시원하게 대답했다.
—*n.* [C] **1 경계**(태세). **2** 경보(alarm); 경계 경보 발령 기간. ***on the*** **~** (방심 않고) 경계하여《***for, against*** …에 대하여》.
—*vt.* 《~+[목]/+[목]+[전]+[명]/+[목]+*to* do》 …에게 **경계시키다,** 경고하다《**to** …에 대하여》: ~ a person *to* a danger 아무에게 위험을 경고하다 / ~ a person *to* watch out 아무에게 조심하도록 충고하다. [파] **~·ly** *ad.* **~·ness** *n.*

Al·eut [əlú:t, ǽliù:t] (*pl.* **~s,** 〖집합적〗 ~) **1 a** (the ~(s)) 알류트족《알류샨 열도 · 알래스카 등지에 사는 종족》. **b** [C] 알류트족의 사람. **2** [U] 알류트 말.

Aleu·tian [əlú:ʃən] *a.* 알류샨의; 알류트 사람〔말〕의. —*n.* **1** = ALEUT 1. **2** (the ~s) = ALEUTIAN ISLANDS.

Aléutian Íslands (the ~) 알류샨 열도《미국 영토》.

Á lèvel 〖英교육〗 **1** 상급(advanced level). **2** 상급 과정 과목 중의 합격 과목. [cf.] General Certificate of Education.

Al·ex [ǽliks] *n.* 앨릭스《남자 이름; Alexander 의 애칭》.

Al·ex·an·der [æ̀ligzǽndər, -zɑ́:n-] *n.* 알렉산더《남자 이름; 애칭 Alec(k), Alex》.

Alexánder the Gréat 알렉산더 대왕(大王) (356 – 323 B.C.).

Al·ex·an·dra [æ̀ligzǽndrə, -zɑ́:n-] *n.* 알렉산드라《여자 이름; 애칭 Sandra, Sondra》.

Al·ex·an·dria [æ̀ligzǽndriə, -zɑ́:n-] *n.* 알렉산드리아《이집트 북부 Nile 강 어귀의 항구 도시》.

Al·ex·an·dri·an [æ̀ligzǽndriən, -zɑ́:n-] *a.* **1** Alexandria 의. **2** 알렉산더 대왕의.

Al·ex·an·drine [æ̀ligzǽndrin, -dri:n, -zɑ́:n-] 〖운율〗 *n.* [C], *a.* 알렉산더 시행(의)《보통 약강격(格) 6 시각(詩脚)으로 구성된 시행》; 그 시.

al·ex·an·drite [æ̀ligzǽndrait, -zɑ́:n-] *n.* [U] (낱개는 [C]) 〖광물〗 알렉산더 보석《낮에는 진초록, 인공 광선으로는 적자색으로 보임; 6 월의 탄생석》.

alex·ia [əléksiə] *n.* [U] 〖의학〗 독서 불능증, 실독증(失讀症).

al·fal·fa [ælfǽlfə] *n.* [U] 《美》 〖식물〗 자주개자리(《英》 lucerne)《목초(牧草)》.

Al Fa·tah [æ̀lfɑ:tɑ́:, ælfǽtə] 알파타《PLO 의 주류 온건파》.

Al·fred [ǽlfrid, -fred] *n.* 앨프레드《남자 이름; 애칭은 Alf》.

Álfred the Gréat 앨프레드 대왕《West Saxon 왕국의 임금; 849 – 899》.

al·fres·co, al fresco [ælfréskou] *ad.*, *a.* [A] 야외에〔의〕: an ~ café 노천 커피점〔카페〕/ an ~ lunch 들놀이 도시락.

alg. algebra.

al·gae [ǽldʒi:] (*sing.* **-ga** [-gə]) *n. pl.* 〖식물〗 말, 조류(藻類).

*__al·ge·bra__ [ǽldʒəbrə] *n.* [U] **대수학**(代數學).

al·ge·bra·ic, -i·cal [æ̀ldʒəbréiik], [-əl] *a.* 대수학의. [파] **-i·cal·ly** *ad.*

al·ge·bra·ist [ǽldʒəbrèiist / ´-`-] *n.* [C] 대수(代數)학자.

Al·ge·ria [ældʒíəriə] *n.* 알제리《북아프리카의 한 공화국; 수도 Algiers》. [파] **Al·gé·ri·an** [-n] *a.*, *n.* [C] 알제리의; 알제리인(의).

ALGOL, Al·gol [ǽlgɑl, -gɔ(:)l] *n.* [U] 〖컴퓨터〗 알골《과학 · 기술 계산용 프로그램 언어》. [◂ *algo*rithmic *l*anguage]

Al·gon·ki(·a)n, -qui(·a)n [ælgɑ́ŋki(ə)n / -gɔ́ŋ-], [-kwi-] (*pl.* **~s,** 〖집합적〗 ~) *n.* **1 a** (the ~) 알곤킨족(族)《북아메리카 원주민의 한 부족; Ottawa 강 유역에 삶》. **b** [C] 알곤킨족의 사람. **2** [U] 알곤킨말《보통 Algonquin 으로 씀》.

al·go·rism [ǽlgərìzəm] *n.* **1** [U] 알고리즘《1, 2, 3, …을 쓰는》 아라비아 기수법; 아라비아 숫자 연산법; 산수. **2** = ALGORITHM.
[파] **àl·go·rís·mic** [-rízmik] *a.*

al·go·rithm [ǽlgərìðəm] *n.* [U] 알고리듬, 연산(演算)(방식); 〖컴퓨터〗 풀이법, 셈법.
[파] **àl·go·ríth·mic** *a.*

algoríthmic lánguage 〖컴퓨터〗 산법〔알고리듬〕 언어.

Al·ham·bra [ælhǽmbrə] *n.* (the ~) 알람브라 궁전《스페인의 무어 왕(王)들의 옛 성》.

ali·as [éiliəs] *ad.* 《L.》 별명으로, 일명: Smith ~ Simpson 스미스 통칭 심프슨, 심프슨 본명(本名)은 스미스. ★ ***alias dictus*** [-díktəs] 《L.》 (=otherwise called)라고도 함. —*n.* [C] 가명, 별명: go by the ~ of …라는 별명으로 통하다 / use the ~ "Jerry" Jerry 라는 가명을 쓰다.

Ali Ba·ba [ɑ́:libɑ́:bɑ:, ǽlibǽbə] 알리바바《*The Arabian Nights* 중의, 도둑의 보물을 발견한 나무꾼》.

*__al·i·bi__ [ǽləbài] (*pl.* **~s**) *n.* [C] 〖법률〗 **현장 부재 증명,** 알리바이; 《구어》 변명(excuse): establish 〔set up〕 an ~ 알리바이를 내세우다〔꾸미다〕/ prove an ~ 알리바이를 입증하다.
—*vi.* 변명하다: ~ for being late 지각한 이유를 대다. —*vt.* (아무)의 알리바이를 증언하다.

Al·ice [ǽlis] *n.* 앨리스. **1** 여자 이름《애칭 Alicia, Allie, Ally》. **2** Lewis Carroll 작의 동화 *Alice's Adventures in Wonderland*(1865)와 그 자매편의 주인공 소녀.

Álice-in-Wónderland *a.* [A] 공상적인.

Ali·cia [əlíʃiə, -ʃə] *n.* 앨리시어《여자 이름; Alice 의 별칭》.

*__al·ien__ [éiljən, -liən] *a.* **1 외국의,** 이국(異國)의 (foreign); 외국인의: an ~ friend 〖법률〗 (국내에 있는) 우방국 친구 / an ~ enemy (국내에 있는) 적국인. **2** 성질이 다른, 이질의《***from*** …와》:

a style ~ *from* genuine English 참 영어와는 다른 문체. **3** (생각 등이) 맞지 않는, 서로 용납되지 않는《*to* …와》: quite ~ *to* my thoughts 내 생각과는 전혀 맞지 않는. **—*n.*** Ⓒ 외국인(foreigner); 재류(在留) 외인; 우주인, 외계인《SF에서, 지구인에 대하여》.

ál·ien·a·ble *a.* 『법률』 양도〔이양(移讓)·매각〕할 수 있는.

°**al·ien·ate** [éiljənèit, -liə-] *vt.* **1** 멀리하다, 소원(疏遠)케 하다《*from* …으로부터》; 이간하다, 불화(不和)케 하다《*from* …와》: His coolness has ~*d* his friends. 그의 쌀쌀함 때문에 친구들이 멀어졌다/She was ~*d from* her friends. 그녀는 친구들로부터 따돌림을 받았다. **2** 『법률』 (재산·권리 등)을 양도〔매각〕하다.

àl·ien·á·tion *n.* Ⓤ 멀리함; 소격(疎隔), 이간, 소외(감); 『법률』 양도.

alight**[1] [əláit] (*p.*, *pp.* **~·ed,** 《드물게》 ***alit [əlít]) *vi.* **1** 《+전+명》 **내리다,** 뛰어내리다《*from* (말·탈것)에서》: ~ *from* a horse 말에서 내리다. **2** 《~/+전+명》 『항공』 착륙〔착수〕하다; (나는 새 따위가) 내려앉다《*on, upon* (나무·땅 따위)에》: A robin ~*ed on* a branch. 울새가 가지에 앉았다. **3** 《+전+명》 (우연히) 만나다, 발견하다《*on, upon* …을》: His eyes ~*ed upon* her. 그의 눈에 그녀가 띄었다.

alight[2] *ad.*, *a.* Ⓟ 불타고(on fire); 점화하여; 비치어; 생기 있게 빛나는《*with* …으로》: set dry leaves ~ 마른 잎을 태우다/Her face was ~ *with* happiness. 그녀의 얼굴은 행복감으로 빛나고 있었다.

align, aline [əláin] *vt.* **1** 한 줄로 하다, 일렬로 세우다〔정렬시키다〕; 일직선으로 맞추다《*with* …와》: ~ the sights (총)을 조준하다. **2** 제휴〔단결〕시키다《*with* …와》: *aligned* nations 제휴 국가들/~ oneself *with* the liberals 자유주의자와 제휴하다. **3** 『컴퓨터』 줄 맞추다. **—*vi.*** **1** 한 줄로 정렬하다. **2** 제휴하다《*with* …와》.

alígn·ment, alíne- *n.* **1** Ⓤ 일렬 정렬, 배열: in ~ (with …) (…와) 일직선이 되어, 일직선상에. **2** Ⓒ 일직선. **3** Ⓤ 제휴; Ⓒ 제휴한 그룹〔집단〕.

alike** [əláik] *a.* Ⓟ **서로 같은,** 마찬가지의, 많이 닮은: look ~ 같아 보이다/They are just 〔very much〕 ~ in that respect. 그 점에서는 매우 비슷하다〔아주 같다〕/They are all ~ to me. 그것들은 내게 있어 모두 같다/(as) ~ as two peas (in a pod) 《구어》 똑같이 닮은. **—*ad. 똑같이, 같이: treat all men ~ 만인을 평등하게 취급하다/young and old ~ 젊은이나 늙은이나 다 같이.

al·i·ment [ǽləmənt] *n.* Ⓤ (구체적으로는 Ⓒ) 《드물게》 음식, 자양물; 부조(扶助), 부양.

al·i·men·tal [æ̀ləméntl] *a.* 영양분 있는; 양분이 많은《비료 따위》. ㉺ **~·ly** *ad.*

al·i·men·ta·ry [æ̀ləméntəri] *a.* 영양의, 영양이 되는(nutritious); 부양하는.

aliméntary canál 〔**tráct**〕 (the ~) 『해부』 소화관(消化管)《입에서 항문까지》.

al·i·men·ta·tion [æ̀ləmentéiʃən] *n.* Ⓤ 영양, 자양; 부양.

al·i·mo·ny [ǽləmòuni/-mə-] *n.* Ⓤ 『법률』 별거 수당《보통 남편이 아내에게 주는》; 이혼 수당; 생활비, 부양비.

Á-lìne *a.* 위가 꼭 끼고 아래가 헐렁하게 퍼진, A 라인의.

aline, aline·ment ⇨ ALIGN, ALIGNMENT.

alit [əlít] 《드물게》 ALIGHT[1]의 과거·과거분사.

***alive** [əláiv] *a.* Ⓟ **1 살아 있는,** 생존해 있는. ↔ *dead.* ¶I think his father is still ~. 그의 부친은 아직 살아 있다고 생각한다/catch 〔capture〕 a fox ~ 여우를 사로잡다/come back ~ 생환(生還)하다. ★ 한정적으로 쓰일 땐 명사 뒤: any man *alive* 이 세상 그 누구나, 인간은 모두. SYN. ⇨LIVING. **2 활동하는;** 존속하는: keep a fire ~ 불을 끄지 않고 두다/He keeps her memory ~. 그는 그녀의 기억을 쭉 간직하고 있다. **3 활발한,** 활기찬《*with* …으로》: The office was ~ *with* activity. 그 사무실은 활기에 차 있었다/Although he's old, he's still very much ~. 비록 늙기는 하였지만 그는 아직도 기운이 팔팔하다. **4** 떼를 지은, 북적거리는, 충만〔풍부〕한《*with* …으로》: a forest ~ *with* games 사냥감이 많은 숲/a river ~ *with* boats 배로 북적대는 강. **5** 민감한, 감지(感知)하는, 지각〔의식〕하는《*to* …에》: be ~ *to* one's interests 이끗에 밝다. **6** (전기·전화가) 통하고 있는.

~ and kicking 기운이 넘쳐; 신바람이 나서. ***~ and well*** (현존할 리가 없는 것이) 건재하여; (소문에 반하여) 건강하여. ***as sure as I am ~*** 아주 확실히. ***come ~*** ① 활발해지다, 활기를 띠다. ② (그림 따위가) 진짜로 보이다; (이야기 따위가) 재미있어지다.

> DIAL. ***Look alive !*** 꾸물거리지 말고 빨리 해. ***Man*** 〔***Sakes, Heart***〕 ***alive !*** 뭐라고, 이거 참 놀라운걸.

°**al·ka·li** [ǽlkəlài] (*pl.* **~(e)s** [-làiz]) *n.* Ⓤ (종류는 Ⓒ) 『화학』 알칼리.

álkali mètals 『화학』 알칼리 금속(=**álkaline métals**).

al·ka·line [ǽlkəlàin, -lin] *a.* 알칼리(성)의. ↔ *acid.*

al·ka·loid [ǽlkəlɔ̀id] 『화학』 *n.* Ⓒ 알칼로이드《식물에 함유된 염기성 물질》. **—*a.*** 알칼로이드의; 알칼리 비슷한. ㉺ **àl·ka·lói·dal** [-dl] *a.* = alkaloid.

†**all** [ɔːl] *a.* **1** 《단수·복수 명사 앞에서》 **모든, 전부의,** 전체의, 온, 전(全): ~ day (long) 온종일/~ (the) morning 오전 내내/in ~ directions 사면(팔방)으로/~ my friends 모든 나의 친구/~ the pupils of this school 이 학교의 전 학생/*All* the money is spent. 돈을 다 써 버렸다/*All* Paris is out of doors. 파리의 전 시민이 거리로 (쏟아져) 나와 있다/What have you been doing ~ this time? 이제껏 무엇을 하고 있었나요.

2 《성질·정도를 나타내는 추상명사를 수식하여》 **있는 대로의,** 한껏의, 할 수 있는 한의, **최대의,** 최고의: in ~ haste 아주 급히/with ~ speed 전속력으로/in ~ sincerity 성심성의(껏)/in ~ truth 틀림없이/The storm raged in ~ its fury. 폭풍우가 맹위를 떨쳤다.

3 《this, the 등과 더불어 힘줌말로》 막대한, 엄청난, 대단한: You have ~ *these* books! 이렇게(도) 많은 책을 갖고 있는가/Think of ~ *the* trouble you would give him. 그에게 얼마나 누를 끼치게 될지 생각해 보게나/It makes ~ *the* difference. 그것은 대단한 차이이다.

4 《수사적 강조표현》 **a** 《추상명사를 수식하여》 완전히 … 그 자체인: She's ~ kindness. 그녀는 친절 바로 그것이다(=She's kindness itself.)/

He was ~ attention. 그는 잔뜩 주의를 집중하고 있었다(=He was very attentive.). **b** 〖몸의 일부분을 나타내는 명사를 수식하여〗 온몸이 …뿐인; 온몸이 …이 되어: She was ~ ears. 그녀는 온 신경을 귀에 집중시켰다 / She was ~ smiles. 그녀는 만면에 웃음을 띠었다.

5 〖부정적 뜻의 동사나 전치사의 뒤에 와서〗 일체, 아무런, 하등의(any): in spite of ~ opposition 어떤 반대에도 불구하고 / I deny ~ connection with the crime. 나는 그 범죄와는 아무런 관계도 없다.

6 (그저) …뿐(only): ~ words and no thought 말뿐이지 사고(思考)가 없는 / This is ~ the money I have. 내가 가진 돈은 (전부) 이것뿐이다.

SYN. **all** 개체의 총합을 강조함: *All* men are equal. 모든 사람은 평등하다. **every** 집합체의 개체를 강조함: *Every* man is mortal. 인간은 모두 죽게 되어 있다. **each** 도 집합체의 개체를 가리키나 every 보다도 구체적인 개체를 나타냄: *each* book on this shelf 이 선반의 책은 어느 것이나. **whole** 무엇 하나 부족하지 않은 것을 강조함. 이 뜻으로는 entire 와 같음.

NOTE (1) 셀 수 있는 명사와 셀 수 없는 명사도 수식한다.
(2) 형용사로서의 all 은 언제나 정관사 · 소유격 대명사 · 지시형용사에 선행(先行)함.
(3) 단수 보통명사 또는 고유명사와 함께 써서 the whole of 의 뜻이 됨: *all* his life 그의 한 생애; 태어난 이래 죽. He is the best scholar in *all* the school. 그는 전교에서 가장 우수한 학생이다(in the whole school). the best school in *all* Seoul 서울에서 첫째 가는 학교(in the whole of Seoul).
(4) all 의 부정은 부분부정을 나타냄. 다만, all 과 not이 떨어져 있다든지 하여 전체부정을 나타내는 수도 있음: *Not all* men are wise. 모든 사람이 현명한 것은 아니다 / *All* the people did*n't* agree. 모두가 찬성한 것은 아니다(부분부정); 모두 찬성하지 않았다(전체부정).

and ~ that 《구어》 그 밖의 여러가지, …따위(and so forth): He said the time were bad *and ~ that*. 그는 시대가 나쁘다느니 어쩌니 했다 / He used to take drugs *and ~ that*. 그는 늘 마약 따위를 먹곤 했다. ***as ~ that*** ⇨AS *conj*. (관용구). ***be ~ thumbs*** ⇨THUMB *n*. ***for ~...*** ⇨FOR. ***of ~...*** 《구어》 (그 많은 중에) 하필이면: They chose me *of* ~ people. 그들은 하필이면 나를 뽑았다. ***on ~ fours*** ⇨ALL FOURS (관용구).

—*pron*. **1 전부, 전원**, 모두: *All* of us 〔We ~〕 have to go. 우리는 전원 가야 한다 / Let's ~ go there together. =Let's go there ~ together. 자 모두 같이 저리로 가자 / *All* of the students were present. 학생들은 전원 출석했었다 / *All* of the money was stolen. 돈은 전부 도둑 맞았다 / This is ~ (that) I can do. 이것이 내가 할 수 있는 전부다.

NOTE (1) all은 복수꼴의 countable noun 을 받을 때는 복수 취급, 물질명사 · 추상명사 등을 받을 때는 단수 취급함.
(2) 'all of+명사' 는 주로 《美》의 용법이고, 《英》에서는 보통 of를 쓰지 않음: *all* (*of*) the time 그동안 죽, 시종 / *all* (*of*) these books 이 책 전부.

2 〖단독으로 쓰여〗 **모든 사람; 모든 것**, 만사: *All* are agreed. 모두 찬성이다 / *All* is lost. 모두 끝장이다, 만사휴의 / All's well that ends well. 《속담》 끝이 좋으면 만사가 다 좋다.

NOTE (1) 위 뜻의 all 은 사물을 나타낼 때는 단수, 사람을 나타낼 때는 복수로 취급함: *All was* silent. 만물은 고요하였다 / *All were* silent. 모두 침묵하고 있었다. (2) all 의 부정은 부분부정을 나타냄: *All* that glitters is *not* gold. 《격언》 빛나는 게 다 금은 아니다.

above ~ 특히. ***after ~*** ⇨AFTER. ***~ and sundry*** ⇨SUNDRY. ***~ in ~*** ① 전부하여, 총계〔모두〕 해서: 25 dollars ~ *in* ~ 합계 25 달러. ② 대체로〔대강〕 말하면, 대체로: *All in* ~ the novel was a success. 소설은 대체로 성공작이었다. ③ 소중〔귀중〕한 것: Life is ~ *in* ~ to me. 나에겐 목숨이 무엇보다도 소중하다. ***~ of ...*** … 전부, 모두, 각기, 각자; 충분히, 넉넉히: He's ~ *of* six feet tall. 그의 키는 족히 6 피트는 된다. ***~ of a sudden*** ⇨SUDDEN. ***~ or nothing*** ① (조건 등) 타협을 허용하지 않는. ② 흥하느냐 망하느냐의; 건곤일척의. ***and ~*** ① 그 밖의 모두, 등등, …째로: He ate it, bones *and* ~. 그는 뼈다귀까지 죄다 먹었다. ② 〖놀람을 강조하여〗 놀랍게도 정말 …이어요: Did he swim across the Channel?—Yes, he did it *and* ~! 그가 영국 해협을 헤엄쳐 건넜나요—놀랍게도 정말 그랬어요. ***at ~*** ① 〖부정문〗 조금도, 전혀; 아무리 보아도: I do*n't* know him *at* ~. 전혀 그를 모른다 / Thank you 〔I am sorry〕.—*Not at* ~. 감사합니다—천만에 / *No* offence *at* ~. 괜찮습니다《상대의 사과를 받고》. ② 〖의문문〗 도대체: Why bother *at* ~? 도대체 왜 끙끙거리는 거야. ③ 〖조건절〗 일단 …이면, …할 바엔: If you do it *at* ~, do it well. 기왕 할 바에는 잘 해라. ④ 〖긍정문〗 어쨌든, 하여간: The fact that it was there *at* ~ was cause for alarm. 어쨌든 그것이 거기에 있었다는 사실이 놀라움을 주었다. ***in ~*** 모두 해서, 전부, 총계. ***once and for ~*** 한 번만; 이번만: I shall read it *once for* ~. 이번만 읽어 주지. ***one and ~*** 누구나〔어느 것이나〕 다, 모두, 모조리: Thank you, *one and* ~. 여러분, 고맙습니다.

DIAL. ***That's all.*** ① 그것으로 끝: *That's all* for today. (일 · 수업 따위에서) 오늘은 이만(끝). ② 〖말 끝에 써서〗 그것뿐이다: You don't look very happy. —Oh, I'm just bored. *That's all*. 그다지 즐거워 보이지 않는구나—아, 좀 따분해서요, 그뿐이에요.

—*n*. (one's ~) 전부, 전소유물, 전재산: give one's ~ 전재산을 쏟다, 모든 것을 바치다 / lose one's ~ 모든 것을 잃다.

—*ad*. **1 전혀, 아주**, 전연; 《주로 美》 〖의문사 뒤에서〗 내체: ~ alone 혼자서 / ~ too late 아주 너무 늦어서 / He was ~ excited. 그는 완전히 흥분했었다 / *What* ~ have you been doing? 《구어》 대체 무엇을 하고 있었어. **2** 오직 …뿐, **오로지**: He spent his income ~ on pleasure. 그는 수입을 오로지 오락에만 쏟아부었다. **3** 〖the+비교급 앞에서〗 **그만큼, 더욱더**, 오히려: You will be ~ *the better* for a rest. 좀 쉬면 (그만큼) 기분도 좋아질 거다. **4** 〘경기〙 양쪽 다: love ~ (테니스에서) 양쪽 다 영점 / The score is one ~. 득점은 1 대 1.

~ along ⇨ALONG. ***~ at once*** ⇨ONCE. ***~ but***

〖부사적〗 거의, 거반(nearly, almost): He is ~ *but* dead. 그 사람은 죽은 거나 마찬가지다. ~ ***in*** ⦅구어⦆ 지쳐서, 기진맥진하여. ~ ***one*** 같음; 결국 같은: It's ~ *one* to me. 그건 나에겐 아무래도 좋다. ~ ***out*** ① 전(속)력으로. ② 지쳐서, 기진맥진하여. ③ 아주, 전혀. ~ ***over*** ① 완전히〔아주〕 끝나: The storm is ~ *over*. 폭풍우가 아주 멎었다. ② 도처에; 온몸에; 온 …에: ~ *over* the world = ~ the world *over* 온 세계 도처에서. ③ ⦅구어⦆ 모든 점에서, 아주: He is his father ~ *over*. 그는 아버지를 빼쏘았다. ~ ***right*** ⇨ RIGHT. ~ ***set*** ⇨ SET *a.* (관용구). ~ ***that*** 〖부정 · 의문문에서〗 ⦅구어⦆ 그렇게까지: The problem is*n't* ~ *that* difficult. 그 문제는 그렇게까지 어렵지 않다. ~ ***the same*** ⇨ SAME. ~ ***the time*** ⇨ TIME. ~ ***the way*** ⇨ WAY. ~ ***together*** ⇨ TOGETHER. ~ ***told*** ⇨ TELL. ~ ***too*** ⇨ TOO. ~ ***up*** ⦅英구어⦆ 만사가 끝나서, 가망이 없어⦅***with*** …은⦆: It's ~ *up with* him. 그 사람 이젠 볼장 다 보았다. ~ ***very well*** 〔***fine***〕 ***(, but ...)*** 〖반어적〗 정말 좋다(마는): That's ~ *very well, but*... 그건 정말 좋습니다만, 그러나 …. ***be ~ about ...*** 온통 …뿐이다: The special news report *is* ~ *about* the recent earthquake. 그 특별 뉴스 방송 프로는 온통 근래의 지진 이야기뿐이다. ***That's ~ there is to it.*** 그것뿐이야, 지극히 간단해.

all- [ɔ:l] **1** "순…제의, …만으로 이루어진": *all*-wool 순모의. **2** "전(全)…(대표의)": ⇨ ALL-AMERICAN. **3** "모든 것을 위한": *all*purpose.

Al·lah [ǽlə, ɑ́:lə] *n.* ⦅Ar.⦆ 알라⦅이슬람교의 유일신⦆: ~ akbar [ækbɑ́:r] 알라는 위대하도다.

áll-Américan *a.* 미국(대표)의; 아메리카 사람〔제품〕만의; 모범적 미국인의. **—***n.* Ⓒ 미국 대표 선수.

Al·lan [ǽlən] *n.* 앨런⦅남자 이름⦆.

áll-aróund *a.* Ⓐ ⦅美⦆ (지식 등이) 넓은, 해박한, 전반〔다방면〕에 걸친; 만능의, 다재(多才)한 (⦅英⦆ all-round): an ~ athlete 만능 운동 선수 / ~ improvement 전면적 개선 / an ~ view 종합적 견지 / an ~ cost 총경비. ⓜ **~·er** *n.*

al·lay [əléi] *vt.* (흥분 · 노염 · 공포 · 불안 등)을 가라앉히다(calm); (고통 · 슬픔 등)을 누그러뜨리다, 경감〔완화〕시키다: Her fears were ~*ed* by the news. 그 소식에 그녀의 불안은 누그러졌다.

áll cléar 공습 경보 해제〔방공 연습 종료〕의 사이렌〔신호〕.

áll-dáy *a.* Ⓐ 하루 걸리는: an ~ tour of the city 하루 걸리는 시내 구경.

al·le·ga·tion [æ̀ligéiʃən] *n.* Ⓒ (근거 없는) 주장, 진술, 단언. ◇ allege *v.*

◇**al·lege** [əlédʒ] *vt.* **1** (증거 없이) 단언하다, 진술하다, 주장하다; 변명하다⦅***as*** …으로서 / ***to*** do / ***that***⦆: ~ a fact 사실을 주장하다 / ~ a matter *as* a fact 어떤 사항을 사실이라고 주장하다 / He's ~*d to* have done it. 그가 그것을 했다고들 한다 / She ~*s that* her handbag has been stolen. 그녀는 핸드백을 도둑맞았다고 주장하고 있다 / He ~*d that* he was absent because of sickness. 그는 병 때문에 결근했다고 변명했다.

al·léged [-d, -id] *a.* (근거 없이) 주장된; 추정〔단정〕된; 진위가 의심스러운: the ~ sharper 사기꾼으로 지칭된 사람 / an ~ criminal 추정 범인. ⓜ **al·lég·ed·ly** [-idli] *ad.* 주장(하는 바)에 의하면; 소문〔전해진 바〕에 의하면.

Al·le·ghé·ny Móuntains, Al·le·ghe·nies [æ̀ligéini-], [-niz] *n. pl.* (the ~) 앨러게이니 산맥⦅미국 동부의 Appalachian 산계(山系)의 일부⦆.

al·le·giance [əlí:dʒəns] *n.* Ⓤ (구체적으로는 Ⓒ) 충순(忠順), 충성, 충절; (봉건 시대의) 신종(臣從) 의무, 충의⦅***to*** …에 대한⦆: pledge ~ *to* …에 충성을 맹세하다.

al·le·gor·ic, -i·cal [æ̀ligɔ́(:)rik, -gɑ́r-], [-əl] *a.* 우의(寓意)의, 우화(寓話)적(인), 풍유(諷喩)의. ⓜ **-i·cal·ly** *ad.*

al·le·go·rist [ǽligɔ̀:rist/-gər-] *n.* Ⓒ 우화 작가, 풍유가(諷喩家).

al·le·go·rize [ǽligəràiz] *vt., vi.* 풍유〔비유〕로 말하다; 우화적으로 해석하다.

al·le·go·ry [ǽləgɔ̀:ri/-gəri] *n.* Ⓤ 우의(寓意), 풍유(諷喩); Ⓒ 우화⦅예컨대 Bunyan 작의 *The Pilgrim's Progress*⦆.

al·le·gret·to [æ̀ligrétou] ⦅It.⦆ 〖음악〗 *a., ad.* 알레그레토, 조금 빠른〔빠르게〕⦅allegro 와 andante 의 중간⦆. **—**(*pl.* **~s**) *n.* Ⓒ 알레그레토의 악장〔악절〕.

al·le·gro [əléigrou] ⦅It.⦆ 〖음악〗 *ad., a.* 알레그로, 빠르게; 빠른. **—**(*pl.* **~s**) *n.* Ⓒ 빠른 악장.

al·le·lu·ia(h), -ja [æ̀ləlú:jə] *int., n.* = HALLELUJAH.

áll-embrácing *a.* 망라한, 포괄적인.

Al·len [ǽlən] *n.* 앨런⦅남자 이름⦆.

al·ler·gic [ələ́:rdʒik] *a.* 〖의학〗 알레르기(체질)의; 알레르기를 일으키는⦅***to*** …에 대해⦆; ⦅구어⦆ 질색인, 몹시 싫은⦅***to*** …이⦆: an ~ reaction *to* wool 털에 대한 알레르기 반응 / ~ *to* criticism 비평을 아주 싫어하는.

al·ler·gy [ǽlərdʒi] *n.* Ⓒ 〖의학〗 알레르기, 과민성; ⦅구어⦆ 반감, 혐오(antipathy)⦅***to*** …에 대한⦆: an ~ *to* pollen 꽃가루 알레르기 / have an ~ *to* books 책을 아주 싫어하다.

al·le·vi·ate [əlí:vièit] *vt.* 경감하다, 완화하다, 누그러뜨리다.

al·lè·vi·á·tion *n.* **1** Ⓤ 경감, 완화: the ~ of tension(s) 긴장의 완화. **2** Ⓒ 경감〔완화〕하는 것.

al·le·vi·a·tive [əlí:vièitiv, -viə-] *a.* 경감〔완화〕하는, 누그러뜨리는. **—***n.* Ⓒ 경감〔완화〕하는 것.

al·ley** [ǽli] *n.* Ⓒ **1 뒷골목**(back-lane); **좁은 길**, 샛길, 소로(小路); (정원 · 숲 속 등의) 오솔길(shady walk): ⇨ BLIND ALLEY. SYN. ⇨ ROAD. **2** (볼링 등의) 레인(lane); (때로 *pl.*) 볼링장, 유희장. **3** ⦅美⦆ (테니스 코트의) 앨리⦅더블용 코트의 양쪽 사이드 라인과 서비스 사이드 라인 사이의 좁은 공간으로, 복식경기 때는 이 부분까지 코트로 사용함⦆. (right*** 〔***just***〕) ***down*** 〔***up***〕 one***'s*** ~ 〔***street***〕 ⇨ STREET.

álley càt 도둑고양이.

álley·wày *n.* Ⓒ 샛길, 골목길; (건물 사이의) 좁은 통로.

áll-fired *a.* Ⓐ, *ad.* 극단의〔으로〕, 과도한〔하게〕.

Áll Fóols' Dày = APRIL FOOLS' DAY.

áll fóurs (짐승의) 네 발; (인간의) 수족; 〖단수 취급〗 카드놀이의 일종. ***on*** ~ 네 발로 기어.

◇**al·li·ance** [əláiəns] *n.* Ⓤ (구체적으로는 Ⓒ) 동맹(관계); 제휴, 협력; 결혼, 결연⦅***between*** … 간의⦆: a dual 〔triple, quadruple〕 ~ 2국〔3국, 4국〕 동맹 / in ~ with …와 연합〔제휴〕하여 /

make (enter into, form) an ~ with …와 동맹하다; …와 결연하다. ◇ ally *v.*

◇**al·lied** [əláid, ǽlaid] *a.* **1** 동맹한; 연합(제휴)한(《*with, to* …와》); (A–) 연합국의; 관련이 있는: the *Allied* Forces (제 1·2차 대전의) 연합군 / ~ industry 관련 산업. **2** 동류의; 유사한(《*to* …와》): ~ species 동종(同種). ★ 부가어(附加語)인 때 보통 [ǽlaid].

Al·lies [ǽlaiz, əláiz] *n. pl.* (the ~) (제 1·2차 세계 대전 때의) 연합국.

◇**al·li·ga·tor** [ǽligèitər] *n.* **1** Ⓒ 악어의 일종(《미국산》). cf. crocodile. **2** Ⓤ 악어 가죽. **3** Ⓒ 악어 입처럼 생긴 맞물리는 각종 기계.

> **DIAL.** *(See you) later, alligator.* 그럼 또 만나자(《later와 운을 맞춰 alligator를 덧붙인 것; 이 말을 받아 상대방은 After while (, crocodile). 이라고 while과 crocodile의 운을 맞춰 대답함》).

álligator pèar = AVOCADO.

áll-impórtant *a.* 극히 중요한; 꼭 필요한.

áll-ín *a.* Ⓐ 모든 것을 포함한; 전면적인: ~ insurance 전(全)재해 보험 / an ~ 5-day tour 비용 전액 부담의 5일간의 여행.

áll-inclúsive *a.* 모든 것을 포함한, 포괄적인 (comprehensive).

áll-ín wrèstling 자유형 레슬링.

al·lit·er·ate [əlítərèit] 〖운율〗 *vi.* 두운(頭韻)을 밟다. **—***vt.* (어떤 음)을 두운으로 쓰다.

al·lìt·er·á·tion *n.* Ⓤ 두운(頭韻) (《What a *t*ale of *t*error now their *t*urbulency *t*ells! 의 [t]음 따위》). cf. rhyme.

al·lit·er·a·tive [əlítərèitiv, -rətiv] *a.* 두운(체)의(《시 따위》); 두운을 밟는. ㊞ **~·ly** *ad.*

áll-níght *a.* Ⓐ 철야의, 밤새도록 하는: ~ service 철야 영업(운전). ㊞ **~·er** *n.* Ⓒ 《구어》 밤새껏 계속되는 것(《회의·경기 따위》); 철야 영업소.

al·lo·cate [ǽləkèit] *vt.* **1** 배분하다, 배당하다(《*among, between* …간에; *to* …에게》): ~ the money *among* the three 세 사람에게 그 돈을 배분하다. **2** (일·임무 등)을 할당하다(《*to* (아무)에게》): He ~*d* their duties *to* his employees. 그는 종업원에게 임무를 할당했다. **3** (장소·자금 등)을 배정하다(《*for* …을 위해서》): ~ funds *for* housing 자금을 주택 건설에 배정하다. cf. allot.

àl·lo·cá·tion *n.* **1** Ⓤ 할당, 배당; 배치; 〖컴퓨터〗 배정. **2** Ⓒ 할당된 것; 할당액(양).

al·lo·morph [ǽləmɔ̀ːrf] *n.* Ⓒ 〖언어〗 이형태(異形態).

al·lo·path·ic [æ̀ləpǽθik] *a.* 〖의학〗 대증 요법의. ㊞ **-i·cal·ly** *ad.*

al·lop·a·thy [əlápəθi/əlɔ́p-] *n.* Ⓤ 〖의학〗 대증 요법. ↔ *homeopathy.*

al·lo·phone [ǽləfòun] *n.* Ⓒ 〖음성〗 이음(異音)(《동일한 음소(音素)에 속하는 다른 음; 예를 들면 *l*ark의 [l]과, coo*l*의 [l]은 음소 [l]에 속하는 이음》). cf. phoneme.

áll-or-nóne, -nóthing *a.* 절대적인, 과단성 있는, 전부가 아니면 아예 포기하는.

***al·lot** [əlát/əlɔ́t] (*-tt-*) *vt.* **1** 《~+목/+목+목/+목+전+명》 **할당하다**, 충당하다(《*to* (아무)에게; *for* …을 위해》): We ~*ted* each speaker an hour. = We ~*ted* an hour *to* each speaker. 우리는 각 연사에게 한 시간씩 할당하였다 / ~ money *for* a new park 새 공원 몫으로 돈을 충당하다. **2** 《+목+전+명》 분배하다(《*to, among* (아무)에게》): His legacy was ~*ed among* the three. 그의 유산은 세 사람에게 분배되었다.

al·lót·ment *n.* **1** Ⓤ 분배, 할당; Ⓒ 배당, 몫. **2** Ⓒ 《美》 특별 수당; 《英》 분할 대여된 농지.

al·lo·trope [ǽlətròup] *n.* Ⓒ 〖화학〗 동소체(同素體).

al·lot·ro·py, al·lot·ro·pism [əlátrəpi/əlɔ́t-], [-pìzəm] *n.* Ⓤ 〖화학·광물〗 동소체(同素體), 동질 이형(同質異形).

áll-óut *a.* Ⓐ 《구어》 전력을 다한; 철저(완전)한, 전면적인: (an) ~ war 총력전, 전면 전쟁 / an ~ effort 최선의 노력.

áll·óver *a.* Ⓐ 전면적인; (자수 따위의 장식 무늬가) 전면을 덮는.

⁑**al·low** [əláu] *vt.* **1** 《~+목/+목+전+명/+목+*to* do》 **허락하다**, 허가(허용)하다(permit): Smoking is not ~*ed.* 금연입니다 / No swimming ~*ed.* 수영 금지 / Customers are not ~*ed behind* the counter. 손님은 카운터 뒤에 들어가지 못한다 / My father won't ~ me *to* ride a motorcycle. 아버지는 내가 오토바이 타는 것을 허락지 않는다 / I cannot ~ you *to* behave like that. 네가 그런 행동을 하도록 놔둘 수는 없다. **2** 《+목+목》 〖~ oneself〗 방임하다; 빠지다: He ~*s* him*self* 10 cigarettes a day. 그는 하루에 담배를 열 대 피운다. **3** 《+목+목/+목+전+명》 (돈·시간 따위)를 주다(《*to* (아무)에게》): He ~*s* his son 5 dollars a month. =He ~*s* 5 dollars a month *to* his son. 그는 아들에게 한 달에 5달러씩 준다. **4** 《+목+전+명》 (이자)를 붙이다(《*on* (예금)에》): What interest is ~*ed on* time deposits? 정기 예금의 이자는 얼마입니까. **5** 《~+목/+목 +*to be* 보/+*that* 절》 **인정하다**, 승인하다(admit): ~ a claim 요구를 받아들이다 / I ~ him *to be* a genius. = I ~ *that* he is a genius. 과연 그는 천재다. **6** 《+목+전+명》 (시간·비용 따위)의 여유를 헤아려두다, 작량(酌量)하다(《*for* …을 위해》): ~ an hour *for* changing trains 열차를 갈아타는 데 한 시간의 여유를 고려해 두다 / ~ 50 dollars *for* travel expenses 여행 경비로 50달러를 잡다. **7** 《+목+전+명》 (계산에서) 공제하다, 할인하다, 값을 깎다(《*for* …을 예상하여》): We can ~ 5% *for* cash payment. 현금이면 5퍼센트 할인합니다.

—*vi.* **1** 《+전+명》 …의 **여지를 남기다**; 허락하다(《*of* …을》): ~ *of* no delay 일각의 지체도 허락되지 않다 / This rule ~*s of* no exception. 이 규칙에는 예외가 인정되지 않는다. **2** 《+전+명》 **고려하다**, 참작하다(《*for* …을》): You must ~ *for* his youth. 그가 젊다는 것을 감안하여야 합니다 / We must ~ *for* him (his) being late. 그가 늦는 것을 고려해야 한다. ◇ allowance *n.*

> **DIAL.** *Allow me to* do. 실례지만 …하게 해주십시오: *Allow me to* introduce to you my friend Mr. Smith. 친구 스미스씨를 소개합니다(《격식을 차려 소개할 때; 보통은 Let me introduce … 라고 함》).

al·lów·a·ble *a.* 허용할(승인될) 수 있는; 지장 없는. **—***n.* Ⓒ 허용된 것; 석유 산출 허용량. ㊞ **-bly** *ad.*

***al·low·ance** [əláuəns] *n.* **1** Ⓒ (정기적으로 지급 하는) **수당**, 급여, …비; (가족에게 주는) 용돈(《英》 pocket money): a clothing (family) ~ 피복(가족) 수당 / a retiring ~ 퇴직 수당 / a

lodging ~ 숙박료/a yearly ~ 세비(歲費)/What's your ~?—Ten dollars a week. 용돈이 얼마나 되니 — 일주일에 10달러야. **2** [U] (또는 *pl.*) 참작, 재량. **3** [C] 공제; 할인.
make* 〔*make no*〕 ~(*s*) *for …을 고려에 넣다 〔넣지 않다〕, …을 참작하다〔참작하지 않다〕: *make* ~ *for* youth 젊음을 고려해 주다. ◇ allow *v.*

al·lów·ed·ly [-idli] *ad.* 당연히, 명백히.

°**al·loy** [ǽlɔi, əlɔ́i] *n.* [U] (종류·낱개는 [C]) 합금: Brass is an ~ of copper and zinc. 황동은 구리와 아연의 합금이다.
— [əlɔ́i] *vt.* **1** 합금하다(mix)《***with*** …와》: ~ silver *with* copper 은과 동을 합금하다. **2** …의 품질을 떨어뜨리다(debase)《***with*** …을 섞어》.

áll-pòints búlletin 전국 지명 수배《생략: APB》.

áll-pówerful *a.* 전능의, 전능한: They denied the existence of an ~ God. 그들은 전능한 신의 존재를 믿지 않았다.

áll-púrpose *a.* [A] 다목적(용)의; 만능의: an ~ car 만능차《지프 등》.

áll-róund *a.* 《英》 = ALL-AROUND.

áll-róunder *n.* [C] 다재다능한 사람; 만능 선수 (all-arounder).

Áll Sáints' Dày 【가톨릭】 모든 성인의 날《11월 1일》.

Áll Sóuls' Dày 【가톨릭】 위령의 날; 【성공회】 제령일(諸靈日)《죽은 독신자(篤信者)의 영혼제; 11월 2일》.

all·spice [ɔ́:lspàis] *n.* **1** [C] 【식물】 올스파이스 나무《서인도산(産)》; 그 열매. **2** [U] 올스파이스 향신료(pimento).

áll-stàr *a.* [A] 인기 배우 총출연의; 인기 선수 총출전의: an ~ cast 명배우 총출연.

áll-terrain véhicle 전지형차(全地形車)《생략: ATV》.

áll-tìme *a.* [A] 공전의, 전례 없는: an ~ high 〔low〕 최고〔최저〕 기록/an ~ team 사상 최고의 팀.

°**al·lude** [əlú:d] *vi.* 언급하다; (넌지시) 비추다, 암시하다《***to*** …에 대하여》: ~ *to* the problem 그 문제에 대해 언급하다/He often ~*s* *to* his poverty. 그는 곧잘 자기의 가난을 내비치곤 한다. ◇ allusion *n.*

áll-up wéight 【항공】 (공중에서의 비행기의) 전비(全備) 중량.

°**al·lure** [əlúər] *vt.* 꾀다, 부추기다, 유혹하다, 매혹시키다《***into*** …으로/***to*** do》: This little islands ~*d* me. 이 작은 섬들이 나를 매혹시켰다/~ people *to* buy 사람들을 부추겨 사게 하다/Her wealth ~*d* him *into* matrimony. 그는 그녀의 재산에 혹해 결혼하게 되었다. [SYN.] ⇨LURE. —*n.* [U] (또는 an ~) 매력, 매혹.

al·lúre·ment *n.* **1** [U] 매력; 매혹, 유혹. **2** [C] 유혹〔매혹〕하는 것: the ~*s* of a big city 대도시의 유혹.

°**al·lur·ing** [əlú(:)riŋ] *a.* 유혹하는, 매혹적인 (fascinating): an ~ dress 매혹적인 의상.
[파] **~·ly** *ad.*

°**al·lu·sion** [əlú:ʒən] *n.* [U] (구체적으로는 [C]) **1** 암시, 변죽울림, 빗댐; 언급《***to*** …에의》: in ~ *to* … 암암리에 …을 가리켜/She made an ~ *to* his lack of education. 그 여자는 그의 교육 부족을 넌지시 비추었다. **2** 【수사학】 인유(引喩). ◇ allude *v.*

al·lu·sive [əlú:siv] *a.* 넌지시 비추는〔언급하는〕《***to*** …을》; 인유(引喩)가 많은《시 따위》: a remark ~ *to* his conduct 그의 행동을 넌지시 언급한 말. ◇ allude *v.*
[파] **~·ly** *ad.* **~·ness** *n.*

al·lu·vi·al [əlú:viəl] *a.* 【지질】 충적(沖積)의, 퇴적 토사의: the ~ epoch 충적세(世)/~ gold 사금/an ~ plain 충적 평야.

al·lu·vi·um [əlú:viəm] (*pl.* **~*s*, *-via*** [-viə]) *n.* [U] (구체적으로는 [C]) 【지질】 충적층(層), 충적토.

áll-wèather *a.* 전천후(全天候)의《비행기·도로 따위》; 내수(耐水)성의: an ~ aircraft 〔fighter〕 (탐색 레이더를 장치한) 전천후 비행기〔전투기〕/an ~ paint 내수 페인트.

*__al·ly__ [əlái, ǽlai] *vt.* 《+[목]+[전]+[명]》 **1** 〖~ oneself 또는 수동태〗 **동맹〔연합〕하다**《***with*** …와》: Russia *allied* itself *to* France. 러시아는 프랑스와 동맹을 맺었다/Great Britain *was allied with* the United States during World War II. 제2차 세계대전 중에 영국은 미국과 동맹을 맺고 있었다. **2** 〖보통 수동태〗 결합시키다; 동류에 속하게 하다《***to*** …와》: Coal *is* chemically *allied to* diamond. 석탄은 화학적으로 다이아몬드와 동류이다. —*vi.* 동맹〔연합·제휴〕하다.
— [ǽlai, əlái] *n.* **1** [C] **동맹국〔자〕**, 협력자, 자기 편. **2** (the Allies) (세계대전 중의) 연합국. [cf.] alliance.

al·ma ma·ter [ǽlmə-má:tər, -méitər] 《L.》 (= fostering mother) 모교(母校), 출신교; (보통 A- M-) 《美》 모교의 교가.

°**al·ma·nac** [ɔ́:lmənæ̀k] *n.* [C] 달력, (상세한) 역서(曆書); 연감(yearbook).

‡**al·mighty** [ɔ:lmáiti] *a.* **1** (종종 A-) **전능한**: *Almighty* God = God *Almighty* 전능하신 하느님. **2** [A] 《구어》 굉장한; 극단의, 대단한: an ~ mistake 터무니없는 잘못. —*n.* (the A-) 전능자, 신(God). —*ad.* 《美구어》 대단히, 무척: be ~ glad 무척 기쁘다. [◂all+mighty]
[파] **al·míght·i·ness** *n.*

°**al·mond** [á:mənd, ǽlm-] *n.* [C] 【식물】 편도(扁桃), [C] (음식은 [U]) 아몬드《열매·나무》.

álmond-èyed *a.* 편도(扁桃) 모양의 눈을 가진 《몽고족의 특징》.

al·mon·er [ǽlmənər, á:m-] *n.* [C] 《英고어》 (병원의) 사회 사업부원《★ 현재는 medical social worker 라고 부름》.

†**al·most** [ɔ́:lmoust, ˌ–ˊ] *ad.* **1** 거의, 거반, 대체로: *Almost* everyone 〔everybody〕 (laughed). 거의 모든 사람이(웃었다)/He comes here ~ every day. 그는 여기 거의 매일 오다시피 한다/Recovery was ~ impossible. 회복은 거의 불가능했다/He is ~ a professional. 그는 거의 전문가에 가깝다/He ~ fell. 그는 거의 쓰러질 뻔했다/We have ~ finished our work. 일을 거반 끝냈다. ★ nearly 보다 뜻이 강함.
2 〖never, no, nothing 따위의 앞에서〗 거의 … (않다): It ~ *never* rains here. 이 곳은 거의 비가 오지 않는다/*Almost no* one believed her. 거의 아무도 그녀를 믿지 않았다/There was ~ *nothing* left. 거의 아무것도 남아 있지 않았다.

[NOTE] (1) almost never 〔no, nothing〕과 같은 뜻으로 흔히 hardly 〔scarcely〕 ever 〔any, anything〕가 쓰이기도 한다: He knows *hardly anything* about it. 그는 그것에 관해서 거

의 아무것도 모른다.
(2) **almost**와 **most**는 해석상·작문상 혼동하기 쉬우므로 주의할 것: *Almost all* students like sports. = *Most* students like sports. His books are *mostly* useless. (그의 책은 대부분 쓸모가 없다) ≠His books are *almost* useless. (그의 책은 거의 무익하다)/He *almost* succeeded. (그는 거의 성공할 뻔했다) ≠He *almost* always succeeded. (그는 거의 언제나 성공했다).

3 〖한정용법의 형용사처럼 쓰여〗 거의 …라고 할 수 있는: his ~ impudence 거의 뻔뻔스럽다 해도 무방할 그의 태도.

alms [ɑːmz] (*pl.* ~) *n.* Ⓒ 보시(布施); 의연금: ask for (an) ~ 적선(積善)을 구하다/live by ~ 구호물로 살아가다.

álms·gìver *n.* Ⓒ 시주(施主), 자선가.

álms·gìving *n.* Ⓤ (금품을) 베풂, 자선.

álms·hòuse *n.* Ⓒ 《英》 (옛날의) 사설(私設) 구빈원.

al·oe [ǽlou] (*pl.* ~**s** [-z]) *n.* **1** Ⓒ 〖식물〗 알로에, 노회(蘆薈). **2** (*pl.*) 〖단수취급〗 노회즙《하제(下劑)》. **3** Ⓒ 〖식물〗 용설란(American ~, the century plant).

°**aloft** [əlɔ́(ː)ft, -lɑ́-] *ad.* 위에, 높이; 〖항해〗 돛대·활대 등 높은 곳에, 돛대 꼭대기에: take passengers ~ (비행기가) 승객을 태우고 날아오르다.

alo·ha [əlóuhə, ɑːlóuhɑː] *n.* Ⓒ (송영(送迎)의) 인사. —*int.* 와 주셔서 반갑습니다; 안녕히 계시오〔가시오〕. —*a.* 친한, 환영하는. ★ 하와이 말로 '사랑'의 뜻.

alóha shìrt 알로하 셔츠.

†**alone** [əlóun] *a.* **1** Ⓟ **다만 혼자인**, 고독한; 단독인, 고립한《*in* …에 있어서》: They were ~. 그들뿐이었다/I want to be ~. 혼자 있고 싶다/He is not ~ *in* this opinion. 이런 의견을 가진 사람은 그만이 아니다.
2 〖명사·대명사 뒤에서〗 다만 …뿐, …일 뿐 (only): Man shall not live by bread ~. 〖성서〗 사람은 빵만으로 사는 것은 아니다.

SYN. **alone** 단독임을 가리키는 색채 없는 말. 다만, all *alone* '전혀 혼자'로 되면 감정적 색채를 띰. **solitary** alone과 같은 뜻인데, 동료·동무가 없음이 강조됨: a *solitary* pine tree in the meadow 목장에 외로이 서 있는 소나무. **lonely** 고독의 쓸쓸함이 내포됨: feel *lonely* 외로워하다. **lonesome** 동아리·동무를 그리는 마음, 특히 특정 개인에의 동경 따위를 나타냄: The child is *lonesome* for its mother. 어린이는 엄마를 보고 싶어한다.

leave* 〔*let*〕 ... ~** …을 홀로 놔두다; …을 (그냥) 내버려두다: *Leave* me ~. 나 좀 내버려두게; 옆에서 (말)참견하지 말게/*Let* me ~ for that. = *Let* me ~ to do that. 그 일일랑 내게 맡겨 두게. ***Leave* 〔*Let*〕 *well* ~.** 《속담》 긁어 부스럼 만들지 마라. ***let* 〔*leave*〕 ~** …은 말할 것도 없고, …은 고사하고; 〖부정문 뒤에서〗 황차 (…않다): He was too tired to walk, *let* ~ run. 달리기는 고사하고 걸을 수도 없을 만큼 지쳤다/It takes up too much time, *let* ~ the expenses. 비용은 말할 것도 없고 시간도 많이 걸린다/He can't read, *let* ~ write. 그는 쓰기는커녕 읽지도 못한다. ***stand* ~ *in …에서는 겨룰 자가 없다.
—*ad.* **홀로**, 단독으로; 남의 힘을 빌리지 않고: You cannot do it ~. 혼자 힘으론 못 한다.

***go it* ~** 남에게서 원조〔보호〕를 받지 않고 혼자서〔자력으로〕 행하다〔살아가다〕. ***not* ~ *but* (*also*)** ⇨NOT.

†**along** [əlɔ́ːŋ/əlɔ́ŋ] *prep.* **1** …**을 따라**, …을 끼고: walk ~ the street 가로를 따라 걷다. SYN. ⇨ACROSS. **2** …동안에, …하는 도중에: I met him ~ the way to school. 등교 도중에 그를 만났다/Somewhere ~ the way I lost my hat. 도중 어디에선가 모자를 잃어버렸다. **3** (방침 따위)에 따라서: ~ the following lines 아래 방법으로. ~ ***here* 〔*there*〕** 이쪽〔저쪽〕으로.
—*ad.* **1** 〖보통 ~ by로〗 따라, (따라) 죽: There is a narrow path running ~ *by* the cliff. 벼랑 가를 따라 좁은 길이 나 있다. **2** **전방으로**, 앞으로: Move ~, please! (서지 말고) 앞으로 나가 주세요/Hurry ~ or you'll be late. 서둘러 가지 않으면 늦는다. **3** 잇달아: pass news ~ 잇달아 뉴스를 전하다. **4** 《美》 〖흔히 about를 수반하여〗 (시간·연령 등이) 대개; 〖흔히 far, well 등을 수반하여〗 (시간·일 등이) 진행되어: ~ *about* 7 o'clock 대개 7시 경에/be *far* ~ 많이 진척되어 있다/The night was *well* ~. 밤이 꽤 깊었다. **5** 함께, 데리고〔가지고〕, 동반하여: She took her brother ~. 그녀는 동생을 데리고 갔다. **6** 《구어》 여기〔거기〕에, 와서, 가서: He will be ~ in ten minutes. 그는 10분 있으면 올 것이다/I'll be ~ soon. 곧 갑니다.

NOTE 이 부사는 by, with 따위의 '병렬·공존'을 나타내는 전치사, come, go, move, walk, take, bring 그 밖에 '진행의 동작'을 수반하는 동사의 강조로서, 또는 어조를 고르게 하기 위해 쓰임: cottages *along* by the lake 호숫가에 늘어선 별장들. Come *along*. 자 오너라.

all* ~** (그 동안) 죽, 내내, 줄곧, 처음부터: He knew it *all* ~. 그는 그것을 처음부터 알고 있었다. ~ ***with …와 함께, 동반하여, …와 협력하여, …외에도: He went ~ *with* her. 그는 그녀와 함께 갔다/He planned the project ~ *with* his colleagues. 그는 동료들과 협력하여 그 계획을 짰다.

alóng·shóre *ad.* 연안을 끼고, 해안〔강가〕 가까이에.

alóng·síde *ad.*, *prep.* (…와) 나란히, (…의) 곁〔옆〕에〔을〕; (…에) 가로〔옆으로〕 대어; (…의) 뱃전에: lie ~ the pier 선창에 대다.
~ ***of*** …와 나란히; …와 함께; …와 견주어.

°**aloof** [əlúːf] *ad.* 멀리 떨어져, 멀리《*from* …에서》: keep 〔hold, stand〕 ~ (*from* others) (다른 사람들에게서) 멀리 (떨어져) 있다. —*a.* 멀리 떨어진; 무관심한, 초연한, 냉담한.
㊔ ~·**ly** *ad.* ~·**ness** *n.*

al·o·pe·cia [ӕləpíːʃiə] *n.* Ⓤ 〖의학〗 탈모증, 독두병(禿頭病).

‡**aloud** [əláud] *ad.* **1** **소리를 내어**《읽다 따위》. ¶read ~ 소리를 내어서 읽다/think ~ 생각하면서 혼자 중얼거리다. SYN. ⇨LOUD. **2** 큰 소리로 《보통 다음 구 이외는 《고어》》: cry 〔shout〕 ~ 큰 소리로 외치다.

alow [əlóu] *ad.* 〖항해〗 선저(船底)에〔로〕; 아래쪽에〔으로〕. ↔ *aloft*. ¶~ and aloft (갑판의) 위나 아래나, 어디에나(everywhere). [◂ *a*-(=on)+*low*]

alp [ælp] *n.* Ⓒ 높은 산, 고산(高山)《특히 스위스의》: ~*s* on ~*s* 연이어 있는 고봉(高峯); 중첩

한 난관.

al·paca [ælpǽkə] *n.* **1** [C] 〖동물〗 알파카《남아메리카 페루산(產) 야마의 일종》. **2** [U] 알파카의 털(로 짠 천); [C] 그 천으로 만든 옷.

al·pen·horn [ǽlpənhɔ̀ːrn] *n.* [C] 알펜혼(alphorn)《스위스의 목동 등이 쓰는 2 m 이상 되는 긴 나무피리》.

al·pen·stock [ǽlpənstɑ̀k/-pinstɔ̀k] *n.* [C] 등산용 지팡이.

al·pha [ǽlfə] *n.* **1** [U] (구체적으로는 [C]) 그리스 알파벳의 첫 글자《A, α; 로마자의 a에 해당》. **2** [U] (구체적으로는 [C]) 제1 위의 것, 제일, 처음; 《英》 (학업 성적의) A: ~ plus (학업 성적이) A⁺. **3** (A-) 〖천문〗 별자리 중의 빛이 가장 강한 별.
~ and omega (the ~) 처음과 끝; 주요소.

‡**al·pha·bet** [ǽlfəbèt/-bit] *n.* **1** [C] **알파벳**, 자모; 〖컴퓨터〗 영문자: a phonetic ~ 음표 문자/the Roman ~ 로마자. **2** (the ~) 초보, 입문.

al·pha·bet·ic, -i·cal [æ̀lfəbétik], [-əl] *a.* 알파벳의; 알파벳순의〔을 쓴〕; 〖컴퓨터〗 영문자의: in ~ order 알파벳순으로. [파] **-i·cal·ly** *ad.*

al·pha·bet·ize [ǽlfəbitàiz] *vt.* 알파벳순으로 하다; 알파벳으로 표기하다.

álphabet sóup 알파벳 글자 모양의 국수가 든 수프; (특히 관청의) 약어《FBI 따위》.

álpha chánnel 〖컴퓨터〗 알파 채널《포토샵에서 이미지를 처리할 때 기본 채널에 추가로 채널을 더 만들어서 이미지 처리에 효과적으로 이용하는 것》.

àlpha·numéric, al·pha·mer·ic [æ̀lfəmérik] *a.* 문자와 숫자를 짜맞춘; 〖컴퓨터〗 수문자의《문자와 숫자를 다 처리할 수 있는, 문자 숫자식(式)의》.

álpha pàrticle 〖물리〗 알파 입자.

álpha rày 〖물리〗 알파선(線).

álpha rhýthm 〖생리〗 (뇌파의) 알파 리듬.

álpha wàve 〖생리〗 (뇌파의) 알파파.

alp·horn [ǽlphɔ̀ːrn] *n.* =ALPENHORN.

°**al·pine** [ǽlpain, -pin] *a.* **1** 높은 산의; 극히 높은; 〖생태〗 고산성(高山性)의: an ~ club 산악회/~ plants 고산 식물/the ~ flora 고산 식물상(相). **2** (A-) 알프스 산맥의. **3** (종종 A-) 〖스키〗 알파인의: *Alpine* events 알파인 종목《활강·회전·대회전》.

ál·pin·ist *n.* [C] 등산가; (종종 A-) 알프스 등산가.

***Alps** [ælps] *n. pl.* (the ~) **알프스 산맥.**

†**al·ready** [ɔːlrédi] *ad.* **1 이미**, 벌써: I have ~ read the book. 그 책은 벌써 읽었다/He has ~ gone home. 그는 벌써 집에 돌아갔다.

> [NOTE] 의문문·부정문에서는 일반적으로 yet을 쓰나, yet 대신 already를 쓰면 놀라움을 나타냄(⇨2).

2 《놀라움 따위를 나타내어》 **a** 벌써, 이렇게 빨리: Is he back~? 그가 벌써 돌아왔어《뜻밖이다》. **b** 《부정문에서》 설마: She is*n't* up ~, is she? 설마 그녀가 벌써 일어나지는 않았겠지요.

al·right [ɔːlráit] *ad., a.* 《속어》 =ALL RIGHT 《광고·만화에서》.

Al·sa·tian [ælséiʃən] *n.* [C] 독일종 셰퍼드.

†**al·so** [ɔ́ːlsou] *ad.* …**도 또한**, 역시, 똑같이: I ~ went. 나도 갔다/He saw it ~. 그도 그것을 보았다, 그는 그것도 보았다/They ~ agreed with me. 그들도 또한 나와 같은 의견이었다. [SYN.] ⇨TOO.
not only ... but ~ ⇨NOT (관용구).
—*conj.* 《구어》 그 위에. [◂all+so]

álso-ràn *n.* [C] (경마에서) 등외로 떨어진 말; 낙선자; 실격 선수; 실패자; 낙오자, 하잘것없는 존재.

ALT, Alt [ɔːlt] 〖컴퓨터〗 alternate key. **alt.** alternate; altitude; alto.

Al·ta·ic [æltéiik] *n.* [U], *a.* 알타이 어족(의); 알타이 산맥의.

Áltai Móuntains (the ~) 알타이 산맥.

Al·tair [æltέər, -táiər] *n.* 〖천문〗 견우성《독수리자리의 주성(主星)》.

***al·tar** [ɔ́ːltər] *n.* [C] **제단**; 제대(祭臺); (교회의) 성찬대. ≠alter.
lead a woman ***to the*** ~ 여자를 아내로 삼다, (특히 교회에서) 여자와 결혼하다.

áltar bòy (미사 따위를 드릴 때의) 사제의 복사(服事).

áltar·pìece *n.* [C] 제단의 뒤편·위쪽의 장식《그림·조각·병풍 따위》.

áltar ràil 성체배령대《교회 제단 앞의 난간》.

‡**al·ter** [ɔ́ːltər] *vt.* **1** 《~+[목]/+[목]+[전]+[명]》 (모양·성질 등)을 **바꾸다**, 변경하다; (집)을 개조하다; (옷)을 고쳐 짓다, (기성복의) 치수를 고치다: ~ one's course 방침을 바꾸다/~ a house *into* a store 집을 가게로 개조하다/~ one's opinion 의견을 바꾸다/That ~*s* the case. 그러면 이야기가 달라진다. [SYN.] ⇨CHANGE. **2** 《美》 (동물)을 거세(去勢)하다; …의 난소를 제거하다.
—*vi.* **변하다**, 바뀌다, 고쳐지다: ~ for the better〔worse〕 개선〔개악〕하다, 좋아〔나빠〕지다. ≠altar. ◇alteration *n.*
[파] **ál·ter·able** *a.* 바꿀〔고칠〕 수 있는.

°**al·ter·a·tion** [ɔ̀ːltəréiʃən] *n.* [U] (구체적으로는 [C]) 변경, 개변(改變); 개조: make an ~ on … 을 변경하다. ◇alter *v.*

al·ter·cate [ɔ́ːltərkèit] *vi.* 언쟁〔격론(激論)〕하다《*with* …와》.

àl·ter·cá·tion *n.* [U] (구체적으로는 [C]) 언쟁, 격론《*with* …와의》: I had an ~ *with* him. 나는 그와 언쟁을 했다.

al·ter ego [ɔ́ːltəríːgou, -égou, ǽl-/ǽl-] **1** 분신(分身), 또 하나의 자기. **2** (둘도 없는) 친구.

***al·ter·nate** [ɔ́ːltərnit, ǽl-] *a.* **1 번갈아 하는**, 교호(交互)의, 교체〔교대〕의: ~ hope and despair 일희일우(一喜一憂)/a week of ~ snow and rain 눈과 비가 번갈아 내린 한 주간. **2** 서로 엇갈리는, 하나 걸러의: on ~ days 하루 걸러, 격일로. **3** 〖식물〗 호생(互生)의: ~ leaves 호생엽(互生葉), 어긋나기잎.
—*n.* [C] 《美》 (미리 정해 놓은) 대리인, 교체자; 보결, 보충 요원; 대역(代役); 〖컴퓨터〗 교체.
—[ɔ́ːltərnèit, ǽl-] *vi.* **1** 《~/+[전]+[명]》 번갈아 일어나다〔나타나다〕, **교체**〔**교대**〕**하다**; 엇갈리다 《*with* …와; *between* …간에》: Joy and grief ~ in my breast. =I ~ *between* joy and grief. 내 심중은 희비가 엇갈리고 있다/Day ~*s with* night. 낮과 밤이 번갈아 온다/~ *between* laughter and tears 웃다가 혹은 울다가 하다. **2** 〖전기〗 교류하다. —*vt.* 《~+[목]/+[목]+[전]+[명]》 교체〔교대〕시키다; 번갈아〔갈마들어〕 사용하다 《*with* …와》: ~ encouragement and 〔*with*〕 caution 원기를 북돋우거나 주의하거나 하다.

álternate kéy 〖컴퓨터〗 교체 키, 알트 키.

°**ál·ter·nate·ly** *ad.* 번갈아, 교대로; 하나 걸러.

álternate róute 〖컴퓨터〗 교체 경로《데이터 통신에서 주경로의 접속이 불가능할 때 쓰는 부경로》.

ál·ter·nàt·ing *a.* 교호의; 교체하는; 〖전기〗 교류의.

álternating cúrrent 〖전기〗 교류《생략: A.C., a.c.》.

àl·ter·ná·tion *n.* Ⓤ (구체적으로는 Ⓒ) 교호, 교대, 교체; 하나 거름; 〖수학〗 교대 수열(數列); 〖전기〗 교번, 교류: the ~ of day and night 낮과 밤의 교체 / ~ of generations 〖생물〗 세대 교체.

***al·ter·na·tive** [ɔːltə́ːrnətiv, æl-] *n.* Ⓒ **1** (보통 the ~) (둘 중, 때로는 셋 이상에서) **하나를 택할 여지〔자유〕, 양자〔삼자〕택일**: You have the ~ of fruit or cake. 과일이든 과자든 좋다《양쪽 다는 안 됨》/ We are faced with the ~ of resistance or slavery. 우리는 저항이냐 예속이냐의 양자택일에 직면해 있다.
2 (둘 중) 선택될 수 있는 것; (하나가) 선택될 양자: The ~*s* are liberty and death. 자유냐 죽음이냐 둘 중 하나다.
3 달리 택할 길, 다른 방도, **대안**《*to* …의》: The ~ *to* submission is death. 항복 외의 다른 방도는 죽음뿐이다.
—*a.* **1 양자〔삼자〕택일의**: the ~ courses of life or death 생사의 두 갈림길.
2 대체되는, 대신의: an ~ plan 대안 / ~ energy sources = ~ sources of energy 대체 에너지원 / We have no ~ course. 달리 수단이 없다.
3 전통적〔관례적〕이 아닌; 새로운: an ~ newspaper 신문에 대한 개념을 바꿔 놓게 될 신문. ◇ alternate *v.*
㊞ **~·ly** *ad.* 양자택일로; 대신으로.

altérnative conjúnction 〖문법〗 선택 접속사《or, either ... or 등》.

altérnative quéstion 선택 의문(문)《보기: Is this a pen or a pencil?》.

al·ter·na·tor [ɔ́ːltərnèitər, ǽl-] *n.* Ⓒ 〖전기〗 교류(발전)기.

al·tho [ɔːlðóu] *conj.* 《美》 = ALTHOUGH.

alt·horn [ǽlthɔ̀ːrn] *n.* Ⓒ 〖음악〗 알토호른(alto horn)《고음(高音)의 취주악기용 금관악기》.

†**al·though** [ɔːlðóu] *conj.* **비록 …일지라도, …이긴 하지만,** …이라 하더라도: *Although* he is rich, he is not happy. 그는 부자지만 행복하지는 않다 / He is active ~ he is very old. 그는 늙었으나 정력이 왕성하다.

> **NOTE** (1) although는 though와 같은 뜻이지만, 격식 갖춘 어구로 주절에 앞서는 절에 흔히 쓰이며, as though, even though, what though ...? 따위의 관용구 중의 though 대신으로는 쓸 수 없음.
> (2) 구어적으로 '그렇지만'을 문미에 둘 때에는 although는 쓸 수 없음: It's very good.— It's expensive, *though*. 아주 좋다—그렇지만 비싸다.
> (3) although가 이끄는 절과 주절의 주어가 같을 때에는 그 주어와 be 동사를 생략하는 수도 있음: *Although* old, he's quite strong.
> (4) although, though가 이끄는 절이 문두에 올 때, 그 뜻을 강조하거나 관계를 명확하게 하기 위하여 yet를 쓸 수 있음: *Although* I've not known him long, *yet* have I come to admire him. 오래 사귀지는 않았지만 그러나 나는 그에게 감복했다.

al·tim·e·ter [æltímitər, ǽltəmìːtər] *n.* Ⓒ 고도 측량기; 〖항공〗 고도계.

◇**al·ti·tude** [ǽltətjùːd] *n.* **1** Ⓤ (구체적으로는 Ⓒ) (산·비행기 따위의 지표에서의〔해발의〕) 높이, 고도, 표고(標高): an ~ flight 〔record〕 고도 비행〔기록〕/ at an 〔the〕 ~ of = at ~*s* of … 의 고도로. **2** Ⓒ (보통 *pl.*) 높은 곳, 고지, 고소: mountain ~*s* 높은 산마루. **3** Ⓒ 〖천문〗 (천체의) 고도.

áltitude sìckness 고공〔고산〕병.

ALT 〔Ált〕 kèy [ɔ́ːlt-] 〖컴퓨터〗 알트 키, 교체 키(alternate key).

al·to [ǽltou] (*pl.* **~s**) 《It.》 〖음악〗 *n.* **1** Ⓤ 알토, 중고음(中高音)《남성 최고음(부), 여성 저음(부)》; Ⓒ 알토 음성. **2** Ⓒ 알토 가수〔악기〕.
—*a.* 알토의: an ~ solo 알토 독창.

álto clèf 〖음악〗 알토 음자리표《제3선의 '다' 음자리표; C clef》.

⁑**al·to·geth·er** [ɔ̀ːltəgéðər, ˊ-ˋ-] *ad.* **1 아주,** 전혀, 전연(entirely): ~ bad 아주 나쁜 / The troop was ~ destroyed. 부대는 전멸했다. **2 전부,** 합계하여: How much ~? 전부 얼마냐. **3** 대체적으로, 전체적으로, 대략: That is not ~ false. 전혀 거짓말만은 아니다. ★ not와 함께 쓰면 부분부정이 됨. **4** 일괄하여, **요컨대**: *Altogether*, I see nothing to regret. 결국에 있어 유감스런 점은 아무것도 없다.
taken **~** 전체로 보아, 대략, 요컨대.

> **DIAL.** ***Do you trust her?—No. Not altogether.*** 그 여자를 믿는가—아니, 전적으로 믿지는 않네.
> ***How much is it altogether?—It'll come to 20,000 won in all.*** 이거 다 얼마지요—모두 2만 원 되겠습니다.

—*n.* (the ~) 《구어》 나체, 벌거숭이: swim in the ~ 알몸뚱이로 헤엄치다.

álto hórn = ALTHORN.

álto-relíevo (*pl.* **~s**) *n.* Ⓤ (낱개는 Ⓒ) 두드러진 양각(陽刻), 높은 돋을새김(high relief). ↔ *bas-relief*.

al·tru·ism [ǽltru(ː)ìzəm] *n.* Ⓤ 애타(愛他)〔이타〕주의. ↔ *egoism*.

ál·tru·ist *n.* Ⓒ 애타〔이타〕주의자. ↔ *egoist*.

al·tru·is·tic [æ̀ltruːístik] *a.* 이타주의의, 애타적인. ㊞ **-ti·cal·ly** *ad.*

ALU 〖컴퓨터〗 arithmetic and logic unit (산술(算術) 논리 장치).

al·um [ǽləm] *n.* Ⓤ 〖화학〗 명반(明礬), 황산알루미늄.

alu·mi·na [əlúːmənə] *n.* Ⓤ 〖화학〗 알루미나, 반토(礬土), 산화알루미늄.

◇**al·u·min·i·um** [æ̀ljumíniəm] *n.* 《英》 = ALUMINUM.

alu·mi·nize [əlúːmənàiz] *vt.* …에 알루미늄을 입히다.

alu·mi·nous [əlúːmənəs] *a.* 명반(明礬)의〔을 함유하는〕; 알루미늄의〔을 함유하는〕.

***alu·mi·num** [əlúːmənəm] *n.* Ⓤ 《美》 〖화학〗 **알루미늄**《금속원소; 기호 Al; 번호 13》.

alum·na [əlʌ́mnə] (*pl.* ***-nae*** [-niː]) *n.* Ⓒ 《美》 여자 동창생《ALUMNUS의 여성형》.

alum·nus [əlʌ́mnəs] (*pl.* ***-ni*** [-nai]) *n.* Ⓒ 《美》 (특히 대학의) (남자) 졸업생, 동창생, 교우(校友): an *alumni* association 동창회.

[NOTE] (1) alma mater '기른 어머니→모교' 에 대하여 alum*nus* '길린 (남자) 아이'.
(2) 남녀 혼성의 졸업생의 경우는 남자의 복수형 alumni 를 씀.

al·ve·o·lar [ælvíːələr] *a.* 〖해부〗 치조(齒槽)의; 폐포(肺胞)의; 〖동물〗 포상(胞狀)의; 〖음성〗 치경(齒莖)(음)의: ~ arch 치경/~ consonants 치경음《[t, d, n, s, z] 등》/~ ridge 치조 돌기〔융선(隆線)〕.

al·ve·o·lus [ælvíːələs] (*pl.* **-li** [-lài]) *n.* [C] (벌집 모양의) 작은 구멍; 〖해부〗 치조(齒槽); 폐포(肺胞); 〖동물〗 포(胞): ~ consonants 〖음성〗 치경음《[t, n, l, s] 따위》.

†**al·ways** [ɔ́ːlweiz, -wiz, -wəz] *ad.* **1** 늘, 언제나, 항상; 전부터 (항상): She ~ works hard. 그녀는 언제나 열심히 일한다/He is ~ busy. 그는 언제나 바쁘다/*Always* tell the truth. 언제나 진실을 말하시오. **2** 언제까지나, 영구히: He will be remembered ~. 그는 길이 기억에 남을 것이다. **3** 《진행형과 함께》 줄곧, 노상, 끊임없이: She *is* ~ smil*ing*. 그녀는 항상 생글거린다/He *is* ~ grumbl*ing*. 그는 노상 투덜대고 있다.

[NOTE] (1) always 는 '평소의 습관'을 나타내므로 일반적으로 진행형은 피하는 것이 보통이나 위의 예문에서처럼 continually (줄곧〔끊임없이〕 …하다)와 같은 뜻일 때에는 진행형과 함께 씀. 대개 이 경우는 말하는 이의 불만이나 노여움의 감정이 내포되는 뜻이 됨.
(2) 다음 차이에 주의: always '늘, 항상, 언제고, 언제나'《예외를 예상하지 않음》, usually '보통은, 대개는, 여느 때는'《예외를 예상》: He *always* comes in time. 그는 언제나 때맞추어 온다. ≠He *usually* comes in time (, but today he had a trouble on his way). 그는 여느 때 같으면 제 시간에 오는 것이 보통이다(그런데, 오늘은 도중에 사고가 있었던 것이다).

almost 〔***nearly***〕 **~** 거의 언제나, 대개: His answer is *almost* 〔*nearly*〕 ~ correct. 그의 답은 대개의 경우 맞는다. ★ usually 에 가까움. **~ *excepting*** ⇨ EXCEPTING. ***not ~ ...*** 반드시 …은 아니다〔…라고는 할 수 없다〕《부분 부정》: The rich are *not* ~ happy. 부자라고 해서 반드시 행복하다고는 할 수 없다.

[NOTE] not necessarily 와 서로 바꿔 쓸 수 있는 경우가 많으나, 본래 다음의 차가 있음: not necessarily... 반드시〔무조건, 덮어놓고〕 …이라고는 할 수 없다: I *don't* say your idea is *necessarily* wrong. 당신 생각이 덮어놓고 글렀다는 것은 아니다《'조건 여하에 따라서는 타당할지도 모르지만' 따위》. ≠not always... 언제나 …라고는 할 수 없다: I *don't* say your idea is *always* wrong. 당신 생각이 언제나 틀렸다고는 않는다.

Álz·hei·mer's disèase [áːltshàimərz-, ǽl-, ɔ́ːl-] 알츠하이머병《노인에게 일어나는 치매; 뇌동맥 경화증·신경의 퇴화를 수반함》.

†**am** [강 æm; 약 əm, m] BE 의 1 인칭·단수·직설법·현재《★발음: I am [aiəm, aiǽm], I'm [aim]; am not [æm-nát, əm-nát]》: Are you hungry?—Yes, I *am*. 배가 고프신가요?—네 그렇습니다《am 을 강하게 발음》/Where are you?—I'*m* here. 어디 있어요—여기 있지요.

Am 〖원자물리〗 americium.

‡**a.m., A.M.** [éiém] 오전《*ante meridiem* 《L.》(= before noon)의 간약형》: at 4 *a.m.* 오전 4 시에/Business hours, 10 *a.m.*–5 *p.m.* 영업시간은 오전 10시부터 오후 5시까지《ten a.m. to five p.m.이라고 읽음》. ★ 보통 소문자를 쓰고 반드시 숫자의 뒤에 놓임. [cf.] p.m., P.M.

AM, A.M. 〖통신〗 amplitude modulation.

Am. America(n). **A.M.** *Artium Magister* 《L.》(= Master of Arts). ★ M.A.라고도 함.

amah [áːmə, ǽmə] *n.* 《Ind.》 [C] 유모(wet nurse), 아이 보는 여자; 하녀(maid).

amal·gam [əmǽlgəm] *n.* **1** [U] (종류는 [C]) 〖야금〗 아말감《수은에 다른 금속을 섞은 것》: gold 〔tin〕 ~ 금〔주석〕 아말감. **2** [C] (여러 가지 요소의) 혼합물; 합성물: an ~ *of* hope and fear 희망과 불안의 교착(交錯).

amal·ga·mate [əmǽlgəmèit] *vt.* **1** (회사 등)을 합병〔합동〕하다《***with*** …와; ***into*** …으로》; (이(異)종족·사상 등)을 융합〔혼교, 혼합〕하다: ~ two classes *into* one 두 학급을 합병하다. **2** 〖야금〗 (금속)을 수은과 화합시켜 아말감으로 만들다. **—***vi.* **1** (회사 등이) 합병되다, 융합하다. **2** 〖야금〗 아말감이 되다.

amàl·ga·má·tion *n.* [U] (구체적으로는 [C]) **1** (회사·사업의) 합동, 합병. **2** 아말감 제련(법). **3** 융합.

aman·u·en·sis [əmæ̀njuːénsis] (*pl.* **-ses** [-siːz]) *n.* 《L.》 [C] 필기자, 사자생(寫字生); 서기; 비서.

am·a·ranth [ǽmərænθ] *n.* **1** [C] 《시어》 (공상상의) 시들지 않는 꽃, 영원한 꽃. **2** [C] 〖식물〗 비름속(屬)의 식물《특히 당비름》. **3** [U] 자줏빛.
[파] **am·a·ran·thine** [æ̀mərǽnθain, -θin] *a.* 시들지 않는; 불사(不死)의; 당비름의; 자줏빛의.

am·a·ryl·lis [æ̀mərílis] *n.* [C] 〖식물〗 아마릴리스《석산과(科)의 관상 식물》.

amass [əmǽs] *vt.* (긁어) 모으다; (재산)을 축적하다: ~ a fortune 재산을 모으다.

‡**amateur** [ǽmətʃùər, -tʃər, -tər, æ̀mətə́ːr] *n.* [C] 아마추어, 직업적이〔프로가〕 아닌 사람《***at, in, of*** …의》; 애호가, 호사가; 미숙한 사람. ↔ *professional*. ¶an ~ *of* the cinema 영화 팬/an ~ *at* music 아마추어 음악가.
—*a.* **1** [A] 아마추어의, 직업적이 아닌: ~ performance 〔theatricals〕 아마추어 연예〔극〕. **2** = AMATEURISH.

am·a·teur·ish [æ̀mətʃúəriʃ, -tjúə-, -tə́ːr-] *a.* 아마추어 같은〔다운〕; 서투른, 미숙한.
[파] **~·ly** *ad.* **~·ness** *n.*

am·a·teur·ism [ǽmətʃuərìzəm, -tʃə-, -tjùər-, æ̀mətə́ːrizəm] *n.* [U] 아마추어 솜씨; 아마추어의 입장〔자격〕.

am·a·to·ri·al, am·a·to·ry [æ̀mətɔ́ːriəl], [ǽmətɔ̀ːri/-təri] *a.* 연애의; 호색적인; 색욕적인.

‡**amaze** [əméiz] *vt.* 깜짝 놀라게 하다, 아연케 하다, 자지러지게 하다《★ 보통 수동태로 쓰며, 전치사는 *at, by*》: You ~ me! 놀랍구나, 굉장하구나/Your knowledge ~*s* me. 너의 박식함은 놀랍다/I'*m* ~*d by* 〔*at*〕 his rapid progress in English. 그의 빠른 영어 실력 향상에 크게 놀랐다/She *was* ~*d to* hear the news. 그 여자는 그 소식을 듣고 깜짝 놀랐다/I'*m* ~*d* (*that*) he accepted the money. 그가 그 돈을 받았다는 것이 몹시 놀랍다. [SYN.] ⇨ SURPRISE.

amázed *a.* 깜짝 놀란: her ~ look 그녀의 깜짝 놀란 표정. ⊞ **amáz·ed·ly** [-zidli] *ad.* 아연하여.

***amaze·ment** [əméizmənt] *n.* Ⓤ **깜짝 놀람**, 경악: be struck (filled) with ~ …로 깜짝 놀라다/in ~ 놀라서, 어처구니없어서/to one's ~ 놀랍게도.

***amaz·ing** [əméiziŋ] *a.* **놀랄 정도의**, 어처구니없는, 굉장한(astonishing): an ~ discovery 놀라운 발견. ⊞ **~·ly** *ad.* 놀라리만큼, 기막힐 정도로.

Am·a·zon [ǽməzɑ̀n, -zɔ̀n/-zən] *n.* **1** Ⓒ 〖그리스신화〗 아마존《흑해 근방의 땅 Scythia에 살았다는 용맹한 여인족》; (종종 a-) 여장부; 여걸. **2** (the ~) 아마존 강《남아메리카의》.

Ámazon ánt 〖곤충〗 불개미의 일종《유럽·미국산(産)》.

Am·a·zo·ni·an [æ̀məzóuniən] *a.* 아마존 강의; 아마존족(族)과 같은; (종종 a-) (여성이) 남자 못지 않은, 호전적인, 용맹한.

***am·bas·sa·dor** [æmbǽsədər] *n.* Ⓒ **1 대사** 《*to* …주재의》: the American ~ *to* Korea 주한 미국 대사/be appointed ~ *to* the U.S. 주미 대사로 임명되다/an ordinary (a resident) ~ 대사, 주재 대사/an ~ extraordinary and plenipotentiary 특명 전권 대사/a roving ~ 순회 대사. **2** (공식·비공식) 사절; 대표: an ~ of peace (good will) 평화(친선) 사절.

am·bas·sa·do·ri·al [æmbæ̀sədɔ́ːriəl] *a.* 대사의; 사절의.

am·bas·sa·dor·ship [æmbǽsədərʃip] *n.* Ⓒ ambassador의 직(지위, 임기).

am·bas·sa·dress [æmbǽsədris] *n.* Ⓒ 여자 대사(사절); 대사 부인.

am·ber [ǽmbər] *n.* Ⓤ 호박(琥珀); 호박색, 황갈색; Ⓒ (교통신호의) 황색 신호. **—***a.* 호박제(製)의; 호박색의, 황갈색의.

am·ber·gris [ǽmbərgrìːs, -gris] *n.* Ⓤ 용연향(龍涎香)《향수 원료》.

am·bi- [ǽmbi, -bə] *pref.* '양쪽, 둘레' 따위의 뜻: *ambi*dextrous.

am·bi·ance [ǽmbiəns] (*pl.* **-anc·es**) *n.* Ⓒ **1** 분위기. ★ 때로는 '고급스런'의 뜻을 풍김. **2** 주위, 환경.

am·bi·dex·ter·i·ty [æ̀mbidekstérəti] *n.* Ⓤ 양손잡이; 빼어난 솜씨; 표리(가 있음).

am·bi·dex·trous [æ̀mbidékstrəs] *a.* 양손잡이의; 빼어나게 잘 하는; 표리가 있는. ⊞ **~·ly** *ad.*

am·bi·ence [ǽmbiəns] *n.* = AMBIANCE.

am·bi·ent [ǽmbiənt] *a.* Ⓐ 주위의, 환경의; 빙 에두른, 에워싼: the ~ air 주위의 공기/~ temperature 주위의 온도.

am·bi·gu·i·ty [æ̀mbigjúːəti] *n.* Ⓤ 애매(모호)함, 불명료함; Ⓒ 모호한 표현.

***am·big·u·ous** [æmbígjuəs] *a.* **애매(모호)한**, 분명치 않은, 알쏭달쏭한, 불명료한, 두(여러) 가지 뜻으로 해석되는: an ~ answer 애매한 대답. ⊞ **~·ly** *ad.* **~·ness** *n.*

am·bit [ǽmbit] *n.* Ⓒ (보통 *sing.*) **1** (행동·권한·영향력 따위의) 범위, 영역(sphere). **2** 구내, 구역.

‡**am·bi·tion** [æmbíʃən] *n.* **1** Ⓤ (구체적으로는 Ⓒ) 대망, 야심, 야망《*for* …에 대한》: high ~*s* 큰 뜻, 대망/an ~ *for* political power 정권에 대한 야심/be filled with ~ 야망에 불타고 있다/fulfill one's ~*s* 대망을 실현하다, 야망을 이루다. **2** Ⓒ 야심의 대상(목표): The crown was his ~. 왕위가 그의 야망의 표적이었다.

‡**am·bi·tious** [æmbíʃəs] *a.* **1 대망을 품은**, 야심만만한: ~ politicians 야심만만한 정치가/Boys, be ~! 소년들이여, 야망을 품어라. **2** 야심적인, 의욕적인《일 따위》: an ~ film 야심적인 영화. **3** Ⓟ 열망하는, 야심이 있는《*of, for* …을 (얻으려는)/*to* do》: be ~ *to* succeed 성공하기를 열망하다/He's ~ *for* (*of*) power. 그는 권력에 대한 야망이 있다.
⊞ **~·ly** *ad.* **~·ness** *n.*

am·biv·a·lence [æmbívələns] *n.* Ⓤ **1** 부동성(浮動性); 모호함; 양의성(兩義性). **2** 〖심리〗 (애증 따위의) 반대 감정 병존, (상반되는) 감정의 교차; 양면성《동일 대상에 대하여 모순된 감정·평가를 동시에 품고 있는 감정 상태》.
⊞ **am·bív·a·lent** [-lənt] *a.* 양면성의; 상반되는 감정(태도, 의미)를 가진; 애매한.

am·ble [ǽmbəl] *n.* (an ~) **1** 〖마술(馬術)〗 측대보(側對步)《말이 같은 쪽 앞뒷발을 동시에 들어 걷는 걸음》. ㊎ canter, pace, trot. **2** 느리게 걷는 걸음(걸이). **—***vi.* (말이) 측대보로 걷다; (사람이) 천천히 걷다(*along; about; around*).

am·bler [ǽmblər] *n.* Ⓒ 측대보(側對步)로 걷는 말; 느리게 걷는 사람.

am·bro·sia [æmbróuʒiə] *n.* Ⓤ **1** 〖그리스·로마신화〗 신(神)의 음식, 신찬(神饌)《먹으면 불로불사(不老不死)한다고 함》. ㊎ nectar. **2** 맛있는 음식, 진미. ⊞ **~l, ~n** [-l], [-n] *a.* 신(神)이 드는 음식 같은; 아주 맛있는(향기로운); 신에 알맞은.

‡**am·bu·lance** [ǽmbjuləns] *n.* Ⓒ **구급차**; (상병자를 나르는) 병원차, 병원선; 상병자 수송기.

ámbulance chàser 교통사고만 쫓아다니는 악덕 변호사.

am·bu·lant [ǽmbjulənt] *a.* 걸을 수 있는《환자 따위》; 보행하는; 돌아다니는, 이동하는.

am·bu·late [ǽmbjulèit] *vi.* 이동하다; 걷다, 걸어다니다.

am·bu·la·to·ry [ǽmbjulətɔ̀ːri/-təri] *a.* 보행(용)의; (환자가) 걸을 수 있는; 이동성의; 일시적인. **—***n.* Ⓒ 회랑(廻廊), 옥내 유보장(遊步場).

am·bus·cade [æ̀mbəskéid, ⌐-⌐] *n., vt., vi.* = AMBUSH.

am·bush [ǽmbuʃ] *n.* **1** Ⓒ 잠복, 매복; 매복 공격: an enemy ~ 적의 매복/fall into an ~ 복병을 만나다/lie (hide) in ~ 매복하다《★ in ~는 관사 없이》. **2** Ⓒ 매복한 장소. **3** Ⓒ 〖집합적〗 복병: lay (make) an ~ (for) (…을 공격하려고) 복병을 두다. **—***vi., vt.* 숨어서 기다리다, 매복하다; 매복하여 습격하다: ~ the enemy 적을 숨어서 기다리다.

ame·ba [əmíːbə] (*pl.* **~s, -bae** [-biː]) *n.* Ⓒ 〖동물〗 아메바.

ame·bic [əmíːbik] *a.* 아메바의(같은): ~ dysentery 아메바 적리(赤痢).

Amel·ia [əmíːljə] *n.* 어밀리아《여자 이름》.

amel·io·rate [əmíːljərèit, -liə-] *vt.* 개선(개량)하다. **—***vi.* 개선(개량)되다, 향상되다. ↔ *deteriorate*.

amèl·io·rá·tion *n.* Ⓤ 개선, 개량, 향상.

amel·io·ra·tive [əmíːljərèitiv/-rətiv] *a.* 개량의; 개선적인.

°**amen** [éimén, ɑ́ː-] *int.* **1** 아멘《헤브라이말로 '그렇게 되어지이다(So be it!)'의 뜻; 기독교도

가 기도 등의 끝에 부름). 2 《구어》 좋다, 그렇다 《찬성의 뜻》. **—**n. Ⓤ (낱개는 Ⓒ) 아멘을 부르는 일; 동의, 찬동: sing the ~ 아멘을 부르다. ***say ~ to...*** …에 동의〔찬성〕하다.

amè·na·bíl·i·ty n. Ⓤ 유화(宥化), 순종, 복종.

ame·na·ble [əmí:nəbəl] a. 순종하는, 쾌히 따르는《*to* (충고 등)에》; 복종할 의무가 있는《*to* (법률 등)에》; 받을 여지가 있는《*to* (비난 등)을》; 처리할 수 있는《*to* (분석 · 시험 등)으로》: ~ *to* reason 도리에 따르는 / ~ *to* flattery 아첨에 넘어가기 쉬운 / ~ *to* criticism 비난을 면치 못할 / data ~ *to* scientific analysis 과학적인 분석을 할 수 있는 데이터.

***amend** [əménd] vt. **1** (의안 등)을 **수정하다**, 개정하다, 정정하다: an ~*ed* bill 수정안. **2** (행실 · 잘못 등)을 고치다, 바로잡다: ~ one's conduct 행실을 고치다. SYN. ⇨REFORM. **—**vi. 개심하다. ⊕ **~·a·ble** a.

°**aménd·ment** n. **1** Ⓤ (구체적으로는 Ⓒ) 변경, 개선, 교정(矯正), 개심. **2** Ⓤ (구체적으로는 Ⓒ) (법안 등의) 수정(안), 보정, 개정: an ~ *to* bill 〔law〕 의안〔법률〕의 수정. **3** (the A-s) (미국 헌법의) 수정 조항.

amends [əméndz] n. *pl.* 〖때로 단수취급〗 배상, 벌충: make ~ (to a person) (for ...) (아무에게) (…을) 보상하다.

ame·ni·ty [əménəti, -mí:n-] n. **1** Ⓤ (the ~) (장소 · 기후의) 기분 좋음, 쾌적함. **2** Ⓤ (사람이) 상냥함, 나긋나긋함. **3** Ⓒ (보통 *pl.*) 쾌적한 설비〔시설〕, 문화적 설비: a hotel with all the *amenities* 온갖 설비가 다 갖춰져 있는 호텔.

aménity bèd 《英》 (의료 보험에 의한 병원의) 차액(差額) 침대. cf. pay-bed.

Amer. America; American.

Amer·a·sian [æ̀məréiʒən, -ʃən] n. Ⓒ 미국인과 동양인 사이의 혼혈아.

†**Amer·i·ca** [əmérikə] n. **1 아메리카(합중국)** (the United States), 미국. ★ 미국인은 the (United) States, the U.S.(A.)라고 흔히 부름. **2** 아메리카 대륙《남 · 북 · 중앙 아메리카》; 북아메리카, 남아메리카. [◂*Americus* Vespucius ⇨VESPUCCI]

†**Amer·i·can** [əmérikən] a. **아메리카의**, 미국의, 아메리카 사람〔원주민〕의: ~ Spanish 라틴 아메리카에서 쓰이는 스페인어. **—**n. **1** Ⓒ **아메리카 사람**《미국 사람 또는 아메리카 대륙의 주민》; 아메리카 원주민. **2** Ⓤ 아메리카 영어, 미어(美語).

Amer·i·ca·na [əmèrəkéinə, -kǽnə, -kɑ́:nə] n. *pl.* 미국에 관한 문헌〔자료〕, 미국 사정〔풍물〕, 미국지(誌).

Américan Dréam (때로 A- d-; the ~) **1** 미국 건국의 이상《민주주의 · 자유 · 평등》. **2** 미국(인)의 꿈《물질적 번영과 성공》.

Américan éagle 〖조류〗 흰머리수리《미국의 국장(國章)》.

Américan Énglish 아메리카〔미국〕 영어. cf. British English.

Américan fóotball 《英》 미식 축구(《美》에서는 단순히 football이라 함).

Américan Fóotball Cónference 미국 풋볼 컨퍼런스《NFL 산하의 미국 풋볼 리그; 생략: AFC》. cf. National Football Conference, National Football League.

Américan Índian 아메리카 인디언(어)《현재는 Native American을 선호하는 경향이 있음》.

°**Amér·i·can·ìsm** n. **1** Ⓒ 미국 기질〔정신〕; 미국풍〔식〕; Ⓤ 미국숭배; 친미주의. **2** Ⓒ 미국어법(語法); 미국어투: A dictionary of ~*s* 미어 사전.

Amèr·i·can·i·zá·tion n. Ⓤ 미국화(化); 미국 귀화.

Amér·i·can·ìze vt., vi. 미국화(化)하다, 미국풍〔식〕으로 하다〔되다〕; 미국으로 귀화시키다.

Américan Léague (the ~) 아메리칸 리그《미국 프로 야구의 2대 연맹의 하나》. cf. National League.

Américan Légion (the ~) 미국 재향군인회.

Américan plàn (the ~) 미국 방식《숙비 · 식비 · 봉사료 합산의 호텔 요금 제도》. cf. European plan.

Américan Revolútion (the ~) 〖美역사〗 미국의 독립 혁명, 독립 전쟁(1775–83)《영국에서는 the War of American Independence라고 함》(Revolutionary War).

Américan Sígn Lànguage 미식 수화법(手話法)(Ameslan)《생략: ASL》.

am·e·ri·ci·um [æ̀məríʃiəm] n. Ⓤ 〖원자물리〗 아메리슘《인공 방사성 원소; 기호 Am; 번호 95》.

Am·er·ind [ǽmərind] n. Ⓒ 아메리카 원주민《인디언 또는 에스키모인》; Ⓤ 〖집합적〗 아메리카 인디언어(語). [◂*amer*ican+*ind*ian] ⊕ **Àm·er·ín·di·an** n. Ⓒ, a. 아메리카 원주민(의).

Ames·lan [ǽməslæ̀n] n. =AMERICAN SIGN LANGUAGE.

am·e·thyst [ǽməθist] n. **1** Ⓤ (낱개는 Ⓒ) 〖광물〗 자수정, 자석영(紫石英). **2** Ⓤ 진보라색.

àmi·a·bíl·i·ty n. Ⓤ 사랑스러움, 애교; 상냥함, 친절, 온화, 온후.

***ami·a·ble** [éimiəbəl] a. **호감을 주는**; 붙임성 있는; 상냥한, 온후한, 친절한: make oneself ~ to a person 아무에게 상냥하게 대하다.

SYN. **amiable** 상냥한, 호감을 주는《amicable보다도 소극적임》: an *amiable* fellow 호감을 주는 사람. **amicable** 우호적인, 다정한: an *amicable* settlement 화해.

⊕ **~·ness** n. **-bly** ad. 상냥하게.

àm·i·ca·bíl·i·ty n. Ⓤ 우호, 화친, 친선; Ⓒ 친선 행위.

am·i·ca·ble [ǽmikəbəl] a. 우호적인, 친화적인, 평화적인: an ~ attitude 우호적인 태도 / ~ relations 우호 관계. SYN. ⇨AMIABLE.

⊕ **~·ness** n. **-bly** ad.

am·ice [ǽmis] n. Ⓒ 개두포(蓋頭布)《가톨릭교의 사제(司祭)가 미사 때 어깨에 걸치는 직사각형의 흰 천》.

°**amid** [əmíd] *prep.* **1** …의 한가운데에〔사이에〕, …에 에워싸여〔섞이어〕: ~ shouts of joy 환호 속에 / ~ tears 눈물을 흘리면서. **2** 한창 … 하는 중에. SYN. ⇨AMONG.

amid·ship(s) [əmídʃìp(s)] ad., a. 〖항해〗 선체 중앙에〔의〕.

amidst [əmídst] *prep.* =AMID. SYN. ⇨AMONG.

ami·go [əmí:gou, ɑ:-] (*pl.* **~s**) n. Ⓒ 《구어》 친구.

amíno ácid 〖화학〗 아미노산《단백질을 구성하는 유기 화합물》.

amir ⇨EMIR.

Amis [éimis] n. 에이미스. **1 Kingsley ~** 영국의 소설가(1922 –). **2 Martin ~** 영국의 작가, 1 의 아들(1949 –).

Amish [á:miʃ, ǽm-] *n*. (the ~) 〖복수취급〗 아만파(의 사람들)《17 세기에 스위스의 목사 J. Ammann [á:mɑ:n]이 창시한 Menno 파의 한 분파; Pennsylvania에 이주하여 검소하게 삶》. —*a*. 아만파의. [cf.] Mennonite.

◇**amiss** [əmís] *a*. [P] **1** 적합하지 않은, 형편이 나쁜, 고장난《***with*** …이》: What's ~ *with* it? 그것이 뭐 잘못되었느냐 / Something is ~ *with* the engine. 엔진이 어딘가 고장이 났다. **2** 〖보통 부정문에서〗 어울리지 않는, 부적당한: A word of advice may *not* be ~ here. 여기서 한마디 충고하는 것이 어울리지 않는 일은 아닐 것이다.
—*ad*. 형편〔수〕 사납게, 잘못하여; 어울리지 않게, 부적당하게: judge a matter ~ 어떤 일을 잘못 판단하다.
come ~ 〖부정문에서〗 달갑지 않다, 신통치 않다; 기대에 어긋나다: *Nothing comes* ~ to a hungry man. 《속담》 시장이 반찬. ***go*** ~ (일이) 잘되어 가지 않다, 어긋나다. ***take*** a thing ~ 일을 나쁘게 생각〔해석〕하다, 어떤 일에 기분이 상하다: Don't *take* it ~. 나쁘게 생각 말게.

am·i·ty [ǽməti] *n*. [U] 친목, 친선, 우호 (관계), 친교: a treaty of ~ and commerce 수호 통상 조약 / in ~ with …와 우호적으로.

Am·man [á:mmɑ:n, -⌐] *n*. 암만《Jordan 왕국의 수도》.

am·me·ter [ǽmmì:tər] *n*. [C] 전류계, 암페어계. [◂*ampere*+*meter*]

am·mo [ǽmou] 《구어》 *n*. =AMMUNITION 1.

◇**am·mo·nia** [əmóunjə, -niə] *n*. [U] 〖화학〗 **1** 암모니아《기체》. **2** 암모니아수(水)(~ water 〔solution〕).

am·mo·ni·ac [əmóuniæ̀k] *a*. 암모니아의.

am·mo·ni·a·cal [æ̀mənáiəkəl] *a*. =AMMONIAC.

ammónia wàter 〔**solùtion**〕 〖화학〗 = AMMONIA 2.

am·mo·nite [ǽmənàit] *n*. [C] 〖고생물〗 암모나이트, 암몬조개, 국석(菊石).

am·mo·ni·um [əmóuniəm] *n*. [U] 〖화학〗 암모늄《암모니아 염기(塩基)》: ~ carbonate 〔chloride〕 탄산〔염화〕암모늄 / ~ hydroxide 수산화암모늄 / ~ nitrate 질산암모늄 / ~ phosphate 인산암모늄 / ~ sulfate 황산암모늄.

◇**am·mu·ni·tion** [æ̀mjuníʃən] *n*. [U] **1** 〖군사〗 〖집합적〗 탄약: We are running out of ~. 탄약이 떨어져 가고 있다. **2** 자기 주장에 유리한 정보〔조언〕; (토론에서의) 공격〔방어〕 수단: Give me some ~ for a speech. 연설하기 위한 재료를 주게.

am·ne·sia [æmní:ʒə] *n*. [U] 〖의학〗 건망증, 기억 상실(증). [파] **am·ne·sic, -si·ac** [-ní:sik, -zik], [æmníziæ̀k, -ʒi-] *a*., *n*.

am·nes·ty [ǽmnəsti] *n*. [U] (또는 an ~) 은사(恩赦), 대사(大赦), 특사: grant 〔give〕 (an) ~ to criminals 죄인에게 은사를 내리다.
—*vt*. 사면〔대사, 특사〕하다.

Ámnesty Internátional 국제 사면 위원회, 국제 앰네스티《사상범 · 정치범의 석방 등 인권옹호 운동을 위한 국제 민간 조직; 본부는 London에 있음》.

am·ni·on [ǽmni:ən] (*pl*. ~***s***, ***-nia*** [-ni:ə]) *n*. [C] 〖해부〗 양막(羊膜)《태아를 싸는》.

am·ni·ot·ic [æ̀mniátik/-ɔ́t-] *a*. 〖해부〗 양막의.

amniótic flúid 양수(羊水).

amoe·ba [əmí:bə] =AMEBA.

am·oe·bic [əmí:bik] *a*. =AMEBIC.

amok [əmʌ́k, əmák/əmɔ́k] *ad*. (사람이) 미친 듯이 날뛰어. ***run*** 〔***go***〕 ~ 미친 듯이 설치며 행패부리다; 자제심을 잃다, 앞뒤 분간을 못하다.

†**among** [əmʌ́ŋ] *prep*. **1 …에 둘러〔에워〕싸여:** …중에〔한가운데〕《★ 보통 3 명〔3 개〕 이상의 경우에 쓰임》. [cf.] between. ¶ She was sitting ~ the boys. 그녀는 소년들에 둘러싸여 앉아 있었다 / He moved ~ the crowd. 그는 군중 속을 돌아다녔다 / He lives ~ the poor. 그는 가난한 사람들 속에서 살고 있다.
2 (패거리 · 동료 · 동류) **중의 한 사람으로〔하나로〕**; (3 개〔3 명〕 이상) 가운데에(서)《★ 보통 최상급을 수반함》: She's ~ the prize winners. 그녀는 수상자 중의 한 사람이다 / That is ~ the things we shouldn't do. 해서는 안 되는 것의 하나다 / New York is ~ the biggest cities in the world. 뉴욕은 세계 최대 도시 중의 하나다.

[SYN.] among도 amid도 '둘러싸여'라는 뜻이지만 **among**은 개체를 중심으로 생각하며, 명사의 복수형 또는 집합명사와 함께 쓰임. **amid**는 집합체로서 봄. 이는 uncountable과 함께 쓸 수 있음: *amid* the bustle of a city 도시의 번잡(煩雜) 속에서. **amidst**의 생략꼴이 amid임. 셋 중에서 among이 가장 일반적인 말임.

3 …의 사이에 서로; …의 협력으로, …이 모여(도): Don't quarrel ~ yourselves. 너희들끼리 싸우지 마라 / Do it ~ you. 자네들끼리 협력해서 해보게 / They don't have fifty dollars ~ them. 모두가 내놓는다 해도 50달러가 안 된다. **4** …사이에 각자; …사이〔간〕 전체에 걸쳐: Divide these ~ you seven. 자네들 일곱 사람이 이것을 나눠 갖게 / He's popular ~ his co-workers. 그는 동료들 사이에서 인기가 있다.

> [NOTE] (1) among 다음에는 집합명사나 복수형의 명사 · 대명사가 옴《이 경우의 복수형은 한 개의 「집합체」로 여김》.
> (2) 집합체로 여기지 않고, 한 개의 것과 주위의 많은 것과의 개개의 관계로 생각할 때는 3 개 이상의 것이 병렬되어 있어도 between을 씀: Switzerland is situated *between* France, Italy, Austria and Germany. 스위스는 프랑스, 이탈리아, 오스트리아, 독일에 둘러싸여 있다.
> (3) 3 개〔3 명〕 이상인 때에도, 그 중의 2 개〔2 명〕 사이의 상호관계를 개별적으로 나타낼 때에는 between을 씀: a treaty *between* three powers, 3 국간 조약.

~ ***others*** 〔***other things***〕 많은 가운데, 그 중에서도 특히: *Among others* there was Mr. Kim. 그 중에 김씨도 있었다. ***from*** ~ …의 중에서: The chairman will be chosen *from* ~ the members. 의장은 회원들 중에서 선출된다. ***one*** ~ ***a thousand*** 천에 한 사람 꼴로 뛰어난 사람.

◇**amongst** [əmʌ́ŋst] *prep*. =AMONG.

amon·til·la·do [əmɑ̀ntəlá:dou/əmɔ̀n-] *n*. 《Sp.》 [U] 약간 쌉쌀한 맛이 나는 셰리 술.

amor·al [eimɔ́:rəl, æm-, -mɑ́r-] *a*. **1** 도덕과는 관계없는. **2** (아이처럼) 선악의 판단이 없는, 도덕 관념이 없는. ★ nonmoral의 뜻; '부도덕의'는 immoral. [파] ~**·ly** *ad*. **àmo·rál·i·ty** [-rǽləti] *n*.

am·o·rous [ǽmərəs] *a*. **1** 호색의; (눈매 등이) 요염한, 성적 매력이 있는: ~ glances 추파.

2 연애의; 연모〔사모〕하는《*of* …을》: an ~ song 연가/He became ~ *of* her. 그는 그녀를 연모하게 되었다. [파] **~·ly** *ad.* 호색적으로; 요염하게. **~·ness** *n.*

amor·phous [əmɔ́ːrfəs] *a.* 무정형(無定形)의; 무조직의; 『광물』 비결정의.
[파] **~·ly** *ad.* **~·ness** *n.*

am·or·tize, 《英》 **-tise** [ǽmərtàiz, əmɔ́ːrtaiz] *vt.* 『회계』 (부채)를 분할 상환하다.

Amos [éiməs/-mɔs] *n.* **1** 『성서』 아모스《헤브라이의 예언자》; 아모스서《구약성서 중의 한 편》. **2** 남자 이름.

‡**amount** [əmáunt] *vi.* 《~+[전]+[명]》 **1** (총계가) **이르다, 달하다**《*to* …에》: Damages from the flood ~ *to* ten million dollars. 홍수로 인한 피해는 1천만 달러에 이른다. **2** (실질상) 같다, 매한가지다《*to* …와》; 되다《*to* …이》: Your warning ~*s to* a threat. 너의 경고는 협박에 해당한다/These conditions ~ *to* refusal. 이 조건이라면 거절하는 거나 매한가지다/He'll never ~ *to* anything. 그는 결코 큰인물은 되지 못할 것이다.
—*n.* **1** (the ~) **총계**, 총액: He paid the full ~ *of* the expenses. 그는 경비의 전액을 지불했다. **2** 《보통 형용사를 수반하여》 (an ~) 양, 액(額): a large 〔small〕 ~ *of* money 막대한〔작은〕 금액/a small ~ *of* butter 소량의 버터. **3** (the ~) 요지, 의의(意義).

> [NOTE] **amount**는 부피·무게·금액 따위의 양(量)에, **number**는 단위로서 셀 수 있는 수(數)에 쓰임. 따라서 a large amount of 뒤에는 셀 수 없는 명사가 옴: a large *amount* of cost 막대한 경비/an *amount* of work 상당한 양의 일. a lagre number of의 뒤에는 셀 수 있는 명사의 복수형이 옴: a large *number* of books 많은 책.

any ~ of ① 얼마만한 양〔액〕의 …라도: I'll lend you *any ~ of* money you need. 돈은 얼마라도 필요한 만큼 빌려드리겠습니다. ② 《구어》 많은: He had *any ~ of* money. 그는 많은 돈을 갖고 있었다. ***to the ~ of...*** 총계 …에 달하는, …만큼의: He has debts *to the ~ of* ten thousand dollars. 그는 1만 달러에 달하는 빚이 있다.

amour [əmúər] *n.* 《F.》 [C] 정사(情事), 바람기.

amp [æmp] *n.* 《구어》 =AMPLIFIER 2.

amp *n.* amperage; ampere.

am·per·age [ǽmpəridʒ] *n.* [U] 『전기』 암페어수, 전류량.

am·pere [ǽmpiər, -peər] *n.* [C] 『전기』 암페어《전류의 SI 기본단위; 기호 A; 생략: amp.》. [◂ 프랑스의 물리학자 A.M. Ampère]

ámpere-hóur *n.* [C] 암페어시(時)《생략: AH, amp.-hr.》.

ámpere-tùrn *n.* [C] 암페어 횟수《생략: At》.

am·per·sand [ǽmpərsæ̀nd] *n.* [C] 앰퍼샌드《&(=and)의 기호 이름; 주로 상업 통신문이나 참고 문헌 등에 쓰임》.

am·phet·a·mine [æmfétəmìːn] *n.* [U] (낱개는 [C]) 『약학』 암페타민《중추 신경을 자극하는 각성제》.

am·phi- [ǽmfi, -fə] *pref.* '양(兩)…, 두 가지, 원형, 주위'의 뜻. [cf] ambi-.

Am·phib·ia [æmfíbiə] *n. pl.* 『동물』 양서류(兩棲類)《개구리·도롱뇽 따위》.

am·phib·i·an [æmfíbiən] *a.* 양서류(兩棲類)의; 수륙 양용의: an ~ tank 수륙 양용 탱크.
—*n.* [C] 양서 동물〔식물〕; 수륙 양용 비행기〔전차〕.

am·phib·i·ous [æmfíbiəs] *a.* **1** 양서류(兩棲類)의. **2** 수륙 양용의; 『군사』 (작전 등이) 육군·해군 합동의: ~ operation 육해군 합동 작전. **3** 양면성이 있는, 이중성격〔인격〕의.

am·phi·the·a·ter, 《英》 **-tre** [ǽmfəθìːətər/-fiθìə-] *n.* [C] **1** (고대 로마의) 원형 연기장, 투기장(鬪技場). **2** (극장의) 계단식 관람석; 계단식 좌석의 대강당.

am·pho·ra [ǽmfərə] (*pl.* **~s, -rae** [-rìː]) *n.* [C] (고대 그리스·로마의) 두 족자리〔양손잡이〕가 달린 항아리.

*__am·ple__ [ǽmpl] *a.* **1 광대한**, 넓은: ~ living quarters 넓은 숙소. **2** 《[U] 또는 복수형 명사 앞에서》 **충분한**, 넉넉한. ↔ *scanty.* ¶~ opportunity 〔time, courage〕 충분한 기회〔시간, 용기〕/~ means 〔funds〕 넉넉한 자산〔자금〕/There was ~ room for them in the boat. 배엔 그들이 탈 충분한 자리가 있었다. [파] **~·ness** *n.*

am·pli·fi·ca·tion [æ̀mpləfikéiʃən] *n.* [U] (또는 an ~) **1** 확대, 배율(倍率); 『전기』 증폭. **2** 『수사학』 확충, 부연(敷衍).

am·pli·fi·er [ǽmpləfàiər] *n.* [C] **1** 확대하는 사람〔것〕; 확대경. **2** 『전기·컴퓨터』 증폭기(增幅器), 앰프.

◇**am·pli·fy** [ǽmpləfài] *vt.* **1** 확대하다, 확장하다. **2** 상세히 설명하다, 부연하다: ~ one's statement 앞서한 말을 부연하다/~ the meaning of a phrase by paraphrase 바꿔 말하여 어구의 뜻을 설명하다. **3** 『전기』 (전류)를 증폭하다.
—*vi.* 부연하다, 상술하다《***on, upon*** …에 대하여》: He *amplified on* the accident. 그 사고에 대해 그는 상세히 말하였다.

am·pli·tude [ǽmplitjùːd] *n.* [U] **1** 넓이; 크기; 풍부, 충분. **2** 『물리』 진폭: ~ of wave 파동의 진폭.

ámplitude modulátion 『통신』 진폭 변조《생략: AM, A.M.》.

am·ply [ǽmpli] *ad.* 널리, 충분히; 상세히.

am·pul(e), am·poule [ǽmpjuːl/-puːl] *n.* [C] 앰풀《1회분들이의 작은 주사액 병》.

am·pu·tate [ǽmpjutèit] *vt.* (손이나 발)을 자르다, 절단하다《수술로》. **—***vi.* 절단 수술을 하다.

àm·pu·tá·tion *n.* [U] (구체적으로는 [C]) 절단(수술).

am·pu·ta·tor [ǽmpjutèitər] *n.* [C] 절단 수술자; 절단기.

am·pu·tee [æ̀mpjutíː] *n.* [C] (손·발의) 절단 수술을 받은 사람, 지체(肢體) 절단자.

Am·ster·dam [ǽmstərdæ̀m] *n.* 암스테르담《네덜란드의 수도》.

amt. amount.

Am·trak [ǽmtræk] *n.* 앰트랙《National Railroad Passenger Corporation (전미국 철도 여객 수송 공사)의 통칭》. [◂ *American Track*]

amu, AMU atomic mass unit.

amuck [əmʌ́k] *ad.* =AMOK.

am·u·let [ǽmjəlit, -lət] *n.* [C] 호부(護符), 부적.

Amund·sen [áːmunsən/-mən-] *n.* **Roald** ~ 아문센《세계 최초로 남극을 답파한 노르웨이 탐험가; 1872–1928》.

‡**amuse** [əmjúːz] *vt.* **1 즐겁게 하다**, 재미나게 하다; 웃기다《★ 종종 수동태로 쓰며, 전치사는

by, at, with》: ~ a baby with a rattle 아이를 딸랑이로 어르다/The joke ~*d* us all. 그 농담이 우리 모두를 웃겼다/I *was* much [very] ~*d by* [*at*] the idea. 나는 그 아이디어가 아주 재미있다고 생각했다/The children *were* ~*d with* toys. 아이들은 장난감을 가지고 놀았다/I *was* ~ to find that he and I were born on the same day. 그와 내가 같은 날에 태어났다는 것을 알고 재미있다고 생각했다. **2** 《~ oneself》 (여가를) 즐기다; 지루함을 달래다《**with, by** …으로》; (즐겁게) 놀다: While waiting, he ~*d* him*self with* [(*by*) read*ing*] a comic book. 기다리는 동안 그는 만화책으로[을 읽으며] 지루함을 달랬다. [파] **amús·er** *n.* **amús·able** *a.*

amúsed *a.* (표정 따위가) 즐기는; 즐거워[재미있어]하는; 명랑한; 흥겨운: ~ spectators 흥겨워하는 구경꾼들. [파] ◇**amús·ed·ly** [-zidli] *ad.*

***amuse·ment** [əmjúːzmənt] *n.* **1** [U] **즐거움**, 위안, 재미: I play the piano for ~. 나는 재미로 피아노를 친다/find much ~ in …을 크게 즐기다. **2** [C] **오락**, 놀이: There are not many ~*s* in the village. 마을에는 오락이 적다/my favorite ~*s* 내가 좋아하는 오락. [SYN.] ⇨ GAME.

amúsement arcàde 《英》 (슬롯 머신 등이 있는) 게임 센터(《美》 game arcade).

amúsement pàrk 유원지.

***amus·ing** [əmjúːziŋ] *a.* **즐거운, 재미있는**; 유쾌한: an ~ story 재미있는 이야기/How ~! 이건 재미있는걸. [SYN.] ⇨ INTERESTING.
[파] ~**·ly** *ad.* 즐겁게, 재미있게.

Amy [éimi] *n.* 에이미《여자 이름》.

am·y·lase [ǽməlèis] *n.* [U] 〖생화학〗 아밀라아제《녹말을 당화(糖化)하는 효소》.

am·y·loid [ǽməlɔ̀id] [U] 〖생화학〗 아밀로이드, 녹말체[질].

an ⇨ A³.

an- [æn, ən] *pref.* **1** '무(無)'의 뜻: *an*archy. **2** (n 앞에 올 때) ad-의 이형(異形): *an*nounce, *an*nex.

-an [ən, n] *suf.* **1** 인명·지명 따위에 붙어서 '…의, …에 속하는, …에 관계가 있는'의 뜻: Kore*an*, Elizabeth*an*. **2** 인명·지명 이외의 명사에 붙음: histori*an*, theologi*an*.

an·a- [ǽnə, ənǽ] *pref.* '상(上)…, 후(後)…, 재(再)…' '분리, 산산조각' 등의 뜻《모음 앞에서는 an-》.

an·a·bap·tism [æ̀nəbǽptizəm] *n.* [U] 재세례(再洗禮); 재침례론; (A-) 재침례교.

àn·a·báp·tist *n.* [C] 재침례[재세례]론자; (A-) 재침례[재세례]교도.

an·a·bol·ic [æ̀nəbálik/-bɔ́l-] *a.* 〖생물〗 동화작용의, 신진대사의. ↔ *catabolic*.

anab·o·lism [ənǽbəlìzəm] *n.* [U] 〖생물〗 동화 (작용). ↔ *catabolism*. [cf.] metabolism.

anach·ro·nism [ənǽkrənìzəm] *n.* **1** [U] (구체적으로는 [C]) 시대착오. **2** [C] 시대에 뒤떨어진 사람[사물]. [파] **anach·ro·nís·tic, -ti·cal** *a.* 시대착오의. **-ti·cal·ly** *ad.*

an·a·co·lu·thon [æ̀nəkəlúːθan/-θɔn] (*pl.* ***-tha*** [-θə]) *n.* 〖수사학〗 **1** [U] 파격(破格) 구문. **2** [C] 파격 구문의 문장《문법적 일관성이 없는 문장: *Who* hath ears to hear, let *him* hear. 에서 who와 him이 격이 다름》.

an·a·con·da [æ̀nəkándə/-kɔ́n-] *n.* [C] 〖동물〗 아나콘다《남아메리카 밀림에 사는 독 없는 큰 뱀》.

an·aes·the·sia, etc. =ANESTHESIA, etc.

an·a·gram [ǽnəgræ̀m] *n.* **1** [C] 글자 수수께끼, 철자 바꾸기《예컨대 emit의 anagram은 time, item, mite 따위》. **2** (*pl.*) 《단수취급》 글자 수수께끼[철자바꾸기] 놀이.

anal [éinəl] *a.* 항문(부근)의: the ~ canal 항문관(管).

an·a·lects [ǽnəlèkts] *n. pl.* 선집(選集), 어록: the *Analects* (of Confucius) 논어.

ánal fín 〖어류〗 뒷지느러미.

an·al·ge·sia [æ̀nəldʒíːziə, -siə] *n.* [U] 〖의학〗 무통각(無痛覺)(증), 통각 상실.

an·al·ge·sic [æ̀nəldʒíːzik, -dʒésik] *a.* 무통성(無痛性)의; 진통의. **—***n.* [U] (종류·낱개는 [C]) 진통제.

an·a·log [ǽnəlɔ̀ːg, -làg/-lɔ̀g] *n.* [C] 《美》 **1** 유사물, 상사형(相似形). **2** 〖생물〗 상사기관.
—*a.* **1** 상사형(相似型)의. **2** 아날로그의《정보를 연속적으로 변화하는 양으로 나타내는 메커니즘》: ⇨ANALOG COMPUTER. **3** 아날로그 표시의. [cf.] digital. ¶an ~ watch 아날로그 시계.

ánalog compùter 〖컴퓨터〗 아날로그 컴퓨터. [cf.] digital computer.

an·a·log·ic, -i·cal [æ̀nəládʒik/-lɔ́dʒ-], [-əl] *a.* 비슷한, 닮은, 유사한; 유추(類推)의.
[파] **-i·cal·ly** *ad.* 유추하여.

anal·o·gize [ənǽlədʒàiz] *vt.* 유추에 의해 설명하다, …을 유추하다. **—***vi.* 유추하다; 유사하다《**to, with** …와》.

anal·o·gous [ənǽləgəs] *a.* [P] 유사한, 비슷한, 닮은《**to, with** …와》: The wings of an airplane are ~ *to* those of a bird. 비행기 날개는 새의 날개와 유사하다.
[파] ~**·ly** *ad.*

ánalog-to-dígital convérter 〖전자〗 아날로그·디지털 변환기(=**ánolog-dígital convérter**).

an·a·logue [ǽnəlɔ̀ːg, -làg/-lɔ́g] *n.* =ANALOG.

◇**anal·o·gy** [ənǽlədʒi] *n.* **1** [C] 유사, 비슷함, 닮음《**between** …사이의; **to, with** …와의》: the ~ *between* the heart and a pump 심장과 펌프의 유사/have [bear] some ~ *with* [*to*] …와 약간 유사하다. **2** [U] 유추, 유추에 의한 설명; 유추법: false ~ 틀린 유추/forced ~ 무리한 유추, 견강부회/on the ~ of =by ~ with …에서 유추하여. **3** [U] 〖생물〗 상사(相似). [cf.] homology.

analyse ⇨ANALYZE.

****anal·y·sis** [ənǽləsis] (*pl.* ***-ses*** [-sìːz]) *n.* **1** [U] (구체적으로는 [C]) **분석**, 해석; 분해; 〖문법〗 (글의) 분석. ↔ *synthesis*. ¶~ by synthesis 합성에 의한 분석. **2** [C] 분석적 검토. **3** [U] 〖심리〗 정신 분석; 〖화학〗 분석: qualitative [quantitative] ~ 정성(定性)[정량] 분석.
***in the last* [*final*] ~** 결국, 요컨대.

an·a·lyst [ǽnəlist] *n.* [C] 분석[분해]자; 정신분석(학)자(psychoanalyst); 〖컴퓨터〗 분석가, 시스템 분석자. ≠annalist.

an·a·lyt·ic, -i·cal [æ̀nəlítik], [-əl] *a.* 분해[분석]의, 분석적[해석적]인: He has an *analytic* mind. 그는 분석적인 사고방식을 갖고 있다.
[파] **-i·cal·ly** *ad.* 분해하여, 분석적으로.

analýtical chémistry 분석 화학.

analýtic geómetry 해석 기하학.

àn·a·lýt·ics *n.* [U] 분석학, 해석학; 분석론.

án·a·lỳz·a·ble *a.* 분해〔분석〕할 수 있는.

an·a·lyze,** 《英》 **-lyse** [ǽnəlàiz] *vt.* **1** 《~+[목]/+[목]+[전]+[명]》 **분석하다**, 분해하다《into*** …으로》: ~ the problem 〔situation〕 문제〔정세〕를 분석하다 / Water can be ~*d into* oxygen and hydrogen. 물은 산소와 수소로 분해할 수 있다. **2** (분석적으로) 검토하다: He ~*d* it for hidden meaning. 그는 그것을 검토하여 숨은 뜻을 조사했다. **3** (아무)를 정신 분석하다. ◇analysis *n.*

***án·a·lỳz·er** *n.* [C] **1** 분석〔분해〕자; 분석적으로 검토하는 사람. **2** 분석기; 〚광학〛 검광기(檢光器).

an·a·pest, 《英》 **-paest** [ǽnəpèst] *n.* [C] 〚운율〛 약약강격(弱弱強格)《××⏊》; 단단장격(短短長格)《⏑⏑–》. ㊕ **an·a·pes·tic,** 《英》 **-paes·tic** [æ̀nəpéstik] *a.*, *n.* [C] 〚운율〛 단단장(短短長)〔약약강〕 격의(시행(詩行)).

anaph·o·ra [ənǽfərə] *n.* [U] 〚수사학〛 수구(首句) 반복.

an·ar·chic, -chi·cal [ænɑ́ːrkik], [-əl] *a.* 무정부(주의)의; 무정부 상태의; 무질서한. ㊕ **-chi·cal·ly** *ad.*

an·ar·chism [ǽnərkìzəm] *n.* [U] 무정부주의.

◇**án·ar·chist** *n.* [C] 무정부주의자.

an·ar·chis·tic [æ̀nərkístik] *a.* 무정부주의(자)의.

◇**an·ar·chy** [ǽnərki] *n.* [U] 무정부 상태, 무질서, 혼란, 난맥(상).

an·as·tig·mat [ənǽstigmæ̀t, æ̀nəstígmæt] *n.* [C] 〚사진〛 수차 보정(收差補正) 렌즈. ㊕ **àn·a·stig·mát·ic** *a.*

anat. anatomical; anatomist; anatomy.

anath·e·ma [ənǽθəmə] *n.* **1** [U] (구체적으로는 [C]) (가톨릭 교회에서의) 파문(破門); 《일반적》 저주; 증오. **2** [C] 저주받은 사람〔물건〕. **3** [U] (또는 an ~) 아주 싫은 것《***to*** …에게》: Alcohol is (an) ~ *to* me. 나는 술이 질색이다.

anath·e·ma·tize [ənǽθəmətàiz] *vt.* 〚교회〛 (공식적으로) 파문하다; 《일반적》 저주하다, 저주하여 추방하다.

an·a·tom·ic, -i·cal [æ̀nətɑ́mik/-tɔ́m-], [-əl] *a.* 해부의, 해부(학)상의. ㊕ **-i·cal·ly** *ad.*

anat·o·mist [ənǽtəmist] *n.* [C] 해부학자.

anat·o·mize [ənǽtəmàiz] *vt.* (동물체)를 해부하다; 분해〔분석〕하다, 상세히 조사하다.

◇**anat·o·my** [ənǽtəmi] *n.* **1** [U] 해부학, 해부술〔론〕: general ~ 해부 통론 / human 〔morbid〕 ~ 인체〔병리〕 해부학. **2** [U] (구체적으로는 [C]) 해부. **3** [C] (생물의) 해부학적 구조〔조직〕; 인체; 해부 모형, 해부도. **4** [C] (보통 *sing.*) (면밀한) 분석; 조사.

ANC African National Congress (of South Africa) 아프리카 민족 회의《남아공의 흑인 해방 조직》. **anc.** ancient(ly).

-ance [əns] *suf.* '행동·상태·성질·정도' 따위의 뜻의 명사 어미(-ence): assist*ance*, brilli*ance*, dist*ance*.

⁑**an·ces·tor** [ǽnsestər, -səs-] (*fem.* ***-tress***) *n.* [C] **1 선조**, 조상. ↔ *descendant.* ¶ ~ worship 조상 숭배 / You are descended from noble ~*s*. 너에게는 훌륭한 조상이 있다. **2** 원형(原型), 전신(前身): the ~ *of* the modern space rocket 현대 우주 로켓의 원형.

◇**an·ces·tral** [ænséstrəl] *a.* [A] 조상(대대로)의: ~ estate 〔possession〕 조상 전래의 재산. ㊕ **~·ly** *ad.*

an·ces·tress [ǽnsestris] *n.* [C] 여성 조상.

◇**an·ces·try** [ǽnsestri] *n.* [U] **1** 《집합적》 조상, 선조. **2** (때로 an ~) 가계(家系), (훌륭한) 가문: Americans of Korean ~ 한국계 미국인 / a distinguished ~ 유명한 가문.

***an·chor** [ǽŋkər] *n.* [C] **1 닻**: a foul ~ 닻줄이 휘감긴 닻 / Stand by the ~! 투묘 준비. **2** (마음을) 받쳐 주는 것, 힘이〔의지가〕 되는 것: Hope was his only ~. 희망이 그의 마음을 지탱해 주는 유일한 것이었다. **3** 줄다리기의 맨 끝 사람; (릴레이 따위의) 최종 주자; 〚야구〛 최강 타자. **4** 고정 장치; 잠금쇠. **5** 《美》 =ANCHORPERSON.

be* 〔*lie, ride*〕 *at* ~** 정박해 있다. ***cast an* ~ *to windward 바람 불어오는 쪽으로 투묘하다; 안전책을 강구하다. ***cast* 〔*drop*〕 ~** 투묘하다, 정박하다. ***come to* (*an*) ~** 정박하다, 정착하다, 안주하다. ***drag* (*the*) ~** 표류하다. ***have* ~** 닻을 올리다. ***let go the* ~** 닻을 내리다; 《명령형》 닻 내려! ***weigh* ~** 닻을 올리다, 출항하다; 출발하다, 떠나다.

—*vt.* **1** (배)를 **닻을 내려 멈추다**, 정박시키다. **2** 《+[목]+[전]+[명]》 (단단히) 고정시키다; 묶어 두다《***to*** …에》; (생각·주의 등)을 정착〔고정〕시키다《***in, on*** …에》: ~ a tent *to* the ground 텐트를 땅바닥에 고정시키다 / ~ one's hopes *in* 〔*on*〕 …에 희망을 걸다. **3** 〚방송〛 앵커맨〔종합 사회자〕 노릇을 하다: ~ a news program.

—*vi.* **1 닻을 내리다**, 정박하다: ~ along a pier 부둣가에 정박하다. **2** 《+[전]+[명]》 정착〔고정〕하다《***on, to*** …에》: Her eyes ~*ed on* him. 그녀의 눈길은 그에게서 떠나지 않았다.

An·chor·age [ǽŋkəridʒ] *n.* 앵커리지《미국 알래스카 주 남부의 항구·공항 도시》.

an·chor·age [ǽŋkəridʒ] *n.* **1** [U] 닻내림, 투묘, 정박. **2** [C] 투묘지(投錨地), 정박지. **3** [U] (또는 an ~) 정박세〔료〕. **4** [U] (구체적으로는 [C]) 의지가〔힘이〕 됨.

an·cho·ress [ǽŋkəris] *n.* [C] 여자 은자(隱者).

an·cho·ret, an·cho·rite [ǽŋkərit, -rèt], [-ràit] *n.* [C] 은자(隱者), 은둔자《종교적 이유로 세상을 버린》.

ánchor·màn [-mæ̀n, -mən] (*pl.* ***-mèn*** [-mèn, -mən]) *n.* [C] **1** =ANCHOR 3. **2** (*fem.* ***-wòman***) 《美》 〚방송〛 종합 사회자, 앵커맨.

ánchor·pèrson *n.* [C] 《美》 〚방송〛 (뉴스 프로의) 종합 사회자(anchorman or anchorwoman) 《남녀 공통어》.

ánchor·wòman *n.* (*pl.* ***-wòmen***) *n.* [C] 《美》 여성 앵커.

an·cho·vy [ǽntʃouvi, -tʃə-] (*pl.* **~, *-vies***) *n.* [C] (식품은 *pl.*) 〚어류〛 안초비《멸치류; 지중해산》.

ánchovy pàste 안초비 페이스트《안초비를 짓이겨 향신료를 넣어서 갠 것》.

ánchovy tòast 안초비 페이스트를 바른 토스트〔빵〕.

an·cien ré·gime [ɑ̃sjǽreiʒíːm] 《F.》 구(舊) 제도, 구체제, 앙시앵 레짐《특히 1789년 프랑스 혁명 이전의 정치·사회 조직》.

⁑**an·cient** [éinʃənt] *a.* **1 옛날의, 고대의**《중세·근대에 대해》: in ~ times 오랜 옛날에 / an ~ civilization 고대 문명. **2** 예로부터의, 고래의: an ~ custom. [SYN.] ⇨OLD. **3** 《고어》 고령의, 나이 많은(old, aged). **4** 《종종 우스개》 구식의.

—*n.* **1** [C] 고대인. **2** (the ~s) 고대 문명인《특히 그리스·로마·헤브라이의》; 고전 작가.

áncient hístory **1** 고대사《476년 서로마 제국 멸망까지》. **2** 《구어》 (이미 다 아는) 케케묵은

이야기, (가까운 과거의) 주지의 사실.

án·cient·ly *ad*. 옛날에는, 고대에(는).

an·cil·lary [ǽnsəlèri/ænsíləri] *a*. 보조의; 부수적〔종속적〕인 ((*to* …에)). **—***n*. Ⓒ 조력자, 조수; 부수〔부속〕물.

an·con [ǽŋkɑn/-kɔn] (*pl*. ***an·co·nes*** [æŋkóuniːz]) *n*. Ⓒ 〖건축〗 첨차(檐遮), 초엽(草葉).

-an·cy [ənsi] *suf*. =-ANCE.

AND [ænd] *n*. Ⓤ 〖컴퓨터〗 논리곱, 앤드. ⓒⓕ OR.

†**and** [약 ənd, nd, ən, n; 강 ænd] *conj*. ★ 보통 약음으로 발음됨. **1** 〖나란히 어·구·절을 이음〗 …**와** —, … 및 —; **그리고**, …또(한): John ~ Mary are great friends. 존과 메리는 아주 친하다〔단짝이다〕/ He is a novelist ~ poet. 그는 소설가이자 시인이다 / There are many old Buddhist temples in ~ about 〔around〕 Gyeongju. 경주 및 그 근교에는 많은 고찰(古刹)들이 있다 / I went home ~ Bill stayed at the office. 나는 집에 돌아갔고, 빌은 회사에 남았다.

> **NOTE** (1) 순서적으로 2인칭·3인칭 그리고 맨 나중에 1인칭이 옴: You *and* I 당신과 나.
> (2) 동등한 어구가 셋 이상 있을 때 보통 각 어구 사이를 콤마로 끊고, 마지막 어구 앞에만 and가 옴(and 바로 앞에는 콤마를 붙이는 경우가 원칙이나 그렇지 않은 경우도 있음): In that room there were a chair, a table(,) *and* a bed. 그 방에는 의자 하나, 테이블 한 개 그리고 침대가 하나 있었다.
> (3) 두 개의 어구를 대등하게 이어주는 데는 A *and* B 'A와 B' 처럼 and만을 쓰지만, 양쪽을 다 강조할 때엔 *both* A *and* B 'A 그리고 또한 B' 가 되며, A에 중점을 둘 때는 A *as well as* B 'B는 물론 A도' 로 표현하고, A를 더 강조할 때에는 *not only* B, *but also* A 'B 뿐만 아니라 A도 또한' 이 됨.

2 a 〖동시성을 나타내어〗 (…와 동시에) **또**, …**하면서**: eat ~ drink 먹고 마시다 / We walked ~ talked. 우리는 걸으면서 이야기했다 / You can't eat your cake ~ have it. ((속담)) 과자는 먹으면 없어진다((동시에 양쪽 다 좋게는 할 수 없다)). **b** 〖앞뒤의 관계를 보여서〗 …**하고 (나서)**, 그리고 나서: He took off his hat ~ bowed. 그는 모자를 벗고 인사를 했다 / She cleaned her teeth ~ went to bed. 그녀는 이를 닦고 잠자리에 들었다.
3 [보통 ən] 〖하나로 된 것; 단수취급〗 …**와—이** (합하여 일체가 된 것): bread ~ butter [brédnbʌ́tər] 버터 바른 빵((★ [bréd ənd bʌ́tər]로 발음하면 별개의 빵과 버터를 나타냄)) / a carriage ~ four 사두(四頭) 마차 / a watch ~ chain 줄 달린 시계 / a rod ~ line 줄 달린 낚싯대 / man ~ wife 부부. ★ 관사를 붙일 때는 첫 말에만 붙임.

> **NOTE** (1) 회화체에서의 발음은 p, b 뒤에서는 [m], k, g 뒤에서는 [ŋ]이 됨: cup *and* [m] saucer 받침접시 딸린 컵 / black *and* [ŋ] white 흑백.
> (2) 보통 짧은 단어를 앞에 둠: big *and* ugly 크고 보기 흉한 / male *and* female 〔men *and* women〕 남녀 / boys and girls 소년소녀((★ girls *and* boys 라고도 함)).
> (3) 관용구는 앞뒤를 바꿀 수 없음: on one's hands *and* knees (ˣknees and hands) 네 발로 / with (a) knife *and* fork 나이프와 포크로 / fish *and* chips 생선프라이와 포테이토칩.

4 a 〖반복·중복〗 …**(한) 위에 또** —, …이고 (—이고), 더욱 더: again ~ again 몇 번이고, 재삼재사 / for hours ~ hours 몇 시간이고 / She cried ~ cried. 그녀는 울고 또 울었다 / I know him through ~ through. 그에 대해 너무나 잘 알고 있다. **b** 〖비교급과 함께 써서〗 **점점 더**, 더욱더: The kite rose higher ~ higher. 연은 점점 더 높이 올라갔다 / The wind blew more ~ more violently. 바람은 점점 거세게 불었다.
5 〖강조〗 **더구나**, 그뿐이랴: He, ~ he alone can do the work. 그 사람, 그것도 그만이 그 일을 할 수가 있다 / He's a lazy fellow.—*And* a liar. 그는 게으름뱅이다—더구나 거짓말쟁이지.
6 〖의외·비난〗 **더욱이**, 더구나 …인데〔…한 터에〕, …한데: How could you talk like that, ~ your father present? 아버지도 계신데 어떻게 그와 같이 말할 수 있었는가 / A sailor, ~ afraid of the weather! 뱃사람인데 거친 날씨를 무서워하다니.
7 〖이유·결과〗 **그래서**, 그러자: He is very kind, ~ I like him very much. 그는 대단히 친절해서, 나는 그를 매우 좋아한다 / He spoke, ~ all were silent. 그가 말하자 모두 잠잠해졌다.
8 〖명령법 또는 그 상당어구 뒤에서〗 **그렇게 하면**, 그러면: Turn to the left, ~ you will see the post office. 왼편으로 도시면 우체국이 나올 것입니다 / One more day, ~ the vacation will be over. 이제 하루만 더 지나면 휴가도 끝이다.
9 a 〖대립적인 내용을 보여〗 …**이긴 하나**, …인〔한〕데도, …이면서도: He promised to come, ~ didn't. 그는 오겠다고 약속을 했으면서도 오지 않았다 / He is rich, ~ lives like a beggar. 그는 부자이면서도 거지와 같은 생활을 하고 있다. **b** 〖추가적으로 덧붙여〗 그것도, 게다가: He did it, ~ did it well. 그는 그것을 했다, 그것도 썩 잘.
10 〖부정사의 to 대신〗 ((구어)) …**하러**, …하기 위해: Come (~) see me. 만나러 오시오 / I will try ~ do it better next time. 다음엔 더 잘 하도록 하지요. ★ 주로 come, go, run, try 따위의 원형·명령법 뒤에 쓰이며, ((美))에서는 come, go 뒤의 and는 생략하기도 함.
11 〖두 개의 형용사를 연결하여 앞의 형용사를 부사적으로 함〗: It is nice ~ cool. 기분 좋을 만큼 시원하다 / He was good ~ tired. 그는 어지간히 피곤했다.
12 〖두 개의 동사를 이어서 뒤의 동사가 현재분사적인 뜻을 나타내어〗 …**하면서**: He sat ~ looked at the picture for hours. 그는 몇 시간이나 그 그림을 보면서 앉아 있었다.
13 〖도입적〗 그리고 (또), 그뿐 아니라〔게다가〕 또; 그런데; 그래: How are you?—Fine, thank you. *And* (how are) you? 안녕하십니까.—네, 잘 있습니다. 당신은 / *And* you actually did it? 그래, 자넨 정말 그걸 했는가.
14 〖and를 사이에 두고 복수 명사를 반복하여〗 여러 (가지): There are books ~ books. 책에도 여러 가지가 있다 / There are men ~ men. 사람이라 해도 천차만별이다.
15 〖수사를 연결하여〗 …와, …**에 더하여**: Two ~ two make(s) four. 2 더하기 2는 4 / one thousand ~ two=1,002 / four ~ a half =

4 1/2 / two pounds ~ five pence, 2파운드 5 펜스.

> **NOTE** (1) 100자리 다음에 and [ənd, ən]가 옴. 그러나 《美》 에서는 종종 생략.
> (2) 100의 자리가 0일 때는 1,000자리 다음에 and가 옴.

16 〖두 개의 가로(街路) 이름을 연결하여, 그 교차점을 나타내어〗 《美》: at Third Street ~ Fifth Avenue 3번가(街)와 5번로(路)의 교차점에서.
~ ***all*** ⇨ALL. ~ ***all that*** ⇨THAT. ~ ***how*** ⇨HOW. ~ ***now*** 그런데. ~ ***so*** 〔***therefore***〕 그러므로, 그래서; 따라서. ~ ***so forth*** 〔***on***〕 (등)등, 따위: He asked me my name, my age, my address ~ *so forth* 〔*on*〕. 그는 내이름, 나이, 주소 따위를 물었다. ~ ***that*** ⇨THAT. ~ ***then*** 그리고 (나서), 그리하여. ~ ***then some*** ⇨SOME. ~ ***what not*** = ~ so forth. ~ ***yet*** 그럼에도 불구하고, 그런데(도).

An·da·lu·sia [ændlúːʒə, -ʃiə] *n.* 안달루시아 《스페인 남부의 지방》. ㊀ **-sian** *n.*

an·dan·te [ændǽnti, ɑːndɑ́ːntei] 《It.》 〖음악〗 *a.*, *ad.* 느린〔느리게〕, 안단테의〔로〕.
—*n.* Ⓒ 안단테의 악장〔악절〕.

an·dan·ti·no [ændæntíːnou, ɑ̀ːndɑːn-] 《It.》 〖음악〗 *a.*, *ad.* 안단티노의; 안단테보다 좀 빠르게. **—**(*pl.* **~s**) *n.* Ⓒ 안단티노의 악장〔악절〕.

ÁND circuit 〔**gàte**〕 〖컴퓨터〗 논리곱 회로〔문〕, AND 회로〔문〕.

An·de·an [ændíːən, ǽn-] *a.* 안데스 산맥의.

An·der·sen [ǽndərsən] *n.* **Hans Christian** ~ 안데르센《덴마크의 동화 작가; 1805–75》.

An·der·son [ǽndərsn] *n.* **Sherwood** ~ 앤더슨《미국의 소설가, 단편작가; 1876–1941》.

An·des [ǽndiːz] *n.* (the ~) 〖복수취급〗 안데스 산맥《남미의》.

and·i·ron [ǽndàiərn] *n.* Ⓒ (보통 *pl.*) (난로의) 철제 장작받침(firedog).

ÁND operàtion 〖컴퓨터〗 논리곱 연산.

and/or [ǽndɔ́ːr] *conj.* 및/또는, 양쪽 다 또는 어느 한 쪽(both or either): Money ~ clothes are welcome. 돈과 옷 또는 그 어느 쪽도 환영함.

An·dor·ra [ændɔ́ːrə, -dɑ́rə] *n.* 안도라《프랑스·스페인 국경의 산중에 있는 공화국; 수도 Andorra la Vella [-lɑːvéljɑː]》.

An·drew [ǽndruː] *n.* **1** 앤드루《남자 이름; 애칭 Andy》. **2** (Saint ~) 〖성서〗 안드레《예수의 12사도 중의 한 사람》.

An·dro·cles [ǽndrəkliːz] *n.* 안드로클레스 《로마의 전설적인 노예》.

an·dro·gen [ǽndrədʒən, -dʒen] *n.* Ⓤ 〖생화학〗 안드로겐《남성 호르몬 물질》.

an·drog·y·nous [ændrɑ́dʒənəs/-drɔ́dʒ-] *a.* 남녀 양성의; 자웅동체(雌雄同體)의; 〖식물〗 자웅동화(同花)〔동주(同株)〕의.

an·droid [ǽndrɔid] *n.* Ⓒ 인조 인간.

An·drom·e·da [ændrɑ́mədə/-drɔ́m-] *n.* **1** 〖그리스신화〗 안드로메다《바다의 괴수(怪獸)에게 희생 제물로 바쳐지려다 Perseus에게 구출되어 그의 아내가 됨》. **2** 〖천문〗 안드로메다 자리.

andrómeda gàlaxy (the ~) 안드로메다 성운(星雲).

An·dy [ǽndi] *n.* 앤디《남자 이름; Andrew의 애칭》.

an·ec·dot·age [ǽnikdòutidʒ] *n.* Ⓤ **1** 〖집합적〗 일화(집). **2** 《우스개》 (옛이야기를 하고 싶어 하는) 늙은 나이《dotage에 붙여 만든 말》.

an·ec·do·tal [ænikdóutl, ´-`-] *a.* 일화(逸話)의; 일화가 많은; 일화 같은.

°**an·ec·dote** [ǽnikdòut] *n.* Ⓒ (특정인·사건과 관련된) 일화: ~*s* about Abe Lincoln 링컨의 일화.

ane·mia [əníːmiə] *n.* Ⓤ 〖의학〗 빈혈증.

ane·mic [əníːmik] *a.* **1** 〖의학〗 빈혈(증)의. **2** 무기력한, 원기 없는: an ~ play 무기력한 경기. ㊀ **-mi·cal·ly** *ad.*

an·e·mom·e·ter [ænəmɑ́mitər/-mɔ́m-] *n.* Ⓒ 풍력계, 풍속계.

anem·o·ne [ənéməni] *n.* Ⓒ 〖식물〗 아네모네; 〖동물〗 말미잘(sea ~).

an·er·oid [ǽnərɔ̀id] *a.* 액체를 쓰지 않는.
—*n.* Ⓒ 아네로이드 기압계(~ barometer).

an·es·the·sia [ænəsθíːʒə, -ziə] *n.* Ⓤ 〖의학〗 마취(법); (지각) 마비, 무감각(증): local 〔general〕 ~ 국소〔전신〕 마취(법).

an·es·the·si·ol·o·gy [ænəsθìːziɑ́lədʒi/-ɔ́l-] *n.* Ⓤ 마취학.

an·es·thet·ic [ænəsθétik] *a.* 마취의; 무감각한. **—***n.* Ⓒ 마취제: put a person under an ~ 아무에게 마취약을 쓰다. ㊀ **-i·cal·ly** *ad.*

anes·the·tist [ənésθətist] *n.* Ⓒ 마취의(醫).

anès·the·ti·zá·tion [ənèsθətizéiʃən/-taiz-] *n.* Ⓤ 마취(법); 마취 상태.

anes·the·tize [ənésθətàiz] *vt.* 〖의학〗 마취시키다, 마비시키다.

an·eu·rysm, -rism [ǽnjərìzəm] *n.* Ⓒ 〖의학〗 동맥류(瘤).

°**anew** [ənjúː] *ad.* 다시; 새로: begin one's life ~ 새 생활로 들어가다.

an·gel [éindʒəl] *n.* Ⓒ **1** 천사: Fools rush in where ~*s* fear to tread. 《속담》 하룻강아지 범 무서운 줄 모른다/Talk of ~*s* and you will hear the flutter of their wings. 《속담》 호랑이도 제 말하면 온다. **2** 천사 같은 사람; 천진한 아이; (용모와 마음씨가) 아름다운 여자: an ~ of a girl 천사 같은 소녀/Be an ~ and hand me the book. 참 착한 아이지 그 책 이리 다오. **3** 수호 천사; 수호신(guardian angel). **4** 《속어》 (레이더 화면에 나타난) 정체 불명의 상(像). **5** 《구어》 (연극·선거 등의) 재정적 후원자.
—*vt.* 재정적으로 원조하다.

> **DIAL.** ***You're an angel.*** 《예의를 표시하는 말 뒤에 붙여서 감사의 뜻을 강조함》: Thanks for your help, *you're an angel.* 도와 주셔서 참으로 감사합니다.

An·ge·la [ǽndʒələ] *n.* 앤젤라《여자 이름; 애칭은 Angelina》.

ángel dùst 《속어》 합성 헤로인.

ángel·fish (*pl.* **~·es**, 〖집합적〗 ~) *n.* Ⓒ 〖어류〗 전자리상어; 에인절피시《관상용 열대어의 일종》.

ángel (fòod) càke 엔젤케이크《계란 흰자를 넣은 스펀지 케이크; food를 넣는 것은 美용법》.

°**an·gel·ic** [ændʒélik] *a.* 천사의; 천사와 같은: an ~ smile 사랑스런 천진한 미소.
㊀ **-i·cal** *a.* **-i·cal·ly** *ad.*

an·gel·i·ca [ændʒélikə] *n.* Ⓤ (낱개는 Ⓒ) 〖식물〗 멧두릅속의 식물《요리·약용》; 그 줄기의 설탕 절임.

An·gel·i·co [ændʒélikòu] *n.* **Fra** ~ 안젤리코 《이탈리아의 화가; 1400–55》.

An·ge·lus [ǽndʒələs] *n.* **1** (the ~) 〖가톨릭〗 삼종(三鐘)기도《예수의 수태를 기념하는》; 그 시간을 알리는 종(= ∠ **bèll**)《아침·정오·저녁에 울림》. **2** (The ~) '만종'《Millet 의》.

‡an·ger [ǽŋgər] *n.* Ⓤ **노염,** 성, 화: furious with ~ 미칠 듯이 성이 나서/in (great) ~ (몹시) 화가 나서/in a fit of ~ 발끈하여/in a moment of ~ 화가 난 김에/be red with ~ 화가 나서 얼굴이 새빨개지다. ◇angry *a.*

SYN. **anger** 가장 일반적인 말로 개인의 이기적인 노염을 말함. **fury** 광기에 가까운 노염. **rage** 자제심을 잃을 정도의 격노.

—*vt.* 화나게 하다《흔히 수동태로 쓰며, 전치사는 *at, by*》: He *was* greatly *~ed at* [*by*] her behavior. 그는 그녀의 행동에 몹시 화를 냈다/It *~ed* me that he had lied. 그가 거짓말을 한 것에 나는 화가 났다.

an·gi·na [ændʒáinə] *n.* Ⓤ 〖의학〗 **1** 앙기나, 편도선염. **2** =ANGINA PECTORIS.

angína péc·to·ris [-péktəris] *n.* Ⓤ 협심증.

an·gi·o·sperm [ǽndʒiəspə̀ːrm] *n.* Ⓒ 〖식물〗 속씨 식물. ↔ *gymnosperm.*

Ang·kor Wat [ǽŋkɔːrwάːt, άːŋ-] 앙코르와트《캄보디아 앙코르에 있는 석조 대사원의 유적》.

An·gle [ǽŋgl] *n.* Ⓒ 앵글족 사람; (the ~s) 앵글족(族)《5세기 영국에 이주한 튜튼족의 한 부족》.

‡an·gle¹ [ǽŋgl] *n.* Ⓒ **1** 〖수학〗 각, 각도: an acute ~ 예각/an exterior [external] ~ 외각/an interior [internal] ~ 내각/an obtuse ~ 둔각/a right ~ 직각/an ~ of 45 degrees, 45° 의 각/take the ~ 각도를 재다/meet [cross] ... at right *~s* …와 직각을 이루다. **2 모(퉁이)**; 귀퉁이. SYN. ⇨CORNER. **3** 입장, 견지, 관점: from all [various] *~s* 모든[여러] 견지에서/a new ~ on the problem 문제에 대한 새로운 관점. **4** 《구어》 음모, 책략.

at an ~ 구부러져서, 비스듬히: The two streets meet *at an ~*. 그 두 거리는 비스듬히 교차하고 있다.

—*vt.* **1** …을 (어느 각도로) 움직이다[굽히다]: ~ a camera 카메라 앵글을 잡다. **2** (기사 등)을 특정한 관점에서 쓰다: ~ an article at liberal readers 기사를 자유주의적 독자의 시점에서 쓰다. **3** 왜곡하여 전하다: He *~ed* his report to put me in a bad light. 그는 내가 불리해지도록 왜곡된 사실을 전했다.

an·gle² *vi.* **1** 〔보통 angling으로〕 낚시질하다 《*for* (물고기)를》《★fish 쪽이 일반적》: go *angling for* trout 송어 낚시를 가다. **2** 《비유적》 (갖가지 수를 써서) 얻어내려 하다; 꾀어내다《*for* …을》: He is *angling for* promotion. 그는 승진하려고 갖가지 수를 쓰고 있다.

ángle brácket 〖건축〗 모서리용 까치발; (보통 *pl.*) 〖인쇄〗 꺾쇠괄호(〈, 〉).

◇an·gler [ǽŋglər] *n.* Ⓒ **1** 낚시꾼. **2** =ANGLERFISH.

ángler·fish (*pl.* ~) *n.* Ⓒ 〖어류〗 아귀.

ángle·wòrm *n.* Ⓒ (낚시용) 지렁이.

An·glia [ǽŋgliə] *n.* 앵글리아《England 의 라틴명》.

An·gli·an [ǽŋgliən] *a.* 앵글족의. **—***n.* Ⓒ 앵글 사람.

An·gli·can [ǽŋglikən] *a.* 영국국교의, 성공회의. **—***n.* Ⓒ 영국국교도.

Ánglican Chúrch (the ~) 영국국교회, 성공회(the Church of England).

Ánglican Commúnion (the ~) 영국국교회파.

An·gli·can·ism [ǽŋglikənìzəm] *n.* Ⓤ 영국국교회[성공회]주의.

An·gli·cism [ǽŋgləsìzəm] *n.* **1** Ⓒ (타국어에 채택된) 영어적 표현; 영어 특유의 어법. **2** Ⓤ (또는 an ~) 영국풍; 영국 특유의 습관[기질].

An·gli·cize [ǽŋgləsàiz] *vt.* 영국풍[식]으로 하다; (외국어)를 영어화하다.

an·gling [ǽŋgliŋ] *n.* Ⓤ 낚시질, 조어(釣魚).

An·glo- [ǽŋglou, -glə] '영국(계)의, 영어의, 영국국교회(파)의'란 뜻의 결합사.

Ánglo-Américan *n.* Ⓒ, *a.* 영미의; 영국계 미국인(의).

Ánglo-Cátholic *n.* Ⓒ, *a.* 영국국교회 가톨릭파 신도(의); 영국 가톨릭 교회 신도(의).

Ánglo-Cathólicism *n.* Ⓤ 영국국교 가톨릭파주의.

Ánglo-Frénch *a.* 영불(간)의; 앵글로 프랑스어의. **—***n.* Ⓤ 앵글로 프랑스어《노르만 시대에 영국에서 쓰인 프랑스어》.

Ánglo-Índian *a.* 영국과 인도의; 영국·인도 혼혈의; 인도 거주 영국인의; 인도 영어의.
—*n.* **1** Ⓒ 인도에 사는 영국인; 영인(英印) 혼혈아. **2** Ⓤ 인도 영어.

Ánglo-Írish *a.* 잉글랜드와 아일랜드(간)의; 영국인과 아일랜드인의 피를 잇는; 아일랜드 거주 영국인의. **—***n.* (the ~) 〖집합적; 복수취급〗 영국계 아일랜드 사람.

An·glo·ma·nia [æ̀ŋgləméiniə, -njə] *n.* Ⓤ (외국인의) 영국 숭상[심취], 영국광(狂). ↔ *Anglophobia.* ⓜ **-ni·ac** [-niæ̀k] *n.* Ⓒ 영국 숭상자[심취자].

Ánglo-Nórman *n.* **1** Ⓒ (영국 정복 후) 영국에 정주한 노르만인, 노르만계 영국인. **2** Ⓤ 앵글로노르만어(語)《Norman Conquest(1066년) 이후 영국에서 쓰였던 프랑스 북부의 방언》.
—*a.* **1** 노르만인의 영국 지배 시대(1066–1154)의. **2** (영국 정복 후) 영국에 정주한 노르만인의, 노르만계 영국인의; 앵글로노르만어의.

An·glo·phile, -phil [ǽŋgləfàil], [-fil] *a.*, *n.* Ⓒ 친영(親英)파의 (사람).

An·glo·phobe [ǽŋgləfòub] *n.* Ⓒ 영국을 싫어하는 사람. ⓜ **Àn·glo·phó·bia** [-biə, -bjə] *n.* Ⓤ 영국 혐오, 공영병(恐英病).

Ánglo-Sáxon *n.* **1** Ⓒ 앵글로색슨 사람; (the ~s) 앵글로색슨 민족《5세기에 영국으로 이주한 튜튼족의 한 부족》. **2** Ⓒ (현대의) 전형적인 영국인. **2** Ⓤ 앵글로색슨어(Old English).
—*a.* 앵글로색슨 사람[어]의.

An·go·la [æŋgóulə] *n.* 앙골라《아프리카 남서부의 공화국; 수도 Luanda》.

An·go·ra [ǽŋgourə, æŋgɔ́ːrə] *n.* **1** =ANGORA CAT; =ANGORA GOAT; ANGORA RABBIT. **2** = ANGORA WOOL.

Angóra cát 앙고라 고양이《털이 깊》.

Angóra góat 앙고라 염소《털이 윤이 나고 길며, mohair라고 함》.

Angóra rábbit 앙고라 토끼《Ankara 원산으로 털이 희고 깊》.

Angóra wóol 앙고라 염소[토끼] 털.

an·gos·tú·ra (bárk) [æ̀ŋgəstjúərə(-)] 앙고스투라 수피《남아메리카산; 해열·강장제》.

Angostura Bítters 앙고수트라 비터즈《칵테일에 쓰이는 쓴맛이 강한 리큐르; 상표명》

*__an·gri·ly__ [ǽŋgrəli] *ad.* 성나서, 화내어.

†__an·gry__ [ǽŋgri] (__*an·gri·er; -i·est*__) *a.* **1** 성난, 화를 낸《__*at, about, for*__ (사물)에 대하여; __*at, with*__ (아무)에 대하여 / __*to*__ do / __*that*__》. ★ 보통 일시적인 화를 말함. ¶an ~ look (face) 화난 얼굴 / feel ~ 괘씸히 여기다 / be ~ *about* a person's error 아무의 과실에 화를 내다 / be ~ *at* a person *for* coming late 아무가 늦게 와서 화나다 / He was ~ *with* his son. 그는 아들한테 화를 냈다 / He was ~ *to* hear it. 그는 그것을 듣고 화가 났다 / I was ~ *that* the door was locked. 문이 잠겨 있어서 화가 났다. **2** (파도 · 바람 등이) 격심한, 모진; 거친: an ~ sky 찌푸린 하늘 / ~ waves 거친 파도. **3** 염증을 일으킨, 욱신거리는, 도지는《상처 등》.

Ángry Yòung Mén (the ~) '성난 젊은이'《1950년대, 침체한 영국 사회에 반감을 나타낸 젊은 작가들》.

angst [ɑːŋkst/æŋk-] *n.* 《G.》 Ⓤ 불안; 고뇌.

ang·strom [ǽŋstrəm] *n.* Ⓒ 〖물리〗 옹스트롬 (= ∠ **ùnit**)《빛의 파장의 측정 단위; 1밀리미터의 1,000만분의 1; 기호 A, Å, A.U.》.

*__an·guish__ [ǽŋgwiʃ] *n.* Ⓤ (심신의) **고통**, 괴로움, 고민, 번민: cry out in ~ 괴로워서 울부짖다. SYN. ⇨PAIN.

án·guished [-t] *a.* 괴로워하는, 고민의; 고뇌에 찬.

◇__an·gu·lar__ [ǽŋgjələr] *a.* **1** 각을 이룬, 모진, 모난; 모서리진. **2** 각(도)의; 각도로 잰: ~ distance 각거리. **3** (사람 · 얼굴 따위가) 뼈가 앙상한, 말라빠진. **4** 까다로운, 고집센. ◇ angle[1] *n.*
㊞ ~·**ly** *ad.*

an·gu·lar·i·ty [æŋgjəlǽrəti] *n.* **1** Ⓤ 모남, 모짐; 뼈만 앙상함; 무뚝뚝함. **2** Ⓒ (보통 *pl.*) 모가 난 형상〔윤곽〕; 뾰족한 모서리.

ángular moméntum 〖물리〗 각(角)운동량.

ángular spéed 〔**velócity**〕 〖물리〗 각속도(角速度)《단위 시간당 방향의 변화량》.

An·gus [ǽŋgəs] *n.* **1** 앵거스《남자 이름》. **2** = ABERDEEN ANGUS.

an·i·line, -lin [ǽnəlin, -làin], [-lin] *n.* Ⓤ 〖화학〗 아닐린《무색 유상(油狀)의 액체》.

ániline dýe 아닐린 염료.

an·i·ma [ǽnəmə] *n.* **1** Ⓤ (구체적으로는 Ⓒ) 생명, 영혼, 정신. **2** (the ~) 〖심리〗 아니마《C. G. Jung의 분석 심리학에서 남성의 무의식 속에 있는 여성적 특성》. ↔ *animus*.

an·i·mad·ver·sion [ænəmædvə́ːrʃən, -ʒən] *n.* Ⓤ (구체적으로는 Ⓒ) 비평; 비난, 혹평《__*on, upon*__ …에 대한》.

an·i·mad·vert [ænəmædvə́ːrt] *vi.* 비평하다, 비난하다《__*on, upon*__ …을》: ~ *on* 〔*upon*〕 a person's conduct 아무의 행위를 비난하다.

†__an·i·mal__ [ǽnəməl] *n.* **1** Ⓒ (식물에 대하여) **동물**; 짐승, (인간 이외의) 동물, 네발짐승: the lower ~*s* 하등 동물 / wild 〔domesticated〕 ~*s* 야수〔가축〕. **2** Ⓒ 짐승 같은 인간, 사람 같지 않은 놈. **3** (the ~) (사람의) 수성(獸性): the ~ in man 인간의 야수성.
—*a.* **1** Ⓐ **동물의**, 동물성〔질〕의. cf. vegetable. ¶~ life 동물의 생태; 〖집합적〗 동물 / ~ matter 동물질 / ~ protein 동물성 단백질. **2** 동물적인, 짐승 같은, 육욕적인: ~ needs 육체적 욕구 / ~ appetite 〔desires, passion(s)〕 수욕, 육욕 / ~ instincts 동물적 본능 / ~ courage 만용.

an·i·mal·cule [ænəmǽlkjuːl] *n.* Ⓒ 〖생물〗 미소〔극미(極微)〕 동물. ㊞ **-cu·lar** [-kjələr] *a.*

an·i·mal·ism [ǽnəməlìzəm] *n.* Ⓤ **1** 동물성; 수성(獸性); 수욕주의. **2** 인간 동물설《인간에게는 영성(靈性)이 없다는 설》.

an·i·mal·is·tic [ænəməlístik] *a.* 동물성〔수성(獸性)〕의; 동물의 성질을 가진; 수욕주의적인.

an·i·mal·i·ty [ænəmǽləti] *n.* Ⓤ 동물성, 수성(獸性); 동물계, 동물의 생태.

ánimal kìngdom (the ~) 동물계.

ánimal mágnetism **1** 〖생물〗 동물 자기(磁氣). cf. mesmerism. **2** 육체적〔관능적〕 매력.

ánimal ríghts (동물 보호에 근거한) 동물권(權).

◇__an·i·mate__ [ǽnəmèit] *vt.* **1** …을 살리다, …에 생명을 불어넣다. **2** 활기차게 하다, 기운을 북돋우다; 격려하다, 고무하다《__*with*__ …으로; __*to*__ …하도록》: Joy ~*d* her face. 기쁨이 그녀의 얼굴에 생기를 돌게 했다 / We ~*d* him *with* a kind word. 우리는 그를 친절한 말로 격려했다 / The success ~*d* him *to* more efforts. 성공에 고무되어 그는 더욱 노력했다. **3** 만화 영화〔동화(動畫)〕로 하다: ~ Cinderealla 「신데렐라」를 만화 영화로 만들다. ◇ animation *n.*
— [-mit] *a.* 산, 살아 있는; 활기〔원기〕 있는: ~ creatures 생물 / the ~ nature 생물〔동물〕계.

◇__án·i·màt·ed__ [-mèitid] *a.* **1** 힘찬, 싱싱한; 활기찬: an ~ discussion 〔gesture〕 활발한 토론〔몸짓〕. **2** 만화 영화〔동화(動畫)〕의.
㊞ ~·**ly** *ad.*

ánimated cartóon 만화 영화, 동화(動畫).

◇__an·i·ma·tion__ [ænəméiʃən] *n.* **1** Ⓤ 생기, 활발, 활기: speak with ~ 활발하게 말하다. **2** 〖영화〗 **a** Ⓒ 동화(動畫), 만화 영화. **b** Ⓤ 동화〔만화 영화〕 제작; 〖컴퓨터〗 애니메이션. ◇ animate *v.*

ani·ma·to [àːnəmáːtou] *a.*, *ad.* 《It.》 〖음악〗 활기 있는〔있게〕, 힘차고 빠른〔빠르게〕.

an·i·ma·tor [ǽnəmèitər] *n.* Ⓒ **1** 생기를 주는 것, 고무자; 활력소. **2** 〖영화〗 만화 영화 제작자.

an·i·mism [ǽnəmìzəm] *n.* Ⓤ 〖철학 · 심리〗 **1** 물활론(物活論)《목석 같은 것에도 영혼이 있다는 신앙》. **2** 정령(精靈)설〔신앙〕《인간 및 물체의 활동은 영혼의 힘에 의한다는 설》.

an·i·mist [ǽnəmist] *n.* Ⓒ 물활론자; 정령(精靈) 숭배자. —*a.* 물활론자〔정령 숭배자〕의.

an·i·mis·tic [ænəmístik] *a.* 물활론의; 정령 숭배적인.

◇__an·i·mos·i·ty__ [ænəmɑ́səti/-mɔ́s-] *n.* Ⓤ (구체적으로는 Ⓒ) 악의, 원한, 증오, 적의《__*against, toward*__ …에 대한; __*between*__ …사이의》: have (an) ~ *against* 〔*toward*〕 …에 원한을 품다 / a deep-seated ~ *between* two sisters 두 자매 사이의 뿌리깊은 증오.

an·i·mus [ǽnəməs] *n.* **1** Ⓤ (또는 an ~) 적의, 원한, 증오《__*against*__ …에 대한》. **2** Ⓤ 의지, 의향. **3** (the ~) 〖심리〗 아니무스《C.G Jung의 학설에서 여성의 무의식 속에 있는 남성적 특성》. ↔ *anima*.

an·i·on [ǽnaiən] *n.* Ⓒ 〖화학〗 음(陰)이온, 아니온. ↔ *cation*.

an·ise [ǽnis] *n.* Ⓒ 〖식물〗 아니스《미나릿과의 일년초; 열매는 향신료》.

an·i·seed [ǽnisìːd] *n.* Ⓤ 아니스의 열매《향미료》.

an·i·sette [ænəzét, -sét, ∠-∠] *n.* Ⓤ (aniseed로 맛을 낸) 아니스 술〔강심제〕.

An·ka·ra [ǽŋkərə, ɑ́:ŋ-] *n.* 앙카라《터키의 수도》. ★ 구칭은 Angora.

ankh [æŋk] *n.* Ⓒ 앙크《이집트 미술에서 볼 수 있는, 위에 고리가 붙은 T자형 십자; 생식·장수의 상징》.

‡**an·kle** [ǽŋkl] *n.* Ⓒ **발목**; 발목 관절: twist 〔sprain〕 one's ~ 발목을 삐다/cross one's ~*s* 가볍게 발을 꼬다.

ánkle·bòne *n.* Ⓒ 〖해부〗 복사뼈.

ánkle sóck =ANKLET 1.

an·klet [ǽŋklit] *n.* Ⓒ **1** (보통 *pl.*) 여성〔어린이〕용 양말의 일종《발목까지 오는》. **2** 발목 장식.

an·ky·lo·sis, an·chy- [æ̀ŋkəlóusis] *n.* Ⓤ (구체적으로는 Ⓒ) (뼈와 뼈의) 교착; (관절의) 강직(증).

Ann, An·na [æn], [ǽnə] *n.* 앤, 애너《여자 이름; 애칭은 Anni, Nancy 등》.

An·na·bel [ǽnəbèl] *n.* 애너벨《여자 이름》.

an·nal·ist [ǽnəlist] *n.* Ⓒ 연대기(年代記) 편자, 연보(年譜) 작자; 사료가(史料家). ≠analyst.

◇**an·nals** [ǽnəlz] *n. pl.* **1** 연대기, 연대표. **2** (역사적인) 기록, 사료(史料). **3** 〖때로 단수취급〗 (학회 따위의) 연보(年報).

An·nap·o·lis [ənǽpəlis] *n.* 아나폴리스《미국 Maryland 주의 주도; 해군 사관학교 소재지》.

Ann Ar·bor [ænɑ́:rbər] 앤 아버《미국 Michigan 주 남동부의 도시; Michigan 대학 소재지》.

Anne [æn] *n.* 앤. **1** 여자 이름《애칭은 Annie, Nan, Nancy》. **2** 영국 여왕(1665-1714)《치세 중(1707)에 England 와 Scotland 가 합병됨》.

an·neal [əní:l] *vt.* **1** (강철·유리 등)을 달구어 서서히 식히다; 벼리다. **2** (의지·정신)을 단련〔강화〕하다.

an·ne·lid [ǽnəlid] *n.* Ⓒ, *a.* 〖동물〗 환형(環形)동물(의).

◇**an·nex** [ənéks, æn-] *vt.* **1** 부가〔추가, 첨부〕하다《***to*** …에》: ~ notes 주(註)를 첨부하다/~ one's signature *to* a letter of recommendation 추천장에 서명을 첨가하다. **2** (영토 등)을 합병하다《***to*** …에》: The United States ~*ed* Texas in 1845. 미합중국은 1845 년에 텍사스를 합병했다/The firm was ~*ed to* a large corporation. 그 회사는 대회사에 병합되었다. **3** 《구어》 훔치다, 착복〔횡령〕하다. ◇ annexation *n.*
— [ǽneks, -iks] (*pl.* **~·es** [-iz]) *n.* Ⓒ **1** 부가물; 부록; (조약 등의) 첨부 서류. **2** 부속 가옥, 증축 건물, 별관《***to*** (건물)의》: a hotel ~ 호텔 별관.

an·nex·a·tion [æ̀nekséiʃən] *n.* **1** Ⓤ 부가; 합병. **2** Ⓒ 부가물, 합병된 영토.

an·nexe [ǽneks] *n.* 《英》 =ANNEX.

An·nie [ǽni] *n.* 애니《여자 이름; Anna, Anne 의 애칭》.

◇**an·ni·hi·late** [ənáiəlèit] *vt.* **1** 절멸〔전멸〕시키다: ~ the enemy's army 〔fleet〕 적군을〔함대를〕 전멸시키다. **2** (법률 등)을 무효로 하다, 폐지하다. ~ a law. **3** 《구어》 (상대)를 꺾다, 제압하다, 완패시키다: ~ the visiting team 원정 팀을 완패시키다.

◇**an·nì·hi·lá·tion** *n.* Ⓤ 전멸, 절멸: A nuclear war might end in the ~ of the world. 핵전쟁은 전세계의 파멸로 끝날 수도 있다.

***an·ni·ver·sa·ry** [æ̀nəvə́:rsəri] *n.* Ⓒ (해마다의) **기념일**, 기념제; …주년제, 주기(周忌), 기일(忌日)《생략: anniv.》: one's wedding ~ 결혼기념일/celebrate the 60th ~ of one's birth 환갑을 축하하다. —*a.* 기념일의, 기념제의; 매년의, 해마다의.

An·no Dom·i·ni [ǽnou-dɑ́mənài, -nì:, ɑ:n-/-dɔ́m-] 《L.》 (=in the year of our Lord) (그리스도) 기원, 서기 《생략: A.D.》. cf. B.C.

an·no·tate [ǽnətèit] *vt.* (본문)에 주를〔주석을〕 달다, 주석하다: an ~*d* edition 주석판(版). ㉥ **án·no·tà·tor, -tàt·er** *n.* Ⓒ 주석자.

an·no·ta·tion [æ̀nətéiʃən] *n.* Ⓤ (구체적으로는 Ⓒ) 주석, 주해(註解).

‡**an·nounce** [ənáuns] *vt.* **1** 《~+[목]/+[목]+[전]+[명]/+[목]+*to be* [보]/+*that* [절]/+[목]+*as* [보]》 **알리다**, **고지〔발표〕하다**, 공고〔공표〕하다, 전하다: She has ~*d* her marriage *to* her friends. 그녀는 친구들에게 결혼한다고 발표하였다/He ~*d* my statement *to be* a lie. =He ~*d that* my statement was a lie. 그는 나의 진술을 거짓이라고 전하였다/He ~*d* himself (to me) *as* my father. 그는 나의 아버지라고 자칭하였다. SYN. ⇨DECLARE. **2** (손님)의 도착 따위를 큰 소리로 전하다; (식사)의 준비를 알리다: ~ dinner 식사 준비가 되었다고 알리다/The butler ~*d* Mr. and Mrs. Jones. 집사는 존스 부처의 내방을 전했다. **3** 《~+[목]/+[목]+*to be* [보]/+*that* [절]》 …임을 나타내다, 감지케 하다: An occasional shot ~*d* the presence of the enemy. 이따금 들리는 총소리로 적이 있는 것을 알 수 있었다/Her dress ~*s* her *to be* a nurse. 복장을 보아 그녀가 간호사라는 것을 알 수 있다/The crowing of cocks ~*d that* dawn was near. 수탉의 울음소리는 새벽이 가까움을 짐작케 했다. **4** 〖방송〗 (프로)를 아나운스하다.
—*vi.* 《+[전]+[명]》 **1** 아나운서로 근무하다《***for, on*** …의》: He ~*s for* the private station. 그는 민영 방송국의 아나운서로 근무하고 있다. **2** 《美》 입후보를 표명하다《***for*** (관직)에의》: ~ *for* governor 지사 선거에 입후보할 뜻을 표명하다.

‡**an·nounce·ment** [ənáunsmənt] *n.* Ⓤ (구체적으로는 Ⓒ) **1 알림**, 발표, 공표, 공고, 성명《***that***》: make an ~ of …을 발표하다/The ~ of his death has appeared in the newspapers. 그의 사망 공고가 신문에 났다/The ~ *that* taxes will be reduced is very welcome news. 세금이 준다는 발표는 아주 반가운 소식이다. **2** (카드놀이의) 가진 패를 보이기.

***an·nounc·er** [ənáunsər] *n.* Ⓒ **1** 〖방송〗 아나운서, 방송원. **2** 고지자, 발표자.

‡**an·noy** [ənɔ́i] *vt.* 《~+[목]/+[목]+[전]+[명]》 **1 괴롭히다**, 귀찮게〔성가시게〕 굴다, 속태우다《***with*** …으로》《★ 종종 수동태로 쓰며, 전치사는 *by, at, about, with*》: She ~*ed* us *with* her constant prattle. 그녀는 쉴새없이 잔소리를 하여 우리를 괴롭혔다/I *was* ~*ed by* 〔*at*〕 his interruptions. =I *was* ~*ed with* him *for* his interruptions. 그가 번번이 참견해서 귀찮았다/He *was* ~*ed to* find that dinner was not ready. 그는 식사 준비가 되지 않은 것을 알고 그는 화가 났다/He *was* ~*ed that* the computer was down again. 그는 컴퓨터가 또 고장이 나서 신경질이 났다. **2** 귀찮게 공격하다, 난처하게 하다《***with, by*** …으로》: ~ a teacher *with* 〔*by*〕 ask*ing* questions 선생님을 질문 공세로 난처하게 하다.

***an·noy·ance** [ənɔ́iəns] *n.* **1** Ⓤ **성가심**; 불쾌감; 괴로움, 곤혹: to one's ~ 곤란하게도/put a person to ~ 아무를 곤란하게〔귀찮게〕 하다. **2** Ⓒ 곤란한 것, 골칫거리: That noise is a great ~

to me. 저 소리가 정말 골칫거리다.

an·nóyed *a*. 성가신, 귀찮은; 신경질 난, 화난《*with* (아무)에게; *at, about* (사물)에》: an ~ frown 화나 찡그린 얼굴/I felt ~ *with* the girl *for* being so careless. 나는 그 소녀가 너무 부주의해서 신경질이 났다/I got very ~ *at* her remarks. 나는 그녀의 말에 무척 화가 났다.

◇**an·nóy·ing** *a*. 성가신, 귀찮은, 지겨운: How ~! 아이 귀찮아/It is very ~, I know. 참으로 성가시겠지만. ㊞ **~·ly** *ad*.

⁑**an·nu·al** [ǽnjuəl] *a*. **1** 일년의, 일년에 걸친: an ~ income [pension] (of $50,000) (5만 달러의) 연수(年收)[연금]/~ expenditure [revenue] 세출[세입]. **2** 일년마다의, 예년의; 1년 1회의: an ~ message 《美》 연두교서/an ~ report 연보. **3** 【식물】 일년생의: an ~ plant 일년생 식물. **—***n*. Ⓒ **1** 연보(年報), 연감(yearbook); 《美》 졸업 앨범《따위》. **2** 일년생 식물.

ánnual géneral méeting 연차 주주 총회.

◇**án·nu·al·ly** *ad*. 해마다(yearly), 연년이, 연1회씩.

ánnual ríng (나무의) 나이테.

an·nu·i·tant [ənjúːətənt] *n*. Ⓒ 연금 수령인.

an·nu·i·ty [ənjúːəti] *n*. Ⓒ **1** 연금(年金): an ~ certain 확정 연금/a life [terminable] ~ 종신[유기] 연금/an ~ bond 연금 증서. **2** (일정 기간) 일정한 이자가 생기는 투자.

an·nul [ənʌ́l] (*-ll-*) *vt*. (혼인·계약 등)을 무효로 하다, 취소하다; (법령·의결 등)을 폐지[파기]하다: ~ a marriage 결혼을 무효로 하다.

an·nu·lar [ǽnjələr] *a*. 고리 모양의, 환상(環狀)[윤상(輪狀)]의. ㊞ **~·ly** *ad*. 고리 모양으로, 환상으로 (되어).

ánnular eclípse 【천문】 금환식(金環蝕).

an·núl·ment *n*. Ⓤ (구체적으로는 Ⓒ) **1** 취소, 실효(失效), 폐지, 폐기. **2** (결혼) 무효 선언.

an·nu·lus [ǽnjələs] (*pl*. *-li* [-lài], **~·es**) *n*. Ⓒ **1** 고리, 둥근 테. **2** 【수학】 환형; 【천문】 금환; 【동물】 체환(體環).

an·num [ǽnəm] *n*. 《L.》 Ⓒ 연(年), 해(year) 《생략: an.》: per ~ 1년마다, 한 해에 (얼마).

an·nun·ci·ate [ənʌ́nsièit] *vt*. 고시(告示)[통고]하다.

an·nùn·ci·á·tion *n*. **1** Ⓤ (구체적으로는 Ⓒ) 포고, 통고, 예고. **2** (the A-) 【기독교】 성수태 고지《천사 Garbriel이 성모 Mary에게 그리스도의 수태를 알린 일》; =ANNUNCIATION DAY.

Annunciátion Dày 수태 고지일(告知日)(Lady Day)《3월 25일》.

an·nun·ci·a·tor [ənʌ́nsièitər] *n*. Ⓒ 알리는 사람[장치]; 통고자; 신호 발신처 표시기《신호가 어느 방[층]에서 왔는지를 가리킴》.

an·ode [ǽnoud] *n*. Ⓒ 【전기】 아노드《정전하(正電荷)가 흘러나가는 전극; ↔ *cathode*》 **1** (전자관·전해조의) 양극(陽極). **2** (1차 전지·축전지의) 음극.

ánode ràу 【전기】 양극선(陽極線).

an·o·dyne [ǽnoudàin] *a*. 진통의; 감정을 누그러지게 하는. **—***n*. Ⓒ 진통제; 감정을 누그러지게 하는[위로가 되는] 것.

anoint [ənɔ́int] *vt*. **1** (상처 따위)에 기름을[연고를] 바르다; (화장 따위를 위해) 문질러 바르다 《*with* …을》: ~ the burn *with* ointment 덴 상처에 연고를 바르다/~ one's hands *with* cold cream 손에 콜드 크림을 바르다. **2** 【기독교】 (사람·머리 등)에 기름을 붓다《종교적 의식》; (국왕·성직자 등)을 성별(聖別)하다; 성별하여 뽑다. ***the* (*Lord's*) *Anointed*** ① 기름 부어진 자, 구세주, 예수. ② 옛 유대의 임금; 신권에 의한 임금.

anóint·ment *n*. Ⓤ (구체적으로는 Ⓒ) 기름을 바름; 문질러 바름《*with* (연고 따위)를》; 【기독교】 도유식(塗油式), 기름 부음.

anom·a·lous [ənáməlǝs/ənɔ́m-] *a*. **1** 변칙의, 예외의, 이례의. **2** 【문법】 변칙의, 변칙적인: ⇨ ANOMALOUS VERB/⇨ ANOMALOUS FINITE. ㊞ **~·ly** *ad*. **~·ness** *n*.

anómalous fínite 【문법】 불규칙 정형 동사(定形動詞)《be, have 및 조동사의 정형》.

anómalous vérb 【문법】 불규칙 동사《be, have, do, may, shall, can 따위 12어(語)》.

anom·a·ly [ənáməli/ənɔ́m-] *n*. **1** Ⓤ 변칙, 이례, 이상, 예외; 변태. **2** Ⓒ 변칙적[예외적]인 것[사람].

◇**anon** [ənán/ənɔ́n] *ad*. 《고어·시어》 이내(곧); 머지않아; 조만간에; 즉시. ★ sometimes, now와 대응하여 쓰임.

***ever* [*now*] *and* ~** 《고어·시어》 때때로, 가끔.

anon. anonymous(ly).

an·o·nym [ǽnənìm] *n*. Ⓒ 가명, 변명(變名); 익명자; 작자 불명의 저작. ★ pseudonym 쪽이 일반적.

an·o·nym·i·ty [æ̀nənímәti] *n*. **1** Ⓤ 이름 없는 것, 작자불명인 것. **2** Ⓒ 익명자: hide behind ~ =retain one's ~ 익명으로 하다.

◇**anon·y·mous** [ənánəməs/ənɔ́nə-] *a*. **1** 익명의; 변명[가명]의. ¶an ~ letter 익명의 편지[투서]/The donor remained ~. 그 기증자는 이름을 밝히지 않았다. **2** 성명 미상의, 작자[발행자, 발송인, 산지 따위] 불명의. **3** 특징[개성]이 없는. ㊞ **~·ly** *ad*. 익명으로.

anónymous FTP 【컴퓨터】 익명 FTP《등록된 사용자(user)가 아니라도 이용할 수 있는 FTP》.

anoph·e·les [ənáfəlìːz/ənɔ́f-] (*pl*. ~) *n*. Ⓒ 【곤충】 학질[말라리아] 모기.

an·o·rak [ǽnəræ̀k, áːnərɑ̀ːk] *n*. Ⓒ 아노락 《후드 달린 방한용 코트》; 파카(parka).

an·o·rex·ia [æ̀nəréksiə] *n*. Ⓤ **1** 식욕 부진. **2** =ANOREXIA NERVOSA.

anoréxia ner·vó·sa [-nəːrvóusə] 【의학】 (사춘기(여성)의) 신경성 무식욕증[식욕 감퇴증].

an·o·rex·ic [æ̀nəréksik] 【의학】 *a*. 식욕 부진의; 식욕을 감퇴시키는. **—***n*. Ⓒ 식욕 부진자; 신경성 무식욕증 환자.

†**another** [ənʌ́ðər] *a*. Ⓐ **1** 다른 하나의, 또 하나[한 사람]의(one more): Will you have ~ cup of coffee? 커피 한 잔 더 드시겠습니까《두 잔째만이 아니고, 석 잔째, 넉 잔째에도 쓸 수 있음》/That boy will be ~ Edison some day. 저 소년은 언젠가 제2의 에디슨이 될것이다.

2 다른, 딴, 별개의(different): That is ~ question. 그것은 별개의 문제다/One man's meat is ~ man's poison. 《속담》 갑의 약은 을의 독 《★ one ... another는 둘을 대조적으로 말할 때 씀》/*Another* man *than* I might be satisfied. 나 이외의 사람이라면 만족할지도 모른다《★ than을 쓰는 것이 원칙이나 from을 쓰는 사람도 있음》.

3 《수사와 함께》 다시[또] …(개)의, 또 다른…의: in ~ two months 다시 2개월(이라는 기간이) 지나면/I earned ~ hundred [three hundred] dollars. 다시 또 100 [300] 달러(라는 금액)를 벌었다. ★ 복수명사를 직접 수식할 때에는

other를 쓰지만, 앞에서처럼 '수사+복수형 명사'는 이를 한 덩어리로 생각하여 그 앞에 another를 씀.
~ **day** (언젠가) 다음 날, 후일: Come ~ *day*. 또 다음 날[번에] 와 주십시오. **in ~ moment** 다음 순간, 갑자기, 홀연.
—*pron*. **1 또 다른 한 개(의 것), 또 다른 한 사람**: distinguish one from ~ 어떤 것을 다른 것과 구별하다 / I ate a hamburger and ordered ~. 나는 햄버거를 한 개 먹고 하나 더 주문했다 / Try [Have] ~. 하나 더 [한 잔 더] 드십시오.
2 다른 물건, 별개의 것, **다른[딴] 사람**: for one reason or ~ 어쩐 일인지 / To say is one thing, to do is quite ~. 말하는 것과 행동하는 것은 전혀 별개다 (★ one ... another는 둘을 대조적으로 말할 때 씀) / I don't like this tie; show me ~. 이 넥타이는 마음에 안 듭니다, 다른 것을 보여 주세요 / These documents are not mine. They are *another's*(=somebody else's). 이 서류들은 내 것이 아니다. 딴 사람 것이다.
3 그와 같은 것, 그와 같은 사람: If I am a mad man, you are ~. 내가 미치광이라면 너도 미치광이야 / "Liar!" — "You're ~!" '거짓말쟁이' — (뭐라고,) 너야말로 거짓말쟁이다'.
Ask me ~! (구어) 알 게 뭐야. ***one after ~*** 차례차례, 잇따라, 연속하여: Visitors arrived *one after ~*. 손님들이 속속 도착했다. ★ one after the other 는 '두 개의 것 · 두 사람이 차례차례로'의 뜻. ***one and ~*** 여러 종류의 사람(들). ***one ~*** ⇨ONE. ***such ~*** (고어 · 시어) 그와 같은 것[사람]. ***taking*** [***taken***] ***one with ~*** 이것 저것 생각해 보면, 전체적으로 보아: *Taken one with ~* the paintings should sell for a good price. 대체로 그 그림들은 좋은 값에 팔릴 것이다.

> NOTE (1) **another와 other**: 원래 another는 an+other에서 온 것으로 the, this, that, my, your 따위가 앞에 오지 않음. 이런 것을 붙이려면 other를 씀: the *other* door 또 하나의 문. my *other* son 나의 또 하나의 아들 ('나머지의 하나'의 뜻). 비교: *another* son of mine 나의 다른 하나의 아들(아직 화제에 올라 있지 않은).
> (2) **another와 the other(s)**: another는 암암리에 '그 밖에도 몇 개[사람] 있다'라고 예상했을 때의 '또 하나'이며, the other(s)는 '그 밖에 이것[사람]밖에는 없다'라고 예상했을 때의 '나머지의 하나 (또는 몇몇)'을 가리킴. 예를 들면 둘 이상의 것 중 하나를 취하고, 그 다음에 '또 다른 하나[한 개]'라는 뜻으로 another를 씀. 세 개[사람]의 경우에는 one, another라고 하며 둘을 취하면 그 나머지는 the other가 되고, 넷 이상일 때에는 one, another라고 하며 그 중 둘을 취하면 나머지를 일괄하여 the others(복수), one, another, a third 식으로 셋을 취하면 그 나머지는 the other(단수)가 됨. 또 처음부터 둘만의 경우에는 당연히 one, the other로 대조시킴: There were three men. *One* was a doctor, *another* was a teacher, and *the third* [*the other*] was a lawyer. 세 사람이 있었는데 하나는 의사, 하나는 교사, 나머지 한 사람은 변호사였다.
> DIAL. ***Tell me another*** **(*one*)*!*** 말도 안 돼, 거짓말 마 ('거짓말을 한 번만 더 해 봐라'라고 반어적으로 표현한 말).

Á.N. Óther (英) 미정 선수 (출장 선수 명단 작성 때 해당란에 기입); 익명씨 (another를 인명처럼 표기한 것).

an·ov·u·lant [ænávjulənt/ænɔ́v-] *n*. Ⓤ (종류 · 낱개는 Ⓒ) 배란 억제제. **—***a*. 배란 억제(제)의.
ans. answer.
ANSCII 〖컴퓨터〗 American National Standard Code for Information Interchange (미국 규격 협회 정보 교환용 표준 부호; 본래는 ASCII).
†**an·swer** [ǽnsər, ɑ́ːn-] *n*. Ⓒ **1 대답, 회답**; 응답, 반응 (**to** …에 대한). cf. reply, response. ¶give [make] an ~ *to* a question 질문에 대답하다 / I finally got an ~ *to* my letter. 마침내 내 편지에 대한 회답이 왔다 / I knocked at the door but there was no ~. 나는 문을 두드렸지만 아무런 응답이 없었다.
2 해답; 해결(책), 대책 (**to** …에 대한): Figure out the ~ *to* this problem. 이 문제에 답하시오 / come up with an ~ *to* the population explosion 인구 폭발에 대한 해결책을 찾아내다.
3 대응, 응수, 보복; 반론, 변명, 해명 (**to** …에 대한): I have a complete ~ *to* the charge. 그 비난에 대해서는 충분히 해명할 수 있다.
4 필적하는 것 (**to** …에).
in ~ to …에 답하여, …에 응하여: *in ~ to* your query 귀하의 질의에 답하여. ***know*** [***have***] ***all the ~s*** (구어) 무엇이든 안다; 만사에 정통하다: He thinks he *knows all the ~s*. 그는 자기가 뭐든 다 알고 있다고 생각한다.
—*vt*. **1** (~+목/+*that* 절/+목+목/+목+전+명) (사람 · 질문 · 편지 등)에 **답하다** (**to** (아무)에게): ~ a person [question] 아무에게[질문에] 답하다 / ~ a letter 편지에 답하다 / She *~ed* (me) *that* she was ill. 그녀는 아프다고 대답하였다 / He didn't ~ a word *to* me. =He didn't ~ me a word. 그는 나에게 한 마디도 응답하지 않았다.

> SYN. **answer** 질문 · 명령 · 부름 · 요구 등에 (대)답하다: *answer* a letter 답장을 쓰다. *answer* the phone 전화를 받다. **rejoin** 비판 · 반대 따위에 응답하다. **reply** 질문 · 요구 등에 대하여 숙고한 후에 알맞은 회답을 하다. answer 보다 정식 대답. **respond** 상대방에게 호응하여 즉각 응답하다. 흔히 이미 마련된 회답을 반사적으로 행함. **retort** 비난 따위에 감정적으로 즉각 응수하다. 주로 반대 의견을 개진할 때 쓰임.

2 a (노크 · 벨 · 전화 등)에 응하여 나오다: ~ the bell [door] (찾아온 손님)을 맞이하러 나오다 / ~ the telephone 전화를 받다. **b** (요구 따위)에 응하다, (소원 따위)를 들어[이루어] 주다; (의무 · 채무 따위)를 이행하다; (목적 따위)를 이루다, 충족시키다: ~ the call 소집에 응하다 / ~ the purpose 목적을 이루다, 충족하다.
3 …에 부합[일치]하다: ~ the description of the murderer 살인범의 인상서(人相書)와 일치하다.
4 (~+목/+목+전+명) (비난 · 공격 등)에 응수하다; (논의 · 비판 등)에 반론하다 (**with** …으로): I *~ed* his blow *with* mine. 그의 주먹에 나도 되받아 주었다 / ~ a charge 비난에 반론하다.
5 (문제 · 수수께끼 따위)를 풀다: ~ a riddle [problem] 수수께끼[문제]를 풀다.
—*vi*. **1** (~/+전+명) (대)답하다, 회답하다 (**to** …에; **with** (행동 등)으로): ~ *to* a question 질

문에 답하다 / She ~*ed with* a nod. 그녀는 대답 대신 고개를 끄덕였다.

2 《~/+전+명》 (노크·전화 등에) 응하다, 응답하다; (행위 등에) 응수하다《***with, by*** …으로》: I knocked on [at] the door, but nobody ~*ed*. 문을 노크했으나 아무런 응답도 없었다 / ~ *with* a blow 대답 대신에 때리다 / He ~*ed by* giving me a black look. 그는 대답하지 않고 나를 쏘아봤다.

3 《+전+명》 변명[해명]하다; 책임지다, 보증하다《***to*** (아무)에게; ***for*** …에 대하여》: You'll have to ~ *to* police *for* drunk driving. 당신은 음주 운전에 대해 경찰에 해명해야 할 것이다 / I cannot ~ *for* his honesty. 그가 정직한지 어떤지 보증할 수 없다.

4 《+전+명》 일치[부합]되다, 맞다《***to*** …에》: His features ~ *to* the description. 그의 용모는 그 인상서와 일치한다.

5 《~/+전+명》 소용되다, 쓸모 있다, 적합하다《***for*** …에》: It ~*s* very well. 그것으로 충분하다 / This will ~ *for* a knife. 이건 칼 대신으로 쓸 만하다.

6 (탈것 등이) 조작되다, 반응하다《***to*** …에》: This horse is slow to ~ *to* the rein. 이 말은 고삐에 반응이 느리다.

~ ***back*** 《*vi*.+부》 ① 말대꾸하다《***to*** (윗사람)에게》. —《*vt*.+부》 ② (윗사람)에게 말대꾸하다: Don't ~ your father *back* like that! 그런 식으로 아버지한테 대꾸하지 마라. ~ ***to the name of*** (사람·애완동물 등이) …라고 불리다, …라는 이름이다: My dog ~*s to the name of* Wendy. 나의 개 이름은 웬디이다.

án·swer·a·ble *a*. **1** Ⓟ 책임 있는《***to*** (아무)에 대하여; ***for*** (행위)에 대하여》: He is ~ (*to* me) *for* his conduct. 그는 (나에 대해) 자기 행위의 책임을 져야만 한다. **2** (질문 따위에) (대)답할 수 있는.

ánswer·bàck 〖컴퓨터〗 *n*. Ⓒ 응답.
—*a*. 응답의, 응답하는: a computer with ~ capability 응답 능력이 있는 컴퓨터.

án·swer·er *n*. Ⓒ 회답[응답]자, 해답자; 〖법률〗 답변인.

ánswering machìne (부재시의) 전화 자동 응답 장치.

ánswering sèrvice 《美》 (부재시의) 전화 응답[응대] 대행업.

‡**ant** [ænt] *n*. Ⓒ **개미**《★ 여왕개미는 queen ant, 병정개미는 soldier ant, 일개미는 worker ant, 개미둑은 anthill》. cf. termite. ***have ~s in*** one***'s pants*** 《美속어》 (…하고 싶어) 좀이 쑤시다; (불안해서) 안절부절 못하다; 흥분해 있다.

an't [ænt, ɑ:nt, eint/ɑ:nt] 《英구어》 are not, am not 의 간약형; 《방언》 is not, has [have] not 의 간약형. cf. ain't.

ant- [ænt] *pref*. =ANTI-《모음이나 h 앞에 올 때의 꼴》: *ant*acid.

-ant [ənt] *suf*. **1** 동사에 붙여 형용사를 만듦: defi*ant*, pleas*ant*. **2** 동사에 붙여 '행위자'를 나타내는 명사를 만듦: serv*ant*, occup*ant*.

Ant. Antarctica. **ant.** antiquary; antonym.

ant·ac·id [æntǽsid] *a*. 산을 중화하는, 제산(성)(制酸(性))의. —*n*. Ⓤ (종류·낱개는 Ⓒ) 제산제(劑); 산중화물(酸中和物).

°**an·tag·o·nism** [æntǽgənìzəm] *n*. Ⓤ (구체적으로는 Ⓒ) 적대, 대립; 반대, 반항; 반감, 적의 (hostility)《***between*** …사이의; ***for, against, toward*** …에 대한》: the ~ *between* Capital and Labor 노사간의 반목 / feel (a) great ~ *for* [*toward, against*] a person 아무에게 강한 적의를 품다 / be in [come into] ~ with …와 반목하고 있다[하기에 이르다] / in ~ with …에 적대[대항]하여.

°**an·tag·o·nist** [æntǽgənist] *n*. Ⓒ **1** 적수, 적대자, 경쟁자. SYN. ⇨OPPONENT. **2** 〖해부〗 길항근(拮抗筋).

an·tag·o·nis·tic, -ti·cal [æntæ̀gənístik], [-əl] *a*. 적대의, 반대하는; 상반[모순, 대립]되는, 서로 용납될 수 없는《***to, toward*** …와, …에게》: be *antagonistic to* religion 종교와 서로 용납되지 않다 / He is openly *antagonistic toward* the Mayor. 그는 시장에게 공공연한 적의를 품고 있다. 파 **-ti·cal·ly** *ad*. 반목[적대]하여.

an·tag·o·nize [æntǽgənàiz] *vt*. **1** (아무)를 적으로 돌리다, (아무)의 반감을 사다: His manner ~*s* the people. 그의 태도는 사람들의 반감을 산다. **2** (아무)에게 적대하다, 대립[대항]하다; 《美》 (사물)에 반대하다: ~ a measure 시책에 반대하다. **3** …에 반대로 작용하다, …을 중화하다.

***ant·arc·tic** [æntɑ́:rktik] *a*. (종종 A-) **남극(지방)의**. ↔ *arctic*. ¶ ~ waters 남극 수역 / an ~ expedition 남극 탐험(대). —*n*. (the A-) **남극(지방)**, 남극권《남극 대륙 및 남극해》.

Ant·arc·ti·ca [æntɑ́:rktikə] *n*. 남극 대륙(the Antarctic Continent).

Antárctic Círcle (the ~) 남극권《남극으로부터 23°27′ 선》.

Antárctic Cóntinent (the ~) 남극 대륙 (Antarctica).

Antárctic Ócean (the ~) 남극해, 남빙양.

Antárctic Zòne (the ~) 남극대(帶).

ánt bèar 〖동물〗 큰개미핥기《남아메리카산》.

ánt·còw *n*. Ⓒ 진디.

an·te [ǽnti] *n*. **1** Ⓒ (보통 *sing*.) 〖카드놀이〗 포커에서 패를 돌리기 전에 태우는 돈. **2** (the ~) 《美구어》 할당금, 분담금. ***raise*** (《구어》 ***up***) ***the ~*** 《美》 태우는 돈[출자금, 분담금 등]의 액수를 올리다; (합의하기 위해) 양보하다. —(*p*., *pp*. ***~d, ~ed***) *vt*. (판돈)을 걸다, 태우다; 《美구어》 (분담금 등)을 내다, 불입하다(*up*). —*vi*. 돈을 걸다[태우다]; 《美구어》 분담금을 내다(*up*).

an·te- [ǽnti] *pref*. '…의 전의, …보다 앞의(before)'라는 뜻: *ante*bellum, *ante*room. ≠ anti-.

ánt·èater *n*. Ⓒ 〖동물〗 개미핥기.

an·te·bel·lum [æ̀ntibéləm] *a*. 《L.》 전전(戰前)의; 《美》 남북 전쟁 전(前)의.

an·te·ced·ence, -en·cy [æ̀ntəsí:dəns], [-si] *n*. Ⓤ (시간·공간·순위적인) 선행, 우선.

°**an·te·ced·ent** [æ̀ntəsí:dənt] *a*. **1** 앞서는, 선행(先行)의, 우선하는《***to*** …에》: ~ conditions 선행 조건 / an event ~ *to* the war 전쟁에 앞서 일어난 사건. **2** 〖논리〗 추정적인, 가정의.
—*n*. **1** Ⓒ 선례; 앞서는[이전의] 일[상황]. **2** (*pl*.) 경력, 신원, 내력: a man of shady ~*s* 전력이 의심스런 사람. **3** (*pl*.) 조상. **4** Ⓒ 〖문법〗 (관계사의) 선행사《This is the house that Jack built. 에서 the house가 that의 선행사》. **5** Ⓒ 〖논리〗 (명제의) 전제 (조건). ↔ *consequent*. 파 **~·ly** *ad*. 이전에, 앞서; 추정적으로.

ánte·chàmber *n*. Ⓒ (큰 방으로 통하는) 작은 방, 대기실.

an·te·date [ǽntidèit, ∸-∸] *vt.* **1** (사건 따위가 시기적으로) …에 앞서다, …보다 먼저 일어나다: The rise of Buddhism ~*s* that of Christianity by some 500 years. 불교의 기원이 기독교보다 약 500년 앞선다. **2** (수표 · 증서 등)의 날짜를 실제보다 이르게 하다.
— [∸-∸] *n.* Ⓒ 전일부(前日附)(=**príor dàte**).

an·te·di·lu·vi·an [æ̀ntidilú:viən/-vjən] *a.* **1** (Noah의) 대홍수 이전의. **2** 《우스개》 태고 때의; 구식의, 시대에 뒤진. —*n.* Ⓒ 대홍수 이전의 사람[동식물]; 파파 노인; 아주 낡은 것; 시대에 뒤진 사람.

an·te·lope [ǽntəlòup] (*pl.* ~(**s**)) *n.* **1** Ⓒ 〖동물〗 영양(羚羊); 《美》 뿔 갈라진 영양(pronghorn). **2** Ⓤ 영양 가죽.

an·te me·rid·i·em [ǽnti-mərídiəm] 《L.》 (=before noon) 오전(에)《생략: a.m. 또는 A.M.》. ↔ *post meridiem*.

ànte·nátal *a.* Ⓐ 출생 전의; 임신 중의: ~ training 태교. —*n.* Ⓒ 《英구어》 임신 중의 검진(prenatal checkup).

***an·ten·na** [ænténə] *n.* Ⓒ **1** (*pl.* ~**s**) 《美》 **안테나**, 공중선(《英》 aerial). **2** (*pl.* **-nae** [-ni:]) 〖동물〗 촉각, 더듬이.

an·te·pe·nult [æ̀ntipí:nʌlt, -pinʌ́lt/ǽntipinʌ́lt] *n.* Ⓒ 〖언어 · 시학〗 끝에서 세 번째 음절 《보기: an-te-pe-nult의 -te-》.

ànte-póst *a.* 《英》 경쟁자[말]의 번호가 게시되기 전에 내기를 하는.

◇**an·te·ri·or** [æntíəriər] *a.* **1** (공간적으로) 전방[전면]의, 앞의(↔ *posterior*): the ~ part 앞부분. **2** (시간적 · 논리적 · 순위적으로) 전[앞]의, 앞선《*to* …에》: an ~ age 전 시대/events ~ *to* the Revolution 혁명 전의 사건들. [◂*ante*의 비교급] ㊕ ~·**ly** *ad.* 앞에, 전에, 먼저.

ánte·ròom *n.* Ⓒ (주실(主室)로 통하는) 작은 방; 대기[대합]실.

◇**an·them** [ǽnθəm] *n.* Ⓒ 성가, 찬송가; 《일반적》 축가, 송가: a national ~ 국가.

an·ther [ǽnθər] *n.* Ⓒ 〖식물〗 약(葯), 꽃밥《수술 끝의 둥근 모양의 것》. ⓒⓕ stamen.

ánt·hìll *n.* Ⓒ 개밋둑, 개미탑.

an·thol·o·gist [ænθɑ́lədʒist/-θɔ́l-] *n.* Ⓒ 명시선[명가 · 명문집]의 편집자.

an·thol·o·gize [ænθɑ́lədʒàiz/-θɔ́l-] *vt.*, *vi.* 명시 선집에 수록하다[을 편찬하다].

an·thol·o·gy [ænθɑ́lədʒi/-θɔ́l-] *n.* Ⓒ 명시 선집, 명문집; (한 작가의) 선집; 명곡[명화] 집.

An·tho·ny [ǽntəni, -θə-] *n.* **1** 앤터니《남자 이름; 애칭 Tony》. **2** (St. ~) 성(聖)안토니우스 《이집트인으로 수도사의 창시자; 251?-356?》.

an·thra·cite [ǽnθrəsàit] *n.* Ⓤ 무연탄(=∸ còal).

an·thrax [ǽnθræks] *n.* Ⓤ 〖의학〗 탄저(炭疽)병.

an·thro·po- [ǽnθrəpou, -pə] '사람 · 인류(학)'이란 뜻의 결합사.

ànthropo·céntric *a.* 인간 중심의.

an·thro·poid [ǽnθrəpɔ̀id] *a.* **1** (동물이) 인간 비슷한; 유인원류(類人猿類)의. **2** 《구어》 (사람이) 원숭이를 닮은. —*n.* Ⓒ **1** 유인원《chimpanzee, gorilla 따위》. **2** 원숭이 비슷한 사람.

ánthropoid ápe *n.* =ANTHROPOID 1.

an·thro·po·log·ic, -i·cal [æ̀nθrəpəlɑ́dʒik/-lɔ́dʒ-], [-əl] *a.* 인류학(상)의.
㊕ **-i·cal·ly** *ad.*

an·thro·pol·o·gist [æ̀nθrəpɑ́lədʒist/-pɔ́l-] *n.* Ⓒ 인류학자.

◇**an·thro·pol·o·gy** [æ̀nθrəpɑ́lədʒi/-pɔ́l-] *n.* Ⓤ 인류학: physical [cultural, social] ~ 자연[문화, 사회] 인류학.

an·thro·pom·e·try [æ̀nθrəpɑ́mətri/-pɔ́mi-] *n.* Ⓤ 인체 측정학[계측법]. ㊕ **an·thro·po·met·ric, -ri·cal** [æ̀nθrəpəmétrik], [-əl] *a.*

ànthropo·mórphic *a.* 의인화[인격화]된, 사람의 모습을 닮은[닮게 한].

ànthropo·mórphism *n.* Ⓤ 의인관(擬人觀)《신 · 동식물 등 모든 것이 그 형태 · 성질에서 인간과 비슷하다는 관점》.

an·thro·poph·a·gi [æ̀nθrəpɑ́fədʒài/-pɔ́fəgài] (*sing.* **-gus** [-gəs]) *n. pl.* 식인종(cannibals). ㊕ **-gous** [-gəs] *a.* 식인(종)의, 사람 고기를 먹는. **-gy** [-dʒi] *n.* Ⓤ 식인 풍습.

an·ti [ǽnti, -tai] (*pl.* ~**s**) 《구어》 *n.* Ⓒ 반대(론)자(↔ *pro*[2]). —*a.* 반대하는, 반대(의견)의: the ~ group 반대 그룹. — [∸-] *prep.* …에 반대하여(against): They are ~ this plan. 그들은 이 계획에 반대한다.

an·ti- [ǽnti, -tai] *pref.* '반대, 적대, 대항, 배척' 따위의 뜻. ↔ *pro-*[1] 2. ≠ante-. ★ 고유 명사[형용사] 및 i (때로는 다른 모음)의 앞에서는 hyphen을 사용함: ~-British, ~-imperialistic.

ànti·abórtion *a.* Ⓐ 임신 중절을 반대하는.

ànti·áircraft *a.* Ⓐ 대공(對空)의, 방공(용)의: ~ fire 대공 포화[사격]/an ~ gun 고사포.
—(*pl.* ~) *n.* Ⓒ 고사포, 대공 병기; Ⓤ 대공 포화[사격].

ànti-Américan *a.* 반미(反美)의: ~ feeling 반미 감정.

ànti·authoritárian *a.* 반(反)권위주의의.

ànti·bactérial *a.* 항균(성)의.

ànti·ballístic *a.* 대(對)탄도탄의.

antiballístic míssile 탄도탄 요격 미사일《생략: ABM》.

ànti·biótic 〖생화학〗 *a.* 항생(작용)의: ~ substance 항생 물질. —*n.* Ⓒ (흔히 *pl.*) 항생 물질: treat a patient with ~*s* 환자를 항생 물질로 치료하다.

antibiótic-resístance *a.* (균 따위가) 항생 물질 내성을 갖는.

an·ti·body [ǽntibɑ̀di/-bɔ̀di] *n.* Ⓒ 〖생리학〗 (혈청 중의) 항체(抗體), 항독소.

an·tic [ǽntik] *a.* 《문어》 기묘한, 기괴한, 익살맞은, 우스운.
—*n.* Ⓒ (보통 *pl.*) 익살맞은 행동, 기괴한 짓: play ~*s* 농지거리를 하다, 희롱거리다.

ànti·cáncer *a.* 〖약학〗 항암(성)의, 암에 잘 듣는: ~ drugs 항암[제암] 제.

ànti-Cátholic *a.* 반(反)가톨릭의. —*n.* Ⓒ 가톨릭 반대자.

ànti·chóice *a.* 임신 중절 반대(파)의: ~ candidate 임신 중절 반대 후보.

an·ti·christ [ǽntikràist] *n.* **1** Ⓒ 그리스도 반대자, 그리스도의 적. **2** ((the) A-) 반(反)그리스도《그리스도의 재림 전에 이 세상에 악을 만연시키는 그리스도의 적》.

***an·tic·i·pate** [æntísəpèit] *vt.* **1** 《~+목/+*-ing*/+*that* 절/+목+전+명》 **예기하다, 예상하다,** 예감하다, 기대하다(SYN. ⇨ EXPECT); 낙으로 삼고[걱정하며] 기다리다: ~ a victory 승리를 예기[예상]하다/~ trouble 말썽이 생기지 않을까

걱정하다 / He *~d* get*ting* a letter from his uncle in England. 그는 영국에 있는 숙부에게서 오는 편지를 기다리고 있었다 / I ~ *that* she will come. 나는 그녀가 오리라고 생각한다 / We ~ great pleasure *from* our visit to America. 우리들은 미국 여행을 큰 즐거움으로 기대하고 있다 / I ~ difficulty with him. 그가 잘해내지 못할까봐 걱정이다.

2 ⦅~+목/+*that* 절/+*wh.* 절⦆ 미리 헤아려 손을 쓰다, 사전에 대처하다: The nurse *~d* all his needs. 간호사는 그가 원하는 것을 헤아려 모두 해주었다 / She *~d* his visit by preparing food and drink. 그녀는 미리 음식을 준비하여 그의 방문에 대비했다 / I had *~d that* he would do that. 그가 그렇게 하리라고 예상하여 미리 손을 써 두었다 / We *~d when* the enemy would attack us. 적이 언제 우리를 공격할지 예상하여 미리 대처했다.

3 앞서 말하다〔쓰다〕: I must not ~ the end of the story. 이야기의 결말을 미리 말해서는 안 된다.

4 (상대)를 따돌리다, (상대)의 기선을 제압하다; …을 미연에 방지하다: The enemy *~d* our move. 적은 아군의 기선을 제압했다.

5 (수입)을 예기하고 미리 쓰다; 기한 전에 지급하다: She *~d* her legacy. 그녀는 유산을 계산에 넣고 미리 돈을 썼다.

6 ⦅+목+전+명⦆ …에 앞서다, 선행하다⦅***in*** …에서⦆: The Vikings may have *~d* Columbus *in* discover*ing* America. 아메리카의 발견은 콜럼버스보다 바이킹들이 먼저 했을지도 모른다.

— *vi.* 예측〔예언〕하다, 예감하다; 앞지르다, 선취(先取)하다. ◇ anticipation *n.*

◇**an·tic·i·pa·tion** [æntìsəpéiʃən] *n.* Ⓤ **1** 예기, 예감, 예상, 기대: He laid the table in ~ *of* her arrival. 그는 그녀의 도착을 예상하여 식탁을 차려 두었다. **2** 선수침, 기선제압; 사전에 행함, 선취(先取). ◇ anticipate *v.*

***in* ~** 미리, 사전에: Thanking you *in* ~. 〖부탁 편지 등의 맺는 말〗 우선 인사에 대신합니다.

an·tic·i·pa·tor [æntísəpèitər] *n.* Ⓒ 예상하고 있는 사람; 선수를 치는 사람.

an·tic·i·pa·to·ry [æntísəpətɔ̀:ri/-təri, -tri] *a.* **1** 예상〔예기〕한. **2** 미리 내다본, 선제(先制)의. **3** 〖문법〗 선행(先行)의: an ~ subject 가주어⦅*It* is bad for him to smoke.의 it 따위⦆.

ànti·clérical *a.* 교권(教權)을 반대하는; (정치 등에) 성직자의 개입〔간섭〕을 반대하는.
㊕ **~·ism** *n.* Ⓤ 교권 반대주의. **~·ist** *n.*

ànti·climáctic *a.* **1** 점강법(漸降法)의; 점강적인. **2** 어처구니없는 결말의, 용두사미의.

ànti·clímax *n.* **1** Ⓤ 〖수사학〗 점강법(漸降法) (bathos)⦅장중〔엄숙〕한 말을 한 직후에 가벼운〔우스운〕 말을 계속하기. 예: He's a philosopher—of trifles. (그는 철학자다 — 하잘것없는)⦆. ↔ *climax*. **2** Ⓒ 어처구니없는 결말, 큰 기대 뒤의 실망, 용두사미.

an·ti·cli·nal [æ̀ntikláinl] *a.* 서로 반대 방향으로 경사진; 〖지질〗 배사(背斜)의.

an·ti·cline [ǽntiklàin] *n.* Ⓒ 〖지질〗 배사(층).

ànti·clóckwise *a., ad.* =COUNTERCLOCKWISE.

ànti·coágulant 〖약학 · 생화학〗 *a.* Ⓐ 항응혈성〔응고성〕의. — *n.* Ⓤ (종류 · 낱개는 Ⓒ) 항응혈〔응고〕제.

ànti·colónial *a.* 반(反)식민주의.

ànti·cómmunism *n.* Ⓤ 반(反)공산주의, 반공(反共).

ànti·cómmunist *a.* 반공(反共)의, 반공주의(자)의: an ~ policy 반공 정책. — *n.* Ⓒ 반공주의자.

ànti·corrósive *a.* Ⓐ 방식(防蝕)의, 내식(耐蝕)의. — *n.* Ⓤ (종류 · 낱개는 Ⓒ) 방식제.

ànti·cýclone *n.* Ⓒ 〖기상〗 고기압(권(圈)). ↔ *cyclone*.

ànti·democrátic *a.* 반민주주의의.

ànti·depréssant 〖약학〗 *a.* 항울(抗鬱)의. — *n.* Ⓤ (종류 · 낱개는 Ⓒ) 항울약.

an·ti·dot·al [æ̀ntidóutl] *a.* 해독제의; 해독성의, 해독의 (효험이 있는).

◇**an·ti·dote** [ǽntidòut] *n.* Ⓒ 해독제⦅***against, for, to*** …에 대한⦆; 교정 수단, 대책⦅***for, against, to*** …에 대한⦆.

ànti·dúmping *a.* Ⓐ (외국 제품의) 덤핑〔투매〕 방지의〔를 위한〕: ~ tariffs 덤핑 방지 관세.

ànti-estáblishment *a.* 반(反)체제의.

ànti·fáscism *n.* Ⓤ 반(反)파시즘주의.

ànti·fáscist *n.* Ⓒ 반파시즘주의자.

ànti·fébrile *a.* 해열의, 해열 효과가 있는. — *n.* Ⓒ 해열제.

ànti·fertílity *a.* 불임〔피임(용)〕의: ~ agents 피임약.

ánti·frèeze *n.* Ⓤ 부동액(不凍液).

ànti·fríction *a.* Ⓐ 감마(減摩)〔윤활〕용의. — *n.* Ⓒ 감마제, 윤활제.

an·ti·gen [ǽntidʒən] *n.* Ⓒ 〖의학〗 항원(抗原)⦅생체 내에 들어가 항체(antibody)를 만드는 세포 독소 따위⦆.

ànti·grávity *n.* Ⓤ 반중력(反重力).

ànti-Ǵ sùit *n.* Ⓒ (우주복 등의) 내(耐)중력복, 내(耐)가속도복.

Antigua and Bar·bu·da [æntí:gəənd-ba:rbú:də] 〖지리〗 앤티가 바부다⦅카리브해 동부의 나라; 수도는 세인트존스(St. John's)⦆.

ánti·hèro (*pl.* **~es**) *n.* Ⓒ 〖문학〗 반영웅(反英雄)⦅주인공으로서 전통적 자질이 결여된 사람⦆.
㊕ **ànti·heróic** *a.* 영웅적〔주인공〕 자질이 없는.

ànti·híjacking *a.* 하이잭 방지의, (항공기의) 공중 납치 방지의.

ànti·hístamine *n.* Ⓤ (종류 · 낱개는 Ⓒ) 〖약학〗 항(抗)히스타민제⦅알레르기 · 감기약⦆.

ànti·hypertènsive 〖의학 · 약학〗 *a.* Ⓐ 항(抗)고혈압(성)의, 강압성의. — *n.* Ⓤ (종류 · 낱개는 Ⓒ) 혈압 강하제.

ànti-impérialism *n.* Ⓤ 반(反)제국주의.
㊕ **-ist** *n.* Ⓒ, *a.* 반제국주의자(의).

ànti-intelléctualism *n.* Ⓤ 반(反)지성주의.
㊕ **-intelléctual** *a., n.*

ànti·knóck *n.* Ⓤ (종류 · 낱개는 Ⓒ) 앤티노크제(劑), 내폭제(耐爆劑)⦅내연 기관의 노킹 방지⦆. — *a.* 앤티노크성〔내폭성〕의.

An·til·les [æntíli:z] *n. pl.* (the ~) 앤틸리스 제도⦅서인도 제도의 일부⦆.

ánti·lòck *a.* 앤티록(식)의⦅급브레이크 때에도 바퀴의 회전이 멈추지 않는⦆.

ánti·lòg [ǽnti-] *n.* =ANTILOGARITHM.

ànti·lógarithm *n.* Ⓒ 〖수학〗 진수(眞數), 역로그.

an·ti·ma·cas·sar [æ̀ntiməkǽsər] *n.* Ⓒ 의자 등받이 덮개⦅19세기 영국에서 macassar 향유를 바른 머리로 인한 더러움 방지를 위해 쓰인 데서⦆.

ànti·magnétic *a.* 항(抗)〔내(耐)〕자성(磁性)의,

자기(磁氣) 불감의, 자화(磁化) 방지의.

ánti·màtter *n*. [U] 〖물리〗 반물질(反物質)《반(反)양자·반중성자·반전자의 반입자(反粒子)로 이루어지는 가상 물질》.

ànti·míssile 〖군사〗 *a*. 미사일 요격용의. **—***n*. [C] 대(對)탄도 미사일 무기, 《특히》 대미사일용 미사일.

an·tin·o·my [æntínəmi] *n*. [U] (구체적으로는 [C]) 〖철학〗 이율배반; 자기모순.

ánti·nòvel *n*. [U] 앙티로망, 반소설《전통적 수법을 따르지 않는》.

ànti·núclear *a*. [A] **1** 핵무기 반대의, 반핵의. **2** 핵에너지 사용〔원자력 발전〕에 반대하는.

ànti·núke 《구어》 *a*. ＝ANTINUCLEAR. **—***n*. [C] 핵무기〔원자력 발전〕 반대자.

ánti·pàrticle *n*. [C] 〖물리〗 반입자《반양성자·반중성자 따위》.

an·ti·pas·to [æ̀ntipǽstou, -pɑ́ːs-] (*pl*. **∼*s***, ***-ti*** [-ti]) *n*. 《It.》 [C] 〖요리〗 전채(前菜), 오르되브르.

an·ti·pa·thet·ic [æ̀ntipəθétik] *a*. 비위에 맞지 않는《***to*** …의》; 공연히〔천성적으로〕 싫은《***to*** …가》: His attitude is ∼ *to* me. 그의 태도는 내 비위에 맞지 않는다 / He's ∼ *to* snakes. 그는 뱀이 싫다.

°**an·tip·a·thy** [æntípəθi] *n*. **1** [U] (구체적으로는 [C]) (뿌리깊은) 반감, 혐오《***to, toward, against*** …에 대한》: feel ∼ *to* 〔*toward*〕 …에 반감을 느끼다 / He has a deep-seated ∼ *to* organized religion. 그는 종교단체에 뿌리깊은 반감을 품고 있다. **2** [U] (또는 an ∼) 서로 어울리지 않는 성질, 비위에 맞지 않는 것. ↔ *sympathy*.

ànti·personnél *a*. 〖군사〗 (폭탄 등이) 지상군 살상을 목표로 하는, 대인(對人)(용)의: ∼ bombs 대인 폭탄.

an·ti·per·spi·rant [æ̀ntipə́ːrspərənt] *n*. [U] (종류·낱개는 [C]) 발한(發汗) 억제제.

an·ti·phon [ǽntəfɑ̀n/-fɔ̀n] *n*. [C] **1** (번갈아 부르는) 합창 시가(詩歌). **2** 〖가톨릭〗 교창(交唱)(성가), 교창 시편.

an·tiph·o·nal [æntífənl] *a*. 번갈아 노래하는. **—***n*. [C] 〖가톨릭〗 교창(交唱) 성가집.
[파] **∼·ly** *ad*.

an·tiph·o·ny [æntífəni] *n*. [C] 교창(交唱); 교창 송가〔시편〕.

an·tip·o·dal [æntípədl] *a*. 대척지(對蹠地)의, (지구상의) 정반대쪽의; 정반대의.

an·ti·pode [ǽntipòud] *n*. [C] 정반대의 것《***of, to*** …와》.

an·tip·o·de·an [æntìpədíːən] *a*. 대척지(對蹠地)의. **—***n*. [C] 대척지 주민.

°**an·tip·o·des** [æntípədìːz] *n*. *pl*. (the ∼) **1** 대척지(對蹠地)《지구상의 정반대 쪽에 있는 두 지점》. **2** 정반대의 사물. **3** (A-) 《단·복수취급》 오스트레일리아와 뉴질랜드.

ànti·pollútion *a*. [A] 공해 반대〔방지〕의, 오염 방지〔제거〕의: ∼ measures 오염 방지 대책.
[파] **∼·ist** *n*. [C] 오염〔공해〕 방지론자.

ànti·póverty *a*. 빈곤 퇴치의.

ànti·próton *n*. [C] 〖물리〗 반양자(反陽子).

ànti·pyrétic [-pairétik] 〖약학〗 *a*. [A] 해열(解熱)의. **—***n*. [U] (종류·낱개는 [C]) 해열제.

an·ti·pyr·in(e) [æ̀ntipáiərin, -tai-] *n*. [U] (종류·낱개는 [C]) 안티피린《해열·진통제》.

an·ti·quar·i·an [æ̀ntikwέəriən] *a*. 골동품 연구〔수집〕(가)의; 희귀 고서(古書)의 (매매를 하는). **—***n*. [C] **1** ＝ANTIQUARY. **2** 고물상.
[파] **∼·ism** *n*. [U] 골동품에 관한 관심〔연구〕, 골동품 수집 취미.

an·ti·quary [ǽntikwèri] *n*. [C] 골동품〔고미술품〕 연구가〔수집가〕; 골동품〔고미술품〕상.

an·ti·quat·ed [ǽntikwèitid] *a*. **1** 낡아 빠진, 노후한; 구식의, 시대에 뒤진. **2** 노령의.

an·tique** [æntíːk] *a*. **1 골동〔고미술〕(품)의**: an ∼ dealer 골동품상. **2** [A] 고래(古來)의; 구식(취미)의, 시대에 뒤진. **3** (특히 그리스·로마 등) 고대의. **—n*. **1** [C] 골동품, 고미술품. **2** [U] (the ∼) 고(古)미술; 고대 양식; (특히 그리스·로마 등의) 고대의 것: a lover of the ∼ 고미술 애호가. ◇ antiquity *n*. **—***vt*. …을 고대양식〔앤티크식〕으로 완성하다.
[파] **∼·ly** *ad*. **∼·ness** *n*.

antíque shòp 골동품점.

***an·tiq·ui·ty** [æntíkwəti] *n*. **1** [U] 오래 됨, 고색(古色), **낡음**: a temple of great ∼ 아주 오래된 절. **2** [U] 고대: from immemorial ∼ 태고 때부터 / in remote ∼ 오랜 옛날에. **3** [C] (보통 *pl*.) 고기물(古器物), (고대의) 유물.

ànti·rácism *n*. [U] 인종 차별 반대주의.

ànti·rácist *n*. [C] 인종 차별 반대주의자. **—***a*. 인종 차별 반대주의(자)의.

an·tir·rhi·num [æ̀ntəráinəm] *n*. [C] 〖식물〗 금어초속(屬)의 각종 초본(草本).

ànti·sátellite *a*. [A] 군사 위성을 공격하는《생략: ASAT》: ∼ weapons 위성 공격 병기.

ànti·scíence *a*. [A] 반과학(反科學)의. **—***n*. [U] 반과학(주의), 과학 배격〔무용론〕.

ànti·scorbútic *a*. 괴혈병(scurvy) 치료의: ∼ acid 항(抗)괴혈병산(酸), 아스코르빈산(酸)(vitamin C). **—***n*. [U] (종류·낱개는 [C]) 항(抗)괴혈병약.

ànti-Sémite *n*. [C] 반유대주의자.
[파] **ànti-Semític** *a*. 반(反)유대인의, 유대인 배척의. **ànti-Sémitism** *n*. [U] 반유대주의, 유대인 배척론〔운동〕.

an·ti·sep·sis [æ̀ntəsépsis] (*pl*. ***-ses*** [-siːz]) *n*. [U] (구체적으로는 [C]) 〖의학〗 방부(防腐)(처치), 소독(법).

an·ti·sep·tic [æ̀ntəséptik] *a*. **1** 방부(防腐)(성)의. **2** 생기〔개성〕 없는; 비정하고 냉담한, 인간미가 없는. **—***n*. [U] (종류·낱개는 [C]) 방부제; 살균〔소독〕제. [파] **-ti·cal·ly** *ad*. 방부제로.

ánti·sèrum (*pl*. **∼*s, -ra***) *n*. [C] 항(抗)혈청, 면역 혈청.

ànti·slávery *n*. [U], *a*. [A] 노예 제도 반대(의).

ànti·smóking *a*. [A] 금연의, 흡연에 반대하는: an ∼ campaign 금연 운동.

ànti·sócial *a*. **1** 사회를 어지럽히는, 반사회적인: ∼ behavior 〔activities〕 반사회적 행위〔활동〕. **2** 사교를〔사람을〕 싫어하는, 비사교적인; 이기적인, 제멋대로의.

ànti·státic *a*. 정전기〔대전〕 방지의.

an·tis·tro·phe [æntístrəfi] *n*. [C] 응답 가장(歌章)《옛 그리스 극에서 불리어지던》; 〖음악〗 대조 악절, 응답 악절.

ànti·súbmarine *a*. [A] 대(對)잠수함의: an ∼ patrol plane 대잠수함 초계기(哨戒機).

ànti·tánk *a*. [A] 〖군사〗 대전차(對戰車)용의: an ∼ gun 대전차포.

ànti·théft *a*. 도난 방지의: an ∼ bell 도난 방지용 벨.

an·tith·e·sis [æntíθəsis] (*pl*. ***-ses*** [-sìːz])

n. **1** Ⓤ 정반대, 대조(contrast)《***of, to*** …의; ***between*** …사이의》; Ⓒ 정반대의〔대조를 이루는〕 것: the ~ *between* 〔*of*〕 theory and practice 이론과 실제(간)의 대립/The ~ *of* fact is fiction. 사실의 반대는 허구이다. **2** Ⓤ 〖수사학〗 대조법; Ⓒ 대구(對句)《예: To err is human; to forgive divine. 잘못을 저지르는 것은 인간이고, 용서하는 것은 신이다》. **3** Ⓒ 〖논리·철학〗 (Hegel의 변증법에서) 반(反), 반정립(反定立), 안티테제. ⓒⓕ synthesis, thesis.

an·ti·thet·ic, -i·cal [æ̀ntiθétik], [-əl] *a*. 정반대의; 대조를 이루는《***to*** …와》. ㊕ **-i·cal·ly** *ad*.

ànti·tóxic *a*. 항(抗)독성의; 항독소의〔를 함유한〕.

ànti·tóxin *n*. Ⓤ (구체적으로는 Ⓒ) 항독소《혈액 중의 독소를 중화시키는 물질》

ánti·tràde *a*. 반대 무역풍의. **—***n*. (*pl*.) 반대〔역(逆)〕 무역풍. ⓒⓕ trade wind.

ànti·trúst *a*. 《美》 〖경제〗 트러스트 반대의, 트러스트를 규제하는, 독점 금지의: an ~ law 독점 금지법.

ànti·vivisěctionism *n*. Ⓤ 생체 해부 반대주의, 동물 실험 반대주의. ㊕ **-·ist** *a*., *n*.

ànti·wár *a*. 전쟁반대의, 반전(反戰)의: an ~ pact 부전(不戰) 조약/an ~ movement 반전 운동.

ant·ler [ǽntlər] *n*. Ⓒ (보통 *pl*.) (사슴의) 가지진 뿔.

ánt lìon 〖곤충〗 명주잠자리; 개미귀신《명주잠자리의 애벌레》.

An·toi·nette [æ̀ntwənét, -twɑː-] *n*. **1** 앤트워네트《여자 이름》. **2 Marie** ~ 마리 앙투아네트《루이 16세의 왕비; 프랑스 혁명 때 처형됨; 1755–93》.

An·to·ny [ǽntəni] *n*. **1** 앤터니《남자 이름; 애칭 Tony》. **2 Mark** ~ 안토니우스《로마의 장군·정치가; 83?–30 B.C.》.

°**an·to·nym** [ǽntənim] *n*. Ⓒ 반의어(反義語), 반대말《생략: ant.》. ↔ *synonym* ¶ 'Hot' is the ~ of 'cold'. 'hot'은 'cold'의 반대말이다. ㊕ **an·ton·y·mous** [æntɑ́nəməs/ -tɔ́n-] *a*.

ant·sy [ǽntsi] (***-si·er; -si·est***) *a*. Ⓟ 《美구어》 안절부절 못하는, 좀이 쑤시는: get ~ 불안해지다, 안절부절 못하다.

Ant·werp [ǽntwəːrp] *n*. 앤트워프《벨기에 북부의 주, 또 그 주도·무역항》.

anus [éinəs] (*pl*. **~·es, *ani*** [éinai]) *n*. Ⓒ 〖해부〗 항문(肛門).

°**an·vil** [ǽnvəl] *n*. Ⓒ 모루; 〖해부〗 침골(砧骨).
***on* 〔*upon*〕 *the* ~** (계획 등이) 심의〔준비〕 중(의).

‡**anx·i·e·ty** [æŋzáiəti] *n*. **1** Ⓤ **걱정**, 근심, 불안《***about*** …에 관한/***that***》: her ~ *about* her child's health 자식의 건강을 염려하는 그녀의 마음/He was all ~. 그는 몹시 걱정하고 있었다/My ~ *that* she might leave me made it impossible (for me) to sleep. 그녀가 나를 버리고 떠나지 않을까 하는 걱정으로 잠을 이루지 못했다. **2** Ⓒ 걱정거리, 걱정스런 일: Her son was an ~ to her. 그녀에게는 아들이 걱정거리였다.

SYN. **anxiety** 불행·재난 등에 대한 불안·걱정을 강조함. **care** '걱정'을 나타내는 가장 보편적인 말. **worry** anxiety에 비해 크고 헛된 걱정·마음의 동요를 나타냄.

3 Ⓤ (구체적으로는 Ⓒ) **염원**, 열망(eagerness)《***for*** …에 대한/***to*** do》: one's ~ *for* wealth 부유해지고 싶은 열망/He has a great ~ *to* succeed. 그는 성공하기를 염원하고 있다. ◇ anxious *a*.

‡**anx·ious** [ǽŋkʃəs] *a*. **1** **걱정스러운**, 불안한, 염려되는(uneasy)《***about, for*** …가/***that, wh., lest***》: an ~ feeling 불안한 느낌/an ~ look 걱정스러운 표정/I am ~ *about* 〔*for*〕 his health. 그의 건강이 염려된다/I'm ~ *that* he may 〔might〕 fail. 그가 실패할까봐 걱정이다/He was ~ (*about*) *how* you were getting on. 그는 네가 어떻게 하고 있는지 염려했다/She was dreadfully ~ *lest* he should be late. 그녀는 그가 늦지나 않을까 몹시 걱정하고 있었다. **2** **열망하는**, 간절히 바라는《***for*** …을/***to*** do/***that***》: He is ~ *for* fame. 그는 명성을 얻고 싶어한다/He is ~ *to* know the result. 그는 결과를 몹시 알고 싶어한다/We are ~ *for* him *to* return home safe. 그가 무사히 돌아오기를 진심으로 바라고 있다/We are ~ *that* you will succeed. 우리는 당신이 성공하시기를 간절히 바랍니다. **3** 마음 죄게 하는, 조마조마하게 하는: an ~ business 신경이 많이 쓰이는 사업/We had an ~ time of it. 우리는 몹시 걱정했었네. ◇ anxiety *n*. ㊕ **~·ness** *n*.

°**ánx·ious·ly** *ad*. **1** 걱정〔염려〕하여: She looked up ~ at him. 그녀는 걱정스럽게 그를 쳐다보았다. **2** 마음을 졸이며; 갈망하여: She ~ awaited his arrival. 그녀는 그의 도착을 학수고대했다.

†**any** [éni, 약 əni] *a*. **1** 〖의문문·조건절에서〗 **무언가의, 누군가의; 얼마간의**: Do you want ~ book? 무언가 책이 필요하시오/Do you have ~ money? 돈을 좀 갖고 있나/Are there ~ shops 〔stores〕 there? 그 곳에는 (몇 집인가) 점포가 있습니까/If ~ one calls, tell him to wait. 만일 누가 찾아오거든 기다리라고 해 주게/If you have ~ pencils, will you lend me one? 혹시 연필 있으면 하나 빌려 주시겠습니까.

> **NOTE** (1) 일반적으로 any 뒤의 명사가 복수나 Ⓤ이면 수량(얼마쯤, 약간)의 뜻《보통은 강세 없음 [eni, əni]》이고, 단수이면 지시(무언가, 누군가)의 뜻《보통은 강세 있음 [éni]》임: *any* books 몇 권인가의 책/*any* book 무언가의 책.
> (2) 의문문·조건절에서도 any 대신 some이 쓰일 때가 있음(⇨some *a*. 1 b, c).

2 〖부정의 평서문에서〗 **어떤〔어느〕 …도**, 아무 (…)도; **조금〔하나〕도** (…없다〔않다〕): I do*n't* have ~ books. 나는 책이 하나도 없다/We could*n't* travel ~ distance before nightfall. 얼마 안 가서 해가 저물었다.

> **NOTE** (1) 이 경우 not … any를 no로 바꾸어 I have *no* book(s). 와 같이 할 수 있음. 다만, have 이외의 동사나 There is 〔are, etc.〕 … 이외의 구문에 no를 쓴 I *want no* book(s). 와 같은 표현은 일반적으로 딱딱하게 들리며, not … any 가 보다 구어적임.
> (2) 앞서의 경우와는 달리, 관계대명사 따위의 수식어가 붙지 않을 때의 any … 가 주어로 되어 있는 경우, 그 부정은 No …로 함: *No* animal can live without water. 어떤 동물도 물 없이는 살 수 없다.
> (3) not이 없어도 부정문에 준하는 경우에는 any를 씀: *without* ~ trouble 간단히(=with no trouble)/They *refused* to eat ~ cake. 그들은 케이크를 먹으려 하지 않았다.

3 〖긍정의 평서문에서〗 **어떤〔어느〕 …(라)도, 무엇이든, 누구든**《강세 있음》; **얼마든지**: *Any* child can do it. 어떤 아이라도 그런 것쯤은 할 수 있다/You may borrow ~ book(s) you like. 네 마음에 드는 책을 빌려가도 좋다/He has ~ amount of money. 그는 돈이라면 얼마든지 있다/He is taller than ~ *other* boy in his class. 그는 반의 어느 아이보다도 키가 크다《★ any other를 비교급과 함께 써서 최상급의 뜻을 나타냄》.

~ one 어느 것이나 하나의, 누군가〔누구든〕 한 명의: You may each have ~ one of these cakes. 너희들 각자 이 케이크 중에 어느 것이든 하나씩 먹어도 좋다. **~ time** 《구어》 ① =ANYTIME. ② 〖접속사적으로〗 (…할 때는) 언제나: *Any time* I was late, the teacher got mad. 늦을 때마다 선생님은 화를 냈다. **~ which way** 《美구어》 어떤 방법으로든지, 되는대로. **not just ~...** 단지 보통의 …은 아니다: He is*n't just* ~ doctor. 그는 보통 의사는 아니다.

—*pron.* 〖단 · 복수취급〗 〖형용사의 경우와 같이 구분되며, 종종 any of의 구문으로, 또는 이미 나온 명사를 생략할 때 씀〗 **1** 〖의문문 · 조건절에서〗 **어느 것인가, 무언가, 누군가; 얼마쯤**, 다소: Does ~ *of* you know? 너희들 중 누가 알고 있느냐/Do you want ~ (*of* these books)? (이책 중) 어느 것을 원하느냐/If ~ *of* your friends are 〔is〕 coming, let me know. 만약 네 친구 중 누가 오거든 알려다오《★ 사람이든 물건이든 둘 일 경우에는 any는 either로 됨》/I'd like some butter. Do you have ~? 버터가 좀 필요한데 있습니까/If I had ~ *of* his courage, I would try it. 내가 그이만한 용기가 조금이라도 있으면 그것을 해보겠는데.

2 〖부정의 평서문에서〗 **아무〔어느〕 것도, 아무도; 조금도**: I do*n't* want ~ (*of* these). (이 중) 어느 것도 필요 없다/I can*not* find ~ *of* them. 그들 중 누구도〔아무도〕 찾을 수 없다. ★ not any를 none으로 하여, I can find *none of* them. 으로도 할 수 있지만, 일반적으로 딱딱한 표현임.

3 〖긍정〗 **어느 것이라도, 무엇이든, 누구라도〔든지〕; 얼마든지**: Take ~ you please. 무엇이든 마음에 드는 것을 가져요/*Any of* you can do it. 당신들 중 누구라도 그것을 할 수 있다/Choose ~ *of* these books. 이 책 중 어느 것이든 골라라.

if* ~** ① 만일 있다면: Correct errors, *if* ~. 틀린 데가 있으면 고쳐라. ② 비록 있다손 치더라도: There is little water, *if* ~. 물이 있다손 치더라도 조금밖에 없다. ★ *if* there is 〔are〕 *any* 따위의 생략형임. ***not having 〔***taking***〕 **~** ⇨HAVE.

—*ad.* **1** 〖비교급 또는 different, too 앞에서〗 〖의문〗 **얼마쯤, 조금은**; 〖조건〗 **조금이라도**; 〖부정〗 **조금도** (…않다〔없다〕): Are you ~ *better?* (몸이) 좀 괜찮습니까/If you are ~ *better*, you had better take a walk. 조금이라도 차도가 있으면 산책을 하는 것이 좋다/He did not get ~ *better*. 그의 병세는 조금도 나아지지 않았다/The language he used wasn't ~ *too* strong. 그가 사용한 말은 조금도 과격하지 않았다.

2 《美구어》 〖동사를 수식하여〗 **조금은, 좀, 조금도**: Did you sleep ~ last night? 간밤에 좀 주무셨습니까/That won't help us ~. 그것은 우리에게 조금도 도움이 안 된다.

~ *longer* 〖의문 · 부정문에서〗 이미, 벌써; 더이상: I wo*n't* go there ~ *longer*. 거기에는 더이상 가지 않는다. ★ I will go there *no* longer. 보다 구어적; 또 부정문에서는 보통 not ... ~ longer 처럼 not을 앞에 둠. **~ *old how*** 《속어》 되는대로, 적당히, 아무렇게나: Write neatly, not just ~ *old how*. 깨끗이 써라, 아무렇게나 하지 말고.

†**an·y·body** [énibàdi, -bʌ̀di/-bɔ̀di] *pron.* **1** 〖의문문 · 조건절에서〗 **누군가**, 누가, 누구〔아무〕라도: Is ~ absent today? 오늘 누가 결석했느냐/If you happen to meet ~ there, please bring him 〔them〕 along to me. 그곳에서 누군가를 만나거든 나 있는 곳으로 데려오게.

> **NOTE** (1) anybody는 단수형이어서 he 〔him, his〕로 받는 것이 보통이지만, they 〔them, their〕도 종종 쓰임: If ~ calls, take down *his* 〔*their*〕 name. 만약 전화가 오거든 (상대방) 이름을 적어 놓으시오.
> (2) anyone도 they 〔them, their〕로 받는 일이 있지만, 이 용법은 anybody 경우만큼 많이 쓰이지 않음.

2 〖부정문에서〗 **누구도**, 아무도: I have*n't* seen ~. 나는 아무도 못 만났다/Do*n't* disturb ~. 아무에게도 폐를 끼치지 않도록 해라.

> **NOTE** 부정 구문에서 anybody를 쓸 경우 부정어를 선행시킨다. 따라서 There was *nobody* there. 를 There wasn't ~ there. 라고 바꾸어 쓸 수는 있지만, 부정 구문에서 주어로 앞세워 *Anybody* did *not* come. 이라고는 할 수 없으므로 *Nobody* came. 이라고 한다.

3 〖긍정문에서〗 **누구든지**, 아무라도: *Anybody* can do that. 그런 일은 아무라도 할 수 있다/Anybody may use the library. 누구나 도서관을 이용해도 된다. ★ anybody는 anyone과 뜻이 거의 같으나 전자는 주로 구어.

~*'s game* 〔***race***〕 《구어》 승부를 예측할 수 없는 경기〔경주〕.

—*n.* Ⓤ 어엿한〔버젓한〕 인물, 이름 있는 사람: Is he ~? 그는 좀 알려진 인물인가/If you want to be ~, ... 유명 인사가 되고 싶거든…/Everybody was there who is ~. 다소 이름 있는 사람은 다 와 있었다.

‡**an·y·how** [énihàu] *ad.* **1** 〖부정문에서〗 **아무리 해도**: I could *not* get in ~. 아무리 해도 들어갈 수가 없었다. **2** 〖긍정문에서〗 어떤 식〔방법〕으로든, 어떻게든지: *Anyhow* you may do it. 어떻게 하든 괜찮다. **3** 〖접속사적으로〗 **여하튼**, 좌우간, 어쨌든: *Anyhow*, let's begin. 여하튼 시작하자/The weather wasn't as good as we had hoped, but we decided to go ~. 날씨가 기대했던 것만큼 좋지 않았지만, 좌우간 가기로 했다. **4** 적당히 얼버무려, 아무렇게나: She did her work (all) ~. 그녀는 일을 적당히 해놓았다. [cf.] somehow.

ày·móre *ad.* 《美》 〖부정문 · 의문문에서〗 이제는, 최근에는; 금후에는: She does*n't* work here ~. 그녀는 더 이상 여기서 일하지 않는다. ★ 긍정문에서 쓰는 것은 《美방언》.

†**an·y·one** [éniwʌ̀n, -wən] *pron.* **1** 〖부정문에서〗 누구도, **아무도**: I do*n't* think ~ was at home. 아무도 집에 없었다고 생각된다. **2** 〖의문문 · 조건절에서〗 **누군가**: Has ~ heard of it? 그것에 대하여 누군가 들었느냐/Tennis, ~? 누가 테니스치지 않겠니. **3** 〖긍정문에서〗 **누구〔아무〕라도**, 누구든지: You may invite ~ you like. 네가 좋아하는 사람을 누구든지 초대해도 좋

다. cf. anybody.

> NOTE anyone은 any one으로도 씀. 후자인 경우는 one의 뜻과 발음이 다 강조됨: *Any one* [éni-wʌ́n] of you can do it. 너희들 중 누구라도 할 수 있다. I would like *any one* of them. 그들 중 누구라도 좋으니 한 사람 필요하다.

án·y·plàce *ad.* 《美구어》 =ANYWHERE: I can't find it ~. 아무데에서도 그것을 찾을 수 없다.

†**an·y·thing** [éniθìŋ] *pron.* **1** 〖의문문 · 조건절에서〗 **무언가**: Is there ~ you'd like to talk about? 무언가 하고 싶은 얘기가 있습니까/If you hear ~ about it, please let me know. 그것에 관해서 무언가 듣게 되면, 나에게 알려다오. **2** 〖부정문에서〗 **아무것도**, 어떤 것도: I could *not* see ~. 아무것도 볼 수 없었다/I do*n't* believe ~ he says. 그가 하는 말은 어떤 것도 믿을 수 없다.
3 〖긍정문에서〗 **무엇이든〔나〕**, 어느〔어떤〕 것이든: He can do ~. 그는 무엇이든 할 수 있다/You may take ~ you like. 어떤 것이든 마음에 드는 것을 가져가도 좋다.

> NOTE (1) anything을 수식하는 형용사는 뒤에 옴: Is there ~ *interesting* in today's paper? 오늘 신문에 뭔가 재미있는 것이 있니.
> (2) 부정문에서는 anything을 주어로 쓸 수 없음. 따라서, *Nothing* that I've written has been published. (내가 쓴 것은 아무것도 출판되지 않았다)를 ˣ*Anything* that I've written has not been pbulished.라고는 하지 못함.

~ *but* ① …외에는 무엇이든: I will give you ~ *but* this watch. 이 시계 말고는 무엇이든 주겠다. ② …말고는 아무것도 (…않다): He never does ~ *but* heap up money. 그는 돈을 모으는 것 이외에는 아무것도 하지 않는다. ③ 조금도 … 아닌: He is ~ *but* a hero. 그는 도저히 영웅이랄 수가 없다. ***Anything doing?*** ① 뭐 재미있는 거 있나. ② 무언가 도울 일이 있는가. ***Anything goes.*** 《종종 경멸적》 무엇이든〔무엇을 해도〕 괜찮다. **~ *like*** ① 조금은, 좀: Is she ~ *like* pretty? 그녀는 좀 예쁜 편인가. ② 〖부정문에서〗 조금도 (…않다), …따위는 도저히: You can*not* expect ~ *like* perfection. 완벽 따위는 도저히 기대할 수 없다. **~ *of*** ① 〖의문문에서〗 조금은: Do you see ~ *of* him? 그를 더러는 만나니/Is he ~ *of* a gentleman? 그는 얼마쯤〔좀〕 신사다운 데가 있는가. ② 〖부정문에서〗 조금도: I have *not* seen ~ *of* Smith lately. 나는 최근에 스미스를 전혀 만나지 못했다. **(*as*) ... *as* ~** 《구어》 몹시, 아주: She is *as* proud *as* ~. 그녀는 몹시 우쭐해 있다. ***for* ~** 〖부정문에서〗 무엇을 준대도; 결코, 절대로: I would*n't* do that *for* ~. 어떤 일이 있어도 그런 짓은 절대로 하지 않겠다. ***for ~ I care*** 나는 아무래도 상관없지만. ★ 《美》에서는 for all I care가 훨씬 많이 쓰임. ***for ~ I know*** 잘은 모르지만: He's dead, *for ~ I know*. 잘은 모르지만, 그 사람 죽었을거야. ★ 《美》에서는 for all I know를 많이 씀. ***if* ~** 어느 편이냐 하면, 오히려, 그렇기는 커녕: She's as lovely as ever; more so *if* ~. 그녀는 변함없이 예쁘다, 오히려 이전보다 더. ***like* ~** 몹시, 맹렬히, 세차게: It rains *like* ~. 비가 억수같이 퍼붓는다/He worked *like* ~. 그는 맹렬히 일했다. **... *or* ~** 〖보통, 부정문 · 조건절 · 의문문에서〗 《구어》 … (그 밖에) 뭔가, … 하거나 하면: If you touch me *or* ~ , I'll scream. 나에게 손을 대거나 하면 소리지를 테야. ★ '…(하지 않았)겠지' 처럼 망설이면서 다짐하는 데 쓰이기도 함: You didn't hit him, *or* ~? 그를 때리지 않았겠지.

> DIAL. ***Can I do anything for you?—Yes, please let me see these neckties.*** (상점에서) 어서 오십시오—이 넥타이들 좀 보여주세요.
> ***Anything you say.*** 알겠어요, 그렇게 하겠습니다《상대방의 부탁 따위에 대한 대답》.

—*ad.* 조금이라도, 다소라도, 적어도: Is she ~ like her mother? 그녀는 엄마와 좀 닮았니.

án·y·tìme *ad.* **1** 《주로 美》 언제든지; 언제나 (변함없이) 《★ 《英》에서는 보통 at any time》: Call me ~ . 언제든지 전화하시오. **2** 〖접속사적으로〗 …할 때는 언제나《★ whenever보다 구어적》: Come and see me ~ you want to. 마음이 내키면 언제든지 찾아와요.

> DIAL. ***Anytime.*** ① 언제라도 좋다. ② 천만에 (=You're welcome.).

***an·y·way** [éniwèi] *ad.* **1** 어쨌든, 하여튼; 어차피: *Anyway*, it's not fair. 어쨌든 옳지 않다/Thank you ~. 어떻든 고맙다. **2** 어떤 방법으로든, 아무리 해도: The door was locked, so I couldn't get into the room ~. 문이 잠겨 있어서 아무리 해도 들어갈 수 없었다. **3** 적당히, 아무렇게나: Don't do it just ~. 아무렇게나 하면 못써. cf. anyhow.

> NOTE (1) anyhow와 같은 뜻이지만 《美》에서는 anyway를 선호함.
> (2) 접속사적으로 쓰일 경우에는 any way의 두 단어로 철자하는 것이 보통: Do it *any way* you like. 어쨌든 너 하고 싶은 대로 해라.

****an·y·where** [énihwὲər] *ad.* **1** 〖부정문에서〗 **어디에〔라〕도**: Do*n't* go ~. 아무 데도 가지 마라. **2** 〖의문문 · 조건절에서〗 **어디엔가**: Did you go ~ yesterday? 어저께 어딘가 갔었니/Tell him so if you meet him ~. 어디서 그를 만나거든 그렇게 전해줘. **3** 〖긍정문에서〗 **어디(에)나**: You will be welcomed ~ you go. 너는 가는 곳마다 환영받을 것이다/Put it ~. (짐을) 아무 데나 놓아라. **4** 조금이라도, 어느 정도라도; 《美구어》 대략, 대체로.

> NOTE (대)명사적 성격을 띠고 있으므로, 주어가 되기도 하고 관계사절을 이끌기도 함: Where should I put these books?—*Anywhere* will do. 이 책을 어디에 둘까요—아무 데 놓아도 좋다/Go *anywhere* you like! 아무 데건 너 가고 싶은 대로 가렴《★ 단 전치사의 목적어는 될 수 없음: ˣGo *to* anywhere!》.

~ *from ... to*— 〔***between ... and*—**〕 《美구어》 대략 …에서—까지의 범위에서: ~ *from* 10 *to* 20 dollars 대략 10달러 내지 20달러. **~ *near*** 《구어》 〖부정문 · 의문문 · 조건절에서〗 거의(nearly), 조금(이라)도: He is*n't* ~ *near* as smart as his brother (is). 그는 형과는 달리 조금도 영리하지 않다. ***get* ~** 《구어》 〖주로 부정문〗 《*vi.*+副》 ① 잘되다, 성공하다: You'll *never get* ~ with that attitude. 그런 태도로는 결코 성공 못할 것이다. **—**《*vt.*+副》 ② …을 잘 되어 가게 하

다, 소용되다: This plan won't *get* us ~. 이 계획으로는 아무것도 안 될 것이다. ***or*** ~ 《부정문 · 의문문 · 조건절에서》 …나 어딘가 그런 곳에: Can I drive you to the store *or* ~? (괜찮다면) 가게 같은 데로 태워다 드릴까요.

an·y·wise [éniwàiz] *ad.* 어떻게(해서)든; 조금이라도; 아무리 해도, 어떻게 해도, 결코.

An·zac [ǽnzæk] *n.* Ⓒ 앤잭 군단의 군인《제1차 대전 당시의 오스트레일리아 · 뉴질랜드군(軍)의 연합 군단》; 오스트레일리아〔뉴질랜드〕 군인〔사람〕.

ANZUS [ǽnzəs] *n.* 앤저스《오스트레일리아 · 뉴질랜드 · 미국의 안전 보장 조약 기구》. [◂*Aus*tralia, *N*ew *Z*ealand and the *U.S.*]

AOB 《英》 any other business ((의제 이외의) 기타).

A-OK, A-O·kay [èioukéi] *a.* 《美구어》 완벽한, 더할 나위 없는: an ~ rocket launching 완벽한 로켓 발사.

A1, A-1, A one [éiwʌ́n] *a.* 《구어》 일류의 (first-class), 최상의, 우수한, 훌륭한: The meals there are *A one*. 그곳 식사는 일류이다/*A (No.) 1* tea 최상급의 차/an *A1* musician 일류 음악가. ★ 《美》에서는 A number 1 이라고도 함.

ao·rist [éiərist] *n.* (그리스 문법에서) 부정(不定) 과거.

aor·ta [eiɔ́ːrtə] (*pl.* **~s, -tae** [-tiː]) *n.* Ⓒ 〖해부〗 대동맥. ㊞ **aór·tic** *a.*

AP airplane; Associated Press.

Ap. Apostle; April.

ap- [æp, əp] *pref.* (p 앞에 올 때의) ad-의 변형: *ap*peal, *ap*pear.

apace [əpéis] *ad.* **1** 보조를 맞춰서《***with*** …와》; 뒤지지 않게《***of*** …에》: keep ~ *of* the times 시대에 뒤지지 않게 하다. **2** 급히, 속히, 빨리: Ill news runs ~. 《속담》 발 없는 말이 천리 간다.

Apache [əpǽtʃi] (*pl.* ***Apach·es,*** ~) *n.* **1 a** (the ~(*s*)) 아파치족《북아메리카 원주민의 한 종족》. **b** Ⓒ 아파치족 사람. **2** Ⓤ 아파치족의 말.

apache [əpɑ́ːʃ, əpǽʃ] *n.* 《F.》 Ⓒ (주로 파리의) 깡패, 조직 폭력배.

ap·a·nage [ǽpənidʒ] *n.* =APPANAGE.

⁑**apart** [əpɑ́ːrt] *ad.* **1** (시간 · 공간적으로) 떨어져서; 간격을〔거리를〕 두고: walk ~ 떨어져서 걷다/They were born two years ~. 그들은 2년 터울로 태어났다/They planted the seeds six inches ~. 그들은 씨앗을 6인치 간격으로 심었다. **2** 헤어져서, 갈라져서《***from*** …으로부터》: He lives ~ *from* his family. 그는 가족과 헤어져서 산다. **3** 따로따로, 뿔뿔이: tear a book ~ 책을 갈가리 찢다/break things ~ 물건을 산산히 부수다/take a clock ~ 시계를 분해하다. **4** 한쪽으로, 옆으로: She took me ~ to have a talk with me. 그녀는 나와 얘기하려고 나를 한쪽으로 데리고 갔다. **5** 일단 제쳐놓고; 따로 보류하여; 별개로, 개별적으로: jesting 〔joking〕 ~ 농담은 제쳐두고/This item ~, our products are selling very well. 이 품목은 별도로 치고, 우리 회사 제품은 아주 잘 팔린다/Viewed ~, this aspect of the problem becomes clearer. 개별적으로 보면 문제의 이 국면은 분명해진다.

~ ***from*** ① 헤어져서, 갈라져서(⇨2). ② …은 별문제로 하고, …은 제외하고(aside from), …외에: *Apart from* a few minor mistakes, your composition was excellent. 몇 가지 사소한 잘못을 제외하면, 너의 작문은 우수했다/Who will be there, ~ *from* your sister? 네 누이 외에 누가 거기에 가느냐. ***know*** 〔***tell***〕 ~ 식별하다: *tell* the twins ~ 쌍둥이를 분별하다. ***put*** 〔***set***〕 ~ ***for*** …을 위해 따로 떼어 두다. ***stand*** ~ (사람 · 물건이) 떨어져(서) 있다《***from*** …에서》; (사람이) 고립〔초연〕해 있다《***from*** …으로부터》. ***take*** ~ ① 분해하다. ② 비난하다, 혹평하다: *take* a person ~ for his conservatism 아무를 보수적이라 비난하다.

—*a.* Ⓟ **1** 떨어진《***from*** …으로부터》: His room is in a wing ~ *from* the rest of the house. 그의 방은 그 집의 다른 방과 떨어진 (건물의) 날개쪽에 있다. **2** 의견을 달리하는: They're friends but they're very far ~ in their views. 그들은 친구 사이지만 견해는 크게 다르다. **3** 〖명사 뒤에 두어〗 (다른 것과) 별개의, 특이한: This computer is in a class ~. 이 컴퓨터는 특이한 부류에 속한다.

worlds ~ 《구어》 크게 다른: They're *worlds* ~ in their political beliefs. 그들의 정치적 신념은 크게 다르다.

apart·heid [əpɑ́ːrthèit, -hàit] *n.* Ⓤ (남아프리카 공화국의) 인종 격리 정책《1991년 폐지》.

⁑**apart·ment** [əpɑ́ːrtmənt] *n.* Ⓒ **1** 《美》 아파트 (《英》 flat) 《공동 주택 내의 한 가구분의 구획》; 《美》 =APARTMENT HOUSE. **2** 《英》 (건물 안의 개개의) 방. **3** (흔히 *pl.*) (궁전 따위의 특정인 · 그룹을 위한) 넓고 호화로운 방.

㊞ **apàrt·mén·tal** [-méntəl] *a.*

apártment hotél 《美》 아파트식 호텔《영구 · 장기 체류 손님도 받음》. ⓒⓕ service flat.

apártment hòuse 〔**bùilding**〕 《美》 공동 주택, 아파트. ★ apartments가 있는 건물 전체를 가리킴; tenement house보다 고급.

ap·a·thet·ic, -i·cal [æ̀pəθétik], [-əl] *a.* 냉담한; 무관심한; 감정〔감동〕이 없는.

㊞ **-i·cal·ly** *ad.*

◇**ap·a·thy** [ǽpəθi] *n.* Ⓤ 냉담; 무관심, 무감동, 무감각: with ~ 냉담하게.

APB all-points bulletin (전국 지명 수배).

◇**ape** [eip] *n.* Ⓒ **1** 원숭이《chimpanzee, gorilla, orangutan 등 주로 꼬리 없는〔짧은〕 원숭이》. ⓒⓕ monkey. **2** 유인원. **3** 흉내쟁이; 버릇없는〔천박한〕 사람. ◇ apish *a.*

play the ~ 남의 흉내를 내다; 못된 장난을 치다.

—*a.* 《속어》 미친, 열중한. ***go*** ~ ① 《속어》 발광하다, 몹시 흥분하다. ② 《美속어》 열광하다; 열중하다《***over, for*** …에》: He *goes* ~ *over* hamburgers. 그는 햄버거라면 사족을 못쓴다.

—*vt.* …의 흉내를 내다.

APEC [éipek] *n.* 에이펙《아시아 태평양 경제 협력 (각료회의)》. [◂*A*sia-*P*acific *E*conomic *C*ooperation (Conference)]

ápe·màn [-mæ̀n] (*pl.* ***-mèn*** [-mèn]) *n.* Ⓒ 원인(猿人).

Ap·en·nine [ǽpənàin] *a.* 아펜니노 산맥의.

—*n.* (the ~s) 아펜니노 산맥《이탈리아 반도를 종주(縱走)함》.

ape·ri·ent [əpíəriənt] *a.* 용변을 순조롭게 하는. **—***n.* Ⓤ (종류 · 낱개는 Ⓒ) 하제(下劑), 완하제.

apé·ri·tif [ɑːpèritíːf, əpèr-] *n.* 《F.》 Ⓒ 아페리티프《식욕 증진을 위해 식전에 마시는 소량의 술》.

ap·er·ture [ǽpərtʃùər, -tʃər] *n.* Ⓒ 빠끔히 벌어진 데, 구멍, 틈; 창; (렌즈의) 구경(口徑): an

~ card 〖컴퓨터〗 개구(開口) 카드《천공 카드와 마이크로필름이 연결된 카드》/ ~ stop 구경 조리개.

apex [éipeks] (*pl.* **~·es, api·ces** [ǽpəsìːz, éi-]) *n.* Ⓒ **1** (삼각형 · 산 따위의) 정상(頂上), 꼭대기, 정점: the ~ of a triangle 삼각형의 정점. **2** 최고조(潮), 절정, 극치: He is now at the ~ of his career. 지금이 그의 생애의 전성기다. **3** 〖천문〗 향점(向點): the solar ~ 태양 향점.

aphaer·e·sis [əférəsis] *n.* =APHERESIS.

apha·sia [əféiʒiə] *n.* Ⓤ 〖의학〗 실어증(失語症). ㊞ **apha·si·ac, -sic** [əféiziæ̀k], [-zik] *a.*, *n.* Ⓒ 실어증의 (환자).

aphe·li·on [æfíːliən] (*pl.* **-lia** [-liə]) *n.* Ⓒ 〖천문〗 원일점(遠日點)《혜성 따위가 태양으로부터 가장 멀리 떨어진 점》. ↔ *perihelion*.

apher·e·sis [əférəsis/æfíərə-] *n.* Ⓤ 〖언어〗 어두음(語頭音) 소실《it is가 'tis로 되는 따위》.

aph·e·sis [ǽfəsis] (*pl.* **-ses** [-sìːz]) *n.* Ⓒ 〖언어〗 어두(語頭) 모음 소실《보기: squire < esquire》.

aphet·ic [əfétik] *a.* 어두 모음 소실의.

aphid [éifid, ǽf-] *n.* =APHIS.

aphis [éifis, ǽf-] (*pl.* **aphi·des** [-dìːz]) *n.* Ⓒ 〖곤충〗 진디.

aph·o·rism [ǽfərìzəm] *n.* Ⓒ 금언(金言), 격언; 경구(警句). SYN. ⇨SAYING.

áph·o·rist *n.* Ⓒ 경구를 말〔좋아〕하는 사람; 금언〔격언〕 작자.

aph·o·ris·tic, -ti·cal [æ̀fərístik], [-əl] *a.* 격언(조)의, 격언체의, 경구적인. ㊞ **-ti·cal·ly** *ad.*

apho·tic [eifóutik] *a.* 빛이 없는, 무광의; (바다의) 무광층의; 빛 없이 자라는: an ~ plant.

aph·ro·dis·i·ac [æ̀froudíziæ̀k] *a.* 성욕을 촉진하는, 최음의. **—***n.* Ⓤ (종류 · 낱개는 Ⓒ) 최음제, 미약(媚藥).

Aph·ro·di·te [æ̀frədáiti] *n.* 〖그리스신화〗 아프로디테《사랑과 미(美)의 여신; 로마 신화의 Venus에 해당》.

api·a·rist [éipiərist] *n.* Ⓒ 양봉가(養蜂家).

api·ary [éipièri] *n.* Ⓒ 양봉장.

ap·i·cal [ǽpikəl, éip-] *a.* **1** 정상(頂上)〔정점〕의. **2** 〖음성〗 혀끝의〔을 쓰는〕. **—***n.* Ⓒ 〖음성〗 설첨음(舌尖音)《[t, d, l] 따위》.

api·cul·ture [éipəkʌ̀ltʃər] *n.* Ⓤ 양봉. ㊞ **àpi·cúl·tur·ist** [-tʃərist] *n.* Ⓒ 양봉가〔업자〕.

◇**apiece** [əpíːs] *ad.* 하나〔한 사람〕에 대하여, 각자에게, 각각: He gave us five dollars ~. 그는 우리들 각자에게 5달러씩 주었다.

ap·ish [éipiʃ] *a.* **1** 원숭이 같은; 남의 흉내 내는. **2** 어리석은; 어리석게 뽐내는. ◇ape *n.*

APL 〖컴퓨터〗 *A Programming Language* (회화형 프로그램 언어의 일종).

aplen·ty [əplénti] *ad.* 많이; 풍부하게. **—***a.* 《보통 명사 뒤에 와서》 많이 있는, 풍부한: There was food and drink ~. 음식물이 잔뜩 있었다.

aplomb [əplám, əplʌ́m/əplɔ́m] *n.* 《F.》 Ⓤ 침착, 태연자약; (마음의) 평정: with ~ 태연자약하게.

APO, A.P.O. 《美》 Army & Air force Post Office (군사 우체국).

ap·o- [ǽpou, ǽpə] *pref.* '저쪽으로, …로부터, 떨어져서' 따위의 뜻: *apogee*; *Apocrypha*.

Apoc. Apocalypse; Apocrypha.

apoc·a·lypse [əpákəlìps/əpɔ́k-] *n.* **1** Ⓒ 천계, 계시, 묵시. **2** (the A-) 요한 계시록(the Revelation)《생략: Apoc.》.

apoc·a·lyp·tic, -ti·cal [əpɑ̀kəlíptik/əpɔ̀k-], [-əl] *a.* **1** 계시〔묵시〕(록)의. **2** 대참사의 도래를〔발생을〕 예언하는; 이 세상의 종말을 방불케 하는, 종말론적인. ㊞ **-ti·cal·ly** *ad.* 계시적으로.

apoc·o·pe [əpákəpi, -piː/əpɔ́k-] *n.* Ⓤ 〖언어〗 어미음(語尾音) 소실《보기: my<mine; bomb 따위》. cf. aphaeresis, syncope.

Apoc·ry·pha [əpákrəfə/əpɔ́kri-] *n. pl.* 《종종 단수취급》 **1** (the ~) (성서, 특히 구약의) 경외서(經外書), 위경(僞經)《전거가 의심스러워 현재의 구약 성서에서 제외시킨 14편》. **2** (a ~) 출처〔진위〕가 의심스러운 문서. ㊞ **-phal** [-fəl] *a.* 경외서의; (a ~) 전거(典據)가 의심스러운.

apod·o·sis [əpádəsis/əpɔ́d-] (*pl.* **-ses** [-sìːz]) *n.* Ⓒ 〖문법〗 (조건문의) 귀결절(節)《If I could, *I would*. 의 이탤릭체 부분》. ↔ *protasis*.

ap·o·gee [ǽpədʒìː] *n.* Ⓒ (보통 *sing.*) **1** (세력 · 성공 · 인생 등의) 최고점, 정점. **2** 〖천문〗 원지점(遠地點)《달이나 인공위성이 그 궤도상 지구로부터 가장 멀리 떨어진 지점》. ↔ *perigee*.

apo·lit·i·cal [èipəlítikəl] *a.* 정치에 관심 없는; 정치적 의의가 없는.

Apol·lo [əpálou/əpɔ́l-] *n.* 〖그리스 · 로마신화〗 아폴로《태양신; 음악 · 시 · 건강 · 예언 등을 주관함》.

◇**apol·o·get·ic** [əpɑ̀lədʒétik/əpɔ̀l-] *a.* **1** 변명의, 해명의; 사과〔사죄〕의《**about, for** …에 대한》: an ~ letter 사과장(狀) / She was ~ *about* her mistake. 그녀는 자신의 잘못을 사과했다. **2** (태도가) 미안해하는, 변명하는 듯한: with an ~ smile 미안한 듯한〔듯이〕 웃음을 띄우고. ◇apology *n.* **—***n.* Ⓒ (문서에 의한) 정식 해명〔변명, 변호〕《**for** …에 대한》. ㊞ **-i·cal** [-əl] *a.* **-i·cal·ly** *ad.* 사죄〔변명〕하여, 변명으로.

apòl·o·gét·ics *n.* Ⓤ 〖신학〗 (기독교의) 변증론(辨證論).

ap·o·lo·gia [æ̀pəlóudʒiə] (*pl.* **~s, -gi·ae** [-dʒiìː]) *n.* Ⓒ 해명(서).

apol·o·gist [əpálədʒist/əpɔ́l-] *n.* Ⓒ 변호〔변명〕자; (기독교의) 변증자(辨證者).

****apol·o·gize** [əpálədʒàiz/əpɔ́l-] *vi.* **1** 《~/+전+명》 (구두 또는 문서로) **사죄하다**, 사과하다《**to** (아무)에게; **for** …에 대하여》: If I have offended you, I ~. 내가 당신을 언짢게 했다면 사과하겠습니다 / Harry ~*d to* us *for* arriving late. 해리는 우리에게 늦게 온 것을 사과했다. **2** 변명〔해명〕하다. ㊞ **-gìz·er** *n.*

ap·o·logue [ǽpəlɔ̀ːg, -lɑ̀g/-lɔ̀g] *n.* Ⓒ 우화, 교훈담.

****apol·o·gy** [əpálədʒi/əpɔ́l-] *n.* **1 a** Ⓒ **사죄**, 사과《**for** …에 대한》: accept an ~ 사과를 받아들이다 / in ~ *for* …에 대한 사과로《★관사 없이》/ a written ~ 사과 편지 / All my *apologies*. 《구어》 이거 정말 미안하게 됐다 / With *apologies for* troubling you. (폐를 끼쳐) 죄송하지만 잘 부탁드립니다. **b** Ⓤ 사죄〔사과〕(하는 일): a note of ~ (간단한) 사과 편지. **2** 변명, 해명, 옹호《**for** …에 대한》: offer an ~ *for* one's bad behavior 잘못된 행동에 대한 변명을 하다 / an ~ *for* poetry 시에 대한 옹호. **3** 《구어》 명색뿐인 것, 임시 변통물《**for** …에 대한》: a mere ~ *for* an actress 명색만의 여배우. ◇ apologetic *a.*

> [DIAL.] ***Many apologies for being so late!—Oh, that's OK.*** 이렇게 늦어서 미안해—아, 괜찮아.

ap·o·phthegm [ǽpəθèm] *n.* =APOTHEGM.

ap·o·plec·tic [æ̀pəpléktik] *a.* **1** 중풍의, 졸중성(卒中性)의: an ~ fit 〔stroke〕 졸중의 발작. **2** [P] 《구어》 (화가 나서) 몹시 흥분한《*with* …해서》: be ~ *with* rage 몹시 화를 내고 있다. —*n.* [C] 중풍 환자, 졸중에 걸리기 쉬운 사람.
[파] **-ti·cal** *a.* **-ti·cal·ly** *ad.*

ap·o·plexy [ǽpəplèksi] *n.* [U] 〖의학〗 졸중.

aport [əpɔ́ːrt] *ad.* 〖항해〗 좌현(左舷)으로.

apos·ta·sy [əpástəsi/əpɔ́s-] *n.* [U] (구체적으로는 [C]) 배교(背敎); 탈당, 변절.

apos·tate [əpásteit, -tət/əpɔ́s-] *a.* [A] 신앙을 버린; 탈당〔변절〕한. —*n.* [C] 배교자; 탈당〔변절, 배반〕자.

apos·ta·tize [əpástətàiz/əpɔ́s-] *vi.* **1** 신앙을 버리다, 배교자가 되다. **2** 변절하다; 탈당하다, 탈당하여 (당을) 옮기다《***from*** …에서; ***to*** …으로》: ~ *from* one party *to* another 탈당하여 다른 당으로 옮기다.

a pos·te·ri·o·ri [éi-pastìːriɔ́ːrai/-pɔstèriɔ́ː-] 《L.》 《형용사적·부사적으로》 〖논리〗 귀납적인〔으로〕; 〖철학〗 후천적인〔으로〕. ↔ *a priori.*

◇**apos·tle** [əpásl/əpɔ́sl] *n.* **1** [C] (A-) 사도《예수의 12제자의 한 사람》. **2** (the Apostles) 12사도. **3** [C] (어느 지방의) 최초의 기독교 전도자. **4** [C] (주의·정책 따위의) 주창자, 선구자, 개척자: an ~ *of* world peace 세계 평화의 창도자.
the Apostle of Ireland 아일랜드의 전도자(St. Patrick). ***the Apostle of the English*** 잉글랜드의 전도자(St. Augustine).

Apóstles' Créed (the ~) 사도신경(信經)《기도서 중에 있는 기도명》.

apos·to·late [əpástəlit, -lèit/əpɔ́s-] *n.* [U] **1** (종종 the ~) 사도〔주창자〕의 지위〔임무〕. **2** 〖가톨릭〗 로마 교황의 직(위).

ap·os·tol·ic, -i·cal [æ̀pəstálik/-tɔ́l-], [-əl] *a.* (12)사도(시대)의; (때로 A-) 로마 교황의.

apostólic succéssion 사도 계승《교회의 권위는 사도로부터 사교에 의하여 계승된다는 설》.

***apos·tro·phe** [əpástrəfi/əpɔ́s-] *n.* **1** [C] 〖문법〗 아포스트로피.

> [NOTE] (1) 생략 부호: *can't, ne'er* (=never), '66 (=1966)《sixtysix라고 읽음》.
> (2) 소유격 부호: *boy's, boys', Jesus'.*
> (3) 복수 부호: 문자나 숫자의 경우, two *M.P.'s,* two *l's,* three *7's.*

2 [U] (구체적으로는 [C]) 〖수사학〗 돈호법(頓呼法)《시행(詩行)·연설 따위 도중에 그곳에 없는 사람, 의인화한 것, 관념 등을 부르기》.
[파] **-phize** [-fàiz] *vt., vi.* (연설 따위를) 돈호법으로 하다.

apóthecaries' wèight 《英》 약용식 중량, 약제용 형량법(衡量法).

apoth·e·cary [əpáθəkèri/əpɔ́θəkəri] (*pl.* ***-caries***) *n.* [C] 《고어》 약제사, 약종상; 약방〔국〕.

ap·o·thegm [ǽpəθèm] *n.* [C] 《美》 격언, 경구.
[파] **apo·theg·mat·ic, -i·cal** [æ̀pou*θ*egmǽtik], [-əl] *a.* 격언의, 격언적인.

apoth·e·o·sis [əpàθióusis/əpɔ̀θ-] (*pl.* ***-ses*** [-siːz]) *n.* (보통 the ~) **1 a** [U] (사람을) 신으로 받듦, 신격화; 신성시, 숭배. **b** [C] 신격화된 사람

〔것〕, 이상적인 인물. **2** [C] 이상, 극치, 권화(權化): She is the ~ *of* motherly love. 그녀는 모성애의 극치이다.
[파] **apoth·e·o·size** [əpáθiəsàiz/əpɔ́θ-] *vt.* …을 신으로 받들다, 신격화하다; …을 숭배하다.

app. apparatus; appendix; applied; appointed; apprentice; approved.

Ap·pa·la·chi·an [æ̀pəléitʃiən, -lǽtʃ*i*-] *a.* 애팔래치아 산맥(지방)의. —*n.* (the ~s) 애팔래치아 산맥(=the ≁ **Móuntains**).

◇**ap·pall,** 《英》 **-pal** [əpɔ́ːl] (***-ll-***) *vt.* 오싹 소름끼치게 하다, 섬뜩하게 하다《★ 종종 수동태로 쓰며, 전치사는 *at, by*》: The sight ~*ed* me. 그 광경이 나를 섬뜩하게 했다/We *were* ~*ed at* 〔*by*〕 the sight. 우리는 그 광경을 보고 오싹 소름이 끼쳤다.

◇**ap·páll·ing** *a.* **1** 섬뜩〔흠칫〕하게 하는, 무시무시한: an ~ sight 섬뜩한 광경. **2** 《구어》 지독한, 형편없는: ~ weather 지독한 날씨/She is an ~ cook. 그녀는 형편없는 요리사이다.
[파] **~·ly** *ad.*

Ap·pa·loo·sa [æ̀pəlúːsə] *n.* [C] 〖동물〗 애팔루사종(種)《북아메리카 서부산(產)의 승용마》.

ap·pa·nage [ǽpənidʒ] *n.* [C] **1** (지위 등에 따르는) 권리(부)수입, 소득. **2** (어떤 것에 자연히 따르는) 특성, 속성.

ap·pa·ra·tus** [æ̀pəréitəs, -rǽtəs] (*pl.* ~, ~·es***) *n.* [C] (집합적으로는 [U]) **1** (한 벌의) **장치,** 기기(器機), 기구, 용구: a chemical ~ 화학 기기/a heating ~ 난방〔가열〕 장치/experimental ~ 실험 기구. **2** (몸의) 기관(器官); (정치 활동의) 기구, 조직: respiratory ~ 호흡 기관/espionage ~ 스파이 조직.

◇**ap·par·el** [əpǽrəl] *n.* [U] 《보통 수식어를 수반하여》 의복; (특히 화려한) 의상: ready-to-wear ~ 기성복/the fine ~ of the king 왕의 화려한 의상. —(***-l-,*** 《英》 ***-ll-***) *vt.* (화려한 옷)을 입히다, 치장하다《★ 종종 과거분사꼴로 형용사적으로 쓰임》: a gorgeously ~*ed* person 화사하게 차려입은 사람.

‡**ap·par·ent** [əpǽrənt, əpέər-] *a.* **1** (눈에) **또렷이 보이는;** (한눈에 보아) 명백한, 확실한《***to*** …에게》: ~ *to* the naked eye 육안으로 보이는/The solution to the problem was ~ *to* all. 문제 해결 방법은 누가 봐도 명백했다. [SYN.] ⇨EVIDENT. **2 외견(만)의,** 겉치레의: His reluctance was only ~. 그가 싫어한 것은 겉치레였을 뿐이다/It is more ~ than real. 그것은 겉보기만 그렇지 실제는 그렇지도 않다.

‡**ap·par·ent·ly** [əpǽrəntli, əpέər-] *ad.* **1 명백히,** 일견하여: *Apparently* he never got my message after all. 결국 내 전갈이 그에게 전달되지 않은 것은 분명했다. **2** (실제는 어찌 되었든) **외관상으로는,** 언뜻 보기에: *Apparently* he likes it. 그는 그것을 좋아하는 것 같다.

◇**ap·pa·ri·tion** [æ̀pəríʃən] *n.* **1** [C] 유령, 귀신; 환영(幻影); 불가사의한 현상, 뜻하지 않은 일. **2** [U] (유령 또는 뜻밖의) 출현.

‡**ap·peal** [əpíːl] *vi.* **1** 《+[전]+[명]》 **호소하다**《***to*** (법률·여론·무력 등)에게; ***for*** …해달라고》: ~ *to* the public 〔the law〕 여론〔법〕에 호소하다/~ *for* aid 〔protection〕 *to* a person 아무에게 도와〔보호해〕달라고 호소하다 **2** 《+[전]+[명]+*to* do》 (도움·조력 등을) 간청〔간원〕하다; **부탁〔요청〕하다**《***to*** …에게》: He ~*ed to* us *to* support his

candidacy. 그는 우리에게 자신의 입후보를 지지해 달라고 간청하였다. **3** 〖스포츠〗 어필〔항의〕하다《*to* (심판)에게; *against* …에 불복하여》. **4** 《+전+명》 〖법률〗 **상소하다**, 상고하다, 항소하다《*to* (법원)에; *against* …에 불복하여》: ~ *to* a higher court 상소하다 / ~ *against* a decision 항소하다. **5** 마음에 들다, 매력이 있다《*to* (아무)에게》: She ~*s to* young men. 그녀는 젊은 남자들에게 인기가 있다 / Modern art does not ~ *to* me. 현대 미술은 나에겐 매력이 없다.

— *vt.* 《~+목/+목+전+명》 〖법률〗 (사건)을 상고하다, 항소하다《*to* (법원)에》: ~ a case (*to* a higher court) 소송(사건)을 상소하다.

~ to the country ⇨ COUNTRY.

— *n.* **1** Ⓤ (구체적으로는 Ⓒ) **호소**, 호소하여 동의를 구함《*to* (여론 따위)에의》: make an ~ *to* reason 〔arms〕 이성〔무력〕에 호소하다. **2** Ⓤ (구체적으로는 Ⓒ) **간청**, 간원《*for* …을 위한》: make an ~ *for* help 원조를 간청하다. **3** Ⓤ 매력, 사람의 마음을 움직이는 힘: sex ~ 성적 매력 / The fashion will lose its ~. 그 유행은 사라질 것이다. **4** Ⓤ (구체적으로는 Ⓒ) 〖법률〗 상소, 항소, 상고: a court of ~ 항소 법원 / lodge 〔enter〕 an ~ 상소하다. **5** Ⓒ 〖스포츠〗 항의, 어필《*to* (심판)에 대한》.

be of* 〔*have*〕 *little ~ to a person 아무에게 대한 호소력이 약하다.

°**ap·péal·ing** *a.* **1** 호소하는 듯한, 애원하는: with an ~ gesture 애원하는 듯한 몸짓으로. **2** 매력적인, 흥미를 끄는: an ~ smile 매력적인 미소. ㊕ **~·ly** *ad.* 호소〔애원〕하듯이.

‡**ap·pear** [əpíər] *vi.* **1** **나타나다**, 모습을 보이다, 출현하다: Paper ~*ed* in China around A.D. 100. 종이는 서기 100년경에 중국에 나타났다 / She finally ~*ed* at four o'clock. 그녀는 마침내 4시에 모습을 보였다.

2 《+*as* 보/+전+명》 출연하다《*on, in* …에》; 출두하다, 출정하다《*in* (법정)에; *before* …앞에; *for* …으로서》: ~ *as* Hamlet 햄릿역으로 등장하다 / ~ *on* the stage 〔a TV program〕 무대〔TV 프로그램〕에 출연하다 / ~ *in* concert at Carnegie Hall 카네기홀의 연주회에 출연하다 / ~ *before* the judge 재판을 받다, 출정하다 / ~ *in* court 법정에 출두하다 / Mr. Johnson ~*ed for* him in court. 존슨씨가 그의 변호인으로 출정했다.

3 《~/+전+명》 **a** (제품·작품 따위가) 세상에 나오다: Has his new book ~*ed* yet? 그의 새 저서가 벌써 출간되었습니까. **b** 《+전+명》 실리다《*in* (신문 따위)에》: His picture ~*s in* the paper. 그의 사진이 신문에 실렸다.

4 a 《+(*to be*) 보/+*that* 절》 …**로 보이다**, …같다, …로 생각되다: He ~*s* (*to be*) rich. =It ~*s* (*to* me) *that* he is rich. 그는 부유한 것 같다 / There ~*s to have been* an accident. 무언가 사고가 난 것 같다. **b** 《+*to* do》 (…하는 것)처럼 보이다: The sun ~*s to* revolve about the earth. 태양이 지구의 주위를 도는 것처럼 보인다.

5 《~/+*that* 절》 〔it을 주어로 하여〕 명백하게 되다, 뚜렷〔명료〕해지다《*to* …에게는》: for reasons that do not ~ 뚜렷하지 않은 이유로 / *It* ~*s* (*to* me) *that* you are all mistaken. (내게는) 너희들 모두가 잘못한 게 틀림없다고 생각된다.

6 a 〔삽입적으로 써서〕 아무래도 …인 것 같다: He is, *it* ~*s*, in poor health. 그는 아무래도 건강이 나쁜 것 같다 / Will he have to have operation? — It ~*s* so 〔not〕. 그에게 수술이 꼭 필요할까요 — 그럴 것 같네요〔필요 없을 것 같네요〕. **b** 〔~ as if와 함께〕 (…이 아닌가) 여겨지다: It ~*s as if* it's going to rain. 비가 올 것 같다.

> **NOTE** (1) It *appears* to me that she is right. 와 She *appears* to me to be right. 는 거의 같은 뜻이지만, she is right. 처럼 정형동사(finite verb)를 쓰고 있는 전자 쪽이 그녀가 옳다고 단정하는 느낌이 강함.
> (2) appear의 다음에 형용사가 따르는 경우는 that 절에 선행(先行) 가능: It *appears* certain that he will win first prize. 그가 1등상을 차지하는 것은 확실하다《★ 형용사를 수반하는 경우는 that이 생략 안 됨》.
> (3) 진행형 불가: It *appears* 〔ˣis appearing〕 that she speaks English very well. 그녀는 영어를 대단히 능숙하게 말하는 것 같다.

‡**ap·pear·ance** [əpíərəns] *n.* **1** Ⓤ (구체적으로는 Ⓒ) **출현**; 출석, 출두; 출연, 출판, (기사의) 게재: the ~ of anthropoid apes 유인원의 출현 / his ~ in court 그의 법정 출두 / She made her first ~ on the stage in 1960. 그녀는 1960년에 처음 무대를 밟았다 / the ~ of his new novel 그의 신작 소설의 출판.

2 a Ⓤ (구체적으로는 Ⓒ) 외관, **겉보기**; 모습, 풍채(風采): *Appearances* can be deceptive. 《속담》 겉만 봐서는 모른다 / be only an ~ 겉모양뿐이다 / make a good 〔fine〕 ~ 풍채가〔겉모양이〕 좋다 / There is no ~ of snow. 눈이 내릴 것 같지는 않다. **b** (*pl.*) 체면, 겉치레: keep up 〔save〕 ~*s* 체면을 지키다〔살리다〕.

3 (*pl.*) (외면적인) 형세, 정세, 상황: *Appearances* are against him 〔in his favor〕. 형세는 그에게 불리하다〔유리하다〕.

at first ~ 언뜻 보기에는. ***for ~' sake*** =***for the sake of ~(s)*** 체면상. ***make an ~*** 얼굴을 내밀다, 출두하다. ***to* 〔*from*〕 *all ~(s)*** 아무리 보아도, 어느 모로 보나: *To all ~s* he wasn't the least tired. 아무리 보아도 그는 전혀 피로한 빛이 없었다.

ap·péas·a·ble *a.* 진정시킬 수 있는; 완화할 수 있는.

°**ap·pease** [əpíːz] *vt.* (아무)를 달래다; (노염·슬픔·싸움 따위)를 진정〔완화〕시키다, 가라앉히다: ~ a person's anger 아무의 노여움을 가라앉히다 / ~ a person with a present 선물로 아무를 달래다. **2** (갈증)을 풀다, (식욕·호기심 따위)를 채우다: ~ one's hunger 〔curiosity〕 허기를〔호기심을〕 채우다.

ap·péase·ment *n.* **1** Ⓤ (구체적으로는 Ⓒ) 진정, 완화, 달램; 양보. **2** Ⓤ (욕구의) 충족; 유화(정책): an ~ policy 유화 정책.

ap·pel·lant [əpélənt] 〖법률〗 *n.* Ⓒ 항소인, 상소인; 청원자.

— *a.* 상소의; 항소(수리(受理))의.

ap·pel·late [əpélit] *a.* Ⓐ 항소의, 상소의, 상소를 심리하는 권한이 있는: an ~ court 항소 법원.

ap·pel·la·tion [æ̀pəléiʃən] *n.* Ⓒ 명칭, 호칭.

ap·pel·la·tive [əpélətiv] *a.* 명칭〔호칭〕의.

ap·pel·lee [æ̀pəlíː] *n.* Ⓒ 피상소〔항소〕인. ↔ *appellant.*

ap·pend [əpénd] *vt.* (표찰 등)을 붙이다; 덧붙이다, (서류 등)을 첨부하다; (부록 등)을 추가〔부가〕하다《*to* …에》: ~ one's signature 서

명하다 / ~ a label *to* a trunk 트렁크에 꼬리표를 붙이다 / ~ notes *to* a book 책에 주(註)를 달다.

ap·pend·age [əpéndidʒ] *n.* Ⓒ 부가〔부속〕물; 〖생물〗 부속 기관(器官)《손 · 발 따위》.

ap·pend·ant, -ent [əpéndənt] *a.* 부수하는; 부속의, 부대적인《*to* …에》. **—***n.* Ⓒ 〖법률〗 부대 권리; 부수적인 것〔사람〕.

ap·pen·dec·to·my [æ̀pəndéktəmi] *n.* Ⓤ (구체적으로는 Ⓒ) 〖의학〗 충양돌기 절제 (수술), 맹장 수술.

ap·pen·di·ces [əpéndəsìːz] APPENDIX의 복수.

ap·pen·di·ci·tis [əpèndəsáitis] *n.* Ⓤ 〖의학〗 충수염, 맹장염.

◇**ap·pen·dix** [əpéndiks] (*pl.* **~·es, -di·ces** [-dəsìːz]) *n.* Ⓒ **1** 부속물, 부가물; 부록, 추가, 부가. **2** 〖해부〗 돌기(突起); 충수(蟲垂), 맹장(vermiform ~): have one's ~ out 맹장을 제거하다.

ap·per·cep·tion [æ̀pərsépʃən] *n.* Ⓤ 〖심리〗 통각 (작용 · 상태).

ap·per·tain [æ̀pərtéin] *vi.* 속하다《*to* …에》: a house and everything *~ing to* it 집과 그에 딸린 모든 것 / The control of traffic *~s to* the police. 교통정리는 경찰의 임무에 속한다.

ap·pe·tite** [ǽpitàit] *n.* Ⓤ (구체적으로는 Ⓒ) **1 식욕**: lose 〔spoil〕 one's ~ 식욕을 잃다 / sharpen 〔get up〕 one's ~ 식욕을 돋우다 / have a good 〔poor〕 ~ 식욕이 좋다〔없다〕 / with a good ~ 맛있게 / A good ~ is a good sauce. 《속담》 시장이 반찬이다. **2** 〖일반적〗 **욕구**, (육체적 · 물적인) 욕망; 흥미; (정신적인) 희구, 갈망《for*** …에 대한》: an ~ *for* power 권세욕 / one's sexual 〔carnal〕 ~ 성욕 / have a great ~ *for* knowledge 지식욕이 왕성하다.

be to 〔***after***〕 ***one's ~*** 입에 맞다. ***have an ~ for*** (music) (음악)을 좋아하다. ***whet*** a person***'s ~*** 아무의 흥미를 돋우다; 아무에게 더욱더 바라게 하다《***for*** …을》.

ap·pe·tiz·er [ǽpitàizər] *n.* Ⓒ 식욕 돋우는 음식; 식전의 음료〔술〕; 전채(前菜).

ap·pe·tiz·ing [ǽpitàiziŋ] *a.* 식욕을 돋우는, 맛있(어 보이)는: an ~ dish 먹음직스런 요리. ㊞ **~·ly** *ad.* 먹음직스럽게.

Áp·pi·an Wáy [ǽpiən-] (the ~) 아피아 가도(街道)《로마와 Brundisium 사이의 고대 로마의 도로; 560km》.

appl. applied.

‡**ap·plaud** [əplɔ́ːd] *vi.* **박수갈채하다**, 성원하다: The audience *~ed* loudly. 청중은 열광적으로 박수갈채를 보냈다.
—*vt.* **1** …에게 **박수갈채하다**, 성원하다: The singer was *~ed* by the audience. 그 가수는 청중으로부터 박수갈채를 받았다. **2** 《~+목/+목+전+명》 칭찬하다, 추어올리다《***for*** …에 대하여》: ~ a person's courage 아무의 용기를 칭찬하다 / I ~ you *for* your decision. 용케 결심하셨군요. ◇ applause *n.*

‡**ap·plause** [əplɔ́ːz] *n.* Ⓤ **박수갈채**; 칭찬: a storm 〔thunder〕 of ~ 우레와 같은 박수갈채 / seek popular ~ 인기를 얻으려고 하다 / general ~ 만장의 박수; 세상의 칭찬. ◇ applaud *v.*

†**ap·ple** [ǽpl] *n.* Ⓒ **1 사과**; 사과 모양의 과실 (이 열리는 나무〔야채〕); (형태 · 색이) 사과를 닮은 것: The *~s* on the other side of the wall are the sweetest. 《속담》 담 저쪽 사과가 제일 달다《남의 밥에 든 콩이 굵어 보인다》/ An ~ a day keeps the doctor away. 《속담》 하루에 사과 한 개면 의사가 필요 없다.
2 =APPLE TREE.

> **NOTE** 과일 그 자체는 Ⓒ지만, 과육을 가리킬 때는 Ⓤ. 따라서 후자의 의미로 셀 때는 a piece of *apple*, a fragment of *apple*이라고 함. 다른 과일에 대해서도 마찬가지임.

a 〔***the***〕 ***bad*** 〔***rotten***〕 ***~*** 악영향을 미치는 것〔사람〕, 암적인 존재. ***polish ~s*** 〔***the ~***〕 《美속어》 아첨하다. ⓒⓕ apple-polish. ***the ~ of contention*** 〔***discord***〕 〖그리스신화〗 분쟁의 씨《Troy 전쟁의 원인이 된 황금의 사과에서》. ***the ~ of*** one***'s eye*** 장중보옥, (눈에 넣어도 아프지 않을 정도의) 매우 소중한 아이〔사람〕.

ápple·càrt *n.* Ⓒ 사과 운반차, 사과 행상인의 손수레. ***upset the*** 〔a person***'s***〕 ***~*** (아무의) 계획〔사업〕을 뒤엎다〔망쳐 놓다〕.

Ápple Compúter Inc. 애플사《미국의 대표적인 퍼스널 컴퓨터 회사명》.

ápple gréen 밝은 황록색.

ápple·jàck *n.* Ⓤ 《美》 사과 브랜디.

ápple píe 사과〔애플〕 파이《가장 미국적인 음식》. ***as American as ~*** 가장 미국적인.

ápple-pìe *a.* 《美구어》 (도덕관 따위가) 미국의 독특한, 순미국적인, 미국적 전통의.

ápple-píe bèd 《英》 발을 뻗지 못하도록 일부러 시트를 접어 놓은 잠자리《기숙생의 장난》.

ápple-pie órder 《구어》 질서정연한 상태: His files were in ~. 그의 서류철은 가지런했다.

ápple-pòlish *vi., vt.* 《美구어》 (…의) 비위를 맞추다, 아첨하다.
㊞ **~·er** *n.* Ⓒ 《美구어》 아첨꾼.

ápple·sàuce *n.* Ⓤ **1** 사과 소스《사과를 저며서 흐물흐물하게 찐 것》. **2** 《美속어》 객쩍은〔시시한〕 소리; 입에 발린 치사.

Ápple Tàlk 〖컴퓨터〗 애플토크《애플사가 개발한 근거리 통신망(LAN)》.

apple tree 〖식물〗 사과나무.

◇**ap·pli·ance** [əpláiəns] *n.* Ⓒ 기구, 장치, 설비, (특히 가정 · 사무실용의) 전기〔가스〕 기구: household (electrical) *~s* 가전 제품 / office *~s* 사무용품 / medical *~s* 의료 기구. SYN. ⇨ TOOL.
◇ apply *v.*

àp·pli·ca·bíl·i·ty *n.* Ⓤ 적응성, 응용(가능)성, 적부(適否); 적절함.

ap·pli·ca·ble** [ǽplikəbəl, əplíkə-] *a.* **적용〔응용〕할 수 있는**, 들어맞는, 적절한《to*** …에》: Is the rule ~ *to* this case? 그 규칙이 이 경우에 적용될까. ㊞ **-bly** *ad.* 적절히.

ap·pli·cant** [ǽplikənt] *n.* Ⓒ **응모자**, 지원자, 출원자, 후보자, 신청자《for*** …에의》: an ~ *for* a position 구직자 / an ~ *for* admission to a school 입학 지원자 ◇ apply *v.*

‡**ap·pli·ca·tion** [æ̀plikéiʃən] *n.* **1 a** Ⓤ 적용, 응용《***to*** …에의》: practical ~ 실용 / the ~ *of* a general rule *to* a particular case 특정한 경우에 적용시키는 통칙 / the ~ *of* science *to* industry 산업에 과학의 응용. **b** Ⓤ (구체적으로는 Ⓒ) 적용성, 실용성; 응용법: a word of many *~s* 여러 가지에 적용되는 단어. **2 a** Ⓤ (구체적으로는 Ⓒ) **신청**, 지원, 출원(出願)《***for*** …에 대한; ***to*** …에의》: an ~ *for* a loan 융자 신청 / on ~ 신청하는 대로, 신청시 / make an ~ *to* the authorities *for* a visa 당국에 비자 신청을 하다. **b** Ⓒ 원서, 신청서: fill out 〔in〕 an ~ form 〔blank〕

신청 용지에 기입하다 / send in a written ~ 원서를 제출하다. **3** [U] 열심, 근면; 전념, 몰두《*to* …에의》: a man of close ~ 아주 열심인 사람 / show little ~ *to* one's study 공부에 전념하지 않다. **4 a** [U] (구체적으로는 [C]) (약 · 화장품 · 페인트 등의) 도포, (붕대 · 습포 등의) 사용《*of* …을; *to* …에》: external [internal] ~ (약의) 외용(外用) [내용(內用)] / the ~ *of* an ointment *to* a person's shoulder 연고를 아무의 어깨에 바름. **b** [C] 환부에 대는[붙이는] 것《지혈대 · 파스 등》, 바르는 약.

applicátion prògram 〖컴퓨터〗 응용 프로그램.

applicátion prògram ínterface 〖컴퓨터〗 응용 프로그램 인터페이스《생략: API》.

applicátions sátellite 실용 위성.

applicátion(s) sòftware 〖컴퓨터〗 응용 소프트웨어《소프트웨어를 그 용도에 따라 두 개로 대별했을 때의 application이 속하는 카테고리》.

applicátion·wàre *n*. [U] 〖컴퓨터〗 애플리케이션웨어《컴퓨터의 이용 분야》.

°**ap·plied** [əpláid] *a*. (실지로) 적용된, 응용된. ↔ *pure*, *theoretical*. ¶ ~ chemistry [science] 응용 화학[과학] / ~ genetics 응용 유전학.

ap·pli·qué [æplikéi/əplíːkei] *n*. 《F.》 [U] 아플리케, 꿰매 붙인 장식, 박아 넣은 장식.
—*vt*. …에 아플리케를 하다.

‡**ap·ply** [əplái] *vt*. 《~+[목]/+[목]+[전]+[명]》 **1 적용하다, 응용하다**《*to* …에》: ~ a theory *to* a problem 문제에 이론을 적용하다 / They *applied* new technology *to* the industry. 그들은 새로운 과학기술을 그 산업에 응용했다. **2** (자금 등)을 충당하다, 쓰다, (기계 등)을 작동시키다《*to* …에》: ~ one's savings *to* the purchase of a house 저금을 집을 구입하는 데 쓰다. **3** (힘 · 열 따위)를 가하다《*to* …에》: ~ pressure [heat] *to* the plate 판금에 압력[열]을 가하다. **4** (표면에) **대다**, 붙이다; (약 · 칠 따위)를 바르다《*to* …에》: ~ a bandage *to* a cut 벤 상처에 붕대를 대다 / ~ a plaster *to* a wound 상처에 고약을 바르다 / ~ varnish *to* a box 상자에 니스칠을 하다. **5** (정신 · 정력 따위)를 쏟다《*to* …에》; 〖~ one*self*〗 전념하다, 열중하다《*to* …에》: ~ one's mind *to* one's studies 연구에 전념하다 / ~ one*self to* learn*ing* French 프랑스어 공부에 열중하다.
—*vi*. 《+[전]+[명]》 **1 꼭 들어맞다**, 적합하다, 적용되다《*to* …에》: The way does not ~ *to* the case. 그 방법은 이 경우에는 들어맞지 않는다. **2 신청하다**, 지원[출원]하다; 문의[조회]하다《*for* …을; *to* …에》: ~ *for* a scholarship 장학금을 신청하다 / *For* particulars, ~ in person *to* the Personal Section. 상세한 것은 본인이 인사과에 문의할 것. ◇ application, appliance *n*.

‡**ap·point** [əpɔ́int] *vt*. **1** 《~+[목]/+[목]+(*as*) [보]/+[목]+(*to be*) [보]/+[목]+[전]+[명]/+[목]+*to* do》 **지명하다, 임명하다**《*to* (지위 따위)에》; 명하다, 지시하다: ~ a new secretary 새 비서를 임명하다 / ~ a person (*as* [*to be*]) manager 아무를 지배인으로 임명하다 / ~ a person (*as* [*to* the office of]) governor 아무를 지사로 지명[임명]하다 / ~ a person *to* a post 아무를 어떤 지위에 앉히다 / He ~*ed* me *to* do the duty. 그는 그 임무를 다하도록 내게 명령했다. **2** 《~+[목]/+[목]+*as* [보]》 (일시 · 장소 따위)를 정하다, 지정하다(fix), 약속하다: He ~*ed* the place for the meeting. 그는 회합 장소를 지정했다 / April 5 was ~*ed as* the day for the meeting. 회합 일자는 4월 5일로 정해졌다. **3** (위원회 등)을 설립하다, 발족시키다: A committee was ~*ed* to examine the question. 그 문제를 검토하기 위해 위원회가 설립되었다. **4** 〖보통 수동형〗 (집 · 방 등에 필요한) 비품을[설비를] 갖추다.

°**ap·póint·ed** [-id] *a*. **1** 지정된, 정해진; 약속한: at the ~ time 약속한 시각에 / one's ~ task 자기에게 할당된 작업. **2** 임명된: a newly ~ official 신임 관리. **3** 〖보통 부사와 결합된 복합어로서〗 a well-~ library 설비가 잘 된 도서관.

ap·point·ee [əpɔ̀intíː, æ̀pɔin-] *n*. [C] 피임명자, 피지명인; 〖법률〗 (재산권의) 피지정인.

ap·poin·tive [əpɔ́intiv] *a*. (관직 등이) 임명[지명]에 의한《elective에 대해》; 임명[지명]하는: ~ power 임명권.

‡**ap·point·ment** [əpɔ́intmənt] *n*. **1 a** [U] **임명**, 지명, 임용《*of* …의; *to* …에의; *as* …으로서의》: the ~ *of* a teacher 교사의 임명 / the ~ *of* a person *as* manager 아무를 매니저로 임명하기 / the ~ *of* a person *to* a post 어떤 지위에 아무를 임명하기. **b** [C] (임명에 의한) 지위, 관직: take up an ~ 취임하다. **2 a** [U] (때 · 장소를 정하기 위한) **약속**(하는 일): meet a person by ~ 약속하여 아무를 만나다. **b** [C] (회합 · 방문의) **약속, 예약**《*to* do》; 지정, 선정: an ~ for an interview 인터뷰 약속 / keep [break] one's ~ 약속을 지키다[어기다] / have an ~ *to* see the doctor 진찰 예약을 하다 / make [fix] an ~ 약속을[일시를] 정하다 / I'd like to make an ~ for a shampoo and a haircut. — When [What time] would be convenient for you? 세발(洗髮)과 커트 예약을 하고 싶은데요 — 언제쯤이 좋겠습니까《미용실의 예약에서》. **3** (*pl*.) (건물 따위의) 설비, 비품: the interior ~*s* of a car 차의 내장(內裝).

Ap·po·mat·tox [æ̀pəmǽtəks] *n*. 애퍼매톡스《미국 Virginia주 중부의 마을; 1865년 여기에서 남군이 북군에게 항복하여 남북전쟁이 끝남》.

ap·por·tion [əpɔ́ːrʃən] *vt*. 할당하다, 나누다; 배분[배당]하다《*to* …에게; ***between, among*** …사이에》: ~ one's time *to* several jobs 여러 가지 일에 시간을 할당하다 / The property was ~*ed* equally *among* the heirs. 재산은 상속인에게 똑같이 배분되었다 / I'll ~ each of you a different task. 여러분에게 각각 다른 일을 할당하겠다.

ap·pór·tion·ment *n*. [U] (구체적으로는 [C]) **1** 분배, 배당, 할당. **2** 《美》 (인구 비율에 의한) 의원 수의 할당.

ap·pose [æpóuz] *vt*. (두 가지 것)을 병치(竝置)하다, 병렬하다.

ap·po·site [ǽpəzit] *a*. 적당한, 적절한, 딱 들어맞는《*to, for* …에》: ~ *to* the case 실정에 맞는, 시의(時宜) 적절한 / That proverb is ~ *to* this case. 그 속담은 이 경우에 딱 들어맞는다. ◇ apposition *n*.
[파] **~·ly** *ad*. 적절히. **~·ness** *n*.

ap·po·si·tion [æ̀pəzíʃən] *n*. [U] **1** 병치(竝置), 병렬. **2** 부가, 부착, 첨부. **3** 〖문법〗 동격(同格)(관계)《*to, with* …와》: a noun in ~ 동격 명사 / in ~ *to* [*with*] …와 동격으로. ◇ apposite *a*.
[파] **~·al** *a*. 〖문법〗 동격의. **~·al·ly** *ad*.

ap·pos·i·tive [əpázətiv/əpɔ́zi-] 〖문법〗 *a*. 동격의. **—***n*. [C] 동격어[구, 절].

ap·prais·al [əpréizəl] *n.* **1** Ⓤ (구체적으로는 Ⓒ) 평가, 감정, 사정, 견적: get an ~ *of* a ring 반지의 감정을 받다. **2** Ⓒ 견적 가격, 사정액.

ap·praise [əpréiz] *vt.* **1** (사람 · 능력 등)을 평가하다; (상황 등)을 인식하다: ~ a person's ability 아무의 능력을 평가하다 / He ~*d* the situation and took swift action. 그는 상황을 파악하고 재빠르게 행동하였다. **2** (자산 · 물품 등)을 감정하다, 사정(査定)하다, 값을 매기다: ~ property for taxation 과세를 위해 재산을 사정하다.
(파) **appráis·er** *n.* Ⓒ 평가인; (세관 · 세무서의) 사정〔감정〕관. **ap·práis·ing** *a.* 평가하는 (듯한). **appráis·ing·ly** *ad.*

°**ap·pre·ci·a·ble** [əprí:ʃiəbəl] *a.* 평가할 수 있는; 감지(感知)할 수 있을 정도의, 분명한, 상당한 정도의: an ~ change 뚜렷한 변화 / There is no ~ difference. 별반 차이는 없다.
(파) **-bly** *ad.* 평가할 수 있게; 감지할 수 있을 정도로, 분명히, 상당히.

⁑**ap·pre·ci·ate** [əprí:ʃièit] *vt.* **1** …의 **진가를 인정하다**; …의 좋음을 살펴 알다; …을 높이 평가하다: His genius was at last universally ~*d*. 그의 천재성은 마침내 널리 인정받게 되었다. **2** (문학 · 예술 따위)를 **감상하다**, 음미하다: You cannot truly ~ English literature unless you read it in the original. 원문을 읽지 않고서는 영문학을 올바르게 음미할 수 없다. **3** 《~+[목]/+*that* 〔*wh*-〕 [절]》 감지하다, 헤아리다; **식별〔인식〕하다**; (…라는 것)을 알고 있다: ~ the dangers of a situation 사태가 위험함을 알아채다 / ~ the difference between right and wrong 옳고 그름의 차이를 바르게 인식하다 / A musician can ~ small differences in sounds. 음악가는 미묘한 음의 차이도 식별할 수 있다 / ~ *that* space travel is not an impossible dream 우주 여행이 불가능한 꿈이 아님을 알다. SYN. ⇨UNDERSTAND. **4** 《~+[목]/+*wh*. [절]/+*-ing*》 (호의)를 **고맙게 여기다**, 감사하다: I ~ your kindness. 친절에 감사합니다 / I deeply ~ *what* you have done for me. 저에게 베풀어 주신 것을 깊이 감사드립니다 / I would very much ~ receiv*ing* a copy of the book. 그 책 1부를 기증받는다면 대단히 감사하겠습니다. ↔ *depreciate*.
— *vi.* 《~/+[전]+[명]》 오르다《*in* (재산 · 물품 따위의 가격)이》: Real estate has rapidly ~*d*. 부동산(不動産) 시세가 급등했다 / Gold has ~*d* (*in* value). 금값이 올랐다. ◇ appreciation *n.*

*__ap·pre·ci·a·tion__ [əprì:ʃiéiʃən] *n.* **1** Ⓤ (올바른) **평가**, 인식, 식별; 진가의 인정: The Prime Minister showed a quick ~ of the problems before him. 수상은 그가 직면한 문제를 재빨리 인식했다. **2** Ⓤ (또는 an ~) **감상**(력), 음미; 이해 《*of* …의, …에 대한》: (an) ~ *of* music 음악의 감상〔이해〕 / He has a keen ~ *of* music. 그는 음악에 대한 날카로운 감상력이 있다. **3** Ⓒ (호의적인) 비평, 평론《*of* …에 관한》: write an ~ *of* his poetry 그의 시에 관한 비평을 쓰다. **4** Ⓤ 감사《*of, for* …에 대한》: a letter *of* ~ 감사장 / in ~ *of* …에 감사하여 / I wish to express my ~ *for* your kindness. 친절에 감사드립니다. **5** Ⓤ (가격의) 등귀; (수량의) 증가. ↔ *depreciation*. ◇ appreciate *v.*

ap·pre·cia·tive [əprí:ʃətiv, -ʃièi-] *a.* **1** 감상할 줄 아는, 눈이 높은: an ~ listener 감상력이 있는 청취자 / an ~ audience 눈〔안목〕이 높은 청중. **2** 감사의, 감사하는《*of* …에》: ~ words 감사의 말 / She was ~ *of* my efforts. 그녀는 나의 노고에 감사했다.
(파) **~·ly** *ad.* **~·ness** *n.*

ap·pre·ci·a·tor [əprí:ʃièitər] *n.* Ⓒ 진가를 아는 사람; 감식자; 감상자; 감사하는 사람.

ap·pre·ci·a·to·ry [əprí:ʃiətɔ̀:ri, -təri] *a.* = APPRECIATIVE.

ap·pre·hend [æ̀prihénd] *vt.* **1** (범인 따위)를 (붙)잡다, 체포하다《★ catch, arrest 쪽이 일반적》. **2** …의 뜻을 파악하다, 이해하다, 감지하다 《*that*》: I ~ your meaning. 당신이 말하고자 하는 뜻은 알겠다 / I ~*ed that* the situation was serious. 사태가 심각하다는 것을 알았다. ◇ apprehension *n.*, apprehensive *a.*

ap·pre·hen·si·ble [æ̀prihénsəbəl] *a.* 이해〔감지〕할 수 있는.

°**ap·pre·hen·sion** [æ̀prihénʃən] *n.* **1** Ⓤ (또는 *pl.*) 염려, 우려, 불안, 걱정《*of, for, about* …에 대한 / *that*》: have some ~ *of* failure 실패하지 않을까 걱정하다 / feel ~(*s*) *for* the safety of one's husband 남편의 안부를 염려하다 / She was under the ~ *that* she would fall back into poverty. 그녀는 다시 가난해지지 않을까 불안했다. **2** Ⓤ 체포: the ~ *of* a thief 도둑의 체포. **3** Ⓤ 이해(력): be quick 〔dull〕 of ~ 이해가 빠르다〔둔하다〕. ◇ apprehend *v.*
be above one***'s*** **~** 이해할 수 없다: The matter *is above my* ~. 그 문제는 나로서는 이해할 수 없다.

°**ap·pre·hen·sive** [æ̀prihénsiv] *a.* **1** 염려〔우려〕하는, 불안한, 걱정〔근심〕하는《*of, for, about* …에 대해 / *that*》: be ~ *of* danger 위험을 걱정하다 / be ~ *for* one's sister's safety 누이의 안부를 염려하다 / I was a little ~ *about* this enterprise. 이 계획이 다소 불안했다 / I am ~ *that* I may fail. 실패하지 않을까 염려스럽다. **2** 이해가 빠른, 빨리 깨치는; 감지(感知)하는. ◇ apprehend *v.* (파) **~·ly** *ad.* **~·ness** *n.*

°**ap·pren·tice** [əpréntis] *n.* Ⓒ **1** (옛날의) 도제(徒弟), 견습(공)《*to* …에의》: a carpenter's ~ = an ~ *to* a carpenter 목수 도제. **2** 초심자; 실습생, 연습생. **—** *vt.* **1** 도제로 보내다《*to* …에게로》: He was ~*d to* a printer. 그는 인쇄공의 도제로 보내졌다. **2** 〖~ oneself〗 도제가 되다《*to* …의》.

ap·prén·tice·shìp **1** Ⓤ (구체적으로는 Ⓒ) 도제 제도, 도제 신분, 계시살이: serve (out) one's ~ with a carpenter 〔at a barber's〕 목수〔이발소〕의 견습생으로 일하다. **2** Ⓒ 도제〔수습〕 기간.

ap·prise [əpráiz] *vt.* (아무)에게 알리다, 통고〔통지〕하다《*of* …을 / *that*》《★ 종종 수동태로; inform 쪽이 일반적》: He *was* ~*d of* the situation. 그는 사정을 들어 알고 있었다.

ap·pro [ǽprou] *n.* 《英구어》 〖다음 관용구로〗 ***on*** **~** = on APPROVAL.

⁑**ap·proach** [əpróutʃ] *vt.* **1** (장소 · 시간적으로) …에 **가까이 가다**, …에 접근하다; (상태 · 수량 등이) …에 가깝다, 비슷해지다: We ~*ed* the city. 우리는 그 도시에 접근했다 / No writer can ~ Shakespeare in greatness. 어떠한 작가도 위대한 점에서 셰익스피어에 미치지 못한다 / ~ completion 완성에 가깝다 / a man ~*ing* thirty, 30세에 가까운 남자. **2** 《~+[목]/+[목]+[전]+[명]》 (아무)에게 이야기를 꺼내다, (아무)와 교섭을 시작하다; (아무)에게 환심을 사려고 아첨하다《*about,* *on* …에 대하여; *for* …을 위하여》: He ~*ed* the official with bribes. 그는 뇌물을 써서 공무원에게 빌붙었다/I ~*ed* him *about* making a contribution to the alumni fund. 나는 동창회 기금 모금에 대하여 그에게 말을 꺼냈다/~ the shop manager *for* a job 일자리를 구하려고 지배인을 만나다. **3** (문제 등)을 다루다: We should ~ this matter with great care. 우리는 이 문제를 아주 신중히 다루어야 한다.

—*vi.* **1** 다가가다, 접근하다: A storm is ~*ing*. 폭풍이 접근하고 있다. **2** 《+전+명》 가깝다, 거의 〔대략〕 같다《*to* …에》: This answer ~*es to* denial. 이 회답은 거부나 다름없다.

—*n.* **1** Ⓤ 가까워짐, **접근**: the ~ of winter 겨울철이 다가옴/With the ~ of Christmas the weather turned colder. 크리스마스가 가까워짐에 따라 날씨가 점점 추워졌다. **2** Ⓒ (접근하는) 길, 입구; 진입로《*to* …으로의》: the ~ *to* an airport 공항으로의 진입로. **3** Ⓒ 입문, 연구〔학습〕법《*to* (학문·연구 따위)에의》; 다루는 방법, 접근법《*to* (문제 따위)에의》: a new ~ *to* the learning of English 신(新)영어 학습법/a scientific ~ *to* this problem 이 문제에 대한 과학적 접근법. **4** Ⓒ (흔히 *pl.*) (교섭하기 위한) 접근, 지근거림, (교제의) 신청《*to* (이성 따위)에게의》: a man easy of ~ 가까이하기 쉬운 사람/make ~*es to* a person 아무의 환심을 사려고 하다. **5** Ⓒ 〖항공〗 활주로로의 진입·강하 (코스): We are beginning our landing ~. 이제부터 착륙 단계로 들어갑니다《기내 방송 용어》. **6** 〖골프〗 =APPROACH SHOT.

ap·próach·a·ble *a.* (장소 등에) 접근하기 쉬운, 가기 쉬운; (아무가) 가까이하기 쉬운, 사귀기 쉬운.

appróach ròad 《英》 (고속도로 따위로 통하는) 진입로.

appróach shòt 〖골프〗 어프로치 샷《putting green에 공을 올려놓기 위한 샷》.

ap·pro·bate [ǽprəbèit] *vt.* 《美》 인가〔면허〕하다; 시인하다; 찬동하다.

àp·pro·bá·tion *n.* Ⓤ 찬성, 찬동; 추천: meet with a person's ~ 아무의 동의를 얻다. ◇approbate *v.*

ap·pro·ba·to·ry [əpróubətɔ̀:ri, -tou-] *a.* 인가〔시인〕의; 찬성의; 추천의.

ap·pro·pri·a·ble [əpróupriəbəl] *a.* 전유(專有)〔사용(私用)〕할 수 있는; 충당할 수 있는.

‡ap·pro·pri·ate [əpróuprièit] *vt.* **1** 《+목+전+명》 **충당하다**, 쓰다《*to* (어떤 목적)에》: ~ the extra income *to* the payment of the debt 부수입을 빚 갚는 데 충당하다. **2** 《+목+전+명》 (정부가 어떤 금액)을 예산에 계상(計上)하다; (의회가) …의 지출을 승인하다《*for* …을 위해》: The legislature ~*d* the funds *for* the university. 주의회는 그 대학을 위해 기금 지출을 승인하였다. **3** 《~+목/+목+전+명》 (불법으로) **사유〔전유〕하다**; 횡령〔착복〕하다; 훔치다: Don't ~ others' ideas. 남의 아이디어를 도용하지 마라/He ~*d* the trust funds *for* himself. 그는 신탁기금을 횡령하였다.

—[əpróupriit] *a.* **적합한**, 적절〔적당〕한《*for*, *to* …에》: an ~ example 적절한 예/a speech ~ *for* 〔*to*〕 the occasion 그 자리에 어울리는 연설. SYN. ⇨FIT, PROPER. ◇appropriation *n.*

㊕ **~·ly** *ad.* 적당히, 적절히. **~·ness** *n.*

ap·pro·pri·a·tion [əpròupriéiʃən] *n.* **1** Ⓤ 전유(專有), 유용, 사용(私用); 착복. **2 a** Ⓤ 충당, 할당《*of*, *for* …에의》. **b** Ⓒ 충당금〔비〕, 충당물《*of*, *for* …에의》: make an ~ *of* funds *for* highway building 간선도로 건설에 자금을 충당하다/an ~ *for* defense 국방비.

ap·pro·pri·a·tor [əpróuprièitər] *n.* Ⓒ 전용자, 사용자; 유용자, 충당〔충용〕자; 도용자.

ap·próv·a·ble *a.* 시인〔찬성, 인가〕할 수 있는.

‡ap·prov·al [əprú:vəl] *n.* Ⓤ **1 찬성**, 시인, 동의: with the full ~ of …의 전면적인 찬동을 얻어/meet with a person's ~ 아무의 찬성을 얻다/show 〔express〕 one's ~ 찬성〔동의〕의 뜻을 나타내다. **2** (정식) 인가, 재가, 허가, 면허: conditional 〔unconditional〕 ~ 조건부〔무조건〕 허가. *on* ~ 〖상업〗 써 보고 좋으면 산다는 조건으로, 시판(試販) 조건으로(on approbation): send merchandise *on* ~ 시판용 상품을 발송하다.

‡ap·prove [əprú:v] *vt.* **1** (좋다고) 시인하다, 찬성하다. He ~*d* the scheme. 그는 그 계획에 찬성했다. **2** (정식으로) **승인하다**, 허가〔인가〕하다: Congress promptly ~*d* the bill. 의회는 즉각 예산안을 승인했다. **—***vi.* 《+전+명》 찬성〔시인, 지지〕하다; 만족하게 생각하다《*of* …에, …을》: ~ *of* a proposal 제안에 찬성하다/His father did not ~ *of* his choice. 그의 아버지는 그의 선택을 탐탁치 않게 생각했다.

appróved schóol 《英》 (이전의) 내무부 인가 학교《불량 미성년자를 수용 교육함; 지금은 community home이라 함》.

ap·próv·ing *a.* 찬성하는, 만족한 듯한: an ~ vote 찬성 투표. ㊕ **~·ly** *ad.*

approx. approximate(ly).

ap·prox·i·mate** [əprάksəmèit/-rɔ́k-] *vi.* 《+전+명》 (위치·성질·수량 등이) **가까워지다**, 접근하다, 가깝다《*to* …에》: ~ *to* the truth 〔falsehood〕 진실〔허위〕에 가깝다. **—vt.* **1** (수량 따위가) …에 가깝다; …와 비슷하다: The number ~*s* three thousand. 그 수는 3,000에 가깝다/The gas ~*s* air. 가스는 공기와 비슷하다. **2** 《~+목/+목+전+명》 …을 접근시키다, 가깝게 하다《*to* …에》: ~ two surfaces 두 면을 접근시키다/~ something *to* perfection 어떤 것을 완벽에 가깝게 하다.

— [əprάksəmit/-ɔ́k-] *a.* 근사한, 대체〔대략〕의: ~ cost 대략의 비용/~ value 개산 가격; 〖수학〗 근삿값/an ~ estimate 어림셈/~ numbers 어림수.

***ap·prox·i·mate·ly** [əprάksəmətli/-ɔ́k-] *ad.* 대략, 대강; 거의: The area is ~ 100 square yards. 면적은 대략 100 평방 야드이다.

ap·prox·i·ma·tion [əprὰksəméiʃən/-rɔ̀ksi-] *n.* **1** Ⓤ (구체적으로는 Ⓒ) 접근, 근사(近似); 비슷한 것〔일〕《*to*, *of* …에》: a mere ~ 다만 비슷하기만 한 것/An ~ *to* the truth is not enough! 얼추 진실에 가깝다는 것만으로는 불충분하다. **2** Ⓒ 개산(槪算)(액); 〖수학〗 근삿값.

ap·prox·i·ma·tive [əprάksəmeitiv/-rɔ́ksəmə-] *a.* 대략의, 어림셈의. ㊕ **~·ly** *ad.*

ap·pur·te·nance [əpə́:rtənəns] *n.* Ⓒ (보통 *pl.*) **1** 부속품〔물〕, 종속물. **2** 〖법률〗 종물(從物)《주물(主物)에 종속하여, 주물의 매각이나 양도의 경우에 그 권리도 함께 이전됨; 예컨대 가옥의 비품 등》.

ap·pur·te·nant [əpə́:rtənənt] *a.* 부속의, 종속된《*to* …에》. **—***n.* Ⓒ 부속물〔품〕.

***Apr.** April. **APR** annual percentage rate (대

출·이자 등의) 연율(年率).

après-ski [àːpreiskí/æp-] *n.* 《F.》 Ⓒ 스키 후의 사교 모임. **—*a.*** 스키 후의.

apri·cot [éiprəkàt, ǽp-/-kɔ̀t] *n.* **1** Ⓒ 살구나무; 살구《식용》. **2** Ⓤ 살구빛, 황적색. **—*a.*** 살구빛의, 황적색의.

†**April** [éiprəl] *n.* **4 월**《생략: Ap.; Apr.》: in ~ 4월에/on ~ 2 =on 2 ~ =on the 2nd of, ~ 4월 2일에.

Ápril fóol 에이프릴 풀《만우절에 감쪽같이 속아 넘어가는 사람》; 그 장난.

Ápril Fóols' Dày 만우절(All Fools' Day)《4월 1일》.

Ápril shòwer (초봄의) 소낙비.

a pri·o·ri [àː-priɔ́ːri, èi-praiɔ́ːrai] 《L.》 **1** 〖철학〗 선천적〔선험적〕으로〔인〕. **2** 〖논리〗 연역적(演繹的)으로〔인〕. ↔ *a posteriori.* ¶an ~ reasoning 연역적 추리.

‡**apron** [éiprən] *n.* Ⓒ **1 에이프런**, 앞치마, 행주치마; 마차에서 쓰는 가죽 무릎덮개; (영국 국교 주교의) 무릎덮개 천. **2** 〖극장〗 (막 앞으로 튀어나온) 앞무대(apron stage); 〖권투〗 에이프런《링 바닥이 로프 밖으로 튀어나온 부분》; 〖항공〗 에이프런《공항에서 승객·화물을 싣고 내리기 위해 포장한 광장》. ㊕ **~ed** *a.* 에이프런을 두른.

ápron stàge 앞 무대《오케스트라 앞의 내민 부분》; (막 앞으로) 튀어나온 무대.

ápron strìngs 앞치마 끈.
be tied to one***'s mother's*** 〔***wife's***〕 **~** 어머니〔아내〕가 하라는 대로 하다.

ap·ro·pos [æ̀prəpóu] 《F.》 *ad.* 적당〔적절〕히, 때마침; …한 김에. **~ *of*** …에 대하여, …에 관하여; …말이 났으니 말이지, …로 말할 것 같으면: ~ *of* nothing 난데없이, 까닭도 없이/~ *of* earthquakes 지진으로 말할 것 같으면.
—*a.* Ⓟ 적당한, 적절한; 때마침: The remark was very ~. 그 말은 아주 적절하였다.

apse [æps] *n.* Ⓒ 〖건축〗 교회당 동쪽 끝에 쑥 내민 반원〔다각〕형 부분.

ap·sis [ǽpsis] (*pl.* ***ap·si·des*** [-sədìːz, æpsáidiːz]) *n.* Ⓒ 〖천문〗 원〔근〕일점《태양을 중심으로 운행하고 있는 행성이 타원의 궤도상에서 태양과 가장 멀리 떨어진〔가까이 있는〕 위치》.

‡**apt** [æpt] *a.* **1** Ⓟ **…하기 쉬운, …하는 경향이 있는**; (…할 것) 같은《**to** do》: He is ~ *to* forget people's names. 그는 사람의 이름을 곧잘 잊어버린다/buttons ~ *to* come off 떨어지기 쉬운 단추/It's ~ *to* snow. 눈이 올 것 같다.
SYN. **apt** 미래뿐만 아니라 현재 및 과거의 습관적 경향을 나타냄. **liable** 가능성보다 우연성을 나타냄. 경고·주의·불안을 나타낼 때 쓰이는 일이 많음: Children who play in the street are *liable* to be injured or killed by automobiles. 길에서 노는 어린이는 자동차 때문에 다치거나 죽기 쉽다. 가능성이 강하면 likely를 쓸 수 있음. **likely** 가능성을 강조함: It is *likely* to rain. 비가 올 것 같다.
2 적절한, 적당한(***for*** …에): an ~ reply 적절한 답변/a quotation ~ *for* the occasion 그 경우에 적절한 인용구. **3 재능이 있는**(***at*** …에), 재치있는, 영리한, 이해가 빠른; 머리가 좋은: He is ~ *at* English. 그는 영어에 재능이 있다/He is an ~ student. 그는 영리한 학생이다/He is very ~ to learn. 그는 빨리 깨닫는다.
㊕ **⁓·ly** *ad.* 적절히, 교묘히.

APT 《英》 advanced passenger train (초특급 열차); 〖컴퓨터〗 automatically programmed tool (수치 제어 문제용 언어). **apt.** apartment.

ap·tera [ǽptərə] *n. pl.* (A-) 〖곤충〗 무시류(無翅類). ㊕ **áp·ter·ous** [-tərəs] *a.* 날개 없는, 무시의.

ap·ter·yx [ǽptəriks] *n.* Ⓒ 〖조류〗 키위(kiwi), 무익조(無翼鳥).

°**ap·ti·tude** [ǽptitùːd, -titjùːd] *n.* Ⓤ (구체적으로는 Ⓒ) **1** 소질, 재능《***for*** …에 대한》: He has an ~ *for* mathematics. 그는 수학에 재능이 있다. **2** (학습 등에서의) 총명함, 영리함: a student of great ~ 아주 영리한 학생. SYN. ⇨TALENT.

áptitude tèst 〖교육〗 적성 검사.

ápt·ness *n.* Ⓤ **1** 적절함《***for*** …에 대한》. **2** 성향; 경향《***to*** do》. **3** 재능, 소질《***at*** …에의》.

apts. apartments.

AQ, A.Q. achievement quotient (성취 지수). cf. I.Q.

aq·ua·cade [ǽkwəkèid, áːk-] *n.* Ⓒ 《美》 수상〔수중〕 쇼.

aq·ua·cul·ture [ǽkwəkʌ̀ltʃər, áːk-] *n.* Ⓤ (어패류·해조류의) 양식(養殖).
㊕ **àqua·cúl·tural** *a.*

áqua fórtis 〖화학〗 질산.

aq·ua·lung [ǽkwəlʌ̀ŋ, áːk-] *n.* Ⓒ 애퀄렁, (잠수용) 수중 호흡기.

aq·ua·ma·rine [æ̀kwəməríːn, àːk-] *n.* **1** Ⓤ (낱개는 Ⓒ) 〖광물〗 남옥(藍玉)《녹주석(綠柱石)의 일종》. **2** Ⓤ 청록색.

aq·ua·naut [ǽkwənɔ̀ːt, áːk-] *n.* Ⓒ **1** 애퀄렁 잠수자; 잠수 기술자. **2** =SKIN DIVER.

àqua·pláne *n.* Ⓒ (모터 보트로 끄는) 수상 스키. **—*vi.*** 수상 스키를 타고 놀다; (자동차 따위가) 노면의 수막(水膜)으로 미끄러지다.

áqua ré·gia [-ríːdʒiə] 《L.》 왕수(王水)《진한 질산과 진한 염산의 혼합액》.

Aquar·i·an [əkwɛ́əriən] *a.* 물병자리(Aquarius)(태생)의. **—*n.*** Ⓒ 물병자리 태생의 사람.

°**aquar·i·um** [əkwɛ́əriəm] (*pl.* **~*s, -ia*** [-iə]) *n.* Ⓒ 수족관; 양어지(池); (물고기·수초용) 유리 수조, 유리 탱크.

Aquar·i·us [əkwɛ́əriəs] *n.* **1** 〖천문〗 물병자리 (the Water Bearer); 〖점성〗 보병궁(寶甁宮). **2** Ⓒ 물병자리에서 태어난 사람.

aq·ua·ro·bics [æ̀kwəróubiks] *n.* Ⓤ 애쿼로빅스《수영과 에어로빅스 댄스를 엮어 맞춘 건강법》.

aquat·ic [əkwǽtik, əkwát-/əkwɔ́t-] *a.* **1** 수생(水生)의; 수산(水産)의: an ~ bird 〔plant〕 물새〔수생 식물〕/~ products 수산물. **2** 물 속〔위〕에서 행하여지는: ~ picture 수중촬영 영화/~ sports 수상 경기. **—*n.*** **1** Ⓒ 수생 동물; 수초(水草). **2** (*pl.*) 《보통 단수취급》 수상 경기.
㊕ **-i·cal·ly** *ad.*

aq·ua·tint [ǽkwətìnt, áːk-] *n.* Ⓤ 동판 부식법의 일종; Ⓒ 그 판화.

aq·ue·duct [ǽkwədʌ̀kt] *n.* Ⓒ 수로(水路), 수도(水道); 도수관(導水管); 수도교(水道橋).

aque·ous [éikwiəs, ǽk-] *a.* **1** 물의, 물 같은. **2** 〖지질〗 (암석이) 수성(水成)의: ~ rock 수성암.

áqueous húmor 〖해부〗 (안구(眼球)의) 수양액(水樣液).

aq·ui·cul·ture [ǽkwəkʌ̀ltʃər] *n.* =AQUACULTURE.

aq·ui·fer [ǽkwəfər, ɑ́:k-] *n.* [U] 〖지질〗 대수층(帶水層)《지하수를 함유한 다공질 삼투성 지층》.

aq·ui·line [ǽkwəlàin, -lin] *a.* 수리의〔같은〕; (수리 부리처럼) 굽은, 갈고리 모양의: an ~ nose 매부리코.

Aqui·nas [əkwáinəs] *n.* Saint **Thomas** ~ 아퀴나스《이탈리아의 철학자 · 가톨릭 신학자; 1225 –74》.

ar- [ǽr, ər] *pref.* =AD-《r 앞에서의 변형》: *ar*range.

-ar [ər] *suf.* **1** '…성질의' 이란 뜻: regul*ar*, famili*ar*. ★ 원래 어미 -al 과 같은 것이지만, 어간에 l이 있으면 -al ⇨-ar로 변함. **2** '…하는 사람' 의 뜻: schol*ar*, li*ar*.

AR 〖美우편〗 Arkansas. **Ar** 〖화학〗 argon. **Ar.** Arabian, Arabic. **ar.** arrival; arrive(s).

Ar·ab** [ǽrəb] *n.* **1** (the ~s) 아랍 민족. **2** [C] 아라비아〔아랍〕 사람; 아라비아종의 말. **—a.* 아라비아〔아랍〕(사람)의.

Ar·a·bel, Ar·a·bel·la [ǽrəbèl], [æ̀rəbélə] *n.* 애러벨《여자 이름; 애칭은 Bel, Bella》.

ar·a·besque [æ̀rəbésk] *a.* 아라비아풍〔식〕의; 당초(唐草) 무늬의. **—***n.* [C] **1** 아라비아풍의 의장(意匠), 당초 무늬. **2** 〖음악〗 아라베스크《아라비아풍의 화려한 악곡; 특히 피아노곡》; 〖발레〗 아라베스크《발레에서 포즈의 하나》.

Ara·bia [əréibiə] *n.* 아라비아.

◇Ara·bi·an [əréibiən] *a.* 아라비아(사람)의: an ~ horse 아라비아 말 / the ~ desert 아라비아 사막. **—***n.* [C] 아라비아 사람; 아라비아종의 말.

Arábian cámel 〖동물〗 아라비아 낙타《혹이 하나》. [cf] Bactrian camel.

Arábian Níghts' Entertáinments (The ~) 아라비안나이트, 천일 야화(=*The Arabian Nights* or *The Thousand and One Nights*).

Arábian Séa (the ~) 아라비아 해(海).

◇Ar·a·bic [ǽrəbik] *a.* 아라비아의; 아라비아 사람의; 아라비아어〔글자, 숫자〕의; 아라비아풍(風)의: ~ architecture 아라비아식 건축.
—*n.* [U] 아라비아어《생략: Arab.》.

Árabic númerals 〔**fígures**〕 아라비아 숫자《1, 2, 3 따위》. [cf] Roman numerals.

ar·a·ble [ǽrəbəl] *a.* 경작에 알맞은, 개간할 수 있는. **—***n.* [U] 경지(耕地)(=∠ **lànd**).

arach·nid [ərǽknid] *n.* [C] 〖동물〗 거미류의 절지동물《거미 · 전갈 따위》.

arach·noid [ərǽknɔid] *a.* 거미줄〔집〕 모양의; 거미줄막(膜)의. **—***n.* [U] =ARACHNOID MEMBRANE.

aráchnoid mémbrane 〖해부〗 거미줄막(膜)《연골(軟骨)과 연골 사이의 막》.

Ar·a·fat [ǽrəfæ̀t] *n.* **Yasser** [jɑ́:sər/jǽsə] ~ 아라파트《팔레스타인 자치 정부 수반(1969 – 2004); 1929 – 》.

Ar·a·gon [ǽrəgɑn, -gən] *n.* 아라곤《스페인 동북부의 지방; 옛적엔 왕국》.

ar·ak [ǽrək] *n.* =ARRACK.

Ar·al·dite [ǽrəldàit] *n.* [U] 애럴다이트《에폭시 수지의 일종으로 강력 접착제 · 절연체용; 상표명》.

Ar·a·ma·ic [æ̀rəméiik] *n.* [U] 아람어《옛 시리아 · 팔레스타인 등의 셈계(系) 언어》.
—*a.* 아람(어)의.

Ar·an [ǽrən] *a.* **1** 애런 섬〔제도〕의. **2** 애런짜기의《애런 섬 특유의 염색하지 않은 굵은 양모로 짠 것을 이름》: an ~ sweater 애런 스웨터.

Áran Islands (the ~) 애런 제도《아일랜드 서안 앞바다의 세 개의 섬》.

Ar·a·rat [ǽrəræ̀t] *n.* **Mount** ~ 아라라트 산《터키 동부의 산; 노아의 방주가 닿은 곳이라 함; 창세기 VIII: 4》.

ar·bi·ter [ɑ́:rbitər] (*fem.* **-tress** [-tris]) *n.* [C] **1** (최종) 결정자, 재결자(裁決者); 권위자. **2** 중재인, 조정자.

ar·bi·tra·ble [ɑ́:rbitrəbəl] *a.* 중재할 수 있는.

ar·bi·trage [ɑ́:rbitrɑ̀:ʒ] *n.* [U] (구체적으로는 [C]) 〖상업〗 재정(裁定)〔중개〕 거래.

ar·bi·trag·er, -tra·geur [ɑ́:rbitrɑ̀:ʒər], [ˊ-trɑ:ʒə́:r] *n.* [C] 〖상업〗 차익(差益)〔중개〕 거래자.

ar·bi·tral [ɑ́:rbitrəl] *a.* 중재의: an ~ tribunal 중재 재판소.

ar·bit·ra·ment [ɑ:rbítrəmənt] *n.* **1** [U] (구체적으로는 [C]) 중재; 재정(裁定). **2** [U] 재정권.

◇ar·bi·trary [ɑ́:rbitrèri, -trəri] *a.* **1** 임의의, 멋대로의; 방자한: an ~ constant 〖수학〗 임의상수 / an ~ interpretation 제멋대로의 해석. **2** 전횡적인, 독단적인: ~ rule 전제 정치 / an ~ decision 전단(專斷).
[파] **-trar·i·ly** *ad.* 자유 재량으로, 독단적으로; 임의로, 제멋대로. **-trar·i·ness** *n.*

ar·bi·trate [ɑ́:rbitrèit] *vi.* 중재〔조정〕하다 《***between*** …사이를》: ~ *between* two parties in a dispute 분쟁의 양당사자 사이를 중재하다. **—***vt.* (쟁의 따위)를 중재하다; 중재에 맡기다: France was asked to ~ the dispute *between* the two nations. 프랑스는 그 두 나라의 분쟁을 중재해 주도록 의뢰받았다.

àr·bi·trá·tion *n.* [U] 중재; 조정; 재정(裁定), 중재 재판: a court of ~ 중재 재판소 / refer 〔submit〕 a dispute to ~ 쟁의를 중재에 부치다 / go to ~ (기업 · 근로자가) 중재를 의뢰하다; (쟁의가) 중재에 부쳐지다.

ar·bi·tra·tor [ɑ́:rbitrèitər] *n.* [C] 중재인, 재결(裁決)자, 심판자.

ar·bor[1] *n.* [C] 《美》 〖기계〗 아버, 축(軸).

ar·bor[2], 《英》 **-bour** *n.* [C] (나뭇가지 · 덩굴 등을 얹은) 정자; 나무 그늘(의 휴게소, 산책길).

Árbor Dày 《美》 식목일《4 월 하순부터 5 월 상순에 걸쳐 미국 각 주에서 행함》.

ar·bo·re·al [ɑ:rbɔ́:riəl] *a.* 수목의, 나무 모양의; (동물이) 나무 위에 사는.

ar·bo·res·cent [ɑ̀:rbərésənt] *a.* 수목 같은, 수목 모양의, 수지상(樹枝狀)의.

ar·bo·re·tum [ɑ̀:rbərí:təm] (*pl.* **~s, -ta** [-tə]) *n.* [C] 수목〔식물〕원.

ar·bu·tus [ɑ:rbjú:təs] *n.* [C] 〖식물〗 철쭉과의 일종《북아메리카산(産)》.

***arc** [ɑ:rk] *n.* [C] **1** 호(弧), 호형(弧形); 궁형(弓形): fly 〔move〕 in an ~ 호(弧)를 그리며 날다 〔움직이다〕. **2** 〖전기〗 아크, 전호(電弧).

ARC, A.R.C. American Red Cross (미국 적십자사).

ar·cade [ɑ:rkéid] *n.* [C] **1** 아케이드, 유개(有蓋) 가로〔상점가〕. **2** 〖건축〗 아치, 줄지은 홍예랑(虹霓廊).

Ar·ca·dia [ɑ:rkéidiə] *n.* 아르카디아《옛 그리스 산속의 이상향(理想鄕)》; [C] 천진 · 소박한 생활이 영위되는 이상향; 이상적인 전원.

Ar·ca·di·an [ɑ:rkéidiən] *a.* 아르카디아의; 전원풍의; 목가적인; 순박한. **—***n.* [C] **1** 아르카디

아 사람. **2** (종종 a-) 전원 취미의〔순박한〕 사람.

ar·cane [ɑːrkéin] *a.* 비밀의; 불가해한, 난해한, 깊은 뜻의.

ar·ca·num [ɑːrkéinəm] (*pl.* **-na** [-nə]) *n.* [C] 비밀, 신비(mystery); (만능의) 비약(秘藥), 영약(靈藥).

árc fùrnace 〖야금〗 아크로(爐)《전호(電弧)에 의한 열을 이용한 전기로》.

⁑**arch**[1] [ɑːrtʃ] *n.* [C] **1** 〖건축〗 **아치**, 홍예; 아치길; 아치문: a memorial 〔triumphal〕 ~ 기념〔개선〕문 / a rose 〔garden〕 ~ 장미〔뜰에 설치한〕 아치. **2** 호(弧), 궁형(弓形); 궁형〔반원형〕으로 된 것(cf. loop, whorl): the great ~ of the sky 드넓은 하늘. **3** (발바닥의) 장심(掌心) (the ~ of the foot).

—*vt.* 활〔아치〕 모양으로 하다; 활 모양으로 굽히다: The cat *~ed* its back. 고양이가 등을 활처럼 구부렸다. **—***vi.* 《+[전]+[명]》 아치를 이루다, 아치 모양을 형성하다《**over, across** …위에》: Leafy branches *~ed over* the road. 잎이 무성한 나뭇가지들이 도로 위에 아치를 이루었다.

arch[2] *a.* [A] **1** 주된, 주요한; 교활한; 대(大) …: one's ~ rival 호적수 / an ~ villain 대악당. **2** (얼굴이) 교활해 뵈는; 짓궂은; 익살맞은, 장난스러운: an ~ smile 짓궂은 미소. [파] **∠·ness** *n.*

arch- [áːrtʃ] *pref.* '첫째의, 수위(首位)의, 대(大)…' 란 뜻: *arch*angel, *arch*bishop.

-arch [ɑːrk] *suf.* '지배자, 왕, 군주' 라는 뜻: patri*arch*, mon*arch*.

Arch. archbishop. **arch.** archaic.

ar·ch(a)e·o·log·i·cal [àːrkiəlɑ́dʒikəl/-lɔ́dʒ-] *a.* 고고학의〔적인〕. [파] **~·ly** *ad.*

ar·ch(a)e·ol·o·gist [àːrkiɑ́lədʒist/-ɔ́l-] *n.* [C] 고고학자.

ar·ch(a)e·ol·o·gy [àːrkiɑ́lədʒi/-ɔ́l-] *n.* [U] 고고학.

ar·ch(a)e·om·e·try [àːrkiɑ́mətri] *n.* [U] 고고(표본) 연대 측정(법).

ar·chae·op·ter·yx [àːrkiɑ́ptəriks/-ɔ́p-] *n.* [C] 〖고생물〗 시조새(의 화석(化石)).

ar·cha·ic [ɑːrkéiik] *a.* 고풍의, 고체의, 낡은: an ~ word 고어(古語). [파] **-i·cal·ly** *ad.*

archáic smíle 고졸(古拙)한 미소《초기 그리스 조각상(像)의 미소 띤 듯한 표정》.

ar·cha·ism [áːrkiìzəm, -kei-] *n.* **1** [C] 고어, 옛말. **2** [U] 고문체(古文體); 의고체(擬古體); 고풍, 옛투.

ar·cha·is·tic [ɑːrkiístik] *a.* 고풍의, 고체(古體)의; 의고(擬古)적인.

arch·an·gel [áːrkèindʒəl] *n.* [C] 대천사(大天使), 천사장(長)《seraph 부터 세어서 제 8 위의 천사》.

°**àrch·bíshop** *n.* [C] (신교의) 대감독; (가톨릭교 · 영국국교회의) 대주교 [파] **àrch·bísh·op·ric** [-rik] *n.* [C] ~의 직〔관구, 관할권〕.

árch brìdge 아치교(橋).

àrch·déacon *n.* [C] (신교의) 부(副)감독; (가톨릭의) 부주교; (영국국교회의) 대집사.

arch·di·o·cese [àːrtʃdáiəsìːs, -sis] *n.* [C] archbishop 의 관구.

árch·dúchess *n.* [C] 대공비(大公妃); (옛 오스트리아의) 공주.

árch·dúchy *n.* [C] 대공국《archduke 의 영지》.

árch·dúke *n.* [C] 대공(大公)《1918 년까지의 옛 오스트리아 왕세자의 칭호》. [파] **árch·dúcal** *a.*

arched [-t] *a.* 아치형의, 활〔반달〕 모양의; 홍예가 있는, 뒤로 젖힌: an ~ bridge 아치교(橋).

arch·en·e·my [àːrtʃénəmi] *n.* [C] 대적(大敵): the ~ (of mankind) (인류의) 대적, 사탄.

ar·che·ol·o·gy, etc. =ARCHAEOLOGY, etc.

Ar·che·o·zo·ic [àːrkiəzóuik] 〖지질〗 *a.* 시생대(始生代)의. **—***n.* (the ~) 시생대〔층(層)〕.

°**arch·er** [áːrtʃər] (*fem.* **~·ess** [-ris]) *n.* **1** [C] (활의) 사수, 궁술가. **2** (the A-) 〖천문〗 궁수자리, 인마궁(人馬宮)(Sagittarius).

arch·ery [áːrtʃəri] *n.* [U] **1** 궁술, 궁도. **2** 〖집합적〗 궁술용구, 궁시류(弓矢類).

ar·che·typ·al [áːrkitàipəl] *a.* 원형(原型)의; 전형적인.

ar·che·type [áːrkitàip] *n.* [C] 원형(原型); 전형(典型): The English House of Commons is the ~ of many legislative assemblies. 영국 하원은 많은 의회의 원형이다.

ar·che·typ·i·cal [àːrkitípikəl] *a.* =ARCHETYPAL. [파] **~·ly** *ad.*

arch·fiend [áːrtʃfíːnd] *n.* (the ~) 마왕, 사탄.

ar·chi- [áːrki] *pref.* **1** '수위(首位)의, 주된' 의 뜻: *archi*tect(ure). **2** 〖생물〗 '원(原)…' 의 뜻: *archi*plasm.

Ar·chi·me·de·an [àːrkəmíːdiən, -mədíːən] *a.* 아르키메데스(의 원리)의.

Ar·chi·me·des [àːrkəmíːdiːz] *n.* 아르키메데스《고대 그리스의 수학자 · 물리학자(287?-212 B.C.)》.

Archimédes' príncìple 아르키메데스의 원리.

°**ar·chi·pel·a·go** [àːrkəpéləgòu] (*pl.* **~(e)s**) *n.* **1** [C] 군도(群島); 다도해. **2** (the A-) 에게해 (Aegean Sea)의 구칭.

⁑**ar·chi·tect** [áːrkitèkt] *n.* [C] **1** 건축가〔사〕, 건축 기사: a naval ~ 조선 기사. **2** 설계자, 고안자; 창조자. ***the* (*Great*) *Architect*** 조물주, 신(神). ***the ~ of one's own fortunes*** 자기 운명의 개척자.

ar·chi·tec·ton·ic [àːrkətektɑ́nik/-kitektɔ́n-] *a.* 건축술의; 구조상의, 구성적인.

àr·chi·tec·tón·ics *n.* [U] 건축학.

ar·chi·tec·tur·al [àːrkətéktʃərəl] *a.* 건축학〔술〕의, 건축상의: an ~ engineer 건축 기사. [파] **~·ly** *ad.*

⁑**ar·chi·tec·ture** [áːrkətèktʃər] *n.* **1** [U] **건축술**〔학〕: civil ~ 보통 건축《주택 · 공공 건축 등》/ domestic ~ 주택 건축 / military ~ 축성법 / naval 〔marine〕 ~ 조선(造船)술. **2** [U] 건축 양식: Romanesque ~ 로마네스크 건축 양식. **3** [U] 〖집합적〗 건조물. **4** [U] 구조, 구성: the ~ *of* a novel 소설의 구성. **5** [C] 〖컴퓨터〗 얼개, 구조.

ar·chi·trave [áːrkətrèiv] *n.* [C] 〖건축〗 평방(平枋)《고전 건축의 entablature 의 최저부》; 처미도리, (문 · 창 · 사진의) 틀.

ar·chi·val [ɑːrkáivəl] *a.* **1** 고문서의, 공문서의. **2** 기록 보관소의.

ar·chive [áːrkaiv] *n.* [C] (보통 *pl.*) **1** 기록〔공문서〕 보관소, 문서국(局). **2** 공문서, 고문서.

árchived fíle 〖컴퓨터〗 저장 파일.

ar·chi·vist [áːrkəvist] *n.* [C] 기록〔공문서〕 보관인.

árch·ly *ad.* 교활하게; 교활한 것같이; 짓궂게, 장난으로.

árch·wày *n.* [C] 아치 밑의 통로〔입구〕, 아치 길.

-ar·chy [àːrki] *suf.* '지배, 정치, 정체' 란 뜻: mon*archy*, dy*archy*.

árc làmp 〔**light**〕 아크 등.

*__arc·tic__ [á:rktik] *a.* **1** (종종 A-) **북극의**, 북극 지방의. ↔ *antarctic*. ¶an ~ expedition 북극 탐험(대). **2** 《구어》 극한(極寒)의; 극한용의: an ~ temperature 극한. **—*n.*** **1** (the A-) 북극 지방〔권〕. **2** Ⓒ [á:rktik] (보통 *pl.*) 《美》 방한 방수용 덧신.

Árctic Círcle (the ~) 북극권《북극에서 23° 27′ 선; 이 권내(圈內)가 한대》.

Árctic Ócean (the ~) 북극해, 북빙양.

Árctic Póle (the ~) 북극(점)(North Pole).

Árctic Séa (the ~) = ARCTIC OCEAN.

Árctic Zòne (the ~) 북극대(帶).

Arc·tu·rus [ɑ:rktjúərəs] *n.* 【천문】 대각성(大角星)《목자자리(Boötes)에서 가장 큰 별》.

árc wèlding 아크 용접.

-ard [ərd] *suf.* '…쟁이'란 뜻의 명사를 만듦: cow*ard*, drunk*ard*.

Ar·den [á:rdn] *n.* **the Forest of ~** 아든의 옛 삼림 지대《잉글랜드 중동부》.

ar·den·cy [á:rdənsi] *n.* Ⓤ 열심, 열렬.

*__ar·dent__ [á:rdənt] *a.* **열렬한**, 열심인; 불타는 (듯한): ~ passion 열정 / an ~ admirer 열렬한 찬미자. ㊞ **~·ly** *ad.*

°**ar·dor,** 《英》 **-dour** [á:rdər] *n.* Ⓤ (구체적으로는 Ⓒ) 열정, 열의, 열성; 충정. SYN. ⇨PASSION. ¶with ~ 열심히 / patriotic 〔revolutionary〕 ~ 애국적〔혁명적〕 열정 / His ~ for her has cooled. 그녀에 대한 그의 열정은 식어 버렸다.

°**ar·du·ous** [á:rdʒuəs/-dju-] *a.* **1** (일 따위가) 힘드는, 곤란한: an ~ task 힘든 일. **2** (노력 따위가) 끈질긴, 끈기 있는, 분투하는: an ~ worker 꾸준히 노력하는 사람 / make ~ efforts 끈질기게 노력하다. ㊞ **~·ly** *ad.* 애써, 분투하여.

†**are**[1] [ɑ:r, 약 ər] **1** BE의 직설법 현재 2인칭 단수: You ~ a good person. **2** BE의 직설법 현재 각 인칭의 복수: We 〔You, They〕 ~ good people.

> NOTE (1) 발음은 보통 약형, 단 강조할 때와 문미에 올 때(Yes, we are.) 등은 강형.
> (2) 다음에 모음이 오면 《英》에서도 [r]음이 나타남(are a [ɑ:rə, ərə]).
> (3) 부정형 are not이 단축되어 aren't로 되는 일이 많음.
> (4) 단축형은 're (we're, you're, they're).

are[2] [ɛər, ɑ:r] *n.* 《F.》 Ⓒ 아르《100 평방미터, 약 30.25 평; 생략: a.》.

‡**ar·ea** [ɛ́əriə] *n.* **1** Ⓒ **지역**, 지방; 지구, 구역; (특정한) 장소: residential ~s 주택 지역 / a commercial ~ 상업 지구 / a camping ~ 야영 지역 / a parking ~ 주차 구역.

SYN. **area** 넓이에 관계 없이 하나의 지역을 나타내는 가장 일반적인 말. **region** 상당히 넓은 지역으로 문화 · 사회 · 지리적 면에서 특징을 갖는 지방. **district** 행정상의 구획 또는 다른 지역과 다른 특징을 갖는 지역.

2 Ⓤ (구체적으로는 Ⓒ) **면적**: the ~ of a triangle 삼각형의 면적 / This room is 120 square feet in ~. 이 방은 면적이 120 평방 피트이다. **3** Ⓒ (학문 활동 등의) **범위**, 영역, 분야: an ~ *of* study 연구 분야 / He is an expert in the ~ *of* city planning. 그는 도시 계획 분야에서 전문가다. **4** Ⓒ 《英》 지하실〔부엌〕 출입구《채광 · 통행을 위한 지하층 주위의 빈터》(《美》 areaway). **5** Ⓒ 【컴퓨터】 (기억) 영역. ◇ areal *a.*

área còde (전화의 시외) 지역 번호《미국 · 캐나다에서는 3자리 숫자; 《英》 STD code》.

área fill 【컴퓨터】 구역 채우기《컴퓨터 그래픽에서 사각형이나 원처럼 닫힌 도형을 특정한 색상이나 무늬로 채우는 것》.

ar·e·al [ɛ́əriəl] *a.* 지역의; 면적의; 지면의.

áreal dènsity 【컴퓨터】 면(面)밀도《자기(磁氣) 디스크 등의 기록 밀도》.

área stùdy 지역 연구《특정 지역의 지리 · 역사 · 언어 · 문화 등의 종합적 연구》.

área·wày *n.* = AREA 4; 건물 사이의 통로.

ar·e·ca [ǽrikə, əríːkə] *n.* Ⓒ 【식물】 빈랑(檳榔)나무(= ∠ **pàlm**); 그 열매(betel nut).

are·na [əríːnə] *n.* Ⓒ **1** (고대 로마의) 투기장; 〖일반적〗 경기장; 수련장. **2** 활동 장소, 활약 무대, …계(界): enter the ~ *of* politics 정계에 들어가다 / the poetical ~ 시단(詩壇).

ar·e·na·ceous [æ̀rənéiʃəs] *a.* 모래의, 모래 많은, 모래질의; 모래땅에 나는〔자라는〕.

aréna théater 원형 극장《중앙에 무대가 있고 그 주위에 관객석이 있음》.

†**aren't** [ɑːrnt] **1** are not의 간약형. **2** 《구어》 〖의문문에서〗 am not의 간약형(cf. ain't): *Aren't* I stupid? 나 바보지 / I'm stupid, ~ I. 나 바보잖아.

Ar·es [ɛ́əriːz] *n.* 【그리스신화】 전쟁의 신《로마 신화의 Mars에 해당》.

arête [əréit] *n.* 《F.》 Ⓒ (주로 빙하의 침식 작용으로 생긴) 험준한 바위 산등성이.

ar·gent [á:rdʒənt] *n.* Ⓤ 은(銀); 은색; 은백(銀白). **—*a.*** 은의, 은 같은; 은백의.

Ar·gen·ti·na [à:rdʒəntíːnə] *n.* 아르헨티나《남아메리카의 공화국; 수도 Buenos Aires》.

Ar·gen·tine [á:rdʒəntìːn, -tàin] *a.* 아르헨티나(사람)의. **—*n.*** **1** Ⓒ 아르헨티나 사람. **2** (the ~ Republic) = ARGENTINA.

ar·gen·tine *a.* 은의, 은 같은, 은빛의: ~ glass 은빛 유리 / ~ plate 양은.

ar·gil [á:rdʒil] *n.* Ⓤ 도토(陶土), 백점토.

Ar·go [á:rgou] *n.* (the ~) 【그리스신화】 아르고선(船)《Jason이 금양모(the Golden Fleece)를 찾으러 타고 떠난 배》.

ar·gon [á:rgɑn/-gɔn] *n.* Ⓤ 【화학】 아르곤《공기 중에 존재하는 희(稀)가스 원소; 기호 Ar; 번호 18》.

Ar·go·naut [á:rgənɔ̀ːt] *n.* Ⓒ 【그리스신화】 Argo 선의 승무원. cf. Argo.

ar·got [á:rgou, -gət] *n.* 《F.》 Ⓤ (구체적으로는 Ⓒ) (사회집단의) 암호말, 은어, 곁말, (도둑 등의) 변말.

ár·gu·a·ble *a.* **1** 논할 수 있는, 논증할 수 있는: It is at least ~ that poverty and crime are correlated. 빈곤과 범죄가 최소한 상관관계가 있다는 것은 논증할 수 있다. **2** 논의의 여지가 있는, 의심스러운: a highly ~ conclusion 크게 의심스러운 결론.

ár·gu·a·bly *ad.* 〖문장 전체를 수식하여〗 (충분히) 논증할 수 있는 일이지만, 아마 (틀림없이): Penicillin is ~ the greatest medical discovery of the twentieth century. 페니실린은 아마도 20세기 최대의 의학적 발견이라고 할 수 있을 것이다.

‡**ar·gue** [á:rgjuː] *vi.* 《~/+전+명》 **1 논하다**, 논의하다; 논쟁하다《***about, on, upon, over*** …에 대하여; ***with*** …와》: Don't ~! 말다툼하지 마라 / ~ *about* 〔*over*〕 a matter *with* a person 어떤

문제에 대하여 아무와 논하다. **2** …론을 주장하다 《***for, in favor of*** …에 찬성하여; ***against*** …에 반대하여》: He *~d in favor of* 〔*against*〕 capital punishment. 그는 사형 찬성론〔반대론〕을 주장했다.
—*vt.* **1 논하다**, 의론하다: ~ a question 문제를 논하다 / It's difficult to ~ the matter without hurting her feelings. 그녀의 감정을 상하지 않고 그 일을 의논하기란 어렵다. [SYN.] ⇨ DISCUSS. **2** 《~+[목]/+*that* [절]》 (이유를 들어) **주장하다**: ~ one's position 자기 입장을 주장하다 / Columbus *~d that* he could reach India by going west. 콜럼버스는 서쪽으로 항로를 취하면 인도에 도달할 수 있다고 주장했다. **3** 《+[목]+[전]+[명]/+[목]+[부]》 설득하여 …시키다: I *~d* him *out of* his opinion. 나는 그를 설득하여 그의 의견을 철회시켰다 / He tried to ~ *away* her misunderstanding. 여러 가지 말로 그녀의 오해를 없애려고 했다. **4** 《~+[목]/+[목]+(*to be*) [보]/+*that* [절]》 입증하다, 보이다: His manners ~ good upbringing. 그의 예의 범절은 훌륭한 가정교육을 받았음을 입증한다 / It *~s* him (*to be*) a villain. 그것은 그가 나쁜 사람임을 보여준다 / His behavior *~s that* he is selfish. 그의 행동으로 보아 그가 이기적임을 알게 된다. ◇ argument *n.*

> **DIAL.** ***I can't argue with that.*** (그 일에 대해서는 이의가 없으니) 그렇게 합시다.

ar·gu·fy [ɑ́ːrgjəfài] *vi.* 《구어》 귀찮게 따지다 〔논쟁하다〕, 길게 논의하다.

ar·gu·ment** [ɑ́ːrgjəmənt] *n.* **1** Ⓤ (구체적으로는 Ⓒ) (사실 · 논리에 입각한) **논의**, 논쟁, 의론; 주장《about, over*** …에 관한; ***with*** (아무)와의 / ***that***》: have an ~ *about* the plan 계획에 관해 논의하다 / get into an ~ *with* a person *over* the matter 그 사항에 대하여 아무와 논의를 개시하다 / The ~ *that* smoking is injurious has become accepted. 흡연이 해롭다는 주장은 용인되어 왔다. **2** Ⓒ (찬부의) 논(論), 논거, 논점; 이유《***for, in favor of*** …에 찬성하는; ***against*** …에 반대하는》: an ~ *for* 〔*against*〕 uniform 제복 찬성〔반대〕론 / She had a good ~ *in favor of* choosing him as chairman. 그녀에게는 그의 의장 선출을 지지하는 충분한 논거가 있었다 / There's a good ~ *for* dismissing him. 그를 해고하는 충분한 이유가 있다. **3** Ⓒ 말다툼, 언쟁 《***about, over*** …에 대한; ***with*** (아무)와의》: I had an ~ *with* my wife *over* her spending habits. 아내와 돈 쓰는 버릇을 두고 말다툼을 했다. **4** Ⓒ (주제의) 요지, (서적 따위의) 개략; (각본 · 소설 따위의) 줄거리.

ar·gu·men·ta·tion [ɑ̀ːrgjəmentéiʃən] *n.* Ⓤ (구체적으로는 Ⓒ) **1** 입론(立論), 논증(論證). **2** 논쟁, 토의, 토론.

ar·gu·men·ta·tive [ɑ̀ːrgjəméntətiv] *a.* 논쟁적인; 논쟁을〔시비를〕 좋아하는, 까다로운. ㊕ **~·ly** *ad.* 의론적으로. **~·ness** *n.*

Ar·gus [ɑ́ːrgəs] *n.* **1** 〖그리스신화〗 아르고스 《100개의 눈을 가진 거인》. **2** Ⓒ 엄중한 감시인.

Árgus-èyed *a.* 감시가 엄중한, 경계하는, 눈이 날카로운.

ar·gy-bar·gy [ɑ̀ːrdʒibɑ́ːrdʒi] *n.* Ⓤ (구체적으로는 Ⓒ) 《英구어》 말다툼, 언쟁.

Ar·gyle [ɑ́ːrgail] *n.* (때로 a-) Ⓒ **1** 마름모 색무늬. **2** (흔히 *pl.*) 아가일 무늬의 양말.

aria [ɑ́ːriə, ǽər-] *n.* 《It.》 Ⓒ 〖음악〗 영창(詠唱), 아리아《오페라 등에서 악기의 반주가 있는 독창곡》.

Ar·i·ad·ne [æ̀riǽdni] *n.* 〖그리스신화〗 아리아드네《Theseus에게 미궁 탈출의 실을 준 Minos 왕의 딸》.

Ar·i·an *a.*, *n.* = ARYAN.

-ar·i·an [ɛ́əriən] *suf.* 〖명사 · 형용사 어미〗 **1** '…파의(사람), …주의의 (사람)': humani*tarian*, totali*tarian*. **2** '…세〔대〕의 (사람)': octogen*arian*.

ar·id [ǽrid] *a.* **1** (토지 · 공기 등이) 건조한, 불모(不毛)의: an ~ climate 건조한 기후. **2** (문장 · 사상 등이) 빈약한; 무미건조한. ㊕ **~·ly** *ad.*

arid·i·ty [ərídəti] *n.* Ⓤ 건조(상태); 빈약함; 무미건조.

Ar·i·el [ɛ́əriəl] *n.* 아리엘《중세 전설의 공기(空氣)의 요정; Shakespeare 작 *The Tempest*에 나옴》.

Ar·ies [ɛ́əriːz, -riìːz] *n.* **1** 〖천문〗 양(羊)자리 (the Ram). **2** 〖점성〗 **a** 백양궁, 양자리. **b** Ⓒ 백양궁 태생의 사람.

aright [əráit] *ad.* 바르게, 정확히《★ rightly가 보다 일반적》: if I remember ~ 내 기억이 틀림없다면.

‡**arise** [əráiz] (**arose** [əróuz]; **aris·en** [ərízən]) *vi.* **1** 《~/+[전]+[명]》 (문제 · 사건 · 곤란 · 기회 등이) **일어나다**, **나타나다**; 발생하다, 생기다 《***from, out of*** …에서》: A dreadful storm *arose*. 무서운 폭풍이 일었다 / Accidents ~ *from* carelessness. 사고는 부주의에서 일어난다. **2** 일어서다; (잠자리 따위에서) 일어나다.

aris·en [ərízən] ARISE의 과거분사.

***ar·is·toc·ra·cy** [æ̀rəstɑ́krəsi/-tɔ́k-] *n.* **1** Ⓤ **귀족 정치**; Ⓒ 귀족 정치의 나라. **2** Ⓒ (the ~) 〖집합적; 단 · 복수취급〗 귀족; 귀족 사회; 상류〔특권〕계급. **3** Ⓒ 〖집합적; 단 · 복수취급〗 (각 분야의) 일류의 사람들: an ~ *of* wealth 손꼽히는 부호들.

***aris·to·crat** [ərístəkræ̀t, ǽrəs-] *n.* Ⓒ **1** 귀족; 귀족적인 사람; 귀족 정치론자. **2** (어떤 것 중의) 최고의 것.

***aris·to·crat·ic** [ərìstəkrǽtik, æ̀rəs-] *a.* 귀족 정치의, 귀족주의의; **귀족의**; 귀족적인. ㊕ **-i·cal·ly** [-tikəli] *ad.* 귀족적으로.

Ar·is·to·te·lian, -lean [æ̀ristətíːliən, -ljən] *a.* 아리스토텔레스(학파)의. —*n.* Ⓒ 아리스토텔레스학파의 사람.

Ar·is·tot·le [ǽristɑ̀tl/-tɔ̀tl] *n.* 아리스토텔레스《그리스의 철학자(384-322 B.C.)》.

arith. arithmetic; arithmetical.

‡**arith·me·tic** [əríθmətik] *n.* Ⓤ **1 산수**, 산술: decimal ~ 십진법 / mental ~ 암산. **2** 계산 능력, 셈. — [æ̀riθmétik] *a.* = ARITHMETICAL.

ar·ith·met·i·cal [æ̀riθmétikəl] *a.* 산수(상)의, 산수에 관한. ㊕ **-i·cal·ly** *ad.*

arithmétic (and) lógic ùnit 〖컴퓨터〗 산술 논리 장치《생략: ALU》.

arith·me·ti·cian [ərìθmətíʃən, æ̀riθ-] *n.* Ⓒ 산술가; 산술에 능한 사람.

arithmétic méan 〖수학〗 (등차 수열의) 등차중항(等差中項); 산술 평균.

arithmétic operàtion 〖컴퓨터〗 산술 연산.

arithmétic progréssion 〖수학〗 등차수열. [cf.] geometric progression.

Ari·us [ɛ́əriəs, əráiəs] *n.* 아리우스《그리스도

의 신성(神性)을 부인한 그리스의 신학자; 256?–336》.

Ariz. Arizona.

Ar·i·zo·na [ӕ̀rəzóunə] *n.* 애리조나《미국 남서부의 주; 주도 Phoenix; 생략: Ariz., 【우편】 AZ; 속칭 the Grand Canyon State》. ㊞ **-nan, -ni·an** [-nən], [-niən] *a.*, *n.* Ⓒ Arizona 주의 (사람).

ark [ɑːrk] *n.* Ⓒ 【성서】 **1** (노아의) 방주(方舟) (Noah's ~). **2** 계약의 상자(the Ark of the Covenant 〔Testimony〕)《모세의 십계명을 새긴 두 개의 석판(石板)을 넣어 둔 상자》.

Ark. Arkansas.

Ar·kan·san, -si·an [ɑːrkǽnzən], [-ziən] *a.*, *n.* Ⓒ Arkansas 주의 (사람).

Ar·kan·sas [ɑ́ːrkənsɔ̀ː] *n.* 아칸소《미국 중남부의 주; 주도 Little Rock; 생략: Ark., 【우편】 AR; 속칭 The Land of Opportunity》.

Ar·ling·ton [ɑ́ːrliŋtən] *n.* 알링턴《미국의 Virginia 주 북동부에 있는 군·시의 이름; 알링턴 국립묘지(Arlington National Cemetery); 무명용사의 묘와 Kennedy 대통령의 묘가 있음》.

†**arm**[1] [ɑːrm] *n.* Ⓒ **1 팔**, 상지(上肢)《★ 어깨에서 팔목 사이; 어깨에서 팔굽까지는 upper arm; 팔굽에서 팔목까지는 forearm》; (포유 동물의) 앞발, 전지(前肢): one's better ~ 오른팔, 주로 잘 쓰는 팔/with a book under one's ~ 책을 겨드랑이에 끼고.

2 팔 모양의 물건〔부분〕; 안경의 귀걸이 테; (옷의) 소매; (의자의) 팔걸이; (나무의) 큰 가지; 후미, 내포(~ of the sea); 지류(支流): the ~ of a balance 저울대/an ~ of a river 분류(分流)/~*s* of an anchor 닻가지.

3 (보통 *sing.*) (정부·법률 따위의) 힘, 권력: the strong ~ of the law 법의 강력한 힘.

4 (관청·활동 따위의) 중요한 부문.

a child* 〔*a baby, an infant*〕 *in* ~*s 품안의 아이《아직 걷지 못하는 아이》. **~ *in* ~** =**~-*in*-~** 서로 팔을 끼고《*with* (아무)와》. ***at* ~*'s length*** ⇨ LENGTH. ***cost*** a person ***an* ~ *and a leg*** 《구어》 (물건·일이) 큰돈이 들다. ***put the* ~ *on*** 《美속어》 ① …에게 조르다, 강요하다《*for* (금품 따위)를》. ② (사람)을 붙잡다, 체포하다: The cop is going to *put the* ~ *on* him. 경관은 그를 체포하려고 한다. ***twist*** a person***'s* ~** ① 아무의 팔을 비틀다. ② 아무에게 압력을 가하다, 강요하다. ***with open* ~*s*** 두 팔〔손〕을 벌려; 충심으로 환영하여.

***arm**[2] *n.* **1** Ⓒ (보통 *pl.*) **무기**, 병기: deeds of ~*s* 무훈(武勳)/by (force of) ~*s* 무력으로/in ~*s* 무장하여/small ~*s* (총 등의) 소화기/carry ~*s* 무기를 휴대하다/Order ~*s!* 《구령》 세워총/Pile ~*s!* 걸어총/Port ~*s!* 앞에총/Present ~*s!* 받들어총/Shoulder 〔Carry, Slope〕 ~*s!* 어깨총.

SYN. **arms** 칼·총검 등 전쟁에 쓸 목적으로 만들어진 것. **weapon** 전쟁용 무기에 한하지 않고 공격·방어에 쓸 수 있는 도구는 모두 포함됨: He used a golf club as his *weapon*. 그는 골프채를 무기로 삼았다.

2 (*pl.*) 전쟁, 전투; 무력(the force of ~s); 병역, 군인의 직(職): ~*s* control 〔reduction〕 군비 제한〔축소〕/suspension of ~*s* 휴전/a man of 〔at〕 ~*s* 병사; 전사(戰士)/appeal 〔go〕 to ~*s* 무력에 호소하다. **3** Ⓒ 병종(兵種), 병과: the infantry ~ 보병과/the air ~ of the army 육군의 항공 병과. **4** (*pl.*) (방패·기(旗) 따위의) 문장(紋章)(coat of ~s), 표지.

bear* ~*s 무기를 휴대〔소유〕하다, 무장하다; 병역에 복무하다《*for* …을 위하여》; 싸우다《*against* …에 대항하여》. ***lay down*** one***'s* ~*s*** 무기를 버리다; 항복하다. ***take* (*up*) ~*s*** 무기를 들다; 군인이 되다; 개전(開戰)하다《*against* …에 대하여》. ***To* ~*s!*** 《구령》 전투 준비. ***under* ~*s*** 무장을 갖추고, 전쟁〔전투〕준비를 마치고. ***up in* ~*s*** ① 싸울 채비를 하고, 분기하여. ② 《구어》 노하여, 분개하여《*about, against, over* …에 대하여》: They were *up in* ~*s over* high taxes. 그들은 높은 세금에 분개하여 들고일어섰다.

—*vt.* **1** 《~+목/+목+전+명》 **a** …을 **무장시키다**《*with* …으로》; …에게 무기를 주다: ~ peasants (*with* guns) 농민을 무장시키다. **b** 《~ oneself; 종종 수동태》 무장하다《*with* …으로》: Be careful, he *is* ~*ed*. 조심해, 그는 무기를 소지하고 있어/They ~*ed* them*selves* 〔*were* ~*ed*〕 *with* rifles. 그들은 소총으로 무장했다.

2 《+목+전+명》 견고히 하다, 방비〔대비〕하다, (미리) 준비하다, 갖추다《*with* (방호구(防護具)·정보 따위)로》: be ~*ed* against the cold *with* a heavy coat 두꺼운 외투를 입어 추위에 대비하다/He came to the meeting ~*ed with* the pertinent facts. 그는 관련 사항을 미리 준비하여 회의에 임했다.

3 《+목+전+명》 《종종 수동태》 (병기 따위)에 장비하다《*with* …을》: ~ a missile *with* a nuclear warhead 미사일에 핵탄두를 장착하다/The submarine *is* ~*ed with* nuclear missiles. 그 잠수함은 핵 미사일을 탑재하고 있다.

—*vi.* 무장하다; 군비를 갖추다.

ar·ma·da [ɑːrmɑ́ːdə, -méi-] *n.* 《Sp.》 Ⓒ 함대; 군용 비행대; (버스·트럭·어선 등의) 대집단. ***the Armada*** =***the Invincible* 〔*Spanish*〕 *Armada*** 무적 함대《1588년 영국 침략을 꾀했다가 격멸된 스페인 함대》.

ar·ma·dil·lo [ɑ̀ːrmədílou] (*pl.* ~*s*) *n.* Ⓒ 【동물】 아르마딜로《빈치목(貧齒目) 동물; 남아메리카의 야행성 포유동물》.

Ar·ma·ged·don [ɑ̀ːrməgédən] *n.* **1** 【성서】 아마겟돈《세계 종말의 날의 선과 악의 결전장; 요한계시록 XVI: 16》. **2** Ⓒ 최후의 대결전, 국제적인 대결전(장).

◇**ar·ma·ment** [ɑ́ːrməmənt] *n.* **1** Ⓤ (군대·군함·비행기 따위를 포함한) 장비, 무기; 무장: planes with the newest ~ 최신 장비를 갖춘 비행기/nuclear 〔atomic〕 ~ 핵무장. **2** Ⓒ (종종 *pl.*) **a** (한 나라의) 군대, 군사력, 군비: the limitation 〔reduction〕 of ~*s* 군비 제한〔축소〕/an ~ race 군비 경쟁. **b** (군함·군용기에 장착한) 포: a warship with an ~ of 16 guns 대포 16문을 갖춘 군함.

ármaments expénditures 군사비.

ármaments índustry (the ~) 군사 산업.

ar·ma·ture [ɑ́ːrmətʃər, -tʃùər] *n.* Ⓒ **1** 【동물·식물】 보호 기관《가시·껍질 등》. **2** 【조각】 (제작 중인 점토·석고 등을 받치는) 틀, 뼈대. **3** 【전기】 전기자(電機子)《발전기·전동기 등의 회전자(回轉子)》; (자석의) 접극자(接極子).

árm·bànd *n.* Ⓒ 완장: wear an ~ 완장을 차다.

***arm·chair** [ɑ́ːrmtʃɛ̀ər/ˊˋ] *n.* Ⓒ **안락의자**.

—*a.* Ⓐ 이론뿐인, 탁상공론의; 남의 경험에 의한: an ~ critic (경험이 없는) 관념적인 비평가/an ~ pilot 경험도 없이 항공기 조종에 대해 아는 체하는 사람/an ~ detective 《《구어》

sleuth) 가만히 앉아서 추리로 사건을 해결하는 탐정.

armed *a.* 무장한: (the) ~ forces (services) (육·해·공) 군대 / an ~ robber 흉기를 소지한 강도 / an ~ ship 무장선 / ~ peace 무장하(下)의 평화.

Ar·me·nia [ɑːrmíːniə, -njə] *n.* 아르메니아《이란 북서쪽에 있는 공화국; 수도 Yerevan [jèrəváːn]》. ⊕ **-ni·an** *n.* Ⓒ 아르메니아 사람; Ⓤ 아르메니아 말. —*a.* 아르메니아(사람)의.

°**arm·ful** [áːrmfùl] *n.* Ⓒ 한 아름(의 분량): an ~ *of* wood 한 아름의 장작.

árm·hòle *n.* Ⓒ (옷의) 진동 둘레; 진동.

°**ar·mi·stice** [áːrməstis] *n.* Ⓒ 휴전; (일시적인) 정전(停戰)(truce): a separate ~ 단독 휴전 / make an ~ 휴전하다.

Ármistice Dày (1918 년, 제 1 차 세계 대전의) 휴전 기념일《11월 11일》. ★ 제 2 차 세계대전도 포함시켜 미국에서는 1954 년 VETERANS' DAY 로, 영국에서는 1946 년 REMEMBRANCE SUNDAY 로 개칭했음.

árm·less *a.* **1** 팔이 없는; (의자가) 팔걸이가 없는. **2** 무방비의, 무기 없는.

arm·let [áːrmlit] *n.* Ⓒ **1** 팔찌, 팔장식, 완장. **2** 좁은 후미, 강의 지류, 작은 만.

ar·mor,** 《英》 **-mour** [áːrmər] *n.* Ⓤ **1 갑옷과 투구**, 갑주(甲胄): a suit of ~ 갑옷 한 벌. **2** (군함 등의) 장갑(강판). **3** 〖생물〗 방호 기관《물고기의 비늘·가시 등》; 방호복, 잠수복. **4** 〔집합적〕 〖군사〗 기갑부대. ***be clad in ~ 갑옷을 입고 (무장하고) 있다.
—*vt.* 갑주를 입히다; 장갑하다.

ármor-clàd *a.* Ⓐ 갑옷을 입은, 장갑한: an ~ ship 장갑함.

°**ár·mored** *a.* 갑옷을 입은, 장갑(裝甲)한: an ~ battery (train, vehicle) 장갑 포대(열차, 차량) / an ~ cable 외장(外裝) 케이블 / ~ concrete 철근 콘크리트《ferroconcrete 쪽이 일반적》.

ármored cár 《美》 장갑 자동차《현금 수송 등의》; (군용) 장갑차.

ár·mor·er [-rər] *n.* Ⓒ **1** 무구(武具) 장색; 병기공(兵器工). **2** (군대의) 병기계(係).

ar·mo·ri·al [ɑːrmɔ́ːriəl] *a.* 문장(紋章)의.

ármor plàte (군함·전차 따위의) 장갑판.

ármor-plàted [-id] *a.* 장갑의(으로 무장한).

ar·mory, 《英》 **-moury** [áːrməri] *n.* Ⓒ **1** 병기고; 병기 제작소, 조병창. **2** 《美》 주군(州軍)·예비병 따위의 부대 본부(옥내 훈련소).

°**armour** 《英》 ⇨ ARMOR.

árm·pìt *n.* Ⓒ 겨드랑이.

árm·rèst *n.* Ⓒ (의자·차 좌석 따위의) 팔걸이.

‡**arms** [ɑːrmz] *n. pl.* = ARM[2].

árms contròl 군비 관리(제한), 군축.

árms ràce 군비 확대 경쟁: the nuclear ~ 핵무기의 군비 확대 경쟁.

árm wrèstling 팔씨름(Indian wrestling).

‡**ar·my** [áːrmi] *n.* 〔단·복수취급〕 **1** Ⓒ **군대**, 군(軍); (종종 the A–) (해·공군에 대해) **육군**: a standing (reserve) ~ 상비군(예비군) / an ~ of occupation 진주(점령)군 / an ~ officer 육군 장교 / an ~ commander 군사령관 / be in the ~ 육군(군대)에 있다, 군인이다 / join (go into, enter) the ~ 육군에 입대하다 / leave the ~ 제대(퇴역)하다 / serve in the ~ 병역에 복무하다.

> **NOTE** 군(軍)의 구분은 보통 다음과 같다: army 군《2 개 군단 이상》/ corps 군단《2 개 사단 이상》/ division 사단《2 개 여단 이상》/ brigade 여단《2 개 연대 이상》/ regiment 연대《2 개 대대 이상》/ battalion 대대《2 개 중대 이상》/ company 중대《2 개 소대 이상》/ platoon 소대《2 개 분대 이상》/ squad 분대《병사 10 명과 부사관 2 명》.

2 Ⓒ (종종 A–) 단체, 조직체: the Salvation *Army* 구세군 / the Blue Ribbon *Army* 《英》 청색 리본단《금주 단체 이름》. **3** 〔an ~ of로〕 **대군**(大群), 떼, 무리: *an ~ of* ants 개미의 큰 떼 / *an ~ of* workmen 한 무리의 노동자.

ármy ànt 〖곤충〗 병정(兵丁)개미《떼를 지어 이동함》.

ármy còrps 〔집합적; 단·복수취급〕 군단《2 개(이상)의 사단(divisions)과 부속 부대로 이루어짐》.

ármy règister 《美》 육군 현역 장교 명부.

Ar·nold [áːrnəld] *n.* 아널드. **1** 남자 이름. **2 Matthew** ~ 영국의 시인·문예 평론가(1822–88).

aro·ma [əróumə] *n.* Ⓒ **1** 방향(芳香), 향기: the ~ of freshly brewed coffee 갓 탄 커피 향기. **2** (예술품의) 기품, 풍취; 정취: an ~ of the mysterious East 신비로운 동양의 정취.

aro·ma·ther·a·py [əròuməθérəpi] *n.* Ⓤ 방향 요법, 아로마테라피《식물의 천연향을 이용한 치료법》.

ar·o·mat·ic, -i·cal [æ̀rəmǽtik], [-ikəl] *a.* 향기 높은, 향기로운. —*n.* Ⓒ 향료; 향기 있는 것; 방향 식물.

arose [əróuz] ARISE 의 과거.

†**around** [əráund] *ad.* **1 주위에(를)**, 주변(근처·일대)에, 사방에(으로); 빙《둘러싸다 따위》: look ~ 주변을 둘러보다 / the scenery ~ 주변의 경치 / a tree 4 feet ~ 둘레가 4 피트인 나무 / People gathered ~. 사람들이 주위에 모여들었다.

2 《美》 (홱) 돌아서, 빙글빙글, 죽 돌려; 반대 쪽으로 방향을 돌려서: She turned ~. 그녀는 홱 돌아섰다 / The wheels went ~. 차바퀴가 빙글빙글 돌았다 / She handed drinks ~. 그녀는 음료수를 (모두에게) 죽 돌렸다.

3 《구어》 **여기저기에(로)**, 이곳저곳에(으로): travel ~ from place to place 이곳저곳을 두루 여행하다 / Waste paper was lying ~ everywhere. 휴지가 여기저기 널려 있었다.

4 《美구어》 근처에, 부근(주변)에(서): Wait ~ awhile. 그 근처에서 잠시 기다려라 / He's ~ somewhere. = He's somewhere ~. 그는 어딘가 근처에 있다. ★ 영국에서는 around 를 '위치'에 쓰고, '운동'에는 round 를 씀; 미국에서는 around 를 '운동'에도 쓰므로 around 는 round 와 같은 용법: all the year round (《美》 around), 1년 내내.

5 〔흔히 명사 뒤에〕 《구어》 존재하여, 생존 중에; 활동(활약)하여, 돌아다녀; 현역으로: She is one of the best singers ~. 그녀는 현존하는 최고 가수 중의 한 사람이다 / He was ill, but now is able to be ~. 그는 병을 앓았지만, 지금은 활동할 수 있다.

6 (계절·차례 등이) 돌아와서; 《美》 전기간을 통하여: A new year has come ~. 새해가 돌아왔다 / (all) the year ~ = all year ~ 일년 내내.

7 멀리 돌아서, 우회(迂廻)하여: drive ~ by the

lake 호숫가를 우회하여 드라이브하다.
8 〖수사(數詞)를 수반하여〗 대략, 약 … (⇨ *prep*. 5): ~ two hundred years ago 약 200 년 전에 / ~ ten o'clock 10 시경에 《★ at ~ ten o'clock 라고 쓰는 사람도 있지만, 일반적으로 at 은 불필요함》.
9 정상적인 상태로; (의식을) 회복하여.
***all* ~** 사방에, 도처에; 일동에게: There were flowers *all* ~. 도처에 꽃이 피어 있었다 / The candidate shook hands *all* ~. 후보자는 모두에게 악수했다. ***have been* ~** 《구어》 여러 가지 경험을 쌓고 있다, 세상 일을 환히 알고 있다: You can't fool him; he *has been* ~. 그 사람을 바보 취급해서는 안 돼, 세상 일을 환히 알고 있으니까. ★ 위의 관용구에서 찾을 수 없는 것은 round 또는 해당 동사를 참조할 것.
—*prep*. 1 …의 **주변**〔**주위 · 둘레**〕**에**, …을 둘러〔에워〕싸고: ~ the garden 〔house〕 뜰〔집〕 주위에 / sit ~ a table 탁자를 둘러싸고 앉다 / with his friends ~ him 친구들에게 둘러싸여. SYN. ⇨ ABOUT, ROUND.
2 《美구어》 …**의 주위를 돌아서**, …을 일주하여, 우회(迂回)하여; (장해물)을 피하여: ~ the corner 《美》 모퉁이를 돌아선 곳에 / The earth goes ~ the sun. 지구는 태양의 주위를 돈다.
3 《美구어》 …**을 여기저기**〔**이곳저곳**〕**에**: travel ~ the world 세계를 두루 여행하며 돌아다니다 / show ~ the town 시내를 안내하며 돌아다니다.
4 《구어》 …**주변에**〔**을**〕, …의 근처를; …의 가까이에: ~ here 이 근처〔부근〕에 / the men ~ the President 대통령의 측근들.
5 《美구어》 약…, …쯤〔정도〕 《★ 수사 앞의 around는 부사로 간주함; ⇨*ad*. 8》: ~ ten dollars 약 10 달러.
6 …에 바탕을 두고, …을 중심으로 하여: The story is written ~ her life. 그 이야기는 그녀의 일생을 중심으로 쓰여졌다.

aróund-the-clòck *a*. 만 하루〔24 시간〕 계속해서의, 주야 겸행의, 무휴의: an ~ air raid, 24 시간 계속 공습 / (in) ~ operation 무휴(無休) 조업(중).

arous·al [əráuzəl] *n*. Ⓤ 각성; 환기; 격려.

arouse** [əráuz] *vt*. **1** 《+목+전+명》 (자는 사람)을 **깨우다** 《from*** …에서》: The noise ~*d* me *from* my sleep. 그 소리 때문에 나는 잠에서 깼다. **2** 《~+목/+목+전+명》 (아무)를 **자극하다**, 분기시키다; 몰아세우다 《***to*** (행동 따위)를 하도록》: ~ anger 성나게 하다 / His speech ~*d* the people *to* revolt. 그의 연설이 민중을 폭동으로 몰아갔다. **3** (흥미 등)을 환기시키다, 야기하다; (생각)을 품게 하다: The book ~*d* my interest in history. 그 책이 역사에 대한 흥미를 불러일으켰다 / ~ suspicion 의심을 품게 하다.

ar·peg·gio [ɑːrpédʒiòu, -dʒòu] (*pl*. **~s**) *n*. 《It.》 Ⓒ 〖음악〗 아르페지오 《화음을 이루는 음을 연속해서 연주하는 법》; 펼침 화음.

arr. arranged (by); arrival; arrive(d); arrives.

ar·rack [ǽrək] *n*. Ⓤ (낱개는 Ⓒ) 아라크 술 《야자 열매 · 당밀 따위의 즙으로 만드는, 중근동 지방의 독한 술》.

ar·raign [əréin] *vt*. **1** 〖종종 수동태〗 〖법률〗 (피고를 법정에 소환하여) 죄상의 진위 여부를 묻다 《***for, on*** …에 대한》: He *was* ~*ed on* charges of aiding and abetting terrorists. 그는 테러리스트들에 대한 지원 · 교사죄를 심문받았다. **2** 《문어》 …을 책망〔비난〕하다, 규탄하다.

ar·ráign·ment *n*. Ⓤ (구체적으로는 Ⓒ) 〖법률〗 (피고의) 죄상에 대한 부인; 비난.

Ar·ran [ǽrən] *n*. 애런섬 《스코틀랜드 남서부의 섬》.

‡**ar·range** [əréindʒ] *vt*. **1 배열**〔**배치**〕**하다**, 정리하다, 정돈하다: ~ books on a shelf 책장의 책을 정리하다. **2 가지런히 하다**; (머리)를 매만지다: ~ flowers 꽃꽂이하다 / ~ one's hair 머리를 빗다. **3** 《~+목/+목+전+명/+*that* 절》 정하다; 준비하다, 주선하다 《***for*** …을 위하여》: ~ a marriage 혼담을 정하다 / ~ the table *for* supper 저녁 식탁을 차리다 / The tourist bureau has ~*d* everything *for* our trip to Europe. 그 여행사가 우리의 유럽 여행 일체를 준비해 주었다 / I ~*d* *that* a taxi (should) meet us at the station. 택시가 역에서 우리를 맞이하도록 주선해 두었다.
4 (분쟁 등)을 **조정**(調停)**하다**, 해결하다(settle): She ~*d* a dispute between the two. 그녀는 양자 사이의 분쟁을 조정했다. **5** 《+목+전+명》 개작(改作)하다, 각색하다; 〖음악〗 편곡하다 《***for*** …에 적합하도록》: ~ a novel *for* the stage 소설을 각색하다 / ~ a piece of music *for* the piano 어떤 곡을 피아노용으로 편곡하다.
—*vi*. 1 《+전+명/+*to* do》 결정을 하다, …하도록 짜 놓다, 마련하다, 준비하다 《***with*** …와; ***for*** …을 위해》: ~ *with* the grocer *for* regular deliveries 식료품점에서 정기적인 배달을 해주도록 하다 / Let's ~ *to* meet here again tomorrow. 내일 또 여기서 만나기로 정하자 / We have ~*d* *for* a taxi *to* pick us up here. 택시가 여기서 우리들을 태워 가도록 해 두었다. **2** 《+전+명/+*to* do》 타합하다, 협의하다 《***with*** (아무)와; ***for, about*** …에 대하여》: I must ~ *with* him *about* the party. 그와 파티에 관해서 타합해야 한다 / I've ~*d* *with* her *to* meet at five. 다섯시에 그녀와 만나기로 했다.
㊕ **ar·ráng·er** *n*. Ⓒ ~하는 사람; 편곡자.

‡**ar·range·ment** [əréindʒmənt] *n*. Ⓤ (구체적으로는 Ⓒ) **1 배열**, 배치; (색의) 배합, 꾸밈: flower ~ 꽃꽂이 / the ~ *of* the furniture 가구의 배치 / the ~ *of* colors (on a palette) (팔레트에서) 색의 배합. **2** Ⓤ 정리, 정돈: the ~ *of* books on a shelf 서가의 책 정리. **3** Ⓒ (보통 *pl*.) **채비**, 준비, 주선 《***for*** …을 위한 / ***to*** do》: make ~*s* *for* one's trip to Paris 파리 여행 준비를 하다 / He has made ~*s* *to* spend his holiday in Wales. 그는 휴가를 웨일스에서 보내기로 손을 써 두었다. **4** Ⓤ (구체적으로는 Ⓒ) **조정**(調停), 조절; 협정, 합의: We must come to some ~ about sharing expenses. 비용 분담에 대해서 뭔가 협정해야 한다 / I'll leave the ~ of time and place to you. 시간과 장소를 정하는 것은 너에게 일임하겠다. **5 a** Ⓤ 편곡. **b** Ⓒ 편곡한 곡 《***for*** …에 적합하도록》: an ~ *for* the piano 피아노용으로 편곡한 곡.

ar·rant [ǽrənt] *a*. Ⓐ 악명 높은, 극악한; 터무니없는, 철저한: an ~ thief 소문난 도둑 / an ~ fool 형편없는 바보.

ar·ras [ǽrəs] *n*. Ⓤ 애러스 직물 《아름다운 그림 무늬를 짜 넣은 직물》; Ⓒ 애러스 직물의 벽걸이 천; 커튼.

°**ar·ray** [əréi] *vt*. **1** 〖~ oneself〗 치장하다, 성장(盛裝)시키다, 차려 입히다 《***in*** …으로》: They all ~*ed* themselves *in* ceremonial robes. 그들은 모두 예복으로 차려 입었다. **2** 배열하다, 〖종종 수동태〗 (군대 등)을 정렬〔배치〕시키다: ~ people in a line 사람들을 한 줄로 정렬시키다/The troops *were ~ed for* the battle. 군대는 전투대형으로 배치되었다.

—*n*. **1** Ⓤ 정렬, 배진(配陣), 군세(의 정비): soldiers in battle ~ 전투 대형을 이룬 병사들/set ... in ~ …을 배열하다. **2** Ⓒ 배열된 것; 세트: an ~ of flags 쭉 줄지은 기(旗)의 행렬. **3** Ⓤ 의장(衣裝), 치장: bridal ~ 신부 차림/in fine ~ 곱게 단장하고. **4** Ⓒ 〖컴퓨터〗 배열《일정한 프로그램으로 배열된 데이터군》.

arráy procéssing 〖컴퓨터〗 배열 처리《여러 개의 연산 장치를 병렬로 접속시켜 배열이나 행렬 연산을 고속으로 실행하는 것》.

arráy procéssor 〖컴퓨터〗 배열 처리기.

ar·rears [əríərz] *n. pl.* **1** 늦음, 더딤, 지체; (지불 등의) 밀림: *~s of* wages 임금의 체불/*~s of* rent 집세의 밀림. **2** 지불 잔금, 연체금. ***fall into*** ~ 지체하다. ***in*** ~ ***of*** …보다 뒤늦어(↔ *in advance of*). ***in*** ~ 지체되어; 미불로《***with*** (일·지불)이》: He's *in ~ with* his work. 그는 일이 밀려 있다/The tenant is *in ~ with* his rent again. 그 임차인은 또 집세가 밀려 있다. ***work off*** ~ 일하여 지체된 것을 만회하다.

ar·rear·age [əríəridʒ] *n*. **1** Ⓤ 연체, 지체. **2** (*pl.*) 연체금, 미불금.

ar·rest** [ərést] *vt*. **1** 《~+목/+목+전+명》 〖법률〗 **체포〔구속〕하다**《for*** …(죄 따위)로》: ~ a thief 도둑을 체포하다/~ a person *for* murder 아무를 살인 혐의로 체포하다. **2** 막다, 저지하다; (병의 진행)을 억제하다: ~ progress 진보를 막다/~ judgment 판결을 저지하다/~ cancer 암의 확산을 억제하다. **3** (시선·주의 등)을 끌다: Her casual remark *~ed* my attention. 그녀가 무심결에 뱉은 말이 내 주의를 끌었다.

—*n*. Ⓤ (구체적으로는 Ⓒ) **1** 〖법률〗 **체포**; 검거, 구류; 억류: an *~ed* vessel 억류선(박)/an ~ warrant 구속 영장/make an ~ of …을 체포하다. **2** 〖의학〗 정지, 저지: ~ of development 발육 정지/cardiac ~ 심박(心拍) 정지.

under ~ 체포되어, 구금 중인: be *under* house ~ 자택 연금 중이다. ***put*** 〔***place***〕 a person ***under*** ~ 아무를 구금하다.

㊞ **ar·rést·a·ble** *a*. (영장 없이) 체포할 수 있는. **ar·rést·er, -rés·tor** [-ər] *n*. Ⓒ ~하는 사람; 피뢰기(lightning ~er), 방지 장치.

arréster hòok 〖항공〗 속도 제어 장치《항공모함의 비행기 착함용 훅》.

arréster wire (항공모함 갑판에서의) 제동삭(索).

ar·rést·ing *a*. **1** 사람 눈을 끄는; 인상적인: an ~ sight 인상적인 광경. **2** Ⓐ 체포하는.

ar·rhyth·mia [əríðmiə, ei-] *n*. Ⓤ 〖의학〗 부정맥(不整脈).

‡**ar·riv·al** [əráivəl] *n*. **1** Ⓤ (구체적으로는 Ⓒ) **도착**; 도달《***at, in*** …에의》: on my ~ *at* the airport 내가 공항에 도착하는 대로/wait for the ~ of one's guests 손님들의 도착을 기다리다/~ *at* a conclusion 결론에의 도달/a port of ~ 입국지(入國地) (입국 관리 사무소가 있는) 공항〔항구〕. **2** Ⓤ 출현, 등장: the ~ of a new bomb 신형 폭탄의 등장. **3** Ⓒ 도착자〔물〕, (새)입하(入荷): new *~s* 새로 도착한 사람〔물건〕. **4** Ⓒ 《구어》 출생, 신생아: The new ~ was a son 〔girl〕. 이번에 난 아이는 사내아이〔계집애〕였다. **5** 〘형용사적 용법〙 도착의; 도착자〔품〕의: ~ contract 〔sales〕 〖상업〗 선물(先物) 약정〔매매〕/an ~ list 도착 승객 명부/an ~ station 도착역, 종점/an ~ platform 도착 플랫폼. ◇ arrive *v*.

†**ar·rive** [əráiv] *vi*. **1** 《~/+전+명》 **도착하다**, 닿다《***at, in, on*** (어떤 장소)에》: I've just *~d*. 이제 막 도착했다/~ *at* the station 〔*in* Seoul〕 정거장〔서울〕에 도착하다/The police *~d on* the spot. 경찰이 현장에 도착했다.

> NOTE (1) 도착 장소를 나타내는 전치사는 비교적 좁다고 생각되는 장소(소도시·지역·집·가게 따위)의 경우에는 at, 비교적 넓다고 생각되는 장소(나라·지방·대도시 따위)의 경우에는 in을 쓰는 것이 일반적.
> (2) 대륙·섬·현장 등에 도착할 때는 on 〔upon〕을 씀.
> (3) 일반적으로 arrive at 〔in, on, upon〕 = reach라고 하지만, 예컨대 인공위성의 「달표면 도달」(reaching the moon)처럼 몹시 어려움을 수반하는 일에 대해 arrive를 쓰면 부자연스러움.

2 《+전+명》 도달하다《***at*** (어떤 연령·결론·확신 따위)에》: ~ *at* manhood 〔the age of forty〕 성년〔40세〕에 달하다/be quick to ~ *at* a decision 결단이 빠르다.

3 (시기가) 도래하다, 오다: The opportunity 〔The time for action〕 has *~d*. 기회〔행동할 때〕가 왔다.

4 《구어》 (신생아가) 태어나다.

5 《~/+*as* 보》 《구어》 성공하다, 명성을 얻다: He *~d as* a writer. 그는 작가로서 성공하였다. ◇ arrival *n*.

°**ar·ro·gance** [ǽrəgəns] *n*. Ⓤ 오만, 거만, 건방짐.

***ar·ro·gant** [ǽrəgənt] *a*. 거드럭거리는, **거만〔오만〕한**, 건방진(haughty): assume an ~ attitude 오만한 태도를 취하다. SYN. ⇨ PROUD. ㊞ **~·ly** *ad*.

ar·ro·gate [ǽrəgèit] *vt*. **1** (남의 권리)를 침해하다, 속여 자기 것으로 하다, 사취(詐取)하다; 가로채다; (칭호 등)을 사칭하다《***to*** …의 것이라고》: ~ a person's rights 아무의 권리를 침해하다/~ power *to* oneself 권력을 남용하다/He *~ed* the chairmanship *to* himself. 그는 자기가 의장이라고 사칭했다. ★ 전치사의 목적어로 oneself를 씀. **2** (동기·속성 따위)를 부당하게 돌리다《***to*** …에게》.

àr·ro·gá·tion *n*. Ⓤ (구체적으로는 Ⓒ) 사칭; 가로챔; 월권(越權)(행위).

‡**ar·row** [ǽrou] *n*. Ⓒ **1 화살**. **2** 화살 모양의 것, 화살표(→): Excuse me, where's the men's room? —Just follow that ~. 실례지만 남자 화장실이 어딥니까—저 화살표를 곧장 따라가십시오. cf. broad arrow.

(***as***) ***straight as an*** ~ 똑바른, 일직선의; (사람이) 곧이곧대로 잘 믿는.

árrow·hèad *n*. Ⓒ **1** 화살촉. **2** 〖식물〗 쇠귀나물《화살촉 모양의 잎을 가진 수생(水生)식물》.

árrow kèy (컴퓨터의) 화살표 키.

árrow·ròot *n*. **1** Ⓒ 〖식물〗 칡의 일종《열대 아메리카산(産); 원주민이 그 뿌리를 독화살 상처 치료에 씀》. **2** Ⓤ (그 뿌리에서 얻는 식용의) 칡가루, 갈분.

ar·rowy [ǽroui] *a*. 화살 같은; 곧은; 빠른.

ar·royo [ərɔ́iou] (*pl.* **~s**) *n*. Ⓒ 《美남서부》 아로요《건조 지대의 시내; 큰비가 올 때만 물이 흐름》.

ARS 〖컴퓨터〗 Advanced Record System (기록 통신 시스템).

arse [ɑːrs] 《英비어》 *n.* Ⓒ **1** =ASS[2]. **2** 바보. ―*vi.* 〖다음 관용구로〗 ~ ***about*** 〔***around***〕 빈둥빈둥 시간을 보내다.

árse·hòle *n.* Ⓒ 《英비어》 항문(《美》 asshole).

árse-lìcking *n.* Ⓤ 《英비어》 아부, 아첨; 간살.

ar·se·nal [ɑ́ːrsənəl] *n.* Ⓒ 병기고; 조병창, 병기〔군수〕 공장.

ar·se·nic[1] [ɑ́ːrsənik] *n.* Ⓤ 〖화학〗 비소(砒素) 《양쪽성 금속 원소; 기호 As; 번호 33》.

ar·sen·ic[2], **-i·cal** [ɑːrsénik], [-əl] *a.* 비소의, 비소를 포함한: *arsenic* acid 비산(砒酸).

ars lon·ga, vi·ta bre·vis [ɑ́ːrz-lɔ́ŋɡə-váitə-bríːvis] 《L.》 예술은 길고 인생은 짧다 (Art is long, life is short.) 《★ 본래는, 배울 예술〔기술〕은 많은데 시간은 모자라다는 뜻》.

ar·son [ɑ́ːrsn] *n.* Ⓤ 〖법률〗 방화(죄). ⊞ **~·ist** *n.* Ⓒ 방화범; 방화광(放火狂).

†**art**[1] [ɑːrt] *n.* **1** Ⓤ **a 예술**: a work of ~ 미술품, 예술품 / ~ and letters 문예 / ~ for ~'s sake 예술을 위한 예술《예술지상주의》. **b** 〖집합적〗 예술 작품. **2 a** Ⓤ (종종 *pl.*) 미술: a school of ~ 미술의 유파. **b** Ⓤ 〖집합적〗 미술 작품: a museum of modern ~ 근대 미술관. **3** Ⓒ (전문적) **기술**, 기예, 술(術): the healing ~ 의술 / the industrial 〔practical〕 ~s 공예 / the ~ of advertising 광고술 / the ~ of life 처세술 / the ~ of building 건축술. **4** Ⓤ 숙련; 기교, 솜씨; 인공, 부자연스러움: a smile without ~ 꾸밈없는 미소 / by ~ 인공으로. **5** Ⓒ (보통 *pl.*) 술책; 간책, 농간, 조작: the innumerable ~s and wiles of politics 헤아릴 수 없는 정치적 권모 술수 / She used all her ~s to convince him. 그녀는 그를 납득시키려고 온갖 농간을 부렸다. **6** Ⓤ 교활함, 능글맞음: by ~ 교활하게. **7** (*pl.*) 인문과학; (대학의) 문과계, 교양 과목(liberal arts): ~s and sciences 문과계와 이과계(의 과목) / the Faculty of *Arts* (대학의) 교양 학부.
a Bachelor of Arts 문학사《생략: B.A.》. ***a Master of Arts*** 문학 석사《생략: M.A.》. **~s *and crafts*** (미술) 공예.
―*a.* Ⓐ 예술적인; 미술의: an ~ form 예술 형식 / an ~ critic 미술 비평가 / an ~ history 미술사 / an ~ school 미술 학교.

art[2] 《고어·시어》 BE 의 제2인칭·단수·직설법·현재형《thou 를 주어로 함》: thou ~ =you are.

art. article(s); artificial; artillery; artist.

art de·co [ɑ̀ːrdeikóu] *n.* (때로 A- D-) 《F.》 아르 데코《1920-30년대의 장식적인 디자인으로, 1960년대에 부활》.

ar·te·fact [ɑ́ːrtəfæ̀kt] *n.* =ARTIFACT.

Ar·te·mis [ɑ́ːrtəmis] *n.* 〖그리스신화〗 아르테미스《달·사냥의 여신; 로마 신화의 Diana》.

ar·te·ri·al [ɑːrtíəriəl] *a.* Ⓐ **1** 〖해부〗 동맥의 (↔ *venous*): ~ blood 동맥혈. **2** (도로 등이) 동맥과 같은; 간선(幹線)의: an ~ railroad 〔road〕 간선 철도〔도로〕.

ar·te·ri·ole [ɑːrtíəriòul] *n.* Ⓒ 〖해부〗 소(小)동맥.

ar·tè·ri·o·sclerósis [ɑːrtìəriou-, -riə-] *n.* Ⓤ 〖의학〗 동맥 경화(증).

◇**ar·tery** [ɑ́ːrtəri] *n.* Ⓒ **1** 〖해부〗 동맥. ↔ *vein.* ¶the main ~ 대동맥. **2** (교통 등의) 간선; 주요 도로〔수로〕: a main ~ 주요 간선.

ar·té·sian wéll [ɑːrtíːʒən-/-ziən-] (수맥까지) 파내려간 우물《지하수의 압력으로 물을 뿜음》, 분수(噴水) 우물.

◇**art·ful** [ɑ́ːrtfəl] *a.* **1** 교묘한, 기교를 부린. **2** 교활한, 능글맞은. **3** 인위적인. ⊞ **~·ly** *ad.* 교활하게; 교묘하게. **~·ness** *n.*

ar·thrit·ic [ɑːrθrítik] *a.* 관절염의〔에 걸린〕. ―*n.* Ⓒ 관절염 환자.

ar·thri·tis [ɑːrθráitis] *n.* Ⓤ 〖의학〗 관절염.

ar·thro·pod [ɑ́ːrθrəpɑ̀d/-pɔ̀d] *n.* Ⓒ 〖동물〗 절지(節肢) 동물.

Ar·thur [ɑ́ːrθər] *n.* **1** 아서《남자 이름; 애칭 Artie》. **2 King ~** 아서왕《6세기경 전설적인 영국 왕》.

Ar·thu·ri·an [ɑːrθjúəriən] *a.* 아서왕의〔에 관한〕: the ~ legends 아서왕 전설.

ar·ti·choke [ɑ́ːrtitʃòuk] *n.* 〖식물〗 Ⓒ (식품은 Ⓤ) **1** 아티초크《국화과(科)》; 엉겅퀴. **2** 뚱딴지 (Jerusalem artichoke).

⁑**ar·ti·cle** [ɑ́ːrtikəl] *n.* Ⓒ **1** (동종 물품의) **한 품목**, 한 개: ~s of clothing 의류 몇 점(點) / an ~ of furniture 가구 한 점. **2** 물품, 물건, 품목: ~s of food 식료품 / toilet ~s 화장품 / domestic ~s 가정용품. **3** (신문·잡지의) **기사**, 논설: an ~ on Korea 한국에 관한 논문 / an editorial 〔《英》 a leading〕 ~ (신문의) 사설. **4** (조약·계약 따위의) **조항**(clause), 조목; 규약; 항목(item): *Article* 9 〔the 9th *Article*〕 of the Constitution 헌법 제9조 / the ~ of partnership 조합 규약 / the ~s of association (회사의) 정관 / discuss ~ by ~ 조목조목 심의하다. **5** (*pl.*) 계약: ~s of apprenticeship 연기(年期) (도제(徒弟)) 계약. **6** 〖문법〗 **관사**《a, an, the》: the definite ~ 정관사 / the indefinite ~ 부정관사.
―*vt.* 《+目+前+名》 도제로 고용하다《***to, with*** …의》: ~ a boy *to* a mason 소년을 석공의 도제로 보내다.

ár·ti·cled *a* 연기(年期) 계약의: an ~*d* apprentice (연기 계약) 도제.

ar·tic·u·lar [ɑːrtíkjələr] *a.* 관절의〔이 있는〕.

◇**ar·tic·u·late** [ɑːrtíkjəlit] *a.* **1** (말이) 분명히 발음된, 발음이 분명한; (음성·언어가) 분절(分節)적인. **2** (사람이) (생각·감정을) 잘〔명확히〕 표현할 수 있는〔하는〕, 분명히 말할 수 있는〔말하는〕. **3** (생각 등이) 명확히 표현된, (논리) 정연한. **4** 〖생물〗 관절이 있는.
― [ɑːrtíkjəlèit] *vt.* **1** (한 음절 한 음절 또는 한 마디 한 마디)를 똑똑히 발음하다; 분명히 말하다: *Articulate* your words. 말을 똑똑히 하여라. **2** (생각·감정 등)을 명료하게〔효과적으로〕 표현하다. **3** 관절로 잇다《***to*** …에; ***with*** …와》: The tibia is ~*d to* the femur. 경골(脛骨)은 대퇴골에 관절로 연결되어 있다. ―*vi.* 분명히 발음하다; 명료하게 표현하다.
⊞ **~·ly** *ad.* **~·ness** *n.*

artículated lórry 《英》 트레일러식 트럭.

artículated véhicle 《英》 연결식 차량.

ar·tic·u·la·tion [ɑːrtìkjəléiʃən] *n.* **1** Ⓤ 〖음성〗 유절(有節) 발음, (개개의) 조음(調音); 뚜렷한 발음; 자음(子音). **2** Ⓤ 〖언어〗 분절(分節)《말의 각 부분을 의미있는 언어음으로 나눈 것》. **3** Ⓒ 〖식물〗 절(節), 마디. **4** 〖해부〗 Ⓒ 관절; Ⓤ 관절 접합. ◇ articulate *v.*

ar·tic·u·la·tor [ɑːrtíkjəlèitər] *n.* Ⓒ **1** 발음이 똑똑한 사람. **2** 〖음성〗 조음(調音) 기관《혀·입술·성대 등》.

ar·tic·u·la·to·ry [ɑːrtíkjələtɔ̀ːri] *a.* 조음의; 관절(접합)의.

Ar·tie [ɑ́ːrti] *n.* 아티《Arthur 의 애칭》.

ar·ti·fact [ɑ́ːrtəfæ̀kt] *n.* Ⓒ **1** (천연물에 대해) 인공물, 가공품; 공예품, 예술품. **2** 〖고고학〗 (자연 유물에 대하여) 인공 유물, 문화 유물.

◇**ar·ti·fice** [ɑ́ːrtəfis] *n.* **1** Ⓤ (구체적으로는 Ⓒ) 술책; 교활함: by ~ 술책을 써서. **2** Ⓒ 교묘한 궁리, 고안(考案).

ar·tif·i·cer [ɑːrtífəsər] *n.* Ⓒ **1** 기술공, 숙련공, 장색; 고안자, 제작자. **2** 〖군사〗 기술병. ***the Great Artificer*** 조물주《신》.

⁑**ar·ti·fi·cial** [ɑ̀ːrtəfíʃəl] *a.* **1 인공의**, 인위적인 (↔ *natural*): ~ rain 〔organs〕 인공 강우〔장기(臟器)〕/ an ~ booster heart 인공 보조 심장. **2 인조의**, 모조의: ~ ice 인조 얼음 / ~ turf 인조 잔디 / ~ daylight 〔sunlight〕 태양등 / an ~ eye 〔limb, tooth〕 의안〔의지(義肢), 의치〕/ ~ flowers 조화 / ~ leather 인조 피혁 / ~ pearls 모조 진주 / ~ manure 〔fertilizer〕 인조〔화학〕 비료. **3 부자연스런**; 일부러 꾸민, 거짓의; (사람 따위가) 갈잖은, 아니꼬운: an ~ smile 억지 웃음 / an ~ manner 갈잖은 태도 / ~ tears 거짓 눈물. ◇artifice *n.* ㊞ **~·ly** *ad.* 인위적〔인공적〕으로; 부자연스럽게.

artifícial inseminátion 인공 수정(受精)《생략: AI》.

artifícial intélligence 1 (컴퓨터 · 로봇 등의) 인공 지능《생략: AI》. **2** 인공 지능 연구.

artifícial intélligence compùter 인공 지능 컴퓨터《인간의 뇌에 가까운 역할을 하므로 '제5세대 컴퓨터' 라고도 함》.

ar·ti·fi·ci·al·i·ty [ɑ̀ːrtəfìʃiǽləti] *n.* **1** Ⓤ 인위적〔인공적〕임; 부자연. **2** Ⓒ 인공물.

artifícial lánguage 1 인공 언어《에스페란토 따위》(↔ *natural language*). **2** 〖컴퓨터〗 기계 언어(machine language), 프로그램 언어.

artifícial respirátion 〖의학〗 인공 호흡.

artifícial sátellite 인공 위성.

artifícial vísion 〖전자〗 인공 시각(視覺)《차(次)세대 로봇의 눈으로 개발되고 있는 광전자 공학 시스템》.

artifícial-vóice technòlogy 〖컴퓨터〗 음성 합성 기술.

◇**ar·til·lery** [ɑːrtíləri] *n.* **1** Ⓤ 〘집합적〙 포, 대포(↔ *small arms*). **2** (the ~) 〘집합적; 단 · 복수취급〙 포병과, 포병(대). **3** Ⓤ 포술(학).

artíllery·man [-mən] *n.* Ⓒ 포병, 포수.

◇**ar·ti·san** [ɑ́ːrtəzən/ɑ̀ːrtizǽn, ⌐-⌐] *n.* Ⓒ 장색(匠色), 기술공, 숙련공.

⁑**art·ist** [ɑ́ːrtist] *n.* Ⓒ **1** 〘일반적〙 **예술가**, 미술가; 《특히》 화가, 조각가. **2** 배우, 가수, 예능인. **3** (그 분야의) 달인(達人), 명인(名人).

ar·tiste [ɑːrtíːst] *n.* 《F.》 Ⓒ 예능인《배우 · 가수 · 댄서, 때로는 이발사 · 요리인 등의 자칭》.

*__ar·tis·tic, -ti·cal__ [ɑːrtístik], [-əl] *a.* **1 예술의**, 미술의; 미술가〔예술가〕의. **2 예술적인**, 멋이 있는, 풍류〔아취〕 있는.

ar·tís·ti·cal·ly *ad.* **1** 예술〔미술〕적으로. **2** 〘문장 전체를 수식하여〙 예술적으로 보아〔보면〕.

art·ist·ry [ɑ́ːrtistri] *n.* Ⓤ 예술적 수완〔기교〕; 예술적〔미술적〕 효과; 예술성.

◇**árt·less** *a.* 꾸밈없는, 천진한, 소박한, 자연 그대로의; 볼품없는, 서투른(clumsy). ㊞ **~·ly** *ad.* **~·ness** *n.*

Art Nou·veau [ɑ̀ːrnuːvóu] (때로 a- n-) 《F.》 〖미술〗 아르누보《19세기말부터 20세기초에 걸친 프랑스 · 벨기에의 미술 공예 양식으로 곡선미가 특징임》.

árt pàper 《英》 아트지(coated paper).

árt sìlk 인조견(絹), 레이온.

art·sy [ɑ́ːrtsi] *a.* =ARTY.

art·sy-craft·sy [ɑ́ːrtsikrǽftsi] *a.* 《구어》 **1** (물건이) 무척 공을 들인. **2** (사람이) 예술가인 척하는.

árt·wòrk *n.* **1** Ⓤ 수공예품의 제작. **2** Ⓤ (낱개는 Ⓒ) 수공예품. **3** Ⓤ 〖인쇄〗 (본문에 대하여) 삽화, 도판(圖版).

arty [ɑ́ːrti] *a.* 《구어》 (물건이) 사이비 예술의, (사람이) 예술가연하는.

árty-cráfty *a.* =ARTSY-CRAFTSY.

árum lìly 〖식물〗 칼라(calla)《천남성과(科)의 다년생 초본》.

-a·ry [èri, əri] *suf.* **1** '…의 장소, …하는 사람〔물건〕' 의 뜻의 명사를 만듦: api*ary*, secre*tary*, diction*ary*. **2** '…에 속한, …에 관계가 있는' 의 뜻의 형용사를 만듦: element*ary*.

Ar·y·an [ɛ́əriən, ɑ́ːr-] *a.* **1** 인도이란어의. **2** 《고어》 아리아어족〔민족〕의. **3** (나치스 독일에서) 아리아인(종)의《비유대계 백인의》. **—*n.*** **1** Ⓤ 인도이란어. **2** Ⓤ 《고어》 아리아어. ★ 현재는 Indo-European〔-Germanic〕 (인도유럽어〔게르만어〕)라고 함. **3** Ⓒ (나치스 독일에서) 아리아인《비유대계 백인》.

†**as** [æz, əz] *ad.* 〘보통 *as* … as—의 꼴로, 형용사 · 부사 앞에 씀〙 (…와) **같은 정도로**, 마찬가지로: Tom is *as* tall as I (am). 톰은 나와 같은 정도의 키다 / I love you *as* much as she (does). 그녀만큼이나 나도 널 사랑한다 / I love you *as* much as (I love) her. 나는 그녀만큼이나 너도 사랑한다 / This country is twice 〔one sixth〕 *as* large as that. 이 나라는 그 나라의 두 배〔6분의 1〕의 크기다《배수나 분수는 as… as 바로 앞에 옴》/ Please come home *as* quickly as possible 〔as you can, as you are capable of, as you are able (to)〕. 될 수 있는 대로 빨리 귀가하시오

> **NOTE** (1) as … as__에서 앞의 as는 부사, 뒤의 as는 접속사임.
> (2) as … as는 긍정문에, 부정문에서는 not so … as로 되는 것이 원칙이나, 구어에서는 not as … as라고 하는 일도 있음: He is *not so* 〔*as*〕 tall *as* you. 그는 너만큼 키가 크지 않다.
> (3) as … as는 여러 형태로 생략되기도 함: It is (*as*) white *as* snow (is white). 그것은 눈처럼 희다. He can run *as* fast (*as* you). 그도 너(와 같을)만큼 빨리 달릴 수 있다. She is *as* wise *as* (she is) fair. 그녀는 재색(才色)을 겸비하고 있다《동일인의 두 가지 성질의 비교》.

as … as any 누구에게도〔어떤 것에도〕 못지 않게: He can run *as* fast *as any* other boy. 그는 어느 소년(에게도) 못지 않게 빨리 달릴 수 있다. ***as … as ever*** 변함없이, 여전히: He is *as* poor *as ever*. 그는 여전히 가난하다. ***as … as one can*** =***as … as possible*** 가능한 한, 될 수 있는 대로: *as* soon *as possible* 가능한 한 빨리 / Get up *as* early *as possible*. 될 수 있는 대로 일찍 일어나라. ***as*** 〔***so***〕 ***long as*** ⇨LONG[1]. ***as many*** 같은 수의: There were ten accidents in *as many* days. 10일간에 10건의 사고가 있었다. **as much (as)** ⇨MUCH.

—conj. 1 a 〚양태〛 (—이 …한〔하는〕) **것과 같이**, …**대로**, (…와) 마찬가지로: Do *as* I tell you. 내 말대로 해라/He went *as* promised. 그는 약속한 대로 갔다《*as* 다음에 it was 〔had been〕이 생략되어 있음》/You may dance *as* you please. 좋을 대로 춤추어도 좋다/He was a Catholic, *as* were most of his friends. 친구 대부분이 그랬듯이 그는 가톨릭 교도였다《문어에서는 도치 구문을 쓰기도 함》/*As* food nourishes our body, *so* books nourish our mind. 음식이 몸의 영양이 되는 것처럼 책은 마음의 영양이 된다《so를 쓰면 as만 쓸 경우보다 문어적임》. ★ 구어에서는 흔히 as 대신에 like가 쓰임: He was *like* (=as) he always was. 그는 여느 때와 다를 바가 없었다. **b** 〚대조〛 …하〔이〕지만 (한편) …와 달리(while): Men usually like wrestling *as* women do not. 여성은 레슬링을 좋아하지 않지만 남성은 보통 좋아한다.

2 〚비교〛 **a** 〚as 〔so〕 ... as __ 의 꼴로, 같은 정도의 비교를 나타내어〛 …**와 같이**, …와 같은 정도로, …**만큼**: She can walk *as* quickly *as* I can. 그녀는 나만큼 빨리 걸을 수 있다/I am not *so* young *as* you. 나는 자네만큼 젊지가 않다. ★ as의 앞뒤에 같은 말을 되풀이하여 '몹시', '무척', '아주'의 뜻을 나타낼 때가 있음: He was as *deaf as deaf*. 그는 귀가 아주 절벽이었다/She lay as *still as still*. 그녀는 꼼짝도 않고 누워 있었다. **b** 〚so 〔as〕 ... as __ 의 꼴로, 명사 뒤에 두어〛 …**만큼의**: A man *so* clever *as* he is not likely to make such a blunder. 그이처럼 영리한 남자가 그런 실수를 하지는 않는다. **c** 〚(as) ... as __ 의 꼴로, 관용적 비유로서〛 …**처럼 매우**: (*as*) cool *as* a cucumber 매우 냉정한/(*as*) good *as* gold 아주 행실이 좋은/(*as*) dead *as* a doornail 아주 숨이 끊어져/He was (*as*) busy *as* a bee. 그는 매우 분주했다.

3 a 〚때〛 …**할**〔**하고 있을**〕 **때**, …**하면서**, …하자, …하는 동안: He came up *as* she was speaking. 그녀가 이야기하고 있을 때 그가 왔다/*As* I entered the room, they applauded. 내가 방 안에 들어서자 그들은 박수를 쳤다/She sings *as* she goes along. 그녀는 걸으면서 노래를 부른다. **b** 〚추이〛 …**함에 따라**, …에 비례〔평행〕하여: *As* it grew darker, it became colder. 어두워짐에 따라 더욱 추워졌다/Two is to three *as* four is to six. =*As* two is to three, four is to six. 2:3=4:6.

> **NOTE** (1) as와 when 및 while의 비교: as는 두 일이 밀접한 관계에 있을 때 쓰며, when은 한때의 동작 또는 상태를 보이며, while은 기간을 가리킬 때 씀. 다만, *as* a boy =*when* a boy =*when* I was a boy '어렸을 때'에 있어서의 as와 when은 거의 같은 뜻임.
> (2) as는 두 가지 일이 동시에 발생했음을 보이는 것이므로 아래에서와 같이 두 가지 일이 독립성을 가질 때에는 when을 as로 바꿀 수가 없음: I'll call you *when* I've finished the work. 일을 끝내면 전화(를) 드리겠습니다.
> (3) 동시성을 강조하기 위해서는, just as ..., as soon as ... 를 씀.

4 a 〚흔히 문두에 와서 원인·이유〛 …**하여서**, …**이므로**, …**때문에**: *As* I am ill, I will not go. 병이 나서 안 가겠다/We didn't go, *as* it rained hard. 비가 몹시 쏟아져서 우리는 가지 않았다. SYN. ⇨BECAUSE. **b** 〚형용사〔부사〕+as ... 형태로〛 …**이**〔**하**〕**므로**: Careless *as* she was, she could never pass an examination. 그녀는 주의력이 부족해서 시험에는 도저히 합격할 수가 없었다.

5 〚양보〛 **a** 〚형용사〔부사·명사〕+as ... 의 꼴로〛 (비록) …**이**〔**하**〕**지만**, …이긴 하나(though): Rich *as* she is, she is not happy. 그녀는 부자이긴 하지만 행복하지는 않다/Hero *as* he was, he turned pale. 그는 비록 영웅이었지만 새파랗게 질렸다《명사 앞의 관사는 생략함》. **b** 〚원형동사+as+주어+may 〔might, will, would〕의 꼴로〛 (아무리) …하여도: Laugh *as* they *would*, he maintained the story was true. 그들은 웃었으나, 그는 그 이야기가 정말이라고 우겼다.

6 〚바로 앞 명사를 한정하여〛 (…하는) 바와 같은, (…했을) 때의《절 이외에 과거분사·형용사·전치사도 수반함》: This is freedom *as* we generally understand it. 이것이 우리가 일반적으로 이해하고 있는 의미에서의 자유이다/the English language *as* (it is) spoken in America 미국에서 쓰이고 있는 영어/the church *as* separate from the state 국가로부터 분리된 것으로서의 교회.

7 〚부정(否定)의 know, say, see의 목적어로서〛 《구어》 …하다는 것(that): I do*n't know as* I can come. 올 수 있을지 모르겠다.

8 …도 똑같이(and so): He studies hard, *as* does his sister. 그는 열심히 공부를 하는데 그의 누이도 또한 같다/She was delighted, *as* were we all 〔*as* we all were〕. 그녀는 기뻐하였고 우리들 모두도 그러했다.

as above 위〔상기(上記)〕와 같이. ***as against*** …에 대해서, …와〔에〕 비교하여: his argument *as against* yours 너의 의론에 대한 그의 반론/The business done this year amounts to $20,000 *as against* $15,000 last year. 금년의 거래는 작년의 15,000달러에 비하여 20,000달러에 달한다. ***as all that*** 〚보통 부정문에서〛 예상〔기대〕한 만큼: He's *not* as intelligent *as all that*. 그는 생각했던 만큼 현명하지 않다. ***as before*** 〔***below***〕 앞서〔아래〕와 같이. ***as for*** 〚보통 문장 앞에 써서〛 …은 어떠냐 하면, …로 말한다면, …에 관해서는(as to): *As for* me, I would rather not go. 나는 어떠냐 하면, 차라리 가고 싶지 않다/*As for* the journey, we will decide that later. 여행에 관해서는 다음에 결정하기로 하지. ***as from*** …(날)로부터《★ 실시·폐지 등을 나타낼 때에 종종 문서에 쓰임》: The agreement is effective *as from* September 1. 본 협정은 9월 1일부터 발효함. ***as good as*** ⇨GOOD. ***as good as one's word*** 약속을 어기지 않는: She was *as good as* her *word*. 그녀는 약속을 이행하였다. ***as how*** 《비표준》 …라고 하는 것을: Seeing *as how* you know him, you ask. 그를 알고 있는 사람은 당신이니까, 당신이 물어보시오. ***as if*** 《★ as if절에서는 가정법을 쓰나 구어에서는 직설법도 씀》 ① 마치 …처럼〔같이〕: He looked at her *as if* he had never seen her before. 그는 이제껏 그 여자를 본 일이 없는 듯한 표정으로 (그녀를) 바라보았다. ② 〚as if to do로〛 마치 …하는 것처럼〔…하듯이〕: He smiled *as if to* welcome her. 그는 그녀를 환영한다는 듯이 빙긋 웃었다. ③ 〚It seems 〔looks〕 as if ... 로〛 …처럼〔같이〕 (보이다, 생각되다): *It* *seemed as if* the fight would never end. 싸움이 끝나지 않을 것처럼 보였다/It looks *as if* it is going to snow. 눈이 올 것 같다. ④ 〖It isn't as if... 또는 As if...로〗 …은 아니겠고: *It isn't as if* he were poor. 그가 가난하지는 않겠는데/*As if* you didn't know! (설마) 네가 모르지는 않을 텐데! ***as it is*** 《★ 과거형은 as it was》 ① 〖보통 가정적 표현의 뒤에 오며, 문장 첫머리에서〗 (그러나) 실상〔실정〕은 (그렇지 않으므로), 실제로는: I would pay you if I could. But *as it is* I cannot. 치를 수 있다면 돈을 치르겠는데, 실정이 치를 수가 없다. ② 〖문장 중간·문장 끝에서〗 현재 상태로, 지금 상태로도 (이미): The situation is bad enough *as it is*. 사태는 현상태로도 꽤 나쁘다. ***as it were*** 〖삽입구로 써서〗 말하자면, 이른바(so to speak): She is a grown-up baby, *as it were*. 그녀는, 말하자면 어른(이 된) 아기다. ***as of*** ① (며칠날) 현재로〔에〕: *as of* May 1, 2000, 2000년 5월 1일 현재/*as of* today 오늘 현재. ② =as from. ***as opposed to*** …에 대립하는 것으로서(의), …과 대조적으로. ***as things are*** 〔***stand***〕 현상태로는, 지금으로서는. ***as though*** =as if. ***as to*** ① 〖문장 앞에 써서〗 =as for. ② 〖문장 안에 써서〗 …에 관해서〔대하여〕 《★ 의문절〔구〕 앞의 as to는 생략하는 일이 많음》: He said nothing *as to* the time. 그는 시간에 관해서는 아무 말도 안 했다/Nobody could decide (*as to*) what to do. 무엇을 해야 할지 아무도 정할 수 없었다. ③ …에 따라: classify *as to* size 크기에 따라 분류하다. ***as yet*** 지금까지로 봐선, 이제까지, 아직: She has not returned *as yet*. 그녀는 아직 돌아오지 않았다. ***so as to*** 〔***so as not to***〕 do …하도록〔하지 않도록〕: I got up early *so as to* be in time for the first train. 첫차 시간에 대도록 일찍 일어났다《★ … in order to take the first train으로 바꿔 쓸 수 있음》.

—*rel. pron.* **1** 〖제한 용법〗 《선행사에 붙은 as, such, the same과 상관하여》 …와 같은, …하는 바의: *As* many children *as* came were given some cake. 온 어린이들은 모두 (늘) 과자를 받았다/*Such* men *as* heard him praised him. 그의 이야기를 들은 사람들은 그를 칭찬했다/He is just *such* a teacher *as* we all admire. 그는 바로 우리 모두가 존경하는 그런 선생님이다/I have *the same* trouble *as* you had. 내게도 너와 같은 문제가 있다/This is *the same* watch *as* I lost. 이것은 내가 잃은 시계와 같은 (종류의) 시계다《비교: This is *the same* watch *that* I lost. 이것은 내가 잃어버린 (바로 그) 시계이다》. **2** 〖계속 용법〗 〖앞의 문장(의 일부) 또는 뒤에 오는 주절을 선행사로 하여서〗 **그것은 …이지만**, 그 사실은 …이긴 하지만: He was a foreigner, *as* I knew from his accent. 그는 외국인이었다, (그것은) 그의 말투로써 안 일이지만/*As* may be expected, it is very expensive. 대개 짐작이 가듯이, 그것은 퍽 비싼 물건이다/She was late, *as* is often the case with her. 그녀는 늦었다, 흔히 그러하기는 하지만.

as follows ⇨FOLLOW《관용구》. ***as is*** 《구어》 현상태대로, 정찰(正札)대로, (중고품 따위가) 수리되지 않은 상태로: The car was sold *as is*. 그 차는 수리하지 않고 팔렸다. ***as regards*** ⇨REGARD *vi.* 《관용구》.

—*prep.* **1** **…로서**: a position *as* a teacher of English 영어 교사(로서)의 지위/It can be used *as* a knife. 그건 나이프 대용으로 쓸 수가 있다/I attended the meeting in my capacity *as* adviser. 나는 고문(으로서)의 자격으로 회의에 참석했다.

> **NOTE** (1) as 다음에 오는 명사가 관직·역할·자격·성질 따위의 추상적 개념을 나타낼 때에는 관사를 붙이지 않음. 단, 개인 또는 개개의 물건을 나타낼 때는 a 〔an〕을 붙일 수 있음.
> (2) regard, think of, describe, see, speak of 따위 뒤에 쓸 경우, as가 형용사·분사를 수반하는 일이 많음: We thought of him *as* (*being*) a genious. 우리는 그를 천재로 생각했다/I regard him as (*being*) fit for promotion. 그는 승진할 자격이 있다고 생각한다.

2 〖목적격 보어를 이끌어서〗 **…이라고**, **…으로** 《뒤에 명사뿐 아니라 형용사나 분사가 올 때도 있음》: consider 〔regard〕 his remark *as* an insult 〔*as* insulting〕 그의 말을 모욕〔모욕적〕으로 여기다/I regard him *as* a fool. 그를 바보로 여기고 있다/They look up to him *as* their leader. 그들은 그를 지도자로 우러르고 있다. **3** **…처럼**: *as* dead leaves before the wind 바람에 날리는 낙엽처럼/The audience rose *as* one. 관중은 일제히 일어섰다. SYN. ⇨LIKE. **4** 예를 들면 …와 같은〔…같이〕: a capital city *as* Paris (or London) 파리 (또는 런던) 같은 수도(首都)/Some animals, *as* tigers, eat meat. 동물 중에는 호랑이같이 육식을 하는 것이 있다. ★ 보기를 열거할 때에는 such as가 보통임.

as a (***general***) ***rule*** 대체로, 일반적으로, 보통. ***as such*** ⇨SUCH《관용구》.

as- [æs, əs] *pref.* =《s앞에서》 AD-의 이형(異形): *as*similation.

As 〖화학〗 arsenic. **A.S., A.-s.** Anglo-Saxon.

ASA American Standards Association (미국 규격 협회)《필름의 노출지수(指數)를 나타내는 데 쓰임》.

a.s.a.p., asap as soon as possible.

as·bes·tos, -tus [æzbéstəs, æs-] *n.* Ⓤ 〖광물〗 아스베스토, 석면.

as·bes·to·sis [æ̀sbestóusis] *n.* Ⓤ 〖의학〗 아스베스토증; 석면 침착증(石綿沈着症)《허파 따위에 석면이 침착되는 직업병》.

ASCAP American Society of Composers, Authors and Publishers (미국 작곡가·작사가·출판인 협회).

as·cend** [əsénd] *vi.* **1** 《~/+副/+前+名》 **올라가다**, 기어오르다(cf. climb); (공중 따위로) 오르다, (연기 등이) 피어오르다: He *~ed to* the roof. 그는 지붕으로 올라갔다/The balloon *~ed* high *up in* the sky. 기구는 하늘 높이 올라갔다/Thick smoke *~ed from* the burning plane. 짙은 연기가 불타는 비행기에서 피어올랐다. **2** 《~/+前+名》 (길 따위가) 오르막이 되다: The path *~s from* here. 길은 여기서부터 오르막이 된다. **3** 《+前+名》 오르다; 승진하다《to*** (어떤 지위)에》: *~ to* power 권력의 자리에 오르다. **4** (물가 등이) 올라가다; (소리가) 높아지다.

—*vt.* **1** (오르막길·사다리 따위)를 **올라가다**, 오르다: ~ a lookout tower 전망대에 오르다/~ the stairs 〔a hill〕 계단〔언덕〕을 올라가다. **2** (강·시대 따위)를 거슬러 올라가다. **3** (지위)에 오르다: ~ the throne 왕위에 오르다. ↔ *descend*. ◇ ascent, ascension *n.*

as·cend·ance [əséndəns] *n.* =ASCENDANCY.

as·cend·an·cy, -en·cy [əséndənsi] *n.* Ⓤ 우월, 우세; 주도〔지배〕권《**over** …에 대한》: have 〔gain〕 an *ascendancy over* …보다 우세하다〔해지다〕, …을 제압〔지배〕하다.

as·cend·ant, -ent [əséndənt] *a.* **1** 상승하는, 올라가는. **2** 우세한; 지배적인. **3** 【점성】 동쪽 지평선상의. **4** 【천문】 중천으로 떠오르는: an ~ star. **—***n.* **1** (the ~) 우위, 우세《**over** …에 대한》. **2** Ⓤ 【점성】 (황도 12궁의 위치로 나타내는 탄생시의) 성위(星位), (성위로 차지한) 운세 (horoscope). ***in the*** **~** ① 극히 융성하여, 욱일승천의 기세로: The new political party is *in the* ~. 신정당은 욱일승천하고 있다. ② (운이) 트이어: One's star is *in the* ~. 세력이〔인기가〕 상승 중이다.

as·cénd·ing *a.* 오르는, 상승의; 향상적인: an ~ scale 【음악】 상승 음계.

ascénding órder 【컴퓨터】 오름차순《값이 작은 쪽에서 큰 쪽으로의 순서》.

ascénding sórt 【컴퓨터】 오름차순 정렬〔차례짓기〕.

as·cen·sion [əsénʃən] *n.* **1** Ⓤ 오름, 상승. **2** (the A–) 예수의 승천(昇天); (A–) =ASCENSION DAY. ◇ ascend *v.*

Ascénsion Dày 예수 승천일《부활절(Easter) 후 40 일째의 목요일》.

⁑as·cent [əsént] *n.* **1** Ⓤ (구체적으로는 Ⓒ) **상승**; 등반. ↔ *descent.* ¶the ~ *of* smoke 연기의 솟아오름 / make an ~ of (a mountain) (산)에 오르다. **2** Ⓤ (구체적으로는 Ⓒ) 향상; 승진: the ~ to governorship 주지사로의 승진. **3** Ⓒ 비탈, 오르막: a rapid 〔gentle〕 ~ 급〔완만한〕 경사. ◇ ascend *v.*

***as·cer·tain** [æ̀sərtéin] *vt.* 《~+목/+목+*to be* 보/+*wh.* 절/+*that* 절》 **확인하다**; 규명하다, 알아보다: ~ the report *to be* true 그 보고가 사실임을 확인하다 / ~ *what* really happened 일의 진상을 알아보다 / ~ *whether* the report is true 그 보고의 사실 여부를 확인하다 / She ~*ed that* her son had not been on the plane when it crashed. 그녀는 비행기가 추락했을 때 아들이 탑승하지 않았음을 확인했다. SYN. ⇨ FIND. ㊞ **~·a·ble** *a.* 확인〔조사〕할 수 있는. **~·ment** *n.* Ⓤ 확인, 탐지.

as·cet·ic [əsétik] *n.* Ⓒ 금욕주의자; 고행자, 수도자. **—***a.* 금욕적인; 고행의, 수도의. ㊞ **-i·cal** [-kəl] *a.* =ascetic. **-i·cal·ly** *ad.*

as·cet·i·cism [əsétəsìzəm] *n.* Ⓤ 금욕주의; 【종교】 고행〔수도〕 생활.

ASCII [ǽski:] 【컴퓨터】 American Standard Code for Information Interchange (미국 정보 교환 표준 코드).

ÁSCII chàracter 【컴퓨터】 아스키 문자《컴퓨터에서 사용되는 표준적인 1바이트 문자 세트의 문자》.

as·cór·bic ácid [əskɔ́:rbik-] 【생화학】 아스코르브산(酸)《비타민 C 의 별칭》.

As·cot [ǽskət, -kɑt] *n.* **1** 영국 Berkshire 에 있는 유명한 경마장; 애스컷 경마《6 월 셋째 주에 행해짐》. **2** (a–) =ASCOT TIE.

áscot tíe 애스컷타이《스카프 모양의 폭이 넓은 넥타이》.

as·crib·a·ble [əskráibəbəl] *a.* Ⓟ 돌릴 수 있는, …탓인, 기인하는《**to** …에》: His failure is ~ *to* incompetence. 그의 실패는 무능 탓이다.

°as·cribe [əskráib] *vt.* (원인 · 동기 등)을 돌리다, 기인〔근거〕하는 것으로 하다《**to** …에》: ~ one's success *to* good luck 성공의 원인을 행운에 돌리다 / These poems are ~*d to* Eliot. 이 시들은 엘리엇의 작품으로 여겨지고 있다. ◇ ascription *n.*

as·crip·tion [əskrípʃən] *n.* Ⓤ (원인 등을) 돌리기《**to** (어떤 탓)으로》: The ~ of his success *to* diligence alone isn't right. 그의 성공을 근면 탓으로만 돌리는 것은 옳지 않다.

A.S.D.I.C., as·dic [ǽzdik] *n.* Ⓒ 《英》 잠수함 탐지기(《美》 sonar). [◂*A*nti-*S*ubmarine *D*etection *I*nvestigation *C*ommittee]

ASEAN, A.S.E.A.N. [ǽsiən, eizí:ən] Association of Southeast Asian Nations (동남 아시아 국가 연합).

ASEM Asia-Europe Meeting (아시아 유럽 수뇌 회의)《ASEAN을 중심으로 한 아시아 나라들과 유럽 연합(EU)과의 수뇌 회의》.

asep·sis [əsépsis, ei-] *n.* Ⓤ 【의학】 무균 (상태); 방부법(防腐法); (외과의) 무균적 처치.

asep·tic [əséptik, ei-] *a.* 【의학】 무균의; 방부 처리를 한: ~ surgery 무균 수술. ㊞ **-ti·cal·ly** *ad.*

asex·u·al [eisékʃuəl] *a.* 【생물】 **1** 무성(無性)의; 무성생식의: ~ reproduction 무성생식. **2** 성(性)과 관계 없는. ㊞ **~·ly** *ad.*

⁑ash[1] [æʃ] *n.* **1 a** Ⓤ (종종 *pl.*) **재**, 화산재: Don't drop cigarette ~. 담뱃재를 떨어뜨리지 마시오 / Please clear the ~*es* from the fireplace. 난로의 재를 청소해 주세요. **b** (*pl.*) (화재에 의한) 폐허, 회진(灰燼): be burnt 〔reduced〕 to ~*es* 불타서 재가 되다. **2** Ⓤ 【화학】 회(灰): soda ~ 소다회. **3** (*pl.*) 유골; 《시어》 유해: His ~*es* are in Westminster Abbey. 그의 유해는 웨스트민스터 성당에 묻혀 있다 / Peace to his 〔her〕 ~*es!* 그〔그녀〕의 영령이여 평안하소서.

ash[2] *n.* Ⓒ 【식물】 양물푸레나무; Ⓤ 그 재목.

ASH [æʃ] 《英》 Action on Smoking and Health (금연 건강 증진 협회)《흡연 반대 운동》.

⁑ashamed [əʃéimd] *a.* Ⓟ **1 부끄러이 여기는,** 수줍어하는《**of** …을 / **that** / **to** do》: be 〔feel〕 ~ *of* one's folly 자신의 어리석은 짓을 부끄럽게 여기다 / I am ~ *that* I said such a thing. 그런 말을 해서 부끄럽다 / I was deeply ~ not *to* have recognized her. 그녀를 알아보지 못한 것이 몹시 부끄러웠다. **2** (…하는) 것이 부끄러운〔창피스러운〕; 부끄러워 …할 마음이 나지 않는《**to** do》: He was ~ *to* ask for help. 그는 도움을 청하는 것이 창피스러웠다 / I am ~ *to* see you. 부끄러워서 만나고 싶지 않다.

> **NOTE** (1) ˣan *ashamed* girl처럼 한정용법은 불가(不可)하지만 a very *ashamed* girl (몹시 수줍음을 타는 소녀)처럼 수식어를 수반할 때는 가능.
> (2) ashamed를 단순히 「멋적다」, 「쑥스럽다」에 가까운 의미로는 쓸 수 없음: ˣI am *ashamed of* this dress.《★ This dress is *too* loud for me. (이 옷은 내가 입기에 너무 야하다)처럼 「창피하다」는 뜻은 언외(言外)에 포함시키는 일이 많음》.
> **DIAL** ***You ought to be ashamed*** **(*of yourself*).** 남 부끄러운 줄 알아야 한다.

㊞ **ashám·ed·ly** [-idli] *ad.* 부끄러워, 창피스러워서.

ásh·bín *n.* Ⓒ 《英》 쓰레기통, 재받이통.

ásh-blònde *n.* Ⓤ 엷은 금발색; Ⓒ 엷은 금발의 사람.

ásh·càn *n.* Ⓒ ⟪美⟫ (금속제의) 재 담는 통, 쓰레기통(⟪英⟫ dustbin).

ash·en[1] [ǽʃən] *a.* 재의, 잿빛의, 창백한: turn ~ 안색이 창백해지다.

ash·en[2] *a.* 양물푸레나무(재목)의.

Ash·ke·na·zi [æ̀ʃkənáːzi] (*pl.* **-zim** [-zim]) *n.* Ⓒ 독일·폴란드·러시아계 유대인.

ash·lar, -ler [ǽʃlər] *n.* **1** Ⓒ (집합적으로는 Ⓤ) (건축용의) 떼내어 다듬은 돌, 모나게 깎은 돌. **2** Ⓤ 그 돌을 쌓기.

ásh·màn [-mæ̀n] (*pl.* **-mèn** [-mèn]) *n.* Ⓒ ⟪美⟫ 쓰레기 수거인(⟪英⟫ dustman). ★ garbage collector (man)이 일반적임.

*__ashore__ [əʃɔ́ːr] *ad.* **해변에(으로)**, 물가에(로); 육상에서(의)(↔ *aboard*): life ~ 육상 생활(↔ *life afloat*)/swim ~ 해안에 헤엄쳐 닿다/be driven ~ =run ~ (바람이나 파도로) 좌초되다/be washed ~ 해안에 밀려 올려지다/come (go) ~ 상륙하다, 뭍에 오르다.

ásh·pàn *n.* Ⓒ (난로 안의) 재받이.

◇**ásh·tràу** *n.* Ⓒ (담배) 재떨이.

Ásh Wédnesday 재의 수요일, 봉재수일⟪사순절(Lent)의 첫날; 옛날 이 날에 참회자 머리 위에 재를 뿌린 습관에서⟫.

ashy [ǽʃi] (**ash·i·er; -i·est**) *a.* 재의; 재투성이의; 재와 같은; 잿빛의, 창백한.

†**Asia** [éiʒə, -ʃə] *n.* **아시아**.

Ásia Mínor 소아시아⟪흑해와 지중해 사이의 지역⟫.

*__Asian, Asi·at·ic__ [éiʒən, -ʃən], [èiʒiǽtik, -ʃi-] *a.* **아시아의**, 아시아 사람(풍)의. **—***n.* Ⓒ **아시아 사람**. ★ 인종을 말할 경우 Asiatic은 경멸의 뜻이 있다고 여겨져 Asian쪽을 쓰는 경향이 있음.

Ásian Gámes (the ~) 아시아 경기 대회⟪올림픽 대회 중간 해에 아시아에서 4년마다 개최함⟫.

Ásian influénza (flú), Asiátic flú (influénza) 〖의학〗 아시아 독감.

Á-sìde *n.* Ⓒ (레코드의) A면. ⓒⓕ B-side.

‡**aside** [əsáid] *ad.* **1 곁에(으로)**; 떨어져서 ⟪**from** …으로부터⟫: stand (step) ~ 비켜서다, 길을 비키다. **2 a** ⦅명사 또는 동명사의 뒤에 와서⦆ …은 따로 하여, …은 제쳐놓고: jok*ing* (jest*ing*) ~ 농담은 집어치우고. **b** (어떤 목적을 위해) …은 별도로, 따로 떼어두어: She kept the book ~ for me. 그녀가 나를 위해 그 책을 따로 간직해 두었다. **3** 〖연극〗 방백(傍白)으로: speak ~ 혼잣말하다; 〖연극〗 방백하다. **4** 고려하지 않고, 잊어버리고: He tried to put his troubles ~. 그는 괴로운 일을 잊어버리기로 했다.

~ from ⟪美⟫ …은 차치하고; …을 제외하고: I like all sports, ~ *from* baseball. 야구를 제외하고 모든 스포츠를 좋아한다. ***lay*** (***set***) **~** 곁에 놓다; 저축해 두다; 제쳐놓다, 내버리다: *lay* (*set*) money ~ for an emergency 비상용으로 돈을 떼어 두다. ***put* ~** ① 제쳐놓다, 따로 떼어 두다. ② 그만두다: *put* one's cares ~ 걱정하는 것을 그만두다. ***take*** (***draw***) **a person ~** (은밀한 이야기를 하려고) 아무를 옆으로 데리고 가다.

—*n.* Ⓒ **1** 귀엣말. **2** 〖연극〗 방백. **3** 여담; 탈선: He spoke in an ~ of his family. 그는 여담으로 자기 가족 얘기를 했다.

As·i·mov [ǽzəmɔ̀f, -mɔ̀ːf/-mɔ̀f] *n.* **Isaac ~** 아시모프⟪러시아 태생의 미국의 생화학자·과학 추리 소설가; 1920–92⟫.

as·i·nine [ǽsənàin] *a.* 나귀(ass)의(같은); 우둔한(stupid). ⓟ **as·i·nin·i·ty** [æ̀səninəti] *n.* Ⓤ 우둔.

†**ask** [æsk, ɑːsk] *vt.* **1** ⟪~+목/+목+목/+목+전+명/+목+*wh.* 절/+목+*wh. to* do/+*wh. to* do⟫ (길 따위)를 **묻다**, (질문)**을 하다; 질문하다** ⟪***of*** (아무)에게; ***about*** …에 관해서⟫: She ~*ed* my age. 그녀는 내 나이를 물었다/He ~*ed* me my name. 그는 나에게 이름을 물어보았다/~ the way *of* a policeman 경찰에게 길을 묻다/I ~*ed* him a question. =I ~*ed* a question *of* him. 그에게 질문하였다⟪★ 4형식 문장을 3형식 문장으로 바꿀 때 전치사 to를 쓰지 않고 of를 씀에 주의⟫/I ~*ed* her *about* her job. 그녀에게 그녀의 직업을 물어 보았다/*Ask* (him) *who* did it. 누가 했는지 (그에게) 물어봐/*Ask* him *where to* go. 어디로 가야 할지 그에게 물어 봐/*Ask how to* do it. 어떤 방법으로 해야 좋은지 물어 보시오/He *asked* me how I knew about it. 그는 나에게 그것에 대해 어떻게 알았냐고 물었다.

ⓈⓎⓃ **ask** '묻다'의 뜻의 가장 일반적인 말. **inquire** ask보다 격식차린 말. 정보·안내를 요구할 때에도 흔히 쓰임: *inquire* about trains to London 런던행 열차에 대해서 묻다. **demand** 고압적으로 성급하게 묻다. **query** 진위(眞僞)를 의심하며 묻다. **question, interrogate** 몇 가지 질문을 잇따라 하다. interrogate는 보다 조직적으로 심문하다.

2 ⟪~+목/+목+목/+목+전+명⟫ (대금)을 청구하다, 요구하다⟪***for*** …에 대하여⟫: ~ a high price 비싼 값을 청구하다/They ~*ed* me 20,000 won *for* this watch. 그들은 이 시계에 대하여 20,000원을 청구했다.

3 ⟪~+목/+목+목/+목+전+명/+*to* do/+목+*to* do/+*that* 절⟫ 청하다, **바라다**, 부탁(요청)하다, 의뢰하다⟪***of*** (아무)에게; ***from*** (아무)에게서; ***for*** …을⟫: ~ a person a favor =~ a favor *of* a person 아무에게 청탁을 하다/I ~*ed* permission *from* him. 그에게 허가를 요청했다/~ him *for* help 그에게 조력을 구하다(청하다)/I ~*ed to* be admitted. 입회(입학) 허가를 요청하였다/I ~*ed* him *to* come. 나는 그에게 와 주십사고 청했다/I ~*ed that* he (should) come at once. 그에게 곧 와 달라고 부탁했다/*Ask* him. 그에게 부탁하시오⟪★ *Ask* him.의 경우 문맥 여하에 따라 *for*... 로도 *to* do 로도 될 수 있음⟫.

4 ⟪+목+전+명/+목+부/+목+*to* do⟫ (아무)를 초대하다⟪***to, for*** …에⟫; 불러들이다(*in; over*); (…하자고) 권하다: ~ a person *to* one's party (*for* dinner) 아무를 파티(정찬)에 초대하다/Shall I ~ him *in*? 그를 들어오라고 할까요/~ a person *over* (*for* dinner) 아무를 (만찬에) 초청하다/My brother ~*ed* me *to* dine with him at his club. 형님은 클럽에서 식사를 함께 하자고 나를 초대했다.

5 필요로 하다: Such research ~*s* much time and money. 그런 연구에는 많은 시간과 돈이 필요하다.

—*vi.* ⟪~/+전+명⟫ **1 a** 묻다; **질문하다**⟪***about*** …에 대하여⟫: *Ask* at the information desk. 안내소에서 물어보세요/~ *about* a person's whereabouts 아무의 거처를 묻다. **b** 안부를 묻다⟪***after*** …의⟫: He ~*ed after* you (your health〕. 그가 당신의 안부를〔건강을〕 물었습니다. **2** 요구〔청구〕하다, 요청하다; 면회〔면담〕를 청하다《*for* …을, …의》: ~ *for* attention 주의를 요구하다/How much is he ~*ing for?* 얼마 내라고〔얼마라고〕 합니까/I ~*ed for* the manager. 지배인에게 면담을 요청했다.

~ around 여기저기 물어보다, 주변 사람에게 묻다《*for* …을》: If you don't know, you had better ~ *around*. 모르거든, 여러 사람에게 물어보는 것이 좋다/I ~*ed around for* information. 여기저기 정보를 얻으러 돌아다녔다. **~ for it** 〔**trouble**〕《구어》 사서〔자청하여〕 고생을 하다: You have ~*ed for it!* 자업자득(自業自得)이다. **~ me another**《구어》(그런 일) 나는 모르겠네. **~ out** 《*vt.*+副》 초대하다, 부르다《*for, to* …에》: I've been ~*ed out for* the party. 나는 그 파티에 초대받았다/He ~*ed* me *out to* a movie. 그는 영화를 보러가자고 나를 불러냈다. ***if I may*** **~** 이렇게 물으면 실례가 될지 모르겠습니다만: How old are you, *if I may* ~? 실례지만 몇 살입니까. ***If you*** **~** ***me, …***《구어》 내가 보는〔생각하는〕 바로는 …: Her dress is too loud, *if you* ~ *me*. 내가 보기에 그녀의 옷은 너무 야하다.

> DIAL. ***Don't ask me.*** 내게 묻지 마, 그런 걸 알게 뭐야《상대방 질문에 대한 대답을 모르거나, 질문 받고 놀라거나 귀찮을 때의 대답》: Where did she buy that bag?—*Don't ask me!* 그녀는 저 가방을 어디서 샀지—알게 뭐야.
> ***I ask you!*** (지겨움·놀라움을 나타내어) 정말 어처구니 없군, 기가 막혀, 지독하군.
> ***Sorry*** (***that***) ***I asked.*** 차라리 묻지 말걸(← 나는 물었던 걸 후회하고 있다).
> ***You may well ask!***《농조로》 물어 볼 만도 하지《어려운 질문을 받았을 때》.

askance [əskǽns] *ad.* 옆으로, 비스듬히; 곁눈질로, 흘기어. ***look*** **~** ***at*** …을 곁눈질로〔흘겨〕 보다《의심 또는 비난하여》.

askew [əskjúː] *ad.* 비스듬하게: look ~ at …을 흘겨보다, 곁눈질하다. **—***a.* Ⓟ 비뚤어진, 일그러진: The letters were ~. 글자들이 비뚤어져 있었다.

ásk·ing *n.* Ⓤ 구함, 청구. ***for the*** **~** 청구만 하면; (원하면) 거저, 무상으로(for nothing): You may have it 〔It's yours, It's there〕 *for the* ~. 달라고만 하면 (거저) 준다.

ásking prìce《구어》 부르는 값, 제시 가격.

aslant [əslǽnt, əslάːnt] *ad.*, *a.* Ⓟ 비스듬하게〔한〕, 기울어져〔진〕.

‡**asleep** [əslíːp] *a.* Ⓟ **1** 잠든(↔ *awake*): He is ~. 그는 자고 있다. **2** 죽은 것 같은; (정신이) 흐리멍덩한, 멍한. **3** (수족이) 마비된, (몸이) 말을 안 듣는(numb): My leg is ~. (한쪽) 다리가 저리다. ***be*** 〔***lie***〕 ***fast*** 〔***sound***〕 **~** 깊이 잠들어 있다. ***fall*** **~** 잠들다;《완곡어》 영면하다, 죽다. ***half*** **~** 완전히 깨지 않은.

A/S lèvel《英》 A/S급 시험《상급 A level과 일반 중등 교육(GCSE)의 중간급인 GCE 시험; 1989년 이후 시행》. [◂*A*dvanced *S*upplementary *level*]

aslope [əslóup] *a.* Ⓟ, *ad.* 비탈진〔져서〕, 경사진〔져서〕.

aso·cial [eisóuʃəl] *a.* 비사교적인; 반사회적인;《구어》 이기적(利己的)인.

asp [æsp] *n.* Ⓒ 독사《남유럽·북아프리카·아라비아산(産)》; 이집트산 코브라.

°**as·par·a·gus** [əspǽrəgəs] *n.* Ⓤ 〖식물〗 아스파라거스《연한 싹은 식용》.

as·par·tame [æspάːrtèim] *n.* Ⓤ 아스파테임《FDA에서 허가한 저칼로리 인공 감미료》.

‡**as·pect** [ǽspekt] *n.* **1** Ⓤ (구체적으로는 Ⓒ) (사물의) 모습, 외관, (사람의) 용모, 표정: the awful ~ of the Himalayas 히말라야 산맥의 장엄한 모습/wear an ~ *of* gloom 우울한 표정을 하고 있다. **2** Ⓒ **국면**, 양상, 정세(phase): assume 〔take on〕 a new ~ 새 국면에 접어들다/the various ~*s of* life 인생의 여러 가지 양상. SYN. ⇨PHASE. **3** Ⓒ 견지, 견해; (문제를 보는) 각도: consider a question in all its ~*s* 문제를 모든 각도에서 고찰하다. **4** Ⓒ 〔방향을 나타내는 수식어를 수반하여〕 (집의) 방향, 방위: His house has a southern ~. 그의 집은 남향이다. **5** Ⓒ 〖천문〗 성위(星位); 〖점성〗 별의 상(相). **6** Ⓤ (구체적으로는 Ⓒ) 〖문법〗 (동사의) 상(相).

as·pen [ǽspən] *n.* Ⓒ 〖식물〗 사시나무포플러 (quaking ~). **—***a.* Ⓐ 포플러의 (잎 모양을 한): tremble like an ~ leaf (사시나무 떨듯) 와들와들 떨다.

as·per·i·ty [æspérəti] *n.* **1** Ⓤ (기질·말투 등의) 거칠음, 신랄함, 퉁명스러움: answer with ~ 퉁명스럽게 대답하다. **2** Ⓒ (보통 *pl.*) 거친〔신랄한〕 말. **3** Ⓤ (또는 *pl.*) (날씨의) 매서움; (처지의) 쓰라림: the *asperities* of life in Siberia 시베리아 생활의 쓰라림. **4 a** Ⓤ (표면의) 꺼칠꺼칠함. **b** Ⓒ 울퉁불퉁〔꺼칠꺼칠〕한 곳: the *asperities* of the ground 울퉁불퉁한 지면.

as·perse [əspə́ːrs] *vt.* 헐뜯다, 중상하다.

as·per·sion [əspə́ːrʒən, -ʃən] *n.* Ⓒ 비방, 중상. 〔보통 다음 관용구로〕 ***cast*** **~*s on*** a person***'s honor*** 아무의 명예를 중상하다.

as·phalt** [ǽsfɔːlt/-fælt] *n.* Ⓤ **아스팔트**; 포장용 아스팔트. **—vt.* (도로)를 아스팔트로 포장하다. ㊞ **as·phal·tic** [æsfɔ́ːltik/-fǽl-] *a.*

ásphalt jùngle (종종 the ~) 생존경쟁이 치열한 대도시; (약육강식의) 대도시(의 특정 지역).

as·pho·del [ǽsfədèl] *n.* Ⓒ 〖식물〗 아스포델《백합과의 식물》;《시어》 수선화.

as·phyx·ia, as·phyxy [æsfíksiə], [-fíksi] *n.* Ⓤ 〖의학〗 질식, 가사(假死), 기절.

as·phyx·i·ate [æsfíksièit] *vt.* 질식시키다 (suffocate): *asphyxiating* gas 질식 가스. **—***vi.* 질식〔가사〕 상태로 되다. ㊞ **as·phỳx·i·átion** [-ʃən] *n.* Ⓤ 질식, 가사 (상태), 기절.

as·pic *n.* Ⓤ 〖요리〗 애스픽《육즙으로 만든 젤리》.

as·pi·dis·tra [æ̀spidístrə] *n.* Ⓒ 〖식물〗 엽란(葉蘭)《주로 가정에서 재배하는 관상용 식물》.

as·pir·ant [ǽspərənt, əspáiər-] *n.* Ⓒ 열망자, 지망자《*to, after, for* (명예·높은 지위 따위)의》: an ~ *to* the White House 〔Presidency〕 백악관을〔대통령의 지위를〕 노리는 사람.

as·pi·rate [ǽspərèit] 〖음성〗 *vt.* 기음(氣音)을 내어 발음하다: ~ a consonant 자음 다음에 기음을 내다/~ a vowel 모음 앞에 h를 더하여 발음하다. **—** [ǽspərit] *n.* Ⓒ 기(식)음, h음; 기음 글자, h자; 대기음(帶氣音)《[k^h, g^h] 따위의 음》. **—** [ǽspərit] *a.* 기(식)음의, h음의.
㊞ **ás·pi·ràt·ed** [-rèitid] *a.*

°**as·pi·ra·tion** [æ̀spəréiʃən] *n.* **1** Ⓤ (구체적으로는 Ⓒ) 열망; 포부, 큰 뜻, 대망《*for, after* …에 대한/*to* do》: intellectual ~*s* 지식욕/his ~*s* *for* 〔*after*〕 fame 그의 명예욕/He had an ~ *to* be a lawyer. 그는 변호사가 되기를 열망했다. **2** [C] 염원의 표적, 소망〔동경〕의 대상: The generalship was his ~. 장군 자리가 그의 목표였다. **3** [U] 호흡, 흡기(吸氣). **4** [U] 〖음성〗 기(식)음; 대기음(帶氣音).

as·pi·ra·tor [ǽspərèitər] *n.* [C] **1** 흡기기(吸氣器), 흡입기. **2** 〖의학〗 (가스 · 고름 등을 빼내는) 흡출기.

*****as·pire** [əspáiər] *vi.* 《+[전]+[명]/+*to* do》 **열망하다,** 포부를 갖다, 대망을 품다, 갈망하다《***after, to*** …을 얻으려고》: ~ *after* 〔*to*〕 fame 명성 얻기를 열망하다/~ *after* truth 진리를 추구하다/~ *to* attain to power 권력을 잡으려고 열망하다/~ *to* be a leader of men 사람들의 지도자가 될 뜻을 품다. ◇ aspiration *n.*

*****as·pi·rin** [ǽspərin] (*pl.* ~(**s**)) *n.* 〖약학〗 [U] **아스피린;** [C] 아스피린정(錠).

as·pir·ing [əspáiəriŋ] *a.* 포부가〔야심이〕 있는; 높은 목표를 겨냥하는. [파] ~**·ly** *ad.*

asquint [əskwínt] *ad., a.* [P] 곁눈으로 (보는), 눈을 흘겨〔흘기는〕: look ~ 곁눈질하다.

⁑**ass**[1] [æs] *n.* [C] **1** 〖동물〗 **당나귀**(donkey). **2** 바보; 고집쟁이. ***make an ~ of*** a person 아무를 우롱하다. ***make an ~ of oneself*** 어리석은 짓을 하다, 웃음거리가 되다.

ass[2] [æs] *n.* 《美비어》 **1** [C] 엉덩이; 항문. **2** [U] 〖a piece 〔bit〕 of ~로〗 성교; (성교 대상으로서의) 여성.

as·sai [əsáːi/ɑːs-] *ad.* 《It.》 〖음악〗 대단히, 극히(very): allegro ~ 아주 빠르게.

◇**as·sail** [əséil] *vt.* **1** (사람 · 진지 등)을 습격하다, (맹렬히) 공격하다; 추궁하다; 공박하다, 몰아세우다《***with*** (무력 · 질문 따위)로》: ~ a castle 성을 공격하다/~ a person *with* questions 아무를 질문으로 공박하다. [SYN.] ⇨ATTACK. **2** (일 · 연구 등)에 과감히 착수하다, (난국 등)에 맞서다: ~ the difficulty 곤란에 과감히 맞서다/~ one's task with great enthusiasm 대단한 열의를 갖고 일에 착수하다. **3** (의혹 · 공포 등이 사람 · 마음)을 괴롭히다《★ 종종 수동태로 쓰며, 전치사는 *by, with*》: Fears ~*ed* her. 두려움이 그녀를 엄습했다/He *was* ~*ed with* 〔*by*〕 doubts. 그는 의혹에 시달렸다.
[파] ~**·a·ble** *a.* 공격할 수 있는; 약점이 있는.

as·sail·ant [əséilənt] *n.* [C] 공격자; 가해자; 적.

As·sam [æsǽm, ə-/ǽsæm] *n.* 아삼《인도 북동부의 주; 주도 Shillong》.

◇**as·sas·sin** [əsǽsin] *n.* [C] (저명한 인사에 대한) 암살자, 자객.

◇**as·sas·si·nate** [əsǽsənèit] *vt.* (주로 정치상의 이유로) 암살하다. [SYN.] ⇨KILL. [파] **as·sàs·si·ná·tion** *n.* [U] (구체적으로는 [C]) 암살. **as·sàs·si·ná·tor** [-tər] *n.* [C] 암살자.

◇**as·sault** [əsɔ́ːlt] *n.* **1** [C] 강습, 습격; 맹렬한 공격《***on, upon*** …에 대한》: carry 〔take〕 an enemy position by ~ 적진을 습격하여 점령하다《★ by ~는 관사 없이》/make an ~ *on* 〔*upon*〕 the enemy headquarters 적의 사령부를 맹공하다. **2** [U] (구체적으로는 [C]) 〖법률〗 폭행, 폭력(행위); 《완곡어》 (여성에 대한) 폭행, 강간. ***~ and battery*** 〖법률〗 폭행, 폭력 행위.
—*vt.* **1** (사람 · 진지)를 습격〔강습〕하다. **2** (사람)을 폭행하다; (여성)을 폭행〔강간〕하다.

as·say [ǽsei, æséi] *n.* [C] 시금(試金), 분석(평가); 시금물(物); 분석물, 분석표: An ~ was made of the coin. 금속 화폐는 품질 검사를 위해 분석되었다. **—** [əséi] *vt.* **1** 시금하다《금 · 은 등의 함유량을 조사하기 위해》. **2** 분석(평가)하다; 시도〔시험〕하다: ~ a person's ability 아무의 능력을 시험하다. **—***vi.* 《美》 (금속의 특정 순분(純分)을) 함유하다: This ore ~*s* high in gold. 이 광석은 금 함유율이 높다.

as·sáy·er *n.* [C] 분석자, 시금자.

◇**as·sem·blage** [əsémblidʒ] *n.* **1** [C] 〖집합적; 단 · 복수취급〗 회중(會衆); 집단; 집회, 회합; (물건의) 집합, 수집. **2** [U] (기계의 부품) 조립. ◇ assemble *v.*

⁑**as·sem·ble** [əsémbəl] *vt.* **1** (사람)을 **모으다,** 집합시키다, 소집하다: The president ~*d* his advisers for conference. 사장은 회의를 위해 고문들을 소집했다. [SYN.] ⇨GATHER. **2** (물건)을 모아 정리하다: We're leaving soon, so ~ all your baggage. 곧 출발하니, 수화물을 전부 정리해 두시오. **3** 《~+[목]/+[목]+[전]+[명]》 (기계)를 **조립하다,** (부품)을 조립하여 만들다《***into*** …으로》: ~ a car 자동차를 조립하다/~ parts *into* a machine 부품으로 기계를 조립하다. **4** 〖컴퓨터〗 짜맞추다, 어셈블. **—***vi.* 모이다, 회합하다.

⁑**as·sem·bly** [əsémbli] *n.* **1 a** [C] (사교 · 종교 등 특별한 목적의) **집회,** 회합, 회의: an unlawful ~ 불법 집회/summon an ~ 회의를 소집하다/⇨GENERAL ASSEMBLY. **b** [U] (초등학교 등의) 조회《따위》. **c** [U] 집합(하기), 모임: freedom of ~ 집회의 자유. [SYN.] ⇨MEETING. **2** [C] (종종 A-) (입법) 의회; (the A-) 《美》 (주의회의) 하원: a legislative ~ 입법 의회/the National *Assembly* (한국 등의) 국회. **3 a** [U] (기계 부품의) 조립. **b** [C] 조립품, 조립 부속품. **4** [C] 〖군사〗 집합 신호《나팔 · 북 따위》. **5** [C] (보통 *sing.*) 〖컴퓨터〗 어셈블리《어셈블러 기계어로 적힌 프로그램으로의 변환(變換)》.

assémbly lànguage 〖컴퓨터〗 어셈블리어(語)《기계어에 가까운 프로그래밍 언어의 한 가지》.

assémbly lìne 일관 작업(의 열(列)), 조립 라인《대량생산을 위한 작업 공정》.

assémbly·man [-mən] (*pl.* **-men** [-mən]) *n.* [C] 의원; (A-) 《美》 주의회(州議會) 하원 의원; (기계의) 조립공.

assémbly prògram 〖컴퓨터〗 짜맞춤〔어셈블리〕 프로그램.

assémbly ròom (종종 *pl.*) 집회실, 회의실; (학교) 강당; 조립 공장.

assémbly ròutine 〖컴퓨터〗 어셈블리 경로, 어셈블리 루틴.

◇**as·sent** [əsént] *vi.* 동의하다, 찬성하다(agree) 《***to*** (제안 · 의견 따위)에/***to*** do》: ~ *to* the proposal 제안에 찬성하다/I ~*ed to* go with her. 나는 그녀와 함께 가기로 했다. [SYN.] ⇨ AGREE.
—*n.* [U] 동의, 찬성, 승낙《***to*** …에 대한》: give one's ~ (*to* a plan) (계획에) 동의하다/nod (one's head in) ~ 머리를 끄덕여 찬성을 표시하다. ***by common ~*** 전원 이의 없이. ***with one ~*** 만장일치로.

*****as·sert** [əsə́ːrt] *vt.* **1** 《~+[목]/+[목]+*to be* [보]/+*that* [절]》 **단언하다,** 역설하다; 강력히 주장하다: ~ one's innocence 자신의 결백을 주장하다/I ~ *that* he is 〔~ him *to be*〕 innocent. 그는 무죄라고 나는 단언한다. **2** (권리 따위)를 주장〔옹호〕하다. **3** 〖~ oneself〗 **a** 제 주장을 세우다:

You should ~ yourself more. 더욱더 네 주장을 내세워야 한다. **b** (천성이) 드러나다: His natural cheerfulness again ~*ed* itself. 그의 쾌활한 천성이 다시 나타났다. ◇ assertion *n.*

SYN. **assert** 증거 없이 신념을 갖고 주장함. **affirm** 증거나 그 밖의 근거에 의거하여 진실을 주장함.

◇**as·ser·tion** [əsə́ːrʃən] *n.* Ⓤ (구체적으로는 Ⓒ) 단언, 단정, 주장《*that*》: an unwarranted ~ 근거 없는 부당한 주장/make an ~ 주장하다. ◇ assert *v.*

as·ser·tive [əsə́ːrtiv] *a.* 단언적인, 단정적인; 독단적인, 우기는 (듯한): an ~ sentence 〖문법〗 단정문(declarative sentence). ㊞ **~·ly** *ad.* 단호하게. **~·ness** *n.*

as·sess [əsés] *vt.* **1** (재산 · 수입 따위)를 평가하다; (세금 · 벌금 따위)를 사정하다《*at* …으로》: ~*ed* amount 사정액/~ a house *at* 80,000,000 won 집을 8천만 원으로 평가하다. **2** (세금 · 기부금 따위)를 부과하다; 할당하다《*on, upon* …에》: ~ 50,000 won *on* land 토지에 5만 원을 과세하다. **3** (사람 · 사물 따위의 성질 · 가치 등)을 평가〔판단〕하다: ~ one's efforts 자신의 노력을 평가하다/He ~*ed* the situation correctly. 그는 상황을 정확히 판단했다. ㊞ **~·a·ble** *a.* 사정〔평가〕할 수 있는; 부과할 수 있는; 과세해야 할.

as·séss·ment *n.* **1 a** Ⓤ (과세를 위한) 사정, 평가; 부과. **b** Ⓒ 세액(稅額), 평가액, 사정액: my tax ~ for 2001, 2001 년분의 나의 세액. **2** Ⓤ (구체적으로는 Ⓒ) (사람 · 사물 등의) 평가, 판단: make an ~ *of* the new recruits 신인을 평가하다/a standard *of* ~ 과세 표준, 과표/an ~ *of* environmental impact 환경 영향 평가.

as·ses·sor [əsésər] *n.* **1** Ⓒ 재산 평가인, 과세 평가인, 사정관. **2** 〖법률〗 배석 판사; 보좌역.

◇**as·set** [ǽset] *n.* **1 a** Ⓒ 자산(의 한 항목). **b** (*pl.*) (회사 · 개인의) 자산, 재산: ~*s* and liabilities 자산과 부채/personal 〔real〕 ~*s* 동산〔부동산〕. **2** Ⓒ 가치를 지닌 것; 유용한 자질; 이점, 장점《*to, for* …의》: Sociability is a great ~ *to* a salesman. 사교성이란 외판원에게는 큰 자산이다.

ásset strìpping 〖상업〗 자산 박탈《자산은 많으나, 경영이 부실한 회사를 사들여 그 자산을 처분하여 이익을 얻는 일》.

as·sev·er·ate [əsévərèit] *vt.* 강력히 말〔언명〕하다, 단언하다; 단호히 주장하다《*that*》. ㊞ **as·sèv·er·á·tion** *n.* Ⓤ (구체적으로는 Ⓒ) 단언, 확언.

áss·hòle *n.* Ⓒ 《비어》 똥구멍(anus); 지겹게 싫은 녀석, 상머저리.

as·si·du·i·ty [æ̀sidjúːəti] *n.* **1** Ⓤ 근면: with ~ 근면하게, 열심히. **2** Ⓒ (보통 *pl.*) (여러 가지) 배려, 마음씀, 진력.

as·sid·u·ous [əsídʒuəs] *a.* **1** 근면한: be ~ *in* studies 학문을 열심히 하다. **2** Ⓐ (주의 등이) 주도면밀한. ㊞ **~·ly** *ad.* **~·ness** *n.*

***as·sign** [əsáin] *vt.* **1** 《~+목/+목+전+명/+목+목》 **할당하다**, 배당하다(allot); 주다《*to* (아무)에게》: ~ homework 숙제를 내다/~ work *to* each man 각자에게 일을 할당하다/He ~*ed* us the best room of the hotel. =He ~*ed* the best room of the hotel *to* us. 그는 우리에게 그 호텔의 제일 좋은 방을 배당해 주었다/~ a duty *to* a person 아무에게 임무를 부여하다. **2** 《+목+전+명/+목+*to* do》 (아무)를 선임(選任)하다(appoint), 배속하다《*for, to* (임무 · 직장 따위)에》; **지명하여 …시키다**, 임명하다; (…하도록) 명하다: The president himself ~*ed* me *to* this job. 사장 자신이 나를 이 일에 임명하였다/He ~*ed* me *to* watch the house. 그는 나에게 그 집을 지키도록 명했다.
3 《+목+전+명》 (때 · 장소 따위)를 **지정하다**, (설)정하다《*for* …을 위하여; *to* …에》: ~ a day *for* a festival 축제일로 지정하다/~ a limit *to* something 어떤 일에 한계를 정하다.
4 《+목+전+명》 (원인 등)을 **돌리다**(ascribe)《*to* …에》; (사건의 연대 등)을 간주하다《*to* …으로》: What do you ~ this failure *to?* 이 실패의 원인이 무엇이라고 생각하십니까/The invention of the axe is ~*ed to* the Stone Age. 도끼의 발명은 석기시대로 보고 있다.
5 《+목+목/+목+전+명》 〖법률〗 (재산 · 권리 등)을 양도하다《*to* (아무)에게》: I'll ~ you my house. =I'll ~ my house *to* you. 당신에게 내 집을 양도하겠소. ◇ assignation *n.*

as·sign·a·ble [əsáinəbəl] *a.* **1** 할당할 수 있는, 지정된; 돌릴 수 있는《*to* …에》: The accident is ~ *to* human error. 그 사고는 인간의 잘못탓이다. **2** 〖법률〗 양도할 수 있는.

as·sig·na·tion [æ̀signéiʃən] *n.* Ⓒ (회합 장소 · 시간의) 지정; (특히 남녀간의 밀회의) 약속.

as·sign·ee [əsàiníː, æ̀siníː] *n.* Ⓒ (재산권 등의) 양수인; 수탁자; (파산) 관재인(管財人).

***as·sign·ment** [əsáinmənt] *n.* **1** Ⓒ 《美》 (학생의) **숙제**, 연구 과제(homework): a biology 〔history〕 ~ 생물〔역사〕 숙제. **2** Ⓒ (할당된) 일(job), 임무(task); (임명된) 직(職), 지위: He was sent to Iran on a special ~. 그는 특별 임무를 띠고 이란에 파견되었다. **3** Ⓤ (일 · 임무 등의) 할당; 임명. **4** Ⓤ (재산 · 권리 등의) 양도.

as·sign·or [əsáinər] *n.* Ⓒ 양도인, 위탁자

as·sim·i·la·ble [əsímələbl] *a.* 동화〔융합〕할 수 있는, 흡수할 수 있는.

***as·sim·i·late** [əsímələ̀it] *vt.* **1** (지식 · 문화 등)을 (제것으로) **받아들이다**, 이해하다: He ~*d* all he was taught. 그는 배운 것을 모두 이해했다. **2** 《~+목/+목+전+명》 (문화적으로) **동화〔일치, 순응〕시키다**《*to, into, with* …에》: ~ the new immigrants 새 이민을 동화시키다/~ oneself *to* the changing world 변화하는 세상에 적응하다. **3** 〖생리〗 (음식물)을 소화〔흡수〕하다; 흡수하여 …되다《*into* …으로》: ~ food 음식을 흡수하다/Food is ~*d into* organic tissue. 음식물은 흡수되어 유기조직이 된다. **4** 〖음성〗 (인접음에 어떤 음)을 동화시키다. ↔ *dissimilate*. — *vi.* **1** (음식물이) 흡수〔소화〕되다. **2** 《+전+명》 융합하다; 순응〔동화〕하다《*to, into* …에》: The new arrivals ~*d* quickly *into* the local community. 새로 온 자들은 곧 그 지역 사람들에게 융화되었다. **3** (문화적으로) 동화하다: Northern Europeans ~ readily in America. 북유럽인은 미국에서 동화되기가 쉽다.
㊞ **as·sím·i·la·tive, -la·to·ry** [-lèitiv], [-lətɔ̀ːri/-təri] *a.* 동화의, 동화력이 있는.

◇**as·sìm·i·lá·tion** *n.* Ⓤ **1** 소화. **2** 동화(작용); 융합. **3** 〖음성〗 동화.

‡**as·sist** [əsíst] *vt.* **1** 《~+목/+목+부/+목+전+명/+목+*to* do》 **원조하다**, 돕다, 거들다, **조력하다**, 도와서 …시키다: ~ a person materially 아무에게 물질적인 원조를 하다/He ~*ed* me *out*

(*from* 〔*of*〕 train). 그는 내가 (열차에서) 내리도록 도와주었다 / ~ a person *in* his work 아무의 일을 돕다 / ~ a sick person *to* a bed 환자가 침대에 눕도록 도와주다 / He *~ed* me *to* tide over the financial difficulties. 그는 내가 재정상의 위기를 벗어나도록 도와 주었다. **2** (아무)의 조수로 일하다: ~ an architect 건축가의 조수 노릇을 하다. **3** …의 도움이 되다, …을 조장〔촉진〕하다: Civil turmoil *~ed* the coup. 시민의 소요 사태가 쿠데타를 조장했다. SYN. ⇨HELP. **—***vi.* 《+전+명》 거들다, 돕다《*in* …에》: ~ *in* effecting a peaceful settlement of a conflict 분쟁의 평화적 해결에 조력하다.

—*n.* Ⓒ 《美》 원조, 조력; 『야구』 보살(補殺)《타자 · 주자를 아웃시키는 송구; 생략: a.》.

*__as·sist·ance__ [əsístəns] *n.* Ⓤ **원조**, 도움, 조력: economic and technological ~ 경제 및 기술 원조 / with a person's ~ 아무의 도움을 빌려 / come 〔go〕 to a person's ~ 아무를 도우러 오다〔가다〕 / give 〔lend, render〕 ~ to a person 아무를 원조하다 / If I can be of ~ to you, I shall be indeed happy. 당신에게 도움이 된다면, 참으로 다행이겠습니다. ◇assist *v.*

‡**as·sist·ant** [əsístənt] *n.* Ⓒ **1 조수**, 보좌역, 보조자. **2** 보좌하는 것, 보조물. **3** 《英》 점원(= **shóp** ~). **—***a.* Ⓐ 보조의, 부(副)…, 조(助)…, …보(補): an ~ clerk 서기보 / an ~ engineer 기원(技員) / an ~ manager 부지배인 / an ~ secretary 서기관보; 《美》 차관보.

assístant proféssor 《美》 조교수《associate professor 와 instructor 사이의 지위》.

as·sizes [əsáiziz] *n. pl.* 《英》 순회 재판(개정기〔지〕(開廷期〔地〕)《London 에서 재판관을 England 와 Wales 각 주에 파견하여 열림; 1971 년에 형사(刑事)는 Crown Court 로, 민사(民事)는 High Court 로 각각 분리하여 승계됨》.

assn., assoc. association.

as·so·ci·a·ble [əsóuʃiəbl] *a.* 연상될 수 있는, 관련될 수 있는《*with* …와》; (국가나 주가) 경제 공동체에 가맹하고 있는.

‡**as·so·ci·ate** [əsóuʃièit] *vt.* 《+목+전+명》 **1 a** 〖종종 수동태〗 **관련〔관계〕시키다**《*with* …을》; 동료로 가입〔참가〕시키다(join, unite)《*with* …의》: We *~d* him *with* us in the attempt. 우리는 그 계획에 그를 참가시켰다 / He has *been ~d with* the institute for nearly thirty years. 그는 30 년 가까이 그 연구소에 관계해 왔다. **b** 〖~ oneself〗 동료가 되다, 교제하다《*with* …와》: Don't ~ your*self with* them. 그들과 어울리지 마라. **2 연상하다**, 관련지어 생각하다《*with* …와》: It was impossible to ~ failure *with* you. 네가 실패하리라고는 상상도 못 했다 / The name of Nero is *~d with* cruelty. 네로라는 이름은 잔인성을 연상시킨다. **3** 〖~ oneself〗 찬성〔찬동〕하다; 지지하다《*with* (제안 · 의견 등)에》: I will not ~ my*self with* such a proposal. 그런 제안에 찬성할 수 없소. **—***vi.* 《+전+명》 **1 어울리다**, 사귀다《*with* …와》: I don't care to ~ *with* them. 그들과 어울리고 싶지 않다. **2 제휴하다**, 연합하다《*with* …와》; 협력〔협동〕하다《*in* …에》: ~ *with* large enterprises 큰 기업체들과 제휴하다 / ~ *in* a common cause 공통의 목적을 위해 협력하다.

— [-ʃiit, -èit] *n.* Ⓒ **1 동료**, 한패, 친구; (사업 등의) 제휴자. **2** (단체 · 학회 등의) 준(準)회원; 《美》 단기 대학 졸업생. SYN. ⇨COMPANION.

— [-ʃiit, -èit] *a.* Ⓐ **1** 연합된; 동료의, 한패의: an ~ partner. **2** 준(準)…: an ~ editor 《美》 부주필 / an ~ judge 배석 판사 / an ~ member 준회원. **3** 『심리』 연상의.

assóciate degrèe 《美》 준학사《전문대 졸업자에게 수여함》.

Assóciated Préss (the ~) (미국의) 연합 통신사《생략: AP, A.P.》.

assóciate proféssor 《美》 부교수《professor와 assistant professor 사이의 지위》.

*__as·so·ci·a·tion__ [əsòusiéiʃən, -ʃi-] *n.* **1** Ⓤ **연합**, 관련, 공동, 합동, 제휴《*with* …와의》: in ~ *with* …와 공동으로, 제휴하여. **2** Ⓤ **교제**, 친밀(한 관계)《*with* …와의》: be in close ~ *with* …와 친밀한 교제를 하고 있다 / My ~ *with* him did not last long. 그와의 교제는 오래 가지 않았다. **3** Ⓒ 〖단 · 복수취급〗 **협회**, 조합, …회: form an ~ to promote social welfare 사회 복지를 촉진시키기 위하여 협회를 세우다. **4 a** Ⓒ **연상**(聯想), 연상시키는 것. **b** Ⓤ 『심리』 관념 연합(the ~ of ideas). **5** =ASSOCIATION FOOTBALL. ◇associate *v.*

associátion fóotball 《英》 축구.

as·so·ci·a·tive [əsóuʃièitiv, -ʃiətiv] *a.* 연합의, 연합〔조합〕하는; 연상의.

assóciative mémory 〔**stórage**〕 『컴퓨터』 연상기억장치《지금까지 번지로 표시했던 메모리의 위치를 내용으로 나타내는 것》.

as·so·nance [ǽsənəns] *n.* Ⓤ **1** 음(音)의 유사; 유음(類音). **2** 『운율』 유운(類韻); 모음 압운(母音押韻)《강세가 있는 두 단어의 모음은 동음이나, 뒤이은 자음은 같지 않음: m*a*n, s*a*t; p*e*nitent, r*e*ticent》. ㊎ **-nant** *a.* 유운의; 모운의.

as·sort [əsɔ́:rt] *vt.* **1** (사물)을 분류하다, 유별(類別)로 정리하다(classify). **2** (점포에 각종 물품)을 갖추다, 구색 맞추다. **—***vi.* 〖well 따위의 양태부사를 수반하여〗 구색을 갖추다, 조화되다《*with* …와》: It *~s* well 〔ill〕 *with* my character. 나의 성격과 잘 맞는다〔잘 맞지 않는다〕.

◇**as·sórt·ed** [-id] *a.* **1** 분류한, 구분한. **2** 다채로운, 잡다한; 한데 섞어 담은: a box of ~ chocolates 초콜릿을 한데 섞어 담은 상자. **3** 〖well 따위의 부사와 함께 복합어를 이루어〗 조화를 이룬: a well-~ pair 잘 어울리는 부부.

as·sórt·ment *n.* **1** Ⓤ 유별, 분류; 각종 구색. **2** Ⓒ 구색 갖춘 물건: Our store has a great ~ *of* candies. 우리 가게는 여러 가지 캔디를 갖추어 놓고 있습니다. **3** Ⓒ 잡다한 물건〔사람〕의 집합체: an odd ~ *of* people 기묘한 사람들의 모임.

Asst., asst. assistant.

as·suage [əswéidʒ] *vt.* **1** (슬픔 · 분노 · 불안 따위)를 누그러뜨리다, 진정〔완화〕시키다, 달래다: Nothing could ~ his disappointment. 어떠한 것으로도 그의 실망을 누그러뜨릴 수 없었다. **2** (식욕 · 욕망 따위)를 가라앉히다. ㊎ **~·ment** *n.* Ⓤ 완화, 진정; Ⓒ 완화물.

as·sua·sive [əswéisiv] *a.* 누그러뜨리는, 가라앉히는, 완화적인.

as·sum·a·ble [əsjú:məbəl] *a.* 가정〔상정〕할 수 있는. ◇assume *v.* ㊎ **-bly** *ad.* 아마, 십중팔구.

*__as·sume__ [əsjú:m] *vt.* **1** 《~+목/(+전+명)+*that* 절/+목+(*to be*) 보》 당연한 것으로 여기다, 당연하다고〔사실이라고〕 생각하다, 꼭 (그렇다고) 믿다《*from* …으로 보아》: We ~ his honesty. =We ~ *that* he is honest. 우리는 그가

정직하다고 생각한다 / I ~ *from* your remarks *that* you're not going to help us. 당신의 얘기로 판단하건대 우릴 도와주지 않겠군요 / I ~*d* him *to be* forgiving. 저는 그가 용서해 주리라고 생각했습니다.

2 (태도)를 **취하다**; (임무·책임 따위)를 **떠맡다**, 지다: ~ a friendly attitude 우호적인 태도를 취하다 / ~ office 취임하다 / ~ the responsibility 책임을 지다.

3 (성질·양상)을 띠다, 나타내다: His face ~*d* a look of anger. 그는 얼굴에 노여운 표정을 지었다 / Things have ~*d* a new aspect. 사태는 새로운 국면을 나타냈다.

4 《~+목/+*to* do》 짐짓 가장하다, …체하다, 꾸미다: ~an air of innocence 결백한 체하다 / ~ interest 흥미가 있는 체하다 / ~ *to* be deaf 귀가 먹은 체하다.

SYN. **assume** 악의가 없는 동기에서 …인 체하다. **pretend** 자기 사정 때문에 사실을 속이고 …인 체하다. 비난의 뜻이 있음. **feign** pretend보다 문어적. '모방'의 뜻이 포함되어 있음. **affect** 젠 체하는 마음에서 …인 체하다, …처럼 보이도록 힘쓰다. '노력'의 뜻이 포함되어 있음.

5 (권리 등)을 자기 것으로 하다; 횡령하다 (usurp); (남의 이름)을 사칭하다: ~ a person's name 타인의 이름을 사칭하다 / ~ a right to oneself 권리를 독점하다.

6 《+*that* 절/+목+*to be* 보》 〖보통 assuming의 형태로〗 **추정하다**, 추측〔가정〕하다: *Assuming that* it is true, what should we do about it? =*Assuming* it *to be* true, what should we do about it? 그것이 사실이라면, 그 일에 대해서 어떻게 하면 좋겠습니까. ◇assumption *n.*

as·súmed *a.* Ⓐ **1** 가장한, 꾸민: an ~ name 가명, 변명(變名) / an ~ voice 꾸민 목소리 / ~ ignorance 모르는 체함. **2** 가정의, 상정(想定)한: an ~ cause 상정상(想定上)의 원인.

as·súm·ed·ly [-idli] *ad.* 〖문장 전체를 수식하여〗 아마, 필시: He is, ~, now in London. 그는 아마 지금 런던에 있을 것이다.

as·súm·ing *a.* 건방진, 외람된, 주제넘은. 파 ~·**ly** *ad.*

*__as·sump·tion__ [əsʌ́mpʃən] *n.* **1** Ⓤ (구체적으로는 Ⓒ) **인수**, 수락, 취임: the ~ *of* office 취임. **2** Ⓒ (증거 없이) 사실이라고 여김; **가정**, 억측; 가설《*that*》: a mere ~ 단순한 억측 / treat an ~ as a fact 가정을 사실로 다루다 / on the ~ *that* … …라는 가정 아래. SYN. ⇨THEORY. **3** Ⓤ 건방짐, 외람됨, 주제넘음. **4** 〖가톨릭〗 (the A-) 성모(聖母) 몽소승천(蒙召昇天); (A-) 성모 몽소승천 축일《8월 15일》. **5** Ⓤ (구체적으로는 Ⓒ) 횡령; 탈취, 장악: ~ *of* power 권력 장악. ◇assume *v.* 파 **-tive** *a.* 가정의, 가설의; 건방진, 주제넘은; 짐짓 꾸민. **-tive·ly** *ad.*

__as·sur·ance__ [əʃúərəns] *n.* **1 Ⓒ **보증**, 보장《*of, about* …에 대한/*that*》: give an ~ 보증하다 / receive ~*s of* support 원조에 대한 확약을 얻다 / We have no ~ *that* he will come. 그가 온다는 보장은 아무 것도 없다. SYN. ⇨PROMISE. **2** Ⓤ **확신**《*of* …에 대한/*that*》: We have full ~ *of* the results. 그 결과에 대해서는 정말 확신이 있다 / Nothing could shake our ~ *that* the product would sell. 그 제품이 팔린다는 확신은 무슨 일이 있어도 흔들리지 않았다. **3** Ⓤ 자신(self-confidence), 침착: with ~ 자신 있게 / The singer lacked ~ on stage. 그 가수는 무대에서 침착하지 못했다. **4** Ⓤ 뻔뻔스러움, 철면피(impudence): have the ~ *to* do 뻔뻔스럽게도 …하다. **5** Ⓤ 《英》 보험: life ~ 생명보험. ◇assure *v.*

*__as·sure__ [əʃúər] *vt.* **1** 《+목+*that* 절/+목+전+명》 …에게 **보증하다**, 단언〔확언〕하다《*of* …을》: She ~*s* me *that* she has enough to live on. 그녀는 생활에는 걱정 없다고 (분명히) 말하고 있다 / I (can) ~ you *of* her honesty. 그녀의 정직을 보증한다. **2** 《~+목/+목+전+명/+목+*that* 절》 납득시키다, 안심시키다, 확신시키다《*of* …을》; 〖~ oneself〗 **납득하다**, 확신하다, 확인하다《*of* …을》: The news ~*d* her. 그 소식을 듣고 그녀는 안심했다 / I was unable to ~ her *of* my love 〔*that* I loved her〕. 그녀에게 나의 사랑을 납득시킬 수 없었다 / I ~*d* my*self of* his safety 〔*that* he was safe〕. 그가 안전하다는 것을 확신했다. **3** **확실하게 하다**, 확보하다: This ~*d* the success of our work. 이로써 우리 일은 성공이 확실해졌다. **4** 《英》 보험에 들다(《美》 insure).

DIAL. ***I* (*can*) *assure you.*** 〖문장에 병렬적 또는 삽입절로 써서〗 틀림없다, 확실하다: It is very dangerous, *I can assure you*. 정말 아주 위험해 / Her conversation, *I can assure you*, is very entertaining. 그녀의 담화는 확실히 아주 재미있다.

파 **~r, as·sú·ror** *n.*

◇**as·súred** *a.* **1** 보증된, 확실한(certain): an ~ position 보장된 지위 / an ~ income 확실한 수입 / an ~ success 틀림없는 성공. **2** 확신이 있는, 자신 있는 (confident): an ~ manner 자신 있는 태도 / He always seems very ~. 그는 항상 자신만만해 보인다. **3** 뻔뻔스러운(presumptuous). ─ (*pl.* ~) *n.* (the ~) 《英》 피보험자; 보험금 수취인. 파 **~·ness** *n.*

◇**as·sur·ed·ly** [əʃúəridli] *ad.* **1** 〖문장 전체를 수식하여〗 확실히, 틀림없이(surely): *Assuredly*, he will take over the post. 확실히 그가 그 직위를 승계할 것이다. **2** 자신을 가지고, 자신만만하게.

as·sur·ing [əʃúəriŋ] *a.* 보증하는; 확인하는; 확신을〔용기를, 자신을〕 주는. 파 **~·ly** *ad.*

As·syr·ia [əsíriə] *n.* 아시리아《아시아 서부의 옛 국가》.

As·sýr·i·an *a.* 아시리아(사람〔말〕)의. ─ *n.* **1** Ⓒ 아시리아 사람. **2** Ⓤ 아시리아 말.

A.S.T Atlantic Standard Time.

as·ta·tine [ǽstətìːn, -tin] *n.* Ⓤ 〖화학〗 아스타틴《방사성 원소; 기호 At; 번호 85》.

as·ter [ǽstər] *n.* Ⓒ 〖식물〗 애스터. **1** 까실쑥부쟁이속(屬)의 식물《탱알·쑥부쟁이 따위》. **2** 과꽃(China ~).

-as·ter [ǽstər] *suf.* '소(小)…, 엉터리…, 덜된…' 따위 경멸의 뜻: poet*aster* 엉터리 시인.

as·ter·isk [ǽstərisk] *n.* Ⓒ 별표《*》; 별 모양의 것; 〖컴퓨터〗 애스터리스크《운영체제에서 모든 문자를 대표하는 와일드 카드 문자를 나타내는 기호; *》. ─ *vt.* …에 별표를 달다〔붙이다〕.

as·ter·ism [ǽstərìzəm] *n.* Ⓒ 〖천문〗 성군(星群); 별자리; 세 별표《⁂ 또는 *****》.

astern [əstə́ːrn] *ad.* 〖항해〗 고물에, 고물(쪽으)로; 뒤에, 뒤로: a ship next ~ 뒤따르는 배 / ~ of …보다 뒤쪽에(서) (↔ *ahead of*) / back ~ 배를 후진시키다. ***drop* 〔*fall*〕 ~** 딴 배에 뒤처

지다〔앞질리다〕. ***Go* ~ *!*** 후진《구령》(↔ *Go ahead!*).

as·ter·oid [ǽstərɔ̀id] *n.* Ⓒ **1** 〖천문〗 소행성(minor planet)《화성과 목성의 궤도 사이에 산재하는》. **2** 〖동물〗 불가사리류.
—*a.* 별 모양의.

asth·ma [ǽzmə, ǽs-] *n.* Ⓤ 〖의학〗 천식.

asth·mat·ic [æzmǽtik, æs-] *a.* 천식의. **—***n.* Ⓒ 천식 환자. ㊞ **-i·cal·ly** *ad.*

as·tig·mat·ic, -i·cal [æ̀stigmǽtik], [-əl] *a.* **1** 난시(안)의; 난시용의. **2** 〖광학〗 비점 수차(非點收差)의.

as·tig·ma·tism [əstígmətìzəm] *n.* Ⓤ **1** 〖의학〗 난시안(亂視眼), 난시. **2** 〖광학〗 (렌즈 따위의) 비점 수차(非點收差).

astir [əstə́ːr] *ad., a.* Ⓟ 움직이어〔는〕; 법석대어〔는〕, 떠들썩하여〔한〕; 열중하여〔한〕, 흥분하여〔한〕《***with*** …으로》: be early ~ 일찍 일어나다 / The square was ~ *with* protesters. 광장은 항의하는 사람들로 떠들썩했다.

⁑**as·ton·ish** [əstániʃ/-tɔ́n-] *vt.* 《~+목/+목+전+명》 **놀라게 하다**, 깜짝 놀라게 하다《***by, with*** …으로》《★ 종종 수동태로 쓰며, 전치사는 *at, by*》: His sudden appearance *~ed* us. 그가 갑자기 나타나 우리를 놀라게 했다 / He *~ed* us *with* his bizarre ideas. 그는 기발한 발상으로 우리를 깜짝 놀라게 했다 / I *was ~ed by* 〔*at*〕 the news. 그 소식을 듣고 놀랐다 / I *was ~ed to* hear what had happened. 무슨 일이 일어났는지를 듣고 깜짝 놀랐다 / We are all *~ed* (*that*) she has failed. 우리는 모두 그녀의 실패에 놀라 버렸다. SYN. ⇨SURPRISE. ㊞ **~·er** *n.*

*__as·ton·ished__ [əstániʃt/-tɔ́n-] *a.* (깜짝) **놀란**: with an ~ look 깜짝 놀란 얼굴로.

°**as·tón·ish·ing** *a.* (깜짝) 놀랄 만한, 놀라운: a man of ~ memory 놀라운 기억력의 소유자 / It was really ~ to me. 그것은 나에게 정말 놀랄 만한 일이었다. ㊞ **~·ly** *ad.* 놀랄 만큼; 몹시, 매우. **~·ness** *n.*

⁑**as·ton·ish·ment** [əstániʃmənt/-tɔ́n-] *n.* **1** Ⓤ **놀람**, 경악: to my ~ 놀랍게도 / He looked at her in 〔with〕 ~. 그는 놀라서 그녀를 쳐다보았다. **2** Ⓒ 놀랄 만한 일〔것〕.

°**as·tound** [əstáund] *vt.* 깜짝 놀라게 하다, 아연실색케 하다《★ 종종 수동태로 쓰며, 전치사는 *at, by*》: I *was ~ed at* the sight. 그 광경에 깜짝 놀랐다 / She *was ~ed to* hear the news. 그 소식을 듣고 그녀는 깜짝 놀랐다. SYN. ⇨SURPRISE. ㊞ **~·ing** *a.* 깜짝 놀라게 할 (만한), 아주 대단한. **~·ing·ly** *ad.*

astrad·dle [əstrǽdl] *ad., a.* =ASTRIDE.

As·tra·khan [ǽstrəkən, -kæ̀n] *n.* **1** 아스트리한《러시아 Volga강 하구의 도시》. **2** (a-) Ⓤ 아스트라한《Astrakhan 지방산의 작은 양모피》. **3** (a-) Ⓤ 아스트라한 모조 직물(=~ **clòth**).

as·tral [ǽstrəl] *a.* 별의(starry); 별과 같은. ㊞ **~·ly** *ad.*

astray [əstréi] *ad., a.* Ⓟ 길을 잃어〔잃은〕; 정도에서 벗어나〔벗어난〕; 타락하여〔한〕: go 〔get〕 ~ 길을 잃다; 잘못하다; 타락하다 / lead a person ~ 아무를 미혹〔타락〕시키다.

astride [əstráid] *ad., a.* Ⓟ 걸터앉아〔은〕; 두 다리를 쩍 벌리고〔린〕: ride ~ (말에) 걸터타다 / stand ~ 양 다리를 벌리고 서다. **—***prep.* …에 걸터앉아, …에 올라타고; (내 · 도로 등)의 양쪽에: sit ~ a horse 말에 올라타다 / Budapest lies ~ the river. 부다페스트는 강 양쪽으로 자리잡고 있다.

as·trin·gen·cy [əstríndʒənsi] *n.* Ⓤ **1** 수렴성(收斂性). **2** 엄격; 간소.

as·trin·gent [əstríndʒənt] *a.* **1** 〖의학〗 수렴성의, 수축시키는: (an) ~ lotion 아스트린젠트 로션《수렴성 화장수》. **2** (표현 등이) 통렬한, 신랄한; (성격 · 태도 등이) 엄(격)한: his ~ wit 톡 쏘는 해학. **—***n.* Ⓤ (종류 · 낱개는 Ⓒ) 〖의학〗 수렴제; 수렴성 화장수. ㊞ **~·ly** *ad.*

as·tro- [ǽstrou, -trə] '별 · 천체 · 점성술 따위' 뜻의 결합사: *astro*physics, *astro*logy.

àstro·biológy *n.* Ⓤ 우주〔지구 외〕 생물학(exobiology).

àstro·chémistry *n.* Ⓤ 우주〔천체〕 화학.

as·tro·dome [ǽstrədòum] *n.* **1** Ⓒ 〖항공〗 (항공기의) 천체 관측창(astral hatch). **2** (the A-) 투명한 둥근 지붕의 경기장《미국 Houston에 있는 것이 유명함》.

àstro·geólogy *n.* Ⓤ 천체〔우주〕 지질학.

as·tro·hatch [ǽstrəhæ̀tʃ] *n.* =ASTRODOME 1.

astrol. astrologer; astrological; astrology.

as·tro·labe [ǽstrəlèib] *n.* Ⓒ (고대의) 천체 관측의(儀), (간이) 천측구(天測具).

as·trol·o·ger [əstrálədʒər/-trɔ́l-] *n.* Ⓒ 점성가; 점성술사.

as·tro·log·i·cal [æ̀strəládʒikəl/-lɔ́dʒ-] *a.* 점성의; 점성학의. ㊞ **~·ly** *ad.*

*__as·trol·o·gy__ [əstrálədʒi/-trɔ́l-] *n.* Ⓤ **점성학**〔술〕《별의 운행을 보고 사람의 운세를 판단하는 점술》. cf. astronomy.

as·trom·e·try [əstrámətri/-rɔ́m-] *n.* Ⓤ 천체 측정학.

as·tro·naut [ǽstrənɔ̀ːt] *n.* Ⓒ 우주 비행사.

as·tro·nau·ti·cal [æ̀strənɔ́ːtikəl] *a.* 우주 비행〔항행〕의, 우주 비행사의.

as·tro·nau·tics [æ̀strənɔ́ːtiks] *n.* Ⓤ 우주 비행학〔항행술〕.

°**as·tron·o·mer** [əstránəmər/-trɔ́n-] *n.* Ⓒ 천문학자.

°**as·tro·nom·i·cal** [æ̀strənámikəl/-nɔ́m-] *a.* **1** 천문(학상)의: ~ observation 천문 관측 / an ~ observatory 천문대 / an ~ year 〔day〕 태양년〔태양일〕 / ~ latitude 천문(학적) 위도. **2** (숫자 · 거리 등이) 천문학적인, 엄청나게 큰, 방대한: ~ figures 〔distance〕 천문학적 숫자〔대단히 먼 거리〕.

às·tro·nóm·i·cal·ly *ad.* **1** 천문학적으로, 천문학상. **2** 천문학적 숫자로, 방대하게: Prices have risen ~. 가격은 천문학적으로 뛰어올랐다.

astronómical sátellite 〖로켓〗 천문〔천체〕 관측 위성《미국의 아인슈타인 위성 따위》.

astronómical télescope 천체 망원경.

astronómical tíme 천문시(天文時)《하루가 정오에서 시작하여 다음날 정오에 끝나는》.

*__as·tron·o·my__ [əstránəmi/-trɔ́n-] *n.* Ⓤ **천문학**; 천문학 논문〔서적〕. ◇ astronomical *a.*

àstro·phýsical *a.* 천체 물리학의.

àstro·phýsicist *n.* Ⓒ 천체 물리학자.

àstro·phýsics *n.* Ⓤ 천체 물리학.

as·tute [əstjúːt] *a.* 기민한, 빈틈없는; 교활한. ㊞ **~·ly** *ad.* **~·ness** *n.*

asun·der [əsʌ́ndər] *ad., a.* Ⓟ **1** 산산이 흩어져〔흩어진〕, 조각조각으로〔난〕; 두 동강이로〔난〕《★ 주로 break, rend, split, tear 등의 동사와 함께 씀》: break ~ 둘로 쪼개(지)다 / come ~ 산

산이 흩어지다/fall ~ 무너지다. **2** (2개 이상의 것이) 서로 떨어져서〔떨어진〕, 따로따로(의); (성격·성질 따위가) 달라〔다른〕: put ~ 떼어놓다/The parents and children were forced ~ by the war. 전쟁으로 양친과 아이들은 따로따로 헤어졌다.

A.S.V. American Standard Version (of the Bible).

As·wan [ɑːswáːn, æs-] *n.* 아스완《이집트 남동부 Nile강변의 도시; 부근에 the Aswan Dam과 the Aswan High Dam이 있음》.

◇**asy·lum** [əsáiləm] *n.* **1** Ⓒ (보호) 시설〔수용소〕《맹인·노인·고아를 위한》: an orphan ~ 고아원/an ~ for the aged 양로원/a lunatic 〔an insane〕 ~ 정신 병원《오늘날에는 mental home 〔hospital, institution〕이 일반적임》. **2** Ⓒ 『국제법』 정치범에게 주어지는 일시적 피난처《주로 외국 대사관》. **3** Ⓤ 피난, 망명, 보호: give ~ to …을 보호하다/seek 〔ask for〕 political ~ 정치적 보호를〔망명을〕 요청하다/grant ~ 망명을 인정하다.

asýlum sèeker 망명자.

asym·met·ric, -ri·cal [èisimétrik, æ̀s-], [-əl] *a.* 불균형〔부조화〕의; 『식물』 (잎이) 비대칭의. ㊥ **-ri·cal·ly** *ad.*

asym·me·try [eisímətri, æs-] *n.* Ⓤ 불균형, 부조화; 『수학·식물』 비대칭(非對稱).

asyn·chro·nous [eisíŋkrənəs, æs-] *a.* 때가 맞지 않는; 비동시성의. ↔ *synchronous.*

†**at** [æt, 약 ət] *prep.* ★ 보통 [ət]라고 약음으로 발음되나, What are you looking *at?* 처럼 끝에 올 때는 강음이 됨.

1 a 〖위치·지점〗 …**에**, …**에서**: *at* a point 한 점(點)에/*at* the center 중심에(서), 한복판에(서)/*at* the top 꼭대기에, 맨 위에서/*at* my side 내 곁에/*at* the foot of the hill 산기슭에/*at* the end of the street 거리의 막바지〔끝〕에/*at* a 〔the〕 distance of 10 miles, 10마일 격하여〔떨어져〕/*at* the seaside 해변에서/*at* the office 사무실〔회사〕에서/put up *at* an inn 여관에 투숙하다/sit *at* the window 창(가)에 앉다/stand *at* the door 문(의 곁)에 서다/Open your book *at* 〔《美》 *to*〕 page 20. 책의 20페이지를 펴라/I bought it *at* the baker's (shop). 나는 빵 집에서 그것을 샀다/He is a student *at* Yale. 그는 예일 대학의 학생이다《of Yale로 하는 예는 드묾》/He lives *at* 24 Westway. 그는 웨스트웨이 24번지에 살고 있다《번지에는 at, 동네·거리 이름에는 in, on을 씀》.

> **NOTE** at은 나라 이름엔 쓰지 않음. 도시 이름에는 at 또는 in을 쓸 수가 있으며, 흔히 큰 도시에는 in 을 써서 *in* London 같이 하고, 비교적 작은 도시에는 at를 사용하여 *at* Oxford와 같이 함. 그러나 대소를 가리지 않고 도시를 지리적인 점(點)으로 생각할 때는 at를, 그 구역의 '안에'로 생각할 때엔 in을 쓸 수 있음: This plane will stop one hour *at* Chicago. 이 비행기는 시카고에서 한 시간 머뭅니다/My parents live *in* Chicago. 부모님은 시카고(의 시내)에 살고 있습니다.

b 〖출입의 점·바라보이는 곳을 나타내어〗 …**에서**, …**으로(부터)**: come in *at* the front door 〔*at* the window〕 정문〔창〕으로 들어오다《through의 뜻》/look out *at* the window 창문에서 밖을 내다보다《단지 '창으로'의 뜻이면 at 대신 out of를 씀》/Let's begin *at* Chapter Three. 제3장(章)부터 시작합시다. **c** 〖출석·참석 따위를 나타내어〗 …**에**《나가 있어 따위》: *at* a meeting 회의에 출석하여/*at* the theater 극장에(가 있어)/*at* a wedding 결혼식에서/He was *at* university from 1985 to 1989. 그는 1985년부터 1989년까지 대학생이었다《미국에서는 in college》. **d** 〖도착지·도달점을 나타내어〗 …**에**: arrive *at* one's destination 목적지에 도착하다.

2 〖시점·시기·연령〗 …**에**, …**때에**: *at* five (o'clock) 5시에/*at* daybreak 〔sunset〕 새벽〔해질〕녘에/*at* midnight 〔noon〕 한밤중〔정오〕에/*at* present 지금은/*at* a time when… 이제 막 …할 때에/*at* all times 언제나, 늘/*at* odd moments 틈이 있을 때에/*at* one time 한때(는)(≠*at* a time '한꺼번에')/*at* parting 헤어질 때/*at* (the age of) nine 아홉 살 때에/*at* the weekend 《英》 주말에/*at* the beginning 〔middle, end〕 of the month 월초〔중순, 월말〕에/*at* the same time 동시에/*at* that time 당시(에)는/*at* this moment 현재, 바로 그 때/*at* this time of (the) year 〔day, night〕 이 계절〔이 시각, 밤의 이 시각〕에/(*at*) what time …? 몇 시에《*at*은 흔히 생략》/*at* the latest (아무리) 늦어도/School begins *at* nine and ends *at* four. 수업은 9시에〔부터〕 시작하여 4시에 끝난다《begin from nine은 잘못. 단, School is from nine to four. 수업은 9시부터 4시까지다는 가능함》.

> **NOTE** at은 시간〔때〕의 '일점', on은 '날', in은 '기간'을 나타냄: *at* half past eight, *at* this time of (the) year, *at* Christmas; *on* Monday, *on* the 10th of May; *in* the 18th century, *in* the morning, *in* the evening 《다만, *at* night》. 또, morning, evening, night의 경우에도 날짜 등의 한정어가 첨가될 때는 on을 씀: *on* the evening of April 5th, 4월 5일 저녁에. *on* Christmas Day 〔morning〕 크리스마스날〔아침〕에.

3 〖동작·상태·상황〗 **a** 〖동작을 나타내어〗 …**에**, …**(으)로**: *at* a blow 일격(一擊)에/*at* a stretch 〔stroke〕 단숨에/*at* a bound 한걸음에, 일거에/*at* a mouthful 한입에/(drink) *at* a draft 단숨에(마시다)/*at* a time 한번에(≠*at* one time 한때는). **b** 〖상태·궁지·입장을 나타내어〗 …**하여**: *at* a loss 어찌할 바를 몰라, 당혹〔당황〕하여/a stag *at* bay 궁지에 몰린 수사슴/*at* a disadvantage 불리한 입장에/*at* (one's) ease (마음) 편히/ill *at* ease 불안하여/*at* large (범인 등이) 안 잡히어/*at* stake 위험에 직면하여. **c** 〖자유·임의·근거를 나타내어〗 …**로**, …**으로**: *at* will 마음대로/*at* one's convenience 형편 닿는 대로, 편리한 대로/*at* one's disposal 뜻〔마음〕대로/*at* the discretion of …의 재량으로〔자유로, 생각대로〕/*at* the mercy of …의 마음대로〔의지·처분에 내맡겨져〕/*at* one's request 요구에 따라. **d** 〖평화·불화를 나타내어〗 …**하여**, …**중(인)**: be *at* peace 평화롭(게 지내)다/be *at* war 전쟁 중이다/*at* odds (with) (…와) 불화하여. **e** 〖정지·휴지(休止)를 나타내어〗 …**하여**: *at* rest 휴식하여/*at* anchor 정박하여/*at* a standstill 딱 멈추어; 정돈 상태에. **f** 〖at one's+형용사 최상급으로, 극한을 나타내어〗 …**하여**: The storm was *at* its worst. 폭풍우는 더없이 격렬했다.

4 〘종사〙 **a** 〘종사 중임을 나타내어〙 …**에 종사하여, …을 하고 있는; …중에**《관용구는 흔히 관사가 안 붙음》: *at* breakfast 아침 식사 중/The children are *at* play. 어린이들이 놀고 있다/be *at* work 일〔공부〕하고 있다/be *at* prayer 기도(를 드리는) 중이다/What is he *at* now? 그는 지금 무엇을 하고 있나/They are hard *at* it. 그들은 열심히 하고 있다/She was *at* her sewing machine. 그녀는 재봉틀 일을 하고 있었다. **b** 〘종사의 대상을 나타내어〙 …**에** (달라붙어), …**을**: work *at* math(s) 수학을 공부하다/knock *at* the door 문을 노크하다.

5 〘능력 · 성질을 나타내어〙 …**에〔을〕**, …**점에서**: good 〔poor〕 *at* swimming 〔mathematics〕 수영〔수학〕을 잘〔못〕하여/They are quick 〔slow〕 *at* learning. 그들은 배우는 게 빠르다〔더디다〕/He is genius *at* music. 그는 음악에 천재다, 《구어》 그는 음악을 무척 잘 한다/He is an expert *at* chess. 그는 장기의 명수다.

6 〘방향 · 목적 · 목표를 나타내어〙 …**을**(노리어), …**을 향하여**, …**을 목표로**: aim *at* a mark 과녁을 겨누다/catch *at* a straw 한 오라기의 지푸라기라도 잡으려고 손을 뻗치다/fire *at* …을 노리어〔겨누어〕 발포하다/look *at* the moon 달을 보다/gaze *at* …을 뚫어지게 보다/glance *at* …을 흘끗 보다/guess *at* …을 알아맞혀 보다, 추측해 보다/What is he aiming *at?* 그는 무엇을 노리고 있는 건가, 무엇이 목적인가/point *at* 〔to〕 the house 그 집을 가리키다/rush *at* …으로〔에〕 돌진하다/sneer *at* …을 비웃다/stare *at* …을 응시하다/throw a stone *at* a cat 고양이에게 돌을 던지다《비교: throw a piece of meat *to* a cat 고양이에게 고기를 던져 주다》.

7 〘감정의 원인 · 사물의 본원〙 …**에** (접하여), …**을 보고〔듣고, 알고, 생각하고〕**, …으로, …에서〔로부터〕: frown *at* …을 보고 얼굴을 찡그리다/blush *at* a mistake 잘못을 저질러 얼굴을 붉히다/wonder *at* the sight 그것을 보고 놀라다/do something *at* a person's suggestion 아무의 제안으로 무엇을 하다/laugh *at* …을 보고〔듣고〕 웃다; …을 조소하다/feel uneasy *at* the thought of …을 생각하고 불안해지다/ rejoice 〔mourn〕 *at* …을 기뻐하다〔슬퍼하다〕/ be angry *at* …에 화를 내다/be surprised 〔astonished〕 *at* the result 결과에 놀라다/be glad 〔pleased, delighted〕 *at* the news of …의 소식을 듣고 기뻐하다/be terrified *at* the sight of …을 보고 공포에 질리다/be annoyed *at* a person's stupidity 아무의 바보스러움에 속이 상하다.

8 〘비율 · 정도〙 **a** 〘값 · 비용 · 속도 · 정도를 나타내어〙 …(**의 비율**)**로**, …**하게**: *at* full speed 전속력으로/*at* a low price 싼값으로/*at* (an angle of) 90°, 90도로/*at* one's own expense 자비(自費)로/*at* (a speed of) 80 miles per 〔an〕 hour 시속 80마일로/set *at* nought 무시하다/estimate the crowd *at* 300, 군중을 3백 명으로 어림〔추산〕하다/reckon one's expenses *at* so much a week 비용 지출을 1주 얼마로 셈하다/sell these things *at* ten cents each 이것을 한 개 10센트로 팔다.

> NOTE sell for는 sell for the sum of 의 뜻으로 '금액'을 나타내며, sell at은 sell at the price of의 뜻으로 '가격'을 나타냄.

b 〘대가 · 희생 · 조건 · 대상을 나타내어〙 …**로써**, …**하고〔하여〕**: *at* any price 어떤 희생을 치르더라도/*at* the price of liberty 자유를 희생하고/*at* a heavy cost 큰 손실을〔손해를〕 보고/*at* great cost 큰돈을 들여, 큰 희생을 치르고/*at* the cost of *one's* health 자신의 건강을 희생으로 하여/*at* any cost =*at* all costs 어떤 대가를 치르더라도/*at* one's (own) risk 자기의 책임으로. **c** 〘방식 · 양태로〙 …(**한 방식**)**으로**: *at* a run 뛰어서, 구보로/*at* 〔《英》 *by*〕 whole sale 도매로.

9 〘무관사의 관용어구〙: *at* home (마음) 편히, 마음 푹 놓고; …에 정통〔환〕하여《'자택에서, 국내에서' 의 뜻 외에》/*at* church (교회에서) 예배(禮拜) 중/*at* school (학교에서) 수업중/*at* sea 항해중에/*at* table 식사 중에.

at about …쯤〔경〕: *at about* four o'clock 〔the same time〕 4시쯤〔같은 무렵〕에/*at about* the same speed 대체로 같은 속력으로. ***at all*** ⇨ ALL. ***at it*** (일 따위에) 전념〔열중〕하여; (싸움 · 장난 등을) 하고 있어: He's hard *at it*. 그는 열심히 (일)하고 있다/They're *at it* again. 그들은 또 싸우고 있다. ***be at ...*** 《구어》 ① (귀찮게) 졸라대다: She *is at* her husband again to buy her a new dress. 새 드레스를 사 달라고 남편을 성가시게 졸라대고 있다. ② …을 공격하다, …을 노리다: The cat *is at* the fish again. 그 고양이는 또다시 생선을 노리고 있다. ③ (남의 것 따위)를 만지작거리다: He's *been at* my tools. 그는 내 연장을 만지작거리고 있다. ***Where are we at?*** 《美구어》 여기는 어딘가《정식으로는 Where are we?》.

> DIAL ***Have at it.*** 자, 드시지요《식사 따위를 권할 때》.

at- [æt, ət] *pref.* =AD-《t 앞에서의 변형》: *at*tend, *at*tract.

At 〖화학〗 astatine. **at.** atmosphere; atomic.

AT achievement test; antitank.

At·a·lan·ta [ӕtəlǽntə] *n.* 〖그리스신화〗 아탈란타《걸음이 빨라 사냥을 잘하는 미녀(美女)》.

AT&T American Telephone and Telegraph Company (미국 전신 전화 회사).

at·a·vism [ǽtəvìzəm] *n.* Ⓤ 〖생물〗 격세유전; Ⓒ 그 실례.

at·a·vis·tic [ӕtəvístik] *a.* 격세(隔世)유전의〔적인〕. ㊕ **-ti·cal·ly** *ad.*

atax·ia, ataxy [ətǽksiə], [ətǽksi] *n.* Ⓤ 혼란, 무질서; 〖의학〗 (특히 사지의) 기능장애; 운동실조(증): locomotor *ataxia* 보행 장애.

at bát (*pl.* ~*s*) 〖야구〗 타수(打數, 타석(打席)) 《생략: a.b.》: get two hits in four ~*s* 4타석에 2안타 치다.

ATC, A.T.C. Air Traffic Control; 〖철도〗 automatic train control (자동 열차 제어 장치).

Ate [éiti·, ɑ́:ti] *n.* 〖그리스신화〗 아테《인간을 멸망으로 인도하는 미망(迷妄) · 야심 따위를 상징하는 여신; 후에 복수의 여신》.

†**ate** [eit/et] EAT의 과거.

-ate¹ [it, èit] *suf.* '…시키다, …(이 되게) 하다, …을 부여하다' 따위의 뜻: loc*ate*, concentr*ate*, evapor*ate*.

-ate² *suf.* **1** ate를 어미로 하는 동사의 과거분사에 상당하는 형용사를 만듦: anim*ate* (anim*ated*), situ*ate* (situ*ated*). **2** '…의 특징을 갖는, (특징으로 하여) …을 갖는, …의' 의 뜻: passion*ate*, collegi*ate*.

-ate³ *suf.* **1** '직위, 지위' 의 뜻: consul*ate*. **2**

'어떤 행위의 산물'의 뜻: leg*ate*, mand*ate*. **3** 〖화학〗 '…산염(酸塩)'의 뜻: sulf*ate*.

at·el·ier [ǽtəljèi] *n.* 《F.》 [C] (화가·조각가·기공(技工) 따위의) 일터, 작업실, 화실(畫室)(studio), 아틀리에.

a tem·po [ɑːtémpou] *ad.*, *a.* 《It.》 〖음악〗 본래의 속도로(의)(tempo primo).

Ath·a·na·sius [æ̀θənéiʃəs] *n.* **Saint** ~ 성(聖)아타나시오스《Alexandria의 대주교로 삼위일체론의 제창자이며 Arius의 설(說)에 반대했음; 293?-373》.

athe·ism [éiθiìzəm] *n.* [U] 무신론; 무신앙 생활.

°**athe·ist** [éiθiist] *n.* [C] 무신론자; 무신앙자.
 [파] **àthe·ís·tic, -ti·cal** [-tik], [-əl] *a.* 무신론(자)의. **àthe·ís·ti·cal·ly** *ad.*

Athe·na [əθíːnə] *n.* =ATHENE.

Ath·e·n(a)e·um [æ̀θiníːəm] (*pl.* **~s, -naea** [-níːə]) *n.* **1** (the ~) 아테네 신전《옛 그리스의 학자·시인이 모여 시문(詩文)을 평론한 곳》. **2** (a-) 문예〔학술〕클럽; 도서관〔실〕, 문고.

Athe·ne [əθíːni] *n.* 〖그리스신화〗 아테네《지혜·예술·전술(戰術)의 여신(女神); 아테네의 수호신》. [cf] Minerva.

Athe·ni·an [əθíːniən] *a.*, *n.* [C] 아테네의; 아테네 사람.

Ath·ens [ǽθinz] *n.* 아테네《그리스의 수도; 고대 그리스 문명의 중심지》.

athirst [əθə́ːrst] *a.* [P] 《문어》 갈망하는, 간절히 바라는(eager)《*for* …을》: be ~ *for* information 기별을 애타게 기다리다.

***ath·lete** [ǽθliːt] *n.* [C] **1** 〖일반적〗 **운동선수,** 경기자; 《英》 육상 경기자. **2** (훈련으로 단련된) 강건한 사람. ◇ athletic *a.*

áthlete's fóot 〖의학〗 무좀.

‡**ath·let·ic** [æθlétik] *a.* **1 운동의, 체육의,** 경기의: an ~ meet(ing) 운동회, 경기회/~ equipment 경기용 기재(器材)/an ~ event 경기 종목/~ sports 운동 경기. **2** 운동선수의〔와 같은〕, 운동선수용의: (체격이) 강건한: She has an ~ figure. 그녀는 체격이 (아주) 강건하다. ◇ athlete *n.*
 [파] **-i·cal·ly** [-ikəli] *ad.* 운동〔체육〕상, 경기적으로. **-i·cism** [-isìzəm] *n.* [U] 운동(경기)열.

***ath·let·ics** [æθlétiks] *n.* [U] **1 운동경기;** 《英》 육상경기《track과 field 종목만》. **2** (과목으로서의) 체육 실기〔이론〕.

at-home [əthóum] *n.* [C] (가정적인) 초대회(招待會). [cf] at HOME. ¶an ~ day 집에서 손님을 접대하는 날, 접객일(接客日). **—***a.* [A] 가정용의: one's ~ clothes.

athwart [əθwɔ́ːrt] *ad.* (비스듬히) 가로질러(서); (…에) 거슬러서, (…뜻에) 반(反)하여: Everything goes ~ (with me). 만사가 뜻대로 되지 않는다. **—***prep.* …을 가로질러서, 거슬러, (목적 따위)에 어긋나서: go ~ a person's purpose 아무의 뜻대로 안 되다.

athwárt·ships [-ʃìps] *ad.* 〖항해〗 (한쪽 뱃전에서 다른쪽 뱃전까지) 선체를 가로질러서.

atilt [ətílt] *ad.*, *a.* [P] 기울어, 기울여서; 기울어진.

-a·tion [éiʃən] *suf.* 동작·상태·결과를 나타내는 명사를 만듦: occup*ation*, civiliz*ation*.

atish·oo [ətíʃuː] *int.* 《英》 =AHCHOO.

-a·tive [èitiv, ət-] *suf.* 동사에 붙여 관계·경향·성질 따위를 나타내는 형용사를 만듦: author*itative*, talk*ative*. ★ 발음은 대개 강음절 직후에서는 [-ətiv], 기타는 [-èitiv/-ətiv].

Atl. Atlantic.

At·lan·ta [ætlǽntə, ət-] *n.* 애틀랜타《미국 Georgia주의 북서부에 있는 주도; 25회 하계 Olympics 개최지》.

At·lan·te·an [æ̀tlæntíːən] *a.* 아틀라스(Atlas)와 같은; 비길 데 없이 힘센; Atlantis섬의.

‡**At·lan·tic** [ətlǽntik] *n.* (the ~) 대서양: the North 〔South〕 ~ 북〔남〕대서양.
 —*a.* **대서양의**〔에 면한〕; 대서양안의: the ~ islands 대서양 제도/the ~ states 《美》 대서양 안의 제주(諸州), 동부 제주/an ~ flight 대서양 횡단 비행.

Atlántic Ócean (the ~) 대서양.

Atlántic (Stándard) Time (미국의) 대서양 표준 시간《생략: A(S)T》.

At·lan·tis [ətlǽntis] *n.* 아틀란티스 섬《바닷속에 잠겨 버렸다는 대서양상의 전설의 섬》.

At·las [ǽtləs] *n.* 〖그리스신화〗 아틀라스《신들을 배반한 벌로 하늘을 짊어지게 된 거인》.

***at·las** [ǽtləs] *n.* [C] **지도책;** 지도장《1 매씩의 지도를 엮은 것》: a world ~ 세계지도(책). [cf] map.

Átlas Móuntains (the ~) 아틀라스 산맥《아프리카 북서부의 산맥》.

ATM automated-teller machine. **atm.** atmosphere(s); atmospheric.

at márk 〖컴퓨터〗 앳 마크《메일을 수신하는 도메인명; @》.

‡**at·mos·phere** [ǽtməsfìər] *n.* **1** (the ~) (지구를 둘러싸고 있는) **대기;** 천체를 둘러싼 가스체. **2** (*sing.*) (어떤 장소의) 공기: a humid ~ 눅눅한 공기/a refreshing mountain ~ 상쾌한 산공기. **3** (*sing.*) 분위기, 환경, 주위의 상황: a tense ~ 긴장된 분위기/create a pleasant ~ 즐거운 분위기를 조성하다/an ~ *of* friendliness 친밀한 분위기. **4** (*sing.*) (예술품의) 풍격, 운치; (장소·풍경 따위의) 풍취, 정취: a novel rich in ~ 분위기가 잘 나타난 소설. **5** [C] 〖물리〗 기압《압력의 단위; 1기압은 1,013 헥토파스칼; 생략: atm.》: absolute ~ 절대 기압. [cf] atmospheric pressure.

°**at·mo·spher·ic** [æ̀tməsférik, -sfíərik] *a.* **1** [A] 대기(중)의, 공기의; 대기에 의한, 기압의: an ~ depression 저기압/an ~ discharge 공중방전(放電)/~ pollution 대기오염/~ nuclear test 대기권 핵실험. **2** 분위기의, 정조(情調)의: ~ music 무드 음악. [파] **-i·cal·ly** *ad.*

atmosphéric préssure 〖기상〗 기압, 대기압력: (a) high 〔law〕 ~고〔저〕기압.

àt·mos·phér·ics *n. pl.* 〖전기〗 공전(空電)《대기 전기에 의한 일종의 전파; 무선통신에 잡음을 만듦》.

at. no. 〖물리·화학〗 atomic number.

at·oll [ǽtɔːl, ətál, ǽtoul/ǽtɔl, ətɔ́l] *n.* [C] 환상(環狀) 산호섬, 환초(環礁).

‡**at·om** [ǽtəm] *n.* **1** [C] 〖물리·화학〗 **원자:** kaonic ~, K 중간자 원자. **2** [C] 미분자, 티끌, 미진(微塵): break 〔smash〕 to ~*s* 산산이 가루로 부수다. **3** 〖an ~ of ...로 부정문에 쓰여〗 …이 털끝 만큼도 없는: There is *not an* ~ *of* truth in the rumor. 그 소문은 전혀 근거 없는 것이다.

átom 〔atómic〕 bómb 원자 폭탄(A-bomb). ★ 현재는 atomic bomb쪽이 일반적.

‡**atom·ic** [ətámik/ətɔ́m-] *a.* **1 원자의**《생략: at.》. **2** 원자력에 의한〔을 이용한〕; 원자탄의〔을

이용하는): an ~ submarine (carrier) 원자력 잠수함(항공모함) / an ~ explosion (warfare) 핵 폭발(전쟁). 3 극소의, 극미의.
[파] **-i·cal·ly** *ad.*

atómic áge (the ~) 원자력 시대.

atómic clóck 원자 시계.

atómic clóud (원자 폭탄에 의한) 원자운(雲), 버섯 구름.

atómic cócktail 《구어》 (암치료 · 진단용의) 방사성 물질 함유 내복약(음료).

atómic énergy 원자 에너지, 원자력.

Atómic Énergy Authòrity (the ~) 《英》 원자력 공사(公社) 《1954 년 설립; 생략: A.E.A.》.

atómic físsion 원자 핵분열.

atómic fúrnace 원자로(reactor).

at·o·mic·i·ty [æ̀təmísəti] *n.* [U] 〖화학〗 (분자 중의) 원자수; 원자가(價)(valence).

atómic máss 〖화학〗 원자 질량.

atómic máss ùnit 원자 질량 단위 《생략: amu, AMU》.

atómic númber 〖물리 · 화학〗 원자 번호 《생략: at. no.》.

atómic párticle 〖물리〗 소립자(素粒子).

atómic píle (**reáctor**) 원자로. ★ 현재는 nuclear reactor 를 씀.

atómic pówer (동력으로서의) 원자력.

atómic pówer plànt (**stàtion**) 원자력 발전소.

atómic strúcture 원자 구조.

atómic théory 〖물리 · 화학〗 원자론.

atómic vólume 원자 부피 《생략: at. vol.》.

atómic wéapon 핵무기(nuclear weapon).

atómic wéight 원자량 《생략: at. wt.》.

át·om·ìsm *n.* [U] 〖철학〗 원자론 《모든 물질은 그 이상 분석할 수 없는 미립자로부터 성립되었다는 설》. [파] **-ist** *n.*

at·o·mis·tic [æ̀təmístik] *a.* 원자론의, 원자론적인: an ~ society 원자론적 사회.

at·om·i·za·tion [æ̀təmizéiʃən/-maiz-] *n.* [U] **1** 원자화. **2** 분무 작용. **3** 원자 폭탄(무기)에 의한 파괴.

at·om·ize, 《英》 **-ise** [ǽtəmàiz] *vt.* **1** …을 원자로 하다(만들다). **2** 세분화하다; 분쇄하다. **3** 원자폭탄으로(무기로) 파괴하다. **4** (물약)을 분무(噴霧)하다.

át·om·ìz·er *n.* [C] (약제 · 향수의) 분무기.

átom smàsher 《구어》 〖물리〗 원자핵 파괴 장치; 가속기(accelerator).

aton·al [eitóunl/æ-] *a.* 〖음악〗 무조(無調)의. ↔ *tonal.* [파] **~·ly** *ad.*

at·o·nal·i·ty [èitounǽləti, æ̀t-] *n.* [U] 〖음악〗 무조성(無調性) 《일정한 조성(調性)에 입각하지 않은 작곡 양식》; 무조주의(형식).

°**atone** [ətóun] *vi.* 속(贖)하다, 속죄하다 《*for* (죄 따위)를》: He wished to ~ *for* the wrong he had done. 그는 자기가 저지른 나쁜 짓에 대한 보상을 하고 싶었다.

°**atóne·ment** *n.* **1** [U] (구체적으로는 [C]) 보상, 죄(罪)값 《*for* …에 대한》: make ~ *for* one's misdeeds 비행의 보상을 하다. **2** 〖기독교〗 **a** [U] 속죄. **b** (the A-) 그리스도에 의한 속죄.

at·o·ny [ǽtəni] *n.* [U] **1** 〖의학〗 (수축성 기관의) 이완(弛緩), 무력(증). **2** 〖음성〗 무강세(無強勢).

atop [ətáp/ətɔ́p] 《문어》 *ad.* 정상에: ~ *of* a hill 언덕 위에. **—*prep.*** …의 정상에: ~ the flagpole 깃대 꼭대기에.

ato·py [ǽtəpi] *n.* [U] 〖의학〗 아토피성 체질, 선천성 과민증 《면역 반응에 기인한 알레르기성 질환》. [파] **atop·ic** [eitápik, -tóu-] *a.*

at·ra·bil·i·ous [æ̀trəbíljəs] *a.* 《문어》 **1** 우울증의; 침울한; 찌무룩한. **2** 성마른, 신경질적인.

atri·um [éitriəm] (*pl.* ***atria*** [-triə], **~s**) *n.* [C] **1** 〖건축〗 안마당; (고대 로마 건축의) 안뜰(이 딸린 홀). **2** 〖해부〗 심이(心耳); 고실(鼓室) 《귀의》; 심방(心房).

°**atro·cious** [ətróuʃəs] *a.* 흉악한, 잔학한; 《구어》 아주 지독한(무서운, 지겨운): an ~ crime 잔학한 범죄 / an ~ meal 형편 없는 식사.
[파] **~·ly** *ad.* **~·ness** *n.*

°**atroc·i·ty** [ətrásəti/ətrɔ́s-] *n.* **1** [U] 흉악, 잔인. **2** [C] (보통 *pl.*) 잔학 행위, 흉행(兇行): commit *atrocities* against civilians 민간인에게 잔학한 짓을 저지르다. **3** [C] 《구어》 아주 지독한 것(일), 대실책: This painting is an ~; it could never be called art. 이 그림은 너무 지독해서, 도저히 예술이라고 부를 수 없다.

at·ro·phy [ǽtrəfi] *n.* [U] (구체적으로는 [C]) **1** 〖의학〗 (영양 부족 따위에 의한) 위축(증); 수척함. ↔ *hypertrophy.* **2** 〖생물〗 (영양 장애에 의한) 발육부전, (기능의) 퇴화, 쇠퇴; (도덕심 따위의) 퇴폐: a marked ~ of national morals 국민도덕의 현저한 쇠퇴. **—*vt.*, *vi.*** 위축시키다(하다).

At·ro·pos [ǽtrəpàs/-pɔ̀s] *n.* 〖그리스신화〗 아트로포스 《운명의 세 여신(Fates)의 하나로 생명의 실을 끊는 일을 함》.

ATS 〖철도〗 automatic train stop (자동 열차 정지 장치); automatic transfer services (자동 대체 서비스). **att.** attached; attention; attorney.

at·ta·boy [ǽtəbɔ̀i] *int.* 《美구어》 좋아, 됐어, 잘한다. [◂ That's the boy.]

⁑**at·tach** [ətǽtʃ] *vt.* **1** 《~+[목]/+[목]+[전]+[명]》 붙이다, 달다; (풀 따위로) 바르다 《***to, on*** …에》. ↔ *detach.* ¶ ~ a stamp (*to* the letter) (편지에) 우표를 붙이다 / ~ a label *to* a parcel 소포에 꼬리표를 붙이다.

2 《+[목]+[전]+[명]》 〖종종 수동태〗 (시설 · 건물 · 군인 · 부대 등)을 부속(소속, 배속)시키다; 〖~ oneself〗 가입하다 《***to*** …에》: a high school *~ed to* the university 대학 부속 고등학교 / ~ a person *to* a company (regiment) 아무를 중대(연대)에 배속하다 / He first *~ed* him*self to* the Liberals. 그는 처음에 자유당 당원이었다 / He's *~ed to* the liberals. 그는 자유당에 소속해 있다.

3 《+[목]+[전]+[명]》 〖~ oneself〗 들러붙다, 부착하다 《***to*** …에》: Shellfish usually ~ them*selves to* rocks. 조개는 보통 바위에 들러 붙는다.

4 《+[목]+[전]+[명]》 부여하다, (중요성 따위)를 두다 《***to*** …에》: ~ significance *to* a gesture 몸짓에 어떤 뜻을 부여하다 / ~ great (much) importance *to* politics 정치를 크게 중요시하다.

5 《+[목]+[전]+[명]》 (사람 · 동물)을 **애착심**(**애정**)**을 갖게 하다** 《***to*** …에》: try to ~ a boy *to* oneself by giving him sweets 과자를 주어서 아이를 따르게 하다 / The child is deeply *~ed to* its foster parents. 그 아이는 양부모를 매우 따른다 / I'm deeply (very) *~ed to* this house and don't want to leave it. 나는 이 집에 강한 애착을 갖고 있어서 떠나기가 싫다.

6 《+[목]+[전]+[명]》 (이름 · 주석 따위)를 첨부하다, 덧붙이다 《***to*** …에》: The signers *~ed* their

names *to* the petition. 그들은 청원서에 서명했다.
7 〖법률〗 (재산)을 압류하다; (아무)를 구속〔체포〕하다(arrest).
—*vi.* 《+전+명》 부착하다, 붙어〔따라〕다니다; 소속하다《*to* …에》: No blame *~es to* me in the affair. 그 건(件)으로는 나는 하등 비난받을 일이 없다. ㊈ **~·a·ble** *a.*

at·ta·ché [ætəʃéi, ətǽʃei] *n.* 《F.》 Ⓒ (대사·공사의) 수행원; 공사〔대사〕관원: a commercial ~ 상무관(商務官)/a military 〔naval〕 ~ 공〔대〕사관부 육군〔해군〕 무관.

attaché case [ətǽʃeikèis] 소형 서류 가방의 일종; =BRIEFCASE.

at·táched [-t] *a.* **1** 매어져 있는, 첨부〔부속〕한: an ~ high school 부속 고등학교(⇨ATTACH *vt.* 2). **2** 소속한; 가입한《*to* …에》: an officer ~ *to* the general staff 참모본부 소속 장교. **3** 흠모〔사모〕하고 있는, 애정을 품은《*to* …을, …에》 (⇨ ATTACH *vt.* 5).

°**at·tách·ment** *n.* **1 a** Ⓤ 부착, 접착《*to* …에의》. **b** Ⓒ 부착물, 부속품: a camera with a flash ~ 플래쉬가 장착된 카메라. **2** Ⓤ (구체적으로는 Ⓒ) 애정, 사모, 애착《*for, to* …에 대한》: develop an ~ *for* a woman 여자를 사랑하게 되다/His ~ *to* his old home is very great. 옛 집에 대한 그의 애착은 대단히 강하다. **3** 〖법률〗 Ⓤ 구속; 압류; Ⓒ 그 영장.

‡**at·tack** [ətǽk] *vt.* **1** (적군·적진 따위)를 **공격하다**, 습격하다; (사람·행위 등)을 비난〔공격〕하다: ~ the government 정부를 공격하다.

SYN. **attack** 구체적으로는 사람·물건, 추상적으로는 인격·명성 등을 종종 적의나 악의를 갖고 공격하다: *attack* an enemy 적을 공격하다. *attack* policy 정책을 비난하다. **assail** 강타 등을 반복하여 공격하다. 추상적으로도 쓰임: *assail* with reproaches 비난을 하며 공격하다. **assault** assail과 대조적으로 갑자기 폭력을 써서 덤비다. **storm** 폭풍우처럼 맹렬히 assault 하다.

2 〖종종 수동태〗 (병이 사람)을 침범하다; (비·바람 등이 물건)을 침식〔부식〕하다: He *was ~ed by* fever. 그는 열병에 걸렸다/Acid *~s* metal. 산은 금속을 부식한다. **3** (정력적으로 일 따위)를 **착수하다**; (왕성하게 식사 따위)를 하기 시작하다: ~ housecleaning 활기 있게 집 청소를 시작하다/He *~ed* the meal as if he hadn't eaten for a week. 그는 일주일 동안이나 굶었던 것처럼 걸신들린 듯이 먹기 시작했다. **4** (여자)를 덮치다, 강간하다.
—*vi.* 공격하다.
—*n.* **1** Ⓤ (구체적으로는 Ⓒ) (무력에 의한) **공격**, 습격; (말·글에 의한) 공격, 비난《*on, upon* …에 대한》: make 〔begin〕 an ~ *on* an enemy position 적진에 공격을 가하다〔개시하다〕/make 〔deliver〕 an ~ *on* the government 정부를 공격하다/*Attack* is the best (form of) defense. 공격은 최선의 방어이다. **2** Ⓒ 발병, 발작: have an ~ *of* flu 유행성 감기에 걸리다. **3** Ⓒ 개시, 착수《*on* (일·경기·식사 따위)의》: make an ~ *on* a backlog of work 잔무(정리)에 착수하다. **4** Ⓤ 〖음악〗 (기악·성악에서 최초의) 발성(법), 어택.
㊈ **~·a·ble** *a.* **~·er** *n.* Ⓒ 공격자.

at·tain** [ətéin] *vt.* **1** (장소·위치·나이 등)에 **이르다**, 도달하다: ~ old age 고령에 달하다/~ the highest peak 가장 높은 산봉우리에 이르다. **2** (목적·소원)을 **달성**〔성취〕**하다**; (명성·부귀 따위)를 획득하다, 손에 넣다: ~ one's goal 목표를 달성하다/He *~ed* full success. 그는 충분한 성공을 거두었다. **—vi.* 《+전+명》 (노력이나 자연적인 경과로) (도)달하다, 이르다《*to* …에》: ~ *to* years of discretion 분별 있는 나이에 달하다/~ *to* perfection 완벽한 경지에 이르다. **~ *to man's estate*** 성년에 달하다.
㊈ **~·a·ble** *a.* **at·tàin·a·bíl·i·ty** *n.* Ⓤ 달성〔획득〕가능성. **~·er** *n.*

°**at·táin·ment** *n.* **1** Ⓤ 도달, 달성. **2** Ⓒ (보통 *pl.*) (노력하여 얻은) 기능, 재간, 예능; 학식, 재능, 조예(skill): a man of varied *~s* 다재다능한 사람.

at·tar [ǽtər] *n.* Ⓤ 장미유(油)(=**~ of róses**); 〖일반적〗 꽃에서 채취한 향수〔기름〕.

‡**at·tempt** [ətémpt] *vt.* **1** 《~+목/+*to* do/+-*ing*》 **시도하다**, 꾀하다: ~ a difficult task 어려운 일을 시도하다/~ *to* solve a problem 문제를 풀려고 꾀하다/He *~ed* climb*ing* an unconquered peak. 그는 미정복의 산봉우리 등반을 꾀했다. SYN. ⇨TRY. **2** (인명 등)을 노리다, 뺏고자 하다; (요새 등)을 습격하다; 도전하다: ~ one's own life 자살을 꾀하다/~ a fort 요새를 뺏으려고 하다/The unbelieving Jews *~ed* the life of Jesus. 신앙이 없는 유대인들은 예수의 목숨을 노렸다.
—*n.* Ⓒ **1 시도**, 기도《*at* …의/*to* do》: successful ~ 성공적인 시도/make an ~ *at* a joke 농담을 하려고 하다/The prisoners made an ~ *to* escape. 죄수들은 탈출을 기도했다. **2** 습격, 공격; 도전; 노림《*on* …에 대한》: make an ~ *on* the Premier's life 수상 암살을 꾀하다/his first ~ *on* the world record 세계 기록에 대한 그의 첫 도전.

at·témpt·ed *a.* 시도한; 〖법률〗 미수의: ~ burglary 〔murder, suicide〕 강도〔살인, 자살〕 미수.

†**at·tend** [əténd] *vt.* **1** (모임·의식(儀式))에 **출석〔참석〕하다**; (학교·교회 등)에 다니다, 가다: ~ a lecture 청강하다/~ school 등교하다/~ a meeting 〔funeral〕 모임〔장례식〕에 참석하다.
2 (결과로서) **수반하다**, 따르다《종종 수동태로 쓰며, 전치사는 *with, by*》: a cold *~ed with* 〔*by*〕 fever 열이 나는 감기/Success often *~s* hard work. 열심히 일하면 흔히 성공이 따른다/The enterprise *was ~ed with* much difficulty. 그 사업에는 많은 어려움이 따랐다.
3 …와 동행〔동반〕하다, 수행하다, 시중들다: The President is *~ed* by several aides. 몇 명의 보좌관이 대통령을 수행하고 있다.
4 (병자)를 간호〔치료〕하다, 돌보다, 보살피다; (고객)을 응대하다: The nurse will ~ the patient. 간호사가 환자를 돌볼 것이다.
—*vi.* 《~/+전+명》 **1 출석하다**, 참석하다《*at* …에》: He *~s* regularly. 그는 빠지지 않고 참석한다/~ *at* a ceremony 식에 참석하다/He does not ~ regularly *at* the court. 그는 매번 법정에 출석하는 것은 아니다.
2 시중들다, 섬기다《*on, upon, to* …에게, …을》: ~ *on* the prince 왕자의 시중을 들다.
3 보살피다, 돌보다, 간호하다《*on, upon, to* …을》: The nurses *~ed on* the sick day and night. 간호사들은 주야로 환자를 간호했다/Who *~s to* the baby when you're at work? 일할

때는 누가 아기를 돌봅니까.
4 《~/+[전]+[명]》 **주의하다**, 경청하다《*to* (일 · 하는 말 따위)에》: Please ~ carefully. 잘 주의해서 들으세요/Will you ~ *to* the fire while we're out? 우리가 외출한 동안 불을 주의해 주시겠습니까/ Please ~ *to* what I say. 내가 하는 말을 잘 들으시오. ◇attention *n.*
5 《+[전]+[명]》 **정성을 들이다**, 전념하다《*to* …에》: You won't succeed unless you ~ *to* your work. 일에 전념하지 않으면 성공하지 못합니다.
6 《문어》 (결과로서) 수반하다《*on, upon* …에》: Many dangers ~*ed upon* the expeditions. 그 모험에는 많은 위험이 따랐다. ◇attendance *n.*

*__at·tend·ance__ [əténdəns] *n.* **1** [U] (구체적으로는 [C]) **출석**, 출근, 참석《*at* …에의》: make ten ~*s* 열 번 출석하다/We require your ~ *at* the meeting. 그 모임에 당신의 참석을 요청합니다. **2** [C] 〖집합적〗 **출석자(수)**, 참석자(수)《*at* …에의》: an ~ of 2,000, 출석자 2천명/There will be a large 〔small〕 ~ *at* the meeting. 그 회의에는 참석자가 많을〔적을〕 것이다. **3** [U] **시중**, 간호; 돌봄《*on, upon* …의》: a doctor in ~ 담당의사/The nurse is in ~ *on* 〔*upon*〕 him. 간호사가 그를 돌봐주고 있다. ***dance ~ on*** a person (아무의) 비위를 맞추다.

atténdance allòwance 《英》 간호 수당《신체 장애자 간호에 국가가 지급하는 특별 수당》.

atténdance cèntre 《英》 청소년 보호 감찰 센터.

*__at·tend·ant__ [əténdənt] *a.* **1 따라붙는**, 수행의: an ~ nurse 전속 간호사. **2 수반하는**《*on, upon* …에》; 부수의, 부대의: the pain ~ *on* divorce 이혼에 따르는 고통/~ circumstances 부대 상황. **3** 출석한, 참석한, 마침 그 자리에 있는. **—***n.* [C] **1 시중드는 사람**; 수행원, 종자(從者): a medical ~ 단골 의사. **2 참석자**, 출석자. **3** 점원, 접객원, 안내원.

at·tend·ee [ətèndíː] *n.* [C] 출석자.

‡**at·ten·tion** [əténʃən] *n.* **1** [U] **주의**, 유의; 주의력: direct 〔turn〕 one's ~ to …에 주의를 기울이다, …을 연구하다/devote one's ~ to …에 열중〔전념〕하다/call a person's ~ to …에 아무의 주의를 환기시키다/give 〔pay〕 ~ to …에 주의하다/catch ~ 주의를 끌다/listen with ~ 경청하다. **2** [U] 배려, 고려; 손질; 돌봄: My car needs ~. 내 차는 손을 봐야겠다/Children always want some ~. 아이들은 언제나 좀 돌봐줄 필요가 있다. **3** [U] (종종 *pl.*) 친절〔정중〕(한 행위)(kindness); (여성에 대한) 배려, 구애: pay one's ~*s* to (a lady) (여성)에게 구애하다. **4** [U] 〖군사〗 차려 자세: come to 〔stand at〕 ~ 차려 자세를 취하다. ◇attend *v.*
Attention [ətènʃʌ́n]! 《구령》 차려《생략: 'Shun [ʃʌ́n]!》 ***Attention, please!*** 여러분께 알려 드리겠습니다; 잠깐 경청해 주십시오.
[파] **~·al** *a.*

*__at·ten·tive__ [əténtiv] *a.* **1 주의 깊은**, 세심한《*to* …에》: an ~ reader 주의깊은 독자/You must be more ~ *to* your work. 너의 일에 좀더 세심한 주의를 기울여야 한다. **2** 경청하는《*to* …을》: an ~ audience 열심히 듣는 청중/They were ~ *to* his speech. 그들은 그의 이야기를 경청했다. **3** 정중한, 친절한; 마음쓰는, 상냥한《*to* (아무)에게》: She is always ~ *to* old people. 그녀는 노인에게 항상 친절하다.
[파] **~·ly** *ad.* 주의깊게; 친절하게, 정중하게. **~·ness** *n.*

at·ten·u·ate [əténjuèit] *vt.* **1** (기체 · 액체)를 묽게 하다. **2** 가늘게 하다, 얇게 하다. **3** (힘 · 가치 등)을 약하게 하다; 덜다, 줄이다. **4** 〖의학〗 (바이러스의 독성)을 감약〔감독(減毒)〕하다. **—***vi.* **1** 묽어〔얇아〕지다; 가늘어지다. **2** 줄다, 약해지다. **—** [əténjuit, -èit] *a.* **1** 희박한; 가는, 얇은; 약한. **2** 〖식물〗 점점 뾰족해지는, 끝이 빤.

at·ten·u·a·tion [ətènjuéiʃən] *n.* [U] **1** 가늘어짐; 쇠약, 여윔. **2** 희박화.

*__at·test__ [ətést] *vt.* **1** 《~+[목]/+*that* [절]/+*wh.* [절]》 …을 **증명하다**, 입증하다; …을 증언하다: I ~ the truth of her statement. 그녀의 진술이 사실임을 증명합니다/Will you ~ *that* it's true? 그것이 사실임을 증명〔증언〕하겠습니까/~ *where* the accident took place 그 사고가 어디서 일어났는지 증명하다. **2** 〖법률〗 (선서 등에 의하여) 사실임을 증명하다; (법정에서) 선서시키다. **—***vi.* 《+[전]+[명]》 **1 증명**〔증언〕**하다**《*to* …을》: He ~*ed to* the genuineness of the signature. 그는 서명이 진짜임을 증언했다. **2** 입증하다《*to* …을》: This ~*s to* his honesty. 이 일로 그가 정직함을 알 수 있다.

at·tes·ta·tion [æ̀testéiʃən] *n.* **1** [U] 증명, 증거, 증언. **2** [C] 증명서. ◇attest *v.*

at·tést·ed [-id] *a.* 《英》 증명〔입증〕된; (소 · 우유가) 무병〔무균〕이 보증된.

At·tic [ǽtik] *a.* **1** (옛 그리스의) 아티카〔아테네〕의. **2** 〖건축〗 아테네식의, 고전적인, 우아한.

◇**at·tic** *n.* [C] 더그매《지붕과 천장 사이의 공간》; 고미다락(방).

At·ti·ca [ǽtikə] *n.* 아티카《고대 그리스의 한 지방; 그 중심은 아테네》.

Áttic órder (the ~) 〖건축〗 아티카식《네모진 기둥을 씀》.

Àttic sált 〔**wít**〕 (the ~) 세련된 기지(機智), 점잖은 익살.

◇**at·tire** [ətáiər] *n.* [U] 옷차림새; 복장, 의복; 성장(盛裝): a girl in male ~ 남장(男裝)한 소녀/in holiday ~ 나들이옷으로. [cf] garb, garment. **—***vt.* 〖보통 수동태; ~ oneself〗 성장시키다; 차려 입히다《*in* …으로》: neatly ~*d* 단정한 복장을 한/She ~*d herself in* black silk. 그녀는 검정 실크옷을 입고 있었다.

‡**at·ti·tude** [ǽtitjùːd] *n.* [C] **1 태도**, 마음가짐《*to, toward* (사람 · 물건 등)에 대한》: ~ of mind 마음 가짐/take 〔assume〕 a strong 〔cool, weak〕 ~ *toward* 〔*to*〕 …에게 강경한〔냉정한, 약한〕 태도를 취하다/I don't like your ~ *to* your work. 일에 대한 너의 태도가 마음에 들지 않는다. **2** 자세(posture), 몸가짐, 거동: sit in a relaxed ~ 편안한 자세로 앉다. **3** 생각, 기분; 의견《*to, toward* (사물)에 대한》: What is your ~ *to* the problem? 그 문제를 너는 어떻게 생각하느냐/His ~ *toward* the right of abortion is strongly affirmative. 임신중절 권리에 대한 그의 견해는 매우 긍정적이다. ***strike an ~*** 《옛투》 짐짓 점잔을 빼다.

áttitude contròl 〖로켓〗 자세 제어: ~ system (우주선의) 자세 제어 장치.

at·ti·tu·di·nal [æ̀titjúːdənl] *a.* (개인적인) 태도〔의견〕의〔에 관한〕.

at·ti·tu·di·nize [æ̀titjúːdənàiz] *vi.* 젠체하다, 짐짓 점잔빼다. [파] **-nìz·er** *n.*

attn. 〖상업〗 (for the) attention (of).

at·to- [ǽtou, ǽtə] '아토(10^{-18})'의 뜻의 결합

사《기호 a》.

‡**at·tor·ney** [ətə́ːrni] *n.* Ⓒ **1** 〖법률〗 (위임장으로 정식 대행을 맡은) 대리인. **2** 《美》 (사무) 변호사. ***a letter*** 〔***warrant***〕 ***of*** ~ (소송) 위임장. ***by*** ~ (위임장에 의한) 대리인으로서. ***power*(*s*) *of*** ~ 위임권〔장〕.

attórney-at-láw [-ət-] (*pl.* **-neys-**) *n.* Ⓒ 《美》 =ATTORNY 2.

Attórney Géneral (*pl.* ***Attórneys Géneral, Attórney Génerals***) 《생략: A.G., Att. Gen.》 《美》 (연방 정부의) 법무 장관; 《美》 (각 주의) 검찰 총장; 《英》 법무 장관.

‡**at·tract** [ətrǽkt] *vt.* **1** (주의·흥미 등)을 끌다, (사물)을 끌어당기다. ↔ *distract.*¶ ~ a person's attention 〔notice〕 아무의 주의를 끌다/ A magnet ~*s* iron. 자석은 쇠를 끈다. **2** …의 마음을 끌다, …을 매혹하다: Her charm ~*ed* me. 그녀의 매력이 나의 마음을 끌었다/He was ~*ed* by her charm. 그는 그녀의 매력에 끌렸다. **3** 《+목+전+명》 (사람)을 끌어들이다《*to* …에》: What ~*ed* you *to* this field of study? 무엇에 이끌려 이 분야의 연구를 하게 되었습니까? ◇ attraction *n.*
㊕ ~·**ant** *n.* Ⓒ (특히 곤충을 유인하는) 유인 물질.

‡**at·trac·tion** [ətrǽkʃən] *n.* **1** Ⓤ 매력《***for*** …에 대한》: She possesses personal ~. 그녀는 인간적 매력을 지니고 있다/Reading lost its ~ *for* him. 독서도 그에게는 매력이 없어졌다. **2** Ⓒ 사람을 끄는 물건, 인기거리, 매력 있는 것: tourist ~*s* 관광객의 시선을 끄는 것/The chief ~ of the show was a dancing bear. 그 쇼의 최대 인기거리는 춤추는 곰이었다. **3** Ⓤ 〖문법〗 견인(牽引)《가까운 낱말의 영향으로 수·격 등에 변화를 일으키는 일; 예: 〔수·인칭〕 Each of us *have* done *our* best. (우리는 각자 최선을 다했다/〔격(格)〕 an old woman *whom* I guessed was his mother 그의 어머니로 여겨지는 노파》. **4** Ⓤ 〖물리〗 인력: ~ of gravity 중력/chemical ~ 친화력/magnetic ~ 자력(磁力). ◇ attract *v.*

‡**at·trac·tive** [ətrǽktiv] *a.* **1 사람의 마음을 끄는, 매력적인**: an ~ woman 〔story, sight〕 매력적인 여성〔이야기, 광경〕. **2** (의견·조건 등이) 관심을 끄는; 《비유적》 재미있는: The offer was too ~ to refuse. 그 제안이 너무 관심을 끌어서 거절할 수 없었다/That's an ~ idea. 그건 재미있는 착상이군. **3** 인력이 있는: ~ force 인력. ㊕ ~·**ly** *ad.*

attrib. attribute; attributive(ly).

at·trib·ut·a·ble [ətríbjutəbəl] *a.* Ⓟ 돌릴 수 있는, 기인하는《원인 등》, 탓〔소치〕인《***to*** …에(서), …의》: His illness is ~ *to* overwork. 그의 병은 과로에서 생긴 것이다.

‡**at·trib·ute** [ətríbjuːt] *vt.* 《+목+전+명》 **1** (결과)를 돌리다《***to*** …에》: ~ one's success *to* a friend's encouragement 성공한 것을 친구의 격려 덕분으로 생각하다/~ a disaster *to* a person's imprudence 참사 원인을 아무의 경솔 탓으로 돌리다. **2** (성질 따위)를 있다고 생각하다《***to*** …에게》: We ~ prudence *to* Tom. 톰에게는 분별이 있다고 생각한다. **3** 〔보통 수동태〕 (작품 따위)를 지었다고 하다《***to*** …이》: ~ the play *to* Shakespeare 그 희곡을 셰익스피어의 작품으로 추정하다/The piece *is* usually ~*d to* Mozart. 이 곡은 보통 모차르트가 지은 것으로 추정된다. ◇ attribution *n.*
— [ǽtribjùːt] *n.* Ⓒ **1** 속성, 특질, 특성: Mercy is an ~ of God. 자비는 하느님의 속성이다. **2** (어떤 인물〔직분〕 등의) 부수물, 붙어다니는 것, 상징《Jupiter의 독수리, 국왕의 왕관 등》: A crown is the ~ of a king. 왕관은 왕의 상징이다. **3** 〖문법〗 한정사(限定詞)《속성·성질을 나타내는 어구; 형용사 따위》.

at·tri·bu·tion [æ̀trəbjúːʃən] *n.* **1** Ⓤ (원인 따위를) 돌림, 귀속(歸屬)시킴《***to*** …에》: The ~ of the accident *to* neglect of duty is wrong. 그 사고를 직무태만으로 돌리는 것은 잘못이다. **2** Ⓒ (사람·사물의) 속성; (부속의) 권능, 직권.

at·trib·u·tive [ətríbjətiv] *a.* **1** 속성의; 속성을 나타내는. **2** 〖문법〗 한정적인, 관형적(冠形的)인《the *old* dog의 *old* 따위》: an ~ adjective 한정 형용사. ㉹ predicative. —*n.* Ⓒ 〖문법〗 한정 어구. ㊕ ~·**ly** *ad.*

at·tri·tion [ətríʃən] *n.* Ⓤ **1** 마찰; 마멸, 마손; 소모, 손모(損耗): a war of ~ 소모전. **2** (수의) 축소, 감소.

at·tune [ətjúːn] *vt.* **1** 〖음악〗 …의 가락을 맞추다, …을 조율하다. **2** (마음·이야기 등)을 맞추다, 조화〔순응〕시키다《***to*** …에》: a style ~*d to* modern taste 현대인의 기호에 맞춘 양식/Have you ~*d* yourself *to* life in New York City? 뉴욕 생활에 적응하셨습니까《★ 보통 과거분사꼴로 형용사적으로 쓰임》. ㊕ ~·**ment** *n.*

Atty. Attorney. **at·vol.** 〖화학〗 atomic volume.

atyp·i·cal [eitípikəl] *a.* 틀에 박히지 않은, 부정형(不定形)의; 변칙적인, 불규칙한: an ~ use of a word 말의 변칙적인 사용. ㊕ ~·**ly** *ad.*

Au 〖화학〗 aurum 《L.》 (=gold). **Au., A.U., a.u.** 〖물리〗 angstrom unit.

au·ber·gine [óubərʒìːn, -be-] *n.* **1** Ⓒ (음식물은 Ⓤ) 《英》 〖식물〗 가지(의 열매). **2** Ⓤ 가지색, 암자색.

au·burn [ɔ́ːbərn] *a.* 적갈색의, 황갈색의, 다갈색의. —*n.* Ⓤ (머리털 따위의) 적갈색, 황갈색, 다갈색.

Auck·land [ɔ́ːklənd] *n.* 오클랜드《New Zealand의 North Island 북부의 항구 도시; 전의 수도(1840–65)》.

au cou·rant [oukuːrɑ́ːŋ] 《F.》 현대적인; 정통한《***with, of*** (사정 따위)에》.

°**auc·tion** [ɔ́ːkʃən] *n.* **1** Ⓤ (구체적으로는 Ⓒ) 경매, 공매: a public ~ 공매(公賣)/put a thing up at 〔《英》 to〕 ~ 무엇을 경매에 부치다/sell a thing at 〔《英》 by〕 ~ 경매로 무엇을 팔다/buy a thing at an ~ 경매에서 물건을 사다. **2** =AUCTION BRIDGE.
—*vt.* 경매에 부치다, 경매하다(*off*): ~ *off* one's library 장서를 경매에서 팔아치우다.

áuction brìdge 카드놀이의 일종.

auc·tion·eer [ɔ̀ːkʃəníər] *n.* Ⓒ 경매인.

aud. audit; auditor.

°**au·da·cious** [ɔːdéiʃəs] *a.* **1** 대담한. **2** 넉살좋은, 철면피의; 무례한, 안하무인의: an ~ lie 뻔뻔스런 거짓말. ㊕ ~·**ly** *ad.* ~·**ness** *n.*

°**au·dac·i·ty** [ɔːdǽsəti] *n.* **1 a** Ⓤ 호탕함; 뻔뻔스러움, 안하무인; 무례. **b** (the ~) 대담함; 뻔뻔스러움《***to*** do》: He had the ~ *to* question my honesty. 그는 무례하게도 나의 정직성을 의심했다. **2** Ⓒ 대담한 행위〔발언〕.

Au·den [ɔːdn] *n.* **W**(ystan) **H**(ugh) ~ 오든《미국에 귀화한 영국 시인; 1907–73》.

°**au·di·ble** [ɔ́ːdəbl] *a.* 들리는, 청취할 수 있는, 가청(可聽)의. ㊕ **àu·di·bíl·i·ty** *n.* Ⓤ 청취할〔들을〕 수 있음; 가청도(可聽度).

au·di·bly [ɔ́ːdəbli] *ad.* 들을 수 있도록, 들릴 만큼.

‡**au·di·ence** [ɔ́ːdiəns] *n.* **1** Ⓒ 〖집합적; 단·복수취급〗 **청중; 관중, 관객,** (라디오·텔레비전의) 청취〔시청〕자; (잡지 따위 의) 독자(층): There was a large 〔small〕 ~. 청중이 많았다〔적었다〕/ The ~ applauded loudly at the end of the concert. 연주회가 끝나자 청중들은 우레와 같은 박수를 보냈다 / The ~ were 〔was〕 mostly young people. 청중은 대부분 젊은이들이었다 / His ~s are falling off these days. 그의 관객은 최근 줄고 있다. **2** Ⓒ (국왕·교황 등의) 공식 회견, 알현: be received 〔admitted〕 in ~ 배알을 허락받다《★in ~는 관사 없이》/ have an ~ with the Pope 교황을 알현하다.

au·dio [ɔ́ːdiòu] *a.* Ⓐ 〖통신〗 가청 주파(可聽周波)의; 〖TV·영화〗 음성 송신〔수신·재생〕(회로)의. **—***n.* Ⓤ 〖TV〗 (음의) 수신, 송신, 재생, 수신〔재생〕회로; 음성 부문.

au·di·o- [ɔ́ːdiou, -diə] '청(聽), 소리'의 뜻의 결합사.

au·di·o·an·i·ma·tron·ics [ɔ̀ːdiəæ̀nəmətrániks/-trɔ́n-] *n.* Ⓤ 컴퓨터 시스템에 의한 애니메이션 제작. [◂*audio*+*anima*tion+electr*onics*]

àudio·cassétte *n.* Ⓒ 녹음〔오디오〕 카세트.

áudio frèquency 〖통신〗 가청 주파수, 저주파《생략: A.F., a.f., a-f》.

au·di·om·e·ter [ɔ̀ːdiámitər/-ɔ́m-] *n.* Ⓒ 청력계(聽力計), 오디오미터; 청력 측정기.

au·di·o·phile [ɔ́ːdiəufàil] *n.* Ⓒ 고급 라디오〔전축〕 애호가, 하이파이 팬.

áudio respónse ùnit 〖컴퓨터〗 음성 응답 장치. **1** 키보드 등에서의 조회에 음성으로 응답하는 장치. **2** 미리 수록한 사서에서 적절한 용어를 골라 음성으로 답하는 장치《생략: ARU》.

áudio·tàpe *n.* Ⓒ 녹음테이프.

Áudio Vídeo Interlèaving 〖컴퓨터〗 에이브이 아이《미국 마이크로 소프트사의 윈도에서 동화상을 보기 위한 파일 포맷; 생략: AVI》.

àudio-vísual *a.* 시청각의: ~ education 시청각 교육.

àudio-vísual áids 시청각 교재《영화·라디오·텔레비전·테이프·사진·모형 따위》.

au·di·phone [ɔ́ːdifòun] *n.* Ⓒ 보청기.

au·dit [ɔ́ːdit] *n.* Ⓒ **1** 회계 감사; 《美》 감사 보고서. **2** (문제의) 심사. **—***vt.* **1** 회계 감사하다; (건물·설비 등)을 검사하다. **2** 《美》 (대학 강의)를 청강하다.

au·di·tion [ɔːdíʃən] *n.* **1** Ⓤ 청각; 청력. **2** Ⓒ (가수·배우 등의) 음성 테스트, 오디션. **—***vt.* 연기〔춤, 노래〕 테스트를 하다. **—***vi.* 연기〔춤, 노래〕 테스트를 받다《*for* …에 대한》.

au·di·tor [ɔ́ːditər] (*fem.* **-tress** [-tris]) *n.* Ⓒ **1** 듣는 사람, 방청〔청취〕자. **2** 회계 감사관; 감사. **3** 《美대학》 청강생.

°**au·di·to·ri·um** [ɔ̀ːditɔ́ːriəm] (*pl.* **~s, -ria** [-riə]) *n.* Ⓒ **1** 청중〔관객〕석, 방청석. **2** 강당, 큰 강의실; 회관, 공회당.

au·di·to·ry [ɔ́ːditɔ̀ːri, -ditòuri] *a.* 귀〔청각〕의, 청각 기관의: ~ sensation 청각 / an ~ tube 이관(耳管), 유스타키오관.

Au·drey [ɔ́ːdri] *n.* 오드리《여자 이름》.

au fait [ouféi] 《F.》 정통한, 숙련된《*with* …에》: He's ~ *with* Korean customs. 그는 한국의 관습에 정통하다. ***put*** 〔***make***〕 a person ~ ***with*** 아무에게 …을 가르치다.

au fond [oufɔ́ː] 《F.》 실제로; 근본적으로.

Aug. August.

au·ger [ɔ́ːgər] *n.* Ⓒ 오거, 타래〔나사〕 송곳; 굴착용 송곳.

aught[1] [ɔːt] *pron.* 《고어》 어떤 일 〔것〕, 무언가, 뭣이나(anything). ***for ~ I care*** 《고어》 아무래도 상관없다: You may go *for ~ I care*. 네가 어디로 가든 내 알 바 아니다. ***for ~ I know*** 내가 알고 있는 한에서는, 잘은 모르지만, 아마.

aught[2] *n.* Ⓒ 《美》 영(零), 제로(nought). ★ a naught가 an aught로 달리 분석된 것.

°**aug·ment** [ɔːgmént] *vt.* 늘리다, 증대시키다, 증가시키다. ↔ *diminish*. SYN. ⇨ INCREASE. **—***vi.* 늘다, 증대하다.

aug·men·ta·tion [ɔ̀ːgmentéiʃən, -mən-] *n.* **1** Ⓤ 증가, 증대; 증가율. **2** Ⓒ 첨가물, 증가물.

aug·men·ta·tive [ɔːgméntətiv] *a.* 증가〔증대〕하는; 〖언어〗 (말·접두사·접미사 따위가) 크기를 강조하는. **—***n.* Ⓒ 〖언어〗 확대사(辭)《크기를 강조하는 접두사·접미사; 보기: ball*oon*, milli*on* 따위》.

au gra·tin [ougrǽtin, ɔː-, -grætǽ] 《F.》 〖요리〗 〖명사 뒤에 두어〗 그라탱식의《치즈·빵가루를 발라 엷은 갈색으로 구운》: macaroni ~ 마카로니오그라탱.

au·gur [ɔ́ːgər] *n.* Ⓒ **1** 〖고대로마〗 복점관(卜占官)《새의 거동을 보고 공적인 일의 길흉을 판단함》. **2** 〖일반적〗 점쟁이; 예언자. **—***vt.* 점치다; (…의) 조짐을 보이다: What does this news ~? 이 보도는 어떤 조짐을 의미할까. **—***vi.* 〖보통 ~ ill 〔well〕로〗 전조가 되는《*for* …의》: This ~s well *for* your success. 이건 너의 성공에 좋은 조짐이다.

au·gu·ry [ɔ́ːgjəri] *n.* Ⓤ 점복(占卜), 점; Ⓒ 전조, 조짐.

†**Au·gust** [ɔ́ːgəst] *n.* 8월《생략: Aug.》: in ~ 8월에 / on ~ 2 =on 2 ~ =on the 2nd of ~, 8월 2일에. [◂Augustus Caesar]

°**au·gust** [ɔːgʌ́st] *a.* (존경심을 자아낼 만큼) 당당한; 위엄있는, 장엄한: Mt. Everest's ~ slopes 에베레스트산의 장엄한 사면(斜面) / Your *August* Majesty 폐하. ㊕ **~·ly** *ad.* **~·ness** *n.*

Au·gus·ta [ɔːgʌ́stə] *n.* 오거스타. **1** 여자 이름. **2** 미국 Maine주의 주도.

Au·gus·tan [ɔːgʌ́stən] *a.* **1** (로마 황제) Augustus 의; Augustus 시대의. **2** (영문학상) 문예 전성기의《17-18세기를 가리킴》. **—***n.* Ⓒ 문예 전성기의 문학자.

Au·gus·tine [ɔ́ːgəstìːn, əgʌ́stin/ɔːgʌ́stin] *n.* **1** 오거스틴《남자 이름》. **2 St.** ~ 성(聖)아우구스티누스《(1) 기독교 초기의 교부(354-430). (2) 영국에 포교한 베네딕트 수도사(Canterbury의 초대 대주교; ?-604)》.

Au·gus·tus [ɔːgʌ́stəs] *n.* **1** 오거스터스《남자 이름》. **2** 아우구스투스《로마 초대 황제 Gaius Octavianus의 칭호; 63 B.C.-A.D. 14》.

au jus [oudʒúːs] 《F.》 〖요리〗 (고기를) 요리할 때 나온 그 육즙(肉汁)에 넣어 제공하는.

auk [ɔːk] *n.* Ⓒ 〖조류〗 바다쇠오리.

au lait [ouléi] 《F.》 〖명사 뒤에 두어〗 우유가 든: café au lait.

auld [ɔːld] *a.* 《Sc.》 =OLD.

auld lang syne [ɔ̀:ldlæŋzáin, -sáin] **1** 흘러간 날, 즐거웠던 옛날(old long since, the good old days): Let's drink to ~. 그리운 지난 날을 생각하며 건배합시다. **2** (A- L- S-) Robert Burns의 시의 제목.

†**aunt** [ænt, ɑ:nt] *n.* **1** Ⓒ (A-) 《호칭으로 쓰여》 **아주머니**《이모, 백모, 숙모, 고모》, 아줌마. ↔ *uncle*. **2** (A-) 아주머니《나이 지긋한 부인에 대한 애칭》. ***My*** (***sainted*** 〔***giddy***〕) **~!** 《英속어》 어머(나), 저런《놀라움·불신을 나타냄》.

aunt·ie, aunty [ǽnti, ɑ́:nti] *n.* Ⓒ 《구어》 아줌마《aunt의 애칭》.

Áunt Sálly 《英》 **1** 파이프 떨어뜨리기《목제 여상(女像)의 입에 파이프를 물리고 막대를 던져서 떨어뜨리는 놀이》; 그 놀이에 쓰는 목우(木偶). **2** 부당한 공격〔조소〕의 대상(이 되는 사람·의론 등).

AUP 【컴퓨터】 Acceptable Use Policy《인터넷상에서의 기준을 표시한 규칙, 특히 상업 목적의 이용을 금하는 표어》.

au pair [òupέər] 《F.》 *n.* Ⓒ 오페어걸(=**au páir gírl**)《거저 숙식 제공을 받는 대신 가사를 돕는 외국 여자; 그 나라 말 배우기를 목적으로 함》. **—***a.*, *ad.* (침식 제공을 받는 대신 가사를 돕는 등의) 교환 조건의〔에 의한〕.

au·ra [ɔ́:rə] (*pl.* **~s, au·rae** [-ri:]) *n.* Ⓒ **1** (물체에서 풍기는) 기운, 발산물. **2** (인체의 주위에 감도는) 영기(靈氣). **3** (보통 *sing.*) (주위를 감싸고 있는 독특한) 분위기, 느낌: There's an ~ *of* divinity about him. 그의 주위에서 신비한 분위기가 감돌고 있다.

au·ral [ɔ́:rəl] *a.* 귀의; 청각의. ⓒⓕ oral. ¶an ~ aid 보청기. ㊐ **~·ly** *ad.*

au·re·ate [ɔ́:riit, -èit] *a.* **1** 금빛의, 번쩍이는. **2** (문체·표현 따위가) 미사여구를 늘어놓은, 화려한.

au·re·ole [ɔ́:riòul] *n.* Ⓒ **1** 【신학】 (성자·순교자에게 내리는 천상의) 보상, 보관(寶冠), 영관(靈冠). **2** (성상(聖像)의) 원광(圓光), 광륜(光輪), 후광. ⓒⓕ halo, nimbus. **3** 【기상】 (해·달의) 무리. **4** 광휘, 영광.

Au·re·o·my·cin [ɔ̀:rioumáisin] *n.* Ⓤ 오레오마이신《항생 물질의 하나; 상표명》.

au re·voir [òurəvwɑ́:r] 《F.》 안녕, 또 봐요《헤어질 때의 인사》.

au·ric [ɔ́:rik] *a.* 금의〔을 함유한〕; 【화학】 3가(價)금의.

au·ri·cle [ɔ́:rikl] *n.* Ⓒ **1** 【해부】 외이(外耳), 귓바퀴; (심장의) 심이(心耳). **2** 【식물·동물】 이상부(耳狀部).

au·ric·u·lar [ɔ:ríkjələr] *a.* **1** 귀(모양)의; 청각의〔에 의한〕; 귓속말〔비밀얘기〕의: an ~ confession (사제에게 몰래 털어놓는) 비밀 참회. **2** 【해부】 심이(心耳)의.

au·rif·er·ous [ɔ:rífərəs] *a.* 금을 산출하는; 금을 함유하는.

Au·ro·ra [ərɔ́:rə, ɔ:rɔ́:-] *n.* **1** 【로마신화】 아우로라《새벽의 여신; 그리스신화의 Eos에 해당》. **2** 오로라《여자 이름》.

au·ró·ra *n.* (*pl.* **~s, -ro·ri** [-ri]) Ⓒ **1** 오로라, 극광. **2** 《시어》 서광, 새벽, 여명.

auróra aus·trá·lis [-ɔ:stréilis] (the ~) 남극광 (the southern lights).

auróra bo·re·ál·is [-bɔ̀:riǽlis, -éilis] (the ~) 북극광(the northern lights).

au·ro·ral [ɔ:rɔ́:rəl] *a.* 새벽의; 서광의; 극광의〔과 같은〕.

AUS Army of the United States (미국 육군).

Aus. Australia(n); Austria(n).

Ausch·witz [áuʃvits] *n.* 아우슈비츠《폴란드 남서부의 도시; 제2차 대전중 나치의 유대인 수용소로 유명함》.

aus·cul·tate [ɔ́:skəltèit] *vt.*, *vi.* 【의학】 청진하다. ㊐ **àus·cul·tá·tion** *n.* Ⓤ 청진.

◇**aus·pice** [ɔ́:spis] *n.* **1** Ⓒ (흔히 *pl.*) 조짐, 《특히》 길조: under favorable ~*s* 조짐이 좋아. **2** (*pl.*) 후원, 찬조, 보호: under the ~*s of* the company =under the company's ~*s* 회사의 찬조로〔후원으로〕.

◇**aus·pi·cious** [ɔ:spíʃəs] *a.* 길조의, 경사스러운, 상서로운; 행운의: an ~ sign 길조. ㊐ **~·ly** *ad.* **~·ness** *n.*

Aus·sie [ɔ́:si/ɔ́(:)zi] *n.* Ⓒ, *a* 《구어》 오스트레일리아 사람(의).

Aus·ten [ɔ́:stən] *n.* 오스틴. **1** 남자 이름. **2** **Jane ~** 영국의 여류 소설가(1775–1817).

◇**aus·tere** [ɔ:stíər] (***aus·ter·er; -est***) *a.* **1** (도덕적으로) 엄(격)한, 준엄한, 가혹한. ⓈⓎⓃ. ⇨ SEVERE. **2** (건물 따위가) 꾸미지 않은, 간소한; (생활이) 내핍의, 검소한; 금욕적인: live an ~ life 검소한 생활을 하다 / ~ fare 금욕적인 식사. ◇austerity *n.* ㊐ **~·ly** *ad.* 엄(격)히, 호되게; 간소하게.

◇**aus·ter·i·ty** [ɔ:stériti] *n.* **1** Ⓤ 엄격, 준엄; 간소, 검소. **2** Ⓒ 고행; (보통 *pl.*) 내핍〔금욕적인〕 생활. **3** Ⓤ (특히 전시의) 긴축 (기조): an ~ budget 긴축 예산 / ~ measures 긴축 정책. ◇ austere *a.*

Aus·tin [ɔ́:stən] *n.* 오스틴. **1** 남자 이름. **2** Texas 주의 주도.

aus·tral [ɔ́:strəl] *a.* **1** 남쪽의, 남국의. **2** (A-) =AUSTRALIAN.

Aus·tra·la·sia [ɔ̀:strəléiʒə, -ʃə] *n.* 오스트랄라시아, 대양주(大洋洲)《오스트레일리아·뉴질랜드 및 그 부근의 여러 섬의 총칭》. ㊐ **~n** *a.*, *n.* Ⓒ 오스트랄라시아의; 오스트랄라시아 사람(의).

‡**Aus·tra·lia** [ɔ:stréiljə] *n.* **오스트레일리아**, 호주《영연방내의 독립국; 정식명 the Commonwealth of ~; 수도 Canberra》.

Aus·tra·lian** [ɔ:stréiljən] *a.* **오스트레일리아의**; 오스트레일리아 사람의: ~ English. **—n.* **1** Ⓒ 오스트레일리아 사람. **2** Ⓤ 오스트레일리아 영어.

Austrálian bállot 오스트레일리아식 투표용지《전(全)후보자명을 인쇄, 지지하는 후보자 이름에 기표》.

Austrálian Cápital Térritory (the ~) 오스트레일리아의 New South Wales주 동부에 있는 연방 직속 지역《생략: A.C.T.》.

***Aus·tria** [ɔ́:striə] *n.* **오스트리아**《유럽 중부의 공화국; 수도 Vienna》.

Áustria-Húngary *n.* 오스트리아헝가리《유럽 중부에 있었던 연합 왕국(1867–1918)》.

Aus·tri·an** [ɔ́:striən] *a.* **오스트리아(사람)의**. **—n.* Ⓒ **오스트리아 사람**.

Aus·tro·ne·sia [ɔ̀:strouní:ʒə] *n.* 오스트로네시아《태평양 중남부의 여러 섬》.

aut- ⇨ AUTO-.

au·tar·chy [ɔ́:tɑ:rki] *n.* **1** Ⓤ 독재권, 전제〔독재〕정치; Ⓒ 독재〔전제〕국. **2** =AUTARKY.

au·tar·ky [ɔ́:tɑ:rki] *n.* **1** Ⓤ (국가의) 경제적 자급자족; 경제 자립 정책. **2** Ⓒ 경제 자립 국가.

◇**au·then·tic, -ti·cal** [ɔːθéntik], [-əl] *a.* **1** 믿을 만한, 확실한, 근거가 있는: an *authentic* report 신뢰할 수 있는 보고. **2** 진정한, 진짜의: an *authentic* information 확실한 보도. **3** 〖법률〗 인증된: an *authentic* deed 인증된 문서.
[파] **-ti·cal·ly** *ad.* 확실히; 진정하게.

au·then·ti·cate [ɔːθéntikèit] *vt.* 믿을 만함〔진짜임〕을 입증하다; 법적으로 인증하다. [파] **au·thèn·ti·cá·tion** *n.* [U] 입증, 인증.

au·then·tic·i·ty [ɔ̀ːθentísəti] *n.* [U] 확실성, 신빙성; 출처가 분명함, 진정(眞正)함〔임〕.

⁑**au·thor** [ɔ́ːθər] *n.* [C] **1 저자**, 작가, 저술가《보통 여성도 포함》. **2** (저자의) 저작(물), 작품: find a passage in an ~ 어느 문구를 어느 작가의 작품 속에서 찾아내다. **3 창조자**, 창시자, 조물주; 입안자(立案者), 기초자(起草者): the ~ *of* mischief 장난질의 장본인. **—***vt.* **1** 저작〔저술〕하다 (write). **2** 창시하다.

au·thor·ess [ɔ́ːθəris] *n.* [C] 여류 작가《다소 경멸적인 말》. ★ 여류 작가라도 author라고 하는 것이 보통임.

au·tho·ri·al [ɔːθɔ́ːriəl] *a.* 저(작)자의.

au·thor·i·tar·i·an [əθɔ̀ːrətɛ́əriən, əθɑ̀r-] *a.* 권위〔독재〕주의의. **—***n.* [C] 권위〔독재〕주의자.
[파] **~·ism** *n.* [U] 권위〔독재〕주의.

◇**au·thor·i·ta·tive** [əθɔ́ːritèitiv, əθɑ́rə-/ɔ(ː)θɔ́ritətiv] *a.* **1** 권위 있는; 신뢰할 만한, 믿을 만한: information from an ~ source 확실한 출처에서 나온 정보/an ~ history of modern Korea 권위 있는 한국 근대사. **2** (어조 · 태도 등이) 위압적인, 독단적인, 엄연한; 명령적인: an ~ tone 명령적인 어조. **3** 당국의, 관헌의.
[파] **~·ly** *ad.* 권위 있게; 엄연히; 명령적으로.

⁑**au·thor·i·ty** [əθɔ́ːriti, əθɑ́r-/əθɔ́r-] *n.* **1** [U] **권위**, 권력, 위신《***over, with*** …에 대한》: the ~ *of* a parent 어버이의 권위/a 〔the〕 person in ~ 권력자/under the ~ of …의 지배〔권력〕하에/exercise ~ *over* one's subordinates 부하들에게 권력을 행사하다/have no ~ *over* 〔*with*〕 … 에 대하여 권위가 없다. [SYN.] ⇨POWER.
2 [U] **권한**, 권능, 직권; (권력자에 의한) 허가, 인가, 자유재량(권)《***for*** …에 대한/***to*** do》: exceed one's ~ 월권 행위를 하다/by the ~ *of* …의 권한으로/give a person (an) ~ *for* 〔*to* do〕 아무에게 …의〔할〕 권한을 주다/have the ~ *to* grant permission 허가권을 갖다.
3 [C] (보통 *pl.*) **당국**, 관헌; 공공 사업 기관; (정보 등의) 소식통: the *authorities* concerned = the proper *authorities* 관계 당국〔관청〕/the civil 〔military〕 *authorities* 행정〔군〕 당국(자)/on good ~ 확실한 소식통으로부터(의).
4 [C] 근거, 전거, 전거가 되는 문서; 출전(出典): on the ~ *of* …을 근거로 하여.
5 [C] **권위자**, 대가《***on*** …에 대한》: an ~ *on* law 법률의 대가/quote *authorities* 대가의 설을 인용하다.
on *one's* ***own*** **~** ① 독단으로, 자기 마음대로: I have done it *on* my *own* ~. 제 독단으로 그것을 했습니다. ② 자칭: He is a great scholar *on* his *own* ~. 그는 자칭 대학자이다.

àu·thor·i·zá·tion *n.* **1** [U] 권한 부여, 위임; 공인, 관허; 권한을 부여하는 것, 허가《***to*** do》. **2** [C] 수권서(授權書), 허가서.

◇**au·thor·ize** [ɔ́ːθəràiz] *vt.* **1** …에게 권한을 주다, 위임하다(empower)《***to*** do》: The Minister ~*d* him *to* do it. 장관은 그에게 그것을 할 권한을 주었다. **2** (정식으로) 인가〔허가〕하다: The Board of Education ~*d* the appointment of a new principal. 교육위원회는 새 교장의 임명을 인가했다. **3** 정당하다고 인정하다: It is ~*d* by usage. 그건 관례로 인정되어 있다. ◇authority *n.*

áu·thor·ìzed *a.* 공인된, 검정필인; 권한을 부여받은: an ~ agent 지정〔위임〕대리인/an ~ textbook 검(인)정 교과서/an ~ translation 원작자의 인가를 얻은 번역.

Áuthorized Vérsion (the ~) 흠정역(欽定譯) 성서《1611년 영국왕 James 1세의 재가(裁可)에 의하여 편집된 영역 성서; King James Version 〔Bible〕이라고도 함; 생략: A.V.》. [cf.] Revised Version.

au·thor·ship [ɔ́ːθərʃìp] *n.* [U] **1** 저작자임; 저술업; 원작자: of unknown ~ 작자불명의/a book of doubtful ~ 원작자가 불확실한 책. **2** (소문 따위의) 출처, 근원.

au·tism [ɔ́ːtizəm] *n.* [U] 〖심리〗 자폐성(自閉性), 자폐증.

au·tis·tic [ɔːtístik] *a.* 자폐증의: an ~ child 자폐증 아동. **—***n.* [C] 자폐증 환자.

◇**au·to** [ɔ́ːtou] (*pl.* **~s**) *n.* [C] 《美구어》 자동차 《★ 현재는 car 쪽이 일반적》.

au·to- [ɔ́ːtou, tə], **aut-** [ɔːt] '자신의, 독자적, 자기…; 자동차'의 뜻의 결합사: *auto*cracy, *auto*park.

Au·to·bahn [áutɔbɑ̀ːn, ɔ́ːtə-] (*pl.* ***-bah·nen*** [-bɑ̀ːnən], **~s**) *n.* 《G.》 [C] 자동차 전용 고속도로《독일의 간선 도로》.

àuto·biográphic, -ical *a.* 자서전(체)의, 자전(自傳)(식)의. [파] **-ically** *ad.* 자서전적으로.

***au·to·bi·og·ra·phy** [ɔ̀ːtəbaiɑ́grəfi/-ɔ́g-] *n.* [C] **자서전**; [U] 자전(自傳) 문학, 자서전 저술.
[파] **-pher** *n.* [C] 자서전 작가.

au·toch·tho·nous, au·toch·thon·ic [ɔː-tɑ́kθənəs/-tɔ́k-], [ɔ̀ːtɑkθɑ́nik/-tɔkθɔ́n-] *a.* 토지 고유의, 토착의, 자생적인, 원산(原産)의.
[파] **-nous·ly** *ad.*

au·to·cide [ɔ́ːtousàid] *n.* [U] (구체적으로는 [C]) (자기 차를 충돌시켜 하는) 자동차 자살.

au·to·clave [ɔ́ːtəklèiv] *n.* [C] 압력솥〔냄비〕, 고압솥《소독 · 요리용》.

áuto còurt 《美》 =MOTEL.

au·toc·ra·cy [ɔːtɑ́krəsi/-tɔ́k-] *n.* **1** [U] 독재〔전제〕 정치; 독재권. **2** [C] 독재국.

au·to·crat [ɔ́ːtəkræ̀t] *n.* [C] 전제〔독재〕 군주; 독재자.

au·to·crat·ic, -i·cal [ɔ̀ːtəkrǽtik], [-əl] *a.* 독재(자)의; 독재적인; 독재〔전제〕 정치의〔와 같은〕. ↔ *constitutional.* [파] **-i·cal·ly** [-ikəli] *ad.*

au·to·cross [ɔ́ːtəkrɔ̀ːs] *n.* [C] (길 없는 들판 횡단) 자동차 장애물 경주.

Au·to·cue [ɔ́ːtoukjùː] *n.* 《英》 [C] 텔레비전용 프롬프터 기세(TelePrompTer)《상표명》.

au·to-da-fé [ɔ̀ːtoudəféi] (*pl.* ***au·tos-*** [ɔː-touz-]) *n.* 《Port.》 [C] 〖기독교〗 종교 재판소의 판결 선고식, 그 처형《특히 화형》; 〖일반적〗 이교도(異敎徒)의 화형(火刑).

au·to·di·dact [ɔ̀ːtoudáidækt, -daidǽkt] *n.* [C] 독습자, 독학자.

àuto·érotism, -eróticism *n.* [U] 〖심리〗 (자위 따위에 의한) 자기 색정(의 만족).

AUTOEXEC.BAT 〖컴퓨터〗 오토 배치 파일 《IBM PC에서 컴퓨터를 시동시킬 때 운영 체제에 의해 자동적으로 실행되는 배치 파일》.

áuto·fòcus *a.* (카메라의) 자동 초점 방식의.

au·to·gi·ro, -gy·ro [ɔ̀:toudʒáiərou] (*pl.* ~**s**) *n.* Ⓒ 〖항공〗 오토자이로《프로펠러와 회전날개를 갖춘 항공기; helicopter의 전신(前身)》.

au·to·graph [ɔ́:təgræ̀f, -grɑ̀:f] *n.* Ⓒ 자필, 친필, 육필; 자서(自署), 서명《★ 작가·예능인이 자기 저서나 사진에 하는 서명은 autograph, 편지·서류에 하는 서명은 signature》. **—***vt.* 자필로 쓰다; 자서〔서명〕하다.

áutograph àlbum 〔**bòok**〕 사인첩(帖), 사인북.

au·to·graph·ic, -i·cal [ɔ̀:təgræ̀fik], [-əl] *a.* **1** 자필의; 자서의. **2** (계기(計器)가) 자동 기록식의, 자기(自記)의(self-recording).

autogyro ⇨AUTOGIRO.

àuto·immúne *a.* 〖의학〗 자기 면역의.

àuto·intoxicátion *n.* Ⓤ 〖의학〗 자가 중독.

áuto·màker *n.* Ⓒ 자동차 제조업자〔회사〕.

au·to·mat [ɔ́:təmæ̀t] *n.* Ⓒ 《美》 자동판매기; 자동판매식 음식점, 자급 식당.

au·tom·a·ta [ɔ:tɑ́mətə/-tɔ́m-] AUTOMATON의 복수.

au·to·mate [ɔ́:təmèit] *vt.* 오토메이션〔자동〕화하다: an ~*d* factory 오토메이션〔자동 조작〕 공장. **—***vi.* 자동 장치를 갖추다, 자동화되다.

áutomated-téller machìne 현금 자동 입출기(《英》 cash dispenser)《생략: ATM》.

‡**au·to·mat·ic** [ɔ̀:təmǽtik] *a.* **1** (기계·장치 등이) **자동의, 자동식의,** 자동 (제어) 기구를 갖춘: an ~ telephone 자동 전화/an ~ door 자동문. **2** 자연발생적인, 필연적인. **3** (행동 등이) 무의식의, 습관적인, 반사적인, 기계적인.
—*n.* Ⓒ 자동 조작 기계〔장치〕; 《구어》 자동 변속 장치(가 달린 자동차); 자동 화기, 자동 피스톨(~ pistol).
㊕ ◇**-i·cal·ly** *ad.* 자동적으로; 기계적으로.

automátic dáta pròcessing (컴퓨터 등에 의한) 자동 정보 처리《생략: ADP》.

automátic diréction finder (특히 항공기의) 자동 방향 탐지기《생략: ADF》.

automátic pílot 〖항공·항해〗 자동 조종〔조타〕 장치.

automátic pístol 자동 피스톨(automatic).

automátic téller (**machìne**) =AUTOMATED-TELLER MACHINE.

automátic transmíssion (자동차의) 자동 변속 장치.

◇**au·to·ma·tion** [ɔ̀:təméiʃən] *n.* Ⓤ 오토메이션, (기계·조직의) 자동화, 자동 조작〔제어〕; 〖컴퓨터〗 자동화. [◀*automat*ic opera*tion*]

au·tom·a·tism [ɔ:tɑ́mətìzəm/-tɔ́m-] *n.* Ⓤ **1** 자동성, 자동 작용, 자동〔기계, 무의식〕적 동작. **2** 〖생리〗 (심장 따위의) 자동 운동; (근육의) 반사 운동. ㊕ **-tist** *n.*

au·tom·a·ton [ɔ:tɑ́mətɑ̀n/-tɔ́mətən] (*pl.* ~**s, -ta** [-tə]) *n.* Ⓒ 기계적으로 행동하는 사람〔동물〕; 자동 기계〔장치〕; 자동 인형; 〖컴퓨터〗 자동 기계.

‡**au·to·mo·bile** [ɔ́:təməbì:l, ⌐-⌐-, ɔ̀:təmóu-] *n.* Ⓒ 《美》 **자동차**(《英》 motor car). ★ 일반적으로는 car가 흔히 쓰임. **—***a.* Ⓐ 자동차의: the ~ industry 자동차 산업/~ (liability) insurance 자동차 손해 보험.

au·to·mo·bil·ist [ɔ̀:təməbí:list] *n.* 《美》 Ⓒ 자동차 상용〔사용〕자. ★ motorist가 일반적.

au·to·mo·tive [ɔ̀:təmóutiv, ⌐-⌐-] *a.* 자동차의; 자동의; 동력 자급의; 자동 추진의.

au·to·nom·ic [ɔ̀:tənɑ́mik/-nɔ́m-] *a.* **1** 자치(自治)의. **2** 〖생리〗 자율의《신경》: the ~ nervous system 자율 신경계.

au·ton·o·mous [ɔ:tɑ́nəməs/-tɔ́n-] *a.* 자치권이 있는; 자주적인; 독립한: an ~ republic 자치 공화국/an ~ variable 독립 변수.

au·ton·o·my [ɔ:tɑ́nəmi/-tɔ́n-] *n.* Ⓤ **1** 자치(권); 자주성, 자율성. **2** Ⓒ 자치 단체.

áuto·pìlot *n.* =AUTOMATIC PILOT.

au·top·sy [ɔ́:tɑpsi, -təp-/-tɔp-] *n.* Ⓒ 검시(檢屍), 시체 해부, 부검(剖檢): perform an ~ 검시하다.

áuto-réstart *n.* Ⓤ 〖컴퓨터〗 자동 재시동《오류 발생이나 정전으로 중단된 시스템의》.

àuto·revérse *n.* Ⓤ 〖전자〗 오토리버스《녹음〔재생〕 중에 끝이 되면 테이프가 자동으로 역전하여 녹음〔재생〕을 계속하는 기능》.

au·to·stra·da [ɔ̀:toustrɑ́:də] (*pl.* ~**s, -de** [-dei]) *n.* 《It.》 Ⓒ 이탈리아의 고속도로.

àuto·suggéstion *n.* Ⓤ 〖심리〗 자기 암시.

†**au·tumn** [ɔ́:təm] *n.* **1** Ⓤ (때로 Ⓒ; 보통 《美》 또는 특정한 때에는 the ~) **가을,** 추계《영국에서는 8·9·10월, 미국에서는 9·10·11월; 천문학에서는 추분에서 동지까지》: ~ flowers 〔rains〕 가을 꽃〔비〕/the ~ social 추계 사교 파티/the ~ term 가을 학기/in (the) early 〔late〕 ~ 초〔늦〕가을에. ★ 미국에서는 주로 fall을 씀. **2** (the ~) 성숙기; 조락기(凋落期), 초로기(初老期): the ~ *of* life 초로(初老), 만년.

au·tum·nal [ɔ:tʌ́mnəl] *a.* **1** 가을의〔다운〕; 〖식물〗 가을에 피는, 가을에 여무는: an ~ sky 가을 하늘/~ tints 가을빛, 단풍. ★보통 autumn을 형용사적으로 쓰는 일이 많음. **2** 인생의 한창때를 지난, 중년의, 초로의.

autúmnal équinox (the ~) 추분, 추분점(=**autúmnal póint**).

áutumn crócus 〖식물〗 백합과 사프란속의 구근 식물 여러 종의 총칭.

aux, auxil. auxiliary.

◇**aux·il·ia·ry** [ɔ:gzíljəri, -zílə-] *a.* 보조의; 예비의: an ~ engine 보조 기관/~ coins 보조 화폐/an ~ generator 예비 발전기. **—***n.* **1** Ⓒ 조력자, 보조자; 보조물; 지원 단체. **2** (*pl.*) (외국으로부터의) 지원군, 외인 부대. **3** Ⓒ 《美해군》 보조함(艦). **4** Ⓒ 〖문법〗 조동사(~ verb).

auxíliary stòrage 〖컴퓨터〗 보조 기억 장치. cf. main storage.

auxíliary vérb 〖문법〗 조동사.

Av. Avenue. **A.V.** Authorized Version (of the Bible). cf. R.V. **av.** average; avoirdupois.

◇**avail** [əvéil] *vi.* 《흔히 부정》 소용에 닿다, 쓸모가 있다; 가치가 있다, 이(利)가 있다《***against*** …에 대하여; ***with*** …에게는/***to*** do》: Such arguments will *not* ~. 그런 논쟁은 소용 없다/This medicine ~*s* little *against* pain. 이 약은 통증에 대해서는 거의 효력이 없다/*No* advice ~*s with* him. 그에게는 어떤 충고도 소용 없다/*No* words ~*ed to* comfort him. 어떠한 말도 그를 달래는 데 소용이 없었다. **—***vt.* **1** 《흔히 부정》 …의 소용에 닿다, …에 효력이 있다, …을 이롭게 하다: Courage will ~ you *little* in such a case. 이런 경우엔 네 배짱도 별로 소용에 닿지 않는다. **2** 《~ oneself》 이용하다; 틈타다, 편승하다《***of*** …을》《★ make use of쪽이 일반적》: We should ~ our*selves of* this opportunity. 우리

는 이 기회를 이용해야 한다.
—*n.* [U] 이익, 효용, 효력《현재는 *of, to* 따위가 수반되는 관용구로만 쓰임》.
***be of no* 〔*little*〕 ~** 전혀〔거의〕 쓸모가 없다; 무익하다. ***to no* ~ =*without* ~** 무익하게, 보람도 없이.

avàil·a·bíl·i·ty *n.* [U] 이용할 수 있음; 쓸모가 있음; 유효성(有效性); 입수(入手) 가능.

‡avail·a·ble [əvéiləbəl] *a.* **1 이용할 수 있는,** 쓸모 있는; 유효한《*for* …을 위해; *to* …에게》: a train ~ *for* second-class passengers 이등 승객용 열차/tickets ~ on the day of issue 발행 당일만 유효한 표/These services are ~ *to* members only. 이런 서비스는 회원들만 이용할 수 있다. ★ available 1은 useful과 같은 뜻이 아님. 물건이 useful해도 가까이에 없어 실제로 이용하지 못하면 available이라고 할 수 없음. **2 손에 넣을 수 있는,** 입수〔이용〕 가능한《*to* …에게》: Is this magazine ~ at any bookstore? 이 잡지는 어느 서점에서나 구입할 수 있습니까/The information is ~ *to* the public. 그 정보는 일반인에게도 입수 가능하다. **3** 손이 나 있는; (틈을 내어) 만날 수 있는, 상대해 줄 수 있는《*to* …을》: Is the doctor ~ this afternoon? 의사는 오늘 오후에 시간을 낼 수 있습니까/I made myself ~ *to* him for legal consultation. 나는 틈을 내어 그에게 법률 상담을 해주었다/I'd like to see Doctor Brown.—Okay, he's ~ now. 브라운 선생님께 진찰받고 싶은데요—그렇게 하세요, 선생님은 지금 시간이 있으니까요.
[파] **-bly** *ad.*

°av·a·lanche [ǽvəlæ̀ntʃ, -lɑ̀:nʃ] *n.* [C] **1** 눈사태. **2** 〖보통 an ~ of...로〗 (질문·편지 따위의) 쇄도(殺到): *an* ~ *of* questions 질문 공세/*an* ~ *of* congratulatory telegrams 축전(祝電)의 쇄도.

avant-garde [əvɑ̀:ntgɑ́:rd, əvæ̀nt-, æ̀vɑ:nt-, ɑ̀:vɑ:nt-] *n.* 《F.》 [U] (보통 the ~) 〖집합적; 단·복수취급〗 (예술상의) 전위파 (예술가들), 아방가르드. —*a.* [A] 전위적인: ~ pictures 전위 영화.

°av·a·rice [ǽvəris] *n.* [U] (금전에 대한) 탐욕, 허욕(虛慾).

av·a·ri·cious [æ̀vəríʃəs] *a.* 탐욕스러운, 욕심 사나운. [파] **~·ly** *ad.*

av·a·tar [ǽvətɑ̀:r, ⌐-⌐] *n.* [C] 〖인도신화〗 화신(化身); (사상 따위의) 권화(權化); 구체화.

avdp. avoirdupois.

ave [éivi, ɑ́:vei] *int.* 잘 오셨습니다!; 안녕(히)!, 자 그럼! —*n.* [C] (A-) =AVE MARIA.

Ave., ave. 《美》 Avenue.

Ave Ma·ria [ɑ́:veiməri:ə, ɑ́:vi-] (명칭으로는 the ~) 〖가톨릭〗 성모송(聖母誦), 아베 마리아 (Hail Mary) 《성모 마리아에게 올리는 기도(의 시작); 생략: A.M.》.

°avenge [əvéndʒ] *vt.* **1** (원한에 대해) 복수하다, 앙갚음하다《*on, upon* …에게》. [cf] revenge. ¶ She ~*d* the wrong she had suffered. 그녀는 자기가 받은 부당함에 대해 보복했다/~ an insult *on* a person 아무에게 모욕당한 앙갚음을 하다. **2** (아무)의 원수를 갚다《*on, upon* …에게》: Hamlet planned to ~ his father. 햄릿은 아버지의 원수를 갚으려고 계획했다/He will ~ the people *on* their oppressor. 그는 압제자를 응징하여 인민의 원수를 갚을 것이다. **3** 〖보통 수동태 또는 ~ oneself〗 복수하다, 앙갚음하다《*on* …에게; *for* …에 대하여》: He ~*d* him*self* 〔*was* ~*d*〕 *on* them (*for* the insult). 그는 그들에게 (모욕당한 것에 대하여) 복수했다.

[SYN.] **avenge** 가해진 부당한 행위에 대하여 정당한 앙갚음을 함. **revenge** avenge의 뜻 외에 원한·악의 따위로 보복함.

avéng·er *n.* [C] 복수자, 보복자.

aven·tu·rine [əvéntʃəri:n] *n.* [U] 구릿가루 따위를 뿌려 꾸민 유리.

‡av·e·nue [ǽvənjù:] *n.* [C] **1 가로수길**; 《英》 (특히 대저택의 대문에서 현관까지의) 가로수길: ~ of poplars 포플라 가로수길. **2** 《美》 (도시의) **큰거리,** 도로: Fifth *Avenue* (뉴욕의) 5번가.

> [NOTE] 미국의 대도시에서는 avenue와 street를 세로와 가로의 도로에 구분해서 쓰고 있음. 가령 뉴욕에서는 avenue는 남북, street는 동서로 뻗은 도로를 일컬음.

3 수단, 방법《*to, of* (어떤 목적)의》: an ~ *to* 〔*of*〕 success 성공의 길.
explore every* ~ =*leave no* ~ *unexplored 모든 수단을 강구하다.

aver [əvə́:r] (*-rr-*) *vt.* **1** 확언하다, 단언〔주장〕하다《*that*》: In spite of all you say, I still ~ *that* his report is true. 당신이 뭐라고 해도, 나는 단연코 그의 보고가 틀림없다고 단언한다. **2** 〖법률〗 증언하다《*that*》: She ~*red that* he had done it. 그녀는 그가 그것을 했다고 증언했다.

‡av·er·age [ǽvəridʒ] *n.* **1** [C] **평균,** 평균치: an arithmetical ~ 산술 평균/at an ~ of 50 kilometers an hour 평균 시속 50킬로미터로/have a batting ~ of .324, 3할 2푼 4리의 평균 타율을 갖다. **2** [C] (또는 [U]) (일반적인) 수준, 표준, 보통: (well) up to (the) ~ (충분히) 표준에 달하여/above 〔below〕 (the) ~ 보통 이상으로〔이하로〕.
***on* 〔*upon, at*〕 *an* ~ =*on* (*the*) ~** 평균하여; 대체로: I go to the barbershop once a month *on* ~. 나는 평균 한 달에 한 번 이발소에 간다/He's weak at English, but *on* ~ his marks are not bad. 그는 영어에 약하지만, 대체로 시험 점수는 나쁘지 않다. ***strike* 〔*take*〕 *an* ~** 평균을 잡다, 평균하다.
—*a.* **1** [A] 평균의: ~ prices 평균 가격/an ~ cost 평균 원가/the ~ life span 평균 수명/the ~ annual rainfall 연평균 강우량. **2** 보통의《★ 질·양·수 등이 평균치에 속함》: an article of ~ quality 보통품/the ~ person 보통 사람《★ '보통 사람들'은 ~ people이라 하지 않고 ordinary people이라고 함》.
—*vt.* **1** (수)를 평균〔균분〕하다: ~ a loss 결손을 균분하다/*Average* 5, 7, and 15, and you will get 9. 5와 7과 15를 평균하면 9가 된다. **2** 평균하여 …하다〔이 되다〕. He ~s eight hours' work a day. 그는 하루 평균 8시간씩 일한다/He ~*s* two stories a month. 그는 한 달에 평균 두 작품씩 쓴다. —*vi* 《+[보]》 평균하면 …이다: My salary ~*s* $1,500 a month. 나의 급료는 평균하면 1개월에 1,500달러다.
~ *out to* 〔*at*〕 《*vi.*+[부]》 《구어》 평균 …에 달하다: ~ the profit *out at* one hundred pounds a week 이익을 평균 1주당 100파운드로 계산하다.

avér·ment *n.* [U] (구체적으로는 [C]) **1** 단언(하는 것). **2** 〖법률〗 사실의 주장〔진술〕.

◇**averse** [əvə́ːrs] *a.* [P] 싫어하는; 반대하는《*to* …을, …에 / *to* do》: I am not ~ *to* a good dinner. 성찬이라면 싫지않다 / She's ~ *to* our plan. 그녀는 우리의 계획에 반대한다 / I am ~ *to going* 〔*to* go〕 there. 그리로 가는 것은 싫다.
㊇ **~·ness** *n.*

◇**aver·sion** [əvə́ːrʒən, -ʃən] *n.* **1** [U] (또는 an ~) 싫음, 혐오, 반감《*to* …에 대한》: She felt an ~ *to* him. 그녀는 그를 싫어했다 / He has an ~ *to* (seeing) cockfights. 그는 투계(鬪鷄)를 (보는 것을) 싫어한다. **2** [C] 아주 싫은 사람〔물건〕.
one's **pet** ~ 아주 싫은 것〔사람〕: Snakes are her *pet* ~. 뱀은 그녀가 아주 싫어하는 동물이다.

avérsion thèrapy 혐오 요법《불유쾌한 감정을 연상시켜 알코올 의존증 등의 나쁜 버릇을 고치는 치료법》.

aver·sive [əvə́ːrsiv, -ziv] *a.* 혐오의 정을 나타낸; 기피하는. ㊇ **~·ly** *ad.*

◇**avert** [əvə́ːrt] *vt.* **1** (눈·얼굴 따위)를 돌리다, 비키다《*from* …에서》: She *~ed* her eyes *from* the terrible sight. 그녀는 무서운 광경에서 눈을 돌렸다. **2** (타격·위험)을 피하다, 막다: He narrowly *~ed* an accident. 그는 가까스로 사고를 면했다.

Aves·ta [əvéstə] *n.* (the ~) 아베스타《조로아스터교의 경전》.

avi·an [éiviən] *a.* 조류(鳥類)의.

avi·ary [éivièri] *n.* [C] (큰) 새장, (동물원 등의 대규모) 조류 사육장.

◇**avi·a·tion** [èiviéiʃən, æ̀v-] *n.* [U] **1** 비행, 항공(학); 비행술: civil ~ 민간 항공. **2** 항공기 산업.

aviátion médicine 항공 의학.

avi·a·tor [éivièitər, ǽv-] *n.* [C] 비행기 조종사, 비행가《★ 현재는 pilot 이 일반적》.

av·id [ǽvid] *a.* **1** [A] 탐욕스런; 열심인: an ~ reader 열성적인 독서가. **2** [P] 갈망하는; 몹시 탐〔욕심〕내는《*for, of* …을》: be ~ *for* 〔*of*〕 fame 명예욕이 강하다.
㊇ **~·ly** *ad.* 게걸스럽게.

avid·i·ty [əvídəti] *n.* [U] 탐욕; 갈망, (강렬한) 욕망: eat with ~ 게걸스레 먹다.

avi·on·ics [èiviɑ́niks/-ɔ́n-] *n.* [U] 항공 전자공학. [◂*avi*ation+electr*onics*]

avi·ta·min·o·sis [eivàitəmənóusis, èivitæ̀m-] *n.* [U] 〖의학〗 비타민 결핍증.

av·o·ca·do [æ̀vəkɑ́ːdou, ɑ̀ːvə-] (*pl.* **~s, ~es**) *n.* [C] 〖식물〗 아보카도(alligator pear, = ∠ **pèar**)《열대 아메리카산(産) 녹나뭇과(科)의 과실》; 그 나무.

av·o·ca·tion [æ̀voukéiʃən] *n.* [C] **1** 부업; 여기(餘技), 취미, 도락. **2** 본업(本業), 직업. ★ 2 의 뜻으로 현재는 흔히 vocation 을 씀.

av·o·cet [ǽvəsèt] *n.* [C] 〖조류〗 뒷부리장다리물떼새.

‡**avoid** [əvɔ́id] *vt.* **1** 《~+[목]/+-*ing*》 **피하다,** 회피하다: ~ danger 위험을 피하다 / ~ mak*ing* any promise 아무 약속도 하지 않도록 하다 / I could not ~ his hear*ing* it. 아무리 해도 그것이 그의 귀에 들어가지 않게 할 수는 없었다. **2** 〖법률〗 무효로 하다, 취소하다. ㊇ **~·a·ble** *a.* **~·a·bly** *ad.* **~·er** *n.*

avoid·ance [əvɔ́idəns] *n.* [U] **1** 회피, 기피; ~ of one's responsibilities 책임 회피. **2** 〖법률〗 무효(화), 취소.

avoir. avoirdupois.

av·oir·du·pois [æ̀vərdəpɔ́iz] *n.* [U] **1** 16 온스를 1 파운드로 하는 질량 단위(= ∠ **wèight**)《귀금속·보석·약품 이외의 물품에 씀; 생략: avdp., avoir.》. **2** 《구어》 (사람의) 체중, 비만《★ 현재는 거의 쓰이지 않음》: What's your ~? 체중은 얼마나 되나요.

Avon [ǽvən, éivən] *n.* **1** (the ~) 에이번 강《잉글랜드 중부의 강; Shakespeare 의 탄생지 Stratford 의 옆을 흐름》. **2** 에이번 주《잉글랜드 중부의 주; 주도 Bristol; 1974 년 신설》.

avouch [əváutʃ] 《문어》 *vt.* **1** 단언〔확언〕하다《*that*》. **2** 보증하다. **3** 〖~ oneself〗 인정하다, 자백하다: ~ one*self* (as) a conservative 보수파라고 자인하다.
㊇ **~·er** *n.* **~·ment** *n.*

◇**avow** [əváu] *vt.* **1** (공공연히〔솔직히〕) 인정하다《*that*》; 〖~ oneself〗 자백〔고백〕하다: ~ one's faults 자기의 결점을 인정하다 / He *~s that* he loves drink. 그는 술을 좋아한다고 인정했다 / He *~ed* him*self* (*to be*) a coward. 그는 자신이 겁쟁이라고 고백했다. **2** 공언하다: ~ one's principles 자기의 주의를 공언하다.

avow·al [əváuəl] *n.* [U] (구체적으로는 [C]) 공언, 고백, 자인: make (an) ~ of one's real purpose 자신의 진정한 목적을 고백하다.

avówed *a.* 스스로 인정한, 공언한; 공공연한, 공인된. ㊇ **avow·ed·ly** [əváuidli] *ad.* 공공연하게, 명백히.

avun·cu·lar [əvʌ́ŋkjulər] *a.* 백부〔숙부〕의, 삼촌의. ㊇ **~·ly** *ad.*

AWACS, Awacs [éiwæks] (*pl.* ~) *n.* [C] 《美》 공중 경계 관제기(管制機). [◂*A*irborne *W*arning *a*nd *C*ontrol *S*ystem]

***await** [əwéit] *vt.* **1** (아무가) **기다리다,** 대기하다《★ wait for 쪽이 일반적》: I'm anxiously ~ing your reply. 귀하의 답변을 충심으로 기다리고 있습니다. **2** (사물이) …을 기다리고 있다, …에게 준비되어 있다(be prepared for): A hearty welcome ~*s* you. 충심으로 당신을 환영할 것입니다. ㊇ **~·er** *n.*

‡**awake** [əwéik] (**awoke** [əwóuk], 《드물게》 **~d** [əwéikt]; **~d,** 《드물게》 **awoke, awok·en** [əwóukən]) *vt.* **1** 《~+[목]/+[목]+[전]+[명]》 (잠에서) **깨우다, 눈뜨게 하다**: A shrill cry *awoke* me *from* 〔*out of*〕 my sleep. 날카로운 고함 소리에 잠이 깼다. [SYN.] ⇨WAKE. **2** 《+[목]+[전]+[명]》 …에게 각성시키다; 의식시키다, **자각시키다**《*to* (죄·책임 따위)를》: ~ people *from* ignorance 사람들을 계몽하다 / His sermon *awoke* me *to* a sense of sin. 그의 설교로 나는 죄의식을 자각했다. **3** 《+[목]+[전]+[명]》 (기억·의구·호기심 따위)를 **불러일으키다**《*in* (아무)에게》: His voice *awoke* memories of childhood *in* me. 그의 목소리를 들으니 어릴 때의 기억이 생각났다.
—*vi.* **1** 《~/+[전]+[명]/+*to* do》 (잠에서) **깨다**: I *awoke* with a start. 나는 깜짝 놀라 눈을 떴다 / ~ *from* 〔*out of*〕 sleep 잠에서 깨다 / He *awoke to* find himself famous. 그는 하룻밤 사이에 유명해져 있었다. **2** 《+[전]+[명]》 깨닫다《*to* …을》: He at last *awoke to* the danger. 마침내 그는 위험을 깨달았다.
—*a.* [P] **1 깨어 있는; 자지 않고 있는**(↔ asleep): I was wide ~ all night. 한 밤을 뜬눈으로 지새웠다 / keep ~ 자지 않고 있다 / lie ~ 깬 채 누워 있다. **2** 알아채는, 자각하는《*to* …을》: be fully ~ *to* the seriousness of the matter 그 일의 중대함을 충분히 알고 있다.

*__awak·en__ [əwéikən] *vt.* **1** (잠에서) **깨우다**, 일으키다: I was ~*ed* by the shock of an earthquake. 나는 지진의 충격으로 잠에서 깨어났다. **2** 《+목+전+명》 …에게 **자각시키다**, 일깨우다《***to*** …을》: It has ~*ed* him *to* a sense of his position. 그것은 그에게 그 지위의 중대함을 깨닫게 했다. **3** (기억 · 의구 · 호기심 따위)를 **불러일으키다**: ~ new interest in Greek drama 그리스 연극에 새로운 관심을 불러일으키다. ─ *vi.* **1 깨다**, 일어나다. **2** 깨닫다, 자각하다. ★ 주로 비유적인 뜻으로 흔히 타동사로 쓰임.

°__awák·en·ing__ *n.* Ⓤ (구체적으로는 Ⓒ) 눈뜸, 깸, 각성; 자각: have [get] a rude ~ 갑자기 불쾌한 사실을 알게 되다; 심한 환멸을 느끼다.
─ *a.* Ⓐ 자각하는; 각성의.

‡__award__ [əwɔ́:rd] *vt.* 《+목+목/+목+전+명》 **1** (심사 · 판정하여) **수여하다**, (상)을 주다; 지급하다《***to*** (아무)에게》: ~ a prize *to* a person =~ a person a prize 아무에게 상을 주다/He was ~*ed* a Nobel prize. 그는 노벨상을 받았다. **2** (중재 · 재판 따위에서 배상금)을 재정(裁定)하다, 주다《***to*** …에게》: The court ~*ed* the mother custody of the child. =The court ~*ed* custody of the child *to* the mother. 법원은 어머니에게 자식의 양육권을 재정했다.
─ *n.* Ⓒ **1 상**(賞); 상품, 상금; 장학금《따위》: ⇨ACADEMY AWARD. **2** 판정, 재정; (손해 배상 등의) 재정액.

‡__aware__ [əwέər] *a.* **1** Ⓟ **깨닫는**, 의식하는, 아는《***of*** …을/***that***/***wh.***》: as far as I am ~ 내가 알고 있는 한/be [become] ~ *of* the danger 위험을 깨닫다/I was ~ *that* something was wrong. 어딘가 잘못되어 있음을 알아차리고 있었다/Few of them were ~ (*of*) *what* an unpleasant person he really was. 그가 실제로 얼마나 기분 나쁜 사람인지를 아는 사람은 거의 없었다《★ 종종 전치사 생략》. SYN. ⇨KNOW. **2** 〖활동 분야를 나타내는 부사를 수반하여〗 (…에 대한) 의식[인식]이 있는: He's politically [socially, environmentally] ~. 그는 정치적[사회적, 환경적] 의식이 강하다. **3** 《구어》 사정[소식]에 정통한; 빈틈없는: an ~ person 빈틈없는 사람.

__awáre·ness__ *n.* Ⓤ **1** 알아채고 있음, 앎《***of*** …을/***that***》; 지각, 자각: ~ *of* one's ignorance 자기의 무지에 대해서 앎/have an ~ *that* something is wrong 뭔가 잘못된 것을 알다. **2** 의식: political ~ 정치 의식.

__awash__ [əwɔ́:ʃ, əwáʃ/əwɔ́ʃ] *ad.*, *a.* Ⓟ **1** 〖해사〗 (암초 · 침몰선 따위가) 수면에 스칠 정도로[의]; 물을 뒤집어 쓰고; 파도에 시달려. **2** (장소 · 사람 등이) 꽉 찬, 넘치는《***with*** …으로》: The street was ~ *with* shoppers. 그 거리는 쇼핑객으로 가득 찼다.

†__away__ [əwéi] *ad.* **1** 〖위치 · 이동〗 **떨어져서**, 멀리, 저쪽으로[에], 옆으로[에]《***from*** …에서》; far ~ 멀리 저쪽에/go ~ 떠나다, 어딘가로 가버리다/~ (to the) east 멀리 동쪽으로/Go ~! 저쪽으로 비키시오/run ~ 도망하다/stand ~ 옆에 서 있다/keep ~ (*from*) (…에) 가까이 [접근]하지 않다/The station is two miles ~ *from* here. 정거장은 여기서 2마일 떨어져 있다/How far is your house from the station?─About half an hour ~. 댁은 역에서 얼마나 멉니까─30분 가량 걸립니다.
2 부재하여, 집에 없어《***from*** …에서》: ~ *from* school 결석하여/My father is ~ on a trip. 아버지는 여행을 가셔 안 계십니다《★ 잠시 동안의 외출은 out을 씀: She is out. 그녀는 외출 중이다》/He is ~ *from* his office. 그는 사무실에 없다/My father went to London on business.─How long will he be ~? 아버지는 사업차 런던에 가고 안 계십니다─얼마나 오래 가계실까요.
3 〖제거 · 소실〗 **사라져**, 없어져: fade ~ 사라지다, 퇴색하다/cut ~ 잘라내다/wash ~ a stain 얼룩을 빨아서 없애다.
4 〖행동의 연속〗 **잇따라**, 끊임없이: work ~ 부지런히 일하다[공부하다]/talk ~ 계속 지껄여 대다/puff ~ 담배를 뻐끔뻐끔 빨다.
5 《美구어》 〖강조적〗 훨씬, 아주《★ 다른 부사 · 전치사 앞에 두며, 보통 'way, way로 줄여 씀》: ~ behind 훨씬 뒤에/The temperature is ~ [*way*] below the freezing point. 기온은 빙점을 훨씬 밑돌고 있다.
6 〖보통 명령형〗 즉시, 곧: Speak ~. 빨리 말해라/Ask ~. 계속 물어보세요.
7 딴데에, 다른 장소에 (보관하여, 정리해 두어): store ~ fuel for the winter 겨울에 대비하여 연료를 비축해 두다/put one's tools ~ 연장을 보관해 두다.
~ *back* 《美구어》 훨씬 전; 훨씬 저쪽에[멀리]: ~ *back* in 1940 [before the war] 1940년[전쟁 전] 옛날에. ***Away with him!*** 그를 쫓아 버려라. ***Away with you!*** 거기 비켜, 꺼져. ***do ~ with*** ⇨DO[1]. ***far*** [***out***] ***and ~ the best*** 가장 뛰어나게, 가장 두드러지게: He's *far and away the best* student in the class. 그는 반에서 가장 우수한 학생이다. ***from far ~*** 멀리서부터. ***get ~ with*** ⇨GET. ***right*** [***straight***] **~** 《美》 즉시, 곧. ***well ~*** 어지간히 진행되어, 순조롭게; 앞질러서; 《구어》 거나하게 취하여, 거나한 기분으로. ***Where ~?*** ⇨WHERE.
─ *a.* 〖스포츠〗 **1** Ⓐ 상대방의 본거지에서의, 원정지의(↔ home): an ~ match [game] 원정 시합/an ~ win 원정 경기에서의 승리. **2** Ⓟ 〖야구〗 아웃된: The count is three and two with two ~ in the seventh. 7회 카운트는 투아웃에 투스트라이크 스리볼이다. **3** Ⓟ 〖골프〗 홀에서 (가장) 먼: Who is ~ ? 누가[누구 공이] 홀에서 제일 먼가.

*__awe__ [ɔ:] *n.* Ⓤ **경외**(敬畏), **두려움**: a feeling of ~ 경외하는 마음/be struck with ~ 경외심으로 압도되다/keep a person in ~ 아무를 항상 두려운 마음이 들게 하다/stand [be] in ~ of …을 두려워[경외]하다. ─ *vt.* **1** …에게 두려운 마음을 일게 하다, 경외하게 하다: be ~*d* by the majesty of a mountain 산의 위용에 경외심을 품게 되다. **2** 《+목+전+명》 위압하여 …시키다《***into*** …하도록》: He ~*d* them *into* obedience. 그의 위세에 눌려서 그들은 복종했다/They were ~*d into* silence. 그들은 두려움에 짓눌려 말도 못했다.

__áwe-inspìring__ *a.* 경외케 하는, 장엄한: The Grand Canyon is an ~ sight. 그랜드캐년은 장엄한 풍경이다.

__awe·some__ [ɔ́:səm] *a.* **1** 두려운, 장엄한; 위엄 있는, 경외케 하는. **2** 《美속어》 인상적인; 멋진, 근사한. ㊕ **~·ly** *ad.* **~·ness** *n.*

__áwe-strìcken, -strùck__ *a.* 두려워진; 위엄에 눌린.

‡__aw·ful__ [ɔ́:fəl] *a.* **1 두려운**, 무시무시한: an ~ earthquake 무서운 지진. **2** 《문어》 공포를 느끼

게 하는, 경외심을 일으키게 하는; 장엄한: the ~ majesty of alpine peaks 높은 산봉우리들의 장엄한 위용. **3** [ɔ́:fl] 《구어》 **대단한**, 불유쾌한, 지독한, 굉장한, 터무니없는: an ~ fool 지독한 바보 / ~ manners 불유쾌한 태도. **4** 《구어》 큰.
—*ad.* 《구어》 **몹시, 굉장히**: I'm ~ glad. 아주 기쁘다.

*****aw·ful·ly** [ɔ́:fəli] *ad.* **1 무섭게**, 두렵게. **2** [ɔ́:fli] 《구어》 아주, 무척, 몹시: It's ~ hard. 그건 아주 어렵다 / I'm ~ sorry. 참으로 죄송합니다 / It's ~ nice of you. 정말 감사합니다. **3** 장엄하게; 두려워서, 경외하여.

aw·ful·ness *n.* Ⓤ **1** [ɔ́:fəlnis] 두려운 것, 장엄함. **2** [ɔ́:flnis] 지독함, 굉장함; 불쾌.

awhile [əhwáil] *ad.* 《문어》 잠깐, 잠시. ★ for 〔after〕 a while 같은 부사구에서는 a while로 씀. ¶stay ~ 잠시 머무르다 / Let's rest ~. 잠시 쉬자.

awhirl [əhwə́:rl] *ad., a.* Ⓟ 소용돌이쳐서, 빙빙 돌아서.

******awk·ward** [ɔ́:kwərd] *a.* **1** 선부른, 서투른 《***at, with*** (사람 · 동작 등)이》; 어줍은, 보기 흉한, 꼴사나운《***in*** …이》: ~ *with* one's hands 솜씨가 서투른 / He is ~ *at* pingpong. 그는 탁구가 서투르다 / ~ *in* one's movements 동작이 어줍은. **2 거북한**, 쑥스러운, 어색한《***with*** …에 대하여》: an ~ silence 어색한 침묵 / The child feeds ~ *with* strangers. 그 아이는 낯선 사람에게는 어색해 한다. **3** (정세 · 시간 따위의) 계제가 좋지 않은, 곤란한, (입장 · 문제 따위가) 어려운: an ~ question 골치 아픈 문제 / at an ~ moment 계제가 좋지 않은 때에 / be in an ~ situation 곤란한 처지에 있다. **4** (사건 · 인물 따위가) 다루기 힘든, 귀찮은; (물건이) 쓰기 나쁜, 불편한: an ~ tool 다루기 힘든 연장.
㊞ **~·ly** *ad.* 서투르게, 어색하게; 거북하게, 곤란하게. **~·ness** *n.*

áwkward àge (the ~) 사춘기, 초기 청년기 《다루기 어려운 시기로서》.

áwkward cústomer 《구어》 성가신〔다루기 힘든〕 물건〔놈〕; 힘겨운〔만만찮은〕 상대.

awl [ɔ:l] *n.* Ⓒ (구둣방 따위의) 송곳.

awn [ɔ:n] *n.* Ⓒ (보리 따위의) 꺼끄러기.

awn·ing [ɔ́:niŋ] *n.* Ⓒ (비나 해를 가리기 위해 창에 댄) 차일; (갑판 위의) 천막.

awoke [əwóuk] AWAKE의 과거 · 《드물게》 과거분사.

awo·ken [əwoukən] AWAKE의 과거분사.

AWOL, A.W.O.L., awol, a.w.o.l. [éiwɔ:l, èidʌ̀bljuòuél] *a.* Ⓟ, *n.* Ⓒ 《구어》 〖군사〗 무단 이탈〔외출〕한 (병사); 《일반적》 무단결석〔외출〕한 (자): go ~ 무단결근〔외출〕하다, 탈영하다. [◂*a*bsent 〔*a*bsence〕 *w*ithout *l*eave]

awry [ərái] *ad., a.* Ⓟ **1** 굽어서, 휘어서, 일그러져, 뒤틀려: look ~ 곁눈질로 보다, 눈을 모로 뜨고 보다 / Your tie is all ~. 넥타이가 비뚤어졌다. **2** (진로가) 빗나가서; (일 · 행동 따위가) 잘못되어, 틀려서: go 〔run〕 ~ 실패하다, 틀어지다.

*****ax,** 《英》 **axe** [æks] (*pl.* ***ax·es*** [ǽksiz]) *n.* Ⓒ **1 도끼**. ≠axis. ★ 자루가 짧은 손도끼(short ax)는 hatchet, 미국 인디언들이 쓰던 전쟁용 도끼는 tomahawk라 함. **2** (the ~) 참수; (경비 · 인원의) 삭감; 해고. **3** Ⓒ 《美속어》 재즈 악기《기타 · 색소폰 따위》.
get the **~** ① 해고당하다; 퇴교당하다. ② (계획 등이) 중지〔축소〕되다. ***give*** a person ***the*** **~** 《구어》 아무를 거절하다, 거들떠보지 않다; 《美속어》 추방하다, 해고하다. ***hang up*** one***'s*** **~** 쓸데없는 계획을 중지하다. ***have an*** **~** ***to grind*** 《美구어》 속 배포가 있다, 마음 속에 딴 속셈〔마음〕이 있다.
—*vt.* **1** 도끼로 베다〔깎다〕. **2** 《구어》 (인원 · 예산 따위를) 해고하다; 삭감하다.

ax·i·al [ǽksiəl] *a.* 굴대(모양)의, 축(軸)의; 축을 이루는; 축의 둘레의; ~ symmetry 〖수학〗 축대칭(軸對稱).

ax·il [ǽksil] *n.* Ⓒ 〖식물〗 잎겨드랑이.

ax·il·la [æksílə] (*pl.* **-lae** [-li:]) *n.* Ⓒ **1** 〖해부〗 겨드랑이, 액와(腋窩). **2** 〖식물〗 = AXIL.

ax·il·lary [ǽksəlèri] *a.* 〖해부〗 겨드랑이의; 〖식물〗 잎겨드랑이의, 액생(腋生)의.

ax·i·om [ǽksiəm] *n.* Ⓒ 자명한 이치, 원리, 원칙; 〖논리 · 수학〗 공리(公理).

ax·i·o·mat·ic, -i·cal [æ̀ksiəmǽtik], [-əl] *a.* 공리의; 자명한. ㊞ **-i·cal·ly** [-kəli] *ad.* 자명하게; 공리(公理)로서.

°**ax·is**[1] [ǽksis] (*pl.* ***ax·es*** [-si:z]) *n.* **1** Ⓒ 굴대, 축(軸), 축선(軸線); 〖천문〗 지축(地軸): the ~ of the earth 지축. **2** Ⓒ (사물의) 중심선; (운동 · 발전 등의) 주축, 중추. **3** Ⓒ (도표 따위의) 좌표축. **4** 〖정치〗 **a** Ⓒ 추축(樞軸)《국가간의 연합》. **b** (the A–) 추축국《제2차 세계 대전 당시의 독일 · 이탈리아 · 일본의 3국》. **—***a.* (A–) 독일 · 이탈리아 · 일본 추축의.

*****ax·le** [ǽksəl] *n.* Ⓒ (차륜의) **굴대**, 축, 차축.

áxle·trèe *n.* Ⓒ (차량의) 차축, 굴대.

áx·man [-mən] (*pl.* **-men** [-mən]) *n.* Ⓒ 도끼를 쓰는 사람, 나무꾼.

ax·o·lotl [ǽksəlɑ̀tl/-lɔ̀tl] *n.* Ⓒ 〖동물〗 아홀로틀《멕시코산(産) 도롱뇽의 일종》.

ay, aye [ai] *ad., int.* **1** 찬성!《표결을 할 때의 대답》. **2** 예!: *Ay(e)*, ~, sir! 〖항해〗 예예《상관에 대한 대답》. **—**(*pl.* ***ayes***) *n.* Ⓤ 찬성, 긍정; Ⓒ 찬성(투표)자.
the ayes and nays 찬반 쌍방의 투표자. ***The ayes have it.*** 찬성자 다수《의회 용어》.

aye-aye [áiài] *n.* Ⓒ 〖동물〗 (Madagascar 원산의) 다람쥐원숭이.

AZ 〖美우편〗 Arizona.

azal·ea [əzéiljə] *n.* Ⓒ 〖식물〗 진달래.

Az·er·bai·jan [ɑ̀:zərbaidʒɑ́:n, æ̀zərbaidʒǽn] *n.* 아제르바이잔《카스피해 연한 Caucasia에 있는 공화국; 수도 Baku》.

az·i·muth [ǽzəməθ] *n.* Ⓒ 〖천문〗 방위; 방위각: an ~ circle 방위권(圈).

Azores [əzɔ́:rz, éizɔ:rz] *n.* (the ~) 아조레스 제도《대서양 중부; 포르투갈령》.

AZT 〖약학〗 azidothymidine《AIDS 치료약; 상표명》.

Az·tec [ǽztek] *n.* **1 a** (the ~s) 아즈텍족《멕시코의 원주민; 16세기초에 멸망》. **b** Ⓒ 아즈텍족 사람. **2** Ⓤ 아즈텍 말. **—***a.* 아즈텍 사람〔말〕의.

Az·tec·an [ǽztekən] *a.* = AZTEC.

°**az·ure** [ǽʒər] *a.* 하늘색의, 담청의; 푸른 하늘의, (구름 한점 없이) 맑은.
—*n.* **1** Ⓤ 하늘색, 담청색. **2** (the ~) 《시어 · 문어》 푸른 하늘, 창공.

B

B

B[1], **b**[1] [biː] (*pl.* **B's, *Bs*, b's, *bs*** [-z]) *n.* **1** Ⓤ (구체적으로는 Ⓒ) 비《영어 알파벳의 둘째 글자》. **2** Ⓤ (연속된 것의) 둘째번(의 것). ***do not know B from a battledore*** 〔***a bull's foot***〕 낫 놓고 기역자도 모르다, 일자무식이다.

B[2] [biː] (*pl.* **B's, *Bs*** [-z]) *n.* **1** Ⓒ B자 모양(의 것). **2** Ⓤ (구체적으로는 Ⓒ) 《美》 (학업 성적의) 우(優), B(급): He got a *B* in English. 그는 영어에서 우를 받았다. **3** (혈액형의) B. **4** Ⓤ 〖음악〗 나음(音)(고정 도(do) 창법의 '시'); 나조(調): *B* major 〔minor〕 나장〔단〕조. **—***a.* 2류의, 2급품의: a *B* movie, B급 영화.

b[2] [biː] (*pl.* **b's, *bs*** [-z]) *n.* Ⓒ 〖수학〗 (보통 *b* 자체로) 둘째 기지수(既知數).

B 〖체스〗 bishop; 〖연필〗 black《연필의 흑색 농도를 표시》; 〖화학〗 boron. **b** breadth. **B.** Bachelor; Bible; British; brother; brotherhood. **B., b.** 〖음악〗 bass; basso; bay; book; born; bacillus; 〖야구〗 base(man); battery. **B-** bomber《미군 폭격기. B-29. B-52. B-1 따위》. **BA** British Airways; Bank of America. **Ba** 〖화학〗 barium. **B.A.** Bachelor of Arts(=A.B.); British Academy; British America.

baa [bæ, bɑː/bɑː] *n.* Ⓒ 매《양·새끼양의 울음소리》. **—**(***baaed, baa'd***) *vi.* 매 하고 울다.

BAA Bachelor of Applied Arts.

Ba·al [béiəl] (*pl.* ***Ba·al·im*** [béiəlim]) *n.* **1** 바알 신(神)《고대 셈족의 신》; 태양신《페니키아 사람의》. **2** (때로 b-) Ⓒ 사신(邪神), 우상.

◇**bab·ble** [bǽbəl] *vi.* **1** (어린이 따위가) 떠듬거리며 말하다; 지껄이다. **2** (냇물 따위가) 졸졸 소리내(며 흐르)다(*away; on*); (새가) 계속 지저귀다. **—***vt.* **1** 지껄이다. **2** (비밀 따위)를 지껄여 누설하다(*out*): ~ (*out*) a secret 비밀을 누설하다.

—*n.* Ⓤ (또는 a ~) (어린아이 등의) 떠듬거리는 말; 지껄임; (시냇물의) 졸졸 흐르는 소리; (전화의) 혼선음; (새의) 지저귐; (군중의) 왁자(지껄)함.

báb·bler *n.* Ⓒ 수다쟁이; 떠듬거리는 어린애; 비밀을 누설하는 사람; 지저귀는 새; 〖조류〗 꼬리치레.

◇**babe** [beib] *n.* Ⓒ **1** 《英시어》 갓난아이, 유아(baby): ~*s* and sucklings 유아나 젖먹이; 철부지들. **2** 《美속어》 (귀여운) 계집아이; 《종종 호칭》 아가씨. ***a ~ in arms*** ① ('네'라는 말도 못하는) 아기. ② 무식〔무능〕한 사람. **~*s*** 〔***a ~***〕 ***in the wood***(***s***) 잘 속는 사람, '봉'.

Ba·bel [béibəl, bǽb-] *n.* **1**=BABYLON. **2** 〖성서〗 바벨탑(the Tower of ~)《Babylon에서 하늘까지 치닿게 쌓으려다 실패한 탑; 창세기 XI: 4-9》. **3** (b-) Ⓒ 고층 건물, 마천루. **4** (보통 b-) Ⓤ (또는 a ~) **a** 공상적〔비현실적〕인 계획. **b** 왁자지껄한 말소리; 소란(한 땅), 떠들썩한〔혼란한〕 장소: A *babel* of voices came from the hall. 회의장에서 왁자지껄한 말소리가 들려 왔다. ***the Tower of ~*** ① 바벨탑(⇨2). ② 비현실적〔공상적〕인 계획.

ba·boon [bæbúːn/bə-] *n.* Ⓒ 〖동물〗 비비(狒狒); 《속어》 추악한 인간, 거칠고 촌스러운 사람.

ba·bush·ka [bəbú(ː)ʃkə] *n.* 《Russ.》 Ⓒ 바부슈카《여성들이 머리에 쓰는 스카프; 러시아어로 할머니의 뜻》.

†**ba·by** [béibi] *n.* Ⓒ **1 갓난아이,** 젖먹이: The ~ opened its eyes. 아기가 눈을 떴다.

> **NOTE** (1) baby 또는 child는 성별을 따지지 않을 때는 종종 it로 받음《단, 가족일 때는 보통 he, she를 씀》.
> (2) baby의 나이는 2살 전후까지는 달수로 sixteen months old 따위로 말함.

2 어린애 같은 사람, 소심한 사람: a regular ~ 아주 어린애 같은 사람/Don't be such a ~— take your medicine. 그렇게 어린애같이 굴지 말고 약 먹어라. **3** (the ~) 막내, 최연소자; 갓 태어난 동물의 새끼. **4** 《속어》 자랑스런 발명품. **5** (흔히 부르는 말로 써서) 아가씨, 애인, 귀여운 임. **6** (one's 〔the〕 ~) 내키지 않은 일, 귀찮은 역할〔책임〕: give a person the ~ to hold 아무에게 책임을 지우다. **7** 《美속어》 녀석, 난폭자; 물건, 것: He's a tough ~. 그는 만만찮은 녀석이다/I've been driving this ~ for ten years. 이 차는 10년 동안 타고 있다.

hold 〔***carry***〕 ***the ~*** 귀찮은 것〔부담〕을 떠맡다. ***It's your ~.*** 그것은 네 일이다. ***start a ~*** 《英구어》 임신하다. ***throw the ~ out with the bath*** (***water***) 《구어》 중요한 것을 필요 없는 것과 함께 버리다. ***wet the ~'s head*** 《구어》 축배를 들고 탄생을 축하하다.

—*a.* Ⓐ **1** 갓난아이의〔를 위한〕: a ~ bottle 젖병/~ milk (유아용) 분유. **2** 어린애 같은, 앳된, 아주 젊은: a ~ wife 앳된 아내. **3** 소형의: a ~ camera. **4** 유치한.

—(*p., pp.* ***ba·bied; ba·by·ing***) *vt.* 《구어》 **1** 어린애 취급을 하다; 어하다, 응석받다. **2** (도구 따위)를 주의해서 다루다, 소중히 쓰다.

báby blùes (the ~) 《구어》 출산 후의 우울 상태.

báby bòom 베이비 붐《제2차 세계대전 후 미국에서 출생률이 급격히 상승한 현상》.

báby bòomer 베이비 붐 세대.

báby brèak 출산 휴가.

báby càrriage 〔**bùggy**〕 《美》 (네 바퀴 달린 접는 식의) 유모차(《英》 pram).

báby fàrm 《美구어》 (유료) 탁아소, 보육원.

báby fàrmer 탁아소 경영자.

báby fòod 이유식(離乳食), 베이비 푸드.

báby gránd (**piáno**) 〖음악〗 소형 그랜드 피아노《높이 5~6 피트》.

ba·by·hood [béibihùd] *n.* Ⓤ 유년 시대, 유아기; 〖집합적〗 젖먹이, 아기.

ba·by·ish [béibiiʃ] *a.* 갓난애〔어린애〕 같은; 유치한, 어리석은. ㊞ **~·ly** *ad.* **~·ness** *n.*

báby·like *a.* 아기와 같은.

Bab·y·lon [bǽbələn, -lὰn] *n.* **1** 바빌론《고대 Babylonia의 수도》. **2** Ⓒ 화려함과 악(惡)의 도시.

Bab·y·lo·nia [bæ̀bəlóuniə, -njə] *n.* 바빌로니아《메소포타미아에 있던 고대 왕국; 기원전 538년경에 페르시아에 정복당함》.

B

Bab·y·lo·ni·an [bæ̀bəlóuniən, -njən] *a.* 바빌론의; 바빌로니아 제국〔사람〕의; 지나치게 사치한; 퇴폐적인, 악덕한, 사악한. **—*n.*** Ⓒ 바빌로니아 사람; Ⓤ 바빌로니아어.

báby-mìnder *n.* 《英》 = BABY-SITTER.

báby-sìt (*p.*, *pp.* ***-sat; -sit·ting***) *vi.* (집을 지키며) 아이를 보다《특히 부모 부재 중에》《***for*** …위해서; ***with*** …을》: ~ *with* a person's child 아무의 아이를 돌봐 주다 / I often ~ *for* my big sister. 나는 자주 큰 누이가 없을 때 아이를 돌봐주러 간다. **—*vt.*** (아이)를 보살피다〔돌봐 주다〕.

⁑**baby-sitter** [béibisìtər] *n.* Ⓒ **베이비 시터** (집을 지키며 아이를 돌봐 주는 사람; 미국 여학생의 대표적인 아르바이트).

báby tàlk (어른이 아기에게 쓰는) 아기말; 유아의 떠듬거리는 말.

báby tòoth 젖니(milk tooth).

báby-wálker *n.* Ⓒ 《英》 (갓난아이의) 보행(연습)기(《美》 go-cart).

bac·ca·lau·re·ate [bæ̀kəlɔ́:riit, -lάr-] *n.* Ⓒ 학사학위(**bachelor's degree**); 《美》 (대학 졸업생에 대한) 기념 설교〔예배, 훈시〕(= ∠ **sèrmon**).

bac·ca·ra(t) [bǽkərὰ:, bά:-, ⌐⌐∠] *n.* 《F.》 Ⓤ 바카라《카드를 쓰는 도박의 일종》.

bac·cha·nal [bǽkənl] *a.* = BACCHANALIAN. **—*n.*** Ⓒ 바커스 예찬자; 취해 떠드는 사람; 왁자지껄한 술잔치, 야단법석(orgy).

Bac·cha·na·lia [bæ̀kənéiljə, -liə] (*pl.* **~, ~s**) *n.* Ⓒ 바커스제(祭), 주신제(酒神祭); (b–) 큰 술잔치; 야단법석(orgy).

bac·cha·na·li·an [bæ̀kənéiljən, -liən] *a.*, *n.* Ⓒ 바커스〔주신〕제(의); 바커스 예찬자(의); 취해 떠드는 (사람).

bac·chant [bǽkənt, bəkǽnt, -kά:nt] (*pl.* **~s, *-chan·tes*** [bəkǽnti:z, -kά:n-]) *n.* Ⓒ 바커스의 사제(司祭)〔여사제〕; 바커스 예찬자; 술 마시고 떠드는 사람. **— *a.*** = BACCHANTIC.

bac·chan·te [bəkǽnti, -kά:nti] *n.* Ⓒ 바커스의 여사제〔무당〕; 여자 술꾼.

bac·chan·tic [bəkǽntik] *a.* 바커스 신도의; 술 주정꾼의; 술 마시고 떠드는.

Bac·chic [bǽkik] *a.* 바커스신의, 바커스를 숭배하는; (종종 b–) = BACCHANALIAN.

Bac·chus [bǽkəs] *n.* 〖그리스·로마신화〗 바커스《술과 주연(酒宴)의 신》. ⓒⓕ Dionysus. ***a son of*** **~** 술꾼.

bac·cy [bǽki] *n.* Ⓤ 《英구어》 담배.

Bach [ba:k, ba:x] *n.* **Johann Sebastian ~** 바흐《독일의 작곡가; 1685–1750》.

bach [bætʃ] *n.* Ⓒ 《美속어》 독신자(bachelor); 《N. Zeal.》 (해변 등의) 작은 집, 소(小)별장. ***keep*** **~** 독신으로 지내다.
—*vi.* 독신 생활을 하다. **—*vt.*** 〖~ it로〗 (아내의 부재 중) 독신 생활을 하다.

bach·e·lor** [bǽtʃələr] *n.* Ⓒ **1 미혼〔독신〕 남자**《★《구어》에서는 보통 unmarried 〔single〕 man을 사용》. ⓒⓕ spinster. ¶a ~'s wife (독신 남성의) 이상의 처. **2 학사**. ⓒⓕ master. ***Bachelor of Arts 문학사《생략: BA, B.A., 《美》 A.B.》. ***Bachelor of Science*** 이학사《생략: B.Sc.》

báchelor gìrl 〔**wòman**〕 《구어》 독신의 직업여성.

bach·e·lor·hood [bǽtʃələrhùd] *n.* Ⓤ (남자의) 독신 (생활), 독신 시절.

báchelor mòther 《美속어》 **1** 미혼모. **2** 남편과 헤어져 아기를 양육하는 어머니.

báchelor's (**degrèe**) 학사학위.

bac·il·lary, ba·cil·lar [bǽsəlèri, bəsíləri], [bəsílər, bǽsə-] *a.* 간상(桿狀)의; 바실루스의; 간균(桿菌)에 의한.

◇**ba·cil·lus** [bəsíləs] (*pl.* ***-li*** [-lai]) *n.* Ⓒ **1** 바실루스, 간상균(桿狀菌). ⓒⓕ coccus. **2** (흔히 *pl.*) 《구어》 세균, 박테리아, 《특히》 병원균(病原菌). ◇ bacillary *a.*

†**back** [bæk] *n.* **1 a** Ⓒ **등**, 잔등; (옷을 걸쳐 입는 것으로서의) 몸뚱이: have no clothes to one's ~ 입을 것이 아무것도 없다. **b** Ⓒ (옷의) 잔등 부분. **c** Ⓤ (옷의) 안감 대기, 안받침. **2** Ⓒ 등뼈(backbone): have a strong ~ 무거운 짐을 질 수가 있다. **3** (the ~) 배면(背面); (칼 따위의) 등; (손의) 등; (의자의) 등받이; (책의) 등; 물결 마루; (난간 따위의) 윗면; (배의) 용골; (산의) 등성이: the ~ of a hill 산등성이. **4** (the ~) **뒤**, 뒷면, 이면, 뒤쪽(↔ *front*); (보이지 않는) 저쪽; 《비유적》 (일의) 진상(眞相): the ~ *of* a house 집 뒤편 / at 〔in〕 the ~ *of* one's mind 마음〔기억〕 속에. **5** (the ~) **안**, 안쪽; (탈것의) 뒷좌석; 《비유적》 속, (머리나 마음속의) 한구석: the ~ *of* a cupboard 찬장 속. **6** (the ~) 뒤뜰(backyard). **7** (the ~) 〖연극〗 무대의 배경; (혀의) 뿌리. **8** Ⓒ (수비 위치에는 Ⓤ) 〖축구·하키〗 후위. ↔ *forward*. ★ back은 '뒤쪽' '안쪽' 따위 외에 종종 굽은 물체의 불룩한 쪽을 가리키는 일이 있음; 난간의 위쪽, 바퀴의 바깥쪽 따위.
at a person***'s*** **~** …을 후원하여: He has the head of the department *at* his ~. 부장이 그의 뒤를 봐 주고 있다. ***at the*** **~** ***of*** ① …의 뒤에, 배후에: There's a garden *at the* ~ *of* our house. 우리 집 뒤에 정원이 있다. ② …을 추적하여. ③ 《구어》 (좋지 않은 일)에 책임을 지고, …의 흑막으로: There's something *at the* ~ *of* it. 그 이면에 뭔가 (속셈이) 있다. **~ *of beyond*** (the ~) 멀리 외진 곳, 변방: live at the ~ *of beyond* 도회에서 멀리 떨어진 곳에 살다. **~ *to* ~** 등을 맞대어〔고〕《***with*** …와》; 계속하여; 서로 도움을 주고받으며(ⓒⓕ back-to-back). **~ *to front*** ① 앞뒤를 반대로; 거꾸로: He put his sweater on ~ *to front*. 그는 스웨터를 뒤가 앞에 오도록 입었다. ② 흐트러져서, 난잡하게. ③ 몽땅, 이면의 이면까지. ***behind*** a person***'s*** **~** 아무의 등뒤에서; 아무에게 비밀로, 몰래; 아무가 없는 데서. ***break*** a person***'s*** **~** 아무에게 무거운 짐을 지우다, 아무를 실패〔파산〕시키다. ***break*** one***'s*** **~** 등뼈를 부러뜨리다; 《구어》 열심히 일하다, 애쓰다, 노력하다. ***break the*** **~** ***of*** ① …에게 무거운 짐을 지우다. ② 《구어》 …의 어려운 부분을 끝내다, 고비를〔난관을〕 넘기다; …을 일단락 짓다. ***get off*** a person***'s*** **~** 〔***neck***〕 《구어》 (아무를) 상관 않고 두다, 상관하지 않다: *Get off* my ~. 이제 그만 (작작 좀) 해둬라, 시끄럽다. ***get*** 〔***put, set***〕 one***'s*** 〔a person***'s***〕 **~ *up*** 성내다〔아무를 성나게 하다〕. ***get*** 〔***have***〕 one***'s*** (***some*** 〔***a bit***〕 ***of***) ***own*** **~** 《구어》 원수를 갚다, 보복〔앙갚음〕하다《***on*** …에게》. ***give*** a person ***a*** **~** = ***make a*** **~**

public sentiment 여론의 지지를 얻다. b [U] (또는 a ~) 〘집합적〙 후원자(단체). 2 [U] 배서, 보증. 3 [U] (구체적으로는 [C]) 뒤붙임; (제본의) 등붙이기; 〖건축〗 속널, 안벽. 4 [U] 〖음악〗 (포퓰러 음악의) 반주.

bácking stòrage 〔stòre〕 〖컴퓨터〗 보조 기억 장치.

báck íssue (잡지 등의) 지난 호.

báck·làsh *n.* [U] (구체적으로는 [C]) 1 〖기계〗 뒤틈, 백래시《톱니바퀴 사이의 틈, 그로 인한 헐거움》. 2 과격한 반동〔반발, 반격〕《***against*** …에 반대하는》: white ~ 흑인의 공민권 운동 따위에 대한 백인의 반격/(a) political ~ *against* liberalism 자유주의에 대항하는 정치 반동.

báck·less *a.* 등〔등쪽 부분〕이 없는《드레스》.

báck·lìst *n.* [C] (출판사의) 재고 목록, 기간(旣刊) 도서 목록.

báck·lòg *n.* [C] 1 《美》 (오래 타게 난로 깊숙이 넣어 두는) 큰 장작. 2 (보통 *sing.*) (미처리〔미완성〕 물품·주문 등의) 쌓임, 체화(滯貨); 잔무(殘務): a ~ *of* business orders 수주(受注) 잔고.

báck·mòst *a.* [A] 가장 뒤의.

báck númber 묵은 호(號)의 잡지; 《구어》 시대에 뒤진 사람〔방법, 물건〕; (명성·인기를 잃은) 과거의 사람.

báck·pàck *n.* [C] 《美》 등짐; (우주 비행사 등이 짊어지는) 생명 유지 장치. **—***vi.* 등짐을 지고 여행하다〔운반하다, 걷다〕. [파] ~·**er** *n.* ~·**ing** *n.*

báck pássage 《완곡어》 직장(直腸)(rectum).

báck-pèdal *vi.* (속력을 줄이기 위해 자전거의) 페달을 뒤로 밟다; 철회하다, 도로 물리다《***on*** (의견·약속 따위)를》; 전과 반대의 행동을〔태도를〕 취하다.

báck·rèst *n.* [C] (의자 따위의) 등널.

báck róad (흔히 포장되지 않은) 뒷길, 시골길.

báck ròom 안쪽 방; 비밀 공작〔회합〕실; (전시의) 비밀 연구소.

bàck-room bóy 《英구어》 (군의) 비밀 공작대원; 비밀 연구 종사자; 측근, 참모(brain truster).

báck·scàtter(ing) *n.* [U] 〖물리〗 (방사선 따위의) 후방 산란(散亂).

báck scràtcher 서로의 이익을 위해 한 패가 된 사람; 등긁이; 《구어》 아첨꾼.

báck·séat *n.* 1 [C] (자동차의) 뒷자리. 2 (a ~) 눈에 띄지 않는 위치, 보잘것없는 지위. ***take a*** **~** 남의 밑에 서다; 나서지 않다《***to*** …에》: I won't *take a* ~ *to* anyone. 나는 남의 지배하에 들어가는 것은 절대로 싫다.

bàckseat dríver 《구어》 자동차의 객석에서 운전 지시를 하는 사람; 덥적대기 잘하는 사람, 오지랖 넓은 사람.

báck·sìde *n.* [C] 1 후부; 배면; 이면. 2 《속어》 궁둥이, 둔부.

báck slàng 거꾸로 하는 은어《보기: slop '경찰' [◂police]》.

báck·slàp *n.* [U] 《美구어》 (친숙한 표시로) 등을 툭툭 치기; 몹시 친숙한 태도. **—***vt., vi.* ~하다. [파] **-slàpper** *n.* [C] 친숙하게 구는 사람. **-slàp·ping** *a., n.*

báck·slàsh *n.* [C] (보통 *sing.*) 〖컴퓨터〗 백슬래시《루트 폴더를 나타내거나 계층 구조의 폴더에서 폴더들을 구분하기 위해 사용되는 특수 기호》.

báck·slìde (*-slid; -slid, -slid·den*) *vi.* (본디 상태로) 되돌아가다, 다시 잘못〔죄〕에 빠져들다, 다시 타락하다. [파] **-slìder** *n.* [C] 배교자(背敎者), 타락자.

báck·spàce *vi.* (타자기에서) 한 자(字)분만큼 뒤로 물리다. **—***n.* [C] (보통 *sing.*) 백스페이스 〔역행〕 키; 〖컴퓨터〗 후진 키(=**báck·spàc·er, ∸ kèy**).

báck·spìn *n.* [C] 〖구기〗 백스핀《당구·골프 등에서 공의 역회전》.

báck·stáge *ad.* 〖연극〗 무대 뒤(분장실)에서; 무대 뒤쪽으로; 몰래. **—***a.* [A] 무대 뒤의, 무대 뒤에서 일어난; 연예인의 사생활의〔에 관한〕; 비밀의: ~ negotiations 내밀한 교섭, 암거래.

báck stáirs (건물의) 뒤쪽 층계; 음모, 비밀의 〔음험한〕 수단.

báck·stáir(s) *a.* [A] 간접적〔우회적〕인; 비밀의, 부정한; 음험한; 중상적인: ~ deals 이면 공작/~ gossip 중상적인 험담.

báck·stày *n.* [C] (보통 *pl.*) 〖항해〗 (돛대의) 뒷버팀줄; 〖기계〗 뒷받침.

báck·stìtch 〖재봉〗 *n.* [C] 백스티치, 박음질. **—***vt., vi.* 박음질하다.

báck·stòp *n.* [C] 〖야구·테니스〗 백네트; 《야구 구어》 포수; 〖크리켓〗 =LONG STOP; 《구어》 안전장치(safeguard); 보강재(補強材); 《구어》 보좌.

báck stréet 뒷거리, 뒷골목.

báck·strétch *n.* [C] 〖경기〗 결승점이 있는 코스와 반대쪽 코스. [cf] homestretch.

báck·stròke *n.* 1 [C] 〖테니스〗 백핸드스트로크. 2 [U] (보통 the ~) 〖수영〗 배영.

báck·swèpt *a.* 뒤쪽으로 기울어진.

báck·swìng *n.* [C] 〖구기〗 백스윙.

báck tàlk 《美》 건방진〔무례한〕 말대꾸(《英구어》 backchat).

báck-to-báck *a.* 등을 맞댄; 《美구어》 연속적인: ~ typhoons 계속 불어오는 태풍.

báck·tràck *vi.* 1 (같은 길을 따라) 되돌아가다. 2 손을 떼다, 몸을 빼다; 철회하다《***from*** …에서; ***on*** …을》: ~ *on* the statements 진술을 철회하다. **—***vt.* …의 뒤를 쫓다〔더듬다〕: ~ the criminal 범인을 추적하다.

báck·ùp *n.* 1 [U] 뒷받침; 후원, 지원. 2 [C] 《美》 (차량 따위의) 정체. 3 [C] 《美》 예비(품〔인원〕); 대체품〔요원〕. 4 [U] 〖컴퓨터〗 예비, 보관, 백업. **—***a.* 1 지원의, 반주의; 예비의; 대체〔보충〕의; 보충 요원의: a ~ candidate 예비 후보. 2 〖컴퓨터〗 보완의: a ~ file 예비 파일, 백업 파일/a ~ system 보완 시스템.

báckup lìght 《美》 (차의) 후진등, 백라이트(《英》 reversing light).

báck vówel 〖음성〗 후설(後舌) 모음.

⁑**back·ward** [bǽkwərd] *ad.* 1 **뒤에(로)**; 후방에〔으로〕; 뒤를 향해. ↔ *forward(s)*. 2 역행하여, 퇴보〔악화〕하여, 타락하여: flow ~ 역류(逆流)하다/go ~ 되돌아가다, 퇴보〔타락〕하다. 3 **거꾸로, 끝에서부터**, 뒤로부터: You have it just ~(*s*). 그건 정반대이다《본말 전도 따위》. 4 (이전으로) **거슬러 올라가서**: five years ~ 5년 전에.

~(*s*) *and forward*(*s*) 앞뒤로, 왔다갔다; 여기저기(에). ***bend*** 〔***lean, fall***〕 ***over*** **~** 먼저와는 딴판으로 … 하다《***to*** do》; 필사적으로 …하려고 애쓰다《***to*** do》. ***know*** something **~** (***and forward***) …을 완전히 이해하고 있다.

—*a.* 1 [A] **뒤로의**; 뒤를 향한; 거꾸로의, 퇴보적인 (retrogressive): without a ~ glance 뒤돌아보지 않고/a ~ blessing 저주. 2 **진보가 늦은**, 뒤진《***in*** …에》: a ~ country 후진국《a developing country가 바람직함》/a ~ child 지진아/He's ~ *in* math 〔《英》 maths〕. 그는 수학에서

뒤지고 있다. **3** 수줍은, 스스러워하는, 주저하는 《*in* …하는 데》: He's ~ *in giving* people his views. 그는 남에게 자기 의견을 말하기를 꺼린다. **4** 철 지난: a ~ spring 늦은 봄 / Spring is ~ this year. 금년은 봄이 늦다.
㊕ ~**·ly** *ad.* 마지못해; 늦어져. ~**·ness** *n.* Ⓤ 늦음, 후진성, 후퇴.

B

báck·wards [-wərdz] *ad.* =BACKWARD.

báck·wàsh *n.* (*sing.*; 흔히 the ~) **1** (뭍에) 밀렸다 돌아가는 파도; 〖항해〗 (배의 스크루·노 따위로) 밀리는 물, 역류; (배 지난 뒤의) 물결, 뒷물결; 〖항공〗 후류《프로펠라로 기체의 후방으로 흐르는 기류》. **2** (사건의) 여파, 반향, 후유증: the ~ of 〔from〕 a business downturn 경기 하강 여파.

báck·wàter *n.* **1** Ⓤ 역수(逆水), 역류(逆流); Ⓒ (시냇가의) 물웅덩이. **2** Ⓒ (문화 등의) 침체 상태〔지역〕; 벽지, 호젓한 곳: live in a ~ 침체한 환경에서 살다 / a ~ man 〔town〕 시골 사람〔동네〕. **—***vi.* 〖항해〗 (배를) 후진시키다.

°**báck·wóods** *n. pl.* (the ~) 〔단·복수취급〕 변경의 삼림(森林)지대; 변경의 미개척지; 궁벽한 땅.

báck·wóodsman [-mən] (*pl.* **-men** [-mən]) *n.* Ⓒ 미개(척)지에 사는 사람, 변경의 주민; 《美구어》 메부수수한 사람; 《英구어》 (시골에 살면서) 의회에 잘 나가지 않는 상원 의원.

báck·yárd *n.* Ⓒ **1** 뒤뜰《미국에서는 집 뒤뜰도 대개 잔디가 심어져 있고, 그곳에서 아이들이 놀거나 빨래를 널어 말리거나 바비큐 따위를 하기도 한다. 영국에서는 보통 포장되어 있다》. ↔ *front yard.* **2** 《비유적》 근처, (자기의) 세력 범위. *in* a person'**s** (***own***) ~ 바로 근처에, 몸 가까이.

Ba·con [béikən] *n.* **Francis** ~ 베이컨《영국의 수필가·정치가·철학자; 1561–1626》.

⁑**ba·con** [béikən] *n.* Ⓤ **베이컨**《돼지의 옆구리나 등의 살을 소금에 절이거나 훈제한 것》. ~ ***and eggs*** 베이컨에 달걀 반숙을 얹은 요리. ***bring home the*** ~ ⇨ BRING. ***save*** one'***s*** 〔a person'***s***〕 ~ 《英구어》 중대한 손해〔위해〕를 모면하다.

Ba·co·ni·an [beikóuniən] *a.* Bacon의; 베이컨의 학설〔학파〕의; 귀납적인: the ~ method 귀납법. **—***n.* Ⓒ 베이컨 철학 신봉자.

*****bac·te·ria** [bæktíəriə] (*sing.* **-ri·um** [-riəm]) *n. pl.* **박테리아**, 세균; 세균류(類).

bac·te·ri·al [bæktíəriəl] *a.* 박테리아〔세균〕의, 세균성의〔에 의한〕: a ~ infection 세균에 의한 감염. ㊕ ~**·ly** *ad.*

bac·te·ri·cide [bæktíərəsàid] *n.* Ⓤ (종류·낱개는 Ⓒ) 살균약〔제〕.
㊕ **bac·tè·ri·cíd·al** [-dl] *a.* 살균의.

bac·te·ri·o·log·ic, -i·cal [bæktìəriəlɑ́dʒik/-lɔ́dʒ-], [-ikəl] *a.* 세균학(상)의; 세균 사용의.
㊕ **-i·cal·ly** *ad.*

bacteriológical wárfare 세균전(戰).

bac·te·ri·ol·o·gy [bæktìəriɑ́lədʒi/-ɔ́l-] *n.* Ⓤ 세균학; 세균의 생태. ㊕ **-gist** *n.* Ⓒ 세균학자.

bac·te·ri·um [bæktíəriəm] *n.* BACTERIA 의 단수형.

Bác·tri·an cámel [bǽktriən-] 〖동물〗 쌍봉낙타. ⓒⓕ dromedary.

†**bad** [bæd] (***worse*** [wəːrs]; ***worst*** [wəːrst]) *a.* **1** **나쁜**, 악질의; (날씨 따위가) 궂은. ↔ *good.* ¶ ~ habits 나쁜 버릇 / ~ coin 악화(惡貨) / ~ weather 악천후.
SYN. **bad** '나쁜'의 뜻의 가장 일반적인 말: *bad* manners 무례, 무람없음. a *bad* smell 고약한 냄새. **evil** 사회적·도덕적으로 나쁜, 해로운: an *evil* conduct 악행. **wicked** 근성이 나쁜, 사악한: a *wicked* man 악당. **malicious** 악의〔적의〕를 품은: a *malicious* gossip (아무를 중상하기 위한) 악의 있는 뒷공론.

2 (병 따위가) 악성의, 치료하기 힘든; (일이) 지독한: a ~ cold 악성 감기 / a ~ fire 끄기 힘든 불.
3 Ⓟ 유해한(harmful)《*for* (건강 따위)에》. ↔ *good.* ¶ be ~ *for* the health.
4 상한, 썩은: a ~ tooth 충치.
5 **잘 되지 않은**, 불량한, 불충분한: a ~ crop 흉작 / ~ lighting 불량 조명.
6 **서투른**, 잘 하지 못하는《*at* …이, …을》: He is ~ *at* English. 그는 영어가 서투르다.
7 **틀린**, 부당한: ~ spelling 틀린 철자 / a ~ guess 잘못 짚음 / a ~ shot 빗나간 총알.
8 **바람직하지〔탐탁지〕 않은**, 형편이 나쁜; 불쾌한. ↔ *good.* ¶ ~ luck 불운 / a ~ smell 불쾌한 냄새.
9 기분이 나쁜; 마음이 언짢은, 미안한, 유감스러운《*about* …에 대해서》: I'm 〔I feel〕 ~ today. 오늘은 기분이 안 좋다 / feel ~ *about* it 그 일에 대해서 미안하게 생각하다.
10 《美구어》 적의(敵意)가 있는; 위험한.
11 앓고 있는《*with* …을》: He is ~ *with* gout. 그는 통풍을 앓고 있다.
12 무효의: a ~ debt 회수가 불가능한 빚 / a ~ check 부도 수표.
13 (***bád·der; bád·dest***) 《美속어》 굉장한, 훌륭한: a ~ man on drums 드럼의 명수.
in a ~ way 《구어》 (건강이) 좋지 않아; 불경기로; 매우 시달려《*for* …에》: The auto industry is *in a ~ way.* 자동차 산업은 대불황이다 / I'm *in a ~ way for* money. 나는 돈에 시달리고 있다. ***not*** (***so*** 〔***half, too***〕) ~ 미상불〔그렇게〕 나쁘지 않은, 꽤 좋은; 그다지 어렵지 않은: That's *not* a ~ book. 그것은 꽤 좋은 책이다 / How are you? — *Not* ~. 어떻게 지내십니까 — 그저 잘 지내.

> **DIAL.** ***It's not that bad.*** =***It's not as bad as all that.*** (네가 말하듯이) 그렇게 아주 나쁘지는 않다.
> ***That can't be bad.*** 그거 괜찮은데.
> ***That's*** 〔***It's***〕 ***too bad.*** 그것 참 안됐군; 이거 곤란하게 됐는데.

—*n.* **1** Ⓤ (the ~) 나쁜 상태; 악성(惡性); 불운: take the ~ with the good 행운도 불운도 다 겪다; 좋은 일과 궂은 일을 다 받아들이다. **2** (the ~) 악인들. ***go from ~ to worse*** (점점 더, 갈수록 더) 악화되다: His business is *going from ~ to worse.* 그의 사업은 갈수록 기울어지고 있다. ***go to the*** ~ 《구어》 파멸〔타락〕하다, 못쓰게 되다. ***in*** ~ 《구어》 곤란하게 되어; 《구어》 비위를 건드려, 미움받고《*with* …에게》: He's *in ~ with* the boss. 그는 상사의 노여움을 사고 있다. ***to the*** ~ 빚이 되어〔부족하여〕: I am $100 *to the* ~. 100달러 빚지고 있다.
—*ad.* 《美구어》 =BADLY.

bád blóod 악감정, 증오, (오랜) 반목, 불화, 적의(敵意); 원한《*between* …사이의》: There was ~ *between* the two ethnic groups. 그 두 민족 간에 오랜 반목이 있었다.

bád bréath 입내, 구취(口臭)(halitosis).

bad·die, bad·dy [bǽdi] *n.* Ⓒ 《구어》 (영화

등의) 악역, 악인; 《美속어》 범죄자, 부랑자; 《美구어》 못된 아이.
bade [bæd/bæd, beid] BID의 과거.
bád féeling =BAD BLOOD.
*__badge__ [bædʒ] *n.* [C] **휘장**(徽章), **배지**, **기장**; 상징(symbol), 표지(標識); 품질·상태를 나타낸 것: a ~ of rank (군인의) 계급장/a good conduct ~ 선행장(章)/Chains are a ~ of slavery. 사슬은 노예의 상징.
badg·er [bǽdʒər] (*pl.* **~s,** 〖집합적〗 ~) *n.* [C] 오소리; [U] 그 털가죽. **—***vt.* 괴롭히다《*with* …으로》; 갖고 싶다고 조르다《*for* …을》; 졸라서 (…)하게 하다《*into* do*ing* / *to* do》; (…해 달라고) 끈질기게 말하다: She is always *~ing* me *with* her complaints. 그녀는 언제나 불평을 늘어놓아 나를 괴롭힌다/~ a person *for* 〔*to* buy〕 a new car 아무에게 새 차를 사 달라고 조르다/I had to ~ him *into* coming with us. 그를 동행시키기 위해 끈질기게 말해야 했었다/Father *~ed* me *to* mow the lawn. 아버지는 잔소리 끝에 기어코 내가 잔디를 깎게 했다.
bád-húmored *a.* 심기가 나쁜; 화를 잘 내는.
bad·i·nage [bæ̀dinάːʒ, bǽdinidʒ] *n.* 《F.》 [U] 농담, 놀림, 야유(banter). **—***vt.* …을 놀리다.
Bád Lànds 《美》 South Dakota주 남서부와 Nebraska주 북서부의 황무지.
bád·lànds *n. pl.* 《美》 불모지, 황무지.
⁑**bad·ly** [bǽdli] (**worse** [wəːrs]; **worst** [wəːrst]) *ad.* **1 나쁘게**(wrongly), **호되게**: speak ~ of a person 아무를 나쁘게 말하다/We were ~ beaten in the game. 경기에서 완패했다. **2 서투르게**(poorly), 졸렬하게. **3 대단히, 몹시**(greatly)《★want, need 따위를 수식하여》: ~ wounded 심한 부상을 당하여/I ~ want it 〔want it ~〕. 그것을 몹시 갖고 싶다/We need your help ~. 자네 도움이 꼭 필요하다. ***be ~ off*** 생계가 궁핍하다(↔ *be well off*); (남의 도움 따위가) 없어 곤란하다.
—*a.* [P] 《구어》 〖보통 feel ~로〗 슬퍼하는, 후회하는《*about* …을》; 기분이 나쁜; 건강치 못한, 병인: I *felt* ~ *about* the spiteful remark. 악담을 서운하게 생각했다/I *feel* ~. 기분이 나쁘다; 몸이 불편하다.
bad·min·ton [bǽdmintən] *n.* [U] 〖경기〗 배드민턴.
bád móuth 《美구어》 욕, 중상, 비방, 혹평.
bád-mòuth *vt.* 《美구어》 끈질기게 혹평하다, 욕하다, 헐뜯다.
°**bád·ness** *n.* [U] 나쁨; 불량; 열악; 유해; 불길, 흉.
bád néws **1** 흉보; 《구어》 곤란한 문제, 난처한 일. **2** 《구어》 귀찮은 사람.
bád sèctor 〖컴퓨터〗 불량 섹터《디스크에 외부에서 가한 충격으로 디스크의 한 부분이 파손되었거나 기타 여러 가지 이유로 인해 데이터를 기록할 수 없게 된 부분》.
bád-tèmpered *a.* 씨무룩한; 뚱한, 심술궂은.
Bae·de·ker [béidikər] *n.* [C] 베데커 여행 안내서《독일의 출판업자 Karl Baedeker가 시작함》; 〖일반적〗 여행 안내서.
°**baf·fle** [bǽfəl] *vt.* **1** 〖종종 수동태〗 좌절시키다, 실패로 끝나게 하다《*in* …에서》: ~ a person's plan 아무의 계획을 좌절시키다/They *were ~d in* their search. 그들의 수색은 실패했다. **2** 곤란케 하다, 당황케 하다: This puzzle *~s* me. 이 퍼즐에는 손들었다.

—*n.* [C] **1** 〖전기〗 배플. **2** (기류·음향·수류·전자선 따위의) 정류〔조절〕 장치.
báf·fle·ment *n.* [U] 좌절시킴, 방해; 당혹: He looked in ~ at her. 그는 당혹해하며 그녀를 바라보았다.
baf·fling [bǽfəliŋ] *a.* 좌절의; 저해하는(hindering); 당황케 하는; 이해할 수 없는(inscrutable), 까닭 모를: a ~ problem 난문제.
[파] **~·ly** *ad.*

B

⁑**bag** [bæg] *n.* **1** [C] **자루**, 부대; 한 자루분(량) (bagful). **2** [C] **(손)가방, 백**, 여행 가방.
[SYN.] **bag** 가장 일반적인 말로, 종이나 가죽 등으로 만든 봉투·가방: a paper *bag* 종이 봉투/a traveling *bag* 여행 가방. **sack** 보통 허술한 재료로 된, 저장·수송 등의 물자를 넣어 두는 네모진 자루: a flour *sack* 밀가루 부대. **pouch** 들고 다닐 수 있는 작은 가방: a tobacco *pouch* 담배쌈지.
3 [C] (여성용) 지갑, 핸드백. **4** [C] (보통 *sing.*) 〖집합적〗 (하루) 사냥물(의 분량); 사냥감, 낚을 것; (법정) 포획량: make a good 〔poor〕 ~ 사냥을 많이〔적게〕 하다. **5** [C] 자루 모양의 것〔부분〕; 눈 밑에 처진 살; 암소의 젖통이(udder); 《美속어》 음낭; (*pl.*) 《英구어》 바지, 슬랙스. **6** [C] 《야구속어》 베이스, 누(壘). **7** [C] 《속어》 여자; 추녀; 방탕한 계집: an old ~ 할망구. **8** (*pl.*) 《구어》 다량, 다수: *~s of* time 〔chances〕 많은 시간〔기회〕. **9** [C] 《속어》 매우 좋아하는 것, 취미, 전문.
a ~ of bones 《구어》 깡마른 사람〔동물〕. ***~ and baggage*** ① 소지품 전부. ② 〖부사적〗 가재를 정리하여《이사하는 따위》; 몽땅; 완전히(completely). ***hold the ~*** 《美구어》 혼자 책임을 떠맡게 되다, 궁지에 내버려지다; 아무 소득도 없게 되다: be left *holding the* ~ 혼자 책임지게 되다; 빈손으로 있다. ***in the ~*** 《구어》 확실한《승리·성공 따위》, 손에 넣은; 《속어》 취하여; 《美속어》 짬짜미의. ***let the cat out of the ~*** 깜박 실수하여 비밀을 누설하다. ***pack*** one***'s ~s*** 《구어》 (불쾌한 일 때문에) 짐을 꾸리다, 출발 준비하다, 그만두다. ***the*** 〔***a***〕 (***whole***) ***~ of tricks*** 《구어》 (유효한) 온갖 수단〔술책〕; 온갖 것.
— **(-gg-)** *vt.* **1** 불룩하게 하다. **2** 자루에 넣다. **3** (사냥감)을 잡다; 죽이다; 《美속어》 체포하다; 《구어》 (의석·좌석 따위)를 차지하다. **4** 《구어》 훔치다(steal). **5** 《美속어》 해고하다. **6** 요구하다: *Bags* I this seat ! (이 자리는) 내거야《따위》/ *Bags* I ! (권리를 주장하여) 내 것이야. **—***vi.* 《~/+[副]》 (자루처럼) 불룩해지다(swell) (*out*); 빈 자루처럼 축 처지다; 항로(航路)에서 벗어나다: ~ (*out*) at the knees (바지가) 무릎이 나오다.

[DIAL.] ***Bag it !*** 그만 해, 집어치워, 시끄러워.

bag·a·telle [bæ̀gətél] *n.* **1** [C] 하찮은 일〔물건〕. **2** [U] 일종의 당구놀이. **3** [C] 〖음악〗 (피아노용) 소곡(小曲).
Bagdad ⇨ BAGHDAD.
ba·gel [béigəl] *n.* [C] (요리는 [U]) 도넛형의 딱딱한 롤빵.
bag·ful [bǽgfùl] (*pl.* **~s, bágs·fùl**) *n.* [C] 한 자루(의 분량).
⁑**bag·gage** [bǽgidʒ] *n.* **1** [U] 《美》 〖집합적〗 **수화물**(《英》 육상에서 luggage, 배·비행기에서는 baggage); 《英》 군용 행낭; (탐험대 등의) 휴대 장비. ★개수를 셀 때는 a piece of ~ 따위로 함. **2** [U] 《구어》 인습, 케케묵은 생각. **3** [C] 《구어·우

스개》 말괄량이, 건방진 여자; 《美속어》 (잔소리 가 심한) 노파.

bággage càr 《美》 (철도의) 수화물차(《英》 luggage van).

bággage chèck 《美》 수화물 물표.

bággage clàim (공항의) 수화물 수취소.

bággage òffice 《美》 수화물 취급소.

bággage ròom 《美》 (역의) 수화물 일시 보관소(《美》 left luggage office).

bag·gy [bǽgi] (*-gi·er; -gi·est*) *a.* 자루 같은; 헐렁한; 축 처진; 늘어진: ~ trousers 헐렁한 바지 / ~-eyed 눈 밑이 늘어진. [파] **bág·gi·ly** *ad.* **bág·gi·ness** *n.*

Bagh·dad, Bag·dad [bǽgdæd, bəgdǽd] *n.* 바그다드《Iraq의 수도》.

bág làdy 《美》 백에 전재산을 넣고 다니는 떠돌이 여자.

bág·man [-mən] (*pl.* *-men* [-mən]) *n.* [C] 1 《英》 출장 판매원, 외무원. 2 《美》 뇌물을 건네주거나 몸값을 받는 사람, 공갈협박자의 앞잡이.

bág·pìpe *n.* [C] (흔히 the ~s) 백파이프《스코틀랜드 고지 사람이 부는 가죽부대 피리》: play the ~s 백파이프를 불다. [파] **-pìp·er** *n.*

ba·guet(te) [bægét] *n.* [C] 1 길쭉한 프랑스빵. 2 갸름한 네모꼴로 깎은 보석.

bág·wòrm *n.* [C] 〖곤충〗 도롱이벌레.

bah [bɑː, bæ(ː)] *int.* 흥《경멸·혐오의 감정을 나타냄》.

Ba·há·ma Íslands [bəhάːmə-, -héi-] (the ~) 바하마 군도《미국 Florida 반도 동남쪽의》.

Ba·ha·mas [bəhάːməz, -héi-] *n.* 1 (the ~) 〖복수취급〗 = BAHAMA ISLANDS. 2 〖단수취급〗 바하마《Bahama Islands로 이루어진 공화국; 수도 Nassau》. [파] **Ba·há·mi·an, -há·man** *a., n.*

Bah·rain, -rein [bɑːréin] *n.* 바레인《페르시아만의 바레인 섬을 중심으로 한 독립국; 수도 Manama》.

Bai·kal [baikάːl, -kɔ́ːl] *n.* (Lake ~) 바이칼호《시베리아의 담수호; 세계에서 가장 깊음》.

bail¹ [beil] *n.* [U] 〖법률〗 보석(保釋); 보석금: accept (allow, take) ~ 보석을 허가하다 / grant a person ~ 아무에게 보석을 허가하다 / refuse ~ 보석을 인정치 않다 / admit a person to ~ 아무에게 보석을 인정하다 / (out) on ~ 보석(출소) 중인 / set ~ (판사가) 보석 금액을 결정하다 / give (offer, put in) ~ 보석금을 내다.
go (put up, stand) ~ for …의 보석 보증인이 되다; …을 틀림없다고 보증하다. ***jump (skip) ~*** 보석 중에 행방을 감추다, 실종되다. ***on ~*** 보석금을 내고.
—*vt.* 1 (법정이) 보석하다; (보증인이) 보석을 받게 하다 (*out*); (돈을 지원하여) 구해내다, 벗어나게 하다《*out of* (곤란)에서》: His lawyer ~*ed* him *out*. 변호사는 그가 보석을 받게 했다 / ~ a person *out of* (financial) trouble 아무를 (재정적) 곤경에서 구하다. 2 (화물)을 위탁하다.

bail² *n.* [C] (냄비·주전자 따위의 반원형의) 손잡이, 들손; (타자기 따위의) 종이 누르는 장치.

bail³ *n.* [C] 파래박《뱃바닥에 괸 물을 퍼내는》.
—*vt.* (물)을 퍼내다; 바닥에 괸 물을 퍼내다 (*out*)《*out of* (배)에서》: ~ water *out of* a boat 보트에서 물을 퍼내다 / ~ water *out* = ~ *out* a boat 보트에 괸 물을 퍼내다.
—*vi.* 괸 물을 퍼내다 (*out*)《*out of* (배)에서》; 낙하산으로 탈출하다 (*out*).
[파] **~·er** *n.*

bail⁴ *n.* [C] 〖크리켓〗 삼주문(三柱門) 위의 가로장; 〖역사〗 성벽(城壁), 성곽, 성의 바깥뜰; 《英》 (마구간의) 칸막이 가로대.

báil·a·ble *a.* 〖법률〗 보석할 수 있는《범죄, 범인 따위》.

bai·ley [béili] *n.* [C] 성벽; 성안의 뜰.

Báiley brìdge 〖군사〗 베일리식의 조립식 다리.

bail·iff [béilif] *n.* [C] 1 《英》 집행관《sheriff의 부하》. 2 《英》 (지주의) 토지 관리인. 3 《美》 법정 경위(《英》 usher).

báil·ment *n.* [U] 〖법률〗 위탁; 보석.

báil·òut *n.* [C] 1 (낙하산에 의한) 긴급 탈출. 2 (특히 정부의 재정적인) 긴급 원조.

báils·man [-mən] (*pl.* *-men* [-mən]) *n.* [C] 보석 보증인.

bait** [beit] *n.* [U] (또는 a ~) **1 미끼,** 먹이: an artificial ~ 제물낚시 / a live ~ 산 미끼 / put ~ on a hook 낚시바늘에 미끼를 달다. 2 유혹(물) (lure). ***rise to the ~ 상대의 수에 넘어가다. ***swallow the ~*** 먹이(꾐)에 걸려들다.
—*vt.* 1 《~+[목]/+[목]+[전]+[명]》 **…에 미끼를 달다** 《*with* …의》: ~ a hook *with* a worm 낚시바늘에 지렁이를 달다. 2 **미끼로 꾀다;** 유혹하다《*with* …으로》: She ~*ed* him (*with* a show of affection). 그녀는 (사랑을 미끼로) 그를 유혹했다. 3 《~+[목]/+[목]+[전]+[명]》 (묶어(가두어) 놓은 동물)을 괴롭히다《*with* (개)를 부추기어》: Men used to ~ bulls and bears (*with* dogs) for sport. 예전에는 개를 부추겨서 소나 곰을 괴롭히면서 즐기곤 했다. 4 화나게 하다, 지분거리다.

báit and swítch 《美》 후림상술《값싼 광고 상품으로 꾀어서 비싼 물건을 팔려는 상술》.

baize [beiz] *n.* [U] 베이즈《당구대·탁자·커튼 따위에 쓰는 초록색 설핀 나사(羅紗)》.

‡**bake** [beik] *vt.* 1 (직접 불에 대지 않고 빵 따위)를 **굽다.** [SYN.] ⇨BURN. 2 (벽돌 따위)를 구워 굳히다, 구워 말리다. 3 (햇볕이 피부 따위)를 태우다; (햇볕이 지면)을 바싹 말리다; (과실)을 익게 하다: The sun ~*d* the land. 햇볕이 땅을 바싹 마르게 했다. —*vi.* (빵 등이) 구워지다; (지면 따위가) 타서 단단해지다; (햇볕에) 타다; 《구어》 더워지다: ~ in the sun 양지에서 살갗을 태우다.
—*n.* [C] 1 구움, (빵)굽기. 2 《美》 구이 회식《음식을 즉석에서 구워 내놓는》.

baked [-t] *a.* 구운: a ~ beans 찐 콩과 베이컨 등을 구운 요리 / a ~ potato 통감자 구이.

báked Aláska 스펀지 케이크에 아이스크림을 얹고 머랭으로 싸서 오븐에 살짝 구운 과자.

báke·hòuse *n.* = BAKERY.

Ba·ke·lite [béikəlàit] *n.* [U] 베이클라이트《일종의 합성수지; 상표명》.

‡**bak·er** [béikər] *n.* [C] **1 빵 가게; 빵 굽는 사람,** 빵류 제조 판매업자. [cf.] bakery. ¶ ~'s yeast 제빵용 이스트 / at the ~'s 빵가게(제과점)에서. 2 《美》 휴대용 제빵 기구.

báker's dózen 빵집의 1다스, 13개.

***bak·ery** [béikəri] *n.* [C] **빵집;** 제빵소; 《美》 **제과점.**

báke·shòp *n.* [C] 《美》 = BAKERY.

BAK file [bǽk-] 〖컴퓨터〗 백 파일《운영 체제나 응용 프로그램에서 사용하던 파일을 수정할 때 자동으로 작성되는 백업 파일》.

°**bák·ing** *n.* 1 [U] 빵 따위를 굽기; 고온(高溫)으로 건조함; 한 번 굽기. 2 [C] 한 가마(분). —*a., ad.* 빵을 굽는; 《구어》 태워 버릴 듯한(듯이): ~ heat 작열 / ~ hot 탈 듯이 뜨거운.

báking pòwder 베이킹 파우더.
báking sòda 중탄산나트륨.
bak·sheesh, -shish, back- [bǽkʃiːʃ, -ˊ] *n.* [U] (터키 · 이집트 등에서의) 행하, 팁.
BAL [biːèiél] *n.* [U] 〖컴퓨터〗 기본 어셈블리어. [◂ *b*asic *a*ssembly *l*anguage]
bal. balance; balancing.
bal·a·kla·va, -cla- [bæ̀ləkláːvə] *n.* [C] 발라클라바 모자(=ˊ **hèlmet** 〔**hòod**〕) 《눈만 내놓고 귀까지 덮는》.
bal·a·lai·ka [bæ̀ləláikə] *n.* [C] 발랄라이카《러시아의 guitar 비슷한 삼각형의 현악기》.
‡**bal·ance** [bǽləns] *n.* **1** [C] **천칭**, 저울: a spring ~ 용수철 저울/weigh things in a ~ 저울에 달다. **2** [U] (또는 a ~) **평균**, **균형**, 평형; 대조(對照): nutritional ~ 영양의 균형/maintain the ~ of power (강대국 간의) 세력 균형을 유지하다. **3** [U] (의장 따위의) 조화; 침착; (마음 · 몸의) 안정, (마음의) 평정: ~ of mind and body 심신의 조화/~ of the mind 마음의 안정. **4** [U] 균형을 잡는 것; 균형점; 〖체조〗 평균 운동. **5** [C] (보통 *sing.*) 〖상업〗 수지, 국제 수지; 차액, 차감 잔액; 거스름돈; (the ~) 《구어》 나머지(remainder): I have a growing bank ~. 내 은행 예금 잔고가 늘고 있다/Keep the ~. 거스름돈은 가져라. **6** (the B–) 〖천문〗 천칭자리(Libra). **7** (*sing.*; 보통 the ~) (의견 · 여론 등의) 우위, 우세(優勢): The ~ of advantage is with us. 승산은 우리쪽이다.
hold in the ~ 미결로 남겨두다. ***hold the ~*** (***of power***) 결정권을 쥐다. ***in ~*** 균형이 잡혀, 조화를 이루어. ***in the ~*** 결정을 못 내린 상태에서: The company's future is 〔hangs〕 *in the* ~. 회사의 장래는 불안정한 상태에 놓여 있다. ***keep*** 〔***lose***〕 ***one's ~*** 몸의 균형을 유지하다〔잃다〕; 평정을 유지하다〔잃다〕. ***off*** 〔***out of***〕 ~ 균형〔평정〕을 잃고, 불안정하여: I was *off* ~ and couldn't catch the ball. 균형을 잃고 있다가 공을 놓쳤다. ***on*** (***the***) ~ 모든 것을 고려하여 (보면), 결국은. ***strike a ~*** (***between***) (양자간의) 대차〔수지〕 관계를 결산하다; (양자간의) 균형이 잡힌〔공평한〕 해결〔조정〕책을 찾아내다; (양자간에) 타협하다. ***the ~ due*** 부족액: *the* ~ *due* from 〔to〕 …에게 대출〔…으로부터 차입〕. ***throw*** a person ***off*** (his) ~ ① 아무의 균형을 깨뜨리다, 넘어뜨리다. ② 아무를 당황하게 하다. ***tip the ~*** 사태를〔국면을〕 바꾸다, 결과에 결정적인 영향을 주다: It *tipped the* ~ in her favor 〔against her〕. 그것은 결국 그녀에게 유리〔불리〕하게 작용했다.
—*vt.* **1** 《~+[목]/+[목]+[전]+[명]》 …의 **균형을 잡다** 〔맞추다〕; 〖~ oneself〗 (쓰러지지 않게) 몸의 균형을 잡다《***on*** …으로》: a *balancing* plane 〖항공〗 안정익(翼)/~ a pole (곡예사가) 막대를 세우다/~ one*self on* one leg 한 발로 몸의 균형을 잡다. **2** 《~+[목]/+[목]+[전]+[명]》 비교〔대조〕하다, (이해득실)을 견주어 보다《***with, by, against*** …와》: ~ probabilities 여러 가능성을 가늠해 보다/~ one thing *with* 〔*by, against*〕 another 어떤 것을 딴것과 견주어 보다. **3** (딴것과) 에끼다, 상쇄하다; 벌충하다. **4** 〖회계〗 (대차 · 수지 따위)를 차감하다: ~ an account 셈을 결산하다/~ the book(s) 장부를 마감하다.
—*vi.* **1 균형이 잡히다**, 평균을 이루다《***with*** …와》; (계산 · 장부끝이) 맞다: Our income doesn't ~ *with* our expenses. 우리 수입은 지출과 균형이 맞지 않는다. **2** 〖회계〗 (대차 계정이) 일치하다. **3** 몸의 균형을 유지하다《***on*** …(위)에서》: ~ *on* a tightrope (줄타기) 줄 위에서 균형을 잡고 서다.
bálance bèam 저울대; (체조의) 평균대.
bál·anced [-t] *a.* [A] 균형이 잡힌; 안정된: have a ~ diet 균형〔조정〕식을 하다.
balance of nature (생태적) 자연의 평형.
bálance of (**internátional**) **páyments** (흔히 the ~) 국제 수지《생략: BP》.
balance of power (강대국 간의) 세력 균형.
balance of trade 〖경제〗 무역 수지: a favorable 〔an unfavorable〕 ~ 수출〔수입〕 초과.
bál·anc·er *n.* [C] 균형을 잡는 사람〔것〕; (무게를) 다는 사람; 청산인; 평형기; 곡예사.
bálance shèet 〖회계〗 대차 대조표.
bálancing àct (위험한) 줄타기. ***do a ~*** 어느 쪽에도 가담하지 않다.
ba·la·ta [bəláːtə, bǽlətə] *n.* **1** [C] 〖식물〗 발라타《서인도제도산 열대 나무》. **2** [U] (그 수액의 응고체인) 발라타 고무《전선의 피복 · 골프공 · 껌 등을 만듦》.
bal·brig·gan [bælbrígən] *n.* [U] 무명 메리야스의 일종《양말 · 속옷용》.
bal·co·nied [bǽlkənid] *a.* 발코니가 달린.
‡**bal·co·ny** [bǽlkəni] *n.* [C] **1 발코니**, 노대(露臺). **2** (극장의) 2층 좌석. ★ 특히 《英》에서는 upper circle을, 《美》에서는 dress circle을 가리킴.
bald** [bɔːld] *a.* **1** (머리가) **벗어진**, 털이 없는, 대머리의; 머리에 흰 얼룩이 있는《새 · 말 따위》: a ~ man 대머리/get 〔go〕 ~ 머리가 벗겨지다. **2** (털 · 나무가 없어) 민둥민둥〔민숭민숭〕한; 꺼끄러기가 없는: a ~ mountain 민둥산. **3** 있는 그대로의, 드러낸: a ~ lie 빤한 거짓말. **4** 꾸밈없는 (unadorned); 노골적인; 단조로운: a ~ prose style 아취 없는 문체. ***as ~ as an egg 〔***a coot, a billiard ball***〕 머리가 홀렁 벗어진.
—*vi.* (머리가) 벗어지다. [파] ˊ**·ness** *n.*
báld éagle 〖조류〗 흰머리독수리《북아메리카산(産); 1782 년 이래 미국의 국장(國章)》.
bal·der·dash [bɔ́ːldərdæ̀ʃ] *n.* [U] 갈잖은〔허튼〕 소리(nonsense): That's ~. 그거 허튼소리야.
báld·hèad *n.* [C] 대머리(의 사람).
báld·hèaded [-id] *a.* 대머리의.
báld·ing *a.* 머리가 벗겨지기 시작한.
báld·ly *ad.* 드러내놓고, 노골적으로(plainly): speak 〔write〕 ~ 노골적으로 쓰다〔말하다〕.
báld·pàte *n.* [C] 대머리《사람》; 〖조류〗 아메리카 홍머리오리(widgeon).
bal·dric, -drick [bɔ́ːldrik] *n.* [C] (옛날의) 어깨 띠《어깨에서 허리에 어긋매껴 둘러메어 칼 · 나팔 따위를 다는》.
bale[1] [beil] *n.* [C] (운반용) 곤포(梱包), 꾸러미: a ~ *of* cotton 면화 한 꾸러미. **—***vt.* 짐짝으로 꾸리다.
bale[2] *n., vt., vi.* =BAIL[3].
ba·leen [bəlíːn] *n.* [U] 고래 수염(whalebone).
bale·ful [béilfəl] *a.* 재앙의, 해로운(evil, harmful); 악의에 찬; 불길한. [파] **~·ly** *ad.* **~·ness** *n.*
bal·er [béilər] *n.* [C] 짐짝을 꾸리는 사람〔기계〕.
Bal·four [bǽlfuər, -fər] *n.* **Arthur James ~** 밸푸어《영국의 정치가; 수상 역임; 1848–1930》. ★ 팔레스타인의 아랍계 주민의 모국 건설을 지지한 밸푸어 선언(Balfour Declaration)으로 유명.

Ba·li [bɑ́:li] *n.* 발리 섬《인도네시아의 섬》.

Ba·li·nese [bɑ̀:liní:z, -s, bæ̀l-] *a.* 발리섬(주민)의; 발리어(語)의. **—**(*pl.* ~) *n.* Ⓒ 발리섬 주민; Ⓤ 발리어.

◇**balk, baulk** [bɔ:k] *n.* Ⓒ **1** 장애, 훼방, 방해(물); 좌절(挫折), 실패: make a ~ 실패하다. **2** 이랑; 갈다 남겨둔 이랑. **3** 〖건축〗 각재(角材); 들보감. **4** 〖경기〗 보크《도약자가 도움닫기하여 보크라인을 밟고 나서 중지하는 일》; 〖야구〗 (투수의) 보크.

—*vt.* **1** 방해〔저해〕하다《*in* …에》; (아무)를 실망시키다; 방해하여 얻지 못하게 하다《*of* …을》: He was ~*ed in* his purpose. 그는 방해를 받아 목적을 달성하지 못했다 / He was ~*ed of* the chance to escape. 그는 도망갈 기회를 방해받았다 / ~ a person *of* his hopes 아무를 실망시키다. **2** (의무·화제)를 피하다, (기회)를 놓치다.

—*vi.* **1** 멈춰서다; (말이) 갑자기 서서 나아가지 않다, 뒷걸음치다《*at* …에》. **2** 난처한 기색을 보이다《*at* …에》: ~ *at* mak*ing* a speech 연설하기를 망설이다. **3** 〖야구〗 보크하다. ◇ balky *a.*

Bal·kan [bɔ́:lkən] *a.* 발칸 반도〔산맥, 제국(諸國)〕(사람)의.

Bálkan Península (the ~) 발칸 반도.

Bálkan Státes (the ~) 발칸 제국(諸國).

balky [bɔ́:ki] *a.* (말 등이) 갑자기 전진을 중지하려는 버릇이 있는, (사람 등이) 말을 듣지 않는.

†**ball**[1] [bɔ:l] *n.* **1** Ⓒ **공**, 구(球), 볼; 공 같은 것: a ~ of string 실꾸리 / ~ and socket (관절의) 구와(球窩) / the ~ of the eye 눈알.

SYN. **ball** 둥근 것에 쓰이는 일반적인 말: a rubber *ball* 고무공. **globe, sphere** 좀 격식 차린 말. 거의 완전한 구에 가까운 것에 쓰임: in the form of a *globe* 공 모양으로. the diameter of a *sphere* 구의 직경. **orb** 눈알이나 천체에 쓰임: the *orb* of the full moon 보름달의 구체.

2 Ⓒ (집합적으로는 Ⓤ) 탄알, 포탄. cf. bullet, shell. ¶powder and ~ 탄약 / ~ firing 실탄 사격. **3** Ⓒ 천체, 《특히》 지구: the earthly 〔terrestrial〕 ~ 지구. **4** Ⓤ 구기(球技), 《특히》 야구. **5** Ⓒ 〖크리켓·야구〗 (1 회의) 투구; 〖야구〗 볼. cf. strike. ¶a foul ~ 파울 / a fast 〔slow〕 ~ 속구〔느린 공〕. **6** (*pl.*) 《비어》 **a** 불알. **b** 배짱, 용기. **c** 《감탄사적》 바보 같은〔허튼〕 짓(nonsense).

~ and chain =*chain and ~* 《美》 (옛날에) 쇳덩이가 달린 차꼬《죄수용》; 《일반적》 거치적거림, 구속, 속박; 《속어》 아내. ***carry the ~*** 《美구어》 책임을 지다; 솔선해서 하다, 주도권을 잡다. ***have the ~ at*** one***'s feet*** 〔***before*** one〕 성공의 기회를 눈앞에 두다. ***keep the ~ rolling*** = ***keep the ~ up*** (이야기·파티를) 잘 진행시켜 흥을 깨지 않다. ***on the ~*** 《구어》 빈틈없이, 방심않고; 잘 알고 있는, 유능하여, 기민하게; 《美속어》 (투수가) 투구를 잘 하는: Get *on the* ~. 방심하지 마라. ***play ~*** 구기를 하다; 〖야구〗 경기개시, 플레이 볼; 활동을 시작하다; 《구어》 협력하다《*with* …와》. ***start*** 〔***get, set***〕 ***the ~ rolling*** 일을 시작하다〔궤도에 올리다〕, (이야기를) 꺼내기 시작하다.

DIAL. ***That's the way the ball bounces.*** 인생〔세상〕이란 그런 거야.
The ball is in your court 〔***with you***〕. 다음 차례는 너다《테니스에서 유래》.

—*vt.* 《~+목/+목+부》 둥글게 만들다(*up*); …와 성교하다. **—***vi.* 《~/+부》 둥글게 되다(*up*); 《속어·비어》 성교하다《*with* …와》.

~ the jack 《속어》 급히 가다〔하다〕; 한 가지 일에 모든 것을 걸다, 흥하든 망하든 하다. ***~ up*** 《*vt.*+부》 《美구어》 뒤범벅을 만들다; 혼란(케) 하다(《英》 balls up): be all ~*ed up* 혼란 상태에 빠져 있다.

‡**ball**[2] *n.* Ⓒ (성대한·공식적인) **무도회**; (a ~) 《속어》 (매우) 즐거운 한때: give a ~ 무도회를 열다 / a fancy 〔masked〕 ~ 가장 무도회(會).

have (one***self***) ***a ~*** 《구어》 멋진 시간을 가지다; 실컷 즐기다.

◇**bal·lad** [bǽləd] *n.* Ⓒ 민요, 속요(俗謠); 이야기; 발라드《민간 전설·민화 따위의 설화시, 또 이에 가락을 붙인 가요》; 느린 템포의 감상적〔서정적〕인 유행가.

bal·lade [bəlɑ́:d, bæ-] *n.* 《F.》 Ⓒ **1** 〖운율〗 발라드《7 〔8〕 행씩의 3 절과 4 행의 envoy 로 되어, 각 절 및 envoy 의 끝 행이 같은 형의 시형》. **2** 〖음악〗 발라드, 담시곡(譚詩曲).

bal·lad·ry [bǽlədri] *n.* Ⓤ 《집합적》 민요, 발라드(ballads); 발라드 작시법.

báll-and-sócket jòint 〖기계〗 볼 조인트; 〖해부〗 (무릎·어깨의) 구상(臼狀) 관절.

◇**bal·last** [bǽləst] *n.* Ⓤ **1** 〖항해〗 밸러스트, (배의) 바닥짐; (기구·비행선의 부력(浮力) 조정용) 모래〔물〕주머니; (철도·도로 등에 까는) 자갈. **2** (마음 등의) 안정감(感); (경험 등의) 견실미(味): have 〔lack〕 ~ 마음이 안정돼 있다〔있지 않다〕. **3** 〖전기〗 안전 저항. ***in ~*** 〖항해〗 바닥짐만으로, 실은 짐 없이.

—*vt.* (배)에 바닥짐을 싣다; (도로·철도)에 자갈을 깔다; (마음)을 안정시키다.

báll béaring 〖기계〗 《집합적》 볼베어링; (보통 *pl.*) 베어링의 (강철) 알.

báll bòy 〖테니스·야구〗 볼보이《공 줍는 소년》. ★ 여성은 ball girl.

báll còck 부구(浮球)콕(ball valve)《물탱크·수세식 변기 등의 물의 유출을 자동 조절함》.

bal·le·ri·na [bæ̀ləri:nə] *n.* 《It.》 Ⓒ 발레리나, (주연) 무희《발레의》.

***bal·let** [bǽlei, bæléi] *n.* **1** Ⓒ **발레**, 무용극; Ⓤ (흔히 the ~) 발레 기술; Ⓒ 발레 음악〔곡〕. **2** Ⓒ 발레단.

bállet dàncer 발레 무용수.

bállet màster 〔**mìstress**〕 발레 마스터〔미스트리스〕《발레단의 훈련과 연출, 때로는 안무까지 담당하는 지도자》.

bal·let·o·mane, -let·o·ma·nia [bælétəmèin], [bælètəméiniə] *n.* Ⓒ 발레광(狂).

bállet slìpper 〔**shòe**〕 (보통 *pl.*) 발레화; 발레화 비슷한 여성용 구두.

báll gàme 구기《특히 야구나 소프트볼》; 《美구어》 상황, 사태: a whole new ~ 전적으로 새로운 사태〔정세〕 / not even in the ~ 멍한 상태인, 얼이 빠져 있는.

báll gìrl 〖테니스·야구〗 볼걸. cf. ball boy.

Bal·liol [béiljəl, -liəl] *n.* Oxford 대학의 college 의 하나.

bal·lis·tic [bəlístik] *a.* 탄도(학)의; 비행 물체의; 〖전기〗 충격의; 《구어》 울컥〔발칵〕 화를 낸, 뺏성을 낸: go ~ 울컥하다. 파 **-ti·cal·ly** *ad.*

ballístic míssile 탄도탄. cf. guided missile. ¶an intercontinental ~ 대륙간 탄도탄《생략: ICBM》.

bal·lís·tics *n.* Ⓤ 탄도학; 사격학.

bál·locks *n. pl.* 《비어》 **1** 〖복수취급〗 불알. **2** (또는 a ~) 〖단수취급〗 농담, 실없는 소리(nonsense). **—***vt.* 혼란시키다(*up*).

bal·lon d'es·sai [F. balɔ̃desɛ] (*pl.* ***bal·lons d'es·sai*** [—]) 《F.》 관측 기구; 시험 기구; 탐색(trial ballon) 《여론 · 외국의 의향 등을 살피기 위한 성명 따위》.

⁑**bal·loon** [bəlúːn] *n.* Ⓒ **1 기구**; 풍선; (형세를 보기 위한) 시험 기구: a captive 〔free〕 ~ 계류〔자유〕 기구 / a dirigible ~ 비행선 / an observation ~ 관측용 기구. **2** 만화 속 인물의 대화를 입에서 낸 풍선꼴로 나타낸 윤곽(輪廓). ***go over*** 〔《英》 ***down***〕 ***like a lead*** ~ 전연 효과 없다. ***when the*** ~ ***goes up*** 《구어》 큰일〔야단〕이 일어났을 때; 소동이 일어났을 때.
—*vi.* **1** 《~/+부》 (풍선처럼) 부풀다(*out; up*); 급속히 증대하다: Her skirt *~ed* (*out*) in the wind. 그녀의 스커트가 바람에 부풀었다 / *~ing* oil prices 급등하는 석유 가격. **2** 기구를 타다〔로 오르다〕; (공 따위가) 커브를 그리며 높이 날아가다: go *~ing* 기구 비행을 하러 가다. **—***vt.* 부풀게 하다; 《英구어》 (공)을 공중 높이 차〔쳐〕올리다.

bal·lóon·ing *n.* Ⓤ 기구 조종(술); 기구 비행 경기.

bal·lóon·ist *n.* Ⓒ 기구 타는 사람〔조종자〕.

ballóon tìre (자동차 따위의) 저압(低壓) 타이어.

***bal·lot** [bǽlət] *n.* **1** Ⓒ (무기명) **투표 용지** 《원래는 작은 공》: cast a ~ (for 〔against〕) (…에 찬성〔반대〕) 투표하다. **2** Ⓤ (구체적으로는 Ⓒ) 비밀〔무기명〕 투표; 추첨: a secret ~ 무기명 투표 / an open ~ 기명 투표 / elect 〔vote〕 by ~ 투표로 뽑다〔결정하다〕 / take a ~ on …을 투표로 결정하다 / put to the ~ 투표에 부치다. **3** Ⓒ 투표 총수: The total ~ was 1500. 투표 총수는 1500 이었다.
—*vi.* 《~/+전+명》 (무기명으로) 투표하다 《***for*** …에 찬성하여; ***against*** …에 반대하여》; 투표로 뽑다〔결정하다〕, 추첨으로 정하다 《***for*** …을》: ~ *for* 〔*against*〕 the bill 그 법안에 찬성〔반대〕 투표하다 / ~ *for* the new chairperson 새로운 의장을 투표로 뽑다. **—***vt.* 《+목+전+명》 **1** 투표하다; 투표로 정하다, 추첨하다 《***for*** …에》: He was *~ed for* chairperson. 그는 투표로 의장에 선출되었다. **2** …에게 표결을 요구하다 《***on, about*** …에 대하여》: Union members were *~ed on* the proposal. 조합원들에게는 제안에 대한 표결이 요구되었다.

bállot bòx 투표함(函).

bállot pàper = BALLOT 1.

báll·pàrk *n.* Ⓒ 《美》 (야)구장; 《비유적》 활동〔연구〕 분야; 《美속어》 대개의 범위, 근사치. ***in*** 〔***within***〕 ***the*** ~ 《속어》 (질 · 양 · 정도가) 허용 범위인, 대체로 타당한: *in the* ~ of $100, 약 100 달러의.

báll-pàrk *a.* Ⓐ 《美속어》 (견적 · 추정이) 대강의: a ~ figure 대강의 어림.

báll·plàyer *n.* Ⓒ 야구〔구기〕를 하는 사람; 《美》 프로야구 선수.

⁑**báll·point (pén)** [bɔ́ːlpɔ̀int(-)] **볼펜.**

báll·ròom *n.* Ⓒ 무도장〔실〕, 댄스홀.

bállroom dàncing 사교춤〔댄스〕.

bálls-ùp *n.* Ⓒ 《英비어》 = BALLUP.

ballsy [bɔ́ːlzi] *a.* 《美속어》 배짱이 있는, 강심장의, 위세 좋은, 용감한.

báll·ùp *n.* Ⓒ 《美속어》 뒤범벅, 혼란; 실수.

bal·ly [bǽli] *a.* Ⓐ, *ad.* 《英속어》 지겨운, 지겹게, 빌어먹을, 대단한; 되게; 도대체: Whose ~ fault is that? 도대체 어느 놈의 잘못이냐.

bal·ly·hoo [bǽlihùː] *n.* Ⓤ 《구어》 큰 소동; 요란한〔과대〕 선전, 떠벌림; 떠들어 댐. **—** [ˊ-ˋ, ˋ-ˊ] *vt., vi.* 요란스레 선전하다.

◇**balm** [bɑːm] *n.* **1** Ⓤ (종류 · 낱개는 Ⓒ) 〖일반적〗 향유; 방향(芳香)(fragrance). **2** Ⓤ (구체적으로는 Ⓒ) 평온, 위안(물). ◇ balmy *a.*

balm·i·ly [bɑ́ːmili] *ad.* 향기롭게, 상쾌하게.

balm·i·ness [bɑ́ːminis] *n.* Ⓤ 향기가 그윽함.

bálm of Gíl·e·ad [-gíliæ̀d] 〖식물〗 발삼나무의 일종; 그 방향성(芳香性) 수지(樹脂); 상처를 아물게 하는 것; 위안.

Bal·mor·al [bælmɔ́(ː)rəl, -mɑ́r-] *n.* Ⓒ 줄무늬 나사제의 페티코트; (b–) 일종의 편상화; (b–) 납작하고 챙 없는 스코틀랜드 모자.

balmy [bɑ́ːmi] (***balm·i·er; -i·est***) *a.* 향기로운, 방향이 있는; 은은한, 부드러운; 위안이 되는 (soothing), 상처를 아물게 하는, 기분 좋은; 진통의; 《美구어》 얼빠진, 얼간이의.

bal·ne·ol·o·gy [bæ̀lniɑ́lədʒi/-ɔ́l-] *n.* Ⓤ 〖의학〗 온천학; 온천 요법. ㊕ **bàl·ne·o·lóg·i·cal** *a.* **-gist** *n.* Ⓒ 온천학 전문의.

ba·lo·ney [bəlóuni] *n.* **1** Ⓤ 《美속어》 잠꼬대, 허튼수작(boloney). **2** 《美구어》 = BOLOGNA SAUSAGE.

bal·sa [bɔ́ːlsə, bɑ́ːl-] *n.* **1** 〖식물〗 Ⓒ (열대 아메리카산(産)) 교목의 일종《벽오동과의 나무로 가볍고 단단하여 구명용구 · 모형 비행기 등에 이용됨》; Ⓤ 그 재목. **2** Ⓒ 그 뗏목〔부표(浮標)〕.

bal·sam [bɔ́ːlsəm] *n.* Ⓤ 발삼, 방향성 수지(樹脂); Ⓒ 발삼을 분비하는 나무; Ⓤ 향유, 향고(香膏); Ⓒ 위안물, 진통제; Ⓒ 봉숭아(garden ~).

bálsam fír 〖식물〗 발삼전나무《북아메리카산(産); 펄프 · 크리스마스 트리재(材)》; 그 재목.

Bal·tic [bɔ́ːltik] *a.* 발트해의; 발트해 연안 제국의; 발트어파의. **—** *n.* Ⓤ 발트어(語)《Latvian, Lithuanian 등을 포함한 인도유럽어족》.

Báltic Séa (the ~) 발트해(海).

Báltic Státes (the ~) 발트 제국《Estonia, Latvia, Lithuania 의 3공화국》.

Bal·ti·more [bɔ́ːltəmɔ̀ːr] *n.* 미국 Maryland 주(州)의 항구 도시.

Báltimore óriole 〖조류〗 미국꾀꼬리《북아메리카산(産)》.

bal·us·ter [bǽləstər] *n.* Ⓒ 〖건축〗 난간 동자; (*pl.*) 난간(banister).

bal·us·trade [bǽləstrèid, ˋ-ˊ] *n.* Ⓒ 난간. ㊕ **-trad·ed** [-id] *a.* 난간이 달린.

Bal·zac [bǽlzæk, bɔ́ːl-] *n.* **Honoré de** ~ 발자크《프랑스의 소설가; 1799–1850》.

bam·bi·no [bæmbíːnou, bɑːm-] (*pl.* **~s, -ni** [-niː]) *n.* 《It.》 Ⓒ 어린애; 어린 예수의 상(像)〔그림〕.

◇**bam·boo** [bæmbúː] (*pl.* **~s**) *n.* Ⓤ (낱개는 Ⓒ) 대(나무); Ⓤ 죽재(竹材); Ⓒ 대나무 막대기. **—***a.* Ⓐ 대(나무)의; 대로 만든: ~ work 죽세공(竹細工) / a ~ basket 대광주리.

bambóo shòots 〔**spròuts**〕 〖식물〗 죽순.

bam·boo·zle [bæmbúːzəl] *vt.* **1** 《구어》 속이다, 감쪽같이 속여넘기다; 미혹(迷惑)시키다. **2** 속여서 …시키다《***into*** …하게》; 속여서 빼앗다《***out of*** …을》: ~ a person *into* doing 아무를 속여서 …하게 하다 / ~ a person *out of* a thing 아무를 속여 물건을 빼앗다.

B

***ban** [bæn] *n.* Ⓒ **1 금지, 금지령,** 금제《*on* …의》; (여론의) 무언의 압박, 반대《*on* …에 대한》: There's a ~ *on* smoking here. 여기서는 금연 / lift 〔remove〕 the ~ (*on*) (…을) 해금(解禁)하다 / nuclear test ~ (treaty) 핵(核)실험 금지 (조약) / place 〔put〕 under a ~ 금지하다. **2** 사회적 추방 선고; 공권 박탈; 〖종교〗 파문(excommunication).
— (*-nn-*) *vt.* 《~+목/+목+전+명》 금(지)하다 《*from* …을》: Swimming is ~*ned* in this lake. 이 호수에서는 수영이 금지되어 있다 / ~ a person *from* driving a car 아무에게 운전을 금하다.

ba·nal [bənǽl, bənɑ́ːl, béinl] *a.* 평범〔진부〕한(commonplace): a ~ joke 〔question〕 진부한 농담〔질문〕. ㊔ **~·ly** *ad.*

ba·nal·i·ty [bənǽləti, bei-] *n.* Ⓤ 평범, 진부; Ⓒ 진부한 말〔생각〕.

⁑**ba·nana** [bənǽnə] *n.* Ⓒ 〖식물〗 **바나나**《나무 · 열매》: a hand 〔bunch〕 of ~*s* 바나나 한 송이.

banána repùblic 《경멸적》 바나나 공화국《과일 수출 · 외자(外資)로 경제를 유지하는 라틴 아메리카의 소국》.

ba·nan·as [bənǽnəz] *a.* 《美속어》 미친, 몰두한; 흥분한, 열광한: drive a person ~ 아무를 몰두시키다, 열광시키다 / go ~ 미치다, 열광〔흥분〕하다, 잔뜩 골이 나다.

banána splìt 바나나 스플릿《세로로 자른 바나나 위에 아이스크림을 놓고, 시럽 · 생크림 · 호두 따위를 곁들인 디저트》.

⁑**band** [bænd] *n.* Ⓒ **1 일대**(一隊), 그룹, 떼, 한 무리의 사람들(party): a ~ of thieves 〔robbers〕 도적단(團). SYN. ⇨COMPANY. **2 악대,** 악단, 밴드: a marine ~ 해군 군악대(隊) / a jazz ~ 재즈 밴드. **3** 동물〔가축〕의 떼. **4 끈, 밴드,** 띠; 쇠테; (새 다리의) 표지 밴드; (모자의) 테; 〖건축〗 띠 장식; 〖기계〗 벨트(belt), 피대; 〖제본〗 등 꿰매는 실: a rubber ~ 고무 밴드, 고무줄. ★ 바지의 밴드는 belt. **5** (보통 *pl.*) (예복의) 폭이 넓은 흰 넥타이. **6** 줄(무늬)(stripe): a ~ of light 한줄기 빛. **7** 〖통신〗 (일정한 범위의) 주파수대(帶), 대역(帶域); 〖컴퓨터〗 대역《자기 드럼의 채널》. ***then the ~ played*** 《구어》 그리고 나서 큰일〔골치 아픈 일〕이 일어났다. ***to beat the ~*** 《美구어》 활발히; 많이, 풍부히; 몹시, 출중하게《'악단의 소리에 지지 않을 만큼'이란 뜻에서》: She cried *to beat the ~*. 그녀는 몹시 울었다. ***when the ~ begins to play*** 《속어》 일이 크게 벌어진 때.
— *vt.* **1** 끈으로〔띠로〕 동이다; 줄무늬를 넣다; (새다리)에 표지 밴드를 달다. **2** 〔종종 수동태〕 《~+목/+목+부/+목+전+명》 단결(團結)시키다 (*together*)《*against* …에 대항하여; *with* …와》; 〔~ oneself〕 단결하다: ~*ed* workers 단결한 노동자 / They *are ~ed together* closely. 그들은 밀접히 단결돼 있다 / We ~*ed ourselves together against* drug pushers. 우리들은 마약 밀매인들에 대항하여 단결했다.
— *vi.* 《~/+부/+전+명》 단결하다, 동맹하다 (*together*)《*against* …에 대항하여; *with* …와》: ~ *together against* a common enemy 공동의 적에 대해 단결하다.

***band·age** [bǽndidʒ] *n.* Ⓒ **붕대;** 눈가리는 헝겊; 안대(眼帶): triangular ~ 삼각건(巾) / apply a ~ (to ...) (…에) 붕대를 감다 / have one's hand in ~*s* 손에 붕대를 감다 / change a ~ 붕대를 (새것으로) 갈다 / Why are you wearing a ~? —I sprained my wrist. 왜 붕대를 하고 있는가—손목을 삐었어.
— *vt.* 《~+목/+목+부》 …에 붕대(繃帶)를 감다 (*up*): ~ (*up*) a sprained ankle 접질린 발목에 붕대를 감다.

Bánd-Àid *n.* Ⓤ (낱개는 Ⓒ) 《美》 밴드에이드 《반창고와 가제를 합친 것; 상표명》; (band-aid) (문제 · 사건의) 일시적 해결, 응급책.

ban·dan·(n)a [bændǽnə] *n.* Ⓒ 홀치기 염색한 대형 손수건〔스카프〕.

B. and 〔**&**〕 **B., b. & b.** bed and breakfast (조반이 딸린 1 박(泊)).

bánd·bòx *n.* Ⓒ (모자 따위를 넣는) 판지 상자; 그런 꼴의 건조물. ***look as if*** one ***came*** 〔***had come***〕 ***out of a ~*** 말쑥한 몸차림을 하고 있다.

ban·deau [bændóu, ⌐] (*pl.* **~x** [-z]) *n.* 《F.》 Ⓒ 반도《여자 머리에 감는 가는 리본》; 폭이 좁은 브래지어.

ban·de·rol, -role [bǽndəròul] *n.* Ⓒ (창 · 돛대 따위에 다는) 작은〔좁다란〕 기, 기드림; 조기(弔旗); 명(銘)을 써 넣은 리본; 명정(銘旌).

°**ban·dit** [bǽndit] (*pl.* **~s, ban·dit·ti** [bændíti]) *n.* Ⓒ (무장한) 산적, 노상강도, 도둑; 악당, 악한, 무법자(outlaw). ㊔ **~·ry** [-ri] *n.* Ⓤ 산적 행위.

bánd·màster *n.* Ⓒ 밴드마스터, 악장(樂長).

ban·do·leer, -lier [bæ̀ndəlíər] *n.* Ⓒ 〖군사〗 (어깨에 걸쳐 띠는) 탄띠: wear a ~ across one's shoulder 탄띠를 어깨에 걸치다.

bánd sàw 〖기계〗 띠톱.

bánd shèll (야외 음악당의) 반달 모양의 반향 구조.

bánds·man [-mən] (*pl.* **-men** [-mən]) *n.* Ⓒ 악사, 악단〔악대〕원, 밴드맨.

bánd·stànd *n.* Ⓒ (지붕 있는) 야외 음악당, (음악 홀 · 레스토랑 등의) 연주대(臺).

Ban·dung [bɑ́ːndu(ː)ŋ, bǽn-] *n.* 〖지리〗 반둥《인도네시아의 도시》.

bánd·wàgon *n.* Ⓒ 《美》 (서커스 따위 행렬의 선두의) 악대차. ***climb*** 〔***get, jump, hop, leap***〕 ***on*** 〔***aboard***〕 ***the ~*** 《구어》 승산이 있을 것 같은 후보자를〔주의를, 운동을〕 지지하다, 시류에 영합하다, 편승하다.

ban·dy [bǽndi] *vt.* **1** (공 따위)를 마주 던지다, 서로 치다; (말다툼 · 치렛말 · 주먹질 따위)를 서로 주고받다《*with* (아무)와》: ~ blows 〔words〕 *with* a person 아무와 치고받기를〔말다툼을〕 하다. **2** (소문 따위)를 퍼뜨리고 다니다 (*about; around*). **~ *compliments with*** …와 인사를 나누다. ***have*** one***'s name bandied about*** 이름이 입에 올려지다: I don't like *having my name bandied about*. 나의 일을 여기저기 말하고 다니는 것이 싫다.
— (*-di·er; -di·est*) *a.* =BANDY-LEGGED.

bándy-lègged [-id] *a.* 받장다리의(bowlegged). cf. knock-kneed.

bane [bein] *n.* (the ~) 독(毒), 해악; 재해; 파멸〔재난, 불행〕(의 원인): Gambling was the ~ of his existence. 도박이 그의 파멸의 원인이 되었다.

bane·ful [béinfəl] *a.* 파괴적〔치명적〕인; 해로운, 유독한: a ~ influence 악영향. ㊔ **~·ly** *ad.* **~·ness** *n.*

***bang**[1] [bæŋ] *n.* **1** Ⓒ **강타하는 소리**《딱, 탕, 쾅, 쿵》; 총성: the ~ of a gun 쾅하는 대포 소

리. 2 Ⓒ 강타, 타격: get 〔give a person〕 a ~ on the head 머리를 쾅 얻어맞다〔때리다〕. 3 (a ~) 자극, 스릴, 흥분. 4 Ⓒ《속어·비어》성교.
with a ~《구어》① 쾅〔펑, 탕〕하고: shut the door *with a* ~ 문을 탕하고 닫다. ②《구어》정력적으로, 기세 좋게: start things off *with a* ~ 일을 기세 좋게 시작하다. ③《구어》매우 잘, 멋지게, 훌륭히.
—*int.* 쾅, 쿵, 탕, 펑.
—*ad.* 1 철썩하고; 쿵〔쾅, 펑, 탕〕하고: *Bang!* Went the gun. 탕하고 총소리가 울렸다. 2 난데없이, 갑자기; 바로, 정면으로, 마침: stand ~ in the center 바로 한가운데에 서다.
~ ***off***《英구어》즉시, 곧. ~ ***on***《英구어》= ~ ***up***《美구어》딱 들어맞는〔게〕, 정확한〔히〕.
—*vi.* 1《+튄/+전+명》두드리다《***on, at*** …을》; 탕탕하고 잇달아 쏘다(*away*)《***at*** …을 겨누어》: I heard someone *~ing on* the door with his fist. 누군가 주먹으로 문을 두드리는 소리를 들었다. 2《~/+보》(문 따위가) 탕하고 닫히다, 큰 소리를 내다: The door *~ed* shut. 문이 탕하고 닫혔다. 3《+전+명/+튄》쾅〔쿵〕소리나다(*away; about*); 쾅〔쿵〕부딪치다《***against, into*** …에》: The children were *~ing about* noisily. 어린이들이 쿵쾅거리며 소란스럽게 뛰어다니고 있었다/She *~ed into* a chair. 그녀는 쾅하고 의자에 부딪쳤다. 4《비어》성교하다.
—*vt.* 1《~+목/+목+튄/+목+전+명》세게 치다〔두드리다〕《***on*** …을; ***with*** …으로》,〖~ oneself〗세게 부딪치다《***against*** …에》; 거칠게 다루다: ~ a drum 북을 퉁 치다/Don't ~ the musical instrument *about*. 악기를 거칠게 다루지 마시오/He *~ed* his fist *on* the table in anger. =He *~ed* the desk *with* his fist in anger. 그는 화가 나서 주먹으로 책상을 세게 두드렸다/The boy *~ed himself against* a tree. 소년은 쿵하고 나무에 부딪혔다. 2《+목+튄》…을 쳐서 소리를 내다(*out*); (총포 따위)를 탕〔땅〕쏘다(*off*): The clock *~ed out* nine. 시계가 아홉시를 쳤다/He *~ed off* a gun at the lion. 그는 사자를 향하여 총을 탕 쏘았다. 3《+목+보》(문 따위)를 쾅하고 닫다: The door was *~ed* shut. 문이 쾅하고 닫혔다. 4《+목+전+명》(지식 따위)를 주입하다《***into*** (머리)에》: ~ grammar *into* a boy's head 아이에게 문법을 무리하게 가르치다. 5《비어》…와 성교하다.
~ ***away***《*vi.*+튄》① 열심히 하다《***at*** (일)을》: ~ *away at* one's homework 숙제를 열심히 하다. ② 탕탕탕하고 연거푸 발포하다《***at*** …을 향해》: ~ *away at* a flock of wild ducks 들오리 떼를 향해 마구 총을 쏘아대다. ~ ***out***《*vt.*+튄》《구어》곡을 시끄럽게 연주하다;《구어》(타이프로 기사 따위)를 쳐내다; (원고 등)을 급히 작성하다. ~ ***up***《*vt.*+튄》① …의 모양을 못쓰게〔엉망으로〕만들다; (물건)을 부수다. ② (자기 몸 따위)를 상처입히다: I *~ed up* my knee skiing. 스키를 타다가 무릎에 상처를 입었다.

bang² *n.* Ⓒ (보통 *pl.*) 단발머리의 앞머리.
— *vt.* 앞머리를 가지런히 깎다; (말 따위의) 꼬리를 바싹 자르다: wear one's hair *~ed*.

báng·er *n.* Ⓒ《英구어》폭죽; 소음이 나는 고물차; 소시지.

Bang·kok [bǽŋkɑk, ⌐/bæŋkɔ́k, ⌐] *n.* 〖지리〗방콕《태국의 수도》.

Ban·gla·desh [bɑ̀:ŋglədéʃ, bæ̀ŋ-] *n.* 방글라데시《1971년에 독립한 공화국; 수도 Dhaka》. ㊞ **-déshi** (*pl.* ~, ***-désh·is***) *n.* Ⓒ, *a.* 방글라데시(인)(의).

ban·gle [bǽŋgəl] *n.* Ⓒ 1 팔찌; 발목 장식. 2 (팔찌·목걸이 등에 달린) 작고 둥근 장식.

Ban·gui [bɑ:ŋgí:/bɔ̀ŋ-] *n.* 방기《중앙 아프리카 공화국의 수도》.

báng-ùp *a.*《美구어》극상의, 상등의.

ban·ian [bǽnjən] *n.* = BANYAN.

ban·ish** [bǽniʃ] *vt.* 1《~+목/+목+전+명》추방하다, 유형에 처하다; 내쫓다《from*** …에서; ***to*** …으로; ***for*** (…의 죄)로》: ~ a person *from* the country 아무를 국외로 추방하다/The king *~ed* his own son. 왕은 제 아들을 추방했다/Napoleon was *~ed to* Elba in 1814. 나폴레옹은 1814년에 엘바섬으로 유형보내졌다《★ 같은 뜻으로 '사람'을 간접 목적어로 하는 구문도 있음: *banish* a person the country》/~ a person *for* political crimes 국사범으로서 아무를 추방하다. 2《+목+전+명》(아무)를 멀리하다; (근심 따위)를 떨어버리다《***from, out of*** …으로부터》: ~ anxiety 〔fear〕 걱정을〔두려움〕을 떨어버리다/~ a person *from* one's presence 아무를 면전에 나타나지 못하게 하다/~ something *from* one's memory 어떤 일을 잊다.

°**bán·ish·ment** *n.* Ⓤ 추방, 배척; 유형: go into ~ 추방당하다.

ban·is·ter [bǽnəstər] *n.* 1 (*pl.*) (계단의) 난간 동자 (baluster). 2 Ⓒ (때로 *pl.*) 난간.

°**ban·jo** [bǽndʒou] (*pl.* ~(**e**)**s**) *n.* Ⓒ 〖음악〗밴조《5현의 현악기》. ㊞ **~·ist** *n.* Ⓒ 밴조 연주자.

‡**bank¹** [bæŋk] *n.* 1 Ⓒ **a** 둑, 제방; (밭) 두둑, 길섶. **b** (강·호수 따위의) 가, 기슭; (*pl.*) (강의) 양안(兩岸); 둔치, 고수부지: the ~s of a river/the right 〔left〕 ~ (강 하류를 향해) 우안〔좌안〕. 2 Ⓒ (둑 모양의) **퇴적**, 덮쳐 쌓임; (구름의) 층. 3 Ⓒ 모래톱, 사주(砂洲); 대륙붕(어장): a sand ~ 사주/the ~s of Newfoundland 뉴펀들랜드 대륙붕《어장》. 4 Ⓒ (인공적으로 만든 도로나 경주로의) 비탈, 구배(勾配), 경사. 5 Ⓤ (또는 a ~) 〖항공〗뱅크《비행기가 선회할 때 좌우로 경사하는 일》: the angle of ~ 뱅크각《비행 중 선회시의 좌우 경사각》.
—*vt.* 1《~+목/+목+튄》…에 둑을 쌓다, 둑으로 에워싸다(*up*): ~ *up* a house 집을 둑으로 에워싸다. 2《+목+튄》(흐름)을 막다(*up*)《둑을 쌓아서》: ~ *up* a stream. 3《+목+튄》불을 (죽지 않게) 묻다(*up*): ~ *up* a fire. 4《~+목/+목+튄》둑 모양으로 쌓다(*up*): ~ the snow *up*. 5 (도로·선로의 커브)를 경사지게 하다; 〖항공〗뱅크〔경사 선회〕시키다. **—*vi.*** 1《~/+튄》(구름·눈이) 쌓이다(*up*): The snow *~ed up*. 눈이 쌓였다. 2 〖항공〗뱅크하다, 옆으로 기울다; (차가) 기울다; 차체를 기울이다.

‡**bank²** *n.* 1 Ⓒ **은행**: a national ~ 국립 은행/a savings ~ 저축 은행/a ~ of deposit 〔issue〕 예금〔발권〕은행. 2 (the B-) 잉글랜드 은행(the Bank of England). 3 (the ~) 노름판의 판돈; (노름의) 물주(banker). 4 Ⓒ 저금통; 저장소: an eye ~ 안구 은행/a blood ~ 혈액 은행. ***break the ~*** (도박에서) 물주를 파산시키다; …을 무일푼으로 만들다. ***in the ~*** 은행에 맡겨져, 예금하여: It's money *in the* ~. (은행에 맡긴 것처럼) 아주 안전한 투자다.
—*vi.* 1《+전+명》거래하다《***with*** (은행)과》; 예금하다《***at*** (은행)에》: Whom 〔Who〕 do you ~ *with?* 어느 은행과 거래하고 있나. 2 은행을 경영

하다; (노름판의) 물주가 되다. **3** 《+전+명/+전+명+*to* do》《구어》 믿다; 기대하다; 의지하다 《***on, upon*** …을》: You can ~ *on* me when you need help. 도움이 필요할 때는 나를 믿게〔의지하게〕/She was ~*ing on* the company *to* pay her expenses. 회사에서 경비를 지불할 것으로 그녀는 믿고 있었다.
—*vt*. 은행에 예치하다, 예금하다.

B

bank³ *n*. Ⓒ (갤리선의) 노젓는 사람의 자리; 한 줄로 늘어선 노; (실린더의) 열; 〖음악〗 건반의 한 줄; 〖전기〗 (동시에 작동하는) 스위치〔단자〕의 열; (신문의) 부(副)제목(subhead). **—***vt*. …에 줄지어 늘어놓다《***with*** …을》: The road is ~*ed with* evergreen shrubs. 그 길 양쪽에 작은 상록수들이 심어져 있다.

bánk·a·ble *a*. **1** 은행에 담보할 수 있는; 할인할 수 있는. **2** 《구어》 (말·판단 따위가) 믿을 수 있는; (영화·연극 등이) 성공이 확실한.

bánk accòunt **1** 은행 예금 계좌. **2** 은행 계정, 은행 예금 잔고. ★《英》 banking account라고도 함.

bánk bàlance (보통 *sing.*) 은행 (예금) 잔고.

bánk bìll 은행 어음; 《美》 은행권, 지폐.

bánk·bòok *n*. Ⓒ 은행 통장, 예금 통장.

bánk càrd 은행 발급의 크레디트 카드.

bánk clèrk 《英》 은행 출납 담당원(《美》 teller).

bánk dràft 은행 환어음(《생략: B/D》).

***bank·er** [bǽŋkər] *n*. **1** Ⓒ **은행가**, 은행업자; 은행의 간부직원, 〖일반적〗 은행원; (one's ~s) 거래 은행: Let me be your ~. 돈을 융통해 드리겠습니다. **2** Ⓒ (도박의) 물주; (카드놀이의) 선(先), 패를 나눠 주는 사람. **3** Ⓤ '은행놀이'《카드놀이의 일종》: play ~ 은행놀이를 하다.

bánker's bìll 은행 (환)어음.

bánkers' càrd (은행 발행의) 크레디트 카드.

bánker's òrder = STANDING ORDER.

Bánk for Internátional Séttlements (the ~) 국제 결제 은행《생략: BIS》.

bánk hòliday 《美》 (일요일 이외의) 은행 휴일; 《英》 일반 공휴일(《美》 legal holiday)《연 7회의 법정 휴일》.

***bánk·ing**¹ *n*. Ⓤ **은행업(무)**.

bánk·ing² *n*. Ⓤ 둑 쌓기; 〖항공〗 횡(橫)경사.

bánk ìnterest 은행 이자.

bánk lòan 은행 대출, 뱅크 론.

bánk nòte 은행권, 지폐. ★《美》에서는 bill.

bánk ràte (흔히 the ~) 은행의 할인율《특히 중앙은행의》, 은행 일변(日邊).

bánk·ròll *n*. Ⓒ 《美》 지폐 다발; 자금(원), 수중의 돈. **—***vt*.《美구어》 (사업 등에) 자금을 제공하다, 스폰서가 되다.

bank·rupt** [bǽŋkrʌpt, -rəpt] *n*. Ⓒ **파산자**; 지급 불능자《생략: bkpt.》; 성격적 파탄〔불구〕자: a moral ~. **—a*. **1** 파산한; 지급 능력이 없는; 《구어》 빚 투성이인: ~ law 파산법/go 〔become〕 ~ 파산하다. **2** 잃은, 없는《***of, in*** …을, …이》: morally ~ 도덕적으로 파탄하여/~ both *in* name and fortune 명성과 재산을 한꺼번에 잃고/She is ~ *of* intellect. 그녀는 지성이 없다. ◇bankruptcy *n*.
— *vt*. 파산시키다, 지급 불능케 하다.

***bank·rupt·cy** [bǽŋkrʌptsi, -rəpsi] *n*. **1** Ⓤ (구체적으로는 Ⓒ) **파산**, 도산(倒産): go into ~ 도산하다/a trustee in ~ 〖법률〗 파산 관재인. **2** Ⓤ (또는 a ~) (명성 따위의) 실추; (성격의) 파탄.

***ban·ner** [bǽnər] *n*. Ⓒ **1** 《문어》 **기(旗)**, 국기, 군기. SYN. ⇨FLAG. **2** 기치, 표지; 주장, 슬로건; 현수막·플래카드《광고·선전용》: the ~ of revolt 반기. **3** 기의 상징〔표상〕. **4** 〖신문〗 전단(으로 짠 큰) 표제(~ head, ~ headline).
carry the ~ for 《구어》 …을 표방〔지지〕하다, 선두에 서다. ***join*** 〔***follow***〕 ***the ~ of*** …의 휘하에 참가하다, …의 대의를 신봉〔지지〕하다. ***under the ~ of*** …의 기치 밑에: fight *under the ~ of* freedom 자유의 깃발 아래 싸우다. ***unfurl*** one***'s ~*** 입장을 분명히 하다.
—*a*. Ⓐ 일류의, 뛰어난, 최상급의: a ~ crop 풍작/a ~ year 번영의 해.

ban·ner·et, -ette [bæ̀nərét] *n*. Ⓒ 작은 기(旗).

bánner héad(**line**) 〖신문〗 (특히 제1면의) 전단짜리 표제, 톱헤드라인.

ban·nis·ter [bǽnəstər] *n*. = BANISTER.

ban·nock [bǽnək] *n*. Ⓒ 《Sc.》 (호밀·보리로 만든 둥글납작한) 일종의 빵.

banns, bans [bænz] *n. pl*. 〖교회〗 결혼 예고《식 거행 전에 계속 세 번 일요일마다 예고해 그 결혼에 대한 이의 여부를 물음》: ask 〔call, publish, put up〕 the ~ 교회에서 결혼을 예고하다/forbid the ~ 결혼에 이의를 제기하다/have one's ~ called 〔asked〕 결혼 예고를 해 달라고 하다.

ban·quet** [bǽŋkwit] *n*. Ⓒ **연회**《특히 정식의》, 향연; 축연(祝宴): a wedding ~ (성대한) 결혼 피로연/give 〔hold〕 a ~ 연회를 베풀다. SYN. ⇨FEAST. **—vt*., *vi*. 연회를 베풀어 대접하다; 연회의 대접을 받다. ㊎ **~·er** *n*.

bánquet ròom (레스토랑·호텔의) 연회장.

ban·quette [bæŋkét] *n*. Ⓒ (참호 따위의 속에 있는) 사격용 발판; (역마차의) 마부석 뒤의 자리; 《美남부》 (차도보다 높게 된) 인도(sidewalk); 벽에 붙여 놓은 긴 의자.

ban·shee, -shie [bǽnʃiː, ⌐⌐] *n*. Ⓒ 《Ir.·Sc.》 죽음의 요정(妖精)《가족 중 죽을 사람이 있을 때 울어서 이를 예고한다 함》: a ~ wail.

ban·tam [bǽntəm] *n*. Ⓒ **1** (종종 B-) 밴텀닭, 당(唐)닭. **2** 암팡지고 싸움을 좋아하는 사람. **3** = BANTAMWEIGHT. **—***a*. Ⓐ 몸집이 작은; 공격적인; 건방진.

bántam·wèight *n*. Ⓒ 〖권투〗 밴텀급 선수.

◇**ban·ter** [bǽntər] *n*. Ⓤ (가벼운) 조롱, 놀림.
—*vt*., *vi*. 조롱하다, 놀리다. ㊎ **~·ing·ly** [-riŋli] *ad*.

Ban·tu [bǽntuː] (*pl*. **~, ~s**) *n*. (the ~(s)) 반투족《아프리카의 중·남부에 사는 흑인종의 총칭》; Ⓒ 반투 사람; Ⓤ 반투어(語). **—***a*. 반투족〔어〕의.

ban·yan [bǽnjən] *n*. Ⓒ 〖식물〗 벵골보리수(= ⌐ **trèe**); (채식주의 인도) 상인.

ba·o·bab [béioubæ̀b, bɑ́ː-, báubæb] *n*. Ⓒ 〖식물〗 바오밥(= ⌐ **trèe**)《열대 아프리카산(産)의 큰 나무》.

bap [bæp] *n*. Ⓒ 《英》 작은 (롤)빵.

Bap., Bapt. Baptist. **bapt.** baptized.

bap·tism** [bǽptizəm] *n*. Ⓤ (구체적으로는 Ⓒ) **세례, 침례, 영세(領洗)**; 입회식, 명명(식): clinic 〔clinical〕 ~ 병상 세례/~ by immersion 〔effusion〕 침수〔관수(灌水)〕 세례/administer ~ to …에게 세례를 베풀다. ***the ~ of 〔***by***〕 ***fire*** 포화의 세례; 첫 출전; 괴로운 첫 시련.

bap·tis·mal [bæptízməl] *a*. Ⓐ 세례(洗禮)의. ㊎ **~·ly** *ad*.

baptísmal nàme 세례명(Christian name).

◇**Bap·tist** [bǽptist] *n.* **1 a** Ⓒ 침례교도; (b-) 세례 시행자. **b** (the ~s) 침례파(派). **2** (the ~) 〖성서〗 세례 요한(John the Baptist). **3** 〘형용사적〙 침례파의: the ~ Church 침례 교회.

bap·tis·tery, -try [bǽptistəri], [-tri] *n.* Ⓒ 세례 주는 곳, 세례당(堂); 세례용 물통.

*__bap·tize__ [bæptáiz, ⌐-] *vt.* **1** 《~+목/+목+전+명》 …에게 **세례를 베풀다**; 세례를 베풀어 입교시키다《*into* …에》: The vicar ~*d* the baby. 목사는 아기에게 세례를 주었다 / She was ~*d into* the church. 그녀는 세례를 받고 교인이 되었다. **2** 《+목+보》 (…라고) **세례명을 붙이다**; (일반적으로) 명명하다: He was ~*d* Jacob. 그는 야곱이라는 세례명을 받았다. **3** (정신적으로) 깨끗이 하다, 청정하게 하다. **—** *vi.* 세례를 주다.

‡**bar** [bɑːr] *n.* Ⓒ **1 막대기**; 방망이; 쇠지레. **2** 방망이 모양의 물건; 조강(條鋼); 봉강(棒鋼); (전기 난방기의) 전열선: a ~ of soap 비누 한 개 / a chocolate ~ 판(板)초콜릿 / a ~ of gold 막대금, 금괴(金塊). **3** 빗장, 가로장; 창살. **4 장애**, 장애물, 장벽《*to* …에의》; (교통을 막는) 차단봉: a ~ *to* happiness 〔one's success〕 행복〔성공〕을 가로막는 장애 / There is no color ~. 피부색에 의한 (인종) 차별은 없다.

SYN. **bar** 출입을 방해하는 간단한 구조의 장애물. **barrier** 진행 · 공격을 가로막는 장애물. **barricade** 시가전 등에서 노상에 축조하는 장애물.

5 (항구 · 강 어귀의) 모래톱. **6** 가느다란 줄, 줄무늬, (색깔 등의) 띠: a ~ of light 한 줄기의 광선. **7** (술집 따위의) **카운터**; **술집**, 바: a snack ~ 스낵바 / a quick lunch ~ 경식당. **8** (법정 안의) 난간; 피고석; 《英》 (의회 안의) 일반인 출입 금지 난간. **9 법정**, 심판, 제재: the ~ of conscience 양심의 가책 / the ~ of public opinion 여론의 제재 / a prisoner at the ~ 형사 피고인 / a case at ~ 법정에서 심리 중인 소송《★ 관사 없이》/ a trial at ~ 전(全)판사 배석 심리. **10** (the ~, 종종 the B-) 〘집합적; 단 · 복수취급〙 법조계, 변호사단; (the ~) 변호사업. cf. bench. ¶a ~ association 법조 협회 / be called within the ~ 《英》 왕실 변호사로 임명되다 / practice at the ~ 변호사를 개업하다 / read 〔study〕 for the ~ (법정) 변호사 공부를 하다. **11** 〖음악〗 (악보의) 세로줄; 마디. **12** 〖물리〗 바《압력의 단위》. **13** 《해커 속어》 바《프로그램 따위에 쓰이는 관용 기호》.

be admitted 〔《英》 ***called***〕 ***to the ~*** 변호사 자격을 얻다. ***be at the Bar*** 변호사를 하고 있다. ***behind*** (***the***) ***~s*** 옥에 갇혀, 옥중에서.

— (**-rr-**) *vt.* **1** 《~+목/+목+전+명》 (문)에 **빗장을 질러 잠그다**; (창 따위)에 가로대를〔창살을〕 내다: ~ a door 문을 잠그다 / ~ a prisoner *in* his cell 죄수를 독방에 가두다. **2** 《~+목/+목+전+명/+-*ing*》 **방해하다**; 저지하다, (길)을 막다(block); 금하다《*from* …을 못하게》: The way is ~*red*. 길이 막혀 있다 / Nothing ~*red* him *from* going. 아무도 그를 못 가게 막지 않았다 / She ~*s* smok*ing* in the bedroom. 《구어》 그녀는 침실에서는 담배를 못 피우게 한다. **3** 《~+목/+목+전+명》 …에 줄을〔줄무늬를〕 치다《*with* …으로》: The sky was ~*red with* black cloud. 하늘에는 검은 구름이 길게 뻗쳐 있었다. **4** 《+목+전+명》 제외하다《*from* …에서》: He was ~*red from* membership of the society. 그는 그 협회 회원에서 제외되었다.

~ ***in*** 《*vt.*+부》 ① 가두다. ② 〘~ oneself in으로〙 틀어박히다: She ~*red* her*self in*. 그녀는 집에 틀어박혀서 사람을 만나지 않았다. ~ ***out*** 《*vt.*+부》 (사람)을 쫓아내다. ~ ***up*** 《*vt.*+부》 (빗장을 질러서) 완전히 폐쇄하다.

— *prep.* 《구어》 …을 제외하고(barring), …외에: ~ a few names 몇 사람 제외하고. ***all over ~ the shouting*** 사실상 끝나. ~ ***none*** 예외 없이, 전적으로, 단연코: the best living poet, ~ *none* 단연코 당대 제일의 시인.

bar- [bǽr], **bar·o-** [bǽrou, -rə] '기압, 중량'의 뜻의 결합사.

bar. barometer; barometric; barrel; barrister.

barb [bɑːrb] *n.* Ⓒ **1** (살촉 · 낚시 따위의) 미늘; (철조망 따위의) 가시; (새 날개의) 깃가지; (메기 따위의) 수염; (목 · 가슴을 가리는) 흰 린네르 천. **2** 《비유적》 가시돋친 말, 예리한 비판. **—** *vt.* 가시를 달다.

Bar·ba·di·an [bɑːrbéidiən] *n.* Ⓒ 바베이도스(섬)의 주민. **—** *a.* 바베이도스(섬)의; 바베이도스섬 사람의.

Bar·ba·dos [bɑːrbéidouz, -s, -dəs] *n.* 바베이도스《서인도 제도 카리브 해 동쪽의 섬으로 영연방 내의 독립국; 수도 Bridgetown》.

Bar·ba·ra [bɑ́ːrbərə] *n.* 바바라《여자 이름; 애칭 Babs, Bab, Babbie 등》.

◇**bar·bar·i·an** [bɑːrbɛ́əriən] *n.* Ⓒ 야만인, 미개인; 속물(俗物), 교양 없는 사람(cf. Philistine), 난폭자.

SYN. **barbarian** 미개인 또는 언행이 거친 사람을 말함. **savage** barbarian보다 더 미개한 사람, 또는 성질이 난폭한 사람.

— *a.* 야만인의, 미개인의; 교양 없는, 야만의.

◇**bar·bar·ic** [bɑːrbǽrik] *a.* 미개한, 야만인 같은; 무무한; 지나치게 야한, (문체 · 표현 따위가) 세련되지 못한; 잔인한: a ~ punishment 잔인한 벌.

bar·ba·rism [bɑ́ːrbərìzəm] *n.* **1** Ⓤ 야만(적인 생활 양식), 미개 (상태), 무지; 조야(粗野); 포학, 만행: relapse into a state of ~ 미개한 상태로 돌아가다. **2** Ⓒ 무모한 행동〔말투〕, 비어; 파격적인 구문.

bar·bar·i·ty [bɑːrbǽrəti] *n.* **1** Ⓤ 야만, 잔혹. **2** Ⓒ 만행; 잔인(한 행위). **3** Ⓤ (문체 · 말투 따위의) 난잡; 야비.

bar·ba·rize [bɑ́ːrbəràiz] *vt.* 야만화하다; 불순〔조잡〕하게 하다. **—** *vi.* 야만스럽게 되다; 조잡하게 되다.

*__bar·ba·rous__ [bɑ́ːrbərəs] *a.* **1 야만스러운**(savage), 미개한; 잔인한; 무무한, 상스러운; 조잡한; 교양 없는, 세련되지 못한. ★barbarous는 barbarian, barbaric보다 savage에 가까움. **2** 이국어(異國語)의《그리스어 · 라틴어 외의》; (언어가) 표준 용법이 아닌. 파 **~·ly** *ad.* **~·ness** *n.*

Bar·ba·ry [bɑ́ːrbəri] *n.* (이집트 이외의) 북아프리카 이슬람교 지역.

Bárbary shéep 〖동물〗 야생의 양《북아프리카산(産)》.

◇**bar·be·cue** [bɑ́ːrbikjùː] *n.* **1** Ⓒ (요리는 Ⓤ) (통구이용) 불고기 틀; (돼지 · 소 따위의) 통구이, 바비큐. **2** Ⓒ 《美》 바비큐 요리점《레스토랑 간판에는 'Bar-B-Q'라고도 씀》; 통구이가 나오는 야외 파티. **—** *vt.* 통구이로 하다; 직접 불에 굽다(broil); (고기)를 바비큐 소스로 간하다.

bárbecue sàuce 바비큐 소스《식초 · 야채 · 조미료 · 향신료로 만든 매콤한 소스》.

barbed *a.* 미늘이〔가시가〕 있는; (말 따위) 가시〔악의〕가 있는, 신랄한: ~ words 〔wit〕 가시 있는 말〔날카로운 재치〕.

bárbed wíre 가시 철사.

bárbed-wíre *a.* [A] 가시 철사의: ~ entanglements 철조망 / a ~ fence 가시 철사선을 두른 울타리.

bar·bel [bάːrbəl] *n.* [C] (물고기의) 수염; 〖어류〗 돌잉어류.

bár·bèll *n.* [C] 바벨《역도에 쓰는》.

⁑**bar·ber** [bάːrbər] *n.* [C] **이발사(師)** (《英》 hairdresser): at a ~'s (shop) 이발소에서 / the ~('s) pole (적 · 백색의) 이발소 간판 (기둥).
—*vt.* …의 머리를〔수염〕을 깎다; (잔디 따위)를 깎다.

bárber·shòp *n.* [C] 《美》 이발소(《英》 barber's shop).

bárber's ítch 〖의학〗 모창(毛瘡), 이발소 습진.

bárber('s) pòle (적색과 백색으로 표시한) 이발소 간판 기둥.

bar·bi·can [bάːrbikən] *n.* [C] 〖축성(築城)〗 망대, 성문탑.

bar·bi·tal [bάːrbətɔ̀ːl, -tæ̀l] *n.* [U] 〖약학〗 《美》 바르비탈《진정 · 수면제; 상표명: Veronal》.

bar·bi·tone [bάːrbətòun] *n.* 《英》 = BARBITAL.

bar·bi·tu·rate [bɑːrbítʃərèit, -rit, bɑ̀ːrbətjúər-] *n.* [U] (낱개는 [C]) 〖약학〗 바르비투르 약제《진정 · 수면제》.

Bar-B-Q, bar-b-q, bar-b-que [bάːrbikjùː] *n.* 《구어》 = BARBECUE.

bárb·wìre *n.* [U] 《美》 가시 철사(barbed wire).

bar·ca·rol(l)e [bάːrkəròul] *n.* [C] (곤돌라의) 뱃노래; 뱃노래풍의 곡.

Bar·ce·lo·na [bɑ̀ːrsəlóunə] *n.* 〖지리〗 바르셀로나《스페인 북동부의 항구 도시; 제25회 올림픽 개최지(1992)》.

bár chàrt 막대 그래프(bar graph).

bár còde 바코드, 막대 부호《광학 판독용 줄무늬 기호; 상품 식별 등에 쓰임》. [cf] Universal Product Code.

bár-còde *vt.* (상품에) 바코드〔막대 부호〕를 붙이다.

bár-code rèader 바코드 판독기(判讀機).

bár códe recognìtion 〖컴퓨터〗 바코드〔막대 부호〕 인식《바코드로 된 문자나 숫자를 광학적 수단에 의해 자동적으로 식별하기》.

bard [bɑːrd] *n.* [C] 옛 Celt족의 음영(吟詠)〔방랑〕시인; 《문어 · 시어》 (서정)시인. ***the Bard (of Avon)*** 셰익스피어의 속칭. ㊕ **bárd·ic** *a.*

⁑**bare** [bɛər] *a.* **1 a 벌거벗은**, 알몸의, 가리지 않은, 드러낸; 도구〔무기〕를 갖지 않은, 맨손의: a ~ sword 칼집에서 빼든 칼 / have one's head ~ 모자를 쓰지 않다 / with ~ feet 〔hands〕 맨발로〔맨손으로〕.

[SYN.] **bare** 가장 일반적인 말로 몸에 걸친 것〔필요한 것, 부가적인 것〕을 제거한 상태를 말함. **naked** 몸의 보호나 장식 등을 위하여 필요한 것이 없는 상태를 말함. **nude** 아무 것도 몸에 걸치고 있지 않은 상태를 말함. 특히 예술 작품에 대해 쓰임.

b [A] (일 · 이야기가) 사실 그대로의, 적나라한: the ~ facts 분명한 사실. **2 휑뎅그렁한**, 꾸밈 없는; 알맹이가 없는, …이 없는, 텅빈; (산이) 민둥한; (나무가) 잎이 없는: a ~ hill 민둥산 / a ~ room 가구 없는 방 / a ~ wall 액자 등이 없는 벽(壁) / trees ~ *of* leaves 잎이 다 떨어진 나무. **3** (천 · 융단 등이) 닳아 무지러진, 써서 낡은. **4** [A] **부족한**, 겨우 …한; **그저〔겨우〕 …뿐인**, 가까스로의: a ~ hundred pounds 가까스로〔겨우〕 100 파운드 / a ~ living 겨우 살아가는 생활 / the ~ necessities of life 겨우 목숨을 이어가기에 필요한 물품 / (by) a ~ majority 가까스로의 과반수(로) / escape with one's ~ life 겨우 목숨만 건지고 달아나다 / I shudder at the ~ thought (of it). (그 일은) 생각만 해도 몸서리친다.

in one's ~ skin 홀랑 벗고. ***lay ~*** ① …을 드러내다: *lay* one's breast ~ 앞가슴을 드러내다. ② …을 폭로하다, 털어놓다: *lay* one's heart 심중을 털어놓다 / *lay* one's plans ~ 계획을 누설〔폭로〕하다.

—*vt.* 《~+[목] / +[목]+[전]+[명]》 **1** …을 벌거벗기다; (이 따위)를 드러내다; …에서 벗기다〔떼어내다〕 《***of*** …을》: ~ one's head 모자를 벗다 / ~ a person *of* his clothes 아무의 옷을 벗기다 / ~ a tree *of* its leaves 〔fruits〕 나무에서 잎을〔열매를〕 따내다. **2** (비밀 · 마음 등)을 털어놓다, 폭로하다: ~ a secret 비밀을 폭로하다 / ~ one's heart 〔soul〕 to a friend 친구에게 속마음을 털어놓다.
㊕ **∠·ness** *n.*

báre·bàck *a.* [A], *ad.* 안장 없는 말의; (말에) 안장 없이: ride ~ 안장 없는 말에 타다.

báre·bàcked [-t] *a., ad.* = BAREBACK.

báre bónes (the ~) (더 줄일 수 없는) 최소, 가장 기본적인 요소〔요점, 골자〕: the ~ *of* the matter 문제의 요점 / Reduce this report to its ~. 이 보고서를 요점만으로 간추려라.

báre-bònes *a.* 최소한의, 가장 기본적인: a ~ survival 간신히 목숨만 이어가는 생존.

báre·fàced [-t] *a.* **1** 맨얼굴의, 얼굴을 드러낸; 수염이 없는. **2** 숨김없는, 공공연한; 뻔뻔스러운, 철면피한: ~ impudence 철면피, 뻔뻔스러움. ㊕ **-fàcedly** [-sidli, -stli] *ad.*

°**báre·fòot** *a., ad.* 맨발의〔로〕, (말이) 편자를 박지 않은: walk ~ 맨발로 걷다.

báre·fòoted [-id] *a.* 맨발의.

báre·hánded [-id] *a., ad.* 맨손의〔으로〕; 무기〔도구〕 없는〔없이〕; 장갑을 끼지 않은〔않고〕.

báre·hèad(ed) [-(id)] *a., ad.* 모자를 쓰지 않은〔않고〕; 맨머리의〔로〕.

báre infínitive 〖문법〗 원형부정사《to를 붙이지 않는 부정사; 예: I saw him *run.*》.

báre·lègged [-lègid, -lègd] *a., ad.* 발을〔정강이를〕 드러낸〔내놓고〕; 양말을 안 신은〔신고〕.

⁑**bare·ly** [bɛ́ərli] *ad.* **1 간신히**, 가까스로, 겨우, 거의 …없이. [cf] scarcely, hardly. ¶She is ~ sixteen. 그녀는 겨우 16세다 / He ~ escaped death. 그는 간신히 죽음을 모면했다. **2 드러내놓고**; 숨김없이, 사실대로, 꾸밈없이.

barf [bɑːrf] *vi., vt.* **1** 《美속어》 토하다, 게우다 (vomit). **2** 《해커속어》 (사람이) 불평을 하다. **3** 《해커속어》 (컴퓨터가 틀린 입력에 대해서) 경고 메시지를 표시하다; 작동하지 않다. **—***n.* [U] 구토: a ~ bag 구토 주머니《비행기 안의》.

bár·flỳ *n.* [C] 《구어》 술집의 단골.

⁑**bar·gain** [bάːrgən] *n.* [C] **1** 매매, 거래. **2** 매매 계약, 거래 조건; 협정, 약속《***with*** …와의 / ***to*** do / ***that***》: conclude 〔settle, strike〕 a ~ *with* a person 아무와 매매계약을 맺다 / The two companies made a ~ *to* share technology. 두 회

사는 과학기술을 공유한다는 협정을 맺었다 / They made a ~ *that* they would help each other. 그들은 서로 도와 주기를 맹세했다 / A ~'s a ~. 《속담》 약속은 약속《꼭 지켜야 한다》. **3 (싸게) 산 물건**, 특가품; 떨이: a bad 〔good〕 ~ 비싸게〔싸게〕 산 물건 / a dead ~ 아주 싸게 산 물건 / ~*s in* furniture 가구의 염가 판매 / buy at a (good) ~ 싸게 사다 / pick up ~*s* 헐값의 물건을 손에 넣다. **4** 〖형용사적으로〗 싸구려의, 특가의: a ~ sale 〔price〕 특매〔특가〕 / a ~ day 할인 판매일. ***beat a*** ~ 값을 깎다. ***drive a*** (***hard***) ~ 유리한 조건으로 거래〔매매, 상담〕하다《***with*** …와; ***over*** …에 대해》. ***into*** 〔***in***〕 ***the*** ~ 게다가, 그 위에.

> **DIAL.** ***It's*** 〔***That's***〕 ***a bargain.*** 그걸로 정한 거요(=I agree.); 그거 정말 싼데.

— *vi.* 《~/+전+명》 **1 의논을 하다**《***with*** (아무)와; ***for*** …에 대하여》; 합의하다《***on*** …에》: We ~*ed with* him *for* the use of the property. 우리는 그와 그 땅의 사용에 대해 계약했다 / ~ *on* a five-year contract, 5년 계약에 합의하다. **2 흥정하다**; 교섭하다《***with*** (아무)와; ***about, over*** (거래)를》: They ~*ed with* the manufacturer *over* the wholesale price of the product. 그들은 제조 회사와 제품의 도매 가격을 흥정했다. **3** 값을 깎다《***for*** …의》: ~ *for* a car 자동차 값을 깎다. **4** 〖보통 부정문 또는 more than 구문을 수반하여〗 예상〔예기〕하다《***for, on*** …을》: I didn't ~ *for* that. 그것은 예상하지 않은 것이었다 / His serve was *more than* I ~*ed for*. 그의 서브가 그 정도로 강하리라고는 예상 못했었다 / ~ *on* a person's help 아무의 도움을 기대하다. — *vt.* **1** 《+*that* 절》 (…이란) 조건을 붙이다, (…하도록) 교섭하다: He ~*ed that* he should not pay for the car till the next month. 그는 자동차 값을 다음달까지 지불하지 않아도 괜찮도록 교섭했다. **2** 《+*that* 절》 예상하다, 기대하다: I ~ *that* he will be there on time. 그는 제시간에 꼭 그 곳에 올 것이라고 기대한다. **3** 《+목+전+명》 〖일반적〗 바꾸다《***for*** …와》: ~ a horse *for* another 말을 다른 말과 바꾸다.

~ ***away*** 《*vt.*+부》 헐값으로 팔아 버리다; (권리·자유 등)을 쉽사리 포기하다: ~ *away* one's estate 토지를 헐값에 팔아 버리다.

bárgain básement (백화점의) 특매장《주로 지하》.

bárgain-bàsement *a.* 특매품 매장의; (품질이) 떨어지는, 조악한; 싸구려의.

bár·gain·ing *n.* Ⓤ 거래, 교섭: collective ~ 단체 교섭 / come to the ~ table 교섭하기 위하여 모이다.

bárgaining chìp 교섭을 유리하게 이끌기 위한 조건〔최후 수단〕: We can use it as a ~ in the negotiations. 우리는 그것을 교섭의 최후 수단으로 사용할 수 있다.

barge [bɑːrdʒ] *n.* Ⓒ **1** 거룻배, 바지《바닥이 평평한 짐배》. **2** 유람선; 의식용 장식배. **3** 함재정(艦載艇), 대형 함재 보트《사령관용》. — *vt.* 거룻배로 나르다. — *vi.* **1** 느릿느릿 나아가다. **2** 《구어》 난폭하게 부딪치다〔돌진하다〕《***against, into*** …에》: ~ *into* 〔*against*〕 a person 아무에게 부딪치다. **3** 《구어》 난입하다, …에 끼어들다, 말참견하다《***in, into*** …에》: He ~*ed into* our conversation. 그는 우리 이야기에 억지로 끼어들었다. ~ ***in*** 《*vi.*+부》 (거칠게) 끼어들다, 말참견하다. ~ one***'s way*** 밀고〔헤치고〕 나가다.

bar·gee [bɑːrdʒíː] *n.* 《英》 = BARGEMAN.

bárge·man [-mən] (*pl.* ***-men*** [-mən]) *n.* Ⓒ 《美》 거룻배·유람선의 사공.

bárge pòle (거룻배의) 삿대. ***would not touch*** a person ***with a*** ~ 《구어》 아무와 상관하지 않으려 하다, 어떻게든 피하려 하다.

bár gìrl (바의) 호스티스; 《특히》 바에 출입하는 창녀.

bár gràph 막대그래프(bar chart).

bár·hòp (*-pp-*) *vi.* 《美구어》 여러 술집을 돌아다니며 술을 마시다.

bar·i·tone [bǽrətòun] 〖음악〗 *n.* **1** Ⓤ 바리톤《tenor와 bass의 중간음》. **2** Ⓒ 바리톤 가수; 바리톤 관악기; 바리톤의 목소리. — *a.* 바리톤의.

bar·i·um [bέəriəm, bǽər-] *n.* Ⓤ 〖화학〗 바륨《금속 원소; 기호 Ba; 번호 56》.

bárium méal 바륨 용액《X선 촬영용》.

⁑**bark**[1] [bɑːrk] *vi.* **1** 《~/+전+명》 (개·여우 따위가) **짖다**; 짖는 듯한 소리를 내다《***at*** …에게》: A ~*ing* dog seldom bites. 《속담》 짖는 개는 좀처럼 물지 않는다 / A dog ~*ed at* the beggar. 개가 거지에게 짖어댔다. **2** 《구어》 고함치다, 야단치다《***at*** …에》: He ~*ed at* me for being late. 그는 늦었다고 나를 야단쳤다. **3** 《구어》 기침을 하다(cough). **4** (총·대포 따위가) 쾅 울리다. **5** 《美구어》 (상점·흥행장 등에서) 큰 소리로 손님을 부르다. — *vt.* 《~+목/+목+부》 짖는 투로 말하다; (명령 등)을 외쳐대어 말하다(*out*): He ~*ed* (*out*) his orders. 그는 고함을 쳐서 명령했다. ~ ***at*** 〔***against***〕 ***the moon*** 공연스레 떠들다, 헛수고를 하다. ~ ***up the wrong tree*** 《구어》 〖보통 진행형〗 허방짚다, 잘못 짚다.

— *n.* Ⓒ **1** 짖는 소리. **2** 《구어》 기침 소리. **3** (보통 *sing.*) 포성, 총성; 외침 소리: She gave a short ~ of laughter. 그녀는 와아하고 웃었다. ***His ~ is worse than his bite.*** 그는 겉보기만큼 고약하지 않다.

bark**[2] *n.* Ⓤ **나무껍질**; 기나피(幾那皮); 땅콩 따위를 넣은 판초콜릿; 《속어》 피부. — *vt.* **1** …의 나무껍질을 벗기다. **2** 나무껍질로 덮다〔싸다〕. **3** (피부)를 까다, 벗기다《on, against*** …에》: ~ one's shin *on* 〔*against*〕 a chair 의자에 정강이를 까다.

bark[3], **barque** [bɑːrk] *n.* Ⓒ 〖항해〗 바크《세대박이 돛배》; (보통 bark) 《시어》 배(ship).

bár·kèep(er) *n.* Ⓒ 《美》 술집 주인〔지배인〕; 바텐더(bartender).

bárk·er *n.* Ⓒ 짖는 동물; 고함치는 사람; (가게·흥행물 따위의) 여리꾼.

***bar·ley** [báːrli] *n.* Ⓤ **보리**, 대맥. ㊀ oat, wheat, rye.

bárley·còrn *n.* Ⓒ 보리알.

bárley·mòw *n.* Ⓒ 《英》 보리 낟가리.

bárley sùgar 보리 물엿〔조청〕.

bárley wàter 보리차〔미음〕《환자용》.

bárley wìne 발리와인《도수 높은 맥주》.

barm [bɑːrm] *n.* Ⓤ (맥주 등의) 효모, 거품.

bár·màid *n.* Ⓒ 술집 여자, 바 여급.

bár·man [-mən] (*pl.* ***-men*** [-mən]) *n.* = BARTENDER.

Bar·me·cid·al [bɑ̀ːrməsáidəl] *a.* 허울뿐인, 이름만의; 가공의.

Bar·me·cide [báːrməsàid] *a.* 가공의, 공허한, 실망시키는.

bar mi(t)z·vah [bɑːrmítsvə] *n.* (종종 B- M-) 《Heb.》 Ⓒ 바르 미츠바《유대교의 남자 성

B

인식, 13세》.

barmy [bɑ́:rmi] (**barm·i·er; -i·est**) *a.* **1** 효모투성이의; 거품이 인, 발효 중의. **2** 《英속어》 미친 사람 같은, 머리가 돈: go ~ 머리가 돌다.

⁑**barn** [bɑ:rn] *n.* [C] **1** (농가의) **헛간**, 광《곡물·건초 따위를 두는 곳, 미국에서는 축사 겸용》. **2** 《美》 전차 차고(car ~); 휑뎅그렁한 건물. **3** 〖물리〗 반《원자의 충돌 과정의 단면적 단위: $= 10^{-24}cm^2$; 기호 b》.

bar·na·cle [bɑ́:rnəkəl] *n.* [C] **1** 〖패류〗 조개삿갓, 굴 종류. **2** 붙들고 늘어지는 사람, 집착(執着)하는 사람; (낡은 관습 등과 같은) 진보 발전을 방해하는 것. **3** 〖조류〗 흑기러기의 일종(= ∠ **góose**)《북유럽산》.

bárn dànce 《美》 농가의 댄스 파티《광에서 하는》; (polka 비슷한) 시골 춤, 그 곡.

bar·ney [bɑ́:rni] *n.* [C] 《속어》 사기, 야바위; 《구어》 실수, 실책; 《美구어》 법석, 싸움; 《구어》 떠들썩한 논쟁.

bárn òwl 〖조류〗 (헛간에 사는) 올빼미의 일종.

bárn·stòrm 《美구어》 *vi.* 지방 순회공연을 하다; 지방을 유세하다. [파] **~·er** *n.* [C] 《美구어》 지방 순회〔떠돌이〕 배우; 지방 유세자.

bárn swàllow 〖조류〗 제비.

bárn·yàrd *n.* [C] 헛간의 앞마당; 농가의 안뜰(farmyard).

baro- ⇨ BAR-.

bar·o·gram [bǽrəgræ̀m] *n.* [C] 〖기상〗 자기(自記) 기압계의 기록(선).

bar·o·graph [bǽrəgræ̀f, -grɑ̀:f] *n.* [C] 자기 기압계〔고도계〕.

***ba·rom·e·ter** [bərɑ́mitər/-rɔ́m-] *n.* [C] **1** 기압계; 고도계. **2** 표준, (여론 등의) 지표(指標), 척도, 바로미터; 변화의 조짐: a ~ stock 표준주(株)/Newspapers are often ~*s of* public opinion. 신문은 종종 여론의 바로미터이다.

bar·o·met·ric [bæ̀rəmétrik] *a.* 기압(계)의, 기압상의: ~ maximum 〔minimum〕 고〔저〕 기압. [파] **-ri·cal** [-əl] *a.* =barometric.

°**bar·on** [bǽrən] *n.* [C] **1** 남작(男爵)《최하위의 귀족》; 외국 귀족. ★ 성(姓)과 함께 쓸 때 영국인에게는 Lord A, 외국인에게는 Baron A. **2** 〖英역사〗 (영지를 받은) 귀족. **3** 〘종종 복합어〙 대실업가, …왕: a oil 〔press〕 ~ 석유〔신문〕왕.

bar·on·age [bǽrənidʒ] *n.* [U] **1** 〘집합적〙 남작; 귀족. **2** 남작〔귀족〕의 지위〔신분〕.

°**bar·on·ess** [bǽrənis] *n.* [C] 남작 부인〔미망인〕; 여남작. ★ 성과 함께 쓸 때 영국인에게는 Lady A, 외국인에게는 Baroness A.

bar·on·et [bǽrənit, -nèt] *n.* [C] 준(准)남작《baron의 아래, Knight의 윗계급; 영국 세습 위계의 최하위로 귀족은 아님》.

> [NOTE] 쓸 때에는 Sir George Smith, *Bart.*로 함. 또 부를 때에는 Sir George라고 앞에 Sir를 붙임. 또 그 부인은 *Dame* Mary Smith라고 쓰며, 부를 때에는 Lady Smith라고 함.

[파] **~·cy** [-si] *n.* [C] 준남작의 지위〔신분〕.

ba·ro·ni·al [bəróuniəl] *a.* [A] 남작 영지(領地)의; 남작으로서 어울리는; (건물 따위가) 당당한.

bar·o·ny [bǽrəni] *n.* [C] 남작령(領); 남작의 지위〔신분〕.

ba·roque [bəróuk] *a.* 《F.》 **1** 기이한, 기괴한. **2** 장식이 과다한; (취미 따위가) 저속한; (문체가) 지나치게 수식적인. **3** 〖건축〗 바로크식의《곡선 장식이 많은》; 〖음악〗 바로크(스타일)의. **4** (진주가) 변형한. **—*n.*** **1** (the ~) 〖건축〗 바로크식; 장식이 과다한 양식, 별스러운 취미. **2** [C] 변형된 진주.

ba·rouche [bərú:ʃ] *n.* [C] 4인승 대형 쌍두 4륜 포장마차.

bar·rack**[1] [bǽrək] *n.* **1** (*pl.*) 〘단·복수취급〙 **막사, 병영**. **2** [C] 크고 엉성한 건물, 바라크(식 집). **—*vt. (군대)를 막사에 수용하다. **—*vi.*** 막사 생활을 하다.

bar·rack[2] *vt., vi.* 《Austral.·英구어》 (선수·팀·연사 등을) 야유하다; 놀리다.

bar·ra·cu·da [bæ̀rəkú:də] (*pl.* **~, ~s**) *n.* [C] 〖어류〗 창꼬치류(類).

bar·rage [bərɑ́:dʒ/bǽrɑ:ʒ] *n.* [C] **1** 〖군사〗 탄막(彈幕); 일제 엄호 사격; (질문 따위의) 연발; 〖야구〗 연속 안타: a ~ of questions 질문 공세. **2** [bɑ́:ridʒ] 〖토목〗 댐 공사(工事), 물막이 공사. **—*vt.*** …에 연속해서 퍼붓다《***with*** (질문 따위)를》; …을 격렬하게 공격하다: ~ a person *with* questions 아무에게 질문을 퍼붓다.

bárrage ballòon 〖군사〗 조색(阻塞)〔방공(防空)〕 기구《저공 비행 공격 저지용》.

barred [bɑ:rd] *a.* **1** 가로대가 있는; 빗장을 건. **2** 줄무늬가 있는; 줄무늬를 친《***with*** …으로》: The sky was ~ *with* gray clouds. 하늘에는 회색구름이 길게 걸려 있었다. **3** (항만에) 모래톱이 있는.

⁑**bar·rel** [bǽrəl] *n.* [C] **1** (중배 부른) **통**; 한 통의 분량, **1배럴**《액량·건량의 단위: 영국에서는 36, 18 또는 9 갤런; 미국에서는 31.5 갤런; 〖석유〗 42 미 갤런, 35 영 갤런》: a ~ *of* beer 맥주 한 통. **2** 총열, 포신; (윈치 따위의) 원통; (시계의) 태엽통; (북 따위의) 통; (마소의) 몸통; 깃촉; (귀의) 고실(鼓室), 중이(中耳)(~ of the ear). **3** (흔히 *pl.*) 《구어》 다량: ~*s of* money 엄청난 돈/have a ~ *of* fun 매우 즐거운 시간을 가지다. ***over a ~*** 《구어》 궁지에 몰려(서), 꼼짝 못하고: Taxes have got me *over a* ~. 세금 때문에 꼼짝달싹 못한다. ***scrape*** (***the bottom of***) ***the ~*** 《구어》 부득이 최후의 방편에 의지하다, 남은 것을 사용하다〔그러모으다〕.
—(*-l-*, 《英》 *-ll-*) *vt.* **1** 통에 가득 채워 넣다. **2** (노면)을 봉긋하게 하다; 《美속어》 (차)를 쾌속으로 몰다; (화물)을 속히 나르다. **—*vi.*** 《美속어》 무서운 속도로 달리다; 구르다.

bár·rel·fùl [-fùl] (*pl.* **~s, *bár·rels-***) *n.* [C] 한 통(의 양); 대량.

bárrel·hòuse *n.* [C] 《美속어》 하급 술집, 대폿집.

bárrel òrgan = HAND ORGAN.

bárrel vàult 〖건축〗 반원통형의 둥근 천장.

⁑**bar·ren** [bǽrən] *a.* **1** (땅이) **불모의**, 메마른; (식물이) 열매를 못 맺는: a ~ desert 불모의 사막/a ~ flower 수술〔자방〕이 없는 꽃/a ~ stamen 화분이 생기지 않는 수술. **2** (여자가) 애를 못 낳는, 임신을 못 하는: a ~ woman 아이 못 낳는 여자, 석녀. **3** 효과 없는; 보람 없는, 무익한: a ~ discussion 결론 없는〔헛된〕 토론. **4** 과작(寡作)의, 무능한《작가 따위》; 평범한; 내용이 빈약한《작품 따위》. **5** 없는; 결여된《***of*** …이》: be ~ *of* ideas 사상이 빈약하다, 착상이 시시하다. **—*n.*** [C] (흔히 *pl.*) (북미의) 메마른 땅, 불모지, 황야. [파] **~·ly** *ad.* **~·ness** *n.*

bar·rette [bərét] *n.* [C] 《美》 (여성용의) 머리핀(《英》 hair slide).

***bar·ri·cade** [bǽrəkèid, ⌐-⌐] *n.* [C] **1 방책**(防柵), **바리케이드**. **2** 통행 차단물; 장애물. [SYN.] ⇨

BAR.
—*vt.* **1** 《+목+전+명》 …에 바리케이드를 쌓다〔치다〕; …을 (가로)막다《*with* …으로》: The radicals ~*d* the road *with* desks and chairs. 과격파는 책상과 의자로 길에 바리케이드를 쳤다. **2** 《+목+부/+목+전+명》 《~ oneself》 바리케이트를 치고 (그 안에) 틀어박히다: He ~*d* him*self in* (his study). 그는 (서재) 안에 틀어박혀 있었다.

Bar·rie [bǽri] *n.* Sir **James M**(**atthew**) ~ 배리《스코틀랜드의 작가(1860-1937); 주저(主著) *Peter Pan*》.

*__bar·ri·er__ [bǽriər] *n.* Ⓒ **1** **울타리**, 방벽; 요새; 관문; (역의) 개찰구, 세관의 문. **2** **장벽**, 장애(물), 방해: a language ~ 언어의 장벽/tariff ~*s* 관세 장벽/a ~ to promotion 승진의 방해물/put a ~ between …의 사이를 갈라놓다. SYN. ⇨ BAR.

bárrier crèam (피부) 보호 크림, 스킨 크림.

bárrier rèef 보초(堡礁)《해안의》.

bar·ring [bá:riŋ] *prep.* …이 없다면, …을 제외하고는: ~ unforeseen events 뜻밖의 사고만 없다면.

◇**bar·ris·ter** [bǽrəstər] *n.* Ⓒ **1** 《英》 법정(法廷) 변호사《barrister-at-law의 약칭》. cf. solicitor. **2** 《美구어》 《일반적》 변호사, 법률가.

bár·ròom *n.* Ⓒ 《美》 (호텔 등의) 바.

bar·row[1] [bǽrou] *n.* Ⓒ (바퀴가 하나나 둘인) 손수레; (청과물 장수의) 세 바퀴 손수레; 들것식의 화물 운반대; barrow (1 대분) 화물.

bar·row[2] *n.* Ⓒ **1** 〖고고학〗 무덤, 분묘, 고분. **2** 짐승의 굴(burrow).

bar·row[3] *n.* Ⓒ 불깐 수퇘지.

bárrow bòy 〔**man**〕 《英》 외치면서 파는 손수레 행상인.

bár sínister =BEND SINISTER.

BART Bay Area Rapid Transit《미국 San Francisco 시의 고속 통근 열차》.

Bart. Baronet.

bar·tend·er [bá:rtèndər] *n.* Ⓒ 《美》 술집 지배인, 바텐더(《英》 barman).

◇**bar·ter** [bá:rtər] *vi.* 물물 교환하다, 교역하다《*with* (아무)와; *for* (물건)을》: We ~*ed with* the islanders (*for* rice). 우리들은 그 섬 주민들과 (쌀을 구하여) 물물 교환을 했다. —*vt.* **1** 교환하다, 교역하다《*for* (물건)과》: ~ furs *for* powder 모피를 화약과 교환하다. SYN. ⇨ EXCHANGE. **2** 헐하게 팔아 버리다; (이익을 탐(貪)하여 명예·지위 따위)를 팔다(*away*): He ~*ed away* his position 〔freedom〕. 욕심에 눈이 어두워 그는 지위〔자유〕를 팔았다. —*n.* Ⓤ 바터, 물물 교환, 교역(품): the ~ system 바터제, 구상(求償) 무역제/exchange and ~ 물물 교환. 파 **~·er** *n.* Ⓒ 물물 교환자.

Bar·thol·die [ba:rθáldi/-θɔ́l-] *n.* **Frédéric Auguste** ~ 바르톨디《프랑스 조각가; 뉴욕의 자유의 여신상을 조각함; 1834-1904》.

Bar·thol·o·mew [ba:rθáləmjù:/-θɔ́l-] *n.* 〖성서〗 바르톨로뮤《예수의 12 제자 중의 하나》: St. ~'s Day 성 바르톨로뮤 축일《8월 24일》.

bar·ti·zan [bá:rtəzən, bà:rtəzǽn] *n.* Ⓒ 〖건축〗 (벽면에서 튀어나오게 한) 작은 탑, 망대.

Bar·tók [bá:rtak, -tɔ:k/-tɔk] *n.* **Béla** ~ 버르토크《헝가리의 작곡가·피아니스트; 1881-1945》.

bar·y·tone [bǽrətòun] *n.*, *a.* 〖음악〗 =BARITONE.

ba·sal [béisəl, -zəl] *a.* 기초의, 근본의; 기초적인, 근본적인: a ~ reader 기초〔초급〕 독본/~ characteristics 기본 특징. ◇ base[1] *n.* 파 **~·ly** *ad.*

básal metábolism 〖생리〗 기초〔유지(維持)〕 대사《안정시의 물질대사; 생략: BM》.

ba·salt [bəsɔ́:lt, bǽsɔ:lt, béi-] *n.* Ⓤ 현무암《건축용》.

ba·sal·tic [bəsɔ́:ltik] *a.* 현무암(질)의, 현무암을 함유하는.

bás·cule brìdge [bǽskju:l-] 도개교(橋).

‡**base**[1] [beis] *n.* Ⓒ **1** **기초**, 기부(基部), 저부(底部); 토대; (기둥·비석 따위의) 대좌(臺座), 주추; 주요소(主要素); 기슭: the ~ of a lamp 램프받침/the ~ of a building 건물의 토대. **2** 근거; 근본 원리. **3** (동식물의) 기부. **4** 〖화학〗 염기(塩基); 양성자(陽性子)를 받아들이는 분자; 〖염색〗 색이 날지 않게 하는 약; 전색제(展色劑). **5** 〖수학〗 기수(基數); 기선; 밑변, 밑면; (로그의) 밑; 〖컴퓨터〗 기준. **6** (행동·계획 등의) 시발점, 기점(基點). **7** 〖경기〗 출발점; (하키 따위의) 골; 〖야구〗 누(壘), 베이스: third ~, 3루/a three-~ hit, 3루타(打)/The ~*s* are loaded. 만루(滿壘)다/⇨ BASE ON BALLS. **8** 〖문법〗 어간(stem). **9** 〖군사〗 기지: a naval 〔an air〕 ~ 해군〔공군〕 기지/a ~ of operations 작전 기지. **10** 〖측량〗 기선(基線). **11** (페인트·화장 등의) 초벌칠.

get to first ~ ⇨ FIRST BASE. ***off*** ~ ① 〖야구〗 베이스를 벗어나. ② (추측 따위가) 완전히 틀려; 《美속어》 정신이 돌아: His explanation was way *off* ~. 그의 설명은 완전히 틀렸다. ③ 《美구어》 뜻밖에. ***on*** ~ 〖야구〗 출루하여: three runners *on* ~ 만루. ***touch*** ~ ***with*** …와 연락을 취하다, …와 접촉하다.

—*vt.* 《+목+전+명》 **1** …의 **기초**〔**근거**〕**를 형성하다**, 근거하다《*on, upon* …에》: His view of life is ~*d on* his long experience. 그의 인생관은 오랜 경험에 의거해 있다/~ taxation *on* 〔*upon*〕 income 수입을 기초로 과세하다. **2** …의 기지〔본거지〕를 두다, 주둔시키다《*in, at* …에》: a company ~*d in* New York 뉴욕에 본사를 둔 회사/a journalist ~*d in* Paris 파리 주재 저널리스트.

SYN. **base** 물건을 받치는 토대: the *base* of a statue 동상의 대좌. **basis** 비유적으로 쓰일 때가 많음: the *basis* of a report 보고의 근거. **foundation** 튼튼하고 확실한 기초, 땅밑 토대: the *foundation* of a skyscraper 고층 빌딩의 기초. **ground** 하부의 탄탄한 기초나 근거를 나타냄: The rumor has no *ground*.

◇**base**[2] *a.* **1** 천한, 비열〔야비〕한, 치사한; (말이) 상스러운. ↔ *noble*. ¶a ~ action 비열한 행위. **2** (금속이) 열등한, 하등의; (주화가) 조악한, 가짜의: ~ coins 가짜돈, 악화(惡貨)/~ metals 비(卑) 금속《구리·철·아연 따위》; (도금의) 바탕 금속. 파 **∠·ly** *ad.* **∠·ness** *n.*

báse àddress 〖컴퓨터〗 기준 번지《이것에 상대 번지를 가하면 절대 번지를 얻을 수 있음》.

†**base·ball** [béisbɔ̀:l] *n.* **1** Ⓤ **야구**: play ~ 야구를 하다/a ~ game 〔park, player〕 야구 경기〔장, 선수〕. **2** Ⓒ 야구공.

báse·bànd *n.* 〖통신〗 베이스밴드, 기저대(基底帶)《정보를 전송할 경우 기본 신호인 주파수대(帶); 일반적인 경우 반송파 신호는 변조됨》. —*a.* 베이스밴드 방식의《변조되지 않은 단일 주파수대를 사용하여 정보를 전송하는 시스템》.

B

báse bànd sýstem 〖컴퓨터〗 기저대(基底帶) 〔베이스밴드〕 방식《원(原)디지털 신호를 변조시키지 않고 데이터를 전송하는 방식》.
báse bànd transmíssion 〖컴퓨터〗 기저대(基底帶) 전송. ★ base band system 이라고도 함.

B

báse·bòard *n.* [C] 〖美건축〗 벽 아랫도리의 굽도리널(《英》 skirting board).
báse càmp (등산 따위의) 베이스 캠프; 예비 수뇌 회의.
(-)based [beist] *a.* 《보통 합성어》 (…에) 기초한, 기지를〔기반을〕 가진: a Paris-~ company 파리에 본사를 둔 회사.
Bá·se·dow's disèase [bá:zədòuz-] 〖의학〗 바제도 병(病)《갑상선 질환》.
báse fònt 〖컴퓨터〗 기본자형〔글자꼴〕, 베이스 폰트.
báse hìt 〖야구〗 안타, 단타(單打).
báse·less *a.* 기초〔근거〕 없는, 이유 없는 (groundless): ~ fears 기우(杞憂). [파] **~·ly** *ad.* **~·ness** *n.*
báse·lìne *n.* [C] (측량의) 기(준)선; 〖야구〗 베이스 라인, 누선; 〖테니스〗 코트의 한계선; 〖미술〗 투시선, 원근선; 〖전기〗 진공관 표면에 생기는 종선〔횡선〕; 〖컴퓨터〗 기저선(基底線).
báse·man [-mən] (*pl.* **-men** [-mən]) *n.* [C] 〖야구〗 내야수, 누수(壘手): the first 〔secon, third〕 ~ 1 〔2, 3〕루수.
⁑**base·ment** [béismənt] *n.* [C] **1** (건물의) **지하층**, 지하실. ★ 미국 백화점에서는 주로 싸구려를 팔고 있음: ~ garage 지하 주차장 / the 2nd 〔3rd〕 ~ 지하 2 〔3〕층. **2** (구조물의) 최하부, 기초.
ba·sen·ji [bəséndʒi] (*pl.* **~s**) *n.* [C] (때로 B-) 중앙 아프리카 원산의 작은 개.
báse on bálls 〖야구〗 4 구 (출루) (walk, pass)《생략: BB》.
báse rùnner 〖야구〗 주자.
báse rùnning 〖야구〗 주루(走壘).
ba·ses[1] [béisi:z] BASIS 의 복수.
bas·es[2] [béisiz] BASE[1] 의 복수.
báses-lòaded [-id] *a.* 〖야구〗 만루의: a ~ homer 만루 홈런.
bash [bæʃ] *vt.* 《구어》 후려갈기다, 쳐부수다 《*with* …으로》; 〖야구〗 (볼)을 치다, 강타하다; …을 비난하다. **~ on** 〔**ahead**〕 (*vi.*+[부]) 《英속어》 완고히 계속하다《*with* …을》. **~ up** (*vt.*+[부]) 《英속어》 때려눕히다.
—*n.* [C] 《구어》 후려갈기기, 강타; 《美구어》 아주 즐거운 파티. ***have*** 〔***take***〕 ***a*** **~** (***at***) 《속어》 …을 해보다(attempt). ***on the*** **~** 《구어》 들떠서, (마시고) 떠들며.
°**bash·ful** [bǽʃfəl] *a.* 수줍어하는, 부끄러워하는, 숫기 없는, 암띤. [SYN.] ⇨SHY. [파] **~·ly** *ad.* **~·ness** *n.*
básh·ing *n.* **1** [U] 《구어》 때림, 강타. **2** [U] (구체적으로는 [C]) 심한 패배〔비난〕: take a ~ 완전히 패배하다; 혹평을 받다.
⁑**ba·sic** [béisik] *a.* **1 기초적인**, 기본적인《*to* …에》; 근본 (根本)의, 기초의: a ~ argument 논거 / ~ principles 근본 원리 / ~ industry 기간 산업 / a ~ monthly salary of $1,500, 매월 1,500 달러의 기본급 / Mathematics is ~ *to* all sciences. 수학은 모든 과학의 기초이다. **2** 〖화학〗 염기〔알칼리〕성(性)의: ~ colors 염기성 색소.
—*n.* (*pl.*) 기본, 기초, 원리; 기본적인 것; 필수품: get 〔go〕 back to (the) ~*s* 원점으로 돌아가다.
BASIC, Basic [béisik] *n.* [U] 〖컴퓨터〗 베이식《간이 프로그래밍 언어》. [cf.] COBOL, FORTRAN. [◂ *B*eginner's *A*ll-purpose *S*ymbolic *I*nstruction *C*ode]
ba·si·cal·ly [béisikəli] *ad.* 기본적〔근본적〕으로; 기본 원리로서; 《문장 전체 수식》 원래, 실은.
Básic Assémbly Lànguage 〖컴퓨터〗 기본 어셈블리어《생략: BAL》.
básic dìrect áccess mèthod 〖컴퓨터〗 기본 직접 접근 방식.
Básic Énglish 베이식 영어《영어를 간이화하여 국제 보조어로 하려는 것. 어휘수 850; 영국인 C.K. Ogden 등의 고안》.
básic (indexed) sequéntial áccess mèthod 〖컴퓨터〗 기본 (색인) 순차적 접근 방식.
bas·il [bǽzəl] *n.* [U] 〖식물〗 향미료 · 해열제로 쓰는 박하 비슷한 향기 높은 식물.
ba·sil·i·ca [bəsílikə, -zíl-] *n.* [C] (옛 로마의) 바실리카《법정 · 교회 따위로 사용된 장방형의 회당》; 바실리카 양식의 교회당.
bas·i·lisk [bǽsəlisk, bǽz-] *n.* [C] 바실리스크 《전설상의 괴사(怪蛇); 한번 노려보거나 입김을 쐬면 사람이 죽었다 함》; 〖동물〗 도마뱀의 일종《열대 아메리카산》; (뱀무늬가 있는) 옛날 대포.
—*a.* [A] 바실리스크 같은.
básilisk glánce 바실리스크 같은 눈초리《노려보면 재난을 당함》; 깜짝할 사이에 불행을 가져오는 사람〔것〕.
⁑**ba·sin** [béisən] *n.* [C] **1 a 대접**, 수반; 대야; 세면기〔대〕; 저울판. **b** 한 동이〔대야〕 가득한 분량: a ~ *of* water 물 한 동이. **2** 웅덩이, 풀; 내포(內浦), 내만(內灣); 독(dock), 갑문(閘門) 달린 선거(船渠): a collecting ~ 집수지(集水池) / a setting ~ 침전지(沈澱池) / a yacht ~ 요트 정박소. **3 분지**; 유역(river ~); 해분(海盆)(ocean ~); 〖지질〗 분지 구조; 퇴적 구조(에 있는 석탄 · 암염 등의 매장물): the Thames ~ 템즈강 유역. **4** 〖해부〗 골반, 골반강(腔).
ba·sis** [béisis] (*pl.* **-ses** [-si:z]) *n.* [C] **1 기초**, 기저, 토대. [SYN.] ⇨BASE. **2** 기본 원리, 원칙, 기준; 근거; 체제《of, for*** …의》: the ~ *of* 〔*for*〕 argument 논거 / on a part-time ~ 비상근(非常勤)으로 / on a five-day week ~ 주 5일제로 / on a commercial ~ 상업 베이스로 / on an equal ~ 대등하게 / on an individual ~ 개인〔개별〕적으로. **3** (조제 등의) 주성분. ◇ basic *a.* ***on a national*** **~** 전국적으로 (보면); 전국적 규모로. ***on the*** **~ *of*** …을 기초로 하여.
°**bask** [bæsk, bɑ:sk] *vi.* **1** 몸을 녹이다, 햇볕을 쬐다《***in, before*** …에》: The cat was ~*ing in* the sun 〔*before* the fire〕. 고양이는 햇볕을 쬐고〔난로 앞에서 몸을 따뜻하게 하고〕 있었다. **2** 입다, 받다《***in*** (은혜 · 사랑 따위)를》: ~ *in* the love of one's family 가족의 사랑을 받다 / He ~*ed in* royal favor. 그는 임금의 총애를 받았다.
†**bas·ket** [bǽskit, bá:s-] *n.* [C] **1 바구니**, 광주리: a shopping ~ 시장바구니 / a tea ~ 캠프용 손바구니. **2** 한 바구니(의 분량); 바구니에 담은 물건: a ~ *of* eggs. **3** 바구니 모양의 것; (기구 따위의) 조롱(吊籠); (농구의) 골의 그물; 득점: shoot a ~ 《구어》 득점을 하다. ***have*** 〔***put***〕 ***all one's eggs in one*** **~** ⇨EGG[1] (관용구).
⁑**bas·ket·ball** [bǽskitbɔ̀:l, bá:s-] *n.* [U] 〖구기〗 농구; [C] 농구공.

básket càse 1 사지를 절단한 환자; 〖일반적〗 완전 무능력자. 2 《美속어》 몹시 불안 초조해 하는 사람; 고장나서 움직이지 않는 것.

***bas·ket·ful** [bǽskitfùl, bɑ́:s-] *n.* Ⓒ **한 바구니 (분)**, 바구니 가득; 상당한 양《*of* …의》.

bas·ket·ry [bǽskitri, bɑ́:s-] *n.* Ⓤ 1 〖집합적〗 바구니 세공품. 2 바구니 세공법〔기술〕.

básket wèave 바구니 곁는 식의 직조법.

básket·wòrk *n.* Ⓤ 바구니 세공(품).

Basque [bæsk] *n.* Ⓒ 바스크 사람《스페인 및 프랑스의 피레네 산맥 서부지방에 삶》; Ⓤ 바스크 말. **—***a.* 바스크 사람〔말〕의.

bas-re·lief [bɑ̀:rilí:f, bæ̀s-, ⌐⌐] (*pl.* **~s**) *n.* Ⓤ (낱개는 Ⓒ) 얕은 부조(浮彫).

◇**bass**[1] [beis] *n.* 〖음악〗 1 Ⓤ 베이스, (주로 남성의) 낮은음. 2 Ⓒ (가곡의) 낮은음부(= ⌐ **line**); 낮은음역; 낮은음 가수〔악기〕. **—***a.* 〖음악〗 낮은음(부)의.

bass[2] [bæs] (*pl.* **⌐·es,** 〖집합적〗 **~**) *n.* Ⓒ 〖어류〗 배스《농어의 일종》.

bass[3] [bæs] *n.* Ⓒ 〖식물〗 참피나무; =BAST.

báss clèf [béis-] 〖음악〗 낮은음자리표. ⓒⓕ clef.

báss drúm [béis-] 〖음악〗 큰북.

bas·set [bǽsit] *n.* =BASSET HOUND.

básset hòund 바셋 하운드《몸통이 길고 다리가 짧은 사냥 개》.

báss guitár [béis-] 〖음악〗 베이스 기타.

báss hórn [béis-] =TUBA.

bas·si·net [bæ̀sənét, ⌐⌐] *n.* Ⓒ 포장 달린 요람〔유모차〕.

bass·ist [béisist] *n.* Ⓒ 저음〔베이스〕 가수; 저음 악기의 주자《특히 콘트라베이스의》.

bas·soon [bəsú:n, bæs-] *n.* Ⓒ 〖음악〗 바순, 파곳《낮은음 목관악기》; (풍금의) 낮은음 음전(音栓). ⓜ **~ist** *n.* Ⓒ 바순 취주자.

báss víol [béis-] 1 =VIOLA DA GAMBA. 2 《美》 =DOUBLE BASS.

bast [bæst] *n.* Ⓤ 〖식물〗 (참피나무 따위의) 인피(靭皮); 내피(內皮), 인피 섬유.

bas·tard [bǽstərd] *n.* Ⓒ 1 서자, 사생아; 가짜; (동식물의) 잡종. 2 a 《美속어·경멸적》 (개)자식, 새끼: Some ~ slashed the tires on my car. 어떤 개자식이 내 차의 타이어를 찢었어. b 놈, 녀석《호칭할 때 친근함을 나타내기도 함》: Tom, you old ~! 이봐 톰. 3 《美속어》 싫은〔지겨운〕 것, 힘든 것: This cough's a real ~. 이 기침은 정말 골치야. **—***a.* Ⓐ 서출의, 사생아의; 잡종의; 가짜의, 모조〔위조〕의: a ~ apple 변종 사과/~ charity 위선. ◇bastardize *v.*

bás·tard·ìze *vt.* 비적자(非嫡子)〔서출〕로 인정하다; 타락시키다; 질을 떨어뜨리다.

bas·tar·dy [bǽstərdi] *n.* Ⓤ 서출(庶出).

baste[1] [beist] *vt.* (옷·천)을 시침질하다.

baste[2] *vt.* (고기 따위)에 버터〔양념〕 따위를 바르며 굽다.

baste[3] *vt.* 《속어》 (방망이 따위로) 치다, 때리다; 야단치다, 비난하다.

bas·tion [bǽstʃən, -tiən] *n.* Ⓒ 〖축성(築城)〗 능보(稜堡); 요새; 《비유적》 (사상·자유 등의) 방어 거점.

†**bat**[1] [bæt] *n.* Ⓒ 1 (야구·크리켓 따위의) **배트**, 타봉; 막대기, 곤봉: a ~ breaker 강타자. 2 《구어》 타구, 칠 차례; 타자(batsman): step to the ~ 타석에 들어서다/a good ~ 호타자.

at* ~** 〖야구〗 타석에 들어가; 공격하여: the side *at* ~ 공격측. ***carry* (*out*) *one's* ~** 〖크리켓〗 (1번 타자·팀이) 1회가 끝날 때까지 아웃이 안 되고 남다; 《英구어》 끝까지 버티다, 결국 성공하다. ***off one's own* ~** 《英》 제힘으로; 자발적으로. (right*** 〔***hot***〕) ***off*** 〔***from***〕 ***the* ~** 《美구어》 즉시.

— (**-tt-**) *vt.* 1 …을 (배트 따위로) **치다**; …의 타율로 치다: He's batting .330. 그의 타율은 3할 3푼이다. ★ .330은 보통 three thirty라고 읽음. 2 《~+목/+목+전+명》 쳐서 주자를 보내다: ~ a runner home 〔*to* third〕 (공을) 쳐서 주자를 생환케 하다〔3루로 보내다〕. **—***vi.* 치다; 타석에 서다: ~ third, 3번을 치다.

~ *around* 《美구어》 《*vi.*+부》 ① (마음 내키는 대로) 이리저리 돌아다니다, 어슬렁거리다. **—** 《*vt.*+부》 ② (계획 따위)를 자유롭게 이야기하다, 이것저것 생각하다. **~ *in*** 《*vt.*+부》 〖야구〗 ① (쳐서) 타점을 올리다: ~ *in* two runs, 2타점을 올리다. ② (쳐서 주자)를 생환케 하다. **~ *out*** 《*vt.*+ 부》 《美속어》 (이야기·기사 따위)를 급히 만들다; 날조하다. ***go to* ~ *for*** ① 〖야구〗 …의 대타를 하다. ② 《美구어》 …을 지원하다.

◇**bat**[2] *n.* Ⓒ 〖동물〗 박쥐. (***as***) ***blind as a* ~** 장님이나 다름없는. ***have* ~*s in the*** 〔***one's***〕 ***belfry*** 《구어》 머리가 돌다, 실성하다. ***like a* ~ *out of hell*** 《구어》 맹속력으로: go *like a* ~ *out of hell* 맹속력으로 가다.

bat[3] (**-tt-**) *vt.* 《구어》 (눈)을 깜작〔깜박〕거리다. ***do not* ~ *an eyelid*** 〔***eye, eyelash***〕 《구어》 눈 하나 깜박이지 않다, 꿈쩍도 안 하다, 놀라지 않다; 태연하다.

bat[4] [bæt] *n.* Ⓤ (구체적으로는 Ⓒ) (술 마시고) 시끄럽게 떠들기.

bát bòy 야구 팀의 잡일을 보는 소년.

batch [bætʃ] *n.* Ⓒ 1 《구어》 1회분; 한 벌; 한 묶음; 한 떼, 일단(一團); 〖컴퓨터〗 일괄, 배치: a ~ *of* books 한 묶음의 책/a ~ *of* women 여성의 한 떼, 《경멸적》 여자들. 2 (빵·도기 따위의) 한 가마, 한 번 구워낸 것.

bátch file 〖컴퓨터〗 일괄 파일, 묶음 (기록)철《일괄 처리 내용을 기술한 텍스트 파일; DOS는 BAT의 확장자를 갖는 파일을 일괄 파일로 해석함》.

bátch pròcessing 〖컴퓨터〗 (자료의) 일괄 처리.

bátch sỳstem 〖컴퓨터〗 일괄 시스템.

bate [beit] *vt.* 1 (동작·감정 등)을 누그러뜨리다, 누르다, 참다. 2 (요구·흥미 등)을 약화하다, 덜다. **—***vi.* 덜어지다; (쇠)약해지다. ***with* ~*d breath*** 숨을 죽이고.

ba·teau, bat·teau [bætóu] (*pl.* **~x** [-z]) *n.* 《Can.》 Ⓒ 바닥이 평평한 작은 배.

Bath [bæθ, bɑ:θ] *n.* 영국 Avon주의 온천지. ***Go to* ~!** 빌어먹어라; 나가.

†**bath** [bæθ, bɑ:θ] (*pl.* **~s** [bæðz, -θs, bɑ:-]) *n.* Ⓒ 1 **목욕, 입욕**(入浴): a cold 〔hot〕 ~ 냉수욕〔온수욕〕/take 〔《英》 have〕 a ~ 목욕하다/give a person a ~ 아무를 목욕시키다. 2 흠뻑 젖음: in a ~ of sweat 땀에 흠뻑〔흠씬〕 젖어. 3 《英》 욕조(《美》 bathtub); 욕실(bathroom); (흔히 *pl.*) 공중 목욕탕; (*pl.*) 욕장, 탕치장(湯治場), 온천장(場): seawater ~*s* 옥내 해수 풀/a room with a private ~ 전용 욕실이 딸린 방/a public ~ 공중 목욕탕/take the ~*s* 탕치(湯治)하다. 4 목욕물; 용액(조(槽)); 전해조(電解槽): a hypo ~ 〖사진〗 현상 정착액(조). ***take a* ~** ① 《美》 목욕하다(⇨1). ② 《美구어》 파산하다; 큰 손해를 보다. ***the Order of the Bath*** 영국의 바스 훈장.

—*vt.* 《英》 (아이나 환자 등)을 목욕시키다(《美》

bathe). —*vi.* 《英》 목욕하다 (《美》 bathe).

Báth 〔báth〕 chàir 환자용 바퀴 달린 의자.

bathe [beið] *vt.* **1** 《~+목/+목+전+명》 **목욕시키다; 잠그다**, 담그다《*in* …에》; 적시다: ~ one's feet *in* water 발을 물에 담그다. **2** (파도 따위가 기슭)을 씻다: the seas that ~ England 영국 해안을 씻는 바다. **3** 《~+목/+목+전+명》 (빛·온기 따위가) 가득 채우다; (땀·눈물 따위가) 뒤덮다《★ 보통 수동태로 쓰며, 전치사는 *in*》: The valley *was ~d in* sunlight. 계곡에는 햇빛이 내리쬐고 있었다/Her face *was ~d in* tears. 그녀의 얼굴은 눈물에 젖어 있었다. **4** 《목+전 +명》 (환부 따위)를 씻다《*with* …으로》: ~ one's eyes *with* warm water 온수로 눈을 씻다. —*vi.* **1** 《~/+전+명》 입욕〔목욕〕하다; 헤엄치다; 일광욕하다: go *bathing in* the sea 바다로 수영하러 가다. **2** (물 따위로) 덮이다; 둘러싸이다. —*n.* (a ~) 《英구어》 미역감기, (해)수욕: go for a ~ 미역감으러〔해수욕하러〕 가다/have 〔take〕 a ~ 해수욕하다, 미역감다.

bath·er [béiðər] *n.* Ⓒ 입욕자; 탕치객(湯治客); 수영자, 해수욕객.

ba·thet·ic [bəθétik] *a.* 평범한, 진부한; 〚수사학〛 점강적(漸降的) (bathos)인.

báth·hòuse *n.* Ⓒ (공중) 목욕장〔탕〕; 《美》 (해수욕장 따위의) 탈의장.

bath·ing [béiðiŋ] *n.* Ⓤ 미역감기, 수영; 목욕, 탕에 들어감. —*a.* 목욕용〔수영용〕의: a ~ hut 〔box〕 《英》 해수욕장의 탈의장.

báthing bèauty 수영복 차림의 미인《미인 대회의》.

báthing càp 수영모.

báthing còstume 〔drèss〕 《英》 = BATHING SUIT.

báthing-machìne *n.* Ⓒ (옛날의) 이동 탈의차(脫衣車)〔탈의장〕.

báthing sùit (특히 여성용) 수영복.

báth màt 욕실용 매트.

ba·thom·e·ter [bəθámitər/-θɔ́m-] *n.* Ⓒ 〚항해〛 수심(水深) 측정기.

ba·thos [béiθɑs/-θɔs] *n.* Ⓤ 〚수사학〛 점강법《장중한 어조에서 갑자기 익살조로 바꿈》; (문체의) 평범, 진부함; 거짓〔값싼〕 감상(感傷).

báth·ròbe *n.* Ⓒ 《美》 화장옷, 실내복《목욕 전후에 입는》.

bath·room [bǽθrù(:)m, bɑ́:θ-] *n.* Ⓒ **욕실**《욕실에는 보통 toilet, washstand 따위가 있음》; 《美》 **화장실**, 변소: go to the ~ 화장실에 가다.

báthroom tìssue 〔ròll〕 = TOILET PAPER.

báth sàlts 목욕용 방향제.

Bath·she·ba [bæθʃí:bə, bǽθʃəbə] *n.* 〚성서〛 밧세바《전 남편 우리아(Uriah)가 죽은 뒤 다윗의 아내가 되어 솔로몬을 낳음》.

báth·tùb *n.* Ⓒ (서양식) 욕조.

bath·y·scaphe, -scaph [bǽθəskèif, -skæf], [-skæf] *n.* 《F.》 Ⓒ 배시스케이프《심해 생물 조사용 잠수정》.

bath·y·sphere [bǽθəsfiər] *n.* Ⓒ (심해 생물 조사용의) 구형(球形) 잠수 장치.

ba·tik [bətí:k, bǽtik] *n.* Ⓤ 납결(臘纈)《밀(랍)을 이용한 염색법》; 그 피륙.

ba·tiste [bətí:st, bæ-] *n.* Ⓤ 얇은 평직의 삼베〔무명 등〕.

bát·man [-mən] (*pl.* ***-men*** [-mən]) *n.* Ⓒ 〚英군사〛 육군 장교의 당번병.

bat mit(z)·vah [bɑ:smítsvə, bɑ:θ-], [bɑ:s-] (종종 B– M–) 《Heb.》 바스 미츠바《12–13세의 소녀에게 행해지는 유대교의 여자 성인식》.

ba·ton [bətɑ́n, bæ-, bǽtən] *n.* Ⓒ **1** (관직을 나타내는) 지팡이, 사령장(司令仗): wield a good ~ 지휘를 훌륭히 하다. **2** 경찰봉: ~ charge 경찰의 단속〔수색〕. **3** 〚군사·음악〛 지휘봉: under the ~ of …의 지휘 아래. **4** 〚경기〛 (릴레이의) 배턴: pass a ~ 배턴을 넘겨주다.

batón twìrler 배턴 걸(twirler).

Ba·tra·chia [bətréikiə] *n.* Ⓒ 〚동물〛 (꼬리 없는) 양서류(amphibia)《개구리·두꺼비 따위》. 파 **ba·trá·chi·an** *n.* Ⓒ, *a.* 양서류(의).

bats [bæts] *a.* 《구어》 정신 이상의, 미친(crazy).

báts·man [-mən] (*pl.* ***-men*** [-mən]) *n.* Ⓒ (야구 따위의) 타자; 〚항공〛 착륙 유도원.

batt. battalion; battery.

◇**bat·tal·ion** [bətǽljən] *n.* Ⓒ **1** 《단·복수취급》 〚군사〛 **대대**; 《일반적》 대부대, 집단. **2** (흔히 *pl.*) 대군, 큰 무리: *~s of* tourists 많은 관광객.

bat·ten[1] [bǽtn] 〚건축〛 *n.* Ⓒ 마루청 널; 작은 널빤지, (작은) 오리목; 〚항해〛 누름대, 활대. —*vt.* …에 마루청을 깔다; …을 누름대로 보강하다. ~ ***down*** (the hatches) 〚항해〛 누름대로 (승강구)를 막다《폭풍우가 친다든지 할 때》; 만전의 경계를 하다.

bat·ten[2] *vi.* 사치하다; 배불리 먹고 살찌다《***on, upon*** (남의 돈 따위) 로》.

bat·ter[1] [bǽtər] *n.* Ⓒ 〚야구〛 (칠 차례의) **타자**: the ~'s box 타석. ***Batter up !*** 플레이볼《심판이 대기 타자에게 하는 말》.

◇**bat·ter**[2] *vt.* **1** 연타〔난타〕하다: ~ a person *about* the head 아무의 머리를 난타하다. **2** (물건)을 부수다《***to*** (어떤 상태)로》; 쳐〔때려〕부수다 (*down*): He *~ed* the door *down*. 그는 문을 때려부수었다. **3** (오래 써서 모자 따위)를 쭈그러뜨리다. **4** (기계·활자)를 닳게 하다, 마모시키다. **5** (성벽 따위)를 맹렬히 포격하다 (*down*): They *~ed down* the castle with cannon. 그들은 대포로 그 성을 포격했다. **6** 학대하다. —*vi.* 호되게 두드리다 (*away*) 《***at, on*** …을》: ~ *at* 〔*on*〕 the door 문을 맹렬히 노크하다.

báttered báby 어른에게 상습적으로 구타당하는〔학대받는〕 유아.

báttered wífe 남편에게 상습적으로 구타당하는 아내.

báttering ràm 공성(攻城) 망치《성벽 파괴용의 옛 무기》; (문·벽 따위)를 부수는 도구.

Bat·te·ry [bǽtəri] *n.* (the ~) 배터리(공원)(= **Báttery Párk**) 《New York 시 Manhattan 섬에 있는 공원》.

bat·tery** [bǽtəri] *n.* **1** Ⓒ 〚군사〛 포열(砲列); 포병 중대; 포대; (군함의) 비포(備砲): a masked ~ 차폐 포대/a main ~ 주포(主砲). **2** Ⓤ 강타; 〚법률〛 구타, 폭행. ★ 흔히 ASSAULT and ~로 사용. **3** Ⓒ **한 벌〔조〕의 기구〔장치〕**; 〚전기〛 **전지**《cell을 몇 개 연결한 방식의》; 〚야구〛 배터리《투수와 포수》; 아파트식 닭장: a dry ~ 건전지/a storage 〔secondary〕 ~ 축전지/a cooking ~ 요리 기구 일습. **4** Ⓒ (동종(同種)의) 한 벌, 일련: a ~ of tests 〔questions〕 일련의 시험〔질문〕. ***in ~ (대포의) 발사 준비가 되어.

bat·ting [bǽtiŋ] *n.* Ⓤ **1 a** 타격; 〚야구〛 배팅. **b** 《형용사적》 타격(용)의: one's ~ average 타율/the ~ order 타순(打順)《야구용어》. **2** (침구의) 탄 솜.

bat·tle [bǽtl] *n.* **1** Ⓤ (조직적·대규모의) 전

투, 싸움; Ⓒ (개개의) 전쟁: the field of ~ 전쟁터/a general's 〔soldier's〕 ~ 전략전〔병력전〕/a pitched ~ 정정당당한 싸움/a sham ~ ⦅美⦆ 모의전(模擬戰), 연습/a close 〔decisive〕 ~ 접전〔결전〕/the order of ~ 전투 서열/a trial by ~ 〖역사〗 결투에 의한 판가름/accept 〔join〕 ~ 응전〔교전〕하다/fight a ~ 싸움을 시작하다, 교전하다/engage in ~ 교전하다/give 〔offer〕 ~ 도전하다/give 〔lose〕 the ~ 지다/have 〔gain, win〕 the ~ 이기다/fall 〔be killed〕 in ~ 전사하다. SYN. ⇨FIGHT. **2** Ⓒ 투쟁; 경쟁: the ~ for existence 생존경쟁/a ~ for liberty 자유를 위한 투쟁/a ~ against inflation 인플레이션과의 전쟁/a ~ of words 논전, 설전. **3** (the ~) 승리, 성공: The ~ is not always to the strong. 승리란 반드시 강자의 것은 아니다. ***be half the ~*** ⦅구어⦆ 성공으로〔승리로〕 이어지다: Youth *is half the ~*. 젊음이란 것이 성공의 반을 차지한다.

—*vi.* ⦅+전+명⦆ **1 싸우다**⦅***against, with*** …와; ***for*** …을 위해⦆: ~ *against* the invaders *for* independence 독립을 위해 침략자와 싸우다. **2** 투쟁〔고투〕하다⦅***for*** …을 위해⦆: ~ *for* freedom 자유를 위해 싸우다. —*vt.* ⦅美⦆ **…와 싸우다**: ~ the enemy 적과 싸우다/~ the invaders 침입자와 싸우다.

~ it out ⦅구어⦆ 결전을 벌이다, 끝까지 싸우다: ~ *it out* for first place 일등을 목표로 서로 겨루다. ***~ one's way*** 싸우며 전진하다, 노력하여 나아가다: ~ one's *way through* a crowd 군중 사이를 힘들게 헤치고 나아가다.

báttle-àx(e) *n.* Ⓒ 전부(戰斧); ⦅구어⦆ 앙알거리는〔오만한〕 여자⦅특히 아내⦆.

báttle crùiser 순양 전함.

báttle crỳ 함성; (주장 · 투쟁 따위의) 표어, 슬로건.

bat·tle·dore [bǽtldɔ̀ːr] *n.* **1** Ⓒ 깃털 제기 채. **2** Ⓤ 깃털 제기차기 놀이. ***play ~ and shuttlecock*** 깃털 제기차기를 하다.

báttle fatìgue =COMBAT FATIGUE.

◇**báttle·field** *n.* Ⓒ 전장; ⦅비유적⦆ 투쟁 장소; 전쟁터, 논쟁점: on the ~ 전장에서.

báttle·frònt *n.* Ⓒ 전선; 제일선.

báttle·gròund *n.* Ⓒ 전쟁터; 논쟁의 원인.

báttle jàcket 전투복 상의(上衣)(와 비슷한 재킷)(combat jacket).

bát·tle·ment *n.* Ⓒ (보통 *pl.*; 종종 the ~) 〖축성(築城)〗 총안(銃眼)이 있는 성가퀴. cf. parapet.

báttle róyal 대혼전; 대논전(大論戰).

báttle-scàrred *a.* 전상(戰傷)을 입은; 역전(歷戰)을 말해 주는.

◇**báttle·shìp** *n.* Ⓒ 전함(cf. warship).

báttle wàgon ⦅美구어⦆ 전함(battleship); 중(重)폭격기; 중(重)전차.

bat·ty [bǽti] (***-ti·er; -ti·est***) *a.* ⦅속어⦆ 머리가 돈(crazy); 어리석은(silly); 색다른.

bau·ble [bɔ́ːbəl] *n.* Ⓒ 싸구려; 시시한 것(trinket); 〖역사〗 어릿광대의 지팡이.

baud [bɔːd] (*pl.* ***~, ~s***) *n.* Ⓒ 〖컴퓨터 · 통신〗 보드⦅정보 전달 속도의 단위⦆.

Bau·de·laire [boudəlɛ́ər] *n.* **Charles Pierre ~** 보들레르⦅프랑스의 시인; 1821-67⦆.

Bau·dót còde [bɔːdóu-] 〖컴퓨터 · 통신〗 보도 코드⦅5 또는 6 bit 로 된 같은 길이의 코드로 한 문자를 나타냄⦆.

baulk ⇨BALK.

baux·ite [bɔ́ːksait, bóuzait] *n.* Ⓤ 〖광물〗 보크사이트⦅알루미늄 원광⦆.

Ba·var·ia [bəvɛ́əriə] *n.* 바바리아, 바이에른⦅독일 남부의 주⦆. ㊞ **Ba·var·i·an** *a., n.* Ⓒ 바바리아의; 바바리아 사람〔방언〕(의).

bawd [bɔːd] *n.* Ⓒ 갈봇집 여주인〔포주〕.

bawdy [bɔ́ːdi] (***bawd·i·er; -i·est***) *a.* 추잡한, 음란〔음탕〕한: a ~ talk 음담. —*n.* Ⓤ 음담.

bawl [bɔːl] *vt.* **1** 고함치다, 외치다; 소리쳐(서) 팔다; ⦅구어⦆ 호통치다(*out*): She *~ed* him *out* for his mistake. 그녀는 그가 잘못했다고 호통을 쳤다. **2** 〘~ oneself〙 고함을 쳐서 …(상태가) 되다: ~ one*self* hoarse 고함을 쳐서 목이 쉬다.

—*vi.* **1** 소리치다, 호통치다⦅***at, to*** …에게; ***for*** …을 구해⦆: You needn't ~, I can hear quite well. 그렇게 소리지르지 않아도 되네, 잘 들리니까/Don't ~ *at* him. 그에게 호통치지 마라/The girl *~d for* help. 그 소녀는 소리쳐서 도움을 청했다. **2** 엉엉 울다.

—*n.* Ⓒ 외치는〔고함치는〕 소리; 울음.

***bay**[1] [bei] *n.* Ⓒ **1** 〘고유명사에서는 흔히 B-〙 **만**(灣), 내포⦅gulf와 cove의 중간으로 어귀가 비교적 넓은 것⦆: Asan *Bay* 아산만. **2** 산으로 삼면이 둘러싸인 평지.

bay[2] *n.* Ⓒ **1** 〖건축〗 기둥과 기둥 사이; 교각의 사이. **2** 내받이창⦅밖으로 내민 창⦆. **3** (헛간의) 건초〔곡물〕 두는 칸; (주유소 따위의) 주차 구획; (역의) 측선(側線) 발착 플랫폼: a horse ~ 마구간. **4** 〖항해〗 중갑판 앞 부분의 한 구획⦅병실용⦆; 〖항공〗 (비행기 동체의) 격실, 칸: an engine ~ (비행기 동체의) 기관실/a bomb ~ 폭탄(투하)실/a sick ~ (군함의) 병실.

bay[3] *n.* Ⓤ **1** 궁지; (짐승이 사냥개에게) 몰린 상태. **2** 짖는 소리⦅특히 짐승을 쫓아가는 사냥개의⦆; 굵고 길게 짖는 소리. ***be*** 〔***stand***〕 ***at ~*** (사냥감이) 막다른 곳까지 몰리다; (사람이) 궁지에 빠져 있다. ***bring*** 〔***drive***〕 ***... to ~*** 궁지에 몰아넣다. ***hold*** 〔***have***〕 ***... at ~*** 바짝 몰아넣어 안 놓치다. ***keep*** 〔***hold***〕 ***... at ~*** …을 접근시키지 않다; 저지〔견제〕하다: new strategies that could *hold* the disease *at ~* and maybe even defeat it 질병을 막아내고 퇴치까지도 할 수 있는 새 방책들. ***turn*** 〔***come***〕 ***to ~*** 궁지에 몰려 반항하다.

—*vi.* (사냥개가) 짖다, 짖어대다⦅***at*** …을 향해⦆: Dogs sometimes ~ *at* the moon. 개는 가끔 달을 보고 짖어댄다. —*vt.* …을 보고 짖다. ***~ (at) the moon*** ① 달을 보고 짖다(⇨*vi.*). ② 무익한 짓을 기도하다. ③ ⦅구어⦆ 끊임없이 투덜거리다, 언제나 우는 소리를 하다.

bay[4] *n.* **1** Ⓒ 〖식물〗 월계수. **2** (*pl.*) 월계관; 영예, 명성.

bay[5] *a.* (말 따위가) 적갈색의. —*n.* Ⓒ 구렁말; Ⓤ 적갈색.

báy·bèrry *n.* Ⓒ 〖식물〗 월계수의 열매; 소귀나무의 일종; 그 열매⦅초의 원료⦆; 야생 정향나무⦅bay rum의 원료⦆.

báy lèaf 월계수의 말린 잎⦅요리에서 향미료로 씀⦆.

bay·o·net [béiənit, -nèt, bèiənét] *n.* Ⓒ 대검; 총검; (the ~) 무력; (*pl.*) 보병, 군세(軍勢): by the ~ 무력으로/2,000 *~s* 보병 2천/a ~ charge 총검 돌격/~ drill 〔fencing〕 총검술/at the point of the ~ 총검을 들이대고; 무력으로. —*vi., vt.* (…에) 총검을 사용하다〔들이대다〕.

bay·ou [báiuː, -ou] (*pl.* ***~s***) *n.* Ⓒ ⦅美남부⦆ (늪 모양의) 호수의 물목, 강 어귀.

báy rúm 베이럼《면도 후에 바르는 로션》.
báy sàlt 천일염.
báy trèe 〖식물〗 월계수.
báy wíndow 〖건축〗 퇴창, 내민 창; 《속어》 올챙이배.
◇**ba·zaar, ba·zar** [bəzáːr] *n.* Ⓒ (중동의) 시장, 저잣거리, 마켓; 잡화전, 특매장; 바자, 자선시 (慈善市): a Christmas ~ 크리스마스 특매장/a charity ~ 자선시/hold a ~ in aid of …을 후원하여 바자를 열다.
ba·zoo·ka [bəzúːkə] *n.* Ⓒ 〖군사〗 바주카(포)《대전차 로켓포》.
BB double-black《연필의 2B》. **BBB** treble-black《연필의 3B》.
BBC [bíːbìːsíː] *n.* Ⓤ (흔히 the ~) 영국 방송 협회: He works for the BBC. 그는 BBC에서 일하고 있다. [◂ *B*ritish *B*roadcasting *C*orporation]
bbl. (*pl.* ***bbls.***) barrel. **BBQ** barbecue.
BBS 〖컴퓨터〗 bulletin board system (게시판 체계). ⁑**B.C.** British Columbia. **B.C., BC** before Christ. (기원전)《★ '기원(후)'는 A.D.; B.C.나 A.D.는 보통 숫자 뒤에서 small capital로 씀》. **Bcc** 〖컴퓨터〗 blind carbon 〔courtesy〕 copy 〔copies〕《전자메일에서, 본래의 수신인에게 카피 발송을 알리지 않고 본래의 수신인 이외에도 송부되는 카피》. **BCD** 〖컴퓨터〗 binary-coded decimal (이진화 십진수).
BĆĜ vaccíne 〖의학〗 비시지 백신. [◂ *Bac*illus *C*almette-*G*uérin vaccine]
BCS 〖컴퓨터〗 business communication system. **bd.** (*pl.* ***bds.***) band; board; bond; bound; bundle. **B/D** bank draft; bills discounted; brought down (〖부기〗 차기이월).
B.D. Bachelor of Divinity (신학 학사). **bdl.** (*pl.* ***bdls.***) bundle. **bdrm.** bedroom. **bds.** boards; bundles.
†**be** [biː, 약 bi] (*pp.* ***been*** [bin/biːn, bin])

be의 어형 변화

직 설 법		
인칭	현재(간약형)	과거
I	am (I'm)	was [wasn't]
we	are (we're) [aren't]	were [weren't]
you	are (you're) [aren't]	were [weren't]
《고어》 thou	art	wast, wert
he	is (he's) [isn't]	was [wasn't]
she	is (she's) [isn't]	was [wasn't]
it	is (it's) [isn't]	was [wasn't]
they	are (they're) [aren't]	were [weren't]
과거분사	been	
현재분사	being	

가 정 법		
인 칭	현 재	과 거
I we you	be	were
《고어》 thou	be	wert
he she it they	be	were

NOTE (1) 의문문을 만드는 데 주어와 도치되며 조동사 do를 쓰지 않음: He is busy. → *Is* he busy?
(2) 부정문으로 할 때에도 do를 안 씀: That is nice. → That *is not* 〔*isn't*〕 nice. 다만, 명령형에서는 흔히 do를 쓰며, do를 쓰지 않는 것은 옛 형태: *Don't be* a fool. 바보 같은 짓을 하지 마라. *Be* not afraid. 《고어》 두려워하지 말지어다.
(3) 강조할 때 do를 사용치 않고 be 동사를 세게 발음함: She *is* [-íz-] kind, indeed. 그녀는 정말 친절하다. 다만, 긍정(肯定) 명령형을 강조할 때에는 do를 씀: *Do be* gentle to them. 제발 그들에게 부드럽게 대해 주게나.

vi. **1** 《+보/+부/+*-ing*/+*to* do/+전+명/+*that* 절/+*wh.* 절/+*wh. to* do》…**이다**: Iron *is* hard. 쇠는 단단하다/Twice two *is* four. 둘의 (두) 곱은 넷이다(2×2=4)/We *are* the same age. 우리는 동갑이다《the same 앞에 of를 보충할 수 있으나 지금은 일반적으로 of를 안 씀》/*How are* you?—I *am* fine 〔very well〕, thank you. 어떠십니까—덕분에 별 탈 없습니다/Seeing *is* believing. 백문이 불여일견《-ing형은 동명사》/To live *is to* fight. 인생은 투쟁이다/Paper *is of* great use. 종이는 대단히 유용하다/This book *is for* you. 이 책은 당신을 위한 것이다/The truth *was that* I didn't know. 사실은 나는 몰랐다/What matters *is how* they live. 문제는 그들이 어떻게 사느냐다/The question *is* not *what to* do but *how to* do it. 문제는 무엇을 해야 하는가가 아니라 어떻게 하여야 하는가이다.

NOTE be에 악센트를 주면 문장의 진술의 옳고 그름을 강조시켜 준다: It is [íz] wrong. 확실히 잘못되었다.

2 《~/+전+명/+부》〖장소·때를 나타내는 부사(구)와 결합하여〗 (…에) **있다**; (…에) 가〔와〕 있다, (…에) 나타나다; 돌아오다, 끝나다; (언제·어느 날)**이다**: The vase *is on* the table. 꽃병은 테이블 위에 있다/*Where is* Rome?—It *is in* Italy. 로마는 어디 있는가—이탈리아에 있다/How long *have* you *been* here? 여기 오신 지 얼마나 되나요/I *was with* the Browns then. 나는 당시 브라운가(家)에 있었다/I'll *be* there 〔back〕 at 7. 일곱 시에 가겠습니다〔돌아오겠습니다〕《도착 예정의 선언; I'll go라고는 안 함》/Will you wait here? I'll only *be* in a minute. 기다려 주시오. 곧 돌아올 테니까요〔끝납니다〕/When's your birthday?—It's *on* the 19th of June. 생일은 언제죠—6월 19일입니다.
3 〖존재를 나타내어〗 **a** (사람·물건·일이) **있다** (exist); (…이) **일어나다**(take place): Troy *is* no more. 트로이는 지금은 없다/I think, therefore I *am*. 나는 생각한다, 고로 존재한다/To *be* or not to *be*, that is the question. 죽느냐 사느냐, 그것이 문제로다/When will the wedding *be?* 결혼식은 언제 있습니까/How can such things *be?* 이런 일이 어찌 있을〔일어날〕 수 있을까. **b** 〖there is 〔are〕의 형태로〗 **있다, 존재하다**: *There are* three apples on the table. 테이블 위에 사과가 세 개 있다/*Is there* a book on the desk?—Yes, *there is*. 책상 위에 책이 있습니까—네, 있습니다/*There is* nothing new under the sun. 이 세상엔 새로운 것이란 없다.
4 〖be의 특수 용법〗 **a** 〖조건절·양보절 등을 나타

내는 가정법현재에서〕《문어》: If it *be* 〔《구어》 *is*〕 fine ... 만일 날씨가 좋으면 …《지금은 보통 직설법을 씀》/ *Be* it ever so humble, there's no place like home. 아무리 초라하다 해도 내집 만한 곳은 없다(=However humble it may be, ...). **b** 《美문어》〔요구·명령·제안 등을 나타내는 동사 또는 이에 준하는 형용사에 잇따르는 that절 중에서〕《《英》에서는 흔히 should be》: I propose 〔suggest〕 *that* he *be* nominated. 그가 지명되기를 제안한다 / Was it necessary that my uncle *be* informed? 숙부에게 알리는 일이 필요했던가.

Be yourself. (자기답게) 자연스럽게 굴어라, 정신 차려라; 분수를 차려라, 나이 값을 해라. ***Don't be long.*** 시간을 끌지 마라; 너무 기다리게 하지 마. ***if need*** ～ ⇨NEED.

—*aux. v.* **1** 〔be+현재분사로 진행형을 만들어〕 **a** …**하고 있다**, …하고 있는 중이다: The ship *is* sink*ing*. 배가 가라앉고 있다 / I have *been* wait*ing* for an hour. 한 시간 동안이나 기다리고 있다 / I *was* just read*ing* a book. (그때) 한창 책을 읽고 있던 중이었다. **b** 〔흔히 미래를 나타내는 부사어구를 수반하여〕 …**할 작정이다**, …하기로 돼 있다; 〔왕래·발착을 나타내는 동사와 함께〕 …할 예정이다: We*'re* gett*ing* out of here in a moment. 이제 곧 이곳을 빠져 나가는 거다 / She *is* leav*ing* for Denver tomorrow. 그녀는 내일 덴버로 떠난다 / He *is* com*ing* to see us this evening. 그는 오늘 저녁 우리를 만나러 오기로 되어 있다. ★ 사람의 의지·왕래발착과 관계 없는 문맥에서는 이러한 뜻으로 못씀. It *is* rain*ing* tomorrow.(×)→It'll rain tomorrow. **c** 〔always, constantly, all day 따위와 함께 써서, 종종 비난의 뜻을 내포〕 **끊임없이 …하고 있다**: He *is always* smok*ing*. 그는 늘 (줄)담배를 피운단 말야.

2 〔be+타동사의 과거분사 꼴로, 수동태를 만들어〕 …**되다**, …받고 있다, …**되어 있다**: We *were* prais*ed*. 우리들은 칭찬받았다 / He *is trusted* by everyone. 그는 누구에게나 신뢰를 받고 있다 / The doors *are* paint*ed* green. 문은 녹색으로 칠해져 있다《상태》/ The letter has *been* post*ed*. 편지는 (이미) 투함되었다 / Houses are *being built*. 집들이 건축되고 있는 중이다.

3 〔be+자동사의 과거분사 꼴로 완료형을 만들어〕 …했다, …해(져) 있다: Winter *is gone*. 겨울은 지나갔다 / The sun *is set*. 해가 졌다 / How he *is grown!* 그애 놀랍게 자랐군 / He *is come*. 그는 와 있다 / *Gone are* the days ... …의 시대는 〔시절은〕 지났다. ★운동·상태를 나타내는 자동사(arrive, come, fall, go, grow, set) 등에 쓰임. 'have+과거분사'에 비해, 동작의 결과인 상태를 강조함.

4 〔be+to (do)의 형식으로〕 **a** 〔예정〕 …**하기로 되어 있다**, …**할 예정이다**: We *are to* meet at 6. 우리는 여섯시에 만나기로 되어 있다 / They *were to* have been married. 그들은 결혼하기로 되어 있었는데(못했다)《완료부정사를 쓰면 실현되지 않은 예정을 나타냄》. **b** 〔의무·명령〕 …**할 의무가 있다**; …**하여야 하다**: When *am* I *to* start? 언제 출발해야 합니까 / You *are* not *to* speak in this room. 이 방에서 이야기를 해서는 안 된다《부정문에서는 금지를 나타냄》. **c** 〔가능〕 …**할 수 있다**《흔히 부정문에서 to be done을 수반함》: Not a soul *was to* be seen on the street. 거리엔 사람 하나 볼 수 없었다 / My hat *was* nowhere *to* be found. 내 모자는 아무 데도 보이지 않았다. **d** 〔운명〕 …**할 운명이다**《흔히 과거시제로》: He *was* never *to* see his home again. 그는 고향에 다시는 못 돌아갈 운명이었다 / But that *was* not *to* be. 그러나 그렇게는 안 될 운명이었다. **e** 〔필요〕 …**하는 것이 필요하다면**; …**해야만 한다면**《조건절에서》: If I *am to* blame, ... 만일 내가 나쁘다면〔비난을 받아야 한다면〕/ If you *are to* succeed in your new job, you must work hard now. 이번 새로운 일에 성공해야만 한다면 지금 열심히 일해야 하네(=If you need to succeed ...). **f** 〔목적〕 …**하기 위한 것이다**: The letter *was to* announce their engagement. 편지는 그들의 약혼을 알리기 위한 것이었다.

5 〔if ... were to (do)〕 …한다고 하면《실현성이 없는 가정을 나타내어》: If I *were to* 〔*Were* I *to*〕 live again, I would like to be a musician. 내가 다시 한번 인생을 살게 된다면 음악가가 되고 싶다.

6 〔be+being+보어의 형식으로〕《구어》 **a** 지금 〔현재〕 …하다, …하고 있다: I *am being* happy. 나는 지금 행복하다 / He *is being* a poet. 그 사람은 지금 시인 같은 기분에 젖어 있다 / Be serious!—I *am being* serious. 진지하게 굴게나—(지금) 진지하게 행동하고 있네. **b** …처럼 행동하다〔굴다〕: She *is being* as nice as she can. 그녀는 최선을 다해 상냥하게 굴고 있다(=She is having as nicely as she can.). ★ 동사 be는 일반적으로 진행형에는 쓰이지 않지만, 이처럼 일시적 상태를 나타날 때에는 별도임.

be- [bi, bə] *pref.* **1** 동사에 붙여 '널리, 전부에; 전혀, 완전히; 심하게, 과도하게' 따위의 뜻: *be*sprinkle; *be*dazzle. **2** '떼어내다'의 뜻의 동사를 만듦: *be*head, *be*reave. **3** 자동사에 붙여 타동사를 만듦: *be*moan. **4** 형용사·명사에 붙여 '…으로 만들다' 따위의 뜻의 타동사를 만듦: *be*fool. **5** 명사에 붙여 '…으로 덮다, …으로 꾸미다, …을 비치하다'의 뜻을 지니는 타동사를 만듦: *be*grime(d); *be*jewel(ed).

Be 〖화학〗 beryllium.

⁑beach [biːtʃ] *n.* Ⓒ **1 해변**, **물가**, 바닷가, 해안, 호숫가, 강변: We're vacationing at the ～. 바닷가에서 휴가를 즐기고 있다.

SYN. **beach** 파도가 밀려오는 곳, 물가. 비교적 좁은 곳을 일컫는 데 쓰임: a private beach for the hotel 호텔 전용 해변〔강변〕. **seashore, seaside** 바닷가와 해변 이외에도 해안 일대를 포함함: pass holidays at the *seaside* 바다에서 휴가를 보내다. **coast** 대양의 연안 일대. 넓은 지역을 말함: fly along the Pacific *coast*.

2 해수욕장, (호수 기슭 따위의) 수영장.

on the ～ 물가〔해변〕에서; 뭍에 올라; 〖일반적〗(선원 등이) 실직하여; 영락하여.

—*vt.* (배)를 바닷가에 올려놓다〔끌어올리다〕.

béach bàll 비치볼《해변·풀용의 가벼운 비닐공》.

béach bùggy (대형 타이어를 부착한) 사지(砂地)용 자동차.

béach·còmber *n.* Ⓒ **1** (해변에 밀어닥치는) 큰 물결. **2** 해안에서 표류물을 주워 생활하는 사람; 백인 부랑자《특히 태평양 제도의》, 부두 건달, 졸때기.

béach flèa 〖동물〗 갯벼룩(sand hopper)《갑각류》.

béach·hèad *n.* Ⓒ **1** 〖군사〗 해안 교두보, 상륙 거점. cf. bridgehead. **2** 출발점, 발판.
béach umbrèlla 《美》 비치 파라솔.
béach vòlleyball 비치발리볼(공).
béach·wèar *n.* Ⓤ 해변복.
°**bea·con** [bíːkən] *n.* Ⓒ **1** 횃불, 봉화; 봉화대(탑); 등대; 신호소. **2** 수로(水路)(항공, 교통) 표지; 무선 표지(radio ~). **3** 지침(指針), 경고. **4** (B–) 《英》 …산, …봉(峰). **—***vt.* (표지로) …을 인도하다; …에 표지를 달다(세우다); …을 경고하다; (횃불 따위로) 비추다. **—***vi.* (횃불같이) 빛나다, 도움이(지침이, 경계가) 되다.
*__bead__ [biːd] *n.* Ⓒ **1 구슬**, 염주알; (*pl.*) 염주, 로사리오(rosary); (*pl.*) 목걸이. **2** (이슬 · 땀 따위의) 방울; (맥주 따위의) 거품: *~s of* sweat (perspiration) 구슬 같은 땀 / *~s of* dew 이슬방울. **3** (총의) 가늠쇠; 〖건축〗 구슬선. ***draw*** (***get***) ***a ~ on*** (***upon***) 《구어》 …을 겨누다, 겨냥하다. ***say*** (***tell, count, bid***) one***'s ~s*** 《문어》 (염주를 돌리며) 기도를 올리다.
—*vt.* **1** 염주 모양으로 꿰어 잇다; 구슬로 장식하다. **2** (이슬 · 땀 따위가) …에 구슬처럼 맺히다《★ 종종 수동태로 쓰며, 전치사는 *with*》: His face *was ~ed with* sweat. 그의 얼굴에는 땀이 구슬처럼 맺혔다. **—***vi.* 구슬 모양으로 되다; 거품이 일다.
béad·ed [-id] *a.* **1** 구슬이 달려 있는, 구슬 모양으로 된: a ~ handbag 구슬(핸드)백. **2** 거품이 인. **3** 땀방울이 맺힌.
béad·ing *n.* Ⓤ (낱개는 Ⓒ) 구슬 세공(장식); 레이스 모양의 가장자리 장식; 〖건축〗 구슬선 (장식).
bea·dle [bíːdl] *n.* Ⓒ 《英》 **1** 교구(법정)의 하급 관리. **2** (행렬시) 대학 총장 직권의 표지를 받드는 속관.
béad·wòrk *n.* Ⓤ 구슬 세공; 〖건축〗 구슬선.
beady [bíːdi] *a.* 구슬 같은(달린): ~ eyes 작고 반짝이는 동그란 눈.
bea·gle [bíːgəl] *n.* Ⓒ 비글《토끼 사냥용의 귀가 처지고 발이 짧은 사냥개》. ㊞ **-gling** [-gliŋ] *n.* Ⓤ (비글을 써서 하는) 토끼 사냥.
*__beak__[1] [biːk] *n.* Ⓒ **1** (육식조(鳥)의) **부리**. cf. bill[2]. **2** 부리 모양의 것; (주전자 등의) 귀때; (거북 등의) 주둥이; 《속어》 코, 《특히》 매부리코; 〖화학〗 (레토르트의) 도관(導管); 〖건축〗 누조(漏槽). ㊞ **~ed** [-t] *a.* 부리가 있는; 부리 모양의.
beak[2] *n.* Ⓒ 《英속어》 **1** 치안 판사. **2** 교사; 《특히》 교장.
beak·er [bíːkər] *n.* Ⓒ (굽달린) 큰 컵; 그 한 컵의 분량; 비커《화학 실험용》.
bé-àll *n.* (the ~) 가장 중요한 것, 궁극의 목적《다음 관용구로》. ***the ~ and*** (***the***) ***end-all*** 모든 것이자 또한 궁극적인 것; 최고의(유일한) 목적: To him money is *the ~ and end-all.* 저놈은 돈, 돈밖에 모른다.
*__beam__ [biːm] *n.* Ⓒ **1** (대)들보, 도리. **2** 〖선박〗 (갑판을 버티는) 가로 들보; 선복(船腹); (최대) 선폭(船幅); 《속어》 허리(엉덩이)폭(幅) 《보통 다음 관용구로》: be broad in the ~ 엉덩이가 크다. **3** 저울대; 저울. **4 광선**; 〖물리〗 광속(光束); 《비유적》 (표정의) 빛남, 밝음, 미소: a ~ of hope 희망의 빛. **5** 〖통신〗 방향 지시 전파, 신호 전파, 지향성(指向性) 전파, 빔(radio ~).
fly (***ride***) ***the ~*** 〖항공〗 지시 전파에 따라 비행하다. ***off*** (***the***) ***~*** 〖항공〗 지시 전파에서 벗어나; 《구어》 방향이 틀려, 잘못하여, 정신이 돌아, 이해 못하고. ***on the ~*** ① 〖항공〗 지시 전파에 올바로 인도되어. ② 《구어》 올바른 방향으로 나아가서. ③ 《구어》 (일이) 순조롭게. ***the ~ in*** one***'s*** (***own***) ***eye*** 〖성서〗 제 눈속에 있는 들보《스스로 깨닫지 못하는 큰 결점; 마태복음 VII: 3》.
—*vi.* **1 빛나다**; 빛을(전파를) 발하다. **2** 《~/+전+명》 기쁨으로 빛나다, 밝게 미소짓다《***on, upon, at*** …에게》: His face *~ed.* 그의 얼굴은 희색이 만면했다 / He *~ed on* his friends. 그는 친구들을 보고 밝게 미소지었다. **—***vt.* **1** (빛)을 발하다, 비추다; (기쁨)을 미소로 나타내다. **2** 《~+목/+목+전+명》 〖통신〗 (전파)를 돌리다(direct); (프로그램)을 방송하다; (방향 지시 전파로) 발신하다: The news was *~ed to* all the world. 그 소식은 전세계로 (전파)방송되었다 / The Olympics will be *~ed* by satellite *around* the world. 올림픽 대회는 위성으로 전세계에 방송된다.
béam antènna 〖통신〗 빔 안테나, 지향성 안테나.
béam còmpasses 빔 컴퍼스《큰 원을 그리기 위한》.
béam-ènds *n. pl.* 〖선박〗 배의 가로 들보의 끝. ***on*** one***'s ~*** (사람 · 사업 등이) 금전적으로 곤경에 처하여. ***on the ~*** (배가) 옆으로 기울어.
beam·er *n.* Ⓒ 《美속어》 IBM 컴퓨터의 사용자(정통자).
béam·ing *a.* 빛나는; 밝은, 웃음을 띤, 기쁨에 넘친. ㊞ **~·ly** *ad.*
béam sỳstem 〖통신〗 빔식(式)《일정 방향에 특히 센 전파를 방사하는 공중파 방식》.
beamy [bíːmi] (***beam·i·er; -i·est***) *a.* 빛나는, 광선을 발하는; (배가) 폭 넓은.
*__bean__ [biːn] *n.* **1** Ⓒ **콩**《강낭콩 · 잠두류》: broad *~s* 잠두콩 / soya *~s* =soy *~s* 대두 / kidney *~s* 강낭콩 / jack *~s* 작두콩. ★ 완두류는 pea. **2** Ⓒ (콩 비슷한) 열매, 그 나무: coffee *~s* 커피콩. **3** Ⓒ 《美속어》 머리: Use the old ~. 머리를 써라. **4** Ⓒ 〘《英》에서는 a ~, 《美》에서는 보통 *pl.*; 주로 부정문〙 **a** 《속어》 조금, 소량: I do *not* care a ~. 조금도 상관하지 않는다 / I do*n't* know *~s* about it. 그것에 관해서는 아무 것도 모른다. **b** 《구어》 돈; 약간의 돈: be *not* worth a ~ 한푼의 가치도 없다 / *without* a ~ 한푼 없이 / I have*n't* a ~. 한푼도 없다. **5** 〘old ~으로〙 《英속어》 야 이 사람아《친하게 부를 때》.
a hill (***row***) ***of ~s*** 《본디 美》 별로 가치 없는 것. ***Every ~ has its black.*** 사람에겐 누구나 결점이 있다. ***full of ~s*** 《구어》 ① 《美》 어리석어; 틀려. ② 원기가 넘쳐. ***know how many ~s make five*** 약다; 빈틈없다. ***know*** one***'s ~s*** 《美속어》 자기 전문에 정통하다. ***spill the ~s*** 《구어》 비밀을 누설하다; 계획을 뒤집어엎다.
béan·bàg *n.* Ⓒ 공기, 오자미《놀이 도구》; Ⓤ 오자미 놀이.
béan bàll 〖야구〗 빈볼《고의로 타자의 머리를 겨눈 공》.
béan càke 콩깻묵.
béan cùrd (**chèese**) 두부.
béan·fèast *n.* Ⓒ 《英구어》 (연(年) 1 회의) 고용주가 고용인에게 베푸는 턱; (마을의) 술잔치, 연회.
bean·ie [bíːni] *n.* Ⓒ 베레(모)《챙이 없고 둥글고 작은 모자; 어린이나 대학 신입생이 씀》.
beano [bíːnou] (*pl.* **~s**) *n.* =BEANFEAST.
béan pòd 콩꼬투리.

béan·pòle *n.* Ⓒ 콩 섶; 《구어》 키다리.
béan spròut 〔**shòot**〕 콩나물.
béan·stàlk *n.* Ⓒ 콩줄기, 콩대.

⁑**bear**[1] [bɛər] (**bore** [bɔːr], 《고어》 **bare** [bɛər]; **borne, born** [bɔːrn]) *vt.* **1** 《~+목/+목+전+명/+목+부》 **나르다**, 가져〔데려〕가다《**to** …에; **on, upon** …에 실어》: ~ a heavy load 무거운 짐을 나르다〔짊어지다〕/He was *borne to* prison. 그는 수감되었다/A voice was *borne* to us *on* 〔*upon*〕 the wind. 바람에 실려 어떤 음성이 들려왔다/The torrent *~s along* silt and gravel. 격류에 토사가 휩쓸려 운반된다. ★이 뜻으로는 carry가 일반적. SYN. ⇨CARRY.
2 《+목+보》 …자세를 취하다: ~ one's head high 머리를 높이 쳐들다; 긍지를 가지고 있다, 의기양양하다.
3 〖~ oneself〗 처신〔행동〕하다: ~ one*self* well 〔with dignity〕 훌륭히〔당당히〕 행동하다.
4 (표정 · 모습 · 자취 따위)를 **몸에 지니다**: ~ an evil look 인상이 험악하다/His hands ~ the marks of toil. 그의 손을 보면 고생했다는 것을 알 수 있다.
5 (무기 · 마크 등)을 지니다, 띠고 있다: ~ arms ⇨ARM[2]/This letter ~*s* a British stamp. 이 편지에는 영국 우표가 붙어 있다.
6 《+목+목/+목+전+명》 (악의 · 애정 따위)를 (마음에) 품다, 지니다《**against, for, toward** (아무)에게》: I ~ you no grudge. =I ~ no grudge *against* you. 너에게는 아무런 원한도 없다/She *bore* a secret love *for* him. 그녀는 그에게 은근히 애정을 품고 있었다/I ~ no malice 〔ill will〕 *toward* him. 나는 그에게 악의가 없다.
7 (칭호 등)을 지니다; (날짜 · 서명)을 기재하다; (광석이) 함유하다: The document *bore* his signature. 그 문서에는 그의 서명이 있다/He ~*s* the name of John, the title of duke. 그는 존이라는 이름과 공작의 칭호를 갖고 있다/This ore ~*s* gold. 이 광석은 금을 함유하고 있다.
8 《~+목/+목+전+명》 (소문 · 소식)을 가져오다, 전하다, 퍼뜨리다《**to** …에》; (도움 따위)를 주다《**to** …에》; (증언)을 해주다《**against** …에 불리한》: She *bore* good news (*to* them). 그녀는 (그들에게) 좋은 소식을 가져왔다/~ false witness (*against* a person) (아무에게 불리하게) 거짓증언을 하다.
9 《~+목/+목+부》 (무게)를 **지탱하다**, (물건)을 버티다 (*up*): pillars that ~ a ceiling 천장을 떠받치고 있는 기둥/The board is too thin to ~ (*up*) the weight. 판자는 너무 얇아 무게를 지탱하지 못한다.
10 (의무 · 책임)을 지다, 떠맡다; (비용)을 부담하다: Will you ~ the cost 〔responsibility〕? 네가 그 비용을 부담하겠느냐〔책임을 지겠느냐〕.
11 《~+목/+-*ing*》 …해도 좋다, …할 수 있다, …하기에 알맞다, …할 만하다: The accident ~*s* two explanations. 그 사고는 두 가지로 설명할 수 있다/The cloth will ~ wash*ing*. 이 천은 세탁이 잘 된다, 이 천은 빨 수 있다/The story does not ~ repeat*ing*. 그 이야기는 되풀이할 만한 것이 못 된다.
12 《~+목/+*to* do/+목+*to* do/+-*ing*》 (고통 따위)를 **참다**, 견디다, 배기다《★ can, could 등을 수반하여 특히 부정문이나 의문문에 쓰이는 일이 많음》: I *can* ~ the secret *no* longer. 이 이상 더 비밀을 지킬 수는 없다/I *cannot* ~ him. 그 녀석에겐 분통이 터져서 더는 못 참겠다/I *can hardly* ~ *to* see 〔see*ing*〕 her suffering so. 그렇게 괴로워하고 있는 그녀를 차마 볼 수가 없다/He said he *could not* ~ me *to* be unhappy. 그는 내가 불행한 것이 견딜 수 없다고 했다.

SYN. **bear**는 일반적인 말로 무거운, 또는 어려운 일을 참는 힘을 강조함. **endure**는 bear 보다는 위엄이 있는 말로 오랫동안 견디는 뜻. **stand**는 불유쾌한 일을 견디는 뜻. 《美》에서는 stand for의 형태가 되는 일이 있음. **tolerate**는 바람직하지 못한 일을 참는다는 뜻.

13 《~+목/+목+목》 (아이)를 **낳다**, 출산하다. cf. born. ¶ Cain was *borne* by Eve. 가인은 이브가 낳은 자식이었다/She has *borne* him three children. 그녀는 그의 애를 셋 낳았다.

> NOTE '태어나다'란 뜻의 be born에서는 과거분사 born을 쓰나, have 또는 수동형 다음에 by가 올 때엔 be borne을 씀: He was *born* in America. 그는 미국에서 태어났다. He was *borne by* an American woman. 그는 미국인 어머니에게서 태어났다.

14 (열매) 맺다; (꽃이) 피다: This tree ~*s* fine apples. 이 나무엔 좋은 사과가 열린다/My scheme *bore* fruit. 내 계획은 성과를 보았다.
15 《비유적》 (이자 따위)를 낳다, 생기게 하다: ~ 4% interest, 4푼 이자가 생기다/How much interest will the bonds ~? 그 채권은 얼마의 이자가 붙습니까.
16 《+목+전+명》 (관계 · 비율 따위)를 갖다《**to** …와》: ~ no relation *to* …와 아무런 관계도 없다/~ a resemblance *to* …와 닮다.
17 《+목+부》 밀다, 몰아〔밀어〕내다, 좇(아내)다: The police *bore* the crowd *back*. 경찰은 군중을 밀어내었다.
—*vi.* **1** 《+전+명》 견디다, 참다, 봐주다《**with** …을》: I can't ~ *with* him. 그에겐 분통이 터진다/*Bear with* me; I'm very tired. 잠깐만 기다려 주세요, 내가 몹시 피곤하거든요.
2 《+전+명》 **지탱하다, 걸리다, 기대다**, 내리누르다《**on, upon, against** …에》: The whole building ~*s on* three columns. 건물 전체가 기둥 세 개에 떠받쳐져 있다/~ *on* one's cane 지팡이에 의지하다/~ *on* a lever 지렛대를 누르다.
3 《+전+명》 누르다, 압박하다《**on, upon** …을》: The famine *bore* heavily *on* the farmers. 기근은 농민들을 몹시 괴롭혔다.
4 《+전+명》 **영향을 주다**; 관계하다《**on, upon** …에》: a question that ~*s on* the welfare of the country 국가의 복지에 관계되는 문제/His reflections do not ~ *on* the issue. 그의 의견은 그 문제와는 관계가 없다.
5 《+전+명》 향하다, 나아가다, 구부러지다《**to** (방향)으로》: ~ *to* the right 오른쪽으로 나아가다/When you come to the city hall, ~ left. 시청까지 오면 왼쪽으로 도십시오/The ship *bore* north. 배는 북쪽으로 향했다〔진로를 바꾸었다〕. ★《구어》에선 turn이 더 일반적임.
6 (어떤 방향에) 위치하다: The island ~*s* northward. 섬은 북쪽에 위치한다.
7 〖well 따위의 양태 부사와 함께〗 아이를 낳다; 열매를 맺다: The tree ~*s* well. 이 나무는 열매를 잘 맺는다.
~ *away* 《*vt.*+부》 ① 가져가다, (상(賞) 따위)를 타다, 쟁취하다: ~ *away* the prize 상을 타다, 우승하다. ② (아무)를 …하게 하다《★ 보통 수동태로》: He *was borne away by* his anger. 그

는 화가 몹시 치밀어 올랐다. ~ a person ***company*** 아무와 동행하다; 아무의 상대를 하다. ~ ***down*** 《vt.+부》 ① (적 따위)를 압도하다; (반대 따위)를 꺾어 누르다. —《vi.+부》 ② 크게 분발하다. ③ (위에서) 내리누르다, 밀어붙이다. ④ (해산 때) 용쓰다. ~ ***down on*** 〔***upon***〕 ① (적·재난 따위가) …을 엄습하다. ② (책임·세금 따위가) …에 무겁게 부과되다. ③ (배·차 등이) …으로 향해 나아가다〔다가가다〕. ④ …을 (위에서) 밀어 붙이다, 내리누르다: ~ *down on* one's pencil 연필에 힘을 주어 쓰다. ⑤ (아무)를 꾸짖다, 벌주다: Don't ~ *down* so heavily *on* him. 그를 너무 심하게 꾸짖지 마라. ~ ***in mind*** ⇨MIND. ~ ***off*** 《vt.+부》 ① =bear away ①. —《vi.+부》 ② 〖항해〗 (육지·딴 배에서) 멀어지다; 출발하다. ~ ***out*** 《vt.+부》 (이야기·이론 등)을 뒷받침하다, 지지하다, 확증하다: What she said ~*s out* my assumption. 그녀의 말이 내 가설을 뒷받침해 준다. ~ ***up*** 《vt.+부》 ① (무게·물건)을 지탱하다(⇨vt. 9). —《vi.+부》 ② 참고 계속 노력하다, 낙심하지 않다: He *bore up* against 〔under〕 adversity. 그는 역경 속에서도 낙심하지 않고 계속 노력했다/*Bear up!* 힘내라. ③ (꺾이지 않고) 계속 버티다: The bridge *bore up* under the strain. 다리는 그 중압을 견뎌냈다. ~ ***witness*** 〔***testimony***〕 ***to*** 〔***against***〕 …의 증언〔반대 증언〕을 하다(⇨vt. 8). ***be borne in upon*** 〔***on***〕 a person 아무에게 확신을 주다: It *is borne in upon* (me) that… (나는) …라고 알고 〔확신하고〕 있다. ***bring to*** ~ ① (힘 따위)를 미치다, 발휘하다《***on, upon*** …에》: He *brought* courage *to* ~ *upon* a difficult situation. 그는 난국에 용기를 발휘했다. ② 돌리다《***on, upon*** …에》: *bring* a gun *to* ~ *upon* the mark 총을 표적에 돌리다.

⁑**bear²** [bɛər] *n.* **1** Ⓒ **곰**: a black ~ 흑곰. ★ 새끼는 cub, whelp. **2** (the B-) 〖천문〗 큰〔작은〕 곰자리(Ursa Major 〔Minor〕). **3** Ⓒ 난폭한 사람; 음침한 사내. **4** Ⓒ 〖증권〗 파는 쪽, 시세 하락을 내다보는 사람. ⓒⓕ bull¹. (***as***) ***cross as a*** ~ =***like a*** ~ ***with a sore head*** 몹시 찌무룩하다〔심사가 나쁘다〕.

—*a.* Ⓐ 〖증권〗 (시세가) 내림세의, 약세의: a ~ market 약세 시장.

bear·a·ble [bɛ́ərəbəl] *a.* 견딜 수 있는; 감내(堪耐)할 수 있는. ㊞ **-bly** *ad.*

béar·bàiting *n.* Ⓤ 곰 놀리기《매어 놓은 곰에게 개를 부추겨 집적거리게 하던 영국의 옛 놀이》.

béar·bèrry *n.* Ⓒ 〖식물〗 월귤나무의 일종.

béar·càt *n.* Ⓒ **1** 〖동물〗 작은 판다(lesser panda); 사향고양이의 일종《동남아산(産)》. **2** 《美구어》 억세게 싸우는〔행동하는〕 사람〔짐승〕.

⁑**beard** [biərd] *n.* Ⓒ **1** (턱)**수염**: wear a ~ 수염을 기르다〔기르고 있다〕. ⓒⓕ mustache, whisker. **2** (낚시·화살 따위의) 미늘; (보리 따위의) 꺼끄러기(awns). ***take*** a person ***by the*** ~ 기습공격을 가하다, 대담하게 공격하다. ***to*** a person***'s*** ~ 아무의 면전을 꺼리지 않고, 맞대 놓고.

—*vt.* …에게 공공연히 반항하다(defy). ~ ***the lion*** 〔***a man***〕 ***in his den*** (논쟁에서) 힘겨운 상대에게 담대히 맞서다, 호랑이 굴에 들어가다.

béard·ed [-id] *a.* (턱)수염이 난; 까끄라기가 있는; (화살·낚시 바늘 등에) 미늘이 있는.

béard·less *a.* (턱)수염이 없는; 까끄라기가 없는; 풋내기의.

°**bear·er** [bɛ́ərər] *n.* Ⓒ **1** 나르는 사람, 운반인; 짐꾼, 인부; 상여꾼, 가마꾼: a ~ of a message 말을 전하는 사람〔사자〕. **2** (어음·수표·편지 따위의) 지참인; (소식 등을) 갖고 온 사람, 사자(使者): payable to the ~ 지참인불의/a ~ check 지참인불 수표/reply by the ~ 지참인에게 답신을 주어 보내다. **3** 열매 맺는〔꽃피는〕 식물: a good ~ 열매 잘 맺는 나무.

béar gàrden 곰 괴롭히는 것을 구경하던 곳; 《구어》 시끄러운 장소; 싸움판: (a) noisy as ~.

béar hùg (난폭하고) 강한 포옹; 〖레슬링〗 베어 허그: give a person a ~ 아무를 꼭 부둥켜안다.

bear·ing** [bɛ́əriŋ] *n.* **1** Ⓤ (또는 a ~) **태도**(manner), 거동, 행동거지: one's kindly ~ 친절한 태도/noble ~ 당당한 거동〔태도〕. **2** Ⓤ (또는 a ~) 관계, 관련(relation)《on, upon*** (다른 것)에 대한》; 취지, 의향, 뜻: have no 〔some〕 ~ *on* …에 관계가 없다〔약간 관계가 있다〕/the ~ of a word in its context 낱말의 문맥상의 의미. **3** Ⓒ **a** 방위(각), 방면: consider 〔take〕 (a thing) in all (its) ~*s* 모든 면에서 고찰하다. **b** (*pl.*) (놓인) 위치〔입장〕의 인식; 정세 파악: bring a person to his ~*s* 아무에게 제 분수를 알게 하다; 반성하게 하다. **4** Ⓤ 인내(력). **5** Ⓒ (흔히 *pl.*) 〖기계〗 베어링. **6** Ⓤ 해산, 출산 (능력); 결실 (능력); 생산〔결실〕기: be in ~ 열매를 맺고 있다.

beyond 〔***past***〕 ***all*** ~ 도저히 참을 수 없는. ***get*** 〔***find***〕 one***'s*** ~***s*** 자기 입장을〔처지를〕 알다. ***lose*** 〔***be out of***〕 one***'s*** ~***s*** 방향을〔방위를〕 잃다; 어찌할 바를 모르다.

bear·ish [bɛ́əriʃ] *a.* 곰 같은, 난폭한, 거친 (rough); 〖증권〗 약세의(ⓒⓕ bullish). ㊞ ~**·ly** *ad.*

béar·skìn *n.* **1** Ⓤ (낱개는 Ⓒ) 곰 가죽〔모피〕. **2** Ⓒ 곰 가죽 제품〔옷〕; 검은 털가죽 모자《특히 영국 근위병의》. **3** Ⓤ (외투용) 거친 나사 천.

⁑**beast** [biːst] *n.* **1** Ⓒ (인간에 대한) **짐승**; 금수. **2** Ⓒ 동물, 《특히》 네발 짐승. ★ 이 뜻으론 animal이 보통; 단, the king of *beasts* 백수(百獸)의 왕. ¶ a wild ~ 야수. **3** Ⓒ (*pl.* ~***s,*** ~) 마소, 가축: a herd of forty ~(*s*) 40마리의 가축 떼. **4** Ⓒ 짐승 같은 놈, 비인간; (the ~) (인간의) 야수성: Don't be a ~. 심술부리지 마라《무엇을 부탁할 때 쓰는 말》/make a ~ *of* oneself 야수처럼 되다, 지독한 짓을 하다/You ~! 이놈/the ~ in man 인간의 야수성. ◇ beastly *a.*

a ~ ***of burden*** 〔***draft***〕 짐나르는 짐승《마소·낙타 등》. ***a*** ~ ***of prey*** 맹수《사자·범 따위》.

°**béast·ly** (***beast·li·er; -li·est***) *a.* **1** 짐승 같은; 잔인한; 더러운, 불결한: ~ pleasures 수욕(獸慾). **2** 《英구어》 불쾌한, 지겨운: ~ weather 고약한 날씨/~ hours 엉뚱한 시간《꼭두새벽 따위》/a ~ headache 심한 두통. ◇beast *n.*

—*ad.* 《英구어》 몹시, 아주: ~ drunk 고주망태가 되어/~ wet 흠뻑 젖어. ㊞ **-li·ness** *n.*

⁑**beat** [biːt] (~; ~**·en** [biːtn], 《고어》 ~) *vt.* **1** **a** 《~+목/+목+전+명》 (계속해서) **치다**, 두드리다; (벌로) 때리다, 매질하다《***with*** (손·막대기)로》: ~ a drum 북을 두드리다/~ a person *on* the head 아무의 머리를 치다/~ one's breast 〔chest〕 가슴을 치다《변명·장담을 위해》/He ~ his son for lying. 거짓말을 했다고 그는 아들을 매질했다/~ a dog *with* a stick 막대기로 개를 때리다. **b** 《+목+부/+목+전+명/+목+보》 때려서 내쫓다, 격퇴하다(*away, off*); 두들겨 털어내다《***out of*** …에서》; …을 때려박다《***into*** …에》; 때려서 …하다《***to, into*** (어떤 상태)로》: ~ the dust *out of* a carpet 융단의 먼지를 털다/~ a stake *into* the ground 말뚝을 지면에 때려 박

다 / ~ flies *away* 〔*off*〕 파리를 때려쫓다 / ~ *off* one's attackers 공격자들을 격퇴하다 / He was *beaten* black and blue. 그는 맞아서 시퍼렇게 멍이 들었다.

SYN. **beat** 계속하여 세게 치다: A strong wind *beat* the window. 강풍이 창을 덜거덕 덜거덕 쳤다. **strike** …에게 타격을 가하다, …에 부딪치다. 치는 행위만을 생각함: The light *struck* the window. 빛이 창문을 비췄다《그로 인해 창에 변화는 없음》. **hit** 노린 것을 치다, 맞히다. **knock** 퍽 치다. 친 상대에게 준 효과《소리가 난다든가 넘어지는 따위》를 생각함: Don't *knock* the vase off the table. 테이블의 꽃병을 (팔꿈치 따위로) 쓰러뜨리지 않도록 해라.

2 《~+목/+목+전+명》 부딪치다: rain *~ing* the trees 나무를 때리는 빗발 / ~ one's head *against* the wall 벽에 머리를 부딪치다.
3 (새가) 날개치다.
4 (북 등)을 쳐서 울리다〔신호하다〕: ~ a charge 돌격의 북을 치다 / ~ an alarm 북을 쳐서 경보를 울리다.
5 《~+목/+목+부/+목+전+명》 (달걀 등)을 휘저어 섞다, 거품 일게 하다(*up*); 섞어서 만들다《***to*** …으로》: ~ drugs 약을 섞다 / ~ (*up*) three eggs 세 개의 달걀을 휘저어 섞다 / ~ flour and eggs *to* a paste 밀가루와 달걀을 섞어 반죽을 만들다.
6 《+목+부/+목+보/+목+전+명》 (금속 따위)를 두드려 펴다(*out*); 두드려 …하다《***into*** …으로》: ~ *out* gold 금을 두드려 펴다 / ~ iron flat 쇠를 두들겨 납작하게 하다 / ~ iron *into* a thin plate 쇠를 두들겨 박판으로 만들다.
7 《~+목/+목+전+명》 (길)을 밟아 고르다〔굳히다〕《***through*** …에》; 〖~ one's way로〗 나아가다, 전진하다《***through*** …을 뚫고》: ~ a path 길을 내다; 진로를 개척하다 / ~ a path *through* the snow 눈을 밟아 길을 내다 / ~ one's *way through* a crowd 군중 속을 뚫고 나아가다.
8 a 《~+목/+목+전+명》 (손뼉)을 치다《***to*** (음악)에 맞춰》: ~ one's hands *to* a song 노래에 맞춰서 손장단을 치다. **b** 장단을 맞추다: ~ time 장단을 맞추다. **c** 《~+목/+목+부》 (시간)을 째깍째깍 가게 하다(*away*): The clock ~ the minutes *away*. 시간은 째깍째깍 흘러갔다.
9 《~ +목/+목+전+명/+목+*to* do》 〖사냥〗 (덤불 따위)를 두들기다; 뒤지며 찾아 (돌아)다니다《***for*** …을 구하려고》: ~ a thicket *for* hares 산토끼를 잡으려고 덤불을 두들기다 / ~ the woods *for* 〔in search of〕 the lost child 잃어버린 아이를 찾아 숲속을 뒤지다 / He ~ the town *to* raise money. 그는 돈마련을 위해 시내를 돌아다녔다.
10 a 《~+목/+목+전+명》 …을 **이기다**《***at, in*** …에서》; 《구어》 …보다 낫다: Our team ~ theirs by a huge score. 우리 팀은 대량 득점으로 그들을 눌렀다 / You can't ~ me *at* chess. 체스에서 너는 나를 이길 수 없다 / Nothing can ~ yachting as a sport. 스포츠로서 요트보다 나은 것은 없다. **b** 견뎌내다, 극복하다: ~ the heat by going to beach 해변에 가서 피서하다.
11 《구어》 당혹시키다, 손들게 하다, 난처하게〔쩔쩔매게〕 하다: He *~s* me. 그에겐 손들었다 / That *~s* everything I have heard. 금시 초문의 괴상한 일이다.
12 《~+목/+목+전+명》 《美구어》 속이다; 속여서 빼앗다《***out of*** …을》: He ~ the child *out of* a dollar. 그는 아이를 속여 1달러를 빼앗았다.
13 《~+목/+목+전+명》 …보다 앞서 있다, …을 앞지르다: He ~ his brother home from school. 그는 형보다 먼저 학교에서 돌아왔다.

—*vi.* **1** 《+전+명》 **계속해서 치다**《***at, on*** …을》: ~ *at* the door 문을 두드리다.
2 (심장 · 맥박 따위가) **뛰다**(throb): Her heart ~ fast with joy. 기뻐서 그녀는 가슴이 콩닥콩닥 뛰었다.
3 《+전+명/+부》 (비 · 바람 · 물결 등이) 치다; (해가) 내리쬐다(*down*)《***against, on*** …에》: The rain ~ *against* the windows. 비가 좍좍 창문에 내리쳤다 / The sun ~ *down on* him. 해가 그의 머리 위를 내리쬐었다.
4 《~/+부》 (북 따위가) 둥둥 울리다: The drums were *~ing* loudly. 북이 크게 울리고 있었다 / Chimes ~ *out* merrily. 차임이 낭랑하게 울렸다.
5 《구어》 이기다(win): I hope you'll ~. 네가 이기기를 바란다.
6 (달걀 따위가) 섞이다: The yolks and whites ~ well. 달걀 노른자위와 흰자위는 잘 섞인다.
7 (날개가) 퍼덕이다(flap); (사냥감을 잡으려고) 덤불을 두들기다; 사냥감을 몰아세우다.
8 《+부/+전+명》 〖항해〗 바람을 거슬러 나아가다《지그재그로》: The ship ~ *about* 〔*along* the coast〕. 바람을 엇거슬러 배는 지그재그로〔연안을 따라〕 나아갔다.

~ *about* 《*vi.*+부》 ① 찾아 헤매다《***for*** …을》. ② 〖항해〗 바람을 거슬러 나아가다(⇨*vi.* 8). **~ *about*** 〔《美》 ***around***〕 ***the bush*** 덤불 언저리를 두드려 짐승을 몰아내다; 넌지시 떠보다, 에두르다, 변죽을 울리다; 요점을 말하지 않다. **~ *all*** 《구어》 〖it, that을 주어로 하여〗 깜짝 놀라게 하다, 신기하다: Doesn't that ~ *all!* 그거 참 놀라운데. **~ a person *hollow*** 《구어》 아무를 완패시키다; …보다(도) 훨씬 우수하다. **~ *back*** 《*vt.*+부》 ① …을 격퇴하다. ② (불기운 따위)를 저지하다. **~ *down*** 《*vt.*+부》 ① …을 타도하다, 쓰러뜨리다: The wheat has been *beaten down* by the storm. 밀이 폭풍으로 쓰러졌다. ② 《구어》 (값)을 깎다; (아무)와 흥정해서 값을 깎다《***to*** …으로》: We ~ *down* the price per unit *to* five dollars. 가격을 개당 5달러로 깎았다 / We ~ him *down to* five dollars. 그와 흥정해서 5달러로 값을 깎았다. **—**《*vi.*+부》 ③ (햇빛이) 내리쬐다; (비 따위가) 쏟아지다《***on, upon*** …에》(⇨*vi.* 3). **~ *in*** 《*vt.*+부》 …을 쳐부수다, 쳐박다; 쳐서 상처를 입히다. **~ *off*** 《*vt.*+부》 …을 격퇴하다(⇨*vt.* 1); (경쟁 상대)를 떼어내다. **~ *out*** 《*vt.*+부》 ① (금속 따위)를 두들겨 펴다(⇨*vt.* 6). ② (불)을 두들겨 끄다. ③ (뜻 · 진상)을 밝히다. ④ (음악 · 신호)를 쳐서 울리다. ⑤ 《美》 (상대)를 이기다, 격파하다; …을 능가하다. ⑥ 〖야구〗 (평범한 땅볼)을 내야 안타로 만들다. **~ a person *out of*** 아무로 하여금 …을 단념케 하다; 아무에게서 …을 속여 빼앗다(⇨*vt.* 12). **~ one*'s brains* (*out*)** 머리를 짜내(게 하)다; 열심히 일하다. **~ one*'s head against a brick* 〔*stone*〕 *wall*** 불가능한 일을 시도하다. **~ *the* 〔*a*〕 *drum*** ⇨DRUM. **~ (*the*) *hell out of ...*** …을 세게 때려눕히다〔무찌르다, 해치우다〕. **~ a person *to it*** 아무의 기선을 제하다, 아무를 앞지르다. **~ *up*** 《*vt.*+부》 ① …을 기습하다; 놀라게 하다. ② (북을 두드려) 소집하다: ~ *up* recruits 신병을 모집하다. ③ (달걀 등)을 휘저어 섞다(⇨*vt.* 5). ④ 《속어》 …을 마구 때리다, 괴롭히다, 꾸짖다. **—**《*vi.* +부》 ⑤ 〖항해〗 바람 부는 쪽으로 엇거슬러 나아가다.

DIAL. ***Beat it!*** 꺼져, 나가.
Can you beat that? 어떻게 그럴 수가 있어, 정말 너무 했군, 놀라운 걸.
If you can't beat 'em, join 'em. 힘쓰기 보다 꾀쓰기가 낫다(← 이길 수 없는 상대라면 한패가 돼라).
(It) beats me. =***(It's) got me beat.*** =***You got me beat.*** 글쎄 모르겠는데, 금시초문이다.
My heart beats for you 〔***at your misfortune***〕. 그거 안됐구나《때로 비꼼》.
That beats all. =***That beats everything.*** 깜짝 놀라겠네, 믿을 수 없군.

—*n.* **1** Ⓒ 계속해서 치기. **2** (the ~) (북·종·파도 따위의) 치는 소리; (시계) 소리; (심장의) 고동; (말의) 발굽소리. **3** Ⓒ (경찰관 등의) 순찰 구역: on one's 〔the〕 ~ 담당 지역 순시중. **4** Ⓒ (손·발 따위로 맞추는) 박자, 장단; (지휘봉의) 한 번 흔들기. **5** Ⓒ 〖물리〗 맥놀이, 비트. **6** Ⓒ (운각(韻脚)의) 강음(stress). **7** Ⓒ 《美》 (특종 기사로 다른 신문을) 앞지르기(scoop), 특종. **8** Ⓒ 《구어》 =BEATNIK. **9** Ⓒ (재즈·록 따위의) 강렬한 리듬.
be in 〔***out of, off***〕 ***one's*** ~ 《구어》 전문 영역〔영역밖〕이다. ***off*** 〔***on***〕 ***(the)*** ~ 박자〔템포〕가 맞지 않아〔맞아〕; 상태가 좋지 않아〔좋아〕.
—*a.* 《구어》 **1** Ⓟ 기진맥진하여: I'm dead ~. 난 지쳤다. **2** Ⓐ 비트족의. ⓟ **~·a·ble** *a.*

beat·en [bíːtn] BEAT의 과거분사.
—*a.* Ⓐ **1** 두들겨 맞은. **2** (승패 따위에서) 진. **3** 두드려 편, 두드려서 만들어낸: ~ gold 금박. **4** 밟아 다져진: a well-*beaten* path 잘 밟아 다져진 오솔길. **5** 기진맥진한, 지친. **6** (계란·크림 따위가) 뒤섞인, 거품이 인.

béaten tráck (the ~) **1** 밟아 다져진 길. **2** 보통의 방법, 세간의 상식〔관습〕.
follow 〔***keep to***〕 ***the*** ~ 밟아 다져진 길을 가다; 상궤를 따르다. ***off the*** ~ 사람이 별로 가지 않는〔알지 못하는〕 (곳에 있는); 상궤를 벗어난, 관습을 깨는; 신기한.

béat·er *n.* Ⓒ **1** 치는 사람; (사냥) 몰이꾼. **2** 두드리는 기구; (달걀의) 거품 내는 기구; (믹서의) 회전 날.

béat generátion (the ~) 비트족(의 세대). ⓒⓕ beatnik.

be·a·tif·ic, -i·cal [bìːətífik], [-əl] *a.* **1** 《문어》 축복을 내리는. **2** 행복에 넘친, 기쁜: a *beatific* smile 기쁜 미소. ⓟ **-i·cal·ly** *ad.*

be·at·i·fi·ca·tion [biːæ̀təfikéiʃən] *n.* Ⓤ (구체적으로는 Ⓒ) 축복(을 받음); 〖가톨릭〗 시복(諡福)(식).

be·at·i·fy [biːǽtəfài] *vt.* (아무)에게 축복하다; 〖가톨릭〗 …에게 시복(諡福)하다《교황이 죽은 이가 복자(the Blessed)의 반열에 올랐다고 선언하다》.

béat·ing *n.* **1** Ⓤ 때림; 매질; Ⓒ (징계하기 위하여) 때리기: get 〔give〕 a good ~ 호되게 얻어맞다〔때리다〕. **2** (a ~) 패배: take 〔get〕 a terrible ~ 참패를 맛보다. **3** Ⓤ (심장의) 고동. **4** Ⓤ (새의) 날개치기. **5** Ⓤ 〖수영〗 물장구질; (금속을) 두들겨 펴기. **6** (a ~) 《美속어》 (정신적·물질적) 타격, 큰 손해: He took 〔got〕 a ~ in the stock market. 그는 증권에서 큰 손해를 봤다.

be·at·i·tude [biːǽtətjùːd] *n.* **1** Ⓤ 지복(至福); 더없는 행복(supreme happiness). **2** (the B-s) 〖성서〗 팔복(八福)(의 가르침)《예수의 산상 수훈의 일부; 마태복음 V: 3-11》.

Bea·tles [bíːtlz] *n. pl.* (the ~) 비틀즈《영국의 4인조 록 그룹; 1962-70》.

beat·nik [bíːtnik] *n.* Ⓒ 비트족(beat generation)의 사람. [◂ *beat*+-*nik*]

Be·a·trice [bíːətris] *n.* 베아트리체《서사시 '신곡(神曲)'에 묘사된 단테가 사랑하여 이상화한 여성》.

béat·ùp *a.* Ⓐ 《구어》 오래 되어 낡은; 누더기의: a ~ car 고물차.

beau [bou] (*pl.* **~s, ~x** [-z]) *n.* Ⓒ 멋쟁이〔상냥한〕 남자, 미남; 여자의 상대〔호위〕를 하는 남자; 구혼자, 애인.

Béau·fort scále [bóufərt-] (the ~) 〖기상〗 보퍼트 풍력 계급《영국의 Sir Francis Beaufort가 고안한 풍력 계급; 0에서 12까지의 13계급》.

Beau·jo·lais [bòuʒəléi] *n.* Ⓤ 프랑스산(産) 적포도주.

beau monde [bóumànd/-mɔ̀nd] 《F.》 사교계, 상류 사회.

beaut [bjuːt] *n.* Ⓒ 《구어》 〖흔히 반어적〗 미인, 아름다운 것; 멋진 사람〔물건〕.

beau·te·ous [bjúːtiəs] *a.* 《시어》 현실이라고 믿을 수 없을 정도로 아름다운, 황홀할 정도로 아름다운.

beau·ti·cian [bjuːtíʃən] *n.* Ⓒ 미용사; 미장원 경영자.

beau·ti·fi·ca·tion [bjùːtəfikéiʃən] *n.* Ⓤ 미화(美化); 장식.

†**beau·ti·ful** [bjúːtəfəl] *a.* **1 아름다운**, 고운, 예쁜: a ~ flower 예쁜 꽃/a ~ woman 미녀/a ~ voice 고운 목소리. **2** 산뜻한; 멋있는, 뛰어난: ~ weather 상쾌한 날씨/a ~ roast of beef 먹음직한 불고기. **3** 더할나위 없는, 훌륭한: a ~ character 훌륭한 품성.

SYN. **beautiful** 가장 일반적인 말로, 사람 이외의 것에도 쓰며 형태·모습·빛깔 등의 아름다움을 나타냄. 멋진, 정신적, 이상적인 미도 뜻함: *beautiful* scenery 멋진 경치. a *beautiful* poem 아름다운 시. ★ 남성 형용사로서는 쓰지 않음. **lovely** 사랑의 대상이 되는, 사랑스러운. **handsome** 당당한, 풍채 좋은《흔히 남성에 대해서 쓰나 남성에게만 한정된 것은 아님》: a *handsome* lady 당당하고 기품 있는 부인. **pretty** 어린이·젊은 여성 등 작은 것이 귀여운. **good-looking** 이목구비가 반듯한《남성·여성 다같이 씀》: a *good-looking* young man 잘생긴 청년. **fair** (여성이) 용모와 자색이 뛰어난, 살이 희고 금발의.

—*n.* (the ~) 미, 아름다움(beauty); 〖집합적; 복수취급〗 아름다운 것, 미녀들. —*int.* 《구어》 좋아!, 됐어!《적극적인 만족감을 나타낼 때》: *Beautiful!* Hold it right there! (사진 찍을 때에) 좋아, 그대로 (가만히). ⓟ **~·ness** *n.*

⁑**beau·ti·ful·ly** *ad.* **아름답게**; 훌륭히; 《구어》 매우, 굉장히.

béautiful péople (종종 B- P-; 보통 the ~) 〖집합적; 복수취급〗 사교계 인사들《미와 우아한 유행을 창조하는 상류인·예술가》《생략: B.P., BP》.

◇**beau·ti·fy** [bjúːtəfài] *vt., vi.* 아름답게〔훌륭하게〕 하다, 아름다워지다. ◇ beauty *n.*

⁑**beau·ty** [bjúːti] *n.* **1** Ⓤ **아름다움**, 미; 미모: manly 〔womanly, girlish〕 ~ 남성〔여성, 처녀〕미/*Beauty* is but skin-deep. 《속담》 미모는 거죽 만의 것《겉보다는 마음씨》/*Beauty* is in the eye of the beholder. 《속담》 제 눈에 안경이다. **2** Ⓒ **아름다운 것**; 훌륭한 사람; **미인**; 〖반어적〗 대단한 것: The yacht was a ~. 요트는 매

Bed·ford·shire [bédfərdʃìər, -ʃər] *n.* 베드포드셔《잉글랜드 중부의 주; 생략: Beds.》.

be·dim [bidím] (-*mm*-) *vt.* (눈·마음)을 흐리게 하다, 몽롱하게 하다《*with* …으로》: Her eyes were ~*med with* tears 〔age〕. 그녀의 눈은 눈물로〔노쇠하여〕 흐릿했다.

bed·lam [bédləm] *n.* Ⓤ (또는 a ~) 소란한 장소; 대혼란, 수라장: The office was ~. 사무실은 대단히 소란스러웠다《London에 있던 St. Mary of Bethlehem 정신병원 이름에서》.

béd lìnen 시트와 베갯잇.

béd·màking *n.* Ⓤ 침상 정돈; 침대 제작.

Bed·(o)u·in [béduin, bédwin] (*pl.* ~, ~*s*) *n.* **1 a** (the ~(s)) 베두인족(族)《사막 지대에서 유목 생활을 하는 아랍족》. **b** Ⓒ 베드인 사람. **2** Ⓒ 유목민, 방랑자.
—*a.* 베두인 사람의; 유목민의.

béd·pàn *n.* Ⓒ (환자용) 변기.

béd·pòst *n.* Ⓒ (네 귀의) 침대 기둥, 침대 다리. ***between you and me and the*** **~** 우리만의 이야기인데, 내밀히.

be·drag·gle [bidrǽgəl] *vt.* (옷자락 따위)를 질질 끌어 적시다〔흙투성이로 하다〕, 더럽히다. ⓜ **~d** *a.* (구정물 따위로) 더럽힌.

béd·rìd(den) *a.* 몸져 누워 있는, 누워서만 지내는《환자·노쇠자 따위》; 《비유적》 노후한, 낡은.

béd·ròck *n.* Ⓤ **1** 〖지질〗 기반(基盤)(암), 암상(岩床). **2** 기초(foundation); 최하부; 최하 가격; 기본 원리. ***get*** 〔***come***〕 ***down to*** 〔***reach***〕 **~** ① 《구어》 진상을 규명하다. ② 빈털터리가 되다.
—*a.* Ⓐ 밑바탕의; 최저의; 기본적인: the ~ price 바닥 시세.

béd·ròll *n.* Ⓒ 《美》 침낭(寢囊).

⁑**bed·room** [bédrù:m, bédrùm] *n.* Ⓒ **침실.**
—*a.* Ⓐ 성적(性的)인; 침실(용)의; 통근자가 거주하는: ~ slippers 침실용 슬리퍼 / a ~ scene 정사 장면 / a ~ town 〔community〕 (대도시 주변의) 베드타운.

Beds. [bedz] Bedfordshire.

***bed·side** [bédsàid] *n.* Ⓒ (보통 *sing.*) **침대 곁,** 베갯머리, 머리말《특히 환자의》: be at 〔sit by〕 a person's ~ 아무의 머리맡에서 시중들다.
—*a.* Ⓐ **베갯머리의,** 침대 곁의〔에 있는〕, 임상(臨床)의: a ~ lamp 〔table〕 침대 곁에 있는 램프〔테이블〕.

bédside mánner (의사의) 환자 다루는 빙법: have a good ~ (의사가) 환자를 잘 다루다.

béd-sìt *n.* 《英구어》 =BED-SITTER.

béd-sìtter *n.* Ⓒ 《英》 =BED-SITTING ROOM.

béd-sítting ròom 《英》 단칸 아파트(studio apartment)《침실 겸 거실》.

béd·sòre *n.* Ⓒ 〖의학〗 욕창(褥瘡).

béd·sprèad *n.* Ⓒ 침대 커버.

béd·sprìng *n.* Ⓒ (침대의) 스프링.

°**béd·stèad** *n.* Ⓒ 침대틀〔프레임〕.

°**béd·tìme** *n.* Ⓤ 취침 시간, 잘 시각: ~ stories 옛날 이야기, 동화; 재미는 있으나 미덥지 못한 이야기〔설명〕.

béd·wètting *n.* Ⓤ 잠자다 오줌싸기, 야뇨증.

†**bee** [bi:] *n.* Ⓒ **1 꿀벌**(honeybee); 〔일반적〕 벌: a queen 〔worker〕 ~ 여왕〔일〕벌. **2** 열심히 일하는 사람, 일꾼: a busy ~ 되게 바쁜 사람 / work like a ~ (벌처럼) 열심히 일하다. **3** 《美》 (일·오락·경쟁을 위한) 회합, 모임.
(as) busy as a **~** 몹시 바쁜. ***have a*** **~** ***in*** ***one's bonnet*** 〔***head***〕 《구어》 ① 묘한 생각〔고정관념〕에 사로잡혀 있다, 골똘히 생각하다《***about*** …에 관해서》. ② 머리가 좀 이상해지다〔돌다〕.

Beeb [bi:b] *n.* (the ~) 《英구어》 B.B.C. 방송.

bée·brèad *n.* Ⓤ 꿀벌이 새끼벌에게 주는 먹이《꽃가루와 꿀로 만든 것》.

°**beech** [bi:tʃ] *n.* 〖식물〗 Ⓒ 너도밤나무; Ⓤ 그 목재. ⓜ **~·en** [-ən] *a.*

béech·màst *n.* Ⓤ 〔집합적〕 너도밤나무 열매《특히 땅에 흐트러진》.

béech·trèe *n.* Ⓒ 너도밤나무(beech).

béech·wòod *n.* Ⓤ 너도밤나무 목재.

⁑**beef** [bi:f] *n.* **1** Ⓤ **쇠고기;** 고기: horse ~ 말고기. **2** Ⓒ **a** (*pl.* ***beeves*** [bi:vz], ~, 《美》 ~*s*) 육우(肉牛). **b** (도살한 육우의) 몸통. **3** Ⓤ 《구어》 근육; 체력; 《구어》 살집, 몸무게: ~ to the heels 너무 살이 쪄서 / You need to put on more ~. 넌 살이 좀 쪄야겠다. **4** Ⓒ 《속어》 불평. ***put*** **~** ***into ...*** 《속어》 …에 힘을 들이다〔쏟다〕: *put* too much ~ *into* a stroke 타구(打球)에 너무 힘을 들이다 / *Put* some ~ *into* it! 열심히 일해라.

> **DIAL.** ***Where's the beef?*** 요컨대 무슨 말이냐 (← (햄버거의) 쇠고기는 어디 있지)《그럴듯 하게 들리나 상대방의 진의를 알 수 없을 때》.

—*vi.* 《~/+전+명》 《속어》 불평하다; 흠잡다《***about*** …에 대해》: ~ *about* extra night work 밤의 잔업을 불평하다. **~** ***up*** 《구어》 …을 강화〔보강〕하다; …에 큰 돈을 들이다: ~ *up* a computer from 6.5 to 10 MB 컴퓨터를 6.5 메가바이트에서 10 메가바이트로 증강하다.

béef·bùrger *n.* Ⓒ (요리는 Ⓤ) 쇠고기 햄버거.

béef·càke *n.* Ⓤ 〔집합적〕 《美속어》 (남성의) 육체미〔누드〕 사진(cf. cheesecake).

béef càttle 〔집합적; 복수취급〕 육우. cf. dairy cattle.

béef·èater *n.* Ⓒ **1** 쇠고기를 먹는 사람; 영양이 좋아 얼굴이 붉은 사람. **2** (흔히 B-) 영국왕의 근위병; 런던탑의 수위. **3** 《美속어》 영국인.

béef·stèak *n.* **1** Ⓤ (낱개는 Ⓒ) (구이용의) 두껍게 저민 쇠고깃점. **2** Ⓒ (요리는 Ⓤ) 비프스테이크.

béef téa 진한 (쇠)고기 수프《환자용》.

beefy [bí:fi] (***beef·i·er; -i·est***) *a.* **1** 쇠고기의〔같은〕. **2** 건장〔뚱뚱〕한, 옹골찬.

bée·hìve *n.* Ⓒ **1** (꿀벌의) 벌집, 벌통. **2** 사람이 붐비는 장소(crowded place): The office was a ~ of activity. 그 사무실에서는 많은 사람들이 바쁘게 일하고 있었다. **3** 벌집 같은〔반구(半球) 모양의〕 것: She did her hair up in a ~. 그녀는 머리를 둥근 지붕 모양으로 묶었다.

bée·kèeper *n.* Ⓒ 양봉가(家)(apiarist).

bée·kèeping *n.* Ⓤ 양봉(養蜂).

bée·lìne *n.* Ⓒ 직선; 최단 코스〔거리〕. ***in a*** **~** 일직선으로. ***take*** 〔***make***〕 ***a*** **~** ***for*** 《구어》 …로 똑바로 가다, 직행하다: As soon as work was over, he *made a* ~ *for* a bar. 일이 끝나자마자 그는 술집으로 직행했다.

Be·el·ze·bub [bi:élzəbʌ̀b, bí:lzə-] *n.* 〖성서〗 마왕; 악마(the Devil).

been [bin/bi:n, bin] BE의 과거분사.

beep [bi:p] *n.* Ⓒ (경적 따위) 삑하는 소리; (인공 위성의) 발신음. **—***vi.* 삑하고 경적을 울리다, 삑 소리를 내다; 삑하고 발신하다.

béep·er *n.* Ⓒ **1** 신호 발신 장치. **2** (전화 회로에 넣어) 통화의 녹음을 알리는 장치. **3** 무선호출 장치(pager)《긴급시 삐삐 호출 신호를 냄》.

⁑**beer** [biər] *n.* **1** Ⓤ (종류는 Ⓒ) **맥주:** double

~ 독한 맥주/black ~ 흑맥주/draft ~ =~ on draft 〔draught〕 생(生)맥주/⇨ SMALL BEER. **2** Ⓤ 〖보통 수식어를 수반하여〗 (알코올분이 적은) 음료: root ~ 루트 비어《식물 뿌리로 만든 청량 음료》/ginger ~ 진저 비어. **3** Ⓒ 맥주 한 잔〔병, 캔〕: order a ~ 맥주를 한 잔 주문하다/Give me two ~*s*. 맥주 두 잔 주세요. ***in*** **~** 맥주에 취하여. ***Life is not all ~ and skittles.*** ⇨ SKITTLE.

béer èngine =BEER PUMP.

béer gàrden 비어 가든《옥외에서 맥주·청량 음료 등을 파는 가게》.

béer hàll 비어 홀, 맥줏집.

béer·hòuse *n.* Ⓒ 《英》 비어 홀.

béer pùmp (지하실의 술통에서) 맥주를 자아올리는 펌프.

beery [bíəri] (***beer·i·er; -i·est***) *a.* 맥주의, 맥주에 취한, 맥주 냄새가 나는; 맥주로 맛을 낸.

bée's knées (the ~) 《구어》 뛰어나게 좋은 것〔일〕; 가장 탁월한 사람.

bées·wàx *n.* Ⓤ 밀(랍). **—***vt.* …에 밀(랍)을 바르다〔먹이다〕, …을 밀랍으로 닦다.

> **DIAL.** ***None of your beeswax!*** 《美》 쓸데없는 참견 마라.

°**beet** [biːt] *n.* **1** Ⓒ 〖식물〗 비트《근대·사탕무 따위》: a red ~ 홍당무/a white ~ 근대. **2** Ⓒ (식품은 Ⓤ) 《美》 비트 뿌리(《英》 beetroot). ***go to ~ red*** (얼굴이) 홍당무가 되다.

Bee·tho·ven [béitouvən] *n.* **Ludwig van ~** 베토벤《독일의 작곡가; 1770–1827》.

*__bee·tle__[1] [bíːtl] *n.* Ⓒ 〖곤충〗 **투구벌레**(류), 딱정벌레. (***as***) ***blind as a ~*** 지독히 근시안의; 《비유적》 투미한. **—***vi.* 《~/+副》 《구어》 (눈알 따위가) 바쁘게 움직이다; 《英속어》 급히 가다, 허둥지둥 달리다(*off; along*): I'll ~ *off* home. 서둘러 귀가할 겁니다.

bee·tle[2] *n.* Ⓒ 메, 큰 망치, 달구; 막자, 공이. **—***vt.* (메·공이 따위로) 치다.

bee·tle[3] *vi.* (눈썹·벼랑 따위가) 튀어나오다(overhang). **—***a.* 불쑥 나온; 털이 짙은《눈썹 따위》; 찡그린 얼굴의: ~ brows 굵은 눈썹; 찌푸린 눈살〔얼굴〕.

béetle-bròwed *a.* 눈썹이 굵은, 짙은 눈썹의; 상을 찌푸린, 뚱한(sullen).

béetle-crùsher *n.* Ⓒ 큰 장화; 《英구어》 큰 발(의 사람); 《英》 경관.

bee·tling [bíːtliŋ] *a.* Ⓐ 《문어》 툭〔불쑥〕 나온(beetle)《벼랑·눈썹·고층 빌딩 따위》.

béet·ròot *n.* Ⓒ (음식물에는 Ⓤ) 《英》 비트 뿌리《샐러드용》. (***as***) ***red as a ~*** (부끄러워) 얼굴이 홍당무가 된.

béet sùgar 사탕무로 만든 설탕, 첨채당(甜菜糖).

beeves [biːvz] BEEF 2 a 의 복수.

°**be·fall** [bifɔ́ːl] (***be·fell*** [biféːl]; ***be·fall·en*** [bifɔ́ːlən]) *vi.* 일어나다, 생기다, 닥치다《***to*** …에게》: A misfortune *befell to* his sister. 그의 누이에게 불행한 일이 닥쳤다/It so *befell that* he could not go with them. 그는 그들과 함께 갈 수(가) 없게 되었다. **—***vt.* …(의 신상)에 일어나다, 미치다, 닥치다(happen to): Be careful that no harm may ~ you. 해를 입지 않도록 조심해라.

be·fit [bifít] (**-*tt*-**) *vt.* 〖종종 it을 주어로 하여〗 …에 적합하다, 걸맞다, 어울리다: It ill ~*s* 〔It does not ~〕 a person to do …하는 것은 아무에게 걸맞지 않다. ◇ fit *a.*

be·fít·ting *a.* 어울리는, 적당한, 상응하는, 알맞은(proper)《***to*** …에》: in a ~ manner 어울리는 태도로/in a manner ~ *to* a gentleman 신사에게 어울리는 태도로. 㖈 **~·ly** *ad.*

be·fog [bifág, -fɔ́(ː)g] (**-*gg*-**) *vt.* 안개로 덮다〔가리다〕; (문제·진상)을 모호하게 하다(obscure); 어리둥절하게 하다, 얼떨떨하게 하다(bewilder): His mind was ~*ged*. 그의 마음은 갈피를 잡지 못했다〔정신이 얼떨떨했다〕.

be·fool [bifúːl] *vt.* 놀리다, 조롱〔우롱〕하다, 바보 취급하다; 속이다.

†**before** [bifɔ́ːr] *ad.* **1** 〖위치·방향〗 **앞에**, 전방에; 앞(장)서《ahead를 씀이 보통임》: There were trees ~ and behind. 앞에도 뒤에도 나무가 있었다/look ~ and after 앞뒤를 보다〔생각하다〕/go ~ 앞(장)서서 가다.

2 〖때〗 (지금보다, 그때보다) **이전에**, 그때까지; 좀 더 일찍, 앞서: I met 〔have met〕 him ~. 그 사람은 이전에 만나본 일이 있다/Such a thing never happened ~. 전에는 그런 일이 없었다/I had not met him ~. 나는 그때까지 그를 만난 일이 없었다《그때가 초면이었다》/I had met him five years ~. 나는 그를 그때부터 5년 전에 만난 일이 있다/You should have told me so ~. 좀 더 일찍 나에게 그리 일러 주었더라면 좋았을 것을.

> **NOTE** (1) before가 단독으로 쓰일 때에는 '지금보다 이전에(before now)'나 '그때보다 전에(before then)'의 뜻이 되며, 전자일 때는 과거나 현재완료에, 후자일 때는 과거완료에 씀.
> (2) the day before, five years before처럼 때를 나타내는 어구를 수반했을 때, before는 '그때보다 …전에'란 뜻으로, 보통 과거완료에 씀.
> (3) ago가 현재로부터 '전에'란 뜻임에 비해 before는 과거 어느 때부터 '전에'란 뜻임. 또, since는 ago, before 양쪽의 뜻이 있지만, 아주 오랜 과거에는 쓸 수 없음: His brother left home two years *ago* 〔since〕.

3 (정해진 시각보다) 일찍, 전에(earlier): Begin at five, not ~. 5시 정각에 시작해라/You should have come home ~. 넌 일찍 왔어야 했어.

as **~** 종전대로, 여느 때와 같이. ***long*** **~** 훨씬 이전에. (***the***) ***day*** 〔***night***〕 **~** 전날〔전날밤〕.

—*prep.* **1** 〖위치〗 **a** 〖일반적인 뜻의〗 **…의 앞에**, …의 면전〔안전〕에(↔ *behind*): ~ the door 문 앞에/stand ~ the King 왕 앞에 나오다/~ God 하느님께 맹세코, 반드시/~ my very eyes 바로 내 눈앞에서; 공공연히/He stood trembling ~ his master. 그는 주인 앞에(서) 떨며 서 있었다.

> **NOTE** before는 in front of 보다 문어적임. 뒤에 사물이 올 때엔 in front of가 자주 쓰임: *in front of* the house. 또 숙어적인 표현에서는 before가 쓰임: *before* court 법정에서.

b 《비유적》 …(앞)에: recoil ~ a shock 충격에 주춤하다/A good idea flashed ~ my mind. 좋은 생각이 퍼뜩 머릿속에 스쳤다. **c** 〖심의·고려 등을 위해〗 …(앞)에: the problem ~ us 우리 앞에 놓인 문제/problems ~ the meeting 회의에 제기된 문제/The question is ~ the committee. 그 문제는 위원회에서 심의되고 있다. **d** …의 **전도〔앞길〕에**, …을 기다리고: His whole life is ~ him. 그의 생애는 이제부터다/The summer holidays were ~ the children. 여름 방학이 어린이들을 기다리고 있었다. **e** …힘〔기운, 기세〕에 눌리어: bow ~ authority 권력(앞)에 굴복하다/trees bending ~ the storm 폭풍에 쓰러진 나무들.

2 〖때〗 **a** …**보다 전에**〔**먼저**〕(↔ *after*): ~ dark 어두워지기 전에/(on) the day ~ yesterday 그저께《부사구로 쓰일 때 《美》에서는 종종 the까지도 생략》/(in) the April ~ last 작년 4월에《《英》에서는 종종 in을 붙임》/I haven't been here ~ now. 이제껏 여기 와 본 일이 없다/Consult your partner ~ deciding. 결정하기 전에 파트너와 상의해라. **b** 《美》 (…분) 전에(to): five (minutes) ~ three 세 시 5분 전(five to three) 《미국에서는 of도 씀》.

> NOTE **before**와 **until** (1) before는 막연한 「…전에」의 뜻을 나타내지만, until은 「…까지(죽)」의 뜻으로 계속을 나타내는 동사와 함께 쓰이며, 일회성 동사와는 쓰이지 않음.
> (2) 부정문에서는 둘 다 가능하지만, 뜻과 내용에 차이가 있음. He did*n't* come home *before* 〔*until*〕 midnight.에서 before는 「한밤중 이후에 귀가했다.(언제 귀가했는지는 불분명)」의 뜻이지만, until은 「정확히 한밤중에 귀가했다」는 것을 나타냄.

3 〖순위·우선·선택〗 …**보다 앞에**〔**먼저**〕, …에 앞서, …에 우선하여, …보다 오히려; …**하느니 차라리**: be ~ others in class 반에서 수석이다/put freedom ~ fame 명성보다 자유를 중히 여기다/The duke is ~ the earl. 공작은 백작보다 위이다/I would die ~ yielding. 굴복하느니 차라리 죽을 테다.

~ *all* (*things*) = ~ *everything* 우선〔다른〕 무엇보다(도). **~ *christ*** ⇨CHRIST. **~ *long*** 오래지 않아(서), 곧(soon).

—*conj.* **1** (아직) …**하기 전에**, …하기에 앞서: I got up ~ the sun rose. 나는 해뜨기 전에 일어났다/I had not gone a mile ~ I felt tired. (불과) 1마일도 못 가서 나는 피곤해졌다/It will not be long ~ we meet again. 오래지 않아 우리는 다시 만날 거야《★ before가 이끄는 절의 동사는, 의미상의 때가 미래라도 형식은 현재를 씀》.

2 〖would·will과 함께〗 … **하느니 차라리**(⇨*prep.* 3): I will die ~ I give in. 굴복하느니 차라리 죽겠다, 죽어도 항복은 안 한다/I would die ~ I steal. 도둑질하느니 차라리 죽겠다.

3 〖형용사절을 이끌어〗 …하기 전의: The year ~ they were married he often sent her flowers. 결혼하기 전해에 그는 그녀에게 자주 꽃을 보냈다.

◇**befóre·hànd** *ad.* 미리, 사전에, 전부터: Let me know ~. 미리 알려주시오/have nothing ~ (돈 따위를) 미리 준비해 두지 않다.

—*a.* Ⓟ **1** 미리 조처하는《***with*** …에》: be ~ *with* one's payment 미리 지급하다/be ~ *with* one's rent 집세를 미리 내다. **2** 앞지른, 기선을 제압하는《***with*** …에, …의》: be ~ *with* one's business competitors 사업 경쟁자의 기선을 제압하다. **3** 서둘러 일을 그르치는, 덤벙대는《***in*** …에》: You are rather ~ *in* your suspicions. 너는 지레짐작하는 경향이 있다.

be·foul [bifául] *vt.* (이름·명예 따위)를 더럽히다; 헐뜯다, 깎아 내리다, 중상하다.

be·friend [bifrénd] *vt.* …의 친구가 되다, …와 사귀다; …에(게) 편들다, 돕다, …을 돌봐주다. ◇friend *n.*

be·fud·dle [bifʌ́dl] *vt.* **1** 억병으로 취하게 하다《★종종 수동태로 쓰며, 전치사는 *with*》: He's ~d *with* drink. 그는 곤드레만드레 취해 있다. **2** 어리둥절하게〔당황하게〕 하다《★ 종종 수동태로 쓰며, 전치사는 *with*》.

⁑**beg** [beg] (**-gg-**) *vt.* **1** 《~+목/+목+전+명》 (먹고 입을 것·돈·허가·은혜 따위)를 **빌다**, 구하다《***from, of*** (아무)에게; ***for*** …을》: ~ forgiveness 용서를 빌다/He ~*ged* money *from* people passing by. 그는 지나가는 사람들에게 돈을 달라고 빌었다/I ~ a favor *of* you. =I have a favor to ~ *of* you. 부탁이 있습니다/He ~*ged* the king *for* his life. 그는 왕에게 목숨을 살려달라고 빌었다. **2** 《+목+전+명/+목+*to* do/+*to* do/+*that* 절》 …에게 간청하다, 부탁하다, 바라다: I ~ you *to* sit down. 앉으시기 바랍니다/I ~ *to* be excused. 나는 싫습니다〔그만두겠어요〕/I ~ you *to* be very attentive. 부디 주의해서 들어주시기 바랍니다/I ~ *that* you will tell the truth. 부디 사실을 말씀해 주십시오.

> SYN. **beg** 무엇을 부탁할 때의 공손한 말씨. '빌다': I *beg* your pardon. 실례합니다. **entreat** 호소하듯 설득하면서 부탁하다. **implore** 탄원하듯이 간절히 부탁하다. **request** 정중한 명령에 많이 사용: You are *requested* to report. 출두하시오. **solicit** 무엇을 부탁할 때의 정중하고 딱딱한 표현: We *solicit* your aid. 귀하의 원조를 간절히 바라나이다.

3 《+*to* do》 (실례지만) …하겠습니다: I ~ *to* point out that your calculation is wrong. 실례지만 당신의 계산이 틀렸다는 것을 지적하겠습니다.

4 (문제·요점)을 회피하다, 얼버무리다: Your argument ~*s* the point in dispute. 당신의 주장은 교묘히 논점을 피하고 있습니다.

—*vi.* **1** 《~/+전+명》 **청하다**, 빌다; **구걸**〔**비럭질**〕**하다**《***for*** …을》: ~ from door to door 가가호호 구걸하고 다니다/~ *for* food 음식을 구걸〔청〕하다. **2** 《+전+명+*to* do》 부탁하다, 간청하다《***of*** (아무)에게》: I ~ *of* you not *to* say it again. 제발 두 번 다시(는) 그 말을 하지 말아 주시오.

> NOTE I *begged* (*of*) Mary to stay on for another week. 메리에게 1주일만 더 있어 달라고 부탁(을) 했다. I *begged for* Mary to stay on for another week. 메리를 1주일만 더 묵게 해 달라고 (딴 사람에게) 부탁했다.

3 (개가) 뒷발로 서다: *Beg!* (개를 보고) 뒷발로 섯.

~ *off* 《*vi.*+부》 ① 핑계를 대어 거절하다《***from*** …을》: He ~*ged off from* going. 그는 핑계를 대어 가기를 거절했다. **—**《*vt.*+부》 ② (간청해서) (아무)에게 면제받게 하다《***from*** (의무 따위)를》: I'll ~ you *off from going*. 자네는 가지 않도록 부탁해두지. ***Beg*** 〔***I*** **~**〕 ***your pardon.*** 미안합니다. ★올림조로 말할 경우에는 '다시 한 번 말씀해 주십시오'의 뜻. ***go ~ging*** ① 구걸하고 다니다. ② 살〔맡을〕 사람이 없다: These jobs don't *go ~ging*. 이런 일들은 맡을 사람이 많다.

be·gan [bigǽn] BEGIN의 과거.

◇**be·get** [bigét] (***be·got,*** 《고어》 ***be·gat; begot·ten, be·got; be·get·ting***) *vt.* **1** 〖주로 아버지를 주어로 하여〗 (아이)를 보다, 낳다《★어머니에는 bear[1]를 씀》: Abraham *begot* Isaac. 아브라함은 이삭을 낳았다. **2** 생기게 하다, 일으키다; (결

과로서) 초래하다: Money ~*s* money. 돈이 돈을 번다/Fear is often *begotten* of guilt. 공포심은 종종 죄를 범한 데서 생긴다.
[파] ~·**ter** *n.* [C] 낳게 하는 사람, 아비.

beg·gar** [bégər] *n.* [C] **1 거지**《남자 거지는 beggar-man, 여자 거지는 beggar-woman》; 가난뱅이: a good ~ 잘 얻어내는 사람/a ~ for work 《구어》 일벌레/*Beggars* must not be choosers [《美》 choosy]. 《속담》 빌어먹는 놈이 이밥 조밥 가리랴. **2** 〖보통 수식어를 수반하여〗 《구어 · 우스개 · 반어적》 녀석, 놈《★ 아이, 동물의 새끼에도 씀》: Poor ~! 가엾어라/You little ~! 이놈 봐라. ***die a ~ 객사하다.
—*vt.* 〖종종 ~ oneself〗 **1** 거지로[가난하게] 만들다: ~ one*self* by betting 노름으로 알거지가 되다. **2** 〖description, comparison을 목적어로 하여〗 (표현 · 비교)를 무력[불가능]하게 하다: It ~*s* (=is beyond) (all) *description*. 그것은 필설로 다할 수 없다. ◇ beggarly *a.*

bég·gar·ly *a.* [A] 거지 같은, 가난한; 얼마 안 되는; 빈약한, 비천한: a few ~ pounds 겨우 2, 3파운드. [파] **-li·ness** *n.*

béggar-my-néighbor, -your- *n.* [U] 카드놀이의 일종《상대의 패를 다 따야 이김》. **—***a.* [A] 남의 손해로 이득을 보는, 근린 궁핍의《정책》: ~ policy 근린 궁핍화 정책.

beg·gary [bégəri] *n.* [U] 거지 신세, 찰가난, 극빈.

†**be·gin** [bigín] (***be·gan*** [-gǽn]; ***be·gun*** [-gʌ́n]; ***be·gin·ning***) *vi.* **1** 《~/+[전]+[명]》 **시작되다**, 개시하다《***at, on, in*** …에(서); ***with, by*** …부터》: Has the meeting *begun* yet? 회의가 벌써 시작됐나/School ~*s at* eight o'clock [*on* Monday, *in* April]. 수업은 8시에[월요일부터, 4월부터] 시작된다/Let's ~ *at* page 10. 10페이지부터 시작하자/He *began with* a joke [*by* scold*ing* us]. 그는 우선 농담부터 하고 [우리를 야단치고 나서] 시작했다《★ -ing일 때는 by》. **2** 《+[전]+[명]》 착수하다《***on*** (일 따위)에》: He *began on* a new job. 그는 새 일에 착수했다. **2** 일어나다, 나타나다, 생기다: When did life on the earth ~? 지구상의 생물은 언제 발생하였는가.
—*vt.* **1** 《~+[목]/+[목]+[전]+[명]/+*to* do/+-*ing*》 시작하다, 착수하다《***with, by*** …으로》; 창시[창안]하다: Let's ~ (our) work. 일을 시작하자/Well *begun* is half done. 《속담》 시작이 반이다/He *began* his lecture *with* [*by* tell*ing*] a humorous anecdote. 그는 우스운 일화로 강의를 시작했다《★ -ing일 때는 by》/It has *begun to* rain. 비가 내리기 시작했다/He *began* strum*ming* his guitar. 그는 서툴게 기타를 치기 시작했다. ★ begin to do는 동작의 개시에, begin doing은 시작된 동작의 계속에 중점을 둔 표현이나 실제는 큰 차이가 없음. 다만, begin이 진행형일 때는 to do를 흔히 씀.
[SYN.] **begin** 보통 쓰이는 말. **commence** 의식 · 소송 따위에 쓰이는 좀 딱딱한 말. **start** 마침내[이제] …을 시작하다, 갑자기 시작하다: She *started* crying [to cry]. 그녀는 갑자기 울기 시작했다. **initiate** (…에서) 첫발을 내딛다; …에 착수하다: *initiate* a reform 개혁에 착수하다.
2 《+*to* do》 《구어》 〖부정어와 함께〗 전혀 (할 것 같지) 않다: I can't ~ *to* tell you how much I appreciate this. 나는 이번 일을 얼마나 고맙게 여기고 있는지 당신에게 표현할 말이 없습니다. ***to*** ~ ***with*** 〖독립부사구〗 ① 우선 첫째로: He was poor, *to* ~ *with*. 첫째로 그는 가난했다. ② 처음은[에는]: He did well *to* ~ *with*, but soon ran into problems. 그는 처음에는 순조로웠으나, 얼마 안 있어 몇 가지 문제점에 부딪혔다.

‡**be·gin·ner** [bigínər] *n.* [C] **초심자**, 초학자; 창시[개시]자: a ~'s class 초급반.

begínner's lúck (내기에서) 초심자에게 따르는 행운.

†**be·gin·ning** [bigíniŋ] *n.* [C] **1 처음**, 최초; 시작 (start), 발단; 기원(origin): the ~ of an affair 사건의 발단/at the (very) ~ 최초에, 맨 처음에/begin at the ~ 첫걸음[처음]부터 시작하다/from ~ to end 처음부터 끝까지/in the ~ 처음에, 태초에/from the ~ 처음부터/since the ~*s* of things 태초 이래로/Parliament has its ~*s* in 14th century England. 의회는 14세기 영국에 그 기원을 두고 있다. [SYN.] ⇨ORIGIN. **2** (흔히 *pl.*) 초기(단계), 어린 시절: the ~*s* of science 과학의 초기/rise from humble [modest] ~*s* 비천한 신분으로부터 입신하다. **3** 기원, 발단: Nobody knows what the ~ of his trouble was. 어느 누구도 그의 걱정의 원인이 무엇이었는지 모른다.
—*a.* [A] 초기의, 최초의: a ~ salesman 풋내기 세일즈맨.

be·gone [bigɔ́(:)n, -gán] *vi.* 《시어 · 문어》 떠나다, 물러가다《★ 보통 명령법 · 부정사(不定詞) 등으로 씀》: *Begone!* 가, (썩) 꺼져/Tell him to ~ immediately. 그에게 곧 떠나라고 하세요.

be·go·nia [bigóunjə, -niə] *n.* [C] 〖식물〗 추해당, 베고니아.

be·got [bigát/-gɔ́t] BEGET의 과거 · 과거분사.

be·got·ten [bigátn/-gɔ́tn] BEGET의 과거분사.

be·grime [bigráim] *vt.* 더럽히다《***with*** …으로》; 《비유적》 부패시키다《★종종 수동태로》: a ~ street 지저분한 거리/His hands were ~*d with* oil. 그의 손은 기름으로 더럽혀졌다.

be·grudge [bigrʌ́dʒ] *vt.* **1** 시새우다, 시기하다: ~ a person his good fortune 아무의 행운을 질시(嫉視)하다. **2** 주기 꺼리다, 내놓기 아까워하다《***to*** …에게》; (…하기) 싫어하다《**do*ing***》: He did not ~ his money for buying books. 그는 책을 사는 데 돈을 아끼지 않았다/She is so stingy that she ~*s* her dog a bone. 그녀는 기르는 개에게 뼈다귀 하나 주는 것을 아까워할 정도로 노랭이다/We don't ~ your go*ing* to Italy. 우리는 너의 이탈리아행을 반대하지 않는다/No one ~*d* help*ing* him. 그를 도와주기를 싫어하는 사람은 아무도 없었다. ★ grudge 보다 뜻이 강함.

be·grúdg·ing·ly *ad.* 마지못해, 아까운 듯이.

be·guile [bigáil] *vt.* **1** 현혹시키다, 미혹시키다; 속이다, 기만하다《***with, by*** …으로》; 속여서 …시키다《***into*** …하게》: She ~*d* him *with* false promises [*by* tell*ing* him sweet lies]. 그녀는 거짓 약속으로[달콤한 거짓말을 해서] 그를 속였다/Her beauty ~*d* him. 그녀의 아름다움에 그는 매료되었다/He ~*d* me *into* consent*ing*. 그는 나를 속여서 승낙케 했다. **2** 속여 빼앗다《***of, out of*** …을》: ~ John *of* [*out of*] his money 존을 속여 돈을 빼앗다. **3** (어린이 따위)를 기쁘게 하다, 위로하다; (지루함 따위)를 잊게 하다, (시간)을 즐겁게 보내다《***with, by*** …으로》: She ~*d* her child *with* tales. 그녀는 이야기로 어린이를 기쁘게 했다/They ~*d* their long journey *with* talk. 그들은 이야기로 긴 여행의 지루함을 달랬다.

㊉ ~·**ment** *n*. Ⓤ 기만; Ⓒ 기분 전환. **be·guíl·er** *n*. Ⓒ 속이는 사람〔물건〕; (기분을) 전환시키는 사람〔물건〕. **be·guíl·ing** *a*. 속이는; 기분을 전환시키는, 재미있는. **be·guíl·ing·ly** *ad*.

be·guine [bigí:n] *n*. Ⓤ 베긴《서인도 제도 Martinique섬 원주민의 bolero 조(調)의 춤》; Ⓒ 그 리듬(의 곡).

be·gun [bigʌ́n] BEGIN의 과거분사.

be·half [bihǽf, -há:f] *n*. 측, 편; 이익《다음 관용구로만》. ***in ~ of*** =***in*** a person***'s ~*** …(의 이익)을 위하여: plead *in ~ of* a cause 어떤 주의를 옹호하여 변론하다/He spoke *in* her ~. 그는 그녀를 위해 변호했다. ***on ~ of*** a person = ***on*** a person***'s ~*** ① (아무)의 대신으로, …을 대표하여: The captain accepted the cup *on ~ of* the team. 주장이 팀을 대표하여 우승배를 받았다. ② …에 관하여; …을 위하여: Don't be uneasy *on* my ~. 내 걱정은 말아 주시오/He did much *on ~ of* the prisoners. 그는 죄수를 위해 크게 이바지했다.

‡be·have [bihéiv] *vi*. **1** 《~/+전+명》《종종 양태부사(구)를 수반하여》 **행동하다**《***to, toward*** …에게》; (아이가) 예절 바르게 행동하다: The child ~d well 〔badly〕 at school. 그 아이는 학교에서 품행이 바르다〔나쁘다〕/Did you ~ at the party today? 오늘 너는 파티에서 예절바르게 행동했니/How did he *~ to* 〔*toward*〕 you? 그는 너에게 어떤 태도였나/She *~d* well *toward* me. 그녀는 나에게 잘 해 주었다. **2** (기계 따위가) 움직이다; (약·물건 등이) 작용하다, 반응〔성질〕을 나타내다: The airplane *~d* well. 비행기 상태는 양호했다/This plastic *~s* strangely *under* extreme heat or cold. 이 플라스틱은 극열이나 극한에서는 기묘한 반응을 나타낸다. **—***vt*. 《~ oneself》 행동하다: ~ one*self* like a man 사내답게 행동하다/*Behave* your*self!* 점잖게〔얌전히〕 굴어라.

be·háved *a*. 《합성어를 이루어》 행동거지가 …한: well-〔ill-〕~ 행실이 좋은〔나쁜〕.

‡be·hav·ior, 《英》 **-iour** [bihéivjər] *n*. Ⓤ **1** **행동, 행실**; 거동, 소행; 품행. SYN. ⇨ACT. **2** (기계·자동차 등의) 움직이는 품, 움직임, 운전; (물체·물질이 나타내는) 성질, 작용, 반응. **3** 〖심리〗 (심리학의 연구 대상으로서의) 행동, 습성. ◇ behave *v*. ***be on*** one***'s good*** 〔***best***〕 ~ 근신하고 있다, 얌전하게 굴다《감시 중에》.

㊉ ~·**ism** [-rìzəm] *n*. Ⓤ 〖심리〗 행동주의. ~·**ist** *n*. Ⓒ, *a*. 행동주의자〔적인〕. **be·hàv·ior·ís·tic** *a*. 행동주의적인.

be·hav·ior·al [bihéivjərəl] *a*. Ⓐ 행동의, 행동에 관한.

behávioral scíence 행동 과학《인간 행동의 관찰에 바탕을 둔 심리학·사회학·인류학 따위》.

behávior pàttern 〖사회〗 (개인·집단의) 행동 양식.

behávior thèrapy 〔**modificàtion**〕 〖정신의학〗 행동 요법〔변이〕.

◇be·head [bihéd] *vt*. (형벌로서) …의 목을 베다, …을 참수하다.

be·held [bihéld] BEHOLD의 과거·과거분사.

be·he·moth [bihí:məθ, bí:əmɑ̀θ/bihí:mɔθ] *n*. **1** Ⓤ (종종 B-) (성서에 나오는 하마(hippopotamus)와 같은) 거수(巨獸)《욥기 XL: 15–24》. **2** Ⓒ 《美구어》 거인; 거대한〔강대한〕 짐승〔것〕.

be·hest [bihést] *n*. 《문어》 (흔히 *sing*.) 명령(command); 간절한 부탁; 요망: at the ~ of a person 아무의 명을 받아.

†be·hind [biháind] *ad*. **1** 〖장소를 나타내어〗 **뒤에**. ↔ *before*. ¶ follow ~ 뒤를 따르다/fall 〔drop〕 ~ 남에게 뒤지다/look ~ 뒤를 보다; 회고하다. **b** 〖보통 leave, remain, stay 등과 함께 쓰여〗 남아서: remain 〔stay〕 ~ 뒤에 남다, 출발하지 않다. **2** 배후〔이면〕에; 숨어서: There is nothing ~. 배후 관계는 없다/There is something ~. 뒤에 무엇인가 있다. **3** 〖때를 나타내어〗 **늦어서**. ↔ *before*.¶This train 〔watch〕 is one hour ~. 이 열차〔시계〕는 한 시간 늦다. **4** 뒤처져서, 뒤져서《***in, with*** (일·진보 따위)가》: He's ~ *in* 〔*with*〕 his work. 그는 일이 늦어지고 있다/If winter comes, can spring be far ~? 겨울이 오면 봄은 머지 않느니《P.B. Shelly의 시》.

—*prep*. **1** 〖장소를 나타내어〗 **…의 뒤에**, 그늘에, 저쪽에 (beyond). ↔ *before*. ¶ ~ the house 집 뒤에/~ the mountain 산 그늘에〔저쪽에〕/The boy was hiding ~ a door. 그 소년은 문 뒤에 숨어 있었다/Follow close ~ me. 내 바로 뒤에 따라와라. SYN. ⇨AFTER. **2** …의 배후에, 이면에(↔ *before*); …을 후원〔지지〕하여: He is ~ the movement. 그 운동의 배후엔 그가 있다/I tried to get ~ his words. 나는 그의 말의 진의를 탐색하려 했다/He has many friends ~ him. 그는 많은 친구들의 후원을 받고 있다. **3** 뒤에 남기고, 사후에; 지나서, 끝나서: He stayed ~ us for two days. 그는 우리보다 이틀이나 더 머물렀다/He left his only daughter ~ him. 그는 외동딸을 남기고 죽었다/All his difficulties are now ~ him. 이제 그의 모든 고생은 끝났다. **4** 〖시간을 나타내어〗 늦어서. ↔ *before*. ¶ ~ time 시간에 늦어, 지각하여/~ the times 시대에 뒤져. **5** …에 뒤져서, …보다 못하여(inferior to): I am ~ him in English. 나는 영어에서 그에게 뒤진다.

from ~ (…), (…의) 뒤에서: Someone called me *from ~*. 뒤에서 누군가 나를 불렀다/*from ~* the trees 나무 숲 그늘에서.

DIAL. ***Behind you!*** 뒤를 조심해라.

—*n*. Ⓒ 《구어·완곡어》 엉덩이: fall *on* one's ~ 엉덩방아를 찧다.

behínd·hànd *a*. Ⓟ **1** (시기·시각·시대에) 뒤진, 늦은: be ~ in one's idea 생각이 뒤떨어지다〔낡다〕. **2** 밀리어《***with, in*** (일·집세 따위)가》: be ~ *with* one's rent 〔payments〕 집세가〔지급이〕 밀리다.

behínd-the-scéne *a*. Ⓐ 공개되지 않은, 비밀〔흑막〕의: a ~ conference 비밀 회담/a ~ negotiation 막후 협상.

◇be·hold [bihóuld] (*p*., *pp*. ***be·held*** [-héld]) *vt*. 보다(look at). SYN. ⇨SEE. **—***int*. 《명령형》 보라. ***Lo and ~!*** ⇨LO.

be·hold·en [bihóuldən] *a*. Ⓟ 《문어》 은혜를 입은, 신세를 진《***to*** (아무)에게; ***for*** …에 대하여》: I am greatly ~ *to* you *for* your kindness. 신세를 대단히 많이 졌습니다.

be·hóld·er *n*. Ⓒ 보는 사람, 구경꾼(onlooker).

be·hoove, 《英》 **-hove** [bihú:v], [-hóuv] *vt*. 《문어》 《비인칭구문을 취해》 (…하는 것이) 의

무이다, …할 필요가 있다: *It* ~*s* every one *to* do his duty. 직분을 다하는 것은 모든 사람의 의무이다 / *It* ~*s* a child *to* obey his parents. 자식은 부모에게 순종해야 한다.

beige [beiʒ] *n.* Ⓤ 원모로 짠 나사〔모직물〕; 베이지색《밝은 다갈색》. **—***a.* 베이지색의.

Beijing ⇨ PEKING.

⁑**be·ing** [bíːiŋ] BE의 현재분사 · 동명사.
—*a.* 현재 있는, 지금의. ***for the time*** ~ 당분간, 우선은.
—*n.* **1** Ⓤ **존재**; 생존; 인생: absolute ~ 〖철학〗 절대존재 / actual ~ 실재. **2** Ⓒ **존재자**〔물〕; 생물(living things); 인간: human ~*s* 인간, 인류. **3** (the B–) 신: the Supreme *Being* 신. **4** Ⓤ 본질, 본성; 성질. ***call*** 〔***bring***〕 ***... into*** ~ …을 생기게 하다, 낳다. ***come into*** ~ 생기다, (태어)나다. ***in*** ~ 현존의, 생존해 있는: the record *in* ~ 현존 기록.

Bei·rut [beirúːt, ⌐–] *n.* 베이루트《Lebanon의 수도》.

be·jew·el [bidʒúːəl] (***-l-***, 《英》 ***-ll-***) *vt.* …을 보석으로 장식하다, …에 보석을 박아 넣다: the sky ~*ed with* stars 별들이 보석처럼 박힌 하늘.

bel [bel] *n.* Ⓒ 〖물리 · 전기〗 벨《전압 · 전류나 소리의 강도 단위; =10 decibels; 실제로는 decibel이 쓰임; 기호 b》.

be·la·bor, 《英》 **-bour** [biléibər] *vt.* **1** 장황하게 검토하다〔말하다〕. **2** 세게 치다, 때리다《***with*** …으로》. **3** 호되게 꾸짖다《***with*** (말 따위)로》.

Be·la·rus [bjèlarúːs] *n.* 벨로루시《러시아 연방 서쪽의 CIS 구성 공화국; 수도 Minsk》.

be·lat·ed [biléitid] *a.* **1** (편지 · 보고서 등이) 늦은, 뒤늦은: ~ efforts 때늦은 노력 / a ~ birthday present 뒤늦은 생일 선물. **2** (사람이) 늦게 온, 지각의. **3** 시대에 뒤진: a ~ view of world politics 세계 정치에 관한 뒤떨어진 견해. ㊕ **~·ly** *ad.* 뒤늦게. **~·ness** *n.*

Be·lau [bəláu] *n.* **Republic of** ~ 벨라우 공화국《전의 Palau 제도; 1981년 독립》.

be·lay [biléi] (*p., pp.* ***be·layed***) *vt.* 〖항해 · 등산〗 (밧줄)을 밧줄걸이에 감아 매다; (명령 등)을 취소하다. **—***vi.* 밧줄을 안정시키다; 〖명령형〗 《구어》 그만둬라: *Belay* there! 《항해구어》 이제 그만. **—***n.* Ⓒ 〖등산〗 빌레이, 자일의 확보; 자일을 안정시키는 곳《돌출한 바위 따위》.

beláying pìn 〖항해〗 빌레이 핀, 밧줄 턱, 밧줄걸이.

belch [beltʃ] *vt.* (폭언 따위)를 터뜨리다; (연기 따위)를 뿜어내다 (*out; forth*): The volcano ~*ed* (*out*) smoke and ashes. 그 화산은 연기와 재를 뿜어냈다. **—***vi.* 트림하다. **—***n.* Ⓒ (보통 *sing.*) 트림 (소리); 폭발(음); 분화.

be·lea·guer [bilíːgər] *vt.* **1** 에워싸다; 포위공격하다. **2** 귀찮게 붙어다니다〔괴롭히다〕.

Bel·fast [bélfæst, –⌐, belfáːst, ⌐–] *n.* 벨파스트《북아일랜드의 수도(首都); 항구 공업 도시》.

bel·fry [bélfri] *n.* Ⓒ 종각, 종루(bell tower); (종루 안의) 종이 걸려 있는 곳.

Belg. Belgian; Belgic; Belgium.

°**Bel·gian** [béldʒən] *a.* 벨기에의; 벨기에 사람의. **—** *n.* Ⓒ 벨기에 사람.

Bel·gium [béldʒəm] *n.* 벨기에(the Kingdom of ~)《수도 Brussels》.

Bel·grade [bélgreid, -graːd, -græd, -⌐] *n.* 베오그라드《세르비아 공화국 및 신유고슬라비아의 수도》.

Bel·gra·via [belgréiviə] *n.* 벨그레이비어《런던의 Hyde Park 남쪽의 상류 주택 구역》.

°**be·lie** [bilái] (*p., pp.* ***~d; be·ly·ing***) *vt.* **1** …을 거짓〔잘못〕 전하다, 잘못〔틀리게〕 나타내다, 속이다; …이 거짓임〔그릇됨〕을 나타내다: The report ~*s* him. 그의 됨됨이는 소문과는 다르다 / His acts ~ his words. 그는 언행(言行)이 다르다. **2** (약속 · 기대 등)을 어기다, 저버리다: He stole again, and so ~*d* our hopes. 그는 다시 도둑질을 해서 우리의 기대를 어겼다.

⁑**be·lief** [bilíːf, bə-] *n.* **1** Ⓤ (또는 a ~) **확신**; 신념, 소신《***in*** …에의 / ***that***》: They cherish a ~ *in* ghosts. 그들은 유령의 존재를 믿고 있다 / That passes all ~. 그것은 도저히 믿기지 않는 일이다 / It was once a common ~ *that* the sun moved around the earth. 예전엔〔한때〕 태양이 지구 둘레를 돈다고 일반적으로 믿었다.

SYN. **belief** 의심 없이 받아들이는 것: *belief* in ghosts 유령이 있다고 믿음. **faith** 객관적인 근거는 없으나 전적〔맹목적〕인 신뢰: have *faith* in God 신을 믿다. **trust** 상대방의 능력 · 성실성 등에 대한 직관적인 신용. **confidence** 자기의 경험 · 근거에 의거한 신념: No man has ever placed *confidence* in him since that event. 그 사건 이래 아무도 그를 믿지 않게 되었다.

2 Ⓤ (또는 a ~) **신뢰**, 신용《***in*** …에의》: I have no great ~ *in* doctors. 나는 의사를 그다지 믿지 않는다. **3** Ⓒ **신앙**, 신조: the Christian ~ 그리스도교(敎)의 신앙 / one's religious ~ 종교적 신앙.

beyond ~ 믿을 수 없는 (정도로): She's beautiful *beyond* ~. 그녀는 믿기지 않을 정도로 아름답다 / A trip to the moon was *beyond* ~ at that time. 그 당시에 달 여행이란 믿을 수 없는 일이었다.

be·líev·a·ble *a.* 믿을〔신용할〕 수 있는: a ~ politician 믿을 수 있는 정치가.

⁑**be·lieve** [bilíːv, bə-] *vt.* **1** 《~+목/+*that* 절》 …을 **믿다**, 신용하다, …의 말을 믿다: I ~ you. 자네를〔자네 말을〕 믿네, 그렇고 말고 / I ~ the story 〔what he says〕. 나는 그 얘기를〔그가 한 말을〕 믿는다 / Columbus ~*d that* the earth is round. 콜럼버스는 지구가 둥글다고 믿었다 / I can't ~ it! 믿을 수 없다, 꿈 같다. **2** 《+*that* 절/+목+(*to be*) 보/+목+*to* do/+*wh.*》 …**라고 생각하다**, 여기다: I ~ (*that*) he is honest. =I ~ him (*to be*) honest. 나는 그가 정직하다고 생각한다 / Will he be here tomorrow?—I ~ so 〔not〕. 그가 내일 여기에 올까?—분명히 올거야 〔아마 오지 않을거야《★ I believe so.는 believe에, I believe not.은 not에 강세 있음》/ She is ~*d to be* dying 〔*to have* died〕 of cancer. 그녀가 암으로 죽는다고〔죽었다고〕 생각된다《★ *to* do는 보통 *to be* doing 또는 *to have done*의 꼴로 쓰며, 종종 수동태로 쓰임》/ Nobody will ~ *how* difficult it was. 아무도 그것이 얼마나 어려운지 믿지 못할 것이다. **3** 〖I ~로 병렬적 또는 삽입적으로 써서〗 분명히 (…라고) 생각하다: She has, I ~, no children. 그녀에겐 확실히 어린애가 없다 / Mr. Robinson, I ~?—Yes. 분명히 로빈슨씨죠?—그렇습니다.
—*vi.* 《~/+전+명》 **1** 존재(存在)를 믿다《***in*** …의》: As for religion, some ~, some don't. 종교에 관해서는, 믿는 사람도 있지만 안 믿는 사람도 있다 / ~ *in* God 신의 존재를 믿다, 신을 믿다.

2 인격〔능력〕을 믿다《*in* …의》: I ~ *in* him. 그는 훌륭〔유능〕한 사람이라고 생각한다, 그의 인격〔역량〕을 믿는다《★ *believe* him은 '그의 말은 정말'이라고 믿는 일, *believe in* him은 '그의 인품〔능력〕이 뛰어나다'고 믿는 것》. 3 좋은 점을〔효과를〕 믿다, 가치를 인정하다《*in* …의》: ~ *in* early rising 일찍 일어나는 것을 좋다고 생각하다/~ *in* his method 그가 하는 방식을 좋다고 생각하다/I don't ~ *in* aspirin. 아스피린은 듣지 않는 것 같다. 4 신용하다, 믿다《*in* …을》: I don't ~ *in* his promises. 그 사람의 약속을 믿을 수 없다. 5 생각하다, 여기다(think): How can you ~ so badly of them? 너는 어찌하여 그들을 그토록 나쁜 놈으로 생각하느냐. ◇belief *n*.

~ *it or not* 《구어》 믿거나 말거나, 거짓이라고 생각하겠지만: *Believe it or not*, I'm already 60 years old. 믿기지 않겠지만 나는 이미 60살입니다. **~ *me*** 《삽입적으로 써서》 정말이야; 실은, 정말은: *Believe me*, I'm terribly sorry. 정말로 대단히 미안합니다. **~ one's *ears*** 〔***eyes***〕 들은〔본〕 것을 그대로 정말이라고 믿다. ***make*** **~** … 으로 보이게〔믿게〕 하다, …인 체하다: She *made* ~ not to hear me. 그녀는 못들은 체했다.

> **DIAL.** ***You ('d) better believe it!*** 그래, 정말이야, 믿어도 돼.

be·líev·er *n*. Ⓒ 믿는 사람, 신자; 신봉자: a ~ *in* Buddhism 〔fate〕 불교 신자〔운명론자〕/a ~ *in* vegetarianism 채식주의 신봉자.

be·liev·ing [bilíːviŋ, bə-] *a*. 신앙심 있는. **—** *n*. Ⓤ 믿음: Seeing is ~. 《속담》 백문이 불여 일견. ㊕ **~·ly** *ad*.

Be·lí·sha béacon [bilíːʃə-] 《英》 횡단 보도 표지등《황색 명멸광이 달린 입표(立標)》. ★ 간단하게 Belisha 또는 beacon이라고도 함.

be·lit·tle [bilítl] *vt*. 1 작게 하다, 축소하다; 작아 보이게 하다; 얕잡다, 하찮게 보다: Don't ~ your*self*. 자신을 비하하지 마라.

Be·lize [bəlíːz] *n*. 벨리즈《중앙 아메리카의 카리브해에 면한 독립국; 수도 Belmopan》.

Bell [bel] *n*. **Alexander Graham ~** 벨《전화기를 발명한 미국의 과학자; 1847–1922》.

†**bell**[1] [bel] *n*. Ⓒ 1 **a** 종; 방울, 초인종, 벨; (보통 *pl*.) 【항해】 시종(時鐘)《배 안에서 반 시간마다 침》: the passing ~ 임종의 종(鐘)/a chime 〔peal〕 of ~s (교회의) 차임 소리/an electric ~ 벨. **b** 종소리, 벨소리: marriage ~*s* 교회의 결혼식 종/a passing ~ 임종의 종소리. 2 종 모양의 것; 종상 화관(鐘狀花冠); (해파리의) 갓; (나팔·확성기·굴뚝 따위의) 벌어진 입. 3 (*pl*.) 나팔바지, 판탈롱.

answer the **~** 손님을 맞이하다《초인종 소리를 듣고》. **(*as*) *clear as a*** **~** (소리·물·술 따위가) 매우 맑은; 《구어》 매우 명료하여. **(*as*) *sound as a*** **~** (아무가) 매우 건강하여, (물건이) 나무랄 데 없는 상태로. ***give*** a person ***a*** **~** 아무에게 전화하다. ***ring a*** **~** 《구어》 (이전에 들었던 말)을 생각나게 하다; 마음에 떠오르게 하다: That name *rings a* ~. 그 이름은 들은 적이 있는 이름이다.

> **DIAL.** ***Saved the bell.*** 위험한 고비를 겨우 넘겼다《권투 선수가 공소리로 살아난 데서》.
> ***There's the bell!*** 벨이 울린다, 손님이 왔나보다; 시간이 됐다.

— *vt*. 1 …에 방울〔종〕을 달다. 2 《~+목/+목+부》 종 모양으로 벌리다(*out*). **—** *vi*. 1 (전차 따위가) 종을 울리다; 종 같은 소리를 내다. 2

《~/+부》 종 모양으로 되다(*out*). **~ *the cat*** 자진하여 어려운 일을 맡다《이솝 우화에서》.

bell[2] *n*. Ⓒ (교미기의) 수사슴의 울음소리. **—** *vi*. (교미기의 수사슴이) 울다.

Bel·la [bélə] *n*. 벨라《여자 이름; Arabel(la), Isabel(la)의 애칭》.

bel·la·don·na [bèlədɑ́nə/-dɔ́nə] *n*. 1 Ⓒ 【식물】 벨라도나《가짓과(科)의 유독 식물》. 2 Ⓤ 【약학】 벨라도나 제제(製劑)《진통제 따위》.

béll-bòttom *a*. 바지 가랑이가 넓은; 판탈롱의. ㊕ **~·ed** *a*.

béll-bòttoms *n. pl*. (선원(船員)의) 나팔바지; 판탈롱: a pair of ~ 판탈롱 한 벌.

béll·bòy *n*. Ⓒ (호텔·클럽의) 사환.

béll bùoy 【항해】 타종 부표(打鐘浮標).

béll càptain 《美》 (호텔의) 급사장.

Belle [bel] *n*. 벨《여자 이름; Isabella의 애칭》.

belle [bel] *n*. Ⓒ 1 미인, 미녀. 2 (the ~) (어떤 자리에서의) 가장 아름다운 여성〔소녀〕: the ~ *of* society 사교계의 여왕.

belles-let·tres [bellétər, bellétr] *n*. 《F.》 Ⓤ 미문학(美文學), 순(純)문학.

béll·flòwer *n*. Ⓒ 【식물】 초롱꽃과(科)의 각종 식물: a Chinese ~ 도라지.

béll fòunder 〔**fòundry**〕 종 만드는 사람〔곳〕.

béll glàss =BELL JAR.

béll·hòp *n*. 《美》 =BELLBOY.

bel·li·cose [bélikòus] *a*. 호전적인(warlike); 싸움을 잘하는. ㊕ **~·ly** *ad*. **~·ness** *n*.

bel·li·cos·i·ty [bèlikɑ́səti/-kɔ́s-] *n*. Ⓤ 호전성, 전투적 기질; 싸움을 즐김.

bel·lied [bélid] *a*. 《복합어를 이루어》 …의 배를 한〔지닌〕: empty-*bellied* children 배곯은 아이들/pot-*bellied* 배불뚝이의.

bel·lig·er·ence [bəlídʒərəns] *n*. Ⓤ 호전성, 투쟁성; 반항적 기질. ㊕ **-en·cy** [-rənsi] *n*. Ⓤ 교전 상태.

°**bel·lig·er·ent** [bəlídʒərənt] *a*. Ⓐ 교전 중인; 교전국의; 싸움을 좋아하는, 호전적인: the ~ powers 교전국. **—** *n*. Ⓒ 교전국; 전투원. ㊕ **~·ly** *ad*. 호전적으로; 싸울 듯이.

béll jàr 종 모양의 유리, 유리 종《골동품 등의 보호, 진공 상태 유지 등을 위한》.

béll·man [-mən] (*pl*. **-men** [-mən]) *n*. Ⓒ 1 종 치는 사람. 2 어떤 일을 동네에 알리는 사람(town crier); 야경꾼. 3 잠수부의 조수.

Bel·lo·na [bəlóunə] *n*. 1 【로마신화】 벨로나《전쟁의 여신》. 2 Ⓒ (벨로나같이) 위세 좋은 여자.

Bel·low [bélou/-ləu] **Saul ~** 벨로《Canada 태생의 미국 소설가; Nobel 문학상(1976); 1915– 》.

bel·low [bélou] *vi*. 1 (소가) 큰 소리로 울다; 짖다. 2 신음하다《*in*, *with* (고통 따위)로》; 노호하다, 큰소리치다《*at* …에게》: He ~*ed at* his servant. 그는 하인에게 호통쳤다. 3 (대포 소리 따위가) 크게 울리다; (바람이) 윙윙대다. **—** *vt*. 큰소리로 말하다, 외치다(*out*): ~ abuse 욕을 퍼붓다/~ (*out*) a song 큰소리로 노래를 부르다/The director ~*ed* his orders over the loudspeaker. 지휘자는 확성기로 고함치듯 명령을 내렸다/~ *out* 〔*forth*〕 blasphemies 〔a song〕 욕설을 퍼붓다〔고함지르듯 노래하다〕.

— *n*. Ⓒ (황소의) 우는 소리; 울부짖는〔신음〕 소리.

bel·lows [bélouz, -ləz] (*pl.* ~) *n.* Ⓒ **1** 〖단·복수취급〗 풀무: blow the ~ 불을 지피다; (화따위를) 부채질하다. ★ 보통 골풀무는 (the) *bellows*, 휴대용은 a pair of *bellows*. **2** (풍금·아코디언의) 송풍기, 바람통; (사진기의) 주름상자.

béll pùsh (벨의) 누름단추.

béll rìnger 종치는〔벨을 울리는〕 사람〔장치〕; (교회) 종지기.

béll tòwer 종루, 종탑. ⓒⓕ campanile.

béll·wèther *n.* Ⓒ 길잡이 양《목에 방울을 달고 딴 양들을 이끄는》; 선도자; (반란·음모 따위의) 주모자: ~ industry 경기 주도(형) 산업.

bel·ly** [béli] *n.* Ⓒ **1** 배, 복부(abdomen): a pot ~ 올챙이 배/have a ~《구어》 배가 나와 있다/lie on one's ~ 배를 깔고 엎드려 있다. **2** 위(胃): an empty ~ 공복. **3** 식욕, 대식; 탐욕: The ~ has no ears.《속담》 금강산도 식후경, 수염이 대자라도 먹어야 양반. ***go 〔***turn***〕 ***~ up*** 〔***belly-up***〕《속어》 ① (물고기가) 죽다. ② 실패하다; 도산하다.

—*vi.* 《~/+副》 부풀다, 불룩해지다(*out*): The ship's sails *bellied* (*out*) in the wind. 배의 돛이 바람을 받아 불룩해졌다. **—***vt.* 《~+目/+目+副》 부풀리다, 불룩하게 하다(*out*): The wind *bellied* (*out*) the sail. 바람이 돛을 불룩하게 했다. ~ ***in*** 동체 착륙하다. ~ ***up to ...***《美구어》 …에 곧장 나아가다, 서슴없이 다가서다.

bélly·àche *n.* Ⓤ (구체적으로는 Ⓒ)《구어》 복통;《속어》 푸념, 불평. **—***vi.*《속어》 (빈번히) 불평을 하다(***about*** …에 대해서).

bélly·bànd *n.* Ⓒ (말의) 뱃대끈(girth).

bélly bùtton《구어》 배꼽(navel).

bélly dànce 벨리 댄스, 배꼽춤.

bélly dàncer 벨리 댄서《주로 여성》.

bel·ly·ful [bélifùl] *n.* **1** Ⓒ 한 배 가득. **2** (a ~)《구어》 충분; 지긋지긋할 정도의 양(量)(***of*** …의): a ~ *of* advice 충분한 충고(忠告)/I've had a ~ *of* his complaining. 그의 불평에는 진절머리가 난다.

bélly-lànd *vi., vt.*《구어》〖항공〗 동체 착륙하다〔시키다〕.

bélly lànding《구어》 동체 착륙.

bélly làugh《구어》 포복절도, 홍소(哄笑).

‡**be·long** [bilɔ́(ː)ŋ, -láŋ] *vi.* **1** 《+前+名》 속하다, 소유이다(***to*** …에, …의): That building ~*s to* me. 그 건물은 내 것이다. **2** 《+前+名》 (성질·권한 등이) 소속하다, 일원이다(***to*** …에, …의): He ~*s to*(=is a member of) our club.《美》 그는 우리 클럽의 회원이다/He ~*s to* (《美》 *in*) Ohio. 그는 오하이오주 사람이다. **3** 《+前+名》 (분류상) 속하다, 부류(部類)에 들다(***among, to, in, under, with*** …에, …의); …속에 있어야 마땅하다: Man ~*s to* the mammalian class of animals. 인간은 동물의 포유강에 속한다/*Under* what category do they ~? 그것들은 어느 부류에 속하는가/He's a philosopher who ~*s with* the Kantians. 그는 칸트 학파에 속하는 철학자이다/a man who ~*s among* the great 족히 대인물들 속에 끼어 마땅한 인물/Where does this book ~?—It ~*s with* the other novels on the shelf. 이 책은 어디에 둘까요?—선반 소설책 있는 곳에 두세요. **4** 《~/+前+名》 (있어야 할 곳에) 있다, (본래) 있어야〔속해야〕 하다(***on, in, to*** …에): The cups ~ *on* the shelf. 컵은 본디 선반 위에 놓여야 한다/He doesn't ~ *in* this job. 그는 본래 이 일에 맞지 않는다/Now, go back to where you ~. 자, 네 집으로 가거라《길 잃은 고양이 따위에게》. **5** 《+前+名》 어울리다, 조화되고 있다(***with*** …와): Cheese ~*s with* salad. 치즈는 샐러드에 맞는다. **6** (특정 환경에) 낯익다; 사교성이 있다: She doesn't ~. 그녀는 낯을 가린다. **7** 《+副》 (두 개〔사람〕 이상이) 동류(同類)이다; (생각·성품 따위가) 일치하다(*together*).

> **NOTE** (1) belong은 진행형·명령형이 없음.
> (2) blong to 의 수동태는 없음.

°**be·long·ing** [bilɔ́(ː)ŋiŋ, -láŋ-] *n.* **1** (*pl.*) 소유물(possessions), 재산(property); 소지품: household ~*s* 가재/personal ~*s* 개인 소지품. **2** Ⓤ 귀속(의식), 친밀(감); 친밀한 관계: a sense of ~ 귀속 의식, 친화감(親和感), 소속감.

Be·lo·rus·sia [bjèlərʌ́ʃə] *n.* =BYELORUSSIA. ㊀ **-sian** [-ʃən] *n., a.*

°**be·lov·ed** [bilʌ́vid, -lʌ́vd] *a.* **1** 귀여운, 가장 사랑하는; 애용하는, 소중한: my ~ son 사랑하는 아들/one's ~ homeland 사랑하는 조국. **2** 사랑 받는(***by, of*** …에게): He's ~ *by* 〔*of*〕 all. 그는 모두에게 사랑받고 있다. **—***n.* (보통 one's ~) 가장 사랑하는 사람, 애인: my ~ 여보, 당신, 임자《남편·아내·애인 등의 호칭》.

†**be·low** [bilóu] *prep.* **1** …의 아래에〔에서, 로〕 (↔ *above*): on and ~ the table 테이블의 위와 아래에/~ one's eyes 눈 아래에.

> **SYN.** **below** …보다 낮은〔이하의〕 곳에: *below* the horizon 지평선 아래로 져서. *below* twenty, 20 이하로. **under** …의 바로 밑에: The cat is playing *under* the chair. 고양이가 의자 밑에서 놀고 있다. **beneath** under와 거의 같지만 위로부터 덮어 씌워진 어감을 가짐: the pool *beneath* the falls 폭포 바로 밑의 용소(龍沼).

2 …의 하류에〔에서, 로〕: There is a waterfall ~ the bridge. 이 다리 하류에 폭포가 있다.

3 …이하의; …보다 낮게; 미만의: ~ the average 평균 이하에〔로〕/a man ~ 〔under〕 forty, 40세 미만의 남자/~ the freezing point 빙점하/It was sold ~ cost. 그건 원가 이하로 팔렸다.

4 …보다 하위에〔인〕, …보다 못하여: She is ~ me in the class. 그녀는 학급의 석차가 나보다 밑이다/A major is ~ a colonel. 소령은 대령의 아래다.

5 …할 만한 가치가〔도〕 없는; …답지 않은: ~ contempt 경멸할 가치조차 없는/~ one's notice 주의할 만한 가치가 없는; 무시할 수 있는/It is ~ him *to* do it. 그는 자부심이 강해 그런 일은 할 수 없다; 그런 일을 하다니 그답지도 않다.

—*ad.* **1** 아래에〔로, 에서〕, 밑에(서). ↔ *above*.¶ from ~ 아래쪽에서/look ~ 밑을 보다.

2 (공중에 대해) 지상에, 하계에〔로, 에서〕; (지상에 대해) 지하에, 무덤 속에, 지옥에〔으로, 에서〕.

3 (위층에 대해) 아래층에〔으로, 에서〕; (상갑판에 대해) 밑의 선실에〔로, 에서〕.

4 하위에〔의〕, 밑〔하급〕의: the court ~ 하급 법원.

5 하류에; (페이지) 밑에, (책·논문 등의) 후단에: See ~. 하기 참조.

6 영하(~ zero): The temperature is 20 ~. 영하 20도.

down ~ 훨씬 아래쪽에; 지하〔무덤, 지옥〕에; 물속에; 구렁텅이에; 〖항해〗 선창(船艙)에(서). ***here*** ~ (천국에 대해) 이승에서.

DIAL. ***Below there!*** 비키세요, 밑에 있는 분들 《무엇을 떨어뜨릴 때 따위의 주의》.

‡belt [belt] *n.* Ⓒ **1 띠**, 벨트, 가죽 띠, 혁대; (백작·기사의) 예장대(禮裝帶): a champion ~ 〖권투〗 챔피언 벨트/a sword ~ 검대(劍帶)/do up one's ~ 벨트를 매다/undo one's ~ 띠를 끄르다. **2 지대**, 지방; 띠 모양의 것; 환상선, 환상(순환) 도로; 에워싸는 것, 고리: a green ~ 녹(綠)지대/the Corn *Belt* (미국의) 옥수수 지대/the commuter ~ (대도시 외곽의) 통근자 주거 지구, 벨트타운 지역/the marine ~ 영해(領海). **3** 줄; 줄무늬. **4** 〖기계〗 **벨트**, 피대; 안전 벨트, 좌석 벨트; 〖천문〗 테, 고리《토성·목성 따위의》; 〖군사〗 (군함의 흘수선 밑의) 장갑대(帶); 〖군사〗 (자동 소총 따위의) 탄띠. **5** 해협(strait), 수로. **6** 《구어》 강한 일격, 펀치; 《美속어》 도수가 높은 술(한 잔), 술을 단숨에 꿀꺽 마시기. **7** 《야구속어》 히트. ***hit* 〔*strike*〕 *below the* ~** 〖권투〗 허리띠 아래를 치다《반칙》; 비겁한 짓을 하다. ***tighten* 〔*pull in*〕 one's ~** 허리띠를 조르다, 배고픔을 참다; 《구어》 내핍 생활을 하다; 어려울 때를 대비하다. ***under* one's ~** 《구어》 ① 뱃속에 넣고, 먹고, 마시고: with a good deal *under* one's ~ 잔뜩 먹고서. ② 손 안에, 재산으로서 소지하고. ③ 《구어》 이미 경험하고.
—*vt.* **1** 《~+목/+목+부》 …을 띠로 조이다(*up*); 〖기계〗 …에 피대를 감다. **2** 《+목+부》 띠로 잡아매다, 허리에 띠다(*on*): The knight ~*ed* his sword *on*. 기사는 허리에 칼을 차고 있었다. **3** …에 줄무늬를 넣다. **4** 《~+목/+목+전+명》 에워〔둘러〕싸다《*with* …으로》: a garden ~*ed with* trees 나무로 둘러싸인 정원. **5** (혁대로) 치다; 《속어》 일격을 가하다, (주먹으로) 때리다; 《美속어》 〖야구〗 히트를 치다: ~ a homer 홈런을 치다. **6** 《+목+부》 《구어》 힘차게 노래〔연주〕하다 (*out*). **7** 《~+목/+목+부》 《美속어》 (술)을 들이마시다; 게걸스레 마시다(*down*): ~ *down* a shot of bourbon 버번 한 잔을 쭉 들이켜다. —*vi.* **1** 《+부/+전+명》 《구어》 질주하다, 힘차게 달리다: ~*along* the road 도로를 질주하다. **2** 《+부》 〔보통 명령형〕 《英속어》 이야기를 멈추다, 조용히 하다(*up*).

bélt bàg 웨이스트 백《허리에 끈이나 벨트로 묶어 차는 작은 가방》.

bélt convéyor 벨트 컨베이어《★ conveyor belt 쪽이 일반적》.

bélt·ed [-id] *a.* Ⓐ 띠〔벨트〕를 두른; 예장대를 두른; (군함이) 장갑대를 두른; (동물 따위가) 넓은 줄무늬가 있는: a ~ cruiser 장갑 순양함.

bélt hìghway =BELTWAY.

bélt·ing *n.* **1** Ⓤ 〔집합적〕 띠, 띠종류. **2** Ⓤ 띠의 재료; 〖기계〗 벨트 (장치). **3** Ⓒ 《속어》 (혁대 따위로) 때리기: give a person a good ~ 아무를 몹시 때리다.

bélt lìne 《美》 (도시 주변의) 순환선.

bélt·lìne *n.* Ⓒ 허리통.

bélt tìghtening 긴축 (정책), 내핍 (생활).

bélt·wày *n.* Ⓒ 《美》 (도시 근교의) 순환 도로 (belt highway, 《英》 ring road).

be·lu·ga [bəlúːgə] (*pl.* **~*s*, ~**) *n.* Ⓒ 〖어류〗 용상어; 〖동물〗 흰돌고래(white whale)《북극해산》.

bel·ve·dere [bélvədìər, ⌐—⌐] *n.* Ⓒ 〖건축〗 (고층 건물의) 전망대; (정원 등의) 전망용 정자.

be·mire [bimáiər] *vt.* 흙투성이로 만들다; 흙탕에 빠뜨리다.

be·moan [bimóun] *vt.* 슬퍼〔한탄〕하다, 애도하다; 불쌍히 여기다: ~ one's situation 자기가 처한 입장〔사정〕을 한탄하다.

be·muse [bimjúːz] *vt.* 〔보통 수동태〕 멍하게 하다; 곤혹게 하다; 생각에 잠기게 하다; …의 마음을 사로잡다.

Ben [ben] *n.* 벤《남자 이름; Benjamin의 애칭》.

ben *n.* Ⓒ 《Sc.·Ir.》 〔흔히 B-으로 산 이름에 써서〕 산: ⇨BEN NEVIS.

‡bench [bentʃ] *n.* **1** Ⓒ **벤치**, 긴의자《보통 둘 이상이 앉는》. **2** Ⓒ (목수 등의) 작업대, 세공대: a shoemaker's ~ 구두방 작업대. **3** Ⓒ (보트의) 노잡이 자리(thwart). **4** Ⓒ (동물 품평회의) 진열대; 개의 품평회; 도그쇼. **5** (the ~; 종종 the B-) 판사석; 법정; Ⓤ 〔집합적; 단·복수취급〕 재판관; 재판관의 직: be 〔sit〕 on the ~ 재판관석에 앉다, 심리중이다/~ and bar 재판관과 변호사/be elevated to the ~ 판사로 승진하다. **6** Ⓒ (영국 의회의) 의석: ministerial ~*es* 정무위원〔장관〕석/⇨BACK BENCH, FRONT BENCH, KING'S BENCH. **7** (the ~) 〖스포츠〗 벤치, 선수석; Ⓤ 〔집합적; 단·복수취급〕 보결 선수. ***warm the* ~** (선수가) 벤치만 지키고 있다, 후보로 대기하다.
—*vt.* **1** …에 벤치를 비치하다. **2** 벤치에 앉히다; (아무)에게 위원〔판사 따위〕의 자리를 주다. **3** (선수)를 출전 멤버에서 빼다. **4** (품평회 따위에서 개 따위)를 진열대에 올려놓다.

bénch·er *n.* Ⓒ **1** (판사 등) 벤치에 앉는 사람; (보트의) 노 젓는 사람. **2** 《英》 법학원(Inns of Court)의 평의원; 국회 의원.

bénch màrk 1 〖측량〗 수준 기표(基標), 수준점 《생략: B.M.》. **2** 〔일반적〕 기준, 척도.

bénch wàrmer 《美》 후보 선수, 보결 선수.

‡bend[1] [bend] (*p.*, *pp.* **bent** [bent], 《고어》 **bénd·ed**) *vt.* **1** 《~+목/+목+부/+목+보/+목+전+명》 **구부리다**; (머리)를 숙이다; (무릎)을 굽히다(stoop); (활)을 당기다; (눈살)을 찌푸리다; (사진·봉투 따위)를 접다: ~ one's head 인사하다/~ a bow 활을 당기다/~ a wire *up* 〔*down*〕 철사를 구부려 올리다〔내리다〕/She *bent* her head in prayer. 그녀는 머리를 숙이고 기도드렸다/Don't ~ the photo. 사진을 접지 마세요/~ a piece of wire straight 〔double〕 철사를 똑바로 펴다〔둘로 구부리다〕/~ a piece of wire *into* a ring 철사를 구부려 고리로 만들다. **2** 《~+목/+목+전+명》 (뜻)을 **굽히다**, **굴복시키다**《*to* …에》; 《구어》 (법·규칙 따위)를 (편리하도록) 굽히다; 《속어》 악용하다: ~ one's will 자기 뜻을 굽히다/~ a person *to* one's will 아무를 자기 뜻에 따르게 하다. **3** 《+목+전+명》 (눈·걸음)을 돌리다; (마음·노력·정력 따위)를 기울이다, 쏟다《***on, to, toward*** …에》: Every eye was *bent on* him. 모든 시선이 그에게(로) 쏠렸다/They *bent* their steps homeward. 그들은 발길을 집으로 돌렸다/She *bent* her mind *to* her new work. 그녀는 새로운 일에 마음을 쏟았다. **4** 《+목+전+명》 〖항해〗 (돛·밧줄)을 동여매다《*to* …에》: ~ the sail *to* a yard (활대에) 돛을 동여매다.
—*vi.* **1 구부러지다**; 휘다: The branch *bent* but did not break. 가지가 휘었지만 부러지지는 않았다. **2** 《~/+부/+전+명》 몸을 구부리다, 웅크리다: ~ *down* 웅크리다/~ *over* work 몸을 굽히고 일하다/Better ~ than break. 《속담》 부러지는 것보다 휘어지는 것이 낫다, 지는 것이 이기는 것. **3** 사진을〔봉투 따위를〕 접다, 꺾다. **4** 《+전

+명》 무릎을 꿇다; 굴복하다, 따르다《*to, before* …에》: ~ *to* fate 운명에 따르다 / ~ *before* a person 아무에게 굴복하다. **5** 《+전+명》 힘을 쏟다, 기울이다《*to* …에》: We *bent to* our work. 우리는 일에 정력을 쏟았다〔열중하였다〕. **6** 《+전+명》 굽어 향하다《*to* …(의 방향)으로》: The road ~*s to* the left. 길은 왼쪽으로 구부러져 있다.

~ 〔***lean***〕 ***over backward***(***s***) ⇨BACKWARD. ~ one'***s elbow*** ⇨ELBOW. ***Don't*** ~. 접지 말 것《봉투 따위의 겉봉에 쓰는 말》.

—*n*. **1** Ⓒ 굽음, 굽은 곳, 굴곡〔만곡〕(부): a sharp ~ in the road 도로의 급커브. **2** Ⓒ 【항해】 밧줄 맨 매듭; (*pl.*) 배의 대판(帶板). **3** (the ~s) 〖단·복수취급〗 【의학】 =CAISSON DISEASE; 항공 색전증(塞栓症). ***round*** 〔***around***〕 ***the*** ~ 《구어》 머리가 돌아, 미치어.

㊕ **∠·a·ble** *a*. 굽힐 수 있는.

bend² *n*. Ⓒ 【문장(紋章)】 우경선(右傾線)《방패의 왼쪽 위에서 오른쪽 아래로 비스듬히 내리그은 띠 줄》 (=∠ **déxter**). ↔ *bend sinister*.

bénd·ed [-id] 《고어》 BEND¹의 과거·과거 분사. **—***a*. 〖다음 관용구로 쓰임〗 ***with*** ~ ***bow*** 활을 당겨. ***on*** ~ ***knee***(***s***) 《문어》 무릎을 꿇고, 애원하듯이: *On* ~ *knee*, he asked her to marry him. 무릎을 꿇고, 그는 그녀에게 결혼해 달라고 요청했다.

bénd·er *n*. Ⓒ **1** 굽히는 사람〔기구〕. **2** 《구어》 과음: go on a ~ 과음하다. **3** 【야구】 커브.

bénd sínister 【문장(紋章)】 좌경선(左傾線)《방패의 오른쪽 위에서 왼쪽 아래로 비스듬히 내리그은 띠줄; 서출(庶出)의 표시로도 쓰임》. ↔ *bend*².

bendy [béndi] *a*. 마음대로 구부릴 수 있는, 유연한; (길 등이) 꼬불꼬불한.

ben·e- [bénə] *pref*. '선(善), 양(良)' 따위의 뜻. ↔ *mal-*, *male-*.

⁑**be·neath** [biníːθ, -níːð] *ad*. (바로) **아래〔밑〕에**, 아래쪽에; 지하에: the heaven above and the earth ~ 위의 하늘과 밑의 땅 / the town ~ 아랫동네.

—*prep*. **1** (위치·장소가) …**의 아래〔밑〕에**(서); (무게·지배·압박 등의) 밑〔하〕에, …을 받아서: ~ a window 창 밑에 / ~ one's feet 발 밑에(서) / live ~ 〔under〕 the same roof 같은 지붕 아래 살다 / bend ~ a burden 무거운 짐을 지고 몸을 못 가누다 / ~ the Roman rule 로마 지배 아래에서. SYN. ⇨BELOW. **2** …의 아래쪽〔기슭〕에. **3** (신분·직위·가치 등이) …**보다 낮게**, …보다 이하로: marry ~ one 자기보다 지체가 못한 사람과 결혼하다 / be ~ the average 평균보다 떨어지다. **4** …**할 가치가 없는**, …에 어울리지 않는, 품위에 관계 있는: ~ notice 아주 하찮은 / He's ~ contempt. 그는 경멸할 가치조차 없다 / It is ~ him *to* complain. 푸념을 하는 것은 그답지 않다.

Ben·e·dic·i·te [bènədísəti/-dái-] *n*. **1** (the ~) 【기독교】 Benedicite로 시작되는 찬송가. **2** (b-) Ⓤ (구체적으로는 Ⓒ) 축복의 기도, (식전의) 감사의 기도.

Ben·e·dict [bénədikt] *n*. 베네딕트. **1** 남자 이름. **2 Saint** ~ 베네딕트회를 창설한 이탈리아의 수도사(480?–543?).

Ben·e·dic·tine [bènədíktin, -tain, -tiːn] *a*. 성베네딕트의; 베네딕트회의. **—** *n*. **1** Ⓒ 베네딕트회 수사〔수녀〕. **2** (흔히 b-) [-tiːn] Ⓤ 단맛 도는 술의 일종《프랑스산》.

ben·e·dic·tion [bènədíkʃən] *n*. Ⓤ (구체적으로는 Ⓒ) **1** (예배 따위의 끝) 기도, (식전·식후의) 감사 기도. **2** 축복. ↔ *malediction*. **3** (B-) 【가톨릭】 성체 강복식.

ben·e·dic·to·ry [bènədíktəri] *a*. 축복의.

Ben·e·dic·tus [bènədíktəs] *n*. (the ~) **1** *Benedictus qui venit* 《L.》 (=Blessed is he who ...)로 시작되는 찬송가. **2** 그 악곡.

ben·e·fac·tion [bènəfǽkʃən, ∠-∠-] *n*. **1** Ⓤ 은혜를 베풂; 자선, 선행. **2** Ⓒ 시물(施物), 기부금.

◇**ben·e·fac·tor** [bénəfæ̀ktər, ∸-∠-] (*fem*. **-tress** [-tris]) *n*. Ⓒ 은혜를〔자선을〕 베푸는 사람, 은인; (학교 등의) 후원자; 기증〔기부〕자: a ~ *of* mankind 인류의 은인.

bén·e·fàc·tress [-trəs] *n*. Ⓒ benefactor의 여성형.

ben·e·fice [bénəfis] *n*. Ⓒ 【기독교】 **1** 성직록(聖職祿)《영국국교회에서는 vicar 또는 rector의 수입》. **2** 성직록을 받는 성직. ㊕ **~d** [-t] *a*. Ⓐ 성직록을 받는.

be·nef·i·cence [bənéfəsəns] *n*. **1** Ⓤ 선행, 은혜; 자선; 덕행. **2** Ⓒ 자선 행위; 시혜물(施惠物)(gift). ◇ beneficent *a*.

◇**be·nef·i·cent** [bənéfəsənt] *a*. 자선심이 많은, 기특한; 인정 많은(↔ *maleficent*). ◇ beneficence *n*. ㊕ **~·ly** *ad*.

◇**ben·e·fi·cial** [bènəfíʃəl] *a*. **1** 유익한, 유리한, 이익을 가져오는《*to* …에》: a ~ insect 익충 / a ~ result 유리한 결과 / A low-fat diet is ~ *to* patients with heart trouble. 저지방식은 심장병 환자에게 좋다. **2** 【법률】 이익을 받는, 수익을 얻는, 수익의. ㊕ **~·ly** *ad*.

ben·e·fi·ci·ary [bènəfíʃièri, -fíʃəri] *n*. Ⓒ 수익자; (연금·보험금 등의) 수령인; 《美》 장학생; 【법률】 신탁의 수익자; 【가톨릭】 성직록(聖職祿)을 받는 사제.

⁑**ben·e·fit** [bénəfit] *n*. **1** Ⓤ (구체적으로는 Ⓒ) **이익**; 【상업】 이득: (a) public ~ 공익(公益) / A good night's sleep will be of ~ to you. 밤에 푹 자면 건강에 좋다. SYN. ⇨PROFIT. **2** Ⓒ 자선 공연〔흥행, 경기 대회〕: a ~ concert 자선 콘서트. **3** Ⓤ (구체적으로는 Ⓒ) 《美》 (종종 *pl.*) (보험·사회 보장 제도의) 급부금, 연금, 원호(援護): sickness ~ 의료 급부금 / unemployment ~(s) 실업 수당. **4** Ⓤ 《美》 면세(relief).

for a person'***s*** ~ =***for the*** ~ ***of*** a person ① 아무를 위하여: *for the* ~ *of* society 사회를 위하여 / The library is *for the* ~ *of* the students. 도서관은 학생들을 위해 있다. ② 〖반어적〗 …를 혼내주기 위하여, …에게 빗대어.

—*vt*. …의 **이(利)가 되다**; …에게 이롭다: The fresh air will ~ you. 신선한 공기는 몸에 좋다.

—*vi*. 《+전+명》 이익을 얻다《***by, from*** …에서》: You will ~ *by* a holiday. 휴가 혜택을 받을 것이다 / Heavy industry always ~*s from* war. 중공업은 언제나 전쟁에서 이익을 본다. ◇ beneficial *a*. ㊕ **~·er** *n*. Ⓒ 수익자.

bénefit of the dóubt (the ~) 【법률】 증거가 불충분할 때 피고에게 유리하게 해석하는 것; 불확실한 경우 상대에게 유리하도록 해주는 것: give a person the ~ 아무의 의심스러운 점을 선의로 해석해 주다; 의심스러운 점에 대해서는 벌하지 않다.

bénefit socìety 〔**associàtion, clùb**〕 《美》 공제 조합(《英》 friendly society).

Ben·e·lux [bénəlʌ̀ks] *n*. 베네룩스《*Bel*gium, *Ne*therlands, *Lux*emburg 세 나라의 총칭; 또

이 나라들이 1948년에 맺은 관세 동맹; 1960년에 경제 동맹이 되었음》.

°**be·nev·o·lence** [bənévələns] *n.* Ⓤ 자비심, 박애; Ⓒ 선행, 자선.

°**be·nev·o·lent** [bənévələnt] *a.* **1** 자비심 많은, 호의적인, 선의의, 친절한, 인정 많은《***to, toward*** …에》. ↔ *malevolent*. ¶ ~ neutrality 호의적 중립/a ~ ruler 인정 많은 지배자/be ~ *to* the poor 가난한 사람에게 친절하다. **2** 자선의, 박애의: the ~ art 인술(仁術)/a ~ fund 〔institution〕 자선〔공제〕 기금〔단체〕/a ~ society 공제회. ㊞ **~·ly** *ad.* **~·ness** *n.*

Ben·gal [beŋgɔ́ːl, ben-, béŋgəl, béŋ-] *n.* 벵골《본래 인도 북동부의 주(州), 현재는 인도령과 Bangladesh 령(領)으로 나뉨》.

Ben·ga·lese [bèŋgəlíːz, -líːs, bèn-] *a.* 벵골(인, 어)의. **—**(*pl.* ~) *n.* Ⓒ 벵골인.

Ben·ga·li, -ga·lee [beŋgɔ́ːli, ben-] *a.* 벵골(인, 어)의. **—***n.* Ⓒ 벵골인; Ⓤ 벵골어.

be·night·ed [bináitid] *a.* 밤이 된, 길이 저문《나그네 등》; 《비유적》 어리석은, (문화·시대에) 뒤진; 미개한; 무지 몽매한.

be·nign [bináin] *a.* **1** (마음·성질이) 친절한, 자애로운; (행위·표정 등이) 상냥한, 따뜻한. **2** (전조·운명 등이) 길운의, 재수 좋은. **3** (기후·풍토가) 건강에 좋은, 온화한, 쾌적한. **4** 〖병리〗 양성(良性)의. ↔ *malignant*. ¶a ~ tumor 양성 종양. ㊞ **~·ly** *ad.*

be·nig·nan·cy [binígnənsi] *n.* Ⓤ 자애 깊음; 인자; (기후 등의) 온화; 〖의학〗 양성(良性).

be·nig·nant [binígnənt] *a.* **1** 자비로운, 친절한, 다정한. ↔ *malign*. SYN. ⇨KIND. **2** 온화한; 유익한; 이로운. **3** 〖의학〗 양성(良性)의. ↔ *malignant*. ㊞ **~·ly** *ad.*

be·nig·ni·ty [binígnəti] *n.* Ⓤ 인자, 은혜, 자비; 온화, 유화(柔和); 온난.

Be·nin [beníːn, bénən] *n.* 베냉《아프리카의 공화국; 구칭 Dahomey; 수도 Porto Novo》.

Ben·ja·min [béndʒəmən] *n.* 벤저민《남자 이름; 애칭은 Ben, Benny》.

Ben·net(t) [bénit] *n.* 베넷《남자 이름; 라틴어 blessed 의 뜻》.

Ben Ne·vis [benníːvis, -névis] 스코틀랜드 중서부에 있는 영국 최고의 산《1343m》.

Ben·ny, Ben·nie [béni] *n.* 베니《남자 이름; Benjamin 의 애칭》.

⁑**bent** [bent] BEND 의 과거·과거분사.
—*a.* **1 굽은**, 구부러진, 뒤틀린: a man ~ with age 늙어 허리가 굽은 사람. **2 열중한**, 열심인《***on, upon*** …에》; 결심한《***on, upon*** …을》: ~ *on* mischief 장난만 하여/He seems ~ *on* becom*ing* a teacher. 그는 교사가 되기로 결심하고 있는 것 같다. **3** 《英속어》 정직하지 않은; 도둑 맞은; 도벽(盜癖)이 있는: ~ goods 훔친 물건. **4** 《美속어》 (마약·술에) 취한. **5** 《英속어》 성적으로 도착한, 호모의; 머리가 돈〔이상한〕.
—*n.* Ⓒ **1 경향**, 성벽: the ~ of the mind 성벽(性癖): follow one's (own) ~ 마음 내키는 대로 하다, 성미에 따르다. **2 좋아함**, 소질(素質), 재능《***for*** …의》: have a natural ~ *for* music 음악의 소질을 타고나다/a young man with a literary ~ 문학 청년/have a ~ *for* study 학문을 좋아하다. **3** 〖건축〗 교각.

Ben·tham [bénθəm, -təm] *n.* **Jeremy ~** 벤담《영국의 철학자·법률가; 1748–1832》. ㊞ **~·ism** *n.* Ⓤ (벤담이 주창한) 공리(功利)주의.

bént·wòod *a.* Ⓐ 굽은 나무로 만든: a ~ chair

굽은 나무로 만든 의자.

be·numb [binʌ́m] *vt.* 감각을 잃게 하다, 마비시키다, 저리게 하다; 실신케 하다; 멍하게 하다《★ 보통 수동태로 쓰며, 전치사는 *with, by*》: My fingers *are* ~*ed with* cold. 추위로 손가락이 곱다.

Ben·ze·drine [bénzədriːn, -drin] *n.* 〖약학〗 벤제드린《amphetamine 의 상표명; 각성제》.

ben·zene [bénziːn, ‐́‐] *n.* Ⓤ 〖화학〗 벤젠《콜타르에서 채취한 무색 액체; 용제(溶劑); 물감의 원료》: a ~ ring 〔nucleus〕 벤젠고리〔핵〕. ㊞ **ben·ze·noid** [bénzənɔ̀id] *a.*

ben·zine, -zin [bénziːn, ‐́‐], [bénzin] *n.* Ⓤ 〖화학〗 벤진《석유에서 채취하는 무색의 액체》. ★ benzene 과 구별하기 위하여 benzoline 이라고도 함.

ben·zo·ic [benzóuik] *a.* 안식향의.

benzóic ácid 〖화학〗 안식향산, 벤조산(酸).

ben·zo·in [bénzouin, ‐́‐] *n.* Ⓤ 안식향, 벤조인 수지《약용; 향료의 원료》.

ben·zol, -zole [bénzɑl, -zɔ(ː)l], [-zoul, -zɑl] *n.* Ⓤ 〖화학〗 벤졸《공업용 불순 벤젠》.

ben·zo·line [bénzəliːn] *n.* = BENZINE.

Be·o·wulf [béiəwùlf] *n.* 8세기초의 고대 영어 서사시; 그 주인공.

°**be·queath** [bikwíːð, -kwíːθ] *vt.* **1** 〖법률〗 (동산)을 유증(遺贈)하다《***to*** …에게》: She ~*ed* no small sum of money *to* him. =She ~*ed* him no small sum of money. 그녀는 그에게 적지 않은 돈을 유산으로 물려주었다. **2** (이름·작품 따위)를 남기다, 전하다《***to*** (후세)에》: One age ~*s* its civilization *to* the next. 한 시대의 문명은 다음 시대로 계승된다.

be·quest [bikwést] *n.* **1** Ⓤ 유증. **2** Ⓒ 유산; 유물; 유품.

be·rate [biréit] *vt.* 호되게 꾸짖다《***for*** …일로》.

Ber·ber [bə́ːrbər] *n.* Ⓒ 베르베르 사람《북아프리카 원주민의 한 종족》; Ⓤ 베르베르 말. **—***a.* 베르베르 사람〔말, 문화〕의.

°**be·reave** [biríːv] (*p.*, *pp.* **~d** [-d], ***be·reft***) *vt.* **1** (아무)에게 잃게 하다《***of*** (희망·이성 따위)를》: He was *bereft of* all hope. 그는 모든 희망을 잃었다/She was *bereft of* hearing. 그녀는 청력(聽力)을 상실했다. **2** 〖*p.*, *pp.*는 보통 **~d**〗 (아무)에게서 앗아가다《***of*** (가족 따위)를》: The accident ~*d* her *of* her husband. 그 사고로 그녀는 남편을 잃었다.

be·réaved BEREAVE 의 과거·과거분사.
—*a.* **1** Ⓐ (가족·근친과) 사별한; 뒤에 남겨진. **2** (the ~) 〖명사적; 단·복수취급〗 (가족〔근친〕과) 사별한 사람(들), 유족: The ~ was 〔were〕 lost in sorrow. 유족(들)은 슬픔에 잠겨 있었다.

be·réave·ment *n.* Ⓤ (구체적으로는 Ⓒ) 사별(死別): I sympathize with you in your ~. 삼가 조의를 표합니다.

*****be·reft** [biréft] BEREAVE 의 과거·과거분사.

be·ret [bəréi, bérei] *n.* 《F.》 Ⓒ 베레모(帽); 〖英군사〗 베레식 군모.

Berg [bəːrg/bəːg] *n.* **Alban ~** 베르크《오스트리아의 작곡가; 1885–1935》.

berg [bəːrg] *n.* Ⓒ 빙산(iceberg).

ber·ga·mot [bə́ːrgəmɑ̀t/-mɔ̀t] *n.* **1** Ⓒ 〖식물〗 베르가모트(=‐́ **òrange**). **2** Ⓤ 베르가모트 향유; 박하의 일종.

Berg·son [bə́ːrgsən, bέərg-] *n.* **Henri** ~ 베르그송《프랑스의 철학자; 1859–1941》.
㊇ **Berg·so·ni·an** [bəːrgsóuniən, bεərg-] *a.* 베르그송 철학의. —*n.* [C] 베르그송 철학 신봉자.
be·rib·boned [biríbənd] *a.* 리본으로 꾸민; 훈장을 단.
ber·i·beri [béribéri] *n.* [U] 〖의학〗 각기(脚氣)(병).
Bé·ring Séa [bíəriŋ, bέər-] (the ~) 베링 해.
Béring Stráit (the ~) 베링 해협.
berk [bəːrk] *n.* [C] 《英속어》 얼간이, 멍청이.
Berke·ley [bə́ːrkli/báːrk-] *n.* 버클리. **1** George ~ 아일랜드의 주교·철학자(1685?–1753). **2** [bə́ːrkli] 미국 캘리포니아 주의 도시.
ber·ke·li·um [bərkíːliəm, bə́ːrkliəm] *n.* [U] 〖화학〗 버클륨《방사성 원소; 기호 Bk; 번호 97》.
Berk·shire [bə́ːrkʃiər/báːrk-] *n.* **1** 잉글랜드 남부의 주《생략: Berks. [bəːrks/baːrks]》. **2** [C] 버크셔, 흰점이 박힌 검은 돼지.
◇**Ber·lin** [bəːrlín] *n.* 베를린《독일의 수도》.
Ber·li·oz [bérliòuz, béər-] *n.* **(Louis) Hector** ~ 베를리오즈《프랑스의 작곡가; 1803–69》.
Ber·mu·da [bə(ː)rmjúːdə] *n.* **1** 버뮤다《대서양 상 영령(英領) 군도 중 최대의 섬; 미군 기지·관광지》; (the ~s) 버뮤다 제도. **2** (*pl.*) =BERMUDA SHORTS.
Bermúda shórts (무릎 위까지 오는) 짧은 바지(walking shorts).
Bermúda Tríangle (the ~) 버뮤다 삼각 해역(the Devil's Triangle).
Ber·nard [bə́ːrnərd, bəːrnáːrd] *n.* **1** 버나드《남자 이름》. **2 St.** ~ 성(聖)베르나르《10–12세기에 살았던 프랑스의 세 성인》.
Bern(e) [bəːrn] *n.* 베른《스위스의 수도》.
Ber·nie [bə́ːrni] *n.* 버니《남자 이름; Bernard의 애칭》.
Bern·stein [bə́ːrnstain, -stiːn] *n.* **Leonard** ~ 번스타인《미국의 지휘자·작곡가·피아니스트; 1918–90》.
⁑**ber·ry** [béri] *n.* [C] **1** 핵(核) 없는 식용 소과실《주로 딸기류》; 〖식물〗 **장과**(漿果)《포도·토마토·바나나 등》. **2** 말린 씨《커피·콩 따위》; (곡식의) 낟알; 들장미의 열매(hip). **3** (게·새우의) 알의 낟알: a lobster in ~ 알을 밴 대하. —*vi.* 장과를 맺다; 장과를 따다: go ~*ing* (야생의) 딸기 따러 가다.
ber·serk [bəːrsə́ːrk, -zə́ːrk, ⌐́] *a.* [P], *ad.* 광포한, 맹렬한; 광포하게: go 〔run〕 ~ 광포해지다/send a person ~ 아무를 난폭해지게 하다.
ber·sérk·er *n.* [C] **1** (북유럽 전설의) 광포한 전사(戰士). **2** 폭한(暴漢).
Bert [bəːrt] *n.* 버트《남자 이름; Albert, Herbert, Bertrand 등의 애칭》.
◇**berth** [bəːrθ] *n.* [C] **1** 침대《기선·기차·여객기 따위의》, 층(層)침대. **2** 정박〔조선(操船)〕 여지〔거리, 간격〕; (배의) 투묘지(投錨地), 정박 위치; 주차 위치: a foul ~ (충돌할 우려가 있는) 나쁜 위치/take up a ~ 정박하다. **3** 숙소, 거처; 〖항해〗 고급 선원실. **4** 적당한 장소; 《구어》 직장, 지위: have a (good) ~ with …에 (좋은) 일자리〔지위〕가 있다. ***give a wide ~ to*** =***keep a wide ~ of*** 《구어》 …에서 멀리 떨어져서 정박하다; …을 경원하다〔피하다〕.
—*vt.* 정박시키다; …에게 침대를 마련해 주다; 취직시키다: The yacht ~*s* six people. 그 요트는 6사람이 숙박할 수 있다. —*vi.* 정박하다; 숙박하다.
Ber·tha [bə́ːrθə] *n.* 버사《여자 이름; 애칭 Bert, Bertie, Berty》.
ber·tha [bə́ːrθə] *n.* [C] (여성복의) 넓은 깃《흰 레이스로 어깨까지 드리워짐》.
Bert·ie [bə́ːrti] *n.* 버티. **1** 여자 이름《Bertha의 애칭》. **2** 남자 이름《Albert, Hubert 등의 애칭》.
Ber·trand [bə́ːrtrənd] *n.* 버트런드《남자 이름; 애칭은 Bert》.
ber·yl [bérəl] *n.* [U] (낱개는 [C]) 〖광물〗 녹주석(綠柱石)《에메랄드 따위》.
be·ryl·li·um [bəríliəm] *n.* [U] 〖화학〗 베릴륨《금속 원소; 기호 Be; 번호 4》.
◇**be·seech** [bisíːtʃ] (*p., pp.* ***be·sought*** [-sɔ́ːt], ~***ed***) *vt.* **1** (아무)에게 간절히 원하다, 탄원하다《***for*** (자비 따위)를/***to*** do/***that***》: ~ a person *for* permission 아무에게 허가를 간청〔간원〕하다/I ~ you *to* forgive him. 제발 그를 용서해 주시오/She *besought* the King *that* the captive's life might be saved. 그녀는 포로의 목숨을 살려 주도록 왕에게 탄원했다. **2** (자비 따위)를 청하다; 구하다《***of*** (아무)에게》: I ~ your favor. 제발 부탁합니다/I ~ this favor *of* you. 제발 이것을 부탁한다. —*vi.* 탄원하다.
be·séech·ing *a.* [A] 탄원〔애원〕하는 듯한: a ~ look 간절히 바라는 듯한 눈초리. ㊇ **~·ly** *ad.* 탄원〔애원〕하듯이.
be·seem [bisíːm] *vt.* 《고어》 〖주로 it를 주어로 하여〗 …에게 어울리다〔맞다〕: *It* ill ~*s* 〔*It* does not ~〕 you to complain. 불평을 하는 것은 너답지 않다.
◇**be·set** [bisét] (*p., pp.* ~; ~·***ting***) *vt.* **1** 포위하다, 에워싸다; (도로 따위)를 막다, 봉쇄하다《***with*** …으로》: be ~ by enemies 적에게 포위되다/the forest that ~*s* the village 그 마을을 에워싼 숲/The valley is ~ *with* snow-capped peaks. 그 계곡은 눈덮인 봉우리로 둘러싸여 있다. **2** 《비유적》 (위험·유혹 등이) …에 따라다니다, 괴롭히다《★ 보통 수동태로 쓰며, 전치사는 *by, with*》: a man ~ *with* 〔*by*〕 entreaties 탄원 공세에 시달리는 사람/They *are* ~ *by* doubts and fears. 그들은 항상 의혹과 공포에 사로잡혀 있었다/The matter *was* ~ *with* difficulties. 그 일에는 여러 가지 골칫거리가 따라다녔다.
㊇ **~·ting** *a.* [A] (위험 따위가) 끊임없이 따라다니는〔괴롭히는〕: a ~*ting* temptation 〔sin〕 빠지기 쉬운 유혹〔죄〕.
†**be·side** [bisáid] *prep.* **1** …의 **곁〔옆〕에**, …와 나란히: He sat ~ me. 내 곁에 앉았다. **2** …와 **비교하여**: *Beside* him other people are mere amateurs. 그에 비하면 다른 사람들은 풋내기에 지나지 않는다. **3** …**을 벗어나**(apart from).
~ one***self*** 제 정신을 잃고, 흥분하여《***with*** (기쁨·노여움 따위)로》: ~ one*self with* joy 미칠 듯이 기뻐서. ~ ***the mark*** 〔***point***〕 ⇨MARK[1].
⁑**be·sides** [bisáidz] *ad.* **1 그 밖에**, 따로: I bought him books and many pictures ~. 나는 그에게 책과 그 밖에 많은 그림을 사 주었다. **2** 게다가: It is too late; (and) ~, you are tired. 시간도 늦었고 게다가 자넨 지쳤네.
—*prep.* **1** …**외에(도)**, …에다가 또: *Besides* a mother he has a sister to support. 어머니 외에도 부양할 누이가 있다. **2** 〖부정·의문문에서〗 …외에(는), …을 제외하고(는)(except): We know *no* one ~ him. 그 외에는 아무도 모른다/

Who ~ her would say that? 그녀 외에 누가 그런 것을 말하겠는가.

◇**be·siege** [bisíːdʒ] *vt.* **1** …을 포위 공격하다, 에워싸다; …에 몰려들다, 쇄도하다: For years, the Greeks *~d* the city of Troy. 다년간 그리스군은 Troy 시를 포위하였다. **2** …에게 공세를 퍼붓다, …을 괴롭히다《***with*** (요구·질문 따위)로》: The lecturer was *~d with* questions from his audience. 강사는 청중들로부터 질문 공세를 받았다. **3** (의혹·공포 따위가) 엄습하다, 괴롭히다《★ 종종 수동태로》: He *was ~d by* fear. 그는 공포에 휩싸였다. ㊞ **be·síeg·er** *n.* Ⓒ 포위자; (*pl.*) 포위군.

be·smear [bismíər] *vt.* …에 뒤바르다; …을 더럽히다《***with*** …으로》: faces *~ed with* mud 진흙이 더덕더덕 묻은 얼굴.

be·smirch [bismə́ːrtʃ] *vt.* 더럽히다; 변색시키다; (명예·인격 따위)를 손상하다.

be·som [bíːzəm] *n.* Ⓒ 마당비.

be·sot·ted [bisátid/-sɔ́t-] *a.* **1** 정신 없이 취한, 취해버린《***with*** …으로》: a ~ drunkard 만취한 사람/He was ~ *with* drink. 그는 몹시 취했다. **2** 정신을 못차리게 된, 이성을 잃은《***about, by, with*** …에》: He's ~ *with* love. 그는 사랑에 빠져 정신을 못차린다. **3** 멍청한, 어리석은.

be·sought [bisɔ́ːt] BESEECH의 과거·과거분사.

be·span·gle [bispǽŋgəl] *vt.* 번쩍번쩍하게 하다〔덮다, 장식하다〕《★ 종종 수동태로 쓰며, 전치사는 *with, by*》: The sky *was ~d with* stars. 하늘에는 별이 총총했다.

be·spat·ter [bispǽtər] *vt.* **1** …에 튀기다; 튀기어 더럽히다《***with*** (흙탕물 따위)를》. **2** …에 퍼붓다《***with*** (욕설 따위)를》.

be·speak [bispíːk] (***-spoke*** [-spóuk]; ***-spoken*** [-spóukən], ***-spoke***) *vt.* **1** 예약하다; 주문하다: Every seat is already *bespoken*. 모든 좌석이 이미 예약되었다. **2** …을 나타내다, 보이다, …이라는 증거이다; …의 징조이다: This *~s* a kindly heart. 이것으로 친절한 마음을 알 수 있다.

be·spéctacled *a.* Ⓐ 안경을 낀: a ~ scholar 안경을 끼고 있는 학자.

be·spoke [bispóuk] BESPEAK의 과거·과거분사. **—** *a.* Ⓐ 〖상업〗 주문한, 맞춘(custom-made)(↔ *ready-made*); 주문 전문의《구둣방》: a ~ bootmaker 맞춤 구둣방.

be·spo·ken [bispóukən] BESPEAK의 과거분사.

be·sprin·kle [bispríŋkəl] *vt.* 흩뿌리다, 살포하다(sprinkle).

Bess [bes] *n.* 베스《여자 이름; Elizabeth의 애칭》.

Bés·se·mer pròcess [bésəmər-] (the ~) 〖야금〗 베세머 제강법(製鋼法).

Bes·sie, Bes·sy [bési] *n.* 베시《여자 이름; Elizabeth의 애칭》.

†**best** [best] *a.* **1** 〖good의 최상급〗 **가장 좋은**, 최선의, 최상의, 최고의. ↔ *worst*. ¶ one's ~ days 전성시대/the ~ man for the job 그 일의 최적임자/the ~ way to make coffee 커피를 끓이는 최상의 방법/the ~ families (그 고장의) 명문, 명가(名家)/one's ~ girl 연인/It's the ~ movie I have ever seen. 그것은 지금까지 보았던 것 중 가장 좋은 영화다.

> NOTE best는 3자 이상의 비교에 쓰는 것이 원칙이나, 구어에서는 흔히 양자에 관해서도 씀. 또, 보통 the best이나 서술 용법에서는 흔히 the를 생략함: The view is ~ in autumn. 그 경치는 가을에 가장 좋다.

2 〖well의 최상급〗 Ⓟ (몸 상태가) **가장 좋은**, 최상인: I feel ~ in the morning. 나는 오전에 가장 컨디션이 좋다.
3 《반어적》 지독한, 철저한: the ~ liar 지독한 거짓말쟁이/He is the ~ loafer in the office. 그는 회사에서 가장 게으름뱅이다.
the ~ part of …의 대부분, …의 태반: They chatted for *the ~ part of* an hour. 그들은 한 시간 가까이나 잡담을 하고 있었다.
— *n.* **1** (the ~) **최선**, 최상: the next 〔second〕 ~ 차선.
2 (the 〔one's〕 ~) **최선의 노력**: do one's poor ~ 미력이나마 최선을 다하다/I tried my ~ to convince him. 나는 전력을 다해 그를 설득시키려 했다/I did my ~ but failed. 나는 최선을 다했으나 실패했다.
3 (the 〔one's〕 ~) 최상의 상태: be in the ~ of one's health 더할 나위 없이 건강하다/The cherry blossoms are at their ~ this week. 벚꽃은 이번 주가 가장 볼 만하다.
4 (the ~) 최선의 것〔부분〕: get the ~ 최선의 것을 손에 넣다/the ~ of the joke 그 농담의 가장 재미있는 부분/One must make the ~ *of* things. 《격언》 무릇 사람이란 만족할 줄 알아야 한다.
5 (the ~) 최상의 사람(들)《***of*** …중에서》: He is one of the ~ in the trade. 동업자 중에서도 그는 일류이다/We are the ~ *of* friends. 우리는 더없이 친한 친구다.
6 (흔히 one's ~) 제일 좋은 옷: in one's (Sunday) ~ 나들이옷을 입고.
7 (one's ~) 《美구어》 (편지 따위에서) 호의(好意)(~ wishes): Please give my ~ to him. 부디 안부 전해 주시오.
(***all***) ***for the ~*** 최선의 결과가 되도록; 가장 좋은 것으로 여기고, 되도록 좋게 생각하여: *All* (is) *for the ~*. 만사가 다 신의 뜻이다《체념의 말》. ***All the ~!*** 그대에게 행복을《작별·건배·편지 끝맺음 등의 말》. ***at*** (***the***) ***~*** 최선의 상태로(서는); 아무리 잘 보아주어도, 기껏해야, 고작: *At ~* we cannot arrive before noon. 아무래도 정오 전에는 도착할 수 없다/*At ~* it is a poor piece of work. 기껏해 봤자 뻔한 작품이다. ★ 구어에서는 보통 the를 쓰지 않음. (***even***) ***at the ~ of times*** 가장 좋은 (상황인) 때에도. ***get*** 〔***have***〕 ***the ~ of*** a person 아무를 이기다; 꼭뒤지르다, 속이다: John *got the ~ of* his argument with Tom. 존은 톰과의 논쟁에서 이겼다. ***get*** 〔***have***〕 ***the ~ of it*** 〔***the bargain***〕 《구어》 (토론 따위에서) 이기다; (거래 따위를) 잘 해내다: He *got the ~ of it* in their argument. 그는 논쟁에서 이겼다. ***make the ~ of*** …을 될 수 있는 대로〔최대한〕 이용하다; (싫은 일)을 단념하고 하다, (불쾌한 조건)을 어떻게든 참다: He *made the ~ of* the time left. 그는 남은 시간을 최대한 이용했다/*make the ~ of* a bad job 〔bargain〕 ⇨JOB, BARGAIN. ***The ~ of British*** (***luck***)***!*** 《英속어》 행운을 빈다, 힘내라. ***to the ~ of*** …하는 한, …이 미치는 한: *to the ~ of* one's power 힘이 미치는 한/*to the ~ of* one's belief 믿는 한. ***with the ~*** (***of them***) 누구에게도 못지 않게.

—*ad.* 〖well의 최상급〗 **1 가장 좋게**; 가장《★ 부사의 경우에는 보통 the를 수반하지 않지만, 《구어》의 경우에는 the를 붙이는 경우가 있음》: I like football ~ of all sports. 스포츠 중에서 축구를 제일 좋아한다 / I like this (the) ~. 이것이 제일 좋다《★ like, love를 수식하는 원급은 well이 아닌 very much가 일반적》/ Which do you like ~, the red one or the green one? 《구어》 빨간 것과 녹색 것 중 어느 것을 좋아합니까《★ 양자의 경우 better가 옳지만 《구어》에서는 best도 쓰임》.
2 《구어》 더없이, 몹시: the ~ abused book 가장 평판이 나쁜 책.
as **~ (*as*)** one ***can*** 〔***may***〕 될 수 있는 대로 잘, 힘이 닿는 데까지: I comforted her *as* ~ *as* I *could*. 나는 그녀를 내 힘껏 위로했다. **~ *of all*** 〖문장 전체를 수식하여〗 우선 무엇보다도, 첫째로: *Best of all* he has experience. 우선 무엇보다도 그에게는 경험이 있다. ***had* ~** do …하는 것이 제일 좋다, 꼭 …해야 한다: You *had* ~ go with him. 그와 함께 가면 제일 좋다. ★ 종종, 구어에서는 I 〔You, etc.〕 ('*d*) ~ do … 로 생략함.
—*vt.* 《구어》 …에게 이기다, …을 앞지르다.

bést-before dáte (포장 식품 따위의) 최고 보증 기한 날짜. ★ 구체적으로는 Best before 31 Jan. 2004 처럼 날짜《연월일》가 들어감. cf. use-by date.

bes·tial [béstʃəl, bíːs-/béstiəl-] *a.* 짐승의〔과 같은〕; 수성(獸性)의; 흉포한, 잔인한; 상스러운.

bes·ti·al·i·ty [bèstʃiǽləti, bìːs-/bèsti-] *n.* Ⓤ 수성(獸性); 수욕(獸慾); 〖법률〗 수간(獸姦); Ⓒ 잔인한 행위.

bes·ti·ary [béstʃièri, bíːs-/béstiəri] *n.* Ⓒ (중세의) 동물 우화집.

be·stir [bistə́ːr] (-*rr*-) *vt.* 〖다음 용법뿐임〗 ~ one*self* 부지런히 일하다; 힘내다《***to*** do》.

***best-known** [béstnóun] *a.* **가장 유명한.**

bést mán 최적임자; 신랑 들러리(bridesman). cf. groomsman, bridesmaid.

be·stow [bistóu] *vt.* **1** 주다, 수여〔부여〕하다, 증여하다《***on, upon*** (아무)에게》: ~ a title *on* 〔*upon*〕 a person 아무에게 칭호를 주다. SYN. ⇨GIVE. **2** (시간·애정 따위)를 쓰다, 들이다《***on, upon*** …에》: ~ all one's energy *on* a task 일에 온 정력을 쏟다 / ~ one's money wisely 돈을 현명하게 쓰다. 파 **~·al** [-əl] *n.* Ⓤ 증여, 수여.

be·strew [bistrúː] (***~ed; ~ed, ~n*** [-strúːn]) *vt.* **1** (표면)에 흩뿌리다《***with*** …을》; …을 흩뿌리다《***on*** …에》: ~ the path *with* flowers 길에 꽃을 흩뿌리다《환영의 뜻으로》. **2** …에 산재하다: Leaves ~*ed* the street. 나뭇잎이 길에 흩어져 있었다.

be·stride [bistráid] (***-strode*** [-stróud], ***-strid*** [-stríd]; ***-strid·den*** [-strídn], ***-strid***) *vt.* 가랑이를 벌리고 걸터타다; (무지개가) …에 서다, 교량 등이 놓이다; 지배하다, 좌지우지하다.

bést·séller *n.* Ⓒ 베스트셀러《책·음반 등》; 그 저자〔작가〕(=**bést séller**): The book became an instant ~. 그 책은 곧 베스트셀러가 되었다.

bést-sélling *a.* Ⓐ 베스트셀러의: a ~ novel 〔author〕 베스트셀러 소설〔작가〕.

****bet** [bet] *n.* Ⓒ **1 내기**: an even ~ 비등한 내기 / win 〔lose〕 a ~ 내기에 이기다〔지다〕.
2 건 돈〔물건〕: a heavy 〔paltry〕 ~ 큰〔적은〕 내기.
3 내기의 대상《사람·물건·시합 등》: a good 〔poor〕 ~ 유망한〔가망성 없는〕 것〔사람, 후보자〕/ It's a ~, then? 그럼 내기를 할까《둘 중에서 누가 옳은가를》.
4 《구어》 취해야 할 방책; 잘 해낼 수 있을 듯한 사람, 잘 될 것 같은 방법: Your best ~ is to apologize. 사과하는 것이 상책이다.
5 《구어》 생각, 의견: My ~ is (*that*) .... 내 생각으로는 …이다, 반드시 …이다.
hedge one's **~*s*** 《구어》 손해 보지 않도록 양쪽에 걸다; 《비유적》 (태도를 정하지 않고) 양다리를 걸치다. ***make*** 〔***lay, take***〕 ***a*** **~** 내기를 하다《***with*** …와》, 걸다《***on*** …을》.
— (*p.*, *pp.* **~,** 《드물게》 **~·*ted*** [bétid]; **~·*ting***) *vt.* **1** 《~+목/+목+전+명/+목+목/+*that* 절》 (돈 따위)를 **걸다**《***on*** …에》: What will you ~? 자넨 무얼 걸겠나 / He ~ 30 dollars *on* the racehorse. 그는 그 경주 말에 30달러 걸었다 / I'll ~ you $10 ((*that*) he'll win). (그가 이길거야,) 10달러 걸지 / I'll ~ (you) *that* this is genuine. 이건 진짜야, 내기해도 좋다.
2 《(+목)+*that* 절》 (돈을 걸고) 주장하다, **단언〔보증〕하다**: I'll ~ (you) *that* he will come. 그가 올 것을 장담한다 / I('ll) ~ you (*that*) you're wrong about that. 내가 장담하지만 자네가 틀렸네.
—*vi.* 《~/+전+명》 **내기를 걸다,** 내기하다《***on*** …에; ***against*** …(반대)에》: I'll ~ *on* that horse. 나는 저 말에 걸거야 / I ~ *against* the challenger. 나는 도전자가 지는 쪽에 걸었다 / I'll ~ *against* your winning. 네가 이긴다면 돈을 내지.
~ one'***s boots*** 〔***bottom dollar, life, shirt***〕 《구어》 ① 최후의 것〔목숨〕까지도 걸다. ② 절대 확신〔보증〕하다《***on*** …을 / ***that***》: You can ~ your *boots on* that. 그것은 절대로 틀림이 없다 / You can ~ your *boots that* he will succeed. 그가 성공하리라는 것은 절대 확실하다. **~ *each way*** 〔***both ways***〕 경마에서 단승(單勝)과 복승(複勝)의 양쪽에 걸다. ***I*** **~ *you*** 〔***a dollar***〕 ***...*** 《美구어》 확실히 …이다.

> **DIAL.** ***(Do you) want to bet? = How much do you want to bet? = Want a bet?*** 그럴리가 있느냐(← 얼마 걸겠느냐, 내기할래): I'm sure he won't come. —*Do you want to bet?* 틀림없이 그는 안 와—그럴 리 있나.
> ***(I) wouldn't bet on it. = Don't bet on it.*** (상대의 발언에) 그럴까, 그다지 미덥지 못한 데(← (나는) 그것에 걸지 않겠다, 그것에 걸지 마라).
> ***You bet?*** 틀림없느냐(Are you sure?).
> ***You bet (you)!*** 정말야, 틀림없어, 물론이지: Are you going to the seaside?—*You bet!* 너 바닷가에 갈거니?—물론 가지.
> ***You bet your (sweet) life*** 〔***your boots***〕***!*** 정말이야, 틀림없어《★ You bet! 을 강조한 말》.

bet., betw. between.

be·ta [béitə/bíː-] *n.* **1** Ⓤ (구체적으로는 Ⓒ) 그리스어 알파벳의 둘째 글자《*B*, *β*》. **2** Ⓒ (종종 B–) 제2위(의 것); (시험 평점의) 제2등급: ~ plus 〔minus〕 《英》 (시험 성적 등의) 2등의 위〔아래〕. **3** (보통 B–) 〖천문〗 베타성.

béta-càrotene *n.* Ⓤ 〖생화학〗 베타카로틴.

be·take [bitéik] (***-took*** [-túk]; ***-tak·en*** [-téikən]) *vt.* 〖~ oneself〗 가다《***to*** …에》: The queen *betook* herself *to* her residence in Scotland. 여왕은 스코틀랜드 여왕 관저로 갔다.

be·tak·en [bitéikən] BETAKE의 과거분사.

béta pàrticle 〖물리〗 베타 입자.

béta ràỳ (보통 *pl.*) 〖물리〗 베타선(線)《베타 입자의 흐름》.

be·ta·tron [béitətràn/bíːtətrɔ̀n] *n.* Ⓒ 〖물리〗 베타트론《자기 유도 전자 가속 장치》.

be·tel [bíːtəl] *n.* Ⓤ 〖식물〗 구장(蒟醬)《후춧과》; 그 잎.

bétel nùt 빈랑나무 열매.

bétel pàlm 〖식물〗 빈랑나무《말레이 원산; 야자과》.

bête noire [bèitnwáːr] (*pl.* ***bêtes noires*** [-z]) 《F.》 Ⓒ 몹시 싫은 것〔사람〕.

Beth [beθ] *n.* 여자 이름《Elizabeth 의 애칭》.

beth·el [béθəl] *n.* Ⓒ **1** 벧엘 성지《창세기 XXVIII: 19》. **2** 《英》 비국교도의 예배당; (종종 B-) 《美》 (선원을 위한) 수상〔해안〕 교회.

be·think [biθíŋk] (*p.*, *pp.* ***-thought*** [-θɔ́ːt]) *vt.* 《문어》 〖~ oneself〗 숙고하다, 생각해 내다 《***of*** …을/***how***/***that***》: I *bethought* myself *of* a promise. 나는 약속이 생각났다/I *bethought* my*self how* foolish I had been. =I *bethought* my*self that* I had been foolish. 나 자신이 얼마나 어리석었던가란 생각이 났다.

Beth·le·hem [béθliəm, -lihèm] *n.* 베들레헴 《Palestine 의 옛 도시; 예수의 탄생지》.

be·tide [bitáid] *vt.* …의 신상에 일어나다, …에 생기다(happen to): Woe ~ him! 그에게 재앙 있으라; (그런 짓 하면) 그냥 두지 않을 테다. **—***vi.* 일어나다; 몸에 닥치다: whatever (may) ~ 무슨 일이 일어나든.

be·times [bitáimz] *ad.* 《문어》 이르게 (early); 늦지 않게; 때맞춰, 때마침(occasionally): be up ~ 아침 일찍 일어나다.

Bet·je·man [bétʃimən] *n.* Sir **John** ~ 베치먼《영국의 시인; 1906–84》.

be·to·ken [bitóukən] *vt.* **1** …의 조짐이〔전조가〕 되다(portend): Red skies in the morning ~ a storm. 아침놀은 폭풍이 올 조짐이다. **2** 보이다(show); 나타내다: He wore a look that *~ed* simmering rage. 그는 당장이라도 노여움을 터뜨릴 것 같은 표정이었다.

be·took [bitúk] BETAKE 의 과거.

be·tray** [bitréi] *vt.* **1** 《~+목/+목+전+명》 **배반〔배신〕하다**; (조국·친구 등)을 팔다《to*** …에게》; (남편·아내·여자 등)을 속이다: Judas *~ed* his Master, Christ. 유다는 스승 그리스도를 배반하였다/The traitor *~ed* his country (*to* the enemy). 반역자는 (적에게) 조국을 팔았다/I was *~ed* into folly. 속아서 바보짓을 했다. **2** (신뢰·기대·희망 따위)를 저버리다, 어기다: ~ a person's trust 아무의 신뢰를 저버리다/He *~ed* his promises. 그는 약속을 어겼다. **3** 《+목+전+명》 (비밀)을 **누설하다**, 밀고하다《***to*** …에게》: ~ a secret *to* a person 아무에게 비밀을 누설하다. SYN. ⇨REVEAL. **4** (감정·무지·약점·특성 따위)를 **무심코 드러내다**: ~ one's ignorance 무지를 드러내다/Confusion *~ed* his guilt. 허둥댔기 때문에 그의 죄가 발각되었다/He *~ed* no emotion. 그는 얼굴에 아무런 감정도 드러내지 않았다. **5 a** 《+*that* 절/+*wh.* 절/+목+(*to be*) 보》 나타내다, 보이다: His face *~ed that* he was happy. 그의 얼굴에 행복한 기색이 나타났다/His face *~ed how* nervous he was. 그의 얼굴은 그가 얼마나 초조한가를 보여주고 있었다/His dress *~ed* him (*to be*) a foreigner. 그의 복장으로 외국인임을 알았다. **b** 〖~ oneself〗 무심코 제 본성〔본심, 비밀〕을 드러내다.
㊀ **~·er** *n.* Ⓒ 매국노(奴)(traitor); 배반자, 배신자; 밀고자, 내통.

be·tray·al [bitréiəl] *n.* **1** Ⓤ 배반, 배신; 밀고, 내통. **2** Ⓒ 배반〔배신〕 행위.

be·troth [bitrɔ́ːθ, -tróuð] *vt.* 《문어》 약혼시키다(engage)《***to*** …와》: They were *~ed*. 그들은 약혼했다/~ oneself *to* …와 약혼하다/He *~ed* his daughter *to* Mr. Kim. 그는 딸을 김군과 약혼시켰다. ㊀ **~·al** [-əl] *n.* Ⓤ (구체적으로는 Ⓒ) 《문어》 약혼(식) (=**be·tróth·ment**).

be·trothed [bitrɔ́ːθt, -tróuðd] *a.* 약혼의, 약혼한(engaged)《***to*** (아무)와》: the ~ (pair) 약혼 중인 남녀/She was 〔became〕 ~ *to* Mr. Jones. 그녀는 존스씨와 약혼했다. **—***n.* **1** (one's ~) 약혼자. **2** (the ~) 〖복수취급〗 약혼자들《두 사람》.

Bet·sy, -sey [bétsi] *n.* 베치《여자 이름; Elizabeth 의 애칭》.

†**bet·ter**[1] [bétər] *a.* **1** 〖good 의 비교급〗 …**보다 좋은**, …보다 나은《양자 중에서》: one's ~ feelings 양심/men's ~ suits 고급 신사복/It would be ~ to go at once. 곧 가는 것이 좋겠다/It's ~ than nothing. 아무 것도 없는 것보다는 낫다/He has seen 〔known〕 ~ days. 그는 (지금은 영락해 있지만) 예전에는 영화로웠던 때도 있다/*Better* luck next time. 다음번에는 더 잘 되겠지요《격려의 말》/*Better* late than never. 《속담》 늦더라도 안 하는 것보다는 낫다.
2 Ⓟ 〖well 의 비교급〗 (기분 따위가) 보다 좋아진; (병이) 차도가 있는: He is getting ~. 그는 (병세가) 좋아지고 있다/I'm no 〔a little, much〕 ~ today than yesterday. 오늘은 어제와 전연 차도가 없다〔어제보다 조금〔많이〕 나아졌다〕/Are you feeling ~ today?—Yes, a little 〔a bit〕 ~, thank you. 오늘은 기분이 좋으십니까—예, 조금 나아졌습니다. 고맙습니다.
be ~ than one's word ⇨WORD. ***be the ~ for*** …때문에 오히려 더 좋다: I'm none *the ~ for* it. 그것으로 이득을 볼 것은 조금도 없다. ***little ~ than*** …나 매한가지. ***no ~ than*** ① …나 매한가지, …에 지나지 않다: He is *no ~ than* a beggar. 거지나 다름없다. ② …와 마찬가지로 좋지 않다: He is *no ~ than* his brother. 형제가 다 같이 신통치 않다. ***not any ~ than*** =no ~ than. ***the ~ part of*** …의 대부분, …의 태반: He spends *the ~ part of* his earnings on drink. 그는 소득의 대부분을 술 마시는 데 써버린다.

> **DIAL.** (***It*** 〔***Things***〕) ***couldn't be better.*** 더할 나위 없다(←이보다 (만사가) 더 좋을 수는 없을 것 같다): How's everything with you?—*Couldn't be better*, thank you. 어떻게 지내십니까?—덕분에 아주 잘 지냅니다.
> (***I***) ***couldn't be better.*** 더할 나위 없이 좋다, 최고나《'이 이상 (건강 상태가) 좋을 수 없을 것 같다'는 뜻으로, I'm fine.을 강조한 말》.
> (***I've***) ***never been*** 〔***felt***〕 ***better.*** 최고로 좋다 (← 지금보다 더 좋은 적이 없다).
> ***That's better.*** ① 〖승인·칭찬〗 그래그래, 좋아좋아. ② 〖위안·격려〗 자자, 괜찮아.
> (***Things***) ***could*** 〔***might***〕 ***be better.*** =(***I***) ***could be better.*** 그저 그래, 별로야《How are things going? 또는 How are you? 따위에 대한 대답으로 직역하면 '(상태가) 더 좋아질 수도 있으련만'》.

—*ad.* 〘well 의 비교급〙 **1 보다 좋게**〔낫게〕; 보다 잘: He did ~ than I. 그는 나보다 더 잘 했다 / The sooner, the better. 빠르면 빠를수록 좋다 / Don't go now—You'd do ~ to wait for a better chance. 지금 가지마—더 좋은 기회를 기다리는 게 좋을거야.
2 더욱, 한층, 보다 많이: I like this ~. 이쪽을 더 좋아한다 / He's ~ known abroad than at home. 그는 자기 나라에서보다 외국에서 더 유명하다 / You're ~ able to do it than I. 너는 나보다 더 잘 할 수 있다.
3 보다 이상: ~ than a mile to town 읍내까지 1 마일 남짓.
(all) the ~ for …때문에 그만큼 더〔많이〕: I like her *(all) the ~ for* it. 그렇기 때문에 한층 더 그녀를 좋아한다. ***be ~ off*** 전보다 살림살이가〔형편이〕 낫다, 전보다 잘 지내다. ***go*** a person ***one ~*** =***go one ~ than*** a person 《구어》 아무보다 좀더 잘하다, 능가하다: Can't you *go one ~*? 좀더 잘 할 수 없느냐. ***had*** 〔***'d***〕 ***~*** do …하는 편이 좋다: You *had ~* go 〔not go〕. 가는〔안 가는〕 편이 좋다 / *Had*n't I ~ go? 가는 편이 낫지 않은가. ★ 구어에선 이 had 또는 You had 를 생략하는 일이 있음: (You) *better* mind your own business. 네 일이나 걱정하는 게 좋다, 남의 일에 참견 마라. ***know ~*** (***than that*** 〔***to*** do〕) 한층 분별이 있다, …하는 것이 좋지 않음〔어리석음〕을 알고 있다: I *know ~*. 그런 어리석은 짓은 안 해; 그 따위 수에는 안 넘어가. ***think ~ of*** a thing ⇨THINK.

> **DIAL.** ***(I've) seen better.*** 썩 좋지는 않다, 그저 그렇다《감상을 묻는데 대한 대답; 직역하면 '(그보다) 더 좋은 것을 본 적이 있다'》.
> ***you're better off*** (do***ing***) (충고로서) …(하는) 편이 좋다〔현명하다〕: Frankly, *you're better off* without him. 솔직히 말하면, 그와 헤어지는 편이 낫다.

—*n.* **1** (*sing.*) 보다 나은 것〔사람〕: a change for the ~ (병·사태 등의) 호전, 개선; 영전. **2** (one's ~*s*) 자기보다 나은 사람: one's (elders and) ~*s* 손윗 사람들, 선배들.
for ~ (or) for worse =***for ~ or worse*** 좋든 싫든 간에; 공과는 어떻든 간에; 어떤 운명이 되더라도 (오래도록) 《결혼식 서서 때의 말》: *For ~ or worse*, Einstein fathered the atomic age. 좋든 싫든 간에 아인슈타인은 원자시대의 문을 열었다. ***get*** 〔***have***〕 ***the ~ of*** …에게 이기다, …을 극복하다: Curiosity *got the ~ of* him. 그는 호기심을 이기지 못했다.
— *vt.* **1** 더욱 개량〔개선〕하다; 능가하다: ~ working conditions 노동 조건을 더욱 개선하다. **2** 〘~ oneself〙 좀더 나은 지위를 얻다〔봉급을 받다〕, 출세하다, 유복해지다; 독학하다, 수양을 쌓다. SYN. ⇨REFORM. **—***vi.* 나아지다; 향상하다; 개량〔개선〕하다.

bet·ter[2], **-tor** [bétər] *n.* Ⓒ 내기를 하는 사람.

bétter hálf (one's ~) 《구어·우스개》 배우자; 《특히》 아내.

bét·ter·ment *n.* **1** Ⓤ 개량, 개선(improvement), 개정; 향상, 출세: for the ~ *of* society 사회 개량을 위하여. **2** Ⓒ (보통 *pl.*) 〖법률〗 (부동산의) 개수(改修); (개수에 의한 부동산의) 값 오름; 개량비.

bét·ting *n.* Ⓤ 내기(에 거는 돈): a ~ book 도박금 장부 / a ~ shop 《英》 (정부 공인의) 사영(私營) 마권 매장(賣場).

Bet·ty, -tie [béti] *n.* 베티《여자 이름; Elizabeth 의 애칭》.

†**be·tween** [bitwíːn] *prep.* **1** 〘공간·시간·수량·위치〙 …**의 사이에**〔의, 를, 에서〕: ~ Paris and Berlin 파리와 베를린간(間) / ~ Monday and Friday 월요일에서 금요일 사이에, 주중에 / ~ the two extremes 양극단의 중간에 / ~ one and two in the morning 오전 1 시와 2 시 사이 / The accident happened ~ three and four o'clock. 그 사건은 3 시에서 4 시 사이에 일어났다 / ~ the acts = ~ each act 막간마다 / (a distance) ~ two and three miles from here 여기서 2 내지 3 마일(의 거리).
2 〘성질·종류〙 …의 중간인, 어중간한: something ~ a chair and a sofa 의자인지 소파인지 분간키 어려운 것 / a color ~ blue and green 청색과 녹색의 중간색.
3 〘관계·공유·분배〙 …의 사이에〔에서, 의〕: a bond ~ friends 우정의 유대 / We had only one pair of shoes ~ us. 우리 둘에게 신이 한 켤레 밖에 없었다 / divide earnings ~ the two 벌이를 둘이 나누다. SYN. ⇨AMONG.

> **NOTE** 양자 사이에 쓰이나, 3 자 이상에서도 쓰임: a treaty ~ three powers, 3 국간의 조약 / *Between* them they own most of this company. 그들이 이 회사의 태반의 자산을 공유하고 있다.

4 〘공동·협력〙 …의 사이에서 서로 힘을 모아, 공동으로: We completed the job ~ the two of us. 우리 둘이 협력해서 일을 마쳤다.
5 〘차별·분리·선택〙 …의 사이에(서); …중 하나를: the difference ~ the two 둘 사이의 차이 / choose ~ A and B, A 와 B 중 어느 하나를 고르다 / know the difference ~ right and wrong 선악을 구별할 줄 알다.
6 〘원인〙 …(이)다—(이)다 해서: *Between* astonishment and delight, she could not speak even a word. 놀랍기도 하고 기쁘기도 하여 그녀는 한마디도 못 했다.
~ ourselves = ***~ you and me*** = ***~ you, me, and the gatepost*** 〔***bedpost***〕 《구어》 우리끼리만의 이야기이지만, 이것은 비밀인데. ***come*** 〔***stand***〕 ***~*** ⇨COME, STAND. ***in ~*** …의 중간에.
—*ad.* (양자) 사이〔간〕에; 사이를 두고: be 〔stand〕 ~ (…의) 중간에 서다, 중재〔방해〕하다; 갈라놓다 / I can see nothing ~. 사이에는 아무것도 보이지 않는다.
in ~ 사이에, 에워싸여; 짬짬이, 틈틈이: *In ~* was a lake. 사이에 호수가 있었다 / Father does gardening *in ~*. 아버지는 짬짬이 정원을 가꾸신다.

°**be·twixt** [bitwíkst] *prep., ad.* 《고어·시어·방언》 =BETWEEN. ***~ and between*** 이도저도 아닌; 중간으로.

bev·a·tron [bévətrɑ̀n/-trɔ̀n] *n.* Ⓒ 〖물리〗 베바트론《Berkeley 의 California 대학에서 만든 양성자(陽性子) 싱크로트론(synchrotron)》.

bev·el [bévəl] *n.* Ⓒ 사각(斜角), 빗각; 경사(면); 각도 측정기(~ square). **—***a.* Ⓐ 비스듬한, 빗각의. **—(*-l-*,《英》*-ll-*)** *vt., vi.* 빗각을 이루다, 기울다, 경사지다; 엇베다, 비스듬하게 하다〔되다〕.

bével gèar 〔**whèel**〕 〖기계〗 베벨기어《우산 모양의 톱니바퀴》.

bével squàre 각도 측정기.

*__bev·er·age__ [bévəridʒ] *n.* Ⓒ (보통 물 이외의) **마실것, 음료**: alcoholic 〔cooling〕 ~*s* 알코올〔청량〕 음료.

Bév·er·ly Hílls [bévərli-] 비벌리힐스《Los Angeles 시 Hollywood 에 인접한 도시로, 영화인 등의 저택이 많음》.

bevy [bévi] *n.* Ⓒ 떼《작은 새들의》, 무리《소녀·사슴 따위의》; 《구어》 (여러가지 물건이) 모인 것: a ~ *of* ladies 한 무리의 부인들/a ~ *of* larks 한 떼의 종달새.

be·wail [biwéil] *vt.*, *vi.* 몹시 슬퍼하다, 통곡하다: ~ one's fate 자기 운명을 한탄하다.

*__be·ware__ [biwέər] 〖어미변화 없이 명령형·부정사로〗 *vt.* 《~+목/+*wh.* 절/+*that* 절》 **조심〔주의〕하다**, 경계하다: *Beware* such inconsistency. 그러한 모순은 피하도록 해라/We must ~ *how* we approach them. 우리는 그들에게 어떻게 접근할지 주의하지 않으면 안 된다/*Beware* lest you should fail. =*Beware that* you do not fail. 실패하지 않도록 해라. **—***vi.* 《~/+전+명》 조심〔주의〕하다《**of** …에》: He told me to ~. 그는 나에게 주의하라고 말했다/*Beware of* pickpockets 〔the dog〕! 소매치기〔개〕 조심.

be·whisk·ered [bi*h*wískərd] *a.* **1** 구레나룻(whiskers)을 기른. **2** (익살 등이) 케케묵은, 진부한.

be·wigged [biwígd] *a.* 가발을 쓴.

__be·wil·der__ [biwíldər] *vt.* **어리둥절케〔당황케〕 하다(confuse)《★ 보통 수동태로》: The boy *was* so ~*ed* that he didn't know what to say. 소년은 너무 당황해서 무슨 말을 해야 할지 몰랐다. SYN. ⇨PERPLEX.

be·wíl·der·ing [-riŋ] *a.* 어리둥절케〔당황케〕 하는. ㊕ **~·ly** *ad.* 당황케 할 만큼.

be·wíl·der·ment *n.* Ⓤ 당황, 어리둥절함: look around in ~ 당황하여 주변을 둘러보다.

*__be·witch__ [biwítʃ] *vt.* …에 **마법을 걸다**, …을 호리다; 매혹하다, 황홀케 하다《**with** …으로》: She ~*ed* him *with* her charms. 그녀는 그녀의 매력으로 그를 매혹했다. ㊕ **~·ing** *a.* 매혹시키는, 황홀케 하는. **~·ing·ly** *ad.* **~·ment** *n.*

†__be·yond__ [bi*j*ánd/-*j*ɔ́nd] *prep.* **1** 〖장소〗 …의 **저쪽에**, …**을 넘어서〔건너서〕**: ~ the river 강 건너에/~ the hill 언덕을 넘어서/~ seas 해외에. SYN. ⇨OVER.

2 〖시각·시기〗 …**을 지나서**: ~ the appointed time =~ the usual hour 정시를 지나서/stay ~ a person's welcome 오래 머물러 남에게 미움을 사다.

3 〖정도·범위·한계〗 …을 넘어서, …이 미치지 않는 곳에: It's ~ me. 나로선 알 수 없다〔할 수 없다〕/~ one's power 힘이 미치지 않는/~ number 무수한, 이루 헤아릴 수 없는/~ (one's) belief 도저히 믿을 수 없는/~ expectation 의외로/~ endurance 참을 수 없는.

4 …보다 이상으로, …에 넘치는: live ~ one's income 수입 이상의 생활을 하다.

5 〖주로 부정·의문문에서〗 …외에, 그 밖에 (더): *Beyond* this I know *nothing* about it. 그것에 관해선 이 이상은 모른다.

go* ~ one*self 도를 지나치다, 자제력을 잃다; 평소 이상의 힘을 내다. ***It's* (*gone*) ~ *a joke.*** 《구어》 그것은 농담이 아니다, 진담이다.

DIAL. ***It's beyond me wh....*** 나는 …인지 모르겠다: *It's* quite *beyond me why* she married him. 왜 그녀가 그와 결혼했는지를 이해할 수 없어.

—*ad.* **1** (멀리) 저쪽에: a hill ~ 저 쪽 언덕/the life ~ 저 세상.

2 그 밖에(besides); 그 이상: There's nothing left ~. 그 밖엔 아무 것도 남지 않았다.

3 더 늦게. ***go* ~** ⇨GO.

—*n.* (the ~) 저쪽(의 것); 저승, 내세(the great ~). ***the back of* ~** 세계의 끝.

bez·el [bézəl] *n.* Ⓒ (날붙이의) 날의 빗면; 보석의 사면(斜面); (시계의) 유리 끼우는 홈; (반지의) 보석 끼우는 홈, 거미발.

be·zique [bəzíːk] *n.* Ⓤ 카드놀이의 일종《64장의 패로 둘 또는 넷이서 함》.

bf, b.f. 《英구어》 bloody fool; 〖인쇄〗 bold-faced (type).

B́-gìrl *n.* Ⓒ 《美속어》 바 여급.

bhang, bang [bæŋ] *n.* Ⓤ 〖식물〗 (인도) 삼, 대마(大麻); 그 잎·꽃을 말려 만든 마약.

B.H.P., b.h.p. brake horsepower. **BHS** British Home Stores.

Bhu·tan [buːtáːn, -tǽn] *n.* 부탄《인도 북동의 히말라야 산록에 있는 왕국; 수도는 팀부(Thimbu)》. ㊕ **Bhù·tan·ése** [-təníːz, -s] *a.*, *n.*

Bi 〖화학〗 bismuth.

bi- [bai] *pref.* '둘, 양, 쌍, 중(重), 복(複), 겹' 따위의 뜻: *bi*plane, *bi*cycle.

bi·a·ly [biáːli] (*pl.* **~s**) *n.* Ⓒ 《美》 비알리《납작하고 중앙이 우묵한 롤빵; 잘게 썬 양파를 얹음》.

bi·an·nu·al [baiǽnjuəl] *a.* 연 2회의, 반년마다의(half-yearly). ㊕ **~·ly** *ad.*

*__bi·as__ [báiəs] *n.* Ⓤ (구체적으로는 Ⓒ) **1 사선**(斜線), 엇갈림, 바이어스《옷감 재단선·재봉선의》: cut cloth on the ~ 천을 비스듬히 재단하다. **2** 성벽(性癖); 경향, 선입관《**toward, to** …의》; 편견《**for, against** …에 대한》: without ~ and without favor 공평무사하게/be free from ~ 편견이 없다/a ~ *for* 〔*against*〕 the Chinese 중국인에 대한 호의〔반감〕/have a ~ *toward* socialism 사회주의의 경향이 있다. **3** 〖구기〗 (볼링 등의) 공의 치우침〔편심〕; (공의) 비뚤어진 진로. **4** 〖통신〗 편의(偏倚), 바이어스. **5** 〖통계〗 치우침. ***on the* ~** 비스듬히; 일그러져; 바이어스로(⇨1). ↔ *on the straight*.

—*a.*, *ad.* 비스듬한〔히〕; 엇갈리게, 〖통신〗 편의의; 바이어스의. SYN. ⇨UNJUST.

— (**-s-**, 《英》 **-ss-**) *vt.* 《~+목/+목+전+명》 …을 한쪽으로 치우치게 하다; (아무)에게 편견을 갖게 하다《**toward, in favor of** …에 호의적인; **against** …에 부당한》: be ~*ed in fovor of* a person 아무에게 호의를 품다/be ~*ed against* a person 아무에게 부당한 편견을 가지고 있다. ㊕ **~ed,** 《英》 **~sed** [-t] *a.* 치우친; 편견을 가진: a ~*ed* view 편견.

bi·ath·lete [baiǽθliːt] *n.* Ⓒ biathlon 선수.

bi·ath·lon [baiǽθlɑn/-lɔn] *n.* Ⓤ 〖경기〗 바이애슬론《스키에 사격을 겸한 복합 경기》.

bi·ax·al, -ax·i·al [baiǽksəl], [-siəl] *a.* 〖물리〗 축이 둘 있는《결정(結晶)》; 쌍축(雙軸)의.

bib [bib] *n.* Ⓒ 턱받이; (에이프런 따위의) 가슴 부분; =BIBCOCK; (펜싱 마스크에 달린) 목구멍받이. ***in* one*'s best* ~ *and tucker*** 《구어》 나들이옷을 입고.

bíb·còck *n.* Ⓒ (아래로 굽은) 수도꼭지(=**bíbb**

còck).

Bi·ble [báibəl] *n.* **1** (the ~) **성서**(聖書), 성경, 바이블《the Old Testament와 the New Testament》. ⓒⓕ Scripture. **2** Ⓒ (b–) 권위 있는 서적: a seaman's *bible* 선원의 바이블/a *bible* of child care 육아법(育兒法)의 바이블. **3** Ⓒ 〖일반적〗 (기독교 이외 종교의) 성전(聖典), 경전(經典).

Bíble Bèlt (the ~) 미국 남부의 신앙이 두터운 지역《fundamentalism을 중심으로 하는》.

Bíble clàss 성서 연구회.

Bíble òath (성경의 이름으로 하는) 엄숙한 맹세.

Bíble Socìety (the ~) 성서 공회.

bib·li·cal [bíblikəl] *a.* (종종 B–) 성경의; 성경에서 인용한; 성경에 관한: a ~ quotation 성서 인용(문)/~ stories 성경 이야기. ㊀ **~·ly** *ad.*

bib·li·o- [bíbliou, -liə] '책, 성서'란 뜻의 결합사.

bib·li·og·ra·pher [bìbliágrəfər/-ɔ́g-] *n.* Ⓒ 서적 해제자(解題者), 서지학자; 목록 편찬자.

bib·li·o·graph·ic, -i·cal [bìbliəgrǽfik], [-əl] *a.* 서지(書誌)의, 도서 목록의.

bib·li·og·ra·phy [bìbliágrəfi/-ɔ́g-] *n.* **1** Ⓤ 서지학(書誌學). **2** Ⓒ 서적 해제(解題); (어떤 제목·저자에 관한) 저서 목록, 출판 목록; 참고서 목록, 인용 문헌: a Tennyson ~ 테니슨 문헌.

bìblio·mánia *n.* Ⓤ 장서벽, 서적광《특히 희귀본을 찾는 일》. ㊀ **-ni·ac** [-niæ̀k] *n.* Ⓒ 서적광《사람》. ―*a.* 장서벽의, 서적광의. **bìb·li·o·ma·ní·a·cal** [-mənáiəkəl] *a.* = bibliomaniac.

bib·li·o·phile, -phil [bíbliəfàil], [-fil] *n.* Ⓒ 애서가, 서적 수집가, 장서(도락)가.

bib·u·lous [bíbjələs] *a.* 술꾼의, 술 좋아하는.

bi·cam·er·al [baikǽmərəl] *a.* 〖의회〗 상하 양원제의, 이원제의.

bi·carb [baiká:rb] *n.* Ⓤ 《구어》 중조(重曹), 중탄산나트륨.

bi·car·bo·nate [baiká:rbənit, -nèit] *n.* Ⓤ 〖화학〗 중탄산염; 중조(重曹): ~ of soda 중탄산나트륨.

bi·cen·ten·ary, -ten·ni·al [bàisenténəri, baiséntənèri/bàisentí:nəri], [bàisenténiəl] *a.* 2백년(째)의; 2백년(기념)제(祭)의. ―*n.* Ⓒ 2백년기념제(祭)〔일〕; 2백년기(忌); 2백년(째).

bi·ceps [báiseps] (*pl.* **~, ~·es** [-iz]) *n.* Ⓒ (흔히 *pl.*) 〖해부〗 이두근(二頭筋).

bi·chlo·ride [baiklɔ́:raid] *n.* Ⓤ 〖화학〗 이(二)염화물(dichloride): ~ of mercury 염화 제2수은, 승홍(昇汞).

bick·er [bíkər] *vi.* **1** 말다툼하다(quarrel) 《***about, over*** …에 대해서; ***with*** …와》: They *~ed over* 〔*about*〕 whose fault it was. 그들은 누가 잘못이었나로 말다툼했다. **2** (개천 따위가) 졸졸 흐르다(babble); (비가) 후두둑거리다; (불빛·불꽃 따위가) 가물〔깜박〕거리다; 흔들리다. ―*n.* Ⓒ 말다툼, 언쟁; 졸졸거림; 후두둑거림; 가물거림.

bi·coast·al [baikóustəl] *a.* 《美》 (태평양·대서양) 양해안의〔에 있는〕.

bi·con·cave [baikánkeiv, ∸∠/-kɔ́n-] *a.* 양쪽이 오목한(concavo-concave).

bi·con·vex [baikánveks, ∸∠/-kɔ́n-] *a.* 양쪽이 볼록한(convexo-convex): a ~ lens.

bi·cul·tur·al [baikʌ́ltʃərəl] *a.* 두 문화(병존)의. ㊀ **~·ism** *n.* Ⓤ (한 지역〔나라〕의) 이질적인 두 문화 병존.

bi·cus·pid [baikʌ́spid] *n.* Ⓒ 〖해부〗 쌍두치(雙頭齒), 소구치(小臼齒). ―*a.* (치아·심장 따위가) 뾰족한 끝이 둘 있는.

†**bi·cy·cle** [báisikəl, -sàikəl] *n.* Ⓒ **자전거**: go by ~ =go on a ~ 자전거로 가다; 《美속어》 (권투에서) 상대방의 연타를 피하다《★ by ~는 관사 없이》/ride 〔get on, mount〕 a ~ 자전거에 타다/get off 〔dismount (from)〕 a ~ 자전거에서 내리다. ―*vi.* 자전거를 타다〔로 가다〕《***to*** …으로》. ★동사로는 cycle이 보통.

bícycle clìp (자전거 체인에 엉키지 않게) 바지 자락을 고정시키는 클립〔안전 밴드〕.

bícycle kìck 바이시클 킥《누운 자세로 허공에서 자전거를 젓듯 두 다리를 움직이는 체조》.

bi·cy·clist [báisiklist, -sàik-] *n.* Ⓒ 자전거를 타는 사람; 경륜(競輪) 선수.

‡**bid** [bid] (***bade*** [bæd/beid], ***bid; bid·den*** [bídn], ***bid; bíd·ding***) *vt.* **1** 《~+목/+목+*do*》 《고어·시어》 …에게 **명하다**, 권하다《★ tell, order가 일반적》: Do as I ~ you. 시키는 대로 해라/She *bade* me enter. 그녀는 나더러 들어오라고 했다/I was *bidden to* enter. 나는 들어가라는 명을 받았다. SYN. ⇨ORDER. **2** 《+목+목/+목+전+명》 (인사 따위)를 **말하다**, (작별)을 고하다《***to*** …에게》《★ wish, say 보다 격식 차린 말》: ~ a person farewell 〔welcome〕 =~ farewell 〔welcome〕 *to* a person 아무에게 작별〔환영〕인사를 하다. **3** 《~+목/+목+전+명/+목+목 (+전+명)》 (값)을 매기다《***for*** …에》; 입찰하다; (도급 등)의 조건을 제시하다: ~ a fair price 정당한 값을 매기다/~ ten pounds, 10파운드로 값을 매기다/He ~ fifty dollars *for* the table. 그는 그 테이블에 50달러를 불렀다/ I'll ~ you $100 (*for* this picture). (이 그림 값으로) 100달러 내시오. ★ 이 뜻인 때에는 과거·과거분사도 bid. **4** 〖카드놀이〗 비드를 선언하다: ~ hearts 하트를 잡겠다고 선언하다. ★ 이 뜻으로 과거·과거분사도 bid.

―*vi.* **1** 《~/+전+명》 **값을 매기다**; 입찰하다《***for, on*** (계약 따위)에》: Several companies will ~ *for* the contract. 몇몇 회사가 계약에 입찰할 것이다/They ~ *on* the new building. 그들은 새 건물 건축에 입찰했다. **2** 《+전+명》 노력하다, 온갖 수단을 쓰다《***for*** (지지·권력 따위)를 얻으려고》: He was *bidding for* popular support. 그는 민중의 지지를 얻으려고 노력하고 있었다.

~ ***against*** a person 아무와 맞서서 높은 값을 부르다. ~ ***fair to*** do …할 가망이 있다, …할 것 같다: The weather *~s fair to* improve. 날씨는 점차 좋아질 듯하다. ~ ***in*** 《*vt.*+부》 《美》 (경매에서 소유주가) 자신에게 경락〔낙찰〕시키다. ~ ***up*** 《*vt.* +부》 (값)을 다투어 올리다: ~ *up* an article beyond its real value 물품 값을 실제 가치보다 높게 다투어 올리다.

―*n.* Ⓒ **1 입찰**; 매긴 값《***on, for*** …에 대한》; 입찰의 기회〔차례〕: She made a ~ of ten dollars *on* 〔*for*〕 the table. 그녀는 테이블에 10달러의 값을 매겼다/*Bids* were invited *for* building the bridge. 교량 건설 입찰이 공고되었다. **2 노력**, 시도《***for*** (지위·인기·동정 따위)를 얻기 위한/***to*** do》: She made a ~ *for* the votes of women. 그녀는 여성표를 모으려고 노력했다/He made a ~ *to* restore peace. 그는 평화 회복에 힘썼다. **3** 《美》 (입회 따위의) 안내; 권유《***to*** do》: receive a ~ *to* join a club 클럽에 가입하라는 권유를 받다. **4** 〖카드놀이〗 비드《브리지에서, 으뜸패와 자기편이 딸 패수의 선언(순서)》:

It's your ~. 자, 네가 선언할 차례야.

bid·da·ble [bídəbəl] *a.* 유순한(obedient); 〖카드놀이〗 겨룰 수 있는(《수 따위》).

bid·den [bídn] BID의 과거분사.

bíd·der *n.* Ⓒ 값을 부르는 사람, 입찰〔경매〕자; 입후보자; 명령자; 《美구어》 초대자: the highest 〔best〕 ~ 최고 입찰자; 자기를 가장 높이 평가해 주는 사람.

bíd·ding *n.* Ⓤ **1** 입찰, 값매김. **2** 명령: at a person's ~ 아무의 명령에 따라서/at the ~ *of* …의 뜻〔분부〕대로/do a person's ~ 아무의 분부〔명령〕대로 하다.

bid·dy *n.* Ⓒ 병아리; 암탉; 《구어·흔히 경멸적》 말 많고 나이든 여자: an old ~ 노파.

bide [baid] (***bíd·ed, bode*** [boud]; ***bíd·ed,*** 《고어》 ***bid*** [bid]) *vt.* 《고어》 …을 기다리다; 참다, 견디다. ~ one***'s time*** 때를 기다리다.

bi·det [bidéi, bidét/bí:dei] *n.* 《F.》 Ⓒ 비데 《여성용 국부 세척기(器)》; 작은 승용마(馬).

bi·en·ni·al [baiéniəl] *a.* **1** Ⓐ 2년에 한 번의; 2년마다의. ⓒⓕ biannual. **2** 2년간 계속되는. **3** 〖식물〗 2년생의. **—***n.* Ⓒ 〖식물〗 2년생 식물; 2년마다 일어나는 일; 2년마다의 시험〔모임, 행사〕. ㊞ **~·ly** *ad.* 2년마다.

bier [biər] *n.* Ⓒ 관가(棺架); 영구차; 시체.

biff [bif] *n.* Ⓒ 《속어》 강타, 후려갈기기: give a person a ~ in the mouth 〔on the jaw〕 아무의 입〔턱〕을 세게 때리다.
—*vt.* **1** 세게 때리다. **2** 강타하다《***on*** (몸의 일부)를》《★ 몸의 부분을 나타내는 명사 앞에 the를 씀》: ~ a person *on* the nose 아무의 코를 후려갈기다.

bi·fo·cal [baifóukəl] *a.* 이중 초점의; 원시·근시 양용의《안경 따위》. **—***n.* Ⓒ 이중 초점 렌즈; (*pl.*) 원근(遠近) 양용 안경.

bi·fur·cate [báifərkèit, baifə́:rkeit] *vt., vi.* 두 갈래로 가르다〔갈리다〕. **—** [-kit] *a.* 두 갈래진(=**bífurcàted**). ㊞ **bì·fur·cá·tion** *n.* Ⓤ 분기(分岐)(함); Ⓒ 분기점.

†**big** [big] (***-gg-***) *a.* **1** (모양·수량·규모 따위가) **큰**; 커진, 성장한: a ~ voice 큰 소리/~ money 큰돈, 대금/a ~ man 큰 남자/How ~ is your fridge? 댁의 냉장고 크기는 얼마나 됩니까/Behave yourself; you're a ~ girl now. 점잖게 행동해라. 이제 다 컸으니까/You're a ~ boy. 컸구나.

> SYN. **big, large, great** 구별 없이 쓰이는 일이 많음: a *large* 〔*big, great*〕 building 큰 건물. 그러나 정확히는 다음과 같이 구별될 수 있음. **big** 부피·덩어리·무게·정도: a *big* cat 큰 고양이. a *big* fire 큰 불. **large** 넓이·분량: a *large* room 넓은 방. a *large* amount 대량. **great** 당당한 모양, 훌륭한 모양: a *great* oak 거대한 참나무. ★big은 쉬운 구어조로 쓰임에 반하여, large, great는 약간 형식을 갖춘 말임: a *big* mistake 엉뚱한 잘못; a *great* mistake 대실수; a *big* village 큰 마을; a *great* city 대도시.

2 〔보통 ~ with child로〕 《문어》 임신한, 아이 밴《★ pregnant가 일반적》: She is ~ *with child.* 그 여자는 아이를 뱄다.
3 가득 찬《***with*** …으로》: eyes ~ *with* tears 눈물이 담뿍 괸 눈/a year ~ *with* events 다사한 한 해/a heart ~ *with* grief 슬픔에 찬 가슴.
4 (사건·문제가) 중대한.
5 중요한, (잘) 난, 훌륭한; 유력한; 《美》 인기 있는: a ~ man 위인/a ~ game 〔match〕 중요한 경기〔시합〕.
6 (태도가) 난 체하는, 뽐내는, 거드럭대는: ~ looks 오만한 얼굴/~ talk 호언장담/~ words 큰소리/feel ~ 자만심을 갖다.
7 (마음이) 넓은, 관대한: That's ~ *of* you. 〔종종 반어적〕 이것 참 너그럽게 봐주셔서 감사합니다.
8 《美속어》 열광하는, 아주 좋아하는《***on*** …에, …을》: I'm ~ *on* movies. 나는 영화라면 사족을 못 쓴다.
9 연상의; 《美학생속어》 …형, …누나《부를 때 이름 앞에 붙여, 경의·친절을 나타냄》: one's ~ brother 〔sister〕 형〔누나〕/~ John 존형.
10 〔행위의 주체를 나타내는 명사를 수식하여〕 굉장한, 대단한; (바람·폭풍 따위가) 세찬, 강한: a ~ eater 대식가/a ~ liar 큰 거짓말쟁이/a ~ success 대성공/a ~ wind 강풍.
as ~ as life ⇨LIFE. ***be*** 〔***get, grow***〕 ***too ~ for*** one***'s boots*** 〔***breeches***〕 《구어》 자만하다, 뽐내다. ***in a ~ way*** ⇨WAY[1].
—*ad.* 《구어》 잘난 듯이, 뽐내어; 다량으로, 크게; 《美구어》 잘, 성공하여; 《방언》 매우: think ~ 야망을 품다, 큰 일을 생각하다/make (it) ~ 《美구어》 큰 성공을 거두다/talk ~ 《구어》 허풍을 떨다/eat ~ 실컷 먹다. ***come*** 〔***go***〕 ***over ~*** =***come*** 〔***go***〕 ***down ~*** 《美구어》 잘 되어 가다, 크게 성공하다.
—*n.* 《구어》 Ⓒ **1** 중요 인물; 대기업; (Mr. B-) 《구어》 거물, 두목, (막후) 실력자. **2** (the ~s) 《야구속어》 메이저리그. ㊞ **∠·ness** *n.*

big·a·mist [bígəmist] *n.* Ⓒ 중혼자(重婚者).

big·a·mous [bígəməs] *a.* 중혼의; 중혼(죄를) 범)한. ㊞ **~·ly** *ad.*

big·a·my [bígəmi] *n.* Ⓤ 중혼(죄), 이중 결혼.

Bíg Ápple (the ~) 《美속어》 New York 시의 애칭; (종종 b- a-) 대도시, 번화가.

bíg báng (the ~, 종종 the B- B-) 〖천문〗 (우주 생성 때의) 대폭발.

bíg báng thèory (the ~) (우주 생성의) 폭발 기원설.

Bíg Bén 영국 국회 의사당 탑 위의 큰 시계(종〔탑〕).

Bíg Bóard (the ~, 때로 the b- b-) 《美구어》 뉴욕 증권 거래소(상장의 주가(株價) 표시판).

Bíg Bróther (전체주의 정권의) 독재자; 독재 국가〔조직〕; 독재력을 가진 사람《경찰·선생·어버이 등》.

bíg búck (보통 *pl.*) 《美구어》 많은 돈, 큰돈.

bíg búg 《英속어》 중요 인물, 보스, 거물(bigwig).

bíg búsiness 1 큰 장사. **2** 〔집합적〕 재벌; 대기업.

Bíg Ć (the ~) 《美속어》 암.

Bíg Chíef (회사·조직의) 장(長), 창립자.

Bíg Dáddy (때로 b- d-) 기장 중요한〔큰〕 것 〔사람·동물〕; 명사; 《美》 (자기) 아버지.

bíg déal 1 큰 거래. **2** 《美속어》 대단한 것〔인물〕, 중대 사건: What's the ~? 뭣 때문에 이 소동이야. **3** 《속어》 〔비꼼·조소를 나타내어, 감탄사적으로〕 참 대단하군, 그뿐인가, 별거 아니군: "I make 500 dollars a week."—"*Big deal!* I make twice that much." '나는 한 주에 500달러 번다네'—'별 거 아니군. 나는 그 갑절은 번다네.'

Bíg Dípper (the ~) 《美》 〖천문〗 북두칠성(《英》 the plow).

bíg ènd 〖기계〗 대단(大端)《커넥팅 로드의》.
Bíg·fòot *n.* (때로 b–) Sasquatch 의 별칭.
bíg gáme 큰 경기. **2** 큰 사냥감《사자·코끼리 따위》. **3** (위험이 따르는) 큰 목표.
big·gie, -gy [bígi] *n.* [C] 《구어》 중요한 것; 높은 양반, 거물.
big·gish [bígiʃ] *a.* **1** 약간 큰, 큰 편인. **2** 중요〔위대〕한 듯한.
bíg gún 큰 대포; 《속어》 유력〔실력〕자, 중요 인물, 고급 장교; 중요한 사물. ***bring out*** 〔***up***〕 ***the*** 〔one's〕 **~*s*** (논쟁·게임 등에서) 결정적인 수〔으뜸패〕를 내놓다.
bíg·hèad *n.* 《구어》 **1** [U] 《美》 자부심. **2** [C] 자부심이 강한 사람, 자만하는 사람. ㊕ **-héad·ed** [-id] *a.* 머리가 큰; 《구어》 젠체하는, 우쭐한.
bíg·héarted [-id] *a.* 마음이 넓은, 관대한.
bíg·hòrn (*pl.* **~,** **~*s***) *n.* [C] 〖동물〗 로키 산맥의 야생양(羊) (= ∠ **shèep**).
bíg hòuse **1** (종종 B– H–) (마을 제일의) 호가(豪家). **2** (the ~) 《속어》 교도소.
bight [bait] *n.* [C] 해안선〔강가〕의 완만한 굴곡; 후미, 만(灣); 밧줄의 중간〔고리로 한〕 부분.
bíg léague = MAJOR LEAGUE.
bíg móney 큰 돈, 큰 이익.
bíg·mòuth *n.* [C] 《美》 수다스러운 사람.
bíg-mòuthed [-ðd, -θt] *a.* 입이 큰; 큰 목소리의; 자랑하는, 장담하는; 재잘재잘〔일방적으로〕 지껄여대는.
bíg náme 《구어》 명사(名士), 중요 인물; 일류 배우〔출연자〕, 권위자.
bíg-nàme *a.* [A] 《구어》 유명〔저명〕한; 일류의: a ~ ambassador 거물 대사.
bíg nóise 《구어》 명사, 거물, 유력자.
big·ot [bígət] *n.* [C] 고집통이, 괴팍한 사람.
big·ot·ed [-id] *a.* 완미(頑迷)한, 편협한, 고집불통의. ㊕ **~·ly** *ad.*
big·ot·ry [bígətri] *n.* [U] 완미한 신앙〔행동〕; 편협.
bíg shòt 《구어·경멸적》 거물, 중요 인물(fat cat).
Bíg Smóke 《英속어》 (the ~) 런던의 속칭; (the b– s–) 대도시.
bíg stíck (정치 또는 경제적인) 압력; 무력·힘의 과시.
bíg-tícket *a.* [A] 《美구어》 고가의, 비싼 가격표가 붙은.
bíg tíme (the ~) 《구어》 (스포츠·연예계의) 최고 수준, 일류: He's in the ~ now. 지금은 그는 거물이다〔톱 클래스에 속한다〕.
bíg-tìme *a.* 《속어》 일류의, 최고의. ㊕ **-tìm·er** *n.* [C] 《구어》 일류 배우〔인물〕; 대사업가, 거물급 인사; 메이저리그 선수.
bíg tóe 엄지발가락(great toe).
bíg tòp 《구어》 (서커스의) 큰 천막; (the ~) 서커스(업, 생활).
bíg trèe 《美》 = SEQUOIA.
bíg whéel **1** 《英》 = FERRIS WHEEL. **2** 《구어》 = BIGWIG.
bíg·wìg *n.* [C] 《구어》 높은 양반, 거물, 중요 인물.
bi·jou [bíːʒuː, –∠] (*pl.* **~*s*, ~*x*** [-z]) *n.* 《F.》 [C] 보석(jewel); 작고 아름다운 장식. **—*a.*** [A] 작고 우미한, 주옥 같은.
***bike** [baik] 《구어》 *n.* [C] **자전거**; 오토바이.

> [DIAL.] ***On your bike !*** 《英》 썩 꺼져, 저리 가.

—*vi.* 자전거〔오토바이〕를 타고가다《***to*** …으로》.
bik·er [báikər] *n.* [C] **1** = BICYCLIST. **2** 《구어》 폭주자.
bíke·wày *n.* [C] 《美》 자전거 (전용) 도로.
Bi·ki·ni [bikíːni] *n.* **1** 비키니《마셜 군도에 있는 환초(環礁); 미국의 원수폭 실험장(1946–58)》. **2** (b–) [C] 투피스의 여자 수영복, 비키니.
bi·la·bi·al [bailéibiəl] *a.* 〖음성〗 두 입술의. **—*n.*** [C] 양순음《[p, b, m] 따위》.
bi·lat·er·al [bailǽtərəl] *a.* 양측의, 쌍방의, 두 면이 있는; 좌우 동형의; 〖생물〗 좌우 상칭(相稱)의; 〖법률·상업〗 쌍무적인. [cf.] unilateral. ㊕ **~·ly** *ad.*
bil·ber·ry [bílbèri, -bəri] *n.* [C] 〖식물〗 월귤나무속(屬)의 일종; 그 열매.
bile [bail] *n.* [U] 담즙; 기분이 언짢음, 짜증: rouse 〔stir〕 a person's ~ 아무를 성나게 하다.
bilge [bildʒ] *n.* **1** [C] 〖항해〗 배 밑 만곡부; [U] = BILGE WATER. **2** [C] (통의) 중배. **3** [U] 《구어》 데데한 이야기〔생각〕, 허튼소리(nonsense); 웃음거리. **—*vt.*, *vi.*** (배 밑에) 구멍을 뚫다; 구멍이 나다; 불룩하게 하다〔되다〕.
bílge wàter 배 밑에 괸 더러운 물.
bil·i·ary [bílièri, bíljəri] *a.* 담즙(bile)〔담관, 담낭〕의.
bíliary cálculus 〖해부〗 담석.
bi·lin·gual [bailíŋgwəl] *a.* 두 나라 말을 하는; 2개 국어를 병용하는: a ~ speaker, 2개 국어를 말하는 사람/a ~ dictionary 2개 국어 사전《한영(韓英) 사전 따위》. **—*n.*** [C] 2개 국어를 쓰는 사람. ㊕ **~·ism** *n.* [U] 2개 국어 병용.
bil·ious [bíljəs] *a.* **1** 담즙(질)의; 담즙 이상(異常)의〔에 의한〕. **2** 성마른, 까다로운; 매우 불쾌한. ㊕ **~·ly** *ad.* **~·ness** *n.*
bilk [bilk] *vt.* (갚을 돈·셈할 것)을 떼어먹다, 먹고〔돈을 안 내고〕 달아나다; (추적자 등)에서 벗어나다, 따돌리다; (남)을 속이다, 속여서 빼앗다《***of, out of*** …을》: ~ a person (*out*) *of* money 아무의 돈을 등쳐먹다. **—*n.*** [C] 사기꾼.
Bill [bil] *n.* 빌《William 의 애칭》.
****bill**[1] [bil] *n.* [C] **1 계산서,** 청구서《★ 미국에서는 음식점의 계산서는 check 라고 함》; **목록,** 표, 명세서; 메뉴, 식단표: a grocer's ~ 식료품점의 청구서/pay one's ~ 계산을 지불하다/*Bill*, please. 계산 부탁합니다. **2 전단,** 벽보, 포스터, 광고 (쪽지); (연극·흥행물 따위의) 프로(그램): post (up) a ~ 벽보를 붙이다/Post 〔Stick〕 No *Bills*. 《게시》 벽보를 붙이지 마시오. **3** 〖상업〗 어음; 환어음(~ of exchange); 증서, 증권: a ~ discounted 할인 어음/a ~ for acceptance 인수 청구 어음/a ~ for collection 대금 추심 어음. **4** 《美》 **지폐**(《英》 note); 《美구어》 100 달러(지폐): a ten-dollar ~, 10 달러 지폐/three ~*s*, 300 달러. **5** (의회의) **법안,** 의안: introduce a ~ 의안을 제출하다/lay a ~ before the Congress 〔Diet, Parliament〕 법안을 의회에 제출하다/pass 〔reject〕 a ~ 법안을 가결〔부결〕하다. **6** 〖법률〗 기소장, 조서. **7** (세관의) 신고서.
a ~ of clearance (세관에 내는) 출항 신고. ***a ~ of debt*** 약속 어음. ***a ~ of dishonor*** 부도 어음. ***a ~ of entry*** 입항(入港) 신고; 통관 신고서. ***a ~ of exchange*** 환어음《생략: b.e.》. ***a ~ of fare*** 식단, 메뉴; 《비유적》 예정표, 프로그램. ***a ~ of health*** 〖항해〗 (선원·승객의) 건강 증명서《생략: B/H》. ***a ~ of lading*** 선하(船荷) 증권《생략: B/L, b.l.》: *a* clean 〔foul〕 ~ *of lading* 무고장(無故障)〔고장〕 선하 증권. ***a ~ of sale*** 매도증,

저당권 매도증《생략: b.s.》. ***fill*** 〔***fit***〕 ***the*** ~ 《구어》 요구를 충족시키다; 《英》 인기를 독차지하다. ***foot the*** ~ 셈을 치르다〔부담하다〕; 《비유적》 책임을 떠맡다. ***sell*** a person ***a*** ~ ***of goods*** 《美구어》 (아무)를 속이다. ***the Bill of Rights*** ① 《美》 권리선언〔장전〕. ② (때로는 b- of r-) (외국의) 권리선언; (집단의) 권리 규정. ***top*** 〔***head***〕 ***the*** ~ 《구어》 프로〔포스터〕 최초〔상단〕에 이름이 나다, 주연을 하다.

—*vt.* **1** 계산서에 기입하다; 표로〔목록으로〕 하다: ~ goods 상품 목록을 만들다. **2** 《~+목/+목+전+명》 …에 계산서〔청구서〕를 보내다; …앞으로 외상을 달아두다《***for*** …의》: The store will ~ me *for* it. 가게에서 그것에 대한 청구서가 올 것이다; 가게는 그 외상값을 내 앞으로 달아둘 게다. **3** 《美》 …에 전단을 붙이다: They *~ed* the town. 그들은 마을에 벽보를 붙였다. **4** 《+목+*as* 보/+목+*to* do》 전단으로 광고〔발표〕하다; 프로에 써 넣다, 프로로 짜다《★ 종종 수동태로 쓰임》: He *was ~ed as* Hamlet. 그가 햄릿역을 한다고 광고에 나와 있었다 / He *was ~ed to* appear *as* Macbeth. 그가 맥베스로 나온다고 프로에 나 있었다.

⁑**bill**[2] [bil] *n.* Ⓒ **1** 부리《특히 가늘고 납작한》. ⓒⓕ beak. **2** 부리 모양의 것; 가위의 한쪽 날; 좁다란 곶(岬). **3** 《美구어》 (사람의) 코; (모자의) 챙.

—*vi.* **1** (비둘기 한쌍이) 부리를 서로 비벼대다. **2** 서로 애무하다. ~ ***and coo*** (남녀가) 서로 애무하며 사랑을 속삭이다.

bill[3] *n.* Ⓒ 미늘창《중세(中世)의 무기》; 밑낫(bill-hook).

bíll·bòard *n.* Ⓒ 《美》 (보통 옥외의 대형) 광고〔게시〕판.

billed *a.* 〖보통 합성어로〗 (…한) 부리를 가진: a long-~ bird 부리가 긴 새.

bil·let[1] [bílit] *n.* Ⓒ **1** 〖군사〗 (민가에 대한) 숙사 할당 명령서; (민가 따위의) 병사 숙사. **2** 지정 장소, 목적지: Every bullet has its ~. 《속담》 총알에 맞고 안 맞고는 팔자 소관. **3** 《구어》 지위, 일자리: a good ~ 좋은 일자리. —*vt.* **1** 〖군사〗 …의 숙사를 할당하다, …을 숙박시키다《***on, in, at*** …에》: The soldiers were *~ed on* the villagers 〔*in* the village〕. 병사들은 마을 민가에 숙사를 할당받았다. **2** …에게 숙박을 제공하다, …을 숙박시키다. —*vi.* 숙박〔야영〕하다.

bil·let[2] *n.* Ⓒ **1** (굵은) 막대기; 장작. **2** 〖야금〗 (작은) 강편(鋼片).

bil·let-doux [bílidúː, -lei-] (*pl.* ***bil·lets-doux*** [-z]) *n.* 《F.》 Ⓒ 연애 편지.

bíll·fòld *n.* Ⓒ 《美》 둘로 접는 돈지갑.

bíll·hòok *n.* Ⓒ 밑낫.

bil·liard [bíljərd] *a.* Ⓐ 당구(용(用))의: a ~ ball 당구공 / a ~ table 당구대.

bílliard ròom 〔**pàrlor, salòon**〕 당구실〔장〕.

°**bil·liards** [bíljərdz] *n.* Ⓤ 당구: play (at) ~ 당구를 치다.

bíll·ing *n.* Ⓤ 청구서 작성〔발송, 제시〕; 게시, 선전, 광고; (배우 따위의) 프로상의 서열.

⁑**bil·lion** [bíljən] *n.* **1** (*pl.* **~s,** 수사 뒤에서 ~) Ⓒ 《美》 10억《million 의 천 배》; 《英·獨·프》 조(兆)《million의 백만 배; 《英》에서도 1951년 이후는 보통 10억의 뜻으로 씀; 생략: bn.》. **2** (*pl.*) 무수《***of*** …의》: *~s of* stars 무수한 별.

—*a.* 《美》 10억의; 《英》 1조의.

bil·lion·aire [bìljənέər, ⌐-⌐] *n.* Ⓒ 억만장자.

bil·lionth [bíljənθ] *a.* 10억〔《英》 1조〕 번째의; 10억〔《英》 1조〕분의 1 의.

—*n.* **1** Ⓤ (보통 the ~) 10억〔《英》 1조〕 번째. **2** Ⓒ 10억〔《英》 1조〕분의 1.

°**bil·low** [bílou] *n.* Ⓒ **1** (보통 *pl.*) 큰 물결, 놀; (the ~(s)) 《시어》 바다. **2** 굽이치는〔소용돌이치는, 밀어닥치는〕 것: *~s of* smoke 소용돌이치는 연기. — *vi.* 놀치다, 큰 파도가 일다, 크게 굽이치다; 부풀다(*out*): the *~ing* sea 큰 파도가 이는 바다 / The smoke *~ed* over field. 연기가 소용돌이 치며 들판으로 퍼졌다 / Her skirt *~ed out*. 그녀의 스커트가 (바람에) 불룩해졌다. ㊕ **~y** [-i] *a.* 놀치는, 물결이 높은, 소용돌이치는; 부풀어 오른.

bíll·pòster, bíll·stìcker *n.* Ⓒ 전단 붙이는 사람.

bil·ly[1] [bíli] *n.* Ⓒ 곤봉; 《美》 경찰봉(棒)(= ⌐ clùb); = BILLY GOAT.

bil·ly[2] *n.* Ⓒ 《英·Austral.》 야외용 주전자《양철로 만든》.

bílly·càn *n.* = BILLY[2].

bílly gòat 《소아어》 숫염소. ⓒⓕ nanny goat.

bil·ly-o(h) [-òu] *n.* 〖다음 관용구로〗 ***like*** ~ 《英구어》 맹렬히(fiercely), 마구.

bim·bo [bímbou] (*pl.* **~s, ~es**) *n.* Ⓒ **1** 머저리, 바보; 녀석; 《특히》 무뢰한. **2** 《속어·경멸적》 섹시하나 골이 빈 여자, 허튼계집.

bi·me·tal·lic [bàimətǽlik] *a.* 두 가지 금속으로 이루어진; 〖경제〗 (금은) 복본위제의.

bi·met·al·lism [baimétəlìzəm] *n.* Ⓤ (금은) 복본위제. ㊕ **-list** *n.* Ⓒ 복본위제론자.

°**bi·month·ly** [baimʌ́nθli] *a., ad.* 한 달 걸러의〔서〕, 격월의〔로〕; 《드물게》 월 2회(의).

—*n.* Ⓒ 격월〔월 2회〕 발행의 간행물.

°**bin** [bin] *n.* Ⓒ **1** 궤; 저장통《곡식·석탄 따위의》. **2** 《英》 쓰레기통(dustbin).

bi·na·ry [báinəri] *a.* **1** 둘〔쌍, 복〕의; 이원(二元)의; 이지(二肢)의, 2항식의. **2** 〖화학〗 두 성분으로〔원소로〕 된; 〖수학〗 이원의, 2진법의; 〖컴퓨터〗 2진(법)의, 2진수의; 〖음악〗 2악절의〔로 된〕, 2박자의: a ~ measure 〖음악〗 2박자 / a ~ compound 〖화학〗 2성분 화합물 / the ~ theory 〖화학〗 2성분설. — *n.* Ⓒ 〖천문〗 쌍성(雙星)(~star); 2원체, 쌍체; 2진수.

bínary céll 〖컴퓨터〗 2진 소자(素子).

bínary chòp 〖컴퓨터〗 2분할법《전(全)데이터를 하나하나 체크하는 대신, 목적하는 데이터가 중간점 위나 아래에 있는지를 판정하면서 목적하는 데이터를 검색함》.

bínary códe 〖컴퓨터〗 2진 코드〔부호〕.

bínary-coded décimal [-id-] 〖컴퓨터〗 2진화 10진수《10진수의 각 자리를 각기 4비트의 2진수로 나타낸 것; 생략: BCD》: a ~ character, 2진화 10진 문자 코드 / ~ notation, 2진화 10진법.

bínary dígit 〖수학〗 2진 숫자《0과 1의 두 가지》. ⓒⓕ bit[3].

bínary númber 〖컴퓨터〗 2진수.

bínary séarch 〖컴퓨터〗 2진 검색(dichotomizing search)《1군의 항목을 두 부분으로 나누어 한 쪽을 골라내는 절차를 반복하여 목적하는 항목을 찾아내는 검색 방식》.

bínary stár 〖천문〗 연성(連星), 쌍성(雙星)《공통의 중심(重心) 주위를 공전하는 두 별》. ⓒⓕ double star.

bi·na·tion·al [bainǽʃənl] *a.* 두 나라(국민)의

〔에 관계된, (으)로 이루어진〕: a ~ conference 두 나라간의 회의.

bin·au·ral [bainɔ́:rəl, bin-] *a.* 귀가 둘 있는; 두 귀용의〔에 쓰는〕《청진기 따위》; 입체(立體) 음향의(stereophonic).

⁑**bind** [baind] (***bound*** [baund]; ***bound,*** 《고어》 ***bound·en*** [báundən]) *vt.* **1** 《~+목/+목+전+명/+목+부》 **a** 묶다, 동이다(*together*)《***with*** …으로》; 포박하다《***to, on*** …에》: ~ the prisoner *with* a rope 죄수를 밧줄로 묶다/She was *bound* by a (magic) spell. 그녀는 마법에 걸렸다/~ the boy *to* the stake 소년을 기둥에 동여매다/He *bound* the box *on* the back of his bike. 그는 상자를 자전거 뒤에 붙들어맸다/The robber *bound* his legs *together*. 강도는 그의 양발을 묶었다. **b** 《비유적》 단결〔결속〕시키다(*together*): They are *bound together* 〔*to* each other〕 by a close friendship. 그들은 깊은 우정으로 맺어져 있다. SYN. ⇨ TIE.
2 《~+목/+목+전+명/+목+*to* do》 (법률·계약 따위로) 얽매다, 구속〔속박〕하다《***in, to*** …에》: be *bound* by a contract 계약에 묶이다/~ oneself *in* marriage 결혼하여 구속받다/~ a person *to* secrecy 비밀 지킬 것을 맹세시키다/~ a person *to* pay a debt 빚갚을 의무를 지우다/I *bound* myself *to* deliver the goods by the end of this week. 금주말까지 물품을 꼭 보내겠다고 약속했다.
3 《~+목/+목+부/+목+전+명》 감다, 감싸다; 붕대로 감다(*up*)《***about, (a)round, on*** …에; ***with, in*** …으로》: ~ *up* a wound 상처에 붕대를 감다/~ a cloth *about* the head 머리에 천을 감다/She had her hair *bound up in* a kerchief. 그녀는 머리를 머릿수건으로 감고 있었다.
4 (동맹·계약·상담(商談))을 맺다, 체결〔타결〕하다.
5 a 《~+목/+목(+부)+전+명》 (시멘트 따위로) 굳히다: Frost ~*s* sand. 서리가 모래를 굳힌다/~ stones (*together*) *with* cement 시멘트로 돌들을 굳히다. **b** (얼음·눈 따위가) 꼼짝 못하게 하다, 발을 묶다; (약·음식이 창자)를 변비가 되게 하다: food that ~*s* the bowels 변비를 일으키는 음식.
6 《+목(+부)+전+명》 (원고·책 등)을 제본〔장정〕하다(*up*)《***in*** (가죽 따위)로; ***into*** …으로》: a book *bound in* cloth 〔leather〕 클로스〔가죽〕 장정의 책/~ *up* two volumes *into* one 두 책을 하나로 합본하다.
7 《~+목/+목+전+명》 (의복·카펫 따위)에 가선을 두르다, 가장자리를 달다《***with*** …으로》: ~ the edge of cloth 천의 가장자리를 감치다/~ a skirt *with* leather 스커트에 가죽으로 선을 두르다.
8 《+목(+부)+전+명/+목(+부)+(*as*) 보》 (계약을 맺고) 연기(年期) 계시로 보내다(*over, out*)《***to*** …에게》: He *bound* his son *to* a blacksmith. 그는 아들을 대장간의 계시로 보냈다/His son was *bound* (*as* an) apprentice *to* a blacksmith. =His son was *bound out to* a blacksmith. 그의 아들은 대장간의 계시로 보내졌다.
—*vi.* **1** 묶다, 결박하다.
2 (시멘트·눈 따위가) 굳어지다: Clay ~*s* when it is baked. 진흙은 불에 구으면 굳어진다.
3 (약속·계약 등이) 구속력이 있다.
4 (의복 등이) 꼭 끼다, 째다; (공구 따위가) (끼어) 움직이지 않다: This jacket ~*s* through the shoulders. 이 상의는 어깨가 죈다.
5 〖진행형으로〗 제본(製本)되다: The new edition *is* ~*ing*. 신판이 제본중이다.
~ ***over*** 《*vt.*+부》 (아무)에게 서약시키다《***to*** do》: ~ a person *over* to good behavior 〔*to* keep the peace〕 행동을 삼갈〔공안을 유지할〕 것을 아무에게 서약시키다.
—*n.* **1** Ⓒ 묶는〔동여매는〕 것《끈·밧줄 따위》. **2** (a ~) 《구어》 곤란한 입장, 곤경: We're in (a bit of) a ~. 우리들은 곤경에 처해 있다.

bínd·er *n.* **1** Ⓒ 묶는 사람; 제본하는 사람. **2** Ⓒ 묶는〔동이는, 매는〕 것, 《특히》 실, 끈; 붕대; (서류 따위를) 철하는 표지; 베어서 단으로 묶는 기계, 바인더. **3** Ⓤ (종류·낱개는 Ⓒ) 접합〔고착〕제(劑); 〖요리〗 차지게 하는 것《밀가루·콘스타치 등》. ㊞ **~y** [-əri] *n.* Ⓒ 제본소.

◇**bínd·ing** *a.* **1** 묶는, 동이는; 잇는. **2** 속박〔구속〕하는; 구속력 있는, 의무를 지우는《***on, upon*** …에》: a ~ agreement 구속력 있는 협정/~ hours 구속〔의무〕 시간/This agreement is ~ *on* 〔*upon*〕 all parties. 이 계약은 당사자 모두가 이행해야 할 사항이다. **3** 《속어》 변비를 일으키는.
—*n.* **1** Ⓤ 묶음; 구속; Ⓒ 묶는 것. **2** Ⓤ (낱개는 Ⓒ) 제본, 장정(裝幀): books in cloth ~ 클로스 제본 책. **3** Ⓤ 선 두르는 재료《리본 따위》. **4** Ⓒ 〖스키〗 바인딩, 죄는 기구. ㊞ **~·ly** *ad.* 속박하여.

bínding ènergy 〖물리〗 결합 에너지《핵분열에 필요한》.

bínd·wèed *n.* Ⓤ 메꽃속(屬)의 식물.

bine [bain] *n.* Ⓒ 덩굴《특히 hop 의》; 〖식물〗 = WOODBINE.

binge [bindʒ] *n.* Ⓒ 《속어》 법석대는 술잔치, 법석; 혼란: go on a ~ 마시고 떠들다.

bin·go [bíŋgou] (*pl.* **~s**) *n.* Ⓤ 빙고《수를 기입한 카드의 빈 칸을 메우는 복권식 놀이》. —*int.* 이겼다, 해냈다, 놀랍구나《뜻밖의 결과에 대한 기쁨의 표현》.

bín lìner (쓰레기통 안에 씌우는) 비닐〔종이〕 봉지.

bin·na·cle [bínəkəl] *n.* Ⓒ 〖항해〗 나침의 받침대.

bin·oc·u·lar [bənákjələr, bai-/-nɔ́k-] *a.* 두 눈(용)의: a ~ telescope 쌍안 망원경. —*n.* Ⓒ (보통 *pl.*) 〖단·복수취급〗 쌍안경; 쌍안 망원경〔현미경〕: a pair of six-power ~*s* 배율 6배 쌍안경 1개/He watched the horse race through his ~*s*. 그는 쌍안경으로 경마를 구경했다.

bi·no·mi·al [bainóumiəl] *a.* 〖수학〗 이항(식)의; 〖생물〗 이명식(二名式)의: a ~ equation 2항 방정식/the ~ theorem 2항정리. —*n.* Ⓒ 〖수학〗 이항식; 〖생물〗 이명식의 이름.

bint [bint] *n.* Ⓒ 《英속어》 여자.

bio [báiou] (*pl.* ***bí·os***) *n.* Ⓒ 《구어》 전기(傳記) (biography), (특히 연감·선전 기사 등에서의) 인물 소개, 약력.

bi·o- [báiou, báiə] '생물·생명'이란 뜻의 결합사: *biology*.

bìo·availabílity *n.* Ⓤ 〖약학〗 (약물의) 생물학적 이용 효능.

bìo·chémical *a.* 생화학적인. ㊞ **~·ly** *ad.*

biochémical óxygen demànd 생화학적 산소 요구량(biological oxygen demand)《물의 오염도를 나타내는 수치; 생략: BOD》.

bìo·chémist *n.* Ⓒ 생화학자.

bìo·chémistry *n.* Ⓤ 생화학.

bi·o·cide [báiəsàid] *n.* Ⓤ (종류·낱개는 Ⓒ)

생명 파괴제, 살생물제《생물에 유해한 화학물질》. ㊞ **bi·o·cíd·al** [-dl] *a.* 생명 파괴성〔살균성〕의.

bío·clèan *a.* 무균(無菌)(상태)의: a ~ room 무균실.

bìo·compátible *a.* 생물학적 적합(성)의《거부 반응 등을 일으키지 않는》. ㊞ **-pàtibílity** *n.*

bìo·compúter *n.* Ⓒ 〖컴퓨터·생물〗 바이오 컴퓨터《인간의 뇌·신경에 가까운 성능을 지닌 새 개념의 컴퓨터》.

bìo·degrádable *a.* 미생물에 의해 무해한 물질로 분해할 수 있는, 생물 분해성의: ~ detergents 생물 분해성 세제. ㊞ **-degradabílity** *n.* Ⓤ 생물 분해성.

bìo·degráde *vi.* 부패하여 땅에 흡수되다; (미생물에 의해) 생물 분해하다《세제 등이》. ㊞ **-degradátion** *n.*

bío·dràma *n.* Ⓒ 〖TV〗 전기(傳記) 드라마.

bìo·electrónics *n.* Ⓤ 생체 전자 공학《생체의 전자 작용 연구》, 생체 전자학《진단·치료 등에 전자 장치의 응용》.

bìo·enginéer *n.* Ⓒ 생체 공학 전문가〔기술자〕.

bìo·enginéering *n.* Ⓤ 생체의학 공학; 생체 공학.

bìo·éthics *n.* Ⓤ 〖생물〗 생명 윤리(학)《생물학·의학의 발달에 따른 윤리 문제를 다룸》.

bìo·féedback *n.* Ⓤ 〖의학〗 생체 자기(自己) 제어, 바이오피드백《뇌파계에 의지하여 알파파(α波)를 조절, 안정된 정신 상태를 얻는 방법》.

biog. biographer; biographical; biography.

bío·gàs *n.* Ⓒ 생물 가스《미생물의 작용으로 유기 폐기물에서 생기는 메탄과 이산화탄소의 혼합 기체》.

bío·génesis *n.* Ⓤ 속생설(續生說), 생물 발생설(發生說)《생물은 생물에서 생긴다는》. ㊞ **-genétic, -ical** *a.* **-ically** *ad.*

bi·o·gen·ic [bàioudʒénik] *a.* 생물 기원의; 생물 유지에 불가결한.

°**bi·og·ra·pher** [baiágrəfər, bi-/-ɔ́g-] *n.* Ⓒ 전기(傳記) 작가.

bi·o·graph·ic, -i·cal [bàiougrǽfik], [-əl] *a.* 전기의, 전기적인: a *biographical* sketch 약전 / a *biographical* dictionary 인명 사전. ㊞ **-i·cal·ly** *ad.* 전기풍으로; 전기상.

***bi·og·ra·phy** [baiágrəfi, bi-/-ɔ́g-] *n.* Ⓒ 전기(傳記), 일대기, …전; Ⓤ 전기 문학. [Gr. *bios* life+*graphein* to write]

bío·hàzard *n.* Ⓒ **1** 생물학적 위험〔재해〕《병원체에 의한 환경 오염이 인체에 미치는 위험》. **2** 생물학 연구에 사용되는〔의해 발생되는〕 병원체.

°**bi·o·log·ic, -i·cal** [bàiəládʒik/-lɔ́dʒ-], [-əl] *a.* 생물학(상)의; 응용 생물학의. ㊞ **-i·cal·ly** *ad.*

biológical clóck (생물의) 생체 시계.

biológical wárfare 생물학전, 세균전.

bi·ol·o·gist [baiálədʒist/-ɔ́l-] *n.* Ⓒ 생물학자.

***bi·ol·o·gy** [baiálədʒi/-ɔ́l-] *n.* Ⓤ **1** **생물학**; 생태학(ecology). **2** (어느 지역·환경의) 동물〔식물〕상; 생태.

bìo·luminéscence *n.* Ⓤ 〖생물〗 생물 발광(發光). ㊞ **-cent** *a.*

bi·ol·y·sis [baiáləsis/-ɔ́l-] *n.* Ⓤ (생물체의) 미생물에 의한 분해.

bío·màss *n.* Ⓤ 〖생물〗 생물 자원《어느 지역내에 현존하는 생물의 총량》; 바이오매스《열자원으로서의 식물체 및 동물 폐기물》.

bìo·mechánics *n.* Ⓤ 생체〔생물〕 역학.

bi·o·mét·rics *n.* Ⓤ 생물 측정학〔통계학〕; 수명 측정(법).

bi·om·e·try [baiámətri/-ɔ́m-] *n.* Ⓤ **1** (인간의) 수명 측정(법). **2** = BIOMETRICS.

bi·on·ic [baiánik/-ɔ́n-] *a.* **1** 생체〔생물〕 공학적인; (SF에서) 신체 기능을 기계적으로 강화한. **2** 《구어》 초인적인 힘을 지닌, 정력적이고 억센; 수준 이상의, 우량한.

bi·ón·ics *n.* Ⓤ 생체〔생물〕 공학. [◂*bio*logy+electro*nics*]

bi·o·nom·ics [bàiounámiks/-nɔ́m-] *n.* Ⓤ 생태학. ㊞ **-nóm·ic, -i·cal** *a.*

bìo·phýsics *n.* Ⓤ 생물 물리학. ㊞ **-phýsical** *a.* **-phýsicist** *n.*

bío·pìc *n.* Ⓒ 전기(傳記) 영화. [◂*bio*graphical+*pic*ture]

bi·op·sy [báiɑpsi/-ɔp-] *n.* Ⓤ 〖의학〗 생검(生檢)(법)《생체 조직의 현미경 검사》.

bío·rhỳthm *n.* Ⓤ (구체적으로는 Ⓒ) 바이오리듬《생체가 가지는 주기성》.

bío·scìence *n.* Ⓤ 생물 과학; 우주 생물학.

bi·o·sphere [báiəsfìər] *n.* (the ~) 〖우주〗 생물권(圈).

bìo·technólogy *n.* Ⓤ 생물 공학.

bi·ot·ic, -i·cal [baiátik/-ɔ́tik], [-əl] *a.* 생명에 관한; 생물의.

bi·o·tin [báiətin] *n.* Ⓤ 〖생화학〗 비오틴《비타민 B복합체 중의 하나; 비타민 H》.

bi·o·tite [báiətàit] *n.* Ⓤ 〖광물〗 흑(黑)운모.

bi·o·tope [báiətòup] *n.* Ⓒ 〖생태〗 생태 환경《동식물 생육 환경의 지리적인 최소 단위》.

bi·par·ti·san, -zan [baipá:rtəzən] *a.* 두 정당(연립)의; 《美》 (민주·공화) 양당 제휴의, 초당파(超黨派)의《외교 정책 따위》: a ~ foreign policy 초당파적 외교 정책.

bi·par·tite [baipá:rtait] *a.* Ⓐ 2부(部)로 된《조약서 등》; 〖식물〗 두 갈래로 째진《잎 등》; 양자가 분담하는, 협동의: a ~ agreement 상호 협정.

bi·ped [báiped] *a.* 두 발의, 두 발 동물의. —*n.* Ⓒ 두 발 동물.

bi·pe·dal [báipèdl, -pi-] *a.* = BIPED.

bi·plane [báiplèin] *n.* Ⓒ 복엽 비행기.

bi·po·lar [baipóulər] *a.* **1** 두 극이 있는, 양극의; (남·북) 양극지의〔에 있는〕. **2** (두 개의 것이) 상반(相反)하는, 양극단의.

bi·ra·cial [bairéiʃəl] *a.* 두 인종의〔으로 된〕.

°**birch** [bə:rtʃ] *n.* **1** Ⓒ 〖식물〗 자작나무(류의 총칭); Ⓤ 자작나무재(材): ⇨ WHITE BIRCH. **2** Ⓒ 자작나무 회초리(= ∠ **ròd**)《학생을 벌하기 위한》. —*a.* Ⓐ 자작나무의; 자작나무 재목으로 된. —*vt.* (자작나무 가지의) 회초리로 때리다. ㊞ **∠·en** [-ən] *a.* 자작나무의.

†**bird** [bə:rd] *n.* **1** Ⓒ **새**: the ~ of wonder 불사조(phoenix) / the ~ of freedom 자유의 새《미국 국장(國章)의 독수리》. **2** Ⓒ 엽조(獵鳥); (사격의) 클레이(clay pigeon); (배드민턴의) 셔틀콕. **3** Ⓒ 《구어》 사람, 놈, 《특히》 괴짜: ⇨ EARLY BIRD / a queer ~ 별난 놈, 괴짜 / a jail ~ 죄수. **4** Ⓒ 《英속어》 (귀여운) 여자, 아가씨, 여자 친구, 연인: a bonny ~ 예쁜 아가씨. **5** (the ~) 《속어》 (극장 따위에서의) 야유, 조롱하는 소리: give a person the ~ 아무를 야유하다; 《英》 아무를 해고하다; 《美》 아무에게 (손등을 보이며) 가운뎃손가락을 세우다《★ 상대를 경멸하는 표시》 / get the ~ 야유당하다. **6** Ⓒ 〖항공〗 《속어》 비행체〔기〕; 헬리콥터; 로켓, 유도탄, 인공위성; 우주선(船)《따위》. **7** Ⓤ 《英속어》 옥살이, 형기; 투옥 관결: do ~ 형

을 살다.
a ~ in the hand 수중에 든 새, 확실히 들어온 이득: *A ~ in the hand* is worth two in the bush. 《속담》 수중의 한 마리 새가 숲속의 두 마리보다 낫다. ***a ~ of prey*** 맹금(猛禽)《독수리·매 따위》. ***a ~ of ill omen*** 불길한 새; 항상 불길한 것을 말하는 사람. ***a ~ of paradise*** 【조류】 풍조과의 새, 극락조《뉴기니산(産)의 아름다운 새》. ***a ~ of passage*** 철새; 《구어》 떠돌이, 뜨내기. ***~s of a feather*** 같은 깃털의 새; 《종종 경멸적》 비슷한 또래, 동류: *Birds of a feather* flock together. 《속담》 유유상종(類類相從). ***eat like a ~*** 적게 먹다. ***for the ~s*** 《속어》 시시한, 하잘 것 없는: I think history is *for the ~s*. 내게 있어서 역사란 그저 그런 것이다. ***kill two ~s with one stone*** ⇨KILL. ***like a ~*** 유쾌하게《일하다》, 무난히, 쉽게; 명랑하게《노래하다》; 《구어》 (기계·차가) 쾌조로: Now my car has been mended it goes *like a ~*. 수리를 했더니 내 차가 스무드하게 달린다. ***the ~s and (the) bees*** 《구어》 아이들의 성교육, 성에 관한 기초 지식《새와 꿀벌을 예로 드는 데서》.

> **DIAL.** ***A little bird told me.*** 풍문에 들었다《말의 출처를 숨기는 표현》.
> ***The bird has flown.*** (붙잡으려던 사람·범인 따위가) 도망쳐버렸다.

—*vi.* 새를 잡다〔쏘다〕; 들새를 관찰하다.

bírd·bàth (*pl.* ***-baths*** [-bæ̀ðz/-bɑ̀:ðz]) *n.* Ⓒ 새 목욕용 물 쟁반.

bírd·bràin *n.* Ⓒ 《구어》 바보, 맹추. ⓟ **bírd-bràined** *a.* 멍청한, 어리석은.

bírd·càge *n.* Ⓒ 새장, 조롱; 《美속어》 유치장.

bírd càll 새 울음소리; 새소리 흉내; 우레.

bírd dòg 《美》 새 사냥개.

bírd-dòg 《美구어》 (*-gg-*) *vt.* …을 엄중히 감시하다, …의 뒤를 밟아 탐정하다, 샅샅이 수색하다.

bírd fàncier 애조가(愛鳥家); 새장수.

bírd·hòuse *n.* Ⓒ 새장; 작은 새집; (작은 새를 보여주는) 새의 집.

bird·ie [bə́:*r*di] *n.* Ⓒ **1** 《소아어》 새, 작은 새 《애칭》. **2** 【골프】 버디《기준 타수(par)보다 하나 적은 타수로 구멍에 넣음》. ⓒⓕ eagle. **—***vt.* 【골프】 (홀)을 버디로 끝내다.

bírd·ing *n.* Ⓤ 들새 관찰.

bírd·lìme *n.* Ⓤ 끈끈이; 함정, 감언(甘言).

bírd·man [-mæ̀n, -mən] (*pl.* ***-men*** [-mèn, -mən]) *n.* Ⓒ **1** 조류 연구가, 들새 관찰자; 박제사. **2** 《구어》 비행가.

bírd sànctuary 조류 보호구(保護區).

bírd·sèed *n.* Ⓤ 새 모이.

bírd's-èye *a.* **1** 위에서 내려다본, 조감(鳥瞰)적인; 개관적인. **2** 새눈 무늬의. **—***n.* **1** Ⓒ 새눈 무늬; Ⓤ 새눈 무늬의 직물. **2** Ⓒ 【식물】 설앵초, 복수초.

bírd's-eye vìew **1** 조감도(鳥瞰圖); 전경. **2** 개관: take a ~ *of* American history 미국 역사를 개관하다.

bírd's-nèst *vi.* 새둥지를 뒤지다.

bírd's nèst sòup (중국 요리의) 제비집 수프.

bírd·sòng *n.* Ⓒ 새의 울음 소리.

bírd strìke 항공기와 새(떼)의 충돌.

bírd tàble (정원 등에 설치한) 새 먹이통《특히 겨울철의》.

bírd wàtcher 들새 관찰자, 탐조자(探鳥者). 《美속어》 로켓〔위성〕 관측자.

bírd-wàtching *n.* Ⓤ 들새 관찰.

bi·ret·ta [birétə] *n.* Ⓒ 모관(毛冠) (=**ber·rét·ta, bir·rét·ta**)《가톨릭 성직자의 사각모》.

Bir·ming·ham [bə́:*r*miŋəm] *n.* 버밍엄《영국 West Midlands 주의 공업 도시; 생략: Birm.》.

‡**birth** [bə:*r*θ] *n.* **1** Ⓤ (구체적으로는 Ⓒ) **a** **탄생,** 출생; 《비유적》 신생(新生), 갱생(更生): the date of one's ~ 생년월일 / a new ~ 【신학】 신생 / news about ~s and deaths 출생과 사망에 관한 뉴스 / at ~ 태어날 때에 / He has been blind since ~. 그는 태어날 때부터 장님이었다. **b** 출산, 분만: a difficult ~ 난산. **2** Ⓤ **태생,** 혈통, 집안, 가문: a man of noble 〔humble, mean〕 ~ 명문의〔태생이 미천한〕 사람 / A woman of no ~ may marry into the purple. 《속담》 여자란 미천해도 덩을 탈 수 있다 / *Birth* is much, but breeding is more. 《속담》 가문보다는 가정 교육. **3** Ⓤ (사물의) 기원, 발생, 출현: the ~ *of* a new nation 새로운 국가의 탄생. ***by ~*** 태생은; 타고난: a pianist *by* ~ 타고난 피아니스트. ***give ~ to*** …을 낳다; …을 생겨나게 하다; …의 원인이 되다.

bírth certìficate 출생 증명서〔기록〕.

bírth contròl 산아 제한, 가족 계획.

bírth-control pìll 경구(經口) 피임약(the pill).

bírth·dàte *n.* Ⓒ 생년월일.

†**birth·day** [bə́:*r*θdèi] *n.* Ⓒ **(탄)생일;** 창립(기념)일: a ~ present 〔gift〕 생일 선물 / a ~ party 생일 파티 / one's twentieth ~ 20 번째 생일 / When is your ~?—It's (on) May 5. 생일이 언제지요?—5 월 5 일입니다.

> **DIAL.** ***Happy birthday (to you)!*** 생일 축하합니다《생일 축하 카드에는 The best of good wishes for a happy birthday., Many happy returns of the day. 따위의 글을 씀》.

bírthday hónours 《英》 국왕 탄신일에 내리는 영작(榮爵)·서위(敍位)·서훈.

bírthday sùit **1** 《英》 국왕〔여왕〕 탄신일의 예복. **2** 《우스개》 알몸: in one's ~알몸으로.

bírth dèfect 선천적 기형《언청이 등》.

bírth·màrk *n.* Ⓒ (태생적인) 점; 모반(母斑).

bírth·pàng *n.* Ⓒ (보통 *pl.*) 진통; 《비유적》 (사회 변혁 따위를 위한) 고통.

bírth pàrent 생부, 생모.

*****birth·place** [bə́:*r*θplèis] *n.* Ⓒ **출생지,** 고향; 발상지.

bírth·ràte *n.* Ⓒ 출산율.

bírth·rìght *n.* Ⓒ (보통 *sing*; by ~일 때는 Ⓤ) 생득권(生得權); 장자 상속권. ***sell** one**'s ~ for a mess of pottage*** 〔***a pottage of lentils***〕 한 그릇 죽을 위해 장자의 권리를 팔다《창세기 XXV: 29–34》.

bírth·stòne *n.* Ⓒ 탄생석(石)《태어난 달을 상징하는 보석》.

bis [bis] *ad.* 《L.》 두 번, 2 회(回); 【음악】 되풀이해서《악보의 지시 또는 앙코르(encore) 요구》.

BIS, B.I.S. Bank for International Settlements (국제 결제 은행).

Bis·cay [bískei, -ki] *n.* ***the Bay of ~*** 비스케이 만《프랑스 서부》.

‡**bis·cuit** [bískit] (*pl.* ***~s, ~***) *n.* **1** Ⓒ 《英》 비스킷(《美》 cracker, cookie). **2** Ⓒ 《美》 (말랑말랑한) 소형 빵(《英》 scone). **3** Ⓤ 담갈색. **4** Ⓤ 잿물을 안 입힌 도기, 질그릇(bisque[1]). ***take the ~*** 《英속어》 ⇨take the CAKE.

bi·sect [baisékt] *vt.* 양분하다; 〖수학〗 이등분하다. **—*vi.*** (길 따위가) 갈라지다. ㊕ **bi·séc·tion** [-sékʃən] *n.* Ⓤ 이(등)분.

bi·sec·tor [baiséktər, báisek-] *n.* Ⓒ 양분하는 것; 〖수학〗 (선분·각 등의) 2등분선.

bi·sex·u·al [baisékʃuəl] *a.* (자웅(雌雄)) 양성(兩性)의; 양성을 갖춘; 양성애(愛)의. **—*n.*** Ⓒ 양성 동물, 자웅 동체〔동주(同株)〕; 양성애자. ㊕ **bi·sex·u·ál·i·ty** *n.* Ⓤ 양성을 갖춤; 양성애. **~·ly** *ad.*

***bish·op** [bíʃəp] *n.* Ⓒ **1** (종종 B-) (가톨릭의) **주교**; (신교의) 감독; (그리스 정교의) 주교. **2** 〖체스〗 비숍《주교 모자 모양의 장기말》. ㊕ **~·ric** [-rik] *n.* Ⓒ 〖종교〗 bishop 의 직〔관구〕.

bis·muth [bízməθ] *n.* Ⓤ 〖화학〗 비스무트, 창연《금속 원소; 기호 Bi; 번호 83》.

bi·son [báisən, -zən] (*pl.* **~s,** ~) *n.* Ⓒ 들소《아메리카종은 American bison 또는 American buffalo, 유럽종은 wisent 라는 이칭을 가짐》.

bisque[1] *n.* Ⓤ 설구이한 도기; 비스크 구이《인형용의 설구이한 백자》; 분홍빛을 띤 황갈색.

bisque[2], **bisk** *n.* Ⓤ 새우〔게·새고기·야채 따위〕의 크림 수프.

bis·ter, 《英》 **-tre** [bístər] *n.* Ⓤ 비스터, 고동색 채료; 고동색.

bis·tro, -trot [bístrou] (*pl.* **~s**) *n.* Ⓒ 《F.》 작은 술집〔나이트클럽〕.

‡**bit**[1] [bit] *n.* **1** Ⓒ **작은 조각**, 작은 부분: break into ~*s* 산산이 깨지다/~*s* of glass 유리 조각/cut 〔tear〕 a letter to ~*s* 편지를 갈기갈기 찢다. **2** (a ~) **소량, 조금**《**of** …의》: a ~ *of* land 조그만 땅/Use a little ~ at a time. 한 번에 조금씩 사용하세요. **3** Ⓒ (음식의) 한 입: a dainty ~. **4** Ⓒ 《英구어》 잔돈, 소액 화폐; 《美구어》 12센트 반: a long 〔short〕 ~ 《美방언》 15 〔10〕 센트/two ~*s*, 25센트. **5** Ⓒ 뜨내기역(役), 단역. **6** Ⓒ (풍경화의) 소품; (연극의) 작은 장면.

a* ~** 〔부사적으로〕《구어》 약간, 조금; 잠시, 잠깐(동안): *a* ~ difficult 조금 어려운/I am *a* ~ tired. 조금 피곤하다/Wait *a* ~. 잠깐 기다려. ***a* ~ *much 〔***thick***〕 《구어》 너무한, 지나친: That's *a* ~ *much*. 그건 너무하다. ***a* ~ *of a*** 《구어》 ① 어느 편이냐 하면, 좀(rather a): He is *a* ~ *of a* coward. 그는 좀 겁쟁이다. ② 작은: *a* ~ *of a* girl 소녀. ***a* ~ *on the side*** 《英구어》 바람기, 부정(不貞): have *a* ~ *on the side* 바람을 피우다. ***a good* ~** 《구어》 꽤 오랫동안; 훨씬《연상 따위》: I'm *a good* ~ older than he. 나는 그보다 훨씬 나이가 많다. ***a*** (***little***) **~ *of all right*** 《英속어》 훌륭한 것〔사람〕; 여자. ***a nice* ~ *of*** 꽤 많은: have *a nice* ~ *of* money 꽤 많은 돈이 있다. ***a*** 〔a person***'s***〕 (***nice***) **~ *of goods*** 〔***shirt, stuff, fluff, crumpet, tail, mutton***〕 《英속어》 (예쁜) 여자, (성적) 매력이 있는 여자. ***be thrilled to* ~*s*** 《英구어》 아주 기뻐하다; 매우 감동하다. **~ *by* ~** =***by* ~*s*** 조금씩; 점차. **~*s and pieces*** 〔***bobs***〕 부스러기, 나머지(odds and ends); (회화 등의) 단편, 부분부분; 《속어》 소유물. ***do* one*'s* ~** 본분을 다하다; 분에 맞는 봉사〔기부〕를 하다. ***every* ~** ⇨EVERY. ***not a* ~** (***of it***) 조금도 …하지 않다〔아니다〕, 별말씀을(not at all): He is *not a* ~ better. (병이) 조금도 차도가 없다/Oh no, *not a* ~ (*of it*)! 뭘요 별말씀을. ***quite a* ~** (***of***) 《구어》 꽤, 상당한. ***tear to* ~*s*** 갈갈이 찢다; …을 엄하게 비평〔조사〕하다. ***to* ~*s*** 가루가 되게, 조각조각으로; 잘게; 《英구어》 몹시《흥분하다》.

bit[2] *n.* Ⓒ **1** (말의) 재갈; 구속(물)(restraint). **2** (대패·도끼 따위의) 날; (송곳 따위의) 끝; (집게 따위의) 물리는 부분; (열쇠의) 끝. **3** 〖기계〗 비트《착암기 따위의 끝 날》.

champ 〔***chafe***〕 ***at a*** 〔***the***〕 **~** 출발〔전진, 개시〕하고 싶어 안달하다. ★ 본디 말(馬)에 대하여 썼음. ***draw* ~** 고삐를 당겨 말을 세우다; 속력을 늦추다; 삼가다. ***take*** 〔***get, have***〕 ***the* ~ *between*** 〔***in***〕 ***the*** 〔one***'s***〕 ***teeth*** 〔***mouth***〕 ① (말이) 이빨로 재갈을 물고 반항하다, 날뛰어 어쩔 수 없다. ② 멋대로 행동하다, 우기다; 결연히 일에 닥뜨리다. **—**(**-*tt-***) *vt.* (말)에 재갈을 물리다; 《비유적》 …을 억제〔구속〕하다.

bit[3] *n.* Ⓒ 〖컴퓨터〗 비트《(1) 정보량의 최소 단위. (2) 2진법에서의 0 또는 1》. [◂ *bi*nary+dig*it*].

bit[4] BITE 의 과거·과거분사.

bít bánger (컴퓨터 프로그램 작성의) 중심적 프로그래머.

bitch [bitʃ] *n.* Ⓒ **1** 암컷《개·이리·여우 따위의》. **2** 《속어》 심술궂은 여자; 음란한 여자; 불평; 불쾌한 것; (카드의) 퀸; 멋진 일〔것〕. ***a son of a* ~** ⇨SON. **—*vi.*** 《속어》 불평하다《***about*** …에 대해; ***at*** (아무)에게》. **—*vt.*** 《속어》 …을 망쳐놓다, 깨어부수다(*up*); …에게 심술궂게 행하다.

bitchy [bítʃi] (***bitch·i·er; -i·est***) *a.* 《속어》 음란한; 짓궂은: a ~ remark 심술궂은 말.

‡**bite** [bait] (***bit*** [bit]; ***bít·ten*** [bítn], ***bit; bít·ing***) *vt.* **1** 《~+목/+목+부/+목+전+명》 **물다**《***in, on*** (신체 일부)를》; 물어뜯다, 물어 끊다(*off; away; through*); 물어뜯어 (구멍 따위)를 만들다《***in*** …에》; 물어서 …하다《***to*** …에 이르게》: Don't ~ your nails. 손톱을 물어뜯지 마라/The tiger *bit off* a piece of meat. 호랑이가 고기를 한 조각 물어뜯었다/The dog *bit* me *in* the left leg. 개가 내 왼쪽다리를 물었다/The dog *bit* the hare *to* death. 개는 토끼를 물어 죽였다/The dog *bit* a hole *in* the shoe. 개가 구두를 물어뜯어 구멍을 냈다.

2 (모기·벼룩 등이) 쏘다, 물다; (게가) 물다: I've been dreadfully *bitten* by a flea.

3 (추위가) 스미다; (후추 따위가) 콕〔톡〕 쏘다, 자극하다: The cold *bit* me to the quick. 추위가 심하게 몸을 스몄다.

4 (서리 등이) 상하게 하다; (산(酸) 따위가) 부식시키다: The frost *has bitten* the blossom. 서리로 꽃이 결딴났다/Acid ~*s* metal. 산은 금속을 부식시킨다.

5 (사람)을 열중시키다, 심취하게 하다《★ 보통 수동태로 쓰며 전치사는 *by, with*》: He *was* completely *bitten with* the angling mania. 그는 완전히 낚시질에 심취하고 말았다.

6 (톱니바퀴·줄 따위가) 맞물다, 걸리다; (닻 따위가) 바닥에 박히다; (죔쇠·버클 등이) 물고 죄다; (칼이) 베어 들어가다.

7 〖보통 수동태〗 속이다: *Were* you *bitten?* 너 속았니.

8 《구어》 괴롭히다, 곤란케 하다: What's *biting* 〔*bitten*〕 you? 무얼 고민하나.

—*vi.* **1** 《~/+전+명》 **물다**, 물어뜯다; (모기 따위가) 물다《***at, into, on*** …을》: Barking dogs seldom ~. 《속담》 짖는 개는 물지 않는다/My dog never ~*s*, even *at* a stranger. 우리 개는 절대로 물지 않는다, 낯선 사람이라도. **2 자극하다**: This mustard does not ~ much. 이 겨자는 별로 맵지 않다. **3** 《~/+전+명》 부식하다《***in, into*** …을》; 뜨끔거리다, 자극하다; (풍자·정책

따위가) 먹히다, 감정을 상하게 하다: Acids ~ *into* metals. 산은 금속을 부식한다. **4** (톱니바퀴가) 맞물리다, 걸리다; (칼붙이·톱·송곳 등이) 들다: The wood is so hard that the bit doesn't ~. 이 나무는 너무 단단해서 대팻날이 먹질 않는다. **5** (물고기가) 미끼를 물다: The fish aren't *biting* today. 오늘은 (고기가) 물지 않는다. **6** 《+전+명》 걸려들다《*at* (유혹 따위)에》: ~ *at* a proposal 제의에 덤벼들다; 제의에 넘어가다 / He didn't ~ *at* our offer. 그는 우리 제안에 넘어가지〔걸려들지〕 않았다.

~ *back* 《*vt.*+부》 《구어》 (입술을 깨물고 할 말·눈물 따위)를 참다. **~ *off more than* one *can chew*** 힘에 겨운 일〔큰 일〕을 하려고 하다〔에 손을 대다〕. **~ *on*** …을 덥석 물다; 《구어》 …에 대해 잘 생각해보다: *Bite on* that! 그것을 잘〔신중하게〕 생각해봐. **~ (*on*) *the bullet*** ⇨BULLET. **~** a person**'*s head off*** 《구어》 (별것 아닌 일로) 아무에게 시비조로 대답하다, 아무를 심하게 해대다. **~ *the dust*** ⇨DUST. **~ *the hand that feeds*** one 은혜를 원수로 갚다. **~ *the tongue*** 침묵하다.

> **DIAL.** ***What's biting you?*** 왜 맥이 빠져 있느냐, 무슨 걱정이 있느냐.

—*n.* **1** Ⓒ **묾; 한 입**; 소량: a ~ of bread 한 입의 빵 / The lion ate the rabbit in one ~. 사자는 토끼를 한 입에 먹었다 / He took a ~ out of his apple. 그는 사과를 한 입 베어 먹었다. **2** (a ~) 《구어》 먹을 것; 가벼운 식사: Let's have a ~. 밥을 먹자. **3** Ⓒ **물린〔쏘인〕 상처**; Ⓤ (산의) 부식 (작용): a snake ~ 뱀에 물린 자국 / insects ~*s* 벌레에 물린〔쏘인〕 자국. **4** Ⓤ (또는 a ~) (상처 따위의) 모진 아픔; (찬 바람의) 스며드는 차가움; (음식의) 얼얼한 맛; (풍자 등의) 신랄한 맛, 통렬미: the ~ of sarcasm 풍자의 신랄함 / the keen ~ of the wind 살을 에는 듯한 지독한 바람 / curry with ~ to it 짜릿한〔매운〕 맛의 카레. **5** Ⓤ (기계의) 맞물림, 걸림. **6** Ⓒ (낚시질에서 물고기의) 입질, 미끼를 묾; 유혹에 넘어감. **7** Ⓒ 《美구어》 (총액에서 1 회의) 차감액(cut); 《美속어》 출비(出費), 비용, 분담금: Taxes take a big ~ out of my pay. 봉급에서 세금을 덥석 떼어간다.

make 〔***take***〕 ***two ~s of*** 〔***at***〕 ***a cherry*** ⇨CHERRY. ***put the ~ on*** a person 《美속어》 아무에게서 꾸려고〔앗아내려고〕 하다, 아무에게 억지로 요구하다《*for* …을》: He *put the* ~ *on* me *for* a hundred dollars. 그는 내게 백달러를 꾸려고 했다.

bit·er [báitər] *n.* Ⓒ 무는 사람〔것〕; 물어뜯는 짐승《특히 개》; 미끼를 잘 무는 물고기; 《고어》 사기꾼: That dog is a ~. 저 개는 무는 버릇이 있다 / The ~ (is) bit 〔bitten〕. 속이려다 도리어 속다, 혹 떼려다 혹 붙이다.

bít·grínding *n.* Ⓤ 《컴퓨터 속어》 데이터의 컴퓨터 처리.

ᵒ**bit·ing** [báitiŋ] *a.* **1** 쏘는 듯한, 몸에 스미는; 얼얼한; 날카로운; 신랄한; 부식성의, 자극성의: have a ~ tongue 심하게 비꼬다. **2** (추위 따위가) 살을 에는 듯한; 〖부사적〗 살을 에는 듯이: ~ cold 살을 에는 듯 추운. 파 **bít·ing·ly** *ad.* 통렬하게, 날카롭게: a ~ cold morning 살을 에는 듯이 추운 아침.

BITNET 〖컴퓨터〗 Because It's Time Network 《미국 대학에서 많이 쓰는 광역 네트워크의 하나》.

bít pàrt (연극·영화의) 단역(端役).

bit·ten [bítn] BITE 의 과거분사.

⁑**bit·ter** [bítər] *a.* **1** 쓴(↔ *sweet*), (맥주가) 씁쓰레한(↔ *mild*): This lemon is somewhat ~. 이 레몬은 조금 쓰다. **2** 모진, 살을 에는 (듯한): a ~ winter. **3** 호된, 가차〔용서〕 없는, 신랄한, 냉혹한《*to, against* …에》: ~ criticism 혹평 / a ~ remark 독설 / He was ~ *to* his wife. 그는 부인에게 매정한 태도를 취했다 / Why are you so ~ *against* her? 왜 그녀에게 그처럼 심하게 대하느냐. **4** 견디기 어려운, 괴로운, 쓰라린: a ~ sorrow 사무치는 슬픔 / a ~ experience 쓴 경험. **5** 원한을〔적의를〕 품은, 몹시 분한《*about* …에》: ~ words 원한의 말 / He was ~ *about* his bad luck. 그는 자기 불운에 부아가 났다.

a ~ pill (***to swallow***) ⇨PILL. ***to the ~ end*** 《구어》 끝까지 (견디어), 죽을 때까지: fight *to the* ~ *end* 끝까지 싸우다.

—*ad.* 쓰게; 몹시, 호되게(bitterly): The night was ~ cold. 그날 밤은 살을 에는 듯 추웠다.

—*n.* **1** (the ~) 쓴 맛: take the ~ with the sweet 인생의 행불행을 태연히〔예사로이〕 받아들이다. **2** Ⓤ (낱개는 Ⓒ); 《英》 비터(= ∠ **bèer**)《홉이 잘 삭은 쓴 맥주》: a pint of ~ 1 파인트의 비터. **3** (*pl.*) 비터즈《칵테일에 섞는 쓴 술》: gin and ~*s* 비터즈를 친 진. **4** (종종 *pl.*) 괴로움: the sweets and ~*s of* life 인생의 고락.

***bit·ter·ly** [bítərli] *ad.* **몹시**; 통렬히, 가차없이; 살을 에는 듯이: cry ~ 격하게 울다 / speak ~ 불쾌하게 말하다 / I was ~ hurt. 나는 심하게 다쳤다 / It was ~ cold. 살을 에는 듯 추웠다.

bit·tern [bítə(:)rn] *n.* Ⓒ 〖조류〗 알락해오라기.

bít·ter·ness *n.* Ⓤ 쓴맛, 씀; 신랄함, 빈정댐; 슬픔, 괴로움.

bítter píll 쓴 알약. ***a ~*** (***to swallow***) 하지 않으면 안 될 싫은 것〔일〕.

bítter·swèet *a.* 달콤씁쓸한, (초콜릿이) 단맛을 뺀; 괴로움도 있고 즐거움도 있는: ~ chocolate 달콤씁쓸한 초콜릿 / a ~ memory 괴롭고도 즐거운 추억. **—** [∠] *n.* Ⓤ 들큼씁쓸함; 고통을 수반하는 기쁨; Ⓒ 〖식물〗 노박덩굴, 배풍등류.

bit·ty [bíti] *a.* **1** 《英》 소부분으로 된, 단편적인. **2** 《美》 조그만: a little ~ doll 조그마한 인형.

bi·tu·men [baitjú:mən, bi-] *n.* Ⓤ 역청(瀝青), 아스팔트; 암갈색.

bi·tu·mi·nous [baitjú:mənəs, bi-] *a.* 역청질(瀝青質)〔아스팔트질〕의.

bitúminous cóal 역청탄(瀝青炭), 유연탄.

bit·wise [bítwàiz] *a.*, *ad.* 〖컴퓨터〗 비트에 관한〔관하여〕, 비트마다(의).

bi·va·lence, -len·cy [baivéiləns, bívə-], [-lənsi] *n.* Ⓤ **1** 〖화학〗 이가(二價). **2** 〖유전〗 상동(相同) 염색체가 접착하여 쌍을 이룬 상태.

bi·va·lent [baivéilənt, bívə-] *a.* 〖화학·유전〗 이가(二價)의.

bi·valve [báivæ̀lv] *a.* 양판(兩瓣)〔쌍각〕의.

—*n.* Ⓒ 쌍각류의 조개.

biv·ou·ac [bívuæ̀k, -vəwæ̀k] *n.* Ⓒ 야영(지). **—** (***-acked; -ack·ing***) *vi.* 야영하다.

bi·week·ly [baiwí:kli] *a.*, *ad.* **1** 2주(週)에 한 번(의), 격주의〔로〕(fortnightly). ★ 간행물에서는 흔히 이 뜻. **2** 1주에 두 번의〔으로〕(semiweekly). ★ 수송 스케줄 따위에서는 흔히 이 뜻.

—*n.* Ⓒ 격주〔주 2 회〕 간행물.

bi·year·ly [bàijíərli] *a.*, *ad.* 1년에 두 번(의) (biannual(ly)); 2년에 한 번(의) (biennial(ly)).

biz [biz] *n.* Ⓤ (구체적으로는 Ⓒ) **1** 《구어》 직업, 업무(business), 장사; 〖일반적〗 (어느 특정한) 활동 분야, 업계. **2** 《속어》 =SHOW BUSINESS.

★ business 의 단축형.

bi·zarre [bizɑ́ːr] 《F.》 *a.* 기괴한(grotesque), 좀 별난, 별스러운; 믿을 수 없는: his ~ behavior 그의 기괴한 행동. ㊞ **~·ly** *ad.* **~·ness** *n.*

Bi·zet [bizéi] *n.* **Georges** ~ 비제《프랑스의 작곡가; 1838–75》.

Bk 〖화학〗 berkelium. **bk.** bank; bark; block; book. **bkpt.** bankrupt. **bks.** banks; barracks; books. **BkSp** 〖컴퓨터〗 backspace. ★ 기술할 때만 씀. **B.L.** Bachelor of Law(s) (법학사). **bl.** bale; barrel; black. **B/L, b.l.** bill of lading.

blab [blæb] (**-bb-**) *vt.* (비밀)을 잘 지껄여대다 (*out*): ~ *out* a secret 지절거려 비밀을 말해버리다. **—***vi.* 수다를 떨다, 비밀을 누설하다. **—***n.* Ⓤ 허튼 이야기, 수다; Ⓒ 수다떠는 사람.

blab·ber [blǽbər] *vt., vi.* =BLAB. **—***n.* Ⓒ 수다쟁이, 입이 가벼운 사람.

blab·ber·mouth [blǽbərmàuθ] *n.* Ⓒ 지껄이는 사람, 밀고자.

†**black** [blæk] *a.* **1 검은**; 암흑의, 거무스름한《하늘·물 따위》; 때묻은《손·헝겊 따위》: (as) ~ as coal 〔ebony, ink, soot, a crow〕 새까만.

2 밀크를〔크림을〕 치지 않은: ~ coffee 블랙 커피 / drink one's coffee ~ 커피를 블랙으로 마시다.

3 살이 검은; 흑인의; 검은 털의《말》: the ~ races 흑인종 / the ~ blood 흑인의 혈통 / the ~ vote 흑인표.

4 검은 옷을 입은: the ~ knight 흑기사.

5 Ⓐ 사악한, 속 검은, 엉큼〔검칙〕한: a ~ heart 음험한 마음 / a ~ lie 악의의 거짓말.

6 어두운, 암담한, 음울한, 불길한: ~ mood 절망감.

7 찌무룩한; 성난; 험악한: ~ in the face (격노로) 안색이 변하여, 얼굴이 새파랗게 질리어 / ~ looks 험악한 얼굴.

8 Ⓐ (농담 따위가) 비극적인 것을 코믹하게 표현한, 불유쾌한, 그로테스크한: ⇨ BLACK HUMOR.

9 《美구어》 순수한, 철저한: a ~ Republican 철저한 공화당원.

10 《英》 (노동 조합에 의한) 보이콧 대상의《일·상품 따위》.

11 〖회계〗 흑자의: a ~ balance sheet 흑자 대차대조표.

~ and blue 멍이 들도록: beat a person ~ *and blue* 아무를 퍼렇게 멍이 들도록 때리다. *go ~* (실신해서) 캄캄해지다. *look ~* 뚱해 있다; 노려보다(*at, on* …을); (사태가) 험악하다: Things are *looking* ~. 사태가 험악해지고 있다. *not so ~ as* a person *is painted* ⇨ PAINT.

—*n.* **1** Ⓤ (종류는 Ⓒ) **흑**(黑), 검은색. **2** Ⓤ 검은 잉크〔그림물감〕, 흑색 물감; 먹. **3** Ⓤ **검은 옷**; 검은 천; 상복(喪服): be (dressed) in ~ 상복을 입고 있다. **4** Ⓒ (종종 B-) 흑인(Negro). **5** Ⓒ 검은 얼룩, 검댕; 오점: He put up a ~ in Tokyo. 그는 도쿄에서 망신을 당했다〔체면을 잃었다〕. **6** 〖회계〗 (the ~) 사업의 흑자: be 〔run〕 in the ~ 흑자이다.

~ and white ① 〖보통 in ~ and white 로〗 쓴 것, 인쇄(한 것): I want this agreement *in ~ and white*. 이 계약서를 작성해 주세요. ② 흑백 사진〔TV〕. *prove* 〔*swear*〕 *that ~ is white* = *talk ~ into white* 흰 것을 검다고 주장하다, 우겨대다.

—*vt.* **1** 검게 하다; 더럽히다; 때려서 멍들게 하다: ~ a person's eye 아무의 눈을 멍이 들도록 때리다. **2** (구두약으로 신)을 닦다, (스토브 등)을 닦아 광을 내다. **3** 《英》 (노동조합이 상품·업무 등)을 보이콧하다. **—***vi.* 검어지다, 어두워지다.

~ out 《*vi.*+부》 ① 의식을 잃다, 기억을 상실하다. ② 〖연극〗 무대를 어둡게 하다, (장면이) 어두워지다. ③ (방송·송전이) 정지하다, 정전하다. ④ 〖군사〗 (공습에 대비) 소등하다, 등화관제하다. **—**《*vt.*+부》 ⑤ …을 캄캄하게 하다; 〖군사〗 (지역·창문)을 등화관제하다; 〖연극〗 (무대)를 어둡게 하다. ⑥ (방송)을 중지하다, 정지하다(《英》 jam); 《美》 (지역)을 TV의 수신구역에서 제외하다. ⑦ (검열로 기사의 일부)를 말소하다, 지우다; (뉴스 따위)의 보도관제를 하다.

Bláck África 블랙 아프리카《아프리카 대륙에서 흑인이 지배하고 있는 지역》.

bláck-and-blúe [-ənd-] *a.* 얻어맞아 시퍼렇게 멍든.

bláck-and-whíte *a.* 펜 그림의; 단색(單色)의《지도 따위》; 흑백 얼룩의; 흑백의《영화·사진·텔레비전 따위》; 흑백〔선악〕 논리에 따른《판단 따위》.

bláck árt (the ~; 흔히 *pl.*) 마술.

bláck·bàll *vt.* …에게 반대 투표하다(vote against); (사회에서) 배척하다.

bláck báss 농어 비슷한 담수어《미국산(産)》.

bláck bèar 〖동물〗 아메리카 곰《몸뚱이의 색은 여러 가지로 변화가 많음》.

bláck bèlt 1 (the B- B-) (미국 남부의) 흑인 지대. **2** (the ~) (미국 Alabama, Mississippi 두 주의) 옥토 지대. **3** Ⓒ (유도·태권도 유단자의) 검은 띠(의 사람).

bláck·bèrry *n.* Ⓒ 〖식물〗 검은 딸기(나무).

bláck bíle 〖고대 생리〗 검은 담즙(膽汁).

◇**bláck·bìrd** *n.* Ⓒ 《英》 지빠귀; 《美》 찌르레기.

†**black·board** [blǽkbɔ̀ːrd] *n.* Ⓒ **칠판**. ★ 녹색 칠판도 이렇게 부름.

bláck bòok 블랙리스트; 요시찰인〔전과자〕 명부. *be in* a person*'s ~s* 아무에게 주목〔미움〕받고 있다.

bláck bóx 《구어》 블랙 박스《(1) 비행 기록 장치(flight recorder). (2) 속을 알 수 없는 밀폐된 전자 장치》.

bláck bréad (호밀제의) 흑빵.

bláck·càp *n.* Ⓒ **1** 〖조류〗 (머리가 검은) 명금(鳴禽)《유럽산(産)》; 《美》 박새류. **2** 《美》 〖식물〗 검은 열매를 맺는 나무딸기류(= ∠ **ràspberry**).

bláck cómedy 블랙 코미디《빈정대는 냉소적인 유머가 담긴 희극》.

Bláck Còuntry (the ~) (영국 중부의) 대공업지대.

bláck cúrrant 〖식물〗 검은까치밥나무《유럽산(産); 과실은 잼 재료》.

bláck·dàmp *n.* Ⓤ (탄갱 안의) 질식 가스.

Bláck Déath (the ~) 흑사병, 페스트《14 세기 아시아·유럽을 휩쓴》.

black·en [blǽkən] *vt.* **1** 검게 하다, 어둡게 하다. **2** (평판·명예)를 손상시키다; 헐뜯다: ~ a person's name 아무의 이름을 훼손하다. **—***vi.* 검게 되다; 어두워지다.

Bláck Énglish (미국의) 흑인 영어.

bláck éye 1 검은 눈. **2** (a ~) 멍든 눈; (보통 a ~) 《구어》 패배; 불명예, 수치; 중상: give a ~ to ... …의 신용〔평판〕을 떨어뜨리다.

bláck-èyed *a.* 눈이 까만; 눈 언저리에 멍이 든.

bláck-èyed péa =COWPEA.
bláck-eyed Súsan 【식물】 노랑데이지의 일종《꽃 가운데가 검음》.
bláck·fàce *n.* **1** Ⓒ 흑인으로 분장한 배우; Ⓤ 흑인의 분장. **2** Ⓤ 【인쇄】 굵은〔블랙〕 활자(체). ㊞ **-fàced** [-t] *a.* 얼굴이 까만; 음침한 얼굴을 한; 굵은 활자의.
bláck·fìsh *n.* Ⓒ 【동물】 둥근 머리의 돌고래; 【어류】 검정색의 물고기《농어 따위》.
bláck flág (the ~) 해적기《검은 바탕에 두개골과 교차한 두 개의 뼈가 희게 그려진 기》; 검은 기《예전의 사형 종료 신호》.
bláck flỳ 진디등엣과(科)의 곤충.
Bláck·fòot (*pl.* ***-fèet,*** 〖집합적〗 ***-fòot***) *n.* **a** (the Blackfeet, the ~) 북아메리카 인디언의 한 종족. **b** Ⓒ 그 종족의 사람. **2** Ⓤ 그 언어.
Bláck Fríar 【가톨릭】 도미니크회의 수사.
bláck fróst (the ~) 모진 추위 때 내리는 서리《수증기가 적고 기온이 매우 낮은 때의 서리이기 때문에, 식물의 잎 · 싹을 검어지게 함》. ㉥ white frost.
bláck gáme 〔**gróuse**〕 멧닭.
black·guard [blǽgɑːrd, -gərd, blǽk-] *n.* Ⓒ 악당, 깡패, 악한. **—***vt.* …에게 욕〔악담〕을 퍼붓다.
bláck·hèad *n.* Ⓒ **1** 머리가 검은 각종 새《물오리 따위》. **2** (거무스레한) 여드름.
bláck-héarted [-id] *a.* 뱃속이 검은, 음흉한.
bláck hóle **1** Ⓒ 【천문】 블랙홀《초중력에 의해 빛 · 전파도 빨려든다는 우주의 가상적 구멍》. **2** 더럽고 비좁은 곳; 가두는 곳, 《특히》 군교도소; 영창.
bláck húmor 블랙 유머《빈정거리는 냉소적인 유머》.
bláck íce (지면의) 살얼음.
bláck·ing *n.* Ⓤ 검게 함〔닦음〕; 흑색 도료; 검정 구두약.
black·ish [blǽkiʃ] *a.* 거무스름한.
bláck·jàck *n.* Ⓒ **1** 큰 잔《옛날엔 검은 가죽제, 지금은 금속제》. **2** 해적기(black flag). **3** 《美》 가죽 곤봉. **4** 《美》 =TWENTY-ONE.
bláck léad 흑연.
bláck·léad *vt.* 흑연(黑鉛)을 바르다〔으로 닦다〕.
bláck·lèg *n.* Ⓒ 야바위꾼, 사기꾼; 《英》 파업 탈퇴자. **—***vt.* 《英》 **1** (파업 따위)를 반대하다. **2** (아무)를 배반하다. **—***vi.* 파업을 반대하고 취업하다.
bláck léopard 【동물】 흑표범.
bláck létter 【인쇄】 흑체〔블랙〕 활자.
bláck líght 불가시 광선《자외선 · 적외선》.
bláck·lìst *n.* Ⓒ 블랙리스트, 요시찰인 명부. **—***vt.* 블랙리스트에 올리다.
bláck lúng (탄진(炭塵)에 의한) 흑폐증(黑肺症)(=**∠ disèase**).
bláck·ly *ad.* 검게, 어둡게; 음침하게; 사악하게.
bláck mágic (나쁜 목적으로 하는) 흑주술(黑呪術); 요술. ↔ *white magic.*
◇**bláck·màil** *n.* Ⓤ 등치기, 공갈, 갈취(한 돈): levy ~ on a person 아무를 등치다. **—***vt.* 을러〔등쳐〕 빼앗다《***for*** …을》; 을러서 …시키다《***into*** …하게》: She *~ed* him *for* $20,000. 그녀는 그를 등쳐서 2만 달러를 빼앗았다 / ~ a person *into* reveal*ing* secret information 아무를 공갈하여 비밀정보를 누설하게 하다. ㊞ **~·er** *n.*
Bláck María 죄수 호송차.
bláck márk 검은 표, 벌점.
bláck márket 암시장; 암거래: at the ~ 암시장에서 / He sold it on 〔in〕 the ~. 그는 암거래로 그것을 팔았다.
bláck-márket *vt., vi.* 암시장에서 암거래하다.
bláck marketéer 〔**márketer**〕 암거래꾼.
bláck-marketéer *vi.* 암거래하다.
bláck máss **1** 위령 미사《사제가 검은 제의를 입는, 죽은 이를 위한 미사》. **2** (B- M-) 악마의 〔검은〕 미사《악마 숭배자들이 미사를 조롱하여 하는》.
bláck móney 검은 돈《도박 등으로 얻은 신고하지 않는 소득》, 부정〔음성〕 소득.
Bláck Mónk (검은 옷을 입은) 베네딕트회의 수사.
Bláck Múslim 《美》 블랙 무슬림《Nation of Islam 의 일원》.
bláck nátionalism (종종 B- N-) (미국의) 흑인 민족주의. ㊞ **bláck nátionalist**
bláck·ness *n.* Ⓤ 검음, 흑색, 암흑; 음험.
bláck·òut *n.* Ⓒ **1** 등화 관제《전시 중의》; 정전(停電); (무대의) 암전. **2** (비행 중의) 의식〔시각〕의 일시적인 상실, 〖일반적〗 일시적 시각〔의식, 기억〕 상실. **3** (뉴스 따위의) 발표 금지.
Bláck Pánther 흑표범당원《미국의 흑인 과격파》.
bláck pépper 후춧가루《껍질째 빻은》.
bláck plágue 페스트, 흑사병.
Bláck Pówer 《美》 흑인 지위 향상 운동.
Bláck Prínce (the ~) 영국 Edward 3세의 왕자 Edward (1330–76).
bláck pùdding 《英》 =BLOOD SAUSAGE.
Bláck Ród 《英》 흑장관(黑杖官)《내대신부(內大臣府) · 상원에 속하는 궁내관》.
Bláck Séa (the ~) 흑해.
bláck shéep 악당, (한 집안에서의) 말썽꾸러기, 두통거리.
Bláck Shìrt 검은 셔츠 당원《이탈리아의 파시스트》; 우익 단체원.
◇**bláck·smìth** *n.* Ⓒ 대장장이; 편자공.
bláck·snàke *n.* Ⓒ 먹구렁이; 《美》 쇠가죽의 긴 채찍.
bláck spót **1** 《英》 위험〔사고 다발(多發)〕 지점; 문제가 많은 지역〔장소〕: an unemployment ~ 실업률이 높은 지역. **2** (식물의) 흑반병.
bláck stúdies (미국) 흑인 문화 연구 (강좌).
bláck swán 【조류】 (오스트레일리아산(産)) 흑고니.
bláck téa 홍차. ㉥ green tea.
bláck·thòrn *n.* Ⓒ 【식물】 자두나무의 일종《유럽산(産)》; 산사나무의 일종《미국산》: ~ winter 블랙손이 피는 겨울.
bláck tíe 검은 나비넥타이; 약식 남자 야회복.
bláck-tíe *a.* 정장을 해야 하는, 정식의: a ~ dinner 정찬 / a ~ meeting 반공식적인 모임.
bláck·tòp *n.* 《美》 Ⓤ (도로 포장용) 아스팔트; Ⓒ 아스팔트 도로. **—***vt.* 아스팔트로 포장하다.
bláck vélvet stout 맥주와 샴페인의 칵테일.
bláck wálnut 【식물】 검은 호두나무《북아메리카산(産)》; 그 열매〔재목〕.
bláck·water féver 흑수열《말라리아의 일종; 검은 오줌을 눔》.
bláck wídow 【곤충】 흑거미《미국산(産) 독거미》.
blad·der [blǽdər] *n.* Ⓒ **1** 【해부】 방광: empty the ~ 방뇨(放尿)하다. **2** (물고기의) 부레, 부낭; 【식물】 (해초 등의) 기포; 물집; 공기 주머니.

3 〖의학〗 (화상으로 인한) 물집.

blád·der·wòrt *n.* Ⓒ 〖식물〗 통발속(屬)의 식충 식물.

*__blade__ [bleid] *n.* **1** Ⓒ (볏과 식물의) 잎; (잎꼭지에 대하여) 잎몸: a ~ of grass 풀 한 잎. **2** Ⓒ (칼붙이의) 날, 도신(刀身); (the ~, one's ~)《문어》 칼(sword). **3** Ⓒ 노 깃; (스크루 · 프로펠러 · 선풍기의) 날개; 어깨뼈, 견갑골(scapula); (스케이트화의) 블레이드. **4** (the ~) 〖음성〗 혀끝. ***in the*** ~ (이삭이 안 난) 잎사귀 때에: eat one's corn *in the* ~ 앞으로의 수입을 믿고 돈을 쓰다.

blad·ed [bléidid] *a.* 《보통 합성어》 잎이 있는; 날이 있는: a two-~ knife 양날이 있는 나이프.

blag [blæg] 《英속어》 *n.* Ⓤ 강도. **—(-gg-)** *vt.* …을 강도질하다. **—***vi.* 강도짓을 하다.

blah [blɑː] *n.* Ⓤ 《속어》 어리석은 짓, 허튼소리 (=**bláh·blàh**); (the ~s) 시큰둥함, 권태, 나른함. **—***int.* 시시해! **—***a.* 시덥잖은, 재미도 없는; 우울한, 기운 없는.

Blake [bleik] *n.* **William** ~ 블레이크《영국의 시인 · 화가; 1757–1827》.

blam·a·ble [bléiməbl] *a.* 나무라야 할, 비난할 만한. ⓟ **-bly** *ad.* **~·ness** *n.*

⁑**blame** [bleim] *vt.* **1** 《~+목/+목+전+명》 (아무)를 **나무라다**, 비난하다《*for* …(일)로》: A bad workman always ~*s* his tools. 서투른 일꾼이 항상 연장을 탓한다/I don't ~ you *for* being angry. 당신이 화냈다고 해서 당신을 비난하는 것은 아니오. **2** …의 책임〔원인 · 탓〕으로 돌리다《*for* …을》: They ~*d* me *for* the accident. 그들은 그 사고에 대한 책임을 내게 돌렸다.

SYN. **blame** 잘못 따위를 …의 탓으로 돌리다. **censure** 상대를 직접 질책하다, 또는 몹시 비난하다. **condemn** 숙고 · 심의한 후에 비난하다, 불리한 결정을 내리다.

3 …의 죄를 씌우다, 과실〔허물〕을 더미씌우다《*on* (아무)에게》: They ~*d* the accident *on* me. 그들은 사고의 책임을 나에게 씌웠다. **4** 《명령법으로》《美속어》 저주하다, 지옥에 떨어뜨리다《damn의 대용》: *Blame* this hat! 우라질 모자 같으니라구/*Blame* it! 염병할, 빌어먹을/*Blame* me, if I do that. 그런 일은 절대 안 해/Go!—(I'll be) ~*d* if I will. 가거라!—어디 (가나) 봐라. ***be to*** ~ 책임을 져야 마땅하다《*for* …에》: I *am to* ~ *for* it. 그건 내 잘못이다. ***have only*** one***self to*** ~ =***have nobody to*** ~ ***but*** one***self*** 잘못은 오로지 자기에게만 있다; 자기 이외엔 아무도 탓할 사람이 없다.

> DIAL. ***I don't blame you.*** 어쩔 수 없는 일이지, 네 탓이 아니야.

—*n.* Ⓤ **1 비난**, 나무람: incur ~ for …때문에 비난을 초래하다. **2** (보통 the ~) 책임, 죄, 허물《*for* …의》: The ~ lies with him. 죄는 그에게 있다/bear the ~ *for* …의 책임을 지다/lay 〔put, place, cast〕 the ~ on 〔upon〕 a person *for* … 한 책임을〔죄를〕 아무에게 씌우다.

blame·ful [bléimfəl] *a.* 비난받을, 책임을 추궁당할. ⓟ **~·ly** *ad.*

°**bláme·less** *a.* 비난할 점이 없는, 죄가〔결점이〕 없는, 결백한. ⓟ **~·ly** *ad.* **~·ness** *n.*

bláme·wòrthy *a.* 질책당할 만한, 비난받을 만한(culpable). ⓟ **-wòrthiness** *n.*

blanch [blæntʃ, blɑːntʃ] *vt.* **1** 희게 하다, 바래다, 표백하다(bleach); (공포 · 질병으로) 창백하게 하다; (채소 등)을 연화(軟化)(재배)하다. **2** (껍질을 벗기기 쉽게 과일)을 더운 물에 담그다, (야채 · 고기 등)을 데치다. **—***vi.* **1** 희어지다. **2** 새파래지다《***with*** …으로; ***at*** …에/***to*** do》: ~ *with* fear 공포로 창백해지다/She ~*ed at* 〔*to* hear〕 the bad news. 그녀는 그 나쁜 소식을 듣고 새파래졌다.

blanc·mange [bləmɑ́ːndʒ/-mɔ́ndʒ] *n.* Ⓒ (요리는 Ⓤ) 블라망주《우유를 갈분 · 우무로 굳힌 과자》.

°**bland** [blænd] *a.* **1** (기후가) 온화한(mild). **2** (말 · 태도가) 온후한, 부드러운; 침착한, 덤덤한: make a ~ reply (말꼬리를 안 잡히게) 조심조심 대답하다. **3** (음식이) 맛이 좋은, 입에 맞는. **4** 재미없는, 지루한. ⓟ °**∠·ly** *ad.* **∠·ness** *n.*

blan·dish [blǽndiʃ] *vt.* …을 부추기다; …에 알랑거리다, 아양떨다. ⓟ **~·ment** *n.* (*pl.*) 부추김, 감언.

⁑**blank** [blæŋk] *a.* **1 공백의**, 백지의, 기입하지 않은: a ~ sheet of paper 백지/a ~ page (책의) 공백 페이지/a ~ (cassette) tape 생(生)카세트 테이프/The cassette tape is ~. 그 카세트 테이프에는 아무 녹음도 되어 있지 않다. SYN. ⇨ VACANT. **2** 〖상업〗 백지식의, 무기명의: a ~ endorsement 무기명〔백지〕 배서. **3** (공간 등이) 빈, 텅 빈, 휑한: a ~ space 공터; 여백. **4** (생활 등이) 공허한, 덧없는, 무미 단조로운. **5** (창도 장식도 없이) 펀펀한《벽 등》; 채 가공하지 않은《화폐 · 열쇠 따위》. **6 멍한**, 마음 속이 텅 빈, 생기〔표정〕 없는: a ~ look 멍한 표정/go ~ (마음 따위가) 허전해지다. **7** 아주, 순전한: a ~ impossibility 전혀 불가능함. **8** 《속어》 《damn 대신 완곡한 모욕어로》 지긋지긋한: *Blank* him! 엿먹어라/a ~ idiot 큰 바보.

—*n.* Ⓒ **1 공백**, 여백, 공란: a ~ in one's memory 기억이 상실돼 있는 부분/Fill in the ~*s*. (문제의) 공란을 메우시오. **2** 백지; 백지투표; 《美》 (공란에 써 넣는) 기입 용지(《英》 form): fill in 〔《美》 fill out〕 an application ~ 신청용지에 기입하다. **3** 공허(emptiness); 단조로움. **4** (과녁 중심의) 흰 점; 목표, 대상(물). **5** 생략을 나타내는 대시: Mr. __ of __ place 모처의 모씨《Mr. Blank of Blank place로 읽음》/in 19__, 1900 몇년인가에《nineteen blank로 읽음》. ***draw a*** ~ ① (제비에서) 꽝을 뽑다. ② 실패하다《***in*** …에서》. ③ 이해되지 않다, 생각나지 않다《***on*** …이》.

—*vt.* **1** 《~+목/+목+부》 싸 감추다; 보이지 않게 하다(*off; out*). **2** 《+목+부》 지우다, 말소하다(*out*). **3** 《美》 영패시키다; 완봉하다(shut out). **—***vi.* 《+부》 점차 흐릿해지다; (기억 · 인상 등이) 희미해져 가다; 의식을 잃다, 멍청하다(*out*). ⓟ **∠·ness** *n.*

blánk cártridge 〔**fíring**〕 공포탄〔사격〕.

blánk chéck **1** 백지 수표. **2** 《속어》 무제한의 권한, 자유 행동권: give 〔write〕 a person a ~ to do 아무에게 자유로이 …해도 좋다고 인정하다.

⁑**blan·ket** [blǽŋkit] *n.* **1** Ⓒ 담요. **2** 《a ~ of로》 전면을 덮는 것, 피복(被覆): *a* ~ *of* snow 사방을 온통 덮은 눈. ***be born on the wrong side of the*** ~ 《드물게》 사생아로 태어나다. ***throw a cold*** 〔***wet***〕 ~ ***over*** 〔***on***〕 …의 흥을 깨다, …에 찬물을 끼얹다.

—*a.* Ⓐ 총괄적〔전면적〕인: a ~ ban 전면 금지/a ~ bill 〔clause〕 총괄적 의안〔조항〕/a ~ ballot 연기명 투표 용지/a ~ policy 포괄 보험 계약/a ~ visa (기항지에서 세관이 발행하는) 포괄 사증.

—vt. 1 (담요로 덮듯이) 온통 덮다《★ 보통 수동태로 쓰며, 전치사는 *with, in*》: The field *was ~ed with* snow. 들판은 눈으로 온통 뒤덮혀 있었다. 2 (불)을 담요로 덮어 끄다; (추문 따위)를 덮어 감추다. 3 《~+목/+목+부》《美》 (전파)를 방해하다, 끄다(*out*). 4 (법률·비율 따위가) …의 전반에 적용되다.

blánket stìtch 블랭킷 스티치《단춧구멍 스티치보다 땀이 넓음》.

blank·e·ty(-blank) [blǽŋkiti(blǽŋk)] 《美속어》 *a., ad.* 괘씸한; 당치도 않게《damned, bloody 같은 저주하는 어구의 대용어》: Who the ~ are you? 대관절 너는 누구냐.

blánk·ly *ad.* 망연히, 멍청히; 딱 잘라, 단호히.

blánk vérse 〖운율〗 무운시(無韻詩)《약강오보격(弱強五步格)의》.

blare [blɛər] *vi.* (나팔이) 울려 퍼지다; (TV·라디오 따위가) 쾅쾅 울리다(*out*): The trumpet ~*d*, announcing the kings arrival. 왕의 도착을 알리는 나팔 소리가 울렸다. —*vt.* 1 (나팔·경적)을 시끄럽게 울리다; 외치다, 고래고래 소리지르다(*out*). 2 (글)을 멋지게 쓰다. —*n.* (*sing.*) (나팔의) 울림; 귀에 거슬리는 큰 소리; 번쩍거리는 색채: a ~ of trumpets 트렘펫 소리/a ~ of color 강렬한 색채.

blar·ney [blɑ́ːrni] *n.* Ⓤ 알랑대는 말, 아첨: None of your ~. 겉치레 인사는 그만두세요. —*vt., vi.* 아첨(하는 말을)하다; 말솜씨 좋게 꾀다, 감언으로 설득하다.

Blárney stòne (the ~) 아일랜드의 Blarney 성에 있는 돌《여기에 입맞추면 아첨을 잘하게 된다고 함》. ***have kissed the*** ~ 아첨을 떠는 재주가 있다.

bla·sé [blɑːzéi, ⌐⌐] *a.* 《F.》 1 환락에 물린. 2 무관심〔무감동〕한《***about*** (재미있는 일)에도》.

blas·pheme [blæsfíːm, ⌐⌐] *vi.* 불경스러운 말을 하다《***against*** …에 대하여》. —*vt.* (신·신성한 것에 대하여) 불경스러운 말을 하다. ㊞ **-phém·er** *n.* Ⓒ 모독자, 벌받을 소리를 하는 사람.

blas·phe·mous [blǽsfəməs] *a.* 불경한, 모독적인; 말씨 사나운. ㊞ **~·ly** *ad.*

blas·phe·my [blǽsfəmi] *n.* Ⓤ 신에 대한 불경, 모독; Ⓒ 벌받을 소리〔행위〕; 독설.

blast** [blæst, blɑːst] *n.* Ⓒ 1 **한바탕의 바람**, 돌풍, 폭풍, 분사한 공기〔증기 등〕: a ~ of wind 일진의 돌풍. SYN. ⇨WIND. 2 (풀무·풍금 따위의) 송풍(送風). 3 한번 부는 소리, 취주《on*** (나팔·피리)의》; (차·배 등의) 경적 소리: a ~ *on* a trumpet 나팔 소리/blow a ~ *on* the siren 기적을 울리다. 4 **폭발**, 폭파; (1 회분의) 폭약. 5 일진의 바람이 몰고 오는 것《진눈깨비 따위》; (바람에 의한 식물의) 고사병, 독기. 6 (감정의) 폭발, 심한 비난; 급격한 재액, 타격. 7 《美속어》 (떠들썩한 음주) 파티. 8 《속어》 즐거운 한때, 즐거움; 《美속어》 대만족, 스릴. 9 〖야구〗 맹타, 《특히》 홈런. ***at a*** 〔***one***〕 ~ 단숨에. ***at*** 〔***in***〕 ***full*** ~ 전력〔전속력〕을 다하여; 한 바퀴 회전하여.

—*vt.* 1 폭파하다, (터널 따위)를 남포를 놓아 만들다. 2 (명예·희망 등)을 결딴내다, 손상시키다: The news ~*ed* our hopes. 그 소식은 우리의 희망을 꺾어버렸다. 3 《+목+부/+목+전+명》《속어》 사살하다; 쏘아 떨어뜨리다(*away; down*)《***off*** …에서》: They ~*ed* him *away*. 그들은 그를 사살했다/They ~*ed* him *off* his horse. 그들은 그를 쏘아 말에서 떨어뜨렸다. 4 (로켓 따위)를 분사하여 발진시키다. 5 (더위·추위 따위가) …을 이울게 하다, (식물)을 마르게 하다: Frost has ~*ed* the grapevines. 서리로 포도덩굴이 말라 버렸다. 6 몹시 비난하다, 질책하다; …에 맹공을 가하다; (상대팀)을 대패시키다. 7 〖야구〗 장타〔강타〕를 치다. 8 (나팔 따위)를 불다; (큰 소리)를 내다. 9 《英속어》 저주하다. —*vi.* 이울다; 큰 소리를 지르다; 남포를 놓다; 마르다; (총으로) 쏘다; 폭발되다.

~ ***(the) hell out of*** a person 아무를 마구 때려 실신시키다. ~ ***off*** 《*vi.*+부》 ① (로켓·미사일이) 발사되다; (로켓을 타고) 우주 비행에 나서다. —《*vt.*+부》 ② (로켓·미사일)을 발사하다. ③ (폭풍 등이) …을 흩날리다. ④ (사람)을 쏘아 떨어뜨리다(⇨*vt.* 3).

DIAL. ***Blast*** (*it*)! 제기랄; 빌어먹을.

blást·ed [-id] *a.* Ⓐ 1 시든, 해를 입은(ruined); 무너진《희망》: ~ heath (서리로) 말라 버린 히스 벌판. 2 폭파된; (희망이) 꺾인. 3 지긋지긋한: This ~ pen did never work properly. 이 빌어먹을 놈의 펜은 제대로 써진 적이 없다.

blást fùrnace 용광로.

blást-òff *n.* Ⓤ (로켓·미사일의) 발사.

blas·tu·la [blǽstʃələ] (*pl.* **~s, -lae** [-lìː]) *n.* Ⓒ 〖생물〗 포배(胞胚).

blat [blæt] (**-tt-**) *vi.* (송아지·양이) 울다; 《구어》 (사람이 시끄럽게) 지절거리다. —*vt.* 크게〔경망스럽게〕 지껄이다.

bla·tant [bléitənt] *a.* 소란스러운; 몹시 주제넘게 구는; (복장 따위가) 야한, 난한; 심히 눈에 띄는, 빤한《거짓말 따위》, 뻔뻔스러운. ㊞ **blá·tan·cy** *n.* Ⓤ 소란함; 야함; 노골적임; 뻔뻔스러움. **~·ly** *ad.*

blath·er [blǽðər] *vi.* 지절거리다. —*n.* Ⓤ 쓸데없는〔허튼〕 말; 소란.

bláther·skìte [-skàit] *n.* Ⓒ 1 떠버리, 수다쟁이. 2 농담; 하찮은〔시시한〕 소리.

blaze**[1] [bleiz] *n.* 1 (*sing.*) (확 타오르는) **불길**; 화재: a ~ at the theater 극장 화재/The fireman rescued a child from the ~. 소방관이 한 어린이를 화염에서 구해냈다. 2 (*sing.*) **번쩍거림**, 섬광: a ~ *of* jewels 보석의 번쩍임/the 〔a〕 ~ *of* fame 빛나는 명성. 3 (*sing.*) (총의) 연발; (감정 따위의) 격발; (명성의) 발양(發揚): a ~ *of* rifle fire 소총의 연발/attract a ~ *of* publicity 폭발적인 인기를 끌다/in a ~ *of* passion 격정에 이끌리어. 4 (*pl.*) 《속어》 지옥: Go to ~*s!* 지옥에나 떨어져라, 꿰져 버려라. 5 (the ~s) 〖의문의 강조〗 도대체: What the ~s do you mean? 대관절 무슨 일이냐. ***like ~s 《구어》 맹렬히, 바지런히《일을 하다》.

—*vi.* 1 **타오르다**, 불꽃을 일으키다: When the fire engine arrived, the fire was already *blazing*. 소방차가 도착했을 때 불은 이미 벌겋게 타오르고 있었다. SYN. ⇨FLAME. 2 《+부/전+명》 **빛나다**, 번쩍거리다; 밝게 빛나다《***with*** …으로》; 햇발이 내리쬐다(*down*): On Christmas Eve the house ~*d with* lights. 크리스마스 이브에 그 집은 불빛이 휘황하게 밝혀 있었다/The sun ~*d down on* us. 해가 머리 위를 내리쬐었다. 3 《+전+명》 격노하다, 격앙하다《***with*** …으로》: He was *blazing with* anger. 그는 불끈 화를 내고 있었다.

~ ***away*** 〔***off***〕 《*vi.*+부》 ① 계속 타오르다. ② 탕탕 쏘아대다《***at*** …에》. ③ 맹렬히〔흥분하여〕 지껄

여대다《**at** (아무)에게; **about** …에 대하여》: She ~*d away* (*at* us) *about* women's rights. 그녀는 여성의 권리에 대하여 (우리들에게) 흥분하여 지껄여댔다. ~ **up** 《*vi.*+튀》 확 타오르다; 격노하다.

blaze[2] *n.* Ⓒ 나무의 껍질을 벗긴 안표(眼標)《도표(道標)·경계표로서 또는 벌채 표시로서》; (말·소의 낯에 있는) 흰 점 또는 줄. **—***vt.* (나무)껍질을 벗기어 안표를 만들다; (길 따위)를 개척하다. ~ **a** 〔**the**〕 **trail** 〔**way, path**〕 길잡이 표적을 새기다; (새 분야)를 개척하다.

blaze[3] *vt.* 〖보통 수동태〗 퍼뜨리다, 공표하다 (*abroad; about*).

blaz·er [bléizər] *n.* Ⓒ 블레이저 코트《화려한 스포츠용 상의》.

blaz·ing [bléiziŋ] *a.* 불타는 (듯한); 빤한《거짓말》, 대단한; 〖사냥〗 (짐승의 유취(遺臭)가) 강렬한; 《英구어》 격렬한: a ~ fire 벌겋게 타오르는 불/the ~ sun 몹시 더운 날씨, 염천(炎天)/a ~ scent (사냥감의) 강한 냄새/a ~ lie 빤한 거짓말/a ~ argument 격론.

bla·zon [bléizən] *n.* Ⓒ **1** 문장(紋章); (문장 있는) 방패; 문장 해설〔도해(圖解)〕. **2** 자랑해 보임, (미덕 등의) 과시.
—*vt.* **1** 문장(紋章)을 그리다〔채색하다〕, 문장으로 장식하다. **2** 치장하다《**with** …으로》: The mountains were ~*ed with* autumnal color. 산은 가을색으로 물들어〔채색돼〕 있었다. **3** 공표하다, 떠벌려 퍼뜨리다(*abroad; forth; out*). **4** 자랑해 보이다, 과시하다.

bla·zon·ry [bléizənri] *n.* Ⓤ **1** 문장(紋章) 해설〔묘화법(描畫法)〕; 문장. **2** (또는 a ~) 화사한 겉치레; 미관: the ~ *of* department store windows 백화점 진열창의 미관.

bldg(s). building(s).

◇**bleach** [bliːtʃ] *vt.* 희게 하다, 표백하다: ~ linen 린네르를 표백하다. **—***vi.* 희어지다, 표백되다: Their bones were left to ~ on the battlefield. 그들의 뼈는 백골이 된 채로 싸움터에 버려져 있었다. **—***n.* Ⓤ (종류·낱개는 Ⓒ) 표백; 표백도(度); 표백제.

bléach·er *n.* **1** Ⓒ 표백업자, 표백하는 사람; 표백용 용기; 표백제. **2** 《美》 (보통 the ~s) 외야석《야구장》.

bléach·ing *n.* Ⓤ 표백(법). **—***a.* 표백하는〔성의〕: ~ powder 표백분.

***bleak** [bliːk] *a.* **1** 황폐한, 쓸쓸한. **2** 바람받이의; 차가운, 살을 에는 듯한: a ~ wind 한풍(寒風). **3** (생활·환경 따위가) 냉혹한, 모진; 구슬픈 (sad). **4** (장래가) 암담한: a ~ future 암담한 장래. ㊕ ∠·**ly** *ad.* ∠·**ness** *n.*

blear [bliər] *a.* (눈이) 흐린, 침침한; 희미한.
—*vt.* (거울)을 흐리게 하다, (눈)을 침침하게 하다; (윤곽)을 희미하게 하다.

bléar-èyed, bléary- *a.* 흐린 눈의; 아둔한, 근시적인: a ~ attitude about life 당일치기의 생활 태도.

bleary [blíəri] *a.* (눈이 피로·졸음으로) 흐린; (윤곽이) 어렴풋한.

◇**bleat** [bliːt] *vi.* **1** (양·염소·송아지가) 매애 울다; 재잘재잘 지껄이다. **2** 우는 소리를 하다, 푸념하다《**about** …에 대해서》. **—***vt.* (우는 소리)를 말하다; (실없는) 말을 하다(*out*).
—*n.* Ⓒ (보통 *sing.*) (염소·송아지의) 울음소리; 우는 소리.

bleb [bleb] *n.* Ⓒ 〖의학〗 물집; 기포(氣泡).

⁑**bleed** [bliːd] (*p., pp.* **bled** [bled]) *vi.* **1** 《~/+전+명》 **출혈하다**; 피가 흐르다《**at, from** …에서》: ~ to death 출혈하여 죽다/His nose is ~*ing*. =He is ~*ing at* the nose. 그는 코피를 흘리고 있다/They were both ~*ing from* the nose and mouth. 두 사람은 코와 입에서 피를 흘리고 있었다. **2** 《~/+전+명》 피를 흘리다, 죽다《**for** …을 위하여》: They fought and *bled for* their country. 그들은 조국을 위해 싸우다 쓰러졌다〔죽었다〕. **3** 《~/+전+명》 가슴 아파하다《**for, at** …에, …으로》: My heart *bled at* the sight. 그 광경을 보니 가슴 아팠다/ My heart ~*s for* you. 너를 동정한다《★《구어》 반어적으로 동정 따위는 안 한다》. **4** 《구어》 《+전+명》 큰돈을 뜯기다《**for** …에》. **5** (염색한 색이) 날다, 빠져나오다. **6** (식물이) 진을 흘리다.
—*vt.* **1** (사람·짐승)에게서 피를 빼다: Doctors used to ~ sick people. 의사들은 예전에 피를 뽑아 환자들을 치료했었다. **2** 《+목+전+명》 《구어》 (아무)에게서 짜내다《**for** …을》: ~ a person *for* money 아무에게서 돈을 우려내다. **3** 《+목+전+명》 …에서 빼다《**of** (액체·공기 따위)를》: ~ a pipe *of* water 관에서 물을 빼다. ~ **off** (수액 등)을 뽑다.

bléed·er *n.* **1** Ⓒ 피 빼는 사람; 출혈성의 사람, 혈우병 환자(hemophiliac). **2** Ⓒ 《英》 등치기꾼, (역겨운) 인물, 놈〔것〕: You poor ~! 이 불쌍한 놈아. **3** 〖a ~ of a로 형용사적〗 《英속어》 심한, 지독한: *a* ~ *of a* cold 몹시 지겨운 감기.

bléed·ing *n.* Ⓤ 출혈, 유혈(流血): internal ~ 내(內)출혈. **—***a.* Ⓐ 출혈하는, 피투성이의; 《英속어》 끔찍한; 피나는; 괴로운.

bléeding héart 〖식물〗 금낭화; 《경멸적》 (사회 문제 따위에서) 동정을 과장해 보이는 사람.

bleep [bliːp] *n.* Ⓒ 삐이하는 신호음; 《구어》 무선 호출기. **—***vi.* 무선 호출기가 (삐삐) 울리다; 무선 호출기로 부르다《**for** …을》. **—***vt.* (의사 등)을 무선 호출기로 부르다. ㊕ ∠·**er** *n.* Ⓒ 무선 호출기.

◇**blem·ish** [blémiʃ] *n.* Ⓒ 흠, 오점, 결점: His record is without (a) ~. 그의 경력에는 (한점의) 오점도 없다. **—***vt.* …에 흠을 내다; (명예 따위)를 더럽히다.

blench [blentʃ] *vi.* 질리다, 기가 꺾이다.

⁑**blend** [blend] (*p., pp.* ∠·**ed,** 《시어》 **blent** [blent]) *vt.* 《~+목/+목+튀/+목+전+명》 (뒤)**섞다**(*together*); …에 혼합하다《**with** (다른 술·담배·커피 등)을》: ~ milk and cream (*together*) 밀크와 크림을 섞다/*Blend* mayonnaise *with* other ingredients. 마요네즈를 다른 재료와 섞어라. SYN. ⇨ MIX.
—*vi.* **1** 《~/+전+명》 **섞이다**, 혼합되다《**with** …와》; (색 따위가) 한데 어우러지다〔융합하다〕《**with, into** …에》: The colors of the rainbow ~ *into* one another. 무지개의 색은 서로 어우러진다. **2** 《~/+전+명》 조화되다《**with** …와》: The new curtains do not ~ *with* the white wall. 새 커튼이 흰 벽과 조화되지 않는다. ***blend in*** 《*vi.*+튀》 ① 조화하다, 섞이다《**with** …와》: He ~*s in* well *with* the new group. 그는 새 그룹에 잘 융합하고 있다. **—**《*vt.*+튀》 ② 섞다; 조화시키다《**with** …와》.
—*n.* Ⓒ **1** 혼합(물); 혼방: That film is a ~ *of* animation and live action. 저 영화는 애니메이션과 실사(實寫)가 혼합돼 있다. **2** 〖언어〗 혼성어《보기: brunch [◂ *breakfast*+*lunch*]/smog [◂ *smoke*+*fog*]》.

blénd·ed [-id] *a.* Ⓐ (차·술 등이) 혼합된;

(직물이) 혼방인: ~ed tea / ~ed fabric 혼방 직물.

blénd·er n. Ⓒ blend 하는 사람[기계]; 《美》 (요리용) 믹서(《英》 liquidizer).

blénd·ing n. 1 Ⓤ 혼합, 융합, (어구·구문 등의) 혼성(법). 2 Ⓒ 〖언어〗 혼성어[구, 문].

blent [blent] 《시어》 BLEND의 과거·과거분사.

⁑**bless** [bles] (p., pp. **~ed** [-t], **blest** [blest]) vt. 1 a 〘종종 수동태〙 《~+목/+목+전+명》 …에게 은총을 내리다; …에게 베풀다《**with** …을》: The priest ~ed the newlywed couple. 사제는 신혼부부를 축복했다 / God ~ed them *with* children. 신은 그들에게 자식들을 베풀어 주셨다 / I *am* ~ed *in* my children. 나는 자식복이 있다 / May this country always *be* ~ed *with* prosperity. 이 나라가 언제나 번영하기를. b 〘~ oneself〙 (성호를 긋고) 신의 은총을 기원하다, 자신을 축복하다; 잘 되었구나 하고 생각하다. 2 《+목+전+명》 (신이) 지키다《**from** …에서》: *Bless* me *from* all evils! 모든 악으로부터 지켜 주소서. 3 …을 위해 신의 은총을[가호를] 빌다, 축복하다: *Bless* this house. 이 가정을 축복하소서. 4 (신)을 찬미하다; (신 등에게 행복)을 감사하다: *Bless* the Lord, O my soul. 〖성서〗 내 영혼아 여호와를 송축하라《시편 CIII: 1》 / I ~ed my stars that ... …을 운명에 감사했다. 5 (종교적 의식에 의해) 신성화하다, 정하게 하다: ~ bread at the altar 빵을 제단에 바쳐 정결케 하다. 6 《+목+전+명》 (아무)에게 감사하다《**for** …을》: I ~ him *for* his kindness. 그의 친절을 진심으로 감사하고 있다. 7 《구어》 〘감탄의 표현으로〙: (God) ~ me! = *Bless* my soul [heart]! = I'll be ~ed [*blest*]! 어머나, 아차, 당치도 않다 / (God) ~ you! 신의 가호가 있기를; 조심조심《상대가 재채기했을 때》. 8 〘반어적: if절의 강한 부정·단정〙 …을 저주하다: I'm ~ed *if* I know. 그런 거 알게 뭐야.

°**bless·ed** [blest, blésid] a. 1 은총 입은, 행복한, 행운의, 축복받은: ~ ignorance 모르는 게 약 / *Blessed* are the poor in spirit. 〖성서〗 심령이 가난한 자는 복이 있나니라《마태복음 V: 3》. 2 Ⓐ 즐거운, 고마운: a ~ time 즐거운 시간 / ~ news 기쁜 소식. 3 신성한, 성화(聖化)된: my father of ~ memory 돌아가신 아버님 / the ~ (ones) 천국의 뭇 성인[성도]. 4 Ⓐ 〘반어적〙 《구어》 저주할, 벌력 입을: We labeled every ~ book. 우리는 짜증나도록 모든 책에 라벨을 붙였다. ㊕ ~·ly ad. 다행히; 행복하게; 즐겁게. ~·ness n. Ⓤ 행운, 행복.

Bléssed Máry the Vírgin 성모 마리아.

Bléssed Sácrament (the ~) 〖가톨릭〗 성찬의 빵《성체》; 성찬식.

Bléssed Vírgin (the ~) 성모 마리아.

*__bless·ing__ [blésiŋ] n. 1 Ⓒ 축복(의 말); 식전[식후]의 기도: ask [say] a ~ 식전[식후]의 기도를 하다. 2 Ⓒ 신의 은총[가호]; 행운. 3 Ⓒ 고마운 것, 즐거운 것. 4 Ⓤ 찬성, 승인: with my father's ~ 아버지의 허락을 받아 / give one's ~ to …을 승인[허가]하다. ***~ in disguise*** 불행해 보이나 실은 행복한 것《전화위복》. ***count one's ~s*** (불행한 때에) 좋은 일들을 회상하다, 나쁜 일만이 아니라고 여기다.

blest [blest] BLESS의 과거·과거분사.
—a. 《주로 시어》 = BLESSED.

bleth·er [bléðər] vt., vi., n. = BLATHER.

blew [blu:] BLOW[1-3]의 과거.

°**blight** [blait] n. 1 Ⓤ (식물의) 마름병, 동고병(胴枯病), 줄기마름병; (a ~) 그 병을 일으키는 해충[세균]; 《英》 (특히 과수를 해치는) 진디(aphis). 2 Ⓒ (사기·희망 등을) 꺾는 것[사람]; 해치는[파괴하는] 것; (앞길의) 어두운 그림자: cast [put] a ~ on [upon] …에 어두운 그림자를 드리우다. 3 Ⓤ (도시 환경의) 황폐 (상태, 지역).
—vt. 1 (식물)을 마르게 하다, (초목 따위)를 이울게 하다(wither up). 2 손상시키다, 황폐시키다; (희망 따위)를 꺾다: His reputation was ~ed by the affair. 그의 명성은 그 사건 때문에 손상되었다. —vi. 마르다; 꺾이다.

blíght·er n. Ⓒ 해를 끼치는 것[사람]; 《英속어》 지긋지긋한[성가신] 놈; 악당, 놈(fellow).

bli·m(e)y [bláimi] int. 《英속어》 아뿔싸, 빌어먹을, 제기랄. [◂ (God) blind me!]

blimp [blimp] n. 1 Ⓒ (연안 경비용) 소형 비행선《현재는 광고용》. 2 (B-) 《구어》 = COLONEL BLIMP.

⁑**blind** [blaind] a. 1 **눈먼**; 보이지 않는《**in** …이》; (the ~) 〘명사적; 복수취급〙 소경들, 맹인: a ~ person 장님 / go [become] ~ 장님이 되다 / a school for the ~ 맹인 학교 / It's the ~ leading the ~. 〖성서〗 그것은 장님이 장님을 인도하는 것과 같다; 위험천만하다《마태복음 XV: 14》/ He's ~ *in* one eye. 그는 한쪽 눈이 안 보인다 / He's ~ *in* the right [left] eye. 그는 오른쪽[왼쪽] 눈이 안 보인다. 2 **맹목적인**, 분별없는, 마구잡이의《**with** …으로》; 《속어》 취한: ~ obedience 맹종 / ~ reasoning 이치에 맞지 않는 이론, 억지 강변 / a ~ purchase 충동구매 / Love is ~. 《속담》 사랑은 맹목적인 것 / He's ~ *with* rage. 그는 마구 화를 내고 있다 / be ~ to the world 곤드레만드레로 취해 있다. 3 보는 눈이 없는; 몰이해한《**to** (결점·미점·이해 따위)를[에]》: ~ *to* all arguments 아무리 설명해도 알아듣지 못하는 / He's ~ *to* the beauties of nature. 그는 자연의 아름다움을 알지[이해하지] 못한다 / He's ~ *to* his own faults. 그는 자신의 결점을 깨닫지 못한다. 4 무감각한; 무의식의: a ~ stupor 망연자실. 5 시계(視界)가 없는, 어림짐작의, 계기(計器) 비행의: ~ flying 맹목[계기] 비행. 6 (도로·교차점 따위가) 앞에 잘 보이지 않는, 숨은: a ~ corner 앞에서 오는 차를 가려 보이지 않게 하는 길모퉁이 / a ~ nail 은혈못 / a ~ ditch 암거(暗渠). 7 막다른; 출입구[창구]가 없는: a ~ corridor 막다른 낭하 / a ~ wall 창문이 없는 벽. 8 〖식물〗 (싹·구근 등이) 꽃·열매를 맺지 않는.
as ~ as a bat [***mole, beetle***] 장님이나 마찬가지인. ***go ~ on*** 어림짐작으로 하다. ***not a ~*** (***bit of***) 《英속어》 조금도 … 않다: *not* to take *a* ~ *bit of* notice 조금도 개의치 않다 / This knife is *not a* ~ *bit of* use. 이 칼은 조금도 쓸모가 없다. ***turn a*** [***one's***] ***~ eye to*** …을 보고도 못 본 체하다.
—vt. 1 **눈멀게 하다**: He was ~ed in the accident. 그는 사고로 눈이 멀었다. 2 일시적으로 눈을 못 보게 만들다: The bright lights ~ed me for a moment. 밝은 빛 때문에 잠시 눈이 부셨다. 3 (빛 등)을 덮어 가리다, 어둡게 하다: Darkness ~s the sky. 어둠이 하늘을 뒤덮다. 4 《~+목/+목+전+명》 …의 판단력을 잃게 하다, …을 맹목적으로 하다; 〘~ oneself〙 …을 보고도 못 본 체하다《**to** …에 대하여》: He was ~ed by her beauty. 그는 그녀의 미모에 눈이 멀었다 / She has ~ed herself *to* her husband's love affairs. 그녀는 남편이 난봉 피우는 것을 모른 체

했다/Love ~*s* us *to* all imperfections. 제 눈에 안경. **5** …의 광채를 잃게 하다, 무색하게 하다: Her beauty ~*ed* all the rest. 그녀의 아름다움 앞에 딴 사람들은 모두 빛을 잃었다. **~ ... *with science*** (종종 거짓) 지식으로 (아무)를 미혹시키다.

—*ad.* 앞뒤 생각 없이, 맹목적으로; 매우, 몹시; 시계(視界)가 없이, 계기만으로: ~ drunk 몹시 취해서/fly ~ 계기 비행을 하다. ***go it ~*** =***go ~ on*** 앞뒤 가리지 않고 하다. ***swear ~*** 《구어》 단언하다《***that***》.

—*n.* [C] **1** (흔히 *pl.*) **덮어 가리는 물건; 블라인드**, 덧문; 발; 《美》 (말의) 곁눈가리개: pull down [lower] the ~(*s*) 블라인드를 내리다/draw up [raise] the ~(*s*) 블라인드를 올리다. **2** 《美》 (사냥·관찰을 위한) 잠복소; 은신처. **3** (보통 *sing.*) 눈을 속이기 위해 쓰이는 것; 속임(수), 책략, 구실 《***for*** …을 위한》.

blínd álley 막다른 골목; 《비유적》 가망 없는 국면〔직업, 연구 등〕.

blínd cóal 무연탄.

blínd dáte 《구어》 서로 모르는 남녀간의 만남〔데이트〕.

blínd·er *n.* [C] 현혹하는 사람〔것〕; (보통 *pl.*) 《美》 (말의) 곁눈가리개(blinkers); 《英속어》 (야구·축구의) 절묘한 파인플레이.

°**blínd·fòld** *vt.* …에 눈가리개를 하다, 보이지 않게 하다; …의 눈을 속이다. **—*n.*** [C] 눈가리개; 눈을 현혹시키는 것.

—*a.*, *ad.* 눈가리개를 한〔하고〕, 눈이 가리워진〔져서〕; 경솔한〔하게〕.

blínd gút (the ~) 맹장(cecum).

blínd·ing *a.* 눈을 어지럽히는, 현혹시키는: a ~ snowstorm 한 치 앞도 안 보이는 폭설. [파] **~·ly** *ad.*

°**blínd·ly** *ad.* 맹목적으로, 무턱대고; 함부로.

blíndman's búff 까막잡기.

°**blínd·ness** *n.* [U] 맹목; 무분별(recklessness); 문맹, 무지(ignorance).

blínd síde (the ~, one's ~) (애꾸눈이의) 안 보이는 쪽; 보지〔주의하지〕 않는 쪽.

blínd spòt (눈의) 맹점; 얼른 깨닫지 못하는 약점; 〖통신〗 난시청 지역; (경기장·강당 등의) 보이지〔들리지〕 않는 곳, (운전자의) 사각(死角).

blink** [bliŋk] *vi.* **1** 《~/+[전]+[명]》 **깜작이다**(wink), 눈을 깜박거리다; 눈을 가늘게 뜨고〔깜박이며〕 보다《at*** …에, …을》: The baby in my arms ~*ed* in the bright sunshine. 품에 안긴 아기가 햇빛에 눈이 부셔 눈을 깜박였다. **2** (등불·별 등이) 깜박이다, 명멸하다. **3** 《+[전]+[명]》 못 본 체하다, 무시하다, 보아 넘기다《***at*** …을》: ~ *at* responsibility 책임 있는 일을 모른 체하다/He ~*ed at* her mistake. 그는 그녀의 과실을 묵인해 주었다. **4** 《+[전]+[명]》 놀라서 보다, 깜짝 놀라다《***at*** …에》: She ~*ed at* his sharp rebuke. 그의 신랄한 비난에 깜짝 놀랐다.

—*vt.* **1 a** (눈)을 깜작이다: ~ one's eyes 눈을 깜작이다. **b** 《+[목]+[부]》 (눈물·졸음 따위)를 눈을 깜박여 떨쳐버리다〔없애다〕 (*away; back*): She ~*ed away* [*back*] her tears. 그녀는 눈을 깜박여 눈물을 떨쳐버렸다. **2** (빛)을 명멸시키다; 빛을 명멸시켜 (신호)를 보내다: *Blink* your headlights on and off. (신호로) 헤드라이트를 단속적으로 명멸시키시오. **3** 〖흔히 부정문으로〗 보고 못 본 체하다, 무시〔묵인〕하다: You can*not* ~ [There's *no* ~*ing*] the fact that there is a war. 전쟁이 일어난다는 사실을 무시할 수 없다.

—*n.* [C] 깜박임; 한 순간; 번득임, 섬광: in the ~ of an eye 순식간에. ***on the ~*** 《구어》 (기계 등이) 파손〔못쓰게〕되어.

blínk·er *n.* [C] 깜작이는 사람; 힐끔 보는 사람; 《美》 (건널목 따위의) 점멸 신호(등); (*pl.*) 《속어》 먼지가리개 안경; (보통 *pl.*) (말의) 곁눈가리개; 《美》 (보통 *pl.*) (자동차의) 방향지시기(《英》 winkers).

blínk·ing *a.* [A] 반짝이는; 명멸하는; 《英구어》 지독한, 심한: a ~ fool 지독한 바보. **—*ad.*** 《英구어》 매우, 몹시, 되게.

blin·tze, blintz [blíntsə], [blints] *n.* [C] 블린츠《치즈·잼 등을 넣은 엷은 팬케이크》.

blip [blip] *n.* [C] **1** (레이더의 스크린에 나타나는) 휘점(輝點). **2** 엑스엑스엑스, 점점점, ××× 《방송에서 비속어·외설어 등의 삭제를 나타내는 완곡어로 씀》.

***bliss** [blis] *n.* [U] (더없는) **행복**, 최상의 기쁨.

°**bliss·ful** [blísfəl] *a.* 더없이 행복한, 기쁨에 찬. [파] **~·ly** *ad.* **~·ness** *n.*

blíssful ígnorance (현실의 부조리 등을 못 느끼는) 행복한 무지.

°**blis·ter** [blístər] *n.* [C] **1** (피부의) 물집, 수포, 불에 데어 부푼 것: get ~*s* on one's hands 손에 물집이 생기다. **2** (페인트칠·금속·플라스틱 표면의) 부풀음, 기포; 〖의학〗 발포고(發泡膏); (비행기의) 반구형 기총 총좌.

—*vt.* 물집이 생기게 하다, 불에 데어 부풀게 하다; (꼬집거나 비평 등으로 사람)에게 상처를 주다.

—*vi.* 물집이 생기다, 불에 데어 부풀다: Soft hands ~ easily. 부드러운 손은 쉽게 물집이 생긴다.

blíster còpper 〖야금〗 조동(粗銅).

blís·ter·ing [-riŋ] *a.* **1** 이글이글 타는 듯한: a ~ heat 혹서(酷暑). **2** 신랄한, 통렬한: a ~ tongue 독설(毒舌). **3** 매우 빠른, 맹렬한: with ~ speed 맹렬한 속도로. [파] **~·ly** *ad.*

blíster pàck 블리스터 포장(=**blíster pàckage**)《상품이 보이도록 그 형상대로 뜬 투명 플라스틱으로 씌운 포장》.

°**blithe** [blaið] *a.* 즐거운, 유쾌한; 쾌활한; 경솔한, 부주의한. [파] **∠·ly** *ad.* **∠·ness** *n.*

blith·er [blíðər] *vi.* 허튼소리를 하다.

[파] **~·ing** [-riŋ] *a.* 허튼소리 하는; 《구어》 철저한; 경멸할 만한.

blithe·some [bláiðsəm] *a.* =BLITHE.

blitz [blits] 《구어》 *n.* [C] 전격(작)전; 맹폭, 기습(작전); (the B–) (1940–41년의) 런던 대공습; 집중 공격; 대대적인 캠페인. **—*vt.*** …을 전격적으로 공격하다, 맹공하다. **—*a.*** [A] 전격적인: ~ tactics 전격 작전.

°**bliz·zard** [blízərd] *n.* [C] **1** 〖기상〗 강한 눈보라《풍설·혹한을 동반하는 폭풍》. **2** 《비유적》 (사물의) 쇄도; 돌발: a ~ *of* gifts 선물의 쇄도/a ~ *of* questions 질문 공세.

bloat [blout] *vt.* **1** (청어 따위)를 훈제(燻製)로 하다: a ~*ed* herring 통째 말린 훈제 청어. **2** 부풀게 하다(swell)《***with, from*** …으로》: ~ *with* [*from*] overeating 과식으로 배가 불룩해진. **3** 우쭐하게 하다《***with*** …으로》: He's ~*ed with* pride. 그는 오만에 차 있다.

blóat·ed [-id] *a.* **1** 부푼, 부어오른, 불룩한; (인원·출비가) 쓸데없이 팽창〔확대〕된: a ~ face 부어오른 얼굴/a ~ budget 팽창 예산. **2** 거만한, 뽐내는: a ~ politician 교만한 정치가.

blóat·er *n.* Ⓒ 통째 말린 훈제 청어.

blob [blɑb/blɔb] *n.* Ⓒ (잉크 등의) 얼룩; (걸쭉한 액체의) 한 방울; 한 덩어리; 형태가 뚜렷하지 않은〔희미한〕 것.

bloc [blɑk/blɔk] *n.* 《F.》 Ⓒ **1** 블록, …권(圈) 《정치상·경제상의 이익을 위한》: the dollar ~ 달러 블록/the sterling ~ 파운드 지역/the Communist ~ 공산권. **2** 《美》 (특정 목적을 위한 여·야당의) 연합 의원단: the farm ~ 농업 문제 추진 의원단. **3** 〚형용사적〛 블록의: ~ economy 블록 경제.

⁑block [blɑk/blɔk] *n.* Ⓒ **1** (나무·돌·금속 따위의) **큰 덩이**, 큰 토막; 건축용 석재; 〚건축〛 블록재(材)(building ~); (보통 *pl.*) (장난감) 집짓기 나무(building ~): concrete ~*s* 콘크리트 블록. **2 받침, 받침나무**; 도마; 모탕; 경매대; 승마대; 단두대; 선대(船臺); (구두닦이의) 발받침. **3** 〚인쇄〛 판목(版木); 〚제본〛 철판면(凸板面), 놋쇠판(版). **4** 모자골; 형(型), 식(式). **5** 도르래, 겹도르래. **6** (증권 따위의) 한 조〔벌, 묶음〕; (한 장씩 떼어 쓰게 된) 종이철: a ~ *of* tickets 한 권의 티켓. **7** 《英》 (한 채의) 대(大)건축물《아파트·상점을 포함》; 《美》 (시가의 도로로 둘러싸인) **한 구획**, 가(街); 그 한 쪽의 길이〔가로〕: He lives two ~*s* away 〔on my ~〕. 그는 두 구획 저 쪽에〔나와 같은 구획에〕 산다/Excuse me, but where is the nearest grocery store?—Well, walk three ~*s* and turn left. You can't miss it. 실례합니다만, 제일 가까운 식품점은 어디에 있죠?—세 블록 가서 왼쪽으로 도세요. 바로 찾으실겁니다. **8** (보통 *sing.*) **장애**(물), 방해가 되는 것; (교통 따위의) 차단, 두절, 폐색; 《英》 (의안에 대한) 반대 성명; 〚경기〛 방해; 〚크리켓〛 블록《타자가 배트를 쉬고 있는〔공을 멈추는〕 위치》: a ~ of traffic 교통 금지/His stubbornness is a ~ to all my efforts. 그의 고집 때문에 나는 하는 일마다 방해를 받는다. **9** 《속어》 (사람의) 머리; 바보, 멍청이(blockhead). **10** 〚정치〛 =BLOC. **11** 〚컴퓨터〛 블록, 구역《플로차트상의 기호; 한 단위로 취급되는 연속된 언어 집단; 일정한 기능을 갖춘 기억 장치의 구성 부분》. **12** 〚의학〛 블록《신경 따위의 장애》, 《특히》 심장블록(heart ~); 〚정신의학〛 두절. **13** (수도관·철도 따위의) 폐색 (구간).

knock* a person*'s* ~ *off 《속어》 때려눕히다. ***lose* 〔*do*〕 one*'s* ~** 《Austral.속어》 흥분하다, 화내다. ***on the* ~** 《美》 경매에〔팔려고〕 내놓은. ***put the* ~*s on*** …을 저지하다.

—*vt.* **1** 《~+목/+목+전+명/+목+부》 (통로·관 따위)를 **막다**, (교통 따위)를 방해하다, 폐색(閉塞)〔봉쇄〕하다(*up*)《*with* …으로》; (빛·조명 등)을 차단하다(*off; out; up*): The highway was ~*ed* by a heavy snowfall. 간선도로는 폭설로 폐쇄되었다/~ *out* the sun's rays 햇빛을 막다/They ~*ed* (*up*) the road *with* a barricade. 그들이 바리케이드로 길을 막았다/My nose is all ~*ed up*. 코가 꽉 막혔다. **2** (진행·행동)을 **방해하다**, …의 장애가 되다; 〚경기〛 (상대 플레이)를 방해하다: Lack of funds is ~*ing* progress in the research. 자금 부족이 연구에 지장을 초래하고 있다. **3** 〚흔히 과거분사꼴로〛 〚경제〛 동결하다, 봉쇄하다: ~*ed* currency 〔funds〕 동결 통화〔자금〕. **4** 〚의학〛 (마취로 신경)을 마비시키다. **5** 《英》 (반대 성명을 내어 의안 통과)를 방해하다. **6** (모자)를 모양뜨다(shape); (표지에) 형태를 박다(emboss). **7** 〚컴퓨터〛 (인접 데이터)를 블록하다. **—***vi.* (각종 경기에서) 상대측 경기자를 방해하다.

~ ***in*** 《*vt.*+부》 막다, 폐색하다, 가두다; 약도를 그리다, 설계〔계획〕하다. ~ ***off*** 《*vt.*+부》 (도로 따위)를 막다, 차단하다. ~ ***out*** 《*vt.*+부》 ① 윤곽을 그리다, 대충의 계획을 세우다: ~ *out* a stage performance 상연의 대충 계획을 세우다. ② (정보 따위)를 배제〔제외〕하다. ③ (빛)을 가로막다, 차단하다. ~ ***up*** 《*vt.*+부》 ① ⇨*vt.* 1. ② 감금하다, 가두다: ~ *up* ships in a harbor 배를 항구에 가두다. **—**《*vi.*+부》 ③ (관(管) 따위가) 완전히 막히다.

°block·ade [blɑkéid/blɔk-] *n.* Ⓒ (항구 따위의) 봉쇄(선), 폐색; 봉쇄대(隊); 폐색물; (교통의) 두절, 방해: break 〔run〕 a ~ 봉쇄를 돌파하다/lift 〔raise〕 a ~ 봉쇄를 풀다. **—***vt.* 봉쇄하다; 방해하다: ~ a port 항구를 봉쇄하다. ㊕ **block·ád·er** *n.* Ⓒ 봉쇄자〔물〕; 봉쇄〔폐색〕선.

blockáde rùnner 봉쇄를 돌파하는 사람〔배〕, 밀항자〔선〕.

block·age [blɑ́kidʒ/blɔ́k-] *n.* Ⓤ 봉쇄, 방해; Ⓒ 방해물, (파이프 따위에) 막혀 있는 것.

blóck·bùster *n.* Ⓒ 《구어》 **1** 대형 고성능 폭탄. **2** 압도적〔위협적〕인 것, 유력자, 큰 영향력을 가진 것〔사람〕. **3** 막대한 돈을 들인 영화〔소설〕; 초(超)대작《영화 따위》: That movie is a ~. 저 영화는 대단한 히트작이다. **4** 《美구어》 blockbusting을 하는 악덕 부동산업자.

blóck·bùsting *n.* Ⓤ 《美구어》 블록버스팅《이웃에 흑인 등이 이사 온다는 소문을 퍼뜨려, 백인 거주자에게 집이나 땅을 싸게 팔게 함》.

blóck càpital (보통 *pl.*) 〚인쇄〛 블록체 대문자.

blóck dìagram (기기의) 분해 조립도.

blóck·er *n.* Ⓒ 방해하는 사람〔것〕; 〚美축구〛 블로커《몸을 부딪쳐 상대방을 방해하는 선수》.

°blóck·hèad *n.* Ⓒ 《구어》 멍텅구리, 얼간이.

blóck·hòuse *n.* Ⓒ **1** 작은 요새, 토치카. **2** (옛날의) 통나무 바리케이드. **3** 로켓 발사 관제소.

block·ish [blɑ́kiʃ/blɔ́k-] *a.* 목석 같은, 우둔한.

blóck lèngth 〚컴퓨터〛 블록 길이《블록 크기의 척도》.

blóck lètter 〚인쇄〛 목판 글자; 블록 글자체《굵기가 같음》; =BLOCK CAPITAL.

blóck prìnt 목판화.

blóck prìnting 목판 인쇄.

blóck sìgnal 〚철도〛 폐색 신호(기); 〚야구〛 블록 사인.

blóck sỳstem 〚철도〛 폐색 구간(식)《1 구간에 1회 한 열차만 통과하는 방식》.

blóck vòte 《英》 블록 투표《투표자의 표가 그 대표하는 인원수에 비례한 효력을 갖는 투표 방법》.

blocky [blɑ́ki/blɔ́ki] *a.* 뭉툭한; (사진이) 농담(濃淡)이 고르지 않은.

bloke [blouk] *n.* Ⓒ 《英속어》 놈, 녀석(fellow): an old ~ 늙은이.

blond(e)** [blɑnd/blɔnd] *a.* **1 금발의**, (머리털이) 아마빛의; (피부가) 희고 혈색이 좋은. **2** 금발·흰 살결·푸른 눈의. **—n.* Ⓒ (살결이 흰) 금발의 사람: a blue-eyed ~ 푸른 눈의 금발 여인. ★ blonde는 여성형; 현재에는 남녀 모두 blond를 쓰는 일이 많음.

blond·ish [blɑ́ndiʃ/blɔ́n-] *a.* 블론드 빛깔을 띤.

⁑blood [blʌd] *n.* **1** Ⓤ **피**, 혈액; 생피, 〚일반적〛 생명; (하등 동물의) 체액: the circulation of the ~ 혈액 순환/lose ~ 출혈하다/loss of ~ 출

혈/spill ~ 피를 흘리다/Please Give *Blood*. 《게시》 헌혈을 부탁합니다/give one's ~ for one's country 나라에 목숨을 바치다. **2** Ⓤ 붉은 수액(樹液), (붉은) 과즙. **3** Ⓤ 유혈(bloodshed); 살인(murder); 희생: a man of ~ 살인자, 냉혈한. **4** Ⓤ 핏줄; 혈통, 가문, 집안, 명문: *Blood* will tell. 피는 속일 수 없는 것/by ~ 혈통은〔에 관해서는〕/of noble ~ 고귀한 집안에 태어난/Caprice runs in her ~. 변덕(스러운 성질)은 그녀의 집안 내력이다/*Blood* is thicker than water. 《속담》 피는 물보다 진하다. **5** Ⓤ 기질(temperament); 혈기, 활력; 정열, 격정: be in 〔out of〕 ~ 기운이 있다〔없다〕. **6** (the ~) 왕족: a prince 〔princess〕 of the ~ 왕자〔공주〕.
draw ~ 피를 흘리게 하다, 감정을 해치다. ***flesh and*** ~ ⇨FLESH. ***freeze*** 〔***curdle, chill***〕 a person***'s*** 〔***the***〕 ~ ⇨FREEZE. ***get*** ~ ***from*** 〔***out of***〕 ***a stone*** 냉혹한 사람의 동정을 얻다; 불가능한〔무리한〕 일을 하다; 억지로 쥐어짜다. ***have*** a person***'s*** ~ ***on*** one***'s hands*** 〔***head***〕 아무의 죽음〔불행〕에 책임이 있다. ***in cold*** ~ 냉혹하게, 태연하게: commit murder *in cold* ~ 태연하게 살인을 저지르다. ***in hot*** ~ 벌컥 화를 내어. ***like getting*** ~ ***from*** 〔***out of***〕 ***a stone*** 줄 것 같지 않은 사람에게서 돈을 구하려는 것처럼. ***make*** a person***'s*** ~ ***boil*** 〔***run cold***〕 아무를 격앙시키다〔오싹하게 하다〕. ***run*** 〔***be***〕 ***in*** one***'s*** ~ 혈통을 이어받다: The aptitude for language *ran in* her ~. 그녀의 어학적 재능은 혈통을 이어받은 것이었다. one***'s*** ~ ***boils*** 〔***is up***〕 격노하다. ***stir the*** 〔a person***'s***〕 ~ 아무를 흥분〔발분〕시키다. ***sweat*** ~ 《구어》 피땀 흘려 일하다; 몹시 걱정하다, 안달복달하다. ***taste*** ~ (야수 등이) 피맛을 알다; 처음으로 경험하다, 첫 성공에 맛들이다. ***to the last drop of*** one***'s*** ~ 목숨이 다하기까지.
—*vt*. **1** (사냥개에게) 피를 맛보이다, (군인)을 유혈 행위에 익숙게 하다. **2** 〘종종 수동태〙 …에게 새로운 경험을 시키다.

blóod and thúnder 유혈과 폭력.
blóod-and-thúnder *a*. 폭력과 유혈 사태의 《극 · 소설 · 영화 등》: a ~ story.
blóod bànk 혈액 은행; (혈액 은행) 저장 혈액.
blóod·bàth, blóod bàth (*pl*. ~*s*) *n*. Ⓒ 대학살, 피의 숙청.
blóod bróther 친형제; (혈맹의) 의형제.
blóod cèll 〔**còrpuscle**〕 혈구: red 〔white〕 ~ 적〔백〕혈구.
blóod còunt 혈구수(數) 측정; 혈구수.
blóod·cùrdling *a*. Ⓐ 소름이 끼치는, 등골이 오싹하는: a ~ scream 등골이 오싹하는 비명 (소리). ㊐ ~·**ly** *ad*.
blóod dònor 헌혈자.
blóod dòping 혈액 도핑《운동선수의 기능을 높이기 위한 시합 전의 수혈》.
blóod dràwing 《美》 헌혈 운동.
blóod·ed [-id] *a*. **1** 〘합성어로〙 …의 피를〔기질을〕 지닌: warm-~ animals 온혈 동물. **2** 《美》 (가축 따위가) 순종의, 혈통이 좋은: a ~ horse 순혈종의 말.
blóod féud (두 집안 또는 종족끼리의 반복되는) 피의 복수.
blóod gròup 혈족; 혈액형(blood type).
blóod hèat (사람의) 피의 온도《평균 37℃》.
blóod·hòund *n*. Ⓒ 블러드하운드《후각이 예민한 영국산의 경찰견》; 《구어》 집요한 추적자, 탐정, 형사.
blóod·i·ly *ad*. 피투성이가 되어; 잔혹하게, 무참히.
◇**blóod·less** *a*. 핏기〔생기〕 없는, 창백한, 빈혈의; 피를 흘리지 않는; 냉혹한, 열정이〔원기가〕 없는: a ~ victory 무혈의 승리.
㊐ ~·**ly** *ad*. ~·**ness** *n*.
Blóodless Revolútion (the ~) 〖英역사〗 무혈〔명예〕 혁명(English Revolution).
blóod·lètting *n*. Ⓤ 〖의학〗 방혈; 사혈(瀉血); (전쟁 · 복싱 등에서의) 유혈.
blóod·lìne *n*. Ⓤ (주로 가축의) 혈통; 혈족.
blóod·lùst *n*. Ⓤ 살해욕(欲); 피에 굶주림.
blóod·mobìle *n*. Ⓒ 헌혈차.
blóod mòney 사형에 해당하는 큰 죄인을 고발한 사람에게 주는 보상금; (청부 살인자에게 주는) 살인 사례금; 피살자의 가족에게 주는 위자료.
blóod òrange 과육이 붉은 각종 오렌지.
blóod plàsma 혈장(血漿).
blóod pòisoning 〖의학〗 패혈증(敗血症).
blóod prèssure 혈압: high 〔low〕 ~ 고〔저〕혈압.
blóod púdding =BLOOD SAUSAGE.
blóod·réd *a*. 피에 물든, 피처럼 붉은.
blóod relátion 〔**rélative**〕 혈족, 육친.
blóod·ròot *n*. Ⓒ 〖식물〗 (뿌리가 붉은) 양귀비과의 다년초《북아메리카산(産)》.
blóod róyal (the ~) 〘집합적〙 왕족.
blóod sàusage 《美》 블러드 소시지(《英》 black blood pudding)《돼지고기와 그 피를 섞어 만든 검은색이 도는 소시지》.
blóod sèrum 혈청(血淸).
◇**blóod·shèd, -shèdding** *n*. Ⓒ 유혈(의 참사), 살해; 학살: vengeance for ~ 유혈의 복수.
blóod·shòt *a*. (눈이) 충혈된, 핏발이 선; 혈안이 된.
blóod spòrt 피를 보는 스포츠《투우 · 권투 · 사냥 등》.
blóod·stàin *n*. Ⓒ 핏자국; 혈흔(血痕).
blóod·stàined *a*. 핏자국이 있는, 피투성이의; 살인죄〔범〕의; 학살의.
blóod·stòck *n*. Ⓤ 〘집합적〙 순종의 경주마.
blóod·stòne *n*. Ⓤ (낱개는 Ⓒ) 〖광물〗 혈석(血石), 혈옥수(血玉髓)《3월의 탄생석》.
blóod·strèam *n*. Ⓤ (보통 the ~, one's ~) (인체의) 혈류(량).
blóod·sùcker *n*. Ⓒ 흡혈 동물《거머리 따위》; 흡혈귀, 탐욕이 많은 사람; 고리대금업자.
㊐ **-sùcking** *a*., *n*.
blóod sùgar 〖생화학〗 혈당(血糖).
blóod tèst 혈액 검사.
blóod·thìrsty *a*. 피에 굶주린, 살벌한, 잔인〔흉악〕한; (영화 따위가) 살상 장면이 많은; (구경꾼 등이) 유혈 장면을 좋아하는.
㊐ **-thìrstily** *ad*. **-thìrstiness** *n*.
blóod transfùsion 수혈(법).
blóod tỳpe 혈액형(blood group).
blóod vèssel 혈관.
***bloody** [blʌ́di] *a*. **1 피나는**, 피를 흘리는(bleeding), 유혈의, 피투성이의: a ~ nose 피가 나는 코/a ~ battle 피비린내 나는 싸움. **2** 피의, 피같은, 피에 관한; 피빛(깔)의. **3** 살벌한, 잔인한: a ~ tyrant 잔인한 폭군/~ work 학살. **4** Ⓐ 《英속어》 〘강조〙 어처구니없는, 지독한(damned) 《종종 b—y, b—dy 라고 씀》: a ~ fool 큰 바보/a ~ genius 대단한 천재.
—*ad*. 《英속어》 굉장히, 무척, 지독하게: All is

~ fine. 다들 무척 원기 왕성하다. ***Not ~ likely !*** 《英속어》〔종종, 분노를 나타내어〕 말도 안 되는 소리야, 그걸 누가 해.

— (***blood·ied***) *vt.* 피로 더럽히다〔물들이다〕, 피투성이가 되게 하다.

blóody-mínded [-id] *a.* 살벌한, 잔인한; 《英속어》 심술궂은, 비협력적인, (마음이) 비뚤어진, 꾀까다로운. [파] **~·ly** *ad.* **~·ness** *n.*

blóody shírt (the ~) 《美》 피 묻은 셔츠《복수의 상징》; 적의(敵意)를 부추기는 것: wave the ~ 〖美정치〗 당파적 적개심을 부추기다.

‡**bloom** [bluːm] *n.* **1 a** [C] **꽃**《특히 관상 식물의》. **b** (the ~, its ~, a ~) 〔집합적〕 (특정 식물 · 장소 · 계절의) 꽃: the ~ of (the) tulips in the garden 정원의 튤립 꽃/have a heavy 〔light〕 ~ 꽃이 많이〔적게〕 달리다. [SYN.] ⇨FLOWER. **2** [U] 꽃의 만발, 활짝 핌; 개화기; (the ~) 한창때, 최성기: in full ~ 만발하여/out of ~ 꽃철을〔한창때가〕 지나서/the ~ of manhood 남자의 한창때/come into ~ 꽃피다/a girl in the ~ of youth 한창 아리따운 나이의 처녀. **3** [U] (볼의) 도화색, 홍조, 건강미, 건강한 빛; 신선미, 청순함: The ~ is off her youth. 젊은 그녀에게서 청순함이 사라졌다. **4** [U] 〖식물〗 (과실 · 잎 따위에) 생기는 뿌연 가루, 과분(果粉). **5** [U] 〖광물〗 화(華). **6** [U] (포도주의) 향기, 부케(bouquet). ***take the ~ off*** 《구어》 (…의) 신선미를〔아름다움을〕 없애다.

— *vi., vt.* **1** 꽃이 피(게 하)다, 개화하다. **2** 번영하다, 한창때이다. **3** 〔흔히 진행형〕 (여성이) 혈색〔안색〕이 좋다《***with*** (건강)으로》; 성숙하여 …되다《***into*** …으로》: She's *~ing with* health. 그녀는 건강미가 넘친다/~ *into* a movie star 스타가 되다.

blóom·er[1] *n.* [C] (보통 *pl.*) 여자용 반바지《아랫단에 고무줄을 넣은 운동용》; (보통 *pl.*) 반바지식 여자용 속옷, 블루머; 《美》 골프바지.

blóom·er[2] *n.* [C] 《英속어》 대실패, 실수(blunder).

blóom·er[3] *n.* [C] 〔흔히 수식어를 수반하여〕 **1** 꽃이 피는 식물: an early ~ 일찍 피는 꽃. **2** (능력적 · 육체적으로) 성숙한 사람: She was a late ~. 그녀는 늦되었다.

blóom·ing *a.* **1** 활짝 핀(in bloom); 한창인; 청춘의, 젊디젊은; 번영하는《도시 따위》. **2** [A] 《英속어》 지독한; 〔반어적〕 어처구니없는, 굉장한 《bloody의 대용어》: a ~ fool 큰 바보.

— *ad.* 《英속어》 지독히, 터무니없이. [파] **~·ly** *ad.*

bloop·er [blúːpər] *n.* [C] 《美구어》 **1** (사람 앞에서의) 큰 실수: make 〔pull〕 a ~ 큰 실수를 저지르다. **2** 《야구속어》 역회전의 높은 공; 텍사스 히트.

‡**blos·som** [blɑ́səm/blɔ́s-] *n.* **1** [C] **꽃**《특히 과수의》: apple *~s* 사과꽃/The apricot ~ is fine this year. 금년에는 살구꽃이 아름답다《★ 집합적으로 한 나무의 모든 꽃을 뜻하기도 함》. [SYN.] ⇨FLOWER. **2** [U] 개화, 만발; 개화기; (the ~) (발육 · 발달의) 초기; 전성기: the ~ *of* youth 청춘의 개화기/come into ~ 꽃이 피기 시작하다. ***in ~*** 꽃이 피어. ***in full ~*** 만발하여: The cherry trees were *in full* ~. 벚꽃이 활짝 피어 있었다.

— *vi.* **1** 《~/+[부]》 (나무가) 꽃을 피우다; 피다 (*out; forth*)《★ 보통 blossom은 열매를 맺는 종자식물 · 과수(果樹)에, bloom은 열매를 맺지 않는 식물에 사용된다; 단 《美》에서는 이 두 말을 아무 차별 없이 사용하는 경우가 많다》: The peach trees ~ (*out*) in April. 복숭아나무는 4월에 꽃이 핀다. **2** 《~/+[부]/+[전]+[명]/+*as* [보]》 번영하다, (한창) 번성하게 되다; 발달하여 …되다, (이윽고) …되다(*out*)《***into*** …으로》: He *~ed* (*out*) *into* 〔*~ed out as*〕 a statesman. 그는 마침내 훌륭한 정치가가 되었다. **3** 《~/+[부]》 쾌활해지다, 활기 띠다(*forth; out*). [파] **~y** [-i] *a.* 꽃이 한창인, 꽃으로 뒤덮인.

*__blot__ [blɑt/blɔt] *n.* [C] **1** (잉크 등의) **얼룩**, 더러움. ★ stain은 커피 · 주스 · 피 따위로 인한 얼룩. **2** 흠, 오점; 오명《***on*** (인격 · 명성)의》: a ~ *on* one's record 〔character〕 경력〔인격〕의 오점.

— (**-*tt*-**) *vt.* **1 더럽히다**, 얼룩지게 하다; (명성 따위)에 오점을 남기다. **2** (압지 따위로) 빨아들여 (글씨 따위)를 말리다. **—** *vi.* (잉크 · 종이 따위가) 번지다.

~ *out* 《*vt.*+[부]》 ① (글자 · 문장 따위)를 지우다, 없애다: A whole line has been *~ted out* there. 그 부분은 1행 전부가 지워져 있다. ② (기억 따위)를 의식적으로 잊다, 지워 없애다: She *~ted out* all memory of it. 그녀는 그 기억을 모두 머리에서 지워 버렸다. ③ …을 덮어 가리다〔숨기다〕: A cloud *~ted out* the mountaintop. 구름에 가려 산정이 보이지 않았다. ④ (완전히 도시 따위)를 파괴하다, (적 따위)를 궤멸시키다: The species was *~ted out* by deforestation. 그 종(種)은 산림 벌채로 절멸되었다.

blotch [blɑtʃ/blɔtʃ] *n.* [C] 부스럼; (피부의) 검버섯; (잉크 따위의) 얼룩, 반점: There was an ink ~ on the document. 그 서류에는 크게 잉크 얼룩이 있었다. **—** *vt.* (얼룩으로) 더럽히다.

blotchy [blɑ́tʃi/blɔ́tʃi] *a.* 얼룩〔부스럼〕 투성이의: a ~ complexion 기미가 많이 낀 얼굴 (피부).

blót·ter *n.* [C] **1** 압지. **2** (거래 · 매상 등의) 기록장부; (경찰의) 사건 기록부.

blótting pàper 압지.

blot·to [blɑ́tou/blɔ́t-] *a.* [P] 《속어》 곤드레가 된, 억병으로 취한.

*__blouse__ [blaus, blauz] *n.* [C] **1 블라우스**(《美》 shirtwaist). **2 작업복**, 덧옷(smock). **3** 《美》 군복의 상의《coat 대신으로 입음》.

‡**blow**[1] [blou] (***blew*** [bluː]; ***blown*** [bloun]) *vi.* **1 a** 《~/+[부]/+[보]》 (바람이) **불다**; (바람이 …상태로) 불다; 〔it를 주어로 하여〕 바람이 불다: A cold wind *blew in*. 찬 바람이 들어왔다/*It* is *~ing* hard. 바람이 세게 불고 있다/*It* was *~ing* a gale 〔storm〕. 폭풍이 사납게 불고 있었다. **b** 《~/+[전]+[명]/+[부]/+[보]》 **바람에 날리다**〔움직이다, 흩어지다〕: The papers ~ *away* in 〔on〕 the wind. 서류가 바람에 흩날린다/The door *blew* open 〔shut〕. 문이 바람에 쾅 열렸다〔닫혔다〕. **2 a** 《~/+[전]+[명]》 숨을 내쉬다; 불다《***on, upon*** …을》; 입김을 내뿜다; (송풍기로) 바람을 보내다: *Blow* harder. 좀더 세게 숨을 내쉬세요/~ *on* a trumpet 트럼펫을 불다. **b** (숨을) 헉헉 쉬다, 헐떡이다: ~ short (말이 숨을) 헐떡이다. **c** 휘파람을 불다; (선풍기 따위가) 바람을 내다. **3** 《~/+[전]+[명]》 《美구어》 자랑하다; 허풍떨다: He *blew about* his family. 그는 가족 자랑을 하였다. **4** 《~/+[전]+[명]》 (기적 · 나팔 따위가) **울리다**: The train *blew for* the crossing. 기차는 건널목에서 경적을 울렸다. **5** 《~/+[부]》 폭발하다(*up*); 〖전기〗 (퓨즈 · 진공관 · 필라멘트 등이) 끊어지다 (*out*); (타이어가) 펑크 나다(*out*): The fuse has *blown* (*out*). 퓨즈가 끊어졌다. **6** (고래가) 물을 내뿜다: There she *~s!* (선상에서) 고래다.

7 《속어》 (갑자기〔몰래〕) 가 버리다, 뺑소니치다: *Blow!* 나가, 나가 줘요.

—*vt.* **1 a** 《~+목/+목+전+명/+목+보/+목+부/+목+목》 …을 불다, 불어대다, 불어 보내다: The wind *blew* her long hair. 바람이 그녀의 긴 머리카락을 날렸다/Don't ~ your breath *on* my face. 내 얼굴에 입김을 내뿜지 마라/She let the breeze ~ her hair dry. 그녀는 머리를 미풍으로 말렸다/The wind *blew* my hat *off*. 바람에 모자가 날아갔다/She *blew* her friend a kiss. =She *blew* a kiss *to* her friend. 그녀는 친구에게 (손시늉으로) 키스를 보냈다./It is an ill wind that ~*s* nobody (any) good. 《속담》 갑의 손(損)은 을의 득(得). **b** 《~+목/+목+부/+목+전+명/+목+보》 …에 숨〔바람〕을 불어넣다; (불)을 불어 피우다(*up*); (풀무로) 바람을 일으키다; (먼지 따위)를 불어서 날리다(*off*); (비눗방울·유리기구 따위)를 불어서 만들다; (타이어 따위)를 부풀리다(*up*): He *blew up* the fire. 그는 불을 불어서 피웠다/ He *blew* the dust *off*. 그는 먼지를 불어 날렸다/He *blew* the dust *off* the table. 그는 테이블의 먼지를 불어 날렸다/He *belw* his pipe clear. 그는 파이프를 불어서 깨끗하게 했다/~ a glass (불어서) 유리를 만들다.
2 a (나팔 따위)를 **불다**, 취주하다: ~ a whistle (심판이) 호각을 불다/~ a horn 〔trumpet〕 뿔피리를〔트럼펫을〕 불다. **b** …의 속을 불어서 빼다, (코)를 풀다: ~ one's nose 코를 풀다/~ an egg 달걀 속을 불어 빼다.
3 《~+목/+목+부》 **폭파하다** (*up; out*), 폭발로 날려 버리다(*off*); (타이어)를 펑크내다; (퓨즈)를 끊어지게 하다(*out*): The railroad tracks were *blown up* with dynamite. 선로는 다이나마이트로 파괴됐다/The overload *blew* (*out*) the fuse. 과부하로 퓨즈가 끊어졌다.
4 《~+목/+목+전+명》 《구어》 (돈)을 낭비하다 《**on** …에》; 한턱 내다《**to** (아무)에게》: I *blew* $100 last night. 어젯밤에 100달러를 썼다/~ a person *to* lunch 아무에게 점심을 한턱 내다.
5 (*pp*.는 ***blówed***) 〘명령법·수동태로〙 《속어》 저주하다(damn): I'm ~*ed* if I know. 내가 알 게 뭐야.
6 《美구어》 (좋은 기회 등)을 놓치다, 헛되게 하다: ~ one's last chance 마지막 기회를 놓치다.
7 《비어》 (남성에게) 구강 성교하다.
~ ***away*** 《*vt*.+부》 《美속어》 사살하다; (상대)를 패배시키다, 압도하다(stun): ~ a person *away* 아무를 압도하다, 감동시키다. ~ ***hot and cold*** (추어올렸다 헐뜯었다 하며) 태도를 늘 바꾸다, 변덕스럽다《**about** …에 대하여》. ~ ***in*** 《*vi*.+부》 《구어》 (사람이) 느닷없이〔불쑥〕 나타나다〔찾아오다〕: Jack *blew in*. 잭이 느닷없이 나타났다. ~ ***into*** 《구어》 …에 불쑥 나타나다: He *blew into* town. 그가 느닷없이 마을에 나타났다. ~ ***off*** 《*vt*.+부》 ① (모자 따위)를 바람에 날려 보내다(⇨*vt*. 1 a); (먼지 따위)를 불어 날려 버리다〔깨끗이 하다〕(⇨*vt*. 1 b). —《*vi*.+부》 ② 《구어》 허풍 떨다; 《英속어》 방귀뀌다. ③ 바람에 움직이다〔날리다, 흩어지다〕. ④ (유전의 기름이) 솟구치다. ~ ***off steam*** 울분을 풀다. ~ ***out*** 《*vt*.+부》 ① (불 따위)를 불어 끄다: The candle was *blown out* by a gust wind. 촛불이 갑작스레 부는 바람에 꺼졌다/He *blew out* the lamp 〔match〕. 그는 램프〔성냥〕불을 불어 껐다. ② 〘~ itself out〙 (폭풍이) 자다: The wind has *blown itself out*. 바람이 (불다가 겨우) 잤다. ③ 폭파하다(⇨*vt*. 3). ④ (타이어)를 펑크내다(⇨*vt*. 3). —《*vi*.+부》 ⑤ (등불이) 꺼지다; (타이어가) 펑크나다; (퓨즈가) 끊어지다(⇨*vi*. 5). ⑥ 폭파하다. ~ ***over*** 《*vt*.+부》 ① 불어 쓰러뜨리다. —《*vi*.+부》 ② (폭풍 따위가) 지나가다, 멎다, 잠잠해지다; (위기·불행·낭설 따위가) 무사히 지나가다〔넘어가다〕. ~ one***'s own trumpet*** 〔***horn***〕 ⇨ TRUMPET. ~ one***'s top*** 〔***stack***〕 《속어》 불같이 노하다; 《구어》 미치다; 《美속어》 자살하다; 《美속어》 멋대로 지껄이다. ~ ***the whistle on…*** ⇨ WHISTLE. ~ ***town*** 《美속어》 갑자기 동네를 떠나다. ~ ***up*** 《*vt*.+부》 ① (공기를 불어넣어) 부풀리다: ~ *up* a tire. ② …을 폭파하다(⇨*vt*. 3). ③ (소문 등)을 과장해 말하다. ④ (사진·지도)를 확대하다. ⑤ 《英구어》 (아무)를 야단치다. —《*vi*.+부》 ⑥ 폭발〔파열〕하다, 돌발하다; (폭풍이) 더욱 세게 불다, 심해지다: A storm suddenly *blew up*. 폭풍이 갑자기 몰아쳤다. ⑦ 공기가 꽉 들어가다; 부풀어오르다. ⑧ 나타나다, 눈에 띄다. ⑨ 《구어》 뺑성을 내다《**at, over** …에》.

—*n*. **1** Ⓒ **한 번 불기**, (숨의) 내쉼. **2** (a ~) 일진(一陣)의 광풍〔바람〕; 강풍, 폭풍. **3** Ⓒ 코를 풀기. **4** (a ~) 《구어》 휴식, 바람 쐬기, 옥외 산책: get a ~ 바람을 쐬다/go for a ~ 바람 쐬러〔산책을〕 나가다.

blow**[2] *n*. Ⓒ **1 강타**(hit), 구타; 급습: strike a ~ 일격을 가하다/deal a ~ between the eyes 미간에 일격을 가하다/The first ~ is half the battle. 《속담》 선수(先手)의 일격은 전투의 절반 《선수 필승》. **2** (정신적) 타격, 불행, 재난(calamity): What a ~! 어쩌면 이런 재난을/Her death was a terrible ~ to him. 그녀의 죽음은 그에게는 엄청난 타격이었다. ***at a 〔***one***〕 ~ 일격에, 일거에. ~ ***below the belt*** 비열한 행위. ***come*** 〔***fall***〕 ***to*** ~***s*** 서로 치기 시작하다; 싸우기 시작하다. ***deal*** 〔***give, strike***〕 ***a*** ~ ***against*** 〔***for***〕 …에 반항〔가세(加勢)〕하다. ***get a*** ~ ***in*** 《구어》 (멋지게) 일격을 가하다.

blow[3] (***blew*** [bluː]; ***blown*** [bloun]) *vi*. 《고어·시어》 꽃이 피다; 개화하다. **—***n*. Ⓤ 개화(開花): in full ~ 만발하여.

blów·bàll *n*. Ⓒ (민들레의) 관모구(冠毛球).

blów-bỳ-blów *a*. 묘사가 자세한, 세세한《권투 실황 방송에서 생긴 말》: a ~ account (of …) (…의) 지극히 상세한 설명.

blów-drỳ *vt*. (머리)를 드라이어로 매만지다〔말리다〕.

blów drỳer 헤어 드라이어.

blów·er *n*. **1** Ⓒ 부는 사람〔물건〕: a glass ~ 유리를 불어 만드는 직공. **2** Ⓒ 송풍기〔장치〕. **3** Ⓒ 《美구어》 허풍선이. **4** (the ~) 《英구어》 전화.

blów·flỳ *n*. Ⓒ 〖곤충〗 금파리(meat fly).

blów·gùn *n*. Ⓒ 불어서 내쏘는 화살(통), 취관(吹管), 바람총; 분무기.

blów·hàrd *n*. Ⓒ 《美구어》 허풍선이; 떠버리. **—***vi*. 자만하다.

blów·hòle *n*. Ⓒ (고래의) 분수 구멍; (고래·바다표범 따위가 숨을 쉬러 오는) 얼음 구멍, (지하실 등의) 통풍 구멍; (주물의) 기포, 공기집; (바닷물이 밀려오는) 바닷가의 바위틈.

blów jòb 《비어》 =FELLATIO, CUNNILINGUS.

blów·làmp *n*. =BLOWTORCH.

‡blown[1] [bloun] BLOW[1,3]의 과거분사.

—*a*. **1** 부푼; 불어〔부풀려〕 만든: ~ glass. **2** 숨이 찬, 기진한. **3** (파리의) 쉬투성이인. **4** 펑크난, 끊어진; 결딴난.

blown² *a.* Ⓐ (꽃이) 만발한, 핀.
blów·òut *n.* Ⓒ 파열, 폭발; 〖전기〗 (퓨즈의) 끊어짐; (타이어의) 펑크(난 곳); (유정(油井) 등의) 분출(에 의한 고갈); 《구어》 성찬, 성대한 파티; 《美속어》 대패(大敗).
blów·pìpe *n.* Ⓒ 불 부는 대롱; (유리 세공용의) 취관(吹管); =BLOWGUN.
blowsy [bláuzi] *a.* 《경멸적》 (여자가) 붉은 얼굴의; 칠칠치 못한 모습을 한.
blów·tòrch *n.* Ⓒ (용접용) 버너, 토치 램프.
blów·ùp *n.* Ⓒ 파열, 폭발(explosion); 《구어》 발끈 화냄, 야단침; 〖시진〗 확대.
blowy [blóui] *a.* 바람이 센(windy); 바람에 날리기 쉬운.
blowzed, blowzy [blauzd], [bláuzi] *a.* = BLOWSY.
bls. bales; barrels. **BLT** bacon, lettuce and tomato sandwich.
blub·ber [blʌ́bər] *n.* **1** Ⓤ 고래의 지방(층); (사람의) 여분의 지방. **2** Ⓤ (또는 a ~) 엉엉 울기, 느껴 울기. **—***vt.*, *vi.* 엉엉〔느껴〕 울다; (얼굴·눈을) 울어서 붓게 하다; 울며 말하다(*out*). ㊞ **~y** [-ri] *a.* 지방질이 많은, 뚱뚱한; (눈이) 울어 부은, (얼굴이) 울어 일그러진.
bludg·eon [blʌ́dʒən] *n.* Ⓒ 곤봉; 공격의 수단. **—***vt.* 곤봉으로 때리다; (아무)를 때려 …되게 하다《*to* …(상태)로》; (남)을 강제로 시키다 《*into* …하게》: ~ a person *to* death 아무를 때려 죽이다 / The boss finally *~ed* him *into* tak*ing* responsibility. 상사는 결국 그에게 강제로 책임을 지게 했다 / ~ a person senseless 아무를 때려 실신시키다.
̊blue** [blu:] *a.* **1** 푸른, 하늘빛의, 남빛의: the ~ sky 푸른 하늘 / the deep ~ sea 짙푸른 바다. **2** (추위·공포 따위로) 새파래진, 창백한: ~ with 〔from〕 cold 추위로 새파래진 / turn ~ with fear 두려움으로 얼굴이 새파래지다. **3** (사람·기분이) 우울한; (형세 따위가) 비관적인: a ~ mood (day) 우울한〔어두운〕 기분(의 날) / Things look ~. 형세가 나쁘다 / I feel 〔I am〕 ~. 우울하다. **4** 푸른 옷을 입은, (타박상으로) 검푸른 멍이 든. **5** 《英》 보수당(Tory)의. **6** (도덕적으로) 엄격한, 딱딱한. **7** 추잡한, 외설적인: a ~ film 포르노 영화. **8** 〖음악〗 (곡이) 블루스조의. **~ *in the face*** 지쳐서; 몹시 노하여. ***till all is* ~** 철저하게, 끝까지: drink *till all is* ~ 취해 곤드라지도록 마시다. ***till* 〔*until*〕** one ***is* ~ *in the face*** 얼굴이 창백해지도록; 어디까지나, 끝까지: I've told you so *till I am ~ in the face*. 귀에 못이 박히도록 말해 두지 않았느냐.
—*n.* **1** Ⓤ (종류는 Ⓒ) **파랑**, **청**(색), 남빛: light ~ 담청색. **2** Ⓤ 파란〔남빛〕 (그림)물감; 푸른 것 《천·옷 따위》; 《美》 (남북 전쟁 때) 북군의 군복〔병사〕; Yale 대학의 교색(校色): wear 〔be in〕 ~ 푸른 옷을 입고 있는 / the ~ and the gray (미국 남북 전쟁의) 북군과 남군. **3** (the ~) 《문어》 창공, 푸른 바다. **4** Ⓒ 《英》 보수당원(a Tory); 《英》 (Oxford, Cambridge 대학 대항 경기의) 출전 선수(의 청장(青章)): win 〔get〕 one's ~ for Oxford 《英》 옥스퍼드 대학의 대표 선수로 뽑히다; (the Blues) 영국의 근위 기병대. **5** (*pl.*) ⇨ BLUES. ***into the* ~** 아득히 멀리. ***out of the* ~** 뜻밖에, 불시에, 청천벽력과 같이: appear *out of the* ~ (갑자기) 나타나다. ⓒⓕ bolt¹.
—(*p.*, *pp.* ***blued; blu*(*e*)*·ing***) *vt.* **1** 푸른빛〔청색〕으로 하다〔물들이다〕. **2** 《속어》 (돈)을 낭비하다. ㊞ **∠·ly** *ad.* **∠·ness** *n.*
blúe bàby (심장 기형에 의한) 청색아(兒).
Blúe·bèard *n.* **1** 푸른 수염의 사나이《6 명의 아내를 차례로 죽인 이야기 속의 잔혹한 남자》. **2** Ⓒ 잔인하고 변태적인 남자〔남편〕.
blúe·bèll *n.* Ⓒ 〖식물〗 푸른 종 모양의 꽃이 피는 풀《초롱꽃 따위》.
blúe·bèrry *n.* Ⓒ 〖식물〗 월귤나무《월귤나무속의 총칭》; 그 열매.
blúe·bìrd *n.* Ⓒ 〖조류〗 블루버드, 《특히》 지빠귓과의 일종《미국산》.
Blúe Bírd (the ~) 파랑새《행복의 상징》.
blúe-bláck *a.* 진한 남빛의.
blúe blòod 귀족(의 혈통), 명문; (the ~) 귀족 계급.
blúe-blóoded [-id] *a.* 귀족의, 명문의.
blúe bòok **1** 《英》 (종종 B- B-) 청서《영국 의회나 정부 발행의 보고서》; 《美》 (푸른 표지의) 정부 간행물. ⓒⓕ white book. **2** 《美구어》 신사록; 《美》 (대학에서 쓰는 청색 표지의) 필기 시험 답안철(綴).
blúe·bòttle *n.* Ⓒ **1** 〖식물〗 수레국화. **2** 〖곤충〗 금파리(= ∠ **flý**).
blúe chèese 블루 치즈《우유제(製)의 푸른 곰팡이 치즈》.
blúe chíp **1** 〖카드놀이〗 (포커의) 블루칩《높은 점수용》. **2** 〖증권〗 우량주(株).
blúe-chíp *a.* 우수한, 일류의; (주식·회사가) 확실하고 우량한.
blúe·còat *n.* Ⓒ 청색 제복을 입은 사람《미국에서는 순경·사병·선원 등; 영국에서는 육·해군》.
blúe-cóllar *a.* Ⓐ (작업복을 입는 직업의) 임금 노동자 계급의〔에 속하는〕, 육체 노동자의. ⓒⓕ white-collar.
blúe-collar wórker 육체 노동자, 공원; 숙련 노동자. ⓒⓕ white-collar worker.
blúe-èyed *a.* 푸른 눈의; 마음에 드는: a ~ boy 《英》 마음에 드는 사람.
blúe·fìsh *n.* Ⓒ 〖어류〗 전갱이류《푸른 빛깔의 물고기류》.
blúe flàg 〖식물〗 붓꽃《북아메리카산》.
blúe·gràss *n.* Ⓤ **1** 〖식물〗 새포아풀속(屬)의 풀《목초용》. **2** 〖음악〗 블루그래스《미국 남부의 컨트리 뮤직의 하나》.
blúe hélmet (유엔의) 국제 휴전 감시 부대원.
Blúe Hòuse (the ~) (한국의) 청와대.
blue·ing [blú:iŋ] *n.* =BLUING.
blue·ish [blú:iʃ] *a.* 푸릇한.
blúe·jàcket *n.* Ⓒ (해병대와 구별하여) 해군 병사.
blúe jày 〖조류〗 어치의 일종《북아메리카산》.
blúe jèans 청바지《jean 또는 denim 제(製)》.
blúe làw 《美》 청교도적 금법(禁法)《주일의 유흥·오락을 금했던 18세기의 엄격한 법》.
blúe móld (빵·치즈에 생기는) 푸른곰팡이.
Blúe Mónday 《美구어》 (또 일이 시작되는) 우울한 월요일.
Blúe Níle (the ~) 청나일《나일 강의 지류》.
blúe·nòse *n.* Ⓒ 《美구어》 청교도적인〔도덕적으로 엄격한〕 사람.
blúe nòte 〖음악〗 블루 노트《블루스에 특징적으로 잘 사용되는 반음 내린 제3〔7〕음》.
blúe-pèncil *vt.* (편집자가) 파란 연필로 수정〔삭제〕하다, 원고를 손질하다; (검열관이 원고)를 검열하다(censor).
Blúe Péter (the ~; 때로 b- p-) 〖항해〗 출범

기(出帆旗)《푸른 바탕의 중앙에 흰 사각형이 있는》.

blúe·prìnt *n.* Ⓒ **1** 청사진. **2** (상세한) 청사진, 계획. **—***vt.* 청사진을 뜨다〔만들다〕.

blúe ríbbon (Garter 훈장의) 청색 리본; 최우수〔최고 영예〕상; (금주 회원의) 청색 리본 기장.

blúe-ríbbon *a.* 최상의; 정선된, 품질 우수한.

blúe-rínse(d) [-(t)] *a.* 《美》 (정갈한 차림으로 사회 활동을 하는) 연로한 여성들의.

blues [bluːz] *n.* Ⓤ **1** (the ~) 《구어》 울적한 기분, 우울: be in the ~ 기분이 울적하다/She has 〔She's got〕 the ~. 그녀는 울적해 있다〔울적하다〕. **2** (또는 a ~) 〖집합적; 단·복수취급〗 블루스《노래·곡·춤》: sing the 〔a〕 ~ 블루스를 (한 곡) 노래하다. **—***a.* 블루스의: a ~ singer 블루스 가수.

blúe-ský *a.* Ⓐ **1** 창공의. **2** 비현실적인, 막연한, 공상적인: a ~ theory 막연한 이론.

blúe-ský làw 《美》 부정 증권 거래 금지법.

blúe·stòcking *n.* Ⓒ 《경멸적》 여류 문학자; 학자연하는 여자. ⓒⓕ highbrow.

blúe tít 〖조류〗 푸른박새《아시아·유럽에 넓게 분포》.

blúe whàle 〖동물〗 흰긴수염고래.

◇**bluff**[1] [blʌf] *a.* **1** 절벽의, 깎아지른 듯한; (앞부분이) 폭이 넓고 경사진. **2** 무뚝뚝한, 솔직한. **—***n.* Ⓒ (강·바다에 면한) 절벽, 단애; (the B–) 높은 주택지. ㊕ **∠·ly** *ad.* **∠·ness** *n.*

bluff[2] *vt.* **1** …에 허세부리다, …을 으르다, (허세부려) 얻다. **2** 협박하여〔속여서〕 …시키다《***into*** …을》; 협박하여〔속여서〕 못하게 하다《***out of*** …을》: They *~ed* him *into* giving up. 그를 협박하여 단념하게 했다/~ a person *out of going* 아무를 협박하여 못 가게 하다. **3** 〖~ one's way 로〗 잘 속여 빠져나가다《***out of*** …에서》: ~ one's *way out of* trouble 잘 속여 곤경을 면하다. **—***vi.* 허세를 부려 아무를 속이다, 엄포 놓다, 남을 으르다.

~ ***it out*** 《구어》 그럴 듯하게 속여서 궁지를 벗어나다.

—*n.* Ⓤ (구체적으로는 Ⓒ) 을러메기, 허세, 으름장: make a ~ 허세를 부려 위협하다. ***call the*** 〔a person***'s***〕 **~** 〖포커〗 (허세를 부려 판돈을 올린 상대와 같은 액수를 걸어) 패를 펴 보이게 하다; (해볼 테면 해보자고) 아무의 허세에 도전하다. ㊕ **∠·er** *n.*

blu·ing [blúːiŋ] *n.* Ⓤ 푸른 색이 도는 표백용 세제(洗劑).

blu·ish, blue- [blúːiʃ] *a.* 푸른 빛을 띤.

***blun·der** [blʌ́ndər] *n.* Ⓒ **큰 실수**, 대(大)실책. SYN. ⇨ERROR. ***commit a* ~** 큰 실수를 저지르다.

—*vi.* **1** 《~/+전+명》 (큰) 실수를〔실책을〕 (범)하다《***in*** …에》: She has *~ed* again. 그녀는 또 실수를 하였다/The child often *~ed in* reading. 그 아이는 종종 잘못 읽었다. **2** 《~/+부/+전+명》 머뭇거리다; (방향을 몰라) 어정거리다, 어물어물하며〔곱드러지며〕 나가다(*about; along*): ~ *along* 터벅터벅 가다/~ *about* 〔*around*〕 in the dark 어둠 속에서 어정버정하다/The drunk *~ed along* 〔*against* me〕. 주정뱅이가 비틀비틀 걸어갔다〔나에게 부딪혔다〕. **3** 《+전+명》 우연히 발견하다《***on, upon*** …을》; 실수로 들어가다《***into, in*** …에》: ~ *into* a wrong room 실수로 엉뚱한 방에 들어가다/The detective *~ed on* the solution to the mystery. 형사는 우연히 사건 해결의 열쇠를 잡았다.

—*vt.* 《+목+부》 **1** (비밀 등)을 무심코 입 밖에 내다(*out*): ~ *out* a secret 얼결에 비밀을 누설하다. **2** 서툰 짓을 하다, 실수하다; 잘못하여 …을 잃다(*away*): ~ *away* one's fortune 잘못하여 재산을 잃다.

blun·der·buss [blʌ́ndərbʌ̀s] *n.* Ⓒ 나팔총《총 부리가 넓은 18 세기경의 총》.

blún·der·er [-rər] *n.* Ⓒ 실수하는 자; 얼간이: You ~ ! 얼빠진 놈〔녀석〕.

blún·der·ing [-riŋ] *a.* 실수하는; 어줍은; 어색한. ㊕ **~·ly** *ad.*

blunt** [blʌnt] *a.* **1** (칼날이) **무딘**, 안 드는. ↔ *sharp, keen.*¶a ~ instrument 둔기(鈍器). **2** 둔감한, 어리석은. **3 무뚝뚝한**, 퉁명스러운, 예모없는; 솔직한: a ~ refusal (to do ...) 쌀쌀맞은 거절. **—vt.* **1** 무디게 하다, 날이 안 들게 하다. **2** 둔감하게 하다. **—***vi.* 무디어지다, 아둔해지다. ㊕ **∠·ly** *ad.* **∠·ness** *n.*

◇**blur** [bləːr] *n.* (a ~) (시력·인쇄 따위의) 흐림, 불선명: The car went so fast that the scenery was just a ~. 차가 너무 빨리 달렸기 때문에 주변의 경치가 어렴풋하게밖에 보이지 않았다.

—(-rr-) *vi.* **1** (눈·시력·시야·경치 따위가) 희미해지다, 부예지다. **2** 더러워지다; 흐려지다: My memory of it has *~red.* 그 일에 대한 내 기억은 희미해졌다. **—***vt.* (눈·시력·시계 따위)를 희미하게〔흐리게〕 하다; 또렷하지 않게 하다; …에 얼룩을 묻히다, 더럽히다《★ 종종 수동태로 쓰며, 전치사는 *by, with*》: Smoke *~red* the landscape. 연기 때문에 경치가 희미했다/Tears *~red* her sight. 눈물로 그녀의 눈이 흐려졌다/The printing *is* somewhat *~red.* 인쇄물이 좀 흐릿하다/The page has *been ~red with* ink in two places. 그 페이지는 두 군데 잉크 얼룩이 져 있다.

blurb [bləːrb] *n.* Ⓒ 《구어》 (책 커버 따위의) 선전 문구, 추천문; 추천 광고; 과대 선전.

blur·ry [bləːri] *a.* 더러워진; 흐릿한, 또렷하지 않은(blurred).

blurt [bləːrt] *vt.* 불쑥 말하다, 무심결에 입 밖에 내다, 누설하다(*out*): In his confusion he *~ed out* the secret. 그는 당황하여 무심코 비밀을 누설했다.

blush** [blʌʃ] *vi.* **1** 《~/+보/+부/+전+명》 **얼굴을 붉히다**, (얼굴이) 빨개지다《at*** …에; ***for, with*** …으로》: ~ scarlet 몹시 얼굴을 붉히다/~ *up* to the roots of one's hair (부끄러워) 귀밑까지 빨개지다/He *~ed* fiery red. 그는 얼굴이 새빨개졌다/ He *~ed for* 〔*with*〕 shame. 그는 부끄러운 나머지 얼굴을 붉혔다/She *~ed at* the thought of it. 그녀는 그것을 생각만 해도 얼굴이 붉어졌다. **2** 《+전+명/+*to* do》 부끄러워하다〔지다〕, 창피하게 여기다《***at, for*** …을》: I *~ed at* my ignorance. 내 자신의 무지를 부끄럽게 생각했다/I ~ *to* admit it. 창피스럽지만 그건 정말입니다

—*n.* Ⓒ 얼굴을 붉힘; Ⓤ 홍조. ***at*** 〔***on***〕 (***the***) ***first* ~** 언뜻 보아. ***spare*** a person***'s* ~*es*** 《구어》 아무에게 수치심을 주지 않도록 하다: *Spare my ~es.* 너무 치켜올리지 마라.

blúsh·ing·ly *ad.* 얼굴을 붉히고, 부끄러운 듯이.

blúsh wìne 블러시 와인《화이트 와인과 유사한 엷은 핑크색 와인; rosé 보다 쌉쌀하고 색이 연함》.

◇**blus·ter** [blʌ́stər] *vi.* **1** (바람·물결이) 거세게 몰아치다; (사람이) 미친 듯이 날뛰다. **2** 고함〔호통〕치다《***at*** …에》; 뽐내다, 허세 부리다: He

~*ed at* her. 그는 그녀에게 호통을 쳤다. **—** *vt.* 고함〔야단〕치다 (*out; forth*); 고함쳐 …시키다 《***into*** …하게》: ~ *out* a threat 고함치며 으름장을 놓다/I ~*ed* him *into* silence. 나는 호통을 쳐 그를 침묵케 했다/~ oneself *into* anger 발끈 화를 내다.

— *n.* Ⓤ (바람이) 사납게 휘몰아침, (파도의) 거센 움직임; 고함, 호통; 시끄러움; 허세.

㊞ **~·er** [-rər] *n.*

blús·ter·ing [-riŋ] *a.* 사납게 불어대는; 시끄러운; 고함치는, 호통치는, 뽐내는. ㊞ **~·ly** *ad.*

blus·ter·ous, -tery [blʌ́stərəs], [-təri] *a.* =BLUSTERING.

blvd. boulevard.

BM 《완곡어》 bowel movement. **B.M.** Bachelor of Medicine; ballistic missile; 〖측량〗 benchmark.

BMP 〖컴퓨터〗 basic multilingual plane (기본 다언어면(多言語面)); 〖컴퓨터〗 파일이 비트맵(bitmap) 방식의 화상 데이터임을 나타내는 파일 이름 확장자. **B.M.V.** Blessed Mary the Virgin.

BMW [bìːèmdʌ́bljuː] *n.* Ⓒ 베엠베《독일 BMW사 제의 자동차〔모터사이클〕》. [《G.》 *Bayerische Motorenwerke* =Bavarian Motor Works]

B.O., BO body odor.

boa [bóuə] *n.* Ⓒ **1** 〖동물〗 보아(구렁이), 왕뱀 (=∠ **constrictor**). **2** 긴 모피〔깃털〕의 여성용 목도리.

°**boar** [bɔːr] (*pl.* **~s,** ~) *n.* **1** Ⓒ (불까지 않은) 수퇘지; Ⓤ 그 고기. cf. hog. **2** Ⓒ 멧돼지(wild ~); Ⓤ 그 고기: ~*'s* head 멧돼지 대가리《경사 때의 요리》.

†**board** [bɔːrd] *n.* **1 a** Ⓒ 널, 판자《엄밀하게 말하면 너비 4.5 인치 이상, 두께 2.5 인치 이하》: a ~ fence 판자 울타리/He slept on the bare ~s. 그는 맨 마룻바닥에서 잤다. cf. plank. **b** Ⓒ 선반 널; (다리미 따위의) 받침; 게시판; 《美》 칠판, 흑판; (체스 따위의) 판; 배전반, (전신·전화의) 교환기; 〖컴퓨터〗 기판, 보드. **c** Ⓒ 다이빙판(diving ~). **d** (*pl.*) 하키링의 판자울, 보드; (농구의) 백보드; (파도타기의) 서프보드; (스케이트보드의) 보드(deck). **e** (the ~s) 무대 (stage).

2 a Ⓒ (재료는 Ⓤ) 판지(板紙), 두꺼운 마분지; 책의 두꺼운 표지. **b** (*pl.*) 《美속어》 카드놀이의 카드; (극장의) 입장권.

3 Ⓒ 식탁; Ⓤ 식사, 식사대(代): ~ and lodging 식사를 제공하는 하숙/full ~ 세 끼를 제공하는 하숙/⇨ROOM AND BOARD.

4 Ⓒ **a** 회의용 탁자; 회의; **b** (종종 the B-) 〔집합적; 단·복수취급〕 평의원(회), 중역(회), 위원(회): a meeting of the ~ of directors 이사〔중역, 임원〕회/The ~ is 〔are〕 to meet this Friday. 중역회는 금주 금요일에 열린다.

5 Ⓒ (종종 B-) (정부의) 부(部), 원(院), 청(廳), 국(局), 성(省); 《美》 증권 거래소: Big *Board* 뉴욕 증권 거래소/a ~ of health 보건국/a ~ of trade 《美》 상공 회의소/a ~ of education 교육 위원회.

6 Ⓒ 〖항해〗 뱃전; 배 안; (기차 따위의) 차 안.

above ~ 공명정대하게〔한〕. ***across the*** ~ 전면적으로〔인〕, 일률적으로〔인〕: apply a rule *across the* ~ 규칙을 모든 경우에 적용하다/Wages have been raised *across the* ~. 임금은 일률적으로 올랐다. ***go*** 〔***pass***〕 ***by the*** ~ ① 〖항해〗 (돛대 따위가) 부러져 배 밖〔바닷속〕으로 떨어지다. ② (풍습 따위가) 무시되다, 버림받다. ③ (계획 등이) 실패하다. ***on*** ~ ① 배 위〔안〕에, 차 안에, 기내에: go 〔get〕 *on* ~ 승선〔승차〕하다/have ... *on* ~ 실려 있다/take ... *on* ~ 싣다, 태우다/help ... *on* ~ …을 도와서 승선시키다. ② 〘전치사적〙 (배·비행기·기차·버스 등)의 속으로〔에〕; (스텝·일)의 동료〔일원〕으로(서): *On* ~ the ship were several planes. 그 선상에는 몇 대의 비행기가 탑재되어 있었다. ***sweep the*** ~ (태운 돈 따위)를 몽땅 쓸다, 전승(全勝)하다. ***take on*** ~ ① (책임 등)을 지다, 맡다. ② (문제·사상 따위를) 생각하다; 이해하다.

— *vt.* **1** 《~+목/+목+부》 …에 **널을 대다**, 널로 두르다〔막다〕 (*up; over*): a ~*ed* ceiling 널을 친 천장/~ *up* a door 문에 판자를 대다/~ *over* the floor 마루에 판자를 깔다. **2** 《~+목/+목+전+명》 (아무)의 밥시중을 들다, 하숙시키다: ~ a person cheaply 아무를 싸게 하숙시키다/How much will you ~ me *for?* 얼마로 식사를 제공해 주시겠습니까. **3** (탈것에) 올라타다.

— *vi.* 《~/+전+명》 **하숙하다**, 기숙하다; 식사를 하다《***at, with*** …(집)에서》: ~ *at* a hotel 호텔에서 식사하다/She ~*s at* her uncle's 〔*with* her uncle〕. 그녀는 삼촌 댁에서 기숙하고 있다. ~ ***out*** 《*vi.*+부》 ① 외식하다. **—** 《*vt.*+부》 ② (아무)를 외식시키다; (어린이)를 기숙시키다.

°**bóard·er** *n.* Ⓒ (식사를 제공받는) 기숙〔하숙〕인; 기숙생. cf. day boy.

bóard fòot 《美》 목재의 계량 단위《1 피트 평방에 두께 1 인치; 생략: bd. ft》.

bóard gàme 보드 게임《체스처럼 판 위에서 말을 움직여 노는 게임》.

°**bóard·ing** *n.* Ⓤ **1** 널판장 (대기, 막기), 판자울; 〘집합적〙 널. **2** (식사 제공) 하숙(생활·업). **3** 선내 임검. **4** 승선〔차〕, 탑승.

bóarding brìdge (여객기의) 탑승교(橋).

bóarding càrd (여객기) 탑승권; 승선 카드.

bóarding·hòuse *n.* Ⓒ (식사를 제공하는) 하숙집; 기숙사. SYN. ⇨LODGING HOUSE.

bóarding lìst (여객기의) 탑승객 명부; (여객선의) 승선자 명부.

bóarding pàss (여객기의) 탑승권, 보딩 패스.

bóarding ràmp (항공기의) 승강대, 램프(ramp).

bóarding schòol 기숙사제 학교. cf. day school.

bóard·ròom *n.* Ⓒ 중역(회의)실.

bóard·sàiling *n.* Ⓤ 보드세일링《surfing과 sailing을 합친 수상 스포츠》.

bóard·wàlk *n.* Ⓒ 《美》 (해변의) 널을 깐 보도〔산책로〕; (공사장의) 발판, 가설된 통로.

⁑**boast** [boust] *vi.* 《~/+전+명》 **자랑하다**, 떠벌리다《***of, about*** …을》: He ~*s of* being rich. 그는 부자라고 자랑하고 있다/He used to ~ to us *about* his rich uncle. 그는 걸핏하면 우리들에게 돈많은 아저씨를 자랑하곤 했다. **—** *vt.* **1** 《+ *that* 절/+목+(*to be*) 보》 …을 자랑하다, 큰소리치다: He ~*s that* he can swim well. 그는 수영을 잘한다고 큰소리친다/John ~*ed* himself (*to be*) an artist. 존은 자신이 예술가라고 자랑했다. **2** (자랑거리)를 가지다, …을 자랑으로 삼다: The village ~*s* a fine castle. 그 마을엔 (자랑거리가 되는) 훌륭한 성이 있다/The room ~*ed* only a broken chair. 그 방에는 부서진 의자가 한 개 있을 뿐이었다.

— *n.* Ⓒ 자랑(거리); 허풍: It's his ~ that he

has three houses. 집을 세 채 갖고 있다는 것이 그의 자랑거리이다. ***make a ~ of*** …을 자랑하다, …을 떠벌리다.

㊞ **∠·er** *n.* Ⓒ 자랑하는 사람, 허풍선이.

°**boast·ful** [bóustfəl] *a.* 자랑하는, 허풍 떠는, 자화자찬하는《***of, about*** …을》: in ~ term 자랑하는 말투로 / He is ~ *of* (*about*) his house. 그는 자기 집을 자랑한다. ㊞ **~·ly** *ad.* **~·ness** *n.*

†**boat** [bout] *n.* Ⓒ **1 보트**, 작은 배, 단정(短艇), 어선, 범선, 모터보트; (비교적 소형의) 배, 선박, 기선; 〖흔히 합성어로〗 선(船), 정(艇): take a ~ for ... (…행) 배를 타다 / by ~ 배로, 물길로《★ 관사 없이》/ ⇨FERRYBOAT. ★ boat는 보통 지붕이 없는 소형의 배. **2**《美구어》배 모양의 탈것: a flying ~ 비행정. **3** 배 모양의 그릇.

be (all) in the same ~ = ***row*** (***sail***) ***in one*** (***the same***) ***~*** (***with***) 《구어》 똑같은 어려움에 처해 있다, 운명〔위험〕을 같이하다. ***burn*** one's ***~s*** (***behind***) 배수진을 치다, 돌이킬 수 없는 행동을 하다. ***miss the ~*** (***bus***) 《구어》 배〔버스〕를 놓치다; 호기를 놓치다. ***push the ~ out***《英구어》 떠들썩한 파티를 열다; 돈을 (활수하게) 쓰다. ***rock the ~***《구어》 문제〔풍파〕를 일으키다: Don't *rock the* ~. 쓸데없는 분쟁을 일으키지 마라. ***take to the ~s*** (난파선에서) 구명 보트로 옮겨 타다; 《비유적》 갑자기 일을 포기하다.

—*vi.*《~/+전+명》 보트를 젓다〔타다〕, 배로 가다; 뱃놀이하다: go *~ing on* the Thames 템스강으로 뱃놀이를 가다 / ~ *down* (*up*) a river 강을 보트로 내려〔거슬러 올라〕 가다. **—***vt.* 배에 태우다; 배로 나르다.

boat·el [boutél] *n.* Ⓒ 보트 여행자들을 위해 부두나 해안에 위치한 호텔《선착장을 구비하고 있음》. [◀ *boat+hotel*]

bóat·er *n.* Ⓒ 보트 타는 사람; 맥고모자.

bóat hòok 갈고리 장대《보트를 끌어당길 때 쓰임》.

bóat·hòuse *n.* Ⓒ 정고(艇庫), 보트 창고.

bóat·ing *n.* Ⓤ 뱃놀이; 보트 젓기.

bóat·lòad *n.* Ⓒ 배의 적재량, 한 배분의 짐〔승객〕: a ~ *of* corn.

°**bóat·man** [-mən] (*pl.* ***-men*** [-mən]) *n.* Ⓒ 보트 젓는 사람; 사공; 보트 세놓는 사람.

bóat pèople 보트 피플, (작은 배로 고국을 탈출하는) 표류 난민《특히 1970년대 후반의 베트남 난민》.

bóat ràce 보트 레이스, 경조(競漕); (the B-R-)《英》Oxford와 Cambridge 대학 대항 보트 레이스.

boat·swain [bóusən, bóutswèin] *n.* Ⓒ 〖항해〗 (상선의) 갑판장(長).

bóat tràin (기선과 연락하는) 임항(臨港) 열차.

Bob [bɑb/bɔb] *n.* 보브《남자 이름; Robert의 애칭》. (***and***) ***~'s your uncle***《英구어》 만사 오케이.

bob[1] [bɑb/bɔb] (***-bb-***) *vi.* **1** (상하 좌우로) 홱홱〔깐닥깐닥, 까불까불〕 움직이다, (머리·몸을) 갑작스럽게 움직이다, 부동(浮動)하다: The fisherman's float *~bed* on the waves. 낚시꾼의 낚시찌가 물결에 (깐닥깐닥) 움직였다. **2** (머리를 꾸벅 숙여) 인사하다, (여성이 무릎을 구부려) 인사하다《***at, to*** (아무)에게》: ~ *at* (*to*) a person 아무에게 절을 하다.

—*vt.* **1** 홱 움직이다〔당기다〕, …을 갑자기 아래위로 움직이다(*up; down*): The horse *~bed* its head *up* and *down*. 말은 홱홱 머리를 상하로 움직였다. **2** (무릎을 구부려) 절하다: ~ a greeting 머리를 꾸벅하여 인사하다.

~ ***up***《*vi.*+부》 불시에 나타나다; 갑자기 (다시) 떠오르다: That question *~s up* at each meeting. 그 질문은 회합 때마다 제기된다.

—*n.* Ⓒ **1** 갑자기 움직임〔잡아당김〕; 꾸벅하는 인사. **2** 낚시봉, 낚시찌.

bob[2] *n.* Ⓒ **1** (여자·아이들의) 단발(bobbed hair); 고수머리(curl). **2** (말·개 따위의) 자른 꼬리. **—**(***-bb-***) *vt.* **1** (머리)를 짧게 자르다, 단발로 하다: She wears her hair *~bed*. 그녀는 단발을 하고 있다. ★ 현재는 She wears her hair short. 쪽이 일반적. **2** (동물의 꼬리 따위)를 자르다.

bob[3] (*pl.* ~) *n.* Ⓒ《英속어》(옛)실링(shilling)《현재의 5 pence》.

bobbed [bɑbd/bɔbd] *a.* 꼬리를 자른; 단발의〔을 한〕: ~ hair 단발(bob).

bob·bin [bábin/bɔ́b-] *n.* Ⓒ 얼레, 보빈; 〖전기〗 전깃줄 감개; 가는 끈; (문고리) 손잡이.

bóbbin làce 바늘 대신 보빈을 사용하여 짜는 수직(手織) 레이스.

bob·ble [bábəl/bɔ́bəl] *vi., vt.*《美구어》 실수하다; (공을) 놓치다;《英》홱〔깐닥깐닥〕 움직이다.

—*n.* Ⓒ《美구어》 실수, 실책; (깐닥깐닥) 상하로 움직이기; 〖야구〗 (공을) 헛잡음.

Bob·by [bábi/bɔ́bi] *n.* 바비《**1** 남자 이름; Robert의 애칭. **2** 여자 이름; Barbara, Roberta의 애칭》.

bob·by *n.* Ⓒ《英구어》 순경.

bóbby-dàzzler *n.* Ⓒ《英구어》 화려한〔굉장한〕 것; 매력적인 아가씨.

bóbby pìn《美》 머리핀의 일종.

bóbby·sòcks, -sòx *n. pl.*《구어》 소녀용 짧은 양말.

bóbby·sòxer, -sòcker *n.* Ⓒ《보통 경멸적》 사춘기의 소녀, (가수·영화배우에 열을 올리는) 십대 소녀.

bób·càt (*pl.* ***~s,*** ~) *n.* Ⓒ 살쾡이류《북아메리카산》.

bob·o·link [bábəliŋk/bɔ́b-] *n.* Ⓒ 〖조류〗 쌀새류《북아메리카산》.

bób·slèd, -slèigh *n.* Ⓒ 봅슬레이《앞뒤에 두 쌍의 활주부(runner)와 조타 장치를 갖춘 2-4 인승의 경기용 썰매로, 시속이 130km 이상이나 됨》; (옛날의) 두 대의 썰매를 이은 연결 썰매.

—*vi.* 봅슬레이를 타다.

bób·slèdding *n.* Ⓤ 봅슬레이 경기.

bób·tàil *n.* Ⓒ 자른 꼬리; 꼬리 잘린 동물《개·말 따위》. **—***a.* 꼬리 자른; (짧게) 잘라 버린; 불충분한, 불완전한. ㊞ **~ed** *a.* 꼬리를 자른, 자른 꼬리의.

Boc·cac·cio [boukáːtʃiòu/bɔk-] *n.* **Giovanni** ~ 보카치오《이탈리아의 작가; 1313-75》.

bock [bɑk/bɔk] *n.* Ⓤ (낱개는 Ⓒ) 독한 흑맥주 (= ∠ **béer**)《주로 독일산》.

BOD biochemical (biological) oxygen demand (생화학적〔생물학적〕 산소 요구량).

bode[1] [boud] *vt.* …의 전조가 되다, 징조이다; 예감하다《★ 수동태 불가》: The crow's cry *~s* rain. 까마귀가 우는 것은 비가 올 징조이다.

—*vi.* 〖well, ill 따위의 양태부사를 수반하여〗 흉조〔길조〕다, 조짐이 나쁘다〔좋다〕《***for*** …에》: That *~s* well (ill) *for* his future. 그것은 그의 장래에 관한 좋은〔나쁜〕 조짐이다.

bode[2] BIDE의 과거.

°**bod·ice** [bádis/bɔ́d-] *n.* [C] 여성복의 몸통 부분(꽉 끼는); 보디스; 《고어》 코르셋; 동옷.

(-)bod·ied [bádid/bɔ́d-] *a.* **1** 구체화한. **2** 〖합성어〗 몸이 …한: a stout-~ man 몸이 단단한 사람.

bod·i·less [bádilis/bɔ́d-] *a.* 동체가〔몸통이〕 없는; 무형의, 실체 없는.

bod·i·ly** [bádəli/bɔ́d-] *a.* [A] **1 신체의,** 육체상의, 육체적인: ~ pain 신체적 고통. [SYN.] ⇨ PHYSICAL. **2** 유형의, 구체(具體)의. **—*ad. **1** 육체 그대로, 자기 스스로. **2** 통째로, 송두리째, 몽땅: carry a house ~ 집을 통째로 운반하다 / She was carried ~. 그녀는 번쩍 안기어 갔다.

bod·kin [bádkin/bɔ́d-] *n.* [C] 뜨개바늘; 돗바늘; 긴 머리핀; 송곳 바늘.

†**body** [bádi/bɔ́di] *n.* **1** [C] **몸,** 신체, 육체; 시체; (범인 등의) 신병. ↔ *soul, spirit.* ¶ the human ~ 인체 / the whole ~ 전신(全身) / be wounded in the ~ 몸에 상처를 입다 / bury the ~ 시체를 묻다. **2** [C] 《구어》 사람, 《특히》 여성, 섹시한 젊은 여성: a good sort of ~ 호인, 좋은 사람. **3** [C] (손·발·머리를 제외한) 동체; 나무줄기(trunk). **4** [C] (사물의) 주요부; (건물의) 본체; (편지·연설·법문 따위의) 본문, 주문(主文); (악기의) 공명부(共鳴部): the ~ of a church 교회의 본당. **5** [C] (자동차의) 차체; 선체; (비행기의) 동체; (옷의) 몸통 부분, 동옷. **6** [C] 〖집합적; 단·복수취급〗 통일체, 조직체: the student ~ 전학생 / a legislative ~ 입법부, 의회. **7** (a ~) **집단,** 일단, 떼, 무리: a diplomatic ~ 외교단 / a learned ~ 학회 / a large ~ *of* water 널따란 수역(水域)《바다·호수 따위》. **8** (the ~) (단체 따위의) 대부분: the ~ *of* the population 인구의 대부분. **9** [C] 〖수학〗 입체; 〖물리〗 물체; (액체·고체 따위로 말할 때의) …체(體): a regular ~ 정면체 / a solid ~ 고체 / a heavenly ~ 천체. **10** [U] (도기의) 밑바탕. **11** [U] (또는 a ~) (물질의) 밀도, 농도; (음색 따위의) 힘참; (기름의) 점성(粘性): a wine of full ~ (농도가) 진한 포도주.

~ and soul 〖부사적〗 몸과 마음을 다하여, 전적으로, 완전히: own a person ~ *and soul* 아무를 완전히 장악하다 / She gave herself ~ *and soul* to the project. 그녀는 그 사업에 전심전력을 다했다. ***heir of*** one***'s ~*** 직계 상속인. ***in a*** 〔***one***〕 ***~*** 일단이 되어: resign *in a* ~ 총사직하다. ***keep ~ and soul together*** 겨우 살아가다. ***the ~ of Christ*** ① 성찬용 빵. ② 교회.

> [DIAL.] ***Over my dead body!*** 내 눈에 흙이 들어가기 전에는 안 돼《'그럴려면 내 시체를 밟고 넘어가라'는 뜻에서》.

—*vt.* (관념)을 구체화하다, 체현하다. **~ *forth*** …을 마음에 그리다; …을 구체적으로 나타내다; …을 상징〔표상〕하다.

bódy bàg 시체 운반용 부대《고무류(類) 제품》.

bódy blòw 〖권투〗 보디 강타; 통격(痛擊), 큰 타격; 대단한 실망; 패배.

bódy buìlder 보디빌딩을 하는 사람.

bódy·buìlding *n.* [U] 보디빌딩, 육체미 조형.

bódy chèck 〖아이스하키〗 몸통 부딪치기.

bódy córporate 〖법률〗 법인.

bódy còunt (특정 군사 작전에서의) 전사자수; (사건 등의) 사망자수; (일반적으로) 총원, 총인원수.

bódy·guàrd *n.* [C] **1** 경호원, 호위병. **2** 〖집합적; 단·복수취급〗 호위대, 수행원, 보디가드: The Premier's ~ was 〔were〕 waiting there. 수상의 경호대가 그곳에서 기다리고 있었다.

bódy lànguage 보디 랭귀지, 신체 언어《몸짓·표정 따위 의사소통의 수단》.

bódy-lìne (bòwling) 〖크리켓〗 타자에게 부딪칠 정도로 접근시키는 속구.

bódy mìke 보디 마이크《옷깃 따위에 다는 소형 마이크》.

bódy òdor 체취, 암내《생략: B.O.》.

bódy pólitic (the ~) 정치 단체, 통치체; (특히, 한 나라의) 국민; 국가(State).

bódy-pòpping *n.* [U] 보디포핑《로봇 같은 행동을 특징으로 하는 디스코 댄스》.

bódy scànner 〖의학〗 보디 스캐너《전신 단층(斷層) 엑스선 투시 장치》.

bódy sèarch (공항 따위에서의) 몸수색.

bódy-sèarch *vt.* (경찰관 등이) 몸을 수색하다: ~ a suspect for weapons 무기 소지 여부를 조사하기 위해 용의자의 몸을 수색하다.

bódy shòp 《美》 (자동차의) 차체 공장《수리·제작을 함》.

bódy snàtcher 송장 도둑《무덤에서 파내어 해부용으로 파는》.

bódy stòcking 보디 스타킹《스타킹식 속옷》.

bódy·sùit *n.* [C] 몸에 착 붙는 셔츠와 팬티가 붙은 여성용 운동복.

bódy-sùrf *vi.* 서프보드 없이 파도를 타다. [파] **~·er, ~·ing** *n.*

bódy wàrmer 보통 누벼서 만든(quilting) 방한용 조끼의 일종.

bódy·wòrk *n.* [U] 차체 제조〔수리〕 작업.

Boe·ing [bóuiŋ] *n.* 보잉사(社)(Boeing Company)《미국의 민간 항공기 제작 회사》.

Boer [bɔːr, bouər] *n.* [C] 보어 사람《남아프리카의 네덜란드계 백인; 현재는 보통 Afrikaner라고 함》. **—*a.*** [A] 보어 사람의. ***the ~ War*** 보어 전쟁(1899–1902).

boff [baf/bɔf] *n.* [C] 《美속어》 **1** (주먹의) 일격. **2** 폭소(를 자아내는 익살). **3** (연극 따위의) 대성공작, 히트작. **—*vt.*** 《美속어》 주먹으로 때리다; 큰 소리로 웃게 하다.

bof·fin [báfin/bɔ́f-] *n.* [C] 《英구어》 (특히 과학 기술·군사 산업에 종사하는) 연구원, 과학자.

bof·fo [báfou/bɔ́f-] *a.* 《美속어》 아주 인기 있는, 크게 성공〔히트〕한; 호의적인《비평》. **—** (*pl.* **~s, ~es**) *n.* [C] 히트 작(作).

bog [bag, bɔ(ː)g] *n.* **1** [U] (낱개는 [C]) 소택지(沼澤地), 습지; 수렁. **2** [C] (흔히 *pl.*) 《英속어》 옥외 변소. **—(-gg-)** *vi.* 소택지에 가라앉다; 수렁에 빠지다(*down*). **—*vt.*** 〖보통 수동태〗 소택지에 가라앉히다; 수렁에 빠뜨리다(*down*); 《비유적》 꼼짝 못하게 하다: *be* 〔get〕 *~ged down* in details 사소한 일로 꼼짝 못하게 되다.

> [DIAL.] ***Bog off!*** 그냥 내버려둬.

bo·gey [bóugi] *n.* [C] 〖골프〗 보기《(각 구멍의) 기준 타수(par)보다 하나 많은 타수》; 《英》 (범용한 골퍼용의) 기준 타수(par). **—*vt.*** (홀)을 보기로 하다: Arnold Palmer *~ed* the 18th hole. 아놀드 파머는 18번 홀을 보기로 끝냈다.

bo·gey·man [bóugimæ̀n] (*pl.* ***-men*** [-mèn]) *n.* [C] 도깨비《못된 어린이를 잡아간다는》.

bog·gle [bágəl/bɔ́gəl] *vi.* **1** (놀라서) 멈칫〔움찔〕하다, 뒷걸음치다《***at*** …에》: The 〔My〕 mind *~s at* the thought of the patient's pain. 환자의 고통을 생각하면 오싹한다. **2** 망설이다, 난색을

표시하다《**at, about** …에》: He ~*ed at* accept*ing* the offer. 그는 그 제의의 수락을 놓고 망설였다.

bóg·gling *a.* 경이적인, 압도적인.

bog·gy [bági, bɔ́:gi/bɔ́gi] *a.* 늪이 많은, 소택지의.

bo·gie [bóugi] *n.* **1** 바닥이 낮고 튼튼한 화물차〔트럭〕; (트럭의 6개 바퀴 중 4개의) 구동후륜(驅動後輪). **2** 《英》 『철도』 전향 대차(轉向臺車), 보기차(車)(=∠ **càr**)《차축이 자유롭게 움직이는 차량》.

bo·gle [bágəl/bɔ́gəl] *n.* Ⓒ 유령, 도깨비; 《英》 허수아비.

Bo·go·tá [bòugətá:] *n.* Colombia의 수도.

bo·gus [bóugəs] *a.* 위조〔가짜〕의: a ~ company 유령 회사/~ money 가짜 돈.

bo·gy [bóugi] *n.* Ⓒ **1** 악귀, 악령; 무서운 사람〔것〕; =BOGEYMAN. **2** 《군대속어》 국적 불명기(機)〔비행 물체〕, 적기. **3** 《속어》 마른 코딱지.

Bo·he·mia [bouhí:miə] *n.* **1** 보헤미아《체코의 서부 지방; 원래는 왕국; 중심지 Prague》. **2** (종종 b-) 자유 분방한 지역〔사회〕.

°**Bo·he·mi·an** [bouhí:miən] *a.* **1** 보헤미아(인)의; 체코말의. **2** (종종 b-) 방랑의; 자유 분방한, 인습에 얽매이지 않은. **—***n.* **1** Ⓒ 보헤미아 사람; Ⓤ 보헤미아어. **2** Ⓒ (종종 b-) 자유 분방한 사람《특히 예술가》, 방랑인, 집시(Gipsy).
㊞ **~·ism** *n.* Ⓤ 자유 분방한 생활〔기질, 주의〕.

Böhm [bə:m] *n.* **Karl ~** 뵘《오스트리아의 지휘자; 1894–1981》.

⁑**boil**[1] [bɔil] *vi.* **1** 《~/+보》 **끓다**, 비등하다; (…하도록) 끓다: The water is ~*ing*. 물이 끓고 있다/A watched pot never ~*s*. 《속담》 ⇨POT 1./Don't let the kettle ~ dry. 주전자가 바싹 마르도록 끓게 하지 마라. **2** 《~/+전+명》 (피가) 끓어오르다; (사람이) 격분하다, 핏대올리다《**with** …으로》: That makes my blood ~. 그것 때문에 내 피가 거꾸로 솟는 것 같다/I was ~*ing with* rage. 격분하여 가슴이 부글부글 끓어오르는 것 같았다. **3** (바다 따위가) 파도치다, 물결이 일다; (물이) 솟아오르다, 분출하다: The sea ~*ed* in the storm. 바다는 폭풍우로 거칠었다/Water ~*ed* from the spring. 샘에서 물이 샘솟았다. **4** 삶아〔데쳐〕지다, 익다. **—***vt.* **1** (액체)를 **끓이다**, 비등시키다; (용기)의 물을 끓이다: ~ water 물을 끓이다/~ a kettle 주전자의 물을 끓이다. **2** 《~+목/+목+보/+목+목/+목+전+명》 **삶다**, 데치다; 삶아서 주다《**for** (아무)에게》: *Boil* the meat until tender. 고기를 부드러워질 때까지 삶으시오/~ an egg soft 달걀을 반숙으로 하다/She ~*ed* me an egg for breakfast. =She ~*ed* an egg *for* me for breakfast. 그녀는 아침 식사로 내게 계란을 삶아 주었다.

~ away 《*vi.*+부》 ① (물이) 끓어 증발하다 ② (그릇이 빌 때까지) 계속 끓이다 ③ (흥분 등이) 식다〔가라앉다〕. **—**《*vt.*+부》 ④ (액체)를 증발시키다. **~ down** 《*vi.*+부》 ① 졸다. ② 《구어》 요약되다《**to** …으로》: It ~*s down to* this. 요약하면 다음과 같이 된다. **—**《*vt.*+부》 ③ …을 졸이다. ④ 《구어》 요약하다《**to** …으로》: ~ *down* a report *to* a page or two 보고서를 1, 2 페이지로 요약하다. **~ over** 《*vi.*+부》 끓어 넘치다; 노여움을 터뜨리다; (사태가) 폭발하여 …에 이르다《**in, into** (…상태)에》: ~ *over into* armed conflict 격화되어 교전(交戰) 상태에 이르다. **~ up** 《*vi.*+부》 ① 끓다; 끓여서 소독하다 ② 《구어》 (분쟁 등이) 일어나다〔일어나려 하고 있다〕. **—**《*vt.*+부》 ③ (수프 등)을 데우다.

—*n.* **1** (a ~) 끓임, 삶음: give it a ~ 그것을 끓이다〔삶다〕. **2** (the ~) 끓는점: be on 〔off〕 the ~ 끓고〔끓지 않고〕 있다/bring water to the 〔a〕 ~ 물을 끓게 하다/come to the 〔a〕 ~ 끓기 시작하다. ***go off the ~*** 흥분이〔열기가〕 가시다.

boil[2] *n.* Ⓒ 『의학』 부스럼, 종기.

boiled *a.* 끓인, 삶은: a ~ egg 삶은 달걀.

bóiled shírt (앞가슴이 빳빳한) 예장용 흰 와이셔츠.

*__boil·er__ [bɔ́ilər] *n.* Ⓒ **보일러**, 기관; 끓이는 그릇《주전자·냄비·솥 따위》.

bóiler·màker *n.* **1** Ⓒ 보일러 제조인. **2** Ⓤ (낱개는 Ⓒ) 《美》 맥주를 chaser로 마시는 위스키, 맥주를 탄 위스키.

bóiler ròom 보일러실.

bóiler sùit 《英》 (상하가 붙은) 작업복(《美》 overalls).

°**bóil·ing** *a.* Ⓐ **1** 끓는, 비등하는; 뒤끓는 듯한: ~ water 열탕. **2** (바다가 뒤끓 듯이) 거칠고 사나운: the ~ waves 거칠고 사나운 파도. **3** 찌는 듯이 더운: a ~ sun 불덩이같이 뜨거운 태양, 염천(炎天)/~ sand 열사(熱砂). **4** (정열 따위가) 격렬한. **—***ad.* 찌듯이, 맹렬히, 지독하게: ~ hot 지독히 더운.

bóiling pòint **1** 『물리』 끓는점《100℃; 212°F; 생략: b.p.》. ↔ *freezing point*. **2** (the ~) 격노(하는 때); 흥분의 극(極); 중대한 전환기: have a low ~ 쉽사리 화를 잘 내다/reach the ~ 극도의 흥분에 달하다; 중대한 전환기에 달하다.

°**bois·ter·ous** [bɔ́istərəs] *a.* **1** (비·바람·물결 따위가) 몹시 사나운, 거친. **2** 시끄러운, 떠들썩한, 활기찬: a ~ party 북적이는 즐거운 파티. **3** (사람·행위 따위가) 거친, 난폭한. ㊞ **~·ly** *ad.* **~·ness** *n.*

Bol. Bolivia(n).

bo·la(s) [bóulə(s)] (*pl.* **-las(·es)**) *n.* 《Sp.》 Ⓒ 쇠뭉치〔돌멩이〕가 달린 올가미《짐승의 발에 던져 휘감기게 해서 잡음》.

⁑**bold** [bould] *a.* **1 대담한**(daring), 담찬, 담력이 있는《**to** do》: a ~ explorer 〔act〕 대담한 탐험가〔행위〕/It's ~ *of* you *to* do so. =You are ~ *to* do so. 그런 일을 하다니 자네도 대담하군. **2** 불손(不遜)한, 뻔뻔스러운, 철면피한: a ~ retort 뻔뻔스러운 말대꾸/a ~ hussy 낯이 두꺼운 닳고 닳은 여자. **3** (상상력·묘사 따위가) 힘찬, 분방한: a ~ description 힘찬 묘사/~ imagination 분방한 상상력. **4** (윤곽이) 뚜렷한, 두드러진(striking); (선·글씨 따위가) 굵은: in ~ strokes 굵은 글씨로/the ~ outline of a mountain 뚜렷한 산의 윤곽. **5** (벼랑 따위가) 깎아지른, 가파른(steep): a ~ cliff 단애(斷崖). **6** 『인쇄』 =BOLD-FACED 2.

(as) ~ as brass 철면피한. **be** 〔**make**〕 **(so) ~ (as) to** do 감히 …하다: I *make ~ to* give you my opinion. 실례지만 제 의견을 말씀드리겠습니다. ***make ~*** 〔***free***〕 ***with*** (남의 물건을) 멋대로 마구 쓰다. ***put a ~ face on*** ⇨FACE.

> **DIAL.** ***if I may be*** 〔***make***〕 ***so bold*** (이런 말을 해서) 죄송하지만….

bóld·fàce *n.* Ⓤ 『인쇄·컴퓨터』 볼드체. ↔ *lightface*.

bóld-fàced [-t] *a.* **1** 철면피한, 뻔뻔스러운. **2** 『인쇄』 볼드체의.

*__bold·ly__ [bóuldli] *ad.* **1** 대담하게; 뻔뻔스럽게. **2** 뚜렷하게; 굵게.

*__bold·ness__ [bóuldnis] *n.* Ⓤ **1** 대담, 배짱, 무모; 철면피; 호방함; 분방자재(奔放自在)《*to* do》: with ~ 대담하게 / He had the ~ *to* ask for more money. 그는 뻔뻔스럽게도 돈을 더 달라고 했다. **2** 두드러짐, 눈에 띔.

bole [boul] *n.* Ⓒ 나무줄기(trunk).

bo·le·ro [bəléərou] (*pl.* **~s**) *n.* Ⓒ **1** 볼레로《스페인 무용의 일종》; 그 곡. **2** (여성용) 짧은 웃옷의 일종.

bol·i·var [báləvər/bɔ́li-] *n.* Ⓒ 베네수엘라의 화폐 단위《기호 B; =100 centimos》.

Bo·liv·ia [bəlíviə] *n.* 볼리비아《남아메리카 중부의 공화국; 수도 La Paz 및 Sucre》.

Bo·lív·i·an *a.* 볼리비아의. **—***n.* Ⓒ 볼리비아 사람.

boll [boul] *n.* Ⓒ (목화·아마 등의) 둥근 꼬투리.

bol·lard [bálərd/bɔ́l-] *n.* Ⓒ (선창에 있는) 계선주(繫船柱); 《英》 도로 중앙에 있는 안전 지대(traffic island)의 보호주(柱).

bol·lix [báliks/bɔ́l-] *vt.* 《美구어》 엉망으로 하다, 잡치다; 실수하다; 혼란시키다(*up*). **—***n.* Ⓒ 실수, 혼란.

bol·locks [báləks/bɔ́l-] *n.* (*pl.*) 《英비어》 **1** 〖감탄사적〗 어리석은 짓, 허튼소리. **2** 고환, 불알. **—***vt.* …을 엉망으로〔못쓰게〕 만들다(*up*).

bóll wéevil 〖곤충〗 목화다래바구미.

bo·lo·gna [bəlóunjə] *n.* Ⓒ (요리는 Ⓤ) 《美》 볼로냐 소시지(=**Bológna sáusage**)《대형 훈제 소시지》.

bo·lo·ney [bəlóuni] *n.* =BALONEY.

bólo tìe [bóulou-] 《美》 볼로 타이, 끈 넥타이《금속 고리로 조이도록 되어 있는》.

Bol·she·vik [bálʃəvìk, bóul-, bɔ́(:)l-] (*pl.* **~s, -viki** [-vìki:]) *n.* **1** (the Bolsheviki) 볼셰비키《옛 러시아 사회 민주 노동당의 다수파》; Ⓒ 볼셰비키의 일원. **2** Ⓒ 옛 소련의 공산당원. **3** (때로 b-) Ⓒ 《경멸적》 극단적인 과격론자. ⓒⓕ Menshevik. **—***a.* 볼셰비키의; (때로 b-) 과격파의.

◇**Bol·she·vism** [bálʃəvìzəm, bɔ́(:)l-] *n.* Ⓤ 볼셰비키의 정책〔사상〕; (때로 b-) 과격론〔주의〕.

Ból·she·vist *n.* Ⓒ 볼셰비키의 일원.

Bol·shie, -shy [bóulʃi:, bál-, bɔ́(:)l-] *a.* (보통 b-) 《구어》 과격파의, 체제에 반항하는; 《경멸적》 급진적인, 좌익의, 반항적인.

bol·ster [bóulstər] *n.* Ⓒ (베개 밑에 까는 기다란) 덧베개; 덧대는 것, 채우는 것; 떠받침. **—***vt.* **1** (사람)을 기운나게 하다, 기운을 북돋우다(*up*): ~ (*up*) a person's spirits 아무에게 기운을 내게 하다 / It *~ed* my spirits. 나는 그것으로 인해 기운이 났다. **2** (약한 조직·주의 등)을 지지〔후원〕하다, 보강하다, 강화하다(*up*): ~ (*up*) an argument with new evidence 새로운 증거로 논점을 보강하다.

*__bolt__[1] [boult] *n.* Ⓒ **1** 빗장, 자물쇠청, 걸쇠; (총의) 노리쇠. **2** 볼트, 나사〔죔〕못. ⓒⓕ nut. **3** (쇠뇌의) 굵은 화살. **4 a** 전광, 번개: a ~ *of* lightning 번개. **b** (물 따위의) 분출: a ~ *of* water 물의 분출. **5** (a ~) 도주, 뺑소니: make a ~ (for ...) (…쪽으로) 도망치다. **6** (천·도배지 따위의) 한 필〔묶음, 통〕. **7** 《美》 탈퇴, 탈당; 자기 당의 정책〔공천 후보〕 거부.

do a ~ =make a ~ for it 《구어》 내빼다. ***(like) a ~ from*** 〔***out of***〕 ***the blue*** 〔***sky***〕 청천벽력(과 같이). ***shoot*** one's (***last***) ~ (최후의) 큰 살을 쏘다; 최선을 다하다, 전력을 다하다: My ~ is *shot*. =I have *shot* my ~. (화살은 이미 시위를 떠났다) 이제 와서 손을 뗄 수는 없다; 난 최선을 다했다 / A fool's ~ is soon *shot*. 《속담》 어리석은 자는 곧 최후 수단을 쓴다《곧 제 밑천을 드러낸다》.

—*vi.* **1** 《~/+㊀/+㊂+㊁》 내닫다, 뛰다; 달아나다, 도망하다: They *~ed out* with all their money. 그들은 있는 돈을 전부 갖고 도망쳤다 / The rabbit *~ed into* its burrow. 토끼는 획 굴 속으로 도망쳤다. **2** 《美》 탈당〔탈퇴, 탈회〕하다. **3** (음식을) 급히 먹다. **4** (문이) 걸쇠로 잠기다.

—*vt.* **1** 《~+㊂/+㊂+㊀》 (문)을 빗장을 걸어잠그다(*up*); …을 볼트로 죄다(*on*); (사람)을 가두다(*in*); 내쫓다(*out*): ~ the door (*up*) 문을 걸쇠로 잠그다 / ~ *on* a tire 타이어를 볼트로 고정하다. **2** 《+㊂+㊀》 불쑥〔무심코〕 말하다(*out*): ~ *out* a reply (놀라서) 불쑥 대답하다. **3** 《美》 (정당)을 탈퇴하다. **4** 《+㊂+㊀》 (음식물)을 급하게 먹다, (잘 씹지도 않고) 마구 삼키다(*down*).

—*ad.* 똑바로, 직립하여. ~ ***upright*** 똑바로, 곧추서서: stand ~ *upright* (말뚝처럼) 꼿꼿하게 서다.

bolt[2] *vt.* 체질하여 고르다.

bólt·er[1] *n.* Ⓒ 내닫는 말; 탈주자; 《美》 탈당〔탈회〕자, 당론 위반자.

bólt·er[2] *n.* Ⓒ 체(sieve), 체질하는 사람〔기구〕.

bólt-hòle *n.* Ⓒ 안전한 피신 장소, 도피처.

bo·lus [bóuləs] *n.* Ⓒ 둥근 덩어리; 큰 알약《동물용》.

‡**bomb** [bɑm/bɔm] *n.* **1 a** Ⓒ 폭탄; 수류탄: drop a ~ 폭탄을 투하하다 / an atomic 〔a hydrogen〕 ~ 원자〔수소〕 폭탄 / a time ~ 시한 폭탄. **b** (the ~) (최고 병기로서의) 원자〔수소〕 폭탄, 핵무기: the threat of the ~ 핵무기의 위협. **2** Ⓒ 《美속어》 큰 실수, 대실패. **3** Ⓒ (방사성 물질을 넣는) 납 용기. **4** Ⓒ 《美》 (살충제·페인트 따위의) 분무식 용기, 스프레이, 봄베: a bug ~ 스프레이식 살충제. **5** Ⓒ (보통 *sing.*) 《구어》 폭탄적인 것; 돌발 사건; 《美속어》 폭탄 성명〔발언〕: drop a ~ on …에 충격을 주다, 크게 동요시키다. **6** (a ~) 《英구어》 한재산〔밑천〕; 큰돈: make a ~ 한밑천 잡다 / cost a ~ 큰돈이 들다〔소요되다〕.

go down a ~ 《구어》 대성공하다, 큰 인기를 얻다. ***go like a ~*** 《구어》 ① 대성공하다, 크게 히트치다. ② (자동차가) 맹렬한 속력으로 달리다. ***put a ~ under*** a person 《구어》 아무에게 빨리 하도록 재촉하다.

—*vt.* **1** 《~+㊂/+㊂+㊀》 …에 폭탄을 투하하다, 폭격〔폭파〕하다: a *~ed out* building 폭탄으로 대파된 건물. **2** 〖경기〗 (아무)를 완패시키다.

—*vi.* **1** 폭탄을 투하하다. **2** 《~/+㊀》 《美구어》 크게 실패하다, 큰 실책을 범하다(*out*); 급히 나아가다〔움직이다〕.

~ ***up*** 《*vt.*+㊀》 ① (비행기)에 폭탄을 싣다. **—** 《*vi.*+㊀》 ② (비행기가) 폭탄을 탑재하다.

◇**bom·bard** [bɑmbɑ́:rd/bɔm-] *vt.* **1** 포격〔폭격〕하다: The artillery *~ed* the enemy all day. 포병대는 종일토록 적에게 포격을 가했다. **2** 《비유적》 공격하다, 몰아세우다, 퍼붓다《*with* (질문·탄원 등)을》: ~ a person *with* questions 아무에게 질문 공세를 퍼붓다. **3** 〖물리〗 (입자 따위로) 충격을 주다.

bom·bar·dier [bɑ̀mbərdíər/bɔ̀m-] *n.* Ⓒ (폭격기) 폭격수; 《英》 포병 부사관.

◇**bom·bárd·ment** *n.* Ⓤ (구체적으로는 Ⓒ; 보

통 *sing.*) 포격, 폭격; 〖물리〗 충격.

bom·ba·sine [bàmbəzíːn, ⌐-⌐/bɔ́mbəsìːn] *n.* =BOMBAZINE.

bom·bast [bámbæst/bɔ́m-] *n.* Ⓤ 과장된 말, 호언장담.

bom·bas·tic [bambǽstik/bɔm-] *a.* 과대한, 과장된. ⊕ **-ti·cal·ly** [-tikəli] *ad.*

Bom·bay [bambéi/bɔm-] *n.* 봄베이《인도 서부의 주; 그 주도이며 항구 도시》.

bom·ba·zine [bàmbəzíːn, ⌐-⌐/bɔ́mbəzìːn] *n.* Ⓤ 비단·무명·털 따위로 짠 능직(綾織)《주로 여자의 상복지(喪服地)》.

bómb bày (폭격기의) 폭탄 투하실.

bómb dispósal 불발탄 처리〔제거〕.

bómb-dispòsal *a.* Ⓐ 불발탄 처리의: a ~ squad 불발탄 처리반.

bombed [bamd/bɔmd] *a.* 《美속어》 (술·마약에) 취한.

°**bomb·er** [bámər/bɔ́m-] *n.* Ⓒ 폭격기〔수〕; 폭파범.

bómb·pròof *a.* 방탄(防彈)의: a ~ shelter 방공호.

bómb scàre 폭탄 테러 예고(로 인한 공포).

bómb·shèll *n.* Ⓒ **1** 폭탄, 포탄. **2** (보통 *sing.*) 《구어》 놀라게 하는 일〔사람〕, 폭발적 인기(의 사람), 돌발 사건: The news of his resignation was a ~. 그의 은퇴 소식은 그야말로 날벼락이었다/a literary ~ 문단의 총아/a regular ~ 대소동/drop a ~ 폭탄 선언을 하다; 야비한 기습을 가하다/like a ~ 돌발적으로; 기막히게 (잘 되어). **3** 《美속어》 매우 매력적인 미인; 염문으로 유명한 여자〔쇼걸〕. ***explode a*** ~ 《구어》 깜짝 놀라게 하다; 폭탄 선언을 하다.

bómb·sìght *n.* Ⓒ 〖항공〗 폭격 조준기.

bómb·sìte *n.* Ⓒ 피폭(被爆) 구역, 공습 피해 자취.

bo·na fide [bóunə-fáidi, -fàid] 《L.》 진실한, 성의 있는; 진실을〔성의를〕 가지고, 선의로〔의〕 (in good faith): a ~ offer (허위 표시가 아닌) 진정한 제의.

bo·na fi·des [bóunə-fáidiːz] 《L.》 진실, 성의, 선의.

bo·nan·za [bounǽnzə] *n.* Ⓒ **1** (금·은의) 부광대(富鑛帶). **2** 노다지; 대성공, 뜻밖의 행운: strike a ~ 대성공을 거두다. **—*a.*** Ⓐ 대성공의, 대융성의: a ~ crop 〔year〕 대풍작〔년〕.

Bo·na·parte [bóunəpɑ̀ːrt] *n.* **Napoleon** ~ 보나파르트《프랑스 황제; 1769–1821》.

bon·bon [bánbàn/bɔ́nbɔ̀n] *n.* 《F.》 Ⓒ 봉봉《과자》.

bond** [band/bɔnd] *n.* **1** Ⓒ 묶는〔매는〕 것《끈·띠·새끼 따위》. **2** Ⓒ 유대, 맺음, 인연; 결속, 결합력: the ~ of affection 애정의 유대/the ~ between nations 국가간의 유대. **3** (보통 *pl.*) **a** 속박하는 것, 차꼬; 속박, 구속: in ~*s* 속박〔감금〕되어/ break one's ~*s* 속박을 끊어 버리다; 자유의 몸이 되다. **b** 결속, 유대; 약속, 인연: the ~ of friendship 〔marriage〕 우정〔결혼〕의 인연. **4** Ⓒ 계약, 약정, 맹약; 동맹, 연맹: enter into a ~ with …와 계약을 맺다. **5** Ⓒ (채무) 증서, 계약서; 공채 증서, 차용 증서; 채권《보통 장기적인 것》, 사채(社債): ~ issue 사채 발행/call a ~ 공채 상환 통고를 하다/a private ~ 차용 증서/a public 〔government〕 ~ 공채(公債)〔국채〕 /His word is as good as his ~. 그의 약속은 보증수표다. **6** Ⓤ 보증; Ⓒ 보증인(人). **7** Ⓤ 〖법률〗 보증금, 보석금. **8 a** Ⓤ (종류·낱개는 Ⓒ) 접착〔접합〕제, 본드. **b** (a ~) 접착 (상태). **9** Ⓒ 〖건축〗 (벽돌 따위의) 맞추어〔포개어〕 쌓기, 조적(組積) 구조〔공법〕. ***in ~ 보세 창고에 유치되어. ***out of*** ~ 보세 창고에서 출고되어.

—*vt.* **1** 담보〔저당〕잡히다; (차입금)을 채권으로 대체하다: be heavily ~*ed* (물건)이 다액의 담보에 들어 있다. **2** …의 보증금을 적립하(게 하)다, …의 보증인이 되다. **3** (수입품)을 보세 창고에 맡기다. **4** 《~+목/+목+부/+목+전+명》 접착시키다《*to* …에》; 접합하다(*together*); 〖건축〗 잇다, (돌·벽돌 따위)를 쌓아 올리다, 조적하다: ~ brick *to* stone 벽돌을 돌에 접착시키다. **—*vi.*** 《~/+부/+전+명》 이어지다, 접착〔부착, 고착〕하다(*together*)《*to* …에》: These plastics will not ~ *together*. 이 플라스틱은 서로 접합하지 않을 것이다.

°**bond·age** [bándidʒ/bɔ́nd-] *n.* Ⓤ 농노〔노예〕의 신분, 천역(賤役); 노예가 되어 있음, 노예 상태《*to* (정욕 따위)의》; 속박; 굴종: go into ~ 몸을 팔다/He is in ~ *to* passion. 그는 정욕의 노예가 되어 있다.

bónd·ed[1] [-id] *a.* **1** 공채〔채권〕에 의해 보증된; 담보가 붙은. **2** 보세 창고에 유치된, 보세품의: ~ area 보세 구역.

bónd·ed[2] *a.* 특수 접착제로 붙인《섬유 따위》.

bónded wárehouse 〔**stóre**〕 보세 창고.

bónded whískey 《美》 병에 넣은 보세 위스키《최저 4년간 정부 관리 아래 놓아 두었다가 병에 넣은 알코올 함량 50%의 생(生)위스키》.

bónd·hòlder *n.* Ⓒ 사채권 소지자, 공채 증서 소지자.

bónd·màid *n.* Ⓒ (미혼의) 여자 노예〔농노〕.

bónd·man [-mən] (*pl.* ***-men*** [-mən]) *n.* Ⓒ 노예, 농노; 무임금 노동자.

bónd sèrvant 노예, 종, 노복.

bónds·man [-mən] (*pl.* ***-men*** [-mən]) *n.* Ⓒ 노예, 농노; 〖법률〗 보증인, 보석인.

Bónd Strèet 런던의 East End에 있는 고급 상가, 본드가(街).

bónd·wòman (*pl.* ***-wòmen***) *n.* Ⓒ 여자 노예.

⁑**bone** [boun] *n.* **1** Ⓒ (집합적으로는 Ⓤ) 뼈; 뼈 모양의 것《상아·고래의 수염 따위》: Hard words break no ~*s*. 《격언》 아무리 심해도 욕만으로는 다치지 않는다. **2** (*pl.*) 해골, 시체, 유골; 골격; 신체: lay one's ~*s* 매장되다, 죽다/(one's) old ~*s* 늙은 몸/keep one's ~*s* green 젊음을 유지하다/His ~*s* were laid in the churchyard. 그의 유골은 묘지에 묻혀 있다. **3** Ⓤ 골질; Ⓒ 살이 붙은 뼈《수프의 재료》. **4** Ⓒ (보통 *pl.*) (이야기 따위의) 골자, (문학 작품의) 뼈대; 본질, 핵심; (기본적인) 틀; (마음의) 깊은 속, 바탕: the main ~ 골자. **5 a** Ⓤ 골〔상아〕 제품. **b** (*pl.*) 《구어》 주사위. **6** (*pl.*) 〖음악〗 캐스터네츠; 코르셋 따위의 뼈대, 우산 살.

a ~ ***of contention*** 분쟁〔불화〕의 씨〔초점〕. (***as***) ***dry as a*** ~ ⇨DRY. ***bred in the*** ~ 타고난《성질 따위》; 뿌리 깊은. ***close to*** 〔***near***〕 ***the*** ~ 매우 인색한; 곤궁한, 빈곤하여; (이야기 따위가) 외설스러운, 아슬아슬한. ***feel*** (***it***) ***in*** one***'s*** ~***s*** 확신하다; 직감〔예감〕하다《***that***》. ***have a*** ~ ***in*** one***'s leg*** 〔***throat***〕 발〔목구멍〕에 가시가 박혔다《갈〔말할〕 수 없을 때의 변명》. ***have a*** ~ ***to pick with*** a person 아무에게 불만(不滿)〔할 말〕이 있다. ***make no*** ~***s of*** 〔***about, to*** do, do***ing***〕 …에 구애되지〔…을 꺼리지〕 않다, …쯤은 아무렇지도 않

게 여기다, … 을 태연히 하다; …을 솔직히 인정하다, 숨기거나 하지 않다. ***make old ~s*** 오래 살다. ***near the ~*** ① 빈곤〔곤궁〕하여. ② 거리낌없이 말하여; 외설되게, 음란하게. ***No ~s broken !*** 괜찮다, 대단찮아. ***throw a ~ to ...*** (으르대는 파업자들)에게 얼마 안 되는 임금 인상안을 내걸며 달래려고 하다. ***to the ~*** 뼛속까지; 철두철미: chilled 〔frozen〕 *to the* ~ 추위가 뼛속까지 스며/tax *to the* ~ 중세를 과하다/cut (down) *to the* ~ (비용 등을) 최소한도로 줄이다. ***work** one's **fingers to the ~*** ⇨FINGER.

—*vt.* **1** (닭·생선)의 뼈를 발라내다. **2** (우산·코르셋 따위)에 고래수염으로〔뼈로〕 살을 넣다. **3** 《英속어》 훔치다. —*vi.* 《+부/+전+명》 《구어》 맹렬히 공부하다: ~ *up on* a subject 어느 과목을 맹렬히 공부하다.

—*ad.* 《구어》 철저하게, 몹시: I am ~ tired 〔hungry〕. 나는 몹시 피곤하다〔배가 고프다〕.

bóne chína 골회 자기(骨灰磁器), 본차이나.

boned *a.* **1** 뼈를 제거한: a ~ turkey 뼈를 빼낸 칠면조. **2** 〚합성어로〛 뼈가 …한: a strong-~ umbrella 살이 튼튼한 우산/big-~ 뼈대가 굵은. **3** (고래뼈를 넣어) 떠받친《코르셋 따위》.

bóne-drý *a.* (목이) 바싹 마른; (샘이) 물이 마른.

bóne·hèad *n.* Ⓒ 《속어》 바보, 얼간이; = BONER. ㊞ **~·ed** [-id] *a.* 얼간이의, 얼빠진.

bóne·less *a.* 뼈 없는; 무기력한.

bóne mèal (비료·사료용) 골분.

bon·er [bóunər] *n.* Ⓒ 《속어》 대실책, 어처구니없는 실수: pull a ~ 실수를 저지르다.

bóne·sètter *n.* Ⓒ (무면허) 접골의(接骨醫).

bóne·sètting *n.* Ⓤ 접골술.

bóne·shàker *n.* Ⓒ 《구어·우스개》 구식 털털이 자전거《앞바퀴가 크고 고무 타이어가 없는》; 털털이 마차〔자동차〕.

◇**bon·fire** [bánfàiər/bɔ́n-] *n.* Ⓒ (축하·신호의) 큰 화톳불; (한데에서의) 모닥불. ***make a ~ of*** …을 태워 버리다; …을 제거하다.

bon·go (*pl.* **~(e)s**) *n.* Ⓒ (쿠바 음악의) 작은 북.

bon·ho(m)·mie [bànəmíː, ⌐⌐⌐/bɔ́nɔmìː] *n.* 《F.》 Ⓤ 온후, 쾌활.

Bó·nin Íslands [bóunin-] (the ~) (북태평양에 위치한) 오가사와라(小笠原) 제도《1968 년 일본에 반환됨》.

bo·ni·to [bəníːtou] (*pl.* **~(e)s**) *n.* Ⓒ 〚어류〛 줄삼치; 가다랭이: a dried ~ 가다랭이포.

bon jour [*F.* bɔ̃ʒúːr] 《F.》 안녕하십니까(good day).

bonk [baŋk/-ɔ-] *vt., vi.* 탕〔펑, 퍽〕하고 치다 〔두드리다, 때리다, 소리 내다〕; 《속어》 (…와) 성교하다. — *n.* Ⓒ 그런 소리, 일격; 《속어》 성행위.

bon·kers [báŋkərz/bɔ́ŋ-] *a.* Ⓟ 《속어》 머리가 이상한, 정신이 돈; 열중한, 몰두한《***over*** …에》: be stark ~ 완전히 미쳤다/go ~ *over* soccer 축구에 열중하다.

bon mot [bánmóu/bɔ́n-] 《F.》 가구(佳句), 명언, 명문구.

Bonn [ban/bɔn] *n.* 본《독일 통일 전 서독의 수도》.

bon·net** [bánit/bɔ́n-] *n.* Ⓒ **1 보닛**《턱 밑에서 끈을 매는 여자·어린이용의 챙 없는 모자》. **2** 스코틀랜드 모자《남자용의 챙 없는》. **3** (아메리카인디언의) 깃털 머리 장식. **4** 보닛 모양의 덮개《굴뚝의 갓, 기계의 커버 따위》; 《英》 (자동차의) 엔진 덮개(《美》 hood). ***have a bee in** one's **~ ⇨BEE.

—*vt.* …에 모자〔덮개〕를 씌우다.

bon·ny, bon·nie [báni/bɔ́ni] (**-ni·er; -ni·est**) *a.* 《Sc.》 (젊은 처녀 등이) 아름다운, 귀여운, 고운; 건강해 보이는. ㊞ **-ni·ly** *ad.*

bon soir [*F.* bɔ̃swáːr] 《F.》 안녕하십니까(good evening)《작별시에도 씀》.

***bo·nus** [bóunəs] *n.* Ⓒ **1 상여금**, 보너스; 특별수당; 장려금; 보상 물자; 되돌려주는 돈. **2** 《英》 특별〔이익〕 배당금; 할증금. **3** (보통 *sing.*) 예기치 않은 선물; (물건 살 때의) 덤, 경품.

bon vi·vant [*F.* bɔ̃ːviːvɑ̃ː] 《F.》 미식가(美食家), 식도락가(食道樂家).

bon vo·yage [bànvwɑːjáːʒ/bɔ̀n-] 《F.》 여행길 무사하기를, 안녕(good journey).

◇**bony** [bóuni] (**bon·i·er; -i·est**) *a.* 뼈의, 뼈뿐인, 골질(骨質)의, 뼈와 같은; 뼈만 앙상한; 여윈 (=**bón·ey**).

bonze [banz/bɔnz] *n.* Ⓒ (불교의) 중, 승려.

boo [buː] (*pl.* **~s**) *n.* Ⓒ, *int.* 피이!《비난·경멸할 때의》; 으악!《남을 놀라게〔위협〕할 때의 소리》; 우우!《연사·운동 선수 따위를 야유할 때》. ***can** 〔**will**〕 **not say ~ to a goose*** 《구어》 몹시 겁이 많아 할 말도 못하다.

—*vt.* **1** 피이하다; 야유하다: ~ a performer 〔performance〕 배우에게〔연기에 대해〕 피이하고 야유하다. **2** 피이〔우우〕하여 퇴장시키다《***off*** …에서》: The audience *~ed* the singer *off* the stage. 청중은 가수를 야유하여 무대에서 퇴장하게 했다.

boob [buːb] *n.* Ⓒ 《속어》 **1** 얼간이, 얼뜨기. **2** 《구어》 실수, 실패. —*vi.* 《구어》 (큰) 실수를 저지르다.

boo-boo [búːbùː] (*pl.* **~s**) *n.* Ⓒ **1** 《美속어》 실수, 실책: make a ~ (큰) 실수를 하다. **2** 《소아어》 타박상, 가벼운 찰과상.

boobs [buːbz] *n. pl.* 《구어》 (여성의) 유방, 젖통.

bóob tùbe (the ~) 《美속어》 텔레비전 (수상기).

boo·by [búːbi] *n.* Ⓒ 바보, 얼간이; (경기의) 꼴찌《사람·팀》; 〚조류〛 가마우지의 일종.

bóoby hàtch 《美속어》 정신 병원; 교도소.

bóoby prìze 꼴찌상《꼴찌한 사람에게 주는》.

bóoby tràp 〚군사〛 부비 트랩, 위장 폭탄《은폐된 폭발물 장치》; 반쯤 열린 문 위에 물건을 얹었다가 문을 열고 들어오는 사람 머리 위에 떨어지게 하는 장난.

bóoby-tràp (**-pp-**) *vt.* booby trap에 걸리게 하다.

boo·dle [búːdl] *n.* 《속어》 **1** (the ~) 《경멸적》 패거리, 동아리, 무리. **2** Ⓤ 뇌물, (사람을 매수할 때 쓰는) 매수금; (정치상의) 부정 이득(금); 대금(大金); 장물.

boo·ger [búgər] *n.* Ⓒ 《美속어》 코딱지(dried nasal mucus).

boog·ie *n.* =BOOGIE-WOOGIE. —*vi.* 《美속어》 (디스코 음악에 맞추어) 몸을 흔들다; 급히 가다.

boog·ie-woog·ie [bú(ː)giwú(ː)gi] *n.* Ⓤ 〚음악〛 부기우기《템포가 빠른 재즈 피아노곡; 그 춤》.

boo·hoo [bùːhúː] (*pl.* **~s**) *n.* Ⓒ 엉엉 욺〔우는 소리〕. —*vi.* 엉엉 울다.

†**book** [buk] *n.* **1** Ⓒ **책**, 책자, 서적; 저술, 저작: read 〔write〕 a ~ 책을 읽다〔저술하다〕/a ~ of reference 참고서《사전·연감 따위》/a ~ of

hour (한때에) 인기 있는〔(한때의) 인기를 노리는〕 책. **2** (the B–) 성서(the Bible): people of the *Book* 유대인/swear on the *Book* 성서를 두고 맹세하다. **3** Ⓒ 권, 편(篇): *Book* I, 제1권/It consists of twelve ~*s*. 12편으로 되어 있다. ★ book은 내용을, volume은 외형을 나타냄. **4** Ⓒ (연극의) 대본; (오페라의) 가사(libretto). **5** Ⓒ 치부책, 장부; (수표·차표·성냥 따위의 떼어 쓰는) 묶음철(綴); (*pl.*) 회계 장부; 명부: a guest ~ 숙박부/a ~ of account 회계 장부/a ~ of matches (떼어 쓰는) 종이 성냥/a ~ of tickets (철한) 회수권/shut the ~*s* on …의 거래를 중지하다. **6** Ⓒ (경마 따위의) 도박 대장. **7** Ⓒ 지식의 원천; (*pl.*) 학과, 과목. **8** Ⓒ 《英》 전화번호부; 《구어》 잡지: His name is not in the ~. **9** (the ~) 《구어》 규칙, 기준, 규범; (사용) 설명서.

according to the* ~** =by the ~. ***at* one*'s* ~*s 공부하는 중. ***be in* a person*'s good* 〔*bad*〕 ~*s*** 아무의 마음에 들다〔눈 밖에 나다〕. ***bring* 〔*call*〕 a person *to* ~** 아무에게 해명을 요구하다; 책하다《***for*** …에 대해》; 아무를 벌하다《***for, over, about*** …에 대해》. ***by the* ~** ① 규칙에 따라: go *by the* ~ 규칙대로 하다. ② 전거에 의하여; 일정한 형식으로, 정식으로: speak *by the* ~ 전거를 들어 (정확히) 말하다. ***close the* ~*s*** ① 회계 장부를 마감하다, 결산하다. ② (모집)을 마감하다. ***cook the* ~*s*** 《구어》 장부를 분식하다〔속이다〕. ***hit the* 〔one*'s*〕 ~*s*** 《美속어》 열심히 공부하다. ***in my* ~** 내 의견으로는. ***in the* ~(*s*)** 명부에 올라; 《구어》 기록되어, 존재하여: know every trick *in the* ~ 온갖 방법〔수법〕을 다 알고 있다. ***like a* ~** 충분히, 모두, 정확하게; 딱딱하게, 주의 깊게: know *like a* ~ 잘 알고 있다/speak 〔talk〕 *like a* ~ 자세히〔딱딱하게〕 말하다/read a person *like a* ~ 《구어》 아무의 성격을 완전히 간파하다, 아무의 언동에 넘어가지 않다. ***make* (*a*) ~** (노름판에서) 물주가 되다; 돈을 걸다《***on*** …에》; 《美구어》 보증하다《***on*** …을》: You can *make* ~ *on* it that.... …라는 것은 절대 틀림없다. ***one for the* ~*s*** 《美구어》 뜻밖의〔특기할 만한〕 사건〔물건〕. ***suit* a person*'s* ~** 〖종종 부정문〗 아무의 목적에 적합하다. ***take a leaf from* 〔*out of*〕 a person*'s* ~** ⇨LEAF. ***throw the* ~ (*of rules*) *at*** …을 종신형에 처하다; 엄벌에 처하다.

> **DIAL.** ***That's one for the books.*** 별 이상한 일도 다 있구나.
> ***He wrote the book on it.*** 그가 그 분야에 관해서는 일인자다《뭐든지 알고 있다》.

—*vt.* **1** (문서·명부에 이름 따위)를 기입〔기장〕하다. **2** (신청자)에게 표를〔예매권을〕 발행하다. **3** 《~+목/+목+목/+목+전+명》 (방·좌석 따위)를 예약하다〔해 주다〕《***for*** (아무)에게; ***for, to*** …까지》; (예약표)를 사다《***for*** …행》; (화물)을 탁송하다: He ~*ed* a ticket *for* Paris. 그는 파리행 차표를 샀다/~ freight *to* New York 짐을 뉴욕까지 탁송하다/~ oneself (through) *to* New York via Los Angeles 로스앤젤레스 경유 뉴욕까지 (비행기의) 예약을 하다/~ a person a room at a hotel =~ a room *for* a person at a hotel 아무에게 호텔방을 예약해 주다. **4** 《+목+전+명/+목+*to* do》 예정〔계약〕하다《***for*** …하기로》: ~ a person *for* dinner 아무와 식사를 하기로 예정하다/I'm ~*ed to* fly on Friday. 금요일에 비행기로 가게 되어 있다. **5** 《+목+전+명》 《美》 (사람·회사)를 계약에 의해 고용하다; 출연 계약을 하다《***for*** …의》: We've ~*ed* her *for* two weeks (beginning tonight). (오늘밤부터) 2주간 예정으로 그녀와 출연 계약을 맺었다. **6** 《+목+전+명》 경찰 기록에 올리다, 입건하다《***for*** (…의 혐의)로》: He was ~*ed for* armed robbery. 그는 무장강도로 경찰 기록에 올라 있었다. —*vi.* 《+부/+전+명》 (여행자 등이) 예약하다, 표를 사다: Can I ~ *through to* Paris? 파리까지의 전구간 표를 살 수 있습니까.

be* ~*ed up 예매가 매진〔완료〕되다; 선약이 있다; (예약 때문에) 바쁘다: We *are* all 〔fully〕 ~*ed up* for this weekend. 이번 주말까지는 예약이 완료되어 있습니다/I'*m* ~*ed up* for that evening. 나는 그날 밤 선약이 있다. **~ *in*** 《*vt.*+부》 ① (아무를 위해) 예약해 주다《***at*** …에》. —《*vi.*+부》 ② 예약하다《***at*** (호텔 따위)에》. ③ (호텔 등에서) 체크인〔기장〕하다. ④ 《英》 (출근하여 출근부에) 기명하다. **~ *up*** 《*vt.*+부》 (열차·비행기의 좌석이나 호텔 방)을 예약하다.

bóok·a·ble *a.* 《주로 英》 (좌석 따위가) 예약할 수 있는.

bóok·bìnder *n.* Ⓒ **1** 제본업자〔직공〕. **2** (서류의) 바인더.

bóok·bìndery *n.* **1** Ⓤ 제본(술). **2** Ⓒ 제본소.

bóok·bìnding *n.* Ⓤ 제본, 제본술〔업〕.

bóok bìte (흥미있는 부분을 발췌한) 신간 소개.

***book·case** [búkkèis] *n.* Ⓒ **책장,** 책꽂이.

bóok clùb 독서 클럽; 서적 공동 구독회(會).

bóok·ènd *n.* Ⓒ (보통 *pl.*) 북엔드.

book·ie [búki] *n.* Ⓒ 《구어》 마권(馬券) 영업자 (bookmaker).

bóok·ing *n.* Ⓤ (구체적으로는 Ⓒ) 장부 기입; (좌석 따위의) 예약; 출연〔강연〕의 계약; 표의 발매(發賣).

bóoking clèrk 《英》 표 파는 사람; (호텔의) 객실 예약 담당원.

bóoking òffice 《英》 (극장·역의) 매표소 (《美》 ticket office).

book·ish [búkiʃ] *a.* 서적상(上)의; 책을 좋아하는; 독서의, 문학적인; 학구적인; 딱딱한; 학자연하는. ㊕ **~·ly** *ad.* **~·ness** *n.*

bóok jàcket 책 커버(dust jacket)《제목·선전문·그림 등을 인쇄한》.

bóok·kèeper *n.* Ⓒ 부기〔장부〕 계원.

bóok·kèeping *n.* Ⓤ 부기: ~ by single 〔double〕 entry 단식〔복식〕 부기.

bóok lèarning 책으로만 배운 학문.

◇**bóok·let** [-lit] *n.* Ⓒ 소책자, 팸플릿.

bóok·màker *n.* Ⓒ **1** (돈을 벌 목적으로 남발하는) 저작자; 서적 제조업자. **2** 〖경마〗 (사설) 마권(馬券) 영업자.

bóok·màking *n.* Ⓤ **1** (이익 본위의) 저작; 서적 제조. **2** (사설) 마권 영업.

bóok·man [-mən] (*pl.* **-men** [-mən]) *n.* Ⓒ 문인, 학자; 독서가; 《구어》 책 장수, 출판업자.

bóok·màrk(er) *n.* Ⓒ 갈피표, (장)서표; 〖컴퓨터〗 북마크《인터넷을 탐색하다가 마음에 드는 사이트나 자주 사용할 사이트를 만났을 때 그 사이트를 웹 브라우저에 등록해 두는 기능》.

bóok màtch 《美》 종이 성냥.

bóok·mobìle *n.* Ⓒ 《美》 (도서관이 없는 지방의) 이동〔순회〕 도서관 (자동차).

bóok·plàte *n.* Ⓒ 장서표(ex libris).

bóok·ràck *n.* Ⓒ 서안(書案); 책꽂이, 서가.

bóok·rèst *n.* Ⓒ 독서대(臺)(bookstand).

bóok revìewer (신간 서적의) 서평가.

bóok·sèller *n.* [C] 책 장수, 서적상.
bóok·shèlf (*pl.* ***-shelves***) *n.* [C] 서가; 《비유적》 (개인의) 장서.
bóok·shòp *n.* 《英》 =BOOKSTORE.
bóok·stàll *n.* [C] (보통 노점의) 헌책방, (역 등의) 신문 · 잡지 매점(newsstand).
bóok·stànd *n.* [C] 책장; 독서대(臺), 서안(書案); =BOOKSTALL.
**book·store [búkstɔ̀ːr] *n.* [C] 《美》 책방, 서점(《英》 bookshop).
bóok tòken 《英》 서적 구입권.
bóok vàlue 【부기】 (market value에 대해) 장부 가격《생략: b.v.》.
bóok·wòrk *n.* [U] 서적〔교과서〕에 의한 연구《실습 · 실험에 대해》; 서적 인쇄《신문 · 잡지 · 낱장짜리 인쇄와 구별하여》.
bóok·wòrm *n.* [C] 반대좀《책에 붙는 벌레》; 《종종 경멸적》 독서광, '책벌레'.
*__boom__[1] [buːm] *n.* [C] **1** (대포 · 북 · 천둥 · 종 따위의) **울리는 소리**; 우루루〔쾅, 쿵〕하는 소리. **2 벼락 경기**, 붐; (도시 따위의) 급속한 발전; (가격의) 폭등. ↔ *slump*.¶a ~ in land prices 지가(地價)의 폭등 / a war ~ 군수 경기(軍需景氣).
—*a.* [A] 《구어》 급등한, 붐에 의한; 붐을 탄: ~ prices (붐으로) 급등한 가격.
—*vi.* **1** 《~/+[부]》 (천둥 따위가) **울리다**, 우루루〔쾅, 쿵〕하다; 소리 높이〔울리는 것처럼〕 말하다〔소리지르다〕 (*out*): His voice *~ed out* above the rest. 그의 목소리는 다른 사람의 목소리보다 더 크게 울렸다. **2 갑자기 경기가 좋아지다**〔인기가 오르다〕; 급증하다, 급성장하다; 폭등하다: Business is *~ing*. 경기가 갑자기 좋아지고 있다.
—*vt.* **1** 《~+[목]/+[목]+[부]》 울리는〔우렁찬〕 소리로 알리다(*out*), 낭랑하게 외다(*out*): The clock *~ed out* six. 시계가 울려서 6시를 알렸다 / He *~ed out* the poem. 그는 소리높이 시를 낭송했다. **2** 《~+[목]/+[목]+[전]+[명]》 붐을 일으키다, 활기를 띠다; …의 인기를 올리다, 맹렬히 선전하다; (후보자)를 추대하다《***for*** …으로》: That record *~ed* the singer's popularity. 그 레코드로 가수의 인기가 올랐다 / His friends were *~ing* him *for* senator. 친구들은 그를 상원 의원 후보로 추대하고 있었다.
boom[2] *n.* [C] **1** 【항해】 돛의 아래 활대. **2** 【임업】 흘러내리는 재목을 유도하기 위해 강에 쳐놓은 밧줄; (항구 따위에서 목재의 유실을 방지하는) 방재(防材) (구역). **3** 마이크로폰〔텔레비전 카메라〕 따위의 위치 조작용 장치. **4** 【공학】 기중기의 암《물건을 수평 · 수직으로 이동시킴》. ***lower*** 〔***drop***〕 ***the*** ~ 《구어》 호되게 비난하다, 벌하다, 단속하다《***on*** …을》.
bóom bòx 《美구어》 대형 휴대용 카세트.
boom·er·ang [búːməræ̀ŋ] *n.* [C] **1** 부메랑. **2** 긁어 부스럼내는 의논〔공격〕. **—*vi.*** **1** (부메랑처럼 던진 위치로) 되돌아오다. **2** 긁어 부스럼내다《***on*** (당사자)에게》.
bóom·ing *a.* [A] 벼락 경기의, 급등〔급증〕하는; 대인기의; 꽝하는《포성 따위》: a ~ voice / ~ prices 폭등하는 물가 / the Third World's ~ population 제3세계의 폭발적 인구 증가.
bóom·tòwn *n.* [C] 신흥 도시.
boomy [búːmi] *a.* 경제적 붐의; 활황(活況)의; (재생음이) 저음(低音)을 살린.
boon[1] [buːn] *n.* [C] (보통 *sing.*) 은혜, 혜택, 이익: be 〔prove〕 a great ~ to … …에게 큰 은혜가 되다.
boon[2] *a.* 재미 있는, 유쾌한, 친밀한: one's ~ companion 술친구, 친구. ★ 보통 남자에 사용.
boon·docks [búːndɑ̀ks/-dɔ̀ks] *n. pl.* (the ~) 《美구어》 숲, 산림, 정글; 산간 벽지: people out in the ~ 벽촌에 사는 사람들.
boon·dog·gle [búːndɑ̀gəl/-dɔ̀gəl] 《美구어》 *n.* [C] **1** (가죽 · 나뭇가지 따위로 만드는) 간단한 세공품. **2** 가죽으로 싼 장식 끈《보이스카우트가 목둘레에 겖》. **3** 쓸데없는〔무익한〕 일. **—*vi.*** 쓸데없는 일을 하다.
boon·ies [búːniz] *n. pl.* (the ~) 《속어》 오지, 벽지(boondocks).
boor [buər] *n.* [C] **1** 버릇없는〔거친〕 사람. **2** 시골뜨기, 촌놈(rustic).
boor·ish [búəriʃ] *a.* 시골 사람의; 야비한, 촌스러운; 메부수수한. [파] **~·ly** *ad.* **~·ness** *n.*
boost [buːst] *vt.* **1** 《구어》 (뒤 · 밑에서) 밀어올리다(*up*): He *~ed* her (*up*) over the fence. 그는 그녀를 떠받쳐 담장을 넘어가게 했다. **2** 《구어》 격려하다, 밀어 주다; 후원하여 취임시키다《***into*** (지위)에》; 경기를 부양시키다; 선전하다: The firm is *~ing* its new product. 그 회사는 신제품을 열심히〔맹렬하게〕 선전하고 있다 / ~ a person *into* a good job 아무를 후원하여 좋은 자리에 앉히다. **3** (값 · 삯)을 끌어올리다; (생산량)을 증대〔증가〕시키다: ~ prices 물가를 끌어올리다 / ~ car production 자동차를 증산하다. **4** (사기 · 기력)을 높이다: It *~ed* her spirits. 그녀는 그것으로 인해 활력이 생겼다 / It will ~ their morale. 그것으로 그들의 사기가 높아지겠지요. **5** 《구어》 【전기】 (전압)을 올리다, 승압하다.
—*n.* [C] **1** 밀어올림; 로켓 추진. **2** 후원, 지지; 격려; 경기의 부추김, 경기의 활성화. **3** (값 · 임금의) 인상, 등귀; (생산량의) 증가: a tax ~ 증세(增稅) / a ~ in salary 승급.
bóost·er *n.* [C] **1** 원조자, 후원자; 《美구어》 열광적 지지자. **2** 【전기】 승압기; 【라디오 · TV】 증폭기(amplifier). **3** 【우주】 부스터《로켓 따위의 보조 추진 장치》. **4** 【의학】 (약의) 효능 촉진제.
__boot__[1] [buːt] *n.* [C] **1 (보통 *pl.*) 《美》 **장화**, 부츠, 《英》 **목이 긴 구두**([cf.] shoe): combat *~s* 군화 / a pair of *~s* / high *~s* 《英》 장화 / riding *~s* 승마화 / pull on 〔off〕 one's *~s* 장화를 잡아당기면서 신다〔벗다〕. **2** 《英》 (마차 · 자동차의) 짐 넣는 곳〔트렁크〕(《美》 trunk). **3** (마부석의) 보호용 덮개. **4** 《구어》 흥분, 스릴, 자극: I really got a ~ out of ridiculous stories. 그의 엉뚱한 이야기는 아주 스릴이 있었다. **5** 《美구어》 (해군 · 해병대의) 신병. **6** 《구어》 (구둣발로) 차기(kick): get a ~ in one's belly 배를 차이다 / give a person a ~ 아무를 내차다. **7** (the ~) 《속어》 해고: get the ~ 해고당하다 / give a person the ~ 아무를 해고하다.
bet one***'s ~s*** ⇨BET. ***die with*** one***'s ~s on*** = ***die in*** one***'s ~s*** 변사〔급사〕하다. ***get too big for*** one***'s ~s*** ⇨BIG. ***lick*** a person***'s ~s*** 《구어》 …에게 아첨하다. ***put the ~ in*** 《英구어》 (패자에게) 잔혹하게 굴다; 단호한 행동을 취하다. ***The ~ is on the other*** 〔***wrong***〕 ***leg.*** 《구어》 사태는 역전했다. ***wipe*** one***'s ~s on ...*** …을 모욕하다. ***You bet your ~s*** 《구어》 분명히 맞다; 틀림없이 …다: *You bet your ~s* he'll come. 그는 틀림없이 올 것이다.
—*vt.* **1** …에게 장화를 신기다. **2** 《+[목]+[부]》 《구어》 신발로 차다; 차내다(*out*): ~ a person *out* 아무를 밖으로 차내다. **3** 《+[목]+[부]/+[목]+[전]+[명]》

〖보통 수동태〗《속어》 내쫓다, 해고하다(*out*) 《*out of* …에서》: He *was ~ed out of* the firm. 그는 회사에서 쫓겨났다. **4** 〖야구〗 (땅볼)을 놓치다, 펌블하다. **5** 〖컴퓨터〗 시동하다《(운영 체제)를 컴퓨터에 판독시키다; 그 조작으로 가동할 수 있는 상태로 하다》(*up*). ~ ***it*** 걷다, 행진하다.

boot[2] 《고어·시어》 *n.* 〖다음 관용구로〗 ***to*** ~ 그 위에, 덤으로.

bóot·blàck *n.* Ⓒ 《美》 구두닦이(shoeblack) 《사람》.

bóot càmp 《구어》 (미국 해군의) 신병 훈련소.

bóot dìsk 〖컴퓨터〗 시동(始動) 디스크《시동시에 필요한 시스템 파일을 내장한 디스크》.

bóot·ed [-id] *a.* 장화를 신은.

boot·ee, -tie [búːtiː, ⌐⌐] *n.* Ⓒ (보통 *pl.*) 가벼운 여성용 편상화; 소아용 털실 신.

Bo·ö·tes [bouóutiːz] *n.* 〖천문〗 목자자리(the Herdsman)《주성(主星)은 Arcturus》.

Booth [buːθ/buːð] *n.* **William** ~ 부스《구세군을 창설한 영국의 목사; 1829–1912》.

***booth** [buːθ] (*pl.* **~s** [buːðz]) *n.* Ⓒ **1 노점**, 매점. **2 칸 막은 좌석**〔방〕; (어학 연습실의) 부스; 투표용지 기입소(polling ~). **3 공중전화 박스**; 영사실; (레코드의) 시청실.

boo·tie [buːtí] *n.* Ⓒ (보통 *pl.*) (여성·어린이용) 반장화; 털실로 짠 유아 신발.

bóot·jàck *n.* Ⓒ (V자 꼴의) 장화 벗는 기구.

bóot·làce *n.* Ⓒ (보통 *pl.*) 장화끈; 《英》 구두끈.

bóot·lèg *n.* Ⓒ 불법 판매〔제조〕하는 것; 밀매〔밀조, 밀수입〕 술. **—** (**-gg-**) *vt.*, *vi.* (술 따위를) 밀매〔밀조, 밀수입〕하다. **—***a.* 불법의; 밀조〔밀매, 밀수입〕의: ~ whiskey 밀수 위스키 / ~ CD 불법〔해적〕 시디. ㊕ **~·ger** *n.* Ⓒ (특히, 미국의 금주법 시대의) 주류 밀매〔밀조, 밀수〕자.

bóot·lìck *vt.*, *vi.* 《구어》 (아무에게) 알랑거리다, 아첨하다. ㊕ **~·er** *n.*

boots [buːts] *n.* Ⓒ (보통 *pl.*) 《英》 (여관의) 구두닦이《허드렛일도 함》; 《美속어》 구두닦이《사람》.

bóot·stràp *n.* **1** Ⓒ (보통 *pl.*) (편상화의) 손잡이 가죽. **2** Ⓤ 〖컴퓨터〗 띄우기《예비 명령에 의하여 프로그램을 로딩(loading)하는》.

pull one*self* ***up by*** one's (***own***) **~*s*** 〔***bootlaces***〕 자력으로 일을 처리하다.

—*a.* Ⓐ 독력(獨力)〔자력〕의; 자발〔자급, 자동〕의; 〖컴퓨터〗 띄우기식의.

bóotstrap lòader 〖컴퓨터〗 부트스트랩 로더.

bóot trèe (보통 *pl.*) (나무로 만든) 구둣골.

◇**boo·ty** [búːti] *n.* Ⓤ 〖집합적〗 노획물, 전리품; 약탈품; (사업 등의) 이득.

booze [buːz] 《구어》 *vi.* 술을 많이 마시다(*up*). **—***n.* **1** Ⓤ 술, 독한 술: on the ~ 몹시 취하여. **2** Ⓒ 주연, 술잔치.

bóoz·er *n.* Ⓒ 《구어》 술꾼; 《英구어》 술집(pub).

bóoze-ùp *n.* Ⓒ 《英속어》 주연(酒宴); 술마시고 소란피우기.

boozy [búːzi] (**booz·i·er; -i·est**) *a.* 《구어》 몹시〔늘〕 취한, 술꾼의, 많은 술을 마시는.

bop[1] [bɑp/bɔp] *n.* =BEBOP. **—** (**-pp-**) *vi.* 《구어》 비밥(bebop)에 맞추어 춤추다.

bop[2] (**-pp-**) 《美속어》 *vt.* 때리다, 두드리다. **—** *n.* Ⓒ 때리기.

bo-peep [boupíːp] *n.* Ⓤ 《英》 '아웅, 깍꾹' 놀이(《美》 peekaboo)《숨어 있다가 나타나 아이를 놀래주는 장난》: play ~ 아웅〔깍꾹〕놀이를 하다.

bor. borough.

bo·rac·ic [bərǽsik] *a.* 〖화학〗 =BORIC.

bor·age [bə́ːridʒ, bɔ́(ː)-, bɑ́-] *n.* Ⓤ 〖식물〗 지치의 일종《잎은 향미용(香味用)》.

bo·rate [bóureit, bɔ́ː-] *n.* Ⓤ 〖화학〗 붕산염(塩).

bo·rax [bóurəks, bɔ́ː-] *n.* Ⓤ 〖화학〗 붕사.

Bor·deaux [bɔːrdóu] *n.* **1** 보르도《프랑스 남서부의 항구; 포도주 산지의 중심》. **2** Ⓤ 그 지방산의 포도주.

Bordéaux mìxture 〖원예〗 보르도액(液)《살균용》.

bor·del, -del·lo [bɔ́ːrdl], [bɔːrdélou] *n.* Ⓒ 《美》 매춘굴.

***bor·der** [bɔ́ːrdər] *n.* **1** Ⓒ **테두리**, 가장자리.

SYN. **border**는 표면상의 경계선 그 자체를 가리킬 때도 있고, 그에 연한 일대의 지역을 가리킬 때도 있음. **bound**는 beyond the *bounds* of ... 의 관용구가 나타내듯이 안쪽에서 본 경계선을 이름. **boundary**는 the *boundary* between two countries처럼 지질학상에서의 경계선을 이름. **frontier**는 a *frontier* incident 〔fortress〕 '국경 분쟁〔국경의 요새〕' 처럼 정치·군사에 관해 쓰이는 말로 타국과의 국경 지역을 말함.

2 Ⓒ **경계**, 국경(선); 국경 지대: a ~ army 국경 수비대 / along the ~ 국경(지대)에 / over 〔across〕 the ~ 국경(선)을 넘어. **3** (the B-) 잉글랜드와 스코틀랜드의 경계 지방; (the ~) 미국과 캐나다·멕시코와의 국경: south of the ~ 《美》 국경의 남쪽《멕시코》. **4** Ⓒ (흔히 *pl.*) 영토, 영역: within 〔out of〕 ~s 영토내〔외〕에. **5** Ⓒ (여성복·가구·융단 등의) 선(縇)장식, 테를 두른 것; (테두리한) 화단, (화단의) 테두리.

on the **~ *of*** ... …의 가〔경계〕에; …에 접하여; 이제 막 …하려고 하여.

—*vi.* 《+전+명》 **1** 접경하다, 인접하다《***on, upon*** …에》: countries *~ing on* the Pacific 태평양 연안국들. **2** 가깝다, 근사하다《***on, upon*** …에》: The situation *~s on* tragedy. 상황은 실로 비참한 지경이다. **—***vt.* **1** …에 접경하다, …에 접하다: My land ~s his. 나의 땅은〔토지는〕 그의 땅에 인접해 있다. **2** 《+목+전+명》 …에 테를 두르다《***with*** …으로》: ~ a dress *with* lace 드레스에 레이스테를 두르다.

㊕ **~·er** [-rər] *n.* Ⓒ 국경〔변경〕의 주민; 《英》 잉글랜드와 스코틀랜드 접경의 주민.

bórder·lànd *n.* **1** Ⓒ 국경〔경계〕지; 분기점; 분쟁지. **2** (the ~) 《비유적》 어중간한 상태《***between*** …사이의》: the ~ *between* sleeping and waking 비몽사몽간.

bórder·less *a.* 테두리 없는; 국경 없는; 선(縇)장식 없는.

bórder·lìne *n.* **1** Ⓒ (보통 *sing.*) 국경선, 경계선. **2** (the ~) 결정하기 어려운〔애매한〕 상태 《***between*** …사이의》. **—***a.* Ⓐ **1** 국경선상의; 경계의: a ~ town. **2** 결정하기 어려운: a ~ case 이도저도 아닌 사건〔경우〕.

⁑**bore**[1] [bɔːr] *vt.* 《~+목/+목+전+명》 **1** (구멍·터널 따위)를 **뚫다**《***in, into, through*** …에》; …**에 구멍을 내다**: ~ a well 우물을 파다 / ~ a plank 〔wall〕 판자〔벽〕에 구멍을 내다 / ~ a hole *in* 〔*into, through*〕 a board 판자에 구멍을 뚫다 / ~ a tunnel *through* a mountain 산에 터널을 뚫다. **2** 〖~ one's way로〗 밀치고〔뚫고〕 나아가다: ~ one's *way through* a crowd 군중을 헤치고

나아가다.

—vi. 1 《~/+전+명》 구멍을 뚫다《*into, through* …에》; 시굴하다《*for* …을 구하여》: The mole *~d into* the ground. 두더지가 땅에 굴을 팠다/ ~ *for* oil 석유를 시추하다. 2 구멍이 뚫리다: This board *~s* easily. 이 널은 쉽게 구멍이 뚫린다. 3 《+부/+전+명》 밀치고〔꾸준히〕 나아가다: ~ *in* 밀치고 들어가다/A scholar must ~ *into* his subject. 학자는 자기 주제를 파고들어야 한다.

—n. Ⓒ 1 (송곳 따위로 뚫은) 구멍; 시굴공. 2 구멍 뚫는 기구, 천공기. 3 (총의) 구경.

***bore²** vt. 《+목+전+명》 **지루하게**〔따분하게, 싫증나게〕 **하다**《*with* …으로》《★ 종종 수동태로 쓰며, 전치사는 *with*》: He *~s* me *with* his endless tales. 그의 끝없이 긴 얘기에는 진절머리가 난다/be *~d* to death 아주 싫증이 나다, 지루해지다/We were *~d with* watch*ing* TV. 우리는 텔레비전 보는 데 싫증이 났다.

—n. 1 (a ~) 싫증나게 하는 것〔일〕: What a ~! 참 따분하군〔따분한 사람이군〕/That movie was really a ~. 저 영화는 정말 지루했다. 2 Ⓒ 싫증나게 하는 사람.

bore³ n. Ⓒ 고조(高潮), 해일《강 어귀 따위에 밀려오는》.

bore⁴ BEAR¹의 과거.

bo·re·al [bɔ́ːriəl] a. 1 북쪽의; 북풍의. 2 (흔히 B-) 【생태】 한대(寒帶)의, 북방의《동식물》.

Bo·re·as [bɔ́ːriəs] n. 1 【그리스신화】 북풍의 신. 2 Ⓤ 《시어》 북풍, 삭풍.

bored [bɔːrd] a. 지루한.

bore·dom [bɔ́ːrdəm] n. Ⓤ 권태.

bóre·hòle n. Ⓒ (석유·수맥(水脈) 탐사용) 시추공(試錐孔).

bor·er [bɔ́ːrər] n. Ⓒ 구멍을 뚫는 사람〔기구〕, 송곳; 【곤충】 나무좀; 【패류】 좀조개.

bo·ric [bɔ́ːrik] a. 【화학】 붕소의; 붕소를 함유한: ~ ointment 붕산 연고.

bóric àcid 【화학】 붕산.

bor·ing¹ [bɔ́ːriŋ] n. 1 Ⓤ 구멍을 뚫음; 보링; 보링 작업; Ⓒ 뚫린 구멍. 2 (*pl.*) 송곳밥.

bor·ing² a. 지루한, 따분한: a ~ job 〔film〕 지루한 일〔영화〕/The lecture was deadly ~. 그 강의는 몹시 지루했다.

⁑**born** [bɔːrn] BEAR¹ '낳다'의 과거분사. ★by를 수반하지 않는 수동태에만 쓰임. cf. borne.

be* ~** 태어나다《*to* …에게; *of* …에서》: He *was* ~ at 7 in the morning. 그는 아침 7시에 태어났다/She *was* ~ rich. 그녀는 부유하게 태어났다/He *was* ~ *to* be an artist. 그는 천부적인 예술가로 태어났다/A baby boy *was* ~ *to* them. 사내 아이가 그들에게 태어났다/He *was* ~ *of* humble parentage. 그는 가난한 부모의 자식으로 태어났다. ***be* ~ *with a silver* 〔*gold*〕 *spoon in* one's *mouth ⇨SPOON.

> **DIAL.** ***I wasn't born yesterday, you know.*** 내가 한두 살 난 어린앤 줄 알아《네가 생각하는 것처럼 쉽게 속지 않아》.

—a. 1 **타고난**, 선천적인: a ~ poet 타고난 시인. 2 〘합성어〙 …으로 태어난, …태생의: the first-~ 장자/a Chicago-~ artist 시카고 태생의 예술가/a poverty-~ crime 가난에 의한 범죄. (a Parisian) **~ *and bred*** (파리) 토박이, 순수한 (파리인). ***in all* one's ~ *days*** 《구어》 〘의문·부정문에서〙 태어나서 지금까지, 일생 동안(에).

bórn-agàin a. 《美》 (기독교도가 강한 종교적 경험에 의해) 거듭난, 신앙을 새롭게 한; 원기를 회복한, 되살아난.

⁑**borne** [bɔːrn] BEAR¹의 과거분사. ★ '낳다'의 뜻으로는 완료형 및 by를 수반하는 수동일 때만 쓰임. cf. born.

Bor·neo [bɔ́ːrniòu] n. 보르네오 (섬).

bo·ron [bɔ́ːrɑn/-rɔn] n. Ⓤ 【화학】 붕소(硼素)《비금속 원소; 기호 B; 번호 5》.

°**bor·ough** [bə́ːrou/bʌ́rə] n. Ⓒ 1 《美》 자치 읍면《어떤 주의》; (New York 시의) 독립구; (Alaska의) 군《다른 주의 county에 상당》. 2 《英》 (Greater London) 자치구; (예전의) 자치〔특권〕 도시《Royal Charter(칙허장)에 따라 특권을 가진》; 하원 의원 선거구로서의 도시: buy 〔own〕 a ~ 선거구를 매수〔소유〕하다.

⁑**bor·row** [bɔ́(ː)rou, bɑ́r-] vt. 《~+목/+목+전+명》 1 **빌리다**, 차용(借用)하다《*from* …에서》. cf. lend, loan, rent¹. ¶May I ~ it? 그것을 좀 빌려주시겠어요/He *~ed* a large sum *from* the bank. 그는 은행에서 큰돈을 빌렸다.

> **NOTE** 돈·책 따위 이동 가능한 것을 일시적으로 빌리는 것은 borrow, 전화·변소 따위 이동 불가능한 것을 빌리는 것은 use, 집·방·자동차 따위를 빌릴 때는 rent를 씀.

2 《~+목/+목+전+명》 (풍습·사상 따위)를 받아들이다; 【언어】 (말)을 차용하다《*from* …에서》: Rome *~ed* many ideas *from* Greece. 로마는 그리스로부터 많은 사상을 섭취했다/words *~ed from* French 프랑스어에서 차용한 낱말.

—vi. 《~/+전+명》 빌리다, 돈을 빌리다, 차용하다《*from* …에서》: He neither lends nor *~s*. 그는 남에게 빌려주지도 않고 빌리지도 않는다/~ *from* a bank 은행에서 돈을 빌리다.

live on ~ed time (노인·병자 등이) 기적적으로 살아남다.

bór·row·er n. Ⓒ 차용인: Neither a ~ nor a lender be. 빌리는 사람도 빌려주는 사람도 되지 마라《Shakespeare의 *Hamlet*에서》.

bór·row·ing n. 1 Ⓤ 빌림, 차용. 2 Ⓒ 빌린 것; 【언어】 차용어.

bors(c)h(t), bors(c)h [bɔːrʃt], [bɔ́ːrʃ] n. 《Russ.》 Ⓤ 보르시치《빨간 순무가 든 러시아식 수프》.

bor·stal [bɔ́ːrstl] n. Ⓤ (시설은 Ⓒ) (종종 B-) 《英》 소년원, 감화원《현재는 detention centre를 사용》.

bor·zoi [bɔ́ːrzɔi] n. Ⓒ 보르조이《러시아산(産) 사냥개》.

bos·cage, bos·kage [bɑ́skidʒ/bɔ́s-] n. Ⓒ 《문어》 수풀, 숲.

bosh [bɑʃ/bɔʃ] 《구어》 n. Ⓤ 허튼〔시시한〕 소리, 터무니없는 말. —*int.* 허튼소리 마라.

bosky [bɑ́ski/bɔ́ski] a. 《문어》 숲이 우거진; 나무 그늘이 있는〔많은〕(shady).

bo's'n [bóusn] n. 【항해】 =BOATSWAIN.

Bósnia and Her·ze·go·ví·na [-hèrtsəgouvíːnə] 보스니아 헤르체고비나《유고슬라비아 연방 구성국이었으나 1992년 3월에 독립함: 수도 Sarajevo》.

⁑**bos·om** [búzəm, búː-] n. Ⓒ (보통 *sing.*) 1 **가슴**, 흉부: She held her baby to her ~. 그녀는 갓난아기를 가슴에 꼭 껴안았다. SYN. ⇨ BREAST. 2 (의복의) 흉부, 품; 《美》 와이셔츠의 가슴. 3 《英구어》 여성의 유방. 4 **가슴속**(의 생각), 내심; 친애의 정, 애정: speak one's ~ 가슴속을

털어놓다 / keep something in one's ~ 어떤 것〔일〕을 가슴에 간직해 두다. **5** 속, 내부, 중앙; (바다·호수 따위의) 한복판: on the ~ *of* the ocean 대해의 한복판에 / in the ~ *of* one's family 집안 식구끼리만의 오붓한. ***take*** a person ***to*** one***'s*** ~ 아무를 애정을 갖고〔따뜻이〕 맞이하다.

—*a.* Ⓐ 친한, 사랑하는, 소중한: a ~ friend 〔pal〕 친구.

㊀ ~**y** [-i] *a.* ⦅구어⦆ (여자가) 가슴이 풍만한.

Bos·po·rus, -pho·rus [báspərəs/bɔ́s-], [-fərəs] *n.* (the ~) 보스포러스 해협.

‡**boss**[1] [bɔ(ː)s, bɑs] ⦅구어⦆ *n.* Ⓒ **1 두목**, 보스, 우두머리, 사장, 상관, 주임 (따위). **2** ⦅美·경멸적⦆ (정당의) 영수, 거물.

—*vt.* ⦅~+목/+목+부⦆ …의 두목이〔보스가〕 되다; …을 지배〔감독〕하다; 쥐고 흔들다, 부려먹다 (*around; about*): His wife ~*es* him *around*. 그는 아내에게 꼼짝 못한다. **—***vi.* 두목이〔보스가〕 되다; 두목〔보스〕티를 내다. ~ ***it*** ⦅구어⦆ 마음대로 처리하다, 좌지우지하다⦅***over*** …을⦆.

—*a.* ⦅美⦆ **1** Ⓐ 두목의, 보스의, 주임의. **2** ⦅속어⦆ 일류의, 뛰어난: a ~ car 멋진 차.

boss[2] *n.* Ⓒ **1** (장식적인) 돌기물(突起物), 돌기; 대가리가 볼록한 징. **2** 〖건축〗 (둥근 천장 따위의 늑재(肋材) 교차부의) 장식용 조각〔쇠시리〕.

—*vt.* …을 도드라지게 장식하다.

bos·sa no·va [básənóuvə/bɔ́s-] ⦅Port.⦆ 보사노바 음악〔춤〕.

bóss-èyed *a.* ⦅英구어⦆ 애꾸눈의; 사팔뜨기의.

bóss·ism *n.* Ⓤ ⦅美⦆ 보스 제도〔정치〕, 영수의 정당 지배.

bóss-shòt *n.* Ⓒ ⦅英속어⦆ 서투른 겨냥〔계획〕.

bossy[1] [bɔ́(ː)si, bási] *a.* 돋을새김 (장식이) 붙은; 돌기물이 붙은.

bossy[2] *a.* ⦅구어⦆ 두목 행세하는, 으스대는.

***Bos·ton** [bɔ́(ː)stən, bás-] *n.* **보스턴**⦅Massachusetts 주의 주도⦆.

Bos·to·ni·an [bɔ(ː)stóuniən, bas-] *a., n.* 보스턴의. **—***n.* Ⓒ 보스턴 시민〔사람〕.

Bóston Téa Pàrty (the ~) 〖美역사〗 보스턴 차(茶)사건⦅1773 년에 일어난⦆.

bo·sun, bo'·sun [bóusən] *n.* =BOATSWAIN.

Bos·well [bázwel, -wəl/bɔ́z-] *n.* **James** ~ 보즈웰⦅영국의 법률가·작가; 1740–95⦆.

bot, bott [bɑt/bɔt] *n.* **1** Ⓒ 말파리의 유충. **2** (the ~s) 말 피부병의 일종.

bot. botanical; botanist; botany.

°**bo·tan·ic, -i·cal** [bətǽnik], [-əl] *a.* Ⓐ 식물(학)의; 식물성의: the Royal *Botanical* Gardens ⦅英⦆ 왕립 식물원 / a *botanical* drug 식물성 약품. ㊀ **-i·cal·ly** *ad.*

bot·a·nist [bátənist/bɔ́t-] *n.* Ⓒ 식물학자.

bot·a·nize [bátənàiz/bɔ́t-] *vi.* 식물을 채집하다, 식물의 실지 연구를 하다.

°**bót·a·ny** *n.* Ⓤ **1** 식물학. **2** (한 지방의) 식물 (전체); 식물 생태: geographical ~ 식물 분포학.

botch [bɑtʃ/bɔtʃ] *vt.* 어설프게 깁다〔수선하다〕 (*up*); 서투르게 하다〔만들다〕. **—***n.* Ⓒ **1** 서투르게 기운 부분. **2** 서투른 손질; 서투른 일, 실패작: make a ~ of …을 실패하다.

bótch-ùp *n.* ⦅구어⦆ =BOTCH.

bót·flỳ *n.* Ⓒ 〖곤충〗 말파리.

†**both** [bouθ] *a.* **1** 〖긍정문에서〗 **양쪽의**, 쌍방〔양방〕의, **둘 다의**: ~ parents 양친 / ~ ways 왕복 모두 / ~ these toys 이 장난감 두 개 다 / ~ Jack's sisters 잭의 (두) 누이 모두 / not ~ 한쪽만 / on ~ sides of the street 거리의 양쪽에 / *Both* (the) girls smiled. 소녀는 둘 다 미소지었다 / *Both* performances were canceled. 양쪽 공연이 다 취소되었다.

> **NOTE** (1) both 는 정관사·소유형용사·지시형용사에 앞섬.
> (2) both 뒤의 the 는 보통 생략됨.
> (3) both these 〔Jack's〕 ... 의 경우에도 평이한 말로 both *of* these 〔Jack's〕 ... 로 함이 보통임.

2 〖not 과 함께 부분부정을 나타내어〗 **양쪽 다는** …(아니다); 양쪽이 다 …(은 아니다): I do*n't* want ~ tickets. 표 두 장까지는 필요없다⦅한 장만으로 족하다⦆(≠I do*n't* want *either* ticket. = I want *neither* ticket. 표 두 장이 다 필요없다). ***have it*** ~ ***ways*** 두 가지 논법을 쓰다, 양다리 걸치다⦅논쟁 따위에서⦆.

—*pron.* **1** 〖긍정문에서; 복수취급〗 **양쪽**, 양자, 쌍방, **둘 다**〔모두〕: *Both* are good. 양쪽 다 좋다 / I know them ~ 〔~ of them〕. 나는 양쪽 다 알고 있다⦅both 는 them 과 동격⦆ / English and French are ~ widely used. 영어와 프랑스어는 다 널리 쓰이고 있다 / *Both* of us have a desk. 우리 둘은 공동의 책상을 갖고 있다.

> **NOTE** (1) The ~ of us ... 은 ⦅美⦆의 비표준적인 용법임.
> (2) 대명사를 동격으로 써서 We ~ have a desk. 처럼 할 수도 있고 We have ~ a desk. 라고 할 수도 있음. 제각기 각자의 책상을 갖고 있을 때에는 Each of us has a desk. 로 하는 것이 명확함.

2 〖not 과 함께 부분부정을 나타내어〗 **양쪽 다는** …(아니다); 양쪽이 다 …(은 아니다): I do *not* know ~ of them. 그들 두 사람 다를 알고 있지는 않다⦅한 쪽만을 알고 있다⦆ / *Both* of them are *not* coming. 둘이 다 오는 것은 아니다⦅혼자만이 온다⦆(≠ *Neither* of them is coming. 둘이 다 안 온다).

—*ad.* 〖and 와 함께 상관접속사를 이루어〗 …**도 —도, 둘 다, …뿐 아니라 —도**: *Both* Jane *and* Mary play the piano. 제인도 메리도 피아노를 칩니다 / He likes ~ Mary *and* Betty. 그는 메리도 베티도 좋아한다(=⦅美⦆ ... Mary and Batty ~.) / I can ~ cook *and* sew. 요리도 바느질도 할 수 있다 / This bag is ~ good *and* cheap. 이 가방은 물건이 좋고도 싸다 / She is well known ~ in Korea *and* in China. 그녀는 한국에서뿐 아니라 중국에도 잘 알려져 있다⦅both 와 and 뒤의 어구는 문법상 기능이 같은 것이 바람직하나 ~ in Korea and China 라고도 함⦆.

‡**both·er** [báðər/bɔ́ð-] *vt.* **1** ⦅~+목/+목+전+명/+목+*to do*⦆ **괴롭히다**, 귀찮게 하다, 성가시게 하다〔조르다〕⦅★ 종종 수동태로 쓰며, 전치사는 *by, with*⦆: ~ one's parents 부모를 성가시게 하다 / ~ a person *with* questions 아무에게 귀찮게 질문하여 괴롭히다 / Don't ~ yourself *about* it. 그 일로 괴로워하지 마라 / He's ~*ing* me *for* a raise. 그는 임금을 올려달라고 귀찮게 조르고 있다 / He ~*s* me *to* lend him money. 그는 내게 돈을 꾸어 달라고 조른다 / The residents *are* ~*ed by* 〔*with*〕 the noise of the planes. 주민들은 비행기 소음으로 괴로움을 겪고〔당하고〕 있다. **2** …에게 폐를 끼치다: I'm sorry

to ~ you, but would you do me a favor? 폐를 끼치게 되어 죄송합니다만, 한 가지 부탁드릴 게 있습니다 / May I ~ you a moment? I have a question to ask you. 실례지만 잠시 한 가지 물어볼 말이 있습니다. **3** 《英구어》 제기랄《가벼운 짜증의 뜻으로》: *Bother* the flies! 우라질 놈의 파리 같으니.

—*vi*. **1** 《~/+전+명》 **심히 걱정하다**, 근심〔고민〕하다, 염려하다《*about, with* …을》: Don't ~ *about* the expenses. 비용 걱정은 마라 / I've no time to ~ *with* 〔*about*〕 such things. 그런 일로 고민할 틈이 없다. **2** 《+*to* do /+*-ing*》 일부러 …하다, …하도록 애쓰다: Don't ~ *to* fix 〔fix*ing*〕 a lunch for me. 나 때문에 일부러 도시락을 만들 것은 없습니다.

cannot be* ~*ed to do =***not* ~ *to*** do 《구어》 …할 기분이 내키지 않는다, …하고 싶지 않다: I *can't be ~ed to* ring him up. 그에게 전화할 기분이 나지 않는다.

—*n*. **1** Ⓤ 성가심, 귀찮음. **2** (a ~) **a** 귀찮은 일; 소동, 말다툼, 말썽: I find the work a great ~. 이 일은 참 귀찮다 / What is all this ~ *about*? 대체 이 무슨 소동이냐 / have a ~ *with* a person *about* a thing 무슨 일로 아무와 다투다. **b** 골칫덩어리, 귀찮은 사람: What a ~ he is! 참 귀찮은 놈이로군.

> DIAL. ***It's no bother.*** 별일〔어려운 일〕도 아닌데요 뭘: Thank you for your help.—*It's no bother* at all. 도와 줘서 고맙습니다—별일도 아닌데요 뭘.

—*int*. 싫다, 귀찮다.

both·er·a·tion [bɑ̀ðəréiʃən/bɔ̀ð-] 《구어》 *n*. Ⓤ (구체적으로는 Ⓒ) 성가심, 귀찮음.

—*int*. 귀찮다; 성가시다.

both·er·some [báðərsəm/bɔ́ð-] *a*. 귀찮은, 주체스러운, 성가신.

bó trèe [bóu-] 『식물』 (인도의) 보리수.

Bot·swa·na [batswáːnə/bɔts-] *n*. 보츠와나《아프리카 남부의 독립국; 수도 Gaborone》.

†**bot·tle** [bátl/bɔ́tl] *n*. **1** Ⓒ **병**, 술병: an ink ~ 잉크병 / a wine ~ 포도주(공)병 / crack 〔break〕 a ~ 병을 따다, 축배를 들다. **2** Ⓒ 한 병 (가득한 양): drink a ~ *of* wine 포도주 한 병을 마시다. **3** Ⓒ 젖병; (보통 *sing*.) (젖병의) 우유: bring up 〔raise〕 a child on the ~ 아이를 우유로 키우다. **4** (the ~) 술: be fond of the ~ 술을 좋아하다 / be on the ~ 술독에 빠져 있다 / over a 〔the〕 ~ 술을 마시며 / take to the ~ 술에 빠지다, 술을 즐기다. **5** Ⓤ 《英속어》 용기, 기력(氣力): have a lot of ~ 기력이 있다. ***hit the* ~** 《속어》 술을 많이 마시다; 《속어》 취하다.

> DIAL. ***Why is the baby crying?—Maybe he wants the bottle.*** 아기가 왜 울고 있지—젖이 먹고 싶어서겠지.

—*vt*. **병에 넣다**; 《英》 (과실·야채 등)을 병조림하다, 병에 담아 간수하다: ~ milk 우유를 병에 넣다 / ~ fruit 과실을 병조림하다. **~ *up*** 《*vt*.+부》 ① 병에 밀봉하다. ② (노여움 따위)를 억누르다: ~ *up* one's anger 분노를 억누르다. ③ (적 따위)를 봉쇄하다: The enemy ships were ~*ed up* in port. 적함은 항구 안에 봉쇄되었다.

bóttle bànk 《英》 (회수하여 재활용하기 위한) 빈병 수집 장소.

bót·tled *a*. 병조림한, 병에 넣은〔든〕: ~ beer 병맥주.

bóttle-fèd *a*. Ⓐ 우유로 자란, 인공 영양의. cf. breast-fed.

bóttle-fèed *vt*. (아기)를 우유로 키우다.

bot·tle·ful [-fùl] *n*. Ⓒ 한 병(의 양).

bóttle gréen 암녹색(deep green).

bóttle·nèck *n*. Ⓒ **1** 병의 목. **2** 좁은 입구〔통로〕; 교통 체증이 생기는 지점. **3** 애로, 장애, 일의 장애가 되는 일.

bóttle-nose(d) dólphin 『동물』 돌고래의 일종《수족관 따위에서 곡예를 하는》.

bóttle òpener 병따개.

bóttle pàrty 술을 가지고 모이는 파티.

bot·tler [bátlər/bɔ́t-] *n*. Ⓒ 병조림업자.

⁑**bot·tom** [bátəm/bɔ́t-] *n*. **1** Ⓒ **밑바닥**; (우물·강 따위의) 바닥: a false ~ 속을 높게 한 바닥《내용물이 덜 들게 한》 / send a ship to the ~ 배를 가라앉히다. **2** (the ~) **기초**, 토대; **근본**; 진상, 원인; 실질; 마음 속: from the ~ *of* one's heart 마음 속으로부터. **3** (the ~) **밑바닥 부분**, 하부; (나무의) 밑둥; (언덕·산의) 기슭; (페이지의) 아래쪽; (식탁 등의) 말석; (학급의) 꼴찌. ↔ *top*[1]. ¶ the first line but one from the ~ (페이지의) 밑에서 두 번째 줄 / He is at the ~ *of* the class. 그는 학급에서 꼴찌다. **4** (the ~) 《英》 (뜰·후미 따위의) 안쪽; (가로의) 막다른 곳. **5** (the ~) (보통 *pl*.) 『지질』 강 주변의 낮은 땅. **6** Ⓒ 『항해』 배 밑, 합선의 바닥, 선복(船腹); 선박, 《특히》 화물선: foreign ~*s* 외국선. **7** Ⓒ 《구어》 궁둥이; (양복 바지 따위의) 궁둥이 부분; (의자의) 앉을 자리; (*pl*.) (파자마의) 바지. **8** Ⓒ 『야구』 한 회(回)의 말(末)(↔ *top*[1]); 7번–9번까지의 세 사람《타순(打順)에서》: the ~ *of* the 9th inning, 9회 말.

at* (*the*) ~** 마음 속은, 실제는; 본질적으로는: He's a good man *at* ~. 그는 천성은 좋은 사람이다. ***at the* ~ *of ① …의 기슭〔각부(脚部), 아래쪽〕에: *at the* ~ *of* the stairs 계단 밑에(서). ② …의 원인으로: Ignorance is *at the* ~ *of* racism. 무지가 인종차별의 주된 원인이다. ③ …의 막후에: Who is *at the* ~ *of* the scheme? 음모의 막후 인물은 누구냐. **~ *up*** 〔***upward***〕 거꾸로(upside down). ***get to the* ~ *of*** …의 진상을 규명하다. ***go to the* ~** ① 가라앉다. ② 탐구〔규명〕하다. ***knock the* ~ *out of*** (의논·계획 따위)를 송두리째 뒤엎다. ***sift ... to the* ~** …을 철저하게 조사하다. ***stand on* one's *own* ~** 독립〔자영〕하다. ***start at the* ~ *of the ladder*** ⇨ LADDER. ***The* ~ *drops*** 〔***falls***〕 ***out*** (***of ...***) (사물의) 기반이 무너지다; (시세·가격이) 폭락하다. ***touch*** 〔***hit***〕 **~** 좌초하다; 《구어》 (값·운명 따위가) 밑바닥에 닿다, 최악의 사태에 빠지다; 최심부에 미치다.

> DIAL. ***Bottoms up!*** 건배《잔의 밑을 위로 치켜 쭉 들이킨다는 뜻에서》.

—*vt*. **1** …에 바닥을 대다; (의자)에 앉을 자리를 대다. **2** 진상을 규명하다. **3** 기초를 두게 하다. **4** 《+목+전+명》 …의 기초를 두다《*on* …에》: ~ one's argument *on* facts 사실에 논거를 두다.

—*vi*. **1** 《+전+명》 기초를 두다《*on, upon* …에》. **2** (배 따위가) 바닥에 닿다; 밑바닥에 이르다. **~ *out*** 《*vi*.+부》 ① 바닥에 이르다: The submarine ~*ed out* at 200 meters. 잠수함은 200m 해저에 이르렀다. ② (증권 따위가) 바닥 시세가 되다.

—*a*. [A] **1** 밑바닥의. **2** 최하단의, 아래의: the ~ floor 최하층《1층·지계》. **3** 근본적인; 최후의: the ~ cause 근본 원인. **4** 최저의: ~ prices 최저 가격.

bóttom dòg =UNDERDOG.

bóttom dráwer 《英》 (혼수감 등을 넣어 두는) 옷장의 맨 아랫서랍(《美》 hope chest); 혼수품.

bóttom gèar 《英》 최저속(最低速) 기어(《美》 low gear).

bót·tom·less *a*. **1** 밑바닥 없는. **2** 의자의 seat가 없는. **3** 헤아릴 수 없는, 깊이를 알 수 없는: a ~ mystery 완전한 수수께끼. **4** 《美》 근거 없는: a ~ charge 근거 없는 비난. **5** (topless에 대하여) 전라(全裸)의, 누드의. [파] **~·ly** *ad*. **~·ness** *n*.

bóttom lìne (the ~) **1** 최저치. **2** 결산표의 마지막 행; 수지 결산; 순이익〔손실〕. **3** 최종 결과, 결론. **4** 《구어》 요점, 핵심: The ~ *is* that we mustn't lose this opportunity. 요컨대 이 기회를 놓쳐서는 안 된다는 것이다.

bóttom·mòst *a*. [A] 제일 아래의, 최저의; 가장 기본적인.

bot·u·lism [bátʃəlìzəm/bɔ̀tju-] *n*. [U] 〖의학〗 보툴리누스 중독《썩은 소시지 등에서 생김》.

bou·doir [búːdwɑːr] *n*. 《F.》 [C] (상류) 여성의 내실.

bouf·fant [buːfáːnt] *a*. 《F.》 (옷소매·스커트·머리 따위가) 불룩한.

bou·gain·vil·l(a)ea [bùːgənvíliə] *n*. [C] 〖식물〗 부겐빌리아《빨간 꽃이 피는 열대 식물》.

***bough** [bau] *n*. [C] **큰 가지**. [cf.] branch, twig[1].

bought [bɔːt] BUY의 과거·과거분사.

bou·gie [búːdʒiː, ─́] *n*. [C] 〖의학〗 소식자(消息子).

bouil·la·baisse [bùːljəbéis] *n*. 《F.》 [C] (요리는 [U]) 부야베스《마르세유 명물인 생선 스튜》.

bouil·lon [búljɑn/búljɔn] *n*. 《F.》 [U] 부용《맑은 고기 수프》; (세균 배양용) 고기 국물.

boul·der [bóuldər] *n*. [C] 둥근 돌, 옥석; 〖지질〗 표석(漂石).

boul·e·vard [bú(ː)ləvàːrd] *n*. 《F.》 [C] **1** 불바르, 넓은 가로수 길〔산책 길〕. **2** (종종 B-) 《美》 큰길, 대로《생략: blvd.》.

***bounce** [bauns] *vi*. **1** 《~/+[부]/+[전]+[명]》 (공 따위가) 바운드하다, **튀다**; 튀어〔뛰어〕 오르다; 튀면서 나아가다: The ball *~d back from* the wall. 공이 벽에 맞고 되튀어왔다/A car is *bouncing along* the rough road. 차가 울퉁불퉁한 길을 흔들거리며 달리고 있다/Children like *bouncing up* and *down* on a sofa. 아이들은 소파 위에서 깡충깡충 뛰어오르기를 좋아한다. **2** 《+[전]+[명]》 급히 움직이다: ~ *out of* 〔*into*〕 the room 방에서 뛰어나오다〔방으로 뛰어 들어가다〕. **3** 《구어》 (어음 따위가) 부도가 나 되돌아오다.

—*vt*. **1** 《~+[목]/+[목]+[부]/+[목]+[전]+[명]》 (공 따위)를 **튀게 하다**, 바운드시키다《***off, from*** …에서》: ~ a ball 공을 튀기다, 공치기하다/~ a boy *up* and *down* 소년을 들어올렸다 내렸다 하다/~ a ball *off* a wall 공을 벽에 던져 되튀어오게 하다. **2** 《+[목]+[전]+[명]》 《英구어》 을러대어〔부추기어〕 …하게 하다《***into*** …을》: ~ a person *into* do*ing* 아무를 부추기어〔을러대어〕 …하게 하다. **3** 《+[목]+[전]+[명]》 《구어》 (생각 따위)를 이끌어내다《***off*** …에서》: Let me ~ a few ideas *off* you. 자네 생각 좀 들려주게. **4** 《+[목]+[전]+[명]》 《美속어》 (아무)를 내쫓다, 해고하다: ~ trouble makers *out of* the hall 말썽꾸러기들을 홀에서 쫓아내다. **5** (통신 따위)를 통신위성으로 중계하다.

~ *back* 《*vi*.+[부]》 ① 곧 회복하다《***from*** (병 따위)에서》: ~ *back from* a cold 감기에서 곧 회복하다. ② 되튀다, 바운드하다(⇨ *vi*. 1). **~ *down*** (the stairs) (계단)에서 굴러 떨어지다.

—*n*. **1** [C] **되튐**, 튐, 바운드(bound); 튀어오름, 뛰어오름: catch a ball on the ~ 바운드되는 공을 잡다. **2** [U] 탄력: This ball has lost its ~. 이 공은 탄력이 없어졌다. **3** [U] 《구어》 원기, 활력, 활기: be full of ~ 활기에 넘쳐 있다. **4** (the ~) 《美속어》 추방, 해고: get the ~ 해고당하다/give a person the ~ 아무를 해고하다.

—*ad*. 갑자기, 불쑥, 뛰듯이.

bounc·er [báunsər] *n*. [C] **1** 거대한 사람〔물건〕. **2** 도약자, 튀어오르는 물건. **3** 《구어》 (바·나이트클럽 등의) 경비원.

bounc·ing [báunsiŋ] *a*. [A] **1** 잘 튀는. **2** (아기 등이) 기운 좋은, 튼튼한: a ~ baby 활기찬 아기. **3** 허풍떠는, 성가신.

bouncy [báunsi] *a*. 활기 있는, 기운 좋은, 쾌활한; 탄력 있는: a ~ ball 잘 튀는 공.

****bound**[1] [baund] *n*. (*pl*.) **1** (안쪽에서 본) **경계**(선): the farthest *~s* of ocean 대양의 저 멀리 끝. [SYN] ⇨BORDER. **2** 출입 허가 구역, **영내**. **3 범위**; 한계: pass the *~s* of common sense 상식의 선을 넘다/be beyond 〔outside〕 the *~s* of possibility 가능성의 범위를 넘어 있다/keep one's hopes within *~s* 될 성싶지 않은 희망은 품지 않다/break *~s* 도가 지나치다.

out of all ~s 터무니없는〔없이〕, 과도한〔히〕. ***out of ~s*** ① 출입금지의〔로〕《***to*** …에는》. ② (규칙 등의) 제한을 넘어서, 〖스포츠〗 규정 경기구역 밖에서: The ball went *out of ~s*. 공이 코트 밖으로 나가버렸다.

—*vt*. 〖보통 수동태〗 …와 경계를 짓다《***on, in*** …에서》: The United States *is ~ed on* 〔*in*〕 the north by Canada. 미국은 북쪽으로 캐나다와 접하고 있다. —*vi*. 《+[전]+[명]》 인접하다, 접경하다《***on*** …와》: Canada *~s on* the United States. 캐나다는 미국과 접경하고 있다.

***bound**[2] [baund] *vi*. **1** 《~/+[부]/+[전]+[명]》 (사슴·망아지 따위가) 뛰다, 뛰어오르다, 뛰어가다; (가슴이) 뛰다; (물결이) 너울거리다; 약진〔약동〕하다: ~ *away* 뛰어가버리다/The deer *~ed through* the woods. 사슴은 숲속을 뛰어다녔다/My heart *~ed* with delight. 나는 기뻐서 가슴이 뛰었다/He *~ed into* fame. 그는 일약 유명해졌다. **2** 《~/+[부]/+[전]+[명]》 **튀다**, 바운드하다; 되튀다: The ball *~ed back from* 〔*against*〕 the wall. 공이 벽을 맞고 튀었다. [SYN] ⇨JUMP.

—*n*. [U] (구체적으로는 [C]) 반동, 튐; 뜀, 뛰어오름, 도약; 약동.

at a (***single***) **~** =***with one ~*** 단번에 뛰어, 단숨에, 일약. ***by leaps and ~s*** ⇨LEAP.

***bound**[3] [baund] BIND의 과거·과거분사.

—*a*. **1 묶인**: ~ hand and foot 손발이 묶여. **2** 〖종종 합성어로〗 속박〔구속〕된; 갇힌: ~ *by* one's word 약속에 얽매여 있는/duty-~ 의무에 얽매인/fog-〔snow-〕 ~ 안개〔눈〕에 갇힌. **3** …**하지 않을 수 없는**, …할 의무가〔책임이〕 있는; 꼭 …하게 되어 있는; …하기로 결심을 한《***to*** do》: I'm not ~ *to* please you with my answers. 나는 꼭 당신 마음에 들 대답을 해야 할 의무가 없습니다/Our team is ~ *to* win. 우리 팀이 반드시 이긴다/He is ~ *to* go. 그는 기어코 갈 작정이다.

4 제본한, 장정한《*in* …으로》: a book ~ *in* leather 가죽으로 장정(裝幀)한 책. **5** 〖화학〗 결합〔화합〕된.

be ~ up in …에 열중하다, 깊이 빠지다: He *was ~ up in* his work. 그는 일에 몰두하고 있었다. ***~ up with*** …와 이해를 같이하여; …와 밀접한 관계로: The employee's interests are ~ *up with* those of the company. 종업원 한 사람 한 사람의 이해는 회사의 이해와 밀접한 관계가 있다. ***I'll be ~.*** =***I'm ~.*** 《구어》 꼭이다, 틀림없다.

°**bound**[4] *a.* **1** Ⓟ …행의, …로 가는: Where are you ~ (*for*)? 어디에 가십니까/The ship is ~ *for* New York. 그 배는 뉴욕행이다/a plane ~ *from* Chicago *to* New York 시카고에서 뉴욕으로 가는 비행기/The ship is homeward ~. = The ship is ~*for* home. 그 배는 귀국하는 중이다. **2** 〖합성어로〗 …행의: ⇨NORTHBOUND, SOUTHBOUND.

‡bound·a·ry [báundəri] *n.* Ⓒ **1 경계**(선)《***between*** …사이의》: a ~ line 경계선/The river forms the ~ *between* the U.S. and Mexico. 그 강은 미국과 멕시코의 국경으로 되어 있다. **2** 한계, 범위, 영역: the ~ *of* science 과학의 한계.

bound·en [báundən] 《고어》 BIND의 과거분사. —*a.* Ⓐ 아무래도 해야 하는, 의무적인, 필수(必修)의: one's ~ duty 본분.

bóund·er *n.* Ⓒ 《구어》 (도덕적으로) 비열한 사람, 버릇없는 놈.

***bound·less** [báundlis] *a.* **무한한**, 끝없는《넓이·양 등이》: ~ enthusiasm 무한한 열정. ㊞ **~·ly** *ad.* 한이 없이, 무한히. **~·ness** *n.* Ⓤ 무한.

boun·te·ous [báuntiəs] *a.* 물건을 아까워하지 않는, 활수한; 관대한, 인정 많은; 윤택한, 풍부한. ㊞ **~·ly** *ad.* **~·ness** *n.*

boun·ti·ful [báuntifəl] *a.* =BOUNTEOUS. ㊞ **~·ly** *ad.* **~·ness** *n.*

°**boun·ty** [báunti] *n.* **1** Ⓤ 활수함, 관대함; 박애: the ~ *of* Nature 자연의 자비로움/live on the ~ *of* …의 보조로〔도움으로〕 생활하다/share in the ~ *of* …의 은혜를 입다. **2** Ⓒ 하사품(下賜品); 축하금; 상여금. **3** Ⓒ 보상금, 상금《***for*** …에 대한》; (정부의) 장려〔보조, 조성〕금: grant a ~ 조성금을 교부하다/a ~ on exports 수출 보조금.

bóunty hùnter 현상금을 탈 목적으로 범인을〔맹수를〕 쫓는 사람.

bou·quet [boukéi, bu:-] *n.* 《F.》 **1** Ⓒ 부케, 꽃다발. **2** Ⓤ (구체적으로는 Ⓒ) (술 따위의) 향기, 방향: wine with a rich ~ 맛이 좋고 향기로운 포도주. **3** Ⓒ 달콤한 말, 찬사; 알랑거리는 말: throw ~*s* 찬양〔칭찬〕하다, 알랑거리는 말을 하다.

bouquét gar·ní [-ga:rní:] (*pl.* ***bouquets garnis*** [-z ga:rní:]) 《F.》 〖요리〗 (수프 등에 향기를 더하기 위해 넣는) 파슬리 따위의 작은 다발.

bour·bon [búərbən, bɔ́:r-] *n.* Ⓤ (종류·낱개는 Ⓒ) 버본 위스키(= ∠ **whisky**)《주원료는 옥수수》.

°**bour·geois** [buərʒwá:, ∠-] (*pl.* ~) *n.* 《F.》 **1** Ⓒ 중산 계급의 시민《주로 상공업자》. **2** Ⓒ 유산자, 자본가, 부르주아(↔ proletarian). **3** (the ~; *pl.*) =BOURGEOISIE.
—*a.* 중산〔유산〕 계급의; 부르주아 근성의; 자본주의의.

bour·geoi·sie [bùərʒwa:zí:] *n.* 《F.》 (the ~) 〖단·복수취급〗 중산〔시민〕 계급, 상공 계급; 부르주아〔유산〕 계급. ↔ *proletariat*(*e*).

bourn(**e**) [buərn, bɔ:rn] *n.* Ⓒ 《英남부》 개울《★ 주로 지명에 씀》.

bourse [buərs] *n.* 《F.》 Ⓒ (유럽의 여러 도시, 특히 파리의) 증권 거래소.

°**bout** [baut] *n.* Ⓒ 한 판 승부; 한 차례 (계속); 한 차례의 일; (병 따위의) 한 기간; 발작: have a ~ with …와 승부를 겨루다/a drinking ~ 술잔치/a ~ *of* work 한 차례의 일/a long ~ *of* illness 오랜 병.

bou·tique [bu(:)tí:k] *n.* 《F.》 Ⓒ 부티크《특히 값비싼 유행 여성복·액세서리 등을 파는 작은 양품점이나 백화점의 매장》.

bou·ton·nière, -niere [bù:təníər, bù:tənjέər] *n.* 《F.》 Ⓒ 단춧구멍에 꽂는 꽃.

bou·zou·ki [bu(:)zú:ki] *n.* Ⓒ 부주키《만돌린 비슷한 그리스의 현악기》.

bo·vine [bóuvain] *a.* 〖동물〗 소속(屬)의; 소의〔같은〕; 둔감한. —*n.* Ⓒ 〖동물〗 소속의 동물.

Bov·ril [bávril/bɔ́v-] *n.* Ⓤ (수프 등에 쓰는) (쇠)고기 엑스트랙트《상표명》.

bov·ver [bávər/bɔ́v-] *n.* Ⓒ 《英속어》 (불량소년 그룹에 의한) 소란, 싸움, 폭력 사건.

bóvver bòots 《英속어》 바닥에는 징을 박고 앞끝에는 쇠를 댄 싸움용 구두.

bóvver bòy 《英속어》 (특이한 복장을 한) 불량소년, 깡패.

‡bow[1] [bou] *n.* Ⓒ **1 활**; 활의 사수. **2** (악기의) 활; 활로 한 번 켜기. **3** 활 모양의 것; 무지개; 나비 넥타이(~ tie); (안장의) 앞가지; =BOW WINDOW; 《美》 안경테. ***have two strings*** 〔***another***〔***a second***〕 ***string***〕 ***to*** one***'s ~*** ⇨STRING.
—*vt.*, *vi.* **1** 활 모양으로 휘(어지)다. **2** (악기를) 활로 켜다.

***bow**[2] [bau] *n.* Ⓒ **절**, **경례**; 몸을 굽힘: make a 〔one's〕 ~ to …에게 절〔경례〕하다.
take a ~ (갈채·소개 따위에 대하여) 답례〔인사〕하다.
—*vi.* **1** 《~/+전+명/+부》 (인사·예배 따위를 위해) **머리를 숙이다**, 허리를 굽히다, 절하다(*down*)《***to, before*** …에게》: He ~*ed to* me. 그는 나에게 절을 했다/~ (*down*) to the ground 머리를 조아리며 절하다. **2** 《+전+명/+부》 굴복하다, 따르다(*down*)《***before, to*** …에》: ~ *to* 〔*before*〕 the inevitable (운명 등) 피할 수 없는 것에 굴복하다/I ~ *to* your superior knowledge of the classics. 당신의 풍부한 고전 지식에는 손 들었소.
—*vt.* **1** 《~+목/+목+전+명》 (허리·무릎)을 **구부리다**; (머리)를 숙이다《***to, before*** …에》: ~ one's head in prayer 머리를 숙이고 기도하다/~ the knee *to* 〔*before*〕 ⇨KNEE(관용구). **2** (감사의 뜻 따위)를 절하여 나타내다: He ~*ed* his thanks. 그는 머리를 숙여 사의를 표하였다. **3** 《+목+부/+목+전+명》 **a** 인사를 하고 안내하다: He ~*ed* her *in* 〔*out*〕. 그는 인사를 하고 그녀를 맞아들였다〔배웅했다〕/He ~*ed* her *into* 〔*out of*〕 the room. 그는 인사를 하고 그녀를 방으로 안내했다〔밖으로 배웅했다〕. **b** 〖~ oneself〗 인사를 하고 들어가다〔나가다〕: I ~*ed myself out* (*of* the room). 나는 인사를 하고 (방에서) 나왔다. **4** 《+목(+부)+전+명》 …의 몸을 굽게 하다; …의 기를 꺾다(*down*)《★ 보통 수동태로 쓰며, 전치사는 *by*, *with*》: He's ~*ed with* age. 그는 노령으로 허리가 굽어 있다/She *was* ~*ed*

(*down*) *with* 〔*by*〕 care. 그녀는 근심 걱정으로 풀이 죽어 있었다.
~ *and scrape* 절하면서 오른발을 뒤로 빼다; 역겹도록 정중을 떨다, 알랑거리다. **~ *out*** 《*vt*.+副》 ① 인사를 하고 안내하다(⇨*vt*. 3). **—**《*vi*.+副》 ② (절하고) 물러나다; 사퇴하다, 사직하다. **~ *out of*** …을 사퇴〔사임〕하다: ~ *out of* one's candidacy 입후보를 사퇴하다.

***bow**[3] [bau] *n*. Ⓒ **1** (종종 *pl*.) **이물**, 뱃머리(↔ *stern*[2]); 기수(機首). **2** =BOW OAR.
a shot across the 〔a person's〕 **~*s*** 경고(警告). **~*s on*** (배가 무서운 기세로) 곧장. **~*s under*** ① (배가 이물에 파도를 뒤집어 쓰고) 잘 나가지 않아. ② 허둥대어. ***down by the ~*** 〖항해〗 (배가) 이물을 아래로 하고 (가라앉으려고). ***on the*** (***port*** 〔***starboard***〕) **~** 이물쪽에《정면에서 좌우 45° 이내에》.

Bów béllls [bóu-] 런던의 St. Mary-le-Bow 성당의 종; 그 소리가 들리는 범위; 런던 토박이.
born within the sound of ~ 런던 구시가지(the City)에서 태어난; 런던 토박이의.

bowd·ler·ize [bóudləràiz, báud-] *vt*., *vi*. (저작물의) 야비〔불온〕한 부분을 삭제하다. [<Dr. T. Bowdler (1754–1825)]

***bow·el** [báuəl] *n*. Ⓒ **1** 창자의 일부, (보통 *pl*.) **창자; 내장**: bind 〔loosen, move〕 the ~*s* 설사를 멈추게〔변을 보게〕 하다/have one's ~*s* open 〔free〕 변을 배설하다/ one's ~*s* move 변이 나오다. **2** (*pl*.) (지구 따위의) 내부: the ~*s of* the earth 땅 밑.

bówel mòvement 변통(便通), 배변(排便).

°**bow·er**[1] [báuər] *n*. Ⓒ **1** 나무 그늘진 휴식 장소, 나무 그늘; 정자. **2** 《시어》 부인의 사실(私室) (boudoir).

bow·er[2] *n*. Ⓒ 이물의 닻(=**∠ ànchor**).

bów·ie (**knìfe**) [bóui(-), bú:i(-)] 일종의 사냥칼《칼집 달린 단도》.

bow·ing [bóuiŋ] *n*. Ⓤ 〖음악〗 (현악기의) 활 놀리는 법.

bów·knòt [bóu-] *n*. Ⓒ (넥타이 따위의) 나비매듭: tie a ~ 나비 매듭으로 하다.

***bowl**[1] [boul] *n*. Ⓒ **1 사발**, 탕기(湯器), 보시기, 공기, 주발, 볼: a sugar ~ 설탕 단지. **2** (보시기·공기 따위의) 한 그릇 (분량): a ~ *of* rice 밥 한 그릇. **3** 보시기 모양의 것〔부분〕; (파이프의) 대통; (저울의) 접시; (숟가락의) 우묵한 곳; 수세식 변기; 우묵한 땅. **4** 《美》 (보시기처럼 우묵한) 야외 원형 극장〔경기장〕; 스타디움.

bowl[2] *n*. **1** Ⓒ (구기용) 나무공; (구기의) 투구(投球). **2** (*pl*.) 〘단수취급〙 =LAWN BOWLING; NINEPINS; TENPINS.
—*vt*. (공·원반 등)을 굴리다; (바퀴 따위로) 매끄럽게 움직이게 하다; 〖볼링〗 (점수 등)을 얻다; 〖크리켓〗 (공)을 던지다. **—***vi*. 공굴리기를 하다; 볼링을 하다; 〖크리켓〗 (투수가) 투구하다; 데굴데굴 움직이다; (차 바퀴 등이) 순순〔미끄러지듯〕 나아가다(*along*).
~ *down* 《*vt*.+副》 〖크리켓〗 공으로 (wicket)을 쳐 넘어뜨리다; 《英속어》 해치우다. **~ *off*** 《*vt*.+副》 〖크리켓〗 (삼주문의 가로대)를 쳐 떨어뜨리다. **~ *out*** 《*vt*.+副》 〖크리켓〗 (타자)를 아웃시키다: The first batsman was ~*ed out*. 첫 타자는 아웃되었다. **~ *over*** 《*vt*.+副》 ① 〖볼링〗 넘어뜨리다; 〘일반적〙 쓰러뜨리다: He ~*ed over* a chair in his haste. 그는 허둥대다가 의자를 쓰러뜨렸다. ② 《구어》 당황하게 하다; 몹시 놀라게 하다: The news completely ~*ed* him *over*. 그는 그 소식을 듣고 몹시 당황했다.

bów·lèg [bóu-] *n*. Ⓒ (보통 *pl*.) 〖의학〗 내반슬(內反膝), O형 다리. 파 **~·ged** [-lègid] *a*.

bowl·er[1] [bóulər] *n*. Ⓒ 〖볼링〗 볼링하는 사람〔선수〕; 〖크리켓〗 투수.

bówl·er[2] (**hát**) *n*. Ⓒ 《英》 중산모(帽) (《美》 derby (hat)).

bówl gàme 《美》 선발 축구 경기《공식전에서 좋은 성적을 얻은 팀을 초청하여 시즌 종료 후에 개최하는 특별 경기》.

bow·line [bóulin, -làin] *n*. Ⓒ 〖항해〗 **1** 가로돛의 양끝을 팽팽하게 당기는 밧줄. **2** 일종의 옭매듭(=**∠ knòt**).

°**bowl·ing** [bóuliŋ] *n*. Ⓤ 볼링(cf. ninepins, tenpins, skittles, lawn ~); 〖크리켓〗 투구.

bówling àlley 〖볼링〗 레인(lane); 볼링장《bowling green 또는 레인이 있는 건물》.

bówling grèen lawn bowling 장(場).

bow·man [báumən] (*pl*. **-*men*** [-mən]) *n*. Ⓒ 이물〔뱃머리〕의 노를 젓는 사람.

bów òar [báu-] 뱃머리의 노(젓는 사람).

bów·shòt [bóu-] *n*. Ⓒ (보통 *sing*.) 화살이 미치는 거리, 활쏘기에 알맞은 거리《약 300 m》.

bow·sprit [báusprit, bóu-] *n*. Ⓒ 〖항해〗 제 1 사장(斜檣)《이물에서 앞으로 튀어나온 돛대 모양의 둥근 나무》.

bów·strìng [bóu-] *n*. Ⓒ 활시위.

bów tíe [bóu-] 보 타이, 나비 넥타이.

bów wíndow [bóu-] 〖건축〗 활 모양으로 내민 창.

°**bow·wow** [báuwáu] *n*. Ⓒ 개 짖는 소리; [스] 《소아어》 멍멍《개》.
— [스] *int*. 멍멍《개 짖는 소리》.

†**box**[1] [bɑks/bɔks] *n*. **1** Ⓒ **상자**.
SYN. **box** '상자'의 일반적인 말. **case** pencil *case*, jewel *case*처럼 다소 미술적으로 만들었으며, 물건을 넣거나 또는 book*case* 처럼 일종의 틀 모양의 것. **chest** 목수의 도구 상자처럼 대형의 튼튼한 상자.

2 (the ~) 돈궤. **3** Ⓒ 상자 가득(한 양): a ~ *of* candy 캔디 한 상자. **4** Ⓒ 《英》 (상자들이의) 선물: a Christmas ~ 크리스마스 선물. **5** Ⓒ (극장 등의) 박스, 칸 막은 관람석, 특등석; (화차·외양간 따위의) 한 칸; 〖야구〗 타자〔투수·포수·코치〕석; 《英》 (법정의) 배심석, 증인석. **6** Ⓒ 대기소, 경비 초소; 파출소; 전화 박스; 고해실(告解室); 《英》 (철도의) 신호소; 《英》 사냥막. **7** Ⓒ 두껍닫이; (기계 등의) 상자 모양의 부분, 상자 모양의 기기, 베어링 통; 수납 상자: a gear ~ 기어 통/a fire alarm ~ 화재 경보 장치. **8** Ⓒ (종이에 그린) 사각(형); 테, 둘레《신문·잡지 등에서 선을 두른 부분》. **9** Ⓒ 《美구어》 큰 포터블 라디오, 라디오카세트. **10** (the ~) 《구어》 텔레비전(수상기): on the ~ 텔레비전에 나와(있는), 텔레비전으로 (보는). **11** Ⓒ 《美》 사서함(post-office ~); =LETTER BOX. **12** Ⓒ 《속어·비어》 여성 성기.
a ~ and needle 〖해사〗 나침반. ***in a*** (***bad*** 〔***hot, tight***〕) **~** 어찌할 바를 몰라, 진퇴양난이 되어. ***in the same ~*** 같은 입장에. ***in the wrong ~*** 장소를 잘못 알아; 난처한 일을 저질러.
—*vt*. 《~+목/+목+부/+목+전+명》 상자에 (채워) 넣다(*up*); (좁은 곳에) 가두다(*in; up*)《*in* …에》: Shall I ~ it for you? 그것을 상자에 넣어 드릴까요/He ~*ed up* the apples. 그는 사과를 상자에 채워넣었다/I don't like being ~*ed*

up in an office. 나는 사무실에 갇혀 있기 싫다. ~ **in** 《vt.+副》 가두다(⇨vt.); (경주 상대의 주자(走者)·말의) 진로를 가로막다. ~ **off** 《vt.+副》 칸막이하다; 칸막이하여 가르다《**from** …에서》; 칸막이하여 만들다《**into** …으로》. ~ **the compass** 나침반의 32방위를 차례로 읽어가다; (의론 따위가) 다시 원점으로 돌아오다.

◇**box**² n. Ⓒ 손바닥〔주먹〕으로 침; 따귀 때림: He *gave* me a ~ on the ear(s). 그는 내 따귀를 때렸다. **—**vt. …을 주먹〔손〕으로 때리다; …와 권투하다. **—**vi. 권투하다《**with, against** …와》.

box³ (pl. ~, ~**es**) n. **1** Ⓤ (낱개는 Ⓒ) 〖식물〗 회양목. **2** Ⓤ 회양목재.

Bóx and Cóx 동시에 같은 장소〔직장〕에 있는 일이 없다, 그런 두 사람.

bóx cámera 상자 모양의 구식 사진기《주름 상자가 없음》.

bóx·càr n. Ⓒ 《美》 유개 화차(《英》 box waggon).

*__box·er__ [báksər/bɔ́ks-] n. Ⓒ 복서, **권투 선수**; 복서《개의 한 품종》.

box·ful [báksfùl/bɔ́ks-] n. Ⓒ 상자 가득(한 양).

*__box·ing__¹ [báksiŋ/bɔ́ks-] n. Ⓤ **권투**, 복싱: a ~ match 권투 경기.

box·ing² n. Ⓤ 상자에 담는 작업; 상자 재료; Ⓒ 창문틀, 두겁닫이.

Bóxing Dày 《英》 크리스마스 선물의 날《성탄절 다음날, 일요일이면 그 다음 날; 법정 휴일; 이 날 고용인·집배원 등에게 Christmas box를 주는 풍습이 있음》.

bóxing glòve 권투 장갑, 글러브.

bóxing rìng (복싱)링.

bóxing wèight 권투 선수의 체중 등급.

> **NOTE** 프로 권투의 체중 제한은 다음과 같음; 단위는 파운드: heavyweight 무제한; light heavyweight 175; middleweight 160; junior middleweight 154; welterweight 147; junior welterweight 140; lightweight 135; junior lightweight 130; featherweight 126; bantamweight 118; flyweight 112.

bóx jùnction 《英》 (교차점의 노란 선을 그은) 정차 금지 구역.

bóx kìte 상자 모양의 연《주로 기상 관측용》.

bóx lùnch 《美》 (특히 주문받아 만드는) 곽 도시락.

bóx nùmber 《美》 〖우편〗 사서함 번호.

bóx òffice (극장 따위의) 매표소; (극장 따위의) 표 매상금, (흥행의) 수익; 《구어》 〖연극〗 인기 프로, 달러 박스; (극장 등의) 대만원, 대인기, 대만원의 흥행, 큰 히트: This show will be good ~. 이 쇼는 크게 히트할 것이다.

bóx-òffice a. Ⓐ **1** 매표장의; 흥행 성적의: ~ receipts 표 매상고. **2** (상연물·예능인 등이) 인기 있는, 크게 히트한; a ~ success 〔hit〕 대성공, 크게 한몫 봄.

bóx plèat 〔**plàit**〕 (스커트 따위의) 상자꼴 겹주름.

bóx scòre (야구 등에서) 박스 스코어《출장 선수명·포지션·성적 등의 데이터를 괘선으로 두른 기록》.

bóx séat (마차의) 마부석; (극장·경기장의) 박스석《특별 관람석》.

bóx stàll 《美》 (외양간·마구간의) 칸막이(《英》 loosebox).

†**boy** [bɔi] n. Ⓒ **1 소년**, 남자 아이《17, 18세까지》; 젊은이, 청년. ㊀ lad, youth. ¶ a ~s' school 남자 학교. **2** 〖종종 형용사적〗 (단순하고 기운찬) 소년 같은 사람; 미숙한 사람: a ~ lover 〔husband〕 젊은 연인〔남편〕. **3** (흔히 one's ~) (나이에 관계 없이) 아들, 자식; (the ~s) 한 집안의 아들들: He has two ~*s* and one girl. 그는 아들 둘과 딸 하나가 있다. **4** 남학생: a college ~ 남자 대학생. **5** 《구어》 남자, 녀석(fellow): a nice old ~ 유쾌한〔좋은〕 녀석/quite a ~ 훌륭한 사내. **6** (the ~s) (남자) 한패, 동아리: the big business ~*s* 대기업가들/the ~*s* at the office 회사의 남자 동료. **7** (흔히 one's ~) 애인《남자》. **8** 《때로 경멸적》 사환, 사동, 보이: a messenger ~ 사동. **9** 《美구어》 (어느 지방 출신의) 남자: He's a local ~. 그는 그 고장 사람이다. ***That's*** 〔***There's***〕 ***the*** 〔***my***〕 ~ ! 《구어》 잘했다, 좋아, 훌륭해.

—int. 《구어》 여, 이런, 참, 물론《유쾌·놀람·경멸 등을 나타내는 소리; 종종 Oh, ~! 라고도 함》.

boy·chik, -chick [bɔ́itʃik] n. Ⓒ 《美속어》 소년, 아이, 젊은 남자. [Yid. =little boy]

◇**boy·cott** [bɔ́ikat/-kɔt] vt. …을 보이콧하다, …의 불매(不買) 동맹을 하다; (회의 등)의 참가를 거부하다. **—**n. Ⓒ 보이콧, 불매 동맹《아일랜드의 Captain Boycott의 이름에서》.

⁑**boy·friend** [bɔ́ifrènd] n. Ⓒ (여성의) 애인, 연인, **남자 친구**, 보이프렌드. ㊀ girlfriend.

⁑**boy·hood** [bɔ́ihud] n. **1** Ⓤ (또는 a ~) **소년기**, 소년 시대〔시절〕. **2** Ⓤ 〖집합적〗 소년들, 소년 사회.

◇**boy·ish** [bɔ́iiʃ] a. **1** 소년의, 소년 시절의. **2** 소년다운; 순진한, 천진 난만한; (계집아이가) 사내아이 같은. ㊕ ~·**ly** ad. ~·**ness** n.

bóy scòut 보이 스카우트 단원, 소년단원, (the B– S–s) 보이 스카우트, 소년단《1908년 영국의 Baden-Powell이 창설》.

> **NOTE** 미국은 Cub Scouts (8–10세), Boy Scouts (11–13세), Explorers (14세 이상)로, 영국은 Cub Scouts (8–11세), (Boy) Scouts (11–16세), Venture Scouts (16–20세)로 각각 3부로 나뉨.

bo·zo [bóuzou] (pl. ~**s**) n. Ⓒ 《美속어》 녀석, 놈(fellow, guy).

BP balance of payments. **Bp.** Bishop. **Bq** 〖물리〗 becquerel(s). **Br** 〖화학〗 bromine. **Br.** Britain; British. **br.** branch; brig; brother; brown. **B.R., BR** British Rail.

bra [brɑː] n. =BRASSIERE.

*__brace__¹ [breis] n. **1** Ⓒ **버팀대**, 지주(支柱), 〖건축〗 귀잡이. **2** Ⓒ 꺾쇠, 거멀못; (brace and bit의) 굽은 자루. **3** Ⓒ (보통 pl.) 중괄호({ }). **4** Ⓒ **a** 〖의학〗 받침나무, 부목(副木). **b** Ⓒ (보통 pl.) 〖치과〗 치열 교정기. **5** (pl.) 《英》 바지 멜빵(《美》 suspenders).

—vt. **1 버티다**, 떠받치다; 보강하다. **2** 《~+目/+目+副》 죄다; (활에 시위)를 팽팽히 매다; (다리 따위)를 힘껏 디디고 버티다; (신경 따위)를 긴장시키다(*up*): ~ one's feet to keep from falling 넘어지지 않도록 다리에 힘을 주고 버티다/A whiskey will ~ you *up*. 위스키 한 잔 마시면 정신이 들걸세. **3** 《+目+*to* do/+目+前+名》 〖~ oneself〗 마음을 다잡다, 분기하다; 대비하다

《*for, against* (어려움 따위)에》: He ~*d* him*self to* tell her. 그는 그녀에게 말하기로 마음을 단단히 먹었다 / ~ one*self against* an enemy attack 적의 공격에 대비하다. **—***vi.* 《+㉮》 분발하다, 힘을 내다 (*up*).

brace[2] (*pl.* ~) *n.* Ⓒ 한 쌍《특히 사냥감의》: three ~ *of* ducks 오리 세 쌍.

bráce and bít ㄷ자형 손잡이가 달린 타래 송곳의 일종.

°**brace·let** [bréislit] *n.* **1** Ⓒ 팔찌. **2** (*pl.*) 《구어》 수갑.

brac·er[1] [bréisər] *n.* Ⓒ 지탱하는 것〔사람〕, 죄는 것; 밧줄; 띠; 《구어》 흥분제, 자극성 음료《술 등》.

brac·er[2] *n.* Ⓒ (활쏘기 · 격검(擊劍)할 때 끼는) 팔찌; 갑옷의 팔 보호구.

brac·ing [bréisiŋ] *a.* 죄는, 긴장시키는; 기운을 돋우는; 상쾌한: enjoy the ~ mountain air 상쾌한 산의 공기를 즐기다. **—***n.* Ⓒ 【건축】 가새, 브레이싱, 지주(支柱)(brace).

brack·en [brǽkən] *n.* Ⓤ 【식물】 고사리(류의 숲).

*__brack·et__ [brǽkit] *n.* Ⓒ **1** 까치발, 선반받이. **2** 돌출한 선반; 까치발 붙은 전등〔가스등〕, 브래킷 조명 기구. **3** (보통 *pl.*) 모난 괄호《주로 [ ], 〔 〕, 드물게 ( ), 〈 〉, { }》. ㉢ parenthesis. **4** 하나로 일괄(一括)한 것, 동류, 부류: the upper age ~ 고령층. **5** (수입으로 구분되는 주민의) 계층: the high 〔low〕 income ~*s* 고액〔저액〕 소득층.

—*vt.* **1** …에 선반받이를〔까치발을〕 대다. **2** 《~+㉡/+㉡+㉮/+㉡+㉢+㉣》 하나로 모아 다루다, 일괄하다 (*together*) 《*with* …와》: Sartre and Camus are ~*ed together* as existentialists. 사르트르와 카뮈는 다함께 실존주의자라고 할 수 있다 / Tom was ~*ed with* Jack for the first prize. 1등 입상자로서 톰과 잭이 함께 거명되었다. **3** 《+㉡+㉮》 괄호로 묶다; 고려의 대상 밖에 두다, 제외하다 (*off*): We will ~ discussion *off* for a moment. 잠시 토의를 보류하자.

brack·ish [brǽkiʃ] *a.* **1** 소금기 있는, 기수성(汽水性)의: ~ water 기수, 담해수(淡海水). **2** 맛없는; 불쾌한. ㊎ **~·ness** *n.*

bract [brækt] *n.* Ⓒ 【식물】 포(苞), 포엽(苞葉).

brad [bræd] *n.* Ⓒ 곡정(曲釘)《대가리가 갈고리처럼 굽은 못》.

*__brag__ [bræg] (**-gg-**) *vi.* 《~/+㉢+㉣》 **자랑하다,** 자만하다, 허풍떨다《*of, about* …을》: He ~*s of* his rich father. 그는 부자인 그의 아버지를 자랑하고 있다. **—***vt.* 자랑하다《*that*》: He ~*s that* he will soon be richer than us all. 그는 머지않아 우리들 누구보다도 더 부자가 될 것이라고 자랑한다. ***be nothing to ~ about*** 자랑할 것이 못 되다, 그다지 좋지 않다.

—*n.* **1** Ⓤ 자랑, 허풍: make ~ of …을 자랑하다. **2** Ⓒ 자랑거리.

brag·ga·do·cio [brӕgədóuʃiòu] (*pl.* **~s**) *n.* **1** Ⓤ 자랑, 허풍. **2** Ⓒ 허풍선이.

brag·gart [brǽgərt] *n.* Ⓒ 허풍선이, 자랑꾼. **—***a.* Ⓐ 허풍을 떠는, 자만하는, 자랑하는.

Bra(h)m, Bra(h)·ma [brɑːm], [brɑ́ːmə] *n.* 【힌두교】 범(梵)《세계의 최고 원리》, 창조신(神). ㉢ Vishnu, Siva.

Brah·man [brɑ́ːmən] (*pl.* **~s**) *n.* Ⓒ 브라만, 바라문(婆羅門)《인도 사성(四姓)의 제 1 계급인 승려》. ㉢ caste.

Brah·man·ism [brɑ́ːmənìzəm] *n.* Ⓤ 브라만교, 바라문교.

Bra(h)·min [brɑ́ːmin] *n.* Ⓒ ＝BRAHMAN; 《美》《때로 경멸적》 지식 계급의 사람, 교양이 높은 사람《특히 New England 의 명문 출신》.

Brahms [brɑːmz] *n.* **Johannes ~** 브람스《독일의 작곡가; 1833–97》.

*__braid__ [breid] *n.* **1** Ⓒ **노끈, 꼰 끈**: a straw ~ 밀짚으로 꼰 끈. **2** Ⓤ 몰: gold 〔silver〕 ~ 금〔은〕 몰. **3** Ⓒ (흔히 *pl.*) 《美》 땋은 머리, 변발: wear one's hair in ~*s* 땋아 늘어뜨린 머리를 하고 있다. **—***vt.* **1** (머리)를 땋다〔땋아 늘어뜨리다〕(《英》 plait). **2** 몰로 꾸미다.

bráid·ed [-id] *a.* 짠, 꼰; (머리를) 땋은, 땋아 내린.

bráid·ing *n.* Ⓤ **1** 〖집합적〗 짠 끈, 꼰 끈. **2** 몰 자수.

Braille [breil, *F.* brɑː] *n.* Ⓤ (때로 b–) 브라유식 점자(법)《6자식 점자법》: write in ~ 점자로 쓰다. **—***vt.* (때로 b–) 브라유 점자로 쓰다《프랑스의 교육자 Louis Braille (1809–52)에서》.

*__brain__ [brein] *n.* **1** Ⓒ 뇌; 뇌수(腦髓); (*pl.*) 골 (특히 식품). **2** Ⓤ (또는 Ⓒ; 종종 *pl.*) 두뇌, 지력: It takes quite a ~ *to* do …하기 위해선 머리를 많이 써야 한다 / have (good) 〔have no〕 ~*s* 머리가 좋다〔나쁘다〕 / use one's ~*s* 머리를 쓰다, 잘 생각하다. **3** Ⓒ 《구어》 **a** 머리 좋은 사람, 수재: He's a ~. 그는 수재다 / call in the best ~*s* 제일 우수한 인재를 모으다. **b** (the ~s) 〖단수취급〗 지적 지도자, 브레인: She's the ~*s* of the company. 그녀는 회사의 브레인이다. **4** Ⓒ (미사일 따위의) 전자 두뇌, (컴퓨터 등의) 중추부.

beat 〔***cudgel, drag, rack***〕 one***'s*** **~(*s*)** ***out*** 머리를 짜다. ***have*** 〔***get***〕 (something) ***on the*** 〔one***'s***〕 **~** (어떤 일)이 언제나 머리에서 떠나지 않다; …에 열중하다. ***pick*** 〔***suck***〕 a person***'s*** **~(*s*)** 아무의 지혜를 빌리다. ***tax*** one***'s*** 〔a person***'s***〕 **~(*s*)** 《英구어》 머리를 쓰다〔쓰게 하다〕, 머리를 짜다〔짜게 하다〕.

—*vt.* …의 골통을 때려 부수다; 《속어》 …의 머리를 때리다.

bráin cèll 【해부】 뇌(신경)세포.

bráin·chìld *n.* (*sing.*) 《구어》 고안해 낸 것, 창작물, 발명품.

bráin-dèad 【의학】 뇌사(상태)의.

bráin dèath 【의학】 뇌사 (cerebral death).

bráin dràin 《구어》 두뇌 유출.

-brained [breind] '…한 머리를 가진' 의 뜻의 결합사: mad-~.

bráin fèver 뇌(막)염(encephalitis).

bráin·less *a.* 머리가 나쁜, 우둔한. ㊎ **~·ly** *ad.* **~·ness** *n.*

bráin·pàn *n.* Ⓒ 두개(頭蓋).

bráin·sìck *a.* 미친, 정신 이상의. ㊎ **~·ly** *ad.* **~·ness** *n.*

bráin stèm (the ~) 뇌간(腦幹).

bráin·stòrm *n.* Ⓒ 갑자기 일어나는 정신 착란; 《美구어》 갑자기 떠오른 묘안, 인스피레이션, 영감: have a ~ 영감〔묘안〕이 떠오르다. **—***vi.* 브레인스토밍하다.

bráin·stòrming *n.* Ⓤ 《美》 브레인스토밍《회의에서 모두가 아이디어를 제출하여 그 중에서 최선책을 결정하는 방법》.

bráins trùst 《英》 【방송】 (청취자의 질문에 대한) 전문 해답자단(團); ＝BRAIN TRUST.

bráin·tèaser, -twìster *n.* Ⓒ 《구어》 어려운

문제; 퍼즐.

bráin trùst ⦅美⦆ 브레인 트러스트, 두뇌 위원회, (정부의) 전문 고문단.

bráin trùster 두뇌〔전문〕 위원회(의 일원).

bráin·wàsh *n.* Ⓒ 세뇌. **—***vt.* 세뇌하다; 세뇌하여 …시키다⦅**into** …을⦆.
㊕ ~·**ing** *n.* Ⓤ 세뇌, (강제적인) 사상 전향.

bráin wàve ⦅英구어⦆ 영감, 묘안; (*pl.*) 〖의학〗 뇌파.

brainy [bréini] (**brain·i·er; -i·est**) *a.* ⦅구어⦆ 머리가 좋은, 총명한. ㊕ **bráin·i·ness** *n.*

braise [breiz] *vt.* (고기나 야채)를 기름으로 살짝 튀긴 후 약한 불에 끓이다.

brake**[1] [breik] *n.* Ⓒ **1** (흔히 *pl.*) **브레이크,** 제동기, 바퀴 멈추개: take off the ~ 브레이크를 늦추다 / apply 〔put on〕 the ~*s* 브레이크를 걸다. **2** 제동, 억제⦅**on** …의⦆: put a ~ *on* reform 개혁에 제동을 걸다. **—vt.* …에 브레이크를 걸다; …의 브레이크를 조작하다: ~ a car. **—***vi.* 브레이크를 걸다; 브레이크가 걸려 서다: ~ to a stop / The car ~*d* for a traffic light. 차가 교통 신호로 섰다.

brake[2] *n.* Ⓤ ⦅집합적⦆ 〖식물〗 고사리.

brake[3] *n.* Ⓒ 숲, 덤불.

bráke blòck 〖기계〗 브레이크 블록, 제동자(制動子).

bráke drùm 〖기계〗 브레이크 드럼.

bráke flùid (유압 브레이크의) 브레이크액(液).

bráke hórsepower (flywheel 따위의) 브레이크 마력, 제동 마력⦅생략: b.h.p.; bhp⦆.

bráke·lìght *n.* Ⓒ (자동차 후미의) 브레이크등(stoplight).

bráke·man, ⦅英⦆ **brákes-** [-mən] (*pl.* **-men** [-mən]) *n.* Ⓒ 제동수(制動手); ⦅美⦆ (대륙 횡단 철도의) 보조 차장.

bráke pèdal 〖기계〗 브레이크 페달.

bráke vàn ⦅英⦆ (열차의) 제동 장치가 있는 차, 완급차(緩急車).

bra·less [brɑ́:lis] *a.* 브래지어를 하지 않은, 노브라의.

bram·ble [brǽmbəl] *n.* Ⓒ 〖식물〗 가시나무, 들장미; 나무딸기; ⦅英⦆ 검은딸기.

bram·bling [brǽmbliŋ] *n.* Ⓒ 〖조류〗 되새⦅화려한 색채의 철새; 우는 새⦆.

bram·bly [brǽmbli] *a.* 가시가 많은, 가시덤불의.

Brám·ley('s sèedling) [brǽmli(z-)] 〖원예〗 브램리⦅요리용의 큰 사과⦆.

bran [bræn] *n.* Ⓤ 밀기울, 겨, 왕겨.

†branch [bræntʃ, brɑ:ntʃ] *n.* Ⓒ **1 가지,** 분지(分枝); 가지 모양의 것⦅사슴뿔 따위⦆.

> SYN. **branch**는 가장 넓은 뜻의 '가지'. **bough**와 **limb**[1]은 '큰 가지'. **twig**[1]는 '작은 가지'. **sprig**는 '가는 가지, 어린 가지'. **spray**[2]는 끝이 가늘게 갈라져 꽃 · 잎 · 열매 따위가 달린 아름다운 '지엽(枝葉)'. **shoot**는 '어린 가지'.

2 파생물, 분파; 지맥(支脈); 지류(支流); 지선(支線); 분가(分家); 분관(分館); 지부, 지국, 지점(~ office), 출장소: an overseas ~ 해외 지점 / a ~ manager 지점장. **3** 분과(分科), 분과(分課), 부문: a ~ *of* knowledge 학문의 한 분야. **4** 〖컴퓨터〗 (프로그램의) 브랜치, 분기(分岐).
***root and* ~** 철저하게, 근본적으로.
—*vi.* **1** ⦅~/+㉮/+㉯+㉰⦆ 가지를 내다〔뻗다〕(*forth; out*): Their cherry has ~*ed out over* our garden. 그들의 벚나무 가지가 우리 정원 너머로 뻗어왔다. **2** ⦅~/+㉮/+㉯+㉰⦆ (길 · 철도 · 강 등이) 갈라지다(*away; off; out*)⦅**from, at** …에서⦆: The road to Incheon ~*es off from* there. 인천으로 가는 길은 거기에서 갈라진다. **3** ⦅+㉯+㉰⦆ 파생하다⦅**from** …에서⦆: Apes ~*ed from* man's family tree. 유인원은 영장목의 계통수에서 파생하였다. **4** 〖컴퓨터〗 분기 명령을 실행하다.
~ ***off*** ⦅*vi.*+㉮⦆ ① (길 따위가) 갈라지다(⇨*vi.* 2). ② (열차 · 차 등이) 지선으로〔곁길로〕 들다. ~ ***out*** ⦅*vi.*+㉮⦆ ① 가지를 내다(⇨*vi.* 1). ② (길 따위가) 갈라지다(⇨*vi.* 2). ③ (얘기 따위가) 지엽에 흐르다; (장사 · 사업 따위의) 규모를 확장〔확대〕하다⦅**into** …으로⦆.

bránch lìne 지선.

bránch òffice 지점. cf. home office.

bránch prediction 〖컴퓨터〗 분기(分岐)예측⦅마이크로 프로세서가 프로그램의 조건분기의 결과를 예상하여 그 후의 연산준비를 해 두는 것⦆.

bránch wàter ⦅美⦆ (냇물에서) 끌어들인 물; 탄산수가 아닌 술에 타는 맹물: burbon and ~ 물 탄 버본.

branchy [brǽntʃi, brɑ́:ntʃi] (**branch·i·er; -i·est**) *a.* 가지가 많은〔우거진〕.

***brand** [brænd] *n.* Ⓒ **1 상표,** 브랜드; 품질; (특별한) 종류: I like his ~ *of* humor. 나는 그의 독특한 유머가 좋다. **2** (소유주 · 품종 따위를 표시하는) 소인(燒印)(용 인두); 낙인⦅가축 · 옛날 죄인에게 찍은⦆; 오명(disgrace): the ~ of Cain 가인의 낙인⦅살인죄⦆. **3** 불이 붙은 나무, 타다 남은 나무⦅동강 따위⦆.
—*vt.* **1** …에 소인을 찍다; …에 상표를 붙이다. **2** ⦅+㉱+*as* ㉲⦆ …에 낙인을 찍다, 오명을 씌우다: They ~*ed* him *as* a thief. 그들은 그를 도둑으로 낙인찍었다. **3** ⦅+㉱+㉯+㉰⦆ 강한 인상〔감명〕을 주다⦅**on, in** (마음)에⦆: The scene has ~*ed* an unforgettable impression *on* 〔*in*〕 my mind. 그 광경은 내 마음속에 잊을 수 없는 인상을 심어놓았다.

bránding ìron 낙인 찍는 쇠도장.

◇bran·dish [brǽndiʃ] *vt.* (검 · 곤봉 · 채찍 등)을 휘두르다.

bránd nàme 상표명(trade name).

bránd-nàme *a.* Ⓐ (유명) 상표 붙은: a ~ item 메이커 제품.

◇bránd-néw *a.* 아주 새로운, 신품의, 갓 만들어진〔들여온〕.

bran·dy** [brǽndi] *n.* Ⓤ (종류 · 낱개는 Ⓒ) **브랜디.** **—vt.* (과일 따위)를 브랜디에 담그다; 브랜디로 맛을 내다.

brándy snàp 브랜디가 든 생강 과자.

brash [bræʃ] *a.* **1** 성마른, 경솔한; 기력이 좋은, 정력적인; 뻔뻔스러운, 건방진. **2** (목재가) 부러지기 쉬운, 무른. ㊕ **∠·ly** *ad.* **∠·ness** *n.*

bra·si·er [bréiʒər] *n.* =BRAZIER.

Bra·sil·ia [brɑ:zí:ljə] *n.* 브라질리아⦅브라질의 수도⦆.

***brass** [bræs, brɑ:s] *n.* **1** Ⓤ **놋쇠,** 황동. **2** Ⓒ (the ~(es)) 놋제품: clean 〔polish〕 the ~(*es*) 놋쇠 기구를 닦다. **3** Ⓒ 금관 악기; (the ~) ⦅집합적; 단 · 복수취급⦆ 금관 악기부. **4** (the ~) 철면피, 뻔뻔스러움⦅**to** do⦆: He had the ~ *to* tell me I was wrong. 그는 뻔뻔스럽게도 내가 잘못했다고 말했다. **5** Ⓤ (the ~) ⦅집합적⦆ ⦅구어⦆ 고급 장교〔경찰관〕 (~ hat); 고관, 높은 사람. **6** Ⓒ (초상 · 문장을 조각한) 놋쇠 패(牌). **7** Ⓤ 놋쇳빛,

담황색. (*as*) ***bold as*** ~ 아주 철면피한.

—*a*. [A] 놋쇠로 만든; 금관 악기의; 놋쇠빛의. ***not ... a*** ~ ***farthing*** 《英》 전혀〔조금도〕 …않다: don't care *a* ~ *farthing* 조금도 상관없다.

—*vt*. 『야금』 …에 놋쇠를 입히다.

be ~***ed off*** 《英속어》 싫증이 나다, 진절머리가 나다《***with*** …에》.

bráss bánd 취주악단(吹奏樂團).

bráss-cóllar *a*. 《美구어》 (어떤 정당에 대하여) 충실한, 전적으로 지지하는: a ~ Democrat (미국 남부의) 보수적인 민주당원.

bráss hát 《속어》 고급 장교《금테 모자에서》; 『일반적』 고급 관리, 높은 양반.

brass·ie [brǽsi, brá:si] *n*. [C] 『골프』 밑바닥에 놋쇠 씌운 골프채《우드(wood)의 2번》.

bras·siere, -sière [brəzíər] *n*. 《F.》 [C] 브래지어(bra).

bráss knúckles 《美》 『단·복수취급』 (격투할 때) 손가락 마디에 끼우는 쇳조각.

bráss-rùbbing *n*. [U] (놋쇠 비석면의) 탁본(拓本) 뜨기.

bráss tácks 놋쇠 못; 《구어》 (사물의) 핵심, 진실《다음 관용구로》. ***get*** 〔***come***〕 ***down to*** ~ 《구어》 현실 문제를 다루다, 사실〔요점〕을 말하다, 문제의 핵심을 찌르다.

brassy [brǽsi, brá:si] (***brass·i·er; -i·est***) *a*. 놋쇠(빛)의; 놋쇠로 만든; 겉만 번드레한; 귀에 거슬리는, 쇳소리의; 뻔뻔스러운, 철면피한.

[파] **bráss·i·ly** *ad*. **-i·ness** *n*.

brat [bræt] *n*. [C] 선머슴, 개구쟁이.

Bra·ti·sla·va [brætəslá:və, brà:t-] *n*. 브라티슬라바《슬로바키아 공화국의 수도》.

bra·va [brá:va:, ⌐⌐] *int*., *n*. =BRAVO[1]《여자에 쓰임》.

bra·va·do [brəvá:dou] (*pl*. ~(***e***)***s***) *n*. **1** [U] 허장성세, 허세. **2** [C] 허세부리는 행동.

‡**brave** [breiv] *a*. **1 용감한**《***to*** do》: It was ~ *of* her *to* disagree with him. =She was ~ *to* disagree with him. 그와 의견을 달리하다니 그녀는 정말 용감했다. **2** [A] 《문어》 훌륭한, 화려한; 멋진: a ~ new world 놀라운 신세계《Shakespeare작 *The Tempest*에서》. ◇ bravery *n*.

—*n*. [C] 용사; 《특히》 아메리카 인디언의 전사.

—*vt*. (위험 따위)를 무릅쓰다, 대수로이 여기지 않다, 무시하다; …에 용감하게 맞서다: He ~*d* the rapids in a canoe. 그는 카누를 타고 급류를 조금도 무서워하지 않았다.

~ ***it out*** 태연히〔용감하게〕 밀고 나가다.

***brave·ly** [bréivli] *ad*. **용감하게**.

***brav·ery** [bréivəri] *n*. [U] **1 용기**, 용감(성), 용맹. [cf.] courage. **2** 《문어》 훌륭함, 화려; 치장: She is decked out *in* all her ~. 그녀는 아름답게 치장하고 있다.

bra·vo[1] [brá:vou, ⌐⌐] *int*. 잘 한다, 좋아, 브라보. —(*pl*. ~***s*** [-z], ***-vi*** [-vi:]) *n*. [C] 브라보 소리.

bra·vo[2] [brá:vou] (*pl*. ~(***e***)***s*** [-z], ***-vi*** [-vi:]) *n*. [C] 자사, 자객, 폭한(暴漢).

bra·vu·ra [brəvjúərə] *n*. 《It.》 [U] (음악·극 따위에서) 대담하고 화려한 연주〔연기, 연출〕.

—*a*. [A] (음악 따위가) 대담한, 씩씩한.

◇**brawl** [brɔ:l] *vi*. 말다툼하다; 큰소리로 야단치다; 크게 떠들어대다; (냇물 따위가) 좔좔거리다.

—*n*. [C] 말다툼; 대소동; 《美속어》 떠들썩한 (댄스) 파티. [파] ⌐·***er*** *n*.

brawn [brɔ:n] *n*. **1** [U] (억센) 근육; 완력. **2** [C] (요리는 [U]) 《英》 삶아서 소금에 절인 돼지고기; 《美》 =HEADCHEESE.

brawny [brɔ́:ni] (***brawn·i·er; -i·est***) *a*. 근골(筋骨)이 늠름한, 억센. [파] **bráwn·i·ness** *n*.

◇**bray** [brei] *n*. [C] 당나귀의 울음소리; 시끄러운 소리, 소음. —*vi*. (당나귀가) 울다; 시끄러운 소리를 내다, 시끄럽게 외치다. —*vt*. 시끄럽게 떠들다(*out*).

Braz. Brazil, Brazilian.

braze *vt*. 놋쇠로 땜질하다.

◇**bra·zen** [bréizən] *a*. **1** 놋쇠의, 놋쇠로 만든. ★ 이 뜻으로 지금은 brass가 보통임. **2** 놋쇠빛의. **3** 귀에 거슬리는, 시끄러운. **4** 철면피한, 뻔뻔스러운. —*vt*. (비난 따위)에 결연(決然)하게〔뻔뻔스럽게〕 대처하다(*out*).

~ ***it*** 〔***the affair, the business, the matter,*** etc.〕 ***out*** 〔***through***〕 태연한 얼굴로〔철면피하게〕 대처하다, 뻔뻔스럽게 밀고 나가다. ~ one***'s way out*** 배짱으로 곤란을 타개해 나가다.

[파] ~·***ly*** *ad*. 뻔뻔스럽게, 철면피하게. ⌐·***ness*** *n*.

brázen-fàced [-t] *a*. 뻔뻔스러운, 철면피한.

[파] **-facedly** [-fèisidli] *ad*. 뻔뻔스럽게(도).

bra·zier [bréiʒər] *n*. [C] **1** 화로. **2** 놋갓장이. ◇ braze *v*.

***Bra·zil** [brəzíl] *n*. **브라질**《정식 명칭은 the Federative Republic of ~; 수도 Brasilia》.

***Bra·zil·ian** [brəzíljən] *a*. **브라질 (사람)**의.

—*n*. [C] 브라질 사람.

Brazíl nùt 『식물』 브라질 호두《식용》.

brazíl·wòod *n*. [U] 다목류《빨간 물감을 채취함》.

Br. Col. British Columbia. **BRCS, B.R.C.S.** British Red Cross Society (영국 적십자사).

breach** [bri:tʃ] *n*. **1** [C] (성벽 따위의) 터진 곳; 돌파구; We have opened a ~ in the US market. 우리는 미국 시장에 돌파구를 열었다. **2** [U] (구체적으로는 [C]) (약속·법률·도덕 등을) **어김**, 위반, 불이행, 침해: a ~ *of* peace 치안 방해/a ~ *of* contract 계약 위반, 위약/a ~ *of* close 『英법률』 불법 토지 침입/a ~ *of* confidence 비밀누설/a ~ *of* duty 배임, 직무태만/a ~ *of* etiquette 예의가 아님, 비례/a ~ *of* privacy 프라이버시의 침해/sue a person for ~ *of* promise 약혼불이행으로 아무를 고소하다/be in ~ *of* … 에 위반되다. **3** [C] 절교, 불화《between*** …사이의》: We must heal the ~ *between* our two countries. 우리들은 양국간의 불화를 해결해야 한다. **4** [C] (고래가) 물위로 뛰어오름.

stand in 〔***throw*** one***self into***〕 ***the*** ~ 난국에 대처하다, 공격에 맞서다. ***step into the*** ~ 위급을 모면케 해 주다, 대리를 맡다, 대역을 하다.

—*vt*. (성벽 따위)를 부수다, 돌파하다. —*vi*. (고래가) 물위로 솟아오르다.

†**bread** [bred] *n*. [U] **1 빵**: a loaf 〔slice, piece〕 of ~ 빵 한 개〔조각〕. **2 생계**; (일상의) 주식물, 식량: beg one's ~ 빌어먹다/daily ~ 그날그날의 양식, 생계/the ~ of life 『성서』 생명의 양식/in good 〔bad〕 ~ 행복〔불행〕하게 살아/earn 〔make, gain〕 one's ~ 생활비를 벌다. **3** 《속어》 돈, 현금(dough).

~ ***and butter*** 버터 바른 빵; 《구어》 생계. [cf.] bread-and-butter. ~ ***and cheese*** 간단한 식사; 생계. ~ ***and circuses*** (대중의 주의를 딴 데 돌리기 위하여 정부가 제공하는) 음식과 오락; 《비유적》 잠재적인 불만을 딴 데로 돌리기 위한 고식

적인 수단. ~ ***and water*** 변변치 않은 식사. ~ ***and wine*** 성찬(聖餐). ***break*** ~ ***with*** …와 식사를 함께 하다; …의 음식 대접을 받다. ***cast*** 〔***throw***〕 one***'s*** ~ ***upon the waters*** 보상을 바라지 않고 남을 위해서 힘쓰다, 음덕을 베풀다. ***know*** (***on***) ***which side*** one***'s*** ~ ***is buttered*** 자기의 이해 관계를 잘 알고 있다, 타산적이다. ***take*** (***the***) ~ ***out of*** a person***'s mouth*** 아무의 생계수단을 빼앗다.
—*vt.* …에 빵부스러기를 묻히다.

bread-and-butter [brédnbʌ́tər] *a.* [A] **1** 생계를〔생활을〕 위한. **2** 통속적인, 평범한, 보통의. **3** 환대를 감사하는: a ~ letter (대접에 대한) 답례장.

bréad·bàsket *n.* **1** [C] 빵 바구니《식탁용》. **2** (the ~)《속어》 밥통, 위(胃). **3** (the ~) (특히 미국 중서부의) 곡창 지대.

bréad·bìn *n.* [C] 뚜껑 달린 큰 빵 상자.

bréad·bòard *n.* [C] 빵을 반죽하는 대(臺).

bréad·crùmbs *n. pl.* 빵부스러기, 빵가루.

bréad·ed [-id] *a.* 빵가루를 씌워 튀긴.

bréad·frùit *n.* **1** [C] 【식물】 빵나무《폴리네시아 원산》. **2** [C] (음식물은 [U]) 빵나무의 열매.

bréad knìfe (톱날식의) 빵칼.

bréad lìne 식료품의 무료 배급을 받는 실업자·빈민들의 줄. ***on the*** ~ (정부의) 구제를 받아서, 최저 생활 수준으로 지내어.

bréad·stùff *n.* [U] 빵의 원료《밀가루 따위》; 빵류(類).

***breadth** [bredθ, bretθ] *n.* **1** [U] (구체적으로는 [C]) 나비, 폭: eight feet in ~ 폭 8피트. **2** [C] (피륙 따위의) 일정한 폭. **3** [C] (땅·수면 따위의) 넓이. **4** [U] (마음·견해의) 넓음, 관용(寬容), 활달함: ~ of mind 마음의 여유. **5** [U] (예술 따위의) 웅대함.

bréadth·wàys, -wìse [-wèiz], [-wàiz] *ad.*, *a.* 가로로〔의〕.

bréad·wìnner *n.* [C] 한 가정의 벌이하는 사람.

†**break** [breik] (***broke*** [brouk]; ***bro·ken*** [bróukən]) *vt.* **1** 《~+[목]/+[목]+[부]/+[목]+[전]+[명]》 **깨뜨리다**, 쪼개다, 부수다; (가지 등)을 꺾다; (새끼줄 등)을 자르다: ~ a window 유리창을 깨다 / ~ a glass *in* two 〔*into* pieces〕 글라스를 둘로〔산산이〕 조각내다 / ~ a branch *off* 〔*from* the tree〕 가지를〔나무에서 가지를〕 꺾다.

[SYN.] **break** '깨뜨리다, 쪼개다, 찢다, 부러뜨리다' 처럼 파손하는 것. **crush** (무게 있는 물건으로) 눌러 뭉개다: *crush* a beetle 딱정벌레를 으깨다. **shatter, smash** 분쇄하다. shatter는 힘찬 타격과 조각조각이 날아 흩어짐을, smash는 소리를 강조.

2 …의 뼈를 부러뜨리다; (살갗)을 벗어지게 하다, 까지게 하다: ~ the neck 목뼈를 부러뜨리다 / ~ the knee 무릎을 깨다〔다치다〕 / ~ the skin 피부를 다치다.

3 (한 벌로 된 것·갖추어진 것)을 나누다, 쪼개다; (큰돈)을 잔돈으로 바꾸다, 헐다: ~ a set 한 벌을 나누다, 낱으로 팔다 / ~ a ten-dollar bill, 10 달러 지폐를 헐다.

4 《~+[목]/+[목]+[보]》 (문 따위)를 부수고〔억지로〕 열다; 부수고 들어가다〔나오다〕: ~ a dwelling 집에 침입하다 / ~ jail 탈옥하다 / He *broke* the door open. 그는 문을 부수어 열었다.

5 (기계 등)을 부수다, 고장내다, 망가뜨리다.

6 (약속·법규 따위)를 **어기다**, **범하다**, 위반하다: ~ a promise 〔one's word〕 약속을 어기다 / She *broke* her date with me. 그녀는 나와의 데이트 약속을 어겼다.

7 (단조로움·침묵·평화 등)을 깨뜨리다, 어지르다; (보조 등)을 흩뜨리다: ~ silence / ~ a person's sleep 아무의 수면을 방해하다 / A shot *broke* the morning calm. 총성으로 인해 아침의 정적이 깨졌다 / ~ ranks 열을 흩뜨리다.

8 (계속되는 것)을 중단하다, 차단하다, 단절하다: ~ an electric current 전류를 끊다 / ~ diplomatic relations with …와의 외교관계를 끊다 / The railroad communication is *broken*. 열차가 불통이다.

9 《~+[목]/+[목]+[부]》 (기세)를 꺾다, (건강·기력 따위)를 약화시키다; (적)을 쳐부수다(*down*): ~ a person's heart 비탄에 잠기게 하다 / ~ *down* the opponent's morale 상대방의 사기를 꺾다 / The heavy work will ~ your health. 과중한 일로 건강을 해칠라.

10 (고기 따위가 수면)에서 뛰어오르다: I saw a fish ~ the water of the pond. 물고기 한 마리가 연못 물 위로 뛰어오르는 것이 보였다.

11 《~+[목]/+[목]+[전]+[명]》 (말 따위)를 길들이다《*to* …에》: ~ a horse *to* the rein 〔the bridle〕 말을 길들이다.

12 a 《~+[목]/+[목]+[부]》 (나쁜 버릇 따위)를 버리다, 떼다, 끊다(*off*): ~ (*off*) the habit of smoking 흡연하는 버릇을 버리다. **b** 《+[목]+[전]+[명]》 (아무)에게 버리게〔끊게〕하다《***of*** (나쁜 버릇 따위)를》: He *broke* his dog *of* the habit. 그는 개의 버릇을 고쳤다 / He *broke* himself *of* his drinking habit. 그는 술먹는 습관을 버렸다.

13 (암호 따위)를 해독하다, 풀다; (사건 따위)를 해결하다: ~ a secret code 비밀 암호를 해독하다 / The police *broke* the case. 경찰은 사건 해결의 열쇠를 포착했다.

14 (길)을 내다; (땅)을 갈다; (새 분야)를 개척하다; (삼 따위)를 가르다, 빗다: ~ a path 길을 내다.

15 《~+[목]/+[목]+[전]+[명]》 (나쁜 소식 따위)를 전하다, 알리다《***to*** (아무)에게》: ~ the news *to* a person 아무에게 소식을 전하다.

16 (사람·은행)을 파산시키다《과거분사는 broke》; (아무)를 파멸시키다; 해직하다; (사관)을 강등시키다: ~ a minister 장관을 해임하다 / The revelation *broke* him. 그 폭로로 인해 그는 파멸되었다 / The expense would ~ us. 그 경비 때문에 우리는 파산당하고 말게다 / The captain was *broken* for neglect of duty. 대위는 임무태만으로 강등처분을 받았다.

17 (경기 따위의 기록)을 깨다, 갱신하다: ~ a world record 세계 기록을 깨다.

—*vi.* **1** 《~/+[부]/+[전]+[명]/+[보]》 **깨어지다**, 산산조각나다, (줄 따위가) 끊어지다; (시계 따위가) 고장나서 못쓰게 되다; 뚝 부러지다(*off*); (거품이) 없어지다; (파도가) 부서지다《***on, over, against*** …에 부딪쳐》; (솔기가) 뜯어지다: Crackers ~ easily. 크래커는 부서지기 쉽다 / The TV has *broken*. TV가 고장났다 / The handle has *broken off*. 손잡이가 부러졌다 / The surf *broke on* 〔*over, against*〕 the rocks. 밀려오는 파도는 바위에 부딪쳐 산산이 부서졌다 / The box fell (to the floor) *broke* open. 상자는 (바닥에) 떨어져 확 열렸다 / The seam *broke* open at the shoulder. 어깨의 솔기가 뜯어졌다.

2 《+[전]+[명]》 중지〔중단〕하다; 휴식하다; (전류가) 끊어지다: His voice *broke with* emotion. 그는 감동해서 목소리가 안나왔다 / We *broke for* tea.

우리는 차를 마시기 위해 일을 중단했다.
3 《~/(+[부])+[전]+[명]》 (목소리가) 변하다; 갑자기 변하다(*out*)《*into* …상태로》: A boy's voice *~s* at the age of puberty. 소년은 사춘기에 변성한다/~ *into* tears 갑자기 울기 시작하다/~ *into* a gallop (말이 느린 걸음에서) 구보로 달리다.
4 《+[전]+[명]》 **교제〔관계〕를 끊다**, 헤어지다《*with* …와》: ~ *with* an old friend 오랜 친구와 절교하다/~ *with* old habits 오랜 습관을 버리다.
5 《+[전]+[명]》 훼방놓다; 가로막다, 차단하다《*into* …을》: ~ *into* a person's leisure 아무의 휴식을 방해하다/He *broke into* our conversation. 그는 우리 대화에 끼어들었다.
6 a 《+[전]+[명]》 헤치고 나아가다《*into* …으로; *through* …을》; (속박 따위)를 깨고 나오다, 탈출하다《*from, out of* …에서》: ~ *into* a house 집으로 밀고 들어가다/~ *through* the enemy 적진을 돌파하다/He *broke out of* jail. 그는 탈옥했다. **b** 《+[보]/+[전]+[명]》 〖~ free 〔loose〕로〗 벗어나다, 탈출하다《*from* …에서》: An artist must ~ *free from* the constraints of the past. 예술가는 과거의 속박에서 벗어나지 않으면 안 된다.
7 《~/+[부]》 **돌발하다**, 갑자기 시작되다, 나타〔일어〕나다: A storm *broke* (*out*). 갑자기 폭풍이 불어왔다.
8 (날이) 새다: The day *~s*. 날이 샌다.
9 싹이 나다, 움이 트다, (꽃망울이) 봉오리지다: The bough *~s*. 가지에 움이 튼다.
10 a (날씨가 잠시 지속되다 갑자기) 변하다, 끝나다: The spell of bad weather *broke*. 궂은 날씨가 좋아졌다. **b** (구름·안개 따위가) 사라지다; (서리가) 녹다: The clouds began to ~. 구름이 걷히기 시작했다.
11 (사람·건강·기력이) 약해지다, 쇠하다; 못쓰게 되다, 고장나다: One's heart *~s*. 기가 꺾이다; 비탄에 잠기다/He *broke* under the strain of his responsibilities. 그는 중책을 떠맡고 쓰러지고〔몸져 눕고〕 말았다/His health is beginning to ~. 그의 건강이 쇠약해져 가고 있다.
12 (군대·전선 따위가) 패주하다, 퇴각하다; (군중 따위가) 흩어지다: The enemy *broke* and fled. 적은 패해 도망쳤다.
13 파산〔도산〕하다: The bank *broke*. 은행이 파산했다.
14 〖구기〗 커브하다.
15 《구어》 (뉴스 등이) 전해지다, 알려지다: The news 〔story〕 *broke* in the evening papers. 그 뉴스〔이야기〕는 석간 신문에 보도되었다.
16 〖권투〗 (클린치에서) 떨어지다, 브레이크하다.
17 《美》 (사건 등이) 전개되다, 진행되다: Things *broke* badly 〔well〕 for us. 사태는 우리에게 난처하게〔바람직하게〕 전개되었다.
~ **away** 《*vt.*+[부]》 ① 부숴버리다; 잡아떼다, 해체하다. ━《*vi.*+[부]》 ② 도망하다, 떠나다; 벗어나다, 이탈하다; 정치적으로 독립하다《*from* …에서》: The cat *broke away from* the girl's arms. 고양이는 소녀의 팔에서 도망쳤다/The state *broke away* and became independent. 그 주는 탈퇴하여 독립했다. ③ 〖경기〗 상대방의 골에 돌진하다〔을 급습하다〕; 〖경마〗 스타트 신호 전에 내닫다. ~ **down** 《*vt.*+[부]》 ① …을 부숴버리다; 압도하다; (장애·적의 따위)를 극복하다: ~ *down* a wall 벽을 부숴버리다/~ *down* all opposition 〔resistance〕 모든 반대를〔저항을〕 억압하다. ② 분석하다; 분류하다《*into* …으로》: The expenditure is *broken down* as follows. 지출 명세는 다음과 같다/Learn to ~ *down*

large tasks *into* manageable units. 큰 일은 하기 쉽도록 세분화해서 하도록 하세요. ③ …에 화학 변화를 일으키다. ━《*vi.*+[부]》 ④ (기계 따위가) 망그러지다, 고장나다: The engine has *broken down*. 엔진이 고장났다. ⑤ (질서·도의 따위가) 무너지다, (계획 따위가) 실패하다: The old morality has *broken down* since the end of the war. 전후(戰後) 옛 도의는 땅에 떨어졌다/The negotiations *broke down*. 교섭은 결렬되었다. ⑥ (건강이) 쇠하다: His health *broke down* from overwork. 과로로 그의 몸이 쇠약해졌다. ⑦ 정신 없이 울다: She *broke down* (in tears) when she heard the sad news. 그녀는 슬픈 소식을 듣자 울음을 터뜨렸다. ⑧ (화학적으로) 분해되다, (자세하게) 분석〔분류〕되다《*into* …으로》: Water *~s down into* hydrogen and oxygen. 물은 수소와 산소로 분해된다. ~ **in** 《*vi.*+[부]》 ① (도둑 따위가) 침입하다, 난입하다. ② 말참견하다, 방해하다《*on, upon* …에》: Don't ~ *in on* the conversation. 얘기하는 데 참견 마라. ━《*vt.*+[부]》 ③ (말 따위)를 길들이다. ④ (신발·자동차 따위)를 써서 길들게 하다. ⑤ (아무)에게 새 일을 익히게 하다; (어린아이 등)을 훈육하다. ~ **into** ① 망그러져〔깨져서〕 …이 되다. ② …에 뛰어들다, 침입〔난입〕하다: Some burglars *broke into* the shop last night. 어젯밤 상점에 강도가 들었다. ③ (이야기 따위)를 훼방놓다, 가로막다(⇨*vi.* 5). ④ 갑자기 …상태로 변하다〔하기 시작하다〕(⇨*vi.* 3). ⑤ (비상용 비축 따위)를 축내다: We had to ~ *into* our emergency supplies of food. 우리는 비상용 식량에 의존해야 했다. ⑥ (큰돈)을 헐다, 헐어 쓰다: I *broke into* a 20-pound note to pay the fare. 운임을 지불하려고 20파운드짜리 지폐를 헐었다. ***Break it up!*** (싸움 따위를) 그만둬; 해산해. ~ **off** 《*vt.*+[부]》 ① 꺾어〔찢어〕내다; (습관 따위)를 버리다; (관계)를 끊다; (말 따위)를 그만두다: She *broke off* her relationship *with* him. 그녀는 그와의 관계를 끊었다. ━《*vi.*+[부]》 ② 꺾여 떨어지다. ③ (결혼 등을 파기하고) 헤어지다, 절교하다《*with* …와》: I *broke off with* her. 나는 그녀와 절교했다. ④ (일을 그치고) 휴식하다: We *broke off* for a few minutes and had a rest. 몇 분간 일을 그치고 쉬었다. ~ **out** 《*vi.*+[부]》 ① 돌발하다; (전쟁·화재 따위가) 일어나다: A fire *broke out* in a neighborhood store last night. 어젯밤 이웃 가게에서 화재가 났다. ② 탈출하다, 탈주〔탈옥〕하다. ③ 갑자기 …시작하다《*in, into* …하기》: ~ *out in* smiles 갑자기 웃기 시작하다. ④ (땀·여드름 따위가) 나다; (얼굴 따위가) 범벅이 되다《*in, with* (땀 따위)로》: Sweat *broke out* on his forehead. 그의 이마에 땀이 났다/His face *broke out in* a rash. 그의 얼굴에 뾰루지가 났다. ━《*vt.*+[부]》 ⑤ (높이 깃발)을 펼치다. ⑥ (준비해 두었던 것)을 내놓다, 풀다, 열다. ~ ***the back of*** ⇨BACK. ~ ***the bank*** 《美속어》 (도박에서) 땡잡다. ~ ***the ice*** ⇨ICE. ~ **through** 《*vi.*+[전]》 ① …을 헤치고 나아가다; (구멍 따위)를 뚫다; (햇빛이) …의 사이에서 새다〔나타나다〕; 〖군사〗 …을 돌파하다: He *broke through* the crowd. 그는 군중을 헤치고 나아갔다/We've *broken through* the enemy's lines. 우리들은 적의 전선을 돌파했다/The sun is *~ing through* the clouds. 태양이 구름 사이로 드러나기 시작했다. ② (장애 따위)를 극복하다. ━《*vi.*+[부]》 ③

돌파하다; 사이에서 나타나다: At last the sun *broke through*. 마침내 해가 나왔다. ④ 돌파구를 열다. ~ ***up*** 《*vt.*+副》 ① 분쇄하다; 해체하다: ~ *up* a box for firewood 상자를 해체하여 땔감으로 하다 / ~ *up* an old ship for scrap 낡은 배를 해체하여 고철로 만들다. ② 분해하다《***into*** …으로》: ~ *up* a word *into* syllables 낱말을〔단어를〕 음절로 분해하다. ③ 분배하다《***among*** …사이에》: ~ *up* a piece of work *among* several people 일을 몇몇 사람에게 분배하다. ④ 해산시키다: The group of demonstrators was *broken up* by the police. 데모대는 경찰에 의해 해산되었다. ⑤ (회합 따위)를 중지하다: It's time to ~ *up* the party. 벌써 파티를 끝낼 시간이다. ⑥ (부부 등)을 헤어지게 하다: His unfaithfulness *broke up* their marriage. 그의 부정으로 인해 그들의 결혼 생활은 파탄에 이르렀다. ⑦ 혼란케 하다, 정신을 어지럽히다: His tragic death *broke* her *up*. 그의 비참한 죽음으로 그녀는 완전히 이성을 잃고 말았다. ⑧ 《美구어》 매우 재미있게 하다〔웃기다〕: The story really *broke* us all *up*. 그 이야기를 듣고 우리들은 모두 포복절도했다. —《*vi.*+副》 ⑨ 뿔뿔이 흩어지다; 해산하다: The clouds began to ~ *up*. 구름이 이리저리 흩어지기 시작했다 / The party *broke up* at ten. 파티는 10시에 끝났다. ⑩ (날씨·상태가) 바뀌다: The weather was *~ing up*. 날씨가 꾸물거리고 있었다. ⑪ 《英》 (학교가) 방학이 되다: Our school 〔We〕 *broke up* for the summer holidays at the end of the week. 우리 학교는〔우리들은〕 주말에 여름 방학에 들어갔다. ⑫ (부부가) 이혼하다. ⑬ 포복절도하다.

—*n.* **1** Ⓒ **갈라진 틈**, 깨진 곳; 금. **2** Ⓒ 중단, 중지, 끊김; 단절, 단교《***with, from*** …와의》: a ~ in (a) conversation 대화의 중단 / make a ~ *with* …와 관계를 끊다 / without a ~ 간단없이. **3** Ⓒ 잠시의 휴식(시간); (짧은) 휴가: the afternoon ~ 오후의 휴식시간. **4** Ⓒ 분기점: a ~ in one's life 인생의 분기점. **5** Ⓒ 〖전기〗 차단; 〖컴퓨터〗 (일시) 정지. **6** Ⓒ 《英구어》 실책, 실패; 실언: make a bad ~ 큰 실수를 저지르다. **7** Ⓒ 《구어》 행운, 좋은 기회; (the ~s) 운: a lucky ~ 행운 / a bad ~ 불운. **8** Ⓒ 급변; (진로의) 급전환; (시세의) 폭락: a ~ in the weather. **9** Ⓤ 새벽: at (the) ~ of day 새벽에. **10** Ⓒ 〖권투〗 브레이크; 〖볼링〗 스트라이크나 스페어를 못 하는 일; 〖당구〗 초구(初球), 연속 득점; 〖구기〗 커브, 곡구; 〖테니스〗 브레이크《상대방의 서비스 게임에 이김》. **11** Ⓒ 탈출; 탈주; 《특히》 탈옥.

make a ~ for it 《구어》 탈출〔탈옥〕을 기도하다.

> DIAL. ***Let's take*** 〔***have***〕 ***a coffee break, shall we?*** — ***Yes, let's.*** 잠시 쉬며 커피라도 마실까? — 응, 그러지〔그렇게 하자〕.
> ***Give me a break!*** ① 그만 해 둬, 바보 같은 소리 그만 해, 이제 그만. ② (한 번 더) 기회를 다오, 해 보게 해 다오.

bréak·a·ble *a.* 망가뜨릴〔부술, 깨뜨릴〕 수 있는, 깨지기 쉬운, 무른. —*n.* (*pl.*) 깨지기〔부서지기〕 쉬운 것, 깨진 것.

break·age [bréikidʒ] *n.* **1** Ⓤ 파손, 손상, 파괴. **2 a** Ⓒ 깨진 곳. **b** (보통 *pl.*) 파손물; 〖상업〗 파손량, 파손 예상액, 파손 배상액.

bréak·awày *n.* Ⓒ **1** 분리, 절단; 탈출, 도주. **2** 이탈, 탈퇴《***from*** …에서의》; 탈퇴자. **3** 〖경주〗 스타트 신호 전에 내달리기; 〖럭비〗 공을 갖고 골로 돌진함. —*a.* 이탈〔독립〕한; 밀면 쉽게 망그러지는.

brèak-dánce *vi.* 브레이크 댄스를 추다.

bréak dàncing 브레이크 댄싱《뉴욕의 변두리에서 소년들이 시작한 춤; 머리를 거꾸로 하여 빙빙 도는 곡예적인 동작이 많음》.

***break·down** [bréikdàun] *n.* Ⓒ **1** (기계의) **고장**, 파손. **2** (건강상의) 쇠약: a nervous ~ 신경 쇠약. **3** 몰락, 붕괴, 와해: the ~ of the family 가정 붕괴. **4** 《美》 떠들썩한 흑인 춤의 일종. **5** **분석**; 분류, (항목별) 명세, 내역. **6** (교섭 따위의) 중단, 결렬.

°**bréak·er** *n.* Ⓒ **1** (해안·암초 따위의) 부서지는 파도, 파란(波瀾): *Breakers* ahead! 〖항해〗 암초다. **2** 파괴자; 위반자; 〖기계〗 파쇄기(機); 절단기; 〖전기〗 차단기. **3** 조마사(調馬師), 조련사(調練師).

bréak-éven *a.* 수입액이 지출액과 맞먹는; 이익도 손해도 없는.

†**break·fast** [brékfəst] *n.* Ⓤ (수식어를 수반한 종류는 Ⓒ) **조반**: have (one's) ~ 조반을 들다 / a ~ of oatmeal 〔porridge〕 오트밀〔포리지〕 조반. —*vi.* 《~/+전+명》 조반을 먹다《***on*** …으로》: ~ *on* bacon and eggs 베이컨과 달걀로 조반을 들다. [◂ break+fast]

bréakfast fòod 조반용으로 가공한 곡류식품《cornflakes, oatmeal 따위》.

bréak-ìn *n.* Ⓒ 가택 침입, 밤도둑; (사용해서) 길들이기, 시운전, 시연(試演).

bréaking and éntering 〖법률〗 주거 침입(죄).

bréaking nèws 긴급 뉴스.

bréaking pòint (the ~) 극단, 극한(상황); (인내 등의) 한계점; 파괴점《팽창·압력에 대한 저항 따위의 한계점》: He has reached the ~. 그는 극한 상황에 달했다.

bréak·nèck *a.* Ⓐ (목이 부러질 정도로) 위험하기 짝이 없는: drive at (a) ~ speed 무서운 속력으로 차를 몰다.

bréak·òut *n.* Ⓒ 〖군사〗 포위 돌파; 탈옥, 탈주; 부스럼.

bréak·pòint *n.* Ⓒ (어느 과정에서의) 중지점, 휴지점; 〖컴퓨터〗 (일시) 정지점; 〖테니스〗 브레이크 포인트《리시버측의 게임 포인트》.

break·through** [bréikθrùː] *n.* Ⓒ **1** 장애·난관의 돌파(구), 타개(책); 〖군사〗 **적진 돌파**(작전), 돌파구. **2** 획기적인 약진〔진전, 발견〕《in*** (과학·교섭 따위)의》: a major ~ *in* computer technology 컴퓨터 기술에서의 대약진.

bréak·ùp *n.* Ⓒ (보통 *sing.*) 붕괴, 와해; 분리, 분산, 해체; 해산; 별거, 파탄, 불화, 이별; 《英》 (학기말의) 종업.

bréak·wàter *n.* Ⓒ 방파제.

bréak·wìnd *n.* 《Austral.》 방풍림.

bream [briːm] (*pl.* **~s,** 〖집합적〗 ~) *n.* Ⓒ 〖어류〗 잉어과의 식용어; 도미류.

‡**breast** [brest] *n.* Ⓒ **1 가슴**; 옷가슴. **2** 가슴속, 마음 속, 심정: a troubled ~ 괴로운 심정. **3** (한 쪽의) 젖통이, 유방: give the ~ to a child 아기에게 젖을 물리다 / past the ~ 젖을 떼고 / suck the ~ 젖을 빨다. **4** (송아지·닭 따위의 뼈에 붙은) 가슴살.

> SYN. **breast** 흉부(chest)의 전면부이나 특히 여성의 유방을 뜻함. **bosom** breast에 대한 예스럽고 기품 있는 문어. 보통 speak one's *bosom*처럼 비유적인 뜻으로 쓰임. **chest** 늑골이나 흉골로 둘러 있는 흉부.

5 (산 · 언덕 따위의) 허리; (기물 따위의) 옆면; 벽의 불룩한 부분《굴뚝 부분 따위》: the mountain's ~ 산중턱.
make a clean ~ of …을 몽땅 털어 놓다.
—*vt*. **1** …에 대담하게 맞서다; (곤란 · 위험 · 폭풍 등)을 무릅쓰고〔헤치고〕 나아가다: The boat *~ed* the waves. 배가 파도를 헤치며 나아갔다. **2** 〖경주〗 (결승점의 테이프)에 가슴을 대다; 가슴에 받다. **3** (산 따위)를 정상까지 오르다.
bréast-bèating *n*. Ⓤ (고충 · 의혹 등을) 가슴을 치면서 호소함, 강력히 항의함.
bréast·bòne *n*. Ⓒ 흉골(胸骨).
bréast-fèd *a*. Ⓐ 모유로 키운. cf. bottle-fed.
bréast-fèed *vt*. …에게 젖을 먹이다, …을 모유로 키우다.
bréast-hígh *a*. 가슴 높이의.
bréast·pìn *n*. Ⓒ 가슴이나 옷깃에 다는 장식핀, 브로치(brooch).
bréast·plàte *n*. Ⓒ (갑옷 · 마구 따위의) 가슴받이; (거북 따위의) 가슴패기.
bréast·pòcket *n*. Ⓒ (윗옷의) 가슴주머니.
bréast·stròke *n*. Ⓤ 개구리 헤엄, 평영(平泳).
bréast·wòrk *n*. Ⓒ 〖군사〗 (급조한) 흉장(胸牆), 흉벽.
***breath** [breθ] *n*. **1** Ⓤ **숨, 호흡**: get one's ~ (back 〔again〕) (가쁜) 호흡이 원상태로 돌아오다 / lose one's ~ 숨을 헐떡이다 / out 〔short〕 of ~ 숨이 차서, 숨을 헐떡이며. **2** (a ~) 한 번 붊; 미풍; 살랑거림; 속삭임: There is not a ~ of air. 바람 한 점 없다. SYN. ⇨ WIND. **3** Ⓒ (공기에 떠도는) 은근한 향기. **4** Ⓤ 〖음성〗 숨, 무성음(無聲音)《voice(유성음)에 대하여》. **5** Ⓤ 생기(生氣), 활기; 생명: as long as I have ~ =while there's ~ in me 목숨이 붙어 있는 한, 죽을 때까지. **6** (*sing*.) (호흡의) 한숨; (일)순간; 휴식 시간: at 〔in〕 a ~ 단숨에 / take a deep 〔long〕 ~ 심호흡하다 / take a short ~ 한숨 돌리다, 잠시 쉬다. ◇ breathe *v*.
a ~ of fresh air 살랑거리는 상쾌한 바람; 기운을 북돋아〔기분을 상쾌하게 해〕 주는 것; 신풍(新風). ***below*** 〔***under***〕 one***'s ~*** 작은 목소리로. ***catch*** one***'s ~*** (놀라움 따위로) 숨을 죽이다, 움찔하다; 숨을 내쉬다; 한 차례 쉬다. ***draw ~*** 숨을 쉬다; 살아 있다: *draw* one's first ~ 태어나다 / *draw* one's last ~ 죽다. ***hold*** 〔***keep***〕 one***'s ~*** (엑스선 촬영 따위를 위해) 숨을 멈추다; (놀라움 · 감동으로) 숨을 죽이다, 마른침을 삼키다. ***in a*** 〔***one***〕 ***~*** ① 단숨에, 한번에: He said it *in one* ~. 그는 그것을 단숨에 말했다. ② 동시에. ***in the next ~*** 그에 이어, 다음 순간. ***in the same ~*** ① 잇따라, 그 입으로《말하다 따위》: say yes and no *in the same* ~ 예라고 말했다가 곧바로 아니라고 말하다. ② (두 개의 정반대 진술을 언급하여) 동시에: One shouldn't mention their names *in the same* ~. 그들의 이름을 동시에 거론해서는 안 된다. ***knock the ~ out of*** a person 아무를 깜짝 놀라게 하다; (마구 때려) 호흡을 곤란하게 하다. ***not a ~ of*** …가 전혀 없는: *not a ~ of* suspicion 하등의 의심도 없는. ***save*** one***'s ~*** 잠자코 있다. ***take*** a person***'s ~*** (***away***) =***take away*** a person***'s ~*** (아름다움 · 놀라움 따위로) 아무를 움찔 놀라게 하다. ***the ~ of life*** =***the ~ of*** one***'s nostrils*** 《문어》 꼭 필요〔귀중〕한 것; 생명(력), 활력. ***waste*** (one***'s***) ***~*** 허튼소리 하다. ***with bated ~*** 숨을 죽이고, 염려하여.
breath·a·ble [bríːðəbəl] *a*. 호흡할 수 있는; (옷감이) 통기성이 있는.
breath·a·lyze, 《英》 **-lyse** [bréθəlàiz] *vt*. (자동차 운전자)에게 음주 여부를 검사하다.
Breath·a·lyz·er [bréθəlàizər] *n*. =BREATH ANALYZER《상표명》.
bréath ànalyzer *n*. Ⓒ 음주 측정기.
****breathe** [briːð] *vi*. **1** 《~/+부》 **호흡하다**, 숨을 쉬다; 살아 있다: ~ *out* 숨을 내쉬다 / as long as I ~ 내가 살아 있는 한. **2** 휴식하다: Let me ~. 숨 좀 돌리게 해 달라. **3** (바람이) 살랑살랑 불다; (향기가) 풍기다. **—***vt*. **1** 《~+목/+목+부》 호흡하다; 빨아들이다(*in*); 토해 내다(*out*): ~ (*in*) the smell of the flowers 꽃향기를 맡다. **2** 《+목+전+명》 (생기 · 생명 · 영혼 따위)를 불어넣다《***into*** …에》: Their commander *~d* new life *into* his men. 대장은 병사들에게 새 활기를 불어넣었다. **3** 《+목+부》 (향기 따위)를 발산하다 (*out; forth*): The flowers were *breathing out* fragrance. 꽃은 향내를 풍기고 있었다. **4** 속삭이다, 작은 소리로 말하다; (불평 따위)를 말하다, 토로하다. **5** (말 따위)에 한숨 돌리게 하다, 쉬게 하다. **6** 〖음성〗 무성음으로 발음하다. ◇ breath *n*.
~ again 〔***easily, freely***〕 안도의 한숨을 내쉬다, 위기를 벗어나다. ***~ down*** a person***'s neck*** ⇨ NECK. ***~ in*** 《*vi*.+부》 ① 숨을 들이쉬다. **—**《*vt*.+부》 ② 빨아들이다(⇨*vt*. 1). ③ 열심히 듣다: ~ *in* every word 한 마디 빠뜨리지 않고 열심히 듣다. ***~ on*** 〔***upon***〕 …에 입김을 내뿜다, 흐리게 하다; 더럽히다; 비난하다. ***~ out*** 숨을 토해내다 (⇨*vt*. 1). ***~*** one'***s last*** (***breath***) 마지막 숨을 거두다, 죽다.

> DIAL. ***I don't have time to breathe.*** 숨 쉴 새도 없다, 눈코 뜰 새 없이 바쁘다.

breathed [breθt, briːðd] *a*. 〖음성〗 무성음의.
breath·er [bríːðər] *n*. Ⓒ **1** 호흡하는 사람; 살아 있는 것: a heavy ~ 숨결이 거친 사람. **2** (숨차게 하는) 심한 운동. **3** 《구어》 잠시의 휴식; 산책: have 〔take〕 a ~ 한숨 돌리다, 잠깐 쉬다 / go out for a ~ 산책하러 나가다.
bréath gròup 〖음성〗 기식군(氣息群)《단숨에 발음하는 음군(音群)》, 기식의 단락.
breath·ing [bríːðiŋ] *n*. **1** Ⓤ 호흡, 숨결: deep ~ 심호흡. **2** (a ~) 한 번 숨쉼〔숨쉴 시간〕, 순간; 휴식, 휴지.
bréathing capàcity 폐활량.
bréathing spàce 〔**spèll, tìme**〕 숨 돌릴 여유; 휴식〔숙고〕할 기회〔시간〕; (움직이거나 일하는) 여유.
***breath·less** [bréθlis] *a*. **1 숨찬**, 헐떡이는: Jim was ~ from the long run. 짐은 먼 거리를 뛰어서 숨이 찼다. **2** 숨을 거둔, 죽은. **3** 바람 한 점 없는. **4 숨도 쉴 수 없을 정도의,** 숨막히는, 마음 죄는: at a ~ speed 숨막힐 듯한 속도로 / with ~ anxiety 조마조마하여 / with ~ interest 숨을 죽이고.
bréath·less·ly *ad*. 숨을 헐떡이며〔죽이고〕; 숨도 쉴 수 없을 정도로.
bréath·less·ness *n*. Ⓤ 숨이 참; 호흡 곤란.
bréath·tàking *a*. 움찔〔깜짝〕 놀랄 만한, 아슬아슬한: The race ended in a ~ finish. 레이스는 스릴 넘치게 끝났다 / a ~ beauty 눈이 휘둥그레질 만한 미인. ㊕ **~·ly** *ad*.
bréath tèst (음주 측정기에 의한) 음주 검사.
breathy [bréθi] (***breath·i·er; -i·est***) *a*. 기식음(氣息音)이 섞인; 〖음성〗 기식의, 기식음(질)의.

㊥ **bréath·i·ly** *ad.* **-i·ness** *n.*

bred [bred] BREED의 과거·과거분사. **—** *a.* 〔부사와 결합하여〕 …하게 자란: well-~ 뱀뱀이 있게〔예절 바르게〕 자란.

breech [bri:tʃ] *n.* Ⓒ 포미(砲尾), 총개머리.

bréech·clòth, -clòut *n.* Ⓒ (인디언 등의) 허리에 두르는 천.

breech·es** [brítʃiz] *n. pl.* **승마용 바지**; ((구어)) (반)바지: a pair of ~ 짧은 바지 한 벌. ***wear the ~ ⇨WEAR.

bréeches bùoy (바지 모양의 즈크제) 구명 부대(浮袋).

bréech·lòader *n.* Ⓒ 후장(後裝)총〔포〕. ⓒⓕ muzzleloader.

****breed** [bri:d] (*p., pp.* ***bred*** [bred]) *vt.* **1** (새끼)를 **낳다**; (알)을 까다. **2** ((~+목/+목+부/+목+(*to be*) 보/+목+전+명/+목+*to* do)) **기르다**; 양육하다(*up*); 가르치다((*to* …으로)): be *bred* (*up*) in luxury 사치스럽게 자라다/He was *bred* (*to be*) a gentleman. 그는 자라서 신사가 되었다/be *bred to* the law 법률가로 양육되다/Britain still *~s* men *to* fight for her. 영국은 아직도 국민들에게 조국을 위해 싸우도록 가르치고 있다. SYN. ⇨GROW. **3** (품종)을 개량하다, 만들어 내다; 번식시키다, (동물)을 기르다: ~ cattle 가축을 사육하다. **4** …을 생기게 하다, 발생시키다. **—** *vi.* **1** 새끼를 낳다; 번식하다, 자라다. **2** ((경멸적)) 많은 자식을 낳다.

~ in (***and in***) 같은 종자에서 번식하다〔시키다〕, 근친끼리만 결혼하다. ***what is bred in the bone*** 타고난 성질: *What is bred in the bone* will not (go) out of the flesh. ((속담)) 천성은 골수에 배어 있다((감출 수 없다)).

— *n.* Ⓒ **1** 종류; 유형; 품종; 종족; 혈통: a different ~ of man 다른 유형의 인간/dogs of mixed ~ 잡종개. **2** 〔형용사와 결합하여〕 …종(種): a half-~ 혼혈아.

bréed·er *n.* Ⓒ **1** 종축(種畜), 번식하는 동물〔식물〕. **2** 양육〔사육〕자, 재배자, 육종가. **3** = BREEDER REACTOR 〔PILE〕.

bréeder reàctor 〔**pìle**〕 증식형 원자로.

◇**bréed·ing** *n.* Ⓤ **1** 번식, 양식(養殖); 부화; 양육, 사육. **2** 자람; 교양, 예의범절: a man of fine ~ 교양 있는 사람. **3** 〖물리〗 (원자핵의) 증식.

bréeding gròund 〔**plàce**〕 **1** 사육장, 번식지((*of, for* (동물)의)). **2** 온상((*of, for* (악 따위)의)).

****breeze**[1] [bri:z] *n.* **1** Ⓤ (구체적으로는 Ⓒ) **산들바람**, 미풍; 연풍(軟風); 〖기상〗 초속 1.6–13.8m의 바람. ↔ *gust, gale.* ¶a land ~ 육(陸)연풍/a light ~ 남실바람/a gentle ~ 산들바람/a moderate ~ 건들바람/a fresh ~ 흔들바람/a strong ~ 된바람. SYN. ⇨WIND. **2** Ⓒ ((英구어)) 싸움, 분란: kick up a ~ 소동을 일으키다. **3** (a ~) ((구어)) 쉬운 일: be a ~ 식은 죽 먹기다.

in a ~ ((구어)) 손쉽게 (이기다): He passed the exam *in a* ~. 그는 손쉽게 시험에 합격했다. ***shoot*** 〔***bat***〕 ***the ~*** ((美속어)) 기염을 토하다, 허튼소리 하다.

— *vi.* **1** ((~/+부)) 〔It을 주어로 하여〕 산들바람이 불다: ~ *up* (바람이) 불기 시작하다, 세게 불다/It was *breezing* offshore. 산들바람이 앞바다 쪽으로 불고 있었다. **2** ((+부/+전+명)) ((구어)) (아무 일도 없었던 것처럼) 쓱 지나가다〔나서다, 나아가다〕: He *~d on by* without a glance at her. 그는 그녀를 거들떠보지도 않은 채 곁을 지나쳐 버렸다. **3** ((+전+명)) 척척 해내다((*through* (일)을)): ~ *through* a task 일을 손쉽게 해내다.

breeze[2] *n.* Ⓤ 타다 남은 재; 탄(炭)재.

bréeze·wày *n.* Ⓒ (건물 사이를 잇는) 지붕 있는 통로.

◇**breezy** [brí:zi] (***breez·i·er; -i·est***) *a.* **1** 산들바람이 부는, (장소·옷이) 통풍이 잘 되는. **2** 기운찬; 쾌활한; 한가로운: have a ~ manner 태평스럽다. **3** ((구어)) 가벼운 (내용의) ((회화)).

㊥ **bréez·i·ly** *ad.* 산들바람이 불어; 힘차게. **-i·ness** *n.*

◇**breth·ren** [bréðrən] *n. pl.* (종교상의) 형제, 동일 교회〔교단〕원; 동일 조합원, 동업자; 동포. ★ 혈족상의 형제에는 쓰지 않음.

Bret·on [brétən] *a.* 브리타니(Brittany)((프랑스의 한 지방))(사람·어)의. **—** *n.* Ⓒ 브리타니 사람; Ⓤ 브리타니어(語).

breve [bri:v] *n.* Ⓒ **1** 〖음성〗 단음(短音) 기호 ((단모음 위에 붙이는 발음 부호(˘))). **2** 〖음악〗 2 온음표((|ㅇ|, |=|)).

bre·vet [brəvét, brévit] 〖군사〗 *n.* Ⓒ 명예 진급 사령((봉급은 오르지 않음)). **—** *a.* Ⓐ 명예 진급의〔에 의한〕: a ~ rank 명예 계급.

— (**-*t*(*t*)-**) *vt.* 명예 진급시키다.

bre·vi·ary [brí:vièri, brév-] *n.* (종종 B–) Ⓒ 〖가톨릭〗 성무일도서〔일과서〕.

◇**brev·i·ty** [brévəti] *n.* Ⓤ 간결, 간약; (시간의) 짧음. ⓒⓕ brief. ¶for ~ (요)약하여, 간결하게 하기 위해/*Brevity* is the soul of wit. 재치〔위트〕는 간결함을 으뜸으로 친다((Shakespeare 작(作) *Hamlet* 중의 Polonius 의 말)).

◇**brew** [bru:] *vt.* **1** (맥주 등)을 양조하다: Beer is *~ed from* malt. 맥주는 맥아로 양조된다. **2** (혼합 음료)를 만들다, 조합(調合)하다; (차)를 끓이다(*up*): ~ (*up*) a pot of tea 포트 가득히 차를 끓이다. **3** (음모 따위)를 꾸미다, (파란)을 일으키다(*up*): ~ mischief 나쁜 일을 꾸미다. **—** *vi.* **1** 양조하다; 차가 울어나다(*up*). **2** (음모 따위가) 꾸며지다; (소동·폭풍우 따위가) 일어나려고 하다: Another typhoon is *~ing*. 새로운 태풍이 일어나려고 한다.

— *n.* **1** Ⓒ 달인 차〔커피 등〕. **2** Ⓤ 양조; Ⓒ (1회의) 양조량, (차 따위의 1회의) 끓이는 양. **3** Ⓒ (주류·차 따위의) 품질: a good ~ 좋은 품질.

㊥ **∠·er** *n.* Ⓒ 양조자; 음모가. ◇**∠·ery** [-əri] *n.* Ⓒ 양조장.

bréw·hòuse *n.* Ⓒ (맥주) 양조장.

bréw·ing *n.* **1** Ⓤ 양조(업). **2** Ⓒ (1회의) 양조량.

briar, etc. ⇨BRIER, etc.

***bribe** [braib] *n.* Ⓒ **뇌물**: give 〔offer〕 a ~ 뇌물을 주다/take 〔accept〕 a ~ 수회하다. ◇ bribable *a.*

— *vt.* **1** ((~+목/+목+전+명/+목+*to* do)) …을 **매수하다**((*with* …으로)); …에게 뇌물을 쓰다((*into* …하게)): ~ a person *with* money 아무를 돈으로 매수하다/~ a person *into* silence 뇌물을 주어 아무의 입을 막다/He tried to ~ the policeman *into* letting him go. 그는 경찰을 매수하여 방면(放免)받으려 했다/He was *~d to* vote against the candidate. 그는 그 후보자에 반대 투표하도록 매수당했다. **2** ((+목+전+명)) 〔~ oneself; ~ one's way〕 뇌물을 써서 얻다((*into* (지위 따위)를)): He *~d himself* 〔his *way*〕 *into* office. 그는 뇌물을 써서 공직에 들어갔다. **—** *vi.* 뇌물을 쓰다, 증회하다.

㊎ bríb(e)·a·ble *a.* 뇌물이 듣는, 매수할 수 있는.

brib·er [bráibər] *n.* Ⓒ 증회자(贈賄者).

brib·ery [bráibəri] *n.* Ⓤ 뇌물, 증회, 수회: commit ~ 증회〔수회〕하다 / a ~ case 수회 사건.

bric-a-brac, bric-à-brac [bríkəbræk] *n.* 《F.》 Ⓤ 〔집합적〕 골동품, 고물; 장식품.

***brick** [brik] *n.* **1** Ⓤ (낱개는 Ⓒ) 〔집합적〕 **벽돌**: lay ~*s* 벽돌을 쌓다 / The house is built of red ~(*s*). 그 집은 빨간 벽돌로 지었다. **2** Ⓒ **a** 벽돌 모양의 덩어리: an ice-cream ~ 아이스크림 덩어리. **b** 《英》 (장난감의) 집짓기놀이에 쓰는 나무(《美》 block). **3** Ⓒ 《구어》 믿고 의지하는 남자, 쾌남아, 유쾌한 놈: a regular ~ 좋은 녀석.

as dry as a ~ 바싹 마른. ***drop a*** ~ 《구어》 실수를 하다, 주책 없는 짓을 하다, 실언하다. ***hit the*** ~***s*** 《美속어》 ① 맨발로 돌아다니다. ② 파업하다. ③ (묵을 데가 없어) 밤거리를 돌아다니다. ***like a*** ~ =***like a load*** 〔***ton, hundred, pile***〕 ***of*** ~***s*** 《구어》 위세 좋게, 활발하게, 맹렬하게: come down on a person *like a ton of ~s* 아무를 꾸짖다〔호통치다〕. ***make ~s without straw*** 필요한 재료〔자료〕도 없이 만들려고 하다, 헛수고하다.

—*vt.* 《~+목/+목+부》 …에 벽돌을 깔다; …을 벽돌로 덮다(*over*); 벽돌로 에두르다(*in*); 벽돌로 막다(*up*): ~ *over* a garden path 정원의 작은 길에 벽돌을 깔다 / ~ *up* a window 창문을 벽돌로 막다.

bríck·bàt *n.* Ⓒ 벽돌 조각〔부스러기〕; 《구어》 비난, 혹평, 모욕: throw a ~ at …을 비난하다.

bríck chéese 벽돌 모양의 치즈.

bríck·fìeld *n.* Ⓒ 《英》 벽돌 공장.

bríck·kìln [-kìln] *n.* Ⓒ 벽돌 (굽는) 가마.

bríck·làyer *n.* Ⓒ 벽돌공〔장이〕.

bríck·làying *n.* Ⓤ 벽돌쌓기.

bríck-réd *a.* 붉은 벽돌빛의.

bríck·wòrk *n.* Ⓤ 벽돌 쌓기(공사).

bríck·yàrd *n.* Ⓒ 《美》 벽돌 공장.

°**brid·al** [bráidl] *a.* Ⓐ 새색시의, 신부의; 혼례의: a ~ veil 신부의 베일 / a ~ party 결혼 피로연 / the ~ march 결혼 행진곡. **—***n.* Ⓒ 혼례, 결혼식.

⁑**bride** [braid] *n.* Ⓒ **신부**, 새색시. cf. bridegroom.

bríde·càke *n.* =WEDDING CAKE.

⁑**bride·groom** [bráidgrù(:)m] *n.* Ⓒ **신랑**.

°**brídes·màid** *n.* Ⓒ 신부 들러리.

bríde-to-bé (*pl.* ***brídes-***) *n.* Ⓒ 신부감.

⁑**bridge**[1] [bridʒ] *n.* Ⓒ **1 다리, 교량**; 육교; 철도 신호교: build 〔construct〕 a ~ across a river 강에 다리를 놓다 / Don't cross your ~*s* until 〔till〕 you come 〔get〕 to them. 《속담》 쓸데 없는 걱정을 하지 마라. **2** 〖선박〗 함교(艦橋), 선교, 브리지. **3** 《비유적》 연결, 연락, 다리(놓기): He acted as a ~ between the negotiators. 그는 협상자들의 중개 역할을 했다. **4** 다리 모양의 것; 콧마루; (현악기의) 기러기발; 〖치과〗 가공 의치(架工義齒), 브리지, (의치의) 틀; 〖당구〗 큐대(臺), 레스트(rest); 〖레슬링〗 브리지; (안경의) 원산(遠山). **5** 〖전기〗 전교(電橋); 브리지《과다한 땜납으로 인한 단자간 등의 쇼트》. **6** 〖컴퓨터〗 브리지 《복수의 네트워크를 접속할 때에 이용하는 가장 기본적인 장치》.

burn one***'s*** ~***s*** (***behind*** one) 배수의 진을 치다.

—*vt.* **1** …에 다리를 놓다: ~ a river 강에 다리를 놓다. **2** (간격 따위)를 메우다.

bridge[2] *n.* Ⓤ 브리지《카드놀이의 일종》.

brídge·hèad *n.* Ⓒ 전진 기지; 〖군사〗 교두보: secure a ~ 교두보를 확보하다.

brídge lòan =BRIDGING LOAN.

brídge·wòrk *n.* Ⓤ 교량 공사; 〖치과〗 가공(架工) 의치(술).

brídging lòan (집을 바꾼다든지 할 때) 임시적인 융자〔대부금 · 차입금〕.

°**bri·dle** [bráidl] *n.* Ⓒ **1** 굴레《재갈 · 고삐 따위의 총칭》; 고삐: give a horse the ~ =lay the ~ on a horse's neck 말의 고삐를 늦추어 주다; 말을 자유롭게 활동하게 하다. **2** 구속, 속박, 제어. **—***vt.* …에 굴레를 씌우다; 고삐를 달다; (감정 따위)를 억제하다. **—***vi.* 머리를 곧추세우며 새치름하다(*up*)《***at*** …에》: She ~*d* (*up*) *at* the insuniation. 그녀는 빈정대는 말을 듣고 새치름해졌다.

brídle pàth 〔**ròad, tràil, wày**〕 승마길《수레는 못 다님》.

Brie [bri:] *n.* Ⓤ 희고 말랑말랑한 프랑스 원산의 치즈(=∠ **chéese**).

⁑**brief** [bri:f] *a.* **1 짧은**, 단시간의; 덧없는: a ~ stay in the country 시골에서의 짧은 체류. SYN. ⇨SHORT. **2** (연설 · 서한(書翰) 따위가) **간결한**, 간단한; 쌀쌀맞은, 무뚝뚝한: a ~ report on weather conditions 날씨에 관한 간단한 보고 / a ~ welcome 쌀쌀맞은 환영. ◇ brevity *n.*

to be ~ 간단히 말하면.

—*n.* **1** Ⓒ 적요, 대의; 짤막한 보고〔발표, 기사〕; 〖법률〗 소송 사건 적요서; 《英》 소송 사건: take a ~ (변호사가) 소송사건을 떠맡다 / have plenty of ~*s* (변호사가) 사건 의뢰를 많이 받다. **2** Ⓒ (보통 *sing.*) (임무) 내용 설명, 지시《***about, on*** …에 관한》. **3** Ⓒ 〖가톨릭〗 (교황의) 훈령. **4** (*pl.*) 브리프《짧은 팬츠》.

hold a ~ ***for*** 〔보통 부정문〕 …을 변호〔지지〕하다: I *hold no ~ for* his behavior. 나는 그의 태도가 바람직하다고는 생각지 않는다. ***in*** ~ 말하자면, 요컨대: He gave his reasons *in* ~. 그는 이유를 간단히 말했다.

—*vt.* **1** …의 적요(摘要)를 적다; …을 요약하다. **2** 《英》 (변호사)에게 소송 사건 적요서에 의한 설명을 하다; …에게 변호를 의뢰하다. **3** 《+목+전+명》 (아무)에게 간단히 지시하다, 필요한 정보를 주다《***on*** …에 관해》: I ~*ed* him *on* his new duties. 그에게 새로운 임무의 개요를 설명했다.

㊎ ∠·ness *n.*

bríef·càse *n.* Ⓒ (주로 가죽으로 만든) 서류 가방. SYN. ⇨TRUNK.

bríefcase cómputer (서류 가방에 들어가는) 소형 컴퓨터. ★ notebook 〔pocket〕 computer라고도 함.

bríef·ing *n.* Ⓤ (구체적으로는 Ⓒ) **1** 요약 보고〔발표〕: at a ~ 설명회에서. **2** (출격 전에 탑승원에게 내리는) 간단한 지시.

bríef·less *a.* 소송 의뢰자가 없는.

***brief·ly** [brí:fli] *ad.* 짧게, **간단히**; 일시적으로, 잠시: to put it ~ 간단히 말하면 / He stopped here ~ on his way to New York. 그는 뉴욕에 가는 도중 잠시 이곳에 머물렀다.

bri·er[1], **-ar**[1] [bráiər] *n.* **1** Ⓒ 찔레〔가시나무〕(의 잔가지): ~*s* and brambles 우거진 가시나무 덤불. **2** Ⓤ 〔집합적〕 찔레 덤불.

bri·er[2], **-ar**[2] *n.* Ⓒ 〖식물〗 브라이어《석남과(科) 에리카속의 식물; 남유럽산》; (보통 briar) 그 뿌리로 만든 파이프: Will you have a ~ or a weed? 파이프로 하겠나 시가로 하겠나.

bríer·ròot, -ar- *n.* Ⓒ brier[2] 의 뿌리.

bríer·wòod, -ar- *n.* Ⓤ brier[2] 재(材)《뿌리 부분》.

brig [brig] *n.* Ⓒ **1** 〖항해〗 (가로돛의) 쌍돛대 범선의 일종. **2** 〖美군사〗 영창《특히 군함내의》.

Brig. Brigade; Brigadier.

◇**bri·gade** [brigéid] *n.* Ⓒ 〖군사〗 여단(旅團); (군대식 편성의) 대(隊), 조(組): a fire ~ 소방대/a mixed ~ 혼성 여단/Boys' *Brigade* 《英》 기독교 소년단. ―*vt.* 여단으로 편성하다; 조편성하다.

brig·a·dier [brìgədíər] *n.* Ⓒ **1** 〖英군사〗 여단장, 육군 준장《여단장의 계급》. **2** 〖美군사〗 《구어》 =BRIGADIER GENERAL.

brígadier géneral 〖美군사〗 준장《생략: Brig. Gen.》.

brig·and [brígənd] *n.* Ⓒ 산적, 도적.

brig·and·age [brígəndidʒ] *n.* Ⓤ 강탈; 산적 행위.

brig·an·tine [brígəntìːn, -tàin] *n.* Ⓒ 〖항해〗 쌍돛대 범선의 일종《앞돛대는 가로돛이고 뒷돛대는 세로돛》.

†**bright** [brait] *a.* **1** (반짝반짝) **빛나는**, 광채나는; 화창한; 맑은: a ~ day 쾌청한 날씨.
2 밝은; (액체가) 투명한; (색깔이) 선명한; (소리가) 맑은; 명백한《증거 따위》: a ~ red.
3 (장래 따위가) 빛나는, 유망한; 멋진, 근사한: ~ prospects 밝은 전망/a ~ idea 명안.
4 머리가 좋은, 영리한; 민첩한, 기지가 있는: It wasn't very ~ *of* you to say that. =You weren't very ~ *to* say that. 그런 말을 한 것은 그다지 현명치 못했다. SYN. ⇨CLEVER.
5 원기 있는, 명랑한.
(*as*) ~ ***as a button*** 아주 활발〔영리〕한. ***look on the ~ side of things*** 일을 낙관하다.
―*ad.* =BRIGHTLY: The sun is shining ~. 태양이 밝게 빛나고 있다
~ ***and early*** 아침 일찍.

***bright·en** [bráitn] *vt.* **1 반짝이게 하다**, 빛내다. **2** 밝게 하다: Young faces ~ a home. 젊은 이들이 있으면 집안이 밝아진다. **3** 《~+목/+목+부》 상쾌〔쾌활〕하게 하다; 유망하게 하다; 원기 있게 하다, 행복하게 하다 (*up*): Flowers ~ a room. 꽃이 방을 밝게 한다/His presence ~*ed up* the party. 그의 참석으로 파티가 즐거워졌다.
―*vi.* **1 반짝이다, 빛나다; 밝아지다**: a garden ~*ing* with flowers 꽃으로 환한 뜰. **2** 개다. **3** 《~/+부》 쾌활〔유쾌〕해지다, 명랑한 기분이 되다 (*up*): His face ~*ed* (*up*) at the news. 그 소식에 그의 표정은 밝아졌다.

bríght-èyed *a.* 눈이〔눈매가〕 시원한〔또렷한〕.

bríght líghts (the ~) (도시의) 환락(가).

***bright·ly** [bráitli] *ad.* **반짝거려; 밝게**; 훌륭하게; 명랑하게: The full moon shone ~ last night. 어젯밤에는 보름달이 밝게 빛났다/smile ~ 명랑하게 미소짓다.

***bright·ness** [bráitnis] *n.* Ⓤ **빛남, 밝음**; 선명, 산뜻함; 총명, 영특.

Bríght's disèase 〖의학〗 브라이트병《신장염의 일종》. cf. nephritis.

brill [bril] (*pl.* **~s,** 〔집합적〕 ~) *n.* Ⓒ 〖어류〗 넙치.

***bril·liance, -cy** [bríljəns], [-i] *n.* Ⓤ **광휘, 광택**; 명민, 재기 발랄; 〖물리·미술〗 명도(明度), 휘도(輝度). cf. hue[1], saturation.

‡**bril·liant** [bríljənt] *a.* **1 찬란하게 빛나는**, 번쩍번쩍 빛나는: ~ jewels. **2** (색이) 선명한. **3** 훌륭한, 화려한: a ~ achievement 훌륭한 업적. **4 두뇌가 날카로운**, 재기 있는. ―*n.* **1** Ⓒ 브릴리언트형으로 다듬은 다이아몬드〔보석〕. **2** Ⓤ 〖인쇄〗 브릴리언트 활자《3.5 포인트》. cf. diamond.

bril·lian·tine [bríljəntìːn] *n.* Ⓤ 포마드의 일종.

◇**bríl·liant·ly** *ad.* 번쩍번쩍, 찬연히; 훌륭히; 재기가 넘치게.

***brim** [brim] *n.* Ⓒ **1** (컵 등의) **가장자리, 언저리**: fill a glass to the ~ 컵에 찰랑찰랑하게 따르다. SYN. ⇨EDGE. **2** (모자의) 양태.
―(*-mm-*) *vi.* 《~/(+부)+전+명》 가장자리까지 차다, 넘칠 정도로 차다 (*over*) 《***with*** …으로》: Her eyes ~*med* (*over*) *with* tears. 그녀의 눈은 눈물로 그득했다/He was ~*ming* (*over*) *with* health and spirits. 그는 원기가 넘쳐 흐르고 있었다.

brim·ful(l) [brímfúl] *a.* 넘칠 정도의《***of, with*** …으로》: ~ *of* ideas 재기가 넘치는/fill a glass ~ *with* wine 잔에 포도주를 찰랑찰랑하게 따르다. ㊕ **~·ly** *ad.*

brím·less *a.* 가장자리 없는; 테 없는.

(-)brimmed *a.* (…한) 테두리의; 넘칠 듯한: a broad-~ hat 테 넓은 모자.

brim·mer [brímər] *n.* Ⓒ 찰랑찰랑 넘치게 따른 잔〔그릇 따위〕.

brím·stòne *n.* Ⓤ 황(黃)《sulfur 의 옛 이름》. ⇨FIRE and brimstone.

brin·dled [bríndld] *a.* 얼룩빛의, 얼룩빼기의.

brine [brain] *n.* **1** Ⓤ 소금물. **2** (the ~) 《시어》 바닷물, 바다: the foaming ~ 파도 치는 바다.
―*vt.* …을 소금물에 절이다〔담그다〕.

†**bring** [briŋ] (*p.*, *pp.* ***brought*** [brɔːt]) *vt.* **1** 《+목+목/+목+전+명》 (물건)을 **가져오다**《***to, for*** (아무)에게》, (아무)를 데려오다《***to*** …에》: *Bring* me the book. =*Bring* the book *to* me. 그 책을 나에게 가져다 주시오/Please ~ me one. =Please ~ one *for* me. 나에게 하나 갖다 주세요/*Bring* your children *to* the picnic (with you). 아이를 소풍에 데려오시오/*Bring* him here with you. 그를 여기에 데려와요.
SYN. **bring** '가져오다, 데려오다' 의 뜻. **fetch** '가서 갖고 오다, 가서 데리고 오다' 의 뜻. **take** '갖고 가다, 데리고 가다' 의 뜻.
2 《+목+전+명》 오게 하다: An hour's walk *brought* us *to* our destination. 한 시간 걸었더니 목적지에 도착했다.
3 《~+목/+목+전+명》 초래하다, 일으키다《***into, to, on, upon*** …에》: The south wind always ~*s* rain. 남풍이 불면 항상 비가 온다/The brisk walk *brought* a little color *into* her cheeks. 그녀는 부지런히 걸어서 볼이 발그레해졌다/Nuclear war would ~ an end *to* the world. 핵 전쟁은 세계를 멸망시킬 것이다.
4 《+목+전+명》 이르게 하다《***to, into*** (상태)에》: ~ a war *to* an end 전쟁을 종결시키다/~ a car *to* a stop 차를 정지시키다/~ business and government *into* a harmonious relationship 실업계와 정부를 협조하게 하다.
5 《+목+전+명/+목+*-ing*》 …하도록 하다, 이끌다: ~ a person *to* reason 아무에게 도리를 깨닫게 하다/A phone call from his secretary *brought* him hurry*ing to* his office. 비서의 전화를 받고 그는 황급히 사무실로 갔다.
6 《+목+*to* do》〔흔히 부정문·의문문〕 …할 마음이 생기게 하다: I can't ~ myself *to* do it. 아

무리 해도 그것을 할 마음이 나지 않는다/What *brought* you *to* buy the book? 어찌하여 그 책을 살 마음이 생겼는가.

7 《~+목/+목+전+명》 (이유·증거 따위)를 제시하다; 〖법률〗 (소송)을 제기하다, 일으키다 《***against, for*** …에 대하여》: ~ an action 〔a charge〕 *against* a *person* 아무를 상대로 소송을 제기하다.

8 《~+목/+목+목》 (이익·수입 따위)를 가져오다, 올리다; (얼마로) 팔리다: This article ~*s* a good price. 이 물건은 상당한 값으로 팔린다/This work *brought* me 10 dollars. 이 일에서 나는 10달러를 벌었다.

~ *about* 《*vt*.+부》 일으키다, 가져오다; 〖항해〗 (배)를 반대 방향으로 돌리다: Nuclear weapons may ~ *about* the annihilation of man. 핵무기는 인류의 멸망을 가져올지도 모른다. **~ *along*** 《*vt*.+부》 가지고〔데리고〕 오다: I *brought along* Henry. 나는 헨리를 데리고 왔다/I'll ~ *along* a picnic lunch. 내가 피크닉 점심을 갖고 올게. **~ a person *around*** 《*vt*.+부》 ① 아무를 데리고 오다. ② 아무의 의식〔건강〕을 회복시키다: A cup of hot coffee will ~ you *around*. 따뜻한 커피를 한 잔 마시면 기운이 날게다. ③ 아무에게 납득시키다, 설득하다《***to*** …을》: I managed to ~ her *around to* my way of thinking. 그녀를 가까스로 설득해서 내 사고방식에 따르게 했다. ④ 〖항해〗 =~ about. **~ *back*** 《*vt*.+부》 되돌리다; 갖고〔데리고〕 돌아오다《***to*** …에》; 회복시키다《***to*** (건강한 상태)로》; 상기시키다《***to*** (아무)에게》: The change of air *brought* him *back* to good health. 전지요양이 그의 건강을 회복시켰다/I'll ~ you *back* the book tomorrow. 그 책을 내일 돌려줄게/His story *brought back* our happy days. 그의 이야기를 들으니 즐거웠던 날들이 회상되었다. **~ *down*** 《*vt*.+부》 ① (물건 따위)를 내리다: ~ *down* a flag 기를 내리다. ② (적기)를 격추하다; (새 따위)를 쏘아 떨어뜨리다: I *brought down* the lion at a shot. 그 사자를 한 방에 쏘아 죽였다. ③ (정부·통치자)를 넘어뜨리다: ~ *down* the government 정부를 타도하다. ④ (물가 따위)를 하락시키다《***to*** …까지》: ~ down prices 물가를 내리다/~ unemployment *down to* 3%, 실업률을 3%까지 떨어뜨리다. ⑤ (기록·이야기 등)을 계속하다《***to*** …까지》: The new chapter ~*s* the history *down to* 1980. 새 장(章)에서 (역사의) 기술은 1980년까지 거슬러 올라간다. ⑥ (재앙)을 초래하다; (벌)을 받게 하다《***on, upon*** …에》: ~ *down* a person's anger *on* one's head 아무의 분노를 불러일으키다. **~ *down the house*** ⇨HOUSE. **~ *forth*** 《*vt*.+부》 ① 낳다; 산출하다; (싹)을 내다; (열매)를 맺다: The news *brought forth* a cheer. 그 소식에 환호가 쏟아져 나왔다. ② (증거 등)을 참고로 내놓다; 폭로하다; 발표하다. **~ *forward*** 《*vt*.+부》 ① 공표하다; 제출하다. ② …의 날짜를〔시간을〕 앞당기다《***to*** …으로》; 〖부기〗 이월하다: The meeting has been *brought forward to* the 7th. 모임은 7일로 앞당겨졌다. **~ *home the bacon*** 《구어》 생활비를 벌다; 성공〔입상〕하다, 이기다, 기대한 만큼 성과를 올리다. **~ *in*** 《*vt*.+부》 ① (원조자 등)을 끌어들이다; (의안 따위)를 제출하다; (풍습 따위)를 소개〔수입〕하다: ~ *in* a new style of dress. ② (배심원이 평결)을 답신(答申)하다; (법안(法案))을 제출하다: ~ *in* a verdict of guilty 〔not guilty〕 유죄〔무죄〕 평결을 답신하다. ③ (이익 따위)를 생기게 하다: Her extra job doesn't ~ *in* much, but she enjoys it. 그녀의 아르바이트는 별로 수입이 많지 않으나 즐거이 하고 있다. ④ 경찰에 연행하다. **~ *... into the world*** (아이)를 낳다, (조산사로서 아이)를 받다; …을 생기게 하다, 만들어 내다. **~ *off*** 《*vt*.+부》 ① 《구어》 훌륭하게 해내다: ~ *off* a speech with ease 쉽게 연설을 해치우다/Can you ~ it *off*? 잘 해낼 수 있겠니. ② (난파선에서) 구출하다. **~ *on*** 《*vt*.+부》 (작물 따위)를 생장시키다; (배우)를 무대로 끌어내다; (논쟁·전쟁)을 일으키다; (병 따위)를 나게 하다; (재앙)을 초래하다; (아무)의 학력〔기술〕을 향상시키다《***in*** …의》: Poverty can ~ *on* 〔*about*〕 a war. 빈곤은 전쟁의 원인이 될 수 있다/His tutor has *brought* him *on* rather quickly *in* English. 그의 가정교사는 상당히 빨리 그의 영어 실력을 향상시켰다. **~ *out*** 《*vt*.+부》 ① 가지고〔데리고〕 나가다; 꺼내다: They *brought out* the wedding cake. 그들은 결혼 케이크를 운반해 왔다. ② (색·성질 등)을 나타내다; (뜻)을 분명히 하다: The translation ~*s out* well the meaning of the original text. 그 번역은 원전의 의미를 충실히 잘 나타내고 있다. ③ (능력 따위)를 발휘하다: The crisis *brought out* the best in her. 그 위기를 겪고 나서 그녀의 가장 훌륭한 면이 분명하게 드러났다. ④ (배우·가수)를 세상에 내놓다; (신제품 따위)를 제조하다, 매출하다; (딸)을 사교계에 내보내다; (책)을 출판하다: His new book will be *brought out* next week. 그의 새로운 저서가 다음 주에 출판된다. ⑤ (노동자)에게 파업을 시키다. ⑥ (날씨 따위가 꽃)을 피게 하다. **~ *over*** 《*vt*.+부》 데려〔갖고〕오다; (아무)를 전향시키다《***to*** (다른 종교 따위)로》; 〖항해〗 (돛)을 돌리다: ~ a person *over to* a cause 아무를 설득하여 어떤 운동에 참가시키다. **~ *round*** =~ around. **~ *through*** 《*vt*.+전》 ① (곤란·시련 따위)를 극복하게〔벗어나게〕 하다: Patience *brought* them *through* the difficult times. 그들은 인내로 어려운 시기를 극복했다. ―《*vt*.+부》 ② (환자)를 살리다: He was *brought through* by his mother's patient nursing. 그는 어머니의 끈기 있는 간호 덕분에 목숨을 건졌다. **~ *to*** 《*vt*.+부》 ① (아무)를 제정신 들게 하다: She *brought* him *to* (with smelling salts). 그녀는 (각성제를 맡게 해서) 그가 제정신이 들게 했다. ② 〖항해〗 (배)를 멎게 하다: He *brought* the ship *to*. 그는 배를 멎게 했다. ―《*vi*.+부》 ③ 〖항해〗 (배가) 멎다. **~ *to bear*** ⇨BEAR[1]. **~ *together*** 《*vt*.+부》 모으다, 소집하다; (특히, 남녀)를 맺어주다, 결합시키다; 화해시키다: ~ strangers *together* 낯선 사람들을 서로 알게 하다. **~ *... to* one*self*** (아무)를 제정신이 들게 하다; (아무)에게 본심〔정상 기분〕을 되찾게 하다. **~ *under*** 《*vt*.+부》 ① …을 진압하다, 굴복시키다: ~ rebels 〔a rebellion〕 *under* 반란자를〔반란을〕 진압하다. ―《*vt*.+전》 ② (…항목)에 넣다, 분류하다: The findings can be *brought under* five heads. 조사 결과는 5항목으로 정리할 수 있다. **~ *up*** 《*vt*.+부》 ① 기르다, 가르치다: He is well *brought up*. 그는 본데 있게 자랐다. ② (논거·화제 등)을 내놓다. ③ (차)를 딱 멈추다. ④ 《英구어》 호되게 꾸짖다《***for*** …때문에》. ⑤ 《英》 토하다, 토해 내다. ⑥ (의원에게) 발언을 허락하다. ⑦ …을 직면〔대결〕시키다《***against*** …에》. ⑧ (계산)을 이월하다. ⑨ (재판)에 출두시키다, 기소하다; (부대·물자)를 전선으로 보내주다. ⑩ 〖항

해] (배)를 멎게 하다.

> **DIAL.** ***What brings you here?*** 웬일로 여기 왔습니까《Why are you here?보다 공손한 표현》.

bríng-and-búy sàle [-ənd-] 《英》 지참 매매 자선 바자《각자 가지고 온 물건을 서로 사고팔아서 그 매상금을 자선 따위에 씀》.

bríng·ing-úp *n.* Ⓤ 양육; 훈육(upbringing).

brink** [briŋk] *n.* (the ~) **1** (벼랑 따위의) 가장자리; (산 따위의) 정상. **2** 물가. **3** (…하기) 직전, (아슬아슬한) 고비: The dispute brought the two countries to the ~ of war. 그 분쟁으로 두 나라는 전쟁 직전까지 이르렀다. ⓒⓕ edge, verge. ***on* 〔*at*〕 *the* ~ *of (멸망·죽음 등)에 임하여, …의 직전에: *on* 〔*at*〕 *the brink of* starvation 아사 직전에 / The company is *on the* ~ *of* bankruptcy. 그 회사는 도산 직전에 처해 있다.

brink·man·ship, brinks- [bríŋkmənʃip], [bríŋks-] *n.* Ⓤ 《구어》 (아슬아슬한 상태까지 밀고 나가는) 극한 정책.

briny [bráini] (*brin·i·er; -i·est*) *a.* 소금물의, 바닷물의; 짠; 《시어》 눈물의. **—*n.*** (the ~) 《구어》 바다, 대양.

brio [bríːou] *n.* 《It.》 Ⓤ 생기; 〖음악〗 활발.

bri·oche [bríːouʃ, -ɑʃ/bríːɔʃ] *n.* 《F.》 Ⓒ 브리오슈《버터·달걀이 든 롤빵》.

bri·quet(te) [brikét] *n.* Ⓒ 연탄(煉炭).

brisk** [brisk] *a.* **1** 팔팔한, 활발한, 기운찬: a ~ walker 기운차게 걷는 사람. **2** (장사 따위가) 활기 있는, 활황의: The tourist trade is ~. 관광업이 활황이다. **3** (날씨 따위가) 쾌적한, 상쾌한: ~ fall weather 상쾌한 가을 날씨. **—*vt.*, *vi. 활발해지다〔하게 하다〕, 활기 띠다〔띠우다〕(*up*). ⓜ **∠·ness** *n.*

bris·ket [brískət] *n.* Ⓤ (낱개는 Ⓒ) (짐승의) 가슴(고기).

brísk·ly *ad.* 활발히, 팔팔하게, 기운차게.

◇**bris·tle** [brísəl] *n.* Ⓒ 뻣뻣한 털, 강모(剛毛). **—*vi.*** **1** (짐승이) 털을 곤두세우다; (머리칼 따위가) 곤두서다(*up*). **2** 벌컥 화내다, 초조해 하다《*at* …에 대하여; *with* …으로》: He ~*d at* their demand. 그는 그들의 요구에 대하여 벌컥 화를 냈다. **3** (장소에 건물 따위가) 꽉 차다, 임립(林立)하다, 밀생〔충만〕하다; 가득하다《*with* …으로》: Our path ~*s with* difficulties. 우리의 갈 길은 험난하다. **—*vt.*** 곤두세우다.

brístle·tàil *n.* Ⓒ 〖곤충〗 반대좀《총칭》.

brís·tly [brísəli] (*bris·tli·er; -tli·est*) *a.* **1** 뻣뻣한 털의〔이 많은〕. **2** 털이 곤두선. **3** 불끈거리는.

Bris·tol [brístl] *n.* 브리스틀《영국 서남부의 항구 도시》.

Brístol Chánnel (the ~) 브리스틀 해협.

Brit [brit] *n.* Ⓒ 《구어》 영국인.

Brit. Britain; Briticism; British; Briton.

Brit·ain [brítən] *n.* **1** = GREAT BRITAIN. **2** = BRITISH EMPIRE.

Bri·tan·nia [britǽnjə, -niə] *n.* Great Britain 또는 British Empire를 상징하는 여인상(像).

Bri·tan·nic [britǽnik] *a.* (대)브리튼의, 영국의. ***His* 〔*Her*〕 ~ *Majesty*** 대브리튼〔영국〕 국왕〔여왕〕 폐하《생략: H.B.M.》.

britch·es [brítʃiz] *n.* 《美》 =BREECHES.

Brit·i·cism [brítəsizəm] *n.* Ⓤ (구체적으로는 Ⓒ) 영국 특유의 어구〔어법〕《gasoline을 petrol, elevator를 lift로 부르는 따위》. ⓒⓕ Americanism.

†**Brit·ish** [brítiʃ] *a.* **1** 영국의, 영국인의. **2** 영연방의. **3** 고대 브리튼 사람의. **—*n.*** **1** (the ~) 〖집합적〗 영국인. **2** Ⓤ (영국) 영어. ***The best of* ~ (*luck*)!** 《구어》 잘해 보게(Good luck!)《흔히 가망 없을 때에》.

Brítish Acádemy (the ~) 대영 학사원.

Brítish Colúmbia 캐나다 남서부의 주.

Brítish Cómmonwealth (of Nátions) (the ~) 영연방《현재는 그저 the Commonwealth (of Nations)라고 함》.

Brítish Cóuncil (the ~) 영국 문화 협회.

Brítish dóllar 영국 달러《전에 영국이 연방 내에 통용시킬 목적으로 발행한 각종 은화》.

Brítish Émpire (the ~) 대영 제국《the Commonwealth (of Nations) (영연방)의 옛이름》.

Brítish Énglish 영국 영어.

Brít·ish·er *n.* Ⓒ 《美》 영국 본토 사람.

Brítish Ísles (the ~) 영국 제도(諸島)《Great Britain, Ireland, the Isle of Man 기타의 작은 섬을 포함; 약 500개》.

Brít·ish·ìsm *n.* = BRITICISM.

Brítish Légion (the ~) 영국 재향 군인회.

Brítish Muséum (the ~) 대영 박물관.

Brítish Ópen (the ~) 〖골프〗 영국 오픈《세계 4대 토너먼트의 하나》.

Brítish Súmmer Tìme 영국 서머 타임《GMT보다 1시간 빠름; 3월말-10월말; 생략: BST》.

Brítish thérmal ùnit 영국 열량 단위《1파운드의 물을 화씨 1도 올리는 데 필요한 열량; 생략: B.T.U., Btu.》.

***Brit·on** [brítn] *n.* **1** (the ~s) 브리튼 사람《옛날 브리튼섬에 살았던 켈트계의 민족》. **2** Ⓒ 《문어》 대브리튼 사람, 영국인.

◇**brit·tle** [brítl] *a.* **1** 부서지기〔깨지기〕 쉬운, 무른. **2** (약속 따위가) 불확실한; 무상한, 덧없는. **3** 과민한, 상처입기 쉬운; (태도가) 완고한, 차가운. **4** (소리가) 날카로운.

bro. [brou] (*pl.* ***bros.***) brother.

broach [broutʃ] *n.* Ⓒ **1** 고기 굽는 꼬치, 꼬챙이. **2** 송곳; 큰 끌. **3** (탑 위의) 첨탑, 작은 탑. **—*vt.*** **1** (통 따위)에 구멍을 내다, 구멍을 뚫다. **2** (말)을 꺼내다, (화제 따위)를 끄집어내다; (새 학설 등)을 제창하다《*to, with* …에게》: He ~*ed* the subject *to* me. 그는 나에게 그 화제를 끄집어냈다.

bróach·er *n.* Ⓒ 발의자, 제창자.

bróach spìre 〖건축〗 팔각 첨탑.

‡**broad** [brɔːd] *a.* **1 a** 폭이 넓은; 광대한: a ~ street 넓은 가로 / a ~ expanse of water 광활한 수면. **b** 폭 …의〔인〕《길이·수치를 나타내는 말 뒤에서》: a plank two feet ~ 폭 2피트의 판자.

> **SYN.** **broad, wide** 거의 구별 없이 쓰이고 있으나, wide에는 '사이를 두다'라는 관념이 있음. 또 wide는 긴 물건의 '폭'이 넓은 경우에 쓰임: a *wide* tape 폭 넓은 테이프. at *wide* intervals 넓은 간격을 두고. **large** (공간적으로) 큰: a *large* room 넓은 방. **vast** 광대한. 너비 이외에도 쓰임: *vast* plains 광대한 평야. *vast* sums of money 막대한 금액. **open** 확 트인: an *open* field 널디넓은 들판.

2 (경험·식견 따위가) 넓은, 광범위하게 걸친; (마음이) 관대한: a man of ~ experience 경험이 많은 사람 / take a ~ view of things 사물을 널리 보다〔생각하다〕 / a ~ mind 관대한 마음.

3 대강의, 대체로의; 주요한: in a ~ sense 넓은 뜻으로, 광의로 / ~ outlines 개요. ◇ breadth *n.*
4 거칠 것이 없는, 가득 찬.
5 드러낸, 명료한: ~ distinction 뚜렷한 구별 / a ~ fact 명백한 사실.
6 (예술 표현이) 대담한, 자유분방한.
7 (말이) 노골적인, 까놓은; 야비한, 천박한; 순 사투리의: a ~ hint 노골적인 암시 / ~ mirth 왁자그르르한 환락 / a ~ smile 파안대소 / a ~ jest 천한 농담 / ~ Scotch 순 스코틀랜드 사투리.
8 〖음성〗 개구음(開口音)의《half, laugh 따위의 [ɑː]음》.
as ~ as it is* 〔*it's*〕 *long 폭과 길이가 같은; 결국 마찬가지인. ***in ~ daylight*** 백주에, 대낮에.
—*ad.* 충분히, 완전히; = BROADLY: ~ awake 완전히 잠이 깨어 / speak ~ 순 사투리로 말하다.
—*n.* **1** Ⓒ (발 · 등 따위의) 넓은 부분; 손바닥. **2** (the ~s) 〖복수취급〗 (영국 Norfolk 지방에서 강으로부터 생긴) 늪, 호수. **3** Ⓒ 《美속어 · 경멸적》 여자, 역겨운 여자.

bróad árrow 굵은 촉이 달린 화살; 굵은 화살 표인(印)《영국 정부의 소유물에 찍음》.

bróad·bànd *a.* 〖통신〗 (주파수가) 광역대(廣域帶)의.

bróad bèan 〖식물〗 잠두.

‡**broad·cast** [brɔ́ːdkæ̀st, -kɑ̀ːst] (*p., pp.* ***~, ~·ed***) *vt.* **1 방송〔방영〕하다**: ~ a concert 연주회를 방송〔방영〕하다 / The news was ~ 〔~*ed*〕 yesterday evening. 그 뉴스는 어제 저녁에 방송되었다. ★이 경우 과거 · 과거분사에서는 ***-casted*** [-id]도 있음. **2** (씨 따위)를 흩뿌리다; (소문 등)을 퍼뜨리다. **3** (비밀 등)을 무심코 누설하다《적 등에게》. —*vi.* **방송〔방영〕하다.**
—*n.* Ⓒ **1 방송, 방영**; 방송〔방영〕 프로: a ~ *of* a baseball game 야구 중계 방송. **2** (씨를) 뿌리기. —*a.* Ⓐ 방송의; 널리 퍼진; 흩어 뿌린, 살포한. —*ad.* 광범위하게; 흩뿌리어.

bróad·càst·er *n.* Ⓒ **1** 방송자; 방송 장치, 방송국〔회사〕. **2** 흩뿌리는 것, (씨) 살포기.

bróad·càst·ing *n.* Ⓤ 방송, 방영: a ~ station 방송국 / radio ~ 라디오 방송.

bróadcast sàtellite 방송 위성《생략: BS》.

Bróad Chúrch (the ~) (영국국교회의) 광(廣)교회파.

bróad·clòth *n.* Ⓤ 폭이 넓고 질이 좋은 나사의 일종; 《美》 = POPLIN.

broad·en** [brɔ́ːdn] *vt.* **넓히다**, 확장하다: Travel ~*s* your mind. 여행은 여러분의 마음을 넓혀 준다. —*vi.* 《~/+부/+전+명》 넓어지다; 펴지다 (*out*)《into*** …으로》: The old man's face ~*ed* (*out*) *into* a grin. 그 노인은 얼굴이 펴지며 씩 웃었다.

bróad gàuge 〖철도〗 광궤(廣軌).

bróad-gàuge, -gàuged *a.* 광궤의; 관대한, 마음이 넓은; 광범한.

bróad jùmp (the ~) 《美》 멀리뛰기(《英》 long jump): running 〔standing〕 ~ 도움닫기〔제자리〕 멀리뛰기.

bróad·lòom *a.* Ⓐ 폭 넓게 짠《융단 따위》. —*n.* Ⓤ 폭 넓은 융단.

***broad·ly** [brɔ́ːdli] *ad.* **1 넓게**, 널리; 명백히; 버릇없게, 천하게; 노골적으로; 순 사투리로. **2** 〖문장 전체를 수식하여〗 대체로, 개괄적으로: ~ speaking 대체로 말하면.

◇**bróad-mínded** [-id] *a.* 마음이 넓은, 도량이 큰, 편견 없는. ㊞ **~·ly** *ad.* **~·ness** *n.*

bróad·shèet *n.* Ⓒ 한 면만 인쇄한 대판지(大版紙)《광고 · 포스터 따위》; 보통 크기의 신문《타블로이드 따위와 구별하여 씀》.

bróad·sìde *n.* Ⓒ **1** (집 따위의) 넓은 면. **2** 뱃전; 〖집합적〗 우현 또는 좌현의 대포; 그 일제 사격. **3** (특히 신문에서의) 맹렬한 공격; 《비유적》 퍼붓는 욕설. **4** = BROADSHEET. —*ad.* 뱃전을 돌려대고, 옆으로 하여《***on, to*** (어떤 방향)으로》. —*vt.* (…의) 옆으로 대다.

bróad-spéctrum *a.* **1** 광범위하게 사용되는. **2** 〖약학〗 (항생제가) 약효 범위가 넓은: ~ antibiotic 광역〔광스펙트럼〕 항생물질.

Broad·way [brɔ́ːdwèi] *n.* **1** 뉴욕시를 남북으로 달리는 큰 거리《부근에 극장이 많음》. **2** Ⓤ 〖집합적〗 (뉴욕시의) 상업 극장〔연극〕.

bróad·wìse, -wàys [-wàiz], [-wèiz] *ad.* 옆〔측면〕으로.

Brob·ding·nag [brɑ́bdiŋnæ̀g/brɔ́b-] *n.* (Swift 작 걸리버 여행기의) 거인국(巨人國).

Brob·ding·nag·i·an [brɑ̀bdiŋnǽgiən/brɔ̀b-] *a.* (때로 b-) 거인국의; 거대한(gigantic): a ~ appetite 굉장한 식욕.
—*n.* (때로 b-) Ⓒ 거인국의 주민; 거인.

bro·cade [broukéid] *n.* Ⓤ (종류는 Ⓒ) 문직(紋織), 수단(繡緞), 브로케이드《아름다운 무늬를 넣어 짠 직물. 특히, 부직(浮織)》. —*vt.* 무늬를 넣어 짜다. ㊞ **-cad·ed** [-id] *a.*

broc·(c)o·li [brɑ́kəli/brɔ́k-] *n.* Ⓒ (음식은 Ⓤ) 〖식물〗 브로콜리《콜리플라워 계통의 야채》.

bro·chette [brouʃét] *n.* 《F.》 Ⓒ 구이꼬치.

bro·chure [brouʃúər, -ʃɔ́ːr] *n.* 《F.》 Ⓒ 가(假)제본 책, 소책자, 팸플릿.

bro·gan [bróugən, -gæn] *n.* Ⓒ (보통 *pl.*) 질기고 투박한 작업용 가죽제 단화.

brogue[1] [broug] *n.* Ⓒ (보통 *pl.*) 생가죽 신, 투박한 신; (구멍을 뚫어 장식한) 일상용 단화; 골프용 신〔구두〕; (낚시용) 방수화.

brogue[2] *n.* Ⓒ (보통 *sing.*) 방언, 사투리; 《특히》 아일랜드 사투리.

◇**broil**[1] [brɔil] *vt.* (고기 따위)를 불에 굽다, 쬐다; (해 따위가) …에 쨍쨍 내리쬐다. —*vi.* **1** (고기가) 구워지다. **2** 〖보통 진행형〗 찌는 듯이 덥다: I was ~*ing* in my overcoat. 오버코트를 입고 있어서 몹시 더웠다. —*n.* Ⓤ 굽기, 쬐기; 불고기, 구운 고기; 염열(炎熱), 혹서(酷暑).

broil[2] 《문어》 *n.* Ⓒ 싸움, 말다툼, 소동. —*vi.* 싸움하다, 말다툼하다.

bróil·er *n.* Ⓒ 고기 굽는 사람〔기구〕; (대량 사육에 의한) 구이용 영계; 《구어》 찌는 듯이 더운 날.

bróiler hòuse 구이용 영계 사육장, 양계장.

bróil·ing *a.* **1** 찌는 듯한, 혹서의; 구워지는: a ~ sun 이글거리는 태양. **2** 〖부사적〗 타는 듯이: ~ hot 타는 듯이 더운.

broke [brouk] BREAK의 과거. —*a.* Ⓟ 《구어》 파산한, 무일푼의(penniless): I'm ~. 완전히 빈털터리다. ***dead*** 〔***flat, stone, stony***〕 **~** 피천 한 닢 없는. ***go ~*** 빈털터리가 되다. ***go for ~*** 《美속어》 기를 쓰고 버티다, 죽을 힘을 다하다; (투기 · 사업 등에) 모든 것을 걸다.

‡**bro·ken** [bróukən] BREAK의 과거분사.
—*a.* **1 부서진**, 망그러진, 깨어진, 꺾인: a ~ leg 부러진 다리. **2** Ⓐ 띄엄띄엄 이어지는, 단속적인; 울퉁불퉁한; (날씨가) 불안정한: a ~ sleep 선잠 / in ~ words 말을 띄엄띄엄 / a ~ country 길이 나쁜 시골, 벽촌 / ~ weather 불안정한 날씨. **3 낙담한**; 비탄에 잠긴; 쇠약한: a ~ man 실의에 빠

진 사람/a ~ heart 실의, 실연. 4 Ⓐ 파산한; (가정 · 결혼이) 파탄한: ~ fortunes 파산/a ~ family 이산 가족/a ~ home 결손 가정. 5 (말 따위가) 길든, 조련된. 6 (맹세 · 약속 따위가) 파기된, 깨어진: a ~ promise 지켜지지 않은 약속. 7 엉망인, 변칙적인: ~ English 엉터리 영어. 8 끝수의, 우수리의, 조각난: ~ money 잔돈/a ~ number 끝수, 분수. ㊞ ~·ness n.

bróken chórd 〖음악〗 분산 화음.

bróken-dówn a. (기계 · 가구 · 말 따위가) 쓸모없게 된, 부서진; (사람이) 건강을 해친; 붕괴된, 파괴된.

bróken-héarted [-id] a. 기죽은; 비탄에 잠긴; 상심한; 실연한. ㊞ ~·ly ad. ~·ness n.

bró·ken·ly ad. 띄엄띄엄, 더듬더듬: speak ~.

bróken réed 믿을 수 없는 사람〔것〕.

bróken-wínded [-id] a. 헐떡이는; 〖수의〗 (말 따위가) 천식〔폐기종〕에 걸린.

***bro·ker** [bróukər] n. Ⓒ 1 중개인, 브로커; 증권 중개인: bill 〔exchange〕 ~. 2 (결혼) 중매인. 3 《英》 (압류물의) 매각인, 감정인(鑑定人). —vt. (거래 · 교섭)을 제삼자가 중간에서 매듭짓다. —vi. 브로커 일을 하다.

bro·ker·age [bróukəridʒ] n. Ⓤ 1 중개(업); 주선. 2 중개〔중매〕수수료, 구전.

brol·ly [bráli/brɔ́li] n. 《英구어》 박쥐 우산 《umbrella 의 사투리》; 《英공군속어》 낙하산.

bro·mic [bróumik] a. 〖화학〗 브롬〔취소〕의; 브롬을 함유한: ~ acid 브롬산.

bro·mide, bro·mid [bróumaid], [-mid] n. 1 Ⓤ 〖화학〗 브롬화물: ~ of potassium = potassium ~ 브롬화칼륨. 2 Ⓒ 《구어 · 비유적》 평범한〔지질한〕 사람, 틀에 박힌 문구.

brómide pàper 〖사진〗 브로마이드(인화)지.

bro·mid·ic [broumídik] a. bromide의; 《구어》 평범〔진부〕한, 낡아빠진, 하찮은.

bro·mine [bróumi(:)n] n. Ⓤ 〖화학〗 브롬, 취소(臭素)《비금속 원소; 기호 Br; 번호 35》.

bron·chi [bráŋkai/brɔ́ŋ-] BRONCHUS 의 복수.

bron·chi·al [bráŋkiəl/brɔ́ŋ-] a. Ⓐ 〖해부〗 기관지의: ~ catarrh 기관지 카타르/~ tubes 기관지.

bron·chit·ic [braŋkítik, bran-/brɔŋ-, brɔn-] a. 기관지염의〔에 걸린〕.

bron·chi·tis [braŋkáitis, bran-/brɔŋ-, brɔn-] n. Ⓤ 〖의학〗 기관지염.

bron·chus [bráŋkəs/brɔ́ŋ-] (pl. **-chi** [-kai, -ki:]) n. Ⓒ 〖해부〗 기관지.

bron·co, -cho [bráŋkou/brɔ́ŋ-] (pl. ~s) n. Ⓒ 《美》 야생말《북아메리카 서부산》.

bronco·buster [-bʌ̀stər] n. Ⓒ 《美구어》 야생마를 길들이는 카우보이.

Bron·të [bránti/brɔ́n-] n. 브론테《영국의 세 자매 소설가: **Charlotte** ~ (1816–55); **Emily** ~ (1818–48); **Anne** ~ (1820–49)》.

bron·to·sau·rus [brántəsɔ̀:rəs/brɔ́n-] n. Ⓒ 〖고생물〗 브론토사우루스; 뇌룡(雷龍)《dinosaur 의 일종》.

Bronx [braŋks/brɔŋks] n. (the ~) 브롱크스 《뉴욕 시 북부의 한 구》.

Brónx chéer 《美속어》 혀를 입술 사이로 떨어 소리내는 짓《경멸을 표시함》; 비웃음《hiss 등》.

***bronze** [branz/brɔnz] n. 1 Ⓤ 청동, 브론즈. 2 Ⓒ 청동 제품《조각 따위》; =BRONZE MEDAL. 3 Ⓤ 청동색 (그림물감). —a. Ⓐ 1 청동제(製)의: a ~ statue 동상. 2 청동색의. —vt., vi. 1 청동색으로 만들다〔되다〕. 2 (햇볕에 태우거나 하여) 갈색으로 만들다〔되다〕. ⓒⓕ tan.

Brónze Àge (the ~) 1 〖고고학〗 청동기 시대. ⓒⓕ Stone 〔Iron〕 Age. 2 (b- a-) 〖그리스 · 로마 신화〗 청동 시대《silver age에 계속되는 전쟁과 폭력의 시대》.

brónze médal 동메달《3 등상》.

°**brooch** [broutʃ, bru:tʃ] n. Ⓒ 브로치.

°**brood** [bru:d] n. Ⓒ 1 〖집합적〗 a 〖단 · 복수취급〗 한배 병아리; (동물의) 한 배 새끼: a ~ *of* chickens 한배 병아리. b 《종종 경멸적 · 우스개》 (한 집안의) 아이들. 2 (사람 · 동물 · 물건 따위의) 종족, 종류, 품종. —a. 1 씨 받기 위한, 증식용의. 2 알을 품는, 알을 까기 위한. —vi. 1 알을 품다, 보금자리에 들다: The hen is ~*ing*. 암탉이 알을 품고 있다. 2 곰곰이 생각하다, 마음을 앓다《***over, on, about*** …에, …을》: Don't ~ *over* such trifles. 그런 하찮은 일에 신경 쓰지 마라/He ~*ed on* how to recoup his fortunes. 그는 어떻게 자기 인생을 만회할까 곰곰히 생각했다. 3 (구름 · 안개 따위가) 덮이어 끼다, 조용히 덮다 《***over, above*** …에》: Clouds ~*ed over* the mountain. 구름이 산에 낮게 끼어 있었다. —vt. 1 (알)을 품다. 2 곰곰 생각하다.

bróod·er n. Ⓒ 병아리 보육 상자; 알을 품고 있는 암탉; 곰곰이 생각하는 사람.

bróod hèn 알 품은 닭, 씨암탉.

bróod·màre n. Ⓒ 번식용 암말.

broody [brú:di] (***brood·i·er; -i·est***) a. 1 (암탉이) 알을 품고 싶어하는; 《구어》 (여자가) 아이를 낳고 싶어하는. 2 생각에 잠기는, 뚱한.

***brook**[1] [bruk] n. Ⓒ 시내. ⓒⓕ rivulet, stream.

brook[2] vt. 《문어》 〖보통 부정형〗 1 (모욕)을 참다, 견디다: I can*not* ~ his insults. 그의 모욕을 참을 수 없다. 2 (일이) 허용하다: It ~*s no* delay. 촌각을 지체할 수 없다.

brook·let [brúklit] n. Ⓒ 실개천, 작은 시내.

Brook·lyn [brúklin] n. 브루클린《롱아일랜드에 있는 뉴욕시의 한 구 · 공업 지구》.

***broom** [bru(:)m] n. Ⓒ 1 비, 데크브러시《긴 자루가 달린 솔》. 2 〖식물〗 금작화.

bróom·stick n. Ⓒ 빗자루.

Bros., bros. [brʌ́ðərz] brothers. ★ 형제가 경영하는 조합 · 상사를 나타냄: Smith *Bros*. & Co. 스미스 형제 상회.

°**broth** [brɔ(:)θ, braθ] (pl. ~s [-s]) n. Ⓤ (종류는 Ⓒ) (살코기 · 물고기의) 묽은 수프; 고깃국.

broth·el [brɔ́(:)θəl, bráθ-, brɔ́(:)ð-, bráð-] n. Ⓒ 갈봇집.

†**broth·er** [brʌ́ðər] (pl. **~s,** 4 에서는 종종 ***breth·ren*** [bréðrən]) n. Ⓒ 1 남자 형제, 형〔오빠〕 또는 (남)동생: a whole 〔full〕 ~ 양친이 같은 형제/a half ~ 씨〔배〕 다른 형제/the Wright ~s 라이트 형제. 2 한패, 동료, 의형제: a ~ officer 동료 장교/~s in arms 전우. 3 같은 시민, 동포. 4 (종교상의) 형제, 동신자, 같은 교회〔교단〕원; 〖가톨릭〗 평수사(平修士). 5 동일 조합원; 동업자, 같은 클럽 회원. ***a ~ of the brush*** 화공; 칠장이. ***a ~ of the quill*** 저술가. ***Am I my ~'s keeper?*** 내가 알게 뭐냐《창세기 IV: 9》.

> NOTE 보통 형과 아우의 구별을 하지 않지만, 특히 구별할 때는 형은 one's elder 〔big, older〕 brother, 아우는 one's younger 〔little〕 brother라고 함. 《英》에서는 elder 〔big〕 brother, younger 〔little〕 brother라고 함.

—*int*. 《속어》〖보통 Oh, ~!로〗(놀람·혐오·실망을 나타내어) 어럽쇼, 이 녀석.

◇**broth·er·hood** [brʌ́ðərhùd] *n*. **1** Ⓤ 형제 관계; 형제애: international ~ 국제 친선. **2** Ⓒ 〖단·복수취급〗 단체, 협회, 조합; 동료. **3** Ⓒ (the ~; 보통 *sing*.) 동업자: the legal [medical] ~ 법조[의료]단. **4** Ⓒ (보통 함께 생활하는) 성직자[수도사]단.

◇**bróth·er-in-làw** (*pl*. ***bróthers-***) *n*. Ⓒ 의형(제); 처남, 매부, 시숙, 아내 또는 남편의 자매의 남편《따위》.

broth·er·li·ness [brʌ́ðərlinis] *n*. Ⓤ 형제다움; 형제애; 우애, 우정.

◇**bróth·er·ly** *a*. 형제의; 형제다운; 우정이 두터운, 친숙한: ~ affection [love] 형제애.

brough·am [brúːəm, bróuəm] *n*. Ⓒ 유개마차[자동차]의 일종《마부석·운전자석이 차체의 바깥 쪽에 있는 것》.

brought [brɔːt] BRING 의 과거·과거분사.

brou·ha·ha [bruːháːhaː, ⌐−⌐] *n*. Ⓤ《구어》 세간(世間)의 흥분, 열광; (무질서한) 소동; (하찮은 것에 대한) 격론.

brout·er [brúːtər] *n*. Ⓒ 〖컴퓨터〗 브루터《데이터의 송부처에 따라 router 또는 bridge 로서 작용하는 장치》.

***brow** [brau] *n*. **1** Ⓒ **이마**. **2** Ⓒ (보통 *pl*.) 눈썹(eyebrows): draw one's ~*s* together 상을 찡그리다 / knit [bend] one's ~*s* 눈살을 찌푸리다. **3** Ⓒ 《시어》 얼굴 (표정). **4** (the ~) 벼랑의 가; 산마루: on the ~ *of* a hill 산마루에.

brów·bèat (~; ~**·en**) *vt*. (표정·말 따위로) 을러대다, 위협하다; 위협하여 시키다《***into*** …하게》: ~ a person *into* agree*ing* 아무를 을러대어 승낙케 하다.

†**brown** [braun] *a*. **다갈색의**, (엷은) 갈색의; (살갗이) 볕에 그을린: ~ hair [shoes] 갈색 머리 [구두] / You're quite ~. 완전히 햇볕에 탔군.

—*n*. **1** Ⓤ (종류는 Ⓒ) **다갈색**: light ~ 밝은 갈색 / dark ~ 짙은 갈색 / The door was a light [dark] ~. 그 문은 밝은[짙은] 갈색이었다. **2** Ⓤ 갈색의 그림물감[염료]. **3** Ⓤ 갈색 옷(감): dressed in ~ 갈색 옷을 입은.

—*vt*., *vi*. 갈색으로 하다[되다]; (빵 따위를) 갈색으로 굽다; 거무스름하게 하다[되다].

brówn ále 단맛이 도는 흑맥주.

brówn-bàg (***-gg-***) *vt*., *vi*. 《美구어》 (회사 등에) 누런 봉투에 도시락을[주류를] 넣어 갖고 가다; (술 등을) 누런 봉투에 넣어 음식점에 갖고 들어가다. ㊞ **brówn-bàgger** *n*. Ⓒ 《美》 도시락을 지참하는 사람; (특히 월급쟁이로서) 기혼 남자.

brówn béar 〖동물〗 불곰《북아메리카·유럽산》.

brówn bréad 흑빵; 《美》 당밀 든 찐빵.

brówn cóal 갈탄(lignite).

brówned-óff *a*. Ⓟ 《英구어》 진절머리가 난, 곤란한《***with*** …에》.

Brówn·i·an móvement [mótion] [bráuniən-] 〖물리〗 브라운 운동《액체 속에 있는 미립자의 급속한 진동》.

brown·ie [bráuni] *n*. Ⓒ **1** 〖Sc.전설〗 밤에 몰래 농가의 일을 도와 준다는 작은 요정(妖精). **2** 《美》 아몬드가[땅콩이] 든 초콜릿 케이크. **3** (보통 B–) =BROWNIE GUIDE; 《美》 걸스카우트(단) (Girl Scouts) 중의 유년단원《약 6–8세》.

Brównie Guìde 《英》 Girl Guide 의 유년단원《7.5–11세》.

Brównie pòint Brownie Guide 가 포상(褒賞)으로서 받는 점수.

Brown·ing [bráuniŋ] *n*. **1** 브라우닝, **Robert** ~《영국의 시인(1812–89)》. **2** Ⓒ 브라우닝 총《브라우닝사의 자동소총·기관총 따위》.

brown·ish [bráuniʃ] *a*. 갈색을 띤.

brówn·nòse 《美속어》 *vt*., *vi*. (…의) 환심을 사다, 알랑거리다, 아첨하다.

brówn·òut *n*. 《美》 Ⓒ **1** 경계[준비] 등화 관제《전력 절약·공습 대비의》. ⓒⓕ blackout. **2** (절전을 위한) 전압 저감(低減).

brówn páper 갈색 포장지, 하도롱지.

brówn rát 〖동물〗 시궁쥐(water rat)《아시아 중부 원산》.

brówn ríce 현미(玄米).

brówn·stòne *n*. Ⓤ 적갈색의 사암(砂岩)《고급 건축용》; Ⓒ 그것을 사용한 건축물.

brówn stúdy 생각에 잠김, 공상(reverie): be in a ~ 어떤 것을 골똘히 생각하고 있다.

brówn súgar 홍당(紅糖); 흑사탕.

brówn tróut 〖어류〗 강송어《북아메리카 동부산》.

brows·a·bil·i·ty [bràuzəbíləti] *n*. Ⓤ 〖컴퓨터〗 일람(一覽) 가능성《정보 검색 시스템으로 그 내용의 개략을 한 번에 알 수 있는 것》.

◇**browse** [brauz] *n*. **1** Ⓤ 〖집합적〗 어린 잎, 새싹, 어린 가지《가축의 먹이》. **2** (a ~) (책 따위를) 여기저기 골라 읽음: have a ~ through a book 책을 대충 끝까지 다 읽다. ***be at*** ~ (소 등이) 새 잎을 먹고 있다.

—*vt*. **1** (가축이) 어린 잎을 먹다: ~ leaves away [off] 나뭇잎을 먹다. **2** (책)을 여기저기 읽다《***for*** …을 위하여》; (살 생각도 없으면서 상품)을 이것저것 구경하다: ~ the headlines *for* interesting news 무슨 재미있는 뉴스가 없는가 하고 표제를 여기저기 읽다. **3** 〖컴퓨터〗 파일 등의 내용을 살짝 엿보다, 훑어보다. **—***vi*. **1** (소·사슴 따위가) 어린 잎을 먹다(graze); 먹다《***on*** (어린 잎)을》. **2** 막연히 읽다《***among, through*** (책 따위)를》. **3** (상점 따위에서) 상품을 막연히 보다.

Bruce [bruːs] *n*. 브루스《남자 이름》.

Bruck·ner [brúknər, brʌ́k-] *n*. **Anton** ~ 브루크너《오스트리아의 작곡가; 1824–96》.

Bru·in [brúːin] *n*. (동화 따위에 나오는) 곰, 곰 아지씨.

***bruise** [bruːz] *n*. Ⓒ **1 타박상**, 좌상(挫傷); 상처 자국: a ~ on the leg 다리의 타박상. **2** (과실·식물 따위의) 흠. **3** (마음의) 상처.

—*vt*. **1** …에게 타박상을 입히다, (과일 등)에 흠이 나게 하다: I got my left arm ~*d*. 왼팔에 타박상을 입었다. **2** (감정)을 상하게 하다, (마음)을 아프게 하다, 해치다. **3** (약제·음식물 따위)를 찧다, 빻다; (금속·목재 따위)를 찌부러뜨리다. **—***vi*. **1** 멍이 들다. **2** (감정을) 상하다: His feelings ~ easily.

brúis·er *n*. Ⓒ 《구어》 프로 권투 선수, 싸움 좋아하는 사람, 난폭한 자; 분쇄기.

bruit [bruːt] *vt*. 《英고어·美》〖보통 수동태〗 말을 퍼뜨리다(*about; abroad*)《***that***》.

brunch [brʌntʃ] 《구어》 *n*. Ⓤ (수식어를 수반하며 종류는 Ⓒ) 조반 겸 점심, 이른 점심: have [take] ~ 조반 겸 점심을 먹다. **—***vi*. 조반 겸 점심을 먹다. [◂*br*eakfast+l*unch*]

brúnch còat 집에서 입는 여성용 옷의 일종.

Bru·nei [brúːnai, -nei] *n*. 브루나이《보르네오섬 북서부의 독립국; 1983년 독립》.

◇bru·net(te) [bruːnét] *n.* Ⓒ 브루넷의 사람《살갗·머리·눈이 거무스름함》. ⓒⓕ blond(e). ★ brunet은 남성형, brunette은 여성형; 《美》에서 현재는 구별하지 않음.

◇brunt [brʌnt] *n.* (the ~) 공격의 예봉〔주력〕. ***bear the ~ of*** …을 정면에서 맞다.

‡brush[1] [brʌʃ] *n.* **1** Ⓒ 〘종종 합성어〙 솔, 귀얄: ⇨ HAIRBRUSH, PAINTBRUSH, TOOTHBRUSH. **2** (a ~) 솔질: She gave her hair a ~. 그녀는 머리에 솔질을 했다. **3** Ⓒ 붓, 화필; (the ~) 화법, 화풍(畫風), 화류(畫流): a picture from the same ~ 같은 화풍으로 그린 그림. **4** Ⓒ 〖전기〗 브러시 (방전); 〖컴퓨터〗 브러시《컴퓨터 그래픽에서 붓 모양의 아이콘》. **5** Ⓒ **a** (보통 *sing.*) 스침, 가벼운 접촉: I felt the ~ of her dress. 그녀의 드레스가 가볍게 스치는 것을 느꼈다. **b** 승강이, 실랑이; 저촉《***with*** …와의》: have a ~ *with* the law 법률에 저촉되다. **6** Ⓒ 솔 모양의 것; 여우 꼬리《여우 사냥의 기념》; 모자의 깃장식; (흔히 *pl.*) 끝이 솔 모양인 북채. **7** (the ~) 매정한 거절, 퇴짜: She gave me the ~. 그녀에게 퇴짜맞았다.

—*vt.* **1** 《~+목/+목+보》 …에 솔질을 하다; 털다; …을 닦다: ~ one's hair 머리에 솔질을 하다 / ~ one's teeth clean 이를 깨끗이 닦다.
2 《+목+부/+목+전+명》 (솔·손으로) 털어 버리다, 털어내다(*away; aside; off; out*)《***from*** …에서》: ~ the dirt *off* 먼지를 털어버리다 / She ~*ed away* a fly *from* the baby's nose. 그녀는 아기의 코에 붙은 파리를 쫓아 버렸다.
3 《+목+부/+목+전+명》 (페인트 등)을 (벽 등에) 칠하다(*over*)《***onto*** …에; ***with*** …으로》: ~ the door *over* 문에 페인트를 쓰윽 칠하다 / ~ the paint *onto* the surface 〔~ the surface *with* the paint〕 표면에 페인트를 칠하다.
4 …을 스치고 지나다, 스치다: His lips ~*ed* her ear. 그의 입술이 그녀의 귀를 가볍게 스쳤다.

—*vi.* **1** 《+전+명》 스치다《***against*** …을》: He ~*ed against* me in the passage. 그는 복도에서 나에게 부딪칠듯 스쳐갔다. **2** 《+전+명》 스치고 지나가다; 질주하다: The car ~*ed past* 〔*by*〕 (him). 그 차는 (그의) 곁을 스치듯 지나갔다.

~ (...) ***aside*** 〔***away***〕 《*vt.*+부》 ① 털어내다 (⇨*vt.* 2). ② …을 무시하다, 가볍게 응대하다: She ~*ed aside* his reservations. 그녀는 그의 의심을 일축해 버렸다. ~ ***back*** 《*vt.*+부》 ① 〖야구〗 타자를 위협하는 빈볼(beanball) 비슷한 속구를 던지다. ② (머리)를 뒤로 쓸어 넘기다. ~ ***down*** 《*vt.*+부》 ① (손·솔로 옷)의 먼지를 털다. ② (말)에게 솔질해 (땀·먼지를) 닦아 주다. ~ ***off*** 《*vt.*+부》 ① (솔로 먼지 따위)를 털어내다. ② (아무)를 무시하다; 거절하다; 퇴짜놓다. —《*vi.*+부》 ③ (먼지 따위가) 떨어지다. ~ ***up*** 《*vt.*+부》 ① (머리)를 브러시질하여 치켜 세우다; 옷 매무시를 고치다: Let me ~ myself *up* and I'll meet you in the lobby. 잠시 옷매무시를 고치고 나서 로비에서 뵙죠. ② 공부를 다시하다, (…의) 기술〔지식〕을 더욱 연마하다: ~ *up* one's English (잊혀 가는) 영어를 새롭게 시작하다. —《*vi.*+부》 ③ 공부를 다시 시작하다《***on*** …의》: ~ *up* a bit *on* one's English (잊혀 가는) 영어를 다시 공부하다.

brush[2] *n.* **1** Ⓤ 덤불, 잡목〔관목〕림(林); 섶나무(가지). **2** (the ~) 《美구어》 미개척지.

brúsh-òff *n.* (the ~) 《구어》 거절, 자빠댐; 퇴짜: give 〔get〕 the ~ 퇴짜놓다〔맞다〕, 거절하다〔당하다〕.

brúsh·ùp *n.* Ⓒ **1** (전에 배웠거나 잊혀진 것을) 다시 하기, 복습: He gave his Spanish a ~ before his trip to Mexico. 그는 멕시코 여행에 앞서 스페인어를 복습했다. **2** 닦음; (여행·운동 후 따위의) 몸차림, 몸치장: have a (wash and) ~ (손·얼굴 따위를 씻고) 몸치장하다.

brúsh·wòod *n.* Ⓤ 베어 낸 작은 나뭇가지; (관목의) 덤불, 총림.

brúsh·wòrk *n.* Ⓤ 브러시로 하는 작업《페인트칠 따위》; 필치; 화풍, 화법.

brushy[1] [brʌ́ʃi] (***brush·i·er; -i·est***) *a.* 솔 같은; 털 많은.

brushy[2] (***brush·i·er; -i·est***) *a.* 떨기나무가〔덤불이〕 무성한.

brusque, brusk [brʌsk/brusk] *a.* 무뚝뚝한, 퉁명스러운, 당돌한. ㊕ **~·ly** *ad.* **~·ness** *n.*

Brus·sels [brʌ́səlz] *n.* 브뤼셀《벨기에의 수도》.

Brússels láce 털로 짠 레이스의 일종.

Brússels spróuts 〖식물〗 평지과의 다년생 초본《양 배추의 일종》.

brut [bruːt] *a.* (포도주, 특히 샴페인이) 달지 않은(very dry).

***bru·tal** [brúːtl] *a.* **1** 잔인한(SYN. ⇨ CRUEL), 사나운; 거친; 모진, 가차없는. **2** 육욕적인; 《고어》 짐승의〔같은〕. **3** (진실·사실이) 냉엄한, 엄혹한; 정확한: face the ~ truth that …이라는 엄혹한 사실에 직면하다. ◇ brute *n.*

◇bru·tal·i·ty [bruːtǽləti] *n.* Ⓤ 잔인성, 무자비; Ⓒ 야만적 행위, 만행.

bru·tal·ize [brúːtəlàiz] *vt.*, *vi.* **1** 짐승처럼 하다〔되다〕; 잔인하게 하다〔되다〕. **2** …에게 잔인한 처사를 하다〔폭행을 가하다〕. ㊕ **brù·tal·i·zá·tion** [-lizéiʃən] *n.*

brú·tal·ly *ad.* 야만스레, 난폭하게.

***brute** [bruːt] *n.* **1** Ⓒ 짐승, 금수; (the ~s) 짐승류《인간에 대하여》. **2** Ⓒ 《구어》 지독한 사람〔것〕; 싫은 놈: her ~ of a husband 인간답지 못한 그녀의 남편 / You were a ~ to keep it from me. 너는 그것을 내게 말하지 않았다니 너무했다. **3** (the ~) (인간 속의) 수욕(獸慾), 야수성: the ~ in man 인간의 (야)수성. ⓒⓕ beast.

— *a.* Ⓐ **1** 금수와 같은, 잔인한; 야만적인(savage). **2** 이성이 없는, 맹목적인: ~ courage 만용 / ~ force 폭력. **3** 수욕적인, 육욕의: (a) ~ instinct 동물적 본능. ◇brutal, brutish *a.*

brùte-fórcing *n.* Ⓤ 〖컴퓨터〗 억지 기법 사용.

brut·ish [brúːtiʃ] *a.* 잔인한; 야만적인, 짐승 같은; 우둔한; 육욕적인. ㊕ **~·ly** *ad.* **~·ness** *n.* Ⓤ 야만.

Bru·tus [brúːtəs] *n.* **Marcus Junius ~** 브루투스《로마의 정치가(85?-42 B.C.); 카이사르 암살자의 한 사람》.

BS broadcast satellite. **B.S., b.s.** 《비어》 bullshit (거짓말, 간살). **b.s., B/S** balance sheet; bill of sale. **B.Sc.** 《英》 Bachelor of Science.

B́-sìde *n.* Ⓒ (레코드의) B면, 뒷면(flip side); 또 그 면의 곡. ⓒⓕ A-side.

BST British Summer Time. **Bt.** Baronet.

Btu, B.T.U., B.Th.U., B.t.u. British thermal unit(s). **bu.** bureau; bushel(s).

bub [bʌb] *n.* Ⓒ 《美속어》 여보게, 젊은이《손아랫사람에 대한 호칭》.

‡bub·ble [bʌ́bəl] *n.* **1** Ⓒ (흔히 *pl.*) 거품; 기포(氣泡)《유리 따위 속의》. ★ foam이나 froth가

거품의 집합체인 데 대하여, bubble은 그 낱낱의 거품을 말함. ¶blow (soap) ~*s* 비누방울을 불다. **2** Ⓒ 거품 같은 계획〔야심〕; 실체 없는 사업〔경영〕: She pricked his ~ with a flat no. 그녀는 매정스럽게 거절해서 그의 야망을 꺾어 버렸다/He lost everything in the Florida real-estate ~. 그는 플로리다의 부동산 거품 사업으로 모든 것을 잃었다. **3** Ⓤ 거품이 읾; 끓어오름; 거품 이는〔끓어오르는〕 소리. **4** Ⓒ 작고 둥근 돔; 〖항공〗 (조종석 위의 투명한) 원형 덮개.

*~ **and squeak*** 《英》 야채와 감자가 든 고기 프라이; 종잡을 수 없는 허풍. ***burst*** a person**'*s*** ~ 아무의 희망을 깨다, 아무를 실망시키다. ***prick the*** 〔***a***〕 ~ 비눗방울을 찔러 터뜨리다; 기만을 폭로하다; 환멸을 주다(⇨*n*.2).

—*vi*. **1** 거품 일다; 끓다: The soup is *bubbling* in the pot. 수프가 냄비에서 부글부글 끓고 있다. **2** 《~/+뭐》 (샘 따위가) 부글부글 소리를 내며 솟다(*out; up*); (실개천이) 거품을 내며 흐르다: Clear water ~*d up* from among the rocks. 바위 사이에서 맑은 물이 부글부글 솟고 있었다. **3** 《+전+명》 (아이디어 따위가) 넘치다; 들끓다, 흥분하다, (신명이 나서) 떠들다《***with*** (기쁨·노여움 따위)로》: ~ *with* laughter 웃고 떠들다.

*~ **over*** 《*vi*.+뭐》 ① (액체가) 끓어〔거품이 일어〕 넘치다. ② 〔보통 진행형〕 벅차오르다, 기분이 퍽 좋아지다《***with*** (행복감 따위)로》: She's *bubbling over with* joy. 그녀는 기쁨에 들떠 있다.

búbble bàth 거품 목욕; 향료를 넣은 목욕용 발포제(發泡劑)(를 넣은 목욕탕).

búbble cànopy 〖항공〗 (조종석의) 유선형 바람막이.

búbble càr 돔(dome) 모양의 투명 덮개가 있는 자동차(=**búbbletop càr**).

búbble gùm 풍선껌; 《美》 10대 젊은이 취향의 록 음악.

búbble-jet prìnter 〖컴퓨터〗 버블젯 프린터 《잉크젯 프린터의 일종으로 열을 이용하여 잉크를 분출시킴; 캐논의 상표명》.

búbble mèmory 〖컴퓨터〗 자기(磁氣) 버블 기억장치.

búbble pàck (물건이 보이도록) 투명 재료를 쓴 포장.

búbble·tòp *n*. Ⓒ (자동차에 붙이는) 방탄용 플라스틱 덮개; =BUBBLE CAR.

bub·bly [bʌ́bli] (***bub·bli·er; -bli·est***) *a*. 거품이는, 거품투성이의; 기운찬, 명랑한. **—***n*. Ⓤ (때로 the ~) 《구어》 샴페인 술.

bubónic plágue 〖의학〗 선(腺)페스트.

buc·ca·neer, -nier [bʌ̀kəníər] *n*. Ⓒ 해적 《특히 17-18세기 아메리카 대륙의 스페인령 연안을 휩쓴》; 악덕 정치가; 지조없는 사람〔모험가〕.

Bu·chan·an [bju:kǽnən, bə-] *n*. **James** ~ 뷰캐넌《미국의 제15대 대통령; 1791-1868》.

Bu·cha·rest [bjú:kərèst] *n*. 부쿠레슈티《Rumania의 수도》.

Buck [bʌk] *n*. **Pearl** ~ 펄 벅《미국의 여류 작가; 1892-1973》.

buck[1] [bʌk] (*pl*. ~***s***, ~) *n*. Ⓒ **1** 수사슴(stag); (양·토끼 따위의) 수컷(↔ *doe*). **2** 멋내는 사나이, 멋쟁이. **3** 《구어》 혈기 넘치는 젊은이; 《경멸적》 흑인 또는 아메리카 인디언의 남자. **4** 사슴가죽 제품. **—***a*. 수컷의; 《속어》 사내의: a ~ rabbit 수컷 토끼/a ~ nigger 흑인 남자.

buck[2] *vi*. **1** (말이 갑자기 등을 굽히고) 뛰어오르다. **2** 《美구어》 완강(頑強)하게 저항하다, 강력히 반대하다《***at, against*** …에》: ~ *against* fate 운명에 거스르다. **3** 《美구어》 (차가 덜커덕하고) 갑자기 움직이다. **4** 구하다, 얻으려고 애쓰다《***for*** (승진·지위 등)을》.

—*vt*. **1** (말이 탄 사람·짐)을 날뛰어 떨어뜨리다 (*off*): ~ *off* a person. **2** 《美구어》 완강하게 반항하다, 강경히 반대하다. **3** 《美구어》 (머리·뿔로) 받다; 걷어차다, 돌격하다. **4** 〖미식축구〗 공을 가지고 적진에 돌입하다.

*~ **up*** 《구어》 《*vt*.+뭐》 ① 기운을 내게 하다; 격려하다: The book review ~*ed* her *up*. 그 서평으로 그녀는 힘을 내었다. **—**《*vi*.+뭐》 ② 기운을 내다; 기력을 회복하다. ③ 《英구어》 〔명령법〕 빨리, 힘을 내라, 꾸물대지 마라: *Buck up*, or we'll be late. 서두르지 않으면 늦는다.

—*n*. Ⓒ (말이 등을 굽히고) 뛰어오름.

buck[3] *n*. **1** Ⓒ (포커에서) 카드를 돌릴 차례가 된 사람 앞에 놓는 표지. **2** (the ~) 《구어》 책임.

pass the ~ ***to*** 《구어》 …에 책임을 전가하다. ***The*** ~ ***stops here.*** 《속어》 일의 모든 책임은 내가 진다.

buck[4] *n*. Ⓒ 《美속어》 달러. cf bit[1]. ¶one ~ and four 〔six〕 bits 1달러 50〔75〕센트.

buck[5] *n*. Ⓒ 《英》 톱질 모탕; (체조용) 도약대(臺).

búck·bòard *n*. Ⓒ 《美》 4륜 짐마차《좌석이 탄력판(板) 위에 있는》.

bucked [bʌkt] *a*. 《英구어》 활기찬, 의기양양한(elated)《***at, by*** …으로》.

buck·et [bʌ́kit] *n*. **1** Ⓒ **버킷, 양동이,** 두레박: a fire ~ 소화용 버킷. **2** Ⓒ (컨베이어·준설기의) 버킷. **3 a** Ⓒ 버킷〔양동이〕 가득(bucketful). **b** (*pl*.) 《구어》 다량: The rain came down in ~*s* 큰 비가 내렸다. **4** Ⓒ 〖컴퓨터〗 버킷《직접 액세스(access) 기억 장치에 있어서의 기억 단위》.

a drop in the ~ 창해일속(滄海一粟). ***kick the*** ~ 《속어》 죽다; 뻗다.

—*vt*. **1** 《~+목/+목+뭐》 버킷으로 긷다〔나르다, 붓다〕 (*up; out*). **2** 《英구어》 (말)을 난폭하게 몰다. **—***vi*. 《英구어》 **1** 《~/+뭐》 〔종종 it을 주어로 하여〕 (비가) 억수로 쏟아지다(*down*). **2** 말을 난폭하게 몰다; (차 따위가) 난폭하게 달리다.

búcket brigàde (불끄기 위해) 줄지은 버킷 릴레이의 열.

buck·et·ful [bʌ́kitfùl] (*pl*. ~***s***, ***búck·ets·ful***) *n*. Ⓒ 버킷〔양동이〕 가득(한 양): rain 〔come down〕 (in) *bucketsful* (비가) 억수로 쏟아지다.

búcket sèat (자동차·비행기 따위의 1인용) 접의자.

búcket shòp 《구어》 **1** 무허가 중개소, 엉터리 거래점. **2** 《英》 (할인 항공권을 파는) 여행 대리점.

búck·èye *n*. Ⓒ 〖식물〗 칠엽수류(七葉樹類)《미국산》.

Búck·ing·ham Pálace [bʌ́kiŋəm-] 버킹엄 궁전《런던의 영국 왕실의 궁전》.

Búck·ing·ham·shire [-ʃìər, -ʃər] *n*. 버킹엄셔《잉글랜드 남부의 주; 생략: Bucks.》.

buck·le [bʌ́kəl] *n*. Ⓒ **1** 죔쇠, 혁대 장식, 버클. **2** (톱 따위의) 굽음, 휨, 비틀림. **—***vt*. **1** (죔쇠로) 죄다, (죔쇠)를 채우다(*on; in; up*): ~ (*up*) one's belt 벨트를 채우다. **2** (열·압력을 가하여) …을 구부리다, 휘게 하다; 뒤틀다. **3** 〔~ oneself〕 노력하다, 전력을 다하다(*down*)《***to*** …에》: ~ oneself (*down*) *to* work 일에 전력을 다하다. **—***vi*. **1** (구두·혁대 등을) 버클로 죄다. **2** (열·압력으

로) 굽어지다, 뒤틀리다(*up*). **3** 굴종〔양보〕하다, 지다; 찌부러지다, 붕괴하다《*under* (공격·압력 따위)에》: The roof ~*d under* the weight of the snow. 지붕이 눈의 무게로 무너졌다. **4** 진지하게 달라붙다, 정성을 쏟다(*down*)《*to* (일)에》: ~ *down to* a task 〔*to* writ*ing* a book〕 정성을 다해 일〔집필〕에 착수하다.

buck·ler [bʌ́klər] *n.* Ⓒ 조그마한 원형의 방패; 방호물(防護物)(protector).

buck·ram [bʌ́krəm] *n.* Ⓤ 버크럼《아교·고무 따위로 굳힌 발이 성긴 삼베; 양복의 심·제본 따위에 씀》.

Bucks. Buckinghamshire.

búck·sàw *n.* Ⓒ 틀톱.

buck·shee [bʌ́kʃiː] *a., ad.* 《英속어》 무료의〔로〕; 특별한〔히〕.

búck·shòt *n.* Ⓤ 녹탄(鹿彈)《꿩·물오리 따위 사냥용 대형 산탄》.

búck·skìn *n.* **1** Ⓤ 녹비《양가죽 따위를 누렇게 무두질한 것을 말할 때도 있음》. **2** (*pl.*) 녹비 바지.

búck·thòrn *n.* Ⓒ 〖식물〗 털갈매나무.

búck·tóoth (*pl.* ***-teeth*** [-tìːθ]) *n.* Ⓒ (보통 *pl.*) 뻐드렁니. ㊔ **~ed** [-t] *a.* 뻐드렁니의.

búck·whèat *n.* Ⓤ 〖식물〗 메밀(의 씨), 메밀가루(= ∠ **flòur**); =BUCKWHEAT CAKE.

búckwheat càke 메밀 가루 케이크.

bu·col·ic, -i·cal [bjuːkɑ́lik/-kɔ́l-], [-kəl] *a.* 양치기의, 목가적인(pastoral); 전원 생활의, 시골티가 나는. **—***n.* Ⓒ (보통 *pl.*) 목가, 전원시. ㊔ **-i·cal·ly** *ad.*

⁑**bud**[1] [bʌd] *n.* Ⓒ **1** 〖종종 복합어〗 싹, 눈; 봉오리: ⇨FLOWER BUD, LEAF BUD, ROSEBUD / The ~*s* have begun to open. 싹이 돋기 시작했다. **2** 〖동물·해부〗 아체(芽體), 아상(芽狀) 돌기. **3** 발달〔성숙〕이 덜 된 물건; 소녀, 아이.

in **~** 싹이 터서, 봉오리져서. ***in the*** **~** 봉오리〔싹틀〕 때에; 초기에. ***nip*** 〔***check, crush***〕 ***... in the*** **~** …을 봉오리 때에 따다; 미연에 방지하다.

—(*-dd-*) *vi., vt.* **1** 봉오리를 갖(게 하)다; 발아하다〔시키다〕(*out*). **2** 발육하기〔자라기〕 시작하다; 젊다, 장래가 있다. **3** 〖원예〗 아접(芽椄)하다.

bud[2] *n.* 《美구어》 =BUDDY. ⓒⓕ sis.

Bu·da·pest [búːdəpèst, bùːdəpést] *n.* 부다페스트《Hungary 의 수도》.

bud·ded [bʌ́did] *a.* 싹튼, 움튼, 봉오리진; 아접(芽椄)한.

***Bud·dha** [búːdə] *n.* **1** (the ~) **불타**, **부처**《석가모니의 존칭; 다른 득도자(得道者)에게도 씀》. **2** Ⓒ 불상(佛像).

***Bud·dhism** [búːdizəm] *n.* Ⓤ **불교**, **불도**(佛道), 불법(佛法).

Bud·dhist** [búːdist] *n.* Ⓒ **불교도**. **—a.* 불타의; 불교(도)의: a ~ temple 〔monastery〕 절, 불당.

Bud·dhis·tic, -ti·cal [buːdístik], [-kəl] *a.* 불타의; 불교(도)의.

bud·ding [bʌ́diŋ] *a.* Ⓐ **1** 싹이 트기 시작한; 발육기의: a ~ beauty 꽃봉오리《한창 젊은 미소녀》. **2** 소장(少壯)의, 신진의: a ~ author 신진 작가. **—***n.* Ⓤ 발아; 싹틈; 〖원예〗 아접(芽椄).

bud·dy [bʌ́di] *n.* Ⓒ 《구어》 형제, 동료, 친구; 《美구어》 여보게, 자네《호칭》.

búddy-búddy *a.* Ⓟ 《美구어》 **1** 매우 친한, 사이가 좋은; 매우 정다운. **2** 협력자〔음모자〕의 한패인.

búddy sỳstem (the ~) (사고 방지를 위한) 2인 1 조(組) 방식《수영·캠프에서》.

◇**budge** [bʌdʒ] 〖보통 부정문에서〗 *vi.* **1** 몸을 움직이다; 조금 움직이다: It wo*n't* ~ an inch. 한 치도 움직이지 않는다, 꼼짝도 하지 않는다. **2** 바꾸다《***from*** (의견)을》: He would*n't* ~ *from* his opinion. 그는 자기 의견을 바꾸고 싶어하지 않았다. **—***vt.* **1** …을 (조금) 움직이다: I ca*n't* ~ it. 전혀〔조금도〕 움직이게 할 수가 없다. **2** …에게 생각을 바꾸게 하다, 양보시키다.

⁑**budg·et** [bʌ́dʒit] *n.* Ⓒ **1** (정부 등의) **예산**; 예산안: make a ~ 예산을 편성하다 / open 〔introduce〕 the ~ 의회에 예산안을 제출하다 / an advertising ~ of $5000, 5 천 달러의 광고 예산안 / a defense ~ 국방 예산. **2** 〖일반적〗 경비, 운영비; 가계(家計), 생활비《***for*** (가정 따위)의》: work out a monthly ~ *for* household expenses 한 달 가계 예산을 세우다 / Our ~ for food is $400 a month. 우리의 식비는 월 400 달러입니다. **3** (특정 목적을 위한) 예산액: We're on a strict ~. 우리의 예산액은 한정되어 있다.

balance the **~** 수지균형을 맞추다.

—*a.* Ⓐ 《완곡어》 값이 싼, 싸게 잘 산: ~ prices 특가(特價) / the ~ floor 특매장.

—*vi.* 《+전+명》 예산에 계상하다〔짜다〕《***for*** …을》: ~ *for* the coming year 내년도 예산을 세우다. **—***vt.* 예산〔자금 계획〕을 세우다《***for*** …의》; 예정을 세우다《***for*** (시간 따위)의》.

búdget accòunt (백화점의) 할부 방식; (은행 등의) 자동 지급 계좌.

budg·et·ary [bʌ́dʒitèri/-təri] *a.* 예산(상)의〔에 관한〕: a ~ request 예산 요구 / take ~ steps 예산 조치를 강구하다.

Búdget Mèssage (the ~) (미국 대통령이 의회에 보내는) 예산 교서.

búdget plàn (the ~) 《英》 월부제(月賦制), 분할불 판매법 (instal(l)ment plan): on the ~ 분할 지급으로.

Bue·nos Ai·res [bwéinəsáiriz, bóunəs-] 부에노스아이레스《아르헨티나의 수도》.

buff [bʌf] *n.* **1** Ⓤ (물소 등의) 담황색의 연한 가죽; Ⓒ 그 가죽으로 만든 군복; Ⓤ 담황색. **2** (the ~) 《구어》 (사람의) 맨살: (all) in the ~ 벌거벗고, 알몸으로 / strip to the ~ 발가벗기다. **3** Ⓒ 〖수식어를 동반하여〗 《구어》 열광자, …팬, …광(狂): a film 〔jazz〕 ~ 영화〔재즈〕팬 / a Hi-Fi ~ 하이파이광. **—***vt.* (금속·렌즈 따위)를 연한 가죽으로 닦다(*up*).

⁑**buf·fa·lo** [bʌ́fəlòu] (*pl.* **~(e)s,** 〖집합적〗 ~) *n.* Ⓒ **물소**(water ~); 《美》 아메리카들소(bison). **—***vt.* 《美속어》 (아무)를 당황하게 하다, 어리둥절케 하다.

búff·er[1] *n.* Ⓒ (철도 차량의) 완충기〔장치〕(《美》 bumper); (영향·충격·위협 따위를 부드럽게 하는) 완충물, 쿠션; 〖컴퓨터〗 버퍼, 완충역(域). **—***vt.* (충격·관계 등)을 부드럽게 하다, 완화하다; (아이 따위)를 보호하다, 지키다《***from*** …으로부터》.

búff·er[2] *n.* Ⓒ 〖보통 old ~로〗 《英구어》 쓸모없는 녀석, 놈: an old ~ 늙다리.

búffer mèmory 〖컴퓨터〗 버퍼 기억 장치, 버퍼 메모리.

búffer règister 〖컴퓨터〗 버퍼 레지스터《주기억 장치에 넣기 전에 1차적으로 데이터를 모아 전송하는 컴퓨터의 한 부분》.

búffer stàte 완충국.

búffer zòne 완충 지대; = BUFFER STATE.

°**buf·fet**[1] [bʌ́fit] *n.* Ⓒ **1** (손바닥·주먹으로 가하는) 타격(blow), 때려 눕히기. **2** (풍파 따위에) 휘말림; (운명 따위의) 희롱. **—***vt.* **1** (손으로) 치다, 때려 눕히다. **2** (풍파·운명이) …을 뒤흔들다, 농락〔희롱〕하다(*about*) 《★ 종종 수동태》: The boat *was ~ed* (*about*) by the waves. 보트는 거친 파도에 시달렸다 / She *was ~ed* by fate. 그녀는 운명에 농락당했다. **3** (운명 따위)와 싸우다: ~ misfortune's billows 불행의 큰 물결과 싸우다 / He *~ed* his way to riches and fame. 그는 악전 고투하여 부와 명성을 얻었다. **—***vi.* (주먹·손으로) 싸우다, 고투(苦鬪)하며 나아가다 《***with*** …와》.

°**buf·fet**[2] [bəféi, buféi/bʌ́fit] *n.* Ⓒ **1** 찬장. **2** (식당·다방의) 카운터. **3** [búfei] buffet가 있는 간이식당, (역·열차·극장 안의) 식당, 뷔페. **4** 칵테일 파티식〔입식(立食)식〕 요리. **—** [búfei] *a.* Ⓐ (손님이 직접 차려 먹는) 뷔페식의: a ~ lunch 〔supper〕 뷔페식 점심〔저녁〕 식사.

buffét càr (간이) 식당차.

buf·foon [bəfúːn] *n.* Ⓒ 어릿광대, 익살꾼 (clown). ㊕ **~·ery** [-əri] *n.* Ⓤ 익살, 해학.

⁑**bug** [bʌg] *n.* **1** Ⓒ **반시류(半翅類)의 곤충**《방귀벌레 따위》; 〖일반적〗 곤충, 벌레; 《주로 英》 빈대 (bedbug). **2** Ⓒ 《구어》 병원균, 세균, 《특히》 바이러스. **3** Ⓒ 《구어》 (기계 따위의) 고장, 결함. **4** Ⓒ 《美속어》 방범벨; 《구어》 도청기, 도청 마이크. **5 a** (the ~) 〖수식어를 수반하여〗 열중: be bitten by the travel ~ 여행 취미에 사로잡히다. **b** Ⓒ 〖수식어를 수반하여〗 열광자: a movie ~ 영화광. **6** Ⓒ 《컴퓨터속어》 오류《프로그램 작성시의 뜻하지 않은 잘못》: get the *~s* out of a computer program 컴퓨터 프로그램에서 결함을 제거하다.

put a ~ in a person***'s ear*** 《구어》 아무에게 살짝 알려 주다.

— **(-gg-)** *vt.* **1** 《구어》 …을 귀찮게 하다; 괴롭히다. **2** 《구어》 …에 방범벨을〔도청 마이크를〕 설치하다, 도청하다: They have *~ged* his phone. 그들은 그의 전화에 도청기를 설치했다.

~ off 《*vi.*+副》 〖종종 명령법으로〗 《美속어》 (귀찮게 하지 않고) 떠나다. ***~ out*** 《*vi.*+副》 《美속어》 ① 도망치다. ② (…에서) 급히 손을 떼다. ***Don't ~ me.*** 나에게 상관 말아 주게.

> DIAL. ***Bug off!*** 《美》 저리 가.

bug·a·boo [bʌ́gəbùː] (*pl.* **~s**) *n.* Ⓒ 몹시 두렵게 하는 것; 도깨비.

búg·bèar *n.* Ⓒ (나쁜 아이를 잡아먹는다는) 귀신; 걱정거리, 까닭 없이 무서운 것.

búg-èyed *a.* 《속어》 (놀라) 눈이 휘둥그레진.

bug·ger [bʌ́gər] *n.* Ⓒ 《비어》 비역〔수간(獸姦)〕하는 사람, 비역〔남색〕쟁이; 《속어》 자식, 놈; 《英속어》 귀찮은 일〔녀석〕.

~ all 《英속어》 아무것도 아님, 전무(全無): He's done ~ *all* to help me. 그는 나에게 아무것도 도와 주지 않았다.

—*vt.* 《비어》 **1** …와 비역하다. **2** 《英》 몹시 지치게 하다 《★ 보통 수동태》: I'm *~ed.* 아주 지쳤다. **3** 못 쓰게 하다, 고장나게 하다: This software's *~ed.* 이 소프트웨어는 고장났다.

~ about 〔***around***〕 《英속어》 《*vt.*+副》 ① 폐를 끼치다, 괴롭히다; 바보 취급하다. **—** 《*vi.*+副》 ② 바보짓을 하다. ***Bugger it!*** 〖명령법으로 감탄사적 욕설로 써서〗 제기랄. ***~ off*** 《*vi.*+副》 《英속어》 떠나다. ***~ up*** 《*vt.*+副》 《英속어》 엉망으로 〔못 쓰게〕 만들다.

bug·gery [bʌ́gəri] *n.* Ⓤ 《비어》 비역, 계간, 수간.

bug·gy[1] [bʌ́gi] (***bug·gi·er; -gi·est***) *a.* **1** 벌레투성이의. **2** 《속어》 미친, 머리가 이상한; 열중하고 있는《***about*** …에》.

bug·gy[2] *n.* Ⓒ 《英》 (말 한 필이 끄는 가벼운) 2륜 마차; 《美》 (한〔두〕 필의 말이 끄는) 4륜 마차; 《美》 유모차.

búg·hòuse *n.* Ⓒ 《美속어》 정신 병원. **—***a.* 《美속어》 미치광이의; 바보 같은: a ~ fable 터무니없는 말〔일〕.

bu·gle[1] [bjúːgəl] *n.* Ⓒ **1** (군대용) 나팔. **2** 《고어》 각적(角笛)(~ horn). **—***vt.* 나팔을 불어 모으다〔지령하다〕. **—***vi.* 나팔을 불다.

°**bu·gle**[2] *n.* Ⓒ (보통 *pl.*) 유리의 관옥(管玉)《여성복 등의 장식용》.

bu·gler [bjúːglər] *n.* Ⓒ 나팔수(手).

†**build** [bild] (*p., pp.* ***built*** [bilt], 《시어·고어》 ***~·ed***) *vt.* **1** 《~+목/+목+전+명/+목+목》 (건축물)을 **세우다**, 짓다, 건축〔건조, 건설〕하다, (도로·철도 따위)를 부설하다: She has *built* a house. 그녀는 집을 지었다 / The house is *built of* wood. 그 집은 목조 건물이다 / He has *built* himself a new house. = He has built a new house *for* himself. 그는 집을 신축했다.

> SYN. **build** '건립하다' 라는 뜻의 가장 일반적인 말. **construct** '다각도로 머리를 짜내어 건조하다' 의 뜻으로 *construct* a bridge 〔machine〕처럼 다리나 기계 등에 쓰임. **put up**은 build에 해당하는 구어적인 말로서 *put up* a shed 〔tent〕와 같이 말함.

2 《~+목/+목+전+명》 (기계 따위)를 조립하다 (construct); (둥지)를 틀다; (불)을 일으키다: ~ a nest *out of* twigs 잔 가지로 둥지를 틀다.

3 《+목+전+명》 짜맞추다; 만들어 넣다〔붙이다〕 《***into*** …으로, …에》: ~ stones *into* a wall 돌을 쌓아서 담을 만들다 / Bookshelves are *built into* the wall. 서가는 벽에 붙박이로 만들어져 있다 / We've *built* safety features *into* this investment plan. 이 투자 계획에는 안전 대책 조항이 들어 있다.

4 수립하다, 확립하다; (사업·재산·명성 등)을 쌓아 올리다: ~ a fortune 재산을 모으다.

5 《+목+전+명》 (의론·주장)을 내세우다; (기대 따위)를 걸다《***on*** …에》: Don't ~ your future *on* dreams. 꿈에다 장래 계획을 의탁해서는 안 된다.

—*vi.* **1 건축〔건조〕하다**; 건축〔건설〕사업에 종사하다: He *~s* for a living. 그는 건축 사업으로 생계를 꾸려간다.

2 〖be ~ing의 형태〗 건축 중이다(be being built): The house *is ~ing.* 집은 지금 건축 중이다.

3 《+전+명》 기대하다, 의지하다《***on, upon*** …을》; 원금〔밑천〕으로 하다《***on*** …을》: ~ *upon* a promise 〔a person〕 약속을 믿다〔아무를 의지하다〕 / I *built on* his suggestion to work out a plan. 그의 제의를 토대로 하여 안을 짰다.

~ in 《*vt.*+副》 ① (용재(用材))를 짜 맞추어 넣다; 붙박이로 짜 넣다: The bookshelves have been *built in.* 그 서가는 붙박이로 되어 있다. ② 건물로 에워싸다: The area is now *built in.* 그 지역은 지금 건물이 빽빽이 들어서 있다. ***~ (...) on*** 《*vt.*+副》 ① (희망·의론 따위)를 …에 의거하게 하다: ~ one's hopes *on* …에 희망을 걸다.

② 증축하다: ~ an annex *on* 신관을 증축하다. **~ *over*** 《*vt.*+副》 (토지)를 건물로 가득 채우다: What was waste land ten years ago has been *built over* with villas. 10년 전에는 황무지였던 곳에 별장들이 빽빽이 들어서 있다. **~ *up*** 《*vt.*+副》 ① (건강 따위)를 증진하다; (몸)을 단련하다: ~ oneself *up* for the winter 겨울을 대비해서 체력을 보강하다. ② (부·명성·사업 따위)를 쌓아 올리다; (사기 따위)를 높이다; (병력)을 증강하다: The firm has *built up* a wide reputation for fair dealing. 그 회사는 공정한 거래로 널리 평판을 쌓아 올리고 있다. ③ (땅)을 건물로 에워싸다〔들어차게 하다〕《★ 보통 수동태》: The place *is* now *built up*. 그 장소는 이미 집들이 꽉 들어차 있다. ④ (신제품·신인 등)을 선전하다, 칭찬하다; (아무)를 칭찬〔선전〕해서 …하다 《***into*** …으로》; (아무)를 칭찬해서 …하게 하다 《***to*** do》: He has been *built up into* a star, but he's really not very talented. 그는 칭찬을 받아서 스타가 되었지만, 실은 별로 재능은 없다/The movie isn't all it's been *built up to* be. 그 영화는 소문만큼은 좋지 못하다. **—** 《*vi.*+副》 ⑤ 늘다, 축적되다: Our savings are *~ing up*. 우리들의 저금이 늘고 있다. ⑥ (구름이) 나타나다. ⑦ (교통이) 체증을 일으키다. ⑧ (압력·긴장 따위가) 더해 가다. ⑨ (날씨가) 변해서 …될 것만 같다 《***for*** …으로》: It's *~ing up for* a storm. 당장이라도 폭풍이 불어올 것만 같다.

—*n.* **1** Ⓤ 만듦새, 구조; 건축 양식: the ~ of a car 자동차의 구조. **2** Ⓤ (구체적으로는 Ⓒ) 체격, 골격: a man of slender 〔stout〕 ~ 호리호리한〔튼튼한〕 체격의 사람.

°**build·er** *n.* Ⓒ 〖보통 복합어〗 건축(업)자, 건설자, 청부업자; 증진시키는 사람〔물건〕: a master ~ 도편수/a health ~ 건강 증진물〔법〕.

†**build·ing** [bíldiŋ] *n.* **1** Ⓤ **건축**(술), 건조, 건설; 〖형용사적〗 건축(용)의: a ~ area 건평/a ~ berth 〔slip〕 조선대(臺)/~ land 건축용지/a ~ site 부지. **2** Ⓒ **건축물**, 빌딩, 가옥, 건조물.

SYN. **building**은 '건물'을 뜻하는 가장 일반적인 말. **structure**는 단순한 '건물'뿐 아니라 다리·탑·요새 등과 같이 미적이기보다는 크기·설계·건축 재료 등에 중점을 둔 넓은 뜻의 건조물을 뜻함.

búilding and lóan associàtion 《美》 건축 대출 조합(《英》 building society).

búilding blòck 건축용 블록; (장난감) 집짓기 나무; 기초적 요소, 성분.

búilding society 《英》 주택 (금융) 조합(《美》 savings and loan association).

búild-ùp, búild·ùp *n.* Ⓒ **1** 조립, 조성; 증대; 형성. **2** (용의주도한) 준비. **3** 병력 증강〔집중〕, 체력 증진, 강화: military ~ 군사 증강. **4** (신문 따위에서의) 선전, 매명적(賣名的) 선전: give a person a ~ 선전으로 아무의 평판을 높이다.

built [bilt] BUILD의 과거·과거분사.

—*a.* Ⓐ 〖보통 합성어로〗 …한 체격의; …으로 만들어진: a well-~ man 훌륭한 체격의 사람.

búilt-ìn *a.* **1** 박아 넣은, 붙박이로 맞추어 넣은; 짜 넣은《카메라의 거리계 따위》: a ~ bookcase 붙박이 책장. **2** (성질 따위가) 뿌리 깊은, 천성의.

búilt-in fúnction 〖컴퓨터〗 내장 함수《프로그래밍 언어의 라이브러리에 기본적으로 내장되어 있어 그대로 사용할 수 있는 함수》.

búilt-in sóftware 〖컴퓨터〗 내장 소프트웨어《늘 기억 장치 회로석〔ROM 칩〕에 들어 있는 프로그램》.

búilt-ùp *a.* Ⓐ 조립한; 건물이 빽빽하게 들어선, 건물로 둘러싸인: a ~ city 계획적으로 건설된 도시/a ~ area 건물 밀집 지역.

***bulb** [bʌlb] *n.* Ⓒ **1 구근**(球根), 구경(球莖). **2** (온도계 등의) **구**(球); **전구**(electric ~); 진공관. **3** (사진기의) 벌브 노출.

bulb·ous [bʌ́lbəs] *a.* 구근(상)의; 둥글게 부푼; 구근에서 성장하는: a ~ plant 구근 식물/a ~ nose 주먹코. ㊕ **~·ly** *ad.*

bul·bul [búlbul] *n.* Ⓒ 〖조류〗 일종의 명금(鳴禽)《nightingale의 일종으로 페르시아 명칭》.

Bul·gar·ia [bʌlgέəriə, bul-] *n.* 불가리아《수도 Sofia》.

Bul·gar·i·an [bʌlgέəriən, bul-] *n.* Ⓒ 불가리아 사람; Ⓤ 불가리아어. **—*a.*** 불가리아 사람〔어〕의.

°**bulge** [bʌldʒ] *n.* Ⓒ **1** 부푼 것, 부풂; (물통 따위의) 중배. **2** 일시적 증가, 급등, (급)팽창《***in*** (수·양)의》: the ~ *in* the birthrate after the war 전후 출생률의 급팽창.

—*vi.* **1** 부풀다, 불룩해지다(*out*)《***with*** …으로》: His muscles *~d out*. 그의 근육은 불룩 솟아 있었다/The sack *~s with* oranges. 자루는 오렌지로 불룩하다. **2** (눈이) 튀어나오다: *bulging* eyes 퉁방울눈. **—*vt.*** 부풀리다《***with*** …으로》: He *~d* his cheeks. 그는 볼을 불룩하게 했다/He *~d* his pockets *with* apples. 호주머니가 사과로 불룩해 있었다.

bulgy [bʌ́ldʒi] (***bulg·i·er; -i·est***) *a.* 부푼, 불룩한.

bu·lim·ia, bu·li·my [bjuːlímiə], [bjúːləmi] *n.* Ⓤ 〖의학〗 병적 기아(감), 게걸병, 식욕 이상 증진, 다식증(多食症).

***bulk** [bʌlk] *n.* **1** Ⓤ **크기**, 부피, 용적: It is of vast ~. 그것은 아주 크다. **2** 〖the ~ of로〗 **대부분**, 주요한 부분: *The ~ of* the debt was paid. 빚은 거의 다 갚았다. **3** Ⓤ 질이 안 좋은 식료품, 상품. **4** Ⓤ 적하(積荷)(cargo).

***break* ~** 짐을 부리다; 상품을 쪼개어 팔다. ***by* ~** (저울을 쓰지 않고) 적하한 채로, 눈대중으로. ***in* ~** ① (포장하지 않고) 풀린 채로; 적하한 그대로: load *in* ~ (곡물 따위를) 포장하지 않고 싣다. ② 대량으로: sell *in* ~ 모개로 팔다《뱃짐 따위를》; 대량으로 팔다.

—*vi.* **1** 《~/+副》 부피가 늘다, 커지다(*up*). **2** 《+補》〖보통 ~ large로〗 크게 보이다, (중요성이 있다고) 여겨지다: The trade imbalance *~s large* in our minds. 무역 불균형이 큰 문제라고 여겨진다. **—*vt.*** **1** 크게 하다, 부풀게 하다. **2** (물건)을 한 덩어리로 하다; 일괄하다.

búlk bùying (생산품의) 전량 매점(買占); 대량 구입.

búlk·hèad *n.* Ⓒ (흔히 *pl.*) 〖선박〗 격벽(隔壁), 칸막이; 방수〔방화〕벽; (갱내 따위의) 받침벽.

búlk máil 《美》 요금 별납 우편《대량 인쇄물 등에 적용》.

bulky** [bʌ́lki] (bulk·i·er; -i·est***) *a.* **1 부피가 커진**, 턱없이 큰. **2** (커서) 다루기 거북한. ㊕ **búlk·i·ly** *ad.* **búlk·i·ness** *n.*

***bull**[1] [bul] *n.* **1** Ⓒ (거세하지 않은) **황소**. cf. ox. **2** Ⓒ (코끼리·고래 같은 큰 짐승의) **수컷**; 덩치가 크고 튼튼한 사람. **3** Ⓒ 〖증권〗 사는 쪽, 시세가 오르리라고 내다보는 사람. cf. bear[2]. **4** Ⓒ 《美속어》 경관, 교도관. **5** Ⓤ 《美속어》 허풍; 어리석은 일, 난센스; 잘못; 위협. **6** (the B–) 〖천문〗 황소

자리.
a ~ in a china shop 옆 사람에게 방해됨을 생각하지 않는 난폭자. ***shoot*** 〔***sling, throw***〕 ***the ~*** 《美속어》 기염을 토하다, 허튼소리를 하다. ***take the ~ by the horns*** 감연히 난국에 맞서다; 이니셔티브를 잡다.
—*a.* Ⓐ **1** 수컷의; 황소와 같은; 큰: a ~ whale 수코래 / a ~ head 〔neck〕 굵은 머리〔목〕. **2** 【증권】 사는 쪽의, 시세 상승을 예상하는(↔ *bear*): a ~ market 강세(強勢) 시장.
—*vt.* **1** 【증권】 (값을 올리려고) 마구〔투기적으로〕 사들이다. **2** 《~+목/+목+전+명》 **a** 《美》 (법안·요구 사항 따위)를 강행하다, 관철하다 《*through* …에서》: ~ a bill *through* a committee 의안을 위원회에서 억지로 통과시키다. **b** 〘~ one's way 로〙 밀고 나아가다: ~ one's *way through* a crowd 군중 속을 밀고 나아가다.

bull[2] *n.* Ⓒ (로마 교황의) 교서; (옛 로마 황제나 독일 황제의) 칙서.

bull[3] *n.* Ⓒ (언어상의) 우스운 모순, 모순된 언행 (Irish ~)《'이 편지를 받지 못할 경우에는 알려 주십시오' 라고 하는 따위》.

bull[4] 《속어》 *n.* Ⓤ 농담, 허튼소리; 거짓말: shoot the ~ 쓸데없는 말을 하다 / throw 〔sling〕 the ~ 허풍을 떨다. —*int.* 바보같이!

◇**búll·dòg** *n.* Ⓒ **1** 불도그. **2** 완강한 사람. —*a.* Ⓐ 불도그 같은, 용감하고 끈기 있는. —*vt.* 《美》 (사슴·송아지)를 뿔을 붙들고 넘어뜨리다.

búlldog clìp 강력한 종이 집게.

bull·doze [búldòuz] *vt.* **1** 《구어》 **a** 위협하다; 위협하여 …시키다《*into* …하게》; 우격다짐으로 해내다《*through* …에서》: ~ an amendment *through* Congress 수정안을 의회에서 억지로 통과시키다 / ~ a person *into* buy*ing* something 아무를 위협하여 물건을 사게 하다. **b** 〘~ one's way 로〙 억지로 밀어붙이다. **2** (땅)을 불도저로 고르다〔파다, 운반하다〕. 파 **-dòz·er** *n.* Ⓒ 불도저; 《구어》 협박자.

⁑**bul·let** [búlit] *n.* Ⓒ **1 탄알**, 권총탄, 소총〔기관총〕탄: a stray ~ 유탄(流彈). **2 a** 작은 공, 소구(小球). **b** 낚싯봉(plumb).
bite (***on***) ***the ~*** 이를 악물고 견디다, 어려운 일에 용감하게 맞서다.

búllet·hèad *n.* Ⓒ 둥근 머리(의 사람); 《구어》 얼간망둥이, 완고한 사람. 파 **~·ed** [-id] *a.* 작고 둥근 머리의.

*__bul·le·tin__ [búlətin] *n.* Ⓒ **1 게시**, 고시. **2** 공보; (저명인의) 병상(病狀) 발표; 전황 발표; (방송의) 뉴스 속보: a flash news ~ 뉴스 속보. **3** (학회 등의) 보고(서), 회보; (회사의) 사보; (대학 교과 과정의) 편람. —*vt.* 게시〔고시〕하다.

búlletin bòard **1** 《美》 게시판(《英》 notice board). **2** 【컴퓨터】 = ELECTRONIC BULLETIN BOARD.

búllet·pròof *a.* **1** 방탄의: a ~ vest 〔jacket〕 방탄 조끼〔재킷〕 / ~ glass 방탄 유리. **2** 비판〔실패〕의 염려가 없는.

búllet tràin 탄환 열차, 초특급.

búll fíddle 《美구어》 = CONTRABASS.

búll·fight *n.* Ⓒ (스페인의) 투우. 파 **~·er** *n.* Ⓒ 투우사. **~·ing** *n.* Ⓤ 투우.

búll·finch *n.* Ⓒ 【조류】 피리새.

búll·fròg *n.* Ⓒ 황소개구리, (몸집이 큰 북아메리카산) 식용개구리.

búll·hèad *n.* Ⓒ 【어류】 머리가 큰 물고기《둑중개·메기류》; 《비유적》 완고한〔고집센〕 사람.

búll·héaded [-id] *a.* 무턱대고 하는; 완고한,

고집센. 파 **~·ly** *ad.* **~·ness** *n.*

búll·hòrn *n.* Ⓒ 휴대용 확성기, 핸드 마이크.

bul·lion [búljən] *n.* Ⓤ 금은의 지금(地金), 금은괴(塊)〔압연봉〕; 순금, 순은; 금은실의 술〔몰〕.

bull·ish [búliʃ] *a.* **1** 수소와 같은; 완고한, 우둔한. **2** 【증권】 오르는 시세의, 상승하는, 오를 것 같은《시세 등》. 파 **~·ly** *ad.* **~·ness** *n.*

búll·nècked [-t] *a.* 굵고 짧은 목의.

búll·nòse *n.* Ⓒ **1** 주먹코. **2** 【건축】 (벽돌·타일·벽 모서리의) 둥근 면.

◇**bul·lock** [búlək] *n.* Ⓒ (네 살 이하의) 수소; 불깐〔거세한〕 소《식용》.

búll·pèn *n.* Ⓒ 《美》 **1** 소를 가둬두는 곳. **2** 《美구어》 유치장, 구치소. **3** 【야구】 불펜《구원 투수가 워밍업하는 장소》.

búll·rìng *n.* Ⓒ 투우장.

búll sèssion 《美구어》 (보통 학생들의) 자유토론(회); 잡담.

búll's-èye *n.* Ⓒ **1** (과녁의) 흑점; 정곡; 정곡을 쏜 화살〔탄알〕. **2** 채광을 위한 둥근 창; 반구〔볼록〕 렌즈(가 붙은 휴대용 남포). **3** 《英》 눈깔사탕. **4** 정곡을 찌른 발언, 급소, 요점.
hit 〔***make, score***〕 ***the*** 〔***a***〕 ***~*** ① 표적의 중심을 맞히다. ② 급소를〔정곡을〕 찌르다, 요점을 취하다. ③ 《美구어》 대성공을 거두다.

búll·shìt *n.* Ⓤ 《비어》 허풍, 거짓말. —*int.* 거짓말!, 바보같이!

búll·térrier *n.* Ⓒ 불테리어《불독과 테리어의 잡종개》.

*__bul·ly__[1] [búli] *n.* Ⓒ **약한 자를 못살게 구는 사람**, 마구 으스대는 사람; 골목대장.
play the ~ 마구 뽐내다, 약한 사람을 들볶다.

DIAL. ***Bully for you!*** 대단한 사람이군《빈정대는 투》.

—*a.* 《구어》 월등한, 훌륭한: a ~ idea 훌륭한 아이디어〔안〕 / He's in ~ health. 그는 매우 건강하다.
—*int.* 《구어》 멋지다, 잘했다.
—*vt.* 《~+목/+목+전+명》 (약한 자)를 들볶다, 위협하다《*into* …을 하게; *out of* …을 그만두게》: ~ a person *into* 〔*out of*〕 do*ing* 아무를 들볶아서 …시키다〔…을 그만두게 하다〕. —*vi.* 마구 뽐내다, 거만하게 굴다.
~ (a thing) *out of* a person 위협하여 아무에게서 (물건을) 빼앗다.

bul·ly[2] *n.* Ⓤ 통조림〔절임〕 쇠고기(= ∠ **bèef**).

bul·ly[3] *vi.* 【하키】 경기를 개시하다(*off*).

búlly bèef 통조림〔소금절임〕 쇠고기.

búlly·bòy *n.* Ⓒ 폭력단원, 《특히》 정치 깡패.

búlly-óff *n.* Ⓒ 【하키】 시합 개시. cf. kickoff.

bul·rush [búlrʌ̀ʃ] *n.* Ⓒ **1** 【식물】 큰고랭이, 애기부들《속칭 cat's-tail》. **2** 【성서】 파피루스 (papyrus).

◇**bul·wark** [búlwərk] *n.* Ⓒ **1** (흔히 *pl.*) 성채, 보루, 흙 보루; 방파제. **2** (국가·주의 따위의) 방어물〔자〕: a ~ *of* liberty 자유의 보루. **3** (보통 *pl.*) 【선박】 현장(舷牆). —*vt.* 성채로 견고히 하다; 방어〔방비〕하다.

bum[1] [bʌm] *n.* Ⓒ 《구어》 **1** 부랑자, 룸펜; 게으름뱅이, 발록구니. **2** (본업을 소홀히 하고) 스포츠〔놀이〕에 열중하는 사람, …광: a ski 〔jazz〕 ~.
on the ~ 부랑 생활을 하여; 파손되어, 못쓰게 되어: go *on the ~* 부랑 생활을 시작하다.
—*a.* Ⓐ **1** 가치 없는, 빈약한. **2** 잘못된, 부당한,

가짜인: He gave me a ~ steer. 《美속어》 그는 나에게 가짜〔거짓〕 정보를 주었다. **3** (상처 따위로) 기능이 완전치 못한; (발 따위가) 아픈: a ~ leg 아픈 다리.
— (*-mm-*) *vi.* 《구어》 부랑하다; 놀고 지내다; 술에 빠지다 (*around; about*). **—***vt.* **1** 《구어》 거저〔졸라〕 얻다, 을러 빼앗다《*from, off* (아무)에게서》: ~ money *from* a person 아무에게서 꾼 돈을 떼먹다. **2** 《美속어》 (컴퓨터 프로그램에서 불필요한 코드)를 제거함으로써 실행 능률을 향상시키다.

bum² *n.* Ⓒ 《英속어》 궁둥이, 똥구멍.

bum·ber·shoot [bʌ́mbərʃùːt] *n.* Ⓒ 《美속어》 박쥐우산(umbrella).

bum·ble¹ [bʌ́mbəl] *vi.* **1** 큰 실수를 하다, 실책을 하다. **2** 떠듬거리며 말하다 (*on*)《*about* …에 대하여》.

bum·ble² *vi.* (벌 따위가) 윙윙거리다.

búmble·bèe *n.* Ⓒ 〖곤충〗 뒝벌.

bumf, bumph [bʌmf] *n.* Ⓤ 《英속어》 화장지; 〖집합적〗 《경멸적》 공문서, 형식상의 서류.

bum·mer¹ [bʌ́mər] *n.* Ⓒ 《美속어》 건달, 부랑자.

bum·mer² *n.* Ⓒ 《美속어》 (마약 등의 작용에 의한) 불쾌한 경험; 기대에 어긋나는 경험; 실망(시키는 것); 아주 싫은 것.

***bump** [bʌmp] *vt.* **1** 《+목+전+명》 (머리 따위)를 **부딪치다**《*against, on* …에》: ~ one's head *against* the wall 벽에 머리를 쿵하고 부딪치다. **2** …에 부딪다, …와 충돌하다: ~ a train 열차와 충돌하다 / The truck *~ed* our car. 트럭이 우리 차를 받았다. **3** 《+목+전+명》 부딪쳐서 …을 쿵하고 떨어뜨리다《*off* …에서》: The cat *~ed* the vase *off* the shelf. 고양이가 꽃병을 선반에서 쨍그랑 떨어뜨렸다. **4** 《+목+전+명》 《美구어》 (지위 등을 이용하여 승무원)을 밀어내다, 빼다《*from* (항공편 따위)에서》: He was *~ed from* his flight to Tokyo. 그는 도쿄행 항공편에서 밀려났다〔빠졌다〕.
—*vi.* **1** 《~/+전+명》 **충돌하다**《*against, into, on* …에》: ~ *against* each other 서로 부딪치다 / In my hurry I *~ed into* someone. 서두르는 바람에 어떤 사람과 부딪쳤다. **2** 《+전+명》 (차가) 덜거덕거리며 지나가다《*along* …을》: The old car *~ed along* the rough road. 낡은 차가 울퉁불퉁한 길을 덜거덕거리며 지나갔다. **3** 《美·Can.》 (춤에서 댄서가 도발적으로) 허리를 앞으로 내밀다; (록의) 범프를 추다.
~ *into* a person ① 부딪치다(⇨*vi.* 1). ② 《구어》 아무와 우연히 딱 마주치다: I *~ed into* an old friend on my way home. 집으로 돌아오는 도중에 우연히 옛 친구를 만났다. ~ *off* 《*vt.*+부》 《美속어》 죽이다, 골로 보내다, 처치하다. ~ *up* 《*vt.*+부》 《구어》 급증(急增)시키다, (물가·임금 따위)를 올리다, (점수 따위)를 늘리다.
—*n.* Ⓒ **1 충돌**; (부딪칠 때의) 탕〔딱〕하는 소리: a ~ from behind 추돌(追突) / with a ~ 탕 하고. **2** 때려 생긴 혹. **3** (도로 따위의) 융기: a ~ on a road 노상의 융기. **4** 〖항공〗 돌풍《기류 격변으로 인한 불규칙한 바람》, (돌풍에 의한) 비행기의 동요.
—*ad.* 탕하고, 쿵하고: come ~ on the floor 쿵하고 마루에 떨어지다.

bump·er [bʌ́mpər] *n.* Ⓒ **1** 범퍼(《英》 buffer) 《자동차 앞뒤의 완충 장치》; 《美》 (기관차의) 완충기. **2** (축배 때의) 가득찬 잔. **3** 《구어》 풍작; 대어(大漁); (흥행의) 대성공; 《美구어》 유별나게 큰 것. **—***a.* 매우 큰, 풍작의: a ~ crop 〔year〕 풍작〔풍년〕.

búmper càr 범퍼 카《유원지 등에서, 서로 맞부딪치기하는 작은 전기 자동차》.

búmper-to-búmper *a.* **1** 자동차가 줄줄이 이어진. **2** (교통이) 정체한: ~ traffic 교통정체.

bumph ⇨BUMF.

bump·kin [bʌ́mpkin] *n.* Ⓒ 무람없는 사람, 시골뜨기.

bump·tious [bʌ́mpʃəs] *a.* 공연히 자만하는〔뽐내는〕, 거만한, 오만불손한; 주제넘게 나서는. ㊕ ~·**ly** *ad.* ~·**ness** *n.*

bumpy [bʌ́mpi] (*bump·i·er; -i·est*) *a.* **1** (길 따위가) 울퉁불퉁한; (수레가) 덜컹덜컹하는. **2 a** 〖항공〗 돌풍이 많은, 난기류가 있는. **b** (정세 따위가) 나쁜, 불안정한: Things have been ~ for us this year. 금년은 정세(情勢)가 좋지 못하다. **3** (음악·시 등이) 박자가 불규칙한, 고르지 못한. ㊕ **búmp·i·ly** *ad.* **-i·ness** *n.*

búm's rúsh (the ~) 《속어》 강제 퇴거(시키는 수단): give a person the ~ 아무를 강제적으로 물러나게 하다.

bun [bʌn] *n.* Ⓒ **1** 롤빵《건포도를 넣은 달고 둥근 빵》, 둥그런 빵《hamburger 등에 씀》. **2** (여성이 빵 모양으로) 묶은 머리. **3** (*pl.*) 《美속어》 엉덩이(buttocks).
have a ~ in the oven 《구어·우스개》 임신하고 있다《남성이 쓰는 표현》. ***have a ~ on*** 《美속어》 몹시 취하다.

‡bunch [bʌntʃ] *n.* Ⓒ **1** (꽃·과일 따위의) **다발**, 송이. cf. cluster. ¶ a ~ *of* grapes 한 송이의 포도 / a ~ *of* flowers 한 다발의 꽃. SYN. ⇨BUNDLE. **2** 《구어》 동아리, 한 무리; 《美》 떼: a ~ *of* cattle 〔boys〕 소〔아이〕의 떼. ***a ~ of fives*** 《구어》 주먹, 손. ***the best of the ~*** 무리 중의 백미(白眉), 가장 뛰어난 것, 군계일학.
—*vt.* 《~+목/+목+부》 다발로 만들다; (한 떼로) 모으다 (*up; together*). **—***vi.* 《~/+부》 다발로 되다; (한 떼로) 모이다 (*up*).

bunchy [bʌ́ntʃi] (*bunch·i·er; -i·est*) *a.* 송이 모양의〔이 된〕, 다발로 된, 혹 모양의.

bun·co [bʌ́ŋkou] 《美구어》 (*pl.* **~s**) *n.* Ⓒ 사기; 속임수 내기, 야바위. **—***vt.* 야바위치다.

buncombe ⇨BUNKUM.

‡bun·dle [bʌ́ndl] *n.* Ⓒ **1 묶음**, 묶은 것: a ~ *of* letters 편지의 한 묶음.

SYN. **bundle**은 많은 것을 운반·저장하기 위하여 비교적 느슨하게 묶은 것. **bunch**는 a *bunch* of flowers 처럼 같은 종류의 것을 가지런히 묶은 것.

2 꾸러미(로 만든 것): a ~ *of* clothes 옷 한 보따리. **3** 〖보통 a ~ of 로〗 《구어》 덩어리, 뭉치, 무리, 일단(group): It's *a* ~ *of* contradictions. 그것은 모순 덩어리다. **4** 〖식물〗 관다발. **5** 《속어》 큰돈: It costs a ~. 퍽 (많은) 돈이 든다. **6** 〖컴퓨터〗 묶음, 번들《(하드웨어와 소프트웨어를) 일괄하여 팖》.
—*vt.* **1** 《~+목/+목+부》 …을 **다발짓다**, 꾸리다, 묶다, 싸다 (*up*): ~ *up* clothes 옷을 꾸리다. **2** 《+목+부/+목+전+명》 〖~ oneself〗 따뜻하게 감싸다 (*up*)《*in* (옷 따위)로》: ~ *oneself up in* a blanket 담요로 몸을 감싸다. **3** 《+목+전+명》 뒤죽박죽〔마구〕 던져 넣다《*into* …에》: She *~d*

everything *into* the drawers. 그녀는 모든 것을 장롱 속에 처넣었다. **4** 《+목+부/+목+전+명》 (사람)을 거칠게 내어몰다, 몰아내다 (*off*) 《***to*** …으로; ***out of*** …에서》: They ~*d* the children *off to* bed. 그들은 어린애들을 잠자리로 쫓아 버렸다 / She ~*d* her boys *out of* the room. 그녀는 아이들을 방에서 내쫓았다. **5** 〖컴퓨터〗 (하드웨어와 소프트웨어)를 세트로 팔다.

—*vi.* 《+전+명/+부》 급히 물러가다〔떠나다〕, 급히 나가다 (*off; out; away*) 《***out of*** …에서; ***into*** …으로》: They ~*d off* 〔*out, away*〕 in anger. 그들은 화가 나서 급히 물러갔다〔떠나갔다〕 / She ~*d out of* the kitchen. 그녀는 부엌에서 급히 나갔다.

bún fight 〔**strùggle, wòrry**〕 《英속어 · 우스개》 =TEA PARTY.

bung [bʌŋ] *n.* Ⓒ (통 따위의) 마개. —*vt.* **1** 마개를 하다 (*up*) **2** …을 던지다; 던져 넣다〔주다〕: *Bung* those cigarettes over to me. 그 담배를 나에게 던져 줘.

◇**bun·ga·low** [bʌ́ŋgəlòu] *n.* Ⓒ 방갈로 《보통 별장식의 단층집》; 《Ind.》 베란다로 둘러싸인 작은 목조 단층집.

búng·hòle *n.* Ⓒ (통 · 용기 따위의) 주둥이.

bun·gle [bʌ́ŋgəl] *vt., vi.* 서투른 방식으로 하다, 모양새 없이 만들다; 실패하다, 실수하다. —*n.* Ⓒ 서투른 솜씨; 실패: make a ~ of …을 망쳐놓다. 파 **-gler** *n.* Ⓒ 서투른 직공, 손재주 없는 사람. **-gling** *a.* Ⓐ 서투른.

bun·ion [bʌ́njən] *n.* Ⓒ 〖의학〗 엄지발가락 안쪽의 염증 《활액낭(滑液囊)의 염증》.

◇**bunk**[1] [bʌŋk] *n.* Ⓒ **1** 잠자리, (배 · 기차 따위의) 침대; 《구어》 침상. **2** =BUNK BED. —*vi.* 잠자리〔침대〕에서 자다 (*down*); 《구어》 등걸잠을 자다 (*down*): ~ *down* with friends 친구들과 아무렇게나 자다.

bunk[2] *n.* Ⓤ 《구어》 허풍, 남의 눈을 속임. 〔◂ *bunk*um〕

bunk[3] 《英속어》 *vi.* 도망가다. —*n.* Ⓒ 도망. ***do a ~*** 도망가다, 꺼지다, 사라지다.

búnk bèd 2단 침대 《아이들 방 따위의》.

bún·ker *n.* Ⓒ **1** (배의) 연료 창고, 석탄궤 〔상자〕. **2** 〖골프〗 벙커 《모래땅의 장애 구역》; 〖군사〗 벙커, 지하 엄폐호; (로켓 발사 · 핵무기 실험용의) 지하 관측실. —*vt.* 〖골프〗 (공)을 벙커에 쳐서 넣다; 《비유적》 궁지에 몰아넣다; (배)에 연료를 싣다: She is ~*ed*. 그녀는 곤경에 처해 있다.

Búnker Híll 미국 Boston 근교의 언덕 《독립 전쟁 때의 싸움터》.

búnk·hòuse *n.* Ⓒ 《美》 (계절〔목장〕 노동자 등의) 작은 합숙소.

bun·ko [bʌ́ŋkou] (*pl.* **~s**) *n., vt.* =BUNCO.

bun·kum, -combe [bʌ́ŋkəm] *n.* Ⓤ 《구어》 (선거민에 대해서) 인기를 끌기 위한 연설; 부질없는 이야기〔짓〕; 분별없는 일.

búnk-ùp *n.* Ⓒ (보통 *sing.*) 《英구어》 (올라갈 때에) 받쳐 주기, 뒤밀어 주기: give a person a ~ 아무를 뒤에서 밀어올려 주다.

bun·ny [bʌ́ni] *n.* Ⓒ **1** 《소아어》 토끼(= ∠ **ràbbit**), 다람쥐. **2** 버니 걸(= ∠ **gìrl**) 《미국 Playboy Club 의 호스티스; 토끼를 본뜬 복장에서》.

Bún·sen búrner [bʌ́nsən-] 분젠 버너 《고안자인 독일의 화학자 Bunsen 의 이름에서》.

bunt [bʌnt] *n.* Ⓒ (머리 · 뿔 따위로) 받기, 밀기; 〖야구〗 번트, 연타(軟打). —*vt., vi.* (머리 · 뿔 따위로) 받다, 밀다; 〖야구〗 번트하다.

bun·ting[1] [bʌ́ntiŋ] *n.* Ⓒ 〖조류〗 멧새류(類).

bun·ting[2] *n.* Ⓤ 기포(旗布); 《집합적》 (가로 · 건물에 경축 때 거는) 장식 천, (홍백의) 장막; 기드림: streets decorated with ~ 기드림으로 장식된 거리.

bún·ting[3] *n.* Ⓒ 《美》 (유아용의) 포대기.

Bun·yan [bʌ́njən] *n.* **John ~** 버니언 《영국의 작가; *Pilgrim's Progress* 의 저자; 1628–88》.

◇**bu·oy** [bú:i, bɔi] *n.* Ⓒ 부이, 부표(浮標), 찌; 구명 부이(life ~). —*vt.* **1** 뜨게 하다 (*up*). **2** 〖항해〗 …을 부표로 표시하다, 부표를 달다 (*out; off*): ~ an anchor 닻의 위치를 부표로 표시하다 / ~ *off* a channel 수로를 부표로 표시하다. **3** (희망 · 용기 따위)를 지속케〔잃지 않게〕 하다, 지탱하다, 기운을 북돋우다 (*up*) 《★ 종종 수동태로 쓰며, 전치사는 *with, by*》: The cheerful music ~*ed* her *up*. 명랑한 음악이 그녀의 기운을 북돋았다 / He *was ~ed up with* 〔*by*〕 new hope. 새 희망이 그에게 용기를 북돋아 주었다.

buoy·an·cy, -ance [bɔ́iənsi, bú:jən-], [-əns] *n.* Ⓤ **1** 부력; 뜨는 성질. **2** (타격 등으로부터) 회복하는 힘, 쾌활; 낙천적 기질. **3** 〖상업〗 (시세의) 오를 낌새, 호황 낌새.

◇**buoy·ant** [bɔ́iənt, bú:jənt] *a.* **1** (액체 등이) 부양성 있는, (물건이) 부력이 있는, 뜨기 쉬운. **2** (액체처럼) 양력(揚力) 있는. **3** (정신이) 탄력성이 풍부한; 기운찬, 명랑〔경쾌〕한. **4** (주가가) 등귀 경향이 있는; (국가 세입 등이) 증가 경향이 있는. 파 **~·ly** *ad.*

búoyant fórce 〖물리〗 부력(=**búoyance fórce**).

bur [bə:*r*] *n.* Ⓒ **1** (밤 · 도꼬마리 따위 열매의) 가시; 우엉의 열매; 가시 돋친 열매를 맺는 식물. **2** 달라붙는 것, 귀찮은 사람: have a ~ in the throat 목구멍에 무언가 막힌 것〔달라붙은 것〕 같다; 목이 쉬다〔잠기다〕.

bur. 《美》 bureau.

burb [bə:*r*b] (*pl.* **~s**) *n.* Ⓒ 《美속어》 교외(suburb).

Bur·ber·ry [bə́:*r*bəri, -bèri] *n.* Ⓤ 바바리 방수 무명; Ⓒ 바바리 코트〔방수복〕 《상표명》.

bur·ble [bə́:*r*bəl] *vi.* **1** 거품이 일다, 부글부글 〔콸콸〕 소리나다; (시냇물이) 졸졸 흐르다 (*on*). **2** (흥분하여) 정신 없이 지껄여대다 (*on; away*) 《***about*** …에 대하여》: She ~*d on about* her baby's health. 그녀는 갓난아기의 건강에 대해서 수다스럽게 지껄여댔다.

⁑**bur·den**[1] [bə́:*r*dn] *n.* **1 a** Ⓒ **무거운 짐**, 짐: carry a ~ 짐을 나르다. **b** Ⓤ 짐 운반.

SYN. **burden** 사람이나 동물에 의해 운반되는 무거운 짐. **cargo** 배로 운반되는 짐을 뜻하는 일반적인 말. **freight** 《英》에서는 뱃짐에만 쓰이나, 《美》에서는 육상이나 공중으로 수송되는 짐에도 씀. **load** 운반구로 운반되는 무거운 짐, burden 과 함께 비유적으로 '부담 · 수고' 의 뜻으로도 쓰임.

2 Ⓒ (정신적인) 짐, 부담; 걱정, 괴로움, 고생: a ~ of responsibility 책임의 무거운 짐 / be a ~ to 〔on〕 …의 부담〔짐〕이 되다 / His secretary took on the ~ of his work. 비서가 그의 일의 부담을 떠맡았다 / the ~ of proof 〖법률〗 입증책임. **3** Ⓤ (배의) 적재량, 적하량.

beast of ~ ⇨BEAST.

—*vt.* 《+목+전+명》 **1** …에게 **지게 하다** 《***with*** (짐)을》: ~ a horse *with* firewood 말에 장작을 잔뜩 지우다. **2** …에게 부담시키다 《***with*** …을》;

괴롭히다《*with* …으로》《★ 종종 수동태로 쓰임》: He *is ~ed with* debts. 그는 빚을 지고 있다 / be *~ed with* heavy taxes 중세에 시달리다 / She *was ~ed with* three small children. 그녀는 세 어린아이를 떠맡고 있다.

bur·den² *n.* **1** Ⓒ (노래나 시의) 반복; (춤에) 장단 맞추는 노래: like the ~ of a song 몇 번이고 되풀이하여. **2** (the ~) (연설 따위의) 요지(要旨), 취지: the ~ *of* his remarks 그의 의견의 요지.

bur·den·some [bə́ːrdnsəm] *a.* 무거운 짐이 되는; 번거로운, 곤란한: a ~ task 성가신 일.

bur·dock [bə́ːrdɑ̀k/-dɔ̀k] *n.* Ⓒ 〖식물〗 우엉.

*__bu·reau__ [bjúərou] (*pl.* **~s** [-z], **~x** [-z]) *n.* Ⓒ **1** 사무소: an information ~ 《美》 안내소, 접수처. **2** (관청의) 국(department) 《생략: bu., bur.》; 사무〔편집〕국: the National Bureau of Standards (美 상무부의) 표준국 / the Bureau of Land Management 《美》 토지 관리국 《내무부 내의 국; 생략: BLM》. **3** 《美》 옷장《보통 거울 달린》. **4** 《英》 서랍 달린 사무용 책상.

bu·reau·cra·cy [bjuərɑ́krəsi/-rɔ́k-] *n.* **1** Ⓤ 관료 정치〔제도, 주의〕; 관료식의 번잡한 절차; 번문욕례(繁文縟禮). **2** (the ~) 관료 사회; 〖집합적〗 관료(들), 관료적인 사람들.

bu·reau·crat [bjúərəkræ̀t] *n.* Ⓒ 관료적인 사람; 관료; 관료〔독선〕주의자.

bu·reau·crat·ic [bjùərəkrǽtik] *a.* 관료 정치의; 관료식의〔적인〕; 번문욕례(繁文縟禮)의. ㊕ **-i·cal·ly** [-ikəli] *ad.*

bu·reau·crat·ism [bjúərəkrætìzəm, bjuərɑ́- krətì-/-rɔ́krætì-] *n.* Ⓤ 관료주의, 관료 기질.

bu·reaux [bjúərouz] *n.* BUREAU 의 복수.

bu·rette, -ret [bjuərét] *n.* Ⓒ 〖화학〗 뷰렛《정밀한 눈금이 있는 분석용 유리관》.

burg [bəːrg] *n.* Ⓒ 《美구어》 읍(town), 시(city); 《英》 =BOROUGH; 《고어》 성시(城市).

bur·geon, bour- [bə́ːrdʒən] *n.* Ⓒ 싹, 어린 가지(shoot). **—***vi.* **1** 싹을 내다, 싹이 트다(*forth; out*). **2** (급격히) 성장〔발전〕하다: the *~ing* problem of children without fathers 아버지 없는 아이들에게 발생하기 시작한 문제.

burg·er [bə́ːrgər] *n.* Ⓒ (요리는 Ⓤ) **1** 《美구어》 =HAMBURGER. **2** '…을 쓴 햄버거식의 빵, …제(製)의 햄버거' 란 뜻의 결합사: cheese*burger* 치즈버거.

bur·gess [bə́ːrdʒis] *n.* Ⓒ (자치시의) 시민.

burgh [bəːrg/bʌ́rə] *n.* Ⓒ 《Sc.》 자치 도시 (borough). ㊕ **~·er** [bə́ːrgər] *n.* Ⓒ (자치 도시의) 공민, 시민.

*__bur·glar__ [bə́ːrglər] *n.* Ⓒ 불법 목적 침입자, (주거 침입) 강도, 빈집 털이, 밤도둑.

búrglar alàrm 도난 경보기.

bur·glar·i·ous [bəːrglέəriəs] *a.* 주거 침입(죄)의, 강도〔밤도둑〕(죄)의. ㊕ **~·ly** *ad.*

bur·glar·ize [bə́ːrglərὰiz] *vt., vi.* 《美구어》 불법 침입하여 강도질하다.

búrglar·pròof *a.* 도난 예방〔방지〕의.

bur·gla·ry [bə́ːrgləri] *n.* Ⓤ (구체적으로는 Ⓒ) 〖법률〗 (범죄를 목적으로 하는) 주거 침입(죄), 밤도둑죄, 강도질: commit a ~ 강도질을 하다.

bur·gle [bə́ːrgəl] *vt., vi.* 《美구어》 강도질하다.

Bur·gun·dy [bə́ːrgəndi] *n.* 부르고뉴《프랑스의 동남부 지방; 본래 왕국》; (종종 b-) Ⓤ 그곳에서 나는 포도주《보통 적포도주》.

*__bur·i·al__ [bériəl] *n.* **1** Ⓤ (구체적으로는 Ⓒ) 매장: ~ at sea 수장(水葬). **2** Ⓒ 매장식. [◂ bury]

búrial gròund 〔**plàce**〕 매장지, 묘지.

burk [bəːrk] *n.* Ⓒ 《英속어》 바보, 얼간이.

Bur·ki·na Fa·so [bə́ːrkìnəfɑ́sou] 부르키나 파소《아프리카 서부의 공화국; 구칭 Upper Volta, 1984 년 개칭; 수도 Ouagadougou》.

burl [bəːrl] *n.* Ⓒ (피륙의) 올의 마디; 나무의 마디, 옹두리.

bur·lap [bə́ːrlæp] *n.* Ⓤ 올이 굵은 삼베《포장 · 부대용》.

bur·lesque [bəːrlésk] *n.* **1** Ⓤ (구체적으로는 Ⓒ) 광시(狂詩), 광문(狂文), 희작《우스개》; 익살 연극, 해학극. **2** Ⓤ 《美》 저속한 소극(笑劇), 스트립쇼. **—***a.* Ⓐ 익살부리는, 해학의. **—***vt.* 해학화하다, 우습게 하다; 흉내내다, 익살부리다.

bur·ly [bə́ːrli] (**bur·li·er; -li·est**) *a.* (사람이) 튼튼한, 크고 센; 솔직한; 무뚝뚝한. ㊕ **-li·ly** *ad.*

Bur·ma [bə́ːrmə] *n.* 버마《미얀마의 구칭; 수도 Yangon, Rangoon 은 별칭》.
㊕ **Búr·man** (*pl.* **~s**) *n., a.* =BURMESE.

Bur·mese [bə(ː)rmíːz] (*pl.* ~) *n.* Ⓒ 버마 사람; Ⓤ 버마 말. **—***a.* 버마의; 버마 사람〔말〕의.

†__burn__ [bəːrn] (*p., pp.* **burned, burnt**) *vi.* **1** 《~/+보》 (불 · 연료가) **타다**; (물건이) (불)**타다**; (요리 따위가) **눋다**: The meat is *~ing.* 고기가 탄다 / ~ well 〔badly〕 잘 타다〔타지 않다〕 / ~ blue 〔red〕 푸른〔붉은〕 빛을 내면서 타다 / The oatmeal is *~ing.* 오트밀이 눋는다.
2 《~/+보/+전+명》 (등불이) 빛을 내다; 해가 …하게 비치다; (눈 따위가) 빛나다《*with* …으로》: Lights were *~ing* in every room. 등불이 방마다 켜져 있었다 / The river *~ed* crimson in the setting sun. 강은 석양을 받아 새빨갛게 물들었다 / His eyes *~ed with* rage. 그의 눈은 분노로 이글거렸다.
3 (난로 따위가) 타다, 달아오르다; 〖화학〗 연소〔산화〕하다, 〖물리〗 (핵연료가) 분열〔융합〕하다; 《속어》 담배를 피우다.
4 《~/+전+명》 **a** 타는 듯이 느끼다, 화끈해지다; (혀 · 입 · 목이) 얼얼하다; (귀 · 얼굴이) 달아오르다 《*with* …으로》: ~ *with* shame 〔fever〕 부끄러워〔열이 나〕 얼굴이 달아오르다. **b** 흥분하다, (마음속에) 가득 차다《*with* …으로》: She *~ed with* curiosity 〔love〕. 그녀는 호기심에 가득 차〔사랑에 불타오르고〕 있었다.
5 《+전+명/+*to* do》 〖보통 진행형〗 열중하다; 열망하다《*for* …을》; 몹시 …하고 싶어하다: She's *~ing for* a career in politics. 그녀는 정치가 생활을 열망하고 있다 / He *was ~ing to* go home. 그는 집에 돌아가고 싶어서 좀이 쑤셨다.
6 (피부가) 볕에 타다〔그을다〕, (가구나 물들인 천이) 볕에 바래다: She has a skin that *~s* easily in the sun. 그녀의 피부는 볕에 타기 쉽다.
7 (술래가) 숨은 사람〔숨긴 물건〕에 가까이 가다, (퀴즈 따위에서) 정답에 가까워지다.
8 〖우주〗 (로켓 엔진이) 분사하다.
9 《+전+명》 강한 인상을 주다, 깊이 새기다《*in, into* (마음 따위)에》: His face has *~ed into* my memory. 그의 얼굴이 내 기억 속에 새겨졌다.
10 《+전+명》 (산이) 부식하다《*into* (금속)을》.
—*vt.* **1** (연료 따위)를 **불태우다**, 때다, (가스 · 초 등에) 점화하다, 불을 켜다: ~ incense 향을 태우다 / ~ candles 촛불을 켜다 / This heater *~s* gas. 이 히터는 가스 히터다.
2 《~+목/+목+보/+목+전+명》 〖일반적〗 (물건)

을 **태우다**; 태워서 …되다《*to* …으로》; 눋게 하다, 눌리다: ~ a piece of toast black 토스트를 새까맣게 눋게 하다/be *burnt to* a crisp 바싹 태우다/The building was *burnt to* ashes. 그 건물은 타서 재가 되었다〔전소되었다〕.

SYN. **burn** '태우다'의 뜻의 일반적인 말. **bake** 직접 불에 대지 않고, 밀폐된 장소 안이나 뜨거운 표면으로 굽는 것. **roast** 특히 고기를 직접 불 위나 oven 속에 넣어 굽는 것. **broil**《美》불이나 석쇠 위에 놓고 굽는 것. **grill**《英》= broil.

3 a …에 화상을 입히다, …을 데다: What did you do to your hand?—I *~ed* it when I was cooking. 손이 어떻게 된거야—요리하다 데었어/He *~ed* his hand on the hot iron. 그는 뜨거운 다리미에 손을 데었다. **b**〖~ oneself〗화상을 입다《★ 수동태로도 쓰임》: She *~ed herself* badly. 그녀는 심한 화상을 입었다.

4 a《+목+전+명》(구멍)을 달구어 뚫다; (낙인·명(銘))을 찍다《*into, in* …에》: He *~ed* a hole *in* the rug. 그는 양탄자를 태워 구멍을 냈다. **b**《~+목/+목+전+명》구워서 굳히다, (숯·벽돌 따위)를 굽다, 구워 만들다《*in, into* …으로》: ~ bricks 〔lime〕 벽돌을〔석회를〕 굽다/~ clay *into* bircks 점토를 구워 벽돌을 만들다.

5〖컴퓨터〗(PROM, EPROM)에 프로그램을 써넣다.

6〖보통 수동태〗감명시키다, 아로새기다《*in, into* (마음)에》: The sight *was ~ed into* my mind. 그 광경은 내 마음에 새겨졌다.

7《+목+보》(태양이) (색)을 바래게〔그을리게〕 하다; (초목)을 시들게 하다: He was *~ed* black in the sun. 그는 햇볕에 검게 탔다.

8《~+목/+목+보/+목+전+명》화형에 처하다; 불태워 …에 이르게 하다《*to* (죽음)에》: be *~ed* alive 산 채로 화형시키다/Joan of Arc was *~ed to* death. 잔 다르크는 화형에 처해졌다.

9 (음식물·약품 등이) 얼얼하게 하다, 쓰라리게 하다.

10《구어》…을 속이다, 사취하다《★ 종종 수동태》: get *~ed* 고스란히 속아넘어가다.

11〖물리〗(우라늄·토륨 등)의 원자 에너지를 사용하다;〖화학〗연소〔산화〕시키다.

12〖우주〗(로켓 엔진)을 연소시키다.

~ ***away***《*vt.*+부》① 다 태워버리다, 태워 없애다. —《*vi.*+부》② 계속해 타다: The fire was still *~ing away*. 불은 아직도 타고 있었다. ~ ***down***《*vi.* +부》① 다 타버리다, 전소하다. ② 불기운이 약해지다. ③ 불이 약해져서 …되다《*to* …으로》: The fire has *~ed down to* ashes. 불은 다 타서 재가 되었다. —《*vt.*+부》④ 다 태워버리다: The soldiers *~ed down* the village. 군인들은 그 마을을 깡그리 태워버렸다. ~ ***off***《*vt.* +부》① 불살라 버리다〔없애다〕; (개간하기 위해) 태워버리다. ② (햇빛이 안개 따위)를 소산시키다. —《*vi.*+부》③ 다 타 없어지다. ④ (안개 따위가) 걷히다. ~ ***out***《*vt.*+부》① 다 태워버리다. ② 불로 내쫓다《★ 종종 수동태》: They *were ~ed out* (of house and home). 그들은 불이 나서 집을 잃었다. ③〖~ oneself〗다 타버리다; 정력을 다 쏟아버리다, 소모하다: The fire *~ed* it*self out*. 불은 탈 만큼 다 타버렸다〔꺼졌다〕. —《*vi.* +부》④ 다 타다: The light bulb has *~ed out*. 전구가 끊어졌다. ⑤ (엔진 따위가) 타버리다, 타서 고장이 나다. ⑥ (로켓이) 추진 연료를 다 태워버리다. ⑦ (열의·정력 따위가) 바닥이 나다, 기진맥진하다. ~ one'***s boats*** = ~ one'***s bridges*** (***behind*** one) 퇴로를 끊다, 배수진을 치다. ~ ***the candle at both ends*** 돈〔정력〕을 심하게 낭비하다. ~ ***up***《*vi.*+부》① (불이) 확 타오르다. ② 다 타버리다: The old letters *~ed up* in no time. 옛〔오래된〕 편지들은 순식간에 다 타버렸다. ③ (운석·로켓이 대기권에 진입하여) 타 없어지다. ④《속어》(차 따위로) 쏜살같이 가다. ⑤《美구어》노하다. —《*vt.*+부》⑥ 다 태워버리다: Let's ~ *up* the dead leaves. 낙엽을 태워버립시다. ⑦ (연료 따위)를 다 쓰다, 소비하다. ⑧《속어》(도로)를 쏜살같이 달리다. ⑨《美구어》(아무)를 몹시 노하게 하다. ***have*** (money) ***to*** ~ 주체할 수 없을 만큼 (돈)이 있다.

—*n.* Ⓒ **1** 태워 그슬림; 화상; 볕에 탐: first-degree 〔second-degree, third-degree〕 *~s* 제 1도〔2도, 3도〕 화상/get 〔have〕 a ~ 화상을 입다〔입고 있다〕. **2** (벽돌·도자기 따위의) 구움. **3** (숲의) 불탄 자리〔지대〕; 소실(燒失) 지대; 화전(火田). **4** (로켓 엔진의) 분사(噴射);《속어》끽연(喫煙). **5**《속어》사기(詐欺).

búrned-óut *a.* 탄, 타버린; (정력을 다 써서) 지친; (전구 따위가) 타서 끊어진;《비유적》(열의 따위가) 식은;《속어》약효가 떨어진.

búrn·er *n.* Ⓒ (램프 따위의) 불붙이는 곳; (제트 엔진의) 연소실; (숯 따위를) 굽는 사람; 버너, 연소기〔장치〕; 소각로: a brick ~ 벽돌공/an oil ~ 석유 난로/a gas ~ 가스 버너. ***on the back*** 〔***front***〕 ~ ⇨BACK 〔FRONT〕 BURNER.

***burn·ing** [bə́ːrniŋ] *a.* **1** **불타는** (듯한), 열렬한; 뜨거운; 강렬한: a ~ thirst 심한 갈증/~ water 뜨거운 물/~ hot 타는 듯이 더운《부사적 용법》. **2** (격)심한, 지독한: a ~ scent〖사냥〗짐승이 남긴 짙은 냄새/a ~ disgrace 지독한 치욕. **3** 가장 중요한〔심각한〕: a ~ question 가장 중요한 문제.

búrning glàss 화경(火鏡), 볼록 렌즈.

bur·nish [bə́ːrniʃ] *vt.* (금속)을 닦다, 갈다; 빛나게 하다; 광내다. —*vi.*〖well 등의 양태부사를 수반하여〗닦아서 번적이다, 광나다: ~ well 광이 잘 나다. —*n.* Ⓤ 광, 광택.

búrn·òut *n.* **1** Ⓒ〖로켓〗연료 소진(燒盡). **2** Ⓒ〖전기·기계〗소손(燒損); 전소 화재. **3** Ⓤ (심신의) 소모, (스트레스에 의한) 정신·신경의 쇠약.

Burns [bəːrnz] *n.* **Robert** ~ 번스《스코틀랜드의 시인; 1759–96》.

burn·sides [bə́ːrnsàidz] *n. pl.*《美》짙은 구레나룻《턱수염만 깎고 콧수염과 이어짐》.

burnt [bəːrnt] BURN의 과거·과거분사.

—*a.* 탄; 그을린; 덴: a ~ smell 〔taste〕 탄내〔탄 맛〕/A ~ child dreads the fire.《속담》불에 덴 아이는 불을 두려워한다《한번 혼나면 신중해진다》. ★ 미국에서는 보통 burnt는 형용사: a partially *burnt* house 반소된 집.

búrnt óffering 〔**sácrifice**〕 번제(燔祭)《신에게 구워 바치는 제물》;《우스개》(불에 너무 구워) 탄 음식물.

búrnt-óut *a.* =BURNED-OUT.

búrnt siénna 적갈색 (채료).

burp [bəːrp]《구어》*n.* Ⓒ 트림. —*vt.* (갓난아이에게 젖을 먹인 후) 트림을 시키다. —*vi.* 트림을 하다.

búrp gùn《美속어》자동 권총, 소형 경기관총.

burr[1] [bəːr] *n.* Ⓒ **1** (동판 조각 등의) 깔쭉깔쭉하게 깎은 자리, 깔쭉깔쭉함. **2** (치과 의사 등의) 리머. **3** =BUR.

burr[2] *n.* Ⓒ (보통 *sing.*) 드릉드릉, 윙윙《기계 소

리》; r의 후음(喉音); 거친 사투리의 발음.
—*vt., vi.* 후음으로 발음하다; 불명확하게〔사투리로〕 발음하다; 드릉드릉〔윙윙〕하다.

bur·ri·to [bərí:tou] (*pl.* **~s**) *n.* [C] (요리는 [U]) 부리토《육류·치즈를 tortilla로 싸서 구운 멕시코 요리》.

bur·ro [bə́:rou, bʌ́r-, búər-] (*pl.* **~s**) *n.* [C] 당나귀, (특히 짐을 나르는) 작은 당나귀.

bur·row [bə́:rou, bʌ́r-] *n.* [C] 굴《여우·토끼 따위의》; 숨는 곳, 피난〔은신〕처. **—***vi.* **1** 굴을 파다; (땅속의) 진로를 트다. **2** 기어들다, 숨다《***into, under*** …에》: ~ *into* bed 잠자리에 기어들다. **3** 파고들어 조사하다〔찾다〕《***into*** …을》: ~ *into* a mystery 신비를 파고들다/He *~ed into* (the) reference books for the information. 그는 참고서를 뒤적여 그 정보를 찾았다. **—***vt.* **1** 〖~ one's way〗 굴을 파다; 굴을 파며 나아가다《***through*** …을 꿰뚫어》: A mole *~s* its *way through* the ground. 두더지는 땅속에 굴을 파며 나아간다. **2** 갖다대고 부비다《***into*** …에》: ~ one's head *into* a person's shoulder 아무의 어깨에 머리를 부비다. [파] **~·er** *n.* [C] 굴을 파는 짐승.

bur·sar [bə́:rsər] *n.* [C] (대학의) 회계원, 출납원; 《英》 (대학의) 장학생.

bur·sa·ry [bə́:rsəri] *n.* [C] (대학의) 회계과 (사무실); (대학의) 장학금(scholarship).

burst [bə:rst] (*p., pp.* **burst**) *vi.* **1** 《~/+[전]+[명]》 **파열하다**, 폭발하다《***into*** …으로》: The bomb ~. 폭탄이 터졌다/The box ~ *into* fragments. 상자는 산산조각이 났다.
2 《~/+[보]/+[전]+[명]》 (문 따위가) 확 열리다; (물 따위가) 뿜어 나오다; (싹이) 트다, (꽃봉오리 따위가) 벌어지다《***into*** (꽃)으로》; (거품·종기·밤 따위가) 터지다: The door ~ open. 문이 확 열렸다/The trees ~ *into* bloom 〔blossom〕. 나무는 꽃이 활짝 피었다.
3 《+*to* do/+[전]+[명]》 〖보통 진행형으로〗 …하고 싶어 참을 수 없다: be *~ing to* tell the story 그 이야기를 하고 싶어 못 견디다.
4 《~/+[전]+[명]》 (가득 차서) 터지다; 〖진행형으로〗 (터질 것같이) 충만하다《***with*** …으로》: I ate until I was fit to ~. 배가 터지도록 먹었다/He *is ~ing with* health 〔happiness〕. 그는 건강〔행복〕으로 충만해 있다/The barns *were ~ing with* grain. 창고에는 곡물이 넘칠 듯 가득 차 있었다.
5 《+[전]+[명]》 갑자기 보이게〔들리게〕 되다, 갑자기 나타나다《***on, upon, into*** …에》; 갈라지며 나오다, 밀어젖히다《***through*** …을》: ~ *on* 〔*upon*〕 one's ears 〔view〕 갑자기 들리다〔보이다〕/The blazing sun ~ *through* the clouds. 갑자기 이글거리는 태양이 구름을 뚫고 나왔다.
6 《+[전]+[명]》 **a** 갑자기 튀어나오다, 터져 나오다《***out of, from*** …에서》: ~ *out of* a room 방에서 튀어나오다/A scream ~ *from* her lips. 비명이 그녀의 입에서 터져 나왔다. **b** 급히 들어오다《***into*** …으로》: ~ *into* a room 방으로 뛰어 들어오다.
7 《+[전]+[명]》 갑자기 …되다《***into*** (…의 상태)로》: ~ *into* tears 〔laughter〕 와락 울음을〔폭소를〕 터뜨리다/The crashed plane ~ *into* flames. 추락한 비행기는 화염에 휩싸였다.
—*vt.* **1** 《~+[목]/+[목]+[보]》 **파열시키다**, 터뜨리다; …을 부수다, 터뜨려 무너뜨리다: ~ one's bonds 속박을 끊어 버리다/The river ~ its bank. 강물이 제방을 터뜨려 무너뜨렸다/They ~ the door open 〔~ open the door〕. 그들은 문을 확 열었다. **2** …을 찢다, 밀쳐 터뜨리다, (충만하여) 미어지게〔뚫어지게〕 하다: ~ one's clothes (살이 쪄서) 옷이 터지게 하다. **3** 〖~ oneself〗 무리해서 건강을 해치다.
~ *at the seams* (가득 차서) 터질 것 같아지다; 대만원이다. **~ *forth*** 《*vi.*+[부]》 ① 갑자기 나타나다; 튀어나가다; 돌발하다. ② (꽃 따위가) 활짝 피다. ③ 갑자기 시작하다《***into*** …을》: ~ *forth into* song 갑자기 노래 부르기 시작하다. **~ *in*** 《*vi.*+[부]》 느닷없이 (문을 열고) 들어오다: She ~ *in* to tell me the news. 그녀는 느닷없이 들어와서 나에게 그 소식을 전했다. **~ *in on*** 〔***upon***〕 ① (아무의 말·일)을 가로막다, 말참견하다: ~ *in on* a conversation 대화에 느닷없이 참견하다. ② (아무가 있는 곳에) 뛰어들다, 난입하다: ~ *in on* 〔*upon*〕 a person 아무가 있는 곳에 우르르 밀려가다. **~ *out*** 《*vi.*+[부]》 ① (전쟁·질병·소동 따위가) 돌발하다. ② 갑자기 …하기 시작하다《do***ing***》: ~ *out* cry*ing* 〔laugh*ing*〕 갑자기 울기〔웃기〕 시작하다. ③ 갑자기 큰 소리로 …하다《***into*** …을》: ~ *out into* threats 큰 소리로 을러메기 시작하다. **~ one*'s sides with laughing*** 포복절도하다.
—*n.* [C] **1** 파열, 폭발(explosion); 파열〔폭발〕구, 갈라진 틈. **2** 돌발, (감정의) 격발: a ~ *of* applause 갑자기 터지는 갈채/a ~ *of* feeling 돌연한 격정. **3** 분발; (말의) 한바탕 달리기: with a ~ of speed 냅다 스피드를 내어. **4** 술마시고 떠들기. **5** (자동 화기의) 연사(連射), 집중 사격: a ~ of machine-gun fire 기관총의 집중 사격. **6** 〖컴퓨터〗 버스트, 절단.
at a 〔***one***〕 **~** 단숨에; 한바탕 분발하여. ***be*** 〔***go***〕 ***on the*** **~** 《구어》 술마시고 떠들다.

búrst·pròof *a.* (문의 자물쇠가) 강한 충격에 견디는.

bur·ton *n.* 〖다음 관용구로〗 ***go for a*** **~** 〔***Burton***〕 《英구어》 (물건이) 깨지다, 쓸모없게 되다; (사람이) 죽다, 행방불명되다.

Bu·run·di [burúndi, bərʌ́ndi] *n.* 부룬디《중앙 아프리카의 공화국; 수도: Bujumbura》.

bury [béri] (*p., pp.* **bur·ied; ~·ing**) 《발음에 주의》 *vt.* **1** 《~+[목]/+[목]+[보]/+[목]+[전]+[명]》 **묻다**; (흙 따위로) 덮다: ~ treasure 보물을 묻다/be *buried* alive 생매장되다/be *buried* deep *in* snow 〔*under* the ground〕 눈 속〔땅속〕 깊이 묻히다.
2 …의 장례식을 하다, 매장하다: She has *buried* her husband. 그녀는 남편을 여의었다.
3 (망각 속에) 묻어 버리다, …을 잊다: They agreed to ~ the whole thing. 그들은 모든 것을 잊어버리기로 했다.
4 《+[목]+[전]+[명]》 찌르다, 찔러 넣다《***in, into*** (속)에》: ~ one's hands *in* one's pockets 두 손을 호주머니에 찔러 넣다.
5 《+[목]+[전]+[명]》 〖~ oneself 또는 수동태〗 생각에 잠기다; 몰두하다《***in*** …에》: *be buried in* grief 슬픔에 잠기다/I *buried* my*self in* my studies. 나는 연구에 몰두했다.
6 《+[목]+[전]+[명]》 〖~ oneself〗 파묻혀 지내다《***under*** …에》; 틀어박히다《***in*** …에》: He *buried* him*self* in the country. 그는 시골에 파묻혀 지냈다.
7 《+[목]+[전]+[명]》 …을 덮어서 감추다〔가리다〕, 숨기다《***in, under*** …으로, …에》: ~ treasure/~ one's face *in* one's hands 두 손으로 얼굴을 가리다/The letter was *buried under* the papers.

편지는 서류 밑에 숨겨져 있었다.
~ ... *at sea* …을 수장(水葬)하다: He was *buried at sea*. 그는 수장됐다. **~ one's *head in the sand*** ⇨SAND. **~ *the hatchet* 〔*tomahawk*〕** 화해하다.

†**bus** [bʌs] (*pl.* ***bus·(s)es*** [bʌ́siz]) *n.* Ⓒ **1** 버스, 승합 자동차; (버스형의) 대형 자동차: get on a ~ 버스를 타다 / get off a ~ 버스에서 내리다 / go by ~ = take a ~ 버스로 가다 / Does this ~ go to Jongno?—No. Take the number 131. 이 버스 종로에 갑니까?—아니오. 131 번을 타세요. **2** 《구어》 단거리 왕복 여객기. **3** 《구어》 탈것. **4** 〖컴퓨터〗 버스《여러 장치 사이를 연결, 신호를 전송(傳送)하기 위한 공통로(共通路)》(= ∠ **bár**).
miss the **~** 버스를 놓치다; 《속어》 기회를 잃다.
— (*p.*, *pp.* ***bus(s)ed*** [-t]; ***bús·(s)ing***) *vi.* 버스에 타다〔로 가다〕; 《美구어》 (식당 등에서) busboy 〔busgirl〕로서 일하다. **—** *vt.* 버스로 나르다 〔통학시키다〕; 《美속어》 (식당 따위에서 식기를) 치우다. **~ *it*** 《구어》 버스로 가다.

bus. bushel(s); business.

bús·bòy *n.* Ⓒ 《美》 (식당) 웨이터의 조수《요리 나르기 · 접시닦기 등 잡일을 거듦》.

bus·by [bʌ́zbi] *n.* Ⓒ 모피제(毛皮製)의 춤이 높은 모자《영국 기병 · 포병 · 공병의 정모》.

bús condùctor 버스 차장; 〖전자〗 모선(母線)(bus).

bús·gìrl *n.* Ⓒ 《美》 웨이터의 여자 조수.

Bush [buʃ] *n.* 부시. **1 George** (**Herbert Walker**) ~ 미국 제41대 대통령(1924 -). **2 George Walker** ~ 미국 제 43 대 대통령《1 의 아들; 1946 - 》.

⁑**bush**[1] [buʃ] *n.* **1** Ⓒ **관목**(shrub). **2** Ⓒ **수풀**, 덤불; (덤불같이) 더부룩한 것: A bird in the hand is worth two in the ~. 《속담》 잡은 새 한 마리는 수풀 속의 새 두 마리(의 가치가 있다) / a ~ of hair 더부룩한 머리. **3** Ⓤ (종종 the ~) (오스트레일리아 · 아프리카의) 미개간지, 총림지, 오지(奧地).
beat about* 〔*around*〕 *the* ~** ⇨BEAT. ***beat the* ~** (있을 만한 곳을) 샅샅이 뒤지다《for*** (인재)를 찾으려고》.

bush[2] *n.* Ⓒ 〖기계〗 =BUSHING. **—** *vt.* ~를 달다; 금속을 입히다.

bushed [buʃt] *a.* 《美구어》 지쳐 버린.

***bush·el** [búʃəl] *n.* Ⓒ **1** **부셸**《약 36 리터, 약 2 말; 생략: bu.》; 1 부셸들이의 그릇, 부셸 말. **2** 다수, 다량: ~*s of* books 많은 책.

búsh·fire *n.* Ⓒ (끄기 힘든) 잡목림 지대의 산불.

búsh·ing *n.* Ⓒ **1** 〖기계〗 축투(軸套), 베어링통, 끼움쇠테《구멍 안쪽에 끼워서 마멸을 방지하는》. **2** 〖전기〗 투관(套管).

búsh jàcket 부시 재킷《벨트가 달린 긴 셔츠풍의 재킷》.

búsh lèague 《야구속어》 **1** =MINOR LEAGUE. **2** 동네 야구 리그전.

búsh·man [-mən] (*pl.* ***-men*** [-mən]) *n.* 《Austral.》 **1** Ⓒ 총림(叢林) 지대의 주민〔여행자〕. **2** Ⓒ **a** (B-) (남아프리카의) 부시 사람. **b** Ⓤ 부시 사람 말.

búsh tèlegraph (북 · 봉화 따위로 하는) 정글의 통신 수단; 《주로 Austral.》 소문〔정보〕 (등의 빠른 전달) 정보망.

búsh·whàck *vt.*, *vi.* 《美》 덤불을 베어 헤치다 〔헤치고 나아가다〕; (게릴라병이) 기습하다.
㊕ **~·er** *n.*

◇**bushy** [búʃi] (***bush·i·er; -i·est***) *a.* 관목과 같은 〔이 무성한〕; 털이 많은〔더부룩한〕.

***bus·i·ly** [bízəli] *ad.* **1 분주하게**, 틈이 없이, 눈코 뜰 사이 없이. **2** 열심히, 부지런히: He's ~ engaged in writing a book. 그는 열심히 책을 쓰고 있다.

†**busi·ness** [bíznis] *n.* **1** Ⓤ **실업**; 상업, 사업, 기업: go into ~ 실업계에 들어가다.
2 Ⓤ (또는 《美》 a ~) 장사, 거래, 매매; 장사의 경기: be connected in ~ with …와 상거래가 있다 / do ~ 장사하다 / do ~ with …와 거래하다 / do good ~ 장사가 번창하다 / drum up ~ 매매가 활발하다 / *Business* is brisk. 경기가 활황이다.
3 Ⓤ **직업**; 가업: a doctor's ~ 의업(醫業) / That's not in my line of ~. 그것은 내 분야가 아니다 / What ~ is he in? 그는 무슨 직업에 종사하고 있습니까 / go out of ~ 폐업〔도산〕하다. cf. occupation.
4 Ⓤ **사무**, 업무, 일, 집무(執務), 영업: a place 〔house〕 of ~ 영업소, 사무소 / a matter of ~ 업무상의 일 / a man of ~ 실무〔사무〕자 / hours of ~ 집무〔영업〕시간.
5 Ⓒ **회사**, 점포, 상사: open 〔set up〕 a ~ 개업하다 / close a ~ 폐점하다 / sell one's ~ 점포를 팔다 / He has a ~ in New york. 그는 뉴욕에 상점을 가지고 있다.
6 Ⓤ **용건**, 용무, 볼일: What is your ~ here? = What ~ has brought you here? 이곳에 무슨 용무가 있습니까.
7 Ⓤ **a** 〘종종 부정문〙 (관계〔간섭〕할) 권리, (…할) 처지, 입장: know one's own ~ 쓸데없는 간섭을 않다 / It's none of your ~. = It's no ~ of yours. 네가 알 바 아니다. **b** 〘보통 one's ~〙 (해야 할) 일, 직무, 책무, 본분: I have ~ to deal with. 처리해야 할 일이 있다 / Everybody's ~ is nobody's ~. 《속담》 공동책임은 무책임 / It's my ~ to investigate such things. 그런 일을 조사하는 것이 나의 본분이다.
8 (a ~) **a** 사항, 사건; 되어가는 형편; (막연한) 것〔일〕: a bad 〔an awkward〕 ~ 지독한〔곤란한〕 것 / What's this ~ about you retiring? 사직하신다니 어떻게 된 일입니까. **b** 《구어》 귀찮은 일: What a ~ this is! 정말 귀찮은 일이야. **c** (the ~) 《美구어》 엄하게 꾸짖음: She gave me the ~. 그녀는 나를 엄하게 꾸짖었다.
9 Ⓤ 의사(議事)(일정): proceed to 〔take up〕 ~ 의사일정에 들다.
10 Ⓤ 〖연극〗 몸짓, 연기.
~ *as usual* 언제나처럼; 〘게시〙 평상시대로 영업합니다. ***come* 〔*get down*〕 *to* ~** 일을 시작하다; (이야기의) 본론으로 들어가다. ***Go about your* ~!** (남의 일에 참견 말고) 저리 꺼져. ***in the* ~ *of*** ① …에 종사하여. ② 〘보통 부정문〙 …할 셈〔작정〕으로: We are *not in the* ~ *of* offending anyone. 우리는 누구의 감정도 상하게 하려는 것이 아니다. ***like nobody's* 〔*no one's*〕 ~** 《구어》 맹렬히, 몹시, 대단히; 술술, 훌륭히. ***make a great* ~ *of it*** 매우 귀찮아하다, 처치 곤란해하다. ***make it* one's ~ *to*** do …할 것을 떠맡다; 자진하여 …하다, 반드시 …하다. ***mean* ~** 《구어》 진정이다: I hope you *mean* ~. 농담은 아니지요. ***on* ~** 상용으로, 볼일이 있어: No admittance except *on* ~. 무용자 출입 금지. ***send* 〔*see*〕** a person ***about*** his ~ 아무를 쫓아 버리다〔해고하다〕.

[DIAL.] ***Business is business.*** 장사는 장사다, 계산은 계산이다《감정적으로 생각하지 말라는 뜻》.
Mind your own business. 자기 일이나 생각해; 쓸데없는 참견 마라: Why are you hitting your trumpet?—*Mind your own business.* 왜 트럼펫을 두두리는 거야—쓸데없는 참견 마.
(***Just***) ***taking care of business.*** 그럭저럭 지내고 있네《'요즘 어떻게 지내는가'에 대한 대답》.
That's none of your business. 너와는 상관없는 일이야《쓸데없는 참견 마》.

búsiness administràtion 경영 관리학, 기업 관리론, 경영학.
búsiness càrd 업무용 명함.
búsiness clàss 비즈니스 클래스《여객기의 좌석 등급에서 first class와 economy class 사이의 중간 등급》.
búsiness còllege 《美》 (속기·타자·부기 따위를 가르치는) 실무〔실업〕 학교.
búsiness communicátion sỳstem 〖컴퓨터〗 상업용 통신 시스템.
búsiness cỳcle 《美》 경기 순환(《英》 trade cycle).
búsiness day 영업일, 평일.
búsiness ènd 《구어》 (the ~) 사용 부위《비의 끝, 구둣바닥의 창가죽, 칼의 날 따위》: the ~ of a tin tack 징의 끝.
búsiness Ènglish 상업 영어.
búsiness gàme 〖컴퓨터〗 비즈니스 게임《몇 가지 경영 모델을 놓고 의사 결정 훈련을 시키는 게임》.
búsiness hòurs 영업〔집무〕 시간.
búsiness lètter 상용〔업무용〕 편지; 업무용〔사무용〕 통신문.
°**búsiness·lìke** *a.* 사무적〔능률적·실제적〕인, 민첩한; 본마음의, 의도적인.
‡**busi·ness·man** [bíznismæ̀n] (*pl.* **-men** [-mèn]) *n.* [C] **실업가**《특히 기업 경영자·관리직의 사람을 가리킴》.
búsiness pàrk 오피스파크《보통 도시 교외에 있는 사무소 빌딩군(群); 공원, 주차장, 오락 시설, 음식점 등이 병설되어 있음》(office park); 공업 단지(industrial park).
búsiness·pèrson *n.* [C] 《美》 실업가《보통 복수로는 businesspeople을 쓰며, 남성·여성에 대해 같이 씀》.
búsiness schòol 《美》 경영 대학원; =BUSINESS COLLEGE.
búsiness stùdies 경영의 실무 훈련〔연수〕.
búsiness sùit 《美》 신사복(《英》 lounge suit).
búsiness·wòman (*pl.* **-wòmen**) *n.* [C] 여류 실업가, 여성 상인.
bus·ing, bus·sing [bʌ́siŋ] *n.* [U] 버스 수송; 《美》 (백인·흑인 학생을 융합하기 위한) 강제 버스 통학《아동을 거주 구역 밖의 학교로 보냄》.
busk [bʌsk] *vi.* 《英》 거리 연예인 노릇을 하다.
búsk·er *n.* [C] 《英》 거리 연예인.
bus·kin [bʌ́skin] *n.* **1** [C] (보통 *pl.*) 반장화; (옛 그리스·로마의 비극 배우의) 편상(編上) 반장화. **2** (the ~) 《문어》 비극. ***put on the ~s*** 비극을 쓰다〔연출하다〕.
bús làne 버스 전용 차선.
bús·man [-mən] (*pl.* **-men** [-mən]) *n.* [C] 버스 운전사.
búsman's hóliday 《구어》 평상 근무일처럼 보내는 휴가〔휴일〕, 이름뿐인 휴가: take a ~ 이름뿐인 휴가를 얻다.
buss [bʌs] *n.* [C], *vt.*, *vi.* 《美구어·英고어》 키스(하다).
bús shèlter 《英》 지붕 있는 버스 대기소, 버스 정류장의 비 긋는 곳.
bussing ⇨BUSING.
bús stàtion (장거리용) 버스 터미널, 버스 발착장.
bús stòp 버스 정류장.
°**bust**[1] [bʌst] *n.* [C] **1** 흉상, 반신상. **2** 상반신; (여성의) 앞가슴, 버스트(의 치수), 흉위.
bust[2] (*p.*, *pp.* **~·ed, bust**) *vt.* **1** 《구어》 파열시키다; 파산〔파멸〕시키다. **2** 《구어》 (물건)을 부수다, 못쓰게 만들다; (다리 등)을 부러뜨리다: ~ one's leg. **3** 《美구어》 때리다, (야생마 등)을 길들이다. **4** (트러스트)를 작은 회사로 나누다. **5** (장교·하사관 등)을 강등시키다(***to*** (계급)으로): be ~*ed to* private 병졸로 강등되다. **6** (용의자)를 체포하다; (범행 장소)를 급습하다; 가택을 수색하다: I thought he was immune from getting ~*ed*. 그는 체포를 당할 염려가 없다고 나는 생각했다. —*vi.* 《구어》 **1** 파열하다; 부서지다: Her watch soon ~*ed*. 그녀의 시계는 금방 부서져 버렸다. **2** 파산하다(*up*): The company ~*ed* up. 그 회사는 망했다.
~ *out* (《*vi.*+[부]》) 《美》 ① 빨리 꽃이 피다〔잎이 나다〕. ② 《속어》 탈주〔탈옥〕하다. ③ =BURST out ③. ④ 낙제〔퇴학〕하다. —(《*vt.*+[부]》) ⑤ (사관생도)를 낙제〔퇴학〕시키다. **~ *up*** (《*vi.*+[부]》) 《속어》 ① 상처입다: He got ~*ed up* in the accident. 그는 그 사고로 상처를 입었다. ② (부부·친구 등이) 헤어지다. ③ 파열〔파산〕하다(⇨*vi.* 2). —(《*vt.*+[부]》) ④ (물건)을 부수다, 못쓰게 만들다.
—*n.* [C] **1** 《美구어》 파열; (타이어의) 펑크. **2** 《美구어》 실패, 파산, 불황: boom and ~ 번영과 불황. **3** 《美속어》 낙제〔제적〕 통지, 강등 명령; 《구어》 체포; 《속어》 (경찰의) 습격; 《美구어》 후려침. **4** 《구어》 마시며 흥청망청 떠듦: have a ~ =go on the ~ 술마시며 법석떨다. **5** 《구어》 쓸모없는 사람〔물건〕, 패배자.
—*a.* 《英구어》 **1** 깨진, 망그러진. **2** 파산〔파멸〕한: go ~ (회사 따위가) 파산하다. [◂burst]
bus·tard [bʌ́stərd] *n.* [C] 〖조류〗 능에.
búst·er *n.* 《구어》 **1** [C] 파괴하는 사람〔물건〕. **2** [C] 거대한 물건, 굉장한 것; =BLOCKBUSTER; 거한(巨漢); 튼튼한 아이. **3** [C] 《속어》 (술 먹은 뒤의) 법석; 《美》 =BRONCOBUSTER. **4** (종종 B-) 《구어》 이봐, 애야《다소의 경멸 또는 친근감을 나타냄》; 강풍.
bus·tle**[1] [bʌ́sl] *vi.* **1** (《~/+[부]》) **바삐 움직이다**; 떠들며 다니다; 부산떨다(*about; around*): ~ *about* cooking breakfast 아침을 짓느라고 부산하다. **2** (《+[전]+[명]》) (거리 따위가) 붐비다, 북적거리다(with*** …으로): The street was *bustling with* Christmas shoppers. 거리는 크리스마스 쇼핑객들로 몹시 붐볐다. —*vt.* (《+[목]+[부]》) 부산떨게 하다, 재촉하다(*off*): He ~*d* the maid *off* on an errand. 그는 하녀를 재촉하여 심부름 보냈다. **~ *up*** (*sing.*) 떠들어대다, 서두르다, 부지런히 일하다: We must ~ *up* a bit. 좀 서둘러야겠다.
—*n.* (*sing.*) **큰 소동, 혼잡**: be in a ~ 분잡하다, 크게 떠들고 있다/the hustle and ~ *of* a

city 도시의 혼잡.

bus·tle² *n.* Ⓒ 버슬, 허리받이《옛날 스커트의 뒤를 부풀게 하기 위해 허리에 대는》.

bus·tling [bʌ́sliŋ] *a.* 바쁜 듯한; 분잡한. ㊞ **~·ly** *ad.*

bús topòlogy 〖컴퓨터〗 버스 토폴로지〔위상〕. 《네트워크를 구성하는 장치(node)의 접속 방식의 한 가지. 양끝이 종단된 한 가닥의 간선에 각 장치를 접속하는 방식》.

búst-ùp *n.* Ⓒ 《구어》 **1** 흥청망청 떠드는 파티. **2** 《美》 (시끄러운) 싸움. **3** 《美》 파탄, 이별, 이혼.

busty [bʌ́sti] *a.* (여자가) 가슴이 풍만한.

†**busy** [bízi] (**bus·i·er** [bíziər]; **-i·est** [bíziist]) *a.* **1** (사람 · 생활이) **바쁜**, 분주(奔走)한, 틈이 없는《**at, over, with** …에; **in** …하는 데》: I was ~ *with* 〔*over*〕 my accounts. 나는 돈을 셈하느라 바빴다/keep oneself ~ 바쁘게 돌아다니다/He was ~ (*in*) canvass*ing* for the election. 그는 선거 운동하느라 바빴다. **2** 참견〔간섭〕하기 잘하는《**in** …에》: She's always ~ *in* other people's affairs. 그녀는 언제나 남의 일에 참견하느라 바쁘다. **3 사람들의 왕래가 잦은, 교통이 빈번한,** 번화한; 활기찬: a ~ street 번화가/a ~ day 활기찬 하루. **4** 《美》 (전화선이) **통화 중인**; (방 따위를) 사용 중인: Line is ~. 통화 중입니다(《英》 (The) number's engaged.). **5** (무늬가) 복잡한, 차분하지 않은. ***be* ~ *doing*** …하기에 바쁘다. ***get* ~** 《美》 일에 착수하다.

— (*p.*, *pp.* **bus·ied; ~·ing**) *vt.* **1** 《+목+전+명》 〖~ oneself〗 바쁘게 하다〔일하다〕《**with, about, at** …으로》: She *busied* her*self with* household chores in the morning. 그녀는 자질구레한 집안일로 오전 중은 바삐 보냈다. **2** 《+목+(*in*) *-ing*》 〖~ oneself〗 (…하느라고) 바쁘다, 부지런히 (…하고) 있다: I *busied* my*self* (*in*) tidy*ing* my apartment. 나는 아파트를 말끔히 치우느라 바빴다. ★ 현재는 in을 쓰지 않는 것이 일반적임.

— *n.* (*pl.* **busies**) Ⓒ 《英속어》 형사, 탐정.

búsy·bòdy *n.* Ⓒ 참견하기 좋아하는 사람, 중뿔난 사람.

> **DIAL** ***I don't want to sound like a busybody, but ...*** 쓸데없는 참견인지 모르겠습니다만… 《상대방 얘기에 이의를 제기할 때》.

búsy·ness *n.* Ⓤ 다망(多忙), 분주함; 참견하기 좋아함; 번거로움. ≠business.

búsy sìgnal 〖전화〗 '통화중'의 신호.

búsy·wòrk *n.* Ⓤ (학교에서) 시간을 보내기 위해 시키는 학습 활동.

†**but** [bʌt, 약 bət] *conj.* **A** 《등위접속사》 **1 a** 〖앞의 문장 · 어구와 반대 또는 대조의 뜻을 갖는 대등 관계의 문장 · 어구를 이끎〗 **그러나, 하지만,** 그렇지만: a young ~ wise man (나이는) 어리지만 현명한 사람/He is poor ~ cheerful. 그는 가난하지만 명랑하다. **b** 〖(it is) true, of course, indeed, may 따위를 지닌 절의 뒤에 와서 양보를 나타내어〗 (하긴) …**하지만**: True, he is young, ~ he is well read. 확실히 그는 젊지만 대단히 박학하다/You *may* not believe it, ~ that's true. 그것을 믿지 않을는지 모르겠으나 사실이다.

SYN. **but** 두 가지 진술을 대등하게 놓고 분명하게 대조 · 반대를 나타냄. **however** but보다 뜻이 약하고 에둘러하는 형식차린 말. **still** 제1의 진술을 인정하면서 제2의 진술이 그 영향을 받지 않음을 나타냄. **yet** 전술한 것에 대하여 양보할 점은 있으나 전면적으로는 인정할 수 없음을 나타냄.

2 〖앞에 부정어가 있을 때〗 **a** …**하지는 않지만** (그러나): He is *not* young, ~ he is very strong. 그는 젊지는 않지만 몹시 튼튼하다/This is *not* much, ~ I hope you will like it. 변변치 못한 것입니다만 마음에 드시면 다행이겠습니다. **b** …**이 아니고**〔아니라〕《이 때에는 '그러나'로 하지 말 것》: She did*n't* come to help ~ to hinder us. 그 여자는 우리를 도우러 왔다기보다는 훼방 놓으러 온거나 같다/He is *not* my friend ~ my brother's. 그는 내 친구가 아니라 형〔동생〕의 친구다/*Not that* I hate reading, ~ *that* I have no time. 독서가 싫다는 것이 아니라 시간이 없다는 것이다/He is well-known *not* only in Korea, ~ all over the world. 그는 한국내에서만 아니라 세계적으로 유명하다.

3 〖감탄사 · 감동 표현 등의 뒤에 와서〗 《반대 · 항의 · 의외 등의 뜻을 나타내지만 거의 무의미하게 쓰임》: Whew! *But* I am tired. 아이구 지쳤다/Oh, ~ it's awful! 어이구 무서워라/My, ~ you're nice. 우아 참 멋져요/Good heavens, ~ she's beautiful! 야아 그 여자 참 예쁜데/Excuse me, ~ your coat is dusty. 실례지만 선생 상의에 먼지가 묻었소/Sorry, ~ you must have the wrong number. (전화에서) 안됐습니다만 번호를 잘못 거신 것 같군요.

4 〖문두에서〗 **a** 〖이의 · 불만 따위를 나타내어〗 하지만: I'll tip you 10 pence.—*But* that's not enough. 팁으로 10펜스를 주지—하지만 그걸론 충분치가 않습니다. **b** 〖놀라움 · 의외의 기분을 나타내어〗 아니, 그거야: He has succeeded!—*But* that's great! 그 사람이 성공했다네—그것 참 굉장하군.

5 《구어》 〖이유〗 …하므로, …해서, …하여서(because): I'm sorry I was late, ~ there's been a lot of work to do. 늦어서 미안합니다, 할 일이 많이 있었거든요.

B 《종속접속사》 〖부사적 종속절을 이끌어〗 **1** …**을 제외하고는**〔**빼놓고는**〕, …외에는: All ~ he are present. 그를 빼고는 모두 출석하였다/Nobody ~ she knew it. 그녀 이외엔 아무도 그것을 아는 자가 없었다. ★ (1) 용례 중의 he, she를 각각 him, her로 하면 but은 전치사로 됨. (2) but에 선행되는 말은 all, everybody, nothing 따위.

2 〖종종 but that으로 되어서〗 《조건을 나타내는 부사절을 이끎》 …이 아니면 (—할 것이다), …하지 않으면(unless), …(한 것) 외에(는): I would buy the car ~ I am poor. 가난하지 않으면 차를 살 텐데(=《구어》 ...if I were not poor.)/Nothing would do ~ *that* I should come in. 내가 안에 들어가지 않으면 도저히 수습이 안 되겠네.

3 〖주절이 부정문일 때〗 **a** …**않고는**(—안 하다) (*without* doing), …**하기만 하면 반드시**(—하다): It *never* rains ~ it pours. 비가 오기만 하면 반드시 억수같이 퍼붓는다; 《속담》 재난은 반드시 한꺼번에 덮친다/I *never* pass there ~ I think of you. 나는 그 곳을 지나갈 때면 늘 자네를 생각하네(=without thinking of you)/*Scarcely* a day passed ~ I met her. 그녀를 만나지 않는 날은 거의 하루도 없었다《Hardly a day passed *without* my meeting her.가 보다 일반적》. **b** 〖정도 · 성질을 나타내는 so, such와 같은 말을 수반하여〗 …**않을**〔**못할**〕 **만큼**(that ... not): *No* man is *so* old ~ (that) he may learn. 배울 수 없을 정도로 나이 든 사람은 없다, 아무리 나이가 많더라도 배울 수 있다(=so old that he may not learn., 《구어》 No man is too old to learn.) / He is *not such* a fool ~ he knows it. 그것을 모를 정도로 바보는 아니다(=that he *does not* know it).

4 〖명사절을 이끌어서〗 **a** 〖주절에 doubt, deny, hinder, impossible, question, wonder 등 부정적인 뜻이 부정되어 있을 때〗 《but은 명사절을 이끌며 but that, 때로는 but what의 형태를 취하는데 뜻은 that과 같음》 …하다는〔이라는〕 것(that): I do *not deny* ~ (that) he is diligent. 그가 부지런하다는 것은 부정하지 않는다 / *Nothing* will *hinder* ~ (that) I will accomplish my purpose. 어떠한 것도 내가 목적을 달성하는 것을 방해할 순 없을 것이다. **b** 〖흔히 believe, expect, fear, know, say, think, be sure 따위의 부정문·의문문 뒤에 쓰이어〗 《but 대신에 but that, but what을 쓸 때도 있는데 오늘날에는 that이 보통》 …이 아닌〔아니란〕 (것을), …않(는)다는(것을)(that … not): *Never fear* ~ I will go. 꼭 갈 테니 걱정 마라 / I *don't know* 〔*I am not sure*〕 ~ it is all true. 아마 그것은 사실일 것이다 / Who *knows* ~ *that* everything will come out all right? 만사가 잘 될지도 모른다 《문어적·수사적 표현》.

~ then ⇨THEN. ***not ~ that*** 〔***what***〕 ***…*** … 않는다〔아니라〕는 것은 아니다〔아니지만〕: I can't come, *not ~ that* I'd like to. 찾아뵙기가 싫다는 건 아닙니다만, 찾아뵐 수가 없습니다《지금은 I can't come, not that I wouldn't like to.가 일반적임》.

—*ad*. **1 단지, 다만,** 그저 …일 뿐(only); …에 지나지 않는: He is ~ a child. 그는 그저 어린애에 불과하다 / I spoke ~ in jest. 그저 농담으로 말했을 뿐이다 / Life is ~ an empty dream. 인생은 허무한 꿈에 불과하다.

2 그저 …만이라도, 적어도: If I had ~ known! 그저 알기만이라도 했으면 / If I could ~ see him! 그저 그 사람을 만나보기라도 했으면.

3 《美구어》 〖부사를 강조해서〗 아주, 절대로, 단연(absolutely); 그것도: Go there ~ now! 그곳으로 가거라, 그것도 바로 지금 / Oh, ~ of course. 아 물론이지요.

—*prep*. **1** 〖보통 no one, nobody, none, nothing, anything, all, every one, who 따위 의문사의 뒤에 와서〗 …**외엔**〔**외의**〕, …**을 제외하고**〔**제외한**〕(except): There was *no one* left ~ me. 남은 것은 나뿐이었다 / I never wanted to be *anything* ~ a writer. 오직 작가가 되고 싶었다 / He is *nothing* ~ a student. 그는 학생에 지나지 않는다《nothing but =only》/ *Nothing* remains ~ to die. 죽음 외에는 길이 없다.

2 〖the first 〔next, last〕 ~ one 〔two, three〕의 형태로〗 《英》 첫째〔다음, 마지막〕에서 두〔세, 네〕 번째의: the last house ~ one 〔two〕 끝에서 두〔세〕 번째의 집. SYN. ⇨EXCEPT.

all ~ ① …을 빼놓고는 전부. ② 거의(almost, very nearly): He is *all* ~ dead. 그는 (거의) 죽은 것이나 다름없다. ***~ for*** ① 〖가정법〗 …가 아니라면〔없으면〕(if it were not for), …가 없었더라면〔아니었더라면〕 (if it had not been for): I couldn't do it ~ *for* her help. 그녀 도움이 없으면 그건 못 할 게다. ② 〖직설법〗 …을 별도로 하면: The words 'dog' and 'fog' are spelled alike ~ *for* one letter. dog와 fog란 말은 한 자를 제외하면 스펠링이 같다. ***cannot ~*** do =cannot HELP but do. ***do nothing ~*** do … …할 뿐이다: She *did nothing* ~ complain. 그녀는 불평만 했다. ***have no*** (***other***) ***choice ~ to*** do … 하지 않을 수 없다: I *had no choice* ~ *to* accept the offer. 그 제안을 받아들이는 수밖에 없었다.

—*rel. pron*. 〖부정문 속의 말을 선행사로 하여〗 《that 〔who〕 … not의 뜻을 나타내며 접속사의 경우와 마찬가지로 but that, but what이 사용될 때도 있음》 …하지 않는 (바의): There is *no* rule ~ has some exceptions. 예외 없는 규칙은 없다(=*that* does *not* have) / There are *few* men ~ would risk all for such a prize. 그러한 목적을 위해서라면 모든 것을 내걸지 않을 사람이란 없다(=*who* would *not* risk).

—*n*. (보통 *pl*.) 예외, 반대, 이의(異議): IFs and ~*s*.

But me no ~s. =***Not so many ~s, please.*** '그러나, 그러나'라고만 말하지 말게《But는 임시 동사, ~s는 임시 명사의 용법》.

> DIAL. ***no buts*** (***about it***) 이러쿵저러쿵 말고; 불평해 봤자 소용없어(←「그러나」라는 반론을 허용하지 않음): Eat what you are served, *no buts about it*. 투덜대지 말고 차려준 음식이나 먹어요.

bu·tane [bjúːtein, ─́] *n*. Ⓤ 〖화학〗 부탄《가연성 가스상(狀)의 탄화수소; 연료용》.

butch [butʃ] 《속어》 *n*. Ⓒ (여성 동성 연애에서) 남성역(↔ *femme*); 튼튼한 사내, 만만치 않은 사내〔여자〕. —*a*. 《속어》 (여성 동성애의) 사내역의; 《속어》 (여성이) 사내다운.

butch·er** [bútʃər] *n*. Ⓒ **1 a 푸주한,** 고깃간〔정육점〕 주인. **b** 〖~'s (shop)으로〗 정육점, 고깃간: She bought them at the ~*'s* 〔~*'s shop*〕. 그녀는 그걸 정육점에서 샀다. **2** 도살업자; 학살자. **3** 《美》 (열차·관람석에서의) 판매원. ***the ~, the baker, (***and***) ***the candlestick maker*** 가지각색의 상인들.

—*vt*. **1** (가축 따위를 식용으로) 도살하다. **2** 학살하다(massacre); 사형에 처하다. **3** 《비유적》 (일 등)을 망쳐 놓다.

bútcher·bìrd *n*. Ⓒ 《구어》 〖조류〗 때까치(shrike)《속칭》.

bútch·er·ly *a*. 도살자 같은; 잔인한(cruel).

butch·ery [bútʃəri] *n*. **1** Ⓒ 도살장; 푸주(《★ slaughterhouse 쪽이 일반적임》). **2** Ⓤ 도살(업); 학살, 살생.

◇**but·ler** [bʌ́tlər] *n*. Ⓒ 집사, 피용자(被傭者) 우두머리《식기류(類)·술창고를 관리》. cf. housekeeper.

bútler's pàntry (부엌과 식당 사이의) 식기실.

◇**butt**[1] [bʌt] *n*. Ⓒ **1** (무기·도구 따위의) 굵은 쪽의 끝; (총의) 개머리; 나무의 밑동, 그루터기; 잎자루의 아랫 부분. **2** 《美》 피다 남은 담배, 담배꽁초(cigar 〔cigarette〕 ~). **3** (구둣바닥의) 두꺼운 가죽. **4** 《美구어》 궁둥이(buttocks). **5** 《속어》 =CIGARETTE.

butt[2] *n*. **1** Ⓒ (활터의) 무겁; 표적, 과녁. **2** (the ~s) 사적장(射的場), 사격장. **3** Ⓒ 목적, 목표; (조소·비평 등의) 대상, 희롱가마리: make a person the ~ *of* contempt 아무를 모멸의 대상으로 삼다.

butt[3] *vt*. **1** (머리·뿔 따위로) 받다〔밀치다〕《*in* (몸의 일부)를》: ~ a person *in* the stomach 아무의 배를 들이받다. **2** 부딪치다. —*vi*. **1** (머리

를) 부딪치다, (정면에서) 충돌하다《**against, into** …에》: In the dark I ~*ed into* a man 〔*against* the fence〕. 어둠 속에서 나는 머리를 사람〔담〕에 부딪쳤다. **2** 머리로 밀다, 뿔로 받다《**at, against** …을》. **~ in** 《*vi*.+부》《구어》 말참견하다; 간섭〔방해〕하다.

DIAL. ***Butt out!*** 쓸데없는 참견 그만둬.

—*n*. Ⓒ 머리로 받음.

butt[4] *n*. Ⓒ 큰 술통.

butte [bju:t] *n*. Ⓒ 《美서부·Can.》 뷰트《평원의 고립된 언덕〔산〕》.

†**but·ter**[1] [bʌ́tər] *n*. Ⓤ **1 버터**; 버터 비슷한 것. **2** 버터 모양의 것: ~ *of* zinc 〔tin〕 염화아연〔주석〕. **3** 《구어》 아첨: lay on the ~ 마구 추켜세우다. (**look as if**) **~ would not melt in** one'**s mouth** 《구어》 시치미를 떼고 있다, 태연하다.

—*vt*. **1** …에 버터를 바르다〔로 맛을 내다〕. **2** 《+목+부》《구어》 …에게 아첨하다(*up*): *Butter* him *up* a bit. 그에게 조금 아첨해 보렴.

bútter·bàll *n*. Ⓒ **1** 작은 구형(球形)의 버터. **2** 《구어》 통통하게 살찐 사람〔처녀〕.

bútter bèan 〖식물〗 리마콩(limabean); 강낭콩(kidney bean).

◇**bútter·cùp** *n*. Ⓒ 〖식물〗 미나리아재비.

búttered *a*. Ⓐ 버터를 바른, 버터가 딸린: ~ bread 〔toast〕.

bútter·fàt *n*. Ⓤ 유지방(乳脂肪)《버터의 주요 성분》.

bútter·fingered *a*. 〖크리켓〗 공을 잘 떨어뜨리는; 물건을 잘 떨어뜨리는; 서투른, 솜씨 없는.

bútter·fingers *n*. Ⓒ 《구어》 공〔물건〕을 잘 떨어뜨리는 선수〔사람〕; 서투른〔부주의한〕 사람.

‡**but·ter·fly** [bʌ́tərflài] *n*. **1** Ⓒ 〖곤충〗 **나비**. **2** Ⓒ 멋쟁이; 바람둥이; 변덕쟁이, 《특히》 바람기 있는 여자; 바보. **3** (*pl*.) 《구어》 (큰 일을 앞둔) 안달, 초조. **4** =BUTTERFLY STROKE.

—*vt*. (고기·생선 따위)를 나비꼴로 펴다.

bútterfly stróke (흔히 the ~) 〖수영〗 접영(蝶泳), 버터플라이(butterfly).

bútter knìfe 버터 나이프《버터 접시에서 버터를 덜어 내는》; =BUTTER SPREADER.

bútter·mìlk *n*. Ⓤ 버터밀크《버터 채취 후의 우유; 우유를 발효시켜 만든 식품》.

bútter·nùt *n*. Ⓒ 〖식물〗 호두(나무)의 일종; 버터너트《Guyana 산의 나무》.

bútter·scòtch *n*. Ⓤ 버터를 넣은 캔디, 버터볼; 그 맛을 낸 시럽; 황갈색.

bútter sprèader 버터 바르는 나이프.

but·tery[1] [bʌ́təri] *a*. 버터와 같은, 버터를 바른; 《구어》 알랑거리는.

but·tery[2] *n*. Ⓒ 식료품〔술〕 저장실; 《英대학》 학생에게 맥주·빵·과일 등을 파는 간이식당.

but·tock [bʌ́tək] *n*. Ⓒ 궁둥이의 한쪽 살; (*pl*.) 궁둥이.

‡**but·ton** [bʌ́tn] *n*. **1** Ⓒ **단추**; 《美》 커프스 버튼. **2** Ⓒ 단추 모양의 물건; (벨 따위의) 누름 단추; (카메라) 셔터; (원형) 배지(badge), 《美속어》 경찰관의 배지. **3** (a ~) 〔흔히 부정형〕 하찮것없는 것, 아주 조금: *not* worth a ~ 한 푼의 가치도 없는/I don't care a ~. 조금도 개의치 않는다. **4** Ⓒ 〖컴퓨터〗 버튼《마우스나 태블릿 등의 입력 장치에서 작업을 실행하기 위해 누르는 스위치》.

a boy in ~s (금단추 제복의) 사환. ***have all*** one'***s ~s*** 《구어》 제정신이다. ***on the ~*** 《구어》 시간대로, 꼭, 확실히. ***push*** 〔***press, touch***〕 ***the ~*** 버튼을 누르다; 실마리를 포착하다; 개시하다.

—*vt*. **1** 《~+목/+목+부》 …의 단추를 끼우다〔채우다〕(*up*); (입·지갑 따위)를 꼭 다물다〔잠그다〕: ~ *up* one's coat (to the chin) 옷단추를 (턱까지 꼭) 채우다/~ *up* one's purse 돈지갑을 꼭 졸라매다. **2** …에 단추를 달다. **3** 《+목+부》 (일 따위)를 완성하다, 마무리하다(*up*).

—*vi*. **1** 단추로 잠그다〔채워지다〕: Her new blouse ~*s* at the back. 그녀의 새 블라우스는 단추가 등에 있다/This jacket ~*s* easily. 이 재킷의 단추는 채우기 쉽다. **2** 《+부》〔보통 명령법〕《구어》 말을 하지 않다(*up*): *Button up!* 입 닥쳐. **~ (*up*)** one'**s *lip*** 〔***mouth***〕 ⇨LIP.

DIAL. ***Button it!*** 입닥쳐.

bútton-dòwn *a*. Ⓐ (깃이) 단추로 채우는, (셔츠가) 버튼다운(식)의; 《美》 틀에 박힌, 독창성 없는, 보수적인(=**búttoned-dòwn**).

búttoned-úp *a*. Ⓟ 말이 없는; 내향성의.

but·ton·hole** [bʌ́tnhòul] *n*. Ⓒ **1 단춧구멍**. **2** 단춧구멍에 꽂는 장식 꽃. **—vt*. **1** …을 사뜨다; …에 단춧구멍을 내다. **2** (아무)를 붙들고 긴 이야기를 하다.

bútton-thròugh *a*. (여성복 따위가) 위에서 아래까지 단추가 달린.

but·tress [bʌ́tris] *n*. Ⓒ **1** 〖건축〗 부축벽(扶築壁), 버팀벽, 부벽(扶壁): a flying ~ 부연(附椽) 벽받이, 벽 날개. **2** 버팀, 지지자〔물〕: the ~ of popular opinion 여론의 지지. **—***vt*. **1** 버팀벽으로 버티다(*up*). **2** 지지하다, 보강하다(*up*)《**with** …으로》.

but·ty [bʌ́ti] *n*. Ⓒ 《英구어》 동료(mate).

butýric ácid 〖화학〗 부티르산.

bux·om [bʌ́ksəm] (**~·er; ~·est**) *a*. (여자가) 포동포동한, 토실토실한, 균형이 잡혀 가슴이 풍만한; 쾌활하고 건강한. 파 **~·ly** *ad*. **~·ness** *n*.

†**buy** [bai] (*p*., *pp*. **bought** [bɔ:t]) *vt*. **1** 《~+목/+목+전+명/+목+목/+목+목+보/+목+보》 **사다, 구입하다**《**at** …에서; **from** (아무)에게서; **at, for** (…의 가격)으로》; …을 사 주다《**for** (아무)에게》. ↔ *sell*.¶You can ~ it nowhere else. 그건 다른 데서는 안 팝니다/You cannot ~ happiness. 행복은 살 수 없다/~ a thing *at* a store 〔*from* a person〕 무엇을 상점에서〔아무에게서〕 사다/She *bought* the apples *at* fifty cents each. 그녀는 그 사과를 1개에 50센트씩 주고 샀다/I *bought* it *for* cash. 그것을 현금으로 샀다/I *bought* her a new hat. =I *bought* a new hat *for* her. 그녀에게 새 모자를 사 주었다/I must ~ myself a new dictionary. 새 사전을 사지 않으면 안 된다/~ a thing cheap 물건을 싸게 사다/I *bought* him a car cheap. 그에게 차를 싸게 사 주었다.

2 《~+목/+목+전+명》 (대가·희생을 치르고) 손에 넣다, 획득하다《**with** …으로》: The victory was dearly *bought*. 이 승리를 위해서 비싼 희생이 치러졌다/~ favor *with* flattery 아첨으로 총애를 얻다.

3 (사람·투표 등)을 포섭하다, 매수하다(bribe).

4 (돈이) …을 사는 데 소용되다, 살 수 있다: Money cannot ~ happiness. 돈으로 행복을 살 수 없다.

5 《구어》 (아무의 의견 따위)를 채택하다, 받아들이다, …에 찬성하다: That's a good idea. I'll ~ it. 그거 참 좋은 생각이군요. 채택하겠습니다.

—*vi*. 물건을 사다; 사는 쪽이 되다.

~ *a pig in a poke* ⇨PIG. ~ *back* 《*vt.*+副》 되사다. ~ *for a song* 아주 헐값으로 사다. ~ *in* 《*vt.*+副》 ① (값의 인상을 예상하여) 물건을 (많이) 사들이다. ② (경매에서 살 사람이 없거나 부르는 값이 너무 싸서) 자기가 되사다. ~ *into* (회사)의 주를 사들이다; (주를 사서) …의 주주가 되다; (돈을 내고 회사 따위)의 임원이 되다. ~ *it* 《속어》 피살당하다. ~ *off* 《*vt.*+副》 …을 매수하다, (협박자 등)을 돈을 주어 내쫓다; (의무 따위)를 돈을 주고 모면하다: ~ *off* some members of the House 의원을 매수하다. ~ *out* 《*vt.*+副》 (남의 권리 등)을 돈으로 사다, …을 매점하다. ~ *over* 《*vt.*+副》 …을 매수하다, 포섭하다: We *bought* him *over* to our side. 그를 우리편으로 끌어들였다. ~ *up* 《*vt.*+副》 …을 매점하다; (회사 따위)를 접수하다: ~ *up* stock in a company 어느 회사의 주를 매점하다.

—*n*. Ⓒ 《구어》 **1** 물건사기(purchase); 구매. **2** 〘보통 수식어를 수반하여〙 싸게 산 물건, 잘 산 물건: a good ~ 《구어》 싸게 산 물건(a bargain), 뜻밖에 손에 넣은 진귀한 물건.

***buy·er** [báiər] *n*. Ⓒ **사는 사람**, 사는 쪽, 소비자; 바이어, (회사의) 구매원. ↔ *seller*. ¶a ~'s association 구매조합 / a ~s' strike 불매운동.

búyers' màrket (수요보다 공급이 많은) 구매자 시장. ↔ *sellers' market*.

búy-òut *n*. Ⓒ (주식의) 매점(買占).

***buzz** [bʌz] *vi*. **1** 《~/+副》 (벌 · 기계 따위가) **윙윙거리다**, 붕붕 날다(*about; around*): A bee was ~*ing about*. 벌 한 마리가 주위를 떠돌고 있었다. **2** 《+前+名》 와글거리다, 소란떨다《*with* …으로》: The place ~*ed with* excitement. 그 장소는 흥분으로 와글거렸다. **3** 《+副》 **바쁘게 돌아다니다**(*about; around*). **4** 《+前+名/+前+名+*to* do》 버저로 부르다《*for* (아무)를》; (…하도록) 버저로 알리다《*for* (아무)에게》: ~ *for* one's secretary 비서를 버저로 부르다 / ~ *for* one's secretary *to* come soon 비서를 곧 오도록 버저로 알리다. **5** (컴퓨터의 프로그램이) 계속 연산을 행하다.

—*vt*. **1** 와자지껄 소문내다. **2** …에게 버저로 신호하다〔부르다〕; 《美구어》 …에게 전화를 걸다. **3** 〖항공〗 …위를 낮게 날다, 경고로 (비행기)에 접근하여 날다: ~ a field 들 위를 저공 비행하다.

~ *off* 《*vi*.+副》 《구어》 ① 전화를 끊다. ② 〘명령형으로〙 당장 꺼져.

—*n*. **1** Ⓒ (윙윙) 울리는 소리; 소란스런 소리; (기계의) 잡음《레코드의 바늘 소리 등》. **2** Ⓒ 소문; 쓸데없는 말. **3** (a ~) 《구어》 전화를 겖: Give me a ~. 전화해 다오.

buz·zard [bʌ́zərd] *n*. Ⓒ 〖조류〗 말똥가리; 《美》 독수리의 일종.

búzz·er *n*. Ⓒ 윙윙거리는 벌레; 기적, 사이렌; 〖전기〗 버저.

búzz sàw 《美》 둥근 톱(circular saw).

búzz·wòrd *n*. Ⓒ (특수 계층의) 현학적인 전문 용어, 전문적 유행어.

B.V. Blessed Virgin. **B.V.D.** 남성용 속옷《상표명》. **B.V.M.** *Beata Virgo Maria* 《L.》 (= Blessed Virgin Mary). **bx(s).** box(es).

†**by**[1] [bai] *ad*. **1** 〘위치〙 **곁에**, 가까이에: stand *by* 곁에 서다, 방관하다 / close 〔hard, near〕 *by* 바로 곁〔옆〕에 / Nobody was *by* when the fire broke out. 불이 났을 때엔 아무도 곁에 없었다 / He happened to be *by*. 그는 마침 그 때 옆에 있었다.

2 a 〘흔히 동작의 동사와 함께〙 (곁을) **지나서**, (때가) **흘러가서**: pass *by* 곁〔옆〕을 지나가다, 통과하다 / in days 〔years〕 gone *by* 옛적엔 / The car sped *by*. 차가 (옆을) 스치듯 질주했다 / Time goes *by*. 시간은 흐른다 / Let me *by*! 실례합니다《사람을 제치고 지나갈 때》. **b** 〘흔히 come, drop, stop 따위를 수반하여〙 《美구어》 남의 집에〔으로〕: call 〔come, go, stop〕 *by* (지나는 길에) 들르다.

3 〘흔히 lay, put, set과 함께〙 (대비를 위해) 곁〔옆〕으로, 따로 (떼어): keep ...*by* …을 곁에〔신변에〕 두다 / put 〔set, lay〕 ...*by* …을 따로 떼어.

by and again 《美》 때때로(often). ***by and by*** 얼마 안 있어, 곧(soon), 잠시 후(後), 이윽고(before long): *By and by* you will understand. 자네는 곧 알게 될 것일세. ***by and large*** 전반적으로 (보아), 대체로(on the whole); 〖항해〗 (돛배가) 바람을 받았다 안 받았다 하며.

—*prep*. **1** 〘장소 · 위치〙 …**의** (바로) **옆에**, …곁에〔의〕, …에 가까이《near보다 더 접근》; 〘흔히 have, keep과 함께〙 수중〔신변〕에 (갖고): a house *by* the seaside 해변의 집 / sit *by* the fire 난로 곁에 앉다 / I haven't got it *by* me. 그건 지금 수중에 없다.

> **NOTE** at은 by보다 더 가까운 접근을 나타냄. 또 by, beside는 접근이 우연임에 대해서, at은 목적 있는 접근을 나타냄: The maid-servant is *at* the well. 하녀가 우물가에 있다.

2 〘통과 · 경로〙 **a** …**의 옆을**, …**을 지나**(…쪽으로)《past가 보통임》: go *by* me 〔the school〕 내〔학교〕 옆을 지나가다 / The car sped *by* the house. 차는 그 집 옆을 지나쳐 달렸다. **b** (길)**을 지나**, …**을 따라서**〔끼고서〕: drive *by* the highway 간선 도로를 드라이브하다 / pass *by* the river 강변을 지나다. **c** …**을 거쳐**: travel *by* (way of) Siberia 시베리아를 거쳐 여행하다.

3 〘때〙 **a** 〘기간〙 …**동안에**, …**사이**(during)《by 뒤의 명사에는 관사 없음》: work *by* night and sleep *by* day 밤에 일하고 낮에 자다. **b** 〘시한〙 (어느 때)**까지는**(not later than): Finish this work *by* the end of the week. 주말까지는 이 일을 마쳐라 / We had all arrived *by* the time he came. 그가 오기 전에 우리는 모두 도착했다.

> SYN. **by** 완료의 시한을 나타냄. **till**은 I shall be here *till* three. '3시까지 여기에 있겠다'와 같이 계속의 종지점을 나타냄.

4 〘행위 · 수단 · 방법 · 원인 · 매개〙 **a** 〘수송 · 전달의 수단을 나타내어〙 …**에 의해서**, …**로**: *by* post 〔telegram, air mail, special delivery〕 우편〔전보, 항공편, 속달 우편〕(으)로 / go *by* train 〔ship, bus〕 열차〔배, 버스〕로 가다 / (travel) *by* water 〔air (plane), rail〕 수로〔공로, 철도〕로 (여행하다).

> **NOTE** (1) by 뒤에서 교통 · 통신기관 등을 나타내는 명사는 관사가 없지만, 특정의 시간을 나타내거나 명사가 형용사로 수식되거나 할 때에는 관사가 붙음: *by an* early train 새벽 열차로 / *by the* 6:30 train, 6시 30분발 열차로. (2) in, on이 교통수단을 나타낼 경우, '안에', '타고'란 어감이 있고 뒤의 명사는 관사나 소유격을 취하거나 복수형: *in* my car 내 차로 / *on* a bicycle 자전거로, 자전거를 타고 / come *on* the plane that arrives at 4:00 p.m. 하오 4시 도착 비행기로 오다.

b 〔수단·매개를 나타내어〕 …**으로**, …에 의하여: leave *by* will 유언으로 남기다 / a machine driven *by* electricity 전기로 움직이는 기계 / sell *by* auction 경매로 팔다 / learn 〔get〕 *by* heart 외(우)다. **c** 〔*doing* 을 목적어로〕 …**함에 의해서**, …함으로써: She passed the examination *by* work*ing* hard. 그녀는 열심히 공부해서 시험에 합격했다. **d** 〔원인·이유를 나타내어〕 …**때문에**, …으로(인해): die *by* poison 독(毒)으로 죽다 / *by* reason of one's illness 아무의 병(病) 때문에 / *by* mistake 잘못해서.

5 〔동작주를 보이어〕 …**에 의해서**, …에 의한《수동형을 만드는 데 쓰임》: a novel (written) *by* Hemingway 헤밍웨이의〔가 쓴〕 소설 / be made *by* John Smith 존 스미스에 의해 만들어지다.

> **NOTE** **by** 와 **with** (1) by 는 수동형 동사 뒤에 쓰이어 유생(有生)·무생(無生)의 행위의 주체를 나타냄. with 는 수단으로서 쓰이는 도구를 나타냄. The window was broken *by* a stone. 에서는 stone이 동작주이며 A stone broke the window. 에 대응하지만, The window was broken *with* a stone. 에서 동작주는 사람이며 Somebody broke the window *with* a stone. 에 대응됨.
> (2) 그러나 수동태 구문이라도 행위자가 생물일 때에는 by 를 쓰지만, 무생물일 때에는 with 를 쓰는 일이 있음: be attacked *by* the enemy; be attacked *with* some disease.

6 〔준거〕 **a** 〔척도·표준의 근거〕 …**에 의해**, …**에 따라서**: 3:30 *by* my watch 내 시계로는 3시 30분 / judge a person *by* appearances 〔his appearance〕 사람을 외양으로 판단하다 / A man is known *by* the company he keeps. (사람의) 인품은 그 친구를 보면 알 수(가) 있다. **b** 〔*by* the … 의 형태로 단위를 나타내어〕 …**을 단위로**, …**로**, …에 얼마로 정하고: work *by* the day 일급제로 일하다 / hire horses *by* the hour 시간당 얼마로 말을 세내다 / sell *by* the yard 〔gallon〕 한 야드〔갤런〕에 얼마로 팔다 / They are paid *by* the week 〔result(s)〕. 주급제로〔성과급으로〕 급료를 받는다.

7 〔연속〕 …**씩**, (조금)씩: *by* degrees 조금씩, 서서히 / one *by* one 하나〔한 사람〕씩 / two *by* two 두 사람씩 / page *by* page 한 페이지씩 / step *by* step 한 걸음 한 걸음 / drop *by* drop 한 방울씩 / piece *by* piece 한 개씩 / little *by* little 조금씩.

8 a 〔정도·비율·차이〕 …**만큼**, …정도만큼, …의 차로, …하게: miss the train *by* five minutes, 5분 차이로 열차를 놓치다 / reduce *by* half 절반으로 줄이다 / win *by* a boat's length, 1 정신(艇身)의 차로 이기다 / She is taller than he (is) *by* four centimeters. 그녀는 그보다 4센티만큼 키가 크다. **b** 〔곱하기와 나누기·치수를 나타내어〕 …**로**: multiply 8 *by* 2, 8에 2를 곱하다 / multiply 〔divide〕 15 *by* 3, 15를 3으로 곱하다〔나누다〕 / a room 10 ft. *by* 18 ft. = a 10-*by*-18 foot room 너비 10피트 안 길이 18피트의 방.

9 〔동작을 받는 몸·옷의 부분〕 (사람·무엇의) …을《catch, hold, lead 따위의 동사와 함께 쓰며, 목적어로 '사람·물건'을 쓰고 by 이하에서는 그 동작을 받는 부분을 나타냄. by 뒤의 명사에는 정관사를 붙임》: He caught me *by* the arm. 그는 나의 팔을 잡았다 / seize the hammer *by* the handle 해머의 자루를 쥐다 / He led the old man *by* the hand. 그는 그 노인의 손을 잡고 인도했다.

10 〔관계 따위를 나타내어〕 …**에 관하여는**〔관해서 말하면〕, …점에서는, …은《by 뒤의 명사는 관사가 붙지 아니함》: an Englishman *by* birth 태생은 영국 사람 / I am a lawyer *by* profession. 나의 직업은 변호사다 / He is kind *by* nature. 천성이 친절하다 / They are cousins *by* blood. 그들은 친사촌이다 / I know him *by* name. (교제는 없지만) 그의 이름은 알고 있다 / It's OK *by* me. 《美구어》 나는 됐다〔괜찮다〕.

11 〔보통 do, act, deal 과 함께〕 …에 대하여, …을 위하여: do one's duty *by* one's parents 부모에게 본분〔책임〕을 다하다 / Do your duty *by* a friend. 친구에게 본분을 다하여라 / He did well *by* his children. 그는 (제) 아이들에게 잘 해주었다 / Do (to others) as you would be done *by*. 남이 그렇게 해 주기를 바라는 것처럼 남에게 하여라.

12 〔방위〕 (약간) …쪽인: North *by* East 약간 동쪽인 북, 북미동(北微東).

13 a (부모로서의 남자〔여자〕)에게서 태어난: He had a child *by* his first wife. 그는 첫째 부인한테서 난 자식이 하나 있었다. **b** (말 따위가 혈통상) …을 아비로 가진: Justice *by* Rob Roy 로브 로이를 아비로 가진 저스티스.

14 〔맹세·기원〕 …에 맹세코, (신)의 이름을 걸고: I swear *by* (almighty) God that …. …하다는 것을 하늘에〔하느님께〕 맹세합니다 / *by* Heaven 〔God〕 맹세코, 기필코.

15 …별: density *by* regions 지역별 인구 밀도.

… by … 〔***little by little, one by one,*** etc.〕 ⇨7. (***all***) ***by oneself*** ⇨ONESELF. ***by the way*** ⇨WAY.

by[2] ⇨BYE[1].

by- [bái] *pref.* **1** 곁〔옆〕의, 곁〔옆〕을 지나는: a *by*-dweller 근처에 사는 사람 / a *by*-passer 지나가는 사람, 통행인. **2** 곁의, 곁으로의: a *by*-door 협문 / a *by*-glance 곁눈 / a *by*-step 옆으로의 한 걸음. **3** 한쪽으로 치우친, 떨어진: a *by*-walk 후미진 길. **4** 부대적인, 이차적인: a *by*-product 부산물 / *by*-work 부업.

bý-and-bý [-ən*d*-] *n.* (the ~) 미래, 장래 (future).

bye[1], **by** [bai] *int.* 《구어》 안녕(good-bye). ***Bye now!*** 《美구어》 그럼, 안녕.

bye[2] *n.* Ⓒ 종속적인 것〔일〕, 지엽; 《英》 『골프』 match play 에서 패자가 남긴 홀; (토너먼트에서) 짝지을 상대가 없는 사람, 남은 사람〔팀〕; 『크리켓』 공이 타자와 수비자 사이를 지나간 경우의 득점: draw a ~ 짝지을 상대가 없어 남다; 부전승이 되다. ***by the*** ~ 말이 나왔으니 말이지, 그건 그렇다 치고, 그런데.

⁑bye-bye[1] [báibài] *n.* Ⓤ 《소아어》 바이바이. —*ad.* 밖에(으로). ***go*** ~ 《구어·소아어》 밖에 나가다.
—*int.* 《구어》 **안녕**, 바이바이(Good-bye!).

bye-bye[2] *n.* Ⓒ 잠을 잠, 코(함). ***go to*** ~(***s***) =***go*** ~ 코하다.

bý-elèction, býe- *n.* Ⓒ 중간 선거; 《英》 (국회 등의) 보궐 선거. Ⓒ general election.

Bye·lo·rus·sia [bjèlourʌ́ʃə] *n.* 백(白)러시아; 벨로루시 공화국《독립 국가 연합의 한 공화국; 수도는 Minsk》.

bý·gòne *a.* Ⓐ 과거의, 지나간: ~ days 지난날, 옛날. —*n.* (*pl.*) 과거(사): Let ~*s* be ~*s*. 《속담》 과거는 잊어버려라.

bý·làw, býe·làw *n.* [C] (지방 자치 단체 · 회사 등의) 규칙, 조례; 내규; (법인의) 정관.

bý-lìne *n.* [C] 《美》 신문〔잡지〕 기사의 표제 밑에 필자명을 넣는 행.

bý-nàme *n.* [C] **1** (first name에 대하여) 성(姓). **2** 별명.

B.Y.O.B., BYOB, b.y.o.b. bring your own booze 〔bottle〕 (주류(酒類) 각자 지참할 것)《파티 안내장 따위에》.

****by·pass** [báipæ̀s, -pɑ̀:s] *n.* [C] (가스 · 수도의) 측관(側管), 보조관; (자동차용) **우회로**, 보조 도로; 보조 수로(水路); 〖전기〗 측로(側路); 〖의학〗 (혈관 따위의) 바이패스 형성 수술(= ∠ **operátion**). **—***vt.* (장애물 등)을 우회하다; 회피하다; 무시하다, (계략 따위의) 선수를 쓰다, 앞지르다; …에 측관〔보조관〕을 대다; 〖美통신〗 (장거리 전화 · 데이터 통신에서) 지방국의 회선 사용을 피하다; 〖의학〗 …대신 바이패스를 쓰다.

bý·pàth, bý-pàth (*pl.* **∼s** [-pæ̀ðz, -pæ̀θs, -pɑ̀:ðz]) *n.* [C] 샛길(byway), 옆길; 사도(私道).

bý·plày, bý-plày *n.* [C] 부수적인 연기〔연극〕; (본 줄거리에서 벗어난) 부차적인 사건.

bý-pròduct *n.* [C] 부산물; 부작용.

Byrd [bə:*r*d] *n.* **Richard Evelyn** ∼ 버드《미국의 해군 장교 · 극지 탐험가; 1888–1957》.

bý·ròad, bý-ròad *n.* [C] 샛길, 옆길.

By·ron [báiərən] *n.* 바이런. **1** 남자 이름. **2** **Lord George Gordon** ∼ 영국의 낭만파 시인(1788–1824). [파] ∼**·ism** *n.*

***by·stand·er** [báistæ̀ndə*r*] *n.* [C] **1 방관자**(looker-on), 국외자. **2 구경꾼**.

byte [bait] *n.* [C] 〖컴퓨터〗 바이트《정보 단위로서 8비트로 됨》: ∼ mode 바이트 단위 전송 방식/a ∼ storage 바이트 기억기(機).

bý·wày *n.* [C] **1** 옆길, 빠지는 길, 샛길. [cf.] bypass, highway. **2** (학문 · 연구 따위의) 별로 알려지지 않은 측면〔분야〕.

bý·wòrd *n.* [C] 속담, 격언; 웃음거리, 조소의 대상; (개인의) 말버릇, 독특한 말씨; (나쁜) 본보기《*for* …의》: a ∼ *for* inequity 불공정〔평〕의 전형(典型).

By·zan·tine [bízəntì:n, -tàin, báizen-, bizǽntin] *a.* **1** 비잔티움(Byzantium)의; 동로마 제국의; 비잔틴식의《건축 따위》. **2** 《때로 b-》 미로같이 복잡한; 권모술수의. **—***n.* [C] 비잔틴 사람; 비잔틴파의 건축가 · 화가.

By·zan·ti·um [bizǽnʃiəm, -tiəm] *n.* 비잔티움《Constantinople의 옛 이름; 지금의 Istanbul》.

C

C¹, c¹ [siː] (*pl.* **C's, Cs, c's, cs** [-z]) *n.* **1** Ⓤ (구체적으로는 Ⓒ) 시《영어 알파벳의 셋째 글자》. **2** Ⓤ (연속된 것의) 세번째 (것). **3** Ⓤ (로마 숫자의) 100.

C² (*pl.* **C's, Cs** [-z]) *n.* **1** Ⓒ C 자 모양의 것: a *C* spring, C 자형 용수철. **2** Ⓤ 〖음악〗 다 음(音)《고정 도 창법의 '도'》; 다조(調). **3** Ⓤ (구체적으로는 Ⓒ) 《美》 (학업 성적의) C, 양(良): He got a *C* in history. 그는 역사에서 C를 받았다. **4** Ⓒ 〔때로 C-note로〕 《美속어》 100달러 지폐.

c² (*pl.* **c's, cs** [-z]) *n.* Ⓒ (보통 이탤릭체 *c*로) 〖수학〗 제3 기지수.

C calorie; 〖전기〗 capacitance; 〖화학〗 carbon; 〖전기〗 coulomb(s). **C.** Cape; Catholic; Celsius; Celtic; Centigrade; Centime; Curie. **c.** candle; carat; 〖야구〗 catcher; cent(s); center; centigrade; centime; century; chapter; city; cloudy; commander; cost; cubic; current. © copyright. **¢** cent(s). **Ca** 〖화학〗 calcium. **CA** 〖美우편〗 California. **C.A.** Central America; Court of Appeal. **C.A., c.a.** chartered accountant. **ca.** cathode; circa. **C/A** 〖상업〗 capital account; credit account (대변 계정); current account. **CAA** 《美》 Civil Aeronautics Administration (민간 항공 관리국; 《英》 Civil Aviation Authority).

Caaba ⇨ KAABA.

⁑**cab** [kæb] *n.* Ⓒ **택시**(taxicab); 승합 마차(hansom); (기관차의) 기관사실; (트럭·기중기 등의) 운전대: take a 〔go by〕 ~ 택시로 가다《★ by ~는 관사 없이》.
—(**-bb-**) *vi.* 택시로 가다(~ it). [◂*cab*riolet]

CAB 《英》 Citizens Advice Bureau; 《美》 Civil Aeronautics Board (민간 항공 위원회).

ca·bal [kəbǽl] *n.* Ⓒ **1** 음모, 권모술수. **2** 〔집합적; 단·복수취급〕 비밀결사; 도당.

cab·a·la, cab·ba·la, kab·(b)a- [kǽbələ, kəbɑ́ːlə] *n.* Ⓤ 유대교〔중세 기독교〕의 신비철학; Ⓒ 〔일반적〕 비법; 비교(秘敎).
㊊ **cab·(b)a·lis·tic** [kæ̀bəlístik] *a.*

ca·bal·le·ro [kæ̀bəljέərou] (*pl.* **~s**) *n.* 《Sp.》 Ⓒ (스페인의) 신사, 기사(knight).

ca·bana [kəbǽnjə, -bɑ́ː-] *n.* 《Sp.》 Ⓒ 오두막(cabin); (바닷가의) 탈의장; 방갈로식의 집.

°**cab·a·ret** [kæ̀bəréi/⌐-⌐] *n.* 《F.》 Ⓒ 카바레; Ⓤ (구체적으로는 Ⓒ) 카바레의 쇼.

⁑**cab·bage** [kǽbidʒ] *n.* **1** Ⓒ (식품은 Ⓤ) **양배추**, 캐비지: one head of ~ 양배추 한 통. **2** Ⓤ 《美속어》 지폐(buck). **3** Ⓒ 《英구어》 무관심파, 무기력한 사람.

cábbage bùtterfly 배추흰나비(류).

cábbage pàlm 〔**trèe**〕 〖식물〗 야자나무의 일종《새싹은 식용》.

cábbage·wòrm *n.* Ⓒ 배추벌레, 배추흰나비의 유충.

cab·bagy [kǽbidʒi] *a.* 양배추 같은.

cabbala = CABALA.

cab·by, -bie [kǽbi] *n.* 《구어》 = CABDRIVER.

cáb·drìver *n.* Ⓒ 택시 운전사; (cab의) 마부.

ca·ber [kéibər] *n.* 《Sc.》 Ⓒ (힘겨루기용으로 던지는) 통나무: tossing the ~ 통나무 던지기.

⁑**cab·in** [kǽbin] *n.* Ⓒ **1 오두막**(hut); 《英》 (철도의) 신호소(signal ~). SYN. ⇨ HUT. **2** (1·2 등 선객용의) 객실: a ~ deluxe 특등 선실. **3** (비행기의) 객실, 조종실; (우주선의) 선실; 《美》 (트레일러의) 거실: a sealed ~ 기밀실. ***travel*** ~ (배의) 특별 2등으로 여행하다.
—*vi.*, *vt.* 오두막에 살다; (좁은 데에) 가두다 (confine).

cábin bòy 선실 보이《1·2등 선객 및 고급 선원의 시중을 듦》.

cábin clàss (여객선의) 특별 2등《first class (1등)와 tourist class(2등)의 중간》.

cábin-clàss *a.*, *ad.* 특별 2등의〔으로〕.

cábin crùiser (거실이 있는) 행락용 모터 보트〔요트〕.

⁑**cab·i·net** [kǽbənit] *n.* Ⓒ **1 상자, 용기.** **2** (일용품을 넣는) 장, 캐비닛; 진열용 유리장. **3** (전축·TV 등의) 캐비닛. **4** 회의실, 《특히》 각의실; 《고어》 (개인용의) 작은 방(closet); (박물관의) 소진열실. **5** (보통 the C-) **내각**(cf. shadow cabinet); 《美》 (대통령의) 자문 위원회; 〔집합적; 단·복수취급〕 각료(들): form a ~ 조각(組閣)하다.
—*a.* Ⓐ **1** (종종 C-) 《英》 내각의: a ~ meeting 〔council〕 각의(閣議) / a *Cabinet* minister 〔member〕 각료. **2** 사실용(私室用)의(private); 진열장용의. **3** 〖사진〗 카비네판의: a ~ photograph 카비네판 사진. [◂cabin+-et]

cábinet·màker *n.* Ⓒ 가구상, 소목장이.

cábinet pùdding 카스텔라·달걀·우유로 만든 푸딩.

cábinet·wòrk *n.* Ⓤ **1** 〔집합적〕 고급 가구류. **2** 고급 가구 제작. ㊊ **~·er** *n.*

cábin fèver 폐소성 발열《벽지나 좁은 공간에서 생활할 때 생기는 극도의 정서 불안 상태》.

*****ca·ble** [kéibəl] *n.* **1** Ⓤ (낱개는 Ⓒ) **a** (철사·삼 따위의) **케이블**, 굵은 밧줄, 강삭(鋼索). **b** 케이블《피복(被覆) 전선·해저 전선》. **2** Ⓒ 《구어》 해저 전신; 해외 전보, 외전: by ~ 해저 전신으로《★ 관사 없이》/ send a ~ 외전을 치다. **3** Ⓒ 〖해사〗 닻줄; = CABLE('S) LENGTH. **4** = CABLE-STITCH.
—*vt.* **1** 《(+목+목/+목+전+명/+목+*to* do/(+목)+*that* 절)》 (통신)을 전신으로 보내다《***to*** …에게》: I ~*d* her the good news. = I ~*d* the good news *to* her. 그녀에게 길보(吉報)를 타전했다 / ~ a person *to* wait 아무에게 기다리라고 전보를 치다 / She ~*d* (me) *that* she would come back soon. 그녀는 곧 돌아온다고 (내게) 타전해 왔다. **2** 〖건축〗 …에 밧줄 장식을 달다.
—*vi.* 해저 전신으로 통신하다.

cáble càr 케이블 카.

cáble·càst (*p.*, *pp.* **-cast, -cast·ed**) *vt.*, *vi.* 유선 텔레비전으로 방송하다. —*n.* Ⓒ 유선 텔레비전 방송.

cáble·gràm *n.* Ⓒ 해저 전신; 해외 전보(cable), 외전(外電).
cáble ràilway 〔**ràilroad**〕 케이블〔강삭〕 철도.
cáble('s) lèngth 〖해운〗 연(連)《보통 100 혹은 120 fathoms; 《美》 219.6m, 《英》 185.4m》. ⓒⓕ fathom.
cáble-stìtch *n.* Ⓤ (또는 a ~) 밧줄무늬뜨개질.
cáble télevision 유선 텔레비전.
cáble trànsfer 《美》 전신환: by ~ (외국) 전신환으로《★ 관사 없이》.
C
cáble TV = CABLE TELEVISION.
cáble·vìsion *n.* Ⓤ = CABLE TELEVISION.
cáble·wày *n.* Ⓒ 공중 삭도〔케이블〕.
cáb·man [-mən] (*pl.* **-men** [-mən]) *n.* = CABDRIVER.
ca·boo·dle [kəbúːdl] *n.* 《다음 관용구로》 ***the whole*** ~ 전부, 모조리.
ca·boose [kəbúːs] *n.* Ⓒ **1** 《美》 (화물열차 등의 맨 끝의) 승무원차. **2** 《英》 (상선(商船) 갑판 위의) 요리실(galley).
cáb·rànk *n.* 《英》 = CABSTAND.
cab·ri·o·let [kæ̀briəléi] *n.* 《F.》 Ⓒ 한 마리가 끄는 2륜 포장마차; (쿠페(coupé)형의) 접포장이 붙은 자동차.
cáb·stànd *n.* Ⓒ 《美》 택시의 주〔승〕차장.
ca'can·ny [kɔːkǽni] *n.* Ⓤ 《英》 (노동자의) 태업: a ~ policy 중도(中道) 정책.
ca·cao [kəkáːou, -kéi-] (*pl.* **~s**) *n.* Ⓒ 카카오(= ∠ **bèan**)《열대 아메리카산의 카카오나무의 열매》; 카카오나무(= ∠ **trèe**).
cach·a·lot [kǽʃəlàt, -lòu/-lɔ̀t] *n.* Ⓒ 〖동물〗 향유고래(sperm whale).
cache [kæʃ] *n.* Ⓒ **1** 숨겨 두는 장소; 저장소. **2** 저장물, 은닉물. ***make*** (***a***) ~ ***of*** …을 은닉하다. ―*vt.*, *vi.* (은닉처에) 저장하다; 숨기다(hide).
cáche mèmory 〖컴퓨터〗 캐시 기억 장치.
ca·chet [kæʃéi, ∠-] *n.* 《F.》 **1** Ⓒ 공식 인가의 표시; (공문서 등의) 봉인(seal). **2** Ⓒ (감정의 자료가 되는) 특징; 우수성. **3** Ⓤ 위신, 높은 신분. **4** Ⓒ 〖약학〗 교갑(膠匣), 캡슐(capsule).
ca·chou [kəʃúː, kǽʃuː] *n.* 《F.》 Ⓒ 구중 향정(口中香錠).
cack-handed [kǽkhǽndid] *a.* 《英구어》 왼손잡이의; 어색한. ㊎ **~·ly** *ad.* **~·ness** *n.*
cack·le [kǽkəl] *n.* Ⓤ (흔히 the ~) 꼬꼬댁·꽥꽥 하고 우는 소리; 수다; Ⓒ 깔깔대는 웃음: break into a ~ of laughter 갑자기 깔깔 웃어대다. ***cut the*** **~.** 《구어》 쓸데 없는 말을 그치고 본론에 들어가다.
―*vt.*, *vi.* 꼬꼬댁·꽥꽥 울다《암탉 등이》; 깔깔대다〔웃다〕; 재잘거리다(*out*). ㊎ **-ler** *n.*
ca·cog·ra·phy [kækágrəfi/-kɔ́g-] *n.* Ⓤ **1** 오철(誤綴). ↔ *orthography*. **2** 악필. ↔ *calligraphy*. ㊎ **càc·o·gráph·i·cal, -gráph·ic** *a.*
ca·coph·o·nous [kækáfənəs/-kɔ́f-] *a.* 귀에 거슬리는, 음조가 나쁜. ㊎ **~·ly** *ad.*
ca·coph·o·ny [kækáfəni/-kɔ́f-] *n.* (*sing.*) **1** 〖음악〗 불협화음(discord). ↔ *harmony*. **2** 불쾌한 음조; 소음. ↔ *euphony*.
◇**cac·tus** [kǽktəs] (*pl.* **~·es, -ti** [-tai]) *n.* Ⓒ 〖식물〗 선인장. ㊎ **cac·tal** [kǽktl] *a.*
cad [kæd] *n.* Ⓒ 상스러운 사내, 천격(賤格)스런 사람, 악당.
CAD [kæd, síːéidíː] computer-aided design (컴퓨터 (이용) 설계).
ca·dav·er [kədǽvər, -déi-] *n.* Ⓒ 송장, (특히 해부용) 시체(corpse). ㊎ **~·ic** *a.*
ca·dav·er·ous [kədǽvərəs] *a.* 시체와 같은; 창백한(pale); 여윈, 수척한.
㊎ **~·ly** *ad.* **~·ness** *n.*
CADD 〖컴퓨터〗 computer-aided design and drafting.
cad·die, -dy [kǽdi] *n.* Ⓒ 〖골프〗 캐디; 심부름꾼. ―(*p.*, *pp.* **-died; cad·dy·ing**) *vi.* 캐디로 일하다《***for*** …의》.
cáddie càrt 〔**càr**〕 캐디카트《골프채 나르는 2륜차》.
caddis·fly [kǽdisflài] *n.* Ⓒ 〖곤충〗 날도래.
cad·dish [kǽdiʃ] *a.* 비신사적인, 예절 없는, 천한: ~ behavior 비열한 행동. ㊎ **~·ly** *ad.*
cad·dy[1] [kǽdi] *n.* Ⓒ 차통(茶筒)(tea ~).
cad·dy[2] ⇨ CADDIE.
◇**ca·dence** [kéidəns] *n.* **1** Ⓤ (구체적으로는 Ⓒ) 운율(韻律)(rhythm); (율동적인) 박자; 억양. **2** Ⓒ 〖음악〗 악장·악곡의 종지(법).
cá·denced [-t] *a.* 율동적인.
ca·den·za [kədénzə] *n.* 《It.》 Ⓒ 〖음악〗 카덴차《협주곡·아리아 따위에서 독주자〔독창자〕의 기교를 나타내기 위한 장식(부)》.
◇**ca·det** [kədét] *n.* Ⓒ **1** 《美》 사관 학교 생도; (보통 Gentleman C-) 사관〔간부〕 후보생. ⓒⓕ mid-shipman. ¶ an air-force ~ 공군 사관 후보생. **2** 차남 이하의 아들, 《특히》 막내아들; 동생, 《특히》 막냇동생. **3** 《美속어》 펨프(pander, pimp).
cadét còrps 《英》 학도 군사 훈련단.
cadge [kædʒ] 《구어》 *vt.* (남의 후의 등을 기화로) …을 얻어내다, 조르다; (물건)을 등쳐 먹다《***from, off*** (아무)에게서》: He ~*d* a cigarette *from* me. 그는 나에게서 담배 한 개피를 얻어갔다. ―*vi.* 조르다《***for*** (음식 등)을》; 구걸질을 하다: ~ *for* drinks 마실 것을 달라고 조르다.
Cad·il·lac [kǽdilæ̀k] *n.* Ⓒ 캐딜락《미제 고급 승용차의 상표명》.
cad·mi·um [kǽdmiəm] *n.* Ⓤ 〖화학〗 카드뮴《금속 원소; 기호 Cd; 번호 48》. ㊎ **cád·mic** *a.*
cádmium céll 카드뮴 전지.
cádmium yéllow 카드뮴 옐로, 선황색.
Cad·mus [kǽdməs] *n.* 〖그리스신화〗 카드모스《용을 퇴치하여 Thebes를 건설하고 알파벳을 그리스에 전한 페니키아의 왕자》.
ca·dre [kǽdri, káːdrei] *n.* 《F.》 Ⓒ **1** 기초(공사), 뼈대(framework). **2** 〖군사〗 《집합적; 단·복수취급》 기간요원《편성·훈련을 맡은 장교·부사관들》; (정치·종교 단체 따위의) 간부.
ca·du·ce·us [kədjúːsiəs, -ʃəs] (*pl.* **-cei** [-siài]) *n.* Ⓒ 〖그리스신화〗 Zeus의 사자(使者) Hermes의 지팡이《두 마리의 뱀이 감기고 꼭대기에 쌍날개가 있는 지팡이; 평화·상업·의술의 상징; 미육군 의무대의 기장》. ㊎ **ca·dú·ce·an** *a.*
CAE computer-aided engineering (컴퓨터 (이용) 공학).
caecal ⇨ CECAL.
caecum ⇨ CECUM.
Cae·sar [síːzər] *n.* **1 Julius ~** 카이사르《로마의 장군·정치가·역사가; 100-44 B.C.》. **2** 로마 황제《호칭》. **3** (종종 c-) Ⓒ 황제, 전제 군주(autocrat, dictator): Render unto ~ the things which are ~'s. 카이사르의 것은 카이사르에게 돌리라《마태 XXII: 21》. **4** Ⓒ 《속어》 제

왕 절개(Caesarean section).
~'s wife 세상의 의심을 살 행위가 있어서는 안 되는 사람《카이사르가 말했다는 Caesar's wife must be above suspicion. 에서》.

Cae·sar·e·an, -sar·i·an [sizέəriən] *a.* Caesar 의; (로마) 황제의; 전제 군주적인. **—***n.* Ⓒ 카이사르파(派)의 사람; 전제주의자; =CAESAREAN SECTION.

Caesárean séction 『의학』 (때로 c-) 제왕 절개술: deliver a baby by ~ 제왕 절개로 출산하다《★ by ~는 관사 없이》.

Cae·sar·ism [síːzərìzəm] *n.* Ⓤ 전제 정치(autocracy); 제국주의(imperialism).

Cáe·sar·ist *n.* Ⓒ 제국주의자.

Cáesar sálad 샐러드의 일종《멕시코의 Tijuana 시의 레스토랑 Caesar's 에서》.

caesium ⇨CESIUM.

cae·su·ra, ce- [sizúrə, -zúrə, -zjúː-] *n.* Ⓒ 휴지(休止), 중단; 『운율』 행(行)중 휴지. ㊞ **-ral** *a.*

C.A.F., c.a.f. 《美》 cost and freight.

⁑**ca·fé, ca·fe** [kæféi, kə-] *n.* 《F.》 Ⓒ **1** (가벼운 식사도 할 수 있는) **커피점**(coffeehouse), 레스토랑. **2** 《美》 바(barroom), 나이트클럽.
café au lait [kǽfeiouléi, kɑːféi-] 《F.》 **1** 카페 오레, 우유를 탄 커피. **2** (때로 a ~) 옅은 갈색.
café noir [-nwɑ́ːr] 《F.》 블랙커피(black coffee); 암갈색.

***caf·e·te·ria** [kæ̀fitíəriə] *n.* Ⓒ 《美》 **카페테리아**《셀프 서비스 식당》. [Sp.=coffee shop]

caf·feine [kæfíːn, kǽfiːin] *n.* Ⓤ 『화학』 카페인, 다소(茶素).

caf·tan, kaf·tan [kǽftən, kɑːftɑ́ːn] *n.* Ⓒ (터키 사람의) 띠 달린 긴 소매 옷.

Cage [keidʒ] *n.* **John** ~ 케이지《미국의 작곡가; 1912-92》.

⁑**cage** [keidʒ] *n.* Ⓒ **1 새장**(birdcage); **우리. 2** 옥사, 감옥; 포로 수용소. **3** 우리 비슷한 것; (승강기의) 칸; (기중기의) 운전실. **4** 『야구』 (타격 연습용의) 이동식 백네트(batting ~); 『하키』 골. **5** 골조; 틀: a ~ *of* steel girders 강철보를 사용한 골조.
—*vt.* 장[우리]에 넣다; 감금하다: a ~*d* bird 새장의 새. ~ ***in*** 《*vt.*+뛰》 〖종종 수동태〗 (동물)을 가두다, 감금하다; (사람의) 자유를 속박[제한]하다.

cáge bìrd 새장에서 기르는 새.

cage·ling [kéidʒliŋ] *n.* Ⓒ 새장의 새.

cag·ey, cagy [kéidʒi] (***cag·i·er; -i·est***) *a.* 《구어》 빈틈없는, 조심성 있는(cautious); 망설이는, 확실히 말하지 않는《***about*** …을》: a ~ boxer 빈틈없는 권투선수/He was ~ *about* who he'd vote for. 그는 누구에게 투표할 것인지 말하려 들지 않았다. ㊞ **cág·i·ly** *ad.* **-gi·ness, -gey·ness** *n.*

ca·goule, ka·gool [kəgúːl] *n.* Ⓒ 카굴《무릎까지 오는 얇고 가벼운 아노락(anorak)》.

ca·hoots [kəhúːts] *pl. n.* 《속어》 〖다음 관용구로〗 ***in*** ~ 공동으로; 공모하여《***with*** …와》: *in* ~ *with* the enemy 적과 결탁하여.

CAI computer-aided [assisted] instruction (컴퓨터 이용 교육).

cai·man [kéimən, keimǽn] (*pl.* **~s**) *n.* =CAYMAN.

Cain [kein] *n.* 『성서』 가인《아우 Abel을 죽인, Adam의 장남》.
raise ~ 《구어》 큰 소동을 일으키다; 골내다.

ca·ique, -ïque [kɑːíːk] *n.* Ⓒ (터키의) 경주(輕舟); (지중해의) 작은 범선.

cairn [kεərn] *n.* Ⓒ 케른《기념 · 이정표로서의 원추형 돌무덤》; =CAIRN TERRIER.

cáirn térrier 몸집이 작은 테리어의 일종.

Cai·ro [káiərou] *n.* 카이로《이집트 아랍 공화국의 수도》.

cais·son [kéisən, -sɑn/-sɔn] *n.* Ⓒ **1** 탄약상자; 폭약차. **2** 케이슨, (수중 공사의) 잠함(潛函). **3** (독 등의) 철판 수문.

cáisson disèase 케이슨병, 잠함병, 잠수병.

ca·jole [kədʒóul] *vt.* (아무)를 부추기다; 구워삶다, 감언으로 속이다(coax); 감언으로 빼앗다《***out of, from*** (아무)에게서》: He ~*d* the knife *out of* [*from*] the child. 그는 아이를 구슬러 칼을 빼앗았다. ~ a person ***into*** [***out of***] do*ing* 아무를 속여서 …하게 하다[하지 못하게 하다]. ㊞ **~·ment** *n.*

ca·jol·ery [kədʒóuləri] *n.* Ⓤ 구슬림, 감언, 아첨.

Ca·jun, -jan [kéidʒən] *n.* **1** Ⓒ 《경멸적》 Acadia 출신의 프랑스인의 자손인 루이지애나 주의 주민; Ⓤ 그 방언. **2** Ⓒ 앨라배마 주 · 미시시피 주 남동부의 백인과 인디언 및 흑인의 혼혈인.

†**cake** [keik] *n.* **1** Ⓤ (낱개는 Ⓒ) **케이크,** 양과자: a sponge ~ 카스텔라/You cannot eat your ~ and have it. 《속담》 먹은 과자는 손에 남지 않는다; 양쪽 다 좋을 수는 없다.

> **NOTE** 큰 케이크 통째 하나는 Ⓒ지만, 칼로 썬 것은 Ⓤ이므로 이를 셀 때에는 piece나 slice를 씀: five *pieces* [*slices*] of cake 케이크 다섯 조각.

2 Ⓒ 《美》 둥글넓적하게 구운 과자; 어육(魚肉) 단자. **3** Ⓒ (딱딱한) **덩어리;** (고형물의) 한 개: a ~ *of* soap 비누 한 개.
a piece of ~ 쉬운[유쾌한] 일. ***a slice*** [***cut, share***] ***of the*** ~ 《구어》 이익(의 몫). **~*s and ale*** 인생의 쾌락, 속세의 즐거움. ***sell*** [***go***] (***off***) ***like hot ~s*** ⇨HOT CAKE. ***take the*** ~ 《구어》 상을 타다; 빼어나다, 보통이 아니다《비꼬는 투로》: That *take the* ~! 정말 어처구니없구나.
—*vt.* 《+목+전+명》 두껍게 묻히다[굳히다] 《***with*** …을; ***on*** …에》: My shoes were ~*d with* mud.=Mud was ~*d on* my shoes. 내 구두에는 진흙이 두껍게 엉겨 붙었다. **—***vi.* 《~/+뛰》 굳다; 덩어리지다(*up*).

cáke·wàlk *n.* Ⓒ **1** (남녀 한 쌍의) 걸음걸이 경기《흑인의 경기, 상으로 과자를 줌》. **2** 일종의 스텝댄스(곡). **3** 《속어》 식은 죽 먹기, 누워서 떡 먹기.

CAL computer-aided [-assisted] learning (컴퓨터 이용 학습). **Cal.** California《공식 약자는 Calif.》; 『물리』 (large) calorie(s). **cal.** calendar; caliber; 『물리』 (small) calorie(s).

cal·a·bash [kǽləbæ̀ʃ] *n.* Ⓒ 『식물』 호리병박; 호리병박 제품《술잔 · 파이프 따위》.

cal·a·boose [kǽləbùːs, ˌ-ˊ] *n.* Ⓒ 《美속어》 교도소, 감옥(prison), 유치장(lockup).

ca·la·di·um [kəléidiəm] *n.* Ⓒ 『식물』 칼라디움《토란속(屬)의 관상 식물》.

Cal·ais [kǽlei, -ˊ, kǽlis] *n.* 칼레《Dover 해협에 면한 북프랑스의 항구》.

cal·a·mi [kǽləmài] CALAMUS의 복수.

cal·a·mine [kǽləmàin, -min] *n.* Ⓤ 『약학』 칼라민《피부염증 치료제》.

cálamine lótion 칼라민 로션《햇볕에 태운 피

C

부 따위에 씀》.

ca·lam·i·tous [kəlǽmitəs] *a.* 재난의; 몹시 불행한(disastrous), 비참한; 재난을 초래하는. ㉺ **~·ly** *ad.* **~·ness** *n.*

***ca·lam·i·ty** [kəlǽməti] *n.* **1** [C] **재난**; 참사, 재해(misery). [cf.] disaster. ¶ "How was your holiday?"—"It was a ~." 휴가는 어땠습니까—참담했었습니다. **2** [U] 비참(한 상태), 참화: the ~ of war 전화(戰禍).

cal·a·mus [kǽləməs] (*pl.* **-mi** [-mài]) *n.* [C] 등(籐)속의 식물; 창포(의 뿌리 줄기).

ca·lan·do [kɑːlɑ́ːndou] *a., ad.* 《It.》 『음악』 점점 느린(느리게), 약한(하게).

ca·lash [kəlǽʃ] *n.* [C] 4륜(2륜) 포장 마차 《18세기의》.

cal·car·e·ous, -i·ous [kælkέəriəs] *a.* 석회(질)의; 칼슘(질)의: ~ earth 석회질 토양.

cal·ces [kǽlsiːz] CALX의 복수.

cal·cic [kǽlsik] *a.* 칼슘의; 칼슘을 함유한.

cal·cif·er·ous [kælsífərəs] *a.* 탄산칼슘을 내는(함유한).

cal·ci·fi·ca·tion [kæ̀lsəfikéiʃən] *n.* [U] 석회화(化), 『생리』 석회성 물질의 침착.

cal·ci·fy [kǽlsəfài] *vt., vi.* 석회질화하다.

cal·ci·na·tion [kæ̀lsənéiʃən] *n.* [U] 『화학』 하소(煆燒); 『야금』 배소(焙燒)법.

cal·cine [kǽlsain, -sin] *vt.* 구워서 석회(가루)로 만들다, 하소(煆燒)하다: ~*d* lime 생석회. —*vi.* 구워져서 생석회로 되다.

cal·cite [kǽlsait] *n.* [U] 방해석(方解石).

***cal·ci·um** [kǽlsiəm] *n.* [U] 『화학』 **칼슘**《금속 원소; 기호 Ca; 번호 20》.

cálcium cárbide 탄화칼슘, (칼슘)카바이드.

cálcium cárbonate 『화학』 탄산칼슘.

cálcium óxide 산화칼슘, 생석회(quicklime).

cal·cu·la·ble [kǽlkjələbəl] *a.* 계산(예측)할 수 있는; 신뢰할 수 있는. ㉺ **-bly** *ad.* **~·ness** *n.*

****cal·cu·late** [kǽlkjəlèit] *vt.* **1** 《~+[목]/+[목]+[전]+[명]》 **계산하다**(reckon), 산정하다, 추계하다: ~ the speed of light 빛의 속도를 계산하다 / The population of the city is ~*d at* 150,000. 그 도시의 인구는 15만으로 산정된다. **2** 《+[목]+[전]+[명]/+[목]+*to* do》 《보통 수동태》 적합하게 하다; 맞추다《*for* …에》: *be* ~*d for* modern conditions 현대의 상황에 적합하도록 되어 있다 / This machine *is* not ~*d to* serve such purposes. 이 기계는 그런 목적에 맞도록 만들어진 것은 아니다. **3** 《~+[목]/+*that* [절]/+*wh.* [절]》 추정하다; 예측하다; 평가(판단)하다: ~ the merits and demerits of a project 계획의 장단점을 판단하다 / ~ *that* prices may go up again 물가가 다시 오를 것이라고 예측하다 / ~ *when* the ship will arrive in port 배가 항구에 도착하는 일시를 추정하다. **4** 《+(*that*) [절]/+[목]+*to* do/+*to* do》 (…라고) 생각하다; 꾀하다; 의도하다: ~ (*that*) it's a waste of time 그것은 시간 낭비라고 생각하다 / His remarks were ~*d to* inspire our confidence. 그의 말은 우리들에게 신뢰감을 일으키려는 의도였다 / I ~ *to* climb that mountain. 나는 저 산을 오를 생각이다.
—*vi.* **1** 계산하다; 어림잡다. **2** 《+[전]+[명]》 기대하다, 기대를 걸다; 예측하여 준비하다《*on, upon* …을》: ~ *on* her doing a good job 그녀의 일솜씨에 기대를 걸다 / ~ *on* a large outlay 큰 지출을 예측하고 준비하다. ◇ calculation *n.*

cál·cu·làt·ed [-id] *a.* [A] 계산된; 예측(추정)된; 계획적인, 고의적인(intentional): a ~ risk 예측된 위험 / a ~ crime 계획적인 범죄. ㉺ **~·ly** *ad.*

cál·cu·làt·ing *a.* 계산하는(되는); 타산적인, 빈틈없는: a man of a ~ nature (성품이) 타산적인 사람.

◇**càl·cu·lá·tion** *n.* **1 a** [U] (구체적으로는 [C]) 계산(하기): make a ~ 계산하다. **b** [C] 계산(의 결과). **2** [U] (구체적으로는 [C]) 견적; 추정, 예상: be beyond ~ 추정할 수 없다. **3** [U] 숙려(熟慮); 타산: after much ~ 숙려한 끝에. ◇ calculate *v.*

cal·cu·la·tive [kǽlkjəlèitiv, -lətiv] *a.* **1** 계산상의; 예상(추측)의. **2** 타산적인, 빈틈없는.

cal·cu·la·tor [kǽlkjəlèitər] *n.* [C] 계산자(者); 『컴퓨터』 계산기; 계산표.

cal·cu·lus [kǽlkjələs] (*pl.* **~·es, -li** [-lài]) *n.* **1** [U] 『수학』 미적분학: ⇨DIFFERENTIAL (INTEGRAL) CALCULUS. **2** [C] 『의학』 결석(結石): gastric (urethral) ~ 위(요도) 결석.

Cal·cut·ta [kælkʌ́tə] *n.* 캘커타《인도 북동부의 항구》.

cal·de·ra [kældíːrə, kɔːl-] *n.* 《Sp.》 [C] 『지질』 칼데라《화산의 원형 함몰 지형》.

cal·dron [kɔ́ːldrən] *n.* [C] 큰 솥(냄비).

Cald·well [kɔ́ːldwel, -wəl] *n.* **Erskine** ~ 콜드웰《미국의 소설가; 1903–87》.

Cal·e·do·nia [kæ̀lidóuniə] *n.* 《주로 시어》 칼레도니아《스코틀랜드의 옛 이름》. [cf.] Albion. ㉺ **-ni·an** *a., n.* [C] (고대) 스코틀랜드의 (사람).

****cal·en·dar** [kǽləndər] *n.* [C] (보통 the ~) **1** **달력**(almanac), 역법(曆法), 캘린더. **2** (보통 *sing.*) 일정표; 일람표; 연중 행사표; (공문서의) 연차 목록; 『법률』 소송 사건표; 《美》 (의회의) 의사 일정(표); 《英》 (대학의) 요람(要覽)(《美》 catalog(ue)). ≠calender. ¶a court ~ 법정 일정 / put a bill *on* the ~ 의안의 (심의) 일정을 잡다. —*vt.* (행사 따위)를 달력에 적다; (연)표에 올리다.

cálendar dáy 역일(曆日)《자정에서 자정까지의 24시간》.

cálendar mónth 역월(曆月)《1년의 12분(分)의 1》. [cf.] lunar month.

cálendar yéar 역년《scholastic year, fiscal year 따위에 대하여》; 1년간.

cal·en·der [kǽləndər] *n.* [C] 『기계』 캘린더《종이·피륙 등에 윤내는 기계》; 압착 롤러. —*vt.* 윤내다; 압착 롤러에 걸다.

cal·ends, kal- [kǽləndz] *n. pl.* 초하룻날《고대 로마력의》.

****calf**[1] [kæf, kɑːf] (*pl.* ***calves*** [-vz]) *n.* **1** [C] **송아지**; (사슴·코끼리·고래 따위의) 새끼. **2** [U] 송아지 가죽: bound in ~ 송아지 가죽으로 장정한. **3** [C] 《구어》 바보, 얼간이.
in* (*with*) ~** (소가) 새끼를 배어. ***kill the fatted ~ for …을 맞아 최대로 환대하다, 성찬을 마련하다《누가 XV: 27》.

calf[2] (*pl.* ***calves***) *n.* [C] 장딴지, 종아리.

cálf lòve 《구어》 풋사랑(puppy love).

cálf·skìn *n.* [U] 송아지 가죽.

Cal·ga·ry [kǽlgəri] *n.* 캘거리《캐나다 Alberta 주의 남부 도시; 1988년 동계 올림픽 개최지》.

cal·i·ber, 《英》 **-bre** [kǽləbər] *n.* **1** [C] (원통꼴 물건의) 직경; (총포의) 구경; (탄알의) 직경: a pistol of small ~ 소구경 권총《★ of small ~는 관사 없이》/ a 50-~ machine gun, 50구경 기관총 / a 32-~ bullet 탄경(彈徑) 32인 탄환. **2** [U]

(또는 a ~) (인물의) 도량, 재간(ability), 관록; (사물의) 품질: a man of (an) excellent ~ 수완가/tea of high ~ 고급 차.

cal·i·brate [kǽləbrèit] *vt.* **1** (계기의) 눈금을 정하다〔바로잡다, 조정하다〕. **2** 사정거리를 측정하다; 《英》 (총포 등의) 구경을 측정하다.

càl·i·brá·tion [kæ̀ləbréiʃən] *n.* **1** [U] 눈금〔사정거리, 구경〕 측정. **2** [C] 눈금: the ~*s* on a thermometer 온도계의 눈금.

cál·i·brà·tor [-tər] *n.* [C] 눈금〔구경(口徑)〕 측정기.

◇**cal·i·co** [kǽlikòu] (*pl.* ~(**e**)**s**) *n.* [U] (종류는 [C]) 《美》 사라사; 《英》 캘리코, 옥양목. **—***a.* [A] 옥양목으로 만든; 《美》 얼룩빛의: a ~ horse 점박이 말.

calif, califate ⇨CALIPH, CALIPHATE.

Calif. California. ★ Cal.은 비공식 생략형.

***Cal·i·for·nia** [kæ̀ləfɔ́ːrnjə, -niə] *n.* **캘리포니아**《미국 태평양 연안의 주; 주도는 Sacramento; 생략: Calif., Cal.》. ㊖ **-nian** *a.*, *n.*

Califórnia póppy 금영화(金英花)《California 주의 주화(州花)》.

cal·i·for·ni·um [kæ̀ləfɔ́ːrniəm] *n.* [U] 〖화학〗 칼리포르늄《방사성 원소; 기호 Cf; 번호 98》.

Ca·lig·u·la [kəlígjulə] *n.* 칼리굴라《로마 황제 Gaius Caesar의 별명》; 잔인함과 낭비로 미움받아 암살됨》.

cal·i·per [kǽləpər] *n.* [C] (보통 *pl.*) 캘리퍼스《내경(內徑)·두께 따위를 재는 양각(兩脚) 기구》, 측경기(測徑器). **—***vt.* 캘리퍼스로 재다. [◂caliber]

ca·liph, ka-, -lif [kéilif, kǽl-] *n.* [C] 칼리프《Muhammad 후계자의 칭호; 지금은 폐지》.

ca·liph·ate, -lif- [kǽləfèit, -fit, kéilə-] *n.* [C] caliph의 지위〔직, 영토〕.

cal·is·then·ic [kæ̀ləsθénik] *a.* 《美》 미용〔유연〕체조의. ㊖ **~s** *n.* 《美》 **1** [U] 미용 체조법. **2** 〖복수취급〗 미용 체조.

calk[1] [kɔːk] *vt.* =CAULK.

calk[2] *n.* [C] 뾰족징, (편자·구두 따위의) 바닥징. **—***vt.* …에 뾰족징을 박다.

†**call** [kɔːl] *vt.* **1** 《~+[목]/+[목]+[부]/+[목]+[전]+[명]》 큰 소리로 **부르다**(*out*); 불러일으키다(awake); (아무)에게 **전화를 걸다**(*up*); 불러내다《무선 통신으로》: He ~*ed* me *out*. 그는 나를 불러내었다/ "Tom," he ~*ed* (*out*) to me, "give me a hand." 그는 "톰, 도와줘"라고 나에게 소리쳤다/ *Call* me at six. 여섯 시에 깨워 주시오/*Call* him *on* the telephone. 그에게 전화를 거시오/ You can ~ me (*up*) anytime. 언제고 내게 전화해 주시오/~ a person *by* name 아무의 이름을 부르다《직접 본인에게》.

2 《~+[목]/+[목]+[부]》 (이름)을 부르다: ~ (*out*) a person's name 아무의 이름을 부르다〔불러보다〕《찾을 때 따위》. ≠~ a person by name.

3 《~+[목]/+[목]+[부]/+[목]+[전]+[명]/+[목]+[목]》 **불러오다**, …을 오라고 하다, 초대하다; 재청하다, 앙코르를 청하다: ~ the doctor 의사를 부르다/He was ~*ed in*. 그는 불려 들어갔다/He ~*ed* my family *to* dinner. 그는 우리 가족을 식사에 초대했다/*Call* me a taxi. =*Call* a taxi *for* me. 택시를 불러주게/They ~*ed* the actress time and again. 그들은 재청으로 그 여배우를 몇 번이나 무대에 불러냈다.

4 《~+[목]/+[목]+[전]+[명]》 (회의 따위)를 소집하다; 소환(召喚)하다; 취임시키다, 앉히다《**to** (직책 따위)에》; (자격)을 얻다: ~ a meeting 회의를 소집하다/He was *called* to give evidence. 그는 증언하기 위해 소환되었다/~ men *to* arms 사람들을 군대에 소집하다/*be* ~*ed to* the bar 변호사의 자격을 얻다.

5 《+[목]+[전]+[명]》 (아무의 주의 따위)를 불러일으키다; **상기시키다**《**to** …에》: ~ a person's attention *to* the fact 그 사실에 대해서 아무의 주의를 환기시키다/~ the scene *to* mind 그 광경을 상기하다.

6 《+[목]+[보]/+[목]+[전]+[명]》 …**라고 이름짓다**, …라고 부르다(name): We ~ him Tom. 우리는 그를 톰이라고 부른다/He ~*ed* me a fool. 그는 나를 바보라고 불렀다/She is ~*ed by* various names. 그녀는 여러 가지 이름으로 불려진다/ What do you ~ this stone?—We ~ it granite. 이 돌은 무엇이라고 합니까—화강암이라고 합니다《*How* do you *call*...? 이라고는 아니함》.

7 《+[목]+[보]》 …라고 일컫다, …라고 말하다, …라고 생각하다, …으로 간주하다: Can we ~ it a success? 그것을 성공이라고 말할 수 있느냐/ *Call* it what you like. 뭐라고 해도 좋다/Let's ~ it an even eight pounds. 꼭 8파운드라고 해 두자.

8 (소리내어) 읽다, (명부 따위)를 부르다: ~ a list 목록을 읽다/~ a roll 출석을 부르다, 점호하다.

9 《~+[목]/+[목]+[부]》 명하다; (채권 등의) 상환을 청구하다; (경기의) 중지〔개시〕를 명하다; (심판이) …의 판정을 내리다; 〖카드놀이〗 (상대방의 패)를 보이라고 하다, 콜하다: ~ a halt 정지를 명하다/ The union leader ~*ed* a strike. 노조 지도자는 파업을 명했다/a ~*ed* game 〖야구〗 콜드 게임/ The umpire ~*ed* him *out*. 심판은 그에게 아웃을 선언했다.

10 《~+[목]/+[목]+[전]+[명]》 심의〔재판〕에 부치다: ~ a case (*to* court) 사건을 재판에 부치다.

11 《美구어》 예상하다; 예언하다: ~ a horse race 경마의 예상을 하다.

—*vi.* **1** 《~/+[부]/+[전]+[명]/+[전]+[명]+*to* do》 (큰 소리로) **부르다, 소리치다**(*out*)《**to** (아무)에게; **for** …을 구하여》: He ~*ed* (*out*) (*to* me) *for* help. 그는 구해달라고 (내게) 소리쳤다/I ~*ed* (*out*) *to* him *to* stop. 나는 그에게 멈추라고 소리쳤다.

2 전화를 걸다(telephone), 통신을 보내다: Has anyone ~*ed?* 누구한테서 전화 안 왔냐.

3 《~/+[전]+[명]》 **방문하다**, 들르다《**on** (사람)을; **at** (집)에》; 정차하다, 기항하다《**at** …에》. [cf.] visit.¶ Has anyone ~*ed?* 누가 안 찾아왔더냐/ I'll ~ *on* you on Sunday. 일요일에 방문하겠다/He ~*ed at* my house yesterday. 그는 어제 나의 집에 (잠시) 들렀다/This train ~*s at* Daejeon only. 이 열차는 대전에만 정차한다.

4 〖카드놀이〗 상대방의 패를 보이라고 요구하다; (스톱 따위를) 선언하다.

5 (새가) 힘차게 울다; 신호를 울리다.

~ ***away*** 《*vt.*+[부]》 불러서 가게 하다, 불러내다: I am ~*ed away* on business. 볼일로 나가 봐야 한다. ~ ***back*** 《*vt.*+[부]》 ① (아무)를 다시 부르다; 소환하다. ② (아무)에게 전화를 다시 하다: I'll ~ you *back*. 나중에 다시 전화하겠다. ③ (앞서 한 말)을 취소하다, 철회하다. **—**《*vi.*+[부]》 ④ 재차 방문하다. ⑤ 전화로 대답하다; 다시 전화하다. ~ ***by*** 《*vi.*+[부]》 《구어》 지나는 길에 들르다《**at** …에》: ~ *by at* one's friend's on the way to the station 역에 가는 길에 친구 집에 (잠시)

들르다. ~ **down** 《vt.+副》 ① (가호 따위)를 기구하다; (천혜·천벌 따위)를 내리라고 빌다《**on** …에》: ~ *down* a blessing *on* a person's head 아무에게 은총이 내리기를 빌다. ② 《美구어》 야단치다, 꾸짖다《**for** …때문에》: The boss ~*ed* us *down for* lateness. 사장은 우리의 지각을 꾸짖었다. ③ 《美》 (상대)에게 도전하다; 《美속어》 (상대)를 혹평하다. ~ **for** 《vi.+前》 ① …을 요구하여 소리치다(⇨vi. 1). ② …을 가져오게 하다: I ~*ed for* the bill. 나는 계산서를 가져오라고 했다. ③ …을 필요로 하다: This ~*s for* prompt action. 이것은 신속한 행동을 필요로 한다. ④ …을 데리러〔가지러, 받으러〕 가다〔들르다〕: I'll ~ *for* you a little before ten. 열 시 조금 전에 모시러 가겠습니다. ⑤ (언동)에 어울리다: Your rude behavior was not ~*ed for*. 너의 버릇없는 행동은 마땅치 않았다. ~ **forth** 《vt.+副》 (용기 따위)를 불러일으키다; 생기게 하다: The decision of the government ~*ed forth* many protests. 정부 결정은 많은 항의를 초래했다. ~ **in** 《vt.+副》 ① 안으로 불러들이다(⇨vt. 3). (도움을 얻기 위해 아무)를 부르다, 조언을〔원조를〕 청하다〔구하다〕: ~ *in* a doctor 〔the police〕 의사를〔경찰을〕 부르다. ② (불량품)을 회수하다; (통화·대출금·대출 도서 따위)를 회수하다: ~ *in* overdue books 대출 기한이 지난 책들을 회수하다. ③ (주문 따위)를 전화로 하다: ~ *in* an order 전화로 주문하다. ―《vi.+副》 ④ 잠시 방문하다〔들르다〕《**on** (아무)를; **at** (장소)에》. ⑤ (근무처 등에) 전화하다; 전화로 보고하다: ~ *in* sick (근무처에) 아파서 쉰다고 전화하다. ~ **off** 《vt.+副》 ① (약속)을 취소하다, 손을 떼다; …의 중지를 명하다: ~ *off* a strike 파업을 중지하다/The performance was ~*ed off* because of rain. 공연은 비 때문에 중지되었다. ② (사람·동물 따위)를 불러서 딴 데로 가게 하다: Please ~ *off* your dog. 개 좀 쫓아 주십시오. ~ **on** 〔**upon**〕 《vi.+前》 ① (아무)를 방문하다(⇨vi. 3). ② (아무)에게 요구하다, 부탁하다《**for** …을/**to** do》: ~ *on* 〔*upon*〕 a person *for* a song 아무에게 노래를 청하다/He ~*ed on* me *to* make a speech. 그는 나에게 연설을 부탁했다. ③ (체력·재력 따위)를 필요로 하다: They ~*ed on* all their resources to complete the project on schedule. 그들은 그 사업을 예정대로 마치기 위해서는 모든 수단을 다 써야만 했다. ~ **out** 《vt.+副》 ① 큰 소리로 부르다; 불러내다(⇨vt. 1). ② (군대 등)을 출동시키다; (예비역 등)을 소집하다; (파업에 노동자)를 몰아넣다: ~ *out* the army 군대를 출동시키다/~ *out* on strike 파업에 돌입하다. ③ (상대)에게 도전하다, 결투를 신청하다. ―《vi.+副》 ④ 큰 소리로 부르다(⇨vi. 1). ~ **round** 《vi.+副》 잠시 들르다《**at** …에》. ~ **up** 《vt.+副》 ① 전화를 걸다(⇨vt. 1). ② 상기시키다: The tomb ~*ed up* my sorrows afresh. 무덤을 보니 슬픔이 새로웠다. ③ 소집하다; 동원하다: Several reserve units were ~*ed up*. 몇몇 예비대가 소집되었다. ④ (혼령 따위)를 불러내다; (잠들어 있는 사람)을 깨우다. ⑤ (컴퓨터 화면에 정보)를 나타나게 하다; 띄우다: ~ *up* the full text... 전문(全文)을 컴퓨터 화면에 띄우다. ―《vi.+副》 ⑥ 전화하다. ⑦ (무선국에) 통신하다. ***Don't ~ us, we'll ~ you.*** 전화하지 마십시오, 우리가 전화 드리겠습니다《특히 응모자 등에게 관심이 없을 때 쓰는 말》. ***(Now) that's what I ~ ....*** 그것이 바로 …이다. ***what one ~s ...*** = ***what is ~ed*** = ***what we*** 〔***you, they***〕 ***~ ...*** 소위, 이른바: He is *what is ~ed* a walking dictionary. 그는 말하자면 만물〔척척〕 박사이다.

> **DIAL.** ***Call again.*** 또 오세요《점원이 손님에게》.
> ***Can*** 〔***May, Could***〕 ***I have Tom call you?*** 톰에게 전화하라고 할까요《전화 통화 중에》.
> ***Thank you for calling.*** 전화 주셔서 고맙습니다《전화 받은 사람의 마지막 인사》.
> ***What number are you calling?*** 몇 번에 거셨습니까《전화가 잘못 걸려 왔을 때》.
> ***Who's calling(, please)?*** 실례지만 누구시지요《전화 건 사람이 누군지 확인할 때》.

―*n.* **1** Ⓒ **부르는 소리**, 외침(cry, shout); 출석 호명, 점호; (새의) 지저귐; (나팔·피리의) 신호 소리: I heard a ~ *for* help. 사람 살리라고 외치는 소리를 들었다.
2 Ⓒ (전화의) **통화**, 전화를 걺, 걸려온 전화; (호텔 따위의) 전화 호출; 〖컴퓨터〗 불러내기: ⇨MORNING CALL/put a ~ through to …에게 전화를 연결하다/I have three ~*s* to make. 전화를 세 군데 걸어야 한다/She gave me a ~. 그녀는 내게 전화를 걸어왔다/I asked for a six o'clock ~ next morning. 내일 아침 6시 모닝콜을 부탁했다/Will you give me a ~ tomorrow?―Certainly. 내일 전화해 주겠느냐?―꼭 할게.
3 Ⓒ (짧은) **방문**, 내방《**on** (아무)에게의》, 들름《**at** (장소)에》; (배의) 기항, (열차의) 정차: pay 〔make〕 a formal ~ *on* a person 〔*at* a person's house〕 아무를〔아무의 집을〕 방문하다/return a person's ~ 아무를 답례 방문하다/a port of ~ 기항지《★ 관사 없이》.
4 (*sing.*) **초청**, 초대, 초빙《**for** …의》; 소명(召命), 천명《**of, to** …에의》: They answered the ~ *for* blood donors. 그들은 헌혈자 모집에 응했다/He had a ~ *to* the ministry. 그는 성직자가 되라는 신의 소명을 받았다.
5 Ⓤ (흔히 the ~) (장소·직업 따위의) 매력, 유혹; 충동: feel the ~ *of* the sea 〔the wild〕 바다〔야성〕의 매력에 끌리다.
6 Ⓒ 요구(demand)《**on** …에 대한》; 필요(need)《**for** …의/**to** do》, 수요《**for** …에 대한》; 기회; (주금(株金)·사채 등의) 납입청구: a ~ *for* medicines 약의 수요/A busy man has many ~*s on* his time. 바쁜 사람은 이래저래 시간을 뺏기는 일이 많다/You have no ~ *to* meddle 〔interfere〕. 참견〔간섭〕할 필요가 없다.
7 Ⓒ 〖컴퓨터〗 콜, 호출.
8 Ⓒ 〖카드놀이〗 콜《패를 보이라〔달라〕는 요구》.
a ~ of nature 대소변이 마려움. ***at ~*** =on ~. ***at a person's ~*** 아무의 부름에 응하여; 대기하여: He has a number of servants *at* his ~. 그는 아무 때나 부릴 수 있는 하인이 많다. ***have the ~*** 사방에서 끌다, 수요가 많다. ***on ~*** ① 당좌로, 요구불로: money *on* ~ =CALL MONEY. ② (의사 등) 부르면 곧 응할 수 있는, 언제나 준비되어 있는: The nurse is *on* ~ for emergency cases. 간호사는 비상시를 위하여 언제나 준비하고 있다. ***pay a ~*** 방문하다(⇨3); 《구어·완곡어》 화장실에 가다. ***within ~*** 부르면 들리는 곳에, 아주 가까이에: Please stay *within* ~. 가까운 곳에서 기다려 주시오.

> **DIAL.** ***It's your call.*** 그것은 네가 정한 거야.

cal·la [kǽlə] *n.* Ⓒ 토란의 일종; 〖원예〗 칼라

(= ∠ ̀fily).

cáll·bàck, cáll-bàck *n.* [C] (결함 제품의) 회수.

cáll·bòard *n.* [C] 고지판(告知板)《극장에서 리허설·배역 변경을 알리는 판 따위》.

cáll bòx 《美》 (우편의) 사서함; (거리의) 경찰〔소방〕서 연락용 비상전화; 《英》 공중전화 박스 (《美》 telephone booth).

cáll·bòy *n.* [C] **1** (무대로의) 배우 호출원. **2** = BELLBOY, PAGE[2].

cálled gáme 〖야구〗 콜드 게임.

°**call·er** [kɔ́:lər] *n.* [C] **1** 방문자. [SYN.] ⇨VISITOR. **2** 호출인. **3** 《美》 전화 거는 사람; (도박에서) 점수를 불러주는 사람.

cáller ÌD 발신자 번호 표시 서비스《전화를 건 사람의 번호가 나타나는 전화 서비스》.

cáll fórwarding 착신 전환《어느 번호에 걸려온 통화가 자동적으로 미리 지정된 번호로 연결되는 서비스》.

cáll gìrl 콜걸.

cal·lig·ra·pher, -phist [kəlígrəfər], [-fist] *n.* [C] 달필가, 서예가.

cal·li·graph·ic, -i·cal [kæligrǽfik], [-əl] *a.* 서예의; 달필의.

cal·lig·ra·phy [kəlígrəfi] *n.* [U] **1** 달필. ↔ *cacography*. **2** 서도, 서예.

cáll-ìn *a.* (텔레비전·라디오 프로그램에서) 시청자가 참여하는 (《英》 phone-in): a ~ radio show 청취자 (전화) 참가 프로그램.

***call·ing** [kɔ́:liŋ] *n.* **1** [U] (구체적으로는 [C]) 부름, 외침; 점호; 소집: the ~ of Congress 의회의 소집. **2** [C] 신의 부르심, 소명, 천직; 직업; 강한 충동, 욕구《*for* (직업·의무 따위)에 대한 / *to* do》: have a ~ *for* the ministry 성직에 대한 강한 욕구를 가지다 / have a ~ *to* become a singer 가수가 되고 싶다는 강한 욕구를 가지다 / I am a carpenter by ~. 내 직업은 목수이다.

cálling càrd 《美》 (방문용) 명함(visiting card).

Cal·li·o·pe [kəláiəpi] *n.* **1** 〖그리스신화〗 칼리오페《웅변과 서사시의 여신; Nine Muses 의 하나》. **2** (c-) [+kǽliòup] [C] 증기로 울리는 건반 악기.

cal·li·per [kǽləpər] *n.*, *vt.* 《英》 = CALIPER.

cal·lis·then·ic [kæ̀ləsθénik] *a.* = CALISTHENIC.

cáll lòan 콜론, 요구불 단기 대부금.

cáll mòney 콜머니, 요구불 단기 차입금.

cáll nùmber 〔**màrk**〕 (도서관의) 도서 정리〔신청〕 번호. [cf.] pressmark.

cal·los·i·ty [kəlásəti/-lɔ́s-] *n.* **1** [U] (피부의) 경결(硬結) 상태; [C] 못. **2** [U] 무감각; 무정, 냉담.

°**cal·lous** [kǽləs] *a.* **1** (피부가) 굳은, 못이 박힌, 경결(硬結)한. **2** 무감각한(insensible), 무정한, 냉담한(《*to* …에 대하여》): a ~ liar 태연히〔예사롭게〕 거짓말하는 사람.
[파] ~·ly *ad.* ~·ness *n.*

cáll-òver *n.* [C] 《英》 점호(roll call).

cal·low [kǽlou] *a.* 아직 깃털이 나지 않은(unfledged); 경험이 없는, 풋내기의. [파] ~·ly *ad.* ~·ness *n.*

cáll ràte 콜론 이율.

cáll sìgn 〔**sìgnal**〕 〖통신〗 콜 사인, 호출 부호.

cáll-ùp *n.* [C] 징집〔소집〕령.

cal·lus [kǽləs] (*pl.* ~·*es*, -*li* [-lai]) *n.* [C] 피부 경결(硬結), 못; 〖식물〗 유합(癒合)조직. —*vi.* ~를 형성하다. —*vt.* …에 ~를 형성시키다.
[파] ~ed [-t] *a.*

cáll wáiting 《美》 통화중 대기《통화중 다른 전화가 오면 다른 전화를 받고 나서 통화를 계속할 수 있는 방식》.

‡**calm** [kɑ:m] *a.* **1** 고요한, 조용한(quiet), 온화한, 바람이〔파도가〕 잔잔한(↔ *windy*): a ~ sea. **2** 침착한, 냉정한; 《英》 자신만만한, 자만하는: a ~ face / ~ and self-possessed 냉정하고 침착한.
—*n.* **1** [U] (또는 a ~) 고요함; 잔잔함: the ~ before the storm 폭풍 전의 고요. **2** [C] 〖기상〗 고요; 무풍: the region of ~*s* (적도 부근의) 무풍 지대. **3** [U] 평온; 침착, 냉정.
—*vt.* 《~+[목]/+[목]+[부]》 (분노·흥분)을 진정시키다; 달래다; 가라앉히다, 안정시키다(*down*): ~ one's nerves 마음을 가라앉히다 / ~ *down* a child 아이를 달래다 / ~ oneself 진정하다.
—*vi.* 《~/+[부]》 (바다·기분 등이) 가라앉다; 안정되다, 조용해지다(*down*): The sea soon ~*ed down*. 바다는 곧 잔잔해졌다 / *Calm down*. 침착해라.

***calm·ly** [kɑ́:mli] *ad.* 온화하게; 침착히; 냉정히, 태연스레.

***calm·ness** [kɑ́:mnis] *n.* [U] 평온, 냉정, 침착: with ~ = CALMLY.

cal·o·mel [kǽləməl, -mèl] *n.* [U] 〖화학〗 감홍(甘汞)《염화제 1 수은》.

ca·lor·ic [kəlɔ́:rik, -lár-/-lɔ́r-] *a.* 열의, 칼로리의, 열량의; 고(高)칼로리의.

***cal·o·rie, -ry** [kǽləri] *n.* [C] 〖물리·화학〗 칼로리《열량 단위》. **1** 그램〔소(小)〕칼로리(gram〔small〕 ~)《1g의 물을 1°C 올리는 데 필요한 열량; 생략: cal.》. **2** 킬로〔대(大)〕칼로리(kilogram〔large, great〕 ~)《그램칼로리의 천 배; 생략: Cal.》.

cal·o·rif·ic [kæ̀lərífik] *a.* [A] 열을 내는, 발열의; 열의, 열에 관한; 칼로리가 높은《음식》.
[파] -i·cal·ly *ad.*

cal·o·rim·e·ter [kæ̀lərímitər] *n.* [C] 열량계.

calory ⇨CALORIE.

cal·u·met [kǽljəmèt] *n.* [C] 북아메리카 인디언이 쓰는 긴 담뱃대《평화의 상징》.

ca·lum·ni·ate [kəlʌ́mnièit] *vt.* 비방하다, 중상하다(slander). [파] **ca·lùm·ni·á·tion** *n.* **ca·lum·ni·a·tor** [kəlʌ́mnièitər] *n.*

ca·lum·ni·ous [kəlʌ́mniəs] *a.* 중상적인.
[파] ~·ly *ad.*

cal·um·ny [kǽləmni] *n.* [U] (구체적으로는 [C]) 중상, 비방(slander).

Cal·va·ry [kǽlvəri] *n.* **1** 갈보리, 예수가 십자가에 못 박힌 땅《Jerusalem 부근 Golgotha 의 언덕; 누가복음 XXIII: 33》. **2** (c-) [C] 예수 십자가상(像); 수난, 고통.

calve [kæv, kɑ:v] *vi.*, *vt.* (소·사슴·고래 따위가) (새끼를) 낳다.

calves [kævz, kɑ:vz] CALF[1,2] 의 복수.

Cal·vin [kǽlvin] *n.* **John** ~ 칼뱅《프랑스의 종교 개혁자; 1509–64》. [파] ~·ism *n.* [U] 칼뱅교(敎), 칼뱅주의. ~·ist *n.* [C] 칼뱅교도.

Cal·vin·is·tic, -ti·cal [kæ̀lvinístik], [-əl] *a.* Calvin 의; 칼뱅주의〔파〕의.

calx [kælks] (*pl.* ∠·*es*, *cal·ces* [kǽlsi:z]) *n.* [C] 〖화학〗 금속회, 광회(鑛灰).

cal·y·ces [kǽləsi:z, kéilə-] CALYX 의 복수.

Ca·lyp·so [kəlípsou] 〖그리스신화〗 칼립소《Odysseus 를 유혹한 바다의 요정》.

C

ca·lyx [kéiliks, kǽl-] (*pl.* **~·es, cal·y·ces** [-ləsìːz]) *n.* Ⓒ 〖식물〗 꽃받침.

cam [kæm] *n.* Ⓒ 〖기계〗 캠《회전 운동을 왕복 운동 또는 진동으로 바꾸는 장치》.

CAM computer-aided manufacturing (컴퓨터 이용 생산).

cam·ber [kǽmbər] *n.* Ⓤ (구체적으로는 Ⓒ) (노면 따위의) 위로 봉긋한 볼록꼴, 퀀셋형; 〖항공〗 캠버《날개의 만곡》; 〖자동차〗 캠버《앞바퀴의 위쪽이 아래쪽보다 바깥으로 벌어져 있는 것》. **—***vt.*, *vi.* (가운데가) 위로 휘(게 하)다.

C

Cam·bo·dia [kæmbóudiə] *n.* 캄보디아《아시아 남동부의 공화국; 수도는 Phnom Penh》. ㊂ **-di·an** *a.*, *n.* 캄보디아의; Ⓒ 캄보디아인(의); Ⓤ 크메르어(Khmer).

Cam·bria [kǽmbriə] *n.* 《고어 · 시어》 Wales 의 옛이름.

Cam·bri·an [kǽmbriən] *a.* Cambria 의; 〖지질〗 캄브리아기(紀)〔계〕의: the ~ period 〔system〕 캄브리아기〔계〕. **—***n.* Ⓒ 《시어》 Wales 사람(Welshman); (the ~) 〖지질〗 캄브리아기층.

cam·bric [kéimbrik] *n.* Ⓤ 일종의 흰 삼베(처럼 짠 무명); Ⓒ 흰 삼베 손수건.

cámbric téa 《美》 홍차 우유《어린이용 음료》.

Cam·bridge [kéimbridʒ] *n.* 케임브리지《⑴ 영국 남동부의 도시; (그 도시의) Cambridge 대학. ⑵ 미국의 Massachusetts 주의 도시; Harvard, M. I. T. 두 대학의 소재지》.

Cámbridge blúe 담청색. ⓒⓕ Oxford blue.

Cam·bridge·shire [kéimbridʒʃìər, -ʃər] *n.* 케임브리지셔《잉글랜드 동부의 주(州)》.

Cambs. Cambridgeshire.

cam·cord·er [kǽmkɔ̀ːrdər] *n.* Ⓒ 캠코더《비디오 카메라와 VCR을 일체화한 소형 카메라》.

came [keim] COME의 과거.

cam·el [kǽməl] *n.* **1** Ⓒ 〖동물〗 낙타. **2** Ⓒ 〖해사〗 부함(浮函)《얕은 물을 건널 때 배를 띄우는 장치》; (부두와 배 사이에 띄우는) 방현목(防舷木). **3** Ⓤ 낙타색《엷은 황갈색》.
break the ~'s back 연이어 무거운 짐을 실어 견딜 수 없게 하다. ***swallow a ~*** 믿을 수 없는 〔터무니없는〕 것을 받아들이다.
—*a.* 담황갈색의, 낙타색의.

cámel·bàck *n.* Ⓒ 낙타 등. ***on ~*** 낙타를 타고.

ca·mel·lia [kəmíːljə] *n.* Ⓒ 〖식물〗 동백나무.

Cam·e·lot [kǽməlɑ̀t/-lɔ̀t] *n.* 캐밀롯《영국 전설에 Arthur 왕의 궁전이 있었다는 곳》.

cámel('s) hàir 낙타털(모직물).

Cám·em·bert (chèese) [kǽməmbɛ̀ər(-)] *n.* Ⓤ 카망베르《프랑스산 크림치즈》.

cam·eo [kǽmiòu] (*pl.* **-e·os**) *n.* Ⓒ **1** 카메오《돋을새김을 한 보석 · 돌 · 조가비 따위》; 카메오 세공. **2** (문학 · 극에서 주제를 돋보이게 하기 위한) 인상적인 장면.

†**cam·era** [kǽmərə] *n.* Ⓒ **1** (*pl.* **-er·as**) **카메라, 사진기**; 텔레비전 카메라: load a ~ 카메라에 필름을 끼우다/snap a ~ at a person 카메라로 아무를 찍다. **2** (*pl.* **-er·ae** [-ərìː]) 판사실. ***in ~*** 〖법률〗 (공개가 아닌) 판사(判事)의 사실(私室)에서; 비밀히. ***Kill ~!*** 《美속어》 카메라를 멈춰라, 찍지 마. ***on*** 〔***off***〕 ***~*** 〖TV · 영화〗 (주로 배우가) 촬영 카메라 앞에서〔에서 벗어나〕.

cámera·màn [-mæ̀n] (*pl.* **-mèn** [-mèn]) *n.* Ⓒ (신문사 등의) 사진반원; 〖영화〗 촬영 기사; 사진사.

cámera ob·scú·ra [-ɑbskjúərə/-ɔbskjúərə] (사진기 등의) 어둠상자; 암실; 사진기.

cámera-shỳ *a.* 사진 찍기를 싫어하는.

Cam·e·roon [kæ̀mərúːn] *n.* 카메룬《서아프리카 동쪽의 공화국; 수도 Yaoundé》. ㊂ **Càm·e·róon·i·an** [-iən] *a.* 카메룬(사람)의. **—***n.* Ⓒ 카메룬 사람.

cam·i·knick·ers [kǽminìkərz] *n. pl.* 《英》 (여성용) 콤비네이션식 속옷.

cam·i·sole [kǽmisòul] *n.* Ⓒ 캐미솔《소매 없는 여자용 속옷의 일종》.

cam·o·mile [kǽməmàil] *n.* Ⓒ 〖식물〗 카밀레《말린 꽃은 건위 · 발한제》.

cámomile téa 카밀레 탕약.

°**cam·ou·flage** [kǽməflɑ̀ːʒ, kǽmə-] *n.* Ⓤ (구체적으로는 Ⓒ) **1** 〖군사〗 위장(僞裝), 미채(迷彩), 카무플라주. **2** 변장; 기만, 속임. **—***vt.* 위장하다; 속이다; 감추다《***with*** …으로》: a ~*d* truck 위장한 트럭/~ one's anger *with* a smile (억지) 웃음으로 노여움을 감추다.

†**camp**[1] [kæmp] *n.* **1** Ⓒ (군대의) **야영지**, 주둔지, 막사; (포로 · 난민 등의) 수용소. **2** Ⓒ (산 · 해안 따위의) **캠프장**; 〖집합적〗 텐트; 오두막: make 〔pitch〕 (a) ~ =set up a ~ 텐트를 치다/strike 〔break (up)〕 (a) ~ (철수하기 위해) 텐트를 걷다. **3** Ⓤ **캠프** (**생활**), 야영 (생활); 군대 생활: be in ~ 야영 중이다. **4** Ⓒ 〖집합적; 단 · 복수취급〗 야영자들, 야영대. **5** Ⓒ (주의 · 주장 등의) 입장; 〖집합적; 단 · 복수취급〗 (주의 · 종교 따위의) 동지들; 진영: be divided into two ~*s*, 2개 진영으로〔파로〕 나뉘다/be in different ~*s* (주의나 이념상의) 입장을 달리하고 있다/be in the same 〔enemy's〕 ~ 동지〔적(측)〕이다.
—*vi.* **1** 천막을 치다; 야영〔캠프〕하다: go ~*ing* 캠핑 가다/Let's ~ here. 여기에 천막을 치자. **2** 《+㊊/+㊉+㊄》 진을 치다; 자리잡고 앉다(*down*); 임시로 거처하다〔머물다〕《***in*** …(장소)에; ***with*** …와》: ~ *in* an apartment house 〔*with* one's parents〕 아파트에〔부모와 함께〕 임시로 거처하다. **—***vt.* 야영시키다; …에게 임시 거처를 제공하다. **~ *out*** 《*vi.*+㊊》 캠프 생활을 하다; 《英구어》 임시로 살다《***with*** …와》.

camp[2] 《구어》 *n.* Ⓤ 과장되게 체하는 태도〔행동, 예술 표현〕; 호모(homo)의 여성 같은 몸짓.
—*a.* 점잔 빼는; 뽐내는; 과장된; 동성애의.
—*vi.*, *vt.* (일부러) 과장되게 행동하다.
~ *it up* 《구어》 일부러 눈에 띄게 행동하다.

⁑**cam·paign** [kæmpéin] *n.* Ⓒ **1** (일련의) **군사 행동**; 전역(戰役). **2 선거 운동**, 유세(election ~); 캠페인, (조직적인) 운동, 《특히》 사회 운동 《***for*** …에 찬성하는; ***against*** …에 반대하는/***to*** do》: a sales ~ 판매 촉진 운동/a fund-raising ~ 모금 운동/~ *to* combat crime 범죄 방지 운동/~ *for* world peace 세계 평화 운동/~ *against* air pollution 〔alcohol〕 대기 오염 반대〔금주(禁酒)〕 운동. ***on ~*** 종군하여.
—*vi.* **1** 종군하다: go ~*ing* 종군하다; 유세하다. **2** 《+㊉+㊄》 운동을 하다〔일으키다〕《***for*** …에 찬성하는; ***against*** …에 반대하는》: ~ *for* 〔*against*〕 the legalization of marijuana 마리화나의 합법화를 추진〔반대〕하는 운동을 하다.

cam·páign·er *n.* Ⓒ 종군자; 노병; (사회 · 정치 따위의) 운동가: an old ~ 노련한 사람.

cam·pa·ni·le [kæ̀mpəníːli] (*pl.* **~s, -li** [-níːliː]) *n.* Ⓒ 종루(鐘樓), 종탑(bell tower).

cam·pa·nol·o·gy [kæ̀mpənɑ́lədʒi/-nɔ́l-]

n. Ⓤ 명종술(鳴鐘術); 주종술(鑄鐘術).

cam·pan·u·la [kæmpǽnjələ] *n.* =BELLFLOWER.

cámp bèd (캠프용) 접침대, 야전 침대.

cámp chàir 접의자.

Cámp Dávid 《美》 Maryland주에 있는 대통령 전용 별장: ~ accords 캠프 데이비드 협정.

cámp·er *n.* Ⓒ 야영자, 캠프 생활자; 《美》 캠프용 트레일러〔자동차〕.

cámp·fìre *n.* Ⓒ 모닥불, 캠프파이어; 《美》 (모닥불 둘레에서의) 모임, 친목회.

cámp fòllower 부대 주변의 민간인《상인·매춘부 등》; (단체·주의 따위의) 동조자.

cámp·gròund *n.* Ⓒ 《美》 야영지, 캠프장; 야외 전도 집회 장소.

°**cam·phor** [kǽmfər] *n.* Ⓤ 장뇌(樟腦).
㊕ **~·ate** [-rèit] *vt.* 장뇌와 화합시키다, …에 장뇌를 넣다: *~ated* oil 장뇌유《화농 방지》.

cámphor bàll 장뇌알《방충용》.

cam·phor·ic [kæmfɔ́(:)rik, -fár-] *a.* 장뇌의, 장뇌를 넣은.

cámphor trèe 〔**làurel**〕 〖식물〗 녹나무《장뇌의 원료로 쓰임》.

cam·pi·on [kǽmpiən] *n.* Ⓒ 〖식물〗 석죽과의 식물《장구채·전추라 따위》.

cámp mèeting 《美》 (종교상의) 야외〔텐트〕 집회.

cam·po·ree [kæ̀mpəríː] *n.* Ⓒ 《美》 (보이스카우트) 지방 대회. ⓒⓕ jamboree.

cámp·sìte *n.* Ⓒ 캠프장, 야영지.

cámp·stòol *n.* Ⓒ (휴대용) 접의자.

⁑**cam·pus** [kǽmpəs] *n.* Ⓒ **1** (주로 대학의) **교정**, 구내: on (the) ~ 교정에서 / off (the) ~ 교정 밖에서. **2** 《美》 대학; (대학의) 분교: ~ activities 학생 활동 / ~ life 대학 생활.

campy [kǽmpi] *a.* =CAMP[2].

cám·shàft *n.* Ⓒ 〖기계〗 캠축.

Ca·mus [kæmjúː] *n.* **Albert** ~ 카뮈《프랑스의 작가; 노벨 문학상 수상(1957); 1913–60》.

†**can**[1] [kæn, ⓦ kən] *aux. v.* (현재 부정형 ***cannot*** [kǽnɑt, kænát/kǽnɔt, -nət], 현재 부정 간약형 ***can't*** [kænt/kɑːnt]; 과거 ***could*** [kud, ⓦ kəd], 과거부정형 ***could not,*** 과거 부정 간약형 ***couldn't*** [kúdnt]).

> **NOTE** 발음은 문장 끝에서나, 특히 강조할 때에는 [kæn]을 씀: Do what you *can* [kæn]. / He thinks I can't do it, but I *can* [kæn] do it. 기타의 경우에는 보통 [kən].

1 〖능력〗 **a** …**할 수 있다**: I will do what I *cán*. 내가 할 수 있는 일이라면 무슨 일이라도 하겠습니다《can 다음에 do가 생략돼 있음》/ What ~ I do for you? 어서 오십쇼《무엇을 도와 드릴까요》; 무엇을 드릴까요《점원이 손님에게 하는 말》/ *Can't* you see I'm busy? 내가 바쁜 걸 모르겠느냐 / *Can* he speak English? 그는 영어를 할 줄 압니까《can을 쓰면 노골적으로 들리므로 *Do you speak ...?*가 보통》. **b** …**하는 법을 알고 있다**: I ~ swim. 헤엄칠 수 있다 / *Can* you play the piano? 피아노를 치실 줄 압니까. **c** 〖지각동사나 remember와 함께 쓰이어〗 …**하고 있다** 《진행형과 같은 뜻이 됨》: *Can* you hear that noise? 저 소리가 들리는가 / I ~ remember it well. 그 일은 잘 기억하고 있다.

> **NOTE** (1) can의 미래시제는 will 〔shall〕 be able to인데, if-절 속에서는 미래의 일을 말하고 있더라도 can을 씀: If you *can* [ˣwill be able to] use this typewriter in a month, you may keep it. 만약 한 달 내에 이 타자기를 완전히 마음대로 칠 수 있다면 너는 그것을 가져도 좋다.
> (2) 과거형 could는 가정법 과거로 많이 쓰고, 직설법에서는 뜻을 분명히 하기 위해서 흔히 was 〔were〕 able to로 대용함.

2 〖허가〗 …**해도 좋다**《구어에서는 may보다 일반적》: You ~ go. 자네는 가도 좋아 / You ~ smoke here. 여기서 담배를 피우셔도 괜찮〔좋〕습니다 / *Can* I speak to you a moment? 잠깐 이야기 좀 해도 괜찮겠습니까 / No visitor ~ remain in the hospital after nine p.m. 면회인은 오후 9시 이후엔 본병원에 머물러 있을 수가 없습니다《병원의 규칙》.

3 〖가벼운 명령〗 **a** 〖긍정문에서〗 …**하시오**, …하면 좋다, …해야 한다: You ~ go. 가거라. **b** 〖부정문에서〗 …**해서는 안 된다**, …하지 말아야 한다 《may not보다 일반적; 강한 금지를 나타낼 때에는 must not》: You *can't* run here. 여기서는 뛰어서는 안 된다.

> **NOTE** (1) can은 주어가 무생물일 때도 있음: Pencils *can* be red. 연필은 빨강도 좋다.
> (2) 허가를 나타내는 can은 may로 바꿀 수 있으나, 과거 시제일 경우, 특히 독립문에 있어서는 could가 일반적임: In those days, anyone *could* 〔(드물게) might〕 enroll for this course. 당시에는 누구든지 이 코스에 등록하는 것이 인정되고 있었다.

4 〖가능성·추측〗 **a** 〖긍정문에서〗 …**할 수 있다**, …**이 있을 수 있다**, …할〔일〕 때가 있다: Anybody ~ make mistakes. 누구나 틀리는 수가 있다 / He ~ be rude enough to do so. 그 사람이라면 능히 그런 일을 할 만큼 무례할 수 있다. **b** 〖부정문에서〗 …**할〔일〕 리가 없다**, …이면 곤란하다: It *cannot* be true. 사실일 리가 없다 / This *can't* happen. 이런 일이 있으면 곤란하다. **c** 〖의문문에서〗 …**일〔할〕 리가 있을까**, (도대체) …일 수(가) 있을까, 대체 …일까: *Can* it be true? 도대체 정말일 수 있을까 / What ~ he be doing? 그는 대체 무얼하고 있는 거야 / Who ~ he be? 대체 그 사람은 누구일까.

> **NOTE** 의문사로 시작된 의문문에서 can에 강세를 두면 말하는 사람의 놀라움·당혹·초조함을 나타냄: *How cán* you (do) so? (그런 일을 하다니) 어떻게 그럴 수가 있느냐?

d 〖cannot have+과거분사〗 …**했을 리가 없다**: He *cannot have told* a lie. 그가 거짓말을 했을 리가 없다. **e** 〖can have+과거분사〗 …하기를 다 마치고 있을 거다《미래를 나타내는 부사구를 동반함》: I ~ *have got* the dinner ready by 10 o'clock. 열시까지는 오찬의 준비를 다 끝내고 있을 거다《I'll be able to get the dinner ready ....가 보통》.

5 〖Can you ...로 의뢰를 나타내어〗 …해 주(시)겠습니까《Could you ...가 보다 공손한 표현임》: Can you give me a ride? 차에 태워 주실 수 없습니까.

as ... as ~ be 더없이 …, 그지없이 …, 아주 …: I am *as* happy *as* (happy) ~ *be*. 나는 아주〔무척〕 행복하다. ***~ but ...*** 단지〔그저〕 …할

따름이다, …할 수밖에 없다: We ~ *but* wait. 그저 기다릴 (수)밖에 없다. ***cannot away with*** 《고어》 …을 참을 수 없다. ***cannot but*** do = ***cannot help*** do*ing* ⇨HELP. ***cannot ... too*** ⇨TOO.

> **DIAL.** ***Can do.*** 할 수 있어, 괜찮아.
> ***No can do.*** 안 돼, 난 할 수 없어.
> ***I can fly an airplane.—Oh, you can!*** 나는 비행기를 조종할 수 있어.—아, 그래!
> ***Can I take this one?—Certainly. / No, I'm afraid you can't.*** 이걸 가져도 되나요?—물론이지./안 되는데.

C

‡**can²** [kæn] *n.* **1** Ⓒ (보통 뚜껑 달린) **통**, 양철통: a coffee [milk] ~ 커피[우유]통/a trash [garbage] ~ 쓰레기통/a sprinkling ~ 물뿌리개. **2** Ⓒ 《美》 (통조림의) **깡통**; 통조림: a ~ *of* sardines 정어리 통조림. **3** (the ~) 《속어》 교도소, 유치장; 《美속어》 변소: be sent to the ~ 유치장에 보내지다. **4** Ⓒ 《美비어》 엉덩이(buttocks).
a ~ of worms 《구어》 귀찮은 문제; 복잡한 사정. ***carry the ~*** 《英구어》 책임을 지다《***for*** (남을) 대신해서, (남이 한 일)에 대하여》. ***in the ~*** ① 〖영화〗 준비가 다 되어, 개봉 단계가 되어. ② 옥에 갇히어.
—(**-nn-**) *vt.* **1** 《美》 **통조림으로 만들다**(《英》 tin): ~ fruit 과일을 통조림으로 만들다. **2** 《구어》 녹음하다. **3** 《美속어》 해고하다(fire); 퇴학시키다; (말 따위)를 그치다: get ~*ned* 해고되다/~ the chatter 잡담을 그치다.

> **DIAL.** ***Can it!*** 《美》 시끄러워, 조용히 해.

Can. Canada; Canadian. **can.** canon; canto.

Ca·naan [kéinən] *n.* **1** 〖성서〗 가나안《지금의 서(西)팔레스타인; 약속의 땅》. **2** Ⓒ 낙원, 이상향. ㊕ **~·ite** [-àit] *n.* Ⓒ 가나안 사람.

***Can·a·da** [kǽnədə] *n.* **캐나다**《수도 Ottawa》.

Cánada Dày 《Can.》 캐나다 자치 기념일《7월 1일; 법정 휴일; 구칭 Dominion Day》.

Cánada góose 〖조류〗 캐나다 기러기.

***Ca·na·di·an** [kənéidiən] *a.* **캐나다(사람)의**: ~ whiskey 캐나다 위스키. —*n.* Ⓒ 캐나다 사람.

Canádian bácon 캐나디안 베이컨《돼지 허리살을 소금에 절여 훈제한 것》.

Canádian Frénch 캐나다 프랑스어《프랑스계 캐나다인이 말하는 프랑스어》; 프랑스계 캐나다인의.

Ca·na·di·an·ism [kənéidiənìzəm] *n.* Ⓤ (구체적으로는 Ⓒ) 캐나다 특유의 관습[사물]; 캐나다 특유의 영어《어법·단어》.

‡**ca·nal** [kənǽl] *n.* Ⓒ **1 운하**; 수로. **2** 〖건축〗 홈; (동식물의) 도관(導管)(duct): the alimentary ~ 소화관.

canál bòat (운하용의 좁고 긴) 짐 배.

ca·nal·ize [kənǽlaiz, kǽnəlàiz] *vt.* **1** …에 운하[수로]를 파다; 운하화하다. **2** (물·감정 따위)의 배출구를 마련하다; (감정·정력 따위)를 쏠리게 하다《***into*** (어떤 방향)으로》. ㊕ **ca·nàl·i·zá·tion** *n.*

Canál Zòne (the ~) 파나마 운하 지대.

ca·na·pé [kǽnəpi, -pèi] *n.* 《F.》 Ⓒ 카나페《작은 정어리·치즈 따위를 얹은 크래커 또는 빵; 전채(前菜)의 일종》.

ca·nard [kənáːrd] *n.* 《F.》 Ⓒ 허위 보도, 와전.

Ca·nar·ies [kənέəriz] *n. pl.* (the ~) =CANARY ISLANDS.

‡**ca·nary** [kənέəri] *n.* **1** Ⓒ 〖조류〗 **카나리아**(=~ bìrd). **2** Ⓤ 카나리아빛, 샛노랑(~ yellow). **3** Ⓒ 《속어》 밀고자(informer).

canáry-còlored *a.* 카나리아빛의, 샛노란.

Canáry Íslands (the ~) 카나리아 제도《아프리카 북서 해안 근처의 스페인령》.

canáry yéllow 카나리아빛《샛노랑색》.

ca·nas·ta [kənǽstə] *n.* Ⓤ 두 벌의 패[카드]를 가지고 하는 카드놀이.

Ca·nav·er·al [kənǽvərəl] *n.* =CAPE CANAVERAL.

Can·ber·ra [kǽnbərə] *n.* 캔버라《오스트레일리아의 수도》.

canc. cancel(ed); cancellation.

can·can [kǽnkæ̀n] *n.* 《F.》 Ⓒ 캉캉춤.

‡**can·cel** [kǽnsəl] (**-l-**, 《英》 **-ll-**) *vt.* **1** (글자 따위)를 **선을 그어 지우다, 삭제하다**: ~ a person's name 아무의 이름을 선을 그어 지우다. **2** …을 무효로 하다, 취소하다(annul): ~ permission 허가를 취소하다/~ one's order for books 책 주문을 취소하다. **3** (차표 등)에 펀치로 찍다, …에 소인을 찍다: ~ a stamp 우표에 소인을 찍다. **4** 《+목+부》 소멸시키다, 상쇄하다, (빛 따위)를 에끼다(*out*): Her weaknesses ~ *out* her virtues. 그녀의 약점이 장점을 소멸시킨다. **5** 《+목+전+명》 〖수학〗 맞줄임[약분]하다《***by*** …으로》: ~ the number *by x* 그 수를 *x*로 약분하다.
—*vi.* **1** 《+부》 상쇄되다(*out*). **2** 《+전+명》 〖수학〗 약분되다《***by*** …으로》: The two *a*'s on each side of an equation ~. 방정식의 두 변의 *a*는 약분된다.
—*n.* **1** Ⓤ 취소. **2** Ⓤ (구체적으로는 Ⓒ) 〖인쇄〗 삭제; 〖컴퓨터〗 없앰.

can·cel·la·tion, -ce·la- [kæ̀nsəléiʃən] *n.* **1** Ⓤ 말살, 취소; Ⓒ 취소된 것《차표 따위》. **2** Ⓒ 소인(된 것).

‡**can·cer** [kǽnsər] *n.* **1** Ⓤ (구체적으로는 Ⓒ) 〖의학〗 **암**; 암종; 악성종양: get ~ 암에 걸리다/die of lung ~ 폐암으로 죽다/~ of the breast [stomach] 유방[위]암. **2** Ⓒ 《비유적》 병폐, 적폐(積弊), 암《***in, of*** (사회)의》: a ~ *in* [*of*] modern society 현대 사회의 병폐. **3** (C-) Ⓤ 〖천문〗 게자리(the Crab).
the Tropic of Cancer 북회귀선, 하지선.

can·cer·ous [kǽnsərəs] *a.* 암(성(性))의.

can·de·la [kændíːlə] *n.* Ⓒ 칸델라《광도의 단위, 촉광과 비슷함》.

can·de·la·brum [kæ̀ndiláːbrəm] (*pl.* **-bra** [-brə], **~s**) *n.* Ⓒ 가지촛대, 큰 촛대.

can·des·cent [kændésənt] *a.* 백열(白熱)의, 작열의. ㊕ **can·dés·cence** *n.* Ⓤ 백열.

C. & F., c. & f. 〖상업〗 cost and freight (운임 포함 가격).

***can·did** [kǽndid] *a.* **1 정직한, 솔직한**(frank); 노골적인, 거리낌없는(outspoken): a ~ friend 싫은 소리를 거리낌없이 하는 친구/in my ~ opinion 의견을 솔직히 말하면. **2** 공정한, 공평한(impartial): a ~ mind 공정한 인물/Give me a ~ hearing. (사심 없이) 공정하게 들어주게. **3** 포즈를 취하지 않은: a ~ photo 스냅 사진.
to be quite [***perfectly***] ~ (***with you***) 솔직히 말하면《일반적으로 문장 첫머리에 씀》.
㊕ °**~·ly** *ad.* **~·ness** *n.*

can·di·da [kǽndidə] *n.* [C] 칸디다균(菌)《아구창의 원인이 됨》.
can·di·da·cy [kǽndidəsi] *n.* [U] (구체적으로는 [C]) 입후보《*for* …의》.
⁑**can·di·date** [kǽndidèit, -dit] *n.* [C] **1 후보자**; 지원자, 지망자《*for* …의》: put up a ~ 후보자를 내세우다 / a ~ *for* the governorship 지사 후보 / a ~ *for* the M. A. degree 문학 석사 학위 취득 지원자. **2** 가망이 있는 사람《*for* …을 얻을》: a ~ *for* fame 〔wealth〕 장래 이름을 날릴 〔부자가 될〕 사람. ***run*** **~** ***at*** …에 입후보하다.
[파] **-da·ture** [-dətʃùər, -tʃər] *n.* 《英》 =CANDIDACY.
cándid cámera 소형 (스냅) 사진기.
can·died [kǽndid] *a.* [A] **1** 당화(糖化)한; 설탕절임한, 설탕조림의; (얼음사탕처럼) 굳은. **2** 달콤한, 발림말의: ~ words 달콤한 말.
⁑**can·dle** [kǽndl] *n.* [C] **1 (양)초**, 양초 비슷한 것. **2** 빛을 내는 것, 등불; 《특히》 별.
burn the **~** ***at both ends*** ⇨ BURN. ***cannot*** 〔***be not fit to***〕 ***hold a*** **~** 〔***stick***〕 ***to*** 《구어》 …와는 비교도 안 되다, …의 발밑에도 못 따라가다.
not worth the **~** 애쓴 보람이 없는, 돈들일 가치가 없는.
Can·dle·mas [kǽndlməs, -mæ̀s] *n.* [U] 〖가톨릭〗 성촉절(聖燭節)《2월 2일》.
cándle·pìn *n.* 《美》 **1** [C] 캔들핀《양끝이 빤 원통형의 볼링용 핀》. **2** (*pl.*) 〔단수취급〕 캔들핀스《tenpins 비슷한 볼링의 일종》.
cándle·pòwer *n.* [U] (예전의) 촉광: five ~, 5촉광.
*__can·dle·stick__ [kǽndlstìk] *n.* [C] **촛대.**
cándle·wìck *n.* [C] 초의 심지(=**cándle·wick·ing**).
cán-dó *a.* 《구어》 의욕 있는; (어려운 일을) 할 수 있는: a ~ attitude 의욕적인 태도. **—*n.*** [U] 의욕, 열성.
*__can·dor,__ 《英》 **-dour** [kǽndər] *n.* [U] **공정**; 정직, 솔직. ◇ candid *a.*
with **~** 솔직하게, 허심탄회하게.
C & W country-and-western.
⁑**can·dy** [kǽndi] *n.* **1** [U] (종류 · 낱개는 [C]) 《美》 **캔디**, 사탕(《英》 sweets, sweetmeat)《캔디 · 초콜릿 등》: a piece of ~ 캔디 한 개 / mixed *candies* 각종 배합 캔디 / Will you have a ~? 캔디 하나 먹겠느냐. **2** [U] (낱개는 [C]) 《英》 얼음사탕(sugar ~).
—*vt.* …에 설탕을 뿌리다, 설탕절임으로 하다, 설탕으로 조리다; (당밀)을 얼음사탕 모양으로 굳히다. **—*vi.*** 설탕절임이 되다.
cándy àss 《美속어》 겁쟁이.
cándy flòss 《英》 솜사탕(《美》 cotton candy).
cándy strìpe 흰색과 빨간색의 줄무늬.
cándy-strìped [-t] *a.* (옷 따위가 막대 사탕처럼) 흰색과 빨간색의 줄무늬가 있는.
cándy strìper 《구어》 자원 봉사로 간호사를 돕는 10대.
cándy·tùft *n.* [C] 〖식물〗 이베리스꽃《여러 색깔의 꽃이 피는 겨잣과(科)의 관상 식물》.
*__cane__ [kein] *n.* **1** [C] (등나무로 만든) **지팡이**, 단장(walking stick); [U] (용재로서의) 등류(藤類). **2 a** [C] 매, 회초리. **b** (the ~) 매에 의한 체벌: get 〔give〕 the ~ 매를 맞다〔때리다〕. **3** [C] (마디 있는) 줄기《등 · 대 · 종려나무 · 사탕수수 따위》.
—*vt.* 1 매로 치다. **2** 등나무로〔대나무로〕 만들다〔엮다〕.
cáne·bràke *n.* [C] 《美》 등〔대나무〕 숲.
cáne cháir 등나무 의자.
cáne sùgar 사탕수수 설탕. [cf] BEET SUGAR.
cane·work *n.* [U] 등나무 세공(품).
can·ful [kǽnfùl] *n.* [C] (깡)통 가득함, 그 분량.
◇**ca·nine** [kéinain, kǽn-] *a.* 개의, 개와 같은; 개속(屬)의: ~ madness 광견병 / ~ species 개족속 / ~ tooth 송곳니. **—*n.*** [C] 개; 개속의 짐승; 송곳니.
can·ing [kéiniŋ] *n.* [C] 매질: get a ~ 매 맞다 / give a person a ~ 아무를 매질하다.
Ca·nis [kéinis] *n.* (the ~) 〖동물〗 개속(屬).
~ ***Major*** 〔***Minor***〕 〖천문〗 큰〔작은〕 개자리.
can·is·ter [kǽnistər] *n.* [C] 양철통, (차 · 담배 · 커피) 통; (대포의) 산탄(=**∠ shòt**).
can·ker [kǽŋkər] *n.* **1** [U] (구체적으로는 [C]) 〖의학〗 구강 궤양〔암〕. **2** [U] 〖수의〗 말굽 종창; (과수의) 암종병(癌腫病); 뿌리혹병. **3** [C] 폐해, 해독; (마음을 좀먹는) 고민. **—*vt.*** 구강 궤양에 걸리게 하다; (정신적으로) 해치다, 서서히 파괴하다. **—*vi.*** 구강 궤양에 걸리다. [파] **~·ous** [-rəs] *a.* ~의〔같은〕; 해독을 미치는.
cánker·wòrm *n.* [C] 〖곤충〗 자벌레.
can·na [kǽnə] *n.* [C] 〖식물〗 칸나.
can·na·bis [kǽnəbis] *n.* [U] 〖식물〗 삼, 대마.
*__canned__ [kænd] CAN²의 과거 · 과거분사.
—*a.* 1 통조림한: ~ goods 통조림 제품 / ~ beer 캔맥주. **2** 《구어》 녹음〔녹화〕한; 《美구어》 (연설 따위가) 미리 준비된: a ~ computer program 미리 짜인 컴퓨터프로그램 / ~ laughter (효과음으로) 녹음된 웃음소리. **3** 《속어》 취한.
can·nel [kǽnl] *n.* [U] 촉탄(燭炭)(=**∠ còal**).
can·nel·lo·ni [kæ̀nəlóuni] *n.* 《It.》 [U] 〖요리〗 원통형의 대형 pasta 또는 그 요리.
can·ner [kǽnər] *n.* [C] 통조림 제조업자.
[파] **-nery** [-ri] *n.* [C] 통조림 공장.
Cannes [kænz] *n.* 〖지리〗 칸《프랑스 남동부의 보양지; 영화제로 유명》.
◇**can·ni·bal** [kǽnəbəl] *n.* [C] 식인자; 서로 잡아먹는 동물. **—*a.*** [A] 식인의; 서로 잡아먹는.
[파] **~·ism** *n.* [U] 식인(풍습); 서로 잡아먹기.
~·is·tic [∸-bəlístik] *a.*
can·ni·bal·ize [kǽnəbəlàiz] *vt.* **1** (사람)의 고기를 먹다; (같은 동물)을 서로 잡아먹다. **2** (차량 · 기계 따위)를 분해하다; (부품)을 떼내다《***from*** (차량 따위)에서》. **—*vi.*** 식인하다, 서로 잡아먹다.
can·ni·kin [kǽnəkin] *n.* [C] 작은 양철통〔컵〕.
can·ning [kǽniŋ] *n.* [U] 통조림 제조(업).
*__can·non__¹ [kǽnən] (*pl.* **~s,** 〔집합적〕 ~) *n.* [C] **대포**《지금은 보통 gun》; (비행기 탑재용) 기관포. **—*vi.*** 포격하다; 충돌하다《***into, against*** …에》: ~ *into* a person 아무와 충돌하다.
can·non² *n.* [C] 《英》 〖당구〗 캐넌(《美》 carom)《친 공이 두 표적공에 계속하여 맞는 일》. **— *vi.*** 〖당구〗 캐넌을 치다, 캐넌이 되다.
can·non·ade [kæ̀nənéid] *n.* [C] (연속) 포격.
★ 지금은 보통 bombardment.
—*vt.*, *vi.* (연속) 폭격하다(bombard).
cánnon·bàll *n.* [C] 포탄《지금은 보통 shell》; 무릎을 껴안고 하는 다이빙; 〖테니스〗 강속 서브; 《美구어》 특급 열차. **—*a.*** [A] 고속의; 강렬한.
cánnon fòdder 대포의 밥《병졸 따위》.
can·not [kǽnɑt, -∠, kənɑ́t/kǽnɔt, kənɔ́t] (간약형 ***can't*** [kænt/kɑːnt]) can not 의 연결형: Can you swim?—No, I *can't.* 당신은 헤

엄칠 줄 아십니까—아뇨, 못 합니다.

> NOTE 《美》에서나 또는 not에 강세를 둘 때에는 can not으로 씀. 또, 회화에서는 can't를 씀. You can go, or you *can nót* go. 넌 가도 좋고 안 가도 좋다.

can·nu·la [kǽnjələ] (*pl.* **~s, -lae** [-lìː]) *n.* Ⓒ 〖의학〗 캐뉼러《환부에 삽입하여 액을 빼내거나 약을 넣는 데 씀》.

can·ny [kǽni] *a.* **1** 주의 깊은, 신중한; 영리한, (특히 금전적으로) 빈틈없는: a ~ investor in stocks 신중한 주식 투자자. **2** 숙련된, 숙련자인. **3** 검약한, 검소한. **4** 《Sc.》 좋은, 훌륭한. ㊉ **-ni·ly** *ad.* **-ni·ness** *n.*

C

***ca·noe** [kənúː] *n.* Ⓒ **카누**; 마상이, 가죽배: by ~ 카누로《★ 관사 없이》. ***paddle** one**'s own** ~* ⇨PADDLE[1].

—(*p.*, *pp.* **-noed; -noe·ing**) *vi.* 카누를 젓다; 카누로 가다〔나르다〕. ㊉ **~·ist** *n.* Ⓒ 카누 젓는 사람.

°**can·on**[1] [kǽnən] *n.* **1** Ⓒ 〖기독교〗 교회법; 교회 법령집. **2** Ⓒ (흔히 *pl.*) 규범, 표준(criterion). **3** (the ~) (외전(外典)에 대한) 정전(正典); 진짜 작품 (목록). **4** (the ~) 〖가톨릭〗 (미사) 전례문(典禮文); 성인록(聖人錄). **5** Ⓒ 〖음악〗 카논. ≠ cannon.

can·on[2] *n.* Ⓒ 〖기독교〗 성당 참사회 의원.

ca·non·i·cal [kənɑ́nəkəl/-nɔ́n-] *a.* 교회법에 의한; 정전(正典)으로 인정된; 정규의, 표준〔기본〕적인: ~ dress 성직자의 복장. —*n.* (*pl.*) (성직자의) 제의(祭衣), 성의(聖衣). ㊉ **~·ly** *ad.*

canónical hóurs (the ~) 〖가톨릭〗 정시과(定時課), 성무 일도(聖務日禱); 《英》 결혼식을 하는 시간《오전 8시 – 오후 6시》.

can·on·ic·i·ty [kæ̀nənísəti] *n.* Ⓤ 교회법에 맞음; 규범성(規範性).

càn·on·i·zá·tion *n.* Ⓤ 성인의 반열에 올림; Ⓒ 시성식(諡聖式).

cán·on·ìze *vt.* 시성(諡聖)하다; 성인(聖人)으로 추앙하다.

cánon láw 교회법, 종규(宗規).

ca·noo·dle [kənúːdl] *vi.* 《英구어》 키스하다, 껴안다, 애무하다(fondle).

cán òpener 《美》 깡통따개(《英》 tin opener).

***can·o·py** [kǽnəpi] *n.* **1** Ⓒ **닫집**; 닫집 모양의 덮개〔차양〕. **2** (the ~) 하늘: the ~ *of* heaven 〔the heavens〕 창공. **3** Ⓒ 〖항공〗 (조종석의 투명한) 덮개; 낙하산의 갓. —*vt.* 닫집으로 덮다.

canst [kænst, 약 kənst] *aux. v.* 《고어》 = CAN[1] 《주어가 thou일 때》.

cant[1] [kænt] *n.* Ⓤ **1** 위선적인 말투. **2** 변말, 은어(lingo); (한때의) 유행어(~ phrase). —*vi.* **1** 위선적인〔청승맞은〕 소리를 하다, 점잔을 빼고 말하다. **2** 변말을 쓰다.

cant[2] *n.* Ⓒ **1** 경사(slope), 기욺; (둑 · 결정체 따위의) 사면(斜面)(slant). **2** (기울어지게 할 정도로) 갑자기 밀기(push); 홱 굴리기. **3** 〖철도〗 캔트《커브에서 바깥쪽 레일을 높게 만든 것》. —*a.* Ⓐ 경사진; 모서리를 잘라낸. —*vt.* 기울이다; 비스듬히 베다〔자르다〕(*off*); 뒤집다, 전복시키다(*over*); 뒤집히다; 비스듬히 찌르다. —*vi.* 기울다; 비스듬히 위치하다; 뒤집히다(*over*).

can't [kænt/kɑːnt] CANNOT의 간약형. ★ 구어에선 mayn't 대신 많이 씀: *Can't* I go now? 이제 가도 되지요. ㊇ CANNOT.

Can·tab [kǽntæb] *n.* 《구어》 = CANTABRIGIAN.

can·ta·bi·le [kɑːntɑ́ːbilèi/kɑːntɑ́ːbilè] 《It.》 〖음악〗 *a.*, *ad.* 칸타빌레, 노래하듯(한). —*n.* Ⓤ 칸타빌레 양식; Ⓒ 칸타빌레(의 곡〔악절 · 악장〕).

Can·ta·brig·i·an [kæ̀ntəbrídʒiən] *a.*, *n.* Ⓒ Cambridge 시(의); Cambridge 〔Harvard〕 대학의 (재학생, 출신자, 관계자).

can·ta·loup(e) [kǽntəlòup/-lùːp] *n.* Ⓒ (식품은 Ⓤ) 멜론의 일종《로마 부근 원산으로 미국에 많음》.

can·tan·ker·ous [kəntǽŋkərəs, kæn-] *a.* 심술궂은(ill-natured), 툭하면 싸우는. ㊉ **~·ly** *ad.* **~·ness** *n.*

can·ta·ta [kəntɑ́ːtə] *n.* 《It.》 Ⓒ 〖음악〗 칸타타, 교성곡(交聲曲)《독창 · 합창에 기악 반주가 있는 일관된 내용의 서정적 성악곡》.

cánt dòg = CANT HOOK.

can·teen [kæntíːn] *n.* Ⓒ **1** (병사의) 반합, 휴대 식기; 수통, 빨병. **2** 《英》 군(軍) 매점 (《美》 Post Exchange); 〖군사〗 (무료) 위안소; (광산 · 바자 등의) 매점, 이동〔간이〕 식당: a dry 〔wet〕 ~ 술을 팔지 않는〔파는〕 군(軍) 매점. **3** 야영용〔가정용〕 취사도구 상자.

°**can·ter** [kǽntər] 〖마술〗 *n.* (a ~) 캔터, 느린 구보《gallop과 trot의 중간》: at a ~ 캔터로. ***win at*** 〔***in***〕 ***a*** ~ (경주에서 말이) 낙승(樂勝)하다. —*vi.*, *vt.* 느린 구보로 나아가(게 하)다.

Can·ter·bury [kǽntərbèri, -bəri] *n.* 잉글랜드 Kent 주의 도시《영국 국교(國敎) 총본산 소재지》.

Cánterbury Táles (The ~) 캔터베리 이야기《영국의 시인 Geoffrey Chaucer의 산문적인 운문 설화집》.

cánt hòok (통나무를 굴리기 위한) 갈고랑 장대.

can·ti·cle [kǽntikəl] *n.* Ⓒ (기도서) 성가; (the C-s) 〖단수취급〗 〖성서〗 솔로몬의 아가(雅歌)(the Song of Solomon).

can·ti·lev·er [kǽntəlèvər, -lìːvər] *n.* Ⓒ 〖건축〗 캔틸레버, 외팔보.

cántilever brìdge 캔틸레버식 다리.

can·til·late [kǽntəlèit] *vt.* 영창하다, 가락을 붙여 창화(唱和)하다. ㊉ **càn·til·lá·tion** *n.*

can·tle [kǽntl] *n.* Ⓒ **1** 안미(鞍尾), 안장 뒷가지. **2** 조각, 끄트러기, 쪼가리.

can·to [kǽntou] (*pl.* **~s**) *n.* Ⓒ (장편시의) 편(篇)《산문의 chapter에 해당》.

Can·ton [kæntɑ́n, ⌐-/kæntɔ́n, ⌐-] *n.* 광둥(廣東)《중국 남부의 도시》.

can·ton [kǽntn, -tɑn, kæntɑ́n/kǽntɔn, -⌐] *n.* Ⓒ (스위스의) 주(州).

Can·ton·ese [kæ̀ntəníːz] *a.* 광둥(廣東)(말)의: ~ cuisine 광둥 요리. — (*pl.* ~) *n.* Ⓒ 광둥 사람; Ⓤ 광둥 사투리.

can·ton·ment [kæntóunmənt, -tɑ́n-/-túːn-] *n.* Ⓒ 〖군사〗 숙영(지).

can·tor [kǽntər] *n.* Ⓒ (성가대의) 합창 지휘자.

Ca·nuck [kənʌ́k] *n.* Ⓒ 캐나다인, 《특히》 프랑스계 캐나다인.

Ca·nute [kənjúːt] *n.* 카누트《영국 · 덴마크 · 노르웨이 왕; 994?–1035》.

***can·vas**[1]**, -vass**[1] [kǽnvəs] *n.* **1** Ⓤ **즈크**, 범포(帆布). **2** Ⓒ **텐트**; Ⓤ 〖집합적〗 텐트 집단. **3** Ⓒ **캔버스**, 화포; 유화(油畫)(oil painting), 그림(picture); Ⓤ (역사 따위의) 배경, 상황: the ~

of a narrative 이야기의 배경. **4** Ⓤ 《집합적》 돛: put on more ~ 더 많은 돛을 올리다. **5** (the ~) (권투 · 레슬링의) 링 바닥: He was knocked to the ~. 그는 링 바닥에 쓰러졌다.

on the ~ (권투에서) 다운되어; 패배 직전에. ***under ~*** (배가) 돛을 달고(under sail); (군대가) 야영 중에. ㊞ **~·like** *a.*

cánvas·bàck (*pl.* **~, ~s**) *n.* 【조류】 (북아메리카산(産)) 들오리의 일종.

◇**can·vass**[2], **-vas**[2] [kǽnvəs] *vt.* **1** (어느 지역 사람들)에게 간청하다, 의뢰하다, (어느 지역)을 권유하며 다니다, 유세하다《***for*** (주문 · 투표 따위)를 위하여》: ~ a district *for* votes 투표를 부탁하러 선거구를 유세하다 / ~ the whole country *for* orders for their new product 신제품의 주문을 받기 위해 전국을 다니다. **2** 정사(精査)하다, 점검하다. **3** (문제 등)을 토의〔토론〕하다: ~ a suggestion 제안을 토론하다. **—***vi.* 선거 운동을 하다, 유세하다《***for*** …을 위하여》; 권유하며 다니다《***for*** …을》: ~ *for* a newspaper 신문의 주문을 받으러 다니다.

—*n.* Ⓒ 선거 운동, 유세; 권유, 의뢰: make a ~ of a neighborhood 주변 지역을 유세하다.

㊞ **~·er** *n.* Ⓒ 조사자; 운동원, 유세자; 권유〔외판〕원.

*__can·yon__ [kǽnjən] *n.* Ⓒ (개울이 흐르는 깊은) **협곡.**

can·zo·ne [kænzóuni/-tsóu-] (*pl.* **-ni** [-niː]) *n.* 《It.》 Ⓒ 칸초네, 민요풍의 가곡.

can·zo·net, -nette [kæ̀nzənét], **-net·ta** [-nétə] *n.* Ⓒ 칸초네타《서정적인 소(小)가곡; 소규모의 canzone》.

caou·tchouc [kautʃúːk, káuːtʃuk] *n.* Ⓤ 탄성 고무(India rubber); 생고무(pure rubber).

◇**cap**[1] [kæp] *n.* Ⓒ **1** (양태 없는) 모자; 제모; 두건; 《英》 선수 모자. ㉠ hat. ¶ a college ~ 대학의 제모 / a steel ~ 철모 (helmet) / a peaked ~ 챙 달린 모자《학생 모자 같은 것》. **2** 뚜껑; (칼)집, (만년필 따위의) 두겁; (시계의) 속딱지; (병의) 쇠붙이 마개; (버섯의) 갓; (구두의) 코(toe ~). **3** 【건축】 대접받침; 【선박】 장모(檣帽); 뇌관(percussion cap); (소량의 화약을 종이에 싼) 딱총알. **4** 최고부, 정상(top): the ~ of fools 바보 중의 바보. **5** (법령 · 협정 등에서 정한 가격 · 임금 등의) 상한, 최고 한도.

(***a***) ***~ and bells*** (예전에 궁전의 어릿광대가 쓴) 방울 (달린) 모자. ***a feather in*** one***'s ~*** ⇨ FEATHER. ***~ and gown*** (학계나 법조계의) 정식 복장. ***~ in hand*** 모자를 벗고; 공손한 태도로: go 〔come〕 ~ *in hand* 경의를 표하다, 정중히 하다《주로 부탁할 때의 표현》. ***If the ~ fits*** (***, wear it***) 그 비평이 자기에게 해당하면 (그렇게 생각해도 좋다). ***put on*** one***'s thinking*** 〔***considering***〕 ~ 《구어》 숙고하다, 차분히 생각하다. ***set*** one***'s ~ for*** 〔***at***〕 《구어》 (남자의) 애정을 사려고 하다. ***Where is your ~?*** (아가) 인사해야지.

— (**-pp-**) *vt.* **1** …에 모자를 씌우다: ~ a nurse 《美》 (간호학교 졸업생에게) 간호사 모자를 씌우다, 간호사 자격을 부여하다. **2** (기구 · 병)에 마개를 하다: ~ a bottle. **3** …의 위를〔표면을〕 덮다 《★ 종종 수동태로 쓰며, 전치사는 *with*》: Snow has *~ped* Mt. Halla. 눈이 한라산을 덮었다 / ~ cherries *with* cream 버찌에 크림을 치다. **4** …보다 낫다(surpass), 능가하다: Her singing *~ped* the others'. 그녀의 노래는 다른 사람들을 능가했다. **5** (일화 · 인용구 등)을 다투어 꺼내다: ~ one joke with another 번갈아 가며 농담을

잇따라 주고받다. **6** 매듭짓다, 완성하다: This speech *~s* a month of canvassing. 이 연설로 한 달 간의 유세도 끝이다.

to ~ (***it***) ***all*** 필경은, 결국〔마지막〕에는.

cap[2] (**-pp-**) *n.* Ⓒ, *vt.* 대문자(capital letter)(로 쓰다〔인쇄하다〕).

CAP computer-aided production 〔publishing〕. **cap.** capacity; [kæp] capital; capitalize; captain; caput 《L.》 (=chapter).

cà·pa·bíl·i·ty *n.* **1** Ⓤ (구체적으로는 Ⓒ) 할 수 있음, 가능성; 능력, 역량, 재능(ability)《***for*** …에 대한; ***in, of*** …의 / ***to*** do》: nuclear ~ 핵(전쟁) 능력 / He has the ~ *for* the job. 그는 그 일을 할 능력이 있다 / He showed ~ *in* handl*ing* the negotiation. 그는 교섭을 하는 데 역량을 드러냈다 / His ~ *of* mak*ing* 〔*to* make〕 a fortune became evident. 재산 모으는 그의 재능은 분명해졌다. **2** (*pl.*) (뻗을 수 있는) 소질, 장래성《***as*** …으로서의》: a man of great *capabilities* 장래가 유망한 사람 / He has capabilties *as* a diplomat. 그는 외교관으로서의 소질이 있다. **3** Ⓤ (사물이 가진) 특성; 성능《***for*** …하는 / ***to*** do》: the ~ of gases *for* compression 〔*to* be compressed〕 가스의 압축되는 성질.

⁑**ca·pa·ble** [kéipəbəl] *a.* **1** 유능한(able): a ~ businessman 유능한 사업가. SYN. ⇨ABLE. **2** **능력〔역량〕이 있는**; 할 수 있는《***of*** …을》: ~ *of* leadership 지도력이 있는 / a man ~ *of* judg*ing* arts 예술을 판정할 능력이 있는 사람《★ He is *capable* to judge arts. 로 하면 잘못》/ He's ~ *of* winn*ing* the match. 그는 시합에 이길 역량이 있다. **3** 가능한《***of*** …가》; 여지가 있는: This truck is ~ *of* carry*ing* 10 tons of cargo. 이 트럭은 화물 10톤을 운반할 수 있다 / The situation is ~ *of* improvement. 사태는 개선의 여지가 있다. **4** (능히) 할 수 있는, 불사하는《***of*** (나쁜 짓)을》: He is ~ *of* treachery. 그는 능히 배반까지도 할〔서슴지 않을〕 사람이다 / He's ~ *of* (do*ing*) anything. 그는 무슨 짓이든 할 수 있는 사람이다. ㊞ **-bly** *ad.* 유능〔훌륭〕하게, 잘.

*__ca·pa·cious__ [kəpéiʃəs] *a.* **용량이 큰**, 너른(wide); 도량이 큰, 포용력이 있는: a ~ handbag 큰 핸드백 / He has a ~ mind. 그는 마음이 넓다.

ca·pac·i·tance [kəpǽsətəns] *n.* Ⓤ 【전기】 전기 용량.

ca·pac·i·tate [kəpǽsətèit] *vt.* (아무)를 가능하게 하다(enable)《***to*** do》, (아무)에게 능력〔자격〕을 주다(make competent)《***for*** …에 대한》: be *~d to* act 행동 능력이 있다 / ~ a person *for* (do*ing*) a task 아무에게 일을 할 수 있게 하다.

ca·pac·i·tor [kəpǽsətər] *n.* Ⓒ 【전기】 축전기(condenser).

⁑**ca·pac·i·ty** [kəpǽsəti] *n.* **1** Ⓤ (또는 a ~) **a** **수용량**; (최대) 수용 능력: have a seating ~ *of* five persons, 5사람을 수용할 수 있다. **b** 용적, 용량: a jar with a ~ *of* 3 liters, 3리터들이 단지. **2** Ⓤ **포용력**; 재능: a man of great ~ 도량이 큰〔재능이 많은〕 사람. **3** Ⓤ (구체적으로는 Ⓒ) **지적 능력**, 소질, 가능성《***for*** …에 대한 / ***to*** do》: He has a great ~ *for* mathematics. 그는 수학에 대단한 소질이 있다 / have ~ *to* play 지불 능력이 있다. **4 a** Ⓒ **자격**(function), 입장: in the ~ *of* legal adviser 법률 고문의 자격으로 / in an official ~ 공적인 자격으로 / in one's ~ *as* a critic 비평가로서의 입장에서. **b** Ⓤ 〖법률〗 법정 자격.

> NOTE 일반적으로 capacity는 '받아들이는' 능력, ability는 '행위하는' 능력. 비교: He has great *capacity* for learning. / He shows unusual *ability* in science.

5 Ⓤ (또는 a ~) (공장 등의) (최대) 생산〔산출〕 능력: expand plant ~ 공장의 생산력을 확대하다 / The factory is running *at* (full) ~. 공장은 풀〔완전〕 가동 중이다. **6** 〖전기〗 = CAPACITANCE. **—***a.* Ⓐ 최대한의; 만원의: a ~ crowd 만원 / (a) ~ yield 최대 산출량.

C

ca·par·i·son [kəpǽrisən] *n.* **1** Ⓒ (보통 *pl.*) 장식 마의(馬衣)〔마구〕; (무사의) 성장(盛裝). **2** Ⓤ 호화로운 의상. **—***vt.* …에 장식 마의를 입히다; …을 성장시키다.

***cape**[1] [keip] *n.* Ⓒ 곶(headland), 갑(岬): the *Cape* of Good Hope 희망봉.

cape[2] *n.* Ⓒ 케이프, 어깨 망토, 소매 없는 외투.

Cápe Canáveral 케이프 커내버럴《미국 Florida주에 있는 곶; 미사일·인공위성의 실험 기지; 1963–73년에는 Cape Kennedy라고 불렸음》.

Cápe Cód 케이프코드《미국 Massachusetts 주 남동부의 곶》.

Cápe Hórn 〖지리〗 케이프혼(the Horn)《남아메리카의 최남단》.

ca·per[1] [kéipər] *vi.* 뛰어돌아다니다, 깡충거리다. **—***n.* Ⓒ 뛰어돌아다님; 《구어》 장난, 희롱거림; 광태(spree); 《속어》 (강도 등의) 범죄행위. ***cut ~s*** 〔*a* ~〕 뛰어돌아다니다, 장난치다.

ca·per[2] *n.* Ⓒ 〖식물〗 풍조목속(風鳥木屬)의 관목《지중해 연안산(產)》; (*pl.*) 그 꽃봉오리의 초절임《식용》.

cap·er·cail·lie, -cail·zie [kæ̀pərkéilji], [-kéilzi] *n.* Ⓒ 〖조류〗 유럽산 뇌조의 일종(COCK[1] of the wood)《이들 중 가장 큼》.

Ca·per·na·um [kəpə́ːrneiəm, -niəm] *n.* 가버나움《팔레스타인의 옛 도시》.

cápe·skìn *n.* Ⓤ 남아프리카산(產) 양가죽; Ⓒ 가볍고 부드러운 양가죽 제품《장갑·외투 등》.

Cápe·tòwn, Cape Town *n.* 케이프타운《남아프리카 공화국의 입법부 소재지》. cf. Pretoria.

Cápe Vérde 카보베르데《서아프리카의 공화국, 1975년 포르투갈로부터 독립》.

cap·ful [kǽpfùl] *n.* Ⓒ (병 따위의) 뚜껑 하나의 분량: a ~ *of* cough syrup 기침약〔진해시럽〕 한 뚜껑 (분량).

cap·il·lar·i·ty [kæ̀pəlǽrəti] *n.* Ⓤ 〖물리〗 모세관〔모관〕 현상.

cap·il·lary [kǽpəlèri/kəpíləri] *a.* Ⓐ 털(모양)의; 모세관(현상)의: a ~ vessel 모세관. **—***n.* Ⓒ 모세관; 〖해부〗 모세혈관.

cápillary áction 모세관 작용〔현상〕.

cápillary attráction 모세관 인력(引力).

⁑**cap·i·tal** [kǽpitl] *n.* **1** Ⓒ **수도**; 중심지. **2** Ⓒ 대문자, 머리글자. **3 a** Ⓤ **자본**, 자산: circulating 〔floating〕 ~ 유동 자본 / foreign ~ 외자(外資) / fixed ~ 고정 자본 / idle ~ 유휴 자본 / liquid ~ 유동 자본 / working ~ 운전 자본. **b** Ⓤ (또는 a ~) 자본금, 원금, 밑천: lose both ~ and interest 원금과 이자를 모두 잃다 / pay 5% interest on ~ 원금에 대해 5퍼센트의 이자를 지급하다 / start a business on borrowed ~ 〔on a borrowed ~ of a million dollars〕 차입 자금〔백만 달러의 차입금〕으로 사업을 시작하다. **4** (종종 C–) Ⓤ 〖집합적〗 자본가(계급): the relations between *Capital* and Labor 노사 관계. **5** Ⓒ 〖건축〗 대접받침. ≠capitol.
make ~ (out) of …을 이용하다, …에 편승하다.
—*a.* Ⓐ **1** 주요한, 으뜸〔수위〕의: a ~ city 수도. SYN. ⇨CHIEF. **2** 우수한; 훌륭한(excellent), 일류의(first-class): ~ dinners 성찬 / a ~ idea 명안. **3** 원금의, 자본의: a ~ account 자본금 계정. **4** 사형에 처할 만한《죄 따위》; 중대한, 치명적인(fatal): a ~ error 치명적인 실수 / a ~ crime 죽을 죄 / a ~ sentence 사형 선고. **—***int.* 훌륭해, 근사해; 좋아.

cápital expénditure 〖회계〗 자본적 지출.

cápital gáin 자본 이득, 자산 매각 소득.

cápital góods 자본재. cf. producer goods.

cápital-inténsive *a.* 자본 집약적: ~ industry 자본 집약형 산업.

cápital invéstment 자본 투자.

***cap·i·tal·ism** [kǽpitəlìzəm] *n.* Ⓤ **자본주의**.

cap·i·tal·ist** [kǽpitəlist] *n.* Ⓒ **자본가**, 전주; 자본주의자. **—a.* = CAPITALISTIC: a ~ country 자본주의국(가).

°**cap·i·tal·is·tic** [kæ̀pitəlístik] *a.* 자본주의〔자본가〕의. ㊞ **-ti·cal·ly** *ad.*

càp·i·tal·i·zá·tion *n.* **1** Ⓤ 자본화; 현금화; 투자. **2** (a ~) 자본금; 자본 평가액, 현가(現價) 계상액. **3** Ⓤ 대문자 사용.

cap·i·tal·ize [kǽpitəlàiz] *vt.* **1** 대문자로 쓰다〔인쇄하다〕. **2** …에 투자〔출자〕하다; (잉여금 따위)를 자본화(資本化)하다, 자본으로 산입하다. **3** (수입·재산 따위)를 현가 계상하다. **—***vi.* 이용〔편승〕하다《*on* …을, …에》: ~ *on* another's weakness 남의 약점에 편승하다.

cápital lètter 대문자. ↔ *small letter.*

cápital lèvy 자본 과세.

cáp·i·tal·ly *ad.* 볼만하게, 훌륭하게, 멋있게; 극형(極刑)으로: punish a person ~ 아무를 사형에 처하다.

cápital súm (지급되는 보험금의) 최고액.

cápital térritory 수도권.

cápital tránsfer tàx 《英》 증여세(gift tax).

cap·i·ta·tion [kæ̀pətéiʃən] *n.* Ⓤ 머릿수 할당〔계산〕; Ⓒ 인두세(稅)(poll tax).

capitátion grànt 인두(人頭) 보조금.

***Cap·i·tol** [kǽpitl] *n.* **1** 카피톨《옛 로마의 Jupiter 신전》. **2** 《美》 (the ~) **국회 의사당**; (보통 c–) Ⓒ 《美》 주의회 의사당. ≠capital.

Cápitol Híll 《美》 국회 의사당이 있는 작은 언덕; 미국 의회.

Cáp·i·to·line (Híll) [kǽpitəlàin(-)] (the ~) 옛 로마 7언덕의 하나《정상에 Jupiter 신전이 있음》.

ca·pit·u·late [kəpítʃəlèit] *vi.* (조건부로) 항복하다; 굴복하다《*to* …에》: He ~*d to* his wife's pleas. 그는 (마지못해) 아내의 청을 받아들였다.

ca·pìt·u·lá·tion *n.* **1** Ⓤ (구체적으로는 Ⓒ) (조건부) 항복《*to* …에의》; Ⓒ 항복 문서. **2** Ⓤ 복종《*to* …에의》. **3** Ⓒ (정부간 협정의) 합의 사항.

cap'n [kǽpən] *n.* 《속어》 = CAPTAIN.

ca·pon [kéipən, -pɑn] *n.* Ⓒ (거세한) 식용 수탉.

Ca·po·ne [kəpóuni] *n.* **Al(phonso)** ~ 카포네《미국 마피아단의 두목; 1899–1947》.

cap·puc·ci·no [kæ̀putʃíːnou, kɑ̀ːpu-] (*pl.* **~s**) *n.* 《It.》 Ⓒ 카푸치노《espresso coffee에

뜨거운 밀크를 가한 것》.

Ca·pri [ká:pri, kǽp-, kəprí:] *n.* 카프리 섬 《이탈리아 나폴리 만의 명승지》.

ca·pric·cio [kəprí:tʃiòu] (*pl.* ~*s*) *n.* Ⓒ 〖음악〗 카프리치오, 기상(綺想)곡.

*__ca·price__ [kəprí:s] *n.* **1 a** Ⓤ **변덕**, 종작없음(whim), 변덕스러움: act from ~ 변덕스레 행동하다. **b** Ⓒ 예상〔설명〕하기 어려운 급변: With a sudden ~ of the wind the boat was turned over. 바람 방향의 돌변으로 보트가 뒤집혔다. **2** 〖음악〗 =CAPRICCIO.

ca·pri·cious [kəpríʃəs] *a.* 변덕스러운, (마음이) 변하기 쉬운, 일시적인(fickle). SYN. ⇨ WILLFUL. ㊞ ~**·ly** *ad.* ~**·ness** *n.*

Cap·ri·corn [kǽprikɔ̀:rn] *n.* Ⓤ 〖천문〗 염소자리(the Goat); 마갈궁(磨羯宮)《황도(黃道)의 제 10궁》. ***the Tropic of*** ~ ⇨TROPIC(관용구).

cap·ri·ole [kǽpriòul] *n.* Ⓒ (댄스 따위의) 도약; 〖마술〗 수직 도약. **—***vi.* 도약하다; (말이) 수직 도약을 하다.

Caprí pánts 카프리 팬츠(=**Caprís**)《바짓부리가 좁은 홀쭉한 여성용 캐주얼 바지》.

caps. capital letters.

cap·si·cum [kǽpsikəm] *n.* Ⓒ 〖식물〗 고추(열매).

cap·size [kǽpsaiz, -ˊ] *vt.*, *vi.* (배가) 뒤집히다, 전복시키다〔하다〕.

cáp slèeve 캡슬리브《어깨를 약간 덮을 정도의 아주 짧은 소매》.

cap·stan [kǽpstən] *n.* Ⓒ 캡스턴, 닻 따위를 감아 올리는 장치; (테이프 리코더의) 캡스턴.

cáp·stòne *n.* Ⓒ (돌기둥·담 등의) 갓돌, 관석(冠石)(coping); 결정, 극치: the ~ *of* one's political career 정치 생애의 절정.

cap·su·lar [kǽpsələr/-sjulə] *a.* 캡슐의, 캡슐 모양의; 캡슐에 든.

cap·su·lat·ed [kǽpsəlèitid, -sju-] 캡슐에〔로〕 든〔된〕.

◊**cap·sule** [kǽpsəl/-sju:l] *n.* Ⓒ **1** (약·우주 로켓 등의) 캡슐. **2** 꼬투리, 삭과(蒴果); 〖해부〗 피막(被膜). **3** 〖우주·항공〗 캡슐《사람이나 계기류가 든 채 항공기나 로켓에서 분리할 수 있는 부분》; =TIME CAPSULE. **4** (강연 등의) 요지, 요약(digest). **—***vt.* ~에 넣다, 요약하다. **—***a.* 캡슐에 넣은; 요약한: a ~ report 간결한 보고.

Capt. captain.

⁑**cap·tain** [kǽptin] *n.* Ⓒ **1 장(長)**, 두령(chief); 지도자(leader); 주임; 《美방언》 보스(boss). **2 선장**, 함장, 정장(艇長), (배의 각부서의) 장(長); (민간 항공기의) 기장(機長). **3** 〖육군〗 **대위**; 〖해군〗 **대령**; 〖공군〗 **대위**. **4** (공장 등의) 감독; 단장, 반장, 소방서장〔대장〕; 《美》 (경찰의) 지서장, 경위(警衛); 《美》 (호텔 등의) 급사장. **5** (스포츠 팀의) 주장; 통솔자; (실업계 등의) 거물; 명장, (육해군의) 지휘관: the great ~*s of* industry 〔antiquity〕 대실업가〔고대의 명장〕들. **—***vt.* …의 주장〔지휘관〕이 되다, …을 통솔하다: Who will ~ the team? 누가 팀의 주장이 되느냐.

cap·tion [kǽpʃən] *n.* Ⓒ **1** (페이지·기사 따위의) 표제, 제목(heading), (삽화의) 설명문(legend); (영화·TV의) 자막(subtitle): a cinema ~ 영화의 자막. **2** (법률 문서의) 머리말, 전문(前文). **3** 〖컴퓨터〗 캡션《워드프로세서에서 문서의 본문에 삽입되는 그림이나 표에 그 내용을 설명하거나 제목을 붙여서 적어 두는 것》.
—*vt.* …에 표제를〔설명문을, 타이틀을〕 붙이다; (영화)에 자막을 넣다.

cap·tious [kǽpʃəs] *a.* (공연히) 헐뜯는, 흠〔탈〕잡기 좋아하는, 말꼬리 잡는; 억지 쓰는, 궤변적인. ㊞ ~**·ly** *ad.* ~**·ness** *n.*

cap·ti·vate [kǽptəvèit] *vt.* 《종종 수동태》 …의 넋을 빼앗다, …을 현혹시키다, 뇌쇄〔매혹〕하다(charm): The children *were* ~*d* by the story. 아이들은 그 이야기를 듣고 매혹되었다.

cáp·ti·vàt·ing *a.* 매혹적인: a ~ smile. ㊞ ~**·ly** *ad.*

càp·ti·vá·tion *n.* Ⓤ 매혹(함); 매료(된 상태).

◊**cap·tive** [kǽptiv] *n.* Ⓒ 포로; (사랑 따위의) 노예, 사로잡힌 사람《*to, of* …의, …에》: a ~ *to* love 사랑의 노예 / a ~ *of* selfish interests 제 실속만 차리는 사람.
—*a.* **1** 포로의, 사로잡힌, 감금된, 유폐된: ~ state 사로잡힌 몸〔신세〕 / take 〔hold〕 a person ~ 아무를 포로로 하다〔해 두다〕. **2** (동물이) 우리에 갇힌: a ~ bird 새장의 새. **3** 매혹된: Her beauty held him ~. 그는 그녀의 아름다움에 매료되었다.

cáptive áudience 싫어도 들어야 하는 청중《스피커 등을 갖춘 버스의 승객 따위》.

cáptive ballóon 계류기구(繫留氣球).

◊**cap·tiv·i·ty** [kæptívəti] *n.* Ⓤ 사로잡힘, 사로잡힌 몸〔기간〕, 감금; 속박: hold 〔keep〕 a person in ~ 아무를 감금〔속박〕하다.

cap·tor [kǽptər] (*fem.* **-tress** [-tris]) *n.* Ⓒ 잡는 사람, 체포자(↔ *captive*).

*__cap·ture__ [kǽptʃər] *n.* **1** Ⓤ **포획**, 빼앗음, 생포; 공략; Ⓒ 포획물, 붙잡힌 사람. **2** Ⓤ 〖컴퓨터〗 (데이터의) 갈무리, 저장.
—*vt.* **1 붙잡다**, 생포하다; 점령〔공략〕하다; (상품 따위)를 획득하다, 손에 넣다: ~ three of the enemy 적병 3명을 생포하다 / ~ a ship 배를 나포하다. SYN. ⇨CATCH. **2** (마음 따위)를 사로잡다, 매료하다, (관심 따위)를 끌다: Her work ~*d* the boss's attention. 그녀의 일솜씨는 상사의 주의를 끌었다. **3** (영속적인 형태로) 보존하다; 〖컴퓨터〗 (데이터)를 검색하여 갈무리〔저장〕하다: ~ the beauty of the Alps on canvas 알프스의 아름다움을 캔버스에 담다.

Cap·u·chin [kǽpjutʃin] *n.* Ⓒ (프란체스코파의) 캐퓨친 수도회 수사; (c-) 후드 달린 외투《여성용》.

†**car** [ka:r] *n.* Ⓒ **1** 《일반적》 **차**; 《특히》 **자동차** 《★ automobile, motorcar의 뜻이며 보통 truck이나 bus는 car라 하지 않음》: travel by ~ 자동차로 여행하다 / take a ~ 차를 타다 / get into 〔out of〕 a ~ 차에 타다〔에서 내리다〕. **2** 《美》 (전차·기차의) 차량; 객차, 화차; 《英》 (특수) 차량, …차《★ 객차는 carriage, 공식 의식용은 coach, 화차는 wagon, 수화물차는 van이라고 함》: an observation ~ 전망차 / a 16-~ train, 16량(輛) 연결의 열차 / a ~ replacer 탈선 차량 복선기(復線機). **3** (비행선·기구(氣球)의) 곤돌라; (엘리베이터의) 칸.

car·a·bi·neer, -nier [kæ̀rəbiníər] *n.* Ⓒ 기총병(騎銃兵).

Ca·ra·cas [kərá:kəs, -rǽ-] *n.* 카라카스 《Venezuela의 수도》.

ca·rafe [kərǽf, -rá:f] *n.* Ⓒ (식탁·침실·연단(演壇)용) 유리 물병.

◊**car·a·mel** [kǽrəməl, -mèl] *n.* Ⓤ 캐러멜, 구운 설탕《색깔·맛을 내는 데 씀》; Ⓒ 캐러멜 과자; Ⓤ 캐러멜빛, 담갈색. ㊞ ~**·ize** [-àiz] *vt.*, *vi.* 캐러멜로 만들다〔이 되다〕.

car·a·pace [kǽrəpèis] *n.* [C] (게 따위의) 딱지, (거북 따위의) 등딱지; (마음의) 갑옷, 가면.

car·at [kǽrət] *n.* [C] **1** 캐럿《보석류의 무게 단위; 200 mg》. **2** 《英》 =KARAT.

car·a·van** [kǽrəvæ̀n] *n.* [C] **1** 〖집합적〗 (사막의) **대상**(隊商); 여행대(隊). **2** (집시 등의) 포장마차. **3** 《英》 (자동차로 끄는) 이동 주택(《美》 trailer). **—vi., vt.* (~*ned,* ~*ed;* ~·*ning,* ~·*ing*) ~을 구성하여 여행하다〔휴가를 보내다, 나르다〕.

cáravan pàrk 〔**sìte**〕 《英》 이동 주택용 주차장(《美》 trailer park)《지정 구역》.

car·a·van·sa·ry, car·a·van·se·rai [kæ̀rəvǽnsəri], [-rài] *n.* [C] (중앙에 큰 안뜰이 있는) 대상(隊商) 숙박소; 큰 여관.

car·a·vel, -velle [kǽrəvèl] *n.* [C] (15–16 세기경 스페인 · 포르투갈의) 경쾌한 돛배.

car·a·way [kǽrəwèi] *n.* [C] 〖식물〗 캐러웨이《회향풀의 일종》; [U] 〖집합적〗 캐러웨이 열매(= ∠ **sèeds**)《향미료 · 약용》.

carb [kɑːrb] *n.* 《구어》 =CARBURETOR.

cár·bàrn *n.* [C] 《美》 전차〔버스〕 차고.

car·bide [kɑ́ːrbaid, -bid] *n.* [U] 〖화학〗 탄화물, 카바이드.

car·bine [kɑ́ːrbin, -bain] *n.* [C] 카빈총; (옛날의) 기병총(銃).

càrbo·hýdrate *n.* [C] 〖화학〗 탄수화물, 함수탄소; (보통 *pl.*) 탄수화물이 많은 식품.

car·bol·ic [kɑːrbɑ́lik/-bɔ́l-] *a.* 탄소의; 콜타르성(性)의: ~ acid 석탄산, 페놀.

carbólic sóap 석탄산 비누《약한 산성》.

cár bòmb 자동차 폭탄《테러용》.

***car·bon** [kɑ́ːrbən] *n.* **1** [U] 〖화학〗 **탄소**《비금속 원소; 기호 C; 번호 6》. **2** [C] 〖전기〗 탄소봉(= ∠ **ròd**). **3** [U] (낱개는 [C]) **카본지,** 복사지, 묵지(~ paper); [C] =CARBON COPY 1.

car·bo·na·ceous [kɑ̀ːrbənéiʃəs] *a.* 탄소(질)의; 탄소를 함유하는.

car·bon·ate [kɑ́ːrbənèit] *vt.* 탄산염으로 바꾸다; 탄화시키다: ~*d* water 소다수 / ~*d* drinks 탄산음료. **—** [-nèit, -nit] *n.* [C] 〖화학〗 탄산염. ~ *of lime* 〔*soda*〕 탄산석회〔소다〕.

[파] **càr·bon·á·tion** *n.*

cárbon blàck 카본 블랙《인쇄 잉크 원료》.

cárbon cópy 1 (복사지에 의한) 복사본, 사본《생략: c.c.》. **2** 《비유적》 꼭 닮은 사람〔물건〕.

cárbon cỳcle (the ~) (생태계의) 탄소 순환.

cárbon-dàte *vt.* …의 연대를 방사성 탄소로 측정하다.

cárbon dàting 〖고고학〗 방사성 탄소 연대(年代) 측정법《carbon 14 를 이용》.

cárbon dióxide 이산화탄소, 탄산가스: ~ snow 드라이 아이스(frozen ~).

cárbon 14 [-fɔːrtíːn] 탄소 14《탄소의 방사성 동위원소; 기호 ^{14}C》.

car·bon·ic [kɑːrbɑ́nik/-bɔ́n-] *a.* 탄소의〔를 함유하는〕: ~ acid 탄산.

Car·bon·if·er·ous [kɑ̀ːrbənífərəs] *n.* (the ~) 〖지질〗 석탄기(紀); 석탄층. **—***a.* 석탄기의; (c–) 석탄을 함유〔산출〕하는: the ~ period 〔strata, system〕 석탄기〔층, 계〕.

cár·bon·ìze *vt.* 숯으로 만들다, 탄화하다; 탄소와 화합시키다; (종이에) 탄소를 바르다. **—***vi.* 탄화하다. [파] **car·bon·i·za·tion** [kɑ̀ːrbənizéiʃən] *n.*

cárbon monóxide 일산화탄소.

cárbon pàper 카본지《복사용》.

cárbon tetrachlóride 〖화학〗 4 염화탄소《드라이클리닝 약품 · 소화용(消火用)》.

cár-bóot sàle 《英》 트렁크 세일(《美》 swap meet)《차의 트렁크 속에 싣고 온 중고품을 파는 벼룩시장》.

Car·bo·run·dum [kɑ̀ːrbərʌ́ndəm] *n.* [U] 카보런덤《탄화규소(SiC), 융해 알루미나 등의 연삭(研削)제 또는 내화물의 총칭; 상표명》.

car·boy [kɑ́ːrbɔi] *n.* [C] 상자〔채롱〕에 든 대형 유리병《강산액(強酸液) 등을 담음》.

car·bun·cle [kɑ́ːrbʌŋkəl] *n.* [C] 〖의학〗 옹(癰); 정(疔); 여드름, 뾰루지; 〖광물〗 홍옥(紅玉), (머리 부분을 둥글게 간) 석류석.

car·bu·ret [kɑ́ːrbərèit, -bjərèt] (**-t-,** 《주로 英》 **-tt-**) *vt.* 탄소〔탄화수소〕와 화합시키다; (공기 · 가스)에 탄소 화합물을 혼입하다. [파] **~·ed** [-id] *a.*

car·bu·re·tor, 《英》 **-ret·tor** [kɑ́ːrbərèitər, -bjə-, -re-] *n.* [C] (내연 기관의) 기화기(氣化器), 카뷰레터.

◇**car·cass,** 《英》 **car·case** [kɑ́ːrkəs] *n.* [C] **1** (짐승의) 시체; 《속어》 인체; 송장; (죽인 짐승의 내장 따위를 제거한) 몸통. **2** (건물 · 배 따위의) 뼈대: ~ roofing (이지 않은) 민지붕. **3** 형해(形骸), 잔해(殘骸).

> [DIAL.] ***Shift*** 〔***Move***〕 ***your carcass!*** 거기 비켜, 저리 가.

car·cin·o·gen [kɑːrsínədʒən] *n.* [C] 〖의학〗 발암(發癌)(성) 물질.

car·ci·no·gen·e·sis [kɑ̀ːrsənoudʒénəsis] *n.* [U] 〖의학〗 발암 (현상).

car·ci·no·ge·nic [kɑ̀ːrsənoudʒénik] *a.* 〖의학〗 발암성의: a ~ substance 발암(성) 물질.

car·ci·no·ma [kɑ̀ːrsənóumə] (*pl.* **~·ta** [-tə], **~s** [-z]) *n.* [C] 〖의학〗 암(종)(cancer); 악성 종양.

cár còat 카코트《짧은 외투》.

†**card**[1] [kɑːrd] *n.* **1** [C] **카드;** 판지(板紙), 마분지; 〖컴퓨터〗 =PUNCH CARD.

2 [C] …장(狀); …권(券); …증(證); 엽서(post ~); 명함(《美》 calling ~): an invitation ~ 초대장, 안내장 / an admission ~ 입장권 / a membership ~ 회원권 / an application ~ 신청 카드 / a student ~ 학생증 / an identity ~ 신분증 / a business ~ (상용) 명함 / a wedding ~ 결혼 청첩장 / leave one's ~ (on) (…에) 명함을 두고 가다《정식 방문 대신에》.

3 a [C] **카드,** 놀이 딱지: a pack of ~*s* 카드 한 벌. **b** (*pl.*) 〖단 · 복수취급〗 카드놀이: play ~*s* 카드놀이하다.

4 [C] (스포츠 · 경마의) 프로그램; 인기를 끄는 것: a drawing ~ 인기물〔거리〕, 특별 프로(attraction).

5 [C] 수단, 방책: a doubtful 〔safe, sure〕 ~ 불확실〔안전, 확실〕한 방책〔수단〕.

6 [C] 《구어》 〖여러 가지 형용사를 붙여서〗 …한 녀석〔인물〕; 재미있는〔별난〕 사람〔것〕: He is a knowing 〔queer〕 ~. 그는 빈틈없는〔별난〕 친구다.

7 (*pl.*) 《英구어》 (고용주측이 보관하는) 피고용자에 관한 서류.

8 (the ~) 적절한 일〔것〕, 어울리는〔그럴듯한〕 일〔것〕: That's the ~ for it. 그거야말로 그것에 안성맞춤이다, 제격이다.

have a ～ up one***'s sleeve*** 비책을 간직하고 있다. ***in*** 〔***on***〕 ***the ～s*** 《구어》 (카드점(占)에 나와 있는 →) 예상되는, 있을 수 있는, 아마 (…인 듯한). ***make a ～*** 좋은 수를 쓰다. ***No ～s.*** (신문의 부고(訃告) 광고에서) '개별 통지 생략'. ***play*** one***'s best*** 〔***strongest***〕 ～ (비장의) 수법〔방책〕을 쓰다. ***play*** one***'s ～s well*** 〔***right, badly***〕 《구어》 일을 잘〔적절히, 서툴게〕 처리하다. ***put*** 〔***lay*** (***down***)〕 (***all***) one***'s ～s on the table*** 계획을 공개하다〔드러내다〕, 의도를 밝히다. ***show*** one***'s ～s*** 〔***hand***〕 ⇨show one's HAND.

—*vt.* **1** …에게 카드를 도르다. **2** 카드에 적다〔표하다〕; …에 카드를 붙이다.

card[2] *n.* Ⓒ 금속빗〔솔〕《양털·삼 따위의 헝클어짐을 없앰》; 와이어브러시; (직물의) 괴깔〔보풀〕 세우는 기계. **—***vt.* 빗(질하)다, 가리다; …의 보풀을 일으키다.

car·da·mom, -mum [kάːrdəməm] *n.* Ⓒ 〖식물〗 생강과의 다년생 식물(의 열매)《약용 또는 향료》; Ⓤ (낱개는 Ⓒ) 그 씨.

*__card·board__ [kάːrdbɔ̀ːrd] *n.* Ⓤ **판지**, 마분지. **—***a.* Ⓐ **1** 판지의〔로 된〕: a ～ box 판지 상자. **2** 《비유적》 명색뿐인, 비현실적인, 평범한.

cárdboard cíty 《英구어》 노숙자들이 잠자리로 삼는 지역《'골판지 상자 등으로 만드는 노숙집 거리'의 뜻》.

cárd-càrrying *a.* Ⓐ 회원증을 가진; 정식 당원〔회원〕의; 진짜의; 전형적인.

cárd càtalog 《美》 =CARD INDEX.

cárd·er *n.* Ⓒ (털 따위를) 빗는 사람, 보풀 일으키는 직공〔기계〕; 빗는 기구.

cárd file 《美》 =CARD INDEX.

cárd gàme 카드놀이.

car·di·ac [kάːrdiæ̀k] 〖의학〗 *a.* Ⓐ 심장(병)의; 분문(噴門)의: ～ dysfunction 심부전(心不全)/～ passion 가슴앓이/～ surgery 심장 외과. **—***n.* Ⓒ 심장병 환자.

Car·diff [kάːrdif] *n.* 카디프《영국 웨일스 남부의 항구》.

car·di·gan [kάːrdigən] *n.* Ⓒ 카디건《앞을 단추로 채우는 스웨터(=∠ **swèater**)》.

*__car·di·nal__ [kάːrdənl] *a.* **1** Ⓐ 주요한(main); **기본적인**: a matter of ～ importance 극히 중요한 문제〔일〕/～ rule 기본 원칙. **2 심홍색의**, 붉은, 주홍색의. **—***n.* **1** Ⓒ 〖가톨릭〗 추기경. **2** Ⓒ (여성용의) 후드 달린 짧은 외투. **3** Ⓤ **심홍색**. **4** Ⓒ =CARDINAL NUMBER. **5** Ⓒ 홍관조(=∠ **bìrd**).

cárdinal flòwer 〖식물〗 빨간 로벨리아, 잇꽃 《북아메리카산(産)》.

cárdinal númber 기수(基數)《one, two, three 따위》; 〖수학〗 카디널 수(數), 계량수(計量數). ⓒⓕ ordinal number.

cárdinal pòints (the ～) 〖천문〗 기본 방위, 사방《★ 북남동서(NSEW)의 순서로 부름》.

cárdinal vírtues (the ～) 기본 도덕, 덕목 《justice, prudence, temperance, fortitude의 4덕목, 종종 여기에 faith, hope, charity를 더하여 7덕목》.

cárd ìndex 카드식 색인〔목록〕.

cárd-ìndex *vt.* …의 카드식 색인을 만들다; (체계적으로) …을 분류〔분석〕하다.

car·di·o·gram [kάːrdiəgræ̀m] *n.* =ELECTROCARDIOGRAM.

cárdio·gràph *n.* =ELECTROCARDIOGRAPH.

car·di·ol·o·gy [kὰːrdiάlədʒi/-ɔ́l-] *n.* Ⓤ 심장(병)학(學).

càrdio·púlmonary *a.* 심폐의: ～ resuscitation 〖의학〗 (인공호흡에 의한) 심폐기능소생법.

cárd·phòne *n.* Ⓒ 《英》 카드식 공중전화.

cárd·plàyer *n.* Ⓒ 카드놀이하는 사람, 카드 도박사.

cárd shàrk =CARDSHARP(ER).

cárd·shàrp(er) *n.* Ⓒ 카드놀이 사기꾼.

cárd tàble 카드놀이용 테이블.

cárd vòte 《英》 대표 투표《노동조합 대회 등에서 대표 투표자가 한 투표는 그 조합원 수와 같은 효력을 지님》.

CARE [kɛər] *n.* 케어《미국 원조 물자 발송 협회》: ～ goods 케어 물자. [◂ Cooperative for American Relief Everywhere]

⁑**care** [kɛər] *n.* **1** Ⓤ **걱정**, 근심. ⓈⓎⓃ ⇨ANXIETY. ¶He was never free from ～. 그는 걱정이 끊일 날이 없었다/*Care* killed the cat. 근심은 몸에 독.

2 Ⓒ (흔히 *pl.*) 걱정거리: worldly ～*s* 이 세상의 근심거리/He didn't have a ～ in the world. 그는 근심거리가 전혀 없었다.

3 Ⓤ **주의**, 조심(attention), 배려; 돌봄, 보호; 관리, 감독: give ～ to …에 주의하다/under a doctor's ～ 의사의 치료를 받고.

4 Ⓒ **관심사**, 해야 할 일, 책임(대상): one's greatest ～ 최대의 관심사/That shall be my ～. 그것은 내가 맡겠습니다/My first ～ is to make a careful inspection of the factory. 내가 우선해야 할 일은 공장을 잘 시찰하는 것이다.

～ of =《美》 ***in ～ of*** …씨 댁〔방(方)〕, 전교(轉交)《생략: c/o》: Mr. A. *c/o* Mr. B., B씨방〔전교〕 A씨 귀하. ***have a ～*** 《옛투》 조심〔주의〕하다. ***have the ～ of*** =take care of. ***take ～*** 조심〔주의〕하다《***to*** do/***that***/***wh.***》: *Take* ～ not *to* fall. 넘어지지 않게 조심해라/*Take* ～ *that* you don't catch cold. 감기들지 않도록 조심해라/You must *take* special ～ *how* you drive your car along busy streets. 복잡한 길을 달릴 때에는 자동차 운전에 특히 주의해야 한다. ***take ～ of*** …을 돌보다, …을 보살피다; …에 조심하다; 《구어》 …을 처리〔해결〕하다; 《속어》 …을 제거하다, 죽이다: *Take* ～ *of* the baby, please. 애좀 보아주세요/*Take* good ～ *of* yourself. 몸 조심하세요/I'll *take* ～ *of* buy*ing* the wine for the party. 파티에 쓸 술 구입은 내가 하겠다. ***take ～ of itself*** 자연히 처리되다: Let it *take* ～ *of itself* now. 이제 그 일은 되어가는 대로 놔두자.

DIAL. ***Take care.*** 잘 가, 안녕.

—*vi.* **1** 《～/+*wh.* 절/+전+명》 〖보통 부정·의문·조건문으로〗 **걱정〔염려〕하다**, 관심을 갖다, 마음을 쓰다《***about*** …을, …에》: I do*n't* ～ *if* you go or not. 네가 가든 안 가든 상관없다/He does *not* ～ *about* dress. 그는 옷차림에 신경을 쓰지 않는다/I do*n't* ～ (*about*) *what* anybody thought. 누가 뭐라 생각했든 괜찮다.

ⓈⓎⓃ **care** '…에 관심을 갖다' → '걱정하다'. **mind** '…을 꺼리다' → '걱정하다'. 다음 두 문장의 뜻과 구문상의 차이를 비교할 것: I don't *care* for him to talk that way. 그가 저런 식으로 지껄이지 말았으면 좋겠다. I don't *mind* his talking that way. 그가 그런 식으로 지껄여도 나는 상관하지 않는다. **be anxious** '걱정되다'의 뜻에서 *anxious about*이 되면 '…을

염려하여' *anxious for*가 되면 '…을 간절히 바라는'이 됨. **worry** 고민하다, 마음 졸이다. **be concerned** 관심이 많기 때문에 어떻게 될지 염려하다. 걱정은 안 하고 다만 관심을 나타내는 것은 take interest in.

2 《+전+명》 **돌보다**, 보살피다《***for*** …을》: She ~*d for* him during his illness. 그의 병환 중에 그녀가 그를 돌보았다/I'll ~ *for* his education. 그의 학자금을 내가 대어주지.

3 《+전+명/+*to* do/+전+명+*to* do》〔의문·부정문으로〕 **좋아하다**《***for*** …을》; 하고자 하다: Do you ~ *for* a cup of coffee? 커피 한 잔 하시렵니까/Would you ~ *to* go for a walk? 산책하실 마음은 없으신지요/I should*n't* ~ *for* her *to* be my son's wife. 나는 그녀를 며느리로 삼고 싶지 않다. SYN. ⇨LIKE.

A (***fat***) ***lot you*** 〔***I***〕 **~ *!*** 전혀 상관없다〔괜찮다〕. ***for all I*** **~** 나는 상관하지 않는다, 내 알 바가 아니다: It may go to the devil *for all I* ~. (그것이) 어떻게 되든 내 알 바가 아니다. ***I don't*** **~ *if*** (I go). 《구어》 (가도) 괜찮다《권유에 대한 긍정적인 대답》.

> DIAL. ***See if I care!*** 마음대로 해라, 상관 않겠다.
> ***Who cares?*** (누가) 그런 것 알게 뭐야, 상관할 게 뭐야: *Who cares* where he goes? 그가 어딜 가든 알게 뭐야.

ca·reen [kəríːn] *vt.* 〖해사〗 배를 기울이다《뱃바닥의 수리·청소 따위를 위하여》. **—***vi.* **1** 〖해사〗 (배·차가) 기울다. **2** 《美》 (차가 좌우로 요동치며) 질주하다(*along*)《***down*** …아래쪽으로》: The car ~*ed* (*along*) *down* the mountain road. 차가 산길을 내리 질주했다.

⁑**ca·reer** [kəríər] *n.* **1** Ⓒ (직업상의) **경력**, 이력, 생애: make a ~ of music 음악으로 입신하다/start one's ~ as a newsboy 신문팔이로서 인생의 첫발을 내딛다/He sought a ~ as a lawyer. 그는 변호사를 평생 직업으로 하려고 했다. **2** Ⓒ (일생의) 직업(profession)《군인·외교관 등》: ~*s* once closed to women 이전에는 여성에게 폐쇄되었던 직업. **3** Ⓤ 질주: in 〔at〕 full ~ 전속력으로.

—*a.* Ⓐ 직업적인, 전문의(professional); 상시 고용의: a ~ diplomat 〔woman〕 직업 외교관〔여성〕/a ~ employee 상시 고용된 종업원.

—*vi.* 《+부/+전+명》 질주하다: ~ *along* 질주해 가다/a truck ~*ing down* the road 도로를 질주하고 있는 트럭/~ *through* the streets 거리를 질주해 지나가다.

㊕ **~·ism** [-ríərizəm] *n.* Ⓤ 출세제일주의. **~·ist** *n.* Ⓒ 전문 직업인; 출세제일주의자.

°**cáre·frèe** *a.* 근심〔걱정〕이 없는; 태평한; 무관심한, 무책임한《***with*** …에》: He's ~ *with* money. 그는 돈에 관심이 없다. ㊕ **~·ness** *n.*

†**care·ful** [kέərfəl] *a.* **1 주의 깊은**, 조심스러운(cautious), 신중한《***of, about, with, in*** …에/***to*** do/***that***》: Be ~ (*of* 〔*about*〕) what you're saying. 말을 삼가서 하여라/He is ~ *in* speech. 그는 말을 조심하고 있다/Be ~ *to* get there early. 정신차려 일찍 그곳에 닿도록 하여라/Be ~ not *to* break it. 그것을 깨뜨리지 않도록 조심하여라/Be ~ *that* you don't drop the vase. 꽃병을 떨어뜨리지 않도록 조심하여라/Be ~ *with* the negatives. They scratch easily. (사진) 필름을 조심해서 다뤄라. 긁히기 쉬우니까.

SYN. **careful** 실수 않도록 주의하는 **cautious** 예상되는 위험에 대하여 경계하여 신중을 기하는 **discreet** 말·행동·태도 등에 조심하여 분별이 있는. **prudent** 신중하게 계획을 세운 후 실행에 옮기는《특히 금전적으로 장래에 대비하여 낭비하지 않는》.

2 (행위·일 따위가) 꼼꼼한, 면밀한(thorough), 정성들인: ~ *with* one's work 일이 꼼꼼한/a ~ piece of work 고심(苦心)한 작품.

3 《英구어》 검소한, 인색한《***with*** (금전)에》: She's ~ *with* her money. 그녀는 돈에 인색하다.

> DIAL. ***Be careful!*** = ***Careful!*** 조심〔주의〕해.
> ***You can't be too careful.*** 아주 조심해야 돼; 조심하지 않으면 큰일 나.

㊕ **~·ness** *n.*

⁑**care·ful·ly** [kέərfəli] *ad.* **주의 깊게**; 면밀히, 신중히, 정성들여; (금전에 대해) 검소하게, 규모있게.

cáre làbel (의류품 따위에 단) 취급 표시 라벨.

⁑**care·less** [kέərlis] *a.* **1 부주의한**(inattentive)《***about, in*** …에》: a ~ driver 부주의한 운전사/~ *of* danger 위험을 개의치 않는/Don't be ~ *about* 〔*in*〕 your work. 일을 부주의하게 해서는 안 된다. **2** 경솔한, 조심성 없는《***to*** do》: a ~ mistake 경솔한 실수/It was ~ *of* you 〔You were ~〕 *to* lose my car keys. 내 자동차 열쇠를 잃다니 너 조심성이 없었구나. **3** (행위·일 따위가) 소홀한, 서투른, 적당히 해두는: do ~ work 일을 소홀히 하다. **4 무관심〔무심〕한**《***about, of*** …에》: a ~ attitude 무관심한 태도/be ~ *about* money 돈에 무관심하다/He is ~ *of* his person. 그는 용모에는 개의치 않는다. ㊕ **~·ly** *ad.* 부주의〔소홀〕하게; 속 편하게. **~·ness** *n.*

car·er [kέərər] *n.* Ⓒ 《英》 돌보는 사람, 간호인《보수를 받지 않는》.

ca·ress** [kərés] *n.* Ⓒ **애무**《키스·포옹 따위》. **—vt.* 애무하다; 어르다, 달래다: The breeze ~*ed* the trees. 미풍이 나무를 어르듯 스쳐갔다.

ca·réss·ing *a.* 애무하는(듯한), 어루만지는; 달래는 듯한(soothing). ㊕ **~·ly** *ad.*

car·et [kǽrət] *n.* Ⓒ 〖교정〗 탈자(脫字) 기호 (∧).

cáre·tàker *n.* Ⓒ (공공시설 등의) 관리인, (집) 지키는 사람.

cáretaker gòvernment (총사직 후의) 과도 정부, 선거 관리 내각.

cáre·wòrn *a.* 근심 걱정으로 여윈, 고생에 찌든.

cár·fàre *n.* Ⓤ 《美》 승차 요금, 버스 요금.

cár fèrry 카페리《(1) 자동차 등을 건네는 연락선. (2) 바다 건너로 자동차를 나르는 비행기》.

car·go** [kάːrgou] (*pl.* **~(*e*)*s) *n.* Ⓤ (낱개는 Ⓒ) (선박·항공기 등의) **적화(積貨)**(load), 뱃짐, 선하(船荷), 화물: ship 〔discharge〕 the ~. SYN. ⇨BURDEN.

cár·hòp *n.* Ⓒ 《美구어》 차를 탄 채 들어가는 식당(drive-in restaurant)의 급사《특히 여급사》.

Car·ib [kǽrəb] (*pl.* **~s,** 〚집합적〛 **~**) *n.* (the ~(s)) 카리브 주민《서인도 제도의 원주민》; Ⓒ 카리브족 사람; Ⓤ 카리브 말.

Car·ib·be·an [kæ̀rəbíːən, kəríbiən] *a.* 카리브 해〔사람〕의. ***the*** **~** (***Sea***) 카리브 해.

car·i·bou [kǽrəbùː] (*pl.* **~s,** 〚집합적〛 **~**) *n.* Ⓒ 순록《북아메리카산(産)》.

car·i·ca·ture [kǽrikətʃùər, -tʃər] *n.* **1** Ⓒ

(풍자) 만화, 풍자하는 글〔그림〕: a harsh ~ 신랄한 만화. **2** Ⓤ 만화화(化)(의 기법). **3** Ⓒ 서투른 모방. **—***vt.* 만화식〔풍자적〕으로 그리다〔묘사하다〕. ㊕ **cár·i·ca·tùr·ist** [-rist] *n.* Ⓒ 풍자 (만)화가.

car·ies [kέəriːz] *n.* 《L.》 Ⓤ 〖의학〗 카리에스, 골양(骨瘍): ~ of the teeth 충치.

car·il·lon [kǽrəlàn, -lən/kəríljən] *n.* Ⓒ (한 벌의) 편종(編鐘), 차임; 명종곡(鳴鐘曲).

car·ing [kέəriŋ] *a.* Ⓐ 염려하는, 동정하는; (노인·장애자를) 돌보는, 간호하는. **—***n.* Ⓤ 동정; 돌봄, 간호.

car·i·o·ca [kæ̀rióukə] *n.* Ⓒ (남아메리카의) 춤의 일종; 그 곡.

car·i·ous [kέəriəs] *a.* 〖의학〗 카리에스에 걸린, 골양(骨瘍)의; 충치의.

car·jack [káːrdʒæ̀k] *vt.* (자동차)를 강탈하다〔털다〕. ⓒⓕ highjack.
㊕ **~·ing** *n.* Ⓤ 자동차 강탈.

Car·lisle [kaːrláil, ´-] *n.* 칼라일《잉글랜드의 북서부 Cumbria 주의 주도(州都)》.

cár·lòad *n.* Ⓒ 한 화차〔차량〕분의 화물: a ~ *of* furniture 화차 한 대분의 가구.

Car·lyle [kaːrláil] *n.* **Thomas** ~ 칼라일《영국의 평론가·사상가·역사가; 1795–1881》.

cár·màker *n.* Ⓒ 자동차 제조업자.

Car·mel·ite [káːrməlàit] *n.* Ⓒ, *a.* 카르멜파의 수사〔수녀〕(의).

car·min·a·tive [kaːrmínətiv, káːrmənèi-] 〖약학〗 *a.* 위장 내의 가스를 배출시키는. **—***n.* Ⓒ 구풍제(驅風劑).

car·mine [káːrmin, -main] *n.* Ⓤ 카민, 양홍(洋紅)《채료》. **—***a.* 양홍색의.

car·nage [káːrnidʒ] *n.* Ⓤ 살육, 대량 학살: a scene of ~ 수라장.

car·nal [káːrnl] *a.* Ⓐ **1** 육체의(fleshly); 육감적인(sensual), 육욕적인: ~ appetite 〔desire〕 성욕. **2** 세속적인(worldly); 물욕의.
㊕ **~·ly** *ad.*

car·nal·i·ty [kaːrnǽləti] *n.* Ⓤ 육욕; 세속성(worldliness).

***car·na·tion** [kaːrnéiʃən] *n.* **1** Ⓒ 〖식물〗 **카네이션**. **2** Ⓤ 연분홍, 핑크색, 살색(pink).

Car·ne·gie [káːrnəgi, kaːrnéigi] *n.* **Andrew** ~ 카네기《미국의 강철왕; 1835–1919》.

Cárnegie Háll 카네기 홀《New York 시의 연주회장; 1890 년 설립》.

car·nel·ian [kaːrníːljən] *n.* Ⓒ 〖광물〗 홍옥수(紅玉髓)(cornelian).

car·ney, car·nie [káːrni] *n.* =CARNY.

***car·ni·val** [káːrnəvəl] *n.* **1** Ⓤ **카니발**, 사육제(謝肉祭)《가톨릭교국에서 사순절(Lent) 직전 3 일 내지 1 주일 간에 걸친 축제》. **2** Ⓒ 법석떨기, 광란: the ~ of bloodshed 유혈의 참극. **3** Ⓒ 《美》 (여흥·회전목마 등이 있는) (순회) 오락장; **순회 흥행**. **4** Ⓒ 행사, 제진, 대회: a water ~ 수상(水上) 대회/a winter ~ 겨울의 제전.

car·ni·vore [káːrnəvɔ̀ːr] *n.* Ⓒ 육식 동물(ⓒⓕ herbivore); 식충(食蟲) 식물.

car·niv·o·rous [kaːrnívərəs] *a.* 육식(성)의; 육식류의: ~ animals 육식 동물.

car·ny (*pl.* **-nies,** **~s**) *n.* Ⓒ 《美》 **1** =CARNIVAL 3. **2** 순회 오락장에서 일하는 사람, 순회 배우.

car·ob [kǽrəb] *n.* Ⓒ 〖식물〗 쥐엄나무 비슷한 교목《지중해 연안산(産)》.

°**car·ol** [kǽrəl] *n.* Ⓒ 축가; 찬가; 크리스마스 캐럴(Christmas ~). **—**(*-l-,* 《英》 *-ll-*) *vi., vt.* 기뻐 노래하다; 찬가를 불러 찬양하다. ㊕ **~·er,** 《英》 **~·ler** *n.*

Car·o·li·na [kæ̀rəláinə] *n.* 캐롤라이나《미국 동남부 대서양 연안의 주; North 및 South ~가 있음》.

Car·o·line [kǽrəlàin, -lin] *n.* 캐롤라인《여자 이름; 애칭 Carrie, Lynn》. **—***a.* 〖英역사〗 Charles 1 세 및 2 세(시대)의.

Cároline Íslands (the ~) 캐롤라인 제도.

Car·o·lin·i·an [kæ̀rəlíniən] *a., n.* Ⓒ 미국 남〔북〕 Carolina 주의 (주민).

car·om [kǽrəm] *n.* 《美》 〖당구〗 =CANNON[2].

car·o·tene, car·o·tin [kǽrətìːn] *n.* Ⓤ 〖화학〗 카로틴《일종의 탄수화물》.

ca·rot·id [kərátid/-rɔ́t-] 〖해부〗 *n.* Ⓒ, *a.* 경동맥(頸動脈)(의): the ~ arteries 경동맥.

ca·rous·al [kəráuzəl] *n.* Ⓤ (구체적으로는 Ⓒ) 대주연, 술잔치.

ca·rouse [kəráuz] *n.* =CAROUSAL. **—***vi., vt.* 통음하다; 마시고 떠들다.

car·ou·sel [kæ̀rəsél, kǽrəsèl] *n.* Ⓒ **1** 《美》 회전목마, 메리고라운드(merry-go-round). **2** (공항의) 회전식 수화물 수취대(baggage carousel).

carp[1] [kaːrp] (*pl.* **~s,** 〖집합적〗 ~) *n.* Ⓒ 잉어(과의 물고기).

carp[2] *vi.* 시끄럽게 나무라다, 흠잡다《*at* …을》: ~ *at* minor errors 사소한 잘못을 나무라다.

car·pal [káːrpəl] 〖해부〗 *a.* 손목(관절)의, 완골(腕骨)의. **—***n.* Ⓒ 완골.

cár pàrk 《英》 주차장(《美》 parking lot).

Car·pa·thi·an [kaːrpéiθiən] *a.* (중부 유럽의) 카르파티아 산맥의. **—***n.* (the ~s) 카르파티아 산맥(=the ~ **Móuntains**).

****car·pen·ter** [káːrpəntər] *n.* Ⓒ **목수**, 목공: a ~'s rule 접자/a ~'s son 목수의 아들《예수》/a ~'s tool 목수의 연장. **—***vi.* 목수일을 하다. **—***vt.* …을 목수일로 만들다.

car·pen·try [káːrpəntri] *n.* Ⓤ 목수직; 목수일.

****car·pet** [káːrpit] *n.* **1** Ⓒ **융단**, 양탄자; 깔개; Ⓤ 융단 천. **2** Ⓒ (융단을 깐 듯한) 꽃밭·풀밭《따위》: a ~ *of* flowers 온통 양탄자를 깔아놓은 듯한 꽃밭.
be on the **~** (문제 따위가) 심의〔연구〕 중이다; 《구어》 (하인 등이) 야단맞고 있다(ⓒⓕ be on the MAT): I *was* (called) *on the* ~ *for* being late. 나는 지각하여 (불려가) 야단을 맞았다. ***pull the*** **~** 〔***rug(s)***〕 (***out***) ***from under*** …에 대한 원조〔지지〕를 갑자기 중지하다. ***sweep*** 〔***brush, push***〕 ***under*** 〔***underneath, beneath***〕 ***the*** **~** 《구어》 (수치스런〔난처한〕 일)을 숨기다. ***walk the*** **~** 윗사람에게 (불려나가) 야단맞다.
—*vt.* **1** 《~+목/+목+전+명》 …에 융단을 깔다; (꽃 따위가) 온통 덮다《★ 보통 수동태로 쓰며, 전치사는 *with*》: ~ the stairs 계단에 융단을 깔다/Flowers ~*ed* the field. =The field *was* ~*ed with* flowers. 들은 온통 꽃으로 덮여 있었다. **2** 《英구어》 (하인 등)을 불러서 야단치다.

cárpet·bàg *n.* Ⓒ 융단제 손가방《구식 여행 가방》.

cárpet·bàgger *n.* Ⓒ 《美》 《경멸적》 뜨내기 정상배《남북 전쟁 후 이익을 노려 북부에서 남부로 간》; (사리(私利)를 찾아다니는) 이주자.

cárpet bòmbing 융단 폭격(area bombing).

cár·pet·ing *n.* Ⓤ 깔개용 직물, 양탄자 감; 〖집

합적》 깔개.

cárpet·slìpper *n.* Ⓒ (보통 *pl.*) 가정용 슬리퍼.

cárpet swèeper 양탄자 (전기) 청소기.

cár phòne 카폰(=**cár·phòne**).

car·pi [ká:rpai] CARPUS의 복수.

cárp·ing *a.* 흠잡는, 시끄럽게 구는, 잔소리하는: ~ criticism 흠만 잡는 비평/a ~ tongue 독설. ㊕ **~·ly** *ad.*

cár pòol 《美》 카풀《통근 같은 것을 할 때 자가용차를 합승 이용하는 방식》.

cár·pòol *vi.* 《美》 자가용차를 합승하다: ~ to work 자가용차를 합승하여 출근하다. ㊕ **~·er** *n.*

cár·pòrt *n.* Ⓒ (간이) 자동차 차고《벽이 없고 지붕만 있는》.

car·pus [ká:rpəs] (*pl.* **-pi** [-pai]) *n.* Ⓒ 【해부】 손목 (wrist); 손목뼈.

Carr [ka:r] *n.* **John Dickson** ~ 카《미국의 추리 작가; 1906–77》.

car·rel(l) [kǽrəl] *n.* Ⓒ (도서관의) 개인 열람석〔실〕.

⁑**car·riage** [kǽridʒ] *n.* **1** Ⓒ 〖일반적〗 **차, 탈것;** 《특히》 마차《자가용 4 륜》; 《英》 (철도의) 객차(《美》 car); 《美》 유모차(=**báby ∠**): a ~ and pair〔four〕 쌍두〔4 두〕마차. **2** Ⓒ (기계의) 운반대, 대가(臺架); 포가(砲架) (gun ~): a typewriter ~ 타자기의 캐리지《타자 용지를 이동시키는 부분》. **3** Ⓤ **운반,** 수송: the ~ of goods 화물 수송/~ by sea 해상 수송. **4** Ⓤ 운임, 송료: the ~ on parcels 소화물 운임: free of ~ =~ free 운임 무료로. **5** Ⓤ (또는 a ~) **몸가짐,** 자세; 태도 (bearing): have a graceful ~ 몸가짐이 우아하다.

cárriage fórward 《英》 운임〔송료〕 수취인 지급으로(《美》 collect).

cárriage retùrn (타이프라이터의) 행간 레버; 【컴퓨터】 복귀, 캐리지 리턴.

cárriage·wày *n.* Ⓒ 《英》 **1** (거리의) 차도. **2** 차로: ⇨ DUAL CARRIAGEWAY.

⁑**car·ri·er** [kǽriər] *n.* Ⓒ **1 운반하는 사람〔것〕;** 《美》 우편 집배원(《英》 postman); 신문 배달원; 운수업자, 운수 회사《철도 · 기선 · 항공 회사 등을 포함》: a ~('s) note 화물 상환증. **2** 운반차, 운반 설비〔기계〕; (자전거의) 짐받이. **3** 【의학】 보균자〔물〕 (disease ~), (유전자의) 보유자; 전염병 매개체(germ ~)《모기 · 파리 따위》. **4** 【전기】 반송파(搬送波) (~ wave). **5 항공모함**(aircraft ~): a baby 〔light, regular〕 ~ 소형〔경, 정규〕 항공모함. ≠career.

cárrier bàg 《英》 =SHOPPING BAG.

cárrier pìgeon 전서구(傳書鳩).

cárrier wàve 【전기】 반송파.

car·ri·ole [kǽriòul] *n.* Ⓒ 말 한 필이 끄는 소형 마차; 유개(有蓋) 짐수레.

°**car·ri·on** [kǽriən] *n.* Ⓤ 사육(死肉), 썩은 고기.

cárrion cròw 【조류】 **1** (유럽산(産)) 까마귀. **2** (미국 남부산(産)) 검은 독수리.

Car·roll [kǽrəl] *n.* **Lewis** ~ 캐롤《영국의 동화 작가; *Alice's Adventures in Wonderland*의 저자; 1832–98》.

*__car·rot__ [kǽrət] *n.* **1** Ⓒ (식품은 Ⓤ) **당근**: I'll have some more ~(s). 당근 좀 더 다오. **2** Ⓒ 《구어》 설득의 수단, 미끼; 포상: offer〔hold out〕 a ~ to a person 보수를 주겠다고 부추기다; 아무를 감언으로 꼬시다. **3** (*pl.*) 〖단수취급〗 《속어》 붉은 머리털(의 사람).

(*the*) ~ *and* (*the*) *stick* 상(賞)과 벌, 회유와 위협 (정책): use (*the*) ~ *and* (*the*) *stick* 위협했다 회유했다 하다.

cárrot-and-stíck [-ənd-] *a.* Ⓐ 회유와 위협의: ~ diplomacy 회유와 위협의 외교.

car·roty [kǽrəti] *a.* 당근 같은, 당근색의; 《속어》 (머리털이) 붉은(red-haired): ~ hair.

car·rou·sel [kæ̀rəsél, -zél] *n.* =CAROUSEL.

†**car·ry** [kǽri] (*p.*, *pp.* **car·ried; car·ry·ing**) *vt.* **1** 《~+목/+목+전+명/+목+부》 **운반하다,** 나르다(transport), 보내다, 가져가다《*on* …에 실어, *in* …에 넣어》; (동기(動機) · 여비(旅費) · 시간 등이, 사람)을 가게 하다《*to* …에》; (소리 · 소문 따위)를 전하다, (병 따위)를 옮기다《*to* …에》: ~ a bag *upstairs* 가방을 윗층으로 나르다/Some pets ~ diseases. 애완동물 중에는 병을 옮기는 것이 있다/~ a baby *in* one's arms 애를 안고 가다/Business *carried* me *to* America. 사업차 미국에 갔다/He *carried* the news *to* everyone. 그는 그 소식을 여러 사람에게 돌아가며 알렸다/*Carry* these dirty plates *back to* the kitchen. 이 더러운 접시를 부엌에 도로 갖다 놓아라. ★ '아무를 데리고 가다'의 뜻으로 He *carried* me *to* his lodgings. '그는 나를 그의 숙소로 데리고 갔다'는 옛 용법이거나 방언적이므로 take를 쓰는 것이 정확함.

SYN. **carry** '나르다'를 뜻하는 일반적인 말로 널리 쓰임. **bear** 운반되는 물건의 무게를 받치는 것에 중점이 있으며 대개는 비유적인 뜻으로 쓰임. 실제로 '나르다'의 뜻으로는 별로 쓰이지 않고 carry로써 대용함. **convey** carry와 달리 나른 물건을 도착지에서 상대에게 인도하는 뜻을 내포하고 있어 이 말은 carry에 대한 형식적인 말임. **transport** 사람 또는 물건을 대대적으로 먼 목적지로 나르는 경우에 쓰임. cf. bring.

2 《~+목/+목+전+명》 《비유적》 이끌다; 이르게 하다(conduct), 추진하다, (안전하게) 보내다: Young people often ~ logic *to* extremes. 젊은이들은 종종 논리를 극단까지 끌고 간다/Such a discussion will ~ us nowhere. 그러한 토론은 소득이 없을 것이다/The gas was not enough to ~ us *through* the land. 그 지방을 통과할 만큼 충분한 휘발유가 없었다/This money will ~ us *for* another week. 이 돈이면 또 한 주일 지낼 수 있을 게다.

3 《~+목/+목+전+명》 (도로 등)을 연장하다; (건물)을 확장〔증축〕하다; (전쟁)을 확대하다; (일 · 논의 등)을 진행시키다: ~ the road *into* the mountains 길을 산속까지 연장하다/The war was *carried into* Asia. 전쟁은 아시아까지 확대되었다/You *carried* the joke too far. 농담이 지나쳤다.

4 《~+목/+목+전+명/+목+부》 휴대하다, 몸에 지니다; (장비 등)을 갖추다; (아이)를 배다: ~ a gun 〔sword〕 총〔검〕을 가지고 있다/ He never *carries* much money (*about*) *with* him. 그는 많은 돈을 몸에 지니지 않고 다닌다/ The man *carries* a scar *on* his face. 그 남자는 얼굴에 흉터가 있다/The tiger *carries* a wound. 호랑이는 상처를 입었다/She *carries* a baby. 그녀는 아이를 뱄다.

5 (몸의 일부)를 …한 자세로 유지하다; 〖~ oneself〗 …한 몸가짐을 하다, 행동하다: She *carries* her head high. 그녀는 머리를 꼿꼿이 (쳐)들고 있다/He *carried* his head on one side. 그는 머리를 한 쪽으로 기울이고 있었다/She *car-*

ries herself with dignity. 그녀는 기품있게 행동한다.
6 ⟪~+목/+목+전+명⟫ **따르다**; (의무·권한·벌 등)을 수반하다⟪***with*** …에⟫; (의의·무게)를 지니다, 내포하다; (이자)가 붙다: ~ authority 권위를 지니다/Freedom *carries* responsibility *with* it. 자유에는 책임이 따른다/One decision *carries* another. 하나를 결정하면 또 하나를 결정할 수 있게 된다/He used the word so that it *carried* a profound meaning. 그는 그 말에 깊은 뜻을 두고 썼다/The loan *carries* 3 percent interest. 그 대출금은 3퍼센트 이자다.
7 ⟪~+목/+목+전+명⟫ 빼앗다; 손에 넣다, 쟁취하다(win); 〖군사〗 (요새 등)을 함락시키다; (관중)을 감복시키다⟪***with*** …에⟫: Her acting *carried* the house. 그녀의 연기는 만장의 갈채를 받았다/The soldiers rushed forward and *carried* the fort. 병사들은 돌진해 들어가서 성채를 점령했다/He *carried* the audience *with* him. 그는 청중을 매혹시켰다.
8 ⟪+목+전+명⟫ …의 위치를 옮기다, ⟪비유적⟫ 나르다, 옮기다: ~ a footnote *to* a new page 각주를 새 페이지로 옮기다/She *carried* her eyes *along* the edge of the hill. 그녀는 언덕의 능선을 따라 눈길을 옮겼다.
9 a ⟪~+목/+목+전+명⟫ (주장·의견 따위)를 관철하다; 납득시키다; (의안·동의 따위)를 통과시키다⟪***through*** (의회)에⟫: ~ one's point 자기 주장을 관철시키다/~ a bill *through* Parliament 법안을 의회에서 통과시키다. **b** (선거)에 이기다, (선거구)의 지지를 얻다: ~ Ohio 오하이오주에서 이기다⟪선거에서⟫/The young candidate *carried* the election. 젊은 후보가 선거에서 이겼다/He *carried* the precinct. 그는 선거구에서 당선되었다.
10 ⟪~+목/+목+전+명⟫ (무거운 물건)을 **받치고 있다**, 버티다(support), (압력 따위)에 견디다⟪★ 수동태로 쓰며, 전치사는 *on*⟫: ~ the farm *through* hard times 불황을 견뎌내고 농장을 유지하다/These columns ~ the weight of the roof. 이들 기둥이 지붕 무게를 떠받치고 있다/The boiler *carries* 200 pounds per square inch. 보일러는 1평방인치당 200파운드의 압력에 견딘다/The bridge *is carried on* firm bases. 그 다리는 견고한 토대로 받쳐지고 있다.
11 ⟪+목+전+명⟫ (기사)를 게재하다, 내다, 싣다, (정기적으로) 방송하다; 올리다⟪***on*** (명부 따위)에⟫: ~ a person *on* a payroll 급료 지급부에 이름을 올리다/The public hearing will be *carried* by all networks. 공청회는 모든 방송망을 통해 방송될 것이다.
12 기억해 두다: Can you ~ all these figures in your head? 이 숫자를 모두 기억할 수 있습니까.
13 ⟪구어⟫ (물품)을 가게에 놓다, 팔다, 재고품을 두다: We ~ a full line of canned goods. 통조림이라면 뭐든지 있습니다.
14 (가축 따위)를 기르다(support); (토지가 작물)의 재배에 적합하다: The ranch will ~ 1,000 head of cattle. 이 목장에서는 소를 천 마리 기를 수 있다.
15 (술)을 마셔도 흐트러지지 않다: He *carries* his liquor like a gentleman. 그는 술을 얌전히 마신다/He has had a drop more than he can ~. 그는 고주망태가 되었다.
16 …의 책임을 떠맡다; 재정적으로 떠받치다〔원조하다〕: ~ a magazine alone 혼자서 잡지를

재정적으로 떠받치고 있다/He *carries* that department. 그 부서는 그에 의해서 유지되고 있다.
17 (나이 등)을 숨기다: ~ one's age very well 자기 나이를 남이 알아차리지 못하게 잘 숨기다.
—*vi.* **1** 들어나르다; 가지고 다니다; 운반하다: a load that *carries* easily 운반하기 쉬운 화물.
2 〖보통 진행형〗 임신하고 있다.
3 ⟪~/+전+명⟫ (소리·총알 따위가) 미치다, 달하다: His voice will ~ *across* the room. 그의 목소리는 방 저쪽까지 들릴 것이다.
4 (법안 등이) 통과되다: The bill *carried* by a small majority. 그 법안은 근소한 표차로 통과됐다.
~ all 〔***everything, the world***〕 ***before*** one 무엇 하나 성공 않는 것이 없다; 파죽지세로 나아가다. ***Carry arms!*** ⟪구령⟫ 어깨총. ***~ away*** ⟪*vt.*+부⟫ 〖수동태의 경우가 많음〗 ① …에 넋을 잃게 하다, …을 도취시키다: He *was carried away* by his enthusiasm. 그는 열중한 나머지 스스로를 잊었다/Music has *carried* him *away*. 음악에 도취되었다. ② …에 빠지게 하다: He *was carried away* into idleness. 그는 게으름에 빠졌다. ③ 가지고 가버리다, 휩쓸어가다: The bridge *was carried away* by the flood. 다리가 홍수로 떠내려갔다. ***~ back*** ⟪*vt.*+부⟫ ① 되가져가〔오〕다(⇨*vt.* 1). ② (아무)에게 회상〔상기〕시키다⟪***to*** (옛날)을⟫: The picture *carried* me *back to* my childhood (days). 그 사진은 나의 어린 시절을 상기시켰다. ***~ forward*** ⟪*vt.*+부⟫ ① (사업·계획 등)을 진척시키다: ~ *forward* the program 프로그램을 진행하다. ② 〖부기〗 (금액·숫자)를 이월하다; 넘기다⟪***to*** (차기·다음 페이지)로⟫. ***~ it*** =~ the day. ***~ it off*** (***well***) (행동·계획 따위)를 잘 해내다; (어려운·난처한) 사태를 잘 극복하다. ***~ live*** 생중계하다. ***~ off*** ⟪*vt.*+부⟫ ① 빼앗아〔채어〕 가다; (아무)를 유괴하다; (병 따위가 목숨)을 빼앗다, 죽게 하다. ② (상품 따위)를 타다, 획득하다(win): Tom *carried off* all the school prizes. 톰은 학교의 상을 독차지했다. ***~ on*** ⟪*vt.*+부⟫ ① 계속하다; 진행시키다: ~ *on* a conversation 대화를 계속하다/Everyone *carried on* singing and dancing. 모두가 노래와 춤을 계속했다. ② (사업 따위)를 경영하다: He *carried on* business for many years. 그는 여러 해 동안 영업을 하였다. **—**⟪*vi.*+부⟫ ③ 속행하다, 유지되다; 계속하다⟪***with*** …을⟫: *Carry on with* your work. 일을 속행하여라. ④ ⟪구어⟫ 울고불고 하다, 떠들어대다: I don't like the way she *carries on*. 나는 그녀의 분별없는 짓이 못마땅하다. ⑤ ⟪구어⟫ (남녀가) 음탕한 관계를 맺다, 농탕치다, 정사에 빠지다⟪***with*** (이성)과⟫. ***~ out*** ⟪*vt.*+부⟫ (계획·예정·명령 따위)를 실행하다, 실시하다; (일·계획 따위)를 성취하다, 달성하다: ~ *out* one's design 〔duty〕 기획을〔임무를〕 실행하다〔다하다〕/These orders must be *carried out* at once. 이 명령은 곧 실행되어야 한다. ***~ over*** ⟪*vt.*+부⟫ ① 연기하다, 뒤로 미루다, 넘기다⟪***from*** …부터; ***into*** …까지⟫: ~ this discussion *over into* the next meeting 이 토론을 다음 모임까지 미루다. ② =~ forward. **—**⟪*vi.*+부⟫ ③ (습관 등이) 계속 남다. ④ (일 등이) 이어지다, 계속되다⟪***from*** …부터; ***to*** …에⟫: ~ *over to* later generations 후세대에까지 이어지다. ***~ the day*** 승리를 거두다. ***~ through***

《vt.+副》 ① (일·계획)을 완성하다, 성취하다: The money is not enough to ~ *through* the undertaking. 그 사업을 완성시키기에는 돈이 모자란다. ② (아무)에게 난관을 극복케 하다, 지탱해 내다, 버티어내게 하다: His strong constitution *carried* him *through* his illness. 그는 체질이 튼튼해서 병을 이겨냈다. ~ a thing ***too far*** 〔***to extremes***〕 …의 도를 지나치다: ~ a joke *too far* 농담의 도를 지나치다.
— (*pl.* **-ries**) *n.* Ⓤ (또는 a ~) **1** (총포의) 사정(射程); (골프 공 따위가) 날아간 거리. **2** 운반; (두 수로를 잇는) 육로 운반. **3** 〖컴퓨터〗 올림.

cárry·àll *n.* Ⓒ 한 필이 끄는 마차; 《美》 (좌우 양쪽에 마주 향한 좌석이 있는) 버스; 《美》 (여행용) 큰 가방, 잡낭(《英》 holdall).

cárry-còt *n.* Ⓒ 《英》 (아기용) 휴대 침대.

cárrying capàcity **1** 수송력, 적재량; (케이블의) 송전력(送電力). **2** 〖생태〗 환경 수용력, (목초지 등의) 동물 부양 능력.

cárrying chàrge **1** 《美》 (상품 운송의) 운송비. **2** 《美》 월부 판매 할증금.

cárrying-ón (*pl.* ***carryings-***) *n.* Ⓒ (보통 *pl.*) 《구어》 떠들썩한〔어리석은〕 짓거리, (눈에 거슬리는) 행실; (남녀의) 농탕치기, 새롱거리기.

cárrying tràde 운수업, 해운업.

cárry-òn *a.*, *n.* Ⓒ (비행기 내로) 휴대할 수 있는 (소지품); (a ~) 《英구어》 = CARRYING-ON.

cárry-òut *a.*, *n.* 《美구어》 = TAKEOUT.

cárry-òver *n.* Ⓒ (보통 *sing.*) 〖부기〗 이월(移越)(액); 〖상업〗 이월품, 잔품(殘品); 이월 거래; 나머지.

cár·sìck *a.* 탈것에 멀미난: get ~ 차〔탈 것에〕 멀미하다. ㊎ **~·ness** *n.* Ⓤ 뱃멀미.

Cár·son Cíty [kɑ́ːrsn-] 카슨 시티《미국 Nevada 주의 주도(州都)》.

⁑**cart** [kɑːrt] *n.* Ⓒ **1** 2〔4〕륜 **짐마차**〔**달구지**〕: a water ~ 살수차. SYN. ⇨ WAGON. **2** 2륜 경마차. **3** 《美》 **손수레**(《英》 trolley): a shopping ~ (슈퍼마켓 따위의) 쇼핑 손수레.
in the ~ 《英속어》 곤경에 빠지어, 꼼짝할 수 없게 되어. ***put*** 〔***set, get, have***〕 ***the*** ~ ***before the horse*** 본말(本末)을 전도하다.
— *vt.* 《+목+부/+목+전+명》 **1** …을 수레로 나르다; 실어 내다(*away*); (거추장스런 짐 따위)를 애써서 운반하다: ~ products *to* market 제품을 시장에 수레로 나르다/~ *away* rubbish *out of* the backyard 뒷뜰에서 쓰레기를 수레로 실어내다/~ *in* a table *through* the door 테이블을 가까스로 문으로 들여놓다. **2** (아무)를 난폭하게〔억지로〕 데려가다(*off; away*): ~ a criminal *off* 〔*away*〕 *to* jail 범인을 교도소에 집어넣다/*Cart* yourself *away* 〔*off*〕*!* 냉큼 꺼져라.

cart·age [kɑ́ːrtidʒ] *n.* Ⓤ 짐수레〔트럭〕 운송(료); 짐마차 삯.

carte blanche [kɑ́ːrtblɑ́ːntʃ] (*pl.* ***cartes blanches*** [kɑ́ːrts-]) 《F.》 (서명이 있는) 백지〔전권〕 위임: give ~ to …에게 백지위임하다.

car·tel [kɑːrtél] *n.* Ⓒ **1** 〖경제〗 카르텔, 기업연합. **2** 〖정치〗 (공동 목적을 위한) 당파 연합.
㊎ **~·ize** *vt.*, *vi.* 카르텔로 하다〔되다〕, 카르텔화(化)하다.

Cart·er [kɑ́ːrtər] *n.* **Jimmy** ~ 카터《미국의 제 39 대 대통령; 온이름은 James Earl ~, Jr.; 1924 - 》.

cart·er *n.* Ⓒ 짐마차꾼, 마부.

Car·te·sian [kɑːrtíːʒən] *a.* 데카르트(Descartes)의. —*n.* Ⓒ 데카르트 학도.

Car·thage [kɑ́ːrθidʒ] *n.* 카르타고《아프리카 북부의 고대 도시 국가; 146 B.C.에 멸망》.
㊎ **Car·tha·gin·i·an** [kɑ̀ːrθədʒíniən] *a.*, *n.*

cárt·hòrse *n.* Ⓒ 짐마차 말.

Car·thu·sian [kɑːrθúːʒən] *n.* **1** (the ~s) 카르투지오 수도회《1086 년 St. Bruno 가 프랑스 Chartreuse 에 개설》. **2** Ⓒ 카르투지오 수도회 수사〔수녀〕. —*a.* 카르투지오 수도회의.

car·ti·lage [kɑ́ːrtilidʒ] *n.* 〖해부〗 Ⓒ 연골; Ⓤ 연골 조직: a ~ bone 연골성 경골(硬骨).

car·ti·lag·i·nous [kɑ̀ːrtilǽdʒənəs] *a.* 〖해부〗 연골성〔질〕의; 〖동물〗 (상어 따위처럼) 골격이 연골로 된.

cárt·lòad *n.* Ⓒ 한 바리(의 짐); 《구어》 대량.

car·tog·ra·pher [kɑːrtɑ́grəfər/-tɔ́g-] *n.* Ⓒ 지도 제작자, 제도사.

car·to·graph·ic, -i·cal [kɑ̀ːrtəgrǽfik], [-əl] *a.* 지도 제작(법)의.

car·tog·ra·phy [kɑːrtɑ́grəfi/-tɔ́g-] *n.* Ⓤ 지도 제작(법), 제도(법).

°**car·ton** [kɑ́ːrtən] *n.* Ⓒ (판지로 만든) 상자; (우유 등을 넣는) 납지(蠟紙)〔플라스틱〕 용기(容器): a ~ *of* cigarettes 담배 한 상자《10 갑들이》.

car·toon [kɑːrtúːn] *n.* Ⓒ 풍자화, (시사) 만화; 연재 만화(comic strip), 만화 영화; (실물 크기의) 밑그림《벽화 등의》. —*vt.*, *vi.* 만화화하다; 만화로〔를〕 그리다. ㊎ **~·ist** *n.* Ⓒ 만화가.

°**car·tridge** [kɑ́ːrtridʒ] *n.* Ⓒ **1** 탄약통, 약포(藥包); 화약통: a live ~ 실포(實包), 실탄/a blank ~ 공포(空包), 공탄. **2** 카트리지《만년필의 잉크나 녹음기의 테이프 등의 교환·조작을 쉽게 하기 위한, 끼우는 식의 용기》; 〖사진〗 (카메라에 넣는) 필름통; 카트리지에 든 것《잉크·테이프·필름 따위》.

cártridge bèlt 탄약대.

cártridge pàper 약포지(藥包紙)·도화지·오프셋용지 따위로 쓰이는 특수지.

cárt ròad 〔**tràck, wày**〕 (승용차가 통과하기 어려운 짐마차용의) 좁고 울퉁불퉁한 시골길.

cárt·whèel *n.* Ⓒ **1** (짐마차의) 바퀴. **2** 《美속어》 1 달러짜리 은화, 대형 주화. **3** 옆재주 넘기: throw 〔turn〕 ~*s* 옆재주 넘다. —*vi.* (손을 짚고) 옆으로 재주넘다; (수레)바퀴처럼 움직이다.

cárt·wrìght *n.* Ⓒ 수레〔달구지〕 제작자.

Ca·ru·so [kərúːsou, -zou] *n.* **Enrico** ~ 카루소《이탈리아의 테너 가수; 1873 - 1921》.

carve** [kɑːrv] *vt.* **1** 《+목+전+명》 **새기다**, 파다, 조각하다(inscribe)《on, in*** …에; ***from, out of*** …을, …으로; ***into*** …으로》: ~ one's name *on* the tree 나무에 이름을 새기다/a Buddha ~*d in* wood 나무에 조각된 불상/~ a statue *out of* wood 나무로 상(像)을 조각하다/The statue was ~*d from* a block of cherry wood. 그 상은 벚나무 토막을 조각하여 만들었다/~ wood *into* a statue 나무를 새겨 조상을 만들다. **2** 《~+목/+목+부/+목+목》 (진로·운명 등)을 트다, 타개하다(*out*); (명성·지위 등)을 쌓아올리다, 이루다(*out*): ~ a new career 새로운 인생을 개척하다/~ *out* a career for oneself = ~ oneself (*out*) a career 혼자 힘으로 진로를 개척하다/~ *out* a fortune for oneself 혼자 힘으로 부를 이루다. **3** 《~+목/+목+목/+목+전+명》 (식탁에서 고기 등)을 썰어서 나누다《***for*** (손님 따위)에게》: ~ a chicken 닭고기를 썰다/Mother ~*d*

us the chicken. =Mother ~*d* the chicken *for* us. 어머니는 우리에게 닭고기를 썰어서 나누어 주셨다.
—*vi.* 고기를 썰어 나누다; 새기다, 조각하다: This marble ~*s* well. 이 대리석은 새기기 쉽다.
~ ***up*** 《*vt.*+부》 (고기 따위)를 잘게 썰어 나누다; 《속어》 (토지 · 유산 따위)를 분할하다; 《英속어》 나이프로 마구 찌르다; 《英속어》 (다른 차)를 빠른 속도로 추월하다.

carv·er [ká:*r*və*r*] *n.* **1** Ⓒ 조각사; 고기를 써는 사람〔나이프〕. **2** (*pl.*) 고기 써는 나이프와 대형 포크.

carv·ery [ká:*r*vəri] *n.* Ⓒ 고기 요리를 썰어서 제공하는 식당.

cárve-ùp *n.* (a ~) 《英속어》 (훔치거나 빼앗은 물품의) 분배.

carv·ing [ká:*r*viŋ] *n.* Ⓤ 조각(술); Ⓒ 조각물; Ⓤ 고기를 썰어서 나누기.

carving fork 〔**knife**〕 고기 썰 때 쓰는 대형 포크〔나이프〕.

cár wàsh 세차(장), 세차기(機).

car·y·at·id [kæ̀riǽtid] (*pl.* **~s, ~·es** [-ì:z]) *n.* Ⓒ 『건축』 여상주(女像柱).

ca·sa·ba, cas·sa·ba [kəsá:bə] *n.* Ⓒ (식품은 Ⓤ) 머스크멜론의 일종(=∠ **mélon**).

Cas·a·blan·ca [kæ̀səblǽŋkə, kɑ̀:səblá:ŋkə] *n.* 카사블랑카《모로코 서북부의 항구》.

Ca·sals [kəsǽlz, -sá:lz, kɑ:sá:lz] *n.* **Pa·blo** ~ 카살스《스페인의 첼로 주자 · 지휘자; 1876–1973》.

Cas·a·no·va [kæ̀zənóuvə, -sə-] *n.* Ⓒ 엽색(獵色)꾼, 색마(lady-killer).

°**cas·cade** [kæskéid] *n.* Ⓒ **1** (작은) 폭포(cf. cataract); (계단 모양으로) 이어지는 폭포, 단폭(段瀑); 폭포 모양의 레이스 장식. **2** 『원예』 현애(懸崖) 가꾸기; 『전기』 종속(縱續). **—***vi.* 폭포가 되어 떨어지다.

Cascáde Ránge (the ~) 캐스케이드 산맥《California주 북부에서 캐나다의 British Columbia주에 이르는 산맥》.

cas·ca·ra [kæskέərə] *n.* Ⓒ 『식물』 털갈매나무의 일종; Ⓤ 그 수피(樹皮)로 만든 완하제.

⁑**case**[1] [keis] *n.* **1** Ⓒ (특정한) **경우**(occasion), 사례: in this ~이 경우에는/in either ~ 어느 경우이건/There are many ~*s* where .... …라는 경우가 많다.
2 Ⓤ (구체적으로는 Ⓒ) (아무의) 사정, 입장, 상태, 상황: in sorry ~ 비참한 처지에/Circumstances alter ~*s*. 《속담》 사정에 의해 입장도 바뀐다/The ~ is different *with* you. 당신의 경우는 다르다.
3 (the ~) 실정, 진상, 사실(fact): Is it the ~ that you did it? 네가 그것을 한 것이 사실이냐/That is not the ~. 실은 그렇지 않다.
4 Ⓒ (조사를 요하는) **사건**; 문제(question): a criminal 〔civil〕 ~ 형사〔민사〕 사건/a ~ between them 그들간의 문제/the ~ before us 우리가 당면한 문제〔사건〕/work 〔be〕 on a murder ~ 살인 사건을 수사하다〔수사하고 있다〕.
5 Ⓒ (보호 · 구제 등의) 대상자, 해당자: a relief 〔welfare〕 ~ 복지 대상자.
6 Ⓒ 병증(disease); 환자: explain one's ~ 증상을 설명하다/forty new ~*s* of flu 유행성 감기의 새 환자 40명〔건(件)〕.
SYN. **case** 의사가 쓰는 말로 환자라기보다 병을 염두에 두고 말함. 환자 자체는 **patient**라고 함.
7 Ⓒ 『법률』 판례; 소송 (사건)(suit); (소송의) 신청: a divorce ~ 이혼 소송/a leading ~ 지도적〔주요〕 판례/drop a ~ 소송을 취하하다.
8 Ⓒ (사실 · 이유의) 진술, 주장; (보통 *sing.*) 정당한 논거, 변론: the ~ *for* the defendant 피고의 주장/lay one's ~ before the court 판사 앞에서 진술하다/state 〔make out〕 one's ~ 자기의 주장〔입장〕을 설명하다/prove the 〔one's〕 ~ 주장이 정당함을 증명하다.
9 Ⓤ (개별적으로는 Ⓒ) 『문법』 격(格).
10 Ⓒ 《구어》 괴짜: He is a ~. 그는 열외〔괴짜〕다.
as is often the ~ 흔히 있는 일이지마는《***with*** …에》. ~ ***by*** ~ 하나하나, 한 건씩: The President has decided the issue, ~ *by* ~, as it was raised by Congress. 대통령은 문제가 국회에서 제기되었을 때마다 하나하나 해결하여 왔다. ***in any*** ~ 어떠한 경우에도, 어쨌든, 어떻든(anyhow). ***in*** ~ 만일에 대비하여; …한 경우에 대비하여; …하면 안 되므로: I will wait another ten minutes *in* ~. 만약의 경우도 있으니까 10분 더 기다리겠다/You had better take an umbrella *in* ~ it rains. 비가 올 경우에 대비하여 우산을 갖고 가거라. ***in*** ~ ***of*** …의 경우에는(in the event of): *in* ~ *of* need 필요할 때는/*in* ~ *of* my not seeing you 만일 만나지 못할 경우에는. ***in nine ~s out of ten*** 십중팔구. ***in no*** ~ 결코 …이 아니다: The government insists that *in no* ~ will there be expropriations of land without proper compensation. 정부는 합당한 보상 없이는 결코 토지 몰수는 없을 것이라고 강조한다. ***in that*** ~ 그러한 경우에는. ***just in*** ~ ① =in ~. ② 《美》 …경우에 한하여(only if). ***meet the*** ~ (의견 · 제안이) 적절하다, 알맞다. ***put*** 〔***set***〕 ***the*** ~ (사정)을 설명하다《***to*** (아무)에게》; (…라고) 가정(假定)〔제안〕하다《***that***》: *Put the* ~ *that* you're right, what then? 네 말이 옳다고 치자, 그래서 어쨌다는 거냐.

⁑**case**[2] *n.* Ⓒ **1** **상자**(box), 갑, 짐상자(packing ~); 한 상자의 양: a ~ *of* wine 포도주 한 상자《한 다스들이》. **2** **용기**(容器), 그릇, 케이스, …주머니(bag); (칼)집(sheath), 통; (기계의) 덮개, 뚜껑; (시계의) 딱지(watch ~): a record ~ 레코드 케이스〔꽂이〕/a pillow ~ 베갯잇/a filing ~ 서류 정리용 케이스. **3** 창(문) 틀(window ~). **4** 한 쌍〔벌〕: a ~ *of* pistols 한 쌍〔벌〕의 권총. **5** 『인쇄』 활자 케이스: upper 〔lower〕 ~ 대〔소〕문자 케이스; 대〔소〕문자 활자《생략: u.c. 〔l.c.〕》.
— (*p.*, *pp.* ***cased; casing***) *vt.* **1** 상자〔집, 주머니 따위〕에 넣다; 싸다(cover), **2** 《+목+전+명》 (벽 따위)를 씌우다, 덮다《***with*** …으로》: ~ a wall *with* marble 벽을 대리석으로 덮어 씌우다.
3 《속어》 (범행 목적으로) 잘 조사하다〔살피다〕: Police said he was *casing* for the projected raid. 그가 계획적인 습격을 위해 사전 조사를 하고 있었다고 경찰은 말했다.
~ ***the joint*** 《속어》 (도둑이) 목표물을 미리 잘 살펴보다.

cáse·bòok *n.* Ⓒ 케이스북《법 · 의학 등의 구체적 사례집》, 판례집.

cáse·bòund *a.* 《英》 단단한 표지로 제본한, 하드커버(hardcover)의.

cáse ènding 『문법』 격(변화)어미.

cáse·hàrden *vt.* 『야금』 (쇠)를 담금질하다, 열처리하다, 표면을 경화시키다; 《비유적》 (아무)를

철면피〔무신경〕하게 만들다.

cáse hístory 〔**recórd**〕 사례사(史), 개인 경력〔기록〕; 병력(病歷), 기왕증(旣往症).

ca·sein [kéisi:n, -si:in] *n.* [U] 카세인, 건락소(乾酪素).

cáse knìfe 집 있는 나이프(sheath knife); 식탁용 나이프(table knife).

cáse làw 〖법률〗 판례법.

cáse·lòad *n.* [C] (법정 · 병원 등에서 일정 기간 취급된) 담당 건수.

cáse·ment *n.* [C] **1** 두 짝 여닫이 창(문)(의 한 쪽) (=∠ **wíndow**). **2** 《시어》 창; 틀, 테; 덮개; 싸개.

ca·se·ous [kéisiəs] *a.* 치즈질(質)의〔같은〕, 건락성(乾酪性)의.

cáse shòt (대포의) 산탄(散彈).

cáse stúdy 사례(事例) 연구.

cáse·wòrk *n.* [U] 케이스워크, 사회 복지 사업으로서의 생활 환경 조사; 판례 연구.
[파] **~·er** *n.* [C] 케이스워커, 사회 복지사.

‡cash[1] [kæʃ] *n.* [U] **1 현금**; 현찰; 돈: be in 〔out of〕 ~ 현금을 가지고 있다〔있지 않다〕/ be short of 〔on〕 ~ 현금이 모자라다, 지급에 지장이 있다 / deal in ~ only 현금 거래만 하다. **2** 즉시불《현금 · 수표에 의한》, 맞돈; 현금 지불: pay in ~ 현금으로 지불하다 / buy 〔sell〕 a thing for ~ 즉시불로〔현금으로〕 사다〔팔다〕.
~ ***and carry*** =CASH-AND-CARRY. ~ ***down*** 맞돈으로, 즉시불(로). ~ ***on arrival*** 착화(着貨) 현금불. ~ ***on delivery*** 《英》 화물 상환불(拂), 대금 상환 인도(《美》 collect (on delivery))《생략: C.O.D., c.o.d.》.

> [DIAL.] ***Will this be cash or charge?—Cash, please.*** 이것은 현찰로 지불하시겠습니까 카드로 지불하시겠습니까?—현찰로 하겠습니다.

—*a.* [A] 현금〔맞돈〕의, 현금 거래의: a ~ payment 〔sale〕 현금 지급〔판매〕.
—*vt.* 《~+[목]/+[목]+[전]+[명]》 현금으로〔현찰로〕 하다; (수표 · 어음 따위)를 현금으로 바꾸다; (수표 · 어음)을 현금으로 바꿔주다《***for*** (아무)에게》: ~ a check / get a check ~*ed* 수표를 현금으로 바꾸다 / Can you ~ this check *for* me? 이 수표를 현금으로 바꿔주시겠습니까.
~ ***in*** 《*vt.*+[부]》 ① 《英》 (은행에서 수표 따위)를 현금으로 바꾸다: ~ *in* all one's bonds 공채 모두를 현금화하다. ② (어음 따위)를 은행에 넣다. ③ (도박장에서 칩(chip))을 현금화하다. —《*vi.*+[부]》 ④ 《구어》 돈을 벌다《***on*** …으로》: ~ *in on* an investment 투자해서 돈을 벌다. ⑤ 《구어》 이용하다《***on*** …을》: ~ *in on* one's experience 체험을 살리다. ⑥ 《美》 (거래 · 계약에서) 손을 떼다, 청산하다. ⑦ 《美속어》 죽다. ~ ***in*** ***one's chips*** ⇨CHIP. ~ ***up*** 《*vt.*+[부]》 ① (상점에서, 그날의 매상)을 계산하다. ② 《구어》 (필요한 비용)을 치르다, 내다. —《*vi.*+[부]》 ③ 《구어》 필요한 비용을 지불하다.
[파] **∠·a·ble** *a.* (어음 등)을 현금으로 바꿀 수 있는.

cash[2] *n.* [C] 〖단 · 복수 동형〗 (중국 · 인도 등의) 소액 화폐; 엽전《동양의 구멍 뚫린 동전》.

cásh-and-cárry [-ən-] *n.* [C] 현금 판매 (상점); [U] 현금 판매주의. —*a.* [A] (상점 · 상품이) 현금 판매의: a ~ business 〔market〕.

cásh bàr 현금 바《파티나 결혼 피로연 등에서, 술을 파는 가설(假設) 바》. [cf.] open bar.

cásh·bòok *n.* [C] 현금 출납장.

cásh·bòx *n.* [C] (돈을 종류별로 넣어 두는) 돈궤, 금고.

cásh càrd 캐시〔현금〕 카드.

cásh còw 《속어》 (기업의) 재원(財源), 달러 박스, 돈벌이가 되는 상품.

cásh cróp 환금〔시장용〕 작물(《美》 money crop).

cásh dèsk (상점 · 식당 등의) 카운터, 계산대.

cásh díscount 〖상업〗 현금 할인.

cásh dìspenser 《英》 현금 자동 지급기(= **cásh-dispensing machíne**).

cash·ew [kǽʃu:, kəʃú:] *n.* [C] 〖식물〗 캐슈《열대 아메리카산 옻나뭇과 식물; 점성 고무가 채취됨》; =CASHEW NUT.

cáshew nùt 캐슈의 열매《식용》.

cásh flòw (기업의) 현금 흐름, 현금 유출입: have a ~ problem 지급 능력이 없다, 파산 상태다.

***cash·ier**[1] [kæʃíər, kə-] *n.* [C] **출납원**; 회계원; 《美》 (은행의) 지배인.

cash·ier[2] *vt.* (군장교 · 공무원)을 파면하다; 《특히》 징계 면직하다.

cásh·less *a.* 현금 없는; 현금이 불필요한: ~ shopping 무현금〔카드〕 쇼핑.

cásh machìne =CASH DISPENSER.

cash·mere [kǽʃmiər, kǽʒ-] *n.* [U] 캐시미어《캐시미어 염소의 부드러운 털》; 캐시미어직(織); 모조 캐시미어《양모제(製)》; [C] 캐시미어제 숄.

cásh·pòint *n.* [C] =CASH DISPENSER.

cásh règister 금전 등록기.

cas·ing [kéisiŋ] *n.* **1** [C] 포장; [U] 포장재(材). **2** [C] 싸개, 덮개; 케이스, (전깃줄의) 피복(被覆). **3** [C] (창 · 문짝 등의) 틀; 액자틀; 테두리. **4** [C] (소시지의) 껍질; 《美》 타이어 외피(外被).

ca·si·no [kəsí:nou] (*pl.* **~s, -ni** [-ni:]) *n.* 《It.》 [C] 카지노《연예 · 댄스 파워를 하는 도박장을 겸한 오락장》.

◇cask [kæsk, kɑ:sk] *n.* [C] 통(barrel); 한 통(의 양): a ~ *of* beer.

◇cas·ket [kǽskit, kɑ́:s-] *n.* [C] (귀중품 · 보석 등을 넣는) 작은 상자, 손궤; 《美》 관(coffin).

Cás·pi·an Séa [kǽspiən-] (the ~) 카스피해(海).

casque [kæsk] *n.* [C] (중세의) 투구(helmet).

Cas·san·dra [kəsǽndrə] *n.* 〖그리스신화〗 카산드라《Troy 의 여자 예언자》; [C] (세상 사람들이 용납할 수 없는) 흉사(凶事) 예언자.

cas·sa·ta [kəsɑ́:tə] *n.* [U] (낱개는 [C]) 과일 · 견과류를 넣은 아이스크림.

cas·sa·va [kəsɑ́:və] *n.* [C] 〖식물〗 카사바《열대산》; [U] 카사바 녹말〔전분〕《tapioca 의 원료》.

cas·se·role [kǽsəròul] *n.* 《F.》 **1** [C] 식탁에 올리는 뚜껑 있는 찜냄비. **2** [C] (요리 이름은 [U]) 오지 냄비 요리. **3** [C] (화학 실험용의) 카세롤《자루 달린 냄비》. —*vt.* 냄비로 요리하다.

***cas·sette** [kæsét, kə-] *n.* [C] (사진기의) 필름통; (녹음 · 녹화용의) **카세트** (테이프).

Cas·si·o·pe·ia [kæ̀siəpí:ə] *n.* 〖천문〗 카시오페이아자리.

cas·sock [kǽsək] *n.* [C] (성직자의) 통상복《보통 검은 색》.

cas·so·wary [kǽsəwὲəri] *n.* [C] 〖조류〗 화식조(火食鳥)《오스트레일리아 · 뉴기니산(産)》.

cast** [kæst, kɑ:st] (*p.*, *pp.* ***cast) *vt.* **1** 《~+[목]/+[목]+[전]+[명]》 **던지다**, 내던지다: ~ a ballot 〔a vote〕 투표하다 / ~ a stone *at* a person 아

무에게 돌을 던지다. SYN. ⇨THROW.
2 《~+목/+목+전+명》 (그물)을 던지다, 치다; (낚싯줄)을 드리우다; (닻·측연)을 내리다: ~ the lead (측연을 던져) 수심을 재다 / ~ a net *into* the pond 연못에 그물을 던지다.
3 《+목+부/+목+전+명/+목+목》 (빛·그림자)를 던지다, 투영하다《**on** …에》; (시선)을 돌리다《**at** (아무)에게, …에》, (마음·생각)을 쏟다, (비난·모욕)을 퍼붓다, (축복)을 주다《**on, over** …에》: He ~ a quick glance 〔look〕 *at* his friend. 그는 친구를 흘끗 바라보았다 / ~ one's eyes *up* (*at* the ceiling) 천장을 쳐다보다 / ~ a shadow *on* the wall 벽에 그림자를 투영하다 / ~ a light *on* the subject 그 문제에 해결의 빛을 던지다 / He ~ her a glance. 그는 그녀를 흘끗 봤다.
4 《~+목/+목+부》 (불필요한 것)을 **내던져버리다** (*off; away; aside*); (옷)을 벗다, (뱀이) 허물 벗다(shed)(*off*); (새가 깃털〔사슴이 뿔〕)을 갈다; (말이 편자)를 빠뜨리다; (꿀벌이) 분봉하다: The snake ~ (*off*) its skin. 뱀이 허물을 벗었다.
5 《~+목/+목+전+명》 (거푸집에다) **뜨다**, 주조하다《**in** (금속)으로》: ~ a bronze bust 청동 흉상을 뜨다 / ~ a statue *in* bronze 청동으로 상을 주조하다.
6 《~+목/+목+전+명》 (역)을 맡기다; (극·영화 따위)를 배역하다; …에게 할당하다《**as, in, for** …(의 역)을》: The film was well ~. 그 영화의 배역이 좋았다 / ~ an actor *for* a play 연극의 배우를 정하다 / ~ a person *for* a part 아무에게 역을 맡기다 / She was ~ *as* 〔*in* the role of〕 Shylock. 그녀는 샤일록의 역을 맡았다.
7 《~+목/+목+부》 (숫자)를 **계산하다**, 합계하다(*up*): ~ accounts 계산하다 / ~ *up* a column of figures 한 난의 숫자를 합하다.
8 (운수)를 판단하다, 점치다; (점괘)를 뽑다(draw): ~ lots 제비 뽑다 / ~ a horoscope 별점을 치다.
—*vi*. **1** 물건을 던지다; 투망하다; 낚싯줄을 던지다: ~ for fish 고기를 잡기 위해 낚싯줄을 던지다. **2** 〖양태부사를 수반하여〗 주조되다.
~ *about* 〔***around***〕 ***for*** …을 찾아다니다: ~ *about for* something to do 무슨 할 일이 없을까 하고 찾다. **~ *aside*** 《*vt*.+부》 (물건·습관·불안 따위)를 버리다, 제거하다; (친구)를 버리다. **~ *away*** 《*vt*.+부》 버리다(⇨*vt*.4); (걱정 따위)를 떨쳐버리다; 〖보통 수동태〗 (아무)를 표류시키다, (배)를 난파시키다: They *were* ~ *away* on an island. 그들은 어느 섬에 표류되었다. **~ *down*** 《*vt*.+부》 ① (시선)을 떨어뜨리다, (눈)을 내리깔다. ② 〖보통 수동태〗 낙담시키다: Don't *be* ~ *down* by that news. 그 소식에 낙심해서는 안 된다. **~ *loose*** (배를) 풀어놓다; 밧줄을 풀다. **~ *off*** 《*vt*.+부》 ① …을 던져〔벗어〕 버리다(⇨*vt*.4). ② …을 포기하다; (관계·인연)을 끊다: ~ *off* a vicious habit 나쁜 버릇을 버리다. ③ 〖해사〗 (배)를 밧줄을 풀어 내보내다. ④ (=~ ***off stitches***) (편물)의 코를 풀리지 않도록 마무르다(finish off). **—**《*vi*.+부》 ⑤ 〖해사〗 (배가) 풀어지다, 출항하다《**from** (묶인 밧줄)에서》. ⑥ (편물에서) 코를 마무르다〔마감하다〕. ⑦ (스퀘어 댄스에서) 다른 커플의 위치와 바꾸다. **~ *on*** 《*vt*., *vi*.+부》 재빠르게 입다; (편물의) 첫 코를 잡다〔뜨다〕. **~ *out*** 《*vt*.+부》 〖보통 수동태〗 (사람·불안·악마 따위)를 쫓아내다, 추방하다《**from** …에서》: *be* ~ *out from* the school 퇴교당하다. **~ *up*** 《*vt*.+부》 ① (파도가 배 따위)를 내던지다《**on** (해안)으로》. ② 합계하다(⇨*vt*.7). ③ (시선)을 위로 향하게 하다(⇨*vt*. 3).
—*n*. **1** Ⓒ (돌·그물·낚싯줄 따위를) **던지기**. **2** Ⓒ 던진 거리, 사정(射程). **3** Ⓒ (주사위의) 한 번 던지기, 모험(적 시도): the last ~ 마지막으로 한 번 해보기 / try another ~ 다시 한 번 해보다. **4** 던져진〔버려진〕 것. **5** Ⓒ (벌레 따위의) 허물; (지렁이의) 똥. **6** Ⓒ **주조**; (주)형; 주물; 〖의학〗 깁스: pour bronze into a ~ 거푸집에 청동을 붓다 / put a person in a ~ 아무에게 깁스 붕대를 하다. **7** (*sing*.) **a** 유형, 경향; 성격(~ of mind), 기질(type); 모습, 얼굴 생김새(~ of figures): a ~ of defection 낙담한 모습. **b** 색조(色調), …의 기미(氣味): a yellowish ~ 누르스름한 빛. **8** Ⓒ 〖집합적; 단·복수취급〗 배역, (the ~) 출연 배우들: a good ~ 좋은 배역 / an all-star ~ 인기 배우 총출연. **9** Ⓒ (보통 *sing*.) 사팔뜨기: have a ~ in the right eye 오른쪽 눈이 사팔뜨기이다.

cas·ta·net [kæ̀stənét] *n*. Ⓒ (보통 *pl*.) 캐스터네츠《타악기》.

cást·awày *n*. Ⓒ 난파를 당한 사람, 표류자; 버림받은 사람; 무뢰한(outcast). **—***a*. 난파한(wrecked); 신에게서〔세상에서〕 버림받은, 쓸모가 없는; 무뢰한의.

◇**caste** [kæst, kɑːst] *n*. **1** Ⓒ 카스트, 4성(性)《인도의 세습적인 계급; Brahman, Kshatriya, Vaisya, Sudra》; Ⓤ 4성(姓) 제도. **2** Ⓒ 배타적〔특권〕 계급; Ⓤ 폐쇄적 사회 제도. **3** Ⓤ 사회적 지위: lose ~ 사회적 지위를 잃다, 위신〔신망, 체면〕을 잃다.

cas·tel·lat·ed [kǽstəlèitid] *a*. 성곽풍(風)의, 성 같은 구조의; (지역이) 성이 많은.

cást·er *n*. Ⓒ **1** 던지는 사람; 주조자, 주물공; 계산자(者); 배역 담당자; 노름꾼. **2** (피아노·의자 등의) 다리 바퀴; 양념병; 양념병대(臺)(cruet stand). ★ 2는 castor로도 적음.

cáster sùgar =CASTOR SUGAR.

cas·ti·gate [kǽstəgèit] *vt*. 매질하다, 가책하다, 징계하다(punish); 혹평하다.
㊎ **càs·ti·gá·tion** *n*. Ⓤ (구체적으로는 Ⓒ) 견책, 징계; 혹평; 첨삭. **cás·ti·gà·tor** [-ər] *n*. **cás·ti·ga·tò·ry** [-gətɔ̀ːri/-gèitə-] *a*.

Cas·tile [kæstíːl] *n*. **1** 카스티야《스페인 중부에 있던 옛 왕국》. **2** Ⓤ 캐스틸 비누(=∠ **sóap**)《올리브유가 주원료》. ㊎ **Cas·til·ian** [kæstíljən] *a*., *n*. Ⓒ 카스티야의 (사람); Ⓤ 카스티야어(語)《스페인의 표준어》.

cást·ing *n*. **1** Ⓤ 주조; Ⓒ 주물. **2** Ⓤ 던지기; Ⓒ (뱀의) 허물; (지렁이의) 똥. **3** Ⓤ 〖연극〗 배역.

cásting nèt 투망(投網), 좽이(cast net).

cásting vòte 캐스팅 보트《찬부 동수인 경우에 의장이 던지는 결정 투표》: have 〔hold〕 a ~ 캐스팅 보트를 쥐다.

cást íron 주철, 무쇠.

cást íron *a*. 주철〔무쇠〕의; 《비유적》 융통성 없는, 엄격한, 튼튼한, 불굴의: a ~ constitution 강건한 체격 / a ~ will 불굴의 의지.

****cas·tle** [kǽsl, kɑ́ːsl] *n*. Ⓒ **1 성**, 성곽: An Englishman's house is his ~. 《속담》 영국 사람의 집은 성이다《아무에게도 침입을 허락하지 않음》. **2** 대저택, 관(館)(mansion). **3** 〖체스〗 성장(城將)(rook)《장기의 차(車)에 해당함》.
(build) a ~ in the air 〔***in Spain***〕 공중누각(을 쌓다), 공상(에 잠기다). ★ (build) an air castle 이라고도 함.
—*vt*., *vi*. (…에) 성을 쌓다, 성곽을 두르다; (체

스에서) 성장(城將)으로 (왕을) 지키다.
㊊ ~d *a.* =CASTELLATED.

cást nèt =CASTING NET.

cást·òff *a., n.* Ⓒ 버림받은〔포기된〕 (사람〔물건〕); (보통 *pl.*) 벗어버린 (옷).

cás·tor[1] *n.* =CASTER 2.

cás·tor[2] *n.* Ⓤ 해리향(香)(=**cas·tó·re·um**)《약품·향수 원료용》; Ⓒ 비버털 모자.

cástor bèan 《美》 아주까리 열매.

cástor óil 아주까리 기름, 피마자유.

cástor-óil plànt 〖식물〗 아주까리.

cástor sùgar 《英》 가루 백설탕《양념병(caster)에 담아서 치는 데서》.

cas·trate [kǽstreit] *vt.* **1** 거세하다(geld). **2** (책)을 삭제 정정하다, 골자(骨子)를 빼어버리다.
㊊ **cas·trá·tion** *n.* Ⓤ 거세; 삭제 정정.

cas·tra·to [kæstrɑ́:tou] (*pl.* **-ti** [-ti]) *n.* Ⓒ 〖음악〗 카스트라토《주로 17-18세기의 이탈리아에서, 변성(變聲) 전의 고음을 유지하기 위해 거세된 남성 가수》.

Cas·tro [kǽstrou] *n.* **Fidel** ~ 카스트로 (1927-)《쿠바의 혁명가·수상 1959-》.

***cas·u·al** [kǽʒuəl] *a.* **1 우연한**(accidental), 생각지 않은, 뜻밖의: a ~ meeting 뜻밖의 만남/a ~ visitor 불쑥 찾아온 방문객/a ~ fire 실화. **2** 그때그때의, 일시적인, 임시의(occasional): ~ expenses 임시비, 잡비. **3 무심결의**: a ~ remark 무심결에 해버린〔문득 떠오른〕 말. **4** 무(관)심한《*about* …에 관해서》; 변덕스러운: a ~ air 무심한 태도/a very ~ sort of person 형편없는 변덕쟁이/She's ~ *about* her clothes. 그녀는 옷에 관심이 없다. **5** (태도·분위기 따위가) 격식을 차리지 않는; (옷 따위가) 약식의, 평상시에 입는: ~ wear 평상복. **6** (교섭·우정 따위가) 표면적인, 가벼운; 건성으로 하는, 겉보기만의: a ~ friendship 표면적인 우정/a ~ acquaintance 그저 안면이 있는 사람/take a ~ glance at ... …을 건성으로 한 번 훑어보다.
—*n.* **1 a** Ⓒ 임시〔자유〕 노동자, 부랑자. **b** (*pl.*) 《英》 임시 보호를 받고 있는 사람들. **2** Ⓒ (보통 *pl.*) 평상복, 캐주얼 웨어(=∠ **clóthes**); 캐주얼 슈즈(=∠ **shóes**). ㊊ ~**·ness** *n.*

cás·u·al·ly *ad.* 우연히; 불쑥, 별생각 없이; 임시로; 평상복으로.

°**cas·u·al·ty** [kǽʒuəlti] *n.* Ⓒ **1** (불의의) 사고(accident), 재난(mishap), 상해(傷害): ~ insurance 상해보험. **2** 사상자, 희생자, 부상자: heavy *casualties* 많은 사상자/total *casualties* 사상자 총수.

cásualty wàrd (병원의) 응급 의료실〔병동〕(=**cásualty depàrtment**).

cas·u·ist [kǽʒuist] *n.* Ⓒ 결의론자(決疑論者), 도학자; 궤변가(sophist).

cas·u·is·tic, -ti·cal [kæ̀ʒuístik], [-əl] *a.* 결의론(決疑論)적인, 도학자적인; 궤변의.
㊊ **-ti·cal·ly** *ad.*

cas·u·ist·ry [kǽʒuistri] *n.* Ⓤ 〖철학〗 결의론(決疑論), 결의법; 궤변, 부회.

ca·sus bel·li [kéisəs-bélai, kɑ́:səs-béli:] 《L.》 개전(開戰)의 이유(가 되는 사건·사태).

†**cat** [kæt] *n.* **1** Ⓒ **고양이**; 고양잇과의 동물《lion, tiger, panther, leopard 따위》: A ~ has nine lives. 《속담》 고양이는 목숨이 아홉 있다《여간해서 죽지 않는다》/A ~ may look at a king. 《속담》 고양이도 왕을 뵈올 수 있다《누구나 다 그에 상당한 권리는 있다》, 보는 것은 자유이다/All ~s are grey in the dark. 《속담》 어둠 속의 고양이는 모두 잿빛으로 보인다《미모 따위는 한 꺼풀 벗기면 다 같다》/Curiosity killed the ~. 《속담》 호기심은 신세를 망친다/When the ~'s away, the mice will 〔do〕 play. 《속담》 호랑이 없는 골에는 토끼가 스승이다. **2** Ⓒ 《구어》 심술궂은〔험담하는〕 여자. **3** (the ~) 《구어》 구승편(九繩鞭)(~-o'-nine-tails)《아홉 가닥의 채찍》. **4** Ⓒ 《속어》 사내, 놈(guy), 《특히》 재즈광(狂); =CAT BURGLAR.
be like a ~ on hot bricks 〔《美》 ***on a hot tin roof***〕 《구어》 안절부절 못하다. ***bell the ~*** ⇨ BELL. ***fight like ~s and dogs*** =***fight like Kilkenny*** [kilkéni] ***~s*** 쌍방이 쓰러질 때까지 싸우다. ***grin like a Cheshire ~*** ⇨ CHESHIRE CAT. ***It rains*** 〔***comes down***〕 ***~s and dogs.*** 비가 억수처럼 내린다. ***let the ~*** 〔***the ~ is***〕 ***out of the bag*** 《구어》 무심결에 비밀을 누설하다〔이 새다〕. ***not have a ~ in hell's chance*** =***not have a snowball's chance in hell*** 전혀 기회가〔가망이〕 없다. ***play ~ and mouse with*** ① …을 가지고 놀다, 곯리다. ② …을 불시에 치다, 앞지르다. ***put*** 〔***set***〕 ***the ~ among the pigeons*** 〔***the canaries***〕 《구어》 소동〔내분〕을 불러일으키다〔불러일으키도록 시키다〕. ***see*** 〔***watch***〕 ***which way the ~ will jump*** =***see how the ~ jumps*** =***wait for the ~ to jump*** 《구어》 형세를 관망하다, 기회를 엿보다. ***The ~ is out of the bag.*** 비밀이 샜다.

> **DIAL.** ***(Has the) cat got your tongue?*** 왜 가만 있는 거냐, 입이 없느냐.
> ***Look (at) what the cat dragged in!*** 이게 누구야, 이런 행색으로《뜻밖의 사람이 초라한 모습으로 나타났을 때 씀》.

—(**-tt-**) *vt.* 〖해사〗 (닻)을 닻걸이에 끌어올리다.
—*vi.* 《~/+副》 《속어》 여자를 찾아〔낚으러〕 어슬렁거리다(*around*).

cat. catalog(ue). **CAT** computer-aided testing (컴퓨터에 의한 제품 검사); computerized axial tomography (컴퓨터 엑스선 체축(體軸) 단층 촬영).

cat(·a)- [kǽt(ə)] *pref.* '하(下), 반(反), 오(誤), 전(全), 측(側)'의 뜻.

cat·a·bol·ic [kæ̀təbɑ́lik/-bɔ́l-] *a.* 〖생물〗 이화(異化) 작용의.

ca·tab·o·lism, ka- [kətǽbəlìzəm] *n.* Ⓤ 〖생물〗 이화(異化) 작용. ↔ *anabolism.*

cat·a·clysm [kǽtəklìzəm] *n.* Ⓒ 대홍수(deluge); 〖지질〗 지각 변동; (정치·사회적) 대변동, 격변(upheaval). ㊊ **cat·a·clys·mic** [kæ̀təklízmik] *a.*

cat·a·comb [kǽtəkòum] *n.* **1** Ⓒ (보통 *pl.*) 지하 묘지. **2** (the ~s, the C-s) (로마의) 카타콤《초기 기독교도의 박해 피난처》.

cat·a·falque [kǽtəfæ̀lk] *n.* Ⓒ 영구대(靈柩臺); 무개(無蓋)의 영구차(open hearse).

Cat·a·lan [kǽtələn, -læ̀n] *n.* Ⓒ 카탈로니아 사람; Ⓤ 카탈로니아 말《Andorra의 공용어》.
—*a.* 카탈로니아(사람〔말〕)의.

cat·a·lep·sy [kǽtəlèpsi] *n.* Ⓤ 〖의학〗 (전신) 강경증. ㊊ **-lép·tic** [-tik] *a., n.* Ⓒ 강경증의 (환자).

****cat·a·log,** 《英》 **-logue** [kǽtəlɔ̀:g, -lɑ̀g/-lɔ̀g] *n.* Ⓒ **1** (물품·책 따위의) **목록**, 카탈로그; 일람표; 도서관의 색인 목록〔카드〕: a ~ *of* new

books 신간서 카탈로그 / a library ~ 도서 목록. **2** 《美》 (대학의) 요람, 편람(《英》 calendar). ★ 미국에서도 catalogue로 철자하는 수가 종종 있으나 《특히》 2의 뜻으로 씀.
a card ~ 도서관의 색인 목록(카드).
—(*p., pp.* ***-log(u)ed; -log(u)·ing***) *vt., vi.* 목록을 만들다; 분류하다; 목록에 싣다〔실리다〕. [파] **-log(u)·er** *n.* [C] 목록 편집자〔작성자〕.

Cat·a·lo·nia [kæ̀təlóuniə, -njə] *n.* 카탈로니아 《스페인 북동부 지방》.

ca·tal·pa [kətǽlpə] *n.* [C] 〖식물〗 개오동나무.

ca·tal·y·sis [kətǽləsis] (*pl.* ***-ses*** [-sìːz]) *n.* [U] 〖화학〗 촉매 현상〔작용〕, 접촉 반응; [C] 유인(誘因).

cat·a·lyst [kǽtəlist] *n.* [C] 〖화학〗 촉매(觸媒); 기폭제; 《비유적》 촉매 작용을 하는 사람〔것〕.

cat·a·lyt·ic [kæ̀təlítik] *a.* 촉매의〔에 의한〕: ~ action 〔reaction〕 촉매 작용〔반응〕.

catalýtic convèrter 촉매 컨버터 《자동차 배기 가스의 유해 성분을 무해화(無害化)하는 장치》.

catalýtic crácker (석유 정제의) 접촉 분해기 (= **cát cràcker**).

cat·a·lyze [kǽtəlàiz] *vt.* 〖화학〗 …에 촉매 작용을 미치게 하다; (화학 반응)을 촉진시키다.

cat·a·ma·ran [kæ̀təməræ̀n] *n.* [C] **1** 뗏목(배); (2개의 선체를 나란히 연결한) 쌍동선(雙胴船). **2** 《구어》 바가지 긁는 여자, 심술궂은 여자.

cat·a·mount [kǽtəmàunt] *n.* [C] 〖동물〗 고양잇과의 야생 동물 《특히 퓨마, 아메리카표범(cougar), 스라소니(lynx) 따위》.

cat-a-moun·tain, cat-o'- [kæ̀təmáuntən] *n.* [C] **1** 〖동물〗 고양잇과의 야생 동물 《특히 표범·유럽살쾡이 등》. **2** 싸움꾼.

cát-and-dóg [-ən-] *a.* [A] 심한, 서로 용납될 수 없는, 사이가 나쁜: a ~ competition 심한 경쟁 / lead 〔live〕 a ~ life (부부 등이) 늘 싸움만 하고 지내다 / be on ~ terms 견원지간이다.

cát-and-móuse *a.* [A] 쫓고 쫓기는, 끝까지 징계〔공격〕의 손을 늦추지 않는; 습격의 기회를 엿보는.

°**cat·a·pult** [kǽtəpʌ̀lt] *n.* [C] 노포(弩砲), 쇠뇌; 투석기; 《英》 (장난감) 새총(《美》 slingshot); 〖항공〗 캐터펄트 《항공 모함의 비행기 사출 장치》; 글라이더 시주기(始走器). —*vi., vt.* ~로 쏘다, 발사하다, 발진시키다〔하다〕.

***cat·a·ract** [kǽtərӕkt] *n.* **1** [C] **큰 폭포**([cf] cascade); (보통 *pl.*) 억수, 호우; 홍수(deluge); 분류(奔流). **2** [U] (구체적으로는 [C]) 〖의학〗 백내장(白內障).

ca·tarrh [kətáːr] *n.* [U] 〖의학〗 카타르; 《특히》 코〔인후〕 카타르; 《속어》 콧물. [파] **~·al** [-rəl] *a.* 카타르성의.

***ca·tas·tro·phe** [kətǽstrəfi] *n.* [C] **1** (희곡의) 대단원(大團圓); (비극의) 파국(denouement). **2 대이변**; 큰 재해. **3** 대실패, 파멸. **4** 〖지질〗 (지각(地殼)의) 격변, 대변동〔이변〕(cataclysm).
[파] **cat·a·stroph·ic** [kæ̀təstráfik/-strɔ́f-] *a.* **-i·cal·ly** *ad.*

Ca·taw·ba [kətɔ́ːbə] (*pl.* **~s,** 〔집합적〕 ~) *n.* **1 a** (the ~(s)) 카토바족(族) 《남·북 Carolina주에 살던 북아메리카 인디언》. **b** [C] 카토바족 사람. **2** [U] 카토바 말.

cát·bìrd *n.* [C] 〖조류〗 개똥지빠귀의 일종.

cátbird sèat 〔**posìtion**〕 《美구어》 유리한 〔부러운〕 입장〔상태, 지위〕.

cát·bòat *n.* [C] 외대박이 작은 돛배.

cát bùrglar (천창(天窓)이나 이층 창으로 침입하는) 밤도둑.

cát·càll *n.* [C] (집회·극장 따위에서의) 고양이 울음 소리를 흉내내어 하는 야유, 야유의 휘파람. —*vi., vt.* 야유하다. [파] **~·er** *n.*

†**catch** [kætʃ] (*p., pp.* ***caught*** [kɔːt]) *vt.* **1** 《~+[목]/+[목]+[전]+[명]》 **붙들다**, 쥐다, (붙)잡다 《***by*** (손·발 따위)를》: ~ a person's arm 아무의 팔을 붙들다 / ~ a person *by* the arm 아무의 팔을 붙들다. ★ 앞 용례는 '팔'에 초점이 있고, 뒤 용례는 '사람'에 초점이 있음.
[SYN] **catch** '붙잡다'를 뜻하는 일반적인 말. **capture** 완력이나 책략으로 붙잡는다는 뜻. catch보다 격식차린 딱딱한 말. **trap, snare** 덫〔함정〕을 이용하여 잡는다는 뜻.
2 《~+[목]/+[목]+[보]/+[목]+[전]+[명]》 쫓아가서 잡다, (범인 따위)를 붙잡다; (새·짐승·물고기 따위)를 포획하다 《***in*** (덫·망 따위)로》: ~ a thief 도둑을 잡다 / He has been *caught* several times for speeding. 그는 속도위반으로 몇 번 체포되었다 / ~ a lion alive 사자를 산 채로 잡다 / ~ a rat *in* a trap 쥐 덫으로 쥐를 잡다.
3 (열차·버스 따위)의 시간에 (맞게) 대다: ~ the 7:30 train, 7시30분 열차 시간에 대다 / ~ the mail 〔post〕 우편 집배 시간에 대다.
4 (기회 따위)를 잡다: ~ an opportunity of going abroad 외국에 갈 기회를 잡다.
5 《~+[목]/+[목]+[전]+[명]/+[목]+*-ing*》 (아무가 …하고 있는 것)을 붙들다, 발견하다: Don't let him ~ you. 그에게 들키지 않도록 해라 / I was fairly *caught in* the act of sneak*ing* out. 나는 몰래 빠져나가려다 발각되고 말았다 / He was *caught* steal*ing*. 그는 훔치는 현장에서 잡혔다 / (You'll never) ~ me do*ing* that! 내가 그런 짓을 할 것 같으냐.
6 (불시에) **습격하다**; 함정에 빠뜨리다, 올가미에 걸다: I *caught* him unawares. 그가 방심하고 있는 걸 붙들었다.
7 (사고·폭풍 따위가) 엄습하다, 휘말다, 말려들게 하다 《★ 흔히 수동태로 쓰며, 전치사는 *in, by*》: We *were caught in* a fog. 우리는 안개에 휩싸였다.
8 《~+[목]/+[목]+[부]》 (던진 것·가까이 온 것)을 받다; 공을 받아 (타자)를 아웃시키다 (*out*): ~ a fast ball 속구를 받다.
9 (주의·시선 따위)를 끌다: He tried to ~ my attention. 그는 나의 주의를 끌려고 했다 / Beauty ~*es* the eyes. 미인은 사람들의 시선을 끈다.
10 《+[목]+[전]+[명]/+[목]+[목]》 (낙하물·던진 것 따위가) **맞다** 《***on, in*** (신체의 일부분)에》; (아무)에게 가하다 《***with*** (타격 따위)를》: A stone *caught* me *on* the head. 돌이 나의 머리에 맞았다 / I *caught* him one *on* the jaw. = I *caught* him *on* the jaw *with* a punch. 나는 그 자의 턱에 한방 먹였다.
11 (소리·냄새 따위가 귀·코)에 미치다: A distant sound *caught* my ear. 멀리서 소리가 들려왔다.
12 파악〔포착〕하다, 알아차리다; (말·소리)를 알아듣다: ~ the situation 사정을 이해〔파악〕하다 / ~ sight of …을 발견하다 / He *caught* the smell of something burning. 그는 뭔가 타는 냄새를 맡았다 / I could not ~ what he said. 나는 그가 말하는 것을 이해하지 못했다.
13 a (옷·손가락 따위가 …에) 걸리다, 얽히다: A nail *caught* her dress. 못에 옷이 걸렸다 /

Her sleeve *caught* the coffee cup and knocked it to the floor. 그녀의 옷소매에 커피 잔이 걸려 마루에 떨어졌다. **b** 《+목+전+명》 …을 걸리게〔끼이게〕 하다, 얽히게 하다《***on, in*** …에; ***between*** (둘) 사이에》: ~ a finger *in* the door 문에 손가락이 끼이다/He *caught* his coat *on* a hook. 그는 코트가 고리에 걸렸다/I *caught* my foot *on* a table leg and tripped. 나는 테이블 다리에 발이 걸려 비틀거렸다.
14 (건물 따위에 불이) 붙다; Paper *~es* fire easily. 종이는 불이 쉬이 붙는다.
15 (병)에 **걸리다**, 감염되다: ~ (a) cold 감기에 걸리다/~ (the) flu 독감에 걸리다/~ a disease (감염되어) 병에 걸리다.
16 (아무)를 속이다: Her promise of a kiss *caught* him. 키스해 주겠다는 약속에 그는 속았다.
—*vi.* **1** 《+전+명》 **붙들려고 하다**, 급히 잡다《***at*** …을》: A drowning man will ~ *at* a straw. 《속담》 물에 빠진 사람은 지푸라기라도 붙잡는다/~ *at* an opportunity 기회를 포착하다. **2** 《+전+명》 걸리다, 휘감기다《***on, in*** …에》: My sleeve has *caught on* a nail. 소매가 못에 걸렸다/The kite *caught in* the trees. 연이 나무에 걸렸다. **3** (자물쇠 따위가) 걸리다; (톱니바퀴가) 서로 물리다: Did the lock ~ ? 자물쇠가 채워졌느냐. **4** (불이) 댕기다, 번지다; (물건이) 발화하다; (엔진 따위가) 작동하다, 걸리다: The fire has *caught*. 불이 붙었다/This match will not ~. 이 성냥은 불이 잘 안 붙는다/It took several minutes before the engine *caught*. 엔진이 걸리기까지 몇 분 걸렸다. **5** 〖야구〗 캐처 노릇을 하다.
~ on 《*vi.*+부》 ① 알다, 이해하다《***to*** …을》: He's slow to ~ *on*. 그는 이해가 더디다/I don't ~ *on to* what you're driving at. 네가 무엇을 (말)하려는지 모르겠다. ② 인기를 얻다; 유행하다: The song *caught on* quickly. 그 노래는 빠르게 유행되었다. ***~ out*** 《*vt.*+부》 ① 〖야구〗 공을 받아 (타자)를 아웃시키다. ② …의 잘못〔거짓〕을 간파하다: ~ *out* a person in a lie 아무의 거짓말을 알아채다/Tom was *caught out*. 톰의 잘못이 드러났다. ~ ***one's breath*** (놀라서) 숨을 죽이다, 헐떡거리다. ***~ up*** 《*vt.*+부》 ① …을 급히 집어〔들어〕 올리다: ~ *up* one's bag and run out 가방을 급히 집어들고 달려나가다. ② (아무)를 따라잡다, 뒤지지 않고 따라가다: He couldn't ~ *up* the leader. 그는 선도자를 따라잡을 수 없었다. ③ 〖흔히 수동태〗 (아무)를 열중〔몰두〕하게 하다; 휘말려들게 하다《***in*** …에》: *be caught up in* talking with a friend 친구와의 대화에 열중하다/*be caught up in* a bribery scandal 수회 의혹 사건에 휘말려들다. —《*vi.*+부》 ④ 뒤지지 않고 따라가다, 따라잡다《***with*** …을》: Go on ahead. I'll soon ~ *up* (*with* you). 앞에 가시오. 곧 따라잡을 테니/cannot ~ *up with* fast increase in the cost of living 빠르게 치솟는 생활비를 따라갈 수가 없다. ⑤ 뒤진 진도를 만회하다《***on*** (일 따위)의》: ~ *up on* one's lessons 학과의 진도를 만회하다.

> **DIAL.** ***Catch me later*** 〔***some other time***〕. 다음에 얘기하지요《상대방이 무슨 말을 하려고 하는데 바빠서 얘기할 수 없을 때 씀》.
> ***(I'll) catch you later.*** 그럼 다음에 또 이야기합시다.
> ***You'll catch it.*** (그러면) 야단맞을걸.

—*n.* **1** Ⓒ 붙듦, 잡음; 〖야구〗 공을 잡음, 포구(捕球); Ⓤ 캐치볼(놀이): He made a fine 〔nice〕 ~. 그는 멋지게 공을 받았다/He missed the ~. 그는 공을 놓쳤다. **2** Ⓒ 잡은 것, 어획물(량): a ~ quota 어획 할당(량)/a good 〔fine, large〕 ~ of fish 풍어. **3** Ⓒ 횡재물; 좋은 결혼 상대: a good ~ 좋은 결혼 상대. **4** Ⓒ (숨·목소리의) 막힘, 메임: speak with a little ~ in one's voice 약간 목이 멘 소리로 말하다. **5** Ⓒ (문 따위의) 걸쇠, 고리, 손잡이. **6** Ⓒ 《구어》 함정, 올가미, 책략: There's a ~ in it. 속지 마라. **7** Ⓒ 〖음악〗 (익살맞은 효과를 노리는) 윤창곡, 돌려부르기; 단편(斷片): *~es* of a song 노래의 중간중간.

> **DIAL.** ***What's the catch?*** 이건 무슨 꿍꿍이가 있는 것 아냐《무슨 함정 따위가 있는 것 같을 때 씀》.

—*a.* Ⓐ **1** (질문 따위가) 함정이 있는: a ~ question (시험에서) 함정이 있는 문제, 난문. **2** 주의를 끄는, 흥미를 돋구는: a ~ line 사람의 주의를 끄는 선전 문구.

cátch·àll *n.* Ⓒ **1** 잡낭, 잡동사니 주머니〔그릇〕. **2** 포괄적인 것. **—*a.*** Ⓐ 일체를 포함하는, 다목적용의: a ~ term 포괄적인 말〔구〕.

cátch-as-cátch-cán *n.* Ⓤ 랭커셔식〔자유형〕 레슬링. ⓒⓕ Greco-Roman. **—*a.*** Ⓐ 《구어》 수단을 가리지 않는, 닥치는 대로의, 계획성 없는: in a ~ fashion 무계획적으로/lead a ~ life 하루 벌어 하루 사는 생활을 하다.

cátch cròp 〖농업〗 간작(間作) 작물.

***catch·er** [kǽtʃər] *n.* Ⓒ **잡는 사람**〔**도구**〕; 〖야구〗 포수, 캐처; (고래잡이의) 캐처보트, 포경선.

cátch·flỳ *n.* Ⓒ 〖식물〗 끈끈이대나물.

cátch·ing *a.* 전염성의; 매력적인: Yawns are ~. 하품은 전염된다.

cátch·ment *n.* Ⓤ 집수(集水); Ⓒ 저수지; 집수량.

cátchment àrea 〔**bàsin**〕 집수 지역, 유역(流域); 《英》 통학〔통원〕 범위〔권〕.

cátch·pènny *a.* Ⓐ, *n.* Ⓒ 당장 잘 팔리게 만든 (물건), 값싸고 번드르르한 (물건): a ~ book 〔show〕 대중적 인기를 끄는 책〔쇼〕.

cátch phràse 캐치프레이즈, 사람의 주의를 끄는 글귀, (짤막한) 유행어, 경구, 표어.

cátch-22 [-twèntitúː] (때로 C-) 《구어》 *n.* Ⓒ (모순되는 규칙·상황에 의해) 꼭 묶인 상태, (곤란으로) 꼼짝할 수 없는 상태; 모순되는 규칙〔상황〕. **—*a.*** Ⓐ 꼼짝할 수 없는.

cátch·up *n.* =KETCHUP.

cátch·ùp *n.* Ⓤ 따라잡으려는 노력, 만회: play ~ 지연을 만회하려고〔상대를 따라잡으려고〕 분투하다〔애쓰다〕.

cátch·wèight *n.* Ⓤ, *a.* 〖경기〗 무제한급(의).

cátch·wòrd *n.* Ⓒ **1** 표어, 슬로건. **2** (사서류의) 난외 표제어, 색인어(guide word). **3** 〖연극〗 상대 배우가 이어받도록 넘겨주는 대사.

catchy [kǽtʃi] (***catch·i·er; -i·est***) *a.* 《구어》 **1** 인기 끌 것 같은. **2** (재미있어) 외기 쉬운《곡조 등》. **3** 걸려들기 알맞은, 틀리기 쉬운《질문 따위》. **4** (바람 등이) 변덕스러운, 단속적인.

cat·e·chet·ic, -i·cal [kæ̀təkétik], [-əl] *a.* 문답식의; 〖교회〗 교리 문답의.

cat·e·chism [kǽtəkìzəm] *n.* **1** 〖교회〗 Ⓤ 교리 문답; Ⓒ 교리 문답책. **2** Ⓤ 문답식 교수(법). **3** Ⓒ 연속적인 질문, 계속적인 질문: put a person through a 〔his〕 ~ 아무에게 질문 공세하다.

cat·e·chist [kǽtəkist] *n.* Ⓒ 교리 문답 교수

자; 전도사.
cat·e·chize, -chise [kǽtəkàiz] *vt.* 문답식으로 가르치다《특히 기독교 교의에 대하여》; …에게 캐어묻다; 심문하다.
㊇ **-chìz·er** *n.*
cat·e·chu [kǽtətʃùː] *n.* [U] 아선약(阿仙藥)《지사제(止瀉劑)》.
cat·e·chu·men [kæ̀təkjúːmən/-men] *n.* [C] 〖교회〗 (교의 수강 중인) 예비 신자; 입문자.
cat·e·gor·i·cal [kæ̀təgɔ́ːrikəl, -gɑ́r-/-gɔ́r-] *a.* **1** 절대적인, (답·진술 따위가) 단정적인. **2** 〖논리〗 직언적인, 단언적인(positive). **3** 범주에 속하는. ㊇ **~·ly** *ad.* 절대로, 단호히.
cat·e·go·rize [kǽtigəràiz] *vt.* 분류하다, 유별하다.
◇**cat·e·go·ry** [kǽtəgɔ̀ːri/-gəri] *n.* [C] 〖논리〗 범주, 카테고리; 종류, 부류, 부문: They were put into 〔placed in〕 two *categories*. 그것들은 두 부문으로 나뉘었다.
cat·e·nary [kǽtənèri/kətíːnəri] *n.* [C] (전차의) 가선(架線)을 매다는 선; 〖수학〗 현수선(懸垂線). **—***a.* [A] 현수선의.
cat·e·nate [kǽtənèit] *vt.* 연쇄(連鎖)하다, 쇠사슬(꼴)로 연결하다. ㊇ **càt·e·ná·tion** *n.*
◇**ca·ter** [kéitər] *vi.* **1** 음식물을 조달〔장만〕하다《***for*** (연회 따위)의》: ~ *for* a feast 연회용 요리를 장만하다. **2** 부응하다《***to, for*** (요구 따위)에》: ~ *for* a person's enjoyments 아무에게 오락을 제공하다 / ~ *to* their needs 그들의 필요에 응하다 / The store ~*s to* young people. 그 상점은 젊은이를 대상으로 하고 있다. **—***vt.* (연회 따위의 요리·서비스 등)을 제공하다.
cat·er·cor·ner, -cor·nered [kǽtərkɔ̀ːrnər/kéit-], [-nərd] *a., ad.* 《美》 대각선상의〔에〕: walk ~ across the road 길을 비스듬히 걸어서 건너다.
cá·ter·er [-rər] (*fem.* **-ess** [-ris]) *n.* [C] 요리 조달자, 음식을 마련하는 사람; (호텔 따위의) 연회 주선 담당자.
◇**cat·er·pil·lar** [kǽtərpìlər] *n.* [C] **1** 모충(毛蟲), 풀쐐기《나비·나방 따위의 유충》. **2** 무한 궤도; 캐터필러; (C-) 무한 궤도식 트랙터《상표명》.
cáterpillar trèad 무한 궤도.
cat·er·waul [kǽtərwɔ̀ːl] *vi.* (고양이가) 암내 나서 울다; (고양이처럼) 서로 으르렁대다.
—*n.* [C] 암내난 고양이의 울음소리; 서로 으르렁대는 소리.
cát·fish (*pl.* ~**(es)**) *n.* [C] 〖어류〗 메기의 일종.
cát·gùt *n.* [U] 장선(腸線), 거트《현악기·라켓에 쓰이는》.
Cath. Cathedral; Catherine; Catholic.
ca·thar·sis [kəθɑ́ːrsis] (*pl.* **-ses** [-siːz]) *n.* [U] (구체적으로는 [C]) **1** 〖의학〗 배변(排便), (하제(下劑)에 의한) 변통(便通). **2 a** 〖문학〗 정화(淨化), 상상석 성험, 카타르시스《비극 따위에 의한 정신의 정화》. **b** 〖정신의학〗 정화(법)《정신요법의 일종; 콤플렉스·공포 등을 배출하여 경감시킴》.
ca·thar·tic [kəθɑ́ːrtik] *a.* **1** 〖문학〗 카타르시스의〔를 일으키는〕. **2** 배변(排便)을 촉진하는, 변통(便通)시키는(=**ca·thár·ti·cal**). **—***n.* [C] 하제(下劑), 변통약.
Ca·thay [kæθéi, kə-] *n.* 《고어·시어》 중국.
cát·hèad *n.* [C] 〖해사〗 (이물 양쪽의) 닻고리, 양묘기(揚錨機).
ca·the·dra [kəθíːdrə] (*pl.* **-drae** [-driː], ~**s**) *n.* [C] 주교좌; 〘일반적〙 권좌.

ca·the·dral** [kəθíːdrəl] *n.* [C] **주교좌 성당**, 대성당《bishop의 교좌가 있고, 교구의 중심 교회임》. **—a.* [A] 주교좌가 있는; 대성당의〔이 있는〕; 권위 있는: a ~ city 대성당이 있는 도시.
Cáth·e·rine whèel [kǽθərin-] 〖건축〗 바퀴 모양의 원창(圓窓); 윤전(輪轉) 불꽃(pinwheel).
cath·e·ter [kǽθitər] *n.* [C] 〖의학〗 카테터: a ureteral ~ 도뇨관(導尿管).
cath·ode [kǽθoud] *n.* [C] 〖전기〗 (전해조·전자관의) 음극; (축전지 등의) 양극. ↔ *anode*.
cáthode rày 음극선.
cáthode-ràу tùbe 음극선관, 브라운관《생략: CRT》.
Cath·o·lic** [kǽθəlik] *a.* **1** 《특히》 (로마) **가톨릭교의**, 천주교의, (신교에 대해) 구교의. **2** (동서교회 분열 이전의) 전(全)그리스도 교회의. **3** 서방교회의《Eastern Orthodox에 대해》. **4** (c-) 광범위한, 다방면의, 보편적인, 전반적인(universal); 포용력 있는; 마음이 넓은《in*** (관심·흥미·취미 따위)가》: *catholic in* one's taste 취미가 다방면인. **—***n.* [C] 《특히》 (로마) 가톨릭교도, 구교도, 천주교도.
ca·thol·i·cal·ly [kəθɑ́likəli/-θɔ́l-] *ad.* 보편적〔전반적〕으로; 가톨릭교적으로; 관대히.
Cátholic Chúrch (the ~) (로마) 가톨릭 교회《가톨릭 교회의 자칭; 딴 교회에서는 Roman Church라 부름》; 전기독교회.
Cátholic Epístles (the ~) 〖성서〗 공동 서한《James, Peter, Jude 및 John이 일반 신도에게 보낸 7교서》.
Ca·thol·i·cism [kəθɑ́ləsìzəm/-θɔ́l-] *n.* [U] 가톨릭교의 교의; 가톨릭주의.
cath·o·lic·i·ty [kæ̀θəlísəti] *n.* [U] **1** 보편성; 관심〔흥미〕의 다방면성; 관용, 도량(generosity). **2** (C-) =CATHOLICISM.
ca·thol·i·cize [kəθɑ́ləsàiz/-θɔ́l-] *vt.* 일반화〔보편화〕하다; (C-) 가톨릭교도로 하다. **—***vi.* 일반화〔보편화〕되다; (C-) 가톨릭교도가 되다.
cát·hòuse *n.* [C] 《美속어》 갈봇집, 매음굴(brothel).
cat·i·on [kǽtàiən] *n.* [C] 〖화학〗 양(陽)이온. ↔ *anion*.
cat·kin [kǽtkin] *n.* [C] 〖식물〗 (버드나무·밤나무 등의) 유제(葇荑) 꽃차례.
cát·lìke *a.* 고양이 같은; 재빠른, 몰래 다니는.
cát·mìnt *n.* [C] 〖식물〗 개박하《고양이가 좋아함》.
cát·nàp *n.* [C], *vi.* 선잠〔풋잠, 노루잠〕(을 자다) (doze).
cat·nip [kǽtnip] *n.* =CATMINT.
cat-o'-nine-tails [kæ̀tənáintèilz] *n.* [C] 〘단·복수동형〙 아홉 가닥으로 된 채찍《체벌용(體罰用)》.
CAT scàn [sìːèitíː-, kǽt-] 〖의학〗 컴퓨터 엑스선 체축(體軸) 단층 사진. [cf.] CAT.
CÁT scànner 〖의학〗 컴퓨터 엑스선 체축 단층 촬영 장치, CAT 스캐너.
cát's cràdle 실뜨기(놀이).
cát's-èye *n.* [C] 묘안석(猫眼石); 야간 반사경〔반사 장치〕《도로상·자동차 뒤 따위의》.
cát's pajàmas (the ~) =CAT'S WHISKERS.
cát's-pàw *n.* [C] **1** 〖항해〗 미풍, 연풍(軟風). **2** 앞잡이, 끄나풀, 괴뢰: make a ~ of a person 아무를 앞잡이로 쓰다.
cát·sùit *n.* =JUMP SUIT.

cat·sup [kǽtsəp, kétʃəp] *n.* =KETCHUP.

cát('s) whìskers (the ~) 《속어》 자랑거리, 굉장한 것(=**cát's mèow**).

cát·tàil *n.* Ⓒ 【식물】 부들(개지).

cat·ter·y [kǽtəri] *n.* Ⓒ 고양이 사육장, 고양이집.

cat·tish [kǽtiʃ] *a.* 고양이 같은; 교활한(sly), 심술궂은: a ~ remark 악의 있는 비평/a ~ gossip 심술궂은 소문.

⁑**cat·tle** [kǽtl] *n.* 〖집합적; 복수취급〗 **1** 소, 축우(cows and bulls): twenty (head of) ~ 소 20마리/Are all the ~ in? 소는 모두 들여놓았느냐. **2** 《경멸적》 하층민, 벌레 같은 인간(vermin, insects).

cáttle càke 《英》 덩어리로 된 사료.

cáttle grìd 《英》 =CATTLE GUARD.

cáttle guàrd 《美》 (가축 탈출 방지용) 도랑.

cáttle·man [-mən, -mæ̀n] (*pl.* **-men** [-mən]) *n.* Ⓒ 《美》 목장 주인, 목축업자; 소치는 사람.

cat·tle·ya [kǽtliə] *n.* Ⓒ 【식물】 양란(洋蘭)의 일종.

cat·ty [kǽti] (*cat·ti·er; -ti·est*) *a.* =CATTISH.

CATV community antenna television (유선〔공동 안테나〕 텔레비전). ⓒⓕ cable TV.

cát·wàlk *n.* Ⓒ 좁은 통로《비행기 안·교량 등의 한쪽에 마련된》; 《英》 (패션쇼 따위의) 객석으로 튀어나온 좁다란 무대.

Cau·ca·sia [kɔːkéiʒə, -ʃə/-zjə] *n.* 카프카스, 코카서스《흑해와 카스피해 사이의 한 지방》.

Cau·ca·sian [kɔːkéiʒən, -ʃən/-zjən] *a.* 카프카스 지방〔산맥〕의; 카프카스 사람의; 백색 인종의. **—***n.* Ⓒ 백인; 카프카스 사람.

Cau·ca·soid [kɔ́ːkəsɔ̀id] *a., n.* Ⓒ 코카소이드(의), 코카서스 인종(의).

Cau·ca·sus [kɔ́ːkəsəs] *n.* (the ~) 카프카스 산맥〔지방〕.

cau·cus [kɔ́ːkəs] *n.* Ⓒ 〖집합적; 단·복수취급〗 《美》 (정당 등의 대표 선출·정책 작성·후보 지명 등을 토의하는) 간부 회의; 《英》 《흔히 경멸적》 정당 지부 간부회 (제도). **—***vi.* 《美》 간부회를 열다.

cau·dal [kɔ́ːdəl] *a.* 【동물】 꼬리의; 미부(尾部)의; 꼬리 비슷한: a ~ fin 꼬리지느러미. ㊕ **~·ly** [-dəli] *ad.*

caught [kɔːt] CATCH의 과거·과거 분사.

caul [kɔːl] *n.* Ⓒ 【해부】 대망막(大網膜)《태아가 간혹 머리에 뒤집어쓰고 나오는 양막(羊膜)의 일부》.

caul·dron [kɔ́ːldrən] *n.* =CALDRON.

cau·li·flow·er [kɔ́ːləflàuər] *n.* Ⓒ (식품은 Ⓤ) 콜리플라워, 꽃양배추.

cáuliflower éar (권투선수 등의) 찌그러진 귀.

caulk [kɔːk] *vt.* (뱃널 틈)을 뱃밥으로 메우다; (창틀·파이프 이음매 등의 틈을 메워서) 물이〔공기가〕 새는 것을 막다, …에 코킹하다.

cáulk·ing *n.* Ⓤ 뱃밥으로 메우기; 누수 방지, 코킹.

caus·al [kɔ́ːzəl] *a.* 원인의; 원인이 되는; 원인을 나타내는; 인과(관계)의: ~ relation 인과 관계/a ~ conjunction 원인을 나타내는 접속사《because, for, since 따위》. ㊕ **~·ly** *ad.*

cau·sal·i·ty [kɔːzǽləti] *n.* Ⓤ **1** 인과 관계; 인과율(the law of ~). **2** 작인(作因).

cau·sa·tion [kɔːzéiʃən] *n.* Ⓤ 원인(작용); 인과 관계.

caus·a·tive [kɔ́ːzətiv] *a.* **1** 원인이 되는: a ~ agent 작인(作因)/Slums are often ~ *of* crime. 슬럼가는 종종 범죄의 원인이 된다. **2** 【문법】 원인 표시의; 사역(使役)의: ~ verbs 사역동사《make, let 따위》. **—***n.* Ⓒ 사역동사.

㊕ **~·ly** *ad.* **~·ness** *n.*

⁑**cause** [kɔːz] *n.* **1** Ⓤ (구체적으로는 Ⓒ) **원인**(↔ *effect*): ~ and effect 원인과 결과/the ~ *of* death 사인. **2** Ⓤ 이유(reason), 까닭, 근거, 동기《**for** …의/**to** do》: a ~ *for* a crime 범죄의 동기/show ~ 【법률】 정당한 이유를 제시하다/I have no ~ *to* hold a grudge against him. 나는 그에게 원한을 품을 이유가 없다. SYN. ⇨ORIGIN. **3** Ⓒ **주의**, 주장; 대의; …운동: the temperance ~ 금주 운동/work for a good ~ 대의를 위해서 일하다/the ~ *of* feminism 여권주의의 주장. **4** Ⓒ 【법률】 소송 (사건).

in* 〔*for*〕 *the* ~ *of …을 위하여: fight *in the* ~ *of* justice 정의를 위해 싸우다. ***make* 〔*join*〕 *common* ~ *with*** …와 제휴〔협력〕하다, 공동 전선을 펴다: They *made common* ~ *with* neighboring countries and succeeded in reducing tariffs. 그들은 인접 국가들과 협력하여 관세 인하에 성공했다.

—*vt.* **1** …의 **원인이 되다**; …을 **일으키다**: His death was ~*d* by a high fever. 고열이 그의 사망 원인이 되었다. **2** 《+목+*to* do》 …으로 하여금 —하게 하다: ~ him *to* protest 그로 하여금 항의하게 하다/This ~*d* her *to* change her mind. 이것 때문에 그녀는 마음이 변했다. **3** 《+목+목/+목+전+명》 (걱정·폐 따위)를 끼치다《**to, for** …에게》: The matter ~*d* her a great deal of trouble. =The matter ~*d* a great deal of trouble *to* 〔*for*〕 her. 그 일로 그녀는 큰 곤란을 겪었다/We were ~*d* a great deal of grief by her death. 그녀의 죽음은 우리에게 큰 슬픔을 주었다.

'cause [kɔːz, kʌz, 약 kəz] *conj.* 《구어》 = BECAUSE.

cause cé·lè·bre [kɔ́ːzsəlébrə] (*pl.* ***causes cé·lè·bres*** [—]) 《F.》 (=famous case) 유명한 소송〔재판〕 사건.

cáuse·less *a.* 우발적인, 까닭 없는: ~ anger 이유 없는 분노. ㊕ **~·ly** *ad.*

cau·se·rie [kòuzəríː] *n.* 《F.》 Ⓒ 잡담, 한담; (신문 등의) 수필, 만필.

cáuse·wày *n.* Ⓒ 둑〔방죽〕길《습지에 흙을 쌓아 돋운》; (차도보다 높게 돋운) 인도; 포도.

°**caus·tic** [kɔ́ːstik] *a.* 부식성의, 가성(苛性)의; 신랄한(sarcastic), 통렬한, 빈정대는: ~ alkali 가성 알칼리/~ lime 생석회/~ remarks 신랄한 비평/a ~ tongue 독설. **—***n.* Ⓤ (종류는 Ⓒ) 부식제. ㊕ **-ti·cal·ly** [-kəli] *ad.*

cau·ter·ize [kɔ́ːtəràiz] *vt.* 【의학】 (병든 곳)을 태우다《치료 목적으로》. ㊕ **càu·ter·i·zá·tion** *n.* Ⓤ 【의학】 소작(燒灼)(법).

cau·tery [kɔ́ːtəri] *n.* Ⓤ 【의학】 (조직을 파괴하기 위한) 소작(燒灼)법; Ⓒ 소작기, 소작 인두.

⁑**cau·tion** [kɔ́ːʃən] *n.* **1** Ⓤ **조심**, 신중(carefulness): with ~ 조심하여, 신중히/use ~ 조심하다. **2** Ⓒ **경고**, 훈계: dismiss the offender with a ~ 경고〔훈계〕를 하고 위반자를 방면하다. **3** (a ~) 《구어》 몹시 놀라운 것〔사람〕, 괴짜: Well, you're a ~! 너 여간내기가 아니구나.

for* ~*'s sake =***by way of*** ~ 다짐〔확실히〕 해두기 위하여. ***throw* 〔*fling*〕 ~ *to the winds*** (경솔하게) 대담한 행동을 하다.

—*vt.* 《~+목/+목+전+명/+목+*to* do/+목+*that* 절》 …에게 조심시키다, **경고하다**(warn)《***against*** …을 하지 않도록; ***for*** …을; ***about*** …에 대하여》: The policeman *~ed* the driver. 경찰관은 운전사에게 주의를 주었다/I *~ed* him *against* 〔*to* avoid〕 dangers. 그에게 위험을 피하도록 주의시켰다/The doctor *~ed* me *for* drink*ing* too much. 의사는 나에게 과음한다고 주의를 주었다/I must ~ you *that* you are trespassing. 나는 자네가 권리 침해를 하고 있음을 경고해야겠네/The flight attendant *~ed* the passengers *about* smok*ing*. 비행기 승무원이 승객에게 흡연에 대하여 주의를 주었다.

㊞ **~·ary** [-nèri/-nəri] *a.* Ⓐ 경계〔훈계〕의.

cau·tious** [kɔ́ːʃəs] *a.* **주의 깊은,** 신중한, 조심하는《in, with*** …에; ***of, about*** …에 관해서/***to*** do》: be ~ *in* do*ing* …하는 데 신중하다; 조심하여 …하다/He was ~ *in* all his movements. 그는 일거수일투족에 신경을 썼다/He's ~ *with* money. 그는 돈에 있어서는 신중하다/He's very ~ *of* 〔*about*〕 giv*ing* offense to others. 그는 남의 감정을 상하지 않으려고 무척 조심한다/She's ~ not *to* be misunderstood. 그녀는 오해받지 않도록 조심한다. SYN. ⇨ CAREFUL. ㊞ ◇**~·ly** *ad.* **~·ness** *n.*

cav. cavalier; cavalry; cavity.

cav·al·cade [kæ̀vəlkéid] *n.* Ⓒ 기마〔마차, 자동차〕 행렬; 화려한 행렬, 퍼레이드; (행사 따위의) 연속.

◇**cav·a·lier** [kæ̀vəlíər] *n.* Ⓒ **1** 《英고어》 기사(knight). **2** 예절 바른 신사《기사도 정신을 가진》; (여성을 에스코트하는) 호위자(escort). **3** (C-) 〖英역사〗 (Charles 1세 시대의) 기사당원.

—*a.* Ⓐ **1** 대범한, 호방(豪放)한; 기사다운. **2** 거만한, 오만한(arrogant). ㊞ **~·ly** *ad.*

◇**cav·al·ry** [kǽvəlri] *n.* Ⓤ 〔집합적; 단·복수취급〕 기병대; 《美》 기갑 부대: heavy 〔light〕 ~ 중〔경〕기병.

cávalry·man [-mən] (*pl.* ***-men*** [-mən]) *n.* Ⓒ 기병.

cav·a·ti·na [kæ̀vətíːnə] (*pl.* ***-ne*** [-nei]) *n.* 《It.》 Ⓒ 〖음악〗 카바티나《짧은 서정 가곡·기악곡》.

****cave**[1] [keiv] *n.* Ⓒ **굴,** 동굴; 종유(鐘乳)〔석회〕 동굴; (토지의) 함몰. —*vi.* **1** 꺼지다, 함몰하다. **2** 《구어》 동굴 탐험을 하다.

~ ***in*** 《*vi.*+부》 ① (지붕·건물 따위가) 무너져 내리다; (지반·도로·광산 따위가) 함몰하다, 꺼지다; (모자·벽·볼 따위가) 움푹 들어가다. ② 《구어》 (사람이) 지쳐버리다. ③ (압력·설득 따위로) 굴복하다《***to*** …에》. ④ 《구어》 (사업이) 파산하다. —《*vt.*+부》 ⑤ (지반·지붕 따위)를 함몰시키다. ⑥ (모자·벽 따위)를 움푹 들어가게 하다.

ca·ve[2] [kéivə] *int.* 《L.》 《英학생속어》 (선생이 왔으니) 주의해라(Look out!).

ca·ve·at [kéiviæ̀t] *n.* Ⓒ 〖법률〗 소송 절차 정지 통고《***against*** …에 대한》; 경고, 주의: enter 〔file, put in〕 a ~ *against* …에 대한 소송 정지를 신청하다.

cáveat émp·tor [-émptɔːr] 《L.》 〖상업〗 구매자의 위험 부담.

cáve dwèller **1** =CAVEMAN. **2** 《구어》 (도시의) 아파트 주민.

cáve-ìn *n.* Ⓒ (광산의) 낙반; (토지의) 함몰 (장소).

◇**cáve·màn** [-mæ̀n] (*pl.* ***-men*** [-mèn]) *n.* Ⓒ (석기 시대의) 동굴 주거인; 《구어》 (여성에 대해) 난폭한 사람.

***cav·ern** [kǽvərn] *n.* Ⓒ **동굴,** 굴(cave).

cav·ern·ous [kǽvərnəs] *a.* 동굴의, 동굴이 많은; 동굴 모양의, 움푹 들어간《눈 따위》; 공동음(空洞音)의: a ~ chamber 휑뎅그렁한 큰 방.

◇**cav·i·ar(e)** [kǽviɑ̀ːr, ˌ-ˊ] *n.* Ⓤ 캐비아《철갑상어의 알젓》; 〔일반적〕 진미, 별미.

~ *to the general* 《문어》 보통 사람은 그 가치를 모를 일품(逸品), 돼지에 진주.

cav·il [kǽvəl] (***-l-,*** 《英》 ***-ll-***) *vi.* 흠잡다, 트집잡다《***at, about*** …을》: I found nothing to ~ *about*. 흠잡을 데가 없었다/He often *~s at* others' faults. 그는 곧잘 남의 흠을 잡는다.

—*n.* Ⓒ 트집; Ⓤ 트집 잡는 일.

◇**cav·i·ty** [kǽvəti] *n.* Ⓒ 구멍(hole), 공동; 〖해부〗 (신체의) 강(腔); 충치(구멍): the mouth 〔oral〕 ~ 구강/the nasal ~ 비강/I have three *cavities*. 나는 충치가 세 개 있다.

cávity wàll 〖건축〗 중공벽(中空壁)(hollow wall) 《단열 효과가 있는》.

ca·vort [kəvɔ́ːrt] *vi.* 《구어》 (말 따위가) 날뛰다, 껑충거리다; 신나게 뛰놀다(*about*).

ca·vy [kéivi] *n.* Ⓒ 〖동물〗 기니피그, 모르모트 《남아메리카산(產)》.

caw [kɔː] *vi.* (까마귀가) 울다; 까악까악 울다 (*out*). —*n.* Ⓒ 까악까악《까마귀 소리》.

Cax·ton [kǽkstən] *n.* **William ~** 캑스턴《영국 최초의 활판 인쇄·출판업자; 1422?-91》.

cay [kei, kiː] *n.* Ⓒ 작은 섬, 암초, 사주(砂洲).

cay·énne (**pépper**) [kaién(-), kei-] 〖식물〗 고추《hot pepper, red pepper 따위》; 고춧가루.

cay·man [kéimən] (*pl.* **~s**) *n.* Ⓒ 〖동물〗 큰 악어《라틴아메리카산(產)》.

CB 〖통신〗 citizens' band; Companion (of the Order) of the Bath. **Cb** 〖화학〗 columbium; 〖기상〗 cumulonimbus. **CBC** Canadian Broadcasting Corporation. **C.B.E.** Commander of (the Order of) the British Empire. **CBS** Columbia Broadcasting System《현재의 정식 명칭은 CBS Inc.임》. **CC, cc** carbon copy 〔copies〕. **cc.** centuries; chapters; copies. **cc, c.c.** cubic capacity; cubic centimeter(s). **C.C.** Chamber of Commerce; Circuit Court; County Council(lor); cricket club.

Ć clèf 다음자리표.

CCTV closed-circuit television (폐쇄 회로 텔레비전).

CD [síːdíː] (*pl.* ***CDs, CD's***) *n.* Ⓒ 콤팩트 디스크. [◂compact *d*isk]

CD, c/d 〖경제〗 certificate of deposit. **Cd** 〖화학〗 cadmium. **cd.** candela. **cd., cd** cord(s). **C.D.** Civil Defense. **CDR, Cdr.** Commander.

CD-ROM [síːdìːrɑ́m/-rɔ́m] *n.* Ⓤ 콤팩트 디스크형 판독 전용 메모리. [◂compact *d*isk *r*ead-*o*nly *m*emory]

CDT 《美》 Central Daylight Time (중부 여름 시간).

ĆD-vìdeo *n.* Ⓒ CD 비디오《생략 CDV》.

Ce 〖화학〗 cerium. **C.E.** Church of England; Civil 〔Chief〕 Engineer.

-ce [s] *suf.* 추상 명사를 만듦: diligence, intelligence. ★ 미국에서는 -se로 쓰는 수가 있음:

defense, offense, pretense.

*__cease__ [siːs] *vt.* **1** 《~+목/+-ing》 **그만두다** (desist), (…하는 것)을 멈추다, 중지하다. ↔ *begin, continue.* ¶ ~ work 일을 그만두다 / ~ fire 포화를 멈추다, 전투를 중지하다 / He ~*d* writ*ing* in 1980. 그는 1980년에 작가 활동에 종지부를 찍었다. SYN. ⇨STOP. **2** 《+*to* do》 (…하는 것)을 하지 않게 되다: ~ *to* work 일을 하지 않게 되다 / His conversation has ~*d to* be interesting. 그의 이야기는 재미가 없어졌다.
—*vi.* **1** 그치다, 끝나다(stop): The music has ~*d*. 음악이 끝났다. **2** 《~/+전+명》 그만두다 《***from*** …을》: ~ *from* fighting 싸움을 그만두다.
—*n.* 〔다음 관용구로〕 ***without*** **~** 끊임없이.

céase-fíre *n.* C '사격 중지' 의 구령; 정전 (명령): call a ~ 휴전 명령을 내리다.

◇**céase·less** *a.* 끊임없는, 부단한(incessant): a ~ rain of leaves 쉬지 않고 떨어지는 낙엽.

ce·cal, cae- [síːkəl] *a.* 〖해부〗 맹장의(cf. cecum).

Ce·cil·ia [sisí(ː)ljə] *n.* 세실리아《여자 이름》.

ce·cum, cae- [síːkəm] (*pl.* ***-ca*** [-kə]) *n.* C 〖의학〗 맹장.

*__ce·dar__ [síːdər] *n.* C 〖식물〗 히말라야 삼목, 삼목; U 삼목재(= ∠·**wòod**).

cede [siːd] *vt.* 인도(引渡)하다, (권리)를 양도하다, (영토)를 할양하다《***to*** …에》: ~ territory *to*... …에게 영토를 할양하다.

ce·dil·la [sidílə] *n.* 《F.》 C ç 처럼 c 자 아래의 부호《c 가 a, o, u 의 앞에서 [s]로 발음됨을 표시함; 보기: façade, François》.

†**ceil·ing** [síːliŋ] *n.* C **1** **천장**(널); 〖선박〗 내장 판자: a fly on the ~ 천장의 파리. **2** **상한**(上限), 한계; 최고 한도《***on*** (가격 · 임금 따위)의》: set 〔impose, fix〕 a ~ *on*... …에 상한을〔최고 한계를〕 정하다. **3** 〖항공〗 상승 한도; 〖기상〗 운저(雲底) 고도: fly at the ~ 한계 고도로 날다.
hit 〔***go through***〕 ***the*** **~** 《구어》 (가격이) 최고에 달하다〔허용 한도를 넘다〕; 《구어》 뻿성을 내다.

cel·a·don [sélədàn, -dn/-dɔ̀n] *n.* U, *a.* 청자(색)(의).

cel·an·dine [séləndàin] (*pl.* ~) *n.* C 〖식물〗 애기똥풀《미나리아재비의 일종》.

cel·e·brant [séləbrənt] *n.* C (미사 · 성찬식의) 사제; 종교 식전의 참석자; 축하자《이 뜻으로는 celebrator 가 보통》.

‡**cel·e·brate** [séləbrèit] *vt.* **1** (식을 올려) **경축하다**; (의식 · 제전)을 거행하다: ~ a festival 축제를 거행하다 / We ~*d* Christmas with trees and presents. 나무를 장식하고 선물을 하면서 크리스마스를 축하했다. **2** 《+목+전+명》 (용사 · 훈공 따위)를 **찬양하다**(praise), 기리다: People ~*d* him *for* his glorious victory. 사람들은 그의 영광스러운 승리를 찬양했다.
—*vi.* 축전〔의식〕을 거행하다; 《구어》 축제 기분에 젖다, 쾌활하게 법석거리다. ◇ celebration *n.*

*__cel·e·brat·ed__ [séləbrèitid] *a.* **고명한**, 유명한; 세상에 알려진《***for*** …으로; ***as*** …으로서》: a ~ painter 유명한 화가 / The place is ~ *for* its hot springs 〔*as* a hot spring resort〕. 그 곳은 온천으로〔온천 휴양지로서〕 유명하다. SYN. ⇨ FAMOUS.

*__cel·e·bra·tion__ [sèləbréiʃən] *n.* **1 a** U **축하**: in ~ of …을 축하하여. **b** C 축하회, 의식: hold a ~ 축하연을 열다. **2** U (의식, 특히 미사 따위의) 거행, 집행. **3** U **칭찬**, 찬양.

cel·e·bra·tor, -brat·er [séləbrèitər] *n.* C 축하하는 사람, 의식 거행자.

◇**ce·leb·ri·ty** [səlébrəti] *n.* **1** U 명성(名聲)(fame). **2** C 유명인, 명사.

ce·ler·i·ty [səlérəti] *n.* U 《문어》 신속, 민첩: act with ~ 민첩하게 행동하다.

*__cel·ery__ [séləri] *n.* U 〖식물〗 **셀러리**: a bunch of ~ 셀러리 한 단.

ce·les·ta [səléstə] *n.* C 첼레스타《종소리 같은 음을 내는 작은 건반 악기》.

ce·les·tial [səléstʃəl] *a.* **1** A 하늘의; 천체의 (↔ *terrestrial*): ~ blue 하늘빛 / a ~ body 천체 / a ~ globe 천구의(天球儀) / a ~ map 천체도, 성도(星圖) / ~ mechanics 천체 역학 / ~ navigation 〖항해 · 항공〗 천문(天文) 항법. **2** 천국의(heavenly); 거룩한(divine); 절묘한, 뛰어나게 아름다운, 굉장한: ~ bliss 지복(至福) / ~ beauty 절묘한 아름다움 / the *Celestial* City 천상의 도시《예루살렘》. —*n.* C 천인(天人), 천사(angel). 파 **~·ly** *ad.*

celéstial equátor (the ~) 천구의 적도.

celéstial sphére (the ~) 〖천문〗 천구(天球).

cel·i·ba·cy [séləbəsi] *n.* U 독신(생활); 독신주의; 금욕.

cel·i·bate [séləbit, -bèit] *n.* C 독신(주의)자《특히 종교적 이유에 의한》. —*a.* 독신(주의)의.

*__cell__ [sel] *n.* C **1** **작은 방**; (수도원 따위의) 독방. **2** (교도소의) 독방, 〖군사〗 영창: a condemned ~ 사형수의 독방〔감방〕 / put a person in a ~ 아무를 독방에 넣다. **3** 〖생물〗 **세포**; 《비유적》 (공산당 따위의) 세포; 〖컴퓨터〗 낱칸, 셀《스프레드시트나 워드 프로세서 프로그램에서 만든 표에서 행과 열이 만나는 한 칸》: ⇨BRAIN CELL / communist ~*s* 공산당의 지부. **4** (벌집의) 봉방(蜂房). **5** 〖전기〗 전지《cell 이 모여서 battery 를 이룸》 ⇨SOLAR CELL / a dry ~ 건전지.

*__cel·lar__ [sélər] *n.* **1** C **지하실, 땅광**, 움. **2** C (지하) 포도주 저장(실): keep a good 〔small〕 ~ 좋은 포도주를〔포도주를 조금〕 저장해 두다. **3** (the ~) 《구어》 〖경기〗 최하위: be the ~ 맨 꼴찌다. —*vt.* (포도주 따위)를 지하실에 저장하다.

cel·lar·age [sélәridʒ] *n.* **1** U 〔집합적〕 지하(저장)실. **2** U (또는 a ~) 지하실의 면적; 지하실 보관료.

céll biòlogy 세포 생물학.

céll·blòck *n.* C (교도소의) 독방동(棟).

cel·list, 'cel·list [tʃélist] *n.* C 첼로 연주가, 첼로 주자.

céll mèmbrane 〖생물〗 세포막.

cel·lo, 'cel·lo [tʃélou] (*pl.* **~s**) *n.* 《It.》 C 〖음악〗 첼로(violoncello).

cel·lo·phane [séləfèin] *n.* U 셀로판.

céll·phòne *n.* 《英》 =CELLULAR PHONE.

cel·lu·lar [séljələr] *a.* **1** 세포로 된, 세포질〔모양〕의: ~ tissue 세포 조직. **2** 성기게 짠《셔츠 따위》; 다공(多孔)성의《바위》. **3** 〖통신〗 셀 방식의, 통화 존(zone)식의: ⇨CELLULAR PHONE.

céllular phóne 〔**télephone**〕 〖통신〗 (셀 방식) 휴대 전화(mobile phone).

cel·lule [sélјuːl] *n.* C 〖해부〗 작은 세포.

cel·lu·lite [séljəlàit, -liːt] *n.* U 셀룰라이트《특히 여성의 피하 지방》.

cel·lu·loid [séljəlɔ̀id] *n.* U **1** 셀룰로이드《원래 상표명》. **2** 《구어》 영화(의 필름): on ~ 영화로.

cel·lu·lose [séljəlòus] *n.* U 〖생화학〗 셀룰로

오스, 섬유소(素).
céllulose ácetate 〖화학〗 아세트산 셀룰로오스《사진 필름용》.
céllulose nítrate 〖화학〗 질산 섬유소《폭약용》.
céll wàll 세포벽.
Cel·si·us [sélsiəs, -ʃəs] *n.* **Anders** ~ 셀시우스《스웨덴의 천문학자; 1701-44》. **—*a.*** 섭씨의(centigrade)《요약: Cels., C.》. [cf.] Fahrenheit.
Célsius thermómeter 섭씨 온도계.
Celt, Kelt [selt, kelt], [kelt] *n.* (the ~s) 켈트족《아리안 인종의 한 분파; 아일랜드 · 웨일스 · 스코틀랜드 고지 등에 삶》; [C] 켈트 사람.
Celt. Celtic.
◇**Celt·ic, Kelt·ic** [séltik, két-], [két-] *a.* 켈트의, 켈트족의, 켈트 말의. **—*n.*** [U] 켈트 말.
Céltic cróss 켈트 십자가《교차점에 ring이 있음》.
cem·ba·lo [tʃémbəlòu] (*pl.* **-ba·li** [-lìː], ~*s*) *n.* [C] 〖음악〗 쳄발로(harpsichord).
⁑**ce·ment** [simént] *n.* [U] **1 시멘트**, 양회. **2** 접합제. **3** (우정 따위의) 유대. **4** 〖해부〗 =CEMENTUM. **—*vt.*** 《+[목]/+[목]+[부]》 시멘트로 접합하다(*together*); …에 시멘트를 바르다; (우정 따위)를 굳게 하다. [파] **ce·men·ta·tion** [sìːmentéiʃən, -mən-] *n.*
cemént mìxer 시멘트〔콘크리트〕 믹서(concrete mixer).
ce·men·tum [siméntəm] *n.* [U] 〖해부〗 (이의) 시멘트질.
*__cem·e·tery__ [sémətèri/-tri] *n.* [C] (교회에 부속되지 않은) **묘지**, 《특히》 공동 묘지. [cf.] churchyard, graveyard.
cen. central; century.
ce·no·bite, coe- [síːnəbàit, sénə-] *n.* [C] (공동생활하는) 수도자, 수사.
cen·o·taph [sénətæ̀f, -tàːf] *n.* **1** [C] 기념비(monument). **2** (the C-) 런던에 있는 제1 · 2차 세계 대전의 전사자 기념비.
Ce·no·zo·ic, Cae- [sìːnəzóuik, sènə-] 〖지질〗 *a.* 신생대의. **—*n.*** (the ~) 신생대(층).
cen·ser [sénsər] *n.* [C] 향로(香爐)《쇠사슬에 매달아 흔드는》.
cen·sor [sénsər] *n.* **1** [C] 검열관《출판물 · 영화 · 서신 따위의》. **2** [C] 〖고대로마〗 감찰관《풍기 단속을 담당한》. **3** =CENSORSHIP 2. **—*vt.*** 검열하다, 검열하여 삭제하다. [파] ~**·a·ble** [-sərəbəl] *a.* 검열에 걸릴 (만한). **cen·so·ri·al, -ri·an** [sensɔ́ːriəl], [-riən] *a.* 검열(관)의.
cen·so·ri·ous [sensɔ́ːriəs] *a.* 검열관 같은; 비판적인; 탈잡(기 좋아하)는. [파] ~**·ly** *ad.* ~**·ness** *n.*
cen·sor·ship [sénsərʃip] *n.* [U] **1** 검열관의 직〔직권, 임기〕. **2** 〖정신분석〗 검열《잠재의식 억압력의 기능》.
cen·sur·a·ble [sénʃərəbəl] *a.* 비난할 (만한). [파] **-bly** *ad.*
*__cen·sure__ [sénʃər] *vt.* 《~+[목]/+[목]+[전]+[명]》 **비난하다**, 나무라다《*for* …때문에》: ~ careless work 부주의한 행위를 나무라다/~ a person *for* a fault 아무의 잘못을 책하다. [SYN.] ⇨BLAME. **—*n.*** [U] **비난**; 질책: pass a vote of ~ 불신임 결의를 통과시키다.
◇**cen·sus** [sénsəs] *n.* [C] (통계) 조사; 인구〔국세〕 조사: take a ~ (of the population) 인구〔국세〕 조사를 하다.

†**cent** [sent] *n.* **1** [C] **센트**《미국 · 캐나다 등의 화폐 단위, 1달러의 100분의 1》; 1센트짜리 동전. **2** (a ~) 〖보통 부정문〗 《美》 푼돈, 조금: I don't care a RED CENT. **3** ⇨PERCENT.
Cent. centigrade. **cent.** centered; centigrade; centimeter; central; century.
cen·taur [séntɔːr] *n.* **1** [C] 〖그리스신화〗 켄타우로스《반인 반마(半人半馬)의 괴물》. **2** (the C-) 〖천문〗 =CENTAURUS.
Cen·tau·rus [sentɔ́ːrəs] *n.* 〖천문〗 켄타우루스자리.
cen·ta·vo [sentáːvou] (*pl.* ~*s*) *n.* [C] 센타보《멕시코 · 필리핀 · 쿠바 등의 화폐 단위; 1페소의 100분의 1》.
cen·te·nar·i·an [sèntənɛ́əriən] *a.*, *n.* [C] 100년의; 100살(이상)의 (사람).
cen·ten·ary [séntənèri, senténəri/sentíːnəri] *a.* 100의; 100년(마다)의; 100년제의. **—*n.*** [C] 100년간; 100년제(祭).

> [NOTE] 이백년제 (2)부터 천년제 (10)까지의 순으로: (2) bicentenary, (3) tercentenary, (4) quatercentenary, (5) quincentenary, (6) sexcentenary, (7) septingenary, (8) octocentenary =octingentenary, (9) nongenary, (10) millenary.

cen·ten·ni·al [senténiəl] *a.* [A] 100년마다의; 100년제의; 100세의, 100년(간)의. **—*n.*** [C] 100년제(祭). [파] ~**·ly** *ad.* 100년마다.
†**cen·ter,** 《英》 **-tre** [séntər] *n.* **1** [C] (보통 the ~) **중심**; 중점: the ~ *of* a circle 원의 중심/the ~ *of* attraction 인력의 중심.
2 (the ~) (장소의) 중앙, 한가운데: stage ~ 무대 중앙《★ 관사 없이》/in the ~ *of* a room 방 중앙에. [SYN.] ⇨MIDDLE.
3 (the ~) (사건 따위의) 핵심, 중추, 초점; 중심인물: He's the ~ *of* the project. 그가 그 계획의 중심 인물이다.
4 [C] (활동 따위의) 중심지(구); 종합 시설, 센터; (인구) 밀집지: an amusement ~ 환락가/a trade ~ 무역의 중심지/a medical ~ 의료 센터/an urban ~ 도심(지).
5 [C] 〔포지션을 가리킬 때는 the ~〕 〖구기〗 중견(수); 센터: *the* ~ forward 센터 포워드/a ~ fielder 〖야구〗 중견수/He plays ~. 그는 센터를 지킨다《★ play ~는 관사 없이》.
6 (the C-) 〖정치〗 중도파(派), 온건파([cf.] the Left, the Right).
7 [C] 〖군사〗 (양익에 대하여) 중앙 부대, 본대.
8 [C] (과일 등의) 속: a chocolate bar with a jam ~ 속에 잼을 넣은 초콜릿바. ◇central *a.*
—*vt.* **1 a** 《+[목]+[전]+[명]》 중심에 두다《***in, on*** …에》: ~ a vase *on* the table 꽃병을 테이블 가운데에 놓다/~ one's report *on* education in Korea 보고의 중심을 한국의 교육 시정에 두다. **b** (장소)의 중앙부를 차지하다〔꾸미다〕: A pond ~*s* the garden. 연못이 정원의 중심을 점하고 있다. **2** 《+[목]+[전]+[명]》 집중시키다《***on, upon*** …에》: Our hopes were ~*ed on* him. 우리의 희망은 그에게로 쏠렸다. **3** 〖축구 · 하키〗 (공 · 퍽)을 센터로 차다〔보내다〕, 센터링하다.
—*vi.* 《+[전]+[명]》 모이다, 집중하다《***on, upon (a)round, about, in, at*** …에》: a discussion ~*ing around* student life 학생 생활을 중심으로 한 토론/The topic today ~*s about* the crisis

in the Middle East. 오늘 화제의 초점은 중동의 위기다.
—*a.* Ⓐ 중심의; 중도파의. ★ 최상급은 centermost.

cénter bìt 타래송곳.

cénter·bòard *n.* Ⓒ 〖해사〗 센터보드, 자재 용골(自在龍骨).

cénter fíeld 〖야구〗 센터(의 수비 위치).

cénter fíelder 〖야구〗 중견수, 센터 필더.

cénter·fòld *n.* =CENTER SPREAD.

cénter·pìece *n.* Ⓒ **1** (식탁 따위의) 중심부 장식《생화·레이스 따위》. **2** (계획·연설 따위의) 가장 중요한 것.

cénter sprèad (신문·잡지의) 중앙의 마주보는 양면(의 기사·광고).

cen·tes·i·mal [sentésəməl] *a.* 100 분의 1 의; 〖수학〗 백분법의, 백진(百進)법의. ⓒⓕ decimal.

cen·ti- [sénti, -tə/sén-] '100, 100 분의 1' 이라는 뜻의 결합사.

⁑**cen·ti·grade** [séntəgrèid] *a.* (종종 C-) 섭씨의《생략: C., c., Cent., cent.》 ⓒⓕ Fahrenheit. ¶ twenty degrees ~ 섭씨 20 도(20℃).
—*n.* =CENTIGRADE THERMOMETER.

céntigrade thermómeter 섭씨 온도계 (Celsius thermometer).

cénti·gràm, 《英》 **-gràmme** *n.* Ⓒ 센티그램 《생략: cg; 100 분의 1 그램》.

cénti·lìter, 《英》 **-litre** *n.* Ⓒ 센티리터《생략: cl.; 100 분의 1 리터》.

cen·time [sɑ́:nti:m] *n.* 《F.》 Ⓒ 상팀《프랑스의 화폐 (단위); 1 프랑의 100 분의 1》.

⁑**cen·ti·me·ter,** 《英》 **-tre** [séntəmì:tər] *n.* Ⓒ 센티미터《생략: cm; 1 미터의 100 분의 1》.

cen·ti·mo [séntəmòu] (*pl.* **~s**) *n.* Ⓒ 센티모 《스페인어권 나라들의 화폐 단위》.

cen·ti·pede [séntəpì:d] *n.* Ⓒ 〖동물〗 지네.

⁑**cen·tral** [séntrəl] *a.* **1** Ⓐ **중심의**, 중앙의; 중심부〔중앙부〕의: the ~ area of the city 그 도시의 중심부. **2 중심적인**; 주요한《*to* …에》: the ~ idea 중심 사상 / the ~ character in a novel 소설의 중심 인물 / This theme is ~ *to* our study. 이 테마는 우리 연구의 중심이다. **3** (장소 등이) 중심에 가까워 편리한; 가기 쉬운《*for* (어떤 장소)에》: open a store in a ~ location 편리한 중심부에 개점하다 / My apartment house is very ~ *for* the shopping district. 내 아파트는 상점가에 가기가 아주 쉽다. **4** 집중 방식의: ~ heating. **5** 〖해부〗 중추 신경계의; 〖음성〗 중설(中舌)의.
㊞ **~·ly** *ad.* 중심(적)으로; 중앙에.

Céntral Áfrican Repúblic (the ~) 중앙 아프리카 공화국《수도 Bangui》.

Céntral América 중앙 아메리카.
㊞ **~n** *a., n.* Ⓒ 중앙 아메리카의 (사람).

céntral bánk 중앙 은행: ~ rate 공정 금리.

Céntral Européan Tìme 중앙 유럽 표준시 《생략: CET》.

céntral héating 집중〔중앙〕난방 (장치).

Céntral Intélligence Àgency (the ~) 《美》 중앙 정보국《생략: CIA》.

cén·tral·ism *n.* Ⓤ 중앙 집권주의. ㊞ **cèn·tral·ís·tic** *a.*

cen·tral·i·ty [sentrǽləti] *n.* Ⓤ 중심임; 구심성; 주요 지위.

cèn·tral·i·zá·tion *n.* Ⓤ 집중(화); 중앙 집권(화).

cén·tral·ìze *vt.* 중심에 모으다, 한 점에 집합시키다; 집중시키다《*in* …에》; (국가 등)을 중앙 집권제로 하다. —*vi.* 중심〔중앙〕에 모이다; 집중하다《*in* …에》; 중앙 집권화하다.

céntral nérvous sỳstem (the ~) 〖해부〗 중추 신경계.

Céntral Párk 센트럴 파크《뉴욕시의 대공원》.

céntral prócessing ùnit 〖컴퓨터〗 중앙 처리 장치《생략: CPU》.

céntral prócessor 〖컴퓨터〗 =CENTRAL PROCESSING UNIT.

céntral resérve 〔**reservátion**〕 《英》 (도로의) 중앙 분리대(《美》 median strip).

Céntral (**Stándard**) **Tìme** 《美》 중부 표준시《생략: C.(S.)T.》.

cen·tre, etc. 《英》 =CENTER, etc.

cen·tric, -tri·cal [séntrik], [-əl] *a.* 중심의, 중추의.

cen·trif·u·gal [sentrífjəgəl] *a.* 원심(성)의; 원심력을 응용한; (중앙 집권에 대해) 지방 분권적인. ↔ *centripetal.* ¶ ~ force 원심력. —*n.* Ⓒ 원심 분리기. ㊞ **~·ly** *ad.*

cen·tri·fuge [séntrəfjù:dʒ] *n.* Ⓒ 원심 분리기.

cen·trip·e·tal [sentrípətl] *a.* 구심(성)의; 구심력을 응용한. ↔ *centrifugal.* ¶ ~ force 구심력. ㊞ **~·ly** *ad.*

cen·trism [séntrizəm] *n.* Ⓤ 중도〔온건〕주의.

cen·trist [séntrist] *n.* Ⓒ 중도파〔온건파〕의 원〔당원〕.

cen·tu·ri·on [sentjúəriən] *n.* Ⓒ 〖고대로마〗 백부장(百夫長).

⁑**cen·tu·ry** [séntʃuri] *n.* Ⓒ **1 1 세기**, 백 년: the twentieth ~, 20 세기《1901 년 1 월 1 일부터 2000 년 12 월 31 일까지》. **2** 〖고대로마〗 백인대(百人隊)《군대의 단위; 60 centuries 가 1 legion 을 이룸》. **3** 백, 100 개; 〖크리켓〗 100 점(=100 runs).

céntury plànt 〖식물〗 용설란(龍舌蘭)《북아메리카 남부산; 백 년에 한 번 꽃이 핀다고 함》.

CEO, C.E.O. Chief Executive Officer (최고 경영자(經營者)).

ce·phal·ic [səfǽlik] *a.* Ⓐ 머리의, 두부의.

ceph·a·lo·pod [séfələpɑ̀d/-pɔ̀d] *n.* Ⓒ 두족류(頭足類)의 동물《오징어·문어 따위》.

ce·ram·ic [sərǽmik] *a.* 세라믹의, 도기(陶器)의; 제도술의: the ~ industry 요업(窯業) / ~ manufactures 도깨그릇, 도자기 / the ~ art 도예. —*n.* Ⓒ 요업 제품, 도예품.

ce·rám·ics *n.* **1** Ⓤ 제도술(製陶術), 도예, 요업. **2** 《복수취급》 도자기류.

cer·a·mist, ce·ram·i·cist [sérəmist], [sərǽməsist] *n.* Ⓒ 제도업자, 요업가; 도예가.

Cer·ber·us [sə́:rbərəs] *n.* 〖그리스·로마신화〗 케르베로스《지옥을 지키는 개; 머리가 셋, 꼬리는 뱀》. ***throw*** 〔***give***〕 ***a sop to*** ~ 골치 아픈 사람을 매수하다.

⁑**ce·re·al** [síəriəl] *n.* **1** Ⓒ 곡초(穀草)《벼, 보리, 밀 따위》; (보통 *pl.*) **곡물**, 곡류. **2** Ⓤ (종류·낱개는 Ⓒ) 곡물식품《아침 식사용 cornflakes, shredded wheat, oatmeal 등》. —*a.* 곡류〔곡물〕의〔로 만든〕, 곡물식품의.

cer·e·bel·lum [sèrəbéləm] (*pl.* **~s, -bel·la** [-bélə]) *n.* Ⓒ 〖해부〗 소뇌.

cer·e·bra [sérəbrə] CEREBRUM 의 복수.

cer·e·bral [sérəbrəl, sərí:-] *a.* 〖해부〗 대뇌의; 뇌의; 지성에 호소하는, 지적인; 사색적인:

a ~ hemisphere 대뇌 반구/a ~ poet 지적인 시인.

cérebral anémia 〖의학〗 뇌빈혈.

cérebral córtex 대뇌 피질.

cérebral déath 〖의학〗 뇌사(腦死)(brain death).

cérebral hémorrhage 〖의학〗 뇌일혈.

cérebral pálsy 〖의학〗 뇌성 (소아)마비.

cer·e·brate [sérəbrèit] *vi*. 두뇌를 쓰다, 생각하다.

cèr·e·brá·tion *n*. [U] (대)뇌 작용〔기능〕; 사고(思考) (작용); (심각한) 사색(思索).

cèrebro·spínal *a*. 〖해부〗 뇌척수의, 중추 신경계의.

cerebrospínal meningítis 〔**féver**〕 뇌척수막염.

cer·e·brum [sérəbrəm, sərí:-] (*pl*. **~s** [-z], **-bra** [-brə]) *n*. [C] 〖해부〗 대뇌; 뇌. [L. = brain]

◇**cer·e·mo·ni·al** [sèrəmóuniəl] *a*. 의식의; 의례상의; 격식을 차린; 정식의, 공식의(formal): a ~ visit 의례적 방문/~ usage 의례상의 관례/~ dress 예복. **—***n*. [C] 의식, 의례; [U] 예식 존중. [파] **~·ism** *n*. [U] 의식〔형식〕 존중주의. **~·ist** *n*. **~·ly** *ad*. 의식적〔형식적〕으로

cer·e·mo·ni·ous [sèrəmóuniəs] *a*. 예의의; 예의바른; 격식을 차리는, 딱딱한: ~ politeness 지나치게 공손함. [파] **~·ly** *ad*.

⁑**cer·e·mo·ny** [sérəmòuni/-məni] *n*. **1** [C] **식, 의식**; 의전《공적 · 국가적인》: a marriage 〔wedding, nuptial〕 ~ 결혼식/the board of *ceremonies* 의전국/have 〔hold, perform〕 a ~ 식을 올리다. **2** [U] **의례**, 예법; 허례: His low bow was mere ~. 그의 정중한 절은 의례적일 뿐이었다.

master of ceremonies 사회자《생략: M.C.》; 《英》 의전(儀典) 장관. ***stand on*** 〔***upon***〕 **~** 《구어》 너무 의식적이다, 딱딱하게 행동하다: Please don't *stand on* ~. 자, 편안히 하세요.

Ce·res [síəri:z] *n*. 〖로마신화〗 케레스《농업의 여신; 그리스의 Demeter에 해당》.

ce·rise [səri:s, -rí:z] *n*. 《F.》 [U] 버찌빛, 선홍색. **—***a*. 버찌빛의, 선홍색의.

cer·i·um [síəriəm] *n*. [U] 〖화학〗 세륨《희토류 원소; 기호 Ce; 번호 58》.

cert [sə:rt] *n*. [C] (보통 *sing*.) 《英구어》 확실함, 반드시 일어남; (경마의) 강력한 우승 후보: a dead 〔an absolute〕 ~ 절대로 확실한 일.

⁑**cer·tain** [sə́:rtən] *a*. **1** [P] (아무가) **확신하는**, 자신하는(sure)《***of, about*** …을/***that***/***wh.***/***wh. to*** do》: I am ~ *of* his honesty. =I am ~ (*that*) he is honest. 그의 성실함을 확신하고 있다/I am not ~ *whether* it will succeed. 그것의 성공 여부에 대해서는 자신이 없다/I'm not ~ *what to* do. 어찌할지 잘 모르겠다.

2 (일이) **확실한**, 신뢰할 수 있는, 반드시 일어나는; (지식 · 기술이) 정확한: a ~ cure 반드시 낫는 치료법/It is ~ 〔a ~ fact〕 that he will win. 그가 이길 것은 확실하다〔의심할 여지가 없는 사실이다〕/War is ~. 전쟁은 불가피하다/His touch on the piano is very ~. 그의 피아노 터치는 정확하다.

3 [P] **반드시** …**하는**, …하게 정해져 있는《***to*** do》: The plan 〔He〕 is ~ *to* succeed. 계획은〔그는〕 꼭 성공하게 되어 있다.

4 [A] (어떤) **일정한**, 어떤 정해진(definite): at a ~ place 일정한 곳에(서)/on a ~ day 어떤 정해진 날에/receive a ~ percentage of the profit 이익의 일정률을 받다.

5 [A] (막연히) 어떤: a ~ naval base 모 해군 기지/for a ~ reason 어떤 이유로/a ~ gentleman 어떤〔한〕 신사/a ~ Mr. Smith 스미스라는 사람. [cf] some.

> [NOTE] 이 경우의 certain은 알고 있으나 일부러 이름 따위를 밝히지 않을 때에 씀. 다만, 사람일 경우에는 a Mr. Smith 또는 a Henry Smith의 형식이 a ~ 〔one〕 Mr. Smith 또는 a ~ Henry Smith 보다 일반적임.

6 [A] 어느 정도의, 다소의: a ~ reluctance 약간 마음이 내키지 않음/to a ~ extent 어느 정도(까지)/I felt a ~ anxiety. 어딘지 모르게 불안을 느꼈다.

7 《대명사적으로 쓰이어》 몇 개의 물건, 몇몇 사람: ~ *of* his colleagues 그의 동료 중 몇 사람인가. ◇ certainty *n*.

for* ~** 확실히, 확신을 가지고: I know *for* ~ that.... 반드시 …일 것이다. ***make* ~** 확인하다(make sure), 다짐하다《of*** …을/***that***/***wh.***》; 손에 넣다, 확보하다《***of*** …을》: I think so, but you'd better *make* ~. 난 그렇게 생각하지만 확인하는 편이 좋다/I'll go earlier and *make* ~ *of* our seats. 일찍 가서 우리들의 좌석을 잡아두겠다/Please *make* ~ *that* there are no mistakes. 잘못이 없도록 잘 확인하여라/*Make* ~ *where* he is now. 그가 지금 어디 있는지 확인해라.

⁑**cer·tain·ly** [sə́:rtənli] *ad*. **1 확실히**, 꼭, 반드시: I ~ like her. 나는 확실히 그녀를 좋아한다/He'll ~ pass the exam. 그는 꼭 시험에 합격할 것이다. **2** 《대답으로》 물론이오, 그러고 말고요《《美》에서는 sure를 흔히 씀》: Will you help me?—Yes, ~. 도와 주겠느냐—예, 그러고 말고요/Had you forgotten?—*Certainly* not. 잊었었니—천만에/This book is not worth reading.—*Certainly* not. 이 책은 읽을 가치가 없다—그래 맞아.

> [DIAL] ***Excuse me.—Certainly.*** 실례합니다—별말씀을《자리를 뜨거나 남 앞을 지날 때 주고받는 말》.
> ***It's hot today.—It certainly is.*** 오늘은 덥군요—정말 그렇습니다.

cer·tain·ty** [sə́:rtənti] *n*. **1** [U] (객관적인) **확실성**; **확신**《that***》: I can say *with* ~ that it is true. 그것은 사실이라고 확실히 말할 수 있다/He had no ~ *of* success. 그가 성공할 확신은 없었다/There is little ~ *that* he will resign. 그가 사직할 가망성은 거의 없다. **2** [C] 확실한 것, 필연적인 사물: a moral ~ 그런대로 틀림없다고 생각되는 것, 강한 확신/bet on a ~ 처음부터 확실하다는 것을 알고 걸다/It is a ~ that prices will continue to rise. 물가가 계속 오를 것은 확실하다. ◇ certain *a*.

for 〔***to, of***〕 ***(a)*** **~** 틀림없이, 분명히.

cer·ti·fi·a·ble [sə́:rtəfàiəbəl] *a*. 증명〔보증〕할 수 있는; 《英구어》 정신병으로 인정할 수 있는; 미친 것 같은: a ~ desire 당치도 않은 욕망.

cer·tif·i·cate** [sərtífəkit] *n*. [C] **증명서**《that***》; 면허장; (학위 없는 과정(課程)의) 수료〔이수〕 증명서: a marriage ~ 혼인 증명서/a medical ~ 진단서/a teacher's 〔a teaching〕 ~ 교사 자격

증/a ~ of birth (health, death) 출생(건강, 사망) 증명서/a ~ of competency 적임(適任)증서; (선원의) 해기(海技) 면허장/a ~ of deposit 양도성 정기예금 증서/a ~ of efficiency (good conduct) 적임(선행)증/He presented a ~ *that* he was in good health. 그는 건강하다는 증명서를 제출했다.
— [-kèit] *vt.* …에게 증명서를 주다: a ~*d* teacher 유자격 교원.

cer·ti·fi·ca·tion [sə̀ːrtəfəkéiʃən] *n.* **1** Ⓤ 증명, 검정, 보증: ~ *of* payment 지급 보증. **2** Ⓒ 증명서. **3** Ⓤ 《英》 정신 이상 증명.

cer·ti·fied [sə́ːrtəfàid] *a.* 증명된(testified), 보증된; (공인 회계사 따위가) 공인한; 《英》 정신 이상자로 인정된: a ~ check 보증 수표/~ mail 《美》 배달 증명 우편《손해 배상은 안 함》/~ milk 보증 우유《위생상의 공인 기준에 맞는》/a ~ public accountant 《美》 공인 회계사《생략: C.P.A.》. ⓒⓕ chartered accountant.

***cer·ti·fy** [sə́ːrtəfài] *vt.* **1** 《~+목/+목+보/+목+*as* 보/+*that* 절》 **증명(보증)하다**, 인증하다: ~ a product 제품의 품질을 증명하다/His report was *certified* (*as*) correct. 그의 보고는 정확하다고 증명되었다/I ~ (*that*) this is a true copy. 이 서류가 진본임을 증명한다/I hereby ~ *that* …. =This is to ~ *that*…. …임을 이에 증명한다. **2** (은행이 수표)의 지급을 보증하다. **3** (아무)에게 증명서를(면허증을) 교부(발행)하다: ~ a teacher 교사에게 자격증을 교부하다. **4** 《英》 (의사가) 정신병자임을 증명하다《법적으로》.
㊕ **cér·ti·fi·er** *n.* Ⓒ 증명자.

cer·ti·tude [sə́ːrtətjùːd] *n.* Ⓤ 확신; 확실(성).

ce·ru·le·an [sərúːliən] *a.* 하늘색의.

Cer·van·tes [sərvǽntiːz] *n.* **Miguel de ~ Saavedra** 세르반테스《스페인의 작가로 *Don Quixote* 의 작자; 1547-1616》.

cer·vi·cal [sə́ːrvikəl] *a.* 【해부】 목의, 경부(頸部)의; 자궁 경관(頸管)의.

cer·vix [sə́ːrviks] (*pl.* **~·es, cer·vi·ces** [sərváisiːz, sə́ːrvəsìːz]) *n.* Ⓒ 목, 경부(頸部); 자궁 경부.

Ce·sar·e·an, -i·an [sizɛ́əriən] *a.* = CAESAREAN.

ce·si·um, cae- [síːziəm] *n.* Ⓤ 【화학】 세슘《금속 원소; 기호 Cs; 번호 55》.

césium clòck 세슘 시계《원자 시계의 일종》.

◇**ces·sa·tion** [seséiʃən] *n.* Ⓤ (구체적으로는 Ⓒ) 정지, 휴지, 중지: ~ *of* arms (hostilities) 정전, 휴전.

ces·sion [séʃən] *n.* Ⓤ (영토의) 할양(割讓), (권리의) 양도; (재산 따위의) 양여(讓與); Ⓒ 할양된 영토. ≠session.

Cess·na [sésnə] *n.* Ⓒ 세스너기(機)《미제(美製) 경비행기》.

céss·pìt *n.* =CESSPOOL.

céss·pòol *n.* Ⓒ 구정물 구덩이, 시궁창; 불결한 장소: a ~ *of* iniquity 죄악의 소굴.

ces·tode [séstoud] *n.* Ⓒ, *a.* 【동물】 촌충(寸蟲)(의).

cesura ⇨ CAESURA.

CET, C.E.T. Central European Time (중앙 유럽 표준시)《G.M.T.보다 1시간 빠름》.

ce·ta·cean [sitéiʃən] *a.*, *n.* Ⓒ 【동물】 고래류의 (동물).

ce·ta·ceous [sitéiʃəs] *a.* =CETACEAN.

Cey·lon [silán/-lɔ́n] *n.* 실론《인도 남방의 섬나라; 1972년 스리랑카(Sri Lanka) 공화국으로 개칭; 수도 Colombo》.

Cey·lon·ese [sìːləníːz, sèi-] *a.* 실론(인)의.
— (*pl.* ~) *n.* Ⓒ 실론 사람.

Cé·zanne [sizǽn] *n.* **Paul ~** 세잔《프랑스의 후기 인상파 화가; 1839-1906》.

Cf 【화학】 californium.

cf. [síːéf, kəmpɛ́ər, kənfə́ːr] 《L.》 *confer* (=compare).

CFC-frée *a.* CFC (프레온(Freon))을 쓰지 않은: a ~ refrigerator 프레온을 쓰지 않은 냉장고.

CFC(s) chlorofluorocarbon(s)《★ 상표명은 Freon》. **C.F.I., c.f.(&)i.** cost, freight and insurance《★ 보통 CIF라 함》. **cg.** centigram(s). **C.G.** Coast Guard; Commanding General; Consul General. **CGI** 【컴퓨터】 computer-generated imagery (컴퓨터에 그리게 한 화상); 【컴퓨터】 Computer Graphics Interface《컴퓨터 그래픽 작업을 하는 여러 가지 장치들의 접속에 사용하는 표준화된 방법을 지칭하는 용어》. **C.G.S., c.g.s., cgs** centimeter-gram-second. **Ch.** Chaplain; Charles; China; Chinese; Christ. **C.H., c.h.** chain; champion; chapter; check; chemical; chemistry; chief; child(ren); church.

Cha·blis [ʃǽbli(ː), ʃɑːblíː] *n.* Ⓤ 흰포도주의 일종《프랑스 Burgundy 지방 Chablis 원산》.

cha-cha(-cha) [tʃɑ́ːtʃɑ̀ː(tʃɑ́ː)] *n.* Ⓒ 차차차《라틴 아메리카에서 시작된 빠른 리듬의 춤곡》.
— *vi.* 차차차를 추다.

cha·conne [ʃəkɔ́(ː)n, -kán] *n.* 《F.》 Ⓒ 샤콘《⑴ 스페인 기원의 오랜 춤. ⑵ 3박자 변주곡의 하나》.

Chad [tʃæd] *n.* 차드《아프리카 중북부의 공화국; 공식명 the Republic of ~; 수도 N'Djamena》. ★ Tchad 라고도 적음.

cha·dor, -dar [tʃʌ́dər] *n.* Ⓒ 차도르《인도·이란 등지의 여성이 숄로 사용하는 커다란 천》.

chafe** [tʃeif] *vt.* (손 따위)를 **비벼서 따뜻하게 하다**; (피부 따위)를 쓸려서 벗겨지게 하다(끊어지게 하다); 노하게 하다; 안달나게 하다: ~ one's cold hands 찬 손을 비벼서 따뜻하게 하다/This stiff collar ~*s* my neck. 이 빳빳한 옷깃이 목을 쓸리게 한다. — *vi.* 《~/+전+명》 **1** 쓸려서 벗어지다(끊어지다)《against*** …에; ***from*** …에서》: The rope ~*d against* the branch. 밧줄이 나뭇가지에 쓸려 끊어졌다. **2** 노하다, 안달나다《***at, under*** …에》: ~ *at* an injustice 부정에 분노하다/~ *under* her teasing 그녀의 놀림에 안달나하다. **3** (짐승 따위가) 몸을 비비다《***on, against*** …에》: The river ~*s against* the rocks. 강물이 바위에 세차게 부딪친다.
— *n.* Ⓒ 찰상; (a ~) 약오름, 안달, 초조: in a ~ 약이 올라; 안달나서.

chaf·er [tʃéifər] *n.* Ⓒ 【곤충】 풍뎅이류(類)《특히 cockchafer》.

chaff[1] [tʃæf/tʃɑːf] *n.* Ⓤ **1** 왕겨; 여물《사료》. **2** 폐물, 찌꺼기; 하찮은 것. ***separate*** (***the***) ***wheat*** (***grain***) ***from*** (***the***) **~** ⇨ SEPARATE.
— *vt.* (짚 따위)를 썰다.

chaff[2] *n.* Ⓤ (악의 없는) 놀림, 희롱. — *vt.* 놀리다, 희롱하다《***about*** …에 대하여》: You're ~*ing* me. 날 놀리고 있구나/They ~*ed* me *about* my slip of the tongue. 그들은 나의 실언을 희롱했다. ㊕ **∠·er**[1] *n.*

cháff·cùtter *n.* Ⓒ 작두.
chaf·fer[2] [tʃǽfər] *n.* Ⓤ 흥정; 값을 깎음. **—***vi., vt.* 흥정하다; 값을 깎다(haggle).
chaf·finch [tʃǽfintʃ] *n.* Ⓒ 〖조류〗 되새 · 검은 방울새류의 작은 새.
chaffy [tʃǽfi, tʃáːfi] (***chaff·i·er; -i·est***) *a.* 왕겨 같은; 왕겨가 많은; 시시한.
cháf·ing dìsh [tʃéifiŋ-] 풍로가 달린 냄비.
◇**cha·grin** [ʃəgrín/ʃǽgrin] *n.* Ⓤ 분함, 유감: to one's ~ 유감스럽게도. **—***vt.* 유감스럽게〔분하게〕 하다《★ 보통 수동태로 쓰며, 전치사는 *at, by*》: He *was* 〔felt〕 *~ed at* his failure. 그는 실패한 것을 분하게 여겼다.
⁑**chain** [tʃein] *n.* **1** Ⓤ (낱개는 Ⓒ) **사슬**: keep a dog on a ~ 개를 사슬에 묶어 놓다. **2** Ⓒ 《보통 a ~ of ...》 **연쇄**(連鎖), **일련**(一連), 연속(물): *a* ~ *of* mountains =a mountain ~ 연산(連山), 산맥/*a* ~ *of* events 연달아 일어나는 사건/ask *a* ~ *of* questions 잇달아 질문하다. **3** Ⓒ 목걸이; (자전거의) 체인. **4** Ⓒ 연쇄점, 체인스토어《연쇄 경영의 은행, 극장, 호텔, 식당 따위》. **5** (*pl.*) 쇠고랑, 족쇄; **속박**; 구속, 구금: the *~s of* tradition 전통이라고 하는 속박〔족쇄〕/put a person in *~s* 아무를 사슬로 묶다. **6** Ⓒ 〖측량〗 측쇄《surveyor's ~ (66 피트)과 engineer's ~ (100 피트)의 2 종이 있음》. **7** Ⓒ 〖화학〗 (원자의) 연쇄; (세균의) 연쇄; 〖컴퓨터〗 연쇄, 체인.
in ~s 사슬에 묶여, 옥에 갇혀; 노예가 되어.
— *vt.* **1** 《~+목/+목+부》 **사슬로 매다**(*up; down*); 사슬을 걸다: *Chain up* the dog. 개를 사슬로 매 둬라. **2** 《+목+부/+목+전+명》 묶다; 속박〔구속〕하다(*down*)《*to* …에》: The dog was *~ed to* the pole. 개는 기둥에 묶여 있었다/I'm *~ed* (*down*) *to* my work. 나는 일에 얽매어 옴쭉달싹 못한다.
cháin ármor 사슬 갑옷.
cháin brìdge 사슬 조교(弔橋).
cháin gàng 한 사슬에 매인 죄수.
cháin gèar 〖기계〗 체인 톱니바퀴.
cháin reàction 〖물리〗 연쇄 반응; (사건 따위의) 연쇄 반응: set off 〔up〕 a ~ (사물이) 연쇄 반응을 일으키다.
cháin sàw (휴대용) 동력(動力) 사슬톱.
cháin-smòke *vi.* 줄담배를 피우다. **—***vt.* (담배)를 연거푸 피우다.
cháin-smòker *n.* Ⓒ 줄담배를 피우는 사람.
cháin stìtch 〖재봉 · 수예〗 사슬 모양으로 뜨기.
cháin stòre 체인 스토어, 연쇄점(連鎖店) (《英》 multiple shop 〔store〕).
⁑**chair** [tʃεər] *n.* **1** Ⓒ (1 인용의) **의자**: take a ~ 앉다/sit on 〔in〕 a ~ 의자에 앉다. **2** Ⓒ (대학의) 강좌; 대학 교수의 직(professorship): hold the *Chair of* History at Oxford University 옥스퍼드 대학에서 역사 강좌를 맡다. **3** (the ~) 의장석〔직〕; 회장석〔직〕; 《英》 시장의 직: Chair! ~! 의장, 의장《회의징 정리의 요구》/support the ~ 의장을 지지하다/leave the ~ 의장직을 떠나다; 폐회하다/appeal to the ~ 의장의 재결을 구하다. **4** (the ~) 《구어》 전기 의자: send 〔go〕 to the ~ 사형에 처하다〔처해지다〕. **5** Ⓒ 〖철도〗 좌철(座鐵)《레일 고정쇠》.
take the ~ 의장석에 앉다; 개회하다; 취임하다; 《美》 증인이 되다.
—*vt.* **1** 착석시키다; (권위 있는) 직〔지위〕에 앉히다. **2** …의 의장직을 맡다: He *~s* the committee. 그는 그 위원회 의장직을 맡고 있다. **3** 《英》 (경기에 이긴 사람 등)을 의자에 앉히어 메고 〔목말을 태우고〕 다니다.
cháir bèd 긴의자 겸용 침대.
cháir·bòrne *a.* 〖공군〗 지상 근무의.
cháir càr 《美》 〖철도〗 (의자가 1 인용인) 특별차 (parlor car).
cháir·làdy *n.* =CHAIRWOMAN.
cháir lìft (스키어를 위한) 체어 리프트.
⁑**chair·man** [tʃέərmən] (*pl.* ***-men*** [-mən]) *n.* Ⓒ **1 a 의장**, 사회자, 회장, 위원장; 총재. ★ 남자에게는 Mr. *Chairman*, 여자에게는 Madam *Chairman* 이라고 부름; 미국에서는 chairperson 을 쓰는 경향이 있음. cf. chairwoman. ¶ the *Chairman* of the Joint Chiefs of Staff 《美》 합동참모 본부 의장. **b** (대학 학부의) 학과장, 주임 교수. **2** 휠체어(Bath chair)를 미는 사람; (sedan chair의) 교군꾼. ㊕ **~·ship** [-ʃip] *n.* Ⓒ (보통 *sing.*) ~의 신분〔지위〕; Ⓤ ~의 재능〔소질〕.
cháir·pèrson *n.* Ⓒ 의장, 사회자, 회장, 위원장(cf. chairman).
cháir·wòman (*pl.* ***-wòmen***) *n.* Ⓒ 여자 의장〔회장, 위원장, 사회자〕. cf. chairman.
chaise [ʃeiz] *n.* Ⓒ 2 륜〔4 륜〕의 가벼운 유람마차; =CHAISE LONGUE.
cháise lóngue 《F.》 긴 의자의 일종.
cha·la·za [kəléizə] (*pl.* ***~s, -zae*** [-ziː]) *n.* Ⓒ (알의) 컬레이저, 알끈.
chal·ced·o·ny [kælsédəni, kǽlsidòuni] *n.* Ⓤ (낱개는 Ⓒ) 〖광물〗 옥수(玉髓).
Chal·de·an [kældíː(ː)ən] *a.* 칼데아의; 점성술(占星術)의. **—***n.* **1** Ⓒ 칼데아 사람. **2** Ⓤ 칼데아말. **3** Ⓒ 점성가; 마법사.
cha·let [ʃæléi, ⌐-] *n.* 《F.》 Ⓒ 샬레《스위스의 양치기들의 오두막집》; 스위스의 농가(풍의 집); (스위스풍의) 산장, 별장; 방갈로.
chal·ice [tʃǽlis] *n.* Ⓒ 〖기독교〗 성배(聖杯), 성찬배(聖餐杯); 《시어》 잔; 〖식물〗 잔 모양의 꽃.
†**chalk** [tʃɔːk] *n.* **1** Ⓤ 백악(白堊). **2** Ⓤ (종류는 Ⓒ) **초크**, 분필; (크레용 그림용의) 색분필: a (piece of) ~ 분필 1 자루/French 〔tailor's〕 ~ 초크《양재용》/write in yellow ~ 노란색 분필로 쓰다/mark with ~ 분필로 표를 하다. **3** Ⓒ (점수 등) 분필로 적은 기호; (승부의) 득점(score).
(as) different* 〔*like*〕 *as ~ from* 〔*and*〕 *cheese 《구어》 (겉은 비슷하나 본질은) 전혀 틀리는, 전혀 다른. ***by a long ~*** =***by*** (***long***) ***~s*** 《英구어》 훨씬, 단연(by far). **~ *and talk*** (칠판에 쓰며 강의하는) 전통적 교수법. ***not by a long ~*** 《英구어》 전혀 …않다(not at all). ***walk the ~*** (***line*** 〔***mark***〕) ① 규정대로 행하다; 복종하다. ② 똑바로 걷다《술취하지 않음을 증명하기 위하여》.
—*vt.* **1** 분필로 표를 하다〔적다〕. **2** …에 분필칠을 하다.
~ *out* 《*vt.*+부》 초크로 윤곽을 그리다; 계획하다 《종종 ~ *out* for oneself 라고도 함》. **~ *up*** 《*vt.* +부》 ① (칠판 따위에) …을 초크로 쓰다, 기록하다; (득점 · 승리 · 이익 따위)를 올리다, 얻다; (외상값 따위)를 치부(置簿)하다《***to*** …앞으로》: *Chalk* it *up to* me. 그것을 내 앞으로 치부해 놓게. ② 《구어》 마음에 새기다. ③ 탓으로 하다《***to*** …의》: be *~ed up to* lack of practice 연습 부족 탓으로 돌리다.
chálk·bòard *n.* Ⓒ 《美》 칠판.
chalky [tʃɔ́ːki] (***chalk·i·er; -i·est***) *a.* 백악질〔색〕의; 백악이 많은; 분필이 묻은.

chal·lenge [tʃǽlindʒ] *n.* **1** [C] **도전**, 경기〔결투(따위)〕의 신청《*to* …에의/*to* do》: a ~ *to* civilization 문명에의 도전/offer 〔give, issue, send〕 a ~ 도전하다, 싸움을 걸다/accept 〔take up〕 a ~ *to* run a race 달리기를 하자는 도전에 응하다. **2** [C] 수하《보초의 Halt! Who goes there? '정지, 누구냐'》: give the ~ 수하를 하다. **3 a** [C] 해볼 만한 일〔문제, 과제〕: It's not enough of a ~. 그것은 그다지 보람있는 일이 아니다. **b** [U] (또는 a ~) 노력을〔의욕, 흥분(따위)를〕 불러일으키는 것, 하는 보람: I want a job that offers a ~. 나는 보람있는 일을 하고 싶다. **4** [C] 설명〔증거〕의 요구; 항의, 힐난; 이의(異議)《*to* (권위·정당성)에 대한》: He took her request for an explanation as a ~ *to* his authority. 그는 그녀의 설명 요구를 그의 권위에 대한 반항으로 받아들였다. **5** [C]《美》(투표(자)의 유효성·자격 따위에 대한) 이의 신청; 〖법률〗(배심원에 대한) 기피.

—*vt.* **1** 《~+[목]/+[목]+[전]+[명]/+[목]+*to* do》 …에 **도전하다**; (논전·경기 따위)를 신청하다: Who will ~ the champion? 누가 챔피언에게 도전할 것인가/~ a person *to* a duel 아무에게 결투를 신청하다/They ~*d* me *to* fight. 그들은 내게 싸움을 걸어왔다. **2** 《~+[목]/+[목]+[전]+[명]/+[목]+*to* do》 (설명·칭찬 따위)를 요구하다: The problem ~*s* explanation. 그 문제는 설명을 요한다/I ~*d* her *for* evidence. 나는 그녀에게 증거를 대라고 요구했다/It ~*es* us *to* come up with a solution. 그것은 우리에게 해결 방법을 찾아내라고 요구한다. **3** 〖군사〗(아무)를 수하하다. **4** 《~+[목]/+[목]+[전]+[명]》 (정당성·가치 등)을 의심하다; 이의를 제기하다《*about* …에 관해서》: She ~*d* the authority of the court. 그녀는 그 법정의 권위를 의심했다/They ~*ed* him *about* the fairness of his remarks. 그들은 그의 말의 공정성에 관해 의심을 품었다. **5** 〖법률〗(배심원·진술 따위)에 이의를 신청하다, 기피하다; (증거 따위)를 거부하다(deny). **6** 《美》(투표(자)의 유효성〔자격〕 따위)에 이의를 제기하다.

chál·leng·er *n.* [C] **1** 도전자. **2** 수하하는 사람; 〖법률〗 기피자, 거부자.

chál·leng·ing *a.* 도전적인; 도발적인; 매력적인; 의욕을 돋우는, 해〔맞붙어〕볼 만한: a ~ work of art 난해하지만 흥미 있는 예술 작품.

chal·lis, chal·lie [ʃǽli/ʃǽlis], [ʃǽli] *n.* [U] 샬리천《가벼운 여자 옷감의 일종》.

*__cham·ber__ [tʃéimbər] *n.* **1** [C] **방**, …실(室), 《특히》 침실: a torture ~ 고문실. **2** [C] (공관 등의) 응접실. **3** (*pl.*) 판사실; (*pl.*)《英》(특히, 영국 법학원(Inns of Court) 내의) 변호사 사무실. **4** [C] 회관(hall); 회의소. **5** (the ~) **의원**(議院)《상하 양원 중 한 쪽》: the Lower 〔Upper〕 *Chamber* 하원〔상원〕. **6** (총의) 약실(藥室); 〖기계〗 (공기·증기 따위의) 실(室). **7** [C] (동물 체내의) 소실(小室), 방(房), 공동(空洞): The heart has four ~*s*. 심장에는 4개의 심방〔실〕이 있다.

the Chamber of Horrors 공포의 방《고문 도구 등의 진열 장소》.

—*a.* [A] 실내용으로 만들어진; 실내의; 실내악〔연주〕의.

chám·bered *a.* chamber가 있는; 〖합성어로〗 …(의) 실(室)〔약실〕이 있는.

cham·ber·lain *n.* [C] 시종(侍從); 가령(家令); (시(市) 등의) 출납 공무원. ***Lord Chamberlain*** (*of the Household*)《英》 의전(儀典) 장관.

chámber·màid *n.* [C] (호텔의) 객실 담당 메이드; 《美》 가정부.

chámber mùsic 실내악.

chámber òrchestra 실내 악단.

chámber pòt 침실용 변기, 요강.

cha·me·le·on [kəmíːliən, -ljən] *n.* [C] **1** 〖동물〗 카멜레온. **2** 변덕쟁이, 경박한 사람.

[파] **cha·me·le·on·ic** [kəmìːliánik/-ɔ́n-] *a.* 카멜레온 같은; 변덕스러운, 들뜬.

cham·fer [tʃǽmfər] *n.* [C] 〖건축〗 목귀《각재 등의 모를 둥글린》. **—***vt.* (목재·석재)의 모서리를 죽이다, 쇠시리하다.

chám·my (**lèather**) [ʃǽmi(-)] 섀미 가죽 (chamois).

cham·ois [ʃǽmi/ʃǽmwɑː] (*pl.* **~, -oix** [-z]) *n.* **1** [C] 〖동물〗 샤무아《남유럽·서남 아시아산; 영양류(類)》. **2** [英+ʃǽmi] [U] 섀미 가죽《영양·양·염소·사슴 등의 부드러운 가죽》; [C] (식기 등을 닦는 데 쓰는) 섀미 가죽제의 행주.

cham·o·mile [kǽməmàil, -mìːl] *n.* =CAMOMILE.

champ[1] [tʃæmp] *vt.* (말이 재갈)을 자꾸 깨물다, (여물)을 우적우적 씹다; 말처럼 우적우적 먹다. **—***vi.* (말이) 깨물다, 우적우적 먹다《*at, on* …을》; 이를 갈다《*with* …때문에》; 《구어》 하고 싶어 안달복달하다《*to* do》: ~ *with* anger 화가 나서 이를 갈다/She was ~*ing to* tell the story. 그녀는 그 얘기를 하고 싶어 안달이 났다. **~ *at a* 〔*the*〕 *bit*** (말이) 재갈을 씹다; (사람이) …하고 싶어 안달하다《*to* do》: They were ~*ing at the* bit *to* get into the baseball stadium. 그들은 빨리 야구장에 들어가고 싶어 안달이 나 있었다.

champ[2] *n.* 《구어》 =CHAMPION.

°**cham·pagne** [ʃæmpéin] *n.* [U] (낱개는 [C]) 샴페인《프랑스의 원산지 이름에서》; [U] 샴페인 빛깔《황록색 또는 황갈색》.

cham·paign [ʃæmpéin] *n.* [C]《문어》 평야, 평원.

cham·pers [ʃǽmpərz] *n.* 《英구어》 =CHAMPAGNE.

cham·pi·gnon [ʃæmpínjən] *n.* [C] 샴피뇽《송이과의 식용 버섯; 유럽 원산》.

*__cham·pi·on__ [tʃǽmpiən] (*fem.* **~·ess** [-is]) *n.* [C] **1** (경기의) **선수권 보유자, 챔피언; 우승자**; (품평회 따위에서) 최우수품: an Olympic swimming ~ 올림픽 수영 우승자. **2** 《구어》 남보다 뛰어난 사람〔동물〕: a ~ at singing 노래에 탁월한 사람. **3** (주의 등을 위해 싸우는) **투사**, 옹호자: a ~ of peace 평화 옹호자.

—*a.* **1** [A] 우승한; 선수권을 획득한: a ~ boxer 권투 챔피언/the ~ terrier 최고상을 획득한 테리어. **2** 《英방언》 일류의, 다시없는.

—*ad.* 《英방언》 그 이상 더 없이, 멋지게.

—*vt.* …의 투사〔옹호자〕로서 활동하다, …을 옹호하다: ~ the cause of human rights 인권 운동을 옹호하다.

chámpion bèlt 챔피언 벨트.

*__cham·pi·on·ship__ [tʃǽmpiənʃip] *n.* **1** [C] **선수권**, 우승, 우승자의 지위; (보통 *pl.*) 선수권 대회: the ~ flag 〔cup〕 우승기〔컵〕/1994 US Open tennis ~, 1994년도 전미(全美) 오픈 테니스 선수권 대회/the ~ point 〖테니스〗 결승전의 매치 포인트/win 〔lose〕 a world ~ 세계 선수권을 획득〔상실〕하다. **2** [U] 옹호《*of* (주의·주장·운동 따위)에 대한》: ~ *of* the oppressed 피억압자에 대한 옹호.

Champs Ély·sées [ʃɑ̃:nzeilizéi] ⟪F.⟫ (Elysian fields) 샹젤리제⟪파리의 번화가⟫.

†**chance** [tʃæns, tʃɑ:ns] *n.* **1 a** Ⓤ **우연**; 운: by ill ~ 운 나쁘게 / *Chance* governs all. 모든 것은 운에 달렸다. **b** Ⓒ 우연한 일, 생각지 않은 것: It was a mere ~ that I saw him. 그를 만난 것은 단지 우연이었다.

2 Ⓒ **기회**; 호기⟪*to* do⟫: a ~ in a million 천재일우의 기회 / a fair ~ 좋은 기회 / the ~ *of* lifetime 일생에 한 번 있는 기회 / Now is your ~. 자, 호기를 놓치지 마라 / It's a good chance *for* you *to* meet him. 네가 그를 만날 좋은 기회다. SYN. ⇨OPPORTUNITY.

3 Ⓒ (때로는 Ⓤ) **가망**, 승산⟪*of* …할⟫; (보통 *pl.*) (가능성 있는) 전망, 형세⟪*to* do / *that*⟫: nine ~*s* out of ten 십중팔구 / The ~*s* are against it. 형세는 불리하다 / We have no ~ *of* winn*ing* the game. 우리는 경기에 이길 가망이 없다 / There's no ~ *to* escape. 탈출할 가망이 없다 / The ~*s that* I will pass the exam are remote [slim]. 내가 시험에 합격할 가망성은 희박하다.

4 Ⓒ 위험, 모험: take a ~[~*s*] 성공하든 실패하든 해보다 / run a ~ *of* failure 실패할 위험을 무릅쓰다.

5 Ⓒ 복권의 추첨권.

as ~ would have it 우연히; 공교롭게도. ***by any ~*** 만일, 만약에: *By any* ~ do you have change for a dollar? 혹시 1달러 바꿀 잔돈이 있습니까. ***by ~*** 우연히, 공교롭게: *by* the merest ~ 정말 우연히 / I met her *by* ~. 우연히 그녀를 만났다. ***Chances*** [***The ~s***] ***are*** (***that***)... ⟪구어⟫ 아마 …일 것이다: *The ~s are* (ten to one) (*that*) the bill will be rejected. 법안은 (십중팔구) 부결될 것이다. ***fat ~*** ⇨FAT(관용구). ***given half a ~*** ⟪구어⟫ 조금이라도 기회가 주어진다면. ***on the*** (***off***) ***~ of*** [***that ...***] …을 기대(期待)하고, …을 믿고: I stopped *on the* (*off*) ~ *of* find*ing* him in. 그가 집에 있을까 해서 들러보았다 / I mention this *on the ~ that* it may be of some use. 뭔가 쓸모가 있을까 해서 이 말씀을 드립니다. ***stand a ~ of*** …의 가망이 있다: *stand a* good [fair] ~ *of* succeed*ing* 성공할 가망이 충분히 있다. ***take a*** (***long***) ***~*** = ***take*** (***long***) ***~s*** 운명에 맡기고 해보다: He *took a* ~ and sent his manuscript to a publisher. 그는 운명에 맡기고 그 원고를 어떤 출판사로 보냈다. ***take a*** [***one's***] ***~ on*** [***with***] …에 운을 걸어 보다: I'll *take a* ~ *on* that horse. 저 말에 걸어보겠다.

> **DIAL.** ***Chance would be a fine thing.*** 아마도 그런 일은 없을걸.
> ***No chance!*** = ***Fat chance!*** 설마 (그럴 리가 없다).
> (***There is***) ***no chance.*** = ***Not a chance!*** 그런 일은 결코 없을걸, 절대 있을 수 없는 일이지.

—*a.* Ⓐ 우연한: a ~ meeting 우연한 만남[해후] / a ~ companion 우연한 길동무.

—*vi.* **1** ⟪~+*to* do / +*that* [절]⟫ 어쩌다가 …하다; 우연히 일어나다: He ~*d to* be out then. = It ~*d that* he was out then. 마침 그는 그 때 외출 중이었다. **2** ⟪+[전]+[명]⟫ 우연히 만나다[발견하다]⟪***on, upon*** …을⟫: I ~*d upon* this book. 우연히 이 책을 발견했다⟪★ 1, 2 모두 지금은 보통 happen을 씀⟫. SYN. ⇨HAPPEN.

—*vt.* 해보다, 운에 맡기고 하다, 부닥쳐 보다 ⟪종종 it을 수반함⟫: I'll have to ~ *it* whatever the outcome. 결과야 어찌 되든 해봐야겠다 / I don't ~ driving in this blizzard. 이런 심한 눈보라에 차 운전 따위는 할 수 없다.

as it may ~ 그 때의 경우에 따라서. ***~ one's luck*** 운이 트였는지 어떤지를 시험해 보다.

chan·cel [tʃǽnsəl, tʃɑ́:n-] *n.* Ⓒ 성단소(聖壇所), (교회의) 성상 안치소⟪보통 동쪽 끝의 성가대(choir)와 성직자의 자리⟫.

chan·cel·lery [tʃǽnsələri, tʃɑ́:n-] *n.* Ⓒ chancellor의 지위[관청]; 대사관[영사관] 사무국; 〚집합적; 단·복수취급〛 대사관[영사관]의 사무직원들.

◇**chan·cel·lor** [tʃǽnsələr, tʃɑ́:n-] *n.* Ⓒ **1** ⟪英⟫ **a** 대법관(the Lord (High) Chancellor = the CHANCELLOR OF ENGLAND). **b** 재무 장관(財務長官)(Chancellor of the Exchequer). **2** (독일 등의) 수상. **3** ⟪美⟫ 대학 총장, 학장⟪흔히 President라고 함⟫; ⟪英⟫ 명예 총장(cf. vice-chancellor). **4** ⟪美⟫ (형평법(衡平法) 재판소의) (수석) 판사. **5** ⟪英⟫ 〚집합적; 단·복수취급〛 대사관[영사관] 사무직원. **6** (국왕·귀족의) 서기. (파) **~·ship** [-ʃip] *n.* chancellor의 직[임기].

Cháncellor of Éngland (the ~) ⟪英⟫ 대법관⟪각료의 한 사람, 의회 개회 중엔 상원 의장으로 the Lord (High) Chancellor 라고도 함; 생략: L.H.C., L.C.⟫.

Cháncellor of the Exchéquer (the ~) ⟪英⟫ 재무 장관.

chánce-mèdley *n.* Ⓤ 〚법률〛 과실 살인; 우연한 행위.

chan·cery [tʃǽnsəri, tʃɑ́:n-] *n.* **1** Ⓒ ⟪美⟫ 형평법(衡平法) 재판소, 형평법. **2** (the C-) ⟪英⟫ 대법관청⟪지금은 고등 법원의 일부⟫; 대법관 법정. **3** Ⓒ 공문서 보관소.

in ~ 형평법 재판에서 소송 중인; 대법관의 지배하의; 〚레슬링·권투〛 상대자의 겨드랑이에 머리가 끼여; ⟪비유적⟫ 진퇴유곡에.

chan·cre [ʃǽŋkər] *n.* Ⓤ 〚의학〛 하감(下疳).

chancy [tʃǽnsi, tʃɑ́:n-] (***chanc·i·er; -i·est***) *a.* ⟪구어⟫ 우연의; 불확실한, 불안(정)한; 위험한 (risky). (파) **-i·ly** *ad.* **-i·ness** *n.*

◇**chan·de·lier** [ʃændəlíər] *n.* Ⓒ 샹들리에.

chan·dler [tʃǽndlər, tʃɑ́:n-] *n.* Ⓒ 양초 제조인[장수]; 잡화상: a corn ~ 잡곡상 / a ship ~ 선구상(船具商). (파) **~y** [-ləri] *n.* Ⓒ (흔히 *pl.*) 잡화(류); Ⓤ 잡화상.

Cha·nel [ʃənél] *n.* **Gabrielle ~** 샤넬⟪통칭 'Coco'; 프랑스의 여류 복식 디자이너·향수 제조업자; 1883–1971⟫.

Chang ⇨CHANG JIANG.

†**change** [tʃeindʒ] *vt.* **1** ⟪~+[목] / +[목]+[전]+[명]⟫ **바꾸다**, 변화시키다, 변경하다⟪***to, into*** …으로⟫; 고치다, 갈다: ~ one's opinion 자기 의견을 바꾸다 / You can't ~ human nature. 인성(人性)을 바꿀 수는 없다 / Heat ~*s* water *into* steam. 열은 물을 수증기로 바꾼다 / The meeting has been ~*d to* Saturday. 모임은 토요일로 변경되었다.

2 ⟪~+[목] / +[목]+[전]+[명]⟫ (같은 종류·부류의 것으로) **교환하다**, 변경하다, 갈다⟪***with*** …와⟫: ~ the subject 화제를 바꾸다 / ~ lanes 차선을 변경하다 / ~ places [seats] *with* a person 아무와 자리를 바꾸다.

3 ⟪~+[목] / +[목]+[전]+[명]⟫ (옷)을 **갈아입다**⟪***for*** …으로⟫: ~ a dirty shirt *for* a clean one 때묻은 셔츠를 깨끗한 것으로 갈아입다.

4 ⟪+목+전+명⟫ …의 장소를 옮기다; (아무)를 경질하다: ~ one's weight *from* one foot *to* the other 몸무게를 한쪽 발에서 다른 발로 옮기다.
5 ⟪~+목/+목+목/+목+전+명⟫ **환전하다**⟪*into, to* …으로⟫, 잔돈으로 바꾸어 주다⟪*for* (아무)에게⟫; (수표·어음 따위)를 바꾸다⟪*for* (현금)으로⟫: ~ a traveler's check 여행자 수표를 현금으로 바꾸다 / ~ one's won *into* dollars 원화를 달러로 바꾸다 / Can you ~ me this bill? = Can you ~ this bill *for* me? 이 지폐를 잔돈으로 바꾸어 주시겠소 / I can ~ this bill *for* 50 dollars. 이 어음을 50달러에 바꿀 수가 있다.
6 ⟪~+목/+목+전+명⟫ (장소·입장 따위)를 바꾸다; (탈것)을 갈아타다⟪*for* …행으로⟫: ~ schools 전학하다 / ~ trains at 〔in〕 Chicago *for* the west coast 시카고에서 서해안행 열차로 갈아타다.
7 (침대)의 시트를 갈(아대)다, (아기)의 기저귀를 갈아채우다: ~ a bed 〔baby〕.

SYN. **change** 가장 일반적인 말이나, 아래 말들과의 차이는 전혀 다른 것으로 바꿀 수 있다는 뜻이 있다는 것임. **alter** 일부를〔가〕 변경할〔될〕 때 씀: *alter* a suit 옷을 몸에 맞게 고치다. **transform** 꼴·성질·기능 따위를 변화시키다: A caterpillar is *transformed* into a butterfly. 쐐기가 나비로 된다. **convert** 어떤 목적에 들어맞게 바꾸다: *convert* one's bank notes into gold 은행권을 금으로 바꾸다. **transmute** 좋은 것이나 고급의 것으로 요술을 부린 것처럼 바꾸다: *transmute* sorrow into joy 슬픔을 기쁨으로 바꾸다. **vary** 변화의 불규칙성과 다양성에 초점이 있음: His mood *varies* from hour to hour. 그의 기분은 시시각각 변한다.

— *vi.* ⟪~/+전+명⟫ **1 변하다**, 바뀌다, 변화하다⟪*into, to* …으로⟫: Times have ~*d*. 시대가 변했다 / The rain has ~*d to* snow. 비가 눈으로 바뀌었다 / Water ~*s into* vapor. 물은 증기로 변한다.
2 ⟪+전+명⟫ 변이하다, 이행(移行)하다⟪*for, to* …으로⟫: *Things have ~d for* the better 〔worse〕. 사태가 개선〔악화〕되었다.
3 ⟪~/+전+명⟫ (열차·버스 등을) **갈아타다**⟪*for* …행으로⟫: ~ here 〔at Cheonan〕 여기서〔천안(에)서〕 갈아타다 / ~ *for* Boston 〔*to* express〕 보스톤행〔급행〕으로 갈아타다.
4 ⟪~/+전+명⟫ (옷을) **갈아입다**⟪*into* …으로; *out of* …을 벗고⟫: She ~*d into* jeans. 그녀는 진으로 갈아입었다 / I have nothing to ~ *into*. 갈아입을 옷이 없다 / I ~*d out of* my wet clothes. 젖은 옷을 벗고 갈아 입었다.
5 ⟪+부/+전+명⟫ ⟪英⟫ (자동차의) 기어를 바꾸다 (⟪美⟫ shift) (*up; down*)⟪*into, to* …으로⟫: ~ *down* 〔*up*〕 *into* third 기어를 3단으로 낮추다〔높이다〕 / ~ *into* the low 〔high〕 gear = ~ *down* 〔*up*〕 저속〔고속〕 기어로 바꾸다.
6 (목소리가) 낮게〔굵게〕 바뀌다, 변성하다.
All ~! 종점입니다, 여러분 모두 갈아타십시오. ***~ back*** ⟪*vi.*+부⟫ ① 되돌아가다⟪*into* (본래의 것)으로⟫. — ⟪*vt.*+부⟫ ② 되돌리다, 되돌려 놓다⟪*into* (본래의 것)으로⟫. ***~ off*** ⟪*vi.*+부⟫ ⟪美구어⟫ ① (두 사람이) 교대로 하다⟪*at* (일 따위)를⟫: ~ *off at* driving 교대로 운전하다. ② 교대하다⟪*with* …와⟫. ***~ over*** ⟪*vi.*+부⟫ ① 바꾸다, 변경(變更)하다⟪*from ... to* — …에서 —으로⟫: ~ *over from* gas *to* electricity 가스에서 전기로 바꾸다. ② (기계 장치 따위가 자동적으로) 바뀌다, 전환되다⟪*from ... to* — …에서 —으로⟫. ③ (두 사람이) 역할을〔입장·위치(따위)를〕 서로 바꾸다. ④ ⟪英⟫ (선수·팀이) 코트(따위)를 바꾸다. — ⟪*vt.*+부⟫ ⑤ 바꾸다, 변경하다⟪*from ... to* — …에서 —으로⟫. ***~ round*** ⟪*vi.*+부⟫ ① (바람이) 방향이 바뀌다⟪*from ... to* — …에서 —으로⟫: The wind ~*d round from* south *to* west. 바람이 남에서 서쪽으로 바뀌었다. ② ⟪英⟫ = ~ over ③④. — ⟪*vt.*+부⟫ ③ ⟪英⟫ (항목 등)의 순서를 바꾸다, …을 바꿔 넣다.

— *n.* **1** Ⓤ (구체적으로는 Ⓒ) **변화**; 변이, 변천; 개심(改心), 변절⟪*of, in* …의⟫: a ~ *of* seasons 계절의 변화 / a ~ *of* mind 심정의 변화 / the ~ *of* voice (사춘기의) 변성 / a ~ *in* the weather 기후의 변화 / a ~ for the better 〔worse〕 (사태 따위의) 호전〔악화〕.
2 Ⓒ **변경**, 개변(改變)⟪*of, in* …의⟫: a ~ *of* address 주소의 변경.
3 (the ~) ⟪구어⟫ (여성의) 갱년기: the ~ *of* life 갱년기.
4 Ⓒ **교환**, 교체; 이동; 갈아타기; 갈아입기: a ~ of bandages 붕대의 교체 / ~(*s*) in personnel 직원의 이동 / a ~ of trains 열차의 환승 / a ~ of clothes 옷을 갈아 입음 / make a quick ~ 급히 갈아입다.
5 Ⓤ **거스름돈**, 우수리; **잔돈**⟪*for* …의⟫: in small ~ 잔돈으로 / Here's your ~. 거스름돈 여기 있습니다 / I have no (small) ~ about 〔on〕 me. 잔돈을 갖고 있지 않다 / Can you give me ~ *for* a dollar? 1달러를 잔돈으로 바꿔 주시겠습니까.
6 Ⓒ (보통 *sing.*) **기분 전환**; 전지(轉地): go away for a ~ of air 〔climate〕 전지 요양을 떠나다 / A ~ is as good as rest. 기분 전환은 휴식이나 매한가지다 / Let's try a new restaurant (just) for a ~. (잠깐) 기분 전환을 위하여 다른 식당으로 가보세.
7 (C–) Ⓤ ⟪英고어⟫ 거래소⟪Exchange의 간약체로 잘못 생각하여, 'Change라고 쓰기도 함⟫: on *Change* 거래소에서.
8 Ⓒ (보통 *pl.*) 〖음악〗 전조(轉調)⟪여러 가지로 순서를 바꾼 한 벌의 종을 치는 방법⟫.
a ~ of pace ⟪美⟫ 기분 전환; 〖야구〗 (투수가) 구속(球速)을 바꾸는 일. ***get no ~ out of*** a person ⟪英구어⟫ (논쟁 등에서) 아무를 당해내지 못하다; 아무에게서 아무것도 알아내지〔원조를 얻어내지〕 못하다. ***get short ~*** ⟪英구어⟫ 무시당하다, 냉대받다. ***give*** a person ***~*** ⟪구어⟫ 아무를 위해 애쓰다; 앙갚음하다. ***give*** a person ***short ~*** ⟪英구어⟫ 아무를 무시하다, 냉대하다. ***It makes a ~.*** 새로운〔여느 때와 다른〕 것은 좋다. ***ring the ~s*** 여러 가지 수단을 바꿔 시도해 보다; 같은 말을 여러 가지로 바꾸어 말하다⟪*on* …에 관해서⟫: The lecturer *rang the ~s on* the subject of pollution. 연사는 여러 각도에서 오염 문제를 설명했다.

DIAL. ***That makes a change.*** 그것 신기하군, 여느 때와 다르군.
Can I have change for 〔***of***〕 ***a dollar?*** — ***Just a minute. Here you are.*** 1달러를 잔돈으로 바꿔 주시겠습니까? — 잠깐 기다리세요. 자, 여기 있습니다.

°**chánge·a·ble** *a.* **1** 변하기 쉬운, (날씨 따위가) 변덕스러운; 불안정한. **2** 가변성의. **3** (비단

따위가 광선에 의하여) 색이 여러 가지로 변화하여 보이는. ㊕ chànge·a·bíl·i·ty n. Ⓤ 변하기 쉬운 성질, 가변성; 불안정. -bly ad. ~·ness n.

change·ful [tʃéindʒfəl] a. 변화가 많은; 변하기 쉬운, 불안정한. ㊕ ~·ly ad. ~·ness n.

chánge·less a. 변화 없는; 불변의, 일정한(constant). ㊕ ~·ly ad. ~·ness n.

change·ling [tʃéindʒliŋ] n. Ⓒ 바꿔친 아이(elf child)《요정이 앗아간 예쁜 아이 대신 두고 가는 작고 못난 아이》.

chánge·òver n. Ⓒ (정책 따위의) 변경, 전환; (내각 따위의) 경질, 개조; (형세의) 역전; (설비의) 대체.

chang·er [tʃéindʒər] n. Ⓒ 변경〔개변〕하는 사람; 교환하는 사람; 의견〔기분〕을 쉽게 바꾸는 사람; 《속어》 환전상(換錢商).

chánge rìnging 조바꿈의 타종《종을 여러 가지 음색, 특히 4분음계로 침》.

chánge·ròom n. 경의실(更衣室).

chánge-ùp n. Ⓒ 【야구】 =CHANGE of pace.

chánging ròom 《英》 (운동장 등의) 탈의실.

Chang Jiang, Chang (Kiang) [tʃáːŋdʒiáːŋ], [tʃáːŋ(kjǽŋ), tʃǽŋ-] n. 장강(長江)《양쯔강(揚子江)의 중국어 명칭》.

chan·nel [tʃǽnl] n. **1** Ⓒ **해협**《strait 보다 큼》; **수로**《하천 · 항만 따위의 물이 깊은 부분》, 운하; **강바닥**: the (English) *Channel* 영국 해협. **2** Ⓒ (액체를 통과시키는) 도관; (도로의) 도수로(導水路); 암거(暗渠). **3** (pl.) **경로**, 루트《무역 · 보도 등의》: ~s of trade 무역 루트/through illegal ~s 부정한 루트를 통하여, 암거래로. **4** Ⓒ (화제 · 행동 · 사상의) 방향; (활동의) 분야: direct the conversation to a new ~ 화제를 새로운 방향으로 돌리다. **5** Ⓒ 【방송】 채널; (할당된) 주파수대(帶); 【컴퓨터】 통신로, 채널.

— (-l-, 《英》 -ll-) vt. **1** 《~+목/+목+전+명》 …에 수로를 열다〔트다〕; …에 도랑을 파다; (강 따위가 길)을 내다: ~ the desert 사막에 수로를 트다〔파다〕/The river ~ed its way *through* the rocks. 강물이 바위산을 뚫고 흐르고 있었다. **2** 《+목+전+명》 수로를〔도관을〕 통해서 나르다〔보내다〕《*to, into* …으로》; 《비유적》 (관심 · 노력 등)을 기울이다, 쏟다《*into* …에》; (정보 등)을 전하다, 보내다《*to* …에》: ~ one's efforts *into* a new project 새로운 기획에 노력을 기울이다/He ~ed the information *to* us. 그는 그 정보를 우리에게 (경로를 통해) 보내 주었다/Water is ~ed from the stream *to* the fields. 물은 개울에서 밭으로 (수로를 통해) 흘러 들어간다. **3** 《+목+부》 (강물 따위)의 흐름을 다른 데로 돌리다(*off*); (자금 따위의 일부)를 다른 용도에 충당하다.

Chánnel Íslands (the ~) (영국 해협의) 해협 제도(諸島).

Chánnel Túnnel (the ~) 영불 해협 터널《영국 Folkestone에서 프랑스 Calais에 이르는 해저 터널》. ★ Eurotunnel이라고도 함.

chan·son [ʃǽnsən/ʃaːŋsɔ́ːŋ] n. 《F.》 Ⓒ 노래, 가요, 샹송.

chant [tʃænt, tʃaːnt] n. Ⓒ **1** 노래, 멜로디. **2** 성가; 영창《시편 따위의 글귀를 단조롭게 읊는 일》. **3** 영창조(調); 단조로운 말투〔어조〕; 슬로건.

— vt., vi. **1** (노래 · 성가를) 부르다, 영창하다: ~ hymns 〔psalms〕 찬송가를 부르다. **2** (시가(詩歌)로) 기리어 노래하다; 칭송하다. **3** 단조로운 말투로 이야기하다; (슬로건을) 반복 주장하다.

chánt·er n. Ⓒ 영창자; 성가대의 선창자; 성가대원.

chant·ey [ʃǽnti, tʃǽn-] (pl. ~**s**) n. Ⓒ (선원의) 뱃노래《공동 작업 때에 부르는》.

chan·ti·cleer [tʃǽntəklìər] n. Ⓒ 수탉(rooster)《cock[1]의 의인화》.

chan·try [tʃǽntri, tʃáːn-] n. Ⓒ (명복을 빌기 위한) 연보(捐補); (그 연보로 지어진) 공양당(供養堂); (교회의) 부속 예배당.

chan·ty [ʃǽnti, tʃǽn-] (pl. **-ties**) n. =CHANTEY.

***cha·os** [kéiɑs/-ɔs] n. Ⓤ **1** (보통 C-) (천지 창조 이전의) **혼돈**. ↔ *cosmos*. **2** 무질서, 대혼란: bring order to ~ 혼란 상태에 질서를 가져오다.

cha·ot·ic [keiɑ́tik/-ɔ́t-] a. 혼돈된; 무질서한, 혼란한: the ~ economic situation 혼돈된 경제 상황. ㊕ **-i·cal·ly** [-ikəli] ad.

***chap**[1] [tʃæp] n. Ⓒ 《구어》 **놈**, 녀석 (fellow, boy); 사나이. ★ 친밀감이 담겨 있으며, 형용사를 수반할 때가 많음. *Old* 〔*My dear*〕 ~*!* 여보게, 자네《다정한 호칭》.

chap[2] n. Ⓒ (보통 pl.) (살갗 · 입술 등의) 틈; (목재 · 지면의) 갈라짐, 균열. — (-pp-) vt., vi. (살갗이) 트게 하다; 트다: Her hands were ~*ped*. 그녀의 손은 터 있었다.

chap[3] n. =CHOP[2].

chap. chaplain; chapter.

cha·pa·ra·jos, -re·jos [tʃæ̀pəréious/tʃɑ̀ːpəréihous] n. pl. 《美》 가죽 바지(chaps)《카우보이가 보통의 바지 위에 입음; 보통 궁둥이 부분이 없음》.

chap·ar·ral [tʃæ̀pərǽl, ʃæ̀p-] n. Ⓒ 《美》 관목(灌木) 덤불.

cha·pa·ti [tʃəpáːti] n. Ⓒ 차파티《밀가루 반죽을 발효시키지 않고 철판에 굽는 인도의 빵》.

cháp·bòok n. Ⓒ 가두 판매되는 싸구려 책《이야기 · 가요 따위의》.

cha·peau [ʃæpóu] (pl. ~**x** [-z], ~**s**) n. 《F.》 Ⓒ 모자; 《특히》 군모.

***chap·el** [tʃǽpəl] n. **1** Ⓒ **채플**, **예배당**《학교 · 병원 · 병영 · 교도소의》, (교회의) 부속 예배당. **2** Ⓒ 《英》 (영국 비국교도의) 교회당: ~ folk 비(非)국교도. **3** Ⓤ (채플에서 하는) 예배: go to ~ (채플에) 예배하러 가다. **4** Ⓒ 인쇄공 노동조합; 〖집합적; 단 · 복수취급〗 조합 소속의 인쇄공.

— a. Ⓟ 《英》 비국교도인: He's *chapel* but his wife is Roman Catholic. 그는 비국교도이지만 그의 부인은 가톨릭교도이다.

chápel·gòer n. Ⓒ 채플 예배에 잘 나가는 사람.

chap·er·on(e) [ʃǽpəròun] n. Ⓒ 샤프롱, (사교계에 나가는 젊은 여성의) 보호자《주로 나이 많은 여성》. — vt. (젊은 여성)의 보호자로서 동반하다(escort). — vi. 샤프롱역(役)을 하다.
㊕ **cháper·òn·age** [-idʒ] n. Ⓤ 샤프롱 노릇.

cháp·fàllen a. 풀이 죽은, 기가 꺾인, 낙담한.

chap·lain [tʃǽplin] n. Ⓒ 예배당 목사《궁정 · 학교 따위의 예배당에 속하는》; (교도소의) 교회사(敎誨師); 군목(軍牧); 집회 따위에서 기도하는 사람. ㊕ ~·**cy** n. Ⓒ chaplain의 직〔임기, 근무처〕.

chap·let [tʃǽplit] n. Ⓒ 화관(花冠)《머리 장식》; (염주로 된) 목장식; 【가톨릭】 묵주《구슬 수 55; rosary의 1/3의 길이》. ㊕ ~·**ed** [-id] a. 화관을 쓴.

Chap·lin [tʃǽplin] n. Sir **Charles Spencer ~, 'Charlie ~'** 채플린《영국의 희극 영화 배우 ·

감독·프로듀서; 미국 거주(1910–1952); 1889–1977).

cháp·man [-mən] (*pl.* **-men** [-mən]) *n.* Ⓒ 《英》 (예전의) 행상인.

chap·pie, -py[1] [tʃǽpi] *n.* Ⓒ 《구어》 놈, 녀석 《chap[1]의 애칭》; 꼬마.

chap·py[2] *a.* 피부가 많이 튼.

chaps [tʃæps] *n. pl.* =CHAPARAJOS.

⁑**chap·ter** [tʃǽptər] *n.* Ⓒ **1** (책·논문 따위의) 장(章) 《생략: chap., ch., c.》: the first ~ =~ one 제1장. **2** (역사상·인생 등의) 한 시기; 중요 사건, 에피소드; (일련의) 사건, 연속: in this ~ of his life 그의 생애의 이 시기에/a ~ of accidents (misfortunes) 계속되는 사고(불행). **3** 〖집합적; 단·복수취급〗 참사회《cathedral 또는 대학 부속 교회의 성직자 canons가 조직하는》; 〖집합적; 단·복수취급〗 총회, 집회; (수도회의 최고 권한을 갖는) 총회.

~ *and verse* ① 〖성서〗 장과 절; 정확한 출처, 전거《*for* …의》: give ~ *and verse for* one's statement 자기 진술의 근거를 명확히 하다. ② 〖부사적〗 정확히, 상세히.

chápter hòuse (**ròom**) **1** 성당 참사회 집회소. **2** 《美》 지부 회관《대학의 fraternity나 sorority의》.

char[1] [tʃɑːr] (**-r-**, 《英》 **-rr-**) *vi.* 날품으로 잡역부(婦) 일을 하다. **—***n.* =CHARWOMAN.

char[2] (**-rr-**) *vt.* 숯으로 만들다, 숯이 되도록 굽다; 시꺼멓게 태우다: the ~*red* remains of a house 시꺼멓게 탄 집 잔해. **—***vi.* 숯이 되다; 시꺼멓게 타다. **—***n.* Ⓤ 숯, 목탄(charcoal), (제당(製糖)용) 골탄; Ⓒ 시꺼멓게 탄 것.

char[3], **charr** (*pl.* **~s,** 〖집합적〗 **~**) *n.* Ⓒ 〖어류〗 곤들매기류(類).

char[4] *n.* Ⓤ 《英속어》 차(tea).

char·a·banc, char-à-banc [ʃǽrəbæ̀ŋk] *n.* 《F.》 Ⓒ 대형 관광(유람) 버스.

⁑**char·ac·ter** [kǽriktər] *n.* **1** Ⓤ (구체적으로는 Ⓒ) **특성**, 특질, 특색; 성격, 성질, 기질: the ~ *of* a district 어떤 지방의 특색/a face without any ~ 특징이 없는 얼굴/the ~ *of* the Americans 미국인의 국민성/different in ~ 성격이 다른.

2 Ⓤ **인격**, 품성: build (form) one's ~ 품성을 기르다/a man of fine (mean) ~ 품성이 좋은 (비열한) 남자.

SYN. **character** 주로 도덕적인 성격, 강한 의지 따위를 나타냄. 인격. **individuality** 남과 다른 성격. 개성: a man of strong *individuality* 개성이 강한 사람. **personality** 내면적인 성격과 외면적인 모습이 합친 것으로 남에게 주는 인상으로서의 성격. 인품: a man of pleasing *personality* 인상 좋은 인품의 사람. **temperament** 성격의 기초를 이루는 주로 감정적인 성질.

3 Ⓤ 고결함, 정직함, 덕성: a man of ~ 인격자.

4 Ⓒ **인물**(person), 사람, 인간: a public ~ 공인(公人)/a good (bad) ~ 선(악)인/an international ~ 국제적 인물.

5 Ⓒ 《구어》 개성이 강한 사람, 기인, 괴짜.

6 Ⓒ (소설의) 등장인물, (연극의) 역(role): the leading ~ 주역.

7 Ⓒ (보통 *sing.*) 신분, 자격, 지위: in the ~ of (as) Ambassador 대사로서.

8 Ⓒ 인물 증명서, 추천장《전의 고용주가 사용인에게 주는》: a secretary with a good ~ 좋은 추천장을 가진 비서.

9 Ⓒ 성망, 명성, 평판: It was a stain on his ~. 그것은 그의 명성에 오점이 되었다.

10 Ⓒ 부호(mark), 기호(symbol): a musical ~ 악보 기호.

11 Ⓒ **문자**(letter), 자체, 서체; 〖컴퓨터〗 문자, 캐릭터: a Chinese ~ 한자/write in large ~*s* 큰 글씨로 쓰다/a ~ reader 〖컴퓨터〗 문자 판독기.

12 Ⓒ 〖유전〗 형질: an inherited ~ 유전 형질.

give a person ***a good*** (***bad***) **~** 아무를 칭찬하다(헐뜯다). ***in*** **~** 격에 맞게, 걸맞게; 어울리게: The work is *in* ~ with him. 그 일은 그에게 걸맞는다. ***out of*** **~** 격에 맞지 않게, 걸맞지 않는; (옷 등이) 어울리지 않는: It would be *out of* ~ for him to do that. 그런 일을 하면 그답지 않을 것이다.

cháracter àctor (**àctress**) 성격 배우.

cháracter assassinátion 인신 공격.

cháracter-básed [-t] *a.* 〖컴퓨터〗 문자 단위 표시 방식의.

cháracter còde 〖컴퓨터〗 문자 코드.

⁑**char·ac·ter·is·tic** [kæ̀riktərístik] *a.* **특색을 이루는**, 특질의, 특유한, 독특한《*of* …에, …의》: the ~ taste *of* honey 꿀 특유의 맛/The violent temper was ~ *of* him. 과격한 기질은 그의 특징이었다/It is ~ *of* him *to* go to work before breakfast. 아침 식사 전에 일을 시작한다는 것은 과연 그답다.

—*n.* Ⓒ 특질, 특색, 특징: Traffic jams are a ~ of large cities. 교통 정체는 대도시의 특징이다. ㊞ **-ti·cal·ly** [-kəli] *ad.* 특징(특색)으로서; 특성상, 개성적으로.

chàr·ac·ter·i·zá·tion *n.* Ⓤ (구체적으로는 Ⓒ) 특성짓기; 성격 묘사.

chár·ac·ter·ìze [-ràiz] *vt.* **1** …의 특색을 이루다, 특징지우다; …의 성격을 나타내다: Her style is ~*d* by simplicity. 간결함이 그녀 문체의 특징이다. **2** …의 특성을 기술(묘사)하다: ~ her in a few words 몇 마디로 그녀의 성격을 묘사하다. **3** (사람·사물)을 …으로 보다: ~ a person *as* a coward 아무를 겁쟁이로 보다.

chár·ac·ter·less *a.* 특징 없는; 인물 증명서가 없는.

cháracter prìnter 〖컴퓨터〗 문자프린터(serial printer).

cháracter recognìtion 〖컴퓨터〗 문자인식《인쇄, 타이프라이터 등의 문자를 인식하여 컴퓨터 코드로 전환하는 것》.

cháracter skètch 인물 촌평; 성격 묘사.

cha·rade [ʃəréid/-rɑ́ːd] *n.* **1 a** (*pl.*) 〖단수취급〗 제스처 게임《몸짓으로 판단하여 말을 한 자씩 알아맞히는 놀이》: play ~*s* 제스처 게임을 하다. **b** Ⓒ (제스처 게임의) 몸짓(으로 나타내는 말). **2** Ⓒ 속이 빤히 보이는 수작(속임); 제스처.

char·broil [tʃɑ́ːrbrɔ̀il] *vt.* 《美》 (고기)를 숯불에 굽다.

°**char·coal** [tʃɑ́ːrkòul] *n.* **1** Ⓤ 숯, 목탄: a piece (bag) of ~ 숯 한 개(부대). **2** =CHARCOAL DRAWING. **3** =CHARCOAL GRAY.

chárcoal bùrner 숯꾼; 숯가마; 숯풍로.

chárcoal dràwing 목탄화(畫).

chárcoal grày 진회색.

chard [tʃɑːrd] *n.* Ⓒ (식품은 Ⓤ) 〖식물〗 근대.

⁑**charge** [tʃɑːrdʒ] *vt.* **1 a** (축전지)를 **충전하다**; (총포 따위)를 장전하다: ~ a pipe 파이프에 담배

를 채워 넣다 / ~ a storage battery 축전지를 **충전하다** / ~ a gun 총을 장전하다 / ~ a camera 카메라에 필름을 넣다. **b** 《+목+전+명》 (그릇 따위)에 **채우다**《***with*** …을》: ~ the cannon (*with* shot) 대포에 탄환을 넣다《★ with 이하는 당연히 예상되므로 흔히 생략함》/ *Charge* your glasses *with* wine. 잔에 술을 채우시오.

2 …에 꽉 채우다, 충만하게 하다, 넘치다《★ 보통 수동태로 쓰며, 전치사는 *with*》: The hall *was ~d with* intense excitement. 홀은 흥분의 도가니였다 / air *~d with* moisture 습기를 머금은 공기 / He's *~d with* vigor. 그는 활기가 넘친다.

3 《+목+전+명》 …에게 **지우다, 과(課)하다**; 위탁하다(entrust); 〖~ oneself〗 떠맡다《***with*** (의무·책임 따위)를》: ~ a person *with* a task 아무에게 임무를 과하다 / He *~d* him*self with* the responsibility of doing it. 그는 그것을 할 책임을 떠맡았다.

4 《+목+*to* do》 …에게 명령〔지시〕하다: I am *~d to* give you this letter. 당신에게 이 편지를 전하도록 분부받았습니다.

5 《+목+전+명/+*that* 절》 (죄·실패 따위)를 돌리다《***to, on*** …에게, …의 탓으로》; (죄 따위)를 …에게 씌우다(impute); 책망하다; 고발하다, 고소하다《***with*** (죄)로》: ~ a person *with* a crime 아무에게 죄를 씌우다; 범죄 혐의로 아무를 고발하다 / ~ a person *with* carelessness 아무의 부주의를 책망하다 / He *~d that* they had infringed his copyright. 그는 그들이 판권을 침해했다고 고발했다 / He *~d* the failure *to* overconfidence. 그는 실패를 지나친 자신감의 탓으로 돌렸다.

SYN. **charge** 법률 위반 따위의 죄악을 법률상의 정식 절차에 의해 고발하는 뜻임. **accuse** 일반적으로 죄악에 대해 그 사람을 개인적으로 비난하는 뜻의 말임. 이를테면 I *accused* him of stealing. (그가 훔친 것을 나무랐다)를 법률적으로 절차를 밟으면 I *charged* him with stealing. (그를 훔친 일로 고발했다)가 된다.

6 《+목+전+명/+목+목》 (일정액)을 **부담시키다, 청구하다**, 물리다《***for*** (값·요금)으로》: How much do you ~ *for* this? 이 요금〔값〕은 얼마요 / They *~d* me five dollars *for* the book. 나는 이 책에 5달러 치렀다 / He was *~d* $100. 그는 100달러를 청구받았다.

7 《+목+전+명》 …의 요금을 과하다〔징수하다〕; …의 대가를 징수하다: ~ the postage *to* the customer 송료를 산 사람 부담으로 하다 / ~ steel *at* $150 a ton, 톤당(當) 150달러로 강철을 팔다.

8 a (상품 따위)를 외상으로 사다: We can ~ the goods at this shop. 이 상점에서는 물건을 외상으로 살 수 있다. **b** 《~+목/+목+부/+목+전+명》 (상품·비용 따위)를 외상으로 달아놓다(*up*)《***to*** (아무) 앞으로, (계산)으로》; 《美》 …을 (부채로서) 차변(借邊)에 기입하다(*off*): *Charge* it, please. (가게에서) 대금을 내 앞으로 달아 놓으시오 / *Charge* the cost *to* my account 〔*up to* me〕. 비용은 내 앞으로 달아 놓으시오 / ~ *off* the last year's stock of dresses 작년의 드레스 재고품을 (손실로서) 차변에 기입하다.

9 a …에 돌격하다, …을 공격하다: They *~d* the enemy. 그들은 적을 향해 돌격했다. **b** (무기)를 겨누다: *Charge* bayonets! 착검.

—*vi.* **1** 《+전+명》 요금을 받다, 지불을 청구하다《***for*** …에 대하여》: ~ *for* admission 입장료를 받다. **2** 《+전+명》 돌격하다, 돌진하다: The bear suddenly *~d at* me. 곰이 갑자기 내게 달려들었다 / He came *charging through* the door. 그는 문을 통해 돌진해왔다. **3** (축전지가) 충전되다: This battery *~s* quickly. 이 배터리는 금방 충전된다.

—*n.* **1** Ⓤ **책임**, 의무: Prevention of crime is the ~ of the police. 범죄 예방은 경찰의 의무이다.

2 Ⓤ 위탁, 관리, 돌봄, **보호**: take ~ (*of*...) (…을) 돌보다〔관리하다〕/ I've got 〔I have〕 ~ *of* this class. 이 학급의 담임을 맡고 있다.

3 Ⓒ 맡고 있는 것〔사람〕; 담당한 학생〔신도〕.

4 Ⓒ 명령, 지시, 훈령《***to*** …에 대한 / ***to*** do》: a judge's ~ *to* the jury 재판관의 배심원에 대한 지시 / receive one's ~ 지시를 받다.

5 Ⓒ **비난**; 고발, 고소; 죄과《***against*** …에 대한; ***of*** …의》: make a ~ *against* …을 비난하다 / press *~s against* …을 고발하다 / He is wanted on a ~ *of* burglary 〔murder〕. 그는 강도〔살인〕 혐의로 수배된 자이다.

6 Ⓒ **요금, 청구 금액**; 부담, 비용, 부과금《***for*** …에 대한》: a ~ *for* admission 입장료 / free of ~ =without ~ 무료로《★ 관사 없이》/ No ~ *for* admission. 입장 무료 / a ~ on the state 국가의 부담 / a bill of *~s* 비용 계산서 / *~s* forward 〔paid〕 제비용 선불〔지불필〕.

7 Ⓤ (구체적으로는 Ⓒ) 충전; 전하; (총의) 장전: (a) positive 〔negative〕 ~ 양〔음〕전하.

8 Ⓒ (보통 *sing.*) 《속어》 스릴, 자극, 흥분: get a ~ out of dancing 댄스에 흥분하다.

9 Ⓒ **돌격**, 돌진《***at, on*** …에의》; 〖축구〗 차지《전진 저지(阻止)》: make a ~ *at* …에 돌격하다.

give a person ***in*** **~** 《英》 아무를 경찰에 넘기다. ***in*** **~** (***of***) (…을) 맡고〔담당하고〕 있는: the nurse *in* ~ *of* the patient 그 환자를 돌보는 간호사 / the priest *in* ~ 담당 사제. ***in*** **a person*'s*** **~** …에 맡겨져 있는, …의 관리〔보호〕 아래 있는: The baby was put 〔left〕 *in* her ~. 그 애는 그녀에게 맡겨졌다.

chárge·a·ble *a.* Ⓟ **1** (비난·죄 따위가) 돌려져야 할《***on*** (아무)에게》; (아무가) 고소되어야 할《***with, for*** (죄)로》: The crime is ~ *on* him. 그 죄는 그에게 돌아가야 한다 / He is ~ *with* the crime 〔*for* murder〕. 그는 그 죄〔살인죄〕로 고소되어야 한다. **2** (비용·부담 따위가) 지워져야 할《***on, to*** …에》: The expense is ~ *on* 〔*to*〕 him. 그 비용은 그가 부담해야 한다. **3** (물건 매입 따위가) 후불인, 외상으로 한: Purchases are ~. (여기서는) 외상 구매가 가능하다. **4** (세금이) 부과되어야 할《***on*** …에》. **5** (아무가) 맡아야〔담당해야〕 할《***to*** (교구 따위)를》.

chárge accòunt 《美》 외상 거래 계정(《英》 credit account).

chárge-a-plàte [-əplèit] *n.* Ⓒ 크레디트 카드(charge card).

chárge càrd =CHARGE PLATE.

char·gé d'af·faires [ʃɑːrʒéidəfέər, ⌐-⌐⌐] (*pl.* ***char·gés d'af·faires*** [ʃɑːrʒéiz-/ʃάːrʒeizdəfέərʒ]) *n.* 《F.》 대리 대사〔공사〕.

chárge hànd 《英》 직공장, 조장, 주임.

chárge nùrse (병동의) 수석 간호사.

chárge plàte =CHARGE-A-PLATE.

charg·er [tʃάːrdʒər] *n.* Ⓒ **1** 돌격자; (장교용의) 군마(軍馬). **2** 탄약 장전기(裝塡器); 충전기. **3**

장전하는 사람; 광석을 용광로에 넣는 사람. **4** 《시어》 말.

chárge shèet 경찰의 기소용 범죄자 명부.

char·i·ly, char·i·ness ⇨CHARY.

Chár·ing Cróss [tʃǽriŋ-] 런던시 중심부에 있는 번화한 광장.

◇**char·i·ot** [tʃǽriət] *n.* Ⓒ **1** (고대의) 전차(戰車) 《전쟁·사냥·경주에 말 두필이 끈 2륜 마차》. **2** (18세기의) 4륜 경마차.

char·i·o·teer [tʃæ̀riətíər] *n.* Ⓒ 전차 모는 전사.

cha·ris·ma [kərízmə] (*pl.* **~·ta** [-mətə]) *n.* **1** Ⓒ 【신학】 성령의 은사(恩賜). **2** Ⓤ 카리스마적 권위; 카리스마적 매력〔지도력·통솔력〕.

char·is·mat·ic [kæ̀rizmǽtik] *a.* 카리스마적인; 【기독교】 카리스마파의《병 치료 따위 성령의 초자연력을 강조하는 일파》. **—*n.*** Ⓒ 카리스마파 신자. ㊖ **-i·cal·ly** *ad.*

char·i·ta·ble [tʃǽrətəbəl] *a.* 자비로운; 관대한《***to, toward*** …에 대하여》; 자선의: be ~ *toward* the poor 가난한 사람들에게 자비롭다/a ~ institution 자선 시설.

㊖ **-bly** *ad.* **~·ness** *n.*

***char·i·ty** [tʃǽrəti] *n.* **1** Ⓤ (신의 인간에 대한, 또는 인간의 동포에 대한 기독교적인) **자애, 자비,** 박애(심), 사랑; 동정, 관용: out of ~ 자비심에서, 가엾게 여겨/*Charity* begins at home. 《속담》 자비는 내 집부터 시작한다《기부나 봉사 등의 사절시 흔히 구실로 씀》. **2** Ⓤ **자선** (행위); 보시(布施): ~ for the poor 가난한 사람을 위한 자선/give money to ~ 자선을 위해 돈을 내다/a man of ~ 자선가. **3** Ⓤ (공공의) 구제. **4** (*pl.*) 자선 사업. **5** Ⓒ 자선 단체.

chárity schòol 《英》 (옛날의) 자선 학교《빈곤한 사람들의 자녀를 무료로 기숙시켜 교육함》.

chárity shòw 자선 쇼〔흥행〕.

chárity stàmp 자선 우표.

cha·riv·a·ri [ʃərivərí:, ʃìvərí:/ʃɑ̀:rəvɑ́:ri] *n.* Ⓒ (신혼을 축하하기 위한) 야단법석《냄비·주전자 등을 두드리며 떠들어 댐》. **—*vt.*** (신혼 부부)를 위해 야단법석을 떨다.

char·la·dy [tʃɑ́:rlèidi] *n.* =CHARWOMAN.

char·la·tan [ʃɑ́:rlətən] *n.* Ⓒ (허풍을 떠는) 협잡꾼, 《특히》 돌팔이 의사(quack).

㊖ **chàr·la·tán·ic** [-tǽnik] *a.* 가짜의, 엉터리의, 협잡의. **chár·la·tan·ism, chár·la·tan·ry** [-tənri] *n.* Ⓤ 허풍; 협잡.

Char·le·magne [ʃɑ́:rləmèin] *n.* 샤를마뉴 대제(大帝)《서로마 제국 황제; 742–814》.

Charles [tʃɑ:rlz] *n.* 찰스《남자 이름》.

Charles's Wain [tʃɑ́:rlzizwéin] 《英》 【천문】 북두칠성(《美》 the (Big) Dipper), 큰곰자리.

Charles·ton [tʃɑ́:rlztən, -ls-] *n.* **1** 미국 West Virginia주의 주도. **2** 미국 South Carolina주의 항구 도시. **3** Ⓒ 《美》 찰스턴《4/4 박자의 춤의 일종》.

Char·ley [tʃɑ́:rli] *n.* =CHARLIE.

chárley hòrse 《美구어》 (운동 선수 따위의) 쥐, 근육 경직〔경련〕.

Char·lie [tʃɑ́:rli] *n.* 찰리《Charles의 애칭》.

char·lie *n.* 《英속어》 **1** Ⓒ 바보, 멍청이. **2** (*pl.*) 유방.

char·lock [tʃɑ́:rlək, -lɑk/-lɔk] *n.* Ⓒ 【식물】 배추 속(屬)의 식물, 겨자류의 잡초.

Char·lotte [ʃɑ́:rlət] *n.* 샬럿《여자 이름; 애칭 Charley, Lottie, Lotty》.

char·lotte *n.* Ⓒ (요리는 Ⓤ) 샬럿《찐 과일 등을 빵·케이크로 싼 푸딩》.

chárlotte rússe [-rú:s] 커스터드를〔크림을〕 넣은 케이크.

‡**charm** [tʃɑ:rm] *n.* **1 a** Ⓤ (구체적으로는 Ⓒ) **매력**(fascination), 사람을 끄는 힘: He has a great deal of ~. 그는 매력이 넘친다. **b** Ⓒ (보통 *pl.*) (여자의) 아름다운 용모, 요염함: feminine ~*s* 여성미. **2** Ⓒ **마력**(spell); 주문(呪文); 부적, 호부: be under a ~ 마력〔마법〕에 걸려 있다/chant 〔recite〕 a ~ 주문을 외다/a ~ against evil 악마를 막아주는 부적. **3** Ⓒ 작은 장식물《시곗줄 따위》.

like a ~ 《구어》 마법에 걸린 듯이; 신기하게, 멋지게, 효과적으로: act 〔work〕 *like a* ~ (약〔일〕 따위가) 용하게 잘 듣다〔진행되다〕.

—*vt.* **1 매혹하다,** 호리다, 황홀하게 하다《★흔히 수동태로 쓰며, 전치사는 *with, by*》: be ~*ed with* 〔*by*〕 the music 그 음악에 매혹되다. **2** 《+목+보/+목+부/+목+전+명》 **마법을 걸다;** 마법을 걸어 …하게 하다; (노여움·슬픔 따위)를 마력으로〔처럼〕 없애다(*off; away*); …을 마력으로 지키다《***against*** …으로부터》; (비밀·동의 따위)를 교묘히 이끌어 내다《***out of*** …에서》: ~ a person asleep 아무를 마력으로 잠들게 하다/Her laughter ~*ed away* his cares. 그녀 웃음소리에 그는 걱정이 사라졌다/~ a secret *out of* a person 아무를 속여서 비밀을 알아내다/He was ~*ed against* all evil. 그는 마력으로 모든 악에서 지켜졌다. **3** (뱀)을 길들이다, 부리다.

—*vi.* **1** 매력적이다, 매력을 갖다. **2** 마법〔주문〕을 걸다.

㊖ **~ed** *a.* 매혹된; 마법에 걸린; 마력으로 지켜진, 행운의. **∠·er** *n.* Ⓒ 마법사; 매혹〔매력〕적인 사람.

chárm bràcelet 작은 장식이 붙은 팔찌.

***charm·ing** [tʃɑ́:rmiŋ] *a.* **매력적인,** 아름다운; 호감이 가는, 즐거운. ㊖ **~·ly** *ad.*

char·nel [tʃɑ́:rnl] *n.* Ⓒ 시신 안치소; 납골당 (=∠ **hòuse**).

Char·on [kέərən] *n.* 【그리스신화】 카론《삼도내(Styx)의 나루지기》; 《우스개》 나루지기.

‡**chart** [tʃɑ:rt] *n.* **1** Ⓒ **해도,** 수로도. **2** Ⓒ **도표,** 그래프, 그림: a statistical ~ 통계표/a weather ~ 일기도. **3** (*pl.*) 《구어》 (가요곡 따위의) 히트 순위표, 히트 차트: His new CD made the ~*s*. 그의 새 CD는 히트 차트에 올랐다. **4** Ⓒ 【의학】 병력(病歷), 카르테. **5** 【컴퓨터】 차트《데이터의 분포를 알아보기 쉽게 그림으로 표현하는 것》.

—*vt.* **1** 해도·도표로 만들다〔나타내다〕. **2** 《구어》 계획〔입안〕하다.

㊖ **∠·a·ble** *a.*

‡**char·ter** [tʃɑ́:rtər] *n.* **1** (종종 C-) Ⓒ **헌장,** (목적·강령 등의) 선언서: the *Charter* of the United Nations/the Atlantic *Charter* 대서양 헌장/the Great *Charter* =MAGNA CHARTA/the People's *Charter* 《英》 인민헌장/by ~ 헌장에 의해《★관사 없이》. **2** Ⓒ (회사 등의) 설립 강령(서), 설립. **3** Ⓒ 특허장, 면허장《주권자가 자치 도시의 창설 때 주는》; (협회·조합·대학 등의) 지부 설립 허가(장). **4** Ⓒ 특권, 특별 면제《***to** do*》: a ~ *to* use the bus free 버스 무료승차 특권. **5** Ⓤ (버스·비행기 등의) **대차 계약;** (선박의) 용선 계약; Ⓒ 용선 계약서(~ party).

—*a.* Ⓐ **1** 특허에 의한; 특권을 가진. **2** 전세 낸 《비행기·선박 따위》.

—*vt*. **1** …에게 특허〔면허〕를 주다. **2** (회사 등)을 설립하다. **3** (비행기 · 버스 · 선박 등)을 **전세 내다**(hire).

chárter còlony 〖美역사〗 특허 식민지《영국왕이 개인 · 상사 등에 교부한 특허장으로 건설된 식민지》.

chár·tered *a*. 특허 받은; 면허의; 공인의; 전세낸, 용선 계약을 한: a ~ bus 전세 버스 / ~ rights 특권 / a ~ libertine 천하에 이름난 방탕꾼〔아〕/ a ~ ship 용선(傭船).

chártered accóuntant 《英》 공인 회계사 (《美》 certified public accountant)《생략: C.A.》.

chártered cómpany 《英》 특허 회사.

chárter mémber (협회 · 단체 · 회사 등의) 설립 위원.

chárter pàrty 용선 계약서《생략: C/P》.

Chart·ism [tʃɑ́ːrtizəm] *n*. Ⓤ 〖英역사〗 차티스트 운동《인민 헌장을 내건 운동: 1838–48》. ㊕ **-ist** *n*. Ⓒ 차티스트 운동 참가자.

char·treuse [ʃɑːrtrúːz/-trúːs] *n*. **1** Ⓤ (낱개는 Ⓒ) (프랑스의 카르투지오회 본원에서 제조한) 증류주. **2** Ⓤ 연둣빛.

chár·wòman (*pl*. **-wòmen**) *n*. Ⓒ 《英》 날품팔이 잡역부(婦), 파출부.

chary [tʃέəri] (**char·i·er; -i·est**) *a*. **1** 조심스러운, 신중한; 경계하는《**of** …에 대하여》: A cat is ~ *of* wet*ting* its paws. 고양이는 발을 적시지 않으려고 조심한다. **2** 부끄럼 타는, 수줍어하는《**of** …에》: a ~ girl 수줍어하는 소녀 / She's ~ *of* strangers. 그녀는 낯선 사람에게 부끄럼을 탄다. **3** 아끼는; 아까워하는《**of** …을》: He's ~ *of* his praise. 그는 칭찬에 인색하다. ㊕ **chár·i·ly** *ad*. **-i·ness** *n*.

Cha·ryb·dis [kəríbdis] *n*. 카리브디스《Sicily 섬 앞바다의 위험한 소용돌이》. ***between Scylla and*** **~** ⇨SCYLLA.

‡chase[1] [tʃeis] *vt*. **1** **쫓다**, 추적하다; 추격하다: ~ the thief 도둑을 쫓다. **2** 《+목+전+명/+목+부》 쫓아버리다(*away; off*); 몰아내다《**from, out of** …에서》; 몰아넣다《**into** 안으로; **to** …으로》: ~ flies *off* 파리를 쫓아버리다 / *Chase* this cat *out* (*of* the room). (방에서) 이 고양이를 쫓아내라 / ~ fear *from* one's mind 공포심을 몰아내다. **3** 《~+목/+목+부》 《英구어》 (정보 따위)를 손에 넣으려고 애쓰다; 애써 찾다, …의 뒤를 쫓다 (*up*): He spent his life *chasing* dreams. 그는 꿈을 쫓으며 일생을 보냈다. **4** 《구어》 (여자)를 귀찮게 따라다니다. **5** 사냥하다.

—*vi*. **1** 《+전+명》 쫓다, 추적하다《**after** …의 뒤를》: The police ~*d after* the murderer. 경찰은 살인범을 추적했다. **2** 《+부/+전+명》 《구어》 서두르다, 달리다, 뛰어 돌아다니다: ~ *about* (the house) (집 안을) 바쁘게 돌아다니다 / I ~*d around* all day looking for a job. 나는 온종일 일자리를 찾아 헤맸다.

~ ***down*** 《*vt*.+부》 ① 《구어》 (독한 술 뒤〔중간〕에) 마시다《**with** (물 따위)를》: ~ *down* a whiskey *with* a glass of water 위스키 한 잔을 마신 뒤 물을 한 잔 마시다. ② 《美구어》 =~ up ①. ~ ***up*** 《*vt*.+부》 ① (정보 따위)를 손에 넣으려고 애쓰다(⇨*vt*. 3). ② 《英구어》 …을 빨리 찾아내려고 하다: I'm *chasing up* the exact dates of these incidents. 나는 이런 사건들의 정확한 날짜를 빨리 밝혀내려고 한다.

DIAL. ***Go*** (***and***) ***chase yourself!*** 저리가, 꺼져.

—*n*. **1** Ⓤ (구체적으로는 Ⓒ) **추적**, 추격; 추구: the ~ for fame 명예의 추구 / in ~ of …을 쫓아 / give ~ to …을 추적〔추격〕하다. **2** Ⓒ (영화의) 추격 장면. **3** Ⓒ 쫓기는 사람〔짐승, 배〕; 사냥감, 추구물. **4** (the ~) (스포츠로서의) 사냥: the spoils of the ~ 사냥한 짐승.

chase[2] *vt*. (금속에) 돋을새김을 하다; (무늬)를 양각하다(emboss).

chase[3] *n*. Ⓒ (벽면(壁面)의) 홈《배관하기 위한》; (포신(砲身)의) 앞부분.

chas·er[1] [tʃéisər] *n*. Ⓒ **1** 쫓는 사람, 추적자; 수렵가; 《美구어》 여자의 뒤꽁무니를 쫓아다니는 사내. **2** 《구어》 독한 술 뒤에 마시는 음료《물 · 탄산수 따위》.

chas·er[2] *n*. Ⓒ 양각사(陽刻師); 조금사(彫金師); 조각 도구.

◇chasm [kǽzəm] *n*. Ⓒ (지면 · 바위 따위의) 깊게 갈라진 틈; 깊은 구렁; 빈틈(gap), 간격; (감정 · 의견의) 차이, 소격(疎隔)《**between** …간의》: the ~ *between* capital and labor 노사간의 틈.

chas·sis [ʃǽsiː] (*pl*. ~ [-z]) *n*. Ⓒ (자동차 · 마차 따위의) 차대; (비행기의) 각부(脚部); (은현포(隱顯砲) 등의) 포좌(砲座); 〖라디오〗 세트를 조립하는 대, 밑판.

◇chaste [tʃeist] *a*. **1** 정숙한, 순결한, 처녀의. **2** 고상한. **3** 순정(純正)한. **4** 조출한, 간소한. ◇ chastity *n*. ㊕ **∠·ly** *ad*. **∠·ness** *n*.

◇chas·ten [tʃéisən] *vt*. (신이 사람)을 징벌하다; (고생이 사람)을 단련하다; (감정 따위)를 억제하다, 누그러지게 하다; (사상 · 문체 등)을 세련되게 하다(refine). ㊕ **~ed** *a*. 징벌을 받은; 원만해진, 누그러진. **~·er** *n*. Ⓒ 응징자.

◇chas·tise [tʃæstáiz] *vt*. 《문어》 응징하다; 매질하여 벌하다, 질책〔비난〕하다. ㊕ **chas·tíse·ment** [∠--] *n*. **chas·tís·er** *n*.

◇chas·ti·ty [tʃǽstəti] *n*. Ⓤ 정숙; 순결; 고상; 순정; 간소.

chástity bèlt 정조대.

chas·u·ble [tʃǽzjəbəl, tʃǽs-] *n*. Ⓒ 제의(祭衣)《사제가 미사 때 alb 위에 입는》.

‡chat [tʃæt] (**-tt-**) *vi*. 《~/+부/+전+명》 **잡담하다**, 담화하다, 이야기하다(*away*)《**with** …와; **about** …에 대해; **of** …을; **over** …하면서》: We ~*ted away* in the lobby. 우리는 로비에서 한담을 나누었다 / ~ *with* a friend 친구와 잡담하다 / ~ *of* old times 옛일을 서로 이야기하다 / Let's ~ *over* a cup of tea. 차라도 마시며 이야기하세.

—*vt*. 《+목+부》 《英구어》 (여자)에게 다정하게〔장난삼아〕 말을 걸다(*up*): ~ *up* a girl 여성에게 말을 걸다.

—*n*. Ⓤ (구체적으로는 Ⓒ) **잡담**, 한담, 세상 얘기《**about** …에 대한; **over** …하면서의; **with** …와의》: have a ~ (*with*) (…와) 잡담하다 / drop in for a ~ 이야기나 하려고 들르다.

châ·teau [ʃætóu] (*pl*. **~x** [-z]) *n*. 《F.》 Ⓒ 성(城); 대저택, 별장; (C-) 샤토《프랑스의 보르도주(酒) 산지(産地)의 포도원(園)》.

chat·e·laine [ʃǽtəlèin] *n*. Ⓒ **1** 성주의 부인; 여자 성주; 대저택의 여주인. **2** (여성용) 허리띠의 장식용 사슬《시계 · 열쇠 등을 닮》.

chát ròom 〖컴퓨터〗 (네트워크상의) 채트룸, 채팅방.

chát shòw 《英》 =TALK SHOW.

chat·tel [tʃǽtl] *n*. Ⓒ 〖법률〗 동산; (보통 *pl*.) 가재(家財); 동산(動産): ~*s* personal 순수 동산

《가구 · 자동차 따위》/ ~*s* real 부동산적 동산《토지의 정기 임차권 따위》/ goods and ~*s* 인적 재산《개인의 소유물 일체》.

cháttel mòrtgage 《美》 동산 저당.

*__chat·ter__ [tʃǽtər] *vi.* **1** 《~/+副/+前+名》 **재잘거리다**(*on; away*)《**on, about** …에 관해서》: Stop ~*ing* and finish your work. 그만 재잘거리고 일을 끝내라 / ~ *on about* various matters 여러 가지 일에 관해서 재잘재잘 지껄이다. **2** (새가) 지저귀다; (원숭이가) 캑캑 울다. **3** (시냇물이) 졸졸 흐르다. **4** (기계 따위가) 달각달각 소리내다, (이 따위가) 딱딱 맞부딪치다: My teeth ~*ed* with the cold. 추워서 이가 딱딱 마주쳤다. **—*n.*** Ⓤ **1** 지껄임, 수다. **2** 지저귐; 캑캑 우는 소리. **3** (시냇물의) 졸졸 흐르는 소리; (기계 따위의) 달각달각하는 소리, (이 따위가) 맞부딪쳐 딱딱하는 소리.

chátter·bòx *n.* Ⓒ 수다쟁이.

chát·ter·er [-rər] *n.* Ⓒ 수다쟁이; 미식조(美飾鳥)류《라틴아메리카산(産)》.

chat·ty [tʃǽti] *a.* 수다스러운, 이야기 좋아하는; 기탄없는: a ~ old lady 수다스러운 노부인 / a ~ letter 기탄없는 편지.

Chau·cer [tʃɔ́:sər] *n.* **Geoffrey** ~ 초서《영국의 시인; 1340?-1400》.

Chau·ce·ri·an [tʃɔ:síəriən] *a.* Chaucer의〔에 관한〕. **—*n.*** Ⓒ Chaucer 연구가〔학자〕.

°**chauf·feur** [ʃóufər, ʃoufə́:r] 《F.》 *n.* Ⓒ (주로 자가용차의) 고용 운전사. **—*vi.*** (자가용차의) 고용 운전사로 일하다. **—*vt.*** (아무 · 자가용차)의 고용 운전사로 일하다; (아무)를 자동차에 태우고 다니다〔안내하다〕(*around; about*).

chau·tau·qua [ʃətɔ́:kwə] *n.* Ⓒ 《美》 문화 강연회, (강의와 오락을 겸한) 여름철 야외 강습회《미국 뉴욕주의 Chautauqua 호안에 있는 the Chautauqua Institute의 이름에서; 현재는 쇠퇴되었음》.

chau·vin·ism [ʃóuvənìzəm] *n.* Ⓤ 쇼비니즘, 맹목〔호전〕적 애국〔배외〕주의; 극단적인 배타〔우월〕주의: ⇨MALE CHAUVINISM.

㊞ **-ist** *n.* **chàu·vin·ís·tic** *a.* **-ti·cal·ly** *ad.*

†**cheap** [tʃi:p] *a.* **1** **싼**, 값이 싼. ↔ *dear.* ¶a ~ car 싼 차 / ~ labor 임금이 싼 노동(자들).

SYN. **cheap** 값이 싸고 이득이 되어 가치가 있는 경우도 있으며, 값은 싸나 품질이 나빠 '싸구려'인 경우도 있음. **inexpensive** cheap의 뜻 중 '싸구려' 뜻을 피하기 위한 사교적인 고려에서 cheap보다 자주 씀. **low-priced** 사무적 · 객관적으로 가격이 낮음을 뜻함.

2 싸게 파는, 싼 것을 파는: a very ~ store 값이 아주 싼 가게.

3 값싸게 손에 들어오는〔들어온〕; 고생하지 않고 얻을 수 있는: a ~ victory 낙승(樂勝).

4 **싸구려의**, 시시한, 하찮은, 속악(俗惡)한: ~ quality 저급(低級) / ~ emotion 값싼 감동.

5 (인플레 등으로 인해) 구매력이〔통화 가치가〕 떨어진; 저리(低利)의: the ~ dollar / ~ money 저리 자금.

6 《속어》 풀이 죽은; 부끄러운.

7 《英》 할인한: a ~ trip 〔tripper〕 《英》 (열차 등의) 할인 여행〔여행자〕.

8 《美구어》 인색한 (stingy).

(*as*) ~ *as dirt* =***dirt*** ~ 《구어》 대단히〔퍽〕 싼, 헐값의. ~ ***and nasty*** 값이 싸고 질이 나쁜. ***feel*** ~ 《구어》 멋쩍게〔부끄럽게〕 느끼다《**about** …에 관하여》: *feel* ~ *about* one's mistake 자기 잘못에 멋쩍어하다. ***hold*** a person 〔thing〕 ~ 아무를〔무엇을〕 깔보다.

DIAL. ***Cheap at half the price!*** 《英》 너무 비싼데요, 그 반값도 안 될 텐데.

—*ad.* **1** 싸게, 싼 값에: buy 〔get, make〕 a thing ~ 물건을 싸게 사다〔손에 넣다, 만들다〕. **2** 천하게, 비열하게: act ~ 천하게 행동하다.

—*n.* 〘다음 관용구로〙 ***on the*** ~ 싸게(cheaply): travel *on the* ~ 싸게 여행하다.

㊞ **∠·ish** *a.* 싼. **∠·ness** *n.*

°**cheap·en** [tʃí:pən] *vt.* 싸게 하다; 값을 깎다; 경시하다, 얕보다(belittle); 천하게 하다; 〘~ oneself〙 스스로 평판을 떨어뜨리다: Constant complaining ~*s* you. 늘 불평만 하고 있으면 사람이 천해진다. **—*vi.*** 싸지다.

cheap·ie [tʃí:pi] 《美구어》 *n.* Ⓒ 싸구려 물건〔제품〕; 인색한 사람. **—*a.*** 싸구려의.

chéap-jàck, -jòhn *n.* Ⓒ (싸구려 물건을 파는) 행상인. **—*a.*** 싸구려의, 저질의; 불공정한.

*__cheap·ly__ [tʃí:pli] *ad.* 《비유적》 **싸게**, 값싸게.

cheapo [tʃí:pou] *a., n.* 《구어》 =CHEAPIE.

chéap shòt 《美》 비열〔부당〕한 언행.

chéap·skàte *n.* Ⓒ 《美구어》 구두쇠, 노랑이.

‡**cheat** [tʃi:t] *vt.* **1** **기만하다, 속이다.** **2** 《+目+前+名》 (아무)를 속여서 **빼앗다**《(*out*) ***of*** …을》; (아무)를 속여서 …시키다《***into*** …하게》: He ~*ed* me (*out*) *of* my money. 그는 나를 속여 돈을 사취했다 / She ~*ed* me *into* accepting the story. 그녀는 나에게 그 이야기를 감쪽같이 믿게 했다. **3** 용케 면하다〔벗어나다〕: ~ the gallows 용케 교수형을 면하다.

—*vi.* **1** 《~/+前+名》 부정(不正)한 짓을 하다, 협잡질하다《***at, in, on*** …에서》: ~ *at* cards 카드놀이에서 속임수를 쓰다 / ~ *in* 〔*on*〕 an exam 시험에서 부정 행위를 하다. **2** 《+前+名》 《구어》 부정(不貞)을 저지르다《***on*** (배우자 따위)를 속이고》: His wife was ~*ing on* him while he was away. 그의 아내는 그가 없는 동안에 바람을 피우고 있었다.

—*n.* **1** Ⓤ (구체적으로는 Ⓒ) 속임수, 사기; (시험의) 부정 행위; 협잡 카드놀이. **2** Ⓒ 사기꾼, 교활한 놈, 협잡꾼: He is a ~ and a liar.

㊞ **∠·er** *n.* Ⓒ 사기〔협잡〕꾼. **∠·ing·ly** *ad.*

Che·chen·ya [tʃətʃénjɑ] *n.* 체첸 공화국.

‡**check** [tʃek] *n.* **1** Ⓒ (돌연한) **정지**; 방해, 저지; Ⓤ 억제, 방지: come to a ~ 갑자기 정지하다 / keep 〔hold〕 inflation in ~ 인플레이션을 억제하다.

2 Ⓒ 저지물, 막는 물건; 방해하는 사람〔물건〕: a ~ for a wheel 바퀴 멈추개.

3 Ⓤ **감독**, 감시, 관리, 지배.

4 Ⓒ **검사**, 관찰, 시험; 대조, 점검《***on*** …의》; 《美》 대조 표시(=∠ **màrk**)《기호: '√'》: make 〔run〕 a ~ *on* a report 보고의 진위를 점검하다.

5 Ⓒ 꼬리표; 부신(符信); 물표, 상환권: ⇨BAGGAGE CHECK.

6 Ⓒ 《美》 (상점 · 식당 등의) 계산서, 회계 전표; 영수증.

7 Ⓒ 《美》 **수표**(《英》 cheque)《***for*** (어느 금액)의》: a ~ *for* $150, 150달러의 수표 / a certified 〔crossed〕 ~ 보증〔횡선〕 수표 / draw a ~ 수표를 발행하다 / pay 〔buy〕 by 〔with a〕 ~ 수표로 지불하다〔사다〕《★ by ~는 관사 없이》/ write a person a ~ 〔make out a ~ to a person〕 *for* a hundred dollars 아무에게 100달러짜리 수표를 끊어주다.

8 Ⓒ 바둑판〔체크〕 무늬; Ⓤ (낱개는 Ⓒ) 체크 무늬의 천.
9 Ⓤ 『체스』 장군《공격》: put one's opponent in ~ 상대방에게 장군을 부르다.
~s and balances (권력의) 억제와 균형《미국 정부의 기본 원칙》.

> **DIAL.** ***Can I have the check, please? — Yes, sir.*** 계산 좀 할까요—예, 알았습니다《상점·식당 같은 데서 손님이 계산을 해 주려고 할 경우》.

—*vt.* **1 저지하다**(hinder), 방해하다; 반격하다: ~ an enemy attack 적의 공격을 저지하다.
2 억제하다, 억누르다(restrain)《감정·활동 등》: ~ inflation 인플레이션을 억제하다 / ~ one's laugh 웃음을 참다.
3 급히 멈추다: ~ one's steps 갑자기 걸음을 멈추다.
4 《~+목/+목+전+명/+목+부/+*that* 절》 **대조〔검사〕하다**《***with*** …와》, …을 조사하다, 점검하다; 확인하다《***by*** …하여 / ***that***》; (답안)을 채점하다; 《美》 …에 대조표시(✓)를 하다(*off*): *Check* your accounts. 계산서를 점검하십시오 / ~ a copy *with* the original 사본을 원본과 대조해 보다 / Did you ~ them *off*? 그것을 대조했습니까 / I *~ed* this statement *by* look*ing* up the data. 그 데이터를 보고 이 보고서를 확인했다 / *Check* (*off*) the books you've read. 네가 읽은 책에 체크 표시를 해라 / ~ *that* the fire is out 불이 꺼진 것을 확인하다.
5 《~+목/+목+전+명/+목+부》 《美》 (물건을) 물표를 받고 맡기다《***at*** …에》; 수화물로 보내다(*through*)《***to*** …에》; (일시적으로) 두다, 맡(기)다: Have you *~ed* your baggage? 짐을 수화물로 하셨습니까 / *Check* your coat *at* the cloakroom. 코트는 휴대품 보관소에 보관해 주십시오 / I'll ~ this suitcase (*through*) *to* Chicago. 이 여행 가방을 수화물로 시카고에 보내겠다.
6 (천)에 바둑판〔체크〕 무늬를 넣다.
7 『체스』 장군을 부르다(~ a king).
—*vi.* **1** 《+전+명/+부》 《美》 일치〔부합〕하다 (*out*)《***with*** …와》: This copy *~s with* my original in every detail. 이 사본은 내 원문과 딱 일치한다 / Her statement *~ed out* (pretty well). 그녀의 보고는 (상당히 잘) 들어맞았다.
2 《~/+부/+전+명》 (확인을 위해) **조사하다, 체크하다** (*up*) 《***on, into*** …을》: I'll ~ to make it sure. 확실히 해 두기 위해 조사하겠다 / ~ (*up*) *on* the report 보고서의 진위를 조사하다 / The IRS is *~ing into* the firm's finance. 국세청은 그 회사의 경리 상태를 조사하고 있다.
3 《+전+명》 조회하다《***with*** …에게》: I *~ed with* him to see if his address was right. 주소가 맞는지 알아보려고 그에게 조회했다.
4 『체스』 장군을 부르다: *Check* (to your king)! 장이야.
~ *in* 《*vi.*+부》 ① 기장하다, 체크인하다《***at*** (호텔·공항 등)에서》: ~ *in at* a hotel 〔the airport〕 호텔에〔공항에서〕 체크인하다. ② 《구어》 (타임리코더로) 출근을 기록하다, 도착하다《***at*** (회사 따위)에》: ~ *in at* the office at nine, 9시에 회사에 출근하다. **—**《*vt.*+부》 ③ 《美》 (책의) 반환 절차를 밟다: ~ *in* books at the library 도서관에서 책 반환을 마치다. **~ *into*** (호텔)에 체크인하다. **~ *off*** 《*vi.*+부》 ① 《英》 (근무를 마치고) 돌아가다, 퇴사하다. **—**《*vt.*+부》 ② 《美》 …에 대조필의 표시를 하다(⇨ *vt.* 4). ③ (사물)을 고려 대상에서 제외하다. ④ (급료에서 조합비 따위)를 공제하다. **~ *out*** 《*vi.*+부》 ① 체크아웃하다, (계산을 마치고) 나오다《***from*** (호텔 따위)에서》: ~ *out* (*from* a hotel) (호텔에서) 체크아웃하다. ② 《美구어》 (서둘러) 출발하다, 떠나다. ③ 《美》 일치하다, 부합하다(⇨ *vi.* 1). ④ 《속어》 죽다. **—**《*vt.*+부》 ⑤ (계산원이 산 물건의) 합계액을 계산하다《슈퍼마켓 등에서》, (손님이 산 물건의) 계산을 마치고 나오다. ⑥ 《美》 (…의 성능·안전성 따위)를 충분히 검사〔점검〕하다; 조사하다, 확인하다: ~ *out* the brakes 브레이크를 점검하다. ⑦ 《美》 (도서관에서 책)의 대출 절차를 밟다. **~ *out of*** (호텔 따위)에서 (계산을 마치고) 나가다, 체크아웃하다. **~ *over*** 《*vt.*+부》 (잘못이 없는지) …을 자세히 조사〔점검〕하다: ~ *over* the names of the examinees 수험자의 이름이 잘못되지 않았는지 잘 조사하다. **~ *up*** 《*vi.*+부》 ① 조사하다(⇨ *vi.* 2). ② (배경·사실 관계·진위 등에 관해서) 살펴보다, 검토〔대조〕하다《***on*** …을》. **—**《*vt.*+부》 ③ (대조하여) …을 조사하다. ④ (아무)의 건강 진단을 하다.
—*int.* (C-) 《美구어》 좋아!, 옳지!, 알았어!
—*a.* Ⓐ 저지〔억제〕용의; 검사〔대조〕용의; 바둑판〔체크〕 무늬의.
㊞ **∠·a·ble** *a.*

chéck bìt 『컴퓨터』 검사 비트《정보의 전달·축적 과정에서 오류가 생겼는지를 검사하기 위해 원래의 정보에 덧붙이는 비트》.

chéck·bòok *n.* Ⓒ 《美》 수표장.

chéckbook jóurnalism 독점 기사·인터뷰에 큰 돈을 지불하는 저널리즘.

chéck bòx 『컴퓨터』 체크 박스《ON과 OFF 라는 2가지 상태 중에서 하나의 상태를 값으로 가질 수 있는 윈도우의 버튼》.

chéck càrd 《美》 크레디트 카드《은행 교부의》.

checked [-t] *a.* 바둑판 무늬의, 체크 무늬의.

°**chéck·er**[1] *n.* **1** Ⓒ 바둑판 무늬. **2** (*pl.*) ⇨ CHECKERS. **—***vt.* 바둑판 무늬로 하다; 여러 가지 색으로 하다; …에 변화를 주다.

chéck·er[2] *n.* Ⓒ 검사자; (휴대품 따위의) 일시 보관원; (슈퍼마켓 따위의) 현금 출납원.

chécker·bòard *n.* Ⓒ 《美》 체커판(《英》 draughtboard).

chéck·ered *a.* 바둑판 무늬의; 가지각색의; 변화가 많은: a ~ career 파란만장한 생애.

chéckered flág 체커 플래그《자동차 경주에서 차가 골라인을 넘어 완주한 것을 알리는 바둑판 무늬의 기》.

chék·ers *n.* Ⓤ 《美》 서양장기(《英》 draughts)《체스판에 12개의 말을 씀》.

chéck-ìn *n.* Ⓤ (구체적으로는 Ⓒ) (호텔에서의) 숙박 절차, 체크인; (공항에서의) 탑승 절차.

> **DIAL.** ***When is (the) check-in time? — (Any time after) 2 p.m.*** 체크인 시간은 몇 시지요—2시부터입니다.

chécking accòunt 《美》 당좌 예금 계정, 수표 계정: ~ deposits 요구불 어음.

chéck·lìst *n.* Ⓒ 대조표, 점검표; (도서관의 잡지·도서 따위의 열람·참조에 편리한) 체크 리스트.

chéck màrk 대조〔확인〕 표시《✓ 따위》.
㊞ **chéck·màrk** *vt.* …에 대조〔확인〕 표시를 하다.

chéck·màte *n.* Ⓤ (구체적으로는 Ⓒ) 『체스』 외통장군(mate); 격파; 패배, 좌절. **—***int.* 『체

스』 장군!《단지 Mate! 라고도 함》. —*vt.* 『체스』 외통장군을 부르다; 저지하다; 격파하다, 좌절〔실패〕시키다.
chéck·òff *n.* [U] (급료에서의) 조합비 공제.
chéck·òut *n.* **1** [U] (구체적으로는 [C]) (호텔 등에서의) 체크아웃 절차〔시각〕: What time is ~? 체크아웃은 몇 시입니까/*Check out* is at noon. 체크아웃은 정오입니다. **2** [C] (기계 · 항공기의) 점검, 검사. **3** [U] (슈퍼마켓의) 계산(=**∠ còunter**). **4** [C] 《美》 (도서관에서) 책의 대출 절차.
chéck-out dèsk (도서관의) 책 대출 데스크.
chéck·pòint *n.* [C] 검문소《통행인 · 차량 등의》; 『컴퓨터』 체크포인트, 검사점.
chéck·rèin *n.* [C] (말이 머리를 숙이지 못하게 하는) 제지 고삐; 《비유적》 견제 수단.
chéck·ròll *n.* =CHECKLIST.
chéck·ròom *n.* [C] 《美》 (외투 · 모자 · 가방 등의) 휴대품 보관소(《英》 cloakroom); 수하물 임시 보관소(《英》 left luggage office).
chéck·sùm *n.* [C] 『컴퓨터』 검사 합계.
chéck·ùp *n.* [C] 대조; 점검, 검사; (정기) 건강진단; (기계의) 분해 검사.
chéck·wrìter *n.* [C] 《美》 수표 금액 인자기(印字器).
Chéd·dar (**chéese**) [tʃédər(-)] 치즈의 일종 《잉글랜드 Somerset주의 원산지 지명에서》.
‡**cheek** [tʃiːk] *n.* **1** [C] **뺨, 볼,** (*pl.*) 양볼. **2** (*pl.*) 기구의 측면. **3** [U] (또는 a ~) 《구어》 뻔뻔스러움, 건방진 말〔태도〕: have a ~ 뻔뻔하다, 건방지다/give a person ~ 아무에게 건방진 말을 하다. **4** [C] 《구어》 궁둥이의 한 쪽.
~ by jowl (볼이 맞닿을 정도로) 꼭 붙어서; 정답게《***with*** …와》: That political party is ~ *by jowl with* big business. 그 정당은 대기업과 결탁되어 있다. ***have the*** 〔***a lot of***〕 ***~ to*** do 뻔뻔스럽게도 …하다. ***turn the other ~*** 부당한 처우를〔모욕을〕 달게 받다. ***with*** one***'s tongue in*** one***'s ~*** =(***with***) ***tongue in ~*** ⇨TONGUE.

> [DIAL] ***What*** (***a***) ***cheek!*** 참 뻔뻔하군.
> ***None of your cheek!*** 건방진 소리 마라.

—*vt.* 《英구어》 …에게 건방지게 말을 걸다, …에게 거만하게 굴다.
chéek·bòne *n.* [C] 광대뼈.
cheeked [-t] *a.* 〔보통 합성어로〕 볼이 …한, …한 볼을 한: red-~ 볼이 빨간.
cheeky [tʃíːki] (***cheek·i·er; -i·est***) *a.* 《구어》 건방진, 뻔뻔스러운(impudent).
[파] **chéek·i·ly** *ad.* **-i·ness** *n.*
cheep [tʃiːp] *vi.* (병아리 따위가) 삐악삐악 울다; (쥐 · 참새 따위가) 짹짹거리다. —*n.* [C] 삐악삐악〔짹짹〕 소리. [imit.]
[파] **∠·er** *n.* [C] (메추라기 등의) 새끼; 갓난아기.
cheer** [tʃiər] *n.* **1** [C] **환호,** 갈채, 만세《for*** …을 위한》: give three ~*s for* …을 위해 만세삼창을 하다. **2** [U] 활기, 쾌활; 격려: speak words of ~ 격려의 말을 하다. **3** [C] (스포츠의) **응원,** 성원: a ~ section 《美》 응원단. **4** [U] 원기; 기분: What ~? (환자 등에게) 기분이 어떠세요/Be of good ~! 《문어》 기운 내라, 정신차려라. **5** [U] 성찬, 음식: make 〔enjoy〕 good ~ 성찬을 먹다/The fewer the better ~. 《속담》 맛있는 음식은 사람이 적을수록 좋다. **6** (C-s!) 〔감탄사적〕 건배; 《英구어》 그럼 안녕; 고맙소.
—*vt.* **1** 《~+[목]/+[목]+[전]+[명]/+[목]+[부]/+[목]+[보]》 …에 **갈채를 보내다,** …을 성원하다, 응원하다; 〔~ oneself〕 …상태가 되도록 성원〔응원〕하다: ~ a team *to* victory 팀을 응원하여 이기게 하다/We all ~*ed* our baseball team (*on*). 우리 모두 우리 야구 팀에 성원을 보냈다/We ~*ed* our*selves* hoarse. 목이 쉬도록 응원하였다. **2** 《+[목]+[부]》 격려하다, 기쁘게 하다, 기운을 북돋우다(encourage); 위로하다(comfort) (*up, on*): One glance at her face ~*ed* him *up* again. 그녀의 얼굴을 보자 그는 다시 기운이 났다.
—*vi.* **1** 《~/+[전]+[명]》 갈채를 보내다, 환성을 지르다《***for, over*** …에》: We ~*ed* wildly. 기쁨에 넘쳐 환성을 질렀다/~ *for* a singer 가수에게 갈채를 보내다. **2** 《+[부]/+[전]+[명]》 힘이 나다(*up*)《***at*** …에》: ~ *up at* good news 희소식에 기운이 나다/*Cheer up!* 기운을 내라.
[파] **cheer·er** [tʃíərər] *n.* [C] 갈채하는 사람, 응원자.
‡**cheer·ful** [tʃíərfəl] *a.* **1 기분좋은,** 쾌활한, 기운찬. **2 마음을 밝게 하는,** 즐거운, 기분이 상쾌한: ~ surroundings 쾌적한 환경. **3** 기꺼이 …하는, 마음으로부터의: a ~ giver 선뜻 물건을 주는 사람/~ obedience 마음에서 우러나오는 복종. [파] °**~·ly** *ad.* **~·ness** *n.*
chéer·ing [-riŋ] *a.* 원기를 돋우는, 격려하는; 갈채하는: ~ news 신나는 소식/a ~ crowd 갈채하는 군중.
cheer·io(**h**) [tʃìərióu] *int.* 《英구어》 잘 있게, 또 봄세《작별인사》; (축배를 들 때의) 축하합니다, 건배.
chéer·lèader *n.* [C] 《美》 (보통 여성) 응원단장.
°**chéer·less** *a.* 기쁨이 없는, 음산한, 쓸쓸한, 어두운: a ~ prospect 어두운 전망.
[파] **~·ly** *ad.* **~·ness** *n.*
cheery [tʃíəri] (***cheer·i·er; -i·est***) *a.* 기분이 좋은; (보기에) 원기있는(lively), 명랑한, 유쾌한.
[파] **chéer·i·ly** *ad.* 기운차게, 명랑하게. **chéer·i·ness** *n.*
†**cheese**[1] [tʃiːz] *n.* **1 a** [U] (종류는 [C]) **치즈**: a piece 〔slice〕 of ~ 치즈 한 개〔조각〕. **b** [C] (일정한 모양으로 굳힌) 치즈: three ~*s* 치즈 3개. **2** [C] (모양 · 굳기 · 성분 따위가) 치즈 비슷한 것.

> [DIAL] ***Hard*** 〔***Tough***〕 ***cheese!*** 《英》 그것 참 안되었군.
> ***Say cheese!*** 치즈라고 말하세요, 자 웃으세요 《사진을 찍을 때 하는 말》.

cheese[2] *n.* [C] 〔보통 the big ~로〕 《속어》 대단한 것; 귀중한 것; 중요 인물, 보스.
cheese[3] *vt.* 《구어》 〔주로 관용구로〕 =STOP.
Cheese it! 그만둬, 조심해; 튀어라.
chéese·bùrger *n.* [C] (요리는 [U]) 《美》 치즈버거《치즈와 햄버거를 넣은 샌드위치》.
chéese·càke *n.* **1** [C] (요리는 [U]) 치즈케이크 《과자》. **2** [U] 〔집합적〕 《속어》 성적 매력을 강조한 누드 사진.
chéese·clòth *n.* [U] 일종의 투박한 무명.
chéesed *a.* [P] 《英속어》 진절머리나는, 아주 싫증나는(*off*)《***with*** …에》.
chéese·mònger *n.* [C] 치즈 장수《치즈 이외에 버터 · 달걀도 팖》.
chéese·pàring *n.* [U] 인색함, 쩨쩨함. —*a.* [A] 인색한(stingy).
chéese stràw 가루 치즈를 발라 구운 길쭉한 비스킷.
cheesy [tʃíːzi] (***chees·i·er; -i·est***) *a.* 치즈질

(質)의〔맛이 나는〕; 《속어》 하치의, 싸구려의.
[파] **chées·i·ly** *ad.* **-i·ness** *n.*

chee·tah [tʃíːtə] *n.* [C] 치타《표범 비슷한 동물; 길들여 사냥에 씀; 남아시아·아프리카산》.

Chee·ver [tʃíːvər] *n.* **John** ~ 치버《미국의 소설가; 1912–82》.

◇**chef** [ʃef] *n.* 《F.》 [C] 주방장; 요리사, 쿡(cook).

chef-d'oeu·vre [ʃeidə́ːvər] (*pl.* ***chefs-*** [—]) *n.* 《F.》 [C] 걸작.

Che·khov [tʃékɔːf/-ɔf] *n.* **Anton** ~ 체호프《러시아의 소설가·극작가; 1860–1904》.

che·la¹ [kíːlə] (*pl.* ***-lae*** [-liː]) *n.* [C] (새우·게·전갈의) 집게발.

che·la² [tʃéilɑː/-lə] *n.* 《Ind.》 [C] (불문의) 제자, 입문자.

che·lo·ni·an [kilóuniən] *a.* 거북류의.
—*n.* [C] 거북, 바다거북.

chem. chemical; chemist; chemistry.

⁑**chem·i·cal** [kémikəl] *a.* **화학의**; 화학 작용에 의한; 화학적인: ~ affinity 친화력 / ~ agent 화학 약제 / ~ analysis 화학 분석 / ~ changes 화학 변화 / ~ combination 화합 / ~ energy 화학 에너지 / ~ fiber 화학 섬유 / a ~ formula 화학식 / the ~ industry 화학 공업 / ~ reaction 화학 반응 / ~ textile 화학 섬유 / ~ weapons 화학 병기 / a ~ works 제약 공장. **—***n.* [C] (흔히 *pl.*) 화학 제품〔물질·약품〕: fine ~*s* 정제 약품 / heavy ~*s* 공업 약품.
[파] ~**·ly** *ad.* 화학 작용으로; 화학적으로.

chémical óxygen demànd 〖환경〗 화학적 산소 요구량《물의 오염도를 나타내는 기준이 됨; 생략: COD》. [cf.] BOD.

chémical wárfare 화학전《생략: CW》.

◇**che·mise** [ʃəmíːz] *n.* [C] (여성의) 속옷의 일종, 슈미즈; 시프트 드레스.

⁑**chem·ist** [kémist] *n.* [C] **1 화학자. 2** 《英》 약제사, 약장수(《美》 druggist): a ~'s (shop) 《英》 약국(《美》 drugstore).

⁑**chem·is·try** [kémistri] *n.* [U] **1 화학**: applied ~ 응용 화학 / organic ~ 유기 화학 / inorganic ~ 무기 화학. **2** 화학적 성질, 화학 작용〔현상〕. **3** 《구어》 공감대《***between*** (사람)과 (사람)간의》, 공통점, 죽이 맞음: They have good ~. 그들은 죽이 잘 맞는다.

chèmo·sýnthesis *n.* [U] 화학 합성.
[파] **-synthétic** *a.* **-synthétically** *ad.*

chèmo·therapéutic, -tical *a.* 화학 요법의.

chèmo·thérapy *n.* [U] 〖의학〗 화학 요법.

chem·ur·gy [kémərdʒi] *n.* [U] 농산(農産) 화학. [파] **che·mur·gic** [kemə́ːrdʒik] *a.*

che·nille [ʃəníːl] *n.* [U] 가장자리 장식용으로 꼰 실의 일종; 그것으로 짠 천.

cheque [tʃek] *n.* [C] 《英》 수표(《美》 check).

chéque·bòok *n.* 《英》 =CHECKBOOK.

chéque càrd 《英》 =CHECK CARD.

cheq·uer [tʃékər] *n.* 《英》 =CHECKER¹.

cheq·uers [tʃékərz] *n.* 《英》 =CHECKERS.

***cher·ish** [tʃériʃ] *vt.* **1 소중히 하다. 2** 귀여워하다, 소중히 기르다: ~ a child 아이를 귀여워하다〔소중히 기르다〕. **3** (소원·원한 등)을 **품다**: ~ the religion in the heart 그 종교를 마음 속으로 몰래 신봉하다 / ~ a grudge against a person 아무에게 원한을 품다 / ~ the memory of …에 대한 추억을 늘 간직하다.

Cher·no·byl [tʃəːrnóubil] *n.* 체르노빌《우크라이나 공화국의 Kiev 북쪽 130 km에 위치한 도시; 1986년 원자로 사고가 남》.

Cher·o·kee [tʃérəkìː, ˈ-ˈ] (*pl.* ~(**s**)) *n.* **1** (the ~(s)) 체로키족《북아메리카 인디언》; [C] 체로키족 사람. **2** [U] 체로키어.

che·root [ʃərúːt] *n.* [C] 양끝을 자른 여송연.

⁑**cher·ry** [tʃéri] *n.* **1** [C] **버찌. 2** [C] **벚나무**(=~ **trèe**). **3** [U] 벚나무 재목. **4** [U] 버찌색, 선홍색. **5** (*sing.*) 《비어》 처녀막〔성〕: lose one's ~ 처녀성을 잃다.
make 〔***take***〕 ***two bites at*** 〔***of***〕 ***a*** ~ 한 번에 될 일을 두 번에 하다; 꾸물거리다.
—*a.* **1** 버찌의; 버찌가 든: ~ pie 버찌〔체리〕 파이. **2** [A] 벚나무 재목으로 만든. **3** 버찌색〔선홍색〕의: ~ lips 빨간 입술. **4** 《속어》 처녀의; 미경험의, 새로운.

chérry blòssom 벚꽃.

chérry brándy 체리 브랜디《버찌를 브랜디에 넣어 만든 음료; 또 버찌를 발효 증류한 술》.

chérry pìcker 사람을 올리고 내리는 이동식 크레인.

chérry·stòne *n.* [C] 버찌씨.

chérry tomàto 〖원예〗 방울〔꼬마〕 토마토.

chert [tʃəːrt] *n.* [U] 〖광물〗 수암(燧岩), 각암(角岩).

cher·ub [tʃérəb] (*pl.* ~***s,*** ***cher·u·bim*** [-ìm]) *n.* [C] **1** 지품천사(智品天使), 케루빔《제 2 계급에 속하는 천사; 지식을 맡음》. **2** (*pl.* ~***s***) 〖미술〗 천동(天童)《날개를 가진 귀여운 아이의 그림》; (천사처럼) 순진한 어린이, 통통히 살찐 귀여운 아이; 동안(童顔)인 사람.

che·ru·bic [tʃərúːbik] *a.* 천사의, 천사 같은; 천진스러운, 귀여운. [파] **-bi·cal·ly** *ad.*

cher·vil [tʃə́ːrvil] *n.* [U] 〖식물〗 파슬리류(類)《샐러드용》.

Chés·a·peake Báy [tʃésəpìːk-] 체서피크만《미국 Maryland 주와 Virginia 주 사이의 만》.

Chesh·ire [tʃéʃər] *n.* 체셔《잉글랜드 북서부의 주; 주도 Chester; 생략: Ches.》.

Chéshire cát 늘 능글맞게 웃는 사람.
grin like a ~ 《구어》 공연히 능글맞게 웃다.

Chéshire chéese Cheshire 산(産)의 크고 둥글넓적한 치즈.

***chess**¹ [tʃes] *n.* [U] **체스**, 서양장기.

chéss·bòard *n.* [C] 체스판, 서양장기판.

chéss·màn [-mæ̀n, -mən] (*pl.* ***-mèn*** [-mèn, -mən]) *n.* [C] (체스의) 말.

***chest** [tʃest] *n.* [C] **1** (뚜껑 달린) **대형 상자**, 궤; (차(茶) 따위의) 수송용 포장 상자: a carpenter's ~ 목수의 연장통 / a ~ of drawers (침실·화장실의) 서랍장 / a ~ of clothes 장 그득한 옷. [SYN.] ⇨BOX. **2** (공공 단체의) **금고**; 《비유적》 자금: ⇨WAR 〔COMMUNITY〕 CHEST. **3** 흉곽, **가슴**: ~ trouble 폐병 / a cold on the ~ 기침감기 / raise a hand to one's ~ 가슴에 손을 얹다《국기에 대한 경례·충성심의 표시》 / What is your ~ size, sir? 가슴 사이즈가 몇입니까. [SYN.] ⇨BREAST. **4** 《구어》 흉중, 마음.
Chest out! 《구령》 가슴 펴. ***get ... off*** one's ~ (마음에 걸리는 것)을 털어놓아 개운히 하다. ***have ... on*** one's ~ …이 마음에 걸리다, 신경 쓰이는 일이 있다.

-chést·ed [-id] *a.* 〖주로 합성어로〗 가슴이 …한: broad-〔flat-〕~ 가슴이 넓은〔납작한〕.

ches·ter·field [tʃéstərfìːld] *n.* [C] (벨벳깃을 단) 싱글 외투의 일종; 침대 겸용 소파.

◇**chest·nut** [tʃésnʌ̀t, -nət] *n.* **1** Ⓒ 밤; 밤나무 (=∠ **trèe**); Ⓤ 밤나무 재목(~ wood): sweet ~ 유럽산 밤. **2** Ⓤ 밤색, 고동색; Ⓒ 구렁말. **3** Ⓒ 《구어》 케케묵은 이야기〔재담, 곡(曲)〕. ***pull** a person's **~s out of the fire*** 아무를 위하여 위험을 무릅쓰다.
—*a.* 밤색의, 밤색 털의.

chést vòice 〖음악〗 흉성음(胸聲音)《가슴의 공명에 의한 저음》. ⓒⓕ head voice.

chesty [tʃésti] *a.* 《구어》 가슴이 큰; 《특히》 (여성의) 가슴이 풍만한; 《美속어》 뽐내는, 거만한; 《英》 폐렴 · 결핵 따위에 걸리기 쉬운, 가슴이 약한.

che·vál glàss [ʃəvǽl-] 체경(體鏡)《온몸을 비추는 큰 거울》.

chev·a·lier [ʃèvəlíər] *n.* 《F.》 Ⓒ (중세의) 기사(knight); (프랑스 등의) 훈작사(勳爵士); 의협적인 사람.

Chev·i·ot [tʃéviət, tʃíːv-] *n.* Ⓤ 체비엇 양털로 짠 두꺼운 모직물.

Chev·ro·let [ʃèvrəléi, ʃévrəlèi] *n.* Ⓒ 시보레 《미국 GM 사가 만든 자동차; 상표명》.

chev·ron [ʃévrən] *n.* Ⓒ 갈매기표 수장(袖章)《부사관 등의; 영국에서는 근무 연한을, 미국에서는 계급을 표시》.

chevy, chev·vy [tʃévi] *n.*, *v.* =CHIV(V)Y.

***chew** [tʃuː] *vt.* **1** 씹다; 깨물어 바수다: *Chew* your food well. 음식을 잘 씹어라. **2** 《+목+부》 깊이 생각하다, (심사)숙고하다(*over; on*); 충분히 서로 이야기하다, 논의하다(*over*): ~ the matter *over* in mind before coming to a decision 결론을 내리기 전에 그 일을 충분히 생각하다.
—*vi.* 《~/+전+명》 씹다《*at* …을》; 《美구어》 씹는 담배를 씹다.
be ~ed up 《英속어》 몹시 걱정하다〔심려하다〕《*about* …에 관해서》. ***bite off more than** one **can ~*** ⇨BITE. **~ *out*** 《*vt.*+부》 호되게 꾸짖다, 호통치다《*for* …때문에》: I *~ed* him *out for* not locking the door. 문을 잠그지 않아서 그를 호되게 꾸짖었다. ~ ***the fat*** 〔***rag***〕 《구어》 지껄이다, 재잘거리다; 《英》 투덜대다. **~ *up*** 《*vt.*+부》 ① 짓씹다. ② 엉망진창으로 부수다, 못쓰게 만들다.
—*n.* **1** (a ~) 저작, 씹기; 《특히》 (씹는 담배의) 한 입. **2** Ⓒ 씹는 과자《캔디 따위》: have a ~ *at* …을 한 입 깨물다〔먹다〕.
㊕ ∠**·a·ble** *a.*

***chéwing gùm** 껌.

chéwing tobàcco 씹는 담배.

chewy [tʃúːi] *a.* 잘 씹어지지 않는; 잘 씹을 필요가 있는.

Chey·enne [ʃaién, -ǽn] (*pl.* ~(**s**)) *n.* **1** (the ~(s)) 샤이엔족《북아메리카 원주민》; Ⓒ 샤이엔족 사람. **2** Ⓤ 샤이엔 말.

chg. chge. change; charge.

chi [kai] *n.* Ⓤ (구체적으로는 Ⓒ) 그리스어 알파벳의 22 번째 글자《X, *x*》.

Chiang Kai-shek [tʃǽŋkaiʃék] 장 제스(蔣介石)《중국의 정치가; 1887–1975》.

Chi·an·ti [kiǽnti, -ɑ́ːn-] *n.* 《It.》 Ⓤ (낱개는 Ⓒ) 이탈리아 원산의 붉은 포도주.

chi·a·ro·scu·ro [kiɑ̀ːrəskjúːrou] *n.* 《It.》 Ⓤ 〖미술〗 명암〔농담〕의 배합; Ⓒ 명암의 배합을 노린 그림〔목판화〕.

chic [ʃi(ː)k] *a.* (옷 등이) 멋진, 스마트한(stylish): a ~ hat 멋진 모자. —*n.* Ⓤ (특히 옷의) 멋짐, 기품, 우아: She wears ~, expensive clothes. 그녀는 멋지고 값진 옷을 입고 있다.
㊕ ∠**·ly** *ad.* ∠**·ness** *n.*

***Chi·ca·go** [ʃikɑ́ːgou, -kɔ́ː-] *n.* **시카고**《미국 중부의 대도시》. ㊕ **~·an** *n.* Ⓒ 시카고 시민.

chi·cane [ʃikéin] *n.* **1** =CHICANERY. **2** Ⓒ 〖카드놀이〗 으뜸패가 한 장도 없는 사람; Ⓤ 그 상태. **3** Ⓒ 시케인《자동차 경주 도로의 감속용 장애물》. —*vi.* 둘러대다, 거짓을 꾸며대다. —*vt.* 속이다, 기만하다《*into* …하도록》; 속여서 빼앗다 《*out of* …을》: ~ a person *into* doing 아무를 속여서 …하게 하다 / ~ a person *out of* a thing 아무에게서 물건을 속여 빼앗다.

chi·can·ery [ʃikéinəri] *n.* Ⓤ (구체적으로는 Ⓒ) 꾸며댐, 발뺌, 속임수.

Chi·ca·no [tʃikɑ́ːnou] (*pl.* **~s**) *n.* Ⓒ 멕시코계 미국인.

chi·chi [ʃíːʃiː] *a.* (복장 등이) 현란한; 멋진; 세련된. —*n.* Ⓤ 현란하게 꾸밈, 화려함; Ⓒ (화려한) 장식, 화려한 것.

◇**chick** [tʃik] *n.* Ⓒ **1** 병아리, 새새끼. **2** 《애칭》 어린애. **3** 《속어》 아가씨, 계집애.

chick·a·dee [tʃíkədìː] *n.* Ⓒ 〖조류〗 박새류.

⁑**chick·en** [tʃíkin] (*pl.* ~(**s**)) *n.* **1** Ⓒ 새새끼; 《특히》 **병아리**: hatch ~s 병아리를 까다〔부화하다〕. **2** Ⓒ 《美속어》 **닭**(fowl); Ⓤ **닭고기**. **3** Ⓒ 〖보통 no ~으로〗 《구어》 아이; 계집아이, 젊은 여자: She is *no* ~. 그녀는 이젠 소녀가 아니다 《이젠 젊지 않다》. **4** Ⓒ 《속어》 겁쟁이.
count** one's **~s before they are hatched 떡줄 놈은 생각도 않는데 김칫국부터 마신다. ***go to bed with the ~s*** 《美구어》 밤에 일찍 자다. ***play ~*** 《구어》 상대가 물러설 것이라 생각하고 서로 위협하다; (차를 충돌 직전까지 고속으로 몰아) 담력을 테스트하다.
—*a.* **1** Ⓐ 닭고기의. **2** Ⓐ 《속어》 작은; 사소한: a ~ lobster 잔 새우. **3** Ⓟ 《속어》 겁많은, 비겁〔비열〕한: He's ~. 그는 겁쟁이다.
—*vi.* 〖다음 관용구로〗 **~ *out*** 겁을 먹고 물러서다〔손을 떼다, 내리다〕《*of, on* …에서》: ~ *out on* the plan 그 계획에 겁을 먹고 손을 떼다 / ~ *out of* jumping 겁이 나서 뛰지 못하다.

chícken-and-égg [-ənd-] *a.* (논의 따위가) 닭이 먼저냐 달걀이 먼저냐의: a ~ problem 〔dilemma〕.

chícken brèast 새가슴.

chícken-brèasted [-id] *a.* 새가슴의.

chícken fèed 닭모이; 《속어》 잔돈; 푼돈.

chícken-fried stéak 《美》 튀김옷을 입혀서 튀긴 조그마한 스테이크.

chícken-héarted 〔**-lívered**〕 *a.* 겁많은, 소심한(timid).

chícken pòx 〖의학〗 수두(水痘), 작은마마.

chícken wìre (그물코가 육각형인) 철망《닭장용》.

chíck·pèa *n.* Ⓒ 〖식물〗 이집트콩, 병아리콩.

chíck·wèed *n.* Ⓤ 〖식물〗 별꽃.

chic·le [tʃíkəl] *n.* Ⓤ 치클《sapodilla 에서 채취하는 껌의 원료》.

chícle gúm =CHICLE.

chic·o·ry [tʃíkəri] *n.* Ⓤ 〖식물〗 치커리(《英》 endive)《유럽산(産); 잎은 샐러드용, 뿌리는 커피 대용》.

◇**chide** [tʃaid] (***chid*** [tʃid], ***chid·ed*** [tʃáidid]; ***chid·den*** [tʃídn], ***chid, chid·ed***) *vt.* **1** 꾸짖다(scold), 비난하다, …에게 잔소리하다《*for* …때문에》: She ~*d* her daughter *for* getting her dress dirty. 그녀는 딸이 옷을 더럽혔다고 야단을 쳤다. **2** (아무)를 꾸짖어 …시키다《***into*** …하게》: ~ a person *into* apologizing 아무를 꾸짖어 사과하게 하다.

‡**chief** [tʃiːf] (*pl.* ~**s**) *n.* Ⓒ **1 장(長),** 우두머리, 지배자: the ~ of police 경찰서장(《英》 ~ constable) / the ~ of staff 참모장; (대통령의) 수석 보좌관 / the ~ of state 국가 원수. **2** (종족의) 추장, 족장. **3** 장관, 국장, 과장, 소장. **4** 《속어》 상사, 보스(boss), 두목.

in ~ ① 최고위의, 장관의: the editor *in* ~ 편집장 / ⇨ COMMANDER IN CHIEF. ② 주로(chiefly); 특히.

—*a.* Ⓐ **1 최고의,** 우두머리의, 제1위의: a ~ engineer 〔nurse〕 기사장〔수간호사〕 / the *Chief* Executive 《美》 대통령. **2 주요한,** 주된: the ~ difficulty 주된 난점.

SYN. **chief** 지위·중요성에 있어서 제일의. 순위가 강조됨: the *chief* point 주요점. **principal** 실력·영향력·역할에 있어서 중심적인 → 주요한: the *principal* dancer 발레의 주역 무희 / a *principal* offender 정범(正犯). **leading** 지도적인→주요한. principal과 근사한 말: a *leading* motive 주된 동기. **capital** 우두머리의 위치를 차지하는→주요한: a *capital* city 수도. **main** 근간·주류를 차지하는→주요한: the *main* event 주요 경기 종목.

chíef cónstable 《英》 (시·주의) 경찰서장.

chíef inspéctor 《英》 (경찰의) 경감.

chíef jústice (the ~) 재판장; 법원장: the *Chief Justice* of the United States 미연방 대법원장.

***chief·ly** [tʃíːfli] *ad.* **1** 첫째로. **2 주로**(mainly); 흔히, 대개: be ~ made of wood 주로 나무로 만들어져 있다.

chief·tain [tʃíːftən] *n.* Ⓒ 지도자; 수령, 추장; 족장. ㊋ **~·cy** [-si], **~·ship** [-ʃip] *n.* Ⓒ ~의 지위〔역할〕.

chif·fon [ʃifán, ∠-/∠fɔn] 《F.》 *n.* **1** Ⓤ 시퐁, 견(絹) 모슬린. **2** (*pl.*) (여성복의) 가장자리 장식《레이스·리본 따위》. **—***a.* 시퐁과 같이 얇은〔부드러운〕; 거품 일게 한 흰자 따위를 넣고 살짝 익힌《파이·케이크 등》: a lemon ~ pie 레몬 파이의 일종.

chif·fo·nier [ʃifəníər] *n.* Ⓒ 양복장《폭이 좁고 높은, 거울이 달린》.

chig·ger [tʃígər] *n.* Ⓒ **1** 털진드기의 일종《사람·동물의 림프액을 빨아먹음》. **2** = CHIGOE.

chi·gnon [ʃíːnjan, ʃiːnʌ́n] *n.* 《F.》 Ⓒ 뒷머리에 땋아 붙인 쪽.

chig·oe [tʃígou] *n.* Ⓒ 모래벼룩(sand flea)《서인도·남아메리카산(産); 손살〔발살〕에 기생》.

chi·hua·hua [tʃiwáːwaː, -wə] *n.* Ⓒ 치와와《멕시코원산의 작은 개의 품종》.

chil·blain [tʃílblèin] *n.* Ⓒ (보통 *pl.*) 동상(凍傷)《frostbite보다 가벼움》. ㊋ **~ed** *a.* 동상에 걸린.

†**child** [tʃaild] (*pl.* ***chil·dren*** [tʃíldrən]) *n.* Ⓒ **1 아이;** 사내〔계집〕아이, 어린이, 아동; 유아; 태아: *children's* diseases 소아(小兒)병 / as a ~ 어릴 때 / from a ~ 어릴 때부터 / The ~ is (the) father of 〔to〕 the man. 《속담》 세살 적 버릇이 여든까지 간다.

2 자식, 아들, 딸《연령에 관계 없이》; 자손(offspring): an only ~ 외아들 / the eldest ~ 장자 / a ~ of Abraham 아브라함의 자손, 유대인.

3 어린애 같은 사람, 경험이 없는 사람, 유치한 사

람: Don't be a ~! 바보 같은 짓 마라.

4 제자(disciple), 숭배자: a ~ of the times 시대의 총아(寵兒) / a ~ *of* God 하느님의 아들, 선인, 신자 / a ~ *of* the Devil 악마의 자식, 악인.

5 (어느 특수한 환경에) 태어난 사람, (어느 특수한 성질에) 관련 있는 사람: a ~ *of* the Renaissance 르네상스가 낳은 인물 / a ~ *of* the Revolution 혁명아.

6 (두뇌·공상 등의) 소산, 산물: a fancy's ~ 공상의 산물 / The invention is a ~ *of* his brain. 그 발명은 그의 머리에서 나왔다.

with ~ 임신하여, 임신 중인: be *with* ~ by … 의 씨를 배고 있다 / get a woman *with* ~ 임신시키다 / go *with* ~ (여자가) 임신하고 있다.

chíld abùse 아동 학대.

chíld·bèaring *n.* Ⓤ 출산. **—***a.* Ⓐ 출산의; (나이가) 임신 가능한.

chíld·bèd *n.* Ⓤ 산욕(産褥) 중; 해산 중: die in ~ 해산 중에 죽다.

chíld bénefit 《英》 (국가에서 지급하는) 아동 수당.

chíld·bìrth *n.* Ⓤ 분만, 해산(parturition): a difficult ~ 난산.

chíld·càre *n.* Ⓤ 《英》 육아: a ~ center 보육원; 탁아소. **—***a.* 육아의(=**chíld càre**).

chíldcare lèave 육아 휴가.

‡**child·hood** [tʃáildhùd] *n.* Ⓤ (구체적으로는 Ⓒ) **1 어린 시절,** 유년 시절: in one's ~ 어릴 적에 / in one's second ~ 늘그막에. **2** (발달의) 초기 단계: the ~ of science 과학의 요람기.

***child·ish** [tʃáildiʃ] *a.* **1 어린애 같은,** 앳된, 유치한; 어리석은: a ~ idea 유치한 생각 / ~ innocence 어린애 같은 천진성 / It's ~ *of* you 〔You're ~〕 *to* say that. 그런 말을 하다니 너도 어리석구나. **2** 어린애의, 어린. ㊀ childlike. ㊋ **~·ly** *ad.* **~·ness** *n.*

chíld lábor 미성년 노동《미국서는 15세 이하》.

◇**chíld·less** *a.* 아이가 없는. ㊋ **~·ness** *n.*

***chíld·lìke** [tʃáildlàik] *a.* (좋은 뜻으로) **어린애 같은**〔다운〕; 귀여운, 순진한.

chíld·mìnder *n.* Ⓒ 애보는 사람(baby-sitter); 보모.

chíld·pròof *a.* 어린애는 다룰 수 없는; 어린애에게 안전한: ~ caps 어린애는 열 수 없는 병(마개).

chíld psychólogy 아동 심리학.

chil·dren [tʃíldrən] CHILD의 복수.

chíld's plày 《구어》 아이들 장난(같이 쉬운 일); 하찮은 일: It's mere ~ for him. 그에게 있어서 그건 식은죽 먹기다.

Chile [tʃíli] *n.* 칠레《남아메리카 서남부의 공화국; 수도 Santiago》. ㊋ **Chíl·e·an, Chíl·i·an** [-ən] *a., n.* Ⓒ 칠레의 (사람).

chile ⇨ CHILI.

Chíle saltpéter 〔**níter**〕 칠레 초석(硝石), 실산나트륨.

chili, chile, chil·li [tʃíli] (*pl.* ~**s, *chíl·lies***) *n.* Ⓒ 칠레 고추《열대 아메리카원산》의 열매; Ⓤ 고추로 만든 (특히 멕시코 요리의) 향신료.

chíli pèpper = CHILI.

chíli sàuce 칠레 고추를 넣은 토마토 소스.

***chill** [tʃil] *n.* **1** (보통 *sing.*) **a 냉기,** 한기; (몸에 느끼는) 찬기: the ~ of early dawn 새벽의 냉기. **b** 오싹하는 느낌, 무서움: I feel a ~ creep over me. 몸이 오싹오싹한다 / The sight sent a

~ to my heart. 그것을 보고 오싹 소름이 끼쳤다. **2** Ⓒ 오한; 감기: take 〔catch〕 a ~ 오한이 나다, 감기에 걸리다. **3** (*sing.*) 냉담; 흥이 깨어짐, 불쾌함: cast a ~ upon 〔over〕 ... =put a ~ on ... …에 찬물을 끼얹다; …의 흥을 깨다.

take the ~ off ... (물 · 술 따위)를 약간 데우다, 거냉하다.

—*a.* **1 차가운**, 냉랭한: The night is ~. 냉랭한 밤이다. **2** 추위에 떠는; 오한으로 떠는: serve hot coffee for the ~ workmen 추위에 떠는 근로자들에게 뜨거운 커피를 대접하다. **3 냉담한**, 쌀쌀한: a ~ reception 쌀쌀한 대접.

—*vt.* **1** 식히다, 냉각하다, (음식물 · 포도주)를 차게 하다; 냉장하다: *Chill* the wine before serving. 내오기 전에 와인을 차게 해 두세요. **2** 춥게 하다; 오싹하게 하다: be ~*ed* to the bone 추위가 뼛속까지 스며들다; 오싹 소름이 끼치다. **3** (정열 따위)를 식히다; …의 흥을 깨다, 낙담시키다, 실망시키다: ~ a person's hopes 아무의 희망을 꺾어버리다. **4** 〖야금〗 (쇳물)을 냉경(冷硬)하다. **5** 《속어》 죽이다; 살해하다. **—***vi.* **1** 차지다; 으스스〔오싹〕해지다: My very blood ~*s* at the thought of it. 그것을 생각하면 오싹 소름이 끼친다. **2** 〖야금〗 (쇳물이) 급냉 응고하다.

~ ***out*** 《*vi.*+부》 《속어》 침착해지다, 냉정해지다.

~ a person***'s blood*** 아무의 간담을 서늘하게 하다.

㊞ **~ed** *a.* 차가워진; 냉경(冷硬)된《강철》; 냉장한: ~*ed* meat 냉장육(肉) / ~*ed* casting 냉경 주물. **∠·er** *n.* Ⓒ **1** 냉장실〔담당원〕. **2** =THRILLER. **3** 냉각〔냉장〕 장치. **∠·ness** *n.* =CHILLINESS.

chil·li [tʃíli] (*pl.* **~es**) *n.* 《英》 =CHILE.

chill·i·ness [tʃílinis] *n.* Ⓤ 냉기, 한기; 냉담.

chilly** [tʃíli] (chill·i·er, chill·i·est***) *a.* **1 차가운**, 으스스한: feel 〔be〕 ~ 으스스하다. **2 냉담한**, 쌀쌀한: offer 〔be given〕 a ~ welcome 냉담한 환영을 하다〔받다〕. **3** (이야기 따위가) 등골을 서늘해지게 하는, 스릴 있는. **—***ad.* 냉담하게. ㊞ **chíll·i·ly** *ad.*

Chíl·tern Hílls [tʃíltərn-] (the ~) 런던 중부의 구릉 지대.

chi·mae·ra [kimíːrə, kai-] *n.* =CHIMERA.

chime** [tʃaim] *n.* **1** Ⓒ **차임**, (조율을 한) 한 벌의 종; (보통 *pl.*) 관종(管鐘)《오케스트라용(用) 악기》; (보통 *pl.*) 종악(鐘樂): ring 〔listen to〕 the ~*s* 차임을 울리다〔듣다〕. **2** Ⓒ (문 · 시계 등의) 차임; (흔히 *pl.*) 차임 소리. **3** Ⓤ 해조(諧調) (harmony), 선율(melody). **4** Ⓤ 조화, 일치《with*** …와의》: fall into ~ *with* …와 조화하다 / keep ~ *with* …와 가락을 맞추다.

—*vt.* **1** (차임 · 종)을 울리다. **2** (선율 · 음악)을 차임으로 연주하다. **3** 《~+목/+목+전+명》 (시간)을 차임으로 알리다; (사람)을 차임으로 모이게 하다《***to*** …에》: The clock ~*d* one. 시계가 한 시를 쳤다 / ~ a congregation *to* church 종을 쳐 신도들을 교회에 모이게 하다.

—*vi.* **1** (차임이) 울리다. **2** 종악을 연주하다. **3** 《+전+명》 조화하다, 일치하다(agree)《***with*** …와》: The music ~*d with* her mood. 그 음악은 그녀 기분에 맞았다.

~ ***in*** 《*vi.*+부》 ① (노래 따위에) 맞추다. ② (사물이) 조화하다, 일치하다《***with*** …와》: His views ~*d in with* mine. 그의 생각은 나와 일치했다. ③ 이야기에 끼어들다《***with*** (찬성의 의견)을 가지고》. ④ 동의하다《***with*** …에》. **—**《*vt.*+부》 ⑤ (…라고) 맞장구를 치다: "Of course," he ~*d in*. '물론이죠' 라고 그는 맞장구를 쳤다.

chim·er [tʃáimər] *n.* Ⓒ 종을 울리는 사람.

chi·me·ra [kimíːrə, kai-] *n.* **1** (또는 C-) (그리스 신화의) 키메라《사자의 머리, 염소의 몸, 뱀의 꼬리를 한 불을 뿜는 괴물》. **2** Ⓒ 망상(wild fancy); 터무니없는 계획. **3** Ⓒ 〖생물〗 (이조직(異組織)의) 공생체.

chi·mer·ic, -i·cal [kimérik, kai-], [-ikəl] *a.* 괴물 같은; 공상의, 망상의; 터무니없는. ㊞ **-i·cal·ly** *ad.*

‡**chim·ney** [tʃímni] *n.* Ⓒ **1 굴뚝**《집 · 기관차 · 기선 · 공장 따위의》. **2** (램프의) 등피. **3** 굴뚝 모양의 것; (화산의) 분연구; 〖등산〗 (몸을 넣고 기어오를 정도의) 암벽의 세로로 갈라진 틈.

chímney brèast 《英》 벽난로의 방에 돌출한 부분.

chímney còrner 난롯가, 노변《옛날식의 큰 난로 앞의 따뜻한 자리》.

chímney pìece =MANTELPIECE.

chímney pòt 굴뚝 꼭대기의 연기 나가는 구멍.

chímney stàck 〔**stàlk**〕 여러 개의 굴뚝을 한데 모아 맞붙인 굴뚝; (공장 따위의) 높은 굴뚝.

chímney swàllow 〖조류〗 **1** 《英》 (굴뚝에 둥지를 치는) 제비. **2** =CHIMNEY SWIFT.

chímney swèep(**er**) 굴뚝 청소부.

chímney swìft 〖조류〗 칼새《북아메리카산》.

chimp [tʃimp] *n.* 《구어》 =CHIMPANZEE.

chim·pan·zee [tʃìmpænzíː, tʃimpǽnzi] *n.* Ⓒ 〖동물〗 침팬지《아프리카산》.

‡**chin** [tʃin] *n.* Ⓒ **턱**; 턱끝. cf. jaw. ¶ with (one's) ~ in hand 손으로 턱을 괴고.

stick 〔***put***〕 one***'s ~ out*** =stick one's NECK out. ***take ...*** 〔***take it***〕 (***right***) ***on the ~*** 《구어》 (턱 · 급소를) 얻어맞다; (고통 · 벌을) 참고 견디다. ***up to the ~*** 턱(밑)까지; 깊이 빠져 들어《***in*** …에》: He is *up to* his ~ *in* debt. 그는 빚 때문에 옴쭉을 못 하고 있다.

—(**-nn-**) *vt.* **1** (바이올린 등)을 턱에다 갖다 대다. **2** 《~ oneself》 (철봉에서) 턱걸이하다. **—** *vi.* 턱걸이하다; 《美속어》 지껄이다.

> **DIAL.** (***Keep your***) ***chin up!*** 힘내라; 기운 내라.

Chin. China; Chinese.

†**Chi·na** [tʃáinə] *n.* **중국**《수도는 북경(Peking, Beijing)》. ***from ~ to Peru*** 세계 도처에. ***the People's Republic of ~*** 중화 인민 공화국, 중국. ***the Republic of ~*** 중화 민국《대만 정부》. **—***a.* 중국(산(産))의.

chi·na** [tʃáinə] *n.* Ⓤ 자기(porcelain); 《집합적》 **도자기**: a piece of ~ 자기 한 개 / a ~ shop 도자기 가게, 사기전. **—a.* Ⓐ 도자기제(製)의.

chína càbinet =CHINA CLOSET.

chína clày 도토(陶土), 고령토(kaolin(e)).

chína clòset 찬장《특히 유리를 낀》.

Chína·man [-mən] (*pl.* ***-men*** [-mən]) *n.* Ⓒ 중국인《Chinese보다 좀 경멸적》.

a ~'s chance 《美》 《보통 부정문》 있을까 말까 한 희박한 가능성: He hasn't *a* ~*'s chance* of getting that job. 그에게는 그 직장을 얻을 수 있는 가능성이란 거의 없다.

Chína Séa (the ~) 중국해(海)《East China Sea 및 South China Sea》.

Chína sỳndrome (the ~) 중국 증후군《원자로의 노심용융(爐心溶融)(melt down)에 의한 사고; 용융물이 대지에 침투, (미국의) 지구 반대쪽인 중국에까지 미친다는 상상에 의거한 말》.
Chína téa 중국차(茶).
Chína·tòwn *n.* Ⓒ 중국인 거리.
chína·wàre *n.* Ⓤ 도자기.
chinch [tʃintʃ] *n.* Ⓒ《美》 **1** 빈대(bedbug). **2** =CHINCH BUG.
chínch bùg 〖곤충〗 긴노린재류(類)《밀의 해충》.
chin·chil·la [tʃintʃílə] *n.* Ⓒ 〖동물〗 친칠라《다람쥐 비슷한 짐승; 라틴 아메리카산》; Ⓤ 친칠라 모피.
chin-chin [tʃíntʃìn/ ́ ́] *int.* 《英구어》 안녕하세요, 안녕히 가세요; 축배를 듭시다.
chine [tʃain] *n.* Ⓒ 등뼈(backbone); (짐승의) 등(뼈)살.
Chi·nese [tʃainíːz, -níːs] *a.* **중국의**; 중국풍〔제(製), 산(産)〕의; 중국인의; 중국어의. **—** (*pl.* ~) *n.* Ⓒ 중국인; Ⓤ 중국어.
Chínese bóxes 크기의 차례대로 포개 넣을 수 있게 만든 그릇이나 상자.
Chínese cábbage 배추.
Chínese cháracter 한자.
Chínese ínk 먹(China ink).
Chínese lántern (장식용의) 종이 초롱.
Chínese médicine 한의학《약초 · 침구 요법을 포함한 중국의 전통 의학》.
Chínese púzzle 매우 복잡한 퀴즈; 난문(難問).
Chínese Wáll (the ~) 만리장성.
Chink [tʃiŋk] *n.* Ⓒ 《속어 · 경멸적》 중국인. ㊎ **~y** *a.*
chink[1] [tʃiŋk] *n.* Ⓒ 갈라진 틈, 금, 틈새; 틈으로 샌 광선; (법 · 계획의) 맹점: a ~ in the law 법의 맹점. ***a* 〔*the*〕 *~ in* one's *armor*** 《구어》 (작으나 치명적인) 약점, 결점.
— *vt.* …의 갈라진 틈〔금〕을 메우다(*up*).
chink[2] *n.* (a ~) 짤랑짤랑, 땡그랑《화폐 · 유리그릇 등의 소리》. **—** *vi., vt.* 쨍그랑〔땡그랑〕 울리다.
chín·less *a.* 《英구어》 (성격이) 우유부단한, 나약한.
chínless wónder 《英구어》 (좋은 집안의) 못난〔병신〕 자식; (상류 계급의) 무능한 사람.
Chi·no- [tʃáinou, -nə] '중국'의 뜻의 결합사: *Chino*-Korean 한중(韓中)의. ★ Sino-Korean 이 더 일반적임.
Chi·nook [ʃinúːk, núk, tʃi-] (*pl.* **~(s)**) *n.* **1 a** (the ~(s)) 치누크족《미국 북서부 컬럼비아 강 유역에 살던 아메리카 원주민》. **b** Ⓒ 치누크족 사람. **2** Ⓤ 치누크말. **3** (c-) Ⓒ 〖기상〗 치누크(wet ~)《미국 북서부에서 겨울부터 봄까지 부는 따뜻한 남서풍; 로키 산맥 동쪽으로 부는 건조한 난풍》.
chín·stràp *n.* Ⓒ (모자의) 턱끈.
chintz [tʃints] *n.* Ⓤ 사라사 무명《커튼 · 의자 커버용》.
chintzy [tʃíntsi] (***chintz·i·er; -i·est***) *a.* chintz 와 같은〔로 장식한〕; 값싼, 야한; 인색한, 쩨쩨한.
chín-ùp *n.* Ⓒ 턱걸이: do twenty ~*s* 턱걸이 20번을 하다.
chín·wàg *n.* Ⓒ 《구어》 수다, 잡담: have a ~ 수다 떨다.
chip [tʃip] *n.* **1** Ⓒ (나무) **토막**, 지저깨비, 대팻밥; (금속의) 깎아낸 부스러기; (모자 · 상자 등을 만드는) 무늬목. **2** Ⓒ (도자기 등의) 깨진 조각, 사금파리; 이빠진 자국, 흠. **3** Ⓒ (보통 *pl.*) (음식의) 얇은 조각: potato ~*s* 얇게 썬 감자 튀김. **4** Ⓒ《美》 (연료용) 가축의 말린 똥; 무미건조한 것; 시시한 것: (as) dry as a ~ 바싹 마른, 무미건조한/I don't care 〔mind〕 a ~. 나는 조금도 걱정 않는다. **5** Ⓒ (포커 따위의) 칩(counter). **6** (*pl.*) 《구어》 돈. **7** Ⓒ 〖골프〗 =CHIP SHOT. **8** Ⓒ 〖전자〗 칩《집적 회로를 붙인 반도체 조각》.
a ~ of* 〔*off*〕 *the old block (기질 · 외모 등이) 아버지를 꼭 닮은 아들. ***cash* 〔*hand, pass*〕 *in*** one***'s ~s* 〔*checks*〕** 《美》 (포커에서) 칩을 현금으로 바꾸다; 죽다. ***have a ~ on*** one***'s shoulder*** (불만 따위로) 싸우려들다, 화를 잘 내다. ***have had*** one***'s ~s*** 《英구어》 실패하다, 패배하다; 살해당하다. ***in the ~s*** 《구어》 돈 많은, 유복한. ***let the ~s fall where they may*** (자기 탓으로) 결과야 어쨌든〔남이야 뭐라 하든〕 (상관 않다). ***when the ~s are down*** 《구어》 위급할 때, 일단 유사시.
— (***-pp-***) *vt.* **1** 《~+목/+목+전+명/+목+부》 (도끼 · 끌 따위로) **깎다**, 자르다, 조각내다; …의 이가 빠지게 하다, 떨어져 나가게 하다, (페인트 등이) 벗겨지게 하다《***from, out of, off*** …에서》: ~ (the edge of) a plate 접시(가장자리)의 이를 빠지게 하다/~ (*off*) a few pieces of ice *from* the large cube 네모진 얼음덩어리에서 몇 개의 얼음 조각을 떼어내다/The old paint was ~*ped off*. 낡은 페인트가 벗겨져 나갔다. **2** 《+목+전+명》 깎아서 만들다《***out of*** (나무 · 돌)에서; ***into*** …으로》: ~ a toy *out of* wood =~ wood *into* a toy 나무를 깎아 장난감으로 만들다. **3** (병아리가 달걀 껍데기)를 깨다. **4** (튀김용의 감자)를 얇게 썰다. **5** 〖골프 · 미식축구〗 (볼)을 칩샷(chip shot)으로 치다. **—** *vi.* **1** (돌 · 사기 그릇 등이) 이가 빠지다: This china ~*s* easily. 이 사기 그릇은 이가 잘 빠진다. **2** 〖골프 · 미식축구〗 칩샷을 치다. **3** (병아리가) 달걀 껍데기를 깨다.
~ *away* 《*vt.*+부》 ① (나무 · 돌 따위)를 조금씩 깎아내다〔쪼아내다, 갉아내다〕. **—** 《*vi.*+부》 ② (…이) 조금씩 깎이다〔무너지다〕; 조금씩 깎다〔깎아내다〕《***at*** …을》: ~ *away at* the tree with one's ax 도끼로 그 나무를 조금씩 쪼아내다. ③ 조금씩 무너지게 하다《***at*** (관습 · 결의 따위)를》: Repeated defeats ~*ped away at* the team's morale. 되풀이된 패배로 그 팀의 사기는 점차로 무너져 내렸다. **~ *in*** 《구어》 《*vi.*+부》 ① 기부하다, 돈을 (제각기) 내다, 추렴하다《***to, for*** (사업 따위)에/***to*** do》: ~ *in for* 〔*to* buy〕 the present 그 선물을 사기 위해 돈을 제각기 내다. ② 제각기 제시하다《***with*** (생각 따위)를》: ~ *in with* suggestions for the trip 여행에 관한 생각들을 제각기 제시하다. ③ 말참견하다, 끼어들다《***with*** (논쟁 따위)에》; 끼워 넣다《***with*** (의견 따위)를》: ~ *in with* a few pertinent remarks 적절한 의견을 몇 개 끼워 넣다. **—** 《*vt.*+부》 ④ (말)을 끼워 넣다: ~ *in* a few comments 몇 마디 끼워 넣다. ⑤ 말참견하다《***that***》: He ~*ped in that* it was a tiresome movie. 그는 지루한 영화였다고 말참견했다. ⑥ (돈 따위)를 기부하다, 추렴하다: ~ *in* six dollars. 6달러 기부하다.
chíp bàsket 대팻밥〔무늬목〕으로 결은〔만든〕 바구니.
chíp·bòard *n.* Ⓤ (나무 부스러기로 만든) 합판; 두꺼운 마분지, 판지(板紙).
chip·muck, -munk [tʃípmʌk], [-mʌŋk] *n.* Ⓒ 〖동물〗 얼룩다람쥐《북아메리카산》.
chip·o·la·ta [tʃìpəláːtə] *n.* Ⓤ (낱개는 Ⓒ) 향료를 넣은 작은 소시지.
chipped [-t] *a.* 얇게 깎은; 잘게 썬: ~ beef

잘게 썰어 만든 훈제 쇠고기.

Chip·pen·dale [tʃípəndèil] *n.* Ⓤ 《집합적》 치펜데일《치펜데일풍(의 가구)》. ── *a.* 치펜데일풍의《곡선이 많고 장식적》.

chip·per [tʃípər] *a.* 《美구어》 기운찬, 쾌활한.

chippie ⇨ CHIPPY.

chip·pings [tʃípiŋz] *n. pl.* 지저깨비, 깎아낸 부스러기.

chípping spàrrow 【조류】 작은 참새의 일종《북아메리카산》.

chip·py, chip·pie [tʃípi] *n.* Ⓒ **1** 《英구어》 목수. **2** 《美속어》 바람기 있는 여자; 창녀.

chíp sèt 【컴퓨터】 칩세트《세트가 되어 데이터 처리 기능을 행하는 소수의 실리콘 칩의 편성》(=**chíp·sèt**).

chíp shòt 【골프】 칩샷《그린을 향하여 짧고 낮게 공을 쳐 올리는 일》.

chi·rog·ra·phy [kairágrəfi/-rɔ́g-] *n.* Ⓤ 필법; 서체; 서예. ㊕ **-pher** *n.* **chi·ro·graph·ic, -i·cal** [kàirəgrǽfik], [-ikəl] *a.*

chi·ro·man·cy [káirəmæ̀nsi] *n.* Ⓤ 수상술, 손금보기. ㊕ **-màn·cer** [-sər] *n.*

chi·rop·o·dist [kirápədist, kai-/-rɔ́p-] *n.* Ⓒ 《英》 손발 치료 전문의사(《美》 podiatrist).

chi·rop·o·dy [kirápədi, kai-/-rɔ́p-] *n.* Ⓤ 《英》 손발 치료(《美》 podiatry).

chi·ro·prac·tic [kàirəprǽktik] *n.* Ⓤ 척추 조정〔지압〕 요법, 카이로프랙틱.

chí·ro·pràc·tor *n.* Ⓒ 척추 지압사(師).

***chirp** [tʃəːrp] *n.* Ⓒ 찍찍, 짹짹《새·벌레의 울음소리》. ── *vi.* **1** 짹짹〔찍찍〕 울다〔지저귀다〕. **2** 새된 음성으로 이야기하다; 즐겁게 재잘거리다. ── *vt.* 《~+목/+목+부》 새된 소리로 말하다 (*out*): ~ (*out*) a hello 여보라고 새된 소리로 부르다.

chirpy [tʃə́ːrpi] *a.* 짹짹 우는; 《구어》 쾌활한, 활발한. ㊕ **chírp·i·ly** *ad.* **chírp·i·ness** *n.*

chirr [tʃəːr] *vi.* (여치·귀뚜라미 따위가) 찌르르 찌르르〔귀뚤귀뚤〕 울다. ── *n.* Ⓒ 찌르르찌르르〔귀뚤귀뚤〕 우는 소리.

chir·rup [tʃírəp, tʃə́ːrəp] *n.* Ⓒ 지저귐; 쩟쩟《혀 차는 소리》. ── *vi., vt.* 지저귀다; (말 따위를) 혀를 차서 격려하다. ㊕ **~y** *a.* 짹짹 지저귀는; 쾌활한.

***chis·el** [tʃízəl] *n.* **1** Ⓒ 끌, 조각칼, (조각용) 정: a cold ~ (금속용) 정. **2** (the ~) 조각술. ── (*-l-,* 《英》 *-ll-*) *vt.* **1** 《~+목/+목+부/+목+전+명》 끌로 깎다, 끌로 파다〔새기다〕(*out*); 끌로 만들다《*from, out of* …으로부터; *into* …을》: ~ (*out*) a statue 조상(彫像)을 새기다 / ~ marble *into* a statue = ~ a statue *out of* 〔*from*〕 marble 대리석으로 상(像)을 만들다. **2** 《+목+전+명》 《속어》 (아무)를 속이다; 사취하다《*out of* …으로부터, …을》: ~ a person *out of* something = ~ something *out of* a person 아무를 속여 물건을 빼앗다. ── *vi.* **1** 조각하다. **2** 《+전+명》 부정한 짓을 하다《*for* …을 위해서; *on* …에서》: ~ *for* good marks 〔*on* the exam〕 좋은 점수를 따려고〔시험에서〕 커닝을 하다.
~ *in* 《美구어》 끼어들다《*on* …에》: ~ *in on* a person's profit 아무의 이득에 끼어들다.
㊕ **chís·el·er,** 《英》 **-el·ler** *n.* Ⓒ 끌로 세공하는 사람; 《구어》 사기꾼.

chit[1] [tʃit] *n.* Ⓒ 어린아이; (건방진) 계집아이: a ~ of a girl 깜찍한 계집아이.

chit[2] *n.* Ⓒ (음식점 따위에서의) 청구 전표; 《英》 짧은 편지, 메모.

chít·chàt *n.* Ⓤ, *vi.* 수다(떨다), 잡담〔한담〕(하다).

chi·tin [káitin] *n.* Ⓤ 키틴질(質), 각소(角素) 《곤충·갑각류의 표면을 덮고 있는 껍질》. ㊕ **~·ous** [-əs] *a.* 키틴질의.

chit·ter [tʃítər] *vi.* 지저귀다(chirp).

chit·ter·lings [tʃítlinz, -liŋz] *n. pl.* (돼지 따위의) 소장(小腸)《식용》.

chi·val·ric [ʃivǽlrik/ʃívəl-] *a.* 《시어》 기사도 (시대)의, 기사적인.

°**chiv·al·rous** [ʃívəlrəs] *a.* 기사의, 기사적인; 무용(武勇)의, 의협의; 기사도 시대〔제도〕의; (약자에게) 관대한; (여성에게) 정중한. ◇ chivalry *n.* ㊕ **~·ly** ad. **~·ness** *n.*

°**chiv·al·ry** [ʃívəlri] *n.* Ⓤ **1** 기사도, 기사도적 정신: the Age of *Chivalry* 기사도 시대《10-14세기》/ the flower of ~ 기사도의 정화(精華). **2** (중세의) 기사도 제도.

chive [tʃaiv] *n.* Ⓒ 【식물】 (보통 *pl.*) 골파《조미료》.

chiv(·v)y [tʃívi] *n.* Ⓒ 추적; 사냥. ── *vt.* 쫓다, 쫓아다니다; 몰다; 귀찮게 괴롭히다〔재촉하다〕 (*along; up*); 귀찮게 해 …시키다《*into* …하게 / *to* do》.

chlo·ral [klɔ́ːrəl] *n.* Ⓤ 【화학】 클로랄《무색의 유상(油狀) 액체; 수면제》; 포수(抱水) 클로랄(= ~ **hýdrate**)《최면제(劑)》.

chlo·rate [klɔ́ːreit, -rit] *n.* Ⓤ 【화학】 염소산염.

chlo·rel·la [klərélə] *n.* Ⓤ (종류는 Ⓒ) 클로렐라《녹조(綠藻)의 일종; 우주식(食)으로 연구됨》.

chlo·ric [klɔ́ːrik] *a.* 【화학】 염소(塩素)의, 염소를 함유하는.

chlo·ride [klɔ́ːraid, -rid] *n.* Ⓤ 【화학】 염화물; Ⓒ 염화 화합물.

chlóride of líme 표백분. ★ 간단히 chloride 라고도 함.

chlo·ri·nate [klɔ́ːrənèit] *vt.* 【화학】 염소로 처리〔소독〕하다. ㊕ **chlò·ri·ná·tion** *n.*

chlo·rine [klɔ́ːrin] *n.* Ⓤ 【화학】 염소, 클로르《비금속 원소; 기호 Cl; 번호 17》.

chlòro·fluorocárbon *n.* Ⓤ (제품은 Ⓒ) 클로로플루오르카본《순환성 냉매(冷媒), 발포제, 용제로서 쓰이며 오존층 파괴가 문제되고 있음》.

chlo·ro·form [klɔ́ːrəfɔ̀ːrm] *n.* Ⓤ 클로로포름《무색 휘발성 액체; 마취약》. ── *vt.* 클로로포름으로 마취시키다〔기절시키다, 죽이다〕; 클로로포름으로 처리하다.

Chlo·ro·my·ce·tin [klɔ̀ːroumaisíːtn] *n.* Ⓤ 【약학】 클로로마이세틴《항생물질의 일종; 상표명》.

chlo·ro·phyl(l) [klɔ́ːrəfìl] *n.* Ⓤ 【생화학】 클로로필, 엽록소, 잎파랑이.

chlo·ro·plast [klɔ́ːrouplæ̀st] *n.* Ⓒ 【식물】 엽록체.

chlo·ro·quine [klɔ̀ːroukwíːn, -kwáin] *n.* Ⓤ 【약학】 클로로퀸《말라리아 특효약의 일종》.

choc [tʃak/tʃɔk] *n.* 《英구어》 = CHOCOLATE 1.

chóc-bàr *n.* Ⓒ 《英구어》 아이스초코바.

chóc-ìce *n.* Ⓒ 《英구어》 초코아이스크림.

chock [tʃak/tʃɔk] *n.* Ⓒ 굄목, 쐐기《통·바퀴 밑에 괴어 움직임을 막음》; 【해사】 뿔 모양의 밧줄걸이; 받침 나무《갑판 위의 보트를 얹는》. ── *vt.* **1** 쐐기로 괴다〔고정시키다〕 (*up*); (보트)를 받침 나무에 얹다 (*up*). **2** 《보통 수동태》 《英》

(방 · 공간 따위)를 가득 채우다, 빽빽하게 넣다 (*up*) 《**with** …으로》: The car park *was ~ed up with* lorries. 주차장은 트럭으로 가득 채워져 있었다. **—***ad.* 꽉, 잔뜩, 빽빽하게.

chock·a·block [tʃákəblàk/tʃɔ́kəblɔ̀k] *a.* **1** 〖해사〗 (겹도르래의) 위아래의 도르래가 꽉 당겨진. **2** Ⓟ 《구어》 꽉 (들어)찬《**with** …으로》: The streets were ~ *with* tourists. 거리는 관광객들로 붐볐다. **—***ad.* 꽉 차서.

chóck-fúll *a.* 꽉 들어찬《**of, with** …으로》: a box ~ *of* candy.

choc·o·hol·ic [tʃɔ̀:kəhɔ́:lik, -hálik, tʃàkə-] *n.* Ⓒ 《美우스개》 초콜릿 중독자.

†**choc·o·late** [tʃɔ́:kəlit, tʃák-/tʃɔ́k-] *n.* **1** Ⓤ (종류 · 낱개는 Ⓒ) **초콜릿**; 초콜릿 음료: a bar of ~ 판초콜릿 / drink a cup of ~ 초콜릿 한 잔을 마시다. **2** Ⓤ 초콜릿색. **—***a.* 초콜릿(색)의; 초콜릿으로 만든, 초콜릿이 든.

chócolate-bòx *n.* Ⓒ (장식이 현란한) 초콜릿 상자. **—***a.*(=**chócolate-bòxy**) (초콜릿 상자 같은) 장식이 지나쳐 감상적인; 흔한 아름다움의.

Choc·taw [tʃáktɔ:/tʃɔ́k-] (*pl.* **~(s)**) *n.* **1** (the ~(s)) 촉토족《아메리카 원주민의 한 종족; 현재는 Oklahoma에 삶》. **2** Ⓒ 촉토족 사람. **3** Ⓤ 촉토 말.

cho·go·ri [tʃougɔ́:ri] *n.* Ⓒ 저고리《한국의 고유 의상》.

‡**choice** [tʃɔis] *n.* **1** Ⓤ (구체적으로는 Ⓒ) **선택**(하기), 선정: the ~ of one's company 친구의 선택 / make a ~ 선택하다.

2 a Ⓤ **선택권**, 선택의 자유〔여지〕《**between** 양자간의》: Let him have the first ~. 그에게 먼저 골라잡게 하십시오 / There's no ~ *between* the two. 양자간에는 우열이〔선택의 여지가〕 없다. **b** Ⓒ **선택의 기회**; (둘 중의) 어느 한 쪽, 양자택일: offer a ~ 선택의 기회를 주다 / Starve or steal was the only ~. 굶어 죽느냐 그렇지 않으면 도둑질을 하느냐 양단간에 하나를 택할 수밖에 없었다.

3 〔보통 a ~ of로〕 (골라잡을 수 있는) **종류**, 범위, 선택의 풍부함: *a* wide 〔great〕 ~ *of* candidates 다양한 후보자 / There's *a* good 〔poor〕 ~ *of* transport facilities. 교통 기관의 종류가 많다〔적다〕.

4 Ⓒ **선발된 것**〔**사람**〕《**for** …에; **as** …으로》; (the ~) 골라잡은 것〔사람〕, 특선품《**of** …중에서》: Which is your ~? 어느 것으로 하겠습니까 / He's one of the *~s for* the team. 그는 그 팀에 선발된 한 사람이다 / She's the ~ *of* the new employees. 그녀는 신입사원의 꽃이다.

5 Ⓤ 선택의 신중: with ~ 신중히 / without ~ 무차별로.

***at* (one's) ~** 멋대로, 자유선택으로. ***by* ~** 좋아서, 스스로 택하여: I live here *by* ~. 나는 좋아서 이곳에 살고 있다. ***for* ~** 고른다면, 어느 쪽이냐 하면. ***from* ~** 자진하여. ***have no* (*other*) ~ *but* 〔*exept*〕 *to* do** …할 수밖에 없다. ***have no* (*particular, special*) ~** 어느 것이 특히 좋다고 할 수 없다, 무엇이나 상관없다. ***make* 〔*take*〕 one's ~** 골라잡다, 어느 하나를 택하다. ***of* ~** 고르고 고른, 정선한, 특상의. ***of* one's (*own*) ~** 자기가 좋아서〔고른〕: He married the girl *of his own* ~. 그는 자기가 좋아하는 여자와 결혼했다. ***out of* ~** 좋아서, 자진하여.

—(***chóic·er; chóic·est***) *a.* **1** (말 따위가) **고르고 고른**, 정선한(well-chosen); 〖반어적〗 통렬한, 공격적인: speak in ~ words 신랄한 말로 이야기하다. **2** Ⓐ (음식물 따위가) 극상의; 우량(품)의, 고급스러운; 《美》 (쇠고기가) 상등의: the *choicest* Turkish tobacco 특선 터키 담배 / my *choicest* hours of life 내 생애 최고의 때 / a ~ spirit 뛰어난 사람, 지도자.

㊕ **∠·ly** *ad.* 정선하여, 신중히. **∠·ness** *n.* Ⓤ 정선, 극상.

***choir** [kwáiər] *n.* Ⓒ **1** 〔집합적; 단 · 복수취급〕 **합창단**, 《특히》 성가대. **2** (보통 *sing.*) (교회의) 성가대석.

chóir·bòy *n.* Ⓒ (성가대의) 소년 가수.

chóir lòft (1 · 2층 중간의) 성가대석(席).

chóir·màster *n.* Ⓒ 성가대〔합창단〕 지휘자.

chóir schòol 성가대 학교《대성당 · 교회 등에서 경영하는 시립 초등학교 · 소년 성가대원에게 일반 교육을 함》.

chóir stàll (교회 본당의) 성가대석(席).

***choke** [tʃouk] *vt.* **1** 《~+목/+목+전+명》 **질식시키다**, 숨막히게 하다《★ 종종 수동태로 쓰며, 전치사는 *by, with*》: ~ a person *into* unconsciousness 목졸라 기절케 하다 / I *was* almost *~d by* 〔*with*〕 the smoke. 나는 연기로 질식할 뻔했다. **2** 《~+목/+목+부》 막다, 메우다, 막히게 하다(*up*)《★ 종종 수동태로 쓰며, 전치사는 *with*》: Sand is *choking* the river. 모래 때문에 강이 메워지고 있다 / The street *was ~d* (*up*) *with* cars. 차가 도로를 메웠다. **3** 《~+목/+목+부》 (성장 · 행동 등)을 저지〔억제〕하다(*off*): ~ economic growth 경제 성장을 저해하다 / ~ *off* inflation 인플레이션을 억제하다. **4** (식물)을 시들게〔마르게〕 하다. **5** (엔진)의 초크를 당기다《혼합기(氣)를 진하게 하기 위하여 카뷰레터에 흘러들어가는 공기를 막다》. **6** 《英구어》 (아무)를 실망시키다, 넌덜나게 하다.

—*vi.* 《~/+전+명》 **1 숨이 막히다**, 목메다《**with** …으로; **on, over** …에》; (파이프 따위가) 메다: ~ *with* smoke 연기로 숨이 막히다 / ~ *on* 〔*over*〕 one's food 음식이 목에 걸리다. **2** 말문이 막히다《**with** (감정)으로》: He 〔His voice〕 *~d with* rage. 그는 화가 나 말이 나오지 않았다.

~ *back* 《*vt.*+부》 (감정 따위)를 억제하다, 참다: ~ *back* one's tears 눈물을 참다. **~ *down*** 《*vt.*+부》 ① (감정 따위)를 억누르다. ② (모욕 따위)를 꾹 참다. ③ (음식물)을 겨우 삼키다. **~ *off*** 《*vt.*+부》 ① 억제하다(⇨*vt.* 3). ② (목을 졸라 비명 따위)를 지르지 못하게 하다. ③ 《英구어》 (호통을 치거나 하여) 침묵시키다. ④ 《구어》 (공급 따위)를 중단하다; (토론 등)을 중지시키다: ~ *off* supply of oil 석유 공급을 중단하다. ⑤ 꾸짖다, 야단치다《**for** …때문에》: ~ a person *off for* stay*ing* out late 밤늦게까지 외출해 있었다고 아무를 꾸짖다. **~ *up*** (*vt.*+부) ① 막다, 메우다 (⇨*vt.* 2). ② 《구어》 (어떤 일이) …의 말문을 막히게 하다. ③ 〖스포츠〗 짧게 쥐다《**on** (라켓 · 배트 따위)를》. **—**《*vi.*+부》 ④ (감정이 격앙되어) 말을 못하게 되다. ⑤ 《美》 (긴장하여) 굳어지다, 얼다: He *~d up* and dropped the ball. 그는 긴장으로 굳어져서 볼을 떨어뜨렸다.

—*n.* Ⓒ **1** 질식; 목메임. **2** (파이프 등의) 폐색부(閉塞部). **3** 〖기계〗 초크《엔진의 공기 흡입을 조절하는 장치》.

choked [tʃoukt] *a.* **1** 목메인. **2** 《구어》 진저리나는, 불쾌한: be 〔feel〕 ~ 진저리나다.

chóke póint 《美》 (항해의) 험난한 곳, (교통이) 막히는 지점.

chok·er [tʃóukər] *n.* Ⓒ **1** 숨막히게 하는 사람, (숨을) 막는 것. **2** 높은 칼라; (목에 꼭 끼는) 짧은 네크리스.

chok·ing [tʃóukiŋ] *a.* Ⓐ **1** 숨막히는, 질식시키는 (듯한). **2** (감동으로) 목이 메는 듯한: a ~ voice / a ~ cloud of smoke 숨이 막힐 듯이 자욱한 연기. ㊂ **~·ly** *ad.*

choky[1] [tʃóuki] (**chok·i·er; -i·est**) *a.* 숨막히는, 목이 메는 듯한: in a ~ voice 목메인 소리로.

choky[2], **chokey** [tʃóuki] *n.* (the ~) 《英속어》 유치장, 교도소.

chol·er [kálər/kɔ́l-] *n.* Ⓤ 《고어·시어》 성마름; 불뚱이; 『고대생리』 담즙(질).

***chol·era** [kálərə/kɔ́l-] *n.* Ⓤ 『의학』 **콜레라**, 호열자. ㊂ **chol·er·a·ic** [kàləréiik/kɔ̀l-] *a.* 콜레라(성)의, 유사 콜레라의.

chol·er·ic [kálərik/kɔ́l-] *a.* 성마른; 성난: a man of ~ temper 툭하면 골내는 남자.

cho·les·ter·ol, cho·les·ter·in [kəléstəròul, -rɔ̀:l/-rɔ̀l], [kəléstərin/kɔ-] *n.* Ⓤ 『생화학』 콜레스테롤《동물의 지방·혈액·담즙·계란 노른자 따위에 있음》.

chomp [tʃamp/tʃɔmp] *vt.*, *vi.* =CHAMP[1].

Chom·sky [tʃámski/tʃɔ́m-] *n.* (**Avram**) **Noam** ~ 촘스키《미국의 언어학자·정치 평론가; 변형 생성 문법 창시; 1928–》.

Chong·qing, Chung·king [tʃɔ́:ŋtʃíŋ], [tʃúŋkíŋ] *n.* 충칭(重慶)《중국 쓰촨(四川)성 동남부의 도시》.

choo-choo [tʃú:tʃù:] *n.* Ⓒ 《소아어》 칙칙폭폭(《英》 puff-puff).

†**choose** [tʃu:z] (**chose** [tʃouz]; **cho·sen** [tʃóuzn]) *vt.* **1** 《~+목/+*wh.* 절/목+전+명/+목+목》 **고르다**, 선택하다《**for** …을, (아무)에게; **between, among, from, out of** …(중)에서》; 선정하다: ~ death before dishonor 불명예보다는 죽음을 택하다 / ~ *whatever* one likes 마음에 드는 것을 자유로이 고르다 / ~ Sunday *for* one's departure 출발 날짜를 일요일로 잡다 / You may ~ one *among* them. 그들 중에서 하나를 골라도 좋다 / I *chose* her a nice present. =I *chose* a nice present *for* her. 그녀에게 좋은 선물을 골라 주었다.
2 《+목+보/+목+전+명/+목+*as* 보/+목+*to be* 보》 …을 …으로 선출하다《★ 수동태에서는 as, to be는 흔히 생략됨》: ~ a person President 아무를 대통령으로 뽑다 / They *chose* him *for* their leader. =They *chose* him *as* their leader. =They *chose* him *to be* their leader. 그들은 그를 자기들의 지도자로 선출했다 / On May Day a girl is *chosen* (*to be*) May Queen. 메이데이에 한 소녀가 5월의 여왕으로 선출된다.

SYN. **choose**는 '선출하다'를 뜻하는 가장 일반적인 말. **elect**는 투표 등의 방법으로 사람을 어떤 역이나 직에 선출한다는 뜻임. **select**는 좋은, 적당한 사람이나 물건을 다수 중에서 신중히 골라낸다는 뜻임.

3 《+*to* do / *wh. to* do / +*that* 절》 결정하다; 결심하다: You *chose to* do it. 네가 좋아서 한 일이 아니냐 / You're the one to ~ *what to* do next. 다음에 무엇을 할지 결정할 사람은 너다 / He *chose that* I (should) go. 그는 나를 보내기로 결정했다.
4 원하다, 바라다: Do you ~ any drink? 무엇을 좀 마시겠소.

— *vi.* **1** 《~/+전+명》 선택하다, 고르다《**between, from, out of** …에서》: ~ *between* the two 둘 중에서 고르다 / We had to ~ *from* what remained. 우리는 남은 것 중에서 골라야 했다.
2 바라다, 원하다: as you ~ 좋도록, 뜻대로, 좋다면 / You may stay here if you ~. 원한다면 여기 머물러도 좋소.
cannot* ~ *but do …하지 않을 수 없다(cannot help doing). **~ *up*** 《美구어》 《*vt.*+부》 ① (선수를 뽑아 팀)을 만들다: ~ *up* sides 〔teams〕 팀으로 나누다. **—**《*vi.*+부》 ② (야구 등 경기를 하기 위해) 팀으로 갈라지다. ***There is nothing*** 〔***not much, little***〕 ***to ~ between*** (them). (양자)간에 우열은 전혀〔거의〕 없다.
㊂ **chóos·er** *n.* Ⓒ 선택자; 선거인.

choosy, choos·ey [tʃú:zi] *a.* 《구어》 가리는, 까다로운《**about** …에 관해서》.

***chop**[1] [tʃap/tʃɔp] (**-pp-**) *vt.* **1** 《~+목/+목+부/+목+전+명》 **팍팍 찍다**, 자르다, 빠개다, 잘게〔짧게〕 자르다; 〖~ one's way〗 나무를 베어 길을 내다; (고기·야채 따위)를 저미다, 썰다(*up*): ~ the tree *down* 나무를 베어 넘기다 / ~ (*up*) meat 고기를 잘게 썰다 / ~ a way *through* the forest 숲의 나무를 베어 길을 내다. SYN. ⇨CUT.
2 《英구어》 (경비·예산)을 삭감〔절감〕하다. **3** 『테니스·크리켓』 (공)을 깎아치다. **4** (말)을 짧게 끊어 하다, 띄엄띄엄 말하다. **5** 《英구어》 (계획 등)을 갑자기 중지하다《★ 종종 수동태》: The project *was* ~*ped*. 그 계획은 갑자기 중지되었다.
— *vi.* **1** 《~/+전+명/+부》 찍다, **자르다**, 베다(*away*)《**at** …을》: ~ *at* a tree 나무를 찍다 / He ~*ped away* for an hour before the tree fell. 그가 1시간이나 도끼질하고 나서야 나무가 쓰러졌다. **2** 『테니스·크리켓』 깎아치다《**at** (공)을》.

DIAL. ***Chop chop!*** 《英》 빨리빨리, 서둘러.

— *n.* **1** Ⓒ 절단《**at** …의》: take a ~ *at* …을 절단하다. **2** Ⓒ (양·돼지 따위의) 작은 고깃점《흔히 뼈가 붙은》. **3** Ⓤ 역랑(逆浪), 삼각파(波). **4** Ⓒ 『테니스·크리켓』 깎아치기.
be for the ~ 《英구어》 (건물이) 무너질 것 같다; 살해〔해고〕될 듯 싶다. ***get*** 〔***be given***〕 ***the ~*** 《英구어》 해고되다; 살해되다.

chop[2] *n.* Ⓒ (보통 *pl.*) 턱, 뺨; (*pl.*) 《속어》 입, 구강; 입가; (*pl.*) 입구《항만·계곡 따위의》; (*pl.*) 《美속어》 (악기 연주의) 뛰어난 솜씨.
lick 〔***smack***〕 ***one's ~s*** 입맛 다시다〔다시며 기대하다〕《**over** …에》.

chop[3] (**-pp-**) *vi.* **1** (바람 따위가) 갑자기 바뀌다(*about; around; round*): The wind ~*ped round* from west to north. 풍향이 갑자기 서에서 북으로 바뀌었다. **2** 생각이 흔들리다, 마음이 바뀌다(*about*).
~ *and change* 《구어》 방침〔의견 등〕을 자꾸 바꾸다, 줏대가 없다. **~ *logic*** 〔***words***〕 구실을 늘어놓다, 자잘한 일에 꾀까다롭다(cf. choplogic).
— *n.* 〔다음 관용구로만 쓰임〕 ***~s and changes*** 변전(變轉), 우유부단, 무정견.

chop[4] *n.* Ⓒ **1** 품질, 등급: the first ~, 1급(품). **2** 《고어》 (인도·중국에서) 관인(官印), 인감; (출항·양륙 따위의) 허가증: put one's ~ on …에 인감을 찍다.

chop-chop [tʃáptʃáp/tʃɔ́ptʃɔ́p] *ad.*, *int.* 급히, 빨리빨리.

chóp·fàllen *a.* =CHAPFALLEN.

chóp·hòuse *n.* Ⓒ (육류(肉類) 전문의) 음식점《현재는 steakhouse가 일반적》.

Cho·pin [ʃóupæn/ʃɔ́pæn] *n.* **Frédéric François** ~ 쇼팽《폴란드 태생의 피아니스트·작곡가; 1810－49》.

chop·log·ic [tʃáplàdʒik/tʃɔ́plɔ̀-] *n.* [U], *a.* [A] 궤변(의).

◇**chóp·per** *n.* [C] **1** 자르는 사람〔물건〕; 도끼; 고기 자르는 큰 식칼(cleaver). **2** (흔히 *pl.*) 《속어》 이(teeth), 《특히》 틀니. **3** 《구어》 헬리콥터; (개조) 오토바이. **4** 〖전자〗 초퍼《직류나 광선을 단속하는 장치》. **5** 〖야구〗 높이 바운드하는 타구(打球). —*vi.* 《속어》 헬리콥터로 날다; (개조) 오토바이로 가다.

chópping blòck 〔**bòard**〕 도마.

chópping knìfe 잘게 써는 식칼.

chop·py[1] [tʃápi/tʃɔ́pi] (***-pi·er; -pi·est***) *a.* **1** (수면이) 삼각파가 이는, 파도 치는. **2** (문체 등이) 고르지 못한, 일관성이 없는. **3** 띄엄띄엄 이어지는, 연관성이 없는. ㊕ **-pi·ly** *ad.* **-pi·ness** *n.*

chop·py[2] (***-pi·er; -pi·est***) *a.* (바람이) 끊임없이〔불규칙하게〕 바뀌는.

chóp·stìck *n.* [C] (보통 *pl.*) 젓가락.

chop su·ey, chop sooy [tʃápsúːi/tʃɔ́p-] *n.* 《Chin.》 [U] 잡채《미국식 중국 요리》.

cho·ral [kɔ́ːrəl] *a.* **1** [A] 합창대의; 합창(곡〔용〕)의: a ~ society 합창회〔단〕/ the *Choral* Symphony 합창 교향곡《Beethoven의 제9교향곡의 별칭》. **2** 일제히 소리내는《낭독 따위》.

cho·rale [kərǽl, kourɑ́ːl/kɔrɑ́ːl] *n.* [C] **1** (합창) 성가. **2** 《美》 합창단.

chóral society 합창단; 합창 동호회.

◇**chord**[1] [kɔːrd] *n.* [C] **1** 《시어》 (악기의) 현, 줄. **2** 심금(心琴), 감정: strike a ~ 뭔가 생각나게 하다, 들은 일이 있다 / strike 〔touch〕 the right ~ 심금을 울리다. **3** 〖수학〗 현(弦); 〖해부〗 대(帶), 건(腱)《★ cord가 일반적》: the vocal ~*s* 성대 / the spinal ~ 척수.

chord[2] *n.* [C] 〖음악〗 화음, 화현(和絃).

chord·al [kɔ́ːrdəl] *a.* 〖해부〗 건(腱)의; 〖음악〗 화음(성)의.

***chore** [tʃɔːr] *n.* [C] **지루한**〔싫은, 힘드는〕 **일**; (*pl.*) (일상의 가정의) **잡일**, 허드렛일《세탁·청소·설거지 등》: go about the household ~*s* 가사를 부지런히 하다.

cho·rea [kɔríːə, kə-] *n.* [U] 무도(舞蹈)병.

cho·re·o·graph [kɔ́ːriəgræ̀f, -grɑ̀ːf] *vt.* (발레 따위)의 안무를 하다.

cho·re·og·ra·pher [kɔ̀ːriágrəfər/kɔ̀ːriɔ́g-] *n.* [C] 안무가.

cho·re·og·ra·phy, 《주로 英》 **cho·reg-** [kɔ̀ːriágrəfi/kɔ̀ːriɔ́g-], [kərég-] *n.* [U] (무용·발레의) 안무; 안무법〔술〕. ㊕ **cho·re·o·graph·ic** [kɔ̀ːriəgrǽfik] *a.*

cho·ric [kɔ́ːrik, kár-/kɔ́r-] *a.* 합창(곡)의; 〖그리스연극〗 합창 가무식의.

cho·rine [kɔ́ːriːn] *n.* 《美》 =CHORUS GIRL.

cho·rist [kɔ́ːrist] *n.* [C] 합창대원. ㊕ **cho·ris·ter** [kɔ́ːristər, kár-/kɔ́r-] *n.* [C] 성가대원《특히 소년 가수》; 《美》 성가대 지휘자.

chor·tle [tʃɔ́ːrtl] *vi.* (만족한 듯이) 크게 웃다. —*n.* (a ~) 만족해 하는 웃음.

⁑**cho·rus** [kɔ́ːrəs] *n.* [C] **1** 〖음악〗 **합창**; 합창곡; (노래의) 합창 부분, 후렴(refrain). **2** 〖집합적; 단·복수취급〗 합창대; (고대 그리스의 종교 의식·연극의) 합창 가무단; (뮤지컬의) 합창 무용단. **3** 제창; 일제히 내는 소리〔웃음, 외침〕; 이구동성; (동물의) 일제히 울어대는 소리: a ~ of protest 일제히 일어나는 반대. *in* ~ 이구동성으로, 일제히; 합창으로.
—*vt., vi.* **1** 합창하다. **2** 이구동성으로〔일제히〕 말하다.

chórus bòy 〔**gìrl**〕 (가극 따위의) 코러스 보이〔걸〕.

chose [tʃouz] CHOOSE의 과거.

cho·sen [tʃóuzn] CHOOSE의 과거분사. —*a.* **1** 선발된; 정선된; 특별히 좋아진; (the ~) 〖명사적으로〗 선택된 사람들: a ~ book 선정(選定) 도서. **2** 신에게 선발된: the ~ people 신의 선민(選民)《유대인의 자칭》.

chow [tʃau] *n.* **1** [U] 《구어》 음식물(food); 식사(때). **2** [C] (중국산) 개의 일종(chow-chow)《혀가 검음》. —*vi.* 《美구어》 먹다(*down*). ***Chow down!*** 《군사속어》 식탁에 앉아.

chow-chow [tʃáutʃàu] *n.* =CHOW 2.

chow·der [tʃáudər] *n.* [U] 《美》 잡탕의 일종《조개〔생선〕에 감자·양파를 곁들여 끓인 것》.

chow mein [tʃáuméin] 《Chin.》 초면(炒麵).

Chr. Christ; Christian.

Chris [kris] *n.* 크리스. **1** 남자 이름《Christopher의 애칭》. **2** 여자 이름《Christiana, Christina, Christine의 애칭》.

chrism [krízəm] *n.* [U] 〖가톨릭〗 성유(聖油). ㊕ **chrís·mal** [-əl] *a.* 성유(식)의.

⁑**Christ** [kraist] *n.* **그리스도**《구약 성서에서 예언된 구세주의 출현으로서 기독교 신도들이 믿은 나사렛 예수(Jesus)의 호칭, 뒤에 Jesus Christ로 고유명사화됨》. ***before*** ~ 기원전《생략: B.C.; 20 B.C. 처럼 씀》.
—*int.* 《속어》 저런, 제기랄, 뭐라고《놀람·노여움 따위를 표시》.

***chris·ten** [krísn] *vt.* **1 세례를 주다**, (세례를 주어) 기독교도로 만들다(baptize). **2** 《+[목]+[보]》 **a** 세례를 주고 이름을 붙여주다: The baby was ~*ed* Luke. 그 아기는 누가라는 세례명을 받았다. **b** (배·동물·종 따위)에 이름을 붙이다, 명명하다. **3** 《구어》 (연장·새 차 따위)를 처음으로 사용하다, 꺼내어 쓰다. ㊕ **~·er** *n.*

◇**Chris·ten·dom** [krísndəm] *n.* [U] 〖집합적〗 **1** 기독교계(界), 기독교국(國). **2** 기독교도 전체.

◇**chrís·ten·ing** *n.* [U] (구체적으로는 [C]) 세례; 명명〔세례〕식.

⁑**Chris·tian** [krístʃən] *n.* [C] **1 기독교도**, 기독교 신자. **2** 《구어》 문명인, 훌륭한 사람; 《구어》 (짐승에 대하여) 인간(↔ *brute*): behave like a ~ 인간답게 행동하다.
—*a.* **1** 그리스도의; 기독교의; 기독교적인〔다운〕; 이웃을 사랑하는: the ~ religion 그리스도교 / a ~ charity 기독교도다운 자애. **2** 《구어》 인간적인; 점잖은, 존경할 만한.

Chris·ti·a·na, Chris·ti·na [krìstiǽnə, -ɑ́ːnə], [kristíːnə] *n.* 여자 이름.

Chrístian Éra 〔**éra**〕 (the ~) 서력 기원: in the first century of the ~.

Chris·tia·nia [krìstiǽniə] *n.* (때로 c-) [C] 〖스키〗 크리스차니어 회전.

***Chris·ti·an·i·ty** [krìstʃiǽnəti] *n.* [U] **1 기독교 신앙**, 기독교적 정신〔주의, 사상〕. **2** =CHRISTENDOM.

Chrís·tian·ìze *vt.* 기독교화하다. ㊕ **Chrìs·tian·i·zá·tion** *n.*

Chrís·tian·ly *a., ad.* 기독교도다운〔답게〕.

⁑**Chrístian náme** **세례명**(given name)《세례 때 명명되는 이름》.

Chrístian Scíence 크리스천 사이언스《약품을 쓰지 않고 신앙 요법을 특색으로 하는 기독교의 한 파; 그 신자는 Christian Scientist》.
Chrístian Scíentist 크리스천 사이언스 신자.
Chris·tie[1] [krísti] *n.* (때로 c-) [C] 〖스키〗 = CHRISTIANIA.
Chris·tie[2] *n.* 크리스티. **1** 남자 이름《Christopher의 별칭》. **2** 여자 이름《Christine의 별칭》. **3 Dame Agatha** ~ 영국의 여류 추리 소설가《본명 Agatha Mary Clarissa Miller; 1891–1976》.
Chris·tie's, -ties [krístiz] *n.* 런던의 미술품 경매 회사.
Chris·tine [kristí:n] *n.* 크리스틴《여자 이름; 애칭 Chris, Christie》.
Chríst·lìke *a.* 그리스도 같은; 그리스도적인.
†**Christ·mas** [krísməs] *n.* **1** [U] (형용사가 붙으면 a ~) **크리스마스**, 성탄절(~ Day)《12월 25일; 생략: X mas》: a green ~ 눈이 오지 않는〔따뜻한〕 크리스마스 / a white ~ 눈이 내린 크리스마스 / a ~ party 〔present〕 크리스마스 축하회〔선물〕 / at ~ 크리스마스에 / keep ~ 크리스마스를 지내다 / A merry ~ (to you). —The same to you. 성탄을 축하합니다—저 역시 축하드립니다. **2** = CHRISMASTIDE.
Chrístmas bòx 《英》 크리스마스 축하금〔선물〕《하인·우편 집배원 등에게 줌》. [cf.] Boxing Day.
Chrístmas càke 《英》 크리스마스 케이크《마지팬(marzipan)과 당의(糖衣)를 듬뿍 입힌 프루츠 케이크; 크리스마스날 먹음》.
Chrístmas càrd 크리스마스 카드.
Chrístmas Dày 성탄절《12월 25일》.
Chrístmas Éve 크리스마스 전야〔전일〕.
Chrístmas hólidays (the ~) 크리스마스 휴가; (학교의) 겨울 방학.
Chrístmas púdding 《英》 크리스마스 때 먹는 푸딩《plum pudding을 씀》.
Chrístmas stócking 산타클로스 선물을 받기 위해 내거는 양말.
Christ·mas·tide [krísməstàid] *n.* [U] 크리스마스철《12월 24일–1월 6일》.
Chrístmas·tìme *n.* = CHRISTMASTIDE.
Chrístmas trèe 크리스마스트리.
Chrístmas vacátion = CHRISTMAS HOLIDAYS.
Chris·to·pher [krístəfər] *n.* 크리스토퍼《남자 이름; 애칭 Chris, Kit》.
Chris·ty [krísti] *n.* (때로 c-) 〖스키〗 = CHRISTIANIA.
chro·ma [króumə] *n.* [U] 〖조명〗 채도(彩度); 색도(色度).
chro·mat·ic [kroumǽtik] *a.* **1** 색채의; 채색한. ↔ *achromatic*. ¶ ~ color 유채색 / ~ printing 색채 인쇄. **2** 〖생물〗 염색성의. **3** 〖음악〗 반음계의: the ~ scale 반음계 / a ~ semitone 반음계적 반음. [파] **-i·cal·ly** [-ikəli] *ad.*
chromátic aberrátion 색수차(色收差).
chro·ma·tic·i·ty [kròumətísəti] *n.* [U] 〖조명〗 색도(色度).
chro·mát·ics *n.* [U] 색채론, 색채학.
chro·ma·tin [króumətin] *n.* [U] 〖생물〗 크로마틴, 염색질(染色質).
chro·ma·tog·ra·phy [kròumətágrəfi/-tɔ́g-] *n.* [U] 색층(色層) 분석.
chrome [kroum] *n.* [U] 〖화학〗 크롬; 황연(黃鉛)(~ yellow); = CHROMIUM.
chróme stéel 크롬강(鋼)(stainless steel).
chróme yéllow 〖화학〗 크롬황(黃); 황연.
chro·mic [króumik] *a.* 〖화학〗 (3가(價)의) 크롬을 함유하는, 크롬의: ~ acid 크롬산.
chro·mite [króumait] *n.* [U] 〖광물〗 크롬철광; [C] 〖화학〗 아(亞)크롬산염.
chro·mi·um [króumiəm] *n.* [U] 〖화학〗 크로뮴《금속 원소; 기호 Cr; 번호 24》.
chro·mo·so·mal [kròuməsóuməl] *a.* 〖생물〗 염색체의: ~ abnormality 염색체 이상.
chro·mo·some [króuməsòum] *n.* [C] 〖생물〗 염색체. [cf.] chromatin.
chrómosome màp 〖생물〗 염색체 지도.
Chron. 〖성서〗 Chronicles. **chron.** chronicle; chronological(ly); chronology.
◇**chron·ic** [kránik/krɔ́n-] *a.* **1** 〖의학〗 만성의, 고질의. ↔ *acute*. ¶ a ~ disease 만성병 / a ~ case 만성병 환자 / ~ renal failure 만성 신부전(腎不全). **2** 만성적인, 오래 끄는《내란 등》: a ~ rebellion 오랜 반란 / ~ depression 〔unemployment〕 만성적 불황〔실업〕. **3** 《英구어》 싫은, 지독한. **4** [A] (버릇 따위가) 몸에 밴, 상습적인, 고치기 힘든: a ~ smoker. [파] **-i·cal** [-ikəl] *a.* = CHRONIC. **-i·cal·ly** *ad.* 만성적으로; 오래 끌어; 상습적으로.
◇**chron·i·cle** [kránikl/krɔ́n-] *n.* **1** [C] 연대기(年代記), 편년사. **2** (the C-s) 〖단수취급〗 〖성서〗 역대기(歷代記)(상·하)《구약성서 중 한 편》. **3** (the C-) …신문《보기: *The Daily Chronicle*》. —*vt.* 연대기에 올리다; 기록에 남기다.
chron·i·cler [krániklər/krɔ́n-] *n.* [C] 연대기 편자; 기록자.
chron·o- [kránou, -nə, króun-/krɔ́nə, króunou] '시(時)'의 뜻의 결합사.
chron·o·graph [kránəgrӕf, -grɑ̀:f/krɔ́n-] *n.* [C] 크로노그래프《시간을 도형적으로 기록하는 장치》.
chron·o·log·ic, -i·cal [krɑ̀nəládʒik/krɔ̀nəlɔ́dʒik], [-kəl] *a.* 연대순의; 연대학의: in ~ order 연대순으로 / ~ period 〔table〕 연대〔연표〕. [파] **-i·cal·ly** *ad.* 연대순으로; 연대기적으로.
chronológical áge 〖심리〗 생활 연령.
chro·nol·o·gist [krənálədʒist/-nɔ́l-] *n.* [C] 연대학자, 연표학자, 편년사가(編年史家).
chro·nol·o·gize [krənálədʒàiz/-nɔ́l-] *vt.* 연대순으로 배열하다, 연표를 만들다.
chro·nol·o·gy [krənálədʒi/-nɔ́l-] *n.* [U] 연대학; [C] 연대기, 연표; [C] (사건의) 연대순 배열.
chro·nom·e·ter [krənámitər/-nɔ́m-] *n.* [C] 크로노미터《천문·항해용 정밀 시계》; 정밀 시계.
chron·o·met·ric, -ri·cal [krɑ̀nəmétrik/krɔ̀n-], [-kəl] *a.* chronometer의〔로 측정한〕; chronometry의. [파] **-ri·cal·ly** *ad.*
chro·nom·e·try [krənámitri/-nɔ́m-] *n.* [U] 시각 측정; 측시술(測時術).
chróno·scòpe *n.* [C] 극미(極微) 시간 측정기《광속 등을 잼》.
chròno·thérapy *n.* 〖의학〗 시간요법《기침(起寢)과 취침(就寢)의 사이클을 바꾸는 불면증 요법》.
chrys·a·lis [krísəlis] (*pl.* **~·es, chry·sal·i·des** [krisǽlədì:z]) *n.* [C] 번데기, 유충《특히 나비의》; 준비 시대, 과도기.
chry·san·the·mum [krisǽnθəməm] *n.* [C]

〖식물〗 국화; 국화꽃.

chrys·a·ro·bin [krìsəróubin] *n.* 〖약학〗 크리사로빈《피부병 외용약》.

Chrys·ler [kráislər] *n.* Ⓒ 크라이슬러《미국의 Chrysler 사가 만든 자동차; 상표명》.

chrys·o·lite [krísəlàit] *n.* Ⓤ (낱개는 Ⓒ) 귀감람석(貴橄欖石) (olivine).

chub [tʃʌb] (*pl.* **~s;** 〖집합적〗 ~) *n.* Ⓒ 〖어류〗 황어속(屬)의 물고기.

chub·by [tʃʌ́bi] (**-bi·er; -bi·est**) *a.* 토실토실 살찐, 오동통한, 똥똥한. ㊞ **-bi·ly** *ad.* **-bi·ness** *n.*

*__chuck__[1] [tʃʌk] *vt.* **1** 《+목+전+명》 **가볍게 치다** 《*under* (아무의 턱) 밑을》: He ~*ed* the child *under* the chin. 그는 그 아이의 턱을 장난으로 가볍게 쳤다. **2** 《+목+부/+목+목/+목+전+명》 《구어》 **휙 던지다,** 팽개치다《*to, at* …에게》: ~ money *about* 돈을 내버려두다 / Chuck me the book. 그 책을 내게 던져라 / ~ a ball *to* a person 아무에게 공을 던지다 / ~ a stone *at* a dog 개한테 돌을 던지다. **3** 《구어》 《~+목/+목+부/+목+전+명》 (던져) 버리다 (*away; out*); 내쫓다, 해고하다 (*out*) 《*out of* …에서》: ~ *away* an old hat 낡은 모자를 버리다 / ~ a drunken man *out* (*of* a pub) (술집에서) 취객을 내쫓다. **4** 《~+목/+목+부》 (일 · 계획 따위)를 버리다, 단념〔포기〕하다, 중지하다 (*up*): ~ (*up*) one's job 사직하다. **~ *it* (*in*)** 중지하다, 그만두다.

— *n.* **1** Ⓒ (턱밑을) 가볍게 침; 《구어》 휙 던짐. **2** (the ~) 《英속어》 해고, 포기: get the ~ 해고당하다 / give a person the ~ 갑자기 아무를 면직시키다; (아무와) 느닷없이 관계를 끊다.

chuck[2] *n.* Ⓒ 〖기계〗 척《선반(旋盤)의 물림쇠》; Ⓤ (쇠고기의) 목과 어깨의 살.

— *vt.* 척에 걸다; 척으로 고정시키다.

chuck[3] *vi.* (암탉이) 꼬꼬하고 울다. — *n.* Ⓒ 꼬꼬하는 소리.

chuck[4] *n.* Ⓤ 《美속어》 음식물, 식량.

chúck·hòle *n.* Ⓒ 구멍《포장도로 위의》.

*__chuck·le__ [tʃʌ́kl] *n.* Ⓒ **낄낄 웃음,** (만족스런) 웃음: give a ~ 낄낄 웃다. — *vi.* 《~/+부/+전+명》 **낄낄 웃다;** (혼자서) 기뻐하다《*at, over* …에》: ~ smugly 득의에 차 낄낄 웃다 / ~ *out* 낄낄 웃으며 말하다 / ~ *to* one*self* 혼자서 싱글벙글 웃다〔기뻐하다〕/ He ~*d at* the child's mischievousness. 그는 어린애의 장난에 낄낄 웃고 말았다. SYN. ⇨ LAUGH.

chúckle·hèad *n.* Ⓒ 《구어》 바보, 얼간이.

chúck wàgon 《美》 (농장 · 목장용) 취사차; 도로변의 작은 식당.

chuff [tʃʌf] *n., vi.* = CHUG.

chuffed [tʃʌft] *a.* Ⓟ 《英구어》 매우 기쁜, 즐거운《*about* …에》.

chug [tʃʌg] *n.* Ⓒ 칙칙폭폭《엔진의 배기(排氣) 소리 따위》. — (**-gg-**) *vi.* 칙칙〔폭폭〕 소리를 내다; 칙칙 소리내며 나아가다 (*along; away*) 《*from* …에서》: The train ~*ged along* 〔*away from* the station〕. 열차가 칙칙폭폭 소리를 내며 달렸다〔역에서 떠났다〕.

chug-a-lug [tʃʌ́gəlʌ̀g] (**-gg-**) *vt., vi.* 《美속어》 단숨에 마시다, 꿀꺽꿀꺽 마시다.

chúk·ka (bòot) [tʃʌ́kə(-)] (보통 *pl.*) 복사뼈까지 오는 부츠.

chum[1] [tʃʌm] *n.* Ⓒ 《구어》 단짝, 짝: a boyhood ~ 소꿉동무 / be ~s with …와 단짝이다. — (**-mm-**) *vi.* 사이 좋게 지내다 (*together; up; in*) 《*with* …와》: ~ *up* 〔*in*〕 *with* a person 아무와 친히 지내다.

chum[2] *n.* Ⓤ (낚시의) 밑밥. — (**-mm-**) *vi., vt.* 밑밥을 뿌리고 낚시질하다〔낚다〕.

chum·my [tʃʌ́mi] (**-mi·er; -mi·est**) *a.* 《구어》 사이가 좋은, 아주 친한《*with* …와》.

chump [tʃʌmp] *n.* Ⓒ 큰 나무 토막; = CHUMP CHOP; 《구어》 얼간이, 바보. ***go off*** **one's** ~ 《英속어》 머리가 좀 돌다, 미치다.

chúmp chòp 《英》 (한쪽 끝에 뼈가 붙은) 두꺼운 고기 조각.

chunk [tʃʌŋk] *n.* Ⓒ **1** (장작 따위의) 큰 나무토막; 두꺼운 조각; (치즈 · 빵 · 고기 따위의) 큰 덩어리. **2** 《美구어》 땅딸막하고 튼실한 사람〔말(따위)〕. **3** 상당한 양〔액수〕: a ~ *of* money 상당히 많은 돈.

chunky [tʃʌ́ŋki] (**chunk·i·er; -i·est**) *a.* 《구어》 짧고 두터운; 모착한; 덩어리진; 두툼히 짠《천 · 옷 따위》: a ~ man 땅딸막한 사람.

Chun·nel [tʃʌ́nəl] *n.* 《구어》 = CHANNEL TUNNEL. [◂ *channel*+*tunnel*]

†**church** [tʃəːrtʃ] *n.* **1 a** Ⓒ (보통 기독교의) **교회**(당), 성당. ★ 영국에서는 국교의 교회당을 말함. **b** Ⓤ 예배: ~ time 예배 시간 / after ~ 예배 후 / go to 〔attend〕 ~ 교회에 (예배 보러) 가다 / They are at 〔in〕 ~. 그들은 예배 중이다. **2** (the ~) 〖집합적〗 기독교도; 회중; 특정 교회의 신도들: She is a member of this ~. 그녀는 이 교회의 신도이다. **3** Ⓤ (국가에 대하여) 교회; 교권: the separation of ~ and state 정교의 분리. **4** (the ~) 성직: go into 〔enter〕 the ~ 성직자가 되다. **5** (C–) Ⓒ (교파란 뜻으로서) 교회; 교회 조직; 교파: the established 〔state〕 ~ 국교 / the *Church* of England 영국국교회 / the Presbyterian *Church* 장로교회 / the Catholic *Church* 가톨릭교회 / the Methodist *Church* 감리교. (***as***) ***poor as a ~ mouse*** 몹시 가난하여.

— *vt.* 〖보통 수동태〗 교회에 데리고 가다〔오다〕 《순산(順產) 감사 · 세례 등의 의식을 위해》.

Chúrch Commíssioners (the ~) 《英》 국교 재무 위원회.

chúrch·gòer *n.* Ⓒ 교회에 다니는 사람《특히 독실한》; 《英》 영국국교도.

chúrch·gòing *n.* Ⓤ, *a.* 교회에 다니기〔다니는〕.

Church·ill [tʃə́ːrtʃil] *n.* Sir **Winston** ~ 처칠 《영국의 정치가 · 저술가; Nobel 문학상 수상 (1953); 1874–1965》.

chúrch·ing *n.* Ⓤ 산후 결례(潔禮), 순산(順產) 감사 기도식.

chúrch kèy 《美속어》 (끝이 삼각형으로 뾰족한) 캔따개.

chúrch·less *a.* 교회 없는; 교회에 안 다니는.

chúrch·man [-mən] (*pl.* **-men** [-mən]) *n.* Ⓒ 성직자, 목사; 독실한 신도; 《英》 영국국교도.

chúrch régister 《美》 교구 기록.

church school (일반 교육 기관으로서) 교회가 설립한 학교; 교회학교, 주일학교.

chúrch·wàrden *n.* Ⓒ 교구 위원《평신도 중에서 교구를 대표하여 목사를 보좌하고 회계 사무 등을 담당》.

chúrch·wòman (*pl.* **-wòmen**) *n.* Ⓒ 열성적인 여자 교회원; (특히 영국국교회 · 성공회의) 여자 신도.

*__church·yard__ [tʃə́ːrtʃjɑ̀ːrd] *n.* Ⓒ 교회 뜰, 교회 경내; (교회 부속의) **묘지.** cf. cemetery. ¶ a ~ cough 다 죽어가는 맥없는 기침 / A green

Christmas [Yule, winter] makes a fat ~. 《속담》 크리스마스에 눈이 안 오면 병이 돌아 죽는 이가 많아진다.

churl [tʃə(ː)rl] *n.* Ⓒ 무뚝뚝한[예절 없는] 사람, 촌뜨기.

churl·ish [tʃə́(ː)rliʃ] *a.* 촌스러운, 예절 없는; 무뚝뚝한. ㊞ **~·ly** *adv.* **~·ness** *n.*

churn [tʃəːrn] *n.* Ⓒ 교유기(攪乳器)《버터를 만드는 큰 (양철)통》; 《英》 큰 우유통.
— *vt.* **1** (우유 · 크림)을 교유기로 휘젓다; (버터)를 휘저어 만들다. **2** (물 · 흙 따위)를 휘젓다; (바람 따위가 파도)를 일게 하다; 휘저어 거품을 일게 하다(*up*): The ship's screws *~ed* (*up*) the sea. 배의 스크루가 바다에 물결을 일으켰다.
— *vi.* **1** 교유기를 돌리다; 교유기로 버터를 만들다. **2** (파도 따위가) 철썩거리다, 거품을 일으키다. **3** (스크루 따위가) 세차게 돌다.
~ ***out*** 《*vt.*+副》《구어》 대량 생산[발행]하다, 속속 내다: ~ *out* movie after movie (시시한) 영화를 연이어 만들어내다.

churr [tʃəːr] *vi.* (쏙독새 · 자고새 · 귀뚜라미 따위가) 쪽쪽[찍찍]하고 울다. **—** *n.* Ⓒ 쪽쪽[찍찍] 우는 소리. [imit.]

chute [ʃuːt] *n.* Ⓒ **1** 활강로(滑降路), 비탈진 (물)도랑, 낙하 장치《주택에서 쓰레기 · 석탄 · 세탁물 따위를 떨어뜨리는》: a letter ~ 우편 투하 장치. **2** 낙수, 급류(rapids), 폭포(fall). **3** 낙하산(parachute).

chút·ist *n.* = PARACHUTIST.

chut·ney, -nee [tʃʌ́tni] *n.* Ⓤ 처트니《인도의 달콤하고 매운 양념》.

chutz·pah, -pa [hútspə] *n.* Ⓤ 《구어》 뻔뻔스러움, 후안무치.

Ci 【물리】 curie(s). **C.I.** Channel Islands. **CIA, C.I.A.** Central Intelligence Agency.

ciao [tʃau] *int.* 《It.》《구어》 차오, 안녕《만남 · 작별 인사》.

ci·ca·da [sikéidə, -káːdə] (*pl.* **~s, -dae** [-diː]) *n.* Ⓒ 【곤충】 매미.

cic·a·trice, -trix [síkətris], [-trìks] (*pl.* ***cic·a·tri·ces*** [sìkətráisiːz]) *n.* Ⓒ 【의학】 흉터; 상처 자국; 【식물】 엽흔(葉痕); 탈리흔(脫離痕).

Cic·e·ro [sísəròu] *n.* **Marcus Tullius ~** 키케로《로마의 웅변가 · 정치가 · 철학자; 106-43 B.C.》.

cic·e·ro·ne [sìsəróuni, tʃìtʃə-] (*pl.* **~s, -ni** [-niː]) *n.* 《It.》 Ⓒ (명승지의) 관광 안내인.

Cic·e·ro·ni·an [sìsəróuniən] *a.* 키케로풍의; (문체가) 전아(典雅)한(classical).

CICS 【컴퓨터】 customer information control system (고객 정보 관리 시스템). **C.I.D.** Criminal Investigation Department (《美》 검찰국; 《英》 경찰국 등의 수사과).

-cide [sàid] *suf.* '…살해범《범인 · 범죄》' 의 뜻: homi*cide*.

ci·der [sáidər] *n.* Ⓤ (낱개는 Ⓒ) 《美》 사과즙; 《英》 사과술: ~ brandy (사과술로 만든) 모조 브랜디. ★ 알코올성 음료로서 사과즙을 발효시킨 것은 hard ~, 발효시키지 않은 것은 sweet ~; 한국의 '사이다'는 탄산수(soda pop).

C.I.F., c.i.f. [síːáiéf, sif] 【상업】 cost, insurance and freight.

cig [sig] *n.* Ⓒ 《구어》 여송연; 궐련.

***ci·gar** [sigáːr] *n.* Ⓒ **여송연**, 엽궐련, 시가.

***cig·a·ret(te)** [sìgərét, ˊ-ˋ] *n.* Ⓒ **궐련**: a pack of *~s* 담배 한 갑.

cigarétte càse 담뱃갑.

cigarétte hòlder (궐련) 물부리.

cig·a·ril·lo [sìgərílou] (*pl.* **~s**) *n.* Ⓒ 가늘고 작은 여송연.

cig·gy [sígi] *n.* Ⓒ 《구어》 = CIGARETTE.

cil·ia [síliə] (*sing.* ***-i·um*** [-iəm]) *n. pl.* 속눈썹(eyelashes); 【생물】 섬모(纖毛); (잎 · 깃 따위의) 솜털.

C. in C., C.-in-C. Commander in Chief, 《英》 Commander-in-Chief.

cinch [sintʃ] *n.* **1** Ⓒ 《美》 안장띠, (말의) 뱃대끈. **2** (a ~) 《구어》 꽉 쥠: have a ~ on …을 꽉 쥐다. **3** (a ~) 《구어》 정확함; 확실한 일; 우승[유력] 후보; 《속어》 아주 쉬운 일, 식은죽 먹기: That's a ~ for me. 그런 것 내게는 식은죽 먹기다. **—** *vt.* **1** 《美》 (말)의 뱃대끈을 죄다; 꽉 죄다 (*up*). **2** 《구어》 확실히 하다: ~ one's victory 승리를 다지다.

cin·cho·na [siŋkóunə, sin-] *n.* Ⓒ 【식물】 기나나무; Ⓤ 기나피《키니네를 채취함》.

cinc·ture [síŋktʃər] *n.* Ⓒ 주변을 에워싸는 것; 《문어》 띠(girdle). **—** *vt.* …에 띠로 감다; …을 에우다, 둘러싸다.

°**cin·der** [síndər] *n.* **1 a** Ⓒ 타다 남은 찌꺼기; 뜬숯: burned to a ~ (요리가) 새까맣게 탄. **b** (*pl.*) 재, 석탄재: burn ... to *~s* …을 태워 재가 되게 하다. **2 a** Ⓤ (용광로에서 나온) 광재(鑛滓). **b** Ⓒ (화산의) 분석(噴石).

cínder blòck 《美》 (속이 빈 건축용) 콘크리트 블록(《英》 breeze block).

cínder còne 【지질】 분석구(噴石丘).

Cin·der·el·la [sìndərélə] *n.* **1** 신데렐라《계모와 자매에게 구박받다가, 마침내 행복을 얻은 동화 속의 소녀》. **2** Ⓒ 의붓자식 취급받는 사람; 숨은 재원; 별안간 유명해진 사람.

cin·dery [síndəri] *a.* 타다 남은 찌꺼기의[가 많은].

cin·e- [síni, -nə] '영화'의 뜻의 결합사.

cin·e·ast, cin·e·aste [síniæ̀st, -əst], [-æ̀st] *n.* Ⓒ (열광적인) 영화팬.

cíne·càmera *n.* Ⓒ 《英》 영화 촬영기(《美》 movie camera).

****cin·e·ma** [sínəmə] *n.* **1** Ⓒ 《英》 **영화관**(《美》 movie theater). **2** Ⓤ (보통 the ~) **a** (예술로서의) **영화**; 〖집합적〗 영화(《美》 movies): Did you enjoy the ~? 영화는 재미있었니 / go to the ~ 영화 보러 가다. **b** 영화 제작법[기술]; 영화 산업. [◂ *cinema*tograph]

cin·e·ma·tic [sìnəmǽtik] *a.* 영화의, 영화에 관한; 영화적인. ㊞ **-i·cal·ly** *ad.*

cin·e·mat·o·graph [sìnəmǽtəgræ̀f, -gràːf] *n.* Ⓒ 《英》 영사기; 영화 촬영기.

cin·e·mat·o·graph·ic [sìnəmæ̀təgrǽfik] *a.* 영화(촬영술)의; 영사의. ㊞ **-i·cal·ly** *ad.*

cin·e·ma·tog·ra·phy [sìnəmətágrəfi/-tɔ́g-] *n.* Ⓤ 영화 촬영술.

cíne·projèctor *n.* Ⓒ 영사기.

cin·e·rar·ia [sìnərέəriə] *n.* Ⓒ 【식물】 시네라리아《국화과의 일종》.

cin·e·rar·i·um [sìnərέəriəm] (*pl.* ***-ia*** [-iə]) *n.* Ⓒ 납골당(納骨堂).

cin·er·ary [sínərèri/-rəri] *a.* 재(그릇)의; 유골의, 유골을 넣는: a ~ urn 뼈단지.

cin·na·bar [sínəbàːr] *n.* Ⓤ, *a.* 【광물】 진사(辰砂); 주홍색(의)(vermilion).

°**cin·na·mon** [sínəmən] *n.* Ⓤ 육계(肉桂); 계

피; 육계색; Ⓒ 육계나무. **—***a*. 육계색의, 황갈색의.

cinq(ue)·foil [síŋkfɔ̀il] *n*. Ⓒ 〖식물〗 양지꽃속(屬)의 일종; 〖건축〗 매화 무늬.

°**ci·pher,** 《英》 **cy-** [sáifər] *n*. **1** Ⓒ 영(零)의 기호; 아라비아 숫자《특히 자리수를 표시하는 것으로서의》: a number of 5 ~*s*, 5자리의 수. **2** Ⓤ (구체적으로는 Ⓒ) 암호; Ⓒ (암호 해독의) 열쇠: a ~ code 〔telegram〕 암호표〔전보〕/ in ~ 암호로 (쓴). **3** Ⓒ 하찮은 사람〔물건〕.
—*vt*. (통신 등)을 암호로 하다. ↔ *decipher*.

cir., circ. circa.

cir·ca, cir·cit·er [sə́ːrkə], [sə́ːrsətər] *prep*. 《L.》 대략, …쯤, 경《생략: c., ca, cir., circ.》.

cir·ca·di·an [səːrkéidiən] *a*. Ⓐ 〖생리〗 24시간 주기의: ~ rhythms 24시간 주기 리듬.

Cir·ce [sə́ːrsi] *n*. **1** 〖그리스신화〗 키르케 《Homer 작 *Odyssey* 에서, 남자를 돼지로 만든 마녀》. **2** Ⓒ 요부.

‡**cir·cle** [sə́ːrkl] *n*. Ⓒ **1 원,** 원주: draw 〔make〕 a ~ 원을 그리다.
2 원형의 것; 환(環), 고리(ring); 원진(圓陣); (철도의) 순환선; (주택가의) 순환 도로; (C-) (London 의) 지하철 순환선; 로터리: sit in a ~ 빙 둘러앉다.
3 주기(週期)(period), 순환(循環)(cycle); 〖지리〗 위선(緯線), 권(圈): the ~ *of* the seasons 사계(四季)의 순환 / the Arctic *Circle* 북극권.
4 (극장의) 원형 관람석.
5 (서커스의) 곡마장(=**círcus rìng**).
6 (교제·활동·세력 등의) **범위**(sphere): have a large ~ *of* friends 교제 범위가 넓다.
7 (종종 *pl.*) **집단,** 사회, …계(界) (coterie), 패, 동아리: literary ~*s* 문인들, 문학계 / the family ~ 친족 / the upper ~*s* 상류사회 / business 〔political〕 ~*s* 실업계〔정계〕.
8 전(全)계통, 전역, 전체: the ~ *of* the sciences 학문의 전계통.
9 〖논리〗 순환논법: in a ~ 순환논법으로.
come full **~** 빙 돌아 제자리로 오다. ***go*** 〔***run, rush***〕 ***round in*** **~*s*** 《구어》 ① 제자리를 맴돌다. ② 애쓴 만큼의 진보가 없다. ***run*** **~*s around*** a person 아무보다 훨씬 잘 하다〔함을 보이다〕. ***square the*** **~** 주어진 원과 같은 면적의 정사각형을 구하다; 《비유적》 불가능한 일을 꾀하다.
—*vt*. **1** (하늘)을 선회하다, 돌다; …의 둘레를 돌다; 일주하다. **2** 에워〔둘러〕싸다(encircle); 동그라미를 치다: *Circle* the correct answer. 옳은 답에 동그라미를 쳐라. **3** (위험을 피하여) 우회하다.
—*vi*. 《~/+전+명/+부》 돌다, 선회하다: ~ *round* 빙빙 돌다 / The airplane ~*d over* the landing strip. 비행기는 활주로 상공을 선회했다.
~ ***back*** 《*vi*.+부》 (출발점을 향해) 빙 돌아오다.

cir·clet [sə́ːrklit] *n*. Ⓒ 작은 원, (금·보석 등의) 장식 고리; 반지(ring); 헤드밴드.

circs [səːrks] *n*. *pl*. 《英구어》 =CIRCUMSTANCES.

***cir·cuit** [sə́ːrkit] *n*. Ⓒ **1 순회,** 회전; 순회 여행, 주유(周遊): make the 〔a〕 ~ of the town 읍을 일주하다. **2 우회(도로).** **3** 주위, 범위. **4** 순회 재판(구); (목사의) 순회 교구; 순회로, 순회 구역: go on ~ 순회 재판하다《★ on ~은 관사 없이》/ ride the ~ (판사·목사가) 말 타고 순회하다. **5** 〖전기〗 회로, 회선; 〖컴퓨터〗 회로: open 〔break〕 the ~ 회로를 열다 / make 〔close〕 the ~ 회로를 닫다 / a short ~ 단락, 쇼트. **6** (극장·영화관 따위의) 흥행 계통, 체인. **7** (축구·야구 등의) 연맹, 리그: a baseball ~ 야구 연맹. **8** 〖야구〗 본루타: hit for the ~ 홈런을 치다. **9** (자동차 경주의) 경주로.

círcuit bòard 〖컴퓨터〗 회로판《전자 부품 또는 프린트 회로를 부착하는 절연판》.

círcuit brèaker 〖전기〗 회로 차단기.

círcuit cóurt 순회 재판소《생략: C.C.》.

cir·cu·i·tous [səːrkjúːitəs] *a*. 에움길의, 우회(로)의; (말 따위가) 에두르는, 완곡한.
㊥ **~·ly** *ad*. **~·ness** *n*.

círcuit rìder 《美》 (개척 시대 감리교회의) 순회 목사.

cir·cuit·ry [sə́ːrkitri] *n*. Ⓤ 전기회로 구성 (요소); 전기회로 명세도.

cir·cu·i·ty [səːrkjúːəti] *n*. Ⓤ (구체적으로는 Ⓒ) 멀리 돌아감, 에두르기.

‡**cir·cu·lar** [sə́ːrkjələr] *a*. **1 원형의,** 둥근; 빙글빙글 도는: a ~ stair 나선 계단 / a ~ motion 원운동. **2 순환(성)의:** a ~ argument 〔reasoning〕 순환 논법 / a ~ number 〖수학〗 순환수 / a ~ railway 순환 철도 / a ~ ticket 회유권(回遊券). **3** 순회하는; 회람의: a ~ letter 회장(回章). **4** 완곡한, 간접의: a ~ expression 완곡한 표현.
—*n*. Ⓒ 회장(回章); 안내장; 광고 전단: send out a ~ 회장을 돌리다.
㊥ **~·ly** *ad*. **~·ness** *n*.

cir·cu·lar·i·ty [sə̀ːrkjəlǽrəti] *n*. Ⓤ 원형, 원상(圓狀), 환상(環狀); 순환성.

cir·cu·lar·ize [sə́ːrkjələràiz] *vt*. …에 광고 전단〔안내장·회람〕을 돌리다; 앙케이트를 보내다.

círcular sáw 둥근 톱(buzz (saw)).

cir·cu·late** [sə́ːrkjəlèit] *vi*. 《~/+전+명》 **1** 돌다, 순환하다《in, through, around, round*** …을》: Blood ~*s through* the body. 피는 체내를 순환한다. **2** 빙빙 돌다; (술잔이) 차례로 돌다 《***around, round*** …을》. **3** 〖수학〗 (소수가) 순환하다. **4** 여기저기 걸어다니다; (특히 모임 등에서) 부지런히 돌아다니다; (소문 등이) 퍼지다; (신문 등이) 배부〔판매〕되다: ~ *from* table *to* table at the party 파티에서 테이블에서 테이블로 부지런히 돌아다니다 / The story ~*d among* the people. 그 이야기는 사람들 사이에 퍼졌다 / *The Times* ~*s through* the country. 더타임스지는 전국에서 판매된다. **5** (화폐·어음 따위가) 유통하다. **6** 《美》 순회하다. **—***vt*. **1 돌리다,** 순환시키다; (술잔 등)을 차례로 돌리다: ~ a bottle of port (식후에) 포트 와인 병을 차례로 돌리다. **2** (풍문 따위)를 **유포시키다;** (신문·책자 따위)를 배부〔반포〕하다; (통화 따위)를 유통시키다; (편지 따위)를 회람시키다: Various rumors ~*d* all over the town. 시내에 갖가지 풍문이 유포되었다. ◇ circulation *n*. ㊥ **-la·tor** *n*.

círculating cápital 유동 자본.

círculating décimal 〖수학〗 순환 소수.

círculating líbrary 대출〔이동〕 도서관.

***cir·cu·la·tion** [sə̀ːrkjəléiʃən] *n*. **1** Ⓤ (구체적으로는 Ⓒ) **순환:** the ~ of the blood 혈액의 순환 / have (a) good 〔bad〕 ~ (혈액의) 순환이 좋다〔나쁘다〕. **2** Ⓤ (화폐 따위의) **유통;** (풍설 따위의) 유포: withdraw bills from ~ 지폐를 회수하다. **3** (*sing.*) (서적·잡지 따위의) **발행 부수;** (도서의) 대출 부수: The paper has a large

〔small, limited〕 ~. 그 신문은 발행 부수가 많다〔적다〕. ◇ circulate *v.*

be in ~ 유포〔유통〕되고 있다; 활약하고 있다. ***be out of*** ~ (책 · 통화 등이) 나와 있지 않다, 사용되지 않다; 《美구어》 (사람이) 활동하지 않다. ***put in*** 〔***into***〕 ~ 유포〔유통〕시키다. ***take ... out of*** ~ …을 유통에서 회수하다.

cir·cu·la·to·ry [sə́:rkjələtɔ̀:ri/ˌ-léitəri] *a.* (혈액 · 물 · 공기 따위의) 순환의; 순환성의.

círculatory sỳstem 〖해부〗 순환계《혈액이나 림프액을 흐르게 하는》.

circum. circumference.

cir·cum- [sə́:rkəm, sərkʌ́m] *pref.* '주(周), 회(回), 여러 방향으로' 따위의 뜻.

cir·cum·am·bi·ent [sə̀:rkəmǽmbiənt] *a.* 에워싸는, 주위의: the ~ air 주위의 공기.

cir·cum·am·bu·late [sə̀:rkəmǽmbjəlèit] *vt.*, *vi.* 두루 돌아다니다, 순행하다.

㊕ **-àm·bu·lá·tion** *n.*

cir·cum·cise [sə́:rkəmsàiz] *vt.* …에게 할례(割禮)를 행하다; 〖의학〗 (남자의) 음경 포피(包皮)를 자르다; (여자의) 음핵 포피를 자르다.

cir·cum·ci·sion [sə̀:rkəmsíʒən] *n.* Ⓤ (구체적으로는 Ⓒ) 할례; 〖의학〗 포경 수술.

°**cir·cum·fer·ence** [sərkʌ́mfərəns] *n.* Ⓤ (구체적으로는 Ⓒ) 원주(圓周); 주위; 주변; 주변의 거리: the ~ *of* a circle 원주/a lake about three miles in ~ 주위 3마일인 호수《★ in ~는관사 없이》.

cir·cum·fer·en·tial [sərkʌ̀mfərénʃəl] *a.* 원주의; 주위의, 주변의.

cir·cum·flex [sə́:rkəmflèks] *a.* 〖음성〗 곡절(曲折) 악센트가 있는: a ~ accent 곡절 악센트《ˆ, ˜ 따위》. **—***vt.* …에 곡절 악센트를 붙이다.

cir·cum·flu·ent [sərkʌ́mfluənt] *a.* 돌아 흐르는, 환류(環流)하는.

cir·cum·flu·ous [sərkʌ́mfluəs] *a.* =CIRCUMFLUENT.

cir·cum·fuse [sə̀:rkəmfjú:z] *vt.* **1** (빛 · 액체 · 기체 등)을 주위에 붓다〔쏟다〕 (*around; round; about*). **2** …을 에워싸다, 감싸다, 뒤덮다《***with, in*** (빛 · 액체 따위)로》.

㊕ **-fu·sion** [-fjú:ʒən] *n.*

cir·cum·lo·cu·tion [sə̀:rkəmloukjú:ʃən] *n.* **1** Ⓤ 완곡: use ~ 에둘러 말하다. **2** Ⓒ 에두른〔완곡한〕 표현.

cir·cum·loc·u·to·ry [sə̀:rkəmlάkjətɔ̀:ri/-lɔ́kjətəri] *a.* (표현이) 장황한; 완곡한.

cìrcum·lúnar *a.* 달을 에워싼, 달 궤도 비행의: a ~ flight 달 궤도 비행.

cir·cum·nav·i·gate [sə̀:rkəmnǽvəgèit] *vt.* 배로 일주하다, (세계)를 주항(周航)하다.

㊕ **cìr·cum·nàv·i·gá·tion** *n.*

cìrcum·pólar *a.* 〖천문〗 (천체가) 극에 가까운; 천극(天極)을 도는; 〖지질〗 극지(방)의: ~ stars 주극성(周極星).

cir·cum·scribe [sə̀:rkəmskráib, ˈ-ˌ-] *vt.* **1** …의 둘레에 선을 긋다, …의 둘레를 (선으로) 에두르다; …의 경계를 정하다. **2** 제한하다(limit) 《***within, in*** …이내로》: My duties ~ my activities *within* narrow bounds. 직무상 내 활동 범위는 좁게 제한되어 있다. **3** 〖수학〗 외접(外接)시키다; …에 외접하다: a ~*d* circle 외접원.

cir·cum·scrip·tion [sə̀:rkəmskrípʃən] *n.* Ⓤ (둘레를) 에워쌈; 제한, 한계; 〖수학〗 외접.

cir·cum·spect [sə́:rkəmspèkt] *a.* **1** Ⓟ 신중한(prudent), 주의 깊은. **2** (행동이) 용의주도한. ㊕ **~·ly** *ad.* **~·ness** *n.*

cir·cum·spec·tion [sə̀:rkəmspékʃən] *n.* Ⓤ 주의 깊음; 용의주도함; 신중함: with ~ 신중히, 용의주도하게.

⁑cir·cum·stance [sə́:rkəmstæ̀ns/-stəns] *n.* **1** (*pl.*) (주위의) **상황, 사정**: from 〔through〕 unavoidable ~*s* 피치 못할 사정으로/if (the) ~*s* allow 〔permit〕 사정이 허락하면/It depends on (the) ~*s*. 그것은 사정 여하에 달려 있다. **2** (*pl.*) (사람이 놓인) **환경, 경우**; (경제적) 처지, 생활 형편: a 〔the〕 creature of ~*s* 환경의 지배를 받는 사람/be in bad 〔poor, needy〕 ~*s* 궁핍한 처지에 있다. **3** Ⓒ 사건(incident), 사실(fact); (보통 *sing.*) (일어날 수 있는) 사태: His arrival was a fortunate ~. 그가 와 주어서 다행이었다/the whole ~*s* 자초지종, 상세한 내용/Economic collapse is a rare ~. 경제 파탄은 좀처럼 일어나지 않는다. **4** Ⓤ (일의) 경과, (이야기 따위의) 상세함: He reports it with much 〔great〕 ~. 그는 아주 상세히 그것을 보고한다. **5** Ⓤ 형식〔의식〕에 치우침(ceremony), 요란함(fuss): without ~ 의식을 차리지 않고.

under 〔***in***〕 ***no*** ~***s*** 여하한 일이 있어도 …않다. ***under*** 〔***in***〕 ***such*** 〔***the, these***〕 ~***s*** 그러한〔이러한〕 사정으로(는).

cír·cum·stànced [-t] *a.* Ⓟ (어떤) 사정〔경제적 형편〕에 있는: be differently 〔well, awkwardly〕 ~ 다른〔형편이 좋은, 난처한〕 입장에 있다/thus ~ 이런 사정으로.

cir·cum·stan·tial [sə̀:rkəmstǽnʃəl] *a.* **1** (그때의) 사정에 의한; (증거 등이) 상황에 의한: ~ evidence 〖법률〗 상황〔간접〕 증거. **2** 상세한(detailed). **3** 우연한, 부수적인. **4** 생활 형편상의. ㊕ **~·ly** *ad.*

cir·cum·stan·ti·ate [sə̀:rkəmstǽnʃièit] *vt.* 상세하게 설명하다; (상황에 의하여) 실증하다.

cir·cum·vent [sə̀:rkəmvént] *vt.* **1** (장소)를 일주하다, 돌다; (직진하지 않고) 우회하다. **2** (법망)을 빠져나가다; (교묘하게) 회피하다: ~ the income tax laws 소득세 법망을 교묘히 빠져나가다. **3** (적)을 에워싸다, 포위하다. ㊕ **~·er, -vén·tor** *n.* **-vén·tion** *n.* Ⓤ 우회; 회피.

⁑cir·cus [sə́:rkəs] *n.* Ⓒ **1 서커스**, 곡마, 곡예; 곡마단: a flying ~ (비행기의) 공중 곡예. **2** (원형의) 곡마장, 흥행장; (옛 로마의) 경기장(arena): put up 〔pitch〕 a ~ 서커스 흥행장을 설치하다. **3** (C-) 《英》 (방사상(放射狀)으로 도로가 모이는) 원형 광장. ⓒⓕ square. ¶⇨PICCADILLY CIRCUS. **4** 《구어》 유쾌하고 소란스러운 사람〔일〕; 즐거운 한때; 야단법석: have a real ~ 즐겁게 야단법석을 떨다.

cirque [sə:rk] *n.* Ⓒ 〖지질〗 권곡(圈谷), 원형의 협곡.

cir·rho·sis [siróusis] *n.* Ⓤ 〖의학〗 (간장 등의) 경변(증)(硬變(症)): ~ of the liver 간경변.

cir·ri [sírai] CIRRUS의 복수.

cir·ro·cu·mu·lus [sìroukjú:mjələs] (*pl.* ***-li*** [-lài, -lì]) *n.* Ⓒ 〖기상〗 권적운(卷積雲), 조개구름, 털쌘구름《기호 Cc》.

cir·ro·stra·tus [sìroustréitəs, -strǽ:-] (*pl.* ***-ti*** [-tai], ~) *n.* Ⓒ 〖기상〗 권층운(卷層雲), 털층구름《기호 Cs》.

cir·rus [sírəs] (*pl.* ***-ri*** [-rai]) *n.* Ⓒ **1** 〖식물〗 덩굴손, 덩굴(tendril); 〖동물〗 촉모(觸毛). **2** 〖기상〗 권운(卷雲), 새털구름《기호 Ci》.

CIS the Commonwealth of Independent States (독립 국가 연합).
cis·álpine *a*. (로마에서 보아) 알프스 산맥 이쪽의, 알프스 산맥 남쪽의. ↔ *transalpine*.
CISC [sisk] *n*. Ⓒ 복잡명령 세트 컴퓨터. [◂ complex instruction set computer].
cis·lúnar *a*. 달 궤도 안쪽의, 달과 지구 사이의.
cis·sy [sísi] *n*., *a*. 《英구어》 =SISSY.
Cis·ter·cian [sistə́ːrʃən, -ʃiən] *n*. Ⓒ 시토 수도회의 수사(수녀). **—***a*. 시토 수도회의.
◇**cis·tern** [sístərn] *n*. Ⓒ 물통, 수조(水槽), 물탱크《특히 송수용》; (천연의) 저수지.
cit. citation; cited; citizen; citrate.
cit·a·del [sítədl] *n*. Ⓒ (도시를 지키는) 성채; 요새; 최후의 거점: a ~ *of* conservation 보수주의의 거점.
ci·ta·tion [saitéiʃən] *n*. **1** Ⓤ (구절 · 판례 · 예증(例證) 따위의) 인증, 인용; Ⓒ 인용문(quotation). **2** Ⓒ (사실 · 예 따위의) 언급, 열거; (수훈을 세운 군인의 이름 따위를) 공보(公報)에 싣는 일. **3** 〖법률〗 Ⓤ 소환; Ⓒ 소환장. **4** Ⓒ 표창장, 감사장《군인 · 부대 따위에 주어지는》. ◇ cite *v*.
***cite** [sait] *vt*. **1 인용하다**(quote), 인증하다; 예증하다(mention); (권위자 등)을 증언하게 하다. SYN. ⇨QUOTE. **2** 〖법률〗 **a** 《+목+전+명》 (법정에) 소환하다(summon), 출두를 명하다《*for* …(일)로》: The policeman *~d* him *for* a traffic violation. 경찰관은 교통규칙 위반으로 그에게 출두를 명했다. **b** 《+목+부》 (아무)를 소환장을 주고 석방하다(*out*). **3** 〖종종 수동태로〗 (공보(公報) 등에) 특기하다; 표창하다《*for* (공적 따위)로》: *be ~d for* one's charity work 자선 사업으로 표창받다. **4** 《+목+전+명》 …에 언급하다; (예)를 열거하다: ~ one's gratitude *to* her 그녀에게 감사의 뜻을 말하다. ◇ citation *n*.
cit·i·fy [sítəfài] *vt*. 《구어》 도시화하다; 도시풍으로 하다. ㊎ **cít·i·fied** *a*.
⁑**cit·i·zen** [sítəzən] (*fem*. **~·ess** [-is]) *n*. Ⓒ **1** (도시의) **시민**(townsman); 도시인: a ~ of New York City 뉴욕시 시민. **2** (한 나라의) 공민, 국민: a U.S. ~ 미국 국민. **3** 주민(resident): a ~ *of* Washington 워싱턴의 주민. **4** 《美》 일반인, 민간인(civilian)《군인 · 경찰 따위와 구별하여》. ***a ~ of the world*** 세계인.
cit·i·zen·ry [sítəzənri, -sən-] *n*. Ⓤ (보통 the ~) 〖집합적; 단 · 복수취급〗 (일반) 시민.
Cítizens(') Bánd (때로 c- b-) 〖통신〗 시민밴드《트랜스시버 등을 위한 개인용 주파수대(帶) 및 그 라디오; 생략: CB, C.B.》.
◇**cít·i·zen·shìp** [-ʃip] *n*. Ⓤ 시민의 신분(자격); 시민(공민)권; 국적: acquire (lose) ~ 시민권을 얻다(잃다) / strip a person of his ~ 아무의 시민권을 박탈하다.
cit·rate [sítreit, sáit-] *n*. Ⓤ 〖화학〗 구연산염.
cit·ric [sítrik] *a*. 〖화학〗 구연산(성)의: ~ acid 구연산.
cit·rine [sítriːn] *a*. 레몬(빛)의, 담황색의. **—***n*. Ⓤ 레몬빛; 〖광물〗 황수정(黃水晶).
◇**cit·ron** [sítrən] *n*. **1** Ⓒ 〖식물〗 레몬 비슷한 식물《불수감(佛手柑) 따위》; 그 열매. **2** Ⓤ 레몬빛, 담황색.
cit·rous [sítrəs] *a*. =CITRUS.
cit·rus [sítrəs] (*pl*. **~, ~·es**) *n*. Ⓒ 〖식물〗 밀감속(屬), 감귤류.
cit·tern [sítərn] *n*. Ⓒ (16–17세기에 쓴) 기타 비슷한 악기.
†**city** [síti] *n*. Ⓒ **1 a 도시**, **도회**. ★ town보다 큼. **b 시**《영국에서는 bishop이 있는 도시 또는 왕의 특허장에 의하여 city로 된 town, 미국에서는 주로부터 자치권을 인가받은 시장 · 시의회가 다스리는 자치 단체, 캐나다는 인구에 입각한 고위의 자치체》. **2** (the ~) 〖집합적〗 전(全)시민. **3** (the C–) 《英》 시티《런던의 상업 · 금융의 중심지구》; 재계, 금융계.
Cíty Cómpany 런던시 상업 조합《옛날의 여러 상업 조합을 대표하는 단체》.
cíty cóuncil 시의회.
cíty cóuncilor 시의회 의원.
cíty éditor 《美》 (신문사의) 사회부장; 지방 기사 편집장; (종종 C– e–) 《英》 (신문사 · 잡지사의) 경제부장(기사 편집장).
cíty fáther 시의 유지(有志), 시의회 의원.
cíty háll 《美》 **1** 시청(청사); 시 당국. **2** 관료 지배: fight ~ 관료의 권위를 상대로 싸우다.
cíty mánager 《美》 (시의회가 임명한) 시정 담당관.
cíty páge 《英》 (신문의) 경제란(欄).
cíty plán (**plánning**) 도시 계획.
cíty·scàpe *n*. Ⓒ 도시 풍경(경관)《특히 중심가의》; 도시 풍경화.
cíty slícker 《구어》 도회지 물이 든 사람, (닳아빠진) 도시인.
cíty-stàte *n*. Ⓒ (옛 그리스의) 도시국가《고대 아테네, 스파르타 따위》.
civ·et [sívit] *n*. Ⓒ 〖동물〗 사향고양이(=∠ **cát**); Ⓤ 그것에서 채취되는 향료.
◇**civ·ic** [sívik] *a*. Ⓐ 시의, 도시의; 시민(공민)의: ~ duties 시민의 의무 / ~ life 시민(도시) 생활 / ~ rights 시민(공민) 권.
㊎ **-i·cal·ly** [-ikəli] *ad*. 시민으로서, 공민답게.
cívic cénter 시민 회관; 도시의 관청가, 도심; 시당국.
cívic-mínded [-id] *a*. 공덕심이 있는; 사회 복지에 열심인.
cív·ics *n*. Ⓤ 공민학, 공민과(科); 시정(市政)학, 시정 연구.
civ·ies [síviz] *n*. *pl*. (군복에 대하여) 평복, 사복(civvies): in ~ 사복을 입고.
⁑**civ·il** [sívəl] *a*. **1** Ⓐ **시민(공민(公民))의**, 공민으로서의, 공민적인: ~ life 시민(사회) 생활. **2 시민(사회)의**(civilized); 집단활동을 하는. **3 정중한**, 예의 바른《*to* …에게》; 친절한, 호의적인: a ~ reply 정중한 회답 / ~ but not friendly 정중하지만 친밀감이 없는 / Be more ~ *to* me. 좀 더 예의바르게 굴어라 / It's very ~ *of* you (You're very ~) *to* help me. 나를 도와주다니 넌 정말 친절하구나. SYN. ⇨POLITE. **4** Ⓐ (무관에 대하여) **문관의**; (군에 대하여) **민간의**, 일반인의: ~ administration 민정 / ~ airport (aviation) 민간 비행장(항공). **5** 국가의, 국내의, 사회의, 내정이: a ~ war 내란. **6** Ⓐ 〖법률〗 민사의: a ~ case 민사 사건. cf. criminal. **7** (천문시(력)에 대하여) 보통력(曆)의, 상용(常用)하는: a ~ year 역년(曆年).
keep a ~ tongue in one***'s head*** ⇨TONGUE.
cívil defénse 민간 방공(防空); 민방위 대책(활동): a ~ corps 민방위대.
cívil disobédience 시민적 저항(불복종)《납세 거부 등의 시민의 공동 반항》.
cívil engineér 토목 기사《생략: C.E.》.
cívil engineéring 토목 공학(공사).
***ci·vil·ian** [sivíljən] *n*. Ⓒ **1** (군인 · 성직자가

아닌) **일반인, 민간인.** **2** 비전투원, (무관에 대하여) 문관. **—a.** Ⓐ 일반인의, 민간의; 문관의; 군속의; 비군사적인: a ~ airman 〔aviator〕 민간 비행가/~ clothes 평복, 신사복/~ control 문관〔문민(文民)〕 지배〔통제〕.

◇**ci·vil·i·ty** [sivíləti] *n.* **1** Ⓤ (형식적인) 정중함, 공손함; 예의바름. **2** Ⓒ (보통 *pl.*) 정중한 말〔행위〕: exchange *civilities* 정중한 인사를 교환하다.

⁑**civ·i·li·za·tion,** 《英》 **-sa-** [sìvəlizéiʃən] *n.* **1** Ⓤ (구체적으로는 Ⓒ) **문명**(文明): Western ~ 서양 문명. **2** Ⓤ 문명화, 교화, 개화. **3** Ⓤ 문명 사회〔세계〕; 문화 생활. ◇civilize *v.*

⁑**civ·i·lize,** 《英》 **-lise** [sívəlàiz] *vt.* **문명화하다;** (야만인)을 교화하다(enlighten); (사람)을 세련되게 하다; 예의 바르게 하다. ◇civilization *n.*

⁑**civ·i·lized** [sívəlàizd] *a.* **1 문명화된,** 개화된: a ~ nation 문명국. **2** 예의 바른, 교양이 높은.

cívil láw 〖법률〗 **1** 민법, 민사법《criminal law에 대하여》. **2** (종종 C- L-) 로마법(Roman law); 국내법《국제법에 대하여》.

cívil líberty (또는 *pl.*) 시민적 자유.

cívil líst (the ~) 《英》 (의회가 정한) 왕실비(費).

cív·il·ly *ad.* 예의 바르게, 정중하게; 민법상, 민사적으로.

cívil márriage (종교 의식에 의하지 않은) 민사혼(民事婚), 신고 결혼.

cívil párish 《英》 행정 교구.

cívil ríghts 시민권, 공민권; 《美》 (특히 흑인 등 소수 민족 그룹의) 평등권.

cívil sérvant (군 관계 이외의) 공무원, 문관.

cívil sérvice (the ~) (군·사법·입법 관계 이외의) 정부 관청〔기관〕; 〖집합적; 단·복수취급〗 (군관계 이외의) 문관, 공무원: ~ examination 〔commission〕 공무원 임용 시험〔시험 위원〕/join 〔enter〕 the ~ 공무원이 되다.

cívil wár **1** 내란, 내전. **2** (the C- W-) 《美》 남북 전쟁(1861–65); 《英》 Charles 1세와 의회와의 분쟁(1642–46, 1648–52). **3** 스페인 내란《1936–39》

civ·vies [síviz] *n. pl.* =CIVIES.

C.J. Chief Judge; Chief Justice. **Cl** 〖화학〗 chlorine. **cl.** centiliter; claim; class; classification; clause; clergyman; clerk; cloth.

clack [klæk] *vi.* 찰칵 소리를 내다; 재잘재잘 지껄이다(chatter); (암탉이) 구구구 울다.
—n. (*sing.*) 찰칵하는 소리; 재잘거리는 소리, 수다(chatter). [imit.]

clad [klæd] 《고어·문어》 CLOTHE의 과거·과거분사. **—a.** 〖종종 합성어로〗 장비한, 입은, 덮인: iron*clad* vessels 철갑선/She was ~ in white. 그녀는 흰 옷을 입고 있었다.
—(*p., pp.* **~;** **~·ding**) *vt.* (금속)에 다른 금속을 입히다〔씌우다〕, 클래딩하다.

clád·ding *n.* Ⓤ 클래딩《금속 표면에 다른 금속을 입히는 일》.

clade [kleid] *n.* Ⓒ 〖생물〗 분기군(分岐群)《공통의 조상에서 진화한 생물군》.

⁑**claim** [kleim] *vt.* **1** (당연한 권리로서) **요구하다,** 청구하다: ~ damages 손해 배상을 요구하다. SYN. ⇨DEMAND.
2 (유실물)의 반환을 요구하다; (권리 따위)를 (요구하여) 획득하다: Does anyone ~ this umbrella? 이 우산 임자는 안 계십니까/He ~*ed* title to the land. 그는 그 토지의 권리를 (요구하여) 획득했다.
3 《~+목/+*to* do/+*that* 절》 **주장하다:** ~ blood relationship with …와의 혈연을 주장하다/I ~ *to* be 〔*that* I am〕 the rightful heir. 내가 정당한 상속인임을 주장한다.
4 (남의 주의)를 끌다; (주의·존경 등)의 가치가 있다(deserve): The problem ~*s* our attention. 그 문제는 우리의 주의를 끌었다/His accomplishments ~ our respect. 그의 공적은 우리의 존중을 받을 만하다.
5 (병·재해 등이 인명)을 빼앗다: Death ~*ed* him. 그는 죽었다.
—vi. 1 권리를 주장하다, 요구하다.
2 《+전+명》 지불을 요구하다〔당연한 권리로서 주장하다〕《*for, on* …의》: ~ *for* (the) damages 손해 배상을 요구하다/~ *on* the car insurance 자동차 보험의 지불을 청구하다.
~ back 《*vt.*+부》 …의 반환을 요구하다.
—n. Ⓒ **1** (당연한 권리로서의) **요구,** 청구《*for, on* …에 대한》: a ~ *for* damages 손해배상 청구/I have so many ~*s on* my income. 나는 돈 들어갈 구멍이 너무 많다.
2 (요구하는) **권리**(right), 자격(title)《*to, on* …에 대한/*to* do》: have a ~ *to* 〔*on*〕 the money 그 돈을 요구할 권리가 있다/We have no ~ *on* you. 우리는 너에게 요구할 권리는 없다/He has no ~ *to* scholarship. 그는 학자로 불릴 자격이 없다/He has a ~ *to* be called Europe's leading stateman. 그는 유럽 최고의 정치가라고 불릴 자격이 있다.
3 주장, 단언《*to* …하다는/*to* do/*that*》: a ~ of justice 정의의 주장/reject his ~ *to* innocence 그의 결백하다는 주장을 각하하다/Her ~ *to* be promoted to the post was quite legitimate. 그 자리로 진급시켜 달라는 그녀의 주장은 아주 정당한 것이었다/Her ~ *that* he deserved the post was honored. 그가 그 자리에 앉을 만하다는 그녀의 주장은 존중되었다.
4 (계약 위반 따위에 대한) 보상〔배상〕 청구(액).
5 청구물; 《특히》 (광구의) 불하 청구지: jump a ~ 남의 토지를〔채광권을〕 횡령하다.
6 〖보험〗 (보험금 따위의) 지급 청구(액).
lay* ~ *to …에 대한 권리를〔소유권을〕 주장하다, …을 제것이라고 주장하다: Nobody *laid* ~ *to* the house. 아무도 그 집 소유권을 주장하지 않았다. ***stake a*** 〔one's〕 **~** 권리를〔소유권을〕 주장하다《*to, on* …에 대한》: He has *staked* his ~ *to* the premiership. 그는 자기가 수상직을 맡아야 한다고 주장했다.
㊞ **~·a·ble** *a.* 요구〔청구, 주장〕할 수 있는.

claim·ant [kléimənt] *n.* Ⓒ 요구자, 청구자, 주장자《*to* …의》; 〖법률〗 (배상 따위의) 원고.

cláim·er *n.* =CLAIMANT.

clair·voy·ance [klɛərvɔ́iəns] *n.* Ⓤ 투시(력); 천리안; (비상한) 통찰(력).

clair·voy·ant [klɛərvɔ́iənt] *a.* 투시의; 투시력이 있는; 통찰력이 있는. **—**(*fem.* **-ante** [-ənt]) *n.* Ⓒ 천리안 사나이, 투시자; 통찰자.

clam [klæm] *n.* Ⓒ **1** 〖패류〗 대합조개: shut up like a ~ 급히 입을 다물다. **2** 《구어》 뚱한 사람, 말이 없는 사람.
—(**-mm-**) *vi.* 대합조개를 잡다: go ~*ming* 조개잡이를 가다. **~ up** 《*vi.*+부》 《구어》 (상대의 질문에 대해) 입을 다물다; 묵비(默秘)하다.

clám·bàke *n.* Ⓒ 《美》 **1** (구운 대합 따위를 먹는) 해변의 피크닉〔파티〕(의 요리된 음식); 《구어》 떠들썩한 회합〔집회〕.

◇**clam·ber** [klǽmbər] *vi.* 오르다, (손 · 발 따위를 써서) 기어오르다(*up*)《***over*** …을》, 기어내려가다(*down*)《***from*** …에서》; 타고 넘다《***over*** …을》: ~ *up over* a mountain 산을 오르다 / ~ *down from* a ladder 사다리를 내려오다 / ~ *over* a wall 담을 (타고) 넘다. ―*n.* (a ~) 등반, 기어올라가기. ⓟ ~·**er** *n.*

clam·my [klǽmi] (***clam·mi·er; -mi·est***) *a.* **1** 축축한, (날씨 따위가) 냉습한. **2** 병적인. ⓟ **clám·mi·ly** *ad.* **-mi·ness** *n.*

clam·or,** 《英》 **-our** [klǽmər] *n.* (*sing.*) **외치는 소리**(shout); 왁자지껄 떠듦, 소란(uproar); 외침《against*** (불평 · 항의 따위)의; ***for*** (요구 따위)의》: the ~ *against* heavy taxes 중세(重稅) 반대의 외침 / raise a ~ *for* reform 개혁의 외침 소리를 울리다.

―*vi.* 《~/+뷰/+전+명/+*to* do》 와글와글 떠들다, 외치다, 시끄럽게 굴다; 극성스럽게 요구하다《***for*** …을》; 극성스럽게 반대하다《***against*** …을》: They ~*ed out.* 그들은 외쳤다 / ~ *for* higher wage 임금인상을 극성스럽게 요구하다 / ~ *against* a bill 법안에 반대하여 시끄럽게 떠들다 / The soldiers ~*ed to* go home. 병사들은 귀환한다고 떠들어댔다. ―*vt.* **1** 《~+목/+*that* 절》 시끄럽게 말하다: They ~*ed* their demands. 그들은 떠들면서 요구했다 / They ~*ed that* the accident was caused by carelessness. 그들은 그 사고가 부주의 때문에 일어난 것이라고 떠들어댔다. **2 a** 《+목+뷰》 야유하여 침묵시키다(*down*): ~ *down* a speaker 야유하여 연사가 말을 못 하게 하다. **b** 《+목+전+명》 고함쳐서 …시키다《***into*** …하도록》; 고함쳐서 내쫓다《***out of*** …에서》: ~ a person *into* do*ing* 아무에게 고함쳐서 …하게 하다 / ~ a person *out of* office 고함쳐서 아무를 직책에서 몰아내다.

***clam·or·ous** [klǽmərəs] *a.* **시끄러운,** 소란스런, 떠들썩한(noisy). ⓟ ~·**ly** *ad.* ~·**ness** *n.*

clamp[1] [klæmp] *n.* **1** Ⓒ 꺾쇠, 거멀장, 죔쇠. **2** Ⓒ 〖건축〗 접합부에 대는 오리목. **3** (*pl.*) 집게; (외과용) 겸자(鉗子). ―*vt.* (꺾쇠로) 고정시키다, (죔쇠로) 죄다; 《英》 (주차 위반 차량)에 (벌금을 낼 때까지) 꺾쇠를 채워 움직이지 못하게 하다.

~ ***down*** 《*vi.*+뷰》 강력히 단속하다, 탄압〔압박〕하다《***on*** …을》: The government ~*ed down on* draft resisters. 정부는 징병에 반항하는 자를 탄압했다.

clamp[2] *n.* Ⓒ (쓰레기 · 벽돌 따위의) 퇴적(堆積), (흙 · 짚을 덮은 감자 따위의) 더미(pile).

clámp·dòwn *n.* Ⓒ 《구어》 엄중 단속, 탄압《***on*** …의》.

clám·shèll *n.* Ⓒ 대합조개(clam)의 조가비; 〖토목〗 (준설기의) 흙 푸는 버킷(= ∠ **bùcket**).

◇**clan** [klæn] *n.* Ⓒ **1** 씨족(氏族)(tribe), 일문(一門), 벌족(閥族)《특히 스코틀랜드 고지 사람의》. **2** (대)가족.

clan·des·tine [klændéstin] *a.* Ⓐ 비밀의, 은밀한, 남모르게 하는: a ~ marriage 〔dealing〕 비밀 결혼〔거래〕. ★ 보통 떳떳치 못한 목적에 대해 씀. ⓟ ~·**ly** *ad.* 은밀히, 남몰래.

◇**clang** [klæŋ] *vt.*, *vi.* 쨍그렁〔뗑그렁〕 울리다; 뗑그렁 울다; 뗑그렁 소리를 내며 움직이다〔달리다〕. ―*n.* (*sing.*) 쨍그렁, 뗑그렁 (소리). [imit.]

clang·er [klǽŋər] *n.* Ⓒ 《英구어》 큰 실책〔실수〕. ***drop a*** ~ 큰 실수를 저지르다.

clan·gor, 《英》 **-gour** [klǽŋgər] *n.* (*sing.*) 쨍그렁〔뗑그렁〕 울리는 소리. ―*vi.* 쨍그렁〔뗑그렁〕 울다, 울리(어 퍼지)다.

ⓟ **clan·gor·ous** [klǽŋgərəs] *a.* 울리(어 퍼지)는. ~·**ous·ly** *ad.* 쨍그렁〔뗑그렁〕하고.

clank [klæŋk] *vt.*, *vi.* (무거운 쇠붙이 따위가) 절거덕하고 소리나(게 하)다, 탁〔철꺽〕하고 울리다: The swords clashed and ~*ed.* 칼과 칼이 맞부딪쳐 쨍그렁 소리가 났다. ―*n.* (*sing.*) 철꺽, 탁, 철커덩(하는 소리). [imit.]

clan·nish [klǽniʃ] *a.* 당파적인; 배타적인; 씨족의. ⓟ ~·**ly** *ad.* ~·**ness** *n.*

clan·ship [klǽnʃip] *n.* Ⓤ 씨족 제도; 씨족 정신; 당파적 감정.

cláns·man [-mən] (*pl.* ***-men*** [-mən]) *n.* Ⓒ 종씨; 같은 씨족〔문중〕의 사람.

clap**[1] [klæp] (-pp-***) *vt.* **1** 《+목+전+명》 **광〔철썩〕 부딪치다**《***on*** …에》: He ~*ped* his head *on* the door. 그는 문에 머리를 쾅 부딪쳤다. **2** (손뼉)을 치다; (사람 · 연기)에 박수갈채하다: ~ one's hands 박수를 치다 / ~ a performer 〔a person's performance〕 연기자에게〔아무의 연기에〕 박수를 보내다. **3** 《+목+전+명》 (우정 · 칭찬의 표시로 아무)를 살짝 때리다, 가볍게 치다《***on*** (신체의 일부)를》: I ~*ped* him *on* the shoulder. 나는 그의 어깨를 툭 쳤다. **4** (새 따위가) 홰치다: A bird ~*s* its wings. **5** 《+목+보/+목+뷰/+목+전+명》 쾅〔철썩〕 놓다; (문 · 창 따위)를 쾅 닫다; (책 따위)를 탁 덮다; (모자 따위)를 홱 쓰다: ~ the door *to* 〔shut〕 문을 쾅 닫다 / ~ one's hat *on* 모자를 홱 쓰다 / ~ a book *on* the table 책을 테이블 위에 철썩 놓다. **6** 《+목+전+명》 (사람 · 물건)을 급히 처넣다《***in, into*** …에》: ~ a person *in* jail 아무를 감옥에 처넣다.

―*vi.* **1** 《+전+명》 손뼉을 치다, 박수치다《***for*** (아무)에게》: ~ *for* the singer 가수에게 박수를 보내다. **2 a** 쾅〔철썩, 덜커덩〕 소리를 내다: The shutters ~*ped* in the wind. 셔터가 바람에 덜커덩거렸다. **b** 《+뷰/+보》 (문 · 창문 등이) 쾅 닫히다: The door ~*ped to.* 문이 쾅 닫혔다 / The door ~*ped* shut (in my face). 문이 (눈 앞에서) 쾅 닫혔다. ~ ***eyes on*** 《구어》 …을 우연히 보다, …을 보다《보통 never 등의 부정어를 수반함》.

―*n.* **1** Ⓒ 찰싹, 콰르릉, 쾅, 짝짝《천둥 · 문 닫는 소리 · 박수 소리 따위》: a ~ of thunder 천둥소리. **2** (a ~) (우정 · 칭찬의 표시로) 가볍게 두드림《***on*** (등 따위)를》: He gave me a ~ *on* the back. 그는 내 등을 툭툭 쳤다. **3** (a ~) 박수(소리): give a person a good ~ 아무에게 큰 박수를 보내다. [imit.]

clap[2] *n.* (the ~) 《속어》 성병; 《특히》 임질.

clap·board [klǽpbərd, klǽpbɔ̀ːrd] *n.* Ⓤ 《美》 미늘벽판자. ―*vt.* 《美》 미늘벽판자로 덮다.

clápped-òut *a.* 《英속어》 지친, 녹초가 된; (차 등이) 낡은, 덜거덕거리는.

cláp·per *n.* Ⓒ 박수치는 사람; (종 · 방울의) 추(tongue); 딱딱이: beat 〔strike〕 ~*s* 딱딱이를 치다. ***like the*** (***merry***) ~***s*** 《英속어》 매우 빨리, 맹렬히.

clápper bòards 〖영화〗 (촬영 개시 · 종료를 알리는) 신호용 딱딱이(clapstick).

cláp·tràp *n.* Ⓤ 《구어》 인기를 끌기 위한 말〔짓, 술책〕; 허튼소리.

claque [klæk] *n.* 《F.》 Ⓒ 〖집합적; 단 · 복수 취급〗 (극장 등에 고용된) 박수 부대.

Clara [kléərə, klǽrə/kléərə] *n.* 클레어러《여자 이름; 애칭 Clare》.

Clare [klεər] *n.* 클레어《Clara, Clarence,

Clarissa 의 통칭》.

Clar·ence [klǽrəns] *n.* 클래런스《남자 이름》.

clar·et [klǽrit] *n.* **1** Ⓤ (낱개는 Ⓒ) (프랑스 Bordeaux 산) 붉은 포도주. **2** Ⓤ 자줏빛(= ∠ **réd**).

clar·i·fi·ca·tion [klæ̀rəfikéiʃən] *n.* Ⓤ (구체적으로는 Ⓒ) **1** 정화(淨化); (액체 등을) 깨끗이〔맑게〕하기. **2** 해명, 설명《**of** …에 관한》: The press asked for a ~ *of* his position. 보도진은 그의 입장에 관한 설명을 요청했다.

clar·i·fi·er [klǽrəfàiər] *n.* Ⓒ 정화기(器)〔제(劑)〕; 청정제(劑).

clar·i·fy [klǽrəfài] *vt.* **1** (의미·견해 따위)를 분명〔명료〕하게 하다, 해명하다(explain). **2** (공기·액체 따위)를 맑게 하다, 정화하다(purify). **3** (사고(思考) 따위)를 명쾌하게 하다.
—*vi.* 분명〔명료〕하게 되다; 맑아지다.

clar·i·net [klæ̀rənét, klǽrinət] *n.* Ⓒ 〖음악〗 클라리넷. ㊕ **~·(t)ist** *n.* Ⓒ 클라리넷 주자(奏者).

clar·i·on [klǽriən] *n.* Ⓒ 클라리온《예전에 전쟁 때 쓰인 나팔》; 클라리온의 소리; 낭랑한 나팔의 음향. **—***a.* Ⓐ 낭랑하게 울려 퍼지는, 명쾌한: a ~ call〔note, voice〕 낭랑하게 울려 퍼지는 부름〔목〕소리.

Cla·ris·sa [klərísə] *n.* 클라리사《여자 이름》.

°**clar·i·ty** [klǽrəti] *n.* Ⓤ (사상·문체 따위의) 명석, 명료, 명확; (액체 따위의) 투명(도), 맑음; (음색의) 맑고 깨끗함: have ~ of mind 두뇌가 명석하다.

***clash** [klæʃ] *n.* **1** (*sing.*) 쨍그렁 소리; 서로 부딪치는 소리. **2** Ⓒ (의견·이해 등의) 충돌, 불일치(disagreement); 부조화; (행사·시간 따위의) 겹침《**between** …간의; **with** …와의》: a ~ *of* viewpoints 견해의 불일치/a ~ *of* colors 색의 부조화. **3** Ⓒ 전투, 격돌《**between** …간의; **with** …와의》.
—*vi.* **1** 《~/+전+명》 부딪치는〔쨍그렁〕 소리를 내다, (소리를 내며) **충돌하다**: The swords ~*ed*. 칼이 짤그랑하고 부딪쳤다/~ *into* a person 아무와 부딪치다/Shield ~*ed against* shield as the warriors met in battle. 전사들이 교전을 시작하자 방패와 방패가 서로 부딪쳤다. **2** 《~/+전+명》 (의견·이해·세력 등이) 충돌하다《**with** …와; **over, on** …일로》; (행사 따위가) 겹치다《**with** …와》; 저촉되다《**with** (규칙 등)에》: Their stories of the accident ~*ed* completely. 그 사고를 목격한 그들의 말은 완전히 엇갈렸다/This plan ~*es with* his interests. 이 계획은 그의 이익과 상충된다/They ~*ed over* the issue. 그들은 그 문제로 의견이 갈리었다/I'm afraid (that) 2 o'clock ~*ed with* my schedule. 안됐지만 2 시는 내 스케줄과 겹친다. **3** 격렬한 소리를 내다. **4** 《+전+명》 (색이) 조화되지 않다《**with** …와》: This color ~*es with* that. 이 색깔은 저 색깔과 맞지 않는다.
—*vt.* 《~+목/+목+부/+목+전+명》 (종·심벌즈 따위)를 치다(*together*); (소리를 내어) 부딪치다《**against** …에》: He ~*ed* his head *against* the wall. 그는 벽에 머리를 세게 부딪쳤다.

clasp** [klæsp, klɑːsp] *n.* Ⓒ **1 걸쇠, 버클, 죔쇠**, 메뚜기, 훅. **2** (보통 *sing.*) 잡음; 악수; 포옹(embrace): I gave his hand a warm ~. 나는 다정하게 그의 손을 잡았다. **—vt.* **1** 걸쇠로 걸다〔잠그다〕; …에 걸쇠를 달다. **2** 《~+목/+목+부/+목+전+명》 (손 따위)를 꽉 잡다〔쥐다〕, 악수하다; 끌어안다《**in, to** …에》: ~ one's hands (*together*) (깍지끼듯) 두 손을 움켜쥐다《절망·애원 등의 감동을 나타냄》/The mother ~*ed* her baby hard *in* her arms 〔*to* her bosom〕. 어머니는 아기를 팔〔가슴〕에 꼭 껴안았다. **—***vi.* (걸쇠 등으로) 걸다, 잠그다; 꽉 쥐다〔껴안다〕.

clásp knìfe 대형 접칼.

†**class** [klæs, klɑːs] *n.* **1** Ⓒ (공통 성질의) **종류**, 부류: an inferior ~ of novels 저급한 소설류/be in a ~ with …와 같은 종류이다.
2 Ⓒ **등급**: a first ~ restaurant 일류 레스토랑/travel second ~, 2 등으로 여행하다.
3 a Ⓒ (보통 *pl.*) (사회) **계급**: the upper 〔middle, lower, working〕 ~(*es*) 상류〔중류, 하류, 노동〕 계급. **b** Ⓤ 계급제(도): abolish ~ 계급제도를 타파하다.
4 a Ⓒ **학급**, 반, 학년: The ~ consists of 40 boys and girls. 그 학급은 40 명의 남녀 학생으로 되어 있다. **b** Ⓤ (구체적으로는 Ⓒ) (클래스의) **학습 시간, 수업**; (꽃꽂이 따위의) 강습: How many ~*es* do you have today?—We have four. 오늘은 수업이 몇시간 있느냐?—4 시간 있습니다/We have no ~ today. 우리는 오늘 수업이 없다/be in ~ 수업 중이다/ between ~*es* 수업과 수업 사이에/take ~*es* in cooking 요리 강습을 받다.
5 Ⓒ 〖집합적; 단·복수 취급〗 **a** 학급의 학생들《★ 호칭으로도 씀》: The ~ was 〔were〕 glad to hear the news. 학급 학생들은 그 소식을 듣고 기뻐했다/Good morning, ~! (학급의) 여러분, 안녕하세요/*Class* dismissed! 오늘 수업은 이만(끝). **b** 《美》 동기졸업생〔학급〕; (군대의) 동기병: the ~ of 1990, 1990년도 졸업생/the 2000 ~, 2000년 (입대)병.
6 Ⓤ 《구어》 우수; 제일류(의 기술 따위); (복장·매너 등의) 우아함, 기품: He showed the ~ of a grand master. 그는 (체스〔브리지〕의) 명인으로서의 우수한 기량을 보여 주었다/She's a good performer, but she lacks ~. 그녀는 연주는 잘하지만 일류라고는 할 수 없다.
7 Ⓒ 《英》 우등학급《특별 전공이 허락되는 우등생 후보반》; 우등 (등급).
8 Ⓒ 〖생물〗 강(綱)《phylum 과 order 의 중간》.
9 Ⓒ 〖수학〗 급(級), 클라스; 집합. ◇ classify *v.*
be in a* ~ *by itself 〔*oneself*〕 =***be in a* ~ *of*** 〔*on*〕 ***its*** 〔*one's*〕 ***own*** 비길 데 없다, 단연 우수하다: He's *in a* ~ *of* his *own*. 그는 단연 우수하다. ***be no* ~** 《구어》 하찮다, 못쓰다, (다른 것보다) 아주 못하다.
—*vt.* **1** 《~+목/+목+*as* 보/+목+전+명》 …을 **분류하다**(classify)《**with, among** (…와 같은 부류)로》: be ~*ed* in three groups 세 그룹으로 분류되다/~ a person *as* old 아무를 노인으로 분류하다/~ one thing *with* another 어떤 것을 다른 것과 동류로 하다/~ technicians *among* laborers 기술자를 근로자에 포함시키다. **2** 반(班)으로 나누다. **3** 《~+목/+목+보》 …의 등급을 정하다, …을 …급에 넣다: a restaurant ~*ed* 3-star 별 셋인 레스토랑. **4** 《+목+*as* 보/+목+전+명》 《구어》 간주하다《**with, among** (…의 동류)로》: I ~ that *as* cheek. 그것은 뻔뻔스럽다고 생각한다/The papers ~ me *with* the Socialists. 신문은 나를 사회당원으로 간주했다. **—***vi.* 《+*as* 보》 (어느 class 로) 분류되다, 속하다: those who ~ *as* believers 신앙인으로 꼽히는 사람들.

class. classic(al); classification; classified.

cláss áction 《美》 집단 소송(class suit).

cláss-cónscious *a.* 계급의식이 있는〔강한〕: a ~ society 계급의식이 있는 사회.

cláss cónsciousness 계급의식.

‡**clas·sic** [klǽsik] *a.* [A] **1** (예술품 따위가) **일류의**, 최고 수준의; 전아(典雅)한, 고상한: a ~ work of art 최고급 예술 작품. **2** (학문연구·연구서 따위가) 권위 있는, 정평이 나 있는; 전형적인(typical)《예 따위》, 모범적인: a ~ method 대표적인 방법/a ~ case of one-sided love 짝사랑의 전형적인 예. **3 고전의**, 그리스·로마 문예(文藝)의; 고대 그리스·로마의 예술 형식을 본받은; 고전풍의, 고전적인(classical): ~ myths 그리스·로마의 신화/~ architecture 고전주의 양식의 건축. **4** 전통적인, (문화적·역사적으로) 유서 깊은; 고전적인: ~ ground (*for*...) (…으로) 유서 깊은 땅, 사적(史跡)/~ Oxford 〔Boston〕 옛 문화의 도시 옥스퍼드〔보스턴〕/a ~ event 전통적인 행사《시합·경기 따위》. **5** (복장 따위가) 전통적인 (스타일의).

—*n.* **1** [C] 일류 작품, **고전**; 〖일반적〗 명작, 걸작: "Hamlet" is a ~. '햄릿'은 고전이다. **2** [C] 고전 작가《특히 옛 그리스·로마의》; 고전 작품. **3** [C] (고전적) 대문학자, 문호(文豪); 대예술가; (특정 분야의) 권위자. **4** (the ~s) (그리스·로마의) 고전; 고전어. **5** [C] 전통적 행사〔시합〕; = CLASSIC RACES. **6** [C] 〖일반적〗 최고〔일류〕의 것〔작품〕; 전통적〔고전적〕 스타일의 옷〔자동차, 도구 따위〕; 유행을 초월한 스타일의 옷. **7** [C] 《美구어》 클래식 카《1925–48 년 형의 자동차》.

***clas·si·cal** [klǽsikəl] *a.* **1** (문학·예술에서) **고전적인**, 고전파의: a ~ education 고전교육/the ~ school 〖경제〗 고전학파, 정통학파《Adam Smith 계통의 학자들; Mill, Malthus 등》. **2** (문학·미술에서) 고전주의〔풍〕의, 의고적(擬古的)인; 고전 음악의. [cf] romantic. ¶~ music 고전 음악/~ literature 고전주의 문학. **3** 고대 그리스·라틴 문화〔문학, 예술〕의; 고전어의: the ~ languages 고전어《옛 그리스어·라틴어》. **4 모범적인**, 표준적인, 제1급의. **5** (방법 따위가) 전통적인, 종래의; 낡은: ~ arms 재래식 무기. **6** 인문적인, 일반 교양적인(↔ *technical*).

[파] **~·ly** *ad.* 고전적으로, 의고(擬古)적으로.

clas·si·cism [klǽsəsìzəm] *n.* **1** [U] 고전주의; 고대 그리스·로마의 예술·문화의 정신; 고전의 지식, 고전학. **2** [C] 고전어풍, 고전 관용 표현.

clas·si·cist [klǽsəsist] *n.* [C] 고전학자; 고전주의자.

clássic ráces (the ~) **1** 《英》 5 대(大) 경마《Derby, Oaks, St. Leger, Two Thousand Guineas, One Thousand Guineas를 말함》. **2** 《美》 3 대(大) 경마《Kentucky Derby, Preakness Stakes, Belmont Stakes를 말함》.

clas·si·fi·a·ble [klǽsəfàiəbəl] *a.* (사물이) 분류할 수 있는.

***clas·si·fi·ca·tion** [klæ̀səfikéiʃən] *n.* [U] (구체적으로는 [C]) **분류**, 유별, 종별; 등급별, 급수별, 등급〔등차〕 매기기; 〖도서〗 도서 분류법; (공문서의) 기밀 종별《restricted, confidential, secret, top secret 따위》; 〖생물〗 (동식물의) 분류. ◇classify *v.*

> [NOTE] 동·식물 분류는 다음과 같음. 〖동물〗 phylum 〔〖식물〗 division〕 문(門), class 강(綱), order 목(目), family 과(科), genus 속(屬), species 종(種), variety 변종(變種).

clas·si·fied [klǽsəfàid] *a.* [A] **1** 분류된, 유별의; (광고 따위가) 항목별의: a ~ catalog(ue) 분류 목록/a ~ telephone directory 직업별 전화 번호부/a ~ ad 〔advertisement〕 항목별 광고, 3행 광고《구인·구직 등 항목별로 분류되어 있음》. **2** (군사 정보·문서 따위가) 기밀 취급의 ([cf] confidential, top secret): ~ information 비밀 정보/a highly ~ project 극비의 계획.

—*n.* (the ~s) 〖집합적〗 항목별 광고: look in the ~*s*, 3행 광고를 들여다보다.

clas·si·fy** [klǽsəfài] *vt.* **1** 《+[목]+[전]+[명]/+[목]+*as* [보]》 **분류하다**, 유별하다《into, under*** …으로》: ~ books by subjects 책을 항목별로 분류하다/Words are *classified into* parts of speech. 말은 품사로 분류된다/~ these subjects *under* three topics 이 문제들을 세 개의 테마로 분류하다/We usually ~ types of character *as* good or bad. 우리는 통상 사람의 성격을 선과 악으로 분류한다. **2** (공문서)를 기밀 취급으로 하다.

cláss·ìsm *n.* [U] 계급 차별; 계급주의.

cláss·less *a.* (사회가) 계급 차별이 없는; (개인 등이) 어느 계급에도 속하지 않는.

[파] **~·ly** *ad.* **~·ness** *n.*

cláss lìst 학급 명부; 〖英대학〗 우등생 명부.

‡**class·mate** [klǽsmèit] *n.* [C] **동급생**, 급우.

†**class·room** [klǽsrù(ː)m] *n.* [C] **교실**: How many ~*s* are there in this building?—Twenty. 이 건물에는 교실이 몇 개 있느냐?—20개 있습니다.

cláss stríſe 〔**strúggle, wár(fare)**〕 (보통 the ~) 계급 투쟁.

classy [klǽsi, kláːsi] (***class·i·er; -i·est***) *a.* 신분이 높은; 《구어》 고급의, 세련된, 멋진: a ~ car 고급차.

clas·tic [klǽstik] *a.* 〖지질〗 쇄설(碎屑)성의: ~ rocks 쇄설암.

***clat·ter** [klǽtər] *n.* **1** (*sing.*) (나이프·포크·접시·기계·말굽 따위의) **덜걱덜걱〔덜커덕덜커덕, 딸그락딸그락〕하는 소리**. **2** [U] 시끄러움; 시끄러운 말〔웃음〕 소리: the ~ *of* the street 거리의 시끄러움.

—*vi.* **1** 덜걱덜걱〔덜커덕덜커덕〕거리다. **2** 《+[부]/+[전]+[명]》 소란스런 소리를 내며 움직이다: ~ *about* 소란스런 소리를 내며 돌아다니다/The printer ~*ed away*. 인쇄기가 계속 덜커덕 소리를 냈다/A truck ~*ed along* (the street). 트럭이 덜걱〔덜커덕〕거리며 (거리를) 지나갔다. **3** 《+[부]/+[전]+[명]》 재잘대다(*away*): They ~*ed away* (*about* their discontents). 그들은 (불만스러운 일들을) 신나게 재잘댔다.

—*vt.* 덜걱덜걱〔덜커덕덜커덕〕거리게 하다.

[파] **~·er** [-tərər] *n.* [imit.]

***clause** [klɔːz] *n.* [C] **1** (조약·법률 등의) **조목**, 조항. **2** 〖문법〗 절(節). [cf] phrase. ¶a noun ~ 명사절.

claus·tro·pho·bia [klɔ̀ːstrəfóubiə] *n.* [U] 〖정신의학〗 밀실 공포, 폐소(閉所) 공포(증)《폐쇄된 장소를 싫어하는》. [파] **-phóbic** *a.*, *n.* [C] 폐소 공포의 (환자).

clav·i·chord [klǽvəkɔ̀ːrd] *n.* [C] 〖음악〗 클라비코드《피아노의 전신》.

clav·i·cle [klǽvəkəl] *n.* [C] 〖해부〗 쇄골(鎖骨).

clav·ier [klǽviər] *n.* [C] 〖음악〗 **1** 건반(鍵盤). **2** [kləvíər] 건반악기.

*__claw__ [klɔː] *n.* Ⓒ **1** (고양이·매 따위의) **발톱**(talon); (게·새우 따위의) **집게발**. **2** 발톱 모양의 것《장도리의 노루발 따위》.
cut* 〔*clip, pare*〕 *the ~s of 《구어》 …의 발톱을 잘라 내다, …을 무력하게 만들다. ***get* 〔*sink, have*〕 *one's ~s into* 〔*in*〕** (불쾌한 말로써) 반감을 표시하다; (남자를) 낚다《결혼하기 위해》.
—*vt.* **1 a** 손톱〔발톱〕으로 할퀴다, 쥐어뜯다. **b** 《+[목]+[보]》 손톱〔발톱〕으로 잡아찢어 …하다: ~ a parcel open 꾸러미를 잡아찢어 풀어헤치다. **2 a** (구멍)을 손톱〔발톱〕으로 후벼 파다: ~ a hole. **b** 《+[목]+[전]+[명]》 〖~ one's way로〗 (필사적으로) 손으로 헤치며 나아가다: ~ one's *way through* the crowd 군중을 손으로 헤치며 나아가다.
—*vi.* 《~/+[전]+[명]》 (손〔발〕톱 따위로) 할퀴다〔찢다, 파다〕《*at* …을》.
~ *back* 《*vt.*+[부]》 애써서 되찾다; 《英》 (정부가) 교부금 따위를 추가세의 형식으로 회수하다.

cláw-bàck *n.* Ⓤ 《英》 회수; 회수금.

cláw hàmmer 1 노루발 장도리. **2** 연미복(tailcoat).

*__clay__ [klei] *n.* Ⓤ **1 점토**(粘土), 찰흙; 흙 (earth): potter's ~ 도토(陶土)/a lump of ~ 흙덩이. **2** (육체의 본질로 여기지는) 흙; 육체; 자질, 천성; 인격, 인품: be dead and turned to ~ 죽어서 흙으로 돌아가다/a man of common ~ 보통 사람. ***feet of ~*** (사람·사물이 지니는) 인격상의〔본질적인〕 결점; 뜻밖의 결점〔약점〕.

cláy cóurt 〖테니스〗 클레이 코트. ⓒⓕ hard 〔grass〕 court.

clay·ey [kléii] (***clay·i·er; -i·est***) *a.* 점토질〔점토 모양〕의; 점토를 바른〔로 더러워진〕.

clay·ish [kléiiʃ] *a.* 점토질〔모양〕의; 점토를 포함한.

clay·more [kléimɔ̀ːr] *n.* Ⓒ **1** (옛날 스코틀랜드 고지인이 사용한) 양날의 큰 칼. **2** =CLAYMORE MINE.

cláymore mìne 《美》 〖군사〗 클레이모어 지뢰.

cláy pígeon 〖사격〗 클레이 피전.

cláy pípe 토관(土管); 사기 담뱃대.

-cle ⇨-CULE.

†__clean__ [kliːn] *a.* **1 청결한, 깨끗한,** 더럼이 없는; 병균이 없는(↔ *dirty*): ~ air 깨끗한 공기/Keep yourself ~. 몸을 깨끗이 해라.

SYN. **clean** 옷·방 등이 '깨끗한'. **cleanly** '깨끗함을 좋아하는' 의 뜻으로 습관·경향에 대하여 말함. 따라서 cleanly 한 사람이 반드시 clean 한 것은 아님. **neat** '산뜻한' 의 뜻. **tidy** '말쑥한' 의 뜻: a *tidy* desk 말쑥하게 정돈된 책상.

2 (방사능 따위에) 오염 안 된; 감염되어 있지 않은; 병이 아닌.
3 새로운; 아무것도 씌어 있지 않은《종이 따위》, 백지의: a ~ sheet of paper 백지 한 장.
4 불순물이 없는, 순수한; 결점(缺點)〔흠〕 없는: ~ gold 순금/a ~ record 〔slate〕 깨끗한 이력/a ~ diamond 흠없는 다이아몬드.
5 Ⓟ 없는《*of* (때·바람직하지 않은 것 따위)가》: wash one's hands ~ *of* dirt 더러운 손을 깨끗이 씻다/He wiped the revolver ~ *of* his fingerprint. 그는 권총을 닦아 자기 지문을 깨끗이 없앴다.
6 (거의) 정정 기입이 없는《원고·교정쇄 따위》, 읽기 쉬운: ~ copy 깨끗한 원고/a ~ copy 청서/a ~ proof 고친 데 없는 교정쇄.
7 장애물 없는: a ~ harbor 안전한 항구.
8 순결한, 고결한, 정직한; 공정한, 공명정대한: a ~ life 깨끗한 생활/a ~ fight 정정당당한 싸움/~ money (정직하게 번) 깨끗한 돈.
9 깔끔한, 단정한; 《구어》 추잡하지〔외설되지〕 않은: be ~ in one's person 아무의 몸차림이 말쑥하다/a ~ conversation 점잖은 대화/use ~ language 점잖은 말을 쓰다.
10 (균형이 잡혀) 보기 좋은, 날씬한; (자른 데가) 매끈한, 울퉁불퉁〔까칠까칠〕하지 않은: ~ limbs 미끈한 팔다리/a ~ wound 싹 베인 상처/The car has ~ lines. 그 차는 윤곽이 산뜻하다.
11 (유대인 사이에서) 몸에 부정(不淨)이 없는; (고기·생선이) 식용으로 허가된〔적합한〕: ~ fish 먹을 수 있는 생선《산란기가 아닌》.
12 교묘한, 솜씨좋은, 능숙한, 멋진: ~ fielding 〖야구〗 훌륭한 수비/a ~ hit 〖야구〗 클린 히트.
13 완전한, 철저한, 남김 없는: a ~ hundred dollars, 100 달러 몽땅.
14 당연한(proper): a ~ thing to do 당연히 해야 할 일.
15 (창고 따위가) 빈; (배가) 짐을 싣지 않는.
16 Ⓟ 《속어》 무기〔흉기〕를 몸에 지니지 않은; 마약을 쓰지〔소지하지〕 않은.
17 (핵병기가) 방사성 낙진이 없는〔적은〕.
come ~ 《구어》 자백〔실토〕하다(confess). ***have ~ hands*** =***keep the hands ~*** 결백하다.
—*ad.* **1** 아주, 전혀, 완전히: I ~ forgot about it. 그것을 완전히 잊고 있었다/~ mad 완전히 실성한. **2** 보기 좋게, 멋지게; 정통으로: jump ~ 보기 좋게 뛰어넘다/be hit ~ in the eye 눈을 정통으로 얻어맞다. **3** 청결하게, 깨끗이; 공정하게: sweep a room ~ 방을 깨끗이 쓸다/play the game ~ 공정하게 게임을 하다.
—*vt.* **1 깨끗하게 하다,** 정결〔말끔〕히 하다, 청소하다; 씻어서 손질하다; (이·신)을 닦다; (상처)를 소독하다: ~ one's shoes 신발을 닦다. **2** (먹어서 접시 등)을 비우다(empty); (요리 전에 닭·생선 등의) 내장을 빼내다: ~ one's plate 접시에 있는 것을 깨끗이 먹어치우다/~ a fish 생선 내장을 빼내다. **3** 《+[목]+[전]+[명]》 씻어서 없애다〔빼다〕《*of* (때 따위)를》; (얼룩 따위)를 지우다〔없애다〕《*off, from* …에서》: ~ one's shirt *of* dirt 와이셔츠의 때를 없애다/~ a spot *off* one's necktie 넥타이의 얼룩을 없애다.
—*vi.* 청소를 하다, 깨끗해지다: ~ for dinner 식사하기 위해 손 따위를 씻다/This kind of fabric ~s easily. 이런 종류의 천은 때가 잘 진다.
~ *down* 《*vt.*+[부]》 (벽 따위)를 깨끗이 쓸어 내리다; (말 따위)를 씻어 주다. **~ *out*** 《*vt.*+[부]》 ① …(의 속)을 깨끗이 청소하다: ~ *out* a room 방을 치우다. ② 《美》 (장소)에서 사람을 쫓아내다; (아무)를 쫓아내다. ③ (점포 따위)의 재고품을 일소하다〔다 팔다〕. ④ (장소)에서 몽땅 훔쳐내다. ⑤ 《구어》 (돈)을 다 써버리다; (아무)를 빈털터리로 만들다: I'm ~*ed out*. 나는 무일푼이다/Hospital bills have ~*ed out* my savings. 병원비 청구서 때문에 저금이 바닥났다. **~ *up*** 《*vi.*+[부]》 ① 깨끗이 청소하다, 정돈하다. ② 몸을 깨끗이 하다. **—**《*vt.*+[부]》 ③ (방 따위)를 깨끗이 청소하다, 정돈하다; (부채 따위)를 정리하다; (먼지 따위)를 제거하다, 털어내다. ④ …에서 불량분자 따위를 일소하다, …을 정화하다: ~ the city *up* 도시를 정화하다/~ *up* one's behavior 태도를 새롭게 하다/~ *up* the political scandal 정계의 스캔들을 일소하다. ⑤ (남은 적·진지 따위)를 일소하

다. ⑥ (몸)을 깨끗이 씻다, 몸단장을 하다: ~ oneself *up* =get oneself ~*ed up* 몸단장을 하다. ⑦ (일 따위)를 마무르다, 끝내다. ⑧《구어》(순식간에 큰돈)을 벌다. **~ *up on*** 《美구어》(거래 등)에서 한몫 벌다; 지우다; 해치우다: ~ *up on* a business deal 상거래에서 한몫 벌다/~ *up on* an opponent 상대방을 해치우다.
—*n.* (a ~) 손질, 청소: give it a ~ 손질하다.
[파] **∠·a·ble** *a.* **∠·ness** *n.*

cléan and jérk 〖역도〗 용상.

cléan-cút *a.* **1** 윤곽이 뚜렷한〔선명한〕. **2** 미끈한, 말쑥한, 단정한: ~ features 반듯한 이목구비/a ~ gentleman 단정한 신사. **3** (뜻이) 명확한, 분명한: a ~ explanation 명확한 설명. **4** 깔끔히 깎인: a ~ hairstyle 깔끔하게 깎은 머리스타일.

◇**cléan·er** *n.* [C] **1** 깨끗이 하는 사람; (양복 따위의) 세탁 기술자, 세탁소 주인; 청소부; (보통 the ~s, the ~'s) 세탁소(★《美》에서는 the cleaner도 씀). **2** 진공 청소기(vacuum ~). **3** 세제(洗劑). ***take*** 〔***send***〕 a person ***to the ~s*** 《구어》 아무를 빈털터리로 만들다; 혹평하다, 격렬히 비난하다.

cléan-hánded [-id] *a.* 결백한.

cléan hánds (특히, 금전 문제 · 선거에 대한) 정직; 결백, 무죄: have ~ 결백하다.

***clean·ing** [klíːniŋ] *n.* [U] **청소**; (옷 따위의) 손질, 세탁, 클리닝: general ~ 대청소/do the ~ 청소〔세탁〕하다.

cléaning wòman 〔**làdy**〕 (가정 · 사무소의) 청소부(婦).

clean·li·ly [klénlili] *ad.* 깨끗이, 말끔히.

cléan-límbed *a.* 팔다리의 균형이 잘 잡힌, 미끈한, 날씬한.

◇**clean·li·ness** [klénlinis] *n.* [U] 청결(함); 깔끔함; 깨끗함을 좋아함: *Cleanliness* is next to godliness. 《속담》 깨끗함을 좋아하는 것은 경신(敬神)에 가까운 일이다.

cléan-líving *a.* (도덕적으로) 깨끗한 생활을 하는, 청렴결백한.

⁑**clean·ly**[1] [klénli] (***clean·li·er; -li·est***) *a.* **깔끔한**, 청결한, 깨끗한 (것을 좋아하는). [SYN.] ⇨ CLEAN. ◇ cleanliness *n.*

***clean·ly**[2] [klíːnli] *ad.* **1** 청결하게, **깨끗하게**, 정히: live ~ 깨끗이 살다. **2** 솜씨 좋게, 훌륭하게, 멋지게: This knife cuts ~. 이 칼은 잘 든다/cut a pie ~ into four 파이를 딱 네 조각으로 자르다.

cléan ròom (우주선 · 병원 등의) 청정(淸淨)실, 무균실.

cléans·a·ble *a.* 깨끗하게 할 수 있는.

◇**cleanse** [klenz] *vt.* **1** (상처 따위)를 정결하게 〔깨끗이〕 하다. **2** 《+[목]+[전]+[명]》 **a** (사람 · 마음)에서 깨끗이 씻다, 정화하다《***of*** (죄 따위)를》: ~ oneself *of* sin by bathing in the holy river 성스러운 강에서 몸을 씻어 죄를 씻다/~ the soul 〔heart〕 *of* sin 마음의 죄를 씻다. **b** (바람직하지 않은 것〔사람〕)을 제거하다, 숙청하다《***of*** (장소 · 조직 따위)에서》: ~ one's garden *of* weeds 정원에서 잡초를 없애다/~ one's mind *of* illusion 마음에서 환상을 제거하다. **c** (죄 따위)를 씻어 없애다《***from*** …에서》: ~ sin *from* the soul 마음에서 죄를 씻어 없애다. [SYN.] ⇨ WASH.

cléans·er *n.* **1** [C] 청소부. **2** [U] (종류 · 낱개는 [C]) 세제(洗劑), 세척제, 닦는 가루.

cléan-sháven, -sháved *a.* 수염을 깨끗이 민〔기르지 않은〕.

cléansing crèam 세안(洗顔) 크림.

cléansing depàrtment (시의) 청소국〔과〕.

cléan·ùp *n.* **1** (a ~) 대청소; (손발을 씻고) 몸을 단정히 하기; 일소; 숙청, (도시 따위의) 정화; 재고 정리. **2** [C] 《美속어》 큰 벌이. **3** 〖야구〗 [U] (타순의) 4 번; [C] 4 번 (강)타자. **—***a.* [A] 〖야구〗 4 번(타자)의.

†**clear** [kliər] *a.* **1** **맑은**, 투명한(transparent), 갠, 깨끗한: ~ water 맑은 물/a ~ sky 〔day〕 맑은 하늘〔날〕. [SYN.] ⇨ FINE[1].
2 (색 · 음 따위가) 청아한, 산뜻한, (달 · 별 따위가) 밝은, 빛나는: a ~ yellow 밝은 노란색/a ~ tone 맑은 음색/a ~ star 빛나는 별/a ~ flame 환하게 타오르는 불길.
3 (영상 · 윤곽 등이) **분명한**, 뚜렷한(distinct): a ~ outline 뚜렷한 윤곽/a ~ image 분명한 영상(映像)/write with 〔in〕 a ~ hand 알아보기 쉬운 글씨를 쓰다.
4 (사실 · 의미 · 진술 따위가) **명백한**(evident), 확연한: a ~ case of bribery 명백한 뇌물 사건/It's ~ that he is in the right. 그가 옳다는 것은 틀림없다/Do I make myself ~ ? 내 말(뜻)을 확실히 알겠느냐.
[SYN.] **clear** 글자 뜻대로도 비유적으로도 쓸 수 있는 가장 일반적인 말. **apparent** '외견상 분명하게 보이는', '생각해 보아 분명하게 여겨지는'의 뜻. **distinct** 물건의 어느 부분이 다른 부분과 식별될 만큼 분명한 것. **evident** '추론컨대 의심할 여지없을 만큼 분명한'이라는 뜻으로 주로 추상적인 것에 쓰임. **obvious** 일목 요연할 정도로 자명함을 뜻하는 말. **plain** 조사 연구하지 않아도 알기 쉬운 만큼 분명한 것.
5 (두뇌 따위가) **명석한**, 명료한, 명쾌한(lucid): a ~ head 명석한 두뇌/have a ~ mind 머리가 좋다/a ~ judgment 명석한 판단.
6 (눈을) 가리는 것이 없는, 통찰력이 있는: a ~ vision of the future 미래에 대한 명철한 통찰.
7 거칠 것이 없는, 자유로이 움직일 수 있는; (신호가) 안전을 나타내는: a ~ space 빈터, 공백/a ~ channel 전용 채널/The road is ~. 도로는 자유로이 통행할 수 있다/All ~. 적 없음, 경보해제/a ~ signal (철도의) 안전 신호.
8 **흠〔결점〕없는**, 결백한, 죄없는; (목재가) 마디가 없는: a ~ conscience 꿀릴 데 없는 양심/~ lumber 옹이 없는 재목/They are ~ *of* the murder. 그들은 살인죄가 없다.
9 (전혀) 없는《***of*** …이》; 떨어진《***of*** …에서》: ~ *of* debt 빚이 없는/~ *of* all reproach 하나 나무랄 데 없는/get ~ *of* …을 떠나다, 피하다/keep 〔stay〕 ~ *of* …에 가까이 하지 않다, …을 피하다/sit ~ *of* …에서 떨어져 앉다.
10 [P] **확신을 가진**, 분명히 알고 있는《***on, about*** …에 관하여/***that***/***wh.***》: I am ~ *on* 〔*about*〕 this point. 이 점에 대해서는 의문이 없다/I'm ~ *that* we should act immediately. 곧 행동해야 한다고 확신하고 있다/I'm not ~ (*about*) *what* he means. 그의 말뜻을 잘 모르겠다/We must be ~ (*about*) *which* way *to* take. 어느 길로 갈지 분명히 알아야 한다(★ *wh.* 절이나 구 앞의 about은 흔히 생략됨).
11 a 순수한; 완전한: a ~ red 순수한 빨강/the ~ contrary 정반대/a ~ victory 완승. **b** 〖때로 명사 뒤에 두어〗 (수량이) 깔축 없는, 정량의(net), 꼬박의: three ~ months 꼬박 석 달/a hundred pounds ~ profit 백 파운드의 순익.

12 (숫적으로) 압도적인: ~ majority 절대다수.
13 짐 따위를 내려놓은, 빈; 특별히 할〔볼〕 일이 없는, 한가한: return ~ (배가) 빈 채로 돌아오다 / I have a ~ day today. 오늘은 할 일이 없는 한가한 날이다.
as ~ as day 〔***crystal***〕 대낮처럼 밝은; 극히 명료한, 명약관화한.

> **DIAL.** ***Is that clear?*** 알았지《명령을 내린 뒤 윗사람이 하는 말》.

—*ad.* **1 분명히,** 명료하게; 밝게: speak loud and ~ 큰 소리로 분명히 말하다 / The street lamps shone bright and ~. 가로등은 밝게 빛나고 있었다《★ 이 경우 bright와 clear는 형용사로도 봄》.
2 완전히, 전혀, 아주(utterly): get ~ away 멀리 떨어지다, 완전히 달아나다 / go ~ round the globe 지구를 한 바퀴 빙 돌다.
3 떨어져서, 닿지 않고: jump three inches ~ of the bar 바보다 3인치 더 높이 뛰어넘다.
4 《美》 줄곧, 계속해서 쭉(all the time 〔way〕): ~ up to the minute 그때까지 줄곧 / walk ~ to the destination 목적지까지 계속해서 쭉 걸어가다.
—*vt.* **1** 《~+목/+목+부》 (물·공기 등)을 **맑게 하다,** 깨끗이 하다(*up*); (머리·눈 따위)를 개운하게 하다: ~ the muddy water 흐린 물을 맑게 하다 / ~ (*up*) a person's skin (비누·크림 따위가) 아무의 피부를 깨끗이 하다 / A breath of fresh air will ~ your head. 신선한 공기를 마시면 머리가 개운해질 것이다.
2 a 《+목+부/+목+전+명》 (장애)를 제거하다 (*away*)《***from, out of*** (장소)에서》: ~ snow *from* the road 길에서 눈을 치우다 / The police ~*ed* the crowd (*away*) *from* the entrance. 경찰은 입구에서 군중을 몰아냈다. **b** 《~+목/+목+전+명》 **깨끗이 치우다,** (장소)에서 제거하다《***of*** (장애물)을》: ~ the table 식탁을 치우다 / ~ the pavement *of* snow 길의 눈을 치우다 / They ~*ed* the room *of* people. 그들은 방에서 사람들을 내보냈다. **c** (토지 따위)를 개척〔개간〕하다: ~ the land 토지를 개간하다. **d** 《~+목/+목+부》 (상품)을 다 처분하다, 일소하다(*out*): ~ (*out*) last year's stock 작년 재고를 다 처분하다.
3 《~+목/+목+전+명》 (빚)을 갚다; 〖~ oneself〗 청산하다《***of*** (빚·셈 따위)를》: ~ one's debts 빚을 갚다 / ~ one*self of* debts 빚을 청산하다.
4 《~+목/+목+부/+목+전+명》 **밝히다,** 해명하다; (의심 등)을 풀다, (사람·마음)에서 해소하다, 떨쳐버리다《***of, from*** (의혹 따위)를》: ~ one's honor 명예를 회복하다 / ~ *up* ambiguity 미심쩍은 점을 밝히다〔풀다〕 / ~ one's mind *of* doubts 의심을 풀다 / ~ oneself *of* 〔*from*〕 a charge 자기의 결백을 입증하다.
5 …의 **결말을 내다;** (문제·헝클어진 실 따위)를 풀다(disentangle); 〖군사〗 (암호)를 해독하다: ~ an examination paper 시험 문제를 모두 풀다.
6 a (배가 육지)를 떠나다; (출항·입항 절차)를 마치다; (세관)을 통과하다; (세관)의 통관 절차를 마치다: ~ a port 출항하다 / Have your bags ~*ed* customs? 네 가방은 세관을 통과했느냐? **b** 《~+목/+목+전+명/+목+*to* do》 (사람·배 등)의 출국〔입국〕을 허가하다; (비행기)에 허가하다 《***for*** (이륙)을》: be ~*ed for* takeoff 이륙허가가 내리다 / KAL flight 007 has been ~*ed to* take off. 대한 항공 007편은 이륙허가를 받았다. **c** 《~+목/+목+전+명》 …을 허가〔인가〕하다; (계획·의안 따위)를 승인〔인정〕하다《***with*** (위원회 따위)에서》: The project was ~*ed with* the board of directors. 그 계획은 이사회에서 승인을 받았다.
7 (수표)를 현금으로 바꾸다; (어음)을 교환에 의해 결제하다: ~ the cheque 수표를 현금으로 바꾸다.
8 a (얼마)의 순익을 올리다: ~ $100 from ... …으로 백 달러를 벌다. **b** 《+목+목》 (거래 따위가 아무)에 순익을 올리게 하다: This contract should ~ us a pretty profit. 이 계약으로 우리는 상당한 이익을 볼 것이다.
9 (목)의 가래를 없애다; (목소리)를 또렷하게 하다: ~ one's throat.
10 〖컴퓨터〗 (자료·데이터)를 지우다.
—*vi.* **1** 《~/+부》 (액체가) **맑아지다;** (하늘·날씨가) 개다, (구름·안개가) 걷히다(*away; off; up*); (안색 등이) 밝아지다: It 〔The sky〕 will soon ~ (*up*). 곧 갤 것이다 / The haze soon ~*ed* (*away*). 안개가 곧 걷혔다 / His face ~*ed* (of doubt). (의혹이 가시고) 그의 얼굴이 밝아졌다.
2 (입국·출국의) 통관 절차를 마치다; 통관 절차를 마치고 출항〔입항〕하다: ~ for New York 뉴욕으로 출항하다.
3 《+부/+전+명》 떠나다, 물러가다《***out of*** …에서》: ~ *away* 떠나다 / *Clear out!* 나가라 / ~ *out of* the way 방해가 안 되게 물러나다.
4 (상품이) 다 팔리다, 재고 정리하다; 식후의 설거지를 하다: great reduction in order to ~ 재고 정리를 위한 대할인.
5 (어음 교환소에서) 교환 청산하다.
6 《+전+명》 (실시 전에) 심의를 거치다, 승인을 얻다: This bill ~*ed* through (the) committee. 이 법안은 위원회의 심의를 거쳤다.
~ away 《*vt.*+부》 ① (장애물 등)을 제거하다. ② (식후에 식탁 위의 것)을 치우다: ~ *away* the leftovers 먹다 남은 것을 치우다. —《*vi.*+부》 ③ 맑아지다(⇨*vi.* 1). ④ 떠나다(⇨*vi.* 3). ⑤ (식후에) 설거지하다. ***~ off*** 《*vt.*+부》 ① (빚)을 갚다; 청산하다: ~ *off* a debt 빚을 다 갚다. ② 《구어》 (장애물)을 제거하다, 치우다. —《*vi.*+부》 ③ 맑아지다(⇨*vi.* 1). ④ 물러가다, 떠나다. ***~ out*** 《*vt.*+부》 ① …의 속을 비우다: ~ *out* a cupboard 찬장의 속을 비우다. ② 《英속어》 …을 빈털터리가 되게 하다: The bankruptcy has ~*ed* him *out*. 파산으로 그는 빈털터리가 되었다. ③ (불필요한 것·장애물 따위)를 제거하다, 버리다. ④ …을 청소하다. —《*vi.*+부》 ⑤ 떠나가다. ⑥ (배가) 출항하다. ***~ up*** 《*vt.*+부》 ① …을 깨끗이 하다(⇨*vt.* 1). ② (물건)을 깨끗이 치우다, 정돈하다: ~ *up* rubbish 쓰레기를 치우다 / ~ *up* one's desk 책상을 정돈하다. ③ (문제·의문·오해)를 풀다: ~ *up* a mystery 수수께끼를 풀다. ④ (병 따위)를 고치다, 낫게 하다. —《*vi.*+부》 ⑤ 맑아지다, 개다(⇨*vi.* 1). ⑥ 깨끗이 하다, 청소하다. ⑦ (병 따위가) 낫다, 치유되다.

> **DIAL.** ***Clear the way!*** (길) 비켜.

—*n.* Ⓒ **1** 빈 터, 공간; 여백. **2** 〖배드민턴〗 클리어 샷《호를 그리며 상대방 등 뒤, 엔드라인 안으로 떨어지는 플라이트》.
in ~ (통신이 암호가 아닌) 명문(明文)으로. ***in the ~*** ① (혐의 등이) 풀리어, 결백하여; 위험을

벗어나서: Evidence put him *in the* ~. 그의 결백함이 증거에 의해 증명되었다. ② 빛이 없는.
㊞ ◇∽·ness *n*.

cléar-áir tùrbulence 〖기상〗 청천(晴天) 난기류《생략: CAT》.

clear·ance [klíərəns] *n*. **1 a** Ⓤ (구체적으로는 Ⓒ) 치워버림, 제거; 정리: make a ~ of …을 깨끗이 처분하다, 일소하다. **b** Ⓒ 재고 정리 세일 (~ sale). **2** Ⓤ 출항〔출국〕 허가; 통관 (절차); (항공기의) 착륙〔이륙〕 허가; (비밀 정보의 이용) 허가: ~ inwards 〔outwards〕 입항〔출항〕 절차 / ~ notice 출항 통지 / takeoff ~ = ~ for takeoff 이륙 허가. **3** Ⓤ (구체적으로는 Ⓒ) 틈새, 여유 공간《굴·다리 밑을 지나가는 선박·차량과 그 구조물의 천장과의 공간》: There's not much ~. 그다지 여유 공간이 없다 / There's a ~ of only five inches. 5인치의 여유 공간밖에 없다. **4** Ⓤ 어음 교환(액).

cléarance sàle 재고정리 세일, 떨이로 팖.

cléar-cút *a*. 윤곽이 뚜렷한〔선명한〕; 명쾌한: a ~ face / ~ pronunciation 또렷한 발음 / give a ~ answer 명쾌하게 답하다.

cléar-éyed *a*. 눈이 맑은; 명민한; 시력이 좋은.

cléar·héaded [-id] *a*. 두뇌가 명석한.

***clear·ing** [klíəriŋ] *n*. **1** Ⓤ **청소**; (장애물의) 제거; 〖군사〗 소해(掃海). **2** Ⓒ (산림을 벌채해 만든) 개간지, 개척지. **3** Ⓤ 〖상업〗 청산, 어음 교환; (*pl.*) 어음 교환액.

cléaring·hòuse *n*. Ⓒ 어음 교환소; 정보 센터.

⁑**clear·ly** [klíərli] *ad*. **1 똑똑히, 분명히**; 밝게: Pronounce it more ~. 좀더 똑똑히 발음하시오 / The moon shone ~. 달이 환하게 비쳤다. **2** 《문장 전체를 수식하여》 **의심할 여지 없이**, 확실히: *Clearly*, it is a mistake. = It is ~ a mistake. 의심할 여지 없이 그것은 잘못이다. ***put it*** **~** 확실히 말하면.

cléar-síghted [-id] *a*. 시력이 날카로운; 선견지명이 있는. ㊞ **~·ly** *ad*. **~·ness** *n*.

cléar·stòry *n*. 《美》 = CLERESTORY.

cléar·wáy *n*. Ⓒ 《英》 주차〔정차〕 금지 도로.

cleat [kli:t] *n*. Ⓒ 쐐기 모양의 보강재(補強材); (현문(舷門) 따위의) 미끄럼막이; 〖선박〗 지삭전(止索栓)(wedge), 밧줄걸이, 삭이(索耳), 클리트; 〖전기〗 (사기제(製)의) 전선 누르개.
—*vt*. 쐐기를〔지삭전을〕 붙이다; 밧줄걸이에 감아 매다; …에 클리트를 달다.

cleav·age [klí:vidʒ] *n*. **1** Ⓤ 쪼갬, 열개(裂開), 분할; Ⓒ (정당 따위의) 분열; 갈라진 틈. **2** Ⓤ 〖광산〗 벽개(성)(劈開(性)), Ⓒ 벽개면; 〖생물〗 난할(卵割). **3** Ⓤ (구체적으로는 Ⓒ) 유방 사이의 오목한 골.

◇**cleave**[1] [kli:v] (***cleft*** [kleft], ***cleaved, clove*** [klouv], 《고어》 ***clave*** [kleiv]; ***cleft, cleaved, clo·ven*** [klóuvən]) *vt*. **1** 쪼개다, 찢다; (둘로) 쪼개어 가르다: ~ a piece of wood 장작을 쪼개다 / ~ it asunder 그것을 갈기갈기 찢다 / ~ it open 그것을 베어 가르다 / ~ it in two 그것을 두 동강 내다. **2 a** (공기·물 따위)를 가르고 나아가다; (길)을 트다: ~ the water 물을 가르고 나아가다 / ~ a path *through* the wilderness 황야에 길을 트다. **b** 《~ one's way로》 헤치고 나아가다: ~ *one's way through* a crowd 군중을 헤치고 나아가다. **3** (사람·장소)를 격리하다《***from*** …에서》; (단체)를 분열시키다《***into*** …으로》: ~ those boys *from* the others 그 소년들을 다른 소년들로부터 떼어놓다 / The issue *cleft* the party *into* opposing factions. 그 문제는 당을 서로 대립하는 파벌로 분열시켰다.
—*vi*. 쪼개지다, 찢어지다; 트다; (단체가) 분열하다.

◇**cleave**[2] (**~*d***, 《고어》 ***clave*** [kleiv], ***clove*** [klouv]; **~*d***) *vi*. 《문어》 고수하다, 집착하다 《***to*** (주의 따위)를, (주의 따위)에》; 충실히 대하다 《***to*** (아무)에게》; 부착〔점착(粘着)〕하다《***to*** …에》.

cléav·er *n*. Ⓒ 쪼개는 사람〔물건〕; 고기를 써는 큰 칼.

clef [klef] *n*. Ⓒ 〖음악〗 음자리표: a C ~ 다 음자리표《가온음자리표》 / an F 〔a bass〕 ~ 바 음자리표《낮은 음자리표》 / a G 〔treble〕 ~ 사 음자리표《높은 음자리표》.

cleft [kleft] CLEAVE[1]의 과거·과거분사.
—*n*. Ⓒ 터진 금, 갈라진 틈; (두 부분 사이의 V형의) 오목한 곳; 분열, 단절《***between*** …간의》: a ~ in a rock 바위틈 / a ~ *between* labor and management 노사간의 단절. **—***a*. 쪼개진, 갈라진, 터진: a ~ chin 오목하게 갈라진 턱. ***in a ~ stick*** 진퇴양난에 빠져; 궁지에 몰려.

cléft líp = HARELIP.

cléft pálate 구개열(口蓋裂).

cléft séntence 분리문《It... that로 분리된 문장》.

clem·a·tis [klémətis] *n*. Ⓤ 〖식물〗 참으아리속(屬)의 식물《위령선(威靈仙)·큰꽃으아리 따위》.

clem·en·cy [klémənsi] *n*. Ⓤ (특히, 재판·처벌에서 보이는) 관용, 관대, 자비; 자비로운 행위〔조처〕; (날씨의) 온화함: show ~ to a person 아무에게 온정을 보이다.

clem·ent [klémənt] *a*. 온후한; 자비스러운, 관대한(merciful); (기후가) 온화한.

clem·en·tine [kléməntàin, -tì:n] *n*. Ⓒ 클레멘타인《작은 오렌지》.

◇**clench** [klentʃ] *vt*. **1** (이)를 악물다; (입)을 꼭 다물다, (손·주먹 따위)를 꽉 쥐다: with ~*ed* teeth 이를 악물고 / ~ one's fingers 〔fist〕 주먹을 불끈 쥐다. **2** (물건)을 단단히 잡다〔쥐다〕: He suddenly ~*ed* my arm. 그는 갑자기 내 팔을 꽉 잡았다. **—***vi*. (입이) 꼭 다물어지다, (손 따위가) 단단히 쥐어지다. **—***n*. (a ~) 이를 악묾, 이를 갊; 단단히 잡기〔쥐기〕. ㊞ **∽·er** *n*.

Cle·o·pat·ra [klì:əpǽtrə, -pá:trə] *n*. 클레오파트라《이집트 최후의 여왕: 69?-30 B.C.》.

clere·sto·ry [klíərstɔ̀:ri, -stòuri] *n*. Ⓒ 〖건축〗 고창층(高窓層)《Gothic 건축 대성당의 aisles의 지붕 위의 높은 창이 달려 있는 층》; (공장 따위의 옆벽, 철도 차량의 천장 양쪽의) 통풍창.

◇**cler·gy** [klə́:rdʒi] *n*. (the ~) 《집합적; 복수취급》 목사, 성직자들《목사·신부·랍비 등, 영국에서는 영국 국교회의 목사》. ★ 한 사람의 경우는 clergyman을 씀.

cler·gy·man** [klə́:rdʒimən] (*pl.* ***-men [-mən]) *n*. Ⓒ **성직자**, (특히 영국 국교회의) 목사《bishop(주교)에게는 쓰지 않음》.

cler·ic [klérik] *n*. Ⓒ 성직자, 목사(clergyman). **—***a*. = CLERICAL 1.

cler·i·cal [klérikəl] *a*. **1** 목사의, 성직(자)의: ~ garb 성직복. **2** 서기의, 사무원의, 필생(筆生)의: a ~ error 오기(誤記), 잘못 베낌 / the ~ staff 사무직원 / ~ work 서기〔사무원〕의 일, 사무. **—***n*. Ⓒ 성직자, 목사; (*pl.*) 성직자복(服).
㊞ **~·ism** *n*. Ⓤ 교권주의; 성직자의 (부당한 정치적) 세력. **~·ly** *ad*.

clérical cóllar 성직자용 칼라《목 뒤에서 채우는 가늘고 딱딱한 옷깃》.

cler·i·hew [klérihjùː] *n.* Ⓒ 〖시학〗 (익살스러운 내용의) 사행 연구(四行聯句)의 일종.

⁑**clerk** [kləːrk/klɑːk] *n.* Ⓒ **1** (관청·회사 따위의) **사무원**〔관〕, 사원, (은행의) 행원; (법원·의회·각종 위원회 따위의) 서기: a bank ~ 은행원/the head ~ 사무장. **2** 《美》 **점원**, 판매원(salesclerk)《남녀 공히》. **3** 《英》 교회의 서기; 영국국교회의 성직자(=~ **in hóly órders**); 《英》 하원의 상급관리(= ~ **of the Hóuse**).

—*vi.* 《+전+명》 《美구어》 사무원〔서기, 점원〕으로 근무하다: ~ *for* 〔*in*〕 a store 점원 일을 보다.

㊕ ~**·ly** *a.* 서기〔사무원, 《美》 점원〕의〔같은〕. **—***ad.* 사무원〔점원〕답게.

clérk·shìp [-ʃìp] *n.* Ⓤ (구체적으로는 Ⓒ) 서기〔사무원, 점원〕의 직〔신분〕.

Cleve·land [klíːvlənd] *n.* 클리블랜드《잉글랜드 북부의 주; 1974 년 신설》; 미국 Ohio 주의 항구·공업 도시.

⁑**clev·er** [klévər] (~**·er;** ~**·est**) *a.* **1 영리한**(bright), **현명한**, 똑똑한, 재기 넘치는: a ~ child 똑똑한 아이/It was ~ *of* you *to* solve the problem. =You're ~ *to* solve the problem. 그 문제를 해결했으니 너도 영리하구나.

SYN. **clever** 손재주가 있고 머리가 잘 돌아 눈치 빠른; 영리한. 그러나 wise 가 나타내는 '경험에 의한 슬기, 뛰어난 양식에 의한 판단'은 시사되지 않음. **bright** 이해가 빠르고 머리가 명석한. clever에 비해 이지적인 이해력에 중점이 있음. **adroit** 일·직무 따위를 하는 데 교묘한, 솜씨 있는, 빈틈없는: an *adroit* politician 빈틈없는 정치가. **ingenious** 연구·발명의 재질이 있는, 독창적인. **perspicacious** 표면에 나타나 있지 않은 것을 꿰뚫어 볼 힘이 있는, 혜안의. **shrewd** 남에게 속지 않는, 자기 실속을 착실히 차리는; 다음의 smart 에 비해 야비하고 음험한 성격이 암시됨: *shrewd* merchants 약삭빠른 장사꾼들. **smart** 머리가 매우 좋기 때문에 실무에 빈틈이 없는; 약삭빠른: a *smart* businessman 약삭빠른 실업가.

2 (말·생각·행위 등이) 훌륭한, 교묘한, 재치 있는; 독창적인: a ~ reply 재치 있는 내답/a ~ trick 교묘한 계략.

3 (손)**재주 있는**(adroit), 능숙한, 유능한; 숙련된《*at, with* …에》: a ~ carpenter 재주 있는 목공/~ fingers 재주 있는 손/~ *at* French 프랑스 말을 잘하는/~ *with* one's pen 글을 잘 쓰는.

too **~ *by half*** 《英구어》 똑똑한 척 뽐내는.

cléver-cléver *a.* 《구어》 똑똑한 체하는; 겉으로 영리한 체하는.

cléver Dìck 《英구어》 똑똑한〔아는〕 체하는 사람.

°**clév·er·ly** *ad.* 영리하게; 솜씨 있게, 잘.

***clev·er·ness** [klévərnis] *n.* Ⓤ **영리함**, 솜씨 있음, 교묘; 민첩.

clev·is [klévəs] *n.* Ⓒ U자형 연결기, U링크; U자형 갈고리.

clew [kluː] *n.* **1** Ⓒ 실꾸리; 길잡이 실뭉당이《그리스 신화에서, 미궁에서 빠져 나올 때의》; (해결의) 실마리, 단서(clue): a ~ to …의 실마리〔단서〕. **2** Ⓒ 〖항해〗 돛귀《가로돛의 아랫구석, 세로돛의 뒷구석》. **3** (*pl.*) 해먹(hammock)을 달아매는 줄.

—*vt.* 〖항해〗 돛귀를 끌어내리다(*down*); 돛귀를 끌어올리다(*up*): ~ *down* (돛을 펼 때) 가로돛의 아랫귀를 끌어내리다/~ *up* (돛을 접을 때) 가로돛의 아랫귀를 끌어올리다.

***cli·ché** [kli(ː)ʃéi] *n.* 《F.》 Ⓒ **진부한 표현**〔사상, 행동〕, 상투적인 문구.

cli·ché(')d [kliʃéid] *a.* cliché가 많이 들어간; 오래 써먹은, 낡은 투의.

°**click** [klik] *vi.* **1** 《~/+보》 짤까닥〔째깍〕 소리나다〔소리내며 움직이다〕: The latch ~*ed*. 걸쇠가 짤까닥하고 걸리는 소리가 났다/The door ~*ed* shut. 문이 철컥하고 닫혔다. **2** 《구어》 《~/+부/+전+명》 마음이 맞다, 의기투합하다(*together*)《*with* …와》; 사랑하는 사이가 되다《*with* …와》: They have ~*ed* all right. 그들은 잘 어울렸다/They ~*ed together*. 그들은 의기투합했다/They ~*ed with* each other. 그들은 서로 의기투합했다. **3** 《~/+전+명》 《구어》 (일이) 잘 되어 가다; (극 따위가) 인기를 얻다, 히트하다《*with* (아무)에게》: Everything just ~*ed*. 만사가 잘 되어갔다/The song ~*ed with* teenagers. 그 노래는 십대들에게 인기가 있었다. **4** 《~/+전+명》 《구어》 (사물이 갑자기) 알아지다, 이해되다《*with* (아무)에게》: What he meant has just ~*ed with* me. 그가 말했던 것이 나에게 퍼뜩 떠올랐다. **5** 〖컴퓨터〗 클릭하다.

—*vt.* **1** 《+목+부/+목+전+명》 째깍〔찰깍〕하고 울리게 하다〔움직이게 하다〕: ~ the light *on* 〔*off*〕 전등의 스위치를 짤깍하고 켜다〔끄다〕/They ~*ed* their glasses *together*. 그들은 서로 잔을 쨍하고 부딪혔다/He ~*ed* his glass *against* hers. 그는 잔을 그녀의 잔에 쨍하고 맞췄다. **2** 〖컴퓨터〗 (버튼)을 클릭하다.

—*n.* Ⓒ **1** 째깍(하는 소리): with a ~ 째깍하고. **2** 〖기계〗 제동자(制動子), 기계의 후진을 막는 소장치. **3** 〖음성〗 혀 차는 소리; 흡착 폐쇄음.

clíck bèetle 〖곤충〗 방아벌레.

click·e·ty-clack [klíkətiklǽk] *n.* (*sing.*) 덜컹덜컹, 찰칵찰칵《기차·타이프 등의 소리》.

***cli·ent** [kláiənt] *n.* Ⓒ **1 소송**〔**변호**〕 **의뢰인**. **2 고객**, 단골손님. SYN. ⇨VISITOR. **3** 사회 복지 혜택을 받는 사람(a welfare ~). **4** =CLIENT STATE. **5** 〖컴퓨터〗 클라이언트《분산 처리 시스템에서, 프로세스 실행시 어떤 서비스를 다른 곳에서 구하여 그것을 받는 기기〔프로세스〕》.

cli·en·tele [klàiəntél, klìːɑːntéil] *n.* Ⓒ 〖집합적; 단·복수취급〗 소송 의뢰인; 고객; (극장·술집 등의) 단골손님; (병원의) 환자.

clíent-sérver 〔**clíent/sérver**〕 **módel** 〖컴퓨터〗 클라이언트/서버 모델《네트워크상에서 네트워크에 연결되어 있는 클라이언트(서비스를 받는 측의 컴퓨터)와 서버(서비스를 주는 측의 고성능 컴퓨터)가 같은 시기에 직접 처리하는 모델》.

clíent stàte 보호국; (종)속국(client).

***cliff** [klif] *n.* Ⓒ (특히 해안의) **낭떠러지**, 벼랑, 절벽.

clíff dwèller 암굴(岩窟) 거주민; (보통 C- D-) 미국 남서부의 원주민; 《美》 고층 아파트 주민《특히 도회지의》.

clíff·hànger *n.* Ⓒ 《구어》 (영화·소설 따위의) 연속 모험물(物), 스릴 만점의〔파란만장한〕 영화; 마지막 순간까지 손에 땀을 쥐게 하는 것〔경쟁·시합〕.

clíff·hànging *a.* (영화 등이) 관객의 손에 땀을 쥐게 하는; (시합이) 끝까지 접전인.

cli·mac·ter·ic [klaimǽktərik, klàimæktérik] *n.* Ⓒ **1** 〖생리〗 갱년기; 폐경기. **2** 액년(厄

年)《7 년마다의》; 전환기, 위기: the grand ~ 대액년《63세 또는 81세》.
—*a*. 전환기에 있는, 위기의(critical); 액년의; 〖의학〗 갱년기의, 월경 폐쇄기의.

cli·mac·tic [klaimǽktik] *a*. 정점(頂點)의, 절정의. ㊕ **-ti·cal** *a*. **-ti·cal·ly** *ad*.

⁑**cli·mate** [kláimit] *n*. Ⓒ **1 기후**.

> **NOTE** climate는 한 지방의 연간에 걸친 평균적 기상 상태. weather는 특정한 때 · 장소에서의 기상 상태를 말함.

2 풍토; 환경, 분위기, (회사 따위의) 기풍, (어느 지역 · 시대의) 풍조, 사조(思潮): an intellectual ~ 지적 풍토/a ~ *of* opinion 여론(輿論).
3 (기후상으로 본) 지방, 지대(region): a dry 〔humid, mild〕 ~ 건조한〔습기가 많은, 온화한〕 지방/move to a warmer ~ 따뜻한 지방으로 전지(轉地)하다. ◇climatic *a*.

°**cli·mat·ic, -i·cal** [klaimǽtik], [-ikəl] *a*. 기후상의; 풍토적인. ㊕ **-i·cal·ly** *ad*.

cli·ma·tol·o·gy [klàimətálədʒi/-tɔ́l-] *n*. Ⓤ 기후〔풍토〕학.

***cli·max** [kláimæks] *n*. **1** Ⓒ (사건 · 극 따위의) **최고조**, 절정(peak); 정점, 극점: reach 〔come to〕 a ~ 절정에 달하다. **2** Ⓤ 〖수사학〗 점층법《점차로 문세(文勢)를 높여 가는》. **3** Ⓤ (구체적으로는 Ⓒ) 오르가슴; 성적 흥분의 절정.
—*vi*., *vt*. 정점(頂點)에 달하(게 하)다: The play *~ed* gradually. 그 연극은 점차로 클라이맥스에 달했다.

⁑**climb** [klaim] (*p*., *pp*. **~ed,** 《고어》 ***clomb*** [kloum]) *vt*. **1** (산 따위)에 **오르다**, (스포츠로서 높은 산)을 등반하다: ~ a mountain.

> **NOTE** climb은 어려움을 참고 노력하여 높은 곳에 오르다란 뜻임. ascend는 노력이나 어려움이 내포되어 있지 않은 상태에서 높은 곳에 오르다란 뜻임.

2 (손발을 써서) **기어오르다**: ~ a ladder 〔a tree〕 사다리〔나무〕를 오르다. **3** (식물이 벽 따위)를 기어오르다.
—*vi*. **1** 《~/+부/+전+명》 (특히, 손발을 써서) **(기어)오르다**; 등산하다: Monkeys ~ well. 원숭이는 나무타기를 잘한다/We were *~ing up*. 우리는 (높은 곳으로) 올라가고 있었다/~ *up* a ladder 사다리를 오르다/~ *to* the top of a mountain 산의 정상에 오르다.
2 (해 · 달 · 연기 · 비행기 따위가 서서히) 솟다, 뜨다, 상승하다; (물가가) 뛰다, 오르다: The smoke *~ed* slowly. 연기가 서서히 올라갔다/*~ing* prices 상승하는 물가/Prices *~ed* sharply. 물가가 갑자기 뛰었다.
3 《+전+명》 (노력하여) 오르다, 승진하다《***to*** (높은 지위 따위)에》: ~ *to* power 출세하여 권력을 잡다/~ *to* the head of the section 과장으로 승진하다.
4 (식물이) 휘감아〔덩굴이 되어〕 뻗어오르다.
5 (길 따위가) 오르막이 되다; (늘어선 집들이) 오르막에 위치해 있다.
6 《+부/+전+명》 (손발을 써서 자동차 · 비행기 등에) 타다; (…에서) 내리다; 비집고 들어가다: ~ *into* a jeep 지프차를 타다/~ *out* (*of* a car) (차에서) 내리다/~ *between* the sheets 시트 사이로 비집고 들어가다.
7 《+전+명》 급히 입다《***into*** (옷)을》; 급히 벗다《***out of*** (옷)을》: ~ *into* pajamas 급히 파자마를 입다.
~ ***down*** 《*vi*.+부》 ① 기어 내리다《***from*** …에서》: ~ *down from* a tree 나무에서 내려오다. ② 《구어》 주장을〔요구를〕 버리다〔철회하다〕. **—** 《*vi*.+전》 ③ (높은 곳)에서 (손발을 써서) 기어 내려오다: ~ *down* a ladder 〔mountain〕 사다리를〔산을〕 내려오다.
—*n*. Ⓒ (보통 *sing*.) **1** 오름, 기어오름, 등반. **2** (기어오르는) 높은 곳; 오르막길. **3** 상승《***in*** (물가 따위)의》; 승진, 영달《***to*** …에의》: a ~ *in* prices 물가의 상승.
㊕ **∠·a·ble** *a*. (기어)오를 수 있는.

clímb-dòwn *n*. Ⓒ **1** 기어내림. **2** 《구어》 양보; (주장 · 요구 등의) 철회, 단념.

clímb·er *n*. Ⓒ **1** 기어오르는 사람; 등산가(mountaineer). **2** 《구어》 출세주의자, 야심가. **3** 등산용 스파이크. **4** 반연(攀緣) 식물《담쟁이 따위》. ㊎ creeper. **5** 반금류(攀禽類)《딱따구리 따위》.

clímb·ing *a*. 기어오르는; 상승하는; 등산용의.
—*n*. Ⓤ 기어오름, 등반; 등산 (mountain ~): ~ accident 등반 사고.

clímbing fràme 정글짐《운동 시설》.

clímbing ìrons 등산용 스파이크, 아이젠.

clime [klaim] *n*. Ⓒ **1** (흔히 *pl*.) 《시어》 지방: from northern ~s 북쪽 지방에서. **2** 기후, 풍토.

°**clinch** [klintʃ] *vt*. **1** (박은 못)의 끝을 두드려 구부리다; (볼트)의 끝을 찌부러뜨리다; 고정시키다, 죄다(*together*). **2** (의론 · 계약 따위)의 매듭을 짓다, 결말을 내다: ~ a deal 거래를 매듭짓다. **3** 〖권투〗 (상대)를 클린치하다, 껴안다. **—** *vi*. **1** 〖권투〗 껴안다, 클린치하다. **2** 《구어》 격렬하게 포옹하다.
—*n*. **1** Ⓒ 못 끝을 두드려 구부림; 두드려 구부리는 도구; 고착(시키는 것). **2** (a ~) 〖권투〗 클린치. **3** (a ~) 《구어》 격렬한 포옹.

clínch·er *n*. Ⓒ **1** 두드려 구부리는 도구; (볼트 따위를) 죄는 도구, 클램프(clamp), 꺾쇠. **2** 《구어》 결정적인 의론〔요인, 행위〕, 상대를 꼼짝 못하게 하는 말: That was the ~. 그 한마디로 결말이 났다.

cline [klain] *n*. Ⓒ 〖생물〗 클라인, (지역적) 연속 변이(變異); 연속체.

cling** [kliŋ] (*p*., *pp*. ***clung [klʌŋ]) *vi*. 《+전+명》 **1 착 들러〔달라〕붙다**, 고착〔밀착〕하다《***to, onto*** …에》: The wet clothes *clung to* my skin. 젖은 옷이 살에 달라붙었다/She *clung to* him. 그녀는 그에게 꼭 붙어 있었다. **2 매달리다**, 붙들고 늘어지다《***to*** …에》: The little boy *clung to* his father's hand. 그 어린 소년은 아버지 손을 붙들고 늘어졌다. **3** 집착〔애착〕하다《***to, onto*** …에》: ~ *to* the last hope 끝까지 희망을 버리지 않다/~ *to* power 〔office〕 권력〔직무〕에 집착하다. **4** (냄새 · 편견 따위가) 배어들다《***to*** …에》: The smell of manure still *clung to* him. 거름 냄새가 아직 그의 몸에 배어 있었다.
~ ***together*** 《*vi*.+부》 (물건이) 서로 들러붙다, 떨어지지 않게 되다; 단결하다.

clíng·film *n*. Ⓤ 클링필름《식품 포장용 폴리에틸렌 막; 상표명》.

clíng·ing *a*. 들러붙는, 점착성의; (옷이) 몸에 찰싹 달라붙는; 남에게 의존하는〔매달리는〕: of the ~ sort 남에게 잘 의존하는 성질의.
㊕ **~·ly** *ad*.

clíng·stòne *a*., *n*. Ⓒ 과육이 씨에 밀착해 있는 (과실)《복숭아 따위》.

clingy [klíŋi] (*cling·i·er; -i·est*) *a*. 들러붙는, 끈적이는.

*__clin·ic__ [klínik] *n*. [C] **1** 임상 강의〔실습〕. **2** (외래 환자의) **진료소**, 진찰실; (대학 등의) 부속 병원; 개인〔전문〕 병원, 클리닉; (병원 내의) 과(科): a free ~ 무료 진료소/a diabetic ~ 당뇨병과. **3** 상담소; (어떤 특정 목적으로 설립된) 교정소(矯正所): a vocational ~ 직업 상담소/a speech ~ 언어 장애 교정소, (농아의) 독화(讀話) 지도소. **4** 《美》 (의학 이외의) 실지 강좌, 세미나: a golf ~ 골프 강습회.

clin·i·cal [klínikəl] *a*. **1** 진료소의; 임상(강의)의; 병상의; 병실용의: a ~ diary 병상 일지/~ lectures 〔teaching〕 임상 강의〔교수〕/~ medicine 임상 의학/a ~ thermometer 체온계. **2** 《비유적》 (태도·판단·묘사 따위가 극도로) 객관적인, 분석적인, 냉정한. [파] **~·ly** *ad*.

cli·ni·cian [kliníʃən] *n*. [C] 임상의(醫).

clink[1] [kliŋk] *vi*., *vt*. (금속편·유리 따위가) 쨍〔짤랑〕하다; 쨍〔짤랑〕 소리내다: ~ glasses (건배에서) 잔을 맞부딪치다. **—***n*. (*sing*.) 쨍〔짤랑〕하는 소리.

clink[2] *n*. (the ~) 《속어》 교도소, 구치소(lockup): in the ~ 수감〔투옥〕되어.

clink·er[1] [klíŋkər] *n*. [C] **1** 《英속어》 특상품, 일품, 뛰어난 인물. **2** 《美속어》 큰 실패, 실수, (영화 따위의) 실패작, (음악에서) 가락이 벗어난 음.

clink·er[2] *n*. **1** [C] (단단한) 클링커 벽돌; 투화(透化) 벽돌. **2** [U] (낱개는 [C]) 용재(溶滓) 덩이, (용광로의) 클링커, 광재(鑛滓); 소괴(燒塊).

clínker-built *a*. 〖선박〗 (뱃전을) 겹붙인, 덧붙여 댄.

cli·nom·e·ter [klainámitər/-nɔ́m-] *n*. [C] 〖측량〗 경사계(傾斜計), 클리노미터.

Clin·ton [klíntn] *n*. **Bill** 〔**William Jefferson**〕 ~ 클린턴《미국의 정치가; 제 42 대 대통령; 1946– 》.

Clio [kláiou] *n*. 〖그리스신화〗 역사의 여신《Nine Muses 의 한 신》.

__clip__[1] [klip] (-pp-*) *vt*. **1 a** 《~+[목]/+[목]+[부]》 자르다, 베다, 가위질하다, (양·말 따위의 털)을 깎다(shear) (*off; away*): ~ a person's hair 아무의 머리를 깎다/~ a hedge 생울타리를 깎아 다듬다/A sheep's fleece is *~ped off* for wool. 양의 털을 깎아 양모를 만든다. **b** 《+[목]+[보]》 …을 깎아 다듬어 …하게 하다: He got his hair *~ped* short 〔close〕. 그는 머리를 짧게 깎도록 했다.
2 《~+[목]/+[목]+[부]/+[목]+[전]+[명]》 (기사·사진 따위)를 오려내다 (*out*) 《***from, out of*** …에서》; 《英》 (표의 한쪽 끝)을 찢어내다, (표)에 구멍을 내다: ~ *out* a photo 사진을 오려내다/~ an article *from* 〔*out of*〕 a newspaper 신문에서 기사를 오려내다.
3 (권력 따위)를 제한〔억제〕하다; (기간 따위)를 단축하다; (경비 따위)를 삭감하다; (말)의 끝을 생략하고 발음하다; (어미의 음)을 생략하다: ~ one's visit by a week to return home earlier 집으로 일찍 돌아가기 위해 방문을 1주일 단축하다/~ one's g's, g 의 발음을 생략하다《[ŋ]을 [n]으로 발음하다》.
4 《~+[목]/+[목]+[전]+[명]》 《구어》 세게 때리다《***on*** (신체의 일부)를》: ~ a person's ear =~ a person *on* the ear 아무의 따귀를 세게 때리다.
5 《~+[목]/+[목]+[전]+[명]》 《속어》 (아무)에게서 (부당하게) 빼앗다《***for*** (얼마의 돈)을》: I was *~ped* in that nightclub. 그 나이트클럽에서 바가지를 썼다/~ a person *for* a hundred dollars 아무에게서 100 달러를 속여 빼앗다.
—*vi*. **1** 잘라내다. **2** 《美》 (신문·잡지 따위의) 오려내기를 하다. **3** 《구어》 질주하다.
—*n*. **1** [C] (머리·양털 따위의) 깎(아내)기. **2** [C] 깎아낸 것; 《특히》 (한철에 깎아낸) 양털의 분량. **3** [C] 《구어》 강타: give a person a ~ on the head 아무의 머리를 강타하다. **4** (a ~) 《구어》 빠른 보조(步調); 속도: go at a rapid ~ 빠른 걸음으로 가다.

*__clip__[2] *n*. [C] **클립**, 종이〔서류〕 집게〔끼우개〕; (보석 등이 붙은 머리의) 장식핀; (만년필 따위의) 끼움쇠; 클립식의 장신구《귀걸이, 브로치 따위》. [cf.] clip-on.
—(*-pp-*) *vt*. **1** 《~+[목]/+[목]+[부]/+[목]+[전]+[명]》 꽉 쥐다, 꽉 집다; (물건)을 클립으로 고정시키다, (서류 따위)를 클립으로 철하다(*together; on*) 《***onto, to*** …에》: ~ papers 서류를 클립으로 철하다/~ two sheets of paper *together* 종이 2 매를 클립으로 한데 철하다/~ a sheet of paper *to* another 클립으로 서류를 다른 서류에 철하다. **2** (세게) 잡다. **—***vi*. (장신구 따위가) 클립으로 고정되다(*on*) 《***to*** …에》.

clíp·bòard *n*. [C] 종이 끼우개(판) 《필기용》.

clíp-clóp *n*. (a ~) 다가닥다가닥(하는 말굽 소리), 그 비슷한 리드미컬한 발소리. **—***vi*. 다가닥다가닥하며 걷다〔달리다〕.

clíp jòint 《속어》 바가지 씌우는 카바레〔나이트클럽, 식당 따위〕.

clíp-òn *a*. [A] (장신구 따위가 스프링식) 클립으로 고정되는: ~ earrings 클립식 귀걸이.

clipped [-t] *a*. 짧게 자른; (말투가) 빠르게 발음되는; (단어가) 단축된: a ~ word 단축어《advertisement가 단축된 ad 따위》.

clip·per [klípər] *n*. [C] **1** 깎는 사람; (보통 *pl*.) 가위, 나무 자르는 가위: hedge *~s* 전정 가위/hair *~s* 이발기, 바리캉/nail *~s* 손톱깎이/No *~s* on this side, please. 이 쪽은 깎지 마십시오. **2** (19세기의 세돛) 쾌속 범선; (옛날의 프로펠러식)장거리 쾌속 비행정. **3** 발빠른 사람〔말〕.

clip·pie, clip·py [klípi] *n*. [C] 《英구어》 (버스·전차 따위의) 안내양, 여차장.

°**clip·ping** [klípiŋ] *n*. **1** [U] 가위질, 깎기; 〖컴퓨터〗 오려내기, 클리핑. **2** [C] **a** (흔히 *pl*.) 가위로 베어낸 털〔풀 따위〕. **b** 《美》 (신문·잡지의) 오려낸 기사(《英》 cutting). **—***a*. [A] 잘라내는; 《구어》 빠른.

clique [kli:k, klik] *n*. 《F.》 [C] (배타적인) 도당, 파벌: an academical ~ 학벌/a military ~ 군벌. [파] **cli·qu(e)y, cli·quish** [klí:ki], [-kiʃ] *a*. 당파심이 강한, 도당적〔배타적〕인. **clí·quish·ness** *n*. [U] 당파심, 파벌 근성.

cli·to·ris [klítəris, klái-] *n*. [C] 〖해부〗 음핵.

clk. clerk; clock. **cllr.** 《英》 Councillor.

°**cloak** [klouk] *n*. **1** [C] (보통 소매가 없는) 외투, 망토. **2** (*sing*.) 덮는 것(covering): under a ~ of snow 눈에 덮여서. **3** (*sing*.) 구실(pretext), 은폐 수단《***for*** …의》: use a pizza shop as a ~ *for* traffic*king* in drugs 마약 거래를 은폐하는 수단으로서 피자 가게를 이용하다. **4** (*pl*.) = CLOAKROOM 1.
under the ~ of ① …을 구실로, …을 빙자하여: *under the ~ of* charity 자선이라는 미명하에. ② …을 틈타서: *under the ~ of* night 야음을 틈타서.

—*vt.* **1 a** …에게 외투를 입히다. **b** 〖~ oneself ; 종종 수동태〗 외투를 입다. **2** …을 덮다, 가리다《보통 수동태로 쓰며, 전치사는 *with, in*》: a mountain *~ed with* snow 눈으로 덮인 산. **3** 〖보통 수동태〗 (사상 · 목적 등)을 가리다, 숨기다, 감추다《***in*** …에; ***under*** …아래에》: The mission *was ~ed in* mystery. 그 임무는 의문 속에 가려졌다.

clóak-and-dágger [-ən-] *a.* Ⓐ 스파이 활동의, 음모의; (연극 · 소설 따위가) 스파이〔첩보〕물의.

*__cloak·room__ [klóukrù(:)m] *n.* Ⓒ **1** (극장 · 호텔 따위의) **휴대품 보관소**; 《英완곡어》 (극장 · 호텔 따위의) 변소. **2** 《美》 (의사당 안의) 의원 휴게실(《英》 lobby): a ~ deal 의원 휴게실에서의 협정〔거래〕.

clob·ber[1] [klábər/klɔ́b-] *n.* Ⓤ 〖집합적〗《英속어》 옷; 소지품.

clob·ber[2] *vt.* 《속어》 사정없이 치다, 때려 눕히다; (상대)를 참패시키다; (진지 따위)에 큰 타격을 주다; 호되게 꾸짖다, 신랄하게 비판하다.

cloche [klouʃ] *n.* Ⓒ 원예용(園藝用) 종 모양의 유리덮개; 종 모양의 여성 모자(= ∠ **hàt**).

†**clock**[1] [klak/klɔk] *n.* Ⓒ **시계**《괘종 · 탁상시계 따위. 휴대하지 않는 점에서 watch와 구별됨》; 《구어》 지시 계기《속도계 · 택시 미터 따위》, (자동) 시간 기록기, 스톱워치; 《英속어》 사람의 얼굴: an eight-day ~, 8일에 한 번 태엽을 감는 시계/read 〔set〕 a ~ 시계를 보다〔맞추다〕/The ~ gains 〔loses〕. 시계가 빠르다〔늦다〕/wind (up) a ~ 태엽을 감다.

against the ~ 시간을 다투어: work *against the ~* 어느 시간까지 끝내려고 열심히 일하다. ***around*** 〔***round***〕 ***the ~***, 24시간 내내; 쉬지 않고. ***beat the ~*** 정각까지 일을 마치다. ***kill*** 〔***run out***〕 ***the ~*** (축구 등의 경기에서 리드하고 있는 쪽이) 시간 끌기 작전을 펴다. ***like a ~*** 매우 정확하게. ***put*** 〔***set, turn***〕 ***the ~ back*** 시계를 늦추다; 과거로 되돌아가다; 진보를 방해하다, 역행하다, 구습을 고수하다. ***put the ~ forward*** 〔《美》 ***ahead,*** 《英》 ***on***〕 (여름 · 겨울에 시간을 바꾸는 제도의 지역에서) 시계 바늘을 앞당겨 놓다. ***race the ~*** 시간을 다투다, 촌각을 아끼다. ***watch the ~*** 《구어》 끝나는 시간에만 정신을 쓰다.

—*vt.* **1** (시계 · 스톱워치로) …의 시간을 재다〔기록하다〕; (시간 · 거리 따위)를 계측〔기록〕하다. **2** 《英속어》 (아무)의 머리를〔얼굴을〕 때리다.
—*vi.* 타임 리코더로 취업 시간을 기록하다.

~ *in* 〔***on***〕 《*vi.*+副》 (타임 리코더로) 출근 시각을 기록하다, 출근하다. **~ a person *one*** 《英속어》 아무의 머리를〔얼굴을〕 한 방 먹이다〔때리다〕. **~ *out*** 〔***off***〕 《*vi.*+副》 (타임 리코더로) 퇴근 시각을 기록하다, 퇴근하다. **~ *up*** 《*vt.*+副》 《구어》 ① (어떤 기록)을 내다; (어떤 속도 · 거리 따위)를 기록〔달성〕하다: He *~ed up* a new world record for 100 meters. 그는 100미터 경주에서 세계 신기록을 냈다/He *~ed up* a speed of 200 mph. 그는 시속 200마일의 속도를 냈다. ② (기록 따위)를 쌓다, 보유하다: He's *~ed up* a number of world records. 그는 세계 기록 몇 개를 보유하고 있다.

clock[2] *n.* Ⓒ (양말 목의) 자수 장식.

clóck cỳcle 〖컴퓨터〗 클록 사이클《클록 신호의 주파수》.

clóck·fàce *n.* Ⓒ 시계의 문자반(文字盤).

clóck frèquency 〖컴퓨터〗 클록 주파수.

clóck gòlf 클록 골프《원둘레의 12지점에서 중앙의 홀에 공을 퍼팅하는 게임》.

clóck·lìke *a.* 시계 같은, 정확한; 단조로운.

clóck·màker *n.* Ⓒ 시계공.

clóck ràdio 시계〔타이머〕가 있는 라디오.

clóck spèed 〔**ràte**〕 〖컴퓨터〗 클록 스피드〔레이트〕《클록 주파수로 중앙 처리 장치(central processing unit; CPU)의 작동 속도를 결정함》.

clóck tòwer 시계탑.

clóck-wàtch *vi.* (일) 끝나는 시간에만 마음을 쓰며 일하다. ㊞ **clóck-wàtcher** *n.*

clóck·wìse [-wàiz] *a., ad.* (시계 바늘처럼) 우로〔오른쪽으로〕 도는, 오른쪽으로 돌아서. ↔ *counterclockwise, anticlockwise.*

*__clock·work__ [klákwə̀ːrk/klɔ́k-] *n.* Ⓤ 시계 장치, **태엽 장치**. ***like ~*** 정확히; 자동적으로: Everything went like ~. 만사가 잘 되어갔다.
—*a.* Ⓐ 시계〔태엽〕 장치의; 규칙적〔자동적〕인, 정밀한: a ~ toy 태엽 장치의 장난감/with ~ precision 아주 정확하게.

clod [klad/klɔd] *n.* **1** Ⓒ 흙덩이: a ~ *of* earth 〔turf〕 흙〔떼〕 한 덩이. **2** Ⓒ 소의 어깨살. **3** Ⓒ 바보; 시골뜨기. **4** (the ~) 흙, 토양.

clod·dish [kládiʃ/klɔ́d-] *a.* 투미한, 어리석은. ㊞ **~·ly** *ad.* **~·ness** *n.*

clód·hòpper *n.* Ⓒ 《구어》 시골뜨기; 무지렁이; (*pl.*) (투박한) 농부 신발.

clog [klag/klɔg] *n.* Ⓒ **1** 방해물, 장애물; (짐승 · 사람의 다리에 다는) 차꼬. **2** (보통 *pl.*) (진창을 걷기 위한) 나막신: in *~s* 나막신을 신고.
— **(-*gg*-)** *vt.* **1** …(의 움직임)을 방해하다(*up*); (파이프 · 도로 따위)를 막히게 하다(*up*)《보통 수동태로 쓰며, 전치사는 *with*》: ~ a person's movement 아무의 동작을 방해하다/The trade *is ~ged with* restriction. 무역은 제한을 받고 활동이 저해되고 있다/The machine got *~ged (up) with* grease. 기계는 그리스가 고여 작동이 나빠졌다/The street *was ~ged with* cars. (차가 많아) 도로가 막혔다. **2** (마음 · 기분)을 무겁게 하다, 괴롭히다(*up*) 《***with*** (걱정 · 불안 따위)로》: Fear *~ged* his mind. 그는 불안해서 마음이 무거웠다/Don't ~ *(up)* your mind *with* trifling matters. 하찮은 일로 너의 마음을 괴롭히지 마라. **—***vi.* **1** (관 따위가) 막히다, 메다; (기계 따위가) 움직임이 나빠지다(*up*)《***with*** …으로》: The bathtub drain *~ged up with* hair. 욕조의 배수관이 머리카락으로 막혔다. **2** 나막신춤을 추다.

clóg dànce (마루를 구르며 박자를 맞추는) 나막신춤.

clog·gy [klági/klɔ́gi] (***-gi·er; -gi·est***) *a.* 방해가 되는; (관이) 막히기 쉬운; 들러붙는; 덩어리투성이의, 울룩불룩한.

cloi·son·né [klɔ̀izənéi/klwɑ̀ːzɔnéi] *n.* 《F.》 Ⓤ 칠보 자기. **—***a.* 칠보의: ~ work 〔ware〕 칠보 세공〔자기〕.

°**clois·ter** [klɔ́istər] *n.* Ⓒ **1** 수도원《남자 수도원은 monastery, 여자 수도원은 convent 또는 nunnery》. **2** (보통 *pl.*) (수도원 따위의 안뜰을 에우는) 회랑(回廊). **3** (the ~) 은둔〔수도원〕 생활.
—*vt.* **1** 〖~ oneself〗 틀어박히다, 은둔(隱遁)하다(seclude): ~ one*self* (up) in a monastery 수도원에 틀어박히다. **2** …에 회랑을 빙 두르다.

clóis·tered *a.* Ⓐ 수도원에 틀어박혀 있는; 은둔한; 회랑이 있는: a ~ life 은둔 생활.

clois·tral [klɔ́istrəl] *a.* 수도원의(monastic);

속세를 떠난; 고독한.

clon(e) [kloun] *n.* Ⓒ **1 a** 〔집합적〕〖생물〗 분지계(分枝系), 클론《단일 개체 또는 세포에서 무성생식에 의해 생긴 유전적으로 동일한 개체군 또는 세포군》. **b** 클론《그 개체 또는 세포》. **2** (복사한 것처럼) 아주 같은 사람〔것〕; 〖컴퓨터〗 복제품: an Elvis ~ 엘비스를 빼쏜 사람.
—*vt.* (단일개체 따위)에서 클론을 만들다.

clonk [klɑŋk, klɔːŋk] *n.* Ⓒ, *vi., vt.* 쿵〔퉁〕 하는 소리(를 내다); 《구어》 쾅 치기〔치다〕.

clop [klɑp/klɔp] *n.* (a ~) 따가닥따가닥하는 소리《말굽소리》. **—**(**-pp-**) *vi.* 따가닥따가닥 소리를 내다. [imit.]

clóp-clòp *n., vi.* = CLOP.

†**close**[1] [klouz] *vt.* **1** 《~+목/+목+전+명/+목+부》 (눈)을 **감다**, (문 · 가게 따위)를 **닫다**, 휴업하다; (우산)을 접다; (책)을 덮다; (통로 · 입구 · 구멍 따위)를 막다, 차단하다, 메우다《***with*** …으로》; (지역 따위)를 폐쇄하다《***to*** …에》: ~ the window 창문을 닫다 / ~ a wound *with* stitches 상처를 꿰매다 / ~ a gap 갈라진 틈을 메우다 / The firm has ~*d* (*down*) its Paris branch. 그 회사는 파리 지점을 폐쇄하였다 / ~ the wood *to* picnickers 소풍객들에게 산림 출입을 금지하다.
SYN. **close**는 보통 열린 것을 닫음을 뜻하는데, **shut**는 close 보다 일반적이며, 강한 뜻을 지니고 닫아버리거나 막아버림의 뜻이 강함.
2 《~+목/+목+전+명》 **종결하다**, 끝내다; (회합)을 폐회하다; (계산 · 장부)를 마감하다: ~ a speech 연설을 끝마치다 / ~ a discussion 〔debate〕 (의장이) 토의 종결을 선언하다 / ~ one's letter *with* passionate words 열정적인 말로 편지를 매듭짓다.
3 (교섭)을 마치다, 타결하다; (계약)을 맺다, 체결하다: ~ a contract 계약을 맺다 / ~ a deal to everyone's satisfaction 모두가 납득할 수 있도록 거래를 매듭짓다.
4 〖군사〗 (대열)의 간격을 좁히다: ~ ranks 〔files〕 횡렬〔종렬〕의 간격을 좁히다.
—*vi.* **1 a** (문 따위가) **닫히다**; (꽃이) 오므라들다; (상처가) 아물다; (눈이) 감기다: The door won't ~. 문이 아무리 해도 닫히지 않는다. **b** 《~/+부》 (사무소 따위가) 폐쇄되다, 폐점하다; (극장이) 휴관하다(*down*): Some stores ~ on Sundays. 일요일에는 문을 닫는 가게도 있다 / The factory ~*d down* for lack of business. 그 공장은 일감 부족으로 문을 닫았다.
2 《~/+전+명》 **완결하다**, 끝나다(end): School will ~ early next month. 학교는 내달 상순에 방학이다 / The service ~*d with* a hymn. 예배는 찬송가를 끝으로 끝났다.
3 《+부》 접근〔결합〕하다, 한데 모이다, 결속하다; …와 합의〔타결〕하다: These five lines ~ *together* in a center. 이 다섯 줄은 중심에서 만난다.
4 《+전+명》 모여들다, 에워싸다《***about, round, around*** …주위에》; (팔 따위가) 조르다, 죄다《***round, around*** …을》: ~ *about* the movie star 영화배우 주위에 모여들다 / His arms ~*d* tightly *round* her. 그녀는 그의 팔에 꼭 껴안겼다.
~ *down* 《*vt.*+부》 ① …을 닫다(⇨ *vt.* 1). ② (방송 · 방영)을 끝내다, 종료하다. ③ (공장 따위)를 폐쇄하다(⇨ *vt.* 1). **—**《*vi.*+부》 ④ 닫히다, 폐쇄되다(⇨*vi.* 1). ⑤ (방송 시간이) 끝나다: We are now *closing down*. (방송) 시간도 다 끝나갑니다. ⑥ (어둠 · 안개 따위가) 깔리다《***on*** …에》: A heavy fog ~*d down on* the airport. 공항에는 짙은 안개가 자욱이 깔렸다. **~ *in*** 《*vi.*+부》 ① 포위하다《***on, upon*** …을》. ② (적 · 밤 · 어둠 따위가) 다가오다, 몰려〔밀려〕오다《***on, upon*** …에》: Winter was *closing in on* us. 겨울이 우리에게 다가오고 있었다. ③ (해가) 짧아지다: The days are beginning to ~ *in*. 해가 짧아지기가 시작한다. **~ *out*** 《美》《*vt.*+부》 ① (싸게 재고품)을 팔아치우다; 떨이로 팔다. **—**《*vi.*+부》 ② 떨이로 싸게 팔다. **~ *up*** 《*vt.*+부》 ① (집 · 창문 등)을 (완전히) 막다, 닫다, 폐쇄하다. ② (활자의 행간 · 대열의 간격 따위)를 좁히다: ~ *up* the space between lines (of print) (책 · 신문 등의) 행간을 좁히다. **—**《*vi.*+부》 ③ (음식점 따위가) 일시적으로 폐점하다. ④ (간격이) 좁아지다; 접근하다; 모여들다; 〖군사〗 대열의 간격을 좁히다. ⑤ (상처가) 아물다. **~ *with*** ① (제안 · 조건 따위)에 응하다. ② …와 협정을 맺다, …와 거래를 결정짓다. ③ (아무)와 격투하다, 맞붙어 싸우다.
—*n.* (*sing.*) **끝**, 종결, 결말; 끝맺음; (우편의) 마감: come to a ~ 끝나다 / bring ... to a ~ …을 끝내다 / draw to a ~ 종말에 가까워지다 / the complimentary ~ (편지의) 맺음말 / since the ~ of World War Ⅱ, 제2차 대전 종결 이래.

†**close**[2] [klous] *a.* **1** (시간 · 공간 · 정도가) **가까운**(near), 접근한《***to*** …에》: in ~ proximity 바로 근처에 / ~ *to* the house 바로 집 근처에.
2 (관계가) 밀접한, **친밀한**(intimate)《***to*** …와》: ~ relatives 근친 / a ~ friend 친구 / be ~ *to* a person 아무와 친밀하다.
3 (성질 · 수량이) 가까운, 근접한《***to*** …에》; (경기 · 경쟁 따위가) 거의 우열이 없는, 호각(互角)의; 유사한《***in*** …이》: a ~ resemblance 아주 비슷함 / a ~ game 〔contest〕 접전(接戰) / a ~ election 《美》 세력 백중(伯仲)의 선거전 / something ~ *to* hostility 적의에 가까운 감정 / be ~ *in* meaning 뜻이 유사하다 / You are very ~. 매우 비슷하지만 틀렸습니다《수수께끼의 답에》.
4 닫은, 밀폐한; (문이) 열리지 않는; (방 따위) 통풍이 나쁜, 숨이 막힐 듯한: a hot, ~ room 덥고 답답한 방.
5 (날씨가) 찌는 듯이 더운, 답답한(oppressive).
6 빽빽한, 밀집한; (직물의 올이) 촘촘한; 간격이 비좁은: ~ stand of pine 소나무 밀림 / a ~ texture 올이 밴 천 / a ~ thicket 밀림 / ~ print 빽빽이 행간을 좁혀서 조판한 인쇄.
7 Ⓐ (머리털 · 잔디 등이) (짧게) 깎인: a ~ haircut 짧게 깎은 머리.
8 Ⓐ 좁은, 옹색한; (옷 따위가) 꼭 끼는: a ~ coat 몸에 꼭 끼는 저고리 / a ~ alley 좁은 골목길.
9 Ⓐ **정밀한**, 면밀한, 주도한; (원전에) 충실한: a ~ analysis 면밀한 분석 / with ~ attention to details 세부에까지 세심히 주의하여 / ~ investigation 정밀 조사 / a ~ translation 직역.
10 숨은, 내밀한; 비공개의; 감금된; (감시가) 엄한: ~ privacy 비밀, 극비 / a ~ design 〔plot〕 음모 / a ~ prisoner 감금된 죄수 / keep a ~ watch on a person 아무를 엄히 감시하다.
11 (성질이) 내성적인; 말 없는; 입이 무거운 《***about*** …에 관해서》: a ~ disposition 내성적인 성질 / He's ~ *about* his plans. 그는 자기 계획에 관해서 말하려 들지 않는다.
12 Ⓟ 인색한《***with*** (돈 따위)에》: He is ~ *with* his money. 그는 인색한 녀석이다.

13 (금융이) 핍박한: Money is ~. 돈의 융통이 잘 안 된다.
14 『음성』 (모음이) 입을 좁게 벌리는(↔ *open*): ~ vowels 폐(閉)모음《[i, u] 등》.

> **DIAL.** ***Close!*** 아쉽다, 아깝다.
> ***You are close.*** = ***That's close.*** (대답이나 추측이) 거의 맞았습니다.

—*ad.* **1 인접하여, 곁에,** 바로 옆에《*to, by* …에》: ~ behind (a person) (아무의) 바로 뒤에/sit [stand] ~ *to* … …의 바로 곁에 앉다[서다]/~ *by* (the school) (학교의) 바로 옆에/Come ~ *to* me. 더 가까이 오너라. **2 딱 들어맞게,** 꼭: fit ~ (옷 따위가) 딱 맞다. **3** 빈틈없이, 촘촘히, **빽빽이,** 꽉 들어차서: pack things ~ 차곡차곡 빈틈없이 채워 넣다/shut one's eyes ~ 눈을 꼭 감다. **4 면밀히,** 주도하게; 친밀히: listen [look] ~ 경청[주시]하다/The experience drew them *closer* together. 그 경험으로 그들은 더 친밀해졌다. **5** 짧게; 좁혀서, 죄어: cut one's hair ~ 머리를 짧게 깎다/shave ~ 면도를 깨끗이 하다.
~ at hand 가까이에, 절박하여. ***~ on*** [***upon***] 《구어》 (시간 · 수량 따위가) 거의, 약, 대략, …에 가까운: He stands ~ *on* six feet. 그의 키는 약 6피트이다/It is ~ *on* ten o'clock. 거의 10시다. ***~ to*** ① …에 인접하여(⇨*ad.* 1). ② =~ on. ***~ to home*** 《구어》 (발언이) 정곡을 찔러, 통절히, 마음에 사무치도록: His advice hit [came, was] ~ *to home*. 그의 충고는 마음에 통절하게 와 닿았다. ***come ~ to*** doing ⇨COME. ***go ~*** 『경마』 《英》 신승하다. ***press*** a person ~ 아무를 호되게 추궁[압박]하다. ***run*** a person ~ 바싹 따라붙다, 거의 맞먹다.
—*n.* Ⓒ 《英》 (개인 소유의) 울 안의 땅(enclosure); 구내, 경내(境內), 교정(校庭); 막다른 골목; 《Sc.》 한길에서 뒷골목으로 통하는 샛길.

clóse-bý [klóus-] *a.* Ⓐ 바로 곁의, 인접한.
clóse cáll 《구어》 위기일발, 구사일생(narrow shave [squeak], near shave [squeak]): have a ~ (of it) 구사일생으로 살아나다/by a ~ 위기일발로.
close-cropped, -cút [klóuskrápt/-krɔ́pt], [-kʌ́t] *a.* (머리를) 짧게 깎은.
clósed [klóuzd] *a.* **1** 닫힌, 밀폐한; 폐쇄한; 업무를 정지한; 교통을 차단한: *Closed* today. 《게시》 금일 휴업/a ~ military base 폐쇄된 군사 기지. **2** 폐쇄적인, 배타적인; 비공개의《*to* …에》: a ~ society 폐쇄적인 사회/a ~ conference 비공개 회의/This garden is ~ *to* visitors. 이 정원은 방문객에게 공개되지 않는다. **3** (차가) 지붕을 씌운, 상자형의. **4** 《美》 (수렵기가) 금지 중인, 금렵 기간 중의. **5** 자급(자족)의: a ~ economy 자급 경제. **6** (전기 회로 · 냉난방이) 순환식의. **7** 『음성』 (음절이) 자음으로 끝나는, 폐음절의: a ~ syllable 폐음절.
behind ~ door 비밀히. ***with ~ doors*** ① 문을 잠그고. ② 방청을 금지하고.
clósed bóok (*sing.*) 《구어》 불가해한 일; 정체를 알 수 없는 인물; 끝난[확정된] 일: The affair is a ~. 그 사건은 이제 끝난 일이다.
clósed círcuit 『전기』 폐회로(閉回路), 닫힌 회로; 유선(有線) 텔레비전 방식.
clósed-cìrcuit télevision 유선[폐회로] 텔레비전《생략: CCTV》.
clósed-dóor *a.* Ⓐ 비밀의; 비공개의: a ~ session [deal] 비밀 회의[거래].
clósed-lòop *a.* 『컴퓨터』 폐회로의.

clóse·dòwn [klóuz-] *n.* **1** Ⓒ 조업[작업] 정지; 《美》 공장 폐쇄. **2** Ⓤ (구체적으로는 Ⓒ) 《英》 방송[방영] 시간 종료.
clósed prímary 《美》 제한 예비 선거《당원 유자격자만 투표하는 직접 예비 선거》.
clósed shóp 클로즈드 숍《노동 조합원만을 고용하는 사업장》. ↔ *open shop*.
clóse·físted [klóus-] *a.* 인색한, 구두쇠의.
clóse-fítting [klóus-] *a.* (옷이) 꼭 맞는.
clóse-gráined [klóus-] *a.* 촘촘한, 결이 고운.
clóse-háuled [klóus-] *a., ad.* 『해사』 (바람을 옆으로 받도록) 돛을 눕혀 편[펴고].
clóse-knít [klóus-] *a.* (사회적으로) 긴밀하게 맺어진, 굳게 단결한; (정치 · 경제적으로) 밀접하게 조직된; (이론 등이) 논리적으로 빈틈없는.
close-lipped [klóuslípt] *a.* = CLOSE-MOUTHED.
⁑**close·ly** [klóusli] *ad.* **1 접근하여,** 바싹: The baby clung to his mother's breast. 아기는 엄마의 가슴에 바싹 달라붙었다. **2** 친밀히: be ~ allied with … …와 친밀한 동맹 관계에 있다. **3** 꼭 맞게[차게]; **빽빽이;** 꽉 차서[채워서]: a ~ printed page 빽빽이 활자가 들어찬 페이지. **4 면밀히,** 주도히; 엄밀히: a ~ guarded secret 극비 사항. **5** 열심히, 주의하여: listen [watch] ~ 주의해서 듣다[보다].
clóse-móuthed [klóusmáuðd, -θt] *a.* 말 없는, 서름서름한; 입이 무거운.
◇**clóse·ness** [klóusnis] *n.* Ⓤ **1** 접근. **2** (천 따위의) 올이 촘촘함[고움]. **3** 엄밀[치밀]함. **4** 밀폐, 폐쇄; 숨막힘, 답답함.
clóse-òut [klóuz-] *n.* Ⓒ (폐점 등을 위한) 재고 정리: a ~ sale 폐점 대매출.
close-pitched [klóuspítʃt] *a.* (싸움이) 호각의: a ~ battle 접전.
clóse quárters 1 비좁은 장소, 옹색한 곳. **2** 육박전, 드잡이: come to ~ 육박전이 되다, 드잡이하게 되다/fight at ~ 육박전을 하다.
clóse-sét [klóus-] *a.* (서로) 근접해 있는, 다닥다닥 붙어 있는, 밀집한: ~ eyes 모들뜨기/~ houses 밀집해 있는 집들.
clóse sháve = CLOSE CALL.
clóse shòt 『영화』 근접촬영, 접사(接寫)(close-up). ↔ *long shot*.
*__clos·et__ [klázit/klɔ́z-] *n.* Ⓒ **1** 《美》 **반침,** 벽장, 찬장, 찬방(《英》 cupboard). **2** 작은 방; 사실(私室); 서재. **3** 변소(water ~).
come out of the ~ 호모임을 드러내다.
—*a.* Ⓐ **1** 사실(私室)의; 비밀[내밀]의: a ~ queen 《속어》 숨겨진 호모. **2** 탁상 공론의, 실제적이 아닌: a ~ strategist [thinker] 탁상 전략가[공론가]/~ theory 탁상 공론.
—*vt.* **1** 《|목|전|명/+목+부》 『보통 수동태』 (사업이나 정치상의 일로, 아무)를 밀담케 하다 (*together*)《*with* (아무)와》: They *were ~ed together*. 그들은 밀담 중이었다/She's *~ed with* Smith. 그녀는 스미스와 밀담 중이다. **2** 《+목+전+명》 『~ oneself; 수동태』 틀어박히다《*in* (방 따위)에》: He *~ed himself* [*was ~ed*] *in* his study. 그는 서재에 틀어박혀 있었다.
clóse thíng = CLOSE CALL.
clóse-ùp [klóus-] *n.* Ⓤ (구체적으로는 Ⓒ) **1** 『영화』 대사(大寫), 근접 촬영, 클로즈업; 근접 사진; 대사 장면. **2** 상세한 조사[관찰, 묘사].

clóse-wóven [klóus-] *a.* 존존하게 짠.

clos·ing [klóuziŋ] *n.* **1** [U] 폐쇄, 폐지; 〖회계〗 결산; 〖증권〗 종장(終場). **2** [U] (구체적으로는 [C]) 종결, 종료, 마감. **—***a.* [A] 끝의, 마지막의; 폐회의; 〖증권〗 마감하는, 종장의: a ~ address 폐회사/at ~ time 폐점 시각에/the ~ day 마감일/~ quotations (거래소에서의) 입회 최종 가격.

clo·sure [klóuʒər] *n.* **1** [U] (구체적으로는 [C]) 마감, 폐쇄, 폐지; 종지; 폐점, 휴업. **2** [C] (보통 *sing.*) 《英》 (의회 등의) 토론 종결(《美》 cloture). **—***vt.* 《英》 (의회에서의) 토론을 종결시키다.

clot [klat/klɔt] *n.* [C] 무리, 떼; (엉긴) 덩어리; 《英구어》 바보: a ~ *of* blood 핏덩이.
—(-*tt*-) *vi.* 덩어리지다; 응고하다.
—*vt.* **1** 응고시키다, 굳히다; (땀 따위가 머리카락)을 엉키게 하다. **2** 굳어서 …을 움직일 수 없게 하다(★ 종종 수동태로 쓰며, 전치사는 *with*, *by*): The street *was ~ted with* traffic. 거리는 교통 체증을 일으키고 있었다.

⁑**cloth** [klɔ(ː)θ, klɑθ] (*pl.* **~s** [-ðz, -θs]) *n.* **1** [U] **천, 헝겊**, 직물, 양복감; 나사. **2** [C] 〖보통 합성어로〗 식탁보; 행주, 걸레: lay the ~ 식탁 준비를 하다/⇨DISHCLOTH, TABLECLOTH. **3** [U] (책의) 헝겊 표지, 클로스. **4 a** [C] (종교상의 신분을 나타내는) 검은 성직복. **b** (the ~) 성직; 〖집합적〗 성직자(the clergy). ★ 복수형의 발음 [-ðz]는 pieces of cloth, [-θs]는 kinds of cloth의 뜻으로 잘 쓰임. [cf.] clothes.

clóth·bòund *a.* 〖제본〗 클로스 장정의(책).

clóth-càp *a.* 《英》 노동자 계급의.

*__clothe__ [klouð] (*p.*, *pp.* **~*d***, 《고어·문어》 ***clad*** [klæd]) *vt.* **1** 《~+[목]/+[목]+[전]+[명]》〖~ oneself〗 …에게 옷을 입히다: ~ *oneself* 옷을 입다/He ~*d himself in* his best. 그는 나들이 옷을 입었다. ★ 이 뜻으로는 구어에서 보통 dress를 씀. **2** …에게 **옷을 주다**: ~ one's family 가족에게 옷을 사 주다. **3 a 싸다, 덮다**(★ 종종 수동태로 쓰며, 전치사는 *in*, *with*): Mist ~*d* the city. 도시는 안개에 덮여 있었다/The trees *are* ~*d in* fresh leaves. 나무는 새 잎으로 뒤덮인다. **b** 《+[목]+[전]+[명]》 (사상 따위)를 표현하다(*in* (말 따위)로): ~ thoughts (ideas) *in* (*with*) words 사상(생각)을 말로 표현하다/~ face *in* smiles 만면에 미소를 띄우다. **4** 《+[목]+[전]+[명]》 …에게 주다(***with, in*** (권력·영광 따위)를): be ~*d with* authority 권력을 부여받다. ◇ cloth *n.*

clóth-èared *a.* 《구어》 난청의, 둔감한.

†**clothes** [klouðz] *n. pl.* **1 옷**, 의복: a suit of ~ 옷 한 벌/put on (take off) one's ~ 옷을 입다(벗다)/*Clothes* do not make the man. 《속담》 옷이 사람을 만들지 않는다(옷으로 인품이 바뀌지 않는다)/Fine ~ make the man. 《속담》 옷이 날개. **2** 침구(bed clothes).

[SYN.] **clothes** '의복'을 뜻하는 일반적인 말로, 상의·하의 등을 가리킴. **clothing** 몸에 걸치는 모든 것을 뜻하는 '의류'로 각종 clothes의 총칭. **dress** 보통 겉에 입는 의복으로 사교 장소 등에 입고 나가는 것. 또 보통 명사로서는 '여성복·아동복'을 뜻하며, 좋은 옷이나 허름한 옷이나 다 쓰임. **suit** '갖춘 옷'으로 남자의 경우는 coat, waist coat (vest), trousers, 여자의 경우는 dress, skirt, drawers, brassiere를 가리킴.

clóthes·bàsket *n.* [C] 빨랫광주리.

clóthes·brùsh *n.* [C] 옷솔.

clóthes hànger =COAT HANGER.

clóthes·hòrse *n.* [C] (실내용) 빨래 건조대; 《구어》 복장의 유행만 좇는 사람.

clóthes·lìne *n.* [C] 빨랫줄.

clóthes mòth 〖곤충〗 옷좀나방(유충은 모직 의류를 해침).

clóthes-pèg *n.* 《英》 =CLOTHESPIN.

clóthes·pìn *n.* [C] 《美》 빨래 무집게.

clóthes·pòle *n.* [C] 바지랑대.

clóthes·prèss *n.* [C] 옷장, 양복장.

clóthes pròp 《英》 =CLOTHESPOLE.

clóthes trèe 《美》 (가지가 있는) 기둥 모양의 모자(외투)걸이.

cloth·ier [klóuðjər, -ðiər] *n.* [C] 남성복 소매상; 옷(감)장수.

⁑**cloth·ing** [klóuðiŋ] *n.* [U] 〖집합적〗 **의복**, 의류, 피복: an article of ~ 의류 한 점/food, ~, and shelter 의식주. [SYN.] ⇨CLOTHES.

Clo·tho [klóuθou] *n.* 〖그리스신화〗 클로토(생명의 실을 잣는 운명의 신). [cf.] the Fates.

clóth yàrd (피륙을 잴 때의) 야드(3 피트).

clot·ted [klátid/klɔ́t-] *a.* 굳은, 응고된.

clótted créam (지방분이 많은) 고형 크림.

clo·ture [klóutʃər] *n.* [C] (보통 *sing.*) 《美》 (의회의) 토론 종결(《英》 closure).
—*vt.* (토론)을 종결하다.

†**cloud** [klaud] *n.* **1** [U] (낱개는 [C]) **구름**: a dark ~ 검은 구름/a rain ~ 비구름/covered with ~(*s*) 구름에 덮이어/Every ~ has a silver lining. 《속담》 어떤 구름이라도 그 뒤쪽은 은빛으로 빛난다(괴로움이 있는 반면에는 즐거움이 있다). **2** [C] 구름 같은 것, (자욱한) 먼지(연기 따위), 연무(煙霧): a ~ *of* dust 자욱한 먼지. **3** [C] 다수, (벌레·새 따위의) 떼: a ~ *of* flies 파리 떼. **4** [C] (거울·보석 따위의) 흐림; 《비유적》 (안면·이마에 어린) 어두움; (의혹·불만·비애 등의) 암영(暗影), 암운; 어둠: a ~ on the face 어두운 안색/dark ~*s* of war 전쟁의 암운/cast (throw) a ~ on (over) …에 어두운 그림자를 던지다.
in the* ~*s 《구어》 ① 비현실적인. ② 멍청하여, 세상사에 초연하여, 공상하여: have one's head *in the* ~*s* 공상에 빠져 있다. ***on a* ~** =***on* ~ *nine*** (***seven***) 《구어》 득의(행복)의 절정에. ***under a* ~** 의심을(혐의를) 받아, 노염을 사서.
—*vt.* **1** 《~+[목]/+[목]+[부]》 …을 구름으로 덮다(*over*); …을 흐리게 하다(*up*): The mountain-top was ~*ed*. 산정은 구름에 덮여 있었다/The steam ~*ed* my glasses. 김이 서려 내 안경이 흐려졌다. **2** (얼굴·마음 따위)를 어둡게 하다, 우울하게 하다(★ 종종 수동태로 쓰며, 전치사는 *with*): Disappointment ~*ed* her features. 실망해서 그녀의 얼굴이 어두워졌다/Her mind *was* ~*ed with* anxiety. 그녀의 마음이 근심 때문에 우울해졌다. **3** (명성·평판)을 더럽히다; (기억 등)을 모호하게 하다; (시력·판단 등)을 흐리게 (무디게) 하다; (문제 따위)를 애매하게 하다: ~ one's reputation 명성을 더럽히다/Tears ~*ed* his vision. 눈물로 그의 시계가 부예졌다/Don't ~ the issue with unnecessary details. 지엽적인 일로 논점을 흐리게 하지 마라.
—*vi.* **1** 《~/+[부]》 (하늘이) 흐려지다(*over*, *up*); (창 따위가) 흐려지다(*up*): It's beginning to ~ (*over*). 하늘이 흐려지기 시작한다. **2** 《+[부]/+[전]+[명]》 (얼굴이) 어두워지다(*over*)(***with*** (고통·근심)으로): Her face ~*ed over* (*with* anxiety). 그녀 얼굴이 (걱정으로) 어두워졌다.

clóud·bànk *n.* Ⓒ 〖기상〗 운제(雲堤), 구름둑 《제방처럼 보이는 길게 연결된 구름띠》.

clóud·bùrst *n.* Ⓒ 억수, 호우.

clóud-càpped [-t] *a.* (산이) 구름을 머리에 인, 구름까지 닿는.

clóud-càstle *n.* Ⓒ 공상, 백일몽.

clóud chàmber 〖물리〗 안개 상자《고속의 원자나 원자적 입자의 비적(飛跡)을 관측하는 장치》.

clóud-cúckoo-lànd *n.* (때로 C-C-L-) Ⓤ 이상향; 꿈의 나라《Aristophanes 작품 속의 도시명에서》.

clóud·ed [-id] *a.* **1** 흐린, 구름에 덮인. **2** (마음이) 우울한(gloomy); (머리 등이) 멍한, 혼란된; (생각·뜻 따위가) 흐릿한, 애매한.

clóud·lànd *n.* **1** Ⓤ (구체적으로는 Ⓒ) 꿈나라, 선경, 이상향. **2** (the ~) 하늘.

°**clóud·less** *a.* **구름 없는**, 맑게 갠; 밝은: a ~ day 맑은 날 / a ~ future 밝은 장래.
㊞ **~·ly** *ad.* 구름 (한 점) 없이.

cloud·let [kláudlit] *n.* Ⓒ 구름조각(small cloud).

clóud·scàpe *n.* Ⓒ 구름 경치〔그림〕.

†**cloudy** [kláudi] (***cloud·i·er; -i·est***) *a.* **1 흐린**, 구름이 낀: a ~ day 흐린 날 / It is ~. (날씨가) 흐리다. **2** 구름의〔같은〕; 구름무늬의: ~ smoke 구름 같은 연기 / ~ marble 구름무늬 대리석. **3** (다이아몬드 등) 흐린 데가 있는, 탁한, 뿌연《***with*** …으로》: a ~ picture 흐린 그림〔사진〕/ an orchard in spring, ~ *with* blossoms 꽃이 피어 뿌옇게 보이는 봄의 과수원. **4** 불명료한, 뜻이 확실치 않은, 애매한: a ~ idea 막연한 생각. **5** 걱정스러운, 기분이 언짢은: ~ looks.

clout [klaut] *n.* **1** Ⓒ (손으로) 두드림, 때림, 타격; 〖야구〗 강타: give a person a ~ 아무를 한 대 때리다. **2** Ⓤ 《구어》 (특히 정치적) 권력, 영향력: He has a lot of ~ with the board of directors. 그는 이사회에서 큰 영향력을 갖고 있다.
—*vt.* 《구어》 (손으로) 때리다; 〖야구〗 (공)을 강타하다.

clove[1] [klouv] *n.* Ⓒ 정향(丁香)《나무》; (보통 *pl.*) 정향《향신료》.

clove[2] CLEAVE[1,2]의 과거.

clo·ven [klóuvən] CLEAVE[1] 의 과거분사.
—*a.* (발굽이) 갈라진, 째진.

clóven hóof 〔**fóot**〕 (반추 동물의) 우제(偶蹄). ***show the*** ~ (악마의) 본성을 드러내다《악마는 발굽이 갈라져 있다는 데서》.

clóven-hóofed [-t], **-fóoted** [-id] *a.* 우제(偶蹄)의; 악마 같은.

°**clo·ver** [klóuvər] *n.* Ⓤ (종류·낱개는 Ⓒ) 〖식물〗 클로버, 토끼풀: ⇨FOUR-LEAF CLOVER.
be 〔***live***〕 ***in*** (***the***) ~ 《구어》 호화롭게 살다.

clóver·lèaf (*pl.* ***-leaves***) *n.* Ⓒ 클로버 잎(모양의 것); 《특히》 (네 잎 클로버꼴의) 입체 교차로〔점〕.

*__clown__ [klaun] *n.* Ⓒ **어릿광대**; 익살꾼: play the ~ 익살떨다. **—***vi.* 《~/+㊀》 어릿광대 노릇〔짓〕을 하다, 익살부리다(*about; around*).
㊞ **∠·ery** [-nəri] *n.* Ⓤ 어릿광대짓; 익살.

clown·ish [kláuniʃ] *a.* 어릿광대의, 익살맞은: a ~ getup 어릿광대 같은 옷차림.
㊞ **~·ly** *ad.* **~·ness** *n.*

cloy [klɔi] *vt.* (단것)을 물리도록〔신물나도록〕 먹이다; (쾌락·사치 등)에 넌더리나게 만들다《★ 종종 수동태로 쓰며, 전치사는 *with*》: She *is ~ed with* his attention. 그녀는 그가 알찐대는 데는 신물이 났다. **—***vi.* 물리다, 싫증나다; 배가 가득 차다. ㊞ **∠·ing** *a.* 물리는, 넌더리나는. **∠·ing·ly** *ad.* **∠·ing·ness** *n.*

cloze [klouz] *a.* 클로즈법(= **∠ procèdure**)《글 중의 결어(缺語)를 보충하는, 독해력 테스트》의.

clr. clear; clearance.

†**club** [klʌb] *n.* Ⓒ **1 곤봉**; 타봉(打棒)《골프·하키 따위의》; =INDIAN CLUB. **2** (사교 따위의) **클럽**, 동호회; =NIGHTCLUB. **3** (카드놀이의) 클럽《♣》; (*pl.*) 클럽의 패(suit).
in the (***pudding***) ~ 《英속어》 (미혼 여성이) 임신하여: put 〔get〕 a person *in the* ~ 임신시키다. ***on the*** ~ 《英구어》 (질병에 의한 휴직으로) 공제조합으로부터 급부〔구제〕를 받아.

> DIAL. ***Join the club!*** =《美》 ***Welcome to the club.*** 나도 마찬가지야, 피차일반이야《실패·실연 따위에 대한 가벼운 위로의 말》: I lost 30 dollars at the horse race.—*Join the club.* I lost 20 dollars. 경마에서 30달러 잃었다.—나도 마찬가지야. 20달러 잃었거든.

—(***-bb-***) *vt.* **1** 곤봉으로 치다, 때리다. **2** 《+㊄+㊀》 모아서 클럽을 만들다; 합동〔결합〕시키다(*together*): ~ persons *together* 사람을 모으다. **—***vi.* 《+㊀/+㊁+㊂》 클럽을 조직하다, (돈·지혜 등을) 서로 내놓다, (공동 목적에) 협력하다: ~ *together* 서로 협력하다 / ~ *with* a person 아무와 협력하다.
㊞ **∠·ba·ble, ∠·a·ble** *a.* 클럽회원 되기에 적합한; 사교적인.

clúb·fòot (*pl.* ***-feet***) *n.* Ⓒ 내반족(內反足); Ⓤ 그 상태. ㊞ **~·ed** [-id] *a.*

clúb·hòuse *n.* Ⓒ 클럽 회관; 《美》 운동선수용 로커 룸.

clúb·man [-mən, -mæ̀n] (*pl.* ***-men*** [-mən, -mèn]) *n.* Ⓒ 클럽 회원.

clúb sándwich 샌드위치의 일종《보통 토스트 3조각 사이에 고기·야채·마요네즈 등을 넣음》.

cluck [klʌk] *vi.*, *vt.* (암탉이) 꼬꼬 울다; (혀)를 차다. **—***n.* Ⓒ **1** 꼬꼬 우는 소리. **2** 《美속어》 얼간이(dumb ~).

*__clue__ [kluː] *n.* Ⓒ (수수께끼를 푸는) **실마리**, 열쇠; 단서《***to*** (조사·연구 따위)의》: get a ~ 단서를 얻다 / The police found a ~ *to* his whereabouts. 경찰은 그가 있는 곳의 단서를 잡았다.
not have a ~ 《구어》 전혀 모르다, 오리무중이다: I do*n't have a* ~ what he wants. 그가 무엇을 원하고 있는지 전혀 알 수가 없다.
—*vt.* 《+㊄+㊀/+㊄+㊁+㊂》 (아무)에게 해결의 실마리를 주다; 《구어》 (아무)에게 정보를 알려 주다(*in*)《***about, on*** …에 관한》: Please ~ me *in* on what to do. 어찌 하면 좋을지 가르쳐 다오.
be (***all***) **~*d up*** 《英구어》 잘 알고 있다, 숙지하고 있다《***about, on*** …에 관해》.

clúe·less *a.* 단서 없는; 《英구어》 어리석은, 무지한. ㊞ **~·ly** *ad.* **~·ness** *n.*

clump[1] [klʌmp] *n.* Ⓒ **1** 수풀, (관목의) 덤불. **2** 덩어리, 무리: a ~ *of* earth 흙덩이 / The grass was growing in ~*s*. 풀이 무더기로 자라고 있었다. **3** 〖세균〗 세균 덩어리. **—***vi.*, *vt.* 떼를 짓(게 하)다; (세균 따위가〔를〕) 응집하다〔시키다〕.

clump[2] *n.* (*sing.*) 무거운 발소리: I heard the ~ *of* his boots on the stairs. 층계에서 쿵쿵거리는 그의 구둣소리를 들었다. **—***vi.* 무겁게〔쿵쿵〕 걷다: ~ *up* 〔*down*〕 the staircase 층계를 쿵쿵 올라가다〔내려가다〕.

clumpy [klʌ́mpi] (***clump·i·er; -i·est***) *a*. 덩어리의(가 많은); 울창하게 우거진.

*__clum·sy__ [klʌ́mzi] (***-si·er; -si·est***) *a*. **1** 솜씨 없는, 서투른《***with, at, in*** …이》: a ~ dancer 춤이 서투른 사람/He's ~ *with* tools. 그는 연장 다루는 것이 서투르다. **2** 꼴사나운, 세련되지 않은. **3** 재치없는. [cf] awkward. ¶a ~ joke 어색한 농담. [파] **-si·ly** *ad*. **-si·ness** *n*.

*__clung__ [klʌŋ] CLING의 과거 · 과거분사.

clunk [klʌŋk] *n*. **1** (a ~) 쾅(덜컹)하는 소리 《쇠 따위가 부딪쳐 나는 소리》. **2** [C] 《구어》 강타, 일격. **3** [C] 《구어》 털털이 자동차.

clúnk·er *n*. [C] 《美구어》 털털이 자동차; 하찮은 것; 바보.

*__clus·ter__ [klʌ́stər] *n*. [C] **1 송이, 한 덩어리** (bunch)《***of*** (과실 · 꽃 따위)의》: a ~ *of* grapes 포도 한 송이. **2** 떼, 집단(group)《***of*** (같은 종류의 물건 · 사람)의》: a ~ *of* stars 성군(星群), 성단/in a ~ (하나의) 무리를 지어/in ~*s* 몇 개의 무리를 지어. **3** 〖컴퓨터〗 집단, 클러스트《데이터 통신에서 단말 제어장치와 그에 접속된 복수 단말의 총칭》.

—*vi*. 《+[부]/+[전]+[명]》 송이를 이루다, 주렁주렁 달리다; (식물이) 군생하다; 밀집하다(*together*)《***round, around*** …의 주변에》: Eager shoppers ~*ed around* the display. 물건을 사려는 손님들이 전시품 주변에 몰려들었다/The horses ~*ed together* for warmth. 말들은 온기를 얻기 위해 떼지어 몰려 있었다. **—***vt*. 《~+[목]/+[목]+[부]/+[목]+[전]+[명]》 〔보통 수동태〕 모이게 하다; 떼짓게 하다(*together*)《***round, around*** …의 주변에》: mountain ~*ed* with trees 나무가 군생해 있는 산/Several bookstores *are* ~*ed together* on the street. 그 거리에는 몇몇 서점들이 몰려 있다/Several outbuildings *were* ~*ed around* the farmhouse. 농가 주위에는 부속 건물이 몇 채 무리져 있었다.

clúster bòmb 집속탄(集束彈).

clúster hèadache 〖의학〗 클러스터 두통《일정 기간 동안 여러 번 일어나는 심한 두통》.

*__clutch__[1] [klʌtʃ] *vt*. 《~+[목]/+[목]+[전]+[명]》 (꽉) 잡다, 단단히 쥐다: She ~*ed* her daughter *to* her breast. 그녀는 자기 딸을 품 안에 꽉 부둥켜 안았다. [SYN.] ⇨TAKE. **—***vi*. 《+[전]+[명]》 잡으려고 하다《***at*** …을》: A drowning man will ~ *at* a straw. 《속담》 물에 빠진 사람은 지푸라기라도 잡으려 한다.

—*n*. **1** (a ~) 붙잡음, 파악. **2 a** (*sing*.) (잡으려는) 손: a mouse in the ~ *of* an owl 올빼미 발톱에 걸려든 쥐. **b** [C] (보통 *pl*.) 손아귀, 수중, 지배력: fall into 〔get out of〕 the ~*es of* …의 수중에 빠지다〔에서 벗어나다〕. **3** [C] 《美》 위기, 위급; 〖야구〗 핀치(pinch): in the ~ 유사시에는. **4** [C] 〖기계〗 (자동차 따위의) 클러치, 전동 장치: let in 〔out〕 the ~ 클러치를 잇다〔끊다〕.

—*a*. [A] 《美》 **1** 위기에 행해지는. **2** 핀치의〔에 강한〕: a ~ hitter 핀치 히터.

clutch[2] *n*. [C] **1** 한 번 품는 알《보통 13개》; 한 배병아리. **2** 한 떼, 한 무리《***of*** …의》: a ~ *of* ladies at tea (오후에) 차(茶) 모임에 모인 부인들.

clútch bàg 클러치 백(=**clútch pùrse**)《손잡이나 멜빵이 없는 소형 핸드백》.

clut·ter [klʌ́tər] *n*. **1** [U] 〔집합적〕 흩어져 있는 것. **2** (a ~) 혼란, 난잡: in a ~ 어지럽게 흩어져.

—*vt*. **1** (장소)를 어지럽히다(*up*)《***with*** …으로》: Books and papers ~*ed up* his desk. 그의 책상에는 책과 서류가 어지럽게 놓여 있었다/His study was ~*ed up with* piles of books. 그의 서재는 산더미 같은 책으로 어지럽혀져 있었다.

Clw·yd [klúːid] *n*. 클루이드《1974년에 신설된 영국 Wales 동북부의 주》.

Clydes·dale [kláidzdèil] *n*. [C] 클라이즈데일 말《힘센 복마(卜馬); 스코틀랜드 원산》.

Cly·tem·nes·tra, -taem- [klàitəmnéstrə] *n*. 〖그리스신화〗 클리템네스트라《Agamemnon의 부정한 아내》.

Cm 〖화학〗 curium. **cm, cm.** centimeter(s). **Cmdr.** Commander. **cml.** commercial. **c'mon** [kmɑn, kəmɑ́n] 《구어》 come on의 간약형. **CND** Campaign for Nuclear Disarmament. **CNN** 《美》 Cable News Network (케이블 뉴스 방송망). **CNS, cns** 〖해부〗 central nervous system.

co- [kóu, kòu] *pref*. '공동, 공통, 상호, 동등'의 뜻: ① 〔명사에 붙여〕 *co*author, *co*partner. ② 〔형용사 · 부사에 붙여〕 *co*operative, *co*eternal. ③ 〔동사에 붙여〕 *co*(-)operate, *co*adjust. ★ 다음 세 가지의 철자식이 있음: cooperate, coöperate, co-operate.

CO 〖美우편〗 Colorado. **Co** 〖화학〗 cobalt. **c/o, c.o.** (in) care of; carried over. **Co., co.** 〖상업〗 [kou, kʌ́mpəni] company; county. **C.O.** Commanding Officer; conscientious objector.

⁑**coach** [koutʃ] *n*. [C] **1 대형의 4륜 마차**; (철도가 생기기 전의) 역마차; 세단형 자동차; 《英》 장거리 버스(motor ~). **2** 《英》 객차(《美》 car); 《美》 (열차의) 보통 객차《parlor car, sleeping car와 구별하여》; (비행기의) 보통석(air coach), 이코노미 클래스. **3** (경기 · 연기 따위의) **코치**; 지도원; 가정교사《수험 준비를 위한》: a baseball ~ 야구 코치/a dramatic ~ 연기 코치.

—*vt*. **1** (개인 · 그룹)을 지도하다; 《美》 (스포츠)를 코치하다: ~ baseball 야구 코치를 하다. **2** 《+[목]+[전]+[명]》 (아무)에게 지도〔코치〕하다《***for, in, at*** …을》; (아무)를 지도하여 합격시키다《***through*** …에》: ~ a boy *in* 〔*at*〕 mathematics 소년에게 수학 공부를 지도하다/~ a boy *through* an examination 소년에게 수험 지도를 해서 시험에 합격시키다. **—***vi*. 지도원〔코치, 가정교사〕 노릇을 하다.

còach-and-fóur [-ənd-] *n*. [C] 4두마차.

còach-and-síx *n*. [C] 대형 6두마차.

cóach-bùilt *a*. (자동차의 차체가) 숙련공이 만든.

cóach clàss 《美》 (여객기의) 이코노미 클래스. ★ economy class가 일반적.

°**cóach·man** [-mən] (*pl*. ***-men*** [-mən]) *n*. [C] 마부.

cóach·wòrk *n*. [U] (자동차 · 철도차량 따위의) 차체.

co·ad·ju·tor [kouǽdʒətər, kòuədʒúːtər] *n*. [C] 조수, 보좌인(補佐人); 〖가톨릭〗 보좌 신부.

co·ag·u·lant [kouǽgjələnt] *n*. [U] (종류 · 낱개는 [C]) 응고제; 응혈〔지혈〕약.

co·ag·u·late [kouǽgjəlèit] *vt*., *vi*. 응고시키다〔하다〕(clot), 굳어지다.

[파] **co·àg·u·lá·tion** *n*. [U] 응고(작용), 응집, 엉김.

⁑**coal** [koul] *n*. **1** [U] **석탄**: brown ~ 갈탄/hard ~ 무연탄/small ~ 분탄(粉炭)/soft ~ 역청탄/as black as ~ 새까만. **2** [U] (또는 *pl*.) 《주로 英》 석탄의 작은 덩어리《연료용》: a ton of

~(*s*) 분탄 1톤/put ~(*s*) in the stove 난로에 석탄을 넣다. **3** [U] 목탄, 숯(charcoal). **4** [C] (장작 따위의) 타다 남은 것, 잉걸불: cook food on over ~*s* 잉걸불에 음식을 요리하다.
call 〔***drag, fetch, haul, rake, take***〕 a person ***over the ~s for*** a thing 어떤 일에 대해 아무를 야단치다. ***carry*** 〔***take***〕 ***~s to Newcastle*** 《구어》 헛수고하다. ***heap*** 〔***cast, gather***〕 ***~s of fire on*** a person***'s head*** 〖성서〗 (악을 선으로써 갚아) 아무를 매우 부끄럽게 하다《로마서(書) XII: 20》.
—*vt*. **1** (배 따위)에 석탄을 공급하다〔싣다〕. **2** 태워서 숯으로 만들다. —*vi*. (배 따위가) 석탄의 보급을 받다.
cóal bèd 탄층.
cóal-blàck *a*. 새까만, 칠흑의.
cóal bùnker 석탄 저장고(庫); (배의) 저탄고.
cóal·er *n*. [C] 석탄 배〔차〕; 석탄 싣는 인부.
co·a·lesce [kòuəlés] *vi*. (부러진 뼈가) 붙다, 유합(癒合)하다; (정당 등이) 합동〔합체, 연합〕하다. [파] **-lés·cence** [-ns] *n*. **-lés·cent** [-nt] *a*.
cóal·fàce *n*. [C] 〖광산〗 채탄 막장.
cóal·field *n*. [C] 탄전.
cóal·fired *a*. 석탄으로 가열된; 석탄으로 동력을 얻는.
cóal gàs 석탄 가스.
cóal·hòle *n*. [C] 《英》 (지하의) 석탄 저장소.
cóal hòuse 석탄 저장소〔창고〕.
cóaling bàse 〔**stàtion**〕 석탄 보급지〔항〕.
◇**co·a·li·tion** [kòuəlíʃən] *n*. **1** [U] 연합, 합동(union). **2** [C] (정치상의) 연립, 제휴(提携): a ~ cabinet 〔ministry〕 연립 내각/form a ~ 연합〔제휴〕하다/~ forces 다국적군.
cóal mèasures *pl*. 〖지질〗 석탄계, 협탄층(夾炭層).
cóal mìne 탄갱; 탄광; 탄산.
cóal mìner 탄광주; 채탄부.
cóal òil 《美》 석유(petroleum); 《특히》 등유(kerosene; 《英》 paraffin oil).
cóal·pìt *n*. [C] 탄갱(coal mine); 《美》 숯가마.
cóal·sàck *n*. [C] (즈크로 만든) 석탄 포대.
cóal scùttle (실내용) 석탄 그릇〔통〕.
cóal sèam 탄층(coal bed).
cóal tàr 콜타르.
coam·ing [kóumiŋ] *n*. [C] 〖해사〗 (갑판 승강구 등의) 테두리판《물이 들어옴을 막음》.
***coarse** [kɔːrs] *a*. **1 조잡한**, 조악(粗惡)한, 열등한: ~ fare 〔food〕 조식(粗食). **2** (천 · 그물 따위가) **거친**, 올이 성긴; (모래 따위가) 굵은. **3 야비한**, 상스러운; (언사 따위가) 음탕한, 추잡한: a ~ joke 추잡한 농담. [파] **∠·ly** *ad*. **∠·ness** *n*.
cóarse físh 《英》 잡고기《연어와 송어 이외의 담수어》.
cóarse-gráined *a*. 결이 거친; 조잡한, 무무한, 상스러운.
coars·en [kɔ́ːrsən] *vt*., *vi*. 거칠게 하다〔되다〕; 조잡〔조야, 야비, 추잡〕하게 하다〔되다〕.
†**coast** [koust] *n*. **1** [C] **연안**, 해안: on the ~ 해안에서, 연안에/the Pacific ~ 태평양 연안. [SYN.] ⇨BEACH. **2** (the ~) 연안 지방; (the C–) 《美》 태평양〔대서양〕 연안 지방. **3 a** (a ~) (언덕을 내릴 때의) 자전거 타주(惰走); 《美》 (썰매의) 활강(滑降). **b** [C] 《美》 (활주용의) 비탈.
Clear the ~! 비켜라. (***from***) ***~ to ~*** 《美》 대서양 연안에서 태평양 연안까지, 전국에 걸쳐, 전국 방방곡곡에. ***The ~ is clear.*** (상륙하는 데) 아무도 방해하는 자가 없다, 위험한 것 없다.

—*vt*. …의 연안을 (따라) 항행하다.
—*vi*. **1** 연안 항행〔무역〕을 하다. **2** 《+[부]/+[전]+[명]》 (썰매로) 활강하다; (자전거 · 자동차로〔가〕) 타주(惰走)하다; (비행기가) 활공하다: ~ *along* on a bicycle/~ *down* a hill 언덕을 활강하다. **3** 《~+[전]+[명]/+[부]》 아무 노력도 없이 순조로이 나가다(*along*): ~ *through* college 제대로 공부도 않고 대학을 나오다/She's ~*ing along* on her past successes. 그녀는 과거의 성공 덕으로 지금은 힘 안 들이고 해나가고 있다.
◇**coast·al** [kóustəl] *a*. [A] 연안〔해안〕의, 근해의: ~ defense 〔trade〕 연안 경비〔무역〕/a ~ plain 해안 평야.
cóast·er *n*. [C] **1** 연안 무역선. **2** 《美》 비탈용 썰매; =ROLLER COASTER. **3** (술잔 따위의) 받침.
cóast guàrd (종종 the C– G–) 〖집합적; 단 · 복수취급〗 연안 경비대〔원〕.
cóast·guàrd *n*. 《英》 =COASTGUARD(S)MAN.
cóast·guàrd(s)·man [-mən] (*pl*. ***-men*** [-mən]) *n*. [C] 《美》 연안 경비대원.
cóast·lànd *n*. [U] 연안 지역.
cóast·lìne *n*. [C] 해안선.
cóast-to-cóast *a*. 미국 횡단의, 대서양 안에서 태평양 안에 이르는, 내륙〔대륙〕 횡단의.
coast·ward [kóustwərd] *ad*., *a*. 해안을 향하여〔향한〕, 해안 쪽으로(의).
coast·wards [kóustwərdz] *ad*. =COASTWARD.
coast·wise [kóustwàiz] *a*., *ad*. 연안의, 연안을 따라: ~ trade 연안 무역.
†**coat** [kout] *n*. [C] **1** (양복의) **상의**; 외투, 코트. [cf.] overcoat, greatcoat, topcoat. ¶a ~ and skirt 여성의 외출복. **2** (짐승의) 외피《모피 · 털 · 깃털》. **3** 가죽(skin, rind), 껍질 (husk); (먼지 따위의) 층: a thick ~ *of* dust 두껍게 쌓인 먼지. **4** (페인트 등의) 칠, (금속의) 도금: a new ~ *of* paint 페인트의 새로운 칠. **5** 〖해부〗 막, 외막(外膜).
a ~ of arms (방패 꼴의) 문장(紋章). ***a ~ of mail*** 쇠미늘 갑옷. ***cut*** one***'s ~ according to*** one***'s cloth*** 분수에 알맞게 살다. ***trail*** one***'s ~*** 〔***coattails***〕 싸움〔말다툼〕을 걸다《옷자락을 끌어 남이 밟게 하는 데서》. ***turn*** 〔***change***〕 one***'s ~*** 변절하다; 개종하다.
—*vt*. **1** (아무)에게 상의〔코트〕를 (마련해) 주다. **2** (먼지 따위가) …의 **표면을 덮다**: Dust ~*ed* the piano. 먼지가 피아노 위에 잔뜩 쌓였다. **3** 《+[목]+[전]+[명]》 …에 칠하다, 입히다《***with, in*** (페인트나 주석 따위)를》: ~ the wall *with* paint 벽에 페인트를 칠하다/pills ~*ed with* 〔*in*〕 sugar 당의정(糖衣錠).
cóat·drèss *n*. [C] 코트드레스《코트처럼 앞이 타지고 밑까지 단추가 달린》.
cóat·ed [-id] *a*. 상의를 걸친; 겉에 바른〔입힌〕; 광을 낸〔번쩍이는〕《종이 따위》; 설태(舌笞)가 낀《혀》.
coat·ee [koutíː] *n*. [C] (여자 · 어린이 등의) 몸에 꼭 끼는 짧은 상의.
cóat hànger 양복걸이.
co·a·ti [kouáːti], **co·a·ti·mon·di, -mun-** [-mɑ́ndi] *n*. [C] 〖동물〗 코아티《미국 너구릿과의 육식 동물; 라틴 아메리카산》.
cóat·ing *n*. **1** [U] (구체적으로는 [C]) (페인트 따위의) 칠, 덧칠, 도장(塗裝); (과자 · 요리 따위의) 겉에 입히는 것. **2** [U] 상의〔코트〕용 천.

cóat·ròom *n.* 《美》 =CLOAKROOM.

cóat·tàil *n.* [C] (흔히 *pl.*) (야회복 · 모닝 등의) 상의의 뒷자락. ***on*** a person***'s* ~*s*** 아무의 (명성 · 정치력 따위의) 덕택으로.
—*a.* [A] 타인과의 연합으로 얻어진.

co·au·thor [kouɔ́:θər] *n.* [C] 공저자.

◇**coax** [kouks] *vt.* **1** (아무)를 달래어〔구슬려서〕…시키다(*away; out; in*)《***into*** …하도록/***to*** do》: ~ a person *away* 〔*out*〕 아무를 꾀어서 데리고 나가다, 유혹하다/~ a child *to* take 〔*into* taking〕 his medicine 아이를 달래어서 약을 먹이다/~ her *to* come with us 그녀를 달래서 우리와 함께 오도록 하다. **2** 감언으로 얻어〔우려〕내다《***out of*** (아무)로부터, (무엇)을》: ~ a thing *out of* a person =~ a person *out of* a thing 감언으로 아무로부터 무엇을 우려내다. **3** (물건)을 잘 다루어 뜻대로 되게 하다《***into*** …하게; ***through*** …을 통과하게/***to*** do》: ~ a fire *into* burning 〔*to* burn〕 불을 잘 피워내다/He *~ed* the large chair *through* the door. 큰 의자를 잘 움직여 문을 통과하게 했다.
[파] **∠·ing** *a.* **∠·ing·ly** *ad.*

co·áxial *a.* 〖전기〗 동축(同軸)의; 동축 케이블의: a ~ cable (전신 · 전화 · TV 따위의) 동축 케이블.

cob [kɑb/kɔb] *n.* [C] **1** 옥수수속(corncob). **2** 다리가 짧고 튼튼한 말; 백조의 수컷([cf.] pen). **3** =COBNUT.

co·balt [kóubɔ:lt] *n.* [U] 〖화학〗 코발트《금속 원소; 기호 Co; 번호 27》.

cóbalt blúe 코발트 청(靑)《안료》; 암청색.

cóbalt bòmb 코발트 폭탄.

cóbalt 60 〖화학〗 코발트 60《코발트의 방사성 동위 원소; 암치료용; 기호 ^{60}Co, Co^{60}》.

cob·ble[1] [kɑ́bəl/kɔ́bəl] *n.* [C] (보통 *pl.*) 굵은 돌멩이, 조약돌, 자갈. —*vt.* (도로)에 자갈을 깔다.

cob·ble[2] *vt.* **1** (구두)를 수선하다, 깁다. **2** 그러모아 조잡하게 맞추다(*together*).

cob·bler [kɑ́blər/kɔ́bl-] *n.* **1** [C] 신기료 장수, 구두장이; 서투른 장색: ~'s wax 신발 꿰매는 실에 먹이는 밀랍/The ~'s wife goes the worst shod. 《속담》 대장장이 집에 식칼이 논다. **2** [U] (낱개는 [C]) 청량 음료의 일종; 《美》 과실 파이의 일종. ***What a load of*** (***old***) ***~s!*** =***Cobblers!*** 《英속어》 무슨 허튼소리냐〔수작이냐〕.

cóbble·stòne *n.* =COBBLE[1].

co·bel·lig·er·ent [kòubəlídʒərənt] *n.* [C] 공동 참전국. —*a.* 협동하여 싸우는; 공동 참전국의.

cób·nùt *n.* [C] 개암나무속(屬)의 나무; 그 열매, 개암.

COBOL, Co·bol [kóubɔ:l] *n.* [U] 〖컴퓨터〗 코볼《사무 처리용 프로그래밍 언어》. [◂*com*mon *b*usiness *o*riented *l*anguage]

co·bra [kóubrə] *n.* [C] 〖동물〗 코브라《인도 · 아프리카산(産)의 독사》.

◇**cob·web** [kɑ́bwèb/kɔ́b-] *n.* **1** [C] 거미집〔줄〕. **2** [C] 올가미, 함정. **3** (*pl.*) (머리의) 혼란, (자다 일어난 때의) 졸음, 흐리마리함: get the ~*s* out of one's eyes (눈을 비벼서) 졸음을 쫓다. ***blow*** 〔***clear***〕 ***the ~s away*** 《구어》 (바깥 바람을 쐬어) 기분을 일신하다; 기풍을 쇄신하다.
[파] **~·by** [-i] *a.* 거미집의〔같은〕, 거미줄투성이의; 가볍고 얇은(filmy).

co·ca [kóukə] *n.* **1** [C] 〖식물〗 코카나무《남아메리카산(産)의 약용 식물》. **2** [U] 〔집합적〕 (말린) 코카 잎.

Co·ca-Co·la [kóukəkóulə] *n.* [U] (낱개는 [C]) 코카콜라(Coke)《청량 음료의 일종; 상표명》.

co·cain(e) [koukéin, kóukein] *n.* [U] 〖화학〗 코카인《coca의 잎에서 채취하는 마취제, 마약》.

coc·cus [kɑ́kəs/kɔ́k-] (*pl.* ***-ci*** [kɑ́ksai/kɔ́k-]) *n.* [C] 구균(球菌).

coc·cyx [kɑ́ksiks/kɔ́k-] (*pl.* ***-cy·ges*** [-sidʒi:z, kɑksáidʒi:z]) *n.* [C] 〖해부〗 미저(尾骶)골.

co·cháir *vt.* (위원회 · 토론회 따위의) 공동 의장을 맡다. —*n.* [C] 공동의장이 된 사람.

Co·chin [kóutʃin, kɑ́tʃin] *n.* (때로 c-) [C] 코친《닭의 일종》.

coch·i·neal [kɑ́tʃəni:l, ∸-∸, kóutʃə-] *n.* [U] 양홍(洋紅)《연지벌레로 만드는 물감》.

coch·lea [kɑ́kliə, kóuk-] (*pl.* ***-le·ae*** [-lii:]) *n.* [C] 〖해부〗 (내이(內耳)의) 달팽이관(管).

⁑**cock**[1] [kɑk/kɔk] *n.* **1** [C] **수탉.** ↔ *hen*. ★ 미국에서는 rooster를 흔히 씀. ¶As the old ~ crows, the young ~ learns. 《속담》 서당개 3년에 풍월한다/Every ~ crows on its own dunghill. 《속담》 이불 속에서 활개친다. **2** [C] (새의) 수컷: ~ robin 울새의 수컷. **3** [C] 〔남자끼리의 호칭으로〕 《英속어》 동무, 친구(pal): old ~ 이봐 친구, 여보게. **4** [C] (통 · 수도 · 가스 따위의) 마개, 전(栓), 꼭지(《美》 faucet): turn on 〔off〕 a ~ 마개를 열다〔닫다〕. **5** [C] (옛날 총의) 공이치기, 격철(擊鐵); [U] 공이치기의 위치. **6** [C] (수탉 모양의) 바람개비, 풍향계(weathercock). **7** [C] (코끝이) 위로 젖혀짐; 눈을 칩떠보기; (모자챙의) 위로 젖혀짐. **8** [C] 《비어》 음경(陰莖). **9** [C] 《英속어》 실없는〔허튼〕 말: talk a load of old ~ 허튼 소리하다.
go off at half ~ ⇨HALF COCK. (***the***) ~ ***of the walk*** 〔***dunghill***〕 유력자; 두목, 독불장군.
—*vt.* **1** (총의) 공이치기를 당기다. **2** (모자의 챙)을 치켜 올리다; (모자)를 삐딱하게 쓰다. **3** 《+[목]+[부]》 (귀 · 꼬리)를 쫑긋 세우다(*up*): The dog *~ed up* its ears. 개는 귀를 쫑긋 세웠다. **4** 《+[목]+[부]/+[목]+[전]+[명]》 …을 위로 치올리다(*up*); (눈을 치뜨고) 보다《***at*** …을》: ~ *up* one's head 머리를 뒤로 젖히다/He *~ed* his eye *at* her. 그는 그녀에게 눈짓을 했다; 그는 그녀를 득의에 찬 얼굴로 슬쩍 보았다. —*vi.* (개의 꼬리 따위가) 쫑긋〔곧추〕 서다(*up*).
~ ***up*** 《*vt.*+[부]》 ① 쫑긋 세우다(⇨*vt.* 3). ② 《英속어》 …을 실패하다, 엉망으로 만들다. —《*vi.*+[부]》 ③ 쫑긋 서다(⇨*vi.*).

cock[2] *n.* [C] (원뿔 모양의) 건초〔곡물, 두엄, 이암(泥岩), 장작 따위〕의 더미, 가리. —*vt.* (건초 따위)를 원뿔 모양으로 쌓다, 가리다.

cock·ade [kɑkéid/kɔk-] *n.* [C] 꽃 모양의 모표《특히 영국 왕실의 종복용(從僕用)의》.

cock-a-doo·dle-doo [kɑ́kədù:dldú:/kɔ́k-] *n.* [C] 꼬끼오《수탉의 울음소리》; 《소아어》 꼬꼬, 수탉(cock).

cock-a-hoop [kɑ̀kəhú:p/kɔ̀kə-] *a.* [P] 《구어》 의기양양한; 뽐내는, 오만한《***about*** …에 관해서》; 난잡한, 혼란한: He was ~ *about* the birth of his first child. 그는 첫애가 태어나 의기양양했다/The factory was all ~ after the strike. 그 공장은 파업 후 아주 혼란스러워졌다.

cock-a-leek·ie [kɑ̀kəlí:ki/kɔ̀k-] *n.* 《Sc.》 =COCKYLEEKIE.

cóck-and-búll stòry 《구어》 엉터리없는〔터무니없는, 황당무계한〕 이야기.

cock·a·too [kɑ̀kətúː/kɔ̀k-] (*pl.* ~**s**) *n.* Ⓒ **1** 〖조류〗 앵무새의 일종《동인도·오스트레일리아산》. **2** 《Austral.구어》 소농(小農).

cock·a·trice [kɑ́kətris/kɔ́k-] *n.* Ⓒ 한 번 노리기만 하여도 사람이 죽는다는 전설상의 뱀(ⓒⓕ basilisk).

cock·chaf·er [kɑ́ktʃèifər/kɔ́k-] *n.* Ⓒ 〖곤충〗 풍뎅이의 일종.

cóck·cròw, -cròwing *n.* Ⓤ 새벽, 이른 아침, 여명: at ~ 새벽에.

cócked hát 정장용 삼각모《해군장교 등의》; 챙이 젖혀진 모자. ***knock*** 〔***beat***〕 ***into a*** ~ …을 완전히 때려눕히다〔압도하다〕, 완전히 망치게〔잡치게〕 하다.

cock·er *n.* =COCKER SPANIEL.

cock·er·el [kɑ́kərəl/kɔ́k-] *n.* Ⓒ (1살 미만의) 수평아리.

cócker spániel 코커 스패니얼《사냥·애완용 개》.

cóck·èyed *a.* 《구어》 **1** 사팔뜨기의, 사시의. **2** 기울어진, 비뚤어진; (말 따위가) 바보 같은. **3** 취한, 인사불성의.

cóck·fight *n.* Ⓒ 투계, 닭싸움. ⓓ ~**·ing** *n.* Ⓤ 투계.

cóck·hòrse *n.* Ⓒ (장난감) 말(hobbyhorse) 《지팡이나 빗자루 따위》, 흔들목마(木馬). **—***ad.* 걸터타고: ride ~ on a broomstick 빗자루를 걸터타다.

cock·le[1] [kɑ́kəl/kɔ́kəl] *n.* Ⓒ 새조개(의 조가비). ***the*** ~***s of the*** 〔a person***'s***〕 ***heart*** 마음속: The scene delighted 〔warmed〕 *the* ~*s of* my *heart*. 그 광경을 보니 마음이 즐거웠다.

cock·le[2] *n.* Ⓒ 〖식물〗 선옹초《잡초》.

cóckle·shèll *n.* Ⓒ 새조개의 조가비; (바닥이 얕은) 작은 배(=**cócke·bòat**).

cóck·lòft *n.* Ⓒ (조그만) 고미다락방.

°**cock·ney** [kɑ́kni/kɔ́k-] *n.* (종종 C-) **1** Ⓒ 런던내기《특히 East End 방면의》. ⓒⓕ Bow bells. **2** Ⓤ 런던 사투리〔말씨〕. **—***a.* 런던내기(풍)의; 런던 말씨의: speak with a ~ accent 런던 말씨〔사투리〕를 쓰다.

cóck·ney·ìsm *n.* Ⓤ (구체적으로는 Ⓒ) 런던 말씨《'plate'를 [plait], 'house'를 [æus]로 발음하는 따위》.

cóck·pìt *n.* Ⓒ **1** 투계장(鬪鷄場); 싸움터, 전란의 터. **2** (비행기·우주선 따위의) 조종실〔석〕, (요트 따위의) 조타석(操舵席).

cóckpit vóice recòrder 〖항공〗 (조종실) 음성 기록 장치《생략: CVR》.

cock·roach [kɑ́kròutʃ/kɔ́k-] *n.* Ⓒ 〖곤충〗 바퀴.

cócks·còmb *n.* Ⓒ (닭의) 볏; 〖식물〗 맨드라미; 맵시꾼, 멋쟁이(coxcomb).

cóck spárrow 수참새; 건방진 작은 사내.

cóck·súre *a.* 확신하는, 꼭 믿는《***of, about*** …을/***that***》; 독단적인, 자만심이 센: He is so ~ *of* success. 그는 성공하리라 자신만만하다/Don't be so ~ *that* he will succeed. 그가 성공하리라고 너무 믿지는 마라.

cock·swain [kɑ́ksən, -swèin/kɔ́k-] *n.* = COXSWAIN.

°**cock·tail** [kɑ́ktèil/kɔ́k-] *n.* **1** Ⓒ 칵테일《혼합주》. **2** Ⓒ (요리는 Ⓤ) (전채(前菜)로서의) 칵테일 《새우·굴 따위에 소스를 친 전채》: (a) shrimp ~ 새우 칵테일.

cócktail drèss 칵테일 드레스《여성의 약식 야회복》.

cócktail lòunge 칵테일 라운지《호텔·공항 따위에서 칵테일을 제공하는 휴게실》.

cócktail pàrty 칵테일 파티.

cóck·ùp, cóck-ùp *n.* Ⓒ 《英속어》 실수, 실패; 야단법석인 상태.

cocky [kɑ́ki/kɔ́ki] (***cock·i·er; -i·est***) *a.* 《구어》 건방진, 자만심이 센.
ⓓ **cóck·i·ly** *ad.* **-i·ness** *n.*

cock·y·leek·ie, -leeky [kɑ̀kilíːki/kɔ̀k-] *n.* Ⓤ 《Sc.》 부추 넣은 닭고기 수프(cock-a-leekie).

°**co·co** [kóukou] (*pl.* ~**s** [-z]) *n.* Ⓒ 〖식물〗 (코코) 야자수(coconut palm); 그 열매〔씨〕.

‡**co·coa** [kóukou] *n.* **1** Ⓤ **코코아**《cacao 씨의 가루》. **2** Ⓤ 코코아《음료》; Ⓒ 코코아 한 잔. **3** Ⓤ 코코아색, 다갈색. **—***a.* 코코아(색)의.

cócoa bèan 카카오 열매.

cócoa bùtter 카카오 기름《화장품·비누·양초·초콜릿 등의 원료》.

°**co·co(a)·nut** [kóukənʌ̀t] *n.* Ⓒ 코코야자 열매, 코코넛.

coconut ⇨ COCO(A)NUT.

cóconut màtting 코코야자 열매의 섬유로 만든 깔개.

cóconut pàlm 〔**trèe**〕 야자수.

cóconut shỳ 《英》 코코넛 떨어뜨리기《코코넛을 표적 또는 상품으로 함》.

°**co·coon** [kəkúːn] *n.* Ⓒ (누에)고치. **—***vi.* 고치를 만들다. **—***vt.* **1** 고치로 싸다; (고치처럼) 감싸다. **2** (기계 따위)에 보호 피막을 입히다.

co·cóon·ing *n.* Ⓤ 《美》 (여가 시간을 가정에서) 가족과 함께 지내는 주의〔습관〕.

co·cotte [koukɑ́t/-kɔ́t] *n.* 《F.》 Ⓒ **1** 《고어》 (파리의) 매춘부. **2** 소형 내화(耐火) 냄비.

cod[1] [kad/kɔd] (*pl.* ~**s,** 〖집합적〗 ~) *n.* **1** Ⓒ 〖어류〗 대구(codfish). **2** Ⓤ 대구의 살.

cod[2] (**-dd-**) *vt., vi.* 《英속어》 속이다; 놀리다. **—***n.* Ⓒ 사람을 속이기〔놀리기〕.

C.O.D., c.o.d. collect 〔《英》 cash〕 on delivery: send (a thing) ~ 대금 상환으로 보내다.

co·da [kóudə] *n.* 《It.》 Ⓒ 〖음악〗 코다; (소설·연극의) 종결부.

cod·dle [kɑ́dl/kɔ́dl] *vt.* 어하여〔소중히〕 기르다; 뭉근한 불로 삶다.

‡**code** [koud] *n.* Ⓒ **1 법전**: the civil 〔criminal〕 ~ 민법〔형법〕/the code of civil 〔criminal, penal〕 procedure 민사〔형사〕 소송법/the *Code* of Hammurabi 함무라비 법전. **2** (어떤 계급·사회·동업자 등의) 규약, 규칙: the ~ of the school 학칙/a moral ~ 도덕률. **3 신호법; 암호**, 신호; **부호**, 기호: a ~ telegram 암호 전보/a telegraphic ~ 전신 부호/the International *Code* 만국 선박 신호; 만국 공통 전신 부호/break the enemy's ~*s* 적의 암호를 해독하다. **4** 〖컴퓨터〗 코드; 〖유전〗 (생물의 특징을 정하는) 유전암호(genetic ~).
—*vt.* **1** (전문(電文))을 암호로 하다. **2** 〖컴퓨터〗 (프로그램)을 코드화하다.

códe bòok 전신 약호장; 암호책.

co·dec [kóudek] *n.* Ⓒ 〖통신〗 부호기(符號器), 복호기(復號器)《컴퓨터에서 전화 회선을 사용하여 데이터를 송수신하기 위한 기기》. [◂*coder decoder*]

co·deine [kóudiːn] *n.* Ⓤ 〖약학〗 코데인《아편에서 채취되는 진통·진해·수면제》.

códe nàme 암호용 문자〔이름〕, 코드명(名).

códe nùmber 코드 번호.
cod·er [kóudər] *n.* Ⓒ 〖컴퓨터〗 코더《coding 하는 사람》.
códe wòrd =CODE NAME; 《美》 공격적인 뜻을 가진 완곡한 말, 완곡 어구.
co·dex [kóudeks] (*pl.* **-di·ces** [-disìːz]) *n.* Ⓒ (성서 · 고전의) 사본.
cód·fish (*pl.* **∼·es,** 〖집합적〗 ∼) *n.* 〖어류〗 대구(cod).
codg·er [kádʒər/kɔ́dʒər] *n.* Ⓒ 《구어》 괴짜, 괴팍한 사람《주로 노인》.
cod·i·cil [kádəsil/kɔ́d-] *n.* Ⓒ 〖법률〗 유언 보족서(補足書); 〖일반적〗 추가 조항, 부록.
cod·i·fi·ca·tion [kàdəfikéiʃən, kòu-] *n.* Ⓤ (구체적으로는 Ⓒ) 법전 편찬; 성문화, 법전화(化).
cod·i·fy [kádəfài, kóu-] *vt.* 법전으로 편찬하다; 성문화하다.
cod·ling[1]**, -lin** [kádliŋ/kɔ́d-], [-lin] *n.* Ⓒ 갸름한 요리용 사과《영국산》.
cod·ling[2] (*pl.* **∼, ∼s**) *n.* Ⓒ 새끼대구.
cód-liver óil [kádlìvər-/kɔ́d-] 간유.
cod·piece [kádpiːs/kɔ́d-] *n.* Ⓒ (15 – 16 세기의) 남자 바지(breech) 앞의 불룩한 부분.
cò-dríver *n.* Ⓒ (특히 자동차 경주 따위에서) 교대로 운전하는 사람.
cods·wal·lop [kádzwáləp/kɔ́dzwɔ̀ləp] *n.* Ⓤ 《英속어》 어처구니없음, 난센스.
co·ed, co-ed [kóuéd] (*pl.* **∼s**) *n.* Ⓒ 남녀 공학 학교; 《美》 (남녀 공학의) 여학생.
—*a.* Ⓐ 남녀 공학의; 《美》 (남녀 공학의) 여학생의: a ∼ school. [◂*coed*ucational (student)]
co·éditor *n.* Ⓒ 공편자(共編者).
cò·educátion *n.* Ⓤ (남녀) 공학. ⓜ **∼·al** *a.*
cò·effícient *n.* Ⓒ 〖수학 · 물리〗 계수(係數), 율(率); 〖컴퓨터〗 계수: a differential ∼ 미분 계수/a ∼ of expansion 팽창 계수/a ∼ of friction 마찰 계수.
coe·la·canth [síːləkæ̀nθ] *n.* Ⓒ 〖어류〗 실러캔스《현존하는 중생대의 강극어(腔棘魚)의 일종》.
coe·len·ter·ate [siːléntərèit, -rit] *n.* Ⓒ, *a.* 강장동물(의)《히드라 · 해파리 등》.
co·e·qual [kouíːkwəl] *a.*, *n.* Ⓒ 동등한 (사람), 동격의 (사람). ⓜ **∼·ly** *ad.*
co·erce [kouə́ːrs] *vt.* **1** 강요하다, 강제하다(force); (아무)를 강요하여 시키다《*into* …하도록/*to* do》: ∼ obedience 복종을 강요하다/∼ voters with a high hand 고압 수단으로 유권자에게 압력을 가하다/∼ a person *to* drink 〔*into* drink*ing*〕 아무에게 억지로 술을 마시게 하다. **2** (폭력 · 권위 따위로) …을 억압〔구속〕하다, 지배하다.
co·er·cion [kouə́ːrʃən] *n.* Ⓤ 강제; 위압; 압제 정치.
co·er·cive [kouə́ːrsiv] *a.* 강제적인, 위압적인, 고압적인: ∼ measures 강제 수단. ⓜ **∼·ly** *ad.* **∼·ness** *n.*
cò·etérnal *a.* 영원히 공존하는《*with* …와》. ⓜ **∼·ly** *ad.*
co·e·val [kouíːvəl] *a.* 같은 시대의; 동연대의《*with* …와》. **—***n.* Ⓒ 동시대〔동연대〕의 사람〔것〕. ⓜ **∼·ly** *ad.*
cò·evolútion *n.* Ⓤ 〖생물〗 공(共)진화.
cò·exíst *vi.* 같은 때〔장소〕에 존재하다; (평화) 공존하다《*with* …와》.
cò·exístence *n.* Ⓤ 공존(共存)《*with* …와의》; 평화 공존: peaceful ∼ 평화 공존.
ⓜ **∼·ent** *a.* 공존하는.
cò·exténsive *a.* 같은 시간〔공간〕에 걸치는《*with* …와》: The District of Columbia is ∼ *with* the city of Washington. 컬럼비아 특별지구와 워싱턴시는 동일 지역을 점하고 있다.
C. of E. Church of England.
†**cof·fee** [kɔ́ːfi, káfi/kɔ́fi] *n.* **1 a** Ⓤ **커피**; 〖집합적〗 커피 원두: strong 〔weak〕 ∼ 진한〔묽은〕 커피/make ∼ 커피를 끓이다. **b** Ⓒ 커피 한 잔: order four ∼*s* 커피 넉 잔 주문하다/Let's have a ∼. 커피 마시자. **2** Ⓤ 〖집합적〗 커피콩. **3** Ⓤ 커피색, 다갈색.

> **DIAL.** ***Wake up and smell the coffee.*** 《美》 정신 차리고 현실을 보라(←일어나 커피향을 맡아라).
> ***I'd like (to have) coffee.—With your meal or after?*** 커피 주세요—식사와 함께 드릴까요, 식사 후에 드릴까요《레스토랑에서》.
> ***How would you like your coffee, black or with cream?—With cream 〔Black〕, please.*** 커피는 블랙으로 할까요 크림을 넣을까요—크림을 넣어〔블랙으로 해〕 주세요.

cóffee bàr 《英》 다방 겸 경양식점.
cóffee bèan 커피 원두.
cóffee brèak (오전 · 오후의) 커피 (휴게) 시간: take 〔have〕 a ∼ 커피 휴게 시간을 갖다.
cóffee càke 커피케이크《커피와 함께 아침 식사에 먹는 과자, 빵 종류》.
cóffee cùp 커피 잔.
cóffee·hòuse *n.* Ⓒ (가벼운 식사도 할 수 있는) 커피점〔다방〕《영국에서 17 – 18 세기엔 문인 · 정객의 사교장》.
cóffee klàt(s)ch [-klàtʃ/-klæ̀tʃ] 《美》 커피를 마시며 잡담하는 모임, 다과회.
cóffee màker 커피 끓이는 기구.
cóffee mìll 커피 가는 기구.
cóffee mòrning 아침의 커피 파티《종종 모금을 위한》.
cóffee·pòt *n.* Ⓒ 커피포트.
cóffee shòp (호텔 등의 간단한 식당을 겸한) 다실; 커피 원두 파는 가게.
cóffee spòon demitasse cup용의 작은 스푼.
cóffee tàble (소파 따위의 앞에 놓는) 낮은 테이블.
cóffee-table bòok (본문보다 삽화 · 사진이 중심인) coffee table용의 호화로운 책(자).
cóffee trèe 〖식물〗 커피나무.
cof·fer [kɔ́ːfər, káf-] *n.* **1** Ⓒ 귀중품 상자, 돈궤. **2** (*pl.*) 금고; 자산, 재원, 기금(funds): the state ∼*s* 국고. **3** Ⓒ 〖건축〗 (소란반자 등의) 소란(小欄), 정간(井間). **4** =COFFERDAM.
cóffer·dàm *n.* Ⓒ 〖토목〗 (일시적으로 물을 막는) 방축; 잠함(潛函).
°**cof·fin** [kɔ́ːfin, káf-] *n.* Ⓒ 관(棺), 널. **—***vt.* 관에 넣다, 입관하다.
cog [kag/kɔg] *n.* Ⓒ (톱니바퀴의) 이; =COGWHEEL; 《구어》 (기업 · 사업 따위에서) 필요하지만 작은 역할을 하는 사람.
co·gen·cy [kóudʒənsi] *n.* Ⓤ (의론 · 추론의) 설득력.
cò·generátion *n.* Ⓤ 폐열(廢熱) 발전《발전시에 생긴 폐열을 냉난방 · 발전에 이용하는 것》.

co·gent [kóudʒənt] *a.* 적절한, 설득력 있는. ⓟ **~·ly** *ad.*
cogged [kagd/kɔgd] *a.* 톱니바퀴가 달린.
cog·i·tate [kádʒətèit/kɔ́dʒ-] *vi.* 숙고하다, 궁리하다《**about, on, upon** …에 관해서》.
còg·i·tá·tion *n.* Ⓤ (구체적으로는 Ⓒ) 사고력, 숙고: after much ~ 많이 생각한 후에.
cog·i·ta·tive [kádʒətèitiv/kɔ́dʒətə-] *a.* 사고력 있는; 숙고하는; 생각에 잠기는.
co·gi·to er·go sum [kádʒitòu-ə́ːrgousʌ́m] 《L.》 (=I think, therefore I exist.) 나는 생각한다, 그러므로 나는 존재한다《Descartes 의 말》.
co·gnac [kóunjæk, kán-] *n.* Ⓤ (낱개는 Ⓒ) 코냑《프랑스산 브랜디》; (양질의) 브랜디.
cog·nate [kágneit/kɔ́g-] *a.* **1** 조상이 같은, 동족의(kindred)《**with, to** …와》: a family ~ *with* (*to*) the royal family 왕가의 혈족. **2** 같은 기원의; 같은 성질의, 동종의《**with, to** …와》: a science ~ *with* (*to*) economics 경제학과 동종인 과학. **3** 〖문법〗 동족의: ⇨COGNATE OBJECT. **4** Ⓟ 〖언어〗 같은 어원(어족)의《**with, to** …와》.
—*n.* Ⓒ 동계자(同系者); 친족(relative); 외척(inlaw); 기원(성질)이 같은 것; 〖언어〗 같은 어원(어계, 어파)의 말.
cógnate óbject 〖문법〗 동족(同族) 목적어《보기: *live* a happy *life* 의 'life'》.
cog·ni·tion [kagníʃən/kɔg-] *n.* Ⓤ 〖심리 · 철학〗 인식(력 · 작용), 인지.
cog·ni·tive [kágnətiv/kɔ́g-] *a.* 인식(인지)의: ~ power 인식력.
cog·ni·za·ble, -sa- [kágnəzəbəl, kagnái-/kɔ́gnə-] *a.* **1** 인식(인지)할 수 있는. **2** 〖법률〗 (법원의) 관할 내에 있는, 심리되어야 할《범죄 따위》. ⓟ **-bly** *ad.*
cog·ni·zance, -sance [kágnəzəns/kɔ́g-] *n.* Ⓤ 인식; (사실의) 인지; 인식 범위: be (fall, lie) within (beyond, out of) one's ~ 인식(심리, 관할) 범위 내이다(밖이다) /have ~ of …을 알고 있다/take ~ of …을 인정하다; …을 고려에 넣다.
cog·ni·zant [kágnəzənt/kɔ́g-] *a.* Ⓟ 인식하고 있는《**of** …을》: He's ~ *of* his situation. 그는 자기 입장을 인식하고 있다.
cog·no·men [kagnóumən/kɔgnóumen] (*pl.* **~s, *-nom·i·na*** [-námənə/-nɔ́m-]) *n.* Ⓒ 성(姓); 이름, 명칭; 칭호.
cóg ràilway 톱니꼴 레일 철도(rack railway).
cóg·whèel *n.* Ⓒ 〖기계〗 톱니바퀴: ~ railway 아프트식 철도.
co·hab·it [kouhǽbit] *vi.* (주로 미혼 남녀가) 동거 생활하다, 동거하다《**with** …와》; (두 개의 것이) 양립하다. ⓟ **co·hàb·i·tá·tion** [-hæ̀bə-] *n.*
co·hab·i·tate [kouhǽbətèit] *vi.* =COHABIT.
co·hab·it·ee [kouhæ̀bətíː], **co·hab·i·tant** [kouhǽbətənt], **co·hab·i·tor, -it·er** [-hǽbətər] *n.* Ⓒ 동거자.
co·heir [kouɛ́ər] (*fem.* **~·ess** [-ris]) *n.* Ⓒ 〖법률〗 공동 법정 상속인.
°**co·here** [kouhíər] *vi.* **1** 밀착하다; (분자가) 응집(凝集)하다. **2** (문체 · 이론 등이) 조리가 서다, 시종일관하다.
co·her·ence, -en·cy [kouhíərəns], [-ənsi] *n.* Ⓤ (문체 · 이론 등의) 조리, 시종일관성: (a) lack of ~ 일관성의 결여/lack ~ 일관성이 없다.
°**co·her·ent** [kouhíərənt] *a.* **1** 밀착한, 서로 엉겨붙은. **2** (의론 등이) 시종일관된, 조리가 닿는; 명석한. ⓟ **~·ly** *ad.*
co·he·sion [kouhíːʒən] *n.* Ⓤ 점착(粘着), 결합(력); 〖물리〗 (분자의) 응집(력).
co·he·sive [kouhíːsiv] *a.* 점착력이 있는, 밀착(결합)하는; 〖물리〗 응집성의. ⓟ **~·ly** *ad.* **~·ness** *n.*
co·hort [kóuhɔːrt] *n.* Ⓒ **1** 〖고대로마〗 보병대《300-600 명으로 구성》. ⓒⓕ legion. **2** (흔히 *pl.*) 군대. **3** 《美》 친구, 동료. **4** 〖통계〗 코호트《통계 인자를 공유하는 집단; 동시 출생 집단 등》; 〖생물〗 코호트《보조적인 분류상 계급의 하나》.
COI, C.O.I. 《英》 Central Office of Information (중앙 공보국).
coif [kɔif] *n.* Ⓒ (수녀 등의) 두건; (옛 병사가 투구 밑에 쓴) 금속제 쓰개. **—***vt.* **1** …에게 coif 를 씌우다. **2** [kwaːf] 조발(調髮)하다.
coif·feur [kwaːfə́ːr] *n.* 《F.》 Ⓒ (남자) 이발사.
coif·feuse [kwaːfə́ːz] *n.* 《F.》 Ⓒ 여자 미용사.
coif·fure [kwaːfjúər] *n.* 《F.》 Ⓒ 머리형; 조발(調髮). **—***vt.* 조발하다.
coign(e) [kɔin] *n.* Ⓒ (벽 따위의) 돌출한 모서리, 뿌다구니. ***a* ~ *of vantage*** (관찰 · 행동 따위에) 유리한 지위.
*****coil**[1] [kɔil] *n.* Ⓒ **1 사리**, 소용돌이. **2** (밧줄 · 철사 등의) 감은 것; 그 한 사리; 피임 링; 곱슬머리. **3** 〖전기〗 코일.
—*vi.* 《+뷔/+전+명》 **사리를 틀다**, 고리를 이루다(*up*); 감기다《**round, around** …의 주위에》; 꿈틀꿈틀 움직이다(나아가다): The snake *~ed up*. 뱀이 사리를 틀었다/The snake *~ed around* (*round*) its victim. 뱀은 먹이를 휘감았다. **—***vt.* 《~+목/+목+뷔/+목+전+명》 **똘똘 말다**(감다), 사리다(*up*); 똘똘 휘감다《**round, around** …의 주위에》: ~ a rope (*up*) 로프를 둘둘 감다/The snake *~ed* itself *up*. 뱀은 서리었다/He *~ed* a wire *around* (*round*) a stick. 그는 막대기에 철사를 똘똘 감았다.
coil[2] *n.* Ⓒ 《고어 · 시어》 혼란, 소란; 번거로움. ***shuffle off this mortal* ~** 이 속세의 번거로움을 벗어버리다; 죽다.
******coin** [kɔin] *n.* **1 a** Ⓒ (낱낱의) **경화**(硬貨), 주화: a copper ~ 동전/a gold (silver) ~ 금화(은화). **b** Ⓤ 《구어》 돈, 금전: Much ~, much care. 《속담》 돈이 많으면 걱정도 많다. **2** Ⓤ 〔집합적〕 경화: pay in (with) ~ 경화로 지급하다/change a pound note for ~, 1 파운드 지폐를 경화로 바꾸다.
pay a person (***back***) ***in*** his ***own* ~** =***pay*** a person ***back in the same* ~** 《구어》 아무에게 대갚음하다. ***the other side of the* ~** (일의) 다른 한 면, 역(逆)의 입장: Yes, that's true; but we must look at *the other side of the* ~. 확실히 그렇기는 하다만 다른 면도 살펴보지 않으면 안 된다.
—*vt.* **1** (화폐)를 주조하다(mint); (지금(地金))을 화폐로 주조하다. **2** (신어 · 신표현)을 만들어내다: a newly *~ed* word 신조어(新造語).
~ *a phrase* 새 표현을 만들어내다: to ~ *a phrase* 〔반어적〕 참신한 표현을 쓴다면《상투적인 말을 할 때 쓰는 구실》. **~ (*the*) *money* (*it*) (*in*)** 《英구어》 자꾸 돈을 벌다.
°**coin·age** [kɔ́inidʒ] *n.* **1** Ⓤ 화폐 주조; 화폐 제도. **2** Ⓤ 〔집합적〕 주조 화폐; (한 나라(시대)의 경화. **3** Ⓤ (낱말 등의) 신조; Ⓒ 신(조)어.

cóin bòx (공중 전화 따위의) 동전 상자; 공중 전화 (박스).

*__co·in·cide__ [kòuinsáid] *vi.* 《~/+[전]+[명]》 **1** 동시에 같은 공간을 차지하다, (장소가) 일치하다; **동시에 일어나다**《*with* …와》: The centers of concentric circles ~. 동심원의 중심은 일치한다/The two events ~*d with* each other. 두 사건이 동시에 발생했다. **2** (둘 이상의 일이) 부합〔일치〕하다; (의견·취미·행동 따위가) 맞다, 조화〔부합〕하다《*with* …와》: The jurymen ~*d* in opinion. 배심원은 의견이 일치했다/His words don't ~ *with* his deeds. 그의 언행은 일치하지 않는다/My ideas ~ *with* yours. 내 생각은 네 생각과 일치한다. [SYN.] ⇨AGREE. ◇ coincidence *n.*

*__co·in·ci·dence__ [kouínsədəns] *n.* **1** [U] (구체적으로는 [C]) (우연의) **일치**, 부합; 우연의 일치. **2** [U] **동시 발생**: the ~ of two accidents 두 사고의 동시 발생. ◇ coincide *v.*

co·in·ci·dent [kouínsədənt] *a.* 일치〔부합〕하는; 동시에 일어나는《*with* …와》: ~ accidents 동시에 일어난 사고/hold ~ views 일치된 견해를 갖다/His death was ~ *with* her birth. 그의 사망 시기와 그녀의 출생 시기가 같았다.
[파] **~·ly** *ad.* =COINCIDENTALLY.

co·in·ci·den·tal [kouìnsədéntl] *a.* (우연의) 일치에 의한; 부합하는; 동시에 일어나는: It was ~ that she arrived when he did. 그가 도착했을 때 그녀가 도착한 것은 우연의 일치였다.
[파] **~·ly** *ad.* 일치〔부합〕하여, 동시에.

cóin·er *n.* [C] 화폐 주조자; 《英》 사전(私錢)꾼(《美》 counterfeiter); (신어 등의) 안출자.

cóin·òp [-ɑ̀p/-ɔ̀p] *n.* [C] 《英》 (동전식) 자동 세탁기〔판매기〕(=**cóin-òperated**).

cò·insúrance *n.* [U] 공동 보험.

coir [kɔiər] *n.* [U] 야자 껍질의 섬유《로프·돗자리 등을 만듦》.

co·i·tion [kouíʃən] *n.* [U] 교접(交接), 성교.

co·i·tus [kóuitəs] *n.* [U] =COITION.
[파] **có·i·tal** *a.*

Coke, coke[1] [kouk] *n.* [U] (낱개는 [C]) 《구어》 코카콜라《상표명》.

coke[2] *n.* [U] 코크스. **—***vt., vi.* 코크스로 만들다〔되다〕.

coke[3] *n.* 《속어》 =COCAINE.

cóke·hèad *n.* [C] 《美속어》 코카인 중독자.

col [kɑl/kɔl] *n.* [C] (산과 산 사이의) 안부(鞍部), 고갯마루, 산협.

Col. Colombia; Colonel; Colorado; 〖성서〗 Colossians; Columbia. **col.** collected; collector; college; colonel; colony; color(ed); column.

col- [kəl, kɑl/kəl, kl] *pref.* =COM-《l자 앞에 씀》.

co·la[1] [kóulə] *n.* [C] 〖식물〗 콜라《아프리카산》.

co·la[2] COLON[2]의 복수형의 하나.

COLA [kóulə] 《美》 cost-of-living adjustment(s) (생계비 조정 (제도)).

col·an·der, cul·len- [kʌ́ləndər, kɑ́l-], [kʌ́l-] *n.* [C] 물 거르는 장치, 여과기.

col·chi·cum [kɑ́ltʃikəm/kɔ́l-] *n.* [C] 〖식물〗 콜키쿰; [U] 그 구경(球莖)이나 씨로 만든 마약.

†**cold** [kould] *a.* **1 a 추운, 찬**, 차게 한. ↔ *hot.* ¶a ~ day 추운날/It's bitterly ~. 되게 춥다. **b** 오싹한, 소름끼치는: My body went ~ with fear. 두려워서 온몸이 오싹했다.
[SYN.] **cold** 추운. **chilly** 쌀쌀하고 아주 추운. **cool** 서늘한, 적당히 추운.
2 냉정한, 냉담한; 냉혹한, 무정한. ↔ *warm.* ¶a ~ manner 냉담한 태도/~ reason 냉정한 이성.
3 a (마음이) 내키지 않는: She was ~ to the advance. (결혼) 제의에 대해서 냉담했다. **b** 관심을〔흥미를〕 보이지 않는: a ~ audience 무관심한 청중/She leaves me ~. 그녀는 나에게 아무런 흥미〔감명〕도 주지 않는다.
4 《구어》 (구타·쇼크 따위로) 의식을 잃은; 죽은, 싸늘해진: knock a person (out) ~ 아무를 때려 실신시키다.
5 (관능적으로) 불감증의; 《속어》 (여성이) 성교를 혐오하는.
6 흥을 깨는, 시들한, (분위기가) 쌀쌀한; (자극·맛이) 약한: ~ news 언짢은 소식.
7 〖미술〗 찬 색의; 〖수렵〗 (냄새가) 희미한: ~ colors 한색(寒色)《청색·회색 따위》.
8 (스포츠·경기에서) 득점 없는.
9 [P] 《구어》 (찾는 물건·알아맞히기 놀이에서) 어림이 빗나간: You're getting ~(*er*). (찾는 물건·해답 따위에서) (점점) 멀어지고 있다.
have 〔(《美》) ***get***〕 a person ~ 《구어》 (약점을 잡아) 아무를 마음대로 주무르다. ***have*** 〔***get***〕 ***~ feet*** ⇨COLD FEET. ***in ~ blood*** ⇨BLOOD. ***make*** a person***'s blood run ~*** 아무를 오싹하게 하다. ***throw*** 〔***pour***〕 ***~ water on*** 〔***over***〕 (계획 따위)에 트집을 잡다, 찬물을 끼얹다: His boss is always *throwing ~ water on* his proposals, even when they are very good. 그의 상사는 그의 제안이 아주 훌륭한 것일 때조차 언제나 흠을 잡곤 한다.
—*ad.* **1** 《美구어》 아주(entirely), 완전히, 확실히: refuse a person's offer ~ 아무의 제의를 딱 거절하다. **2** 《구어》 준비 없이; 예고 없이: quit a job ~ 돌연 사직하다.
—*n.* **1** [U] (보통 the ~) **추움**, 한랭. ↔ *heat.* ¶shiver with (the) ~ 추위에 떨다/feel the ~ 추위를 느끼다/die from ~ 얼어 죽다.
2 [C] (때로 [U]) **감기**, 고뿔: a ~ sufferer 감기 걸린 사람/have a (bad) ~ (악성) 감기에 걸려 있다/a head ~ =a ~ in the head 〔nose〕 코감기/catch (a) ~ 감기에 걸리다《★ catch의 경우 《美》에서는 형용사가 붙지 않으면 보통 관사 없이 씀》/Don't give me your ~. 나한테 감기 옮기지 마라.
come 〔***bring*** a person〕 ***in from*** 〔***out of***〕 ***the ~*** 고립〔무시〕된 상태에서 빠져 나오다〔나오게 하다〕. (***out***) ***in the ~*** 《구어》 따돌림받아, 무시당해: They left me *in the ~*. 그들은 나를 따돌렸다.

cóld áir màss 〖기상〗 한랭기단(寒冷氣團).

cóld-blóoded [-id] *a.* **1** 냉혈의《물고기 등》; 냉성의: a ~ animal 냉혈 동물. **2** 냉혹한, 냉담한, 냉혈적인. ↔ *warm-blooded.* [파] **~·ly** *ad.* 냉담하게; 냉정히. **~·ness** *n.*

cóld bòot 〖컴퓨터〗 콜드 부트《컴퓨터를 처음에 전원을 넣어 시동시키거나 켜져 있는 것을 일단 껐다 다시 켜는 것》.

cóld-cáll *n.* [C] (살 만한 손님에게 하는) 권유 전화〔방문〕. **—***vt.* (살 만한 손님)에게 권유 전화하다; 권유 방문하다.

cóld chìsel (상온에서 금속을 자르거나 깎는) 끌.

cóld crèam 콜드크림.

cóld cùts 얇게 저민 냉육(冷肉)과 치즈로 만든 요리.
cóld féet 《구어》 겁내는 모양, 도망칠 자세. ***have* (*get*) ~** 겁을 먹다.
cóld físh 쌀쌀한 사람.
cóld fràme 『원예』 콜드 프레임, 냉상(冷床)《식물을 보호하기 위한 구조물》.
cóld frònt 『기상』 한랭 전선. ↔ *warm front*.
cóld·héarted [-id] *a.* 냉담한, 무정한. ㊞ **~·ly** *ad.* **~·ness** *n.*
cold·ish [kóuldiʃ] *a.* 《구어》 약간 추운; 으슬으슬한.
cóld líght 무열광(無熱光)《인광·형광 등》.
°cóld·ly *ad.* **1** 차게, 춥게. **2** 냉랭하게, 냉정하게, 냉담하게: turn away ~ 냉정하게 떠나다.
°cóld·ness *n.* Ⓤ **1** 추위, 차가움. **2** 냉랭함, 냉담, 냉정: with ~ 냉정히.
cóld pàck 냉습포; (통조림의) 저온 처리.
cóld shóulder (*sing.*; 보통 the ~) 《구어》 냉대; 무시: give (show, turn) the ~ to a person 아무에게 냉담(무정)하게 대하다.
cóld-shóulder *vt.* 《구어》 냉대(무시)하다.
cóld snàp 한파(寒波); 갑작스러운 한랭.
cóld sòre 『의학』 (코감기·열병 따위로) 입가에 나는 발진(發疹)(fever blister).
cóld stárt 『컴퓨터』 콜드 스타트, 첫시작《처음에 전원 스위치를 넣어서 컴퓨터 시스템을 시동시키는 것》.
cóld stéel 날붙이《칼·총검 등》.
cóld stórage (식품·약품 등의) 냉장; (계획 따위의) 보류, 동결: put a problem into ~ 문제를 일시 보류하다.
cóld swéat (a ~) 식은땀: in a ~ 식은땀을 흘리며.
cóld túrkey 《美구어》 **1** (약물 치료 없이) 갑자기 마약을 끊기; 갑작스런 금연(금주). **2** 《부사적》 무뚝뚝하게; 준비 없이, 갑자기: give a speech ~ 준비 없이 연설하다.
cóld wár (흔히 the C- W-) 냉전. ↔ *hot war*.
cóld-wáter *a.* Ⓐ **1** 냉수의(를 쓰는). **2** 온수 공급 설비가 없는《아파트 등》: a ~ flat.
cóld wàve **1** 『기상』 한파. ↔ *heat wave*. **2** 콜드 파마.
cole [koul] *n.* Ⓒ 『식물』 평지속(屬)의 식물《양배추·평지 따위》.
co·le·op·te·ra [kàliáptərə, kòul-/kɔ̀liɔ́p-] *n. pl.* 『곤충』 갑충류(甲蟲類), 초시류(鞘翅類). ㊞ **cò·le·óp·ter·ous** [-rəs] *a.*
Cole·ridge [kóulәridʒ] *n.* **Samuel Taylor ~** 콜리지《영국의 시인·비평가; 1772-1834》.
cole·slaw [kóulslɔ̀ː] *n.* Ⓤ 양배추 샐러드.
co·le·us [kóuliəs] *n.* Ⓒ 『식물』 콜레우스《꿀풀과의 관엽 식물》.
cóle·wòrt *n.* =COLE.
col·ic [kálik/kɔ́l-] *n.* Ⓤ (흔히 the ~) 『의학』 복통, 배앓이; 산통(疝痛). ㊞ **cól·icky** [-i] *a.*
col·i·se·um [kàlisíːəm/kɔ̀l-] *n.* **1** Ⓒ 대형 체육관, (대)경기장. **2** (the C-) =COLOSSEUM.
co·li·tis [kəláitis, kou-] *n.* Ⓤ 『의학』 대장염, 결장염.
coll. colleague; collected; collect(ion); collective(ly); college; colloquial.
col·lab·o·rate [kəlǽbərèit] *vi.* **1** 공동으로 일하다, 협력(협동)하다; 합작하다, 공동 연구하다; 공동으로 하다《***with*** …와; ***on, in*** (일 따위)를》: ~ *on* a work *with* a person 아무와 공동으로 일을 하다/I ~*d with* him *in* writing a play. 나는 그와 공동으로 희곡을 썼다. **2** (자기편을 배반하고) 협력하다《***with*** (점령군·적국 따위)에》: ~ *with* an enemy 적에게 협력하다.
col·làb·o·rá·tion *n.* **1 a** Ⓤ 협력, 협동, 원조, 공동 연구: in ~ with …와 협력하여. **b** Ⓒ 합작, 공저. **2** Ⓤ 이적 행위.
col·lab·o·ra·tor [kəlǽbərèitər] *n.* Ⓒ 협력자, 합작자, 공저자(共著者); 이적 행위자.
col·lage [kəláːʒ] *n.* 《F.》 Ⓤ 『미술』 콜라주《인쇄물 오려낸 것·눌러 말린 꽃·헝겊 등을 화면(畫面)에 붙이는 추상 미술의 수법》; Ⓒ 그 작품.
col·la·gen [kálədʒən/kɔ́l-] *n.* Ⓤ 『생화학』 교원질(膠原質), 콜라겐《결합 조직의 성분》: ~ disease 교원병(膠原病).
col·lap·sar [kalǽpsaːr/kɔl-] *n.* =BLACK HOLE.
***col·lapse** [kəlǽps] *vi.* **1** (건물·지붕 따위가) **부서지다, 무너지다**, 붕괴하다, 내려앉다; (풍선·타이어 따위가) 찌부러지다, 터지다. **2** (제도·계획 따위가) 무산되다, 실패하다; (교섭 따위가) 결렬되다; (가격이) 폭락하다: The negotiations have ~*d*. 교섭은 결렬되었다/The price of rice ~*d* within a year. 쌀 값이 1년 내에 폭락했다. **3** (사람이 과로·병 등으로) 쓰러지다, 실신하다; (체력·건강이 갑자기) 쇠약해지다; (폐 따위가 산소 부족으로) 허탈해지다《무공기 상태가 되다》: He ~*d* on the job. 그는 일하던 도중에 쓰러졌다/His health has ~*d*. 그의 건강이 갑자기 쇠약해졌다. **4** (의자 따위가) 접어지다.
—*vt.* 무너뜨리다, 붕괴시키다; (기구)를 접다; (폐·혈관 등)을 허탈케 하다: ~ a folding chair 접의자를 접다.
—*n.* **1** Ⓤ 붕괴, 와해; (제도의) 도괴; (계획의) 좌절; (가격의) 폭락; (가치·효력 따위의) 소실, 급락: the ~ of prices 물가의 폭락. **2** Ⓤ (구체적으로는 Ⓒ) (건강의) 쇠약; 의기소침; 『의학』 허탈: suffer a nervous ~ 신경 쇠약에 걸리다.
col·láps·i·ble *a.* (가구 따위가) 접는(조립)식의: a ~ chair 접의자.
‡col·lar [kálər/kɔ́lər] *n.* Ⓒ **1 칼라**, 깃: grab (seize, take) a person by the ~ 아무의 멱살을 잡다/He turned up the ~ of his coat. 그는 코트 깃을 세웠다. **2** (훈장의) 경식장(頸飾章); (여성복의) 깃장식; (개 등의) 목걸이; 목에 대는 마구(馬具). **3** (동물의 목둘레의) 변색부. **4** 『기계』 칼라, 이음고리. **5** 속박; 《美구어》 체포: in the ~ 속박되어/wear (take) a person's ~ 아무의 명령에 따르다/They finally put the ~ on that notorious dope dealer. 당국은 마침내 그 악명 높은 마약 밀매업자를 체포하였다.
***hot under the* ~** 《구어》 화가 나서; 흥분하여; 당혹하여: Don't get *hot under the* ~. 그렇게 흥분하지 마라.
—*vt.* **1** …에 깃을(목걸이를) 달다. **2** 《구어》 …의 목덜미를 잡다; 붙잡다, 체포하다; (난폭하게) 붙들다. **3** 《구어》 붙들어 세우고 이야기하다. **4** 《속어》 훔치다, 슬쩍하다.
cóllar·bòne *n.* Ⓒ 『해부』 쇄골(鎖骨).
col·lard [kálərd/kɔ́l-] *n.* Ⓒ 『식물』 kale의 한 변종; (*pl.*) 그 잎《식용》.
cóllar stùd 《英》 칼라 단추.
col·late [kəléit, kou-, káleit] *vt.* **1** 맞추어 보다, 대조하다《***with*** …와》: ~ the latest *with* the earliest edition 신판본을 초판본과 대조하다. **2** 『제본』 (책 따위)의 페이지 순서를 확인하다.

col·lat·er·al [kəlǽtərəl/kɔl-] *a*. **1** 평행한; 부차(2차)적인; 부수적인: a ~ surety 부(副)보증인/~ circumstance 부수 사정. **2** 방계(傍系)의. ㏄ lineal. ¶~ relatives 방계 친족. **3** 【상업】 담보로 한: a ~ loan 담보부 대출/a ~ security 근저당; 부가 저당물《약속 어음 지급의 담보로서 내놓는 주권 따위》. **—***n*. **1** Ⓒ 방계친(傍系親), 분가(分家). **2** Ⓒ 부대(附帶) 사실〔사정〕. **3** Ⓤ (또는 a ~) 담보물: as (a) ~ for a loan 대출 담보로서. ㊕ **~·ly** *ad*. **~·ness** *n*.

collàting séquence 【컴퓨터】 조합(組合) 순서《일련의 데이터 항목의 순서를 정하기 위해 쓰는 임의의 논리적 순서》.

col·lá·tion *n*. **1** Ⓤ 대조(조사). **2** Ⓒ 【가톨릭】 (단식일에 점심 또는 저녁 대신에 허용되는) 가벼운 식사.

col·la·tor [kəléitər, kou-, káleitər] *n*. Ⓒ **1** 대조〔교정〕자. **2** 【제본】 낙장 유무를 조사하는 사람〔기계〕. **3** 【컴퓨터】 (천공 카드의) 조합기(組合機).

***col·league** [káli:g/kɔ́l-] *n*. Ⓒ (주로 관직 · 전문 직업의) **동료**; 동업자. SYN. ⇨COMPANION.

‡**col·lect**[1] [kəlékt] *vt*. **1** 《~+목/+목+전+명》 **모으다**, 수집하다: ~ stamps for a hobby 취미로 우표를 수집하다/~ materials *into* a volume 자료를 모아서 한 권의 책을 만들다. SYN. ⇨GATHER.

2 (세금 · 기부금 · 요금 따위)를 징수〔수금〕하다, 모으다: ~ a bill 대금〔요금〕을 징수하다.

3 (생각)을 집중〔정리〕하다; (용기)를 불러일으키다; 〖~ oneself〗 마음을 가라앉히다, 기력을 차리다: He *~ed himself* before getting up onto the platform. 그는 연단에 오르기 전에 마음을 가라앉혔다.

4 《구어》 (수화물 따위)를 받으러 가다〔받아오다〕, (사람)을 부르러〔맞으러〕 가다: Don't forget to ~ your umbrella. 맡겨 놓은 우산을 잊지 말고 찾아 가세요/I'll ~ you at seven. 7시에 마중 나가겠다. ◇ collection *n*.

—*vi*. **1 모이다**, 모아지다: A crowd had *~ed* at the scene of the accident. 사고 현장에 많은 사람들이 모여 있었다. **2** 《+전+명》 (눈 · 쓰레기 따위가) 쌓이다《*on* …위에》: Dust *~s on* the shelf. 선반에 먼지가 쌓인다. **3** 《+전+명》 기부금을 모으다《*for* …의》; 모금하다《*for* …을 위해》: She went *~ing for* a charity. 그녀는 자선 사업을 위해 모금하러 갔다.

—*a*., *ad*. 《美》 수취인 지급의〔으로〕(《英》 carriage forward): send a telegram ~ 수취인 지급으로 전보를 치다.

col·lect[2] [kálekt/kɔ́l-] *n*. Ⓒ 【가톨릭】 본기도(本祈禱)《말씀의 전례 직전의 짧은 기도》.

col·léct·a·ble, -i·ble *a*. 모을〔징수할〕 수 있는. **—***n*. Ⓒ (흔히 *pl*.) (문화적인) 수집품《옛 도구 따위》.

col·léct·ed [-id] *a*. 모은, 수집한; 침착한, 냉정한: the ~ edition (한 가지의) 전집/~ papers 논문집. ㊕ **~·ly** *ad*.

‡**col·lec·tion** [kəlékʃən] *n*. **1 a** Ⓤ (또는 a ~) **수집**, 채집: the ~ *of* stamps 우표 수집/a fine ~ *of* paintings 회화의 훌륭한 수집/make a ~ *of* books about cricket 크리켓에 관한 책을 수집하다. **b** Ⓒ (우편물의) 회수. **2** Ⓒ 수집〔채집〕물, (표본 · 미술품 따위의) 소장품; 【복식】 컬렉션《고급 복식점의 신작 발표회, 또 그 작품 전체》: He has a good ~ *of* jazz records. 그는 재즈 레코드를 많이 수집해 갖고 있다/The museum's ~ *of* French paintings is famous. 그 미술관에 수집돼 있는 프랑스 그림들은 유명하다. **3** Ⓒ 수금, 징세; 모금, 기부금, 헌금: A ~ will be made for the fund. 그 자금을 위해 기부금이 모금될 것이다. **4** Ⓒ (흔히 *sing*.) 쌓인 것, 퇴적: a ~ *of* soot in a chimney 굴뚝에 낀 검댕. ◇ collect *v*.

◇**col·lec·tive** [kəléktiv] *a*. **1** 집합적; 【문법】 집합의. **2** 집단적; 공동의: ~ property 공유 재산/a ~ note (여러 나라가 서명한) 공동 각서/~ ownership 공동 소유권. **—***n*. Ⓒ **1** 집단, 공동체; 집단 농장. **2** 【문법】 집합명사(~ noun). ㊕ **~·ly** *ad*.

colléctive báragaining 〔agréement〕 (노사의) 단체 교섭〔협약〕.

colléctive fárm (소련의) 집단 농장, 콜호즈.

colléctive frúit 【식물】 집합과(集合果)《오디 · 파인애플 따위》.

colléctive nóun 【문법】 집합명사《crowd, people 따위》.

colléctive secúrity (유엔의) 집단 안전보장.

colléctive uncónscious 【심리】 (개인의 마음에 잠재하는) 집단〔보편적〕 무의식.

col·lec·tiv·ism [kəléktəvìzəm] *n*. Ⓤ 집산(集産)주의《토지 · 생산 수단 따위를 국가가 관리함》.

col·lec·tiv·i·ty [kàlektívəti/kɔ̀l-] *n*. **1** Ⓤ 집단성; 집합성; 공동성. **2** Ⓒ 집단, 집합체. **3** Ⓤ 〖집합적〗 민중, 인민.

col·lec·tiv·ize, 《英》 **-ise** [kəléktəvàiz] *vt*. 집산주의적으로 하다; 집단 농장화하다.

***col·lec·tor** [kəléktər] *n*. Ⓒ **1** 〖흔히 복합어〗 **수집자**〔가〕; 채집자: an art ~ 미술품 수집가. **2 수금원**; 징세원; 징집인; 세관원: a bill ~ 수금원. **3** 수집기〔장치〕; 【전기】 집전기(集電器): a solar ~ 태양열 집열 장치.

colléctor's ìtem 〔pìece〕 수집가의 흥미를 끄는 물건, 일품.

col·leen [káli:n, kalí:n/kɔ́li:n] *n*. Ⓒ 《Ir.》 소녀.

†**col·lege** [kálidʒ/kɔ́l-] *n*. **1** Ⓤ (시설은 Ⓒ) **칼리지**, 대학《미국에서는 보통 종합대학(university)에 대하여 단과대학을 가리키나, 그 구별이 엄격하지는 않음; 영국에서는 public school의 이름에도 씀》: go to 〔attend〕 ~ 대학에 다니다/be at 〔《美》 in〕 ~ 대학에 재학 중이다/Where do you go to ~? =What ~ do you go to? 어느 대학에 다니느냐.

2 Ⓒ 《英》 학료(學寮)《대학의 구성 단위를 이루고, 많은 학료가 모여 university를 구성함》.

3 Ⓤ (시설은 Ⓒ) 《英》 퍼블릭 스쿨(public school): Eton *College*/Winchester *College*.

4 Ⓒ 특수 전문 학교: a ~ of music 음악 학교/a ~ of education 교원 대학/the Royal Naval *College* 《英》 해군 사관 학교.

5 Ⓒ 단체, 협회: the *College of* Surgeons 외과 의사회.

the College of Arms =***the Heralds' College*** 《英》 계보 문장원(系譜紋章院). ***the College of Cardinals*** =***the Sacred College*** 【가톨릭】 추기경단. ***work*** one***'s way through*** ~ 학비를 벌어서 대학을 졸업하다.

cóllege bòards 《美》 대학 입학 자격시험: take (the) ~.

cóllege pùdding 《英》 1 인분씩의 작은 plum pudding.

cóllege trý 〖the old ~로〗 《美》 (팀 · 모교를

위한) 최대한의 노력; 학생 시절을 연상케 하는 노력: give it *the old* ~ 학생 시절로 돌아간 기분으로 노력하다.

col·le·gian [kəlíːdʒiən] *n.* [C] college 의 학생〔졸업생〕.

col·le·giate [kəlíːdʒit, -dʒiit] *a.* college(의 학생)의; 대학 정도의; (대학이) 학료 조직의: a ~ life 대학 생활 / a ~ dictionary 대학생용 사전.

collégiate chúrch 《美》 합동 교회《여러 교회의 연합》; 〖영국국교회〗 대성당《bishop 이 아니고 dean 이 관리하는 성당》.

*__col·lide__ [kəláid] *vi.* 《~/+[전]+[명]》 **1 충돌하다,** 부딪치다《*with* …와; *against* …에》: The boat ~*d with* a rock. 보트는 바위와 충돌하였다. **2** (의견 · 이해 등이) 일치하지 않다, 상충〔저촉〕되다《*with* …와》: We ~*d with* each other over politics. 우리는 서로 정치에 대한 견해가 달랐다. ◇ collision *n.*

col·lie [káli/kɔ́li] *n.* [C] 콜리《원래 양 지키는 개; 스코틀랜드 원산》.

col·lier [káljər/kɔ́l-] *n.* [C] 《英》 탄갱부; 석탄선; 석탄선의 선원.

col·liery [káljəri/kɔ́l-] *n.* [C] 《英》 탄갱, 채탄소.

*__col·li·sion__ [kəlíʒən] *n.* **1** [U] (구체적으로는 [C]) **충돌**; 격돌《*with* …와의; *against* …에의》; (의견 · 이해 따위의) 대립, 불일치: His car had a ~ *with* a truck. 그의 차는 트럭과 충돌했다 / come into ~ (with) (…와) 대립하다. **2** [C] 〖컴퓨터〗 부딪힘. ◇ collide *v.*

collísion còurse 1 (그대로 나가면 다른 물체와 충돌하게 될) 충돌 진로. **2** 《비유적》 (의견의) 충돌이 불가피한 형편〔상황〕.

col·lo·cate [kálǝkèit/kɔ́l-] *vt.* 한곳에 두다, 나란히 놓다; (적절히) 배치〔배열〕하다. **—** *vi.* 〖문법〗 연어를 이루다《*with* …와》.

còl·lo·cá·tion *n.* **1** [U] 병치(竝置); 배열, 배치; (문장 속의) 말의 배열. **2** [C] 〖문법〗 연어(連語).

col·loid [kálɔid/kɔ́l-] *n.* [U] 〖화학〗 콜로이드, 교상체(膠狀體), 교질(膠質). ↔ *crystalloid.* **—** *a.* 콜로이드(모양)의. ㊕ **col·loi·dal** [kəlɔ́idl] *a.*

colloq. colloquialism; colloquial(ly).

◇**col·lo·qui·al** [kəlóukwiəl] *a.* 구어〔회화〕(체)의. ㊕ **~·ìsm** *n.* [U] 구어체, 회화체; [C] 구어적 표현. **~·ly** *ad.* 구어로, 회화체로.

col·lo·quy [káləkwi/kɔ́l-] *n.* [C] 대화, 대담《*with* …와의; *between* …간의》.

col·lo·type [kálǝtàip/kɔ́l-] *n.* [U] 콜로타이프(판)《사진 제판의 하나》; [C] 콜로타이프 인쇄물.

col·lude [kəlúːd] *vi.* (은밀히) 결탁하다, 공모하다《*with* …와》. ◇ collusion *n.* collusive *a.*

col·lu·sion [kəlúːʒən] *n.* [U] 공모, 담합《*with* …와의; *between* …간의》; 〖법률〗 통모(通謀): act in ~ *with* …와 공모하여 행동하다 / the partics in ~ 통모 소송의 당사자.

col·lu·sive [kəlúːsiv] *a.* 공모의, 담합의: a ~ agreement on prices 가격 협정.
㊕ **~·ly** *ad.* **~·ness** *n.*

col·ly·wob·bles [káliwàblz/kɔ́liwɔ̀b-] *n. pl.* (the ~) 〖단 · 복수취급〗 《구어》 신경성 복통, 복명(腹鳴); 정신적 불안: I always get the ~ before an exam. 시험 전에는 항상 정신적으로 불안하다.

Colo. Colorado.

Co·logne [kəlóun] *n.* **1** 쾰른《독일의 Rhine 강변에 있는 도시; 독일 철자 Köln》. **2** (c-) [U] 오드콜로뉴(= ∠ **wàter**)《Cologne 원산의 화장수》.

Co·lom·bia [kəlʌ́mbiə] *n.* 콜롬비아《남미의 공화국; 수도 Bogotá》. ㊕ **-bi·an** [-biən] *a., n.* [C] 콜롬비아의; 콜롬비아 사람(의).

*__co·lon__[1] [kóulən] *n.* [C] **콜론**《: 의 기호; 구두점의 하나》. [cf.] semicolon.

> [NOTE] 콜론(:)은 다음과 같은 용도에 쓰인다.
> (1) 대구(對句) 사이, 설명구 · 인용구 앞에.
> (2) 시간 · 분 · 초를 나타내는 숫자 사이에: 10 : 35 : 40, 10시 35분 40초 / the 9 : 10 train 9시 10분발 열차.
> (3) 성서의 장과 절 사이에: Matt. 5 : 6 마태복음 5장 6절.
> (4) 대비를 나타내는 숫자 사이에: 4 : 3, 4대 3《★ four to three 라 읽음》.

co·lon[2] (*pl.* **~s, *co·la*** [kóulə]) *n.* [C] 〖해부〗 결장(結腸). ㊕ **co·lón·ic** *a.*

co·lon[3] [kouloun] (*pl.* ***co·lo·nes*** [-eis], **~s**) *n.* [C] 콜론《코스타리카 및 엘살바도르의 화폐 단위》.

*__colo·nel__ [kə́ːrnəl] *n.* [C] 《美》 (육군 · 공군 · 해병대의) **대령;** 《英》 (육군의) 대령.

Cólonel Blímp 거만하고 반동적인 중년 군인〔정부 관리〕; 〖일반적〗 반동적 인물.

*__co·lo·ni·al__ [kəlóuniəl] *a.* **1** [A] **식민(지)의;** 식민지풍의: a ~ policy 식민지 정책. **2** [A] (종종 C–) 《美》 식민지 시대의; 식민지 시대풍의: (the) ~ days 〔era〕 미국의 영국 식민지 시대 / ~ architecture 미국 초기의 건축 양식. **3** 〖생물〗 군락〔군체(群體)〕의. ◇ colony *n.* **—** *n.* [C] 식민지 주민.
㊕ **~·ìsm** *n.* [U] 식민(지화) 정책; 식민지풍〔기질〕. **~·ist** *n.* [C], *a.* 식민지주의자(의). **~·ly** *ad.*

◇**col·o·nist** [kálənist/kɔ́l-] *n.* [C] 식민지 주민, 해외 이주민, 입식자, 식민지 개척자.

◇**col·o·ni·za·tion** [kàlənizéiʃən/kɔ̀lənaiz-] *n.* [U] 식민지 건설, 식민지화.

◇**col·o·nize,** 《英》 **-ise** [kálənàiz/kɔ́l-] *vt., vi.* 식민지로 만들다; 식민시키다; 입식(入植)하다; 이식하다. ㊕ **-nìz·er** [-ər] *n.* [C] 식민지를 개척하는 나라; 식민지 개척자; 이민.

col·on·nade [kàlənéid/kɔ̀l-] *n.* [C] **1** 〖건축〗 (지붕을 받치는) 열주(列柱), 주랑. **2** 가로수. [cf.] avenue.

‡**col·o·ny** [káləni/kɔ́l-] *n.* [C] **1 식민지;** (the Colonies) (영국이 미국에 최초에 건설한) 동부 13주의 식민지. **2** 〖집합적; 단 · 복수취급〗 식민; 이민단. **3** 거류지; 거류민; …인(人) 거리: the Italian ~ in New York 뉴욕의 이탈리아인 거리. **4** (같은 인종 · 동업자 따위의) 집단 거주지, 부락(部落): a ~ of artists =an artists' ~ 미술가 부락. **5** 〖생태〗 콜로니; 〖생물〗 군체(群體).

col·o·phon [káləfàn/kɔ́ləfən, -fɔ̀n] *n.* [C] (옛날 책의) 간기(刊記), 판권 페이지. ***from title page to*** **~** (책을) 첫 장부터 끝장까지《읽다 따위》. [cf.] (from) cover to cover.

†**col·or,** 《英》 **-our** [kʌ́lər] *n.* **1 a** [U] (구체적으로는 [C]) **색, 빛깔,** 색채: fundamental 〔primary〕 ~*s* 원색 / fading 〔fast〕 ~ 바래기 쉬운 〔바래지 않는〕 색 / ⇨ SECONDARY COLOR / Her hair is (of) a chestnut ~. 그녀의 머리 색은 밤색이다 / What ~ is your car? =What is the ~ of your car? 네 차는 무슨 색이냐? **b** [U] 색조; (광선 · 그림 · 묵화 따위의) 명암.

[SYN] **color**는 '색'을 뜻하는 일반적인 말. **hue**는 color에 대한 문어적인 말. 때때로 color는 mix the colors처럼 원색에, hue는 a reddish hue처럼 혼합색에 쓰임. **shade**는 색의 농담·명암의 정도에 쓰임. **tint**는 엷은 빛깔에 쓰임.

2 a [U] (회화 따위의) 착색, **채색**: a movie in ~ 천연색 영화. **b** [C] (보통 *pl.*) 그림물감, 안료: oil ~*s* / paint in bright ~*s* 밝은 색으로 칠하다.

3 a [U] (또는 a ~) **안색**, 혈색: have no ~ 핏기가 없다 / gain ~ 혈색이 좋아지다 / lose ~ 핏기가 가시다, 창백해지다, 색이 바래다. **b** [U] (얼굴의) 붉은 기; 홍조: *Color* showed in her face. 그녀의 얼굴이 붉어졌다.

4 [U] (피부) 빛, 유색, 《특히》 흑색; 〔집합적〕 유색 인종, 《특히》 흑인: a person of ~ 유색인, 흑인 / ~ prejudice 흑인에 대한 편견.

5 [U] (지방의) **특색**; (개인의) 개성; (음의) 음색; (문학 작품 따위의) 뉘앙스, 문채(文彩): local ~ 지방색.

6 a [U] (또는 a ~) 겉보기, 눈비음, 외관, …의 맛: some ~ of truth 다소의 진실한 맛 / take on a different ~ 다른 양상을 띠다. **b** [U] 구실: a favor rendered under ~ of affection 애정이란 이름으로 이루어지는 보삼핌.

7 (*pl.*) (학교·단체·팀의 표지로서의) 기장, 배지, 색리본; 단체색; 무색옷《색깔 옷》.

8 a (*pl.*) **국기**; 군기, 함기, 선박기: salute the ~*s* 국기에 대해 경례하다. **b** (the ~s) 군대: join 〔follow〕 the ~*s* 군에 입대하다 / serve (with) the ~*s* 군에 복무하다.

9 [C] (*pl.*) 〖보통 one's true ~s 로〗 입장; 본성, 본색: see things in their *true* ~*s* 사물의 진상을 보다.

lay on the ~s (too thickly) (더덕더덕) 분식(粉飾)하다; 과장해서 말하다. ***lower* 〔*haul down, strike*〕 one*'s ~s*** 항복하다; 주장을 철회하다. ***nail* one*'s ~s to the mast*** 태도를 분명히 하다, 결심을 꺾지 않다. ***off ~*** 기분이 개운찮은, 꺼림칙한; 안색이 나쁜, 건강이 좋지 않은; 퇴색한: You look *off* ~. 안색이 나빠 보인다 / I feel a little *off* ~. 기분이 좀 나쁘다. ***paint*** (a thing) ***in bright* 〔*dark*〕 *~s*** 칭찬하여〔헐뜯어〕 말하다; 낙관〔비관〕적으로 말하다. ***see the ~ of*** a person***'s money*** 아무의 지급 능력〔주머니 사정〕을 확인하다. ***stick* 〔*stand*〕 *to* one*'s ~s*** 자기의 주의를 굳게 지키다. ***take* one*'s ~ from*** …을 흉내내다. ***under false ~s*** (배가) 국적을 속이고; 위선적으로. ***with flying ~s*** 깃발을 휘날리며; 공을 이루어; 당당히: He sailed through the exam *with flying ~s*. 그는 당당하게 시험에 합격했다.

—*vt.* **1** 《~+[목]/+[목]+[전]+[명]/+[목]+[보]》 …에 **착색**〔**채색**〕**하다**; 물들이다(dye)《***with*** …으로》: They ~*ed* the Easter eggs. 그들은 부활절 달걀에 색을 칠했다 / water ~*ed with* a blue dye 파랑 물감으로 물든 물 / She ~*ed* the box red. 그녀는 그 상자를 빨갛게 칠했다. **2** …에 색채〔광채〕를 더하다; …을 분식(粉飾)하다; 윤색하다; …에 영향을 끼치다: The interpretation of facts is often ~*ed* by prejudice 사실의 해석은 종종 편견으로 왜곡된다. **3** 특색〔특징〕짓다: Love of nature ~*ed* all of the author's writing. 자연에 대한 사랑이 그 저자의 전 작품의 특징이었다. **—***vi.* **1 빛을 띠다**, (색으로) 물들다. **2** 얼굴을 붉히다.

col·or·a·ble [kʌ́lərəbəl] *a.* 착색할 수 있는; 그럴듯한, 겉보기의, 거짓의. [파] **-bly** *ad.*

Col·o·ra·do [kɑ̀lərǽdou, -rɑ́ː-/kɔ̀lərɑ́ː-] *n.* 콜로라도《미국 서부에 있는 주(州); 생략: Colo., Col., CO》; (the ~) 콜로라도 강《Grand Canyon으로 유명》.

Colorádo (potáto) bèetle 옆줄잎벌레《감자의 해충》.

Colorádo Sprı́ngs 콜로라도 스프링스《미국 Colorado주 중동부의 도시; 온천 보양지; 미국 공군 사관 학교 소재지》.

col·or·ant [kʌ́lərənt] *n.* [U] 착색제(劑).

col·or·a·tion [kʌ̀ləréiʃən] *n.* [U] 착색, 배색, 채색; 착색법; (생물의) 천연색: protective ~ 보호색.

col·o·ra·tu·ra [kɑ̀lərətjúərə, kʌ̀l-/kɔ̀l-] *n.* 《It.》 [U] 〖음악〗 콜로라투라《성악곡의 장식적인 부분》; [C] 콜로라투라 가수.

cólor bàr = COLOR LINE.

cólor·bèarer *n.* [C] 기수(旗手).

cólor-blı̀nd *a.* 색맹의; 《美》 피부색으로 인종 차별을 않는; 인종 편견이 없는.

cólor blı̀ndness 색맹.

color·cast [kʌ́lərkæ̀st, -kɑ̀ːst] *n.* [C] 컬러 방송. **—***vt., vi.* 컬러 텔레비전 방송을 하다.

cólor còde 색 코드《전선 등을 식별하는 데 쓰이는 색분류 체계》.

cólor-còde *vt.* (식별을 위해 유형·종류 따위)를 색으로 분류하다.

◇**cól·ored** *a.* **1** 착색한, 채색된. **2** 〖보통 합성어〗 …색의: cream-~ 크림색의. **3** 유색(인)의, 《특히》 흑인의: ~ people. **4** 수식한《문체 따위》; (사실을) 과장한. **5** 편견의, 색안경으로 본: a ~ view 비뚤어진 견해, 편견.

cólor·fàst *a.* 색이 바래지 않는. [파] **~·ness** *n.*

cólor·field *a.* (추상화에서) 색채면이 강조된.

⁑**col·or·ful** [kʌ́lərfəl] *a.* **1 색채가 풍부한**, 다채로운; 극채색(極彩色)의: ~ folk costumes 다채로운 민속 의상. **2** 호화로운, 화려한. **3** 발랄한; 생기 있는: a ~ description 생생한 묘사. [파] **~·ly** *ad.* **~·ness** *n.*

cólor guàrd 《美》 군기 호위병; 기수.

◇**cól·or·ing** [-riŋ] *n.* **1** [U] 착색(법); 채색(법). **2** [U] (낱개는 [C]) 안료, 그림물감, 색소: food ~ 식용 색소. **3** [U] (얼굴의) 혈색, 안색.

col·or·ist [kʌ́lərist] *n.* [C] 채색하는 사람; 머리에 물들이는 미용사; 채색을 잘하는 화가〔디자이너 따위〕.

col·or·i·za·tion [kʌ̀lərizéiʃən, -aiz-] *n.* [U] 전자 채색《흑백 영화를 컬러 영화로 재생하는 기법》.

col·or·ize [kʌ́ləràiz] *vt.* 컬러화하다, 천연색으로 바꾸다《특히 컴퓨터를 이용하여 옛날 흑백 영화를》.

◇**cól·or·less** *a.* **1** 퇴색한, 흐릿한; 무색의. **2** 핏기가 없는, 창백한. **3** 정채(精彩)가 없는, 특색이 없는; 재미없는. [파] **~·ly** *ad.* **~·ness** *n.*

cólor lı̀ne 〔**distı́nction**〕 《美》 (정치·사회적인) 흑인과 백인의 차별: draw the ~ 인종 차별하다.

cólor schème (실내 장식·복식(服飾) 따위의) 색채 배합 (설계).

cólor sùpplement 《英》 (신문 따위의) 컬러 부록 페이지〔잡지〕.

cólor télevision 컬러 텔레비전《방송, 수상기》.

cólor wàsh 수성(水性) 페인트〔도료〕.

cólor·wásh *vt.* 수성 페인트〔도료〕를 바르다.

co·los·sal [kəlɑ́səl/-lɔ́sl] *a.* **1** 거대한; colossus와 같은. 2 《구어》 어마어마한, 굉장한: ~ fraud 어머어마한 사기. ㊕ ~·ly *ad*.

Col·os·se·um [kɑ̀ləsíːəm/kɔ̀lə-] *n*. (the ~) 콜로세움《로마의 큰 원형 경기장》.

Co·los·sian [kəlɑ́ʃən/-lɔ́ʃ-] *a*. 골로사이(사람)의. —*n*. **1** Ⓒ 골로사이 사람. **2** (the ~s) 〔단수취급〕 『성서』 골로새서(書)《신약성서 중의 한 편; 생략: Col.》.

co·los·sus [kəlɑ́səs/-lɔ́s-] (*pl*. **-si** [-sai], **~·es**) *n*. **1** Ⓒ 거상(巨像); 거인, 거대한 물건; 위인. **2** (the C-) Rhodes 섬에 있는 Apollo 신의 거상《세계 7대 불가사의 중의 하나》.

co·los·to·my [kəlɑ́stəmi/-lɔ́s-] *n*. Ⓤ (구체적으로는 Ⓒ) 『의학』 인공 항문 형성(술).

colour ⇨COLOR.

Colt [koult] *n*. Ⓒ 콜트식 자동 권총《상표명》.

***colt** *n*. Ⓒ **1 망아지**《특히 4살쯤까지의 수컷》. ㊂ filly. ★ 성장한 말로서 작은 말은 pony. **2** 《구어》 **애송이**, 미숙한 자, 신출내기.

col·ter [kóultər] *n*. Ⓒ (보습 앞에 단) 풀 베는 날.

colt·ish [kóultiʃ] *a*. 망아지 같은; 장난치는. ㊕ ~·ly *ad*. ~·ness *n*.

cólts·fòot (*pl*. **~s**) *n*. Ⓒ 『식물』 머위.

Co·lum·bia [kəlʌ́mbiə] *n*. **1** 《시어》 미국. **2** 컬럼비아《미국 South Carolina의 주도》. ≠ Colombia. **3** (the ~) 컬럼비아 강.

Co·lum·bi·an [kəlʌ́mbiən] *a*. 미국의.

col·um·bine [kɑ́ləmbàin/kɔ́l-] *n*. **1** Ⓒ 『식물』 매발톱꽃. **2** (C-) 『연극』 광대 Harlequin의 아내역(役).

co·lum·bi·um [kəlʌ́mbiəm] *n*. ＝NIOBIUM.

Co·lum·bus [kəlʌ́mbəs] *n*. **Christopher ~** 콜럼버스《아메리카 대륙을 발견한 이탈리아의 탐험가; 1451?-1506》.

Colúmbus Dày 《美》 콜럼버스 기념일《여러 주에서 10월 제2월요일을 법정휴일로 함》.

‡**col·umn** [kɑ́ləm/kɔ́l-] *n*. Ⓒ **1 기둥**, 원주, 지주; 기둥 모양의 물건: a ~ *of* smoke 한 줄기의 연기/the ~ of the nose 콧대/the spinal ~ 척추, 등뼈/a ~ *of* water 〔mercury〕 물기둥〔수은주〕. **2** 『인쇄』 단(段); 『신문』 칼럼, **난**: ad ~*s* 광고란/in our 〔these〕 ~*s* 본란에서, 본지에서. **3** 『수학』 (행렬식의) 열. **4** 『군사』 종대; (함선의) 종렬: in ~*s* of fours 〔sections, platoons, companies〕 4열 〔분대, 소대, 중대〕 종대로. **5** 『컴퓨터』 세로(칸), 열.
dodge the ~ 《英구어》 의무를 게을리하다.
㊕ ~ed *a*. 원주의〔가 있는〕; 기둥꼴의.

co·lum·nar [kəlʌ́mnər] *a*. 원주(모양)의; 원주로 된.

co·lum·ni·a·tion [kəlʌ̀mniéiʃən] *n*. Ⓤ 두리기둥 사용(법); 원주식 구조.

***col·um·nist** [kɑ́ləmnist/kɔ́l-] *n*. Ⓒ (신문·잡지의) **특별 기고가**.

col·za [kɑ́lzə/kɔ́l-] *n*. Ⓒ 『식물』 평지의 일종.

COM [kɑm/kɔm] 『컴퓨터』 computer-output microfilm(er) 《콤, 컴퓨터 출력 마이크로필름 (장치)》.

com- [kəm, kɑm/kəm, kɔm] *pref*. '함께, 전혀' 의 뜻《b, p, m의 앞》.

Com. Commander; Committee; Commodore.

com. comedy; comic; comma; commerce; commercial; commission; committee; common(ly); communication; community.

co·ma[1] [kóumə] *n*. Ⓒ 『의학』 혼수(昏睡)(상태): in a ~ 혼수 상태에 빠져/go 〔fall〕 into a ~ 혼수 상태에 빠지다.

co·ma[2] (*pl*. **-mae** [miː]) *n*. Ⓒ 『천문』 코마《혜성의 핵 둘레의 대기》; 『식물』 씨(에 난) 솜털.

Co·man·che [koumǽntʃiː] (*pl*. **~, ~s**) *n*. (the ~(s)) (북아메리카 인디언 중의) 코만치족; Ⓒ 코만치족 사람; Ⓤ 코만치어(語).

com·a·tose [kóumətòus, kɑ́m-] *a*. **1** 『의학』 혼수성의, 혼수 상태의, 인사불성의. **2** 졸린; 활기〔생기〕 없는, 멍한.

***comb** [koum] *n*. **1 a** Ⓒ **빗**, 빗질하는 기구; 소면기(梳綿機); 빗 모양의 물건. **b** (a ~) 빗질. **2** Ⓒ (닭의) 볏; (물마루·산마루의) 볏 모양의 것. **3** Ⓒ 벌집(honeycomb).
—*vt*. **1** (머리카락·동물의 털 따위)를 **빗질하다**, 빗다: ~ one's hair 머리를 빗다. **2** 《+목+전+명》 빗처럼 사용하다: ~ one's finger *through* one's hair 손가락으로 머리를 빗질하다. **3** 《+목+전+명》 (얽힌 것)을 빗질하여 풀다; 빗질하여 제거하다《비유적으로도 씀》《***from, out of*** …에서》: The coward was ~*ed from* the group. 겁쟁이가 그룹에서 제거되었다. **4** 《+목+전+명》 (장소)를 철저히〔샅샅이〕 뒤지다《***for*** …을 찾기 위해》: She ~*ed* the files *for* the missing letter. 그녀는 없어진 편지를 찾느라고 서류철을 샅샅이 뒤졌다. —*vi*. (파도가) 흰 물결을 일으키며 치솟다〔흩어지다〕: ~*ing* waves 치솟는 흰 물보라.
~ ***out*** 《*vt*.+부》 (머리)를 빗다, 빗질하여 매만지다; (불순물 따위)를 골라내다, 제거하다; 불필요한 인원을 정리하다; 철저히 수색하다; 면밀히 조사하다. ~ ***through*** 《*vt*.+부》 ① (머리)를 공들여 빗다(⇨ *vt*. 2). ② …을 샅샅이 뒤지다〔조사하다〕: ~ *through* a report 보고서를 철저히 조사하다.

comb. combination; combined.

°**com·bat** [kɑ́mbæt, kʌ́m-] *n*. Ⓤ (구체적으로는 Ⓒ) **1** 전투: close ~ 백병전. **2** 격투, 결투, 싸움: a single ~ 일대 일의 싸움, 결투/do ~ with …와 싸우다. SYN. ⇨FIGHT.
— [kəmbǽt, kɑ́mbæt, kʌ́m-] (**-tt-**) *vt*. …와 싸우다, …을 상대로 항쟁하다; 을 없애려고 노력하다: ~ organized crime 조직 범죄와 싸우다/~ one's laziness 게으름을 없애려고 노력하다. —*vi*. 싸우다, 투쟁하다《***with, against*** …와; ***for*** …을 위해》: ~ *with* a crippling disease 지독한 병과 싸우다/~ *for* freedom of speech 언론의 자유를 위해 싸우다.

°**com·bat·ant** [kəmbǽtənt, kɑ́mbət-, kʌ́m-] *a*. 싸우는; 교전 중의; 전투에 임하는; 호전적인. —*n*. Ⓒ 전투원; 투사, 격투자. ↔ *noncombatant*. ¶a ~ officer 전투병과 장교.

cómbat fatìgue 〔**exhàustion**〕 (장기전으로 인한) 전투 피로증.

com·bat·ive [kəmbǽtiv, kɑ́mbətiv, kʌ́m-] *a*. 전쟁〔싸움〕을 좋아하는, 호전적인; 투쟁적인. ㊕ ~·ly *ad*. ~·ness *n*.

cómbat jàcket ＝BATTLE JACKET.

comb(e), coomb(e) [kuːm] *n*. Ⓒ 《英》 험하고 깊은 골짜기; 산허리의 골짜기.

cómb·er *n*. Ⓒ 빗질하는 사람; 빗질하는 틀, 소모기(梳毛機); 밀려오는 물결, 큰 물결.

‡**com·bi·na·tion** [kɑ̀mbənéiʃən/kɔ̀m-] *n*. **1 a** Ⓤ (구체적으로는 Ⓒ) **결합, 짜맞추기**; (색 등의) 배합: in ~ with …와 결합하여/be 〔make〕 a good ~ 좋은 짝이다〔짝이 되다〕. **b** Ⓒ 결합한〔짜맞춘〕 것: a ~ of letters 문자의 짜맞춤〔편성〕. **2**

a Ⓤ 연합, 동맹, 제휴《*with* …와의》: in ~ *with* …와 제휴〔협력〕하여 / enter into ~ *with* …와 제휴하다. **b** Ⓒ 연합체, 공동체. **3** (*pl.*) 《英》 콤비네이션《아래위가 붙은 속옷》. **4** 【화학】 Ⓤ 화합; Ⓒ 화합물. **5** Ⓒ 【수학】 조합, 결합. **6** Ⓒ (자물쇠 따위를 열기 위해) 맞추는 숫자〔문자〕; =COMBINATION LOCK. ◇ combine *v.*

combinátion lòck 숫자 맞춤 자물쇠.

⁑**com·bine** [kəmbáin] *vt.* **1** 《~+목/+목+전+명》 …을 **결합시키다, 연합**〔합병, 합동〕**시키다,** 한데 묶다, 협력하게 하다《*with* …와; *into* …으로》: ~ two companies 두 회사를 합병하다 / Let's ~ our efforts. 함께 노력합시다 / Opera ~*s* music and drama. 가극은 음악과 연극을 결합시킨다 / You should ~ your language ability *with* your business skills. 너는 어학력을 너의 사업 기능과 결부시켜야만 한다 / ~ two parties *into* one 두 정당을 하나로 합치다. SYN. ⇨JOIN. **2** 《~+목/+목+전+명》 …을 **겸하다,** 겸비〔겸직〕하다, 아울러 가지다《*with* (다른 것)과》: ~ work *with* pleasure 일에 재미도 겸하게 하다 / She ~*s* marriage and a career very ably. 그녀는 가정생활과 직장생활을 둘 다 잘 꾸려가고 있다. **3** 《~+목/+목+전+명》 【화학】 화합시키다《*with* (다른 물질)과》: The acid and alkali are ~*d* to form salt. 산과 알칼리는 화합하여 소금이 된다 / ~ mercury and oxygen 수은과 산소를 화합시키다 / ~ oxygen *with* hydrogen 산소와 수소를 화합시키다.

—*vi.* **1** 《~/+부/+전+명》 **결합하다,** 합동하다; **연합하다, 합체**〔합병〕**하다,** 협력하다 (*together*) 《*with* …와; *against* …에 대항하여》: The two firms ~*d* (*together*) to attain better management. 그 두 회사는 경영의 합리화를 위하여 합병하였다 / The company ~*d with* its closest competitor. 그 회사는 가장 경쟁 상태에 있던 라이벌 회사와 합병했다 / The two nations ~*d* (*together*) *against* their common enemy. 두 나라는 그들의 공동 적에 대항하여 연합했다. **2** 《+전+명》 【화학】 화합하다《*with* …와》: Hydrogen ~*s with* oxygen to form water. 수소는 산소와 화합하여 물이 된다. ◇ combination *n.*

— [kámbain/kɔ́m-] *n.* Ⓒ 《美구어》 기업 합동, 카르텔; (정치상의) 합동. cf. syndicate.

com·bíned *a.* Ⓐ **1** 결합〔연합, 화합, 합동〕한: a ~ squadron 연합 함대. **2** 【화학】 화합한.

cómbine hàrvester 복식 수확기《베고 탈곡하는 기능을 겸비한》.

comb·ing [kóumiŋ] *n.* **1** Ⓤ (구체적으로는 Ⓒ) 소모; 빗질하는 것: give one's hair regular ~*s* 여느 때처럼 머리를 빗다. **2** (*pl.*) 빗질하여 빠진 머리카락.

combíning fòrm 【문법】 (말의) 연결형(連結形)《복합어를 만드는 연결 요소; 예: Chino-Russian의 Chino- 따위》.

com·bo [kámbou/kɔ́m-] (*pl.* ~**s**) *n.* Ⓒ **1** 《구어》 결합, 연합. **2** 〖집합적; 단·복수취급〗 《구어》 캄보《작은 편성의 재즈밴드》.

com·bùs·ti·bíl·i·ty *n.* Ⓤ 연소력, 가연성.

◇**com·bus·ti·ble** [kəmbʌ́stəbəl] *a.* 타기 쉬운, 연소성의; (성격이) 격하기 쉬운. **—***n.* Ⓒ (보통 *pl.*) 연소물, 가연물.

◇**com·bus·tion** [kəmbʌ́stʃən] *n.* Ⓤ 연소; (유기체의) 산화(酸化); 흥분, 소동: spontaneous ~ 자연 발화.

com·bus·tive [kəmbʌ́stiv] *a.* 연소(성)의.

comdg. commanding. **Comdr.** Commander. **Comdt.** Commandant.

†**come** [kʌm] (***came*** [keim]; ***come***) *vi.* **1** 《~/+*to* do/+전+명/+doing》 **오다;** (상대방에게 또는 상대방이 가는 쪽으로) **가다.** ★ come, go는 각기 '오다', '가다'라는 우리말과 반드시 일치하지는 않음; go는 출발점을 중심으로 하며, come은 첫째 말하는 사람에게로 누군가가 올 때, 둘째 상대방 중심으로 상대방이 생각하는 곳으로 이동할 때 씀. ¶ *Come* here. 이리 오세요 / *Come* this way, please. 이쪽으로 오십시오 / I'm *coming* in a minute. 지금 곧 가겠다《네가 있는 곳에》/ I'm *coming* with you. 함께 가겠다《네가 가는 쪽으로》/ John! Supper is ready! — Yes, (I'm) *coming*. 존, 저녁 준비 다 됐다 — 네, 곧 갑니다 / He's soon *coming* home. 그는 곧 돌아온다《★비교: I'm *going* home. 집으로 갑니다《지금 내가 있는 곳에서》》/ Please ~ *to* see me. = Please ~ and see me. =《美구어》 Please ~ see me. 놀러 오십시오《★ 현재 시제일 경우에는 to 없는 원형을 쓰는 경우가 있음》/ Will you ~ *to* the dance tonight? 오늘 밤 댄스파티에 오시지 않겠습니까 / Some children *came* running. 몇 명의 아이들이 달려왔다.

2 《~/+전+명/+부》 도착하다, 도달하다(arrive): He hasn't ~ yet. 그는 아직 오지 않았다 / They *came to* a fountain. 그들은 샘이 있는 곳에 도달했다 / The train is *coming in* now. 열차가 지금 들어오고 있다.

3 a 《~/+전+명》 (시기·계절 등이) 도래하다, 돌아오다, 다가오다; (순서로서) 오다: Winter has ~. 겨울이 왔다《★ Winter is come.은 문어》/ Dawn *came* at six. 6시에 날이 샜다 / His hour has ~. 그의 임종의 때가 왔다 / My turn has ~. 내 차례가 왔다 / Coffee will ~ after the meal. 식사 후에는 커피가 나올 것이다. **b** 〖to ~의 꼴로 명사뒤에 두어〗 앞으로 올, 장래〔미래〕의: the years *to* ~ 다가올 세월 / the world *to* ~ 미래의 세계, 내세 / in time(s) *to* ~ 장차.

4 《~/+전+명》 이르다, 미치다, 닿다《*to* …에(까지)》: The dress ~*s to* her knees. 옷이 그녀의 무릎까지 닿는다.

5 《~/+전+명》 (감정·생각·눈물 따위가) 보이다, 나타나다, 떠오르다《*to, into* …에》: The light ~*s* and goes. 빛이 나타났다가는 사라진다 / A smile *came to* his lips. 그의 입가에 미소가 떠올랐다 / A good idea *came to* me. 좋은 생각이 떠올랐다 / Tears *came into* her eyes. 그녀의 눈에 눈물이 글썽거렸다.

6 《~/+전+명》 옮아가다, 손에 들어오다《*from* …에서; *to* …으로》; (상품을) 팔고 있다《*in* (…형태)로》; 공급되다: His fortune *came to* him *from* his father. 그의 재산은 아버지로부터 물려받은 것이었다 / Easy ~, easy go. 《속담》 쉽게 얻는 것은 쉽게 잃는다 / Toothpaste ~*s in* a tube. 치약은 튜브에 넣어 판다 / Meat ~*s* packaged *in* plastic wrap. 고기는 플라스틱에 포장되어 판다.

7 《~/+전+명/+*that* 절》 (일이) **생기다, 일어나다;** (일·운명 등이) 닥치다, 찾아오다《*to* …에게》: After pain ~*s* joy. 고생 끝에 낙이 있다 / Success ~*s to* those who strive. 성공은 노력하는 자의 것이 된다 / I am ready for whatever ~*s*. 무슨 일이 일어나도 대비가 되어 있다 / Everything ~*s to* those who wait. 《속담》 기다리노라면 볕들 날이 있다 / How ~*s* it 〔How does it

~〕 *that* you didn't know the news? 네가 그 소식을 몰랐다니 어떻게 된 거야.
8 〖양태부사와 함께〗 (일이) 진척되다, 처리되다: How is your report *coming*? 보고서는 어떻게 되어가지〔진척되고 있는가〕.
9 《~/+전+명》 (사물이) 세상에 나타나다, 생기다, 이루어지다; (아이가) 태어나다: The wheat began to ~. 밀이 싹트기 시작하였다/The butter will not ~. (아무래도) 버터가 되지 않는다/A chicken *~s from* an egg. 알에서 병아리가 깬다.
10 《+전+명》 발생하다, 원인이 있다《***of, from*** …에서》: The civilization of Egypt *came from* the Nile. 이집트 문명은 나일강에서 발생했다/Your illness *~s of* drinking too much. 네 병은 과음이 원인이다/Cultural prejudices *~ from* ignorance. 문화적 편견은 무지에서 생긴다.
11 《+전+명》 〖보통 현재형〗 **출신〔자손〕이다**, 태생이다《***from, of*** …의》: I *~ from* Seoul. 서울 출신이다《I *came from* Seoul.은 「서울에서 왔다」의 뜻》/She *~s of* a good family. 양가 태생이다.
12 《+*to* do》 **…하게 되다**, …하기에 이르다: How did you *~ to* know that? 어떻게 그것을 알게 되었느냐.
13 《+전+명/+보/+*done*》 …이 되다, 이르다《***to, into*** (…의 상태)로》; 달하다, 귀착하다《***to*** …으로》; (예언·예감이) 들어맞다: *~ into* sight 보이기 시작하다/*~ into* use 사용할 수 있게 되다/*~ into* play 활동하기 시작하다/*~ to* a conclusion 결론에 도달하다/Your bill *~s to* $20. 계산은 20달러가 됩니다/What you say *~s to* this. 요컨대 이렇다는 뜻이지/~ true (꿈이) 현실이 되다/Things will ~ all right. 만사가 잘 될 것이다/~ untied 〔undone〕 풀어지다.
14 〖감탄사적; 명령·재촉·제지·주의 따위〗 **자**, 이봐: *Come*, tell me all about it. 자, 그것을 나에게 모두 말해다오/*Come*, that will do. 그만, 그것으로 됐어.
15 〖가정법 현재를 접속사적으로 써서〗 …이 오면: He will be six ~ April. 그는 4월이 오면 여섯 살이 된다《if April come(s) …의 뜻에서》/*Come* summer and we shall meet again. 여름이 오면 다시 만나자.
16 《속어》 오르가슴에 달하다.
—*vt.* **1** 하다, 행하다, 성취하다: He cannot ~ that. 그는 그것을 못 한다. **2** 《구어》 …인 체하다, …인 것처럼 행동하다: ~ the moralist 군자인 체하다/~ the swell 잘난 체하다. ★ 보통 정관사 붙은 명사가 따름.
as ... as they ~ 특별히 뛰어나게 …한: The baby is *as* cute *as they* ~. 참으로 귀여운 아이다. ***~ about*** 《*vi.*+부》 ① (일이) 일어나다, 생기다; 〖it을 주어로〗 …하게 되다《***that***》: *It came about that* he was asked to resign. 그는 사직을 요청받게 되었다/How did the accident ~ *about*? 그 사고는 어떻게 해서 일어났느냐. ② (바람 방향이) 바뀌다. ③ 〖항해〗 (배가) 뱃머리를 바람이 불어오는 쪽으로 돌리다. ***~ across*** 《*vi.*+전》 ① …을 가로지르다: He *came across* the street to where I stood. 그는 길을 가로질러서 내가 서 있는 곳으로 왔다. ② (생각 따위가 머리)에 떠오르다: The thought *came across* my mind that .... …라는 생각이 문득 머리에 떠올랐다. ③ (뜻밖에) …을 만나다, …을 발견하다: I *came across* a very interesting book at that bookshop. 저 서점에서 아주 흥미있는 책을 발견했다. **—** 《*vi.*+부》 ④ 가로지르다, 건너다. ⑤ (말·소리가) 전해지다, 이해되다: His lecture *came across* well. 그의 강의는 충분히 이해되었다. ⑥ (연극 등이) 인기를 얻다, 호평을 받다. ⑦ 인상을 주다《***as*** …라는; ***to*** (아무)에게》: He *came across* (*to* us) *as* arrogant. 그는 우리에게 거만한 인상을 주었다. ⑧ 《속어》 건네다, 주다, 갚다《***with*** (요구하는 돈·정보 등)을》: ~ *across with* the rent 집세〔사용료〕를 주다. ***~ after*** ① …을 찾으러 오다; …의 뒤를 잇다(⇨*vi.* 3). ② …의 뒤를 좇다: He *came after* me with a gun. 그는 총을 갖고 나를 뒤쫓아 왔다. ***~ again*** 《*vi.*+부》 ① 다시 오다, 되돌아오다. ② 다시 자세히 말하다. ***~ along*** 《*vi.*+부》 ① 오다; 함께 오다, 따라가다, 동행하다《***with*** …와》: He *came along with* me. 그는 나와 함께 왔다. ② 〖명령형〗 따라와, 자 빨리. ③ 〖명령형〗 힘내, 더 잘 해봐. ④ 〖명령형〗 《英구어》 설마, 그럴 리가. ⑤ 〖양태부사와 함께〗 (잘) 진행되다〔해나가다〕, 꾸려가다, 살아가다《***with*** …을, 이》: How are you *coming along with* your work? 연구〔공부〕가 잘 진행되고 있느냐. ⑥ (일이) 생기다, 일어나다, 나타나다: Take advantage of every opportunity that *~s along*. 나타나는 모든 기회를 이용하게. ***Come and get it!*** 《구어》 (자 와서 먹어라→) 식사 준비가 되었다. ***~ and go*** 오가다; 잠시 들르다; 딴 것으로 바뀌다, 갈마들다: Money will *~ and go*. 돈이란 돌고 돈다. ***~ apart*** 《*vi.*+부》 낱낱이 흩어지다, 분해되다; (육체적·정신적으로) 무너지다: We glued the teapot together but it *came apart* in a few days. (깨진) 찻병을 접착제로 붙였지만 2, 3일 지나자 (또) 깨져버렸다. ***~ apart at the seams*** ⇨SEAM. ***~ around*** 《*vi.*+부》 ① 돌아오다, 우회하다; 불쑥 찾아오다, 들르다: *Come around* and see me this evening. 오늘밤 방문해 주게. ② (다른 의견·입장으로) 바꾸다, 동조〔동의〕하다: He will *~ around* to my opinion. 그는 내 의견에 동조할 것이다. ③ 시초로〔근본으로〕 되돌아가다; 의식을 회복하다; 기운〔기분〕을 되찾다: He fainted, but soon *came around*. 그는 기절했었으나 곧 의식을 되찾았다. ④ (바람이) 방향을 바꾸다. ⑤ (계절 따위가) (한 바퀴) 돌다, 순회하다: Leap year *~s around* once in four years. 윤년은 4년에 한 번씩 돌아온다. ***~ at*** …에 이르다, …에 손을 뻗치다, …을 얻다; …을 알게 되다; (사람에게) 다가가다〔오다〕; …을 덮치다〔공격하다〕: *~ at* the truth 진실을 알게 되다. ***~ away*** 《*vi.*+부》 ① 떠나가다《***from*** …에서; ***with*** …와》; 〖종종 보어를 수반하여〗 떠나가다《***with*** (…한 기분)을 안고》: He *came away* gloomy *from* the talks. 그는 회담을 마치고 침울해져서 나갔다/He *came away with* a feeling of sadness. 그는 서글픈 마음을 지니고 떠나갔다. ② (붙어 있던 것이) 떨어지다, 떼어지다, 빠지다《***from*** …에서》. ③ 《주로 英》 (식물이) 나다, 빨리 자라다. ***~ back*** 《*vi.*+부》 ① 돌아오다. ② 《구어》 (원상태로) 복귀하다, 회복하다; 《구어》 (유행 따위가) 부활하다: Mini skirts have *~ back*. 미니스커트가 또다시 유행했다. ③ 다시 생각나다: The name *came back* to him. 그 이름이 그의 머리에 떠올랐다. ④ 《속어》 말대답하다, 보복하다《***at*** (아무)에게; ***with*** (말 따위)로》: He *came back at* me *with* bitter words. 그는 심한 말을 하며 내게 대들었다. ***~ before*** …의 앞에〔먼저〕 나가다〔나타나다〕; …의 앞에 제출되다, …의 의제로 제출되다; …보다 앞

서다; …보다 위에 있다; …보다 중요시되다: That question *came before* the committee. 그 문제는 위원회에 제출되었다. ~ ***between*** …의 사이에 끼다; …의 사이를 이간하다: After the accident some coldness *came between* Jane and me. 그 사고가 있은 후부터 제인과 나 사이가 다소 냉랭해졌다. ~ ***by***《*vi.*+前》① …의 곁을 지나다. ② (상처 등)을 입다: He *came by* his black eye in a fight with his wife. 그의 눈가의 멍은 아내와의 싸움에서 생겼다. ③ …을 손에 넣다: That picture was difficult to ~ *by*. 저 그림은 손에 넣기가 어려웠다. ④ 우연히 생각나다〔발견하다〕: I *came by* this table in a junk shop. 이 테이블은 고물상점에서 우연히 발견했다. ―《*vi.*+副》⑤ (곁을) 통과하다;《구어》들르다: He *came by* for a visit. 그는 방문차 들렀다. ~ ***close to*** do*ing* 거의 …하게 되다; 자칫 …할 뻔하다: Our car *came close to* running over a dog. 우리 차는 하마터면 개를 칠 뻔했다. ~ ***down***《*vi.*+副》① 내려가다; (위층에서) 내려오다. ② 떨어지다; (비 따위가) 내리다; (머리카락 따위가) 드리워지다, 흘러내리다《*to* …에 까지》; (값이) 내리다, 하락하다; (비행기가) 착륙〔불시착〕하다, 격추되다: Prices rarely ~ *down*. 물가는 좀처럼 내려가지 않는다/Her skirt *~s down to* her ankles. 그녀의 스커트는 발목까지 닿았다. ③ (지위·계급 등이) 떨어지다; 영락하여〔면목 없게도〕 …하게 되다: ~ *down* to begging in the streets 영락해 거리에서 구걸하게 되다. ④ 남쪽으로 오다, 남하하다. ⑤ 전래하다, 전해지다《*from* …에서; *to* …으로》. ⑥〖handsomely, generously 따위를 수반하여〗《구어》(아끼지 않고) 돈을 내다. ⑦ 의사 표시를 하다, 결정을 내리다: ~ *down* against 〔in favor of〕 …에 반대〔찬성〕하다. ⑧ (London 따위의) 대도시를 떠나다, 시골로 가다; 낙향하다《*from* …에서; *to* …으로》. ⑨ 총계해서〔결국은〕 …이 되다, 귀착하다《*to* …으로》. ⑩《英》(대학을) 졸업하다, 나오다《*from* …으로부터》. ⑪ 각성제〔마약〕 기운이 깨다〔떨어지다〕. ⑫《美속어》일어나다, 생기다. ~ ***down on*** 〔***upon***〕 ① …을 급습하다; …을 호되게 꾸짖다《*for* …(일)로》: The boss *came down on* us *for* coming to work late. 직공장은 출근이 늦었다고 우리를 질책했다. ②《구어》…에게 강요〔청구〕하다《*for* (돈)을/*to* do》: They *came down on* him *for* 〔*to* pay〕 1,000 dollars in back taxes. 그들은 그에게 체납된 세금 1,000 달러를 내라고 요구했다. ~ ***down with*** ① (전염성 병에) 걸리다: ~ *down with* measles 홍역에 걸리다. ②《英》(돈을) 내다. ~ ***for*** ① …목적으로 오다: What have you ~ *for*? 무슨 목적으로 왔느냐. ② (무엇을) 가지러 오다; 〔아무를〕 맞으러 오다: Who has she ~ *for*? 그녀는 누구를 맞으러 왔지. ③ 덮치다, 덮치려 하다. ~ ***forward***《*vi.*+副》① 앞으로 나서다, 나타나다. ② (요구에 응하여) 나서다, (자진해서) 떠맡다《*as* …로서》: He *came forward as* a candidate for Congress. 그는 국회의원으로 자진해서 입후보했다. ③ (상품이) 이용할 수 있게〔팔리게〕 되다. ④ (문제·제안이) 상정되다, 의제로 오르다. ~ ***in***《*vi.*+副》① 집〔방〕에 들어가다; 도착하다; 입장하다; (열차가) 홈에 들어오다, (배가) 입항하다: *Come in!* 들어오시오. ② (밀물이) 들어오다. ③ (…등으로) 결승점에 들어오다, 입상하다: ~ *in* first 〔last〕, 1등으로〔꼴찌로〕 들어오다. ④ (잘못 따위가) 생기다: That's where the mistake *~s in*. 거기에 잘못이 있다. ⑤ (돈·수입이) 생기다; 자금이 걷히다. ⑥ (계절로) 접어들다; (식품 등이) 제철이 되다; (물품이) 들어오다. ⑦ 유행하기 시작하다. ⑧ 역할을 맡다, 참가하다. ⑨ 입장이 (…하게) 되다; 쓸모있게 되다, 힘을 발휘하다; 간섭하다: Where do I ~ *in?* 내 처지는 어떻게 되나; 내가 할 일은 무엇인가/Odds and ends will ~ *in* some day. 잡동사니도 언젠가는 쓸모가 있게 된다. ⑩ 취임하다; (선거에서) 당선되다; (정당이) 정권을 잡다: Will Labour ~ *in*? 노동당이 정권을 잡을 것인가. ⑪《美속어》(동물이) 새끼를 낳다. ⑫ 협력하다《*with* …와》. ⑬〖방송〗(해설자 등이) 방송〔토론〕에 가담하다; (신호에 대해서) 응답하다: *Come in*, Seoul, please. 서울 나오세요. ⑭〖보어를 수반하여〗(라디오·TV가) (…하게) 들리다〔비치다〕; (…임을) 알다, 알게 되다: ~ *in* clear 〔strong〕 선명하게 들리다〔비치다〕/It *came in* useful. 그것이 유익함을 알았다. ⑮《美》(유정(油井)이) 생산을 시작하다. ~ ***in for*** (몫·유산 따위)를 받다, (칭찬·비난 따위)를 받다: You'll ~ *in for* a repremand if you do that. 그런 짓을 하면 야단맞아요. ~ ***in on*** (계획·사업 등)에 참가하다. ~ ***into*** ① …에 들어오다, …에 들어가다: ~ *into* the world 태어나다. ② (재산·권리 따위)를 물려받다: ~ *into* a fortune. ③ (계획)에 참가하다; …이 되다(⇨*vi.* 13). ~ ***it***《英속어》뻔뻔스럽게 행동하다; 잘난 체〔대담하게〕 행동하다《*over, with* …에 대하여》: If you keep *coming it over* 〔*with*〕 me, you are out 〔sacked〕. 내게 대해서 언제까지나 건방진 행동을 하면 해고다. ~ ***it strong*** ⇨ STRONG. ~ ***of age*** ① 어른이 되다, 성년이 되다. ② 충분한 발달 단계에 이르다. ~ ***off***《*vi.*+副》① 떠나다, (배에서) 내리다; (말에서) 떨어지다; 도망가다. ② (단추·손잡이 따위가) 떨어지다; (도료가) 벗겨지다; (얼룩이) 빠지다; (뚜껑이) 열리다. ③ (일이 예정대로) 행해지다; 실현되다, 성공하다: The game will ~ *off* next week. 경기는 내주 거행된다/The experiment *came off* as expected. 실험이 예상대로 잘 되었다/~ *off* well 〔badly〕 성공〔실패〕하다. ④ 공연을 그만두다. ⑤ (가스 따위가) 나오다, 발생하다. ⑥〖보어·양태부사를 수반하여〗(…라는) 결과가 되다; (결과가) …이 되다: The play *came off* well. 그 연극은 잘 되었다/~ *off* a victor 〔victorious〕 승리자가 되다/~ *off* cheap 별다른 손해를 안 보고 그치다; 큰 욕을 보지 않고 끝나다. ⑦《비어》사정(射精)하다, 오르가슴에 이르다. ―《*vi.*+前》⑧ (단추·손잡이 따위가) …에서 떨어지다, 빠지다: The second hand has ~ *off* my watch. 시계에서 초침이 빠져버렸다. ⑨ (장소를) 떠나다; (말 따위에서) 떨어지다. ⑩《英》(금액이) …에서 공제〔할인〕되다: Ten dollars will ~ *off* the unit price, if you buy in quantity. 대량으로 사면 단가당 10달러 싸게 될 것이다. ***Come off it***《구어》허세〔객쩍은 소리, 바보 같은 소리〕 좀 그만두게. ~ ***on***《*vi.*+副》① 다가오다; (밤·겨울 따위가) 오다; (발작·병·고통이) 엄습하다; 시작되다; (비 따위가) 내리기 시작하다: Darkness 〔The storm〕 *came on*. 어둠〔폭풍〕이 다가왔다/It *came on* to rain. 비가 내리기 시작했다. ②〖명령형〗서둘러요;〖독촉·도전·간청 등을 나타내어〗이리 와요, 자(가자), 자 오라, 덤벼라; 힘내라;〖반어적〗그만 해 둬: *Come on*, let's play. 자 놉시다/*Come on*, stop it! 자, 그만해. ③ 뒤에서 따라오다: Go first. I'll ~ *on*.

먼저 떠나라, 나중에 갈께. ④ 전진하다, 진보하다, 진척하다; 발전하다; (아이가) 자라다: The team is *coming on*. 그 팀은 손발이 맞기 시작한다/The crops are *coming on* nicely. 농작물이 잘 자라고 있다. ⑤ (극·영화 따위가) 상연〔상영〕되다; (TV 따위에서) 보이다, (전화 따위에서) 들리다. ⑥ (배우가) 등장하다; (방송 프로가) 방영되다: He ~*s on* in the second act. 그는 2막에 등장한다/A new situation comedy ~*s on* tonight at 8. 새로운 연속 홈코미디가 오늘 밤 8시부터 방영된다. ⑦ 성적으로 치근거리다. ⑧ (장치가) 작동하기 시작하다, (전기·수도가) 들어오다, (전등이) 켜지다: Lights *came on* one by one in the houses. 집집에 차례로 전등이 켜졌다. ⑨ (문제가) 제기되다, (의안이) 상정되다: ~ *on* for trial 공판에 회부되다. ⑩ 〖감탄사적〗 무슨 소리야, 설마, 말도 안 된다. —《*vi.*+전》 〔on이 전치사일 때는 upon도 씀〕 ⑪ (뜻밖에) 만나다, 발견하다. ⑫ (무대 따위)에 등장하다; (전화 따위)에 나오다. ⑬ 달려들다, 엄습하다. ⑭ …에게 생각나게 하다. ⑮ …의 부담이 되다; …에게 요구하다. ~ ***on down*** 척척 내려오다. ***Come on in*** 〔***out***〕 어서 들어오세요〔나가세요〕. ~ ***out*** 《*vi.*+부》 ① (밖으로) 나오다〔나가다〕; 사교계에 처음으로 나가다, 첫무대에 서다. ② (싹이) 나다, (꽃이) 피다; (해·달·별 따위가) 나타나다; (책이) 출판되다: The cherry blossoms ~ *out* early in April here. 이곳에서는 벚꽃이 4월에 일찍 핀다/The stars *came out* one by one. 별들이 하나하나 모습을 드러냈다/His book will ~ *out* next spring. 그의 책은 내년 봄 출판된다. ③ (비밀·본성 등이) 드러나다; (일체의 사물이) 알려지다, 판명되다: It *came out* that he had a criminal record. 그에게 전과가 있다는 것이 드러났다. ④ (사진이) 현상(現像)되다; 사진이〔에〕 …하게 찍히다: The picture *came out* well. 사진이 잘 찍혔다. ⑤ (결과가) …이 되다: ~ *out* right in the end 결국 잘 되다. ⑥ (경비가 합계하여) 되다《***at, to*** …이》: The fare ~*s out to* five dollars. 요금은 5달러가 된다. ⑦ 《英》 스트라이크를 하다: The printers have ~ *out* for higher pay again. 인쇄공들은 임금인상을 요구하며 재차 파업을 벌였다. ⑧ (얼룩 등이) 지워지다, (이·못 따위가) 빠지다; 색이 바래다〔없어지다〕: That stain won't ~ *out*. 저 얼룩은 잘 빠지지 않는다/After a few washings the colors began to ~ *out*. 몇 번인가 세탁을 했더니 색이 바래기 시작했다/Her baby teeth are *coming out*. 그녀의 아기의 젖니가 (곧) 빠질 것 같다. ⑨ (수학의 답이) 나오다, 풀리다: I can't make this equation ~ *out*. 이 방정식을 못 풀겠다. ⑩ 《美속어》 호모인 것을 감추지 않다. ~ ***out against*** …에 반대하다〔를 표명하다〕: He *came out* strongly *against* the plan. 그는 그 계획에 강하게 반대했다. ~ ***out for*** 〔***in favor of***〕 …에 찬성하다〔을 표명하다〕: The workers *came out for* striking. 노동자들은 스트라이크에 찬성했다. ~ ***out in*** (얼굴 등이 부스럼 따위)로 뒤덮이다: I *came out in* a rash. 발진(發疹)이 생겼다. ~ ***out of*** …에서 나오다; (병·곤경 등에서) 벗어나다; (못 따위가) 빠지다; (색이) 바래다; …에서 발(發)하다. ~ ***out with*** 《구어》 ① …을 보여주다, 발표〔공표〕하다: The newspapers *came out with* the story on the front page. (각) 신문은 그 기사를 제1면에 실었다. ② …을 말하다, 입밖에 내다, 토로하다: *Come out with* it. 우물쭈물 하지 말고 말해 버리세요. ~ ***over*** 《*vi.*+부》 ① 건너오다, 찾아오다《***to*** …으로》; (이주해) 오다《***from*** …에서》: Her parents had ~ *over from* England. 그녀의 부모는 영국에서 이주해 왔다. ② 훌쩍 찾아오다, 들르다: Won't you ~ *over* and have a drink? 집에 와서 한 잔 하지 않을래요. ③ (적이) 변절하다《***to*** (우리편)으로》: They *came over to* our side during the war. 그들은 전쟁 중 우리편이 되었다. ④ 《英구어》 〖보어를 수반하여〗 갑자기 (어떤 기분 따위로) 되다: ~ *over* dizzy 어지러워지다. —《*vi.*+전》 ⑤ (감정·구역질 등이) 엄습하다; (병 따위가) 침범하다. ⑥ (변화가) …에 일어나다. ~ ***round*** 《英》 =~ around. ~ ***through*** 《*vi.*+부》 ① 해내다, 성공하다. ② 《구어》 요구에 응하다, 긴급함을 해결하다, 제공하다, (돈을) 치르다, 이행하다《***with*** (약속 등)을》: He *came through with* the information he promised us. 그는 우리에게 약속한 정보를 제공해 주었다. ③ … 사이를 빠져나가다. ④ 전해지다, (통신 등이) 다다르다, 연락해 오다: A phone call has ~ *through* to you from Hamburg. 함부르크에서 너에게 전화가 와 있다. —《*vi.*+전》 ⑤ …을 빠져나가다; 살아나가다; (병·위기 따위)를 헤쳐나가다, 견디어 내다: I *came through* that town on my way here. 이곳으로 오는 도중에 그 마을을 지나왔다/He *came* successfully *through* the ordeal. 그는 시련을 훌륭하게 견디어냈다. ~ ***to*** 《*vi.*+부》 ① 의식을 되찾다, 제정신 들다. ② (배가) 바람을 안고 달리다; (배가) 닻을 내리다, 정박하다. ~ ***together*** 화해하다. ~ ***to that*** 《구어》 =***if it*** ~(***s***) ***to that*** 그것에 관해서라면, 그 경우에는, 그리 말하면: *If it ~s to that*, you can always stay at my house. 그런 경우라면 당신은 어느 때라도 우리 집에 계셔도 상관없습니다. ~ ***under*** ① …의 밑으로 오다〔들어가다〕; …의 부문〔항목〕에 들다; …에 편입〔지배〕되다; …에 상당〔해당〕하다. ② …의 영향을〔지배를〕 받다; (비판·공격 따위)를 받다, 당하다: ~ *under* attack again 다시 공격당하다/~ *under* a person's notice 아무에게 눈치채이다. ~ ***up*** 《*vi.*+부》 ① 오르다, (해 따위가) 뜨다: The sun *came up* at 4:47. 4시 47분에 해가 떴다. ② (씨·풀 따위가) 지상으로 머리를 내밀다, 싹을 내다, (수면 따위에) 떠오르다; 《구어》 (먹은 것이) 올라오다. ③ 《비유적》 두드러지다, 빼어나다. ④ 상경하다, 북상하다; 《英》 진학하다《***to*** (대학)에》; (지위·계급 따위가) 오르다, 승진하다: ~ *up* in the world 출세하다/He *came up to* New York last month. 그는 지난달 뉴욕에 왔다. ⑤ 오다, (성큼성큼) 다가오다; 모습을 나타내다; 출두하다: Did you ~ *up* here to pick a fight? 싸움을 걸러 여기 왔는가. ⑥ (물자 따위가) 전선에 보내지다. ⑦ (폭풍 등이) 일어나다, (기회·결원 등이) 생기다. ⑧ (일이) 일어나다, 생기다; 유행하기 시작하다: A similar case *came up* several years ago. 유사한 사건이 수년 전에도 일어났었다. ⑨ (화제(話題)에) 오르다; (선거·입회 등의) 후보〔지망〕자로서 나오다《***for*** …에》. ⑩ 《구어》 (추첨 따위에서) 당선되다, 뽑히다: My number *came up*. 내 번호가 뽑혔다. ⑪ (닦여서) 광택이 나다, (곱게) 마무리되다: My shirt *came up* quite beautiful. 셔츠를 세탁했더니 아주 말끔해졌다. ⑫ (영화·TV 프로 등이) 상영〔방송〕 예정이다; 〖컴퓨터〗 (정보가) 전광판에 나오다. ~ ***up against*** (곤란·반대)에 부딪치다, …에 직면하다: We *came up against* massive popular resistance. 우리는 대규모적인 대중의 저항에 부딪쳤다. **~ upon** ① 우연히 만나다, …에 맞닥뜨리다: I had not gone far when I *came upon* an old man. 얼마 못 가 한 노인을 만났다. ② …을 문득 생각해 내다. ③ …을 기습하다: Misfortune *came upon* him. 불행이 그를 덮쳤다. ④ …의 책임이 되다: Unemployment pay will ~ *upon* the state. 실업수당 지급은 국가 책임이다. **~ up to** …쪽으로 오다; …에 달하다〔…에 이르다〕; (기대)에 부응하다, (표준)에 맞다; …에 필적하다: The play did not ~ *up to* our expectations. 그 연극은 우리의 기대에 미치지 못하였다. **~ up with** …을 따라잡다〔붙다〕; …을 가지고 올라오다; (필요한 것)을 꺼내다; …을 제안〔제공〕하다; (해답 등)을 찾아 내다; 생각해 내다; (깜짝 놀랄) 말을 하다; (아무)에게 보복하다: The Government will ~ *up with* the money. 정부가 그 돈을 낼 것이다. **~ what may** 〔**will**〕 어떠한 일이 일어날지라도. **~ with** …에 부속돼 있다; …이 설비되어 있다: All the rooms ~ *with* bath, TV and air conditioning. 모든 방에 욕실, TV, 냉난방 장치가 설비되어 있다. **coming from** a person 아무에게서 그런 말을 듣다보니: You are hopeless at math(s). —*Coming from* you, that's a bit much. 수학이 형편없구나—너에게서까지 그 따위 말 들을 것 없다. **have it coming** (**to** one) ⇨HAVE. **How ~s it** (**that ...**)**?** 왜 그렇게 (…하게) 되었나. **when it ~s** (**down**) **to ...** …(의 이야기 · 문제)라 하면, …에 관해서 말한다면: *When it ~s to* classical music I know almost nothing. 고전 음악에 관한 것이라면 나는 거의 아는 것이 없네.

> **DIAL.** ***Come again?*** 뭐라고, 다시 한 번 말해 보시오《반문할 때의 표현》.
> ***come to think of it*** (그리 말하니) 생각 나는데, 말이 났으니 말이지: *Come to think of it,* I did see him. 생각해 보니 틀림없이 그를 만났어.
> ***What is it all coming to?*** 도대체 어떻게 되고 있는거야.
> ***I can't get this problem.—Oh, come on. It's easy.*** 이 문제는 모르겠어—무슨 소리야, 그건 쉬워.
> ***coming up*** (식당에서 요리 등이) 곧 나갑니다, '다 되었습니다': One black coffee.—*Coming* (*right*) *up.* 커피 한 잔, 블랙으로요—곧 나갑니다.

còme-át-able *a.* 《英구어》 가까이하기 쉬운, 교제하기 쉬운; 입수하기 쉬운.

cóme·bàck *n.* Ⓒ **1** (원래의 지위 · 직업 · 신분으로의) 되돌아감; 컴백; (병으로부터의) 회복. **2** (효과적인) 응구 첩대, 응답, 반론.

COMECON, Com·e·con [kámikən/kɔ́m-] *n.* 코메콘, 동유럽 경제 상호 원조 회의《1991년 해체》. [◂Council for *M*utual *E*conomic Assistance]

°**co·me·di·an** [kəmíːdiən] *n.* Ⓒ 희극 배우, 코미디언; 익살꾼; 《드물게》 희극 작가.

co·me·dic [kəmíːdik, -méd-] *a.* 코미디의〔에 관한〕; 희극풍의, 희극적인.

co·me·di·enne [kəmìːdién, -mèid-] *n.* 《F.》 Ⓒ 희극 여우(女優).

com·e·do [kámədòu/kɔ́m-] (*pl.* **~·nes** [ˌ-ˊ-niːz], **~s**) *n.* Ⓒ 여드름.

cóme·dòwn *n.* Ⓒ (지위 · 명예의) 하락, 실추(失墜), 영락, 몰락; 《구어》 실망시키는 것; 기대에 어긋남: His defeat was quite a ~ for all of us. 그의 패배는 우리 모두를 실망시켰다.

‡**com·e·dy** [kámədi/kɔ́m-] *n.* **1** Ⓤ (낱개는 Ⓒ) **희극**, 코미디. **2** Ⓒ 희극적인 장면〔사건〕. **3** Ⓤ 희극적 요소. ◇comic *a.*

> **DIAL.** ***Cut the comedy.*** 농담 좀 작작 해라.

cómedy of mánners 풍속 희극《17세기말의 영국 상류사회의 풍속 · 인습 등을 풍자한 희극》.

còme-híther *a.* Ⓐ 《구어》 (특히 성적으로) 도발적인, 유혹적인.

***come·ly** [kʌ́mli] *a.* (여성이) **잘생긴**, 미모의, 아름다운《얼굴 따위》; 《고어》 품행이 단정한; 말쑥한; 알맞은. ㉺ **-li·ness** *n.*

com·er [kʌ́mər] *n.* **1 a** Ⓒ 《보통 수식어와 함께》 오는 사람; 새로 온 사람: a late ~ 지각자. **b** (all ~s) 오는 사람 전부, 신청자 전부: Open to *all ~s.* 참가 자유. **2** Ⓒ 《美구어》 유망한 사람〔것〕, 성장주(成長株).

co·mes·ti·ble [kəméstəbəl] *a.* 《드물게》 먹을 수 있는(edible). **—*n.*** Ⓒ (보통 *pl.*) 식료품, 먹을 것.

***com·et** [kámit/kɔ́m-] *n.* Ⓒ 【천문】 **혜성**, 살별. ㉺ **~·ary** [-èri/-əri] *a.* 혜성의; 혜성 같은.

come·up·pance [kʌ̀mʌ́pəns] *n.* Ⓒ (보통 *sing.*) 《구어》 당연한 벌〔응보〕, 천벌: get one's ~ for …의 당연한 벌을 받다.

COMEX Commodity Exchange, New York (뉴욕 상품 거래소).

CÓM file 【컴퓨터】 컴파일《MS-DOS상에서 실행되는 명령 파일, 사용자가 파일 이름을 입력하면 MS-DOS 운영체제가 파일을 주(主)기억장치에 적재하여 실행함》.

com·fit [kʌ́mfit] *n.* Ⓒ 《美 · 英 드물게》 (눈깔)사탕《속에 과일 · 호두 조각 등이 있는》.

‡**com·fort** [kʌ́mfərt] *n.* **1** Ⓤ **위로**, 위안. ↔ *irritation.* ¶ words of ~ 위로의 말 / give ~ to …을 위로하다. **2 a** Ⓒ **위안이 되는 것**〔사람〕, 위문품: She's a great ~ to her parents. 그녀는 부모에게 큰 위안이 된다. **b** (*pl.*) 생활을 편케 하는 것: ⇨ CREATURE COMFORTS. **3** Ⓤ **안락**, 편함; 쾌적함; 마음 편한 신세: live in ~ 안락하게 살다. ***take*** 〔***find***〕 **~ *in*** …으로 낙을 삼다.

—*vt.* **1** (아무)를 **위로하다**, 위문하다; 안락하게 하다: They *~ed* me for my failure. 그들은 나의 실패를 위로해 주었다《~ my failure 라고는 아니함》. **2** (몸)을 편안하게 하다.

> **SYN.** **comfort** '위로하다'는 뜻의 가장 일반적인 말로, 사람이나 사람 마음에 기운 · 희망 등을 주어 위로하는 적극적인 뜻을 갖는 말. **console**은 손실 · 실망감을 경감하는 뜻의 '위로하다'이며 소극적인 뜻의 말. **relieve**는 불행이나 불쾌함을 일시적으로 경감하는 뜻의 '위로하다'.

‡**com·fort·a·ble** [kʌ́mfərtəbəl] *a.* **1** (육체적으로 고통을 주지 않는) **기분좋은**; 쾌적한; 편한: a ~ room 아늑한 방 / a ~ person to be with (사귀어) 기분좋은 사람. **2** (정신적 · 육체적으로 불안〔고통〕이 없이) **편안한**, 안락한: feel ~ 편안하다 / Make yourself ~ 마음 편히 하십시오. **3** 《구어》 (수입이) 충분한; 경제적으로 여유가 있는; 유복한: He is ~ enough to buy a new car. 그는 돈이 있으므로 새 차를 살 수 있다. **4** Ⓐ 위안을 주는, 안정시키는. ㉺ **~·ness** *n.*

***com·fort·a·bly** [kʌ́mfərtəbəli] *ad.* 기분좋

게; 마음놓고, 안락하게, 고통〔곤란, 부자유〕 없이: win ~ 낙승하다/be ~ off 《완곡어》 꽤 잘 살고 있다.

cóm·fort·er *n.* **1 a** Ⓒ 위로하는 사람〔것〕, 위안자. **b** (the C-) 〖신학〗 성령(聖靈)(the Holy Spirit) 《요한 복음 XIV: 16, 26》. **2** Ⓒ 《美》 이불, 《英》 고무〔장난감〕 젖꼭지.

cóm·fort·less *a.* 위로를 주지 않는; 위안〔낙〕이 없는, 쓸쓸한.

cómfort stàtion 〔**ròom**〕 《美》 공중 변소 (rest room).

com·frey [kʌ́mfri] *n.* Ⓒ 〖식물〗 캄프리.

com·fy [kʌ́mfi] *a.* 《구어》 =COMFORTABLE.

°**com·ic** [kάmik/kɔ́m-] *a.* **1** 희극의, 희극풍의. ↔ *tragic*. **2** 익살스런, 우스운: a ~ look on one's face 익살스러운 표정. **3** Ⓐ 《美》 만화의.
—*n.* **1** Ⓒ 《구어》 희극 배우(comedian); 익살스러운〔우스운〕 사람. **2** Ⓒ 만화책. **3** (the ~s) (신문 · 잡지 등의) 만화란.

°**cóm·i·cal** [-ikəl] *a.* 익살맞은; 얄궂은.
㊕ **~·ly** *ad.*

cómic bòok 만화책〔잡지〕.

cómic ópera 희가극(의 작품).

cómic relíef 〖연극 · 영화〗 (비극적 장면 사이의) 기분 전환 (장면).

cómic strìp 연재 만화(comic)《1 회에 4 컷》 (《英》 strip cartoon).

⁑**com·ing** [kʌ́miŋ] *a.* Ⓐ **1** (다가)오는, 다음의: the ~ generation 〔week〕 다음 세대〔주〕. **2** 《구어》 신진의, (지금) 한창 팔리기 시작한, 장래성 있는《배우 등》: a ~ young businesswoman 장래가 촉망되는 여성사업가. **—***n.* **1** (*sing.*) 도래: with the ~ of spring 봄이 오면. **2** (the C-) 그리스도의 재림. **~*s and goings*** 《구어》 오고 감, 왕래; 일어난 일, 활동: the ~*s and goings* of tourists 여행자들의 왕래.

cóming-óut *n.* Ⓤ **1** 《특히》 젊은 여성의 사교계에의 데뷔: a ~ party 사교계 데뷔의 축하 파티. **2** 《구어》 (비밀로 한 것을) 동성애자가 이를 공표함.

Com·in·tern [kάmintə̀ːrn/kɔ́m-] *n.* (the ~) 코민테른, 국제 공산당《제3〔적색〕 인터내셔널 (1919–43)》. [◂ (Third) *Communist International*]

com·i·ty [kάməti/kɔ́m-] *n.* Ⓤ 우의, 예의, 예양(禮讓): the ~ of nations 〔states〕 국제 의례〔예양〕《타국의 법률 · 습관의 존중》.

*__com·ma__ [kάmə/kɔ́mə] *n.* Ⓒ **1** 쉼표, 콤마 《,》. **2** 〖음악〗 콤마《큰 음정 사이의 미소한 음정차(音程差)》.

⁑**com·mand** [kəmǽnd, -mάːnd] *vt.* **1** 《~+목/+목+*to* do/+(*that*) 절》 (…하도록) …에게 명(령)하다, …에게 호령〔구령〕하다, 요구하다. ↔ *obey*. ¶ ~ silence 정숙을 명하다/He ~*ed* his men *to* attack. =He ~*ed* (*that*) his men (should) attack. 그는 부하에게 공격하라고 명령하였다. ★ that 절의 경우 구어에서는 흔히 should를 쓰지 않음.
2 지휘하다, …의 지휘권을 갖다; 통솔하다: ~ the air 〔sea〕 제공〔제해〕권을 장악하다/A ship is ~*ed* by its captain. 배는 선장이 지휘한다.
3 (감정 따위)를 **지배하다**, 억누르다, 억제하다; 〘~ oneself〙 자제하다: ~ one's passion 〔temper〕 감정을 억제하다.
4 (남의 존경 · 동정 따위)를 모으다, 일으키게 하다; …할 만하다, …의 값어치가 있다: ~ considerable attention 대단한 주목을 받다/~ respect 존경할 만하다, 존경을 얻다〔모으다〕.
5 자유로이 쓸 수 있다, 마음대로 하다; (가격으로) 팔리다: ~ a skill 재능을 구사하다/~ a good price 좋은 값으로 팔리다/~ a ready sale 날개 돋친듯 팔리다/I cannot ~ the sum. 그만한 돈은 내 마음대로 쓸 수 없다.
6 내려다보다, 전망하다: The tower ~*s* a fine view. 그 망루는 전망이 참 좋다/The fort ~*s* the entrance to the harbor. 그 요새는 항구의 입구를 내려다볼 수 있는 위치에 있다.
—*vi.* 명령하다; 지휘하다, 지휘권을 갖다.
—*n.* **1** Ⓒ **명령**, 호령, 구령; 지령, 분부《*to* do/*that*》: give the ~ 명령을 내리다/execute a ~ 명령을 수행하다/I have his ~ *to* do so. 그렇게 하라는 그의 명령을 받고 있다/The ~ *that* the project (should) be cancelled has been issued. 그 기획을 중지해야 한다는 명령이 내렸다.
2 Ⓤ 지휘, 지배, 통제: chain of ~ 지휘계통/He was in ~ *of* the expeditionary force. 그는 그 원정군의 지휘를 맡고 있었다/under (the) ~ *of* …의 지휘하에/take ~ *of* …을 지휘하다.
3 a Ⓤ (감정 따위의) **지배력**, 통어력; 지배권: have ~ *of* one's temper 기분을 억제할 수 있다/lose ~ *of* oneself 자제력을 잃다. **b** Ⓤ (또는 a ~) (언어의) 구사력(mastery), 유창함; (자본 따위를) 자유롭게 운용함: He has a good ~ *of* English. 그는 영어가 능숙하다.
4 Ⓤ 조망, 전망; 〖군사〗 (요새 따위를) 내려다보는 위치〔고지〕(의 점유): The hill has ~ of the whole city. 그 언덕에서는 온 시내가 내려다보인다.
5 Ⓒ 〘단 · 복수취급〙 〖군사〗 예하 부대〔병력, 선박 등〕; (보통 C-) 사령부.
6 Ⓒ 〖컴퓨터〗 명령.
at* ~** 장악하고 있는, 자유롭게 쓸 수 있는: He has a lot of money *at* ~. 그는 돈에 여유가 많다. ***at 〔***by***〕 ***a person's* ~** 아무의 명령에 의해. ***at the word of* ~** 명령 일하에, 호령에 따라. ***get*** 〔***have***〕 ***the* ~ *of the air*** 〔***sea***〕 제공〔제해〕권을 장악하다〔하고 있다〕.

com·man·dant [kάməndæ̀nt, -dὰːnt/kɔ̀mən-dǽnt, -dάːnt] *n.* Ⓒ (요새 · 부대 등의) 지휘관, 사령관; 대장.

commánd-drìven *a.* 〖컴퓨터〗 명령구동형의.

com·man·deer [kὰməndíər/kɔ̀m-] *vt.* **1** 〖군사〗 (장정 등)을 징집〔징용〕하다; (군용 · 공용으로 사유물)을 징발하다. **2** 《구어》 강제로 뺏다, (남의 것)을 제멋대로 쓰다.

*__com·mand·er__ [kəmǽndər, -mάːnd-] *n.* Ⓒ **1** 지휘관, 사령관; 명령자; 지휘자, 지도자. **2** (해군 · 미국 해안 경비대의) 중령; (군함의) 부장; 런던 경찰국의 총경급 경찰관; 경찰서장.

commánder in chíef (*pl.* ***commanders in chief***) (전군의) 최고 사령관; (육 · 해군의) 총사령관; (나라의) 최고 지휘관《미국은 대통령; 생략: C.I.C., C. in C., Com. in Chf.》.

*__com·mánd·ing__ *a.* Ⓐ **지휘하는**; 위풍당당한; 전망이 좋은; 유리한 장소를 차지한: ~ officer 부대 지휘관, 부대장《소위에서 대령까지》/a ~ voice 사람을 위압하는 듯한 목소리/a ~ height 전망이 좋은 고지. ㊕ **~·ly** *ad.*

commánd kèy 〖컴퓨터〗 명령 키《Macintosh 자판의 네 잎 클로버 또는 사과 마크가 붙은 키; 다른 시스템의 control key와 같은 기능》.

commánd lànguage 〖컴퓨터〗 명령 언어.

◇**com·mánd·ment** *n.* **1** Ⓒ 율법, 계율, 성훈(聖訓). **2** Ⓤ 명령(권). **3** (C-) Ⓒ 모세의 십계 중 하나. cf. Ten Commandments.

commánd mòdule (우주선의) 사령선《생략: CM》.

com·man·do [kəmǽndou, -má:n-] (*pl.* ~(*e*)*s*) *n.* Ⓒ 게릴라 부대(원); (특히 남아프리카 보어인(Boers)의) 의용군.

Commánd Pàper 《英》 (의회에 대한) 칙령《생략: C., Cmd., Cmnd.》.

commánd perfórmance 어전(御前) 연주〔연극〕.

commánd pòst 《美》 (육군 전투) 지휘소《생략: C.P.》.

comme il faut [kɔ̀mi:lfóu] 《F.》 예의에 맞는, 우아한; 어울리는; 적당한.

***com·mem·o·rate** [kəmémərèit] *vt.* **1** (축사·의식 등으로) …을 **기념하다**, …의 기념식을 거행하다, 축하하다. **2** …의 찬사를 말하다; 공경하다. **3** (기념비·날짜 등이) …의 기념이 되다.

com·mèm·o·rá·tion *n.* **1** Ⓤ 기념, 축하. **2** Ⓒ 기념식〔축제〕, 축전; 기념물. ◇ commemorate *v.*

com·mem·o·ra·tive [kəmémərèitiv, -rə-] *a.* 기념의; 기념하는《**of** …을》: a ~ stamp 기념우표 / stamps ~ *of* the Olympic Games 올림픽 기념 우표. **—***n.* Ⓒ 기념품, 기념 우표, 기념화폐. ⊞ ~·**ly** *ad.*

com·mence** [kəméns] *vt.* 《~+目/+*-ing* / +*to* do》 **시작하다**, 개시하다: ~ a lawsuit 소송을 제기하다 / *Commence* fire! 사격 개시《구령》/ ~ study*ing* 〔*to* study〕 law 법률 공부를 시작하다. ★ begin 의 격식 차린 말로, 의식·재판·작전 따위를 개시할 때 쓰임. **—vi.* 《~/+전+명》 **시작되다**: The performance will ~ soon. 연주는 곧 시작될 것이다 / ~ *on* a research 조사에 착수하다. SYN. ⇨ BEGIN.

◇**com·ménce·ment** *n.* Ⓤ (또는 a ~) **1** 시작, 개시; 착수. **2** 《美》〖일반적〗 졸업식《새로이 인생을 시작한다는 뜻》; (Cambridge, Dublin 및 미국 여러 대학의) 학위 수여식〔일〕: hold the ~ 졸업식을 거행하다.

***com·mend** [kəménd] *vt.* **1** 《~+目/+目+전+명》 **칭찬하다**(praise)《**for** …에 대하여》: I ~*ed* him *for* his good conduct. 나는 그의 선행을 칭찬했다. **2** 《+目+전+명》 **권하다**, 추천〔천거〕하다《**to** …에게》: ~ a person *to* (the notice of) one's friends 아무를 친구에게 추천하다. **3** 《+目+전+명》 맡기다, 위탁하다《**to** …에게》: ~ one's soul *to* God 신에게 영혼을 맡기다《안심하고 죽다》. **4** 《+目+전+명》〖~ oneself〗 좋은 인상을 주다, 마음을 끌다《**to** …에게, …의》: This book doesn't ~ it*self to* me. 이 책은 마음에 들지 않는다. ◇ commendation *n.*

com·ménd·a·ble *a.* 칭찬할 만한, 훌륭한, 기특한; 추천할 수 있는. ⊞ **-bly** *ad.* ~·**ness** *n.*

◇**com·men·da·tion** [kɑ̀məndéiʃən/kɔ̀m-] *n.* **1** Ⓤ 칭찬; 추천; 위탁, 위임. **2** Ⓒ 상(賞), 상장《**for** …에 대한》. ◇ commend *v.*

com·mend·a·to·ry [kəméndətɔ̀:ri/-təri] *a.* 칭찬의; 추천의: a ~ letter 추천장.

com·men·su·ra·ble [kəménʃərəbəl] *a.* **1** Ⓟ 《문어》 동일 기준〔척도〕로 계량할 수 있는《**with, to** …와》: Universities today are not ~ *with* those of the past. 오늘날 대학은 옛날 대학과 같은 척도로 잴 수는 없다. **2** 〖수학〗 통약〔약분〕할 수 있는《**with** …와》: 10 is ~ *with* 30. 10은 30과 약분할 수 있다.

com·men·su·rate [kəménʃərit] *a.* Ⓟ 〖종종 명사 뒤에 두어〗 **1** 같은 양〔면적, 크기〕의, 동연(同延)의《**with** …와》: The number of his books is ~ *with* that of a town library. 그의 장서량은 마을 도서관의 것과 맞먹는다. **2** 비례한, 균형이 잡힌, 상응한《**to, with** …와, …에》: clothes ~ *with* one's position in life 신분에 상응하는 의복.

***com·ment** [kɑ́ment/kɔ́m-] *n.* **1** Ⓤ (구체적으로는 Ⓒ) **논평**, 평언(評言), 비평, 비판, 견해, 의견《**on, upon** (시사 문제 등)에 대한》: He made some ~*s on* current topics. 그는 시사 문제에 대해 몇 마디 논평을 했다. **2** Ⓤ (구체적으로는 Ⓒ) **주석**, 설명, 해설. **3** Ⓤ (항간의) 소문, 풍문, 평판: His remarks provoked 〔aroused〕 considerable ~. 그의 발언은 상당한 물의를 빚었다. SYN. ⇨ REMARK.

> DIAL. ***No comment.*** 노 코멘트, 언급할 일이 없음《신문기자 등의 질문에 대하여 언급을 회피하는 데 쓰는 어구》.

—*vi.* 《+전+명》 비평〔논평〕하다, 의견을 말하다; 주석하다; 이러니저러니하다《**on, upon, about** …에 대하여》: ~ *on* 〔*upon*〕 a text 원〔본〕문에 주석을 달다 / They ~*ed* humorously *about* 〔*on*〕 her hat. 그들은 그녀의 모자에 대해 이러쿵저러쿵 익살을 떨었다. **—***vt.* 《+*that* 절》 …에 〔이라고〕 주석을 달다, 논평하다: He ~*ed that* prospects for the firm look good. 그는 그 회사의 전망이 밝다고 말했다.

◇**com·men·tary** [kɑ́məntèri/kɔ́məntəri] *n.* **1** Ⓒ (어떤 일에 관한) 논평(집); **주석서**(書)《**on, upon** …에 대한》: a ~ *on* the Scriptures 성서평석(評釋). **2** Ⓤ (낱개는 Ⓒ) 논평, 비평; 〖방송〗 (시사 문제·스포츠 등의) 해설; 실황 방송. **3** Ⓒ (보통 *pl.*) 실록, 회고록.

com·men·tate [kɑ́məntèit/kɔ́mən-] *vi.* **1** 해설자로서 일하다, 해설자가 되다. **2** 해설〔논평〕을 하다《**on, upon** …에 대하여》: He ~*d on* the contemporary political situation. 그는 현대의 정치 정세에 대해서 해설했다. **—***vt.* …을 해설〔논평〕하다; …에 주석을 달다.

com·men·ta·tor [kɑ́məntèitər/kɔ́mən-] *n.* Ⓒ 주석자, 논평자; 〖방송〗 (시사)해설자; 실황방송원.

‡**com·merce** [kɑ́mərs/kɔ́m-] *n.* Ⓤ **1 상업**; 통상, 무역, 거래: ~ and industry 상공업. cf. business, trade. **2 교섭**, 교제.

‡**com·mer·cial** [kəmə́:rʃəl] *a.* **1** Ⓐ **상업**〔**통상, 무역**〕의, 상업〔무역〕상의: ~ pursuits 상업 / a ~ agent 대리상 / a ~ museum 상품 진열관 / a ~ transaction 상거래 / ~ English 상업 영어 / ~ flights (군용이 아닌) 민간 항공편 / a ~ school 상업 학교. **2** Ⓐ 영리적인, 돈벌이 위주인: a ~ company 영리 회사. **3** (화학제품 등이) 공업〔업무〕용의; 《美》 대량 생산된; 덕용(德用)의, 중간치의: ~ detergent 영업용 세제 / a ~ grade of beef 일반 등급의 쇠고기. **4** 〖라디오·TV〗 민간방송의; 스폰서가 있는: ~ television 〔TV〕 민간방송 텔레비전. **—***n.* Ⓒ 〖라디오·TV〗 **광고**〔**상업**〕**방송**, 시엠(CM). ⊞ ~·**ly** *ad.*

commércial árt 상업 미술.

commércial bánk 시중〔상업〕 은행.

com·mer·cial·ism [kəmə́:rʃəlìzəm] *n.* Ⓤ

상업주의〔본위〕, 영리주의, 상인 근성; 상관습(商慣習).

com·mèr·cial·i·zá·tion *n.* Ⓤ 상업〔상품〕화, 영리화.

com·mer·cial·ize [kəmə́ːrʃəlàiz] *vt.* 상업〔영리〕화하다; 상품화하다.

commércial tráveler 순회〔지방 담당〕 외판원(traveling salesman).

commércial véhicle (요금을 받는) 상업용〔영업용〕 차, 상품 수송차.

com·mie, com·my (*pl.* **-mies**) *n.* (종종 C-) Ⓒ 〔흔히 you ~로서 호칭으로 사용〕《구어·경멸적》 공산당원, 공산당 동조자.

còm·mi·ná·tion *n.* Ⓤ (신벌이 내린다고) 위협함; (영국국교의) 대재(大齋) 참회: the ~ service (영국국교의) 대재 참회식.

com·min·a·to·ry [kámənətɔ̀ːri/kɔ́mənətəri] *a.* 위협의; 신벌을 경고하는.

com·min·gle [kəmíŋgl] *vt.* 혼합하다. **—***vi.* (뒤)섞이다《**with** …와》.

com·mi·nute [kámənjùːt/kɔ́m-] *vt.* 가루로 만들다(pulverize); 분쇄하다. **—***a.* 분쇄〔세분〕한.

com·mis·er·ate [kəmízərèit] *vi.* 동정하다《**with** (아무)를; **on, over** …에 대하여》: ~ *with* her *on* her misfortune 그녀의 불행에 동정하다.

com·mìs·er·á·tion *n.* **1** Ⓤ 가엾게 여김, 동정(compassion)《**on, for** …에 대한》. **2** (*pl.*) 동정의 말, 애도사(辭).

com·mis·sar·i·al [kàməsɛ́əriəl/kɔ̀m-] *a.* 대리자의; 〖영국국교회〗 주교〔감독〕 대리의; 〖군사〗 병참 장교의.

com·mis·sar·i·at [kàməsɛ́əriət/kɔ̀m-] *n.* Ⓒ 〔집합적; 단·복수취급〕 〖군사〗 병참부, 식량 경리부.

com·mis·sary [káməsèri/kɔ́məsəri] (*pl.* **-saries**) *n.* Ⓒ **1** 《美》 (군대·광산·산판 따위의) 물자 배급소, 매점. **2** 《美》 (촬영소 따위의) 구내 식당. **3** 〖군사〗 병참 장교.

***com·mis·sion** [kəmíʃən] *n.* **1** Ⓤ (임무·직권의) 위임, 위탁. **2** Ⓒ 위임장, 사령. **3** Ⓒ (종종 C-) 위원회; 〔집합적; 단·복수취급〕 위원회 사람들: a ~ of inquiry 조사 위원회/the Atomic Energy *Commission* 원자력 위원회. **4** Ⓒ 〖군사〗 장교의 지위〔계급〕; 임관 사령: get 〔resign〕 a 〔one's〕 ~ 장교로 임관되다〔퇴역하다〕. **5** Ⓒ (위탁받은) 일, 임무; 의뢰, 부탁, 청탁; 주문《**to** do》: go beyond one's ~ 월권 행위를 하다/I have a few ~s for you. 당신에게 부탁할 일이 두세 가지 있습니다/He had a ~ *to* build a new house 그는 가옥신축의 주문을 받았다. **6 a** Ⓤ (구체적으로는 Ⓒ) 수수료, 구전, 커미션《**on** (위탁 사무)에 대한》: allow 〔get〕 a ~ of 5 percent, 5%의 수수료를 내다〔받다〕. **b** Ⓤ 〖상업〗 중개, (상거래의) 위탁, 대리업무. **7** Ⓤ 죄를〔과실을〕 범하기, 저지름, 범행. ⓒⓕ commit.

in **~** ① (군함이) 취역중의; 언제라도 쓸 수 있는: put a radio *in* ~ again 라디오를 다시 소리나게 하다. ② 위임된: have it *in* ~ *to* do …하도록 위탁받고 있다. ***out of*** **~** 퇴역의, 예비의; 사용 불능의; 《구어》 (사람이) 일하지 못하는, 쓸모없는.

—*vt.* **1** 《~+목/+목+*to* do》 …에게 권한을 위탁〔위임〕하다, 위촉〔의뢰〕하다: ~ a portrait of oneself 자기 초상화 제작을 의뢰하다/~ an artist *to* paint a portrait 화가에게 초상화를 그리라고 의뢰하다. **2** 《~+목/+목+보》 (장교에) 임명하다: He was ~*ed* a major. 그는 소령으로 임관되었다. **3** (군함)을 취역시키다.

commíssion àgent 사설 마권(馬券) 영업자 (bookmaker).

com·mis·sion·aire [kəmìʃənɛ́ər] *n.* Ⓒ 《英·Can.》 (극장·호텔 따위의) 제복 입은 수위.

commíssioned ófficer 〖군사〗 (소위 이상) 사관, 장교. ⓒⓕ noncommissioned officer.

***com·mis·sion·er** [kəmíʃənər] *n.* Ⓒ **1** (정부가 임명한) **위원**, 이사; (관청의) 국장, 장관; (식민지의) 판무관; (세무·경찰 등의) 감독관; 지방 행정관: the *Commissioner* of the Metropolitan Police 《英》 (런던의) 경찰국장. **2** 〖스포츠〗 《美》 커미셔너《프로 야구 따위의 최고 책임자》.

~ *for oaths* 〖법률〗 《英》 선서 관리관.

commíssion plàn (the ~) 《美》 위원회제 《시의 입법·행정을 위원회가 처리하는 제도》.

***com·mit** [kəmít] (**-tt-**) *vt.* **1** 《~+목/+목+전+명》 **a** **위임하다**, 위탁하다; 회부하다: ~ a bill *to* a committee 의안을 위원회에 회부하다. **b** 〔종종 수동태〕 보내다; 수용〔구류〕하다《**to** (교도소·정신병원 따위)에》: ~ a troop *to* the front 부대를 전방에 보내다/The man *was* ~*ted to* prison 〔*to* a mental hospital〕. 그 남자는 투옥〔정신병원에 수용〕되었다.

2 《+목+전+명》 **a** 부치다《**to** (기록·기억·처분·망각 등)에》: ~ one's ideas *to* paper 〔writing〕 자신의 착상을 글로 적어두다/*Commit* these words *to* memory. 이 말을 기억해 두어라. **b** 〔~ oneself〕 몸을 내맡기다《**to** …에》: I *committed* my*self to* the discretion of the commitee. 위원회의 판단에 모든 것을 맡겼다.

3 《+목+전+명》 〔~ oneself〕 입장을〔태도를〕 분명히 하다《**on** (문제 따위)에 대해》: He refused to ~ him*self on* the subject. 그는 그 문제에 대하여 태도를 분명히 하려 하지 않았다.

4 (죄·과실)을 **범하다**, 저지르다: ~ an error 잘못을 저지르다/~ a crime 죄를 범하다/~ suicide 〔murder〕 자살〔살인〕하다.

5 《+목+전+명》 〔~ oneself〕 **a** 떠맡다《**to** (책임 따위)를》: I have ~*ted* my*self to* sitting on two committees. 나는 두 위원회의 위원 자리를 떠맡고 말았다. **b** 연루하다, 말려들게 하다《**in** …에》: I don't want to ~ my*self in* that matter. 그 일에 말려들고 싶지 않다.

6 《+목+*to* do》 〔~ oneself〕 공약하다, 약속하다: She has ~*ted* her*self to* take the job. 그녀는 그 일을 맡기로 약속했다/He ~*ted* him*self to* make a fresh start in life. 그는 새출발할 것을 맹세하였다.

7 《+목+전+명》 〔~ oneself; 수동태로〕 전념하다, 몰두하다《**to** …에》: He ~*ted* him*self to* socialism. 그는 사회주의에 몰두했다/He *was* ~*ted to* the cause of world peace. 그는 세계 평화에 헌신하였다.

***com·mit·ment** [kəmítmənt] *n.* **1** Ⓤ **위임**; 위탁; 위원회 회부. **2** Ⓒ 언질; 공약, 서약, 약속《**to** …에 대한/**to** do》: He gave a clear ~ *to* reopen disarmament talks. 그는 군축 회담을 재개할 것을 확약하였다. **3** Ⓒ 책임, 연루. **4** Ⓤ (구체적으로는 Ⓒ) 참가; 몰두, 헌신《**to** (주의·운동 따위)에의》: make a ~ *to* …에 마음을 쏟다. **5** Ⓤ 투옥, 구류(拘留); 인도《**to** (교도소·정신병원 따위)에의》.

com·mit·tal [kəmítl] *n.* Ⓤ (구체적으로는 Ⓒ)

인도(引渡)《*to* (교도소 · 정신병원 따위)에의》.

com·mít·ted [-id] *a*. 전념하는, 헌신적인《*to* …에》: a ~ nurse 헌신적인 간호사 / Women managers are not less ~ *to* their companies than their male colleagues. 여자 지배인은 남자 동료에 못지않게 회사에 헌신적이다.

‡**com·mit·tee** [kəmíti] *n*. [C] **1 위원회**: a budget ~ 예산 위원회 / a standing ~ 상임위원회 / be 〔sit〕 on a ~ 위원회의 일원이다. **2** 《집합적; 단 · 복수취급》 위원(전원). [cf] committeeman. ¶ The ~ *meets* today at three. 위원회는 오늘 3시에 열린다 / The ~ *get* together with difficulty. 위원이 잘 모이지 않는다.

in ~ 위원회에 회부되어; 위원회에 출석하여.

commíttee·man [-mən, -mæ̀n] (*pl*. **-men** [-mən, -mèn]) *n*. [C] 위원(의 한 사람).

commíttee·wòman (*pl*. **-wòmen**) *n*. [C] 여성 위원.

com·mode [kəmóud] *n*. [C] **1** (서랍 · 선반이 있는) 낮은 장; 찬장. **2** (아래 선반이 있는) 이동식 세면대. **3** (의자식) 실내 변기.

com·mod·i·fi·ca·tion [kəmɑ́dəfikéiʃən] *n*. [U] (스포츠 · 문화 등의) 상품화, 상업화.

com·mo·di·ous [kəmóudiəs] *a*. 넓은, 널찍한《집 따위》. [파] **~·ly** *ad*. **~·ness** *n*.

***com·mod·i·ty** [kəmɑ́dəti/-mɔ́d-] (*pl*. **-ties**) *n*. [C] **1** (흔히 *pl*.) **상품**; (농업 · 광업 등의) 생산물: prices of *commodities* 물가 / staple *commodities* 중요 상품. **2** 유용한 물품, 쓸모있는 것.

com·mo·dore [kɑ́mədɔ̀ːr/kɔ́m-] *n*. [C] **1** (해군 · 미국 해안 경비대의) 준장. **2** 《英》 함대 사령관. **3** 《경칭》 제독《선임〔고참〕 선장〔함장〕 · 요트 클럽 등의 회장》.

‡**com·mon** [kɑ́mən/kɔ́m-] (**~·er, more ~; ~·est, most ~**) *a*. **1 공통의**, 공동의, 공유(共有)의《*to* …에》: ~ ownership 공유(권) / a ~ language 공통의 언어 / Love of fame is ~ *to* all people. 명예욕은 만인에 공통된다.

2 사회일반의, 공공의, 공중의: the ~ highroad 공로(公路).

3 a 일반의; 만인의, 일반적으로 보급되어 있는: the ~ reader 일반 독자. **b 보통의**, 통속의, 일반적인, 평범한, 흔히 있는; 특별한 신분이 아닌. ↔ *rare*. ¶ ~ honesty 흔히 볼 수 있는 정직 / the ~ people 평민, 서민 / a ~ soldier 병졸 / a ~ event 흔히 있는 사건 / a ~ being 보통 사람.

[SYN.] **common** 거의 모든 사람이나 물건에 공통적으로 흔히 볼 수 있는 것. 때로 평범 · 조악을 뜻함: a *common* interest 모두가 다 같이 갖고 있는 흥미. *common* good 모두를 위해서 좋은 것 ⇨공익. **general** 개인을 떠난 전반적인, 전체로서의: a *general* belief 일반적으로 사람들이 믿고 있는 것. **ordinary** 일반의 기준 · 습관과 일치하여 유별나게 눈에 띄지 않음을 뜻함: an *ordinary* reader(특별한 지식을 가지거나 또는 무식하다거나 하지 않은) 보통 독자, 일반 독자. **normal** 기준에 합치하여, 이상함이 없는 것. **familiar** 널리 알려져서, 상대방이 금방 알아차릴 수 있는 것: a *familiar* practice 흔히 행해지는 것. **usual** 흔히 보고 들어서 신기하게 여겨지지 않는 것에 씀.

4 비속한, 품위 없는, 하치의: an article of ~ make 졸렬한 제품 / ~ clothes 싸구려 옷 / ~ manners 예의없는 태도.

5 〚수학〛 공약의, 공통의, 공(公)…; 〚문법〛 공통〔보통명사〕의, 통성(通性)의, 통격(通格)의.

(as) ~ as muck 〔***dirt***〕 품위 없는, 교양 없는. ***make ~ cause with*** ⇨CAUSE.

—*n*. **1** [C] (때로 *pl*.) (마을 따위의) 공유지, 공용지(公用地)《울타리 없는 목초지〔황무지〕》; (도시 중앙부의) 공원. **2** [U] 〚법률〛 (목장 등의) 공유권, 공동 사용권(right of ~): ~ *of* piscary 〔fishery〕 (공동) 어업권, 입어권(入漁權) / ~ *of* pasturage (공동) 방목권(放牧權).

in ~ 공동으로, 공통으로〔의〕: He and I have nothing *in* ~. 그와 나는 공통점이 전혀 없다. ***in ~ with*** …와 같은〔같게〕, 공통하여, 공통한: *In ~ with* many other people, he thought it was true. 다른 많은 사람과 같이 그도 그것이 진실이라고 생각했다.

[파] **~·age** [-idʒ] *n*. [U] 공유; 공유지; 공동 사용권.

com·mon·al·i·ty [kɑ̀mənǽləti/kɔ̀m-] *n*. [U] 공통성; =COMMONALTY.

com·mon·al·ty [kɑ́mənəlti/kɔ́m-] *n*. [U] (the ~) 《집합적; 단 · 복수취급》 평민, 서민.

cómmon cárrier 〚법률〛 운수업자《철도 · 기선 · 항공회사 따위》.

cómmon cáse 〚문법〛 통격(通格)《소유격 외의 격처럼 어형이 주격 · 목적격에 공통인 것》.

cómmon denóminator 〚수학〛 공통 분모; 《비유적》 공통점〔요소〕.

cómmon dífference 〚수학〛 (등차수열〔급수〕의) 공차(公差).

cómmon divísor 〚수학〛 공약수(common factor): the greatest ~ 최대 공약수《생략: G.C.D., g.c.d.》.

cóm·mon·er *n*. [C] 평민, 서민, 대중; 《英》 (Oxford 대학 따위의) 자비생; 보통 학생《fellow, scholar 또는 exhibitioner가 아닌》.

Cómmon Éra (the ~) 서력 기원(Christian era).

cómmon fáctor =COMMON DIVISOR.

cómmon fráction 〚수학〛 분수(vulgar fraction). [cf] decimal fraction.

cómmon génder 〚문법〛 통성(通性)《남녀 양성에 통용되는 parent, baby 등》.

cómmon gróund (이익 · 상호 이해 등의) 공통점, 견해의 일치점: be on ~ 견해가 일치하다.

cómmon·lànd *n*. [U] 〚법률〛 공공 용지, 공유지.

cómmon láw 관습법, 불문율, 코먼로. [cf] statute law.

cómmon-làw *a*. [A] 관습법의; 관습법상의: (a) ~ marriage 관습법상의 혼인, 내연 관계《일체의 의식을 배제하고 남녀의 합의만으로 동거하는 혼인》.

***com·mon·ly** [kɑ́mənli/kɔ́m-] *ad*. **1 보통으로, 일반적으로**, 상례로: We ~ stay at home on Sundays. 우리는 일요일에는 대체로 집에 있다. **2** 《경멸적》 상스럽게, 통속적으로, 싸구려로: ~ dressed 품위없는 옷차림을 한.

Cómmon Márket 1 (the ~) 유럽 공동시장《European Economic Community의 별칭; 1958년 발족》. **2** (c- m-) 공동 시장.

cómmon múltiple 〚수학〛 공배수: the lowest 〔least〕 ~ 최소 공배수《생략: L.C.M.》.

cómmon nóun 〚문법〛 보통 명사.

cómmon-or-gárden *a*. [A] 《英구어》 보통의, 흔해 빠진, 일상의; 표준형의: a ~ house 표준형 주택 / It's just a ~ daisy. 그건 흔해빠진 데이지에 지나지 않는다.

***com·mon·place** [kɑ́mənplèis/kɔ́m-] *a*. **1**

평범한, 단조로운, 진부한, 흔해빠진. **2** (the ~) 〖명사적; 단수취급〗 평범함, 단조로움. **—***n.* Ⓒ 평범한 물건〔일〕; 진부한 말, 상투어; 일반 시세. ㊞ **~·ly** *ad.* **~·ness** *n.*

cómmonplace bòok 메모 수첩, 비망록.

cómmon pléas 《美》〖법률〗 민사 소송; (the C- P-) 〖단수취급〗 민사 법원.

cómmon práyer 〖영국국교회〗 (예배식을 위한) 기도문; (the C- P-) =the Book of Common PRAYER.

cómmon ròom **1** (학교 따위의) 휴게실, 사교실. **2** 《英》 (대학의) 특별 연구원 사교〔휴게〕실; 학생 사교〔휴게〕실.

cóm·mons *n. pl.* **1** (the ~) 《고어》 평민, 서민(common people). **2** (the C-) **a** 《英·Can.》 하원: the HOUSE of Commons. **b** 〖집합적〗 하원의원. **3** 〖단수취급〗 (대학·수도원 등의) 식사, 정식(定食); 공동 식탁(이 있는 식당).

cómmon sált 소금, 식염(salt).

cómmon sénse 상식, 양식《체험하여 얻은 사려·분별》: It's ~ to carry an umbrella in this weather. 이런 날씨에는 우산을 가지고 가는 것이 상식이다.

cómmon·sénse *a.* Ⓐ 상식적인, 상식〔양식〕이 있는.

cómmon stóck 《美》 보통주(株)(《英》 =**cómmon sháres, órdinary stóck**). ⓒⓕ preferred stock.

cómmon tíme 〖음악〗 보통의 박자《4분의 4 박자》.

com·mon·weal [kámənwìːl/kɔ́m-] *n.* (the ~) 공익, 공공의 복지.

◇**com·mon·wealth** [kámənwèlθ/kɔ́m-] *n.* **1** Ⓤ 〖집합적; 단·복수취급〗 국민 (전체). **2** Ⓒ 공화국(republic). **3** Ⓒ 연방(聯邦). **4** Ⓒ 단체, 사회; the ~ of writers 〔artists〕 문학가〔예술가〕 사회, 문학〔예술〕계/the ~ of learning 학계. **5** Ⓒ 《美》 주《공식명으로서 Massachusetts, Pennsylvania, Virginia, Kentucky 의 각 주와 Puerto Rico 에 State 대신으로 쓰임》. ***the Commonwealth*** (***of Australia***) 오스트레일리아 연방. ***the Commonwealth*** (***of England***) 잉글랜드 공화국《왕정이 폐지되었던 1649－1660》. ***the Commonwealth of Independent States*** 독립 국가 연합《1991 년 12 월 21 일 소련의 소멸로 발족한 10 개국 공동체; 생략: CIS》. ***the Commonwealth*** (***of Nations***) 영연방《Great Britain, Canada, Australia 등으로 이루어진 연합체》. [◂ common+wealth].

cómmon yèar 평년《365 일》. ⓒⓕ leap year.

◇**com·mo·tion** [kəmóuʃən] *n.* Ⓤ (구체적으로는 Ⓒ) 동요; 흥분; 소동, 소요, 폭동: be in ~ 동요하고 있다/create 〔cause〕 a ~ 소동을 일으키다.

com·mu·nal [kəmjúːnəl, kámjə-/kɔ́m-] *a.* 공동 사회의, 자치 단체의, 시읍면(市邑面)의; 공동의, 공유의, 공용의; 파리 코뮌의. ⓒⓕ commune². ¶ ~ life 〔property〕 공동 생활〔재산〕.

com·mú·nal·ìsm *n.* Ⓤ 지방 자치주의.

com·mune¹ [kəmjúːn] *vi.* **1** (친하게) 이야기하다, 친하게 교제하다《***with*** …와》: friends *communing* together 친밀하게 서로 이야기하는 사이의 친구들/~ *with* nature 자연을 벗삼다/~ *with* oneself 〔one's own heart〕 심사숙고하다. **2** 《美》 〖기독교〗 성찬(聖餐)을 받다, 영성체(領聖體)하다. ◇ communion *n.*

com·mune² [kámjuːn/kɔ́m-] *n.* Ⓒ **1** 코뮌《프랑스·벨기에 등의 최소 지방 자치체》. **2** 지방 자치체; 〖집합적; 단·복수취급〗 지방 자치체의 주민. **3** (중국 등의) 인민 공사, 집단 농장. **4** 공동 생활체, (히피 따위의) 공동 부락.

com·mu·ni·ca·ble [kəmjúːnikəbəl] *a.* 전할 수 있는; 전염성의: a ~ disease 전염병.

com·mu·ni·cant [kəmjúːnikənt] *n.* Ⓒ 〖기독교〗 성체배령자(拜領者).

‡**com·mu·ni·cate** [kəmjúːnəkèit] *vt.* **1** 《~+目/+目+前+名》 (사상·지식·정보 따위)를 **전달하다**, 통보하다《***to*** …에게》. **2** 《+目+前+名》 **a** (열 따위)를 전도하다, 전하다; (병)을 감염시키다《***to*** …에》: ~ a disease *to* another 남에게 병을 옮기다. **b** 〖~ oneself〗 (감정 등이) 전해지다, 분명히 알려지다《***to*** …에게》: Her enthusiasm ~*d* itself *to* him. 그녀의 열의를 그도 분명히 알았다. **3** …에게 성체를 주다. **4** 《+目+前+名》 …을 서로 나누다《***with*** …와》: ~ opinions *with* …와 의견을 나누다.

—*vi.* **1** 《+前+名》 (길·방 따위가) **통해 있다**, 이어지다《***with*** …와》: The lake ~*s with* the sea by a canal. 호수는 운하로 바다와 연결되어 있다/The living room ~*s with* the dining room. 거실은 식당과 통해 있다. **2** 《~/+前+名》 **통신하다**, 교통하다, 의사를 서로 통하다《***with*** …와》: ~ by telephone 전화로 통화하다/~ *with* one's teacher 선생과 통신하다. **3** 성찬을 받다.

‡**com·mu·ni·ca·tion** [kəmjùːnəkéiʃən] *n.* **1** Ⓤ **전달**, 보도; (열의) 전도; (병의) 전염: mass ~ 대중〔대량〕 전달, 매스컴. **2** Ⓤ **통신**, 교신, 편지 왕래: mutual ~ 상호교신/get into ~ with …와 통신을〔편지 왕래를〕 시작하다. **3** Ⓒ (전달되는) 정보; 통신문, 서신, 편지, 전언: receive 〔send〕 a ~ 정보를 받다〔보내다〕. **4** Ⓤ **교통**, 연락; 왕래: a means of ~ 교통 기관. **5** (*pl.*) 보도 기관《라디오·신문 등》, 통신 기관《전신·전화 등》; 교통 기관. **6** Ⓒ (말·기호·몸짓으로 하는) 커뮤니케이션; (*pl.*) 〖단수취급〗 정보 전달학.

communicátion còrd 《英》 (열차 내의) 비상〔긴급〕 (정지) 통보선.

communicátion pòrt 〖컴퓨터〗 통신 포트《통신에서 컴퓨터에 통신 회선을 연결하는 부분》.

communicátion pròtocol 〖컴퓨터〗 통신 규약, 통신 프로토콜《데이터 통신에서 컴퓨터와 컴퓨터를 접속하여 에러 없이 정보를 교환하기 위해 제정된 규칙》.

communicátion(**s**) **sàtellite** 통신 위성.

communicátion thèory 정보 이론.

com·mu·ni·ca·tive [kəmjúːnəkèitiv, -nikətiv] *a.* 수다스러운(talkative); 통신〔전달〕의.

◇**com·mun·ion** [kəmjúːnjən] *n.* **1** Ⓤ (종파·신앙을) 함께 함; 간담(懇談), 친교; (영적) 교섭: hold ~ with …와 영적으로 사귀다, (자연 등)을 마음의 벗으로 삼다. **2** Ⓒ 종교 단체, 교회; (종파·신앙상의) 교우(敎友): be of the same ~ 같은 종단(宗團)의 교우이다. **3** (C-) Ⓤ 〖교회〗 성찬식(~ service), 성체 배령: a ~ cup 성배(聖杯)/take 〔go to〕 *Communion* 성찬식에 참석하다. ◇ commune¹ *v.*

commúnion tàble 성찬대.

com·mu·ni·qué [kəmjúːnikèi, -ˋ-ˊ] *n.* 《F.》 Ⓒ 공식 발표, 성명, 코뮈니케.

***com·mu·nism** [kámjənìzəm/kɔ́m-] *n.* (종종 C-) Ⓤ **공산주의**.

***com·mu·nist** [kámjənist/kɔ́m-] *n.* Ⓒ **공산**

주의자; (C-) 공산당원. **—** *a*. 공산주의(자)의; (C-) 공산당의: a ~ country 공산 국가.

Cómmunist Chína 중공(中共)《중화 인민공화국의 속칭》.

com·mu·nis·tic, -ti·cal [kàmjənístik/kɔ̀m-], [-əl] *a*. 공산주의적인.
[파] **-ti·cal·ly** *ad*. 공산주의적으로.

Cómmunist Párty (the ~) 공산당.

‡com·mu·ni·ty [kəmjú:nəti] *n*. **1** [C] 〖단·복수취급〗 (정치·문화·역사를 함께 하는) **공동 사회**, 공동체; 지역 (공동) 사회; (큰 사회 속에 공통의 특징을 가진) 집단, 사회: the Jewish [foreign] ~ 유대인[거류 외국인] 사회. **2** (the ~) (일반) 사회(the public); 공중. **3** [C] 〖생태〗 (생물) 군집(群集); (동물의) 군서(群棲); (식물의) 군락. **4** [U] (사상·이해 따위의) 공통(성), 일치, 유사. **5** [U] (재산의) 공유, 공용: ~ *of* goods [property, wealth] 재산의 공유. **6** [C] (이해 따위를 같이 하는) 단체; …계(界); 국가군: the financial ~ 재계/the Pacific Rim ~ 환태평양 국가군. **7** [C] (수도사 등의) 집단: a religious ~ 교단.

commúnity anténna télevision 공동시청 안테나 텔레비전《생략: CATV》.

commúnity cènter 지역 문화회관.

commúnity chàrge 《英》 인두세(人頭稅)《poll tax의 정식명; 1993년 council tax로 변경》.

commúnity chèst [**fùnd**] 《美·Can.》 공동 모금에 의한 기금.

commúnity cóllege 《美》 (그 지방 주민을 위한) 지역 초급 대학.

commúnity hòme 《英》 소년원, 감화원.

commúnity mèdicine 지역 의료(family medicine [practice])《가정의(家庭醫)의 활동을 통한 일반 진료》.

commúnity próperty 《美》 (부부의) 공동 재산.

commúnity sérvice òrder 〖법률〗 (경범자에게 법원이 명하는) 지역[사회]봉사활동 명령.

commúnity sínging 회중(會衆)의 합창.

commúnity spírit 공동체 의식.

com·mut·a·ble [kəmjú:təbəl] *a*. 전환[(금전과) 교환]할 수 있는; 〖법률〗 감형할 수 있는.

com·mu·tate [kámjətèit/kɔ́m-] *vt*. 〖전기〗 (전류)의 방향을 전환하다, (교류)를 직류(直流)로 하다, 정류(整流)하다.

còm·mu·tá·tion *n*. **1** [U] 교환, 전환《***for, into*** …으로의》. **2** [U] (구체적으로는 [C]) (지불 방법 따위의) 대체, 환산《물납을 금납으로 하는 등》. **3** [U] (구체적으로는 [C]) (형벌 등의) 감면, 감형《***from ... to*** — …에서 —으로의》. **4** [U] 〖전기〗 정류. **5** [U] 《美》 (정기권[회수권]으로 하는) 통근.

commutátion tìcket 《美》 (정기) 승차 회수권.

com·mu·ta·tive [kəmjú:tətiv, kámjətèi-/kəmjú:tət-, kɔ́mjutèit-] *a*. 교환의; 〖수학〗 가환(可換)의.

com·mu·ta·tor [kámjətèitər/kɔ́m-] *n*. [C] 〖전기〗 정류[전환]기(器), (발전자(發電子)의) 정류자(子): a ~ motor 정류자 전동기.

◇com·mute [kəmjú:t] *vt*. **1** 교환[변환]하다《***to*** …으로》; (지급 방법)을 바꾸다, 대체(對替)하다《***for, into*** …으로》: ~ dollars *to* won 달러를 원으로 교환하다/~ an annuity *into* [*for*] a lump sum payment 연금제를 일시불로 전환하다. **2** (벌·의무 따위)를 감형[경감]하다《***from*** …에서; ***into, to*** …으로》: ~ a death sentence *into* [*to*] life imprisonment 사형을 종신형으로 감형하다. **3** 〖전기〗 (전류)의 방향을 바꾸다, (전류)를 정류(整流)하다. **—** *vi*. **1** (열차·버스 등으로) 통근[통학]하다《***from*** …에서; ***between*** …간을》: Most office worker ~ *from* the suburbs. 대부분의 회사원들은 교외에서 통근한다/He ~*s between* New York and Philadelpia every day. 그는 매일 뉴욕과 필라델피아 간을 통근한다. **2** 대신[대리]하다《***for*** …을》. **—** *n*. [C] 통근, 통학.

com·mút·er *n*. [C] (교외) 통근자, 정기권 사용자.

Com·o·ros [kámərðuz/kɔ́m-] *n*. (the ~) (Comoro 제도의) 코모로 이슬람 연방 공화국《1975년 독립; 수도는 Moroni》.

comp. company; comparative; compare; comparison; compilation; compiled; composer; composition; compositor; compound.

***com·pact**[1] [kəmpǽkt, kámpækt] *a*. **1 빽빽하게 찬**, 밀집한. **2** (천 따위가) 날이 촘촘한, 바탕이 치밀한; (체격이) 꽉 짜인. **3** (집·방 따위가) **아담한**; (자동차가) 소형(이고 경제적)인: a ~ car 소형 자동차. **4** (문체 따위가) 간결한.
— *vt*. 죄다, 굳히다; 빽빽이 채워 넣다; 압축하다; 간결하게 하다.
— [kámpækt/kɔ́m-] *n*. [C] **1** 콤팩트《휴대용 분갑》. **2** 《美》 소형 자동차(= ∠ **càr**).
[파] **~·ly** *ad*. **~·ness** *n*.

com·pact[2] [kámpækt/kɔ́m-] *n*. [C] 계약, 맹약. **—** *vi*. 계약하다《***with*** …와》.

cómpact dísc 콤팩트 디스크《생략: CD》; 〖컴퓨터〗 압축판; 짜임(저장)판.

cómpact dísc plàyer 콤팩트 디스크 플레이어(CD player)《콤팩트 디스크를 하이파이 음으로 재생하는 장치》.

com·pac·tor, -pact·er [kəmpǽktər] *n*. [C] 굳히는 사람[물건]; (묘포·노반(路盤)을 만들 때 쓰는) 다지는 기계; 압축기.

cómpact vìdeo dìsc 콤팩트 레이저 디스크《음향과 영상을 재생할 수 있는; 생략: CVD》.

‡com·pan·ion[1] [kəmpǽnjən] *n*. [C] **1 동료**, 친구; 반려(comrade): a ~ in arms 전우/a ~ in [of] one's misery 불행을 함께 하는 사람.
[SYN.] **companion** 일·생활·운명 등을 함께 하는 자: a faithful *companion* of fifty years 50년 간의 충실한 반려자《아내》. **associate** 사업 등의 협력자, 파트너. **comrade** companion 보다 정신적인 유대가 강하며, 같은 단체 등에 소속하는 경우가 있음, 동지. **colleague** 변호사·대학교수 등 지적인 직업을 함께하는 자, 동료.
2 말동무; (우연한) 길동무, 동반자: a travel ~ 여행의 길동무. **3** 상대역; (노(老)귀부인 등의) 말상대로서 고용되는 안잠자기. **4** 한 쪽, 짝《***to*** (쌍·조)의》: a ~ volume *to* …의 자매편/the ~ *to* a picture 2매가 한 벌인 그림의 한 쪽. **5** (C-) 최하급 나이트[훈작사]: a *Companion of* the Bath 《英》 바스 훈위 최하급자《생략: CB》/the *Companions of* Honor 《英》 명예훈위《생략: C.H.》/the *Companions of* Literature 《英》 문학 훈작사《1961년 제정된 문학 훈위; 생략: C. lit(t).》. **6** (C-) (책 이름으로서의) 지침서(guide), 안내서, '…의 벗': A Teacher's *Companion* 교사용 지침서.
— *vt*. …을 모시다, …와 동반하다(accompany).

com·pan·ion[2] *n*. [C] 〖해사〗 (갑판의) 지붕창;

=COMPANION HATCH; COMPANIONWAY.

com·pán·ion·a·ble *a.* 벗삼기에 좋은, 친하기 쉬운, 사교적인.

com·pan·ion·ate [kəmpǽnjənit] *a.* 동반자의, 동료의; 우애적인: ~ marriage 《美》 우애 결혼《피임·이혼을 시인하는 시험적 결혼》.

compánion hàtch 〔**hèad**〕 (갑판 승강구의) 비바람막이 뚜껑.

◇**com·pan·ion·ship** [kəmpǽnjənʃìp] *n.* [U] 동무 사귀기, 교우 관계, 교제: enjoy the ~ of a person 아무와 가까이 사귀다.

compánion·wày *n.* [C] (갑판과 선실 사이의) 승강 계단.

⁑**com·pa·ny** [kʌ́mpəni] *n.* **1** [U] 〔집합적〕 **a 한패, 동료**, 친구들: keep good 〔bad〕 ~ 좋은〔나쁜〕 친구들과 사귀다 / A man is known by the ~ he keeps. 《속담》 사귀는 친구를 보면 그의 사람됨을 알 수 있다. **b 모인 사람들**, 동석한 사람들; 내객: mixed ~ 남녀〔갖가지 사람들〕의 모임 / in ~ 사람들 속〔앞〕에서 / present ~ excepted 여기 모인 사람은 제외하고 / We are having ~ for the weekend. 이번 주말에 손님이 온다.
2 [U] **교제**, 사귐; 동석: be fond of ~ 교제를 좋아하다 / Will you favor me with your ~ at dinner? 함께 식사를 해 주시지 않겠습니까 / *Company* in distress makes sorrow less. 《속담》 함께 고민하면 슬픔은 덜하다.
3 [C] 〔집합적; 단·복수취급〕 일행, 한 무리; (배우의) 일단, 극단: a ~ *of* tourists 관광단 / a ~ *of* birds 새 한 떼 / a theatrical ~ 극단.
[SYN.] **company** 일시적 또는 영속적인 교제를 하며 협력하는 사람들의 모임. **band** 공통의 목적에 따라 결합되어 있는 모임으로서 company 보다 밀접함: a *band* of musicians 악단. **party** 공통 목적을 위하여 모인 동아리: a rescue *party* 구조대.
4 [C] **회사**, 상사, 상회, 조합(guild); [U] 〔집합적〕 (회사명에 인명이 표시되지 않은) 사원들《생략: Co. [kóu, kʌ́mpəni]》: a publishing ~ 출판사.

> [NOTE] (1) 인명을 포함하는 회사명으로서는 and Company 《원래 '및 그 동료'의 뜻》의 형태로 쓰이는 일이 많음: McCormick & Co., Inc. 매코믹 유한 책임 회사. (2) 회사명으로 쓰이지 않을 때는 firm 이 보통임: get a job in a *firm* downtown 도심지의 회사에 취직하다.

5 [C] 〔집합적; 단·복수취급〕 〖군사〗 보병〔공병〕 중대; 〖해사〗 전승무원(ship's ~, crew): a ~ commander 중대장 / a ~ first sergeant 중대 선임 하사.
6 (the C-) 《美속어》 중앙 정보국(CIA); 연방 수사국(FBI).
for **~** (쓸쓸할 때의) 상대로; 교제상: They invited two people along *for* ~. 그들은 말 상대로 두 사람을 초대했다. ***in each other's*** **~** 서로 함께. ***in good*** **~** ① 좋은 친구와 사귀어. ② 《구어》 (어떤 일을 못하여도) 다른〔잘난〕 사람들과 미친가지로: I err 〔sin〕 *in good* ~. 나도 다른 사람들과 마찬가지로 실수를 저지른다, 실수하는 것도 당연하다. ***keep*** a person **~** =***keep*** **~** ***with*** a person 아무와 교제하다, 동행하다. ***keep good*** 〔***bad***〕 **~** 좋은〔나쁜〕 친구와 교제하다. ***part*** **~** ***with*** 〔***from***〕 …와 갈라지다; 절교하다.

> [DIAL.] ***Who's throwing the party?—Jim and company, I guess.*** 누가 연 파티야—짐과 그 친구들일거야.

cómpany làw 《英》 회사법(《美》 corporation law).

cómpany sécretary (주식 회사의) 총무 담당 중역, 총무부장.

cómpany stóre (회사의) 매점, 구매부.

cómpany ùnion 어용(御用) 조합; (한 사업장만의) 단독〔독립〕 조합.

compar. comparative; comparison.

◇**com·pa·ra·ble** [kámpərəbəl/kɔ́m-] *a.* 비교되는《***with*** …와》; 필적하는《***to*** …에》; 상당하는, 동등한. ★ 악센트의 위치가 compare와 다름.
[파] **-bly** *ad.* 동등하게, 비교될 정도로. **còm·pa·ra·bíl·i·ty** *n.*

*__com·par·a·tive__ [kəmpǽrətiv] *a.* **1 비교의**, 비교에 의한: ~ analysis 비교 분석 / ~ cost theory 비교 생산비설 / ~ psychology 비교 심리학; 민족〔종족, 인종〕 심리학(race psychology) / a ~ method 비교 연구법. **2 비교적인**, 상당한, 상대적인: live in ~ comfort 비교적 편하게 살다 / with ~ ease 비교적 쉽게. **3** 〖문법〗 비교(급)의: the ~ degree 비교급. **—***n.* (the ~) 〖문법〗 비교급.

compárative linguístics 비교 언어학.

compárative líterature 비교 문학.

*__com·pár·a·tive·ly__ *ad.* **비교적(으로)**; 꽤, 상당히, 다소라도: ~ speaking 비교해 말하면 / ~ good 비교적〔꽤〕 좋은.

⁑**com·pare** [kəmpέər] *vt.* **1** 《~+[목]/+[목]+[전]+[명]》 **비교하다**, 견주다, 대조하다《***with*** …와; ***to*** …에》: ~ two documents 문서 2통을 대조해 보다 / ~ Seoul *with* other large cities 서울을 딴 대도시와 비교하다.

> [NOTE] (1) 'A를 B와 비교하다'는 *compare* A *with* B가 옳으나, *compare* A *to* B라고 하는 일도 있음. (2) cp.라고 생략함.

2 《+[목]+[전]+[명]》 비유하다, 비기다《***to*** …에》: Life is ~*d to* a voyage. 인생은 항해에 비유된다. **3** 〖문법〗 (형용사·부사의) 비교 변화형《비교급, 최상급》을 나타내다. [cf.] inflect.
—*vi.* 《+[전]+[명]》 **1** 〔보통 부정구문·의문문〕 필적하다《***with*** …에》: *No* book can ~ *with* the Bible. 성서에 필적하는 책은 없다. **2** 〔양태 부사와 함께〕 비교하다《***with*** …와》: His school record ~*s* favorably *with* hers. 그의 학업성적은 그녀와 비교하여 낫다. ◇ comparison *n.*
(***as***) **~*****d with*** 〔***to***〕 …와 비교하여: *Compared with* my child, yours seems a veritable angel. 우리 아이와 비교하면 댁의 아이는 정말 천사 같아요. **~** ***notes*** ⇨NOTE. ***not to be*** **~*****d with*** …와 비교할 수 없는; …보다 훨씬 못한.
—*n.* 〔다음 관용구로〕 ***beyond*** 〔***past, without***〕 **~** 비할 바 없이, 비교거리가 안 되는.

*__com·par·i·son__ [kəmpǽrisən] *n.* **1** [U] (구체적으로는 [C]) **비교**, 대조(***with, to*** …와의; ***between*** (양자)의)》: by ~ (*with*) (…와) 비(교)하면 / make a ~ *between* A and B, A와 B를 비교하다. **2** [U] 유사, 필적《***between*** …사이의; ***with*** …와의》: There is no ~ *between* the two. 양자는 비교가 안 된다, 하늘과 땅 차이다. **3** [U] (구체적으로는 [C]) 〖수사〗 비유《***to*** …에의》; 〖문법〗 (형용사·부사의) 비교, 비교 변화《good, better, best; big, bigger, biggest 등》. ◇ compare *v.*
bear 〔***stand***〕 **~** ***with*** …에 필적하다: *bear* a very favorable ~ *with* …에 비하여 우위(優位)

에 서다. ***beyond*** 〔***past, without***〕 ~ 비할〔비길〕 데 없이〔없는〕.

> **DIAL.** ***There's no comparison*** (***between*** A ***and*** B). (A와 B는) 전혀 비교가 안 된다.

◇**com·párt·ment** *n.* Ⓒ 칸막이, 구획; (객차 · 객선 내의) 칸막이방: a smoking ~ (철도의) 끽연(실)차.

com·part·men·tal·ize [kəmpɑ̀ːrtméntəlàiz] *vt.* 구획〔부문〕으로 나누다, 구획〔구분〕하다, 칸을 막다. ㊕ **com·part·mèn·tal·i·zá·tion** *n.*

*__com·pass__ [kʌ́mpəs] *n.* Ⓒ **1 나침반**, 나침의: a mariner's ~ 선박용 나침의 / the points of the ~ 나침반의 방위. **2** (보통 *pl.*) (제도용) **컴퍼스**: a pair of ~*es*. **3** (보통 *sing.*) **한계**, 범위 (extent, range); 〖음악〗 음역: in small ~ 작은 범위로; 간결하게 / beyond 〔within〕 the ~ *of* the imagination 상상력이 미치는 범위외〔내〕에. ***box the*** ~ ⇨ box[1].
—*vt.* **1** …의 주위를 돌다; (담 등)을 두르다; 〘흔히 수동태〙 에워싸다《현재는 encompass라고 함》. **2** 포착하다; 충분히 이해하다: Can man ~ the meaning of life? 인간은 인생의 의미를 잘 이해할 수 있을까. **3** (음모 등)을 꾸미다, 계획하다, 궁리하다(plot). **4** (목적 등)을 달성하다, 성취하다(obtain).

cómpass càrd 컴퍼스 카드, 나침반의 지침면(指針面).

*__com·pas·sion__ [kəmpǽʃən] *n.* Ⓤ **불쌍히 여김**, (깊은) 동정(심)《***on, upon, for*** …에 대한》: have 〔take〕 ~ *on* 〔*upon, for*〕 …을 불쌍히 여기다. SYN. ⇨SYMPATHY.

◇**com·pas·sion·ate** [kəmpǽʃənit] *a.* 자비로운, 동정심이 있는; 온정적인: ~ leave 특별 〔온정〕 휴가. ㊕ ~**·ly** *ad.*

compássion fatìgue (자선 행위나 기부 등이 너무 빈번하고 장기에 걸치는 경우의) 동정심 감퇴, 동정의 피로.

cómpass pòint 나침반의 방위《32 방위가 있음》.

cómpass sàw (가늘고 끝이 뾰족한) 곡선 절단용 톱.

com·pàt·i·bíl·i·ty *n.* Ⓤ **1** 적합(성). **2** 〖TV · 라디오〗 양립성; 〖컴퓨터〗 호환성(互換性).

com·pat·i·ble [kəmpǽtəbəl] *a.* **1** 양립하는, 모순되지 않는, 조화되는, 적합한《***with*** …와》. **2** 〖TV〗 (컬러 방송을 흑백 수상기에서 흑백 화상으로 수상할 수 있는) 겸용식의; 〖라디오〗 양립성의《스테레오 방송이 보통 수신기로 monaural로 수신 가능한》; 〖컴퓨터〗 호환성 있는. ㊕ **-bly** *ad.*

com·pa·tri·ot [kəmpéitriət/-pǽtri-] *n.* Ⓒ 동국인, 동포. —*a.* 같은 나라의, 동포의.

com·peer [kəmpíər, kámpiər/kɔ́m-] *n.* Ⓒ (지위 · 신분이) 대등한 사람, 동배; 동료.

__com·pel__ [kəmpél] (-ll-*) *vt.* **1** 《+목+전+명/+목+*to* do》 **강제하다, 억지로 …시키다**《***to*** (행동)을》: ~ a person *to* submission 아무를 굴복시키다 / His disregard of the rules ~*s* us *to* dismiss him. 그는 규칙을 좇지 않으므로 해고하지 않을 수 없다 / He *was* ~*led to* go. 그는 가지 않을 수가 없었다.

> SYN. **compel, force** 두 말은 거의 구별 없이 쓰이지만, compel은 '물리적 · 정신적인 압력으로 무리하게 아무에게 어떤 일을 시키는' 경우에, force는 '힘으로 또는 강박적으로 …하지 않을 수 없게 하는' 경우에 많이 쓰임: Bad weather *compelled* us to stay another day. 날씨가 나빠 하루 더 머물러야 했다. *force* a suspect to confess 용의자에게 자백시키다. **oblige** 필요 · 의무 · 도덕상 · 법률상 …하지 않을 수 없게 하다. 즉, 육체적이 아니라 정신적인 속박을 말함.

2 강요〔강제〕하다: No one can ~ obedience. 아무도 남에게 복종을 강요할 수는 없다 / They ~*led* silence from us. 그들은 우리에게 침묵을 강요하였다. ◇ compulsion *n.*

com·pel·ling [kəmpéliŋ] *a.* 강제적인, 강력한; 감탄〔칭찬〕하지 않을 수 없는: a ~ order 강제적인 명령 / a ~ smile 저도 모르게 나오는 웃음. ㊕ ~**·ly** *ad.*

com·pen·di·ous [kəmpéndiəs] *a.* (책 등이) 간결한, 간명한. ㊕ ~**·ly** *ad.* ~**·ness** *n.*

com·pen·di·um [kəmpéndiəm] (*pl.* **~s, *-dia*** [-diə]) *n.* Ⓒ 대요, 개략, 요약, 개론.

*__com·pen·sate__ [kámpənsèit/kɔ́m-] *vt.* **1** 《~+목/+목+전+명》 …**에게 보상하다**, …에게 변상하다《***for*** (손실 따위)를》: ~ a person *for* loss 아무에게 손실을 배상하다. **2** 《+목+전+명》 (손실 · 결정 등)을 보충〔벌충〕하다, 상쇄하다《***with*** …으로》: He ~*d* his homely appearance *with* great personal charm. 그는 못생긴 용모를 인간적인 매력으로 벌충했다.
—*vi.* 《+전+명》 보충하다, 벌충되다《***for*** (손실 따위)를》; 보상하다《***to*** …에게》: Industry and loyalty sometimes ~ *for* lack of ability. 근면과 충실이 때로는 재능의 결여를 메워 준다 / ~ *to* a person with money 아무에게 돈으로 보상하다. ◇ compensation *n.* ㊕ **-sa·tor** [-tər] *n.*

*__com·pen·sa·tion__ [kàmpənséiʃən/kɔ̀m-] *n.* **1** Ⓤ **배상**, 변상, 벌충《***for*** …에 대한》; Ⓒ 보충이 되는 것, 보상물: make ~ *for* …의 벌충을 하다 / Middle age has its ~*s*. (젊음은 없어졌지만) 중년은 그 나름대로의 보상물〔즐거움 (따위)〕이 있다. **2** Ⓤ (또는 a ~) 보상〔배상〕금《***for*** …에 대한》; 《美》 **보수**: ~ *for* damages 손해 배상금 / unemployment ~ 실업 수당 / work without ~ 무보수로 일하다. **3** Ⓤ (구체적으로는 Ⓒ) 〖심리〗 대상(代償)〔보상〕(작용)《***for*** …에 대한》; Ⓤ 〖생리〗 대상(작용). ◇ compensate *v.*

com·pen·sa·tive [kámpənsèitiv, kəmpénsə-/kɔ́m-] *a.* =COMPENSATORY.

com·pen·sa·to·ry [kəmpénsətɔ̀ːri/-təri] *a.* 보상의, 대상적인; 보정(補整)적인: ~ lengthening 〖언어〗 대상(代償) 연장《인접 자음의 소실로 모음이 장음화되는 현상》.

com·pere [kámpεər/kɔ́m-] *n.* Ⓒ 《英》 (방송 연예의) 사회자. —*vt., vi.* (…의) 사회를 하다, 사회를 맡다. [F.=godfather]

⁑**com·pete** [kəmpíːt] *vi.* **1** 《~/+전+명/ ***to*** do》 **겨루다, 경쟁하다**; 서로 맞서다《***with*** …와; ***for*** …을 목표로; ***against*** …와 맞서서》: ~ *against* other countries in trade 무역으로 다른 나라와 겨루다 / The two men ~*d with* each other *for* the prize. 그 두 남자는 상을 타려고 서로 겨루었다 / She ~*d with* three others *to* win her promotion. 그녀는 다른 세 사람과 경쟁하여 지금의 지위에 올랐다. **2** 《+전+명》 참가하다《***in*** (경기)에》: ~ *in* the marathon 마라톤 경주에 참가하다. ◇ competition *n.*

◇**com·pe·tence, -ten·cy** [kámpətəns/kɔ́m-], [-i] *n.* **1** Ⓤ 적성, 자격, 능력《***for*** …에 대한 / ***to*** do》: There is no doubt of his ~ *for* the task. 그에게는 그 일을 할 수 있는 능력이 있다 / I doubt his ~ *to* do the work. 그에게 그 일을 할 능력이 있는지 의문이다. **2** [U] 〖법률〗 권능, 권한; (증인 등의) 적격성, 능력: within 〔beyond〕 the ~ of …의 권한내〔외〕로 / mental ~ 정신적 능력 / exceed one's ~ 월권 행위를 하다. **3** (a ~) 상당한 자산, 충분한 수입: acquire 〔amass〕 a ~ 충분한 재산을 얻다〔모으다〕. **4** [U] 〖언어〗 언어 능력.

***com·pe·tent** [kámpətənt/kɔ́m-] *a.* **1 적임의, 유능한**; 능력이 있는《*for* …의; *as* …으로서의 / *to* do》: a ~ player 유능한 선수 / He is ~ *for* teaching 〔*to* teach〕 English. 그는 영어를 가르칠 자격이 있다. [SYN.] ⇨ABLE. **2** 적당한, 충분한, 상당한; 요구에 맞는: a ~ knowledge of English 충분한 영어 지식. **3** 〖법률〗 (법정) 자격이 있는《법정·법관·증인 따위》; 관할권 있는; 적격의《*to* do》: the ~ authorities 소관 관청 / the ~ minister 소관〔주무〕 장관 / She was declared mentally ~ *to* stand trial. 그녀는 재판을 받을 정신적 능력이 있다고 선고받았다. ◇ competence *n.* [파] **~·ly** *ad.*

⁑**com·pe·ti·tion** [kàmpətíʃən/kɔ̀m-] *n.* **1** [U] **경쟁**, 겨루기《*with* …와; *for* …을 위한; *between* …간의》: be 〔put〕 in ~ *with* …와 경쟁하다〔시키다〕 / ~ *with* others *for* a prize 상을 타기 위한 경쟁 / ~ *between* nations 국가간의 경쟁. **2** [C] 경기, 시합: the Olympic ~ 올림픽 경기 / a wrestling ~ 레슬링 경기 / enter a ~ 경기에 참가하다. [SYN.] ⇨MATCH. **3** [U] 《집합적》 경쟁자, 라이벌. ◇ compete *v.*

°**com·pet·i·tive** [kəmpétətiv] *a.* 경쟁의, 경쟁에 의한; 경쟁적인: ~ games 경기 종목 / a ~ examination 경쟁 시험 / a ~ price 경쟁 가격 / ~ sports 경기. [파] **~·ly** *ad.* **~·ness** *n.*

°**com·pet·i·tor** [kəmpétətər] (*fem.* **-tress** [-tris]) *n.* [C] 경쟁자, 경쟁 상대(rival).

°**com·pi·la·tion** [kàmpəléiʃən/kɔ̀m-] *n.* [U] 편집, 편찬; [C] 편집〔편찬〕물: the ~ *of* a dictionary 사전 편찬. ◇ compile *v.*

com·pile [kəmpáil] *vt.* **1 편집하다**, 편찬하다: ~ an encyclopedia 백과사전을 편집하다 / ~ a guidebook 안내서를 만들다. **2** (자료 따위)를 수집하다: ~ materials into a magazine 자료를 모아 잡지를 만들다. **3** 〖컴퓨터〗 다른 부호〔컴퓨터 언어〕로 번역하다.

com·píl·er *n.* [C] **1** 편집〔편찬〕자. **2** 〖컴퓨터〗 번역기, 컴파일러《BASIC, COBOL, PASCAL 등의 프로그래밍〔고급〕 언어를 기계어로 번역하는 프로그램》.

°**com·pla·cence, -cen·cy** [kəmpléisəns], [-i] *n.* [U] 자기 만족; 득의.

com·pla·cent [kəmpléisənt] *a.* 만족한, 자기 만족의, 득의의, 마음 속으로 즐거워하는. [파] **~·ly** *ad.* 만족하여.

⁑**com·plain** [kəmpléin] *vi.* **1** 《~/+[전]+[명]》 **불평하다**, 우는 소리하다, 한탄하다《*of, about* …에 관해서》: Some people are always *~ing*. 항상 불평만 하는 사람이 있다 / ~ *of* little supply 공급이 적다고 불평하다. **2** 《+[전]+[명]》 하소연하다; (정식으로) 호소하다《*to* (아무)에게; *of, about* …을》: ~ *of* a headache 두통을 하소연하다 / He *~ed to* the police *about* his neighbor's dog. 그는 이웃의 개에 대해 경찰에 호소했다.

— *vt.* 《+[전]+[명]+*that* [절]》 불평〔한탄〕하다《*to* …에게》: She *~ed that* her husband drank too much. 그녀는 남편이 술을 너무 마신다고 푸념했다 / He *~ed to* his mother *that* his allowance was too small. 그는 어머니에게 용돈이 너무 적다고 투덜거렸다. ◇ complaint *n.*

> [DIAL.] ***I can't complain.*** =***I have nothing to complain about.*** 그럭저럭 잘 지냅니다《지금 상태로는 불평할 게 없다는 뜻》.

com·plain·ant [kəmpléinənt] *n.* [C] 〖법률〗 원고, 고소인(plaintiff).

com·pláin·ing·ly *ad.* 불만스레, 불평하며.

⁑**com·plaint** [kəmpléint] *n.* **1 a** [C] **불평**, 고충《*about, against* …에 대한》: be full of *~s about* one's food 음식에 대해 불평이 많다. **b** [U] 불평함, 고충을 말함: have cause for ~ 불평할 이유가 있다. **2** [C] 불평거리; 병: have a ~ in one's stomach 위가 나쁘다. **3** [C] 〖법률〗 (민사의) 고소《*against* (아무)에 대한》; 《美》 (민사 소송에서) 원고의 최초의 진술: make 〔lodge, file, lay〕 a ~ *against* a person 아무를 고소하다. ◇ complain *v.*

> [DIAL.] ***I have a complaint.***—***Just a moment. I'll call the manager.*** 할 말〔불만〕이 있는데요—잠깐만요, 지배인을 불러드리겠습니다.
> ***How are you doing?***—***No complaints.*** 어떻게 지내는가—그럭저럭.

com·plai·sance [kəmpléisəns, -zəns, kámpləzæ̀ns] *n.* [U] **1** 정중함, 사근사근함. [cf.] complacence. **2** 공손, 친절.

com·plai·sant [kəmpléisənt, -zənt, kámpləzæ̀nt] *a.* 사근사근한, 고분고분한; 공손한, 친절한. [파] **~·ly** *ad.*

***com·ple·ment** [kámpləmənt/kɔ́m-] *n.* [C] **1 보충〔보완〕물**, 보완하는 것《*of, to* …의》. [cf.] supplement. ¶ Good brandy is a ~ *to* an evening meal. 저녁 식사는 고급 브랜디가 따라야 완벽하다 / Love and justice are *~s* each *of* the other. 사랑과 정의는 서로 더불어야 완전해진다. **2** 〖문법〗 보어(補語). **3** 〖수학〗 여각(餘角), 여호(餘弧), 여수(餘數); 여집합; 〖컴퓨터〗 보수. **4** (필요한) 전수, 전량; 〖항해〗 승무원 정원; (직공·공장 인원의) 정수(定數): a full ~ *of* workers (공장의) 전체 노동자 / The ship has taken in its full ~ *of* fuel. 배는 연료를 만재하였다. ◇ complete *v.*

— [-mènt] *vt.* **보충〔보완〕하다**, …의 보충이 되다: That nucklace will ~ your dress perfectly. 저 목걸이를 해야 드레스가 완벽하게 살아날거야.

com·ple·men·tal [kàmpləméntl/kɔ̀m-] *a.* =COMPLEMENTARY.

com·ple·men·ta·ry [kàmpləméntəri/kɔ̀m-] *a.* 보충하는, 보족(補足)하는《*to* …을》: ~ colors 보색 / a ~ angle 〖수학〗 여각(餘角) / Discipline and love should be ~ *to* each other. 징계와 사랑은 서로 보완되어야 한다. [파] **-ri·ly** *ad.* 보충으로. **-ri·ness** *n.*

†**com·plete** [kəmplíːt] *a.* **1 완전한**, 완벽한; 흠잡을 데 없는: a ~ victory 완승 / a ~ failure 완패 / the more ~ statement 보다 완벽한 진술 《★ 완벽함을 강조하기 위해 비교 변화를 쓸 때도 있음》.

[SYN.] **complete, perfect** 서로 바꾸어 쓸 경우도 있으나, complete는 '완비한' 이라는 양적 충족을, perfect는 '이상적인' 이라는 질적인 주관적 가치 판단을 강조하는 경향이 있음: a *complete* work 완결된 작품《질의 좋고 나쁨을 묻지 않음》. a *perfect* work 완벽〔훌륭〕한 작품. *complete* ignorance 완전한 무지, 통 모르고 있음. a *perfect* gentleman 나무랄 데 없는 신사. **full** 가득 차서 더 이상 여지가 없는: *full* employment 완전(한) 고용. **entire** 전체의, 처음부터 끝까지의: an *entire* book 책 전체. **whole** 통째의, 고스란히 그대로의: the *whole* city 전시(全市). **intact** 본래대로의, 온전한.

2 전부의; 완비한, 전부 갖춘《*with* …을》: the ~ works of Shakespeare 셰익스피어 전집/a ~ set (식기 등의) 완전한 한 벌〔세트〕/a flat ~ *with* furniture 가구가 완비된 아파트. **3** 전면적인, 철저한: a ~ stranger 생소한 타인. **4** 〖문법〗 완전한《목적어 · 보어가 필요치 않은》: a ~ verb 완전 동사.

— *vt.* **1 완성하다**, 완료하다, 마치다; 마무르다, 완결하다: ~ one's toilet 화장을 마치다/~ the whole course 졸업하다. **2** 완전한 것으로 만들다; 전부 갖추다; (수 · 양)을 채우다: ~ the puzzle 퀴즈난에 말을 다 채우다. ◇ complement, completion *n.*

****com·plete·ly** [kəmplíːtli] *ad.* **1 완전히**, 철저히, 완벽하게, 전혀, 전부: I ~ forgot to thank her. 그녀에게 감사하다는 말을 까맣게 잊어버렸다. **2** 〖부정문에서〗 완전히 …은 아닌: I still did*n't* ~ trust him. 그를 아직도 완전히 믿는 것은 아니었다.

com·plete·ness *n.* Ⓤ 완전(함).

***com·plé·tion** *n.* Ⓤ **성취, 완성**, 완결; (목적의) 달성; 졸업, 수료; (기간의) 만료: bring (work) to ~ (일을) 완성시키다/reach ~ 완성하다.

com·ple·tist [kəmplíːtist] *n.* Ⓒ, *a.* 완전주의자(의).

****com·plex** [kəmpléks, kámpleks/kɔ́mpleks] *a.* **1 복잡한**, 착잡한; (문제가) 어려운. ↔ *simple.* ¶a ~ problem 복잡한 문제. **2** 복합(체)의, 합성의(composite). **3** 〖문법〗 복문의. **4** 〖수학〗 복소수의. ◇ complexity *n.*

— [kámpleks/kɔ́m-] *n.* Ⓒ **1** (관련된 조직 · 부분 · 활동 등의) 복합〔연합〕체, 합성물(~ whole): the military-industrial ~ 산군(産軍) 복합체. **2** 종합 빌딩; (건물 등의) 복합〔집합〕체: an apartment ~ 아파트 단지/a building ~ 종합 빌딩/a housing ~ 주택 단지/the government ~ 정부 종합 청사. **3** 〖정신분석〗 콤플렉스, 복합; 《구어》 고정관념, 과도한 혐오〔공포〕《*about* …에 대〔관〕한》: a woman ~ 여성 공포감/He has a ~ *about* spiders. 그는 거미를 몹시 싫어한다/⇨ INFERIORITY COMPLEX. ㊞ **~·ly** *ad.*

cómplex fráction 〖수학〗 번분수(繁分數).

◇com·plex·ion [kəmplékʃən] *n.* **1** Ⓒ 안색, 혈색, 얼굴의 윤기; 얼굴의 살갗. **2** (*sing.*) (사태의) 외관, 모양; 양상, 국면: the ~ of the war 전황/That puts a new ~ on the matter. 그렇게 되면 문제가 또 달라진다.

com·pléx·ioned *a.* 〖주로 합성어〗 …한 안색〔피부색〕을 한: dark-〔fair-〕~ 살갗이 가무잡잡한〔흰〕.

***com·plex·i·ty** [kəmpléksəti] *n.* Ⓤ **복잡성**, 착잡; Ⓒ 복잡한 것〔일〕.

com·pli·ance, -an·cy [kəmpláiəns], [-i] *n.* Ⓤ **1** 승낙, 응낙; 친절. **2** 고분고분함, 추종함《*with* …에》: in ~ *with* the law 법에 따라, 법을 준수하여. ◇ comply *v.*

com·pli·ant [kəmpláiənt] *a.* 남이 시키는 대로 하는; 고분고분한《*to* …에》. ㊞ **~·ly** *ad.* 고분고분하게, 유유낙낙하여.

****com·pli·cate** [kámplikèit/kɔ́m-] *vt.* **1 복잡하게 하다**, 까다롭게 하다: ~ matters 일을 복잡하게〔까다롭게〕 만들다. **2** 〖흔히 수동태〗 (병상)을 악화하다《합병증 따위로》: His disease *was* ~*d* by pneumonia. 그의 병은 폐렴의 병발로 더욱 악화되었다.

****com·pli·cat·ed** [kámplikèitid/kɔ́m-] *a.* **복잡한**, 까다로운; 번거로운, 알기 어려운: a ~ machine 복잡한 기계/a ~ fracture 〖의학〗 복잡 골절.

◇còm·pli·cá·tion *n.* **1** Ⓤ 복잡, 혼란, 번쇄; 복잡화. **2** Ⓒ (흔히 *pl.*) 분규의 씨; 말썽거리, (예상외로) 곤란한 사정: A ~ has arisen. 곤란한 문제가 생겼다. **3** Ⓒ 〖의학〗 합병증: A ~ set in. 여병(餘病)이 병발했다.

com·plic·i·ty [kəmplísəti] *n.* Ⓤ 공모, 공범, 연루(連累)《*in* (사건 따위)의》: ~ *in* crime 공범 관계.

***com·pli·ment** [kámpləmənt/kɔ́m-] *n.* **1** Ⓒ **찬사**; (사교상의) 치렛말: lavish 〔shower〕 ~ *on* …에게 칭찬을 퍼붓다/make 〔pay, present〕 a ~ to a person 아무를 칭찬하다, 아무에게 치렛말을 하다. **2** Ⓒ 경의의 표시; 영광스러운 일: Your presence is a great ~. 왕림해 주셔서 큰 영광입니다/in ~ to …에게 경의를 표하여. **3** (*pl.*) 치하, 축사; (의례적인) 인사(말): the ~*s* of the season 계절의 (문안) 인사, 안부《크리스마스나 설날 따위의》/make 〔pay, present〕 one's ~*s* to a person 아무에게 인사하다.

With the ~s of (the author) = ***With*** (the author's) **~*s*** (저자) 근정(謹呈), 혜존(惠存)《기증본에 쓰는 문구》.

> **DIAL.** (***Give***) ***my compliments to your father.*** 아버지께 말씀〔안부〕 잘 전해 주세요.

— [-mènt] *vt.* 《+목+전+명》 **1** …에게 찬사를 말하다, …을 칭찬하다; …에게 경의를 표하다《*on* …일로》: My supervisor ~*ed* me *on* my work. 상사는 일을 잘 했다고 칭찬했다. **2** …에게 축사를 하다, 축하하다《*on* …일로》: ~ a person *on* his success 아무의 성공을 축하하다. **3** …에게 증정하다《*with* …을》: ~ a person *with* a book 아무에게 책을 증정하다.

com·pli·men·ta·ry [kàmpləméntəri/kɔ̀mplə-] *a.* **1** 칭찬의, 찬사의; 경의를 표하는《*about* …에》: a ~ address 〔speech〕 축사, 찬사/He was ~ *about* my picture. 그는 나의 그림에 찬사를 보냈다. **2** 무료의, 우대의: a ~ copy 기증본/~ beverage (비행기 안에서 손님에게 제공하는) 무료 음료/a ~ ticket (to 〔for〕 …) (음악회 따위에의) 우대권, 초대권.

compliméntary clóse 〔clósing〕 편지의 결구(結句)《Sincerely yours 등》.

com·pline, -plin [kámplin, -plain/kɔ́m-], [-plin] *n.* (종종 Complin(e)s) Ⓤ 〖가톨릭〗 만과(晩課), 종도(終禱).

***com·ply** [kəmplái] *vi.* 《~/+전+명》 **좇다**, **동의하다**, 승낙하다, 응하다, 따르다《*with* (요구 · 규칙 따위)에》: They asked him to leave and he *complied.* 그들이 그에게 떠나라고 해서 그는 응했다/~ *with* a person's request 아무의 요구에 응하다/~ *with* a rule 규칙을 좇다. ◇ compliance *n.*

com·po [kámpou/kɔ́m-] (*pl.* ~*s*) *n.* Ⓤ (제품은 Ⓒ) 혼합물, 합성물; 《특히》 회반죽, 모르타르. [◂ composition]

◇**com·po·nent** [kəmpóunənt] *a.* 구성하고 있는, 성분을 이루는: ~ parts 구성 요소〔부분〕, 성분. ―*n.* Ⓒ 성분, 구성 요소; (기계·스테레오 등의) 구성 부분; 컴포넌트; 〖물리〗 (벡터의) 분력(分力); 〖전기〗 소자(素子)(element). SYN. ⇨ ELEMENT.

com·port [kəmpɔ́ːrt] 《문어》 *vt.* 〖~ oneself〗 처신하다, 행동하다(behave): ~ one*self* with dignity 위엄 있게 거동〔행동〕하다. ―*vi.* 어울리다, 적합하다《*with* …에》: His behavior does not ~ *with* his status. 그의 거동은 신분에 어울리지 않는다. ⊕ **~·ment** *n.* Ⓤ 《문어》 거동, 태도, 동작.

***com·pose** [kəmpóuz] *vt.* **1 조립하다,** 조직하다, 구성하다《★ 흔히 수동태로 쓰며, 전치사는 *of*》: The troop *was* ~*d* entirely *of* American soldiers. 그 부대는 전부 미국 병사로 구성되어 있었다 / Facts alone do not ~ a book. 사실만으로 책이 되는 것은 아니다. **2** (시·글)을 **짓다; 작곡하다;** (그림)을 구도(構圖)하다: ~ a poem 시작(詩作)하다 / ~ an opera 오페라를 작곡하다. **3** 〖인쇄〗 식자〔조판〕하다; (활자)를 짜다(set up). **4** (논쟁·쟁의 따위)를 진정시키다, 조정〔수습〕하다. **5** (안색·태도 따위)를 부드럽게 하다; (마음)을 도사리다, 가다듬다: ~ one's figures 표정을 부드럽게 하다 / ~ one's mind for action 행동으로 옮길 마음의 태세를 갖추다. **6** 《+목+*to* do》 〖~ oneself〗 마음을 가라앉히다: ~ one*self to* sleep 마음 편히 자기로 하다. ―*vi.* 문학〔음악〕 작품을 창작하다, 시를 짓다, 작곡하다. ◇ composition *n.*

***com·posed** [kəmpóuzd] *a.* (마음이) **가라앉은, 침착한:** a ~ face 태연한 얼굴.
⊕ **com·pós·ed·ly** [-idli] *ad.* 마음을 가라앉혀, 태연하게, 침착하게, 냉정하게. **compós·ed·ness** [-idnis] *n.* Ⓤ 침착, 냉정.

⁑**com·pos·er** [kəmpóuzər] *n.* Ⓒ **작곡가, 구성자,** 구도자(構圖者), (글의) **작자**(作者).

◇**com·pos·ite** [kəmpázit, kam-/kɔ́mpəzit] *a.* **1** 혼성〔합성〕의: a ~ income tax 종합 소득세. **2** (C-) 〖건축〗 혼합식의; 〖선박〗 쇠와 나무로 만든《선박》: a ~ vessel 철골 목피선(鐵骨木皮船) / the *Composite* order 〖건축〗 컴포지트 오더《코린트식과 이오니아식의 절충식; 주두(柱頭)가 특징》. **3** (로켓이나 미사일이) 다단식(多段式)인. ―*n.* Ⓒ 합성〔복합, 혼합〕물.

⁑**com·po·si·tion** [kàmpəzíʃən/kɔ̀m-] *n.* **1** Ⓤ **구성,** 조립; 조직; 합성, 혼합; 구조, 조성: the ~ *of* the atom 원자의 구조. **2** Ⓤ (타고난) 기질, 성질: a touch of genius in one's ~ 나면서 갖춘 천재 기질. **3** Ⓤ **작문**(법), 작시(법); 저작, 저술; Ⓒ (한 편의) 작문, 문장: a ~ book 《美》 작문 공책. **4** Ⓤ **작곡**(법); 〖미술〗 구도; Ⓒ (음악·미술의) 작품. **5** Ⓤ (말의) 합성, 복합(법). **6** Ⓒ 구성물, 합성물〔품〕, 혼합물; (구성) 성분: What is its ~? 그것은 무엇으로 돼 있나? **7** Ⓒ 〖법률〗 화해, 타협; 화해금: a ~ deed 화해서. **8** Ⓤ 〖인쇄〗 식자, 조판. ◇ compose *v.*

com·pos·i·tor [kəmpázitər/-pɔ́z-] *n.* Ⓒ 〖인쇄〗 식자공(植字工); 식자기(機).

com·pos men·tis [kàmpəs-méntis/kɔ́m-] 《L.》 〖법률〗 정신이 건전한, 제정신의(sane).

com·post [kámpoust/kɔ́m-] *n.* Ⓤ 혼합 비료, 퇴비. ―*vt.* …에 퇴비를 주다; (풀 따위)를 썩혀서 퇴비로 만들다.

cómpost pìle 〔**hèap**〕 퇴비 더미.

◇**com·po·sure** [kəmpóuʒər] *n.* Ⓤ 침착, 냉정, 평정, 자제: with (great, perfect, utmost) ~ 아주 침착하게, 태연히 / keep 〔lose〕 one's ~ 마음의 평정을 유지하다〔잃다〕 / recover 〔regain〕 one's ~ 평정을 되찾다. ◇ compose *v.*

com·pote [kámpout/kɔ́m-] *n.* **1** Ⓤ 설탕조림〔설탕절이〕의 과일. **2** Ⓒ (과자나 과일 담는) 굽달린 접시.

***com·pound**[1] [kəmpáund, kámpaund/kɔ́mpaund] *vt.* **1** (요소·성분)을 **혼합하다;** (약)을 조제하다: ~ a medicine 약을 조제하다. **2** 《+목+전+명》 **a** 〖흔히 수동태〗 (제품)을 조성(組成)하다《*of, from* (요소·성분)으로》: The new plastic has *been* ~*ed of* unknown materials. 새로운 플라스틱은 미지의 재료를 혼합하여 만든 것이다. **b** (요소·성분)을 혼합하여 만들다《*into* (제품)으로》: ~ various ingredients *into* a medicine 여러 가지 성분을 조제하여 약을 만들다. **3** (분쟁)을 가라앉히다; 〖법률〗 (돈으로) 무마하다, 화해하다. **4** (채무·셈)을 끊다《일부 지급으로》; (예약금)을 일시불로 하다. **5** 〖종종 수동태〗 …을 증가〔배가〕하다, 더욱 크게〔심하게〕 하다: The misery of his loneliness *was* now ~*ed* by poverty. 그의 고독의 불행은 가난으로 더욱 심해졌다. **6** (이자)를 복리로 지급〔계산〕하다.
―*vi.* 《+전+명》 **1** (요소·성분이) 섞이다, 혼합하다《*with* …와》: Hydrogen ~*s with* oxygen to form water. 수소는 산소와 화합하여 물이 된다. **2** 타협하다; 화해하다《*with* (아무)와; *for* …일로》: ~ *with* a person *for* a thing 어떤 일로 아무와 타협하다.
― [kámpaund, -⌐/kɔ́m-] *a.* **1** 합성의, 복합의, 혼성의(↔ *simple*); 〖화학〗 화합한: ~ ratio 〔proportion〕 복비례. **2** 〖문법〗 (문장이) 중문(重文)의; (말이) 복합의: a ~ noun 복합 명사.
― [kámpaund/kɔ́m-] *n.* Ⓒ **합성〔혼합〕물;** 화합물; 복합어(~ word).

com·pound[2] [kámpaund/kɔ́m-] *n.* Ⓒ **1** (동양에서) 울타리 친 백인의 구내《주택·상관·공관 따위》. **2** 울타리 친 장소《수용소 따위》.

cómpound éye 복안(複眼), 겹눈.

cómpound flówer 〖식물〗 두상화(頭狀花)《국화꽃 따위》.

cómpound fráction 〖수학〗 번(繁)분수(complex fraction).

cómpound frácture 〖의학〗 복잡 골절.

cómpound ínterest 복리(複利).

cómpound léaf 〖식물〗 겹잎.

cómpound pérsonal prónoun 〖문법〗 복합 인칭 대명사《인칭 대명사 뒤에 -self가 붙은 것》.

cómpound sénténce 〖문법〗 중문(重文)《둘 이상의 절을 and, but, or, for 등 등위 접속사로 결합한 문장》.

compound word 복합어, 합성어《예: schoolgirl, nobleman 등 두 단어가 결합하여 한 단어가 된 것》.

***com·pre·hend** [kàmprihénd/kɔ̀mpr-] *vt.* **1** 《~+목/+*that* 절/+*wh.* 절》 **이해〔파악〕하다,** 깨닫다. SYN. ⇨ UNDERSTAND. **2** 포함〔내포〕하다: Science ~*s* many disciplines. 과학에는 많은 분야가 있다. ◇ comprehension *n.*

còm·pre·hèn·si·bíl·i·ty *n.* Ⓤ 이해할 수 있

음, 알기 쉬움; 포용성(包容性).

com·pre·hen·si·ble [kɑ̀mprihénsəbəl/kɔ̀m-] *a.* 이해할 수 있는, 알기 쉬운《*to* …에게》; 포함되는《*in* …에》. ㊕ **-bly** *ad.* 알기 쉽게.

***com·pre·hen·sion** [kɑ̀mprihénʃən/kɔ̀m-] *n.* Ⓤ **1 이해**; 터득; 이해력: without ~ 까닭도 모르고 / listening 〔reading〕 ~ 듣고〔읽고〕 이해하는 힘 / be above 〔be beyond, pass〕 one's ~ 이해하기 어렵다. **2** 포함, 함축. ◇ comprehend *v.*

***com·pre·hen·sive** [kɑ̀mprihénsiv/kɔ̀m-] *a.* **1 포괄적인**, 포용력이 큰: a ~ mind 넓은 마음 / be ~ *of* …을 포함하다. **2 범위가 넓은**: a ~ knowledge 〔survey〕 광범위한 지식〔조사〕. **3** 이해(력)의, 이해력이 있는, 이해가 빠른: the ~ faculty 이해력. ◇ comprehend *v.* **—** *n.* 《英》 = COMPREHENSIVE SCHOOL. ㊕ **~·ly** *ad.* 포괄적으로, 광범위하게.

comprehénsive schòol 《英》 종합 (중등) 학교《여러 가지 과정이 있음》.

°**com·press** [kəmprés] *vt.* 압축하다, 압착하다; 단축하다, 축소하다, (말·사상 따위)를 요약하다《*into* …으로》: ~ one's lips 입술을 굳게 다물다 / ~ cotton *into* bales 솜을 곤포(梱包)로 압착하다.
— [kɑ́mpres/kɔ́m-] *n.* Ⓒ (혈관을 압박하는) 압박 붕대; 습포(濕布).

com·préssed [-t] *a.* 압축〔압착〕된; (사상·문체 따위가) 간결한: ~ air 압축 공기.

com·prèss·i·bíl·i·ty *n.* Ⓤ 압축 가능성; 〖물리〗 압축성〔률〕.

com·préss·i·ble *a.* 압축〔압착〕할 수 있는, 압축성의.

°**com·pres·sion** [kəmpréʃən] *n.* Ⓤ 압축, 압착; (사상·언어 따위의) 요약.

com·pres·sive [kəmprésiv] *a.* 압축력 있는, 압축의. ㊕ **~·ly** *ad.*

com·pres·sor [kəmprésər] *n.* Ⓒ **1** 압축자; 컴프레서, (공기·가스 등의) 압축기〔펌프〕: an air ~ 공기 압축기. **2** 〖해부〗 압축근; 〖의학〗 지혈기(止血器), 혈관 압박기.

°**com·prise, -prize** [kəmpráiz] *vt.* **1** 함유하다, 포함하다; …으로 이루어져 있다; 구성하다: The United States ~*s* 50 states. 미국은 50개 주로 이루어져 있다. **2** …의 전체를 형성〔구성〕하다《★ 종종 수동태로 쓰며, 전치사는 *of*》: The committee *is* ~*d of* eight members. 위원회는 8명으로 이루어진다.

***com·pro·mise** [kɑ́mprəmàiz/kɔ́m-] *n.* **1** Ⓤ (구체적으로는 Ⓒ) **타협**, **화해**, 양보《*with* …와의》: reach 〔come to〕 a ~ 타협에 이르다 / make a ~ *with* …와 타협하다. **2** Ⓒ 타협〔절충〕안; 절충〔중간〕물《*between* …간의》: a ~ *between* opposite opinions 상반된 의견의 절충안. **—** *vt.* **1** 《~+목/+목+전+명》 타협〔절충〕하여 해결하다, 화해하다《*with* …와》: ~ a dispute *with* a person 아무와 타협하여 분쟁을 해결하다. **2** (주의·원칙을) **양보하다**, 굽히다. **3** (평판 따위)를 **더럽히다**, 손상하다; 〔~ oneself〕 자신의 체면을 떨어뜨리다: ~ one's credit with a slip of tongue 입을 잘못 놀려 신용을 떨어뜨리다. **—** *vi.* 《~/+전+명》 **타협하다**, 화해하다, 절충하다《*with* …와; *on, over* …에 대하여》; 양보하다, 굽히다《*with* (신념·주의 등)을》: ~ *with* a person 〔a principle〕 아무와〔주의에〕 타협하다 / choose prison rather than ~ *with* one's beliefs 자기 신념을 굽히느니 차라리 감옥을 택하다.

cóm·pro·mìs·ing *a.* 명예를〔평판을〕 손상시키는, 의심을 초래하는: in a ~ situation 의심을 받아도 어쩔 수 없는 상황에 빠져.

comp·trol·ler [kəntróulər] *n.* Ⓒ (회계, 은행의) 검사관, 감사관.

com·pul·sion [kəmpʌ́lʃən] *n.* **1** Ⓤ 강요, 강제: by ~ 강제로 / on 〔upon, under〕 ~ 강제되어, 부득이. **2** Ⓒ 〖심리〗 강박 충동; (누르기 어려운) 강한 욕망, 충동《*to* do》: Smoking is a ~ with him. 그는 도저히 담배를 끊지 못한다 / driven by a ~ *to* see what is inside 내용물을 보고자 하는 충동에 사로잡혀서. ◇ compel *v.*

com·pul·sive [kəmpʌ́lsiv] *a.* 강제적인, 억지로의, 강박감에 사로잡힌; 너무 고지식한: a ~ eater 무엇인가 먹지 않고는 못 배기는 사람. ㊕ **~·ly** *ad.* 강제적으로.

***com·pul·so·ry** [kəmpʌ́lsəri] *a.* **강제된**, 강제적인; 의무적인; 필수의. ↔ *elective, optional*. ¶ ~ education 의무 교육 / ~ service 징병 / ~ execution 강제 집행 / ~ purchase (토지 따위의) 강제 수용 / a ~ subject 《英》 필수 과목 (《美》 required subject) / ~ winding-up (유한 책임 회사의) 강제 해산. **—** *n.* Ⓒ (피겨 스케이팅·체조 등의) 규정 연기. ◇ compel *v.*

com·punc·tion [kəmpʌ́ŋkʃən] *n.* Ⓤ 양심의 가책, 후회, 회한: without (the slightest) ~ (아무) 거리낌 없이, (조금도) 미안해 하지 않고.

com·punc·tious [kəmpʌ́ŋkʃəs] *a.* 후회하는, 양심에 가책되는. ㊕ **~·ly** *ad.* 후회하여.

com·put·a·ble [kəmpjú:təbəl] *a.* 계산할 수 있는.

com·pu·ta·tion [kɑ̀mpjutéiʃən/kɔ̀m-] *n.* **1** Ⓤ (구체적으로는 Ⓒ) 계산; 평가; 컴퓨터의 사용〔조작〕. **2** Ⓒ 계산 결과, 산정 수치. ㊕ **~·al** *a.*

computátional linguístics 컴퓨터 언어학.

°**com·pute** [kəmpjú:t] *vt.* **1** (수·양)을 계산〔측정〕하다, 산정(算定)하다; (수치 따위)를 어림잡다《*at* …으로》: ~ the area of a field 밭의 면적을 계산하다 / We ~*d* the distance *at* 200 miles. 거리를 200 마일로 어림잡았다. **2** 계산기로 계산하다. **—** *vi.* 계산하다; 컴퓨터를 사용하다.

‡**com·put·er, -pu·tor** [kəmpjú:tər] *n.* Ⓒ **컴퓨터**; 계산기(器): ~ crime 컴퓨터 범죄 / ~ dating 컴퓨터 맞선〔결혼 중매〕 / a ~ game 컴퓨터 게임.

compúter-bàsed méssaging sỳstem 컴퓨터를 사용한 정보 전달 시스템《생략: CBMS》.

compúter gràphics 전산 그림《컴퓨터에 의한 도형 처리》.

com·pút·er·ist *n.* Ⓒ 컴퓨터광; 컴퓨터 일을 하는 사람.

com·pút·er·ìze [-ràiz] *vt.* 컴퓨터로 처리〔관리, 자동화〕하다; (정보)를 컴퓨터에 기억시키다; (어떤 과정)을 전산화하다. **—** *vi.* 컴퓨터를 도입〔사용〕하다. ㊕ **-ìz·a·ble** *a.* **-pùt·er·i·zá·tion** *n.*

compúter lànguage 컴퓨터 언어.

compúter-líterate *a.* 컴퓨터에 숙달한〔능한〕.

compúter scìence 컴퓨터 과학《컴퓨터 설계, 자료 처리 등을 다루는 과학》.

compúter vìrus 컴퓨터 바이러스《기억 장치 등에 숨어들어 정보나 기능을 훼손시키는 프로그램》.

°**com·rade** [kɑ́mræd, -rid/kɔ́m-] *n.* **1** Ⓒ (고락을 함께 하는 친한) 동료, 친구: ~*s* in arms 전

우. 2 [C] (공산국에서 서로를 부르는 말로) 동무, 동지; (보통 the ~s) 《구어》 공산당원. [SYN.] ⇨COMPANION.
[파] **~·ship** [-ʃìp] n. [U] 동료〔동지〕임; 동료 관계, 우애, 우정: a sense of ~*ship* 동료 의식.

coms [kɑmz/kɔmz] n. pl. 《英구어》 =COMBINATION 2.

Com·sat [kámsæ̀t/kɔ́m-] n. 콤샛《미국 통신 위성 회사; 상표명》; [C] (c-) 콤샛《대륙간 등의 통신 위성》. [◂ *Com*munications *Sat*ellite]

Co·mus [kóuməs] n. 〖그리스·로마신화〗 코머스《주연·축제를 관장하는 젊은 신》.

con[1] [kɑn/kɔn] (**-nn-**) vt. 《고어·문어》 정독(精讀)〔숙독〕하다; 암기하다; 자세히 조사〔공부〕하다 (*over*).

con[2] ad. 반대하여. ***pro and ~*** ⇨PRO[2]. **—**n. [C] (보통 pl.) 반대 투표(자); 반대론(자). ↔ *pro*[2]. (***the***) ***pros and ~s*** ⇨PRO[2].

con[3] 《속어》 n. [C] (금전의) 유용, 횡령; (신용) 사기. **—** (**-nn-**) vt. 속이다《**into** …하도록》; …에게서 사취하다《**out of** …을》: He ~*ned* me *into* buy*ing* this watch. 그는 나를 속여 이 시계를 사게 했다 / She was ~*ned out of* all her savings. 그녀는 감언에 속아 모든 저금을 사취당했다. **—**a. [A] 신용 사기의, 야바위의.

con[4] n. 《속어》 =CONVICT.

con- [kən, kɑn/kən, kɔn] pref. =COM-《b, h, l, p, r, w 이외의 자음 글자 앞에서》.

con brio [kɑnbríːou/kɔn-] 《It.》 〖음악〗 활발〔쾌활〕하게, 생기 있게.

con·cat·e·nate [kɑnkǽtənèit/kɔn-] vt. 사슬로 잇다, (사건 따위)를 연결시키다.
[파] **con·càt·e·ná·tion** n. [U] 연쇄, 연결; [C] (사건 따위의) 연관, 연속.

◇**con·cave** [kɑnkéiv, ⌐-/kɔn-] a. 옴폭한, 오목한, 요면(凹面)의. ↔ *convex*. ¶ a ~ lens 오목 렌즈 / a ~ mirror 요면경(鏡), 오목 거울 / a ~ tile 둥근 기와, 암키와. **—** [⌐-] n. [C] 요면; 요면체: the spherical ~ 《시어》 하늘.

con·cav·i·ty [kɑnkǽvəti/kɔn-] n. [U] 가운데가 옴폭함, 요상(凹狀); [C] 요면(凹面); 함몰 부(部).

con·cá·vo-concáve [kɑnkéivou-/kɔn-] a. 양면이 옴폭한, 양요(兩凹)의(biconcave).

concávo-convéx a. 요철(凹凸)의, 한 면은 오목하고 한 면은 볼록한.

‡**con·ceal** [kənsíːl] vt. 1 《~+[목]/+[목]+[전]+[명]》 숨기다《**from** …으로부터》; 〖~ oneself〗 숨다: ~ one's identity 신분을 숨기다 / The tree ~*ed* her *from* view. 나무 때문에 그녀의 모습이 보이지 않았다 / He ~*ed* him*self* behind a tree. 그는 나무 뒤에 숨었다. 2 《+[목]+[전]+[명]/+[전]+[명]+*that* [절]/+*wh*. [절]》 비밀로 하다《**from** …에》: I ~ nothing *from* you. 너에게는 아무것도 비밀로 하는 것이 없다 / He could not ~ *from* us *that* he liked her. 그는 그녀를 좋아한다는 것을 우리에게 비밀로 하지 못했다 / She didn't ~ *how* she felt. 어떤 느낌이었는가를 그녀는 감추지 않았다.

◇**con·céal·ment** n. 1 [U] 숨김, 은폐; 잠복: be 〔remain〕 in ~ 숨어 있다. 2 [C] 숨는 장소; 은신처.

***con·cede** [kənsíːd] vt. 1 《~+[목]/+*that* [절]》 인정하다, 시인하다(admit): ~ defeat 패배를 인정하다 / Everyone ~*s that* lying is wrong. 거짓말하는 것이 나쁘다는 것은 누구나 인정하는 바다. 2 《~+[목]/+[목]+[목]/+[목]+[전]+[명]》 …을 (권리·특권으로) 용인하다; (특권 따위)를 양여하다, 부여하다《**to** …에게》: He ~*d* us the right to walk through his land. 그는 우리에게 그의 소유지를 지나갈 권리를 부여해 주었다 / ~ a longer vacation *to* 〔*for*〕 all employees 종업원 전원에게 더 긴 휴가를 주다. 3 《+[목]+[목]/+[목]+[전]+[명]》 (득점·논점)을 허용하다, 양보하다《**to** (아무)에게; **in** (경기·토론 따위)에서》: We ~*d* two points *to* our opponents. 상대에게 2점을 허용했다 / He ~*d* us the point. =He ~*d* the point *to* us. 그는 우리에게 그 점을 양보했다 / He ~*d* that point *in* our debate. 그는 우리 토론에서 그 점을 양보했다. 4 …의 패배를 인정하다《공식 결과가 나오기 전에》: ~ an election 선거에서 상대방의 승리를 인정하다. **—**vi. 1 《+[전]+[명]》 양보하다《**to** …에게》: ~ *to* a person 아무에게 양보하다. 2 《美》 (경기·선거 따위에서) 패배를 인정하다. ◇concession n.

con·ced·ed·ly [kənsíːdidli] ad. 명백히.

***con·ceit** [kənsíːt] n. 1 [U] **자부심, 자만**; 독단, 사견. ↔ *humility*. ¶ be full of ~ 한껏 자만에 빠져 있다 / with ~ 자만하여, 우쭐해서. [SYN.] ⇨PRIDE. 2 [C] 〖문학〗 기발한 착상, 기발한 표현.

***con·céit·ed** [-id] a. **자만심이 강한**, 젠 체하는, 우쭐한. [파] **~·ly** ad.

◇**con·céiv·a·ble** a. 〖형용사의 최상급 또는 every 의 뒤에서〗 생각〔상상〕할 수 있는; 있을 법한: by *every* ~ means 가능한 모든 수단으로 / It is *the best* ~. 그 이상의 것은 생각할 수 없다. [파] **-bly** ad. 생각되는 바로는, 상상으로는, 생각건대.

***con·ceive** [kənsíːv] vt. 1 (감정·의견 따위)를 **마음에 품다**, 느끼다: ~ a hatred 증오를 느끼다. 2 (계획 등)을 착상하다, 고안하다: ~ a plan 입안하다 / a badly ~*d* scheme 졸렬한 기획. 3 《~+[목]+(*to be*) [보]/+*that* [절]/+*wh*. [절]/+*wh*.+*to* do》 상상하다, 생각하다: ~ something (*to be*) possible 어떤 일을 가능하다고 생각하다 / I can't ~ *that* it would be of any use. 그것이 무슨 소용이 된다고는 생각되지 않는다 / I cannot ~ *how* that can be. 어떻게 그렇게 될 수 있는지 상상을 못 하겠다 / It was difficult for me to ~ *how to* deal with the problem. 그 문제를 어떻게 처리해야 좋을지 도무지 몰랐다. [SYN.] ⇨THINK. 4 〖보통 수동태〗 말로 나타내다, 진술하다: ~*d* in plain terms 쉬운 말로 표현된〔씌어진〕. 5 〖보통 수동태〗 만들다, 창설〔창건〕하다: a new nation ~*d* in liberty 자유 이념하에 창건된 새 국가. 6 (아이)를 임신하다, 배다: ~ a child / The baby was ~*d* in March, so will be born in December. 3월에 임신했으니까 12월이면 태어나겠군. **—**vi. 1 《+[전]+[명]》 〖보통 부정문〗 상상하다, 생각하다《**of** …을》: ~ *of* a plan 하나의 계획이 떠오르다 / I can*not* ~ *of* his killing himself. 그가 자살을 하다니 생각도 할 수 없는 일이다. 2 임신하다. ◇conception n.

‡**con·cen·trate** [kánsəntrèit/kɔ́n-] vt. 1 《~+[목]/+[목]+[전]+[명]》 (광선·주의·노력 따위)를 **집중〔경주〕하다**《**on, upon** …에》: ~ one's attention 〔efforts〕 *on* 〔*upon*〕 …에 주의를〔노력을〕 집중하다. 2 《+[목]+[전]+[명]》 (부대 등)을 집결시키다《**at, in** …에》: ~ troops *at* one place 군대를 한 곳에 집결시키다. 3 (액체)를 농축하다; 응집하다. **—**vi. 1 《+[전]+[명]》 **집중하다**《**at, in** …에》: Population tends to ~ *in* large cities.

인구는 대도시에 집중하는 경향이 있다. **2** 《+전+명》 **전념하다**, 전력을 기울이다《***on, upon*** …에》: ~ *upon* a problem 문제에 온 정신을 쏟다. ◇ concentration *n.*
—*n.* Ⓤ (낱개는 Ⓒ) 농축물〔액〕; 〖광물〗 정광(精鑛): uranium ~ 우라늄 정광.

cón·cen·trat·ed [-id] *a.* **1** Ⓐ 집중한: ~*d* hate 심한 증오 / a ~*d* attack on …에 대한 집중 공격. **2** 농축〔응집, 응축〕된, 농후한: ~*d* milk 농축 우유 / ~*d* feed 농축 사료.

‡**con·cen·tra·tion** [kὰnsəntréiʃən/kɔ̀n-] *n.* **1** Ⓤ (노력·정신 등의) **집중**, 전념, 전심《***on, upon*** …에의》: Too much ~ *on* one aspect of a problem is dangerous. 문제의 일면에만 너무 많이 주의를 집중하는 것은 위험하다. **2** Ⓤ 농축; (*sing.*) (액체의) 농도. **3** Ⓤ (구체적으로는 Ⓒ) (부대의) 집결: (a) ~ *of* armaments 군사력의 집결. **4** Ⓤ 집중 연구〔강의〕: His area of ~ is nuclear physics. 그의 중점 연구 분야는 핵물리학이다. ◇ concentrate *v.*

concentrátion càmp 강제 수용소《특히 나치스의》; (포로) 수용소.

con·cen·tric, -tri·cal [kənséntrik], [-kəl] *a.* **1** 동심(同心)의, 중심이 같은《***with*** …와》. ↔ *eccentric.* ¶ ~ circles 〖수학〗 동심원. **2** 집중적인: ~ fire 〖군사〗 집중 포화. ㊕ **-tri·cal·ly** *ad.*

con·cept** [kάnsept/kɔ́n-] *n.* Ⓒ **1** 〖철학〗 개념. **2** 구상(構想), 발상《that***》. SYN. ⇨ IDEA.

◇**con·cep·tion** [kənsépʃən] *n.* **1** Ⓤ (구체적으로는 Ⓒ) 개념, 생각《***that***》: I have no ~ (*of*) what it's like. 나는 그것이 어떤 것인지 전혀 짐작이 가지 않는다 / I had no ~ *that* it was such a complex matter. 그것이 그렇게 복잡한 일인지 전혀 몰랐다. **2** Ⓤ 개념 작용; 파악, 이해. cf. perception. **3** Ⓤ (구체적으로는 Ⓒ) 구상, 착상, 창안, 고안, 계획: a grand ~ 웅대한 구상. SYN. ⇨ IDEA. **4** Ⓤ (구체적으로는 Ⓒ) 수태(受胎), 임신. ◇ conceive *v.*

con·cep·tu·al [kənséptʃuəl] *a.* 개념상의. ㊕ **~·ly** *ad.*

con·cèp·tu·al·i·zá·tion *n.* Ⓤ 개념화.

con·cép·tu·al·ìze *vt.* 개념화하다.

‡**con·cern** [kənsə́ːrn] *vt.* **1** …에 **관계하다**, 관계가 있다; …의 이해에 관계되다(affect), …에 있어서 중요하다: The problem does not ~ us. 그 문제는 우리들에겐 관계없다 / It ~*s* him to know that .... 그는 …라는 것을 알고 있을 필요가 있다. **2** 《+목+전+명》 〖수동태 또는 ~ oneself〗 관계하다, 관여하다, 종사하다《***in, with, about*** …에》. cf. concerned. ¶ I *am* not ~*ed with* that matter. = I do not ~ *myself with* that matter. 나는 그 일과는 관계없다. **3 a** (아무)를 걱정시키다, 염려케 하다: Don't let my sickness ~ you. 내 병은 염려 마십시오. **b** 《+목+전+명》 〖수동태 또는 ~ oneself〗 **관심을 갖다**, 염려하다, 걱정하다《***about, for, over*** …에 대하여 / ***to*** do / ***that***》: I *am* ~*ed about* his health. 그의 건강이 걱정이다 / She is only ~*ed to* enjoy life. 그녀는 인생을 즐기는 데만 관심이 있다 / We are very much ~*ed that* they won't hire him. 우리는 그들이 그를 고용하지 않을까 하여 큰 걱정이다.

as* ~*s*...** …에 대〔관〕해서는. ***so* 〔*as*〕 *far as (I am) **~*ed*** (나에) 관한 한. ***To whom it may* ~.** 관계자 제위(諸位). ***Where ... be* ~*ed*** …에 관한 한, …에 관한 일이라면: He's really an incurable fool *where* women *are* ~*ed*. 여자에 관한 한 그는 정말 구제 못할 바보다.

—*n.* **1** Ⓒ **관계**, 관련; 이해 관계: have no ~ with …에 아무런 관계도 없다. **2** Ⓤ 〖보통 of ~〗 중요성: a matter *of* utmost ~ 매우 중대한 사건. **3** Ⓤ (또는 a ~) **관심**; 염려, 걱정《***for, over, about*** …에 대한》: feel ~ *about* 〔*for, over*〕 …을 걱정하다 / show deep ~ at the news 그 뉴스에 깊은 관심을〔우려를〕 나타내다 / a matter of ~ 관심사 / with 〔without〕 ~ 걱정하여〔없이〕. **4** Ⓒ **관심사**, 관계 있는 것, 중요한 것: It's none of my ~. = It is no ~ of mine. 내 알 바 아니다 / Mind your own ~*s*. 쓸데없는 간섭 마라 / Our chief ~ at the moment is the weather. 당장에 우리의 제일 관심사는 날씨이다. **5** Ⓒ 사업, 영업: a paying ~ 수지가 맞는〔벌이가 되는〕 장사. **6** Ⓒ 회사, 상회; 콘체른, 재벌. **7** Ⓒ 《구어》 (막연한) 일, 것; 사람, 놈: The war smashed the whole ~. 전쟁이 모든 것을 망쳐 버렸다 / I'm sick of the whole ~. 이것엔 진저리가 난다 / a selfish ~ 이기적인 놈 / everyday ~*s* 일상의 일들.

◇**con·cérned** *a.* **1** 걱정하는, 염려하는; 걱정스러운: feel ~ 염려하다 / with a ~ air 걱정스러운 태도로. SYN. ⇨ CARE. **2** 〖보통 명사 뒤에서〗 관계하고 있는, 당해(當該)…; 관련된: the authorities 〔parties〕 ~ 당국〔관계〕자 / all ~ (in it) (그 일의) 관계자 모두. ㊕ **con·cérn·ed·ly** [-nidli] *ad.* 염려하여.

‡**con·cern·ing** [kənsə́ːrniŋ] *prep.* …에 관〔대〕하여: ~ the matter 그 일에 관하여〔관한〕 / *Concerning* his financial standing, I know nothing. 그의 재정적인 사정에 관해서는 아무것도 모른다.

con·cérn·ment *n.* Ⓤ 《문어》 **1** 중요성, 중대성: a matter of (vital) ~ (대단히) 중대한 일. **2** 걱정, 근심, 우려. **3** 관계, 관여.

‡**con·cert**[1] [kάnsə(ː)rt/kɔ́n-] *n.* **1** Ⓒ 연주회, 음악회, 콘서트: a ~ hall 연주회장 / give a ~ 연주회를 개최하다. **2** Ⓤ 〖음악〗 협화음. **3** Ⓤ **협력**, 협조, 제휴, 협약(協約). ***in* ~** 일제히; 제휴하여《***with*** …와》.

‡**con·cert**[2] [kənsə́ːrt] *vt.* 협정〔협조〕하다.
—*vi.* 《+전+명》 협정〔협조〕하다《***with*** …와》.

con·cért·ed [-id] *a.* 합의한, 협정된; 〖음악〗 합창용〔합주용〕으로 편곡된: a ~ effort 협력 / take ~ action 일치된 행동을 취하다. ㊕ **~·ly** *ad.* **~·ness** *n.*

cóncert·gòer *n.* Ⓒ 음악회에 자주 가는 사람; 음악 애호가.

cóncert gránd (piàno) 연주회용의 대형 피아노.

con·cer·ti·na [kὰnsərtíːnə/kɔ̀n-] *n.* Ⓒ 〖음악〗 콘서티나《아코디언 비슷한 6각형 악기》.
—*vi.* (콘서티나처럼) 접다; (자동차가 부딪쳐서) 납작해지다.

cóncert·màster, -mèister [-màistər] *n.* Ⓒ 《美》 〖음악〗 (오케스트라의) 수석 악사, 콘서트 마스터《보통 제1바이올리니스트가 됨; 지휘자의 차석》.

con·cer·to [kəntʃértou] (*pl.* ***-ti*** [-tiː], **~*s***) *n.* Ⓒ 〖음악〗 협주곡, 콘체르토《관현악 반주의 독주곡》: a piano ~ 피아노 협주곡.

cóncerto grós·so [-gróusou] (*pl.* ***concérti grós·si*** [-gróusi]) 〖음악〗 합주 협주곡, 콘체르토 그로소.

cóncert òverture 〖음악〗 연주회용 서곡.

cóncert perfórmance 연주회 형식에 의한 공연《오페라 등을 배경·의상 없이 상연하는 것》.

cóncert pìtch 【음악】 연주회용 표준음. ***at*** ~ ① 몹시 흥분〔긴장〕한 상태에서. ② 만반의 준비가 갖추어져《***for*** …에 대해》.

*__con·ces·sion__ [kənséʃən] *n.* **1** Ⓤ (구체적으로는 Ⓒ) **양보**, 용인《***to*** …에의》: make a ~ *to* …에게 양보하다. **2** Ⓒ 용인된 것; (주로 정부에 의한) 허가, 면허, 특허; 이권(利權), 특권: a mining ~ 광산 채굴권. **3** Ⓒ 거류지, 조계(租界), 조차지(租借地). **4** Ⓒ 《美》 (공원 따위에서 인정되는) 영업 허가, 영업 장소, 구내 매점: a parking ~ 유료 주차장. ◇ concede *v.*

con·ces·sion·aire [kənsèʃənέər] *n.* Ⓒ (권리의) 양수인(讓受人); 특허권 소유자; 《美》 (극장·공원 등의) 영업권 소유자, 구내 매점업자.

con·ces·sion·ary [kənséʃənèri/-nəri] *a.* 양여의, 양보의.

con·ces·sive [kənsésiv] *a.* **1** 양보의, 양여의. **2** 【문법】 양보를 나타내는: a ~ clause 〔conjunction〕 양보절〔접속사〕《no matter what, even if, though 따위(로 시작되는 절)》.

conch [kaŋk, kantʃ/kɔŋk, kɔntʃ] (*pl.* **~s** [kaŋks/kɔŋks], ***conch·es*** [kántʃiz/kɔ́n-]) *n.* Ⓒ 소라류(類); 《시어》 조개, 조가비.

con·chie, con·chy [kántʃi/kɔ́n-] *n.* 《英속어》 =CONSCIENTIOUS OBJECTOR.

con·chol·o·gy [kaŋkálədʒi/kɔŋkɔ́l-] *n.* Ⓤ 패류학(貝類學).

con·ci·erge [kànsiέərʒ/kɔ̀n-] *n.* 《F.》 Ⓒ 수위(doorkeeper); (아파트 따위의) 관리인.

con·cil·i·ate [kənsílièit] *vt.* **1** 달래다, 무마〔회유〕하다. **2** …의 호의를〔존경을〕 얻다, 환심을 사다《***with*** (행위·선물 따위)로》: I ~*d* her *with* a promise to take her out to dinner. 나는 데리고 나가 식사하겠다고 약속하여 그녀의 환심을 샀다. **3** 화해시키다, 알선〔조정〕하다.

con·cìl·i·á·tion *n.* Ⓤ 회유; 달램, 위무; 화해, 조정: the court of ~ =~ court 조정 재판소 / a ~ board 조정 위원회.

con·cil·i·a·tor [kənsílièitər] *n.* Ⓒ 위무(慰撫)〔회유, 조정〕자.

con·cil·i·a·to·ry [kənsíliətɔ̀:ri/-təri] *a.* 달래는 (듯한), 회유적인, 타협적인.

⁑**con·cise** [kənsáis] *a.* **간결한**, 간명한: a ~ statement 간결한 진술. ㊕ **~·ly** *ad.* **~·ness** *n.*

con·ci·sion [kənsíʒən] *n.* Ⓤ 간결, 간명: with ~ 간결〔간명〕하게.

con·clave [kánkleiv, káŋ-/kɔ́n-, kɔ́ŋ-] *n.* Ⓒ 비밀 회의; 【가톨릭】 (비밀로 행하여지는) 교황 선거 회의 (장소). ***in*** ~ 밀의(密議) 중에〔의〕: sit *in* ~ 밀의하다《***with*** …와》.

*__con·clude__ [kənklú:d] *vt.* **1** 《~+목/+목+전+명》 **마치다**, 끝내다, 종결하다《***by, with*** …으로》: ~ an argument 논증을 마치다 / ~ a speech *with* a quotation from the Bible 성서에서의 인용구로 연설을 마치다. **2** 《+전+명+*that* 절/+목+*to be* 보》 **결론을 내리다**, 단정〔추정〕하다《***from*** …에서》: *From* what you say, I ~ *that*…. 네 말로 미루어 …라고 추측한다 / ~ a rumor *to be* true 소문이 사실이라고 판단하다. **3** 《+*to* do》 《美》 결정하다, 결심하다: He ~*d to* go. 그는 가기로 결정했다. **4** 《~+목/+목+전+명》 (협약 등)을 **체결하다**, 맺다《***with*** …와》: ~ (a) peace 강화 조약을 맺다 / ~ an agreement *with* …와 협정〔계약〕을 체결하다.

—*vi.* 《~/+전+명》 (글·이야기·모임 따위가) 끝나다; 말을 맺다《***by, with*** …으로》: The letter ~*d* as follows. 편지는 이렇게 끝맺고 있었다 / The ceremony ~*d with* (the singing of) the school song. 식은 교가 제창으로 끝났다. ◇ conclusion *n.*

(and) to ~ (그리고) 마지막으로; 결론으로 말하면. ***To be*** **~*d***. '다음 회 완결'《연재물 따위에서》. SYN. ⇨END.

con·clúd·ing *a.* 최종적인; 종결의, 끝맺는: ~ remarks 끝맺는 말.

⁑**con·clu·sion** [kənklú:ʒən] *n.* **1** Ⓒ **결말**, 종결, 끝(맺음); 종국: come to a ~ 끝나다 / bring … to a ~ …을 끝내다. **2** Ⓒ **결론**, 단정《***that***》: draw ~*s* 추단하다; 단안〔결론〕을 내리다 / jump to ~*s* 〔a ~〕 속단하다 / come to 〔reach〕 the ~ *that*… …라는 결론에 도달하다. **3** Ⓤ (조약 따위의) 체결. ◇ conclude *v.*

in ~ (논의·진술을) 마침에 즈음하여, 결론으로서, 최후로. ***try*** **~*s with*** …와 결전을 시도하다, 우열을 다투다, 자웅을 겨루다.

°**con·clu·sive** [kənklú:siv] *a.* 결정적인, 확실한; 종국의: a ~ answer 최종적인 대답 / ~ evidence 〔proof〕 【법률】 확증. ◇ conclude *v.* ㊕ **~·ly** *ad.* **~·ness** *n.*

con·coct [kankákt, kən-/kənkɔ́kt] *vt.* **1** (음료 등)을 혼합하여 만들다, 조합(調合)하다. **2** (이야기 등)을 조작하다. **3** (음모 등)을 꾸미다.

con·coc·tion [kankákʃən, kən-/kənkɔ́k-] *n.* **1** Ⓤ 혼합, 조합(調合); Ⓒ 조합물, 조제약; 혼합 수프〔음료〕. **2** Ⓤ 날조; Ⓒ 꾸며낸 일; 거짓; 책모, 음모.

con·com·i·tance, -tan·cy [kankámətəns, kən-/kənkɔ́m-], [-i] *n.* Ⓤ 수반(隨伴), 부수.

con·com·i·tant [kankámətənt, kən-/kənkɔ́m-] *a.* 동반하는, 부수하는; 동시에 생기는 (concurrent)《***with*** …와》: Tsunamis are ~ *with* offshore earthquakes. 해일은 앞바다의 지진에 수반하여 일어난다. **—***n.* Ⓒ 부수하는 것. ㊕ **~·ly** *ad.* 부수적으로.

Con·cord [káŋkərd/kɔ́ŋ-] *n.* **1** 콩코드《미국 Massachusetts 주 동부의 마을; 독립 전쟁의 시발이 된 곳; Emerson, Hawthorne 등이 거주하였음》. **2** Ⓒ 콩코드 포도(=∠ **grápe**)《미국 동부산; 알이 크고 보랏빛》. **3** [káŋkɔ:rd] 콩코드《미국 New Hampshire 주의 주도》.

⁑**con·cord** [kánkɔ:rd, káŋ-/kɔ́ŋ-, kɔ́n-] *n.* **1** Ⓤ (의견·이해의) **일치**; (사물 간의) 화합, 조화(harmony): in ~ with …와 일치〔화합〕하여, 사이 좋게. ↔ *discord*. **2** Ⓒ (국제·민족 간의) 협조, 협정; 친선 협약. **3** Ⓤ 【음악】 협화음. ↔ *discord*. **4** Ⓤ 【문법】 (수·격·성·인칭 등의) 일치, 호응(agreement)《many a book은 단수로, many books는 복수로 받는 따위》.

con·cord·ance [kankɔ́:rdəns, kən-/kɔn-] *n.* **1** Ⓤ 조화, 일치, 화합. **2** Ⓒ (성서·시작(詩作) 등의) 용어 색인《***to, of*** …의》: a ~ *to* 〔*of*〕 Shakespeare 셰익스피어 용어 색인.

con·cord·ant [kankɔ́:rdənt, kən-/kɔn-] *a.* 화합하는, 조화하는, 일치하는《***with*** …와》: The results were ~ *with* our hypothesis. 결과는 우리의 가설과 일치했다. ㊕ **~·ly** *ad.*

con·cor·dat [kankɔ́:rdæt/kɔn-] *n.* Ⓒ 【기독교】 (교회와 정부 간의) 협약, 정교(政敎) 조약.

Con·corde [kankɔ́:rd/kɔn-] *n.* Ⓒ 콩코드《영국·프랑스 공동 개발의 초음속 제트 여객기》.

con·course [kánkɔːrs, káŋ-/kɔ́ŋ-, kɔ́n-] *n.* Ⓒ (사람 · 물질 · 분자의) 집합; (강 따위의) 합류(점); (공원 등의) 중앙 광장; (역 · 공항의) 중앙 홀.

con·crete** [kánkriːt, káŋ-, kankríːt/kɔ́ŋ-] *a.* **1** Ⓐ **유형의, 구체〔구상(具象)〕적인.** ↔ *abstract.* ¶a ~ noun 〖문법〗 구상 명사 / a ~ example 구체적인 실례. **2** 응고한, 굳어진, 고체의. **3** 현실의, 실제의; 명확한: Our project is not yet ~. 우리의 계획은 아직 구체화되지 않았다. **4 콘크리트(제)의:** a ~ block 콘크리트 블록. **—n.* **1** Ⓤ 콘크리트; 콘크리트 포장면(面): reinforced 〔armored〕 ~ 철근 콘크리트. **2** (the ~) 구체(성). ***in the*** **~** 구체적〔실제적〕으로〔인〕. **—***vt.* **1** …에 콘크리트를 바르다, …을 콘크리트로 굳히다. **2** [kankríːt, kaŋ-] 굳히다; 응결하다〔시키다〕. **—***vi.* [kankríːt, kaŋ-] 굳다, 응결하다. ◇ concretion *n.* ㊞ **~·ly** *ad.* 구체적〔실제적〕으로. **~·ness** *n.*

cóncrete júngle (a ~) 콘크리트 정글《인간을 소외하는 도시》.

cóncrete míxer 콘크리트 믹서.

cóncrete músic 〖음악〗 구체 음악《테이프에 녹음한 인공음 · 자연음을 편곡한 전위 음악; 1948년 창안》.

cóncrete númber 〖수학〗 명수(名數)《*two* men, *five* days 따위; 단순한 *two*, *five*는 abstract number》.

cóncrete póetry 구상시(具象詩)《문자 · 단어 · 기호 등의 공간적 배열로 표현한 시》.

con·cre·tion [kankríːʃən, kaŋ-, kən-] *n.* **1** Ⓤ 응결; Ⓒ 응고물. **2** Ⓒ 〖의학〗 결석(結石), 담석.

con·cu·bi·nage [kankjúːbənidʒ/kɔn-] *n.* Ⓤ 내연 관계.

con·cu·bine [káŋkjəbàin, kán-/kɔ́ŋ-, kɔ́n-] *n.* Ⓒ 첩; 내연의 처《★ 현재는 mistress 쪽이 일반적》; (일부(一夫) 다처제 나라에서) 제2부인 이하의 처.

con·cu·pis·cence [kankjúːpisəns, kaŋ-/kɔŋ-, kən-] *n.* Ⓤ 《문어》 색욕, 육욕.

con·cu·pis·cent [kankjúːpisənt, kaŋ-/kɔŋ-, kən-] *a.* 색욕이 왕성한; 호색의; 탐욕한.

con·cur [kənkə́ːr] (*-rr-*) *vi.* **1** 일치하다; 동의하다《***with*** …에, …와; ***in*** …에 있어서》: Our opinions ~*red* on that point. 그 점에서는 우리 의견이 일치했다 / ~ *with* a person's proposal 아무의 제의에 동의하다 / I ~ *with* him *in* many points. 나는 여러 가지 점에서 그와 의견이 일치한다. **2** 서로 돕다, 함께 …하다《***to*** do》: Everything ~*red to* make him happy. 모든 사정이 서로 작용하여 그를 행복하게 했다. **3** 동시에 일어나다, 일시에 발생하다《***with*** …와》: His graduation ~*red with* his birthday. 그의 졸업식은 생일과 겹쳤다. **—***vt.* 동의하다《***that***》. ◇ concurrence *n.*

con·cur·rence, -cur·ren·cy [kənkə́ːrəns, -kʌ́rəns], [-i] *n.* Ⓤ (구체적으로는 Ⓒ) **1** 일치, 동의; 일치된 의견《***that***》: a ~ of opinion 의견의 일치 / the ~ of the union *that* he should represent them 그가 그들의 대표가 되어야 한다는 조합의 일치된 의견. **2** 동시 발생, 병발. **3** 〖컴퓨터〗 병행성(竝行性)《2개 이상의 동작 또는 사상(事象)이 같은 시간대에 일어나는 일》. ◇ concur *v.*

con·cur·rent [kənkə́ːrənt, -kʌ́rənt] *a.* **1** 동시(발생)의《***with*** …와》: ~ insurance 동시 보험 / National elections were ~ *with* the outbreak of war. 전국 선거가 전쟁 발발과 때를 같이하여 실시되었다. **2** 공동으로 작용하는, 협력의. **3** 일치의; 찬동의, 같은 의견의. ㊞ **~·ly** *ad.* 동시에, 함께《***with*** …와》.

con·cuss [kənkʌ́s] *vt.* …에게 (뇌)진탕을 일으키게 하다; 세차게 흔들다, 격동케 하다.

con·cus·sion [kənkʌ́ʃən] *n.* Ⓤ **1** 진동, 격동. **2** 〖의학〗 진탕(震盪): ~ of the brain 뇌진탕.

con·demn** [kəndém] *vt.* **1** 《~+목/+목+전+명/+목+*as* 보》 **비난하다,** 힐난하다, 나무라다《for*** …때문에》: ~ a person's behavior 아무의 행동을 꾸짖다 / ~ a person *for* his indiscretion 아무의 무분별을 비난하다 / ~ war *as* evil 전쟁을 악이라고 비난하다. SYN. ⇨BLAME.
2 《~+목/+목+전+명/+목+*to* do》 …에게 **유죄 판결을 내리다**《***for*** …에 대해》; 형을 선고하다《***to*** …의》: He was ~*ed for* murder. 살인죄의 판결을 받았다 / ~ a person *to* death 〔*to* be beheaded〕 아무에게 사형〔참수형〕 선고를 내리다.
3 (얼굴 · 말 따위가 아무)의 죄를 증명하다: His looks ~ him. 그가 했다고 얼굴에 씌어 있다.
4 (환자)를 불치라고 선고하다.
5 a (물품)을 불량품으로 결정하다, 폐기처분하다. **b** 《+목+*as* 보》 판정하다: Public opinion has ~*ed* him *as* unfit to fill a high elective office. 여론은 그가 공선 고위직에는 부적합하다는 판정이다.
6 《+목+전+명/+목+*to* do》 **운명지우다**《***to*** …에》: be ~*ed to* poverty 가난하도록 운명지워져 있다 / be ~*ed to* lead a hopeless life 희망 없는 생활을 하게 운명지워져 있다.
7 《美》 〖법률〗 (사유지 등)의 공적 수용을 선고하다. ◇ condemnation *n.*

con·dem·na·ble [kəndémnəbəl] *a.* 나무랄, 비난〔규탄〕할; 벌받아 마땅한.

con·dem·na·tion [kàndemnéiʃən/kɔ̀n-] *n.* **1** Ⓤ (구체적으로는 Ⓒ) 비난(하는 것). **2** Ⓤ (구체적으로는 Ⓒ) 유죄 판결, 죄의 선고. **3** Ⓒ (보통 *sing.*) 비난〔선고〕 이유〔근거〕: His total disregard for the feelings of others was his ~. 타인의 감정을 완전히 무시하는 것이 그가 비난받는 이유였다. ◇ condemn *v.*

con·dem·na·to·ry [kəndémnətɔ̀ːri/-təri] *a.* 비난의; 유죄 선고의.

con·démned *a.* **1** 유죄를 선고받은; 사형수의: a ~ man 사형수. **2** 불량품으로 선고된, 사용 금지의: a ~ building 사용 금지된 건물.

condémned céll 사형수 감방.

con·dens·a·ble, -i·ble [kəndénsəbəl] *a.* 압축〔응축〕할 수 있는; 요약〔단축〕할 수 있는.

◇**còn·den·sá·tion** *n.* **1** Ⓤ 압축, 응축, 농축; 〖물리〗 응결; 〖화학〗 액화. **2** Ⓤ 응축 상태, 응결〔액화〕된 것. **3** Ⓤ (사상 · 문장의) 간략화, 요약. **4** Ⓒ 요약한 것. ◇ condense *v.*

con·dense** [kəndéns] *vt.* **1** 《~+목/+목+전+명》 **응축하다,** 압축〔축합(縮合)〕하다; 농축하다《to, into*** …으로》: ~ milk 우유를 농축하다 / ~ a gas *to* a liquid 기체를 액체로 응축하다. **2** (렌즈가 광선)을 모으다; (전기의 세기)를 더하다: a *condensing* lens 집광(集光) 렌즈. **3** 《~+목/+목+전+명》 (사상 · 문장 따위)를 **요약하다;** (표현)을 간결히 하다, 줄이다《***from*** …에서; ***into*** …으로》: The report was ~*d from* reams of research data. 그 보고는 대량의 연구 자료에서

간추린 것이다 / ~ an answer *into* a few words 답을 몇 마디로 요약하다 / *Condense* this paragraph *into* a few sentences. 이 절(節)을 두 세 개의 문장으로 줄여라. **—***vi*. **1** ⟪~/+[전]+[명]⟫ 응결하다, 응축하다⟪***into*** …으로⟫: The steam *~ed into* waterdrops. 증기는 응축하여 물방울이 되었다. **2** 줄다, 요약되다. ◇ condensation *n*.

***con·densed** [kəndénst] *a*. **응축〔응결〕한**; 요약한, 간결한: ~ type 〖인쇄〗 폭이 좁은 활자체.

condénsed mílk 연유(煉乳).

con·dens·er [kəndénsər] *n*. [C] 응결기, 응축기; 〖전기〗 축전기, 콘덴서.

◇**con·de·scend** [kàndisénd/kɔ̀n-] *vi*. **1** 겸손하게 굴다⟪***to*** (손아랫사람)에게⟫; 으스대지 않고 …해 주다⟪***to*** do⟫. [cf.] deign. ¶The king *~ed to* eat with the beggars. 왕의 몸으로 거지들과 식사를 같이 하였다. **2** (우월감을 의식하면서) 짐짓 친절하게 굴다, 생색을 내다⟪***to*** …에게⟫; 짐짓 친절하게 …하다⟪***to*** do⟫: She *~ed to* chat with me. 그녀는 친절한 척하며 나와 담소했다 / He always *~s to* his inferiors. 그는 늘 아랫사람들에게 생색을 낸다. **3** 영락하다⟪***to*** …으로⟫; 부끄럼을 무릅쓰고 …하다⟪***to*** do⟫: ~ *to* accept bribes 지조를 버리고 뇌물을 받다 / ~ *to* trickery 사기꾼으로 영락(零落)하다. ◇ condescension *n*.

còn·de·scénd·ing *a*. (아랫사람에게) 겸손한; 짐짓 친절하게 구는, 생색을 부리는: in a ~ manner 짐짓 친절한 듯한 태도로.
[파] **~·ly** *ad*.

con·de·scen·sion [kàndisénʃən/kɔ̀n-] *n*. [U] 겸손, 정중; 생색을 냄.

con·dign [kəndáin] *a*. 당연한, 적당한, 타당한⟪형벌 따위⟫.

con·di·ment [kándəmənt/kɔ́n-] *n*. [U] (낱개는 [C]) (보통 *pl*.) 양념(seasoning)⟪고추 · 겨자 따위⟫, 조미료.

⁑**con·di·tion** [kəndíʃən] *n*. **1** [C] **a 조건**, 제약⟪***of, for*** …의 / ***that***⟫: the ~ *of* all success 모든 성공의 필수 요건 / *~s of* acceptance 승낙 조건 / make *~s* 조건을 붙이다 / the necessary and sufficient ~ 〖수학〗 필요 충분 조건 / make it a ~ that …을 하나의 조건으로 삼다 / I'll let you read this book on the ~ *that* it should not be lent to anyone. 아무에게도 빌려주지 않는다는 조건으로 이 책을 읽게 해 주겠다. **b** (*pl*.) 지불 조건⟪***for*** …의⟫: the *~s for* a loan 대부금의 지불 조건. **2** (*pl*.) (주위의) 상황, 형세, 사정: under favorable 〔difficult〕 *~s* 순경(順境)〔역경〕에 처해 있어 / *Conditions* aren't right for launching a new product. 신제품 발매를 시작할 상황이 아니다. **3** [U] (또는 a ~) **a** (재정 따위의) **상태**; ⟪특히⟫ 건강 상태, (경기자의) 컨디션: the ~ of weightlessness 무중력 상태 / my financial ~ 내 주머니 상태 / be in 〔out of〕 ~ 건강하다〔하지 않다〕. **b** (…할) 상태⟪***to*** do⟫: He's in no 〔not in a〕 ~ *to* attend school. 그는 학교에 갈 수 있는 상태가 아니다. [SYN.] ⇨STATE. **4** [C] ⟪고어⟫ **지위**, 신분; 경우, 처지: a man of ~ 사회적 지위가 있는 사람 / live according to one's ~ 분수에 맞는 생활을 하다. **5** [C] ⟪美⟫ (가(假)입학 · 가진급 학생의) 재시험 (과목): work off *~s* 추가 시험을 치르다. **6** [C] ⟪구어⟫ 병, 질환: have a heart ~ 심장에 병이 있다.

on ~ (***that …***) 〖접속사적〗 …이라는 조건으로, 만약 …이라면: He was allowed to go swimming *on ~ (that)* he kept near the other boys. 그는 다른 소년들 곁을 떠나지 않는다면 수영하러 가도 좋다는 허락을 받았다. ***on no ~*** 어떤 조건으로도〔무슨 일이 있어도〕 …아니다.

—*vt*. **1 a** ⟪~+[목]/+[목]+[전]+[명]⟫ **…의 필요 조건이 되다**, …을 결정〔좌우〕하다; …의 필요 조건으로 하다⟪***on*** …을⟫: Ability and effort ~ success. 능력과 노력이 성공의 조건이다 / Our lives are *~ed* by outer circumstances. 우리 생활은 외부 환경에 좌우된다 / Success in business is *~ed on* imaginative planning and hard work. 사업의 성공은 상상력이 풍부한 구상과 근면이 조건이다. **b** …에 조건을 붙이다, …을 조건으로 정하다. **2** (사람 · 소 · 말 등)의 컨디션을 조절하다; (실내 공기의 습도 · 온도)를 조절하다(air-~): Her studies *~ed* her for her job. 공부가 그녀의 일에 도움이 됐다 / You must ~ yourself against the cold climate here. 이곳 추운 기후에 대비해 몸의 컨디션 조절을 해 두어야 한다. **3** ⟪+[목]+*to* do / +[목]+[전]+[명]⟫ 습관화시키다; 익숙하게 하다⟪***to*** …에⟫: The dog was *~ed to* expect food when he heard a bell. 개는 벨 소리를 들으면 음식을 기대하는 조건 반사를 일으키도록 되었다 / Poverty *~ed* him *to* hunger. 그는 가난 때문에 굶주림에 익숙해 있었다. **4** ⟪+[목]+[전]+[명]⟫ ⟪美⟫ 재시험을 본다는 조건부로 (학생)을 가진급시키다⟪***in*** …의⟫: John was *~ed in* mathematics. 존은 수학 재시험을 본다는 조건으로 가진급 되었다.

◇**con·di·tion·al** [kəndíʃənəl] *a*. **1** 조건부의; 잠정적인, 가정적인, 제한이 있는: a ~ contract 조건부 계약, 가계약. **2** 조건으로 하는⟪***on, upon*** …을⟫: It is ~ *on* your ability. 그건 너의 능력 여하에 달렸다. **3** 조건을 나타내는: a ~ clause 조건을 나타내는 조항; 〖문법〗 조건절⟪보통 if, unless, provided 따위로 시작됨⟫.
—*n*. [C] 〖문법〗 가정 어구⟪provided that 등⟫; 조건문〔절〕; 조건법.
[파] **~·ly** *ad*. 조건부로.

condítional díscharge 〖법률〗 조건부 석방〔면책〕.

con·dí·tioned *a*. 조건부의; 조건 지워진; (어떠한) 상태의; 조절〔냉방, 난방〕된; ⟪美⟫ (조건부) 가진급의: well-〔ill-〕~ 양호〔불량〕한 상태의 / a ~ reflex 〔response〕 〖심리 · 생리〗 조건 반사〔반응〕.

con·dí·tion·er *n*. [C] **1** (머리 감은 뒤의) 정발용 크림⟪rinse 따위⟫; 화장수. **2** 조정기; 조정자. **3** (스포츠의) 코치; (동물의) 조련사. **4** 냉난방〔공기 조정〕 장치; 에어콘.

con·dí·tion·ing *n*. [U] **1** (공기의) 조절. **2** 조건 붙이기; (몸의) 조정; (동물의) 조련.

con·do [kándou/kɔ́n-] (*pl*. **~s**) *n*. [C] ⟪美구어⟫ 맨션, 분양 아파트. [◂*condo*minium]

con·do·la·to·ry [kəndóulətɔ̀ːri/-təri] *a*. 조상(弔喪)〔조위, 애도〕의.

con·dole [kəndóul] *vi*. 조상(弔喪)하다, 조위(弔慰)하다; 위로의 말을 하다⟪***with*** (아무)에게; ***on, over*** …에 대해⟫: ~ *with* a person *on* his affliction 아무의 불행에 대해 위로하다.

con·do·lence [kəndóuləns] *n*. [U] 애도; [C] (흔히 *pl*.) 애도의 말, 조사(弔詞)⟪***on*** …에 대한⟫: Please accept my sincere *~s on* your father's death. 부친의 서거에 충심으로 애도의 말씀을 드립니다 / press 〔present〕 one's *~s* to …에게 애도의 뜻을 표하다.

con·dom [kándəm, kʌ́n-/kɔ́n-] *n*. [C] (피임

용) 콘돔.

con·do·min·i·um [kàndəmíniəm/kɔ̀n-] *n.* **1** Ⓒ《美·Can.》콘도미니엄, 분양 아파트, 맨션, 그 한 호(戶)〔방〕. **2** Ⓤ 공동 주권(joint sovereignty); Ⓒ 〖국제법〗 공동 통치〔관리〕국〔지〕.

con·do·na·tion [kàndounéiʃən/kɔ̀n-] *n.* Ⓤ (죄의) 용서.

con·done [kəndóun] *vt.* (죄·과실)을 용서하다, 너그럽게 봐주다.

con·dor [kándər, -dɔːr/kɔ́ndɔːr] *n.* Ⓒ 〖조류〗 콘도르《남아메리카·북아메리카 서부산(産) 독수리》.

con·duce [kəndjúːs] *vi.* 도움이 되다, 이바지〔공헌〕하다《*to, toward* (어떤 결과)에》: Rest ~*s to* health. 휴식은 건강에 도움이 된다.

con·duc·i·ble [kəndjúːsəbəl] *a.* =CONDUCIVE.

con·du·cive [kəndjúːsiv] *a.* Ⓟ 도움이 되는, 이바지하는, 공헌하는《*to* …에》: Exercise is ~ *to* health. 운동은 건강을 돕는다.

⁑con·duct [kándʌkt/kɔ́n-] *n.* Ⓤ **1 행위**; 행동, 품행: a prize for good ~ 선행상. **2** 경영, 운영, 관리: the ~ *of* state affairs 국사의 운영. ── [kəndʌ́kt] *vt.* **1** 《~+목/+목+전+명/+목+부》 **인도하다, 안내하다**, 호송하다: I ~ tours. 여행 안내원을 하고 있다/~ a guest *to* his room 손님을 방으로 안내하다/a ~*ed* tour 안내원이 딸린 관광 여행/His secretary ~*ed* me *in*. 그의 비서가 나를 안으로 안내했다. SYN. ⇨GUIDE. **2 지도하다**, 지휘하다: ~ a campaign 〔an orchestra〕 캠페인〔악단〕을 지휘하다. **3** (업무 등)을 **집행하다**; 처리〔경영, 관리〕하다: ~ one's business affairs 업무를 처리하다. **4** 《~ oneself》 **행동하다**, 거동하다, 처신하다: He always ~*s* him*self* well. 그는 항상 훌륭하게 처신한다. **5** 〖물리〗 (열·전기·음파 등)을 전도하다: a ~*ing* wire 도선. ── *vi.* 지휘를 하다.

con·duct·ance [kəndʌ́ktəns] *n.* Ⓤ 〖전기〗 컨덕턴스《전기 저항의 역수》.

con·duct·i·ble [kəndʌ́ktəbəl] *a.* (열 따위를) 전도(傳導)할 수 있는, 전도성의.

con·duc·tion [kəndʌ́kʃən] *n.* Ⓤ (파이프로 물 따위를) 끌기; 유도 (작용); 〖물리〗 (전기·열 따위의) 전도.

con·duc·tive [kəndʌ́ktiv] *a.* 전도(성)의, 전도력이 있는: ~ power 전도력.
㊎ **con·duc·tiv·i·ty** [kàndʌktívəti/kɔ̀n-] *n.* Ⓤ 〖전기〗 도전율(導電率); 〖물리〗 전도성〔력, 율, 도(度)〕.

⁑con·duc·tor [kəndʌ́ktər] (*fem.* **-tress** [-tris]) *n.* Ⓒ **1 안내자**, 지도자, 호송자. **2** 관리인, 경영자. **3** (전차·버스·《美》 열차의) **차장**. cf. guard. **4** 〖음악〗 **지휘자**, 악장, 컨덕터. **5** 〖물리·전기〗 전도체; 도체, 도선(導線): a good 〔bad〕 ~ 양〔불량〕 도체. **6** 피뢰침(lightning rod).

condúctor ràil 도체(導體) 레일《전차에 전류를 보내는 데 쓰이는 레일》.

cónduct shèet (부사관·병사의) 품행 기록 카드.

con·duit [kándjuit, -dit/kɔ́n-] *n.* Ⓒ 도관(導管); 도랑, 구거(溝渠); 〖전기〗 콘딧, 선거(線渠): a ~ pipe 도관.

***cone** [koun] *n.* Ⓒ **1 원뿔체**, 원뿔꼴; 〖수학〗 원뿔. **2** 원뿔꼴의 것; (아이스크림을 넣는) 콘; 〖지질〗 화산추(volcanic ~)《원뿔꼴 화산》; (폭풍우의) 경보구(球)(storm ~); 〖식물〗 구과(毬果), 솔방울: an ice-cream ~ 아이스크림 콘/the ~ of volcano 화구구(火口丘).

Con·es·to·ga (**wàgon**) [kànəstóugə(-)/kɔ̀n-] 《美》 대형 포장마차《미국 서부 개척 때 서부로의 이주자들이 사용한》.

coney ⇨CONY.

Có·ney Ísland [kóuni-] 코니아일랜드《뉴욕시(市) Long Island에 있는 해안 유원지》.

con·fab [kánfæb/kɔ́n-] 《구어》 *n.* =CONFABULATION. ── (**-bb-**) *vi.* =CONFABULATE.

con·fab·u·late [kənfǽbjəlèit] *vi.* 서로〔허물없이〕 이야기하다, 담소하다《*with* …와》.
㊎ **con·fàb·u·lá·tion** *n.* Ⓤ (구체적으로는 Ⓒ) 간담, 담소; 허물없이 하는 의논.

con·fec·tion [kənfékʃən] *n.* Ⓒ 과자, 캔디, 당과.

con·féc·tion·er *n.* Ⓒ 과자〔캔디〕 제조인; 과자 장수, 제과점.

conféctioners' súgar 《美》 정제(精製) 가루 설탕.

con·fec·tion·ery [kənfékʃənèri/-nəri] *n.* **1** Ⓤ 《집합적》 과자류《pastry, cake, jelly, pies 따위의 총칭》. **2** Ⓤ 과자 제조〔판매〕; Ⓒ 제과점, 과자〔빵〕 공장.

con·fed·er·a·cy [kənfédərəsi] *n.* **1** Ⓒ 동맹, 연합(league); 연합체, 연방. **2** (the (Southern) C-) 〖美역사〗 남부 연방(the Confederate States of America). **3** 도당.

°con·fed·er·ate [kənfédərit] *a.* 동맹한, 연합한; (C-) 〖美역사〗 남부 연방의: the *Confederate* army 〖美역사〗 남군. ***the Confederate States of America*** 남부 연방《남북 전쟁 시초(1861)에 합중국으로부터 분리한 남부 11주(Ala., Ark., Fla., Ga., La., Miss., N.C., S.C., Tenn., Tex., Va.)》. cf. Federal States. ── *n.* Ⓒ **1** 동맹국, 연합국. **2** 공모자《*in* …의》. **3** (C-) 〖美역사〗 남부 연방측의 사람, 남군 병사. ↔ *Federal*. ── [kənfédərèit] *vt.* 동맹〔공모〕시키다; 도당에 끌어들이다. ── *vi.* 동맹〔공모〕하다. ◇ confederation *n.*

°con·fèd·er·á·tion *n.* **1** Ⓤ 동맹, 연합《*of* …의; *between* …간의》. **2** Ⓒ 동맹국, 연합국; 《특히》 연방. **3** (the C-) 〖美역사〗 아메리카 연합정부《1781-89년 연합규약(the Articles of Confederation)에 의하여 조직된 13주 연합》.

°con·fer [kənfə́ːr] (**-rr-**) *vt.* (칭호·학위 등)을 수여하다, (선물·영예 등)을 증여하다《*on, upon* (아무)에게》: ~ a medal *on* 〔*upon*〕 the brave soldier 그 용감한 병사에게 훈장을 수여하다. SYN. ⇨GIVE. ── *vi.* 의논하다, 협의하다《*with* (아무)와; *about, on, upon* …에 대하여》: The President ~*red with* his advisers *on* the matter. 대통령은 그 일을 고문들과 협의했다. ◇ conference *n.* ㊎ **~·ra·ble** *a.*

con·fer·ee, -fer·ree [kànfəríː/kɔ̀n-] *n.* Ⓒ **1** 의논 상대; 회의 출석자; 평의원. **2** (칭호나 기장을) 받는〔타는〕 사람.

⁑con·fer·ence [kánfərəns/kɔ́n-] *n.* **1** Ⓤ **회담, 협의**, 의논. **2** Ⓒ **회의**, 협의회: a general ~ 총회/a disarmament ~ 군축회의/an international ~ 국제회의/a peace ~ 평화회의/the Premiers' *Conference* 영연방 수상회의. **3** Ⓒ 《美》 경기 연맹. ◇ confer *v.* ***be in*** **~** 협의〔회의〕 중이다; (회의 중이라) 바쁘다.

cónference càll 회의 전화《세 대 이상을 동시에 연결하는 전화》.

con·fer·en·tial [kɑ̀nfərénʃəl/kɔ̀n-] *a.* 회의의.

con·fer·ment [kənfə́ːrmənt] *n.* [U] (구체적으로는 [C]) 수여, 증여, 서훈(敍勳).

con·fer·rer [kənfə́ːrər] *n.* [C] 수여자.

⁑**con·fess** [kənfés] *vt.* **1** ⦅~+[목]/+[목]+[전]+[명]/+*that* [절]/*wh.* [절]/+*-ing*⦆ (과실·죄)를 **고백[자백]하다**, 실토하다, 털어놓다⦅**to** (아무)에게⦆: ~ one's fault *to* a person 아무에게 자기의 과실을 고백하다/He *~ed* (*to* me) *that* he had broken the vase. 꽃병을 깨뜨린 것이 자기라고 그는 (나에게) 실토했다/He *~ed* (*to* me) *how* he did it. 그는 어떻게 그것을 했는지를 (나에게) 고백하였다/He *~ed* hav*ing* killed her. 그는 그녀를 살해한 것을 자백했다. **2** ⦅+*that* [절]/+[목]+(*to be*) [보]⦆ **인정하다**, 자인하다: I must ~ *that* I dislike him. 사실을 말한다면 그를 좋아하지 않는다/The man *~ed* himself (*to be*) guilty. 그는 죄를 범했음을 인정했다. **3** ⦅+[목]+[전]+[명]⦆ 〖가톨릭〗 (죄)를 고백하다; 〖~ oneself〗 자기 죄를 고백하다⦅**to** (신부)에게⦆. **4** (신부가) …의 참회를 듣다: The priest *~ed* her. 신부는 그녀의 참회[고해]를 들어 주었다.
— *vi.* **1** 자백하다, 죄를 인정하다. **2** ⦅~/+[전]+[명]⦆ 인정하다⦅**to** (과실·약점)을⦆: He *~ed to* a weakness for whisky. 위스키엔 사족을 못 쓴다고 실토했다/I ~ *to* (hav*ing*) a dread of spiders. 실은 거미가 무섭습니다. **3** 〖가톨릭〗 (신자가) 고백하다; (신부가) 고백을 듣다.

con·féssed [-t] *a.* (일반에게) 인정된, 정평 있는(admitted), 의심할 여지가 없는, 명백한: a ~ fact 명백한 사실/a ~ thief 스스로 도둑임을 인정한 사람. ***stand ~ as ...*** …하다는 것이[…의 죄상이] 명백하다.
[파] **con·féss·ed·ly** [-sidli] *ad.* 명백하게, 널리 인정되어; 스스로 인정한 대로, 자백에 의하면.

***con·fes·sion** [kənféʃən] *n.* **1** [U] (구체적으로는 [C]) **고백, 실토**, 자백, 자인⦅**of** …의/**that**⦆: a ~ *of* guilt 죄의 자백/a public ~ 공중 앞에서의 고백/His ~ *that* he had stolen my wallet was a great shock to me. 내 지갑을 훔쳤다는 그의 자백은 내게 큰 충격이었다. **2** [C] 신앙 고백. **3** [U] 〖가톨릭〗 고백: go to ~ (신자가) 고백하러 가다/hear ~ (신부가) 고백을 듣다. **4** [C] 〖단·복수취급〗 (기독교의 특정한) 종파. ◇ confess *v.*

con·fes·sion·al [kənféʃənəl] *a.* 참회[고해]의, 신앙 고백의. — *n.* 〖가톨릭〗 **1** [C] 고해소. **2** (the ~) 고해 제도.

con·fes·sor [kənfésər] *n.* [C] 고백자; (종종 C-) (박해 등에 굴하지 않은) 독실한 신자; 〖가톨릭〗 고백을 듣는 신부.

con·fet·ti [kənféti(ː)] *n. pl.* **1** 〖단수취급〗 색종이 조각[테이프]⦅혼례·사육제 같은 때에 뿌림⦆. **2** [U] 〖집합적〗 사탕, 캔디, 봉봉.

con·fi·dant [kɑ̀nfidǽnt, -dɑ́ːnt, kɑ́nfidæ̀nt/kɔ̀nfidǽnt, ⌐-⌐] *n.* [C] 막역한 친구⦅연애 비밀 따위도 털어놓을 수 있는⦆.

con·fi·dante [kɑ̀nfidǽnt, -dɑ́ːnt, ⌐-⌐/kɔ̀n-, ⌐-⌐] *n.* [C] CONFIDANT의 여성형.

◇**con·fide** [kənfáid] *vt.* **1** (비밀 따위)를 털어놓다⦅**to** …에게/**that**/**wh.**⦆: He *~d* his secret *to* me. 그는 비밀을 나에게 털어놓았다/He *~d* (*to* me) *that* he had done it. 그는 자기가 그것을 했다고 (내게) 털어놓았다/He *~d* (*to* me) *how* he did it. 그는 그것을 어떻게 했는지 (내게) 털어놓았다. **2** 신탁[위탁]하다, 맡기다⦅**to** …에⦆: ~ a task *to* a person's charge 일을 아무에게 맡기다. — *vi.* **1** 신용하다, 신뢰하다⦅**in** …을⦆: You can ~ *in* his good faith. 그의 성실함은 신뢰해도 좋다. **2** 비밀을 털어놓다⦅**in** (아무)에게⦆: The girl always *~d in* her mother. 소녀는 어머니에게 무엇이든지 털어놓았다.

⁑**con·fi·dence** [kɑ́nfidəns/kɔ́n-] *n.* **1** [U] **신용**, 신임, 신뢰⦅**in** …에 대한/**that**⦆: enjoy a person's ~ 아무에게 신뢰를 받다/my ~ *in* him 그에 대한 나의 신뢰/a vote of (no) ~ (불)신임 투표/a want of ~ *in* the Cabinet 내각 불신임/win the ~ of …의 신용을 얻다/He betrayed my ~ *that* he could do the job. 그는 그 일을 해 줄 수 있으리라는 나의 신뢰를 저버렸다. [SYN.] ⇨BELIEF. **2 a** [U] (비밀 따위를) 털어놓음: take a person into one's ~ 아무에게 비밀을 털어놓다. **b** [C] 속내 말; 비밀, 내밀한 일: exchange *~s* with …와 서로 비밀을 털어놓다/betray a ~ 비밀을 누설하다. **3** [U] **자신**⦅**in** …에 대한⦆: be full of ~ 자신만만하다/act with ~ 자신을 갖고 행동하다/have ~ *in* one's ability 자기 능력에 자신을 갖다. **4** [U] **확신**⦅**of** …의/**that**⦆: We had every ~ *of* success. 우리는 꼭 성공하리라 확신했다/You must have the ~ *that* you can do it. 너는 그것을 할 수 있다는 확신을 가져야 한다. **5** (the ~) 대담, 배짱; 뻔뻔스러움⦅**to** do⦆: have the ~ *to* do 대담하게도 …하다.
[SYN.] **confidence** 자기 능력에 대해 품고 있는 강한 확신의 뜻: He spoke with great *confidence*. 그는 대단한 확신을 갖고 얘기하였다. **conviction** 진실에 대해 아무 의심 없이 굳게 믿는 신념으로, 이성적인 것은 포함되어 있지 않음: The arguments compel *conviction*. 의론은 신념을 필요로 한다.
in a person***'s ~*** 아무의 신임을 받아; 아무의 비밀에 참여하여. ***in (strict) ~*** (절대) 비밀로.

cónfidence gàme [(⦅英⦆) **trìck**] (호인을 기화로 한) 신용 사기(con game [trick]).

cónfidence màn [**trìcker**] 신용 사기꾼, 협잡꾼(con man).

⁑**con·fi·dent** [kɑ́nfidənt/kɔ́n-] *a.* **1** [P] **확신하는**⦅**of** …을/**that**⦆: I am ~ *of* his success. 그의 성공을 확신하고 있다/I feel ~ *that* our team will win. 우리 팀이 이길 것을 확신하고 있다. **2 자신이 있는**, 자신만만한⦅**in** …에⦆: a ~ speaker/be ~ *in* oneself 자신 있다. **3** 대담한. ◇ confide *v.* — *n.* ＝CONFIDANT. [파] **~·ly** *ad.* 확신을 갖고; 대담하게; 자신만만하게.

◇**con·fi·den·tial** [kɑ̀nfidénʃəl/kɔ̀n-] *a.* **1 a** 은밀한, 내밀한(secret), 기밀의: a ~ remark 내밀한 말/~ papers [documents] 기밀 서류/a ~ price list 내시(內示) 가격표/~ inquiry 비밀 조사. **b** (C-) 친전⦅겉봉에 씀⦆; 3급 비밀의⦅문서⦆. **2** 속사정을 터놓을 수 있는⦅**with** …에⦆; 친한: become ~ *with* strangers 낯선 사람에게 속사정을 털어놓다. [SYN.] ⇨FAMILIAR. **3** 신임이 두터운, 심복의, 신뢰할 수 있는: a ~ clerk 심복 점원/a ~ secretary 심복 비서. ◇ confide *v.*
[파] **~·ly** *ad.*

còn·fi·dèn·ti·ál·i·ty [-ʃiǽləti] *n.* [U] 비밀[기밀]성; 신임이 두터움.

con·fid·ing [kənfáidiŋ] *a.* 남을 (쉽게) 믿는.
[파] **~·ly** *ad.*

CONFIG. SYS 〖컴퓨터〗 컨피그 시스⦅운영 체제에서 시스템이 부팅될 때 초기 조건을 설정하는 시스템 파일⦆.

con·fig·u·ra·ble [kənfígjurəbəl] *a.* 〖컴퓨터〗 갖가지 형상·형식·요구에 적합성이 있는, 설정〔변경〕 가능한.

con·fig·u·ra·tion [kənfìgjəréiʃən] *n.* Ⓒ **1** (지표(地表) 따위의) 형상, 지형(地形); (전체의) 형태, 윤곽. **2** 〖컴퓨터〗 구성.

con·fig·ure [kənfígjər] *vt.* 형성하다《*to* …에(맞추어)》; (어떤 형으로) 배열하다; 〖컴퓨터〗 구성하다.

***con·fine** [kənfáin] *vt.* **1** 《+목+전+명》 〖~ oneself〗 **제한하다**, 한하다《*to* …으로》: ~ a talk *to* ten minutes 얘기를 10분으로 제한하다 / I will ~ my*self to* mak*ing* a few remarks. 두세 마디 의견을 말씀드리는 것으로 그치겠습니다. **2** 《~+목/+목+전+명》 가둬 넣다, 감금하다《*in* …에》; 들어박히게 하다《*to* …에》: ~ a convict *in* jail 죄수를 교도소에 가두다 / be ~*d to* (one's) bed for a week 일주일 간 자리에 누워 있다. ◇ confinement *n.*

— [kánfain/kɔ́n-] *n.* Ⓒ (보통 *pl.*) **1** 경계, 국경; 경계지〔선〕. **2** 한계, 범위: the ~ *of* human knowledge 인지(人知)의 한계 / within 〔beyond〕 the ~*s of* …의 (범위) 안〔밖〕에.

on the ~s of ① (나라 등)의 경계에. ② …에 임하여: *on the ~s of* ruin 파멸 일보 직전에.

con·fíned *a.* **1** 제한된, 좁은; (군인이) 외출 금지된. **2** (아무가) 감금되어 있는《*to* …에》; (부인이) 산욕(産褥)에 있는.

◇**con·fíne·ment** *n.* **1** Ⓤ 제한, 국한. **2** Ⓤ 감금, 금고, 억류; 유폐: under 〔in〕 ~ 감금되어. **3** Ⓤ (구체적으로는 Ⓒ) 해산 자리에 눕기; 해산 (delivery). ◇ confine *v.*

***con·firm** [kənfə́ːrm] *vt.* **1** 《~+목/+*that* 절/+*wh.* 절》 (진술·증거·소문 등)을 **확실히 하다**, 확증하다, 확인하다: This report ~*s* my suspicions. 이 보고로 나의 의심이 확실했음을 알았다 / The candidate's disclaimers ~ *that* we were right in our estimation. 그 후보자의 부인 발언으로 우리의 평가가 옳았음이 확증되었다 / We must ~ *whether* it's true or not. 그것이 사실인지 아닌지 확인해야 한다. **2** (재가(裁可)·비준(批准) 등으로) …을 승인〔확인〕하다; 추인(追認)하다: ~ an agreement 〔a treaty〕 협정〔조약〕을 승인하다 / ~ a possession 〔a title〕 물건을〔칭호를〕 수여할 것을 추인하다 / His appointment as ambassador has been ~*ed*. 그의 대사 임명은 정식으로 승인되었다. **3** (결의·의견 등)을 **굳히다**, 다지다: His support ~*ed* my determination to run for mayor. 그의 지지가 나의 시장 출마 결의를 더욱 굳혔다. **4** 《+목+전+명》 굳게 하다, 확고히 하다《*in* (신앙·의지·버릇 등을)》: His performance ~*ed* me *in* my belief in him. 그가 올린 실적으로 그에 대한 나의 신뢰가 확고해졌다. **5** 〖기독교〗 …에게 견진성사(堅振聖事)를 베풀다, …에게 안수(按手)를 행하다. ◇ confirmation *n.*

◇**con·fir·ma·tion** [kànfərméiʃən/kɔ̀n-] *n.* Ⓤ (구체적으로는 Ⓒ) **1 확정**, 확립. **2 확인**, 인가; 비준; 확증《*of* …에 대한, …의 / *that*》: in ~ *of* …을 확인하여, …의 확증으로서 / seek ~ *of* …의 확인을 구하다 / lack ~ 확인이 결여되다, 확실치가 않다 / We have (a) ~ *that* he's going to resign. 그가 사임하리라는 확증이 있다. **3** 〖기독교〗 견진(성사), 안수례(按手禮).

con·firm·a·tive [kənfə́ːrmətiv] *a.* = CONFIRMATORY.

con·firm·a·to·ry [kənfə́ːrmətɔ̀ːri/-təri] *a.* 확실히〔확증〕 하는.

con·fírmed *a.* Ⓐ 확립된; 확인된; 고정된, 상습적인; (병이) 만성의: a ~ invalid 고질 환자 / a ~ drunkard 모주꾼, 주정뱅이 / a ~ disease 고질, 만성병.

con·fis·cate [kánfiskèit, kənfís-/kɔ́n-] *vt.* (재산)을 몰수〔압류〕하다; 압수하다: The government ~*s* the illegally imported goods. 정부는 밀수품을 압수한다. ㊕ **còn·fis·cá·tion** *n.* **cón·fis·cà·tor** [-tər] *n.* **con·fis·ca·to·ry** [kənfískətɔ̀ːri/-təri] *a.*

◇**con·fla·gra·tion** [kànfləgréiʃən/kɔ̀n-] *n.* Ⓒ 큰 불, 대화재.

con·flate [kənfléit] *vt.* 융합하다, 섞다; (이본(異本)을 한 가지로) 정리하다. —*vi.* 이본을 합성하다. ㊕ **-tion** *n.*

***con·flict** [kánflikt/kɔ́n-] *n.* Ⓤ (구체적으로는 Ⓒ) **1** (무력에 의한 비교적 장기간의) 싸움, 다툼, **투쟁**, **전투**; 분쟁, 논쟁, 말다툼《*between* …사이의; *with* …와의》: a ~ *of* arms 교전 / a ~ *between* two countries 두 나라 사이의 싸움 / avoid ~ *with* one's friends 친구들과의 다툼을 피하다. SYN. ⇨ FIGHT. **2** (의견·사상·이해(利害) 등의) **충돌**, 대립, 불일치, 모순《*between*, *with* …와의》: a ~ *between* law and compassion 법과 동정과의 대립. **3** 〖심리〗 갈등: undergo 〔suffer〕 a mental ~ 심리적 갈등을 겪다.

come into ~ with …와 싸우다; …와 충돌〔모순〕되다. ***in ~ with*** ① …와 싸워. ② …와 충돌〔상충〕하여: His statements are *in* ~ *with* his actions. 그의 말은 행동과 일치하지 않는다.

— [kənflíkt] *vi.* 《~/+전+명》 **1** 투쟁하다, 다투다《*with* …와》. **2** 《+전+명》 (두 개 이상의 것이) 충돌하다, 모순되다, 양립하지 않다《*with* …와》: His testimony ~*s with* yours. 그의 증언은 너의 것과 어긋난다.

con·flíct·ed [-id] *a.* 《美》 정신적 갈등을 지닌.

con·flíct·ing *a.* 서로 싸우는; 상충하는, 모순되는; 일치하지 않는: ~ emotion 상반되는 감정. ㊕ **~·ly** *ad.*

con·flu·ence [kánfluəns/kɔ́n-] *n.* **1 a** Ⓤ (구체적으로는 Ⓒ) (강·사상 따위의) 합류. **b** Ⓒ 합류점. **2** (사람 따위의) 집합, 군중.

con·flu·ent [kánfluənt/kɔ́n-] *a.* 합류하는, 만나 합치는.

con·flux [kánflʌks/kɔ́n-] *n.* = CONFLUENCE.

con·fo·cal [kanfóukəl/kɔn-] *a.* 〖수학〗 초점이 같은, 초점을 공유하는.

◇**con·form** [kənfɔ́ːrm] *vt.* **1** 순응시키다; 따르게 하다; 〖~ oneself〗 순응하다, 따르다《*to* (규범·관습 따위)에》: ~ one*self to* the fashion 유행을 따르다. **2** 같은 모양〔성질〕이 되게 하다《*to* …와》. —*vi.* **1** 일치하다; 따르다, 순응하다《*to* …에》: ~ *to* the laws 법률에 따르다. **2** 같은 모양〔성질〕이 되다《*to* …와》: ~ in shape *to* another part 다른 부분과 형태가 같아지다. **3** 《英》 국교를 준봉하다. ◇ conformity *n.* ㊕ **~·ism** *n.*

con·fórm·a·ble *a.* **1** 적합한, 상응하는; 순종하는, 따르는; 준거한《*to* …에》: We seek employees who are ~ *to* company needs. 우리는 회사의 요구에 합당한 사원을 찾습니다 / medicines ~ *to* government regulations 정부 규정에 준거한 약품. **2** 〖지질〗 (지층이) 정합(整合)의. ㊕ **-bly** *ad.* 일치하여; 유순히.

con·form·ance [kənfɔ́ːrməns] *n.* =CONFORMITY.

con·for·ma·tion [kɑ̀nfɔːrméiʃən/kɔ̀n-] *n.* Ⓤ (구체적으로는 Ⓒ) 구조(構造), 형태; Ⓤ 적합, 일치《*to* …에의》. ㊉ **~·al** *a.* **~·al·ly** *ad.*

con·fórm·ist *n.* Ⓒ **1** (법률 · 관행 등의) 준봉자(遵奉者); 순응자. **2** (흔히 C-) 〖英역사〗 영국 국교도. ⓒⓕ dissenter, nonconformist.

◇**con·form·i·ty** [kənfɔ́ːrməti] *n.* Ⓤ **1** 적합, 일치; **상사**(相似), 유사《*to, with* …와의》. **2** 준거, 복종; 준봉, 협조《*to, with* (법 · 관습)에의》. **3** (흔히 C-) 〖英역사〗 국교 신봉.
in ~ with 〔*to*〕 …와 일치하여; …에 따라서: act *in ~ with* company regulations 회사 규칙에 따라 행동하다.

***con·found** [kənfáund, kɑn-/kɔn-] *vt.* **1** 《~+목/+목+전+명》 **혼동하다**, 뒤죽박죽으로 하다《*with* …와》; 구별하지 못하다: ~ right and wrong 옳고 그름을 분간 못하다/Don't ~ the means *with* end. 수단을 목적과 혼동하지 말아라. **2** (아무)를 당황케 하다, 어리둥절케 하다: be *~ed* at 〔by〕 the sight of …을 보고 당황하다. SYN. ⇨PERPLEX.

DIAL. ***Confound it!*** 제기랄, 이런 망할《가벼운 욕설》.

con·fóund·ed [-id] *a.* **1** 어리둥절한; 당황한. **2** 《구어》 짜증나는, 터무니없는; 괘씸한: a ~ lie 어처구니없는 거짓말. ㊉ **~·ly** *ad.* 《구어》 지독하게, 엄청나게, 지겹게.

con·fra·ter·ni·ty [kɑ̀nfrətə́ːrnəti/kɔ̀n-] *n.* Ⓒ (종교 · 자선 사업 등의) 단체, 협회, 조합, 결사.

con·frere [kɑ́nfrɛər/kɔ́n-] *n.* 《F.》 Ⓒ 조합원, 회원; (전문 직업의) 동업자, 동료.

***con·front** [kənfrʌ́nt] *vt.* **1** …에 **직면하다**; (곤란 따위가) 발생하다, 가로놓이다《★ 종종 수동태로 쓰이며, 전치사는 *by, with*》: A great problem *~ed* them. 그들에게 큰 문제가 발생했다/I *was ~ed with* 〔*by*〕 a difficulty. 나는 어려움에 직면했었다. **2** …와 마주 대하다, 만나다; …에 맞서다: He was *~ed* by the lady at the gate. 그는 문 앞에서 그 부인(婦人)과 만났다/Wellington *~ed* Napoleon at Waterloo. 웰링턴은 워털루에서 나폴레옹에 맞섰다. **3** 《+목+전+명》 (아무)를 마주 대하게 하다, 맞서게 하다; (법정에서) 대결시키다《*with* …에》; (증거 등)을 들이대다: ~ a person *with* evidence of his crime 아무에게 죄증을 들이대다. **4** 《+목+전+명》 **대조하다**, 비교하다《*with* …와》: ~ an account *with* another 한 계정을 다른 계정과 대조하다. ◇confrontation *n.*

con·fron·ta·tion [kɑ̀nfrəntéiʃən/kɔ̀n-] *n.* Ⓤ (구체적으로는 Ⓒ) (법정에서의) 대면, 대결; (군사적 · 정치적) 대립, 충돌; 대치《*between, with* …와의》: ~ policy 대결 정책/a ~ *between* labor and management 노사간의 대립.

Con·fu·cian [kənfjúːʃən] *a.* 공자의, 유교의. —*n.* Ⓒ 유생(儒生). ㊉ **~·ism** *n.* Ⓤ 유교. **~·ist** *n.* Ⓒ 유생.

Con·fu·cius [kənfjúːʃəs] *n.* 공자《552-479 B.C.; 중국의 사상가, 유교의 시조》.

⁑**con·fuse** [kənfjúːz] *vt.* **1** 《~+목/+목+전+명》 **혼동하다**, 헷갈리게 하다, 구별할 수 없게 하다《*with* …와》: I *~d* their names. 그들의 이름을 혼동했다/~ verse 〔liberty〕 *with* poetry 〔license〕 운문과 시를〔자유와 방종을〕 혼동하다. **2** (순서 · 질서 등)을 **혼란시키다**, 어지럽히다: ~ an enemy by a rear attack 후면 공격으로 적을 혼란시키다. **3** (사람의 마음)을 **어리둥절케 하다**, 혼란시키다, 당황케 하다《★ 종종 수동태로 쓰며, 전치사는 *at, by*》: Her reply *~d* me. 그녀의 대답이 나를 어리둥절하게 했다/I *was ~d by* her sudden anger. 그녀가 갑자기 화를 내서 어리둥절했다.
SYN. **confuse** (머리를) 혼란시키다, 뭐가 뭔지 모르게 하다: *confuse* by giving contrary directions 모순되는 지시를 하여 혼란시키다. **disconcert** (마음속에 준비되어 있지 않은 것을 갑자기 끄집어내거나 하여) 잠시 어리둥절케 하다, 당황케 하다: *disconcert* by asking irrelevant questions 엉뚱한 질문을 하여 당황케 하다. **embarrass** 난처하게 하다, 거북하게 하다: *embarrass* by treating with rudeness 무례하게 사람을 다루어 당황케 하다.

con·fúsed *a.* 당황한; 혼란한, 헷갈리는; 어리둥절한: a ~ explanation 뜻이 애매한 설명. ㊉ **-fú·sed·ly** [-zidli] *ad.* 당황〔혼란〕하여.

con·fús·ing *a.* 혼란시키는; 당황케 하는. ㊉ **~·ly** *ad.*

⁑**con·fu·sion** [kənfjúːʒən] *n.* Ⓤ **1 혼동**《*with* …와; *of* …의》: the ~ *of* knowledge *with* wisdom 지식과 지혜의 혼동. **2 혼란** (상태), 난잡: The coup d'état left the capital in ~. 그 쿠데타로 수도는 혼란에 빠졌다. **3 당황**, 얼떨떨함. ◇confuse *v.*
be in 〔*throw ... into*〕 *~* 당황하다〔하게 하다〕; 혼란되어 있다〔시키다〕. *~ worse confounded* 혼란에 또 혼란. *covered with ~* 어쩔줄 몰라, 허둥지둥하여.
㊉ **~·al** [-ʒənəl] *a.*

con·fu·ta·tion [kɑ̀nfjutéiʃən/kɔ̀n-] *n.* Ⓤ (구체적으로는 Ⓒ) 논파, 논박.

con·fute [kənfjúːt] *vt.* 논파〔논박〕하다; 잘못을 입증하다; 끽소리 못하게 만들다(silence). ㊉ **-fút·er** *n.* Ⓒ 논박자.

Cong. Congregation(al); Congregationalist; Congress; Congressional.

con·ga [kɑ́ŋgə/kɔ́ŋ-] *n.* Ⓒ 콩가《아프리카에서 전해진 쿠바의 춤》; 그 곡; 그 반주에 쓰는 북(=⁓ **drùm**).

cón gàme [kɑ́n-/kɔ́n-] 《구어》 =CONFIDENCE GAME.

con·gé [kɑ́nʒei/kɔ́ːn-] *n.* 《F.》 Ⓒ (돌연한) 면직, 해임; 작별 (인사): get one's ~ 해고되다/give a person his ~ 아무를 면직시키다/take one's ~ 작별 인사하다.

con·geal [kəndʒíːl] *vt.* (액체)를 얼리다, 응결시키다〔하다〕: Fear *~ed* my blood. 무서워서 피가 얼어붙는 듯했다. —*vi.* (액체가) 응결하다. ◇congelation *n.*

con·ge·la·tion [kɑ̀ndʒəléiʃən/kɔ̀n-] *n.* **1** Ⓤ 농결, 응고, 응결. **2** Ⓒ 동결물, 응결물, 엉긴 덩이. ◇congeal *v.*

◇**con·gen·ial** [kəndʒíːnjəl] *a.* **1** 같은 성질의, 같은 정신의, 같은 취미의; 마음이 맞는《*to* …에》: ~ company 뜻이 맞는 동지/~ *to* one's tastes 취미에 맞는. **2** 적합한《*to* (건강 · 취미 따위)에》: a climate ~ *to* one's health 건강에 적합한 풍토. **3** 붙임성있는, 인상이 좋은: a ~ host. ◇congeniality *n.* ㊉ **~·ly** *ad.* 성질〔마음〕에 맞아, 취미에 맞아.

con·ge·ni·al·i·ty [kəndʒìːniǽləti] *n.* Ⓤ (성

질·취미 등의) 일치, 합치; 적응〔적합〕성.

con·gen·i·tal [kəndʒénətl] *a.* (병·결함 등이) 타고난, 선천적인: ~ deformity 선천적 기형.

con·gén·i·tal·ly *ad.* 선천적으로, 태어나면서부터: He is ~ deaf. 그는 선천적으로 귀가 들리지 않는다.

cón·ger (èel) [káŋgər-/kɔ́ŋ-] 〖어류〗 붕장어류(類).

con·ge·ries [kándʒəriːz/kəndʒíəriːz] (*pl.* ~) *n.* Ⓒ 모인 덩어리, 집괴(集塊), 퇴적.

◇**con·gest** [kəndʒést] *vt.* **1** (도로)를 혼잡하게 하다; 정체시키다《***with*** …으로》: The street was ~*ed with* traffic. 거리는 교통이 정체되어 있었다. **2** 〖의학〗 충혈시키다. **—***vi.* (도로가) 붐비다; 〖의학〗 충혈〔울혈〕하다. ◇ congestion *n.*

con·gést·ed [-id] *a.* (사람·교통 등이) 혼잡한; 밀집한; (화물 등이) 정체한: a ~ area 〔district〕 인구 과밀 지역.

◇**con·ges·tion** [kəndʒéstʃən] *n.* Ⓤ **1** 혼잡, 붐빔; (인구) 과잉, 밀집: the ~ of cities 도시의 과밀화/~ of traffic 교통 혼잡. **2** 〖의학〗 충혈, 울혈: ~ of the brain 뇌충혈. ◇ congest *v.*

con·ges·tive [kəndʒéstiv] *a.* 〖의학〗 충혈(성)의.

con·glom·er·ate [kənglámərət/-glɔ́m-] *a.* **1** 둥글게 뭉친, 집단이 된, 밀집한. **2** 복합적인, 복합 기업의. **3** 〖지질〗 역암질(礫岩質)의, 집괴(集塊)성의. **—***n.* Ⓒ 집성체, 집괴, 집단; 〖지질〗 역암(礫岩); 〖경제〗 (거대) 복합 기업. **—** [-rèit] *vt., vi.* 모아서 굳히다, 결합시키다; 집괴〔덩이〕를 이루다, 결합하다.

con·glom·er·a·tion [kənglàməréiʃən/-glɔ̀m-] *n.* **1** Ⓤ 덩어리 모양으로 모은〔모인〕 것. **2** Ⓒ 응괴(凝塊), 집괴(集塊), 덩이. **3** Ⓒ 잡다한 것의 혼합〔집합〕물.

Con·go [káŋgou/kɔ́ŋ-] *n.* **1** (the ~) 콩고 강 (=∠ **Ríver**)《중부 아프리카의 강》. **2** (the ~) **a** Zaire의 구칭. **b** 콩고 인민 공화국《아프리카 중부에 있는 공화국; 공식명은 People's Republic of the Congo; 수도 Brazzaville》.

Con·go·lese [kàŋgəlíːz/kɔ̀ŋ-] *n.* Ⓒ, *a.* 콩고의, 콩고 사람(의).

con·grats, con·grat·ters [kəngræ̀ts], [kəngrǽtərz] *int.* 《구어》 축하합니다.

⁑**con·grat·u·late** [kəngrǽtʃəlèit] *vt.* **1** 《+목+전+명》 **축하하다**, …에게 축하의 말을 하다《***on, upon*** …에 대하여》: I ~ you. 축하합니다/We ~*d* him *on* his success. 그의 성공을 축하했다/I ~ you *on* pass*ing* the examination. 시험에 합격한 것 축하합니다. **2** 《~ one-self》 **a** 《+목+전+명》 기뻐하다《***on, upon*** …을》: He ~*d* him*self on* his escape. 그는 잘 피한 것을 기뻐했다. **b** 《+목+*that* 절》 …한 것을 다행으로 여기다: He ~*d* him*self that* he had found a job. 그는 일자리를 찾은 것을 다행으로 여겼다.

⁑**con·grat·u·la·tion** [kəngræ̀tʃəléiʃən] *n.* **1** Ⓤ **축하**, 경하: a speech of ~ 축하 연설/a matter for ~ 경하할 일. **2 a** (*pl.*) 축사《***on, upon*** …에 대한》: offer one's ~*s* 축사를 하다. **b** 《Congratulations!로; 감탄사적》 축하합니다.

con·grat·u·la·tor [kəngrǽtʃəlèitər] *n.* Ⓒ 축하하는 사람, 경하자, 하객.

con·grat·u·la·to·ry [kəngrǽtʃələtɔ̀ːri/-təri] *a.* 축하의: a ~ address 축사/send a ~ telegram 축전을 치다.

◇**con·gre·gate** [káŋgrigèit/kɔ́ŋ-] *vt., vi.* 모으다, 집합시키다; 모이다, 집합하다.

*****con·gre·ga·tion** [kàŋgrigéiʃən/kɔ̀ŋ-] *n.* **1** Ⓤ 모이기; 집합, 회합. **2** Ⓒ (사람들의) 모임; 특히 (종교적인) 집회. **3** 《집합적; 단·복수취급》 (교회의) 회중(會衆), 신도들.

con·gre·ga·tion·al [kàŋgrigéiʃənəl/kɔ̀ŋ-] *a.* **1** 집회의, 회중(會衆)의. **2** (C-) 조합(組合) 교회의: the *Congregational* Churches 조합 교회《영국 국교회에서 분리한 일파》. ㊕ **~·ism** *n.* (C-) Ⓤ 조합 교회주의, 독립 교회제. **~·ist** *n.* (C-) Ⓒ 조합 교회원; 조합 교회주의자.

⁑**con·gress** [káŋgris/kɔ́ŋgris] *n.* **1** Ⓒ (대표자·사절·위원 따위의) (대)**회의**, 평의원회; 대의원회; 학술대회: an International P.E.N ~ 국제 펜클럽 대회/hold a medical ~ 의학 학술대회를 개최하다. **2** (C-) Ⓤ 《보통 관사 없이》 **의회**, 국회《미국 및 라틴 아메리카 공화국의》; 국회의 회기: in *Congress* 국회개회 중/Library of *Congress* 미국 국회도서관/a member of *Congress* 국회의원. ★긴 형태인 *the Congress* of the United States of America에는 관사가 붙음.

*****con·gres·sion·al** [kəngréʃənəl, kəŋ-/kɔŋ-] *a.* **1** 회의의; 집회의. **2** (종종 C-) 《美》 의회의, 국회의: a *Congressional* hearing 의회 청문회/a *Congressional* district 하원의원 선거구. ***the Congressional Medal (of Honor)*** 《美》 명예훈장《국회의 이름으로 대통령이 손수 수여하는 최고 훈장》.

Congréssional Récord (보통 the ~) 《美》 연방의회 의사록.

◇**cóngress·man** [-mən] (*pl.* ***-men*** [-mən]) *n.* Ⓒ (종종 C-) 《美》 국회 의원, 《특히》 하원 의원《★ 호칭으로도 쓰임》.

cóngress·pèrson (*pl.* ***-pèople***) *n.* (종종 C-) 《美》 국회 의원《남녀 공통어》.

cóngress·wòman (*pl.* ***-wòmen***) *n.* Ⓒ (흔히 C-) 《美》 여자 국회 의원《특히 하원의》.

con·gru·ence, -en·cy [káŋgruəns, kəngrúːəns/kɔ́ŋ-], [-si] *n.* Ⓤ 일치, 적합; 조화(성); 〖수학〗 합동(合同).

con·gru·ent [káŋgruənt, kəngrúː-/kɔ́ŋ-] *a.* **1** =CONGRUOUS. **2** 〖수학〗 (도형이) 정확히 합치하는, 합동의.

con·gru·i·ty [kəngrúːiti, kəŋ-/kɔŋ-] *n.* Ⓤ 적합(성), 일치; 〖기하〗 (도형의) 합동성; Ⓒ (보통 *pl.*) 일치점.

con·gru·ous [káŋgruəs/kɔ́ŋ-] *a.* 일치하는, 적합한, 어울리는, 조화하는《***with, to*** …와》: His actions are ~ *with* his principles. 그의 행동은 원칙과 일치한다. ㊕ **~·ly** *ad.*

con·ic [kánik/kɔ́n-] *a.* 〖수학〗 원뿔의; 원뿔꼴의: a ~ section 원뿔 곡선. ㊕ **cón·i·cal** [-kəl] *a.* 원뿔꼴의. **cón·i·cal·ly** *ad.*

co·ni·fer [kóunəfər, kánə-/kɔ́n-] *n.* Ⓒ 〖식물〗 구과(毬果) 식물《소나무류》, 침엽수.

co·nif·er·ous [kounífərəs] *a.* 구과(毬果)를 맺는, 침엽수의: a ~ tree 침엽수.

conj. conjugation; conjunction; conjunctive.

con·jec·tur·al [kəndʒéktʃərəl] *a.* 추측의, 확정적이 아닌; 억측의. ㊕ **~·ly** *ad.*

*****con·jec·ture** [kəndʒéktʃər] *n.* Ⓤ (구체적으로는 Ⓒ) **1 추측**, 억측: hazard a ~ 추측해〔헤아려〕 보다, 짐작으로 말하다/a mere ~ 단순한 억측/make 〔form〕 ~*s* on 〔upon〕 …에 대하여 추측하다. **2** (…라고) 추측한 의견, 추론《***that***》: I don't agree with his ~ *that* there will be a big earthquake in the near future. 가까운 장래에 대지진이 있을 것이라는 그의 추론에 찬동하지 않는다.

— *vt.* …을 추측〔억측〕하다《***that / wh.***》: ~ the fact from ... 그 사실을 …에서 추측하다 / He ~*d that* his proposal would be accepted. 그는 자기의 제안이 받아들여질 것이라고 추측했다 / Can you ~ *why* this has happened? 왜 이런 일이 발생했다고 추측할 수 있습니까. — *vi.* 추측하다, 짐작으로 말하다. cf. guess, surmise.

con·join [kəndʒɔ́in] *vt., vi.* 결합하다, 합치다; 합쳐지다. ㊕ **~ed** *a.* **~·er** *n.*

con·joint [kəndʒɔ́int, kɑn-/kɔndʒɔ́int] *a.* 연합〔합동〕한, 결합한; 공동〔연대〕의. ㊕ **~·ly** *ad.* 결합〔공동〕하여; 연대로.

con·ju·gal [kɑ́ndʒəgəl/kɔ́n-] *a.* Ⓐ 부부(간)의; 혼인(상)의: ~ affection 부부애(愛) / ~ family 부부 가족, 핵가족. ㊕ **~·ly** *ad.* 부부로서.

con·ju·gal·i·ty [kɑ̀ndʒəgǽləti/kɔ̀n-] *n.* Ⓤ 혼인 (상태), 부부임, 부부 생활.

cónjugal ríghts 〖법률〗 부부 동거권(성교권).

***con·ju·gate** [kɑ́ndʒəgèit/kɔ́n-] *vt., vi.* **1** 〖문법〗 (동사를) **활용〔변화〕 시키다**; (동사가) 활용〔변화〕하다. **2** 〖생물〗 (단세포 동물이) 접합하다. — [kɑ́ndʒəgit, -gèit/kɔ́n-] *a.* **1** (쌍으로) 결합된. **2** 〖식물〗 (한) 쌍의; 〖수학·물리〗 켤레의; 〖생물〗 접합의: a ~ point 켤레점 / ~ angles 〔arcs〕 켤레각(角)〔호(弧)〕 / ~ foci 켤레 초점. **3** 〖문법〗 동근(同根)의, 어원이 같은《peace, peaceful, pacific 따위》. ◇ conjugation *n.*
㊕ **-ga·tive** [-gèitiv] *a.* **-ga·tor** [-gèitər] *n.*

còn·ju·gá·tion *n.* **1 a** Ⓤ (구체적으로는 Ⓒ) 〖문법〗 (동사의) 활용(活用), 어형 변화: regular 〔irregular〕 ~ 규칙〔불규칙〕 변화 / (a) strong 〔weak〕 ~ (동사의) 강〔약〕 변화. **b** Ⓒ (동사의) 활용형. **2** Ⓤ (구체적으로는 Ⓒ) 결합, 배합, 연결. **3** Ⓤ 〖생물〗 (단세포생물의) 접합. ◇ conjugate *v.* ㊕ **~·al** *a.* **~·al·ly** *ad.*

con·junct [kəndʒʌ́ŋkt, kɑ́ndʒʌ̀ŋkt/kɔ́n-] *a.* 결합된, 연결된; 공동의; 〖문법〗 접속형의.
㊕ **~·ly** *ad.*

◇**con·junc·tion** [kəndʒʌ́ŋkʃən] *n.* **1** Ⓤ (구체적으로는 Ⓒ) 결합, 연결, 접속; 합동; 연관: The accident was caused by a ~ of three mistakes. 이 사고는 세 가지 실수가 겹쳐서 일어났다. **2** Ⓒ 〖문법〗 접속사: coordinating ~*s* 등위접속사《대등한 어구를 접속하는 and, but 따위》/ subordinating ~*s* 종속접속사《종절을 주절에 접속하는 if, though 따위》. **3** Ⓤ 〖천문〗 (행성 등의) 합(合), 회합, (달의) 삭(朔). ◇ conjunctive *a.* ***in ~ with*** …와 함께, …와 협력하여; …에 관련하여.
㊕ **~·al** *a.* 접속의, 접속사의. **~·al·ly** *ad.*

con·junc·ti·va [kɑ̀ndʒʌŋktáivə/kɔ̀n-] (*pl.* ***-vas, -vae*** [-viː]) *n.* Ⓒ 〖해부〗 (눈알의) 결막.
㊕ **-val** [-vəl] *a.* 결막의.

con·junc·tive [kəndʒʌ́ŋktiv] *a.* 연결〔결합〕하는; 접합된; 공동의; 〖문법〗 접속(사)적인. ◇ conjunction *n.* — *n.* Ⓒ 〖문법〗 접속어.
㊕ **~·ly** *ad.* 결합하여, 접속적으로.

con·junc·ti·vi·tis [kəndʒʌ̀ŋktəváitis] *n.* Ⓤ 〖의학〗 결막염. cf. conjunctiva.

con·junc·ture [kəndʒʌ́ŋktʃər] *n.* Ⓒ **1** (중대한 위기를 야기시킬 사건·사정 따위의) 연결, 뒤얽힘. **2** 위기: at 〔in〕 this ~ 이 (위급한) 때에.

con·jur·a·tion [kɑ̀ndʒəréiʃən/kɔ̀n-] *n.* Ⓤ 주술, 마법; 주문.

◇**con·jure**[1] [kɑ́ndʒər, kʌ́n-] *vt.* **1** 요술을 부려 〔마법을 써서〕 …을 꺼내다《***out of*** …에서》: The juggler ~*d* a rabbit *out of* the top hat. 마술사는 실크해트에서 토끼를 꺼내었다. **2** (마물·영혼 등)을 불러내다, 출현시키다; (마법·주문으로) 쫓아버리다(*up; away*): ~ evil spirits *away* 마법으로 악령을 쫓아버리다. — *vi.* 마법〔요술〕을 쓰다.
a name to ~ with 주문에서 외는 이름; 영향력 있는〔상상력을 불러일으키는〕 이름: As a candidate George Smythe would be *a name to ~ with.* 입후보자로서 조지 스미드는 유력한 이름이 될 것이다. **~ *up*** 《*vt.*+부》 ① 주문을 외워〔마법을 써서〕 (혼백·귀신 등)을 불러내다: ~ *up* the spirits of the dead 죽은 자의 영혼을 마법을 써서 불러내다. ② 눈앞에 떠오르게 하다: ~ *up* visions of the past 과거의 광경을 눈앞에 그리다. ③ 순식간에 만들다: ~ *up* a meal (out of leftover) (남은 음식으로) 금방 식사를 마련하다.

con·jure[2] [kəndʒúər] *vt.* 《문어》 (아무)에게 기원〔간청〕하다, 특별히 부탁하다《***to*** do》: She ~*d* them not *to* betray their principles. 그녀는 그들에게 원칙을 무시하지 말라고 간청했다.

con·jur·er, -ju·ror [kɑ́ndʒərər, kəndʒúərər, kʌ́ndʒər-] *n.* Ⓒ 마술사; 요술쟁이.

conk[1] [kɑŋk/kɔŋk] 《속어》 *n.* Ⓒ 머리; 코; 머리〔코〕 때리기. — *vt.* …의 머리〔코〕를 때리다.

conk[2] *vi.* 《구어》 **1** (기계가) 망그러지다, (엔진이) 멈추다(*out*): The engine ~*ed out* in the middle of the road. 길 한가운데에서 엔진이 갑자기 고장났다. **2** 기절하다, 죽다(*out*); 《美》 잠들다(*out; off*): I was so tired I ~*ed out* as soon as I lay down. 너무 피곤해서 눕자마자 잠들어 버렸다.

cónk·er *n.* 《英》 **1** (*pl.*) 〖단수취급〗 도토리 놀이《실에 매단 도토리를 상대편 것에 부딪쳐서 깨뜨린 사람이 이김》. **2** = HORSE CHESTNUT.

cón màn 《구어》 = CONFIDENCE MAN.

Conn. Connacht; Connecticut.

Con·nacht [kɑ́nɔːt/kɔ́n-] *n.* 코노트《아일랜드 공화국의 북서부 지역; 생략: Conn.》.

con·nate [kɑ́neit/kɔ́n-] *a.* 타고난, 선천적인; 동시 발생의, 같은 성질의; 〖식물〗 합착(合着)의, 합생(合生)의; 〖지질〗 (물이) 동생(同生)의.
㊕ **~·ly** *ad.*

⁑**con·nect** [kənékt] *vt.* **1** 《~+목/+목+전+명》 잇다, **연결하다**; 결합하다《***with*** …와; ***to*** …에》: *Connect* these two electric cords. 이 두 개의 전깃줄을 이으시오 / Technology ~*s* science *with* industry. 과학 기술은 과학과 산업을 연결시킨다. SYN. ⇨ JOIN.
2 《~+목/+목+전+명》 (2개의 지역)을 연락시키다; 〖전화〗 (장소·사람)에게 연결하다, 접속하다: You are ~*ed.* 〖전화〗 (상대가) 나왔습니다 (《美》 You're through.) / ~ two towns *by* a railroad 두 읍을 철도로 연락시키다 / Will you please ~ me *with* Mr. Jones? 존스씨를 대 주시오.
3 《~+목/+목+전+명》 〖~ oneself〗 (사업 따위로) 관계하다; (결혼 따위로) 인척(姻戚) 관계를 맺다《***with*** …와》: I am distantly ~*ed with* the family. 그 집안과는 먼 일가가 된다 / He ~*s* him*self with* the firm. 그는 그 회사에 관계하고 있다.

4 《+목+전+명》 연상시키다, 결부시켜 생각하다 《**with** …와》: She ~s all telegrams *with* bad news. 그녀는 전보라면 모두 나쁜 소식으로 생각한다.
5 (전기 기구)를 전원에 연결하다.
— *vi.* **1** 《~/+전+명》 이어지다, 연속〔연결〕되다 《**with** …와》: Two roads ~ here. 두 도로가 여기서 연결된다/My room ~s *with* his. 내 방은 그의 방에 이어져 있다. **2** 《+전+명》 (기차·비행기 등이) 접속하다, 연락하다《**with** …와》: This train ~s *with* another at Albany. 이 열차는 올버니에서 다른 열차와 접속한다. **3** 《+전+명》 관계를 갖다, 관련하다《**with** …와》: His remark ~s *with* what I have said before. 그의 발언은 전에 내가 한 말과 관련이 있다. **4** 《+전+명》 〖야구〗 강타하다, 성공하다《**for** (히트)를, (패스)에》.
㊕ **~·er** *n.*

con·néct·ed [-id] *a.* **1** 이어진, 일관한; 연락〔연결〕하는: a ~ account 조리 있는 설명. **2** (직무상) 관여〔관계〕하고 있는. **3** 〘종종 복합어로〙 친척의. ㊕ **~·ly** *ad.*

Con·nect·i·cut [kənétikət] *n.* 코네티컷《미국 북동부의 주(州); 생략: Conn., CT》.

connécting ròd 〖기계〗 커넥팅 로드, 연접봉.

****con·nec·tion,** 《英》 **-nex·ion** [kənékʃən] *n.* **1** Ⓤ **연결**, 결합; (전화의) 접속《**to** …에; **with** …와》: the ~ of a hose *to* a faucet 호스를 수도꼭지에 연결함/have a bad ~ (전화) 접속이 나쁘다. **2** Ⓤ (구체적으로는 Ⓒ) (인과적·논리적) **관계**, 관련《**between** …사이의; **with** …와의》: make a ~ *with* …와 관계를〔관련을〕 짓다/the ~ *between* crime and poverty 범죄와 빈곤의 관계. **3 a** Ⓤ (구체적으로는 Ⓒ) (열차·비행기 등의) 연락, 접속, 환승: miss one's ~ 접속 열차를 놓치다/make ~s at Charleston for St. Louis 찰스턴에서 세인트루이스행(열차·여객기)에 환승하다. **b** Ⓒ (열차·배·비행기 등의) 접속편: My ~ leaves at 4:30. 나의 접속편은 4시 반에 출발한다. **4 a** Ⓤ (구체적으로는 Ⓒ) (인간 상호의) 관계; 교섭, 교제; 혼인 관계《**with** (아무)와의》: form a ~ *with* …와 관계를 맺다/cut 〔break off〕 one's ~ *with* …와 관계를〔인연을〕 끊다. **b** Ⓒ (보통 *pl.*) 친척, 유력한 친지; 연고, 연줄: a man of good ~s 좋은 연줄이 있는 사람/She is one of my ~s. 그녀는 내 친척 중의 한 사람이다. **5** Ⓒ 거래처, 단골《**with** …와의》: a business with a good ~ 좋은 단골이 있는 장사. **6** Ⓒ 연락 장치, (기계·도관 등의) 연접(부), (전신·전화의) 연결; 회로; 통신 수단. **7** Ⓒ 《속어》 마약 밀매 조직; 밀수 조직〔경유지〕; 비밀 범죄 조직. ◇ connect *v.*
in* ~ *with …와 관련하여; …에 관한〔하여〕. ***in this* ~** 이와 관련하여, 이 점에 대해서: *In this* ~, let me introduce an interesting fact. 이 점에 대해서, 한 가지 흥미있는 사실을 얘기해 드리겠습니다.
㊕ **~·al** [-əl] *a.* 연락〔접속〕의, 관계의.

connéction pòint 〖컴퓨터〗 접속 포인트, 액세스 포인트《네트워크에 접속하려는 개개의 사용자가 전화회선을 통해 직접 접속하는 컴퓨터》.

con·nec·tive [kənéktiv] *a.* 연결하는, 결합의, 접속의. **—** *n.* Ⓒ 연결물, 연계(連繫); 〖문법〗 연결사《접속사·관계사·전치사 따위》.
㊕ **~·ly** *ad.* 연결하여, 접속적으로. **còn·nec·tív·i·ty** *n.* Ⓤ 연결성; 〖컴퓨터〗 상호 통신 능력.

connéctive tìssue 〖해부〗 결합 조직.

con·nec·tor [kənéktər] *n.* Ⓒ 연결하는 것; (철도 차량의) 연결기(coupling), 연결수; 〖전기〗 접속용 소켓; 〖전화〗 접속기; 〖컴퓨터〗 이음기, 연결기.

connexion 《英》 ⇨CONNECTION.

Con·nie [káni/kɔ́n-] *n.* 코니《여자 이름; Constance 의 애칭》.

cón·ning tòwer (군함·잠수함의) 사령탑, 전망탑.

con·nip·tion [kənípʃən] *n.* Ⓒ (보통 *pl.*) 《美구어》 발작적 히스테리〔격노〕(= ~ fit).

con·niv·ance, -van·cy [kənáivəns], [-i] *n.* Ⓤ **1** 묵과, 못 본 체함, 간과; 묵인《**at, in** (나쁜 일)의》. **2** 공모《**with** …와의》.

con·nive [kənáiv] *vi.* **1** 눈감아주다, 묵인하다 《**at** (나쁜 일)을》: She ~d *at* his embezzlement. 그녀는 그의 횡령을 눈감아주었다. **2** 공모〔묵계〕하다; 서로 짜고 꾸미다《**with** (아무)와; **in** (범죄 따위)에/**to** do》: ~ *with* a person *in* crime 아무와 공모하여 범죄를 저지르다/They ~d *to* kill him. 그들은 공모하여 그를 죽였다.

◇con·nois·seur [kànəsə́:r, -súər/kɔ̀n-] *n.* Ⓒ 감식가, 통달자, 전문가, 권위《**of, in** (미술품 등)의》. ㊕ **~·shìp** *n.* Ⓤ 감식안.

con·no·ta·tion [kànoutéiʃən/kɔ̀n-] *n.* **1** Ⓤ (구체적으로는 Ⓒ) 함축, 언외지의(言外之意). **2** Ⓤ 〖논리〗 내포. ↔ *denotation.*

con·no·ta·tive [kánoutèitiv, kənóutə-/kɔ́noutèi-] *a.* **1** 함축적인: a ~ sense 언외(言外)의 뜻, 함축된 뜻. **2** Ⓟ 암시하는《**of** (다른 뜻)을》: The word 'marble' is ~ *of* coldness. '대리석'이란 말은 차가움을 암시한다. **3** 〖논리〗 내포적(↔ *denotative*). ㊕ **~·ly** *ad.*

con·note [kənóut] *vt.* **1** (말이 언외(言外)의 뜻)을 갖다〔품다〕, 함축〔암시〕하다《mother(어머니)라는 말은 '자애'를 암시하는 따위》. **2** (결과·부수적 상황으로서) …을 수반하다: Crime ~s punishment. 범죄에는 처벌이 따른다. **3** 〖논리〗 내포하다. ↔ *denote.*

con·nu·bi·al [kən*j*ú:biəl] *a.* Ⓐ 결혼(생활)의; 부부의, 배우자의. ㊕ **~·ly** *ad.* 혼인상; 부부로서. **con·nù·bi·ál·i·ty** [-biǽləti] *n.* Ⓤ 혼인, 결혼 생활; 부부 관계.

****con·quer** [káŋkər/kɔ́ŋ-] *vt.* **1** (무력으로) **정복하다**〔빼앗다〕, (적)을 공략하다. SYN. ⇨DEFEAT. **2** (명성·애정 따위)를 획득하다: ~ fame/~ a woman. **3** (역경·곤란·격정·유혹·버릇 따위)를 극복하다, …을 이겨내다; 억제하다; 타파하다: ~ a peak 정상을 정복하다/~ a bad habit 나쁜 버릇을 타파하다. **—** *vi.* 정복하다, 승리를 얻다, 이기다: Justice will ~. 정의는 이긴다. ◇ conquest *n.*
㊕ **~·a·ble** [-rəbəl] *a.* 정복 가능한, 이겨낼 수 있는; 타파할 수 있는.

***con·quer·or** [káŋkərər/kɔ́ŋ-] *n.* **1** Ⓒ **정복자**; 승리자. **2** (the C-) 〖英역사〗 정복왕 William I세《1066년 영국을 정복한 Normandy 공(公)》.

***con·quest** [káŋkwest/kɔ́ŋ-] *n.* **1** Ⓤ **정복**: The ~ *of* cancer is imminent. 암의 정복은 머지않다. **2** Ⓤ (노력에 의한) **획득**; 이성〔애정〕의 획득: the ~ *of* fame 명성의 획득. **3** Ⓒ (정복에 의한) 획득물, 전리품; 정복지, 점령지; 애정에 끌린 이성. **4** (the C-) =NORMAN CONQUEST. ◇ conquer *v.*
make 〔***win***〕 ***a* ~ *of*** …을 정복하다; …의 애정을

획득하다.

con·quis·ta·dor [kɑnkwístədɔ̀ːr, kɔ(ː)ŋ-, kən-] (*pl.* ~**s**, **-do·res** [-kwistədɔ́ːris, -kì(ː)s-]) *n.* Ⓒ 정복자(conqueror), 《특히》 16세기에 멕시코·페루를 정복한 스페인 사람.

Con·rad [kɑ́nræd/kɔ́n-] *n.* 콘래드. **1** 남자 이름. **2 Joseph** ~ 폴란드 태생의 영국 해양 소설가(1857–1924).

Cons. Conservative.

con·san·guin·e·ous [kɑ̀nsæŋgwíniəs/kɔ̀n-] *a.* 혈족의, 혈연의, 동족의: ~ marriage 혈족 결혼, 근친혼. ⓟ ~**·ly** *ad.*

con·san·guin·i·ty [kɑ̀nsæŋgwínəti/kɔ̀n-] *n.* Ⓤ 혈족 (관계); 친족; 동족.

⁑**con·science** [kɑ́nʃəns/kɔ́n-] *n.* Ⓤ 《형용사를 수반할 때는 a ~》 **양심**, 도의심, 도덕 관념: qualms of ~ 양심의 가책/a case 〔matter〕 of ~ 양심이 결정할 일/*a* bad 〔guilty〕 ~ 떳떳치 못한 마음/*a* good 〔clear〕 ~ 떳떳한 마음/the freedom 〔liberty〕 of ~ 신교〔양심〕의 자유.
ease a person***'s*** ~ 아무를 안심시키다. ***for*** ~***(')*** ***sake*** 양심에 걸려, 양심 때문에. ***have ... on*** one***'s*** ~ …을 꺼림칙해 하다, …을 걱정하다: He *has* a lot *on* his ~. 그는 여러 가지 일을 걱정한다. ***in all*** ~ 《구어》 ① 양심에 비추어, 도의상: I can't, *in all* ~, do such a thing. 양심상 그런 일은 할 수 없다. ② 확실히, 꼭: What he says sounds very strange, *in all* ~. 분명히 그가 한 말은 이상하게 들린다. ***on*** 〔***upon***〕 one***'s*** ~ 양심에 걸고, 기필코; 죄의식을 느껴: It has been *on* my ~ that my advice to him proved wrong. 그에게 한 나의 조언이 잘못된 것을 알고 줄곧 마음에 걸렸다. ***with an easy*** 〔***a good, a safe***〕 ~ 안심하고.

cónscience clàuse 〖英법률〗 양심 조항《신교의 자유 등을 규정》.

cónscience mòney 보상의 헌금; 회오금(悔悟金)《탈세자 등이 뉘우치고 익명으로 국고에 납입하는 돈》.

cónscience-smìtten, -strùck *a.* =CONSCIENCE-STRICKEN.

cónscience-strìcken *a.* 양심에 찔린, 마음에 꺼림칙한.

◇**con·sci·en·tious** [kɑ̀nʃiénʃəs/kɔ̀n-] *a.* 양심적인, 성실한; 공들인; 신중한, 주의깊은《***about*** …에》: a ~ worker 성실한 일꾼/Be more ~ *about* your work. 좀더 신중하게 일하시오.
ⓟ ~**·ly** *ad.* ~**·ness** *n.*

consciéntious objéction 양심적 병역〔참전〕 거부.

consciéntious objéctor (종교적·도의적 신념에 따른) 양심적 병역 거부자《생략: C.O.》.

con·scion·a·ble [kɑ́nʃənəbəl/kɔ́n-] *a.* 양심적인; 바른, 정당한. ⓟ **-bly** *ad.*

⁑**con·scious** [kɑ́nʃəs/kɔ́n-] *a.* **1** Ⓟ **의식〔자각〕하고 있는**, 알고 있는《***of*** …을/***that***/***wh.***》. ↔ *unconscious.* ¶He is ~ *of* his own faults. 그는 자기의 결함을 알고 있다/She was ~ *that* her strength was failing. 그녀는 점점 기력이 떨어지는 것을 의식하고 있었다/She isn't ~ (*of*) *why* people treat her with reserve. 그녀는 사람들이 왜 자기를 꺼려하는지 알아차리지 못한다. **2** Ⓐ **a** 의식적인, 일부러 꾸민: a ~ smile 짐짓 꾸민 미소/a ~ liar 나쁜 줄 알면서 거짓말하는 사람. **b** 남을 의식하는, 자의식이 강한; 사고력이 있는, 의지가 있는, 이성적인: man, the ~ animal 이성적인 동물인 인간/speak with a ~ air 남을 의식하는 태도로 (조심스럽게) 말하다. **3** Ⓟ **지각〔의식〕 있는**, 제정신의; 느낄 수 있는《***of*** (고통·감정 등)을》: become ~ 제정신이 들다/He was ~ *of* a sharp pain. 그는 날카로운 통증을 느꼈다. **4** 《합성어로 쓰여》 …의식이 강한: class-~ 계급 의식에 눈뜬/fashion-~ 유행에 민감한. **—***n.* (the ~) 〖심리〗 의식. ⓟ ~**·ly** *ad.* 의식적으로, 자각하여.

con·scious·ness** [kɑ́nʃəsnis/kɔ́n-] *n.* **1** Ⓤ **자각, 의식**; 알아챔: class ~ 계급 의식/race ~ 민족 의식/lose 〔regain, recover〕 one's ~ 의식을 잃다〔되찾다〕. **2** Ⓤ (또는 a ~) (막연한) 느낌《of*** …이라는/***that***》: a dim ~ *of* injustice 불공평하다는 막연한 느낌/He had a ~ *that* he was being watched. 그는 감시당하고 있다는 느낌이 들었다. **3** Ⓤ 〖심리·철학〗 의식, 지각: a stream of ~ 의식의 흐름.
bring a person ***to*** ~ 아무를 제정신이 들게 하다. ~ ***of kind*** 동류 의식. ***raise*** one***'s*** ~ 정치적〔사회적〕 의식을 높이다.

cónsciousness-ràising *n.* Ⓤ **1** 자기 발견(법); (사회적 차별 문제에 대한) 의식 고양(법), 의식 확대. **2** 《형용사적》 의식 고양을 도모하는〔위한〕: ~ groups. ⓟ **-ràis·er** *n.*

con·script [kɑ́nskript/kɔ́n-] *a.* Ⓐ 병적에 등록된, 징집된: a ~ soldier 신병, 징집병. **—** *n.* Ⓒ 징집병. **—** [kənskrípt] *vt.* 군인으로 뽑다; 징집하다; 징용하다.

con·scrip·tion [kənskrípʃən] *n.* Ⓤ 징병 (제도), 모병.

con·se·crate** [kɑ́nsikrèit/kɔ́n-] *vt.* **1** 《~+목/+목+전+명》 **신성하게 하다**, 성화(聖化)하다; 〖가톨릭〗 (미사에서 빵과 포도주)를 성별(聖別)하다; 봉헌하다《to*** …에》: ~*d* bread/~ a church *to* divine service 헌당(獻堂)하다. **2** 《+목+전+명》 (생애 등)을 바치다, 전념하다《***to*** (목적·용도)에》: He ~*d* his life *to* church. 그는 교회를 위해 일생을 바쳤다.

còn·se·crá·tion *n.* **1** Ⓤ 신성화, 정화. **2** (the ~; 종종 C-) 〖가톨릭〗 축성(祝聖); 성별(聖別). **3** Ⓤ (구체적으로는 Ⓒ) (교회의) 헌당(식), 봉헌(식). **4** Ⓤ 헌신, 정진(精進)《***to*** …에의》: the ~ of one's life *to* one's family 생애를 가족에게 바침.

◇**con·sec·u·tive** [kənsékjətiv] *a.* **1** 연속적인, 잇따른: It rained four ~ days. 나흘 계속해서 비가 왔다/~ numbers 연속〔일련〕 번호. **2** 〖문법〗 결과를 나타내는. ⓟ ~**·ly** *ad.* ~**·ness** *n.*

con·sen·su·al [kənsénʃuəl] *a.* 〖법률〗 합의에 의하여 성립된: a ~ divorce 합의 이혼.
ⓟ ~**·ly** *ad.*

con·sen·sus [kənsénsəs] *n.* Ⓒ (보통 *sing.*) (의견·증언 따위의) 일치; 총의; 컨센서스: a ~ *of* opinion 의견의 일치/a national ~ 국민적 총의.

con·sent** [kənsént] *vi.* 《~/+전+명/+*to* do/+*that* 절》 **동의하다**, 찬성하다, 승인〔승낙〕하다《to*** …에》(↔ *dissent*): ~ *to* a plan 계획에 동의하다/~ *to* give a lecture 강연할 것을 승낙하다/He ~*ed that* an envoy should be sent. 그는 특사를 보내는 것에 찬동했다. SYN. ⇨AGREE.
—*n.* Ⓤ **1 동의**, 승낙《***to*** …에의》: Silence gives ~. 《속담》 침묵은 승낙의 표시/give 〔refuse〕 one's ~ 승낙하다〔않다〕/obtain a person's ~ 아무의 승낙을 얻다. **2** (의견·감정의) 일치.
by common 〔***general***〕 ~ =***with one*** ~ 만장일치로, 이의 없이.

⁑con·se·quence [kánsikwèns/kɔ́nsikwəns] *n.* **1** Ⓒ **결과**; 결말《*that*》: He carefully considered the ~*s* of his decision. 그는 자기 결정의 결과를 신중히 생각했다 / This had the unexpected ~ *that* everybody resigned. 이것은 모두가 사직하게 된 뜻밖의 결과를 낳았다. SYN. ⇨RESULT. **2** Ⓤ (영향의) **중대성, 중요함**; (사람의) 사회적 지위〔중요성〕: of great ~ 대단히 중요한 / of little 〔no〕 ~ 거의〔전혀〕 중요하지 않은 / people of ~ 중요한 인물, 유력자. **3** Ⓒ 【논리】 귀결, 결론.

as a* ~ (*of*) =*in* ~ (*of*)** …의 결과로서, …때문에. ***take* 〔*answer for*〕 *the* ~*s (자기 행동의) 결과를 감수하다〔책임지다〕. ***with the* ~ *that…*** 그 결과로서 당연히 (…이 되다).

°con·se·quent [kánsikwènt/kɔ́nsikwənt] *a.* **1** 결과의, 결과로서 일어나는《*on, upon* …의》: the confusion ~ *upon* administrative reform 행정 개혁의 결과로서 일어나는 혼란. **2** (논리상) 필연의, 당연한; 모순 없는: This increase of the unemployed is ~ *on* the business depression. 실업자의 이러한 증가는 불경기의 당연한 결과이다.

㊕ ⁑~·**ly** *ad.*, *conj.* 따라서, **그 결과로서.**

con·se·quen·tial [kànsikwénʃəl/kɔ̀n-] *a.* **1** 결과로서 일어나는; (논리상으로) 당연한, 필연의. **2** 거드름 부리는, 젠체하는. **3** 중요한, 중대한. ㊕ ~·**ly** *ad.* 그 결과로서, 필연적으로; 짐짓 젠체하여.

con·sérv·a·ble *a.* 보존할 수 있는.

con·serv·an·cy [kənsə́ːrvənsi] (*pl.* **-cies**) *n.* Ⓒ《집합적; 단·복수취급》《英》(하천·항만의) 관리 위원회〔사무소〕.

***con·ser·va·tion** [kànsəːrvéiʃən/kɔ̀n-] *n.* Ⓤ **1** (국가 등에 의한 자연 환경의) **보호**, 관리; (자원의) 보존, 유지: ~ *of* the rain forests 열대 우림의 보존. **2** 【물리】 보존: ~ *of* mass 〔matter〕 질량(質量) 보존 / ~ *of* momentum 운동량 보존. ㊕ ~·**al** *a.*

conservátion àrea 《英》(특수 건조물, 사적 등의) 보전 지구, 보호 관리 지구.

còn·ser·vá·tion·ist *n.* Ⓒ (자연·자원) 보호론자.

con·serv·a·tism [kənsə́ːrvətìzəm] *n.* Ⓤ 보수주의; 보수적 경향; (종종 C-) (영국·캐나다의) 보수당의 주의〔강령〕; 안전 제일주의.

⁑con·serv·a·tive [kənsə́ːrvətiv] *a.* **1 a** (정치적으로) **보수적인**, 보수주의의. ↔ *progressive.* ¶ ~ politics 〔views〕 보수적인 정책〔의견〕. **b** (사람·생각이) 보수적인, 전통적인, 케케묵은, 예스러운《*about* …에 대하여; *in* …에》: be ~ *about* food 음식에 대하여 예스럽다 / He's very ~ *in* his attitude to women. 그의 여성에 대한 태도는 매우 보수적이다. **2** (C-) 《특히》 영국 보수당의. **3** 조심스러운, 신중한: a ~ estimate 줄잡은 어림. **4** (옷차림 등이) 수수한.

— *n.* Ⓒ 보수적인 경향의 사람; (C-) 보수당원《특히 영국의》.

con·sér·va·tive·ly *ad.* **1** 보수적으로; 전통적으로. **2** (복장 등이) 수수하게; (태도가) 조심스럽게, 신중히.

Consérvative Párty (the ~) 《英》 보수당. cf. Labour Party.

consérvative súrgery 【의학】 보존 외과《되도록 절제(切除)를 하지 않는》.

con·ser·va·toire [kənsə̀ːrvətwáːr, -ˊ-ˋ] *n.* 《F.》 Ⓒ (주로 프랑스의) 국립 음악〔미술, 연극〕 학교, 콩세르바투아르.

con·ser·va·tor [kánsərvèitər, kənsə́ːrvətər/kɔ́n-] (*fem.* **-trix** [-triks]) *n.* Ⓒ **1** 보호〔보존〕자. **2** (박물관 등의) 관리인; 《英》(하천 따위의) 관리 위원; 《美》(재산) 관리자, 후견인.

con·serv·a·to·ry [kənsə́ːrvətɔ̀ːri/-təri] (*pl.* **-ries**) *n.* Ⓒ **1** (전시용) 온실. **2** 음악〔미술, 연극, 예술〕 학교.

°con·serve [kənsə́ːrv] *vt.* **1** 보존하다; 보호하다; (자원)을 소중하게 쓰다, 낭비하지 않다: ~ one's strength for …에 대비하여 체력을 유지하다 / ~ gasolin 〔energy, water〕 가솔린〔에너지, 물〕을 소중하게 쓰다. **2** (과일)을 설탕 절임으로 하다. ◇ conservation *n.* — [kánsəːrv, kənsə́ːrv/kənsə́ːrv, kɔ́nsəːrv] *n.* Ⓤ (종종 *pl.*) (과일 따위의) 설탕 절임; 잼.

⁑con·sid·er [kənsídər] *vt.* **1** 《~+목/+*that* 절/+*wh.* 절/+*wh. to* do/+-*ing*》 **숙고하다**, 두루 생각하다, 고찰하다; 검토하다: ~ a matter in all its aspects 일을 여러 면에서 생각하다 / I ~ *that* he ought to help me. 그가 나를 도와야 할 것이라고 생각한다 / You must ~ *whether* it will be worthwhile. 그게 그만한 가치가 있는지를 생각해야 한다 / I ~*ed what to* buy there. 나는 그곳에서 무엇을 사야 할지 생각하였다 / I am ~*ing going* to London. 런던으로 갈까 생각하고 있다. SYN. ⇨THINK.

SYN. **consider** 주의깊게 머릿속에서 검토하다: *consider* the cost before buying a new car 새 차를 사기 전에 비용을 검토하다. **reflect on** 반사하다 → 머릿속에서 곰곰 생각하다: *reflect on* one's virtues and faults 자기의 장점과 결점을 반성하다. **weigh** 무게를 재다 → 생각하여 헤아리다: *weigh* one's words 말을 주의하여 쓰다. **contemplate** 눈여겨보다 → 숙고하다: *contemplate* a problem.

2 《+목+*as* 보/+목+(*to be*) 보/+(*that*) 절》 …을 …으로 생각하다, (…으로) 간주하다: I ~ him (*to be* 〔*as*〕) a coward. 나는 그를 겁쟁이라고 생각한다 / Could you possibly type this report? — *Consider* it *as* done. 이 보고서 타이프 좀 쳐 주시겠습니까—네 그러지요《벌써 다 끝낸 것으로 생각하세요》/ Do you ~ *that* he behaved properly? 그가 예의 바르게 행동했다고 생각하십니까.

3 《~+목/+(*that*) 절/+*wh.* 절》 …을 참작하다, 고려에 넣다: We should ~ his youth. 그의 젊음을 참작해야 할 것이다 / If you ~ *that* he's in his eighties, he's quite healthy. 그가 80 대라는 것을 고려한다면, 그는 아주 건강하다 / *Consider how* old he is. 그의 나이를 고려하시오.

— *vi.* 고려〔숙고〕하다, 잘 생각하다: Let me ~ a moment. 잠깐 생각하게 해 다오.

all things* ~*ed 만사를 고려하여 (보면), 두루 생각해 보면: *All things* ~*ed* it was quite a productive meeting. 두루 생각해 보면 그것은 유익한 회합이었다.

⁑con·sid·er·a·ble [kənsídərəbəl] *a.* **1** (사람이) **중요한**, 유력한; 고려해야 할, 무시할 수 없는: a ~ personage 저명 인사. **2** (수량이) **꽤 많은**, 적지 않은; 상당한: a ~ number of students 상당수의 학생들 / to a ~ extent 대단히, 몹시, 아주. — *n.* Ⓤ 《美구어》 다량: A ~ of a trade was carried on. 상당한 거래가 이루어졌다 / by ~ 다량으로, 많이.

***con·sid·er·a·bly** [kənsídərəbli] *ad.* 〖종종 비교급을 수식하여〗 **적지 않게**, 매우, 꽤, 상당히: He's ~ older than I (am). 그는 나보다 상당히 나이가 위이다.

***con·sid·er·ate** [kənsídərit] *a.* **1** **동정심 많은**, 인정이 있는: ~ treatment 동정심 많은 처우 / It was ~ *of* you not *to* disturb us. 저희들을 방해하려 하지 않으신 것 고마웠습니다. **2** (상대방을) 헤아리는, 배려하는《*of* (기분 따위)를; *to, toward* (아무)에게》: She's ~ *of* other people's feelings. 그녀는 다른 사람의 기분을 잘 헤아려 준다 / They should be more ~ *toward* 〔*to*〕 young people. 그들은 젊은이들을 더 배려해 주어야 한다. [SYN.] ⇨KIND². ◇ consider *v.*
㊕ **~·ly** *ad.* **~·ness** *n.*

‡**con·sid·er·a·tion** [kənsìdəréiʃən] *n.* **1** [U] **고려**, 숙려(熟慮), 고찰, 검토: after due ~ 충분히 고려한 끝에 / give a problem (one's) careful ~ =give (one's) careful ~ to a problem 문제를 충분히 고찰하다 / I'll send for your ~ a copy of my recent article. 검토하시도록 저의 최근 논문 1부를 보내드리겠습니다. **2** [U] 동정, 참작, 헤아림《*for* …에 대한》: Have more ~ *for* the old. 노인들에게 보다 더 동정심을 가지십시오. **3** [C] (보통 *sing.*) 행하, 보수, 팁; 〖법률〗 대가(對價): do anything for a ~ 돈만 받는다면 무슨 일이든 하다. **4** [C] **고려의 대상**, (고려할) 사정; 동기, 이유: Money is no ~. 돈은 문제가 아니다 / That's a ~. 그것은 생각해 볼 일〔문제〕이다. ◇ consider *v.*
in ~ of ① …을 고려하여, …의 이유로: *in ~ of* one's youth 연소함을 감안하여. ② …의 사례〔보수〕로서: He was given a large bonus *in ~ of* his services to the company. 회사에 봉사한 사례로서 그는 많은 상여금을 받았다. ***leave … out of ~*** …을 도외시하다. ***on no ~*** 결코 …않는: That's a thing I could do *on no* ~. 그런 일은 도저히 할 생각이 나지 않습니다. ***take … into ~*** 고려에 넣다, …을 참작하다. ***under ~*** 고려 중에〔의〕, 검토 중에〔의〕: The plan is now *under* ~ by the government. 그 계획은 현재 정부가 검토 중에 있다.

con·síd·ered *a.* [A] **1** 충분히 고려한 끝의, 신중한: one's ~ judgment 숙려한 끝의 판단. **2** 〖앞에 부사를 수반하여〗 중히 여기는, 존경받는: highly ~ (one's) parents 매우 존경받고 있는 어버이.

con·sid·er·ing** [kənsídəriŋ] *prep.* …**을 고려하면**, …을 생각하면; …에 비해서: She looks very young ~ her age. 그녀는 나이에 비해서는 퍽 젊어 보인다. **—conj.* 〖보통 that을 수반하여〗 …임을 생각하면, …임에 비해서, …이니까: *Considering that* he is young, … 그가 젊다는 것을 고려한다면 …. **—***ad.* 《구어》〖문미에 두어〗 그런대로, 비교적: He does very well, ~. 그는 그런대로 퍽 잘 한다.

con·sign** [kənsáin] *vt.* **1** 《+[목]+[전]+[명]》 **건네주다**, 인도하나; 교부하다; 위임하다, 맡기다《*to, into* …에》: ~ a person *to* prison 아무를 교도소에 넣다 / ~ one's baby *to* 〔*into*〕 a person's care 육아를 아무에게 맡기다 / ~ one's soul *to* God 영혼을 신(神)에게 의탁하다《죽다》/ ~ a letter *to* the post 편지를 우송하다. **2** 《~+[목]/+[목]+[전]+[명]》 〖상업〗 (상품)을 위탁하다; 탁송〔발송〕하다《*to* …에》: articles *~ed* 위탁품 / ~ goods *to* an agent 상품 판매를 대리점에 위탁하다 / We will ~ the goods *to* him by express. 물품을 그의 앞으로 속달로 부치겠다. **3** 《+[목]+[전]+[명]》 충당하다, 할당하다《*to* …으로》: ~ a room *to* one's private use 방 하나를 자기의 전용으로 하다. ◇ consignation *n.* **~ *the body to the flames 〔***watery grave***〕 시체를 화장〔수장〕하다.

con·sign·ee [kànsainíː/kɔ̀n-] *n.* [C] (판매품의) 수탁자, 수탁 판매자; 수하인(受荷人).

con·sígn·er *n.* =CONSIGNOR.

con·sígn·ment *n.* 〖상업〗 **1** [U] 위탁 (판매), 탁송(託送). **2** [C] 적송품(積送品); 위탁 판매품〔화물〕(=∠ gòods). ***on ~*** =***on a ~ basis*** 위탁 판매로.

con·sign·or [kənsáinər] *n.* [C] (판매품) 위탁자, 적송인(積送人)(shipper), 하주(荷主).

‡**con·sist** [kənsíst] *vi.* 《+[전]+[명]》 **1** **되다**, 이루어져 있다《*of* (부분 · 요소)로》: Water *~s of* hydrogen and oxygen. 물은 수소와 산소로 되어 있다. **2** **존재하다**, 있다《*in* …에》: Happiness *~s in* contentment. 행복은 족함을 아는 데 있다. ★ '*consists of*' =is made of. '*consists in*' =is. **3** **양립하다**, 일치하다《*with* …와》: Health does not ~ *with* intemperance. 건강과 방종은 양립하지 않는다.

◇**con·sist·en·cy** [kənsístənsi] *n.* **1** [U] 일관성; 언행일치; 모순이 없음. **2** [U] (구체적으로는 [C]) (액체 따위의) 농도, 밀도; 점도(粘度).

***con·sist·ent** [kənsístənt] *a.* **1** (의견 · 행동 · 신념 등이) **일치**〔**양립**〕**하는**; 조화된《*with* …와》: His views are ~ *with* his action. 그의 말과 행동은 일치하고 있다. **2** (주의 · 방침 · 언행 등이) 불변한, 시종일관된, 견실한; 모순이 없는: The president has no ~ policy. 대통령은 시종 일관된 정책이 없다.

◇**con·sís·tent·ly** *ad.* 시종일관하게, 조리 있게, 모순이 없이〔없게〕《*with* …와》: act ~ *with* one's principles 자기의 소신에 따라서 일관성 있게 행동하다.

con·sis·to·ry [kənsístəri] *n.* [C] 종교 법원(회의실); 〖가톨릭〗 추기경 회의; (영국국교의) 감독 법원(=**Consístory Cóurt**); 〖영국국교회〗 전교(全敎)회의.

con·sol [kánsɑl, kənsál/kɔ́nsɔl, kənsɔ́l] *n.* =CONSOLS.

con·sol·a·ble [kənsóuləbəl] *a.* 위안이 되는, 마음이 가라앉는.

◇**con·so·la·tion** [kànsəléiʃən/kɔ̀n-] *n.* **1** [U] 위로, 위안: a letter of ~ 위문 편지 / find ~ in one's work 일에서 위안을 찾다. **2** [C] 위안이 되는 것〔사람〕.

consolátion prìze 애석상(賞), 감투상.

con·sol·a·to·ry [kənsálətɔ̀ːri/kənsɔ́lətəri] *a.* 위문의, 위로가 되는: a ~ letter.

***con·sole¹** [kənsóul] *vt.* 《~+[목]/+[목]+[전]+[명]》 **위로하다**, 위문하다《*for* …에 대하여》; (남 · 자신)을 달래다《*with* …으로》: I tried to ~ her, but in vain. 그녀를 위로하려 했으나 허사였다 / ~ oneself by thinking … …라고 생각하여 자위하다 / ~ a person *for* his misfortune 아무의 불행을 위로하다 / He *~d* himself *with* the thought that there might be no other way. 그밖에 다른 방도가 없을지도 모른다는 생각으로 그는 마음을 달랬다. [SYN.] ⇨COMFORT.

con·sole² [kánsoul/kɔ́n-] *n.* [C] 〖건축〗 소용돌이꼴 까치발; (파이프오르간의) 연주대(臺)《건반 · 페달 포함》; (전축 · 텔레비전 등의) 콘솔형

캐비닛; =CONSOLE TABLE; 〖컴퓨터〗 콘솔《컴퓨터를 제어·감시하기 위한 장치》.

cónsole mìrror 〔**tàble**〕 까치발로 벽에 붙여 놓은 거울〔테이블〕.

con·sol·i·date [kənsɑ́lədèit/-sɔ́l-] *vt.* **1** 결합하다, 합체(合體)시키다; (토지·회사·부채 따위)를 통합〔합병〕 정리하다《*into* …으로》: ~ one's estates 재산을 통합하다/~ two companies *into* one 두 회사를 하나로 합병하다. **2** (지위 따위)를 굳히다, 공고〔견고〕히 하다, 강화하다: ~ one's power 권력을 강화하다. **—***vi.* **1** 합병하다, 통합하다《*with* …와》: Our company recently ~*d with* an American company. 우리 회사는 최근에 한 미국 회사와 합병했다. **2** 굳어지다, 견고해지다.
㊕ **con·sól·i·dà·tive** *a.*

con·sól·i·dàt·ed [-id] *a.* 합병 정리된, 통합된; 고정〔강화〕된: a ~ ticket office 《美》 (각 철도의) 연합 차표 판매소.

consólidated fúnd (the ~) 《英》 정리 공채 기금《각종 공채 기금을 합병 정리한 것으로, 공채 이자 지급 기금》.

consólidated schòol 《美》 (몇 학구를 합병한) 연합 학교《주로 초등학교》.

con·sòl·i·dá·tion *n.* Ⓤ (구체적으로는 Ⓒ) **1** 굳게 함; 터닦기; 강화. **2** 합동, 합병; (회사 등의) 정리 통합(cf. merger): ~ funds 정리 기금.

con·sols [kɑ́nsɑlz, kənsɑ́lz/kɔ́nsɔlz, kənsɔ́lz] *n. pl.* 《英》 콘솔〔정리〕 공채(consolidated annuities) 《1751년 각종 공채를 정리해 만든 영구 공채》.

con·som·mé [kɑ̀nsəméi/kɔnsɔ́mei] *n.* 《F.》 Ⓤ 〖요리〗 콩소메, 맑은 수프. cf. potage.

con·so·nance [kɑ́nsənəns/kɔ́n-] *n.* **1** Ⓤ 《비유적》 조화, 일치《*with* …와》: in ~ *with* … 와 조화〔일치〕하여. **2** Ⓤ (구체적으로는 Ⓒ) 〖음악〗 협화(음)(↔ *dissonance*).

◇**con·so·nant** [kɑ́nsənənt/kɔ́n-] *a.* **1** 일치하는, 조화하는《*with* …와; *to* …에》: behavior ~ *with* one's words 언행일치. **2** 〖음악〗 협화음의. **3** Ⓐ 〖음성〗 자음의: a ~ letter 자음자. **—***n.* Ⓒ 〖음성〗 자음; 자음 글자. ㊕ **~·ly** *ad.* 일치〔조화〕하여.

con·so·nan·tal [kɑ̀nsənǽntl/kɔ̀n-] *a.* 자음의; 자음적인.

con·sort [kɑ́nsɔːrt/kɔ́n-] *n.* Ⓒ **1** (특히 왕족의) 배우자. cf. queen 〔prince〕 consort. **2** 동료, 조합원. **3** 요선(僚船), 요함, 요정(僚艇). **4** 〖음악〗 콘소트《옛날 악기를 연주하는 합주단 또는 그 악기군》. *in* **~** (*with* ...) (…와) 함께.
— [kənsɔ́ːrt] *vi.* **1** 교제하다, 사귀다(*together*) 《*with* (아무)와》: Do not ~ *with* thieves. 도둑과 사귀지 마라. **2** 일치하다, 조화하다《*with* …와》: Pride does not ~ well *with* poverty. 자부심과 빈곤은 잘 맞지 않는다.

con·sor·ti·um [kənsɔ́ːrʃiəm, -sɔ́ːrtiəm] (*pl.* **-tia** [-ʃiə], **~s**) *n.* Ⓒ (국제) 협회, 조합; (국제) 차관단, 채권국 회의.

con·spec·tus [kənspéktəs] *n.* Ⓒ 개관; 개요, 적요.

‡**con·spic·u·ous** [kənspíkjuəs] *a.* **1** 눈에 띄는, 똑똑히 보이는: a ~ error 분명한 착오/a ~ road sign 보기 쉬운 도로 표지. SYN. ⇨EVIDENT. **2** 두드러진, 돋보이는; (너무) 화려한《*for* …으로》: She's ~ *for* her good looks. 그녀는 미모로 사람들의 시선을 끈다/She was very ~ in that clothing. 그녀는 그 옷 때문에 한결 돋보였어요. **3** (특이한 것으로) 이채를 띠는; 저명한; 현저한: a ~ example 현저한 예.
㊕ **~·ly** *ad.* **~·ness** *n.*

conspícuous consúmption 〔**wáste**〕 〖경제〗 과시적 소비〔낭비〕.

◇**con·spir·a·cy** [kənspírəsi] *n.* Ⓤ (구체적으로는 Ⓒ) 공모, 모의; 음모, 모반《*against* …에 대한/*to* do》: in ~ 공모〔작당〕하여/take part in ~ 한패에 가담하다/a ~ *to* overthrow the government 정부를 전복시키려는 음모. ◇conspire *v.* ***a ~ of silence*** 묵인〔묵살〕하자는 약조〔결탁〕《사리(私利)를 위해 공모한 일을 비밀로 하는 것》.

***con·spir·a·tor** [kənspírətər] (*fem.* **-tress** [-tris]) *n.* Ⓒ **공모자; 음모자.** ◇conspire *v.*

con·spir·a·to·ri·al [kənspìrətɔ́ːriəl] *a.* 음모의, 공모의. ㊕ **~·ly** *ad.*

◇**con·spire** [kənspáiər] *vi.* **1** 공모(共謀)하다, 작당하다; 음모를 꾸미다《*against* …에 대하여; *with* …와/*to* do》: ~ *with* each other *against* the government 서로 짜고 반정부 음모를 꾸미다/~ *against* the state 〔a person's life〕 반란〔암살〕을 꾀하다/They ~*d to* drive him out of the country. 그들은 그를 국외로 추방하려고 공모했다. **2** 협력하여〔서로 도와〕 …하다, (같은 목적을 위해) 협력하다; (어떤 결과를 초래하도록 사정이) 서로 겹치다, 일시에 일어나다《*to* do》: Events ~*d to* bring about his ruin. 여러 사건들이 어우러져 그의 파멸을 가져왔다. ◇conspiracy *n.*

con·spír·er *n.* =CONSPIRATOR.

◇**con·sta·ble** [kɑ́nstəbəl/kʌ́n-] *n.* Ⓒ **1** 〖호칭으로 써서〗 《英》 순경; 경관(policeman). **2** 〖英역사〗 중세의 고관; 성주(城主): the chief ~ (지방자치체) 경찰 본부장/a special ~ (비상시에 치안 판사가 임명하는) 특별 경찰관.

con·stab·u·lary [kənstǽbjəlèri/-ləri] *a.* 경찰관의: the ~ force 경찰력〔대〕. **—***n.* Ⓒ 〖집합적; 단·복수취급〗 (한 지구의) 경찰대〔력〕.

Con·stance [kɑ́nstəns/kɔ́n-] *n.* 콘스턴스《여자 이름; 애칭: Connie》.

◇**con·stan·cy** [kɑ́nstənsi/kɔ́n-] *n.* Ⓤ **1** 불변성, 항구성. **2** 굳은 지조; 절조, 정절.

‡**con·stant** [kɑ́nstənt/kɔ́n-] *a.* **1** **변치 않는,** 일정한; 항구적인, 부단한. ↔ *variable.* ¶ ~ attention 부단한 주의/~ temperature 정온, 항온(恒溫)/~ hard work 끊임없는 중노동. SYN. ⇨CONTINUAL. **2** (뜻 따위가) 부동의, 불굴의, 견고한. **3** **a** **성실한,** 충실한: a ~ wife 정숙한 아내/a ~ friend 충실한 친구. **b** 끝까지 지키는《*to* …을, …에》: He has remained ~ *to* his principles. 그는 끝까지 자기 원칙을 지켜 나가고 있다. SYN. ⇨SINCERE.
—*n.* Ⓒ 〖수학·물리〗 상수(常數), 불변수〔량〕(↔ *variable*): the circular ~ 원주율.

Con·stan·tine [kɑ́nstəntàin, -tìːn/kɔ́nstəntàin] *n.* **1** 콘스탄틴《남자 이름》. **2** **~ the Great** 콘스탄티누스 대제(280? – 337).

Con·stan·ti·no·ple [kɑ̀nstæntinóupl/kɔ̀n-] *n.* 콘스탄티노플《터키의 옛 도시로 동로마 제국의 수도; 지금은 Istanbul》.

***con·stant·ly** [kɑ́nstəntli/kɔ́n-] *ad.* **변함없이; 항상; 끊임없이;** 빈번히: The issue is ~ on the Prime Minister's mind. 그 문제가 항상 수상의 마음에 걸렸다/He's ~ being asked to make speeches. 그는 늘 연설 청탁을 받고 있다.

con·stel·la·tion [kɑ̀nstəléiʃən/kɔ̀n-] *n.* Ⓒ 1 〖천문〗 별자리, 성좌: the ~ Orion 오리온 별자리. 2 멋진 차림의 신사 숙녀〔쟁쟁한 인사〕들의 무리(galaxy): a ~ *of* beautiful women 기라성 같은 미녀들의 무리/a ~ *of* influential businesspeople 유력한 실업가의 무리. 3 (사상·관념의) 집단, 배치. 4 〖심리〗 포치(布置)《여러 가지 관념 집단이 연좌 배치되어 있는 상태》.

con·ster·nate [kɑ́nstərnèit/kɔ́n-] *vt.* 《보통 수동태》 (깜짝·섬뜩) 놀라게 하다.

còn·ster·ná·tion *n.* Ⓤ 섬뜩 놀람, 소스라침: in 〔with〕 ~ 깜짝 놀라/throw a person into ~ 아무를 깜짝 놀라게 하다.

con·sti·pate [kɑ́nstəpèit/kɔ́n-] *vt.* 《보통 수동태》 〖의학〗 변비에 걸리게 하다: The baby *is ~d.* 그 아기는 변비에 걸려 있다.
㊞ **-pat·ed** [-id] *a.* 변비증의.

còn·sti·pá·tion *n.* Ⓤ 변비: relieve ~ 변통(便痛)을 시키다.

con·stit·u·en·cy [kənstítʃuənsi] *n.* Ⓒ 1 a 《집합적; 단·복수취급》 (한 지구의) 선거인, 유권자. b 선거구, (정치적) 지반. 2 《집합적; 단·복수취급》 단골, 고객; (정기 간행물의) 구독자(층). ***nurse*** **one's ~** 《英》 (의원이) 선거구의 지반을 보강하다. ***sweep a* ~** 선거구에서 압도적 다수를 차지하다.

◇**con·stit·u·ent** [kənstítʃuənt] *a.* Ⓐ 1 구성하는, 만들어내는; 조직하는; …의 성분을〔요소를〕 이루는: the ~ parts of water 물의 성분. 2 선거권〔지명권〕을 갖는; 헌법 제정〔개정〕의 권능이 있는: ~ power 헌법 제정〔개정〕 권능/a ~ body 유권자 단체/a ~ assembly 헌법 제정〔개정〕 회의. **—***n.* Ⓒ 1 (전체를 구성하는) 요소, 성분; 구성〔조성〕물. SYN. ⇨ELEMENT. 2 《특히》 선거인, 선거구 주민, 유권자. 3 〖언어〗 구성 요소. ◇ constitute *v.* ㊞ **~·ly** *ad.*

*__con·sti·tute__ [kɑ́nstətjùːt/kɔ́n-] *vt.* **1 a 구성하다**, 조직하다; …의 구성 요소가 되다; (상태)를 성립시키다, 만들어내다: Murder *~s* a criminal offense. 살인은 형사 범죄를 구성한다〔형사 범죄이다〕. b 《수동태》 …한 성질〔체질〕이다: *be* strongly *~d* 몸이 튼튼하다. 2 《+목+보》 (아무)를 …으로 선정하다, …으로 임명〔지명〕하다(appoint); 《~ oneself》 자칭하다: ~ a person an arbiter 아무를 조정인으로 지명하다/the *~d* authorities 당국/~ one*self* a guide 스스로 안내역이 되다, 안내역을 자청해 나서다/He was *~d* representative of the party. 그는 당의 대표자로 내세워졌다. 3 (법령 등)을 제정하다; (단체 등)을 설립하다: ~ an acting committee 임시 위원회를 설치하다. ◇ constitution *n.* ㊞ **cón·sti·tu·tor** *n.*

*__con·sti·tu·tion__ [kɑ̀nstətjúːʃən/kɔ̀n-] *n.* 1 Ⓤ **구성**(構成); 구조, 조직: the ~ *of* society 사회 조직. 2 Ⓒ (국가의 구성으로서의) **정체**; (국가 조직을 규정하는) **헌법**: monarchical 〔republican〕 ~ 군주〔공화〕 정체/a written 〔an unwritten〕 ~ 성문〔불문〕 헌법. 3 Ⓤ (단체·회사의) 설립; 제정: the ~ of law 법의 제정. 4 Ⓒ **체질**, 체격: a good 〔poor〕 ~ 건전한〔허약한〕 몸/by ~ 나면서, 체질적으로. 5 Ⓒ 기질, 성질, 성격: a nervous ~ 신경질. ◇ constitute *v.*
***suit* 〔*agree with*〕 one's ~** 체질〔성품〕에 맞다. ***undermine* one's ~** 몸을 해치다.

◇**con·sti·tu·tion·al** [kɑ̀nstətjúːʃənəl/kɔ̀n-] *a.* 1 체질상의, 타고난; 건강을 위한, 보건상의: a ~ disease 〔disorder〕 체질병, 체질성 질환/~ infirmity 선천적 허약/a ~ walk 건강을 위한 산보. 2 구조상의, 조직상의: a ~ formula 〖화학〗 구조식. 3 헌법의, 합헌(合憲)의; 입헌적인, 법치(法治)의. ↔ *autocratic*.¶a ~ law 헌법/~ government 입헌 정치〔정체〕/a ~ monarch 〔sovereign〕 입헌 군주 정체. **—***n.* Ⓒ 보건 운동, 산책: take 〔go for〕 a 〔one's〕 ~ (건강을 위해) 산책을 하다〔가다〕. ㊞ **~·ism** *n.* Ⓤ 입헌 제도〔정치〕; 입헌주의, 헌법 옹호. **~·ist** *n.* Ⓒ 헌법학자; 입헌주의자, 헌법 옹호자. **~·ize** *vt.*, *vi.* 입헌 제도로〔입헌적으로〕 하다. **~·ly** *ad.*

con·sti·tu·tive [kɑ́nstətjùːtiv/kɔ́n-] *a.* 구성하는, 구조의, 구성 성분인, 요소를 이루는; 설정〔제정〕의. ㊞ **~·ly** *ad.*

◇**con·strain** [kənstréin] *vt.* 1 강제하다, 강요하다, 무리하게 …시키다《*to* do》: ~ obedience 복종을 강요하다/~ a person *to* work 아무를 억지로 일을 시키다. 2 《보통 수동태》 속박〔구속, 억제〕하다: ~ one's temper 화를〔짜증을〕 억제하다/He *was ~ed* in the prison. 그는 교도소에 갇혔다. ◇ constraint *n.*

con·stráined *a.* 강제적인; 부자연한, 무리한; 거북한, 어색한: ~ manner 어색한 태도/a ~ smile (억지로 꾸민) 부자연스런 미소/a ~ confession 강요된 자백.

con·stráin·ed·ly [-nidli] *ad.* 억지로, 무리하게, 강제적으로; 부자연하게.

◇**con·straint** [kənstréint] *n.* 1 Ⓤ 강제, 압박, 속박: by ~ 억지로, 무리하게/under 〔in〕 ~ (to do) (하도록) 압박을 받아. 2 Ⓒ 제약〔속박〕하는 것《*on* …에 대해》: government *~s on* the airline industry 항공업계에 대한 정부의 제약. 3 Ⓤ 거북함, 조심스러움, 압박감, 어색함: feel 〔show〕 ~ 딱딱해지다; 거북해하다. ◇ constrain *v.*

con·strict [kənstríkt] *vt.* 압축하다; 죄다; 수축시키다; (활동)을 억제〔제한〕하다. ㊞ **~·ed** [-id] *a.* 압축된; 〖생물〗 가운데가 잘록한; 갑갑한, 옹색한.

con·stric·tion [kənstríkʃən] *n.* 1 Ⓤ 압축, 수축; 죄어드는 느낌; 거북함. 2 Ⓒ 죄(어지)는 것.

con·stric·tive [kənstríktiv] *a.* 압축하는; 수축성의, 괄약적(括約的)인.

con·stric·tor [kənstríktər] *n.* Ⓒ 1 압축하는 물건〔사람〕. 2 〖해부〗 괄약근(括約筋), 수축근. ↔ *dilator*. 3 (동물을 졸라 죽이는) 큰 뱀, 왕뱀《특히 boa ~》.

⁑**con·struct** [kənstrʌ́kt] *vt.* **1 조립하다; 세우다**, 건조〔축조·건설〕하다. ↔ *destroy*¶~ a factory 공장을 건설하다. SYN. ⇨BUILD. 2 (문장·이론 등)을 꾸미다, 구성〔작성〕하다: ~ a theory 이론〔학설〕을 세우다/a well-*~ed* novel 구성이 잘 된 소설. 3 〖기하〗 작도하다, 그리다. ◇ construction *n.*
— [kɑ́nstrʌkt/ kɔ́n-] *n.* Ⓒ 구조물, 건조물; 〖심리〗 구성 (개념); 〖문법〗 구문. ㊞ **~·er** [-ər] *n.* =CONSTRUCTOR. **con·strúct·i·ble** *a.*

⁑**con·struc·tion** [kənstrʌ́kʃən] *n.* 1 Ⓤ **건설**, 건조, 건축, 가설; (건조·건축·건설) 공사〔작업〕: of steel ~ 철골 구조의/a ~ engineer 건축기사/~ work 건설 공사/under ~ 건설 중. 2 Ⓤ 건설〔건축〕업. 3 Ⓤ 건축 양식, 구조〔구성〕(법). 4 Ⓒ 건조물, 건축물. 5 Ⓒ 《일반적》 (어구·법률·행위 등의) 해석: a charitable ~ of an action

어떤 행위에 대한 호의적 해석. 6 Ⓒ 〖문법〗 구문, (어구의) 구조; Ⓤ 〖기하〗 작도; Ⓤ 〖미술〗 구성. **bear a ~** 해석되다: The word does not *bear* such *a* ~. 그 말은 그런 뜻이 아니다. **put a false ~ on** …을 곡해하다. **put a good** 〔**bad**〕 **~ on** 〔**upon**〕 …을 선의〔악의〕로 해석하다.
㊞ **~·al** [-ʃənəl] *a.* 건설의, 구조상의, 해석상의. **~·al·ly** *ad.* **~·ism** *n.* Ⓤ 〖미술〗 =CONSTRUCTIVISM. **~·ist** *n.* Ⓒ 《美》 (법률 따위의) 해석자; 〖미술〗 구성파의 화가.

constrúction pàper 미술 공작용 색판지.

◇**con·struc·tive** [kənstrʌ́ktiv] *a.* **1** 건설적인, 적극적인. ↔ *destructive; negative.* ¶ ~ criticism 건설적〔적극적〕 비평 / Try to do something ~.—OK, I'll try. 뭔가 건설적인 일을 해 보세요—좋아요, 그렇게 하지요. **2** 구조상의, 조립의, 구성적인.
㊞ **~·ly** *ad.* 건설적으로. **~·ness** *n.*

con·struc·tiv·ism [kənstrʌ́ktivìzm] *n.* Ⓤ 《美》 〖미술〗 구성파, 구성주의. ㊞ **-tiv·ist** *n.* Ⓒ 구성파의 화가.

con·struc·tor [kənstrʌ́ktər] *n.* Ⓒ 건설〔건조〕자, 건축 청부업자; 조선(造船) 기사.

◇**con·strue** [kənstrúː] *vt.* **1** 《흔히 수동태》 …의 뜻으로 취하다; 해석하다, 추론하다《*as* …으로서》: What he said *was* wrongly *~d.* 그가 말한 것이 잘못 해석〔오해〕되었다 / His silence may *be ~d as* agreement. 그의 침묵은 동의하는 것으로 해석될 수 있다. **2** 〖문법〗 **a** (문장)을 구성 요소로 분석하다. **b** (어 · 구)를 짜맞추다, 문법적으로 결합하다《*with* …와》: 'Rely' is *~d with* 'on'. 'rely'는 'on'과 결합되어 사용된다.
— *vi.* (구문을) 분석하다, 해석되다; (문법상) 분석되다. ◇ construction *n.*

con·sue·tude [kánswitjùːd/kɔ́n-] *n.* Ⓤ (법적 효력이 있는) 관례, 관행.

◇**con·sul** [kánsəl/kɔ́n-] *n.* Ⓒ **1** 영사: an acting 〔honorary〕 ~ 대리〔명예〕 영사. **2** 〖로마역사〗 집정관. **3** 〖프랑스역사〗 총독.

con·su·lar [kánsələr/kɔ́nsjul-] *a.* **1** 영사(관)의; 집정관의: a ~ assistant 영사관보(補) / a ~ attaché 〔clerk〕 영사관원 / a ~ invoice 〖상업〗 영사 증명 송장(送狀). **2** 집정(관)의.

cónsular ágent 영사 대리.

con·su·late [kánsəlit/kɔ́nsju-] *n.* Ⓤ 영사의 직〔임기, 신분〕; Ⓒ 영사관.

cónsul géneral 총영사.

‡**con·sult** [kənsʌ́lt] *vt.* **1** (전문가의) **의견을 듣다**, 충고를 구하다; (의사의) 진찰을 받다: ~ one's lawyer 변호사의 의견을 구하다. **2** (사전 · 서적 등)을 **참고하다**, 찾다, 보다; (시계)를 보다: ~ a dictionary 사전을 찾다 / ~ a mirror 거울을 보다. **3** (득실 · 편의 등)을 고려하다, 염두에 두다 《★ 지금은 consider가 더 일반적임》: ~ one's own interests 〔convenience〕 자기의 이익을 〔편의를〕 고려하다.
— *vi.* 《+전+명》 **1** 의논하다, 협의하다《*with* (아무)와; *on, about* …에 대하여, …일로》: The doctor *~ed with* his colleagues *about* the operation on the patient. 의사는 환자의 수술에 관하여 동료와 상담했다. **2** 고문〔컨설턴트〕 노릇을 하다《*for* (회사 등)의》. ◇ consultation *n.*

con·sult·an·cy [kənsʌ́ltənsi] *n.* Ⓤ (구체적으로는 Ⓒ) 컨설턴트업(業), 상담직, 고문 의사의 직.

con·sult·ant [kənsʌ́ltənt] *n.* Ⓒ 의논〔상담〕 상대; (회사 따위의 전문적) 컨설턴트, 고문; 고문 의사(consulting physician).

***con·sul·ta·tion** [kànsəltéiʃən/kɔ̀n-] *n.* **1** Ⓤ (구체적으로는 Ⓒ) **상담**, 협의; 자문; 진찰〔감정〕을 받음《*with* (전문가)와의》: I made the decision in ~ *with* her. 나는 그녀와 상담하여 결정했다 / no ~ day 휴진일. **2** Ⓒ 전문가의 회의, 협의〔심의〕회. **3** Ⓤ 참고하기, 찾아보기, 참조《*of* (책 따위)를》. ◇ consult *v.*

con·sult·a·tive, -ta·to·ry [kənsʌ́ltətiv], [-tɔ̀ːri/-təri] *a.* 상담〔협의, 평의〕의, 자문의, 고문의: a ~ body 자문 기관.

con·súlt·er *n.* (아무에게) 상담하는〔의견을 묻는〕 사람, 협의자.

con·súlt·ing *a.* Ⓐ 전문적 조언을 주는, 자문의, 의논 상대의, 고문(자격)의; (의사가) 진찰 전문의, 진찰을 위한: a ~ engineer 고문 기사 / ~ hours 진찰 시간 / a ~ physician 자문 의사《왕진 · 투약하지 않는》 / a ~ room 진찰실; 협의실 / a ~ lawyer 고문 변호사.

consúlting fírm 컨설턴트 회사《설계를 맡거나 기술자를 제공하는 새 업종의 산업 회사》.

con·sum·a·ble [kənsúːməbəl] *a.* 소비〔소모〕할 수 있는: a ~ ledger 소모품 대장.
— *n.* Ⓒ (보통 *pl.*) 소모품. ◇ consume *v.*

***con·sume** [kənsúːm] *vt.* **1** 《~+목/+목+전+명》 **다 써 버리다**; 소비하다, 소모하다《*in* …에》: ~ one's energy 힘을 다 써 버리다 / He *~d* much of each day *in* reading. 그는 독서하는 데 매일 많은 시간을 쓴다. SYN. ⇨SPEND. **2** 다 마셔〔먹어〕 버리다: ~ a whole bottle of whiskey 위스키 한 병을 다 마셔 버리다. **3** 없애 버리다; 다 태워 버리다(destroy): be *~d* by fire 몽땅 불타 버리다. **4** 《+목+부》 (금전 · 시간 따위)를 낭비하다(*away*). **5** (질투 · 증오 따위가) 마음을 빼앗다, 열중시키다, 사로잡다《★ 보통 수동태로 쓰며, 전치사는 *by, with*》: *be ~d with* jealousy 질투로 제정신을 잃다.

***con·sum·er** [kənsúːmər] *n.* Ⓒ **소비자**(消費者), 수요자. ↔ *producer.* ¶ an association of *~s* =a *~s'* union 소비자 협동조합.

consúmer crédit 〖상업〗 소비자 신용《월부 구매자에 대한》.

consúmer dúrables 〖경제〗 내구(耐久) 소비재.

consúmer gòods 〖경제〗 소비재(consumption goods). cf. capital goods, producer goods.

con·súm·er·ìsm [-rìzəm] *n.* Ⓤ 소비자 중심주의; 소비자 보호 (운동). ㊞ **-ist** *n., a.* 소비자 중심주의자(의).

consúmer príce ìndex (the ~) 《美》 〖경제〗 소비자 물가 지수《생략: CPI》.

consúmer reséarch 소비자 수요 조사.

con·súm·ing *a.* 통절한, (느낌 · 관심 등이) 절실한: a ~ interest 마음을 강하게 끄는 흥미 / a ~ need to be successful 꼭 성공해야 할 필요.

◇**con·sum·mate** [kánsəmèit/kɔ́n-] *vt.* **1** 성취〔완성〕하다; 극점에 달하게 하다: Her ambition was *~d* when she was elected to Congress. 그녀의 야심은 국회에 진출했을 때 달성되었다. **2** 신방에 들어 (결혼)을 완성하다: ~ a marriage 신방에 들다.
— [kənsʌ́mət] *a.* **1** 완성된, 더할 나위 없는, 완전한(perfect): ~ happiness 더할 나위 없는

행복. **2** 매우 심한, 형편없는: a ~ ass 지지리 바보. **3** 유능한: a ~ artist 명화가. ⓟ ~·**ly** *ad.*

còn·sum·má·tion *n.* **1** Ⓤ 완성, (목적 · 소망 따위의) 달성, 성취, 완료, 완결. **2** Ⓒ (보통 *sing.*) 정점, 도달점; 극치. **3** Ⓤ (첫날밤〔신방〕 치르기에 의한) 결혼의 완성: the ~ of marriage.

***con·sump·tion** [kənsʌ́mpʃən] *n.* **1 a** Ⓤ 소비; Ⓤ (또는 a ~) 소비고〔액〕. ↔ *production.* ¶ a ~ guild 〔association〕 소비 조합. **b** Ⓤ (체력의) **소모**, 소진, 멸실. **2** Ⓤ 《고어》 폐병(pulmonary ~). ◇consume *v.*

con·sump·tive [kənsʌ́mptiv] *a.* **1** 소비의; 소모성의. **2** 《고어》 폐병(질)의, 폐병에 걸린. —*n.* Ⓒ 폐병 환자. ⓟ ~·**ly** *ad.*

Cont. Continental. **cont.** containing; content(s); continent(al); continue(d); contract.

‡con·tact [kάntækt/kɔ́n-] *n.* **1** Ⓤ (사람 · 물건 등의) **접촉**; 서로 닿음, 교제《**with** …와의》: a point of ~ =a ~ point 접(촉)점 / be in 〔out of〕 ~ *with* …와 접촉〔연락, 교제〕하고 있다〔있지 않다〕 / come in 〔into〕 ~ *with* …와 접촉하다, …와 만나다〔충돌하다〕 / get in ~ *with* …와 접촉〔연락〕하다 / keep 〔stay〕 in ~ *with* …와 접촉〔연락〕을 유지하다 / lose ~ *with* …와 연락이 끊기다 / make ~ *with* …와 연락을 취하다 / I have little personal ~ *with* him. 그 사람과는 개인적인 접촉이 별로 없습니다. **2** Ⓒ **유력한 지인**(知人), 연고, 연줄; 《구어》 (상업 거래의) 다리를 놓아 주는 사람, 중개인. **3** 〖전기〗 **a** Ⓤ 접촉, 혼선: break 〔make〕 ~ 전류를 끊다〔통하다〕, 교제를 끊다〔시작하다〕. **b** Ⓒ 접점 (장치). **4** Ⓤ 〖수학〗 상접(相接), 접촉. **5** Ⓤ (구체적으로는 Ⓒ) 〖무선〗 교신. **6** Ⓤ 〖항공〗 (비행기에서) 육안으로 보는 지상 관찰: fly by ~ 시계(視界) 비행을 하다. **7** Ⓒ 〖의학〗 접촉자, 보균 용의자. **8** Ⓒ (보통 *pl.*) 《구어》 콘택트 렌즈.

—*a.* Ⓐ 접촉의; 접촉에 의한; 경기자의 몸과 몸이 서로 부딪치는; 〖항공〗 시계(視界) 비행의. —*ad.* 〖항공〗 시계 비행으로. ***fly*** ~ 〖항공〗 시계 비행하다. ⓒⓕ contact flying.

—[kάntækt, kəntǽkt/kɔ́ntækt] *vt.* **1 접촉시키다**; 〖통신〗 교신하다. **2** …와 **접촉하다**, …와 연락하다; …에 다리를 놓다, …와 아는 사이가 되다: We'll ~ you by mail or telephone. 당신에게 편지나 전화로 연락하리다. —*vi.* 접촉하다, 연락하다; 교제하다; 〖통신〗 교신하다.

cóntact flìght 〔**flỳing**〕 〖항공〗 시계(視界) 비행, 시각 비행.

cóntact lèns 콘택트 렌즈.

cóntact màn (거래 따위의) 중개자; (스파이 등의) 연락 요원.

cóntact spòrt 접촉 스포츠《권투 · 레슬링처럼 경기 중 신체 접촉이 허용되는 스포츠》.

◇con·ta·gion [kəntéidʒən] *n.* **1** Ⓤ 접촉 전염〔감염〕. ⓒⓕ infection. ¶ Smallpox spreads by ~. 천연두는 접촉 전염으로 퍼진다. **2** Ⓒ (접촉) 전염병: a ~ ward 전염병동. **3** Ⓒ 전염력; 감화력, 나쁜 영향: a ~ *of* fear 공포의 전염.

con·ta·gious [kəntéidʒəs] *a.* **1** (병이) (접촉) 전염성의; 만연하는: a ~ disease (접촉) 전염병. **2** Ⓟ (사람이) 전염병을 가지고 있는, 보균자인. **3** 옮기 쉬운(catching): Yawning is ~. 하품은 옮기 쉽다.

ⓟ ~·**ly** *ad.* ~·**ness** *n.* **con·ta·gi·os·i·ty** [kəntèidʒiάsəti/-ɔ́s-] *n.*

‡con·tain [kəntéin] *vt.* **1 a** (속에) **담고 있다**, **내포하다**, 포함하다: The rock ~*s* a high percentage of iron. 이 광석은 철의 함유량이 높다 / The pamphlet ~*s* tourist information. 그 팸플릿에는 관광객용 정보가 들어 있다.

SYN. **contain** '포함되어 있는 것'에 중점을 두고 있음: This glass *contains* oil. 이 컵에는 기름이 들어 있다. **hold** '내용' 보다 '수용 · 지탱'을 강조함. '최대 수용 능력'을 뜻할 때도 있음: This bottle *holds* a quart. 이 병은 1 쿼트가 든다. **include** '포괄'을 뜻하며, 목적어는 물건 · 물질이 아닌 때가 종종 있음: The list *includes* my name. 이 명부에는 내 이름도 나와 있다.

b (얼마)가 들어가다《★ hold 쪽이 일반적》; (수량이) …에 상당하다〔와 같다〕: The pitcher ~*s* enough milk for all of us. 그 주전자에는 우리 전원이 마시기에 충분한 우유가 들어간다 / A pound ~*s* 16 ounces. 1파운드는 16 온스이다. **2** 〖보통 부정문; ~ oneself〗 (감정 따위)를 **억누르다**, 참다, 억제하다: I can*not* ~ my anger. 나는 화가 나서 견딜 수가 없다 / She could not ~ her*self* for joy. 그녀는 기뻐서 가만히 있을 수가 없었다. **3** 〖군사〗 (적)을 견제하다; 억제하다, 저지하다; 봉쇄하다: a ~*ing* attack 〔force〕 견제 공격〔부대〕. **4** 〖수학〗 (변이 각)을 끼고 있다, (도형)을 둘러싸다; (어떤 수)로 나누이다〔인수를 가지다〕: 10 ~*s* 5 and 2. 10은 5와 2로 나누인다 / a ~*ed* angle 끼인각.

con·táined *a.* 자제〔억제〕한; 침착한, 조심스러운. ⓟ **-táin·ed·ly** [-nidli] *ad.*

***con·tain·er** [kəntéinər] *n.* Ⓒ **그릇**, 용기; 컨테이너《화물 수송용》.

con·tain·er·ize [kəntéinəràiz] *vt.* (화물 수송)을 컨테이너로 하다; (화물)을 컨테이너로 수송하다.

contáiner·pòrt *n.* Ⓒ 컨테이너 항(港)《컨테이너 적하 설비가 되어 있는》.

contáiner·shìp *n.* Ⓒ 컨테이너선(船).

con·táin·ment *n.* Ⓤ (적국에 대한) 봉쇄 (정책), 확장 견제(책); 〖군사〗 견제, 억제: ~ policy 봉쇄 정책.

con·tam·i·nant [kəntǽmənənt] *n.* Ⓒ 오염 물질〔균〕.

con·tam·i·nate [kəntǽmənèit] *vt.* **1** (접촉하여) 더럽히다, 불결하게 하다; 오염시키다《**with** (폐기물 · 병원균 · 방사능 등)으로》: be ~*d* by radioactivity 방사능에 오염되다 / The bay is ~*d with* effluents. 이 만(灣)은 (공장) 폐수로 오염되어 있다. **2** (사람 · 마음)을 악에 물들게 하다, 타락시키다.

con·tàm·i·ná·tion *n.* **1** Ⓤ (특히 방사능에 의한) 오염; 더러움, 오탁(pollution); 〖군사〗 독가스에 의한 오염; 잡균 혼입: radioactive ~ 방사능 오염. **2** Ⓒ 오탁물, 해독을 끼치는 것. **3** Ⓤ (원문 · 기록 · 이야기 등의) 혼합; 〖언어〗 혼성(混成)《flush < *flash*+*blush* 따위》.

con·tam·i·na·tor [kəntǽmənèitər] *n.* Ⓒ 더럽히는 사람〔것〕, 오염물.

contd. continued.

conte [kɔ̃ːnt] *n.* 《F.》 Ⓒ 콩트, 단편(短篇).

con·temn [kəntém] *vt.* 《문어》 경멸하다, 업신여기다.

***con·tem·plate** [kάntəmplèit/kɔ́ntem-] *vt.* **1** 찬찬히 보다, 정관하다, 관찰하다: They ~*d* each other for some minutes. 그들은 얼마 동

안 서로 찬찬히 쳐다보았다. **2 잘 생각하다**, 심사숙고하다: ~ what the future will be like 미래가 어떻게 될까 잘 생각하다. [SYN.] ⇨CONSIDER. **3** 《~+[목]/+-*ing*/+*wh*. [절]/+*wh*. *to* do》 …하려고〔…할지를〕 생각하다: ~ a tour around the world 세계 일주 여행을 꾀하다 / I ~ visit*ing* France. 프랑스로 갈까 생각하고 있다《★ +*to* do를 쓰는 것은 잘못》/ We are *contemplating where* we should travel 〔*where to* travel〕. 우리는 어디로 여행할지를 생각 중이다. **4** 예측〔예기〕하다, 기대하다: We did not ~ such a consequence. 우리는 그런 결과를 예기하지 못했다. ―*vi*. 명상하다, 깊이 생각하다: All day he did nothing but ~. 하루 종일 그는 오직 생각에만 잠겨 있었다. ◇ contemplation *n*.

◇**con·tem·pla·tion** [kὰntəmpléiʃən/kɔ̀ntem-] *n*. [U] **1** 주시, 응시; 정관(靜觀). **2** 숙고, 심사(深思), 명상, 관조(觀照): be lost in ~ 명상에 잠기어 있다 / spiritual ~ 종교적 묵상. **3** 기대, 예기, 의도, 계획: be in 〔under〕 ~ 계획 중이다. ◇ contemplate *v*.

con·tem·pla·tive [kəntémplətiv, kάntəmplèi-/kɔ́ntemplèi-] *a*. 명상적인, 정관적인, 관조적인; 명상에 잠기는: a ~ life (은자(隱者) 등의) 묵상 생활, 명상적인 생활. [파] **~·ly** *ad*.

con·tem·pla·tor [kάntəmplèitər, -tem-/kɔ́ntem-] *n*. [C] 명상자, 정관자, 숙고하는 사람.

con·tem·po·ra·ne·ous [kəntèmpəréiniəs] *a*. 동시 존재〔발생〕의, 동시성의; 동시대의《*with* …와》: The discovery of America was ~ *with* the fall of Granada. 아메리카의 발견은 그라나다의 붕괴와 동시대였다. [파] **~·ly** *ad*. 같은 시대에.

con·tem·po·rá·ne·ous·ness *n*. [U] 동시대성.

⁑**con·tem·po·rary** [kəntémpərèri/-pərəri] *a*. **1 동시대의**, 동연대의《*with* …와》; (그) 당시의: ~ accounts 당시의 기록 / Byron was ~ *with* Wordsworth. 바이런과 워즈워스는 동시대인이었다. **2 현대의**, 당대의; 최신의《★ 1의 뜻과 혼동을 피하기 위해 modern, present-day를 대신 쓰는 경우도 있음》: ~ literature 〔writers〕 현대 문학〔작가〕 / ~ opinion 시론(時論).

―*n*. [C] **1** 동시대〔동연대〕의 사람〔것〕; 현대인: Coleridge is a ~ of Wordsworth. 콜릿지는 워즈워스와 동시대인이다 / our *contemporaries* 현대〔동시대〕의 사람들. **2** 동갑내기; (학교의) 동기생: my *contemporaries* at school 나의 동기생들.

[파] **con·tèm·po·rár·i·ly** [-rérəli] *ad*. **con·tém·po·ràr·i·ness** *n*.

⁑**con·tempt** [kəntémpt] *n*. **1** [U] (또는 a ~) **경멸**, 모욕, 경시《*for* …에 대한》: be beneath ~ 경멸할 가치조차 없다 / They have a great ~ *for* conventionality. 그들은 인습을 몹시 경멸한다 / He showed ~ *for* the dangers facing him. 그는 자기에게 다가오는 위험을 얕보았다 / Does she like him?—She has nothing but ~ for him. 그녀는 그를 좋아합니까—천만에요, 아주 경멸하고 있어요. **2** [U] 치욕, 체면 손상: bring 〔fall〕 into ~ 창피를 주다〔당하다〕. **3** [U] 【법률】 모욕죄: ~ of court 〔Congress〕 법정〔국회〕 모욕죄. ***have*** 〔***hold***〕 *a person* ***in*** **~** 아무를 얕보다, 경멸하다. ***in*** **~** ***of*** …을 경멸〔무시〕하여.

◇**con·tempt·i·ble** [kəntémptəbəl] *a*. 멸시할 만한, 경멸할 만한, 비열한, 하찮은: You are a ~ worm! 너는 비열한 녀석이다. ◇ contempt *n*. [SYN.] **contemptible** 그것 자체가 '비열한'의 수동적인 뜻: *contemptible* conduct 타기할 행위. **contemptuous** 남을 '얕보는'의 능동적인 뜻: a *contemptuous* person '남을' 멸시하는 사람.

[파] **-bly** *ad*. 비열하게. **-tèmpt·i·bíl·i·ty** *n*.

◇**con·temp·tu·ous** [kəntémptʃuəs] *a*. 모욕적인; 얕보는, 경멸하는《*of* …을》: a ~ smile 남을 얕보는 듯한 웃음 / He's ~ *of* my ability. 그는 나의 능력을 얕잡아 본다. [SYN.] ⇨CONTEMPTIBLE. ◇ contempt *n*.

[파] **~·ly** *ad*. **~·ness** *n*. [U] 오만무례(傲慢無禮).

*__con·tend__ [kənténd] *vi*. 《(+[전]+[명])》 **1 다투다**, 경쟁하다; 싸우다《***with, against*** (적 · 곤란 따위)와; ***for*** …을 차지하려고》: ~ *with* a person *for* a prize 아무와 상(賞)을 다투다 / ~ *against* one's fate 운명과 싸우다 / ~ *with* the enemy 적과 싸우다. **2** 논쟁하다《***with*** (아무)와; ***about, on, over*** …에 관하여》; 주장〔옹호〕하다: He ~*ed with* his friends *about* trifles. 그는 친구들과 하찮은 일로 논쟁하였다. ―*vt*. 《+*that* [절]》 (강력히) **주장하다**: I ~ *that* honesty is always worthwhile. 정직은 항상 그만한 가치가 있다고 나는 주장합니다. ◇ contention *n*.

con·ténd·er *n*. [C] (특히 스포츠의) 경쟁자《***for*** …을 차지하려는》: a ~ *for* the heavyweight title 헤비급 선수권을 차지하려는 선수.

*__con·tent__[1] [kəntént] *a*. [P] **만족하는**, 감수하는《***with*** …으로》; (…함에) 불평 없는, 기꺼이 …하는《***to*** do》: Let us rest ~ *with* a small success. 작은 성공으로 만족해 두자 / He is not ~ *to* accept failure. 그는 실패를 받아들일 마음이 없다 / live 〔die〕 ~ 안심하고 살다〔죽다〕.

―*vt*. 《~+[목]/+[목]+[전]+[명]》 〖~ oneself〗 만족을 주다, 만족시키다《***with*** …으로》: He ~*s* him*self with* small success. 그는 조그마한 성공에 만족하고 있다 / Nothing ~*s* her. 그녀를 만족시키는 것은 없다. [SYN.] ⇨SATISFY.

―*n*. [U] 만족(↔ *discontent*)《★contentment 쪽이 일반적》: live in ~ 만족하게 생활하다 / smile with ~ 만족스럽게 미소짓다.

to *one's* ***heart's*** **~** 마음껏, 만족할 때까지: I had the chance to play the piano *to* my *heart's* ~. 실컷 피아노를 칠 기회가 있었다.

⁑**con·tent**[2] [kάntent/kɔ́n-] *n*. **1** (*pl*.) **내용**; (용기 속의) 내용물, 알맹이: the ~*s of* a box 상자 속의 내용물 / Don't worry about your spelling; it's the ~*s* that count. 철자는 걱정하지 마라, 중요한건 내용이니까. **2** (*pl*.) (서적 따위의) **목차**, 목록(table of ~s). **3** [U] (작품 · 논문 등의) 취지, 요지, 진의; (형식에 대한) 내용: a speech with very little ~ 취지가 빈약한 연설 / *Content* determines form. 내용이 형식을 결정한다. **4** (*sing*.) 함유량: the vitamin ~ of …의 비타민 함유량 / the iron ~ of an ore 광석의 철 함유량 / food with a high protein ~ 고단백식품. **5** [U] (때로 *pl*.) (용기의) 용량, 크기; 【수학】 용적, 부피: solid 〔cubic〕 ~(*s*) 용적, 체적.

*__con·tent·ed__ [kənténtid] *a*. **만족하고 있는**, 만족스러운: a ~ look 〔smile〕 만족스러운 눈초리〔미소〕. [파] **~·ly** *ad*. **~·ness** *n*. [U] 만족.

◇**con·ten·tion** [kənténʃən] *n*. **1** [U] 싸움, 투쟁; 말다툼, 논쟁; 논전. **2** [C] 논쟁점, 주장《***that***》: It was his ~ *that* world trade barriers should be lowered. 세계 무역의 장벽이 낮아져야 한다는

것이 그의 주장이었다. ◇ contend *v.* ***a bone of ~*** 쟁인(爭因). ***in ~*** (***with*** …) (…와) 논쟁 중에.

con·ten·tious [kənténʃəs] *a.* 다투기 좋아하는, 토론하기 좋아하는, 논쟁적인; 이론(異論) 있는; 〖법률〗 계쟁(係爭)의: a ~ case 계쟁〔소송〕 사건. ㊍ **~·ly** *ad.* **~·ness** *n.*

*__con·tent·ment__ [kənténtmənt] *n.* Ⓤ **만족**(하기): *Contentment* is better than riches. 《속담》 족(足)함을 아는 것은 부(富)보다 낫다.

con·ter·mi·nous, con·ter·mi·nal [kəntə́ːrmənəs/kɔn-], [-nəl] *a.* 상접한, 인접한 《***with, to*** …와》; (공간·시간·의미가) 동일 연장〔한계〕의. ㊍ **~·ly** *ad.* **~·ness** *n.*

‡**con·test** [kántest/kɔ́n-] *n.* Ⓒ **1 논쟁**, 논전. **2 경쟁**, 경기, 경연, 콘테스트: a beauty ~ 미인 콘테스트/a musical ~ 음악 콩쿠르/a speech 〔an oratorical〕 ~ 웅변대회. SYN. ⇨MATCH. **3** 다툼, 싸움: a bloody ~ *for* power 피비린내나는 권력 투쟁.

—— [kəntést] *vt.* **1** (…을 목표로) 싸우다; **논쟁하다**: ~ a point 어떤 점에 관해 논쟁하다/~ a suit 소송을 다투다. **2** …에 이의를 제기하다, 의문시하다: ~ a person's right to speak 아무의 발언권을 의문시하다. **3** (얻고자) **겨루다**: ~ a seat in Parliament (선거에서) 의석을 다투다.

—— *vi.* 《+전+명》 다투다; 겨루다, 경쟁하다; 논쟁하다《***with, against*** (아무)와; ***for*** …을》: ~ *with* a person (*for* a prize) 아무와 (상을) 겨루다.

◇**con·test·ant** [kəntéstənt] *n.* Ⓒ **1 경쟁자**, 경쟁 상대; 경기 참가자. **2** 논쟁자, 항의자; 《美》 이의 신청자《선거 결과·유언 등의》.

con·tes·ta·tion [kàntestéiʃən/kɔ̀n-] *n.* Ⓤ 논쟁, 쟁론, 소송; 쟁점, 주장. ***in ~*** 계쟁 중.

con·text [kántekst/kɔ́n-] *n.* Ⓤ (구체적으로는 Ⓒ) **1** (글의) 전후 관계, 문맥, 맥락: in a different ~ 다른 문맥에서. **2** (사건 등에 대한) 경위, 배경; 상황, 사정, 환경: In what ~ did he say that? 어떤 상황에서 그는 그렇게 말했는가/in the ~ *of* politics 정치면에 있어서(는). ***take*** (a sentence) ***out of ~*** (문장을) 문맥을 무시하고 해석하다.

con·tex·tu·al [kəntékstʃuəl] *a.* 문맥상의, 전후 관계의〔로 판단되는〕. ㊍ **~·ly** *ad.*

con·ti·gu·i·ty [kàntəgjúː(ː)iti/kɔ̀n-] *n.* Ⓤ 접촉, 접근, 근접, 인접《***to, with*** …와의》: in ~ *with* …와 근접하여.

con·tig·u·ous [kəntígjuəs] *a.* **1** 접촉하는; 접근하는, 인접한《***to*** …에; ***with*** …와》: California is ~ *with* 〔*to*〕 Mexico. 캘리포니아는 멕시코에〔와〕 인접해 있다. **2** (사건 따위의 시간·순서 등이) 끊이지 않는, 연속된《***to, with*** …와》. ㊍ **~·ly** *ad.* **~·ness** *n.*

con·ti·nence, -nen·cy [kántənəns/kɔ́n-], [-i] *n.* Ⓤ 《문어》 자제, (특히 성욕의) 절제, 극기, 금욕; 배설 억제 능력. ◇ contain *v.*

‡**con·ti·nent**[1] [kántənənt/kɔ́n-] *n.* **1** Ⓒ **대륙** 《보통 Europe, Asia, Africa, North America, South America, Australia, Antarctica의 7 대륙 중 하나를 가리킴》. **2** (the C-) 유럽 대륙《영국과 구별하여》: travel on the *Continent* 유럽 대륙을 여행하다.

con·ti·nent[2] *a.* 《문어》 자제하는, 절제를 지키는, 금욕적인; 정절이 있는; 배설을 억제할 수 있는.

*__con·ti·nen·tal__ [kàntənéntl/kɔ̀n-] *a.* **1 대륙의; 대륙성의.** ↔ *insular.* ¶a ~ climate 대륙성 기후《연간 기온차와 일교차가 크고 강수량이 적은》. **2** (보통 C-) 유럽 대륙풍〔식〕의; 비(非)영국적인. **3** (C-) 《美》 (독립전쟁 당시의) 아메리카 식민지의. **4** 《美》 북아메리카(대륙)의.

—— *n.* Ⓒ **1** 대륙 사람; (C-) 유럽 대륙 사람. **2** 《美》 (독립전쟁 당시의) 아메리카 대륙 병사.

continéntal bréakfast 빵과 뜨거운 커피〔홍차〕 정도의 간단한 아침 식사. cf. English breakfast.

continéntal divíde (the ~) 대륙 분수령; (the C- D-) 《美》 로키 산맥 분수령.

continéntal dríft 〖지질〗 대륙 이동설.

continéntal quílt 《英》 새털 이불(duvet).

continéntal shélf 〖지질〗 (해저의) 대륙붕.

con·tin·gen·cy [kəntíndʒənsi] *n.* **1** Ⓤ (사건 따위의) 우연(성), 우발(성), 가능성《***that***》: in the ~ *that* … …이 일어날 경우에(는). **2** Ⓒ 우발 사건, 뜻하지 않은 사고: future *contingencies* 장래 있을지도 모를 우발 사건. **3** Ⓒ (어떤 사건에 수반되는) 부수적 사건〔사태〕: the *contingencies* of war 전쟁에 수반되어 일어나는 사건. ***not … by any possible ~*** 설마 …아니겠지.

contíngency 〔**contíngent**〕 **fùnd** 우발 위험 준비금.

con·tin·gent [kəntíndʒənt] *a.* **1** 일어날지도 모르는, 혹 있을 수 있는(possible); 임시의; 우발적인, 불의의, 우연의; 부수적인《***to*** …에》: a ~ event 불의의 사건/~ expenses 임시비/Such risks are ~ *to* the trade. 그 영업에는 그런 위험이 따른다. **2** 사정 나름으로의, 조건으로 하는(conditional)《***on, upon*** …의》: a fee ~ *on* success 성공 사례금/The punctual arrival of an airplane is ~ *on* the weather. 비행기가 제시간에 도착하는 것은 날씨 나름이다.

—— *n.* Ⓒ **1** 우연한 일, 뜻하지 않은 사건; 부수적인 사건. **2** 몫, 분담(액). **3** 〔집합적; 단·복수취급〕 〖군사〗 분견대〔함대〕; 파견단, 대표단. ㊍ **~·ly** *ad.* 우연히; 부수적으로, 경우에 따라서.

contíngent fèe 성공 사례금, 평가액 의존 보수《승소해서 얻어진 금액의 일정 비율로 지급되는 변호사의 보수》.

con·tin·ua [kəntínjuə] CONTINUUM의 복수.

*__con·tin·u·al__ [kəntínjuəl] *a.* **1 잇따른**, 계속되는, 연속적인: a week of ~ sunshine 일 주일간 내리 좋은 날씨. **2** (보통 좋지 않은 일이) **계속 되풀이되는, 빈번한**; 단속적인: ~ interruptions 계속 거듭되는 방해/There's ~ trouble on the border. 국경에서 끊임없는 분쟁이 일어나고 있다. ◇ continue *v.*

SYN. **continual** 끊겼다가도 곧 계속되는: *continual* misunderstanding between nations 국가간의 끊임없는 오해. **continuous, unbroken** 끊이지 않는, 중단 없이 계속되는: a *continuous* rain 줄기차게 내리는 비. **constant** 언제나 같은 상태로 일어나며, 같은 결과를 낳는: *constant* repetition of the same mistakes 똑같은 실수의 변함없는 반복. **perpetual** '언제까지나 끝나지 않는'다는 어감이 있음: *perpetual* chatter 그칠 줄 모르는 수다. **incessant** 위의 모든 말 뜻과 통하지만, '쉴새없이 활동적인'이라는 뜻에서 비난·곤혹의 어감을 내포하는 경우가 있음: *incessant* noises 〔pain〕 끊임없는 소음〔고통〕.

*__con·tin·u·al·ly__ [kəntínjuəli] *ad.* **단속적으로**, 잇따라, 끊임없이; 빈번히.

*__con·tin·u·ance__ [kəntínjuəns] *n.* **1** Ⓤ (또는

a ~) **영속, 계속**, 연속: a ~ of bad weather 악천후의 연속/a disease of long 〔short, some〕 ~ 오랫동안〔잠시, 얼마동안〕 계속되는〔던〕 병. **2** Ⓤ (또는 a ~) 멈춰 있는 것, 체류; 지속, 존속《*in* (상태·장소 등)에》: during one's ~ *in* office 재직 중에. **3** Ⓤ (또는 a ~) 계속〔체류〕 기간. **4** Ⓤ 〖법률〗 (재판의) 연기. ◇ continue *v*.

con·tin·u·ant [kəntínjuənt] 〖음성〗 *a*. 계속음의. ―*n*. Ⓒ 계속〔연속〕음《[f, v, s, θ, r] 따위》.

◇**con·tin·u·a·tion** [kəntìnjuéiʃən] *n*. **1** Ⓤ 계속(하기), 연속; 지속, 존속: request the ~ *of* a loan 계속 대부를 부탁하다. **2** Ⓤ (또는 a ~) (중단 후의) 계속, 재개: a ~ *of* hostilities 전투의 재개. **3** Ⓒ (이야기의) 계속; 속편; 〖도서〗 연속 간행물: *Continuation* follows. 다음 호에 계속 (To be continued.)《★ 관사 없이》. **4** Ⓒ 연장(부분); 이어댐, 증축《*to* …에》.

con·tin·u·a·tive [kəntínjuèitiv, -ətiv] *a*. **1** 연속〔계속〕적인; 연달은. **2** 〖문법〗 진행을 나타내는, 계속 용법의, 비제한적인: the ~ use 〖문법〗 (관계사의) 계속 용법. cf. restrictive. ㊞ **~·ly** *ad*.

⁑**con·tin·ue** [kəntínju:] *vt*. **1** 《~+목/+-*ing*/+*to do*》 **계속하다**, 지속(持續)하다: ~ a story 이야기를 계속하다/~ smil*ing* 계속 미소짓다/He ~*d to* write novels. 그는 계속해서 소설을 썼다.

SYN. **continue** '계속되고 있다' '계속되다'라는 상태를 나타냄: The war still *continues*. 전쟁은 아직도 계속되고 있다. **last** 변화하지 않고 그냥 그대로의 형태로 계속되다. 현재 형태의 지속을 나타냄: Fine weather will *last* another day. 맑은 날씨가 하루 더 계속되겠지요. **endure** 곤란한〔새로운〕 조건에서도 지속하다: His fame will *endure* forever. 그의 명성은 영원히 지속될 것이다. **persist** 완고하게 지속하다, 존속하다: The custom still *persists*. 그 습관은 아직도 남아 있다.

2 《~+목/+목+전+명/+-*ing*》 (중단 후 다시) 계속하다, 속행하다: ~*d on* 〔*from*〕 page 7, 7 페이지에〔에서〕 계속/To be ~*d*. 미완(未完), 다음 호에 계속/~ writ*ing* after dinner 저녁식사 후 다시 계속 글을 쓰다.

3 《+목+전+명》 계속시키다, 존속시키다, 연장하다(prolong) 《*at, in* …에》《★ 종종 수동태》: ~ a boy *at* school 소년을 학교에 계속 다니게 하다/The Home Secretary *was* ~*d in* office. 내무부 장관은 유임되었다.

4 《+*that* 절》 (앞에) 이어서 말하다: He ~*d that* the welfare of the company was at stake. 그는 이어서 회사 번영이 걸렸다고 말했다.

5 〖상업〗 이월〔이연〕하다.

6 〖법률〗 연기하다, 미결로 두다.

―*vi*. **1** 《~/+전+명》 (중단 없이) **연속하다**, 계속되다; (도로 등이) 이어져 있다《*for* …에 걸쳐서; *with* …을》: His speech ~*d* an hour. 그의 연설은 한 시간 계속되었다/The King's reign ~*d* (*for*) thirty years. 왕의 치세는 30년간 계속되었다/~ *with* one's work 일을 계속하다.

2 (한번 정지한 뒤) 다시 계속되다: The program ~*d* after an intermission. 일단 중단한 후 프로그램은 계속되었다.

3 《+전+명》 존속하다, 계속 지키다《*in* …을》; 체재하다; 머무르다; 유임하다《*at, in* (장소·지위)에》: ~ *at* one's post 유임하다/They have ~*d in* the faith of their fathers. 그들은 선조의 신앙을 계속 지켜 왔다/He ~*d in* London. 그는 런던에 머물렀다.

4 《+보》 **여전히 …이다**; 계속 해서 …이다: ~ impenitent 여전히 후회하지 않다/He ~*s* well. 그는 여전히 잘 있다.

◇**con·ti·nu·i·ty** [kàntənjú:əti/kɔ̀n-] *n*. **1** Ⓤ 연속(성), 연속 상태, 계속; (논리의) 밀접한 관련《*in* …에서의; *between* …사이의》: break the ~ of a person's speech 아무의 얘기의 허리를 끊다/There is no ~ *between* the two paragraphs. 두 단락 사이에는 연속성이 없다. **2** Ⓒ 연속된 것, 일련: a ~ *of* scenes 일련의 장면. **3** Ⓤ 〖영화·방송〗 콘티(script), 촬영〔방송〕용 대본: a ~ writer 촬영 대본 작가. ◇ continue *v*.

continúity gìrl 〔**màn**〕 〖영화〗 촬영 기록원.

con·tin·uo [kəntínjuòu] (*pl*. **-u·os**) *n*. 《It.》 Ⓒ 〖음악〗 통주(通奏) 저음, 콘티누오《화성(和聲)은 변하지만 저음은 일정한 것》.

⁑**con·tin·u·ous** [kəntínjuəs] *a*. **1** (시간·공간적으로) **연속〔계속〕적인, 끊이지 않는**, 부단한, 잇단: a ~ sound 끊임없이 들려오는 소리/~ rain 쉬지 않고 내리는 비. **2** 〖수학〗 연속의; 〖문법〗 진행형의: ~ function 〖수학〗 연속 함수/a ~ group 〖수학〗 연속군(群). SYN. ⇨ CONTINUAL.

contínuous asséssment 《英》 〖교육〗 계속 평가《학습 과정 전체를 통해서 학생을 평가하는 방법》.

*__con·tin·u·ous·ly__ [kəntínjuəsli] *ad*. **잇따라**, 연속적〔계속적〕으로, 간단〔끊임〕 없이.

con·tin·u·um [kəntínjuəm] (*pl*. **-tin·ua** [-njuə]) *n*. Ⓒ 〖철학〗 (물질·감각·사건 따위의) 연속(체); 〖수학〗 연속체: a space-time ~ (4차원의) 시공(時空) 연속체.

con·tort [kəntɔ́:rt] *vt*. **1** …을 비틀다, 뒤틀다: ~ one's limbs 손발을 비틀다. **2** 《종종 수동태》 …을 일그러뜨리다, 찡그리다《*with* (고민 따위)로》: His face *was* ~*ed with* pain. 그의 얼굴은 고통으로 일그러졌다. ―*vi*. **1** (얼굴이) 일그러지다. **2** 찡그려서 …이 되다《*into* …으로》: His lips ~*ed into* a grimace. 그는 입술이 일그러지면서 얼굴을 찡그렸다.

con·tor·tion [kəntɔ́:rʃən] *n*. Ⓤ (구체적으로는 Ⓒ) **1** 뒤틂, 뒤틀림, 일그러짐; 찡그림: make ~*s* of the face 얼굴을 찡그리다. **2** (어구 따위의) 곡해, 왜곡: verbal ~*s* 어휘의 견강부회. ㊞ **~·ist** *n*. Ⓒ (몸을 마음대로 구부리는) 곡예사; (말·문장 뜻 등을) 곡해하는 사람. **con·tòr·tion·ís·tic** [-ístik] *a*.

◇**con·tour** [kántuər/kɔ́n-] *n*. **1** Ⓒ (흔히 *pl*.) 윤곽, 외형《★ 외형이 만들어내는 윤곽으로 특히 곡선을 포함》: the ~*s* of the female body 여체의 곡선. **2** Ⓒ 등고선, 등심선(~ line): the ~ of a coast 해안선.

―*a*. Ⓐ **1** 윤곽을〔등고를〕 나타내는; 〖농업〗 산중턱을 따라서 고랑이나 두둑을 만든: a ~ map 〖지리〗 등고선 지도/~ farming 등고선 농업〔재배〕. **2** (의자 따위를) 체형에 맞게 제작한.

―*vt*. …의 윤곽을 그리다; …의 등고선을 기입하다; (길 따위)를 산중턱을 따라 만들다; (경사지)를 등고선을 따라 경작하다.

cóntour lìne 〖지리〗 등고선, 등심선(等深線).

contr. contract(ed); contraction.

con·tra- [kántrə/kɔ́n-] *pref*. '반대, 역, 대응' 따위의 뜻.

con·tra·band [kántrəbæ̀nd/kɔ́n-] *n*. Ⓤ (수출입) 금(禁)제품(~ goods); 암거래(품), 밀매

(품), 밀수(품); =CONTRABAND OF WAR.
—*a*. (수출입) 금지의, 금제의: a ~ trader 밀수업자/~ weapons (수출입) 금지 무기.
㊞ ~·**ist** *n*. Ⓒ 금제품 매매자; 밀수업자.

cóntraband of wár 〖국제법〗 전시 금제품.

con·tra·bass [kántrəbèis/kɔ́n-] *n*. Ⓒ 〖음악〗 콘트라베이스(double bass)《최저음의 대형 현악기》. ㊞ ~·**ist** *n*. Ⓒ 콘트라베이스 연주자.

con·tra·cep·tion [kàntrəsépʃən/kɔ̀n-] *n*. Ⓤ 피임(법).

con·tra·cep·tive [kàntrəséptiv/kɔ̀n-] *a*. 피임(용)의: a ~ device 피임용구.
—*n*. Ⓒ 피임약; 피임용구.

‡con·tract [kántrækt/kɔ́n-] *n*. **1** Ⓤ (구체적으로는 Ⓒ) **계약**, 약정; 청부《**with** …와의/**to** do》: (a) breach of ~ 계약 위반, 위약/get an exclusive ~ *with* …와 독점 계약을 맺다/on ~ 청부로/a ~ for work 공사의 도급/a verbal 〔an oral〕 ~ 구두 계약/a written ~ 서면 계약/under ~ (*with* …) (…와) 계약하여/a ~ *to* build a house 가옥 건축 계약/They are under ~ *to* finish the work in ten days. 그 일을 10일간에 마친다는 계약이다. **2** Ⓒ 계약서: sign 〔draw up〕 a ~ 계약서에 서명하다〔계약서를 작성하다〕. **3** Ⓒ (정식) 약혼: a marriage ~ 약혼. **4** 〖카드놀이〗 =CONTRACT BRIDGE. **5** Ⓒ 《속어》 살인 청부; 살인 청부업자 고용 계약.
by ~ 도급으로. ***make*** 〔***enter into***〕 ***a*** ~ ***with*** …와 계약을 맺다. ***put … out to*** ~ 도급을 주다.
— [kəntrǽkt] *vt*. **1** [kántrækt] 《~+목/+*to* do》 계약하다, 계약을 맺다, 도급〔청부〕맡다: as ~*ed* 계약대로/We have ~*ed* that firm for the job. 우리는 그 회사와 그 일에 대해 계약을 맺었다/He ~*ed to* build the houses at a fixed price. 그는 일정한 예산으로 그 집들을 지을 것을 청부맡았다. **2** 《~+목/+목+전+명》 (약혼·친교)를 맺다《**to** (아무)와》: ~ amity 〔friendship〕 with …와 친교를 맺다/~ marriage 〔matrimony〕 *with* …와 혼인을 맺다. **3** (나쁜 습관)에 물들다; (병)에 걸리다; (빚)을 지다: ~ bad habits 나쁜 버릇이 붙다/I have ~*ed* a bad cold. 독감에 걸렸다. **4** (근육 등)을 수축시키다; 찌푸리다; 죄다; 축소하다: ~ one's (eye)brows 〔forehead〕 눈살〔이맛살〕을 찌푸리다. **5** 《+목+전+명》 (어구)를 줄이다, 단축〔축약〕하다《**to** …으로》: In talking we ~ "do not" *to* "don't." 구어에서는 do not을 don't로 줄인다.
—*vi*. [kántrækt] **1** 줄(어들)다; 좁아지다, 수축하다. ↔ *expand*. **2** 《+전+명/+전+명+*to* do》 계약하다; 도급맡다《**with** …와; **for** …을》: She ~*ed with* a carpenter *for* the repair of her house. 그녀는 목수와 집 수리 계약을 했다/I ~*ed with* the coal merchant *to* buy a ton of coal every month. 석탄 상인과 매월 석탄 1톤을 사기로 계약했다.
~ ***out*** 계약에 의해 (일을) 주다, 하청으로 내다, 외주(外注)하다: The city council has ~*ed out* the work. 시의회는 그 일을 외부에 하청주었다. ~ (one***self***) ***in*** 참가 계약을 하다《**to** …에게; **on** …에 대하여》. ~ (one***self***) ***out*** (***of***…) 《英》 (계약·협약)을 파기하다, (…에서) 탈퇴하다, …의 적용 제외 계약을 하다: The landlord ~*ed himself out of* the Agricultural Holdings Act. 지주는 계약에 의하여 농업 보유지법에서 탈퇴했다.

con·tract·a·ble [kəntrǽktəbəl] *a*. (병 따위에) 걸리기 쉬운.

cóntract brídge 카드놀이의 일종《★《英》, 《美》에서 가장 흔히 하는 브리지》.

con·tráct·ed [-id] *a*. Ⓐ **1** 수축된, 오그라든, 줄어든. **2** 단축〔축약〕된: a ~ form 〖문법〗 단축〔축약〕형.

con·tráct·i·ble *a*. 줄일 수 있는, 줄어드는.
㊞ **-i·bly** *ad*. ~·**ness** *n*.

con·trac·tile [kəntrǽktil] *a*. 줄어드는, 수축성이 있는: ~ muscles 수축근(筋). ㊞ **con·trac·til·i·ty** [kàntræktíləti/kɔ̀n-] *n*. Ⓤ 수축성.

◇con·trac·tion [kəntrǽkʃən] *n*. **1** Ⓤ (구체적으로는 Ⓒ) 수축; 〖의학〗 위축, (출산시 자궁의) 수축. **2** Ⓤ (말이나 글의) 단축, 축약; Ⓒ 단축형, 단축어《e'er(=ever), can't 따위》. **3** Ⓤ (병에) 걸림, (버릇이) 붙기, (빚을) 걸머짐.

con·trac·tive [kəntrǽktiv] *a*. 줄어드는, 수축성의. ㊞ ~·**ly** *ad*. ~·**ness** *n*.

◇con·trac·tor [kántræktər, kəntrǽktər] *n*. Ⓒ 계약자; 도급자, (공사) 청부인: a general ~ 청부업자.

con·trac·tu·al [kəntrǽktʃuəl] *a*. 계약(상)의.

***con·tra·dict** [kàntrədíkt/kɔ̀n-] *vt*. **1** (진술·보도 따위)를 **부정〔부인〕하다**, 반박하다; (남의 말)에 반대하다, 반론하다; (…이) 옳지 않다고 〔잘못이라고〕 언명하다: The statement has been officially ~*ed*. 그 성명은 공식적으로 부인되었다/I'm sorry to ~ you, but … 말씀에 반론하는 것 같지만…. **2** …**와 모순되다**; …에 반하는 행동을 하다: ~ oneself 모순된 말을 하다/The reports ~ each other. 보고가 서로 어긋난다. —*vi*. 반대하다, 부인〔반박〕하다; (두 가지 일이) 모순되다. ◇ contradiction *n*.

◇con·tra·dic·tion [kàntrədíkʃən/kɔ̀n-] *n*. Ⓤ (구체적으로는 Ⓒ) **1** 부인, 부정; 반박, 반대: in ~ to …에 반하여, …와 정반대로. **2** 모순, 당착; 모순된 행위〔사실, 사람〕; 〖논리〗 모순 원리〔율(律)〕. ***a*** ~ ***in terms*** 〖논리〗 명사(名辭) 모순《보기: a two-sided triangle 이변 삼각형》.

con·tra·dic·tious [kàntrədíkʃəs/kɔ̀n-] *a*. 반대〔반박〕하기 좋아하는, 논쟁을 좋아하는; 《고어》 자가당착의. ㊞ ~·**ly** *ad*. ~·**ness** *n*.

con·tra·dic·to·ry [kàntrədíktəri/kɔ̀n-] *a*. **1** 모순된, 양립치 않는, 자가당착의《**to** …와》: ~ statements 서로 모순되는 진술/be ~ *to* each other 서로 모순되다. **2** (사람·성격이) 논쟁〔반대〕하기 좋아하는, 반박〔반항〕적인: My son is going through a ~ stage. 내 아들은 반항기에 접어들고 있다. ㊞ **-ri·ly** *ad*. **-ri·ness** *n*.

còntra·distínction *n*. Ⓤ 대조 구별, 대비(對比): in ~ to 〔from〕 …와 대비하여, …와는 구별되어.

còntra·distínguish *vt*. 비교하여 구별하다; 대비하다《**from** …와》: ~ A *from* B, A와 B를 대비하여 구별하다.

cóntra·flòw *n*. Ⓒ 《英》 (교통의) 역방향 흐름《도로 보수 공사가 있을 경우 한쪽의 차선을 폐쇄하고 통상과 역방향으로 교통을 흐르게 하는 것》.

con·trail [kántreil/kɔ́n-] *n*. Ⓒ 〖항공〗 (로켓·비행기 따위의) 비행운(雲), 항적운(航跡雲) (vapor trail). [◂*condensation*+*trail*]

còntra·índicate *vt*. 〖의학〗 (약·요법 따위가) …에 대해서 금기(禁忌)를 보이다.

còntra·indicátion *n*. Ⓤ 〖의학〗 금기(禁忌).

con·tral·to [kəntrǽltou] (*pl*. ~**s** [-z], **-ti** [-tiː]) 〖음악〗 *n*. Ⓤ 콘트랄토, 최저 여성음(부)

《alto 보다 낮은 음역》; Ⓒ 콘트랄토 가수〔악기〕. **—***a*. 콘트랄토의.

còntra·posítion *n*. Ⓤ (구체적으로는 Ⓒ) 대치(對置); 대위; 대립. ***in* ~ *to*** 〔***with***〕 …에 대치〔대조〕하여. ㉺ **-posítive** *a*.

con·trap·tion [kəntrǽpʃən] *n*. Ⓒ 《구어》 신안(新案); 《英속어》 기묘한 기계〔장치〕.

con·tra·pun·tal [kɑ̀ntrəpʌ́ntl/kɔ̀n-] *a*. 〖음악〗 대위법(對位法)의〔적인〕. ㉺ **~·ly** *ad*.

con·tra·ri·e·ty [kɑ̀ntrəráiəti/kɔ̀n-] *n*. **1** Ⓤ 반대, 모순; 불일치. **2** Ⓒ 상반되는 점, 모순된 사실; 모순점.

con·tra·ri·ly [kάntrerəli/kɔ́n-] *ad*. **1** 이에 반해, 반대로. **2** [+kəntrέərəli] 《구어》 옹고집을 부려, 완고하게.

con·tra·ri·ness [kάntrerinis/kɔ́n-] *n*. Ⓤ **1** 반대, 모순. **2** [+kəntrέərinis] 《구어》 외고집, 옹고집, 심술.

con·tra·ri·wise [kάntreriwàiz/kɔ́n-] *ad*. 반대로, 반대 방향으로; 이에 반(反)하여; 고집 세게, 심술궂게.

‡**con·tra·ry** [kάntreri/kɔ́n-] *a*. **1 반대의**, 반(反)하는, 반대 방향의, 서로 용납치 않는《***to*** …에, …와》; 역(逆)의: look the ~ way 외면하다 / a ~ current 역류 / ~ wind 역풍 / ~ *to* fact 〔reason〕 사실과 상반되는〔도리에 어긋나는〕. SYN. ⇨OPPOSITE. **2 적합치 않은**, 불순(不順)한, 불리한: ~ weather 악천후. **3** [+kəntrέəri] 《구어》 고집 센, 옹고집의, 빙퉁그러진: a ~ child.

—*n*. **1** (the ~) (정)**반대**, 모순: Quite the ~ 전혀 반대이다 / He is neither tall nor the ~. 그는 키가 크지도 작지도 않다. **2** Ⓒ (흔히 *pl*.) 상반하는 것〔성질〕.

by contraries 정반대로, 거꾸로; 예상과는 달리: Dreams go *by contraries*. 꿈은 실제와는 반대. ***on the* ~** 이에 반하여, 도리어, …은커녕: "Have you finished your homework?" — "*On the* ~, I haven't even begun it yet." 숙제 끝마쳤니 — 끝마치기는커녕 아직 시작도 안 했는데요. ***to the* ~** 그와 반대로〔의〕, 그렇지 않다는, 그와는 달리〔다른〕, …임에도 불구하고: an evidence *to the* ~ 반증 / unless I hear *to the* ~ 그렇지 않다는 말이 없으면.

—*ad*. **반대로**, 거꾸로, 반하여《***to*** …에》: act ~ *to* rules 규칙에 반하는 행동을 하다 / ~ *to* one's expectation 예상과는 반대로, 의외로.

‡**con·trast** [kάntræst/kɔ́ntrɑːst] *n*. **1** Ⓤ 대조, 대비《***with, to*** …와의, …에; ***between*** …사이의》: the ~ *between* light and shade 명암(明暗)의 대조 / by ~ 대조해 보면 / by ~ *with* …와의 대조〔대비〕에 의해 / in ~ *to* 〔*with*〕 …와 대비하여, …와는 현저히 달라서. **2** Ⓤ (구체적으로는 Ⓒ) 현저한 차이〔상이〕《***between*** …사이의》. **3** (a ~) 대조가 되는 것, 정반대의 물건〔사람〕《***to*** …와》: What a ~ *to* the days of old! 옛날에 비하면 사뭇 다르구나 / She is a great ~ *to* her sister. 그녀는 동생과는 아주 딴판이다.

form* 〔*present*〕 *a striking* 〔*singular*〕 ~ *to … 와 현저〔기묘〕한 대조를 이루다.

— [kəntrǽst, -trάːst] *vt*. 《~+목/+목+전+명》 대조〔대비〕시키다; 대조하여 뚜렷이 드러나게〔두드러지게〕 하다《***with*** …와》: ~ two things / ~ light and shade 명암을 대조하다 / *Contrast* Jane *with* her sister. 제인을 동생과 대비해 보세요. **—***vi*. 〖보통 양태부사를 수반하여〗 **1** (두 가지 것이) 대조적이다: Her white face and her dark dress ~ sharply. 그녀의 흰 얼굴과 검은 드레스가 지극히 대조적이다. **2** 《+전+명》 좋은 대조를 이루다; 뚜렷한 차이를 보이다《***with*** …와》: This color ~*s* well *with* green. 이 색은 녹색과 뚜렷이 대조를 이룬다. ★ compare는 유사·차이 어느 쪽에도 쓰이나, contrast는 차이에만 쓰임. ***as* ~*ed* (*with* ...)**, (…와) 대조해 보면. ㉺ **con·trást·a·ble** *a*.

con·tras·tive [kəntrǽstiv] *a*. **1** 대조〔대비〕적인. **2** 〖언어〗 (두 언어 사이의) 일치·상위를 연구하는, 대비 연구하는: a ~ grammar 대조 문법 / ~ linguistics 대조 언어학. ㉺ **~·ly** *ad*.

con·trasty [kάntræsti, kəntrǽsti/kəntrάːsti] *a*. (사진·영상의) 명암이 두드러진.

con·tra·vene [kɑ̀ntrəvíːn/kɔ̀n-] *vt*. **1** (관습·법률 따위)를 위반하다. **2** (의론 따위)를 부정하다, 반박〔반론〕하다. **3** (주의 따위)와 모순되다, 일치하지 않다. ㉺ **-vén·er** *n*.

con·tra·ven·tion [kɑ̀ntrəvénʃən/kɔ̀n-] *n*. Ⓤ (구체적으로는 Ⓒ) 위반 (행위), 위배; 반대, 반박: in ~ of …에 위반되어.

con·tre·temps [kάntrətɑ̃ːŋ/kɔ́n-] (*pl*. ~ [-z]) *n*. 《F.》 Ⓒ 뜻하지 않은 불행, 뜻밖의 사고〔고장〕.

contrib. contribution; contributor.

‡**con·trib·ute** [kəntríbjuːt] *vt*. 《+목+전+명》 **1** (금품 따위)를 **기부하다**, 기증하다《***to, for*** …에》: ~ money *to* reliev*ing* the poor 빈민 구제를 위해 돈을 기부하다. **2 기여〔공헌〕하다**; (조언·원조 따위)를 제공하다, 주다《***to, for*** …에》: He did not ~ anything *to* the work. 그는 그 일에 아무 기여도 하지 않았다. **3** (글·기사)를 **기고하다**《***to*** (신문·잡지 따위)에》: ~ an article *to* a magazine 잡지에 논문을 기고하다. **—***vi*. 《+전+명》 **1** 기부하다《***to, for*** …에》: ~ *to* a community chest 공동 모금에 기부하다. **2** 도움이 되다, 한 원인이 되다, 기여〔공헌〕하다《***to, toward*** …에》: Gambling ~*d to* his ruin. 도박도 그의 파산의 (한) 원인이 되었다. **3** 기고〔투고〕하다《***to*** (신문·잡지)에》: ~ *to* a newspaper 신문에 기고하다. ◇contribution *n*.

‡**con·tri·bu·tion** [kɑ̀ntrəbjúːʃən/kɔ̀n-] *n*. **1** Ⓤ (또는 a ~) **기부**, 기증, 공헌, 기여《***to, toward*** …에의》: the ~ of money *to* charity 자선 헌금 / make a ~ *to* …에 공헌〔기부〕하다. **2** Ⓒ 기부금, 의연금, 기증품〔물〕: political ~*s* 정치 헌금. **3** Ⓤ **기고**, 투고《***to*** …에의》. **4** Ⓒ 기고문, 기고 작품〔기사〕; 논문. ◇contribute *v*.

con·trib·u·tor [kəntríbjətər] *n*. Ⓒ 기부〔공헌〕자; 기고〔투고〕가《***to*** …에의》. ㉺ **con·trìb·u·tó·ri·al** *a*.

con·trib·u·to·ry [kəntríbjətɔ̀ːri/-təri] *a*. **1** 기여하는: a ~ cause of the accident 사고의 유력한 원인. **2** 공헌하는, 이바지하는, 도움이 되는《***to*** …에》: Many factors were ~ *to* the project's success. 그 계획의 성공에 많은 요인이 작용했다. **3** 기부의, 출자의, 의연(義捐)적인; 출자금〔세금〕을 분담하는, (연금·보험이) 갹출제〔분담제〕의《근로자가 일부를 부담하는》.

con·trite [kάntrait, kəntráit/kɔ́ntrait] *a*. 죄를 깊이 뉘우치고 있는; 회개한; 회오의: ~ tears 회오의 눈물. ㉺ **~·ly** *ad*. **~·ness** *n*.

con·tri·tion [kəntríʃən] *n*. Ⓤ 회개; (깊은) 회한.

con·triv·a·ble [kəntráivəbəl] *a*. 고안〔안출〕할 수 있는, 궁리할 수 있는.

◇**con·triv·ance** [kəntráivəns] *n.* **1** Ⓤ 고안, 발명; 고안〔연구〕의 재간. **2** Ⓒ 고안품; 발명품; 장치. **3** Ⓒ (보통 *pl.*) 계획; 계략, 간계, 책략. ◇ contrive *v.*

***con·trive** [kəntráiv] *vt.* **1 연구하다; 고안〔발명〕하다;** 설계하다: ~ a new kind of engine 신종 엔진을 고안하다. SYN. ⇨INVENT. **2** 《~+目/+*to* do》 용케 …하다, 이럭저럭 …을 해내다(manage); 《반어적》 일부러 (불리한 일)을 저지르다〔초래하다〕: He ~*d to* persuade me. 나는 그에게 결국 설복당했다 / He ~*d* only *to* get himself into hot water. 그는 자청해서 따끔한 맛을 본 결과가 되었다 / He ~*d* his escape. 그는 용케 도망쳤다. **3** 《~+目/+*to* do》 (나쁜 일)을 꾀하다, 하고자 획책〔도모〕하다: ~ a plan for an escape 도망갈 계획을 세우다 / ~ *to* kill her 그녀를 죽이려고 꾀하다. ◇ contrivance *n.*
cut and ~ (살림 따위)를 용케 꾸려나가다.

con·trívéd *a.* 인위적인, 부자연스러운, 무리를 한: a ~ ending of a play 연극의 부자연스런 결말.

con·trív·er *n.* Ⓒ **1** 연구자, 고안자. **2** 계략을 꾸미는 사람. **3** 변통을 잘 하는 사람.

‡**con·trol** [kəntróul] *n.* **1** Ⓤ **지배**(력); 관리, 다잡음, 단속, 감독(권)《*of, over* …에의》: ~ *of* foreign exchange 외국환 관리 / gain ~ *of* 〔*over*〕 the armed forces 군의 지휘권을 잡다, 군대를 장악하다 / be in ~ *of* …을 관리〔지배〕하고 있다 / be under 〔in〕 the ~ *of* …의 지배〔관리〕하에 있다 / take ~ *of* …의 지배권을 장악하다 / fall under the ~ *of* …의 지배를 받게 되다.
2 Ⓤ **억제**(력), 제어; 통제, 규제; 〖야구〗 (투수의) 제구력(制球力): thought ~ 사상 통제 / inflation ~ 인플레 억제 / birth ~ 산아 제한.
3 Ⓒ (보통 *pl.*) 통제〔관리〕 수단; (기계의) 조종 장치; 제어실, 관제실〔탑〕: adjust the ~*s* for tone and volume 음색과 음량을 맞추려고 조종 장치를 조절하다.
4 Ⓒ (심령술에서) 영매(靈媒)를 지배하는 영혼.
5 Ⓤ 〖우주〗 (로켓의 실험) 대조 규준; 제어(制御).
bring 〔***get***〕 ***... under*** ~ 억제〔제어〕하다; 진화하다. ***have*** ~ ***of*** 〔***over***〕 …을 제어〔관리〕하고 있다. ***keep ... under*** ~ …을 억누르고 있다. ***lose*** 〔***get, gain***〕 ~ ***over*** 〔***of***〕 …을 제어할 수 없게 되다〔제어하게 되다〕. ***without*** ~ 제멋대로, 통제 없이.
— (***-ll-***) *vt.* **1 지배하다;** 관리하다, 감독하다: He ~*led* the company responsibly. 그는 책임지고 회사를 관리했다. **2** 제어〔억제〕하다, 규제〔통제〕하다: ~ one's anger 분노를 억누르다 / ~ oneself 자제하다 / Stop shouting! Try to ~ yourself.—How can I after what he just did? 고함치지 말고 진정하세요—그런 일을 당하고 어떻게 참아요. **3** 검사하다; (실험 결과를 다른 실험이나 표준과) 대조하다.

contról chàracter 〖컴퓨터〗 제어 문자.

contról commànd 〖컴퓨터〗 제어 명령어.

contról expèriment 대조 실험.

contról frèak 《구어》 주변 일에 일일이 간섭하는 사람; 지배광(狂).

contról kèy 〖컴퓨터〗 컨트롤 키《컴퓨터 키보드의 문자 키 등과 동시에 누름으로써 그 키 본래의 코드와는 다른 기능을 수행하는 키》.

con·tról·la·ble *a.* 지배〔관리, 제어, 조종〕할 수 있는. ⓟ **-bly** *ad.*

◇**con·tról·ler** *n.* Ⓒ **1** 관리인, 지배자; 감사, (회계) 감사관, 감사역, (회사의) 경리부장《관명으로는 comptroller》; (항공) 관제사: the *Controller* 〔Comptroller〕 of the Navy 《英》 해군통제관 / the *Controller* General of the U.S. 《美》 회계감사원장. **2** (전차의) 제동기; 제어〔조종〕 장치; 〖컴퓨터〗 제어기.

contròlling ínterest 지배적 이권(利權)《회사 경영을 장악하기 위한 50% 이상의 주식 보유 따위》.

contról ròd (원자로 작동 상태의) 제어봉.

contról ròom 관제실; (방송·녹음의) 조종실; (원자로 등의) 제어실.

contról stìck 〖항공〗 조종간(桿). cf. control column.

contról tòwer (공항의) 관제탑.

contról ùnit 〖컴퓨터〗 제어 장치《하드웨어의 일부》.

con·tro·ver·sial [kàntrəvə́ːrʃəl/kɔ̀n-] *a.* 논쟁의; 논쟁을 즐기는; 논의의 여지가 있는, 논쟁의 대상인, 물의를 일으키는: a ~ decision 〔statement〕 물의를 일으키는 결정〔진술〕.
ⓟ **~·ly** *ad.* **~·ist** *n.* Ⓒ 논객; 논쟁자.

***con·tro·ver·sy** [kántrəvə̀ːrsi/kɔ́n-] *n.* Ⓤ (구체적으로는 Ⓒ) **논쟁,** 논의, (특히 지상(紙上)의) 논전: arouse 〔cause〕 much ~ 크게 물의를 일으키다 / beyond 〔without〕 ~ 논쟁의 여지 없이, 당연히 / have 〔enter into〕 a ~ with …와 논쟁하다 / hold 〔carry on〕 a ~ with 〔against〕 …와 의론하다.

con·tro·vert [kántrəvə̀ːrt/kɔ́n-] *vt.* **1** (…에 대하여) 논의하다, 논쟁하다. **2** …을 반박하다, 부정하다. ◇ controversy *n.* ⓟ **~·er, ~·ist** *n.*
cón·tro·vèrt·i·ble *a.* 논의〔논쟁〕의 여지가 있는, 논쟁할 만한. **~·i·bly** *ad.*

con·tu·ma·cious [kàntjuméiʃəs/kɔ̀n-] *a.* **1** 반항적인, 오만한. **2** 〖법률〗 (법정) 소환에 응하지 않는. ⓟ **~·ly** *ad.* **~·ness** *n.*

con·tu·ma·cy [kántjuməsi/kɔ́n-] *n.* Ⓤ 불순종; 명령 불복종《특히 법정 소환에의 불응》.

con·tu·me·li·ous [kàntjumíːljəs/kɔ̀n-] *a.* 오만불손한, 무례한. ⓟ **~·ly** *ad.*

con·tu·me·ly [kəntjúːməli, kántu-/kɔ́n-] *n.* Ⓤ (구체적으로는 Ⓒ) (언어·태도 따위의) 오만 무례; 모욕적 언동.

con·tuse [kəntjúːz] *vt.* …에게 타박상을 입히다. ⓟ **con·tú·sion** [-ʒən] *n.* Ⓒ 〖의학〗 멍듦; 타박상. **con·tú·sive** [-siv] *a.*

co·nun·drum [kənʌ́ndrəm] *n.* Ⓒ 수수께끼, 재치문답; 어려운 문제; 수수께끼 같은 인물〔물건〕.

con·ur·ba·tion [kànəːrbéiʃən/kɔ̀n-] *n.* Ⓒ 집합 도시《몇 개의 도시가 팽창 접근하여 한 개의 대도시로 간주되는 것》; 대도시권, 광역 도시권.

con·va·lesce [kànvəlés/kɔ̀n-] *vi.* (병후 차차) 건강을 회복하다, 병후 요양을 하다.

◇**con·va·les·cence** [kànvəlésns/kɔ̀n-] *n.* Ⓤ (또는 a ~) (병후) 차도가 있음; 회복(기), 요양(기간).

◇**con·va·les·cent** [kànvəlésnt/kɔ̀n-] *a.* 차도를 보이는, 회복기(환자)의: a ~ hospital 〔home〕 회복기(환자) 요양소. **—***n.* Ⓒ 회복기 환자, 갓 앓고난 사람.

con·vec·tion [kənvékʃən] *n.* Ⓤ 〖물리〗 (열·전기·대기의) 대류(對流), 환류(環流).
ⓟ **~·al** [-əl] *a.* 대류의.

con·vec·tive [kənvéktiv] *a.* 대류〔환류〕의,

전달성의. ㊞ ~·ly *ad*.

con·vec·tor [kənvéktər] *n*. Ⓒ 대류식(對流式) 난방기〔방열기〕.

◇**con·vene** [kənvíːn] *vt*. (모임·회의)를 소집하다; (사람들)을 소환하다. **—***vi*. 모이다, 회합하다: The Diet will ~ at 3 p.m. tomorrow. 국회는 내일 오후 3 시에 개회한다.

con·vén·er, -vé·nor *n*. Ⓒ (위원회 따위의) 소집자, (회의의) 주최자.

***con·ven·ience** [kənvíːnjəns] *n*. **1 a** Ⓤ **편리**, 편의; 편익: a marriage of ~ 물질을 노린 결혼, 정략 결혼/as a matter of ~ 편의상/for ~ of explanation 설명의 편의상. **b** Ⓒ (보통 *sing*.) 편리한 일〔것〕: It is a great ~ to keep some good reference books in your study. 서재에 좋은 참고 서적을 비치하는 것은 매우 편리한 일이다. **2** Ⓤ 〘one's ~, a person's ~〙 형편이 좋은 때〔기회〕, 유리〔편리〕한 사정: if it suits your ~ 지장이 없으시다면/at one's (own) ~ 형편 닿는 대로; 편리한〔형편 좋은〕 때에/await a person's ~ 아무의 형편 좋은 때를 기다리다. **3** Ⓒ 편리한 것〔도구〕, (문명의) 이기(利器); (*pl*.) (편리한) 설비, (의식주의) 편의: The house has all the modern ~*s*. 그 집은 현대적인 설비를 모두 갖추고 있다. **4** Ⓒ《英》(공중) 변소: a public ~. ◇ convenient *a*.

at one***'s early*** 〔***earliest***〕 **~** 형편 닿는 대로 조속히. ***consult*** one***'s own*** **~** 자기의 편의를 도모하다. ***for*** **~*(') sake*** 편의상. ***make a*** **~** ***of*** …을 멋대로 이용하다.

convénience fòod 인스턴트 식품.

convénience stòre《美》(장시간〔24 시간〕 영업하는) 일용잡화 식료품상, 편의점.

⁑**con·ven·ient** [kənvíːnjənt] *a*. **1** (물건이) **편리한**, 사용하기 좋은〔알맞은〕: a ~ kitchen 사용하기 편리한 주방/a ~ place to meet 만나기 편리한 장소. **2** Ⓟ (물건·시간 따위가) **형편 좋은**《***to, for*** (아무)에게/***to*** do》: If it is ~ *to* 〔*for*〕 you, ... 형편이 좋다면 …/When will it be ~ *for* you *to* go there? 언제 가는 게 좋겠나. ◇ convenience *n*.

> NOTE 서술적 용법에서는 사람을 주어로 하지 않음. 《美》에서는 전치사로 to 보다는 for 가 더 일반적.

3 Ⓟ 가까이 있는《***to, for*** …에》: My house is ~ *to* 〔*for*〕 the station. 내 집은 역 근처에 있다. ***make it*** **~** ***to*** (do) 형편을〔계제를〕 보아서 …하다.

◇**con·vé·nient·ly** *ad*. **1** 편리하게, 형편 좋게: a bus stop ~ placed 편리한 곳에 있는 버스 정류장/as soon as you ~ can 형편 닿는 대로 되도록 빨리. **2** 〘문장 전체를 수식하여〙 형편 좋은 일로서, 편리하게도: *Conveniently* enough, there's a supermarket near my house. 편리하게도 집 근처에 슈퍼마켓이 있다.

con·vent [kánvənt/kɔ́n-] *n*. Ⓒ《특히》 수녀단; 수녀원《★ 남자 수도원은 monastery》: ~ school 수녀원 부속 학교/go into 〔enter〕 a ~ 수녀가 되다.

con·ven·ti·cle [kənvéntikəl] *n*. Ⓒ (종교상의) 비밀 집회(소); 〖英역사〗 (비국교도·스코틀랜드 장로파의) 비밀 집회(소).

***con·ven·tion** [kənvénʃən] *n*. **1** Ⓒ **a** (정치·종교·교육 따위의) **대회**, 대표자 회의, 정기 총회. **b** 〘집합적; 단·복수취급〙 대회 참가자. **2** Ⓒ《美》(노동 조합·종교·교육 단체 따위의) 연차(年次) 총회; 《美》(정당의) 전국〔당〕 대회: a ~ hall (호텔 따위의) 회의장. **3** Ⓒ (국가·개인 간의) 협정, 약정, 조약: a postal ~ 우편 협정. **4** Ⓤ (구체적으로는 Ⓒ) **풍습, 관례**; 인습: social ~ 사회적 관습/a slave to ~인습에 젖은 사람. SYN. ⇨ HABIT. **5** Ⓤ (구체적으로는 Ⓒ) (예술에서의) 약속; (카드놀이 따위의) 규칙, 규약: stage ~*s* 무대 위에서의 약속. ◇ convene *v*.

***con·ven·tion·al** [kənvénʃənəl] *a*. **1** 전통적인; **인습적인**, 관습적인: ~ morality 인습적인 도덕/~ ways 종래의 방법/~ taxonomy 관습 분류학. **2 형식적인**, 판에 박힌, 상투적인, 진부한, 독창성〔개성〕이 결여된, 〖예술〗 양식화된: a ~ melodrama 흔해빠진 멜로드라마/~ phraseology 상투적인 문구. **3** (병기가) 재래식인, (전쟁이) 핵무기를 쓰지 않는, 비핵(非核)의, (발전소가) 원자력을 사용하지 않는: ~ war 재래식 무기에 의한 전쟁/~ forces (핵장비를 갖추지 않은) 통상 전력/~ weapons 재래식 병기/a ~ power plant (비핵의) 재래형 발전소. **4** 협정〔조약〕에 관한, 협정〔협약〕상의: a ~ tariff 협정 세율/~ neutrality 조약 중립. ㊞ **~·ly** *ad*. 인습적으로, 진부하게, 판에 박은 듯.

con·vén·tion·al·ìsm *n*. **1** Ⓤ 인습〔전통〕주의, 관례 존중〔답습〕. **2** Ⓒ 판에 박힌 관습〔것〕; 판박이 문구. ㊞ **-ist** [-ʃənəlist] *n*. Ⓒ 인습주의자; 관례 답습자; 평범한 사람.

con·ven·tion·al·i·ty [kənvènʃənǽləti] *n*. **1** Ⓤ 관례〔전통, 인습〕 존중; 상투성. **2** Ⓒ (흔히 the conventionalities) 상례, 관례; 인습, 관습: observe 〔break through〕 the *conventionalities* 인습을 지키다〔타파하다〕.

con·vén·tion·al·ìze *vt*. 인습〔관례〕에 따르게 하다; 평범하게 하다; 〖예술〗 양식화하다.

convéntional wísdom 옛날부터 배양되어 온 지혜〔생각〕, 일반 통념.

convéntion cènter 컨벤션 센터《회의 장소나 숙박 시설이 집중된 지구 또는 종합 빌딩》.

con·ven·tion·eer [kənvènʃəníər] *n*. Ⓒ《美》 대회 참가자〔출석자〕.

cónvent schòol (수녀원) 부속 학교.

◇**con·verge** [kənvə́ːrdʒ] *vi*. **1** 한 점〔선〕에 모이다, 집중하다; (선 따위가) 집중하다《***on, upon, at, in*** …에》: All these roads ~ *on* the city. 이 길들은 모두 그 도시로 모아진다/Squad cars ~*d on* 〔*at*〕 the scene of the crime. 순찰차들이 범행 현장에 집결했다. **2** (의견·행동 따위가) 한데 모아지다《***on*** …에》: Our interest ~*d on* that point. 우리 흥미는 그 점에 모아졌다. **3** 〖물리·수학〗 수렴(收斂)하다. ↔ *diverge*. **—***vt*. 한 점에 모으다, 집중시키다.

con·ver·gence, -gen·cy [kənvə́ːrdʒəns], [-i] *n*. Ⓤ (구체적으로는 Ⓒ) **1** (한 점에) 점차 모아짐, 집중성〔상태〕. **2** 〖수학·물리〗 수렴(收斂).

con·ver·gent [kənvə́ːrdʒənt] *a*. **1** 한 점으로 향하는, 한데 모이는, 집중적인. ↔ *divergent*. **2** 〖물리·수학〗 수렴성의.

con·ver·sance [kənvə́ːrsəns] *n*. Ⓤ 정통(해 있음).

con·ver·sant [kənvə́ːrsənt, kánvər-/kɔ́nvər-] *a*. Ⓟ **1** 정통한《***with*** …에》: He is ~ *with* Greek literature. 그는 그리스 문학에 정통하다. **2** 친한, 친교가 있는《***with*** …와》. ㊞ **~·ly** *ad*.

⁑**con·ver·sa·tion** [kànvərséiʃən/kɔ̀n-] *n*. **1**

Ⓤ (구체적으로는 Ⓒ) **회화**, 대담, 대화, 좌담 ((*with* …와의)): ~ in English 영어 회화/be in ~ *with* a person 아무와 대담 중이다/Do you want to join in our ~?—Thank you, yes. What are you talking about? 우리 대화에 끼시겠습니까—네, 고맙습니다. 무슨 얘기를 하고 계신지요. **2** Ⓒ (정부·정당의 대표자들의) 비공식 회담.

change the **~** 화제를 바꾸다. ***enter*** 〔***fall, get***〕 ***into*** **~** ***with*** …와 이야기를 시작하다. ***hold*** 〔***have***〕 ***a*** **~** ***with*** a person 아무와 회담〔담화〕하다. ***make*** **~** 잡담하다; 이야기 꽃을 피우다.

con·ver·sa·tion·al [kɑ̀nvərséiʃənəl/kɔ̀n-] *a*. **1** 회화(체)의, 좌담식의; (말씨가) 스스럼없는. **2** 이야기하기 좋아하는, 말 잘하는. ㊋ **~·ly** *ad*. 회화(체)로. **~·ist** *n*. Ⓒ 이야기하기 좋아하는 사람, 입담 좋은 사람, 좌담가.

conversátion pìece 화제가 되는 물건((진귀한 가구·장식품 따위)); (18세기 영국의) 단란도(團欒圖)((한 데 모인 가족의 초상화)); 〖연극〗 대화극.

conversátion stòpper ((구어)) (즉각 응답이 되지 않는) 뜻밖의 발언.

con·ver·sa·zio·ne [kɑ̀nvərsɑ̀ːtsióuni/kɔ̀n-vərsæ̀-] (*pl*. **~s** [-niːz], ***-ni*** [-niː]) *n*. ((It.)) Ⓒ (특히 학자·예술가 등의) 좌담〔간담〕회.

°**con·verse**[1] [kənvə́ːrs] *vi*. **1** 담화하다, 서로 이야기하다(talk)((*with* (아무)와; ***on, about*** …에 관하여)): ~ *with* a person 아무와 담화하다/~ *on* 〔*about*〕 a matter 어떤 일에 대해 이야기하다. SYN. ⇨SPEAK. **2** 〖컴퓨터〗 대화하다((컴퓨터와 교신하다)). ◇ conversation *n*.

°**con·verse**[2] [kənvə́ːrs, kɑ́nvəːrs/kɔ́nvəːrs] *a*. **1** 역(逆)의, 거꾸로의, 전환한: the ~ proposition 〖논리〗 전환 명제. **2** Ⓟ 반대인, 거꾸로인 ((*to* …와)): His opinions are ~ *to* mine. 그의 의견은 내 의견과 반대이다. **—** [kɑ́nvəːrs/kɔ́n-] *n*. (the ~) **1** 역(逆), 반대, 전환; 역의 진술: He argued the ~ (of her view). 그는 (그녀와는) 반대 의견을 피력했다. **2** 〖논리〗 전환 명제; 〖수학〗 역(逆).

con·vérse·ly *ad*. 거꾸로, 반대로; 그것에 비해; 거꾸로 말하면: *Conversely*, one might say that ... 거꾸로 말하면 …라고 말해도 좋은지 모른다.

°**con·ver·sion** [kənvə́ːrʒən, -ʃən] *n*. **1** Ⓤ (구체적으로는 Ⓒ) 변환, 전환, 전화(轉化)((*of* …의; ***from*** …에서의; ***to, into*** …으로의)): the ~ *of* farmland *to* residential property 농지의 택지로의 전환(轉換)/the ~ *of* goods *into* money 상품의 현금화. **2** Ⓤ (구체적으로는 Ⓒ) 용도 변경; 개장(改裝), 개조((*of* …의; ***from*** …에서의; ***to, into*** …으로의)): the ~ *of* stables *to* 〔*into*〕 flats 마구간의 아파트로의 개조. **3** Ⓤ (구체적으로는 Ⓒ) (의견·신앙·당파 등의) 전환, 전향; 개종, 귀의(歸依)((특히 기독교로))((*of* …의; ***from*** …에서의; ***to*** …으로의)): the ~ *of* pagans *to* Christianity 이교도의 그리스도교로의 귀의/his ~ *from* Judaism *to* Catholicism 그의 유대교에서 가톨릭으로의 개종. **4** Ⓤ (지폐의) 태환; (외국 화폐 간의) 환산, 환전; (상품·물건의) 현금화; 이자의 원금에의 산입: the ~ rate 환산율. **5** 〖컴퓨터〗 (데이터 표현의) 변환; 이행(移行)((데이터 처리 시스템〔방법〕의 변환)); (테이프를) 펀치카드에 옮기기. **6** Ⓤ 〖물리〗 전환((핵연료 물질이 다른 핵연료 물질로 변화하기)). **7** Ⓤ (구체적으로는 Ⓒ) 〖미식축구〗 터치다운한 후 주어진 보너스 득점 플레이를 성공 시키기; 그 득점. ◇ convert *v*. ㊋ **~·al, ~·ary** [-ʒənəl], [-ʒənèri/-əri] *a*. 전환〔개종〕의.

con·vert** [kənvə́ːrt] *vt*. **1** ((+목+전+명)) **전환하다**, 전화(轉化)시키다, 바꾸다; 화학 변화시키다 ((to, into*** …으로)): ~ cotton *into* cloth 면사를 천으로 가공하다/~ sugar *into* alcohol 화학 변화에 의해 설탕을 알코올로 변화시키다. SYN. ⇨ CHANGE. **2** ((~+목/+목+전+명)) 개장〔개조〕하다, 가공하다, 전용(轉用)하다((***to, into*** …으로)): a ~*ed* cruiser 개장 순양함/~ a study *into* a nursery 서재를 육아실로 개조하다. **3** ((+목+전+명)) 개심〔개종〕시키다; 전향시키다((*to* …으로)): ~ a Roman Catholic *to* Protestantism 가톨릭 교도를 신교로 개종시키다. **4** ((+목+전+명)) (지폐·은행권)을 태환하다; (외국 화폐)를 환산하다, 환전하다((***to, into*** …으로)): ~ banknotes *into* gold 은행권을 금과 태환하다/~ dollars *into* won 달러화를 원화로 환전하다. **5** 〖컴퓨터〗 변환하다. **6** 〖럭비·미식축구〗 골킥을 넣어 추가 득점하다.

— *vi*. **1** ((+전+명)) 개조하다, 바꾸다; 바뀌다 ((***from*** …에서; ***to, into*** …으로)): This sofa ~s *into* a bed. 이 소파는 침대로도 쓴다/They have ~*ed from* solid fuel *to* natural gas. 그들은 고체 연료를 천연가스로 바꿨다. **2** ((+전+명)) 개종하다; 전향하다((***from*** …에서; ***to*** …으로)): He has ~*ed from* Catholicism *to* Judaism. 그는 가톨릭에서 유대교로 개종했다. **3** 〖럭비·미식축구〗 트라이하여 골킥을 성공하다. **~ *... to one's own use*** (공금 따위)를 횡령하다.

— [kɑ́nvəːrt/kɔ́n-] *n*. Ⓒ 전향자; 개종자; 귀의자: make a ~ of …을 개종〔전향〕시키다.

con·vért·er *n*. Ⓒ **1** 전환시키는 사람〔것〕; 개심〔개종〕시키는 사람, 교화자. **2** 〖야금〗 전로(轉爐); 〖전기〗 변환기, 변류기; 〖방송〗 주파수 변환기; 〖컴퓨터〗 (데이터 표현의) 변환기; 〖물리〗 전환로.

con·vèrt·i·bíl·i·ty *n*. Ⓤ 전환〔개종〕할 수 있음; 전향〔개종〕 가능성; 〖금융〗 태환성.

con·vért·i·ble *a*. **1** 바꿀 수 있는, 개조〔전용(轉用)〕할 수 있는; 개조되는: a ~ sofa (침대 따위로) 전용할 수 있는 소파. **2** 개종할 수 있는. **3** 교환〔태환〕할 수 있는: ~ bond 〔debentures〕 전환〔무담보 전환〕사채(社債)/a ~ note 태환권/paper money 태환 지폐. **4** (말·표현이) 같은 의미의, 바꿔 말할 수 있는: ~ terms 동의어. **5** (자동차가) 지붕을 접을 수 있는. **—** *n*. Ⓒ 지붕을 접을 수 있는 자동차. ㊋ **-bly** *ad*.

con·ver·tor [kənvə́ːrtər] *n*. =CONVERTER 2.

con·vex [kɑnvéks, kən-/kɔnvéks] *a*. 볼록한, 철면(凸面)의. ↔ *concave*. ¶ a ~ lens 〔mirror〕 볼록렌즈〔거울〕. **—** [kɑ́nveks/kɔ́nveks] *n*. Ⓒ 볼록렌즈.

㊋ **~·ly** *ad*. **con·vex·i·ty** [kənvéksəti/kən-] *n*. Ⓤ 볼록 상태; Ⓒ 볼록면체, 볼록꼴.

con·véx·o-concáve [kənvéksou-] *a*. (렌즈의) 한 면은 볼록하고 다른 면은 오목한, 요철(凹凸)의: a ~ lens 요철 렌즈.

convéxo-convéx *a*. (렌즈가) 양쪽이 볼록한, 양철(兩凸)의.

con·vey** [kənvéi] *vt*. **1** ((~+목/+목+전+명)) (사람·수송 기관 따위가 승객·물건)을 **나르다**; 운반〔운송〕하다((from*** …에서; ***to*** …으로)): ~

passengers 승객을 나르다/~ goods *from* one place *to* another 물품을 한 곳에서 다른 곳으로 운반하다. SYN. ⇨CARRY. **2** 《~+목/+목+전+명/+*that* 절/+*wh*. 절》 **전달하다**; (전갈 · 지식 등)을 전하다; (의미 · 사상 · 감정 따위)를 전하다《***to*** (아무)에게》: No words can ~ my feelings. 말로는 내 감정을 전할 수 없다/~ the expression of grief *to* a person 아무에게 애도의 뜻을 전하다/This photo ~*s* the atmosphere of the Lake District. 이 사진은 호수 지방의 분위기를 전하고 있다/His dark looks ~*ed that* he was unhappy. 그의 어두운 표정이 그가 불행하다는 것을 전해 주었다/This music ~*s* (*to* us) *how* deeply he lamented his wife's death. 이 음악은 그가 얼마나 아내의 죽음을 한탄했던가를 전해 준다. **3** 《~+목/+목+전+명》 (소리 · 열 · 전류 따위)를 전하다《***from*** …에서; ***to*** …으로》; (전염병)을 옮기다: Air ~*s* sound. 공기는 소리를 전한다/Sound is ~*ed from* one point *to* another by the motion of molecules. 소리는 한 지점에서 다른 지점으로 분자의 진동에 의해서 전달된다. **4** 《~+목/+목+전+명》 『법률』 (재산 등)을 양도하다《***to*** (아무)에게》: ~ one's property *to* a person 재산을 아무에게 양도하다. ㊂ **~·a·ble** *a*.

◇**con·vey·ance** [kənvéiəns] *n*. **1** Ⓤ 운반, 수송: ~ by land 〔water〕 육상〔수상〕 수송. **2** Ⓒ 수송 기관, 탈것: a means of ~ 교통〔수송〕 기관. **3** Ⓤ (소리 · 냄새 · 의미 따위의) 전달, 통달. **4** Ⓤ 『법률』 교부, 양도; Ⓒ 교부서, 양도 증서. ㊂ **-anc·er** *n*. Ⓒ 『법률』 부동산 양도 취급인. **-anc·ing** *n*. Ⓤ 『법률』 (부동산) 양도 절차, 양도 증명 작성(업).

con·véy·er, -or *n*. Ⓒ **1** 운반 장치; (유동 작업용) 컨베이어. **2** 운송업자; 운반인; 전달자. **3** 『법률』 양도인.

convéyer bèlt 컨베이어 벨트.

con·vict** [kənvíkt] *vt*. 《~+목/+목+전+명》 〖보통 수동태〗 (아무)에게 **유죄를 선고하다**, (아무)를 유죄로 판결하다《of, for*** …죄로》: be ~*ed of* having committed theft 〔*of* forgery〕 절도죄〔위조죄〕로 유죄 선고를 받다/a ~*ed* prisoner 기결수/~ a person *of* murder 아무에게 살인죄 판결을 내리다. ── [kánvikt/kɔ́n-] *n*. Ⓒ 죄수, 기결수.

con·vic·tion** [kənvíkʃən] *n*. **1** Ⓤ (구체적으로는 Ⓒ) **신념**, 확신《that***》: hold a strong ~ 강한 확신을 품다/speak with ~ 확신을 갖고 말하다/His testimony shook my ~ *that* he was innocent. 그의 증언으로 그가 무죄라는 나의 확신이 흔들렸다. SYN. ⇨CONFIDENCE. **2** Ⓤ 설득력. ◇convince *v*. **3** Ⓤ (구체적으로는 Ⓒ) **유죄 판결**〔선고〕《***for*** …에 대한》: a summary ~ 즉결 재판/He has had a ~ *for* drunken driving. 그는 음주 운전 판결을 받은 적이 있다. ◇convict *v*.

con·vic·tive [kənvíktiv] *a*. 확신을 갖게 하는, 설득력 있는, 잘못을 자각케 하는. ㊂ **~·ly** *ad*.

‡**con·vince** [kənvíns] *vt*. **1** 《+목+전+명/+목+*that* 절》 …에게 **납득시키다**, 확신시키다《***of*** …을》: He tried to ~ me *of* his innocence. =He tried to ~ me *that* he was innocent. 그는 자기의 무죄를 나에게 납득시키려 했다/~ oneself *of* …을 확신하다/I am ~*d of* the truth of my reasoning. 내 추리에 잘못이 없다고 확신한다/I am ~*d that* he will succeed. 그가 성공할 것이라고 확신한다. **2** 《+목+*to* do》 《美》 설득하여 …시키다: We ~*d* her *to* go with us. 우리와 함께 가도록 그녀를 설득했다. ◇conviction *n*. ㊂ **con·vín·ci·ble** *a*. 설득할 수 있는, 도리에 따르는.

◇**con·vínced** [-t] *a*. Ⓐ 확신을 가진, 신념이 있는: He is a ~ user of our products. 그는 우리 제품을 믿고 쓰는 사람이다.

◇**con·vínc·ing** *a*. 설득력 있는, 납득〔수긍〕이 가게 하는《증거 따위》: a ~ argument 설득력 있는 논지. ㊂ **~·ly** *ad*. 납득이 가도록.

con·viv·i·al [kənvíviəl] *a*. **1** 주연〔연회〕의; 간친(懇親)의: a ~ party 간친회(懇親會). **2** 연회를 좋아하는; 명랑한, 쾌활한. ㊂ **~·ly** *ad*.

con·viv·i·al·i·ty [kənvìviǽləti] *n*. Ⓤ 주연, 연회; 유쾌함, 기분 좋음.

con·vo·ca·tion [kɑ̀nvəkéiʃən/kɔ̀n-] *n*. Ⓤ **1** (회의 · 의회의) 소집. **2** (C-) 《美》 (성공회(聖公會)의) 주교구(主敎區) 회의; 〖영국국교회〗 (Canterbury 또는 York 의) 성직자 회의, 대주교구 회의. **3** 《英》 (대학의) 평의회. ◇convoke *v*. ㊂ **~·al** [-ʃənəl] *a*.

con·voke [kənvóuk] *vt*. 《문어》 (회의 · 의회 따위)를 소집하다. ◇convocation *n*.

con·vo·lute [kánvəlùːt/kɔ́n-] *a*. 회선상(回旋狀)의, 서려 감긴; 『동물』 포선(包旋)하는; 『식물 · 패류』 한쪽으로 말린.

cón·vo·lùt·ed [-id] *a*. 『동물 · 해부』 회선상의(spiral), 소용돌이 모양의; 뒤얽힌, 매우 복잡한.

con·vo·lu·tion [kɑ̀nvəlúːʃən/kɔ̀n-] *n*. Ⓒ (보통 *pl*.) **1** 소용돌이, 회선(回旋). **2** 『해부』 뇌회(腦回). **3** (토론 따위의) 뒤얽힘; 분규.

con·vol·vu·lus [kənválvjələs/-vɔ́l-] (*pl*. **~·es, -li** [-lài, -liː]) *n*. Ⓒ 메꽃 · 나팔꽃류.

con·voy [kánvɔi/kɔ́n-] *n*. **1** Ⓤ 호송, 호위: under ~ 호위되어, 호위〔경호〕하여. **2** Ⓒ 〖집합적; 단 · 복수취급〗 호위자〔대〕; 호위함〔선〕; (호송되는) 수송차대(隊); 피호송선(단). ***in*** **~** 호위대를〔선단을〕 조직하여.

── [kánvɔi, kənvɔ́i/kɔ́nvɔi] *vt*. (군대 · 군함이 상선 등)을 호위〔경호, 호송〕하다(escort).

◇**con·vulse** [kənvʌ́ls] *vt*. **1** 진동시키다, 진감(震撼)시키다; 《비유적》 …에 큰 소동을 일으키게 하다《★ 보통 수동태로 쓰며, 전치사는 *with, by*》: The island *was* ~*d by* the eruption. 섬은 화산의 폭발로 몹시 흔들렸다/The country *was* ~*d with* civil war. 나라는 내란으로 격동하고 있었다. **2** …에게 경련을 일으키게 하다; 몸부림치게 하다《★ 보통 수동태로 쓰며, 전치사는 *with*》: He *was* ~*d with* pain. 그는 고통으로 몸부림쳤다. **3** 크게 웃기다《***with*** (농담 따위)로》: He ~*d* the audience *with* his jokes. 그는 농담으로 청중을 크게 웃겼다. ◇convulsion *n*.

◇**con·vul·sion** [kənvʌ́lʃən] *n*. Ⓒ **1** (보통 *pl*.) 경련, (특히 소아의) 경기(驚氣): fall into a fit of ~*s* =have ~*s* 경련을 일으키다, 경기가 나다. **2** (보통 *pl*.) 포복절도, 터지는 웃음. **3** (자연계의) 격동, 변동, 진동; (사회 · 정계 등의) 이변(異變), 동란: a ~ of nature 자연계의 격변《지진 · 분화 따위》. ◇convulse *v*.

con·vul·sive [kənvʌ́lsiv] *a*. 경련을 일으키는, 경련성의; 격동적인; 발작적인; 급격한: make a last ~ effort 마지막 필사적 노력을 하다/a ~ rage 발작적인 격노. ㊂ **~·ly** *ad*.

co·ny, co·ney [kóuni] *n*. Ⓒ 토끼; Ⓤ 토끼

의 모피.

◇**coo**[1] [kuː] (*p*, *pp*. **cooed; cóo·ing**) *vi*. (비둘기 따위가) 꾸꾸꾸 울다; (아기가) 목을 울리며 좋아하다; (연인이) 달콤한 말을 주고받다. **—***vt*. (말)을 달콤하게 하다. **—**(*pl*. **~s**) *n*. Ⓒ 꾸꾸꾸《비둘기 따위의 울음소리》.

coo[2] *int*. 《英속어》 거참, 허《놀람 · 의문을 표시》.

Cook [kuk] *n*. **James ~** 쿡《오스트레일리아를 탐험한 영국 항해가 · 탐험가(1728–79); 통칭 Captain ~》.

†**cook** [kuk] *vt*. **1** 《~+목/+목+목/+목+전+명》 **요리[조리]하다**, 음식을 만들어 주다《*for* (아무)에게》: ~ fish 물고기를 요리하다/He *~ed* her some sausages. =He *~ed* some sausages *for* her. 그는 그녀에게 소시지를 요리해 주었다. **2** 《英속어》《보통 수동태》 몹시 지치게 하다.
—*vi*. **1** 요리를 만들다; 요리사로 일하다. **2** 삶아지다, 구워지다: Early beans ~ well. 햇콩은 잘 삶아진다.
~ a person's goose ⇨GOOSE. **~ out** 《美》 밖에서 요리하다, 야외에서 요리하다. **~ up** 《구어》 (장부 따위)를 조작하다, 속이다; (이야기 따위)를 날조하다.

> DIAL. ***Now you're cooking*** (***with gas***)***!*** 이젠 아주 잘 하는군, 그래그래 그렇게 하면 돼.
> ***What's cooking?*** =***What cooks?*** 별일 없느냐, 어찌 지내느냐《What is happening? 또는 How are you?와 거의 같은 뜻의 인사》.

—*n*. Ⓒ **쿡**, 요리사《남녀》: a man ~ 쿡《남자》/a head ~ 주방장/be a good [bad] ~ 요리 솜씨가 좋다[나쁘다]/Too many *~s* spoil the broth. 《속담》 사공이 많으면 배가 산으로 오른다.

◇**cóok·bòok** *n*. Ⓒ 《美》 요리책(《英》 cookery book).

cóok-chíll *a*. 요리 후 냉동한.

***cook·er** [kúkər] *n*. Ⓒ **요리[취사] 기구**; 《英》 오븐, 레인지; (보통 *pl*.) 요리용 과일: a rice ~ 밥솥.

◇**cook·ery** [kúkəri] *n*. Ⓤ 《英》 요리법; Ⓒ 《美》 조리실.

cóokery bòok 《英》 요리책.

cóok·hòuse *n*. Ⓒ 취사장; (배의) 조리실.

***cook·ie** [kúki] *n*. Ⓒ **1** 《美》 **쿠키**《비스킷류》; 《Sc.》 롤빵. **2** 《美속어》 귀여운 소녀, 애인《보통 애정을 표시하는 호칭》; 놈, 사내, 사람: a smart ~ 영리한 놈[녀석].
toss [***blow, lose, snap, spill, shoot, throw***] ***one's ~s*** 《美속어》 토하다.

> DIAL. ***This is*** [***That's***] ***the way*** [***how***] ***the cookie crumbles.*** 인생[세상]이란 이런[그런] 거다《불행한 일이 생겼을 때 하는 말》.

cóokie-cùtter *a*. 《美》 개성이 없는, 판에 박힌; 대량 생산의.

†**cook·ing** [kúkiŋ] *n*. Ⓤ **요리(법)**.
—*a*. 요리(용)의: a ~ stove =COOKSTOVE/~ facilities 요리용 설비/a ~ apple 요리용 사과.

cóok·òut *n*. Ⓒ 《美구어》 야외 요리(의 피크닉).

cóok·stòve *n*. Ⓒ 《美》 요리용 레인지.

cooky [kúki] *n*. =COOKIE.

†**cool** [kuːl] *a*. **1 서늘[시원]한**; (의복 따위가) 시원스러운. ↔ *warm*. ¶a ~ chamber 냉장실/a ~ drink 시원한 음료/keep a room ~ 방을 시원하게 해두다/a thin, ~ dress 얇고 시원한 옷.

SYN. ⇨COLD. **2** 식은; 평열(平熱)의: The coffee isn't ~. 커피는 식지 않았다/get ~ 식다, 서늘해지다. **3 a 냉정한**, 침착한, 태연한; 냉담한《***to, toward*** …에 대하여》: a ~ head 냉정한 두뇌(의 소유자)/stay ~ in the face of disaster 재해를 만나도 침착하다/He has become ~ *toward* her. 그는 그녀에 대하여 냉담해졌다. **b** 뻔뻔스런, 넉살 좋은: a ~ customer 넉살좋은 녀석. **4** Ⓐ 《구어》 정미(正味)…, 에누리없는: a ~ million dollars 에누리없는 백만 달러의 거액. **5** (사냥감의 냄새 따위가) 희미한(cf. warm). **6** 《구어》 훌륭한, 근사한, 능숙한: a real ~ comic 본격적인 훌륭한 희극/a ~ guy [chick] 근사한 녀석[여자]. **7** (재즈가) 현대적 감흥을 일으키는.
as ~ as a cucumber 아주 냉정[침착]한. ***~, calm and collected*** 《구어》 매우 침착한.

> DIAL. ***I'm cool.*** 《속어》 난 쌩쌩해(=I'm fine.).
> ***It's*** [***That's***] ***cool.*** 괜찮다, 문제없다, 좋다.

—*n*. **1** (the ~) **서늘한 기운**, 냉기; 서늘한 장소[때]: in the ~ *of* the evening 저녁 나절의 서늘한 때에. **2** (one's ~) 《속어》 내정, 침착: blow [lose] one's ~ 흥분하다, 울컥 치밀다, 당황하다/keep one's ~ 침착하다.
—*ad*. 《구어》 =COOLLY. ***play it ~*** 《구어》 냉정한 태도를 취하다, 아무렇지도 않은 체하다.
—*vt*. **1 차게 하다**; 시원하게 하다: This rain will soon ~ the air. 이 비로 곧 시원해질 것이다. **2** 《~+목/+목+부》 (열정 · 분노 등)을 **가라앉히다**, 진정시키다(*down; off*). **—***vi*. **1 차지다**, 시원해지다. **2** 《~/+부》 (정열 · 분노 · 흥분 등이) **가라앉다**, 식다; 냉정해지다(*down; off*): His anger hasn't *~ed* yet. 그의 분노는 아직 가라앉지 않았다. **~ *one's heels*** ⇨HEEL[1].

> DIAL. ***Cool it.*** 침착해라, 그리 화내지 마라; 느긋하게 해라.

cool·ant [kúːlənt] *n*. Ⓤ (종류 · 낱개는 Ⓒ) 《기계》 쿨란트; 냉각제(劑); 냉각수.

cóol bàg [**bòx**] 쿨러《피크닉 등에 쓰이는 식품 보냉(保冷) 용기》.

◇**cóol·er** *n*. **1** Ⓒ 냉각기; 《美》 아이스박스; 청량음료. **2** (the ~) 《속어》 교도소, 감방.

cóol-héaded [-id] *a*. 냉정[침착]한, 차분한.

Coo·lidge [kúːlidʒ] *n*. (**John**) **Calvin ~** 쿨리지《미국의 제30대 대통령; 1872–1933》.

coo·lie, coo·ly [kúːli] *n*. Ⓒ (인도 · 중국의) 쿨리; 하급 노무자.

cóolie hàt 쿨리 해트《넓은 테의 원추형 밀집 모자》.

cóoling-óff *a*. Ⓐ **1** (분쟁 등을) 냉각시키기 위한: a ~ period 냉각 기간. **2** 할부 판매 계약 취소 제도의.

cóoling tòwer 냉각탑.

cool·ish [kúːliʃ] *a*. 좀 찬.

cóol jázz 쿨 재즈《모던 재즈의 한 형식; 지적(知的)이고 세련됨》.

cóol·ly *ad*. 차갑게; 냉정하게; 쌀쌀맞게.

cóol·ness *n*. Ⓤ 시원함, 차가움; 침착; 냉담, 냉정.

coom, coomb, comb(**e**) [kuːm] *n*. Ⓒ 《英》 험하고 깊은 골짜기; 산중턱의 골짜기.

coon [kuːn] *n*. Ⓒ **1** 《美구어》 너구리의 일종(raccoon). **2** 《속어 · 비어》 깜둥이(negro): a ~ song 흑인 노래.

cóon·hòund *n.* Ⓒ 아메리카너구리 사냥용 사냥개.

cóon·skìn *n.* Ⓤ 아메리카너구리의 털가죽; Ⓒ 그 가죽으로 만든 제품.

◇**coop** [ku(:)p] *n.* Ⓒ 닭장, 우리; 좁은 장소. ***fly the*** ~ 《속어》 탈옥하다; 《美속어》 도망치다. —*vt.* 우리에 넣다; 〖보통 수동태〗 가두다(*up*)《*in* …에》: He *is ~ed up in* a room. 그는 방에 갇혀 있다.

co-op [kóuɑ̀p, ᅳᅩ/kóuɔ̀p] *n.* Ⓒ 《구어》 생활 협동〔소비〕 조합 (매점).

co-op. co(-)operative.

cóop·er *n.* Ⓒ 통메장이, 통장이, 통 제조자.

****co(-)op·er·ate** [kouɑ́pərèit/-ɔ́p-] *vi.* **1** 《+전+명/+*to* do》 **협력하다, 협동하다**《***with*** (아무)와; ***in, on*** …에》: ~ *in* an anti-TB campaign 결핵 박멸 운동에 협력하다 / They ~*d on* the project. 그들은 그 계획에 협력했다 / ~ *in* rais*ing* a fund 기금 모집에 협력하다 / She ~*d with* us *to* produce the TV commercial. 그녀는 우리와 협력하여 TV 커머셜을 제작했다. **2** 《+*to* do》 (사정 따위가) 서로 돕다: Everything ~*d to* make our plan a success. 모든 일이 잘 풀려 계획은 성공하였다. ◇ co(-)operation *n.*

> **NOTE** co+o로 시작되는 말은 coo-[ku:-]로 읽지 않도록 두 o 사이에 '-'을 넣음. 자주 쓰이는 말은 그냥 coo-로 쓰는 경향이 있음: co-operate, cooperate, *etc.*

****co(-)op·er·a·tion** [kouɑ̀pəréiʃən/-ɔ̀p-] *n.* Ⓤ **1 협력,** 협동, 제휴: economic ~ 경제 협력 / technical ~ 기술 제휴 / in ~ with …와 협력〔협동〕하여. **2** 협조성; 원조. ◇ co(-)operate *v.*

◇**co(-)op·er·a·tive** [kouɑ́pərèitiv, -ərətiv/-ɔ́pərətiv] *a.* 협력적인, 협조적인, 협동의; 협동〔소비〕 조합의: ~ savings 공동 저금 / a ~ movement 소비〔협동〕 조합 운동 / a ~ society 협동조합《소비자·생산자 따위의》 / a ~ store 협동조합의 매점 / He was most ~ when I had troubles. 내가 곤란할 때에 그는 매우 협력적이었다. —*n.* Ⓒ 협동〔소비〕 조합(의 매점); 《美》 조합식(공동) 아파트(= ∠ **apártment**).
㊕ ~·**ly** *ad.* 협동〔협력〕하여.

co(-)op·er·a·tor [kouɑ́pərèitər/-ɔ́p-] *n.* Ⓒ 협력〔협동〕자; 협동 조합원.

co(-)opt [kouɑ́pt/-ɔ́pt] *vt.* **1** 신회원으로 선출〔선임〕하다《***onto*** (위원회 따위)에》: ~ a person *onto* a committee 아무를 위원회의 신회원으로 선출하다. **2** 《美》 (사람·분파 따위)를 흡수〔편입〕하다.

cò-op·tá·tion, co-óp·tion [-téiʃən], [-ʃən] *n.* Ⓤ **1** 신(新)회원 선출. **2** 《美》 (사람·분파 따위의) 흡수, 편입.

co(-)or·di·nate [kouɔ́ːrdənit, -nèit] *a.* **1** 동등한, 동격의, 동위의《***with*** …와》: a man ~ *with* him in rank 그와 같은 계급의 사람. **2** 〖문법〗 등위(等位)의. ↔ *subordinate*. ¶a ~ clause 등위절. **3** 〖수학〗 좌표의; 〖컴퓨터〗 대응시키는, 좌표식의: ~ indexing 정합(整合) 색인법. —*n.* **1** Ⓒ 동등한 것, 동격자; 〖문법〗 등위 어구. **2** (*pl.*) 〖수학〗 좌표; 위도와 경도로 본 위치: What are the ~*s* of the ship in distress? 조난선(遭難船)의 정확한 위치는 어디입니까. **3** (*pl.*) 〖복식〗 코디네이트《색깔·소재·디자인 따위가 서로 조화된 여성복》.
— [kouɔ́ːrdənèit] *vt.* **1** 동격으로〔등위로, 대등하게〕 하다. **2** 통합〔조정, 조화〕시키다: Let's ~ our efforts. 우리의 노력을 통합합시다. —*vi.* 대등하게 되다; (각 부가) 조화되어 움직이다〔일하다, 기능을 다하다〕.
㊕ ~·**ly** *ad.* ~·**ness** *n.*

coórdinate 〔**coórdinating**〕 **conjúnction** 등위 접속사《and, but, or, for 따위》.

◇**co(-)òr·di·ná·tion** *n.* Ⓤ 동등(하게 함); 대등(의 관계); 〖생리〗 (근육 운동의) 정합(整合), 공동 작용. ◇ coordinate *v.*

co·or·di·na·tive [kouɔ́ːrdənèitiv, -nət-] *a.* 동등한, 대등한.

co·or·di·na·tor [kouɔ́ːrdənèitər] *n.* Ⓒ 동격으로 하는 사람〔것〕; (의견 따위의) 조정〔정합〕자; 제작 진행계(進行係).

coot [kuːt] *n.* Ⓒ 큰물닭《유럽산》; 검둥오리《북아메리카산》; 《구어》 얼간이. (***as***) ***bald as a*** ~ 이마가 홀랑 벗어져서.

coot·ie [kúːti] *n.* Ⓒ 《속어》 이(louse).

cop[1] [kɑp/kɔp] *n.* Ⓒ 《구어》 경찰관(policeman): Call the ~*s*. 경찰을 불러라. ~***s and robbers*** 술래잡기.

cop[2] (*-pp-*) *vt.* **1** 《속어》 (범인)을 잡다: ~ a person steal*ing* 아무가 도둑질하는 것을 붙잡다. **2** 《속어》 〖~ it 으로〗 꾸중듣다, 벌받다. **3** 《美속어》 훔치다. ~ ***hold of*** …을 붙잡다. ~ ***out*** 《*vi.*+부》 《속어》 손을 떼다, 책임을 회피하다《***of, on*** (싫은 일·약속 따위)에서》: He ~*ped out of* runn*ing*. 그는 경주에 나간다고 해놓고 취소했다. ***Cop that!*** 저것 봐. —*n.* 《英》 〖a fair ~로〗 감쪽같이〔완전히〕 붙잡히는 것. ***no*** 〔***not much***〕 ~ 《英속어》 아예 쓸모없는, 별로 가치없는.

cop. copy; copyright(ed).

co·pa·cet·ic, -pa·set-, -pe·set- [kòupəsétik] *a.* 《美속어》 훌륭한, 만족스러운.

co·pal [kóupəl, -pæl] *n.* Ⓤ 코펄《천연수지; 니스·래커 등의 원료》.

co·pártner *n.* Ⓒ (기업 따위의) 협동자, 공동출자자; 조합원; 공범자.

copasetic ⇨ COPACETIC.

◇**cope**[1] [koup] *vi.* **1** 잘 처리하다, 극복하다《***with*** …을》: ~ *with* a difficulty 어려운 문제를 잘 처리하다. **2** 대항하다, 맞서다《***with*** …와》. **3** 《구어》 그럭저럭 잘 해 나가다.

cope[2] *n.* Ⓒ **1** 가빠, 망토 모양의 긴 외투《행렬·성체 강복(降福) 같은 때 성직자가 몸에 걸치는 옷》. **2** 덮는 것: the ~ of heaven 〔night〕 창공〔밤의 장막〕.

copeck ⇨ KOPE(C)K.

Co·pen·ha·gen [kòupənhéigən, -hɑ́-] *n.* 코펜하겐《덴마크의 수도》.

Co·per·ni·can [koupə́ːrnikən] *a.* **1** 코페르니쿠스(설)의. cf. Ptolemaic. ¶the ~ theory 〔system〕 코페르니쿠스의 학설《지동설》. **2** 획기적인; 코페르니쿠스적인: a ~ revolution (사상·기술 따위의) 코페르니쿠스적 대변혁.

****Co·per·ni·cus** [koupə́ːrnikəs] *n.* **Nicolaus** ~ **코페르니쿠스**《지동설을 제창한 폴란드의 천문학자; 1473–1543》.

copesetic ⇨ COPACETIC.

cópe·stòne *n.* Ⓒ 갓돌, 관석(冠石); 《비유적》 최후의 마무리, 극치.

cop·i·er [kɑ́piər/kɔ́p-] *n.* Ⓒ **1** 복사기; 복사하는 사람. **2** 모방자, 표절자.

có·pìlot *n.* Ⓒ 〖항공〗 부조종사.

cop·ing [kóupiŋ] *n.* Ⓒ 〖건축〗 (난간·담장 등

의 위에 대는) 가로대, 횡재(橫材); 〖건축〗 (돌담 · 벽돌담 따위의) 정층(頂層), 갓돌, 관석(冠石).

cóping stòne =COPESTONE.

◇**co·pi·ous** [kóupiəs] *a.* 매우 많은, 풍부한; 내용〔지식〕이 풍부한; 어휘수가 많은; (작가가) 다작인; 자세히 서술하는. [cf] abundant, plentiful. ¶a ~ harvest 풍작/a ~ speaker 능변가/a ~ writer 다(多)작가. [파] **~·ly** *ad.* **~·ness** *n.*

Cop·land [kóuplənd] *n.* **Aaron** ~ 코플런드《미국의 작곡가; 1900–90》.

cóp-òut *n.* [C] 《속어》 (일 · 약속 등에서) 손을 떼기; 책임 회피(자); (비겁한) 도피(자).

***cop·per**[1] [kápər/kɔ́pər] *n.* **1** [U] **구리**, 동(銅)《금속 원소; 기호 Cu; 번호 29》: ~ nitrate 질산구리. **2** [C] 구리 제품; **동전**; 《英》 (본디는 구리로 된) 취사용 보일러. **3** [U] 구릿빛, 적갈색.
—*a.* [A] 구리의; 구릿빛의, 적갈색의; 구리로 만든. **—***vt.* …을 구리로 싸다, …에 구리를 씌우다; (배 밑바닥)에 동판을 대다.

cop·per[2] *n.* [C] 《속어》 순경(cop[1]).

cópper-bóttomed *a.* 바닥을 동판으로 싼《배》; (재정적으로) 건전한; 진짜의.

cópper·hèad *n.* [C] 독사의 일종《북아메리카산(産)》.

cópper·plàte *n.* **1** [U] 구리판, 동판; 동판 조각(彫刻). **2** [C] 동판 인쇄. **3** [U] (동판 인쇄처럼) 가늘고 예쁜 초서체: write like ~ 마치 동판으로 찍은 듯이 깨끗이 쓰다.

cópper·smith *n.* [C] 구리 세공인; 구리 그릇 제조인.

cópper súlfate 〔**vítriol**〕 〖화학〗 황산구리.

cop·pery [kápəri/kɔ́p-] *a.* 구리를 함유한; 구리제(製)의; 구리 같은; 구릿빛의, 적갈색의.

cop·pice [kápis/kɔ́p-] *n.* [C] 작은 관목숲, 잡목숲(copse).

cop·ra [káprə/kɔ́p-] *n.* [U] 코프라《야자의 과육(果肉)을 말린 것; 야자유의 원료》.

copse [kaps/kɔps] *n.* =COPPICE.

cóp shòp 《美속어》 파출소.

Copt [kapt/kɔpt] *n.* [C] 콥트 사람《고대 이집트인의 자손이라고 주장하는》; 《특히》 콥트 교도《예수를 믿는 이집트인》.

cop·ter [káptər/kɔ́p-] *n.* [C] 《구어》 =HELICOPTER.

Cop·tic [káptik/kɔ́p-] *n.* [U] 콥트어(語).
— *a.* 콥트 사람〔어〕의; 콥트 교회의. ***the*** ~ ***Church*** 콥트 교회《이집트 재래 기독교파》.

cop·u·la [kápjələ/kɔ́p-] (*pl.* ***-las, -lae*** [-liː]) *n.* [C] 〖논리 · 문법〗 계합사(繫合詞), 연결사(連結辭)《subject와 predicate를 잇는 be 동사 및 become, seem 등》.

cop·u·late [kápjəlèit/kɔ́p-] *vi.* 성교하다; 교접〔교미〕하다《***with*** …와》.
[파] **còp·u·lá·tion** [-léiʃən] *n.*

cop·u·la·tive [kápjəlèitiv, -lə-/kɔ́p-] *a.* 〖문법〗 연결하는; 결합의; 성교의; 교접〔교미〕의.
—*n.* [C] 〖문법〗 계합사《be 따위》; 계합 접속사《and 따위》. [cf] disjunctive. [파] **~·ly** *ad.*

†**copy** [kápi/kɔ́pi] *n.* **1** [C] **사본**, 부본(副本); 복사: a clean 〔fair〕 ~ 청서, 정서/make a ~ (*of*) (…을) 복사하다. [cf] script. **2** [C] (같은 책의) 부, 권: a ~ 〔two *copies*〕 of *Life* magazine 라이프지 한〔두〕 권. **3** [U] 원고, 초고: follow ~ 원고대로 짜다/knock up ~ (신문 따위의) 원고를 정리하다. **4** 〖good, bad를 붙여서〗 [U] 〖신문〗 제재(題材), 기삿거리: It will make *good* ~. 그것은 좋은 기삿거리가 될 것이다. **5** [U] 광고문(안), 카피.
—*vt.* **1 a** 《~+[목]/+[목]+[부]/+[목]+[전]+[명]》 **베끼다** (*down*)《***from*** …에서》, 복사하다; 모사하다: *Copy* this letter. 이 편지를 복사해 주시오/He *copied* (*down*) the telephone number *from* the phone book. 그는 전화번호부에서 전화번호를 보고 적었다. **b** 《+[목]+[부]》 모조리 베끼다 (*out*). **2** (장점 등)을 본받다, 모방하다: You should ~ your brother. 형을 본받아라. [SYN.] ⇨IMITATE. **3** 《+[목]+[전]+[명]》 (커닝해서) 베껴쓰다 《***from, off*** …에서》: He *copied* the answer *from* the student next to him. 그는 옆 학생 것의 해답을 보고 베꼈다. **4** 〖컴퓨터〗 카피〔복사〕하다. **—***vi.* **1** 《~/+[전]+[명]》 복사하다; 베끼다: ~ *into* a notebook 노트에 베끼다. **2** 모방하다, 흉내내다. **3** 《~/+[전]+[명]》 베끼다, 커닝하다《***from, off*** …에서》: She was caught *~ing from* the student next to her. 그녀는 옆 학생 것을 보고 베끼다 적발되었다.

cópy·bòok *n.* [C] 습자책, 습자〔그림〕본; (편지 · 문서의) 부본, 복사부(簿). ***blot*** one***'s*** ~ 《英구어》 이력에 오점을 남기다, (경솔한 짓을 해서) 평판을 잃다.
—*a.* [A] 인습적인, 진부한, 판〔틀〕에 박힌; 본(本)대로의: ~ maxims 〔morality〕 진부한 격언〔교훈〕.

cópy·bòy (*fem.* ***-gìrl***) *n.* [C] (신문사의) 원고 심부름하는 아이.

cópy·càt *n.* [C] 모방하는 사람; (학교에서 남의 작품을) 고스란히 모방하는 아이. **—***vt.* 흉내내다. **—***a.* 모방의.

cópy dèsk (신문사의) 편집자용 책상.

cópy-èdit *vt.* (원고)를 정리 · 편집하다.

cópy èditor =COPYREADER.

cópy·hòld *n.* [U] 〖英법률〗 등본 보유권(에 의해 소유하는 부동산). [cf] freehold. ¶in ~ 등본 소유권에 의해.

cópy·hòlder *n.* [C] **1** 〖英법률〗 등본 소유권자. **2** 보조 교정원. **3** (타자기의) 원고 누르개.

cópying machìne 복사기(copier).

cóp·y·ist *n.* [C] (고문서 따위의) 필생, 필경(생); 모방자.

cópy protèction 〖컴퓨터〗 복사 방지 조치.

cópy·rèad *vt.* (원고)를 정리하다.

cópy·rèader *n.* [C] (신문사의) 원고정리〔편집〕 부원《보통 데스크라 부름》.

◇**cópy·rìght** *n.* [U] (구체적으로는 [C]) 판권, 저작권: a ~ holder 판권 소유자/hold 〔own〕 the ~ on a book 책의 판권을 갖고 있다/*Copyright* reserved. 저작권 소유. **—***a.* 판권〔저작권〕을 갖고 있는. **—***vt.* …의 판권을 얻다; (작품)을 저작권으로 보호하다.

cópyright (**depòsit**) **líbrary** 《英》 납본 도서관《영국 내에서 출판되는 모든 서적을 1부씩 기증받는》.

cópy·wrìter *n.* [C] 광고문안 작성자, 카피라이터.

co·quet [koukét] (***-tt-***) *vi.* (여자가) 교태를 짓다, 아양을 부리다, 눈실난실하다, '꼬리치다'.

co·quet·ry [kóukitri, -ˊ-] *n.* [U] 아양부리기; [C] 아양, 교태.

co·quette [koukét] *n.* [C] 교태 부리는 여자; 바람둥이 여자, 요부(妖婦)(flirt).

co·quet·tish [koukétiʃ] *a.* 요염한, 교태를 부리는. [파] **~·ly** *ad.*

cor [kɔːr] *int.* 《英속어》 앗, 이런《놀람·감탄·초조할 때》.

cor- [kər, kɔ(ː)r, kɑr/kər, kɔr] *pref.* =COM-《r의 앞에 쓰임》.

Cor. 【성서】 Epistles to the Corinthians. **cor.** corner; corpus. **cor., corr.** correct(ed); correction; correlative; correspond(ence); correspondent; corresponding(ly); corrupt; corruption.

cor·a·cle [kɔ́ːrəkəl, kɑ́r-/kɔ́r-] *n.* Ⓒ (고리로 엮은 뼈대에 짐승 가죽을 입힌) 작은 배《웨일스나 아일랜드의 호수 따위에서 씀》.

◇**cor·al** [kɔ́ːrəl, kɑ́r-/kɔ́r-] *n.* **1** Ⓤ (종류·낱개는 Ⓒ) 산호; Ⓒ 【동물】 산호충. **2** Ⓒ 산호 세공. **3** Ⓤ 산호빛. **—***a.* 산호(제)의; 산호빛의.

córal ísland 산호섬.

córal rèef 산호초.

córal snàke 산호뱀《작은 독사의 일종; 아메리카산(産)》.

cor an·glais [kɔ̀ːrɔːŋgléi] (*pl.* ***cors anglais*** [—]) 《F.》 《英》 【음악】 잉글리시 호른(《美》 English horn)《목관 악기의 일종》.

cor·bel [kɔ́ːrbəl] *n.* Ⓒ 【건축】 무게를 받치기 위한 벽의 돌출부, 까치발, 초엽; (대들보·도리를 받치는) 받침나무, 양봉(樑奉).

córbie·stèp *n.* Ⓒ 【건축】 박공단(段)《박공 양편에 붙이는》.

cor bli·mey [kɔːrbláimi] *int.* 《英속어》 (놀라움·불쾌함을 나타내어) 어이구, 쳇; 제기랄.

⁑**cord** [kɔːrd] *n.* **1** Ⓤ (낱개는 Ⓒ) **새끼, 끈**《★ rope보다 가늘고 string보다 굵음》: a length of nylon ~ (어떤 길이의) 나일론 끈 하나. **2** Ⓤ (낱개는 Ⓒ) (전화·전기의) 코드. **3** Ⓒ (흔히 *pl.*) 구속, 속박, 기반(羈絆): the ~*s of* love 사랑의 기반. **4** Ⓒ 【해부】 삭상(索狀) 조직, 인대(靭帶), 건(腱): the spinal ~ 척수/the vocal ~*s* 성대/the umbilical ~ 탯줄. **5** Ⓤ 골지게 짠 천, 《특히》 코르덴; Ⓒ (골지게 짠 천의) 불거진 줄. **b** (*pl.*) 《구어》 코르덴 바지.

—*a.* Ⓐ 코르덴의: a ~ skirt 코르덴 스커트.
—*vt.* 밧줄로[끈으로] 묶다[동이다].

cord·age [kɔ́ːrdidʒ] *n.* Ⓤ 《집합적》 밧줄; 새끼줄(ropes); 줄(cords); (특히 배의) 삭구(索具).

cor·date [kɔ́ːrdeit] *a.* 심장형의, 하트형의.

córd·ed [-id] *a.* 밧줄로 묶은[동인]; 밧줄로 만든; 골지게 짠; (근육 따위가) 힘줄이 불거진.

Cor·de·lia [kɔːrdíːljə] *n.* 코딜리어. **1** 여자 이름. **2** Shakespeare 작 *King Lear*에 나오는 Lear 왕의 효녀 막내딸.

cor·dial** [kɔ́ːrdʒəl/-diəl] *a.* **충심으로부터의,** 성심성의의; 진심의: a ~ reception 진심에서 우러나온 환대/have a ~ dislike for …을 몹시 싫어하다. **—n.* **1** Ⓤ 과즙에 물을 탄 음료, 주스. **2** Ⓤ (낱개는 Ⓒ) 감로주, 리큐어 술.

㊉ ~·ness *n.*

◇**cor·di·al·i·ty** [kɔ̀ːrdʒiǽləti, kɔːrdʒǽl-/-diǽl-] *n.* **1** Ⓤ 진심, 정중함; 온정. **2** (*pl.*) 진심에서 우러나는 말[행위].

◇**cór·dial·ly** *ad.* 진심으로; 성심껏; 몹시: dislike [hate] a person ~ 아무를 몹시 싫어하다.

Cordially yours =***Yours*** ~ 여불비례(餘不備禮), 경구(敬具)《편지의 끝맺음》.

cor·dil·le·ra [kɔ̀ːrdəljέərə, kɔːrdílərə] *n.* 《Sp.》 Ⓒ (대륙을 종단하는) 큰 산맥, 산계(山系)《특히 안데스 산맥 및 멕시코·중앙 아메리카 산맥》.

cord·ite [kɔ́ːrdait] *n.* Ⓤ 끈 모양의 무연 폭약.

córd·less *a.* 【통신】 전화선 없는, 코드가 (필요) 없는; 배터리식의: a ~ phone 무선 전화기.

cor·don [kɔ́ːrdn] *n.* Ⓒ **1** 【군사】 초병선(哨兵線); (경찰의) 비상[경계]선; (전염병 발생지의) 교통 차단선, 방역선(sanitary ~): post [place, draw] a ~ 비상선을 치다. **2** 장식끈; (어깨에서 겨드랑 밑으로 걸치는) 수장(綬章): the blue ~ 청(靑)수장/the grand ~ 대수장. **—***vt.* …에 비상선을 치다; …을 교통차단하다 (*off*): The streets were ~*ed off* for the marathon. 길거리가 마라톤 경주를 위해 교통이 차단되었다.

cor·don bleu [kɔ́ːrdɔ̃ŋ blɔ́ː] (*pl.* ***cor·dons bleus*** [—]) 《F.》 **1** 청수장(靑綬章)《부르봉 왕조의 최고 훈장》. **2** (그 방면의) 일류(의), 대가(의), 명인(의); 일류 요리사(가 만든).

cor·do·van [kɔ́ːrdəvən] *a.* 코도반 가죽의. **—***n.* Ⓤ 코도반 가죽.

cor·du·roy [kɔ́ːrdərɔ̀i, ⌐-⌐] *n.* **1** Ⓤ 코르덴. **2** (*pl.*) 코르덴 양복[바지]. **—***a.* Ⓐ 코르덴(제)의: ~ trousers 코르덴 바지.

córduroy róad (습지 따위의) 통나무 길.

CORE 《美》 Congress of Racial Equality (인종 평등 회의).

core** [kɔːr] *n.* **1** Ⓒ (과일의) **응어리,** 속: This pear is rotten at the ~. 이 배는 속이 썩었다. **2** Ⓒ 중심(부); (끈목·전선 따위의) 심; (변압기 따위의) 철심; (주물의) 심형(心型). **3** (the ~) (사물의) 핵심, 안목(gist): the ~ *of* the problem 문제의 핵심. **4** Ⓒ 【지질】 (지구의) 중심핵. ⓒⓕ mantle, crust. **5** Ⓒ (원자로의) 노심(=**reác-tor** ⌐). **6** Ⓒ 【컴퓨터】 코어, 자심(磁心) (magnetic core). ***to the ~ 속속들이, 철두철미하게: true *to the* ~ 진짜의, 틀림없는.

—*vt.* (과일)의 속을[응어리를] 빼다[도려내다]: ~ an apple 사과 속을 도려내다.

Co·rea [kəríːə, kouríːə] *n.* =KOREA.

córe currìculum 【교육】 코어 커리큘럼, 핵심 교육 과정《개별 과목에 구애하지 않고 사회 생활을 널리 경험시키는 데 중점을 둔 교과 과정》.

co·re·late [kòuriléit] *vt.* 《英》 =CORRELATE.

cò·relígionist *n.* Ⓒ 같은 종교를 믿는 사람, 같은 신자.

córe mèmory 【컴퓨터】 자심(磁心) 기억 장치.

co·re·op·sis [kɔ̀ːriɑ́psis/kɔ̀riɔ́p-] *n.* Ⓒ 【식물】 기생초 종류.

cor·er [kɔ́ːrər] *n.* Ⓒ (사과 등의) 응어리를 따내는 기구; (지질의) 표본 채취기.

cò·respóndent *n.* Ⓒ 【법률】 (특히 간통으로 인한 이혼 소송의) 공동 피고인. ≠correspondent.

córe tìme 코어 타임《flextime에서 반드시 근무해야 하는 시간대》.

cor·gi [kɔ́ːrgi] *n.* =WELSH CORGI.

co·ri·an·der [kɔ̀ːriǽndər/kɔ̀ri-] *n.* **1** Ⓒ (또는 Ⓤ) 《집합적》 【식물】 고수풀《지중해 지방 원산 미나릿과》. **2** =CORIANDER SEED.

córiander sèed 고수풀의 열매[씨]《말린 것을 양념·소화제로 씀》.

Cor·inth [kɔ́ːrinθ, kɑ́r-/kɔ́r-] *n.* 코린트《옛 그리스의 예술·상업의 중심지》.

Co·rin·thi·an [kərínθiən] *a.* 코린트의; 【건축】 코린트식의: the ~ order 코린트(주)식(柱式)《Doric order, Ionic order와 함께 그리스의 건축 양식》. **—***n.* **1** Ⓒ 코린트 사람. **2** (*pl.*) 《단수취급》 【성서】 고린도서(=**Epístles to the** ⌐**s**)

《생략: Cor.》.

*__cork__ [kɔːrk] *n.* **1** Ⓤ **코르크**; 〖식물〗 코르크층(phellem)《나무껍질의 내면 조직》: burnt ~ 태운 코르크《눈썹을 그리거나 배우의 분장에 씀》. **2** Ⓒ 코르크제품, 코르크 마개: draw 〔pull out〕 the ~ (병의) 코르크 마개를 열다. **3** = CORK OAK. **—***a.* Ⓐ 코르크로 만든: a ~ stopper 코르크 마개. **—***vt.* **1** 《~+목/+목+부》 …에 코르크 마개를 끼우다; (감정)을 억제하다(*up*). **2** (얼굴·눈썹)을 태운 코르크로 까맣게 칠하다.

cork·age [kɔ́ːrkidʒ] *n.* Ⓤ 마개 뽑아 주는 서비스료《손님이 가져온 술병에 대하여 식당 등이 청구하는》.

corked [-t] *a.* 코르크 마개를 한; 코르크 냄새로 맛이 떨어진《술》.

córk·er *n.* Ⓒ **1** (코르크) 마개를 하는 사람〔기계〕. **2** 《구어》 (상대의 반박 여지를 두지 않는) 결정적 의론; 결정적 일격; 굉장한 물건〔사람〕: He is a ~ of an athlete. 그는 훌륭한 운동선수다.

córk·ing *a.*, *ad.* 《美속어》 아주〔썩〕 좋은〔좋게〕; 대단히 큰.

córk òak 〖식물〗 코르크나무.

córk·scrèw *n.* Ⓒ 타래송곳《마개뽑이·목공용》. **—***a.* Ⓐ 타래송곳처럼 생긴, 나사 모양의: a ~ dive 〖항공〗 선회 강하 / a ~ staircase 나선 계단. **—***vt.* 빙빙 돌리다; 나선 모양으로 구부리다. **—***vi.* 누비고 나아가다《***through*** …을 뚫고》: She ~*ed through* the traffic jam on her motorcycle. 그녀는 꽉 막힌 교통 정체 사이를 오토바이로 누비고 나아갔다.

córk-tìpped [-t] *a.* 《英》 (담배가) 코르크 (모양의) 필터를 단.

corky [kɔ́ːrki] (***cork·i·er, -i·est***) *a.* 코르크의〔같은〕; (술이) 코르크 냄새가 나는(corked).

corm [kɔːrm] *n.* Ⓒ 〖식물〗 구경(球莖), 알뿌리.

cor·mo·rant [kɔ́ːrmərənt] *n.* Ⓒ 〖조류〗 가마우지 (sea crow); 대식가; 욕심 사나운 사람.

__corn__[1] [kɔːrn] *n.* **1** Ⓒ **낟알**: a ~ of wheat 한 알의 밀. **2** Ⓤ 〔집합적〕 곡물, 곡류, 곡식《영국에서는 밀·옥수수류의 총칭》: Up ~, down horn. 《속담》 곡식 값이 오르면 쇠고기 값이 떨어진다. **3** Ⓤ 〔집합적〕 (특정한 지방의) 주요 곡물, 《Can.·Austral.·美》 **옥수수**; 《英》 **밀**; 《Sc.·Ir.》 귀리. **4** Ⓤ 곡초(穀草)《밀·보리·옥수수 따위》. **5** Ⓤ (낱개는 Ⓒ) 《美구어》 옥수수 위스키. **6** Ⓤ 《구어》 하찮은 것; 진부한 것; 감상적인 음악. **—***vt.* 소금을 뿌려서〔에 절여서〕 보존하다.

corn[2] *n.* Ⓒ (발가락의) 못, 티눈, 물집. ***tread*** 〔***step, trample***〕 ***on*** a person***'s*** **~*s*** 《구어》 남의 아픈 데를 찌르다, 기분을 상하게 하다.

Corn. Cornish; Cornwall.

Córn Bèlt (the ~) (미국 중서부의) 옥수수 재배 지대.

córn brèad 《美》 옥수수빵(Indian bread).

córn·còb *n.* Ⓒ 옥수수의 속대; 그것으로 만든 곰방대(= ∠ **pípe**).

córn còckle 〖식물〗 선옹초.

córn·cràke *n.* Ⓒ 〖조류〗 흰눈썹뜸부기.

córn·crìb *n.* Ⓒ 《美》 옥수수 창고.

córn dòg 《美》 콘도그《꼬챙이에 끼운 소시지를 옥수수빵으로 싼 핫도그》.

córn dòlly 《英》 짚으로 만든 인형.

cor·nea [kɔ́ːrniə] *n.* Ⓒ 〖해부〗 각막(角膜): ~ transplantation 각막 이식. ㊕ **cór·ne·al** *a.*

corned *a.* 소금에 절인(salted).

córned béef 콘비프《쇠고기 소금절이》.

cor·nel [kɔ́ːrnəl] *n.* Ⓒ 〖식물〗 산딸나무속(屬) 관목의 일종, 꽃층층나무.

Cor·ne·lia [kɔːrníːljə] *n.* 코닐리아《여자 이름》.

cor·nel·ian [kɔːrníːljən] *n.* Ⓒ 〖광물〗 홍옥수(紅玉髓).

cor·ne·ous [kɔ́ːrniəs] *a.* 각질의(horny).

†**cor·ner** [kɔ́ːrnər] *n.* Ⓒ **1 a 모퉁이**, 길모퉁이: the ~ *of* a table 탁자의 모퉁이 / sell papers at 〔on〕 a street ~ 길모퉁이에서 신문을 팔다.

SYN. **corner** 는 '모퉁이, 모'의 일반적인 말. **angle** 은 수학상의 '각(角)'.

b (방·상자 따위의) 구석, 귀퉁이: put 〔stand〕 (a child) in the ~ (벌로서 아이를) 방구석에 세우다. **c** 모서리 (쇠)장식.

2 한쪽 구석, 사람 눈에 띄지 않는 곳; 인가에서 떨어진 곳, 변두리; 비밀 장소: a quiet ~ of the village 그 동네의 한적한 곳.

3 (흔히 *pl.*) 지방, 방면: every ~ *of* the land 방방곡곡.

4 (보통 a ~) 피할 수 없는 입장, 궁지: be in a tight ~ 곤경에 처하다 / drive 〔force, put〕 a person into a ~ 아무를 궁지에 몰아넣다.

5 (보통 *sing.*) 〖상업〗 사재기, 매점(買占)《***on, in*** …에서의》: establish 〔get〕 a ~ *on* 〔*in*〕 the grain market 곡물 시장에서 사재기하다.

6 〖축구〗 코너킥(~ kick).

cut **~*s*** (경비·노력을 절약하여) 가장 쉬운 방법을 취하다; 필요한 수고를 빼먹다, 겉날리다: He is a person who never *cut* ~*s*. 그는 완벽주의자다. ***cut*** (***off***) ***the*** 〔***a***〕 **~** 《英》 질러 가다. ***turn the*** **~** 모퉁이를 돌다; (병·불경기 등이) 고비를 넘기다.

DIAL. ***just around*** 〔***round***〕 ***the corner*** 길모퉁이를 돈 곳에; 바로 어귀〔근처〕에; 임박하여: The summer vacation is *just around* 〔*round*〕 *the corner*. —Yes, I can't wait. 이제 곧 여름휴가다—응, 무척 기다려지는군.

—*a.* Ⓐ 길모퉁이의〔에 있는〕; 구석에 둔〔에서 사용하는〕; 〖경기〗 코너의.

—*vt.* **1** …에 모(서리)를 내다: The walls are ~*ed* with brick. 벽 모서리는 벽돌로 되어 있다. **2** …을 구석에 두다; 구석에 밀어붙이다〔몰아넣다〕. **3** …을 사재기〔매점(買占)〕하다: ~ the market 주식을〔(시장의) 상품을〕 매점하다. **—** *vi.* (자동차가 고속으로) 모퉁이를 돌다: He ~*s* well. 그는 커브를 잘 돈다.

córner-bàck *n.* Ⓒ 〖미식축구〗 코너백《수비팀 포지션의 하나; 디펜스의 가장 바깥쪽을 지키는 하프백; 좌우 각 1 인씩 배치됨; 생략: CB》.

cór·nered *a.* **1** 구석〔궁지〕에 몰린, 진퇴유곡의: like a ~ rat 궁지에 몰린 쥐처럼. **2** 〔보통 합성어로〕 모가 진; (…의) 경쟁자가 있는: a four-~ contest for a prize 상을 둘러싼 네 사람의 경합.

córner kìck 〖축구〗 코너킥.

córner shóp 《英》 작은 상점《슈퍼마켓에 대한》.

córner·stòne *n.* Ⓒ 〖건축〗 초석, 귓돌(quoin); 〖일반적〗 토대, 기초, 초석, 요긴한 것〔사람〕, 근본 이념《따위》: lay the ~ 정초식을 거행하다 / Science is the ~ *of* modern civilization. 과학은 근대 문명의 토대이다.

cor·ner·wise, -ways [-wàiz], [-wèiz] *ad.* 비스듬하게, 대각선 모양으로.

cor·net [kɔːrnét, kɔ́ːrnit] *n.* Ⓒ **1** 코넷《악

기》. **2** (과자 따위를 담는) 원뿔꼴의 종이 봉지; 《英》 =ICE-CREAM CONE.

cor·nét·(t)ist *n.* Ⓒ 코넷 취주자(吹奏者).

córn exchànge 《英》 곡물 거래소.

córn fàctor 《英》 곡물 중개상(《美》 grain broker).

córn·fèd *a.* 《美》 옥수수로 기른《가축 따위》, 영양이 좋은.

◇**córn·field** *n.* Ⓒ 《美》 옥수수밭; 《英》 밀밭.

córn·flàkes *n. pl.* 콘플레이크스《옥수수를 으깨어 말린 박편(薄片); 아침 식사용》.

córn flòur 《英》 =CORNSTARCH; 《美》 옥수수 가루.

córn·flòwer *n.* Ⓒ 【식물】 수레국화; 선옹초.

córn·hùsk *n.* Ⓒ 《美》 옥수수 껍질.

córn·hùsking *n.* 《美》 **1** Ⓤ 옥수수 껍질 벗기기. **2** =HUSKING BEE.

cor·nice [kɔ́ːrnis] *n.* Ⓒ **1** 【건축】 배내기《벽 윗부분에 장식으로 두른 돌출부》, 처마 언저리의 벽에 수평으로 낸 쇠시리 모양의 장식; (배내기식의) 가장자리 테. **2** 【등산】 벼랑 끝에 처마 모양으로 얼어붙은 눈더미.

Cor·nish [kɔ́ːrniʃ] *a.* Cornwall 의; Cornwall 사람〔말〕의. **—***n.* Ⓤ Cornwall 말《지금은 사어(死語)》.

Córnish·man [-mən] (*pl.* ***-men*** [-mən]) *n.* Ⓒ Cornwall 사람.

Córnish pásty 양념한 야채와 고기를 넣은 Cornwall 지방의 파이 요리.

Córn Làws (the ~) 【英역사】 곡물법《곡물 수입에 중세(重稅)를 과한 법; 1846 년 폐지》.

córn lìquor 《美》 옥수수〔싸구려〕 위스키.

córn·mèal *n.* Ⓤ 《美》 맷돌에 탄 옥수수; 《英》 맷돌에 탄 보리; 《Sc.》 =OATMEAL.

córn òil 옥수수 기름《식용, 경화유(硬化油), 도료, 비누 제조 등》.

córn-pòne *n.* Ⓤ (낱개는 Ⓒ) 《美남중부》 (특히 우유·설탕 등을 넣지 않은) 옥수수 빵《북아메리카 인디언이 먹음》.

córn pòppy 【식물】 개양귀비《밀밭의 잡초; 새빨간 꽃이 핌》.

córn·ròw *n.* Ⓒ 《美》 콘로형《머리칼을 가늘고 단단하게 세 가닥으로 땋아 붙인 흑인의 머리형》. **—***vt.* (머리)를 콘로형으로 땋다.

córn sìlk 《美》 옥수수의 수염.

córn·stàlk *n.* Ⓒ 《美》 옥수수대.

◇**córn·stàrch** *n.* Ⓤ 《美》 옥수수 녹말.

córn sùgar 《美》 옥수수 녹말당(糖)(dextrose).

cor·nu·co·pia [kɔ̀ːrnjukóupiə] *n.* **1** (the ~) 【그리스신화】 풍요의 뿔(horn of plenty)《어린 Zeus에게 젖을 먹였다는 염소의 뿔》. **2** Ⓒ 뿔 모양의 장식《뿔 속에 과일, 곡물 따위를 가득히 담은 모양으로 표현되는, 풍요의 상징》. **3** (a ~) 풍요(abundance), 풍부《***of*** …의》: a ~ *of* good things to eat 많은 맛있는 먹을 것. **4** 원뿔꼴의 종이 봉지.

㊔ **-pi·an** [-n] *a.* 풍부한, 풍요한.

Corn·wall [kɔ́ːrnwɔːl] *n.* 콘월《잉글랜드 남서부의 주》.

córn whìskey 《美》 옥수수 위스키.

corny [kɔ́ːrni] (***corn·i·er; -i·est***) *a.* **1** 곡물〔옥수수〕의; 곡물이 풍부한. **2** 《구어》 촌스러운, 세련되지 않은, 시시한. **3** 《구어》 (익살이) 진부한, 구식의. **4** (재즈 따위) 감상적인(↔ *hot*); 멜로드라마적인: a ~ love scene in an old movie 옛 영화의 감상적인 사랑의 장면.

co·rol·la [kərálə/-rɔ́lə] *n.* Ⓒ 【식물】 꽃부리, 화관.

cor·ol·lary [kɔ́ːrəlèri, kár-/kərɔ́ləri] *n.* Ⓒ 【논리·수학】 계(系); 추론(推論); (어떤 명제에서) 자연히〔당연히〕 끌어내는 결론, (필연적) 결과.

◇**co·ro·na** [kəróunə] (*pl.* **~s, *-nae*** [-niː]) *n.* Ⓒ 【천문】 코로나《태양의 개기식(皆旣蝕) 때 그 둘레에 보이는 광관(光冠)》; 【기상】 (해·달의 둘레의) 광환(光環), 무리(cf. halo).

cor·o·nal [kɔ́ːrənəl, kár-/kɔ́r-] *n.* Ⓒ 보관(寶冠); 화관; 화환.

— [kəróunəl, kɔ́ːrə-, kárə-/kɔ́rə-] *a.* 【천문】 코로나의; 광환(光環)의.

cor·o·nary [kɔ́ːrənèri, kár-/kɔ́rənəri] *a.* 【해부】 관상(冠狀)(동맥)의; 심장의: the ~ arteries 〔veins〕 (심장의) 관상동맥〔정맥〕/ ~ trouble 심장병. **—***n.* =CORONARY THROMBOSIS.

córonary thrombósis 【의학】 관상동맥 혈전증(血栓症).

◇**cór·o·nà·tion** *n.* Ⓒ 대관식(戴冠式), 즉위식; 대관, 즉위: a ~ oath 대관식의 선서.

cor·o·ner [kɔ́ːrənər, kár-/kɔ́r-] *n.* Ⓒ 검시관(檢屍官): a ~'s inquest 검시 / a ~'s jury 검시 배심원.

***cor·o·net** [kɔ́ːrənit, kár-/kɔ́r-] *n.* Ⓒ (왕자·귀족 등의) **소관**(小冠), 보관; (여자의) 소관 모양의 머리 장식《보석이나 꽃을 붙임》.

Corp., corp. Corporal; Corporation.

cor·poc·ra·cy [kɔːrpákrəsi/-pɔ́k-] *n.* Ⓤ 관료주의적 기업 경영.

cor·po·ra [kɔ́ːrpərə] CORPUS 의 복수.

◇**cor·po·ral**[1] [kɔ́ːrpərəl] *a.* 육체의, 신체의: the ~ pleasures 육체적 쾌락 / ~ punishment 체형, 체벌《주로 태형》.

㊔ **~·ly** *ad.* 육체적으로.

cor·po·ral[2] *n.* Ⓒ 【군사】 병장.

◇**cor·po·rate** [kɔ́ːrpərit] *a.* 법인〔회사〕(조직)의(corporative); 단체의, 집합적인; 공동의; 〖종종 명사 뒤에서〗 통합된: a ~ body =a body ~ 통합체 / ~ bonds 사채(社債) / in one's ~ capacity 법인의 자격으로 / ~ responsibility 공동 책임 / ~ right(s) 법인권(權) / a ~ name 법인〔단체〕명의; (회사의) 상호 / ~ property 법인 재산. ◇ corporation *n.* ㊔ **~·ly** *ad.* 법인으로서, 법인 자격으로.

***cor·po·ra·tion** [kɔ̀ːrpəréiʃən] *n.* Ⓒ **1** 【법률】 **법인**, 사단 법인: a ~ sole 단독 법인《국왕·교황 따위》/ a religious ~ 종교 법인 / Does your father work for a business ~? 부친께서는 회사에 다니십니까. **2** 지방 공공 단체, 지방 자치체; (때로 C-) 《英》 도시 자치체; 시(市)의회: ~ houses 시영 주택 / the *Corporation* of the City of London 런던시 자치체. **3** 《美》 **유한 회사**, 주식회사(《英》 limited liability company): a trading ~ 상사(商事) 회사 / a joint-stock ~ 주식회사. **4** 《구어》 올챙이배(potbelly). ◇ corporate *a.*

corporátion làw 《美》 회사법(《英》 company law).

corporátion tàx 법인세.

cor·po·ra·tive [kɔ́ːrpərèitiv, -rətiv] *a.* 법인〔단체〕의; 【정치·경제】 협조 조합주의의.

cor·po·re·al [kɔːrpɔ́ːriəl] *a.* 육체(상)의(bodily); 형이하(形而下)의, 물질적인; 【법률】 유형(有形)〔유체(有體)〕의: ~ needs 육체적 필요물《음식물 따위》/ ~ hereditament 【법률】 유체 상속 부동산 / ~ property 유체 재산〔동산〕/ ~ capital 유형 자본. SYN. ⇨PHYSICAL. ㊞ ~·ist n. ~·ly ad.

°**corps** [kɔːr] (pl. **corps** [kɔːrz]) 《단·복수의 발음 차이에 주의》 n. Ⓒ 〖단·복수취급〗 **1** 〖군사〗 군단, 병단; …부〔대〕; (특수 임무를 띤) …단(團): the Army Ordnance *Corps* 육군 병기부 / the Army Service *Corps* 병참대 / the U.S. Marine *Corps* 미국 해병대. **2** (행동을 같이하는) 단체, 집단, 단.

*__corpse__ [kɔːrps] n. Ⓒ (특히 사람의) **시체**, 송장.

córpse càndle 영혼의 불덩어리《죽음의 예징이라고 함》, 시체 옆에 놓은 촛불.

córps·man [-mən] (pl. **-men** [-mən]) n. Ⓒ 《美》 위생병.

cor·pu·lence, -len·cy [kɔ́ːrpjələns], [-si] n. Ⓤ 비만, 비대.

cor·pu·lent [kɔ́ːrpjələnt] a. 뚱뚱한, 살찐, 비만한(fat).

cor·pus [kɔ́ːrpəs] (pl. **-po·ra** [-pərə], **~·es**) n. 《L.》 Ⓒ **1** 신체; (사람·동물의) 시체, 송장. **2** (문서, 법전 따위의) 집성, 전집; (자료의) 총체, 집성 자료.

Cór·pus Chrís·ti (Dày) [kɔ́ːrpəs-krísti] 《L.》 〖가톨릭〗 성체 축일(聖體祝日)《Trinity Sunday의 다음 목요일》.

°**cor·pus·cle, cor·pus·cule** [kɔ́ːrpəsəl, -pʌsəl], [kɔːrpʌ́skjuːl] n. Ⓒ 〖생리〗 소체(小體); 《특히》 혈구(血球): red 〔white〕 ~ 적〔백〕혈구. ㊞ **cor·pus·cu·lar** [kɔːrpʌ́skjulər] a.

cór·pus de·líc·ti [-dilíktai] (pl. **-po·ra-**) 《L.》 〖법률〗 범죄의 주체, 죄체(罪體)《범죄의 실질적 사실》; 《구어》 범죄의 명백한 증거, 《특히》 피살자의 시체.

corr. ⇨COR.

cor·ral [kərǽl/kɔráːl] 《美》 n. Ⓒ 가축 우리; (야영할 때의) 수레로 둥글게 둘러친 진.
— (**-ll-**) vt. 우리에 넣다; (수레)를 둥글게 세워놓아 진을 치다; 《구어》 손에 넣다, 잡다.

†**cor·rect** [kərékt] a. **1 옳은**, 정확한《*in* …에 있어서》: a ~ judgment 옳은 판단 / That's ~. 그래, 그렇다 / You're quite ~ *in* think*ing* so. 네가 그렇게 생각하는 것은 전적으로 옳다.
SYN. **correct** 틀리지 않은, 정해(正解)·기준 따위에 맞는: the *correct* answer 정답. **accurate** 주의를 기울인→꼭 맞는, 정밀한: *accurate* knowledge 정확한 지식. **exact** 엄밀한→조금도 틀림이 없는: the *exact* time 정확한 시간. **precise** 세세하게 구별하는, 구분이 분명한→정확한: a *precise* definition 정확한 정의.
2 예절에 맞는, 품행 방정한; 의당한, 온당〔적당〕한: the ~ thing 《구어》 의당 그래야 할 일 / the ~ dress for the occasion 그 자리에 어울리는 복장. ◇correctness n.
— vt. **1 바로잡다**, 고치다, 정정하다; 첨삭하다; 교정하다: *Correct* errors, if any. 잘못이 있으면 고쳐라. SYN. ⇨REFORM. **2** …의 잘못을 지적하다. **3** 《+목+전+명》 꾸짖다, 나무라다, 징계〔제재〕하다《*for* …일로》: ~ a child *for* disobedience 말 안 듣는다고 아이를 꾸짖다. ◇correction n.

> DIAL. ***Correct me if I'm wrong.*** 내 말이 틀렸으면 틀렸다고 해.
> ***I stand corrected.*** 네가 옳다, 네 말이 맞다 《내가 한 말이 틀렸음을 시인한다》.

㊞ ~·**a·ble** a. ~·**ness** n.

°**cor·rec·tion** [kərékʃən] n. **1** Ⓤ (구체적으로는 Ⓒ) 정정, 수정, 첨삭; 교정(校正). **2** Ⓤ 징계, 벌: a house of ~ 감화원, 소년원. **3** Ⓤ (구체적으로는 Ⓒ) 〖수학·물리·광학〗 보정(補正), 조정; 〖컴퓨터〗 바로잡기. ◇correct v. ***under*** ~ 정정의 여지를 인정하고: I speak *under* ~. 내 말에 틀림이 있을지 모르나 말하겠습니다. ㊞ ~·**al** a. 정정〔수정〕의; 교정의.

cor·rect·i·tude [kəréktətjùːd] n. Ⓤ (품행 따위의) 바름, 방정함.

cor·rec·tive [kəréktiv] a. 바로잡는, 교정(矯正)의; 조정하는. — n. Ⓒ 개선〔조정〕책; 교정물.

*__cor·rect·ly__ [kəréktli] ad. **1 바르게**, 정확히; 품행 방정하게. **2** 〖문장 전체를 수식〗 정확하게 말하면, 정확히는: *Correctly* (speaking), the gorilla is not a monkey, but an ape. 정확히 말하자면 고릴라는 원숭이가 아니라 유인원이다.

cor·rec·tor [kəréktər] n. Ⓒ 바로잡는 사람, 정정자; 교정(校正)자; 교정(矯正)자; 감사관.

cor·re·late [kɔ́ːrəlèit, kár-/kɔ́r-] n. Ⓒ 서로 관계 있는 것, 상관물: Hatred is a ~ of love. =Hatred and love are ~s. 애증(愛憎)은 상호 관계에 있다. — vt. 서로 관련시키다《*with* …와》: ~ the two 둘을 연관시키다 / ~ geography *with* other studies 지리를 딴 과목과 관련시키다. — vi. 서로 관련하다, 상관하다《*with, to* …와》: Her research ~s *with* his. 그녀의 연구는 그의 것과 관련이 있다 / Form and meaning ~ *to* each other. 형태와 의미는 서로 관계가 있다.

còr·re·lá·tion n. **1** Ⓤ 상관되게 하는 것; 상관성〔관계〕《*with* …와의》. **2** Ⓒ 상호 관계《*between* …간의》: show a ~ *between* smoking and lung cancer 흡연과 폐암의 상관관계를 나타내다.

correlátion coefficient 〖통계〗 상관 계수.

cor·rel·a·tive [kərélətiv] a. 상호 관계 있는, 상관적인: ~ terms 〖논리〗 상관 명사(名辭)《'아버지'와 '아들' 따위》 / ~ words 〖문법〗 상관어(구)《either와 or; the former… the latter; the one… the other 따위》. — n. Ⓒ 상관물(物); 〖문법〗 상관 어구. ㊞ ~·**ly** ad. 상관하여.

cor·rel·a·tiv·i·ty [kərèlətívəti] n. Ⓤ 상호 관계; 상관성.

‡**cor·re·spond** [kɔ̀ːrəspánd, kàr-/kɔ̀rəspɔ́nd] vi. **1** 《+전+명》 **상당하다**, 대응하다, 해당하다《*to* …에》: The broad lines on the map ~ *to* roads. 지도상의 굵은 줄은 도로에 해당한다. **2** 《~/+전+명》 부합〔일치〕하다, 조화하다《*to, with* …와》: His words and actions do not ~. 그의 언행은 일치하지 않는다 / Her white hat and shoes ~ *with* her white dress. 그녀의 흰 모자와 구두는 흰 옷에 잘 어울린다 / The goods do not ~ *to* the samples you sent me. 물품이 보내준 견본과 일치하지 않는다. SYN. ⇨AGREE. **3** 《~/+전+명》 **교신하다**, 서신 왕래를 하다《*with* …와》: We have ~*ed* but never met. 우리는 서신 교환은 있었으나 아직 만난 적은 없다 / He earnestly wishes to ~ *with* her. 그는 그녀와의 서신 왕래를 열렬히 바라고 있다. ◇correspondence n.

*__cor·re·spond·ence__ [kɔ̀ːrəspándəns, kàr-/kɔ̀rəspɔ́nd-] n. **1** Ⓤ (구체적으로는 Ⓒ) **대응**, 해당, 상응《*to* …에의》: the ~ of a bird's wing *to* a human arm 새의 날개와 사람 팔의 대응 관계. **2** Ⓤ (구체적으로는 Ⓒ) **일치**, 조화, 부합《***of*** …의; ***to, with*** …와의; ***between*** …간의》: the ~ *of* one's words *with* 〔*to*〕 one's actions 언행 일치/There's no ~ *between* the two. 그 둘 사이에는 일치가 없다. **3 a** Ⓤ (또는 a ~) **통신**, 교신, 서신 왕래《***with*** …와의; ***between*** …간의》: a ~ school 통신 교육 학교/be in ~ *with* …와 서신 왕래를 하고 있다/have a great deal of ~ 서신 왕래가 많다/enter 〔get〕 into ~ *with* …와 서신 왕래를 시작하다/keep up ~ 서신 왕래를 계속하다. **b** Ⓤ 《집합적》 왕복 문서, 서장: commercial ~ 상업 통신문, 상용문. ◇ correspond *v*.

correspóndence cölumn (신문·잡지의) 독자 통신란, 투고란.

correspóndence cöurse 통신 교육 강좌 〔과정〕.

cor·re·spond·ent** [kɔ̀ːrəspɑ́ndənt, kɑ̀r-/kɔ̀rəspɔ́nd-] *n*. Ⓒ **1 통신자**: He is a good 〔bad, negligent〕 ~. 그는 자주 편지를 쓰는〔안 쓰는〕 사람이다. **2** (신문·방송 등의) **특파원**, 통신원, 담당 기자; (신문의) 투고자: a political ~ 정치(부) 기자/a special ~ (for) (…신문사의) 특파원/a war ~ 종군 기자/our London ~ 본사 런던 통신원《신문 용어》. **3** 『상업』 (특히 원거리) 거래처〔선〕. **4** 일치〔상응, 대응〕하는 것. ≠corespondent. **—*a. 일치〔대응, 상응〕하는(corresponding)《***to, with*** …와》. ㊞ **~·ly** *ad*.

***cor·re·spond·ing** [kɔ̀ːrəspɑ́ndiŋ, kɑ̀r-/kɔ̀rəspɔ́nd-] *a*. **1 대응하는**, 상응하는: the ~ period of last year 지난 해의 같은 시기. **2 부합하는**, 일치하는, 조화하는. **3 통신(관계)의**: a ~ clerk 〔secretary〕 (회사 따위의) 통신계/a ~ member (of an academic society) (학회 등의) 통신 회원, 객원(客員). ㊞ **~·ly** *ad*. 일치〔부합〕하여, (…에) 대응하여.

***cor·ri·dor** [kɔ́ːridər, kɑ́r-, -dɔ̀ːr/kɔ́ridɔ̀ːr] *n*. Ⓒ **복도**, 회랑(回廊); 항공기 전용로(路); 『지정학』 회랑 지대《내륙에 있는 나라가 타국 내를 통과하여 항만에 도달하는 좁고 긴 지역》: a ~ train 《英》 객차의 한쪽에 통로가 있고 옆에 칸막이 방(compartment)이 있는 열차/the Polish Corridor 폴란드 회랑 (지대).

córridors of pówer (the ~) 권력의 회랑, 정치 권력의 중심《정계·관계의 고관 따위》.

cor·ri·gen·dum [kɔ̀ːridʒéndəm, kɑ̀r-/kɔ̀ri-] (*pl*. ***-da*** [-də]) *n*. Ⓒ (정정해야 할) 잘못; 오식(誤植); (*pl*.) 정오표. ㉢ errata.

cor·ri·gi·ble [kɔ́ːridʒəbəl, kɑ́r-/kɔ́r-] *a*. 고칠 수 있는, 바로잡을 수 있는; 교정(矯正)할 수 있는.

◇**cor·rob·o·rate** [kərɑ́bərèit/-rɔ́b-] *vt*. (소신·진술 등)을 확실히 하다, 확증〔확인〕하다: *corroborating* evidence 보강 증거.

cor·ròb·o·rá·tion *n*. Ⓤ 확실히 하기; 확증; 확증적인 사실〔진술, 정보〕; 『법률』 보강 증거: in ~ of …을 확증하기 위하여〔확인하여〕.

cor·rob·o·ra·tive [kərɑ́bərèitiv, -rət-/-rɔ́bə-] *a*. 확인의, 확증적인, 뒷받침하는. ㊞ **~·ly** *ad*.

cor·rob·o·ra·tor [kərɑ́bərèitər/-rɔ́b-] *n*. Ⓒ 확증하는 사람〔물건〕.

cor·rob·o·ra·to·ry [kərɑ́bərətɔ̀ːri/-rɔ́bərətəri] *a*. 확실히 하는, 확증하는.

cor·rob·o·ree [kərɑ́bəri/-rɔ́b-] *n*. Ⓒ (오스트레일리아 원주민의) 코로보리춤〔노래〕《제사 또는 전투 전날 밤의》; 《Austral. 구어》 법석떨기, 파티.

cor·rode [kəróud] *vt*. **1** (녹이 금속 등)을 부식시키다, 녹슬게〔침식〕하다: Sea water has ~*d* the anchor chain. 바닷물이 닻 사슬줄을 부식시켰다. **2** (마음)을 좀먹다; (성격)을 약화시키다: Failure ~*d* his self-confidence. 그는 실패하여 차츰 자신을 잃었다. **—*vi***. 부식하다, 녹슬다; (마음이) 좀먹다. ◇ corrosion *n*.

cor·ro·sion [kəróuʒən] *n*. Ⓤ 부식 (작용), 침식; 부식에 의해 생긴 것《녹 따위》; (걱정이) 마음을 좀먹기. ◇ corrode *v*.

cor·ro·sive [kəróusiv] *a*. 부식하는, 부식성〔침식성〕의; (정신적으로) 좀먹는; (말 따위가) 신랄한: Poverty can have a ~ influence on the human spirit. 빈곤은 인간의 정신을 좀먹는다/She has a ~ tongue. 그녀의 말은 신랄하다. **—*n***. **1** Ⓒ 부식시키는 것. **2** Ⓤ (종류·낱개는 Ⓒ) 부식제(劑)《산(酸) 따위》. ㊞ **~·ly** *ad*. **~·ness** *n*.

cor·ru·gate [kɔ́ːrəgèit, kɑ́r-/kɔ́rə-] *vt*. 주름〔골〕지게 하다; 물결 모양으로 만들다. **—*vi***. 주름〔골〕지다. ㊞ **-gat·ed** [-gèitid] *a*. 주름살 잡은, 골진; 물결 모양의.

córrugated íron 골함석.

córrugated páper 골판지.

còr·ru·gá·tion *n*. Ⓤ 주름잡음; 주름(짐); Ⓒ (함석 등의) 골.

***cor·rupt** [kərʌ́pt] *a*. **1 부정한, 뇌물이 통하는; 오직(汚職)의; 타락한**, 퇴폐한; 부도덕한; 사악한: a ~ press 악덕 신문(계)/a ~ judge 수회(收賄) 판사/a ~ politician 타락한 정치인/~ practices (선거 따위의) 매수 행위. **2** (언어가) 사투리화한; **전와(轉訛)된**, 틀린; (텍스트 등이) 원형이 훼손된, 틀린 데 투성이인: a ~ manuscript 원형이 훼손된 사본.

—*vt*. **1 매수하다**: They have ~*ed* our police force. 그들은 우리 경찰을 매수했다. **2** (사람·품성 따위)를 **타락시키다**, 더럽히다: ~ public morals 공중도덕을 떨어뜨리다. **3** (원문)을 개악하다; (언어)를 불순화하다, 전와시키다. **—*vi***. 타락하다. ◇ corruption *n*. ㊞ **~·ly** *ad*. **~·ness** *n*.

cor·rúpt·i·ble *a*. 부패〔타락〕하기 쉬운; 뇌물이 통하는. ㊞ **-bly** *ad*.

◇**cor·rup·tion** [kərʌ́pʃən] *n*. **1** Ⓤ 타락; 퇴폐; 수회, 매수, 독직. **2** Ⓒ (보통 *sing*.) (언어의) 전와(轉訛); (원문의) 개악, 변조. **3** Ⓤ (시체·유기물의) 부패. ◇ corrupt *v*.

cor·rup·tive [kərʌ́ptiv] *a*. 부패시키는, 부패성의; 타락시키는.

cor·sage [kɔːrsɑ́ːʒ] *n*. Ⓒ (여성복의) 가슴 부분 조끼; (여성이 허리·어깨에 다는) 꽃장식, 코르사주.

cor·sair [kɔ́ːrsɛər] *n*. Ⓒ (특히 Barbary 연안에 출몰했던) 사략선(私掠船)(privateer); 해적선; 해적.

corse [kɔːrs] *n*. 《고어·시어》 =CORPSE.

corse·let(te), cors·let [kɔ́ːrslit] *n*. Ⓒ **1** 허리에 두르는 갑옷. **2** [kɔ̀ːrsəlét] 코르셋과 브래지어를 합친 속옷.

◇**cor·set** [kɔ́ːrsit] *n*. Ⓒ 코르셋. ㊞ **~·ed** [-id] *a*. 코르셋을 착용한.

Cor·si·ca [kɔ́ːrsikə] *n*. 코르시카 섬《이탈리아 서해안 프랑스령의 섬; 나폴레옹 1세의 출생지》.

Cor·si·can [kɔ́:rsikən] *a.* 코르시카 섬의. **—***n.* Ⓒ 코르시카 섬 사람.
cor·tege, cor·tège [kɔ:rtéiʒ] *n.* 《F.》 Ⓒ 수행원; 행렬; 《특히》 장례 행렬.
cor·tex [kɔ́:rteks] (*pl.* **-ti·ces** [-təsì:z], **~·es**) *n.* Ⓒ 【해부】 외피; (대뇌) 피질(皮質); 【식물】 피층.
cor·ti·cal [kɔ́:rtikəl] *a.* 피질〔피층〕의.
cor·ti·sone [kɔ́:rtəsòun, -zòun] *n.* Ⓤ 코르티손《부신(副腎)피질 호르몬의 일종; 류머티즘 · 관절염 치료약》.
co·run·dum [kərʌ́ndəm] *n.* Ⓤ 강옥(鋼玉); 금강사(金剛砂).
cor·us·cate [kɔ́:rəskèit, kár-/kɔ́r-] *vi.* 번쩍이다(glitter), 번쩍번쩍 빛나다(sparkle); (재치 · 지성 따위가) 번득이다. ㊞ **còr·us·cá·tion** *n.* Ⓤ (구체적으로는 Ⓒ) 번쩍임; 광휘; (재치 따위의) 번득임.
cor·vet(te) [kɔ:rvét] *n.* Ⓒ 코르벳함(艦)《옛날의 평갑판 · 일단 포장(一段砲裝)의 목조 범장(帆裝)의 전함; 오늘날엔 대공 · 대잠수함 장비를 갖춘 소형 쾌속 호위함》.
cor·vine [kɔ́:rvain, -vin] *a.* 까마귀의〔같은〕.
co·ry·za [kəráizə] *n.* Ⓤ 【의학】 비염(鼻炎), 코감기.
cos[1] [kas/kɔs] *n.* Ⓒ (식품은 Ⓤ) 《英》 【식물】 상추의 일종(cos lettuce).
cos[2], **'cos** [kaz/kɔz] *conj.* 《구어》 =BECAUSE.
cos [kas/kɔs] 【수학】 cosine.
co·sec [kóusi:k] 【수학】 cosecant.
co·se·cant [kousí:kənt, -kænt] *n.* Ⓒ 【수학】 코시컨트《생략: cosec》.
cosh [kaʃ/kɔʃ] *n.* Ⓒ 《英구어》 (경찰관 · 폭력단이 쓰는, 끝에 납 따위를 채워 무겁게 한) 곤봉.
cosh·er [káʃər/kɔ́ʃ-] *vt.* 《美》 지나치게 귀여워하다, 어하다.
co·sign [kousáin] *vt.* (약속 어음 등)의 연대 보증인으로 서명하다. **—***vi.* 연서(連署)하다. ㊞ **~·er** *n.* Ⓒ 연서인(連署人).
co·sig·na·to·ry [kousígnətɔ̀:ri/-təri] *a.* Ⓐ 연서(連署)의: the ~ powers 연서국(連署國). **—***n.* Ⓒ 연서인, 연판자(連判者); 연서국.
co·sine [kóusàin] *n.* Ⓒ 【수학】 코사인《생략: cos》.
cós léttuce 양상추의 일종.
◇**cos·met·ic** [kazmétik/kɔz-] *n.* Ⓒ (보통 *pl.*) 화장품. **—***a.* 화장용의; 미용의; 장식적〔표면적〕인: a ~ compromise 표면상의 타협.
cos·me·ti·cian [kàzmətíʃən/kɔ̀z-] *n.* Ⓒ 미용사, 화장 전문가.
cos·me·tol·o·gy [kàzmətálədʒi/kɔ̀zmətɔ́l-] *n.* Ⓤ 미용술.
*__cos·mic, -mi·cal__ [kázmik/kɔ́z-], [-əl] *a.* **1** 우주의; 우주론의: a *cosmic* journey 우주 여행. **2** 광대무변한. ㊞ **cós·mi·cal·ly** *ad.*
cósmic dúst 【우주】 우주진(塵).
cósmic ráys 우주선(線).
cos·mog·o·ny [kazmágəni/kɔzmɔ́g-] *n.* Ⓤ 우주〔천지〕의 발생〔창조〕; Ⓒ 우주 기원론.
cos·mog·ra·phy [kazmágrəfi/kɔzmɔ́g-] *n.* Ⓤ 우주 지리학, 우주 구조론.
cos·mol·o·gy [kazmálədʒi/kɔzmɔ́l-] *n.* **1** Ⓤ 우주론《우주의 기원 · 구조를 연구하는 천문학의 한 부문》. **2** Ⓒ 【철학】 우주론《우주의 특성을 논하는 과학 · 철학》.
cos·mo·naut [kázmənɔ̀:t/kɔ́z-] *n.* Ⓒ (특히 러시아의) 우주 비행사. ⓒⓕ astronaut.
cos·mop·o·lis [kazmápəlis/kɔzmɔ́p-] *n.* Ⓒ 국제 도시.
*__cos·mo·pol·i·tan__ [kàzməpálətən/kɔ̀zməpɔ́l-] *n.* Ⓒ **세계인, 국제인.**
—*a.* **1** (한 국가의 편견에 사로잡히지 않는) 세계주의의: a ~ outlook 세계주의적 견해. **2** 세계 각지의 사람들로 이루어진, 국제적인, 전세계적인; 【생물】 전세계에 분포하는: ~ species 범존종(汎存種)/a ~ city 국제 도시. ㊞ **~·ism** *n.* Ⓤ 세계주의, 사해 동포주의.
cos·mop·o·lite [kazmápəlàit/kɔzmɔ́p-] *n.* =COSMOPOLITAN.
*__cos·mos__ [kázməs/kɔ́zmɔs] (*pl.* **~, ~·es**) *n.* **1** (the ~) (질서와 조화의 구현으로서의) **우주, 천지 만물. 2** Ⓒ 【식물】 코스모스.
Cos·sack [kásæk, -sək/kɔ́sæk] *n.* **1** (the ~s) 코사크〔카자흐〕족《흑해 북방 스텝 지방의 터키계 농경민; 승마술에 능하여 제정 러시아의 경기병으로 활약》. **2** Ⓒ 코사크〔카자흐〕 사람; (옛날의) 카자흐 기병.
cos·set [kásit/kɔ́s-] *n.* Ⓒ 손수 기르는 새끼양〔동물〕, 페트. **—***vt.* 어하다, 응석부리게 하다; 귀여워하다(pet).
‡**cost** [kɔ:st/kɔst] *n.* **1** (*sing;* 종종 the ~) **가격, 원가;** (상품 · 서비스에 대한) 대가: sell below ~ 원가 이하로 팔다. ⓈⓎⓃ. ⇨PRICE.
2 Ⓒ (흔히 *pl.*) **비용,** 지출, 경비: the prime 〔first, initial〕 ~ 매입 원가/the ~ of distribution 유통 경비/cut ~*s* 비용을 절감하다/free of ~ =~ free 무료로, 공짜로.
3 Ⓤ (보통 the ~) **희생,** 손실《*in* (인명 · 시간 · 노력 따위)의》: The ~ of the flood *in* lives and property was great. 홍수로 인명과 재산의 손실은 컸다.
4 (*pl.*) 【법률】 소송 비용.
at all ~s =***at any ~*** 어떤 희생을 치르더라도, 꼭. ★ 《美》에서는 in any cost 라고도 함. ***at ~*** 원가로: sell *at* ~ 원가로 팔다. ***at the ~ of*** ① …을 희생하여: *at the* ~ *of* one's health 건강을 희생하여. ② …라는 대가를 치르고: *at the* ~ *of* losing one's life 목숨을 잃는 대가를 치르고. ***the ~ of living*** (한 사람이 표준적 생활을 하는 데 필요한) 생활비: a rise in *the* ~ *of living* 생활비의 상승. ***to*** one***'s ~*** 자신의 부담으로, 피해〔손해〕를 입고; 쓰라린 경험을 하여: as I know it *to* my ~ 나의 쓰라린 경험으로 아는 일이지만.
— (*p., pp.* **cost; cóst·ing**) *vt.* **1** 《~+목/+목+목》 …의 **비용이 들다**〔들게 하다〕: It will ~ five dollars. (비용이) 5달러 들 것이다/The house *cost* him a great deal of money. 그는 그 집에 매우 많은 돈을 들였다.
2 《~+목/+목+목》 (노력 · 시간 따위)를 요하다; (귀중한 것)을 희생시키다, 잃게 하다: It *cost* us much time. 많은 시간이 걸렸다/It may ~ him his life. 그것으로 그는 생명을 잃을지도 모른다/That mistake ~ him dearly. 그 실수로 그는 큰 대가를 치렀다.
3 《+목+목》 …에 부담을〔수고를, 걱정을〕 끼치다, …에 짐이 되다: It ~*s* me much to tell you that. 그걸 얘기하긴 매우 괴롭소.
4 (~, **~·ed**) 【상업】 …의 원가〔생산비〕를 견적하다: They ~*ed* construction at $50,000. 그들은 공사비를 5만 달러로 견적했다. ★ cost는 본래 자동사이므로 수동태로는 되지 않음.
—*vi.* 《구어》 비용이 들다.

~ *an arm and a leg* 많은 돈이 들다. ~ *out* 《*vt*.+副》 …의 경비를 견적하다.

cóst accòuntant 원가 계산원〔회계사〕.

cóst accòunting 원가 계산.

co·star [kóustɑ̀ːr] *n*. Ⓒ 공연 스타, (주역의) 공연자. **—** [ᐩᐩ] (*-rr-*) *vi*. (영화·TV에서 스타가) 공연(共演)하다《*with* …와》: He ~*red with* Dustin Hoffman in that movie. 그는 그 영화에서 더스틴 호프만과 공연했다. **—** *vt*. (스타)를 공연시키다: a movie that ~*s* two famous actresses 유명 여배우 두 사람이 공연하는 영화.

Cos·ta Ri·ca [kástəríːkə, kɔ́ːs-/kɔ́s-] 코스타리카《중앙아메리카의 공화국; 수도 San José》. ㊔ **Cósta Rí·can** *a*., *n*. Ⓒ ~의 (사람).

cóst-bénefit *a*. 〖경제〗 비용과 편익(便益)의: ~ analysis 비용 편익 분석.

cóst clèrk =COST ACCOUNTANT.

cóst-efféctive *a*. 비용 효율이 높은, 비용 효과가 있는: ~ analysis 비용 효과 분석. ㊔ **~·ly** *ad*. **~·ness** *n*.

cos·ter [kástər/kɔ́s-], **cóster·mònger** *n*. Ⓒ 《英》 과일〔야채 (따위)〕 행상인.

cos·tive [kástiv/kɔ́s-] *a*. 변비의; 쩨쩨한, 인색한.

***cost·ly** [kɔ́ːstli/kɔ́st-] (*-li·er; -li·est*) *a*. **1 값이 비싼**, 비용이 많이 드는; 사치스런: a ~ enterprise 비용이 드는 사업. SYN. ⇨EXPENSIVE. **2 희생이 큰**, 타격이 큰《실패》: a ~ mistake 희생이 큰 과실. ㊔ **-li·ness** *n*.

cóst-of-líving *a*. 생계비의: ~ allowance 물가 수당, 생계비 수당.

cóst-of-líving ìndex (종종 the ~) 생활비 지수; 소비자 물가 지수(consumer price index).

cóst-plús *a*. 이윤 가산 생산비《정부가 입찰시킬 때의 원가에 적정 이윤을 가산한 것》의: ~ contract 원가 가산 계약/~ pricing 코스트 플러스 가격 결정《총비용에 이익 마진을 더한 가격 설정 방법》.

cóst price 〖경제〗 비용 가격; 〔일반적〕 원가.

cóst-push inflátion 〖경제〗 코스트 푸시 인플레이션《생산 요소 비용 중 주로 임금의 상승으로 인한 인플레이션》.

cóst rísk anàlysis 〖컴퓨터〗 코스트 리스크 분석《컴퓨터 시스템에서 데이터 상실의 발생 위험을, 데이터 보호를 할 때와 하지 않을 때를 대비하여 코스트면에서 평가하는 일》.

‡**cos·tume** [kástjuːm/kɔ́s-] *n*. **1** Ⓤ (낱개는 Ⓒ) **a** (특히 여성의) **복장**, 복식(服飾), 의상. **b** (어떤 계급·시대·직업·지방 따위에 특유한) **차림새**, 풍속. **2** Ⓒ 여성복, 슈트; (특수한) …복, …옷: a street ~ 외출복/a hunting ~ 사냥옷.

cóstume bàll 가장 무도회(fancy dress ball).

cóstume jéwelry (값싼) 인조 장신구.

cóstume pìece 〔**play**〕 시대극《시대 의상을 입고 연기하는》.

cos·tum·er [kástjuːmər, -ᐩᐩ/kɔ́s-, -ᐩᐩ] *n*. Ⓒ 의상업자《연극·무용 등의 의상을 제조·판매 또는 세놓는》; (연극의) 의상계(係)〔담당자〕.

cos·tum·i·er [kastjúːmiər/kɔs-] *n*. =COSTUMER.

co·sy [kóuzi] *a*. 《英》 =COZY.

cot[1] [kat/kɔt] *n*. Ⓒ (양·비둘기 등의) 집, 우리(cote), 《시어》 시골집, 모옥(茅屋), 오두막집; 《美》 (손가락에 끼우는) 고무색(sack).

°**cot**[2] *n*. Ⓒ 《美》 (캠프용의 접는) 간이 침대(《英》 camp bed); 《英》 어린이용 흔들침대(《美》 crib).

cot, co·tan [kóutæ̀n] 〖수학〗 cotangent.

co·tan·gent [koutǽndʒənt] *n*. Ⓒ 〖수학〗 코탄젠트《생략: cot, ctn》.

cót dèath 《英》 요람사(搖籃死)(sudden infant death syndrome)《어린아이가 (자다가) 갑자기 죽는 병》.

cote [kout] *n*. Ⓒ (양 따위의) 우리, (비둘기 따위의) 집. cf. dovecote.

Côte d'I·voire [*F*. kotdivwaːr] 코트디부아르 공화국《아프리카 서부의 나라》. ★ 구칭 Ivory Coast《1986 년까지》.

co·te·rie [kóutəri] *n*. 《F.》 Ⓒ (사교·문학 연구 등을 위한) 한패, 동아리, 동인(同人), 그룹: a literary ~ 문학 동인.

co·ter·mi·nous [koutə́ːrmənəs] *a*. **1** 공통 경계의, 경계가 접해 있는; 인접한《*with, to* …와》. **2** (시간·공간·의미 따위가) 동일 한계의, 동일 연장의, 완전히 겹치는《*with* …와》. ㊔ **~·ly** *ad*.

co·til·lion [koutíljən] *n*. Ⓒ **1** 코티용《quadrille 비슷한 활발한 춤; 프랑스 기원》; 그 곡. **2** 《美》 (debutantes 등을 소개하는) 정식 무도회.

Cots·wolds [kátswouldz, -wəldz/kɔ́ts-] *n*. (the ~) 코츠월즈《잉글랜드 Gloucestershire 주에 있는 낮은 언덕이 많은 양의 방목지》.

cot·tage** [kátidʒ/kɔ́t-] *n*. Ⓒ **1 시골집, 작은 집**, 아담한 집; (양치기·사냥꾼 등의) 오두막. **2** 《美》 (피서지 등의) 작은 별장. ***love in a ~ 가난하지만 즐거운 부부 생활.

cóttage chèese (시어진 우유로 만드는) 연하고 흰 치즈.

cóttage hòspital 《英》 (상주 의사가 없는) 지방의 작은 병원.

cóttage ìndustry 가내 공업, 영세 산업.

cóttage lòaf 《英》 크고 작은 두 개를 포갠 빵.

cóttage píe 《英》 시골 파이《일종의 고기만두》.

cóttage púdding 달콤한 과일 즙을 바른 카스텔라.

cót·tag·er *n*. Ⓒ cottage에 사는 사람.

cot·ter[1], **-tar** [kátər/kɔ́t-] *n*. Ⓒ 오두막집에 사는 사람; 〖英역사〗 《Sc.》 (농장 오두막에 사는) 날품팔이 농부; 〖Ir. 역사〗 입찰 소작인.

cot·ter[2], **cot·ter·el** [kátər/kɔ́t-], [kátərəl/kɔ́t-] *n*. Ⓒ 〖기계〗 코터, 가로쐐기, 쐐기전(栓); 비녀못, 코터핀(cotter pin).

cótter pìn 〔**wày**〕 〖기계〗 코터핀(cotter[2]).

‡**cot·ton** [kátn/kɔ́tn] *n*. Ⓤ **1 솜**, 면화; 〖식물〗 목화: ⇨ABSORBENT COTTON/raw ~ 원면/~ in the seed 씨 빼지 않은 목화. **2 무명실**, 목면사: a needle and ~ 무명실을 꿴 바늘/sewing ~ (무명의) 재봉실. **3 무명**, 면직물: ~ goods 면제품/*Cotton* is best for summer wear. 여름 옷은 면직물이 최고다. **4** (식물의) 솜털.

—*a*. Ⓐ 면의, 무명실의; 무명의: ~ yarn 면사/a ~ shirt 면 와이셔츠/the ~ industry 면방직업.

—*vi*. 《구어》 **1** 친해지다《*to, with* …와》; 좋아지다《*to* …이》. **2** 《英》 이해하다, 깨닫다《*on* (*to*) …을》.

Cótton Bèlt (the ~) (미국 남부의) 목화 산출 지대.

Cótton Bòwl (the ~) **1** Texas 주 Dallas에 있는 미식축구 경기장. **2** 그곳에서 매년 1월 1일에 개최하는 대학 대항 미식축구 경기.

cótton cándy 《美》 솜사탕.

cótton gìn 조면기(繰綿機).

cótton mìll (면)방적 공장.
cótton·mòuth *n.* = WATER MOCCASIN.
cótton-pìcking [-pìkən, -kiŋ], **-pìckin'** [-pìkin] *a.* 《美속어》 하찮은, 시시한, 변변찮은, 쓸모없는.
cótton·sèed *n.* [U] (낱개는 [C]) 목화씨, 면실(綿實).
cóttonseed òil 면실유(綿實油).
cótton·tàil *n.* [C] 《美》 【동물】 (부풀부풀한 흰 꼬리가 있는) 야생 토끼의 일종《미국산》.
cótton·wòod *n.* [C] 【식물】 사시나무의 일종 《북아메리카산》.
cótton wóol 원면, 생사, 솜; 《英》 탈지면(《美》 absorbent cotton).
cot·tony [kátni/kɔ́t-] *a.* 솜(털) 같은, 부풀부풀한; 보드라운; 솜털이 있는〔로 덮인〕.
cot·y·le·don [kàtəlíːdən/kɔ̀t-] *n.* [C] 【식물】 자엽(子葉), 떡잎. [파] **~·ous** [-dənəs] *a.* 떡잎이 있는, 떡잎 모양의.
couch** [kautʃ] *n.* [C] **1 소파**; 《문어 · 시어》 침상, 잠자리: retire to one's ~ 잠자리에 들다. **2** 휴식처《풀밭 따위》. **3** (환자용의) 베개 달린 소파. ***on the ~ 정신분석을〔치료를〕 받고서.
—*vt.* 《+[목]+[전]+[명]》 **1** 〔보통 수동태; ~ oneself〕 **누이다**, 재우다《***on, upon*** …에》: *be ~ed on* the grass 풀 위에 눕다. **2 말로 표현하다**, 변(邊)죽 울리다《***in*** …말투로》: a refusal *~ed in* polite terms 정중한 말로 한 거절. **—***vi.* 《고어》 **1** (짐승이 은신처에) 쉬다, 눕다. **2** (달려들려고) 웅크리다, 쭈그리다.
[파] **∠·ant** [káutʃənt] *a.* 【문장(紋章)】 (사자 따위가) 머리를 쳐들고 웅크린.
cou·chette [kuːʃét] *n.* [C] 【철도】 (유럽의) 침대찻간; 그 침대.
cóuch gràss 【식물】 개밀의 일종
cóuch potàto 《구어》 소파에 앉아 TV만 보며 많은 시간을 보내는 사람.
cou·gar [kúːgər] (*pl.* **~s,** ~) *n.* [C] 【동물】 쿠거, 퓨마, 아메리카라이온(panther, puma).
⁑**cough** [kɔ(ː)f, kaf] *n.* **1** (a ~) **기침**, 헛기침: dry ~ 마른 기침/give a ~ 기침을 하다. **2** [C] 콜록거림; 기침(같은)소리; (내연 기관의) 불연소음.
—*vi.* **1** (헛)**기침을 하다**: have 〔get〕 a fit of *~ing* 콜록거리다. **2** (내연 기관이) 불연소음을 내다. **3** 《英속어》 자백하다, 고백하다.
—*vt.* **1** 《+[목]+[부]》 기침을 하여 …을 뱉어내다 (*up; out*): ~ *out* phlegm 기침하여 가래를 뱉다. **2** 《+[목]+[부]》 **a** (정보 따위)를 마지못해 털어놓다 (*up*): *Cough* it *up!* 빨리 자백해〔털어놔〕. **b** (돈 따위)를 마지못해 건네주다.
cóugh dròp 진해정(鎭咳錠).
cóugh sỳrup 진해(鎭咳) 시럽, 기침약.
†**could** [kud, 약 kəd] (could not의 간약형 ***could·n't*** [kúdnt]; 2인칭 단수 《고어》 (thou) ***couldst*** [kudst], ***could·est*** [kúdist]) *aux. v.*
A 《직설법》 **1** 〔능력 · 가능의 can의 과거형으로〕 …**할 수 있었다**: I ~ run faster in those days. 당시 나는 더 빨리 달릴 수 있었다/I *~n't* catch the bird. 그 새를 잡을 수 없었다/When I lived by the station I ~ (always) reach the office on time. 역 근처에 살고 있을 때엔 (언제나) 제시간에 회사에 도착할 수 있었다《습관적이 아니고 특정의 경우에는 could를 쓰지 않고, I was able to reach the office on time this morning. 처럼 쓴다》/I ~ hear the door slamming. 문이 쾅하고 닫히는 소리가 들렸다《얼마동안 들리고 있었음을 함축》.

> [NOTE] 과거형 could는 부정문, 습관적인 뜻을 나타내는 경우, 지각동사와 함께 쓰는 경우 (⇨can¹ 1 c) 이외에는 가정법의 could와 구별하기 위해서 흔히 was 〔were〕 able to, managed to, succeeded in …ing 따위로 대용함: I *was able* 〔*managed*〕 *to* catch the bird. 나는 그 새를 잡을 수 있었다.

2 a 〔시제 일치를 위하여 종속절의 can이 과거형으로 쓰이어〕 …할 수 있다, …해도 되다: I thought he ~ drive a car. 나는 그가 차 운전을 할 수 있는 줄로 알았었다. **b** 〔간접화법에서 can이 과거형으로 쓰이어〕 …할 수 있다, …해도 좋다: He said (that) he ~ go. 그는 갈 수 있다고 말했다《비교: He said, "I can go."》/He asked me if he ~ go home. 그는 집에 가도 되느냐고 내게 물었다.
3 〔과거의 가능성 · 추측〕 **a** 〔주어+could do〕 …하였을〔이었을〕 게다: She ~ sometimes be annoying as a child. 그녀는 어렸을 때 가끔 속을 태웠을 게다(=It was possible that she was sometimes annoying as a child.). **b** 〔주어+could have+과거분사〕 …이었을는지도 모른다《현재에서 본 과거의 추측》: You figure the blow ~ *have killed* him?—*Could have*. 그 일격이 그를 죽게 했다고 보십니까—그럴 수 있죠(=You *figure* it *was* possible that the blow (*had*) *killed* him?)/It seemed like hours, but it *~n't have been* more than three or four minutes. 몇 시간이나 지난 것처럼 생각되었으나 실은 3, 4분 이상은 되지 않았다.
4 〔과거시의 허가〕 …할 수 있었다, …하는 것이 허락되어 있었다: When she was 15, she ~ only stay out until 9 o'clock. 15살 때, 그녀는 외출이 9시까지밖엔 허락되지 않았다(=… she was allowed only to stay out …).
B 《가정법》 **1** 〔사실에 반하는 가정 · 바람〕 (만일) …**할 수 있다면**, …할 것을: If he ~ come, I should be glad. 그가 올 수 있다면 나는 기쁠 텐데 (실제는 올 수 없다)/How I wish I ~ see her! 그녀를 만날 수 있다면 얼마나 좋으랴《만날 수 없음은 확실하다》.

> [NOTE] 이상의 예문은 실제의 때가 과거이면 각기 다음과 같이 됨: If he *had been able to* come, I should have been glad. '만약 그가 올 수 있었더라면 나는 기뻤을 텐데'. How I wished that I ~ see her! '그녀를 만날 수 있기를 얼마나 바랐던가'. 이처럼 주절의 동사가 과거형(wished)으로 되어 있어도 that에 이끌리는 명사절 속의 could는 had been able to로 되지 않는 점에 주의할 것. 즉 법은 시제에 우선한다는 원칙에 따른다.

2 〔가정에 대한 결과의 상상〕 …**할 수 있을 텐데**: I ~ do it if I tried. 하면 할 수 있을 텐데/It is so quiet there that you ~ hear a pin drop. 그곳은 핀이 떨어지는 소리도 들을 수 있을 정도로 조용한 곳이다.

> [NOTE] 이상의 예문은 실제의 때가 과거이면, 각기 다음과 같이 됨: I ~ *have done* it if I had tried. '했더라면 할 수 있었을 텐데'. It was so quiet there that you ~ *have heard* a pin drop. '그곳은 핀 떨어지는 소리도 들을

수 있을 정도로 조용한 곳이었다'. 이 때의 that 절(부사절)에서는, *could* hear 가 *could* have heard 로 바뀜에 주의할 것.

3 〔감정적인 표현〕《문법적으로는 2의 if 이하의 생략으로 볼 수 있고, 뜻은 can 에 '의념, 가능성; 허가를 요구하는 겸손'이 가미됨. could not 의 경우는 '절대의 불가능' 또는 '극히 희박한 가능성'을 의미함》: It ~ be (so). 어쩌면〔아마〕 그럴지도 몰라 / I ~ have come last evening. 간밤에 (오려고만 했으면) 올 수 있었을 텐데 / I ~ smack his face! 그의 얼굴을 한대 갈기고 싶을 정도다(그만큼 화가 난다) / *Could* I go? 가도 괜찮을까요(Can I go? 보다 공손) / *Could* you spare me a copy? 한 권만 주실 수 있겠습니까 / I *~n't* think of that. 그런 일은 생각할 수조차도 없다.

NOTE (1) **could 와 might** could 와 might 는 마음대로 바꿔칠 수 있을 때가 있다: We *could* 〔*might*〕 get along without his help. 그의 도움 없이도 잘 해나갈 수 있을 것 같다.
(2) **if ... could have done 의 형태** would, should, might 등에는 "if ... would 〔should, might〕 have done"의 형식은 없으나, could 에 한해서 if ... could have done 의 형식을 취할 수 있음: *If* I *could have found* him, I would have told him that. 그를 볼 수 있었다면 그에게 그것을 말해 주었을 것을.
DIAL. ***Could be.*** 아마 그럴 거야, 그럴지도 몰라《It could be so. 의 생략》: Do you have to work late today?—*Could be*. 오늘 늦게까지 일해야 되느냐—아마 그럴거야.
I couldn't. 이제 됐습니다《정중하게 사양할 때》.

†**could·n't** [kúdnt] could not 의 간약형.

couldst, could·est [kudst], [kúdist] 《고어·시어》 =COULD《주어가 thou 일 때》.

cou·lee, *cou·lée* [kúːli], [kuːléi] *n.* 《F.》 Ⓒ 〖지질〗 용암류(熔岩流); 《美서부》 (간헐) 하류(河流), 말라버린 강바닥, 협곡.

cou·lomb [kúːlam/-lɔm] *n.* Ⓒ 〖전기〗 쿨롬《전기량의 실용 단위; 프랑스 물리학자의 이름에서; 생략: C》.

coul·ter [kóultər] *n.* 《英》 =COLTER.

⁑**coun·cil** [káunsəl] *n.* Ⓒ **1 회의**; 협의: a ~ of war 작전회의 / the family ~ 친족회의. **2** 〖집합적; 단·복수취급〗 심의회, 협의회, 평의회, 자문회《각종 기관의 공식 명칭으로 많이 쓰임》; (대학 등의) 평의원회: the *Council* for Mutual Economic Assistance 경제 상호 원조 회의 (COMECON) / the *Council* of Economic Advisers 《美》 (대통령의) 경제 자문 위원회《생략: CEA》.

cóuncil chàmber 회의실.

cóuncil estàte 《英》 공영 주택 단지.

cóuncil flàt 《英》 공영 아파트.

cóuncil·man [-mən] (*pl.* ***-men*** [-mən]) *n.* Ⓒ 《美》 시(읍, 군) 의회 의원 (《英》 councillor).

*__coun·cil·or,__ 《英》 **-cil·lor** [káunsələr] *n.* Ⓒ (시의회·읍의회 등의) **의원**; 평의원; 고문관: the House of *Councilors* (일본의) 참의원.

cóuncil schòol 《英》 공립 초등학교. ★ 지금은 주로 State school 이라고 함.

cóuncil tàx 《英》 (지방 자치체에 내는) 고정 자산세.

⁑**coun·sel** [káunsəl] *n.* **1** Ⓤ **의논**, 상담, 협의 (consultation). cf. council. ¶ take 〔hold〕 ~ (with ...) (…와) 토론 심의하다; 상담〔협의〕하다. **2** Ⓤ (숙고·상담 후의) **조언**, 권고, 충고: give ~ 조언하다, 의견을 제출하다. **3** Ⓒ 〖법률〗 법률 고문, 변호사; 〖집합적; 복수취급〗 변호인단: ⇨ KING'S 〔QUEEN'S〕 COUNSEL / (the) ~ for the prosecution 검사 / (the) ~ for the defense 피고측 변호사 / His ~ was well-prepared. 그의 변호사는 만반의 변호 준비를 했다 / Her ~ were unable to agree. 그녀의 변호인단은 의견이 일치되지 않았다. ***keep** one**'s own*** ~ 자기의 생각을 남에게 털어놓지 않다; 비밀을 지키다.

— (**-l-**, 《英》 ***-ll-***) *vt.* **1** 《+목+*to* do》 (아무)에게 **조언**〔충고〕**하다**: He *~ed* me *to* quit smoking. 그는 내게 담배를 끊으라고 충고하였다. SYN. ⇨ ADVISE. **2** 《~+목/+-*ing* /+*that* 절》 (물건·일)을 **권하다**: ~ patience 〔prudence〕 인내〔신중〕하도록 권하다 / He *~ed* act*ing* at once. =He *~ed that* I (should) act at once. 그는 즉시 행동에 옮길 것을 권했다. —*vi.* **1** 의논하다, 협의〔상담〕하다. **2** 《+전+명》 권하다《***for*** …하도록; ***against*** …하지 않도록》: She *~ed for* 〔*against*〕 issu*ing* a vehement denial. 그녀는 강력하게 부정하도록〔하지 않도록〕 권하였다.

cóun·sel·ing, 《英》 **-sel·ling** *n.* Ⓤ 상담, 조언, 카운슬링《학교 등에서의 개인 지도·상담》.

⁑**coun·se·lor,** 《英》 **-sel·lor** [káunsələr] *n.* Ⓒ **1** 고문, **상담역**, 의논 상대; 《美》 법정 변호사; 《美》 **카운슬러**《연구·취직·신상에 대하여 개인적으로 지도하는 교사 등》. **2** (대·공사관의) 참사관. **3** 《美》 캠프의 지도원.

†**count**[1] [kaunt] *vt.* **1** 《~+목/+*wh.* 절》 **세다**, 계산하다; 세어 나가다: ~ the number of people present 출석자 수를 세다 / ~ ten, 10까지 세다 / The turnstiles ~ *how* many people have passed through. 회전식 개찰구는 몇 사람이나 통과했는지를 센다.
2 《~+목/+목+전+명》 셈에 넣다, 치다《***among*** …으로》: There were fourteen plates, not *~ing* the cracked ones. 깨진 것을 빼고 열네 개의 접시가 있었다 / I no longer ~ him *among* my friends. 나는 이제 그를 친구의 한 사람으로 치지 않는다.
3 《+목+보/+목+*as* 〔*for*〕 보》 …이라고 생각하다, …으로 보다〔간주하다〕: I ~ it an honor to serve you. 도울 수 있음을 영광으로 생각합니다 / I ~ myself fortunate in having good health. 나는 건강하여 다행이라고 생각한다 / Everyone *~ed* her *as* lost 〔*for* dead〕. 모두가 그녀는 실종된〔죽은〕 것으로 생각했다.
—*vi.* **1 수를 세다**, 계산하다; 수〔계정〕에 넣다 (*up*)《***from*** …에서부터, ***to*** …까지》: ~ *from* one *to* ten, 1에서 10까지 세다 / ~ *up to* a hundred, 100까지 세다.
2 《+*as* 보》 …로 보다〔간주되다〕: This picture *~s as* a masterpiece. 이 그림은 걸작의 하나로 보고 있다.
3 a 《~/+전+명》 **중요성을 지니다**, 가치가 있다 《***for*** …의》: He does not ~ *for* much. 그는 대단한 사람이 아니다 / Every minute *~s*. 1분인들 소홀히 할 수 없다 / Money *~s for* nothing 〔little〕. 돈 따위는 중요치 않다. **b** 《+전+명》 축에 들다《***among*** …의》: His new novel *~s among* his best works. 그의 새 소설은 그의 걸작 중의 하나로 친다.

4 《+전+명(+to do)》 의지하다, 기대하다, 믿다《**on, upon** …에》: ~ *on* others 남에게 의지하다/I'm ~*ing on* you *to* help me. 네가 나를 도와 주리라고 믿고 있다. SYN. ⇨RELY.
5 〖경기〗 득점이 되다.
~ against ... (실패 따위가[를]) …에게 불리해지다[하다고 생각하다]: His bad record ~*ed against* him. 나쁜 성적으로 그는 불리해졌다. **~ down** 《*vi.*+부》 (로켓 발사 등에서 10, 9, 8, 7 … 1과 같이) 거꾸로 숫자를 세다, 초 읽기를 하다《**to** …까지》. **~ in** 《*vt.*+부》 ① (물건)을 셈에 넣다. ② 《구어》 (사람)을 친구에 끼어넣다. **~ off** 《*vt.*+부》 ① …의 수를 확인하다. ② 세어서 가르다: She ~*ed off* five of us to address envelopes. 그녀는 편지 겉봉을 쓰는 데 우리중 5명을 지명했다. **—**《*vi.*+부》 ③ 《美》 〖군사〗 〖종종 명령형〗 (정렬한 병사가) 번호를 붙이다(《英》 number off). **~ out** 《*vt.*+부》 ① …을 (하나하나) 세어서 꺼내다; …을 (세어서) 덜다; …을 소리내어 세다. ② 《구어》 제외하다, 따돌리다: *Count* me *out*. (게임에서) 나는 빼 주시오. ③ 〖英의회〗 (정족수의 부족으로 의장이) 토의를 중지시키다, 유회를 선포하다. ④ 《美구어》 (투표용지를 불법으로) 무효로 하다. ⑤ 〖권투〗 (10초를 세어) 녹아웃을 선언하다. **~ up** 《*vt.*+부》 ① …을 세어 나가다, 합계하다. ② 수를 세다《**to** …까지》: She can ~ *up to* ten. 이 아이는 10까지 셀 수 있다.
—*n.* 1 U (구체적으로는 C) **계산**, 셈, 집계: beyond [out of] ~ 셀 수 없는, 무수한/take [make] a ~ of …을 세다/keep ~ (of) (…을) 계속 세다/lose ~ (of) (…을) 세다 잊어버리다, (도중에) 셀 수 없게 되다/A ~ of hands showed 5 in favor and 4 opposed. 거수 결과는 찬성 5 반대 4였다.
2 C (보통 *sing.*) 총계, 총수: hold a census ~ 인구 조사를 하다.
3 C 〖법률〗 (기소장의) 소인(訴因), 기소 조항; 문제점, 논점.
4 U (the (full) ~) 〖권투〗 카운트(를 셈): get up at the ~ of five 카운트 5에서 일어서다/take the ~, 10초를 세다[셀 때까지 일어서지 못하다], 카운트아웃되다.
5 C 〖야구〗 (타자의) 볼 카운트.
out [(《美》) ***down***] ***for the ~*** 〖권투〗 녹아웃되어; 《구어》 의식을 잃어; 숙면하여; 실격하여.

◇**count**[2] (*fem.* ***cóunt·ess*** [-is]) *n.* (종종 C-) C (영국 이외의) 백작. ★ 영국에서는 earl. 단 earl의 여성은 countess.

cóunt·a·ble *a.* 셀 수 있는. ↔ *uncountable*.
—*n.* C 〖문법〗 셀 수 있는 명사, 가산 명사.

cóunt·dòwn *n.* C (로켓 발사 때 등의) 초(秒)읽기: begin the ~ 초읽기를 시작하다.

***coun·te·nance** [káuntənəns] *n.* 1 C **생김새**, 안색, 표정: a sad ~ 슬픈 표정/His ~ fell. 실망한 빛이 보였다, 안색이 변했다. 2 U (또는 a ~) 침착함, 냉정함: with a good ~ 침착하게/keep one's ~ 태연히 있다; 새침떨고[웃지 않고] 있다/lose ~ 냉정을 잃다; 감정을 나타내다. 3 U 장려, 지지, 찬조, 후원: give [lend] (one's) ~ to …을 장려하다, …의 뒤를 밀어주다.
change ~ (분노 · 낭패 등으로) 안색이 변하다. ***out of ~*** 당혹하여: put a person *out of* ~ 아무를 당황케 하다; 아무에게 면목을 잃게 하다.
—*vt.* 1 (사람 · 행동)에 호의를 보이다, 찬성하다. 2 《~+목/+목+*-ing*》 묵인하다, 허용하다: He is a man who cannot ~ defeat. 그는 지고 가만히 있을 사람이 아니다/I will not ~ you [your] giving up. 네가 굴복하면 가만두지 않겠다.

⁑**count·er**[1] [káuntər] *n.* C 1 **계산대**, 카운터, 판매대: pay at [over] the ~ 카운터에서 돈을 치르다/a girl behind the ~ 여점원/stand [sit, serve] behind the ~ 점원 노릇하다, 소매점을 하다. 2 (식당 · 바의) 카운터, 스탠드; (주방(廚房)의) 조리대: a lunch ~ 《美》 간이식당. 3 계산하는 사람; 계산기; 〖컴퓨터〗 계수기(器); 계산 장치, 계수관(管). 4 산가지《카드놀이 등에서 득점 계산용 칩(chip)》.
over the ~ 판매장에서; (거래소에서가 아니고) 증권업자의 점포에서《주식 매매에 이름》; (약을 살 때) 처방전 없이. ***under the ~*** 몰래, 부정하게, 암거래(시세)로: They sell hard-core videos *under the* ~. 그들은 자극적인 포르노 비디오를 암거래로 팔고 있다.

coun·ter[2] *a.* 1 반대의, 역의《**to** …와》: a ~ proposal 반대 제안/the ~ side 반대측/His opinion is ~ *to* mine. 그의 의견은 내 의견과 반대다. 2 (한 쌍 중에서) 한 쪽의; 부(副)의: a ~ list 비치 명부.
—*ad.* 반대로, 거꾸로《**to** …와》: run [go, act] ~ (*to*) (…에) 반하다, 거스르다.
—*vt.* 1 …에 대항하다, 거스르다《***with, by*** …으로》: I ~*ed* their proposal *with* [*by* offer*ing*] my own. 그들의 제안에 대한 대항안으로 내 자신의 안을 내놓았다. 2 무효로 하다. 3 …에 반격하다; 〖체스〗 …을 되받아치다, 역습하다. **—***vi.* 〖권투〗 반격하다, 카운터를 치다.
—*n.* C 1 역, 반대의 것. 2 〖권투〗 받아치기, 카운터블로(counterblow); 〖펜싱〗 칼 끝으로 원을 그리며 받아넘기기; 〖스케이트〗 역(逆)회전(~-rocking turn, ~ rocker).

coun·ter- [káuntər, ˌ-] '적대, 보복; 역, 대응'의 뜻의 결합사.

*__còunter·áct__ *vt.* …에 **거스르다**; …을 방해하다; …에 반작용하다; (약의 효과 등)을 없애다, 중화(中和)하다.

còunter·áction *n.* U (구체적으로는 C) 1 (약의) 중화 (작용). 2 반작용, 역작용, 반동.

còunter·áctive *a.* 반작용의; 중화성의.

cóunter·àrgument *n.* C 반론(反論).

cóunter·attàck *n.* C 반격, 역습: mount a ~ 반격을 개시하다. **—**[ˌ--ˊ] *vt., vi.* 반격[역습]하다.

còunter·attráction *n.* 1 U 반대 인력. 2 C 따로 마음을 끄는 것.

còunter·bálance *vt.* …의 균형을 맞추다, …을 평형시키다; …의 부족을 메우다; …의 효과를 상쇄하다《***with*** …으로》: The two weights ~ each other. 그 두 분동(分銅)은 서로 평형을 이룬다/A marathon runner ~*s* lack of speed *with* endurance. 마라톤 주자는 스피드 부족을 인내력으로 메운다. **—**[ˊ-ˌ-] *n.* C 〖기계〗 평형추(錘) (counterweight); 평형 균형을 이루는 힘[세력]《**to** …와》.

cóunter·blàst *n.* C 맹렬[강경]한 반대《**to** …에 대한》.

cóunter·blòw *n.* C 반격, 역습(逆襲), 보복; 〖권투〗 카운터블로(counterpunch).

còunter·chánge *vt.* 바꾸어 넣다; 《문어》 체크 무늬[다채로운 무늬]로 하다, 다채로이 하다.

cóunter·chàrge *n.* C 역습, 반격; 반론.
—[ˌ-ˊ] *vt.* 반격[역습]하다; 반론하다.

cóunter·chèck *n.* C 대항[방지] 수단, 저지,

방해; 재대조(再對照). — [⌐--⌐] *vt.* 저지[방해]하다; 재대조하다.

cóunter·clàim 〖법률〗 *n.* Ⓒ 반소(反訴). — [⌐-⌐] *vi.* 반소하다, 반소를 제기하다. — *vt.* 반소에 의해 요구하다.

còunter·clóckwise *a., ad.* 시계 바늘과 반대 방향의[으로], 왼쪽으로 도는[돌게]. ↔ *clockwise.* ¶ a ~ rotation 왼쪽으로 돌기.

cóunter·cùlture *n.* Ⓤ (보통 the ~) 대항(對抗) 문화《기성 가치관 · 관습 등에 반항하는, 특히 젊은이의 문화》. ㊎ **-tural** *a.*

cóunter·cùrrent *n.* Ⓒ 역류.

còunter·éspionage *n.* Ⓤ (적의 스파이 조직에 대한) 반(反)[대항적]스파이 활동, 방첩.

cóunter·exàmple *n.* Ⓒ (공리 · 명제에 대한) 반례, 반증.

***coun·ter·feit** [káuntərfìt] *a.* **모조의**; 가짜의; 허울만의, 겉치레의; 허위(虛僞)의: a ~ note 위조 지폐 / a ~ signature 가짜 서명 / ~ illness 꾀병. — *n.* Ⓒ 가짜; 모[위]조품, 위작(僞作). — *vt.* (화폐 · 문서 따위)를 위조하다; (감정)을 속이다, 가장하다. ㊎ **~·er** *n.* Ⓒ 위조자, 모조자, 《특히》 화폐 위조자(《英》 coiner).

cóunter·fòil *n.* Ⓒ 부본(副本)(stub)《수표 · 영수증 따위를 떼어 주고 남겨두는 쪽지》.

cóunter·fòrce *n.* Ⓒ 반대[저항] 세력《*to* …에 대한》.

còunter·insúrgency *n.* Ⓤ 대(對)게릴라 계획[활동], 대(對)반란 활동[계획].

còunter·intélligence *n.* Ⓤ 대적(對敵) 정보 활동, 방첩 활동.

còunter·írritant *n.* Ⓤ (종류 · 낱개는 Ⓒ) 유도(誘導)[반대] 자극제《겨자 따위》.

cóunter·màn [-mæ̀n] (*pl.* ***-mèn*** [-mèn]) *n.* Ⓒ (cafeteria 등에서) 카운터 안쪽에서 손님 시중을 드는 사람; 점원.

coun·ter·mand [kàuntərmǽnd, -mɑ́:nd] *vt.* (명령 · 주문)을 취소[철회]하다. — [⌐-⌐] *n.* Ⓒ 반대[철회, 취소] 명령; 주문의 취소.

cóunter·màrch 〖군사〗 *n.* Ⓒ 배진(背進), 반대 행진. — [⌐-⌐] *vi.* 배진하다.

cóunter·mèasure *n.* Ⓒ (상대의 술책 · 행동 등에 대한) 대책, 대응책; 대항[보복] 수단《*against* …에 대한》.

coun·ter·move [káuntərmù:v] *n.* = COUNTERMEASURE.

còunter·offénsive *n.* Ⓒ 역공세, 반격.

coun·ter·pane [káuntərpèin] *n.* Ⓒ 침대의 겉덮개, (장식적인) 이불.

◇**cóunter·pàrt** *n.* Ⓒ **1** 계인(契印), 부절(符節); 〖법률〗 정부(正副) 두 통 중의 한 통, 《특히》 부본, 사본. **2** 짝의 한 쪽. **3** 상대물[인], 대응물[자], 동(同)자격자: The Korean foreign minister met his German ~. 한국 외무 장관이 독일 외무 장관과 회담했다. **4** 닮은 물건[사람].

cóunter·plòt *n.* Ⓒ 대항책《*to* (적의 계략 등)에 대한》. — (**-tt-**) *vt.* (적의 계략)에 계략으로 맞서다, (계략)의 의표를 찌르다. — *vi.* 반대 계략[대응책]을 강구하다.

cóunter·pòint *n.* Ⓤ 〖음악〗 대위법; Ⓒ 대위 선율.

cóunter·pòise *vt.* …와 균형을 유지시키다, …을 평형(平衡)시키다. — *n.* **1** Ⓤ 균형, 안정: be in ~ 평형을 유지하다, 균형이 잡혀 있다. **2** Ⓒ 평형추(錘)(counterbalance). **3** Ⓒ 균세물(均勢物), 평형력(counterbalance).

còunter·prodúctive *a.* 의도와는 반대된, 역효과의[를 낳게 하는].

còunter·propósal *n.* Ⓤ (구체적으로는 Ⓒ) 반대 제안.

cóunter·pùnch *n.* Ⓒ 〖권투〗 반격(counterblow).

Cóunter Reformátion (the ~) 반종교 개혁《종교 개혁에 유발된 16–17세기 가톨릭 내부의 자기 개혁 운동》.

còunter·revolútion *n.* Ⓤ (구체적으로는 Ⓒ) 반혁명. ㊎ **~·ary** *a., n.* Ⓒ 반혁명의; 반혁명주의자.

cóunter·scàrp *n.* Ⓒ 〖축성(築城)〗 (해자의) 외벽(外壁), 외안(外岸); 외벽으로 둘러싼 통로.

cóunter·sìgn *n.* Ⓒ **1** 〖군사〗 암호(password)《보초의 수하에 대답하는》: give the ~ 암호를 말하다. **2** 부서(副署). — [⌐-⌐] *vt.* …에 부서하다.

còunter·sígnature *n.* Ⓒ 부서(副署), 연서(連署).

cóunter·sìnk (***-sànk; -sùnk***) *vt.* (구멍의) 아가리를 넓히다; (나사못 등의 대가리)를 구멍에 박아 넣다. — *n.* Ⓒ (못대가리 구멍을 파는) 송곳; 입구를 넓힌 구멍.

cóunter·spỳ *n.* Ⓒ 역(逆)스파이.

cóunter·stròke *n.* Ⓒ 되받아치기, 반격.

còunter·ténor *n.* 〖음악〗 **1** Ⓤ 카운터테너(alto)《남성의 최고음부》; Ⓒ 그 목소리. **2** Ⓒ 카운터테너 가수《생략: c.》. — *a.* 카운터 테너의.

cóunter·tràde *n.* Ⓤ 대응 무역《수입측이 그 수입에 따르는 조건을 붙이는 거래》.

coun·ter·vail [kàuntərvéil] *vt.* 대항하다; 상쇄하다; 메우다, 보상하다. — *vi.* 대항하다《***against*** …에》.

counterváiling dùty (수출 장려금에 대한) 상쇄(相殺) 관세.

cóunter·wèight *n.* = COUNTERBALANCE.

◇**count·ess** [káuntis] *n.* (종종 C–) Ⓒ 백작 부인《count² 및 영국의 earl 의 부인》; 여(女)백작.

cóunt·ing·hòuse *n.* Ⓒ (회사 등의) 회계실[과]; 회계 사무소.

***count·less** [káuntlis] *a.* **셀 수 없는**, 셀 수 없을 정도로 많은, 무수한(innumerable).

cóunt nòun 〖문법〗 가산 명사(countable).

coun·tri·fied, -try·fied [kʌ́ntrifàid] *a.* 촌티가 나는, 촌스러운; 전원풍[시골풍]의.

†**coun·try** [kʌ́ntri] (*pl.* ***-tries***) *n.* **1** Ⓒ **나라, 국가**; 국토: an industrialized ~ 공업국 / a developing ~ 개발도상국 / So many *countries*, so many customs. 《속담》 나라마다 풍속이 다르다.

SYN. **country** 는 「나라」를 나타내는 가장 보편적인 말로 국토를 의미함. **nation** 은 국토보다는 그 국민에 중점을 둔 말. **state** 는 법률적 · 이론적인 의미로 통일체로서의 국가를 뜻함.

2 (the ~) 〖집합적; 단수취급〗 국민: The ~ was against war. 국민은 전쟁에 반대했다. **3** (the ~) **시골, 교외**, 지방, 전원: go into the ~ 시골에 가다 / live in the ~ 시골에 살다. **4** Ⓒ (보통 one's ~) **본국, 조국**, 고국; 고향: love of one's ~ 조국애, 애국심 / My [Our] ~, right or wrong! 옳든 그르든 조국은 조국. **5** Ⓤ 〖보통 관사 없이 수식어를 사용하여〗 지역, 고장: mountainous ~ 산악지 / wooded ~ 삼림 지역. **6** Ⓤ (어떤) 영역, 분야, 방면: Shakespeare is unknown ~ to me. 셰익스피어는 나에게는 미지의 분야이다. **7** = COUNTRY MUSIC.

***across* ~** 들을 가로질러, 단교(斷郊)의《경주 따

위)). *appeal* 〔*go*〕 *to the* ~ 《英》 (의회를 해산하여) 국민의 총의를 묻다, 총선거를 행하다.

DIAL. ***It's a free country.*** 하고 싶은 일은 뭐든지 하지(← 여기는 자유의 나라야).

—*a.* Ⓐ 시골(풍)의; 전원 생활의; 농촌에서 자란; 컨트리 뮤직의: a ~ town 지방 도시 / ~ life 전원 생활 / a ~ holiday 교외에서 보내는 휴일, 피크닉 / a ~ boy 시골에서 자란 소년.

cóuntry-and-wéstern [-ən-] *n.* Ⓤ 미국 서부·남부 지방에 발달한 대중 음악.

cóuntry clùb 컨트리 클럽《테니스·골프 따위의 설비를 갖춘 교외 클럽》.

cóuntry cóusin 도회지에 갓 온 시골 사람.

cóuntry-dànce *n.* Ⓒ (영국의) 컨트리댄스 《남녀가 두 줄로 마주 서서 춤》.

countryfied ⇨COUNTRIFIED.

cóuntry géntleman (시골에 토지를 소유하고 넓은 주택에 거주하는) 신사〔귀족〕 계급의 사람, 지방의 명사〔대지주〕(squire).

cóuntry hòuse 《英》 시골에 있는 대지주의 저택(cf. town house).

◇**cóuntry·man** [-mən] (*pl.* **-men** [-mən]) *n.* Ⓒ **1** (보통 one's ~) 동국인, 동포, 동향인. **2** (종종 [-mæ̀n]) 촌뜨기. **3** 《英》 (어떤) 지방의 주민.

cóuntry mùsic 《구어》 = COUNTRY-AND-WESTERN.

cóuntry pàrty 지방당《농촌의 이익을 옹호하는 정당》.

cóuntry ròck 〖음악〗 로큰롤조(調)의 웨스턴 뮤직(rockabilly).

cóuntry·sèat *n.* Ⓒ 시골의 대저택(country house).

***coun·try·side** [kʌ́ntrisàid] *n.* **1** Ⓤ **시골**; (시골의) 한 지방. **2** (the ~) 〔집합적; 단수취급〕 지방민.

cóuntry·wíde *a.* 전국적인. cf. nationwide.

cóuntry·wòman (*pl.* **-wòmen**) *n.* Ⓒ **1** (보통 one's ~) 같은 나라〔고향〕 여자. **2** 시골 여자.

coun·ty** [káunti] *n.* **1** Ⓒ 《美》 **군**(郡)《State 밑의 행정 구획; Louisiana 주와 Alaska 주 제외》. **2** Ⓒ 《英》 **주**(州)《최대의 행정·사법·정치 구획; 주 이름은 the *County* of York 또는 -shire를 붙여 Yorkshire라고 함》. **—a.* 《英》 주(州)의 오랜 가문의: ⇨COUNTY FAMILY.

cóunty bórough 《英》 특별시《인구 10만 이상의 행정상 county와 동격인 도시; 1974년 폐지》.

cóunty cóuncil 〔집합적; 단·복수취급〕 《英》 주(의)회.

cóunty cóuncillor 《英》 주회 의원.

cóunty cóurt **1** 《英》 주 재판소. **2** 《美》 군 재판소.

cóunty crícket 《英》 주 대항 크리켓 경기.

cóunty fáir 《美》 (연 1회의) 군의 농산물·가축의 품평회〔공진회〕.

cóunty fámily 《英》 주〔지방〕의 명문.

cóunty schòol 《英》 주립〔공립〕 학교.

cóunty séat 《美》 군청 소재지.

cóunty tówn 《英》 주(州)의 행정 중심지, 주청(州廳) 소재지; 《美》 = COUNTY SEAT.

coup [ku:] (*pl.* **~s** [ku:z]) *n.* 《F.》 Ⓒ **1** 타격; 멋진〔불의의〕 일격. **2** (사업 등의) 대히트, 대성공: make 〔pull off〕 a great ~ 멋지게 해내다, 히트를 치다. **3** = COUP D'ÉTAT.

coup de grâce [ku:dəgrá:s] (*pl.* ***coups de grâce*** [—]) 《F.》 (빈사 상태에 있는 사람·동물에 대한) 최후의 일격; 숨통을 끊기(mercy stroke).

coup d'é·tat [kù:deitá:/kú:-] (*pl.* ***coups d'état*** [—], **~s** [-z]) 《F.》 쿠데타, 무력 정변.

cou·pé, coupe [ku:péi/⌐-], [ku:p] *n.* Ⓒ **1** 쿠페(형 자동차). ★ 《美》에서는 철자 coupe가 일반적. **2** 쿠페형 마차《앞에 마부석이 따로 있는 2인승 4륜 상자형 마차》.

⁑**cou·ple** [kʌ́pəl] *n.* Ⓒ **1 한 쌍, 둘**; (같은 종류의) 두 개〔사람〕: a ~ *of* girls 두 아가씨 / a ~ *of* apples 사과 두 개. SYN. ⇨PAIR. **2 부부**, 약혼한 남녀; (남녀의) 한 쌍《★ 사람을 나타낼 경우에는 동사가 복수형을 취할 때도 있음》: a loving ~ 사랑하는 남녀 / a newly wedded ~ 신혼 부부 / The ~ were 〔was〕 dancing. 그 (남녀) 두 사람은 춤을 추고 있었다. **3** 〖물리〗 짝힘, 우력(偶力); 〖전기〗 커플.

a* ~ *of ① 두 개〔사람〕의(two); 2인 1조의. ② 《구어》 몇몇의, 두셋의(a few)《of를 생략하기도 함》: *a* ~ *of* miles 〔days〕, 2–3마일〔일〕/ *a* ~ (*of*) years 두 해, 2–3년.

—*vt.* **1** 《~+목/+목+부/+목+전+명》 (두 개씩) 잇다, 연결하다(*together*)《***on, onto*** …에》: ~ two coaches (*together*) 객차를 2량 연결하다 / ~ a trailer *on to* a truck 트럭에 트레일러를 연결하다. **2** 결혼시키다. **3** 《+목+전+명/+목+부》 연상하다, 결부시켜 생각하다《***with*** …와》: ~ A *with* B =~ A and B (*together*), A와 B를 결부시켜 생각하다 / We ~ the name of Edison *with* the phonograph. 우리는 에디슨이라고 하면 축음기를 연상한다. **—***vi.* **1** 《~/+전+명》 결합하다, 연결되다《***with*** …와》: The high winds ~*d* *with* a rising tide. 밀물에 거센 바람이 겹쳤다. **2** 교미하다; 성교하다.

cóu·pler *n.* Ⓒ **1** 연결자; 연결기〔장치〕. **2** 〖전기·컴퓨터〗 결합기, 커플러.

cou·plet [kʌ́plit] *n.* Ⓒ (시(詩)의) 대구(對句), 2행 연구(連句)(cf. heroic ~).

cóu·pling *n.* **1** Ⓤ 연결, 결합. **2** Ⓒ 〖기계〗 커플링, 연결기〔장치〕.

cou·pon [kjú:pɑn/-pɔn] *n.* Ⓒ **1** 회수권의 한 장; (철도의) 쿠폰식 (연락) 승차권; (광고·상품 등에 첨부된) 우대권, 경품권; 식품권(a food ~); 배급권: a clothing ~ 의류 구입권 / a discount ~ 할인권 / a ~ system 경품부 판매법 / a ~ ticket 쿠폰식 유람〔승차〕권. **2** (판매 광고에 첨부된) 떼어 쓰는 신청권〔용지〕. **3** (공채 증서·채권 따위의) 이표(利票): cum ~ =~ on 이표가 붙어 있는《★ 관사 없이》/ ex ~ =~ off 이표가 떨어진.

⁑**cour·age** [kə́:ridʒ, kʌ́r-] *n.* Ⓤ **용기**《***to*** do》, 담력, 배짱. ★ courage는 정신력을, bravery는 대담한 행위를 강조함. ¶have the ~ *to* do …할 용기가 있다 / lose ~ 낙담하다 / have the ~ of one's convictions 〔opinions〕 용기 있게 자기 소신〔의견〕을 단행〔주장〕하다 / take ~ in …에 용기를 내다 / muster 〔pluck, screw〕 up one's ~ 용기를 내다. ◇ courageous *a.*

◇**cou·ra·geous** [kəréidʒəs] *a.* 용기 있는, 용감한, 담력 있는, 씩씩한《***to*** do》. ↔ *cowardly*. ¶a ~ person 용감한 사람 / You were ~ *to* tell the truth. =It was ~ *of* you *to* tell the truth. 너는 사실을 말할 용기가 있었다.

㊕ **~·ly** *ad.* **~·ness** *n.*

Cour·bet [*F.* kurbɛ] *n.* **Gustave** ~ 쿠르베 《프랑스의 화가; 1819–77》.

cour·gette [kuərdʒét] *n.* 《英》 = ZUCCHINI.

cou·ri·er [kúriər, kə́ːri-] *n*. **1** Ⓒ 급사(急使), 특사; 밀사. **2** Ⓒ 여행 안내인, (단체 여행의) 안내원, 가이드. **3** (C-) …신문.

†**course**[1] [kɔːrs] *n*. **1** Ⓒ **a 진로**, 행로; 물길, 수로. **b** (보통 *sing.*) (배 · 비행기의) 코스, 침로, 항(공)로: a ship's ~ (배의) 침로/The plane was many miles off ~. 비행기는 몇 마일이나 항로를 벗어나 있었다.
2 Ⓤ (보통 the ~) **진행**, 진전, 추이; 과정, 경과; (사건의) 되어감; (일의) 순서: the ~ *of* life 인생 행로/the ~ *of* events [things] 사건의 진전, 사태, 추세.
3 Ⓒ (행동의) **방침**, 방향, 방식; (*pl.*) 행동, 행실: hold [change] one's ~ 자기의 방식을 계속하다 [바꾸다]/mend one's ~*s* 행실을 고치다.
4 Ⓒ **a** (강의 따위의) 연속; (학교의) **교육과정**; 학과, 과목, 강좌: a ~ *of* lectures 연속 강의/a ~ of study 교과[연구] 과정/a summer ~ 하계 강좌. **b** (치료의) 일정 기간: prescribe a ~ *of* antibiotics 일정 기간의 항생 물질을 처방하다.
5 Ⓒ (경주 · 경기의) 주로(走路), 코스; 경마장: a golf ~ 골프 코스.
6 Ⓒ 〖요리〗 (차례로 한 접시씩 나오는) (일품)요리: a dinner of six ~*s*, 6품 요리《보통은 soup, fish, meat, sweets, cheese, dessert의 6품》.
7 Ⓒ 〖건축〗 (벽돌 따위의) 옆으로 줄지은 층.
(as) a matter of **~** 당연한 일(로서). ***in due*** **~** 당연한 추세로, 순조롭게 나가면; 미구에. ***in the*** **~** ***of*** …의 경과 중에, …동안에(during): *in the* ~ *of* this year 연내에. ***in (the)*** **~** ***of time*** 때가 경과함에 따라, 마침내, 불원간에. ***of*** **~** ① 당연한, 예사로운. ② 당연한 귀추로서. ③ 〖문장 전체에 걸려〗 물론, 당연히; (아) 그래, 그렇군요, 확실히: "You don't like snakes, do you?"—"*Of* ~ not." 뱀을 싫어하는군요—물론, 싫어합니다. ***run*** [***take***] ***its*** [***their***] **~** 자연의 경과를[형편대로] 따르다, 자연히 소멸되다: It's best to let this kind of sickness *run its* ~. 이러한 병은 자연의 경과에 맡겨두는 것이 상책이다. ***stay the*** **~** ① (경주에서) 완주하다. ② 끝까지 버티다, 쉽사리 체념[단념]하지 않다.
—*ad.* 《구어》 =of ~ (='course). **—***vt.* (사냥개로) 사냥하다. **—***vi.* **1** (개로) 사냥을 하다. **2** 《+전+명》 (눈물이 계속) 흐르다, (냇물이) 세차게 흐르다; (피가) 돌다: Tears ~*d down* her cheeks. 눈물이 그녀의 두 볼에 흘렀다.

course[2], **'course** [kɔːrs] *ad.* =of COURSE[1] (관용구).

cours·er [kɔ́ːrsər] *n*. Ⓒ 《문어》 준마.

‡**court** [kɔːrt] *n*. **1** Ⓒ (주위에 담 · 건물이 있는) **안뜰**, 뜰(yard, courtyard); 《英》 (건물 뒤의) 골목길, 막다른 골목. SYN. ⇨GARDEN.
2 Ⓒ (in, on, off, out of의 뒤에서는 Ⓤ) (테니스 · 농구 등의) **코트**: The ball was *in* [*out of*] ~. 볼이 코트 안에 들어갔다[밖으로 나갔다].
3 a (종종 C-) Ⓒ (at, in, to 뒤에서는 Ⓤ) **궁정**(宮廷), 궁중, 왕실: the *Court* of St. James's 성 제임스 궁정《영국 궁정의 공식 명칭》/go *to* ~ 입궁하다. **b** Ⓤ (the [one's] ~) 〖집합적; 단 · 복수취급〗 조정 신하: the King and the [his] whole ~ 왕과 그의 조정 신하 전원.
4 (종종 C-) Ⓤ (구체적으로는 Ⓒ) 알현(식), 어전 회의: be presented at *Court* (신임 외교사절 · 사교계 자녀 등이) 알현하다.
5 Ⓒ (from, in, into, out of, to 뒤에서는 Ⓤ) 법정, 법원: a civil [criminal] ~ 민사[형사] 법원/a ~ of justice [law] 법원, 법정/the High *Court* (of Justice) 《英》 고등 법원/Supreme *Court* of the U.S. 《美》 연방 최고 법원/United States District *Court* 《美》 연방 지방 법원 《주 · 지방 자치체 법원으로 95개 있음》/appear *in* ~ 출정하다/*out of* ~ 법정 밖에서/take a case *into* ~ 사건을 재판에 부치다.
6 Ⓤ (the ~) 〖집합적〗 법관, 판사: The ~ found him guilty. 법정은 그를 유죄로 판결하였다.
7 Ⓤ (군주에 대한) 충성; 추종, 아첨; (남자의 여자에 대한) 비위맞추기, 구애.
laugh ... out of **~** 일소에 부치다, 문제삼지 않다. ***put*** [***rule***] ***... out of*** **~** …을 문제 삼지 않다; 무시하다.
—*vt.* …의 환심을 사다; 지싯거리다, 구혼하다; 〖일반적〗 (칭찬 따위)를 받고자 하다; (화)를 자초하다: You are ~*ing* disaster [danger, ruin]. 너는 재난[위험, 파멸]을 자초하고 있다. **—***vi.* (사람 · 동물이) 구애하다; (결혼을 전제로) 사귀다.

cóurt càrd 《英》 (트럼프의) 그림 있는 패(《美》 face card).

cóurt drèss (입궐용) 대례복, 궁중복.

cour·te·ous** [kə́ːrtiəs/kɔ́ːr-] *a*. **1 예의바른**, 정중한. SYN. ⇨POLITE. **2** 친절한《to, with*** (아무)에 대하여/***to*** do》: receive a ~ welcome 극진한 환영을 받다/She was very ~ *to* me. 그녀는 내게 매우 친절하였다/It was very ~ *of* you *to* see me off. =You were very ~ *to* see me off. 전송까지 해 주다니 너는 정말 친절하구나. ◇courtesy *n*. ㊄ **~·ly** *ad*. **~·ness** *n*.

cour·te·san, -zan [kɔ́ːrtəzən, kə́ːr-] *n*. Ⓒ 고급 창부; (옛 왕후 귀족의) 정부(情婦).

***cour·te·sy** [kə́ːrtəsi] *n*. **1** Ⓤ **예의바름**, 정중[친절]함: as a matter of ~ 예의로서/He did me the ~ of answering the question. 그는 공손히 그 질문에 답을 해 주었다. **2** Ⓒ 정중[친절]한 말[행위]: do a person many *courtesies* 아무에게 여러 가지로 친절하게 하다. **3** Ⓤ **호의**(favor), 우대, 특별 취급: a ~ member 회원 대우자/through the ~ of =(by) ~ of …의 호의에 의해《★ 《美》에서는 보통 by를 생략함》/by ~ of the author 저자의 호의에 의해《전재 허가를 명기하는 문구》.

cóurtesy lìght (자동차의 문이 열리면 자동적으로 켜지는) 발밑을 밝히는 전등.

cóurtesy tìtle 관례 · 의례적인 경칭《귀족 자녀의 성 앞에 붙이는 Lord, Lady나 모든 대학 교수를 professor라 부르는 등》.

cóurt·hòuse *n*. Ⓒ 법원; 《美》 군 청사.

◇**cour·ti·er** [kɔ́ːrtiər] *n*. Ⓒ 정신(廷臣), 조신(朝臣); 따리꾼, 알랑쇠.

◇**cóurt·ly** (***-li·er; -li·est***) *a*. 예절 있는, 품격이 있는; 정중한; 아첨하는. **—***ad*. 궁정풍으로; 우아하게; 아첨하여. ㊄ **-li·ness** *n*.

cóurtly lóve 궁정풍 연애《귀부인에 대한 절대적 헌신을 이상으로 하는 기사도적 연애》.

cóurt-mártial (*pl.* ***cóurts-; ~s***) *n*. Ⓒ 군법회의. **—** (***-l-***, 《英》 ***-ll-***) *vt*. 군법 회의에 회부하다.

cóurt òrder 법원 명령.

cóurt·ròom *n*. Ⓒ 법정.

◇**court·ship** [kɔ́ːrtʃip] *n*. **1** Ⓤ (여자에 대한) 구애, 구혼; (새 등의) 구애 (동작). **2** Ⓒ 구혼 기간.

cóurt shòe (보통 *pl.*) 《英》 펌푸스《신끈을 걸치는 고리가 없는 여성의 굽높은 구두》.

cóurt tènnis 《美》 실내 테니스《lawn tennis

에 대하여》.

cóurt·yàrd *n.* Ⓒ 안뜰, 안마당.

⁑**cous·in** [kʌ́zn] *n.* Ⓒ **1 사촌**, 종(從)형제〔자매〕: a girl ~ 여자 사촌/a first 〔full, own〕 ~ 친사촌/a (first) ~ once removed 사촌의 자녀, 종질(從姪)/He's ~ to 〔a ~ of〕 the President. 그는 대통령의 사촌이다《★ ~ to는 관사 없이》. **2** 재종, 삼종; 친척, 일가: a second ~ 육촌, 재종, 종질/a third ~ 삼종, 팔촌(first ~ twice removed). **3** 근연종(近緣種): Monkeys are obvious *~s* of man. 원숭이는 사람의 근연종임이 확실하다.

cóusin-gérman (*pl.* ***cóusins-***) *n.* Ⓒ 친사촌(first cousin).

cóusin-in-láw (*pl.* ***cóusins-***) *n.* Ⓒ 사촌의 아내〔남편〕.

cóus·in·ly *a.* 사촌 관계의; 사촌 같은.

cou·ture [ku:tjúər] *n.* 《F.》 Ⓤ 고급 여성복 디자인; 《집합적》 패션 디자이너.

cou·tu·ri·er[ku:túərièi] (*fem.* ***-ri·ère*** [-riər]) *n.* 《F.》 Ⓒ (남자) 양재사, 드레스메이커.

cove[1] [kouv] *n.* Ⓒ 후미, 작은 만(灣).

cove[2] *n.* Ⓒ 《英속어》 녀석, 자식.

cov·en [kʌ́vən, kóu-] *n.* Ⓒ 《단 · 복수취급》 (특히 13 인의) 마녀 집회.

cov·e·nant [kʌ́vənənt] *n.* Ⓒ 계약, 서약, 맹약; 계약서, 날인 증서; 계약 조항; (the C-) 〖신학〗 (신과 인간 사이의) 성약(聖約). ***Ark of the Covenant*** 〖신학〗 (Moses의 십계명을 새긴 돌을 넣은) 법궤(法櫃)《출애굽기 XXV: 10》. ***the Land of the Covenant*** 〖신학〗 약속의 땅《Canaan》.
—*vi.* 계약〔서약, 맹약〕하다《***with*** …와; ***for*** …을》: ~ *with* a person *for* 아무와 …을 계약하다. **—***vt.* **1** …을 계약하다: ~ a donation of 100 pounds to a church 교회에 100파운드의 기부를 계약하다. **2** 약속〔서약〕하다《***to*** do/***that***》: He *~ed to* do it. 그는 그것을 하겠다고 서약하였다/They *~ed that* they would sell only to certain buyers. 그들은 특정한 구매자에게만 판매한다는 계약을 맺었다.

Cóv·ent Gárden [kʌ́vənt-, kάv-/kɔ́v-, kʌ́v-] **1** 코번트 가든《London 중앙부의 지구》. **2** 코번트 가든 (오페라) 극장《정식명은 Royal Opera House》.

Cov·en·try [kʌ́vəntri, kάv-/kɔ́v-] *n.* 코번트리《영국 West Midlands의 중공업 도시》. ***send*** a person ***to ~*** 아무를 축에서 빼놓다, 사교계에서 따돌리다, 절교하다.

†**cov·er** [kʌ́vər] *vt.* **1** 《~+목/+목+전+명》 (표면)을 **덮다**, 씌우다, 싸다《***with, in*** …으로》: Snow *~ed* the highway. 간선 도로는 눈으로 덮였다/~ one's face *with* one's hands 손으로 얼굴을 가리다/His shoes were ~ed *with* 〔*in*〕 dust. 그의 구두는 흙먼지로 뒤덮혀 있었다.
2 a (물건)에 뚜껑을〔덮개를〕 하다; (머리)에 모자를 씌우다: ~ a dish 접시에 뚜껑을 덮다/~ one's head 모자를 쓰다. **b** 《+목+전+명》 (몸)에 걸치다, 대다《***with*** …을》; 《~ oneself》 (몸)을 감싸다《***with*** …으로》: *Cover* your knees *with* this rug. 무릎에 이 모포를 걸치시오/~ one*self with* furs (against the cold) (춥지 않게) 모피로 몸을 감싸다.
3 《~+목/+목+전+명》 …에 거죽을 씌우다, 표지를 붙이다; 뒤바르다, (표면)에 흩뿌리다, 덧씌우다《***with*** …을》: ~ a book 책에 표지를 붙이다/~ the seat of a chair *with* leather 의자 좌석에 가죽을 씌우다/~ a wall *with* wallpaper 벽에 벽지를 바르다.
4 《~+목/+목+전+명》 (범죄 · 감정 따위)를 **덮어 가리다**, 감추다, 얼버무리다: ~ one's feelings 감정을 숨기다/~ one's bare shoulder *with* a shawl 드러난 어깨를 숄로 가리다. SYN. ⇨HIDE.
5 a 《~+목/+목+전+명》 감싸다, 보호하다(shield, protect)《***from*** …에서》; 〖군사〗 호위하다, …의 엄호사격〔폭격〕을 하다, 방위하다; (지역 · 길 따위)를 경비하다: ~ the landing 상륙 작전을 엄호하다/The cave *~ed* him *from* the snow. 그는 동굴에서 눈을 피했다/The soldiers had all the roads out of town *~ed*. 병사들은 시가지 외곽의 모든 도로를 경비했다. **b** 〖경기〗 …의 후방을 지키다; (상대방)을 마크하다; 〖야구〗 커버하다《잠시 비어 있는 베이스를》; 〖테니스〗 (코트)를 지키다.
6 《+목+전+명》 《~ oneself》 누리다, 한 몸에 받다; 당하다《***with*** (영광 · 치욕 따위)를》: ~ one*self with* honors 명예를 누리다/He *~ed* him*self with* disgrace. 그는 창피를 당했다.
7 (어느 범위)에 **걸치다**(extend over), (분야 · 영역)을 포함하다(include), 망라하다; (사례)에 들어맞다; (주제 · 연구)를 다루다: The Sahara *~s* an area of about three million square miles. 사하라 사막은 약 3백만 평방 마일의 지역에 걸쳐 있다/The rule *~s* all cases. 그 규칙은 모든 경우에 해당한다/~ the whole subject 문제를 남김없이 다루다.
8 (기자가 사건 등)을 뉴스로 보도하다, 취재하다: The reporter *~ed* the accident. 기자는 그 사건을 취재했다.
9 (어느 거리)를 가다, (어떤 지역)을 여행〔답파〕하다(travel): I ~ 200 miles a day in my car. 나는 차를 타고 하루에 2백 마일을 달린다/We *~ed* three countries in a week. 우리는 1주일에 3개국을 돌았다.
10 《~+목/+목+전+명》 보험을 들다; (어음)의 지급금을 준비하다; (채권자)에게 담보를 넣다《***against, for*** …에 대하여》: Are you *~ed against* 〔*for*〕 fire? 화재보험에 들었습니까.
11 (손실)을 메우다; (경비)를 부담하다, …하기에 충분하다: Will $500 ~ our expenses for the weekend? 주말 비용으로 5백 달러면 충분할까요/Can you ~ the check? 그 수표를 메울 만한 예금이 있습니까.
12 《~+목/+목+전+명》 (아무)에게 들이대다《***with*** (총기)를》; …을 사정권 안에 두다: The battery *~ed* the city. 포대는 그 시를 사정권 내에 두었다/~ a person *with* a pistol 아무에게 권총을 들이대다.
—*vi.* 《+전+명》 대신 일하다, 대리하다《***for*** (아무)를》: *Cover for* me for a few minutes, will you? 잠시 저 대신 일을 봐 주시겠습니까.
~ *in* 《*vt.*+부》 ① (무덤 따위)에 흙을 덮다, (구멍)을 흙으로 메우다. ② (하수도 따위)에 뚜껑을 하다; (집)에 지붕을 이다. **~ *over*** 《*vt.*+부》 ① (물건의 상한 곳)을 덮어 가리다. ② (실책 등)을 감추다. **~ *up*** 《*vt.*+부》 ① …을 완전히 덮다〔싸다〕《***with*** …으로》: *Cover* yourself *up* (*with* something warm). (뭔가 따뜻한 것으로) 몸을 덮으시오. ② (과오 등)을 덮어가리다〔숨기다〕: They tried to ~ *up* the bribery. 그들은 수회(收賄)를 숨기려 했다. **—**《*vi.*+부》 ③ 감싸다, 감싸 주다《***for*** (아무)를》: He tried to ~ *up for* her by lying. 그는 거짓말을 하여 그녀를 감싸 주려 했다.
—*n.* **1** Ⓒ **덮개**; 뚜껑; 책의 표지《소위 '커버'는

jacket》; (우편용) 봉투; 포장지; 침구, 이불: put a ~ on a chair 의자에 커버를 씌우다 / take the ~ from 〔off〕 a pan 냄비 뚜껑을 벗기다 / under separate ~ 별봉〔별편〕으로《★ 관사 없이》.
2 [U] 은신처, 피난처, 잠복처(shelter); (사냥감이) 숨는 곳《숲이나 덤불 따위》; 〖군사〗 엄호물, 은폐물; (어둠 · 밤 · 연기 등의) 차폐물: find ~ from a storm 폭풍우를 피할 곳을 찾다 / break ~ (사냥감을) 숨은 장소에서 몰아내다 / There was no ~ from the enemy fire. 적의 포화를 막아낼 것이 아무것도 없었다.
3 a [U] 구실, 핑계. **b** [U] (또는 a ~) 숨기는 것, 피하는 것《***for*** (주목 따위)를》: The pizzeria was a ~ *for* selling drugs. 그 피자 요리점은 마약을 파는 곳이었다.
4 [C] (식탁 위의) 1인분 식기《나이프 · 포크 따위》: *Covers* were laid for six. 식탁에는 6 인분의 식기가 준비되어 있었다.
5 [C] 《美》 = COVER CHARGE.
6 [U] (손해) 보험, 보험에 의한 담보; 〖상업〗 보증금(deposit), 담보물.
7 [U] (보통 the ~) (어느 지역에서 자라는) 식물: the natural ~ of Scotland 스코틀랜드산(産) 자연 식물.
beat a ~ 사냥감의 숨은 데를 두드려 찾다. ***blow one's*** ~ (부주의로) 비밀 신분을 드러내다. **(*from*)** ~ ***to*** ~ 책의 처음부터 끝까지: read a book (*from*) ~ *to* ~ at one sitting 책을 단숨에 처음부터 끝까지 내리 읽다. ***get under*** ~ 안전한 곳에 숨다; (비 따위를) 피하다. ***take*** ~ ① 〖군사〗 지형〔지물〕을 이용하여 숨다〔피신하다〕《***from*** …에서》: *take* ~ *from* enemy fire 적의 포화로부터 몸을 지키다. ② 숨다, 피난하다: They *took* ~ *from* the rain under a tree. 그들은 나무 밑에서 비를 그었다. ***under*** ~ ① 봉투에 넣어서, 편지에 동봉하여. ② 숨어서, 몰래: We sent an agent *under* ~ to investigate. 우리는 수사를 하기 위하여 몰래 첩자를 보냈다. ***under* (*the*) ~ *of*** …의 엄호를 받아; (어둠 따위)를 틈타, (병 따위)를 빙자하여〔구실삼아〕: *under* ~ *of* night 야음을 틈타.

cov·er·age [kʌ́vəridʒ] *n*. **1** [U] (또는 a ~) 적용〔통용, 보증〕 범위. **2** [U] 보도〔취재〕(의 범위); (라디오 · TV 의) 유효 시청 범위(service area); (광고의) 유효 도달 범위. **3** [U] (보험의) 전보(塡補) (범위).

cóver·àll *n*. [C] (보통 *pl*.) 《美》 (짧은) 소매가 달린 내리닫이 작업복. [cf.] overall.

cóver chàrge (카바레 따위의) 서비스료; 좌석료.

cóver cròp 피복(被覆) 작물《겨울철, 토리(土理)를 보호하기 위해 밭에 심는 클로버 따위》.

cóv·ered *a*. 감춰진, 덮인, 차폐된(sheltered); 지붕〔뚜껑〕이 있는; 모자를 쓴: a ~ vehicle 지붕 있는 마차《따위》/ a ~ position 차폐 진지.

cóvered brídge 《美》 지붕이 있는 다리.

cóvered wágon 《美》 포장마차《특히 초기 개척자가 사용한》, 포장 트럭.

cóver gìrl 잡지 표지에 나오는 미인.

cóv·er·ing [-riŋ] *n*. **1** [C] 덮개; 지붕. **2** [U] 덮기, 피복; 엄호; 차폐.

cóvering lètter 〔**nòte**〕 (봉함물의) 설명서, 첨부장; (동봉물 · 구매 주문서에 붙인) 설명서.

***cov·er·let, cov·er·lid** [kʌ́vərlit], [-lìd] *n*. [C] 침대의 덮개; 커버; 이불.

cóver nòte 〖보험〗 가(假)증서, 보험 인수증; = COVERING NOTE.

cóver stòry 잡지 표지에 관련된 특집 기사.

◇**cov·ert** [kʌ́vərt, kóu-] *a*. 숨은, 덮인; 비밀의, 암암리의, 은밀한(↔ *overt*); 〖법률〗 남편의 보호하에 있는: a ~ glance 은밀한 눈짓 / ~ negotiations 비밀 교섭.
—*n*. [C] 덮어 가리는 것; (사냥감의) 숨는 곳(cover); 잠복처. ***break*** ~ (동물이) 숨은 곳에서 나오다(break cover). ***draw a*** ~ 사냥감을 덤불에서 몰아내다. [파] **~·ly** *ad*. 남몰래.

cóvert còat 《英》 (covert cloth 의) 짧은 외투《사냥 · 승마용》.

cov·er·ture [kʌ́vərtʃər] *n*. [U] (구체적으로는 [C]) 덮개, 피복물(被覆物); 엄호물; 은신처, 피난처; 외피; [U] 〖법률〗 (남편 보호 아래의) 아내 지위〔신분〕.

cóver-ùp *n*. **1** (a ~) 숨김; 은닉; 은폐 공작. **2** [C] 위에 걸치는 옷《수영복 위에 걸치는 비치코트 따위》.

◇**cov·et** [kʌ́vit] *vt*. (남의 것)을 몹시 탐내다, 바라다, 갈망하다: All ~, all lose. 《속담》 대탐 대실(大貪大失).

◇**cov·et·ous** [kʌ́vitəs] *a*. 탐내는; 탐욕스러운; 열망하는《***of*** …을》: be ~ *of* another person's property 남의 재산을 몹시 탐내다. [파] **~·ly** *ad*. **~·ness** *n*.

cov·ey [kʌ́vi] *n*. [C] 한배의 병아리; (메추라기 등의) 무리, 떼; 《우스개》 일단, 대(隊).

†**cow**[1] [kau] (*pl*. **~s**, 《고어》 ***kine*** [kain]) *n*. [C] **1** 암소, 젖소《bull[1] 에 대하여》; (*pl*.) 《美서부》 축우(畜牛): a milk ~ 젖소. **2** (코끼리 · 무소 · 고래 따위의) 암컷. **3** 《속어》 (살찌고) 주책없는 여자, 보기 싫은 여자.
have a ~ 《美구어》 흥분하다, 화내다. ***Holy*** **~!** ⇨HOLY. ***till*** 〔***until***〕 ***the ~s come home*** 《구어》 오랫동안, 영구히.

cow[2] *vt*. 으르다, 위협〔협박〕하다(*down*); 을러서 …시키다《***into*** …하도록》: She ~*ed* him *into* doing things her way. 그녀는 그를 을러 무슨 일이든 자기가 마음먹은 대로 하게 했다.

⁑**cow·ard** [káuərd] *n*. [C] **겁쟁이**; 비겁한 자: play the ~ 비겁한 짓을 하다.

***cow·ard·ice** [káuərdis] *n*. [U] 겁, 소심, 비겁.

◇**ców·ard·ly** *a*. 겁 많은, 소심한, 비겁한: a ~ man 겁쟁이 / a ~ lie 비열한 거짓말.
—*ad*. 겁내어, 비겁하게.
[SYN.] **cowardly** 위험에 직면했을 때 '용기가 없는, 겁먹은'의 뜻: *cowardly* conduct 겁쟁이의 행위. **timid** 위험도 없는데 '몸을 움츠리는, 겁 많은'의 뜻: Deer are *timid* animals. 사슴은 겁 많은 짐승이다. **shy** '남 앞에서 수줍어하는'의 뜻: She is *shy*.
[파] **-li·ness** [-linis] *n*.

ców·bèll *n*. [C] 소의 목에 단 방울.

ców·bìrd *n*. [C] 〖조류〗 북아메리카산의 찌르레기(= **ców blackbird**)《흔히 소와 함께 있음》.

***cow·boy** [káubɔ̀i] *n*. [C] **1** 《美 · Can.》 카우보이, 목동. **2** 《구어》 스피드광, 난폭한 운전수; 분별없는〔무모한〕 사람. **3** 《英구어》 (건설 관계) 노동자, 노무자.

ców·càtcher *n*. [C] 《美》 (기관차의) 배장기(排障器)(fender, 《英》 plough)《선로 위의 소나 그 밖의 장애물을 제거함》.

cow·er [káuər] *vi*. (추위 · 공포로) 움츠러들다, 곱송그리다, 위축되다; 《英》 웅크리다.

ców·gìrl *n*. [C] 《美》 목장에서 일하는 여자.

ców·hànd *n.* Ⓒ《美》=COWBOY.
ców·hèel *n.* Ⓒ (요리는 Ⓤ)《英》 쇠족발; 카우힐《쇠족발을 양파 따위로 양념하여 끓인 요리》.
ców·hèrd *n.* Ⓒ 소치는 사람.
ców·hìde *n.* **1** Ⓤ (낱개는 Ⓒ) (털이 붙어 있는) 쇠가죽. **2** Ⓒ 쇠가죽 채찍; 쇠가죽 구두.
ców·hòuse *n.* Ⓒ 외양간(cowshed).
cowl [kaul] *n.* Ⓒ **1** 고깔 달린 수사(修士)의 겉옷; 그 두건. **2** (굴뚝의) 갓; (증기 기관의 연통 꼭대기에 댄) 불똥막이 철망; 카울《자동차의 앞 창과 계기판을 포함하는 부분》; =COWLING.
ców·lìck *n.* Ⓒ (이마 위의, 소가 핥은 듯한) 일어선 머리털.
cówl·ing *n.* Ⓒ (비행기의) 엔진 커버.
ców·man [-mən] (*pl.* **-men** [-mən]) *n.* Ⓒ **1**《英》 소치는 사람(cowherd). **2**《美》 목축 농장주, 목장주, 목우업자(ranchman).
có-wòrker *n.* Ⓒ 함께 일하는 사람, 협력자, 동료(fellow worker).
ców·pàt *n.* Ⓒ 쇠똥.
ców·pèa *n.* Ⓒ 〖식물〗 광저기《소의 사료》.
ców·pòke *n.* Ⓒ《美속어》=COWBOY.
ców·pòx *n.* Ⓤ 〖의학〗 우두(牛痘).
ców·pùncher *n.*《美》=COWBOY 1.
cow·rie, -ry [káuri] *n.* Ⓒ 〖패류〗 개오짓과(cypraeidae) 고둥의 총칭; 그 조가비.
ców·shèd *n.* Ⓒ 우사, 외양간.
ców·slìp *n.* Ⓒ 〖식물〗 **1** 앵초(櫻草)의 일종. **2**《美》 눈동이나물의 일종.
Cox [kɑks/kɔks] *n.* =COX'S ORANGE PIPPIN.
cox [kɑks/kɔks]《구어》 *n.* Ⓒ (경조용 보트의) 키잡이(~ swain). **—***vt., vi.* (…의) 키잡이가 되다.
cox·comb [kákskòum/kɔ́k-] *n.* Ⓒ **1** (촌스런) 멋쟁이, 맵시꾼(dandy). **2** 〖식물〗 맨드라미.
Cóx's órange píppin [káksiz-/kɔ́ksiz-] 콕시즈오렌지피핀《영국산의 붉은 빛이 도는 녹색 껍질의 사과》.
cox·swain [káksən, -swèin/kɔ́k-] *n.* Ⓒ 정장(艇長); (보트의) 키잡이: a ~'s box 키잡이석(席).
°**coy** [kɔi] *a.* **1** 수줍어하는, 스스럼을 타는; 짐짓 부끄러운 체하는《주로 여자의》: Don't be 〔play〕 ~. 수줍은 체하지 마라. **2** 새침한, 좀처럼 말이 없는《***about*** …에 대하여》: He's ~ *about* his income. 그는 자기 수입에 대하여 좀처럼 말하지 않는다. ㊎ **∠·ly** *ad.* **∠·ness** *n.*
coy·ote [káiout, kaióuti/kɔ́iout, -∠] (*pl.* **~s,** 〔집합적〕 ~) *n.* Ⓒ 〖동물〗 코요테《북아메리카 서부 대초원의 이리》.
coy·pu [kɔ́ipuː] (*pl.* **~s,** 《집합적》 ~) *n.* Ⓒ 〖동물〗 코이푸, 뉴트리아(nutria)《남아메리카산의 물쥐; 고기는 식용, 모피는 귀하게 여겨짐》; Ⓤ 그 모피.
coz·en [kʌ́zn] *vt.* **1** 속여서〔감언이설로〕 …을 빼앗다, 속여 빼앗다《***out of, of*** (아무)에게서, (물건)을》: ~ a person *out of* 〔*of*〕 something =~ something *out of* 〔*of*〕 a person. **2** 속여서 …시키다《***into*** …하도록》: He *~ed* the old man *into* sign*ing* the document. 그는 노인을 속여 그 서류에 서명하게 했다. ㊎ **~·age** [kʌ́zənidʒ] *n.* Ⓤ 속임(수), 기만. **~·er** *n.*
co·zy** [kóuzi] (co·zi·er; -zi·est***) *a.* **1** 아늑한, 포근한, 아담한; 기분 좋은: a ~ little restaurant 아늑하고 아담한 레스토랑. **2** 편안한; 허물없는, 친근한: I felt ~ watching the hearth fire. 벽난로를 바라보고 있노라니 훈훈하고 편안해졌다.
—*vt.* **1** (방 따위)를 아늑하게 만들다(*up*). **2**《英구어》(사람)을 속여서 안심시키다(*along*). **—***vi.*《美구어》 **1** (있기에) 편안해지다(*up*). **2** 친해지다; 빌붙다(*up*)《***to*** (아무)에게》.
㊎ **có·zi·ly** *ad.* **có·zi·ness** *n.*
CP command post; Common Prayer; Communist Party; Court of Probate (검인 법원).
cp. compare; coupon. **cp., c.p.** candle-power. **c/p** charter party. **CPA** 〖컴퓨터〗 critical path analysis. **C.P.A.** Certified Public Accountant (공인 회계사). **cpd.** compound. **C.P.I.** consumer price index. **Cpl., cpl.** corporal. **C⁺⁺** 〖컴퓨터〗 시 플러스 플러스《1983년 미국 Bell 연구소의 Bjarne Stroustrup에 의해 개발된 객체 지향적인 프로그래밍 언어》. **CPM** 〖컴퓨터〗 monitor control program for microcomputers. **CPO, C.P.O.** Chief Petty Officer (해군 상사). **cps** cycles per second. **C.P.U.** 〖컴퓨터〗 central processing unit (중앙 처리 장치). **CQ** call to quarters《아마추어 무선 통신 호출 신호》. **CR** 〖컴퓨터〗 carriage return《CR키; 명령어가 끝났음을 표시하기 위하여 입력하는 키》; consciousness-raising. **Cr** 〖화학〗 chromium. **cr.** credit; 〖부기〗 creditor (㊌ dr.); crown.
°**crab**[1] [kræb] *n.* **1** Ⓒ 〖동물〗 게《게 종류의 갑각류 총칭》. **2** (the C-) 〖천문〗 게자리, 거해궁(巨蟹宮)(the Cancer). **3** Ⓒ 〖곤충〗 사면발이(~ louse). ***catch a*** ~ 노를 헛저어 배가 균형을 잃다. ***turn out*** 〔***come off***〕 **~s** 실패로 끝나다.
—(-bb-) *vi.* **1** 게를 잡다. **2** 게걸음 치다; (배 따위가) 옆으로 밀려나다; 코스를 벗어나다.
crab[2] *n.* **1** =CRAB APPLE. **2** Ⓒ 짓궂은 사람, 심술쟁이, 까다로운 사람. **—(-bb-)** *vt.*《구어》(사람)을 불쾌하게 하다, 화나게 하다. **—***vi.* 불평하다, 투덜대다《***about*** …에 (대하여)》.
cráb àpple 〖식물〗 야생 사과, 능금, 그 나무.
cráb·bed [-id] *a.* **1** (언동이) 심술궂은; 까다로운. **2** (문체 등이) 난해한, 어려운; (필적 등이) 알아보기 힘든. ㊎ **~·ly** *ad.* **~·ness** *n.*
crab·by [krǽbi] (***crab·bi·er; -bi·est***) *a.* 심술궂은, 까다로운.
cráb càctus 게발 선인장(Christmas cactus).
cráb gràss 〖식물〗 바랭이류의 잡초.
cráb lòuse 〖곤충〗 사면발이.
crab·wise, -ways [krǽbwàiz], [-wèiz] *ad.* 게같이, 게걸음으로, 옆으로, 비스듬히.
crack** [kræk] *vt.* **1** 《~+목/+목+전+명》 (채찍 따위로) **찰싹 소리내다**; 《구어》 (아무)를 철썩 때리다《on*** (신체의 일부)를》; 부딪치다《***against*** …에》: ~ a whip / ~ a person *on* the head 아무의 머리를 철석 때리다 / ~ one's knee *against* the edge of a table 탁자 모서리에 무릎을 부딪치다. **2** 《~+목/+목+보》 (딱딱한 것)을 **우두둑 까다〔깨다〕**; …을 금가게 하다: ~ an eggshell 〔the shell of a peanut〕 계란〔땅콩〕 껍질을 깨다 / ~ open a nut 호두를 까다 / I have *~ed* the cup, but not broken it. 컵에 금이 가게 했지만 깨뜨리지는 않았다. SYN. ⇨ CRASH[1]. **3** 《구어》 (책)을 탁 펼치다; 《구어》 (병·깡통 따위)를 열다, 따고 마시다; (금고)를 비집어 열다; (집 따위)에 침입하다: ~ a bottle (of wine) (포도주) 병을 따고 마시다. **4** 〖화학〗 (석유 등)을 (열)분해하여 가솔린을 뽑다, 분류(分溜)하다. **5** 날카로운 목소리

를 내다; 목을 쉬게 하다: I've *~ed* my voice trying to speak too loud. 너무 큰 소리로 말하려다가 목이 쉬었다. **6** 《구어》 (사건 해결 · 수수께끼의) 실마리를 열다; 《구어》 (암호)를 해독하다: ~ a code 암호를 해독하다. **7** 《구어》 (농담)을 지껄이다: ~ a joke 조크를 던지다. **8** 〖야구〗 (공)을 치다: ~ a homer 홈런을 치다.

—*vi.* **1 딱 소리를 내다,** 쨍그렁〔우지끈〕 소리나다; (채찍이) 찰싹 소리나다; 폭음을 내다, (총이) 땅하고 울리다. **2** 《~/+[보]》 **금가다;** 쪼개지다; 갈라지다, 부서지다: This plaster may ~ when it dries. 이 회반죽은 마르면 금이 갈지 모른다/The nut *~ed* open. 땅콩 껍질이 딱 소리를 내며 갈라졌다. **3** (목이) 쉬다, 변성하다: The boy's voice has not *~ed* yet. 그 소년은 아직 변성기가 되지 않았다. **4** 《+[전]+[명]》 엉망이 되다, (정신적 · 신체적으로) 맥을 못추다: ~ *under* a strain 과로로 지쳐 버리다. **5** 〖화학〗 (화합물이) 열분해하다.

a hard nut to ~ ⇨NUT. ***~ a crib*** 《속어》 (강도가) 집에 침입하다. ***~ a smile*** 《구어》 씽긋 미소짓다. ***~ down*** (***on***) 《구어》 단호한 조처를 취하다, (…을) 엄하게 단속하다: States and localities are *~ing down on* smoking even more aggressively. 주와 지역들은 흡연에 대하여 더욱 강력히 단속할 예정이다. ***~ funny*** 《美속어》 재치있는 농담을 하다. ***~ one's jaw*** 《美속어》 자랑하다, 허풍을 떨다. ***~ the whip over*** …의 위에 세력을 떨치다. ***~ up*** 《*vt.*+[부]》 ① 〖보통 수동태〗 《구어》 (…이라고) 칭찬하다, 평판하다: ~ oneself *up* 자랑하다/It's not all (that) it's *~ed up* to be. 평판만큼은 못 된다. ② 《구어》 (차 · 비행기)를 부숴뜨리다, 대파시키다. ③ 크게 웃기다. —《*vi.*+[부]》 ④ (차 · 비행기가) 부서지다, 대파하다. ⑤ 《구어》 (육체적 · 정신적으로) 질리다, 지치다, 기진하다. ⑥ 갑자기 웃기〔울기〕 시작하다. ***get ~ing*** 《구어》 (일을) 척척하다; 서두르다: *Get ~ing!* 빨리빨리 해라.

—*n.* **1** [C] **갈라진 금,** 금; (도자기 · 유리그릇 따위의) 깨진 금; 균열; 흠: *~s* in a cup 컵의 갈라진 금. **2** [C] (사소한) 결함〔결점〕: a ~ in one's argument 논거(論據)의 결함. **3 a** [C] (문 · 창 따위의) 약간 열린 틈새, 빈틈: a ~ in the curtains 커튼의 틈새. **b** (a ~) 〖부사적〗 좀, 조금: Open the window a ~ 창문을 조금 여시오. **4 a** [C] (돌연한) 날카로운 소리《땅 · 탕 · 우지끈》; 채찍소리; 천둥소리: a ~ of thunder 천둥소리. **b** (the ~) (총의) 빵하는 발사음: the ~ of a rifle 소총의 발사음. **5** [C] (찰싹하고) 치기, 타격: give a person a ~ on the head 아무의 머리를 찰싹하고 때리다. **6** [C] 재치있는〔눈치빠른〕 말, 경구(警句)《***about*** …에 대한》: make a ~ *about* …에 대하여 재치있는 말을 하다. **7** [C] (보통 *sing.*) 《구어》 시도, 노력; 기회《***at*** …에 대한》: give a person a ~ *at*... 아무에게 …의 기회를 주다. **8** [U] 《속어》 정제한 코카인《마약》. **9** [C] 《英구어》 수다를 떪, 잡담. **10** [C] (남자 아이의) 변성.

a fair ~ of the whip 《英구어》 딱들어맞는 호기(好機); 공평〔공정〕하게 다루기. ***at the ~ of dawn*** 〔***day***〕 새벽에. ***have*** 〔***get, take***〕 ***a ~ at*** 《구어》 …을 시도해 보다. ***paper*** 〔***paste, cover***〕 ***over the ~s*** 《구어》 결함〔난점〕을 감싸 숨기다, 호도하다. ***the ~ of doom*** 최후의 심판날(의 뇌명(雷鳴)); 〖일반적〗 모든 종말의 신호.

—*a.* [A] 《구어》 우수한; 일류의(first-rate), 가장 뛰어난: a ~ player/a ~ unit 정예 부대.

be a ~ hand at …에 관해서는 명수다.

—*ad.* 날카롭게(sharply), 철썩, 딸깍, 쾅.

cráck·bràin *n.* [C] 머리가 돈 사람. [파] **~ed** *a.* 머리가 돈, 분별없는.

cráck·dòwn *n.* [C] (갑작스러운) 타격; 강경 조처; (윗사람의) 질타, 벼락; 단속, 탄압《***on*** (위법 행위 등)에 대한》.

cracked [-t] *a.* 금이 간, 깨진; (인격 · 신용 따위가) 손상된, 떨어진; 목이 쉰, 변성된; 《구어》 미친(crazy).

crack·er** [krǽkər] *n.* **1** [C] **크래커**《얇고 파삭파삭한 비스킷》. **2** [C] 딱총, 폭죽; 크래커 봉봉(=~ **bònbon**)《당기면 폭발하며 과자 · 장난감 등이 나오는 통》. **3** [C] 《美남부 · 경멸적》 백인 빈민(poor white). **4 a** [C] 파쇄기(破碎器). **b** (*pl.*) 호두까는 도구(nut-~s). **5** [C] 《英구어》 대단한 미인. **6** [C] 〖컴퓨터〗 크래커《다른 컴퓨터에 침입하여 데이터를 이용하거나 파괴하는 사람(hacker)》. ***get the ~s 《속어》 미치다. ***go a ~*** 전속력을 내다; 짜부러지다.

crácker-bàrrel *a.* 《美》 (말 따위가) 알기 쉬운; 시골풍의, (사람이) 소박한.

crácker·jàck 《美구어》 *n.* [C] 우량품; 일류의 사람. —*a.* 우수한, 일류의: a ~ stunt pilot 일류 곡예 비행사.

cráck·ers *a.* [P] 《英구어》 머리가 돈(crazy); 열중하는. ***go ~*** 미치다; 열중하다《***over, about*** …에》: He's *gone ~ over* her. 그는 그녀에게 반해 버렸다.

cráck·hèad *n.* [C] 《속어》 마약 흡인〔중독〕자.

cráck hòuse 《美속어》 마약 거래점〔밀매점〕.

cráck·ing 《속어》 *a.* 훌륭한, 근사한. —*ad.* 〖보통 ~ good으로〗 몹시, 매우: a ~ *good* football match 매우 훌륭한 축구 시합.

crácking plànt (석유의) 분류(分溜) 공장《중유 · 경유 등을 가압 증류 분해하여 휘발유 따위를 만드는 곳》.

crack·jaw [krǽkdʒɔː] 《구어》 *a.* 발음하기 어려운. —*n.* [C] 발음하기 어려운 단어〔어구〕.

crack·le [krǽkəl] *n.* **1** (*sing.*) 딱딱〔바삭바삭 · 퐝〕하는 소리. **2** [U] (도자기의) 잔금 무늬, 잔금이 나게 굽기, 그 도자기. —*vi.* 딱딱 소리를 내다; (도기 등에) 금이 가다; 활기차 있다. —*vt.* 딱딱 부수다; 금을 내다, …에 잔금 무늬를 넣다.

cráckle·wàre *n.* [U] 잔금이 나게 구운 도자기.

crack·ling [krǽkliŋ] *n.* **1** [U] 딱딱 소리를 냄; 구운 돼지고기의 바삭바삭한 살가죽. **2** [C] (보통 *pl.*) 비계를 없앤 바삭바삭한 돼지고기. **3** [U] 〖집합적〗 《英우스개 · 경멸적》 매력적인 여성《보통은 a bit of ~ 이라고 함》.

crack·nel [krǽknəl] *n.* [C] **1** 얇은 비스킷의 일종. **2** (*pl.*) 《美》 바싹 튀긴 돼지비계살.

cráck·pòt 《구어》 *n.* [C] 정신이 돈 사람, 별난 사람. —*a.* [A] 정신이 돈, 별난.

crácks·man [-mən] (*pl.* ***-men*** [-mən]) *n.* [C] 《속어》 밤도둑, 강도(burglar); 금고털이.

cráck-ùp *n.* [C] 《구어》 **1** 분쇄, 붕괴, 파괴, 격돌(collision). **2** (정신적 · 육체적) 파탄, 쇠약; 신경 쇠약; 추락; 충돌: the ~ of a marriage 이혼.

-cra·cy [krəsi] *suf.* '정체, 정치, 사회 계급, 정치 세력, 정치 이론'의 뜻: demo*cracy*. ★ 주로 그리스말의 o로 끝나는 어간에 붙지만, 때로는 -o*cracy*의 꼴로도 결합함: cottono*cracy* 면업(綿業) 왕국.

***cra·dle** [kréidl] *n.* **1** [C] **요람,** 소아용 침대(cot). **2** (the ~) 요람 시절, 어린 시절; (the ~) 《비유적》 (예술 · 국민 따위를 육성한) 요람의 땅,

(문화 따위의) 발상지: from the ~ 어린 시절부터/from the ~ to the grave 요람에서 무덤까지, 나서 죽을 때까지, 한평생/in the ~ 유년 시절에; 초기에. **3** Ⓒ (전화 수화기·배·비행기·대포 등을 얹는) 대(臺); 자동차 수리용 대((그 위에 누워 차 밑으로 기어드는)). **4** Ⓒ 〖채광〗 선광대(選鑛臺). **5** Ⓒ 〖조선〗 (진수시의) 진수가(架), (배 수리용의) 선가(船架).
***rob* 〔*rock*〕 *the* ~** ((구어)) 자기보다 훨씬 젊은 상대〔배우자〕를 고르다. ***watch over the* ~** 발육〔성장〕을 지켜보다.
—*vt.* **1** ((+목+전+명)) (아기)를 안고 흔들다((*in* (팔 따위)에)); 두 손으로 안 듯이 잡다〔받다〕: She ~*d* the baby *in* her arms. 그녀는 아기를 두 팔에 안았다. **2** (아기)를 요람에 누이다〔넣어 흔들다〕. **3** (배)를 선가로 받치다, 진수대에 놓다. **4** (수화기)를 받침대 위에 얹다〔놓다〕.

crádle snàtcher ((구어)) 훨씬 연하인 사람과 결혼하는〔에게 반하는〕 사람.

crádle·sòng *n.* Ⓒ 자장가(lullaby).

craft [kræft, krɑ:ft] *n.* **1** Ⓤ **기능**; 기교; 솜씨(skill): with great ~ 훌륭한 솜씨로/This is a fine specimen of the builder's ~. 이것은 그 건축가 기예의 훌륭한 성과이다. **2** Ⓒ (특수한 기술을 요하는) 직업; (특수한) 기술, 재간; 수공예; 공예: arts and ~*s* 미술 공예. **3** Ⓒ 〖집합적; 단·복수취급〗 동업자들. **4** Ⓤ 교활, 간지, 술책(cunning): get industrial information by ~ 교묘한 술책으로 산업 정보를 입수하다. **5** Ⓒ 〖보통 단·복수 동형〗 (특히 소형의) **선박, 비행기**〔선〕; 우주선: *Craft* of all kinds come into this port. 모든 종류의 선박이 이 항구에 들어온다/a squadron of fifteen ~, 15기의 비행대대.

-craft [kræ̀ft, krɑ̀:ft/krɑ̀:ft] *suf.* '기술, 기예, 직업, …술(術), …재능'의 뜻: state*craft*.

cráfts·man [-mən] (*pl.* **-men** [-mən]) *n.* Ⓒ **1 장인**(匠人), 기공(技工). **2** 기예가, 공예가; 명공(名工).

cráftsman·shìp [-ʃìp] *n.* Ⓤ (장인의) 솜씨, 기능, 숙련.

cráft ùnion (숙련직 종사자의) 직업〔직종〕별 조합. ⓒⓕ industrial union.

crafty [krǽfti, krɑ́:f-] (*craft·i·er; -i·est*) *a.* 교활한(cunning); 간악한. ㊞ **cráft·i·ly** [-tili] *ad.* **-i·ness** *n.*

crag [kræg] *n.* Ⓒ 울퉁불퉁한 바위, 험한 바위산.

crag·ged [krǽgid] *a.* =CRAGGY.

crag·gy [krǽgi] (*crag·gi·er; -gi·est*) *a.* 바위가 많은; (바위가) 울퉁불퉁하고 험한; (얼굴이) 딱딱하고 위엄 있는. ㊞ **crág·gi·ness** *n.*

crágs·man [-mən] (*pl.* **-men** [-mən]) *n.* Ⓒ 바위 잘 타는 사람, 바위타기 전문가.

crake [kreik] *n.* Ⓒ 〖조류〗 뜸부기(corn-crake).

cram [kræm] (**-mm-**) *vt.* **1** ((+목+전+명)) …에 **억지로 채워 넣다**, 밀어 넣다((*with* …을)): ~ a hall *with* people 홀안에 사람들을 잔뜩 몰아넣다. **2** ((+목+전+명)) 채워 넣다, 다져 넣다((*in, into* …에)): ~ books *into* a bag 책을 가방 속에 채워 넣다. **3** ((+목+부/+목+전+명)) (음식물)을 (무리하게) 밀어넣다, 쳐넣다(*down*)((*down* …아래로)): ~ food *down* 음식을 (뱃속에) 억지로 쳐넣다/~ food *down* one's throat 음식을 목구멍에 밀어넣다. **4** ((+목+전+명)) 주입식으로 가르치다〔공부시키다〕; (건성으로) 외우다((*for* (시험)에 대비하여)): My father ~*med* me *for* the entrance examination. 우리 아버지는 나에게 입학시험을 위해 주입식 공부를 시켰다/~ history (*for* an exam) (시험에 대비하여) 역사를 외우다.
—*vi.* ((+전+명)) **1** ((구어)) 주입식〔당일치기〕 공부를 하다((*for* …을 위해)): The students are ~*ming for* their final exams. 학생들은 학기말 시험을 위해 벼락공부를 하고 있다. **2** 몰려오다, 밀려들다((*into* …에)): Several hundred students ~*med into* the lecture hall. 수백명의 학생이 강당에 몰려들었다.
—*n.* ((구어)) **1** Ⓤ 주입식 공부〔지식〕, 벼락 공부: a ~ school 입시 준비 학원. **2** Ⓒ (사람을) 빽빽이 넣기, 북적임.

crám-fúll *a.* Ⓟ 꽉 찬((*of* …으로)): Her suitcase was ~ *of* clothes. 그녀의 옷가방은 옷으로 꽉 차 있었다. ★ 악센트가 첫머리에 있는 단어 앞에서는 [krǽmful]이 됨.

cram·mer [krǽmər] *n.* Ⓒ ((英)) **1** 주입 제일주의의 교사〔학생〕; ((구어)) 당일치기 공부를 하는 학생. **2** 사설 학원, 수험 준비 학교.

cramp[1] [kræmp] *n.* Ⓒ **1** 꺾쇠(~ iron); 죔쇠(clamp). **2** 속박(물); 구속, 속박. **—***vt.* **1** 꺾쇠로 죄다. **2** (행동)을 속박하다, 제한하다; 가두다(*up*). ~ *a person's style* ((구어)) 아무를 방해하다, 아무의 능력을 충분히 발휘하지 못하게 하다.

cramp[2] *n.* Ⓒ (((英))에서는 보통 Ⓤ) (손발 등의) 경련, 쥐; (보통 *pl.*) 갑작스런 복통, ((美완곡어)) 월경통: have a ~ 〔get (a) ~〕 in the calf 종아리에 쥐가 나다/bather's ~ 수영 중에 나는 쥐. **—***vt.* 〖보통 수동태〗 …에 경련을 일으키다.

cramped [kræmpt] *a.* **1** 비좁은, 답답한: ~ quarters 비좁은 숙소/feel ~ 답답해서 숨이 막히는 느낌이다. **2** (문체가) 비비 꼬인, (필적이) 알아보기 어려운. ㊞ **∠·ness** *n.*

crámp ìron 죔쇠, 꺾쇠(cramp[1]).

cram·pon, ((美)) **-poon** [krǽmpən], [kræm-pú:n] *n.* **1** Ⓒ (보통 *pl.*) (구두 바닥에 대는) 스파이크 창; 〖등산〗 아이젠, 동철(冬鐵). **2** (*pl.*) (무거운 물건을 집어 올리는) 쇠집게, 매다는 쇠갈고리.

crám schòol 학원, 예비 학교.

cran·ber·ry [krǽnbèri/-bəri] *n.* Ⓒ 〖식물〗 덩굴월귤; 그 열매.

cránberry sàuce 크랜베리소스((덩굴월귤의 열매로 만든 젤리 모양의 소스)).

Crane [krein] *n.* **Stephen** ~ 크레인((미국의 소설가; 1871-1900)).

crane [krein] *n.* Ⓒ **1** 〖조류〗 두루미, 학; ((美)) 왜가리. **2** 기중기, 크레인; 흡수관(管), 사이펀(siphon); (난로의) 자재(自在) 갈고리; 〖TV·영화〗 크레인((카메라 이동 장치)): a traveling 〔bridge〕 ~ 이동〔교형(橋形)〕 기중기.
—*vt.* **1** (목)을 쑥 빼다 **2** 기중기로 나르다〔집어 올리다〕. **—***vi.* (잘 보려고) 목을 길게 빼다: people *craning* to see a car accident 자동차 사고를 보려고 목을 길게 뺀 사람들.

cráne flỳ 〖곤충〗 꾸정모기(daddy-longlegs).

cra·nia [kréiniə] CRANIUM의 복수.

cra·ni·al [kréiniəl, -njəl] *a.* 두개(골)(頭蓋(骨))의, 두개 같은.

cra·ni·um [kréiniəm] (*pl.* **~s, -nia** [-niə]) *n.* Ⓒ 〖해부〗 두개(頭蓋); 두개골(skull).

crank[1] [kræŋk] *n.* Ⓒ 〖기계〗 크랭크, (Z자 꼴로) 굽은 자루((왕복 운동을 회전 운동으로 바꾸는 장치》.

—*vt.* **1** (물건)을 크랭크 모양으로 구부리다; 크랭크로 연결하다. **2** (구식 영화 카메라의) 크랭크를 돌려 촬영하다.

~ ***in*** …을 시작하다; …에 짜 넣다. ~ ***out*** 《*vt.*+副》《구어》(기계가 물건을, 또는 작가 등이 작품 따위)를 기계적으로 만들어내다: This machine ~*s out* a thousand screws an hour. 이 기계는 한 시간에 천 개의 나사를 만들어낸다. ~ ***up*** 《*vi.*+副》① 《구어》 시작하다; 준비하다. ② (노력, 생산을) 늘리다, (정도를) 높이다. **—**《*vt.*+副》③ (속도)를 늘리다; (엔진 시동을 위해) 크랭크를 돌리다. ④ 자극하다, 활성화하다; 흥분시키다.

crank[2] *a.* **1** Ⓐ 《美》 괴짜의: a ~ (phone) call 장난 전화. **2** =CRANKY 3.

cránk·càse *n.* Ⓒ (내연 기관의) 크랭크실(室).

cránk·shàft *n.* Ⓒ 【기계】 크랭크축(軸).

cranky [krǽŋki] (***crank·i·er; -i·est***) *a.* **1** 성미가 까다로운(eccentric), 짓궂은; 찡얼거리는: The baby's in a ~ mood today. 어린애가 오늘은 보챈다. **2** 괴짜의, 야릇한, 변덕스러운. **3** (기계 등이) 불안정한, 수리를 요하는.

cran·nied [krǽnid] *a.* 금이 간, 갈라진.

cran·ny [krǽni] *n.* Ⓒ 벌어진 틈, 갈라진 틈, 틈새기. ***search every*** (***nook and***) ~ 샅샅이 뒤지다.

crap [kræp] 《비어》 *n.* **1** Ⓤ 쓰레기, 잡동사니; 배설물, 똥. **2** (a ~) 배변(排便): have (take) a ~ 똥누다. **3** Ⓤ 실없는 소리; 거짓말; 허풍: Cut the ~! 바보 취급 마라; 헛소리 마라. **—***vi.* 똥누다. ~ ***around*** 바보짓을 하다; (일을) 농땡이부리다; 구애되다《***with*** (시시한 일)에》. **—***int.* 당치 않아!, 어이없군!

crape [kreip] *n.* Ⓤ (낱개는 Ⓒ) **1** 축면사(縮緬紗), 크레이프. ★ 주로 상복용의 검은 것; 딴 색의 것은 흔히 *crépe*라 이름. **2** (모자·소매 따위에 두르는) 상장(喪章).

crápe mỳrtle 【식물】 백일홍.

crap·per [krǽpər] *n.* Ⓒ 《美속어·비어》 변소, 화장실.

crap·py [krǽpi] (***crap·pi·er; -pi·est***) *a.* 《속어》 악질의; 진절머리나는, 아주 엉망인, 시시한.

craps [kræps] *n.* Ⓤ 《美》 크랩스《주사위 2개로 하는 노름의 일종》: shoot ~ 크랩스 놀이를 하다.

cráp·shòoter *n.* Ⓒ 《美》 craps 도박꾼.

crap·u·lence [krǽpjələns] *n.* Ⓤ 과음(과식)으로 인한 메슥거림; 구역질, 욕지기.

crap·u·lent, -lous [krǽpjələnt], [-ləs] *a.* 과음·과식하여 거북한(몸을 버린); 폭음(폭식)의; 무절제한.

crash[1] [kræʃ] *n.* Ⓒ **1 갑자기 나는 요란한 소리** 《쨍그랑·와르르·덜커덩 따위 무너지거나 충돌할 때의 굉음; 대포·천둥소리》: a ~ of artillery 포성/with a ~ 쿵, 털썩, 꽝. **2** (차의) **충돌**: a train ~ 열차 충돌. **3** (비행기의) **추락**, 불시 착륙. **4** 《비유적》 (주식 시장·경기·사업 등의) 폭락, 몰락, 붕괴, 파산, 공황. **5** 【컴퓨터】 (시스템의) 고장, 충돌.

—*vi.* **1** 《~/+副/+前+名》 와르르소리내며 무너지다(망가지다, 깨지다, 부서지다): The roof ~*ed in*. 지붕이 와르르 내려앉았다/The dishes ~*ed to* the floor. 접시가 쨍그랑하고 마룻바닥에 떨어져서 산산조각이 났다/The avalanche ~*ed down* the mountainside. 눈사태가 와르르 산허리에 무너져내렸다. **2** 《+前+名》 (충돌하여) 요란한 소리를 내다; (요란한 소리를 내면서) 부딘치다; 충돌하다《***into, against*** …에》; 시끄럽게 움직이다(나아가다)《***into*** …으로》: Our train ~*ed into* the truck at a crossing. 우리가 탄 기차가 건널목에서 요란한 소리를 내며 트럭에 충돌했다/The boys ~*ed into* the house. 사내애들이 시끄럽게 집안으로 뛰어들었다. **3** (비행기가) 추락하다, 불시착하다; (착륙 때) 기체가 부서지다; (비행사가) 추락사하다. **4** (장사·계획 따위가) 실패하다, 파산하다; 【컴퓨터】 (시스템·프로그램이) 갑자기 기능을 멈추다. **5** 《(+副)+前+名》《속어》 자다; (공짜로) 묵다(*out*)《***in, on*** …에》: Can I ~ *in* your room? 네 방에 재워 줄 수 있겠니/~ *out on* the floor 마루에서 자다. **6** 《속어》 (마약 기운이 떨어져) 불쾌감을 느끼다, 마약(LSD)의 효과가 없어지다.

—*vt.* **1** 《~+目/+目+前+名》 쨍그랑 부수다; 산산이 부수다: ~ a cup *against* a wall 찻잔을 벽에 던져 산산조각이 내다.

SYN. **crash** 와르르·쫠깡하는 큰 소리를 내며 '깨지는' 경우에 쓰임. **crush** 외부로부터의 압박에 의하여 '부서지는' 경우에 쓰임. **crack** 딸깍·짤까닥 소리를 내면서 '갈라지는' 경우. **smash**는 갑자기 강한 힘으로 산산조각이 나게 '부스러지는' 경우에 쓰임.

2 《+目+前+名》 (차)를 충돌시키다, 부딪다《***into*** …에》; 밀고 나아가다《***through*** …속을 (뚫고)》: ~ a car *into* a utility pole 차를 전신주에 부딪다/~ one's way *through* the crowd 사람들 속을 마구 밀고 나가다. **3** (비행기)를 불시착(격추)시키다; (착륙 때 비행기)를 망가뜨리다. **4** 《구어》 (극장·파티 따위)에 표 없이(불청객으로) 들어가다: ~ a dance 댄스 파티에 불청객으로 참석하다. ~ ***over*** 와르르 뒤집히다. ~ ***the gate*** 《속어》 표 없이 입장하다; 초대받지 않았는데 마구 들어가다.

—*a.* 《구어》 (긴급 사태나 시일에 대처하기 위해) 전력을 기울인; 응급적인, 단숨에 해내는; (수업 등이) 속성의, 벼락치기의: a ~ plan to house flood victims 홍수 이재민 수용을 위한 응급 계획/a ~ course in German 독일어 속성 코스.

—*ad.* 《구어》 요란하게 소리내며, 쨍그랑하고: go (fall) ~ 와르르 소리내다(무너지다).

crash[2] *n.* Ⓤ (타월·커튼용의) 성긴 삼베.

crásh bàrrier 《英》 (도로·경주로 등의) 가드레일, (고속도로의) 중앙 분리대.

crásh dìve (잠수함의) 급속 잠항.

crásh-dìve *vi.* (잠수함이) 급속히 잠항하다; (비행기가) 급강하하다. **—***vt.* (잠수함)을 급속 잠항시키다; (비행기)를 급강하시키다.

crásh hàlt =CRASH STOP.

crásh hèlmet (자동차 경주·오토바이용) 안전 헬멧.

crásh·ing *a.* Ⓐ 완전한, 철저한: He's a ~ bore. 그는 몹시 따분한 사람이다.

crásh-lánd *vt.* 【항공】 (파손될 각오로) 동체 착륙을 시키다. **—***vi.* 동체 착륙하다.

crásh lánding *n.* 불시착, 동체 착륙.

crásh pàd **1** (자동차 내부의) 안전 패드. **2** 《속어》 (긴급할 때의) 임시 숙박소.

crásh·pròof *a.* (차 따위가) 충돌해도 안전한: a ~ cars.

crásh stòp (자동차의) 급정거(crash halt).

crásh·wòrthy *a.* (차가) 충돌(충격)에 견디는: ~ motorcycle helmet. ㊕ **-wòrthiness** *n.*

crass [kræs] *a.* 아둔한, 우둔한, 매우 어리석은; 《비유적》 심한, 지독한: ~ ignorance〔stupidity〕 심히 무식함〔아둔함〕.
㊕ **∠·ly** *ad.* **∠·ness** *n.*

-crat [kræt] *suf.* '-cracy의 지지자' 의 뜻: demo*crat*, auto*crat*, aristo*crat*.

crate [kreit] *n.* Ⓒ **1** (유리 · 도자기류를 운반하는) 나무틀; (과일 운반용) 버드나무 바구니. **2** 《구어》 고물이〔털털이가〕 된 것, 《특히》 털털이 자동차〔버스, 비행기〕. **3** 크레이트《특히 과일의 한 상자분》(=**cráte·ful**). **—***vt.* 크레이트에 채우다〔넣다〕.

°**cra·ter** [kréitər] *n.* Ⓒ 분화구; (달 표면의) 크레이터; 운석공(隕石孔); (폭발로 인한 지상의) 폭탄 구멍.

cra·vat [krəvǽt] *n.* Ⓒ **1** 넥타이. ★ 《英》에서는 상용어(商用語), 《美》에서는 점잖은 용어. **2** 《고어》 (남자용) 목도리(neckcloth).

crave** [kreiv] *vt.* **1** 《~+목/+*that* 절/+*to* do》 **열망〔갈망〕하다**: I ~ water. 목이 말라 못견디겠다/I ~ *that* she (should) come. 그녀가 꼭 오기를 바란다/I ~ *to* hear her voice. 그녀의 목소리가 꼭 듣고 싶다. **2** (사정이) …을 필요로 하다, 요구하다(require). **3** 《~+목/+목+전+명》 (열심히 아무에게) …을 구하다, 간절히 원하다: ~ a person's pardon 용서를 간원하다/~ mercy *of*〔*from*〕 a person 아무에게 관대한 처분을 바라다. **—vi.* 간절히 원하다, 갈망하다《***for, after*** …을》: He ~*s for* recognition from his higher-ups. 그는 줄곧 윗사람에게 인정받기를 간절히 바라고 있다.

cra·ven [kréivən] *n.* Ⓒ 겁쟁이, 소심한 사람; 비겁자. **—***a.* 겁 많은, 비겁한. ㊕ **~·ly** *ad.* 겁이 나서, 비겁〔소심〕하게도. **~·ness** *n.*

crav·ing** [kréiviŋ] *n.* Ⓒ **갈망**《for*** …에 대한》; 열망; 간원《***to*** do》: have a ~ *for* chocolate 초콜릿을 먹고 싶어하다/have a ~ *to* be a success in business 사업에 성공한 사람이 되기를 갈망하다.

craw [krɔː] *n.* Ⓒ (새의) 모이주머니, 소낭; (동물의) 밥통. ***stick in*** a person***'s*** ~ 화〔부아〕가 나다, 참을 수 없다: His slight still *sticks in* my ~. 그가 나를 헐뜯은 말에 아직도 화가 치민다.

cráw·fish *n.* Ⓒ 가재; Ⓤ 가재 살. **—***vi.* 《美구어》 꽁무니 빼다, 뒷걸음질치다.

‡**crawl** [krɔːl] *vi.* **1** 《~/+부/+전+명》 **네발로 기다**, 포복하다; (식물의 덩굴 등이) 기다; 크롤로 헤엄치다: ~ *about on* all fours〔*on* hands and knees〕 네발로 기어다니다. SYN. ⇨CREEP. **2** 《~/+부》 **구물구물 움직이다**, 천천히 가다, 서행(徐行)하다; (시간이) 천천히 흐르다; (병자가) 슬슬 걷다: The work ~*ed*. 일이 지지부진하였다/The train ~*ed along*. 기차가 서행했다. **3** 《+전+명》 아첨하다, 굽실거리다《***to, before*** (아무)에게》; 살살 환심을 사다《***into*** (아무의 마음)에》: ~ *to*〔*before*〕 one's superiors 상사에게 굽실거리다/~ *into* a person's favor 아무에게 환심을 사려고 빌붙다. **4** 《~/+전+명》 **득실거리다**, 우글거리다《***with*** (벌레 따위)로》: The floor ~*s with* vermin. 마루에 벌레가 득실거린다. **5** 《+전+명》 (벌레가 기듯이 피부가) 스멀스멀하다, 근질거리다《***at*** …을 보고》: My flesh ~*ed at* the sight. 그 광경을 보고 내 몸이 근질거렸다.
~ *(home) on* one***'s eyebrows*** 《구어》 녹초가 되어 (돌아)오다.
—*n.* **1** (a ~) 기어〔느릿느릿〕 가기: move at a ~ (자동차가) 서행(徐行)하다/go for a ~ 어슬렁어슬렁 산책에 나가다. **2** Ⓤ (보통 the ~) 크롤 수영법(=**∠ stròke**): swim the ~ 크롤로 수영하다.

cráwl·er *n.* **1** Ⓒ **a** 기는 사람〔동물〕; 파충류, 이(louse); =CRAWLER TRACTOR. **b** 크롤 수영자. **2** Ⓒ 《속어》 (비굴한) 아첨꾼. **3** (*pl.*) 《美》 아기가 길 무렵에 입는 옷.

cráwler tràctor 무한 궤도(형) 트랙터.

crawly [krɔ́ːli] (***crawl·i·er; -i·est***) *a.* 《구어》 근질근질한; (어쩐지) 섬뜩한: Ants make me feel ~ (all over). 개미를 보면 (온몸이) 근질거린다.

cray·fish [kréifìʃ] *n.* **1** Ⓒ 〖어류〗 가재; 왕새우, 대하. **2** Ⓤ 가재〔왕새우〕의 살.

‡**cray·on** [kréiən, -ɑn/-ɔn] *n.* Ⓒ **크레용**; 크레용화: a box of ~*s* 크레용 한 곽/draw with a ~〔~*s*〕 크레용으로 그리다. **—***vt., vi.* 크레용으로 그리다.

***craze** [kreiz] *vt.* **1 미치게 하다**; 발광시키다; 열광〔열중〕하게 하다《보통 수동태로 쓰며, 전치사는 *with*》: He *was* half ~*d with* grief. 그는 슬퍼서 거의 미칠 지경이었다. **2** (도자기)를 잔금이 가게 굽다.
—*n.* Ⓒ (일시적인) 열광, 열중, 대유행(rage)《***for*** …에 대한》: the current ~ *for* a tour abroad 근래에 해외 여행에 대한 열광.

‡**cra·zy** [kréizi] (***-zi·er; -zi·est***) *a.* **1 a 미친**, 미치광이의: Are you ~? 너 미쳤니/go ~ 미치다. **b** Ⓟ 《구어》 정상이 아닌, 정신이 이상한《***to*** do》: It's ~ *of* you *to* give him money. =You're ~ *to* give him money. 그에게 돈을 주다니 자네도 정신이 이상해졌군.

SYN. **crazy** 걱정 따위로 정신이 매우 흩어져 있는 상태를 나타냄. **mad** 실성기가 있어 정신 착란의 정도가 한층 중증인 것. **insane** 정신 이상을 나타냄: an *insane* hospital 정신 병원.

2 얼빠진 짓의, 무리한: a ~ scheme 무모한 계획. **3** Ⓟ 《구어》 **열중한**, 열광한, 홀딱 빠진, 아주 좋아하는《***about*** (아무)에게, …을》: He is ~ *about* that girl. 그는 저 아가씨에게 홀딱 반했다/I'm ~ *about* your new dress. 당신의 새 옷이 아주 마음에 들어요. **4** 꼭 …하고 싶어하는《***to*** do》: I was ~ *to* meet you. 내내 너를 꼭 만나고 싶었어. **5** 《속어》 아주 좋은, 최고의, 나무랄 데 없는: "How did you like the party?"—"*Crazy*, man." 파티가 어떠했는가—최고였지.
like **~** 《구어》 무서운 기세로, 맹렬히: run *like* ~ 필사적으로 달리다.
㊕ **crá·zi·ly** *ad.* 미친 듯이, 미친 사람처럼; 열중하여. **-zi·ness** *n.*

crázy bòne 《美》 =FUNNY BONE.

crázy pàving〔**pàvement, wàlk**〕 《英》 (정원의) 다듬지 않은 돌 · 타일로 만든 산책길.

°**creak** [kriːk] *n.* Ⓒ (보통 *sing.*) 삐걱거리는 소리, 알력: The wooden flooring gave a ~ at each step. 마룻바닥 판자가 디딜 때마다 삐걱거렸다. **—***vi.* 삐걱삐걱하다; 삐걱삐걱 소리를 내며 움직이다: *Creaking* doors hang the longest. 《속담》 고로롱 팔십, 쭈그렁 밤송이 3년 간다.

creaky [kríːki] (***creak·i·er; -i·est***) *a.* 삐걱삐걱하는, 삐걱거리는. ㊕ **créak·i·ly** *ad.* **créak·i·ness** *n.*

‡**cream** [kriːm] *n.* **1** Ⓤ **크림**, 유지방(乳脂肪); 우유의 윗쪽에 모인 뻑뻑한 더껑이: skim off the ~ 크림을 제거하다. **2** Ⓤ (종류 · 낱개는 Ⓒ) 〖보

통 수식어를 수반하여》 크림이 든 과자〔요리〕: ⇨ ICE CREAM. **3** [U] (종류 · 낱개는 [C]) 《흔히 수식어와 함께》 화장용〔약용〕 크림: ⇨COLD CREAM, VANISHING CREAM. **4** (the ~) **최량의 부분**, 정수(精髓): the ~ *of* youth 고르고 고른 젊은이들/the ~ *of* manhood 사나이 중의 사나이/the ~ *of* society 사교계의 꽃, 최상류층 사람들/the ~ *of* the literary world 문단의 대가들/the ~ of the story 그 이야기의 정수. **5** [U] 크림색, 담황색.

~ ***of tartar*** 주석영(酒石英)《타르타르산 칼륨》. ***get the ~ of*** …의 진수〔정수〕를 뽑아 내다. ***the ~ of the crop*** 《구어》 최상의 것〔사람〕, 정선된 것〔사람〕.

—*vt.* **1** (우유)에서 크림을 걷어내다〔분리하다〕. **2** (요리)에 크림을 넣다〔치다〕; (버터 따위)를 크림 모양으로 만들다; 크림으로〔크림 소스로〕 요리하다. **3** 《美속어》 마구 치다; (경기에서 상대)를 완패시키다: We *~ed* them 7 to nothing. 우리는 그들을 7대0으로 완패시켰다/We got *~ed*. 우리는 완패당했다. —*vi.* **1** (우유에) 더껑이가 생기다. **2** 크림 모양이 되다.

~ ***off*** 《*vt.*+[부]》 (가장 좋은 것)을 골라내다, 정선(精選)하다《***from*** …에서》: The best students are *~ed off from* all over the city. 가장 우수한 학생들이 온 시내에서 뽑혔다.

—*a.* **1** 크림(색)의. **2** 즐거운, 유쾌〔쾌적〕한. **3** [A] 크림으로 만든.

créam bùn 〔**càke**〕 크림 빵〔케이크〕.

créam chèese 크림치즈《무르고 맛이 짙은》.

créam-còlored *a.* 크림색의, 담황색의.

créam cracker 《英》 크래커《달지 않고 바삭바삭하며 보통 치즈를 발라 먹음》.

créam·er *n.* [C] **1** (식탁용) 크림 그릇; 유피(乳皮) 떠내는 접시; 크림 분리기. **2** 크리머《커피 따위에 넣는 크림 대용품》.

cream·ery [kríːməri] *n.* [C] 버터 · 치즈 제조소; 낙농장(酪農場); 우유 제품 판매점.

créam hòrn 크림혼《원뿔 모양의 크림 과자》.

créam làid 《英》 크림빛의 가로줄이 비치게 뜬 종이.

créam pùff 슈크림; 《비유적》 시시한 사람〔물건〕; 《구어》 여자 같은 사내, 암사내(sissy); 《美》 성능이 좋은 중고차.

créam sàuce 크림소스《생크림을 넣어서 진하게 만든 화이트 소스》.

créam sóda (바닐라 향을 첨가한) 소다수(水).

créam téa 《英》 크림티《잼 또는 농축 크림을 얹은 팬케이크가 나오는 오후의 차(시간)》.

creamy [kríːmi] (***cream·i·er; -i·est***) *a.* 크림을 넣은〔이 많은〕; 크림 같은; 크림색〔모양〕의; 매끄럽고 보드라운: her ~ skin 그녀의 매끄럽고 보드라운 피부. ㊇ **créam·i·ly** *ad.* **-i·ness** *n.*

°**crease** [kriːs] *n.* [C] **1** (종이 · 천 등의) 주름(살), 접은 금; (보통 *pl.*) (다리미질한) 바지주름선. **2** 〖크리켓〗 투수〔타자〕의 위치를 지시하는 선. —*vt.* **1** (바지 · 종이 등)에 주름을 잡다. **2** 구겨지게 하다; (이마)에 주름을 짓다. **3** 《英속어》 배꼽을 쥐게 하다(*up*): The sight really *~d* me *up*. 나는 그 광경을 보고 정말 배꼽을 잡았다. —*vi.* **1** 주름지다; 접은 금이 생기다. **2** 《英속어》 배꼽을 쥐고 웃다(*up*). ㊇ **créas·er** *n.*

creasy [kríːsi] (***creas·i·er; -i·est***) *a.* 주름〔금〕이 있는.

***cre·ate** [kriːéit] *vt.* **1** 《~+[목]/+[목]+[보]》 **창조하다**; 창시하다; 〖컴퓨터〗 만들다: All men are *~d* equal. 모든 인간은 평등하게 창조되었다《미국 독립선언문에서》/God *~d* the heaven and the earth. 하나님께서 하늘과 땅을 창조하셨다《성서 「창세기」에서》. **2** (독창적인 것)을 제작하다; (신형)을 안출〔고안〕하다; (배우가 어떤 역)을 연기하다: ~ a work of art 예술품을 제작하다. **3** 《~+[목]/+[목]+[보]》 …에게 위계〔작위〕를 수여하다: ~ a person a baron 아무에게 남작 작위를 수여하다. **4** (소동 · 사태 · 기회 · 욕구 따위)를 **불러일으키다**: ~ a sensation 센세이션을 불러일으키다; 물의를 빚다. **5** (인상)을 주다; (평판)을 내다: If you don't reply, you'll ~ the impression that you lack confidence. 답변을 하지 않으면, 네가 자신감이 없다는 인상을 줄 것이다.

—*vi.* (자못) 창조적인 일을 하다; 《속어》 법석떨다, 불평〔불만〕을 말하다. ◇ creation, creature *n.*

***cre·a·tion** [kriːéiʃən] *n.* **1 a** [U] **창조**; 창작; 창설. **b** (the C–) 천지 창조. **2** [U] 《집합적》 (신의) **창조물**; 우주, 천지 만물, 삼라만상: lower ~ 하등 동물/the lord of (the) ~ 만물의 영장, 인간. **3** [U] 창작; [C] 창작품, 고안물; (유행의) 새 디자인. **4** [U] 작위 수여. **5** [C] (상상력의) 산물, 작품. ◇ create *v.*

cre·a·tive** [kriːéitiv] *a.* **1 창조적인**, 창조력이 있는, 창작적인, 독창적인(originative): ~ power 창조력; 창작력/~ writing 창작(문학). **2** [P] 낳는, 만들어내는《of*** …을》: His speech was ~ *of* controversy. 그의 연설은 물의를 빚었다. ◇ create *v.* ㊇ **~·ly** *ad.* **~·ness** *n.* **cre·a·tiv·i·ty** [krìːeitívəti] *n.* [U] 창조성〔력〕; 독창력; 창조의 재능.

cre·a·tor** [kriːéitər] (*fem.* ***-tress [-tris]) *n.* **1** [C] **창조자**; 창작가; 창설자; 작위 수여자; 새 디자인 고안자; (연극의) 신형(新型) 창시자. **2** (the C–) 조물주, 신. ㊇ **~·shìp** *n.*

****crea·ture** [kríːtʃər] *n.* [C] **1** (신의) 창조물, 피조물. **2 생물**, 《특히》 동물; 《美》 마소, 가축. **3** 《경멸 · 동정 · 애정을 곁들여》 놈, 녀석, 년, 자식: Poor ~! 가엾어라, 가엾게도/a pretty 〔dear〕 ~ 귀여운 아가씨. **4** (사람 · 물건 등의) 지배를 받는 자; 예속자, 부하, 앞잡이; 괴뢰: a ~ *of* circumstance(s) 〔impulse, habit〕 환경〔충동, 습관〕의 노예. **5** (시대의) 소산, 산물. **6** 가공의 동물; 이상한 생물: a ~ of fancy 가상의 동물/*~s* from outer space 외계에서 온 이상한 생물. ◇ create *v.*

(***all***) ***God's creatures*** (***great and small***) 살아 있는 온갖 것, 인간도 동물도 (모두).

créature cómforts (흔히 the ~) 육체적인 쾌락을 주는 것《훌륭한 의식주 따위》, 《특히》 음식물(good creatures).

crèche [kreiʃ] *n.* 《F.》 [C] 보육원; 탁아소; 고아원; (크리스마스에 흔히 장식하는) 구유 속의 아기 예수상(像).

cre·dence [kríːdəns] *n.* [U] 신용: a letter of ~ 신임장; 추천장/find ~ 신임받다/give 〔refuse〕 ~ to …을 믿다〔믿지 않다〕.

cre·den·tial [kridénʃəl] *n.* (*pl.*) 자격 증명서, 성적〔인물〕 증명서; (대사 · 공사 등에게 주는) 신임장: show one's *~s* 증명서를 보이다/present one's *~s* (대사 등이) 신임장을 제출하다.

㊇ **~·ism** *n.*

crèd·i·bíl·i·ty *n.* [U] 믿을 수 있음; 신용, 신뢰성, 신빙성.

credibílity gàp (정부에 대한) 신빙성의 결여,

불신감; (정치가 등의) 언행 불일치.

°**cred·i·ble** [krédəbəl] *a.* 신용〔신뢰〕할 수 있는, 확실한; 설득력이 있는: It's hardly ~ that she could have done that. 그 여자가 그런 일을 했다고는 믿어지지 않는다. ◇ credit *v.* ㊞ **-bly** *ad.* 확실히, 확실한 소식통에서.

cred·it** [krédit] *n.* **1** Ⓤ **신용**; 신망, 신뢰; (신용으로 얻는) 명성, 평판; 신망: gain 〔lose〕 ~ to …에 대한 신용을 얻다〔잃다〕/ have ~ with a person 아무에게서 신용받고 있다 / give ~ to 〔put ~ in〕 a person's story 아무의 이야기를 믿다 / a man of (the highest) ~ (더없이) 평판이 좋은 사람 / The president was in high ~ with the students. 총장은 학생들에게 신망이 두터웠다. **2 a** Ⓤ **영예**, 명예, 칭찬; (공적 따위로) 면목세우기: The ~ goes to him. 영예는 그에게 돌아간다 / You should get more ~ for your contributions to the project. 당신은 그 계획에 대한 공헌으로 더욱 찬사를 받아 마땅합니다. **b** (a ~) 명예가 되는 것〔사람〕《to*** …에》: He is a ~ *to* the school. 그는 학교의 자랑〔명예〕이다. **3** Ⓤ 인정, 믿음《***for*** (공적·성질)에 대한》: She's more thoughtful than you gave her ~ *for*. 그녀는 당신이 믿고 있는 것보다 더 생각이 깊은 여자입니다. **4** Ⓤ (금융상의) **신용**; **신용 대출**〔거래〕, 외상 판매; (크레디트에 의한) 지급 유예 기간; (은행의) 예금: a letter of ~ 〖상업〗 신용장 《생략: L/C》/ give 〔allow〕 a person 3 months' ~ 아무에게 3 개월의 신용 대출을 하다 / long 〔short〕 ~ 장〔단〕기 신용 대출 / open a ~ 〖상업〗 신용장을 개설하다 / open ~ with 신용 거래를 트다 / He has ~ of $100,000 at his bank. 그는 은행에 10만불의 예금이 있다 / No ~. 외상 사절. **5** Ⓒ 〖부기〗 대변(貸邊)《생략: cr.》, 대변 기입. ↔ *debit*. **6** Ⓒ 《美》 (학과의) 이수 증명, 이수 단위; 학점. **7** Ⓒ (보통 *pl.*) 크레디트《출판물·연극·라디오〔텔레비전〕 프로 등에 사용된 자료 제공자에 대한 치사》.

do a person ~ =***do*** ~ ***to*** a person 아무의 명예가〔공이〕 되다: Her children do her ~. 그녀의 아이들은 그녀의 영예가 되었다. ***on*** ~ 외상으로, 신용 대출로: deal *on* ~ 신용 거래하다 / put one *on* ~ 외상으로 한 잔 하다. ***reflect*** ~ ***on*** …의 명예가 되다. ***take*** (***the***) ~ ***for*** ① (특히 협력자가 있는데도) …을 자신의 공로로 삼다, …의 일로 칭찬받다: He *took* to himself all *the* ~ *for* what was actually a joint effort. 실제로는 모두가 협력한 일을 그는 혼자의 공로로 삼았다. ② (자기도) …의 일에 도움이 되었다고 생각하다: I *take* some ~ *for* your successful career. 당신이 이렇게 성공을 거둔 데에는 나도 다소 도움을 주었다고 생각합니다. ***to*** a person***'s*** ~ ① 아무의 명예가 되게; 감사하게도: It's *to* your ~ that you did it alone. 그 일을 당신 혼자서 하셨다니 대단하십니다 / Much *to* his ~, he didn't abandon his poor relatives. 감사하게도, 그는 가난한 친척들을 못본 체하지 않았다. ② 아무의 이름으로〔이 붙는〕: He already has ten published books *to* his ~. 그는 자기 이름으로 책을 이미 10권이나 출판하였다. ③ 〖부기〗 아무의 대변에.

—*vt.* **1** 신용하다, 신뢰하다, 믿다: I cannot ~ his story. 그의 이야기를 믿을 수 없다. **2** 《+목+전+명》 **a** (명예·현상 등)을 돌리다《***to*** …에》: They ~ his eccentricity *to* his solitude. 그들은 그가 이상하게 보이는 것이 고독 탓이라고 여기고 있다. **b** (아무)를 갖고〔소유하고〕 있다고 여기다《***with*** (어떤 성질·감정 따위)를》: I ~*ed* you *with* more sense. 자네에겐 좀더 분별이 있는 줄 알았네. **3** 《+목+전+명》 〖부기〗 (아무)의 대변에 기입하다《***with*** (금액)을》; (금액)을 대변에 기입하다《***to*** (아무)의》: ~ a person *with* $200 =~ $200 *to* a person, 200달러를 아무의 대변에 기입하다.

°**créd·it·a·ble** *a.* 명예로운; 칭찬할 만한, 평판이 좋은; 신용할 수 있는: a ~ achievement 칭찬할 만한 업적. ㊞ **-bly** *ad.* 훌륭히, 썩 잘. **crèd·it·a·bíl·i·ty** *n.*

crédit accòunt 《英》 외상 거래 계정(《美》 charge account).

crédit càrd 크레디트 카드, 신용 카드.

crédit-cárd càlculator 〖컴퓨터〗 **1** 크레디트 카드형 전자식 계산기《크레디트 카드 크기〔두께〕의 계산기》. **2** 크레디트 카드 겸용 전자식 계산기《두께 0.8mm 정도의 크레디트 카드에 계산기를 내장(內藏)한 것》.

crédit lìne 크레디트 라인《뉴스·TV프로·영화·사진·그림 등에 곁들이는 제작자·연출자·기자·제공자의 이름》; (신용 대부의) 대출 한도액, 신용장 개설 한도, 신용 한도(credit limit).

crédit nòte 〖상업〗 대변 전표《입금·반품 때 판 사람이 보내는 전표》.

°**cred·i·tor** [kréditər] *n.* Ⓒ 채권자; 〖부기〗 대변《생략: cr.》. ↔ *debtor*.

créditor nátion 채권국. ↔ *debtor nation*.

crédit ràting (개인·법인의) 신용 등급〔평가〕.

crédit sàle 외상 판매, 신용 판매.

crédit sìde (the ~) 〖부기〗 대변《장부의 오른쪽; 생략: cr.》. ↔ *debit side*. ¶on the ~ 대변에.

crédit squèeze 금융 긴축(정책)《인플레이션 대책으로서 정부가 취하는》.

crédit tìtles 〖영화·TV〗 크래디트 타이틀《제작자·감독·출연자 등의 자막 이름》.

crédit trànche [-trɑ̃:ʃ] 크레디트 트랑슈 《IMF 가맹국이 출자 할당액을 초과하여 IMF에서 빌릴 수 있는 금액》.

crédit trànsfer 은행 계좌의 대체.

crédit ùnion 소비자 신용조합《조합원에게 저리(低利)로 대출하는》.

crédit·wòrthy *a.* 〖상업〗 신용 있는, 지불 능력이 있는. ㊞ **-wòrthiness** *n.*

cre·do [krí:dou, kréi-] (*pl.* **~s**) *n.* **1** Ⓒ 신조(creed): It's a ~ I live by. 그것은 내 생활신조의 하나이다. **2** (the C–) 〖기독교〗 사도신경, 니케아 신경(信經).

°**cre·du·li·ty** [kridjú:ləti] *n.* Ⓤ (남을) 쉽사리 믿음, 고지식함; 우직함.

°**cred·u·lous** [krédʒələs] *a.* **1** 고지식한, 우직한; (남을) 쉽사리 믿는, 경솔하게 믿어버리는《***of*** (남의 말 따위)를》: a ~ person 우직한 사람 / He's ~ *of* rumors. 그는 소문을 곧잘 믿어버린다. **2** 경신(輕信)에 의한.
㊞ **~·ly** *ad.* **~·ness** *n.*

Cree [kri:] (*pl.* **~(s)**) *n.* **1** (the ~(s)) 크리족 《본디 캐나다 중앙부에 살았던 아메리카 원주민》. **2** Ⓒ 크리족의 사람; Ⓤ 크리어(語).

⁂**creed** [kri:d] *n.* **1** Ⓒ **교의**(敎義); 신조, 신념, 주의, 강령. **2** (the C–) 사도신경(the Apostles' Creed).

Creek [kri:k] *n.* **1** (the ~(s)) 크리크족 《Oklahoma 지방에 사는 아메리카 원주민》. **2** Ⓒ 크리크 사람; Ⓤ 크리크어(語).

***creek** [kri:k, krik] *n.* Ⓒ **1** 《美》 시내, 샛강 《brook[1] 보다 약간 큼》. **2** 《英》 (해안 · 강기슭 등의) 후미, 소만(小灣), 포구.
up the ~ (***without a paddle***) 《속어》 **1** 꼼짝달싹 못하게 되어, 궁지〔곤경〕에 빠져. **2** 미친 듯한, 상궤를 벗어난; 아주 심한.

creel [kri:l] *n.* Ⓒ (낚시질의) 물고기 바구니; (새우 따위를 잡는) 통발.

****creep** [kri:p] (*p.*, *pp.* ***crept*** [krept]) *vi.* **1** 기다, 포복하다: ~ on all fours 네발로 기다.
SYN. **creep** 뱀 따위가 '(천천히) 기는' 것으로, 비유로 쓰이는 일이 많음: Time *creeps* on. 시간이 지나다. **crawl** 힘없이 휘청거리는 상태를 내포하고 있음.
2 《~/+副/+前+名》 **a** **살금살금 걷다**, 발소리를 죽이며 가다; (기듯이) 천천히 나아가다〔걷다〕: ~ *in* 〔*into*〕 bed 침대에 살며시 기어들다 / ~ on tiptoe 발끝으로 살금살금 걷다 / When did he ~ *out*? 그는 언제 몰래 빠져 나갔는가. **b** 살며시 다가가다 (*up*) 《***on*** …에》: ~ *up on* someone (from behind) (등 뒤에서) 아무에게 살며시 다가가다 / Age *~s up on* us. 늙음은 모르는 사이에 우리에게 다가온다. **c** (세월 따위가) 어느새 지나가다; (사상 따위가) 스며들다: Time *crept on*. 세월이 어느새 지나갔다 / Mistakes will ~ *into* one's work. 잘못은 모르는 사이에 생기게 마련이다. **3** (피부가) 스멀스멀하다; (놀라서) 오싹〔섬뜩〕하다: The sight made my flesh 〔skin〕 ~. 그 광경에 몸이 오싹했다. **4** 《+前+名》 은근히 환심을 사다 《***into*** …에》: ~ *into* a person's favor. **5** 《+副/+前+名》 (덩굴 · 뿌리 따위가) 휘감겨 붙다, 뻗어 나가다: ~ *over* 〔*along*〕 the ground 지면으로 뻗어 나가다.
—*n.* **1** Ⓒ 배를 깔고 김, 포복; 서행. **2** Ⓒ (보통 the ~s) 《구어》 섬뜩한 느낌: That horror movie gave me the *~s*. 그 공포 영화를 보고 소름이 끼쳤다. **3** Ⓒ (남에게 빌붙는) 아니꼬운〔시시한〕 녀석. **4** Ⓤ 〖지질〗 하강 점동(下降漸動).

créep·er *n.* **1** Ⓒ 기는 것; 곤충; 파충류(reptile); 〖조류〗 나무에 기어오르는 새, 《특히》 나무발바리. **2** Ⓒ (집합적으로는 Ⓤ) 덩굴 식물, 《특히》 양담쟁이(Virginia creeper). **3** (*pl.*) (갓난아이의) 내리닫이; (구두창의 미끄럼 방지용) 스파이크 달린 철판. ㊕ **~ed** *a.* 담쟁이로 덮인.

créep·ing *a.* **1** 기어 다니는: ~ plants 덩굴〔만성〕 식물 / ~ things 파충류. **2** 느린; 천천히 다가오는, 잠행성(潛行性)의: ~ inflation 서서히 진행하는 인플레이션. **3** 근질거리는, 오싹하는. **4** 아첨하는; 비루한.

créeping Jésus 《英속어》 비겁자; 위선자; 아첨꾼.

creepy [krí:pi] (***creep·i·er; -i·est***) *a.* **1** 기어 다니는; 느릿느릿 움직이는. **2** 《구어》 근지러운; 오싹하는. **3** 비굴한, 아첨하는. ㊕ **créep·i·ly** *ad.* **-i·ness** *n.*

créepy-cráwly 《구어》 *a.* 기어다니는; 오싹하는; 비굴한. **—***n.* Ⓒ 기어다니는 벌레〔곤충〕.

cre·mains [kriméinz] *n. pl.* 《美》 (화장한) 유골.

cre·mate [krí:meit, kriméit] *vt.* 불태워 재로 만들다, 소각하다; (사체)를 화장하다.

cre·ma·tion [kriméiʃən] *n.* Ⓤ (구체적으로는 Ⓒ) (문서의) 소각; 화장.

cre·ma·tor [krí:meitər, kriméitər] *n.* Ⓒ (화장터의) 화부; 쓰레기 태우는 인부; 화장로(爐); 쓰레기 소각로.

cre·ma·to·ri·um [krì:mətɔ́:riəm, krèmə-] (*pl.* ***-ria*** [-riə]) *n.* Ⓒ 화장장.

cre·ma·to·ry [krí:mətɔ̀:ri, krémə-/krémətəri] *n.* Ⓒ 《美》 화장로; 화장터; 쓰레기 소각장〔소각로〕. **—***a.* 화장의; 소각의.

crème de menthe [krèmdəmɑ́:nt] 《F.》 박하 넣은 리큐어 술.

cren·el, cre·nelle [krénl], [krinél] *n.* Ⓒ 〖축성(築城)〗 총안(銃眼); (*pl.*) 총안이 있는 흉벽.

Cre·ole [krí:oul] *n.* (종종 c-) **1** Ⓒ 크리올 사람《(1) 미국 Louisiana 주에 이주한 프랑스 사람의 자손. (2) 남아메리카 제국 · 서인도 제도 · Mauritius 섬 태생의 프랑스 사람 · 스페인 사람. (3) 프랑스 사람 · 스페인 사람과 흑인의 튀기(=~ **Négro**). **2** Ⓤ 크리올 말《Louisiana 말투의 프랑스 말》; 혼합어; 크리올 요리.
—*a.* (종종 c-) 크리올 사람의; 〖요리〗 토마토 · 피망 · 양파 등 각종 향료를 쓴.

cre·o·sol [krí(:)əsòul] *n.* Ⓤ 〖화학〗 크레오솔 《방부제》.

cre·o·sote [krí(:)əsòut] *n.* Ⓤ 〖화학〗 크레오소트《목재 방부 · 의료용》: ~ oil 크레오소트유.
—*vt.* 크레오소트로 처리하다.

crepe, crêpe [kreip] *n.* 《F.》 **1** Ⓤ 크레이프, 축면사(縮緬紗); Ⓒ 검은 크레이프 상장(喪章)(crape). **2** =CREPE PAPER; =CREPE RUBBER. **3** Ⓒ (요리는 Ⓤ) 크레이프《얇게 구운 팬케이크》.

crêpe de Chine [krèipdəʃí:n] 《F.》 크레이프드신《가는 생사로 짠, 바탕이 오글오글한 비단의 일종》.

crépe pàper 오글오글한 종이《조화용(造花用)》.

crépe rùbber 크레이프 고무《구두창용》.

crêpe 〔**crepe**〕 **su·zétte** [krèipsu(:)zét] (*pl.* ***crêpes*** 〔***crepe***〕 ***suzétte*** [krèips-], ***~s*** [-su(:)zéts]) 《F.》 크레이프 수젯《크레이프에 리큐어를 넣은 뜨거운 소스를 친 요리; 디저트용》.

crep·i·tate [krépətèit] *vi.* 딱딱 소리나다 (crackle). ㊕ **crèp·i·tá·tion** *n.*

crept [krept] CREEP의 과거 · 과거분사.

cre·pus·cu·lar [kripʌ́skjələr] *a.* **1** 황혼의, 새벽〔해질〕 무렵의; 어스레한. **2** 〖동물〗 어스레한 때에 활동〔출현〕하는《박쥐 따위》. **3** (시대가) 반(半)개화의, 문명의 여명기의.

cres., cresc. 〖음악〗 crescendo.

cre·scen·do [kriʃéndou] 《It.》 *ad.* **1** 〖음악〗 점점 세게, 크레셴도로《생략: cres(c).; 기호 <》. ↔ *diminuendo*. **2** (감정 · 동작 따위를) 점차로 세게. **—***a.* 〖음악〗 점강음(漸強音)의. **—** (*pl.* ***~(e)s***) *n.* Ⓒ 〖음악〗 크레셴도; 점강음(절); 음성 점강; 《비유적》 (클라이맥스로의) 진전; 클라이맥스. **—***vi.* (소리 · 감정 따위가) 점점 세어지다.

°**cres·cent** [krésənt] *n.* **1** Ⓒ 초승달, 신월(新月); 상현달. **2** Ⓒ 초승달 모양의 물건; 《英》 초승달 모양의 가로〔광장〕; 초승달 모양의 빵. **3** Ⓒ 초승달 모양의 기장(旗章)《터키 국기의》. **4** (the C-) 이슬람교, 회교(回敎). **—***a.* Ⓐ 초승달 모양의; (달이) 점차 커지는.

cre·sol [krí:soul, -sɔ:l] *n.* Ⓤ 〖화학〗 크레졸 《살균 · 소독제》.

cress [kres] *n.* Ⓤ 겨자과의 야채, 《특히》 다닥냉이(garden cress)《샐러드용》.

cres·set [krésit] *n.* Ⓒ 쇠초롱《화톳불용》.

Cres·si·da [krésidə] *n.* 〖그리스전설〗 크레시다《애인인 Troilus를 배반한 Troy의 여인》.

***crest** [krest] *n.* Ⓒ **1** (조류의) 볏; 도가머리, 관모(冠毛). **2** (투구의) 깃장식, 장식털; (투구의) 앞

꽂이 장식; 《시어》 투구. **3** 〖문장(紋章)〗 (방패형 문양의) 꼭대기 장식; (봉인(封印)·접시·편지지의) 문장(紋章); 〖건축〗 마룻대 장식. **4** (보통 *sing.*) (물건의) 꼭대기; 산꼭대기; (파도의) 물마루. **5** 최고조, 클라이맥스; 절정; 극치: at the ~ of one's fame 명성의 절정에 서서. ***on the ~ of a wave*** 물마루를 타고; 호운의 물결을 타고. **one's ~ *falls*** 풀이 죽다, 의기소침〔저상〕하다.
—*vt.* 〖건축〗 …에 마룻대 장식을 달다; (산)의 꼭대기에 달하다; (파도)의 물마루를 타다. —*vi.* (파도가) 놀치다, 물마루를 이루다.
㊞ **∠·ed** [-id] *a.* ~가 있는.

crést·fàllen *a.* 풀이 죽은; 기운이 없는, 멋쩍어〔거북해〕하는.

cre·ta·ceous [kritéiʃəs] *a.* 백악(白堊)(질)의 (chalky); (C-) 〖지질〗 백악기(紀)의. —*n.* (the C-) 백악기〔층(層)〕.

Cre·tan [kríːtn] *a.* Crete 섬(사람)의. —*n.* Ⓒ Crete 섬 사람.

Crete [kriːt] *n.* 크레타 《지중해의 섬; 그리스령(領); 그리스 문화 이전에 높은 문화를 갖고 있었다고 함》.

cre·tin [kríːtn/krétin] *n.* Ⓒ 크레틴병 환자; 《구어》 바보; 백치.

cré·tin·ìsm [-tənìzm] *n.* Ⓤ 크레틴병《알프스 산지 등의 풍토병; 갑상선 호르몬의 결핍에 의한 것으로 소인증과 정신박약을 특징으로 함》.

cré·tin·ous [-əs] *a.* 크레틴병의; 바보스런, 백치의.

cre·tonne [kritán, kríːtan/kretɔ́n, ∠-] *n.* 《F.》 Ⓤ 크레톤사라사《커튼·의자 커버용》.

cre·vasse [krivǽs] *n.* 《F.》 Ⓒ (빙하의) 균열, 크레바스; 《美》 (둑의) 갈라진 틈, 터진〔파손된〕 곳.

°**crev·ice** [krévis] *n.* Ⓒ (벽·바위 등의 좁고 깊이) 갈라진 틈, 균열, 터진 곳.

‡**crew**[1] [kruː] *n.* Ⓒ 〔집합적; 단·복수취급〕 **1** (배·열차·비행기·우주선 등의) **전(全)탑승원**, 전승무원; (보통 고급 선원을 제외한) 선원 / The ~ number(s) thirty in all. 승무원은 모두 30 명이다. **2** (보트의) 선수단; 보트 레이스 팀. **3** 《구어》 동료, 패거리; (노동자의) 일단, 반: a noisy, disreputable ~ 시끄럽게 떠드는 좋지 않은 패거리. —*vt., vi.* (…의) 승무원으로서 일하다.

crew[2] 《고어》 CROW[2]의 과거.

créw cùt (항공기 탑승원 등의) 상고머리.

crew·el [krúːəl] *n.* Ⓤ 겹실, 자수용 털실(~ yarn).

créwel·wòrk *n.* Ⓤ 털실 자수.

créwel yàrn 자수용 털실.

créw·man [-mən] (*pl.* ***-men*** [-mən, -mèn]) *n.* Ⓒ (선박·비행기·우주선 등의) 탑승〔승무〕원.

°**crib** [krib] *n.* **1** Ⓒ **a 구유**, 여물 시렁; 마구간, 외양간; 《英》 구유 속의 아기 예수상(像)(crèche). **b** 《美》 (소아용) 테두리 난간이 있는 침대, 베이비 베드. **c** 《美》 (곡식·소금 따위의) 저장통, 저장소, 곳간, 헛간. **d** 조그마한 집〔방〕. **2** Ⓒ 《구어》 도용, 표절《***from*** (남의 작품 따위)의》. **3** Ⓒ 《구어》 (학생의) 주해서; 커닝 쪽지. **4** (the ~) 〖카드놀이〗 선(先)이 가지는 패《cribbage에서 딴 사람이 버린 한 벌의 패》. ***crack a*** ~ 《英속어》 집에 강도질하러 들어가다.
—(**-bb-**) *vt.* **1** …에 구유를〔여물통을〕 갖추다. **2** (좁은 곳)에 가두다. **3** 《구어》 훔치다; (남의 작품)을 무단 사용하다, 도용하다, 표절하다, (답)을 커닝하다. **4** 《구어》 불평하듯이 말하다. —*vi.* 《구어》 좀도둑질하다; 표절하다; 커닝하다; 주해서를 쓰다.

crib·bage [kríbidʒ] *n.* Ⓤ 2-4명이 하는 카드놀이.

críbbage bòard 크리비지의 득점 기록판.

crib·ber [kríbər] *n.* Ⓒ 표절〔커닝〕하는 사람; 구유를 물어뜯는 버릇이 있는 말.

críb dèath 《美》 유아 돌연사 (증후군)(《英》 cot death).

críb shèet nòte =CRIB *n.* 3.

crick [krik] *n.* Ⓒ (보통 *sing.*) (목·등 따위의) 근육〔관절〕 경련, 급성 경직, 쥐. —*vt.* …에 경련을 일으키다, 쥐가 나다.

*__crick·et__[1] [kríkit] *n.* Ⓒ 〖곤충〗 **귀뚜라미**. **(*as*)** ***chirpy*** 〔***lively, merry***〕 ***as a*** ~ 《속어》 아주 쾌활〔명랑〕하여.

‡**crick·et**[2] *n.* Ⓤ **크리켓**《영국의 구기; 쌍방 11 명씩 함》.

> **DIAL.** ***It's*** 〔***That's***〕 ***not cricket!*** 《英》 그건 공정치 않다, 그건 비열하다.

—*vi.* 크리켓을 하다.

crícket bàg 크리켓 백《크리켓용 배트 따위를 넣어 다니는 기다란 백》.

crícket bàt 크리켓용 배트.

críck·et·er [-tər] *n.* Ⓒ 크리켓 경기자.

crícket ground 〔**field**〕 크리켓 경기장.

cri·er [kráiər] *n.* Ⓒ **1** 외치는〔우는〕 사람; 잘 우는 아이, 겁쟁이. **2** (공판정의) 정리(廷吏). **3** 옛날 큰 소리로 포고(布告)를 알리고 다니던 고을의 관원(town ~); 외치며 파는 장사꾼. ◇ cry *v.*

cri·key, crick·ey [kráiki], [kríki] *int.* (종종 By ~!) 《속어》 야, 이것 참 (놀랐다).

‡**crime** [kraim] *n.* **1** Ⓒ (법률상의) **죄, 범죄** (행위): commit a ~ 죄를 범하다 / ~*s against* the State 국사범 / put 〔blame, throw〕 a ~ on an innocent person 결백한 사람에게 죄를 덮어씌우다. **2** Ⓤ 〔집합적〕 범죄: organized ~ 조직 범죄 / the prevention of ~ 범죄 예방 / a wave of ~ 범죄의 물결《급증 현상》. **3** Ⓒ 〔일반적〕 반도덕적인 행위, 죄악(sin): Blasphemy is a ~ against God. 모독이란 신에 대한 불경이다. **4** (a ~) 《구어》 아쉬운〔유감스러운〕 일: It's a ~ to let that beautiful garden go to ruin. 저 아름다운 정원을 황폐하게 놔두다니 유감스런 일이다. ◇ criminal *a.* ㊞ **∠·less** *a.* 범죄가 없는, 무범죄의.

Cri·mea [kraimíːə, kri-] *n.* (the ~) 크림 반도《흑해 북안의 반도; 우크라이나 공화국의 한 주》. ㊞ **Cri·mé·an** [-ən] *a.*

Criméan Wár (the ~) 〖역사〗 크림 전쟁《러시아 대(對) 영·프·오스트리아·터키·프로이센·사르디니아 연합국의 전쟁; 1853-56》.

críme fiction 범죄〔추리〕 소설.

críme wrìter 《英》 범죄〔추리〕 소설 작가.

*__crim·i·nal__ [krímənl] *a.* **1** Ⓐ **범죄의**; 형사상의《civil에 대해》: a ~ offense 형사범 / a ~ case 〔action〕 형사 사건〔소송〕 / ~ psychology 범죄 심리학 / have a ~ record 전과가 있다. **2** 범죄적인; 범죄를 범하고 있는: a ~ act 범죄 행위. **3** Ⓟ 《구어》 〔주로 it's ~ to do의 형식으로〕 어리석은; 괘씸한, 한심스러운: It's ~ to charge such high prices. 그렇게 비싼 값을 매기다니 괘씸하다. —*n.* Ⓒ 범인, 범죄자: a habitual ~ 상습범《사람》.
㊞ **~·ly** *ad.* 범죄적으로, 죄를 범하여; 형법에 의하여, 형사〔형법〕상.

crim·i·nal·i·ty [krìmənǽləti] *n.* Ⓤ 범죄성; 유죄(guiltiness); Ⓒ 범죄 (행위).

crím·i·nal·ìze *vt.* 법률로 금지하다; (사람 · 행위)를 유죄로 하다.

críminal láw 형법. ↔ *civil law.*

crim·i·nate [krímənèit] *vt.* (아무)에게 죄를 지우다; (아무)를 고발〔고소〕하다; (아무)에 대해 유죄 증언을 하다; …을 비난하다.

crìm·i·ná·tion *n.* Ⓒ 고발, 고소; 비난: *~s* and recriminations 죄를 서로 뒤집어씌우기, 이전투구.

crim·i·nol·o·gy [krìmənάlədʒi/-nɔ́l-] *n.* Ⓤ 범죄학, 《널리》 형사학. ㉣ **-gist** *n.* Ⓒ 범죄학자.

crimp [krimp] *vt.* **1** (머리 따위)를 곱슬곱슬하게 하다, 지지다; (천 따위)에 주름을 잡다; (철판 · 판지)에 물결무늬를 넣다. **2** 《美구어》 제한〔방해〕하다: Tariff barriers have *~ed* the flow of imports. 관세 장벽이 수입품의 유입을 제한했다. **—***n.* Ⓒ **1** 주름(살); 금, 접은 금. **2** (보통 *pl.*) 고수머리, 파마 머리. ***put*** 〔***throw***〕 ***a ~ in*** 〔***into***〕 《美구어》 …을 방해하다: His illness *put a ~ in* our plans. 그의 병 때문에 우리 계획에 차질이 생겼다.

crim·ple [krímpl] *vt., vi.* 주름잡(히)다; 오그라뜨리다; 오그라지다.

Crimp·lene [krímpli:n] *n.* 크림플린《주름이 잘 잡히지 않는 합성 섬유; 상표명》.

crimpy [krímpi] (***crimp·i·er; -i·est***) *a.* 곱슬곱슬한; 물결 모양의: ~ hair 고수머리.

crim·son** [krímzən] *n.* Ⓤ **심홍색**(안료(顔料)). **—a.* 심홍색의, 연지색의(deep red): He turned ~ (with anger 〔shame〕). 그는 화가 나서〔부끄러워서〕 얼굴이 빨개졌다. **—***vt., vi.* 심홍색으로 하다〔되다〕; 얼굴을 붉히다, 얼굴이 붉어지다(blush)《수치 · 화 때문에》.

crímson láke 심홍색 안료.

°**cringe** [krindʒ] *vi.* **1** 곱송그리다, 위축되다, 움츠리다《***at*** …에》: ~ *at* the thought of an air crash 비행기 추락을 생각하고 오갈 들다. **2** 굽실굽실하다, 아첨하다; 굽실거리다《***before, to*** (상사)에게》: He *~d to* his employer. 그는 고용주에게 굽실거렸다.

crin·kle [kríŋkl] *n.* Ⓒ 주름, 물결 모양; 버스럭거리는 소리. **—***vt.* …에 주름 잡히게 하다, …을 움츠러들게 하다(*up*): ~ (*up*) one's nose 코에 주름잡히게 하다《당혹 · 불찬성의 표정》. **—***vi.* **1** 주름지다; 움츠리다(*up*). **2** (종이 따위가) 버스럭거리다.

crin·kly [kríŋkli] *a.* 주름(살)이 진, 주름투성이의; 오그라든, 곱슬곱슬한; 물결 모양의; 버스럭거리는.

crin·o·line [krínəli:n] *n.* **1** Ⓤ 크리놀린《말총을 넣어 짠 심 감》. **2** Ⓒ 그것으로 만든 페티코트; 버팀테를 넣은 페티코트〔스커트〕.

cripes [kraips] *int.* 《속어》 《때로 by ~로서》 (놀라움 · 혐오 등을 나타내어) 저런저런, 이것 참.

crip·ple** [krípəl] *n.* Ⓒ **불구자**, 지체〔신체〕 장애자. **—vt.* …을 **불구**〔지체 장애〕**가 되게 하다**; 무능케 하다, …의 힘을 없애다; (활동 따위)를 못하게 하다: a *~d* soldier 상이 군인/The storm *~d* the railway service. 폭풍우로 열차가 불통이 되었다/An oil embargo would ~ industry. 석유수출이 금지되면 산업이 마비될 것이다.

críppled *a.* **1** 불구의; 불구가 된, 몸이 부자유스런《***with, by*** …으로》: a ~ person 지체〔신체〕 장애자/The old man was ~ *with* rheumatism. 그 노인은 류머티즘으로 보행조차 부자유스러웠다. **2** 무능력한.

crip·pling [kríplin] *a.* (기능을 상실할 정도의) 큰 손해를〔타격을〕 주는: a ~ strike 파멸적인 타격을 주는 파업.

***cri·sis** [kráisis] (*pl.* **-ses** [-si:z]) *n.* Ⓒ **위기**, 결정적인 단계, (흥망의) **갈림길**; (정치상 · 재정상 따위의) 중대 국면, 난국, 공황; (병의) 위험기, 위독 상태, 고비: a financial ~ 금융〔재정〕 위기/an oil ~ 석유 위기/bring ... to a ~ …을 위기에 몰아넣다〔빠뜨리다〕/come to 〔reach〕 a ~ 위기에 달하다/ pass the ~ 위기〔고비〕를 넘기다. ◇ critical *a.*

crísis mànagement 위기 관리《주로 국제적 긴급 사태에 대처하는 일》.

***crisp** [krisp] *a.* **1 파삭파삭한**《과자 따위》, 딱딱하고 부서지기 쉬운; (야채 · 과일 따위가) 신선한; 바삭바삭 소리나는《종이 따위》; (지폐 따위) 빳빳한: ~ bills 〔《英》 notes〕 빳빳한 지폐/a ~ leaf of lettuce 신선한 상추잎/This pastry is quite ~. 이 과자는 아주 파삭파삭하다. **2 힘찬**《동작 · 문체 따위》, (말이) 시원시원한, 또렷또렷한; (문체가) 명쾌한. **3** (공기 · 날씨 등이) 상쾌한, 서늘한: a ~ autumn day 상쾌한 가을날. **4** (머리가) 곱슬곱슬한; 잔물결 이는; (양배추 따위가) 잎이 오므라든.

—*n.* Ⓒ **1** 부서지기 쉬운〔파삭파삭한〕 것. **2** (보통 *pl.*) 《英》 파삭파삭한 포테이토칩. ***be burned to a ~*** 파삭파삭하게 구워지다〔타다〕.

—*vt., vi.* 파삭파삭하게 하다〔되다〕; (머리를) 곱슬곱슬하(게 하)다; 잔물결이 일(게 하)다.

㉣ **∠·ly** *ad.* **∠·ness** *n.*

crispy [kríspi] (***crisp·i·er; -i·est***) *a.* =CRISP 1. ㉣ **crísp·i·ness** *n.*

criss·cross [krískrɔ̀:s/-krɔ̀s] *n.* Ⓒ 열십자 (十)《글씨 못 쓰는 사람의 서명 대신》; 십자형(교차). **—***a., ad.* 열십자의〔로〕; 교차된〔되어〕; 엇갈린, 엇갈려. **—***vt.* **1** …에 十자를 표시하다; …을 十자 모양으로 하다. **2** 종횡으로 통하다: Four-lane highways ~ the country. 4차로 간선도로가 전국을 종횡으로 연결하고 있다. **—***vi.* 십자 모양이 되다, 교차하다.

cri·te·ri·on** [kraitíəriən] (*pl.* **-ria** [-riə], **~s**) *n.* Ⓒ **표준**, 기준《of, for*** (비판 · 판단)의》. SYN. ⇨STANDARD.

***crit·ic** [krítik] *n.* Ⓒ **1** (문예 · 미술 등의) **비평가**, 평론가; (고문서 따위의) 감정가: a Biblical ~ 성서(聖書) 비평학자/an art 〔a theater〕 ~ 미술〔연극〕 평론가. **2** 비판하는 사람, 흠잡는〔탈잡는〕 사람(faultfinder), 비난자.

crit·i·cal** [krítikəl] *a.* **1** Ⓐ **비평의**, 평론의; 비판적인: a ~ writer 평론가/a ~ essay 평론/with a ~ eye 비판적으로. **2** 비판력 있는, 감식력 있는; 정밀한: a ~ reader 비판력 있는 독자. **3** 꼬치꼬치 캐기 좋아하는, 흠잡기를 좋아하는; 엄하게 비판하는, 혹평하는; 트집잡는《of, about*** …에 대해》: He is ~ *of* what I say. 그는 내 말에 트집을 잡는다. **4 위기의**, 위험한; (병세가) 위급한; 위독한: a ~ wound 중상/a ~ moment 위기/a ~ condition 위험〔위독〕한 상태/~ eleven minutes 위험한 11분 간《항공기 사고가 일어나기 쉬운 시간대(帶)로, 착륙 전 8분 간과 이륙 후 3분 간》. **5** 결정적인, 중대한, 중요한: the ~ age 폐경기, 갱년기/a ~ situation 중대한 국면〔형세〕/of ~ importance 대단히 중요한. **6** 【물리 · 수학】 임계(臨界)의: the ~ point 〔temperature〕

임계점〔온도〕/ go ~ (원자로가) 임계점에 달하다. ◇ 1–2는 criticism *n.* 4는 crisis *n.*

㊕ ~·ness *n.*

crit·i·cal·i·ty [krìtikǽləti] *n.* Ⓤ 〖물리〗 임계(臨界)《핵분열 연쇄 반응이 일정한 비율로 유지되는 상태》.

crít·i·cal·ly *ad.* **1** 비평〔비판〕적으로; 혹평하여. **2** 위급하게, 위태롭게; 위독하여: She's ~ ill. 그녀는 위독하다.

crítical máss 〖물리〗 **1** 임계(臨界) 질량《어떤 핵분열성 물질이 연쇄 반응을 일정 비율로 계속하는 데에 필요한 물질량》. **2** (어떤 영향 · 결과를 초래하는 데에) 필요(충분)한 양: a ~ of popular support 필요하게 될 대중 동원의 인원수.

***crit·i·cism** [krítisìzəm] *n.* **1** Ⓤ **비평**, 평론: beneath ~ 비평할 가치가 없는 / literary ~ 문학〔문예〕 평론. **2** Ⓒ 비평문〔서〕. **3** Ⓤ (구체적으로는 Ⓒ) 비판, 비난; (남의) 흠 들추기: beyond 〔above〕 ~ 나무랄 데가 없는 / ~ against …에 대한 비난. ◇ critical *a.*

crit·i·cize,** 《英》 **-cise** [krítisàiz] *vt.* **1 비평하다**, 비판〔평론〕하다: ~ poetry 시를 비평하다. **2** 《+목/+목+전+명》 …의 흠을 찾다; …을 혹평하다, 비난하다《*for* …일로》: The policy of the government was *~d* by the opposition party. 정부의 정책은 야당으로부터 비난을 받았다 / He *~d* me *for* not work*ing* hard enough. 그는 열심히 일하지 않는다고 나를 비난했다. **—vi.* 흠을 들추어내다; 비평하다. ◇ critic *n.*

cri·tique [kritíːk] *n.* Ⓤ (구체적으로는 Ⓒ) (문예 작품 따위의) 비평, 비판; 평론, 비판문.

crit·ter, -tur [krítər] *n.* 《방언》 =CREATURE.

◇**croak** [krouk] *n.* Ⓒ 깍깍〔개골개골〕하고 우는 소리《까마귀 · 개구리 등의》; (a ~) 목쉰 소리. **—***vi.* **1** (까마귀 · 개구리 등이) 〔개골개골, 깍깍〕 울다; 목쉰 소리를 내다. **2** 《속어》 뻗다, 죽다 (die). **—***vt.* 목쉰 소리로 말하다; 《속어》 죽이다 (kill). ㊕ **∠·er** *n.* Ⓒ 까옥까옥〔개골개골〕 우는 동물; 불길한 예언자.

Cro·at [króuæt,-ət] *n.* **1** Ⓒ 크로아티아 사람. **2** Ⓤ 크로아티아 말. **—***a.* 크로아티아 (사람, 말)의.

Cro·a·tia [krouéiʃiə] *n.* 크로아티아(공화국) 《옛 유고슬라비아 공화국의 하나였으나 1991년 독립; 수도 Zagreb》. ㊕ **-tian** [-n] *a.*

cro·chet [krouʃéi/∠–, -ʃi] *n.* Ⓤ 코바늘 뜨개질. **—**(*p., pp.* **~ed**) *vt., vi.* 코바늘로 뜨개질하다.

crochét hòok 〔**nèedle**〕 크로셰 뜨기 코바늘.

cro·ci [króusai, -kai] CROCUS의 복수.

crock[1] [krɑk/krɔk] *n.* Ⓒ 단지, 항아리; (화분(花盆)의 밑구멍을 막는) 사금파리.

crock[2] *n.* Ⓒ **1** 《구어》 늙은 말; 노약자, 늙은이; 《英》 낡은〔고물〕 차. **2** 병약자. **—***vt.* 《구어》 …을 쓸모없게 하다, 약해지게 하다, 폐인이 되게 하다(*up*)《★ 보통 수동태로 쓰임》: be *~ed* (*up*) 못쓰게 되다, 폐인이 되다. **—***vi.* 《구어》 쓸모없게 되다, 폐인이 되다. ㊕ **~ed** [-t] *a.* 《美속어》 술 취한; 《英구어》 부상당한.

crock[3] *n.* (a ~) 《美속어》 바보 같은 소리, 거짓말, 넌센스: a ~ of shit 거짓말투성이.

crock·ery [krɑ́kəri/krɔ́k-] *n.* Ⓤ 〘집합적〙 도자기, 토기.

Crock·ett [krɑ́kit/krɔ́k-] *n.* **David** ~ 크로켓《미국의 서부 개척자 · 정치가; Alamo에서 전사; 전설적인 영웅; 1786–1836》.

◇**croc·o·dile** [krɑ́kədàil/krɔ́k-] *n.* **1** Ⓒ (아프리카 · 아메리카 · 아시아산의 대형) 악어; Ⓤ 악어 가죽. ⓒⓕ alligator. **2** Ⓒ 《英구어》 초등 학생의 긴 2열 종대 행렬; (자동차 따위의) 긴 행렬.

> **DIAL** ***See you later, alligator.*** **—** ***After*** 〔***In***〕 ***a while, crocodile.*** 또 보자, 안녕 (악어야) — 자 그럼 안녕 (악어야) 《친한 아이들끼리 또는 어른이 아이들에게 하는 우스개 인사말》.

crócodile bìrd 악어새《악어의 입가에서 먹이를 취함》.

crócodile tèars 거짓 눈물: shed 〔weep〕 ~ 거짓 눈물을 흘리다.

croc·o·dil·i·an [krɑ̀kədíliən/krɔ̀k-] *a.* 악어의〔같은〕; 위선적인. **—***n.* Ⓒ 악어류.

cro·cus [króukəs] (*pl.* **~·es, -ci** [-sai, -kai]) *n.* Ⓒ 〖식물〗 크로커스《사프란속(屬); 영국에서 봄에 맨 먼저 꽃을 피움》.

Croe·sus [kríːsəs] *n.* **1** 크리서스《기원전 6세기의 Lydia 최후의 왕; 큰 부자로 유명》. **2** Ⓒ 큰 부자: (as) rich as ~ 굉장한 부호인.

croft [krɔːft/krɔft] *n.* Ⓒ 《英》 (주택에 인접한) 작은 농장; (특히 스코틀랜드 crofter의) 소작지. ㊕ **∠·er** *n.* Ⓒ 《英》 (스코틀랜드 고지(高地) 등의) 소작인.

crois·sant [krəsɑ́ːnt] *n.* 《F.》 Ⓒ 크루아상《초승달 모양의 롤빵》.

Cro-Mag·non [kroumǽgnən, -mǽnjən] *n.* 《F.》 Ⓤ (개별로는 Ⓒ) 〖인류〗 크로마뇽인(종)《후기 구석기 시대의 장신의 원시인》.

crom·lech [krɑ́mlek/krɔ́m-] *n.* Ⓒ 〖고고학〗 고인돌(dolmen); 크롬렉《환상 열석(環狀列石)》.

Crom·well [krɑ́mwel/krɔ́mwəl] *n.* **Oliver** ~ 크롬웰《영국의 정치가 · 군인 · 청교도; Charles 1세를 처형; 1599–1658》.

crone [kroun] *n.* Ⓒ 쭈그렁 할멈.

Cro·nos, Cro·nus [króunəs] *n.* 〖그리스신화〗 크로노스《제우스의 아버지, 제우스 이전에 우주를 지배한 거인; 로마 신화의 Saturn》.

cro·ny [króuni] *n.* Ⓒ 친구, 옛벗(chum). ㊕ **~·ism** *n.* Ⓤ 《美》 (정치상의) 편파, 편애.

crook** [kruk] *n.* Ⓒ **1 굽은 것**; 갈고리; (불 위에 냄비를 거는) 만능 갈고리; (양치는 목동의) 손잡이가 구부러진 지팡이; (주교의) 홀장(笏杖). **2** (길 · 강 따위의) 굴곡(부), 만곡: have a ~ in one's back 〔nose〕 등이〔코가〕 굽다. **3** 《구어》 범죄자, 도둑, 사기꾼. ***by hook or (***by***) ~ ⇨ HOOK. ***on the*** ~ 부정직하게, 부정수단으로. **—***vt.* **1** (손가락 · 팔 따위)를 구부리다; 굴곡시키다: She *~ed* her finger at him. 그녀는 그에게 (이리 오라고) 손가락을 갈고리 모양으로 구부렸다. **2** 《~+목/+목+전+명》 사취하다; 《속어》 훔치다(steal): ~ a thing *from* a person 아무에게서 물건을 사취하다. **—***vi.* 구부러지다, 굴곡하다.

cróok·bàcked [-t] *a.* 꼽추의.

◇**crook·ed** [krúkid] *a.* **1** 꼬부라진, 비뚤어진, 뒤둥〔빙퉁〕그러진; 허리가 꼬부라진; 기형의: The picture on the wall is ~. 벽에 걸린 그림이 비뚤어져 있다. **2** 부정직한, 마음이 비뚤어진; 부정한 수단으로 얻은: a ~ business deal 부정한 상거래. ㊕ **~·ly** *ad.* **~·ness** *n.*

cróok·nèck *n.* Ⓒ 목이 길고 굽은 호박《관상용》.

croon [kruːn] *vt.* **1** (유행가 따위)를 감상적인

작은 소리로 노래하다, 낮은 소리로 흥얼거리다〔읊조리다〕: ~ a lullaby 자장가를 흥얼거리다. **2** (아무)에게 작은 소리로 노래하여 …하다《*to* …상태로》: She ~*ed* her baby *to* sleep. 그녀는 작은 소리로 자장가를 불러서 아기를 재웠다. **—***vi.* 감상적인 작은 소리로 노래하다; 낮은 소리로 흥얼거리다. ㉫ **∠·er** *n.* Ⓒ 낮은 소리로 감상적으로 노래하는 사람〔가수〕.

⁑**crop** [krɑp/krɔp] *n.* **1 a** Ⓒ **농작물**, 《특히》 **곡물**: a rice 〔wheat〕 ~ 쌀〔밀〕 작물/harvest 〔gather in〕 a ~ 농작물을 수확하다. **b** (the ~s) (한 지방·계절의) 전농작물. **2** Ⓒ **수확량〔액〕**: a good ~ of rice 쌀의 풍작/an abundant 〔average〕 ~ 풍〔평년〕작. ★ 아주 통속적인 말로서 harvest 처럼 '결과·응보' 등의 비유적인 뜻으로 쓰이는 일은 없음.

SYN. **crop** 가장 일반적으로 쓰임. 재배하는 작물이나 거둬들인 뒤의 작물을 나타냄. **harvest** 수확을 주로 나타내며, 그 작황을 나타내는 일이 많음: a good 〔bad〕 *harvest* 풍작〔흉작〕. **yield** 원래 수확량이나 생산량을 나타냄.

3 (a ~) (일시에 모이는 물건·사람 등의) 한 떼, 다수; 속출: a ~ *of* questions 질문의 속출/a ~ *of* troubles 속출하는 난문제. **4** Ⓒ (새의) 멀떠구니. **5** Ⓒ (끝에 가죽 고리가 달린) 채찍; 채찍의 손잡이. **6** (*sing.*) 단발; 5푼 덧빗대기(로 깎은 머리), 몽구리: have a ~, 5푼 덧빗대기로 깎다. **7** Ⓒ (광상(鑛床)의) 노두(露頭), 광맥의 노출. **8** Ⓒ 〖컴퓨터〗 잘라내기《컴퓨터 그래픽에서 그래픽 화상을 보다 섬세하게 만들기 위해 이미지의 필요 없는 부분을 잘라내고 정리하는 작업》. ***in*** 〔***under***〕 ~ (밭에) 심어져. ***out of*** ~ 심지 않고.

— (**-pp-**) *vt.* **1** (농작물)을 **수확하다**, 거두어들이다(reap). **2** 《+목+전+명》 (토지)에 심다《***with*** (작물)을》: ~ a field *with* potatoes 밭에 감자를 재배하다. **3** (나무·가지 따위)의 우듬지를〔끝을〕 잘라내다; 전정(剪定)하다; …의 털을 깎다. **4** 〖일반적〗 물건의 끝〔일부분〕을 베어내다; (책·사진 등)의 가를 잘라내다. **5** 《~+목/+목+보》 …을 짧게 베다〔자르다〕, (짐승이 풀)의 끝을 뜯어 먹다: The sheep have ~*ped* the grass very short. 양이 풀을 아주 짧게 뜯어 먹었다. **6** (귀)의 끝을 자르다《표시·본보기로》. **—***vi.* 〖well 따위의 양태부사를 수반하여〗 (농작물이) …으로 되다: The beans ~*ped* well 〔badly〕 that year. 그해에는 콩이 풍작〔흉작〕이었다.

~ ***out*** 《*vi.*+부》 (광상 따위가) 노출하다. ~ ***up*** 《*vi.*+부》 ① 갑자기 나타나다〔생기다〕; (문제 따위가) 야기되다. ② 나타나다, 생기다: "I left my glasses somewhere." — "Don't worry. They'll ~ *up*." 안경을 어디 두었는지 잊어버렸어—걱정 마, 곧 나타나겠지.

cróp dùster 농약 살포(비행)기〔인〕.

cróp-dùsting *n.* Ⓤ 농약의 공중 살포.

cróp-èared *a.* 귀를 벤《가축》.

cróp-fúll *a.* 배가 찬, 만복(滿腹)의; 《비유적》 크게 만족한, 물린.

cróp·per *n.* Ⓒ **1** 농작물 심는 사람; 농작물을 베어들이는 사람; 《美》 (반타작의) 소작인(sharecropper). **2** 베는〔깎는〕 사람; 베는 기계. **3** 〖보통 수식어와 함께〗 수확이 있는 작물: a good 〔bad〕 ~ 잘 되는〔되지 않는〕 농작물. **4** 〖기계〗 (종이·천 따위의) 자투리 자르는 기계. ***come*** 〔***fall, get***〕 ***a*** ~ 《구어》 (말 따위에서) 털썩 떨어지다; (사업 따위에서) 큰 실패를 하다.

cróp rotàtion 〖농업〗 윤작(輪作).

cróp-sprаỳing *n.* = CROP-DUSTING.

cro·quet [kroukéi/∠-, -ki] *n.* Ⓤ 크로케《잔디 위에서 하는 공놀이》.

°**cro·quette** [kroukét] *n.* 《F.》 Ⓒ (요리는 Ⓤ) 〖요리〗 크로켓.

cro·sier, -zier [króuʒər] *n.* Ⓒ 〖가톨릭〗 목장(牧杖), 주교장(主敎杖)《bishop 또는 abbot 의 직위 표지》.

⁑**cross** [krɔːs/krɔs] *n.* **1** Ⓒ **십자형**, 열십자 기호. **2 a** Ⓒ **십자가**; (the C–) (예수가 처형된) 십자가: die on the ~ 십자가에서 처형되다/the holy *Cross* 성십자가. **b** Ⓤ (보통 the C–) 예수의 수난(도), 속죄; (십자가로 상징되는) 기독교(국): a follower of the *Cross* 기독교도/a preacher of the *Cross* 기독교 선교사.

3 a Ⓒ (보통 *sing.*) **수난**, 고난; 시련: No ~, no crown. 《속담》 고난 없이는 영광도 없다. **b** Ⓒ 불행; 역경: a ~ in love 실연.

4 Ⓒ 십자형의 것; 십자 장식; 십자 훈장; (대주교의) 십자장(杖); (시장·묘비 따위를 표시하는) 십자표; 십자탑; 십자로(路): the Military *Cross* 전공(戰功) 십자 훈장/a boundary 〔market〕 ~ 경계를〔시장을〕 표시하는 십자표.

5 Ⓒ ×표《무식쟁이의 서명 대용》; (맹세·축복할 때 공중 또는 이마·가슴 위에 긋는) 십자: make one's ~ (무식쟁이가 서명 대신) 열십자를 그리다.

6 Ⓒ **잡종**; (동식물의) 이종(異種) 교배; 혼혈, 트기(hybrid)《***between*** …사이의》: a ~ *between* a Malay and a Chinese 말레이인과 중국인의 혼혈.

7 Ⓒ 중간물, 절충《***between*** …사이의》: Brunch is a ~ between breakfast and lunch. 브런치는 조반과 점심 사이의 것이다.

8 (the C–) 〖천문〗 십자성(星): the Southern 〔Northern〕 *Cross* 남〔북〕십자성.

bear 〔***carry, take up***〕 one***'s*** ~ 십자가를 지다, 고난을 견디다. ***on the*** ~ ① 십자가에 묶이어. ② 《英》 비스듬하게, 엇걸리게; 《英속어》 부정(직)하게. ***take*** (***up***) ***the*** ~ 십자군에 참가하다; 고난을 감수하다. ***the Buddhist*** ~ 만자《卍》. ***the*** ~ ***of Lorraine*** 로레인 십자《‡》. ***the*** ~ ***of St. Andrew*** 성(聖)안드레의 십자《×》. ***the*** ~ ***of St. Anthony*** 성안토니우스의 십자《T》. ***the Cross versus the Crescent*** 기독교 대 회교. ***the Greek*** ~ 그리스 십자《+》. ***the holy*** 〔***real, true, Saint***〕 ***Cross*** 예수가 못박힌 십자가. ***the Latin*** ~ 라틴 십자《†》. ***the Maltese*** ~ 몰타 십자《✠》. ***the papal*** ~ 교황의 십자《‡》. ***the patriarchal*** ~ 총대주교의 십자《‡》.

—*a.* **1 교차된**; 비스듬한, 가로지르는, 가로의. **2** 반대의, 역(逆)의; 엇갈린; 반하는, 위배되는《***to*** …와, …에》: a result ~ *to* a purpose 목적과 엇갈린 결과/run ~ *to* …에 반(反)하다. **3 까다로운**; 찌무룩한; 성마른; (아기가) 찡얼대는; 암상스런, 짓궂은; 화를 내는《***with*** (아무)에게; ***at, about*** …일로》: He is ~ *with* his boss 〔*at* his boss's remark〕. 그는 사장에게〔사장의 말에〕 화가 나 있다. **4** 잡종의, 교배된. (***as***) ~ ***as two sticks*** 《구어》 성미가 몹시 까다로운.

—*vt.* **1 교차시키다**; (손·발 따위)를 엇걸다: ~ one's arms 팔짱을 끼다/~ one's legs 다리를 꼬다; 책상다리를 하다/The roads ~ each other. 그 길은 서로 교차한다. **2** (도중에서) …와 엇갈리다: His letter ~*ed* hers in the post. 그의 편지는 그녀의 편지와 엇갈렸다. **3** (도로·사

막 따위)를 **가로지르다**; (강 · 바다 · 다리 따위)를 건너다; (마음)에 떠오르다, …을 스쳐가다: ~ a road 〔river〕 도로를〔강을〕 건너다 / A wonderful idea *~ed* my mind. 멋진 생각이 마음에 떠올랐다 / A smile *~ed* her face. 미소가 그녀의 얼굴에 스쳤다. **4 a** 《~+[목]/+[목]+[부]/+[목]+[전]+[명]》 …에 횡선을 긋다; (선을 그어) 지우다, 말살하다 (*out; off*)《***off*** …에서》: I *~ed out* three of the words. 나는 그 낱말 중 세 개를 지웠다 / ~ names *off* a list 명부에서 이름을 지우다. **b** 《英》 (수표)를 횡선으로 하다: ~ a check 수표에 횡선을 긋다. **5** 《~+[목]/+[목]+[전]+[명]》 방해하다; 거역하다, 거스르다《***in*** (계획 · 소망 따위)에》: be *~ed in* one's plans 아무의 계획이 방해당하다 / be *~ed in* love 사랑이 깨지다 / You'll regret having *~ed* me. 나에게 거역한 것을 후회하게 될 것이다. **6** …에 십자를 긋다; 열십자를 쓰다: ~ oneself =~ one's heart 가슴에 십자를 긋다. **7** 《~+[목]/+[목]+[전]+[명]》 (동식물)을 교잡하다, 교배시키다《***with*** …와》; 잡종으로 하다: ~ a tiger and 〔*with*〕 a lion 호랑이를 사자와 교배시키다. **8** (아무)를 배반하다, 속이다.

—*vi*. **1** (두 선이) 교차하다: The two roads ~ there. 두 개의 길이 그곳에서 교차한다. **2** 《+[부]/+[전]+[명]》 넘다, 건너다, 가로지르다(*over*)《***from*** …에서; ***to, into*** …으로》: We *~ed* (*over*) *from* Busan *to* Hawaii. 우리는 부산에서 하와이로 건너갔다 / Many Mexicans looking for work ~ illegally *into* the U.S. 많은 멕시코인들이 일자리를 찾아 불법적으로 미국으로 들어간다. **3** (편지 · 사람이) 서로 엇갈리다: Our letters *~ed* in the mail. 우리 편지는 서로 엇갈렸다. **4** (동식물이) 교배하다, 잡종이 되다.

~ *over* 《*vi*.+[부]》 ① 건너(가)다(⇨*vi*. 2). ② 〖음악〗 (연주 · 가수가) 음악 스타일을 바꾸다. ③ (자기 편을 배반하고) 넘어가다《***to*** (반대파)에게로》. **~ one's *fingers*** =***have*** 〔***keep***〕 **one's *fingers ~ed*** ⇨FINGER. **~ a person's *hand*** =***cross*** a person's PALM[1]. **~ *the cudgels*** 싸움을 그만두다. **~ *the line*** 〖항해〗 적도를 통과하다. **~ *wires*** 〔***lines***〕 전화를 (잘못) 연결하다; 〖수동태〗 혼선하다; 《비유적》 오해하다: have 〔get〕 one's *wires* 〔*lines*〕 *~ed* 오해하다.

[파] **∠·er** *n*. **∠·ness** *n*.

cróss·bàr *n*. [C] 가로대, (높이뛰기 등의) 바; 빗장; (골포스트의) 크로스바.

cróss·bèam *n*. [C] 〖건축〗 대들보.

cróss·bènch *n*. (보통 *pl*.) 《英》 무소속〔중립〕 의원석. **—***a*. 중립의. [파] **~·er** *n*. [C] 무소속〔중립〕 의원.

cróss·bìll *n*. [C] 〖조류〗 잣새《부리가 교차함》.

cróss·bònes *n*. *pl*. 2개의 대퇴골(大腿骨)을 교차시킨 그림《죽음 · 위험의 상징》: ⇨SKULL AND CROSSBONES.

cróss·bòw *n*. [C] (중세의) 격발식 활.

cróss·brèd *n*. [C], *a*. 잡종(의).

cróss·brèed *n*. [C] 잡종(hybrid). **—** (*p*., *pp*. ***-bred***) *vt*., *vi*. 교잡하다, 잡종을 만들다, 교잡 육종(交雜育種)하다.

cróss bùn 《英》 십자가 무늬가 찍힌 과자(hot ~)《Good Friday에 먹음》.

cróss-chéck *vt*. (데이터 · 보고 등)을 다른 관점에서 검토하다《***against*** …와 대조하여》: I *~ed* the figures (*against* our records). 나는 그 숫자를〔금액을〕 (자료와 대조하여) 검토했다. **—** [∠∠] *n*. [C] (여러 각도에서의) 검토.

cróss-cóuntry *a*. (도로가 아닌) 들을 횡단하는; 크로스컨트리(경기)의: a ~ race 크로스컨트리 경주. **—***ad*. 들판을〔나라를〕 지나. **—***n*. [U] (종류는 [C]) 크로스컨트리 경주, 단교(斷郊) 경주.

cróss-cúltural *a*. 비교문화의; 이(異)문화간의.

cróss·cùrrent *n*. [C] 본류와 교차하는 물줄기, 역류; (보통 *pl*.) 반주류적(反主流的) 경향, 상반되는 경향: the *~s of* public opinion 상반되는 여론의 경향.

cróss·cùt *a*. 가로 켜는; 옆으로 벤: a ~ saw 동가리톱. **—***n*. [C] 샛길, 지름길. **—** (*p*., *pp*. ***-cut; -cut·ting***) *vt*. …을 가로지르다.

cróss-dréss *vi*. 이성(異性)의 옷을 입다.

crosse [krɔːs/krɔs] *n*. [C] 크로스《라크로스(lacrosse)용의 자루 긴 라켓》.

crossed [-t] *a*. **1** 열십자로 된, 교차된. **2** 열십자를 그은; 횡선을 그은; (열십자 따위를 그어) 지운; 방해되는: a ~ check 횡선수표 / a ~ star 불운.

cróss-examinátion *n*. [U] (구체적으로는 [C]) 힐문, 반문; 엄한 추궁; 〖법률〗 반대 신문.

cróss-exámine *vt*. 〖법률〗 반대 신문하다; 힐문하다, 엄하게 추궁하다. [파] **-in·er** *n*. [C] 반대 신문자; 힐문자; 추궁자.

cróss-èye *n*. [U] 내사시(內斜視)(esotropia); (*pl*.) 모들뜨기 눈.

cróss-èyed *a*. 모들뜨기〔내사시〕의.

cróss-fertilizátion *n*. [U] 타가(他家) 수정; 잡종 교배; (이질 문화의) 교류.

cróss-fértilize *vt*. 타가 수정시키다; (이질 문화 · 사상)을 상호 교류시키다《★ 종종 수동태로 쓰임》.

cróss fìre 〖군사〗 십자 포화; (질문 따위의) 일제 공격; (요구 · 용건 등의) 집중, 쇄도; 곤경.

cróss-gráined *a*. 나뭇결이 불규칙한; 외고집의, 빙퉁그러진, 꾀까다로운.

cróss hàirs (망원경 따위의 초점에 표시된) 십자선(線).

cróss·hàtch *vt*. (도판(圖版) 등)에 그물눈의 음영(陰影)을 넣다.

cróss·hàtching *n*. [U] 〖미술〗 사교(斜交)〔직교〕 평행선의 음영(陰影).

cróss·hèad *n*. [U] **1** 〖신문〗 중간표제《긴 기사의 매듭을 구분키 위해 세로 난의 중간에 둠》. **2** 〖기계〗 크로스헤드《피스톤의 꼭지》.

cróss·hèading *n*. =CROSSHEAD 1.

cróss-índex *vt*. (책 따위)에 참조 표시를 하다. **—***n*. [C] 참조.

***cross·ing** [krɔ́ːsiŋ/krɔ́s-] *n*. **1** [C] (도로의) **교차점**; (철도의) 건널목, 십자로; 횡단점〔보도〕: a ~ gate 건널목 차단기 / a pedestrian 〔street〕 ~ 횡단 보도. **2** [U] (구체적으로는 [C]) **횡단**; 도항(渡航): the Channel ~ 영국 해협 횡단. **3** [C] (교회 내의) 십자형 교차 부분. **4** [U] (구체적으로는 [C]) 교잡, 이종 교배.

cróss-légged *a*., *ad*. 다리를 포갠〔포개고〕; 책상다리를 한〔하고〕: sit ~ 다리를 포개고 앉다.

cróss·ly *ad*. 가로로, 옆으로; 심술궂게; 암상스레, 지르퉁하여.

cróss·màtch *vt*. 〖의학〗 (헌혈자와 수혈자(受血者)의 혈액의) 교차 (적합) 시험을〔검사를〕 하다.

cróss nètwork càll 〖컴퓨터〗 교차 네트워크 호출《다른 컴퓨터에 있는 COM 컴포넌트 사이에서 이루어지는 호출》.

cróss·òver *n*. **1** [C] (입체) 교차로, 육교; 《英》 〖철도〗 전철(轉轍)선로《상행선과 하행선을 연락하

는》. **2** [U] 〖음악〗 크로스오버《재즈와 다른 음악과 의 혼합》; [C] 그 가수나 연주자.

cróssover nétwork 〖전자〗 크로스오버 네트워크《멀티웨이 스피커 시스템에서 주파수 분할용 회로망》.

cróss·pàtch *n.* [C] 《구어》 꾀까다로운 사람; 토라지기 잘 하는 여자〔어린이〕.

cróss·pìece *n.* [C] 가로장, 가로대(나무).

cróss-ply *a.* [A] (자동차 타이어가) 크로스플라이의《코드를 대각선 모양으로 겹쳐 강화시킨 것》.

cróss-póllinate *vt.* 〖식물〗 …에 타화(他花)〔이화(異花)〕 수분(受粉)시키다〔하다〕. [파] **cróss-pol·li·ná·tion** *n.* [U] 타화 수분.

cróss-póst *vi.*, *vt.* 〖컴퓨터〗 횡단 게시하다《여러 게시판이나 뉴스 그룹에 하나의 게시물을 동시에 게재하다》.

cróss-púrposes *n. pl.* 반대 목적, 엇갈린 의향. ***be at* ~** (보통 무의식중에) 의도를 서로 오해하다, (행동 등이) 엇갈리다: I realized we had *been at* ~. 우리가 서로 오해하고 있었음을 나는 깨달았다.

cróss-quéstion *n.* [C] 반대신문; 힐문. ── *vt.* …에 반대신문하다; …을 힐문하다.

cróss-refér (*-rr-*) *vt.*, *vi.* 앞뒤를 참조시키다〔하다〕《***from*** …에서; ***to*** …으로》.

cróss réference (한 책 안의) 앞뒤 참조.

°**cróss·ròad** *n.* [C] **1** (흔히 *pl.*) 〖단·복수취급〗 십자로, 네거리; (중대한 결단을 내려야 할) 기로: stand 〔be〕 at the ~*s* of one's life 인생의 기로에 서다; 위기에 직면하다. **2** 교차도로; 갈림길《간선도로와 교차되는》.

cróss sèction 횡단면; 단면도; 《비유적》 (사회의) 단면, 대표적인 면, 축도: a ~ *of* American city life 미국 도시 생활의 한 단면.

cróss-stìtch *n.* **1** [C] (X자형의) 십자뜨기, 새발뜨기, 크로스스티치 (한 뜸). **2** [U] 십자 자수. ── *vt.* 십자뜨기로 꿰매다. ── *vi.* 십자뜨기하다.

cróss strèet 교차(도)로, (큰 길과 교차되는) 골목.

cróss tàlk 〖통신〗 혼선, 누화(漏話); 잡담, 입씨름; 《英》 (하원에서의 당파간의) 논쟁; 〖TV〗 뉴스 방송중의 대화, 뉴스 아나운서끼리의 대화.

cróss·tòwn 《美》 *a.*, *n.* [C] 도시를 가로지르는 (버스〔전차〕 노선): a ~ road 〔bus〕 시내 횡단 도로〔버스〕. ── *ad.* 도시를 가로질러.

cróss·trèe *n.* [C] (보통 *pl.*) 〖항해〗 돛대 위의 가로장.

cróss·wàlk *n.* [C] 《美》 횡단보도(《英》 pedestrian crossing).

cróss·wày *n.* =CROSSROAD.

cróss·wàys [-wèiz] *ad.* =CROSSWISE.

cróss·wìnd *n.* [C] 〖항해·항공〗 옆바람: ~ landing 〔takeoff〕 옆바람 착륙〔이륙〕.

cróss·wìse [-wàiz] *ad.* **1** 옆으로, 비스듬히; 열십자로, 교차하여, 엇갈리게: sit ~ in a chair 의자에 비스듬히 앉다. **2** 빙퉁그러져; 거꾸로; 심술궂게.

***cróss·word pùzzle** [krɔ́ːswə̀ːrd-/krɔ́s-] **크로스워드 퍼즐**, 십자말풀이: do a ~ 크로스워드 퍼즐을 풀다.

crotch [krɑ́tʃ/krɔ́tʃ] *n.* [C] (인체의) 가랑이, 샅; (나무의) 아귀. ***a kick in the* ~** 《구어》 불알을 걷어참; 비열한 반칙.

crotch·et [krɑ́tʃit/krɔ́tʃ-] *n.* [C] **1** 별난〔묘한〕 생각; 변덕. **2** 《英》 〖음악〗 4분 음표(《美》 quarter note): a ~ rest, 4분 쉼표.

crotch·ety [krɑ́tʃiti/krɔ́tʃ-] (***-et·i·er; -et·i·est***) *a.* 별난 생각을 갖고 있는, 변덕스러운; (노인이) 잔소리 많은, 까다로운.

crouch** [krautʃ] *vi.* **1** 《~/+[부]》 **쭈그리다**, 몸을 구부리다; 웅크리다(*down*): The cat ~*ed*, ready to spring at the mouse. 고양이는 쥐를 덮치려고 웅크렸다. [cf.] cower, squat. **2** 《~/+[전]+[명]》 굽실거리다《to*** (아무)에게》: He ~*ed* *to* his master. 그는 주인에게 굽실거렸다. ── *n.* (a ~) 쭈그림; 웅크림: The runners started from a ~. 주자들은 구부린 준비 자세를 취하고 있다가 뛰기 시작했다.

croup[1] [kruːp] *n.* [U] (흔히 the ~) 〖의학〗 크루프, 위막성 후두염(僞膜性喉頭炎).

croup[2], **croupe** [kruːp] *n.* [C] 엉덩이《특히 말의》.

crou·pi·er [krúːpiər] *n.* [C] (노름판의) 딜러의 보좌《판돈을 모으고 나눠 주는 일을 함》.

crou·ton, croû- [krúːtɑn, -ˊ/krúːtɔn] *n.* 《F.》 [C] 크루톤《바싹 구운 빵조각으로 수프에 띄워 먹음》.

Crow [krou] (*pl.* ~(**s**)) *n.* **1** (the ~(s)) 크로족《아메리카 원주민의 한 종족; Montana주에 삶》. **2** [C] 크로 사람; [U] 크로 말.

***crow**[1] [krou] *n.* [C] 〖조류〗 **까마귀**.

> [NOTE] crow는 까마귀의 총칭으로 대형은 raven, 중형을 crow, 소형을 jackdaw 또는 rook라고 일반적으로 일컬음; 한국의 까마귀는 carrion crow이며 보통 불길한 것의 징조라고 생각됨; 우는 소리는 caw 또는 croak.

as the* ~ *flies =***in a* ~ *line*** 일직선으로; 직선거리로(는). [cf.] in a BEELINE. ¶The place is about ten miles from here *as the* ~ *flies*. 그 곳은 여기서 직선 거리로 약 10마일이다. ***a white* ~** 희귀〔진귀〕한 물건. ***eat* (*boiled*) ~** 《美구어》 (마지못해) 하기 싫은 짓을 하다〔말하다〕; 굴욕을 참다, 과오를〔잘못을〕 인정하다: She made him *eat* ~. 그녀는 그에게 자기 과오를 인정하게 했다. ***Stone* 〔*Starve, Stiffen*〕 *the* ~*s!*** 《英구어》 어럽쇼《놀람·불신·혐오의 표현》.

crow[2] (***crowed,*** 《고어》 ***crew*** [kruː]; ***crowed***) *vi.* **1** (수탉이) 울다, 홰를 쳐 때를 알리다. **2** (아기가) 까르륵 웃다; 기뻐하며 소리치다. **3** 의기양양해지다, 환성을〔개가를〕 올리다《***over*** …에》; 자랑〔자만〕하다(boast)《***about*** …을》: ~ *over* one's victory 자기의 승리를 크게 기뻐하다/~ *about* one's success 성공을 자만하다.

── *n.* [C] (보통 *sing.*) **1** 수탉의 울음 소리. [cf.] cockcrow. **2** (아기의) 까르륵거리는 웃음; 환희의 외침, 환성.

crów·bàr *n.* [C] 쇠지레.

****crowd** [kraud] *n.* **1** [C] 〖집합적; 단·복수취급〗 **군중**; (사람의) 무리; 북적대는 사람: large *crowds* in the streets 거리의 많은 사람들/The police dispersed the ~. 경찰은 군중을 해산시켰다. **2** (the ~) 민중, 대중. **3** 〖a (whole) ~ of 또는 ~s of로; 복수취급〗 다수(의 물건), 많음: There were ~*s of* applicants. 신청자가 많았다. **4** [C] 〖보통 수식어와 함께〗 《구어》 패거리, 한 동아리; 일단: a good 〔the wrong〕 ~ 좋은〔나쁜〕 패거리.

[SYN.] **crowd** 별다른 목적이 없는 사람들의 모임이나 물건의 모임. **group** crowd에 비하여 훨씬 규모가 짜인 집단: a family *group* 가족의 모임. **mob** 무질서할 뿐만 아니라 무법한 짓을

하는 군중. **multitude** 이상의 세 말과는 달리 단지 수를 강조할 때의 사람 또는 물건의 모임. ***follow*** 〔***go with, move with***〕 ***the*** ~ 대중에 따르다, 여럿이 하는 대로 하다. ***in*** ~***s*** 여럿이, 무리를 지어. ***pass in a*** ~ 그만그만한 정도다, 특히 이렇다 할 흠은 없다. ***rise*** 〔***raise*** one***self***〕 (***up***) ***above the*** ~ 빼어나다, 남을 앞서다.

—*vt*. **1** (방 · 탈것 등)에 **빽빽이 들어차다**, …에 밀어닥치다: People ~*ed* the small room. 작은 방에 사람들이 꽉 찼다. **2** 《+목+전+명/+목+부》 (물건 · 사람)을 쑤셔〔밀어〕 넣다(*in*)《***into, onto*** …에》; (집 · 방 따위)를 꽉 채우다《***with*** …으로》: ~ books *into* a box = ~ a box *with* books 책을 상자 속에 채워 넣다/He managed to ~ everyone *in*. 그는 모든 사람들을 겨우 안으로 밀어 넣었다. **3** 《~+목/+목+전+명》 《구어》 (아무)에게 강요하다; (귀찮게) 요구〔재촉〕하다《***for*** …을》: Stop ~*ing* me. 그만 독촉해라/~ a debtor *for* immediate payment 채무자에게 즉시 갚으라고 요구하다.

—*vi*. **1** 《+전+명》 **떼지어 모이다**, 붐비다, 쇄도하다《***around, round*** …의 주위에》: They ~*ed around* 〔round〕 the woman. 그들은 그녀 주위에 몰려들었다. **2** 《+부/+전+명》 밀어닥치다, 밀치락달치락하며 들어가다: Customers ~*ed in* to look for bargains. 손님들이 특가품을 구하려고 들이닥쳤다/Spectators ~*ed into* the stadium 〔*through* the gate〕. 관중은 경기장 안으로 〔문을 통해서〕 서로 밀치며 들어왔다.

~ ***on*** 〔***upon, in upon***〕 (생각이) 자꾸 떠오르다; …에 쇄도하다: Scenes from the past ~*ed in upon* him. 지나간 광경들이 그의 뇌리에 자꾸만 떠올랐다. ~ ***out*** 《*vt*.+부》 밀쳐 내다, 밀어 젖히다; 〖흔히 수동태〗 (장소가 좁아서) 내쫓다《***of*** …에서》: Her contribution to the magazine *was* ~*ed out*. 그 잡지에 낸 그녀의 기고는 (지면 부족으로) 빠져버렸다/Many people *were* ~*ed out of* the hall. 많은 사람들이 (자리가 없어) 홀에서 밀려나왔다.

⁑**crowd·ed** [kráudid] *a*. **1** 〖공간적〗 **붐비는**, 혼잡한, 꽉 찬; 만원인《***with*** …으로》: a ~ bus 만원 버스/a page ~ *with* misprints 오식투성이인 책의 쪽. **2** 〖시간적〗 꽉 짜인; 바쁜《***with*** …으로》: a ~ schedule 바쁜 일정/a year ~ *with* events 다사다난했던 일년. ㊕ ~**·ness** *n*.

crówd pùller 《구어》 인기인〔물〕.

crów·fòot (*pl*. ***-feet***) *n*. Ⓒ **1** (*pl*. 보통 ~***s***) 〖식물〗 미나리아재비(buttercup) 따위의 속칭. **2** 〖해사〗 (천막 따위의) 달아매는 밧줄. **3** (흔히 *pl*.) 눈초리의 주름(crow's-feet).

⁑**crown** [kraun] *n*. **1** Ⓒ **왕관**; (the ~; the C-) 제왕〔여왕〕(의 자리〔신분〕), 왕권; (군주국의) 주권, 국왕의 지배〔통치〕: succeed to the ~ 왕위를 잇다/wear the ~ 왕위에 있다, 국왕으로 통치하다/an officer of the *Crown* 《英》 관리.

2 Ⓒ (승리의) 화관, 영관; (노력에 대한) 영광, 명예: the martyr's ~ 순교자에 어울리는 영예.

3 Ⓒ 왕관표; 왕관표가 붙은 것.

4 Ⓒ 화폐의 이름《영국의 25 펜스 경화, 구 5 실링 은화》; (북유럽 제국의) 크라운 통화 단위《스웨덴의 krona, 덴마크 · 노르웨이의 krone 따위》.

5 Ⓒ 꼭대기; (모자의) 춤; (산의) 정상; 최고부; 정수리; 머리; (조류의) 볏, 계관; (술병의) 뚜껑; 〖치과〗 치관(齒冠), 금관(金冠).

6 (the ~) 절정, 극치: the ~ *of* one's labors 노력의 결정/the ~ *of* the year (1년의 절정을 장식하는) 수확기, 가을.

7 (the ~) (스포츠 챔피언전의) 선수권, 타이틀. ***the*** ~ ***of thorns*** (예수에게 씌운) 가시 면류관.

—*vt*. **1** 《~+목/+목+보》 …에게 왕관을 씌우다; …을 왕위〔챔피언 자리(따위)〕에 앉히다: George VI was ~*ed* in 1936. 조지 6세는 1936년에 즉위했다/The people ~*ed* him king. 국민은 그를 왕위에 앉혔다/He was ~*ed* world heavyweight champion. 그는 세계 헤비웨이트 챔피언에 올랐다.

2 …의 꼭대기에 얹다〔올려놓다〕《종종 수동태로 쓰며, 전치사는 *with*》: a mountain ~*ed with* snow 꼭대기가 눈으로 덮인 산/The hill *was* ~*ed with* mist. 그 언덕의 꼭대기에는 엷은 안개가 끼어 있었다.

3 《+목+전+명》 (아무)에게 부여하다《***with*** (영예)를》: She's a woman ~*ed with* poetic genius. 그녀는 시적인 재능을 타고난 여인이다.

4 《~+목/+목+전+명》 …의 최후를 장식하다, 유종의 미를 거두다; …을 마무르다, 성취하다《***with*** …으로》: Success had ~*ed* his efforts. 그의 노력이 끝내 결실을 맺어 성공했다/~ one's career *with* a triumph 대성공으로 생애의 유종의 미를 거두다.

5 《구어》 (머리)를 때리다: She ~*ed* him from behind with a frying pan. 그녀는 등 뒤에서 프라이팬으로 그의 머리를 때렸다.

6 (이)에 치관을 씌우다.

to ~ (***it***) ***all*** 결국에 가서, 게다가, 그 위에 더: And, *to* ~ *all*, we missed the bus and had to walk home. 게다가 버스마저 놓치니 걸어서 집에 돌아가지 않으면 안 되었다.

crówn càp (맥주병 따위의) 마개, 뚜껑.

crówn cólony (종종 C- C-) 영국의 직할 식민지.

Crówn Cóurt (때로 c- c-) 《英》 형사 법원《종래의 순회 재판소(assizes) 및 사계(四季) 재판소(quarter sessions)에 대신하여 1971 년에 신설; 잉글랜드 · 웨일스의 형사 사건을 다룸》.

crowned *a*. **1** 왕관을 쓴, 왕위에 오른; 왕관 장식이 있는: ~ heads 국왕〔여왕〕들. **2** 〖합성어로〗 (모자의) 운두가〔춤이〕 있는; 꼭대기에 …이 있는: a high-〔low-〕~ hat 춤이 높은〔낮은〕 모자/snow-~ mountains 정상이 눈에 덮인 산들.

crówn·ing *a*. Ⓐ **1** 정상을 이루는: a ~ point 정점. **2** 최고의, 더없는; 최후를 장식하는: the ~ glory 〔folly〕 더없는 영광〔바보〕/the ~ moment of my life 내 생애 최고의 순간.

crówn jéwels (the ~) 대관식에서 왕이 왕관에 장식하는 왕위 상징의 보석류.

crówn lánd 《英》 왕실 소유지.

Crówn Óffice 〖英법률〗 (the ~) 고등법원의 형사부; (the ~) Chancery의 국새부(國璽部).

crówn prínce (영국 이외 나라의) 왕세자. ★ 영국 왕세자는 Prince of Wales.

crówn príncess 왕세자비(妃); 여성의 추정(推定) 왕위 계승자.

crów's-fòot (*pl*. ***-fèet***) *n*. (보통 *pl*.) 눈꼬리의 주름.

crów's-nèst *n*. Ⓒ 〖해사〗 (포경선의) 돛대 위의 망대.

crozier ⇨ CROSIER.

CRT, C.R.T. cathode-ray tube (음극(선)관).

cru·ces [krúːsiːz] CRUX의 복수형의 하나.

cru·cial [krúːʃəl] *a*. 결정적인; (아주) 중대한, 중요한《***to, for*** …에 있어서》: a ~ moment 중대

한 순간《위기》/Salt is a ~ ingredient in cooking. 소금은 요리에 중요한 재료이다/The next step is ~ *to* 〔*for*〕 our success. 다음 단계는 우리의 성공 여부를 결정짓는 열쇠이다.

㊞ ~·ly *ad*.

cru·ci·ble [krú:səbəl] *n*. Ⓒ 〖야금〗 도가니; 《비유적》 호된 시련: in the ~ of …의 모진 시련을 겪어.

cru·ci·fer [krú:səfər] *n*. Ⓒ **1** 〖식물〗 평짓과의 식물. **2** 〖교회〗 (종교 행사의 행렬에서) 십자가 봉송자.

cru·ci·fix [krú:səfiks] *n*. Ⓒ 십자가에 못박힌 예수상(像), 십자 수난상; (기독교의 상징으로서의) 십자가.

cru·ci·fix·ion [krù:səfíkʃən] *n*. **1** Ⓤ (구체적으로는 Ⓒ) (십자가에) 못박힘〔박음〕. **2** (the C-) 십자가에 못박힌 예수; Ⓒ 그 그림 또는 상(像). **3** Ⓤ 괴로운 시련; 정신적 고뇌.

cru·ci·form [krú:səfɔ̀:rm] *a*. 십자형의: a ~ church 십자형 교회.

◇**cru·ci·fy** [krú:səfài] *vt*. **1** 십자가에 못박다, 책형에 처하다. **2** 괴롭히다, 박해하다; 혹평하다.

crud [krʌd] *n*. 《속어》 **1** Ⓤ 불순한 침전물, 부착물; (원자로의) 부식(腐蝕)침전물. **2** Ⓒ 불쾌한 인물; 무가치〔무의미〕한 것.

㊞ **crúd·dy** [-di] *a*. 《속어》 더러운, 불결한.

crude** [kru:d] *a*. **1 가공하지 않은**, 천연 그대로의, 생짜의, 조제(粗製)의: ~ sugar 조당(粗糖), 흑설탕/~ material(s) 원료/~ rubber 생고무. **2** 미숙한, 미완성의; 생경한, 투박한, 솜씨 없는: ~ theories 미숙한 이론. **3** 《비유적》 **조야**(粗野)한, 거친; 천박한, 노골적인; 버릇없는: a ~ person 〔manner〕 거친 사람〔태도〕/a ~ joke 천박한 농담. ⓒⓕ raw, rough. **—n*. Ⓤ 원료; 원유.

㊞ ∠·ly *ad*. ∠·**ness** *n*.

cru·di·tés [krù:ditéi; *F*. krydite] *n*. 《F.》 *pl*. (오르되브르로서의) 생야채, 전채(前菜).

cru·di·ty [krú:dəti] *n*. **1** Ⓤ 생짜임, 미숙; 생경(生硬); 조잡. **2** Ⓒ 미숙한 것; 거친 말〔행위〕, (예술 따위의) 미완성품.

‡**cru·el** [krú:əl] (~·*er*; ~·*est*; 《英》 ~·*ler*; ~·*lest*) *a*. **1 잔혹**〔잔인〕**한**; 냉혹한, 무자비한: a ~ person 비정한 사람.

SYN. **cruel** 사람을 괴롭혀 놓고 태연하거나 오히려 흔쾌해 하는 정신 상태를 말함. **brutal** 인간으로서는 있을 수 없는 짐승과 같은 잔인함이나 비열함을 말함.

2 매정한, 박정한; 무정한; 학대하는《**to** …에게, …을》: Don't be ~ *to* animals. 동물을 학대하지 마십시오/It's ~ *of* him 〔He's ~〕 *to* beat his dog like that. 저렇게 개를 패다니 그는 잔혹하구나. **3** (광경 · 운명 따위가) 참혹한, 비참한; 지독한: a ~ sight 참혹한 광경. **4** 고통스런; 가혹한, 혹독한; 끔찍한: the ~ struggle for existence in the wild 자연의 가혹한 생존 경쟁. ㊞ *~·**ly** *ad*. **참혹히**, 박정하게; 몹시. ~·**ness** *n*.

***cru·el·ty** [krú:əlti, krúəl-] *n*. **1** Ⓤ **잔학**〔**잔인**〕**함**, 무자비함; 끔찍함: He was treated with ~. 그는 끔찍한 꼴을 당했다. **2** Ⓒ **잔인한 행위**; 학대: *cruelties* to animals 동물 학대.

crúelty-frée *a*. (화장품 · 약품 등이) 동물실험을 거치지 않고 개발된.

cru·et [krú:ət] *n*. Ⓒ (식탁용) 양념병; 〖교회〗 주수병(酒水瓶)《미사 때 술과 물을 담는 병》.

◇**cruise** [kru:z] *vi*. **1** (합선이) 순항하다; (비행기가) 순항 속도〔고도〕로 날다; (자동차가) 경제 속도로 달리다. **2** (사람이) 정처없이 배회하다, 만유하다; 《구어》 (이성을 구하며) 어슬렁거리다; 번화가에서 호모의 상대를 찾다. **3** (택시가 손님을 찾아) 천천히 돌아다니다; (순찰차가) 저속으로 달리다. **—***vt*. (특정 구역)을 순항하다; 돌아다니다. **—***n*. Ⓒ 순항, 순양 항해; 만유, 주유.

crúise mìssile 크루즈〔순항〕 미사일.

◇**cruis·er** [krú:zər] *n*. **1** 순양함; 대형 레저용 모터보트〔요트〕(cabin ~): a converted 〔light〕 ~ 개장〔경〕 순양함. **2** (손님을 찾아) 돌아다니는 택시; 《美》 순항 비행기; 경찰〔순찰〕차.

crúising spèed (차 따위의) 경제(주행) 속도, (배 · 비행기의) 순항 속도.

crul·ler [krʌ́lər] *n*. Ⓒ 《美》 도넛의 일종.

crumb** [krʌm] *n*. **1** Ⓒ (보통 *pl*.) **작은 조각**, 빵부스러기; 빵가루. **2** Ⓒ 《비유적》 소량, 약간 《*of* …의》: a ~ *of* comfort 약간의 위안. **3** Ⓤ (빵 거죽과 구별하여) 빵의 속《말랑말랑한 부분》. ⓒⓕ crust. **4** Ⓒ 《美속어》 인간 쓰레기, 쓸모없는 사람. **to a ~** 자세히, 엄밀히, 정확히. **—vt*. (빵)을 부스러뜨리다, 빵가루를 내다; 빵가루를 묻히다; 빵가루를 넣어 (수프)를 걸게 하다; (식탁에서) 빵부스러기를 떨다.

crum·ble** [krʌ́mbl] *vt*. **빻다**, 부수다, 가루로 만들다. **—vi*. **1** (산산이) **부서지다**, 가루가 되다. **2** 《~/+뿌/+전+명》 (건물 · 세력 · 희망 따위가) **무너지다**; 망하다; 허무하게 사라지다(*away*) 《*to, into* …으로》: The old Roman aqueduct has largely ~*d away*. 고대 로마의 수로는 대부분 소멸되고 말았다/The temples ~*d into* ruin. 신전은 무너져서 폐허가 되었다. ***That's the way the cookie ~s.*** ⇨COOKIE.

—*n*. Ⓒ (요리는 Ⓤ) 크럼블《익힌 과일에 밀가루 · 쇠기름 · 설탕을 개어 얹은 것》.

crum·bly [krʌ́mbli] (*-bli·er; -bli·est*) *a*. 부서지기 쉬운, 무른.

crumby [krʌ́mi] (*crumb·i·er; -i·est*) *a*. **1** 빵부스러기투성이의; 빵가루를 묻힌. **2** 말랑말랑하고 연(軟)한(↔ *crusty*).

crum·my [krʌ́mi] (*-mi·er; -mi·est*) *a*. 《구어》 **1** 열등한, 값싼, 시시한; 지저분한; 초라한. **2** 기분이 언짢은: feel ~ 기분이 좋지 않다.

crump [krʌmp] *vt*., *vi*. 우두둑 소리를 내다〔가 나다〕; (폭탄을〔이〕) 작열시키다〔하다〕. **—***n*. Ⓒ 우두둑하는 소리, (쾅하는) 폭발음; 《군대속어》 대형 폭탄, 포탄.

crum·pet [krʌ́mpit] *n*. **1** Ⓒ 《英》 핫 케이크의 일종. **2** Ⓤ 〖집합적〗 《英속어》 (성적 대상으로서의) 여자: a (nice) bit 〔piece〕 of ~ (성적으로 호감이 가는) 여자.

crum·ple [krʌ́mpl] *vt*. **1** 구기다, 쭈글쭈글하게 하다; 구겨서 …하다(*up*)《*into* …으로》: He ~*d* (*up*) a letter *into* a ball. 그는 편지를 구깃구깃 뭉쳤다. **2** 짜부러뜨리다; (상대)를 때려눕히다(*up*): The front of the car was ~*d*. 차 앞부분이 짜부러졌다. **—***vi*. **1** 구겨지다, 쭈글쭈글하게 되다; 짜부러지다(*up*): This cloth ~*s* easily. 이 천은 구겨지기 쉽다/The paper cup ~*d* under his foot. 종이컵은 그의 발에 밟혀 짜부러졌다. **2** 압도되다, 붕괴되다, 굴하다(*up*): He ~*d up* under the news. 그 소식을 듣고 그는 풀이 죽었다. **—***n*. Ⓒ 구김살; 쭈글쭈글해짐.

crunch [krʌntʃ] *vt*. **1** 우두둑〔어쩍〕 깨물다, 깨물어 부수다; (딱딱한 것)을 분쇄하다(*down, up*): ~ potato chips 감자칩을 아삭아삭 소리내며 먹다. **2** (눈위 · 자갈밭길 등)을 저벅저벅 밟다.

—vi. 1 우두둑〔어적어적〕 깨물다, 아삭아삭 먹다《on …을》: A dog was ~ing on a bone. 개가 뼈를 어적어적 소리내며 먹고 있었다. 2 어석어석 부서지다; 저벅저벅 밟고 가다: The children ~ed through the snow. 어린애들이 눈을 저벅저벅 밟고 갔다.

—n. 1 (sing.) 우두둑우두둑 부서지는 소리; 짓밟아 부수는 소리. 2 (a ~) (필수품 등의) 부족, 감소; (필수품 등의 부족에 의한) 곤궁; (경제의) 침체, 불황: a severe capital ~ 심각한 자본 핍박〔결핍〕/ energy ~ 에너지 부족. 3 (the ~) 《구어》 위기, 고빗사위; 급소, 긴요한 점(crux): when 〔if〕 it comes to the ~ = when 〔if〕 the ~ comes 여차하면.

crunchy [krʌ́ntʃi] (**crunch·i·er; -i·est**) a. 우두둑우두둑〔저벅저벅〕 소리를 내는; 퍼석퍼석한, 무른(crisp).

crup·per [krʌ́pər] n. Ⓒ (말의) 껑거리끈; (말의) 궁둥이; 《우스개》 (사람의) 엉덩이.

***cru·sade** [kruːséid] n. Ⓒ 1 a (보통 C-) 『역사』 (11-13세기의) **십자군**. b (종교상의) 성전(聖戰). 2 강력한 개혁〔숙청, 박멸〕 운동《**for** …을 위한, …에 찬성하는; **against** …에 반대하는》: the ~ for women's rights 여권 신장 운동 / a ~ against drinking = a temperance ~ 금주 운동. —vi. 십자군에 참가하다; 개혁 운동을 (추진)하다《**for** …에 찬성하는; **against** …에 반대하는》. ㊎ **cru·sád·er** [-ər] n. Ⓒ 십자군 전사(戰士); 개혁(운동)가.

***crush** [krʌʃ] vt. 1 《~+목/+목+보/+목+부/+목+전+명》 **눌러서 뭉개다〔부수다〕**; 쭈글쭈글〔꾸깃꾸깃〕하게 하다; 짜부러뜨려 …되게 하다《**to** …상태로》; 눌러 뭉개어 없애다(out): My hat was ~ed flat. 모자가 납작하게 짜부라졌다 / He ~ed out his cigarette in the ashtray. 그는 재털이에 담배를 부벼 껐다 / ~ a person to death 아무를 압사시키다. SYN. ⇨CRASH, BREAK. 2 《+목+전+명》 억지로 밀어넣다, 쑤셔 넣다; 《~one's way 〔oneself〕 로》 밀치고 들어가다〔나가다〕《**into** …안으로; **through** …을 뚫고》: Passengers were ~ed into the train. 승객들은 억지로 열차에 떼밀려 들어갔다 / He ~ed his way through the crowd. 그는 군중 틈을 헤치고 나아갔다 / All six of us ~ed ourselves into the car. 우리들 여섯 명은 차 안으로 밀치고 들어갔다. 3 《~+목/+목+부/+목+전+명》 (갈거나 찧어서) 가루로 만들다, 분쇄하여 …하다(up)《**into** …으로》: ~ (up) rock 바위를 분쇄하다 / ~ (up) stone into gravel 돌을 부수어 자갈로 만들다. 4 《~+목/+목+부/+목+전+명》 짜다, 압착하다; 짜내다(out)《**from, out of** …에서》: ~ nuts for oil 기름을 짜려고 호두를 압착하다 / The machine ~es the juice out of 〔out the juice from〕 grapes. 그 기계는 포도에서 즙을 짜낸다. 5 《비유적》 진압하다, 궤멸시키다: ~ a rebellion 반란을 진압하다 / They ~ed all their enemies out of existence. 그들은 적군을 전멸시켰다. 6 a (희망 따위)를 꺾다: ~ a person's ambition 아무의 야망을 꺾다. b (정신적으로) 좌절시키다《★ 보통 수동태로 쓰며, 전치사는 by, with》: She was ~ed with grief. 그녀는 비탄에 빠졌다.

—vi. 1 뭉그러지다; 짓구겨지다: Cotton ~es very easily. 무명은 쉽게 구겨진다. 2 《~/+부/+전+명》 서로 밀치며 들어가다, 쇄도하다: Please ~ up a little. 《美》 좀 조여〔다가가〕 주십시오 / The crowd ~ed through the gates. 군중이 서로 밀치며 문을 지나 쇄도했다.

—n. 1 Ⓤ 으깸; 분쇄(粉碎); 진압, 압도. 2 (sing.) 밀치락달치락, 혼잡, 붐빔; 군중: avoid the ~ 혼잡을 피하다 / be 〔get〕 caught in the ~ 군중 속에 말려들다. 3 Ⓤ 『보통 수식어와 함께』 《英》 (과실을 으깨어 만든) 과즙(squash): lemon ~ 레몬 주스. 4 Ⓒ 《구어》 (일시적으로) 홀딱 반함, 홀려 제 정신을 잃음《**on** (아무)에게》; 열중하는〔열을 올리는〕 대상: He has a ~ on your sister. 그는 네 누이에게 홀딱 반해 있다. ㊎ **∠·a·ble** a.

crúsh bàr 《英》 (막간(幕間)에 관객이 이용하는) 극장 안의 바.

crúsh bàrrier 《英》 (군중 제지용) 철책, 장벽. cf. crash barrier.

crúsh·er n. Ⓒ 1 눌러서 으깨는 것〔사람〕; 분쇄기, 쇄석기(碎石機), 파쇄기(破碎機), 압착기. 2 《구어》 맹렬한 일격; 압도하는 것, 꼼짝 못하게 하는 논쟁〔사실〕.

crúsh·ing a. Ⓐ 1 눌러 짜부러뜨리는, 분쇄하는; 결정적인: a ~ reply (두말 못하게 하는) 결정적인 대답. 2 압도적인, 궤멸적인: a ~ defeat 재기 불능의 패배 / a ~ victory 압도적인 승리.

Cru·soe [krúːsou] n. **Robinson** ~ 크루소 《Defoe 작 *Robinson Crusoe*(1719)의 주인공》.

***crust** [krʌst] n. 1 Ⓤ (낱개는 Ⓒ) (딱딱한) **빵 껍질**; 파이 껍질. ↔ crumb. 2 Ⓒ 딱딱한 빵 한 조각; 《비유적》 생활의 양식; 《Austral. 속어》 생계: beg for ~s 매일의 양식을 구걸하다. 3 Ⓤ (구체적으로는 Ⓒ) a (물건의) **딱딱한 외피**〔표면〕; 『동물』 등딱지, 갑각(甲殼); 부스럼 딱지; 쌓인 눈의 얼어붙은 표면(表面), 크러스트; (포도주 따위의) 술 버캐(scum); 탕(湯)더께. b (the ~) 『지질』 지각(地殼): ~ movement 지각운동. 4 Ⓤ (the ~) 《속어》 철면피, 뻔뻔스러움《**to** do》: He had the ~ to order me around. 그는 뻔뻔스럽게도 나에게 이래라저래라 명령했다. —vt. 겉껍질로 덮다〔싸다〕: The ground was ~ed with frost. 땅은 서리로 덮혀 있었다. —vi. 《+부》 껍질이 생기다; (눈 따위가) 굳어지다(over).

crus·ta·cea [krʌstéiʃiə] n. Ⓒ pl. 『동물』 갑각류. ㊎ **crus·tá·ce·an** [-ʃən] a., n. Ⓒ 갑각류의 (동물).

crúst·ed [-id] a. 겉껍질이〔더껑이가〕 생긴; (포도주가) 술버캐가 앉은; 오래된, 묵은; 《비유적》 예스러운; 굳은, 융통성 없는: ~ habits 구습.

crusty [krʌ́sti] (**crust·i·er; -i·est**) a. 1 외각(外殼)이 있는. 2 (빵의) 거죽이 딱딱하고 두꺼운; (벌판이) 얼어붙은 눈으로 뒤덮인. 3 심술궂은; 꾀까다로운; 무뚝뚝한.

crutch [krʌtʃ] n. Ⓒ 1 (보통 pl.) 목다리, 협장(脇杖)《보통 a pair of ~es 라고 함》: walk on ~es 목발을 짚고 걷다. 2 버팀, 지주(支柱). 3 (사람·옷의) 샅(crotch). —vt. (곡나리·박대기 따위로) 버티다(up): ~ (up) a leaning tree 기울어진 나무에 버팀목을 대다.

crux [krʌks] (pl. ~·**es** [krʌ́ksiz], **cru·ces** [krúːsiːz]) n. 1 Ⓒ 요점, 급소, 핵심: That's the ~ of the problem. 그것이 문제의 핵심이다. 2 (C-) Ⓤ 『천문』 남십자성(the Southern Cross).

cru·zei·ro [kruːzéirou] (pl. ~**s**) n. Ⓒ 크루제이로《브라질의 옛 화폐 단위; = 100 centavos; 기호 Cr$》.

⁑**cry** [krai] (p., pp. **cried; crý·ing**) vi. 1 《~/+부/+전+명/+전+명+to do》 **소리치다**, 외치다; 큰

소리로 말하다; 소리쳐 부르다(*out*)《**for** …을 얻기 위해; **against** …을 반대하여; **to** (아무)에게》: ~ (*out*) *for* mercy 〔help〕 큰 소리로 자비를〔도움을〕 구하다 / ~ *out against* injustice 큰 소리로 부정에 항의하다 / He *cried to* us *for* help 〔*to* help him〕. 그는 우리에게 도와달라고 외쳤다.

SYN. **cry** 큰 소리로 외치거나 뜻 모를 것을 소리침. **exclaim** 정신적 흥분 상태가 원인이 되어 무의식적으로 소리침. **shout** 분명히 뜻이 통하는 말을 상대에게 외침.

2 (새 · 동물이) 울다, 지저귀다, 짖다.
3 《~/+전+명》 (소리내어) **울다**, 울부짖다《**for, with** (슬프거나 기쁜 나머지)》; 울면서 조르다《**for** 달라고》: Stop ~*ing*. 울지 마라 / She *cried for* 〔*with*〕 joy 〔grief〕. 그녀는 기뻐서〔슬퍼서〕 울었다 / The infant *cried for* its mother's breast. 그 아기는 젖을 달라고 울어댔다.

SYN. **cry** 슬프거나 너무 기쁜 나머지 소리를 내어 욺: *cry* for joy 너무 기뻐서 울다. **sob** 감상적으로 흐느껴 욺. **weep** 보다 시적인 표현으로, 눈물을 흘리며 욺.

—*vt*. **1** 《~+목/+목+부/+*that* 절》 큰 소리로 말하다〔부르다〕, 소리쳐 알리다(*out*): "That's good," he *cried*. '좋았어' 라고 그는 소리쳤다 / "Help!" he *cried out*. "도와 주세요"라고 그는 외쳤다 / She *cried* (*out*) *that* she was happy. 그녀는 기쁘다고 큰 소리로 말했다.
2 (소식)을 큰 소리로 알리고 다니다; 소리치며 팔다: ~ the news all over the town 그 소식을 온 동네방네에 알리며 다니다 / ~ fish 생선을 외치며 팔다.
3 구하다, 요구하다, 애원하다: ~ shares 몫을 요구하다.
4 《~+목/+목+보/+목+전+명》 (눈물)을 흘리다; 〖~ oneself〗 울어서 …되다《**to** (어떤 상태)로》: ~ bitter 〔hot〕 tears 비통한〔뜨거운〕 눈물을 흘리다 / The boy *cried* him*self* asleep 〔*to* sleep〕. 소년은 울다가 잠이 들었다.
~ *down* 《*vt*.+부》 비난하다, 야유를 퍼붓다, 매도하다. **~ *for the company*** 동정하여 울다, 덩달아 울다. **~ *for the moon*** 불가능한 것을 바라다. **~ *off*** 《*vi*.+부》 ① 손떼다, 포기하다《**from** (계약 따위)를》: They *cried off from* the deal. 그들은 그 거래에서 손을 뗐다. **—**《*vi*.+전》 ② (계약 등)을 취소하다: I was tempted to ~ *off* going to the party. 파티에 가는 것을 취소하고 싶었다. **~ *out for*** ① …을 바라고〔얻고자〕 외치다(⇨*vi*. 1). ② (사태 따위가) …을 필요로 하다: The land is ~*ing out for* development. 그 땅은 개발을 필요로 하고 있다. **~ *over*** (불행 등)을 한탄하다: It is no use ~*ing over* spilt milk. 《속담》 엎지른 물은 다시 주워 담지 못한다. **~ *one's eyes*** 〔***heart***〕 ***out*** 몹시 울다, 하염없이 울다. **~ *up*** 《*vt*.+부》 …을 칭찬하다. **~ *wolf*** ⇨ WOLF. ***for ~ing out loud*** 《구어》 ① 〖의문문 따위에서 강조적으로〗 이거 참, 뭐라고, 야 잘됐다: *For ~ing out loud*, can't you see I'm busy? 뭐라고, 난 바빠요. ② 〖명령을 강조하여〗 알았지, 꼭 …하는 거야: *For ~ing out loud*, stop it! 제발 그만해. ***give ... something to ~ for*** 〔***about***〕 ⇨ GIVE.
—*n*. Ⓒ **1 고함**, 환성; (짐승의) 우는〔짖는〕 소리: let out a sudden ~ 갑자기 고함치다 / the *cries* of gulls 갈매기의 울음소리.
2 a 울음 소리. **b** (보통 *sing*.) 소리 내어 욺, 한바탕 욺: A baby usually has a ~ after waking. 갓난애는 깬 다음에는 으레 우는 법이다.
3 알리며 다니는 소리; 변말, 암호의 말; 표어, 슬로건: 'Safety first' is their ~. '안전 제일' 이 그들의 모토이다.
4 외치며 파는 소리: street *cries* 거리 장사꾼들의 외침 소리.
5 요구; 여론(의 소리); 운동《**for** …에 찬성하는; **against** …에 반대하는 / **to** do》: a ~ *for* 〔*against*〕 reform 개혁 찬성〔반대〕의 여론 / a ~ *to* raise wages 임금 인상 요구.
a ~ from the heart 맹렬한 항의〔호소〕. ***a far*** 〔***long***〕 **~** 먼 거리《**to** …까지의》; 큰 격차〔차이〕《**from** …으로부터의》: It's *a far* ~ *to* London. 런던까지는 먼 거리다 / His business is still *a far* ~ *from* being a success. 그의 사업은 아직 성공적이라고 할 수는 없다. ***in full*** **~** (사냥개가) 일제히 추적하여; 열심히 추구하여《**after** …을》: The hounds were *in full* ~ *after* the fox. 사냥개가 일제히 여우를 추적했다. ***within*** **~** (***of***) (…에서) 부르면 들릴 곳에, 지호지간(指呼之間)에.

cry- [krai], **cry·o-** [kráiou, kráiə] '저온, 냉동' 의 뜻의 결합사. ★ 모음 앞에서는 cry-.

crý·bàby *n*. Ⓒ 울보, 겁쟁이, 우는 소리를 늘어놓는 사람.

crý·ing *a*. Ⓐ **1** 부르짖는, 울부짖는. **2** 《구어》 심한; 긴급한: a ~ evil 내버려 둘 수 없는 해악 / a ~ need 긴요한 일.

cryo- ⇨ CRY-.

crýo·biólogy *n*. Ⓤ 저온〔냉동〕 생물학.

cry·o·gen·ic [kràiədʒénik] *a*. 저온학의; 극저온의; 극저온을 요하는.

crỳ·o·gén·ics *n*. Ⓤ 저온학(低溫學).

crýo·súrgery *n*. Ⓤ 〖의학〗 동결〔냉동〕 외과; 저온 수술.

crypt [kript] *n*. Ⓒ 토굴; (교회당 등의) 지하실《납골소(納骨所) · 예배용의》.

cryp·tic, -ti·cal [kríptik], [-əl] *a*. **1** 숨은, 비밀의; 신비의; 〖동물〗 몸을 숨기기에 알맞은: ~ coloring 보호색. **2** 암호를 쓴. ㊞ **-ti·cal·ly** *ad*.

cryp·to·gram [kríptougræ̀m] *n*. Ⓒ 암호(문); 비밀 기호.

cryp·to·graph·ic [krìptougræ̀fik] *a*. 암호(서기법)의.

cryp·tog·ra·phy [kriptágrəfi/-tɔ́g-] *n*. Ⓤ 암호 작성〔해독〕(법).

cryp·to·me·ria [krìptəmíəriə] *n*. Ⓒ 〖식물〗 삼나무.

crys·tal** [krístl] *n*. **1 a** Ⓤ **수정**(水晶)(rock ~): liquid ~ 액정. **b** Ⓒ 수정 제품. **2 a** Ⓤ 크리스털 유리(~glass); 〖집합적〗 크리스털 유리제 식기류: silver and ~ 은식기와 유리 식기. **b** Ⓒ 크리스털 유리 제품. **3** Ⓒ 〖광물 · 화학〗 결정, 결정체: ~*s of* snow 눈의 결정. **4** Ⓒ 《美》 (시계의) 유리(《英》 watch-glass). **5** Ⓒ 〖전자〗 (검파용) 광석, 광석 검파기; 결정 정류기(整流器). (as***) ***clear as*** **~** (물 따위가) 맑고 깨끗한, 투명한; (말 · 논리 따위가) 명석한, 명백한.
—*a*. **1** 수정의〔과 같은〕; 크리스털 유리제의. **2** 투명한. **3** 결정의; 〖전자〗 광석식의: a ~ receiver 광석 (라디오) 수신기.

crýstal báll (점쟁이의) 수정 구슬: peer into 〔dust off〕 the ~ 점치다, 예언하다.

crýstal-cléar *a*. 아주 명료〔명석〕한.

crýstal gàzer 수정 점쟁이; 예상가.

crýstal gàzing 수정점《수정 구슬에 나타나는 환영(幻影)으로 점침》; 미래의 예상.
crýstal gláss 크리스털 유리《고급 납유리》.
crys·tal·line [krístəlin, -təlàin] *a.* 수정(질)의; 투명한; 【화학·광물】 결정성〔상(狀)〕의.
crýstalline léns 【해부】 (안구의) 수정체.
crys·tal·li·zá·tion *n.* **1** Ⓤ 결정화; Ⓒ 결정체. **2** Ⓤ 구체화; Ⓒ 구체화된 것.
crys·tal·lize, 《英》 **-lise** [krístəlàiz] *vt.* **1** 결정(화)시키다: ~*d* sugar 얼음사탕. **2** (사상·계획 등)을 구체화하다. **3** 설탕 절임으로 하다: ~*d* fruit 설탕 절임한 과일. **—***vi.* **1** 결정(結晶)하다: Water ~*s* to form snow. 물이 결정하여 눈이 된다. **2** (사상·계획 따위가) 구체화되다.
crys·tal·loid [krístəlɔ̀id] *a.* 결정과 같은; 정질(晶質)의. **—***n.* Ⓒ 【물리】 정질. ⓒⓕ *colloid.*
crýstal wédding 수정혼식《결혼 15주년 기념》.
Cs 【화학】 cesium; 【기상】 cirrostratus. **C.S.** Christian Science 〔Scientist〕; Civil Service. **CST., C.S.T.** 《美》 Central Standard Time. **CT** cell therapy; 【의학】 computed 〔computerized〕 tomography (컴퓨터 단층 촬영); Central Time; 《美》 【우편】 Connecticut. **Ct.** Connecticut; Count; Court. **ct.** carat(s); cent(s); certificate; county; court. **C.T.C.** centralized traffic control (열차 집중 제어 장치). **cts.** cents; centimes.
CT scàn = CAT SCAN.
CT scànner = CAT SCANNER.
CU close-up; 【컴퓨터】 control unit (제어 장치). **Cu** 【화학】 *cuprum* 《L.》 (=copper). **cu., cu** cubic.
◇**cub** [kʌb] *n.* Ⓒ **1** (곰·이리·여우·사자·호랑이 따위 야수의) 새끼; 고래〔상어〕의 새끼. **2** 애송이, 젊은이: an unlicked ~ 버릇 없는 젊은이. **3 a** = CUB SCOUT. **b** (the ~s) 보이스카우트의 유년단.
Cu·ba [kjú:bə] *n.* 서인도 제도의 최대의 섬; 쿠바 공화국《수도 Havana》.
Cu·ban [kjú:bən] *a., n.* Ⓒ 쿠바(사람)의; 쿠바 사람.
cub·by(·hole) [kʌ́bi(hòul)] *n.* Ⓒ 아늑하고 기분 좋은 장소; 비좁은 방; 반침.
***cube** [kju:b] *n.* Ⓒ **1 입방체**, 정6면체; 입방체의 물건《주사위·벽돌 등》. **2** 【수학】 입방, 세제곱. ⓒⓕ square. ¶6 feet ~, 6세제곱 피트/The ~ *of* 3 is 27. 3의 세제곱은 27.
—*a.* Ⓐ 【수학】 입방의, 세제곱의.
—*vt.* **1** 입방체로 하다. **2** 주사위 모양으로 베다. **3** …을 세제곱하다; …의 체적을 구하다: 5 ~*d* is 125. 5의 세제곱은 125/~ a solid 어떤 입방체의 체적을 구하다.
cúbe róot 【수학】 세제곱근.
◇**cu·bic** [kjú:bik] *a.* 【수학】 입방의, 세제곱〔3차〕의; = CUBICAL; 【결정】 입방〔등축(等軸)〕정계(晶系)의(isometric): a ~ foot 입방 피트/the ~ system 등축정계/~ crossing 입체 교차.
—*n.* Ⓒ 【수학】 3차 곡선〔방정식, 함수〕.
cu·bi·cal [kjú:bikəl] *a.* 입방체의, 정육면체의; 체적〔용적〕의.
cu·bi·cle [kjú:bikl] *n.* Ⓒ 칸막이한 작은 방〔침실〕; (도서관의) 특별〔개인〕 열람실, pool의 탈의실.
cub·ism [kjú:bizəm] *n.* Ⓤ 【미술】 입체파, 큐비즘. ⊕ **-ist** *n.* Ⓒ, *a.* 입체파 화가〔조각가〕; 입체파의.
cu·bit [kjú:bit] *n.* Ⓒ 큐빗, 완척(腕尺)《옛날 길이의 단위; 팔꿈치에서 가운뎃손가락 끝까지의 길이; 약 46-56cm》.
cúb repórter 풋내기〔신출내기〕 기자.
cúb scòut (때로 C- S-) (Boy Scouts의) 유년단원《미국은 8-10세, 영국은 8-11세》.
cuck·old [kʌ́kəld] *n.* Ⓒ 오쟁이 진 남편, 부정한 아내의 남편. **—***vt.* (남편)을 속여 서방질하다; (남자가) 남의 아내와 정을 통하다.
***cuck·oo** [kú(:)ku:] (*pl.* **~s**) *n.* Ⓒ **1 뻐꾸기**; 《널리》 두견잇과의 새; **뻐꾹**《뻐꾸기의 울음소리》. **2** 《속어》 미친 사람, 얼간이, 멍청이.
the ~ in the nest 평화로운 부모·자식 관계를 어지럽히는 침입자; (평화를 깨트리는) 방해자, 틈입자. **—***a.* 《속어》 멍청한, 어리석은; 미친 기가 있는; (맞아) 정신이 아찔한, 의식을 잃은.
cúckoo clòck 뻐꾹 시계.
cúckoo spìt 〔**spìttle**〕 【곤충】 좀매미; 그 거품.
cu. cm. cubic centimeter(s).
◇**cu·cum·ber** [kjú:kəmbər] *n.* **1** Ⓒ 【식물】 오이. **2** Ⓒ (식품은 Ⓤ) 오이(의 열매). ***(as) cool as a ~*** 아주 냉정하여, 침착하여.
cud [kʌd] *n.* Ⓤ 새김질 감《반추(反芻) 동물이 위에서 입으로 되내보낸》. ***chew the*** 〔one***'s***〕 ~ (소 따위가) 새김질하다, 반추하다; 《구어》 (판단하기 전에) 숙고〔반성〕하다.
cud·dle [kʌ́dl] *vt.* 꼭 껴안다, 부둥키다, (어린아이 등)을 껴안고 귀여워하다. **—***vi.* 바짝〔꼭〕 붙어 자다〔앉다〕, 바싹 달라붙다(*up; together*) 《*to* (아무)에게》; 웅크리고 자다(*up*): The children ~*d up together* for warmth. 아이들은 몸이 따뜻해지도록 바짝 붙어 잤다/The girl ~*d up to* her mother in bed. 그 소녀는 침대에서 엄마에게 바짝 붙어 잤다. **—***n.* (a ~) 포옹: have a ~ 포옹하다. ⊕ **~·some, cúd·dly** [-səm], [-i] *a.* 꼭 껴안고 싶은, 귀여운: a ~ little boy 아주 귀여운 어린 소년.
cudg·el [kʌ́dʒəl] *n.* Ⓒ 곤봉, 몽둥이. ***take up the ~s for*** …을 강력히 변호〔지원〕하다. **—** (**-l-,** 《英》 **-ll-**) *vt.* 몽둥이로 치다. ~ one***'s brains*** ⇨ BRAIN.
◇**cue**¹ [kju:] *n.* Ⓒ **1** 단서, 신호, 계기, 실마리: give a person his ~ 아무에게 암시〔힌트〕를 주다, 귀띔해주다/take the 〔one's〕 ~ from …에서 단서를 얻다, …을 본받다. **2** 【연극】 단서, 큐《대사의 마지막 말; 다음 배우 등장 또는 연기의 신호가 됨》. **3** 【음악】 연주 지시 악절.
— (**cú(e)·ing**) *vt.* **1** …에게 계기를 주다; …에게 행동 개시를 신호〔지시〕하다(*in*). **2** 【연극】 큐를 넣다(*in*); 【음악】 (음·효과 따위)를 끼워 넣다, 삽입하다(*in*): ~ *in* a lighting effect 조명 효과를 넣다. **3** 《구어》 …에게 정보를 주다, 알리다 (*in*): ~ her *in* about our plans 우리의 계획에 대하여 그녀에게 알리다.
cue² *n.* Ⓒ 변발(辮髮)(queue); (차례를 기다리는 사람의) 줄(queue); 【당구】 큐.
◇**cuff**¹ [kʌf] *n.* **1** Ⓒ 소맷부리, 소맷동, 커프스; (긴 장갑의) 손목 윗부분; 《美》 바지의 접어 젖힌 아랫단. **2** (*pl.*) 《구어》 수갑(handcuffs).
off the ~ 《구어》 즉흥적인〔으로〕, 즉석의〔에서〕: speak *off the* ~ before an audience 청중 앞에서 즉흥적으로 말하다. ***on the ~*** 《美속어》 외상의〔으로〕, 월부의〔로〕; 무료의〔로〕.
cuff² *n.* Ⓒ 손바닥으로 때리기(slap): give someone a ~ *on* the head 아무의 머리를 (손바닥으

로) 때리다.
—*vt.* 손바닥으로 때리다, 두드리다.
cúff lìnks 커프스 단추(sleeve links).
cu. ft. cubic foot [feet]. **cu. in.** cubic inch(es).
cui·rass [kwirǽs] *n.* [C] 동체(胴體) 갑옷; 흉갑(胸甲).
cui·sine [kwizíːn] *n.* [U] 요리 솜씨, 요리(법): French ~ 프랑스 요리.
cuke [kjuːk] *n.* 《美구어》 =CUCUMBER.
cul-de-sac [kʌ́ldəsæ̀k, kúl-] (*pl.* **~s, culs-** [kʌ́lz-]) *n.* 《F.》 [C] 막힌 길, 막다른 골목; (피할 길 없는) 곤경; (의론의) 정돈(停頓).
-cule [kjùːl], **-cle** [kl] *suf.* '작은'의 뜻: animal*cule*, parti*cle*.
cu·li·nar·i·ly [kʌ̀lənérəli, kjùː-/kʌ́lənəri-] *ad.* 요리상, 요리적으로.
cu·li·nary [kʌ́lənèri, kjúː-/-nəri] *a.* 부엌(용)의; 요리(용)의: the ~ art 요리법/~ vegetables [plants] 야채류.
cull [kʌl] *vt.* **1** (꽃 따위)를 따다, 따 모으다 (pick). **2** 고르다; 발췌하다《***from*** …에서》: ~ the choicest lines *from* poems 시에서 가장 잘된 행을 발췌하다. **3** (질이 떨어지는 가축·과실 등)을 가려내어 없애다, 도태하다, 버리다. **—***n.* [C] 따기, 채집; 선별; (열등품으로서) 가려낸 것.
cul·len·der [kʌ́ləndər] *n.* =COLANDER.
cul·let [kʌ́lit] *n.* [U] (재활용(再活用)의) 지스러기 유리.
culm [kʌlm] *n.* [U] (질이 나쁜) 가루 무연탄; 『지질』 쿨름층《하부 석탄계의 혈암(頁岩)[사암]층》.
◇**cul·mi·nate** [kʌ́lmənèit] *vi.* **1 a** 정점에 이르다; 최고점[절정]에 달하다, 전성기를 누리다《종종 내리막을 암시함》. **b** 마침내 …되다《***in*** …으로》: His efforts *~d in* success. 그의 노력은 마침내 성공하여 결실을 보았다. **2** 『천문』 남중(南中)하다, (천체가) 자오선상에 오다.
cùl·mi·ná·tion *n.* [U] **1** (보통 the ~) 최고점, 최고조, 극점, 정상; 전성, 극치: the ~ *of* one's ambition 야망의 절정. **2** 『천문』 남중(南中), (천체의) 자오선 통과. ◇ culminate *v.*
cu·lottes [kjuːláts/-lɔ́ts] *n. pl.* 《F.》 퀼로트《여성의 운동용 치마바지》.
cùl·pa·bíl·i·ty *n.* [U] 꾸중들어야 할 일, 유죄.
cul·pa·ble [kʌ́lpəbəl] *a.* 비난할 만한[해야 할], 과실[허물] 있는, 괘씸한; 《고어》 유죄의: ~ negligence 태만죄; 부주의/hold a person ~ 아무를 나쁘다고 생각하다. [파] **-bly** *ad.* 괘씸하게도, 무법하게도.
cul·prit [kʌ́lprit] *n.* [C] 죄인, 범죄자.
◇**cult** [kʌlt] *n.* [C] **1** (종교상의) 예배(식), 제사: the tea ~ 다도(茶道). **2** (종교적인) 숭배, 신앙: the ~ *of* Apollo 아폴로 신앙. **3** 예찬; 유행, …열(熱): the ~ *of* beauty [peace] 미[평화]의 예찬. **4** 《집합적》 예찬자[숭배자, 열광자]의 무리. **5** 신흥 종교, 사이비 종교; 종파; 컬트; 《집합적》 사이비 종교의 신자. **—***a.* [A] **1** 신흥 종교의: a ~ religion 신흥 종교. **2** 소수 열광자 무리의.
cúlt·ism *n.* [U] 열광, 헌신; 극단적인 종교적 경향. [파] **-ist** *n.* [C] 광신자, 열광자.
cul·ti·va·ble, -vat·a·ble [kʌ́ltəvəbəl], [-vèitəbəl] *a.* 경작[재배]할 수 있는; (사람·능력 따위를) 계발[교화]할 수 있는.
***cul·ti·vate** [kʌ́ltəvèit] *vt.* **1** (땅)을 갈다, 경작하다; (재배 중인 작물·밭)을 사이갈이하다: ~ a field 밭을 갈다. [SYN.] ⇨TILL. **2 재배하다**; (물고기·진주 등)을 양식하다; (세균)을 배양하다. [SYN.] ⇨GROW. **3** (재능·품성·습관 따위)를 **신장하다**, 계발[연마]하다; 수련하다; (학예 따위)를 장려하다, 촉진하다: ~ the moral sense 도의심을 기르다. **4** (사람)을 교화하다. **5** (면식·교제)를 구하다, 깊게 하다: ~ a person [a person's acquaintance] 아무와의 교제를 구하다. ◇ cultivation *n.*
cúl·ti·vàt·ed [-id] *a.* 경작된; 개간된; 재배된; 양식된; 배양된; (사람·취미가) 교양 있는, 세련된: ~ land 경작지/~ manners 세련된 예절.
◇**cul·ti·va·tion** [kʌ̀ltəvéiʃən] *n.* [U] **1** 경작; 재배; 개간; 사육: put new land into ~ [bring new land under ~] 새 땅을 경작하다. **2** (굴 따위의) 양식(養殖); (세균 따위의) 배양. **3** 교화, 양성; 촉진, 장려. **4** 수양, 수련; 교양; 세련. ◇ cultivate *v.*
◇**cul·ti·va·tor** [kʌ́ltəvèitər] *n.* [C] 경작자, 재배자; 수양자; 양성자; 개척자; 연구자; 경운기.
***cul·tur·al** [kʌ́ltʃərəl] *a.* **1** 문화의: ~ assets [goods] 문화재/~ conflict 문화 마찰. **2** 교양의; 계발적인: ~ studies 교양 과목. **3** 배양하는; 경작의; 재배의; 개척의. [파] **~·ly** *ad.*
cúltural anthropólogist 문화 인류학자.
cúltural anthropólogy 문화 인류학.
cúltural lág 『사회』 문화적 지체《문화 제상(諸相) 발달의 파행(跛行)적 현상》.
****cul·ture** [kʌ́ltʃər] *n.* **1** [U] (구체적으로는 [C]) (어느 나라·어느 시대의 총체적) **문화**, 정신 문명: Greek ~ 그리스 문화/primitive ~ 원시 문화. **2** [U] **교양**; 세련: a man of ~ 교양 있는 사람. **3** [U] 수양; 교화; 훈육: physical [intellectual] ~ 체육[지육(智育)]. **4** [U] **재배**; 양식; 경작: the ~ of cotton 면화 재배/silk ~ 양잠. **5** [U] (세균 등의) 배양; [C] 배양균[조직].
◇**cúl·tured** [kʌ́ltʃərd] *a.* 교양 있는, 수양을 쌓은; 세련된; 점잖은; 배양[양식]된, 경작된; 문화를 가진, 문화가 발달된: a ~ pearl 양식 진주.
cúlture gàp 문화의 격차[차이].
cúlture làg =CULTURAL LAG.
cúlture shòck 문화 쇼크《다른 문화에 처음 접했을 경우에 생기는 불안·충격》.
cúlture vùlture 《속어》 문화병자, 사이비 문화인.
cul·vert [kʌ́lvərt] *n.* [C] 암거(暗渠), 배수 도랑, 지하 수로; (전선·가스선 따위의) 매설구(溝).
-cum- [kʌm] 《L.》 …이 붙은[딸린], …와 겸용의《보통 합성어를 만듦; 영국에서는 합병 교구의 명칭으로 쓰임》. ↔ *ex.* ¶a house-~-farm 농장이 딸린 주택/a dwelling-~-workshop 주택 겸 공장/Chorlton-~-Hardy 촐튼하디구(區)《Manchester의 주택 지구》.
Cum., Cumb. Cumberland.
cum·ber [kʌ́mbər] *vt.* 《문어》 =ENCUMBER.
Cum·ber·land [kʌ́mbərlənd] *n.* 컴벌랜드《이전의 잉글랜드 북서부의 주(州); 1974년 Cumbria주의 일부가 됨》.
◇**cum·ber·some** [kʌ́mbərsəm] *a.* 성가신, 귀찮은; 부담이 되는; 장애[방해]가 되는. [파] **~·ly** *ad.* **~·ness** *n.*
Cum·bria [kʌ́mbriə] *n.* 컴브리아《잉글랜드 북부의 주; 1974년 신설; 주도는 Carlisle》.
cum div. 『증권』 cum dividend.
cùm dívidend 『증권』 배당부(配當附)《생략: c.d., cum div.》. [cf] ex div.

cum·in, cum·min [kʌ́min] *n.* [U] 커민《미나릿과의 식물》; 그 열매《요리용 향료·약용》.
cum·mer·bund, kum- [kʌ́mərbʌ̀nd] *n.* 《Ind.》 [C] 폭넓은 띠, 장식띠; 허리띠《턱시도를 입을 때 조끼 대신 두름》.
Cum·mings [kʌ́miŋz] *n.* **Edward Estlin** ~ 커밍스《미국의 화가·시인·소설가; 1894-1962》.
cum·quat ⇨KUMQUAT.
cu·mu·la·tive [kjú:mjəlèitiv, -lət-] *a.* 축적적〔점증적, 누가적(累加的)〕인, 누적하는: ~ dividend 누적 배당 / ~ error 누적 오차 / ~ evidence 〖법률〗 (이미 증명된 일의) 누적〔중복〕 증거 / ~ offense 〖법률〗 누범(累犯) / ~ preference shares 누적 배당 우선주 / ~ relative frequency 〖수학〗 누적 상대 도수. [파] **~·ly** *ad.*
cu·mu·li [kjú:mjəlai] CUMULUS의 복수.
cu·mu·lo·nim·bus [-nímbəs] *n.* [U] (낱개는 [C]) 〖기상〗 적란운(積亂雲), 쌘비구름, 소나기구름《생략: Cb》.
cu·mu·lo·stra·tus [-stréitəs] *n.* =STRATOCUMULUS.
cu·mu·lous [kjú:mjələs] *a.* 적운(積雲)〔산봉우리구름〕 같은.
cu·mu·lus [kjú:mjələs] (*pl.* **-li** [-lài, -lì:]) *n.* **1** (a ~) 퇴적, 누적. **2** [U] (낱개는 [C]) 적운(積雲), 쌘구름, 산봉우리구름, 뭉게구름《생략: Cu》.
cu·ne·i·form [kjú:niəfɔ̀:rm, kju:ní:ə-] *a.* 쐐기 모양의; 쐐기〔설형(楔形)〕 문자의; 설상골(楔狀骨)의. **—*n.*** [U] (바빌로니아·아시리아 등지의) 쐐기〔설형〕 문자.
cun·ni·lin·gus [kʌ̀nilíŋgəs] *n.* [U] 쿤닐링구스《여성 성기에의 구강(口腔) 성교》.
***cun·ning** [kʌ́niŋ] *a.* **1 교활한**; 약삭빠른. **2 잘된**, 교묘하게 연구된.
[SYN.] **cunning** 부정한 수단으로 상대방을 기만하거나 음모·술책 따위를 꾸밈을 이름. **crafty** 남을 속이는 간계를 잘 꾸미는 것을 말함. **sly** 부정한 수단으로 상대방을 기만하는데, 그것이 꽤나 음험한 것을 말함.
3 《美구어》 (아이·복장 따위가) 귀여운: a ~ girl 〔baby〕 귀여운 소녀〔아기〕. ***(as) ~ as a fox*** 매우 교활한.
—*n.* [U] **1** (솜씨가) 교묘함: His hand lost its ~. 그의 손은 옛날처럼 재지 못하다. **2** 교활, 잔꾀. [파] **~·ly** *ad.*
cunt [kʌnt] *n.* [C] 《비어》 **1** 여성 성기, 질(膣). **2** 《속어》 여자, 싫은 여자; 비열한 놈.
****cup** [kʌp] *n.* **1** [C] **찻종**, 컵: a ~ and saucer 접시에 받친 찻잔 / a breakfast ~ 조반용 컵《보통 컵의 두 배 크기》.
2 [C] 찻잔 한 잔(의 양); 반 파인트(pint)의 양: two ~*s of* flour 밀가루 두 컵(의 양).
3 [C] (양주용의 다리 달린) 글라스; (성체 성사의) 잔; (the ~) (성체 성사의) 포도주.
4 [C] (때때로 the C-) 우승컵, 상배: win the ~ 우승컵을 타다.
5 a (*pl.* 또는 the ~) 술; 음주: He's fond of the ~. 그는 술을 좋아한다. **b** (the ~) (the bottle) (주류)에 대하여 커피·홍차류.
6 [C] 〖보통 수식어와 함께〗 운명의 잔; 운명; 경험: drain the ~ of life to the bottom 〔dregs〕 인생의 쓴맛 단맛을 다 맛보다.
7 [C] 찻종 모양의 물건; 분지(盆地); (꽃의) 꽃받침; (도토리 따위의) 깍정이; 〖의학〗 흡각(吸角), 부항(附缸); 〖해부〗 배상와(杯狀窩); 〖골프〗 (그린 상의 공 들어가는) 금속통, 홀; (복서 등의) 컵《서포터의 일종》; (브래지어의) 컵: a ~ insulator 〖전기〗 컵 모양의 애자(碍子).
8 [U] (낱개는 [C]) 컵《샴페인·포도주 따위에 향료·단맛을 넣어서 얼음으로 차게 한 음료》.
a ~ of tea 《구어》 〖흔히 수식어와 함께〗 (어떤 종류의) 사람, 물건: a very unpleasant ~ *of tea* 아주 불쾌한 사람. ***in*** one***'s ~s*** 취하여, 거나한 기분으로. One***'s*** 〔***The***〕 ***~ is full.*** 더할 나위 없는 기쁨·행복〔슬픔·불행〕에 젖어〔빠져〕 있다: Her ~ of happiness 〔misery〕 *is full*. 그녀의 행복〔불행〕은 절정에〔극에〕 달해 있다. **one's *~ of tea*** 《구어》 기호에 맞는 것, 마음에 드는 것, 취미: Golf isn't his ~ *of tea*. 골프는 그의 기질에 맞지 않는다. One***'s ~ runs over*** 〔***overflows***〕. 이를 데 없이 행복하다.
—(*-pp-*) *vt.* **1** 찻종에 받다〔넣다〕; (오목한 것에) 받아 넣다: ~ water from a brook 시내에서 물을 떠내다. **2** (손바닥 따위)를 찻종 모양으로 하다: ~ one's hand behind one's ear 귀에 손을 대다《잘 들리도록》. **3** 〖의학〗 …에 흡각〔부항〕(吸角〔附缸〕)을 대다. **4** 〖골프〗 (클럽으로 공)을 땅에 스치게 쳐올리다.
cúp·bèarer *n.* [C] (궁정 연회 따위에서) 술잔을 따라 올리는 사람.
cup·board** [kʌ́bərd] *n.* [C] **찬장**; 《英》 〖일반적〗 작은 장, 벽장. ***skeleton in the ~ (세상에 알려지면 곤란한) 가정의 비밀, 집안의 수치. ***The ~ is bare.*** 찬장이 비어 있다; 돈이 없다.
cúpboard lòve 타산적인 애정《용돈 타려고 어머니에게 '엄마가 좋아' 하는 따위》.
cúp·càke *n.* [C] 찻종 모양의 틀에 담아서 구운 케이크.
cúp final (the ~) (우승배 쟁탈의) 결승전《특히 영국 축구 연맹배 쟁탈의》.
***cup·ful** [kʌ́pfùl] (*pl.* **~s, cúps·fùl**) *n.* [C] **찻종〔컵〕으로 하나 (가득)**; 《美》 〖요리〗 반 파인트(half pint)《8 액량(液量) 온스; 약 220cc》: two ~*s of* milk 두 잔(분량)의 우유.
Cu·pid [kjú:pid] *n.* **1** 〖로마신화〗 큐피드《연애의 신》. **2** (c-) [C] 큐피드《사랑의 상징으로 사용되는 인형》, 사랑의 사자; 《드물게》 미소년.
cu·pid·i·ty [kju:pídəti] *n.* [U] 물욕, 탐욕, 금전욕.
Cúpid's bòw 큐피드의 활; 활 모양의 것《특히 윗입술의 윤곽을 이름》.
cu·po·la [kjú:pələ] *n.* [C] 〖건축〗 둥근 지붕〔천장〕; (특히 지붕 위의) 돔; =CUPOLA FURNACE.
cúpola fúrnace 〖야금〗 큐폴라, 용선로(溶銑爐).
cup·pa [kʌ́pə] *n.* [C] (보통 *sing.*) 《英구어》 한 잔의 차.
cúp·per *n.* =CUPPA.
cúp·ping *n.* [U] 〖의학〗 (부항(附缸)으로) 피를 빨아내기, 흡각법(吸角法).
cúpping glàss (피를 빨아내는 데 쓰는) 흡각(吸角).
cu·pric [kjú:prik] *a.* 〖화학〗 구리의〔를 함유한〕, 제2구리의: ~ oxide 산화(제2)구리 / ~ salt 제2구리 염(塩).
cúpric súlfate 〖화학〗 황산구리(copper sulfate).
cúpro·nìckel *n.* [U] 백통《특히 구리 70%와 니켈 30%의 합금》.
cu·prum [kjú:prəm] *n.* [U] 〖화학〗 구리《금속 원소; 기호 Cu; 번호 29》.

cúp tìe 《英》 (특히 축구의) 우승배 쟁탈전.

◇**cur** [kəːr] *n.* Ⓒ 똥개, 잡종개; 불량배, 천한 사람; 겁쟁이.

cur·a·ble [kjúərəbəl] *a.* 치료할 수 있는, 고칠 수 있는, 낫는.

cùr·a·bíl·i·ty *n.* Ⓤ 치료 가능성.

cu·ra·çao, -çoa [kjùərəsáu, -sóu], [-sóuə] *n.* Ⓤ (낱개는 Ⓒ) 큐라소《오렌지로 만든 리큐르; 베네수엘라의 북방 Curaçao섬 원산》.

cur·a·cy [kjúərəsi] *n.* Ⓒ 부목사(副牧師)(curate)의 직〔지위·임기〕.

◇**cu·rate** [kjúərit] *n.* Ⓒ **1** 〖영국국교회〗 목사보(補), 부목사. **2** 〖가톨릭〗 조임(助任) 신부.

cúrate's égg (the ~) 《우스개》 옥석 혼효(한 것), 장단점이 있는 것.

cur·a·tive [kjúərətiv] *a.* 치료용의; 치료력이 있는. **—***n.* Ⓒ 치료법; 의약.

cu·ra·tor [kjuəréitər] *n.* Ⓒ (특히 박물관·도서관 따위의) 관리자, 관장; 감독, 관리인.

cu·ra·tor·ship [kjuəréitərʃìp] *n.* Ⓤ curator의 직〔신분〕.

curb** [kəːrb] *n.* Ⓒ **1** (말의) **재갈, 고삐**. **2** 구속, 억제, 제어《on*** …에 대한》: place 〔put〕 a ~ *on* expenditures 경비를 제한하다. **3** 《美》 (밖·둘레에서 죄는) 틀; (보도(步道)의) 연석(緣石)(《英》 kerb).

—*vt.* **1** (말)에 재갈을 물리다. **2** 《비유적》 억제하다, 구속하다: ~ inflation 인플레이션을 억제하다. **3** 《美》 (길)에 연석을 깔다.

cúrb ròof 〖건축〗 2단 물매 지붕《mansard roof 또는 gambrel roof》.

cúrb·sìde *n.* (the ~) 《美》 연석(緣石)이 있는 보도(步道) 가장자리.

cúrb·stòne *n.* Ⓒ 《美》 (보도의) 연석(緣石)(《英》 kerbstone).

curd [kəːrd] *n.* **1** Ⓤ (종종 *pl.*) 엉겨 굳어진 것. **2** Ⓤ 응유(凝乳) (제품). cf. whey. ¶bean ~ 두부.

cur·dle [kə́ːrdl] *vi.* **1** (우유가) 엉기다: Milk *~s* when kept too long. 우유는 너무 오래 두면 엉긴다. **2** (피가 추위·공포 등으로) 응결하다: The sight made my blood ~. 그 광경을 보고 나도 모르게 오싹했다. **—***vt.* (우유)를 엉기어 굳게 하다; (공포 따위로 피)를 응결시키다. **~ *the*** 〔a person***'s***〕 ***blood*** (추위·공포 등이) 섬뜩〔오싹〕하게 하다.

curdy [kə́ːrdi] (***curd·ier; -i·est***) *a.* 엉겨 굳어진, 응결한, 응유(凝乳)분이 많은.

****cure** [kjuər] *n.* **1** Ⓤ (구체적으로는 Ⓒ) **치료**; 요양; 치료법〔약〕《***for*** (어떤 병)에 대한》: go to the country for a ~ 요양차 시골에 가다 / an effective ~ *for* cancer 암의 효과적인 치료법〔약〕. **2** Ⓒ 치유, 회복. **3** Ⓤ (구체적으로는 Ⓒ) 해결책, 구제책, 교정법《***for*** (곤란한 문제 따위)에 대한》: a ~ *for* unemployment 실업 대책. **4** Ⓤ (구체적으로는 Ⓒ) 《문어》 (영혼의) 구원; (교구민에 대한) 신앙 감독; 성직; 관할 교구. **5** Ⓤ (구체적으로는 Ⓒ) (생선·고기 등의) 저장(법).

—*vt.* **1** 《~+목/+목+전+명》 **치료하다**, 고치다《***of*** (병)을》; 교정(矯正)하다, 제거하다《***of*** (나쁜 습성 따위)를》: ~ bad habits 나쁜 버릇을 고치다 / ~ a person *of* bad habits 아무의 못된 버릇을 고치다 / ~ a child's cold = ~ a child *of* a cold 아이의 감기를 치료하다 / be *~d of* a disease 병이 낫다 / What cannot be *~d* must be endured. 《속담》 어쩔 수 없는 일은 참아내야 한다.

SYN. **cure** 육체상·정신상의 병이나 고뇌를 완화시켜 치료함을 나타냄. **heal** 육체의 상처·화상 따위를 치료함을 말함. **remedy** 병·상처·그 밖의 폐해 따위를 치료·구제함을 나타냄.

2 가공하다; (고기·생선 등)을 절이다, 건조하다《보존을 위해》.

—*vi.* **1** 치료하다; (병이) 낫다. **2** (생선·고기 등이) 보존에 적합한 상태가 되다. ***kill or ~*** ⇨KILL.

cu·ré [kjuəréi, ←] *n.* 《F.》 Ⓒ (프랑스의) 교구(敎區) 목사. cf. cure 4, curate.

cúre-àll *n.* Ⓒ 만능약, 만병통치약(panacea).

cúre·less *a.* 불치의; 구제할 수 없는.

cu·ret·tage [kjùəritáːʒ, kjurétidʒ/kjùərətáːʒ] *n.* Ⓤ 〖의학〗 소파(搔爬)(술); 인공 임신 중절.

cu·rette, -ret [kjurét] *n.* Ⓒ 〖의학〗 소파기(搔爬器), 퀴레트《소파 수술에 쓰는 날카로운 숟가락 모양의 기구》.

cur·few [kə́ːrfjuː] *n.* **1** Ⓒ (중세기의) 소등(消燈)〔소화〕 신호의 만종(晩鐘); Ⓤ 그 종이 울리는 시각. **2** Ⓒ 《일반적》 만종, 저녁 종. **3 a** Ⓒ (계엄령 시행 중의) (야간) 통행 금지, 소등령: impose a ~ from midnight to dawn 한밤중부터 새벽까지 외출 금지령을 과하다. **b** Ⓤ (야간) 외출 금지 시간.

cu·ria [kjúəriə] (*pl.* ***-ri·ae*** [-riìː]) *n.* **1** Ⓒ (중세 노르만 왕조시대의) 법정. **2** (the C-) 로마 교황청.

Cu·rie [kjúəri, kjuríː] *n.* 퀴리. **1 Pierre** ~ (1859–1906), **Marie** ~ (1867–1934)《라듐을 발견한 프랑스 물리학자 부부; Nobel 물리학상은 부부 공동으로(1903), 화학상은 부인 단독으로 (1911) 각각 수상함》. **2** (c-) Ⓒ 〖물리〗 방사능 계량(計量) 단위《기호 C, Ci》.

Cúrie pòint 〔**tèmperature**〕 〖물리〗 퀴리점〔온도〕《강(強)자성체의 자기 변태(磁氣變態)가 일어나는 온도》.

cu·rio [kjúəriòu] (*pl.* **~s**) *n.* Ⓒ 골동품; 진품(珍品): a ~ dealer 골동품상.

cúrio shòp = CURIOSITY SHOP.

****cu·ri·os·i·ty** [kjùəriásəti/-ɔ́sə-] *n.* **1** Ⓤ (또는 a ~) **호기심**, 캐기 좋아하는 마음《***to*** do》: out of 〔from〕 ~ 호기심에서 / She satisfied my ~ *to* know the reason. 그녀는 이유를 알고 싶어하는 나의 호기심을 만족시켜 주었다. **2 a** Ⓤ 진기, 진기함: a thing of little ~ 진기〔신기〕하지 않은 것. **b** Ⓒ **진기한 물건**, 골동품(curio). ◇ curious *a.*

curiósity shòp 골동품점.

****cu·ri·ous** [kjúəriəs] *a.* **1 호기심 있는**, 알고 싶어하는; 〖나쁜 뜻으로〗 꼬치꼬치 캐기 좋아하는《***about, as to*** …에 대하여 / ***to*** do / ***wh.***》: ~ neighbors 남의 일을 호비기 좋아하는 이웃 사람들 / I am ~ *to* know who he is. 그가 누군지 알고 싶다 / He is too ~ *about* other people's business. 그는 다른 사람들의 일을 무턱대고 알고 싶어한다 / She was ~ (*about*) *what* she would find in the box. 그녀는 상자 안에 무엇이 있는지 알고 싶었다 / I'm ~ (*as to*) *how* she will receive the news. 그녀가 그 소식을 듣고 어떻게 생각할는지 궁금하다.

2 진기한; 호기심을 끄는; **기묘한**; 《구어》 별난: a ~ fellow 별난 사람, 괴짜.

~ *to say* (좀) 이상한 얘기지만. ***~er and ~er*** 《속어》 갈수록 신기해지는. 파 **~·ness** *n.*

***cu·ri·ous·ly** [kjúəriəsli] *ad.* **1 진기한 듯이**, 호기심에서. **2** 〖문장 전체를 수식하여〗 **기묘하게**, 이상하게도: *Curiously* (enough), he already knew. 이상하게도 그는 이미 알고 있었다.

cu·ri·um [kjúəriəm] *n.* Ⓤ 〖화학〗 퀴륨《방사성 원소; 기호 Cm; 번호 96》.

*__curl__ [kəːrl] *vt.* **1** 《~+목/+목+부》 (머리털)을 **곱슬곱슬하게 하다**, 컬하다; 비틀다, 꼬아 구부리다(*up*): ~ one's lip(s) (경멸하여) 입을 삐죽 내밀다 / He has his mustaches *~ed up*. 그는 콧수염을 꼬아 올렸다. **2** 〖~ oneself〗 둥글게 오그리고 자다. **3** (종이·잎 등)을 둥글게 말다.

—*vi.* **1** 곱슬털 모양이 되다. **2** 《~/+부》 (종이·잎 등이) 둥글게 말리다, 말려 올라가다, 감기다, 뒤틀리다; (길이) 굽이치다; (공이) 커브하다(*up*); (연기가) 소용돌이치다(*up; upward*): Smoke *~ed* (*up*) out of the chimney. 연기가 굴뚝에서 소용돌이치며 올라갔다. **3** 《+부》 둥글게 오그리고 자다, 웅크리다(*up*): The child *~ed up* on the sofa. 아이는 소파 위에서 웅크리고 잤다. **4** 《구어》 꽁무니 빼다, 망설이다, 주저하다. **5** 《+부》 (사람이) 벌떡 넘어지다(*up*).

~ a person**'s *hair*** =***make*** a person**'s *hair*** ~ 아무를 놀라게〔간담을 서늘하게〕 하다.

—*n.* **1 a** Ⓒ 고수머리, 컬. **b** (*pl.*) 고수머리의 두발: His hair falls in *~s* over his shoulders. 그의 머리는 물결치듯 양 어깨에 드리워져 있다. **2** Ⓤ 곱슬머리의 상태, 곱슬곱슬하게 되어 〔비틀려〕 있음: keep one's hair in ~ 머리를 곱슬하게 해 두다 / go out of ~ (머리의) 컬이 풀리다. **3** Ⓤ 컬하기, 말기. **4** Ⓒ 나선(螺旋) 모양의 것, 소용돌이 모양: a ~ *of* smoke 하늘하늘 피어오르는 연기 / a ~ *of* the lip(s) (경멸하여) 입을 삐쭉거리기.

curled *a.* 고수머리의; 소용돌이진.

cúrl·er *n.* Ⓒ **1** curl하는 사람〔물건〕. **2** (흔히 *pl.*) 컬클립. **3** curling 경기자.

cur·lew [kə́ːrluː] (*pl.* ~(**s**)) *n.* Ⓒ 〖조류〗 마도요.

curl·i·cue, curl·y·cue [kə́ːrlikjùː] *n.* Ⓒ 소용돌이 (장식); (글자의) 장식체로 쓰기.

cúrl·ing *n.* Ⓤ **1** 컬링《얼음판에서 둥근 돌을 미끄러뜨려 과녁에 맞히는 놀이》. **2** (머리카락의) 컬; 지지기, 오그라짐: ~ pins 컬 핀.

cúrling ìrons 헤어아이론.

cúrling stòne 컬링돌《curling 경기에 쓰는 돌; 15–18kg》.

cúrl·pàper *n.* Ⓤ 머리 지지는 데 쓰는 종이.

*__curly__ [kə́ːrli] *a.* 오그라든, **곱슬머리의**; 소용돌이 모양의; (나뭇결 등) 꼬불꼬불한; (잎이) 말린; (뿔 따위) 꼬부라진. ㊞ **cúrl·i·ness** *n.*

cur·mudg·eon [kərmʌ́dʒən] *n.* Ⓒ 노랭이, 구두쇠; 심술궂은 사람, 까다로운 사람〔노인〕.

°**cur·rant** [kə́ːrənt, kʌ́r-] *n.* Ⓒ **1** (알이 잘고 씨 없는) 건포도. **2** 〖식물〗 까치밥나무《red ~, white ~, black ~ 따위의 종류가 있음》.

°**cur·ren·cy** [kə́ːrənsi, kʌ́r-] *n.* **1** Ⓤ (화폐의) 통용, 유통; (사상·말·소문 등의) 유포: acquire 〔attain, gain, obtain〕 ~ (화폐·말·소문 등이) 통용〔유포〕되다, 널리 퍼지다 / pass out of ~ 쓰이지 않게 되다 / be in common 〔wide〕 ~ 일반에〔널리〕 통용되고 있다. **2** Ⓤ (구체적으로는 Ⓒ) 통화, 화폐《경화·지폐를 포함》: (a) metallic 〔paper〕 ~ 경화〔지폐〕.

‡**cur·rent** [kə́ːrənt, kʌ́r-] *a.* **1 통용하고 있는; 현행의**: a ~ deposit 당좌 예금 / ~ news 시사 뉴스 / the ~ price 시가(時價) / ~ English 현대〔시사〕 영어. **2** (의견·소문 등) 널리 행해지고 있는, 유행〔유포〕되고 있는: the ~ practice 일반적인 습관. SYN. ⇨PREVALENT. **3** 널리 알려진, 유명한. **4** (시간이) **지금의**, 현재의: the ~ month 〔year〕 이달〔금년〕 / the 5th ~ 이달 5일 / ~ topics 오늘의 화제 / the ~ issue 〔number〕 (잡지 등의) 이달〔금주〕 호.

—*n.* **1** Ⓒ **흐름**; 해류; 조류; 기류: air *~s* 기류. SYN. ⇨FLOW. **2** Ⓒ (여론·사상 따위의) **경향**, 추세, 풍조, 사조(tendency): the ~ of events 사건의 추이 / swim with 〔against〕 the ~ 시세(時勢)에 순응〔역행〕하다. **3** Ⓤ (종류는 Ⓒ) **전류** (electric ~); (암페어로 재는) 전류의 세기: a direct ~ 직류 / an alternating ~ 교류.

cúrrent accóunt 당좌 예금, 당좌 계정; (국제 수지에서) 경상 수지 계정.

cúrrent ássets 유동〔단기성〕 자산.

cúr·rent·ly *ad.* 일반적으로, 널리; 현재, 지금: It's ~ believed that …라고 일반적으로 믿어지고 있다 / She's ~ working in our New York office. 그녀는 지금 뉴욕지점에서 일하고 있다.

cur·ric·u·lar [kəríkjələr] *a.* 교육 과정의.

cur·ric·u·lum [kəríkjələm] (*pl.* **~s, -la** [-lə]) *n.* Ⓒ 커리큘럼, 교육〔교과〕 과정; 이수 과정; (클럽 활동 등을 포함한) 전반적 학교 교육; 일반 교육.

currículum ví·tae [-váitiː] 이력(서).

cur·ri·er [kə́ːriər, kʌ́r-] *n.* Ⓒ 가죽 다루는 사람, 제혁장(製革匠); 말을 빗질하는 사람.

cur·rish [kə́ːriʃ, kʌ́r-] *a.* 들개 같은; 딱딱거리는; 상스러운, 천한. ㊞ **~·ly** *ad.*

°**cur·ry**[1], **cur·rie** [kə́ːri, kʌ́ri] *n.* **1** Ⓒ (요리는 Ⓤ) 카레 요리, 카레: ~ and 〔with〕 rice 카레라이스. **2** Ⓤ 카레가루(~ powder). **—***vt.* 카레로 맛을 내다〔요리하다〕: *curried* chicken 카레로 맛을 낸 닭고기.

cur·ry[2] *vt.* (말 따위)를 빗질하다; (무두질한 가죽)을 다듬다; 《속어》 치다, 때리다. **~ *below the knee*** 《속어》 환심을 사다. **~ *favor with*** a person =**~** a person**'s *favor*** 의 비위를 맞추다; 아무에게 빌붙다.

cúrry·còmb *n.* Ⓒ 말빗, 쇠빗.

cúrry pòwder 카레 가루.

*__curse__ [kəːrs] (*p.*, *pp.* **~d** [-t], 《고어》 ***curst*** [-t]) *vt.* **1 저주하다**, 악담〔모독〕하다. ↔ *bless*. **2** 《~+목/+목+전+명》 **욕설을 퍼붓다**, …의 욕을 하다《***for*** …에 대하여》: ~ a barking dog 짖어대는 개를 욕하다 / He *~d* the taxi driver *for* trying to overcharge him. 그는 그에게 터무니없는 요금을 청구하려고 했다고 택시 기사에게 욕을 했다. **3** 〖보통 수동태〗 빌미붙다; 괴롭히다 《***with*** …으로》: We *were ~d with* bad weather during the tour. 우리는 여행 중 내내 악천후에 시달렸다 / She *is ~d with* a bad temper 〔drunken husband〕. 그녀에게는 못된 성미가 〔주정뱅이 남편이〕 있다 / He *was ~ with* a short temper. 그는 태생이 성말랐다 **4** 〖종교〗 파문하다. **—***vi.* 《~/+전+명》 저주하다《***at*** …을》; 욕설을 퍼붓다; 함부로 불경한 말을 하다《***at*** …에게》: ~ *at* a person 아무를 매도(罵倒)하다.

~ *and swear* 갖은 악담을 퍼붓다. ***Curse it!*** 제기랄, 빌어먹을. ***Curse you!*** 뒈져라.

—*n.* **1** Ⓒ 저주; 악담, 욕설; 저주의 말, 독설 《Blast!, Deuce take it!, Damn!, Confound you! 등》: *Curses* (, like chickens,) come home to roost. 《속담》 저주는 (새새끼처럼) 둥지로 돌아온다, 남잡이가 제잡이 / shout *~s* at a person 아무에게 욕설을 퍼붓다. **2** Ⓒ 재해, 화

(禍), 불행: the ~ of drink 음주의 해(害). 3 Ⓒ 불행〔재해〕의 씨; 저주받은 것, 저주의 대상: Typhoons are a ~ in this part of the country. 이 지방에는 태풍이 재해의 씨앗이다. 4 Ⓒ 〖종교〗 파문. 5 (the ~) ⦅구어⦆ 월경.
Curse upon it! 제기랄, 빌어먹을(Curse it!). ***do not care*** 〔***give***〕 ***a ~ for*** ⦅구어⦆ …따위는 조금도 상관 없다. ***lay*** a person ***under a ~*** 아무에게 주술을 걸다. ***the ~ of Cain*** 가인이 받은 저주, 영원한 유랑.

curs·ed [kə́ːrsid, kəːrst] *a.* 1 저주를 받은, 빌미붙은. ↔ *blessed*. 2 ⦅구어⦆ 저주할 (만한), 지겨운, 지긋지긋한; 파문당한. 3 괴로운⦅*with* …으로⦆. ㊞ **~·ly** *ad.* 1 저주받아. 2 ⦅구어⦆ 가증스럽게도; 지겹게도; 지독하게도.

cur·sive [kə́ːrsiv] *n.* Ⓒ, *a.* 흘림(으로 쓰는), 초서(草書)(의). ㊞ **~·ly** *ad.*

cur·sor [kə́ːrsər] *n.* Ⓒ 커서⦅(1) 계산자 · 측량기기 등의 눈금이 달린 투명한 움직이는 판. (2) 컴퓨터 디스플레이의 스크린 위에서 입력 위치를 표시하는 이동 가능한 밑줄이나 기호⦆.

cúrsor contról kèy 〖컴퓨터〗 커서 제어 키.

cúrsor dìsk 〖컴퓨터〗 커서 디스크⦅키보드의 구석에 있는 원반 또는 4각형의 패드⦆.

cur·so·ri·al [kəːrsɔ́ːriəl] *a.* 〖동물〗 달리기에 알맞은⦅발을 가진⦆, 주행성(走行性)의: ~ birds 주금류(走禽類)⦅타조 · 화식조(火食鳥) 등⦆.

cur·so·ry [kə́ːrsəri] *a.* 몹시 서두른, 조잡한, 엉성한: give a report a ~ glance 보고서를 죽 훑어보다. ㊞ **-ri·ly** [-rili] *ad.*

curst [kəːrst] ⦅고어⦆ CURSE의 과거 · 과거 분사. —*a.* =CURSED.

°**curt** [kəːrt] *a.* 짧은, 간략한; 무뚝뚝한, 퉁명스런; 짤막하게 자른: a ~ answer 〔reply〕 퉁명스런 대답/a ~ way of speaking 무뚝뚝한 말투/be ~ to a person 아무에게 무뚝뚝하다〔퉁명스럽다〕. ㊞ **∠·ly** *ad.* **∠·ness** *n.*

curt. current.

°**cur·tail** [kəːrtéil] *vt.* 짧게 (잘라) 줄이다; 생략하다; (원고 따위)를 간략하게 하다; 단축하다; 삭감하다: ~ a program 예정 계획을 단축하다/have one's pay ~*ed* 감봉(減俸)되다. ㊞ **~ed** *a.*

cur·tail·ment *n.* Ⓤ (구체적으로는 Ⓒ) 줄임, 단축, 삭감: ~ of expenditure 경비 절감.

*°**cur·tain** [kə́ːrtən] *n.* 1 Ⓒ **커튼**, 휘장: draw down the ~ 커튼을 내리다. 2 **a** Ⓒ (극장의) **막**. **b** =CURTAIN CALL. **c** Ⓤ 개막, 개연(開演), 종연(終演). 3 Ⓒ 막 모양의 것; 막 모양의 칸막이; 〖축성(築城)〗 막벽(幕壁)⦅두 능보(稜堡)를 잇는 것⦆; 〖건축〗 =CURTAIN WALL: a ~ *of* secrecy 비밀의 베일. 4 (*pl.*) ⦅속어⦆ 죽음, 최후, 종말; 해고.
behind the ~ 음으로, 배후에서; 비밀히; 남몰래. ***Curtain!*** 여기서 막!⦅다음은 상상해 보시라; 관객의 주의를 끌기 위한 말⦆ (Tableau!). ***draw*** 〔***throw, cast***〕 ***a ~ over…*** =draw a VEIL over …. ***draw the ~ on*** …에 커튼을 치고 가리다; …을 (다음은 말 않고) 끝내다. ***drop*** 〔***raise***〕 ***the ~*** (극장의) 막을 올리다〔내리다〕, 종연〔개연〕하다. ***lift the ~ on…*** …을 시작하다; …을 터놓고 이야기하다. ***ring up*** 〔***down***〕 ***the ~*** 벨을 울려서 막을 올리다〔내리다〕; 개시를〔종말을〕 고하다⦅***on*** …의⦆: His death *rang down the ~ on* an age. 그의 죽음은 한 시대의 종말을 고했다. ***The ~ falls*** 〔***drops, is dropped***〕. (연극의) 막이 내리다; (사건이) 끝나다. ***The ~ rises*** 〔***is raised***〕. (연극의) 막이 오르다, 개막되다; (사건이) 시작되다.
—*vt.* 1 …에 (장)막을 치다; …을 (장)막으로 덮다: ~*ed* windows 커튼을 친 창문. 2 ⦅+목+부⦆ (장)막으로 가르다〔막다〕(*off*): ~ *off* part of a room 커튼으로 방 한쪽을 막다.

cúrtain càll (배우를 무대로) 다시 불러내기.

cúrtain lècture 베갯밑 공사⦅아내가 잠자리에서 남편에게 하는 잔소리⦆.

cúrtain ràiser 개막극⦅본극이 시작되기 전에 하는 짧은 극⦆; ⦅구어⦆ (리그의) 개막전(戰); (경기의) 첫회, (더블헤더의) 첫 경기; ⦅비유적⦆ 개시, 전조: For Americans Pearl Harbor was the ~ for World War II. 미국인들에게는 진주만 공격이 제2차 세계대전의 예고였다.

cúrtain wàll 〖건축〗 칸막이 벽⦅건물의 무게를 지탱하지 않는⦆; 〖축성(築城)〗 =CURTAIN.

°**curt·sey, curt·sy** [kə́ːrtsi] *n.* Ⓒ (여성이 무릎과 상체를 굽히고 하는) **인사**, **절**: make one's ~ to the queen (여성이) 여왕을 배알하다.
—*vi.* 무릎을 굽혀 인사하다⦅***to*** (아무)에게⦆.

cur·va·ceous, -cious [kəːrvéiʃəs] *a.* ⦅구어⦆ 곡선미의, 육체미의⦅여성에 대한 말⦆.

cur·va·ture [kə́ːrvətʃər] *n.* Ⓤ (구체적으로는 Ⓒ) 굴곡, 만곡(彎曲); 곡선; 〖수학 · 물리〗 곡률(曲率); 〖의학〗 이상 만곡: the ~ of space (상대성 원리에 의한) 공간 곡률.

*°**curve** [kəːrv] *n.* Ⓒ 1 **만곡**(부 · 물(物)), 굽음, 휨; 커브: a ~ in the road 도로의 커브/go round 〔take〕 a ~ 커브를 돌다. 2 곡선, 곡선 모양의 물건. 3 〖야구〗 곡구(曲球). 4 〖통계〗 곡선도표, 그래프; 운형(雲形)자. 5 사기, 속임, 부정. 6 〖교육〗 상대 평가⦅학생의 인원 비례에 의한⦆: mark on a 〔the〕 ~ 상대 평가로 평점하다. 7 (보통 *pl.*) (여성의) 곡선미; (곡선미의) 미인(美人): a woman with ample ~*s* 풍만한 곡선미의 여인.
—*vt.* ⦅~+목/+목+부/+목+전+명⦆ 구부리다; 만곡시키다; 〖야구〗 커브시키다. —*vi.* ⦅~/+부/+전+명⦆ 구부러지다, 만곡하다: The road ~*s round* 〔*around*〕 the gas station. 도로가 그 주유소의 둘레를 돌아서 나 있다.

cúrve bàll 〖야구〗 커브.

curved *a.* 굽은, 곡선 모양의.

cur·vet [kə́ːrvit] *n.* Ⓒ 〖승마〗 등약(騰躍)⦅앞발이 땅에 닿기 전에 뒷발로 뛰어오르기⦆; 도약, 커벳: cut a ~ 등약하다. —(***-tt-***) [kərvét, kə́ːrvit] *vi.* (말이) 등약하다. —*vt.* (말)을 등약시키다, 커벳시키다.

cur·vi·lin·e·al, -e·ar [kəːrvilíniəl], [-niər] *a.* 곡선의〔으로 된〕; 화려한, 곡선미의: ~ style 곡선 장식 양식. ㊞ **~·ly** *ad.*

curvy [kə́ːrvi] *a.* ⦅구어⦆ 굽은; 곡선미의.

*°**cush·ion** [kúʃən] *n.* Ⓒ 1 **쿠션**, **방석**; (쿠션) 베개. 2 쿠션 모양의 물건; 받침 방석; 바늘겨레 (pincushion); (머리에 덧넣는) 다리; (스커트 허리에 대는) 허리받이; (신에 넣는) 패드. 3 **완충물**, 충격을 늦추는 것; (당구대의) 쿠션; 〖기계〗 공기 쿠션. 4 마이너스 효과를 막는 것; 마음의 고통을 달래는 것; 경기 퇴행을 완화하는 요소⦅***against*** …에 대한⦆; 예비비; (고통을 더는) 약, 치료: a ~ *against* inflation 인플레이션 완화책.
—*vt.* 1 …에 **쿠션을 대다**; …을 방석 위에 놓다〔앉히다〕. 2 (충격 · 자극 · 악영향 따위)를 완화시키다, 흡수하다; (불평 따위)를 **무마하다**, 가라앉히다: The grass ~*ed* his fall. 잔디가 그의 추락에 쿠션 역할을 했다. 3 ⦅+목+전+명⦆ 지키다, 보호하다⦅***from, against*** …으로부터⦆: We try

to ~ our children *from* the hard realities of life. 우리는 자녀들을 삶의 험난한 현실로부터 보호하려고 애를 쓴다.

cushy [kúʃi] (*cush·i·er; -i·est*) *a.* 《구어》 쉬운, 편하게 돈버는《일·지위 따위》; 《美》 (자리 따위가) 포근한, 쾌적한.

cusp [kʌsp] *n.* Ⓒ 뾰족한 끝; 〖해부·생물〗 (치아·잎 따위의) 첨단, 첨두(尖頭); 〖천문〗 (초승달의) 끝.

cus·pid [kʌ́spid] *n.* Ⓒ 〖해부〗 (특히 사람의) 송곳니(canine tooth).

cus·pi·date, -dat·ed [kʌ́spədèit], [-id] *a.* 첨단(尖端)이 있는, 끝이 뾰족한.

cus·pi·dor(e) [kʌ́spədɔ̀ːr] *n.* Ⓒ 《美》 타구(唾具)(spittoon).

cuss [kʌs] 《구어》 *n.* Ⓒ 저주, 욕설, 악담; 녀석, 새끼. **—** *vt., vi.* =CURSE.

cuss·ed [kʌ́sid] *a.* 《구어》 =CURSED; 고집통이의, 빙퉁그러진. ㊞ **~·ly** *ad.* **~·ness** *n.*

°**cus·tard** [kʌ́stərd] *n.* **1** Ⓤ (낱개는 Ⓒ) 커스터드《우유·달걀·설탕 따위를 섞어 찌거나 구운 과자》; 커스터드소스《우유·달걀 또는 곡식 가루를 섞어 찐 단맛이 나는 소스》. **2** Ⓒ 커스터드《디저트》.

cus·to·di·al [kʌstóudiəl] *a.* 보관〔보호〕의.

cus·to·di·an [kʌstóudiən] *n.* Ⓒ (미술관·도서관 따위 공공 건물의) 관리인, 보관자; 수위.

°**cus·to·dy** [kʌ́stədi] *n.* Ⓤ **1** 보관, 관리; 보호, 감독: be in the ~ *of* …에 관리〔보관, 보호〕되어 있다/have the ~ *of* …을 보관〔관리〕하다. **2** (관헌의) 보호 관리. **3** 〖보통 in 〔into〕 ~로〗 구금, 구류: keep *in* ~ 수감〔구치〕하고 있다/take a person *into* ~ 아무를 구류〔수감〕하다. **4** 〖관사 없이〗〖법률〗 (특히 이혼·별거에서) 자녀 양육권(child custody): ~ battle 자녀 양육권 다툼/~ hearings 자녀 양육권 재판.

‡**cus·tom** [kʌ́stəm] *n.* **1** Ⓒ (집합적으로는 Ⓤ) **관습, 풍습**, 관행: manners and ~*s* of a country 일국의 풍속 습관. **2** Ⓒ (집합적으로는 Ⓤ) (개인의) 습관, 습관적 행위《★ 이 의미로는 habit가 더 일반적》: *Custom* makes all things easy. 《속담》 배우기보다 익혀라/*Custom* is second nature. 《속담》 습관은 제2의 천성이다/It's my ~ to go for a walk before breakfast. 아침 식사 전에 산책하는 것은 나의 습관이다. SYN. ⇨ HABIT. **3** Ⓒ 〖법률〗 관례, 관습(법). **4** Ⓤ (상점 등에 대한 손님의) 애호, 애고(愛顧); 〖집합적〗 고객: increase 〔lose〕 ~ 단골을 늘리다〔잃다〕/withdraw 〔take away〕 one's ~ from a store 어느 가게에 단골로 다니기를 그만하다. **5** (*pl.*) **관세. 6** (the ~s; 종종 the C-s) 〖보통 단수취급〗 **세관**: pass 〔go through〕 (the) ~*s* 세관을 통과하다.
— *a.* Ⓐ **1** 《美》 (기성품에 대해) 맞춘, 주문한: ~ clothes 맞춤 옷(tailor-made 〔made-to-measure〕 clothes)/a ~ tailor (맞춤 전문) 재단사. **2** (*pl.*) 세관의, 관세의: ~*s* duties 관세/a ~*s* officer 세관원.

cus·tom·ar·i·ly [kʌ́stəmèrəli, 《강조》 kʌ̀stəmér-/kʌ́stəmər-] *ad.* 습관적으로, 관례상.

*°**cus·tom·ary** [kʌ́stəmèri/-məri] *a.* **습관적인**, 재래의, 통례의《*for, with* (아무)의》; 〖법률〗 관례에 의한, 관습상의: It is ~ *for* 〔*with*〕 me to get up at six. 6시에 일어나는 것이 나의 습관이다/a ~ law 관습법/a ~ price 관습 가격.

cústom-buílt *a.* 주문제의《자동차 따위》.

‡**cus·tom·er** [kʌ́stəmər] *n.* Ⓒ **1** (가게의) 손님, 고객; **단골**, 거래처: A salesman's job is to seek out ~*s*. 세일즈맨의 일은 고객을 찾아내는 일이다/The ~ is always right. 손님은 왕이다 《가게·호텔 따위의 고객에 대한 좌우명》. **2** 《구어》 놈, 녀석: a cool ~ 냉정한 놈/a tough ~ 벅찬 상대.

°**cústom·hòuse, cústoms·hòuse** (*pl.* *-hòus·es*) *n.* Ⓒ 세관.

cústom-máde *a.* (기성품에 대하여) 주문품의, 맞춤의. ↔ *ready-made*.

†**cut** [kʌt] (*p., pp.* **~;** **∠·ting**) *vt.* **1** 《~+목/+목+보/+목+전+명》 **베다**; 자르다《*with, on* …으로》; 〖~oneself〗 (실수로) 베다, 상처입히다: ~ one's finger *with* a kitchen knife 부엌칼로 손가락을 베다/~ the envelope open 봉투를 잘라 열다/He ~ his hand *on* a piece of glass. 그는 유리조각에 손을 베었다/I ~ my*self* on the cheek *with* my razor. 면도하다가 실수로 볼을 베었다.

SYN. **cut** 잘 드는 날붙이로 자름을 나타냄: *cut* one's finger with a knife 칼에 손가락을 베다. **chop** 힘껏 두드려서 자름을 말함: *chop* trees with an ax 도끼로 나무를 내리침. **hack** 자잘한 것을 가리지 않고 닥치는 대로 잘라버림을 이름.

2 《~+목/+목+목/+목+전+명/+목+보/+목+부》 잘라 주다《*for* …에게》; 절단하다, 잘라내다(*away; off*)《*from, out of* …에서》; (나무)를 자르다(*down*); (풀·머리 등)을 깎다, (꽃 등)을 따다; (고기·빵 등)을 베어 가르다《*in, into, to* (…조각)으로》; 《美속어》 (이익)을 분할하다(*up*); 《美속어》 분담하다, 공유하다: ~ the lawn close 잔디를 짧게 깎다/have one's hair ~ (이발소에서) 머리를 깎다/~ one's hair short 머리를 짧게 깎다/~ *down* trees 나무를 자르다/*Cut* me a slice of bread. =*Cut* a slice of bread *for* me. 빵 한 조각을 잘라 줘요/~ the cake *in* half 케이크를 반분하다/Let's ~ (*up*) the profits 50-50. 이익을 5대5로 분배하자/~ (*away*) the dead branches *from* a tree 나무에서 죽은 가지를 치다.

3 (선 따위가 다른 선 따위와) 교차하다; (강 따위가) …을 가로지르다.

4 《~+목/+목+전+명》 **a** (길 따위)를 내다《*through* …에》: ~ a trench 도랑을 파다/~ a road *through* a forest 숲에 길을 내다. **b** 〖~ one's way로〗 헤치고 나아가다《*through* …을》: He ~ his *way through* the jungle with machete. 그는 긴 칼을 휘둘러서 정글을 헤치고 나갔다.

5 《~+목/+목+전+명》 (보석)을 잘라서 갈다, 깎다; 새기다, 파다《*in, into, on* (돌 따위)에》; (천·옷)을 재단하다, 마르다: ~ a coat 상의를 재단하다/~ a diamond 다이아몬드를 잘라서 갈다/He ~ his initials *on* 〔*into*〕 the tree. 그는 그 나무에 자기 이름 머리글자를 새겼다/a figure ~ *in* stone 돌에 새긴 상(像).

6 (레코드 따위)를 녹음하다: ~ a new CD 새 CD를 녹음하다.

7 《~+목/+목+부》 **긴축하다**; 삭감하다; (값·급료)를 깎다(*down*); (비용·공공서비스 등)을 줄이다(*back*): They ~ *down* the price by half during the sale. 그들은 특매 기간 중 가격을 절반으로 내렸다/~ the pay 급료를 내리다/Postal deliveries are being ~ (*back*). 우편 배달 횟수가 줄어들고 있다.

8 《~+목/+목+부/+목+전+명》 (기사·담화 따위)

를 짧게 하다; 삭제하다; (영화·각본 따위)를 컷〔편집〕하다(*out*)《**from** …에서》: ~ several scenes *from* the original film 원 영화에서 몇 장면을 컷하다.

9 《~+목/+목+부》《속어》(말 따위)를 그만두다, 중단하다(*out*); (아무(의 말))을 막다, 차단하다(*off*): He ~ me *off* in mid-sentence. 그는 발언 도중에 내 말을 막았다.

10 《구어》(두드러진 동작·태도 따위)를 보이다, 나타내다; 행하다: ~ a poor figure 초라하게 보이다.

11 (채찍 따위로) 세게 치다; (찬 바람 따위가) …의 살을 에다; …의 마음을 도려내다: ~ a person to the heart 아무에게 골수에 사무치도록 느끼게 하다.

12 《~+목/+목+부》《구어》짐짓 모른 체하다, 몽따다, 무시하다; 《비유적》관계를 끊다, 절교하다(*off*); 《구어》(회합·수업 등)을 빼먹다, 빠지다: His friends ~ him in the street. 그의 친구들은 거리에서 그를 만나도 모른 체했다/~ the English class 영어 수업을 빼먹다/~ an acquaintance 아무와 절교하다/~ *off* a relationship 관계를 끊다.

13 《~+목/+목+전+명》(술 따위)를 묽게 하다《**with** …으로》: ~ whiskey *with* water 위스키에 물을 타다.

14 (어린이가 새 이)를 내다: ~ a tooth 이가 나다.

15 〖카드놀이〗(패)를 떼다; 〖테니스〗(공)을 깎아치다, 커트하다.

16 《~+목/+목+부》차단하다, 방해하다; (전기·수도)를 끊다; 《구어》(엔진 따위)를 끄다(*off*): ~ (*off*) the supply of gas 〔electricity〕 가스〔전기〕 공급을 끊다.

— *vi.* **1 a** (날이) 들다: This razor won't ~. 이 면도날은 도무지 들지 않는다/This knife ~*s* well. 이 칼은 잘 든다/Butter from the fridge doesn't ~ easily. 냉장고에서 꺼낸 버터는 잘 잘라지지 않는다. **b** 《+전+명》칼로 자르다《**into** …을》; (칼로) 치려고 대들다《**at** …을》: The bridal couple ~ *into* the wedding cake. 신랑 신부는 웨딩 케이크를 잘랐다/He ~ *at* the enemy *with* the knife. 그는 적을 향해 칼로 내리쳤다.

2 《~/+전+명》곧바로 헤치고 나아가다, 뚫고 나아가다《**through** …을》: ~ *through* woods 숲을 헤치고 나아가다.

3 《~/+전+명》가로지르다《**across** …을》: ~ *across* a yard 마당을 질러가다.

4 《+전+명》(찬바람 따위가) 살을 에다; (문제점·핵심을) 찌르다; 남의 감정을 해치다, 골수에 사무치다: The wind ~ bitterly. 바람이 살을 에는 듯 몹시 찼다/The criticism ~ *at* me. 그 비평은 심히 견디기 어려웠다/His insight ~ *to* the heart of the problem. 그의 통찰력은 문제의 핵심을 찔렀다.

5 《~/+부/+전+명》《美구어》급히 떠나다〔가다〕, 질주하다, 도망치다: I ('ve) got to ~ *out* now. 자 이제 가볼까/The boy ~ *away through* the side gate. 소년은 쪽문을 통해 도망쳤다/He ~ *out of* the party. 그는 파티에서 휙 사라졌다.

6 《~/+부/+전+명》(자동차 따위가) 갑자기 방향을 바꾸다; 끼어들다: I ~ *over to* 〔*over, into*〕 the right hand lane. 나는 급히 오른쪽 차로로 들어갔다/A truck ~ *in front of* my car. 트럭이 내 차 앞으로 끼어들었다.

7 〖영화·TV〗〖보통 명령법으로〗촬영을 중단하다, 컷하다: Cut! 컷.

8 〖카드놀이〗(패를) 떼다.

9 〖테니스·크리켓〗공을 깎아치다.

be ~ out for 〔***to be***〕 〖보통 부정문에서〗 …에 적임이다, 소질이 있다: He *isn't* ~ *out for* business. 그는 장사에 적합치 않다. ***~ a caper*** ⇨ CAPER[1]. ***~ across*** ① (들판 등)을 질러가다(⇨*vi.* 3). ② …와 엇갈리다. ③ …을 초월하다: The issue ~ *across* party lines. 그 문제는 각 당의 정책 노선을 초월하는 것이었다. ④ …에 널리 미치다: The phenomenon ~*s across* the whole range of human activity. 그 현상은 인간 활동의 전분야에 미치고 있다. ***~ and run*** 《속어》허둥지둥 달아나다. ***~ a swath through*** ⇨SWATH. ***~ back*** 《*vt.*+부》① (나뭇가지 등)을 치다. ② …을 저하시키다, 줄이다(⇨*vt.* 7). — 《*vi.*+부》③ 삭감하다, 감소시키다《**on** …을》: He had to ~ *back on* his weekend golf. 그는 주말의 골프 횟수를 줄여야 했다. ④ (영화·소설 등에서) 컷백하다《**to** (앞서 묘사된 장면·인물 따위)에》. cf. cutback. ***~ both ways*** ① 양쪽에 다 유익하다. ② 좋은 면도 나쁜 면도 있다. ***~ corners*** ⇨CORNER. ***~ a person dead*** 아무를 모르는체하다. ***~ down*** 《*vt.*+부》① (나무)를 베어 넘기다(⇨*vt.* 2). ② (비용 따위)를 절약하다; (값)을 깎다(⇨*vt.* 7). ③ (병 따위가 아무)를 쓰러뜨리다: Cancer ~ him *down* in the prime of life. 그는 한창때 암으로 목숨을 잃었다. ④ (옷의 길이·치수 따위)를 줄여 고치다, 줄이다: I want this pair of trousers ~ *down*. 이 바지의 길이를 줄여주십시오. ⑤ …을 감량하다: ~ *down* smoking 담배를 줄이다. ⑥ …에게 값을 깎게 하다《**to** …으로, 까지》: He ~ the clerk *down to* £5 for the vase. 그는 점원과 흥정하여 꽃병 값을 5파운드로 깎았다. — 《*vi.*+부》⑦ 양을 줄이다《**on** (식품·담배 따위)의》: I'm ~*ting down on* sugar 〔smoking〕. 설탕〔담배〕의 양을 줄이고 있습니다. ***~ ... down to size*** (과대 평가된 사람·능력·문제 등)을 그에 상응한 수준에까지 내리다, …의 콧대를 꺾다. ***~ in*** 《*vi.*+부》① 끼어들다, 참견하다《**on** (남(의 말))에》: Let me ~ *in* with a remark about that. 그 일에 말참견 좀 합시다/Don't ~ *in on* me while I'm speaking. 내가 말하고 있을 때 말참견하지 말아 주세요. ② (사람·자동차가) 새치기하다《**on** …에》. ③ 《구어》춤 상대를 가로채다《**on** …에게서》. ***~ into*** ① …을 칼로 자르다(⇨1b). ② (이야기)를 가로막다; …에 끼어들다; (일 등이 시간)을 잡아먹다: He ~ *into* our conversation. 그는 우리들의 대화에 끼어들었다. ③ (이익·가치 등)을 줄이다: Inflation has ~ *into* our savings. 인플레 때문에 우리 예금이 줄었다. ***~ it*** 《美구어》〖종종 의문문·부정문〗훌륭하게 잘 하다; 바람직하게 활약하다. ***~ it fine*** ⇨FINE[1]. ***~ loose*** 사슬〔구속〕을 끊고 놓아 주다; 관계를 끊다; 도망치다《**from** …에서》; 《구어》거리낌없이 행동하다, 방자하게 굴다; 법석을 떨다. ***~ no ice*** ⇨ICE. ***~ off*** 《*vt.*+부》① …을 베어〔잘라〕내다, 떼어내다; 삭제하다《**from** …에서》(⇨*vt.* 2). ② …을 차단하다; (가스·수도·전기 따위)를 끊다(⇨*vt.* 16). ③ 관계를 끊다, 절교하다(⇨*vt.* 12). ④ (통화·연락 등)을 방해하다; (통화 중) 상대의 전화를 끊다. ⑤ (퇴로·조망 등)을 차단하다; (사람·마을·부대 따위)를 고립시키다《**from** …으로부터》: Many villages were ~ *off* by the snow. 많은 마을이 눈으로 고립되었다/~ oneself *off from* the world 세상과의 관계를 끊다. ⑥ (엔진 등)을 멈추

다. ⑦ 〖보통 수동태〗 (병 따위가 아무)를 쓰러뜨리다: He *was* ~ *off* in the prime of manhood. 그는 남자로서의 한창때 (병으로) 쓰러졌다. ~ ***off*** one***'s nose to spite*** one***'s face*** 짓궂게 굴다가 오히려 자기가 손해보다, 남을 해치려다 도리어 제가 불이익을 받다. ~ ***out*** 《*vt.*+[부]》 ① …을 베어내다; 오려내다: He ~ *out* the article for her. 그는 그녀를 위하여 그 기사를 오려냈다. ② (가축 한 마리)를 무리에서 떼어내다. ③ 《구어》 빼다; 생략하다: We shall ~ *out* unimportant details. 중요하지 않은 세세한 점은 생략할 것입니다. ④ 《구어》 (이야기 · 떠들기)를 그만하다: *Cut out* the noise. 조용하세요. ⑤ …의 식음을 끊다, 사용을 멈추다: ~ *out* all starchy foods 모든 녹말질 식품을 끊다. ⑥ (옷)을 재단하다. ⑦ (경쟁 상대)를 제쳐놓다, 앞지르다: The company succeeded in *cutting out* its major competitors. 그 회사는 주된 경쟁 상대를 앞지르는 데 성공했다. ⑧ …을 삭제〔제거〕하다(⇨*vt.* 8). —《*vi.*+[부]》 ⑨ (엔진 따위가) 멈추다, 정지하다; (기구가) 못쓰게 되다; (히터가) 저절로 정지하다: The engine ~ *out* in the middle of the highway. 엔진이 간선도로 한복판에서 멎어버렸다. ⑩ (앞차를 추월하려고 차가) 도로 한 쪽으로 붙다. ~ one***'s*** (***own***) ***throat*** ⇨THROAT. ~ a person***'s hair*** 아무를 놀라게 하다. ~ ***short*** ⇨SHORT. ~ one***'s teeth on*** 〔***in***〕 ⇨TOOTH. ***Cut the funny stuff!*** 농담 말게, 바보짓 그만둬. ~ ***up*** 《*vt.* +[부]》 ① …을 분할하다(⇨*vt.* 2). ② 째다; 잘게 썰다; 난도질하다; 《구어》 …에게 자상을 입히다. ③ (적군)을 괴멸시키다. ④ 《구어》 매섭게 혹평하다. ⑤ 《구어》 〖보통 수동태〗 (몹시) …의 마음을 아프게 하다, 슬프게 하다: She *was* terribly ~ *up* by her husband's death. 그녀는 남편이 죽어서 몹시 슬퍼했다. —《*vi.*+[부]》 ⑥ 재단되다, 마를 수 있다《***into*** (몇 벌)로》: How many suits will this piece of cloth ~ *up into?* 이 옷감으로 몇 벌의 옷이 재단될 수 있을까요. ⑦ 《美구어》 장난치다, 까불다, 익살떨다(clown). ⑧ 유산을 남기다《***for*** (어떤 액수)의》: He ~ *up for* a million pounds. 그는 백만 파운드의 재산을 남겼다. ~ ***up fat*** 〔***well***〕 유산을 많이 남기고 죽다. ~ ***up rough*** 〔***savage, rusty, stiff, ugly, nasty***〕 《구어》 성내다; 난폭하게 굴다, 설치다.

> [DIAL] ***Cut it*** 〔***that***〕 ***out!*** 시끄러워, 닥쳐.

—*a.* [A] **1** 벤; 베인 상처가 있는; 베어 낸, 짧게 자른, 잘게 썬; 재단된. **2** 새긴, 판; 〖식물〗 (잎끝이) 톱날같이 째진. **3** 삭감한, 바짝 줄인, 할인한: (at) ~ rates 〔prices〕 할인가격(으로). ~ ***and dried*** 〔***dry***〕 =CUT-AND-DRIED.

—*n.* **1** [C] (칼 따위로) 자르기《***at*** …을》; (매 · 채찍 따위로) **치기**: I made a ~ *at* the log with my axe. 도끼로 통나무를 한 번 잘랐다/He gave the horse a sharp ~ with his crop. 그는 채찍으로 말을 세게 내리쳤다.

2 [C] **베인 상처**; 벤 자리: I got a ~ on the left cheek while shaving. 면도하다가 왼쪽 볼을 베어 상처를 냈다.

3 [C] **삭감**, 절약, 인하《***in*** …의》: personnel ~*s* 인원 삭감/a one-percent ~ *in* income taxes 소득세의 1% 인하.

4 [C] (전력 · 공급 등의) **절단**, 정지; (각본 따위의) **삭제**, 컷, 컷한 부분; 〖영화 · TV〗 급격한 장면 전환; 컷; 〖컴퓨터〗 자르기.

5 [C] 한 조각; 《특히》 고깃점; 베어낸 살점: a ~ *of* beef 〔pork〕 쇠〔돼지〕고기 한 점.

6 (*sing.*) (양털 등의) 깎아낸 양; 《美》 (목재의) 벌채량.

7 (*sing.*) (옷의) 재단(법); (조발의) 형; (보석의) 커트: a suit of poor ~ 잘 만들지 못한 양복.

8 [C] 목판화; 삽화, 컷; 〖인쇄〗 판(版).

9 [C] (철로의) 개착; 해자(垓字), 수로; **지름길** (short cut); 횡단로.

10 [C] 냉혹한 처사; 신랄한 비꼼《***at*** …에 대한》: The remark was a ~ *at* me. 그 말은 나를 비꼬는 말이었다.

11 [C] 《구어》 (아는 사람에게) 모르는 체함; (수업 따위의) 빼먹기, 무단 결석.

12 [C] 배당, 몫《***of, in*** (이익 · 수익)의》: He wanted to take a 50% ~ *of* the profits. 그는 이익의 50%를 받고자 했다.

13 [C] 〖카드놀이〗 패를 떼기, 패 떼는 차례, 떼어서 나온 패.

14 [C] 〖구기〗 공을 깎아치기, 커트.

a ~ above 〔***below***〕 《구어》 …보다 한수 위〔아래〕: *a* ~ *above* one's neighbors 이웃사람들보다 한층 높은 신분. ***make the ~*** 목적에 도달하다, 성공하다. ***the ~ and thrust*** 활발한 토론; 격렬한 싸움.

cút-and-cóme-agàin [-ənd-] *n.* [U] 《英》 무진장, 풍부함.

cút-and-dríed, -drý *a.* (연설 · 계획 등이) 미리 준비된 대로의; 신선미 없는, 무미건조한; 활기 없는; 틀에 박힌, 평범한.

cút·awày *a.* (웃옷의) 앞자락을 뒤쪽으로 어슷하게 재단한; 〖기계〗 절단 작용이 있는; (설명도 등) 안이 보이게 표층부를 잘라낸. —*n.* [C] 모닝코트(=**∠ cóat**); 절단도《안이 보이는 설명도》; 〖영화 · TV〗 장면 전환.

cút·bàck *n.* [C] **1** 〖영화〗 컷백《두 장면의 평행 묘사》. **2** (생산 · 인원 등의) 삭감, 축소; 중지.

◇**cute** [kjuːt] *a.* 《구어》 **1** 《美》 날렵한, 영리한, 빈틈없는. **2** (아이 · 물건 등이) 귀여운, 예쁜: a ~ little girl 귀여운 소녀. **3** 《美》 멋진, 근사한, 최고의: completely ~ 《美》 핸섬한, 미남의. **4** 《美》 생각이 세심한, 눈치 빠른, 재치 있는《***to*** do》: You were ~ 〔It was ~ *of* you〕 *to* do that for me. 저것을 저를 위해 해주시다니 당신도 참 자상하시군요. **5** 《美》 아니꼬운, 뽐내는, 점잔빼는, 젠체하는: Don't get ~ with me! 잘난 체해봤자 소용없어. [파] **∠·ly** *ad.* **∠·ness** *n.*

cút gláss 컷글라스《조탁(彫琢) 세공 유리(그릇)》.

cu·ti·cle [kjúːtikl] *n.* [C] 〖해부 · 동물〗 표피(表皮), 외피; 〖식물〗 상피(上皮); (손톱 뿌리 쪽의) 연한 살갗.

cu·tie, 《美》 **cut·ey** [kjúːti] *n.* [C] **1** 《속어》 〖종종 호칭으로〗 귀여운 아가씨. **2** 상대를 앞지르려는 사람〔선수〕, 모사(謀士); 아는 체하는〔건방진〕 놈; 교묘한 작전; 책략.

cu·tis [kjúːtis] (*pl.* **~·es, -tis** [-tiːz]) *n.* 《L.》 [C] 〖해부〗 피부, 진피(眞皮); 〖식물〗 표피(表皮).

cut·las(s) [kʌ́tləs] *n.* [C] (예전에 선원 등이 사용한) 도신(刀身)이 넓고 위로 휜〔뒨〕 단도.

cut·ler [kʌ́tlər] *n.* [C] (특히 식탁용) 날붙이 장인(匠人), 칼장수.

cut·lery [kʌ́tləri] *n.* [U] 〖집합적〗 (가정용) 날붙이; 식탁용 철물《나이프 · 포크 · 스푼 따위》.

cut·let [kʌ́tlit] *n.* [C] (소 · 양 · 돼지의) 얇게 저민 고기; 커틀릿; (저민 고기 · 생선살 등의) 커틀릿형 크로켓.

cút·lìne *n.* [C] (신문 · 잡지의 사진 등의) 설명 문

구(caption).

cút·òff *n.* Ⓒ **1** 절단, 차단; 분리, 구별. **2** 〖전자〗 컷오프《전자관 · 반도체 소자 등의 전류가 끊김》. **3** (파이프 따위의) 차단〔잠금〕 장치. **4** 《美》 지름길, (고속 도로의) 출구. **5** (보통 *pl.*) 컷오프《무릎 위에서 잘라내어 올을 푼 블루진 바지》. **6** (신청의) 마감일; (회계의) 결산일.

cút·òut *n.* Ⓒ **1** 차단; 도려내기〔꿰매 붙이기〕 세공, 도려낸 그림; (각본 · 필름 등의) 삭제 부분. **2** 〖전기〗 안전기(器), 개폐기, 컷아웃.

cútout bòx 《美》 (전기의) 안전기 수납 상자, 퓨즈 상자.

cút·òver *a., n.* Ⓒ 《美》 벌목이 끝난 (땅).

cút-prìce *a.* 에누리한, 특가의, (값이) 싼; 특가품을 매매하는: ~ goods 〔merchandise〕 특가품/a ~ store 특가 매점.

cút-ráte *a.* 할인한; 싸게 파는; 싸구려의; 날림치의〔질이 나쁜〕: a ~ ticket 할인표.

°**cút·ter** *n.* Ⓒ **1** 자르는〔베는〕 사람; 재단사; 〖영화〗 필름 편집자. **2** 절단기; (연모의) 날, 절삭 공구; 〖해부〗 앞니(incisor). **3** (말 한 필이 끄는) 작은 썰매. **4** 〖해사〗 군함용의 소정(小艇), 커터; 외대박이 돛배의 일종; 《美》 밀수 감시선, 연안 경비선.

cút·thròat *n.* Ⓒ 살인자(murderer), 흉한(凶漢); =CUTTHROAT RAZOR. **—***a.* Ⓐ 흉악한; 살인의; 〖카드놀이〗 (브리지 등) 셋이 하는 게임의; (경쟁 따위가) 격렬〔치열〕한: a ~ competition 치열한 경쟁.

cútthroat rázor (칼집이 없는) 서양 면도날.

°**cút·ting** *n.* **1** Ⓤ (구체적으로는 Ⓒ) 절단, 재단, 도려〔베어〕 내기; 벌채. **2** Ⓒ (잘라낸) 한 조각; 꺾꽂이순, 삽수(揷穗); 잘라낸 지스러기; 《英》 (신문 · 잡지 등의) 오려낸 것(《美》 clipping). **3** Ⓤ 〖영화〗 필름 편집. **—***a.* (날이) 잘 드는, 예리한; (눈 등이) 날카로운; (바람 등이) 살을 에는 듯한; 통렬한, 비꼬는: a ~ retort 통렬한 반박.

cútting édge (the ~) 최전선, 선두, 최첨단: be on the ~ *of* the information revolution 정보 혁명의 최전선에서 활동하고 있다.

cút·ting·ly *ad.* 살을 에일 듯이, 날카롭게; 통렬하게.

cútting ròom (필름 · 테이프) 편집실.

cut·tle [kʌ́tl] *n.* =CUTTLEFISH; CUTTLEBONE.

cúttle·bòne *n.* Ⓒ 오징어 뼈.

cúttle·fish (*pl.* ***-fish·es,*** 〔집합적〕 ***-fish***) *n.* Ⓒ 〖동물〗 오징어; Ⓤ 오징어의 살: ~ tactics (구축함 따위의) 연막 전술.

cút·ùp *n.* Ⓒ 《美구어》 개구쟁이, 장난꾸러기.

cút·wàter *n.* Ⓒ 이물〔뱃머리〕의 물결 헤치는 부분; (물살이 갈라져 쉽게 흐르게 하기 위한) 교각(橋脚)의 모난 가장자리.

cút·wòrm *n.* Ⓒ 〖곤충〗 뿌리 잘라먹는 벌레.

CVR 〖항공〗 Cockpit Voice Recorder (조종실 음성 녹음기). **CVS** computer-controlled vehicle system. **CW, C.W.** chemical warfare (화학전). **cwt.** hundredweight(s).

-cy [si] *suf.* '직(職), 지위, 신분; 성질, 상태; 집단, 계급; 행위, 작용' 의 뜻: captain*cy*, bankrupt*cy*. ★ 대개 -t, -te, -tic, -nt로 끝나는 형용사에 붙음.

cy·an [sáiæn, -ən] *n.* Ⓤ, *a.* 청록(색의).

cy·an·ic [saiǽnik] *a.* 〖화학〗 시안의〔을 함유한〕; 〖식물〗 푸른빛의: ~ acid 시안산(酸).

cy·a·nide [sáiənàid, -nid] *n.* Ⓤ 〖화학〗 시안화물; 《특히》 청산칼리; 청산나트륨: mercury ~ 시안화 수은.

cy·a·no·sis [sàiənóusis] (*pl.* ***-ses*** [-siːz]) *n.* Ⓤ 〖의학〗 청색증(青色症), 치아노오제《산소 결핍으로 혈액이 암자색을 띠는 상태》.

Cyb·e·le [síbəlìː] *n.* 〖신화〗 퀴벨레《Phrygia의 대지(大地)의 여신; the Great Mother라고 부르며, 곡식의 결실을 표상함; 그리스 신화의 Rhea에 해당》.

cy·ber- [sáibər] '전자 통신망과 가상 현실' 의 뜻의 결합사.

cýber·cròok *n.* Ⓒ (컴퓨터 체계를 혼란시키는) 무법침입자.

cy·ber·nate [sáibərnèit] *vt.* 사이버네이션화〔인공 두뇌화〕하다, 컴퓨터로 자동 제어화(化)하다. ㊕ **-nat·ed** [-nèitid] *a.* 컴퓨터로 자동 제어화한, 인공 두뇌화한.

cỳber·nátion *n.* Ⓤ 사이버네이션《컴퓨터에 의한 자동 제어》.

cy·ber·net·ic, -i·cal [sàibərnétik], [-əl] *a.* 인공 두뇌학의: ~ organism 특수 환경 적응 생체. ㊕ **-i·cal·ly** *ad.*

cỳ·ber·nét·ics *n.* Ⓤ 인공 두뇌학, 사이버네틱스《제어와 전달의 이론 및 기술을 비교 연구하는 학문》.

cy·borg [sáibɔːrg] *n.* Ⓒ 사이보그《우주 공간처럼 특수한 환경에서도 살 수 있게 신체 기관의 일부가 기계로 대치된 인간 · 생물체》.

cyc·la·men [sikləmən, sái-, -mèn] *n.* Ⓒ 〖식물〗 시클라멘.

‡**cy·cle** [sáikl] *n.* Ⓒ **1 순환**, 한 바퀴: ⇨BUSINESS CYCLE/the ~ of the seasons 계절의 순환/the ~ theory 〖경제〗 경기 순환설. **2 주기,** 순환기: move in a ~ 주기적으로 순환하다. **3** 한 시대, 긴 세월. **4** 완전한 한 바퀴; (사시(史詩) · 전설 따위의) 일군(一群); 전체: the Arthurian ~ 아서왕 전설집. **5** 〖전기〗 사이클, 주파; 〖물리〗 순환 과정; 〖수학〗 윤체(輪體), 순회 치환(置換). **6** 자전거; 3륜차(tricycle); 오토바이: by ~ 자전거〔3륜차, 오토바이〕로(《★ 관사 없이》). **7** 〖컴퓨터〗 주기, 사이클《⑴ 컴퓨터의 1회 처리를 완료하는 데 필요한 최소 시간 간격. ⑵ 1 단위로서 반복되는 일련의 컴퓨터 동작》.

—*vi.* **1** 순환〔윤회〕하다; 회귀하다; 주기를 이루다. **2** 《~/+전+명》 자전거〔오토바이〕를 타(고 가)다; 자전거 여행을 하다: ~ *to* school 자전거로 학교에 다니다/go *cycling* 자전거 타러 가다.

cýcle·tràck, -wày *n.* Ⓒ 자전거 길.

cy·clic, -li·cal [sáiklik, sík-], [-əl] *a.* **1** 주기(周期)의; 윤전하는, 순환하는; 〖화학〗 고리(모양)의. **2** (cyclic) 사시(史詩)〔전설〕에 관한. ㊕ **cý·cli·cal·ly** *ad.*

cýclic redúndancy chèck 〖컴퓨터〗 순환 중복 검사《데이터 전송시의 오류를 검출하는; 생략: CRC》.

*****cy·cling** [sáikliŋ] *n.* Ⓤ **사이클링, 자전거 타기, 자전거 여행;** 〖경기〗 자전거 경기.

*****cy·clist** [sáiklist] *n.* Ⓒ **자전거 타는 사람**〔선수〕; 순환설 주장자.

°**cy·clone** [sáikloun] *n.* Ⓒ 〖기상〗 구풍(颶風), (인도양 방면의) 폭풍우, 사이클론; 《美》 맹렬한 회오리 바람. SYN. ⇨STORM. ★ 열대성 저기압을 멕시코만 방면에서는 hurricane, 서태평양 방면에서는 typhoon, 인도양 방면에서는 cyclone이라고 함. ㊕ **cy·clon·ic, -i·cal** [saiklɑ́nik/-klɔ́n-], [-əl] *a.*

Cy·clo·pe·an, Cy·clop·ic [sàikləpíːən],

[saiklápik/-lɔ́p-] *a.* Cyclops의; (종종 c-) 거대한; 외눈박이의.

Cy·clops [sáiklɑps/-klɔps] (*pl.* ***Cy·clo·pes*** [saiklóupi:z]) *n.* Ⓒ 【그리스신화】 키클롭스 《Sicily 섬에 살았다는 외눈의 거인》.

cy·clo·tron [sáiklətràn/-trɔ̀n] *n.* Ⓒ 【물리】 사이클로트론《하전(荷電) 입자 가속 장치》.

cyg·net [sígnit] *n.* Ⓒ 백조〔고니〕의 새끼.

Cyg·nus [sígnəs] *n.* 【천문】 백조자리.

cyl. cylinder; cylindrical.

cyl·in·der** [sílindər] *n.* Ⓒ **1 원통;** 【수학】 **원기둥;** 주면체(柱面體). **2** 【기계】 실린더, 기통; (회전식 권총의) 탄창: This car has six ~*s*. 이 자동차는 6기통이다. **3** 【컴퓨터】 실린더《자기(磁氣) 디스크 장치의 기억 장소의 단위》. ***function 〔***click, hit, operate***〕 ***on all*** 〔***four, six***〕 **~*s*** (엔진이) 모두 가동하고 있다; 《비유적》 전력을 다하고 있다, 풀 가동이다. ***miss on all*** 〔***four***〕 **~*s*** 상태가 나쁘다, 저조하다. ***on every*** ~ 〔***all*** **~*s***〕 풀 가동하여.

cy·lin·dric, -i·cal [silíndrik], [-əl] *a.* 원통 모양의, 원주 모양의. ㊉ **-cal·ly** *ad.*

cym·bal [símbəl] *n.* Ⓒ (보통 *pl.*) 【음악】 심벌즈《타악기》. ㊉ **~·ist, ~·er** [-bələr] *n.* Ⓒ 심벌즈 연주자.

Cym·ric [kímrik, sím-] *a.* 웨일스 사람〔말〕의. **—*n.*** Ⓤ 웨일스 말《생략: Cym.》.

cyn·ic [sínik] *n.* **1** (C-) Ⓒ 견유학파(犬儒學派)의 사람. **2** (the C-s) 키니코스〔견유〕학파 《Antisthenes가 창시한 고대 그리스 철학의 한 파》. **3** Ⓒ 냉소하는 사람, 비꼬는 사람. **—*a.*** **1** (C-) 견유학파의. **2** =CYNICAL.

◇**cyn·i·cal** [sínikəl] *a.* 냉소적인, 비꼬는《***about*** …에 대하여》; 인생을 백안시하는: a ~ smile 냉소적인 웃음/He was ~ *about* her prospects for success. 그는 그녀의 성공 가망성에 대하여 냉소적이었다. ㊉ **~·ly** *ad.*

cyn·i·cism [sínəsìzəm] *n.* **1** (C-) Ⓤ 견유(犬儒)주의. **2** Ⓤ 냉소, 비꼬는 버릇; Ⓒ 꼬집는〔비꼬는〕 말〔생각, 행위〕.

cy·no·sure [sáinəʃùər, sínə-] *n.* Ⓒ 주목〔주시, 찬미〕의 대상: the ~ *of* all eyes 〔of the world〕 만인이 주목하는 대상.

Cyn·thia [sínθiə] *n.* **1** 【그리스신화】 킨티아 《달의 여신 Artemis 〔Diana〕의 별명》. **2** Ⓤ 《시어》 달.

cypher ⇨CIPHER.

◇**cy·press** [sáipris] *n.* **1** Ⓒ 【식물】 삼(杉)나무의 일종; 그 가지《애도의 상징》: a Japanese ~ 【식물】 노송나무. **2** Ⓤ 그 재목.

Cyp·ri·an [sípriən] *a.* cyprus 의, Cyprus 사람〔말〕의; 사랑의 여신 Aphrodite 〔Venus〕의. **—*n.*** **1** Ⓒ Cyprus 사람. **2** (the ~) (여신) 비너스(Venus). ★ Cyprus인의 뜻으로는 지금은 Cypriot가 보통.

Cyp·ri·ot, -ote [sípriɔ̀t] *n.* Ⓒ Cyprus 사람; Ⓤ Cyprus 말. **—*a.*** =CYPRIAN.

Cy·prus [sáiprəs] *n.* 키프로스《지중해 동단의 섬 · 공화국; 여신 Venus 의 출생지라는 전설이 있음; 수도 Nicosia》.

Cy·ril·lic [sirílik] *a.* 키릴 자모〔문자〕의〔로 쓰인〕: the ~ alphabet 키릴 알파벳《현재의 러시아어 · 불가리아어 등의 알파벳》. **—*n.*** Ⓤ 키릴 알파벳.

cyst [sist] *n.* Ⓒ 【생물】 포낭(包囊); 【의학】 낭포(囊胞), 낭종(囊腫): the urinary ~ 방광.

cys·tic [sístik] *a.* **1** 포낭이 있는. **2** 【의학】 방광의; 담낭의.

cýstic fibrósis 【의학】 낭포성 섬유증(纖維症).

cys·ti·tis [sistáitis] *n.* Ⓤ 【의학】 방광염.

cy·tol·o·gist [saitálədʒist/-tɔ́l-] *n.* Ⓒ 세포학자.

cy·tol·o·gy [saitálədʒi/-tɔ́l-] *n.* Ⓤ 세포학.

cy·to·plasm [sáitouplæ̀zm] *n.* Ⓤ 【생물】 세포질.

◇**czar** [zɑ:r] *n.* Ⓒ **1** (C-) 차르, 러시아 황제. **2** 전제 군주(autocrat); 독재자. **3** 제일인자, 지도자, 권위자, 대가: a ~ of industry =an industrial ~ 공업왕. ★tsar, tzar 라고도 씀.

cza·ri·na [zɑ:rí:nə] *n.* Ⓒ (제정 러시아의) 황후.

czar·ism [zá:rizəm] *n.* Ⓤ (특히 제정 러시아 황제의) 독재〔전제〕 정치.

cza·rit·za [zɑ:rítsə] *n.* =CZARINA.

Czech, Czekh [tʃek] *n.* Ⓒ 체코 사람 《Bohemia 와 Moravia 에 사는 슬라브 민족》; Ⓤ 체코 말. **—*a.*** 체코(사람, 말)의.

Czech., Czechosl. Czechoslovakia(n).

Czech·o·slo·vak, -Slo·vak [tʃèkəslóuvɑ:k, -væk] *n.* Ⓒ, *a.* (옛) 체코슬로바키아 사람(의).

Czech·o·slo·va·kia, -Slo·va·kia [tʃèkəsləvá:kiə, -vǽk-] *n.* 체코슬로바키아《Bohemia, Moravia, Silesia, Slovakia 로 이루어진 유럽 중부의 공화국: 1993년 체코 공화국, 슬로바키아 공화국으로 각기 분리 독립함》. ㊉ **-ki·an** *a.*, *n.*

Czéck Repúblic (the ~) 체코 공화국《유럽 중부의 독립국; 수도는 Prague》.

D

D^{1}, **d** [diː] (*pl.* **D's, *Ds*, d's, *ds*** [-z]) *n.* **1** [U] (구체적으로는 [C]) 디《영어 알파벳의 넷째 글자; [cf] delta 1》. **2** [U] (연속된 것의) 네 번째 것(사람). **3** [U] (로마 숫자의) 500: *CD*(*cd*) = 400/*DC*(*dc*) = 600.

D^{2} (*pl.* **D's, Ds** [-z]) *n.* **1** [C] D자형(의 것). **2** [U] (구체적으로는 [C]) (5단계 평가에서) 가(可), 디《최하위 합격 성적; [cf] grade 4》. **3** [U] 〖음악〗 **a** 라음(音)《도레미 창법의 레음》: *D* flat (sharp) 플랫(샤프) 라음. **b** 라조(調): *D* major (minor) 라장조(단조). **—*a.*** 평균 이하의, 불량한.

D density; 〖자동차〗 drive; 〖화학〗《기호》 deuterium. **D.** December; Democrat(ic); Department; *Deus*《L. =God》; Doctor; Don; Duchess; Duke; Dutch. **d.** dele, date; daughter(s); dead; degree; 〖교정〗 dele; delete; denarius, denarii; departs; diameter; died; dime; dividend; dollar; dose(s); drachma(s); dram(s); drama.

d— [diː, dæm] =DAMN.

d' [də] 《you 앞에 써서》《구어》 do의 간약형: d'you.

'd [d] 《구어》 **1** 《대명사의 주어 뒤에서》 (특히 I, we, you, he, she, they 뒤에 오는) had, would, should 의 간약형《보기: I'*d*》. **2** 《where, what, when 등의 의문문에서》 조동사 did의 간약형《보기: Where'*d* they go?》.

DA 《美》 District Attorney.

dab^{1} [dæb] (***-bb-***) *vt.* **1** 가볍게 두드리다(tap); 가볍게 두드리듯 대다《***with*** …으로》: ~ one's cheek *with* powder (a powder puff) 볼에 분을 가볍게 두드려대다 / ~ one's eyes *with* a handkerchief 손수건을 가볍게 눈에 대다. **2** (페인트·연고 등)을 살살 칠하다《***on, over*** …에》: He ~*bed* paint *on* the wall. 그는 벽에 페인트를 칠했다. **—*vi.*** 가볍게 두드리다(닿다, 대다)《***at*** …을; ***with*** …으로》: ~ *at* one's face *with* a puff 분첩으로 얼굴을 토닥거리다. ~ ***off*** 《*vt.*+[부]》 (먼지)를 가볍게 두드려 털다.
—*n.* **1** [C] 가볍게 두드리기(대기)《***at*** …을; ***with*** …으로》; (페인트·약 등을) 가벼운 터치로 칠하기. **2** [C] 《구어》 소량《***of*** …의》: a ~ *of* butter (oil) 소량의 버터(기름). **3** (*pl.*) 《英속어》 지문. [파] **∠·ber** *n.*

dab^{2} (*pl.* **~, ~*s***) *n.* [C] 〖어류〗 작은 가자미류(類); [U] 작은 가자미류의 살.

dab^{3} *n.* =DAB HAND.

dab·ble [dǽbəl] *vt.* **1** …에 물을 튀기다; …을 물을 튀겨 적시다: boots ~*d* with mud 튄 흙이 묻은 구두. **2** (손발)을 철버덕거리다《***in*** (물) 속에서》: She ~*d* her feet *in* the water. 그녀는 발을 물에 담그고 철버덕거렸다. **—*vi.*** **1** 물을 튀기다(철버덕거리다), 물장난하다; 물을 철버덕거리며 (나아)가다. **2** 장난삼아 하다, 잠깐 해 보다《***at, in*** …을》: ~ *at* painting 장난삼아 그림을 그리다 / ~ *in* stocks 주식에 손을 대다.
[파] **-bler** *n.* [C] 물장난을 하는 사람; 장난삼아 하는 사람.

dáb·chìck *n.* [C] 〖조류〗 농병아리.

dáb hànd 《英구어》 명인, 명수(名手)《***at*** …의》: He's a ~ *at* chess (mend*ing* things). 그는 체스(물건 수리)에 능숙하다.

DAC Development Assistance Committee (개발 원조 위원회; OECD의 하부 기관); 〖컴퓨터〗 digital-to-analog converter (디지털 아날로그 변환기).

da ca·po [dɑːkáːpou] 《It.》 〖음악〗 처음부터 반복하여《생략: D.C.》

Dac·ca [dǽkə, dáːkə] *n.* Dhaka의 옛 철자.

dace [deis] (*pl.* ***dác·es,*** 《집합적》 ~) *n.* [C] 〖어류〗 황어《유럽산 잉어과의 담수어》.

dachs·hund [dáːkshùnt, dǽkshùnd, dǽʃhùnd] *n.* 《G.》 [C] 닥스훈트《짧은 다리에 몸이 긴 독일산의 개》.

D/A convérter 〖전자〗 DA 컨버터(변환기)《디지털 신호를 아날로그 신호로 변환하는 전기적 장치》. [◂ *d*igital-to-*a*nalog]

Da·cron [déikrɑn, dǽk-/-krɔn] *n.* [U] 데이크론《폴리에스테르 합성 섬유의 일종; 상표명》.

dac·tyl [dǽktil] *n.* [C] 〖운율〗 (영국 시의) 강약약격(強弱弱格)《´××》; (고전 시의) 장단단격(長短短格)《—⏑⏑》. [파] **dac·tyl·ic** [dæktílik] *a., n.* [C] ~의 (시구).

dac·ty·lol·o·gy [dæ̀ktəlɑ́lədʒi/-lɔ́l-] *n.* [U] (종류는 [C]) (농아자의) 수화(手話)(법).

dad [dæd] *n.* [C] 《구어》 아빠, 아버지. [cf] papa, mom.

> **NOTE** 친밀감을 나타내는 말로 어린이(때로는 어른도) 부모를 부를 때 많이 씀. 고유명사처럼 대문자로 쓰고 관사를 붙이지 않는 경우가 많음: The children said, "Oh, Dad is back", and rushed to the door. 아이들은 "아, 아빠가 오셨다"고 하면서 문으로 달려갔다.

Da·da(·ism) [dáːdɑː(ìzəm), dáːdə(-)] *n.* [U] 다다이즘《1916-22년경의 전통적인 도덕·미적 가치를 부정하는 허무주의적 예술 운동》.
[파] **Dá·da·ist** *n.* [C] 다다이즘 예술가.

dad·dy [dǽdi] *n.* [C] 《구어》 아빠, 아버지([cf] mammy 1).

dád·dy-lóng·legs (*pl.* ~) *n.* [C] 〖곤충〗 《美》 장님거미《harvestman의 속칭》; 《英》 꾸정모기《crane fly 의 속칭》.

da·do [déidou] (*pl.* **~*(e)s***) *n.* [C] 〖건축〗 징두리판벽《벽면의 하부에 판재를 댄 것》; 기둥뿌리《둥근 기둥 하부의 네모난 데》.

Daed·a·lus [dédələs/díː-] *n.* 〖그리스신화〗 다이달로스《Crete 섬의 미로(迷路)를 만든 명장(名匠)》.

daemon [díːmən] *n.* [C] **1** 〖그리스신화〗 다이몬《신들과 인간 사이에 개재하는 2차적 신》. **2** 수호신. **3** =demon 1.

dae·mon·ic [diːmɑ́nik/-mɔ́n-] *a.* =DEMONIC.

***daf·fo·dil** [dǽfədìl] *n.* Ⓒ **1** 〖식물〗 **나팔수선화**《봄에 담황색의 나팔 모양의 꽃이 핌》. **2** Ⓤ 선명한 노랑색.

daf·fy [dǽfi] (***daf·fi·er; -fi·est***) *a.* 《구어》 어리석은; 미친.

daft [dæft, dɑːft] *a.* 《英구어》 **1** 어리석은; 미친; 발광하는: go ~ 발광하다. **2** Ⓟ 열중한, 몰두한《***about*** …에》. ㊕ **~·ly** *ad.* **~·ness** *n.*

da Gama [dɑːgǽmə/-gáːmə] *n.* ⇨GAMA.

◇**dag·ger** [dǽgər] *n.* Ⓒ (양날의) 단도, 단검; 〖인쇄〗 칼표(†)《참조나 몰년(沒年)을 나타내는 데 쓰이기도 함》. ***at ~s drawn*** 반목하여; 견원지간의 사이로서《***with*** (아무)와》. ***look ~s at*** …을 노려보다. ***speak ~s to*** …에게 독설〔욕〕을 퍼붓다.

da·go [déigou] (*pl.* ~(**e**)**s**) *n.* Ⓒ (종종 D-) 《속어 · 경멸적》 남부 유럽 사람《이탈리아 · 스페인 · 포르투갈 태생》.

da·guerre·o·type [dəgέərətàip, -riə-] *n.* Ⓤ (옛날의) 은판 사진술; Ⓒ 은판 사진.

Dag·wood [dǽgwud] *n.* (종종 d-) Ⓒ (요리는 Ⓤ) 《美》 대그우드 샌드위치《여러 층으로 포갠 샌드위치; 미국의 신문 만화 주인공 Blondie 의 남편 Dagwood 가 직접 큰 샌드위치를 만드는 데서》.

◇**dahl·ia** [dǽljə, dáːl-/déil-] *n.* Ⓒ 〖식물〗 달리아; 달리아 꽃, 그 괴경상(塊莖狀) 뿌리.

Dail (**Eir·eann**) [dɔ́ːl(έərən), dáil(-)] *n.* (the ~) 아일랜드 공화국의 하원. ⓒⓕ Seanad Eirean.

‡**dai·ly** [déili] *a.* Ⓐ **1 매일의,** 일상의; (일요일 또는 토요일을 제외한) 평일의; 일간(日刊)의: ~ exercise 매일의 운동 / (one's) ~ life 일상 생활 / a ~ newspaper 일간 신문. **2** 1 일 계산의, 일당으로 하는: a ~ wage 일급 / ~ installment 일부(日賦). **—** (*pl.* **-lies**) *n.* Ⓒ **1** 일간 신문. **2** 《英구어》 통근하는 가정부(= ~ **hélp**). **—** *ad.* **매일,** 날마다. ㊕ **-li·ness** *n.* Ⓤ 일상성; 일상적인 규칙성.

dáily bréad (보통 one's ~) 매일의 양식, 생계: earn one's ~ 생활비를 벌다 / Give us this day our ~. 오늘 우리에게 일용할 양식을 주시옵고《★ 「주기도문」의 일절; 성서 「마태복음」에서》.

dáily dózen 《구어》 (one's ~, the ~) 일과로 행해지는 체조《건강을 위해 매일 아침 기상한 후에 하는》: do one's ~.

◇**dain·ty** [déinti] *a.* **1** 우미한, 고상한, 미려한. SYN. ⇨DELICATE. ¶a ~ girl 우아한 소녀. **2** 맛좋은: ~ bits 진미(珍味). **3** 까다로운, 가리는《***about*** …을》; 사치를 좋아하는: be ~ *about* one's food 식성이 까다롭다. **—** *n.* Ⓒ 맛좋은 것, 진미(珍味). ㊕ **-ti·ly** *ad.* **-ti·ness** *n.*

dai·qui·ri [dáikəri, dǽk-] *n.* Ⓤ (낱개는 Ⓒ) 다이커리《칵테일의 일종; 럼 · 설탕 · 레몬즙을 섞어 만듦》.

***dairy** [déəri] *n.* **1** Ⓒ **낙농장,** 착유실(搾乳室); Ⓤ 낙농업(dairy farming). **2** Ⓒ **우유 판매점,** 유제품(乳製品) 판매소. ㊕ **~·ing** *n.* Ⓤ 낙농업.

dáiry càttle 〔집합적〕 젖소. ⓒⓕ beef cattle.

dáiry còw 젖소.

dáiry fàrm 낙농장.

dáiry fàrming 낙농업.

dáiry·màid *n.* Ⓒ 낙농장에서 일하는 여자.

dáiry·man [-mən] (*pl.* **-men** [-mən]) *n.* Ⓒ 낙농장 일꾼; 유제품〔낙농제품〕 판매업자.

dáiry pròducts 〔**prodùce**〕 유제품(乳製品), 낙농제품.

da·is [déiis, dái-] *n.* Ⓒ (보통 *sing.*) (귀빈용의) 높은 자리, 단(壇); (강당 따위의) 연단, 교단.

dai·sy** [déizi] *n.* Ⓒ **1** 〖식물〗 **데이지**《美》 English ~); 프랑스 국화(= **óxeye** ~). **2** 《속어》 훌륭한〔제 1 급의〕 물건〔사람〕. (as***) ***fresh as a*** ~ 생기발랄하여, 매우 신선하여. ***pushing up*** (***the***) ***daisies*** 《구어》 죽어서 매장되어. ***turn up*** one***'s toes to*** (***the***) ***daisies*** ⇨TOE.

dáisy chàin 1 데이지 화환《아이들이 목걸이로 함》; 《美》 〖일반적〗 이어 놓은 것; 일련의 관련 사건. **2** 〖컴퓨터〗 데이지 체인《여러 주변 기기를 컴퓨터에 연쇄적으로 연결하는 방식》.

Da·kar [dɑːkáːr] *n.* 다카르《Senegal 의 수도》.

Da·ko·ta [dəkóutə] *n.* **1** 다코타《미국의 중부 지역명; North Dakota 와 South Dakota 의 두 주로 됨; 생략: Dak.》. **2 a** (the ~(s)) 다코타족(族)《북아메리카 인디언의 일부》. **b** Ⓒ 다코타족의 사람. ㊕ **Da·kó·tan** *a. n.* Ⓒ 다코타(의 〔사람〕).

Da·lai La·ma [dáːlailáːmə] **1** (the ~) 달라이 라마《티베트의 라마교 교주》. **2** 14 대 달라이라마《본명은 Tenzin Gyatso; 노벨 평화상 수상 (1989); 1935 – 》.

dale [deil] *n.* Ⓒ 《시어》 (구릉지대의 널따란) 골짜기. ⓒⓕ vale, valley.

Da·li [dáːli] *n.* **Salvador** ~ 달리《surrealism 의 대표적 스페인 화가; 1904 – 89》.

Dal·las [dǽləs] *n.* 댈러스《미국 Texas 주 북동부의 도시; 1963년 J. F. Kennedy 가 암살된 곳》.

dal·li·ance [dǽliəns] *n.* Ⓤ (구체적으로는 Ⓒ) 《주로 문어》 **1** 빈둥거리며 지냄, 시간 낭비. **2** 놀이, 장난; 희롱거림.

dal·ly [dǽli] *vi.* **1** 희롱하다, 농탕치다; 가지고 놀다, 장난하다; 번롱하다《***with*** (이성)과, …을》: ~ *with* a lover 연인과 농탕치다 / One shouldn't ~ *with* a person's affections. 남의 애정을 농락해서는 안 된다. **2** 빈들거리며 보내다, 허비하다《***with*** (시간 등)을》; 꾸물대다, 우물쭈물하다《***over*** (일 따위)를》: Bill *dallied with* the offer for days. 빌은 그 제안을 며칠이나 질질 끌었다 / ~ *over* one's work 일을 질질 끌다. **—** *vt.* (시간 따위)를 낭비하다, 헛되이 하다(*away*): ~ *away* one's chance 호기(好機)를 헛되이 놓치다.

Dal·ma·tian [dælméiʃən] *n.* Ⓒ (종종 d-) 달마티아 개(= ~ **dóg**)《흰 바탕에 검은색이나 적갈색의 작은 반점이 있는 개》.

‡**dam**[1] [dæm] *n.* Ⓒ **1** 댐, 둑. **2** 댐으로 막은 호수. **—** (**-mm-**) *vt.* **1** 《~+목/+목+부》 댐을 만들다; 둑으로 막다(*up*). **2** (감정 따위)를 억누르다(*up; back*): ~ *up* one's anger 화를 참다 / ~ *back* one's tears 눈물을 참다.

dam[2] *n.* Ⓒ (네발짐승 특히 가축의) 어미(ⓒⓕ sire).

‡**dam·age** [dǽmidʒ] *n.* **1** Ⓤ **손해,** 피해, 손상《***to*** …에의》: The storm did considerable ~ *to* the crops. 폭풍은 농작물에 상당한 피해를 주었다. **2** (*pl.*) 〖법률〗 손해액, 배상금: claim 〔pay〕 ~s 손해 배상금을 요구〔지불〕하다. **3** (the ~) 《구어》 대가(代價), 비용(cost), 계산: What's the ~ ? 비용〔계산〕은 얼마입니까.

> **DIAL** ***The damage is done.*** 이미 때는 늦었다.

— *vt.* …에 손해를 입히다; (명성 · 체면 따위)를 손상시키다, (건강)을 해치다: Too much drinking can ~ your health. 과음하면 건강을 해칠

수 있습니다. SYN. ⇨HURT. ★ damage는 '물건'의 손상을, '사람·동물'의 손상은 injure.

dám·ag·ing *a.* **1** 파괴적〔중상적〕인; 손해〔피해〕를 끼치는, 해로운. **2** (법적으로) 불리한: a ~ statement 불리한 진술/~ evidence 불리한 증거. ㊕ **~·ly** *ad.*

dam·a·scene [dǽməsìːn, ´-´] *a.* (강철이) 물결무늬가 있는.

Da·mas·cus [dəmǽskəs, -mɑ́ːs-] *n.* 다마스쿠스《Syria의 수도》.

dam·ask [dǽməsk] *n.* Ⓤ, *a.* 단자(緞子)(의), 능직(綾織)(의); 연분홍색(의).

dámask róse 다마스크 장미《향기로운 연분홍·빨간색의 장미》; 연분홍색.

◇**dame** [deim] *n.* **1** Ⓒ (특히 남성 희극 배우가 연기하는) 나이든 여성; 《美속어》 여자. **2** 《英》 (D-) 데임《knight에 맞먹는 작위가 수여된 여자의 존칭; knight 또는 baronet의 부인의 정식 존칭》. **3** (D-) (자연·운명 등) 여성으로 의인화된 것에 붙이는 존칭: *Dame* Fortune 〔Nature〕 운명〔자연〕의 여신.

dam·mit [dǽmit] *int.* 《구어》 염병할, 빌어먹을(damn it).

damn** [dæm] *vt.* **1** (문예 작품·연극 등)을 **비난하다**, 헐뜯다, 매도하다; 혹평하다: ~ a person's new novel 아무의 신작 소설을 혹평하다. **2** (사람·전도)를 파멸시키다; 결딴내다: ~ a person's prospects 아무의 전도를 망치다. **3** (신이 사람)을 **지옥에 떨어뜨리다**, 벌주다; 욕하다, 저주하다. **4** 〖감탄사적으로 분노·초조감·실망 따위를 나타냄〗 제기랄, 젠장칠, 지긋지긋해: *Damn* you! =God ~ you! 제기랄; (이) 빌어먹을 놈/*Damn* the flies! 젠장칠 파리 같으니. **—vi.* '제기랄〔젠장칠〕' 하고 매도하다. ***Damn me!*** 《英속어》 이거 놀랍군. **~ *with faint praise*** 치살리는 체하면서 비난하다.

> DIAL. ***I'll be*** 〔***I'm***〕 ***damned!*** 이거 참 놀랍군, 저런, 어머나, 허.
> ***I'll be*** 〔***I'm***〕 ***damned if ...*** 〖if절의 강한 부정〗 절대로〔목숨을 걸고〕 …않다: *I'll be damned if* it's true. 절대로 그것은 사실이 아니다.

—*n.* **1** Ⓒ 저주, 매도. **2** (a ~) 〖부정어와 함께〗 《구어》 조금도, 요만큼도 (…않다): do *not* care a ~ =do*n't* give a ~ 조금도 개의치 않다/*not* worth a ~ 한 푼의 가치도 없는.

—*a.* Ⓐ 《속어》 터무니없는, 당치 않은; 지독한: a ~ fool 지독한 바보/a ~ lie 당치 않은 거짓말. **~ *all*** 《英속어》 아무 것도 …않다: You'll get ~ *all* for him. 그에게서 아무 것도 받지 못할 거야.

—*ad.* 《속어》 몹시, 굉장히, 지독하게: I'm ~ tired. 몹시 지쳤다/It's a ~ good idea. 그건 굉장히 좋은 아이디어다. **~ *well*** 《속어》 확실히, 단연코: I know ~ *well* what you think of me. 네가 나를 어떻게 생각하는지 잘 알고 있다.

dam·na·ble [dǽmnəbəl] *a.* 지옥에 떨어질; 가증한, 지겨운; 지독한(confounded). ㊕ **~·ness** *n.* **-bly** *ad.* 언어도단으로; 《구어》 지독하게.

dam·na·tion [dæmnéiʃən] *n.* Ⓤ 지옥에 떨어뜨림, 천벌; 파멸(ruin): (May) ~ take it 〔you〕! 《속어》 젠장, 제기랄. ***in*** **~** 〖강조어〗 《속어》 도대체: What *in* ~ are you talking about? 도대체 뭘 지껄이는 거야. **—***int.* 아뿔싸, 빌어먹을, 쳇.

dam·na·to·ry [dǽmnətɔ̀ːri/-təri] *a.* 저주의; 비난의(condemning); 파멸의.

◇**damned** [dæmd, dǽmnid] (*´·er*; *´·est*, *dámnd·est*) *a.* **1** 저주받은; 영겁의 벌을 받은, 지옥에 떨어진. **2** Ⓐ 《속어》 **a** 혐오스런. **b** 〖종종 d—d [diːd]로 간약〗 《강조어로》 결정적인; 《구어》 터무니없는, 엄청난, 지겨운, 바보스런: You ~ fool! 이 바보자식/It's a ~ lie! 터무니없는 거짓말이야. **3** (the ~) 〖명사적으로; 복수취급〗 지옥의 망령들. **—***ad.* 〖강조어로서〗 《구어》 지독하게; 굉장히: ~ funny 굉장히 재미있는/a ~ good car 굉장히 좋은 차/It's ~ hot. 지독하게 덥다.

damned·est, damnd·est [dǽmdist] *n.* (one's ~) 최선, 최대한의 노력〔기능〕: do 〔try〕 one's ~ 할 수 있는 데까지 하다, 최선을 다하다.

—*a.* Ⓐ (the ~) 매우 놀라운, 아주 이상한, 아주 달라진: That's the ~ story I ever heard. 그런 터무니없는 얘긴 들어 본 적이 없다.

damn·ing [dǽmiŋ, dǽmniŋ] *a.* 파멸적인; (증거 등이) 유죄를 증명하는: ~ evidence 죄의 확증.

Dam·o·cles [dǽməklìːz] *n.* 〖그리스신화〗 Syracuse의 왕 Dionysius의 신하. ***the sword of*** **~** **=~'*sword*** 신변에 따라다니는 위험《Dionysius왕이 연석에서 Damocles 머리 위에 머리카락 하나로 칼을 매달아, 왕위에 따르는 위엄을 보여준 일에서》.

Da·mon [déimən] *n.* 〖그리스전설〗 다몬《A.D. 4세기경 사형 선고를 받은 친구 Pythias를 구해 준 남자》. ***Damon and Pythias*** 막역한 벗, 둘도 없는 친구.

⁑**damp** [dæmp] *a.* **축축한**, 습기찬, 눅눅한: ~ air 습기찬 공기/a ~ day 눅눅한 날. **—***n.* Ⓤ **1 습기**, 물기, 수분: remove the ~ from the room 방에서 습기를 제거하다. **2** 의기소침, 실의, 낙담. ***strike a*** **~** ***into company*** 좌중의 흥을 깨다.

—*vt.* **1** 적시다, 축이다. **2** 《~+목/+목+부》 (기)를 꺾다, 좌절시키다; 낙담시키다; (불·소리 등)을 약하게 하다, 끄다 (*down*): ~ a person's enthusiasm 아무의 열의를 꺾다/~ *down* an agitation 소동을 가라앉히다. **3** 《~+목/+목+부》 〖음악〗 (현(絃)·소리 따위)의 진동을 줄이다 (*down*): ~ *down* the vibrations of the engine 엔진의 진동을 줄이다. **—***vi.* **1** 눅눅해지다. **2** 《+부》 〖원예〗 (식물이) 습기 때문에 썩다(*off*); 선 채로 죽다. ㊕ *´*·**ly** *ad.* 축축하여, 습기가 차서. *´*·**ness** *n.*

dámp còurse 〖건축〗 방습층(防濕層)《벽 속 하부의 수평재료층으로 지면에서 올라오는 습기를 방지함》.

damp·en [dǽmpən] *vt.* **1** 축이다, 습기 차게 하다. **2** 풀이 죽게 하다, 기를 꺾다: The bad weather has ~*ed* her spirit. 궂은 날씨가 그녀를 우울하게 했다. **—***vi.* 축축해지다; 기죽다. ㊕ **~·er** *n.* Ⓒ ~하는 사람〔것〕; 완충 장치.

dámp·er *n.* Ⓒ **1** 헐뜯는〔기를 꺾는〕 사람; 악평, 생트집. **2** 적시는 것, 축이는 도구. **3** (난로 따위의) 바람문, 조절판(瓣), (자동차의) 댐퍼. **4** (피아노의) 단음(斷音) 장치, (바이올린의) 약음기(弱音器). ***cast*** 〔***put, throw***〕 ***a*** **~** ***on*** …에 생트집을 잡다.

dámp·pròof *a.* 습기를 막는: ~ course = DAMP COURSE.

dámp squìb 《英》 (보통 *sing.*) 효과가 없는 것; 불발로 끝난 계획.

dam·sel [dǽmzəl] *n.* Ⓒ 여자 아이, 소녀《원래 신분 높은 가문에서 태어난》.
dámsel·flỳ *n.* Ⓒ 【곤충】 실잠자리.
dam·son [dǽmzən] *n.* Ⓒ 【식물】 서양자두(나무); 그 열매.
Dan [dæn] *n.* 댄《남자 이름; Daniel의 애칭》.
Dan. Daniel; Danish; Danish.
†**dance** [dæns, dɑːns] *vi.* **1** 《~/+전+명》 **춤추다**: I ~*d* with her to the piano music. 피아노곡에 맞춰 그녀와 춤추었다 / Will you ~ with me? 저와 함께 춤추시겠습니까.
2 《~/+부/+전+명》 뛰어 돌아다니다, 기뻐서 껑충껑충 뛰다《*for, with* …으로》: ~ *for* 〔*with*〕 joy 기뻐 날뛰다 / ~ *out* 춤추며 나가다 / ~ *up* and *down* 뛰어 돌아다니다.
3 (파도 · 그림자 · 나뭇잎 따위가) 흔들리다; (마음 · 심장 등이) 약동하다; 고동치다: leaves *dancing* in the wind 바람에 흔들리는 나뭇잎 / Her heart ~*d* (with happiness). 그녀의 가슴은 (기뻐서) 두근거렸다.
—*vt.* **1** (춤)을 추다: ~ a 〔the〕 waltz 왈츠를 추다.
2 《+목+전+명》 춤추게 하다, 리드하다; (아이)를 어르다: He ~*d* her *around* the ball room. 그는 그녀를 리드하여 무도장을 빙글빙글 돌게 했다 / ~ a baby *on* one's knee 아기를 무릎 위에 놓고 어르다.
3 《+목+보/+목+전+명/+목+부》 춤추어 (어떤 상태에) 이르게 하다: ~ a person weary 아무를 녹초가 되도록 춤추게 하다 / ~ the new year *in* =~ *in* the new year 춤추며 새해를 맞이하다 / ~ the night *away* 그 밤을 춤추며 보내다.
~ ***attendance on*** 〔***upon***〕 ⇨ ATTENDANCE. ~ one***self into*** a person***'s favor*** 춤을 추어서 〔알쫑알쫑해서〕 아무의 환심을 사다.
—*n.* Ⓒ **1 댄스**, 춤, 무용; 댄스곡: a social ~ 사교 댄스 / May I have the next ~ (with you)? 다음 번 춤 상대가 돼 주시겠습니까. **2** 댄스파티, 무도회《★ 특별한 경우를 제외하고는 a dance party라 하지 않고 그냥 dance라고 함. 공식적이며 성대한 것은 ball, 가정에서의 소규모의 것은 그냥 party라고 흔히 말함》: go to a ~ 댄스 파티에 가다 / give a ~ 무도회를 개최하다. ***lead*** a person ***a*** (***merry***) ~ 아무를 마구 끌고 다녀서 애먹이다, 곤란케 하다.
dánce·a·ble *a.* (곡 등이) 댄스〔춤〕에 적합한, 댄스용의.
dánce hàll 댄스 홀.
dánce mùsic 무도〔무용〕곡.
‡**danc·er** [dǽnsər, dɑ́ːns-] *n.* Ⓒ **춤추는 사람**; 무희, (직업) 댄서; 무용가: She is a good ~. 그녀는 춤을 잘 춘다.
danc·er·cise [dǽnsərsàiz, dɑ́ːns-] *n.* Ⓤ 《美》 댄서사이즈《건강 증진을 위한 일종의 재즈 댄스》 [◂ *dance*+*exercise*].
°**dan·de·li·on** [dǽndəlàiən] *n.* Ⓒ 【식물】 민들레.
dan·der [dǽndər] *n.* Ⓤ 《구어》 노여움, 분노 (temper)《★ 보통 다음 관용구로》. ***get*** one***'s*** 〔a person***'s***〕 ~ ***up*** 노하다〔아무를 노하게 하다〕.
dan·di·fied [dǽndifàid] *a.* 번드르르하게 차린, 멋부린.
dan·dle [dǽndl] *vt.* (갓난 아이)를 안고 어르다.
dan·druff, -driff [dǽndrəf], [-drif] *n.* Ⓤ 비듬.
°**dan·dy** [dǽndi] *n.* Ⓒ **1** 멋쟁이《남자》. **2** 《구어》 훌륭한 물건. **—** (***-di·er; -di·est***) *a.* 《구어》 굉장한, 일류의.
dándy brùsh (말 손질에 쓰는 뻣뻣한) 솔.
Dane [dein] *n.* **1** Ⓒ 덴마크 사람. **2 a** (the ~s) 【英역사】 데인족《9–11세기경 영국에 침입한 북유럽인》. **b** Ⓒ 데인 사람.
‡**dan·ger** [déindʒər] *n.* **1** Ⓤ **위험**(상태): run into ~ 위험에 빠지다 / put a person in ~ 위험에 빠뜨리다 / be exposed to ~ 위험에 노출되다 / escape from ~ 위험에서 벗어나다 / His life is in ~. 그는 생명이 위독하다 / There's no ~ *of* a flood. 홍수의 위험은 없다 / The patient is in ~ *of* dying. 환자는 사망할 위험이 있다.
SYN. **danger** 가장 일반적인 말. **hazard** 예측되나 피할 수 없는 위험: the many *hazards* of a big city 대도시의 갖가지 위험. **peril** 몸에 닥치는 큰 위험: be in *peril* of one's life 목숨의 위험이 눈앞에 다가와 있다. **risk** 자기의 책임하에 무릅쓰는 위험.
2 Ⓒ 위험한 물건〔사람, 일〕; 위험의 원인이 되는 것, 위협《*to* …에 대한》: He's a ~ *to* society. 그는 사회에 있어 위험 인물이다 / Atomic bombs are a ~ *to* the human race. 원자탄은 인류에게 위협적인 것이다. ***in*** ~ 위험〔위독〕하여: His life is *in* ~. 그의 목숨이 위태롭다. ***make*** ~ ***of*** …을 위험시하다. ***out of*** ~ 위험을 벗어나서: The patient is *out of* ~ now. 환자는 이제 위험에서 벗어났다.
dánger lìst (병원의) 중환자 명부: on the ~ (입원 환자 등이) 중태로.
dánger mòney 《英》 위험 수당.
†**dan·ger·ous** [déindʒərəs] *a.* **위험한**, 위태로운《*to* …에 / *to* do》: a ~ drug 마약 / a ~man 위험 인물 / Smoking is ~ *to* health. 흡연은 건강에 위험하다 / It is ~ (*for* children) *to* bathe in this river. =This river is ~ (*for* children) *to* bathe in. (아이들이) 이 강에서 목욕하는 것은 위험하다. 파 **~·ness** *n.*
°**dán·ger·ous·ly** *ad.* **1** 위험하게: He drives ~. 그는 위험하게 운전한다. **2** 위험할 정도로: He's ~ ill. 그는 중태다.
°**dan·gle** [dǽŋgəl] *vi.* **1** 매달리다, 흔들흔들하다: ~ from the ceiling 천정에 매달려 있다. **2** 붙어다니다, 좇아다니다《***about, after, around, round*** (아무)를》: He's always *dangling after* 〔*around*〕 her. 그는 항상 그녀의 뒤꽁무니만 좇아다닌다. **—***vt.* **1** (매달려) 흔들거리게 하다: ~ one's legs 다리를 흔들거리다. **2** (유혹물)을 보이다, (마음이 동하도록) 언뜻 내비치다《***in front of, before*** …의 앞에》: The boy ~*d* a bone *in front of* the dog. 소년은 개의 눈앞에 뼈를 내보였다 / Bright prospects were ~*d before* him. 밝은 전망이 그의 눈앞에 비쳤다. ***keep*** a person ***dangling*** 《구어》 아무에게 확실한 결과를 알리지 않고 기다리게 하다, 아무를 애타게 하다.
dángling párticiple 【문법】 현수(懸垂)분사《participle의 의미상의 주어가 주절의 주어와 같지 않은 분사; 보기: *Coming to the river*, the bridge was gone. 강에 와 보니 다리는 없었다》.
Dan·iel [dǽnjəl] *n.* **1** 다니엘《남자 이름; 애칭 Dan, Danny》. **2** 【성서】 다니엘《히브리의 예언자》; 다니엘서《구약성서 중의 한 편》. **3** Ⓒ 명재판관.
°**Dan·ish** [déiniʃ] *a.* 덴마크(사람 · 어)의; 【역사】 데인 사람〔어〕의. **—***n.* Ⓤ 덴마크어; 데인

어. cf. Dane.

Dánish pástry 과일 · 땅콩 등을 가미한 파이 비슷한 과자빵.

dank [dæŋk] *a.* 축축한, 몹시 습한. ㊕ **∠·ish** *a.* **∠·ly** *ad.* **∠·ness** *n.*

Dan·ny [dǽni] *n.* 대니《남자 이름; Daniel의 애칭》.

Dan·te [dǽnti] *n.* ~ **Alighieri** 단테《이탈리아의 시인; *La Divina Commedia* (영역명: *The Divine Comedy*) (신곡)의 작자; 1265–1321》.

Dan·ube [dǽnju:b] *n.* (the ~) 다뉴브 강《남서 독일에서 흘러 흑해로 들어감; 독일명 Donau》.

Daph·ne [dǽfni] *n.* **1** 대프니《여자 이름》. **2** 〖그리스신화〗 다프네《Apollo에게 쫓기어 월계수가 된 요정》. **3** (d-) Ⓒ 〖식물〗 월계수; 팥꽃나무.

dap·per [dǽpər] *a.* 말쑥한, 단정한; 몸집이 작고 잰, 날렵한. ㊕ **~·ly** *ad.* **~·ness** *n.*

D

°**dap·ple** [dǽpəl] *n.* Ⓒ 얼룩; 얼룩이《말 · 사슴 따위》. **—***a.* 얼룩진. **—***vt., vi.* 얼룩지게 하다〔되다〕.

dáp·pled *a.* 얼룩진, 얼룩덜룩한: a ~ horse 얼룩말.

dàpple·gráy, 《英》 **-gréy** *n.* Ⓒ, *a.* 회색 돈점박이 말(의).

Dár·by and Jóan [dá:rbiən-] 〖복수취급〗 《英》 금실 좋은 늙은 부부《옛 노래에서》.

Dar·da·nelles [dà:rdənélz] *n.* (the ~) 다르다넬스 해협《Marmara 해와 에게 해 사이를 연결하는 유럽 · 아시아 대륙 간의 해협》.

dare [dεər] (*p.* **~d,** 《고어》 ***durst*** [də:rst]) *aux. v.* 〖부정 · 의문 · 조건문에〗 **감히 …하다,** 대담하게〔뻔뻔스럽게도〕 …하다; …할 용기가 있다: *Dare* he do it? 그가 감히 그것을 할 수 있을까/He *~n't* tell me. 그는 내게 말할 용기가 없다/*Dare* he admit it? 그가 그걸 인정해 줄까/I met him, but I *~d not* tell him the truth. 그를 만났지만 차마 사실을 말할 수 없었다.

> NOTE (1) 3인칭 · 단수 · 현재형은 어미에 -s를 붙이지 않으며, 조동사 do를 쓰지 않고, 또 그 다음에 to 없는 부정사가 이어짐.
> (2) 아래 숙어 이외에는 조동사로서의 용법은 현재 거의 쓰이지 않으며, 동사 용법이 일반적.

How ~ you…! 〔***?***〕 감히〔어찌〕 …할 수 있단 말인가: *How ~ you* say such a thing? 감히 그런 일을 말할 수 있단 말인가. ***I ~ say*** 〔***daresay***〕 《★ 뒤에 절이 와도 that은 항상 생략; 또한 문장 끝에 덧붙일 수 있음》 ① 아마도 …이겠지: *I ~ say* he is well over forty. 아마도 그는 40세는 너끈히 넘었겠지. ② 〖종종 비꼼〗 어차피 …이겠지: You're quite right, *I ~ say*. 어차피 네 말이 맞겠지.

—(**~d,** 《고어》 ***durst;*** **~d**) *vt.* **1** 《+*to* do》 **감히 …하다,** 대담하게〔뻔뻔스럽게도, 용기를 내어〕 …하다: I wonder how she *~s* (*to*) say that. 그녀가 감히 그런 말을 할 수 있다는 건가/He *~d to* doubt my sincerity. 무례하게도 그는 나의 성실성을 의심했다/Don't (you) ~ go into my room! 내 방에 들어오는 (뻔뻔스런) 일은 절대로 없어야 한다. ★ 본동사로서의 dare는 부정 · 의문문에서 dare 다음의 부정사의 to를 생략하기도 함.

2 (위험 등)을 **무릅쓰다,** 부딪쳐 나가다; (새로운 일 등)을 감히 해보다〔시도하다〕: He was ready to ~ any danger. 어떠한 위험도 무릅쓸 각오가 되어 있었다/I will ~ your anger and say. 네가 화낼 것을 각오하고 말하겠다/He *~d* a dive he had never before attempted. 그는 지금껏 해보지 않았던 다이빙을 과감히 해보았다.

> SYN. **dare** 일을 행함에 있어 굳은 결의와 용기를 갖고 부닥치는 경우 등을 말함. **venture** 어찌 될지는 모르지만 여하튼 용기를 갖고 과감히 해본다는 뜻.

3 《+목+*to* do/+목+전+명》 (아무)에게 **도전하다** 《***to, into*** …을 하자고》: I ~ you *to* jump from this wall. 이 담에서 뛰어내릴 수가 있으면 뛰어내려 봐/He *~d* me *to* a fight 〔*into* the race〕. 그는 싸움을〔경주를〕 하자고 나에게 도전했다.

—*vi.* 감히 (…할) 용기가 있다: You wouldn't ~! 너는 도저히 못할 거야/Let them try it if they ~. 그들이 할 수 있다면 시켜 보게. ***Don't you ~!*** ＝***Just you ~!*** 그만둬요.

—*n.* Ⓒ 도전: accept a ~ 도전에 응하다.

dáre·dèvil *n.* Ⓒ 무모한〔물불을 안 가리는〕 사람. **—***a.* Ⓐ 무모한.

daren't [dεərnt] dare not의 간약형.

dàre·sáy *vi., vt.* 〖I를 주어로 하여〗 ⇨I DARE say (관용구).

°**dar·ing** [dέəriŋ] *n.* Ⓤ 대담 무쌍, 호담(豪膽). **—***a.* **1** 대담한, 무모한; 앞뒤를 가리지 않는: a ~ act 대담한 행동. **2** 참신한, 파격의: a ~ design 참신한 디자인. ㊕ **~·ly** *ad.* **~·ness** *n.*

Dar·jee·ling, -ji- [da:rdʒí:liŋ] *n.* Ⓤ 다르질링 홍차(＝**∠ téa**)《인도 동부 다르질링산의 고급 홍차》.

†**dark** [da:rk] *a.* **1** 어두운, 암흑의. ↔ *light.* ¶a ~ room 어두운 방/It was getting ~. 점점 어두워지고 있었다.

> SYN. **dark** 일반적으로 쓰이는 말. 전혀 빛이 없는 상태를 말함: a *dark* night 캄캄한 밤. **dim** 어렴풋이 물건이 식별되는 상태를 나타냄: *dim* light 희미한 빛. **dusky** 새벽이나 해거름의 어둑어둑한 상태를 나타냄. **gloomy** 문학적 · 시적인 뜻을 지니며 단순히 어둡고 빛이 없는 상태뿐만 아니라, 음울한 느낌을 나타냄.

2 (피부 · 머리털 · 눈이) **검은**(brunette); 가무잡잡한: ~ hair 검은 머리/a ~-skinned 〔-complexioned〕 woman 피부가 가무잡잡한 여자.

3 (색이) **거무스름한;** 짙은: (a) ~ green 진초록/an extremely ~ shade of brown, so ~ that it is almost black 색깔이 너무 짙어 거의 검은색에 가까운 밤색.

4 비밀의, 은밀한; (의미 따위가) 모호한, 알기 어려운: a ~ passage 이해하기 어려운 한 구절/Please keep this ~ for a while. 잠시 이 일을 비밀로 해 두시오.

5 무지한, 어리석은: the *~est* ignorance 일자 무식.

6 (~est) 《보통 우스개》 오지〔시골〕의: in *~est* Africa 아프리카 오지에서.

7 (안색이) 흐린, 우울한; (눈초리가) 화난(듯한), 험악한, 기분 나쁜; (사태가) 음울한, 음산한: have a ~ expression on one's face 어두운〔우울한〕 표정을 짓다/He gave me a ~ look. 그는 화난 눈초리로 나를 보았다/look on the ~ side of life 〔things〕 인생〔사물〕의 어두운 면을 보다.

8 사악한, 흉악한, 음험한: ~ deeds 나쁜 짓, 비행/~ designs 흉계.

9 〖음성〗 ([l]음이) 흐린(↔clear).

—*n.* **1** (the ~) **암흑,** 어둠: Cats can see in the ~. 고양이는 어둠 속에서도 잘 본다. **2** Ⓤ

〔관사 없이〕 해질녘, **땅거미**(nightfall), 밤: (just) at ~ (막) 해질녘에/after 〔before〕 ~ 해가 진 후에〔지기 전에〕/*Dark* fell over the countryside. 시골에 밤이 찾아왔다. SYN. ⇨TWILIGHT. **3** U (구체적으로는 C) 어두운 색; 어두운 부분〔장소〕; 음영(陰影): in the ~ beneath the stairs 계단 밑의 어두운 곳에서.

a leap in the ~ ⇨LEAP. ***a stab in the*** ~ 억측, 근거 없는 추측에 의한 행동. ***in the*** ~ ① 어둠〔암흑〕 속에서(⇨*n.* 1). ② 비밀히〔로〕; 알지 못하고《***about*** …에 관하여》: He was in the ~ *about* their plans. 그는 그들의 계획에 관해 아무것도 몰랐다. ***whistle in the*** ~ ⇨WHISTLE.

Dárk Áges (the ~) 암흑 시대《대략 A.D. 476년에서 1000년까지의 유럽; 넓은 뜻으로 중세》. cf. Middle Ages.

Dárk Cóntinent (the ~) 검은 대륙《아프리카 대륙》.

*__dark·en__ [dá:rkən] *vt.* **1 어둡게 하다**; 어슴푸레하게 하다: She flicked the switch and ~*ed* the room. 그녀는 스위치를 살짝 끄고 방을 어둡게 했다. **2** (안색·마음)을 침울〔음울〕하게 하다, 험악하게 하다: Anxiety ~*ed* his face. 걱정으로 그의 얼굴은 침울했다. **3** 애매하게 하다, 불명료하게 하다. **—***vi.* **1** 어두워지다. **2** (얼굴 등이) 음울〔험악〕해지다: His face ~*ed* with anger. 분노로 그의 얼굴이 험악해졌다. ~ ***a person's door***(***s***) 《보통 부정문》 아무를 방문하다: Don't 〔*Never*〕 ~ my *door*(*s*) again. 내 집에 두 번 다시 발을 들여놓지 마라.

dark·ey [dá:rki] *n.* =DARKY.

dárk glásses 색안경.

dárk hórse 다크 호스《경마·경기·선거 따위에서 뜻밖의 유력한 경쟁 상대》.

dark·ie [dá:rki] *n.* =DARKY.

dark·ish [dá:rkiʃ] *a.* 어스름한; 거무스름한.

dark·ling [dá:rkliŋ] 《시어》 *ad.* 어둠 속에. **—***a.* 어두운 (곳에서의); 기분 나쁜; 몽롱한.

*__dark·ly__ [dá:rkli] *ad.* **1 어둡게; 검게**. **2** 음침하게; 험악하게: He looked ~ at her. 그는 험악한 얼굴로 그녀를 보았다. **3** 막연히, 넌지시, 어렴풋하게; 희미하게. **4** 몰래, 비밀히.

‡**dark·ness** [dá:rknis] *n.* U **1 암흑**, 어둠: in pitch 〔dead〕 ~ 칠흑 같은 어둠 속에서. **2** 무지; 미개; 맹목. **3** 뱃속이 검음, 사악: deeds of ~ 악행, 범죄. **4** 불명료, 애매모호함; 비밀. ***cast ... into the outer*** ~ …을 내쫓다, 해고하다. ***the Prince of Darkness*** 악마, 사탄.

dárk·ròom *n.* C 〖사진〗 암실.

darky [dá:rki] *n.* C 《구어·경멸적》 검둥이.

‡**dar·ling** [dá:rliŋ] *n.* C **가장 사랑하는 사람**; 귀여운 사람; 소중한 것: the ~ of fortune 운명의 총아(寵兒). ***My*** ~***!*** 여보, 당신, 얘야《부부·연인끼리 또는 자식에 대한 애칭》.

—*a.* A **1** 마음에 드는; 가장 사랑하는; 귀여운. cf. dear. **2** 《구어》 훌륭한, 멋진《옷 따위》: a ~ living room 마음에 드는 거실. 파 ~**·ness** *n.*

darn[1] [da:rn] *vt.* (바느질·뜨개질에서) 감치다, 깁다, 꿰매다. **—***vi.* 깁다, 꿰매다. **—***n.* C 감치기, 깁기; 꿰맨 곳.

darn[2] *vt.*, *vi.*, *n.*, *a.*, *ad.* 《완곡어》 =DAMN.

darned [da:rnd] *a.*, *ad.* 《완곡어》 =DAMNED.

dar·nel [dá:rnl] *n.* C 〖식물〗 독보리《보리 비슷한 잡초로 가축에게 중독을 일으킴》.

dárning nèedle 감치는 바늘.

◇**dart** [da:rt] *n.* **1 a** C (무기·수렵용) 던지는 창〔살〕; (놀이기구의) 다트 화살. **b** (*pl.*) 《단수취급》

다트 던지기 놀이《둥근 판에 끝이 뾰족한 쇠살을 던져 점수를 다툼》. **2** (a ~) 급격한 돌진, 질주: make a ~ for the exit 비상구로 돌진하다. **3** C 〖복식〗 (양재의) 다트《천을 좁고 긴 삼각형으로 잘라 꿰맨 주름》.

—*vt.* (창·빛·시선)을 던지다, 쏘다(*around*) 《***at*** …을 향하여》: ~ one's eyes *around* 재빨리 둘러보다/~ an angry look *at* a person 성난 눈으로 아무를 힐끗 보다. **—***vi.* (화살처럼) 돌진하다, 휙 날아가다(*away*)《***through*** …을》: A bird ~*ed through* the air. 새가 공중을 휙 날아갔다/The deer saw us and ~*ed away*. 사슴은 우리를 보자 쏜살같이 달아났다.

dárt·bòard *n.* C 다트판《darts 놀이의 표적판》.

Dart·moor [dá:rtmuər] *n.* **1** 다트무어《영국 Devon 주의 고원; 국립공원 Dartmoor National Park가 있음》. **2** 다트무어 교도소(=~ **Príson**).

Dart·mouth [dá:rtməθ] *n.* 다트머스《영국 Devon주의 항구; 해군 사관 학교(Royal Naval College)가 있음》.

Dar·win [dá:rwin] *n.* **Charles** ~ 다윈《영국의 박물학자, 진화론의 주창자; 1809–82》. 파 **Dar·wín·i·an** *a.*, *n.* C 다윈설의 (신봉자). **Dár·win·ìsm** *n.* U 다윈설, 진화론. ~**·ist** *n.*, *a.* =Darwinian.

‡**dash** [dæʃ] *vt.* **1** 《+목+전+명/+목+부》 **내던지다**; 박살내다; 부딪뜨리다: ~ a glass *to* 〔*on*〕 the floor 컵을 마룻바닥에 내던지다/He ~*ed* his head *against* the door. 그는 머리를 문에 부딪뜨렸다/He ~*ed away* his tears. 그는 눈물을 훔쳤다.

2 (기운·희망)을 꺾다, (계획 따위)를 좌절시키다: His hope was ~*ed*. 그의 희망은 꺾이고 말았다.

3 《+목+전+명》 끼얹다, 튀기다《***in, on, over*** …에; ***with*** (물 따위)를》: She ~*ed* water *in* his face. 그녀는 그의 얼굴에 물을 끼얹었다/A car ~*ed* mud *on* me. =A car ~*ed* me *with* mud. 자동차가 나한테 흙탕물을 튀겼다.

4 《+목+전+명》 …에 조금 섞다, 가미하다《***with*** …을》: ~ tea *with* brandy 홍차에 브랜디를 좀 타다.

5 《英구어·완곡어》 욕하다, 매도하다; 저주하다 《★damn보다 온건한 말; damn을 d—로 생략한 데서 생긴 말》: *Dash* it all! 정말 지긋지긋해; 빌어먹을.

—*vi.* **1** 《+전+명/+부》 **돌진하다**; 급히 가다: He ~*ed for* the door. 그는 문을 향해 돌진했다/~ *along* a street 거리를 달려가다/I must ~ *off to* London. 런던에 급히 가야 한다/He ~*ed up* 〔*down*〕 the stairs. 그는 계단을 뛰어 올라〔내려〕 갔다. SYN. ⇨RUSH.

2 《+전+명》 (세게) 부딪치다, 충돌하다; 부딪쳐 부서지다《***against, into, on*** …에》: A sparrow ~*ed into* the windowpane. 참새가 (날아와서) 창유리에 부딪쳤다/The waves ~*ed against* the rocks. 파도가 바위에 부딪쳐 부서졌다.

~ ***off*** 《*vt.*+부》 ① 급히 쓰다; 단숨에 해치우다: I'll ~ *off* a note to John. 존에게 보낼 전갈을 급히 써야지. ② …을 던져버리다. **—**《*vi.*+부》 ③ 급히 떠나다: I must ~ *off* now. 지금 급히 가야 된다. ~ ***out*** 급히 가다, 뛰쳐나가다; (대시로) 지우다. ***I'll be*** ~***ed*** 〔***damned***〕 ***if ...*** …이라면 목이라도 내놓겠다, 죽어도 …이 아니다.

—*n*. **1** (a ~) **돌진**, 돌격, 질주《***at, for*** …을 향한》: make a ~ *at* the enemy 적군을 향해 돌격하다 / He made a ~ *for* the bus. 그는 버스에 타려고 힘껏 달렸다. **2** Ⓤ (보통 the ~) **충돌**, 격돌; (파도·비 따위의) 세차게 부딪치는 소리《***against*** …에의》: the ~ of the waves *against* the rocks 바위에 부딪쳐 부서지는 파도소리. **3** Ⓤ 예기(銳氣), 위세; 활기, 원기: with ~ and spirit 원기〔위세〕 좋게. **4** 〖a ~ of〗 (가미·혼합하는) 소량(少量); (…의) 기미: tea with *a* ~ *of* whiskey in it 위스키를 조금탄 홍차 / red with *a* ~ *of* purple 보랏빛을 띤 빨강. **5** Ⓒ 일필휘지(一筆揮之), 필세(筆勢): with a ~ of the pen 일필로. **6** Ⓒ 〖통신〗 (모스 부호의) 장음(長音). **7** Ⓒ (보통 *sing.*) 단거리 경주: a hundred meter ~, 100미터 경주. **8** Ⓒ 대시(—)《★ 구문의 중단·변경, 말의 생략 등을 나타냄》. **9** Ⓒ 《구어》 (자동차의) 계기반(計器盤)(dashboard). **10** Ⓤ 외양; 화려한 몸단장〔모습〕.

at a **~** 단숨에, 일거에. ***cut a*** **~** 《구어》 남의 시선을 끌다; 멋부리다; 허세부리다: She *cut a* ~ in her new suit. 그녀는 새 옷을 입고 멋을 부렸다〔남의 이목을 끌었다〕. ***have a*** **~** ***at*** 《구어》 시험삼아 …을 해보다.

dásh·bòard *n*. Ⓒ **1** (조종석·운전석 앞의) 계기반〔판〕. **2** (마차·썰매 등의 앞에 단) 흙받이, 넉가래판; (보트 이물의) 파도막이판.

dásh·er *n*. Ⓒ **1** 돌진하는 사람〔것〕. **2** 교반기(攪拌器). **3** = DASHBOARD 2. **4** 씩씩한 사람.

DAT digital audio tape (recorder). **dat.** dative.

da·ta** [déitə, dǽtə] (*sing*. ***-tum [-təm]) *n*. *pl*. **1** 〖단·복수취급〗 **자료, 데이터**. **2** (관찰·실험에 의해 얻어진) 지식, 정보. **3** 〖보통 단수취급〗 〖컴퓨터〗 데이터.

> **NOTE** (1) 《美구어》에서는 data를 종종 단수 취급함: These ~ are 〔This ~ is〕 doubtful. 이 데이터는 의심스럽다. (2) 단수형으로는 one of the data로 쓰는 것이 보통.

dáta bànk 〖컴퓨터〗 자료 은행, 데이터 뱅크《컴퓨터에 대량 축적된 데이터를 이용자에게 제공하는 기관》.

dáta·bànk *vt*. 데이터 뱅크에 넣다〔보관하다〕.

dáta·bàse *n*. Ⓒ 〖컴퓨터〗 자료 기지, 데이터베이스《컴퓨터로 신속히 검색 이용하도록 분류·정리된 데이터의 집합체》: ~ industry 데이터 베이스 산업.

dátabase mánagement sỳstem 〖컴퓨터〗 데이터 베이스〔자료 기지〕 관리 체계《생략: DBMS》.

dát·a·ble [déitəbəl] *a*. 연대 측정이 가능한《***to*** …의 시대까지》.

dáta bùs 〖컴퓨터〗 데이터 모선(母線).

dáta càpture 〖컴퓨터〗 데이터〔자료〕 포착.

dáta collèction 〖컴퓨터〗 데이터〔자료〕 수집《단말 장치에서》.

dáta communicátion 〖컴퓨터〗 데이터 통신.

dáta gràphics 〖컴퓨터〗 데이터 그래픽스《컴퓨터에서 얻은 정보를 분석하기 위하여 그래프·표·그림 따위로 나타낸 것》.

dáta lìnk 〖컴퓨터〗 데이터 링크《데이터 전송에 있어서, 복수의 장치를 묶은 접속로; 생략: D/L》.

dáta pròcessing 〖컴퓨터〗 데이터〔자료〕 처리: the ~ industry 정보 처리 산업.

dáta pròcessor 〖컴퓨터〗 데이터〔자료〕 처리 장치.

dáta términal equìpment 〖통신〗 데이터〔자료〕 단말 장치《생략: DTE》.

dáta transmìssion 〖컴퓨터〗 데이터〔자료〕 전송(傳送).

†**date**[1] [deit] *n*. **1** Ⓒ **날짜**, 연월일: the ~ of birth 생년월일 / What's the ~ today? = What ~ is it (today)? 오늘이 며칠인가. ★ 요일을 물을 때는 What day is it?

> **NOTE** date(날짜)는 (1) 일(日)까지 표시해야 하며, 월(月)만 표시하는 일은 없음.
> (2) 《美》에서는 일반적으로 March 17, 2004; 군부·과학 분야 등에서는 17 March, 2004의 형식을 선호함; 3/17/04로 약기(略記).
> (3) 《英》 기타에서는 17(th) March, 2004로 쓰고, 17/3/04로 약기함.
> (4) 2004년은 two thousand and four 또는 twenty O [ou] four라고 읽음.

2 Ⓒ 기일(期日); (사건 따위가 일어난) 시일; 예정 날짜; (어음 따위의) 기한; 만기; 마감날: at an early ~ 머지않아, 근간 / set 〔fix〕 the ~ for departure 출발 날짜를 결정하다.

3 Ⓒ (일시를 정한) **면회**〔회합〕 **약속**; 데이트《특히 이성과 만나는 약속》; 《美구어》 데이트의 상대: a dinner ~ 정찬의 약속 / a blind ~ 《美속어》 (제3자의 소개로) 모르는 남녀끼리의 데이트 / break 〔keep〕 a ~ with …와의 데이트를 깨다〔지키다〕 / have 〔make〕 a ~ with …와 데이트를 가지다〔약속하다〕 / Bessy is my ~ for tonight. 베시가 오늘밤 나의 데이트 상대다.

4 Ⓤ (역사적인) 시대, 연대: of early ~ 초기의, 고대의 / coins of Roman ~ 로마 시대의 화폐.

5 (*pl*.) (사람의) 생존 기간, 생몰년; (일의) 시작과 끝난 해: Shakespeare's ~*s* are 1564 to 1616. 셰익스피어는 1564년에 태어나서 1616년에 사망했다.

out of **~** 시대에 뒤진, 구식의; 기한이 지난: The expression is *out of* ~ now. 그 표현은 이제 낡은 것이다 / This passport is *out of* ~ and you can't use it. 그 여권은 기한이 지났으니 사용할 수 없습니다. ***to*** **~** 현재까지(로서는): This is his best book *to* ~. 이것은 지금까지 그가 쓴 책 중에서 최상의 것이다. ***up to*** **~** ① 오늘까지(의). ② 최신식의〔으로〕, 현대적인〔으로〕, 최신 정보를 다룬: bring one's office equipment *up to* ~ 사무소 설비를 최신식으로 하다. ③ (시대에) 뒤지지 않은〔않게〕: keep *up to* ~ with the latest fashions 최신 유행에 뒤떨어지지 않게 하다. (cf. up-to-date).

—*vt*. **1** 《~+목/+목+보》 (편지·문서 등)에 날짜를 적다; (날짜가) …부로 되어 있다: ~ a letter 편지에 날짜를 적다 / The letter (from New York) is ~*d*, May 2. 그 (뉴욕발) 편지는 5월 2일부로 되어 있다.

2 …의 연대를 정〔추정〕하다; 연대를〔연령을〕 나타내다: ~ a bone to about 1,000,000 years ago 뼈를 백만년 전 것으로 추정하다 / Her clothes ~ her. 복장으로 보아 그녀의 나이를 알 만하다.

3 《美구어》 …와 데이트(의 약속을) 하다: I usually ~ Susan on Friday. 금요일에 늘 수잔과 데이트한다.

—*vi*. **1** 《(+전+명)》 날짜가 (적혀) 있다; 시작하다, 기산하다《***from*** …부터》: The letter ~*s* *from* Paris on May 25. 편지는 파리발 5월 25

일부로 되어 있다 / This university ~*s from* the early 17th century. 이 대학은 17세기 초기에 시작됐다.
2 (예술·문체 따위가) 연대가 오래 되다, 시대에 뒤떨어지다, 낡아빠지다: His car is beginning to ~. 그의 차는 고물이 되어 가고 있다.
3 《구어》 데이트 (약속을) 하다《*with* …와》.
date back 《*vi.*+副》 거슬러 올라가다《*to* …까지》: The castle ~*s back to* the 16th century. 그 성은 16세기까지 거슬러 올라간다.

°**date**² *n.* Ⓒ 대추야자(~ palm)(의 열매).

dateable ⇨ DATABLE.

dát·ed [-id] *a.* 날짜가 있는〔붙은〕; 케케묵은, 구식의(old-fashioned): a letter ~ April 3, 4월 3일자 편지. 파 ~**·ly** *ad.* ~**·ness** *n.*

dáte·less *a.* **1** 날짜가 없는; 기한이 없는; 오래되어 연대를 모르는. **2** 무한의, 영원의; 태고의. **3** 언제나 흥미 있는. **4** 《美》 (사교상의) 약속이 없는; 교제 상대가 없는.

dáte lìne (보통 the ~) **1** 날짜 변경선《동경 또는 서경 180도의 자오선》. **2** 국제 날짜 변경선.

dáte·lìne *n.* Ⓒ (신문·편지 등의) 날짜·발신지 표시란. **—***vt.* (신문·편지 등)에 날짜·발신지를 표시하다.

dáte pàlm 〖식물〗 대추야자.

dat·er [déitər] *n.* Ⓒ 날짜 찍는 기계〔사람〕, 날짜 스탬프; 《구어》 데이트하는 사람.

dáte ràpe 교제 상대에게 당하는 성폭행.

da·tive [déitiv] *a.* 〖문법〗 여격의: the ~ case 여격《명사·대명사 따위가 간접 목적어가 될 때의 격》/ the ~ verb 수여동사《이중목적을 가지는 동사 give, teach, ask 등》. **—***n.* Ⓒ 〖문법〗 여격.

°**da·tum** [déitəm, dáː-, dǽ-] (*pl.* **-ta** [-tə]) *n.* 《L.》 Ⓒ 자료, 정보. ★ 이 뜻으로는 보통 복수형인 data를 씀.

°**daub** [dɔːb] *vt.* **1** 칠하다, 바르다《*on* …에; *with* (도료 따위)를》: ~ paint *on* a wall = ~ a wall *with* paint 벽에 페인트를 칠하다. **2** (그림)을 서투르게 그리다; 더럽히다《*with* …으로》. **—***vi.* 서투른 그림을 그리다. **—***n.* **1** Ⓒ 뒤발라진 것; Ⓤ (구체적으로는 Ⓒ) 칠(하기). **2** Ⓒ 서투른 그림. 파 ∠**·er** *n.* Ⓒ 칠하는 사람〔도구〕; 서투른 환쟁이.

†**daugh·ter** [dɔ́ːtər] *n.* Ⓒ **1** 딸. ↔ *son.* **2** 여자 자손: a ~ *of* Eve 이브의 후예. **3** 며느리, 의붓딸, 양녀. **4** 파생된 것; 소산(所産): a ~ language *of* Latin 라틴어에서 파생된 언어 / a ~ *of* civilization 문명의 소산. **5** (the Daughters of ... 로) 부인회, 여성 단체: the *Daughters* of the American Revolution 미국 혁명 부인회《독립전쟁 참가자의 자손에 의해 조직된 애국 여성 단체》. 파 ~**·ly** *a.* 딸다운, 딸(로서)의.

dáughter élement 〖물리〗 (방사성 원소의 붕괴에 의해 생기는) 딸원소. cf. parent element.

dáughter-in-làw (*pl.* **dáughters-**) *n.* Ⓒ 며느리; 의붓딸.

°**daunt** [dɔːnt] *vt.* …을 으르다; 주춤〔움찔〕하게 하다, …의 기세를 꺾다《★ 종종 수동태로 쓰임》: The difficulty did not ~ him. 그 어려움에도 그는 기가 죽지 않았다 / He *was* ~*ed* by her intransigence. 그녀의 고집에 그는 손들었다.
nothing ~ed 조금도 굴하지 않고《nothing은 부사》.

°**dáunt·less** *a.* 불굴의, 겁 없는, 용감한(brave): a ~ explorer 불굴의 탐험가. 파 ~**·ly** *ad.* ~**·ness** *n.*

Dave [deiv] *n.* 데이브《남자 이름; David의 애칭》.

dav·en·port [dǽvənpɔ̀ːrt] *n.* Ⓒ 《英》 작은 책상의 일종; 《美》 침대 겸용의 대형 소파.

Da·vid [déivid] *n.* **1** 데이비드《남자 이름; 애칭 Dave, Davy》. **2** 〖성서〗 다윗《이스라엘의 제2대 왕; 구약성서 시편의 작자로 일컬어짐》. ~ **and *Jonathan*** 막역한 친구.

da Vin·ci [dəvíntʃi] *n.* **Leonardo** ~ 다빈치《이탈리아의 화가·조각가·건축가·과학자; 1452–1519》.

Da·vis [déivis] *n.* 데이비스《남자 이름》.

Dávis Cùp (the ~) **1** 데이비스컵전(戰)《국제 테니스 선수권 경기》. **2** 데이비스컵《1900년 미국의 정치가 D. F. Davis가 기증한 국제 테니스 경기의 우승 은배》.

dav·it [dǽvit, déivit] *n.* Ⓒ 〖항해〗 (보트·닻을 달아 올리는) 한 쌍의 철주, 다빗.

Da·vy [déivi] *n.* 데이비《남자 이름; David의 애칭》.

Dávy Jónes 바다 귀신. ~**'(s) *lócker*** 해저, 《특히》 무덤으로서의 바다: go to ~'(s) *locker* 물고기의 밥이 되다, 익사하다.

daw [dɔː] *n.* Ⓒ 〖조류〗 갈가마귀(jackdaw); 바보.

daw·dle [dɔ́ːdl] 《구어》 *vi.* 빈둥거리다, 꾸물거리다: ~ all day 온종일 빈둥거리다 / ~ along a street 거리를 어슬렁거리다 / ~ over one's coffee 커피를 마시며 시간을 보내다. **—***vt.* (시간)을 부질없이〔헛되이〕 보내다(*away*): ~ *away* one's time 빈둥빈둥 시간을 보내다. 파 **-dler** *n.* Ⓒ 빈둥빈둥 노는 사람, 게으름뱅이.

***dawn** [dɔːn] *n.* **1** Ⓤ (구체적으로는 Ⓒ) **새벽**, 동틀녘; 여명: at ~ 새벽녘에 / from ~ till dusk 〔dark〕 새벽부터 저녁까지 / *Dawn* breaks. 날이 샌다. SYN. ⇨TWILIGHT. **2** (the ~) 발단, 처음, 시작: since the ~ *of* history 유사 이래 / the ~ *of* the 21st century 21세기초.
—*vi.* **1 날이 새다**; (날이) **밝아지다**: It 〔Day, Morning〕 ~*s.* 날이 샌다. **2** (서서히) 시작하다, (사물이) 나타나기〔발달하기〕 시작하다: A new era is ~*ing.* 새로운 시대가 열리고 있다. **3** 《+前+名》 (일이) 점점 분명해지다, (생각이) 떠오르다 《***on, upon*** (아무)에게》: The truth began to ~ *on* me. 나는 진실을 알기 시작했다.

dáwn chòrus 새벽의 합창《새벽녘의 새들의 지저귐》.

†**day** [dei] *n.* **1** Ⓤ (해가 떠서 지기까지의) **낮**, 주간(晝間). ↔ *night.* ¶work during the ~ 낮에 일하다 / at the break of ~ 동틀녘에 / before ~ 날이 밝기 전에 / by ~ 낮에는, 주간에는 / in broad ~ 대낮에.
2 Ⓒ **a** (24시간 길이로서의) **하루**, 일주야, 날; (달력상의) 일(日): in a 〔one〕 ~ 하루에 / on a sunny 〔cold〕 ~ 어느 청명한〔추운〕 날에 / What ~ (of the week) is it today? 오늘은 무슨 요일입니까. **b** 〖부사적으로〗 …일〔날〕; 〖부사절을 이끌어〗 (…의) 날에: every ~ 매일 / every other 〔second〕 ~ 하루 건너 / one ~ (과거의) 어느날; (미래의) 언젠가 / one of these (fine) ~*s* 근일 중에, 머지않아 / the other ~ 요전에, 며칠 전에 / some ~ (미래의) 언젠가, 다른 날《★ 과거에서 본 미래에도 씀》/ any ~ 언제라도, 어느 날에라도 / (the) ~ after tomorrow 모레《★《美구어》에서는 종종 the를 생략》/ (the) ~ before yesterday 그저께《★《美구어》에서는 종종 the를 생

략》/ He was born the ~ (that) his father left for Europe. 그는 아버지가 유럽으로 출발한 날에 태어났다. **c** 〖천문〗 (지구 이외의) 천체의 하루 《1 회 자전에 요하는 시간》.

> [NOTE] (1) 「…일〔날〕에」의 경우는 전치사 on을 씀: *On* what *day* did they leave for Hawaii? —They left *on* the 22nd. 그들은 며칠날 하와이로 떠났습니까—22 일에 떠났습니다. 단, My mother goes shopping every *day*. (어머니는 매일 시장보러 간다)에서와 같이 every가 붙어 있는 경우는 on은 불필요.
> (2) 뒤에 절을 수반할 때 on은 생략할 수 있음: He died (*on*) the *day* she arrived. 그는 그녀가 도착한 날 세상을 떠났다.

3 a [C] 특정한 날, 기일, 약속일: keep one's ~ 기일을 지키다. **b** (종종 D-) [U] (낱개는 [C]) 기념일, 축제일 …날: Christmas 〔New Year's〕 *Day*. **4** [C] (노동〔근무〕 시간으로서의) 1 일: an eight-hour ~ 하루 8 시간 노동.
5 [C] **a** (흔히 *pl.*) **시대**, 시기: the present ~ 현대/in the ~*s* of James I 제임스 1 세 시대에/in my school ~*s* 나의 학창 시절에/in olden ~*s* 옛날(엔)/ (in) those ~*s* 그 당시(에). **b** (the ~) 그 시대, 당시; 현대: the social problems *of* the ~ 현대의 사회 문제/men and women *of* the ~ 당시의 사람들.
6 [U] (보통 the ~; one's ~) (아무의) 전성 시대; (*pl.*) 일생, 수명: His ~ is over 〔done〕. 그의 (전성) 시대는 끝났다/spend one's ~*s* in study 평생을 연구에 바치다/end one's ~*s* 수명을 다하다, 죽다.
7 (the ~) 어느 날의 사건, 《특히》 싸움, 승부, 승리: lose 〔carry, win〕 the ~ 지다〔이기다〕/The ~ is ours. 승리는 우리의 것이다.
all* ~ (*long*)** =all the* ~** 종일: *all* ~ yesterday 어제 온 종일. ***all in the* 〔*a*〕 ~*'s work*** ⇨WORK. ***any* ~ (*of the week*)** 《구어》 무슨 일이 있더라도; 어떤 경우〔조건이〕라도; 아무리 생각해 봐도: I'd go out *any* ~ rather than stay at home. 집에 있기보다 무슨 일이 있더라도 밖에 나가겠다/He's a better driver than you are *any* ~ (*of the week*). 그는 아무리 봐도 너보다 운전 솜씨가 좋다. **(*as*) *clear as* ~** ⇨CLEAR. ***at the end of the* ~** 여러 모로 고려해서, 결국. ***by* ~** 낮에(는): He kept indoors *by* ~ and went out by night. 그는 낮에는 집에 있다가 밤에는 외출했다. ***by the* ~** ① (하루) 일당으로: work 〔pay〕 *by the* ~ 일당으로 일하다〔지급하다〕. ② 하루하루, 날마다《★ 진행형으로 비교급과 함께 쓰임》: It's getting warmer *by the* ~. 하루하루 따뜻해지고 있다. ***call it a* ~** 《구어》 하루를〔의 일을〕 마치다: Let's *call it a* ~ and go home. 오늘은 이만하고 돌아가자. **~ *after* ~** 매일매일. **~ *and night*** 주야로, 끊임없이. **~ *by* ~** =***from* ~ *to* ~** 나날이. **~ *in,* (*and*) ~ *out*** 날이면 날마다, 언제나. ***fall on evil* ~*s*** 불운을 만나다. ***for a rainy* ~** 만일의 경우에 대비하여. ***from* ~ *to* ~** ① 매일, 날마다; 나날이, 날이 갈수록. ② 하루하루; (장래를 생각하지 않고) 그날그날. ***from one* ~ *to the next*** 이틀 계속해서. ***get* 〔*have, take*〕 *a* ~ 〔*… ~s*〕 *off*** 하루〔…일〕의 휴가를 얻다. ***have a* ~ *out*** ① (놀기 위해) 하루 외출하다. ② (하인 등이 틈을 내어) 하루 외출하다. ***have* one*'s* ~** 좋은 때를 만나다, 전성기가 있다: Every dog *has* his ~. 《속담》 쥐구멍에도 볕들 날 있다. (She is twenty,) ***if a* ~** (=if she is a ~ old). 틀림없이 (그녀는 스무 살이다). ***in all* one*'s born* ~*s*** 오늘에 이르기까지. ***It's not my* ~.** 오늘은 재수 없다. ***make*** a person***'s* ~** 《구어》 아무를 유쾌하게 하다, 아무에게 기쁜 날이 되다: It *made* Grandfather's ~ when he was decorated. 훈장을 받았을 때 할아버지에겐 최고의 날이었다/Go ahead! *Make* my ~! 자 덤벼봐! 맛을 보여줄테니《싸움 상대에게》. ***not have all* ~** 《구어》 시간적 여유가 없는. ***the* 〔*a*〕 ~ *after the fair*** 《구어》 너무 늦어서. ***the* ~ *of reckoning*** 죄값을 받을 때, 나쁜 짓〔잘못〕을 깨달은 때《심판의 날(the Judgment Day)의 뜻에서》. ***till* 〔*up to*〕 *this* ~** 오늘(날)까지. ***to a* ~** 하루도 틀림없이, 꼬박. ***to this* 〔*that*〕 ~** 오늘〔그 당시〕에 이르기까지. ***without* ~** 무기한으로, 날짜를〔기한을〕 정하지 않고.

> [DIAL.] ***Have a nice* 〔*good*〕 *day!*** 좋은 하루 되시길《헤어질 때의 인사》.
> ***It's* 〔*Just*〕 *one of those days.*** 재수 없는〔운 나쁜〕 날이로군.
> ***That'll be the day!*** 《우스개》 설마 그럴 리가 없다, 《반어적》 그거 잘됐군.
> ***Those were the days.*** 그때는〔옛날에는〕 좋았어〔행복했어〕.

dáy·bèd *n.* [C] 침대 겸용 소파.
dáy·bòok *n.* [C] **1** 일기. **2** 〖상업〗 (거래) 일기장.
dáy bòy 《英》 (기숙사제 학교의) 남자 통학생.
***day·break** [déibrèik] *n.* [U] **새벽녘**, 동틀녘: at ~ 새벽녘에.
dáy càre 데이 케어《미취학 아동·고령자·신체 장애자 등을 주간에만 돌보는》.
dáy-càre *a.* [A] (취업 부모가 아이를 맡기는) 주간(晝間) 보육의: a ~ center (주간) 탁아소, 보육원.
dáy còach 《美》 보통 객차.
◇**dáy·drèam** *n.* [C] 백일몽, 공상, 몽상. **—***vi.* 공상에 잠기다. [파] **~·er** *n.* [C] 공상가.
dáy gìrl 《英》 (기숙사제 학교의) 여자 통학생.
dáy làborer 일용 근로자, 날품팔이.
dáy lètter 《美》 (요금이 싼) 주간 발송 전보. [cf.] night letter.
*‡***day·light** [déilàit] *n.* **1** [U] **일광**; 낮, 주간(daytime); 새벽: in broad ~ 백주에, 대낮에/at ~ 새벽에. **2** [U] 공공연함, 공표(公表)(publicity): The reporter brought the matter out into the ~. 보고자는 그 문제를 공표했다. **3** [U] (똑똑히 보이는) 틈, 간격《말안장과 기수와의 틈; 술의 표면과 그 술이 담긴 컵의 운두와의 사이 등》. **4** (*pl.*) 《속어》 의식, 제정신. ***beat* 〔*knock, punch, scare*〕 *the* (*living*) ~*s out of …*** 《속어》 …을 호되게 혼내 주다, 부들부들 떨게 하다; 때려눕히다. ***see* ~** 이해하다; 공표되다; (사람이) 태어나다; (어려운 일 따위가) 해결의 실마리가〔가능성이〕 보이다.
dáylight róbbery 공공연한 도둑 행위; 터무니없는 대금 청구, 바가지 씌우기.
dáylight sàving 일광 절약〔이용〕. ***daylight* (*saving*) *time*** 일광 절약 시간, 서머타임(《英》 summer time)《생략: D.S.T.》.
dáy·lòng *a.*, *ad.* 온종일(의), 하루 걸리는; 하룻동안.
dáy núrsery 탁아소, 보육원.
dáy relèase 《英》 연수 휴가 제도《대학에 가서 전문적인 연수를 하는 근로자에 대해 그 연수를

받도록 매주 며칠 간의 휴가를 주는 제도》.

dáy retùrn 당일 왕복 할인 요금〔표〕.

dáy·ròom Ⓒ **1** (군사 기지의) 오락실. **2** (병원의 통원 환자용) 담화실.

days [deiz] *ad.* 《구어》 낮에는 (매일). ↔ *nights*.¶They work ~ and go to school nights. 그들은 낮에 일하고 밤에 학교에 간다.

dáy schòol 1 (야간 학교에 대하여) 주간 학교. ↔ *night school*. **2** (기숙 학교에 대하여) 통학 학교. ↔ *boarding school*.

dáy shìft 1 낮 근무 (시간). **2** 〖집합적; 단·복수취급〗 낮 근무자: The ~ comes off at 6:00. 낮 근무자는 6시에 퇴근한다.

dáy·stàr *n.* **1** Ⓒ 샛별. **2** (the ~) 《시어》 태양.

dáy stùdent (대학 기숙생에 대한) 통학생.

⁑day·time [déitàim] *n.* (the ~) **주간**. ↔ *night time*.¶in the ~ 주간에, 낮에. **—***a.* Ⓐ 주간의: ~ flights 주간 비행 / ~ burglaries 백주 강도.

dáy-to-dáy [-tə-] *a.* Ⓐ **1** 나날의; 일상적인: ~ occurrences 일상적인 사건. **2** 하루살이의, 그날에 한정된: lead a ~ existence 그날 벌어 사는 생활을 하다.

dáy trìp 당일치기 여행.

dáy-trìpper *n.* Ⓒ 당일치기 여행자.

°daze [deiz] *vt.* (사람)을 현혹시키다; 눈부시게 하다; 멍하게〔얼떨떨하게〕 하다(stupefy)《★ 종종 수동태로 쓰며, 전치사는 *by, with*》: Her question ~*d* him. 그녀의 질문에 그는 멍해졌다 / *be* ~*d by* a blow 한 대 얻어맞아 어찔하다 / He *was* ~*d with* happiness. 행복한 나머지 그는 얼떨떨했다. **—***n.* (a ~) 현혹; 멍한 상태: in a ~ 눈이 부셔서, 현혹되어; 멍하니. ⓟ **daz·ed·ly** [déizidli] *ad.* 눈이 부셔, 멍하니.

daz·zle** [dǽzəl] *vt.* 〖종종 수동태〗 **1** (강한 빛 따위가) …의 **눈을 부시게 하다**: Our eyes 〔We〕 *were* ~*d* by the car's headlights. 그 차의 헤드라이트에 우리는 눈이 부셨다. **2** (화려함 따위가 아무)를 현혹시키다, 압도하다. **—n.* (*sing.*) 현혹; 눈부신 빛; 화려함.

***dáz·zling** *a.* **눈부신**, 현혹적인: ~ advertisement 현혹적인 광고. ⓟ **~·ly** *ad.*

dB, db. 〖전기·물리〗 decibel(s). **DC** 〖전기〗 direct current; 《美》 〖우편〗 District of Columbia. **d.c.** 〖전기〗 direct current. **D.C.** da capo; Deputy Consul; 〖전기〗 direct current; District Court; District of Columbia. **D.D.** Doctor of Divinity.

d—d [di:d, dæmd] ⇨DAMNED.

D-dày *n.* 〖관사 없이〗 **1** 〖군사〗 공격 개시일(cf. zero hour); 〖일반적〗 계획 개시 예정일. **2** 동원 해제일(demobilization day).

D.D.S. Doctor of Dental Surgery.

DDT, D.D.T. [dì:dì:tí:] *n.* Ⓤ 〖약학〗 살충제의 일종. [◀ *d*ichloro-*d*iphenyl-*t*richloro-ethane]

DDT 〖컴퓨터〗 dynamic debugging tool《디버그 작업에 쓰이는 프로그램》.

de- [di, də, dì:] *pref.* **1** '…에서; 분리, 제거'의 뜻: *de*pend, *de*throne, *de*tect. **2** '저하, 하강, 감소'의 뜻: *de*mote, *de*scend, *de*value. **3** '비(非)…, 반대'의 뜻: *de*merit, *de*nationalize. **4** '완전히, 상세히'의 뜻: *de*scribe, *de*finite. **5** 강조하는 뜻: *de*claim, *de*nude.

DE 《美》 〖우편〗 Delaware.

dea·con [dí:kən] *n.* Ⓒ **1** 〖가톨릭〗 부제(副祭); 〖영국국교회〗 집사. **2** (개신교의) 집사《신자 중에서 뽑음》.

dea·con·ess [dí:kənis] *n.* Ⓒ **1** (교회의) 여집사; 여전도사. **2** (교회의) 여자 자선 봉사단원.

†dead [ded] *a.* **1 죽은**, 생명이 없는; (식물이) 말라 죽은. ↔ *alive, live, living*.¶a ~ body 〔man〕 사체〔죽은 사람〕 / ~ matter 무기물(無機物) / ~ leaves 〔flowers〕 마른 잎〔시든 꽃〕 / My father has been ~ (for) five years. 아버지가 돌아가신 지 5년이 되었다 / *Dead* men tell no tales 〔lies〕. 《속담》 죽은 자는 말이 없다.

2 죽은 듯한; (잠이) 깊이 든; 무감각한, 마비된 《*to* …에 대하여》: a ~ sleep 깊은 잠 / the ~ hours (of the night) 한밤중 / He's ~ *to* pity. 그에게는 동정심이라곤 전혀 없다 / My legs feel ~. 다리가 저리다.

3 활기〔생기, 기력〕 없는; (바람이) 잠잠한; (빛깔이) 산뜻하지 않은, (소리 따위가) 맑지 않은, (눈 따위가) 흐린, (술이) 김빠진: The party was completely ~. 파티는 따분하기 그지없었다 / The wind fell ~. 바람이 잠잠해졌다 / the ~ sound of a cracked bell 깨진 종의 둔탁한 소리 / ~ beer 김빠진 맥주.

4 (시장 따위가) 활발치 못한; 쓸모 없는, 비생산적인; (상품 따위가) 안 팔리는; 형식뿐인, 무의미한: a ~ market 침체된 시장 / ~ soil 불모의 흙 / ~ formalities 허례.

5 (법률·언어 따위가) 무효의, 폐기된; (관습 따위가) 없어진; (불이) 꺼진; (화산이) 활동하지 않는: a ~ language 사어(死語)《라틴어 따위》 / a ~ law 〔customs〕 폐지된 법률〔관습〕 / a ~ mine 폐광(廢鑛) / ~ coals 불이 꺼진 석탄 / a ~ volcano 사(死)화산.

6 출입구가 없는, (앞이) 막힌: a ~ wall 출입구가 없는 벽 / ~ end 막다른 길.

7 Ⓟ 《구어》 녹초가 된, 몹시 지친: I'm quite ~. 녹초가 되었다.

8 Ⓐ 완전한, 전적인; 필연의, 절대적인; (선이) 곧은: (a) ~ silence 완전한 침묵 / on a ~ level 완전히 수평으로 / come to a ~ stop 딱 멈추다 / a ~ certainty 절대확실함 / in a ~ line 일직선으로.

9 〖스포츠〗 경기가 일시 정지된; (선수·볼이) 아웃된, (볼이) 튀지 않는; 〖골프〗 (공이) 홀(hole) 가까이 있는: a ~ player 아웃된 선수.

10 〖전기〗 전류가 통하지 않는, 전원에 접속되지 않은; (전화가) 끊긴, 통하지 않는: a ~ battery 다 된 전지 / The phone went ~. 전화가 불통이다.

(as)* ~ *as a* 〔*the*〕 *dodo ① 완전히 죽은. ② 완전히 무효가 된, 아주 쓸모없게 된. ***(as)* ~ *as mutton* 〔*a herring, a doornail*〕** 아주 죽어서; 완전히 쇄락하여〔한〕. **~ *and buried*** 완전히 죽은〔끝난〕. **~ *and gone*** 죽은; 말끔히 잊어버린; 중요하지 않은. **~ *from the neck up*** =**~ *above ears*** 《구어》 우둔한, 머리가 텅 빈. **~ *to rights*** 《美》 현행범으로: have a person ~ *to rights* 아무를 현장에서 붙잡다. **~ *to the world* 〔*the wise*〕** 의식이 없는, 푹 잠들어 버린. ***over my* ~ *body*** 《구어》 살아 생전에는〔내 눈에 흙이 들어가기 전에는〕 …하지 못하다. ***wouldn't be seen* ~** =***refuse to be seen* ~** 《구어》 죽어도 싫다; 절대로 안 하다: I *wouldn't be seen* ~ wearing 〔in〕 jeans. 블루진 따윈 절대로 안 입는다.

—*ad.* **1** 완전히, 아주, 전연: ~ asleep 정신 없이 잠들어 / ~ drunk 곤드레만드레 취하여 / ~ sure 절대로 확실한 / ~ tired 기진맥진하여. **2** 전

혀, 절대로, 완전히; 곧바로: The station is ~ ahead. 정거장은 바로 앞에 있다/They were ~ against our plan. 그들은 우리 계획에 막무가내로 반대했다. **3** 급히, 딱, 돌연히: stop ~ 딱 멈추다.

be ~ set 굳게 결심하다《***on, against*** …에 대하여》: I'm ~ *set on* getting the appointment. 그 직위에는 절대로 취임하지 않는다. ***cut*** a person ~ 아무를 모른 체하다.

—*n.* **1** (the ~) 〖집합적; 복수취급〗 사자(死者): the ~ and the wounded 사상자/the ~ and the living 사망자와 생존자. **2** Ⓤ 한창 (…하는 중); 죽은 듯이 고요한 때: at ~ of night 한밤중에/in the ~ of winter 한겨울에. ***rise*** 〔***raise***〕 ***from the*** **~** 부활하다〔시키다〕.

㊕ **∠·ness** *n.*

déad-alíve *a.* (사람 · 장소 따위가) 활기 없는, 불경기의, 재미없는, 따분한(=**déad-and-alíve**).

déad béat *a.* 《구어》 몹시 지친; 참패한.

déad·bèat *n.* Ⓒ **1** 《속어》 게으름뱅이, 빈둥빈둥 노는 사람. **2** 《美속어》 늘 빚을 지고 있는 사람, 대금〔빚〕을 떼어먹는 녀석. **3** 《구어》 =BEATNIK. **—***a.* 〖기계〗 (계기의 지침이) 흔들리지 않고 바로 눈금을 가리키는, 속시(速示)의.

déad cénter 〖기계〗 (크랭크의) 사점(死點), (선반(旋盤)의) 부동(不動) 중심.

déad dúck 《구어》 가망 없는〔쓸모 없는〕 사람.

◇**dead·en** [dédn] *vt.* **1** (조직 · 활동력 따위)를 죽이다, 무감각하게 하다. **2** (소리 · 통증 · 속력 등)을 누그러뜨리다, 약하게 하다, 둔화시키다: This drug will ~ the pain. 이 약이 통증을 가시게 할 것이다/The thick walls ~*ed* noise coming from the street. 두꺼운 벽이 거리의 소음을 막아 주었다. **3** (벽 · 바닥 · 천정)에 방음 장치를 하다.

déad énd (길의) 막다름; 종점; 궁지: reach 〔come to〕 a ~ 궁지에 이르다.

déad-énd *a.* Ⓐ **1** 막다른; 빈민가의, 뒷거리의: a ~ kid 빈민가의 비행 소년/a ~ street 〔route〕 막다른 골목. **2** (정책 · 행동 따위가) 진보〔발전〕성이 없는, 앞이 막힌: a ~ job 장래성이 없는 직업.

déad·èye *n.* Ⓒ 〖해사〗 세 구멍 도르래; 《美》 명사수.

déad·fàll *n.* Ⓒ 《美》 **1** (위에서 통나무 등이 떨어지게 된) 함정. **2** (산림의) 쓰러진 나무, 말라 떨어진 나뭇가지.

déad hánd 1 〖법률〗 =MORTMAIN. **2** (현재〔생존자〕를 부당하게 구속하고 있다고 느껴지는) 과거〔사자(死者)〕의 압박감〔영향력〕.

déad·hèad *n.* Ⓒ **1** (초대권 · 우대권을 쓰는) 무료 입장자〔승객〕. **2** 무능, 쓸모 없음. **3** 《美》 회송차(回送車); 가라앉은 유목(流木). **—***vi.* 《美》 (차를) 회송하다.

déad héat 동시 도착(의 경주), 무승부.

déad-hèat *vi.* (둘이) 동시 도착하다, 무승부가 되다.

déad létter 배달 불능 우편물; (법률적으로 효력을 상실한) 공문(空文), 사문(死文).

déad·lìne *n.* Ⓒ **1** (포로 수용소의) 경계선《넘으면 사살됨》. **2** (신문 · 잡지의) 원고 마감 시간; 최종 기한; 〖컴퓨터〗 기한.

déad·li·ness *n.* Ⓤ 치명적인 것.

◇**déad·lòck** *n.* **1** Ⓤ (구체적으로는 Ⓒ) 정돈(停頓), 막힘, 교착 상태: in ~ 벽에 부딪쳐/be at 〔come to〕 a ~ 교착 상태에 있다〔빠지다〕/bring a ~ to an end =break 〔resolve〕 a ~ 교착 상태를 타개하다. **2** Ⓒ 이중자물쇠《문 안쪽에 달린 스프링식 안전 자물쇠》.

déad lóss 전손(全損); 《구어》 아주 무능한 사람, 무용지물, 아주 하찮은 것〔일〕.

***dead·ly** [dédli] *a.* **1** 죽음의, 목숨을 빼앗는, 치명적인, 치사의: ~ poison 맹독/a ~ weapon 흉기/a ~ wound 치명상.

SYN. **deadly** 비유적인 뜻으로 쓰이는 일이 가장 많음. **deathly** 말 그대로 '죽음과 같은'의 뜻: *deathly* stillness 죽음과 같은 고요. **mortal** 필연적으로 죽음을 초래케 한다는 경우에 쓰임: a *mortal* wound 치명상. **fatal** mortal과 마찬가지로 죽음을 면할 수 없는 상태를 가리킴.

2 Ⓐ 죽은 것〔사람〕 같은; 활기 없는, 따분한: a ~ pallor 죽은 사람같이 창백함/a ~ silence 죽음과 같은 고요/a ~ lecture 따분한 강의. **3** 죽어야 마땅한, 살려둘 수 없는: a ~ sin 죽을 죄, 대죄/one's ~ enemy 불구대천의 원수. **4** 필사의, 격렬한: a ~ combat 격전/a ~ insult 참을 수 없는 모욕/a ~ evidence 결정적인 증거/a ~ argument against smoking 흡연에 대한 통렬한 반대론. **5** 《구어》 맹렬한, 심한, 지독한; 아주 정확한: in ~ haste 황급하게/be perfectly ~ 참으로 지독하다〔못 견디겠다〕. ***the*** 〔***seven***〕 **~** ***sins*** 〖신학〗 일곱 가지의 큰 죄《pride, covetousness, lust, anger, gluttony, envy, sloth》. cf. cardinal virtues.

—*ad.* 죽은 것같이; 《구어》 대단히, 몹시: ~ tired 기진맥진한.

déad mán 죽은 사람; 《구어》 (연회 뒤) 빈 술병.

déadman's hándle 〖기계〗 (열차 등의) 운전자가 손을 떼면 자동적으로 제동이 걸리는 장치.

déad màrch (특히 군대의) 장송 행진곡.

déad-ón *a.* 《구어》 매우 정확한, 완벽한.

déad·pàn *a., ad.* 《구어》 무표정한〔하게〕 《특히 농담을 말할 때에도》.

déad réckoning 〖항해 · 항공〗 추측 항법.

déad rínger 《속어》 똑같이 닮은 사람〔물건〕.

Déad Séa (the ~) 사해(死海)《Palestine의 염수호》.

déad shót 명사수; 명중탄.

déad sóldier (보통 *pl.*) 《구어》 빈 술병(dead man).

déad·stòck *n.* Ⓤ 《英》 〖상업〗 팔다 남은 물건, 사장〔불량〕 재고; 〖집합적〗 도살된 가축(cf. livestock).

déad tìme 〖전자〗 (지령을 받고 나서 작동하기까지의) 불감(不感) 시간, 대기 시간.

déad·wéight *n.* Ⓤ (또는 a ~) **1** 무거운 짐《빚 따위》; 중량품; 무거운 책임. **2** 〖철도〗 자중(自重)《차량 자체의 중량》.

déadweight tón 중량톤《2240 파운드》.

déad·wòod *n.* Ⓤ **1** 말라 죽은 가지〔나무〕, 삭정이. **2** 〖집합적〗 쓸모 없는 것〔사람〕: cut away the ~ in the civil service 공무원의 남아도는〔불필요한〕 인원을 정리하다.

‡**deaf** [def] *a.* **1 a** 귀머거리의; 귀먹은《***of, in*** …이》: He is ~ *of* 〔*in*〕 one ear. 그는 한 쪽 귀가 안 들린다/a ~ person 귀머거리. **b** (the ~) 〖명사적; 복수취급〗 귀머거리들: a school for the ~ and dumb 농아(聾啞) 학교. **2** Ⓟ 귀를 기울이지 않는, 무관심한《***to*** …에》: He is ~ *to* all advice. 그는 어떤 충고도 들으려 하지 않는다. (***as***) **~** ***as a post*** 〔***stone***〕 전혀 못 듣는. ***fall on ~ ears*** (요구 따위가) 무시되다: All of his

demands *fell on ~ ears*. 그의 모든 요구는 묵살되었다. ***turn a ~ ear to ...*** (부탁 등)에 귀기울이지 않다. [파] **~·ish** *a*. **~·ly** *ad*. **~·ness** *n*.

déaf-àid *n*. [C] 보청기(hearing aid).

déaf-and-dúmb [-ən-] *a*. [A] 농아(聾啞)의, 농아자(용)의: the ~ alphabet 지화(指話) 문자.

°**deaf·en** [défən] *vt*. …을 귀머거리를 만들다, 귀를 먹먹하게 하다, …의 귀청을 터지게 하다: We were almost *~ed* by the uproar. 그 소란한 소리에 귀가 먹먹할 정도였다. [파] **-ed** *a*. (후천적으로) 귀가 먹은. **~·ing** *a*. 귀청이 터질 것 같은: ~ cheers 귀청이 터질 것 같은 환호.

déaf-mùte *n*. [C] 농아자. **—***a*. 농아의.

deal[1] [di:l] (*p*., *pp*. **dealt** [delt]) *vt*. **1** 《~+[목]/+[목]+[부]/+[목]+[목]/+[목]+[전]+[명]》 **분배하다**, 나누(어주)다(*out*) 《*to* (아무)에게》: ~ *out* alms *to* the poor 빈민에게 구호 물자를 분배하다/~ *out* justice 공평한 재판을 하다/She *dealt* (*out*) each child three sandwiches. =She *dealt* three sandwiches (*out*) *to* each child. 그녀는 아이들 각자에게 샌드위치를 3 개씩 나누어 주었다. **2** 《+[목]+[전]+[명]/+[목]+[목]》 (타격)을 가하다《*at, to* (아무)에게》: ~ a blow *to* 〔*at*〕 a person =~ a person a blow 아무에게 일격을 가하다. **3** 《~+[목]/+[목]+[목]/+[목]+[전]+[명]》 (카드)를 도르다《*to* (아무)에게》: He *dealt* each player four cards. =He *dealt* four cards *to* each player. 그는 각자에게 패를 4 장씩 돌렸다. **4** 《속어》 마약을 매매하다.

—*vi*. **1** 《+[전]+[명]》 **다루다**, 처리하다《*with* …을》: how to ~ *with* wild horses 야생마를 다루는 방법/~ *with* a difficult problem 어려운 문제를 처리하다/This book *~s with* economics. 이 책은 경제학을 다루고 있다. **2** 《+[전]+[명]》〔양태부사를 수반하여〕 (…하게) 행동하다, 다루다, 상대하다《*with, by* …에게, …을》: She *dealt* fairly *with* us. 그녀는 우리를 공평하게 대해 주었다/I have been well 〔badly〕 *dealt with* 〔*by*〕. 나는 환대〔냉대〕받았다/Let me ~ *with* him. 그 사람은 내가 상대하지. **3** 《+[전]+[명]》 **장사하다**, 거래하다; 취급하다《*with, at* (사람·상점 따위)와; *in* (상품)을》: ~ *in* wool 양털 장사를 하다/We ~ directly *with* Bell & Co. 우리는 벨사(社)와 직접 거래한다/I don't ~ *in* that line. 그 방면의 상품은 취급하지 않는다/I ~ *at* that store. 저 가게와 거래한다. **4** 카드를 도르다: Whose turn to ~? 패는 누가 도를 차례입니까. **5** 《속어》 마약을 매매하다. ***hard*** 〔***easy***〕 ***to ~ with*** 감당하기 어려운〔쉬운〕.

—*n*. **1** [C] **a** (상업상의) **거래**《*in* …의; *with* …와의》: close 〔open〕 a ~ 거래를 끝내다〔트다〕/make 〔do〕 a ~ *in* grain *with* …와 곡물거래를 하다. **b** 타협, 담합(談合)《종종 비밀 또는 부정한》. **2** (a ~) 〔보통 수식어를 수반하여〕 취급, 대우: get a fair 〔square〕 ~ 공평〔공정〕한 취급을 받다/get a raw 〔rough〕 ~ 부당한〔거친〕 대우를 받다. **3** [C] (사회·경제적) 정책; 계획: crumb the ~ 계획을 망치다. **4** (the ~; one's ~) (카드놀이의) 패 도르기〔도를 차례〕: It's your ~. 네가 도를 차례다. **5** 〔a (good 〔great〕) ~로〕 **a** 상당히〔꽤〕 많은(양)《★ great 쪽이 good 보다 「다량」의 느낌이 강함》: He reads *a good* 〔*great*〕 ~. 그는 상당히 많은 책을 읽는다. **b** 〔부사적으로〕 상당히, 꽤: He smokes *a good* 〔*great*〕 ~. 그는 담배를 꽤 많이 피운다. **c** 〔강조어구로서 more, less, too many, too much, 또는 비교급 앞에 써서〕 상당히, 꽤, 어지간히: It's *a good* ~ *more* expensive than it was. 이전보다 값이 상당히 비싸다/He's *a great* ~ older than me 〔I am〕. 그는 나보다 나이가 꽤 위다. **6** 〔a good 〔great〕 ~ of …로〕 상당히〔꽤〕 많은 …《★ 양을 나타낼 경우에 쓰임; 수를 나타낼 경우에는 a (great 〔large〕 number of를 씀》: He spends *a* (*great*) *~ of* money. 그는 상당히 많은 돈을 쓴다.

call it a ~ (거래 등에서) 일이 낙착된 것으로 치다. ***No ~!*** 찬성하지 않는다, 승복할 수 없다. ***That's a ~.*** 좋아 알았다; 계약하자, 결정 짓자.

> [DIAL] ***Big deal!*** 잘했어(빈정거리는 투의 반어적 표현): What a fool I am! I paid one dollar too much.—*Big deal!* Forget it! 아차! 1 달러나 더 지불했어—잘했군! 잊어버려.
> ***It's a deal.*** 그것으로 결정했다, 그것으로 매듭〔타결〕짓자.
> ***It's no big deal.*** 별거 아닌데요 뭐.
> ***What's the deal?*** =***What's going on?*** 무슨 일 있는 거니.

deal[2] *n*. [U] (소나무·전나무의) 제재목(木).

*__deal·er__ [dí:lər] *n*. [C] **1** 〔보통 수식어를 수반하여〕 **상인**, …상(商), **판매업자**《*in* …의》: a wholesale ~ 도매상/a used car ~ 중고차 판매업자/a ~ *in* tea 차 장수. **2** (the ~) (카드를) 도르는 사람. **3** 【증권】 《美》 딜러(《英》 jobber)《자기 매매를 전문으로 하는 증권업자》. ↔ *broker*. **4** 《속어》 마약 매매인.

deal·er·ship [dí:lərʃìp] *n*. [U] 판매권, 허가권; [C] 판매 대리점, 특약점.

°**déal·ing** *n*. **1** [U] (타인에 대한) 태도; 조치: fair ~ 공정한 조치. **2** (*pl*.) (거래) 관계, 매매, 장사; 교제: have *~s* with …와 교제〔거래〕하다.

dealt [delt] DEAL[1] 의 과거·과거분사.

°**dean**[1] [di:n] *n*. [C] **1** 【영국국교회】 (cathedral 등의) 수석 사제(司祭); 【가톨릭】 지구장(rural ~); (영국 국교의) 지방 부감독. **2** (단과 대학의) 학장; (영국 대학의) 학생감; (미국 대학의) 학생과장. **3** (단체의) 최고참자, 장로.

dean·ery [dí:nəri] *n*. **1** [C] dean 의 관구〔저택〕. **2** [U] dean 의 직〔직위〕.

déan's lìst 《美》 (학기말·학년말의) 대학 우등생 명단〔명부〕: be on the ~ 우등생 명부에 (이름이) 오르다.

†**dear** [diər] *a*. **1** **친애하는**, 친한 사이의, 사랑하는, 귀여운: my ~ friend Smith 내 친구 스미스 군/my ~ daughter 사랑하는 나의 딸. **2** 귀중한, 소중한《*to* …에게》: hold a person 〔life〕 ~ 아무를〔생명을〕 소중히 하다/Life is ~ *to* me. 나는 목숨이 아깝다. **3** **a** 《주로 英》 **비싼**, 고가의. ↔ *cheap*. ¶~ cigars 비싼 여송연/Beef is too ~. 쇠고기는 너무 비싸다. [SYN.] ⇨ EXPENSIVE. ★ dear 에는 '가격' 의 뜻이 포함되므로, The price is *dear*. 라고는 안 하며, price 를 주어로 하면 보통 The price of beef is too high. 가 됨. **b** 물건을 비싸게 파는: a ~ shop 비싸게 파는 가게.

Dear 〔***My ~***〕 ***Mr.*** 〔***Mrs., Miss***〕 A ① 저 여보세요 A 씨〔부인, 양〕《회화에서 정중한 호칭; 때로 빈정댐이나 항의 등의 뜻을 내포함》. ② 근계《편지의 허두; 《英》에서는 My dear... 의 편이 Dear... 보다 친밀감이 강하나 《美》에서는 그 반대임》. ***Dear Sir***(***s***) 〔***Madam***(***s***)〕 근계《단수형은 안면이 없는 사람이나 윗사람에게, 복수형은 회

사·단체 앞으로 보낼 때 씀》. ~ ***to** a person's* ***heart*** 아무에게 있어 소중한, 중요한. ***for** ~ **life*** 죽을 힘을 다하여, 필사적으로.
—*n.* [C] 《호칭으로도 써서》 친애하는 사람, 귀여운 사람: What ~s they are! 정말이지 귀엽기도 하네/Come on in, my ~. 자아, 들어와요. ★ 보통 호칭으로서 (my) dear, (my) dearest가 되어 '애, 여보, 당신'의 뜻. ***Dear knows ...*** …은 아무도 모른다. ***There's*** 〔***That's***〕 ***a*** ~. 착하기도 해라《해주렴, 울지 말고》; (잘했어, 울지 말고) 착해라: Don't cry, Betty, *there's a* ~. 베티, 울지 마, 착하기도 하지.
—*ad.* 값비싸게, 고가로; 비싼 대가를 치루어: They buy cheap and sell ~. 싸게 사서 비싸게 판다/That mistake may 〔will〕 cost him ~. 그 잘못으로 그는 비싼 대가를 치르게 될 거야. ***pay*** ~ ***for** one's **sins*** 〔***errors***〕 죄〔과오(過誤)〕 때문에 곤욕당하다.
—*int.* 어머(나), 아이고, 저런《놀라움·근심·곤혹·경멸·동정 따위를 나타냄》: *Dear,* ~*!* = *Dear* me! =Oh ~! 어어, 야 참, 저런.
[파] ∠·**ness** *n.*

dear·est [díərist] *n.* =DEARIE.

dear·ie [díəri] *n.* [C] 사랑하는〔귀여운〕 사람; 여보, 당신. ***Dearie me!*** 어머나, 저런.

Déar Jóhn (lètter) 《美구어》 (애인·약혼자에 대한 여성의) 절교장, 파혼장.

dear·ly** [díərli] *ad.* **1** 《보통 love 등의 동사를 수식하여》 **끔찍이**, 진심으로: She loved him ~. 그녀는 그를 끔찍이 사랑했다. **2 비싼 값으로** 《★ 대체로 sell 〔buy〕 dear(비싸게 팔다〔사다〕)에서는 dearly를 쓰지 않음》: The victory was ~ bought. 그 승리는 막대한 희생을 치른 것이었다. ***sell** one's **life ~ 죽기 전에 적에게 큰 손실을 주다.

dearth [dəːrθ] *n.* (a ~) 부족, 결핍(lack); 기근(famine): a ~ *of* housing 주택난/a water ~ 물기근.

****death** [deθ] *n.* **1 a** [U] (구체적으로는 [C]) **죽음, 사망**: be burnt 〔frozen, starved〕 to ~ 타〔얼어, 굶어〕 죽다/die a natural ~ 천수를 다하다/shoot 〔strike〕 a person to ~ 아무를 쏴〔때려〕 죽이다/(an) accidental ~ 변사, 사고사. **b** [C] 사망(사례): Traffic ~s are increasing. 교통사고 사망이 증가하고 있다. **2 a** (the~) 죽음의 원인, 사인, 생명을 앗아가는 것: Overworking was the ~ *of* him. 과로가 그의 사망 원인이었다. **b** [U] 죽은 상태: lie still in ~ 죽어서 움직이지 않다. **3** (the ~) 파멸, 소멸, 종말: the ~ *of* one's hopes 희망이 없어짐. **4** [U] 살인, 살해; 사형: be done to ~ 살해당하다. **5** (D–) 사신(死神)《검은 옷에 낫을 든 해골로 상징됨》.
(***as***) ***pale as*** ~ (송장같이) 창백하여. (***as***) ***sure as*** ~ 틀림없이, 확실히. ***be at*** ~***'s door*** 빈사 상태에 이르다. ***be*** ~ ***on*** …을 엄격하게 다루다, …에 엄하다. ***be in at the*** ~ (여우 사냥에서) 여우의 죽음을 지켜보다; (사건의) 전말을 최후까지 보다. ***catch*** 〔***take***〕 one***'s*** ~ (***of cold***) 《구어》 심한 감기에 걸리다. ~ ***with dignity*** 존엄사(死)《무리한 연명 의료를 중지하는 일》. ***do ... to*** ~ 《구어》 …을 물리도록 반복하다: Bill's joke has been *done to* ~. 빌의 농담은 (너무 들어서) 지겹다. ***hang*** 〔***hold, cling,*** etc.〕 ***on like grim*** ~ 죽어도 놓지 않다, 결사적으로 달라붙다. ***like*** ~ (***warmed up*** 〔《美》 ***over***〕) 《구어》 형편이〔상태가〕 아주 나쁜 것처럼; 몹시 지쳐. ***put ... to*** ~ …을 죽이다, 사형에 처하다. ***to*** ~ ① 몹시, 아주, 극도로: tired *to* ~ 아주 녹초가 된/I'm starved *to* ~ 몹시 시장하다. ② 죽기까지: bludgeon a person *to* ~ 아무를 때려 죽이다. ***will be the*** ~ ***of*** 《구어》 ① …의 목숨을 빼앗다: Your worrying *will be the* ~ *of* you. 너의 걱정이 목숨을 앗아가게 될 거야. ② 우스워 죽을 지경이다: Stop! You*'ll be the* ~ *of* me. 그만해! 우스워 죽겠어.

°**déath·bèd** *n.* [C] (보통 *sing.*) 죽음의 자리; 임종: one's ~ confession 임종의 고백/a ~ will 임종 유언/on 〔at〕 one's ~ 임종에〔의〕.

déath·blòw *n.* [C] (보통 *sing.*) 치명적 타격, 치명상《***to*** …에 대한》: a ~ *to* his ambition 그의 야망에 대한 치명적 타격.

déath cèll 사형수 독방.

déath certìficate (의사가 서명한) 사망 진단서.

déath grànt 《英》 〖보험〗 (근친자·유언 집행자에게 지급되는) 사망 급부금.

déath hòuse 《美》 사형수 감방(이 있는 건물).

déath knèll (종말·죽음·파멸의) 조짐; 죽음을 알리는 종; =PASSING BELL.

déath·less *a.* 불사〔불멸, 불후〕의: ~ fame 불후의 명성. [파] ~·**ly** *ad.* ~·**ness** *n.*

déath·lìke *a.* 죽은 듯한.

déath·ly *a.* 죽음 같은;치명적인; 치사의. [SYN.] ⇨DEADLY. —*ad.* 죽은 듯이; 몹시, 극도로: ~ pale 죽은 듯이 창백한/He's ~ afraid of earthquakes. 그는 지진을 몹시 무서워한다.

déath màsk 데스마스크, 사면(死面).

déath pènalty (the ~) 사형(capital punishment).

déath ràte 사망률.

déath ràttle 임종 때의 가래 끓는 소리.

déath ròll (사고 등에 의한) 사망자 명부; 사망자 수.

déath rów (한 줄로 된) 사형수 감방.

déath sèntence 사형 선고.

déath's-hèad [déθs-] *n.* [C] (죽음의 상징으로서의) 해골.

déath squàd (라틴 아메리카의 군사 정권 아래에서 경범자·좌파 등에 대한) 암살대.

déath tàx 《美》 유산 상속세(death duty).

déath tòll (사고·전쟁 등의) 사망〔희생〕자수.

déath·tràp *n.* [C] 《구어》 죽음의 함정《위험한 건물·탈것·장소·상황》.

Déath Válley 죽음의 계곡《미국의 California 주와 Nevada 주에 걸쳐 있는 해면보다 낮은 메마른 혹서(酷暑)의 저지대》.

déath wàrrant 〖법률〗 사형 집행 영장; 치명적 타격: sign one's (own) ~ 파멸을 자초하다.

déath·wàtch *n.* [C] **1** (초상집의) 경야(經夜). **2** 사형수 감시인. **3** 〖곤충〗 살짝수염벌레(∠ **béetle**) 《그 소리를 죽음의 전조로 믿었음》.

déath wìsh 죽음을 바람《의식적 또는 무의식적으로 자기·타인에 대한》.

deb [deb] *n.* [C] 《구어》 =DEBUTANT(E); 《美속어》 거리를 쏘다니는 불량 소녀.

dé·bâ·cle, de·ba·cle [deibáːkl, -bǽkl, də-] *n.* 《F.》 [C] **1** (군대·군중 따위의) 와해, 패주. **2** (정부 등의) 붕괴; (시장의) 폭락, (갑작스런) 실패, 도산. **3** (강의) 얼음의 깨짐; (강 얼음의) 쏟아져 내림.

de·bag [diːbǽg] *vt.* 《英속어》 (장난·벌로서) …의 바지를 벗기다.

de·bar [dibáːr] (**-rr-**) *vt.* …을 내쫓다, 제외하

다《*from* (어떤 장소 · 상태)에서》; (법적으로) …에게 금하다《*from* …을》: His criminal record ~*red* him *from* (serv*ing* in) public office. 그는 전과 기록 때문에 공직에 취임하지 못했다.

◇**de·base** [dibéis] *vt.* **1** (품질 · 가치 따위)를 떨어뜨리다, 저하시키다: ~ the franc 프랑화(貨)의 가치를 떨어뜨리다. **2** (사람)의 인격 · 평판을 비하(卑下)시키다, 타락시키다. **3** 〖~ oneself〗 품성을 떨어뜨리다, 면목을 잃다: You must not ~ your*self* by such behaviior. 그런 행동을 해서 품위를 떨어뜨려서는 안 된다. [파] **~·ment** *n.* [U] (구체적으로는 [C]) (인품 · 품질 따위의) 저하; 타락; 변조. **de·bás·er** *n.*

de·bát·a·ble *a.* 논쟁〔이론〕의 여지가 있는, 논쟁〔계쟁〕 중인: a ~ argument 논쟁의 여지가 있는 논의 / a ~ land 〔ground〕 (국경 따위의) 계쟁지(係爭地).

***de·bate** [dibéit] *n.* **1** [U] (또는 [C]; 보통 *sing.*) (의회 따위의) 토론, 논쟁, 토의: open the ~ 토론을 개시하다 / the question under ~ 논쟁 중인 문제. **2** [C] 토론회.
—*vi.* **1** 《+[전]+[명]》 (공식적으로) **토론〔논쟁〕하다** 《*on, about* …에 관하여; *with* …와》; 토론에 참가하다: a *debating* society 토론연수회 / ~ hotly *on* 〔*about*〕 a question 어떤 문제에 관해 격론을 벌이다. **2** 숙고하다, 검토하다《*about, of* …을》: She ~*d about* his offer. 그녀는 그의 제안을 잘 생각해 보았다. **—***vt.* **1** 《~+[목]/+*wh.* [절]/+*wh. to* do》 토의〔논의〕하다: ~ an issue 문제를 토의하다 / ~ *which* is best 어느 것이 가장 좋은지 토론하다 / We are *debating what to* do. 무엇을 해야 할지 의논 중이다. [SYN.] ⇨DISCUSS. **2** 《~+[목]/+*wh.*[절]/+*wh. to* do》 숙고〔숙의〕하다: He ~*ed* the decision in his mind. 그는 그 결정을 마음 속으로 생각했다 / I am just *debating whether to* go 〔I should go〕 or stay. 갈까 머무를까 생각하고 있는 중이오.
[파] **de·bát·er** *n.* [C] 토론(참석)자, 논객.

de·bauch [dibɔ́:tʃ] *vt.* (도덕적으로) 타락시키다; (생활 · 취미 등)을 퇴폐시키다. **—***n.* [C] 방탕, 난봉; 폭음, 폭식. [파] **~·er** *n.* [C] 타락시키는 사람〔것〕; 난봉꾼. **~·ment** *n.*

de·báuched [-t] *a.* 타락한; 방탕한. [파] **de·báuch·ed·ly** [-idli] *ad.*

deb·au·chee [dèbɔ:tʃí:] *n.* [C] 방탕아, 난봉꾼.

de·bauch·ery [dibɔ́:tʃəri] *n.* [U] 방탕, 도락: a life of ~ 방탕한 생활.

de·ben·ture [dibéntʃər] *n.* [C] (공무원이 서명한) 채무증서, 공정증서; 《美》 무담보 사채(社債); 《英》 사채권(券).

de·bil·i·tate [dibílətèit] *vt.* (사람 · 몸)을 쇠약하게 하다.

de·bil·i·ty [dibíləti] *n.* [U] (특히 육체적인) 약함; (더위 · 병 등에 의한) 쇠약; 무기력: congenital ~ 선천성 약질 / nervous ~ 신경쇠약.

deb·it [débit] *n.* [C] 〖부기〗 차변(借邊)《생략: dr.》(↔ *credit*); 차변 기입: a ~ slip 출금전표 / the ~ side 차변란. **—***vt.* 차변에 기입하다.

débit sìde (the ~) 〖부기〗 차변, 장부의 좌측《생략: dr》. ↔ *credit side*.¶on the ~ 차변에.

deb·o·nair [dèbənέər] *a.* (남성이) 쾌활한, 활기찬; 명랑한; 상냥한. [파] **dèb·o·náir·ly** *ad.* **dèb·o·náir·ness** *n.*

de·bone [di:bóun] *vt.* (고기 · 생선 · 닭고기 따위)의 뼈를 발라내다.

Deb·o·rah [débərə] *n.* 데보라《여자 이름》.

de·bouch [dibú:ʃ, -báutʃ] *vi.* **1** (군대가 좁은 곳에서 넓은 곳으로) 진출하다. **2** 흘러나오다: The river ~*es into* the sea *at* …. 그 강은 …에서 바다로 흘러든다.

de·bóuch·ment *n.* **1** [U] 진출; (강의) 유출. **2** [C] 진출 장소; (하천의) 유출구.

de·brief [di:brí:f] *vt.* (특수 임무를 끝낸 사람)에게서 보고를 듣다.

◇**de·bris, dé-** [dəbrí:, déibri:/déb-] *n.* [U] **1** (파괴물의) 부스러기, 파편(의 더미). **2** 〖지질〗 암설(岩屑).

⁑**debt** [det] *n.* **1 a** [C] (구체적인) **빚**, 부채, 채무: a ~ of five dollars 5달러의 빚 / a bad ~ 대손(貸損) / contract 〔incur〕 ~*s* 빚이 생기다. **b** [U] 빚(을 진 상태): be in ~ 빚을 지고 있다 / get 〔go, run〕 into ~ =fall in ~ 빚지다 / get out of ~ 빚을 갚다 / keep out of ~ 빚 안 지고 살다. **2** [U] (구체적으로는 [C]) (남에게) 신세짐, 의리, 은혜: a ~ of gratitude 은혜. ***a ~ of honor*** 신용(信用) 빚, 《특히》 노름빚. ***be in*** a person***'s ~*** =***be in ~ to*** a person 아무에게 빚이 있다; …에게 신세를 지고 있다. ***~ of*** 〔***to***〕 ***nature*** 죽음: pay one's ~ *to nature* 죽다.

◇**debt·or** [détər] *n.* [C] **1** 채무자; 차주(借主): I'm your ~. 나는 너에게 빚이 있다. **2** 〖부기〗 차변《생략: dr.》. ↔ *creditor*.¶a ~ account 차변계정.

débtor nátion 채무국(↔ creditor nation).

de·bug [di:bʌ́g] (***-gg-***) *vt.* **1** 《구어》 …의 결함〔잘못〕을 조사하여 제거하다. **2** 《구어》 (방 · 건물)에서 도청 장치를 제거하다; (전파 방해 등으로 숨긴 마이크)를 쓸모 없게 하다. **3** 〖컴퓨터〗 (프로그램)의 오류를 수정하다. **4** (정원수 · 작물 등)의 해충을 제거하다.

de·bunk [di:bʌ́ŋk] *vt.* 《구어》 (정체)를 폭로하다, 들추어내다.

De·bus·sy [dèbjusí:, dəbjú:si, dəbú:si; *F.* dəbysi] *n.* **Claude A. chille ~** 드뷔시《프랑스 작곡가: 1862–1918》.

◇**de·but, dé·but** [deibjú:, di-, déi-, déb-] *n.* 《F.》 [C] (젊은 여성이) 사교계에 첫발 디디기, 첫 무대〔출연〕, 첫 등장, (사회 생활의) 첫걸음, 데뷔: make one's ~ 첫 무대를 밟다; 사교계에 처음으로 나서다. **—***vi.* 데뷔하다; 사교계에 처음 나가다.

◇**deb·u·tant, déb-** [débjutà:nt, -bjə-] (*fem.* ***-tante*** [-tà:nt]) *n.* 《F.》 [C] **1** 첫 무대에 서는 배우; 사교계에 처음 참석하는 사람. **2** (**-tante**) 사교계에 처음 나서는 아가씨; 처음 무대에 나가는 여배우; 첫 출연하는 여류 음악가.

Dec. December. **dec.** deceased; decimeter; declension; decrease.

dec·(a)- [dék(ə)] *pref.* '10배'의 뜻 [cf] hecto-, deci-.¶*deca*syllable.

***dec·ade** [dékeid / dəkéid] *n.* [C] **1 10년간**: for the last several ~*s* 요 수십년간 / the first ~ of this 〔the 21st〕 cencury 이〔21〕세기의 첫 10년간. **2** [dékəd] 〖가톨릭〗 rosary의 한 벌 《작은 구슬 10개와 큰 구슬 1개로 이루어짐》.

dec·a·dence [dékədəns, dikéidns] *n.* [U] 쇠미; 타락; 〖예술〗 퇴폐, 데카당 운동.

dec·a·dent [dékədənt, dikéidənt] *a.* **1** 쇠퇴기에 접어든; 퇴폐적인. **2** 〖예술〗 퇴폐기의, 데카당파의. **—***n.* [C] 데카당파의 예술가《특히 19

D

세기 말 프랑스의)); 퇴폐적인 사람, 데카당. ㊕ ~·ly *ad.*

de·caf(f) [di:kæf] *n.* Ⓤ 카페인을 제거한〔줄인〕 커피〔홍차 등〕. —*a.* 카페인을 뺀.

de·caf·fein·ate [di:kǽfiənèit/-fin-] *vt.* (커피 등에서) 카페인을 제거하다〔줄이다〕.

dec·a·gon [dékəgàn/-gən] *n.* Ⓒ 〖수학〗 10변형, 10각형.
㊕ **de·cag·on·al** [dikǽgənəl] *a.*

dec·a·gram, ((英)) **-gramme** [dékəgræ̀m] *n.* Ⓒ 데카그램((10 그램)).

de·cal [dí:kæl, dikǽl] *n.* =DECALCOMANIA 2.

de·cal·co·ma·nia [dikæ̀lkəméiniə] *n.* **1** Ⓤ 전사술(轉寫術)((무늬를 유리나 도자기 같은 데 넣는 법)). **2** Ⓒ 그 무늬.

dec·a·li·ter, ((英)) **-tre** [dékəlì:tər] *n.* Ⓒ 데카리터((10 리터)).

D

Dec·a·logue, -log [dékəlɔ̀:g, -lɑ̀g] *n.* (the ~) 〖성서〗 (모세의) 십계명(the Ten Commandments).

de·camp [dikǽmp] *vi.* **1** (군대가) 캠프를〔진(陣)을〕 거두고 물러나다. **2** (급히, 몰래) 도주하다(run away). ㊕ **~·ment** *n.* Ⓤ 철영(撤營); 도망.

de·cant [dikǽnt] *vt.* (용액의 웃물)을 가만히 따르다; 딴 그릇에 옮기다. ㊕ **de·can·ta·tion** [dì:kæntéiʃən] *n.*

de·cant·er [dikǽntər] *n.* Ⓒ 식탁용의 마개 있는 유리병.

de·cap·i·tate [dikǽpətèit] *vt.* (처형으로서) …의 목을 베다, …을 참수하다.

de·càp·i·tá·tion *n.* Ⓤ **1** 목베기, 참수. **2** ((美)) (느닷없는) 면직, 해고.

dec·a·pod [dékəpɑ̀d/-pɔ̀d] *n.* Ⓒ 〖동물〗 십각목(十脚目)((게·새우 따위)); 십완목(十腕目)((오징어 따위)).

de·cath·lete [dikǽθli:t] *n.* Ⓒ 10종 경기 선수.

de·cath·lon [dikǽθlɑn, -lən/-lɔn] *n.* Ⓤ (보통 the ~) 10종 경기. ⓒⓕ pentathlon.

> NOTE 1일째의 100미터 경주·넓이뛰기·투포환·높이뛰기·400미터 경주, 2일째의 110미터 하이허들 경주·투원반·봉고조(棒高跳)·창던지기·1500미터 경주의 10종목으로 겨룸; 남자 육상 경기 종목.

***de·cay** [dikéi] *vi.* **1** 썩다, 부패〔부식〕하다(rot): *~ing* food 부패하고 있는 음식. **2** (치아가) 충치가 되다. **3** (질·체력 등이) 쇠하다, 감쇠〔쇠미, 쇠약, 쇠퇴〕하다; 타락〔퇴화〕하다: As you get old, your mental and physical powers will ~. 나이를 먹으면 기력도 체력도 쇠퇴해질 것이다. **4** 〖물리〗 (방사성 물질·소립자·원자핵이) (자연) 붕괴하다. —*vt.* **1** 부패〔붕괴〕시키다; 쇠하게 하다. **2** 충치가 되게 하다: a *~ed* tooth 충치.
—*n.* Ⓤ **1** 부패, 부식; 충치. **2** 감쇠, 쇠미, 쇠퇴: the ~ *of* civilization 문명의 쇠퇴/mental ~ 지력 감퇴. **3** 〖물리〗 (방사성 물질·소립자·원자핵의) 붕괴: radioactive ~ 방사성 붕괴.
***be in* ~** 쇠퇴하고 있다. ***go to* ~ =*fall into* ~** 썩다, 부패하다; 쇠미하다.

Dec·can [dékən, -æn] *n.* (the ~) 데칸((인도의 반도부를 이루는 고원)).

decd. deceased.

°**de·cease** [disí:s] *n.* Ⓤ 〖법률〗 사망. —*vi.* 죽다. SYN. ⇨DIE¹.

***de·ceased** [disí:st] *a.* **1** 죽은, 고(故)…: the ~ father 선친/the family of the ~ 유가족. **2** (the ~) 〖명사적; 단·복수취급〗 고인.

de·ce·dent [disí:dənt] *n.* Ⓒ 〖美법률〗 사자(死者), 고인.

***de·ceit** [disí:t] *n.* **1** Ⓤ 사기, 속임(수); 허위: discover a person's ~ 아무의 사기 행위를 간파하다. **2** Ⓒ 책략, 계략. ◇ deceive *v.*

°**de·ceit·ful** [disí:tfəl] *a.* **1** 사람을 속이는, 거짓〔허위〕의: a ~ person 거짓말쟁이. **2** (겉보기에) 남을 미혹시키기 쉬운: a ~ action (사람을) 미혹시키는 행위. ㊕ **~·ly** *ad.* **~·ness** *n.*

‡**de·ceive** [disí:v] *vt.* ((~+목/+목+전+명)) **1** 속이다, 기만하다, 현혹시키다; 속여서 …시키다((*into* …하게)): be *~d by* appearance 외관 때문에 속다/He was *~d into* buy*ing* such a thing. 그는 속아서 저런 물건을 샀다. **2** 〖~ oneself〗 잘못 생각하다, 오해하다: He *~d* him*self into* believ*ing* she loved him. 그는 그녀가 자기를 사랑하는 줄로만 알았다. —*vi.* 속이다, 사기치다, 거짓말하다. ◇ deceit, deception *n.*
㊕ **de·céiv·er** *n.* Ⓒ 속이는 사람; 사기꾼. **de·céiv·ing·ly** *ad.*

de·cel·er·ate [di:sélərèit] *vt., vi.* 속력을 늦추다〔줄이다〕, 감속하다. ↔ *accelerate.*

de·cèl·er·á·tion *n.* Ⓤ 감속; 〖물리〗 감속도(↔ acceleration).

†**De·cem·ber** [disémbər] *n.* 12월((생략: Dec.)): in ~ 12월에/on ~ 8th =on the 8th of ~ 12월 8일에.

***de·cen·cy** [dí:snsi] *n.* **1** Ⓤ (사회적 기준에서 보아) 보기 싫지 않음, 예절바름, (언동·복장이) 고상함, 단정함; 품위, 체면: for ~*'s* sake 체면상/an offense against ~ =a breach of ~ 예의에서 벗어남, 버릇없음. **2** (the decencies) **a** 예의, 예절((★ 보통 다음 구로)): observe the *decencies* 예의를 지키다. **b** 보통의 살림에 필요한 것((의류·가구 등)). **3** (the ~) 친절, 관대((*to* do)): He didn't even have the ~ *to* show me the way. 그는 나에게 길을 가르쳐 줄 만한 친절함조차 없었다.
Decency forbids. 소변 금지((게시)).

de·cen·ni·al [diséniəl] *a.* 10년간의; 10년마다의. —*n.* Ⓒ ((美)) 10년제(祭). ㊕ **~·ly** *ad.* 10년마다.

‡**de·cent** [dí:sənt] *a.* **1** (복장·집 등이) 단정한, 깔끔한, 버젓한, 볼꼴 사납지〔남부끄럽지〕 않은, 예의바른: ~ clothes 단정한 복장/quite a ~ house 버젓한 집. **2** 어지간한, 상당한: get ~ marks (학교에서) 꽤 좋은 점수를 받다/He earns a ~ living. 그는 상당한 수입이 있다. **3** (가족 따위) 문벌이 좋은, 사회적 지위가 있는. **4** ((英)) 느낌이 좋은, 호감이 가는: He's quite a ~ fellow. 그는 아주 좋은 사람이다. **5** 친절한, 관대한((*to* do)): It's ~ *of* you 〔You're ~〕 *to* grant my request. 제 부탁을 들어 주셔서 감사합니다. **6** ((구어)) (사람 앞에 나설 정도로) 복장을 갖춘: Are you ~ yet?—Don't come in. I'm not ~. (상대방이 있는 방에) 이제 들어가도 됩니까—들어오지 마세요, 아직 옷을 갖춰 입지 못했는데요((남보기에 괜찮을 만큼의 옷차림의 뜻)).
㊕ **~·ly** *ad.* **~·ness** *n.*

de·cèn·tral·i·zá·tion *n.* Ⓤ 집중 배제, 분산; 지방 분권: economic ~ 경제력 집중 배제.

de·cen·tral·ize [diːséntrəlàiz] *vt.* (행정권 · 인구 등)을 분산시키다, 집중을 배제하다; 지방 분권으로 하다: ~ authority 권력을 분산시키다. **—***vi.* 분산화(化)하다, 지방 분권화하다.

◇**de·cep·tion** [disépʃən] *n.* **1** [U] 사기, 기만, 협잡《**on** (아무)에게의》: practice ~ *on* a person 남을 속이다. **2** [C] 속임수, 사기 수단; 가짜. ◇ deceive *v.*

de·cep·tive [diséptiv] *a.* 사람을 현혹시키는 〔속이는〕; 사기의; 믿지 못할. [파] **~·ly** *ad.* **~·ness** *n.*

de·ci- [désə, -si] *pref.* '10분의 1'의 뜻.

dec·i·bel [désəbèl, -bəl] *n.* [C] 〖전기 · 물리〗 데시벨《음향 · 전력의 강도를 표시하는 단위; 생략: db.; 가청 범위는 1-130 db.》.

†**de·cide** [disáid] *vt.* **1** 《~+[목]/+[목]+[전]+[명]/+*that* [절]/+*wh.* [절]/+*wh. to* do》 (문제 · 논쟁 등을) **해결하다**, 재결〔판결〕하다《***for, in favor of*** …에 유리하게; ***against*** …에 불리하게》; 결정하다, 정하다: ~ a question 문제를 해결하다 / The court ~*d* the case *against* the plaintiff. 법원은 원고에게 불리한 판결을 했다 / It has been ~*d that* the conference shall be held next month. 회의는 다음 달에 개최하기로 결정됐다 / He has ~*d what* he will do. 그는 무엇을 할지 결정했다 / She could not ~ *which* way *to* go. 어느 길로 가야 할지 정하지 못했다 / He could not ~ *which to* choose. =He could not ~ *which* he should choose. 그는 어느 쪽을 택할 것인지 정할 수 없었다.

2 《+*to* do/+*that* [절]》 …을 **결심〔결의〕하다**《이 뜻으로는 목적어로 명사 · 대명사를 쓰지 않음》: She has ~*d to* become a teacher. =She has ~*d that* she will become a teacher. 그녀는 선생이 되려고 결심했다.

[SYN] **decide** 여러 가지 가능성 중에서 선택하여 결정하다: He *decided* to go today. 그는 오늘 가기로 결정했다. **resolve** 마음에 정하다, 결의하다: *resolve* to ask for a promotion 승진을 부탁하기로 결심하다. **determine** 정한 것을 끝까지 관철하려고 결심하다: He *determined* to become an astronaut. 그는 어떤 일이 있어도 우주 비행사가 되려고 결심했다.

3 《~+[목]/+[목]+*to* do/+[목]+[전]+[명]》 (아무)에게 **결심시키다**《***against*** …하지 않도록》: That ~*s* me. 그것으로 결심이 선다 / His advice ~*d* me *to* carry out my plan. 그의 충고로 계획을 실천하려고 결심했다 / What ~*d* him *against* supporting you? 그가 당신을 지지하지 않기로 한 것은 무엇 때문입니까.

—*vi.* **1** 《~/+*to* do/+[전]+[명]》 **결심하다**, 정하다, 결정하다《***on*** …으로; ***against*** …하지 않기로; ***between*** (둘 중의) 어느 쪽으로; ***about*** …에 대하여》: I haven't ~*d* yet. 아직 결정하지 못했다 / I have ~*d to* go. =I have ~*d on* going. 가기로 정했다 / He ~*d against* investing in the company. 그는 그 회사에 투자하지 않기로 했다 / It is difficult to ~ *between* the two opinions. 그 두 가지 의견 중에 어느 쪽으로 정하기가 어려웠다 / He hasn't ~*d about* the date of the wedding. 그는 결혼 날짜를 정하지 않았다.

2 《+[전]+[명]》 〖법률〗 판결하다《***for, in favor of*** … 에 유리하게; ***against*** …에 불리하게》: The judge ~*d against* 〔*for, in favor of*〕 the defendant. 판사는 피고에게 불리하게〔유리하게〕 판결을 내렸다.

***de·cid·ed** [disáidid] *a.* **1 결정적인**; 단호한, 과단성 있는: in a ~ tone 단호한 어조로. **2** 분명한, 명확한(distinct): a ~ difference 분명한 차이.

◇**de·cíd·ed·ly** *ad.* 확실히, 단연; 단호히: This is ~ better than that. 이쪽이 저쪽보다 분명히 더 좋다 / answer ~ 단호하게 대답하다.

de·cíd·er *n.* [C] 결정자, 결재자; 《英》 (동점자끼리의) 결승 경기.

de·cíd·ing *a.* [A] 결정적인, 결승〔결전〕의: the ~ vote 결선 투표.

de·cid·u·ous [disídʒuːəs] *a.* **1** 〖식물〗 낙엽성의(↔ *evergreen*). ¶ a ~ tree 낙엽수. **2** 〖동물〗 (이 · 뿔 등이 어느 시기에) 빠지는: a ~ tooth 젖니(milk tooth). **3** 일시적인, 덧없는.

dec·i·gram, 《英》 **-gramme** [désigræ̀m] *n.* [C] 데시그램《1그램의 10분의 1; 기호 dg》.

dec·i·li·ter, 《英》 **-tre** [désiliːtər] *n.* [C] 데시리터《1리터의 10분의 1; 기호 dl》.

◇**dec·i·mal** [désəməl] *a.* **1** 〖수학〗 십진법의([cf.] centesimal); (통화 등이) 십진제의: ~ currency 십진제 통화 / ~ notation 십진법 / go ~ 통화 십진제를 채용하다. **2** 소수의: ~ place 소수자리 / ~point 소수점. **—***n.* [C] 소수(~fraction); (*pl.*) 십진법: a circulating 〔recurring, repeating〕 ~ 순환 소수 / an infinite ~ 무한 소수. [파] **~·ly** *ad.* 십진법으로; 소수로.

décimal classificàtion 십진 분류법《특히 도서의》.

décimal fràction 〖수학〗 소수. [cf.] common fraction.

dèc·i·mal·i·zá·tion *n.* [U] (화폐 · 도량형의) 십진법화(十進法化).

dec·i·mal·ize [désəməlàiz] *vt.* (통화 등)을 십진법으로 하다.

décimal sỳstem (the ~) 십진법〔제〕; = DECIMAL CLASSIFICATION.

décimal tàb 〖컴퓨터〗 데시멀 탭《일련의 숫자를 소수점에서 2자릿수로 정리하는 탭》.

dec·i·mate [désəmèit] *vt.* **1** (특히 고대 로마에서 반란죄 등의 처벌로) 10명에 1명꼴로 제비뽑아 죽이다; …의 10분의 1을 거두다〔징수하다〕. **2** (전염병 등이) …의 많은 사람을 죽이다. [파] **-má·tor** *n.* **dèc·i·má·tion** *n.* [U] 다수 살해.

dec·i·me·ter, 《英》 **-tre** [désəmìːtər] *n.* [C] 데시미터《1/10m; 생략: dm., dm》.

◇**de·ci·pher** [disáifər] *vt.* **1** (암호문 등)을 해독하다(decode), 풀다(↔ *cipher*, *encipher*). **2** (옛 문자 등)을 판독하다. [파] **~·ment** *n.*

‡**de·ci·sion** [disíʒən] *n.* **1** [U] (구체적으로는 [C]) **결심, 결의**《***to*** do; ***that***》: his ~*to* pursue a military career 군인으로서 살아가려는 그의 결심 / The principal's ~ *that* he would resign was a surprise to me. 교장을 사임하려는 그의 결의가 나에겐 놀라운 일이었다. **2** [U] (구체적으로는 [C]) **결정**, 결단; 해결, 판결: ~ by majority 다수결 / make 〔take〕 a ~ 결정하다 / come to 〔reach, arrive at〕 a ~ 결정되다. **3** [C] 판결(문), 판례; 결정서, 결의문; 〖권투〗 판정승: the final ~ 최종 판결 / give a ~ of not guilty 무죄 판결을 내리다 / win by ~ 판정승하다. **4** [U] 결단력, 과단성: a man of ~ 과단성 있는 사람.

decísion-màking *n.* [U] *a.* 의사 결정(의).

‡**de·ci·sive** [disáisiv] *a.* **1 결정적인**, 결정하는, 중대한: ~ evidence 〔proof〕 확증 / ~ ballots 〖법률〗 결선 투표 / It is ~ *of* the fate of the

D

question. 거기에 따라서 그 문제가 결판난다. **2** 의심할 여지가 없는, 명백한; 단호한, 확고한: a ~ manner 확고한 태도/a ~ tone of voice 단호한 어조/a ~ character 과단성 있는 성격. ◇ decide *v*. ㉺ **~·ly** *ad*. 결정적으로, 단호하게. **~·ness** *n*.

⁑**deck** [dek] *n*. Ⓒ **1** 〖선박〗 **갑판**: the lower 〔upper〕 ~ 하〔상〕갑판/the forecastle 〔quarter, main〕 ~ 앞〔후(後), 주(主)〕갑판. **2** (전차·버스 따위의) 바닥, 층. **3** 카드의 한 벌(pack) 《52매》: a ~ of cards 카드 한 벌. **4** 《美속어》 마약 봉지. **5** 테이프 덱(tape deck). ***clear the ~s* (*for action*)** ① (배에서) 갑판을 정리하다. ② 전투〔활동〕 준비를 하다. ***hit the* ~** 《구어》 ① 일어나다, 기상하다. ② 전투〔활동〕 준비를 하다. ③ 바닥에 쓰러지다〔엎드리다〕. ***on* ~** ① 〖해사〗 갑판에 나가; 당직하여: *go* (up) *on* ~ 갑판에 나가다; 당직을 하다《★ up은 그 선원의 선실이 갑판 아래에 있는 경우에 씀》. ② 《美》 대기하여; (야구의 타자 따위) 다음 차례에〔의〕.

—*vt*. **1** 《~+목/+목+전+명/+목+부》 〖보통 수동태; ~ oneself〗 장식하다; (아름답게) 치장하다 (*out*)《***with, in*** …으로》: The room *was ~ed* (*out*) *with* flowers. 방은 꽃으로 장식되었다/They *are ~ed out in* their Sunday best. 그들은 나들이옷으로 빼입고 있다. **2** 《美속어》 (아무)를 때려눕히다, 녹다운시키다.

déck chàir 갑판 의자; 접(摺)의자.

déck·er *n*. Ⓒ 〖합성어로〗 …층의 갑판이 있는 배〔버스〕(따위): a double-~ bus, 2층 버스/a triple-~ sandwich 세 겹 샌드위치.

déck·hànd *n*. Ⓒ 〖해사〗 갑판 선원, 평선원.

deck·le [dékəl] *n*. Ⓒ 〖제지〗 뜸틀《종이의 판형(判型)을 정하는》; =DECKLE EDGE.

déckle édge Ⓒ 〖제지〗 떠낸 후 도련(刀鍊)하지 않은 종이의 가장자리.

déckle-édged *a*. 도련하지 않은《종이》.

de·claim [dikléim] *vt*. (시·글)을 과장하여 낭독하다《***to*** (아무)에게》. **—***vi*. **1** (미사여구를 써서) 변론하다, 연설하다; (과장하여) 낭독하다. **2** 격렬히 비난〔공격〕하다《***against*** …을》: ~ *against* political corruption 정치적 부패를 격렬히 비난하다. ㉺ **~·er** *n*.

dec·la·ma·tion [dèkləméiʃən] *n*. **1** Ⓤ 낭독(법); 웅변(술). **2** Ⓒ (과장된) 연설; 장광설.

de·clam·a·to·ry [diklǽmətɔ̀ːri/-təri] *a*. 연설조의, 웅변가투의; 낭독조의; 과장된: speak in ~ tones 연설조로 이야기하다.

de·clar·a·ble [diklέərəbəl] *a*. 선언〔언명〕할 수 있는; (물건이) 신고해야 할: ~ goods (통관 때) 신고할 필요가 있는 물품.

⁑**dec·la·ra·tion** [dèkləréiʃən] *n*. **1** Ⓤ (구체적으로는 Ⓒ) **선언**, 포고; 공표, 발표; (사랑의) 고백: a ~ *of* war 선전 포고/a ~ *of* the poll 선거 투표 결과 공표/make a ~ *of* love 사랑을 고백하다. **2** Ⓒ (세관·세무서에의) 신고(서): a ~ of income 소득(의) 신고. **3** Ⓒ 〖법률〗 (원고의) 최초 진술; (증인의) 진술. **4** Ⓒ 〖카드놀이〗 (브리지의) 으뜸패 선언. ◇ declare *v*. ***the Declaration of Human Rights*** 세계 인권 선언《1948년 12월 유엔총회에서 채택》. ***the Declaration of Independence*** (미국) 독립 선언《1776년 7월 4일 채택》.

de·clar·a·tive [diklǽrətiv] *a*. 〖문법〗 서술의: a ~ sentence 서술문《단순한 사실을 서술한 문장; 긍정문과 부정문이 있음》. ㉺ **~·ly** *ad*.

⁑**de·clare** [diklέər] *vt*. **1** 《~+목/+목+(*to be*) 보/+목+전+명》 **선언하다**, 포고하다, 공표하다; 선고하다, 발표하다《***on, against*** …에 대하여》: ~ independence 〔a ceasefire〕 독립〔휴전〕을 선포하다/~ a person a winner 아무를 승자로 선언하다/The accused was *~d* (*to be*) guilty. 피고는 유죄로 선고되었다/~ war *against* 〔*on*〕 a nation 어떤 나라에 대하여 선전 포고를 하다/I ~ Willam Jones elected. 윌리엄 존스가 당선된 것을 공표합니다.

2 《~+목/+목+전+명/+*that* 절/+목+(*to be*) 보/+*wh*. 절》 언명하다; 〖~ oneself〗 자기의 입장을 표명하다, 의사 표시를 하다《***for*** …에 찬성한다고; ***against*** …에 반대한다고》; 단언하다, 분명히 말하다; 〖인용문에서〗 공언하다, 잘라 말하다: He *~d* his innocence. 그는 자기가 결백하다고 언명했다/He *~d* him*self for* 〔*against*〕 the proposal. 그는 그 제안에 찬성〔반대〕한다고 표명했다/He *~d that* he was innocent. =He *~d* him*self* (*to be*) innocent. 그는 자기의 결백을 단언했다/He refused to ~ *which* way he would vote. 그는 어느 쪽에 투표할지 밝히기를 거부했다/"I won't go," she *~d*. "가지 않겠어"라고 그녀는 잘라 말했다.

3 《~+목/+목+(*to be*) 보》 나타내다, 표시하다: The heavens ~ the glory of God. 하늘은 신의 영광을 표시한다/His sullen response *~d* him (*to be*) guilty. 그의 앵돌아진 반응이 그의 유죄를 나타냈다.

4 (세관·세무서에서 과세품·소득액)을 신고하다: Do you have anything to ~?—No, (I have) nothing (to ~). 신고할 과세품을 가지고 계십니까—아니요, 없습니다《공항 세관에서》.

5 〖카드놀이〗 (손에 든 패)를 알리다; (어떤 패)를 으뜸패로 선언하다.

—*vi*. **1** 《~/+전+명》 선언〔언명, 단언〕하다; 의견〔입장〕을 표명하다《***for*** …에 찬성한다고; ***against*** …에 반대한다고》: ~ *against* 〔*for*〕 war 반전〔주전(主戰)〕론을 부르짖다. **2** 〖크리켓〗 (중도에서) 회(回)의 종료를 선언하다.

SYN. **declare**는 상대방의 반대를 무릅쓰고 하는 자기 주장을 말함. **announce**는 공식적으로 발표하여 전함. **proclaim**은 announce에 비해 한층 권위 있는 공식적인 발표를 나타내는 것이 보통.

***Well, I* (*do*) ~!** 저런, 설마.

de·cláred *a*. Ⓐ **1** 공언한, 공표된, 공공연한: a ~ candidate 입후보를 표명한 사람. **2** 신고한: ~ value (수입품의) 신고 가격. ㉺ **de·clar·ed·ly** [-klέəridli] *ad*. 공공연히.

de·clar·er [diklέərər] *n*. Ⓒ 선언〔성명〕자; 신고자; 〖카드놀이〗 (특히 브리지에서) 으뜸패의 선언자.

de·clas·si·fy [diːklǽsəfài] *vt*. (서류 등)을 기밀 지정에서 해제하다, 기밀 리스트에서 삭제하다. ㉺ **de·clàs·si·fi·cá·tion** *n*.

de·clen·sion [diklénʃən] *n*. 〖문법〗 Ⓤ 어형 변화《명사·대명사·형용사의 성(性)·수(數)·격에 의한 굴절》; Ⓒ 동일 어형 변화의 유어(類語).

de·clin·a·ble [dikláinəbəl] *a*. 〖문법〗 어형 변화하는.

dec·li·na·tion [dèklənéiʃən] *n*. **1** Ⓤ (구체적으로는 Ⓒ) 내리받이, 하강, 경사. **2** Ⓤ (구체적으로는 Ⓒ) 〖물리〗 (자침의) 편차(variation); 〖천문〗 적위(赤緯). **3** Ⓤ 《美》 (정식) 사퇴.

㊀ ~·al [-əl] *a*. 적위의; 편차의.

⁑**de·cline** [dikláin] *vi*. **1** 《~/+전+명》 (아래로) **기울다**, 내리막이 되다: (해가) 져가다: The road ~*s* sharply. 길이 가파르게 내리받이가 된다 / The sun ~*s* *toward* the west. 해가 서쪽으로 기운다.
2 (세력 · 체력 등이) **쇠하다**, 감퇴〔감소〕하다, 조락하다: His strength 〔health〕 is *declining*. 그의 체력〔건강〕이 쇠퇴하고 있다.
3 (인기 · 물가 등이) 떨어지다, 하락하다: Demand for this software has ~*d*. 이 소프트웨어의 수요가 하락했다.
4 (사람이) 영락하다, 타락하다: He has ~*d* to a disgraceful state. 그는 비참한 상태로 영락했다.
5 (정중히) 사퇴하다; 거절하다.
—*vt*. **1** 《~+목/+*to* do/+*-ing*》 (초대 · 제의 등)을 **정중히 사절하다**, 사양하다; (도전 · 명령 등)을 거부하다: ~ an offer 제의를 정중히 거절하다 / He ~*d* *to* explain. =He ~*d* explain*ing*. 그는 설명하기를 거부했다. **2** 기울이다, (머리)를 숙이다. **3** 〖문법〗 (명사 · 대명사 · 형용사)를 (격)변화시키다. cf. conjugate. ◇ declination *n*.
—*n*. Ⓒ (보통 *sing*.) **1 경사**, 내리받이: a gentle ~ in the road 도로의 완만한 내리막길. **2** 쇠퇴, 감퇴; 퇴보, 타락; 저하: ~ in the power of Europe 유럽 세력의 쇠퇴 / a ~ in the quality of employees 종업원의 질적 저하. **3** (체력의) 쇠약; 소모성 질환《특히 폐병》: go 〔fall〕 into a ~ 쇠약해지다; 폐병에 걸리다. **4** (인생의) 종말, 만년, 쇠퇴기: in the ~ of one's life 만년에. **5** (가격의) 하락, (혈압, 열 따위의) 내림: a (sharp) ~ in prices 물가의 (갑작스러운) 하락.
***on the* ~** 감소하여; 내리받이〔내리막길〕로; 쇠약하여: Absenteeism is *on the* ~. 장기 결근은 감소하고 있다.
㊀ **de·clín·er** *n*. Ⓒ 사퇴자.

de·clín·ing Ⓐ *a*. 기우는; 쇠약해지는: one's ~ fortune 쇠운 / one's ~ years 만년.

de·cliv·i·ty [diklívəti] *n*. Ⓒ (내리받이의) 경사, 내리받이: a sudden ~ 급한 내리받이. ↔ *acclivity*.

de·clutch [di:klʌ́tʃ] *vi*. 《英》 (자동차의) 클러치를 풀다.

de·coct [di:kákt/-kɔ́kt] *vt*. 달이다, 끓여 우리다. ㊀ **de·cóc·tion** *n*. Ⓤ 달이기; Ⓒ 달인 즙〔약〕.

de·code [di:kóud] *vt*. **1** 디코드하다《부호화된 데이터나 메시지를 해독하여 본디말로〔형식으로〕 되돌림》. **2** (암호문)을 해독〔번역〕하다(cf. encode).

de·cód·er *n*. Ⓒ **1** 암호 해독자〔해독기〕; (전화 암호의) 자동 해독 장치. **2** 〖컴퓨터〗 디코더《부호화된 신호를 원형으로 되돌림》.

de·cód·ing *n*. 〖컴퓨터〗 디코딩《코드화(化)된 데이터나 명령을 처리할 수 있도록 해독하는 일》.

dé·col·le·tage [dèikɑlətɑ́:ʒ, dèkələ-/-kɔl-] *n*. 《F.》 Ⓤ (목과 어깨가 드러나도록) 깊이 판 옷의 선.

dé·col·le·té [deikɑ̀lətéi/deikɔ́lətei] (*fem*. ***-tée*** [—]) 《F.》 *a*. 어깨와 목을 많이 드러낸 《옷》; 데콜테옷을 입은: a robe ~ 로브데콜테《여성의 야회복》.

de·col·o·nize [di:kɑ́lənàiz/-kɔ́l-] *vt*. (식민지)에 자치를〔독립을〕 허락하다. ㊀ **de·còl·o·ni·zá·tion** *n*.

de·col·or, 《英》 **-our** [di:kʌ́lər] *vt*. 탈색하다, 표백하다. cf. discolor.

de·col·or·i·za·tion [di:kʌ̀lərizéiʃən] *n*. Ⓤ 탈색, 표백; 퇴색.

de·col·or·ize [di:kʌ́ləràiz] *vt*. =DECOLOR.

de·com·mis·sion [dì:kəmíʃən] *vt*. **1** (배 · 비행기 따위)의 취항을 중지시키다. **2** (원자로)를 폐로 조치하다.

de·com·mu·nize [dì:kɑ́mjunàiz/-kɔ́m-] *vt*. (국가 · 제도 등)을 비(非)공산화하다. ㊀ **de·còm·mu·ni·zá·tion** *n*.

°**de·com·pose** [dì:kəmpóuz] *vt*. **1** 분해시키다《*into* (성분 · 요소)로》: The bacteria ~ the impurities *into* a gas and solids. 그 박테리아는 불순물을 기체와 고체로 분해시킨다. **2** 썩게 하다, 부패〔변질〕시키다. —*vi*. **1** 분해하다. **2** 썩다, 부패하다.

de·com·po·si·tion [dì:kɑmpəzíʃən/-kɔm-] *n*. Ⓤ **1** 분해 (작용), 해체. **2** 부패, 변질.

de·com·press [dì:kəmprés] *vt*. **1** …의 압력을 줄이다. **2** (심해 잠수부 등)에게 원래 기압으로 되돌리다. —*vi*. **1** 감압(減壓)하다. **2** 《구어》 편안해지다, 긴장이 풀리다.

de·com·pres·sion [dì:kəmpréʃən] *n*. Ⓤ 감압: a ~ chamber 감압실.

de·con·gest·ant [dì:kəndʒéstənt] *n*. Ⓤ (종류 · 낱개는 Ⓒ) 〖약학〗 (점막 등의) 울혈〔충혈〕 제거제(劑).

de·con·struct [dì:kənstrʌ́kt] *vt*. **1** 해체하다, 분해하다. **2** (문학 작품 등)을 탈(脫)구축(deconstruction)의 방법으로 분석하다.

dè·con·strúc·tion *n*. Ⓤ 〖문예〗 탈(脫)구축, 해체 구축《구조주의 문학 이론 이후에 유행한 분석 방법론의 하나》.

de·con·tam·i·nate [dì:kəntǽmənèit] *vt*. 정화(淨化)하다; (독가스 · 방사능 따위)의 오염을 제거하다. ㊀ **dè·con·tam·i·ná·tion** *n*. Ⓤ 정화; 오염 제거.

de·con·trol [dì:kəntróul] (*-ll-*) *vt*. (정부)의 관리를 해제하다, 통제를 풀다. —*n*. Ⓤ (구체적으로는 Ⓒ) 관리〔통제〕 해제: (the) ~ of domestic oil prices 국내 석유 가격의 통제 해제.

de·cor, dé·cor [deikɔ́:r, ∠-] *n*. 《F.》 Ⓤ (구체적으로는 Ⓒ) 장식, 실내 장식; 무대 장치.

⁑**dec·o·rate** [dékərèit] *vt*. **1** 《~+목/+목+전+명》 **꾸미다**, 장식하다《*with* …으로》: Paintings ~ the walls. 그림이 벽을 장식하고 있다 / She ~*d* the room *with* flowers. 그녀는 꽃으로 방을 꾸몄다.

SYN. **decorate** 단조롭거나 본래 아름답지 않은 것을 특정한 목적을 위해 아름답게 꾸미다. **adorn** 본래 아름다운 것을 장식하여 더 한층 그 아름다움을 높이다. **ornament** 장식하여 외관을 더 아름답게 하다.

2 (방 · 벽)에 칠을 하다, 도배하다. **3** 《+목+전+명》 (아무)에게 **훈장을 주다**《*with* …을; *for*… 에 대하여》: ~ a person *with* the Order of the Bath *for* eminent services 현저한 공로에 대해 아무에게 바스 훈장을 주다 / a heavily ~*d* general 가슴에 훈장을 잔뜩 단 장군.

***dec·o·ra·tion** [dèkəréiʃən] *n*. **1** Ⓤ **장식**(법). (장식물로) 꾸밈: ~ display (상점의) 장식 진열 / interior ~ 실내 장식. **2** Ⓒ (보통 *pl*.) 장식물: Christmas (tree) ~*s* 크리스마스 (추리) 장식물. **3** Ⓒ 훈장: grant 〔confer〕 a ~ to 〔on〕 …에게 훈장을 수여하다.

Decorátion Dày 《美》 현충일(Memorial Day).

◇**dec·o·ra·tive** [dékərèitiv, -rə-] *a.* 장식(용)의, 장식적인: ~ art 장식 미술. ⊞ **~·ly** *ad.* **~·ness** *n.*

dec·o·ra·tor [dékərèitər] *n.* Ⓒ 장식자; 실내 장식가〔업자〕(interior ~).

dec·o·rous [dékərəs] *a.* 예의 바른; 점잖은, 단정한, 고상한. ⊞ **~·ly** *ad.* **~·ness** *n.*

de·co·rum [dikɔ́:rəm] *n.* **1** Ⓤ 단정; 예의 바름. **2** Ⓒ (훌륭한) 예법, 에티켓. **3** (*pl.*) 예절.

de·cou·page, dé- [dèiku:pá:ʒ] *n.* 《F.》 Ⓤ 오려 낸 종이 쪽지를 붙이는 장식(의 기법).

de·coy [dí:kɔi, dikɔ́i] *n.* Ⓒ **1** 유인하는 장치, 미끼, 후림새: a ~ bird 후림새. **2** 미끼로 쓰이는 것〔사람〕: a police ~ 위장 잠입 형사. **3** (오리 사냥 따위의) 유인 못, 꾀어들이는 곳.
— [dikɔ́i] *vt.* **1** (미끼로) 유혹〔유인〕하다《*into, toward* …으로》: ~ a person *into* a place 〔doing something〕 아무를 어떤 장소로〔어떤 일을 하도록〕 유인하다. **2** 꾀어내다《*from, out of* …에서》: ~ customers away *from* a competitor 경쟁자에게서 손님을 빼내다/He *~ed* her *out of* her room. 그는 그녀를 방에서 꾀어 냈다.

⁑de·crease [dí:kri:s, dikrí:s] *n.* **1** Ⓤ (구체적으로는 Ⓒ) **감소, 축소**《*in* …의》: a rapid ~ *in* population 〔production〕 인구〔생산성〕의 급격한 감소. **2** Ⓒ 감소량〔액〕. ↔ *increase.* ***be on the ~*** 줄어가다, 점차 감소하다.
— [dikrí:s] *vi.* 줄다; 감소〔저하〕하다; (힘 등이) 쇠퇴하다(↔ increase): His influence slowly *~d.* 그의 영향력은 서서히 줄었다/~ in number 수가 줄다. — *vt.* 줄이다, 감소시키다, 저하시키다: ~ pollution 오염을 감소시키다/~ speed 속력을 줄이다.

de·créas·ing·ly *ad.* 점점 줄어, 점감적으로.

***de·cree** [dikrí:] *n.* Ⓒ **1 법령,** 포고, 명령: an Imperial ~ 칙령/issue a ~ 법령을 발포하다/forbid selling guns by ~총의 판매를 법령으로 금하다《★ by ~는 관사 없이》. **2** 〖법률〗 **판결, 선고.** — *vt.* 《~+목/+*that* 절》 **1** (법령으로) 포고하다; 명하다: The king *~d* an amnesty for political criminals. 국왕은 정치범의 사면을 포고했다/~ *that* slavery (should) be abolished 노예 제도를 폐지하라고 포고하다. **2** (운명 등이) 정하다: Fate *~d that* we should meet. 우리는 만나게 될 운명이었다. — *vi.* 법령을 공포(公布)하다; (하늘이) 명하다.

dec·re·ment [dékrəmənt] *n.* **1** Ⓤ 점감, 감소, 소모. **2** Ⓒ 감소량; 감소율. ↔ *increment.*

de·crep·it [dikrépit] *a.* 노쇠한, 늙어빠진; (병들어) 허약한; (낡아서) 터덜〔덜커덩〕거리는. ⊞ **~·ly** *ad.*

de·crep·i·tude [dikrépitjù:d] *n.* Ⓤ 노쇠, 노폐; 노후.

decresc. 〖음악〗 decrescendo.

de·cre·scen·do [dì:kriʃéndou, dèi-] 《It.》 〖음악〗 *a., ad.* 점점 여린, 점점 여리게《생략: decres(c); 기호 >》. ↔ crescendo. —(*pl.* **~s**) *n.* Ⓒ 데크레셴도(의 음·악절).

de·cres·cent [dikrésnt] *a.* (달이) 이지러져 드는, 하현(下弦)의. ↔ *increscent.*

de·crim·i·nal·ize [dì:krímənəlàiz] *vt.* 해금(解禁)하다; (사람·행위)를 기소〔처벌〕 대상에서 제외하다.

de·cry [dikrái] *vt.* 공공연히 비난〔중상〕하다, 헐뜯다, 비방하다: He *decried* the mayor's use of sexist language. 그는 시장이 성차별의 말을 사용한 것을 비난했다.

dec·u·ple [dékjupl] *a.* 10배의(tenfold); 10개 단위의. — *vt., vi.* 10배로 하다〔가 되다〕.

***ded·i·cate** [dédikèit] *vt.* **1** 《+목+전+명》 **a** (시간·생애 등을) **바치다**《*to* …에》: She *~s* her spare time *to* her children. 그녀는 여가 시간을 그녀의 아이들에게 바친다. **b** 《~ oneself》 전념하다《*to* …에》: ~ one*self to* the study of bacteria 박테리아 연구에 전념하다. **2** 《+목/+목+전+명》 봉납하다, 헌납하다《*to* …에게》: ~ a new church building 새로운 교회당을 헌당하다/The ancient Greeks *~d* many shrines *to* Apollo. 고대 그리스인은 많은 신전을 아폴로 신에게 봉납했다. **3** 《+목+전+명》 (저서·작곡 따위)를 헌정(獻呈)하다《*to* …에게》: ~ a book *to* a person/*Dedicated to* …, 이 책을 …에게 드립니다《책의 첫 장 따위에 인쇄하는 말》.

déd·i·càt·ed [-id] *a.* **1** (이상·주의(主義) 등에) 일신을 바친, 헌신적인: a ~ nurse 헌신적인 간호사. **2** Ⓟ 봉납〔봉헌〕된《*to* …에게》: a chapel ~ *to* the virgin Mary 성모 마리아에게 봉헌된 예배당. **3** (장치 따위가) 특정한 목적을 위한, 전용의: a ~ system 전용 시스템. ⊞ **~·ly** *ad.*

◇**dèd·i·cá·tion** *n.* **1** Ⓤ (구체적으로는 Ⓒ) 봉납, 봉헌; 헌신, 전념. **2** Ⓤ 헌정(獻呈); Ⓒ 헌정의 말.

ded·i·ca·tor [dédikèitər] *n.* Ⓒ 봉납자, 기증자; (저서 등의) 헌정자.

ded·i·ca·to·ry [dédikətɔ̀:ri, -touri] *a.* 봉납〔헌납〕의, 헌정의.

◇**de·duce** [didjú:s] *vt.* **1** (결론·진리 등)을 연역(演繹)하다, 추론하다(infer), 추측하다《*from* …에서/*that*》. ↔ *induce.* ¶ *From* this we ~ a method for the construction. 이것을 기초로 하여 건축 방법을 이끌어낸다/*From* his remarks we *~d that* he didn't agree with us. 그의 말에서 그가 우리와 의견이 같지 않다고 추론했다. **2** …의 경과〔추이〕를 더듬다, 유래를 찾다《*from* …에서》: ~ one's lineage 〔descent〕 가계를〔조상을〕 더듬다. ◇ deduction *n.* ⊞ **de·dúc·i·ble** *a.*

◇**de·duct** [didʌ́kt] *vt.* (세금 따위)를 공제하다, 빼다《*from, out of* …에서》: ~ 10% *from* a person's salary 아무의 급료에서 1할을 공제하다. ⊞ **~·i·ble** *a.*

◇**de·dúc·tion** *n.* **1** Ⓤ (구체적으로는 Ⓒ) 뺌, 공제. **2** Ⓒ 차감액, 공제액《*of* (얼마)의; *for* …(보험료 따위)를 위한》: a ~ *of* 10,000₩ *for* health insurance 건강 보험료 1만원의 공제. **3** 〖논리〗 **a** Ⓤ (구체적으로는 Ⓒ) 연역(법) 《일반적인〔기지(旣知)의〕 원리에서 특수한〔미지의〕 사례를 추론하는 것》. ↔ induction. **b** Ⓒ 연역적 결론〔추정〕; 추론; (추론에 의한) 결론.

de·duc·tive [didʌ́ktiv] *a.* 〖논리〗 추리의, 연역적인. ↔ *inductive.* ¶ ~ method 연역법/~ reasoning 연역적 추리. ⊞ **~·ly** *ad.*

⁑deed [di:d] *n.* Ⓒ **1 행위,** 행동, 소행: a good 〔bad〕 ~ 선행〔악행〕/*Deeds,* not words, are needed. 말이 아니라 행동이 필요하다. SYN. ⇨ ACT. **2** 〖법률〗 (서명 날인한) 증서, 권리증: a ~ of covenant 약관 날인 증서. ***in ~ and not in name*** =***in ~ as well as in name*** 명실공히. ***in (very) ~*** 실로, 참으로(indeed). ***in word and (in) ~*** 언행 일치하여.
— *vt.* 《美》 (재산)을 증서를 작성하여 양도하다.

déed póll (*pl.* ***déeds póll***) 〖英법률〗 (당사자의 한 쪽만이 작성하는) 단독 날인 증서.

dee·jay [díːdʒèi] *n.* Ⓒ 《구어》 = DISK JOCKEY.

°**deem** [diːm] 《문어》 *vt.* (…라고) 생각하다(consider), … 로 간주하다〔보다〕 《*that*》: We ~ it our duty to do so. 그렇게 하는 것이 우리의 의무라 생각한다/We ~ him (*to be*) honest. = We ~ *that* he is honest. 우리는 그를〔가〕 정직하다고 생각한다.

†**deep** [diːp] *a.* **1** 깊은(↔ *shallow*); 깊이〔길이〕가 …인: a ~ well 깊은 우물/a pond ten feet ~ 깊이 10 피트의 못/~ snow 깊게 쌓인 눈/a lot 100 feet ~ 안 길이가 100 피트인 부지/The river is ~*est* here. 그 강은 여기가 가장 깊다.

2 깊은 데〔깊숙이〕 있는; 깊은 데서 나오는; 깊이 파묻힌: from the ~ bottom 깊은 밑바닥에서/a ~ wound 깊은 상처/draw 〔take〕 a ~ breath 심호흡을 하다.

3 깊숙한, 안쪽 길이가 깊숙한: ~ woods 깊은 숲/a ~ cupboard 깊숙한 찬장.

4 Ⓟ 몰두〔골몰〕하고 있는; 빠져든《*in* …에》: ~ *in* reading 독서에 몰두한/~ *in* love 사랑에 빠진/He's ~ *in* thought. 그는 깊은 생각에 잠겨 있다.

5 (정도가) 강한, 심한; (잠이) 깊이 든; (밤이) 깊은, 이슥한; (감정이) 깊이 느껴지는, 절실한, 마음으로부터의: ~ sleep 깊은 잠/It was ~ in the night. 밤이 이슥했다/~ sorrow 깊은 슬픔/~ affection(s) 마음으로부터 우러나오는 애정/a ~ drinker 술고래.

6 (색깔이) 짙은(↔ *faint, thin*); (음성이) 낮고 굵은: (a)~ blue/a ~ voice.

7 (허리를) 낮게 숙인, 낮은 데까지 달하는: a ~ bow 큰 절/a ~ dive 급강하.

8 Ⓐ (의미·학문 등이) 심원한, 깊이를 헤아리기 어려운, 통찰이 깊은; 이해하기 어려운, 신비스런; 《구어》 속 검은: a ~ study of Zen 선(禪)에 대한 깊은 연구/a man of ~ learning 학식이 깊은 사람/a ~ secret 신비적인 비밀/a ~ allusion 난해한 언급/a ~ one 교활한 놈.

9 (시간적·공간적으로) 멀리 떨어진《*in* …에》: ~ *in* the past 아주 먼 옛날에/a house ~ *in* the country 멀리 떨어진 벽촌의 집.

10 Ⓟ 〖보통 몸 부위를 나타내는 말과 복합어를 이루어〗 (…까지) 빠진《*in* …에》; 휘말린《*in* (빚 따위)에》: ankle-〔knee-〕~ *in* mud 진흙탕에 발목〔무릎〕까지 빠진/He's ~ *in* debt. 그는 빚에 허덕이고 있다.

11 〖의학〗 신체 심부의: ~ therapy (X선에 의한) 심부 치료.

12 〖야구〗 타자로부터 멀리 떨어진, 깊은 위치의: a hit to ~ right field 우익 깊숙한 곳에 안타.

be in ~ water*(*s*)** 몹시 곤궁하다; 비탄에 잠기다. ***be thrown in at the ~ end 《구어》 어려운〔익숙하지 않은〕 일을 갑자기 맡아서 하게 되다. ***go off the ~ end*** ① 《속어》 발끈하다, (흥분하여) 앞뒤 가리지 않게 되다. ② 《美속어》 앞뒤 생각없이〔무턱대고〕 (사업을) 시작하다.

—*ad.* **1** 깊이, 깊게: dig ~ 깊이 파다/breathe ~ 심호흡하다/Still waters run ~. 《속담》 조용히 흐르는 물이 깊다. **2** (밤) 깊도록: work ~ into the night 밤 깊도록 일〔공부〕하다. **3** 〖야구·크리켓〗 타자에게서 멀리(에), 깊숙이: play ~ 멀리서 수비하다.

~ down 《구어》 본심은, 내심(은); 사실은: She seems frivolous, but ~ *down* she's a very serious person. 그녀는 경박해 보이지만, 본심은 진지한 사람이다.

—*n.* (the ~) 《시어》 바다, 대양: the great ~ 창해(滄海)/monsters 〔wonders〕 of the ~ 대해의 괴물〔경이〕. ***loose*** 〔***stir***〕 ***the great ~s*** 대소동을 일으키다.

㊥ **∠·ness** *n.*

deep·en** [díːpn] *vt.* **1** (인상·지식 등)을 깊게 하다. **2** (불안 등)을 심각하게 하다. **3** (색)을 짙게 하다. **—*vi. **1** 깊어지다; 짙어지다: The darkness ~*ed* in the woods. 숲속에는 어둠이 깊어 갔다. **2** (불안 등이) 심각해지다.

déep fréeze **1** 냉동 보존. **2** = DEEP FREEZER.

déep-fréeze *vt.* (식품 따위)를 급속 냉동하다(quick-freeze); 급속 냉동 냉장고에 보존하다.

déep fréezer 급속 냉동 냉장고〔실〕(freezer).

déep-frý *vt.* (식품)을 기름을 듬뿍 넣고 튀기다. ⓒⓕ sauté.

déep kíss 혀 키스(soul kiss, French kiss).

déep-kíss *vt., vi.* (…에게) deep kiss 하다.

déep-láid *a.* 비밀리에 교묘히〔면밀히〕 꾸민《음모 따위》: a ~ plan.

‡**deep·ly** [díːpli] *ad.* **1** 깊이; 철저하게: sleep ~ 깊이 잠들다/Susan loves her mother ~. 수잔은 어머니를 깊이 사랑한다. **2** (소리가) 굵고 낮게; (색이) 짙게. **3** 교묘히: a ~ laid intrigue 교묘하게 꾸민 음모.

déep móurning **1** 정식 상복(喪服)《검고 무광택의》. ⓒⓕ half mourning. **2** 깊은 애도《*for* …에 대한》: He was in ~ *for* his father. 그는 아버지에 대한 비탄에 잠겨 있었다.

déep-róoted [-id] *a.* 깊이 뿌리박은, 뿌리 깊은(deeply-rooted): a ~ social problem 뿌리 깊은 사회 문제.

déep-séa *a.* Ⓐ 심해〔원양〕의: ~ fishery 〔fishing〕 원양 어업/a ~ diver 심해 잠수부.

déep-séated [-id] *a.* (원인·병 따위가) 뿌리 깊은, 고질적인: a ~ fear 쉽게 가시지 않는 공포/a ~ disease 고질병.

déep-sét *a.* 깊게 움푹 팬, 깊이 끼워 넣은; 뿌리 깊은, 끈질긴.

déep síx 《美속어》 **1** 매장, 《특히》 바다에서의 수장(水葬). **2** 파기(破棄), 폐기 (처분). ***give … the ~*** …을 내던지다, 버리다, 매장하다.

déep-síx *vt.* 《美속어》 (배에서) 바다에 내던지다; 폐기〔파기〕하다.

Déep Sóuth (the ~) (미국의) 최남부 지방《특히 멕시코 만에 접한 Georgia, Alabama, Louisiana, Mississippi 의 4 주》.

déep spáce (지구의 중력이 미치지 않는, 태양계 밖을 포함하는 먼) 우주 공간(= **déep ský**).

déep strúcture 〖언어〗 심층 구조《변형 생성(生成) 문법에서, 표현 생성의 근원이 되는 기본 구조》.

déep thérapy 〖의학〗 (단파장 X선에 의한) 심부(深部) 치료.

‡**deer** [diər] (*pl.* **~, ~s**) *n.* **1** Ⓒ **사슴**. ★ 수사슴 stag, hart, buck; 암사슴 hind, doe, roe; 새끼사슴 calf, fawn. **2** Ⓤ 사슴 고기.

déer·hòund *n.* Ⓒ greyhound 비슷한 개《스코틀랜드 원산; 원래 사슴 사냥개》.

déer·skìn *n.* **1** Ⓤ 사슴 가죽. **2** Ⓒ 사슴 가죽옷. **—*a.*** Ⓐ 사슴 가죽의.

déer·stàlk·er [-stɔ̀ːkər] *n.* Ⓒ 사슴 사냥꾼; (앞뒤에 차양이 달린) 헌팅캡의 일종(= **∠ hàt**).

de-es·ca·late [diːéskəlèit] *vt.* (범위·규모·세기·수·양 등)을 점감(漸減)시키다; 단계적

D

으로 줄이다〔축소하다〕. [파] **de·ès·ca·lá·tion** *n.* [U] (단계적) 축소.

def [def] *a.* 《속어》 멋진, 보기 좋은.

def. defective; defendant; deferred; defined; definite; definition.

de·face [diféis] *vt.* **1** …의 외관을 손상하다. **2** (낙서 따위로) 읽기 어렵게 하다; (비석 따위의 표면)을 마멸시키다. [파] **~·ment** *n.* **de·fác·er** *n.*

de fac·to [diː-fǽktou, dei-] 《L.》 사실상(의): a ~ government 사실상의 정부.

de·fal·cate [difǽlkeit, -fɔ́ːl-] *vi.* 【법률】 위탁금을 유용〔횡령, 착복〕하다. [파] **-ca·tor** [-tər] *n.* **dè·fal·cá·tion** [dìː-] *n.* [U] 위탁금 횡령; [C] 부당 유용액.

def·a·ma·tion [dèfəméiʃən] *n.* [U] 중상, 비방: ~ of character 명예 훼손.

de·fam·a·to·ry [difǽmətɔ̀ːri/-təri] *a.* 명예 훼손의, 중상적인: ~ statesments 중상적인 진술.

de·fame [diféim] *vt.* …을 비방하다, 중상하다, …의 명예를 훼손하다.

◇**de·fault** [difɔ́ːlt] *n.* [U] **1** (의무·약속 따위의) 불이행, 태만. **2** 【경기】 경기 불참가, 불출장(不出場), 기권: win 〔lose〕 by ~ 부전승〔패〕하다. **3** 【법률】 채무 불이행; (법정에의) 결석: go into ~ 채무 불이행에 빠지다/judgment by ~ 결석 재판.

go by* ~** ① 결석〔결장〕하다. ② 결석 때문에 무시당하다. ***in* ~ *of …의 불이행의 경우에는; …이 없을 때에는: *In ~ of* new evidence, we'll have to give up the case. 새로운 증거가 없을 때에는, 공판을 취소할 수밖에 없다. ***make* ~** 【법률】 (재판에) 결석하다.

—*vi.* **1** 이행하지 않다, 태만히〔게을리〕 하다《*in* (의무·채무 따위)를》: ~ *in* one's payment(s) 지불을 게을리하다. **2** 【법률】 (재판에) 결석하다. **3** 경기에 출장하지 않다; 경기를 (중도에) 기권하다, 부전패로 되다.

de·fáult·er *n.* [C] **1** 태만자; 채무〔계약, 의무, 약속〕 불이행자; 배임 행위자. **2** (재판의) 결석자. **3** (경기의) 결장자, 중도 이탈자.

de·fea·si·ble [difíːzəbəl] *a.* 파기〔해약〕할 수 있는; 무효로 할 수 있는. [파] **-bly** *ad.*

⁑**de·feat** [difíːt] *vt.* **1 쳐부수다, 지우다**(beat): ~ the enemy 적을 쳐부수다/She *~ed* her brother at tennis. 그녀는 오빠를 테니스에서 이겼다.

[SYN.] **defeat** 패배시키다, 승리보다 상대의 '패배'에 중점을 둔 일반적인 말([cf.] defeatism). **conquer** 여러 저항을 배제하고 정복하다. **overcome** 때로는 지게 될 듯하다가 마침내 이기다: *overcome* bad habits 악습을 마침내 극복하다. **subdue** 상대가 저항 의욕을 잃게 하다, 진압하다.

2 (계획·희망 등)을 좌절시키다, 꺾다, 뒤집어엎다: ~ a person's hopes 아무의 희망을 좌절시키다/be *~ed* in one's plan 계획이 무너지다.

—*n.* **1** [U] (구체적으로는 [C]) **패배**: acknowledge ~ 패배를 인정하다/a ~ in an election 선거에서의 패배/four victories and 〔against〕 three *~s*, 4승 3패. **2** [U] (구체적으로는 [C]) 좌절, 실패: the ~ *of* one's plans 계획의 실패. **3** [U] 타파; (상대를) 쳐부숨.

[파] **~·ism** *n.* [U] 패배주의(적 행동〔행위〕). **~·ist** *n.* [C], *a.* 패배주의자(의).

def·e·cate [défikèit] *vi.* 배변(排便)하다. [파] **dèf·e·cá·tion** *n.* [U] 배변.

*****de·fect**[1] [difékt, ´-] *n.* [C] **결점**, 결함; 약점; 흠: a speech ~ 언어 장애/~ in one's character 성격상의 결함. ***the ~s of*** one***'s qualities*** 장점에 따르는 결점: Every man has *the ~s of* his *qualities*. 《격언》 누구나 장점과 그에 따르는 결점이 있는 법.

de·fect[2] [difékt] *vi.* **1** 도망〔탈주〕하다, 피하다. **2** (국가·당 따위의 지도자가) 이탈하다; 변절하다, 망명하다《***from*** …에서; ***to*** …으로》: ~ *from* the party 탈당하다/A Cuban diplomat *~ed to* the United States. 쿠바 외교관이 미국으로 망명했다.

de·féc·tion *n.* [U] (구체적으로는 [C]) 이반(離反); 탈당, 탈회; 변절《***from*** (주의·당파 따위)에서의; ***to*** …으로의》.

◇**de·fec·tive** [diféktiv] *a.* **1** 결함〔결점〕이 있는, 하자가 있는; 불완전한: a ~ car 결함이 있는 차. **2** [P] 결여되어 있는, 모자라는, 부족한《*in* …이》: be ~ *in* courage 용기가 결여되어 있다. **3** 지능이 평균 이하의. **4** 【문법】 결여적인《동사 어형 변화의 일부가 없는》: ~ verbs 결여 동사《변화 어형이 불완전한 may, can, must, will, shall 따위》. **—***n.* [C] **1** 심신 장애자, 《특히》 정신 장애자《차별어이므로 쓰지 않는 편이 좋음》: a mental ~ 지능 장애자. **2** 【문법】 결여어.

[파] **~·ly** *ad.* **~·ness** *n.*

de·fec·tor [diféktər] *n.* [C] 이탈자; 망명자; 도망자; 탈주병; 탈락자.

*****de·fence** [diféns] *n.* 《英》 =DEFENSE.

⁑**de·fend** [difénd] *vt.* **1** 《~+[목]/+[목]+[전]+[명]》 **막다**, 지키다, 방어〔방위〕하다, 수비하다《***from, against*** (적·공격·위해 등)으로부터》: ~ one's reputation 명성을 지키다/~ one's country *from* 〔*against*〕 the enemy 적으로부터 나라를 지키다. [SYN.] ⇨ GUARD. **2** (의견·행위 등)을 옳다고 주장하다, 지지〔옹호〕하다; 〖~ oneself〗 자기의 입장을 변호하다. **3** 【법률】 항변〔답변〕하다, 변호하다: ~ a suit 소송의 변호를 하다. **4** 【스포츠】 (포지션·골)을 지키다. **—***vi.* **1** 방어〔변호〕하다. **2** 【경기】 포지션을 지키다. ***God* 〔*Heaven*〕 *~!*** 그런 일은 결단코 없다; 그건 당치도 않다.

◇**de·fend·ant** [diféndənt] *n.* [C] 【법률】 피고(인). ↔ *plaintiff*. ¶the ~ company 피고측.

—*a.* 피고의.

de·fend·er [diféndər] *n.* [C] **1** 방어자; 옹호〔변호〕자. **2** 【경기】 선수권 보유자(↔ *challenger*). ***the Defender of the Faith*** 신교(信敎) 옹호자《Henry 8세(1521) 이후의 영국 왕의 전통적 칭호》.

⁑**de·fense** [diféns, díːfens] *n.* **1** [U] **방위**, 방어, 수비《***against*** …에 대한》. ↔ *offense, attack*. ¶legal ~ 정당방위/national ~ 국방/make a ~ *against* an attack 공격에 대하여 방어하다/a line of ~ 【군사】 방어선/The best ~ is offense. 공격은 최선의 방어다. **2** [C] 방어물《***against*** …에 대한》; (*pl.*) 【군사】 방어 시설: build up *~s* 방어 시설을 보강하다. **3** 【법률】 **a** [C] (보통 *sing.*) 변호, 답변(서); 주장; (피고의) 항변. **b** (the ~) 〖집합적; 단·복수취급〗 피고측《피고와 그의 변호인》. ↔ *prosecution*. **4** 【스포츠】 **a** [U] 수비(의 방법), 디펜스: They need more practice at 〔in〕 ~. 그들은 수비 연습이 더 필요하다. **b** 〖집합적; 단·복수취급〗 (the ~) 수비측(의 팀). ◇ defend *v.*

in ～ *of* ... …을 방위〔변호〕하기 위하여: fight *in* ～ *of* one's life 자신의 생명을 지키기 위하여 싸우다.

defénse·less *a.* 무방비의; 방어할 수 없는: a ～ city 무방비 도시. ⓟ ～**·ly** *ad.* ～**·ness** *n.*

defénse mèchanism 〔**reàction**〕 『심리』 방어 기제(機制); 『생리』 방어 기구(機構)《병원(病原)균에 대한 자기 방어 반응》. ⓒⓕ escape mechanism.

de·fén·si·ble *a.* 방어〔옹호, 변호〕할 수 있는. ⓟ **de·fèn·si·bíl·i·ty** *n.* Ⓤ 방어〔변호〕의 가능성.

◇**de·fen·sive** [difénsiv] *a.* **1** 방어의, 자위상(自衛上)의; 수비의. ↔ *aggresive, offensive.* ¶ a ～ alliance 방위 동맹 / ～ war 수비전 / take ～ measures 방어책을 강구하다. **2** Ⓟ (말 · 태도 등이) 수세(守勢)의, 수동적인, 자기 변호적인《*about* …에 대하여》: She was ～ *about* her marriage plan. 그녀는 결혼 계획에 대하여 자신을 지켜서 말을 하지 않으려 했다. ──*n.* Ⓤ (보통 the ～) 수세; 방어(의 자세): assume the ～ =be 〔act; stand〕 on the ～ 수세를 취하다.
ⓟ ～**·ly** *ad.* ～**·ness** *n.*

◇**de·fer**[1] [difə́ːr] (*-rr-*) *vt.* **1** 늦추다, 물리다, 연기하다(postpone)《do*ing*》: ～ one's departure for a week 출발을 1주일 연기하다 / ～ *going* to the dentist 치과 의사에게 가는 것을 미루다. **2** 《美》 징병을 유예하다. ──*vi.* 늦어지다, 연기〔지연〕되다; 미루적거리다. ◇ deferment *n.*

◇**de·fer**[2] (*-rr-*) *vi.* (경의를 표하여 의견 · 판단 따위를) 양보하다, 따르다《*to* …에》: ～ *to* one's elders 〔*to* a person's opinion〕 연장자에게〔아무의 의견에〕 따르다. ◇ deference *n.*

◇**def·er·ence** [défərəns] *n.* Ⓤ 복종; 존경, 경의《*to, toward* …에의》: blind ～ 맹종 / in ～ *to* public opinion 여론을 존중하여 / in ～ *to* your wishes 귀하의 뜻에 따라 / pay 〔show〕 ～ *to* … 에게 경의를 표하다. ***with all*** (***due***) ～ ***to you*** 지당한 말씀이오나, 죄송하오나.

def·er·en·tial [dèfərénʃəl] *a.* 경의를 표하는, 공경하는: offer 〔receive〕 ～ treatment 융숭한 대우를 하다〔받다〕. ⓟ ～**·ly** *ad.*

de·fér·ment *n.* Ⓤ (구체적으로는 Ⓒ) 연기; 거치; 순연(順延); 《美》 징병 유예.

de·fer·ral [difə́ːrəl] *n.* =DEFERMENT.

de·férred *a.* 연기한; 거치(据置)한: a ～ payment 연불, 분할급 / ～ annuity 거치 연금.

◇**de·fi·ance** [difáiəns] *n.* Ⓤ **1** (공공연한) 반항〔도전〕적 태도: show ～ toward …에 대하여 반항적 태도를 보이다 / glare ～ at …을 반항적 눈초리로 노려보다. **2** (명령 등에 대한) 반항, 무시, 경시. ◇ defy *v.*
in ～ *of* …을 무시하여, …에 상관치 않고: *in* ～ *of* the law 법률을 무시하고. ***set*** ... ***at*** ～ …을 무시〔모멸〕하다.

◇**de·fi·ant** [difáiənt] *a.* 도전적인, 반항적인, 싸움투의; 무례한, 오만한, 방약무인한: with a ～ air 무례한 태도로. ⓟ ～**·ly** *ad.* ～**·ness** *n.*

◇**de·fi·cien·cy** [difíʃənsi] *n.* **1** Ⓤ (구체적으로는 Ⓒ) 결핍, 부족, 결여; (정신적 · 육체적) 결함: vitamin ～ 비타민 결핍(증) / a ～ of good sense 양식의 결여. **2** Ⓒ 부족분〔액 · 량〕. ↔ *sufficiency.* ¶ supply a ～ 부족분을 보충하다.

defíciency disèase 『의학』 결핍성 질환, 영양실조, 비타민 (등의) 결핍증.

*****de·fi·cient** [difíʃənt] *a.* **1** 모자라는, 부족한, 불충분한《*in* …이》: a ～ supply of food 불충분한 식량 공급 / He's ～ *in* common sense. 그는 상식이 부족하다. **2** 결함이 있는; 불완전한, 멍청한: mentally ～ 정신박약의. ⓟ ～**·ly** *ad.* 불충분하게.

def·i·cit [défəsit] *n.* Ⓒ **1** 부족(액)《*in, of* …의》《★《美》에서는 in 쪽이 일반적》: a ～ *in* 〔*of*〕 oil 석유의 부족. **2** (금전상의) 결손, 적자. ↔ *surplus.* ¶ trade ～s 무역 적자 / a ～ *of* one million dollars, 100만 달러의 적자.

déficit fináncing 『재정』 (특히 정부의) 적자 재정 (정책).

déficit spénding (적자 공채 발행에 의한) 적자 재정 지출.

de·fi·er [difáiər] *n.* Ⓒ 도전자, 반항자.

◇**de·file**[1] [difáil] *vt.* **1** 더럽히다, 오염시키다《*with, by* …으로》: ～ a river *with* refuse 쓰레기로 강을 오염시키다. **2** (신성)을 모독하다; (여성)의 순결을 빼앗다《*with, by* …으로》: ～ a holy place *with* blood 유혈로 성지를 더럽히다.
ⓟ ～**·ment** *n.* Ⓤ (구체적으로는 Ⓒ) 더럽히기; 더럼, 오염.

de·file[2] [difáil, díːfail] *vi., vt.* (일렬) 종대로 행진하다〔시키다〕. ──*n.* Ⓒ (종대가 지나갈 정도의) 애로(隘路), 좁은 골짜기.

de·fín·a·ble *a.* 한정할 수 있는, 정의를 내릴 수 있는.

*****de·fine** [difáin] *vt.* **1** (성격 · 내용 따위)를 **규정짓다**, 분명히 하다: ill-～*d* duties 내용이 분명하게 규정되지 않은 임무 / ～ one's position 자기 입장을 분명하게 하다. **2** 《～+목/+목+*as* 보》 (어구 · 개념 등)의 **정의를 내리다**, (말)의 뜻을 밝히다: ～ a word *as*... 말을 …라고 정의를 내리다. **3** …의 경계를 정하다, …의 윤곽을 명확히 하다; (범위 등)을 한정하다: ～ property with stakes 말뚝으로 땅의 경계를 정하다 / Boundaries between countries should be clearly ～*d.* 나라와 나라 사이의 경계는 명확히 정해져야 한다.

‡**def·i·nite** [défənit] *a.* **1** (윤곽 · 한계가) **뚜렷한**, 확실한; (태도 따위가) 명확한, 확정적인: a ～ answer 확답 / a ～ reason 확실한 이유 / It is ～ *that* the mayor will resign. 시장이 사임한다는 것은 확정적이다. **2** Ⓟ 확신하는《*about* …을》: He was ～ *about* his victory. 그는 승리를 확신했다. **3** 한정된, 일정한: a ～ period of time 일정 기간. **4** 『문법』 한정하는: ⇨DEFINITE ARTICLE. ⇔ *indefinite.* ◇ define *v.*

SYN. **definite** 명백하게 범위 · 한계 따위가 정해진, 모호함이 없는: a *definite* area 특정 지역. **specific** 내용 · 용도 따위가 집중적으로 명백히 초점을 맞추어 표시된: state one's *specific* purpose 자기의 특정한 목적을 밝히다. **particular** general(일반적)의 반대어로서 어떤 개개의 사물에 주의를 할 때 씀: this reason 이 이유→this *particular* reason (여러 이유 중) 특히 이 이유.

ⓟ ～**·ness** *n.*

définite árticle (보통 the ～) 『문법』 정관사 《the》. ⓒⓕ indefinite article.

*****def·i·nite·ly** [défənətli] *ad.* **1 명확히**, 분명히; 확실히. **2 a** 〖동의 또는 강한 긍정을 나타내어〗《구어》 확실하게; 그렇고 말고(certainly): So you think he is correct?—Yes, ～ 〔*Definitely*〕. 그럼 자네는 그가 (한 말이) 옳다고 생각하는가—암, 그렇고 말고. **b** 〖부정어와 함께 써서 강한 부정을 나타내어〗 절대로 (…아니다), 결코 (…

아니다): So you don't trust him?—No, ~ *not* 〔*Definitely not*〕! 그럼 자넨 그를 믿지 않는다는 건가—그래, 절대로 안 믿어.

def·i·ni·tion [dèfəníʃən] *n.* **1** [C] **정의(定義)**; 어의(語義): What is the ~ of this word? 이 단어의 어의는 뭡니까. **2** [U] (TV·렌즈 따위의) 선명도, (라디오·스테레오 따위의 재생음의) 명료도. ◇define *v.* ***by*** ~ 정의에 의하면, 정의상; 자명한 일로서: A pianist *by* ~ plays the piano. 피아니스트인 이상 피아노를 치는 것은 자명한 일이다.

de·fin·i·tive [difínətiv] *a.* **1** 결정적인, 최종적인: a ~ edition 결정판(版)/a ~ victory 결정적 승리. **2** (텍스트·전기 등이) 가장 완벽하고 정확한; 가장 신뢰할 수 있는. [파] **~·ly** *ad.*

de·flate [difléit] *vt.* **1** (타이어·기구·축구공 등)의 공기〔가스〕를 빼다. **2** (자존심·희망 등)을 꺾다; 의기소침하게 하다; 풀이 죽게 하다. **3** 〖경제〗 (통화)를 수축시키다. ↔ *inflate*. ¶ ~ the currency (팽창한) 통화를 수축시키다. **—***vi.* 공기가 빠지다; 이울다; (통화가) 수축하다.

de·flá·tion *n.* **1** [U] 공기〔가스〕빼기, (기구(氣球)의) 가스 방출. **2** [U] (구체적으로는 [C]) 〖경제〗 통화 수축, 디플레이션. ↔ *inflation*. [파] **~·ist** *n.* [C] 통화 수축론자.

de·fla·tion·ary [difléiʃənèri/-ʃənəri] *a.* 통화 수축의, 디플레이션의: ~ gap 〖경제〗 디플레이션 갭《유효 수요의 수준이 완전 고용 수준을 밑돌 때 발생하는》/~ spiral 진행성 디플레이션, 디플레적(的) 악순환.

de·flect [diflékt] *vt.* **1** (탄환·광선 등)을 빗나가게 하다; 굴절시키다《***from*** …에서》: ~ a bullet *from* its course 탄환을 탄도에서 빗나가게 하다. **2** (사람·생각 등)을 편향시키다, 비뚤어지게 하다; (비평·공격 등)을 피하다: He coolly ~*ed* criticism of graybeards. 그는 노인들의 비평을 냉정히 피했다. **—***vi.* 빗나가다, 비뚤어지다《***from*** …에서; ***to*** …으로》: The ball ~*ed to* the left. 공은 왼쪽으로 빗나갔다.

de·fléc·tion, 《英》 **-fléx·ion** *n.* [U] (구체적으로는 [C]) **1** 빗나감, 비뚤어짐, 치우침. **2** 〖물리〗 편향(偏向); (계기 바늘의) 편차(偏差).

de·flec·tive [difléktiv] *a.* 편향적인, 비뚤어진.

de·flo·ra·tion [dèfləréiʃən, dìːflɔː-] *n.* [U] 꽃을 땀; (처녀) 능욕, 순결을 빼앗음.

de·flow·er [difláuər] *vt.* …의 꽃을 따다〔꺾다〕; 청순〔신선〕함을 빼앗다; 처녀성을 빼앗다; (여자)를 범하다; 망치다.

De·foe [difóu] *n.* **Daniel** ~ 디포《영국 소설가; *Robinson Crusoe*의 저자; 1660?–1731》.

de·fog [difɔ́ːg/-fɔ́g] *vt.* 《美》 (자동차 유리·거울의) 김〔물방울〕을 제거하다(《英》 demist). [파] **de·fóg·ger** *n.* [C] 김 제거기(《英》 demister).

de·fo·li·ant [di(ː)fóuliənt] *n.* [U] (종류·낱개는 [C]) 고엽제(枯葉劑).

de·fo·li·ate [di(ː)fóulièit] *vt.* 잎이 떨어지게 하다, 고엽제를 뿌리다. [파] **de·fò·li·á·tion** *n.* [U] 낙엽(기); 〖군사〗 고엽(枯葉) 작전.

de·for·est [diːfɔ́ːrist, -fár-/-fɔ́r-] *vt.* …의 산림을 벌채하다, 수목을 베어내다. ↔ *afforest*.

de·for·es·ta·tion [diːfɔ̀ːristéiʃən] *n.* [U] **1** 산림 벌채, 산림 개척. **2** 남벌(濫伐): *Deforestation* leads to erosion of the soil. 남벌은 토양을 침식하게 한다.

°**de·form** [difɔ́ːrm] *vt.* 모양 없이〔흉하게〕 하다; …을 불구로 하다; …의 변형시키다.

de·for·ma·tion [dìːfɔːrméiʃən, dèf-] *n.* **1** [U] (구체적으로는 [C]) 모양을 망침; 추악하게 함; 기형, 불구; 변형. **2** [U] 〖미술〗 데포르마시옹《소재나 대상을 작가의 주관에 따라 일그러뜨려 과장하는 수법》.

°**de·fórmed** *a.* 볼품 없는; 기형의; 모양을 손상시킨〔일그러뜨린〕: a ~ baby 기형아.

de·form·i·ty [difɔ́ːrməti] *n.* **1** [U] 모양이 흉함. **2** [C] (신체의) 기형, 불구(자). **3** [C] (인격·제도의) 결함.

*__de·fraud__ [difrɔ́ːd] *vt.* 《~+[목]/+[목]+[전]+[명]》 (아무)에게서 편취하다, **사취하다**, 횡령하다《***of*** …을》; (아무)를 속이다: They ~*ed* him *of* his property. 그들이 그의 재산을 사취했다〔속여 빼앗았다〕.

de·fray [difréi] *vt.* (비용)을 지불〔지출〕하다, 부담하다: ~ the cost 비용을 지불하다. [파] **~·al** [-əl], **~·ment** *n.* [U] 지불, 지출; 비용 부담. **~·er** *n.*

de·frock [di(ː)frák/-frɔ́k] *vt.* …의 성직을 박탈하다(unfrock).

de·frost [diːfrɔ́ːst, -frást/-frɔ́st] *vt.* (냉장고·자동차 유리 등)의 서리를〔얼음을〕 제거하다; (냉동 식품 등)을 녹이다. **—***vi.* (냉장고 등의) 서리가〔얼음이〕 제거되다; (냉동 식품이) 녹다. [파] **~·er** *n.* [C] (냉장고 등의) 서리 제거 장치.

deft [deft] *a.* 솜씨가 좋은; 능란한, 능숙한《***of, at*** …이》: ~ *of* hand 손재주가 좋은/a ~ blow 멋진 일격/He's ~ *at* deal*ing* with people. 그는 사람 다루는 것이 능숙하다. [파] **∠·ly** *ad.* **∠·ness** *n.*

de·funct [difʌ́ŋkt] *a.* **1** 죽은; 고인이 된. **2** 소멸한; 현존하지 않는.

de·fuse [di(ː)fjúːz] *vt.* **1** (폭탄·지뢰)의 신관을 제거하다. **2** …의 위기〔불안〕를 제거하다; 긴장을 완화하다: ~ the crisis/~ economic tensions between the U.S. and Korea 한미간의 경제적 긴장을 완화시키다.

°**de·fy** [difái] (*p.*, *pp.* ***-fied;*** **~·*ing***) *vt.* **1** (할 테면 해보라고) …에 도전하다〔말하다〕《***to*** do》: I ~ you *to* do so. 할 테면 해 봐. **2** (경쟁·공격 등)을 문제삼지 않다; 거부하다: ~ competition 경쟁을 문제시하지 않다/~ description 이루 다 말할 수 없다/~ every criticism 비평의 여지가 없다. **3** (권위·정부·명령 등)에 반항하다; (법률 따위)를 무시하다: ~ the Government 정부에 반항하다/~ the law 법을 무시하다.

deg, deg. degree(s).

De·gas [dəgáː] *n.* **Hilaire Germain Edgar** ~ 드가《프랑스의 인상파 화가; 1834–1917》.

de·gas [diːgǽs] (***-ss-***) *vt.* …에서 가스를 없애다〔빼다〕; 독가스를 제거하다.

de Gaulle [dəgóul] *n.* **Charles** ~ 드골《프랑스의 장군·정치가·대통령; 1890–1970》.

de·gauss [diːgáus] *vt.* =DEMAGNETIZE; (텔레비전 수상기 등)의 자장(磁場)을 중화하다; 〖해사〗 (군함 따위)에 자기기뢰 방어 장치를 하다.

de·gen·er·a·cy [didʒénərəsi] *n.* [U] 퇴보, 퇴화; 타락; 성적 도착, 변태.

°**de·gen·er·ate** [didʒénərèit] *vi.* **1** 나빠지다, 퇴보하다; 타락하다《***into*** …으로》: He has ~*d into* an alcoholic. 그는 타락한 나머지 알코올 중독에 빠졌다/Liberty is apt to ~ *into* lawlessness. 자유는 방종으로 타락하기 쉽다. **2** 〖생물〗 퇴화하다; 〖의학〗 변질하다: ~ through nonuse 사용되지 않음으로써 퇴화하다.

— [-nərit] *a.* 타락한; 퇴화한; 변질한: ~ places of amusement 퇴폐한 오락장 / ~ forms of life 퇴화한 생물류.

— [-nərit] *n.* Ⓒ **1** 퇴화물; 퇴화 동물; 타락자. **2** 변질자, 성적 도착자.

de·gen·er·a·tion [didʒènəréiʃən] *n.* Ⓤ **1** 퇴보; 악화, 타락, 퇴폐. **2** 〖의학〗 변성, 변질; 〖생물〗 퇴화. ◇ degenerate *v.*

de·gen·er·a·tive [didʒénərèitiv, -rət-] *a.* 퇴화적인; 퇴행성의; 변질성의: a ~ disease 퇴행성(退行性) 질환. ⊕ **~·ly** *ad.*

de·grád·a·ble *a.* 〖화학〗 분해되는.

◇**deg·ra·da·tion** [dègrədéiʃən] *n.* Ⓤ **1** (지위 등의) 격하, 강직(降職), 좌천; 면직. **2** (명예 등의) 실추, 하락; 타락: live in ~ 타락한 생활을 하다. **3** 〖생물〗 퇴화; 〖화학〗 분해; 변질. ◇ degrade *v.*

◇**de·grade** [digréid] *vt.* **1** …의 지위를 낮추다, …을 격하하다, 좌천시키다; 강등시키다 《*from* …에서; *to* …으로》: ~ a person *from* high public official *to* private citizen 아무를 고관에서 일반 시민으로 격하시키다. **2** …의 품위를 떨어뜨리다, …을 타락시키다 《*to* …까지》: ~ oneself by telling lies 거짓말을 해서 스스로 품위를 떨어뜨리다 / Dealers have ~*d* art *to* an investment industry. 화상(畫商)들은 미술을 투자 산업으로 전락시켰다. **3** 〖생물〗 퇴화시키다. —*vi.* 지위가 떨어지다; 타락하다; 〖생물〗 퇴화하다.

de·grád·ing *a.* 타락〔퇴폐〕시키는, 품위를 낮추는, 자존심을〔명예를〕 상하게 하는, 비열한, 불명예스런.

⁑**de·gree** [digríː] *n.* **1** Ⓤ (구체적으로는 Ⓒ) **정도**; 등급, 단계: a high 〔low〕 ~ of technique 고도의〔저수준의〕 기술 / differ in ~ 정도의 차가 있다 / to a certain ~ 어느 정도까지는. SYN. ⇨ RANK. **2** Ⓒ 지위; 칭호, **학위**: people of every ~ 모든 계층의 사람들 / take the doctor's 〔master's, bachelor's〕 ~ 박사〔석사, 학사〕 학위〔칭호〕를 얻다. **3** Ⓒ (온도·각도·경위도 따위의) **도**(度)《부호 °》; 〖문법〗 급(級)《형용사·부사의 비교·최상의》: ... ~*s of* frost 빙점하(영하) …도 / zero ~*s* centigrade, 0°C 《★ 0에도 복수형을 씀》 / The thermometer stands at 32 ~*s* Fahrenheit. 온도계는 화씨 32°를 가리키고 있다 / the positive 〔comparative, superlative〕 ~ 원(原)〔비교, 최상〕급. **4** Ⓒ 〖美법률〗 (범죄의) 경중의 정도, 등급: a murder in the first ~ 제1급 살인. **5** Ⓒ 〖법률〗 촌수: a relation in the fourth ~, 4촌.

by **~*s*** 점차, 차차로: The patient is getting better *by* slow ~*s*. 환자는 서서히 쾌유하고 있다. ***in*** 〔***to***〕 ***some*** **~** 다소, 얼마간은. ***not ... in the slightest*** 〔***least, smallest***〕 **~** 조금도 …않는: He is *not* pleased *in the slightest* ~. 그는 조금도 기뻐하지 않는다. ***to a*** **~** 다소는, 얼마쯤은, 《구어》 꽤, 몹시. ***to the last*** **~** 극도로: The whole thing was absurd *to the last* ~. 그 일 전체가 지극히 어리석었다.

de·horn [diːhɔ́ːrn] *vt.* (동물)의 뿔을 자르다.

de·hù·man·i·zá·tion *n.* Ⓤ 인간성 말살, 비인간화.

de·hu·man·ize [diːhjúːmənàiz] *vt.* …의 인간성을 빼앗다, (사람)을 짐승〔기계〕같이 만들다, 비인간화하다.

de·hu·mid·i·fy [dìːhju(ː)mídəfài] *vt.* …의 습기를 없애다, (공기)를 건조시키다. ⊕ **dè·hu·míd·i·fi·er** *n.* Ⓒ 탈습기, 제습기.

de·hy·drate [diːháidreit] *vt.* …을 탈수하다; …에서 수분을〔습기를〕 빼다, …을 건조시키다: ~*d* eggs 〔vegetables〕 건조한 달걀〔야채〕. —*vi.* 수분이〔습기가〕 빠지다. ⊕ **dè·hy·drá·tion** *n.* Ⓤ 탈수, 건조; 〖의학〗 탈수(증).

de·ice [diːáis] *vt.* (비행기 날개·자동차 앞유리·냉장고 등)의 결빙을 막다〔없애다〕, …에 제빙(除氷)〔방빙(防氷)〕 장치를 하다. ⊕ **de·íc·er** *n.* Ⓒ (비행기 날개·차창·냉장고 등의) 방빙〔제빙〕 장치.

de·i·fy [díːəfài] *vt.* 신으로 삼다〔모시다〕; 신처럼 공경하다, 신성시〔신격화〕하다.

deign [dein] *vt.* **1** (신분 높은 사람·연장자가 황송하옵게도) …하시다(condescend), …하여 주시다《*to* do》: ~ *to* grant a private audience 내밀한 알현을 허락해 주시다. **2** 〖주로 부정문에서〗 (자존심을 버리고) …하다《*to* do》: He would *not* ~ *to* listen to you. 그는 네가 말하는 것 따위는 듣지 않을 게다.

de·i·on·ize [diːáiənàiz] *vt.* 〖화학〗 탈이온화(脫 ion 化)하다.

de·ism [díːizəm] *n.* (종종 D-) Ⓤ 이신론(理神論), 자연신론〔교〕《세계는 신이 창조한 것이지만, 신의 지배를 떠나 자연의 섭리에 따라 움직인다는 18세기의 사상》.

de·ist [díːist] *n.* Ⓒ 이신론자, 자연신교 신봉자. ⊕ **de·ís·tic, de·ís·ti·cal** [-tik], [-əl] *a.* 이신론의〔적인〕, 자연신교의〔적인〕.

◇**de·i·ty** [díːəti] *n.* **1** Ⓒ 신(god)《다신교의 남신·여신》. **2** Ⓤ 신위, 신성, 신격; (the D-) (일신교의) 신, 조물주, 천제(天帝)(God).

dé·jà vu [dèiʒɑːvjúː] 《F.》 〖심리〗 기시감(旣視感)《처음 경험한 일이 이전에도 경험한 것 같은 느낌이 드는 착각》.

de·ject [didʒékt] *vt.* …의 기를 죽이다, …을 낙담시키다.

*__de·ject·ed__ [didʒéktid] *a.* 기운 없는, **낙담〔낙심〕한**(depressed), 풀없는: He went home, ~ in heart. 그는 낙담하여 집에 돌아갔다. SYN. ⇨ SAD. ⊕ **~·ly** *ad.* **~·ness** *n.*

◇**de·jéc·tion** *n.* Ⓤ 낙담, 실의(depression): in ~ 낙담하여.

de ju·re [diː-ʒúəri] 《L.》 권리에 의한, 정당한 《왕 따위》; 권리상, 법률상(↔ *de facto*).

dek·a- [dékə] *pref.* = DECA-.

dek·ko [dékou] *n.* Ⓒ 《英속어》 일별(glance): have a ~ at …을 잠깐 보다.

de Klerk [dəklə́ːrk/-kləːk] *n.* **F**(**rederik**) **W**(**illem**) ~ 드클러크《남아프리카의 대통령; Nobel 평화상 수상(1993); 1936-》.

Del. Delaware. **del.** delegate; delegation; delete; delivery.

Del·a·ware [déləwɛ̀ər] *n.* **1** 델라웨어《미국 동부의 주; 생략: Del.; 주도는 Dover》. **2** Ⓒ 델라웨어《불그레한 알맹이가 작은 포도의 품종》. ⊕ **Del·a·war·e·an, -i·an** [dèləwɛ́əriən] *a.*, *n.*

⁑**de·lay** [diléi] *vt.* **1** 《~+目/+-*ing*》 **미루다**, 연기하다: You'd better ~ your departure. 출발을 연기하는 쪽이 좋겠다 / ~ writ*ing* to a person 아무에게 편지 쓰는 것을 미루다. **2** 〖종종 수동태〗 **늦추다**, 지체하게 하다: A clerical error ~*ed* delivery. 오기(誤記)로 배달이 늦어졌다 / The train *was* ~*ed* by heavy snow. 열차는 폭설로 인하여 연착했다. —*vi.* 우물쭈물하다, 지체하다: Write the letter now! Don't ~. 당장 편지를 써라! 우물쭈물하지 말고.

—*n*. **1** Ⓤ (구체적으로는 Ⓒ) **지연**, 지체; 연기, 유예: It admits of no ~. 일각의 유예도 허락하지 않는다 / without (any) ~ 지체없이, 곧(at once). **2** Ⓒ 지연 시간〔기간〕: The train arrived after a ~ of two hours. 그 열차는 2시간 연착했다.

deláyed-áction *a*. Ⓐ (폭탄 · 카메라 따위가) 지연 작동식의; 시한식의: a ~ bomb 시한 폭탄(time bomb) / a ~ camera 셀프타이머가 있는 카메라.

de·le [dí:li] *vt*. 《L.》 〖교정〗 〖보통 명령문〗 (지시한 부분을) 삭제하라, 빼라. ㉢ delete.

de·lec·ta·ble [diléktəbəl] *a*. **1** 즐거운, 기쁜, 유쾌한. **2** 맛있는, 맛이 좋을 듯한. ㉫ **-bly** *ad*. **~·ness** *n*.

de·lec·ta·tion [dì:lektéiʃən, dilèk-] *n*. Ⓤ 《문어》 환희; 쾌락, 즐거움: for one's ~ 재미삼아, 기분풀이로.

del·e·ga·cy [déligəsi] *n*. **1** Ⓤ 대표자 파견; 대표자의 지위〔임명〕. **2** Ⓒ 〖집합적; 단 · 복수취급〗 대표단, 사절단.

◇**del·e·gate** [déligit, -gèit] *n*. Ⓒ (회 · 조직의) 대표자, 사절(使節), 대리(인); 파견단원《*to* …에의; *from* …으로부터의》: They are ~*s to* the UN *from* India. 그들은 인도 UN 대표단원이다.

— [-gèit] *vt*. **1** 대리〔대표〕로 보내다〔파견하다〕, 대표로 지명하다《*to* (회의 등)에 / *to* do》: ~ a person *to* perform a task 일을 수행하기 위하여 아무를 파견하다 / ~ a person *to* a convention 아무를 대표로서 회의에 파견하다. **2** (권한 등)을 위임〔부여〕하다《*to* (아무)에게》: ~ authority *to* a person 아무에게 권한〔권능〕을 위임하다. —*vi*. 권한〔책임〕을 위임하다.

***del·e·ga·tion** [dèligéiʃən] *n*. **1** Ⓒ 〖집합적; 단 · 복수취급〗 **대표단**, 파견 위원단. **2** Ⓤ **대표 파견**〔임명〕; (직권 등의) 위임.

de·lete [dilí:t] *vt*. 삭제하다, 지우다《*from* …에서》《교정 용어; 생략: del》.

deléte kèy 〖컴퓨터〗 삭제 키.

del·e·ter·i·ous [dèlətíəriəs] *a*. (심신에) 해로운, 유독한. ㉫ **~·ly** *ad*. **~·ness** *n*.

de·lé·tion *n*. **1** Ⓤ 삭제. **2** Ⓒ 삭제 부분.

delf(t), delft·ware [delf(t)], [délftwὲər] *n*. Ⓤ 델프트 도자기《네덜란드 Delft 산(產) 채색 도기》.

Del·hi [déli] *n*. 델리《인도 북부의 도시; 영국령 때의 수도 Old Delhi와 인도 공화국의 수도 New Delhi로 나뉨》.

deli [déli] (*pl*. ***dél·is***) *n*. 《美 · Austral. 구어》 = DELICATESSEN.

***de·lib·er·ate** [dilíbərit] *a*. **1 계획적인**, 고의의: ~ tax evasion 계획적인 탈세 / a ~ lie 〔insult〕 고의적인 거짓말〔모욕〕. **2 생각이 깊은**, 신중한《*in* …에》: take ~ action 신중하게 행동하다 / He's ~ *in* speak*ing*. 그는 신중하게 말한다. **3** 침착한, 유유한: with ~ steps 느긋한 걸음걸이로.

— [-lìbərèit] *vt*. 《~+目/+*wh*. *to* do/+*wh*. 節》 **잘 생각하다, 숙고하다**; 심의하다: ~ a question 문제를 잘 생각하다 / ~ *how to* do it 그것을 하는 방법을 숙고하다 / They are *deliberating what* he said. 그들은 그가 말한 것을 검토하고 있다. SYN. ⇨THINK. —*vi*. 《~/+前 +名》 **1 숙고하다**《*on, over* …을》: ~ *on* what to do 무엇을 할 것인가를 잘 생각하다. **2 심의하다**, 협의하다《*on, over, about* …에 대하여》: ~ with a person *on* 〔*over*〕 the result 결과에 대하여 아무와 협의하다. ㉫ **~·ness** *n*.

***de·lib·er·ate·ly** [dilíbəritli] *ad*. **신중히**; 유유히; 일부러, 고의로, 계획적으로.

◇**de·lib·er·a·tion** [dilìbəréiʃən] *n*. **1** Ⓤ (구체적으로는 Ⓒ) 숙고; 협의, 심의, 토의: under ~ 숙고 중 / be taken into ~ 심의되다. **2** Ⓤ 신중, 세심; 유장(悠長)함, 침착: with ~ 신중히.

de·lib·er·a·tive [dilíbərèitiv, -rit-] *a*. 신중한, 숙고의; 심의의, 토의의: a ~ body 〔assembly〕 심의회. ㉫ **~·ly** *ad*. 숙고한 후에.

del·i·ca·cy** [délikəsi] *n*. **1** Ⓤ 정치(精緻), (기계 따위의) 정교함; (취급의) 정밀함: the ~ of the action of the machine 기계 작동의 정교함. **2** Ⓤ (용모의) **우미, 우아**; 고상함: Her beauty has the ~ of a flower. 그녀의 아름다움에는 꽃처럼 우아한 데가 있다. **3 a** Ⓤ (감각의) **섬세**(함), **민감**, 예민. **b** Ⓤ (또는 a ~) (남의 감정에 대한) 동정(심), 걱정, (세심한) 마음씨: through political ~ 정치적으로 배려하여. **4** Ⓤ (문제 따위의) **미묘함**, 다루기 힘듦: a matter of great ~ 매우 신중을 요(要)하는 사건〔문제〕 / of extreme ~ 매우 다루기 힘든 / a situation of great ~ 매우 미묘한 정세. **5** Ⓤ (신체의) 허약, 가냘픔: ~ of health 병약. **6** Ⓒ **맛있는 것**, 진미: all *delicacies* of the seasons 계절의 온갖 진미 / table *delicacies* 진수성찬. ◇ delicate *a*. ***feel a ~ about …에 주눅들다, …에 마음 고생을 하다.

⁑**del·i·cate** [délikət, -kit] *a*. **1 섬세한, 우아한**, 고상한; 고운(fine): ~ manners 품위 있는 예의 범절 / the ~ skin of a baby 아기의 고운 피부.

SYN. **delicate** 망그러지기 쉬운 섬세한 느낌을 주는 우미(優美)함, 화려한 모양을 나타냄. **dainty** 섬세한 느낌의 우미함에는 변함없으나 한층 조촐한 관점을 내포하고 있음. **exquisite** 문학적인 표현. 어느 특정한 우수한 사람에게서만 알 수 있는 그러한 절묘한 우미함 · 섬세함을 나타냄.

2 민감한, 예민한; (남의 감정에 대하여) 세심한 이해심이 있는, 자상한; 신경질적인: have a ~ ear for music 음악에 예민하다 / a ~ refusal 말을 꺼내기 어려운 거절. **3** (차이 등이) **미묘한**(subtle), (취급에) 신중을 요하는, 다루기 힘든: a ~ situation 미묘한 사태, 난처한 입장 / a ~ question 처리하기 어려운 문제 / a ~ difference 〔nuance〕 미묘한 차이〔뉘앙스〕 / a ~ operation (세심한 주의를 요하는) 어려운 수술. **4** (기계 등이) 정밀한, 정교한, 감도(가) 높은; 정확한: a ~ instrument 정밀한 기구 / ~ embroidery 정교한 자수. **5** (색조 · 향기 · 맛 따위가) 은은한, 부드러운; 맛있는, 담백한: a ~ hue 은은한 빛깔 / the ~ taste of grouse 뇌조고기의 담백한 맛. **6 가냘픈**; 허약한; (기물 등이) 깨지기 쉬운, 여린: a ~ child 허약한 아이 / be in ~ health 병약하다 / ~ china 깨지기 쉬운 도자기. ◇ delicacy *n*. ***be in a ~ condition*** 《美속어》 임신 중이다.

㉫ **~·ly** *ad*.

del·i·ca·tes·sen [dèlikətésn] *n*. **1** Ⓒ 조제(調製) 식품점〔식당〕. **2** Ⓤ 〖집합적〗 조제 식품《요리한 고기 · 샐러드 · 훈제 생선 · 통조림 등》.

⁑**de·li·cious** [dilíʃəs] *a*. **1 맛있는**, 맛좋은; 향기로운: a ~ cake 〔dish〕 맛있는 케이크〔요리〕 / a ~ smell 향기로운 냄새. **2 유쾌한**, 즐거운, 기분 좋은: a ~ story 즐거운 이야기 / a ~ breeze 기분 좋은 산들바람.

—*n.* (종종 D–) Ⓤ 딜리셔스《미국산 사과의 한 품종》. ⊕ ~·ly *ad.* ~·ness *n.*

⁑de·light [diláit] *n.* **1** Ⓤ **기쁨**, 즐거움, 환희: with ~ 기쁘게/take ~ in music 음악을 즐기다/to one's (great) ~ (매우) 기껍게도. SYN. ⇨PLEASURE. **2** Ⓒ 기쁨을 주는 것, 즐거운 것: The dance is a ~ to see. 춤은 눈요기가 된다.
—*vt.* **매우 기쁘게 하다**《*with, by* …으로》; (귀 · 눈)을 즐겁게 하다《★ 과거분사꼴로 형용사적으로 쓰임; please보다 의미가 강함》: ~ the children *with* a story 〔*by* telling them a story〕 아이들에게 이야기를 해 주어 즐겁게 하다/Beautiful pictures ~ the eye. 아름다운 그림은 눈을 즐겁게 한다. —*vi.* 《+전+명/+*to* do》 **매우 기뻐하다**, 즐거워하다; 즐기다《*in* …을》: He ~*s in* (tend*ing*) his garden. 뜰가꾸기를 좋아한다/We ~ *to* serve Jesus. 우리들은 예수에 봉사하는 것을 즐거움으로 삼고 있다.

***de·light·ed** [diláitid] *a.* **1** Ⓟ **아주 기뻐하는**. 《*at, by, with* …을/*to* do; *that*》: He was much ~ *with* 〔*by*〕 this idea. 그는 이 아이디어를 무척 재미있어 했다/He was ~ *at* the news. 그녀는 그 소식을 듣고 기뻐했다/I'm ~ *to* see you. 만나뵈어 반갑습니다/He's ~ *that* you are well again. 그는 당신이 완쾌되어 매우 기뻐하고 있습니다. **2** Ⓟ 〖shall 〔will〕 be ~ *to* do의 꼴로〗 기꺼이 …하다: I *shall be* ~ *to* come. 기꺼이 찾아뵙겠습니다. **3** Ⓐ 즐거운〔재미있는〕 듯한: She gave a ~ giggle. 그녀는 재미있는 듯이 킥킥거리며 웃었다. ⊕ ~·ly *ad.* 기뻐하여, 기꺼이. ~·ness *n.*

⁑de·light·ful [diláitfəl] *a.* **매우 기쁜**, 즐거운, 매우 유쾌한, 쾌적한: have a ~ time 아주 유쾌한 시간을 보내다/a ~ room 쾌적한 방. ⊕ ~·ly *ad.* ~·ness *n.*

De·li·lah [diláilə] *n.* **1** 딜라일라《여자 이름》. **2** 〖성서〗 델릴라《Samson을 배신한 여자》. **3** Ⓒ 〖일반적〗 요부, 배신한 여자.

de·lim·it, de·lim·i·tate [dilímit], [dilímitèit] *vt.* …의 범위〔한계, 경계〕를 정하다.

de·lìm·i·tá·tion *n.* **1** Ⓤ 한계〔경계〕의 결정. **2** Ⓒ 한계, 분계(分界).

de·lim·it·er [dilímitər] *n.* Ⓒ 〖컴퓨터〗 구분문자《자기(磁氣) 테이프 등에서 데이터의 시작〔끝〕을 나타내는 문자〔기호〕》.

de·lin·e·ate [dilínièit] *vt.* (선으로) …의 윤곽을〔약도를〕 그리다; (말로 생생하고 자세히) …을 묘사〔서술〕하다.

de·lìn·e·á·tion *n.* **1** Ⓤ (선 · 도형에 의한) 묘사; (언어에 의한) 서술, 묘사. **2** Ⓒ 윤곽; 도형, 약도.

de·lin·quen·cy [dilíŋkwənsi] *n.* Ⓤ (구체적으로는 Ⓒ) **1** 의무 불이행, 직무 태만; (세금 등의) 체납, 연체. **2** 과실, 범죄, (청소년의) 비행: juvenile ~ 청소년 비행.

◇de·lin·quent [dilíŋkwənt] *a.* **1** 의무를 다하지 않는, 직무 태만의. **2** 과실을〔죄를〕 범한; 비행(자)의; 비행 소년의〔같은〕. **3** (세금 · 지급 따위가) 체납되어 있는. —*n.* Ⓒ 직무 태만자; 비행자, 《특히》 비행 소년: a juvenile ~ 비행(청) 소년.

del·i·quesce [dèlikwés] *vi.* 용해〔액화〕하다; 〖화학〗 조해(潮解)하다. ⊕ **dèl·i·qués·cence** [-kwésns] *n.* Ⓤ 용해. **dèl·i·qués·cent** [-nt] *a.*

◇de·lir·i·ous [dilíriəs] *a.* **1** (일시적인) 정신 착란의; 헛소리하는; 광란 상태의《*with, from* …으로》: be ~ *with* fever 열병으로 헛소리하다. **2** 흥분한, 어쩔줄 모르는《*with* …으로》: ~ *with* joy 미칠 듯이 기뻐하여. ⊕ ~·ly *ad.*

◇de·lir·i·um [dilíriəm] (*pl.* **~s, -li·ria** [-riə]) *n.* **1** Ⓤ (구체적으로는 Ⓒ) 정신 착란, 헛소리하는 상태: words spoken in ~ 헛소리/lapse into ~ 헛소리를 하다. **2** (a ~) 흥분 (상태), 황홀, 광희(狂喜): a ~ of joy 광희(狂喜).

delírium tré·mens [-trí:mənz, -menz] 〖의학〗 (알코올 중독에 의한) 섬망증(譫妄症)《생략: d.t.('s), D.T.('s)》.

⁑de·liv·er [dilívər] *vt.* **1** 《~+목/+목+부/+목+전+명》 **인도하다**, 교부하다, 양도하다, 넘겨주다(*up; over*)《*to* …에게》: ~ (*up*) a fortress *to* the enemy 요새를 적에게 내어주다/~ *over* the house *to* the buyer 매입자에게 가옥을 양도하다.
2 《~+목/+목+전+명》 (물품 · 편지)를 **배달**〔송달〕**하다**. (전언(傳言) 따위)를 전하다《*at, to* …에》: ~ mail *to* the villagers 마을 사람들에게 우편물을 배달하다/~ ordered goods *at* an appointed address 지정된 주소로 주문품을 배달하다/~ one's message *to* a person 아무에게 메시지를 전하다.
3 a (연설 · 설교 등)을 하다; (고함 따위)를 지르다《★ 이 의미로는 give가 일반적》: ~ a speech 연설하다/He ~*ed* a cry of rage. 그는 분노의 고함을 질렀다. **b** 《+목+전+명》 〖~ oneself〗 《문어》 말하다《*of* (의견 따위)를》: He ~*ed himself of* an anecdote. 그는 일화를 이야기했다.
4 《~+목/+목+전+명》 (공격 · 타격)을 가하다, (타격 등)을 주다; (공)을 던지다(pitch)《*to, at* …에》: He ~*ed* a hard blow *to* the man's jaw. 그 남자의 턱에 강한 일격을 가했다/The pitcher ~*ed* a fast ball. 투수는 속구를 던졌다.
5 《+목+전+명》 **해방시키다**, 구해내다《*from, out of* …에서》: ~ a person *from* danger 아무를 위험에서 구해내다/*Deliver* us *from* evil. 〖성서〗 우리를 악에서 구하옵소서《주기도문》.
6 《~+목/+목+전+명》 (아이)를 분만케 하다; …에게 분만시키다《*of* (아이)를》: The doctor ~*ed* triplets yesterday. 의사는 어제 세 쌍둥이를 받았다/~ a woman *of* a child 여인에게 아이를 분만시키다.
7 《+목+목/+목+전+명》 《美구어》 (표 · 지지)를 모으다《*to* (후보자 · 운동)을 위해》: Let's ~ him all our support. =Let's ~ all our support *to* him. 우리 모두 그를 지지하자.
—*vi.* **1** 《~/+전+명》 달성하다, 실현하다《*on* (약속 · 기대한 결과 따위)를》: I wonder if he can ~ (*on* his promise). 그가 약속을 지킬까. **2** (아기를) 분만하다, 낳다. **3** (상품을) 배달하다: Do you ~ ? (당신네 가게는) 배달해 줍니까. ◇ deliverance, delivery *n.*
~ ***the goods*** 《구어》 약속〔계약〕을 이행하다; 《美속어》 기대에 어그러지지 않다: He never fails to ~ *the goods*. 그는 반드시 약속을 지킨다.

de·lív·er·a·ble [-rəbəl] *a.* **1** 구조할 수 있는. **2** 배달 가능한; 교부할 수 있는.

◇de·liv·er·ance [dilívərəns] *n.* Ⓤ 구출, 구조; 석방, 해방《*from* …에서의》.

de·lív·er·er [-rər] *n.* Ⓒ 구조자; 인도인, 교부자; 배달인.

⁑de·liv·ery [dilívəri] *n.* **1** Ⓤ (구체적으로는 Ⓒ) **a 인도**, 교부; (재산 따위의) 명도(明渡)《*to* …에의》: the ~ of their position *to* the enemy 그들의 진지를 적에게 넘겨줌. **b 배달**; 전달, …편

(便): ⇨ EXPRESS 〔GENERAL〕 DELIVERY / make a ~ of letters 편지를 배달하다 / These goods must be paid on ~. 이 상품은 배달시에 대금을 지불해야 한다. **2** (a ~) **이야기투**, 강연(투): a telling ~ 효과적인 이야기투 / a good 〔poor〕 ~ 능란한〔서투른〕 연설. **3** Ⓤ (구체적으로는 Ⓒ) 방출, (화살 · 탄환 등의) 발사; 〖야구〗 (투수의) 투구(법), 구타. **4** Ⓒ 분만, 출산: an easy 〔a difficult〕 ~ 순산〔난산〕. ***payment on* ~** 현품 상환 지불. ***take* ~ *of*** (goods) (물건)을 인수하다.

delívery·man [-mən] (*pl.* **-men** [-mən]) *n.* Ⓒ (상품) 배달부.

delívery nòte 《英》 (상품 배달) 수령증.

delívery ròom (병원) 분만실; (도서) 출납실.

dell [del] *n.* Ⓒ 협곡, (수목이 우거진) 작은 골짜기.

de·louse [di:láus, -láuz] *vt.* …에서 이를 잡다.

Del·phi [délfai] *n.* 델포이《그리스의 옛 도시; 유명한 Apollo 신전이 있었음》.

Del·phi·an, -phic [délfiən], [-fik] *a.* Delphi (신탁)의; (뜻이) 모호한; 신비한.

Dèlphic óracle (the ~) Apollo 신전의 신탁《다의(多義) 난해한 신탁으로 유명》.

del·phin·i·um [delfíniəm] *n.* Ⓒ 〖식물〗 참제비고깔.

ᐤ**del·ta** [déltə] *n.* Ⓤ (구체적으로는 Ⓒ) **1** 그리스 알파벳의 넷째 글자《Δ, δ; 로마자의 D, d에 해당함》; Δ음. **2** (D-) 글자 d를 나타내는 통신 용어. **3** Δ자꼴〔삼각형, 부채꼴〕의 것; (하구(河口)의) 삼각주, 델타.

délta rày 〖물리〗 델타선(線).

délta wìng 〖항공〗 (제트기의) 삼각 날개.

del·toid [déltɔid] *a.* 삼각형의; 삼각주 모양의. —*n.* Ⓒ 삼각근(筋)(=∠ **mùscle**).

ᐤ**de·lude** [dilú:d] *vt.* **1** 미혹시키다; 속이다《***with, by*** …으로》; 속이어 …시키다《***into*** …하게》: ~ a girl *with* a false promise of marriage 거짓 결혼 약속으로 여자를 속이다 / He ~*d* me *into* the belief 〔believ*ing*〕 that he was a very rich man. 그는 나를 속여 부자로 믿게 만들었다. **2** 〖~ oneself〗 잘못 생각하다《***with, by*** …으로》; 착각하다《***into*** …하도록》: She ~*d* her*self with* false hopes. 그녀는 잘못된 희망을 품었다 / I ~*d* my*self into* believ*ing* she'd come back. 나는 잘못 생각하여 그녀가 돌아올 줄로 알았다. ◇ delusion *n.*

ᐤ**del·uge** [délju:dʒ] *n.* **1** Ⓒ 대홍수, 큰물; 호우; 범람; (the D-) 〖성서〗 Noah의 홍수《창세기 VII》: The rain turned to a ~. 비는 호우로 변하였다. **2** Ⓒ 〖보통 a ~ of로〗 (편지 · 방문객 등의) 쇄도: *a* ~ *of* mail 〔visitors〕 쇄도하는 우편물〔방문객〕.

—*vt.* **1** 홍수에 잠기게 하다, 범람시키다, 침수시키다. **2** 〖보통 수동태〗 …에 쇄도하게 하다《***with*** …이》: *be* ~*d with* applications 〔letters〕 신청이〔편지가〕 쇄도하다.

de·lurk [dilə́:rk] *vi.* 〖컴퓨터〗 읽기 전용 상태를 벗어나다.

ᐤ**de·lu·sion** [dilú:ʒən] *n.* **1** Ⓤ 미혹, 기만. **2** Ⓒ 미망(迷妄); 잘못된 생각; 망상《***that***》: ~*s* of grandeur 〔importance〕 과대망상 / ~*s* of persecution 피해망상 / He's under the ~ *that* he's Hitler. 그는 자기가 히틀러라는 망상을 품고 있다. ◇ delude *v.* ㊕ **~·al** [-ʒənəl] *a.* 망상적인.

de·lu·sive [dilú:siv] *a.* 미혹시키는; 기만의; 그릇된; 망상적인. ㊕ **~·ly** *ad.* **~·ness** *n.*

de·lu·so·ry [dilú:səri] *a.* = DELUSIVE.

de·luxe, de luxe [dəlúks, -lʌ́ks] *a.* 《F.》 사치스러운, 호화로운: a ~ edition = an edition ~ 호화판 / a hotel ~ 고급 호텔 / articles ~ 사치품.

delve [delv] *vi.* 탐구하다, 정사(精査)하다《***into, in*** …을》: ~ *into* documents 서류를 조사하다 / ~ *into* 〔*in*〕 the past 과거를 꼬치꼬치 캐다.

Dem. 《美》 Democrat; Democratic.

de·màg·net·i·zá·tion *n.* Ⓤ 소자(消磁), 자기(磁氣) 제거; (자기 테이프의) 소음(消音).

de·mag·net·ize [di:mǽgnətàiz] *vt.* …의 자성(磁性)을 없애다; (자기 테이프)의 녹음을 지우다.

dem·a·gog [déməgɔ̀:g, -gɑ̀g/-gɔ̀g] *n.* 《美》 = DEMAGOGUE.

dem·a·gog·ic, -i·cal [dèməgádʒik, -gágik/-gɔ́gik, -gɔ́dʒik], [-əl] *a.* 민중 선동가의〔같은〕; 선동적인.

dem·a·gogue [déməgɔ̀:g, -gɑ̀g/-gɔ̀g] *n.* Ⓒ (민중) 선동자; 선동 정치가; (옛날 그리스의) 민중의 지도자. ㊕ **dém·a·gògu·ery** [-əri], **dém·a·gòg·ism** *n.* Ⓤ (민중) 선동; 선동 행위.

dem·a·gogy [déməgòudʒi, -gɔ̀:gi, -gɑ̀gi/-gɔ̀gi, -gɔ̀dʒi] *n.* Ⓤ 민중 선동(책).

⁑**de·mand** [dimǽnd, -má:nd] *vt.* **1** 《~+목/+목+전+명/+*to* do/+*that* 절》 **요구하다**, 청구하다《***from, of*** (아무)에게》: He ~*ed* apology *from* me. 그는 나에게 사죄를 요구했다 / I ~ *to* know why he had done it. 그가 왜 그걸 했는지 알고 싶다 / He ~*ed that* I (should) help him. 그는 나에게 도와달라고 요구했다. ★ demand는 사람을 목적어로 삼지 않으며, 《+목+*to* do》의 형태로는 쓰지 않음. 곧, 위의 용례에서 that 절 대신 He ~*ed* me *to* help him. 이라고는 쓰지 않음.

SYN. **demand** 고압적으로 요구하다: *demand* an explanation 설명을 요구하다. **claim** 당연히 자기의 것으로서 요구하다: *claim* compensation money 보상금을 요구하다. **require** 필요해서 요구하다. 수동태를 쓰거나 또는 사람 이외의 것이 주어로 되는 일이 많음: Your presence is *required*. 꼭 참석해 주기를 바랍니다.

2 (사물이) 요하다, 필요로 하다: This work ~*s* (a) great care. 이 일은 극히 주의를 요한다.

3 (권위를 갖고) **묻다**, 힐문하다, 말하라고 다그치다: ~ a person's business 아무에게 무슨 용건인가 묻다 / The policeman ~*ed* my name and address. 경찰관은 내 이름과 주소를 대라고 다그쳤다. SYN. ⇨ ASK.

—*n.* **1** Ⓒ **요구**, 청구《***for, on*** …에 대한 / ***that***》; (보통 *pl.*) 요구 사항, 필요 사항〔요건〕; 부담: meet a person's ~*s* 아무의 요구에 응하다 / a ~ *for* higher wages 임금 인상의 요구 / make a ~ *that* the prisoners (should) be freed 죄수들을 석방시키라고 요구하다 / I have many ~*s upon* my time. 여러 모로 시간을 빼앗기는 일이 많다, 매우 바쁘다 / I have a ~ to make of him. 그에게 요구하고 싶은 것이 있다.

2 Ⓤ (또는 a ~) 〖경제〗 **수요**, 판로《***for*** …의》; 수요액〔량〕: laws of supply and ~ 수요 공급의 법칙 / There's a great 〔a poor〕 ~ *for* this item. 이 품목의 수요가 많다〔적다〕.

3 (*pl.*) (어쩔 수 없는, 부득이한) 요구, 부담. ***be in* ~** 수요가 있다《***for*** …을 위하여》: Interpreters *were in* great ~ *for* the Olympics. 올림픽을 위하여 통역의 수요가 커졌다. ***on* ~** 요구

[청구] 하는 대로: Catalog *on* ~. 안내서는 청구하는 대로 (보내 드리겠습니다).
[파] ~·a·ble *a*. 요구[청구]할 수 있는. ~·er *n*. [C] 요구[청구]자.
demánd bìll [**dràft**] 일람 출급 어음(《美》 sight draft).
de·mánd·ing *a*. (사람이) 너무 많은[지나친] 요구를 하는, 주문이 벅찬(exacting); (일이) 힘든, 벅찬.
demánd lòan =CALL LOAN.
demánd-pull inflátion 〖경제〗 수요 과잉 인플레이션.
demánd-sìde *a*. 수요 중시(重視)의. [cf.] supply-side.
de·mar·cate [dimɑ́ːrkeit, díːmɑːrkèit] *vt*. 경계[한계]를 정하다; 한정[구분]하다, 분리하다, 구별하다.
de·mar·ca·tion, -ka- [dìːmɑːrkéiʃən] *n*. **1** [U] 경계 설정; 구분: a line of ~ 경계선. **2** [C] 경계, 구획; 구분, 분계: military ~ line 군사 분계선. **3** [C] 《英》 〖노동〗 노동조합 간의 작업 관할 구분.
demarcátion dispùte 세력권 다툼.
de·mean[1] [dimíːn] *vt*. 〖~ oneself〗 품위를 [신분을] 떨어뜨리다, 천하게 하다; 품위를 잃다 《**by** …으로/**to** do》: I wouldn't ~ *myself by* tak*ing* bribes. 나는 뇌물을 받아 스스로 품위를 떨어뜨리고 싶지 않다/He would not ~ *himself to* ask for preferential treatment. 그는 품위를 잃으면서까지 특별 취급을 부탁하고 싶지 않았다.
de·mean[2] *vt*. 〖~ oneself; 양태부사를 수반하여〗 행동[처신]하다(behave): ~ one*self* well [ill, like a man] 훌륭하게[잘못, 남자답게] 처신하다.
◇**de·mean·or,** 《英》 **-our** [dimíːnər] *n*. [U] 태도, 표정; 품행, 행실: assume a haughty ~ 거만한 태도를 취하다.
de·mént·ed [diméntid] *a*. 발광한, 정신 착란 상태의. [파] **~·ly** *ad*. **~·ness** *n*.
de·men·tia [dimén∫iə] *n*. [U] 〖의학〗 치매(癡呆): senile ~ 노인성 치매증. [파] **-tial** *a*.
de·mer·it [diːmérit] *n*. [C] 결점, 결함, 단점; (학교의) 벌점(=∠ màrk). ↔ *merit*. ¶ the merits and ~*s* 장점과 단점; 상벌.
de·mesne [diméin, -míːn] *n*. **1 a** [U] 〖법률〗 (소유자의) 토지 점유: hold land in ~ (소유자가) 토지를 점유하다. **b** [C] 점유지. **2** [C] (왕·귀족의) 영지, 장원; (국가의) 영토: a royal ~ =a ~ of the Crown 《英》 왕실 소유지/a State ~ 국유지. **3** [C] 〖법률〗 사유지, 소유지.
De·me·ter [dimíːtər] *n*. 〖그리스신화〗 데메테르《농업·사회 질서·결혼의 여신》. [cf.] Ceres.
de·mi- [démi] *pref*. '반(半) …, 부분적 …'의 뜻. [cf.] bi-, hemi-, semi-.
dem·i·god [démigɑ̀d/-gɔ̀d] (*fem*. **~·dess** [-is]) *n* [C] 반신 반인(半神半人); 숭배받는 인물, 신격화된 영웅.
dem·i·john [démidʒɑ̀n/-dʒɔ̀n] *n*. [C] 채롱에 든 목이 가는 큰 병.
de·mìl·i·ta·ri·zá·tion *n*. [U] 비군사화, 비무장화.
de·mil·i·ta·rize [diːmílətəràiz] *vt*. (어떤 나라·지역 등)을 비군사[비무장]화하다, 무장 해제하다; (원자력)을 무기화하지 않다: a ~*d* zone 비무장 지대《생략: D.M.Z.》.
dem·i·monde [démimɑ̀nd/∠-mɔ́nd] *n*.

《F.》 (the ~) 〖집합적〗 (19세기 프랑스의) 화류계 여자, (고급) 매춘부들; (남녀 관계) 문란한 사회, 화류계.
de·mine [diːmáin] *vt*. …에서 지뢰를 제거하다. [파] **de·mín·er** *n*. [C] 지뢰 제거자[병].
de·mise [dimáiz] *n*. [U] **1** 붕어, 서거, 사망. **2** (기업 등의) 소멸; (활동의) 정지.
démi·semiquàver *n*. [C] 《英》 〖음악〗 32분 음표(《美》 thirty-second note).
de·mist [diːmíst] *vt*. 《英》 (차의 창유리 등)에서 흐림을[서리를] 제거하다. [파] **~·er** *n*. [C] ~하는 장치(defroster).
dem·i·tasse [démitæ̀s, -tɑ̀ːs] *n*. [C] 작은 찻종《식후에 나오는 블랙 커피용의》.
demo (*pl*. **~s**) *n*. [C] 《구어》 **1** 데모, 시위 운동. **2** 시청(試聽)용 음반[테이프]; 실물 선전용 제품 (demonstrator).
de·mob [diːmɑ́b/-mɔ́b] 《구어》 *n*. =DEMOBILIZATION. **—** (**-bb-**) *vt*. 《英구어》 =DEMOBILIZE.
de·mò·bi·li·zá·tion *n*. [U] 복원(復員), 동원 해제, 부대 해산.
de·mo·bi·lize [diːmóubəlàiz] *vt*. 〖군사〗 복원(復員)[제대]시키다; 부대를 해산하다; 전시 체제를 풀다.
⁑**de·moc·ra·cy** [dimɑ́krəsi/-mɔ́k-] *n*. **1** [U] 민주주의; 민주정치[정체], 사회적 평등, 민주제: direct [representative] ~ 직접[의회] 민주주의. **2** [C] 민주국가[사회]. **3** (D-) 《美》 민주당. **4** (the ~) (특권 계급에 대하여) 평민 계급, 서민.
***dem·o·crat** [déməkræ̀t] *n*. [C] **1** 민주주의자; 민주정체론자. **2** (D-) 《美》 민주당원([cf.] Republican), 민주당 지지자: the *Democrats* 민주당.
⁑**dem·o·crat·ic** [dèməkrǽtik] *a*. **1** 민주주의의; 민주정체의: ~ government 민주주의 정치. **2** 민주적인, 사회적 평등의; 서민[대중]의: ~ art 대중[민중] 예술. **3** (D-) 《美》 민주당의([cf.] Republican). [파] **-i·cal·ly** *ad*. 민주적[평민적]으로.
Democrátic Párty (the ~) 《美》 민주당. [cf.] Republican Party.
de·mòc·ra·ti·zá·tion *n*. [U] 민주화.
de·moc·ra·tize [dimɑ́krətàiz/-mɔ́k-] *vt*., *vi*. 민주화하다, 민주[서민]적으로 하다.
dé·mo·dé [dèimɔːdéi] *a*. 《F.》 시대에 뒤진, 구식의.
de·mo·gra·pher [dimɑ́grəfər/diːmɔ́g-] *n*. [C] 인구 통계학자.
de·mo·graph·ic [dìːməgrǽfik] *a*. 인구학[인구 통계학]의.
dè·mo·gráph·ics *n*. [U] 인구 통계《특히 평균 연령, 수입, 교육 수준 등을 분석한》.
de·mog·ra·phy [dimɑ́grəfi/diːmɔ́g-] *n*. [U] 인구(통계)학.
◇**de·mol·ish** [dimɑ́liʃ/-mɔ́l-] *vt*. **1** (건물 등)을 부수다, 폭파[분쇄]하다; (계획·제도·지론 따위 등)을 뒤엎다. **2** 《구어》 (음식물)을 다 먹어 치우다.
dem·o·li·tion [dèməlíʃən, dìː-] *n*. [U] (구체적으로는 [C]) (건물 따위의) 해체, 파괴; (특권 따위의) 타파.
demolítion dèrby 자동차 파괴 경기, 스턴트 카레이스《고물 자동차를 서로 박치기 하여, 주행 가능한 마지막 한 대가 우승》.
◇**de·mon** [díːmən] (*fem*. **de·mon·ess** [-is, -es]) *n*. [C] **1** 악마, 귀신, 사신(邪神). **2** 극악인, 악의 화신: the ~ *of* jealousy 질투의 화신. **3**

(보통 dae-) 〖그리스신화〗 다이몬《신과 인간 사이의 초자연적 존재》; 수호신. **4** 《구어》 비범한 사람, 달인, 명인《*for, at* …의》: He is a ~ *for* work 〔*at* golf〕. 그는 일하는 데는 귀신〔골프의 명인〕이다.

de·mòn·e·ti·zá·tion *n.* Ⓤ (본위 화폐로서의) 통용 폐지, 폐화(廢貨).

de·mon·e·tize [diːmánətàiz, -mʌ́n-/-mʌ́ni-, -mɔ́n-] *vt.* …의 화폐 자격을 박탈하다; 통화〔우표〕로서의 사용을 폐지하다.

de·mo·ni·ac [dimóuniæ̀k, dìːmənáiæk] *a.* 악마의; 악마와 같은; 귀신들린, 광란의; 흉악한. ◇ demon *n.* **—***n.* Ⓒ 귀신들린 사람; 미치광이.

de·mo·ni·a·cal [dìːmənáiəkəl] *a.* ＝DEMONIAC.

de·mon·ic [dimánik/-mɔ́n-] *a.* 악마의; 악마와 같은; 마력을 지닌, 흉포한.

de·mon·ism [díːmənìzəm] *n.* Ⓤ 귀신 숭배; 사신교(邪神敎); 귀신학(學).

de·mon·ol·a·try [dìːmənálətri/-nɔ́l-] *n.* Ⓤ 귀신〔마귀〕 숭배.

de·mon·ol·o·gy [dìːmənálədʒi/-nɔ́l-] *n.* Ⓤ 귀신학〔론〕, 악마 연구〔신앙〕.

de·mòn·stra·bíl·i·ty *n.* Ⓤ 논증〔증명〕 가능성.

dem·on·stra·ble [démənstrəbəl, dimán-/démən-, dimɔ́n-] *a.* 논증〔증명, 명시〕할 수 있는; 명백한. ㊕ **-bly** *ad.*

⁑**dem·on·strate** [démənstrèit] *vt.* **1** 《~+목/+*that* 절/+*wh.* 절/+*wh. to* do》 …을 **증명하다**, 논증하다, (사물이) …의 증거가 되다; (모형·실험에 의해) …을 **설명하다**; (기술)을 시범 교수하다: This ~*s* his integrity. 이것이 그의 정직함을 증명한다 / How can you ~ *that* the earth is round? 지구가 둥글다는 것을 어떻게 증명할 수 있는가 / He ~*d how* the computer worked. 그는 그 컴퓨터가 어떻게 작동하는가를 실제로 조작해 보였다 / She ~*d how to* use the software. 그녀는 소프트웨어의 사용법을 설명했다.
2 (상품)을 실물 선전하다: ~ the new car 새 차를 실물로 선전하다.
3 (감정·의사 등)을 **밖으로 나타내다**, 드러내다: We ~*d* our approval by loud applause. 큰 박수로 찬성을 표시했다.
—*vi.* **1** 《~/+전+명》 **시위 운동을 하다**, 데모를 하다《*against* …에 반대하여; *for* …에 찬성하여》: They ~*d against* the government's nuclear policy. 그들은 정부의 핵정책에 반대하여 시위를 하였다 / They are *demonstrating for* a 15 percent wage rise. 그들은 15％의 임금 인상을 요구하며 시위를 하고 있다. **2** 〖군사〗 (위협·견제를 위해) 군사력을 과시하다, 양동(陽動) 작전을 하다.

⁑**dem·on·stra·tion** [dèmənstréiʃən] *n.* **1** Ⓤ (구체적으로는 Ⓒ) **증명; 논증**; 증거《*that*》: in 〔by way of〕 ~ 증명으로서 / a ~ *that* honesty is the best policy 정직이 최선책이라는 증거. SYN. ⇨PROOF. **2** Ⓤ (구체적으로는 Ⓒ) **실물 교수〔설명〕**, 시범, 실연, (상품의) 실물 선전: give a ~ of a computer 컴퓨터의 실연을 해보이다 / explain by ~ how to do …하는 방법을 실연하여 설명하다. **3** Ⓒ (감정의) 표현. **4** Ⓒ **데모**, 시위 운동〔행진〕《*for* …에 찬성하는; *against* …에 반대하는》: hold 〔participate in〕 a ~ *for* world peace 〔*against* nuclear weapons〕 세계 평화를 위한 〔핵무기에 반대하는〕 대중 시위 운동을 하다〔에 참가하다〕.
to ~ 결정적으로, 명확하게: It is clear *to* ~ that you are mad. 네가 미쳤다는 건 명백하다.
㊕ **~·al** *a.* 시위의. **~·ist** *n.*

de·mon·stra·tive** [dimánstrətiv/-mɔ́n-] *a.* **1 감정을 노골적으로 나타내는**, 심정을 토로하는: a ~ person 감정을 곧바로 드러내는 사람. **2** 명시하는; 설명적인; 실증하는《*of* …을》: That is ~ *of* our progress. 그것은 우리의 진보를 실증하고 있다. **3** 논증적인, 예증(例證)하는. **4** 시위적인, 데모의. **5** 지시하는; 〖문법〗 지시의: a ~ pronoun 〔adverb〕 지시 대명사〔부사〕. **—n.* Ⓒ 〖문법〗 지시사《this, that 따위》.
㊕ **~·ly** *ad.* 입증적〔논증적〕으로; 감정을 드러내어; 지시적으로, 시위적으로. **~·ness** *n.*

de·mon·stra·tor [démənstrèitər] *n.* Ⓒ **1** 논증자, 증명자. **2** (실기·실험 과목의) 시범 교수자〔조수〕. **3** (상품·기기(機器)의) 실지 설명자, 실물 선전원; 실물 선전용의 제품〔모델〕《자동차 따위》. **4** 시위 운동자, 데모 참가자.

de·mòr·al·i·zá·tion *n.* Ⓤ **1** 풍기 문란, 타락, 퇴폐. **2** 사기 저하; 혼란.

de·mor·al·ize [dimɔ́ːrəlàiz, -már-/-mɔ́r-] *vt.* 타락시키다; 사기를 저하시키다.

De·mos·the·nes [dimásθəniːz/-mɔ́s-] *n.* 데모스테네스《그리스의 웅변가; 384?-322 B.C.》.

de·mote [dimóut] *vt.* …의 지위를〔계급을〕 떨어뜨리다, 강등시키다《*to* …으로》. ↔ *promote*. ¶ He was ~*d to* private. 그는 병졸로 강등되었다.

de·mot·ic [dimátik/-mɔ́t-] *a.* (언어 등이) 민중의, 통속적인(popular).

de·mó·tion *n.* Ⓤ (구체적으로는 Ⓒ) 좌천, 강등, 격하. ↔ *promotion*.

de·mo·ti·vate [diːmóutəvèit] *vt.* …에게 동기를 잃게 하다, (아무)의 의욕을 잃게 하다. ㊕ **de·mo·ti·vá·tion** *n.* Ⓤ 의기 저상.

de·mount [diːmáunt] *vt.* (대(臺) 따위에서) 떼어내다, (기계)를 분해하다. ㊕ **~·a·ble** *a.*

de·mul·ti·plex·er [dimʌ́ltəplèksər] *n.* Ⓒ 〖컴퓨터〗 디멀티플렉서《단일 회선의 디지털 정보를 다른 여러 회선에 전달해 주는 논리 회로》.

de·mur [dimə́ːr] (*-rr-*) *vi.* **1** 이의를 제기하다, 난색을 표하다; 반대하다《*to, at* …에》: ~ *to* a demand 요구에 난색을 표하다 / The employees ~*red at* working overtime. 종업원들은 초과 근무하는 것에 대해 이의를 제기했다. **2** 〖법률〗 항변하다.
—*n.* Ⓤ 《보통 부정어구와 함께 써서》 이의 (신청), 반대: make *no* ~ 이의를 제기하지 않다 / *without* 〔with *no*〕 ~ 이의 없이.

◦**de·mure** [dimjúər] (*-mur·er; -est*) *a.* **1** (주로 여자·아이가) 새침떠는, 점잔〔얌전〕빼는. **2** 진지한; 예절 바른. ㊕ **~·ly** *ad.* **~·ness** *n.*

de·mur·rage [dimə́ːridʒ, -mʌ́r-] *n.* Ⓤ (배의) 초과 정박; 체선료(滯船料)《정박 일수 초과에 따라 더 무는》; 화차 유치료(留置料).

de·mur·ral [dimə́ːrəl, -mʌ́r-] *n.* Ⓤ 이의 신청(demur); 항변.

de·mys·ti·fy [diːmístəfài] *vt.* **1** …의 신비성을 제거하다, 수수께끼를 풀다. **2** 계몽하다. ㊕ **de·mỳs·ti·fi·cá·tion** *n.*

◦**den** [den] *n.* Ⓒ **1** (야수의) 굴, 동굴; 보금자리. **2** (도둑의) 소굴; (불법이 행해지는) 밀실: a gambling ~ 도박굴 / an opium ~ 아편굴. **3** 《구어》 (남성의) 사실(私室)《서재·작업실 따위》. **4** 누추한 방〔집〕.

Den. Denmark.

de·nar·i·us [dinέəriəs] (*pl.* ***-nar·ii*** [-riài]) *n.* Ⓒ 옛 로마의 은화. ★ 그 약어 d.를 영국에서는 구 penny, pence의 약어로 썼음.

de·nà·tion·al·i·zá·tion *n.* Ⓤ (구체적으로는 Ⓒ) **1** 국적 박탈〔상실〕. **2** 비국영화, 비국유화.

de·na·tion·al·ize [diːnǽʃənəlàiz] *vt.* (산업)을 비국유화하다; (아무)의 국적을 박탈하다.

de·nat·u·ral·ize [diːnǽtʃərəlàiz] *vt.* …을 부자연스럽게 하다; …의 본성〔특질〕을 바꾸다; …을 변성〔변질〕시키다; …의 귀화권〔국적 · 시민권〕을 박탈하다.

de·na·ture [diːnéitʃər] *vt.* (물질 따위의 성질)을 바꾸다, 《특히》 (에틸 알코올 · 천연 단백질 · 핵연료)를 변성(變性)시키다: *~d* alcohol 변성 알코올.

de·na·zi·fy [diːnáːtsəfài, -nǽtsə-] *vt.* 비(非)나치스화하다. ⓒⓕ Nazi.

den·dr- [déndr], **den·dro-** [déndrou, -drə] '수목(tree)' 이란 뜻의 결합사.

den·drol·o·gy [dendrálədʒi/-drɔ́l-] *n.* Ⓤ 수목학(樹木學)〔론(論)〕.

den·gue [déŋgi, -gei] *n.* Ⓤ 〖의학〗 뎅기열(熱)(= ∠ **fèver**)《관절 · 근육에 통증을 느끼는 열대성 전염병》.

Deng Xiao·ping [dʌ́ŋʃiáupíŋ] 덩샤오핑(鄧小平)《중국의 정치가; 1904–97》.

de·nì·a·bíl·i·ty *n.* Ⓤ 〖美정치〗 부인권, 관계 부인 능력《대통령 등 정부 고관은 불법 활동과의 관계를 부인해도 좋다는》.

de·ni·a·ble [dinάiəbəl] *a.* 부인〔거부〕할 수 있는.

***de·ni·al** [dinάiəl] *n.* **1** Ⓤ (구체적으로는 Ⓒ) 부인, **부정**; 거절; 거부: make 〔give〕 a ~ of …을 부정〔거절〕하다. **2** Ⓤ 극기, 자제(self-~). ◇ deny *vt.*

de·ni·er[1] [dinάiər] *n.* Ⓒ 부인자, 거부〔거절〕자.

de·nier[2] [diníər] *n.* Ⓒ 데니어《생사 · 인조 견사 따위의 굵기의 단위; 450미터 실의 무게가 0.05그램일 때 1데니어》.

den·i·grate [dénigrèit] *vt.* 비방〔중상〕하다. ㊕ **-grà·tor** *n.*

dèn·i·grá·tion *n.* Ⓤ 비방, 중상.

den·im [dénim] *n.* **1** Ⓤ 데님《능직의 두꺼운 무명; 작업복 따위를 만듦》. **2** (*pl.*) 데님제(製) 작업복; 진(jeans) 바지.

Den·is, -ys [dénis] *n.* 데니스《남자 이름》.

den·i·zen [dénəzən] *n.* Ⓒ **1** 《시어》 (특정 지역의) 주민, 거주자; (특정 지역에) 사는 새〔짐승 · 나무〕. **2** 《英》 거류민, 특별 귀화인《일정한 주에 정착하여, 약간의 공민권이 부여됨》.

◇**Den·mark** [dénmaːrk] *n.* 덴마크《수도 Copenhagen》. ★ 국어 Danish, 사람 Dane.

de·nom·i·nate [dinάmənèit/-nɔ́m-] *vt.* …에 이름을 붙이다, …라고 일컫다〔부르다〕, 명명하다: They did not ~ him a priest. 그들은 그를 목사라고 부르지 않았다.

◇**de·nòm·i·ná·tion** *n.* **1** Ⓒ 명칭, 이름, 명의(名義); Ⓤ 명명(命名). **2** Ⓒ 조직체, 종파, 《특히》 교단, 교파: clergy of all *~s* 모든 종파의 목사/Protestant *~s* 신교 제파(諸派). **3** Ⓒ 종류, 종목; 부류(部類). **4** Ⓒ (수치 · 통화 · 도량형의) 단위: money of small *~s* 소액 화폐, 잔돈.

de·nom·i·na·tion·al [dinὰmənéiʃənəl/-nɔ̀m-] *a.* (특정) 종파〔파벌〕의; 교파의; (학교가) 종파에 속하는: ~ education 종파 교의에 기초한 교육.

de·nom·i·na·tive [dinάmənèitiv, -mənə-/-nɔ́m-] *a.* **1** 이름 붙이는; 이름 구실을 하는. **2** 〖문법〗 명사〔형용사〕에서 파생한. **—***n.* Ⓒ 〖문법〗 명사〔형용사〕에서 온 낱말《특히 동사; eye, man, blacken 따위》.

de·nom·i·na·tor [dinάmənèitər/-nɔ́m-] *n.* Ⓒ **1** 〖수학〗 분모. ↔ *numerator.* ¶ a common ~ 공분모. **2** 《비유적》 공통의 성질〔요소〕.

de·no·ta·tion [dìːnoutéiʃən] *n.* **1** Ⓤ 표시. **2** Ⓒ (말의) 지시적 의미. **3** Ⓤ 〖논리〗 외연(外延). ↔ *connotation.* ㊕ **~·al** *a.*

de·no·ta·tive [dinóutətiv, díːnoutèi-] *a.* 지시하는, 표시〔명시〕하는; 〖논리〗 외연적인. ↔ *connotative.* ㊕ **~·ly** *ad.* **~·ness** *n.*

◇**de·note** [dinóut] *vt.* **1** 나타내다, 표시하다; 의미하다《*that*》: Those clouds ~ an approaching storm. 저 구름은 폭풍우가 다가오고 있음을 나타낸다/These signs ~ *that* a political crisis is approaching. 이 징후들은 정치적 위기가 다가오고 있음을 의미한다. **2** 〖논리〗 …의 외연을 표시하다. ↔ *connote.* ㊕ **~·ment** *n.* **de·nó·tive** *a.*

de·noue·ment, dé- [deinúːmaːŋ] *n.* 《F.》 Ⓒ (소설 · 희곡의) 대단원; (사건의) 고비; (분쟁 따위의) 해결, 낙착, 결말, 종국.

***de·nounce** [dináuns] *vt.* **1** 《~+목/+목+전+명/+목+*as* 보》 (공공연히) **비난〔공격〕하다**, 탄핵하다, 매도하다: ~ a heresy 이교(異敎)를 탄핵하다/~ a person *for* neglect of duty 아무를 근무 태만이라고 비난하다/He was *~d as* a coward. 그는 비겁한 자라고 비난받았다. **2** 《+목+전+명+(*as* 보)》 고발하다, 고소하다《*to* …에》: Somebody *~d* him *to* the police (*as* a spy). 누군가가 그를 (간첩이라고) 경찰에 고발했다. **3** (조약 · 휴전 따위)의 실효(失效)〔폐기〕를 통고하다. ◇denunciation *n.* ㊕ **~·ment** *n.* = DENUNCIATION.

de no·vo [diːnóuvou] 《L.》 새로이, 다시.

‡**dense** [dens] *a.* **1 밀집〔밀생〕한**《*with* …으로》; (인구가) 조밀한, 밀도가 높은. ↔ *sparse.* ¶ a ~ crowd 빽빽이 들어찬 인파/The garden was ~ *with* grass. 정원에는 풀이 무성했다/a ~ population 밀집한 인구.

SYN. **dense** 낱낱의 것이 모여서 밀집한 무리를 이루고 있는 상태를 나타냄: a *dense* forest 밀림. **thick** 많은 것이 밀집해 있는 상태를 나타냄: a *thick* forest 우거진 숲.

2 꿰뚫어 볼 수 없는, 짙은; 농후한: a ~ fog 짙은 안개/~ smoke 자욱한 연기.

3 《구어》 아둔한, 어리석은; (어리석음 따위가) 심한, 극단적인: a ~ head 잘 돌지 않는 머리/~ ignorance 지독한 무식.

4 (문장이) 이해하기 어려운, 난삽한: a ~ poem 난해한 시.

5 〖사진〗 (현상한 음화가) 농도가 진한; (유리가) 불투명한. ◇ density *n.*

㊕ ∠**·ness** *n.*

dénse·ly *ad.* 짙게; 밀집하여, 꽉 들어차서: a ~ populated area 인구 밀도가 높은 지역.

***den·si·ty** [dénsəti] *n.* **1** Ⓤ **밀집**, 농도, (안개 등의) 짙은 정도; (인구의) **조밀도**: population ~ 인구 밀도/traffic ~ 교통량. **2** Ⓤ (구체적으로는 Ⓒ) 〖물리〗 비중(比重). **3** Ⓤ 〖컴퓨터〗 밀도《자기(磁氣)디스크 · 테이프 등의 데이터 기억 밀도》. ◇ dense *a.*

◇dent[1] [dent] *n.* Ⓒ **1** 움푹 팬 곳, 눌려서 들어간 곳, 눌린 자국《*in* …의》: a ~ *in* a helmet (부딪쳐서 생긴) 헬멧의 들어간 곳 / She has a big ~ *in* the side of her car. 그녀의 차 측면에 움푹 팬 곳이 크게 생겼다. **2** (약화 · 감소시키는) 효과, 영향; 꺾어 주기《*in* (잘난 체하는 콧대)를》: put a ~ *in* a person's pride 아무의 잘난 체하는 콧대를 꺾어 주다. ***make a ~ in*** ① …을 움푹 들어가게 하다. ② …에 (경제상의) 영향을 주다; …을 감소시키다: Holding that party has *made a ~ in* my pocket. 그 파티를 여느라고 내 주머니 사정이 나빠졌다. ③ 〖보통 부정문〗《구어》 (일)의 돌파구를 열다; …을 약간 진척시키다: I've *barely made a ~ in* the research for my report. 보고서를 작성하기 위한 조사가 조금도 진척되지 않는다.

—*vt.* 움푹 들어가게 하다; 손상시키다, 약화시키다. **—***vi.* 움푹 들어가다, 패다.

dent[2] *n.* Ⓒ (톱니바퀴의) 이, (빗의) 살.

den·tal** [déntl] *a.* **1 이의**; 치과(용)의, 치과의(齒科醫)의: a ~ college 치과 대학 / a ~ office 치과 의원. **2** 〖음성〗 치음(齒音)의: a ~ consonant 치음. **—n.* Ⓒ 치음《영어의 [t, d, θ, ð] 따위》; 치음자(字)《d, t 따위》.

déntal cáries 충치(蟲齒).

déntal clínic 치과 의원.

déntal flòss 치간(齒間) 오물제거용 견사(絹絲).

déntal hýgiene 치과 위생(학).

déntal mechánic 《英》 =DENTAL TECHNICIAN.

déntal pláque 치구(齒垢), 치태(齒苔).

déntal plàte 의치 가상(義齒假床).

déntal súrgeon 치과의사《★dentist 쪽이 일반적》; 《특히》 구강외과 의사.

déntal súrgery 치과(의학), 구강외과(학).

déntal technìcian 《美》 치과 기공사(技工士).

den·tate [dénteit] *a.* 〖동물〗 이가 있는; 이빨 모양의 돌기가 있는; 〖식물〗 톱니 모양의 돌기가 있는.

den·ti·frice [déntəfris] *n.* Ⓤ (종류 · 낱개는 Ⓒ) 치약, 치마분《★ toothpowder, toothpaste 쪽이 일반적》.

den·tin, -tine [déntin], [-ti:n] *n.* Ⓤ (이의) 상아질. ㊞ **den·tin·al** [déntənl, dentí:nl] *a.*

‡**den·tist** [déntist] *n.* Ⓒ **치과의사**: consult 〔see〕 a ~ 치과의사에게 진찰을 받다 / go to the ~'s 치과병원에 가다. ㊞ **~·ry** [-ri] *n.* Ⓤ 치과학; 치과 의술〔업〕.

den·ture [déntʃər] *n.* (*pl.*) (한 벌의) 틀니; 《특히》 총(總)의치《★ false teeth 가 일반적》: partial ~*s* 부분 의치 / full ~*s* 총의치.

de·nù·cle·a·ri·zá·tion *n.* Ⓤ 비핵화(非核化); 핵무기 철거, 핵실험 금지: a ~ zone 핵실험 금지 지역.

de·nu·cle·ar·ize [di:njú:kliəràiz] *vt.* …을 비핵화하다, …의 핵무장을 금지하다: a ~*d* zone 〔nation〕 비핵무장 지대〔국가〕.

de·nu·da·tion [dìnju(:)déiʃən, dèn-] *n.* Ⓤ **1** 발가벗기기; 벌거숭이 (상태), 노출. **2** 〖지질〗 삭박(削剝) 작용, (표면) 침식, 나지화(裸地化).

de·nude [dinjú:d] *vt.* **1 a** 발가벗기다, 노출시키다. **b** …에서 벗기다; 박탈하다《*of* …을》: ~ a person *of* his clothing 아무의 옷을 벗기다 / He was ~*d of* every penny he had. 한푼 없이 모두 빼앗겼다. **2** (땅)에서 나무를 베어 없애다, …을 나지화(裸地化)하다: a ~*d* hill 민둥산. **3** 〖지질〗 (하안(河岸) 따위)를 표면 침식하다, (토양 따위)의 암석 표면을 노출시키다.

de·nùn·ci·á·tion *n.* Ⓤ (구체적으로는 Ⓒ) **1** 탄핵(public condemnation), 공공연한 비난; (죄의) 고발. **2** (조약 등의) 폐기 통고.

de·nun·ci·a·tor [dinʌ́nsièitər, -ʃi-] *n.* Ⓒ 비난〔탄핵〕자; 고발자.

de·nun·ci·a·to·ry [dinʌ́nsiətɔ̀:ri, -ʃiə-/-təri] *a.* 비난의〔하는〕, 탄핵하는; 위협적인.

Den·ver [dénvər] *n.* 덴버《미국 Colorado 주의 주도》.

‡**de·ny** [dinái] *vt.* **1** 《~+목/+-*ing* /+*that* 절/+목+*to be* 보》 **부정하다; 취소하다;** 진실이 아니라고〔근거가 없다고〕 주장하다; (관계 · 책임이 없다고) 부인하다: ~ one's guilt 자신의 죄를 부인하다 / The accused man *denies* ever having met her 〔*that* he has ever met her〕. 그 피고인은 그녀를 만난 적이 없다고 부인한다 / He strongly *denied* himself *to be* a Jew. 그는 강경하게 자기가 유대인이 아니라고 말했다.

2 《~+목/+목+목/+목+전+명》 (권리 · 요구 등)을 **인정하지 않다, 거부하다,** 물리치다; (주어야 할 것)을 주지 않다《*to* …에게》: ~ a request 부탁을 들어주지 않다 / ~ a beggar 거지에게 돈을 주지 않다 / She can ~ her son nothing. =She can ~ nothing *to* her son. 그녀는 아들의 요구는 뭐든지 들어준다.

3 《+목+전+명》 …와의 면회를 거절하다, …을 만나게 하지 않다《*to* (아무)에게》: ~ oneself *to* a visitor 방문객에게 면회를 사절하다 / The secretary *denied* her employer *to* visitors without appointments. 비서는 약속 없는 방문객을 주인에게 면회시키지 않았다.

4 〖~ oneself〗 욕망〔즐거움〕을 억제하다; 삼가다, 자제하다, 끊다: These missionaries ~ them*selves* to give to the poor. 이들 선교사는 가난한 자를 돕기 위해 그들 자신의 욕망을 억제한다 / ~ one*self* the comforts of life 생의 안락함을 자제하다. ◇ denial *n.*

de·o·dar, -da·ra [dí:ədà:r], [dì:ədá:rə] *n.* Ⓒ 〖식물〗 히말라야 삼목(杉木); Ⓤ 그 목재.

de·o·dor·ant [di:óudərənt] *n.* Ⓤ (낱개는 Ⓒ) 탈취(脫臭)〔방취〕제(劑); 방취용 화장품. **—***a.* 냄새를 막는, 탈취〔방취〕 효과가 있는.

de·ò·dor·i·zá·tion *n.* Ⓤ 탈취, 방취, 제취(除臭).

de·o·dor·ize [di:óudəràiz] *vt.* …의 악취를 없애다, …을 탈취하다. ㊞ **-iz·er** *n.* =DEODORANT.

Deo gra·ti·as [dí:ou-gréiʃiæs] 《L.》 하느님 은혜로, 고맙게도《생략: D.G.》.

de·or·bit [di:ɔ́:rbit] *vi.*, *vt.* (인공위성 따위가 〔를〕) 궤도에서 벗어나(게 하)다.

Deo vo·len·te [déiou-voulénti, dí:-] 《L.》 주〔신〕의 뜻이라면, 사정이 허락하면《생략: D.V.》.

de·ox·i·dize [di:áksədàiz/-ɔ́ks-] *vt.* 〖화학〗 …의 산소를 제거하다; (산화물)을 환원하다.

de·óx·y·ribonucléic ácid [di:áksi-/-ɔ́ksi-] 〖생화학〗 디옥시리보핵산《세포핵 염색체의 중요 물질로 유전 정보를 갖고 있음; 생략: DNA》.

dep. departed; department; depart(s); departure; deponent; deposed; 〖은행〗 deposit; depot; deputy.

***de·part** [dipá:rt] *vi.* **1** 《~/+전+명》 (열차 따위가) **출발하다**(start), 떠나다《*from* …에서; *for* …으로》: The train ~*s* at 7:15. 열차는 7시

15 분에 출발한다 / They *~ed for* America. 그들은 미국으로 떠났다 / Your flight *~s from* gate 2 at 5:15. 당신이 탑승할 비행기편은 5시 15분에 2번 게이트에서 출발합니다.
2 《+[전]+[명]》 **벗어나다, 이탈하다,** 빗나가다《*from* (습관 · 원칙 따위)에서》: *~ from* the truth 진실에서 빗나가다 / *~ from* one's plans 계획을 바꾸다 / *~ from* one's promise 약속을 어기다.
—*vt.* **1** 출발하다: My plane *~s* Chicago at 5:45. 내가 탈 비행기는 5시 45분에 시카고를 떠난다. **2** 《문어》 (세상)을 떠나다. **~ *this life*** 《문어》 이승을 떠나다, 죽다. ◇ departure *n.*

◇**de·párt·ed** [-id] *a.* **1** 과거의; (최근) 죽은: ~ glory 과거의 영광 / one's ~ friend 지금은 죽고 없는 친구. **2** (the ~) 〖명사적; 단수취급〗 고인《한 사람》; 〖집합적; 복수취급〗 사자(死者)《전체》.

⁑**de·part·ment** [dipáːrtmənt] *n.* **1** [C] (공공기관 · 회사 등의) **부**〔과〕, **부문**: the export ~ 수출부 / the personnel ~ 인사부〔과〕/ the accounting ~ 회계과.
2 (보통 D–) [C] (미국 행정 조직의 장관(secretary)이 관할하는) **부**; (영국 행정 조직의) 부; 국(局), 과(課).

> [NOTE] (1) 미국의 행정부는 다음과 같음: the *Department of* Commerce 〔the Interior, State, the Treasury, Energy〕 상무〔내무, 국무, 재무, 에너지〕부 / the *Department of* Justice 〔Agriculture, Labor, Education, Transportation〕 법무〔농무, 노동, 교육, 교통〕부 / the *Department of* Defence 국방부 / the *Department of* Health and Human Services 보건복지부 / the *Department of* Housing and Urban Development 주택도시개발부.
> (2) 영국의 행정부로서 Department를 쓰는 것은 다음과 같음《다른 부처는 Ministry, Office를 씀》: the *Department for* Education 교육부 / the *Department of* Employment 고용부 / the *Department of* the Environment 환경부 / the *Department of* Health 보건부 / the *Department of* National Heritage 국민문화유산부 / the *Department of* Social Security 사회보장부 / the *Department of* Trade and Industry 통상산업부 / the *Department of* Transport 교통부.

3 [C] (대학의) 학부, 과(科): the ~ of sociology 사회학과.
4 (*sing.*) 〖보통 one's ~〗 《구어》 (지식 · 활동의) 영역, (담당) 분야: That's your ~. 그것은 자네 일이다.
5 [C] (백화점 따위의) 매장: The men's clothing ~ is on the sixth floor. 남성복 매장은 6층입니다.

de·part·men·tal [dipaːrtméntl, dìːpaːrt-] *a.* 국〔부, 과, 계〕의, 부문(별)의.

de·part·men·tal·ize [dipaːrtméntlàiz, dìːpaːrt-] *vt.* 각 부문으로 나누다〔세분하다〕.

***depártment stòre** 백화점(《英》 stores).

⁑**de·par·ture** [dipáːrtʃər] *n.* **1** [U] (구체적으로는 [C]) **출발**, 떠남; 발차; 출항(出航): a ~ platform 발차 플랫폼 / a point of ~ (논의 등의) 출발점 / take one's ~ 출발하다 / What is the ~ time of KAL flight 812? — Two thirty in the afternoon. 대한항공 812편의 출발 시각은 언제입니까 — 오후 2시 30분입니다. **2** [U] (구체적으로는 [C]) **이탈**, 벗어남; 배반《*from* (상도(常道) · 습관 따위)로부터》: (a) ~ *from* one's customary habits 일상적인 습관에서의 이탈. **3** [C] 〖보통 new ~〗 새로운 출발, 새로운 시도《*in, for* (방침 따위)의》: a *new ~ for* company 기업의 새로운 출발.

⁑**de·pend** [dipénd] *vi.* **1** 《~/+[전]+[명]/+[전]+*wh.* [절]》 **…나름이다,** 달려 있다, 좌우되다《*on, upon* …의, …에》: His success here *~s upon* effort and ability. 그가 여기에서 성공하느냐 못 하느냐는 노력과 능력 여하에 달려 있다 / Everything *~s on whether* you pass the examination. 모든 것은 너의 시험 합격 여부에 달려 있다 / That *~s* (*on*) how you behave. 그건 네가 처신하기에 달려 있다《★ 진행형 없음; 《구어》에서는 on, upon이 생략되는 경우가 많음》.
2 《+[전]+[명]》 **의지하다,** 의존하다《*on, upon* …에게; *for* …에 대하여》: I have no one but you to ~ *on*. 너밖에 의지할 사람이 없다 / Children ~ *on* their parents. 아이들은 부모에게 의지하고 있다 / He *~ed on* his uncle *for* his school expenses. 그는 학비를 아저씨한테 의존하고 있다. [SYN.] ⇨ RELY.
3 a 《+[전]+[명]/+[전]+[명]+*to* do》 **믿다,** 신뢰하다《*on, upon* …을》: You can ~ *upon* him. 그 사람 같으면 믿을 수 있다 / You can ~ *on* her *to* do it right. 그녀가 그 일을 잘 할 것이라고 믿어도 된다. **b** 〖~ on 〔upon〕 it that으로〗 …라는 것을 믿다〔신뢰하다〕: You may ~ *on it that* she will go with you. 그녀는 틀림없이 당신과 동행할 것이다. ◇ dependent *a.*
depend on* 〔*upon*〕 *it 〖명령법으로 말머리나 끝에 써서〗 걱정 마라; 틀림없이: *Depend on it.* He'll come. 걱정 마라. 그는 올 거야. ***You may* ~** 반드시〔꼭〕 (…하다): *You may ~* he will do it. 반드시 그는 그렇게 할 것이다.

> [DIAL.] ***That depends.*** = ***It*** (***all***) ***depends.*** 그건 때와 형편에 달렸다; 모두 사정 나름이다: Will you go to the party? — Well, *that depends* 〔*it all depends*〕. 파티에 갈 거니 — 글쎄, 사정을 봐야지.

de·pènd·a·bíl·i·ty *n.* [U] 신뢰〔의지〕할 수 있음, 확실성.

◇**de·pénd·a·ble** *a.* 신뢰할〔믿을〕 수 있는; 신빙성 있는. [파] **~·ness** *n.* **-bly** *ad.*

de·pend·ant [dipéndənt] *n.* =DEPENDENT.

⁑**de·pend·ence** [dipéndəns] *n.* [U] **1 의지함, 의존**〔종속〕 (관계 · 상태)《*on, upon* …에(의)》: the ~ of children *on* their parents 부모에게 의지해 사는 자식들 / ~ *upon* overseas natural resources 해외 천연자원에 의존하는 것. (↔ independence). **2** 신뢰; 믿음《*on, upon* …에의》: put 〔place〕 ~ *on* a person 아무를 신뢰하다. **3** 〖의학〗 의존(증): drug ~ 약물 의존(증). ◇ depend *v.*

de·pend·en·cy [dipéndənsi] *n.* **1** [C] 속국, 보호령. **2** [U] 의존 (상태)《★ dependence 쪽이 일반적》.

⁑**de·pend·ent** [dipéndənt] *a.* **1** [P] **의지하고 있는, 의존하는**; 도움을 받고〔신세를 지고〕 있는《*on, upon* …에; *for* …에 대하여》: He is ~ *on* his wife's earnings. 그는 아내의 수입에 의존하고 있다 / He's ~ *on* his uncle *for* his living expenses. 그는 아저씨에게 생활비의 도움을 받고 있다. **2** 종속 관계의, 예속적인. ↔ *indepen-*

dent.¶a ~ domain 속령지(屬領地). **3** Ⓟ …나름의, 달려 있는, 좌우되는《*on, upon* …의, …에》: Crops are ~ *upon* weather. 수확은 날씨에 좌우된다. ◇depend. *vi*. **—n.** Ⓒ **1 의존하고 있는 사람**; 부양가족; 식객. **2** 하인, 종자(從者). ⊕ **~·ly** *ad*. 남에게 의지하여, 의존〔종속〕적으로.

depéndent cláuse 〖문법〗 종속절(節)(subordinate clause).

de·pèr·son·al·i·zá·tion *n*. Ⓤ 비인격화, 개성 상실.

de·per·son·al·ize [di:pə́:rsənəlàiz] *vt*. …을 비인격화하다; (아무)의 개성을 빼앗다.

de·pict [dipíkt] *vt*. (그림 · 글 · 영상으로) 그리다; 묘사〔서술, 표현〕하다: ~ him *as* a hero 그를 영웅으로 묘사하다/The picture *~ed* the battle vividly. 그 그림은 전투를 생생하게 그렸다.

de·píc·tion *n*. Ⓤ (구체적으로는 Ⓒ) 묘사; 서술.

dep·i·late [dépəlèit] *vt*. …의 털을 뽑다. ⊕ **dèp·i·lá·tion** *n*. Ⓤ 탈모, (특히 동물 가죽의) 털 뽑기.

de·pil·a·to·ry [dipílətɔ̀:ri/-təri] *a*. 탈모용의; 탈모 효능이 있는. **—n.** Ⓤ (종류 · 낱개는 Ⓒ) 탈모제.

de·plane [di:pléin] *vi*., *vt*. 비행기에서 내리다〔내리게 하다〕. ↔ *enplane*.

de·plete [diplí:t] *vt*. (세력 · 자원 따위)를 고갈〔소모〕시키다.

de·plé·tion *n*. Ⓤ 수분 감소 (상태); (자원 등의) 고갈, 소모.

°**de·plór·a·ble** [-rəbl] *a*. 통탄할; 비참한, 애처로운: ~ conduct 통탄할 행위. ⊕ °**-bly** *ad*. 유감스럽게도; 지독히.

***de·plore** [diplɔ́:r] *vt*. **한탄〔개탄〕하다**, 애도하다; 유감으로 여기다, 뉘우치다《*that*》. ⓒⓕ lament, grieve, regret.¶~ the death of a close friend 친구의 죽음을 애통해하다/It's to be *~d that* we cannot help him. 그를 도울 수 없다니 유감스러운 일이다.

de·ploy [diplɔ́i] *vt*., *vi*. 〖군사〗 (부대를〔가〕) 전개시키다〔하다〕; (부대 · 장비를) (전략적으로) 배치하다: ~ tro ops for battle 부대를 전투 대형으로 배치하다. ⊕ **~·ment** *n*. Ⓤ 〖군사〗 (부대의) 전개, 배치.

de·po·lit·i·cize [dì:pəlítəsàiz] *vt*. …에서 정치적 색채를 없애다, …을 비정치화하다.

de·pol·lute [dì:pəlú:t] *vt*. …의 오염을 제거하다, …을 정화하다.

de·po·nent [dipóunənt] *n*. Ⓒ 〖법률〗 (특히 문서에 의한) 선서 증인; 공술인(供述人).

de·pop·u·late [di:pápjəlèit/-pɔ́p-] *vt*. 〘종종 수동태〙 …의 주민을〔인구를〕 감소시키다: The country has *been ~d* by war and disease. 전쟁과 질병 때문에 그 나라의 인구가 감소했다. ⊕ **-pòp·u·lá·tion** *n*. Ⓤ 주민 감소; 인구 감소.

de·port[1] [dipɔ́:rt] *vt*. 〘~ oneself〙 처신〔행동〕하다: ~ one*self* like a gentleman 신사답게 행동하다.

de·pórt[2] *vt*. (외국인)을 국외로 퇴거시키다(expel), 추방하다; (강제) 이송〔수송〕하다: They *~ed* the criminals from their country. 그들은 범죄자를 국외로 추방했다.

de·por·ta·tion [dì:pɔ:rtéiʃən] *n*. Ⓤ 국외 추방; (강제) 이송〔수송〕: a ~ order 퇴거 명령.

de·por·tee [dì:pɔ:rtí:] *n*. Ⓒ (국외로의) 피(被)추방자; 유형자(流刑者).

de·pórt·ment *n*. Ⓤ 행동, 거동, 품행; 태도; 《英》 (젊은 여성의) 행동거지.

°**de·pose** [dipóuz] *vt*. **1** (고위층 사람)을 면직〔해임〕하다, 물러나게 하다《*from* (권력의 자리)에서》: ~ a person *from* office 아무를 면직시키다. **2** 〖법률〗 (문서로) 선서 증언〔진술〕하다《*that*》: He *~d that* he had seen the accused before. 그는 피고를 전에 본 적이 있다고 증언했다. **—vi.** 선서 증언하다, 입증하다《*to* …을》: ~ *to* having seen it 그것을 목격했다고 증언하다.

‡**de·pos·it** [dipázit/-pɔ́z-] *vt*. **1 a** 《+목+전+명》 **놓다**, 두다; (알)을 낳다《*on, in* (특정한 장소)에》: He *~ed* his bag *on* the chair. 그는 가방을 의자 위에 놓았다/These insects ~ their eggs *in* the ground. 이들 곤충들은 땅속에 알을 낳는다. **b** 〘~ oneself〙 앉다《*in, on* …에》: He *~ed* him*self on* the sofa. 그는 소파에 앉았다. **2** 《+목+전+명》 (모래 · 진흙 등)을 침전시키다, 가라앉히다, 퇴적시키다《*on, in* …에》《★ 종종 수동태》: The flood *~ed* a layer of mud *on* the farm. 그 홍수로 농장에 진흙 층이 퇴적했다. **3** 《~+목/+목+전+명》 (돈 · 귀중품 따위)를 **맡기다**, 예금하다《*at, in* (장소)에; *with* (아무)에게》: ~ a suitcase *at* the cloakroom 수화물 보관소에 가방을 맡기다/~ money *in* a bank 은행에 예금하다/~ papers *with* one's lawyer 변호사에게 서류를 맡기다. **4** (돈)을 넣다《자동판매기 따위에》; (돈)을 착수금으로 지급하다: *Deposit* a quarter and push the button. 25센트를 넣고 단추를 누르시오.

—n. 1 Ⓤ (종류는 Ⓒ) 부착물; 퇴적물, 침전물; (광석 · 석유 · 천연 가스 등의) 매장물, 광상(鑛床): glacial *~s* 빙하 퇴적물/oil *~s* 석유 매장량. **2** Ⓤ (구체적으로는 Ⓒ) 침전〔퇴적〕 (작용). **3** Ⓒ (보통 *sing*.) 맡기기; (은행) 예금; 공탁금, 적립금, 보증금, 계약금, 착수금: a current 〔fixed〕 ~ 당좌〔정기〕 예금/a ~ in trust 신탁 예금/have 〔place〕 money on ~ 예금해 있다〔예금하다〕/make a ~ on (a car) (자동차)의 계약금을 치르다. **3** Ⓒ 《주로 美》 저장소; 보관소, 창고.

depósit accòunt 《英》 저축 계정(《美》 savings account); 《美》 예금 계정〔계좌〕.

de·pos·i·ta·ry [dipázitèri/-pɔ́zitəri] *n*. = DEPOSITORY.

°**dep·o·si·tion** [dèpəzíʃən, dì:-] *n*. **1** Ⓤ 면직, 파면; 폐위. **2** Ⓤ 〖법률〗 선서 증언; Ⓒ 선서 증서, 증언〔진술〕 조서.

depósit mòney 공탁금, 보증금.

de·pos·i·tor [dipázitər/-pɔ́z-] *n*. Ⓒ 공탁자; 예금자; 침전기(沈澱器); 전기 도금기(鍍金器).

de·pos·i·to·ry [dipázitɔ̀:ri/-pɔ́zitəri] *n*. Ⓒ 창고, 저장소, 보관소; 수탁〔보관〕자: a ~ of learning 지식의 보고.

depósitory líbrary 관청 출판물 보관 도서관.

***de·pot** [dí:pou/dépou] *n*. Ⓒ **1** 《美》 (철도의) 정거장, (버스) 정류소. **2** [dépou] **저장소**; 보관소, 창고. **3** 〖군사〗 병참부; 《英》 연대 본부.

dep·ra·va·tion [dèprəvéiʃən, dì:prei-] *n*. Ⓤ 악화; 부패, 타락.

de·prave [dipréiv] *vt*. (도덕적으로) 타락〔악화〕시키다, 부패시키다. ⊕ **~d** *a*. 타락한.

de·prav·i·ty [diprǽvəti] *n*. **1** Ⓤ = DEPRAVATION. **2** Ⓒ 악행, 비행, 부패 행위.

°**dep·re·cate** [déprikèit] *vt*. **1** …에 불찬성을

주장하다, …을 비난하다, (전쟁 따위)에 반대하다: He ~*d* extending a helping hand to lazy people. 그는 게으른 사람들에게 원조의 손을 뻗어서는 안 된다고 강경히 반대했다/He ~*d* his son's premature attempt *as* improvident. 그는 아들의 성급한 시도를 경솔하다고 비난했다. **2** 업신여기다.

dép·re·càt·ing·ly *ad.* 나무라는 듯이, 비난조로.

◇**dèp·re·cá·tion** *n.* [U] 불찬성, 반대, 항의; 비난.

dep·re·ca·to·ry [déprikətɔ̀:ri/-təri] *a.* 불찬성〔비난〕의; 탄원적〔애원적〕인; 변명의, 사죄의: a ~ letter 사과〔변명의〕 편지.

de·pre·ci·a·ble [diprí:ʃiəbəl] *a.* 가치를 떨어뜨릴 수 있는; 《美》 (과세상) 감가상각의 대상이 되는: ~ assets 감가상각 재산.

***de·pre·ci·ate** [diprí:ʃièit] *vt.* **1** (화폐)를 **평가 절하하다**; (물품)의 (시장) 가치〔평가〕를 떨어뜨리다. ↔ *appreciate*. **2** 경시하다, 얕보다: ~ oneself (자기) 비하하다/We should not ~ the value of regular exercise. 규칙적인 운동의 가치를 경시해서는 안 된다. —*vi.* 가치가〔가격이〕 떨어지다, 하락하다: This sports car will never ~ in ten years. 이 스포츠카는 10년이 지나도 값이 떨어지지 않을 것이다.

[파] **de·pré·ci·àt·ing·ly** *ad.* 낮추어, 얕보아, 깔보아. **-ci·à·tor** *n.* [C] 가치를 떨어뜨리는 사람; 경시하는 사람.

***de·pre·ci·a·tion** [diprì:ʃiéiʃən] *n.* [U] (구체적으로는 [C]) **1 가치〔가격〕 저하**; (화폐 가치의) 절하, 하락: ~ of the currency 통화 가치의 하락. **2** 〖경제〗 감가상각. **3** 경시: in ~ (of) (…을) 얕보아, 경시하여.

de·pre·ci·a·tive [diprí:ʃièitiv] *a.* =DEPRECIATORY.

de·pre·ci·a·to·ry [diprí:ʃiətɔ̀:ri/-təri] *a.* **1** 가치 저감의, 감가적인; 하락 경향의. **2** 깎아내리는, 얕보는, 경시하는 (듯한).

dep·re·da·tion [dèprədéiʃən] *n.* [C] (보통 *pl.*) 약탈 행위.

***de·press** [diprés] *vt.* **1 풀이 죽게 하다**, 우울하게 하다: Her death ~*ed* him 〔his spirits〕. 그는 그녀의 죽음으로 완전히 풀이 죽었다. **2** 불경기로 만들다; (시세 따위)를 떨어뜨리다: Trade is ~*ed*. 시황(市況)은 부진하다. **3** (힘 · 기능 따위)를 약화시키다, 쇠약하게 하다; (소리)를 낮추다. **4** (버튼 · 지렛대 등)을 누르다, 내리누르다.

de·pres·sant [diprésənt] *a.* 진정〔억제〕 작용이 있는; 의기소침케 하는; 불경기를 초래하는. —*n.* [C] 〖약학〗 (특히 근육 · 신경 따위의) 진정〔억제〕제.

***de·pressed** [diprést] *a.* **1 내리눌린**, 낮아진, (가운데가) 패인《노면 따위》. **2** 우울한, **풀이 죽은**, 의기소침한《*about* …에》: feel ~ 마음이 울적하다/He's ~ *about* the result. 그는 그 결과에 의기소침해 있다. [SYN.] ⇨SAD. **3** 궁핍한, 빈곤에 허덕이는. **4** 불경기의, 불황의; (주식의) 값이 떨어진: a ~ industry 불황 산업. **5** 〖생물〗 (모양이) 평평한, 낮고 폭이 넓은.

depréssed área 빈민〔쇠퇴, 불황〕 지역.

de·préss·ing *a.* 억누르는; 울적해지는 (것 같은), 침울한: ~ news 우울한 뉴스/~ weather 찌무룩한 날씨. [파] **~·ly** *ad.*

‡**de·pres·sion** [dipréʃən] *n.* **1** [U] (구체적으로는 [C]) **의기소침**, 우울: in a state of deep ~ 의기소침하여/nervous ~ 신경쇠약: fall 〔sink〕 into a (deep) ~ (몹시) 우울〔침울〕해지다. **2** [U] 불경기, 불황; [C] 불황기; (the D–) =GREAT DEPRESSION. **3** [U] (구체적으로는 [C]) 내리누름〔눌림〕, 하강, 침하(沈下); (지반의) 함몰; [C] 구렁, 저지(低地). **4** [C] 〖기상〗 저기압: an atmospheric 〔a barometric〕 ~ 저기압. ◇depress *v.*

de·pres·sive [diprésiv] *a.* **1** 내리누르는, 억압적인; 우울한. **2** 울증의: ~ illness 울증. —*n.* [C] 울증 환자.

de·pres·sur·ize [di:préʃəràiz] *vt.* (비행기 · 우주선 따위)의 기압을 내리다, …을 감압하다. [파] **-près·sur·i·zá·tion** *n.*

dep·ri·va·tion [dèprəvéiʃən] *n.* [U] (구체적으로는 [C]) **1** 탈취, 박탈; 상속인의 폐제(廢除); (성직자) 파면: ~ *of* liberty 자유의 박탈. **2** 상실, 손실; (생필품 따위의) 결핍 (상태).

***de·prive** [dipráiv] *vt.* **1** 《+[목]+[전]+[명]》 …에게서 빼앗다, **박탈하다**《*of* …을》: ~ a person *of* money 아무에게서 돈을 빼앗다/~ a person *of* his rights 〔liberty〕 아무에게서 권리〔자유〕를 박탈하다. [SYN.] ⇨ROB. **2** 《+[목]+[전]+[명]》 …에게 거절하다, 주지 않다《*of* …을》: ~ a person *of* food 아무에게 먹을 것을 주지 않다.

de·prived *a.* **1** 혜택받지 못한, 가난한, 불우한: culturally ~ children 문화적인 혜택을 못 받는 아이들. **2** (the ~) 〖명사적; 집합적; 복수취급〗 혜택받지 못한 사람들; 가난한 사람들.

de pro·fun·dis [dì:-prəfʌ́ndis] 《L.》 (슬픔 · 절망 따위의) 구렁텅이에서(의 절규).

de·pro·gram [di:próugræm] *vt.* 《美》 (아무)의 신념〔신앙〕을 (강제적으로) 버리게 하다.

dept. department; deputy.

‡**depth** [depθ] (*pl.* **~s** [depθs, depts]) *n.* **1** [U] (또는 [C]; 보통 *sing.*) **깊이**, 깊음; 심도; 안 길이: at a 〔the〕 ~ of 50 feet, 50피트 깊이에서/the ~ of a room 방의 안 길이/The ~ of the pond was about five feet. =The pond was about five feet in ~. =The pond had a ~ of about five feet. 연못은 약 5피트 깊이였다. **2** (the ~s) **깊은 곳**, 오지(奧地); (비참 · 절망 등의) 구렁텅이, 밑바닥: in the ~s of the forest 숲속 깊은 곳에/in the ~s of despair 절망의 구렁텅이에. **3 a** [U] (학문 따위의) 심원함(profundity); (인물 · 성격 따위의) 깊은 맛: a question of great ~ 심오한 문제/I was impressed by his ~ of knowledge. 그의 해박한 지식에 감명받았다. **b** [U] (또는 a ~) (감정의) 심각성, 강도: with a ~ of feeling 깊은 감정을 담아서. **4** [U] (빛깔 등의) 짙음, 농도; (소리의) 낮은 가락. **5** (the ~; 종종 *pl.*) 계절의 한창때《한여름 따위》: in the ~ of winter 한겨울에. ◇deep *a.*

***out of* 〔*beyond*〕 one's ~** ① 깊어서 키가 넘는 곳에, 깊은 곳에: Don't go *beyond* your ~. 키 넘는 곳에 들어가지 마라. ② 이해할 수 없는; 역량이 미치지 못하는, 힘에 겨운〔겹게〕: I'm *beyond* my ~ when it comes to mathematical formulas. 수학 공식에 맞닥뜨리면 난 꼼짝 못 한다. ***in* ~** (연구 등을) 철저히〔한〕, 심층적으로〔인〕: explore a subject *in* ~ 문제를 깊이 탐구하다/defense *in* ~ 〖군사〗 심층 방어. ***plumb the* ~s** (슬픔 · 불행 등의) 밑바닥에 빠지다. ***within* one's ~** (물속의) 발이 닿는 곳에; 힘이 미치는 범위에서, 이해할 수 있을 정도로.

dépth chàrge 〔**bòmb**〕 폭뢰(爆雷), 수중 폭탄《잠수함 공격용》.

dépth psychòlogy 〖심리〗 심층 심리학.

dep·u·ta·tion [dèpjətéiʃən] *n.* Ⓒ 《집합적; 단·복수취급》 대리 위원단, 대표단.

de·pute [dipjú:t] *vt.* **1** 대리로 명하다, 대리(자)로 하다, 대리로서 …시키다〔파견하다〕《*to* do》: I ~*d* him *to* look after the factory during my absence. 내가 없는 동안 그를 공장 관리의 대행자로 임명했다. **2** (일·직권)을 위임하다《*to* …에게》: ~ a task *to* an assistant 일을 조수에게 위임하다.

dep·u·tize [dépjətàiz] *vt.* 《美》 대리로 임명하다. **—***vi.* 《美》 대리〔대행〕하다《*for* …을》.

dep·u·ty** [dépjəti] *n.* Ⓒ **1 대리인**; 대리역, 부관; 대표자, 대의원: a ~ of the law 법률의 대행자. **2** (프랑스·이탈리아 등의) 의원, 민의원. ***by **~** 대리로. ***the Chamber of Deputies*** (이전의 프랑스의) 하원. ★ 현재는 the National Assembly.
—*a.* Ⓐ 대리의, 부(副)의(acting, vice-): a ~ chairman 부의장 / a ~ governor 부지사 / a ~ mayor 부시장 / a ~ prime minister 부총리 / the *Deputy* Speaker (영국 하원의) 부의장 / *Deputy* Assistant Secretary 《美》 부차관보.

der. derivation; derivative; derive(d).

de·rail [diréil] *vt.* (계획)을 틀어지게 하다; 《보통 수동태》 (기차 따위)를 탈선시키다: The train *was* ~*ed*. 열차는 탈선했다. **—***vi.* 탈선〔일탈〕하다. ⊕ **~·ment** *n.* Ⓤ (구체적으로는 Ⓒ) 탈선.

de·range [diréindʒ] *vt.* **1** (상태·계획 등)을 혼란〔교란〕시키다, 어지럽히다: My plans were completely ~*d* by his sudden arrival. 그가 갑자기 도착하는 바람에 내 계획은 완전히 틀어졌다. **2** (사람)을 발광시키다.

de·ránged *a.* 혼란된, 미친: Her mind is ~. =She's (mentally) ~. =She has a ~ mind. 그녀는 미쳤다.

de·ránge·ment *n.* Ⓤ (구체적으로는 Ⓒ) **1** 교란, 혼란. **2** 착란, 발광: mental ~ 정신 착란.

◇**Der·by** [də́:rbi/dɑ́:r-] *n.* **1** 더비《영국 Derbyshire의 특별시》. **2** (the ~) 더비 경마《영국 Surrey 주의 Epsom Downs에서 매년 거행됨》; Ⓒ 《일반적》 대경마(大競馬): The ~ Day 《英》 더비 경마일. **3** (a d-) (누구나 참가할 수 있는) 경기, 경주: a bicycle ~ 자전거 경주. **4** (d-) 《美》 =DERBY HAT.

dérby hát 《美》 중산모자(《英》 bowler hat).

Der·by·shire [də́:rbiʃər/dɑ́:r-] *n.* 더비셔《잉글랜드 중부의 주》.

de·reg·u·late [di:régjulèit] *vt.* (경제·가격 등)의 공적 규제〔통제〕를 해제〔철폐〕하다, …을 자유화하다: ~ imports 수입품 규제를 해제하다.

de·règ·u·lá·tion *n.* Ⓤ 규제〔통제〕 철폐; 자유화.

der·e·lict [dérəlikt] *a.* **1** 유기〔방치〕된, 버려진《배 따위》. **2** 《美》 태만한, 무책임한: He is ~ *of* 〔*in*〕 his duty. 그는 자신의 직무에 태만하다. **—***n.* Ⓒ 유기물《특히 바다 위에 버려진 배》; 사회〔인생〕의 낙오자, 버림받은 사람, 부랑자; 《美》 직무 태만자.

dèr·e·líc·tion *n.* **1** Ⓤ 유기, 방기(放棄). **2** Ⓤ (구체적으로는 Ⓒ) (직무〔의무〕) 태만: (a) ~ of duty 직무 태만.

de·re·strict [dì:ristríkt] *vt.* …에 대한 통제를 해제하다, 《특히》 (도로)의 속도 제한을 철폐하다. ⊕ **dè·re·stríc·tion** *n.*

◇**de·ride** [diráid] *vt.* 조소〔조롱〕하다, 비웃다(mock): ~ a person *as* a fool 아무를 바보 취급하며 조롱하다.

de ri·gueur [dərigə́:r] 《F.》 예절상 필요한; 예절에 따르는; 유행하는: Evening dress is ~. 반드시 야회복 착용하실 것.

◇**de·ri·sion** [diríʒən] *n.* Ⓤ 조소, 조롱: be in ~ 조소받고 있다 / submit a person to ~ =treat a person with ~ 아무를 조롱하다 / make a person an object of ~ 아무를 웃음거리로 만들다. ◇ deride *v.*
be the* ~ *of …으로부터 우롱당하다. ***bring into* ~** 웃음거리로 만들다. ***hold*** 〔***have***〕 a person ***in* ~** 아무를 조롱하다.

de·ri·sive [diráisiv, -ziv/-ríziv, -rís-] *a.* 조소〔조롱〕하는(mocking): a ~ gesture 조롱하는 몸짓. ⊕ **~·ly** *ad.* 비웃듯, 업신여기어.

de·ri·so·ry [diráisəri] *a.* **1** 비웃음을 살 만한, 조소〔조롱〕하는. **2** 아주 적은; 전혀 쓸모없는, 하찮은: a ~ salary 쥐꼬리만한 월급.

deriv. derivation; derivative; derive(d).

de·riv·a·ble [diráivəbəl] *a.* **1** 유도할〔끌어낼〕 수 있는. **2** (유래 등을) 추론할 수 있는.

der·i·va·tion [dèrəvéiʃən] *n.* **1** Ⓤ (다른 것·본래의 것에서) 끌어내기, 유도. **2** Ⓤ 유래, 기원(origin). **3** Ⓤ 【언어】 (말의) 파생, 어원; Ⓒ 파생어: a word of Latin ~ 라틴어에서 파생한 말. **4** Ⓒ 파생물.

de·riv·a·tive [dirívətiv] *a.* **1** (원래의 것에서) 끌어낸; 파생한. **2** (생각 등이) 참신성이 결여된, 독창적이 아닌. **—***n.* Ⓒ 유래물, 파생물; 【문법】 파생어; 【화학】 유도체; 【수학】 미분 계수, 도(導)함수. ⊕ **~·ly** *ad.* 파생적으로.

de·rive** [diráiv] *vt.* **1** 《+목+전+명》 **끌어내다**; 손에 넣다, 획득하다《from*** …에서》: He ~*s* his character *from* his father. 그는 성격을 아버지로부터 이어받고 있다 / We ~ knowledge *from* books. 우리는 책에서 지식을 얻는다. **2** 《종종 수동태》 …의 기원을〔유래를〕 찾다《***from*** …에서》: These words *are* ~*d from* German. 이 단어들은 독일어에서 유래한 것이다.
—*vi.* 《+전+명》 기원을 두다, 유래〔파생〕하다《***from*** …에(서)》: This slang word ~*s from* a foreign word. 이 속어는 어떤 외국말에서 유래한다. ⊕ **de·rív·er** *n.*

derm, der·ma [də:rm], [də́:rmə] *n.* Ⓤ 【해부】 진피(眞皮); 《일반적》 피부(skin), 외피.

der·mal, der·mat·ic [də́:rməl], [də:rmǽtik] *a.* 피부에 관한, 피부의.

der·ma·ti·tis [də̀:rmətáitis] *n.* Ⓤ 【의학】 피부염.

dèr·ma·tól·o·gist *n.* Ⓒ 피부병학자; 피부과(전문) 의사.

der·ma·tol·o·gy [də̀:rmətɑ́lədʒi/-tɔ́l-] *n.* Ⓤ 【의학】 피부 의학, 피부병학.

der·mis [də́:rmis] *n.* 【해부】 =DERMA.

der·o·gate [dérougèit] *vi.* 《문어》 **1** 떨어뜨리다, 훼손〔손상〕하다(detract) 《***from*** (가치·명예·품위 따위)를》: Such conduct will ~ *from* your reputation. 그런 행위는 너의 평판을 손상시킨다. **2** 꼴사나운 짓을 하다; 타락하다《***from*** …에서》.

dèr·o·gá·tion *n.* Ⓤ 《문어》 훼손, 손상, 하락, 실추《***from, of*** (가치·권위 따위)의》.

de·rog·a·tive [dirɑ́gətiv/-rɔ́g-] *a.* 가치〔명예〕를 손상하는.

de·rog·a·to·ry [dirɑ́gətɔ̀:ri/-rɔ́gətəri] *a.* 손상시키는, 떨어뜨리는《***from, to*** (명예·인격·가

치 따위)를》; (말투가) 경멸적인: ~ *from* authority 권위를 손상시키는/~ *to* a person's dignity 아무의 품위를 떨어뜨리는/~ remarks 욕, 험담. [파] **-ri·ly** *ad*.

◇**der·rick** [dérik] *n*. [C] **1** 데릭《화물선 따위에서 물건을 오르내리는 기중기의 일종》. **2** 유정탑(油井塔).

der·ri·ère, -ère [dèriέər] *n*. 《F.》 [C] 《구어·완곡어》 엉덩이(buttocks).

der·(r)in·ger [dérindʒər] *n*. [C] 데린저식 권총《구경이 크고 총열이 짧음》.

derv [dəːrv] *n*. [U] 《英》 디젤용 중유(重油). [◂ *d*iesel *e*ngined *r*oad *v*ehicle]

der·vish [də́ːrviʃ] *n*. [C] 회교 금욕파의 수도사.

de·sal·i·nate [diːsǽlənèit] *vt*. =DESALT. [파] **de·sàl·i·ná·tion** *n*. [U] 탈염(脫塩), 담수화(淡水化).

de·sal·in·ize [diːsǽlənàiz, -séil-] *vt*. =DESALT.

de·salt [diːsɔ́ːlt] *vt*. (바닷물 따위)의 염분을 제거하다; 담수화하다.

de·scale [diːskéil] *vt*. …에서 물때를〔녹을〕 벗기다.

des·cant [déskænt/dis-] *n*. **1** [C] 《시어》 가곡. **2** [U] (구체적으로는 [C]) 〖음악〗 **a** 데스칸트(창법)《중세 르네상스의 다성 음악에서 정선율(定旋律)로 부르는》. **b** 최고음부, 소프라노.
— [deskǽnt, dis-] *vi*. 상세히 설명하다, 길게 늘어놓다《*on, upon* …에 대하여》: You need not ~ *upon* my shortcomings. 나의 결점에 대해서 장황하게 늘어놓을 필요는 없다.

Des·cartes [deikáːrt] *n*. **René** ~ 데카르트《프랑스의 철학자·수학자; 1596–1650》. ◇ Cartesian *a*.

⁑**de·scend** [disénd] *vi*. **1** 《~/+[전]+[명]》 **내리다, 내려가다**〔오다〕《*from* (높은 곳)에서》. ↔ *ascend*. ¶ ~ *from* the train 기차에서 내리다/~ *from* a mountain 산에서 내려오다. **2** 《~/+[전]+[명]》 (길이) 내리받이가 되다; 경사지다《*to* …으로》: The road ~*s* steeply. 도로가 급한 내리막으로 되어 있다/The hill gradually ~*s to* the lake. 언덕은 완만한 경사를 이루어 호수로 이어진다. **3** 《+[전]+[명]》 (사람이) 계통을 잇다; (사물이) 유래하다《*from* …에서》; (토지·재산·성질 등이) 전하여지다《*from* …으로부터; *to* …에게》: This farm has ~*ed from* father *to* son. 이 농장은 아버지로부터 아들에게 물려졌다. **4** 《~/+[전]+[명]》 (분노 등이) 퍼부어지다, 덮치다《*on, upon* …에》: His anger ~*ed upon* me, not *upon* her. 그의 분노는 그녀에게가 아니라, 나에게 퍼부어졌다. **5** 《+[전]+[명]》 채신을 떨어뜨리다, 영락하다《*to* …까지》: ~ *to* lying 야비하게 거짓말까지 하다/He ~*ed to* begging. 그는 거지로까지 영락〔전락〕했다. **6** 《+[전]+[명]》 갑자기 습격하다; (불시에) 몰려가다《*on, upon* …을, …에》: They ~*ed upon* the enemy soldiers. 그들은 적병을 급습했다/Twenty-five guests ~*ed upon* us on Monday evening. 25 명의 손님이 월요일 저녁 우리들 있는 곳에 몰려왔다. **7** 《+[전]+[명]》 (어둠·침묵 등이) 찾아들다; (구름·안개 등이) 낮게 드리우다《*on, upon* …에》: Silence ~*ed on* the room again. 정적이 다시 그 방에 찾아들었다.
— *vt*. (계단·강 등)을 내려가다: ~ a flight of stairs 계단을 내려가다. ***be** ~**ed from*** …의 자손이다; …에서 유래하다: *be* ~*ed from* the royal family 왕실의 혈통을 물려받다.

***de·scend·ant** [diséndənt] *n*. [C] **자손**, 후예(↔ *ancestor*). **—** *a*. =DESCENDENT.

de·scen·dent [diséndənt] *a*. 내리는, 낙하〔강하〕하는; 세습의, 전해 오는.

de·scénd·ing *a*. 내려가는, 강하적인, 하향성의(↔ *ascending*): ~ powers 〖수학〗 내림차.

de·scent** [disént] *n*. **1** [U] (구체적으로는 [C]) **a 하강**, 내리기; 하산(下山). ↔ *ascent*. **b** 전락, 몰락; 하락: a sudden ~ *in* the price of shares 주가(株價)의 급락. **2** [C] 내리받이, 내리막길; 내리막 경사. **3** [U] 《보통 수식어를 수반하여》 **가계**, 혈통, 출신: a man of high ~ 지체 높은 가문의 사람/an American of Irish ~ 아일랜드계 미국인. **4** [U] 〖법률〗 세습; 상속; 유전: by ~ 상속에 의하여. **5** [U] (또는 a ~) 내습, 급습, (불시의) 검색, 검문《*on, upon* …에의》. ◇ descend *v*. ***in direct** ~ **from …으로부터의 직계로.

de·scríb·a·ble *a*. 묘사〔기술〕할 수 있는.

⁑**de·scribe** [diskráib] *vt*. **1** 《~+[목]/+[목]+[전]+[명]/+*wh*. [절]/+*wh*. *to* do》 (언어로) **묘사하다**, 기술하다; (말로) 설명하다《*to* (아무)에게》: ~ a scene 장면을 묘사하다/Can you ~ the man *to* me? 그 남자의 모습을 나에게 얘기해 주겠소/He ~*d* exactly *what* had happened. 그는 무슨 일이 일어났는지 정확히 기술했다/He ~*d how to* get to his house. 그는 집까지 어떻게 찾아갔는지 설명했다.
2 《+[목]+*as* [보]》 (인물)을 평하다; 간주하다; 언급하다: He ~*d* her *as* clever 〔a clever woman〕. 그는 그녀를 현명한 여자라고 했다.
3 (도형)을 그리다(draw); (곡선 등)을 그리며 나아가다: ~ a circle 원을 그리다.

⁑**de·scrip·tion** [diskrípʃən] *n*. **1** [U] (구체적으로는 [C]) **기술**, **묘사**, 서술(account): excel in ~ 묘사 솜씨가 뛰어나다/give a brief 〔detailed〕 ~ *of* …을 간단히〔상세하게〕 묘사하다. **2** [C] (물품·계획 등의) 설명서, 해설(서); (경찰 등의) 인상서: He fits 〔matches, answers (to)〕 the ~ of the suspect. 그는 용의자의 인상서와 똑같다. **3** [C] 종류(kind); 등급(class); 타입: We sell used cars of every ~ 〔all ~*s*〕. 우리는 온갖 종류의 중고차를 판매한다/There was no food of any ~. 그곳에는 어떤 종류의 음식도 없었다. ◇ describe *v*. ***beggar (all)** ~* 이루 다 말할 수 없다. ***beyond** ~* 이루 다 말할 수 없이: The English countryside is beautiful *beyond* ~. 영국의 전원은 이루 말할 수 없을 만큼 아름답다.

◇**de·scrip·tive** [diskríptiv] *a*. **1** 기술적인; 서술적인; 설명적인; 도형(묘사)의: ~ bibliography 기술 서지학(書誌學)/a ~ style 서술체/~ writing 서사문(敍事文). **2** [P] 서술〔묘사〕한《*of* …을》: a book ~ *of* (the) wonders of nature 자연의 경이를 묘사한 책. [파] **~·ly** *ad*. **~·ness** *n*.

de·scrip·tor [diskríptər] *n*. [C] 〖컴퓨터〗 시술자(敍述子)《정보의 분류·색인에 사용하는 어구〔영숫자(英數字)〕》.

de·scry [diskrái] *vt*. (멀리 있는 것)을 어렴풋이 식별하다〔보다, 찾아내다〕: He *descried* an island far away on the horizon. 그는 멀리 수평선에 하나의 섬을 찾아냈다.

des·e·crate [désikrèit] *vt*. (신성한 물건)을 속된 용도에 쓰다; …의 신성을 더럽히다, …을 모독하다. ↔ *consecrate*. [파] **-cràt·er, -crà·tor** *n*. [C] 신성 모독자. **dès·e·crá·tion** *n*. [U] 신성 모독.

de·seg·re·gate [diːségrigèit] *vt*., *vi*. (군

대·교육 따위의) 인종 차별을 폐지하다. ↔ *segregate*. ⓒⓕ integrate. ㊍ **de·sèg·re·gá·tion** *n*. Ⓤ《美》인종 차별 대우〔제도〕철폐.

de·se·lect [dìːsilékt] *vt*. 《美》 **1** (연수생)을 훈련 계획에서 제외하다, 연수 기간 중에 해고하다. **2** 《英》(의원·예정 후보자)의 선거 입후보를 제외시키다.

de·sen·si·tize [diːsénsətàiz] *vt*. **1** …에 대해 감수성을 줄이다, …을 둔감하게 하다. **2** 〖사진〗(감광재료 등)의 감도를 줄이다; 〖의학〗…의 알레르기를〔과민성을〕 없애다. ㊍ **-tiz·er** *n*. **de·sèn·si·ti·zá·tion** *n*.

des·ert**[1] [dézərt] *n*. Ⓒ 〖종종 D-로 지명에 쓰여〗 **사막**; 황무지: the ship of ~ 사막의 배《낙타》/ the Sahara *Desert* 사하라 사막. **—*a. **1** 사막의; **불모의**(barren); 황량한. **2** 사람이 살지 않는: a ~ island 무인도. **3** 사막에 사는.

de·sert**[2] [dizə́ːrt] *vt*. **1** (사람·장소·지위 등)을 **버리다, 돌보지 않다**(abandon): ~ one's wife and children 처자를 버리다. **2** (무단히 자리)를 뜨다, 도망하다, (병사·선원 등이) …에서 탈영〔탈주〕하다: ~ the army 군대에서 탈주하다 / ~ a ship 배에서 도망하다. **3** (신념 따위)를 버리다; (희망 등이 아무)에게서 없어지다, 사라지다: His courage ~*ed* him. 그는 용기를 잃었다. **—*vi. **1** 의무〔직무〕를 버리다, 자리〔지위〕를 떠나다. **2** 《+전+명》 도망하다, 탈주하다《***from*** …에서》: ~ *from* the barracks 탈영하다.

de·sert[3] [dizə́ːrt] *n*. Ⓒ (흔히 *pl*.) 당연한 보답, 응분의 상〔벌〕: He was rewarded according to his ~*s*. 그는 공적에 따른 응분의 보상을 받았다. ***get*** 〔***meet with, receive***〕 one***'s*** (***just***) **~*s*** 응분의 보답〔상, 벌〕을 받다: The thief *got* his *just* ~*s*. 그 도둑은 마땅히 받아야 할 벌을 받았다.

de·sért·ed [-id] *a*. **1** 사람이 살지 않는, 황폐한: a ~ street 사람의 왕래가 없는 거리. **2** Ⓐ 버림받은: a ~ wife (남편에게) 버림받은 아내.

de·sért·er *n*. Ⓒ **1** (의무·가족 등을) 버린 사람, 유기자. **2** 직장 이탈자, 도망자, 탈주병, 탈당자; 탈선자(脫線者).

de·sert·i·fi·ca·tion, des·ert·i·za·tion [dizə̀ːrtəfikéiʃən], [dèzəːrtəzéiʃən] *n*. Ⓤ 사막화.

°**de·ser·tion** [dizə́ːrʃən] *n*. Ⓤ (구체적으로는 Ⓒ) **1** 버림, 유기; 도망; 탈당; 탈주, 탈함(脫艦). **2** 〖법률〗 처자 불법 유기. ◇ desert[2] *v*.

‡**de·serve** [dizə́ːrv] *vt*. 《~+목/+*to* do/+*-ing*/+*that* 절》 …**할 만하다**, …을 받을 가치가 있다, …할 가치가 있다《★ 진행형 없음》: ~ attention 주목할 만하다 / The problem ~*s* solv*ing*. = The problem ~*s to* be solved. 그 문제는 풀어 볼 만한 가치가 있다 / He ~*s* help*ing*. =He ~*s that* we should help him. =He ~*s to* have us help him. 그는 도움 받을 자격이 있다.

> **NOTE** 뒤에 동명사가 오면 수동의 뜻으로 되고, 부정사가 오면 능동의 뜻으로 되는 것이 보통임. *that* 절은 딱딱한 표현이기 때문에 보통은 부정사를 씀.

—*vi*. 《~/+전+명》 상당하다, 받을 가치가 있다《***of*** …에, …을》: reward a person as he ~*s* 공적에 따라 아무에게 상을 주다 / efforts *deserving of* admiration 칭찬받을 만한 노력. **~ *ill*** 〔***well***〕 ***of*** …으로부터 벌〔상〕받을 만하다, …에 대하여 죄〔공로〕가 있다: He ~*d well of* his country. 그는 나라에 공로가 있었다.

de·sérved *a*. 공과에 따른, 당연한《상·벌·보상 등》: a ~ promotion 당연한 승진. ㊍ **de·sérv·ed·ly** [-idli] *ad*. 당연히, 정당히.

°**de·sérv·ing** *a*. **1** Ⓟ 받을 가치가 있는, 보상받을 만한, 당연히 받아야 할《***of*** …을》: be ~ *of* sympathy 동정받을 만하다. **2** Ⓐ (경제적으로) 원조할 가치가 있는: needy and ~ students 도움을 받아야 할 가난한 학생들. ㊍ **~·ly** *ad*. 당연히; (…할 만한) 공이 있어.

de·sex [diːséks] *vt*. **1** …을 거세하다; …의 난소를 제거하다; 성적 매력을 잃게 하다. **2** (용어 등)에서 성차별을 배제하다; …을 중성화하다.

de·sex·u·al·ize [diːsékʃuəlàiz] *vt*. **1** …에서 남성·여성의 차별을 없애다, …을 중성화하다. **2** 거세하다.

des·ha·bille [dèzəbíːl, -bíl] *n*. =DISHABILLE.

des·ic·cant [désikənt] *a*. (약제 등)을 건조시키는. **—*n***. Ⓤ (종류·낱개는 Ⓒ) 건조제.

des·ic·cate [désikèit] *vt*. **1** 건조시키다: a ~*d* skin 메마른 피부. **2** (음식물)을 말려서 보존하다; 탈수하여 가루 모양으로 만들다: ~*d* milk 분유(粉乳). **3** 생기를 잃게〔무기력하게〕 하다: a ~*d* voice 생기 잃은〔무기력한〕 목소리. ㊍ **dès·iccá·tion** *n*. Ⓤ 건조 (작용), 탈수, 고갈.

des·ic·ca·tor [désikèitər] *n*. Ⓒ 건조기〔장치〕.

de·sid·er·a·tum [disìdəréitəm, -ráː-, -zìd-] (*pl*. ***-ta*** [-tə]) *n*. 《L.》 Ⓒ 바라는 것, 꼭 있었으면 하는 것; 절실한 요구.

‡**de·sign** [dizáin] *n*. **1** Ⓤ (기계·건축 등의) 설계; **디자인**, 의장(意匠): machine ~ 기계 설계 / the art of ~ 의장술. **2** Ⓒ **도안**; 밑그림, 소묘(素描); 설계도; 무늬, 본(pattern): a ~ for an advertisement 광고 도안 / a vase with a ~ of roses (on it) 장미 무늬가 있는 꽃병. **3** Ⓒ 계획, 목적, 의도《***for*** …하려는》. ⓈⓎⓃ ⇨PLAN. **4** (*pl*.) 음모, 기도(企圖), 속마음《***on, upon, against*** …에 대한》: He has ~*s on* her property. 그는 그녀의 재산을 노리고 있다. ***by* ~** 고의로, 계획적으로: by accident or *by* ~ 우연인가 고의인가.

—*vt*. **1 디자인하다**, 도안〔의장〕을 만들다; 설계하다: ~ a dress / ~ a stage sets. **2** 《~+목/+*to* do/+*that* 절》 …을 계획하다, …의 안을 세우다, …하려고 생각〔뜻〕하다: ~ a new kind of dictionary 새로운 종류의 사전을 고안하다 / He ~*ed to* study law. 그는 법률 공부에 뜻을 두었다 / He is ~*ing that* he will study abroad. 그는 외국에 가서 공부하려고 생각하고 있다. **3** 《+목+전+명/+목 +*to be* 보/+*that* 절/+목+*as* 보》 의도하다, 예정하다: He is ~*ing* his son *for* 〔*to be*〕 a lawyer. =He is ~*ing that* his son shall be a lawyer. 아들을 법률가로 만들려고 마음먹고 있다 / ~ a room *as* a billiard room 한 방을 당구실로 할 생각이다. ⓈⓎⓃ ⇨INTEND.

—*vi*. 《~/+전+명》 디자인하다, 도안을 만들다; 설계하다; 계획하다, 안을 세우다《***for*** …을 위하여》: He ~*s for* law. 그는 법률에 뜻을 두고 있다 / She ~*s for* a famous dressmaking firm. 그녀는 유명한 양장점의 디자이너로 일한다.

***des·ig·nate** [dézignèit] *vt*. **1 가리키다**, 지시〔지적〕하다, 나타내다: The red lines on this map ~ main roads. 이 지도에서 붉은 선은 주요 도로를 나타내고 있다. **2** 《+목+(*as*) 보》 (…라

고) 부르다(call), 명명하다: Trees, moss and ferns are ~*d* (*as*) plants. 수목 · 이끼 · 양치류는 식물이라고 불린다. **3** 《+목+전+명/+목+*as* 보/+목+*to* do》 지명하다, 임명〔선정〕하다; 지정하다《*to, for* (임무 · 관직 따위)에》: ~ a person *as* 〔*for*〕 one's successor 아무를 후계자로 지명하다/He ~*d* me *to* work under 〔for〕 him. 그는 나에게 부하로서 일하도록 지명했다.
— [dézignit, -nèit] *a*. 《명사 뒤에서》 지명된; 지정된: an ambassador ~ 지명된〔미취임〕 대사. ㊔ **-nat·ed** [-id] *a*. 지정된; 관선의: a ~*d* hitter 〖야구〗 지명 대타자《생략: DH, dh》. **dés·ig·nà·tor** *n*. Ⓒ 지명〔지정〕자.

des·ig·na·tion [dèzignéiʃən] *n*. **1** Ⓤ 지시; 지정. **2** Ⓤ 지명, 임명, 선임. **3** Ⓒ 명칭, 호칭; 칭호.

de·sígned *a*. 설계〔도안〕에 의한; 고의의, 계획적인(intentional). ㊔ **de·síign·ed·ly** [-nidli] *ad*. 고의로, 일부러.

des·ig·nee [dèzigní:] *n*. Ⓒ 지명된 사람, 피지명인.

*__de·sign·er__ [dizáinər] *n*. Ⓒ **디자이너**, 도안가; 설계자, 입안자: a clothes 〔dress〕 ~ (의상) 디자이너/a commercial ~ 상업 미술가/an interior ~ 실내 장식가/an urban ~ 도시 계획자.
—*a*. Ⓐ 유명한 디자이너의 이름이 붙은, 디자이너 브랜드의: ~ jeans 디자이너 브랜드의 진.

desígner drùg 합성 마약《헤로인과 약간 다른 분자 구조를 가지면서 효능은 비슷한》.

de·sígn·ing *a*. 설계〔도안〕의; 계획적인; 흉계가〔속셈이, 야심이〕 있는. —*n*. Ⓤ 설계; 도안; 계획; 음모.

*__de·sir·a·ble__ [dizáiərəbəl] *a*. **1 바람직한**; 탐나는, 갖고 싶은. cf. desirous. ¶ ~ surroundings 바람직한 환경/It is ~ that he (should) stop smoking. 그는 담배를 끊는 편이 좋다. **2** 호감이 가는, 매력 있는; 성적 욕망을 일으키게 하는《여성》: ~ companions 마음에 드는 친구.
㊔ **-bly** *ad*. **~·ness** *n*. **~·a·bíl·i·ty** *n*. Ⓤ 바람직함.

‡**de·sire** [dizáiər] *vt*. **1** 《~+목/+*to* be 보/+*to* do/+목+*to* do/+*that* 절》 (강하게) **바라다**, 원하다; 욕구(欲求)하다(long); 요망하다, 희망하다: ~ a college education 대학 교육 받기를 원하다/Everybody ~*s to* be happy. 누구나 행복해지기를 원한다/He ~*d to* go at once. 그는 곧 가고자 했다/What do you ~ me *to* do? 내가 무엇을 하기 바라느냐/I ~ *that* action (should) be postponed. 의결이 연기되기를 요망합니다/He ~*d* of me *that* I (should) go at once. 그는 내가 곧 가기를 바랐다〔나보고 곧 가라고 말했다〕. **2** …와 성적 관계를 갖고 싶어하다. ***leave little*** 〔***nothing***〕 ***to be ~d*** 더할 나위 없다: His acting *left nothing to be ~d*. 그의 연기는 더할 나위 없었다. ***leave much*** 〔***something***〕 ***to be ~d*** 유감스러운 점이 많다〔적다〕.
—*n*. **1** Ⓤ (구체적으로는 Ⓒ) **욕구**; 원망(願望), 욕망《*for* …에 대한/*to* do/*of* do*ing*/*that*》: He has a ~ *for* fame. 그는 명성을 바라고 있다/His ~ *to* succeed was strong. 그의 출세욕은 강했다/I have no ~ *of* anger*ing* him. 그를 화나게 할 마음은 전혀 없다/the nation's ~ *that* the tax (should) be repealed 그 세금을 폐지하기를 원하는 국민의 바람. **2** Ⓤ (구체적으로는 Ⓒ) 성적 욕망, 정욕《*for* …에 대한》: sexual ~ 성욕/have no ~ *for* a woman 여자에 대한 성욕이 없다. **3** Ⓒ (보통 *sing*.) 요망, 요구; 바라는 것: get one's ~ 바라던 것을 손에 넣다, 소망이 이루어지다/at a person's ~ = at the ~ of a person 아무가 바라는 대로. ***by*** ~ 요망에 따라.

de·síred *a*. 원하고 바라던, 요망하던; 바람직한, 바라던 대로의: have the ~*d* effect 바라던 대로의 효과를 얻다.

*__de·sir·ous__ [dizáiərəs] *a*. Ⓟ **원하는**, 바라는, 열망하는《*of* …을/*to* do/*that*》. cf. desirable. ¶I am ~ *to* know further details. 더 자세한 것을 알고 싶다/She *was* ~ *of* her son's success. 그녀는 자식이 성공하기를 바랐다/He was ~ *that* nothing (should) be said about it. 그는 그것에 관해서 아무 말도 듣고 싶지 않았다.

de·sist [dizíst] *vi*. 《문어》 그만두다, 중지하다, 단념하다《*from* …을》: ~ *from* mak*ing* further attempts 더이상 시도하는 것을 단념하다.

†**desk** [desk] *n*. **1** Ⓒ **a** (보통 서랍이 달린 공부 · 사무용의) **책상**: an office ~ 사무용 책상/be at one's ~ 책상 앞에 앉다《공부 · 사무를 위해》. **b** 〖음악〗 악보대(樂譜臺); 《美》 성서대(聖書臺). **2** Ⓒ (호텔 등의) 접수계, 프런트: ⇨ INFORMATION DESK, RECEPTION DESK. **3** (the ~) 《美》 (신문사의) 편집부, 데스크; 편집: the sports ~ 스포츠(난) 편집부. —*a*. Ⓐ 책상의; 탁상용의; 사무직의, 내근의: a ~ lamp 탁상 스탠드/a ~ dictionary 탁상판 사전/a ~ theory 탁상공론/a ~ job 사무직.

désk·bòund *a*. 책상에 얽매인, 책상에서 하는; 내근의.

désk clèrk 《美》 (호텔의) 접수계원〔담당자〕.

désk·tòp *a*. Ⓐ 탁상(용)의, 책상의: a ~ computer 탁상 컴퓨터. —*n*. Ⓒ 탁상 컴퓨터; 탁상 작업면.

désktop públishing 〖컴퓨터〗 탁상 출판 (computer-aided publishing)《퍼스널 컴퓨터와 레이저 프린터를 써서 편집 · 레이아웃을 하여 인쇄 대본을 작성하는 시스템; 생략: DTP》.

désk·wòrk *n*. Ⓤ 사무; 문필업.

Des Moines [dimɔ́in] *n*. 디모인《미국 Iowa 주의 주도》.

Des·mond [dézmənd] *n*. 데즈먼드《남자 이름》.

*__des·o·late__ [désəlit] *a*. **1** (토지 등이) **황폐한**; 황량한; **쓸쓸한**. **2** (사람이 친구 · 희망도 없이) 외로운, 고독한; 우울한, 어두운. **3** (건물 · 집 등이) 사람이 살지 않는; 초라한. — [-lèit] *vt*. **1** …을 **황폐케 하다**; …에 (사람이) 살지 못하게 하다, …의 주민을 없애다. **2** 돌보지 않다. **3** 쓸쓸하게〔외롭게〕 하다. ㊔ **~·ly** *ad*. 황폐하여; 쓸쓸히; 초라하게.

dés·o·làt·ed [-lèitid] *a*. Ⓟ (사람이) 쓸쓸한, 외로운, 허전한《*to* do》: She is ~ without you. 그녀는 네가 없어서 외로워하고 있다/I was ~ *to* hear that you are leaving. 네가 떠난다는 소식을 듣고 허전했다.

°**des·o·la·tion** [dèsəléiʃən] *n*. **1** Ⓤ 황폐시킴, 황폐, 황량; 주민을 없앰. **2** Ⓒ 황무지, 폐허(ruin). **3** Ⓤ 쓸쓸함, 외로움(loneliness).

‡**de·spair** [dispέər] *n*. Ⓤ **1 절망**; 자포자기. ↔ *hope*. ¶He was in ~ at his failure. 그는 실패하여 절망했다/In her ~, she tried to kill herself. 절망한 나머지, 그녀는 자살하려고 했다. **2** 《종종 the ~ of 로》 절망의 원인: He is my ~. 그에게는 두 손 들었다《구제하기 어렵다는 뜻》/The child is *the* ~ *of* his parents. 그 아이는 부모도 어찌할 수 없는 골칫거리다. ***abandon***

one*self* 〔*give* one*self up*〕 *to* ~ 자포자기하다, 절망에 빠지다. *drive* a person *to* ~ =*throw* a person *into* ~ 아무를 절망에 빠지게 하다.
—*vi.* 《~/+전+명》 **절망하다**, 단념하다《*of* …을》: Never ~. 결코 절망하지 마라 / ~ *of* succeed*ing* 성공할 가망이 없다 / His life is ~*ed of*. 그의 목숨은 도저히 구조될 가망이 없다.

de·spáir·ing *a.* Ⓐ 자포자기의; 절망적인, 가망 없는: a ~ sigh 절망적인 한숨. SYN. ⇨ HOPELESS. 㝡 ~·**ly** *ad.*

des·patch [dispǽtʃ] *n.*, *vt.* =DISPATCH.

des·per·a·do [dèspəréidou, -pərάː-] (*pl.* ~(e)s [-z]) *n.* 《Sp.》 Ⓒ 무법자, 범죄자, 악한 《특히 개척 시대의 미국 서부의》.

‡**des·per·ate** [déspərit] *a.* **1 자포자기의**; 무모한, 될 대로 되라는 식의: become 〔grow〕 ~ at the failure 그 실패로 자포자기하다. **2 필사적인**; 혈안이 된, 열중한《*for* …에》; …하고 싶어 못 견디는《*to* do》: a ~ remedy 궁여지책 / in a ~ effort to do 기를 쓰고 …하려고 / I was ~ *for* a glass of water. 물 한 잔 마시고 싶어 죽을 지경이었다 / He's ~ *to* get a job. 그는 직장을 갈망하고 있다. **3** (사태가) **절망적인**; (좋아질) 가망이 없는: The situation is ~. 사태는 절망적이다. SYN. ⇨ HOPELESS. ◇ despair *v.* 㝡 ~·**ness** *n.*

°**dés·per·ate·ly** *ad.* **1** 필사적으로, 혈안이 되어: He ~ cast about for a solution. 그는 필사적으로 해결책을 강구했다. **2** 절망적으로, 자포자기하여; (병이) 위독하여: He was ~ ill. 그의 병의 상태는 절망적이었다. **3** 반드시, 불가피하게: He ~ wanted a new car. 그는 어떻게 해서라도 새 차를 갖고 싶어했다. **4** 《구어》 몹시, 극단적으로, 지독하게: ~ miserable 몹시 비참한.

°**des·per·a·tion** [dèspəréiʃən] *n.* Ⓤ 필사적임; 열중; 절망, 자포자기: in ~ 필사적으로; 자포자기하여 / drive a person to ~ 아무를 절망으로 몰아 넣다, 필사적이 되게 하다; 《구어》 노발대발케 하다.

des·pi·ca·ble [déspikəbəl, dispík-] *a.* 야비한, 비열한: a ~ crime 비열한 범죄. 㝡 -**bly** *ad.*

*__de·spise__ [dispáiz] *vt.* **1 경멸하다**, 멸시하다, 얕보다: I ~ liars. 거짓말쟁이를 경멸한다. **2** 싫어〔혐오〕하다: Intellectuals tend to ~ politics. 지식인은 정치를 혐오하는 경향이 있다.

*__de·spite__ [dispáit] *prep.* …**에도 불구하고**(in spite of): He is very strong ~ his age. 노령임에도 불구하고 그는 매우 정정하다.
—*n.* Ⓤ **1** 무례, 무시, 멸시(contempt). **2** 악의, 원한(spite); 위해(危害); 분노. (*in*) ~ *of* … 에도 불구하고, …을 무릅쓰고《★ 이 뜻으로는 despite 또는 in spite of 가 보통》.

de·spoil [dispɔ́il] *vt.* …에서 탈취하다; …을 약탈하다《*of* …을》: ~ a person *of* his land 아무에게서 토지를 빼앗다 / ~ a village 마을을 약탈하다. 㝡 ~·**er** *n.* ~·**ment** *n.* Ⓤ 약탈.

de·spo·li·a·tion [dispòuliéiʃən] *n.* Ⓤ 약탈.

de·spond [dispάnd/-spɔ́nd] *vi.* 실망하다, 낙담하다, 비관하다《*of* …에, …을》: ~ *of* one's future 장래를 비관하다. —*n.* Ⓤ 《고어》 낙담, 실망.

de·spond·ence, -en·cy [dispάndəns/-spɔ́nd-], [-ənsi] *n.* Ⓤ 낙담, 의기소침: fall into *despondency* 의기소침하다.

°**de·spond·ent** [dispάndənt/-spɔ́nd-] *a.* 낙담한, 기운〔풀〕 없는, 의기소침한《*at, about, over* …으로》: Bill was ~ *over* the death of his wife. 빌은 아내의 죽음으로 인해 낙담했다. SYN. ⇨ HOPELESS, SAD. 㝡 ~·**ly** *ad.*

°**des·pot** [déspət, -pɑt/-pɔt] *n.* Ⓒ 전제 군주, 독재자; 〖일반적〗 폭군.

°**des·pot·ic, -i·cal** [dispάtik/despɔ́t-], [-əl] *a.* 전제의, 독재적인; 횡포한, 포학한《*to, toward* …에게》: He is utterly *despotic to* 〔*toward*〕 his subordinates. 그는 부하에게 몹시 횡포를 부린다. 㝡 -**i·cal·ly** *ad.*

°**des·pot·ism** [déspətìzəm] *n.* **1** Ⓤ 독재, 전제; 전제 정치; 폭정. **2** Ⓒ 전제국, 독재 정부.

dés·pot·ist *n.* Ⓒ 전제론자〔주의자〕.

‡**des·sert** [dizə́ːrt] *n.* Ⓤ (구체적으로는 Ⓒ) **디저트**, 후식《식사《특히 dinner》의 맨 끝에 나오는 과일 · 푸딩 · 파이 · 젤리 · 아이스크림 따위》. ≠ desert.

dessért·spòon *n.* Ⓒ 디저트용 스푼《teaspoon 과 tablespoon 의 중간 크기》.

des·sert·spoon·ful [dizə́ːrtspùːnfùl] (*pl.* ~*s*) *n.* Ⓒ 디저트용 스푼 하나의 분량.

dessért wìne 달콤한 포도주《주로 디저트 먹을 때 또는 식사 중에도 나옴》.

de·sta·bi·lize [diːstéibəlàiz] *vt.* 불안정하게 하다, 동요〔변동〕시키다: ~ the régime 체제를 〔정권을〕 뒤흔들다. 㝡 **de·stà·bi·li·zá·tion** *n.*

°**des·ti·na·tion** [dèstənéiʃən] *n.* Ⓒ **1** (여행 등의) 목적지, 행선지; 도착지〔항〕: arrive at one's ~ 목적지에 도착하다 / Our ~ is New York. 우리의 행선지는 뉴욕이다. **2** (편지 · 화물의) 보낼 곳; (통신의) 수신자(受信者). ◇ destine *v.*

*__des·tine__ [déstin] *vt.* **1** 《+목+전+명/+목+*to* do/*that* 절》 〖보통 수동태〗 **운명으로 정하다**, 운명짓다《*for, to* …으로(될)》: *be* ~*d to* failure 실패할 것이 뻔하다 / *be* ~*d for* the ministry =*be* ~*d to* enter the ministry 성직자가 될 몸이다 / They *were* ~*d* never *to* meet again. 그들은 두 번 다시 못 만날 운명이었다 / Fate ~*d that* the company should return into his son's hands. 운명적으로 그 회사는 아들손으로 돌아가게 되어 있었다. **2** 《+목+전+명》 **예정하다**, 따로 떼어 두다《*for* (용도 · 목적)을 위해》: ~ the day *for* a reception 그 날을 환영회 날로 정해 두다. **3** (탈것)의 행선을 정하다《*for* …으로》: This ship is ~*d for* London. 이 배는 런던행이다.

dés·tined *a.* (신 · 운명에 의해) 예정된, 운명지어진: one's ~ course in life 숙명적으로 정해진 인생 행로.

*__des·ti·ny__ [déstəni] *n.* **1** Ⓤ (구체적으로는 Ⓒ) **운명**, 숙명; 운: work out one's own ~ 혼자 힘으로 제 운명을 개척하다 / *Destiny* appointed it so. 그렇게 될 운명이었다. **2** (D-) 하늘, 신(神) 〔하느님〕의 뜻(Providence); 〖그리스 · 로마신화〗 (the Destinies) 운명의 세 여신(the Fates).

*__des·ti·tute__ [déstətjùːt] *a.* **1 빈곤한**, 궁핍한: be left ~ 곤궁에 빠져 있다 / in ~ circumstances 곤궁하여. **2** Ⓟ 결핍한, 갖지 않은, 없는《*of* …을, …이》: people ~ *of* principle 신조를 갖지 않은 사람들 / They are ~ *of* common sense. 그들은 상식이 없다. **3** (the ~) 〖명사적; 복수취급〗 빈민.

dès·ti·tú·tion *n.* Ⓤ 빈곤, 궁핍, 극빈, 결핍 (상태): live in ~ 빈곤한 생활을 하다.

‡**de·stroy** [distrɔ́i] *vt.* **1 파괴하다**, 부수다, 분쇄하다. ↔ *construct.* ¶ The invaders ~*ed* the whole town. 침입군은 전도시를 파괴했다 / be ~*ed* by fire 〔the flood〕 소실(燒失)〔유실〕되다.

2 …을 죽이다, …의 목숨을 빼앗다; …을 멸망〔절멸〕시키다; (해충 따위)를 구제(驅除)하다: ~ one*self* 자살하다 / ~ rats 쥐를 구제하다. **3** (계획 · 희망 등)을 깨뜨리다, 못쓰게 만들다: The accident ~*ed* all his hopes for success. 불의의 사고로 그의 성공에 대한 희망은 깨지고 말았다. ◇ destruction *n.*

◇**de·stróy·er** *n.* Ⓒ **1** 파괴자; 구제자(驅除者); 박멸자. **2** 〖군사〗 구축함.

de·struct [distrʌ́kt] *n.* Ⓒ (미사일의) 공중 폭파, 파괴. **—***vt.* (미사일 · 로켓 등)을 파괴하다, 자폭시키다. **—***vi.* (미사일 등)이 자동적으로 파괴되다, 자폭하다.

de·strúct·i·ble *a.* 파괴〔궤멸, 구제(驅除)〕할 수 있는. ㊕ **de·strùct·i·bíl·i·ty** *n.* Ⓤ 파괴력〔성〕.

de·struc·tion [distrʌ́kʃən] *n.* Ⓤ **1 파괴**; 분쇄. ↔ *construction*. ¶ environmental ~ 환경 파괴 / inflict 〔wreak〕 ~ on …을 파괴하다. **2** 구제(驅除), 절멸: the ~ of vermin 해충의 구제. **3 파멸**, 멸망; 파멸의 원인: Gambling 〔Drink〕 was his ~. 그는 도박으로〔술 때문에〕 신세를 망쳤다 / bring ... to ~ …을 파괴하다, 파멸시키다. ◇ destroy, destruct *v.*

***de·struc·tive** [distrʌ́ktiv] *a.* **1 파괴적인**, 파괴주의적인; 파멸적인. ↔ *constructive*. ¶ ~ criticism 파괴적 비평. **2** Ⓟ (몹시) **해로운**, 해를 끼치는, 유해한《*of, to* …에》: Smoking is ~ *to* 〔*of*〕 your health. 흡연은 건강에 해롭다. ㊕ **~·ly** *ad.* 파괴적으로, 여지없이. **~·ness** *n.*

de·struc·tiv·i·ty [dìːstrʌktívəti] *n.* Ⓤ 파괴성.

de·struc·tor [distrʌ́ktər] *n.* Ⓒ **1** 《英》 폐기물〔쓰레기〕 소각로(爐) (incinerator). **2** (궤도를 벗어난 미사일의) 파괴〔폭파〕 장치.

des·ue·tude [déswitjùːd] *n.* Ⓤ 폐지 (상태), 폐절(廢絕); 불용(不用): fall 〔pass〕 into ~ 폐절되다, 쇠퇴하다.

des·ul·to·ry [désəltɔ̀ːri/-təri] *a.* 산만한; 변덕스러운, 종작없는: ~ reading 산만한 독서, 남독(濫讀) / a ~ talk 만담. SYN. ⇨ RANDOM. ㊕ **-ri·ly** [-li] *ad.* 만연히, 산만히. **-ri·ness** *n.*

***de·tach** [ditǽtʃ] *vt.* **1** 《~+목/+목+전+명》 **떼어내다**, 떨어지게 하다, 분리하다《*from* …에서》. ↔ *attach*. ¶ ~ a locomotive *from* a train 열차에서 기관차를 분리하다. **2** 《~+목/+목+*to* do / +목+전+명》 (군대 · 군함 등)을 파견〔분견〕하다《*from* …에서》: Soldiers were ~*ed to* guard the visiting princess. 병사들은 내방한 공주를 경호하기 위해 파견되었다 / ~ a ship *from* a fleet 함대로부터 배 한 척을 파견하다. **3** 《+목+전+명》 〘~ oneself〙 이탈하다, 떠나다《*from* …에서》: Some of them ~*ed* them*selves from* the party. 그들 중에는 당을 떠나는 사람도 있었다. ㊕ **~·a·ble** *a.* 분리〔파견〕할 수 있는.

◇**de·táched** [-t] *a.* **1** 떨어진, 분리된, 고립된: a ~ house 독립 가옥, 단독 주택 / a ~ palace 별궁(別宮). **2** 관심 없는, 초연한; 편견이 없는, 사심 없는, 공평한: a ~ attitude 초연한 태도 / take a ~ view of things 사물을 공평히 보다. **3** 분견〔파견〕된: ~ service 파견 근무 / a ~ troop 〔force〕 분견대.

de·tach·ed·ly [-idli] *ad.* **1** 떨어져서, 고립하여. **2** 사심 없이, 공평히; 초연히.

***de·tách·ment** *n.* **1** Ⓤ **분리**, 이탈; 고립. **2** Ⓒ 〘집합적; 단 · 복수취급〙 〖군사〗 파견대, 지대(支隊). **3** Ⓤ (세속 · 이해 따위로부터) 초연함; 공평.

de·tail [díːteil, ditéil] *n.* **1** Ⓒ **세부**, 세목(item); 항목: omit some ~*s* 세세한 점을 얼마간 생략하다 / (down) to the smallest ~ 극히 사소한 세목에 이르기까지 / discuss the ~*s* of a plan 계획의 세부 사항을 협의하다. **2** Ⓒ (흔히 *pl.*) 상세(particulars); 상술(詳述): give a person the ~*s* of a plan 아무에게 계획의 상세한 점을 설명하다 / For further 〔full〕 ~*s*, apply to this office. 보다 상세한 것은 당사무소에 문의하시오. **3** Ⓤ 〘집합적〙 **a** 세밀한 면〔것〕, 세부: I was impressed by the ~ of your report. 너의 세밀한 보고에 감명받았다. **b** (조각 · 건축 · 기계 따위의) 세부 묘사〔장식〕; 세부 설계도, 상세도. **4** Ⓒ 〘집합적; 단 · 복수취급〙 〖군사〗 소(小)분견대, 선발대(選拔隊); (소수의) 특파 부대《미국에선 경찰대 · 기자 등에게도 씀》. **5** Ⓤ (또는 a ~) 지엽적인 것, 하찮은 것, 사소한 것: That's a (mere) ~. 그건 지엽적인 것이다.

***go* 〔*enter*〕 *into* ~(*s*)** 상술하다: *go into* ~ about one's trip in Africa 아프리카 여행에 대하여 상세히 얘기하다. ***in* ~** 상세하게, 자세히; 세부에 걸쳐서: He explained his plan *in* (further) ~. 그는 계획을 (더욱) 상세히 설명했다.

—*vt.* **1** 《~+목/+목+전+명》 상술하다《*to* (아무)에게》; 열거하다: ~ a story 상세히 설명하다 / ~ a plan *to* a person 아무에게 계획을 상세히 설명하다. **2** 《~+목/+목+*to* do / +목+전+명》 〖군사〗 선발〔파견〕하다《*for, on, to* (특정 임무)를 위해》: They were ~*ed to* search the chapel. 그들은 예배당을 수색하도록 파견됐다 / ~ a man *for* espionage duty 병사를 정찰 보내다.

de·tailed [díːteild, ditéild] *a.* 상세한, 정밀한: give a ~ report 상보(詳報)하다. ㊕ **~·ly** *ad.* **~·ness** *n.*

***de·tain** [ditéin] *vt.* **1 붙들어 두다**; 기다리게 하다: I won't ~ you more than five minutes. 5분 이상 붙들어 두지는 않겠네. **2** 《~+목/+목+*as* 보》 〖법률〗 억류〔유치, 구류〕하다: The police ~*ed* him *as* a suspect. 경찰은 그를 용의자로 구금했다. SYN. ⇨ KEEP. ㊕ **~·ee** [ditèiníː] *n.* Ⓒ (정치적 이유에 의한 외국인) 억류자.

de·táin·er *n.* Ⓒ **1** 〖법률〗 불법 유치〔구치〕. **2** 구금〔감금〕 (영장).

***de·tect** [ditékt] *vt.* **1** 《+목+-*ing*》 (아무가 …하고 있는 것을) 발견하다, 보다: I ~*ed* the man steal*ing* money. 그자가 돈을 훔치는 것을 보았다. SYN. ⇨ FIND. **2** 《~+목/+목+전+명》 **간파하다**, 알아내다, 탐지〔감지〕하다《*in* …에서》; 〖화학〗 검출하다: ~ a spy 간첩임을 간파하다 / ~ the odor of gas 가스 새는 것을 발견하다 / I ~*ed* a change *in* her attitude. 그녀의 태도에 변화가 생겼음을 알아냈다.

de·téct·a·ble *a.* 찾아낼〔탐지할〕 수 있는: a barely ~ change 겨우 알아차릴 수 있는 변화.

de·tec·ta·phone, de·tec·to·phone [ditéktəfòun] *n.* Ⓒ (전화) 도청기, 탐청용 선화기.

◇**de·téc·tion** *n.* Ⓤ **1** 발견; 간파, 탐지; 발각, 탄로: the early ~ of cancer 암의 조기 발견 / a ~ station (핵실험) 감시소. **2** 〖화학〗 검출.

de·tec·tive** [ditéktiv] *a.* **1 탐정의**: a ~ story 〔novel〕 탐정〔추리〕 소설 / a ~ agency 사립 탐정 사무실; 흥신소. **2** 탐지용의: a ~ device 탐지 장치. **—n.* Ⓒ **탐정**; 형사: a private ~ 사립 탐정 / a police ~ 형사.

◇**de·tec·tor** [ditéktər] *n.* Ⓒ **1** 발견자; 간파자. **2** 탐지기; 〖화학〗 검출기; 〖전기〗 (누전) 검전기; 〖전자〗 검파기: a lie ~ 거짓말 탐지기 / a crystal

~ 광석 검파기.

de·tent [ditént] *n.* Ⓒ 〖기계〗 멈춤쇠, 회전 멈추개; (시계 톱니바퀴의) 걸쇠, 톱니바퀴 멈추개.

dé·tente, de- [deitá:nt] *n.* 《F.》 Ⓤ (구체적으로는 Ⓒ) (국제 간의) 긴장 완화, 데탕트: ~ between South and North 남북 간의 긴장 완화/a policy of ~ 긴장 완화 정책.

de·ten·tion [ditén∫ən] *n.* Ⓤ (구체적으로는 Ⓒ) 저지; 구류, 구금, 유치; (벌로서) 방과 후 잡아두기: a house of ~ 유치장, 구치소/a ~ cell 유치장/under ~ 구류되어. ◇ detain *v.*

deténtion cèntre 《英》 =DETENTION HOME.

deténtion hòme 《美》 비행 소년 수용소; 소년 감별소(鑑別所).

°**de·ter** [ditə́:r] (**-rr-**) *vt.* **1** (아무)에게 그만두게 하다, 단념시키다《***from*** …을》: Nothing can ~ him *from* (do*ing*) his duty. 어떤 일도 그의 의무 수행을 막을 수는 없다. **2** 방해하다; 저지〔억지〕하다; 방지하다: Can nuclear bombs ~ war? 핵폭탄은 전쟁을 방지할 수 있을까/treat timber with creosote to ~ rot 썩지 않게 나무에 크레오소트를 칠하다.

de·ter·gent [ditə́:rdʒənt] *a.* 깨끗하게 하는, 세정성의. **—*n.*** Ⓤ (종류 · 낱개는 Ⓒ) 세제, (특히) 합성 세제.

°**de·te·ri·o·rate** [ditíəriərèit] *vt.* (질)을 나쁘게 하다; 열등하게 하다, (가치)를 저하시키다; 타락시키다. **—*vi.*** (질 · 가치가) 떨어지다, 악화하다, 저하하다; (건강이) 나빠지다; 타락하다. ↔ *ameliorate.* ¶ America's balance of trade has been *deteriorating.* 미국의 무역수지는 악화되고 있다/His health will ~ if he keeps on drinking. 계속 술을 마시면 그의 건강은 나빠질 것이다.

de·tè·ri·o·rá·tion *n.* Ⓤ (또는 a ~) 악화, (질의) 저하, 가치의 하락; 퇴보: (a) ~ in the quality of goods 상품의 품질 저하.

de·tér·min·a·ble *a.* 결정〔확정〕할 수 있는.

de·ter·mi·nant [ditə́:rmənənt] *a.* 결정하는; 한정적인. **—*n.*** Ⓒ **1** 결정 요소〔요인〕. **2** 〖생물〗 결정 인자(因子)〔유전자〕. **3** 〖수학〗 행렬식(行列式).

de·ter·mi·nate [ditə́:rmənit] *a.* **1** 한정된, 명확한; 일정한; 결정적인; 확고〔단호〕한, 결연한. **2** 〖수학〗 기지수의. ㊕ **~·ly** *ad.* 결정적으로. **~·ness** *n.*

*__de·ter·mi·na·tion__ [ditə̀:rmənéi∫ən] *n.* **1** Ⓤ **결심**; 결의, 결단(력)《***to*** do》: a man of great ~ 결의가 굳건한 사람/carry out a plan with ~ 단호하게 계획을 실행하다/his ~ *to* master English 영어를 철저히 배우려는 그의 결의. **2** Ⓤ 결정, 확정: the ~ *of* the boundary between the two countries 양국 간의 국경 확정. **3** Ⓤ (범위 · 위치 · 양 등의) 한정, 측정(법): the ~ of the age of a bone 뼈의 연대 측정/the ~ of a word's meaning 말의 의미의 한정. **4** Ⓒ 〖법률〗 논쟁의 종결, 판결. ◇ determine *v.*

de·ter·mi·na·tive [ditə́:rmənèitiv, -nətiv] *a.* 결정력 있는; 확정적인; 한정하는. **—*n.*** Ⓒ **1** 결정〔한정〕의 원인. **2** 〖문법〗 한정사《관사 · 지시대명사 따위》. ㊕ **~·ly** *ad.*

__de·ter·mine__ [ditə́:rmin] *vt.* **1 《+목+*to* do/+목+전+명》 …에게 **결심시키다**, 결의하게 하다《***against*** …하지 않기로》: The letter ~*d* him *to* go. 그 편지로 그는 가기로 결심했다/The letter ~*d* him *against* the plan. 그 편지를 읽고 그는 그 계획에 반대하기로 결심했다. **2** 《+*to* do/+*that* 절》 …을 **결심하다**, 결의하다《★decide보다 의미가 강함》: He firmly ~*d to* try again. 그는 한 번 더 해보려고 굳게 결심했다/He ~*d that* nobody should dissuade him from doing it. 그는 누가 뭐라 해도 그것을 하기로 결심했다. **3** 《~+목/+*wh.* 절/+*wh. to* do》 **결정하다**, 결정〔조건〕짓다; (규칙 · 조건 · 날짜 · 가격 등)을 **정하다**: The incident ~*d* the whole of his career. 그 사건은 그의 일생의 운명을 결정지었다/Demand ~*s* supply 〔the price〕. 수요는 공급〔가격〕을 좌우〔결정〕한다/~ *which* is right 어느 쪽이 옳은지를 결정하다/We have not yet ~*d what to* do. 우리들은 무엇을 할 것인가를 아직 정하지 않았다. SYN. ⇨DECIDE. **4** (성분 · 거리 등)을 측정하다, 사정하다: These instruments are used to ~ the ship's latitude and longitude. 이 계기들은 배의 (위치상) 위도와 경도를 측정하는 데 사용된다. **5** 〖법률〗 (분쟁 등)을 판정하다, 재정(裁定)하다: ~ a dispute 분쟁을 재정하다. **6** (의미)를 명확히 하다, 한정하다: The meaning of a word is ~*d* by its actual use in a sentence. 단어의 의미는 문장 중에서 실제 용법에 따라 한정된다.

—*vi.* 《+전+명》 **결심하다, 결론짓다**, 결정하다《***on*** …을》: ~ *on* a course of action 행동 방침을 결정하다.

*__de·ter·mined__ [ditə́:rmind] *a.* **1** (단단히) **결심한**《***to*** do》: I am ~ *to* go. 기어코 갈 작정이다. **2 결의가 굳은**, 단호한(resolute): a ~ look 단호한 표정/in a ~ manner 결연하게. ㊕ **~·ly** *ad.* 결연히, 단호히. **~·ness** *n.*

de·tér·min·er *n.* Ⓒ **1** 결정하는 사람〔것〕. **2** 〖문법〗 한정사《a, the, this, your 따위》.

de·tér·min·ism *n.* Ⓤ 〖철학〗 결정론.

de·tér·mi·nist *n.* Ⓒ 결정론자. **—*a.*** 결정론(자)의.

de·ter·min·is·tic [ditə̀:rminístik] *a.* 결정론(자)적인.

de·ter·rence [ditə́:rəns, -tér-] *n.* Ⓤ **1** 제지, 억제. **2** (핵무기 등에 의한) 전쟁 억지.

de·ter·rent [ditə́:rənt, -tér-] *a.* 제지〔방지〕하는, 못 하게 하는; 방해하는; 전쟁 억지의. **—*n.*** Ⓒ **1** 억제책; 방해물; (전쟁) 억지력《***to*** …에 대한》: Punishment is a strong ~ *to* crime. 처벌은 범죄에 대한 강력한 억제책이다. **2** 전쟁을 억지하는 것; 《특히》 핵무기: the nuclear ~ (핵전쟁 억지력으로서의) 핵무기.

*__de·test__ [ditést] *vt.* 《~+목/+-*ing*》 **몹시 싫어하다**, 혐오하다. cf. abhor, loathe. ¶ I ~ dishonest people. 나는 부정직한 사람을 몹시 싫어한다/She ~*s* hav*ing* to talk to people at parties. 그녀는 파티에서 남들과 이야기해야 하는 것이 질색이다. SYN. ⇨HATE.

°**de·tést·a·ble** *a.* 혐오(嫌惡)〔증오〕할, 몹시 싫은: He's the most ~ man I've ever met. 그는 내가 여지껏 만난 사람 중에서 가장 싫은 사람이다. ㊕ **-bly** *ad.*

de·tes·ta·tion [dì:testéi∫ən] *n.* **1** Ⓤ (또는 a ~) 증오, 혐오(hatred): be in ~ 미움을 사고 있다/have 〔hold〕... in ~ …을 몹시 혐오하다. **2** Ⓒ 몹시 싫은 사람〔것〕.

de·throne [diθróun] *vt.* **1** 왕위에서 물러나게 하다, 폐위시키다. **2** 《비유적》 (권위 있는 지위에

서) 쫓아내다. [파] ~·ment n. [U] (구체적으로는 [C]) 폐위, 강제 퇴위.

det·o·nate [détənèit] vt., vi. 폭발시키다〔하다〕, 작렬(炸裂)시키다〔하다〕: a *detonating* cap 뇌관/a *detonating* fuse 폭발 신관/*detonating* powder 폭약.

dèt·o·ná·tion n. **1** [U] 폭발. **2** [C] 폭발음.

dét·o·nà·tor [-tər] n. [C] 기폭 장치《뇌관·신관 등》; 기폭약, 뇌관.

°**de·tour** [dí:tuər, ditúər] n. [C] 우회(迂廻); 우회로(路); 도는 길: make a ~ 우회하다/take a ~ 우회로로 가다. **—**vi. (멀리) 돌아가다 (*round; around*).

de·tox·i·fy [di:táksəfài/-tɔ́k-] vt. …의 독성을 제거하다, …을 해독하다. [파] **de·tòx·i·fi·cá·tion** n. [U] 해독 (작용).

°**de·tract** [ditrǽkt] vi. 줄이다; 떨어뜨리다, 손상하다《***from*** (가치·명성 따위)를》: This will ~ much *from* his fame. 이것이 그의 명성을 크게 손상시킬 것이다.

de·trác·tion n. [U] 훼손, 감손(減損)《***from*** (가치 따위)의》.

de·trac·tive [ditrǽktiv] a. 욕하는, 험담하는. [파] ~·**ly** *ad.*

de·trac·tor [ditrǽktər] n. [C] (명예 훼손 목적으로) 비방〔중상〕하는 사람.

de·train [di:tréin] vi. 열차에서 내리다《★ 주어는 보통 *pl.*》: All the passengers were requested to ~. 승객은 전원 열차에서 내리도록 요청받았다. **—**vt. 열차에서 내리게 하다. ↔ *entrain*.

det·ri·ment [détrəmənt] n. **1** [U] 손해, 손상《★ 보통 다음 구로》: to the ~ of …을 손상시켜; …에 손해를 입히고; …의 희생 아래/without ~ to …을 손상하지 않고; …에 손해를 주지 않고. **2** [C] (보통 *sing.*) 손해〔손상〕의 원인.

det·ri·men·tal [dètrəméntl] a. 유해한, 손해되는《***to*** …에》: Smoking is ~ *to* health. 흡연은 건강에 해롭다. [파] ~·**ly** *ad.*

de·tri·tion [ditríʃən] n. [U] 마멸, 마모, 마손.

de·tri·tus [ditráitəs] n. [U] 【지질】 암설(岩屑); 쇄암(碎岩), 쇄석; 파편(의 더미).

De·troit [ditrɔ́it] n. 디트로이트《미국 Michigan 주 남동부의 자동차 공업 도시》.

de trop [dətróu] 《F.》 군더더기의, 쓸모없는, 오히려 방해가 되는(not wanted).

deuce[1] [dju:s] n. **1** [C] (카드놀이·주사위의) 2점; 2점의 패, (주사위의) 2점의 눈. **2** [U] 【테니스】 듀스.

°**deuce**[2] n. 《구어》 **1** [U] (보통 the ~) 〖감탄사적으로〗 제기랄《★ devil 과 같이 가벼운 저주나 분노·경악·강조 등을 나타내는 구에 씀》: The ~ it is 〔you are, etc.〕! 그것이〔자네가, …이〕 그렇다니 놀랐다〔괘씸하다, 설마〕. **2** (the ~) 〖의문사의 힘줌말로서〗 도대체: What 〔Who〕 the ~ is that? 도대체 그건 뭐냐〔누구냐〕. **3** [U] (종종 the ~) 〖강한 부정을 나타내어〗 전혀〔하나도, 한 사람도〕 없다〔않다〕(not at all): The ~ is in it if I cannot. 내가 못 할 것이 있을 소냐/The ~ he isn't. 그가 그렇지 않을 리는 결코 없다. **4** (a 〔the〕 ~ of a) 〖형용사적으로〗 굉장한, 지독한, 어처구니없는: a ~ of a mixup 지독한 혼란/be in a ~ of a lot of trouble 굉장히 곤란하다.
like the ~ 굉장한 기세로, 맹렬히. ***play the ~ with*** …을 망쳐 버리다. ***the ~ to pay*** (이제부터) 앞으로의 어려움〔곤란〕: There will be *the ~ to pay*. 앞으로 힘들걸.

deuc·ed [djú:sid, dju:st] 《英고어》 a. [A] 지

긋지긋한, 심한; 굉장한: Throw the ~ thing away! 그런 건 갖다 버려라/in a ~ hurry 화급히. **—***ad.* 엄청나게, 몹시: a ~ fine girl 굉장히 예쁜 아가씨. [파] ~·**ly** [-sidli] *ad.*

de·us ex ma·chi·na [dí:əs-eks-mǽkinə] 《L.》 (소설·연극의 줄거리에서) 절박한 장면을 해결하는 사건·등장인물 또는 신의 힘(따위); 절박한 장면의 해결책(god from the machine).

Deut. 【성서】 Deuteronomy.

deu·ter·i·um [djuːtíəriəm] n. [U] 【화학】 중수소(重水素) (heavy hydrogen)《기호: D》.

deu·ter·on [djú:tərɑ̀n/-rɔ̀n] n. [U] 【물리】 중양자(重陽子), 듀테론《deuterium 의 원자핵》.

Deu·ter·on·o·my [djù:tərɑ́nəmi/-rɔ́n-] n. 【성서】 신명기(申命記)《구약성서 중의 한 편; 생략 Deut.》.

Deut·sche mark [dɔ́itʃəmɑ̀:rk] (*pl.* **~, ~s**) n. 《G.》 (또는 D- M-) 독일 마르크(= **Déut·sche·màrk**)《독일의 화폐 단위: =100 pfennigs; 생략: DM》.

Deutsch·land [dɔ́itʃla:nt] n. 《G.》 독일 (Germany).

de·val·u·ate, de·val·ue [di:vǽljuèit], [di:vǽlju:] vt. **1** …의 가치를 내리다. **2** 【경제】 (화폐)의 평가를 절하하다. ↔ *revalue*.¶ ~ the pound 파운드의 평가를 절하하다.

de·vàl·u·á·tion n. [U] (구체적으로는 [C]) **1** 가치의 저하. **2** 【경제】 평가 절하. ↔ *revaluation*.

°**dev·as·tate** [dévəstèit] vt. **1** (국토·토지 따위)를 유린하다, 황폐시키다: The country had been ~*d* by the long war. 그 나라는 오랜 전쟁으로 황폐화되어 있었다. **2** (사람)을 망연자실하게 하다, 곤혹스럽게 하다, 놀라게 하다《★ 보통 수동태》: I *was* ~*d* by her death. 그녀의 죽음에 망연자실했다.

dév·as·tàt·ing a. **1** 황폐시키는, 파괴적인: a ~ earthquake 파괴적인 지진. **2** 《비유적》 (의론 따위가) 압도적인, 강력한, 통렬한: a ~ reply 통렬한 응수. **3** 《구어》 매우 훌륭한, 굉장한, 효과적인; 지독한, 심한. [파] ~·**ly** *ad.*

dèv·as·tá·tion n. [U] 황폐하게 함; 유린, 황폐(상태); 참화, 참상.

‡**de·vel·op** [divéləp] vt. **1** 《~+[목]/+[목]+[전]+[명]》 **발전시키다**, 발달시키다; 발육시키다《***from*** …에서; ***to, into*** …으로》: ~ science 과학을 발전시키다/~ one's business 사업을 확장하다/~ oneself *into* a healthy person through constant exercise 끊임없는 운동으로 스스로를 건강한 사람으로 발육시키다/The modern computer has been ~*ed from* the simpler calculating machine. 현대의 컴퓨터는 단순한 계산기에서 발달했다.
2 a (자원·기술·토지 따위)를 **개발하다**, (택지)를 조성하다: ~ natural resources 천연자원을 개발하다/~ farmland into a housing tract 농지를 주택지로 조성하다. **b** (자질·지능 따위)를 계발(啓發)하다, 신장시키다: ~ one's faculties 재능을 계발하다.
3 (의론·계획 따위)를 전개하다, 진전시키다: ~ one's argument (further) 의론을 더 진전시키다/~ a theory of language learning 언어 학습 이론을 전개하다.
4 (사실 따위)를 **밝히다**; (경향 따위)를 나타내다, 발휘하다: The detective's inquiry did not ~ any new facts. 그 형사의 조사는 아무런 새로운

사실을 밝혀내지 못했다.
5 (습관·취미 따위)를 붙이다, (성질)을 갖게〔띠게〕되다; (병)에 걸리다: As he grew older, he *~ed* a tendency to obstinacy. 나이 먹어 감에 따라 그는 점점 고집이 세어졌다/My trousers have *~ed* a shine. 바지가 반질반질하게 됐다/He *~ed* a tumor. 그는 종기가 생겼다.
6 〖사진〗 (필름)을 현상하다: have him ~ a role of film 그에게 필름 한 통을 현상시키다.
—*vi*. **1** 《~/+전+명》 **발전〔진전〕하다**, 발달〔발육〕하다《*from* …에서; *into* …으로》: The situation *~ed* rapidly. 사태가 급속히 전개되었다/Banana plants ~ *from* corms. 바나나 묘목은 알뿌리에서 나 자란다/~ *into* a good citizen 훌륭한 시민으로 성장하다/A bud *~s into* a blossom. 꽃봉오리는 발육하여 꽃이 된다.
2 (증상이) 나타나다; (사실 등이) 밝혀지다, 알려지다: Symptoms of cancer *~ed*. 암 증상이 나타났다/It *~ed* that he was a murderer. 그가 살인범임이 밝혀졌다.
3 《보통 부사(구)를 수반하여》 〖사진〗 현상되다: This film will ~ in twenty minutes. 이 필름은 20분 내에 현상됩니다.

de·vél·oped [-t] *a.* (국가 등이) 발전〔발달〕한, (경제, 공업 기술 등이) 진보된, 선진의: ~ countries 선진국/a highly ~ industry 고도로 발달된 산업.

de·vél·op·er *n.* **1** Ⓒ 개발자, 택지 개발〔조성〕업자. **2** Ⓤ (종류·낱개는 Ⓒ) 〖사진〗 현상액〔약〕.

de·vél·op·ing *a.* 발전〔발달〕중인; (국가·지역 등이) 개발 도상에 있는, 발전 도상의: a ~ country 〔nation〕 개발 도상국《an underdeveloped country 대신 씀》.

‡de·vel·op·ment [divéləpmənt] *n.* **1 a** Ⓤ **발달, 발전**; 발육, 성장(growth): economic ~ 경제 발전〔개발〕/the ~ *of* language 언어의 발달/mental ~ 지성의 발육. **b** Ⓒ 발달〔발전〕(한 것)《*in* …의》: recent *~s in* nuclear physics 핵물리학의 최근의 발달/Nuclear physics is a ~ in the twentieth century. 핵물리학은 20세기에 발달한 것이다. **2** Ⓤ (택지의) **조성, 개발**; Ⓒ 조성지, 단지: a ~ area 개발 지역/bring land under ~ 토지를 개발〔개간〕하다. **3** Ⓒ 새 사실〔사정〕: the latest *~s* in the Middle East crisis 중동 위기의 최신 사태. **4** Ⓤ 〖사진〗 현상. **5** Ⓤ 〖음악〗 전개; Ⓒ 전개부.

de·vèl·op·mén·tal [-tl] *a.* **1** 개발〔계발〕의: ~ aid to Southeast Asia 동남아시아 개발 원조. **2** (심신의) 발달상〔발육상〕의.

devélopment àrea 《英》 개발 촉진 지역《실업률이 높아서 정부가 새 산업을 육성 촉진하고 있는 지역》.

Devélopment Assístance Commìtee (the ~) 개발 원조 위원회《OECD의 한 기관; 생략: DAC》.

devélopment sỳstem 〖컴퓨터〗 (소프트웨어·인터페이스 따위의) 개발 시스템.

de·vi·ance, -an·cy [díːviəns], [-si] *n.* Ⓤ 일탈, 이상(異常): sexual ~ 성적 이상.

de·vi·ant [díːviənt] *a.* (표준에서) 벗어난, 정상이 아닌, 이상한. **—*n*.** Ⓒ 사회의 상식〔습관〕에서 벗어난 사람〔것〕, 《특히》 (성적) 이상 성격자.

de·vi·ate [díːvièit] *vi.* 벗어나다, 일탈하다《*from* (상도·원칙 따위)에서》: ~ *from* the standard 표준에서 벗어나다.

de·vi·a·tion [dìːviéiʃən] *n.* **1** Ⓤ (구체적으로는 Ⓒ) 벗어남, 탈선, 일탈(逸脫), 편향《*from* …에서의》. **2** Ⓒ (정치 신조로부터의) 일탈 (행위). **3** Ⓒ (자침(磁針)의) 자차(自差); 〖통계〗 편차. ㊞ **~·ìsm** *n.* Ⓤ (특히 공산당 등의 노선으로부터의) 일탈. **~·ist** *n.* Ⓒ (당 노선으로부터의) 일탈자.

de·vice** [diváis] *n.* Ⓒ **1 고안**; 계획, 방책. **2 a 장치**, 설비; 고안물《*for* …을 위한》: a safety ~ 안전 장치/a new ~ *for* catch*ing* mice 쥐잡는 새 고안물. **b** 폭파 장치, 폭탄: a nuclear ~ 핵폭발 장치, 핵폭탄. **3** 수사적(修辭的) 기교, 비유적 표현. **4** 상표, 문장(紋章)(motto); 도안, 의장, 무늬. ◇devise *v.* ***leave **a person *to* his *own* ~*s*** 아무에게 제멋대로 하게 내버려두다《조언이나 원조를 하지 않고》.

‡dev·il [dévl] *n.* **1** Ⓒ 악마; 악귀; 악령; (the D–) 마왕, 사탄(Satan): The ~ has the best tunes. 《속담》 악마는 멋진 가락을 지니고 있다; 나쁜 짓일수록 즐거운 법/Talk 〔Speak〕 of the ~, and he will 〔is sure to〕 appear. 《속담》 호랑이도 제말 하면 온다《종종 and 이하를 생략하여 씀》/The ~ take the hindmost 〔hindermost〕. 《속담》 뒤진 자 귀신이 잡아간다; 빠른 자가 장땡. **2** Ⓒ (악덕의) 화신; 악당; 《구어》 정력가, 저돌적인 사람, …광(狂)《*of, for* …의》: the ~ *of* greed 탐욕의 화신/a veritable ~ *for* golf 지독한 골프광. **3** Ⓒ 개구쟁이, 장난꾸러기. **4** Ⓒ 《보통 수식어를 수반하여》 《구어》 …놈, …녀석: The poor ~. 불쌍한 녀석. **5** (the ~) 《의문사를 강조하여》 도대체, 어째서 (deuce): What the ~ are you doing? 도대체 무엇을 하고 있느냐. **6 a** Ⓤ (종종 the ~) 《힘줌말로서 부정의 뜻》 결코 (… 아닌): (the) ~ a bit 조금도 … 아닌, 추호도 … 않는. **b** (the ~) 제기랄, 설마《저주·놀람 따위》: The ~ you did! 자네가 했다니 (설마).
a* 〔*the*〕 *~ of a ... 굉장한 …, 엄청난 …, 터무니없는…: *a* ~ *of a* wind 굉장한 바람/*the* ~ *of a* way 터무니없이 먼 길. ***between the ~ and the deep* 〔*blue*〕 *sea*** 진퇴양난에 빠져. ***Devil take it!*** 《구어》 제기랄, 빌어먹을. ***give the ~ his due*** 나쁜〔싫은〕 놈에게도 정당〔공평〕하게 대우하다. ***go to the ~*** ① 영락하다. ② 《명령법으로》 뒈져라!, 꺼져버려! ***like the* 〔*a*〕 ~** 맹렬히. ***play the ~ with*** 《구어》 …을 못쓰게 만들다, …을 엉망으로 만들다. ***raise the ~*** 소동을 벌이다. ***the* 〔*very*〕 *~ of it*** 매우 골치 아픈〔성가신〕 일: That's *the* ~ *of it*. 그거 참 골치 아프군. ***the ~ to pay*** 《구어》 앞으로 닥칠 큰 곤란, 뒤탈; 큰 어려움: There'll be *the* ~ *to pay*. 나중에 혼이 날 거다; 앞 일이 무섭다. ***To the ~ with ...!*** …따위를 내가 알게 뭐냐, …따위는 아무래도 좋다.

> **DIAL.** ***Be a devil!*** (망설이는 사람을 격려하여) 한 번 해봐, 과감히 해봐.

—(*-l-*, 《英》 *-ll-*) *vt*. **1** 《美구어》 (남)을 괴롭히다, 학대하다, 지분거리다: ~ a person with questions 아무에게 질문 공세를 퍼부어 괴롭히다. **2** (불고기 등)에 겨자를 발라 굽다.

dévil·fish (*pl.* ~, **~·es**) *n.* Ⓒ 〖어류〗 쥐가오리; 아귀; 오징어, 《특히》 낙지.

***dev·il·ish** [dévliʃ] *a.* **1 악마 같은**; 극악무도한. **2** 굉장한, 심한, 대단한, 극단적인.
—*ad*. 《구어》 지독하게, 무섭게, 맹렬하게.
㊞ **~·ly** *ad.* **~·ness** *n.*

dévil-may-cáre *a.* 저돌적인; 무모한; 태평한: a ~ attitude 될 대로 되라는 식의 태도.

dév·il·ment *n.* **1** Ⓤ (구체적으로는 Ⓒ) 못된 장

난. **2** Ⓤ 원기: full of ~ 원기 왕성한.

dev·il·ry, dev·il·try [dévlri], [-tri] *n.* = DEVILMENT.

dévil's ádvocate 1 험구가, 트집쟁이. **2** (의론이나 제안의 타당성을 시험하기 위해) 일부러 반대 의견을 말하는 사람: play the ~ 일부러 반대 입장을 취하다.

dévil's fòod (càke) 초콜릿이〔코코아가〕 들어 있는 케이크.

dévil's tattóo 손가락이나 발로 책상·마루 등을 똑똑 두드리기《흥분·초조 등의 표시》: beat the (a) ~ 손가락으로〔발로〕 똑똑 두드리다.

◇**de·vi·ous** [díːviəs] *a.* **1** 우회한, 꾸불꾸불한: take a ~ route 우회하다. **2** 솔직〔순진〕하지 않은; (말을) 에둘러 하는; 속임수의, 교활한: a ~ explanation 에둘러서 하는 설명 / There is something ~ *about* him. 그에겐 어딘가 솔직하지 못한 데가 있다.
㊕ **~·ly** *ad.* **~·ness** *n.*

***de·vise** [diváiz] *vt.* **1 궁리하다, 고안〔안출〕하다**(think out); 발명하다: ~ a new plan 〔technique〕 새로운 안(案)〔기법〕을 생각해 내다 / We ~*d* how to prevent water pollution. 수질 오염을 방지하는 방법을 고안해 냈다. SYN. ⇨INVENT. ◇device *n.* **2** 《~+목/+목+전+명》 〖법률〗 (부동산)을 유증(遺贈)하다《**to** (아무)에게》.

de·vís·er *n.* Ⓒ 고안자, 안출자; 계획자; 〖법률〗 =DEVISOR.

de·vi·sor [diváizər] *n.* Ⓒ (부동산의) 유증자.

de·vi·tal·ize [diːváitəlàiz] *vt.* …의 생명〔활력〕을 빼앗다.
㊕ **de·vi·tal·i·zá·tion** *n.* Ⓤ 활력〔생명〕을 빼앗는 일, 활력 상실.

de·vo·cal·ize [diːvóukəlàiz] *vt.* 〖음성〗 (유성음)을 무성음화하다(devoice).

◇**de·void** [divɔ́id] *a.* Ⓟ 전혀 없는, 결여된《**of** …이》: a book ~ *of* interest 전혀 흥미를 끌지 않는〔재미없는〕 책 / He's ~ *of* humor. 그는 유머가 없다.

de·vo·lu·tion [dèvəlúːʃən/dìːv-] *n.* Ⓤ **1** (권리·의무·지위 따위의) 상속인에의 이전; 권한 이양《중앙 정부로부터 지방 자치체로의》. **2** 〖생물〗 퇴화(退化). ↔ *evolution*.

de·volve [diválv/-vɔ́lv] *vt.* (의무·책임 따위)를 양도하다, 지우다; 맡기다; (권력 따위)를 위임하다《**on, upon** (후계자·대리인)에게》: ~ the duty *upon* another person 그 임무를 남에게 지우다〔맡기다〕. **—***vi.* **1** (직책 따위가) 넘어가다, 맡겨지다《**on, upon** (아무)에게》: The responsibility ~*d on* the manager. 책임은 지배인에게 넘어갔다 / The work ~*d upon* him. 그 일은 그에게 맡겨졌다. **2** 〖법률〗 (재산 등이) 계승되다, 이전되다《**to** (아무)에게》.

Dev·on [dévən] *n.* **1** 데번《잉글랜드 남서부의 주; 생략: Dev.》. **2** Ⓒ 데번종(種)(의 소)《유육(乳肉) 겸용의 붉은 소》.

De·vo·ni·an [dəvóuniən] *a.* Devon 주의; 〖지질〗 (지층의) 데번기(紀)의. **—***n.* **1** Ⓒ Devon 주의 사람. **2** (the ~) 〖지질〗 데번기〔층〕.

Dev·on·shire [dévənʃiər] *n.* Devon 1의 구칭.

⁑**de·vote** [divóut] *vt.* 《+목+전+명》 **1** (노력·돈·시간 따위)를 **바치다**, (전적으로) 쏟다〔돌리다〕, 충당하다《**to** …에》: ~ one's life *to* education 교육에 일생을 바치다 / Our next lesson will be ~*d to* composition. 다음 수업은 작문에 충당하겠습니다. **2** 《~ oneself》 헌신하다, 전념하다, 몰두하다《**to** …에》; 열애하다《**to** …을》: She ~*d* her*self to* her children. 그녀는 자식들에게 헌신했다.

***de·vot·ed** [divóutid] *a.* **1** 충실한, **헌신적인**: a ~ friend 충실한 친구 / his ~ wife 그의 헌신적인 아내. **2** 몰두〔전념〕하(고 있)는, 열심인《**to** …에》; 열애하는《**to** …을》: Bob is ~ *to* reading novels. 보브는 소설 읽는 데 전념한다. ㊕ **~·ly** *ad.* 한 마음으로, 충실히. **~·ness** *n.*

dev·o·tee [dèvoutíː] *n.* Ⓒ **1** 열애가(熱愛家); 열성가: one of Beethoven ~s 베토벤의 열광자들. **2** (광신적인) 귀의자(歸依者).

***de·vo·tion** [divóuʃən] *n.* **1** Ⓤ **헌신**; **몰두**, 전념; 헌신적인 애정, 열애《**to** …에 대한》: one's ~ *to* the cause of justice 정의를 위한 헌신 / his ~ *to* the study of Korean history 한국사의 연구에 대한 그의 전념 / the mother's ~ *to* her son 아들에 대한 어머니의 열정. **2** Ⓤ (종교적) 귀의(歸依), 신앙심. **3** (*pl.*) 기도, (개인적인) 예배: a book of ~*s* 기도서 / be at one's ~*s* 기도를 드리고 있다.

de·vo·tion·al [divóuʃənəl] *a.* Ⓐ 기도의: a ~ book 신앙 수양서, 신심서. **—***n.* Ⓒ (흔히 *pl.*) 짤막한 기도.

***de·vour** [diváuər] *vt.* **1 게걸스럽게 먹다**; 먹어 치우다: ~ sandwiches. **2** (질병·화재 등이) 멸망시키다; (바다·어둠 따위가) 삼켜 버리다, 휩쓸어 넣다: The fire ~*ed* two hundred houses. 불은 200채의 집을 소실시켰다 / The raging sea ~*ed* the boat. 거친 바다는 보트를 삼켜 버렸다. **3** (책)을 탐독하다; 뚫어지게 보다; 열심히 듣다: He ~*ed* all the books on the subject in the library. 그는 도서관에 있는 그 주제에 관한 책들을 모조리 탐독했다 / He ~*ed* her with his eyes. 그는 그녀를 뚫어지게 보았다 / He ~*ed* every word (I said). 그는 (내 말을) 한 마디도 빠뜨리지 않을 듯이 열심히 들었다. **4** 《보통 수동태》 (호기심·근심 따위가) …의 이성〔주의력〕을 빼앗다; …을 열중케 하다, 괴롭히다: *be* ~*ed* by fears 두려움에 질려 제 정신이 아니다 / *be* ~*ed* with curiosity 호기심에 완전히 사로잡히다.

de·vóur·ing [-riŋ] *a.* 게걸스레 먹는; 사람을 괴롭히는, (사람을) 열중시키는; 맹렬한, 열렬한, 격렬한. ㊕ **~·ly** *ad.*

◇**de·vout** [diváut] *a.* **1** 독실한, 경건한(pious): a ~ Roman Catholic 독실한 가톨릭 교도. **2** (the ~) 《명사적; 복수취급》 신앙심이 깊은 사람들, 신자. **3** Ⓐ 진심으로부터의; 열렬한: a ~ hope (마음으로부터의) 간절한 희망. ㊕ **~·ly** *ad.* 독실하게; 진심으로, 절실히. **~·ness** *n.*

DEW [djuː] Distant Early Warning (원거리 조기 경보〔경계〕).

***dew** [djuː] *n.* Ⓤ **이슬**; (눈물·땀 등의) 방울: drops of ~ 이슬방울 / wet with ~ 이슬에 젖다 / *Dew* glistened in her eyes. 그녀 눈에 맺힌 이슬이 반짝였다.

déw·clàw *n.* Ⓒ (개 따위의) 며느리발톱; (사슴 등의) 며느리발굽.

déw·dròp *n.* Ⓒ 이슬(방울).

Déw·ey (décimal) classificàtion 〔sỳstem〕 [djúːi-] (the ~) 〖도서관학〗 듀이식 10진(進) 분류법《1876 년 미국의 Melvil Dewey 의 창안》.

déw·làp *n.* Ⓒ (소 따위의) 목정; 군턱.

DÉW lìne [djúː-] 듀 라인《미국이 북위 70 도선의 북쪽 국경에 설치한 원거리 조기 경보 레이

더망》.

déw pòint 〖기상〗 (습도의) 이슬점(點).

*__dewy__ [djúːi] (*dew·i·er; -i·est*) *a.* **1** 이슬의; 이슬을 머금은, 이슬 많은; 이슬 내리는. **2** (눈이) 눈물에 젖은. ㊞ **déw·i·ly** *ad.* **-i·ness** *n.*

déwy-èyed *a.* 천진난만한 (눈을 가진), 순진한.

dex·ter [dékstər] *a.* **1** 오른쪽의, 우측의. **2** 〖문장(紋章)〗 (방패의) 오른쪽의《보는 쪽에서는 왼쪽》. ↔ *sinister*.

◇**dex·ter·i·ty** [dekstérəti] *n.* Ⓤ 솜씨 좋음; 기민함, 빈틈없음.

dex·ter·ous [dékstərəs] *a.* **1** 솜씨 좋은, 교묘한, 능란한《*at, in* …이》: a ~ pianist 능숙한 피아니스트/with ~ fingers 능숙한 손놀림으로/The manager was ~ *in* 〔*at*〕 handl*ing* his staff. 그 지배인은 부하 직원을 다루는 것이 능란하다. **2** 기민한; 빈틈없는.
㊞ ~**·ly** *ad.* ~**·ness** *n.*

dex·tral [dékstrəl] *a.* 오른쪽의; 오른손잡이의; (고동이) 오른쪽으로 감긴. ↔ *sinistral*.
㊞ ~**·ly** *ad.*

dex·trin, -trine [dékstrin], [-tri(ː)n] *n.* Ⓤ 〖화학〗 덱스트린, 호정(糊精).

dex·trose [dékstrous] *n.* Ⓤ 〖화학〗 포도당, 우선당(右旋糖).

dex·trous [dékstrəs] *a.* =DEXTEROUS.

D.F. 〖무선〗 direction finder. **dg.** decigram(s). **D.G.** Deo gratias. **DH, dh** 〖야구〗 designated hitter (지명 타자). **DHA** 〖생화학〗 docosahexaenoic acid (도코사헥사엔산(酸))《물고기 기름 속에 있는 *w*-3-지방산》.

Dha·ka [dǽkə, dáː-] *n.* 다카《방글라데시의 수도》.

dhar·ma [dáːrmə, dɔ́ːr-] *n.* Ⓤ 〖힌두교〗 (지켜야 할) 규범, 계율, 덕(virtue); 〖불교〗 법(法); (D–) 달마《선종(禪宗)의 시조》.

dho·ti [dóuti] (*pl.* ~**s**) *n.* 《Ind.》 Ⓒ 허리에 두르는 천《남자용》.

dhow, dow [dau] *n.* Ⓒ 아라비아해 등에서 쓰이는 대형 삼각돛을 단 연안 무역용 범선.

D.I. 《英》 Defence Intelligence (국방 정보국).

di-[1] [di, də, dai] *pref.* =DIS- 《b, d, g, l, m, n, r, s, v 의 앞에서》.

di-[2] [dài] 〖화학〗 '2(중)의' 의 뜻의 결합사: *di*archy.

di·a- [dáiə] *pref.* '…해내는, 철저한, 완전한〔히〕, …에서 떨어져 나가는, …을 가로질러' 의 뜻: *dia*rama; *dia*meter. ★ di- 는 모음 앞에서 쓰임.

di·a·be·tes [dàiəbíːtis, -tiːz] *n.* Ⓤ 〖의학〗 당뇨병.

di·a·bet·ic [dàiəbétik] *a.* 당뇨병의. **—***n.* Ⓒ 당뇨병 환자.

di·a·bol·ic, -i·cal [dàiəbálik/-bɔ́l-], [-ikəl] *a.* **1** 악마의; 악마적인; 잔인한, 극악무도한. **2** 교활한, 약아빠진. ㊞ **-i·cal·ly** *ad.*

di·ab·o·lism [daiǽbəlìzəm] *n.* Ⓤ **1** 마법, 요술. **2** 악마 같은 행위〔성질〕; 악마주의〔숭배〕.
㊞ **-list** *n.* Ⓒ 악마주의자〔연구가, 신앙가〕.

di·ab·o·lo [diːǽbəlòu] (*pl.* ~**s**) *n.* Ⓤ 디아볼로《손에 든 두 개의 막대 사이에 켕긴 실 위에서 팽이를 굴리기》; Ⓒ 디아볼로 팽이, 공중 팽이.

di·a·chron·ic [dàiəkránik/-krɔ́n-] *a.* 〖언어〗 통시적(通時的)인《언어 사실을 사적(史的)으로 연구 · 기술하는 입장》. ↔ *synchronic*.

di·a·crit·ic [dàiəkrítik] *a.* =DIACRITICAL. **—** *n.* =DIACRITICAL MARK.

di·a·crit·i·cal [dàiəkrítikəl] *a.* 구별하기 위한; 구별〔판별〕할 수 있는. ㊞ ~**·ly** *ad.*

diacrítical márk 〔**póint, sígn**〕 발음 구별 부호, 분음(分音) 부호《a 자를 구별해서 읽기 위해 ā, ã, ä, â 와 같이 붙이는 부호》.

di·a·dem [dáiədèm] *n.* Ⓒ 왕관; (the ~) 왕권, 왕위.

di·aer·e·sis, di·er·e·sis [daiérəsis] (*pl.* **-ses** [-sìːz]) *n.* Ⓒ **1** (음절의) 분철. **2** 분음(分音) 기호《coöperate, naïve 따위와 같이 문자 위에 붙이는 ¨》.

diag. diagonal(ly); diagram.

di·ag·nose [dáiəgnòus, ˌ-ˊ] *vt.* **1** (병)을 진단하다《★ 사람은 목적어가 안 됨》: The doctor ~*d* her case *as* tuberculosis. 의사는 그녀의 병을 결핵으로 진단하였다. **2** …(병)이라고 진단하다: He ~*d* malaria. 그는 말라리아라고 진단했다.

◇**di·ag·no·sis** [dàiəgnóusis] (*pl.* **-ses** [-siːz]) *n.* Ⓤ (구체적으로는 Ⓒ) 진단.

di·ag·nos·tic [dàiəgnástik/-nɔ́s-] *a.* **1** 진단상의. **2** 진단에 도움이 되는, 증상을 나타내는《*of* (병)의》. ㊞ **-ti·cal·ly** [-kəli] *ad.* 진단〔진찰〕에 의해; 진단상.

di·ag·nos·ti·cian [dàiəgnɑstíʃən/-nɔs-] *n.* Ⓒ 진단(전문)의(醫), 진단자.

dì·ag·nós·tics *n.* Ⓤ **1** 진단학〔법〕. **2** 〖컴퓨터〗 진단《다른 프로그램의 오류를 진단 추적하거나 기계의 고장난 곳을 찾아 내기 위해 쓰인 프로그램》.

di·ag·o·nal [daiǽgənəl] *a.* 대각선의; 비스듬한; 사선(斜線)(무늬)의: a ~ line 대각선. **—***n.* Ⓒ **1** 〖수학〗 대각선; 사선. **2** 능직(綾織). ㊞ ~**·ly** *ad.* 대각선으로, 비스듬히.

◇**di·a·gram** [dáiəgræ̀m] *n.* Ⓒ 도형; 도표, 일람표; 도식, 도해: in a ~ 도표로/She drew a simple ~. 그녀는 간단한 도형을 그렸다.
— (*-m-,* 《英》 *-mm-*) *vt.* 그림으로〔도표로〕 표시하다.

di·a·gram·mat·ic, -i·cal [dàiəgrəmǽtik], [-əl] *a.* 도표〔도식〕의. ㊞ **-i·cal·ly** *ad.* 도식으로.

‡**di·al** [dáiəl] *n.* Ⓒ 다이얼; 문자반(~ plate); 눈금판; (전화기의) 숫자반. **—** (*-l-,* 《특히 英》 *-ll-*) *vt.* **1** (라디오 따위)의 다이얼을 돌려 파장에 맞추다. **2** (전화기)의 버튼을 누르다; (상대방의 번호)를 돌리다, 누르다; …에 전화를 걸다: *Dial* me at home. 집으로 전화하시오. **—***vi.* 다이얼을 돌리다; 전화를 걸다.

dial. dialect(al); dialectic(al); dialog(ue).

*__di·a·lect__ [dáiəlèkt] *n.* Ⓤ (구체적으로는 Ⓒ) **1** 방언, 지방 사투리: the Scottish ~ 스코틀랜드 방언. **2** (특정 직업 · 계층의) 통용어.

di·a·lec·tal [dàiəléktl] *a.* 방언〔사투리〕의; 방언 특유의. ㊞ ~**·ly** *ad.* 방언으로(는).

díalect àtlas 방언 지도(linguistic atlas).

díalect geógraphy 방언 지리학.

di·a·lec·tic [dàiəléktik] *a.* 변증(법)적인. **—** *n.* Ⓤ 〖철학〗 변증법《토론 · 변론에 의해 모순을 초월하여 새로운 진리에 도달하는 방법》.

di·a·lec·ti·cal [dàiəléktikəl] *a.* =DIALECTIC.
㊞ ~**·ly** *ad.*

dialéctical matérialism 변증법적 유물론, 유물 변증법.

di·a·lec·ti·cian [dàiəlektíʃən] *n.* Ⓒ 변증가; 변론가(logician).
dì·a·léc·tics *n.* =DIALECTIC.
di·a·lec·tol·o·gy [dàiəlektálədʒi/-tɔ́l-] *n.* Ⓤ 방언학, 방언 연구. ㊕ **-gist** *n.* Ⓒ 방언학자〔연구가〕.
díaling còde 《英》 (전화의) 가입 국번(局番).
díaling tòne 《英》 =DIAL TONE.
*__di·a·log,__ 《英》 **di·a·logue** [dáiəlɔ̀:g, -lɑ̀g/-lɔ̀g] *n.* Ⓤ (구체적으로는 Ⓒ) **1 대화. 2** (지도자끼리의) 대담, 회담, (건설적인) 의견 교환, 토론: a ~ between management and labor 노사간의 의견 교환.
díal tòne (the ~) 《美》 (전화의) 발신음.
di·al·y·sis [daiǽləsis] (*pl.* **-ses** [-sì:z]) *n.* Ⓤ (구체적으로는 Ⓒ) 〖의학·화학〗 투석(透析).
di·a·lyze, 《英》 **-lyse** [dáiəlàiz] *vt., vi.* 〖의학·화학〗 투석(透析)하다.
diam. diameter.
di·a·mag·net [dáiəmæ̀gnit] *n.* Ⓒ 〖물리〗 반자성체(反磁性體).
di·a·mag·net·ic [dàiəmægnétik] *a.* 〖물리〗 반자성(反磁性)의.
di·a·man·té [dì:əmɑ:ntéi] 《F.》 *a., n.* Ⓤ 반짝이는 모조 다이아몬드·유리 등의 작은 알을 점점이 박아 넣은 (장식); 그 장식을 넣은 직물.
*__di·am·e·ter__ [daiǽmitər] *n.* Ⓒ **1 직경,** 지름: 3 inches in ~ 지름 3인치《★in ~는 관사 없이》. **2** (렌즈의) 배율: magnify 2,000 ~*s* 배율 2천으로 확대하다.
di·a·met·ric, -ri·cal [dàiəmétrik], [-əl] *a.* **1** 직경의. **2** 정반대의, 서로 용납되지 않는, 대립적인《상위(相違) 따위》.
dì·a·mét·ri·cal·ly *ad.* 전혀, 바로(exactly): a view ~ opposed 정반대의 견해.
⁑**di·a·mond** [dáiəmənd] *n.* **1** Ⓤ (낱개는 Ⓒ) **다이아몬드,** 금강석(金剛石); Ⓒ 다이아몬드 장신구: a three-carat ~ 3캐럿 다이아몬드/a ~ of the first water 최고급 다이아몬드. **2** Ⓒ 다이아몬드 모양, 마름모꼴; 〖트럼프〗 다이아몬드 패(ⓒⓕ club, heart, spade): a small ~ 점수가 낮은 다이아몬드 패/the eight of ~*s* 다이아몬드 8의 패. **3** Ⓒ 〖야구〗 내야(infield); 야구장.
~ cut ~ 불꽃 튀기는 듯한 호적수의 대결, 막상막하의 경기. ***~ in the rough*** =***rough ~*** ① 연마하지 않은 다이아몬드. ② 무뚝뚝하지만 속마음은 친절한 사람; 거칠게 보이지만 훌륭한 소질을 가진 사람.
—*a.* Ⓐ 다이아몬드의〔와 같은〕, 다이아몬드제의〔를 박은〕; 마름모의: a ~ ring 다이아몬드 반지/a ~ pencil 다이아몬드 연필《끝에 다이아몬드가 붙어서, 금속판에 줄긋기 따위에 씀》.
díamond·bàck *a., n.* Ⓒ 등에 마름모〔다이아몬드 형〕 무늬가 있는 (뱀·거북 따위).
díamond jubilée 1 60〔75〕주년 기념식〔식전〕. **2** (D- J-) 《英》 (여)왕 즉위 60주년제(祭)〔75주년 축전〕.
díamond wédding (보통 one's ~) 다이아몬드 혼식《결혼 60 또는 75주년 기념》.
Di·ana [daiǽnə] *n.* **1** 다이애나《여자 이름》. **2** 〖로마신화〗 다이아나《달의 여신; 처녀성과 사냥의 수호신》. ⓒⓕ Artemis.
di·an·thus [daiǽnθəs] *n.* Ⓒ 〖식물〗 패랭이속(屬)의 각종 식물.
di·a·pa·son [dàiəpéizən, -sən] *n.* Ⓒ 〖음악〗 **1** 화성; 선율; (악기·음성의) 전음역. **2** 음차(音叉).

di·a·per [dáiəpər] *n.* **1** Ⓤ 마름모 무늬(의 천, 무늬목). **2** Ⓒ 《美》 기저귀; 월경대: change a baby's ~*s* 아기의 기저귀를 갈아 주다.
di·aph·a·nous [daiǽfənəs] *a.* (천 따위가) 내비치는, 투명한.
°**di·a·phragm** [dáiəfræ̀m] *n.* Ⓒ **1** 〖해부〗 횡격막; 격막. **2** (송·수화기 따위의) 진동판; 〖사진〗 (렌즈의) 조리개. **3** (피임용) 페서리(pessary).
di·a·rist [dáiərist] *n.* Ⓒ 일기를 쓰는 사람; 일지 기록원; 일기 작자.
di·ar·rhea, 《英》 **-rhoea** [dàiərí:ə] *n.* Ⓤ 〖의학〗 설사: have ~ 설사를 하다. ㊕ **-rh(o)é·al, -rh(o)ét·ic** [-rétik] *a.*
†**di·a·ry** [dáiəri] *n.* Ⓒ **일기,** 일지; 일기장: keep a ~ =write in one's ~ every day 일기를 쓰다.
Di·as·po·ra [daiǽspərə] *n.* (the ~) **1** 디아스포라《Babylon 포수(捕囚) 후의 유대인의 이산》. **2** 〔집합적〕 이산한 유대인; 이산한 장소; 이스라엘 이외의 유대인 거주지.
di·a·stase [dáiəstèis] *n.* Ⓤ 〖화학〗 디아스타아제, 녹말당화〔소화〕 효소.
di·a·tom [dáiətəm] *n.* Ⓒ 〖식물〗 규조류(珪藻類).
di·a·ton·ic [dàiətánik/-tɔ́n-] *a.* 온음계의: the ~ scale 온음계.
di·a·tribe [dáiətràib] *n.* Ⓒ 통렬한 비난의 연설〔문장, 비평〕.
dib·ber [díbər] *n.* =DIBBLE.
dib·ble [díbəl] *n.* Ⓒ (씨뿌리기·모종내기에 쓰는) 구멍 파는 연장. **—***vt.* **1** ~으로 (지면)에 구멍을 파다. **2** ~으로 구멍을 파고 …을 심다〔파종하다〕《*in* …에》. **—***vi.* ~으로 구멍을 파다.
dibs [dibz] *n. pl.* 《구어》 **1** 잔돈. **2** 받을〔쓸〕 권리《*on* (물건)을》: I have 〔put〕 ~ *on* the magazine. 이번엔 내가 잡지를 읽을 차례다.
°**dice** [dais] (*sing.* **die** [dai]) *n. pl.* **1 a** 주사위: one of the ~ 주사위 한 개《★보통 2개를 함께 쓰기 때문에 a die 대신 이런 표현을 씀》. **b** 〔단수취급〕 주사위놀이, 노름: play (at) ~ 주사위를 던지다, 노름하다. **2** (주사위 꼴의) 작은 입방체.
load the ~ against 《구어》 …에게 불리〔유리〕하게 짜 놓다; …을 불리한 입장에 두다: The ~ were *loaded against* him. 그는 언제나 운이 나빴다. ***no ~*** 《구어》 안 돼, 싫다(no)《부정·거절의 대답》; 잘 안되다, 헛수고다.
—(*p., pp.* **diced; díc·ing**) *vi.* 주사위놀이를 하다《*with* (아무)와》; 노름〔내기〕하다《*for* …을 걸고》: I'll ~ *with* you *for* drinks. 너와 술을 걸고 내기하마. **—***vt.* **1** (야채 등)을 주사위 모양으로 썰다; 주사위 무늬로 장식하다. **2** 주사위놀이로〔노름으로〕 잃다(*away*): ~ *away* a fortune 노름으로 큰돈을 잃다. **3** (아무)와 주사위놀이를 하다《*for* …을 걸고》: ~ a person *for* drinks 아무와 술 내기로 주사위놀이를 하다. **4 a** 〖~ oneself〗 도박으로 …되다《*into* (상태)로》; 도박으로 탕진하다《*out of* (재산)을》: ~ one*self into* debt 도박으로 빚지다/~ one*self out of* a large fortune 도박으로 큰 재산을 탕진하다. **b** 도박으로 (아무)에게서 우려먹다《*out of* (재산)을》: ~ a person *out of* a large sum of money 도박으로 아무에게서 큰돈을 우려먹다.
~ with death (목숨을 걸고) 큰 모험을 하다.
dic·ey [dáisi] (*dic·i·er; -i·est*) *a.* 《英구어》 위험한, 아슬아슬한.

di·chot·o·my [daikátəmi/-kɔ́t-] *n.* **1** Ⓤ 【논리】 이분법《사물을 대립적인 개념에서 이분하는 논법》. **2** Ⓒ 이분, 양분《*between* (두 부분)으로 의》: a ~ *between* words and deeds 언행의 불일치.

Dick [dik] *n.* **1** 딕《남자 이름 Richard의 애칭; 남자의 일반적 명칭》. **2** (또는 d-) Ⓒ 《英구어》 놈, 녀석. **3** (d-) 《비어》 페니스, 남근(男根).

dick *n.* Ⓒ 《속어》 형사, 탐정(detective): a private ~ 사립 탐정.

Dick·ens [díkinz] *n.* **Charles ~** 디킨스《영국의 소설가; 1812-70》.

dick·ens [díkinz] *n.* (the ~) 《완곡어》 = DEUCE[2] 2, DEVIL 5《가볍게 저주·매도하는 말》: The ~! 어렵쇼; 빌어먹을/What the ~ is it? 도대체 뭐냐(What on earth ... ?).

dick·er [díkər] *vi.* 《美구어》 거래를 하다; 흥정하다, 값을 깎다; 교섭하다《*with* (아무)와; *over, for* …을》: We *~ed over* the price. 우리는 값을 흥정했다/I *~ed with* him *for* his political support. 그와 정치적 지지를 교섭했다. **—*n.*** Ⓤ (구체적으로는 Ⓒ) (값을 깎거나 올리거나 하는) 흥정; (정치상의) 타협, 협상.

dick·ey, dick·ie, dicky [díki] (*pl.* ***dick·eys, dick·ies***) *n.* Ⓒ **1** (뗄 수 있는) 와이셔츠의 가슴판; 앞치마, 턱받이; 장식용 가슴판《여성용》. **2** (주로 dicky) 《英》 (마차의) 마부석; (마차 뒤의) 종자석. **3** =DICKYBIRD. **—*a.*** 《英구어》 약한.

díckey·bird, dícky- *n.* Ⓒ 《소아어》 작은 새.

Dick·in·son [díkinsən] *n.* **Emily (Elizabeth) ~** 디킨슨《미국의 여류시인; 1830-86》.

di·cot·y·le·don [daikàtəlí:dən, dàikɑtəl-/-kɔ̀t-] *n.* Ⓒ 【식물】 쌍떡잎〔쌍자엽〕 식물.

dict. dictated; dictation; dictator; dictionary.

dic·ta [díktə] DICTUM의 복수.

Dic·ta·phone [díktəfòun] *n.* Ⓒ 딕터폰《속기용 구술 녹음기; 상표명》.

***dic·tate** [díkteit, -⌐] *vt.* **1** 《~+목/+목+전+명》 **구술하다**, (말하여) 받아쓰게 하다《*to* (아무)에게》: ~ a letter *to* the secretary 비서에게 편지를 받아쓰게 하다. **2** 《~+목/+목+전+명》 (조건 따위)를 **명령하다**, 지시하다《*to* (아무)에게》: ~ terms *to* a vanquished enemy 항복한 적에게 조건을 지시하다. **3** 《~+목/+*that* 절/+*wh.* 절》 규정하다, 명하다; 요구하다; 필요로 하다: Don't let impulse ~ your actions. 충동에 따라 행동하지 마라/Policy *~d that* the president (should) resign. 정책상 사장의 사임이 필요했다/The social code *~s how* we should behave in public. 사회적 규약이 남 앞에서 어떻게 처신해야 하는지를 규정한다.
—*vi.* 《+전+명》 **1** 받아쓰기를 시키다, 구술하여 필기케 하다《*to* (아무)에게》: ~ *to* a stenographer 구술하여 속기사에게 받아쓰게 하다. **2** 【보통 부정문】 지시〔명령〕하다《*to* (아무)에게》: *No* one shall ~ *to* me.(= I *won't* be ~d to.) 어느 누구의 지시도 받지 않겠다.
— [díkteit] *n.* Ⓒ (보통 *pl.*) (양심·이성 따위의) 명령, 지시: the *~s* of reason 이성의 명령.

***dic·ta·tion** [diktéiʃən] *n.* **1 a** Ⓤ **구술; 받아쓰기**: write a letter *at* 〔*from*〕 a person's ~ 아무의 구술로 편지를 쓰다. **b** Ⓒ 받아쓴〔구술한〕 것, 받아쓰기 시험: take a person's ~ 아무의 구술을 받아쓰다. **2** Ⓤ 명령, 지령, 지시: do something *at* the ~ *of* ... …의 지시에 따라 어떤 일을 하다.

dic·ta·tor** [díkteitər, -⌐-] (*fem.* ***dic·ta·tress [-tris]) *n.* Ⓒ **1 독재자**; (로마 시대의) 집정관. **2** 구수자(口授者), 받아쓰게 하는 사람.

dic·ta·to·ri·al [dìktətɔ́:riəl] *a.* 독재자의; 전제적인, 전단(專斷)하는; 오만한, 명령적인.

°**dic·ta·tor·ship** [díkteitərʃìp, -⌐-⌐] *n.* **1** Ⓤ (구체적으로는 Ⓒ) 독재자의 지위〔임기〕; 독재(권), 절대권. **2** Ⓒ 독재 정권〔정부, 국가〕: live under a ~ 독재 정권하에서 살다.

dic·tion [díkʃən] *n.* Ⓤ **1** 말씨; 용어의 선택, 어법, 말의 표현법: poetic ~ 시어(법). **2** 《美》 화법, 발성법.

†**dic·tion·ary** [díkʃənèri/-ʃənəri] *n.* Ⓒ **사전**, 사서: a Korean-English ~ 한영 사전/look up a word in a ~ 한 낱말을 사전에서 찾다/a walking 〔living〕 ~ 살아 있는 사전, 박식한 사람/see 〔consult〕 a ~ 사전을 찾아보다.

díctionary sòrt 【컴퓨터】 사전 차례의 정렬.

Dic·to·graph [díktəgræ̀f, -grɑ̀:f] *n.* Ⓒ 딕토그래프《도청용 또는 녹음용의 고감도 송화기; 상표명》.

dic·tum [díktəm] (*pl.* ***-ta*** [-tə], ***~s***) *n.* Ⓒ **1** (권위자, 전문가의) 공식 견해, 언명, 단정. **2** 【법률】 재판관의 부수적 의견(obiter ~). **3** 격언, 금언.

did [did] DO[1]의 과거.

di·dac·tic, -ti·cal [daidǽktik], [-əl] *a.* 가르치기 위한, 교훈적〔설교적〕인; 교훈벽(癖)이 있는. 파 **-ti·cal·ly** *ad.*

di·dác·tics *n.* Ⓤ 교수법, 교수학.

did·dle[1] [dídl] *vt.* 《구어》 (아무)를 속이다, (아무)에게서 편취하다《*out of* …을》: ~ a person *out of* his money 아무를 속여 돈을 빼앗다.

did·dle[2] *vt.* **1** 급속히 상하로 움직이게 하다. **2** 《속어·비어》 …와 성교하다. **—*vi.*** **1** 상하로 움직이다〔떨다〕. **2** 《속어》 농락하다《*with* …을》. **3** 《美》 시간을 허비하다(*around*).

did·dly *n.* Ⓤ 《美속어》 소량, 쓸모없는 양: not worth ~ 전혀 가치가 없는.

did·n't [dídnt] did not의 간약형.

di·do [dáidou] (*pl.* ~(***e***)***s***) *n.* Ⓒ 《구어》 농담, 장난; 희롱거림, 법석: cut 〔kick〕 (up) a ~ 〔~(*e*)*s*〕 장난치다, 야단법석을 떨다.

didst [didst] 《고어》 =DID《★ thou와 더불어 쓰임》: thou ~ =you did.

†**die**[1] [dai] (*p., pp.* ***died; dý·ing***) *vi.* **1** 《~/+전+명》 (사람·동물이) **죽다**《*of, from, by* …으로》; (식물이) 말라죽다: ~ at one's post 순직하다/~ in battle 〔an accident〕 전사하다〔사고로 죽다〕《★be killed 쪽이 일반적》/His father *~d* in 1960. 그의 아버지는 1960년에 작고했다/The flowers have *~d*. 꽃들이 시들어 죽었다/~ for one's country 나라를 위해 죽다/~ *of* illness 〔hunger〕 병사〔아사〕하다/~ *from* wounds 〔overwork〕 부상으로〔과로로〕 죽다/~ *by* violence 비명에 죽다.

> NOTE '…으로 죽다'의 경우, die *of*…는 병·굶주림·노쇠 같은 직접적인 원인, die *from*…은 부주의·외상(外傷) 같이 간접적인 원인일 때에 쓰는 경향이 있음.

SYN. **die** 일반적으로 '죽다'를 나타내는 말임. **decease** die의 완곡한 표현이지만, 법률용어로서도 쓰임. **expire** 에둘러서 사람이나 물건의 생명이 끝남을 말함. **perish** 보통 괴로움이나 폭력 따위로 '죽음'을 나타냄.
2 ⟪+[보]⟫ …한 상태로〔모습으로〕 죽다: ~ a hero 영웅으로서 생을 마치다, 용감하게 죽다 / She ~*d* young. 그녀는 젊어서 죽었다 / He ~*d* a beggar. 그는 거지 신세로 죽었다.
3 ⟪~/+[부]⟫ (불이) 꺼지다, (제도·풍습 따위가) 없어지다, (기억·명성 등이) 사라지다; (소리·빛 따위가) 희미해지다, (서서히) 엷어지다(*away; down; off; out*): The engine ~*d*. 엔진이 멈췄다 / The music slowly ~*d away*. 음악은 서서히 잦아들었다 / Don't let the fire ~ (*out*). 불을 꺼뜨리지 마라 / The wind slowly ~*d down*. 바람이 서서히 잤다 / His secret ~*d* with him. 그는 죽을 때까지 비밀을 지켰다 / This memory will never ~. 이 기억은 결코 잊혀지지 않을 것이다.
4 ⟪+*to* do/+[전]+[명]⟫ 〘보통 현재분사꼴로〙 ⟪구어⟫ 간절히 바라다⟪**for** …을⟫; 하고 싶어 애타다: She is *dying to* go. 그녀는 몹시 가고 싶어한다 / She is *dying for* a look at her child. 그녀는 애타게 아이를 한 번 보고 싶어한다.
—*vt.* 〘동족목적어인 death가 수식어를 취하여〙 …한 죽음을 하다: ~ a glorious death 명예롭게 죽다 / ~ a natural death 자연사하다.
~ ***away*** ⟪*vi.*+[부]⟫ ① (바람·소리 등이) 잠잠해지다(⇨*vi.* 3). ② 실신하다. ~ ***back*** ⟪*vi.*+[부]⟫ (초목이) 가지 끝에서부터 말라죽어서 뿌리만 남다. ~ ***down*** ⟪*vi.*+[부]⟫ ① (소리·불·흥분·바람 따위가) 조용해지다, 꺼지다, 그치다, 잠잠해지다(⇨*vi.* 3). ② =~ back (관용구). ~ ***hard*** 최후까지 저항하다, 좀처럼 죽지 않다; (습관·신앙 따위가) 좀처럼 사라지지 않다: Old habits ~ *hard*. 옛 습관이 좀처럼 없어지지 않는다. ~ ***in*** one***'s bed*** 병으로〔노쇠하여〕 죽다. ~ ***in*** one***'s shoes*** 〔***boots***〕 =~ ***with*** one***'s shoes*** 〔***boots***〕 ***on*** ⇨BOOT[1]. ~ ***off*** ⟪*vi.*+[부]⟫ ① 차례로 죽다, 죽어 없어지다: Her whole family ~*d off* one by one. 그녀의 전가족은 차례차례 죽어 없어졌다. ② (소리 따위가) 점점 희미해지다(⇨*vi.* 3). ~ ***out*** ⟪*vi.*+[부]⟫ ① 사멸〔절멸〕하다: The Browns ~*d out* in the 18th century. 브라운가는 18세기에 대가 끊겼다. ② (풍습 등이) 소멸하다(⇨*vi.* 3).

> **DIAL** ***Never say die!*** 죽는 소리 마라, 비관하지 마라, 힘을 내라.

die[2] (*pl.* ***dice*** [dais]) *n.* **1** Ⓒ 주사위; (*pl.*) 주사위 노름: The ~ is cast 〔thrown〕. 주사위는 던져졌다. **2** Ⓒ 주사위 모양의 물건.
die[3] (*pl.* ~***s*** [daiz]) *n.* Ⓒ 철인(鐵印); 거푸집; 찍어내는 본, 형판(型板); 다이스틀.
díe-awày *a.* 힘 없는, 풀죽은; 초췌한, 번민하여 여윈, (병 따위가) 오래 끄는: a ~ look 초췌한 표정 / a ~ disease 오래 끄는 병.
díe càsting 〘야금〙 다이 캐스팅⟪녹인 금속〔플라스틱〕 따위를 거푸집에 부어서 만드는 방법⟫; 다이 캐스팅 주조물.
díe·hàrd *n.* Ⓒ 완고한〔보수적인〕 사람.
díe-hàrd *a.* Ⓐ 끝까지 버티는〔저항하는〕; 완고한.
di·e·lec·tric [dàiiléktrik] 〘전기〙 *n.* Ⓒ 유전체(誘電體); 절연체. **—***a.* 유전성의; 절연성의.
dieresis ⇨ DIAERESIS.
Die·sel [dí:zəl, -səl] *n.* **Rudolf** ~ 디젤(디젤 기관을 발명(1892)한 독일인 기사; 1858-1913).
die·sel *n.* Ⓒ =DIESEL ENGINE; 디젤 기관차〔트럭, 배 따위〕.
díesel-elèctric *a.* 디젤 발전기의〔를 장비한〕.

—*n.* Ⓒ 디젤 전기 기관차(=∠ **locomótive**).
díesel èngine 〔**mòtor**〕 디젤 기관〔엔진〕.
díesel òil 〔**fùel**〕 디젤 유〔연료〕.
Di·es Irae [dì:eis-í:rei] ⟪L.⟫ '노여움의 날', 최후의 심판일; Dies Irae로 시작되는 찬미가.
‡**di·et**[1] [dáiət] *n.* **1** Ⓤ (구체적으로는 Ⓒ) (일상의) **식품**, 음식물: a meat 〔vegetable〕 ~ 육〔채〕식 / a ~ low in sugar 당분이 적은 음식물 / a low-calorie ~ 저칼로리식. **2** Ⓒ (치료·체중 조절을 위한) **규정식**; 식이 요법, 식사 제한: an invalid ~ 환자용 특별식 / go on a ~ 식이 요법을〔감량 다이어트를〕 시작하다 / take 〔keep〕 ~ 규정식을 먹다〔먹고 있다〕 / be on a ~ 식이 요법을 하고 있다, 규정식을 먹고 있다 / put a person on a special ~ 아무에게 특별 규정식을 먹게 하다.
—*vt.* **1** (의사가) …에게 규정식을 주다; 〘~ oneself〙 식이 요법을 하다, 다이어트를 하다. **2** …에게 식사를 시키다: The patient was ~*ed* with only milk and soup. 환자에게는 우유와 수프만 먹게 했다. **—***vi.* 규정식을 먹다, 식이 요법을 하다.
‡**di·et**[2] *n.* Ⓒ 정치〔종교, 국제〕 회의; (보통 the D-) **국회**, 의회⟪덴마크·스웨덴·일본 등지의⟫: The *Diet* is in session. 국회는 회기 중이다. ⓒⓕ congress, parliament.
di·e·tary [dáiətèri/-təri] *a.* 식사의, 음식의; 규정식의, 식이 요법의: a ~ cure 식이 요법.
—*n.* Ⓒ 규정식.
di·et·er [dáiətər] *n.* Ⓒ 규정식을 취하는 사람, 식이 요법자.
di·e·tet·ic, -i·cal [dàiətétik], [-əl] *a.* Ⓐ 영양의; 식이 요법의; (응용) 영양학의.
dì·e·tét·ics *n.* Ⓤ 응용 영양학; 식이 요법학.
di·e·ti·tian, -ti·cian [dàiətíʃən] *n.* Ⓒ 영양사; 영양학자.
diff. difference; different; differential.
‡**dif·fer** [dífər] *vi.* ⟪~/+[전]+[명]⟫ **1** (2개 이상의 사물이) **다르다**, 틀리다⟪**from** …와; **in** …의 점에서; **as to** …에 관해서⟫: Tastes ~. 취미는 사람마다 다르다 / ~ *from* a person *in* opinion 아무와 의견이 다르다 / The two regions ~ *in* religion and culture. 두 지역은 종교와 문화가 다르다. **2 의견이 다르다**〔맞지 않다〕⟪**with, from** …와; **on, about, over** …에 관하여; **in** …의 점에서⟫: I beg 〔I'm sorry〕 to ~ (*with* 〔*from*〕 you). 실례지만〔죄송하지만〕 (당신과) 저의 생각은 다릅니다 / I ~ strongly *with* 〔*from*〕 him *about* the matter 〔*on* that point〕. 나의 생각은 그 일〔그 점〕에 관하여 그와는 상당히 다릅니다 / We shouldn't ~ *over* trifles. 우리는 하찮은 일에 의견을 달리해서는 안 됩니다. ◇ difference *n.*
agree to ~ 견해 차이로 보고 더 논하지 않기로 하다.
‡**dif·fer·ence** [dífərəns] *n.* **1** Ⓤ (구체적으로는 Ⓒ) **다름**, **차**, 상위; 차이〔상위〕점⟪**between** …사이의; **from** …와의; **in** …에서의⟫. ⓒⓕ distinction. ¶the ~ of this book *from* that one 이 책과 그 책의 차이 / the ~ *between* man and woman 남녀의 차 / the ~ *in* quality 질의 차.
2 Ⓒ (흔히 *pl.*) 의견의 차이; 불화, 다툼; (국제간의) 분쟁: ~s of opinion 의견의 차이 / They settled their ~*s*. 그들은 논쟁을 해결했다.
3 Ⓤ (또는 a ~) (수·양의) 차; 차액: meet 〔pay〕 the ~ 차액을 보상〔지급〕하다 / There's a ~ of 5 dollars in price. 값에 5달러의 차이가 있다.

make a* 〔*the*〕 ~** ① 차이를 낳다; 영향을 미치다; 중요하다: It *makes a* ~ whether or not you join. 네가 참가하느냐 않느냐에 따라 사정이 달라진다/The flowers *made* all *the* ~ to the room. 방은 그 꽃으로 크게 달라져 보였다. ② 차별대우를 하다《between*** …을》: The teacher was condemned for *making a* ~ *between* boys and girls. 그 교사는 남학생과 여학생을 차별한 일로 비난받았다. ***split the* ~** ① 차액을 등분하다. ② (서로) 양보하다; 타협하다. ***What* ~ *does it make?*** 그게 어떻다는 겁니까; 상관없지 않습니까. ***What's the* ~?** 어떻게〔어디가〕 다르냐; 《구어》 상관없지 않나.

> **DIAL.** ***What is the time difference* 〔*the difference in time*〕 *between Seoul and San Francisco?—Seventeen hours, I believe.*** 서울과 샌프란시스코의 시차는 얼마나 됩니까—제가 알기로는 17 시간입니다.

†**dif·fer·ent** [dífərənt] *a.* **1** 다른, 상이한, 딴《***from, to, than*** …와; ***in*** …의 점에서》: Man is ~ *from* other animals. 인간은 다른 동물과 다르다/He felt like a ~ person. 그는 딴사람이 된 것같이 느껴졌다/A pigeon is ~ *in* size *to* a sparrow. 비둘기는 참새와 크기가 다르다/How ~ you are *to* your big brother! 당신은 큰 형과 무척 다르군요/This is ~ *from* what I expected. =This is ~ *than* I expected. 이것은 내가 기대했던 것과는 다르다.

> **NOTE** different에 이어지는 전치사는 from이 보통이지만, 《英구어》에서는 to, 《美구어》에서는 약식으로는 than이 쓰임. 단 뒤에 절이 이어질 때는 than을 씀: May is quite a ~ girl *than* she was five year ago. 메이는 5년 전과 전혀 다른 소녀가 되어 있다/Students are quite ~ *than* 〔*from* how, *from* what, *from* the way〕 they used to be. 학생들은 이전과 완전히 달라져 있다.

SYN. **different** '같지 아니함, 차이'가 강조됨: two *different* stories concerning an event 한 사건에 관한 두 개의 다른 이야기. **distinct** '분리, 무관계'가 강조됨. 유사 여부는 문제되지 않음: These two *distinct* accounts coincide. 이 두 개의 다른 이야기는 (우연히) 일치한다. **various, diverse** '종류의 다양성'이 강조됨. diverse에는 수사가 붙는 수가 있음: *various* types of seaweed 여러 가지 종류의 해초. three completely *diverse* proposals 각기 다른 세 개의 제안.

2 〖복수 명사를 수반하여〗 여러 가지의: at ~ times 여러 기회에/gather from ~ places 여러 곳에서 모이다. **3** 《구어》 색다른, 특이한(unusual), 특별한: a tobacco that is ~ 특별한〔고급〕 담배/He's a little ~. 그는 좀 색다른 데가 있다.

dif·fer·en·tia [dìfərénʃiə] (*pl.* **-ti·ae** [-ʃiìː]) *n.* Ⓒ **1** 차이점; 본질적 차이. **2** 〖논리〗 종차(種差), 특이성.

dif·fer·en·tial [dìfərénʃəl] *a.* **1** 차별〔구별〕의, 차이를 나타내는; 차별적인《임금·관세 등》, 격차의: ~ duties 차별〔특별〕 관세/~ wages 격차 임금/~ diagnosis 〖의학〗 감별 진단. **2** 〖수학〗 미분의. cf. integral. ¶~ geometry 미분 기하학. **—***n.* Ⓒ 차이, 상위; (임금) 격차; 〖수학〗 미분: =DIFFERENTIAL GEAR. ㊞ **~·ly** *ad.* 달리, 구별하여, 특이하게, 차별적으로.

differéntial cálculus (the ~) 〖수학〗 미분학.

differéntial géar 〔**géaring**〕 〖기계〗 차동 기어〔장치〕.

°**dif·fer·en·ti·ate** [dìfərénʃièit] *vt.* **1** 구별짓다, 구별〔차별〕하다, 식별하다《***from*** …와》: ~ the two sounds 그 두 가지 소리를 구별하다/~ a rat *from* a mouse 쥐를 생쥐와 식별하다. **2** (특징 따위가) …을 구분짓다, 차이나게 하다《***from*** …와》: Language ~*s* man *from* animals. 언어가 짐승과 인간을 차이나게 한다/What ~*s* these two species? 이 두 종(種)을 구분짓는 것은 무엇입니까.

—*vi.* **1** 식별하다, 구별하다《***between*** …을》: I cannot ~ *between* these two words. 이 두 단어를 구별할 수 없다/I can ~ *between* the genuine and the false. 나는 진짜와 가짜를 구별할 수 있다. **2** (기관·언어 따위가) 분화〔특수화〕하다《***into*** …으로》: This genus of plants ~*s into* many species. 이 식물의 속(屬)은 많은 종(種)으로 분화한다.

dìf·fer·èn·ti·á·tion *n.* Ⓤ (구체적으로는 Ⓒ) 구별, 식별; 차별 (대우); 분화, 특수화《***into*** …으로의》; 〖수학〗 미분. cf. integration.

díf·fer·ent·ly *ad.* **1** 다르게, 같지 않게《***from, to, than*** …와》: He feels ~ *from* me 〔*than* I (do)〕. 그는 나와 생각을 다르게 하고 있다. **2** 달리, 따로따로, 여러 가지로: They answered the question ~. 그들은 질문에 여러 가지로 대답했다.

†**dif·fi·cult** [dífikʌ̀lt, -kəlt] *a.* **1** 곤란한, 어려운, 힘드는, 난해(難解)한《***of*** …이; ***for*** (아무)에게/***to*** do》: a ~ problem 어려운 문제/a subject ~ *of* solution 해결하기 곤란한 문제/It's ~ *for* me to stop smoking. 나로서는 담배 끊기가 힘들다/This problem is ~ *to* solve. 이 문제는 풀기 어렵다/Greek is a ~ language *to* master. 그리스어는 습득하기 어려운 언어이다. **2** (사람이) 까다로운, 완고한: Don't be so ~. 그렇게 까다롭게 굴지 마라/He is a ~ person. 그는 까다로운 사람이다. ㊞ **~·ly** *ad.*

‡**dif·fi·cul·ty** [dífikʌ̀lti, -kəl-] *n.* **1** Ⓤ 곤란; 어려움: the ~ *of* find*ing* employment 취업난/with ~ 어렵게, 힘들게/without (any) ~ =with no ~ 어려움 없이; 쉽게, 수월하게/I have ~ (in) remembering names. 남의 이름 외기가 힘들다. **2** Ⓒ (보통 *pl.*) 어려운 일, 난점: face many *difficulties* 많은 어려움에 직면하다/Another ~ arises here. 여기 또하나의 난점이 발생하고 있다. **3** Ⓒ (흔히 *pl.*) 곤경, 《특히》 재정 곤란: be in *difficulties* (for money) (돈에) 곤란을 겪고 있다. **4** Ⓒ 불평, 불만; 이의, 불찬성; 다툼, 분규: labor *difficulties* 노동 쟁의/make 〔raise〕 *difficulties* =make a ~ 이의(異議)를 제기하다; 불평을 하다; 난색을 보이다.

be under a* ~** 역경에 처해 있다. ***iron out difficulties 장애를 제거하다; 일을 원활히 하다.

dif·fi·dence [dífidəns] *n.* Ⓤ **1** 자신 없음, 망설임, 사양. ↔ *confidence.* ¶with ~ 망설이면서, 주저하면서. **2** 암띰, 수줍음(modesty).

°**dif·fi·dent** [dífidənt] *a.* 자신 없는, 사양하는, 수줍은, 머뭇거리는《***about*** …에》: speak in a ~ manner 망설이면서 말하다/I was ~ *about* say*ing* so. 나는 그렇게 말하기가 망설여졌다. ㊞ **~·ly** *ad.*

dif·fract [difrǽkt] *vt.* 분산시키다; 〖물리〗 (빛·

전파 · 소리 따위)를 회절(回折)시키다.

dif·frác·tion *n.* Ⓤ 〖물리〗 (전파 따위의) 회절.

dif·fuse** [difjú:z] *vt.* **1 흩뜨리다,** 방산(放散)시키다; (빛 · 열 따위)를 **발산하다**: ~ heat 〔a smell〕. **2** (지식 · 소문 따위)를 퍼뜨리다, 유포하다; (친절 · 행복 따위)를 두루 베풀다, 널리 미치게 하다: ~ kindness 친절을 두루 베풀다 / ~ a feeling of happiness 행복감을 주위에 감돌게 하다 / His fame is ~*d* throughout the city. 그의 명성은 시중에 널리 퍼져 있다. **3** 〖물리〗 (기체 · 액체)를 확산(擴散)시키다. **—vi.* 흩어지다; 퍼지다; 〖물리〗 확산하다. ◇diffusion *n.*

— [difjú:s] *a.* **1** 흩어진; 널리 퍼진: The patient complained of ~ pain in his abdomen. 환자는 복부 전체의 통증을 호소했다. **2** (문체 따위가) 산만한, 말(수가) 많은: a ~ speech 장황한 연설. ㉮ **~·ly** [-fjú:sli] *ad.* **~·ness** [-fjú:snis] *n.*

dif·fús·er *n.* Ⓒ **1** 유포〔보급〕하는 사람. **2** (기체 · 광선 등의) 확산기, 방산기, 살포기.

dif·fus·i·ble [difjú:zəbəl] *a.* 퍼지는, 흩어질 수 있는; 전파〔보급〕될 수 있는; 〖물리〗 확산성의.

◇**dif·fu·sion** [difjú:ʒən] *n.* Ⓤ **1** 산포; 확산, 만연, 보급, 유포: nuclear ~ 핵(병기)확산 / the ~ *of* knowledge 〔learning〕 지식〔학문〕의 보급. **2** 〖물리〗 확산 (작용): ~ furnace 확산로(爐)《반도체 제조 장치의 하나》. ◇ diffuse *v.*

dif·fu·sive [difjú:siv] *a.* 산포되는; 보급력이 있는, 널리 퍼지는; 장황한, 산만한; 확산성의. ㉮ **~·ly** *ad.* **~·ness** *n.*

†**dig**[1] [dig] (*p., pp.* **dug** [dʌg], 《고어》 ***digged; dig·ging***) *vt.* **1** 《~+[목]/+[목]+[보]/+[목]+[부]/+[목]+[전]+[명]》 (땅 따위)를 **파다;** 파일구다(*up*); 파헤치다(*over*); (구멍 · 무덤)을 파다, 파서 뚫다: ~ a well 〔hole〕 우물〔구멍〕을 파다 / ~ trenches 참호를 파다 / ~ a grave open 무덤을 파헤치다 / ~ a field *up* 밭을 파일구다 / ~ *over* the garden 정원을 온통 파헤치다 / ~ a tunnel *through* the hill 언덕에 터널을 파다.

2 《+[목]+[부]/+[목]+[전]+[명]》 (광물)을 채굴하다; (보물 따위)를 발굴하다, 파내다(*up; out*)《***out of*** …에서》: ~ (*up*) potatoes 감자를 캐다 / ~ *up* treasure 보물을 파내다 / They *dug* Mayan artifacts *out of* the ruins. 그들은 폐허에서 마야족의 공예품을 파냈다.

3 《+[목]+[부]/+[목]+[전]+[명]》 탐구하다; 찾아〔밝혀〕내다, 조사해내다; 꺼내다(*up; out*)《***out of, from*** …에서》: ~ *out* the truth 진실을 탐색해내다 / ~ (*out*) facts *from* books 책에서 사실을 찾아내다 / They dug *up* some interesting facts about her. 그들은 그녀에 관해 흥미있는 사실을 밝혀냈다 / ~ a cigar *out of* one's pocket 호주머니에서 엽궐련을 꺼내다.

4 《+[목]+[전]+[명]》 (손발 · 칼 따위)를 지르다; 들이밀다, 찌르다《***in; into*** …에; ***with*** (손가락 · 팔꿈치 등)으로》: ~ one's hands *into* the pockets 호주머니에 손을 찌르다 / ~ a person *in* the ribs (팔꿈치 따위로) 아무의 옆구리를 찌르다《친밀감의 표시》/ The rider *dug* his horse *in* the flanks *with* his spurs. 기수는 박차로 말의 옆구리를 찔렀다.

—*vi.* **1** 《~/+[전]+[명]》 (손이나 연장을 써서) 흙〔구멍〕을 파다; 찾으려고 파다《***for*** …을》: ~ deep 깊이 파다 / ~ *through* a mine 갱도를 파나가다 / ~ *under* a mountain 산 밑을 파다 / ~ *for* gold 〔treasure〕 금〔보물〕을 찾아 땅을 파다.

2 《+[전]+[명]》 캐내려고 하다, 탐구하다《***for*** …을》: ~ *for* information 정보를 얻으려고 하다.

3 《+[전]+[명]》 꼼꼼히 조사하다, 연구하다《***into*** …을》: ~ *into* the works of an author 어떤 작가의 작품을 꼼꼼히 조사하다.

4 《+[부]/+[전]+[명]》 《美구어》 꾸준히 공부하다(*away*)《***at*** …을》: ~ *away* (*at* one's studies) (자기의 과제를) 꾸준히 공부하다.

5 《+[전]+[명]》 빈정거리다, 짓궂은 말을 하다《***at*** (아무)에게》.

~ *in* 《*vt.*+[부]》 ① 땅을 파고(비료 등)을 주다, (저장을 위해 감자 등)을 파묻다, …을 흙에 섞다. ② ⇨~ oneself in(관용구). **—**《*vi.*+[부]》 ③ 굴을〔참호를〕 파다. ④ 〖종종 명령형〗 《구어》 (먹기) 시작하다. ⑤ 《美구어》 〖dig in and ... 로〗 열심히 …하기 시작하다: ~ *in and* study 〔work〕 열심히 공부〔일〕하기 시작하다. ⑥ 의견〔입장〕을 고수하다; 버티다. **~ *into*** ① …을 철저하게 조사하다, 연구하다(⇨*vi.* 3). ② 《美구어》 (일 따위)를 열심히 시작하다. ③ 《구어》 (음식)을 게걸스럽게 먹기 시작하다: ~ *into* a huge bowl of stew 커다란 사발에 담긴 스튜를 게걸스럽게 먹다. **~ *out*** 《*vt.* +[부]》 ① 파내다(⇨*vt.* 2). ② 찾아내다(⇨*vt.* 3). ③ 땅을 파서 (여우)를 몰아내다. **~ *over*** 《*vt.* +[부]》 ① 파헤치다(⇨*vt.* 1). ② …을 재고(再考)하다. **~ one*self in*** ① 〖군사〗 참호를〔구멍을〕 파서 자기 몸을 보호하다〔숨기다〕. ② 《구어》 (장소 · 직장 등)에 자리잡다, 지위를〔입장을〕 굳히다: He's really *dug* him*self in* at our office. 그는 회사에서 제대로 자리를 잡았다. **~ *up*** 《*vt.*+[부]》 ① (황무지 등)을 파서 일구다; 파내다, 발굴하다(⇨*vt.* 1, 2): ~ *up* an old Greek statue 고대 그리스의 조상(彫像)을 발굴하다. ② (고구마 등)을 캐다. ③ 조사해내다; 밝혀내다(⇨*vt.* 3). ④ 《구어》 (비용 등)을 그러모으다.

> **DIAL.** ***Dig up!*** (귓구멍을 후비고) 잘 들어.

—*n.* **1** Ⓒ 《구어》 찌르기, 쿡 찌름: give a person a ~ in the ribs 아무의 옆구리를 쿡 찌르다. **2** Ⓒ 《구어》 빈정거림, 빗댐《***at*** …을》: That's a ~ *at* me. 그것은 나에 대한 빈정거림이다. **3** Ⓒ 발굴 (작업); 발굴물; 발굴지, 발굴 현장. **4** (*pl.*) 《구어》 하숙(diggings).

dig[2] *vt.* 《속어》 **1** 알다, 이해하다: Can you ~ me? 내 말을 이해하시겠습니까. **2** …에 주의하다. **3** 좋아하다, 즐기다. **—***vi.* 이해하다, 알다.

****di·gest** [didʒést, dai-] *vt.* **1** (음식물)을 **소화하다,** 삭이다: Food is ~*ed* in the stomach. 음식물은 위에서 소화된다. **2** …(의 뜻)을 잘 음미하다, 이해〔납득〕하다; 숙고하다(think over). **3 요약하다,** 간추리다; (압축하여) 정리〔분류〕하다: ~ a novel into 100 pages 소설을 100 페이지로 요약하다. **—***vi.* **1** 〖양태부사를 수반하여〗 소화되다, 삭다: This food ~*s* well 〔ill〕. 이 음식물은 소화가 잘〔안〕 된다. **2** 음식물을 소화하다.

— [dáidʒest] *n.* Ⓒ 요약; 적요; (문학 작품 따위의) 개요; 요약〔축약〕판. ㉮ **~·er** *n.*

di·gèst·i·bíl·i·ty *n.* Ⓤ 소화 능력〔능률〕.

di·gést·i·ble *a.* **1** 소화할 수 있는; 삭이기 쉬운. **2** 간추릴〔요약할〕 수 있는.

◇**di·ges·tion** [didʒéstʃən, dai-] *n.* **1 a** Ⓤ 소화(작용〔기능〕): food hard 〔easy〕 of ~ 소화가 안〔잘〕 되는 음식. **b** Ⓒ (보통 *sing.*) 소화력: have a strong 〔weak, poor〕 ~ 위가 튼튼〔약〕하다. **2** Ⓤ (정신적인) 동화 흡수; 동화력.

have the digestion of an ostrisch 위장이 몹시 약하다.

◇**di·ges·tive** [didʒéstiv, dai-] *a.* Ⓐ 소화의; 소화를 돕는: the ~ system 소화(기(器)) 계통 / ~ organs 〔juice, fluid〕 소화 기관〔액〕. — *n.* Ⓒ 소화제.

◇**dig·ger** [dígər] *n.* Ⓒ **1** 파는 사람〔동물〕; (금광 따위의) 갱부(坑夫); 구멍 파는 도구〔장치〕. **2** (때로 D-) 《속어》 (1·2차 대전 중의) 오스트레일리아〔뉴질랜드〕 사람〔병사〕. **3** 《속어》 당신; 동료, 짝.

dígger wàsp 〖곤충〗 나나니벌.

dig·ging [dígiŋ] *n.* **1** Ⓤ 파기; 발굴; 채굴, 채광. **2** (*pl.*) **a** 광산, 금광(지); 폐광. **b** 《英구어》 하숙.

dig·it [dídʒit] *n.* Ⓒ **1** 손가락, 발가락; 손가락폭 《약 0.75 인치》. **2** 아라비아 숫자《0에서 9까지; 0을 빼는 수도 있음》.

***dig·it·al** [dídʒitl] *a.* Ⓐ **1** 손가락의; 손가락이 있는; 손가락 모양의. **2 숫자의**; 숫자로 표시〔계산〕하는, 숫자를 사용하는: a ~ watch 〔clock〕 디지털 시계 / ~ display 디지털 표시 / a ~ transmission system (정보의) 디지털 전송 방식. **3** 〖전자〗 디지털 방식의: a ~ transmission system (정보의) 디지털 전송 방식. —*n.* Ⓒ 손〔발〕가락; (피아노·오르간의) 건(鍵).

dígital àudio tàpe 디지털 오디오 테이프《생략 DAT》.

dígital cómpact dísc 디지털 콤팩트 디스크 《생략 DCD》.

dígital bròadcasting 디지털 방송《디지털화한 음성 신호에 의한 방송》.

dígital compúter 디지털 컴퓨터. ⓒⓕ analog(ue) computer.

dígital ímage procèssing 〖전자〗 디지털 화상 처리《컴퓨터에 알맞도록 화상 정보를 디지털화(化)한 것》.

dig·i·tal·is [dìdʒitǽlis, -téi-] *n.* Ⓒ 〖식물〗 디기탈리스; Ⓤ 디기탈리스 제제(製劑)《강심제》.

dig·i·tal·ize [dídʒitəlàiz] *vt.* 〖컴퓨터〗 (계수형 계산기로 정보)를 수치화하다(digitize), 디지털〔계수〕화(化)하다.

dígital recórding 디지털 녹음.

dig·i·tate [dídʒitèit] *a.* 〖동물〗 손가락이 있는; 손가락 모양의; 〖식물〗 (잎이) 손바닥 모양의.

dig·i·tize [dídʒitàiz] *vt.* =DIGITALIZE.
㊕ **dìg·iti·zá·tion** *n.* Ⓤ 디지털화(化).

***dig·ni·fied** [dígnəfàid] *a.* **위엄**〔관록, 품위〕 **있는**: a ~ old gentleman 위엄 있는 노신사.
㊕ **~·ly** *ad.*

***dig·ni·fy** [dígnəfài] *vt.* …에 **위엄을 갖추다**; 고귀〔고상〕하게 (보이게) 하다《*by, with* …으로》: ~ a school *with* the name of an academy 학교를 아카데미라고 그럴 듯한 이름으로 부르다.

dig·ni·tary [dígnətèri/-təri] *n.* Ⓒ 고귀한 사람; (정부의) 고관.

‡**dig·ni·ty** [dígnəti] *n.* **1** Ⓤ **존엄**, 위엄; 품위, 기품: the ~ of labor 〔the Bench〕 노동〔법관〕의 존엄성〔위엄〕. **2** Ⓤ (태도 따위가) 무게 있음, 장중함, 위풍: a man of ~ 관록〔위엄〕 있는 사람. **3** Ⓒ 위계(位階), 작위.
be beneath 〔***below***〕 ***one's*** ~ 위엄을 손상시키다, 품위를 떨어뜨리다. ***stand*** 〔***be***〕 ***upon*** ***one's*** ~ 점잔을 빼다; 뽐내다.

di·graph [dáigræf, -grɑ:f] *n.* Ⓒ 〖언어〗 2자 1음, 이중자(二重字)《ch [k, tʃ, ʃ], ea [i:, e]와 같이 두 글자가 한 음(音)을 나타내는 것》.

◇**di·gress** [daigrés, di-] *vi.* (이야기·의제 따위가) 옆길로 빗나가다, 본제를 벗어나다, 지엽(枝葉)으로 흐르다《*from* …에서》: ~ *from* the main subject 주제에서 벗어나다.

◇**di·gres·sion** [daigréʃən, di-] *n.* Ⓤ (구체적으로는 Ⓒ) 지엽으로 흐름, 여담, 탈선: to return from the ~ 본제로 되돌아가서 / ..., if I make a ~ …여담으로 들어가도 괜찮으시다면.

di·gres·sive [daigrésiv, di-] *a.* 옆길로 벗어나기 쉬운; 본론을 떠난, 여담의, 지엽적인.
㊕ **~·ly** *ad.* **~·ness** *n.*

◇**dike, dyke** [daik] *n.* Ⓒ **1 a** 둑, 제방; 둑길. **b** 《비유적》 방벽(防壁); 방어 수단. **2** 《英》 도랑, 수로. —*vt.* …에 제방을 쌓다. —*vi.* 제방을 쌓다.

dik·tat [diktɑ́:t] *n.* Ⓤ (패전국 등에 대한) 절대적 명령.

dil. dilute.

di·lap·i·date [dilǽpədèit] *vt.* (방치하여 건물 따위)를 못쓰게 만들다, 황폐케 하다. —*vi.* 황폐해지다.

di·láp·i·dàt·ed [-id] *a.* **1** (집 따위가) 황폐해진, 무너져 가는, 헐어빠진. **2** (자동차 따위가) 낡은, 노후화된.

di·làp·i·dá·tion *n.* Ⓤ (건물 따위의) 황폐; (가구 따위의) 노후화; 파손.

dil·a·ta·tion [dìlətéiʃən, dàil-] *n.* Ⓤ **1** 팽창, 확장. **2** 〖의학〗 비대〔확장〕(증): ~ of the stomach 위확장.

***di·late** [dailéit, di-] *vt.* (몸의 일부)를 **팽창시키다**, 넓히다(expand): with ~*d* eyes 눈을 크게 뜨고. —*vi.* **1** (몸의 일부가) 넓어지다, 팽창하다: Her eyes ~*d* with horror. 공포로 그녀의 눈이 휘둥그레졌다. **2** 《+前+名》 상세히 설명〔부연〕하다《*on, upon* …을》: ~ *on* 〔*upon*〕 one's views 의견을 상세히 진술하다.

di·la·tion [dailéiʃən, di-] *n.* =DILATATION.

di·la·tor [dailéitər, di-] *n.* Ⓒ 〖의학〗 확장기(器)〔약〕; 〖해부〗 확장근(筋). ↔ *constrictor*.

dil·a·to·ry [dílətɔ̀:ri/-təri] *a.* **1** (사람·태도가) 더딘, 꾸물거리는. **2** 지연하는, 늦은(belated), 시간을 끄는《*in* …하는 데》: ~ tactics 지연작전 / be ~ *in* paying one's bills 값을 지불하는 데 시간을 끄는. ㊕ **dìl·a·tó·ri·ly** [-rili] *ad.* **díl·a·tò·ri·ness** *n.*

dil·do, -doe [díldou] (*pl.* ~*s*) *n.* Ⓒ 음경 모양의 자위(自慰)용 기구.

◇**di·lem·ma** [dilémə] *n.* Ⓒ **1** 진퇴양난, 궁지, 딜레마: I'm in a ~ about 〔over〕 this problem. 이 문제로 딜레마에 빠져 있다. **2** 〖논리〗 양도논법. ***be on the horns of a*** ~ =***be put into a*** ~ 딜레마〔진퇴유곡〕에 빠지다: He *was on the horns of a* ~ when he was offered another good job. 그는 또 하나의 좋은 일자리를 제안받았을 때 딜레마에 빠졌다.

◇**dil·et·tan·te** [dìlətɑ́:nt, -tǽnti] (*pl.* ~*s*, -*ti* [-ti:]) *n.* Ⓒ 딜레탕트, (문학·예술·학술의) 아마추어 애호가, 《특히》 미술 애호가. —*a.* 예술을 좋아하는; 전문가가 아닌.

dil·et·tant·ism, -tan·te·ism [dìlətǽntizəm, -tɑ́:nt-], [-tiizəm] *n.* Ⓤ 딜레탕티즘, 아마추어 예술.

***dil·i·gence**[1] [dílədʒəns] *n.* Ⓤ **근면**, 부지런함: with ~ 근면하게.

dil·i·gence[2] [dìləʒɑ́:ns, -dʒəns] *n.* 《F.》 Ⓒ (프랑스 등에서 사용하던) 승합 마차《장거리용》.

‡**dil·i·gent** [dílədʒənt] *a.* **근면한**, 부지런한; 애쓴, 공들인《*in* …에》: be ~ *in* one's studies 열

심히 공부하다/a ~ search 정성들인 조사.
㊥ *~·ly ad. 부지런히, 열심히.

dill [dil] n. Ⓤ 〖식물〗 시라(蒔蘿)《그 열매·잎은 향미료》.

dil·ly [díli] n. Ⓒ 《英구어》 훌륭한〔우수한, 놀랄 만한〕 것〔사람〕《★ 종종 반어적으로도 씀》: a ~ of a movie 근사한 영화.

dil·ly·dal·ly [dílidæ̀li] vi. (결단을 못 내리고) 우물쭈물하다《over …에 관하여》.

di·lute [dilú:t, dai-] vt. **1** (액체)에 물을 타다; (액체)를 묽게 하다, 희석하다《with …으로》: ~ wine *with* water 포도주를 물로 희석하다. **2** (잡물을 섞어서) …의 힘을〔효과 따위를〕 약하게 하다〔떨어뜨리다〕, 감쇄(減殺)하다. **—**a. 묽게 한, 희석한; 묽은. ◇ dilution n.

di·lu·tion [dilú:ʃən, dai-] n. **1** Ⓤ 묽게 하기, 희석, 희박(稀薄). **2** Ⓒ 희박해진 것, 희석액〔물〕. ◇ dilute v.

di·lu·vi·al [dilú:viəl, dai-] a. **1** 대홍수(大洪水)의《특히 Noah 의》. **2** 〖지질〗 홍적(洪積)(세, 기의): ~ formations 홍적층.

***dim** [dim] (*dím·mer; dím·mest*) a. **1** (빛이) **어둑한**, 어스레한: the ~ light of dusk 황혼의 어스레한 빛. **2 a** (사물의 형태가) 잘 안 보이는, 희미한, 흐릿한: the ~ outline of a mountain 산의 흐릿한 윤곽. **b** (기억 따위가) 희미한, 어렴풋한, 애매한: as far as my ~ memory goes 나의 희미한 기억에 남아 있는 한에서는. **3** (눈·시력이) 희미해서 잘 안 보이는, 흐린, 침침한: eyes ~ with tears 눈물로 흐려진 눈. **4** (이해력·청력이) 둔한; 《구어》 (사람이) 우둔한(stupid). **5** 《구어》 가망성이 희박한, 실현될 것 같지 않은: His chances of survival are ~. 그의 생존 가능성은 희박하다.
~ and distant 아주 먼 옛날의: in the ~ *and distant* past. ***take a ~ view of*** 《구어》 ① …을 의심스럽게〔회의적으로〕 보다. ② …에 찬성하지 않다, 좋게 생각하지 않다: My father *takes a ~ view of* my girlfriend. 나의 아버지는 내 여자 친구를 좋게 생각하지 않는다.
— (*-mm-*) vt. **1** 어둑하게 하다, 흐리게 하다. **2** 《美》 (헤드라이트)를 근거리용(用)으로 바꾸다〔감광(減光)하다〕. **3 a** (기억 따위)를 희미하게〔흐려지게〕 하다: Twenty years had not *~med* his memory. 20년이 지났는데도 그의 기억은 흐려지지 않았다. **b** (눈)을 흐리게〔침침하게〕 하다.
— vi. 《~/+전+명》 어둑해지다; 흐려지다, 침침해지다《with …으로》: ~ *with* tears (눈이) 눈물로 흐려지다.
~ down 〔***up***〕 《vt.+부》 (조명)을 점차 약〔강〕하게 하다. ***~ out*** 《vt.+부》 ① (조명)을 약하게 하다. ② (도시 따위)를 등화 관제하다, 어둡게 하다.
㊥ *´~·ly ad. **희미하게**, 어슴푸레하게. ´~·ness n. Ⓤ 어스름; 불명료.

dim. dimension; 〖음악〗 diminuendo; diminutive.

dime** [daim] n. **1** Ⓒ **10 센트 니켈 동전**, 다임《미국·캐나다의; 생략: d.》. **2** (a ~) 〔부정문에서〕 《구어》 한 푼, 푼돈: We did*n't* earn a ~ from the transaction. 우리는 그 거래에서 한 푼도 못 벌었다. ***a ~ a dozen 《美구어》 싸구려의, 흔해빠진.

díme nóvel 《美》 삼문(三文) 소설《값싸고 선정적인 소설; 원래 10센트였던 데서》.

***di·men·sion** [diménʃən, dai-] n. Ⓒ **1** (길이·폭·두께의) **치수**: the ~*s* of a room 방의 치수. **2** 〖수학·물리〗 차원(次元): of one ~ 1차원의, 선(線)의/of two ~*s* 2차원의, 평면의/of three ~*s* 3차원의, 입체의/⇨ FOURTH DIMENSION. **3** (보통 pl.) **a** 면적; 부피(bulk); 크기: a stadium of vast ~*s* 굉장히 큰 스타디움. **b** 규모, 범위, 정도; 중요성: a problem of great ~*s* 대단히 중요한 문제. **4** (문제 등의) 일면, 양상, 특질: There was a ~ to that problem which should have been considered. 그 문제에는 고려했어야 할 면이 한 가지 있었다.

di·men·sion·al [diménʃənəl] a. 〖종종 합성어로〗 치수의; …차(원)의: three-~ film 〔picture〕 입체 영화(3-D picture)/four-~ space, 4차원 공간.

díme stòre 《美》 10센트 가게, 싸구려 잡화점 (five-and-ten(-cent store)).

dimin. 〖음악〗 diminuendo; diminutive.

***di·min·ish** [dimíniʃ] vt. (수량·크기·정도·중요성 따위)를 **줄이다**, 감소시키다; (신용·명성 등)을 떨어뜨리다. ↔ *increase*. ¶ Illness had seriously ~*ed* his strength. 병으로 그의 힘은 몹시 쇠약해졌다. **—** vi. 감소〔축소〕하다; 작아지다: The country has ~*ed* in population. 그 나라의 인구가 감소했다.
the law of ~ing returns 〖경제〗 수확 체감의 법칙.

dimínished responsibílity 〖법률〗 한정 책임 능력《정신 장애 따위로 올바른 분별력이 현저히 감퇴한 상태; 감형의 대상이 됨》.

di·min·u·en·do [dimìnjuéndou] 《It.》 〖음악〗 (pl. ~**s**) n. Ⓒ 디미누엔도(의 악절). **—** a., ad. 점점 약한〔약하게〕《부호 >》.

***dim·i·nu·tion** [dìmənjú:ʃən] n. **1** Ⓤ **감소**, 감손, 축소; 저감(低減). **2** Ⓒ 감소액〔량, 분〕.

***di·min·u·tive** [dimínjətiv] a. **1** **소형의**, 작은; 자그마한, 《특히》 아주 작은: a man ~ in stature 몸집이 작은 사내. SYN. ⇨ SMALL. **2** 〖문법〗 지소(指小)의. **—** n. Ⓒ **1** 애칭, 통칭《Betsy, Kate, Tom 따위》. **2** 〖문법〗 지소(指小)(접미)사 《gos*ling*, stream*let*, lamb*kin* 따위》, 지소어.
㊥ ~·ly ad. 작게; 지소사로서; 애칭으로.

dimínutive súffix 지소어미〔접미사〕《-ie, -kin, -let, -ling 따위》.

dim·i·ty [díməti] n. Ⓤ 돋을(줄)무늬 무명《침대·커튼용》.

dím·mer n. **1** Ⓒ 어둑하게 하는 사람〔물건〕; (무대 조명·헤드라이트 따위의) 제광(制光) 장치, 조광기(調光器). **2** (pl.) 《美》 (자동차의) 주차 표시등(parking lights); 근거리용 헤드라이트.

***dim·ple** [dímpəl] n. Ⓒ **1** **보조개**: She's got ~*s* in 〔on〕 her cheeks. 그녀의 볼에 보조개가 있다. **2** (피부·땅·수면 등의) 움푹 들어간 곳; (빗방울로 수면에 생기는) 잔물결. **—** vi., vt. 보조개가 생기(게 하)다; 움푹 들어가(게 하)다; 잔물결이 일(게 하)다.

dím súm 고기·야채 따위를 밀가루 반죽에 싸서 찐 중국 요리.

dím·wìt n. Ⓒ 《구어》 멍청이, 바보, 얼간이.

dím-wít·ted [-id] a. 《구어》 얼간이〔바보〕의.

°**din** [din] n. Ⓤ (또는 a ~) 떠듦, 소음, (쾅쾅·쟁쟁하는) 시끄러운 소리: make 〔raise〕 (a) ~ 쾅쾅 소리를 내다. **—** (*-nn-*) vt. **1** (귀)를 멍멍하게 하다: ~ one's ears with cries 큰 소리쳐서 귀를 멍멍하게 하다. **2** 귀찮게〔귀가 따갑게〕 되풀이해서 들려 주다《*into* (귀 따위)에》: These rules of etiquette are ~*ned into* us 〔our ears〕

from infancy. 이런 예절은 어린 시절부터 귀가 따갑도록 듣고 있다. —*vi.* (귀가 멍멍하도록) 울리다: The sounds were still ~*ning* in his ears. 그 소리는 아직도 그의 귀에 쟁쟁히 울리고 있었다.

DIN *Deutsche Industrie Normen* 《G.》 (=German Industry Standard) 독일 공업 규격《미국 이외의 지역에서 쓰이고 있음; cf. ASA》.

Di·na(h) [dáinə] *n.* 다이나《여자 이름》.

di·nar [diná:r] *n.* Ⓒ 디나르《유고슬라비아·이란·이라크 등지의 화폐 단위》.

dine [dain] *vi.* **정찬을 들다**《보통 have dinner 라고 함》, 《특히》 저녁 식사를 하다; 〖일반적〗 식사하다: ~ like a king (왕처럼) 호화판 식사를 하다. —*vt.* (사람)을 정찬〔저녁 식사〕에 초대하다; …에게 저녁〔만찬〕을 베풀다. cf. dinner.

~ ***in*** 집에서 식사하다(↔ *dine out*). ~ ***off*** ① …을 저녁〔만찬〕으로 먹다: We ~*d off* a steak with vegetables. 우리는 스테이크에 야채를 곁들여 저녁 식사를 했다. ② (아무)의 식사 대접을 받다. ③ =~ out on (관용구). ~ ***on*** =~ off (관용구) ①. ~ ***out*** 《*vi.*+副》 밖에서 식사하다, 외식하다《특히, 레스토랑 등에서》. ~ ***out on...*** ① (재미있는 이야기·경험담 따위)의 덕분으로 여러 곳에서 식사에 초청받다〔향응을 받다〕. ② (재미있는 이야기·경험담)의 덕분으로 유명해지다〔인기인이 되다〕.

din·er [dáinər] *n.* Ⓒ **1** 식사하는 사람; 정찬〔만찬〕 손님. **2** 《美》 (열차의) 식당차(dining car); 식당차풍의 간이식당.

díner-òut (*pl.* ***díners-òut***) *n.* Ⓒ 외식하는 사람; 《특히》 밖에서 만찬을 드는 사람.

di·nette [dainét] *n.* Ⓒ (부엌 구석 등의) 약식 식당; 약식 식당 세트(=~ **sèt**)《식탁과 의자의 세트》.

ding [diŋ] *vi.* (종이) 땡땡 울리다. —*vt.* (종)을 울리다; 《구어》 되풀이하여 일러 주다. —*n.* Ⓒ 종소리.

díng·bàt *n.* Ⓒ **1** (돌·벽돌 등) 투척물이 되기 쉬운 것. **2** 《美구어》 바보; 기인, 괴짜.

ding·dong [díŋdɔ̀(:)ŋ, -dɑ̀ŋ] *n.* Ⓤ 땡땡《종소리 등》. —*a.* Ⓐ 막상막하의, 팽팽히 맞서는《경기 따위》: a ~ race 막상막하의 경주; 접전, 격전. —*ad.* 땡땡.

din·ghy [díŋgi] *n.* Ⓒ 구명 보트; (비행기의) 고무제 구명 보트; 경주용〔레저용〕 소형 요트.

din·gle [díŋgəl] *n.* Ⓒ (수목이 우거진) 작은 협곡(dell).

din·go [díŋgou] (*pl.* ~***es***) *n.* Ⓒ 딩고《붉은 갈색의 오스트레일리아 들개》.

din·gus [díŋgəs] *n.* Ⓒ 《美구어》 ('저…' 할 때처럼 이름을 알 수 없는) 것, 장치.

din·gy [díndʒi] (***-gi·er; -gi·est***) *a.* 거무스름한, 그을은; 더러운, 지저분한: a dark, ~ room 어둡고 지저분한 방. 㖅 **dín·gi·ly** *ad.* **-gi·ness** *n.*

díning càr 《美》 식당차(《英》 buffet car).

díning ròom 식당《가정·호텔의 정식 식사의》.

díning tàble 식탁(dinner table).

dink, DINK, Dink [diŋk] *n.* Ⓒ (보통 *pl.*) 딩크《아이 없는 맞벌이 부부의 한 쪽; 수준 높은 생활을 즐김》. [◂ *d*ouble *i*ncome, *n*o *k*ids]

din·key [díŋki] (*pl.* ***~s, dínk·ies***) *n.* Ⓒ 《구어》 소형 기관차《구내 작업용》; 소형 전차(電車); 자그마한 것.

dinky [díŋki] (***dink·i·er; -i·est***) *a.* 《구어》 **1** 《美》 자그마한, 하찮은. **2** 《英》 작고 귀여운; 산뜻한, 말쑥한. —*n.* =DINKEY.

din·ner [dínər] *n.* **1** Ⓤ (수식어를 수반하는 종류는 Ⓒ) **정찬; 저녁 식사**: an early 〔a late〕 ~ 오찬〔만찬〕/ask a person to ~ 아무를 정찬에 초대하다/at 〔before, after〕 ~ 식사 중〔전, 후〕/have 〔take〕 ~ 정찬〔만찬〕을 먹다, 식사하다/a good 〔poor〕 ~ 충분한〔만족스럽지 못한〕 식사.

> NOTE 하루의 주요 식사를 일컬으며, 영·미 다 대체로 저녁 식사가 dinner가 됨. 타인을 초대하는 저녁 식사는 supper가 아니라 dinner임. 다만, 일요일에 점심을 dinner로 하면 저녁 식사는 tea 또는 supper, 저녁 식사를 dinner로 하면 점심은 lunch가 됨.

2 Ⓒ 공식 만찬(회): throw a ~ 만찬회를 열다. **3** Ⓒ 정식(table d'hôte): Four ~*s* at $5 a head. 1인당 5달러 정식 4인분. ◇ dine *v.*

> DIAL. ***What would you like for dinner?—I'd like roast beef if possible.*** 저녁 식사로는 무엇이 좋겠습니까—가능하다면 로스트 비프가 좋겠는데요.

dínner bèll 정찬을〔식사를〕 알리는 종.

dínner jàcket 《英》 (신사용) 약식 야회복(《美》 tuxedo).

dínner pàrty 만찬회.

dínner sèrvice 〔**sèt**〕 정찬용 식기 한 벌.

dínner tàble 식탁.

dínner thèater 《美》 극장식 식당.

dínner·time *n.* Ⓤ 만찬〔정찬〕 시간.

dínner wàgon (바퀴 달린) 이동 식기대.

dínner·wàre *n.* Ⓤ 식기류.

di·no·saur [dáinəsɔ̀:r] *n.* Ⓒ **1** 〖고생물〗 공룡. **2** 거대하여 다루기 힘든 것; 시대에 뒤진 것. 㖅 **dì·no·sáu·ri·an** [-riən] *a.*

dint [dint] *n.* 〖다음 관용구로만 쓰임〗 ***by ~ of*** …의 힘〔덕〕으로; …에 의하여: He got the prize *by ~ of* hard work. 그는 열심히 공부한 덕분에 상을 탔다.

di·oc·e·san [daiάsəsən/daiɔ́s-] *a.* Ⓐ 사교(司敎)〔주교〕 관구의.

di·o·cese [dáiəsis, -sì:s] *n.* Ⓒ 사교〔주교〕 관구.

di·ode [dáioud] *n.* Ⓒ 〖전자〗 이극(二極)(진공)관; 다이오드.

Di·og·e·nes [daiάdʒənì:z/-ɔ́dʒ-] *n.* 디오게네스《그리스의 철학자; 412?–323 B.C.》.

Di·o·ny·sia [dàiəníʃiə, -siə] *n. pl.* Dionysus 제(祭), 주신제(酒神祭).
㖅 **-sian, -i·ac** [-ʃiən, -siən], [-siæ̀k] *a.* Dionysus 의; 주신제의.

Di·o·ny·sus, -sos [dàiənáisəs] *n.* 〖그리스 신화〗 디오니소스《주신(酒神); 로마 신화에서는 Bacchus》.

Di·or [diɔ́r] *n.* **Christian** ~ 디오르《1905–57; 프랑스의 패션 디자이너》.

di·o·ra·ma [dàiərǽmə, -rά:mə] *n.* Ⓒ **1** 디오라마, 투시화(透視畫). cf. panorama. **2** (소형 모형) 실경(實景); 디오라마관(館).

di·ox·ide [daiάksaid, -sid/-ɔ́ksaid] *n.* Ⓒ 〖화학〗 이산화물(二酸化物): carbon ~ 이산화탄소, 탄산가스.

di·ox·in [dàiάksin/-ɔ́k-] *n.* Ⓤ 〖화학〗 다이옥신《독성이 강한 유기염소 화합물; 제초제 등》.

DIP [dip] 〖전자·컴퓨터〗 2중 인라인 패키지, 딥《두 줄로 배열된 핀으로 회로 기판에 결합된 집

적회로 모듈》. [◂ dual in-line package]

‡dip [dip] (p., pp. **~ped** 《드물게》 **~t**; **∸·ping**) *vt*. **1** 《~+목/+목+부/+목+전+명》 **(살짝) 담그다**, 적시다(*in*)《*in, into* (액체)에》: ~ a towel (*in*) 수건을 적시다/~ the bread *in* the milk 빵을 우유에 적시다/~ one's pen *into* the ink 펜을 잉크에 살짝 담그다. **2** 〖기독교〗 …에게 침례를 베풀다. **3** (양(羊))을 살충 약물에 넣어 씻다; (옷감을) 담궈서 염색하다. **4 a** (기 따위)를 잠깐 내렸다 곧 올리다《경례 · 신호 등을 위하여》: The battleship *~ped* its flag in salute. 군함은 기를 가볍게 내렸다 올려 경의를 표시했다. **b** 가볍게 머리 숙이다; 가볍게 무릎을 굽히다《인사하기 위하여》: ~ a curtsy 가볍게 무릎을 굽혀 인사하다/He had to ~ his head to enter the room. 그는 방에 들어가기 위해 약간 머리를 숙여야 했다. **c** 《英》 (헤드라이트)를 근거리용(用)으로 바꾸다, 감광(減光)하다(《美》 dim). **5 a** 《~+목/+목+부/+목+전+명》 퍼〔떠〕내다(*up; out*)《*from, out of* …에서》: ~ water *out of* a boat 보트에서 물을 퍼내다/*Dip up* a bucketful of water *from* the well. 우물에서 물을 한 버킷 가득히 길어라/She *~ped out* the soup with a ladle. 그녀는 국자로 수프를 떠냈다. **b** 《+목+전+명》 (무언가를 꺼내기 위해) (손 · 스푼 따위)를 넣다, 지르다《*into* …에》: He *~ped* his hand *into* his trouser pocket for change. 그는 잔돈을 꺼내려고 바지 호주머니에 손을 넣었다.

—*vi*. **1** 《+전+명》 잠겼다 나오다, 잠깐 잠기다《*in, into* (액체)에》: He *~ped into* the pool. 그는 풀 속에 몸을 담궜다. **2** 《+전 +명》 (무엇을 퍼〔꺼〕내려고) 손 따위를 디밀다〔집어넣다〕《*into* … 속에》: ~ *into* a bag 가방 속에 손을 넣다. **3 a** (해가) 지다; 가라앉다; 내려가다: The sun *~ped* below the horizon. 해는 지평선 아래로 졌다/The bird *~ped* in its flight. 새는 살짝 내려가면서 날아갔다. **b** 《~/+전+명》 (도로 · 토지 등이) 내리막이 되다, (아래쪽으로) 기울다: The land *~s* sharply 〔gently〕 *to* the south. 그 토지는 남쪽으로 급히〔비스듬히〕 경사졌다. **4** (여성이) 무릎을 약간 굽혀 인사하다; (가격 · 매상이) 일시적으로 떨어지다. **5** 《+전+명》 띄엄띄엄 주워 읽다; 대충 조사〔연구〕하다《*into* …을》: ~ *into* a book 책을 대충 읽다/~ *into* the future 장래의 일을 헤아려 보다.

~ in 《*vi*.+부》 (받아야 할 것의) 자기 몫을 받다. **~ *into* one's *pocket*** 〔***purse, money, savings***〕 (필요해서) 돈을 꺼내다; 저금에 손을 대다.

—*n*. **1** Ⓒ 담그기, 잠그기; 잠깐 잠기기; 한번 멱감기: have 〔take〕 a ~ in the sea 해수욕을 한 차례 하다. **2** Ⓒ (수프 등의) (한번) 푸기〔떠내기〕. **3 a** Ⓤ 침액(浸液), (양의) 침세액(浸洗液)(sheep-~). **b** Ⓒ (물 · 약 등으로) 깨끗이 씻기〔헹구기〕: give the sheep a ~ 양을 침세액에 담궈 씻다. **4** Ⓒ (도로의) 경사; (땅의) 우묵함; (지반의) 침하(沈下); 내리막길. **5** Ⓒ (실심지) 양초. **6** Ⓒ (값 따위의 일시적) 하락. **7** Ⓒ 〖측량〗 (지평선의) 안고차(眼高差), 눈높이; (전깃줄의) 수하도(垂下度). **8** Ⓒ 《속어》 소매치기. **9** Ⓤ (종류는 Ⓒ) 딥《빵 · 비스킷 · 야채 따위를 찍어 먹는 드레싱 · 소스 따위》: a cheese ~ 치즈딥. **10** Ⓒ 《美속어》 바보.

◇diph·the·ria [difθíəriə, dip-] *n*. Ⓤ 〖의학〗 디프테리아. ㊕ **-ri·al, -ther·ic, -the·rit·ic** [-l], [-θérik], [dìfθərítik, dìp-] *a*.

diph·thong [dífθɔːŋ, díp-/-θɔŋ] *n*. Ⓒ 〖언어〗 **1** 이중모음《[ai, au, ɔi, ou, ei, uə] 따위》. ↔ *monophthong*. **2** (한 모음을 나타내는) 겹자 (digraph)《eat의 ea 따위》.

㊕ **diph·thón·gal** [-ŋgəl] *a*. 이중모음의.

***di·plo·ma** [diplóumə] (*pl*. **~s,** 《드물게》 **~·ta** [-tə]) *n*. Ⓒ **1 졸업 증서**, 학위 수여증; 면허장《*in* …의》: receive 〔get〕 one's ~ *in* law 법학사 학위 수여증을 받다/have a ~ *in* nursing 간호사 면허장을 소지하다. **2** 상장, 감사장, 포장; 훈기(勳記).

***di·plo·ma·cy** [diplóuməsi] *n*. Ⓤ **1 외교**; 외교술〔수완〕. **2** (교섭상의) 술책, 권모술수.

diplóma mìll 《구어》 학위 남발 대학.

***dip·lo·mat** [dípləmæ̀t] *n*. Ⓒ **외교관**; 외교가; 권모술수에 능한 사람.

***dip·lo·mat·ic** [dìpləmǽtik] *a*. **1** Ⓐ **외교의**, 외교상의; 외교관의: establish 〔break〕 ~ relations 외교 관계를 수립하다〔단절하다〕/the ~ corps 〔body〕 외교단/the ~ service 외교관 근무; 〖집합적〗 대사관〔공사관〕 직원/go into the ~ service 외교관이 되다. **2** 외교 수완이 있는, 책략에 능한(tactful); (타인의 응대에) 소홀함이 없는, 실수 없는: exercise one's ~ skill 외교적 수완을 발휘하다. **3** Ⓐ (판이) 원전대로의, 원문의: a ~ copy 원문대로의 필사(筆寫).

dip·lo·mat·i·cal·ly [dìpləmǽtikəli] *ad*. **1** 외교상; 외교적으로. **2** 외교적 수완을 발휘하여; 술책을 부려; 소홀함이 없이: refuse an offer ~ 능숙하게〔모가 나지 않게〕 제안을 거절하다.

diplomátic bàg =DIPLOMATIC POUCH.

diplomátic immúnity 외교관 면책 특권《관세 · 체포 · 가택 수색 따위에 대한》.

diplomátic póuch 외교 행낭(行囊).

di·plo·ma·tist [diplóumətist] *n*. Ⓒ **1** 외교가, 외교에 능한 사람. **2** 외교관.

◇dip·per [dípər] *n*. **1** Ⓒ 국자, 퍼〔떠〕내는 도구; (준설기 등의) 버킷, 디퍼. **2** (the D–) 북두칠성(the Big Dipper)《큰곰자리의 일곱 별》; 소북두성(the Little Dipper)《작은곰자리의 일곱 별》. **3** Ⓒ 담그는 사람〔것〕. **4** Ⓒ 잠수하는 새《물총새 · 물까마귀 따위》. [◂ dip]

dip·py [dípi] (**-pi·er; -pi·est**) *a*. 《속어》 머리가 돈, 환장한.

dip·so [dípsou] (*pl*. **~s**) *n*. Ⓒ 《美구어》 알코올 중독자(dipsomaniac), 대주가.

dip·so·ma·nia [dìpsouméiniə] *n*. Ⓤ 〖의학〗 음주광(狂), 알코올 중독. ㊕ **-ni·ac** [-niæ̀k] *n*. Ⓒ 알코올 중독자.

díp·stìck *n*. Ⓒ (특히 자동차 crankcase 안의 기름 따위를 재는) 계심(計深)〔계량〕봉(棒).

díp·swìtch *n*. Ⓒ 《英》 (헤드라이트 광선을 줄이는) 딥 스위치.

DÍP swìtch 〖컴퓨터〗 딥 스위치, 이중 인라인 패키지 스위치. cf. DIP.

dip·ter·al, -ous [díptərəl], [-əs] *a*. 〖곤충〗 쌍시류의《파리 · 모기 따위》.

dip·tych [díptik] *n*. Ⓒ 〖고대로마〗 둘로 접는 기록판(板); 두 쪽으로 된 그림〔조각〕《제단 장식용》.

◇dire [daiər] (**dir·er** [dáirər/dáiərər]; **dir·est**) *a*. **1** Ⓐ 무서운(terrible); 비참한(dismal), 음산한: ~ news 비보(悲報)/a ~ calamity 대참사. **2** (필요 · 위험 등이) 긴박한, 극단적인: There's a ~ need for food. 식량이 시급히 필요하다.

‡di·rect [dirékt, dai-] *vt*. **1** 《+목+부/+목+전+명》 (주의 · 노력 · 발걸음 · 시선 등)을 기울이다, **돌리다**, 향하게 하다《***at, to, toward*** (쪽)으로》:

~ one's attention *to* …에 주의를 돌리다 / ~ one's steps *homeward* 〔*toward* home〕 집으로 가다.

2 《+목+전+명》 …에게 길을 가리켜 주다《*to* …에 가는》: Will you ~ me *to* the station? 정거장에 가려면 어디로 갑니까. SYN. ⇨GUIDE.

3 《~+목/+목+전+명》 (편지 · 소포 따위)에 **겉봉을 쓰다**《*to* (주소)로》《★address쪽이 일반적》: ~ a letter 편지에 겉봉을 쓰다 / ~ a parcel *to* a person's home address 소포를 아무의 집주소로 하다.

4 지도하다, 지휘하다; 관리하다; (연극 · 영화 따위)를 감독〔연출〕하다: Prof. Smith *~ed* my studies. 스미스 교수가 나의 연구를 지도했다 / A policeman is *~ing* (the) traffic. 경관이 교통정리를 하고 있다 / ~ a play 극을 감독하다.

5 《+목+*to* do/+*that* 절》 지시하다, 명령하다: ~ the room *to* be put in order 방을 정리하라고 지시하다 / The policeman *~ed* the car *to* proceed. 경관은 차를 전진시키라고 지시했다 / The general *~ed that* his men (should) retreat. 장군은 부하들에게 퇴각하라고 명령했다.

SYN. **direct** 명령하는 동시에 방법 따위를 지도하다, 지시하다. 사람의 상하 관계보다도 목적 수행의 의도가 강조됨. **order** 명령하는 사람의 입장이 상위임을 나타냄. **command** order 보다 형식적인 말; 명령을 받는 사람이 복수인 경우가 많음.

—*vi.* **1** 《美》 〖음악〗 **지휘하다**: Who will ~ at tomorrow's concert? 내일 연주회에서는 누가 지휘합니까.

2 (극 · 영화 등에서) 감독〔연출〕하다.

—(*~·er; ~·est*) *a.* **1 똑바른**; 직행〔직진〕의; 직계의(lineal): a ~ descendant 직계 비속(卑屬) / ~ rays 태양의 직사 광선 / a ~ train 직행 열차.

2 직접의(immediate). ↔ *indirect*. ¶ have a ~ influence 직접적인 영향을 받다 / ~ selling 직접 판매 / ~ lighting 직접 조명.

3 솔직한; 노골적인; 명백한: a ~ question 〔answer〕 솔직한 질문〔답변〕 / make a ~ denial of …을 드러내놓고 부정하다.

4 Ⓐ 진정한, 절대의: the ~ contrary 〔opposite〕 정반대(의 것).

5 Ⓐ 〖문법〗 직접적인: a ~ object 직접 목적어 / ~ narration 〔speech〕 직접 화법.

—*ad.* **똑바로**; 직접(으로); 직행으로《★directly와 똑같이 쓰임》: go 〔fly〕 ~ to Paris 파리로 직행하다 / Answer me ~. 솔직히 대답하시오.

㊞ **~·ness** *n.* Ⓤ 똑바름; 직접(성); 솔직.

diréct áction 직접 행동《위법한 정치 행동, 특히 파업 따위》.

diréct addréss 〖컴퓨터〗 직접 번지. cf. indirect address.

diréct cúrrent 〖전기〗 직류《생략: DC》. ↔ *alternating current*. ¶ a ~ dynamo 〔generator〕 직류 발전기 / a ~ motor 직류 전동기.

diréct débit (공납금 따위의) 계좌 자동 이체: You can pay by ~. 자동 이체로 지급할 수 있습니다.

diréct frée kíck 〖축구〗 직접 프리킥.

diréct ínput devìce 〖컴퓨터〗 (키보드 따위의) 직접 입력 장치.

‡di·rec·tion [dirékʃən, dai-] *n.* **1** Ⓤ **지도**, 지휘, 감독, 관리: feel the need of ~ 지도의 필요성을 느끼다 / The factory is under the ~ of the government. 그 공장은 정부의 관리하에 있다. **2** Ⓒ (보통 *pl.*) 지시; 명령; 지시서, 사용법, 설명서《***as to, for*** …에 관한》: *~s for* use 사용법 / give *~s* 지시하다 / Full *~s* inside. 상세한 사용법은 안에 들어 있음《약갑의 표시문》. **3** Ⓤ 〖연극 · 영화〗 연출, 감독; 〖음악〗 지휘. **4** Ⓒ **방향**, 방위; 방면: in all *~s* =in every ~ 사방팔방에서; 각 방면에 / in the opposite 〔same〕 ~ 반대〔같은〕 방향에 / angle of ~ 방위각 / a sense of ~ 방향 감각《★ 관사 없이》. **5** Ⓒ (행동 · 사상 등의) 경향, 추세: the ~ of contemporary thought 현대 사조 / new *~s* in art 예술의 새로운 경향.

> DIAL. ***Could 〔Can〕 you give me directions to the Imperial Hotel?—I'm afraid it's too complicated to explain. Why don't you take a taxi?*** 임페리얼 호텔로 가는 길을 가르쳐 주시겠습니까—너무 복잡해서 설명하기가 힘들군요. 택시를 타시면 어때요.

di·rec·tion·al [dirékʃənəl, dai-] *a.* 방향의, 방위(상)의; 〖통신〗 방향 탐지의, 지향성의: a ~ antenna 지향성 안테나 / a ~ arrow 〔marker, post〕 도표(道標), 안내 표지 / a ~ light (자동차 따위의) 방향 지시등.

diréction finder 〖통신〗 방향 탐지기, 방위 측정기.

di·rec·tive [diréktiv, dai-] *a.* Ⓐ **1** 지시하는; 지도〔지휘, 지배〕하는; 지도적인. **2** 〖통신〗 지향성의. **—***n.* Ⓒ 지령(order), 명령: a ~ from party headquarters 당본부로부터의 지령.

‡di·rect·ly [diréktli, dai-] *ad.* **1 똑바로**, 일직선으로; **직접**: The path leads ~ to the lake. 오솔길은 곧장 호수로 통하고 있다 / He's ~ responsible for it. 그가 그 일에 직접 책임을 지고 있다. **2 곧**, 즉시: Do that ~. 즉시 그것을 해라. **3** 이내, 머지않아, 이윽고: They will be here ~. 머지않아 그들이 나타날 것이다. **4** 바로: ~ opposite the store 가게의 바로 맞은쪽에. **—***conj.* 《英구어》 …하자마자(as soon as): *Directly* he arrived, he mentioned the subject. 그는 오자마자 그 이야기를 꺼냈다.

diréct máil 다이렉트 메일《직접 개인이나 가정으로 보내는 광고 우편물》.

diréct mémory àccess 〖컴퓨터〗 직접 메모리 접근《생략: DMA》.

diréct méthod (the ~) 직접 교수법《모국어를 쓰지 않고 외국어로만 교수하는 방법》.

‡di·rec·tor [diréktər, dai-] (*fem.* ***-tress*** [-tris]) *n.* Ⓒ **1 지도자**, …장; 관리자. **2** (고등학교의) 교장; (관청 등의) 장, 국장; (단체 등의) 이사; (회사의) 중역, 이사: the board of *~s* 이사회. **3** 〖영화〗 감독; 〖연극〗 연출가; 《美》 〖음악〗 지휘자. ㊞ **~·ship** *n.* Ⓤ (구체적으로는 Ⓒ) ~의 직〔임기〕.

di·rec·tor·ate [diréktərət, dai-] *n.* Ⓒ **1** director의 직, 관리직. **2** 《집합적; 단 · 복수취급》 중역회, 이사회(board of directors).

diréctor géneral 총재, 장관; (보통 비영리단체의) 회장, 사무총장.

di·rec·to·ri·al [direktɔ́ːriəl, dàirek-] *a.* 지휘상〔지도상〕의, 지휘(자)의, 관리자의.

diréctor's chàir 《美》 (앉는 자리와 등받이에 캔버스를 댄) 접의자《영화 감독들이 사용한 데서》.

◇di·rec·to·ry [diréktəri, dai-] *n.* Ⓒ **1** 주소 성

명록, 인명부; (빌딩의) 사용자 안내판: a business ~ 상공인 성명록. **2** 전화번호부(telephone ~). **3** 〖컴퓨터〗 자료방, 디렉터리《(1) 외부 기억 장치에 들어 있는 파일 목록. (2) 특정 파일의 특징의 기술서(記述書)》.

diréct propórtion 〔**rátio**〕 〖수학〗 정비례〔정비(正比)〕.

diréct táx 직접세.

dire·ful [dáiərfəl] *a.* 《문어》 무서운; 비참한; 불길한. ㊞ **~·ly** [-li] *ad.*

dirge [dəːrdʒ] *n.* Ⓒ 만가(輓歌), 애도가.

dir·i·gi·ble [díridʒəbəl, dirídʒə-] 〖항공〗 *a.* 조종할 수 있는. **—***n.* Ⓒ 비행선(airship).

dirn·dl [dəːrndl] *n.* Ⓒ 오스트리아 티롤 지방 농민의 소녀복; 그것을 모방한 여성복〔스커트(= ∠ **skìrt**)〕.

⁑dirt [dəːrt] *n.* Ⓤ **1 진흙**(mud); **쓰레기**, 먼지; 불결물, 오물; 배설물, 똥. **2** (덩어리지지 않은 마른) 흙(soil); (타고 남은) 잔재. **3** 불결〔비열〕한 언동; 욕; 뒷공론; 음담패설; 《구어》 가십, 스캔들: talk ~ 추잡한 말〔음담패설〕을 하다 / fling 〔throw〕 ~ at …에게 악담을 퍼붓다. **4** 무가치한 것; 경멸해야 할 것: treat a person like ~ 아무를 쓰레기처럼 취급하다.

(*as*) ***cheap as*** ~ 굉장히 싼(~-cheap). (*as*) ***common as*** ~ (특히 여성이) 저속한. ***do*** 〔***play***〕 a person ~ 아무에게 비열한 짓을 하다, 중상하다. ***eat*** ~ 《구어》 굴욕을 당하다〔참다〕.

dírt bìke (비포장 도로용) 오토바이.

dírt-chéap *a.*, *ad.* 《구어》 턱없이 싼〔싸게〕.

dírt fàrmer 《美》 (gentleman farmer에 대해서) 실제로 경작하는 농부, 자작농.

dírt-póor *a.* 《美》 몹시 가난한, 찰가난의.

dírt ròad 《美》 비포장 도로《특히 오토바이용》.

dírt tràck 석탄재를〔진흙을〕 깐 경주로.

†dirty [dəːrti] (*dirt·i·er; dirt·i·est*) *a.* **1 더러운**, 불결한; (작업 · 일 따위가 손발이) 더러워지는; 싫은, 시시한. ↔ *clean*. ¶a ~ house 〔face〕 불결한 집〔얼굴〕 / The park was ~ with litter. 공원은 쓰레기로 더러웠다. **2** 흙투성이의; (길이) 진창인; (상처가) 곪은: a ~ wound 곪은 상처. **3** 음란한, 추잡한, 외설적인; 부정한, 비열한, 천한: ~ talk 음담 / a ~ book 외설 서적 / a ~ old man 음탕한 노인 / ~ money 부정한 돈 / play a ~ trick on a person 아무에게 비열한 짓을 하다. **4** 불쾌한, 유감천만인: be in a ~ temper 기분이 언짢다. **5** 날씨가 궂은(stormy): ~ weather 사나운 날씨. **6** Ⓐ (빛깔이) 우중충한, 칙칙한. **7** 《구어》 (핵무기가) 방사능이 많은, 대기 오염률이 높은: a ~ bomb (방사능이 많은) 더러운 폭탄(↔ *clean bomb*).

do the ~ ***on ...*** 《英구어》 …에게 비열한〔부정한〕 짓을 하다. ***give*** a person ***a*** ~ ***look*** 《구어》 아무를 화난〔비난의〕 눈초리로 보다.

—*ad.* **1** 더럽게, 부정하게, 비열하게: fight ~ 비열하게 싸우다. **2** 《英속어》 몹시: a ~ great box 무척 큰 상자.

—*vt.* (손발, 인격, 명성 따위)를 더럽히다.

—*vi.* 더러워지다: White cloth *dirties* easily. 흰 천은 쉽게 더러워진다.

㊞ **dírt·i·ly** *ad.* **-i·ness** *n.* Ⓤ 불결; 천함; 비열.

dírty dóg 《英구어》 비열한 놈.

dírty línen 《구어》 집안의 수치, 창피스러운 일: wash one's ~ in public 남 앞에서 집안의 수치를 드러내다.

dírty tríck **1** 비겁〔비열〕한 수법〔짓〕. **2** (*pl.*) (선거 운동 따위의) 부정(不正) 공작.

dírty wórk **1** 불결한 일; 사람들이 싫어하는 일, 천한 일: He left the ~ for me. 그는 하기 싫은 일을 나에게 미뤘다. **2** (비밀리에 행해지는) 비열한 행위, 부정 행위: She made me do her ~. 그녀는 나에게 부정 행위를 시켰다.

Dis [dis] *n.* 〖로마신화〗 디스《저승의 신; 그리스 신화의 Pluto에 해당》.

dis [dis] (**-ss-**) 《美속어》 *vt.* 경멸하다, 비난하다. **—***n.* Ⓤ 비난. [◂*dis*respect]

dis- [dis] *pref.* **1** 〘동사에 붙여서〙 '반대의 동작'을 나타냄: *dis*arm. **2** 〘명사에 붙여서〙 '제거' '박탈' '탈취' 등의 뜻의 동사를 만듦: *dis*mantle. **3** 〘형용사에 붙여서〙 '못하게 하다'라는 뜻의 동사를 만듦: *dis*able. **4** 〘명사 · 형용사에 붙여서〙 '불(不)…' '비(非)…' '무(無)…'의 뜻: *dis*agreeable. **5** '분리'의 뜻: *dis*continue. **6** 〘부정을 강조하여〙: *dis*annul.

°dis·a·bil·i·ty [dìsəbíləti] *n.* **1** Ⓤ 무력, 무능; 〖법률〗 무능력, 무자격. **2** Ⓒ (신체적인) 불리한 조건, 장해, 불구.

disabílity insùrance 〖보험〗 신체 장해 보험, 폐질 보험.

dis·a·ble** [diséibəl] *vt.* **1** 《~+목/+목+전+명》 (아무)에게 **할 수 없게 만들다**, 무능〔무력〕하게 하다《from, for*** …을》: people ~*d* by age 나이가 들어 쓸모없게 된 사람들 / ~ oneself *from* walk*ing* by a fall 넘어져서 걸을 수 없게 되다 / The injury ~*d* him *for* play*ing* the piano. 부상으로 그는 피아노를 칠 수 없게 되었다. **2** 〘종종 수동태〙 불구로 만들다, 수족을 못쓰게 하다: He *was* ~*d* in the war. 그는 전쟁으로 불구가 되었다. **3** 〖컴퓨터〗 불능케 하다《(1) (하드웨어 · 소프트웨어상의) 기능을 억지하다. (2) IC 의 특정 핀에 전압을 가하여 출력 기능을 억지하다》.

㊞ **~·ment** *n.* Ⓤ (구체적으로는 Ⓒ) 무력화; 무능; 불구.

dis·á·bled *a.* **1** 불구가〔무능력하게〕 된: a ~ list 〖야구〗 부상 결장(缺場) 선수 리스트 / a ~ soldier 상이병 / a ~ car 고장차, 폐차 / a ~ ship 폐선. **2** (the ~) 〘명사적; 집합적; 복수취급〙 신체장애자들.

dis·a·buse [dìsəbjúːz] *vt.* (아무)의 어리석음〔잘못〕을 깨우치다; (아무)에게 깨닫게 하다《***of*** (잘못 따위)를》: ~ a person *of* his misunderstanding 아무에게 오해를 깨닫게 하다.

dis·ac·cord [dìsəkɔ́ːrd] *vi.* 일치하지 않다, 화합하지 않다, 다투다《***with*** …와》. **—***n.* Ⓤ 불일치, 불화, 충돌.

⁑dis·ad·van·tage [dìsədvǽntidʒ, -vάːn-] *n.* **1** Ⓒ 불리한 사정〔입장〕, 불편(한 일): under (great) ~*s* (크게) 불리한 상태〔처지〕에서 / be at a terrible ~ 크게 불리한 입장에 놓이다 / take a person 〔be taken〕 at a ~ 아무에게 불의의 타격을 입히다〔불의의 타격을 입나〕. **2** Ⓤ **불리**, 불이익; 손해, 손실: sell (goods) to ~ (물건을) 밑지고 팔다 / to a person's ~ =to the ~ of a person 아무에게 불리한, 불리하도록.

—*vt.* (아무)를 불리한 처지에 놓이게 하다, …의 이익을 해치다.

dìs·ad·ván·taged *a.* **1** 불리한 조건에 놓인, 불우한: ~ children. **2** (the ~) 〘명사적; 집합적; 복수취급〙 불우한 사람들.

dis·ad·van·ta·geous [disæ̀dvəntéidʒəs, dìsæd-] *a.* 불리한, 손해되는; 형편상 나쁜, 불편한《***to*** …에》. ㊞ **~·ly** *ad.*

dìs·af·féct·ed [dìsəféktid] *a.* 불만을 품은, 불평이 있는; 모반심을 품은《*to, toward* (정부 따위)에》: ~ elements 불평분자 / ~ *to* 〔*toward*〕 the government 정부에 불만을 품은.

dis·af·fil·i·ate [dìsəfílièit] *vt., vi.* 탈퇴시키다〔하다〕《*from* …에서》: ~ oneself *from* a union 조합에서 탈퇴하다.

dis·af·for·est [dìsəfɔ́:rist, -fάr-/-fɔ́r-] *vt.* =DEFOREST.

‡**dis·a·gree** [dìsəgrí:] *vi.* **1** 《~/+전+명》 (진술·보고 따위가) **일치하지 않다**, 다르다《*with* …와》: Your theory ~*s with* the facts. 당신의 설은 사실과 일치하지 않소. **2** 《~/+전+명》 **의견이 다르다**(differ); 다투다, 사이가 나쁘다《*with* (아무)와; *on, about* …에 관하여》: He ~*d with* me *on* every topic. 그는 어떤 문제에서나 나와 의견이 달랐다. **3** 《+전+명》 (기후·음식 등이) 적합하지 않다, 맞지 않다《*with* (아무)에게》: Fish ~*s with* me. 생선은 내 입맛에 맞지 않는다 / Excessive drinking ~*s with* health. 과음하면 건강에 해롭다.

***dis·a·gree·a·ble** [dìsəgrí:əbəl] *a.* **1 불유쾌한**, 마음에 들지 않는, 싫은: ~ taste 〔smell〕 싫은 맛〔냄새〕 / have a ~ experience 불유쾌한 경험을 하다. **2** 까다로운, 사귀기 힘든; (사람·성격이) 몹시 싫은, 무뚝뚝한《*to, toward* …에게 / *to* do》: Try to be less ~ *to* 〔*toward*〕 the customers. 고객에게 좀 더 상냥하게 대하시오 / It was ~ *of* him 〔He was ~〕 not *to* help me. 그는 인정머리 없이 나를 도와 주지 않았다. ↔ *agreeable*. 파 **-bly** *ad.* **~·ness** *n.*

***dis·a·gree·ment** [dìsəgrí:mənt] *n.* **1** Ⓤ (구체적으로는 Ⓒ) **불일치**, 의견의 상위(dissent)《*with* (아무)와의; *as to, about* …에 관한》: The two reports are in ~. 그 두 보고는 일치하지 않는다 / I'm in ~ *with* him *as to* 〔*about*〕 his estimate of her character. 그녀의 성격을 평가함에 있어서 그와 나는 의견이 다르다. **2** Ⓤ (체질에) 안 맞음, 부적합.

dis·al·low [dìsəláu] *vt.* 허가〔인정〕하지 않다, 금하다; 각하하다(reject): The judge ~*ed* that evidence. 재판관은그 증거를 각하했다.
파 **~·ance** [-əns] *n.* Ⓤ 불인가; 각하.

dis·am·big·u·ate [dìsæmbígjuèit] *vt.* (문장·서술 따위)의 애매한 점을 없애다, …을 명확하게 하다.

dis·an·nul [dìsənʌ́l] (*-ll-*) *vt.* (완전히) 취소하다, 무효로 하다.

‡**dis·ap·pear** [dìsəpíər] *vi.* **1** 《~/+전+명》 **사라지다**, 모습을 감추다《*from* …에서》. ↔ *appear*. ¶ ~ in the crowd 군중 속으로 사라지다 / ~ *from* sight 〔view〕 시야에서 보이지 않게 되다. **2** (사라져) 없어지다; 소멸〔소실〕되다; 실종하다: The money in her purse had ~*ed* before she knew. 지갑 속의 돈은 그녀가 모르는 새에 없어져 버렸다.

SYN. **disappear** 보이던 것이 안 보이게 되다. **fade** 서서히 희미해지면서 사라지다, (흔적이 있기도 함→)바래다. **vanish** 갑자기 또는 흔적도 없이 사라지다, 완전히 소멸되다.

°**dis·ap·pear·ance** [dìsəpíərəns] *n.* Ⓤ (구체적으로는 Ⓒ) 소실, 소멸; 실종: an unexplained ~ 행방불명 / ~ from home 가출.

‡**dis·ap·point** [dìsəpɔ́int] *vt.* **1** …을 **실망시키다**, 낙담시키다, …의 기대에 어긋나게 하다(《★ 과거분사꼴로 형용사적으로 쓰임》): The result ~*ed* us. 그 결과는 우리를 실망시켰다. **2** (기대)를 저버리다, …의 실현을 방해하다; (계획 따위)를 좌절시키다(upset): It ~*ed* my plans 〔hopes〕. 그 때문에 내 계획〔희망〕이 좌절되었다.

***dis·ap·point·ed** [dìsəpɔ́intid] *a.* **1 실망한**, 낙담한《*at, in, with, about* …에 / *to* do / *that*》: a ~ man 실의에 빠진 사람 / give a ~ look 실망한 표정을 보이다 / be ~ *about* the election result 선거 결과에 실망하다 / be ~ *in* love 실연하다 / I am ~ *in* 〔*with*〕 you. 네겐 실망했다 / They are ~ *with* each other. 그들은 서로에게 실망을 느끼고 있다 / I was very ~ *at* hear*ing* 〔*to* hear〕 the test result. 시험 결과를 듣고 몹시 낙담했다 / I was ~ *to* learn that he was away from home. 그가 외출한 것을 알고 실망했다 / I'm very ~ *that* such a talent died young. 그토록 재능 있는 사람이 젊은 나이에 죽은 것에 몹시 실망했다. **2** 기대에 어긋난《*of* …이》: He was ~ *of* his purpose. 그의 기대가 어긋났다. 파 **~·ly** *ad.* 실망하여, 낙담하여.

dìs·ap·póint·ing *a.* 실망시키는, 기대에 어긋나는, 하잘것없는: How ~ ! 정말 실망했어 / The weather this summer has been ~. 올 여름의 날씨는 기대에 어긋났다.

***dis·ap·point·ment** [dìsəpɔ́intmənt] *n.* **1** Ⓤ **실망**, 기대에 어긋남: To my ~, the picnic was cancelled. 실망스럽게도 소풍은 취소되었다. **2** Ⓒ 실망시키는 것, 생각보다 시시한 일〔것, 사람〕《*to* …에게》: have 〔suffer〕 a great ~ 몹시 실망하다 / The drama was a ~. 그 극은 실망스런 것이었다 / His son was a ~ *to* him. 그의 아들은 그에겐 실망스런 아이였다.

dis·ap·pro·ba·tion [dìsæprəbéiʃən] *n.* = DISAPPROVAL.

***dis·ap·prov·al** [dìsəprú:vəl] *n.* Ⓤ **불승인, 불찬성**; 비난: frown in ~ 불만스러워 얼굴을 찡그리다.

***dis·ap·prove** [dìsəprú:v] *vt.* …**을 안 된다고 하다**, 불가하다고 하다; 인가〔승인, 찬성〕하지 않다; 불만을 표시하다: ~ her rash conduct 그녀의 경솔한 행동을 비난하다.
—*vi.* 《+전+명》 찬성하지 않다, 난색을 나타내다《*of* …에》 ↔ *approve*. ¶ Christian ethics ~ *of* suicide. 기독교 윤리는 자살을 부정한다 / He ~*d of* his daughter marry*ing* the youth. 그는 딸이 그 젊은이와 결혼하는 것에 찬성하지 않았다.

dìs·ap·próv·ing·ly *ad.* 불가하다고 하여, 불찬성하여; 비난하여.

°**dis·arm** [disά:rm, diz-] *vt.* **1** …을 무장 해제하다; …에게서 빼앗다《*of* (무기)를》: The victors ~*ed* the defeated (*of* their weapons). 승자는 패자의 무기를 거두었다. **2** (노여움)을 가라앉히다; (적의·공포)를 누그러뜨리다; (아무)의 기분을 진정시키다: The hostess's amiability ~*ed* his fury 〔him〕. 그 여주인의 상냥함에 그는 노여움이 가라앉았다〔기분이 좋아졌다〕. —*vi.* 무장을 해제하다; 군비를 축소〔철폐〕하다.

***dis·ar·ma·ment** [disά:rməmənt, diz-] *n.* Ⓤ **1 무장 해제**. **2** 군비 철폐〔축소〕. ↔ *armament*. ¶ a ~ conference 〔talk〕 군축 회의.

dis·árm·ing *a.* (적의·의혹 따위를) 가시게 하는, (상대방의) 경계심을 풀게 하는, 안심시키는; 천진한, 붙임성 있는: a ~ smile 붙임성 있는 상냥한 웃음. 파 **~·ly** *ad.*

dis·ar·range [dìsəréindʒ] *vt.* 어지럽히다, 혼

란시키다: The wind ~*d* her hair. 바람에 그녀의 머리가 헝클어졌다. [파] **~·ment** *n.* [U] 혼란; 난맥.

dis·ar·ray [dìsəréi] *vt.* 혼란시키다, 어지럽히다. —*n.* [U] 무질서, 혼란, 난잡; 단정치 못한 복장〔모습〕.

dis·as·sem·ble [dìsəsémbəl] *vt.* (기계 따위)를 해체하다, 분해하다. —*vi.* 해체〔분해〕되다.

dis·as·so·ci·ate [dìsəsóuʃièit, -si-] *vt.* = DISSOCIATE.

‡dis·as·ter [dizǽstər, -zɑ́:s-] *n.* **1** [U] (구체적으로는 [C]) **천재**; 재해, 재난, 참사: an air 〔a traffic〕 ~ 항공〔교통사고〕대참사/a crop ~ 대흉작/A nuclear war would be a ~. 핵전쟁은 참화를 불러올 것이다.

[SYN.] **disaster** 개인이나 사회 전반의 큰 재해로 생명·재산 따위의 손실이 따름. **catastrophe** 비참한 결과를 가져오는 재해로 개인이나 특정 집단의 경우에 씀. **calamity** 큰 고통과 슬픔을 가져오는 재해나 불행으로서 catastrophe 보다 뜻은 약함.

2 [C] 큰실패; 실패작; The party was a ~. 파티는 실패작이었다.

disáster àrea (홍수·지진 따위의) 재해 지역; 《美》 비상 재해 지구《구조법의 적용 지구》.

dis·as·trous** [dizǽstrəs, -ɑ́:s-] *a.* **1 비참한**; 재난의, 재해의, 손해가 큰; 파멸적인《to*** …에》: a ~ fire 〔earthquake〕 대화재〔지진〕/make a ~ mistake 치명적인 잘못을 저지르다/The climate was ~ *to* his health. 그 기후는 그의 건강에 아주 나빴다. **2** 지독한, 참담한: a ~ party 참담한 파티. [파] **~·ly** *ad.*

dis·a·vow [dìsəváu] *vt.* (책임·인지·관계 등)을 부인하다, 부정하다: I ~ all responsibility for you. 너에 대한 책임이 전혀 없다.
[파] **~·al** [-əl] *n.* [U] (구체적으로는 [C]) 부인, 거부.

dis·band [disbǽnd] *vt.* (군대·조직 등)을 해산하다; (군인)을 제대시키다. —*vi.* 해산하다.
[파] **~·ment** *n.*

dis·bar [disbɑ́:r] (***-rr-***) *vt.* 〖법률〗 …의 변호사 자격을 박탈하다.

dis·be·lief** [dìsbilí:f] *n.* [U] **1 믿지 않음**, 불신, 의혹《in*** …에 대한》: ~ *in* medicine 약(의 효능)에 대한 불신/He looked at her in ~. 그는 믿지 못하겠다는 표정으로 그녀를 바라보았다. **2** 불신앙《***in*** …의》.

dis·be·lieve [dìsbilí:v] *vt.* 믿지 않다; (진실성 등)을 의심하다: ~ every word 한 마디도 믿지 않다. —*vi.* 믿지 않다, 신용하지 않다《***in*** …을》: I ~ *in* UFOs. 나는 비행접시를 믿지 않는다《★I don't believe in …쪽이 일반적》.
[파] **-liév·er** *n.* [C] 믿지 않는 사람; 불신자, 신앙 부인자.

dis·bud [disbʌ́d] (***-dd-***) *vt.* (쓸데없는) 싹을〔봉오리를〕 따내다.

dis·bur·den [disbə́:rdn] *vt.* **1** …에서 짐을 내리다; (짐)을 풀다: ~ a horse 말의 짐을 내리다/~ goods 짐을 풀다. **2** (마음)의 무거운 짐을 벗다; (노여움·불만)을 털어놓다; (심중을) 토로하다.

dis·burse [disbə́:rs] *vt.* (돈·비용)을 지급〔지출〕하다. [파] **~·ment** *n.* [U] 지급; [C] 지급금.

°disc ⇨ DISK.

°dis·card [diskɑ́:rd] *vt.* **1** (불필요한 것)을 버리다, 처분〔폐기〕하다: ~ worn-out clothes 헌 옷을 버리다/The plans were ~*ed*. 그 계획은 폐기되었다. **2** 〖카드놀이〗 (쓸데없는 패)를 버리다.
—*vi.* 〖카드놀이〗 쓸데없는 패를 버리다.
—[´-] *n.* **1** [U] 버리기, 폐기; [C] 버림받은 것〔사람〕: go 〔throw〕 into the ~ 버림받다, 폐기되다, 잊혀지다. **2** [C] 〖카드놀이〗 버리는 패.

dísc bràkes (자동차 따위의) 원판〔디스크〕 브레이크.

dis·cern** [disə́:rn, -zə́:rn] *vt.* **1** 《~+[목]/+[목]+[전]+[명]》 **분별하다**, 식별하다《from*** …와》: ~ good and 〔*from*〕 evil 선악을 분별하다. **2** 《~+[목]/+*that* [절]/+*wh.* [절]》 **인식하다**, 알다, 이해하다, 깨닫다: ~ a distant figure 멀리 있는 사람의 모습을 알아보다/I ~*ed that* he was plotting something. 그가 뭔가 음모를 꾸미고 있음을 알았다/It's difficult to ~ *what* changes should be made in this case. 이 경우에 어떤 변경을 해야 할지 잘 모르겠다. [SYN.] ⇨ NOTICE.
—*vi.* 《~/+[전]+[명]》 분별하다, 식별하다《***between*** (…와) …을》: ~ *between* the true and the false 참과 거짓을 식별하다. [파] **~·i·ble** *a.* 식별〔판별, 분간〕할 수 있는. **~·ment** *n.* [U] 식별(력), 안식(眼識), 통찰(력). **~·i·bly** *ad.*

dis·cérn·ing *a.* 분별〔식별〕하는, 안식〔통찰력〕이 있는: a ~ critic 안목이 있는 비평가.

dis·charge** [distʃɑ́:rdʒ] *vt.* **1 a** 《~+[목]/+[목]+[전]+[명]》 **짐을 부리다**, 내리다《from*** (배·화물차)에서》: ~ a cargo *from* a ship. **b** (차량이 승객)을 내리다: The taxi ~*d* its passenger at the station. 택시는 역에서 손님을 내렸다. **2** 《~+[목]/+[목]+[전]+[명]》 석방하다, 해방하다《***from*** (속박·의무 따위)로부터》: ~ prisoners 죄수들을 석방하다/~ a person *from* his debts 아무의 채무를 면제하다. **3** (자기의 책임·약속 따위)를 이행〔실행〕하다; (부채)를 변제하다: ~ one's official duties 공무를 수행하다/~ one's responsibility 책임을 이행하다/~ a loan 빚을 갚다. **4** 《~+[목]/+[목]+[전]+[명]/+[목]+*as* [보]》 (아무)를 **해임하다**, 해고하다(dismiss); 제대시키다; (환자)를 퇴원시키다《***from*** …에서; ***for*** (이유)로》: ~ a housemaid 하녀를 내보내다/He was ~*d from* office *as* incompetent. 그는 회사에서 무능하다고 면직당했다/They ~*d* the clerk *for* dishonesty. 그들은 그 점원을 정직하지 못하다는 이유로 해고했다/He was ~*d from* hospital. 그는 퇴원했다. **5** 《~+[목]/+[목]+[전]+[명]》 **a** (물·연기 등)을 방출하다, 뿜어내다《***into*** …으로》; (고름 등)을 짜다: ~ smoke 연기를 뿜어내다/~ industrial waste *into* a river 폐수를 강으로 방류하다/~ pus 고름을 짜다. **b** 〖~ oneself〗 (강물이) 흘러들다《***into*** …으로》: The Han river ~*s* it*self into* the West Sea. 한강은 서해로 흘러든다. **6** 《~+[목]/+[목]+[전]+[명]》 (총포·화살)을 발포하다, 쏘다; 발사하다《***at, into*** …을 향하여》: ~ a gun 총을 쏘다/~ an arrow *at* a bird 새를 겨누어 화살을 쏘다. **7** 〖전기〗 (전기)를 방출하다, 방전하다; (억압된 감정)을 발산하다; (욕)을 퍼붓다. **8** 〖법률〗 (명령)을 취소하다.
—*vi.* **1** 짐을 내리다〔부리다〕. **2** 《+[전]+[명]》 (강이) 흘러 들어가다《***into*** …으로》: The river ~*s* *into* a lake. 강물은 호수로 흘러 들어간다. **3** (고름 따위가) 나오다. **4** (총포가) 발사되다. **5** 〖전기〗 방전하다.
—*n.* **1** [U] 양륙, 짐풀기. **2** [U] (구체적으로는 [C]) 발사, 발포. **3** [U] (구체적으로는 [C]) 〖전기〗 방

전; 쏟아져 나옴; 방출, 유출; 배설물; 유출량(률) 《**from** …으로부터의》: (a) ~ *from* the ears (eyes, nose) 귀고름(눈곱, 콧물). **4** Ⓤ 해방, 면제; 방면; 제대; 해직, 면직, 해고《**from** …으로부터의》. **5** Ⓒ 해임장; 제대증. **5** Ⓤ (의무의) 수행; (채무의) 이행, 상환.

dischárged bánkrupt 면책파산자(免責破產者).

***dis·ci·ple** [disáipəl] *n.* Ⓒ **1 제자**, 문하생. **2** (종종 D-) 12사도(Apostles)의 한 사람, 예수의 제자. ㊞ **~·ship** *n.* Ⓤ 제자의 신분(기간).

dis·ci·plin·a·ble [dísəplìnəbəl] *a.* 훈련할 수 있는; (죄가) 징계받을 만한.

dis·ci·pli·nar·i·an [dìsəplənέəriən] *n.* Ⓒ 훈련자; 규율가, 규율을 지키는 사람, 엄격한 사람. **—***a.* =DISCIPLINARY.

dis·ci·pli·nary [dísəplənèri/-nəri] *a.* **1** 훈련(상)의, 훈육의. **2** 규율의; 훈계(징계)의: ~ measures 징계 처분/a ~ committee 징계 위원(회). **3** 학문의; 전문 과목의.

***dis·ci·pline** [dísəplin] *n.* **1 a** Ⓤ **훈련**, 훈육; 단련, 수양: military ~ 군사 훈련. **b** Ⓒ 훈련(수련)법: a Spartan ~ 스파르타식 훈련법. **2** Ⓤ **규율**, 풍기, 통제: keep (break) ~ 규율을 지키다(깨뜨리다). **3** Ⓤ 훈계, 징계, 처벌: Your son needs ~. 당신의 아들은 징계할 필요가 있습니다. **4** Ⓒ **학과**, 전문 분야; 학문(의 분야): scholars from various ~*s* 여러 학문 분야의 학자들. **5** Ⓤ (단련으로 얻은) 억제(자제)심, 극기: She displayed remarkable ~. 그녀는 훌륭한 자제심을 보였다.

—*vt.* **1** 훈련(단련)하다. SYN. ⇨TEACH. **2** 《~+목/+목+전+명》 훈계(징계)하다, 징벌하다《**for** …때문에》: ~ a child *for* bad behavior 버릇이 나빠 아이를 벌주다.

dísc jòckey 디스크 자키《생략: DJ, D.J.》.

dis·claim [diskléim] *vt.* **1** 〖법률〗 (권리 등)을 포기하다, 기권하다. **2** (요구 등)을 거절하다; (책임 등)을 부인하다《do**ing**》: ~ any intention of running for election 선거에 출마할 뜻이 별로 없다고 하다/He ~*ed* responsibility for the accident. 그는 그 사고에 대한 책임이 없다고 부인했다/He ~*ed* hav*ing* sought fame. 그는 명예를 추구한 것을 부인했다.

dis·cláim·er *n.* Ⓒ **1** (책임·권리 등의) 부인; 포기, 기권. **2** 포기(부인) 성명서.

***dis·close** [disklóuz] *vt.* **1** (숨겨진 것)을 **나타내다**; 드러내다: Opening her palm, she ~*d* a gold coin. 손바닥을 펴서, 그녀는 금화 한 닢을 내보였다. **2** (비밀)을 들추어내다, 폭로(적발)하다: ~ a state secret 국가기밀을 폭로하다. SYN. ⇨REVEAL. **3** 《+목+전+명/+*that* 절/+*wh.* 절》 (비밀 따위)를 털어놓다; 밝히다, 발표하다《**to** (아무)에게》: He ~*d* the secret *to* his friend. 그는 친구에게 비밀을 밝혔다/He ~*d that* he had submitted his resignation. 그는 사표를 제출했음을 밝혔다/No one could ~ *who* had made the mistake. 누가 잘못을 저질렀는지 아무도 밝혀낼 수 없었다.

◇**dis·clo·sure** [disklóuʒər] *n.* **1** Ⓤ 발각, 드러남, 폭로; 발표: threaten a person with ~ of his illegal act 불법 행위를 폭로하겠다고 아무를 위협하다. **2** Ⓒ 드러난 일, 숨김없이 털어놓은 이야기.

dis·co [dískou] (*pl.* **~s**) *n.* **1** Ⓒ 《구어》 디스코(discotheque). **2** Ⓤ 디스코 음악(춤).

dis·col·or [diskʌ́lər] *vt.* …을 변색(퇴색)시키다, …의 색을 더럽히다: The building was ~*ed* by smoke. 매연으로 건물은 변색되었다. **—***vi.* 변색(퇴색)하다, 더러워지다.

dis·col·or·a·tion [diskʌ̀ləréiʃən] *n.* Ⓤ 변색, 퇴색; Ⓒ (변색으로 생긴) 얼룩.

dis·com·bob·u·late [dìskəmbábjəlèit/-bɔ́b-] *vt.* 《美우스개》 당황하게 하다, 혼란시키다.

dis·com·fit [diskʌ́mfit] *vt.* **1** (아무)의 계획(목적)을 좌절시키다; (계획·목적)을 뒤집어엎다. **2** 당황케 하다(disconcert), 쩔쩔매게 하다: The news of the defeat ~*ed* the Government 패배했다는 소식이 정부를 당혹스럽게 했다.

dis·com·fi·ture [diskʌ́mfitʃər] *n.* Ⓤ **1** (계획 따위의) 실패, 좌절. **2** 당황, 당혹.

◇**dis·com·fort** [diskʌ́mfərt] *n.* **1** Ⓤ 불쾌; 불안: The hot weather caused me much ~. 무더운 날씨가 무척 (기분을) 불쾌하게 했다. **2** Ⓒ 싫은(불안한) 일, 불편. **—***vt.* 불쾌(불안)하게 하다.

discómfort ìndex 불쾌지수《생략: DI》.

dis·com·mode [dìskəmóud] *vt.* 〖종종 수동태〗 …에게 불편을 느끼게 하다, …에게 폐를 끼치다; 곤란하게 하다, 괴롭히다: We *were* ~*d* by his late arrival. 그가 늦게 도착해서 곤란했다.

dis·com·pose [dìskəmpóuz] *vt.* 불안하게 하다, 뒤숭숭하게 하다, 괴롭히다.

dis·com·po·sure [dìskəmpóuʒər] *n.* Ⓤ 뒤숭숭함, 심란, 불안; 당황, 혼란.

dis·con·cert [dìskənsə́ːrt] *vt.* **1** 당황케 하다, 쩔쩔매게 하다: He was ~*ed* to discover that he had lost the papers. 그는 서류를 분실한 것을 알고 당황했다. **2** (계획 따위)를 깨뜨리다, 혼란시키다, 뒤엎다. SYN. ⇨CONFUSE.

dìs·con·cért·ed [-id] *a.* 당혹한, 당황한.

dìs·con·cért·ing *a.* 당황케 하는, 혼란케 하는; 불안을 느끼게 하는. ㊞ **~·ly** *ad.*

dis·con·nect [dìskənékt] *vt.* **1** …의 연락(접속)을 끊다, …을 절단하다, 분리하다: ~ a wire 철사를 절단하다/~ the water (power) 급수를(송전을) 끊다. **2** …의 전원을 끊다, (전화 등)을 끊다: Our phone has been ~*ed.* =We have been ~*ed*. 전화가 끊겼다. **3** 〖~ oneself〗 관계를(인연을) 끊다《**from** …에서》: They ~*ed* them*selves from* the movement. 그들은 그 (사회) 운동에서 손을 떼었다.

dìs·con·néct·ed [-id] *a.* 연락(접속)이 끊긴, 따로따로 떨어진, 끊어진; 앞뒤가 맞지 않는《말·문장 따위》: He could only give a ~ account of the accident. 그는 그 사고에 관한 단편적인 이야기만을 할 수 있었다. ㊞ **~·ly** *ad.*

dìs·con·néc·tion, 《英》 **-néx·ion** *n.* Ⓤ (구체적으로는 Ⓒ) 전기 단절, 분리, 절연; 〖전기〗 절단, 단선.

dis·con·so·late [diskánsəlit/-kɔ́n-] *a.* **1** 쓸쓸한, 위안이 없는: a ~ look 쓸쓸한 표정. **2** 수심에 잠긴, 슬픈《**about, at, over** …으로》: She was ~ *about* her son's death. 그녀는 아들의 죽음으로 슬픔에 잠겨 있었다. **3** 풀죽은, 음울한. ㊞ **~·ly** *ad.*

dis·con·tent** [dìskəntént] *n.* Ⓤ **불만**, 불평《**with** (일)에 대한》: *Discontent with* his job led him to resign. 일에 대한 불만으로 그는 사직할 생각이었다. **—a.* 불만(불평)인《**with** …에》. **—***vt.* 불만(불평)을 품게 하다《**with** …에》:

He was ~*ed with* his salary. 그는 급료에 불만을 품고 있었다.

dis·con·tént·ed [-id] *a.* **1** 불만스러운, 불평스러운: ~ workers 불만스러운 노동자들. **2** 불만〔불평〕을 품고 있는. ㊞ **~·ly** *ad.*

dis·con·tent·ment [dìskənténtmənt] *n.* Ⓤ 불평, 불만《*with* …에 대한》.

dis·con·tin·u·ance [dìskəntínjuəns] *n.* Ⓤ 정지, 중지, 폐지; 단절.

dis·con·tin·u·a·tion [dìskəntìnjuéiʃən] *n.* =DISCONTINUANCE.

°**dis·con·tin·ue** [dìskəntínjuː] *vt.* **1** (계속하는 것)을 그만두다, 중지하다《do*ing*》; (일시) 정지하다: ~ correspondence with penpal 펜팔과의 편지 왕래를 그만두다 / ~ search*ing* for the missing man 행방불명된 남자의 수색을 중단하다. **2** …의 사용을 중단하다; (정기 간행물의) 구독〔발행〕을 중지하다: ~ (the publication of) a newspaper 신문을 폐간하다 / ~ one's subscription to a newspaper 신문 구독을 중단하다. ── *vi.* **1** 끝나다, 종결되다. **2** 중지되다, (한때) 중단되다.

dis·con·ti·nu·i·ty [dìskɑntənjúːəti / -kɔn-] *n.* **1** Ⓤ 단절, 두절; 불연속(성): a line of ~ 〖기상〗 불연속선. **2** Ⓒ 잘린 데, 찢어진 데, 틈새《*between* …사이의》.

dis·con·tin·u·ous [dìskəntínjuːəs] *a.* 끊어진, 중단된, 단속적인; 〖수학〗 불연속의. ㊞ **~·ly** *ad.*

dis·co·phile [dískəfàil] *n.* Ⓒ 레코드 수집〔연구〕가.

***dis·cord** [dískɔːrd] *n.* **1** Ⓤ **불일치**, 부조화: be in ~ with …와 일치하지 않다. **2** Ⓤ **불화**, 내분, 알력: domestic strife and ~ 가정불화. **3** Ⓤ (구체적으로는 Ⓒ) 〖음악〗 불협화음. ⇔ *accord, harmony.*

── [diskɔ́ːrd] *vi.* 일치하지 않다; 사이가 나쁘다《*with, from* …와》.

dis·cord·ance, -an·cy [diskɔ́ːrdəns], [-i] *n.* Ⓤ 부조화, 불일치.

dis·cord·ant [diskɔ́ːrdənt] *a.* **1** 조화〔일치〕하지 않는, 각기 다른《*to, from* (서로)간에》: Our views are ~ *to* 〔*from*〕 each other. 우리의 의견은 서로 다르다. **2** 가락이 맞지 않는; 불협화음의; 시끄러운: The siren emitted a shrill, ~ note. 사이렌이 날카롭고 시끄러운 소리를 냈다. ㊞ **~·ly** *ad.*

dis·co·theque [dískətèk] *n.* Ⓒ 디스코텍《생연주 또는 레코드 음악에 맞추어 춤추는 나이트클럽》.

***dis·count** [dískaunt] *n.* Ⓒ (때로 Ⓤ) **할인**(reduction); 〖상업〗 할인액; (어음 등의) 할인율: a banker('s) 〔cash〕 ~ 은행〔현금〕 할인 / get 〔obtain〕 a ~ 할인받다 / make 〔give, allow〕 (a) 5% ~ 〔a ~ of 5%〕 on cash purchases 현금 구입시는 5% 할인해 주다.

accept (a story) ***with*** ~ (이야기를) 에누리해서 듣다. ***at a*** ~ ① (액면〔정가〕 이하로) 할인하여: buy *at a* ~ 할인하여 사다. ② 경시되어, 인기가 떨어져: Conservatism is now *at a* ~. 보수주의는 지금은 인기가 없다.

── [ˊ-, -ˊ] *vt.* **1** 할인하다; (어음 등)을 할인하여 팔다〔사다〕: ~ bills at two percent 어음을 2% 할인하다 / They are ~*ing* butter at the store. 그 가게에서는 버터를 싸게 팔고 있다. **2** 에누리해서 듣다〔생각하다〕; 무시하다, 고려에 넣지 않다: You must ~ what he tells you. 그의 말은 에누리해서 듣지 않으면 안 된다. **3** …의 가치를 떨어뜨리다; …의 효과를 감소시키다. **4** 〖상업〗 (어음)을 할인하여 팔다〔매입하다〕.

díscount bròker 어음 할인 중개인.

***dis·coun·te·nance** [diskáuntənəns] *vt.* **1** 면목을 잃게 하다, 창피를 주다, 쩔쩔매게 하다. **2** (계획 따위)에 **찬성하지 않다**, …을 승인하지 않다.

díscount hòuse 《美》 (상품을 정가보다 싸게 파는) 염매점; 《英》 (환어음의) 할인 상점.

díscount ràte 《美》 (어음) 할인율.

díscount stòre 〔**shòp**〕 《美》 싸구려 상점, 염가 판매점(discount house).

‡**dis·cour·age** [diskə́ːridʒ, -kʌ́r-] *vt.* **1** 용기를 잃게 하다(deject), 실망〔낙담〕시키다《★ 종종 수동태로 쓰며, 전치사는 *at, by*》: Don't *be* ~*d at* failure. 실패했다고 낙심하지 마라 / Repeated failures ~*d* him. 연속된 실패로 그는 낙심했다. **2** 《+목+전+명》 단념시키다《*from* …하는 것을》: We should ~ him *from* mak*ing* the trip. 우리는 그가 여행을 안 가도록 설득해야 한다. **3** …에 불찬성의 뜻을 표하다, 반대하다; 찬물을 끼얹다: It's our company policy to ~ office romances. 사내 연애를 인정하지 않는 것이 우리 회사 방침이다. **4** 《~+목/+-*ing*》 (계획 · 사업 등)을 방해하다, 저지하다, 억제하다: Low prices ~ industry. 저물가가 산업에 지장이 된다 / We ~ smok*ing* among our employees. 우리 종업원들에게는 금연하도록 하고 있다.

dis·cóur·age·ment *n.* **1 a** Ⓤ 낙담, 실망. **b** Ⓒ 실망시키는 것; 지장, 방해. **2** Ⓤ 단념시키기, 반대.

dis·cóur·ag·ing *a.* 낙담시키는; 용기를 꺾는; 실망적인; 지장이〔방해가〕 되는: The results were ~. 결과는 실망스러웠다. ㊞ **~·ly** *ad.*

°**dis·course** [dískɔːrs, -ˊ] *n.* **1** Ⓒ 강화(講話), 강연, 설교; …론(論), 논문《*on, upon* …에 관한》. **2** Ⓤ **이야기**, 담화; 의견 교환《*with* (아무)와의》: hold ~ *with* a person 아무와 담화하다. **3** Ⓤ 〖문법〗 화법(narration).

── [-ˊ] *vi.* 《문어》 **1** 말하다, 담화하다. **2** 강연〔설교〕하다; 논술하다《*on, upon* …에 대하여》: ~ *upon* international affairs 국제 문제에 대해 강연〔논술〕하다.

díscourse anàlysis 〖언어〗 담화(談話) 분석《담화를 특징짓는 규칙이나 패턴의 연구》.

dis·cour·te·ous [diskə́ːrtiəs] *a.* 무례한, 버릇없는《*to* do》: It's ~ *of* him not *to* apologize to me. =He's ~ not *to* apologize to me. 그가 나에게 사과하지 않는 것은 무례하다. ㊞ **~·ly** *ad.* **~·ness** *n.*

dis·cour·te·sy [diskə́ːrtəsi] *n.* **1** Ⓤ 무례, 실례, 버릇없음(rudeness). **2** Ⓒ 무례한 언행.

‡**dis·cov·er** [diskʌ́vər] *vt.* **1** (미지의 것)을 **발견하다**, 찾아내다: ~ a new scientific law 새로운 과학의 법칙을 발견하다 / Radium was ~*ed* in 1898. 라듐은 1898 년에 발견되었다. **2** 《~+목/+목+to *be* 보/+(*that*) 절/+*wh.* 절》 …을 **알다**, **깨닫다**(realize): ~ the truth 진실을 알다 / His love was ~*ed to be* false. 그의 사랑은 거짓이었음이 알려졌다 / He ~*ed* (*that*) he was surrounded. 포위됐음을 알았다 / I never ~*ed* *where* he had died. 그가 어디서 죽었는지 끝내 알지 못했다. SYN. ⇨FIND.

㊞ **~·a·ble** *a.* ***~·er** *n.* Ⓒ **발견자**.

‡**dis·cov·er·y** [diskʌ́vəri] *n.* **1** Ⓤ (구체적으로는 Ⓒ) **발견**: make an important ~ 중요한 발견을 하다/The fugitive was afraid of ~. 도망자는 발각될까봐 두려워했다. **2** Ⓤ (구체적으로는 Ⓒ) (the (one's) ~) 발견하는 것, 발견되는 것; 알아차림《***that***》: the ~ *of* radium by the Curies 퀴리 부처에 의한 라듐의 발견/He was shocked at the ~ *that* he had been deceived. 그는 속아 넘어간 것을 알고 아연실색했다. **3** Ⓒ 발견한 것, 발견물: a recent ~ 최근에 발견한 것.

Discóvery Dày (the ~) =COLUMBUS DAY.

°**dis·cred·it** [diskrédit] *n.* **1** Ⓤ 불신, 불신감, 불신임; 의혹: meet with general ~ 일반의 불신을 사다/This will bring (fall) the store into ~. 이 일로 그 상점은 신용을 잃게 될 것이다. **2** (a ~) 불명예, 치욕, 수치, 망신거리, 불명예스러운 인물《***to*** …의》: be a ~ *to* one's family (the school) 가문(학교)에 수치가 되다.

bring ~ on …의 명예를 더럽히다: *bring ~ on* oneself 신용을 잃다, 불신을 초래하다. ***throw*** (***cast***) ***~ on*** (***upon***) …에 의혹을 품다, …을 의심하다.

—*vt.* **1** 믿지 않다, 의심하다: The theory has been *~ed*. 그 학설은 의문시되어 왔다/You had better ~ what he says. 그가 하는 말을 믿지 않는 편이 좋다. **2** …의 신용을 해치다, 평판을 나쁘게 하다《***with*** …에 대하여; ***among*** …사이에서》: The divorce *~ed* them *with* the public. 이혼으로 세상에 대한 그들의 체면이 떨어졌다.

dis·créd·it·a·ble *a.* 신용(평판)을 떨어뜨리는, 불명예(수치)스러운《***to*** …의, …에게》: engage in activities ~ *to* one's company 자기 회사에 불명예스런 활동에 관여하다. ㊀ **-bly** *ad.*

*__dis·creet__ [diskríːt] *a.* **1 분별 있는**, 생각이 깊은; 신중한《***in*** …에/***to*** do》. SYN. ⇨CAREFUL. ¶a ~ person (answer) 사려깊은 사람(대답)/be ~ *in* choos*ing* friends 친구를 고르는 데 신중하다/It was ~ *of* you (You were ~) *to* keep it a secret from him. 그 일을 그에게 비밀로 해 둔 것은 분별있는 일이었다. **2** 눈에 띄지 않는. ◇ discretion *n.* ≠discrete. ㊀ **~·ly** *ad.*

°**dis·crep·an·cy** [diskrépənsi] *n.* Ⓤ (구체적으로는 Ⓒ) 상위, 불일치; 어긋남, 모순《***between*** …사이의; ***in*** …의》: a ~ *between* spelling and pronunciation 철자와 발음의 불일치/the *discrepancies in* the four Gospels 4복음서간의 차이점.

dis·crep·ant [diskrépənt] *a.* 상위하는, 어긋나는, 모순된. ㊀ **~·ly** *ad.*

dis·crete [diskríːt] *a.* **1** 따로따로의, 별개의, 분리된; 불연속의. **2** 〖수학〗 이산(離散)의: a ~ random distribution (variable) 이산 확률 분포(변수). ㊀ **~·ly** *ad.* **~·ness** *n.*

*__dis·cre·tion__ [diskréʃən] *n.* Ⓤ **1 신중**, 분별, 사려: act with ~ 신중히 행동하다/the age (years) of ~ 분별 연령《영미에서는 14세》/*Discretion* is the better part of valor. 《속담》 신중은 용기의 태반《종종 비겁한 행실의 구실》. **2 판단(선택·행동)의 자유**, (자유) 재량, 참작: leave to a person's ~ 아무의 재량에 맡기다/It's within your ~ to settle the matter. 그 문제의 해결은 너의 재량에 달려 있다. ◇ discreet *a.*

at ~ 마음대로, 임의로. ***at the ~ of*** …의 재량으로: This fund is used *at the ~ of* the mayor. 이 기금은 시장의 재량으로 사용된다.

dis·cre·tion·ary [diskréʃənèri/-əri] *a.* 임의(任意)의, 자유재량의: ~ power 자유재량권/~ income 《美구어》 가계의 여유 있는 돈, 재량 소득/a ~ order 〖상업〗 중매인에게 시세대로 매매하게 하는 주문.

°**dis·crim·i·nate** [diskrímənèit] *vt.* 구별하다; 판별(식별)하다; 차이를 나타내다《***from*** …와》: ~ good books *from* poor ones 양서와 쓸모없는 책을 구별하다. —*vi.* **1** 식별(識別)하다; 구별(판별)하다《***between*** …와 …을》: ~ *between* reality and ideals 현실과 이상을 식별하다. **2** 차별 대우하다, 차별(差別)하다《***against*** …에 대하여》: ~ *against* women employees 여자 종업원을 차별 대우하다. ***~ in favor of*** …을 우대하다; 편애하다: import duties which ~ *in favor of* certain countries 특정 국가들에 대한 수입 관세 우대.

—[-mənət] *a.* 식별력이 있는, 판단력을 나타내는; 식별된; 구별이 있는, 차별적인.

㊀ **~·ly** [-nitli] *ad.*

dis·crím·i·nàt·ing *a.* **1** 식별하는; 식별력이 있는. **2** 차별적인《대우 따위》: ~ duties 차별 관세. ㊀ **~·ly** *ad.*

°**dis·crìm·i·ná·tion** *n.* Ⓤ **1** 구별; 식별(력), 판별(력), 안식《***in*** …의; ***between*** …사이의》: show ~ *in* one's choice of books 책을 고르는 데 안목을 보이다/~ *between* similar colors 비슷한 색깔의 식별. **2** 차별, 차별 대우: racial (sexual) ~ 인종(성) 차별/without ~ 차별 없이, 평등하게.

dis·crim·i·na·tive [diskrímənèitiv, -nətiv] *a.* 식별력이 있는; 구별하는; 차별을 나타내는, 특이한; 차별적인.

dis·crim·i·na·tor [diskrímənèitər] *n.* Ⓒ **1** 식별(차별)하는 사람. **2** 〖전자〗 판별기(장치)《주파수·위상(位相)의 변화에 따라 진폭을 조절하는》.

dis·crim·i·na·to·ry [diskrímənətɔ̀ːri/-təri] *a.* **1** 차별적인: a ~ attitude 차별적인 태도. **2** 식별력이 있는.

dis·cur·sive [diskə́ːrsiv] *a.* **1** (문장·이야기 따위가) 산만한, 종잡을 수 없는. **2** 〖철학〗 추론적인. ㊀ **~·ly** *ad.* **~·ness** *n.*

dis·cus [dískəs] (*pl.* **~·es, *dis·ci*** [dískai]) *n.* **1** Ⓒ (경기용) 원반(圓盤). **2** (the ~) =DISCUS THROW.

‡**dis·cuss** [diskʌ́s] *vt.* 《~+목/+목+전+명/+-*ing*/+*wh. to* do/+*wh.* 절》 …을 논하다, **토론(논의)하다**(debate), …**에 관하여 이야기하다**; …을 검토하다《***with*** (아무)와》: ~ literature 문학을 논하다/I *~ed* politics *with* them. 정치에 대해 그들과 토론했다/We *~ed* join*ing* the club. 우리는 그 클럽 가입에 관해 이야기했다(검토했다)/~ *how to* do it 그것을 어떻게 행할 것인지를 검토하다/We *~ed what* we should do after graduation. 우리는 졸업 후 무엇을 해야 할 것인지를 논했다.

SYN. **discuss** 이것저것 검토하면서 논하다, 화제로 하여 검토하다. **argue** 사람을 설득하기 위하여 조리있게 논하다. **debate** (공식 석상에서) 의견을 교환하고 토론하다: *debate* a proposed bill 제출된 법안을 토의하다. **dispute** 주로 반대하기 위해서 논하다, …에 이의를 제기하다.

㊀ **~·er** *n.* Ⓒ 논의하는 사람, 토론자.

dis·cus·sant [diskʌ́snt] *n.* Ⓒ (심포지엄·토론회 따위의) 토론(참가)자.

****dis·cus·sion** [diskʌ́ʃən] *n.* Ⓤ (구체적으로는 Ⓒ) **토론**; 토의; 심의, 논의, 의논; 검토《***about, on, of*** …에 관한》: the issue under ~ 토의〔심의〕 중인 문제/come up for ~ (문제 따위가) 토의에 부쳐지다/beyond ~ 논할 여지도 없는/We had a ~ *about* 〔*on*〕 that. 우리는 그 일에 관한 의논을 했다.

díscus thròw (the ~) 원반 던지기.

dis·dain** [disdéin] *n.* Ⓤ **경멸**(輕蔑), 모멸(의 태도); 오만. **—vt.* **1 경멸하다**, 멸시하다. **2** 《+*to* do/+*-ing*》 …할 가치가 없다고 생각하다, …하는 것을 떳떳지 않게 여기다《★ 수동태 불가》: ~ *to* notice an insult 모욕을 무시해 버리다/He ~*ed* shoot*ing* an unarmed enemy. 그는 무장하지 않은 적을 쏘는 것을 떳떳지 않게 여겼다.

dis·dain·ful [disdéinfəl] *a.* 경멸적(輕蔑的)인(scornful), 거드럭거리는(haughty), 오만한; 무시〔경멸〕하는《***of*** …을》: a ~ smile 경멸의 미소/Don't be ~ *of* your enemy. 적을 얕잡아보지 마라. ㊐ **~·ly** *ad.* 경멸하여.

****dis·ease** [dizíːz] *n.* Ⓤ (구체적으로는 Ⓒ) **1 병**, 질병. ⓒⓕ ailment, illness, malady. ↔ *health.* ¶catch 〔suffer from〕 an incurable ~ 불치의 병에 걸리다/a serious ~ 중병/a family 〔hereditary〕 ~ 유전병/an inveterate 〔a confirmed〕 ~ 난치병, 고질. **2** (정신·도덕 따위의) 불건전, 퇴폐; 악폐: ~*s* of society 사회적 퇴폐.

dis·éased *a.* 병의, 병에 걸린; 병적인(morbid): the ~ part 환부/a ~ mind 상처 입은 마음. SYN. ⇨ILL.

dis·em·bark [dìsembáːrk] *vt., vi.* 양륙하다, 상륙시키다〔하다〕, 내리(게 하)다《***from*** (배·비행기 따위)에서》. ↔ *embark.* ㊐ **~·ment** *n.*

dis·em·bar·ka·tion [dìsembɑːrkéiʃən] *n.* Ⓤ 양륙; 하선, 하차.

disembarkátion càrd (여행자 등의) 입국카드.

dis·em·bar·rass [dìsembǽrəs] *vt.* **1** 해방시키다(free)《***of*** (곤경·무거운 짐)에서》. **2** 《~ oneself》 벗어나다; 안심하다(relieve)《***of*** (걱정·불안)에서》: ~ one*self of* a misconception 오해에서 벗어나다. ㊐ **~·ment** *n.* Ⓤ 해방, 이탈.

dis·em·bod·ied [dìsimbɑ́did/-bɔ́d-] *a.* Ⓐ **1** 육체가 없는, 육체에서 분리된; 실체 없는, 현실에서 유리된: a ~ spirit (육체에서 빠져나간) 망령. **2** 모습이 보이지 않는 사람의《목소리 따위》.

dis·em·bow·el [dìsembáuəl] (**-*l*-,** 《英》 **-*ll*-**) *vt.* (동물 따위)의 창자를 빼내다《★ 생선·닭 따위의 내장을 빼낼 때는 clean을 씀》. ㊐ **~·ment** *n.* Ⓤ 창자를 꺼냄; 할복.

dis·em·broil [dìsembrɔ́il] *vt.* **1** 해방하다《***from*** (혼란·뒤얽힘)에서》. **2** 《~ oneself》 벗어나다《***from*** (혼란·뒤얽힘)에서》: ~ one*self from* an affair of the heart 정사(情事)에서 손을 떼다.

dis·en·chant [dìsentʃǽnt, -tʃɑ́ːnt] *vt.* **1** 《종종 수동태》 (아무)를 미몽(迷夢)에서 깨어나게 하다; (아무)에게 환멸을 느끼게 하다《***with*** (아무)에 대한》: *be ~ed with* one's husband 남편에게 환멸을 느끼다. **2** …의 마법을 풀다. ㊐ **~·ment** *n.* Ⓤ 각성, 눈뜸.

dis·en·cum·ber [dìsenkʌ́mbər] *vt.* 해방시키다, 벗어나게 하다《***from, of*** (고통·장애물 따위)에서》: ~ a person *of* 〔*from*〕 his burden 아무를 무거운 짐에서 벗어나게 하다.

dis·en·fran·chise [dìsenfrǽntʃaiz] *vt.* = DISFRANCHISE. ㊐ **~·ment** *n.*

dis·en·gage [dìsengéidʒ] *vt.* **1** 자유롭게 하다, 해방하다《***from*** (의무·속박)에서》: I quietly ~*d* myself *from* the discussion. 나는 토론장에서 살그머니 빠져나왔다. **2** (기계의 접속·포옹 따위)를 풀다, 떼다, 벗기다《***from*** …에서》: ~ the clutch 〔gears〕 (자동차의) 클러치〔기어〕를 풀다/She ~*d* herself *from* his embrace. 그녀는 그의 포옹에서 몸을 뺐다. **3** 〖군사〗 **a** 전투를 중지케 하다, (부대)를 교전에서 철수시키다. **b** 《~ oneself》 교전을 중지하다, 철수하다. **—***vi.* **1** 떨어지다, 풀어지다, 벗겨지다《***from*** …에서》. **2** 교전을 멈추다, 철수하다.

dìs·en·gáged *a.* **1** 풀린; 떨어진. **2** 약속〔예약〕이 없는, 비어 있는; 한가한, 용무가 없는.

dìs·en·gáge·ment *n.* Ⓤ **1** 해방(상태), 이탈, 철퇴《***from*** …에서의》. **2** 해약; 《특히》 파혼. **3** (행동의) 자유; 여가.

dis·en·tan·gle [dìsentǽŋgl] *vt.* **1** (로프·머리칼 따위)의 엉킨 것을 풀다. **2** 《~ oneself》 (혼란·분규)를 해결하다, 수습하다; 이탈시키다《***from*** …에서》: ~ one*self from* politics 정치에서 손을 떼다. **—***vi.* 풀리다, 해결되다. ㊐ **~·ment** *n.*

dis·en·thral(l) [dìsenθrɔ́ːl] (**-*ll*-**) *vt.* (노예 상태 따위)에서 해방하다(set free), …의 속박을 풀다. ㊐ **~·ment** *n.* Ⓤ 해방.

dis·e·qui·lib·ri·um [disìːkwəlíbriəm] (*pl.* **~*s*, -*ria*** [-riə]) *n.* Ⓤ (구체적으로는 Ⓒ) (경제상의) 불균형, 불안정.

dis·es·tab·lish [dìsistǽbliʃ] *vt.* (기존의 제도)를 폐지〔폐기〕하다; (교회)의 국교제(國教制)를 폐지하다. ㊐ **~·ment** *n.*

dis·es·teem [dìsestíːm] *vt.* 얕〔깔〕보다; 경시하다. **—***n.* Ⓤ 냉대; 경시: hold a person in ~ 아무를 경시하다.

dis·fa·vor [disféivər] *n.* Ⓤ **1** 싫어함, 마음에 안 듦; 냉대: The father looked with ~ upon his daughter's lover. 아버지는 딸의 애인이 마음에 들지 않았다. **2** 인기〔인망〕 없음《***with*** …에게》: The Prime Minister has fallen into ~ *with* the people. 수상은 국민에게 인기를 잃었다. **—***vt.* 소홀히 하다, 냉대하다; 싫어하다, 못마땅해 하다.

dis·fig·ure [disfígjər/-fígər] *vt.* …의 모양을 손상하다, …을 추하게 하다, 볼꼴 사납게 하다, …의 가치를 손상시키다: Large billboards have ~*d* the countryside. 대형 간판이 시골 풍경을 손상시켰다. ㊐ **~·ment** *n.* Ⓤ 미관 손상, 볼꼴 사나움, Ⓒ 미관을 손상시키는 물건.

dis·fran·chise [disfrǽntʃaiz] *vt.* …의 공민〔선거〕권을 빼앗다; (지구(地區))에서 국회 의원 선출권을 빼앗다; …의 권리를〔특권을〕 빼앗다. ㊐ **~·ment** *n.* Ⓤ 선거〔공민〕권 박탈.

dis·frock [disfrɑ́k/-frɔ́k] *vt.* …의 성직(聖職)을 박탈하다(unfrock).

dis·gorge [disgɔ́ːrdʒ] *vt.* **1** (먹은 음식)을 토해 내다. **2** (강물)을 흘려 보내다; (탈것이 사람)을 일시에 토해내다《***at, into*** …으로》: The river ~*s* its waters *into* the Black Sea. 그 강물은 흑해로 흘러든다. **3** 《비유적》 (훔친 것·부당 이득 따위)를 게워 내다. **—***vi.* (강이) 흘러들다; 도난품을 반환하다.

***dis·grace** [disgréis] *n.* **1** Ⓤ **창피, 불명예**, 치

욕: bring ~ on one's family 집안의 명예를 손상시키다. [cf.] dishonor, shame. **2** (a ~) 불명예스런 일, 망신거리《*to* …에게》: The divorce was a ~ *to* the royal family. 그 이혼은 왕실의 수치였다. ***fall into*** ~ 총애를 잃다《***with*** (아무)의》. ***in*** ~ 비위를 거슬러; 기분을 상하게 하여《***with*** (아무)의》: The naughty boy is *in* ~ *with* his parents. 그 개구쟁이 소년은 부모의 비위를 거스른다.

—*vt.* **1** 욕되게 하다; (이름)을 더럽히다: Do not ~ the 〔your〕 family name. 가문의 이름을 욕되게 하지 마시오. **2** 〖~ oneself〗 창피를 당하다. **3** (공무원)을 면직〔사직〕시키다.

dis·grace·ful [disgréisfəl] *a.* 면목 없는, 수치스러운(shameful), 불명예스러운. [파] **~·ly** *ad.* 수치스럽게, 불명예스럽게: conduct oneself *~ly* 수치스러운 행동을 하다. **~·ness** *n.*

dis·grun·tle [disgrʌ́ntl] *vt.* …을 기분 상하게 하다, …에게 불만을 품게 하다. [파] **~d** *a.* 불만스러운; 기분 상한, 시무룩한《***at, with*** …에》.

dis·guise** [disgáiz] *n.* [U] (구체적으로는 [C]) **1** **변장**, 가장, 위장: in ~ 변장한〔하고〕/ Noble words can be the ~ of base intentions. 고상한 말은 야비한 의도의 위장이 되기도 한다. **2** (남의 눈을 속이는) 거짓; 기만; 구실(口實): make no ~ of one's feelings 감정을 그대로 드러내다 / without ~ 숨김없이. ***in 〔***under***〕 ***the*** ~ ***of*** …이라 속이고, …을 구실로: He made money *under the* ~ *of* charity. 그는 자선을 구실로 돈을 모았다. ***throw off*** one***'s*** ~ 가면을 벗다, 정체를 드러내다.

—*vt.* **1** 《~+[목]/+[목]+[전]+[명]/+[목]+*as* [보]》 **a** 〖~ oneself〗 **변장〔가장〕하다**: ~ one*self with* a wig 가발로 변장하다 / ~ one*self as* a beggar 거지로 변장하다. **b** 겉모습을 바꾸어 속이다: ~ one's voice 자기의 목소리를 바꾸다, 남의 목소리를 흉내내다 / ~ horseflesh *as* beef 말고기를 쇠고기로 속이다. **2** 《~+[목]/+[목]+[전]+[명]》 (사실 등)을 꾸미다, 숨기다; (의도·감정 따위)를 감추다: ~ a fact *from* a person 사실을 아무에게 감추다 / ~ one's sorrow *beneath* a careless manner 아무렇지 않은 듯한 태도로 슬픔을 감추다.

dis·gust** [disgʌ́st] *n.* [U] (심한) **싫증**, **혐오**, 불쾌감《at, for*** …에 대한》: in ~ 싫어져서, 정떨어져 / She felt ~ *at* his conduct. 그의 행위를 보고 그녀는 불쾌감을 느꼈다 / look at a person with ~ 아무를 혐오의 눈초리로 보다. ***to*** one***'s*** ~ (정말) 불쾌한 것은; 유감스럽게도: *To* my ~, I failed to get a raise. 유감스럽게도, 승급(昇給)이 되지 않았다.

—*vt.* 싫어지게〔정떨어지게; 넌더리나게〕 하다; 메스껍게 하다《★ 종종 수동태로 쓰며, 전치사는 *at, by, with*》: His behavior *~ed* me. 그의 태도에 정나미가 떨어졌다 / I'm *~ed with* life. 인생이 싫어졌다 / He *was ~ed at* your cowerdice. 그는 너의 비접함에 넌더리가 났다.

dis·gúst·ed [-id] *a.* 정떨어진, 욕지기나는, 싫증난; 화나는, 분개한. [파] **~·ly** *ad.* **~·ness** *n.*

dis·gust·ful [disgʌ́stfəl] *a.* 진저리〔구역질〕나는, 정떨어지는. [파] **~·ly** *ad.*

***dis·gust·ing** [disgʌ́stiŋ] *a.* **구역질나는**, 정말 싫은, 정떨어지는, 지겨운: a ~ smell 메스꺼운 냄새 / ~ weather 지겨운 날씨. [파] **~·ly** *ad.* 지겹게; 《속어》 터무니없이.

†**dish** [diʃ] *n.* **1 a** [C] (깊은) **접시**, 큰 접시《금속·사기·나무 제품》, 푼주. **b** (the ~es) 식기류: do the *~es* 접시를 닦다 / clear away the *~es* (식탁의) 접시들을 치우다.

[SYN.] **dish** 도자기, 금속, 유리 등으로 된 요리를 담아 내놓기 위한 좀 깊은 듯한 큰 접시. **plate** dish로부터 요리를 덜어 놓기 위한 밑이 얕은 접시. **saucer** 커피잔 따위의 얕은 받침 접시를 말함.

2 [C] 한 접시(의 요리); (접시에 담은) 음식물; 〖일반적〗 요리, 음식물: a cold ~ 차게 한 요리 / a ~ *of* meat 고기 요리 한 접시 / a nice ~ 맛있는 요리 / one's favorite ~ 좋아하는 요리.

3 [C] 주발 모양의 것; 접시형 안테나(의 반사판).

4 [C] 《구어》 매력 있는〔귀여운〕 여자; (one's ~) 《구어》 자신이 좋아하는〔장기로 하는〕 것([cf.] CUP of tea).

a standing ~ 늘 같은 요리; 틀에 박힌 화제.

—*vt.* **1** 《~+[목]/+[목]+[부]/+[목]+[전]+[명]》 큰 접시에 담다, (요리)를 접시에 담아 내놓다(*up; out*); 접시꼴로 하다: ~ the dinner *up* 접시에 저녁 식사를 담아 내놓다 / ~ food *onto* plates 접시에 음식을 담다. **2** 《구어》 (상대)를 지우다, 골탕을 먹이다, (계획·희망)을 꺾다, 좌절시키다.

~ ***it out*** 《구어》 몹시 꾸짖다, 벌하다; 때려눕히다; 악담을 퍼붓다. ~ ***out*** 《*vt.*+[부]》 ① (요리)를 큰 접시에 담다(⇨*vt.* 1); (각자 접시에) 덜어내다. ② 《구어》 분배하다; (뉴스·정보 등)을 주다: ~ *out* unwanted advice 쓸데없는 충고를 하다. ~ ***up*** 《*vt.*+[부]》 ① 요리를 큰 접시에 담다(⇨*vt.* 1). ② 《비유적》 (이야기 따위)를 그럴 듯하게 꺼내다, 관심을 끌도록 꾸며 말하다: He *~ed up* the story in a humorous way. 그는 그 이야기를 유머러스하게 꾸며 말했다.

dis·ha·bille [dìsəbíːl] *n.* [U] 실내복, 약복; 칠칠치 못한 복장. ***in*** ~ (특히 여성이) 단정치 못한 복장으로, 살을 드러낸 옷차림으로.

dísh anténna 〖통신〗 접시형 안테나(parabolic antenna).

dis·har·mo·ni·ous [dìshɑːrmóuniəs] *a.* 부조화의, 화합이 안 되는; 불협화의.

dis·har·mo·ny [dishɑ́ːrməni] *n.* [U] 부조화, 불일치; 불협화(음), 가락에 맞지 않음.

dísh·clòth *n.* [C] 접시 닦는 헝겊; 《英》 행주(《美》 dish towel).

díshcloth góurd 〖식물〗 수세미외.

dis·heart·en [dishɑ́ːrtn] *vt.* …을 낙담시키다, …에게 용기를〔자신을〕 잃게 하다, …을 실망케 하다《★ 종종 수동태로 쓰며, 전치사는 *at, by*》: Don't *be* 〔get〕 *~ed at* the news. 그 소식을 듣고 낙담하지 마시오. [파] **~·ing** *a.* 낙심시키는, 기를 꺾는. **~·ing·ly** *ad.* 낙담하게〔할 만큼〕. **~·ment** *n.* [U] 낙담.

dished [diʃt] *a.* **1** 오목한: a ~ face 주걱턱 얼굴. **2** 《속어》 소모된, 몹시 피곤한.

di·shév·eled, 《英》 **-elled** [diʃévəld] *a.* (머리가) 헝클어진; 봉두난발의; (복장이) 단정치 못한; (사람이) 칠칠치 못한 모습의.

dish·ful [díʃfùl] *n.* [C] 접시에 하나 가득(한 양).

dis·hon·est** [disɑ́nist/-ɔ́n-] *a.* **1** **부정직한**, 불성실한《to*** do》: a ~ answer 불성실한 답변 / It was ~ *of* you 〔You were ~〕 not *to* say so. 그렇게 말하지 않았다니 자네는 정직하지 못했군. **2** (행위가) 부정한, 눈속이는: ~ profit 부정한 수익 / by ~ means 부정한 수단으로.

[파] **~·ly** *ad.*

***dis·hon·es·ty** [disɑ́nisti] *n.* **1** [U] **부정직**, 불

성실: acts of ~ 부정 행위. **2** Ⓒ 사기; 거짓말.

*__dis·hon·or,__ 《英》 **-our** [disánər/-ɔ́n-] *n.* **1** Ⓤ **불명예**; 치욕, 굴욕(shame), 모욕(insult): live in ~ 굴욕적 생활을 하다. **2** Ⓤ (또는 a ~) 불명예스러운 일, 치욕이 되는 일, 망신거리《*to* …에게》: do a person a ~ 아무를 모욕하다/be a ~ *to* (one's family) (집안)의 망신거리이다. ⓒⓕ disgrace, shame. **3** Ⓤ 〖상업〗 (어음·수표의) 지급〔인수〕 거절, 부도(不渡).
—*vt.* **1** …에게 굴욕을 주다; …의 이름을 더럽히다: ~ oneself 불명예를 초래하다. **2** 〖상업〗 (어음 등)의 지급을〔인수를〕 거절하다, …을 부도내다(↔ *accept*): a ~*ed* bill 〔check〕 부도 어음〔수표〕.

°__dis·hón·or·a·ble__ *a.* 불명예스러운, 수치스러운; 천한; 비열한: ~ discharge 〖美군사〗 불명예 제대. **-bly** *ad.*

dísh·pàn *n.* Ⓒ 《美》 개수통.

dísh·ràg *n.* =DISHCLOTH.

dísh tòwel 《美》 행주《접시 닦기용》.

dísh·wàsher *n.* Ⓒ 접시 닦는 사람〔기계〕.

dísh·wàter *n.* Ⓤ 개숫물. ***(as) dull as*** ~ 몹시 지루한. ***(as) weak as*** ~ (차·커피 등이) 멀건, 싱거운.

dishy [díʃi] (*dish·i·er; -i·est*) *a.* 《英구어》 (성적으로) 매력적인.

°__dis·il·lu·sion__ [dìsilúːʒən] *n.* Ⓤ 미몽을 깨우치기, 각성; 환멸. —*vt.* **1** …의 미몽을 깨우치다, …을 각성시키다. **2** 환멸을 느끼게 하다《★ 흔히 수동태로 쓰며, 전치사는 *at, about, with*》: He's very ~*ed about* the political situation. 그는 정국(政局)에 몹시 환멸을 느낀다/She's ~*ed with* her job. 그녀는 자기 직업에 환멸을 느끼고 있다. ㊀ **~·ment** *n.* Ⓤ 환멸(감).

dis·in·cen·tive [dìsinséntiv] *n.* Ⓒ 활동을 방해〔억제〕하는 것, 의욕을 꺾는 것, 《특히》 경제 성장〔생산성 향상〕을 저해하는 것.

dis·in·cli·na·tion [disìnklinéiʃən, dìsin-] *n.* Ⓤ (또는 a ~, one's ~) 기분이 내키지 않음, 싫음《*for* …에 대해/*to* do》: He has a ~ *for* work. 그는 일을 하기 싫어한다/He felt a ~ *to* continue his music lessons. 그는 음악 레슨을 계속 받고 싶은 마음이 내키지 않았다.

°__dis·in·cline__ [dìsinkláin] *vt.* 싫증나게 하다; 마음이 내키지 않게 하다《*for* …에 대해/*to* do》: I feel ~*d for* an argument. 논의하고 싶은 마음이 내키지 않았다/He was ~*d to* go. 그는 가고 싶지 않았다.

dis·in·fect [dìsinfékt] *vt.* 소독〔살균〕하다: ~ a hospital room 병실을 소독하다.

dis·in·fect·ant [dìsinféktənt] *a.* 소독력이 있는, 살균성의. —*n.* Ⓤ (종류·낱개는 Ⓒ) 소독제, 살균제.

dìs·in·féc·tion *n.* Ⓤ 소독.

dis·in·fest [dìsinfést] *vt.* (집·배 등)에서 해충을〔쥐 (따위)를〕 잡아 없애다. ㊀ **dìs·in·fes·tá·tion** [-festéiʃən] *n.* Ⓤ 해충 구제.

dis·in·fla·tion [dìsinfléiʃən] *n.* Ⓤ 〖경제〗 디스인플레이션《인플레이션의 완화》. ㊀ **~·ary** [-èri/-əri] *a.* 인플레 완화에 도움이 되는; 디스인플레이션의.

dis·in·for·ma·tion [disìnfərméiʃən, dìsin-] *n.* Ⓤ 그릇된 정보《특히 적의 간첩을 속이기 위한》, 역(逆)정보.

dis·in·gen·u·ous [dìsindʒénjuːəs] *a.* 부정직한, 불성실한, 엉큼한, 속이 검은《*to* do》: It's ~ *of* him *to* flatter me. =He's ~ *to* flatter me. 나에게 아첨하는 것을 보니 그는 속이 엉큼하다. ㊀ **~·ly** *ad.* **~·ness** *n.*

dis·in·her·it [dìsinhérit] *vt.* 〖법률〗 (자식)의 상속권을 박탈하다, …을 폐적(廢嫡)하다; …와 의절하다. ㊀ **~·ance** [-əns] *n.* Ⓤ 폐적, 상속권 박탈.

°__dis·in·te·grate__ [disíntigrèit] *vt.* 분해시키다, 풍화시키다; 붕괴시키다: The rock was ~*d* by frost and rain. 바위는 서리와 비로 풍화되었다. —*vi.* 분해하다, 허물어지다, 붕괴하다《*into* …으로》.

dis·ìn·te·grá·tion *n.* Ⓤ 분해; 분열; 〖물리〗 (방사성 원소의) 붕괴; 〖지질〗 (암석 따위의) 풍화(작용).

dis·in·ter [dìsintə́ːr] (*-rr-*) *vt.* (시체 따위)를 파내다, 발굴하다; (숨겨진 곳에서) 드러내다. ㊀ **~·ment** *n.* Ⓤ (구체적으로는 Ⓒ) 발굴.

dis·in·ter·est [disíntərist, -rèst] *n.* Ⓤ 이해관계가 없음; 공평무사; 무관심.

*__dis·in·ter·est·ed__ [disíntəristid, -rèst-] *a.* **1 사심이 없는**, 공평한(↔ *interested*). ⓒⓕ uninterested. ¶a ~ decision 공평한 결정/A judge should be ~. 재판관은 공평무사해야 한다. **2** 흥미가 없는, 무관심한《*in* …에》《★ 비표준 용법으로 uninterested 쪽이 일반적》. ㊀ **~·ly** *ad.* **~·ness** *n.*

dis·in·vest [dìsinvést] *vt.* 〖경제〗 (자본재 따위)의 투자를 중지하다; 투자를 회수〔철수〕하다. ㊀ **~·ment** *n.*

dis·join [disdʒɔ́in] *vt.* 떼다, 분리시키다.

dis·joint [disdʒɔ́int] *vt.* **1** …의 관절을 삐게 하다, …을 탈구(脫臼)시키다. **2** 뿔뿔이 흩뜨리다, (기계 따위)를 해체하다. **3** 지리멸렬하게 하다. —*vi.* 뿔뿔이 흩어지다; (관절 따위가) 삐다.

dis·jóint·ed [-id] *a.* 관절을 삔; 뿔뿔이 된; 뒤죽박죽의, 체계가 서지 않은〔지리멸렬한〕《사상·문체·이야기 따위》. ㊀ **~·ly** *ad.* **~·ness** *n.*

dis·júnc·tion [disdʒʌ́ŋkʃən] *n.* Ⓤ (구체적으로는 Ⓒ) 분리, 분열, 괴리, 분단.

dis·junc·tive [disdʒʌ́ŋktiv] *a.* **1** 나누는, 떼는; 분리적인. **2** 〖문법〗 이접적(離接的)인. —*n.* Ⓒ 〖문법〗 이접적 접속사《but, yet, (either ...) or 따위》. ㊀ **~·ly** *ad.*

*__disk, disc__ [disk] *n.* Ⓒ **1 평원반** (모양의 것); (아이스하키의) 퍽(puck); (경기용) 원반. **2** (흔히 disc) 레코드; 〖컴퓨터〗 저장판, 디스크《자기(磁氣) 디스크 기억 장치》. **3** 〖해부〗 원반, 《특히》 추간 연골: ~ herniation 추간 연골 헤르니아. **4** 평원형(形)의 표면: the sun's 〔moon's〕 ~ 태양〔달〕 표면.

dísk bràkes (자동차 등의) 원판 브레이크.

dísk capàcity 〖컴퓨터〗 디스크 용량.

dísk contròller 〖컴퓨터〗 디스크 제어기.

dísk drìve 〖컴퓨터〗 디스크 드라이브《디스크에 정보를 기입하거나 읽어 내는 장치》.

dis·kette [diskét] *n.* Ⓒ 〖컴퓨터〗 (저장)판, 디스켓(floppy disk)《재킷에 수록된 레코드판 모양의 기억 매체(記憶媒體)》.

dísk hàrrow (트랙터용) 원판 쟁기.

dísk jòckey =DISC JOCKEY.

dísk òperating sỳstem 〖컴퓨터〗 =DOS.

‡**dis·like** [disláik] *vt.* 《~+목/+-*ing*/+목+*to* do》 **싫어**〔**미워**〕**하다**: get oneself ~*d* 남에게 미움을 사다/I ~ (his) do*ing* it. 나는 (그가) 그것을 하는 것이 싫다/I ~ him *to* drink so much.

나는 그가 그렇게 많이 마시는 것이 싫다.
—*n.* [U] (구체적으로는 [C]) 싫음, 혐오, 반감 《**for, of** …에 대한》: one's likes and ~*s* 호불호(好不好)/I have a ~ *of* 〔*for*〕 alcoholic drinks. 나는 주류가 싫다. ★ 동사 dislike는 detest, hate 보다 뜻이 약하고, do not like 보다 강함.
take a ~ to …을 싫어하게 되다.

dis·lo·cate [dísloukèit, -∸-] *vt.* **1** 관절을 삐게 하다, 탈구시키다: He fell and ~*d* his shoulder. 그는 넘어져서 어깨뼈를 탈구했다. **2** 뒤죽박죽으로 만들다; 혼란시키다: The country's economy was ~*d* by the war. 그 나라의 경제는 전쟁으로 혼란해졌다.

dìs·lo·cá·tion *n.* [U] (구체적으로는 [C]) 탈구; 혼란.

dis·lodge [dislάdʒ/-lɔ́dʒ] *vt.* **1** 이동시키다(remove); 제거하다《**from** …에서》: ~ a heavy stone *from* the ground 무거운 돌을 지면에서 치우다. **2** 몰아〔쫓아〕 내다; (적)을 구축〔격퇴〕하다(drive)《**from** (진지 · 수비 위치)에서》: They ~*d* the enemy *from* the hill. 그들은 적을 언덕에서 퇴각시켰다.
[파] **dis·lódg(e)·ment** *n.*

°**dis·loy·al** [dislɔ́iəl] *a.* 불충한, 불성실한《**to** …에》; 불의의: He's ~ *to* the party. 그는 당에 충성스럽지 않다. [파] **~·ly** *ad.*

dis·loy·al·ty [dislɔ́iəlti] *n.* **1** [U] 불충; 불의《**to** …에의》. **2** [C] 불충〔불의〕의 행위.

***dis·mal** [dízməl] *a.* **1** 음울한, 음침한; (기분이) 우울한: a dark and ~ day 어둡고 음산한 날/a ~ song 우울한 노래. **2** (경치가) 쓸쓸한, 황량한. **3** 비참한, 참담한: a ~ failure 참담한 실패(자). [파] **~·ly** *ad.*

Dísmal Swámp (the ~) 디즈멀 대습지 (Great ~)《미국 남부 대서양 연안의》.

dis·man·tle [dismǽntl] *vt.* **1 a** (건물 · 배)에서 설비를〔기구 · 장비 · 방비 등을〕 제거하다. **b** …에서 제거하다《**of** …을》: The house had been ~*d of* its roof. 그 집은 지붕이 벗겨져 있었다. **2** 부수다; (기계 등)을 분해하다; ~ an engine 엔진을 분해하다. —*vi.* (기계 따위가) 분해할 수 있다: This bed ~*s* easily. 이 침대는 간단히 분해할 수 있다. [파] **~·ment** *n.*

dis·mast [dismǽst, -mάːst] *vt.* (폭풍 따위가 배)의 돛대를 앗아가다, 돛대를 부러뜨리다.

dis·may** [disméi] *n.* [U] **당황, 경악; 낙담**: We heard the news of the General's death in 〔with〕 ~. 우리는 장군의 사망 소식을 듣고 아연실색했다. ***be struck with ~ (***at***) (…을 듣고) 당황하다, 어쩔줄 모르다. ***in utter ~*** 허둥지둥, 당황하여.
—*vt.* 당황케 하다; 실망〔낙담〕시키다《★ 종종 수동태로 쓰며, 전치사는 *at, by*》: We *were* ~*ed at* the news. 우리는 그 소식을 듣고 당황했다/He *was* ~*ed* to learn the truth. 그는 진상을 알고 당황했다.

dis·mem·ber [dismémbər] *vt.* …의 손발을 자르다; …을 해체하다, (국토 따위)를 분할하다.

dis·mém·ber·ment *n.* [U] (수족의) 단절; 국토분단.

⁑**dis·miss** [dismís] *vt.* **1 떠나게 하다**, 가게 하다; (집회 · 대열 등)을 해산시키다: ~ one's visitor (면담을 마치고) 방문객을 내보내다/The teacher ~*ed* the class at noon. 교사는 학습생을 정오에 해산시켰다. **2** 《~+[목]/+[목]+[전]+[명]》 해고〔면직〕하다《**from** …에서》: They ~*ed* the cook. 그들은 요리사를 해고했다/~ a student *from* school 학생을 퇴교시키다/He was ~*ed* for drunkenness. 그는 술버릇이 나빠서 해고당했다. **3** 《~+[목]/+[목]+[전]+[명]/+[목]+*as* [보]》 (생각 따위)를 사라지게 하다, 깨끗이 잊어버리다《**from** (마음속)에서》; 버려버리다, 멀리하다: ~ an idea *from* one's mind 어떤 생각을 버리다/~ the thought *as* utterly incredible 전혀 믿을 수 없는 생각이라고 멀리하다. **4** (토의 중의 문제 따위)를 간단히 처리하다, …의 결말을 내리다: The possibility is not lightly to be ~*ed*. 그 가능성은 간단히 결말을 내릴 수 없다. **5** 〖법률〗 (소송 사건)을 각하〔기각〕하다. **6** 〖크리켓〗 (타자 · 팀)을 아웃시키다. ***Dismiss!*** = ***You are ~ed!*** 《구령》 해산!.

***dis·miss·al** [dismísəl] *n.* [U] (구체적으로는 [C]) **1 면직**, 해고. **2** 퇴거; **해산**. **3** 〖법률〗 (소송의) 각하, (상소의) 기각.

dis·mis·sive [dismísiv] *a.* 퇴거시키는, 그만두게 하는; 거부하는; 경멸적인: a ~ gesture 거부〔경멸〕하는 몸짓. [파] **~·ly** *ad.*

°**dis·mount** [dismáunt] *vt.* **1** 말〔자전거 따위〕에서 내리다; (적 따위)를 말에서 떨어뜨리다. **2** 대좌(臺座) 따위에서 …을 떼내다〔내리다〕; (대포)를 포차에서 내리다. **3** (그림 따위)를 틀에서 떼다; (기계 따위)를 분해하다, 해체하다. —*vi.* 내리다《**from** (말 · 자전거 따위)에서》: ~ *from* one's horse 말에서 내리다.

Dis·ney [dízni] *n.* **Walt(er E.)** ~ 디즈니《미국의 (만화) 영화 제작자; 1901–66》.

Dísney·lànd *n.* 디즈니랜드《1955 년에 W. Disney가 Los Angeles에 만든 유원지》.

°**dis·o·be·di·ence** [dìsəbíːdiəns] *n.* [U] 불순종; 불복종; 위반, 반칙《**to** (명령 · 법률 · 규칙 따위)에의》: ~ *to* law 법률 위반. ◇ disobey *v.*

***dis·o·be·di·ent** [dìsəbíːdiənt] *a.* **1 순종치 않는**; 말을 듣지 않는: a ~ child. **2** 위반하는, 반항하는《**to** …에》: He was ~ *to* the government. 그는 정부에 반항했다. [SYN.] ⇨WILLFUL.
[파] **~·ly** *ad.*

***dis·o·bey** [dìsəbéi] *vt., vi.* (어버이 등의) **말을 듣지 않다**; (…에) **따르지 않다**, (명령 · 규칙을) 위반하다, 어기다; 반항하다. ◇ disobedience *n.*

dis·o·blige [dìsəbláidʒ] *vt.* …에게 불친절하게 하다; (아무)의 뜻을 거스르다; …에게 폐를 끼치다: I'm sorry to ~ you. 원하시는 대로 해드리지 못해 죄송합니다.

°**dìs·o·blíg·ing** *a.* 불친절한; 무례한; 폐가 되는. [파] **~·ly** *ad.*

***dis·or·der** [disɔ́ːrdər] *n.* **1** [U] **무질서**, 어지러움, 혼란: be in ~ 혼란하다/fall 〔throw〕 into ~ 혼란에 빠지다〔빠지게 하다〕. **2** [U] (구체적으로는 [C]) (사회적) 소요(騷擾), 소란, 불온. **3** [U] (구체적으로는 [C]) (심신의) 부조(不調), 장애, 질환, 이상: a ~ of the digestive tract 소화기관 질환/suffer from (a) mental ~ 정신병에 걸리다.
—*vt.* **1** (질서)를 어지럽히다, 혼란시키다. **2** 건강을 해치게 하다《심신의》, 병들게 하다: Overwork ~*s* the stomach. 과로는 위장을 해친다.

dis·ór·dered *a.* **1** 혼란해진, 난잡한. **2** 장애의, 병에 걸린: ~ digestion 소화불량.

dis·ór·der·li·ness *n.* [U] **1** 무질서, 혼란. **2** 〖법률〗 공안 방해; 난맥.

°**dis·ór·der·ly** *a.* **1** 무질서한, 난잡한; 어질러진: a ~ room 어질러진 방. **2** 난폭한, 무법의: a ~ mob 폭도. **3** 〖법률〗 치안〔풍기〕문란의: ~

conduct 치안〔풍기〕 문란 행위《경범죄》.
disórderly hóuse (불법) 매음굴; 도박장.
dis·òr·gan·i·zá·tion *n.* Ⓤ 해체, 분해, 분열; 혼란, 무질서.
◇**dis·or·gan·ize** [disɔ́ːrgənàiz] *vt.* …의 조직을 파괴하다; 질서를 문란케 하다; …을 혼란시키다: The train schedule was ~*d* by heavy snowstorms. 심한 눈보라로 열차 운행 예정이 뒤죽박죽이 되어 버렸다. ㊞ **-ga·nized** *a.* 무질서한, 지리멸렬한.
dis·o·ri·ent [disɔ́ːriənt, -ènt] *vt.* **1** …에게 방향을 잃게 하다. **2** (낯선 환경 등에 세워 놓아) …을 어리둥절케 하다; 혼란시키다, 분별을 잃게 하다: be 〔feel〕 ~*ed* after a long jet flight 장시간의 제트 비행후에 머리가 멍해지다.
dis·o·ri·en·tate [disɔ́ːriəntèit] *vt.* =DISORIENT.
dis·ò·ri·en·tá·tion *n.* Ⓤ 방향 감각의 상실; 혼미.
dis·own [disóun] *vt.* …을 제것〔책임〕이 아니라고 말하다, …에 관계가 없다고 말하다; (자식)과 의절하다: He ~*ed* his membership in the group.그는 그 그룹의 일원이 아니라고 부인했다.
dis·par·age [dispǽridʒ] *vt.* 깔보다, 얕보다; 헐뜯다, 비방〔비난〕하다.
dis·pár·age·ment *n.* Ⓤ (구체적으로는 Ⓒ) 경멸, 깔봄; 비난.
dis·pár·ag·ing *a.* 깔보는 (듯한); 비난하는 (듯한). ㊞ **~·ly** *ad.*
dis·pa·rate [díspərit, dispǽr-] *a.* (본질적으로) 다른, 공통점이 없는, (완전히) 다른 종류의: a ~ concept 〖논리〗 이격(離隔) 개념, 괴리 개념. ㊞ **~·ly** *ad.*
dis·par·i·ty [dispǽrəti] *n.* Ⓤ (구체적으로는 Ⓒ) (본질적인) 부동(不同), 부등(不等), 불균형, 불일치; 상위《***between*** (양자) 사이의; ***in, of*** …의》: a ~ *in* age 〔position〕 연령〔지위〕의 격차 / the ~ *between* the rich and the poor 빈부의 격심한 차이 / (a) ~ *between* word and deed 언행의 불일치.
dis·pas·sion [dispǽʃən] *n.* Ⓤ 냉정, 평정(平靜); 공평무사.
dis·pas·sion·ate [dispǽʃənit] *a.* 감정에 움직이지 않는, 냉정한; 공평무사한. ㊞ **~·ly** *ad.* **~·ness** *n.*
dis·patch, des-** [dispǽtʃ] *vt.* **1** 《~+목/+목+전+명》 (편지·사자 등)을 **급송하다**; 급파〔특파〕하다; 파병하다《to*** …에》: ~ a telegram 전보를 치다 / A squad of policemen was ~*ed to* the troubled area. 소요 사태 지역에 경찰 부대가 급파되었다. **2** 《구어》 (일 따위)를 **급히 해치우다**, 신속히 처리하다; (식사)를 빨리 마치다. **3** 죽이다(kill); (사형수)를 신속히 처형하다.
—*n.* **1** Ⓤ 급파, 특파, 급송. **2** Ⓒ 속달편; 급송 공문서; 특전; 지급 전보. **3** Ⓤ 재빠른 처리; 신속한 조치: with ~ 지급으로, 신속히. SYN. ⇨ HASTE. ***be mentioned in ~es*** 〖英군사〗 수훈(殊勳) 보고서에 이름이 오르다.
dispátch bòx 〔**càse**〕 (공문서) 송달함; 서류 케이스〔가방〕.
dis·pátch·er, des- *n.* Ⓒ **1** 발송자〔원〕, 급파하는 사람. **2** (철도·버스·트럭 따위의) 운전 조차(操車)원, 배차원; (항공기의) 운항 관리자.
dis·pel** [dispél] (-ll-***) *vt.* **1** **일소하다, 쫓아버리다**; (근심 등)을 없애다(disperse); (의심)을 풀다: ~ fear 공포심을 떨쳐버리다 / His encouraging words ~*led* my worry. 그의 격려의 말이 내 걱정을 없애 주었다. **2** (연무 따위)를 흩어버리다.
dis·pen·sa·ble [dispénsəbəl] *a.* 없어도 좋은, 반드시 필요하지 않은.
dis·pen·sa·ry [dispénsəri] *n.* Ⓒ (공장·학교 등의) 의무실; (병원 따위의) 약국.
dis·pen·sa·tion [dìspənséiʃən, -pen-] *n.* **1** **a** Ⓤ (구체적으로는 Ⓒ) 분배, 시여(施與): the ~ *of* food and clothing 식량과 의복의 분배 / the ~ *of* charity 자선을 베풂. **b** Ⓒ 분배품, 시여물. **2** Ⓒ (신의) 섭리, 하늘의 배려; 하늘이 준 것. **3** Ⓤ 지배, 통치; 제도, 체제: the government under the new ~ 새로운 체제의 정부. **4** Ⓤ (구체적으로는 Ⓒ) 〖법률〗 (법 적용의) 완화, 면제. **5** Ⓤ 〖가톨릭〗 특별사면; Ⓒ 특면장. ◇ dispense *v.*
dis·pense** [dispéns] *vt.* **1** 《~+목/+목+전+명》 **분배하다**, 나누어 주다《to*** …에게》: ~ food and clothing *to* the poor 빈민에게 의복과 식량을 분배하다. **2** (약)을 조제하다, 시약〔투약〕하다: ~ a prescription 처방전대로 조제하다. **3** (법률 등)을 실시〔시행〕하다. **4** 《+목+전+명》 (아무)를 면제시키다(exempt)《***from*** (의무 따위)에서》: ~ a soldier *from* all fatigues 병사에게 모든 사역을 면제하다. **—***vi.* 《+전+명》 면제하다; 필요없게 하다; 〖흔히 can ~〗 없이 때우다《***with*** …을, …이》: The new method ~*s with* much labor. 새 방식으로 일손이 크게 덜어진다 / ~ *with* a person's services 아무를 해고하다 / I *cannot* ~ *with* this dictionary. 이 사전 없이는 해낼 수 없다.
dis·péns·er *n.* Ⓒ **1** 약사, 조제사; 분배자, 시여자(施與者). **2** 디스펜서《종이컵·휴지·향수·정제 등을 필요량만큼 내는 장치》; 자동 판매기: a coffee ~ 커피 자동 판매기 / a cash ~ (은행의) 현금 자동 지급기.
dispénsing chémist 《英》 조제 약제사.
dis·per·sal [dispə́ːrsəl] *n.* Ⓤ 〖생물〗 (개체의) 분산(分散), 전파; 분산(dispersion), (인구의) 소개; 해산.
***dis·perse** [dispə́ːrs] *vt.* **1** **흩뜨리다, 흩어지게 하다**; 해산시키다; 분산시키다: The police ~*d* the demonstrators with tear gas. 경찰대는 최루가스로 데모대를 해산시켰다. SYN. ⇨ SCATTER. **2** (종자·병·지식 등)을 퍼뜨리다, 전파시키다(diffuse). **3** (군대·경찰대)를 분산 배치하다. **4** (구름·안개 등)을 흩어 없어지게 하다; (환영 등)을 쫓아버리다. **5** 〖광학〗 (빛)을 분산시키다.
—*vi.* **1** (군중이) 흩어지다, 해산하다: The rebels ~*d* at the sight of the troops. 반역자들은 군대의 모습을 보자 뿔뿔이 흩어졌다. **2** (안개·구름 따위가) 흩어져 없어지다.
dis·per·sion [dispə́ːrʒən, -ʃən] *n.* **1** Ⓤ 분산; 산란(散亂), 이산. **2** Ⓤ 〖광학〗 분산, 분광; 〖전자〗 사란; 〖통계〗 (평균값 따위와의) 편차. **3** (the D–) 유대인의 이산(Diaspora).
dis·per·sive [dispə́ːrsiv] *a.* 흩뜨리는, 분산하는; 소산하는; 산포성(散布性)의, 전파성의. ㊞ **~·ly** *ad.*
di·spir·it [dispírit] *vt.* …의 기력을〔의기를〕 꺾다; 낙담시키다.
di·spír·it·ed [-id] *a.* 기운 없는, 기가 죽은, 의기소침한(disheartened). ㊞ **~·ly** *ad.*
dis·place** [displéis] *vt.* **1** 《~+목/+목+전+명》 **바꾸어 놓다**, 옮기다; 퇴거시키다《from*** (평소 또는 본래의 자리)에서》: ~ a bone (뼈가) 탈

구(脫臼)하다 / The villagers were ~*d* by the construction of a dam. 댐 건설로 마을 사람들이 퇴거당했다. **2** …에 **대신 들어서다**: The word processor ~*d* the typewriter. 워드프로세서가 타이프라이터의 일을 대신하게 되었다. **3** 《+목+전+명》 **제거하다**, 쫓아내다; 추방하다; 면직〔해직〕하다《***from*** …에서》. **4** 〖선박〗 배수량이 …톤이다; (자동차가) …의 배기량을 가지다: The new tanker ~*s* 260,000 tons. 새 유조선은 배수량이 26 만톤이다.

displáced pérson (전쟁으로 인한) 난민, 유민(流民), 강제 추방자《특히, 나치 정권에 의한; 생략: D.P.》.

dis·pláce·ment *n.* **1** Ⓤ 환치(換置), 전위; 이동; 〖화학〗 치환; 〖물리〗 변위(變位). **2** Ⓤ 배제; 해임, 해직; 퇴거. **3** Ⓤ (또는 a ~) (선박의) 배수량〔톤〕; (엔진의) 배기량: a ship of 3,000 tons ~ =a ship with a ~ of 3000 tons 배수량 3 천톤의 배 / a car of 1800 cc 배기량 1800 cc 의 차. **4** Ⓤ 〖심리〗 (감정) 전이(轉移).

displácement tòn 〖선박〗 배수(排水) 톤.

⁑**dis·play** [displéi] *vt.* **1 전시하다**, **진열하다**; 장식하다: ~ a sign 간판을 내걸다 / ~ goods for sale 상품을 전시하다. SYN. ⇨SHOW. **2** (기 · 돛 따위)를 펼치다, 게양하다; (날개 따위)를 펴다: ~ a flag 기를 게양하다 / ~ a map 지도를 펼치다. **3** 밖으로 나타내다, 드러내다, 보이다; (능력 등)을 발휘하다; (지식 등)을 과시하다: ~ fear 공포의 빛을 나타내다 / ~ contempt 경멸의 빛을 보이다 / ~ one's ignorance 자신의 무지를 드러내다 / ~ bravery 용기를 과시하다.

—*n.* **1 a** Ⓤ (구체적으로는 Ⓒ) 진열; 전시, 전람: the ~ of fireworks 불꽃놀이 / the pictures on ~ 전시〔진열〕한 그림. **b** Ⓒ 〔집합적〕 전시〔진열〕품: a ~ of Korean art 한국 미술 전시품. **2** Ⓤ (또는 a ~) 표시, 표명; (감정 따위의) 표현; 자랑삼아 보임, 과시; 발휘: a ~ of courage 용기의 발휘 / make a ~ of …을 과시하다 / out of ~ 보아란 듯이. **3** Ⓒ 〖컴퓨터〗 화면 표시기《출력 표시 장치》. **4** Ⓤ (또는 a ~) 〖동물〗 과시 (행동)《새 따위의 위협 · 구애 따위의 행동》.

*__dis·please__ [displíːz] *vt.* **불쾌하게 하다**; 화나게 하다: ~ one's senior 윗사람 기분을 상하게 하다 / His impudence ~*d* me. 그의 뻔뻔스러움에 화가 났다.

dis·pléased *a.* **1** 불쾌한: a ~ look 불쾌한 표정. **2** 불만스러운, 화를 낸《***with*** (아무)에게》; 못마땅한, 역정을 낸《***at*** (언동 따위)에》: She's ~ *with* you. 그녀는 자네에게 화를 내고 있다 / He was ~ *at* his son's behavior. 그는 아들의 행실이 못마땅했다.

dis·pléas·ing *a.* 불쾌한, 마땅찮은, 화나는《***to*** (아무)에게》: His voice is ~ *to* me. 그의 음성이 마음에 들지 않았다. ㊕ **~·ly** *ad.* 불유쾌하게.

◇**dis·pleas·ure** [displéʒər] *n.* Ⓤ 불쾌; 불만; 골: feel 〔show〕 ~ at …에 불쾌감을 느끼다〔보이다〕/ incur the ~ of …의 노염을 사다; …을 화나게 하다.

dis·port [dispɔ́ːrt] *vt.* 〔~ oneself〕 놀다, 장난치다; 즐기다: The bears were ~*ing themselves* in the water. 곰들은 물장난을 치고 있었다. **—***vi.* (흥겹게) 놀다, 즐기다.

dis·pos·a·ble [dispóuzəbəl] *a.* **1** 처치〔처분〕할 수 있는; 마음대로 되는; (세금을 낸 후) 자유로이 쓸 수 있는: ~ income 가처분(可處分) 소득. **2** 사용후 버릴 수 있는: ~ chopsticks 〔diapers, syringes〕 소독저〔종이 기저귀, 일회용 주사기〕. **—***n.* Ⓒ 사용 후 버리는 물건, 일회용 물품《종이컵 따위》.

◇**dis·pos·al** [dispóuzəl] *n.* Ⓤ **1** (재산 · 폐기물 등의) 처분, 처리《양도 · 매각》: ~ by sale 매각 처분 / the ~ of radioactive waste 방사성 폐기물 처리. **2** 처분의 자유; 처분권: left at his ~ 그의 재량에 맡겨져 있는. **3** 배치, 배열(配列). ◇ dispose *v.*

at* 〔*in*〕 a person's ~** =at the ~ of*** a person 아무의 뜻〔마음〕대로 되는: I am completely *at* 〔*in*〕 your ~. 전적으로 당신 뜻에 따르겠습니다. ***put* 〔*leave*〕 something *at* a person's ~** 무엇을 아무의 재량에 맡기다.

dispósal bàg (비행기 · 호텔 등에 비치된) 오물 처리 주머니.

*__dis·pose__ [dispóuz] *vt.* **1** 《~+목/+목+전+명》 **배치하다**, 배열하다《***for*** …에 대비하여》: ~ battleships *for* (a) battle 전투에 대비하여 전함을 배치하다. **2 a** 《+목+*to* do》 …에게 (…할) 마음이 내키게 하다; 자칫…하게 하다: Her poverty ~*d* me *to* help her. 가난한 것을 보니 그녀를 도울 생각이 났다. **b** 《+목+전+명》 …에게 경향을 띠게 하다; 영향을 받기 쉽게 하다《***to*** …의》: She was ~*d to* colds. 그녀는 감기에 자주 걸렸다.

—*vi.* **1** 《+전+명》 **처분**〔처리〕**하다**, 치우다, 정리하다, 결말짓다《***of*** …을》: ~ *of* garbage 쓰레기를 처리하다 / The property can be ~*d of* for a good sum. 그 재산은 좋은 값으로 처분할 수 있다. **2** 형세를 정하다, 조치를 취하다: Man proposes, God ~*s*. 《속담》 일은 사람이 꾸미되, 성패는 하늘에 달렸다.

dis·pósed *a.* Ⓟ **1** 마음이 내키는《***for*** …에》; …하고 싶어하는《***to*** do》: Are you ~ *for* a walk? 산책하고 싶습니까 / Mary wasn't ~ *to* dance that night. 메리는 그날 밤 춤추고 싶지 않았다. **2** 기질〔경향〕을 지닌《***to*** …의》: He was ~ *to* sudden fits of anger. 그는 벌컥 화를 잘 내는 기질이었다.

dis·pós·er *n.* Ⓒ 디스포저《부엌 찌꺼기 분쇄 처리기》.

*__dis·po·si·tion__ [dìspəzíʃən] *n.* **1** Ⓤ (또는 a ~) **성벽**(性癖), 성질, 기질; 경향《***to*** …에 빠지기 쉬운 / ***to*** do》: a man of a social ~ 사교성이 있는 사람 / He has 〔is of a〕 cheerful ~. 그는 쾌활한 성격이다 / She had a natural ~ *to* jealousy. 그녀는 원래 질투를 잘 하는 성격이었다 / She has a natural ~ *to* catch cold. 그녀는 원래 감기에 걸리기 쉬운 체질이다. SYN. ⇨MOOD. **2** Ⓤ (구체적으로는 Ⓒ) **배열**, 배치; 작전 계획: the ~ *of* troops 군대의 배치 / make one's ~*s* 만반의 준비를 하다. **3** Ⓤ **처분**, 정리; 매각; 처분〔재량〕권: the ~ of a real estate 부동산의 처분 / Her property is at her (own) ~ 그녀의 재산은 그녀 마음대로 처분할 수 있다. **4** (a ~) 기분, 의향《***to*** do》: feel a ~ *to* drink 술을 마시고 싶은 기분이 들다.

dis·pos·sess [dìspəzés] *vt.* (아무)에게서 박탈하다, 빼앗다《***of*** (재산 · 소유권)을》; (아무)를 쫓아내다(oust)《***of*** (토지 · 가옥)에서》: The tenant was ~*ed* for not paying his rent. 그 세든 사람은 집세를 내지 않아서 쫓겨났다 / ~ a person *of* his property 아무에게서 재산을 빼앗다.

dìs·pos·séssed [-t] *a.* **1** 쫓겨난. **2** 재산을 〔지위를〕 빼앗긴; (the ~) 〔명사적; 복수취급〕 토지 · 가옥을 빼앗긴 사람들.

dis·pos·sés·sion *n.* [U] 내쫓음, 명도 신청; 강탈, 탈취; 〖법률〗 부동산 불법 점유.

dis·praise [dispréiz] *vt.* 트집잡다, 헐뜯다, 비난하다. **—***n.* [U] 트집; 비난: speak in ~ of … 을 헐뜯다.

dis·proof [disprúːf] *n.* [U] 반박, 논박; [C] 반증(물건).

dis·pro·por·tion [dìsprəpɔ́ːrʃən] *n.* **1** [U] (또는 a ~) 불균형, 불균등《**between** …사이의》: a ~ *between* the price and the value 가격과 가치의 불균형. **2** [C] 조화를 이루지 못하는 점.

dis·pro·por·tion·al [dìsprəpɔ́ːrʃənəl] *a.* 어울리지 않는, 불균형의. [파] **~·ly** *ad.*

dis·pro·por·tion·ate [dìsprəpɔ́ːrʃənit] *a.* 불균형의, 어울리지 않는《**to** …와》. [파] **~·ly** *ad.*

◇**dis·prove** [disprúːv] *vt.* …의 반증을 들다, 그릇됨을 증명하다, …을 논박하다(refute).

dis·put·a·ble [dispjúːtəbəl] *a.* 논의할〔의문의〕 여지가 있는; 진위가 의심스러운: a highly ~ theory 논의의 여지가 많은 이론.

dis·pu·tant [dispjúːtənt] *n.* [C] 논쟁자, 논객. **—***a.* 논쟁(중)의(disputing).

dis·pu·ta·tion [dìspjutéiʃən] *n.* [U] (구체적으로는 [C]) 논쟁, 논의, 토론, 반박. ◇ dispute *v.*

dis·pu·ta·tious [dìspjutéiʃəs] *a.* 논쟁적인, 의론을 좋아하는; 논쟁의 대상이 되는. [파] **~·ly** *ad.*

⁑dis·pute [dispjúːt] *vi.* **1** 《~/+[전]+[명]》 **논쟁하다**, 논의하다《**with** (아무)와; **about, over** …에 관하여》: We *~d with* them *about* the subject. 우리는 그 문제에 관해 그들과 논의했다. **2** 《+[전]+*wh. to* do》 의논하다《**about, over** …에 관하여》: They *~d about what to* do next. 그들은 다음에 무엇을 해야 할지 의논했다.

— *vt.* **1** 《~+[목]/+*wh.* [절]/+*wh. to* do》 **논하다**, 논의〔토의〕하다(discuss): ~ the case 그 건에 대해 논하다/We *~d whether* we would adopt the proposal. 우리는 그 제안의 채택 여부에 대해 논의했다/We *~d what* course *to* take. 우리는 다음에 어느 길을 택할지에 대해 논의했다. [SYN.] ⇨DISCUSS. **2** 의문시하다, 문제삼다, 이의를 제기하다: The fact cannot be *~d*. 그 사실은 의심할 여지가 없다/We *~d* the election results. 우리는 선거 결과에 이의를 제기했다. **3** …와 항쟁〔저항〕하다; …을 저지하다(oppose): ~ the enemy's advance 적의 전진을 저지하다. **4** 《~+[목]/+[목]+[전]+[명]》 (얻으〔잃지 않으〕려고) **다투다**, 경쟁하다《**with** (아무)와》: ~ every inch of ground 한치의 땅을 다투다/~ a prize *with* a person 아무와 상을 놓고 다투다.

—*n.* **1** [U] (구체적으로는 [C]) 토론, 논의; 논박, 반론《**with** (아무)와의; **about, over** …에 관한》: be in ~ *with* a person *about* labor problems 노동 문제에 관하여 아무와 논의중이다. **2** [C] 분쟁, 쟁의, 항쟁; 말다툼, 싸움(quarrel): a border ~ 국경 분쟁/a labor ~ 노동 쟁의.

beyond 〔***out of, past, without***〕 (***all***) ~ 의론할〔의무의〕 여지 없이, 분명히: You are, *beyond* ~, the brightest of us all. 분명히, 너는 우리들 중에 머리가 가장 좋다. ***in*** 〔***under***〕 ~ 논쟁 중의, 미해결로〔의〕: a point *in* ~ 논쟁점.

[파] **-pút·er** *n.* [C] 논쟁자.

dis·qual·i·fi·ca·tion [diskwɑ̀ləfikéiʃən/-kwɔ̀l-] *n.* **1** [U] 자격 박탈, 실격; 무자격, 결격. **2** [C] 실격 사유, 결격 조항《**for** …에 대한》.

dis·qual·i·fy [diskwɑ́ləfài/-kwɔ́l-] *vt.* **1** …의 자격을 박탈하다; …을 실격시키다; 적임이 아니라고 판정하다《**for** …에 관하여》: His advanced age *disqualified* him *for* the job. 그는 고령으로 그 일에 적임이 아니라고 판정받았다. **2** 〖경기〗 (아무)에게서 자격을 박탈〔취소〕하다《**from** (경기 출장)의》: He was *disqualified from* taking part in the competition. 그는 그 경기에 참가할 자격을 잃었다.

dis·qui·et [diskwáiət] *vt.* 불안〔동요〕하게 하다, 걱정시키다: Rumors of war *~ed* the people. 전쟁 소문이 국민을 불안하게 했다. **—***n.* [U] 불안; 불온, 동요; 걱정. [파] **~·ing** *a.* 불안한, 걱정되는.

dis·qui·e·tude [diskwáiətjùːd] *n.* [U] 불안(상태), 불온(不穩).

dis·qui·si·tion [dìskwəzíʃən] *n.* [C] 긴〔공들인〕 논문, 논고, 강연《**on, about** …에 관한》.

dis·re·gard** [dìsrigɑ́ːrd] *vt.* **무시하다**, 문제시하지 않다; 경시하다(ignore): They *~ed* my objections to the proposal. 그들은 그 제안에 대한 나의 이의를 무시했다. [SYN.] ⇨NEGLECT. **—n.* [U] (또는 a ~) 무시, 등한; 경시(ignoring) 《**for, of** …의》: (a) ~ *for* human rights 인권 무시.

dis·rel·ish [disréliʃ] *n.* [U] (또는 a ~) 싫어함, 혐오: have a ~ for …을 싫어하다. **—***vt.* 혐오하다, 싫어하다(dislike).

dis·re·mem·ber [dìsrimémbər] *vt.* 《美》 잊다(forget), 생각이 나지 않다.

dis·re·pair [dìsripɛ́ər] *n.* [U] (수리·손질 부족에 의한) 파손 (상태), 황폐: fall into ~ 상하다, 파손하다, 황폐해지다/in ~ (집 등이) 파손되어; 수리를 요하는.

dis·rep·u·ta·ble [disrépjətəbəl] *a.* 평판이 나쁜, 남우세스러운, 창피한; 보기 흉한, 추레한. [파] **-bly** *ad.* **~·ness** *n.*

◇**dis·re·pute** [dìsripjúːt] *n.* [U] 불평, 악평, 평판이 나쁨; 불명예: be in ~ 평이 나쁘다/fall into ~ 평판이 나빠지다/hold ... in ~ …을 나쁘게 보다, 좋지 않게 생각하다/The scandal involving the president brought the company into ~. 사장의 스캔들로 회사의 평판이 나빠졌다.

◇**dis·re·spect** [dìsrispékt] *n.* [U] 불경, 실례.

dis·re·spect·ful [dìsrispéktfəl] *a.* 실례되는; 무례한《**to, toward** (아무)에게》: He was ~ *to* me. 그는 나에게 무례한 태도를 취했다. [파] **~·ly** *ad.* 실례되게〔무례하게〕(도); 경멸하여.

dis·robe [disróub] *vt.* **1** …의 (관직·의식상의) 옷을 벗기다. **2** …에서 제거하다, 빼앗다《**of** …을》: The autumn winds *~d* the trees *of* their leaves. 가을 바람에 나뭇잎이 떨어졌다. **—***vi.* 옷을 벗다.

dis·rupt [disrʌ́pt] *vt.* **1** 찢어 발기다, 째다; 부수다. **2** (국가·제도·동맹 따위)를 붕괴〔분열〕시키다; 분쇄하다: The conflict seemed likely to ~ the government. 그 싸움으로 정부가 붕괴될 것 같았다. **3** (회의 등)을 혼란케 하다; (교통·통신 등)을 일시 불통케 하다, 중단시키다.

dis·rúp·tion *n.* [U] (구체적으로는 [C]) **1** 분열; (특히 국가·제도의) 붕괴, 와해; 중단, 방해: environmental ~ 환경 파괴. **2** (교통·통신 등의) 두절, 혼란: a ~ of railway service 철도 수송의 두절.

dis·rup·tive [disrʌ́ptiv] *a.* 분열〔붕괴〕시키는, 파괴적인: a ~ element of the party 당의 분열적 요소.

◇**dis·sat·is·fac·tion** [dissæ̀tisfǽkʃən] *n.* **1**

Ⓤ 불만(족), 불평《*at, with* …에 대한》. **2** Ⓒ 불만의 원인.

dis·sat·is·fac·to·ry [dissæ̀tisfǽktəri] *a.* 마음에 안 차는, 만족〔탐탁〕스럽지 않은.

◇**dis·sat·is·fied** [dissǽtisfàid] *a.* 불만스런, 마음에 차지 않는; 불만을 나타내는《*with, at* …에》: a ~ look 불만스러운 듯한 표정/I'm very *dissatisfied with* 〔*at*〕 the idea. 나는 그 생각이 몹시 불만스럽다.

***dis·sat·is·fy** [dissǽtisfài] *vt.* **만족시키지 않다**, 불만스럽게 하다.

◇**dis·sect** [disékt, dai-] *vt.* **1** 해부〔절개(切開)〕하다. **2** 분석하다, 자세히 조사〔비평〕하다. ㊎ **dis·séct·ed** [-id] *a.* 해부〔절개〕한; 『식물』 전열(全裂)의《잎》.

dis·séc·tion *n.* **1** Ⓤ (구체적으로는 Ⓒ) 해부, 절개, 해체; Ⓒ 해부체〔모형〕. **2** Ⓤ (구체적으로는 Ⓒ) 분석, 정밀 검사〔조사〕.

dis·sec·tor [diséktər] *n.* Ⓒ 해부(학)자; 해부서; 해부 기구.

dis·sem·ble [disémbəl] *vt.* **1** (감정 · 사상 · 목적 등)을 숨기다, 감추다, 속이다. **2** (겉)을 꾸미다, …인 체하다(feign). **—***vi.* 본심을 속이다, 시치미떼다. ㊎ **-bler** *n.* Ⓒ 위선자, 가면 쓴 사람.

dis·sem·i·nate [disémənèit] *vt.* **1** (씨)를 흩뿌리다. **2** (사상 따위)를 널리 퍼뜨리다, 유포하다, 보급시키다. ㊎ **dis·sèm·i·ná·tion** *n.* Ⓤ 흩뿌림, 파종; 보급, 선전. **dis·sém·i·nà·tor** *n.* Ⓒ 파종자; 선전자; 살포기.

dis·sen·sion, -tion [disénʃən] *n.* Ⓤ 의견 차이〔충돌〕: create 〔cause〕 ~ 의견 차이를 유발시키다. ◇ dissent *v.*

◇**dis·sent** [disént] *vi.* **1** 의견을 달리하다, 이의를 말하다《*from* …에》. ↔ *assent*.¶ ~ *from* the opinion 그 의견에 불찬성하다. **2** 영국국교회에 반대하다. **—***n.* Ⓤ **1** 불찬성, 이의, 의견 차이. **2** (보통 D-) 《英》 영국국교회 반대.

dis·sént·er *n.* Ⓒ 불찬성자, 반대자; (보통 D-) 《英》 비국교도; 국교 반대자.

dis·sen·tient [disénʃiənt] *a., n.* Ⓒ 의견을 달리하는 (사람), (다수 의견에) 반대하는 (사람).

dis·sént·ing *a.* **1** 의견을 달리하는, 이의를 말하는, 반대하는: The resolution passed without a ~ voice. 그 결의안은 한 사람의 이의도 없이 통과했다. **2** (종종 D-) 《英》 국교에 반대하는.

dis·ser·ta·tion [dìsərtéiʃən] *n.* Ⓒ (보통 긴) 학술 논문; 《특히》 학위 논문(treatise)《*on* …에 대한》《생략: diss.》: a doctoral ~ 박사 논문.

dis·serv·ice [dissə́ːrvis] *n.* Ⓤ (또는 a ~) 해, 손해, 폐; 학대, 구박: do a person a ~ 아무에게 모질게 굴다.

dis·sev·er [disévər] *vt.* 분리〔분할〕하다; 잘라 버리다. ㊎ **~·ance** [-sévərəns] *n.* Ⓤ 분리, 분할.

dis·si·dence [dísədəns] *n.* Ⓤ (의견 · 성격 등의) 상위(相違), 불일치; 부동의(不同意), 이의.

dis·si·dent [dísədənt] *a.* 의견을 달리하는; 반체제의: a ~ voice 반대 의견/a ~ newspaper 반체제 신문. **—***n.* Ⓒ 의견을 달리하는 사람; 반체제 인사.

dis·sim·i·lar [dissímələr] *a.* 닮지 않은, 다른《*to, from* …와》. ㊎ **~·ly** *ad.*

dis·sim·i·lar·i·ty [dissìməlǽrəti] *n.* **1** Ⓤ 부동(不同)(성), 차이《*to* …의; *between* …사이의》. **2** Ⓒ 차이점(difference).

dis·si·mil·i·tude [dìssimílətjùːd] *n.* ＝DISSIMILARITY.

dis·sim·u·late [disímjəlèit] *vt.* (감정 · 의사 따위)를 숨기다: ~ fear 무섭지 않은 체하다. **—***vi.* 시치미떼다.

dis·sim·u·la·tion [disìmjuléiʃən] *n.* Ⓤ (구체적으로는 Ⓒ) (감정을) 감춤; 시치미뗌; 위장.

◇**dis·si·pate** [dísəpèit] *vt.* **1** (안개 · 구름 따위)를 흩뜨리다; (열 따위)를 방산하다. **2** (슬픔 · 의심 · 공포 따위)를 일소하다. SYN. ⇨SCATTER. **3** (재산 따위)를 낭비하다, 다 써 버리다(waste): He ~*d* his father's fortune. 그는 아버지의 재산을 탕진했다. **—***vi.* **1** (열 · 구름 따위가) 사라지다, 흩어져 없어지다. **2** (음주 · 도박 등으로) 낭비〔탕진〕하다, 유흥에 빠지다.

dís·si·pàt·ed [-id] *a.* 난봉피우는, 방탕한: lead 〔live〕 a ~ life 방탕한 생활을 하다.

dìs·si·pá·tion *n.* Ⓤ **1** 소산(消散), 소실. **2** 낭비; 방탕, 난봉, 유흥.

dis·so·ci·ate [disóuʃièit] *vt.* **1** 분리하다, 떼어놓다; 떼어서 생각하다《*from* …에서》: It's impossible to ~ language *from* culture. 언어를 문화에서 분리시켜 생각할 수는 없다. **2** 〘~ oneself〙 관계를 끊다《*from* …와》: I wish to ~ *myself from* those men. 그자들과 관계를 끊고 싶다. ↔ *associate*. ㊎ **-tive** *a.*

dissóciated personálity 『정신의학』 분열(分裂) 인격.

dis·so·ci·a·tion [disòusiéiʃən] *n.* Ⓤ 분해, 분리 (작용); (의식 · 인격의) 분열.

dis·sol·u·ble [disáljəbəl/-sɔ́l-] *a.* 용해〔분해〕할 수 있는; 해소할 수 있는; 해산할 수 있는《단체 등》. ㊎ **dis·sòl·u·bíl·i·ty** *n.* Ⓤ 분해〔용해〕성.

dis·so·lute [dísəlùːt] *a.* 방종한, 흘게늦은; 방탕한, 난봉피우는. ㊎ **~·ly** *ad.* **~·ness** *n.*

◇**dis·so·lu·tion** [dìsəlúːʃən] *n.* **1** Ⓤ 용해; 분해; 분리. **2** Ⓤ (또는 a ~) (의회 · 단체 등의) 해산; (결혼 · 계약 등의) 해약, 취소. **3** Ⓤ (기능의) 소멸; 사멸. ◇ dissolve *v.*

⁑**dis·solve** [dizálv/-zɔ́lv] *vt.* **1** 《~+목/+목+전+명》 **녹이다**, 용해시키다《*in* (액체)에》; 분해〔분리〕시키다: Water ~*s* salt. 물은 소금을 녹인다/~ salt *in* water 소금을 물에 풀다. **2** (의회 · 단체)를 해산시키다; 해체하다: ~ Parliament 의회를 해산시키다. **3** (관계 · 결혼 등)을 해제시키다; 취소하다. **4** 『영화 · TV』 (화면)을 디졸브〔오버랩〕시키다.

—*vi.* **1** 《~/+전+명》 녹다, 분리〔분해〕하다《*in* …에; *into* …으로》: Salt ~*s in* water. 소금은 물에 녹는다/The chemical ~*s into* its constituent parts when heated. 그 화학 약품은 열을 가하면 그 구성 요소로 분해한다. **2** (의회 · 단체가) 해산하다; (결혼 · 관계 등이) 취소〔해제〕되다: Parliament has ~*d*. 의회는 해산했다. **3** **a** (힘 · 환영 · 공포 따위가) 점점 사라지다〔희미해지다〕(fade out): His courage ~*d* in the face of the danger. 위험에 직면하자 그의 용기는 꺾였다. **b** 《+전+명》 점점 약해져서 …되다《*into* …으로》: The truce again ~*d into* fighting. 휴전은 파기되어 다시 전쟁으로 번졌다. **4** 『영화 · TV』 (화면이) 디졸브하다. **5** 《+전+명》 감정을 억제하지 못하고 …되다《*in, into* …으로》: ~ *in* 〔*into*〕 tears 목놓아〔하염없이〕 울다. ◇ dissolution *n.*

—*n.* Ⓤ 『영화 · TV』 디졸브《화면이 어두워지면서 오버랩하여 다음 장면이 나타나는 기법》.

dis·so·nance [dísənəns] *n.* **1** Ⓤ (구체적으로는 Ⓒ) 〖음악〗 불협화(음) (↔ *consonance*). **2** Ⓤ (또는 a ~) 불일치, 부조화.

dis·so·nant [dísənənt] *a.* 〖음악〗 불협화(음)의; 부조화의.

◇**dis·suade** [diswéid] *vt.* (설득하여 아무)에게 단념시키다《*from* …을》. ↔ *persuade*. ¶ She tried to ~ her son *from* marrying the girl. 그녀는 아들을 타일러 그 아가씨와 결혼하는 것을 단념시키려고 했다.

dis·sua·sion [diswéiʒən] *n.* Ⓤ 마음을 돌리게 함, 단념시키기. ↔ *persuasion*.

dis·sua·sive [diswéisiv] *a.* 마음을 돌리게 하는; 말리는《충고·몸짓 등》.

dissyllable, etc. ⇨DISYLLABLE, etc.

dist. distance; distilled; district; distinguish(ed).

dis·taff [dístæf, -tɑːf] (*pl.* **~s** [-fs, -vz]) *n.* Ⓒ 실톳대《실 잣는 데 씀》, 실 감는 막대; (물레의) 가락.

dístaff sìde (the ~) 모계, 외가. ↔ *spear side*. ¶ on the ~ 어머니쪽의.

dis·tal [dístəl] *a.* 〖해부·식물〗 말초부〔말단〕의. ↔ *proximal*.

‡**dis·tance** [dístəns] *n.* **1** Ⓤ (구체적으로는 Ⓒ) **거리**, 도정(道程), 간격《*from* …부터의; *to* …까지의; *between* …사이의》: a long 〔short〕 ~ 장〔단〕거리 / the ~ *between* Boston and New York 〔*from* Boston *to* New York〕 보스턴과 뉴욕 사이의〔보스턴에서 뉴욕까지의〕 거리 / at a ~ of 5 meters, 5 미터 떨어져서 / What is the ~ from here to New York?—Well, let me see. About 100 miles. 여기서 뉴욕까지 거리는 얼마나 됩니까—글쎄요, 100 마일 가량 됩니다.
2 (*sing.*) **원거리**, 먼데: be some 〔no〕 ~ 약간 멀리〔바로 가까이〕 있다 / a good 〔great〕 ~ away 〔off〕 상당히 떨어져서 / I just saw her from a ~. 멀리서 그녀를 보았을 뿐이다.
3 (*sing.*) 동안, 사이, 경과《*of, in* (시일)의》: at this ~ *of* 〔*in*〕 time 시일이 지난 지금에 와서 / look back over a ~ *of* thirty years, 30 년 전의 옛날을 회고하다.
4 Ⓤ (구체적으로는 Ⓒ) (신분 따위의) 현저한 차이, 현격; (기분·태도의) 격의, 서먹서먹함, 사양: keep a person at a ~ 아무를 멀리하다, 쌀쌀하게 대하다 / keep at a respectful ~ 경원하다.
5 (a ~ 또는 *pl.*) 넓음: a country of great ~*s* 광활한 나라.
gain ~ on (쫓아가서) …와의 거리를 좁히다. ***go*** 〔***last***〕 ***the*** (***full***) ~ (스포츠 경기에서) 끝까지 해내다; 〖야구〗 완투(完投)하다. ***keep one's*** ~ ① 간격을〔거리를〕 두다《*from* …으로부터》: *Keep* your ~! 접근하지 마. ② 친하게 굴지 않다《*from* …와》. ***within striking*** ~ 아주 가까운 곳에, 엎어지면 코닿을 곳에, 소리치면 들리는 곳에.
—*vt.* **1** 《+목+전+명》 《~ oneself》 떼어놓다, 멀리하다《*from* …에서》: She ~*d* her*self from* the radical faction of the party. 그녀는 당의 급진파를 멀리했다. **2** (경주·경쟁에서 상대)를 앞지르다; 훨씬 앞서다《★ outdistance 쪽이 일반적》.

dístance rùnner 중〔장〕거리 주자.

‡**dis·tant** [dístənt] *a.* **1 a** (거리적으로) **먼**, 떨어진《*from* …에서》: a ~ view 원경 / 5 miles ~ *from* here 여기서 5 마일 떨어진 곳에. **b** Ⓐ 먼 곳에서 온; 먼 곳으로 간: a ~ journey 머나먼 여행 / the rumble of ~ thunder 멀리서 들려오는 천둥소리. **2** (시간적으로) 먼《시대》: ~ ages 먼 옛날 / a ~ memory 먼 옛날의 기억. **3** 먼 친척의; (유사성·관계의 정도 등이) 희미한, 어렴풋한: a ~ relative of mine 나의 먼 친척 / a ~ accordance 어렴풋한 일치. **4** (태도 따위가) 소원(疏遠)한, 쌀쌀한, 냉담한: a ~ manner 냉랭한 태도. **5** 황홀한, 꿈꾸는 듯한《표정 등》.

◇**dís·tant·ly** *ad.* **1** 멀리, 떨어져서; 먼 친척으로: He's ~ related to me. 그는 나에게 먼 친척이 된다. **2** 어렴풋이, 희미하게; 냉담하게, 쌀쌀맞게.

dis·taste [distéist] *n.* Ⓤ (또는 a ~) 싫음, 혐오《*for* …에 대한》: have a ~ *for* (music) (음악)을 싫어하다.

dis·taste·ful [distéistfəl] *a.* 맛없는; 싫은 (disagreeable)《*to* (아무)에게는》; 혐오를〔불쾌감을〕 나타낸: a job ~ *to* me 나에게는 싫은 일 / Work is ~ *to* him. 그는 일을 싫어한다.
㊕ **~·ly** *ad.* **~·ness** *n.*

dis·tem·per[1] [distémpər] *n.* **1** Ⓤ 디스템퍼《개의 전염병》. **2** Ⓤ (구체적으로는 Ⓒ) (심신의) 이상; 언짢은 기분.

dis·tem·per[2] *n.* **1** Ⓤ 디스템퍼《물과 노른자위 또는 아교로 갠 채료; 벽화·무대 배경화용》. **2** Ⓤ 디스템퍼 화법; Ⓒ 템페라 그림(tempera). **3** Ⓤ 《英》 (벽·천장용) 수성 도료.
—*vt.* **1** …을 섞어 디스템퍼를 만들다; 디스템퍼로 그리다. **2** 《英》 (벽·천장 등)에 수성 도료를 칠하다.

dis·tend [disténd] *vt., vi.* (내부의 압력으로) 부풀리다, 부풀다, 팽창시키다, 팽창하다.

dis·ten·si·ble [disténsəbəl] *a.* 부푸는, 팽창성의.

dis·ten·sion, -tion [disténʃən] *n.* Ⓤ 팽창, 확대.

*__dis·till,__ 《英》 **-til** [distíl] (**-ll-**) *vt.* **1** 《~+목/+목+전+명》 **증류하다**《*from* …에서》; (위스키 등)을 증류하여 만들다《*into* …으로》. ㏇ brew. ¶ Whisky is ~*ed from* malt. 위스키는 맥아에서 증류된다 / ~ sea water *into* fresh water 바닷물을 증류하여 담수로 만들다. **2** 《+목+뿌》 (불순물 따위)를 증류하여 제거하다(*off; out*): ~ *out* 〔*off*〕 impurities 증류하여 불순물을 제거하다. **3** …을 추출하다, …의 정수(精粹)를 뽑다: ~ a moral from a story 이야기에서 교훈을 이끌어내다. **—***vi.* 증류되다; 방울져 떨어지다〔듣다〕; 스며나오다.

dis·til·late [dístəlit, -lèit, distílit] *n.* Ⓤ 증류액; Ⓒ 추출된 것, 정수(精粹).

◇**dis·til·la·tion** [dìstəléiʃən] *n.* **1** Ⓤ 증류(법): dry ~ 건류(乾留) / destructive ~ 분해 증류. **2** Ⓤ (종류는 Ⓒ) 추출된 것, 증류물.

dis·tíll·er *n.* Ⓒ 증류주 제조업자; 증류기.

dis·till·ery [distíləri] *n.* Ⓒ (특히 위스키 따위의) 증류소; 증류주 제조장.

‡**dis·tinct** [distíŋkt] (**~·er; ~·est**) *a.* **1** 별개의, (성질·종류가) 다른(separate)《*from* …와》: Mules and donkeys are ~ animals. 노새와 당나귀는 전혀 다른 동물이다 / Mules are ~ *from* donkeys. 노새는 당나귀하고는 다르다. SYN. ⇨ DIFFERENT. **2** 뚜렷한, 명백한; 명확한, 틀림없는. ↔ *vague*. ¶ a ~ difference 명백한 차이 / Her pronunciation is ~. 그녀의 발음은 명료하다. SYN. ⇨CLEAR.

dis·tinc·tion [distíŋkʃən] *n.* **1** Ⓤ (구체적으로는 Ⓒ) **구별**, 차별《**between** …사이의》: draw a ~ *between* knowledge and wisdom 지식과 지혜를 구별짓다/without ~ of rank 신분의 차별 없이. **2** Ⓤ (또는 a ~) (차이를 나타내는) **특성**, 특질, 특징: the chief ~ of his poetry 그의 시의 주요한 특질/His style lacks ~. 그의 문체는 특징이 없다. **3** Ⓤ **탁월**(성), 우수(성); 고귀, 저명: a writer of ~ 저명한 작가/gain 〔win〕 ~ 이름을 떨치다. **4 a** Ⓤ 수훈; 영예, 명예(honor): with ~ 훌륭한 성적으로, 공훈을 세워서. **b** Ⓒ 영예의 표시《칭호·학위·작위·훈장·포상 따위》: gain 〔win〕 a ~ 훈장을 받다. ◇distinct *a.* distinguish *v.*

***dis·tinc·tive** [distíŋktiv] *a.* **독특한**, 특이한, 특유의; 특색을 나타내는《**of** …의》: ~ features 독특한 특징/His accent is ~ *of* a New Yorker. 그의 말투는 뉴욕 사람 특유의 것이다. ㊞ **~·ness** *n.*

***dis·tínc·tive·ly** *ad.* (다른 것과) 구별하여; **독특하게, 특색 있게**: a ~ colored bird 독특한 색깔의 새.

***dis·tínct·ly 1 명백하게**, 분명히: pronounce ~ 분명히 발음하다. **2** 〖문장 전체를 수식하여〗 확실히, 의심할 여지없이. **3** 《구어》 참으로, 정말: It's ~ warm today. 오늘은 정말 따뜻하다.

dis·tin·guish [distíŋgwiʃ] *vt.* **1** 《~+목/+목+전+명》 **구별하다**, 분별〔식별〕하다, 알아보다 《**from** …으로부터; **by** …에 의해》; 분류하다 《**into** …으로》: Can you ~ these two things? 이 두 개를 구별할 수 있습니까/~ right *from* wrong 정사(正邪)를 분별하다/~ mankind *into* races 인류를 인종으로 분류하다/I can ~ them *by* their uniforms. 그들의 제복으로 그들을 식별할 수 있다. **2** 《~+목/+목+전+명》 특징지우다; 구분하다《**from** …와》: It is his Italian accent that *~es* him. 그의 특징은 이탈리아어 어투이다/His style is *~ed* by verbiage. 장황한 것이 그의 문체의 특징이다/Reason *~es* man *from* the other animals. 인간은 이성이 있어 다른 동물과 구별된다. **3** 《+목+전+명/+목 +*as* 보》〖보통 ~ oneself〗 **눈에 띄게 하다**, 두드러지게 하다, 저명해지다《**by** …에 의해; **in** …에서; **for** …으로》: Tom *~ed* him*self in* the examination. 톰은 시험에서 성적이 두드러졌다/ She *~ed* her*self by* winn*ing* three prizes. 그녀는 3개의 상을 받아서 유명해졌다/He *~ed* him*self as* a novelist. 그는 소설가로서 이름을 떨쳤다.
—*vi.* 《+전+명》 구별〔식별〕하다《**between** …와 …을》: ~ *between* good and evil 선악을 구별하다. ◇distinction *n.* ㊞ **~·a·ble** *a.* **~·a·bly** *ad.*

***dis·tin·guished** [distíŋgwiʃt] *a.* **1 눈에 띄는**, 현저한(eminent); **출중한**; 수훈(殊勳)이 있는: ~ services 수훈/a ~ school 명문교. **2** 유명한, 저명한《**for, by** …으로; **in** …에서; **as** …으로서》: He's ~ *for* his knowledge of linguistics. 그는 언어학에 조예가 깊다/He's ~ *as* an economist. 그는 경제학자로서 유명하다. **3** (태도가) 기품 있는, 고귀한: ~ visitors 귀빈/a ~ family 명문(名門). SYN. ⇨FAMOUS.

***dis·tort** [distɔ́ːrt] *vt.* **1** (얼굴 따위)를 **찡그리다, 비틀다**《★ 종종 수동태로 쓰며, 전치사는 *by, with*》: ~ one's face 얼굴을 찡그리다/His face *was ~ed by* rage 〔*with* pain〕. 그의 얼굴은 분노로〔고통으로〕 일그러졌다. **2** (사실)을 곱새기다, 왜곡〔곡해〕하다: ~ historical facts 역사적 사실을 왜곡하다/You have *~ed* what I said. 너는 내가 한 말을 곡해했다. **3** (라디오·텔레비전 등이 소리·화상)을 일그러뜨리다.

dis·tórt·ed [-id] *a.* 일그러진, 비틀어진; 곡해된: a ~ views 편견/~ vision 난시(亂視). ㊞ **~·ly** *ad.* 곡해하여.

dis·tór·tion *n.* **1** Ⓤ 일그러뜨림, 비틀어짐; Ⓒ 비틀어진〔왜곡된〕 상태〔부분, 형상〕. **2** Ⓤ (사실·뉴스 내용 등의) 왜곡; 곡해.

***dis·tract** [distrǽkt] *vt.* 《~+목/+목+전+명》 **1** (마음·주의 등)을 **빗가게 하다**, 흩뜨리다, (딴 데로) 돌리다(divert)《**from** …에서》. ↔ *attract.* ¶Reading *~s* the mind *from* grief. 독서는 슬픔을 가시게 한다. **2 미혹케 하다**, 괴롭히다; (정신을) 혼란하게 하다《★ 보통 수동태로 쓰며, 전치사는 *with, by, at*》: She *was ~ed by* grief 〔*with* doubts〕. 그녀는 슬픔〔의혹〕으로 마음이 산란했다. ◇distraction *n.* **drive** a person *~ed* 아무를 미치게 하다, 아무의 마음을 어수선하게 하다.

dis·tráct·ed [-id] *a.* 괴로운, 마음이 산란한; 미친 (듯한). ㊞ **~·ly** *ad.*

dis·tráct·ing *a.* 마음이 산란한; 미칠 듯한; 마음에 걸리는. ㊞ **~·ly** *ad.*

◇**dis·trác·tion** *n.* **1** Ⓤ 정신이 흐트러짐; 주의 산만, 방심. **2** Ⓒ 마음을 달래주는 것; 기분 전환, 오락. **3** Ⓤ 심란, 정신 착란(madness); 혼란: drive a person to ~ 아무를 미치게 하다/to ~ 미친 듯이; 열광적으로. ◇distract *v.*

dis·train [distréin] *vt.* 〖법률〗 압류시키다. — *vi.* 압류하다《**on, upon** …을》: ~ *upon* a person's furniture for rent 집세 대신 아무의 가구를 압류하다.

dis·traint [distréint] *n.* Ⓤ 〖법률〗 동산 압류.

dis·trait [distréi] (*fem.* ***dis·traite*** [-tréit]) *a.* 《F.》 멍한, 방심한, 건성의(absent-minded).

dis·traught [distrɔ́ːt] *a.* **1** 정신이 산란〔산만〕한《**with** …으로》: ~ *with* grief 슬픔으로 마음이 산란한. **2** 미친: in a ~ frame of mind 정신 착란 상태로.

***dis·tress** [distrés] *n.* **1 a** Ⓤ (심신의) **고뇌**, 고통; **비통**, 비탄: The news caused him much ~. 그 소식을 듣고 그는 몹시 비통했다. **b** (a ~) 걱정거리《**to** (아무)에게의》: He's a great ~ *to* his parents. 그는 부모에게 대단한 걱정거리였다. **2** Ⓤ 경제적인 곤란, 빈궁: He's in ~ for money. 그는 돈에 쪼들리고 있다. **3** Ⓤ 재난, 조난: a ship in ~ 조난선/a signal of ~ 조난 신호.
—*vt.* 《~+목/+목+전+명》 **1 괴롭히다**, 고민케 하다; 슬프게 하다《★ 흔히 수동태로 쓰며, 전치사는 *at, about, with, for*》: It *~es* me to hear that news. 그 소식을 듣고 마음이 괴롭다/I am *~ed at* the news. =The news *~es* me. 그 뉴스를 듣고 슬픔을 못 견디겠다/He's *~ed for* money 〔*with* debts, *about* the matter〕. 그는 돈으로〔빚으로, 그 일로〕 고통받고 있다. **2** 《~+목/+목+전+명》〖~ oneself〗 괴로워하다, 고민하다, 슬퍼하다《**at, about, with, for** …으로》: Don't ~ your*self about* it. 그런 일로 끙끙거리지 마라.

dis·tréssed [-t] *a.* 괴로운, 곤란한, 고통스런; 가난한: a ~ area 《美》 재해 지구; 《英》 빈민 지구/a ~ situation 어려운 상태.

dis·tress·ful [distrésfəl] *a.* 고민이 많은, 비

참한, 고통스러운; 곤궁에 처한. ㊞ ~·**ly** *ad.* 괴롭게, 비참하게.

dis·tréss·ing *a.* 괴롭히는, 비참한. ㊞ ~·**ly** *ad.* 비참하리만큼, 참혹하게(도).

distréss sàle 〔**sèlling**〕 《美》 출혈 판매, 투매.

distréss sìgnal 조난 신호《S.O.S 따위》.

‡**dis·trib·ute** [distríbju:t] *vt.* **1** 《~+目/+目+前+名》 **분배하다**, 배포하다, 도르다, 배급하다 《**among, to** …에게》: ~ clothes *to* 〔*among*〕 the sufferers 이재민에게 의류를 도르다/Pamphlets were ~*d among* the audience. 팸플릿이 청중에게 배포되었다. **2** 《+目+前+名》 **살포하다**, 뿌리다, 분포시키다《**over** …에》: Seeds were evenly ~*d over* the field. 밭에 씨앗이 골고루 뿌려졌다/a widely ~*d* species of moss 널리 분포된 이끼의 종(種). SYN. ⇨SCATTER. **3** 《~+目/+目+前+名》 **분류하다**, 구분하다; (분류) 배치하다《**into** …으로》: ~ mail 우편물을 분류하다/The plants are ~*d into* 30 classes. 그 식물은 30종으로 분류된다. **4** (상품)을 유통시키다, 공급하다.

*__dis·tri·bu·tion__ [dìstrəbjú:ʃən] *n.* **1** Ⓤ (구체적으로는 Ⓒ) **분배**, 배분; 배급, 배당: the ~ *of* posts 배역. **2** Ⓤ 살포, 배치. **3** Ⓤ (또는 a ~) (생물·언어 등의) **분포**; 분포 구역; 【통계】 (도수) 분포: Snakes have a wide ~. 뱀은 널리 분포되어 있다. **4** Ⓤ (구체적으로는 Ⓒ) 【경제】 (부의) 분배; (상품의) 유통: the even 〔fair〕 ~ *of* wealth 부(富)의 공평한 분배/the ~ structure 유통 기구. **5** Ⓤ 구분, 분류. ◇distribute *v.* ㊞ ~·**al** [-ʃənəl] *a.* 【동·식물】 분포상의: a ~*al* map 분포도.

dis·trib·u·tive [distríbjətiv] *a.* Ⓐ **1** 배포의, 분배의. **2** 【문법】 배분(配分)의. ―*n.* Ⓒ 【문법】 배분사(配分詞)《each, every 따위》. ㊞ ~·**ly** *ad.*

*__dis·trib·u·tor, -ut·er__ [distríbjətər] *n.* Ⓒ **1** **분배**〔배포, 배급, 배달〕**자**. **2** 【전기】 배전기《내연기관용》.

*__dis·trict__ [dístrikt] *n.* Ⓒ **1** **지구**; 관구《행정·사법·선거·교육 등을 위해 나눈》: a judicial 〔police〕 ~ 재판〔경찰〕 관할구/an election ~ 선거구/a school ~ 학(군)구. **2** 《일반적》 지방, 지역; (도시의) 지구: an agricultural 〔coal〕 ~ 농업〔탄광〕 지역/⇨LAKE DISTRICT/a shopping ~ (도시의) 상점 지구.

dístrict attórney 《美》 지방 검사《생략: D.A.》.

dístrict cóurt 《美》 연방 지방 법원《연방 제1심 법원》; (각 주의) 지방 법원.

dístrict héating 지역 난방.

dístrict núrse 《英》 지구 간호사, 보건원《특정 지구에서 환자의 가정을 방문하는》.

Dístrict of Colúmbia (the ~) 콜럼비아 특별구《미국 연방 정부 소재지로서 연방 직할지; 일반적으로 Washington, D.C.를 가리킴; 생략 D.C.》.

dístrict vísitor 《英》 분교구 전도사《여성》.

◇**dis·trust** [distrʌ́st] *n.* Ⓤ (또는 a ~) 불신; 의혹: The people have a ~ *of* the Government's tax policies. 국민은 정부의 조세 정책을 불신하고 있다. SYN. ⇨DOUBT. ―*vt.* 믿지 않다, 신용하지 않다; 의심하다, 의아스럽게 여기다: ~ one's own eyes 자신의 눈을 의심하다.

dis·trust·ful [distrʌ́stfəl] *a.* 의심 많은, (좀처럼) 믿지 않는, 회의적인《**of** …을》: I'm ~ *of* such cheap goods. 그런 싸구려 상품을 믿지 않는다. ㊞ ~·**ly** *ad.* ~·**ness** *n.*

‡**dis·turb** [distə́:rb] *vt.* **1** (휴식·일·생각 중인 사람)을 **방해하다**; …에게 폐를 끼치다: I hope I'm not ~*ing* you. 폐가 안 되겠습니까. **2** **휘저어 놓다**, 흐뜨려 놓다: Someone has ~*ed* the papers on my desk. 누군가가 내 책상 위의 서류를 흐뜨려 놓았다. **3** (평화·질서·휴식)을 **어지럽히다**, 교란하다: ~ the peace 평화를 깨뜨리다; (밤에) 소음을 내다. ―*vi.* 어지럽히다; (휴식·수면 등을) 방해하다. ***Don't*** ~. 《게시》 출입금지, 면회 사절《회의실 등에서》, 깨우지 마시오《호텔 객실 문에 거는 팻말의 문구》. ***Don't*** ~ ***yourself.*** 그대로 계십시오《일어나지 마시오; 일을 계속하시오》. ㊞ ~·**er** *n.*

*__dis·turb·ance__ [distə́:rbəns] *n.* **1** Ⓤ (구체적으로는 Ⓒ) **소동**, 소란; 방해; 【의학】 장애: the ~ *of* the public peace 치안 방해/make 〔cause, raise〕 a ~ 소동을 일으키다/a nervous 〔digestive〕 ~ 신경〔위장〕 장애. **2** Ⓒ 어지럽히는 것, 소동의 원인.

dis·túrbed *a.* **1** 교란된, 동란의: the ~ state of the country 그 나라의 불온한 상태. **2 a** (마음이) 어지러운, 동요한. **b** 불안한, 걱정되는 《**about** …의 일이》: I'm very ~ *about* him. 그의 일이 몹시 걱정된다. **3 a** 정신〔정서〕 장애가 있는, 노이로제 징후가 있는: a deeply ~ child 중증 정신 장애자. **b** (the ~) 《명사적; 복수취급》 정신 장애자.

dis·túrb·ing *a.* 불안하게 하는, 불안한; 불온한: ~ news 불안한 소식/It's very ~ that we haven't heard from him. 그에게서 연락이 없는 것이 아주 불안하다.

dis·un·ion [disjú:njən] *n.* Ⓤ 분리, 분열; 불통일; 불화, 내분, 알력.

dis·unite [dìsju:náit] *vt., vi.* 분리〔분열〕시키다〔하다〕; 불화하게 하다〔되다〕.

dis·uni·ty [disjú:nəti] *n.* Ⓤ 불통일(disunion); 분열, 불화.

◇**dis·use** [disjú:s] *n.* Ⓤ 쓰이지 않음; 폐지: fall 〔come〕 into ~ 쓰이지 않게 되다, 버려지다.

dis·used [-jú:zd] *a.* 쓰이고 있지 않는, 폐지된.

di·syl·la·ble, dis·syl- [dáisiləbəl, disíl-], [disíl-, díssil-, dáisil-] *n.* Ⓒ 2음절어(語). ㊞ **dì·syl·láb·ic, dìs·syl-** [-lǽbik] *a.*

*__ditch__ [ditʃ] *n.* **1** Ⓒ **도랑**; **개천**; (천연의) 수로; 시궁창, 배수구: the Big *Ditch* 《美구어》 파나마 운하. **2** (the D-) 《英공군속어》 영국 해협; 북해. ***die in a*** ~ 객사하다.
―*vt.* **1** …에 도랑을 파다. **2** (탈것)을 도랑에 빠뜨리다; 《美》 (열차 따위)를 탈선시키다; 《속어》 (비행기)를 불시 착수(不時着水)시키다. **3** 《속어》 (곤경에 빠진 동료)를 저버리다; (필요 없는 물건)을 버리다. ―*vi.* **1** 도랑을 파다. **2** 《美》 도랑에 빠지다; 【항공】 수면에 불시착하다.

dítch·wàter *n.* Ⓤ 도랑에 괸 물. (***as***) ***dull as*** ~ 침체될 대로 침체되어, 실로 형편없는.

dith·er [díðər] *vi.* (걱정·흥분 따위로) 허둥대다, 갈팡질팡하다; 주저하다, 망설이다(*about*). ―*n.* 《구어》 (걱정·흥분으로 인한) 당황, 어쩔 줄 모르는〔안절부절못하는〕 상태. ***be all of*** 〔***in***〕 ***a*** ~ =《주로 英》 ***have the*** ~***s*** 어찌할 바를 모르다, 갈팡질팡하다.

dit·to [dítou] (*pl.* ~**s** [-z]) *n.* **1** Ⓤ 동상(同上), 위와〔앞과〕 같음(the same)《생략: d°, do.; 일람표 등에서는 〃 (ditto mark)나 ― 를 씀》. **2** Ⓒ (흔히 *pl.*) =DITTO MARK. **3** Ⓤ 《구어》 같은 것; 꼭 닮은 것(close copy); 복제(複製).

say ～ to 《구어》 …에 전적으로 동의를 표하다.
—ad. 마찬가지로, 같게: I like her.—Ditto. 난 그녀를 좋아한다—나도.
dítto màrk 동상(同上) 부호(〃).
dit·ty [díti] n. Ⓒ 소가곡(小歌曲), 소곡; 민요(folksong).
di·u·ret·ic [dàijuərétik] n. Ⓤ (종류 · 낱개는 Ⓒ) 이뇨제. —a. 이뇨의, 이뇨 촉진의.
di·ur·nal [daiə́ːrnəl] a. **1** 주간〔낮〕의; 〖식물〗 낮에 피는; 〖동물〗 낮에 활동하는. ↔ nocturnal. **2** 매일의(daily); 1 일(중)의; 〖천문〗 일주(日周)의. ㊕ **～·ly** ad. 매일, 날마다; 주간에.
div. divide(d); dividend; division; divorce(d).
di·va [díːvə] (pl. **～s, -ve** [-vei]) n. 《It.》 Ⓒ 프리마 돈나(prima donna); (오페라의) 여가수.
di·va·gate [dáivəgèit] vi. 《문어》 헤매다, 방황하다; (얘기가) 빗나가다《from …에서》. ㊕ **di·va·gá·tion** n. Ⓤ 방황; Ⓤ (구체적으로는 Ⓒ) 여담(餘談).
di·van [daivǽn, di-] n. Ⓒ **1** [dáivæn] (등받이가 없는) 낮고 긴 의자의 일종《벽 옆에 놓음》. **2** =DIVAN BED.
diván bèd 소파 겸용 침대.
⁑**dive** [daiv] (**dived,** 《美》 **dove** [douv]; **dived**) vi. 《～/+副/+前+名》 **1** (물속에 머리부터) **뛰어들다**; (물속으로) 잠기다; (잠수함 등이) 급히 잠수하다(down)《**into** …(속)으로; **for** …을 찾으러》: ～ *into* a river 강에 뛰어들다 / ～ *for* shellfish 조개를 캐려고 잠수하다. **2** (높은 데서) 뛰어내리다, 돌진하다; 달려들다《**into** …으로》: ～ *into* a doorway 출입구로 돌진하다. **3** (무엇을 끄집어 내려고) 손을 쑤셔 넣다《**into** (호주머니 따위)에; **for** …을 찾으러》: ～ *into* one's pocket *for* some change 잔돈을 꺼내려고 호주머니 속에 손을 지르다. **4** (새 · 비행기 따위가) 급강하하다: The hawk ～*d* steeply and caught its prey. 매는 급강하하여 사냥감을 나꿔챘다. **5** 탐구하다; 전념〔몰두〕하다《**in, into** (연구 · 사업 · 오락 따위)에》: ～ *into* a mystery 미스테리를 파고들다. **6** 급히 모습을 감추다, 숨다《**into** (구멍 · 덩굴 따위)에》: The fox ～*d into* its hole. 여우는 굴속으로 도망쳐 숨었다.
—vt. (잠수함 등)을 잠수시키다; (비행기 등)을 급강하시키다.
～ **in** 《vi.+副》 《구어》 게걸스럽게 먹기 시작하다; 정력적으로 (일에) 덤벼들다.
—n. Ⓒ **1** 뛰어듦, 다이빙, 잠수: a fancy ～ 곡예 다이빙. **2** 〖항공〗 급강하; 돌진; (매상 따위의) 급락: a nose 〔steep〕 ～ (비행기의) 급강하 / a ～ *in* sales 매상(고)의 급락. **3** 《구어》 (지하실 따위가 있는) 비정상적인 술집, 무허가 술집; 사창굴, 도박장《따위》: an opium-smoking ～ 아편굴.
take a ～ 《속어》 〖권투〗 (짬짜미 경기에서) 녹아웃당한 시늉을 하다.
díve-bòmb vt., vi. 급강하 폭격하다.
díve bòmber 급강하 폭격기.
°**div·er** [dáivər] n. Ⓒ **1** (물에) 뛰어드는 사람, 다이빙 선수; 잠수부, 해녀. **2** 〖조류〗 무자맥질하는 새《아비(loon) 따위》.
°**di·verge** [divə́ːrdʒ, dai-] vi. **1** (길 · 선 따위가) 갈리다, 분기하다. **2** 빗나가다, 벗어나다《**from** (진로 따위)에서》: ～ *from* the beaten track 상도(常道)에서 벗어나다. **3** (의견 등이) 갈라지다, 달라지다《**from** …와》. ⇔ converge.
di·ver·gence [divə́ːrdʒəns, dai-] n. Ⓤ (구체적으로는 Ⓒ) **1** 분기; 일탈《**from** …으로부터의》: ～ *from* the normal 상태(常態)에서의 일탈. **2** (의견 등의) 상이, 다름. ㊕ **-gen·cy** n.
°**di·ver·gent** [divə́ːrdʒənt, dai-] a. **1** 분기하는 (↔ convergent); 산개(散開)하는. **2** (의견 등이) 다른: ～ opinions 이론(異論). ㊕ **～·ly** ad.
*__di·verse__ [divə́ːrs, dai-, dáivəːrs] a. **1** 다양한, **가지각색의**, 여러 가지의: have ～ interests 다양한 취미를 갖다. **2** 다른, 딴《**from** …와》: a sense ～ *from* the original meaning 원래의 뜻과 다른 의미. SYN. ⇨DIFFERENT. ◇ diversify v. ㊕ **～·ly** ad. 여러 가지로, 다르게.
di·ver·si·fi·ca·tion [divə̀ːrsəfikéiʃən, dai-] n. **1** Ⓤ 다양화; 다양성, 잡다함. **2** Ⓒ 변화, 변형. **3** Ⓤ (구체적으로는 Ⓒ) 〖경제〗 (투자의) 분산, (사업의) 다각화.
di·ver·si·fied [divə́ːrsəfàid, dai-] a. 변화 많은, 다양한, 다채로운, 다각적인, 잡다한.
°**di·ver·si·fy** [divə́ːrsəfài, dai-] vt. 다양화하다, 다채롭게 하다; 여러 가지로 변화시키다: We must ～ our products. 우리의 제품을 다양화하지 않으면 안 된다. —vi. 다양한 것을 만들다, 사업을 다각화하다.
°**di·ver·sion** [divə́ːrʒən, -ʃən, dai-] n. **1** Ⓤ (구체적으로는 Ⓒ) 딴 데로 돌림, 전환; (자금의) 유용. **2 a** Ⓤ 기분 전환: You need some ～. 너에겐 약간의 기분 전환이 필요하다. **b** Ⓒ 오락; 유희. **3** Ⓒ 〖군사〗 견제〔양동(陽動)〕(작전). **4** Ⓒ 《英》 (통행금지 때의) 우회로.
di·ver·sion·ary [divə́ːrʒənèri, -ʃən-, dai-/-nəri] a. **1** 주의를 딴 데로 쏠리게 하는. **2** 〖군사〗 견제적인, 양동의: a ～ attack 양동 공격.
di·ver·si·ty [divə́ːrsəti, dai-] n. **1** Ⓤ 다양성. **2** (a ～) 여러 가지, 잡다함: a ～ *of* languages 여러 가지 언어 / a ～ *of* opinion 잡다한 의견.
⁑**di·vert** [divə́ːrt, dai-] vt. 《～+目/+目+前+名》 **1** (딴 데로) **돌리다**, (물길 따위)를 전환하다《**from** …에서; **to, into** …으로》: ～ a river *from* its course 강의 흐름을 바꾸다 / A ditch ～*ed* water *from* the stream *into* the fields. 도랑이 흐름을 바꾸어서 물이 밭으로 흘러들어가게 했다. **2** (주의 · 관심)을 돌리다《**from** …에서》: ～ a person *from* his cares 아무를 기분 전환시켜 걱정거리를 잊게 하다. **3** …의 기분을 풀다, …을 위로하다, 즐겁게 하다: ～ children *by* tell*ing* stories 이야기를 하여 아이들을 즐겁게 하다. ◇ diversion n.
di·ver·ti·men·to [divə̀ːrtəméntou, -vɛ̀ərt-] (pl. **-men·ti** [-ménti]) n. 《It.》 Ⓒ 〖음악〗 디베르티멘토, 희유곡(嬉遊曲).
di·vért·ing a. 기분 전환〔풀이〕의, 재미나는 (amusing). ㊕ **～·ly** ad. 기분 전환으〔풀이〕로, 즐겁게.
di·ver·tisse·ment [divə́ːrtismənt] n. 《F.》 Ⓒ **1** 〖음악〗 **a** 디베르티스망《(1) 막간의 짧은 발레 따위. (2) 접속곡. (3) 오페라 등에 삽입되는 짧은 기악곡》. **b** =DIVERTIMENTO. **2** 기분 전환, 오락.
Di·ves [dáiviːz] n. Ⓒ 〖성서〗 큰 부자, 부호《누가복음 XVI: 19–31》.
di·vest [divést, dai-] vt. **1** …에게 벗게 하다《**of** (의복)을》: The robbers ～*ed* the traveler *of* his clothes. 강도들은 나그네의 옷을 벗겼다. **2** (아무)에게서 박탈하다, 빼앗다(deprive)《**of** (지위 · 권리)를》: The officer was ～*ed of* his rank. 그 장교는 지위를 박탈당했다. **3** 〖～ one-self〗 포기하다, 제거하다《**of** …을》: He has ～*ed of* him*self of* his holdings in the company. 그는 회사의 자기 지분 주를 포기했다.

di·ves·ti·ture [divéstitʃər, dai-] *n.* Ⓤ 박탈〔빼앗긴〕 상태.

⁑**di·vide** [diváid] *vt.* **1** 《~+목/+목+전+명》 (사물)을 **분할하다**, 가르다, 쪼개다(split up)《*into* …으로》. ↔ *unite.* ¶ ~ a pie *in* two 파이를 둘로 쪼개다《★ in two 〔half〕 때만 in을 씀》/ ~ one's hair in the middle 가르마를 가운데로 타다/ The basement is ~*d into* two rooms. 지하실은 2개의 방으로 분할되어 있다. SYN. ⇨ SEPARATE.
2 a 《+목+부/+목+전+명》 (분할하여) **나누다**, 분배하다(*up*); (시간)을 할당하다, 배분하다 《*between, among* …사이에서》: How shall we ~ *up* the profits? 이익을 어떻게 분배할까/They ~*d* their profits equally *between* 〔*among*〕 themselves. 그들은 이익을 그들끼리 똑같이 나누었다《★ between은 두 사람일 때, among은 세 사람 이상일 때 쓰임》/ He ~*d* his time evenly *between* work and play. 그는 일하는 시간과 노는 시간을 균등하게 배분했다. **b** 《+목+전+명》 함께 나누다〔나누어 갖다〕《*with* …(아무)와》: They ~*d* the profits *with* the employees. 그들은 이익을 종업원들과 함께 나누어 가졌다.
3 《~+목/+목+전+명》 (사물)을 분류하다, 유별하다《*into* …으로》: ~ books according to their size 책들을 크기에 따라 분류하다/ ~ books *into* fiction and nonfiction 책들을 픽션과 논픽션으로 분류하다.
4 《+목+전+명》 〖수학〗 (어떤 수)를 나누다《*by* (다른 수)로》; (어떤 수)로 나누다《*into* (다른 수)를》: *Divide* 8 *by* 2 〔*Divide* 2 *into* 8〕, and you get 4. =8 ~*d by* 2 is 4. 8÷2=4.
5 《~+목/+목+전+명》 …을 분열시키다; …의 사이를 갈라놓다, …을 대립시키다《*in* (의견 따위)로; *on* …에 관하여》: A small matter ~*d* the friends. 작은 일로 그 친구들 사이가 나빠졌다/ They were ~*d in* their opinions. 그들은 의견을 달리했다.
6 《~+목/+목+전+명》〘보통 수동태〙 두 패로 나눠 찬부를 결정하다《*on* …에 관하여》: The House *is* ~*d on* the issue. 의회는 그 문제에 관하여 찬부 표결에 부쳤다/Opinion is ~*d on* the issue of tax reform. 세제 개혁에 관하여 의견이 갈라졌다.
7 《~+목/+목+전+명》 갈라놓다, 분리〔격리〕하다 《*from* …에서》: This fence ~*s* my land *from* his. 이 울타리는 내 땅과 그의 땅을 경계짓는다/ ~ the sick *from* the others 환자를 격리하다.
— *vi.* **1** 《~/+부/+전+명》 나뉘다, 쪼개지다(*up*); (길·선이) 갈라지다《*into* …으로》: The students ~*d* (*up*) *into* small groups. 학생들은 작은 그룹으로 나뉘었다/The railroad ~*s into* two lines at this point. 철도는 이 지점에서 둘로 갈라진다.
2 《+전+명》 의견이 갈리다〔나뉘다〕《*on, over* …에 관하여》: They ~*d over* the question of salary. 그들은 급여 문제로 의견이 갈리었다.
3 《+전+명》《英》 찬부의 의결을 하다《*on* …에 관하여》: The House ~*d on* the issue. 의회는 그 문제의 찬부를 채결(採決)했다.
4 《+전+명》 〖수학〗 나눗셈을 하다; (어떤 수가) 나누어지다《*by* (다른 수)로》; (어떤 수가) 나누다 《*into* (다른 수)를》: 36 ~*s by* 9. =9 ~*s into* 36. 36은 9로 나누어진다.
be ~d against itself (단체 등에) 내분이 있다. ***Divide! Divide!*** 표결이다 표결.
— *n.* Ⓒ **1** 분할; 분수계(界), 분수령(cf. Great Divide). **2** 분할, 분열.
~ and rule 〔***govern***〕 분할 통치; 각개 격파.

di·vid·ed [-id] *a.* **1** 분할된; 분리된; 갈라진; (의견 등이) 분열한: ~ ownership (토지의) 분할 소유/~ payments 분할 지급. **2** 〖식물〗 (잎이) 째진.

divíded híghway 《美》 중앙 분리대가 있는 (고속) 도로.

divíded skírt 치마 바지.

div·i·dend [dívidènd] *n.* Ⓒ **1** 〖수학〗 피제수(被除數). cf. divisor. **2** (주식·보험의) 배당(금). ***declare a ~*** 배당 지급을 고시하다. ***~ off*** 배당락(落)(ex ~). ***~ on*** 배당부(附) (cum ~). ***pass a ~*** 무배당으로 하다.

di·víd·er *n.* **1** Ⓒ 분할자, 분배자, 분열의 씨; 이간자. **2** (*pl.*) 분할기; 양각기, 디바이더: a pair of ~*s* 디바이더 한 개.

div·i·na·tion [dìvənéiʃən] *n.* Ⓤ 점(占), 예측, 예지; 예언; 조짐.

°**di·vine** [diváin] *a.* **1** 신의; 신성(神性)의: the ~ Being 〔Father〕 신, 하느님. **2** 신성한(holy); 신수(神授)의, 하늘이 준: ~ grace 신의 은총. **3** 신에게 바친, 종교적인: the ~ service 예배식. **4** 성스러운, 거룩한. **5** 신묘한, 비범한; 《구어》 아주 멋진: possess ~ powers 신통력이 있다/~ weather 멋진 날씨. ***the ~ right of kings*** 왕권신수(神授)(설).
— *n.* Ⓒ 성직자, 목사; 신학자.
— *vt.* **1** 알아맞히다, 예측하다, (직관·점으로) 예언하다, 점치다《*wh.*》: He ~*d* my plans. 그는 내 계획을 간파했다/Who can ~ the future? 누가 앞일을 점칠 수 있겠는가《아무도 점칠 수 없다》/None of us could have ~*d what* would happen next. 다음에 어떤 일이 일어날지 우리의 누구도 예언할 수 없었다. **2** (수맥·광맥 등)을 점지팡이(divining rod)로 발견하다. **—** *vi.* **1** 점을 치다. **2** 점지팡이로 (지하의 수맥·광맥 등을) 찾아다니다.
㊎ **~·ly** *ad.* 신(의 힘·덕)에 의하여; 신과 같이; 《구어》 아주 멋지게.

Divíne Cómedy (the ~) 신곡(神曲)《Dante 작》.

divíne óffice (때로 D- O-) (the ~) 〖가톨릭〗 성무일과(聖務日課)《매일 외우는 성서·시편에서 발췌한 낭송 및 기도》.

di·vín·er *n.* Ⓒ **1** 점치는 사람, 점쟁이; 예언자. **2** (점지팡이에 의한) 수맥〔광맥〕 탐사자.

div·ing [dáiviŋ] *n.* Ⓤ 잠수; 〖수영〗 다이빙.

díving bèll 〖해사〗 (종 모양의) 잠수기(器).

díving bòard (수영장 따위의) 다이빙대.

díving sùit 〔**drèss**〕 잠수복.

divíning ròd 점지팡이《수맥이나 광맥 탐지에 쓰는 끝이 갈라진 개암나무 지팡이》.

°**di·vin·i·ty** [divínəti] *n.* **1** Ⓤ 신성(神性), 신격; 신의 힘, 신의 권위. **2 a** (the D-) 신, 상제. **b** (종종 D-) Ⓒ (이교의) 신. **3** Ⓤ 신학: a Doctor of *Divinity* 신학 박사《생략: D.D.》.

di·vis·i·ble [divízəbəl] *a.* 나눌〔분할할〕 수 있는《*into* …으로》; 〖수학〗 나누어 떨어지는《*by* …으로》: a ~ contract 〔offense〕 가분(可分) 계약〔범죄〕/10 is ~ *by* 2. 10은 2로 나누어진다.
㊎ **-bly** *ad.*

⁑**di·vi·sion** [divíʒən] *n.* **1** Ⓤ **분할**, 구분《*into* …으로의》; **분배**, 배당《*between, among* …사이의》: the ~ of an hour *into* sixty minutes

한 시간을 60분으로 구분하기. 2 Ⓤ (또는 a ~) 불일치, 불화; (의견의) 분열: There was a ~ *of* opinion on the matter. 그 건에 관한 의견이 갈리었다. 3 Ⓤ 【수학】 나눗셈, 제법. ↔ *multiplication*. 4 Ⓒ 구분, 부분; 구(區), 부(部), 단(段), 절(節). 5 Ⓒ 경계(선); 칸막이, 격벽; (저울 따위의) 눈금. 6 Ⓒ 【생물】 (유(類), 과(科), 속(屬) 따위의) 부문; 【식물】 문(門). 7 Ⓒ 〔집합적; 단·복수 취급〕 【육군】 사단; 【해군】 분함대《보통 4척》; 【美공군】 (항공) 사단(air ~). 8 Ⓒ 《英》 (찬부 양파로 갈라지는) 표결《*on* …에 관한》: There will be a ~ *on* the motion tomorrow. 그 발의에 관한 표결이 내일 있을 것이다. 9 Ⓒ 《美》 (관청·회사의) …부, …국, …과. ◇ divide *v*. **~ *of labor*** (보통 the ~) 분업. **~ *of powers*** 삼권 분립; 【美 정치】 (연방과 주(州)의) 주권(主權) 분립.

di·vi·sion·al [divíʒənəl] *a*. 1 분할(상)의, 구분을 나타내는; 부분적인. 2 【군사】 사단의, 전대(戰隊)의: a ~ commander 사단장.

divísion lòbby 【英의회】 투표 대기 복도.

divísion sìgn 〔màrk〕 나눗셈표《÷》; 분수(分數)를 나타내는 사선(斜線)《/》.

di·vi·sive [diváisiv] *a*. 불화를〔분열을〕 일으키는. ㊞ **~·ly** *ad*. **~·ness** *n*.

di·vi·sor [diváizər] *n*. Ⓒ 【수학】 (나눗셈의) 제수(除數), 법(法)(↔ *dividend*); 약수: ⇨COMMON DIVISOR.

⁑**di·vorce** [divɔ́ːrs] *n*. 1 Ⓤ (구체적으로는 Ⓒ) 이혼: sue for a ~ 이혼 소송을 제기하다/get 〔obtain〕 a ~ from one's wife 아내와 이혼하다. 2 Ⓒ (보통 *sing*.) (완전한) 분리, 절연《*between* …사이의》: be accused of a ~ *between* word and deed 언행불일치로 추궁당하다.
—*vt*. 1 〔종종 수동태〕 …와 이혼하다, …을 이혼시키다: He *was* ~*d* 〔~*d* himself〕 from his wife. 그는 처와 이혼했다/The court ~*d* the couple. 법원은 그 부부를 이혼시켰다/She ~*d* her husband. 그녀는 남편과 이혼했다. 2 《~+목/+목+전+명》 분리〔절연〕하다《*from* …와》: ~ church and state 교회와 국가를 분리하다/~ education *from* religion 교육과 종교를 분리하다. —*vi*. 이혼하다.

divórce còurt 이혼 법원〔법정〕.

div·ot [dívət] *n*. Ⓒ 【골프】 (타구봉 헤드에 맞아 뜯긴) 잔딧 조각.

di·vulge [divʌ́ldʒ, dai-] *vt*. (비밀)을 누설하다《*to* …에게》; 폭로하다; 공표하다《*that* / *wh*.》: ~ secrets *to* a foreign agent 외국 간첩에게 비밀을 누설하다. SYN. ⇨REVEAL. ㊞ **di·vúl·gence** *n*.

div·vy [dívi] 《구어》 *vt*. 나누다, 분배하다(*up*)《*between* …사이에》: Let's ~ it *up between* us. 그걸 우리끼리 나누어 갖자. —*n*. Ⓤ (구체적으로는 Ⓒ) 분할, 분배; 《英》 배당. [◂*dividend*]

Dix·ie [díksi] *n*. 1 미국 남부 여러 주의 속칭 (Dixieland). 2 Ⓤ 딕시《남북 전쟁 때 유행한, 남부를 찬양한 노래; 1859년 D. D. Emmett 작》.

dix·ie, dixy [díksi] *n*. Ⓒ (야영용의) 큰 냄비; 반합(飯盒).

Dix·ie·land [díksilæ̀nd] *n*. 1 =DIXIELAND JAZZ. 2 =DIXIE 1.

Díxieland jázz 딕시랜드 재즈《미국 New Orleans시에서 시작된 재즈》.

D.I.Y., d.i.y. 《주로 英》 do-it-yourself.

***diz·zy** [dízi] (*-zi·er; -zi·est*) *a*. 1 현기증 나는; 머리가 어찔어찔하는, 핑핑 도는; 아찔한: get 〔feel〕 ~ 현기증이 나다/a ~ height 아찔하게 높은 곳. 2 《구어》 철딱서니 없는, 바보의. —*vt*. 1 현기증나게 하다; 핑핑 돌게 하다. 2 당황하게 하다. ㊞ **-zi·ly** [-zili] *ad*. **-zi·ness** *n*. Ⓤ 현기증.

DJ, D.J. disc jockey.

Dja·kar·ta [dʒəkáːrtə] *n*. =JAKARTA.

Dji·bou·ti, Ji·b(o)u- [dʒibúːti] *n*. 지부티《동아프리카의 공화국; 수도 Djibouti》.

djin(n), djin·ni [dʒin], [dʒíni] *n*. =JINN.

dl, dl. deciliter(s).

D́ làyer 【무선】 D층(層)《전리층의 최하층》.

D. Lit., D. Litt. 《L.》 Doctor Lit(t)erarum (=Doctor of Literature 〔Letters〕). **dm, dm.** decameter(s); decimeter(s). **DM, D-mark** Deutschemark(s). **DMA** 【컴퓨터】 direct memory access (직접 기억 장치 접근). **DMZ** demilitarized zone.

d—n [dæm, diːn] =DAMN. ★ damn이란 말을 넌지시 표현할 때 쓰임.

DNA 【생화학】 =DEOXYRIBONUCLEIC ACID.

D́NÁ fíngerprìnting DNA〔유전자〕 지문(감정)법《혈액·모발 등에서 추출한 DNA를 분석하여 개인의 특징을 감별하는 방법》.

D́NÁ próbe 【생화학】 DNA프로브《화학적으로 합성한, 사슬 길이 10 내지 20의 특정 염기배열을 갖는 한 줄 사슬 올리고머》.

D́-nòtice *n*. Ⓒ 《英》 D 통고《기밀 보전을 위해 보도 금지를 요청하는 정부 통고》.

†**do**[1] [duː; 약 du, də] (현재 ***do***, 직설법 현재 3인칭 단수 ***does*** [dʌz, 약 dəz]; 과거 ***did***) 《★ 《고어》 2인칭 단수 현재형 (thou) ***do·est*** [dúːst], ***dost*** [dʌst; 약 dəst]; 3인칭 단수 현재형 ***do·eth*** [dúːiθ], ***doth*** [dʌθ; 약 dəθ]》 *aux. v*. 1 〔긍정 의문문〕 《일반 동사·have동사와 함께 do의 여러 형태는 약하게 발음되는 때가 많음》: *Do* you hear me? 내 말이 들리는가/*Does* he know? 그는 알고 있나/Where *did* she go? 그녀는 어디 갔습니까/When *do* you have tea? 당신은 차를 언제 드십니까《have가 '동작·경과'의 뜻일 때 영·미 공통》/*Do* you have any brothers? 형제분이 있습니까《have가 '소유·상태'의 뜻일 때 종래 영국에서는 Have you …? 이었음》/Who *do* you think came? 누가 왔다고 생각하느냐《비교: Who came? 누가 왔느냐》.
2 〔부정문(평서·명령·의문)〕 (간약형: do not→ ***don't*** [dount]; does not → ***does·n't*** [dʌ́znt]; did not→***did·n't*** [dídnt]): I *don't* think so. 난 그렇게는 생각하지 않는다/They *didn't* have coffee. 그들은 커피를 마시지 않았다/*Don't* worry. 걱정하지 마라/*Don't* yóu touch me. 내 몸을 건드리지 마라《Don't touch me! 보다 비난의 정도가 강함; (외칠 때) 주어가 있는 문장에서는 Do not… 은 쓸 수 없음》/*Don't* ány-body move! 아무도 움직이지 마라/*Didn't* 〔*Did not*〕 your father come? 네 아버지는 안 오셨나《〔 〕 안은 극히 문어적》/*Don't* be afraid. 두려워하지 마라《명령문에 한해서 be의 부정에 do가 쓰임》.

> **NOTE** (1) 분사나 부정사의 부정에는 do를 쓰지 않음: I asked him not [*do not] to make a noise. 그에게 떠들지 말도록 요청했다.
> (2) do의 부정에는 not를 쓰며, never, hardly 따위의 부사는 거의 쓰지 않음: I *do not* [**do never*] drink wine. 나는 포도주는 안 마신다.

다만, 강조의 do를 사용해서 I *never do* drink wine.은 가능함.
⑶ 흔히 문어는 비간약형을, 구어는 간약형을 쓰는데, 평서문에서 특히 부정을 강조할 때에는 구어에서도 비간약형을 쓸 때가 있음: I *dó nót* agree. 아무래도 찬동할 수 없소.

3 〖강조문〗 정말, 꼭, 확실히, 역시. **a** 〖긍정의 뜻의 강조〗 《일반 동사 · have 동사와 함께 쓰이며, do에 강세를 둠》: I *do* know. 나는 정말 알고 있다 / So I *did* see you! 역시 만났군요 / *Do* come again! 꼭 또 오십시오 / Why didn't you come yesterday?—But I *did* come. 어제 왜 오지 않았나—아냐 갔었어. **b** 〖긍정 명령문의 강조〗 《⑴ 일반동사 · have 동사 · be 동사와 함께 쓰임. ⑵ 간청이나 친근감이 담긴 강한 권고 따위에 쓰임》: *Do* come in! 어서 들어오십시오 / Sit down. Please *do* sit down. 앉으시지요, 자 앉아주세요 / *Do* be quiet! 조용히 하라니까 / Tell me, *do*. 말씀해 주세요, 제발 부탁이예요 《do가 뒤에 올 때도 있음》.

4 〖도치법〗 《부사(구)가 문두에 나올 때》: Little *did* she eat. 그녀는 거의 먹지 않았다 / Never *did* I dream of seeing you again. 자넬 다시 만나리라고는 꿈에도 생각 못 했네 / Well *do* I remember it. 잘 기억하고 있다네 / Not only *did* he understand it, but he remembered it. 그는 그것을 이해했을 뿐 아니라 기억도 했다.

— (***did; done*** [dʌn]; ***do·ing*** [dú:iŋ]; 직설법 현재 3인칭 단수 ***does***) *pro-verb* (대동사) 《be, have 이외의 동사의 되풀이를 피하기 위해 쓰이며, 흔히 세게 발음됨》.

1 a 〖동사(구)의 반복을 피하여〗: I think as you *do*(=think). 나는 당신이 생각하는 것처럼 생각합니다 / If you want to see him, *do* it now. 그를 만나고 싶으면 지금 만나라 / I speak French as well as she *does* (=speaks French). 그 여자만큼 나도 프랑스어를 할 수 있다 / I want to enjoy reading as I used to (*do*). 전처럼 독서를 즐기고 싶다. **b** 〖do so, do it, do that, which ... do 따위의 형태로〗 《do it, do that은 수동형이 가능함》: I wanted to go to bed, and I *did so* 〔*so I did*〕 immediately. 나는 자고 싶었다. 그래서 곧 잤다 / Does she play tennis? —Yes, I've seen her *doing so* 〔*that*〕. 그녀는 테니스를 치니—응, 치는 것을 본 적이 있어.

2 〖의문문에 대한 대답 중에서〗 《흔히 do에 강세》: Do you like music?—Yes, I *do*. 〔No, I *don't*.〕 음악을 좋아하십니까—네, 좋아합니다 〔아뇨, 좋아하지 않습니다〕 / Did you go there? —(Yes,) I *did*. 자네 거기 갔었나—(응) 갔었어 《I did go there.로 하면 강조가 됨》 / Who saw it?—I *did*. 누가 그것을 보았나—내가요 《I에 강세》.

3 〖부가의문문 중에서〗 …이**죠**(**그렇죠**), …라던데요 《확인의문일 때에는 내림조, 반복의문일 때에는 올림조》: He works in a bank, *doesn't* he? 그는 은행에 근무하죠 / You didn't read that book, *did* you? 자넨 그 책을 읽지 않았지(안 그래) / The store sells clothes, *doesn't* it 〔*don't* they〕? 그 가게에서는 의류를 팔고 있죠 《가게를 의식하면 doesn't it? 점원을 의식할 때면 don't they?》. ★ 흔히 종속절은 주절이 긍정이면 don't, doesn't, didn't를 쓰며, 주절이 부정이면 do, does, did가 옴.

4 〖상대의 말에 맞장구를 칠 때〗 (아) 그렇습니까: I bought a car.—Oh, *did* you? 차를 샀습니다—아 그러십니까 / I don't like coffee.—*Don't* you? 커피는 싫다—그러니.

5 〖-ing as+주어+do〗 …하므로: Liv*ing as* I *do* in a rural area, I rarely have visitors. 시골에 살고 있어 좀처럼 방문객이 없다(=Since I live in a rural area, ...).

— (***did; done; do·ing; does***) 《보통 세게 발음》 《★ 《고어》 3인칭 · 단수 · 직설법 · 현재형 ***do·ethe*** [dú:iθ]; 2인칭 · 단수 · 현재형 ***do·est*** [dú:ist], 과거형 (thou) ***didst*** [didst]》 *vt.* **1 a** **하다, 행하다:** *do* a good deed 선행을 하다 / *do* repairs 수리를 하다 / *do* something wrong 무언가 나쁜 짓을 하다 / *do* research on history 역사 연구를 하다 / What are you *doing?* 무엇을 하고 있는가 / What does he *do?*(그는 무엇을 하나→) 그의 직업은 무엇인가 / What can I *do* for you? (점원이 손님에게) (무엇을 도와드릴까요 →)어서 오십시오, 무엇을 드릴까요. **b** (일 · 의무 따위)를 **다하다, 수행**〔**실행, 이행**〕**하다:** *do* one's best 〔utmost〕 자신의 최선을 다하다 / *Do* your duty. 본분을〔의무를〕 다해라 / *do* one's military service 군대에 복무하다 / *do* business with ... …와 거래하다 / You *did* the right 〔proper〕 thing. 자넨 옳은〔타당한〕 일을 했네. **c** 〖보통 the, any, some, one's, much를 수반하는 -ing를 목적어로 하여〗 (…행위)를 **하다:** *do the* wash*ing* 〔shopp*ing*〕 빨래를〔쇼핑을〕 하다 《'쇼핑(하러) 가다'는 'go shopping'이며 the가 붙지 않음》 / I'll *do* some read*ing* today. 오늘은 책을 읽겠다 / I wanted to *do* some telephon*ing*. 잠깐 전화 좀 하고 싶었다. **d** 《+do*ing*》 (직업으로서) …을 **하다:** *do* lectur*ing* 강의를 하다 / *do* teach*ing* 교사를 하다. ★ 끝의 예에서와 같이 do에는 writing(저술), reviewing(논평), charring (가사), packing (짐꾸리기) 따위의 동명사가 뒤에 올 때가 많음. **e** 〖흔히 have *done*, be *done*의 형태로〗 …을 **끝내다,** (다)해버리다: I *have done* my work. 나는 일을 다 마쳤다《구어에서는 have가 생략될 때가 있음》 / *Have* 〔*Are*〕 you *done* reading? 다 읽으셨습니까 / The work *is done*. 일이 끝났다. ★ 주로 결과로서의 상태를 나타내며, The work *has been done*.은 완료를 강조.

2 《+목+목/+목+전+명》 **주다. a** (이익 · (손)해 따위)를 주다(inflict), 가져오다《***to*** …에(게)》, 가하다, 끼치다: Too much drinking will *do* you harm. 과음은 몸에 해롭다 / The medicine will *do* you good. 그 약을 복용하시면 좋아질 겁니다 / Your conduct *does* you honor 〔*does* honor *to* you〕. 당신의 행동은 당신의 명예가 됩니다. **b** (명예 · 경의 · 호의 · 옳은 평가 따위)를 표하다, 베풀다, 주다《***to*** (아무)에게》: *do* a person a service 아무의 시중을 들다〔돌보아주다〕 / *do* a person a kindness 아무에게 친절하게 하다 / *do* homage *to* the King 왕에게 경의를 표하다 / *do* honor *to* a person =do a person HONOR. **c** (은혜 따위)를 베풀다, (부탁 · 소원 등)을 들어주다《***for*** (아무)에게》: Will you *do* me a favor? =Will you *do* a favor *for* me? (부탁 좀 들어주겠나→) 부탁이 있는데.

3 (어떤 방법으로든) **처리하다**《목적어에 따라 여러 가지 뜻이 됨. cf. 관용구 do up》. **a** (답장을 써서 편지)의 처리를 하다: *do* one's correspondence 편지 답장을 쓰다. **b** (방 · 침대 등)을 치우다, 청소하다, 정리하다, (접시 따위)를 닦다,

(이)를 닦다: *do* the room 방을 청소하다 / *do* one's teeth 이를 닦다 / I'll *do* the dishes. (먹고 난) 접시 설거지는 내가 하겠다. **c** 꾸미다, 손질하다, 꽃꽂이하다, (머리)를 매만지다, (얼굴)을 화장하다, (식사 · 침구)를 제공하다, 준비하다: *do* one's hair 머리를 빗다〔감다〕/ *do* the garden 정원〔뜰〕을 손질하다 / *do* the room in blue 방의 벽을 청색으로 칠하다 / She *did* the flowers. 그녀는 꽃꽂이를 했다 / She usually spends two hours *doing* her face. 그녀는 보통 화장을 하는 데 두 시간은 소비한다 / The restaurant doesn't *do* lunch. 그 음식점에서는 점심은 팔지 않는다. **d** (학과)를 공부〔전공 · 준비〕하다: *do* one's lessons 예습을 하다 / He is *doing* electronics. 그는 전자 공학을 전공하고 있다. **e** (문제 · 계산)을 풀다(solve): *do* a problem 문제를 풀다 / Will you *do* this sum for me? 이 계산 좀 해 주시겠습니까. **f** (작품 따위)를 만들다, (책)을 쓰다, (그림)을 그리다, (영화)를 제작하다: *do* a lovely oil portrait 훌륭한 유화 초상화를 그리다 / *do* a movie 영화를 제작하다. **g** 《(+목)+목/+목+전+명》 (복사 · 리포트 따위)를 만들다, 번역하다《***for*** …을 위해》; (책 따위)를 바꾸다《***into*** (다른 형식)으로》: *do* two copies of it 그것의 복사를 2부 만들다 / We asked her to *do* us a translation. =We asked her to *do* a translation *for* us. 우리는 그녀에게 번역을 해달라고 했다.

4 a (고기 · 야채 따위)를 요리하다; (요리)를 만들다: *do* the salad 〔dessert〕 샐러드〔디저트〕를 만들다 / They *do* fish very well here. 이 집은 생선 요리를 잘 한다. **b** 《+목+보》 (…하게 고기 등)을 요리하다, 굽다(cf. well-done, overdone, underdone): a steak *done* medium rare 중간 정도로 설구워진 스테이크 / This meat is *done* to a turn. 이 고기는 알맞게 구워졌다 / Mind you *do* the beef thoroughly. 고기를 바싹 구워라.

5 〖will과 함께〗 (아무)에게 도움이 되다, 쓸 만하다, 소용에 닿다, 충분하다(serve, suffice for) 《수동형은 불가능》: This will *do* us for the present. 당분간 이것이면 된다 / Will fifty dollars *do* you?—That will *do* me very well. 50달러면 되겠느냐?—그것이면 충분하다.

6 《구어》 두루 돌아보다, 구경〔참관〕하다: *do* the sights 명승지를 구경하다 / You can't *do* Korea in a week. 한 주일로는 한국을 구경할 수 없다 / Have you *done* the Louvre yet? 루브르 박물관 구경은 벌써 마치셨습니까.

7 a (어느 거리)를 답파(踏破)하다(traverse), (나아)가다, 여행하다 (cover, travel): We *do* twenty miles a day on foot. 우리는 도보로 하루 20 마일 걷는다. **b** (…의 속도)로 나아가다(travel at the rate of): This car *does* 120 m.p.h. 이 차는 시속 120마일로 달린다 / The wind is *doing* ninety miles an hour. 풍속은 시속 90마일이다.

8 a 《英구어》 (아무)에게 서비스를 제공하다《보통 수동형은 불가능》: I'll *do* you now, sir. 다음 손님 앉으십쇼《이발소 등에서》. **b** 〖보통 well 따위와 함께〗 (아무)를 (잘) 대접하다, 대(우)하다《보통 수동형 · 진행형으로는 불가능》: They *do* you very well at that hotel. 저 호텔에서는 서비스가 아주 좋다. **c** 〖~ oneself; well 따위와 함께〗 사치를 하다〔부리다〕《수동형은 불가능》: *do* one*self* well 호화롭게 살다, 사치한 생활을 하다.

9 《구어》 **a** (아무)를 속이다, 야바위치다(cheat): I've been *done*. 감쪽같이 당했다. **b** 《+목+전+명》 (아무)에게서 속여 빼앗다, 사취하다《***out of*** …을》: *do* a person *out of* his inheritance 〔job〕 아무에게서 유산〔일〕을 빼앗다.

10 a …의 역(役)을 하다, …을 연기하다: *do* Polonius 폴로니우스 역을 하다 / She *did* the leading in several comedies. 그녀는 몇 개의 희극에서 주역을 맡아 했다. **b** 〖do a ... 로〗 …처럼 행동하다, …인 체하다, …연하다, …을 흉내내다: *do* a Chaplin 채플린처럼 행동하다 / Can you *do* a frog? 너 개구리 흉내를 낼 줄 아느냐. **c** 〖the+형용사를 목적어로 하여〗《英구어》 …하게 굴다: *do* the amiable 붙임성(이) 있게 굴다 / *do* the grand 잘난 체하다.

11 《구어》 (형기)를 살다, 복역하다: *do* time (in prison) 복역하다 / He *did* five years for robbery. 강도죄로 5년형을 살았다. ★ 미국에서는 다른 '임기'에 관해서도 쓰임: He is *doing* another year as chairman. 그는 1년 더 의장직을 맡고 있다.

12 《英구어》 (아무)를 혼내주다, 뜨끔한 맛을 뵈다.

13 《구어》 (여행 · 운동 등이) 지치게 하다(wear out, exhaust): The last round *did* me. 마지막 회에서 난 녹초가 됐다 / The long journey has *done* him. 긴 여행으로 그는 완전히 지쳤다.

14 《美속어》 (성행위)를 하다; (마약)을 쓰다.

—*vi*. 1 하다. a 행하다, 활동하다(act): Don't talk. Only *do*. =*Do*, don't talk. 말은 그만두고 실행하라 / Let us be up and *doing*. 자 정신 차려서 하자. **b** 〖well, right 따위 양태를 나타내는 부사(절)과 함께〗 행동(을)하다, 처신하다(behave): *do* like a gentleman 신사답게 행동하다 / You would *do* well to refuse. 자넨 거절하는 게 좋을 거다 / You've only to *do as* you are told. 자넨 그저 시키는 대로 하기만 하면 된다 / *Do* in Rome *as* the Romans *do*. 《속담》 로마에 가면 로마의 풍습을 따르라.

2 《+부/+전+명》 〖well, badly, how 따위를 수반하여〗 **a** (생활 · 건강 상태 · 성적 등이) (…한) **상태이다**, …하다, 지내다; (일이) (잘, 잘 안)되다, (해)나가다(get along): *do* wisely 현명하게 일을 (잘) 해나가다 / *do* without an automobile 자동차 없이 지내다 / Our company is *doing* very well. 우리 회사 실적은 아주 좋다 / Mother and child are both *doing* well. 모자 모두 건강하다 / How did you *do* in the examination? 시험성적은 어땠나 / How are you *doing* these days? 《주로 美구어》 요즘 건강은〔경기는〕 어떤가. **b** (식물이) 자라다(grow): Wheat *does* best in this soil. 이 땅에서는 밀이 잘 된다.

3 〖보통 will, won't와 함께〗 **a** 《+전+명》 **도움이 되다**, 쓸 만하다, **족(足)하다**, 충분하다《***for*** …에, …으로》: This box *will do for* a seat. 이 상자는 의자로 십상이다 / This sum *will do* for the present. 이 돈이면 당분간 충분하다. **b** 《+전+명+*to* do》 (아무가 …하는 데) **충분하다**: These shoes *won't do for* us *to* mountaineer(=*for* mountaineering). 이 신으로는 등산하기에 무리다. **c 좋다**, (…면, …으로) 되다: *Will* this *do*? 이거면 되겠나 / That *will do*. 그것으로 충분하다; 이제 됐으니 그만둬 / This car *won't do*. 이 차는 안 되겠다〔못 쓰겠다〕/ It *won't* 〔doesn't〕 *do* to eat too much. 과식은 좋지 않다.

4 〖완료형으로〗 (아무가) (행동 · 일 따위를) 끝내다, 마치다(finish)(cf. 관용구 have done with):

Have done! 그만둬라〔해라〕/When he *was done*, I asked him a question. 그가 말을 끝냈을 때 나는 그에게 질문했다.
5 〖현재분사의 형태로서〗 일어나(고 있)다(happen, take place): What's *doing* here? 이거 어찌된 일이야/Anything *doing* tonight? 오늘 밤 뭐가 있느냐.
be done with =have done with. ***do away with*** 《수동형 가능》 ① …을 없애다, …을 폐지〔제거〕하다: We should *do away with* these old rules. 이 낡은 규칙들은 폐지해야 한다. ② …을 죽이다: *do away with* oneself 자살하다. ***do by*** 〖흔히 well, badly 등과 함께; 수동태 가능〗《구어》 (아무)를 …하게 대하다〔대우해 주다〕: He *does well by* his friends. 그는 친구들에게 잘한다. ***do down*** 《*vt.*+副》《英구어》 …을 속이다, 부정한 수단으로 지게 하다, 해치우다; 부끄럽게 하다; (없는 사람의) 험담을 하다, 헐뜯다. ***do for*** ① …에 도움이 되다(⇨*vi.* 3 a). ② …의 대용이 되다: This rock will *do for* a hammer. 이 돌은 망치의 대용이 된다. ③ 《英구어》 (아무)를 위해 살림을〔신변을〕 돌보다, 가정부 노릇을 하다: Jane *does for* her father and brother. 제인은 아버지와 오빠를 위해 살림을 돌보고 있다. ④ 〖종종 be done〗《구어》 (아무)를 몹시 지치게 하다, 파멸시키다; (사물)을 못쓰게 만들다: I'm afraid these gloves are *done for*. 아무래도 이 장갑은 못쓰게 된 것 같다/I'm *done for*. 이제 틀렸어〔글렀어〕, 두 손 들었어, 기진맥진이다. ⑤ 〖what, 《英》 how로 시작되는 의문문에서〗 …을 어떻게든 손에 넣다, 입수하다: *How* shall we *do for* food during the flood? 홍수 기간 동안 식량을 어떻게 입수〔조달〕합니까. ***do in*** 《*vt.*+副》 ① 《구어》 (아무)를 녹초가 되게〔지치게〕 하다(wear out, exhaust): I'm really *done in*. 완전히 지쳤다. ② (아무)를 파멸시키다, 망하게 하다; (사물)을 못쓰게 만들다, 망가뜨리다: *do* one's car *in* 차를 부수다〔못쓰게 만들다〕. ③ 《속어》 (아무)를 죽이다: *do* oneself *in* 자살하다. ***do it*** 효과를 나타내다, 주효하다《형용사 · 부사가 주어(主語)로 됨》: Steady *does it*. 착실히 하는 것이 좋다. ***do or die*** 〖원형으로 써서〗 죽을 각오로 하다, 필사적으로 노력하다(cf. do-or-die): We must *do or die*. 끝까지 해내지 않으면 안 된다. ***do out*** 《*vt.*+副》《구어》 (방 따위)를 청소하다; (서랍 따위)를 치우다, 정리하다. ***do over*** 《*vt.*+副》 ① (방 · 벽 등)을 덧칠〔다시 칠〕하다, 개장(改裝)〔개조〕하다: Her room was *done over* in pink. 그녀의 방은 분홍색으로 다시 칠해졌다/The attic was *done over* into a bedroom. 고미다락방은 침실로 개조되었다. ② 《美》 …을 되풀이하다, 다시 하다. ③ 《속어》 (아무)를 혼내다, 때려눕히다. ***do … to death*** ⇨DEATH. ***do up*** 《*vt.*+副》 ① …을 수리하다, 손보다: This house must be *done up*. 이 집은 손 좀 봐야겠다. ② (머리)를 매만져 다듬다〔손질하다〕, 땋아 올리다: *do up* one's hair 머리 손질을 하다, 머리를 땋아 올리다. ③ 〖do oneself up으로〗 멋부려 치장하다, 화장하다, 옷을 차려 입다. ④ …을 싸다, 꾸리다, 포장하다: *do up* a parcel 소포를 꾸리다. ⑤ …의 단추〔후크 (따위)〕를 채우다〔끼우다〕(↔ *undo*): She *did up* the zip on her dress. 그녀는 옷의 지퍼를 잠갔다. ⑥ 《구어》 (아무)를 녹초가 되게 하다, 지치게 하다《흔히 수동태로》: He *was* quite *done up*. 그는 완전히 지쳐버렸다. ── 《*vi.*+副》 ⑦ (옷이) 단추〔지퍼〕로 채워지다: My dress *does up* at the back. 내 드레스는 등쪽에서 채워지게 되어 있다. ***do well*** ⇨WELL². ***do with*** 《*vt.*+前》 〖의문대명사 what을 목적어로 하여〗 ① …을 처치〔처분〕하다, 다루다(deal with): *What* did you *do with* my bag? 내 백을 어떻게 하셨죠/I don't know *what* to *do with* her. 그녀를 어떻게 상대해야〔다루어야〕 할지 모르겠다. ──《*vi.*+前》 ② 〖can, could와 함께; 부정 · 의문문에서〗 …을 참고 견디다: I *can't do with* the way he speaks. 녀석의 말하는 태도엔 참을 수가 없다. ③ 〖가정법 could를 수반하여〗《구어》 …했으면 좋을성싶다, …하고 싶다: I *could do with* some milk. 우유를 마시고 싶다. ***do without*** 《*vi.*+前》 ① …없이 때우다〔지내다〕: I can't *do without* this dictionary. 이 사전 없이는 해나갈 수가 없다. ──《*vi.*+副》 ② 없는 대로 해나가다: The store hasn't any; so you will have to *do without*. 가게에서 팔지 않으니 없는 대로 지내야 한다. ***have done with …*** (일 따위)를 끝내다, 마치다; …에서 손을 떼다; …와 관계를 끊다: I *have* 〔*am*〕 *done with* the book. 그 책은 다 읽었다/I *have done with* smoking. 담배를 끊었다/I'*ve done with* him for the future. 앞으로는 그와 관계할 일이 없다. ***have something*** 〔***nothing, little,*** etc.〕 ***to do with*** …와(는) 좀 관계가 있다〔전연, 거의 (따위) 관계가 없다〕: He *has something* 〔*nothing*〕 *to do with* the firm. 그는 그 회사와 무언가 관계가 있다〔아무런 관계도 없다〕/This kind of specialized knowledge *has* very *little to do with* daily life. 이런 종류의 전문 지식은 일상생활과는 거의 관계가 없다. ***have to do with …*** ① …와 관계가 있다: What do you *have to do with* the matter? 당신은 그 일과 어떤 관계가 있습니까. ② …을 다루다: A doctor *has to do with* all sorts of people. 의사는 온갖 부류의 사람을 다룬다. ***How are you doing?*** 〖아는 사람과의 인사로서〗《美구어》 잘 지내십니까. ***How do you do?*** 〖첫 대면의 정중한 인사로서〗 처음 뵙겠습니다, 안녕하십니까《★ 이 인사를 받을 때도 같은 말을 씀; 그 뒤에 이어지는 인사로는 How are you? 등이 쓰임》. ***make do and mend*** (새것을 사지 않고) 헌것을 수리해 쓰다. ***Sure do!*** 《구어》 물론이지, 당연하지. ***to do with …*** 〖흔히 something, nothing, anything 따위 뒤에 와서〗 …에 관계하는, 관계가 있는: I want *nothing to do with* him. 그와 상관하고 싶지 않다. ***What*** 〔《英》 ***How***〕 ***will you do for …?*** …의 준비는 어떻게 하나: *What will you do for* food while you're climbing the mountain? 등산 중 식량 준비는 어떻게 하지.

> **DIAL.** ***Don't do anything I wouldn't do.*** 나쁜 짓 하지 마《친구끼리 헤어질 때 하는 인사말》.
> ***That does it!*** ① 그것으로 완성이다〔다됐다〕. ② 그건 너무하다, 더는 참을 수 없다.
> ***That's done it.*** 이젠 글렀다, 만사 끝장이다.

── [du:] (*pl.* **~s, ~'s**) *n.* Ⓒ **1** 《英구어》 사기, 협잡: It's all a *do*. 순전한 협잡이다. **2** 《구어》 축연, 파티: There is a big *do* on. 큰 잔치판이 벌어지고 있다. **3** (보통 *pl.*) 지켜야 할 일, 명령〔희망〕 사항: *do's* and *don'ts* 지켜야 할 사항들과 하지말아야 할 사항들. **4** 법석, 대소동(commotion, fuss): There was a big *do* over her retirement from the screen. 그녀의 영화계 은퇴는 세간의 떠들썩한 화젯거리였다. **5** 《구어》 머

리형(型)(hairdo). ***Fair dos* 〔*do's*〕!** 《英속어》 공평〔공정〕히 하세.

do² [dou] (*pl.* **~s, ~'s**) *n.* Ⓤ (낱개는 Ⓒ) 〖음악〗 도《장음계의 제1음》, 주음조(主音調).

do., d° [dítou] ditto. **DOA, D.O.A.** dead on arrival (도착시 이미 사망)《의사 용어》.

do·a·ble [dú:əbəl] *a.* 할〔행할〕 수 있는.

DOB, D.O.B., d.o.b. date of birth (출생일).

dob·bin [dábin/dɔ́bin] *n.* Ⓒ 말, 《특히》 순하고 일 잘하는 (농사)말; 복마(卜馬), 짐말《애칭》.

Do·ber·man(n) (pin·scher) [dóubərmən (pínʃər)] 도베르만《독일 원산의 경찰〔군용〕견》.

doc [dak/dɔk] *n.* 《구어》 =DOCTOR; (보통 D–) 선생《의사나 이름을 모르는 사람의 호칭》.

DOC 《美》 Department of Commerce (상무부). **doc.** document(s).

do·cent [dóusənt, dousént] *n.* Ⓒ 《美》 (대학의) 강사; (미술관·박물관 등의) 안내인.

°**doc·ile** [dásəl/dóusail] *a.* 가르치기 쉬운《학생》; 유순한, 다루기 쉬운. ㊞ **~·ly** *ad.* **do·cil·i·ty** [dasíləti, dou-] *n.* Ⓤ 순종; 다루기 쉬움.

dock¹** [dak/dɔk] *n.* Ⓒ **1 독, 선거(船渠)**: a dry 〔graving〕 ~ 건선거(乾船渠) / a floating ~ 부선거(浮船渠) / a wet ~ 계선거(繫船渠). **2 선창, 선착장**, 부두, 안벽, 잔교(pier). ***in **~** ① (배·차가) 수리 공장〔독〕에 들어가. ② 《英구어》 입원중(인). ***out of*** **~** ① (배·차가) 수리 공장〔독〕을 나와. ② 《英구어》 퇴원하여.

—*vt., vi.* **1** (배의 수리를 위해) 독〔선거〕에 넣다〔들어가다〕. **2** (하역·하선을 위해) 부두에 대다. **3** (두 우주선을〔이〕) 결합〔도킹〕시키다〔하다〕.

dock² *n.* (the ~) (형사 법정의) 피고석. ***be in the*** **~** 피고인석에 앉아 있다, 재판을 받고 있다; 《비유적》 심판을 받고 있다.

dock³ *n.* Ⓤ (낱개는 Ⓒ) 〖식물〗 참소리쟁이속(屬)의 식물《수영·소리쟁이 따위》.

dock⁴ *n.* Ⓒ (짐승의) 꼬리심《털 부분과 구별하여》; 짧게 자른 꼬리. **—***vt.* **1** (동물의 꼬리 따위)를 짧게 자르다. **2** (결근·지각 등의 벌로서 급료)의 일부를 떼다; …을 삭감〔감액〕하다《***from, off*** …에서》: If your boss ~*s* your pay... 만일 당신의 고용주가 급여의 일부를 뗀다면… / ~ $100 *from* 〔*off*〕 a person's wages 아무의 급료에서 100달러를 삭감하다. **3** (아무)로부터 빼앗다, 제거하다《***of*** …을》: The president ~*ed* his secretary *of* her wages. 사장은 비서의 봉급을 깎았다.

dock·age [dákidʒ/dɔ́k-] *n.* Ⓤ (또는 a ~) 독〔선거〕 사용료, 입거료(入渠料).

dock·er [dákər/dɔ́k-] *n.* Ⓒ 부두 노동자.

dock·et [dákit/dɔ́k-] *n.* Ⓒ **1** 〖美법률〗 (미결) 소송 사건 일람표. **2** 《美》 (사무상의) 처리 예정표, (회의 등의) 협의 사항. **3** (서류에 붙이는) 각서, 부전; (화물의) 꼬리표. **—***vt.* **1** (문서 등)의 뒤에 내용 적요를 기록하다; (소포 등)에 꼬리표를 붙이다. **2** (사건 등)을 소송 사건 일람표에 기입하다.

dóck·glàss *n.* Ⓒ 큰 잔《포도주 시음용》.

dóck·lànd *n.* Ⓤ 《英》 선창가 지역.

dóck·sìde *n.* (the ~) 부둣가 (근처).

dóck·yàrd *n.* Ⓒ 조선소; 《英》 해군 공창(《美》 navy yard).

†**doc·tor** [dáktər/dɔ́k-] *n.* Ⓒ **1 박사**; 의학 박사《생략: D., Dr.》; 박사 칭호: a *Doctor* of Law 〔Divinity, Theology, Medicine〕 법학〔명예 신학, 신학, 의학〕 박사. **2 의사**(《美》에서는 surgeon (외과의), dentist (치과의), veterinarian (수의과의), osteopath (접골사)에도 쓰이나 《英》에서는 보통 physician (내과의)을 가리킴): see a ~ 의사의 진찰을 받다 / send for a ~ 의사를 부르러 보내다 / the ~ in charge 주치의.

SYN. **doctor** '의사'의 총칭을 나타내는 일반어. **physician** 주로 내과의(醫)를 가리킴. **surgeon** 주로 외과의를 가리킴. **general practitioner** 일반적으로 내과·외과의 개업의를 말함. **medical man** 널리 의학·의업에 종사하는 사람을 말함.

3 〖보통 수식어를 수반하여〗 《구어》 수리하는 사람: a car ~ 자동차 수리공.

be under a **~** 의사의 치료를 받고 있다. **(*just*) *what the* ~ *ordered*** 《구어》 (바로) 필요한 것, (마침) 바라던 것. ***You're the* ~.** 《구어》 당신에게 달렸습니다, 당신 말씀대로입니다.

—*vt.* 《구어》 **1** 진료하다, 치료하다: We'll ~ him up. 그의 치료를 마칩시다. **2** 〖~ oneself〗 스스로 병을 치료하다, 자가 치료하다. **3** (기계 따위)의 손질〔수선〕을 하다(mend): ~ an old clock 낡은 시계를 수리하다. **4** 《~+목/+목+부》 (문서·증거 따위)를 조작하다; (극 따위)를 개작하다(*up*): ~ a report 보고서를 부정하게 변경하다. **5** 《英》 …에게 박사 학위를 주다; …를 Doctor로 호칭하다. **6** (짐승)을 거세하다, 불임수술을 하다. **—***vi.* 《구어》 **1** 의사 개업을 하다. **2** (의사의) 치료를 받다.

㊞ **~·hòod** *n.* **~·ship** [-ʃìp] *n.*

doc·tor·al [dáktərəl/dɔ́k-] *a.* Ⓐ 박사(학위)의: a ~ dissertation (박사) 학위 논문.

doc·tor·ate [dáktərit/dɔ́k-] *n.* Ⓒ 박사 학위: hold a ~ 박사 학위를 소지하다 / take a ~ in medicine 의학 박사 학위를 따다.

Dóctor of Philósophy 박사 학위《법학·의학·신학을 제외한 학문의 최고 학위》; (이를 취득한) 박사《생략: Ph. D., D. Phil.》.

doc·tri·naire [dàktrənέər/dɔ̀k-] *n.* Ⓒ 공론가(空論家), 순이론가, 교조(敎條)주의자. **—***a.* 공론적인《***about*** …에》; 순리파(純理派)의; 이론 일변도의: Don't be so ~ *about* things. 사물을 이론적으로만 잘라 말하지 마십시오. ㊞ **-náir·ism** *n.* Ⓤ 교조주의; 공리공론.

doc·tri·nal [dáktrənəl/dɔktrái-] *a.* **1** 교의의, 교리의: a ~ dispute 교리상의 논쟁. **2** 학리상의.

doc·tri·nar·i·an [dàktrənέəriən/dɔ̀k-] *n.* =DOCTRINAIRE.

***doc·trine** [dáktrin/dɔ́k-] *n.* **1** Ⓤ (구체적으로는 Ⓒ) **교의**, 교리. **2** Ⓤ (구체적으로는 Ⓒ) **주의**, 방침; (정치·종교·학문상의) 신조, 학설, 이론. **3** Ⓒ 《美》 공식 (외교)정책〔선언〕: the Monroe *Doctrine* 먼로주의. SYN. ⇨THEORY.

doc·u·dra·ma [dákjədrà:mə, -drӕmə/dɔ́k-] *n.* 사실을 바탕으로 한 드라마. [◂*documentary* +*drama*] ㊞ **~·tist** *n.*

⁑**doc·u·ment** [dákjəmənt/dɔ́k-] *n.* Ⓒ **1 문서, 서류**, 기록, 문헌; 기록 영화: an official 〔a public〕 ~ 공문서 / classified ~*s* 〖군사〗 기밀 서류. **2** 증서, 증권; 〖상업〗 (무역·상거래에 필요한) 서류: a ~ *of* annuity 〔obligation〕 연금〔채권〕 증서. **—** [-mènt] *vt.* **1** …에 증거 서류를 제공〔첨부〕하다. **2** 문서로 증명하다. **3** (서류 등)에 문헌을 부기(付記)하다. ㊞ **doc·u·men·tal** [dàkjəméntl/dɔ̀k-] *a.* = DOCUMENTARY.

***doc·u·men·ta·ry** [dàkjəméntəri/dɔ̀k-] *a.* **1**

문서의, 서류〔증서〕의, 기록 자료가 되는〔에 있는, 에 의한〕: ~ evidence 〖법률〗 증거 서류. **2** 사실을 기록한《영화·텔레비전 따위》, 기록적인: a ~ film 기록 영화. **—***n.* Ⓒ 기록 영화, 다큐멘터리 (=~ film); 기록물《*on, about* …에 관한》.

doc·u·men·ta·tion [dɑ̀kjəmentéiʃən, -mən-/dɔ̀k-] *n.* Ⓤ **1** 문서〔증거 서류〕 제출, 문서〔증거 서류, 기록〕 조사. **2** 고증; 전거〔증거〕로서 든 자료. ㊞ **~·al** *a.*

dócument prὸcessing 〖컴퓨터〗 도큐먼트 프로세싱, 문서처리.

dócument rèader 〖컴퓨터〗 문서 판독기.

DOD 《美》 Department of Defense (국방부).

dod·der [dɑ́dər/dɔ́d-] *vi.* 《구어》 (중풍이나 노령으로) 떨다, 휘청거리다, 비실비실하다. ㊞ **~·ing** *a.* 비실비실하는, 휘청휘청하는. **-dered** *a.* **~·ing·ly** *ad.*

dod·dery [dɑ́dəri/dɔ́d-] *a.* =DODDERING.

dod·dle [dɑ́dl/dɔ́-] *n.* Ⓒ (보통 *sing.*) 《英구어》 식은 죽 먹기, 쉽게 할 수 있는 일.

do·dec·a·gon [doudékəgɑ̀n/-gɔ̀n] *n.* Ⓒ 12각형. ㊞ **do·de·cag·o·nal** [dòudəkǽgənəl] *a.*

do·dec·a·pho·ny [doudékəfòuni, dòudikǽfə-] *n.* Ⓤ 12음계 음악. ㊞ **-phon·ic** [dòudekəfɑ́nik, doudèkə-/-fɔ́n-] *a.*

dodge** [dɑdʒ/dɔdʒ] *vi.* **1** 《+전+명》 **핵 몸을 피하다**, 살짝 비키다《*into* …으로》: He *~d into* a doorway to escape the rain. 그는 비를 피하기 위해 잽싸게 출입구쪽으로 들어섰다. **2** 교묘하게 말을 둘러대다, 속이다. **—vt.* **1** (타격 등)을 **핵 피하다**, 날쌔게 비키다(avoid): The boxer *~d* the blow. 그 권투선수는 잽싸게 타격을 피했다. **2** (책임 따위)를 요령 있게 회피하다, (질문 따위)를 교묘히 얼버무려 넘기다, 교묘히 속이다〔둘러대다〕: ~ the law 법망을 교묘히 빠져나가다 / Don't ~ the issue! 문제를 얼버무리지 마라. **—***n.* Ⓒ (보통 *sing.*) **1** 살짝 몸을 피하기: make a ~ 몸을 피하다. **2** 속임수, 회피책, 발뺌: a tax ~ 탈세.

dódge bàll 도지볼, 피구(避球).

dodg·em (car) [dɑ́dʒəm/dɔ́-] *n.* Ⓒ 《英》 소형 자동차의 충돌 놀이 시설《유원지 따위에 있는》.

dódg·er *n.* Ⓒ 휙 몸을 피하는 사람, 책임을 회피하는 사람; 사기꾼: a tax ~ 탈세자.

dodgy [dɑ́dʒi/dɔ́dʒi] (***dodg·i·er; -i·est***) *a.* 《英구어》 **1** (사물이) 위험한; 곤란한; (기구 등이) 안전하지 못한. **2** (사람이) 교활한, 속임수가 능한.

do·do [dóudou] (*pl.* **~(e)s**) *n.* Ⓒ 〖조류〗 도도 《지금은 멸종한 날지 못하는 큰 새의 이름》. (***as***) ***dead as a*** 〔***the***〕 ~ 《구어》 낡아빠진, 시대에 뒤진.

DOE 《美》 Department of Energy (에너지부); 《英》 Department of the Environment (환경부).

Doe [dou] *n.* =JOHN DOE.

doe [dou] (*pl.* **~s,** ~) *n.* Ⓒ (사슴·염소·양·쥐·토끼 등의) 암컷; 《美속어》 (파티 등에서) 남자 파트너가 없는 여자. ⓒⓕ buck[1].

***do·er** [dúːər] *n.* Ⓒ **행위자**; 실행가.

does [강 dʌz, 보통은 약 dəz] DO[1]의 3인칭·단수·직설법·현재형.

doe·skin [dóuskìn] *n.* **1** Ⓒ 암사슴 가죽; Ⓤ 암사슴〔양〕의 무두질한 가죽. **2** Ⓤ 그와 비슷한 나사(羅紗).

does·n't [dʌ́znt] does not의 간약형.

do·est [dúːist] 《고어·시어》 DO[1](동사)의 2인칭·단수·직설법·현재형《주어가 thou일 때》.

do·eth [dúːiθ] 《고어·시어》 DO[1](동사)의 3인칭·단수·직설법·현재형: he ~=he does.

doff [dɑf, dɔ(ː)f] *vt.* 《문어》 (모자·옷 따위)를 벗다.

†**dog** [dɔ(ː)g, dɑg] *n.* **1** Ⓒ **a** 개: a police ~경찰견 / Every ~ has his 〔its〕 day. 《속담》 쥐구멍에도 볕들 날이 있다 / Give a ~ a bad name and hang him. 《속담》 한번 낙인찍히면 벗어나기 힘들다 / Love me, love my ~. 《속담》 내가 고우면 개도 고와해라, '아내가 귀여우면 처갓집 말뚝 보고 절한다.' ★ hound는 사냥개, cur는 들개, bitch는 암캐, puppy 또는 whelp는 강아지. **b** (갯과의 동물의) 수컷; 수캐. **2** Ⓒ **a** 녀절한〔비겁한〕 사내, 망나니; 《美속어》 매력〔인기〕 없는 남자, 추녀. **b** 〖보통 수식어를 수반하여〗 놈, 녀석: a dirty 〔sly〕 ~ 비열〔교활〕한 놈 / a lucky ~ 운 좋은 놈. **3** Ⓒ 《美속어》 시시한 것〔일〕; 실패작. **4** (the D–) 〖천문〗 큰개자리, 작은개자리. **5** (*pl.*) (벽난로의) 장작 받침. **6** (*pl.*) 《속어·우스개》 발. **7** (*pl.*) 《美구어》 핫도그(hot dog). **8** (the ~s) 《英구어》 개 경주.

a ~ in the manger 《구어》 (자기에게 필요없는 물건이라도 남에게 주지 않는) 심술쟁이《이솝 우화에서》. ***a ~'s chance*** 〖부정문에서〗 아주 약간의 기회〔가망〕: There is not *a ~'s chance.* 가망은 전혀 없다. (***as***) ***sick as a*** ~ 몹시 기분나쁘다. ***die a ~'s death*** =***die the death of a*** ~ =***die like a*** ~ 비참한〔개〕 죽음을 당하다. ***dressed up like a ~'s dinner*** 《英구어》 야한 옷차림으로, (남보기에) 이상한 차림으로 멋을 낸. ***eat*** ~ 《美》 굴욕을 참다(eat dirt). ***go to the ~s*** 《구어》 파멸〔타락, 영락〕하다: After the president's resignation the firm *went to the ~s.* 사장의 사임 후 그 회사는 영락했다. ***let sleeping ~s lie*** 긁어서 부스럼 만들지 않도록 하다. ***put on*** (***the***) ~ 《美구어》 으스대다, 허세부리다. ***treat*** a person ***like a*** ~ 《구어》 아무를 함부로 다루다: She *treats* her husband *like a ~.* 그녀는 남편을 함부로 다룬다.

—(-gg-) *vt.* **1** 미행하다(shadow); (귀찮게) 따라다니다: The police *~ged* the suspect 〔the suspect's footsteps〕. 경찰은 피의자의 뒤를 쫓았다. **2** 〖종종 수동태〗 (재난·불행 따위가) …에 붙어다니다, …을 괴롭히다: He *was ~ged* by debts 〔misfortune〕. 그는 빚〔불운〕에 쫓기고 있었다.

dóg bìscuit 개먹이 비스킷; 《美속어》 건빵.

dóg·càrt *n.* Ⓒ **1** 개가 끄는 수레. **2** 등을 맞대게 된 좌석이 있는 2륜〔4륜〕 마차《옛날 좌석 밑에 사냥개를 태웠음》.

dóg·càtcher *n.* Ⓒ 들개 포획인.

dóg cὸllar **1** 개 목걸이. **2** 《구어》 (목사 등의) 세운 칼라.

dóg dàys (보통 the ~) 복중, 삼복《7월초부터 8월 중순경까지의 무더운 때》: *in* the ~ 한여름에.

dóg-èar *n.* Ⓒ 책장 귀퉁이의 접힌 자리. **—***vt.* 책장 귀퉁이를 접다.

dóg-èared *a.* **1** 페이지 귀퉁이가 접힌. **2** 써서 낡은; 초라한.

dóg-èat-dóg *a.* Ⓐ (골육상잔 같이) 치열한, 먹느냐 먹히느냐의, 피투성이의; 앞을 다투는: It's a ~ world. 먹느냐 먹히느냐의 세상이다.

dóg-énd *n.* Ⓒ 《英속어》 (담배) 꽁초.

dóg·fight *n.* Ⓒ 개싸움; 난전(亂戰), 난투; 〚군사〛 전투기의 공중전〔접근전〕.

dóg·fish (*pl.* ~, ~**es**) *n.* Ⓒ 〚어류〛 돔발상어류의 일종.

◇**dóg·ged** [-id] *a.* 완강한; 집요한, 끈질긴: with ~ determination 끝까지 버티려고 각오하고/It's ~ (as 〔that〕) does it. 《격언》 끈기는 성공의 비결. ㊕ ~·**ly** *ad.* ~·**ness** *n.*

Dóg·ger Bànk [dɔ́(:)gər-, dɑ́gər-] (the ~) 영국과 네덜란드 사이의 북해 중앙의 얕은 바다 《유명한 대(大)어장》.

dog·ger·el [dɔ́(:)gərəl, dɑ́g-] *n.* Ⓤ (운(韻)이 맞지 않는) 서투른 시(very poor poetry).

dog·gie [dɔ́(:)gi, dɑ́g-] *n.* Ⓒ 《소아어》 멍멍개.

dóggie bàg (식당 같은 데서) 먹다 남은 음식을 넣어 갖고 가는 봉지《개에게 주는 데서》.

dóggie pàddle = DOG PADDLE.

dog·go [dɔ́(:)gou, dɑ́g-] *ad.* 《英속어》 가만히 숨어서, 꼼짝하지 않고. ***lie*** ~ 《속어》 꼼짝하지 않고 기다리다, 숨어 있다.

dog·gone [dɔ́(:)ggɔ́(:)n, -gɑn, dɑ́g-] 《美구어》 *a.* Ⓐ 저주할, 지긋지긋한. —*int.* 제기랄, 빌어먹을, 어렵쇼. —*vt.* 저주하다(damn): *Doggone* him! 빌어먹을 놈의 새끼/I'll be ~*d* if I'll go! (빌어먹을) 내가 가나 봐라.

dog·gy [dɔ́(:)gi, dɑ́gi] (-**gi·er**; -**gi·est**) *a.* 개 같은; 개를 좋아하는; 《美구어》 화려한, 멋(들어)진. —*n.* Ⓒ 강아지; 《소아어》 멍멍개.

dóggy bàg = DOGGIE BAG.

dóg·hòuse *n.* Ⓒ 《美》 개집. ***in the*** ~ 《구어》 면목을 잃고, 노여움을 사서.

dóg·lèg *n.* Ⓒ **1** 개 뒷다리같이 구부러진 것, '<' 모양으로 된 것. **2** (도로 따위의) 급커브; 비행기 코스〔방향〕의 급변. **3** 〚골프〛 도그레그 《fairway가 <자 모양으로 구부러진 홀》.

dóg·lìke *a.* 개 같은; 충실한.

***dog·ma** [dɔ́(:)gmə, dɑ́g-] (*pl.* ~**s**, ~·**ta** [-mətə]) *n.* **1** Ⓒ (집합적으로는 Ⓤ) **교의**, 교리 (doctrine); 신조. **2** Ⓒ 독단적 주장〔견해〕.

◇**dog·mat·ic, -i·cal** [dɔ(:)gmǽtik, dɑg-], [-əl] *a.* **1** 독단적인; 고압적인. **2** 〚철학〛 독단주의의. **3** 교의의, 교리의. —*n.* Ⓒ 독단가. ㊕ -**i·cal·ly** *ad.*

dog·mát·ics *n.* Ⓤ (종교상의) 교리론, 교의학.

***dog·ma·tism** [dɔ́(:)gmətìzəm, dɑ́g-] *n.* Ⓤ 독단(론); 독단주의; 독단적인 태도: a hasty ~ 속단. ㊕ -**tist** *n.* Ⓒ 독단가; 독단론가; 교의학자.

dog·ma·tize [dɔ́(:)gmətàiz, dɑ́g-] *vi.* 독단적으로 주장하다〔말하다〕. —*vt.* (주의 등)을 교의화하다. ㊕ **dòg·ma·ti·zá·tion** *n.* **dóg·ma·tìz·er** *n.*

dó-gòod *a.* 공상적 사회 개량주의의. ㊕ ~·**er** *n.* Ⓒ 공상적 사회 개량주의자. ~·**ism** *n.* Ⓤ 공상적 사회 개량주의.

dóg pàddle 개헤엄.

dógs·bòdy *n.* Ⓒ 《英구어》 졸자, 혹사당하는 사람, 힘드는 일을 맡은 사람.

dóg's bréakfast 〔**dínner**〕 《英구어》 엉망진창, 곤란한 상태. ***like a*** ~ (종종 경멸적으로) 멋지게, 화려하게: be dressed 〔done up〕 *like a dog's dinner* 야하게 차려입다.

dóg slèd 개썰매(=**dóg slèdge**).

dóg's lìfe (a ~) 비참하고 단조로운 생활: lead a ~ 비참한 생활을 하다.

dóg's mèat 개에게 주는 고기《말고기 · 고기 부스러기 따위》.

Dóg Stàr 〚천문〛 (the ~) **1** =SIRIUS. **2** 프로키온《작은개자리의 일등성》.

dóg tàg **1** (소유주의 주소 · 이름이 적힌) 개패. **2** 《美》 (병사가 목에 거는) 인식표.

dóg-tíred *a.* 《구어》 녹초가 된, 몹시 지친.

dóg·tòoth (*pl.* -**tèeth**) *n.* Ⓒ 송곳니; 〚건축〛 송곳니 장식.

dóg·tròt *n.* Ⓒ (보통 *sing.*) 종종걸음: run at a ~ 종종걸음치다.

dóg·wòod *n.* Ⓒ 〚식물〛 말채나무《북아메리카 원산》.

DOH 《英》 Department of Health (보건부).

DOI 《美》 Department of the Interior (내무부).

doi·ly [dɔ́ili] *n.* Ⓒ 도일리《린네르 따위로 만들며, 꽃병 · 접시 따위의 밑에 깖》.

do·ing [dúːiŋ] **do**[1] 의 현재분사 · 동명사.
—*n.* **1 a** Ⓤ (구체적으로는 Ⓒ) 하는 것, 행함, 실행: Talking is one thing, ~ is another. 말하는 것과 행하는 것은 별개의 것이다/It's your own ~. 그것은 네 자신이 한 것이다. **b** Ⓤ 큰 일, 힘드는 일: It will take some ~ to finish it in time. 시간 내에 그 일을 마치는 것은 매우 힘들거야. **2** (*pl.*) 《구어》 행실, 행동, 행위, 소행. **3** (*pl.*) 《英구어》 (이름이 생각나지 않는) 대수롭지 않은 것, 작은 것. **4** Ⓒ 《英구어》 질책, 꾸짖음: give a person a ~ 아무를 꾸짖다.

dò-it-yoursélf *n.* Ⓤ 손수 함〔만듦〕, 일요 목수의 취미. —*a.* Ⓐ 손수하는, 일요 목수용의《생략: D.I.Y》: a ~ repair kit 아마추어용 수리 공구 한 벌. ㊕ ~·**er** *n.*

DOJ 《美》 Department of Justice (사법부).

dol. (*pl.* **dols.**) dollar(s). **DOL** 《美》 Department of Labor (노동부).

Dol·by [dɔ́ːlbi, dóul-] *a.* 돌비 방식〔녹음〕의: ~ noise reduction 돌비식 잡음 제거/the ~ sound 돌비 사운드《돌비식에 의한 재생음》. —*n.* 《구어》 = DOLBY SYSTEM《상표명》.

Dólby Sỳstem 돌비 방식《테이프 리코더로 재생할 때의 잡음을 줄이는 방식; 상표명》.

dol·drums [dóuldrəmz, dɑ́l-, dɔ́(:)l-] *n. pl.* (the ~) **1** 우울, 의기소침; 침체, 정체 상태〔기간〕. **2** 〚해양〛 (적도 부근 해상의) 열대 무풍대; 무풍 상태. ***be in the*** ~ ① 《구어》 침울해 있다. ② 《구어》 침체상태에 있다, 불황이다. ③ (배가) 무풍대에 들어 있다.

dole [doul] *n.* **1** Ⓒ (보통 *sing.*) 시여(施與), 분배물; 얼마 안 되는 몫. **2** (the ~) 《英구어》 실업수당: be on the ~ 실업 수당을 받고 있다《★ 《美》에서는 be on welfare》/go on 〔draw〕 the ~ 실업 수당을 받다. —*vt.* (조금씩) 베풀어〔나누어〕 주다(*out*): The small meal was ~*d out* to the hungry crew. 아주 적은 식사가 굶주린 승무원에게 조금씩 분배되었다.

dole·ful [dóulfəl] *a.* 슬픈, 쓸쓸한; 음울한. ㊕ ~·**ly** *ad.* ~·**ness** *n.*

Doll [dɑl, dɔ(:)l] *n.* 돌《여자 이름; Dorothy의 애칭》.

‡**doll** [dɑl, dɔ(:)l] *n.* Ⓒ **1 인형**. **2** 《속어》 백치미의 여자; 예쁘지만 아둔한 여자; 귀여운 소녀. **3** 《美속어》 고마운 사람, 활수한 사람: You're a ~ for letting me know. 알려 주어서 참으로 고맙군요. —*vt.* 《+목+부/+목+전+명》 〘~ oneself; 수동태로〙 《구어》 화려하게 차려입다 (*up*)《*in* …으로》: ~ *oneself up* 예쁘게 차려입다/She *was* all ~*ed up in* furs and jewels. 그녀는 모피와 보석으로 화려하게 차려입고 있었다. —*vi.* 《+부》 한껏 모양내다; 화려한 옷차림

을 하다(*up*).

†**dol·lar** [dάlər/dɔ́lər] *n.* Ⓒ **1 달러**《미국 · 캐나다 등지의 화폐 단위; 100센트; 기호 $, $》. **2** 1달러 지폐〔화폐〕. ***bet one's bottom*** ~ ⇨BET. ***~s to doughnuts***《구어》① 천양지차(天壤之差). ② 확실한. ***(like) a million ~s*** ⇨MILLION.

dóllar àrea【경제】(the ~) 달러 (유통) 지역.

dóllar diplòmacy 달러〔금력〕외교.

dóllar gàp 달러 부족.

dóllar sìgn 〔**mark**〕 달러 기호《$ 또는 $》.

dóll·hòuse *n.* Ⓒ 인형의〔장난감〕집; 작은 주택(《英》 doll's house).

dol·lop [dάləp/dɔ́l-] *n.* Ⓒ **1** (치즈 · 버터 따위의) 덩어리(lump): a ~ *of* jelly. **2** (액체의) 소량, 조금: a ~ *of* whiskey.

dóll's hòuse《英》=DOLLHOUSE.

Dol·ly [dάli/dɔ́li] *n.* 돌리《여자 이름; Dorothy의 애칭》.

dol·ly [dάli/dɔ́li] *n.* Ⓒ **1**《소아어》인형, 각시; 《英구어》(유행에 따라 옷은 입었으나 머리는 별로 좋지 않은) 매력적인 처녀(=∠ **bird**). **2** (무거운 짐을 나르는) 낮고 작은 바퀴 달린 손수레. **3**【영화 · TV】카메라 이동대차(臺車), 돌리.

dol·man [dóulmən, dάl-/dɔ́l-] (*pl.* **~s**) *n.* Ⓒ 여성용 망토의 일종《케이프처럼 늘어뜨리는》.

dólman sléeve 진동이 넓고 소맷부리 쪽으로 차츰 좁아지는 여자옷의 소매.

dol·men [dóulmen, dάlmən/dɔ́l-] *n.* Ⓒ【고고학】돌멘, 고인돌. ⓒⓕ cromlech.

do·lor, 《英》 **-lour** [dóulər] *n.* Ⓤ《시어》비애, 상심(grief).

dol·or·ous [dάlərəs, dóulə-/dɔ́lə-] *a.*《시어》슬픈, 마음 아픈; 괴로운. ㊕ **~·ly** *ad.*

dol·phin [dάlfin, dɔ́(:)l-] *n.* **1** Ⓒ【동물】돌고래; =PORPOISE;【어류】만새기, 황새치. **2** (the D-)【천문】돌고래자리.

dolt [doult] *n.* Ⓒ 바보, 멍청이. ㊕ **∠·ish** *a.*

-dom [dəm] *suf.* **1** '지위, 권력, 영지, 나라'의 뜻: earl*dom*, king*dom*. **2** '…의 상태'를 나타냄: free*dom*. **3** '…계(界), …사회, …기질' 따위의 뜻: official*dom*.

dom. domestic; dominion.

◇**do·main** [douméin] *n.* **1** Ⓒ 영토, 영지: aerial ~ 영공(領空). **2** Ⓒ (지식 · 사상 · 활동 등의) …계(界), 영역, 분야: in the ~ of science 〔literature〕 과학〔문학〕의 영역에서/be out of one's ~ 전문 밖이다, 영역이 다르다. **3** Ⓤ【법률】(완전) 토지 소유권: (right of) Eminent *Domain* 토지 수용권/~ of use 지상권(地上權). ㊕ **do·má·ni·al** [-niəl] *a.* 영지의; 소유지의.

domáin áddress【컴퓨터】도메인 네임(domain name)《인터넷에 접속되어 있는 서버 컴퓨터의 인터넷 주소》.

‡**dome** [doum] *n.* Ⓒ **1** (반구(半球)상의) **둥근 천장**; 둥근 지붕. **2** 반구형의 덮개〔건물〕; 하늘; (야산 등의) 둥근 마루터기; 종 모양의 덮개. **3**《美속어》머리.

domed *a.*〖종종 복합어로〗둥근 지붕〔천장〕의. **2** 반구형의: a ~ forehead 뒷박이마, 짱구머리.

Dómesday Bòok (the ~)【英역사】(William 1세가 1086년 제작케 한) 토지 대장.

‡**do·mes·tic** [douméstik] *a.* **1 가정의**, 가사상의: ~ affairs 가사/~ industry 가내 공업/~ dramas 가정극, 홈드라마/a ~ relations court 가정 법원. **2** 가사에 충실한, 가정적인: A ~ woman will make a good housewife. 가정적인 여성이 좋은 주부가 된다. **3** (동물이) **사육되어 길든**(tame). ↔ *wild*.¶~ animals 가축. **4 국내의**, 자국의. ↔ *foreign*.¶~ mail《美》국내 우편/a ~ airline 국내 항공(로). **5** 국산의, 자가제의(homemade): ~ products 국산품.

—*n.* Ⓒ **1** (가정의) **하인**, 종, 하녀. **2** (*pl.*) 국산품; 자가 제품; 가정용 린네르류《타월 따위》.

㊕ **-ti·cal·ly** [-kəli] *ad.* 가정적으로; 국내적으로, 국내(실정)에 알맞게.

◇**do·mes·ti·cate** [douméstəkèit] *vt.* **1** (동물 따위)를 길들이다; (식물 · 이민 등)을 토지에 순화(馴化)시키다. **2** 가정에 익숙하게 하다; 가정적으로 되게 하다: Marriage has ~*d* him. 결혼하여 그는 가정적인 사람이 되었다. ㊕ **do·mès·ti·cá·tion** *n.*

do·mes·tic·i·ty [dòumestísəti] *n.* **1** Ⓤ 가정적임; 가정에의 애착; 가정 생활. **2** Ⓒ (*pl.*) 가사.

dom·i·cile [dάməsàil, -səl, dóum-/dɔ́m-] *n.* Ⓒ【법률】주소, 주거(abode), 집. one***'s ~ of choice*** 〔***origin***〕【법률】기류〔본적〕지.

—*vt.* …의 주소를 정하다, (사람)을 살게 하다《★ 종종 수동태로》: Where *are* you ~*d*? 어디에 사십니까. ~ one***self in*** 〔***at***〕 …에 주소를 정하다.

dom·i·cil·i·ary [dὰməsílièri/dɔ̀m-] *a.* Ⓐ 주소의, 주택의: a ~ register 호적/a ~ nurse 가정 방문 간호사.

domicíliary vísit 가택수색; 의사의 왕진〔가정방문〕.

dom·i·nance, -nan·cy [dάmənəns/dɔ́m-], [-i] *n.* Ⓤ 우세, 우월; 권세; 지배.

***dom·i·nant** [dάmənənt/dɔ́m-] *a.* **1 지배적인**; 유력한, 우세한; 주(主)된: the ~ crop 주요 작물.

SYN. **dominant** 남을 지배하는 강력한 힘을 갖고 있음: the *dominant* party 제1당. **predominant** 세력에 있어서 남보다 뛰어나 있음.

2【생태】우점(優占)하는;【유전】우성의. ↔ *recessive*.¶a ~ character 우성 형질/a ~ gene 우성 유전자. **3** 우뚝 솟은, 높은: a ~ cliff 우뚝 솟은 벼랑. **4**【음악】딸림음의. **—***n.* Ⓒ **1** 우세한 것. **2**【생물】우성 유전성. **3**【음악】딸림음《음계의 제5음》. ㊕ **~·ly** *ad.*

***dom·i·nate** [dάmənèit/dɔ́m-] *vt.* **1 지배〔통치〕하다**, 위압하다; (격정 따위)를 억제하다; 좌우하다: A man of strong will often ~*s* others. 의지가 강한 사람은 흔히 다른 사람을 지배한다/His heart was ~*d* by ambition. 그의 마음은 야심에 사로잡혔다/Don't (let yourself) be ~*d* by circumstances. 환경에 좌우되지 마라.

2 (봉우리가) …위에 우뚝 솟다, …을 내려다보다: The castle ~*s* the whole city. 그 성은 전시가지를 내려다보고 있다.

3 …에 우위를 점하다, …에서 수위를 차지하다: ~ a football league 미식축구 리그에서 수위를 차지하다.

—*vi.* **1**《+전+명》지배하다, 우위를 차지하다, 위압하다《***over*** …을, …보다》: The strong ~ *over* the weak. 강자는 약자를 지배한다. **2** 우뚝 솟다, 두드러지다《***over*** …위로》.

㊕ **-na·tive** [-nèitiv] *a.* 지배하는. **-na·tor** [-nèitər] *n.* Ⓒ 지배자.

◇**dòm·i·ná·tion** *n.* **1** Ⓤ 지배; 통치, 제압: a nation under the ~ of a foreign army 외국 군대의 세압하에 있는 국가. **2** Ⓤ 우세, 우위: overturn male ~ 남성 우위를 뒤집어엎다. **3** (*pl.*) 주

품(主品) 천사《9천사 중의 제4 계급》.

dom·i·neer [dàməníər/dɔ̀m-] *vi.* **1** 권력을 휘두르다; 뽐내다《**over** …에》: She ~*s over* the other children. 그녀는 다른 아이들에게 으스댄다. **2** 우뚝 솟다(tower)《**over, above** …위로》.

dòm·i·néer·ing *a.* 권력을 휘두르는; 오만한(arrogant), 횡포한: a ~ personality 거만한 성격. [파] **~·ly** *ad.*

Dom·i·nic [dámənik/dɔ́m-] *n.* **1** 도미니크《남자 이름》. **2 Saint ~** 성(聖)도미니크《스페인의 수사로 도미니크회(會)의 개조; 1170–1221》.

Dom·i·ni·ca [dàməníːkə, dəmínəkə/dɔ̀məníːkə] *n.* 도미니카 (연방)《서인도 제도 남동부의 섬; 영연방에 속한 독립국; 수도 Roseau》.

Do·min·i·can [dəmínikən] *a.* **1** Saint Dominic 의; 도미니크회(會)의: the ~ Order 도미니크회. **2** 도미니카 공화국〔연방〕의. **—*n.*** [C] **1** 도미니크회 수사(Black Friar), 도미니크 수녀회 수녀. **2** 도미니카 (공화국〔연방〕) 사람.

Domínican Repúblic (the ~) 도미니카 공화국《서인도 제도의 Hispaniola 섬의 동쪽에 있음; 수도 Santo Domingo》.

***do·min·ion** [dəmínjən] *n.* **1** [U] **지배〔통치〕권〔력〕**, 주권《**over** …에 대한》: exercise ~ *over* …에 통치권을 행사하다 / be under the ~ of … 의 지배하에 있다. **2** [C] 영토, 영지. **3** (종종 D–) [C] (영연방의) 자치령《원래 영국 영토였던 캐나다, 오스트레일리아, 뉴질랜드 등; 현재는 완전 독립국으로서 영연방(the Commonwealth of Nations)을 구성하고 있음》.

Domínion Dày 캐나다 자치령 창설 기념일《7월 1일》; 뉴질랜드 자치령 창설 기념일《9월 26일》.

dom·i·no [dámənòu/dɔ́m-] (*pl.* ~(**e**)**s**) *n.* **1** [C] 후드가 붙은 겉옷《가장 무도회 따위에서 입음》. **2 a** (*pl.*)〔단수취급〕도미노 놀이《28 매의 패로 하는 점수 맞추기》. **b** [C] 도미노 놀이에 쓰는 패《장방형의 나무 · 뼈 · 상아 따위로 된》: fall like ~*es* (도미노패가 쓰러지듯) 잇따라 넘어지다; 연쇄 반응적으로 굴복하다.

dómino effèct (the ~) 도미노 효과《하나의 사건이 다른 일련의 사건을 야기시키는 연쇄적 효과로, 정치 이론에 씀》.

dómino thèory (the ~) 도미노 이론《한 지역이 적화되면 그 인접 지역도 차례로 적화된다는》.

Don [dan/dɔn] *n.* 돈《남자 이름; Donald 의 애칭》.

don[1] [dan/dɔn] *n.* 《Sp.》 **1** (D–) 스페인에서 남자 세례명 앞에 붙이는 경칭《옛날에는 귀인의 존칭》: *Don* Quixote. **2** [C] 스페인 신사〔사람〕. **3** [C] 〖英대학〗 (college 에 사는) 학감 · 특별 연구원 · 개인 지도 교관 (등); 《英》 대학 교수.

don[2] (*-nn-*) *vt.* (옷 · 모자 따위)를 걸치다, 입다, 쓰다. ↔ *doff*. [◂do+on]

do·ña [dóunjaː] *n.* 《Sp.》 **1** [C] 귀부인. **2** (D–) …부인(Madam).

Don·ald [dánəld/dɔ́n-] *n.* 도널드《남자 이름》.

◇**do·nate** [dóuneit, dounéit] *vt.* 기증〔기부〕하다; 주다《**to** …에》: ~ blood 헌혈하다 / He ~*d* his library *to* his university. 그는 모교인 대학에 장서를 기증했다. **—*vi.*** 기부〔기증〕하다.

◇**do·ná·tion** *n.* **1** [U] (공공 복지를 위한) **증여**, 기증, 기부. **2** [C] 기증품, 기부금, 의연금《**to** …에의》: ~*s to* the Red Cross 적십자 의연금.

do·na·tor [dóuneitər, dounéi-] *n.* [C] 기부자, 기증자.

†**done** [dʌn] DO[1]의 과거분사. **—*a.*** **1** **끝난**, 다 된: It's ~. 끝났다, 됐다. **2** (아무가) 일을 끝낸, 용무를 마친; 관계가 끊긴《**with** …와의》: When you are ~, we will go out. 네 일이 끝나면 나가자 / Are you ~ *with* the newspaper? 신문을 다 보셨습니까. **3** 〔보통 합성어로〕 (음식이) 익은, 구워진: half-~ 설구워진〔익은〕/ over-~ 너무 구워진〔익은〕/ well-~ 잘 구워진. **4** 〔보통 부정문〕 관례〔예의, 좋은 취미〕에 맞는: It *isn't* ~. 그런 짓을 해서는 안 된다. ***be ~ for*** 《구어》 못쓰게 되다, 결딴나다; 지쳐 있다; 죽은 것 같다: I *am* ~ *for*. 나는 이제 다 글렀다. ***Done!*** (내기에 맞서) 자, 하자.

> [DIAL] ***Well done!*** 잘했다, 훌륭하다《상대의 공로를 칭찬하는 말》.

do·nee [douníː] *n.* [C] 기증받는 사람, 수증자(受贈者). [cf] donor.

don·jon [dándʒən, dán-/dɔ́n-] *n.* [C] 아성, 내성(內城).

Don Ju·an [dàndʒúːən, dànwán/dɔ̀ndʒú(ː)ən] **1** 돈후안《방탕하게 세월을 보낸 스페인의 전설적 귀족》. **2** [C] 방탕아, 난봉꾼, 엽색꾼.

***don·key** [dáŋki, dɔ́(ː)ŋ-, dʌ́ŋ-] (*pl.* **~s**) *n.* [C] **1** **당나귀**《ass 의 속칭》. ★ 미국에서는 이것을 만화화하여 민주당의 상징으로 함. [cf] elephant. **2** 바보, 얼뜨기; 고집쟁이.

dónkey èngine 보조 기관《뱃짐 또는 닻을 올릴 때 쓰는 휴대용 소형 엔진》.

dónkey jàcket (노동자용의 방한 · 방수용의) 두꺼운 재킷.

dónkey's yèars 《구어》 매우 오랜 동안. [◂ donkey's ears(=long ears)와 long years 의 조합에서]

dónkey·wòrk *n.* [U] 《구어》 지루하고 고된 일《다음 관용구로》. ***do the ~*** 단조롭고 고된 일을 하다.

don·na [dánə/dɔ́nə] (*pl.* **-ne** [-nei]) *n.* 《It.》 **1** [C] 이탈리아의 귀부인. **2** (D–) …부인《이탈리아에서 귀부인의 이름 앞에 붙이는 존칭》.

Donne [dʌn] *n.* **John ~** 던《영국의 형이상학파의 시인 · 목사; 1572–1631》.

don·nish [dániʃ/dɔ́n-] *a.* college 의 학감(don[1]) 같은; 위엄을 부리는, 학자연하는.

don·ny·brook [dánibrùk/dɔ́n-] *n.* [C] (종종 D–) 떠들썩한 말다툼, 드잡이, 난투 소동.

do·nor [dóunər] *n.* [C] **1** 기증자, 시주(施主). [cf] donee. **2** 〔종종 복합어〕〖의학〗 (혈액 · 장기 등의) 제공자: a blood ~ 헌혈자.

dó-nòthing *a.* 무위도식하는, 게으른(idle). **—*n.*** [C] 게으름뱅이. [파] **~·ism** *n.* [U] 무위도식주의.

Don Quix·o·te [dànkihóuti, -kwíksət/dɔ̀nkwíksət] *n.* **1** 돈키호테《스페인 작가 Cervantes 의 소설 및 그 주인공》. **2** [C] 현실을 무시하는 이상가.

†**don't** [dount] do not의 **간약형**《★ 구어에서 doesn't 대신 don't를 쓰는 것은 비표준 용법》: He 〔She〕 ~ mean it. 본심으로 하는 말이 아니다. **—**(*pl.* **~s**) *n.* [C] (보통 *pl.*) 금지; '금지 조항'집.

dón't-knòw *n.* [C] 태도 보류자; (설문 조사에서) '모른다' 고 회답하는 사람, 선거 전에 태도를 결정하지 않은 사람.

do·nut [dóunʌ̀t] *n.* =DOUGHNUT.
doo·dad [dú:dæ̀d] *n.* Ⓒ 《美구어》 **1** 쓸데없는 장식품; 작은〔싸구려〕 장식물. **2** 장치, 도구.
doo·dle [dú:dl] *vi.* (회의 등에서 딴생각하며) 낙서하다. **—***n.* Ⓒ (멋대로의) 낙서: draw ~*s* 낙서하다.
doo·doo, -die, -dy [dú:dú:], [-dí:] *n.* 《美 소아어》 응가.
*__doom__ [du:m] *n.* **1** Ⓤ (또는 Ⓒ; 보통 *sing.*) **운명**《보통, 악운》; 불운; 파멸; 죽음: foresee one's ~ 자신의 운명을 예지(豫知)하다. **2** Ⓤ (신이 내리는) 최후의 심판: the day of ~ =DOOMSDAY. ***meet*** 〔***go to***〕 ***one's*** ~ 망하다, 죽다. ***the crack of*** ~ ⇨CRACK.
—*vt.* **1** 《~+목/+목+전+명/+목+*to* do》 …의 **운명을 정하다**, …을 운명짓다《***to*** …으로》《★ 보통 수동태》: an attempt ~*ed to* failure 〔*to* fail〕 애초부터 실패하게 되어 있는 시도/He *was* ~*ed to* die on the battlefield. 그는 싸움터에서 죽게 될 운명이었다. **2** 《+목+전+명/+목+*to* do》 …에 판결을 내리다; 형〔사형〕을 선고하다《***to*** …의》: ~ a person *to* death 〔*to* die〕 사형을 선고하다. ㊞ **~ed** *a.* 운이 다한, 불운의.
dóom sàyer 《美》 재액(災厄)〔불운(不運)〕을 예언하는 사람.
dooms·day [dú:mzdèi] *n.* (종종 D-) Ⓤ 최후의 심판일, 세계의 마지막 날.
Dóomsday Bòok (the ~) =DOMESDAY BOOK.
dóom·wàtch *n.* Ⓤ 환경 파괴 방지를 위한 감시.
†**door** [dɔ:*r*] *n.* Ⓒ **1 문, 방문,** 문짝: knock at 〔on〕 the ~ 문을 두드리다/go in by the front ~ (현관) 정문으로 들어가다/Shut the ~ behind 〔after〕 you. (출입 후에는) 문을 닫으시오. **2** (보통 *sing.*) **(출)입구,** 문간, 현관(doorway): answer 〔go to〕 the ~ 손님을 응대하러 현관으로 나가다/see a person to the ~ 아무를 현관까지 배웅하다. **3** 《비유적》 문호(門戶), 길〔관문〕《***to*** …에 이르는》: the ~*s to* learning 학문으로의 관문/a ~ *to* success 성공에 이르는 길. **4** 한 집, 일호(一戶); (*pl.*) 집: in ~*s* 집 안에(서)/next ~ 이웃집(에)/next ~ but one 한 집 건너 집(에)/He lives three ~*s* away. 그는 세 집 건너서 살고 있다.
at death's ~ ⇨DEATH. ***at*** a person***'s*** ~ ① (아무의 집) 바로 가까이에, 근처에. ② 아무의 책임〔탓〕으로: The fault lies *at* my ~. 그 잘못은 나의 책임이다/She laid the fault *at* his ~. 그녀는 그 잘못을 그의 탓으로 돌렸다. ***behind closed*** 〔***locked***〕 **~*s*** 비밀히, 비공개로. ***be on the*** ~ (개찰구 등의) 출입구 업무를 보다. ***by*** 〔***through***〕 ***the back*** 〔***side***〕 ~ 정식 절차를 거치지 않고, 뒷구멍으로. ***close*** 〔***shut***〕 ***the*** ~ ***on*** 〔***to***〕 …에 대하여 문호를 닫다; (문을 닫고) …을 들이지 않다. ***darken*** a person***'s*** ~***(s)*** ⇨DARKEN. ***from*** ~ ***to*** ~ =~ ***to*** ~ ① 한집 한집, 집집마다: sell books *from* ~ *to* ~ 집집마다 책을 팔며 다니다. ② 문에서 문까지, 출발점에서 도착점까지: The journey will take at least three hours, (*from*) ~ *to* ~. 그 여행은 출발해서 도착하기까지 최소한 3시간 걸린다. ***keep the wolf from the*** ~ ⇨ WOLF. ***leave the*** ~ ***open for*** …의 여지를〔가능성을〕 남겨두다: *leave the* ~ *open for* further negotiation 앞으로 교섭할 여지를 남겨두다. ***open the*** ~ ***to*** 〔***for***〕 …에 문호를 개방하다, …에게 기회〔편의〕를 제공하다. ***out of*** ~***s*** 야외에서, 실외에서: play *out of* ~*s* 밖에서 놀다. ***show*** a person ***the*** ~ (문을 가리켜서 아무)를 밖으로 내보내다. ***show*** a person ***to the*** ~ (아무)를 문간까지 배웅하다. ***shut*** 〔***slam***〕 ***the*** ~ ***in*** a person***'s face*** ① 아무를 안에 들여보내지 않다, 문 밖에서 쫓아버리다. ② 아무의 계획을 실행하지 못하게 하다, 아무를 방해하다. ***within*** 〔***without***〕 ~***s*** 집안〔밖〕에.

> **DIAL.** ***As one door closes, another one opens.*** 기회는 또 온다《실패한 사람을 격려하는 말》.

◇**dóor·bèll** *n.* Ⓒ 현관 벨.
dóor·càse *n.* Ⓒ 문틀, 문얼굴.
dóor chàin 문사슬, 도어 체인《방범용의 5-6cm만 문짝이 열리도록 된 장치》.
dó-or-díe *a.* Ⓐ 필사의, 위기의, 목숨을 건: a ~ attempt 생명을 건 시도.
dóor·fràme *n.* =DOORCASE.
dóor·jàmb *n.* Ⓒ 문설주.
dóor·kèeper *n.* Ⓒ 문지기, 수위.
dóor·knòb *n.* Ⓒ 문 손잡이.
dóor·man [-mən, -mæ̀n] (*pl.* **-men** [-mən, -mèn]) *n.* Ⓒ (호텔·백화점 따위의) 현관 담당원, 문지기.
dóor·màt *n.* Ⓒ (현관 앞에 깐) 매트, 신발 흙털개.
dóor·nàil *n.* Ⓒ (옛날 문에 박은) 대갈못《장식·보강용》. ***(as) dead*** 〔***deaf***〕 ***as a*** ~ 아주 죽어서〔귀머거리가 되어〕.
dóor·plàte *n.* Ⓒ (놋쇠로 만든 문에 붙인) 문패.
dóor·pòst *n.* =DOORJAMB.
dóor prìze (파티·극장 등에서) 입장자〔참가자〕에게 추첨으로 주는 상품.
dóor·sìll *n.* Ⓒ 문지방(threshold).
*__dóor·stèp__ *n.* Ⓒ **문간 계단**. ***on*** 〔***at***〕 ***one's*** 〔***the***〕 ~ (집) 바로 가까이에, 근처에. **—***vi.* 《英》 (선거 운동·상품 판매 따위를 위해) 호별 방문을 하다.
dóor·stòp(per) *n.* Ⓒ (문을 연채로 고정시키는) 문 버팀쇠; 문틀의 돌출된 멈추개.
dóor-to-dóor *a.* Ⓐ 집집마다의, 호별의; 집집마다 배달해 주는: a ~ salesman 호별 방문 판매원/a ~ delivery service 택배(宅配). **—** *ad.* 집집마다, 호별로; 집에서 집까지.
‡**dóor·wày** *n.* Ⓒ **1 문간,** 출입구: Don't stand in the ~. 문간에 서 있지 마라. **2** 길, 문호, 관문《***to*** …에의》: a ~ *to* success 성공에의 길.
dóor·yàrd *n.* Ⓒ 《美》 (현관의) 앞뜰; 집 주위 뜰.
◇**dope** [doup] *n.* **1** Ⓤ 《구어》 마약; (경주마에게 먹이는) 흥분제. **2** Ⓤ 기계 기름; 도프 도료《특히 항공기의 익포(翼布) 따위에 칠하는》. **3** Ⓤ 《속어》 내보(內報), 이길 말의 예상; (비밀) 정보: a ~ sheet 《속어》 (경마 등의) 예상지, 경마 신문. **4** Ⓒ 《구어》 얼빠진 사람, 바보.
—*vt.* **1** …에 도프 도료를 칠하다. **2 a** …에게 마약을 먹이다. **b** 〖~ oneself〗 마약을 복용하다. **c** (몰래 경주마)에게 흥분제를 먹이다. **—***vt.* 마약을 상용하다.
dope·ster [dóupstə*r*] *n.* Ⓒ 《美구어》 (선거·경마에 대한) 예상가, 정보에 밝은 사람.
dop·ey, dopy [dóupi] (**dop·i·er; -i·est**) *a.* 《구어》 **1** (마약·술에 취해) 멍한. **2** 얼빠진, 어리석은.

dop·ing [dóupiŋ] *n.* [U] 도핑《운동 선수 · 경주마 따위에 흥분제를 복용시키는 일》.

Dop·pel·gäng·er, -gang- [dápəlgæ̀ŋər/dɔ́p-] *n.* 《G.》 [C] 살아 있는 사람의 유령; 생령(生靈).

Dóp·pler effèct [dáplər-/dɔ́p-] 〖물리〗 도플러 효과《관측하는 파장(波長)이 변화하는 현상》.

Do·ra [dɔ́:rə] *n.* 도라《여자 이름; Dorothy, Theodora 의 애칭》.

Dor·ches·ter [dɔ́:rtʃèstər, -tʃəs-] *n.* 도체스터《잉글랜드 남부 Dorset 주의 주도(州都)》.

Do·ri·an [dɔ́:riən] *a.* 옛 그리스의 Doris 지방의; Doris 사람의. **—***n.* [C] Doris 사람.

Dor·ic [dɔ́(:)rik, dár-] *a.* Doris (사람 · 지방)의; 〖건축〗 도리스식(Doric order)의. **—***n.* [U] **1** 고대 (그리스의) Doris 지방어. **2** 〖건축〗 도리스 양식.

Dor·is [dɔ́(:)ris, dár-] *n.* 도리스. **1** 여자 이름. **2** 옛 그리스의 중부 지방.

dork [dɔ:rk] *n.* [C] **1** 《비어》 음경, 자지. **2** 《美속어》 바보, 얼간이.

dorm [dɔ:rm] *n.* [C] 《구어》 ＝DORMITORY 1.

dor·man·cy [dɔ́:rmənsi] *n.* [U] 휴면 (상태); 동면; 정지 (상태), 휴지.

°**dor·mant** [dɔ́:rmənt] *a.* **1** 잠자는 (듯한); 동면의; 수면 상태의. **2** (기능 · 지능 · 감정 등이) 휴지 상태의, 잠자고 있는; (활동을) 정지한, 휴지한; 부동(不動)의: a ~ volcano 휴화산. **3** (자금 따위가) 놀고 있는, (권리 따위가) 미발동의.

dórmer (**wíndow**) [dɔ́:rmər] 〖건축〗 지붕창, 천창.

dor·mice [dɔ́:rmàis] DORMOUSE의 복수.

°**dor·mi·to·ry** [dɔ́:rmətɔ̀:ri/-təri] *n.* [C] **1** 《美》 (학교 따위의) 기숙사; 큰 공동 침실. **2** 《英》 교외 주택지, 단지. **3** 《英》 ＝DORMITORY SUBURB.

dórmitory sùburb 〔**tòwn**〕 교외 주택지《낮에는 대도시로 통근하기 때문에 야간 인구가 많은 중소 도시》.

dor·mouse [dɔ́:rmàus] (*pl.* **-mice** [-màis]) *n.* [C] 〖동물〗 산쥐류(類); 《비유적》 잠꾸러기.

Dor·o·thy [dárəθi, dɔ́(:)r-] *n.* 도로시《여자 이름; 애칭 Doll, Dolly, Dora》.

Dors. Dorset(shire).

dor·sal [dɔ́:rsəl] *a.* 〖동물 · 해부〗 등(쪽)의; 〖음성〗 후설(後舌)의: a ~ fin 등지느러미/~ vertebrae 척추. **—***n.* 등지느러미; 척추; 〖음성〗 후설음(後舌音). [파] **~·ly** *ad.*

Dor·set(**·shire**) [dɔ́:rsit(ʃìər, -ʃər)] *n.* 도싯(셔)《영국 남부의 주; 주도는 Dorchester》.

do·ry[1] [dɔ́:ri] *n.* [C] 《美》 (북미 동쪽 연안 지방에서 쓰는) 밑이 평평한 작은 어선.

do·ry[2] *n.* [C] 〖어류〗 달고기류(John Dory).

DOS[1] [dɔ:s, dɑs/dɔs] *n.* [C] **1** 〖컴퓨터〗 도스, 디스크 운영 체제. **2** ＝MS-DOS. [◂ *d*isk *o*perating *s*ystem]

DOS[2] 《美》 Department of State (국무부).

dos·age [dóusidʒ] *n.* [C] (보통 *sing.*) **1** (약의 1회분) 복용〔투약〕량; 적량(適量). **2** (엑스선 따위의) 조사(照射) 적량.

°**dose** [dous] *n.* [C] **1** (약의) 1회분, (1회의) 복용량, 한 첩: Take one ~ *of* the medicine at bedtime. 취침시에 이 약 1회분을 복용하시오. **2** 약간, 조금《**of** (형벌 · 불운 따위)의》: I came down with a ~ *of* flu. 약간의 독감 기운으로 자리에 누웠다. **3** 《속어》 임질. ***like a ~ of salts*** ⇨SALT.

—*vt.* **1** 투약하다, 복용시키다(*up*)《**with** (약)을; **to** (아무)에게》: The doctor ~*d* the girl *with* antibiotics. 의사는 소녀에게 항생제를 복용시켰다/~ pyridine *to* a person 아무에게 피리딘을 먹이다/~ *up* a person 아무에게 여러 가지 약을 먹이다. **2** (약)을 지어 주다, 조제하다, 1회분씩 나누어 짓다(*out*)《**to** …에게》: ~ *out* aspirin *to* patients 환자들에게 아스피린을 지어 주다. **3** (술)에 첨가하다《**with** (조미제 · 향료)를》: ~ champagne *with* sugar 샴페인에 설탕을 넣다.

dosh [dɑʃ/dɔʃ] *n.* [U] 《英속어》 돈.

Dos Pas·sos [dàspǽsəs/dɔ̀spǽsɔs] *n.* **John ~** 더스패서스《미국의 소설가; 1896–1970》.

doss [dɑs/dɔs] 《英속어》 *n.* (a ~) (짧은) 잠, 수면. **—***vi.* (싸구려 여인숙 같은 데)에서 자다(*down*): ~ *down* in a car 차에서 자다/~ *out* 노숙하다.

dóss hòuse 《英구어》 싸구려 여인숙.

dos·si·er [dásièi, dɔ́(:)si-] *n.* [C] (한 사건 · 한 개인에 관한) 일건 서류; 사건 기록. [◂ 원래 프랑스어로 'bundle of papers'의 뜻]

dost [dʌst, dəst] 《고어 · 시어》 DO[1]의 2인칭 · 단수 · 직설법 · 현재《주어가 thou 일 때》.

Dos·to·ev·ski [dàstəjéfski/dɔ̀s-] *n.* **Feodor M. ~** 도스토예프스키《러시아의 소설가; *Crime and Punishment* 의 저자; 1821–81》.

DOT 《美》 Department of Transportation (교통부); 《美》 Department of the Treasury (재무부). **DoT** 《英》 Department of Transport (교통부).

dot** [dɑt/dɔt] *n.* [C] **1** 점, 작은 점; 도트《i 나 j 의 점》; (모스 부호의) 점. [cf] dash. **2** 소수점《★ 단 읽을 때는 point 라고 함; 3.5 는 three point five 라고 읽음》; 〖음악〗 부점. **3** 점같이 작은 것; 꼬마: I watched his car until it was just a ~ on the horizon. 그의 차가 지평선으로 점같이 작아질 때까지 지켜보았다/a mere ~ *of* a child 꼬마 아이. **4** 〖복식〗 물방울 무늬. ***on the ~ 《구어》 정각에, 제시간에: at ten o'clock *on the* ~, 10시 정각에/*on the* ~ of eight 8시 정각에.

—(**-tt-**) *vt.* **1** …에 점을 찍다; 점점으로 표시하다: ~ a j. j에 점을 찍다. **2** 《+[목]+[부]》 써 두다(*down*): He ~*ted down* what I said. 그는 내가 말한 것을 적어 두었다. **3** …에 점재(點在)시키다, 점점이 뒤덮다《★ 종종 수동태로 쓰며; 전치사는 *with*》: a field ~*ted with* horses 〔sheep〕 말〔양〕이 점점이 흩어져 있는 들판/The sea *was dotted with* little boats. 바다에는 작은 보트들이 여기저기 떠 있었다. **~ *the i's and cross the t's*,** i 에 점을 찍고 t에 가로선을 긋다; 매우 세밀하다, 상세히 설명하다.

dot·age [dóutidʒ] *n.* [U] **1** 망령, 노망(senility): be in 〔fall into〕 one's ~ 망령이 들다. **2** 맹목적인 사랑. [◂ dote+-age]

dot·ard [dóutərd] *n.* [C] 노망든 사람.

dót còm 〖컴퓨터〗 닷 컴《인터넷에서 사용하는 영역 이름; 정확하게는 .com》.

°**dote** [dout] *vi.* **1** 노망나다, 망령들다. **2** 홀딱 빠지다, 맹목적으로 사랑하다《**on, upon** …에, …을》: ~ *on* one's children 아이를 덮어놓고 귀여워하다.

doth [dʌθ, dəθ] 《고어 · 시어》 DO[1]의 3인칭 · 단수 · 직설법 · 현재.

dot·ing [dóutiŋ] *a.* [A] 망령든; 지나치게 사랑하는. [파] **~·ly** *ad.*

dót màtrix prìnter, dót prínter 〖컴퓨터〗 점행렬 프린터《점을 짜 맞추어 글자를 표현하는 인쇄 장치》.

dót·ted [-id] *a.* 점(선)이 있는: a ~ crotchet 〖음악〗 점 4분음표/a ~ note 〖음악〗 점음표.

dótted líne 점선; (the ~) (서명할 자리를 표시하는) 점선. ***sign on the*** ~ 문서에 서명하다; (서명하여) 정식으로 승낙하다, 지시에 따르다.

dot·ty[1] [dáti/dɔ́ti] (***-ti·er; -ti·est***) *a.* 《구어》 **1** 머리가 돈; 약간 망령든. **2** Ⓟ 열중한, (열중한 나머지) 제정신을 잃은(***about, on*** …에).

dot·ty[2] (***-ti·er; -ti·est***) *a.* 점이 있는, 점 같은, 점재하는(★ dotted 쪽이 일반적).

Dóu·ay Bíble 〔**Vérsion**〕 [dúːei-] (the ~) 두에이 성서《17세기 초 프랑스 북부의 도시 Douay에서 발행된 라틴어 Vulgate 성서의 영역》.

dou·ble [dʌ́bəl] *a.* **1 두 배의**, 갑절의; 《정관사·소유형용사 또는 명사절 앞》 두 배의 크기〔강도·성능·가치 따위〕가 있는: a ~ portion 두 배의 몫/~ the number 두 배의 수/The price is ~ what it was last year. 그 가격은 작년의 두 배이다.

2 이중의, 두 겹의; 둘로 접은; 두 번 거듭한: a ~ blanket 두 장을 잇댄 담요/a ~ hit 〖야구〗 2루타/a ~ suicide 정사/~ coating 겹〔이중〕칠/give a ~ knock 똑똑 두 번 노크하다.

> **NOTE** 《英》에서는 문자·숫자·전화번호·기호 따위가 두 번 겹칠 때에는 double ... 라고 읽음: How do you spell your name?—M-O-O-D-Y [ém dʌ́bl óu díː wái], Moody. 당신 이름은 어떻게 쓰십니까—엠, 오 둘, 디이, 와이, 무디입니다.

3 쌍의, 복(식)의; **2 인용의**: a ~ bed 2인용 침대/a ~ room (호텔 따위의) 2인용 방.

4 두 가지 뜻으로 해석되는, 애매한: a ~ meaning 애매한 의미.

5 두 마음을 품은, (사람·성격 등이) 표리가 있는, 불성실한, 음험한: ~ personality 이중 인격/wear a ~ face 표리가 있다, 얼굴과 마음이 다르다.

6 〖식물〗 겹꽃의, 중판(重瓣)의: a ~ flower 겹꽃, 중판화.

7 Ⓐ (위스키 등이) 더블의, 2배 양의〔강한〕: Give me two ~ whiskeys. 더블 위스키를 두 잔 주시오.

—*ad.* 1 두 배〔갑절〕로, 이중으로, 두 가지로: ~ as dear 배나 비싼 값으로/play ~ 두 가지 행동을 취하다; 속이다/see ~ (취하거나 해서) 물건이 둘로 보이다/He is ~ my age. (=He is twice as old as I.) 그의 나이는 내 나이의 두 배이다. **2** 짝을 지어, 함께: ride ~ 함께 타다/sleep ~ 두 사람이 한 침대에서 자다.

—*n.* 1 a Ⓤ **두 배**, 배(의 수·량): pay ~ 2배의 액수를 지급하다/Ten is the ~ of five. 10은 5의 배이다. **b** Ⓒ (크기·양·힘 따위가) 두 배되는 것; 《구어》 (위스키 등의) 더블: have a ~ 더블위스키를 마시다.

2 Ⓒ **이중**, 겹; 접친 것, 주름.

3 Ⓒ 〖야구〗 2루타; 〖경마〗 (마권의) 복식; 〖카드놀이〗 (브릿지에서 점수의) 배가(倍加), 더블: hit a ~ 〖야구〗 2루타를 치다.

4 Ⓒ 꼭 닮은〔빼쏜〕 사람〔물건〕; 〖영화〗 대역; 1인 2역을 하는 배우: She's her mother's ~ 〔the ~ of her mother〕. 그녀는 어머니를 쏙 빼닮았다.

5 Ⓒ (쫓기는 짐승의) 급회전; 역주(逆走).

6 (~s) Ⓒ 《단·복수동형》 (테니스의) 복식 경기, 더블스: play (a) ~*s* 복식 경기를 하다.

at the ~ ① 〖군사〗 급속보(急速步)로. ② =on the ~. ~ ***or nothing*** 〔***quits***〕 빚을 진 쪽이 지면 빚이 두 배로 되고 이기면 빚이 없어지는 내기; 이를 모방한 놀음. ***on the*** ~ 《구어》 매우 서둘러서, 곧: Get these orders out *on the* ~. 이 명령을 즉시 발하시오.

—*vt.* 1 …을 **두 배로 하다**, 배로 늘리다: ~ a sum 총계를 두 배하다/I will ~ your salary. 당신 급료를 두 배로 올려주겠소. **2 겹치다**, 포개다, 이중으로 하다; 둘로 접다: I ~ the blankets in winter. 겨울에는 모포를 두 겹으로 한다. **3** (두 가지 역)을 혼자서 하다〔겸하다〕; …의 대역(代役)을 하다: In the play she ~*d* the parts of a maid and a shopgirl. 그 극에서 그녀는 하녀와 여점원의 두 가지 역을 맡았다. **4** 〖해사〗 (배가 갑(岬) 따위)를 회항(回航)하다, 돌다: The ship ~*d* the Cape of Good Hope. 그 배는 희망봉을 돌았다. **5** 〖야구〗 (주자)를 2루타로 진루시키다, 2루타로 득점시키다; (주자)를 더블플레이의 두 번째의 아웃이 되게 하다. **6** 〖브리지〗 (상대방의 득점〔벌점〕)을 배로 하다.

—*vi.* 1 두 배가 되다, 배로 늘다: The city's population had ~*d* in the past twenty years. 그 도시의 인구는 지난 20년간 두 배로 늘었다. **2** 《+副》 **둘로 접히다**, 겹쳐지다; (고통 따위로) 몸을 구부리다: He ~*d over* 〔*up*〕 with pain. 아파서 몸을 구부렸다. **3** 《~/+前+名/+副》 (쫓기는 짐승 등이) 급각도로 몸을 돌리다, 갑자기 되돌아 뛰다: ~ *upon* the enemy 갑자기 되돌아 적에게 달려들다/The fox ~*d back*. 여우는 급회전했다. **4** 《英》 〖군사〗 속보로 걷다. **5** 〖야구〗 2루타를 치다: ~ to left 왼쪽으로 2루타를 치다. **6** 《~/+*as* 補》 1인 2역을 하다; 겸용하다: ~ *as* secretary and receptionist 비서와 접수계의 1인 2역을 하다/The living room ~*s as* a dining area. 거실이 식사하는 장소를 겸하고 있다. **7** 〖브릿지〗 상대방의 건돈을 두 배로 하다.

~ ***back*** 《*vi.*+副》 ① 접어 젖히다; 되돌리다; 갑자기 되돌아 뛰다(⇨*vi.* 3). —《*vt.*+副》 ② =~ over. ~ ***in brass*** 《美속어》 아르바이트를 해서 이중으로 수입을 올리다; 〖연극〗 다른 역을 겸하다. ~ ***over*** 《*vt.*+副》 ① …을 둘로 접다, 접어 개다: He ~*d over* the page to mark his place. 그는 읽은 자리를 표시하기 위해 책장을 둘로 접었다. ② =~ up ②. —《*vi.*+副》 ③ =~ up ③. ~ ***up*** 《*vt.*+副》 ① 둘로 접다, 접어서 개다: This carpet is too thick to ~ *up* neatly. 이 양탄자는 너무 두터워서 잘 접히지 않는다. ② (고통 따위가 아무)의 몸을 구부리게 하다. —《*vi.*+副》 ③ (고통 따위로) 몸을 구부리다: The ball hit him in the stomach and ~*d* him *up*. 그는 배에 공을 맞고 (고통으로) 몸을 웅크렸다. ④ 한 집에 두 가족이 살다; 한방을 쓰다(***with*** …와): She's *doubling up with* a friend. 그녀는 친구와 한방을 쓴다.

dóuble ágent 이중 간첩.

dóuble bár 〖음악〗 (악보의) 겹세로줄, 복종선(複縱線).

dóuble-bárreled, 《英》 **-relled** *a.* **1** (쌍안경 따위가) 통(筒)이 두 개인; (연발총 따위가) 쌍총열의, 쌍발식의. **2** (진술 따위가) 이중 목적의; 모호한. **3** 《英구어》 (성(姓) 따위가) 둘 겹친(보기: Lowry-Corry).

dóuble báss 〖음악〗 더블베이스, 콘트라베이스(최저음의 대형 현악기).

dóuble bíll =DOUBLE FEATURE.

dóuble bínd 〖정신의학〗 이중 구속〔속박〕《유년기에 생기는 심리적 위기 상황; 분열증의 소지가 됨》; 딜레마.
dóuble blúff 상대의 음모를 간파하고 미리 상대방의 허를 찌르는〔상대방을 앞지르는〕 행동을 하는 것.
dóuble bógey 〖골프〗 더블보기《표준 타수(par)보다 2타 더 치는 일》. ⊕ **dóuble-bógey** *vt.*
dóuble bóiler 《美》 이중 가마〔냄비〕.
dóuble-bóok *vt.* (한 방)에 이중으로 예약을 받다《호텔에서 예약 취소에 대비하여》.
dóuble-bréasted [-id] *a.* (상의가) 더블인. ⓒⓕ single-breasted.
dóuble-chéck *vt., vi.* (신중을 기하기 위해) 다시 한 번 확인하다, 재확인〔재점검〕하다.
dóuble-clútch *vi.* 《美》 〖자동차〗 더블클러치를 밟다.
dóuble concérto 〖음악〗 이중 협주곡.
dóuble créam 《英》 더블 크림《유지방 농도가 높은 크림》.
dóuble-cróp *vi., vt.* (땅에) 이모작(二毛作)하다.
dóuble cróss 《구어》 배반, 간에 붙었다 쓸개에 붙었다 하기.
dóuble-cróss *vt.* 《구어》 기만하다, 배반하다. ⊕ ~·**er** *n.* Ⓒ 배신자.
dóuble dágger 〖인쇄〗 이중 칼표《‡》.
dóuble dáte 《美구어》 남녀 두 쌍의 합동 데이트.
dóuble-dáte *vi.* 《美》 (두 쌍의 남녀가) 함께 데이트〔더블 데이트〕를 하다.
dóuble-déaler *n.* Ⓒ 표리 있는 사람, 두 마음을 품는 사람.
dóuble-déaling *a.* Ⓐ, *n.* Ⓒ 두 마음이〔표리가〕 있는 (언행).
dóuble-décker *n.* Ⓒ **1** 이층 버스〔전차·여객기〕. **2** 《美구어》 이중 샌드위치《빵 3장을 겹쳐 만든》.
dóuble-declútch *vi.* 《英》 =DOUBLE-CLUTCH.
dóuble-dígit *a.* Ⓐ (경제지표·실업률 등이) 두 자리 수의, 10퍼센트 이상의: ~ unemployment 두 자리 수 실업률.
dóuble Dútch 〔dútch〕 《英구어》 통 알아들을 수 없는 말, 종잡을 수 없는 말.
dóuble-dýed *a.* **1** 두 번 물들인〔염색한〕. **2** (악당 따위가) 악에 깊이 물든, 딱지 붙은: a ~ villain 극악인.
dóuble-édged *a.* **1** (칼이) 양날의. **2** (의론 등이) 좋은 뜻으로도 나쁜 뜻으로도 두 가지로 해석할 수 있는, 애매한: a ~ compliment 두 가지 뜻으로 해석할 수 있는 칭찬.
double en·ten·dre [dú:blɑ:ntɑ́:ndrə, dʌ́bl-] 《F.》 (종종 성적으로) 은연중 야비한 뜻이 담긴 어구·발음(의 사용)《이를테면 'Lovely *mountains*'로 여성의 'breasts'를 가리키는 경우》.
dóuble éntry 〖부기〗 복식 부기〔기장법〕. ⓒⓕ single entry. ¶bookkeeping by ~ 복식 부기.
dóuble-fáced [-t] *a.* **1** 두 마음이 있는, 불성실한. **2** 양면이 있는; 안팎으로 쓸 수 있게 만든《직물 따위》.
dóuble fáult 〖테니스〗 더블 폴트《두 번 계속된 서브 실패; 1점을 잃음》. ⊕ **dóuble-fáult** *vi.*
dóuble féature (영화 등의) 두 편 계속 상영.
dóuble fígures 두 자리 숫자《10에서 99까지》.
dóuble fírst 〖英대학〗 (졸업 시험에서) 두 과목 수석: He took a ~. 그는 두 과목에서 수석을 하였다.
dóuble flát 〖음악〗 겹내림표《♭♭》. ⓒⓕ double sharp.
dóuble-gláze *vt.* (창)에 이중 유리를 끼우다.
dóuble-glázing *n.* Ⓤ 이중 유리《단열·방음용》.
dóuble·héader *n.* Ⓒ **1** 기관차를 둘 단 열차. **2** 《美》 (야구 경기 따위의) 더블 헤더《동일한 또는 다른 두 팀이 같은 날 치르는 2회 연속 경기》.
dóuble jéopardy 《美》 〖법률〗 이중 위험《동일 범죄로 피고를 재차 재판에 회부하는 일; 미국에서는 헌법 제5수정(Fifth Amendment)에 의하여 금지됨》: prohibition against ~ 일사부재리.
dóuble-jóinted [-id] *a.* (전후좌우로 자유롭게 움직이는) 2중 관절이 있는《손가락·팔·발 따위》.
dóuble négative 〖문법〗 이중 부정.

> **NOTE** 부정이 겹쳐서 완곡한 긍정이 되는 때와, 강한 부정이 될 때가 있음: 〔긍정〕 *not impossible* (=**possible**). 〔강조한 부정〕 I *don't* know *nothing*. (=**I know nothing.**) 《후자는 일반적으로 교양 없는 용법》.

dóuble-párk *vt.* (자동차)를 이중〔병렬〕 주차시키다《이미 도로 옆에 주차해 있는 차 옆에 주차시키는 것; 보통 주차 위반》. **—***vi.* 이중〔병렬〕 주차하다. ⊕ ~·**ing** *n.*
dóuble pláy 〖야구〗 더블 플레이, 병살(倂殺).
dóuble-quìck *a., ad.* 〖군사〗 구보의〔로〕; 《구어》 매우 급한〔하게〕.
dóuble sáucepan 《英》 =DOUBLE BOILER.
dóuble shárp 〖음악〗 겹올림표《×, 𝄪》. ⓒⓕ double flat.
dóuble-spáce *vi., vt.* 한 줄 띄어서 타자하다, (워드프로세서에서) 행을 벌려 판을 짜다.
dóuble-speed dríve 〖컴퓨터〗 배속(倍速) 드라이브《데이터의 전송 속도를 매초 300킬로바이트(KB)까지 높인 CD-ROM 드라이브》.
dóuble stár 〖천문〗 이중성(星), 쌍성(雙星)《접근해 있으므로 육안으로는 하나같이 보임》.
dóuble-stóp 〖음악〗 *vt., vi.* (둘 이상의 현을 동시에 켜서) 중음(重音)을 내다.
dou·blet [dʌ́blit] *n.* Ⓒ **1** 몸에 꼭 끼는 상의《르네상스 당시의 남자용》. **2** 쌍〔짝〕의 한쪽, 아주 비슷한 것의 한쪽. **3** 〖언어〗 이중어(二重語), 자매어《같은 어원에서 갈린 두 말; 예를 들면 bench와 bank, fragile과 frail》.
dóuble táke 《구어》 (희극에서) 멍하니 듣다가〔보다가〕 뒤늦게 깜짝 놀라는 체하는 연기; 다시 보기. ***do a*** ~ 멍하니 있다가 갑자기 깨닫다.
dóuble-tàlk *n.* Ⓤ **1** 애매한 이야기로 듣는 사람을 혼란시키는 화술; 속 다르고 겉 다른 말. **2** (특히 정치가 등이) 마구 난해한〔모호한〕 말을 쓰는 것. **—***vi.* **1** (진지한 말에) 아무렇게나 지껄이다. **2** 마구잡이로 난해한 말을 늘어놓다.
dóuble·thìnk *n.* Ⓤ 이중 사고(思考)《두 가지 모순된 사상〔생각〕을 동시에 용인하는 능력》.
dóuble tìme 1 〖군사〗 《美》 구보: at ~ 구보로. **2** (휴일 노동 등의) 임금 배액 지급. **3** 〖음악〗 더블타임《전 섹션의 2배 빠르기》; 2박자.
dóuble-tìme —*vt., vi.* 《美》 구보로 행진하(게 하)다.
dóuble vísion 〖의학〗 복시(複視)《물체가 이중으로 보임》.

◇**dóu·bly** *ad*. 두 배로; 이중으로; 두 가지로.

⁑**doubt** [daut] *n*. **1** Ⓤ (구체적으로는 Ⓒ) **의심**, 의혹《***as to, about, of*** …에 대한/***wh.***/***that***》: There is no room for ~. 의심할 여지가 없다/There is some ~ (*as to*) *whether* he will be elected. 그가 당선될지 좀 의문이다/I have no ~ *of* his innocence 〔*that* he is innocent〕. 그가 결백하다는 것에 아무런 의심도 품지 않는다.

SYN. **doubt** '…이 사실이 아닌지도 모른다, (무엇인가가) 없지는 않은지' 하는 의심, 의혹: have *doubt* about report 보고에 의혹을 품다. **suspicion** '배후에 …을 숨기고 있는 것은 아닌지, (무엇인가) 있지는 않은지' 하는 의심, 용의, 혐의: I have a *suspicion* that he told me a lie. 그가 나에게 거짓말을 한 것은 아닐까. **distrust** 원인이 doubt이건 suspicion이건 상대방을 믿지 않는 일, 불신.

2 Ⓤ (구체적으로는 Ⓒ) 회의, 불신(감)《***about*** …에 대한》: I have my ~*s* 〔have some ~〕 *about* her honesty. 그녀의 정직성에 대해서는 불신감을 갖고 있다.
3 Ⓤ 의심스러운〔의문의〕 상태.
beyond 〔***out of***〕 (***all***) ~ =***beyond*** (***the shadow of***) ***a*** ~ =***beyond a shadow of*** ~ 의심할 여지 없이, 물론. ***give*** a person ***the benefit of the*** ~ 아무에 대해서 미심한 점을 선의(善意)로 해석하다. ***in*** ~ ① (사람이) 의심하여, 망설여《***about*** …을》: I'm *in* ~ (*about*) what to do. 어찌할 바를 모르고 망설이고 있다. ② (사물이) 의심스러워, 의문이 가서: The matter hangs 〔remains〕 *in* ~. 그 일은 아직 확실치 않다. ***no*** ~ 〖부사적〗 ① 의심할 바 없이, 확실히: *No* ~ he will succeed. 그는 꼭 성공할 것이다. ② 아마, 다분히(probably): He will *no* ~ come. 그는 아마 올 것이다. ***without*** (***a***) ~ 의심할 여지 없이; 틀림없이, 꼭: Jack will *without* ~ deliver this message to her. 잭은 틀림없이 이 전언을 그녀에게 전할 것이다.

DIAL. (***There is***) ***no doubt about it.*** 바로 그거야《그것은 의심할 여지가 없다는 데서》: We've got to work harder.—*There's no doubt about it*. 우린 더 열심히 일해야 돼—바로 그거야.

—*vt*. **1** 《~+목/+*wh*. 절/+*that* 절/+*-ing*》 …을 **의심하다**, (진실성·가능성 등)에 의혹을 품다: I ~ it. (그런데) 그게 정말일까/We ~ *whether* 〔*if*〕 he deserves the prize. 그가 그 상에 합당한지 의심스럽다/I don't ~ (*but*) *that* he will pass. 그는 꼭 합격하리라고 생각한다/We don't ~ its being true. 그것이 사실임을 의심치 않는다.
2 《~+목/+*wh*. 절》 …의 신빙성을 의심하다, 미심쩍게 여기다: I ~*ed* my own eyes. 내 눈을 의심하지 않을 수 없었다/I ~ *whether* he is sincere. 그가 성실한지 어쩐지 미심쩍다.
3 《+*that* 절》 …이 아닐까 하고〔아니라고〕 걱정하다〔생각하다〕; I ~ *that* he will succeed. 그가 성공할 것 같지 않다.

NOTE (1) 긍정 구문에서는 doubt whether 〔if〕, doubt that이 되고, 부정·의문 구문에서는 don't doubt that, don't doubt but (that), don't doubt but what이 됨: I *doubt whether* it is true. 그것이 사실인지 어떤지 미심스럽다/I don't *doubt that* he will come. 그가 오리라고 믿어 의심치 않는다.
(2) doubt는 '…이 아니라고 생각하다, …임을 확신할 수 없다'는 뜻의 의심을 나타냄: I *doubt* that he is innocent. 그 사람은 죄가 없지 않다는 생각이 든다. 이와 반대로 '…이라고 생각하다, …인 것 같다고 의심하다'의 뜻으로는 suspect를 씀: We *suspect* he is a spy. 그는 스파이가 아닌지 모르겠다.

—*vi*. 《+전+명》 의심하다, 의혹을 품다; 미심쩍게 여기다; 불안하게〔확실치 않다고〕 생각하다《***about, of*** …을》: He ~*s about* everything. 그는 모든 것을 의심한다/I never ~*ed of* his success. 그는 꼭 성공할 것으로 믿고 있었다.
㊕ ∠·a·ble *a*. 의심의 여지가 있는; 불확실한.

⁑**doubt·ful** [dáutfəl] *a*. **1** Ⓟ **의심〔의혹〕을 품고 있는**, 확신을 못 하는; (마음이) 정해지지 않은《***as to, about, of*** …에 대하여》: I am ~ *of* his success. 나는 그가 (꼭) 성공한다고는 확신할 수 없다/I am still ~ *about* his keeping his promise. 나는 그가 약속을 지킬 것인지 아직도 확신을 못하고 있다. **2 의심스러운**, 의문의 여지가 있는; 확실치 않은: It is ~ whether he will come or not. 그가 올지 안 올지는 모른다/The result remains ~. 결말을 아직 예상할 수 없다. **3** Ⓐ 모호한, 미덥지 못한; 수상한, 미심쩍은: a ~ character 수상쩍은 인물/Her dress is in ~ taste. 그녀의 옷은 어정쩡한 취향이다.
㊕ ~·ness *n*.

***doubt·ful·ly** [dáutfəli] *ad*. **1 의심스럽게**; 수상쩍게. **2** 의심을 품고, 망설이며, 마음을 정하지 못하고. **3** 막연히, 어렴풋이.

dóubting Thómas 의심 많은 사람.

***doubt·less** [dáutlis] *ad*. **1 의심할 바 없이**, 확실히; 틀림없이, 꼭: Dora is ~ the most diligent student in this class. 이 반에서 도라가 가장 열심히 공부하는 학생이라는건 틀림없다. **2** 아마도, 필시: I shall ~ see you tomorrow. 아마 내일 만나 뵐 수 있겠지요. ㊕ ~·ly *ad*. = doubtless. ~·ness *n*.

douche [du:ʃ] *n*. 《F.》 Ⓒ 〖의학〗 관주법(灌注法), 주수법(注水法); 주수〔관주〕기(器).

◇**dough** [dou] *n*. Ⓤ **1** 굽지 않은 빵, 가루 반죽; 반죽 덩어리《도토(陶土) 따위》. **2** 《속어》 돈, 현금.

dóugh·bòy *n*. Ⓒ 《美구어》 (제1차 대전의) 보병(infantryman).

◇**dóugh·nùt** *n*. **1** Ⓒ (요리명은 Ⓤ) 도넛《과자》. **2** Ⓒ 고리〔도넛〕 모양의 물건.

dough·ty [dáuti] (*-ti·er; -ti·est*) *a*. 강한, 용감한, 굳세고 용맹스러운.

doughy [dóui] (*dough·i·er; -i·est*) *a*. **1** 가루 반죽〔굽지 않은 빵〕 같은, 물렁한; 설구운(half-baked). **2** (사람의 피부가) 창백한; 푸르딩딩한.

Doug·las [dʌ́gləs] *n*. 더글러스《남자 이름; 애칭 Doug》.

Dóuglas fír 〔**píne, sprúce**〕 〖식물〗 더글러스전나무, 미송(美松)《미국 서부에 많음》.

dour [duər, dauər] *a*. (태도·성질이) 뚱한, 음침한; 고집이 센, 완고한(stubborn); 까다로운. ㊕ ∠·ly *ad*.

douse [daus] *vt*. **1** 처넣다《***in*** (물 따위)에》. **2** 물을 끼얹다《***with*** …으로》: She ~*d* him *with* the hose. 그녀는 호스로 그에게 물을 끼얹었다. **3** 《구어》 (등불)을 끄다(put out): *Douse* the lights! 소등(消燈).

⁑**dove**¹ [dʌv] *n*. Ⓒ **1** 〖조류〗 **비둘기**《★ pigeon보다 작은 야생종을 가리키는 일이 많음; 평화·

온순·순결의 상징》: a ~ of peace 평화의 (상징으로서의) 비둘기. **2** 유순〔순결, 순진〕한 사람; 귀여운 사람: my ~ 사랑하는 그대여(my darling) 《애칭》. **3** (외교 정책·분쟁 따위에서의) 비둘기파〔온건파, 화평파〕의 사람, 반전론자. ↔ *hawk*.

dove² [douv] 《美》 DIVE의 과거.

dóve·còt, -còte *n.* Ⓒ 비둘기장. ***flutter*** 〔***cause a flutter in***〕 ***the dovecotes*** 평지풍파를 일으키다.

Do·ver [dóuvər] *n.* 도버《영국 남동부의 항구 도시》. ***the Strait(s) of ~*** 도버 해협.

dóve·tàil *n.* Ⓒ 〖건축〗 열장이음; 열장장부촉《목공에서 2개의 목재를 이어맞추는 방식》. **—***vt.* **1** 열장장부촉으로 잇다, 열장이음으로 하다(*together*). **2** 딱 들어맞게 하다(*together*). **—** *vi.* **1** 완전히 부합〔조화〕하다; 긴밀하게 연결되다 《***with*** …와》: Our plans neatly *~ed with* theirs. 우리의 계획은 그들의 계획과 딱 일치했다. **2** 꼭 들어맞다《***in, into, to*** …에》: Your idea *~s into* mine. 네 생각은 내 생각과 꼭 들어맞는다.

dóvetail jóint 〖건축〗 열장이음.

dov·ish [dʌ́viʃ] *a.* 비둘기 같은; 《구어》 비둘기파적(的)인, 온건파의(↔ *hawkish*). ㊞ **~·ness** *n.* Ⓤ 비둘기파적인 성격.

Dow [dau] *n.* (the ~) = DOW-JONES AVERAGE.

dow·a·ger [dáuədʒər] *n.* Ⓒ **1** 〖법률〗 귀족〔왕족〕 미망인《망부(亡夫)의 재산·칭호를 이어받은 과부》: a ~ duchess (영국의) 공작 미망인/a queen ~ (왕국의) 태후/an empress ~ (제국의) 황태후. **2** 《구어》 기품 있는 귀부인; 풍채 좋은 노부인.

dow·dy [dáudi] (***-di·er; -di·est***) *a.* **1** (복장이) 초라한, 단정치 못한; 촌스러운, 시대에 뒤진. **2** (여자가) 초라한 차림을 한. **—***n.* Ⓒ 초라한 차림의 여자. ㊞ **-di·ly** *ad.* **-di·ness** *n.* **~·ish** [-diiʃ] *a.*

dow·el [dáuəl] *n.* Ⓒ 〖기계〗 은못; 〖건축〗 장부촉. **—** (***-l-***, 《英》 ***-ll-***) *vt.* 은못으로 잇다.

dow·er [dáuər] *n.* Ⓒ **1** 〖英법률〗 미망인의 상속몫《망부의 유산 중에서 그 미망인이 받는 몫》. **2** 《문어》 = DOWRY. **3** 천부의 재능. **—***vt.* **1** 《문어》 (아무)에게 망부의 유산 일부를 주다; 주다 《***with*** (망부의 유산 일부)를》. **2** (아무)에게 재능을 부여하다; 부여하다《***with*** (재능)을》.

Dów Jónes àverage 〔**index**〕 [dáu-dʒóunz-] (the ~) 〖증권〗 다우존스 평균 (주가)〔지수〕: The ~ rose 〔fell〕 three points today. 다우존스 평균 주가는 오늘 3포인트 올랐다〔내렸다〕.

†**down¹** [daun] *ad.* (최상급 ***down·most*** [dáun-mòust]) ⇔ *up*. 《be 동사와 함께 쓴 경우는 형용사로 보기도 함》 **1 a** (높은 곳에서) **아래(쪽으)로**; (밑으로) **내려**; (위에서) **지면에**; **바닥으로**; (해 따위가) **져**, 저물어: look ~ 내려다보다/pull the blind ~ 창문의 차양을 내리다/get ~ from the bus 버스에서 내리다/The sun goes 〔is〕 ~. 해가 저문다〔저물었다〕. **b** (위층에서) **아래층으로**: come ~ 아래(층으)로 내려오다/He's not ~ yet. 그는 아직 (위층 침실에서) 내려오지 않고 있다. **c** (먹은 것을) **삼키어**: swallow a pill ~ 알약을 삼키다. **d** 〖종종 be 동사의 보어로 써서〗 (물가·율·지위·인기 따위가) **내리어**; 떨어져; (수량·액이) **줄어져**; (바람 따위가) **약해져**; 고요〔조용〕해져; 가라앉아: bring ~ the price 값을 내리다/Prices are ~. 물가가 내렸다/The wind died 〔has gone〕 ~. 바람이 가라앉았다/The sea is ~. 바다가 잔잔〔고요〕해졌다. **e 누워(서)**; 앉아서; 쓰러져서, (건강이) **쇠약해져**; (아무가) 의기소침하여: lie ~ 눕다/sit ~ 앉다/He is ~ in health. 그는 건강이 나빠져 있다/I felt a bit ~ about my failure. 나는 실패한 일로 다소 의기소침했다.

2 a (북에서) **남(쪽)으로**〔**에**〕: go ~ to London from Edinburgh 에든버러에서 런던으로 내려가다/~ South 《美》 남부 여러 주(州)로. **b** (내륙에서) 연안으로; (강물이) **하류로**; 〖해사〗 바람(이) 불어가는 쪽으로: They advanced 5 miles further ~ into the country. 그들은 다시 5마일 아래〔연안·하류·남쪽으〕로 더 나아갔다. **c** 《英》 (수도·중심되는 지역에서) 지방으로; 시골로: take the train from London ~ to Brighton 《英》 런던발(發) 브라이턴행(行) 열차를 타다. ★ 잉글랜드에서는 런던으로 향하는 것을 up, 떠나는 것을 down 이라고 함.

> **NOTE** 《美》에서는 대도시를 중심으로 up, down을 쓰지 않으며, 대서양 연안 지방의 저지(低地) 및 남방에는 down을, 북방에는 up을 붙임. 다만, 《英》에서도 근래에는 미국식 용법이 점차 일반화되고 있음.

3 a (특정한 장소·말하는 사람이 있는 곳에서) **떨어져**; 떠나(서): go ~ to the station 정거장〔역〕까지 가다/go ~ to one's office in the city 시내의 회사로 가다. **b** 《英》 (대학에서) 떠나, 졸업〔퇴학, 귀성〕하여: I went ~ in 1980. 나는 1980년에 대학을 졸업했다《주로 옥스퍼드·케임브리지 대학을 가리킴》/He was sent ~. 그는 학교에서 집으로 돌려보냈다《근신하도록》.

4 a (위는 …로부터) 아래는 ─에 이르기까지: from King ~ to cobbler 위로는 임금님으로부터 밑으로 구두 수선공에 이르기까지. **b** (그 전시기(前時期)로부터) 후기로; (후대로) 내리, 죽; (…) 이래: ~ through the 〔many〕 years 예부터 지금까지/from the 17th century ~ *to* the present 17세기부터 현재까지.

5 〖동사를 생략한 명령문으로서〗 앉아!, 엎드려!: *Down*, Rova! (개를 향해서) 앉아(라), 로버(야)!

6 〖종종 be 따위의 보어로〗 (세력·기운 따위가) 떨어져; 줄어: slow ~ 속도를 줄이다〔떨어뜨리다〕/The fire is ~. 불이 다 타서 꺼지려 하고 있다.

7 a 〖tie, fix, stick 따위 동사에 수반되어〗 **단단히**; 꽉: fix a thing ~ 물건을 꽉 고정하다/tie ~ the lid of the box 상자 뚜껑을 단단히 매다. **b 충분히**; 철저하게; 완전히: wash ~ a car 차를 깨끗이 세차하다/I am loaded ~ with work. 일이 꽉 차 있다.

8 (종이·문서에) 적어; 써; 기록〔기재〕되어: write ~ the address 주소를 적어 놓다/I have it ~ somewhere. 그건 어디엔가 메모해 두었다/Please take ~ this letter. 이 편지의 구술(口述)을 받아 써 주시오/Put my name ~ for $10. 10달러를 내 앞으로 기재해 두시오.,

9 (회합·집회 따위가) 예정되어; (아무가) …하기로 되어 있어: be ~ for a consideration (의안 따위가) 재고에 돌려져 있다/He is ~ to speak 〔for a speech〕 at the meeting. 그는 그 모임에서 연설을 하기로 되어 있다.

10 현금으로; 계약금으로: We paid $30 ~ and $10 a month. 30달러는 현금으로 나머지는 10달러씩 월부로 지급했다/No money ~! 계약금 없는 후불(後拂)/pay thirty dollars ~, 30달러를 계약금으로 지불하다.

11 a 완료〔종료〕되어; 끝나: Two problems ~,

one to go. 문제의 둘은 끝나고 나머지가 하나. **b** 〖야구〗 아웃이 되어; 〖미식축구〗 (볼이) 다운이 되어.

12 (억)눌러; 진압하여; 물리쳐; 각하하여: put ~ the rebellion 반란을 진압하다/turn ~ the proposal 제안을 거부하다.

13 줄여서; 응축(凝縮)하여, 압축하여; 잘게: grind ~ corn 곡물을 갈아서 잘게 바수다〔으깨다〕/cut ~ expense 지출을 줄이다/turn the radio ~ 라디오의 볼륨을 낮추다/get the report ~ to fifty pages 리포트를 50 페이지로 줄이다.

14 《중지》 멈춘〔정지〕 상태로〔에〕: argue him ~ 논박하여 그를 침묵시키다/shut ~ the factory 공장을 폐쇄하다/They have settled ~ near Boston. 그들은 보스턴 근처에 정착했다/That little shop has closed ~. 저 작은 가게는 거덜나고 말았다.

15 《be의 보어로》 〖경기〗 져; (노름에서) 잃어: Our team is two goals ~. 우리 팀은 두 골 지고 있다/He is ~ (*by*) 5 dollars. 그는 5달러 잃었다.

be ~ on 〔***upon***〕 ***...*** …에 원한을 품고 있다; …을 싫어〔비난〕하다: He *is* very ~ *on* me. 그는 내게 매우 악감정을 품고 있다. ***be ~ to ...*** ① (아무)에게 달려 있다, …의 탓이다: It'*s* ~ *to* you whether your family will be happy or not. 너의 가족이 행복해지느냐 불행해지느냐는 너에게 달려 있다. ② (돈 따위가) …밖에 남아 있지 않다: We'*re* ~ *to* our last dollar. 우리에겐 마지막 1달러밖에 남아 있지 않다. ***come ~ to ...*** (책임 따위가) …에게 돌아오다; …의 책임이 되다: With my father's death, it has *come* ~ *to* me to support my family. 아버지가 돌아가셔서, 가족을 부양하는 책임이 나에게 돌아왔다. ***~ and out*** ① =DOWN-AND-OUT. ② 〖권투〗 녹다운되어. ***~ in the dumps*** 〔***mouth***〕 《구어》 슬픈 표정으로, 기가〔풀이〕 죽어; 우울하여. ***~ through*** …동안 죽: ~ *through* the years 이 수년 동안 죽. ***~ to the ground*** 《구어》 완전히, 딱, 꼭《닮은》. ***~ under*** 《구어》 오스트레일리아〔뉴질랜드〕에〔로〕; (영국에서 보아서 지구의) 정반대쪽에. ***~ with ...*** ① 《be 〔go〕 ~ with로》 (사람이) 병으로 눕다: He *went* ~ *with* a bad influenza. 그는 악성독감으로 쓰러졌다. ② 《명령법》 …을 타도하라: *Down with* the tyrant! 폭군 타도/*Down with* corrupt politicians! 부패한 정치가들을 타도하라. ***get ~ to ...*** 마음 먹고 …에 맞붙다: You must *get* ~ *to* your studies. 단단히 마음먹고 공부해야 한다. ***up and ~*** ⇨UP.

—*prep.* **1** 《이동》 **a** (높은 곳에서) …**의 아래(쪽으)로**; …을 내려가; 내리어: ski ~ the slope 비탈을 스키로 미끄러져 내려가다/fall ~ the stairs 계단에서 굴러 떨어지다. **b** (어떤 지점에서) …**을 따라, 지나서**; …을 내려간 곳에: drive 〔ride, walk〕 ~ a street 거리를 차로〔말을 타고, 걸어서〕 지나다/There is a station two miles ~ the line. 이 철길을 따라서 2마일 더 내려가면 정거장이 있다. ★ down은 (1) 반드시 '아래, 내려가다'를 뜻하지는 않음. (2) 흔히, 말하는 이〔문제의 장소〕로부터 멀어질 때에 씀. **c** (흐름·바람) **을 따라**; …방향으로; …**을 내려가**; …을 남하하여: ~ (the) wind 바람 불어가는 곳〔방향〕에/~ the Thames 템스강 하류에/sail ~ the East Sea 동해를 남하하다.

2 《지배되는 명사는 관사 없이》 …쪽으로 (내려가)(~ to a 〔the〕): He has gone ~ town. 그는 중심가로 갔다/Father has gone ~ cellar for a bottle of wine. 아버지는 포도주를 꺼내러 지하실로 내려가셨다.

3 《때를 나타내어》 …이래(로 죽): ~ the ages 〔years〕 태고 이래.

—(최상급 ***down·most*** [dáunmòust]) *a.* **1 a 아래(쪽으)로의**; 밑으로의: a ~ leap 뛰어내림. **b 내려가는**; 내리받이의: a ~ elevator 내려가는 승강기/a ~ slope 내리받이 비탈/be on the ~ grade 내리받이에 있다. **2** 〖철도〗 (열차 따위가) **남쪽으로 가는**; 《英》 **하행의**; 하행선의; (시의) 도심으로〔중심부로〕 향하는: a ~ train 《美》 남행 열차; 《英》 하행 열차/a ~ platform 《美》 남행선 승강장; 《英》 하행선 승강장. **3** 누인, 눕혀진: ~ timber 벌채 끝난 목재. **4** 《속어》 의기소침한, 풀죽은, 기가 죽은, 우울〔음울〕한; 병약한. **5** 계약금의; 현금의: a ~ payment 계약금 지불.

—*vt.* **1** 내려놓다; 내리다. **2** (아무)를 지게 하다; 쓰러뜨리다; 쳐부수다; 굴복시키다《수동형 불가능》. **3** (비행기 등)을 격추시키다. **4 a** 《구어》 (액체 따위)를 쭉 들이켜다; 마시다: He ~*ed* the medicine at one swallow. 그는 그 약을 단숨에 들이켰다. **b** 급히 먹다; 걸신들린 듯 먹다; 탐식하다. **5** 〖미식축구〗 (볼)을 다운하다: ~ the ball on the 20-yard line, 20야드 라인에 볼을 다운하다.

~ *tools* 《英구어》 파업에 들어가다; 일을 (일시) 그치다〔안 하다〕.

—*n.* **1** Ⓒ 내림; 하강(下降). **2** (*pl.*) 불운; 쇠운(衰運); 영락: the ups and ~*s* of life 인생의 부침(浮沈). **3** Ⓒ 〖미식축구〗 다운《한 번의 공격권을 구성하는 4 번의 공격의 하나》. ***have a ~ on*** a person 《英구어》 아무를 싫어하다; 미워하다; 반감을 품다.

down[2] [daun] *n.* **1** Ⓒ (보통 *pl.*) (넓은) 고원지. **2** (the Downs, ~s) (잉글랜드 남부 백악질의 수목이 없는) 초원 지대, 구릉지.

down[3] *n.* Ⓤ **1** (물새의) 솜털; (솜털 비슷한) 부등깃털《깃이불에 넣는》; 배내털. **2** 〖식물〗 (민들레 따위의) 관모(冠毛); (복숭아 따위의) 부드러운 털.

dówn-and-dírty [-ən-] *a.* 《美구어》 **1** (하는 방법이) 야비한, 더러운. **2** (성·정치 따위가) 타락한, 세속적인, 부도덕한: sing ~ blues 상스러운 블루스를 부르다.

dówn-and-óut [-ənd-] *a.* 몹시 영락한.

—*n.* Ⓒ 몹시 영락한 사람.

dówn-at-héel *a.* (구두가) 뒤꿈치가 닳아빠진, 뒤꿈치가 닳은 구두를 신은; 허술한, 보잘것없는.

dówn·bèat *n.* Ⓒ 〖음악〗 (지휘봉을 위에서 아래로 내려 지시하는) 하박(下拍), 강박(強拍).

—*a.* 《구어》 **1** 《美》 우울한, 불행한, 비관적인. **2** 온화한; 조심스런, 소극적인; 긴장이 풀린.

down·burst *n.* Ⓒ 〖기상〗 (적란운으로부터의) 강한 하강 기류《때로 심한 뇌우를 수반》.

dówn·càst *a.* **1** (눈이) 아래로 향한: with ~ eyes 눈을 내리깔고. **2** 기가 꺾인, 풀죽은.

dówn-dràft, 《英》 **-dràught** *n.* Ⓒ (굴뚝 등의) 하향 통풍; 하강 기류; (경기 따위의) 감퇴.

dówn éast (종종 D- E-) 《美구어》 미국 동부 《New England, 특히 Maine주》의〔로〕.

dówn éaster 《美》 (종종 D- E-) 뉴잉글랜드 사람《특히 Maine주 사람》.

dówn·er *n.* Ⓒ 《구어》 **1** 진정제. **2** 기가〔풀이〕 죽는 일; 진절머리나게 하는 사람. **3** (경기·물가 등의) 하강.

dówn·fàll *n.* Ⓒ **1** (비·눈 따위가) 쏟아짐. **2** 몰락, 멸망, 붕괴; 실각; 몰락〔실패〕의 원인: Drink was his ~. 음주가 그의 몰락의 원인이었다.

dówn·fàllen *a.* 몰락〔실각〕한, 멸망한.

dówn·gràde *a., ad.* 《美》 내리받이의〔로〕, 내리막의〔으로〕; 몰락의〔으로〕. **—***n.* Ⓒ 내리받이(비탈). ***on the*** **~** 몰락해〔망해〕 가는. **—***vt.* …의 품질을〔지위를〕 떨어뜨리다. ⇔ *upgrade*.

dówn·héarted [-id] *a.* 낙담한, 기운 없는, 기가 죽은. ㊞ **~·ly** *ad.* **~·ness** *n.*

◇**dówn·hìll** *a.* **1** Ⓐ 내리막(비탈)의; 〖스키〗 활강(경기)의〔에 적합한〕: the ~ way 내리막길 / ~ skiing 활강 스키. **2** 영락해 가는, 악화하는: Things have been ~ all the way. 사태는 죽〔계속〕 악화되었다. **3** 《구어》 쉬운, 편한: It's all ~ from now on. 이제부터는 한결 쉽다.
— [´´] *ad.* **1** 비탈을 내려서; 아래쪽으로. **2** 영락하여, 악화하여. ***go*** **~** 비탈을 내려가다; 내리막이 되다, 영락해 가다.
—*n.* Ⓒ **1** 내리막길. **2** 〖스키〗 활강《경기》.

dówn-hóme *a.* 《美》 남부의, 남부 특유의; 소박한; 상냥한, 붙임성 있는.

Dówn·ing Strèet [dáuniŋ-] **1** 다우닝가(街) 《런던의 거리 이름; 그 10번지에 수상 관저·외무성 등이 있음》. **2** 영국 정부〔내각〕: find favor in ~ 영국 정부의 평판이 좋다. ***No. 10*** **~** 영국 수상 관저.

dówn jàcket 다운 재킷《물새의 솜털을 넣은 보통 소매 없는 재킷》.

dówn·lòad 〖컴퓨터〗 *vt., vi.* (프로그램·데이터를) 다운로드하다, 내려받기하다, 내려받다《상위의 컴퓨터에서 하위의 컴퓨터로 데이터를 전송하다》. **—***n.* Ⓤ 다운로드, 내려받기.

dówn-màrket *a.* 《英》 저소득자〔대중〕 상대의; 싸구려의, 조악한. ↔ *up-market*.

dówn páyment (할부금의) 첫 지불액.

dówn·plày *vt.* 《美구어》 중시하지 않다, 경시하다.

dówn·pòur *n.* Ⓒ (보통 *sing.*) 억수, 호우: a ~ of rain 호우.

dówn·ránge *ad., a.* (미사일 따위가) 예정 비행 경로를 따라서〔따른〕: a ~ station 미사일 관측소.

◇**dówn·rìght** *a.* Ⓐ **1** (사람·성격 등이) 솔직한, 올곧은; (이야기 따위가) 노골적인: a ~ sort of man 솔직한 성질의 사람. **2** (악행·거짓말 등이) 철저한, 진짜의: a ~ nonsense 대단한 넌센스 / a ~ lie 새빨간 거짓말. **—***ad.* 철저히, 완전히; 솔직히: The job is ~ difficult. 그 일은 정말로 어렵다. ㊞ **~·ly** *ad.* **~·ness** *n.*

dówn·ríver *a., ad.* 하구(河口) 쪽〔하류 쪽〕의〔으로〕.

dówn·scále *a.* **1** 가난한, 저(低)소득의, 저소득층에 속하는. **2** 실용적인, 값싼: a ~ model (차 따위의) 염가형. **—***vt.* **1** …의 규모를 축소하다; …을 소형화하다. **2** 돈이 들지 않게 하다, 염가로 하다.

dówn·shìft 《美》 *vi., n.* Ⓒ (자동차 운전에서) 저속기어로 바꾸다〔바꿈〕.

dówn·sìde *n.* **1** (the ~) 아래쪽. **2** (*sing.*) (주가·가격 등의) 하강. **—***a.* Ⓐ (기업·경기 등이) 하강의, 좋지 않은 경향의.

dówn·sìze 《美》 *vt.* …을 축소하다, (차 따위)를 소형화하다; …의 수를 삭감하다. **—***a.* = DOWNSIZED.

dówn·sìzed *a.* 소형화한: a ~ car 소형차.

dówn·spìn *n.* Ⓒ (가격 등의) 급격한 하락; 가속도적인 쇠퇴, 조락(凋落).

dówn·spòut *n.* Ⓒ 《美》 (지붕에서 빗물을 흘러내리게 하는) 세로 홈통(drainpipe).

Dówn's sỳndrome 〖의학〗 다운 증후군(症候群), 몽골증(Mongolism)《염색체 이상에 의한 정신 지체의 일종》.

dówn·stáge 〖연극·영화〗 *ad.* 무대 앞쪽에(서), (영화) 카메라를 향하여. **—***a.* Ⓐ 무대 앞쪽의. **—** [´´] *n.* Ⓤ 무대 앞쪽. ⇔ *upstage*.

dówn·stàir *a.* = DOWNSTAIRS.

⁑**dówn·stáirs** *ad.* **아래층에**〔으로, 에서〕; 계단을 내려가서: go ~ 아래층으로 내려가다. **—***n.* 〘단수취급〙 아래층(의 방); 《美》 (극장의) 일층. **—** [´´] *a.* Ⓐ 아래층의: ~ rooms.

dówn·státe *n.* Ⓤ, *a., ad.* 《美》 주(州) 남쪽(의, 으로). ⇔ *upstate*.

◇**dówn·stréam** *ad.* 하류로, 강 아래로. **—***a.* 하류의. ⇔ *upstream*.

dówn·stròke *n.* Ⓒ 위에서 아래로의 움직임, 하향의 운필(運筆).

dówn·swìng *n.* Ⓒ **1** 〖골프〗 다운 스윙. **2** (경기·매상·출생률 등의) 하강 (경향).

dówn·tìme *n.* Ⓤ (기계·공장 등의) 비가동 시간; (종업원의) 쉬는 시간; 〖컴퓨터〗 고장 시간.

dówn-to-éarth *a.* 실제적인, 현실적인. ㊞ **~·ness** *n.*

dówn·tówn** *n.* Ⓒ 《美》 **도심지**; 중심가, 상가. **—ad.* 《美》 **도심지에**〔에서, 로〕; 중심가〔상가〕에〔에서, 로〕: go ~ to shop 번화가로 장보러 가다. **—** [´´] *a.* Ⓐ 도심지의; 중심가〔상가〕의: ~ Chicago 시카고의 번화가. ⇔ *uptown*. ㊞ **~·er** *n.*

dówn·tròdden *a.* 짓밟힌, 유린된; 억압된: the ~ masses 억압된 대중.

dówn·tùrn *n.* Ⓒ (경기·물가 등의) 내림세, 하락; 침체: The economy has taken a ~. 경제가 침체했다.

⁑**down·ward** [dáunwərd] *a.* Ⓐ **1** **내려가는**, 내리받이의; 아래쪽으로의, 아래로 향한: a ~ slope 내리막 비탈. **2** 저하하는, 쇠미의; (시세 따위가) 하락하는, 내림세의: start on the ~ path 하락〔타락〕하기 시작하다.
—*ad.* **1** **아래쪽으로**; 아래로 향해: face ~ 엎드려(서). **2** 쇠퇴〔타락〕하여. **3** 〘명사어구 뒤에 두어〙 이래, 이후: The custom has continued from the 16th century ~. 그 풍습은 16세기 이래 계속되어 왔다.

dówn·wards [-wərz] *ad.* = DOWNWARD.

dówn·wínd *ad., a.* 바람 불어가는 쪽으로 (움직이는), 순풍의(leeward).

downy** [dáuni] (down·i·er; -i·est***) *a.* **1** **솜털의**; 배내털의; 솜털 같은, 폭신폭신한, 포근한; 부드러운. **2** 《英속어》 교활한, 빈틈없는.

dow·ry [dáuəri] *n.* Ⓤ (구체적으로는 Ⓒ) (신부의) 혼인 지참금.

dowse[1] ⇨ DOUSE.

dowse[2] [dauz] *vi.* 점지팡이로 지하 수맥〔광맥〕을 찾다. ㊞ **dóws·er** *n.*

dówsing ròd = DIVINING ROD.

dox·ol·o·gy [daksálədʒi/dɔksɔ́l-] *n.* Ⓒ 〖기독교〗 신을 찬미하는 시, 영광의 찬가; (예배 끝의) 찬송가, 송영(頌詠). ㊞ **dox·o·log·i·cal** [dàksəlɑ́dʒikəl/dɔksəlɔ́dʒ-] *a.*

doy·en [dɔ́iən] *n.* 《F.》 Ⓒ 고참자, 장로; (단체의) 수석(首席); (전문 분야의) 일인자: the ~ *of* the diplomatic corps 외교단의 수석.

doy·enne [dɔién, dɔ́iən] *n.* ⦅F.⦆ Ⓒ DOYEN 의 여성형.

Doyle [dɔil] *n.* Sir **Arthur Conan** ~ 도일⦅영국의 추리소설가(1859–1930); *Sherlock Holmes* 를 창조⦆.

doy·ley [dɔ́ili] *n.* =DOILY.

doz. dozen(s).

◇**doze** [douz] *vi.* 졸다, 꾸벅꾸벅 졸다, 겉잠 들다 (*off*)⦅*over* …을 하면서⦆: ~ *over* one's work 일하면서 꾸벅꾸벅 졸다 / I ~*d off* during his speech. 그가 연설하는 동안 꾸벅꾸벅 졸았다. SYN. ⇨ SLEEP. **—** *vt.* (시간)을 졸면서 보내다 (*away*): ~ *away* one's time. **—** *n.* (a ~) 졸기, 겉잠: fall 〔go off〕 into a ~ 꾸벅꾸벅 졸다.

⁑**doz·en** [dʌ́zn] (*pl.* ~(**s**)) *n.* **1** Ⓒ **1 다스,** 1타(打), 12(개)⦅생략: doz., dz⦆; 〚형용사적〛 1다스의, 12(개)의.

> NOTE (1) 앞에 숫자나 several, many 등 수를 나타내는 말(some은 제외)이 올 때에는 dozen을 복수형으로 하지 않음: A gross is twelve *dozen*. 1그로스는 12다스이다 / How many *dozen* do you want? 몇 다스 필요하십니까.
> (2) 다음에 명사가 올 때에는 of를 붙이지 않고 dozen을 형용사적으로 씀: three *dozen* bottles of wine 포도주 3다스 / several *dozen* pencils 연필 몇 다스.
> (3) 단, 다음에 일정한 사람·사물을 나타내는 대명사나 「the+명사」 따위가 올 때에는 of가 붙음: I'll take a *dozen of* them 〔the eggs〕. 그것〔그 계란〕을 1다스 주시오.
> (4) 정확히 「12개」가 아니라 「10개 정도」의 의미로 쓰는 일이 많음: a 〔several, a few〕 *dozen* people 10명〔수십명〕 정도의 사람.

2 ⦅구어⦆ **a** (a ~) 1다스〔12, 3〕정도, (상당히) 많은⦅★ half a dozen (반 다스)도 ⦅구어⦆에서는 「반 다스 정도」, 「6개〔명〕정도」, 「5, 6개〔명〕」의 뜻으로 쓰이는 일이 있음⦆. **b** (*pl.*) 수십, 다수: ~*s of* people 몇십 명의 사람, 대단히 많은 사람 / I went there ~*s* (and ~*s*) *of* times. 거기에는 수십 번 갔다.

a round* 〔*full*〕 ~** 에누리 없는 한 타. ***by the* ~** ① 다스 단위로: sell eggs *by the* ~ 계란을 다스 단위로 팔다. ② 많이, 얼마든지: eat peanuts *by the* ~ 땅콩을 실컷 먹다. ***in* ~*s 다스로, 1타씩: Pack these eggs *in* ~*s*. 이 계란들을 1다스씩 싸 주시오. ***talk* 〔*go, run, wag*〕 *thirteen* 〔*nineteen*〕 *to the* ~** ⦅英⦆ 쉴 새 없이 지껄여대다.

doz·enth [dʌ́znθ] *a.* 제12〔12째〕의(twelfth).

dozy [dóuzi] (***doz·i·er; -i·est***) *a.* **1** 졸리는, 졸음이 오는: a hot, ~ day 무덥고 졸리는 날 / feel ~ 졸리다. **2** ⦅英구어⦆ 어리석은, 게으른. ⓟ **dóz·i·ly** *ad.* **-i·ness** *n.*

DP, D.P. [dí:pí:] (*pl.* **~'s, ~s**) *n.* =DISPLACED PERSON.

DP, D.P. 〚컴퓨터〛 data processing. **D.Ph(il)** Doctor of Philosophy. ⁑**Dr, Dr.** debit; debtor; Doctor. **Dr.** Drive. **dr.** debit; debtor; drachma(s); dram(s); drawer.

drab[1] [dræb] (***dráb·ber; ~·best***) *a.* **1** 충충한 갈색의. **2** 단조로운, 재미없는; 생기 없는. ⓟ **∠·ly** *ad.* **∠·ness** *n.*

drab[2] *n.* Ⓒ 단정치 못한 여자; 행실 나쁜 여자; 창녀.

drachm [dræm] *n.* =DRACHMA; DRAM.

drach·ma [drǽkmə] (*pl.* **~s, -mae** [-mi:]) *n.* Ⓒ 드라크마⦅(1) 옛 그리스의 은화(銀貨) 이름. (2) 옛 그리스의 무게 단위. (3) 현대 그리스의 화폐 단위; 기호 Dr, DRX⦆.

Dra·co·ni·an [dreikóuniən] *a.* (법률 따위가) 엄중한, 가혹한: ~ measures 엄중한 대책. ⓟ **~·ism** *n.* Ⓤ 엄벌주의.

Drac·u·la [drǽkjələ] *n.* 드라큘라⦅B. Stoker의 소설명 및 주인공 이름; 백작으로 흡혈귀임⦆.

***draft,** ⦅英⦆ **draught** [dræft, drɑ:ft] *n.* **1** Ⓒ **도안,** 밑그림, 설계도(면). **2** Ⓒ **초안,** 초고; 〚컴퓨터〛 초안: make out a ~ *of* …을 기초(起草)하다 / a plan in ~ 초안 중인 계획⦅★ in ~은 관사 없이⦆. **3** ⦅美⦆ **a** (the ~) **징병,** 징모(conscription); 〚스포츠〛 신인 선수 선발 제도, 드래프트제(制). **b** Ⓤ 〚집합적〛 징모병. **c** Ⓒ ⦅英⦆ 분견대, 특파대. **4** ⦅美⦆ Ⓤ (그릇에서) 따르기; (술을) 통에서 따라 내기: beer on ~ 생맥주. **5** Ⓒ ⦅美⦆ (담배·공기·액체의) 한 모금, 한 입, 한 번 마시기, (물약의) 1회분: have a ~ *of* beer 맥주를 한 잔 하다 / drink at 〔in〕 a ~ 단숨에 마시다. **6** Ⓒ ⦅美⦆ **통풍;** 외풍; (스토브 등의) 통풍 조절 장치〔구멍〕: keep out ~*s* 외풍을 막다 / catch a cold in a ~ 외풍으로 감기에 걸리다. **7** Ⓤ ⦅美⦆ (수레 등을) 끌기; 견인량(牽引量); 견인력. **8** 〚상업〛 Ⓤ 어음 발행, 환취결(換就結); Ⓒ 환어음, (특히 은행 지점에서 다른 지점 앞으로 보내는) 수표, 지급 명령서: a ~ on demand 요구불 환어음 / draw a ~ on …앞으로 어음을 발행하다. **9** Ⓤ 〚선박〛 (배의) 흘수(吃水): a ship of 17 feet ~ 흘수 17피트의 배.

— *a.* **1** Ⓐ 견인용의: a ~ animal 견인용 동물⦅말·소 따위⦆, 역축(役畜). **2** 통에서 따른⦅맥주 따위⦆: ⇨ DRAFT BEER. **3** Ⓐ 기초된(drafted), 초안의: a ~ bill (법안의) 초안.

— *vt.* **1** …의 밑그림을 그리다, 설계도를 그리다. **2** 기초〔입안〕하다: ~ a speech 연설의 초고를 쓰다. **3** 잡아당기다, 뽑다. **4** ⦅~+목/+목+전+명⦆ 선발〔분견〕하다⦅*to* …에⦆; ⦅美⦆ 징집〔징병〕하다⦅*into* …에⦆: ~ a person *to* a post 아무를 어떤 지위에 발탁하다 / be ~*ed into* the army 육군에 징집되다.

dráft bèer 생〔통〕맥주.

dráft bòard ⦅美⦆ (시·군 등의) 징병 위원회.

draft·ee [dræftí:, drɑ:ftí:] *n.* Ⓒ ⦅美⦆ 응소병(應召兵).

dráft·er *n.* Ⓒ 기초자, 입안자.

dráft hòrse 짐(싣는) 말, 짐수레 말.

dráfts·man [-mən] (*pl.* **-men** [-mən]) *n.* Ⓒ 기초자, 입안자; 데생(에 뛰어난) 화가; 도안공, 제도가〔공〕.

drafty [drǽfti, drɑ́:fti] (***drafti·er; -i·est***) *a.* ⦅美⦆ 통풍이 잘 되는; 바람이 틈으로 새어 들어오는.

⁑**drag** [dræg] (**-gg-**) *vt.* **1** ⦅~+목/+목+부⦆ **a** (무거운 것)을 **끌다,** 끌어당기다, 끌고 가다(*along*): The ship ~*ged* its 〔her〕 anchor all night. 배는 밤새도록 닻을 끌고 달렸다. SYN. ⇨ PULL. **b** (발·꼬리 따위)를 질질 끌다(*along*); 〚~ oneself〛 발을 끌며 가다(*along*): ~ one's wounded leg 부상당한 다리를 끌며 걷다 / He ~*ged himself along* behind the others. 그는 다른 사람들 뒤를 따라 발을 끌며 갔다. **2 a** ⦅+목+부/+목+전+명⦆ (무거운 것)을 끌어내다(*out*)⦅*from* …에서⦆: She ~*ged out* a suitcase *from* under the bed. 그녀는 침대 밑에서 여행가방을 끌어냈

다. **b** 《(+[목]+[전]+[명])》 이끌어내다; (사실 등)을 캐내어 듣다〔알다〕《***out of*** …에서》: ~ a secret *out of* a person 아무에게서 비밀을 캐내어 듣다. **3 a** 《(+[목]+[부]/+[목]+[전]+[명])》 (아무)를 억지로 끌어내다〔데리고 가다〕(*out*)《***to, into*** …에》: ~ a shy person *out to* a party 수줍어하는 사람을 억지로 파티에 끌어내다. **b** 《(+[목]+[전]+[명])》 끌어들이다; (관계없는 일)을 들먹이다, 초들다《***into*** …에》: ~ a country *into* a war 어떤 나라를 전쟁에 끌어들이다/He always *~s* his Ph.D. *into* a discussion. 그는 어떤 논의에서든 자신의 박사 칭호를 들먹인다. **4** 《(~+[목]/+[목] +[전]+[명])》 (그물·갈고리 따위로 강바닥 따위)를 훑다, 뒤지다《***for*** …을 찾아서》: ~ a pond *for* fish 물고기를 잡기 위해 못을 훑다. **5** (논밭)을 써레로 갈다〔고르다〕, 써레질하다. **6** 〖야구〗 (배트를 끌듯이 하여 번트)를 치다.
—*vi.* **1 a** 《(~/+[전]+[명])》 (옷자락 따위가) 끌리다, 끌려가다, 질질 끌리다: The train of her dress *~ged behind* her. 그녀의 드레스 자락이 뒤로 질질 끌렸다. **b** 《(~/+[부])》 발을 질질 끌며〔늘쩡늘쩡〕 걷다(*along*): walk with *~ging* feet 발을 질질 끌며 느리게 걷다. **2** 《(+[부])》 (때·일 등이) 느릿느릿 진행되다〔나가다〕; (행사 등이) 질질 끌다(*on; along*): The meeting *~ged on*. 회의는 질질 끌었다. **3** (저인망 따위가) 물 밑을 치다〔훑다〕. **4** 〖음악〗 저음으로 길게 뽑다.
~ ***behind*** 《*vi.*+[부]》 ① 시간이 걸려 (남보다) 늦어지다. **—**《*vi.*+[전]》 ② 꾸물대어 (남)보다 늦어지다. ~ ***down*** 《*vt.*+[부]》 ① …을 끌어내리다. ② (병 등이 사람)을 쇠약하게 하다; 의기소침하게 하다: The rainy season always *~s* me *down*. 장마철은 항상 나를 우울하게 한다. ③ (사람)을 영락〔타락〕시키다. ~ ***in*** 《*vt.*+[부]》 ① 억지로 끌어들이다. ② (화제)를 쓸데없이 꺼내다. ~ ***one's feet*** 〔***heels***〕 ① 발을 질질 끌다. ② 일부러 꾸물거리다. ~ ***out*** 《*vt.*+[부]》 ① 무거운 것을 꺼내다(⇨*vt.* 2 a). ② (아무)를 억지로 끌어내다(⇨*vt.* 3 a). ③ (의론·시간 등)을 오래 끌다. **—**《*vi.*+[부]》 (의론·시간 등이) 질질 끌다: His report *~ged out* another hour. 그의 보고는 다시 한 시간이나 끌었다. ~ ***up*** 《*vt.*+[부]》 ① 《구어》 (싫은 일)을 다시 문제삼다, 쑤셔내다: The manager often *~s up* the accounting error I made years ago. 지배인은 내가 몇 년 전에 저지른 회계상의 착오를 자주 들먹였다. ② 《英구어》 (아이)를 거칠게 기르다.
—*n.* **1** [U] (구체적으로는 [C]) 견인(력), 끌기. **2** [C] 예인망(dragnet); 큰 써레; (네 가닥 난) 닻; 대형 썰매; (차바퀴의) 바퀴굄. **3** [C] 장애물, 거치적거리는 것《***on, upon*** …에》: a ~ *on* a person's career 아무의 출세에 장애물이 되는 것. **4** [C] 〖사냥〗 (여우 따위의) 냄새 자취. **5** [U] (또는 a ~) 사람을 움직이는 힘; 두둔, 끌어줌: He has a ~ with his master. 그는 주인의 마음에 들었다. **6** [C] 《속어》 자동차; =DRAG RACE. **7** [C] 《속어》 한 모금《***at, on*** (담배)의》: take a ~ *at* 〔*on*〕 a cigarette 담배를 한 모금 깊이 빨다. **8** (a ~) 《속어》 싫증나는〔질력나는〕 사람〔물건〕: What a ~! 정말 질력나는 녀석이다. **9** [C] (보통 *sing.*) 《美속어》 가로, 도로(street, road). **10** [C] 《美속어》 (동반한) 여자 친구. **11** 《속어》 [U] 이성의 복장, (특히 호모의) 여장(女裝); [C] 여장(女裝)〔남장〕 파티; [U] 《일반적》 의복: in ~ 여장하여《특히 복장도착(倒錯)으로》. **12 a** [U] (저항에 의한) 전진의 지체. **b** [U] (또는 a ~) 〖항공〗 (비행기에 작용하는) 공기 저항; 항력(抗力)에 의한 감속.

drág búnt 〖야구〗 드래그 번트《타자가 1루에 살아 나가기 위해 하는 번트》.

drag·gle [drǽgəl] *vt.* (진흙탕에서) 질질 끌어 더럽히다〔적시다〕. **—***vi.* 옷자락을 질질 끌다; 느릿느릿 따라가다, 뒤떨어지다. [파] **~d** *a.* 더러운; 질질 끌린.

drággle·tàil *n.* [C] (옷자락을 질질 끄는) 칠칠치 못한 여자; (*pl.*) 질질 끌리는 긴 치마.
[파] **~ed** *a.* (여자가) 더렵혀진 옷을 입은; 옷자락을 질질 끌어 더럽힌, 칠칠치 못한.

drág·hòund *n.* [C] (사냥감의 냄새와) 비슷한 냄새를 사용하여 훈련받은 사냥개.

drág·nèt *n.* [C] **1** 저인망. **2** 《비유적》 (경찰의) 수사망; 수색〔검거〕망.

drag·o·man [drǽgəmən] (*pl.* **~s, -men** [-mən]) *n.* [C] (근동 나라들의) 통역(겸 안내원).

***drag·on** [drǽgən] *n.* **1** [C] 용《전설상의 동물》. **2** [C] 《구어》 성미가 팔팔한〔사나운〕 사람《특히 여성》. **3** (the D-) 〖천문〗 용자리.

***drágon·flỳ** *n.* [C] 〖곤충〗 **잠자리.**

dra·goon [drəgúːn] *n.* [C] 〖역사〗 용기병(龍騎兵); 《英》 (근위) 기병(연대의 병사). **—***vt.* **1** 용기병으로 공격하다. **2** 압박〔탄압〕하다《***into*** …하게》: He was *~ed into* attend*ing* the party. 그는 압력을 받아 파티에 참석했다.

drág quèen 《속어》 여장의 남성 동성애자.

drág ràce 〖자동차〗 드래그레이스《1/4 마일의 직선 도로에서 발진 가속을 겨루는 경기》.

****drain** [drein] *vt.* **1** 《(~+[목]/+[목]+[부]/+[목]+[전]+[명])》 **배수〔방수〕하다**《***from*** …에서》, …의 물을 빼내다, …을 배출하다(*away; off; out*); …에 배수 설비를 하다: dig a trench to ~ water *away* 〔*off*〕 배수를 위해 도랑을 파다/That ditch *~s* water *from* the swamp. 그 수로로 늪의 물이 빠진다/a well-*~ed* playing field 배수 시설이 잘 된 운동장. **2** (물기)를 빼다, 없애다; (닦은 접시 따위의) 물기를 없애다. **3** 《(+[목]+[전]+[명])》 (토지)에서 빼내다《***of*** (물)을》: ~ a swamp *of* water 늪지대를 간척하다. **4** 《(+[목]+[보]/+[목]+[전]+[명])》 (잔)에서 쭉 들이켜다; 비우다《***of*** (내용물)을》《★보어로는 dry》: ~ a jug dry 주전자의 물을 비우다/~ a glass *of* its contents 컵에 든 것을 다 마셔 버리다. **5** 《(+[목]+[전]+[명]/+[목]+[보])》 **다 써버리다**, 소모시키다; …에서 다 짜내버리다, 고갈시키다《***of*** (자산·정력 등)을》: ~ a country *of* its resources 일국의 자원을 고갈시키다/That *~ed* him dry. 그것 때문에 그는 정력을 다 소모했다. **6** 《(+[목]+[부])》 (체력 따위)를 약화시키다(*away; off*). **7** 《(+[목]+[부]/+[목]+[전]+[명])》 (재화·인재)를 유출시키다(*away; off*)《***to*** (국외)로》: ~ *away* the best brains *to* America 미국으로 가장 우수한 두뇌들을 유출시키다.
—*vi.* **1** 《(+[전]+[명]/+[부])》 (물이) 줄줄 흘러나가다, 흘러 없어지다(*away; off*): The water *~ed through* a small hole. 작은 구멍에서 물이 줄줄 흘러나왔다. **2** 《(~/+[전]+[명])》 (토지가) 배수되다; (접시·천 따위의) 물기가 마르다, (늪 따위가) 말라 붙다; (물이) 흘러들다《***into*** …으로》: This land *~s into* the Han River. 이 지방의 물은 모두 한강으로 흘러든다/This field *~s* quickly. 이 땅은 물이 빨리 빠진다. **3** 《(+[부]/+[전]+[명])》 (체력 따위가) 서서히 소모되다(*away; off*); (핏기 따위가) 가시다《***from, out of*** …에서》: His life is slowly *~ing away*. 그의 생명은 서서히 사그라들었다/I saw the color 〔blood〕 *~ from* her face. 그녀의 얼굴에서 핏기가 가시는 것을 보았다.

4 ⦅+副/+前+名⦆ (재화 · 인재가) 유출되다(*away; off*)⦅***to*** (외국)으로⦆: Most of our gold reserves have ~*ed away to* foreign countries. 우리나라 금준비의 대부분이 해외로 유출되었다.
—*n.* **1** Ⓤ (또는 a ~) 배수, 방수(放水); 유출. **2** Ⓒ 배수관; 배수 도랑, 하수구(sewer); (*pl.*) 하수 시설. **3** Ⓒ 고갈, 낭비, 소모⦅***on*** (화폐 · 자원)의⦆: a ~ *on* national resources 국가 자원의 고갈. **4** Ⓒ (재보 · 인재의) 국외 유출: a brain ~ from a country 두뇌의 국외 유출.
down the ~ ⦅구어⦆ 낭비되어, 헛것이 되어, 수포로 돌아가: All that time and effort went *down the* ~. 그 모든 시간과 노력은 수포로 돌아갔다. ***laugh like a ~*** ⦅英구어⦆ 큰 소리로〔천하게〕 웃다.

°**drain·age** [dréinidʒ] *n.* Ⓤ **1** 배수(draining), 배수 방법. **2** 배수 설비; 배수로; 하수로; 배수 구역: ~ work 배수 공사. **3** 배출된 물, 하수, 오수(汚水)(sewage). **4** 〖의학〗 배농(排膿)(법).

dráinage bàsin 〔**àrea**〕 (하천의) 유역, 집수역(集水域).

dráin·bòard *n.* Ⓒ ⦅美⦆ (설거짓대(臺) 옆의) 물기 빼는 널〔대〕(⦅英⦆ draining board).

dráining bòard ⦅英⦆ =DRAINBOARD.

dráin·pipe *n.* **1** Ⓒ 배수관, 하수관; (빗물용) 세로 홈통. **2** (*pl.*) ⦅구어⦆ =DRAINPIPE TROUSERS.
—*a.* Ⓐ 몹시 좁은.

dráinpipe tròusers ⦅英구어⦆ 아랫단이 좁은 바지.

drake [dreik] *n.* Ⓒ 수오리(male duck). cf. duck[1].

DRAM [díːræm] *n.* Ⓤ 〖컴퓨터〗 디램, 동적(動的) 램⦅기억 보존 동작을 필요로 하는 수시 기입과 읽기를 하는 메모리⦆. [◂*d*ynamic *r*andom *a*ccess *m*emory]

dram [dræm] *n.* Ⓒ **1** 드램⦅무게의 단위; 보통은 1.772g, 약량(藥量)은 3.8879g⦆. **2** (위스키 따위의) 미량, 한 모금; 〘일반적〙 조금, 약간(a bit): have not one ~ of learning 배운 것이 전혀 없다 / be fond of a ~ 술을 즐기다.

‡**dra·ma** [drάːmə, drǽmə] *n.* **1** Ⓤ (때로 the ~) **극**, 연극, 극문학, 극예술: the silent ~ 무언극 / (an) historical ~ 사극 / (a) musical ~ 악극, 뮤지컬 / a ~ critic (연)극 비평가. **2** Ⓤ 극작법, 연출법. **3** Ⓒ 희곡, 각본: a poetic ~ 시극 / a radio 〔TV〕 ~. **4** Ⓤ 극적 효과; 극적 성질〔요소〕. **5** Ⓒ (일련의) 극적 사건.

*__dra·mat·ic__ [drəmǽtik] *a.* **1 극의**, 연극의; 희곡의: a ~ piece 한 편의 희곡〔각본〕 / ~ presentation 〔reproduction〕 상연 / ~ performance 연예. **2 극적인**, 연극 같은; 눈부신; 감정이 풍부한: a ~ event 극적인 사건. ⊕ ***-i·cal·ly** [-ikəli] *ad.* **극적으로**, 눈부시게.

dramátic írony 극적 아이러니⦅관객은 알지만 등장인물은 모르고 있는 것처럼 되어 있는 미묘한 상황⦆.

dra·mát·ics *n.* **1 a** Ⓤ 연극, 연기, 연출법. **b** 〘복수취급〙 아마추어극, 학교〔학생〕극. **2** 〘복수취급〙 연극조의 태도〔표정〕, 과장된 표현.

dram·a·tis per·so·nae [drǽmətis-pərsóuniː, drάːmətis-pəːrsóunai, -ni] ⦅L.⦆ (종종 the ~) 〘복수취급〙 등장인물; 〘단수취급〙 배역표⦅생략: dram. pers.⦆.

°**dram·a·tist** [drǽmətist] *n.* Ⓒ 극작가, 각본가.

dràm·a·ti·zá·tion *n.* Ⓤ (구체적으로는 Ⓒ) 각색, 극화.

°**drám·a·tìze** *vt.* **1** 극화〔각색〕하다: ~ a novel 소설을 각색하다. **2** 〘~ oneself〙 극적으로 표현하다, 연극 같은 태도를 취하다, 연기하다. —*vi.* 극이 되다, 각색되다; 연기하다.

dram·a·tur·gy [drǽmətəːrdʒi] *n.* Ⓤ 극작법; 연출(법). ⊕ **-gist** [-dʒist] *n.* Ⓒ 극작가.

drank [dræŋk] DRINK의 과거.

°**drape** [dreip] *vt.* **1** (의류 · 덮개 등)을 느슨하게 걸치다; 예쁘게 입히다⦅***around, round*** …에⦆: She ~*d* the robe *around* her daughter's shoulders. 그녀는 딸의 어깨에 겉옷을 걸쳐 주었다. **2** 뒤덮다, 장식하다⦅***with, in*** (덮개 · 의류)로⦆: The hall is ~*d with* rich tapestries. 홀은 호화로운 태피스트리로 꾸며져 있다. **3** (팔 · 다리 · 몸)을 느긋이 뻗다, 두르다⦅***over*** …위에; ***around, round*** …주위에⦆: He ~*d* an arm *over* my shoulders and whispered. 그는 내 어깨에 팔을 얹고 속삭였다 / He ~*d* himself on the sofa. 그는 소파 위에 느긋하게 몸을 뻗었다. **4** 〖복식〗 주름을 잡아 예쁘게 달다〔덮다, 늘어뜨리다〕.
—*n.* Ⓒ **1** (보통 *sing.*) 덮개; (보통 *pl.*) ⦅美⦆ (얇은 커튼 위에 드리우는) 두꺼운 커튼. **2** (보통 *sing.*) 〖복식〗 (스커트 따위의) 드레이프, 늘어진 모양.

drap·er [dréipər] *n.* Ⓒ ⦅주로英⦆ 포목상, 직물상: a woolen ~ 모직물 장수 / a ~'s (shop) ⦅英⦆ 포목점(⦅美⦆ dry goods store).

°**drap·ery** [dréipəri] *n.* **1** Ⓤ (종류는 Ⓒ) **a** (휘장 · 막 등의) 부드러운 직물의 **우미한 주름**. **b** 주름이 진 **휘장**〔막, 옷 따위〕. **c** ⦅美⦆ (두툼한) 커튼지. **2** Ⓤ ⦅英⦆ **a** 의류, 옷감, 직물 · 포목류(類)(⦅美⦆ dry goods). **b** ⦅英⦆ 포목업; 포목점(draper's shop).

°**dras·tic** [drǽstik] *a.* **1** (치료 · 변화 따위가) 격렬한, 맹렬한, 강렬한: apply a ~ remedy 거친 치료를 하다. **2** (수단 따위가) 과감한, 철저한: a ~ measure 발본책(拔本策) / adopt 〔take〕 ~ measures 과감한 수단을 쓰다. ⊕ **-ti·cal·ly** [-kəli] *ad.*

drat [dræt] (***-tt-***) *vt.* ⦅속어⦆ 저주하다, 야단치다⦅여성 용어⦆. ***Drat it!*** 제기랄, 빌어먹을. ***Drat you!*** 귀찮다.
—*int.* 쳇; 제기랄.
⊕ **∠·ted** [-id] *a.* ⦅구어⦆ 지겨운, 부아가 나는.

*__draught__ ⇨DRAFT.

dráught beer ⦅英⦆ =DRAFT BEER.

dráught·bòard *n.* Ⓒ ⦅英⦆ =CHECKERBOARD.

dráught hòrse ⦅英⦆ =DRAFT HORSE.

draughts [dræfts, drɑːfts] *n.* 〘단수취급〙 ⦅英⦆ 체커(checkers).

dráughts·man [-mən] (*pl.* ***-men***) *n.* Ⓒ ⦅英⦆ =DRAFTSMAN; 체커의 말.

draughty ⇨DRAFTY.

Dra·vid·i·an [drəvídiən] *a.* 드라비다 사람〔어족(語族)〕의. —*n.* Ⓒ 드라비다 사람⦅인도 남부나 Ceylon 섬에 사는 비(非)아리안계 종족⦆; Ⓤ 드라비다어(語).

†**draw** [drɔː] (***drew*** [druː]; ***drawn*** [drɔːn]) *vt.* **1 a** ⦅~+目/+目+副/+目+前+名⦆ **끌다, 당기다**, 끌어당기다; 견인하다; 끌어당겨서 …하다: ~ a cart 짐수레를 끌다 / He *drew* me aside. (얘기하려고) 그가 나를 한 쪽으로 끌고 갔다 / *Draw* your chair a little *forward*. 의자를 앞으로 조금 끌어당기시오 / He *drew* the boat (*up*) *onto* the

beach. 그는 보트를 해변으로 끌어올렸다. **b** 《~+목/+목+전+명》 (활)을 세게 당기다; (허리띠)를 당겨 죄다; (커튼 따위)를 끌어치다, 끌어내리다〔올리다〕: He *drew* his bow to shoot an arrow. 그는 화살을 쏘려고 활을 당겼다 / ~ a belt tight 벨트를 세게 죄다 / ~ a curtain *over* a window 창에 커튼을 치다. SYN. ⇨PULL.

2 a 《~+목/+목+전+명/+목+*to* do》 꾀어들이다; 끌어들이다《***into*** …에》; (주의 · 이목)을 끌다《***to*** …에》; 꾀어서 …시키다: ~ interest 흥미를 끌다 / ~ a person *into* conversation 〔a room〕 아무를 대화〔방〕에 끌어들이다 / His clothes *drew* every one's eyes. 그의 복장은 뭇사람의 시선을 끌었다 / endeavor to ~ one's child *to* study 아이에게 공부시키려고 애쓰다. **b** 《~+목/+목+전+명》 (손님 · 지지자)를 끌어모으다, …의 인기를 끌다; 마음을 끌다《***to, toward*** (아무)에게》: The show *drew* large audience. 그 쇼는 많은 관객을 끌어모았다 / He had certain qualities which *drew* her *to* him. 그에게는 그녀로 하여금 매력을 느끼게 하는 어떤 특성이 있었다.

3 《~+목/+목+부/+목+전+명》 (결론 · 정보)를 이끌어내다; (교훈)을 얻다《***from, out of*** …에서》; (결과 · 파멸 따위)를 초래하다(*down*)《***on, upon*** (아무)에게》: How did you ~ the information *out of* him? 그에게서 어떻게 정보를 빼냈습니까 / He *drew* his conclusions *from* this data. 그는 이 자료에서 결론을 이끌어냈다 / You can ~ a moral *from* this story. 이 이야기에서 교훈을 얻을 수 있습니다 / He drew (*down*) his failure *upon* himself. 그는 스스로 실패를 자초했다.

4 《~+목/+목+부》 (숨)을 들이쉬다(*in*), (한숨)을 쉬다: ~ *in* a (deep) breath 심호흡하다 / ~ a long sigh 긴 한숨을 쉬다.

5 《~+목/+목+전+명》 **a** (급료 · 지급품 따위)를 받다, 받아들이다; (돈)을 인출하다《***from, out of*** (은행 · 계좌)에서》: ~ (one's) pay 〔salary〕 급료를 받다 / ~ money *from* a bank 은행에서 돈을 인출하다. **b** (금전 · 주식 등에 이자가) 붙다: The money *drew* a lot of interest in the bank. 그 돈은 은행에 예치되어 상당한 이자가 붙었다.

6 《~+목/+목+목/+목+전+명》 (물)을 퍼 올리다, (액체)를 빼내다; (피)를 나오게 하다; (눈물)을 자아내다《***from, out of*** …에서》: ~ water *from* a well 우물에서 물을 퍼 올리다 / He *drew* me a glass of beer (*from* the peg). 그는 나에게 맥주를 한 잔 (통에서) 빼 주었다 / No blood has been *drawn* yet. 아직 한 방울의 피도 나지 않았다 / Her sad news *drew* tears *from* us. 그녀의 슬픈 소식은 우리의 눈물을 자아내게 했다.

7 《~+목/+목+부/+목+전+명》 **a** (물건)을 잡아 뽑다, 빼다, 뽑아 내다(*out*)《***from, out of*** …에서》; (검 · 권총 등)을 뽑다(*out*)《***on, upon*** …을 향하여》: ~ the nails *from* the board 판자에서 못을 뽑다 / He *drew out* a handkerchief *from* his trouser pocket. 그는 바지 호주머니에서 손수건을 꺼내었다 / He *drew* his gun *on* me. 그는 권총을 뽑아 나에게 들이댔다. **b** 《~+목/+목+전+명》 (카드패 · 제비 따위)를 뽑다《***from*** …에서》; (요리 전에 조류의) 창자를 빼다: ~ lots 제비를 뽑다 / ~ the winning number 당첨 번호를 뽑다 / ~ a card *from* a pack 한 벌의 트럼프에서 카드 1 장을 뽑다 / ~ a chicken 닭 창자를 빼다.

8 《~+목/+목+목/+목+전+명》 (줄〔선〕)을 긋다; (도면 따위)를 그리다, 베끼다; …의 그림을 그리다; …을 묘사하다; 그려주다《***for*** (아무)에게》. cf. write. ¶ ~ a straight line 직선을 긋다 / ~ a diagram 도형을 그리다 / ~ animals *from* life 동물을 사생하다 / I'll ~ you a rough map. = I'll ~ a rough map *for* you. 내가 당신에게 약도를 그려 드리겠습니다.

9 《~+목/+목+부/+목+전+명》 (서류)를 작성하다(*up*); (어음)을 발행하다《***on*** (아무)에게》: ~ (*up*) a deed 증서를 작성하다 / ~ a bill of exchange 환어음을 발행하다 / ~ a bill *on* a person 아무에게 어음을 발행하다.

10 오므리다; (얼굴)을 찡그리다(distort): a *drawn* look 찡그린 얼굴.

11 (경기)를 비기게 하다: The game was *drawn*. 그 경기는 비겼다.

12 (배가 …피트) 흘수(吃水)가 되다: She ~*s* six feet. 저 배는 흘수 6 피트이다.

13 《~+목/+목+전+명》 (구획선)을 긋다, (구별)을 짓다, (유사점)을 지적하다《***between*** …간에》: ~ a distinction 구별하다 / ~ a comparison *between* A and B, A와 B를 비교하다.

— *vi*. **1** 《~/+부/+전+명》 **접근하다**, 가까이 가다; 모여들다; (때가) 가까워지다: The train *drew* slowly *into* the platform. 열차가 서서히 플랫폼으로 다가왔다 / *Draw* near, please. 가까이 오시오 / Christmas is ~*ing* near. 크리스마스가 다가온다 / ~ *together* for warmth 온기를 찾아서 모여들다.

2 《+전+명》 칼 따위를 뽑다, 권총을 빼다《***on*** …을 향하여》: He *drew on* me. 그는 느닷없이 나를 향해 총을 빼들었다.

3 《+전+명》 제비를 뽑다《***for*** …을 정하기 위해》: Let's ~ *for* partners. 상대를 제비로 정하자.

4 《~/+전+명》 **그리다**, 제도하다《***with*** …으로》: ~ *with* colored pencils 색연필로 그림을 그리다.

5 〖well, badly 따위 양태부사를 수반하여〗 (파이프 · 굴뚝 따위가) 바람을 통하다, 연기가 통하다: The chimney ~*s* well 〔badly〕. 그 굴뚝은 연기가 잘〔안〕 빠진다.

6 《+부》 (차가) 우러나다: This tea ~*s* well. 이 차는 잘 우러난다.

7 《~/+전+명》 이용하다《***on, upon*** (자금 따위)를》; 의지하다《***on, upon*** (경험 · 사람 등)에게》: ~ *on* one's savings 예금을 찾다 / ~ *on* one's experience 경험을 이용하다〔살리다〕.

8 〖well, badly 따위 양태부사를 수반하여〗 (극 따위가) 주의〔인기〕를 끌다: The show ~*s* well. 그 쇼는 인기가 있다.

9 (경기가) 비기다: The teams *drew* 4 all. 양 팀은 4 대 4 로 비겼다.

~ a blank ⇨BLANK. ***~ apart*** 《*vi*.+부》 (물리적 · 심리적으로) 떨어져 가다, 소원해지다: The two families are ~*ing apart*. 그 두 가족은 사이가 소원해져 있다. ***~ at*** 〔***on***〕 (파이프)로 담배를 피우다, (파이프)를 빨다. ***~ away*** 《*vt*.+부》 ① (내밀었던 손 따위)를 빼다. —《*vi*.+부》 ② 몸을 떼어놓다《***from*** …에서》: She tried to ~ *away from* him. 그녀는 그에게서 몸을 떼려고 했다. ③ 《구어》 (경주 따위에서) …의 선두에 나서다, …을 떨어뜨리다: Tom *drew away from* the other runners. 톰은 다른 주자들을 따돌렸다. ***~ back*** 《*vt*.+부》 ① …을 되돌리다. —《*vi*.+부》 ② 물러서다, 주춤하다: He *drew back* in alarm. 그는 놀라서 주춤했다. ③ 손을 떼다《***from*** (기획 따위)에서》: It's too late to ~ *back from* the plan. 그 계획에서 손을 떼기엔 너무 늦다. ***~ in*** 《*vt*.

+副》 ① (뿔 따위)를 감추다: ~ *in* one's HORNS. ② 숨을 들이쉬다. —《*vi.*+副》 ③ (열차 따위가) 들어오다, 도착하다; (차가) 길가에 서다: The train *drew in* and stopped. 열차가 들어와서 정지했다. ④ (해가) 짧아지다, (하루가) 저물다: The days were ~*ing in*. 해가 점점 짧아지고 있다/It's still long before the day ~*s in*. 해가 저물기까지는 아직 시간이 많이 남았다. **~ level (with)** (…와) 대등하게 되다, (…에) 따라 미치다 《경주에서》. **~ off** 《*vt.*+副》 ① (물 따위)를 빼내다, 빼다. ② (주의)를 딴 데로 돌리다. ③ (작전상 군대)를 철퇴하다〔시키다〕. ④ (장갑·양말 따위)를 벗다: ~ one's gloves *off* 장갑을 벗다. —《*vi.*+副》 ⑤ (군대가) 철수하다: The enemy *drew off*. 적군은 퇴각했다. **~ on** 《*vt.*+副》 ① (장갑·양말 따위)를 끼다, 신다(cf. ~ off): ~ *on* one's white gloves. ② (…하도록) 격려〔작용〕하다; 부추기다; (기대감 따위가) …에게 행동을 하게 하다《**to** do》: She was ~*n on to* buy the expensive cosmetics. 그녀는 부추김을 받아 비싼 화장품을 사게 되었다. —《*vi.*+副》 ③ (때가) 가까워지다, 다가오다: The wedding day *drew on*. 결혼식 날짜가 다가왔다. 《*vi.*+前》 ④ …에 의존하다, …에 의하여 얻다; …을 이용하다: ~ *on* him for money 그의 돈에 의지하다. **~ out** 《*vt.*+副》 ① …을 꺼내다, 뽑아내다《**from** …에서》: She *drew out* a handkerchief *from* her purse. 그녀는 지갑에서 손수건을 꺼내었다. ② (계획)을 세우다, (서류)를 작성하다: The teacher *drew out* the examination schedule. 교사는 시험 일정표를 작성했다. ③ …을 꾀어서 말하게 하다, …에게서 알아내다: I tried to ~ him *out*, but he was tight-lipped. 이야기하도록 구슬렸지만, 그는 굳게 입을 다물었다. ④ …을 잡아늘이다, (금속)을 두들겨 늘이다; 오래 끌게 하다: a long *drawn-out* speech 길게 끄는 연설. ⑤ (재능)을 이끌어내다, 발휘시키다: ~ *out* a person's talents. —《*vi.*+副》 ⑥ (해가) 길어지다: The days have begun to ~ *out*. 해가 길어지기 시작했다. **~ up** 《*vt.*+副》 ① …을 끌어올리다. ② (군대)를 정렬시키다《★ 종종 수동태》: The troops *were drawn up* for inspection. 군대는 검열받기 위해 정렬되었다. ③ (문서)를 작성하다; (계획 따위)를 입안(立案)하다. ④〖~ oneself up〗꼿꼿이 서다; 앉음새를 고치다; (의기양양하게) 가슴을 펴다: ~ one*self up* to one's full height 고압적인 태도가 되다. —《*vi.*+副》 ⑤ (차·마차가) 멈추다: The taxi *drew up* at the station. 택시는 역에서 멈추었다.

—*n.* Ⓒ **1** 끌기, 당김. **2 a** (권총 따위를) 뽑아냄: be quick 〔slow〕 on the ~ 권총을 뽑는 것이 빠르다〔느리다〕. **b** 제비뽑기, 추첨《**for** …에 대한》. **3** 《美》 담배〔파이프〕의 한 모금: take a ~. **4** (승부의) 비김: The game was 〔ended in〕 a ~. 경기는 무승부로 끝났다. **5** 사람을 끄는 것, 인기 있는 것, 이목을 끄는 것: Her new film is a big ~. 그녀의 신작 영화는 큰 인기를 끌고 있다. **6** 《美》 (도개교(跳開橋)의) 개폐부.

◇**dráw·bàck** *n.* **1** Ⓒ 결점, 약점, 불리한 점: He has the ~ of being short-tempered. 그에게는 성미가 급하다는 결점이 있다. **2** Ⓒ 장애, 고장《**to** …의》: The only ~ *to* the plan is its expense. 그 계획의 유일한 장애는 비용이다. **3** Ⓤ (구체적으로는 Ⓒ) 공제《**from** …으로부터의》; (수입품 재수출시의) 환불 세금, 관세 환급(還給): ~ cargo 관세 환급 화물.

dráw·brìdge *n.* Ⓒ 도개교(跳開橋); (성 따위의 해자(垓字)에 걸친) 조교(吊橋).

dráw·dòwn *n.* Ⓤ **1** (샘·저수지 따위의) 수위 저하. **2** 《美》 삭감, 축소.

draw·ee [drɔːíː] *n.* Ⓒ 〖상업〗 어음 수신인《수표·약속어음에서는 수취인; 환어음에서는 지급인》. cf. payee, drawer.

***draw·er** [drɔ́ːər] *n.* Ⓒ **1 제도사**(製圖士). **2** 〖상업〗 어음 발행인(cf. drawee): refer to ~ 〖상업〗 (어음·수표) 발행인 조회《은행에서 부도어음 등에 R/D 또는 R.D.로 약기함》. **3** [drɔːr] **서랍**; (*pl.*) **장롱**: a chest of ~*s*. **4** (*pl.*) [drɔːrz] 드로어즈, 팬츠; 속바지: a pair of ~*s* 속바지 1벌. cf. bottom drawer; top drawer.

draw·ing** [drɔ́ːiŋ] *n.* **1** Ⓤ (도안·회화의) 선화(線畫), 제도: ~ paper 도화〔제도〕 용지. **2** Ⓒ (연필·펜·목탄 따위로 그린) **그림**, 데생, 스케치: a ~ in pen 펜화/make a ~ 그림을 그리다; 도면을 뜨다〔그리다〕. SYN. ⇨PICTURE. **3** Ⓒ 《美》 제비뽑기, 추첨(회): hold a ~ 추첨회를 열다. **4** Ⓤ (어음·수표의) 발행. **~ in blank** (어음의) 백지 발행. ***out of **~** 잘못 그려서, 화법에 어긋나서.

dráwing bòard 화판, 제도판. ***go back to the ~*** 《구어》 (사업 따위가 실패하여) 최초〔계획〕 단계로 되돌아오다, 처음부터 다시 시작하다. ***on the ~(s)*** 계획〔구상, 청사진〕 단계에서〔의〕.

dráwing càrd 《美》 인기 프로, 인기 있는 것; 인기 있는 연예인〔강연자〕; 이목을 끄는 광고.

dráwing pìn 《英》 압정, 제도용 핀(《美》 thumbtack).

dráwing ròom 1 응접실, 객실《★ 대형 회장으로 쓰이며, 가정 응접실은 living room이 일반적》. **2** 〖美철도〗 (침대 세 개와 화장실이 딸린) 특별 객실.

dráwing-ròom *a.* Ⓐ 고상한, 세련된.

dráw·knìfe (*pl.* ***-knives***) *n.* Ⓒ 당겨 깎는 칼《양쪽에 손잡이가 있음》.

drawl [drɔːl] *vt.*, *vi.* (내키지 않는 듯이) 느리게 말하다, 점잔빼며 천천히 말하다〔발음하다〕: ~ a prayer. —*n.* Ⓒ 느린 말투: the Southern ~ 《美》 남부 사람 특유의 느린 말투.

dráwl·ing *ad.* 느릿느릿하게; 께느른하게, 내키지 않는 듯이.

drawn [drɔːn] DRAW의 과거분사.

—*a.* **1** (칼집 따위에서) 빼낸, 뽑은: a ~ sword. **2** (얼굴이) 찡그린, 일그러진: a ~ face. **3** (경기가) 비긴, 무승부의: a ~ game.

dráwn bútter 《美》 (소스용의) 녹인 버터.

dráwn-thréad *a.* 올을 뽑아 얽은.

dráwn·wòrk *n.* Ⓤ 올을 뽑아 얽어 만든 레이스의 일종(=**dráwn-thréad wòrk**).

dráw·shàve *n.* =DRAWKNIFE.

dráw·shèet *n.* Ⓒ 환자가 누워 있어도 쉽게 빼낼 수 있는 폭이 좁은 시트.

dráw·strìng *n.* Ⓒ (흔히 *pl.*) (주머니의 아가리나 옷의 허리 부분 등을) 졸라매는 끈.

dráw wèll 두레 우물.

dray[1] [drei] *n.* Ⓒ (바닥이 낮은 4륜의) 짐마차.

dray[2] *n.* =DREY.

dráy hòrse 짐마차 말.

***dread** [dred] *vt.* 《~+目/+*to* do/+*-ing*/+*that* 절》 (대단히) **두려워하다**, 무서워하다; 염려〔걱정〕하다: ~ death 죽음을 두려워하다/~ *to* learn the results 결과를 아는 것을 두려워하다/She ~*s going* out at night. 그녀는 밤에 외출하는 것을 무척 무서워한다/They ~ *that* the volcano may erupt again. 그들은 화산이 다시 폭발하지 않을까 걱정하고 있다.

—*n*. **1** Ⓤ (또는 a ~) **공포**, 불안, 외경(畏敬)《*of* …에 대한》: have a ~ *of* …을 두려워하고 있다 / They are 〔live〕 in daily ~ *of* earthquakes. 그들은 매일 지진을 두려워하며 살고 있다. SYN. ⇨FEAR. **2** Ⓒ (보통 *sing*.) 무서운 것, 공포〔두려움〕의 대상. —*a*. Ⓐ **1** 《문어》 아주 무서운. **2** 경외할 만한, 두려운.

***dread·ful** [drédfəl] *a*. **1 무서운**, 두려운, 무시무시한: a ~ storm 무시무시한 폭풍우 / Something ~ may have happened. 뭔가 무서운 일이 일어났는지도 모른다. **2** 《구어》 몹시 불쾌한, 아주 지독한; 재미없는: ~ cooking 지독한 요리 / a ~ bore 짜증나게 하는 사람. ㊕ **~·ness** *n*.

***dréad·ful·ly** [-fəli] *ad*. **1** 무섭게, 무시무시하게; 겁에 질려: He was ~ injured. 그는 보기에도 끔찍하게 상처를 입었다. **2 몹시**, 지독하게: a ~ long speech 몹시 장황한 연설.

dréad·lòcks *n. pl*. 머리털을 가늘게 따서 오글오글〔곱슬곱슬〕하게 한 헤어 스타일.

dread·nought [drédnɔ̀ːt] *n*. Ⓒ (드레드노트형) 대형 전함, 노급함(弩級艦).

†**dream** [driːm] *n*. Ⓒ **1 꿈**: a hideous 〔bad〕 ~ 악몽 / Sweet ~*s!* (특히 아이에게) 잘 자라 / read a ~ 해몽하다 / (I wish you) pleasant ~*s*! 편히 쉬십시오. **2 a** (보통 *sing*.) 황홀한 기분, 꿈결 같음〔같은 상태〕: be 〔live, go about〕 in a ~ 꿈결같이 지내다. **b** 몽상, 환상: a waking ~ 백일몽, 공상. **3** (마음 속에 그리는) 희망, 꿈; (실현시키고 싶은) 이상: a ~ come true 실현된 꿈 / realize all one's ~*s of* youth 청춘의 꿈을 모두 실현시키다. **4** 《구어》 꿈인가 싶은(멋진, 아름다운, 매력 있는) 것〔사람〕: She's a perfect ~. 그녀는 참으로 이상적인 여성이다. ***like a ~*** 용이하게, 쉽게: This car drives *like a* ~. 이 차는 운전이 참으로 쉽다. ***the land of ~s*** 《시어》 꿈나라, 잠.

> **DIAL.** ***I have a dream.*** 저에게는 꿈이 있습니다《Martin Luther King 목사가 1963년에 행한 연설의 일부》.
> ***In your dreams!*** 꿈꾸고 있네《그런 일은 현실적으로 있을 수 없다》.

—*a*. Ⓐ 꿈인가 싶을 정도의; 이상적인; 환상의, 비현실적인: one's ~ house 이상적인 집 / He lives in a ~ world. 그는 몽상〔환상〕의 세계에 살고 있다.

—(*p*., *pp*. ***dreamed*** [driːmd, dremt], ***dreamt*** [dremt]) *vi*. 《~/+전+명》 **1 꿈꾸다**, 꿈에 보다《***of, about*** …에 관하여》: I ~*ed of* 〔*about*〕 my friend last night. 어젯밤 친구의 꿈을 꾸었다. **2** 〖부정적〗 꿈에도 생각하지 않다《***of, about*** …에 관하여》《★ ~ *of* 다음에는 보통 -ing이 오는 경우가 많음》: I should*n't* ~ *of* doing such a thing. 그런 일을 할 생각은 꿈에도 없다 / *Little* 〔*Never*〕 did I ~ *of* meeting her. 그녀를 만나리라곤 꿈에도 생각조차 못했다. **3** 꿈결 같은 심경이 되다; 몽상하다; 꿈에 그리다《***of*** …을》: ~ *of* honors 영달을 꿈꾸다.

—*vt*. **1 꿈꾸다**, 꿈에 보다; 〖동족목적어를 수반하여〗 …한 꿈을 꾸다: ~ a dreadful dream 무서운 꿈을 꾸다. **2** 〖it를 목적어로 하여〗 몽상하다, 환상에 빠지다: You must have ~*ed it*. 넌 꿈을 꾸고 있는 게 틀림없어《그럴 리가 없다》. **3** 《~+목/+*that* 절》 꿈속에 그리다〔생각하다〕; 〖부정문에서 과거형으로〗 꿈에도 생각지 않다: He always ~*s that* he will be a statesman. 그는 언제나 정치가가 되기를 꿈꾸고 있다 / I *never* ~*ed that* I should have offended her. 그녀의 감정을 해쳤다고는 꿈에도 생각지 않았다.

~ ***away*** 《*vt*.+부》 (때)를 헛되이〔멍하니〕 보내다: ~ *away* one's life 일생을 헛되이〔멍하니, 꿈결같이〕 보내다. ~ ***up*** 《*vt*.+부》 (의외의 것)을 생각해 내다, 고안〔창작〕하다: He's always ~*ing up* strange ideas. 그는 항상 기발한 아이디어를 생각해 낸다.

> **DIAL.** ***Dream on!*** (상대의 말을 비웃으며) 바보 같은 소리 마라, 꿈 깨라.

dréam·bòat *n*. Ⓒ 《구어》 **1** 매력〔이상〕적인 것〔연인〕. **2** 공상 (속의 것).

dréam·er *n*. Ⓒ 꿈꾸는 사람; 몽상가.

dréam·ily [-mili] *ad*. 비몽사몽간에, 조는 듯이, 멍하게.

dréam·lànd *n*. **1** Ⓤ (구체적으로는 Ⓒ) 꿈나라, 이상향, 유토피아. **2** Ⓤ 잠.

dréam·less *a*. 꿈이 없는; 꿈꾸지 않는.

dréam·lìke *a*. 꿈 같은, 몽롱한.

dreamt [dremt] DREAM의 과거·과거분사.

dréam tèam (최고의 선수로 구성된) 최강 팀, 드림팀.

dréam·wòrld *n*. Ⓒ =DREAMLAND; 꿈〔공상, 환상〕의 세계.

◇**dreamy** [dríːmi] (***dream·i·er; -i·est***) *a*. **1** 꿈 같은; 어렴풋한; 비현실적인. **2** 《시어》 꿈 많은; 환상〔공상〕에 잠기는: a ~ person 몽상가. **3** 꿈꾸는 듯한, 꿈결 같은; 환상적인; 아름다운: ~ eyes 꿈꾸는 듯한 눈 / ~ music 꿈결 같은 음악 / ~ atmosphere 환상적인 분위기. **4** 《구어》 멋진, 훌륭한《젊은 여성들이 흔히 씀》: a ~ car. ㊕ **-i·ness** *n*.

drear [driər] *a*. 《시어》 =DREARY.

dreary** [dríəri] (drear·i·er; -i·est***) *a*. **1** (풍경·날씨 등이) **황량한**; 처량한; 음산한; 쓸쓸한: a long and ~ winter of England 잉글랜드의 길고 음산한 겨울. **2** 《구어》 (이야기가) 따분한, 지루한: a long and ~ trip. ㊕ **dréar·i·ly** *ad*. **-i·ness** *n*.

◇**dredge**[1] [dredʒ] *n*. Ⓒ 준설기〔선〕. —*vt*. **1** (항만·강)을 준설하다; (진흙 따위)를 쳐내다(*up*): ~ a channel 〔harbor〕 강바닥〔항만〕을 준설하다 / ~ *up* mud. **2** 《구어》 (불쾌한 일〔기억〕 따위)를 들추어 내다, 다시 문제삼다(*up*): ~ *up* a person's past 아무의 과거를 들추어 내다. —*vi*. 물밑을 훑다《***for*** …을 찾아서》.

dredge[2] *vt*. (밀가루 따위)를 뿌리다《***over*** …위에》; …에 뒤바르다《***with*** (밀가루 따위)를》: ~ a cake *with* sugar =~ sugar *over* a cake 케이크에 설탕을 뿌리다〔묻히다〕.

dredg·er[1] [drédʒər] *n*. Ⓒ 준설하는 사람; 《주로英》 준설기, 준설선.

dredg·er[2] *n*. Ⓒ (조미료 등의) 가루 뿌리는 통.

dregs [dregz] *n. pl*. **1** 찌끼, (물 밑에 가라앉은) 앙금; 《비유적》 지질한 것, 지스러기: the ~ of humanity 인간 쓰레기. **2** 미량(微量). ***drink ... to the ~*** …을 한 방울도 남기지 않고 마시다; (쾌락·고생 등)을 다 맛보다: *drink* the cup of bitterness *to the* ~ 인생의 쓴 잔을 남김없이 맛보다.

Drei·ser [draisər, -zər] *n*. **Theodore ~** 드라이저《미국의 소설가; 1871–1945》.

◇**drench** [drentʃ] *vt*. 흠뻑 젖게 하다; 물에 푹 적

시다《★ 종종 수동태로 쓰며, 전치사는 *with, by*》: flowers ~*ed with* dew 이슬에 젖은 꽃들/They *were* ~*ed by* the rain. 그들은 비에 흠뻑 젖었다. SYN. ⇨WET. ***be ~ed to the skin*** 흠뻑 젖다.

drénch·ing *n.* U (또는 a ~) 흠뻑 젖음: get a (good) ~ 흠뻑 젖다. **—***a.* 흠뻑 적시는, 억수로 쏟아지는: a ~ rain 억수로 쏟아지는 비.

Dres·den [drézdən] *n.* 드레스덴《독일 남동부의 도시》.

Drésden chìna 〔**pòrcelain, wàre**〕 드레스덴 도자기.

†**dress** [dres] (*p., pp.* ~***ed*** [-t], 《고어·시어》 ***drest*** [-t]) *vt.* **1** 《~+목/+목+전+명》 (아무)에게 **옷을 입히다**; 〖~ oneself〗 (스스로) 옷을 입다《*in* …으로》: ~ a child 어린이에게 옷을 입히다/She is ~*ed in* white 〔*in* her Sunday best〕. 흰〔나들이〕 옷을 입고 있다/He can't ~ *himself*. 그는 혼자서는 옷을 못 입는다. **2** (아무)에게 옷을 만들어〔골라〕 주다; 옷 디자인을 해 주다: She's ~*ed* by Pierre Cardin. 그녀는 피에르 카르댕이 디자인한 옷을 입고 있다. **3** 《~+목/+목+부/+목+전+명》 장식하다, (가게 진열장 따위)를 아름답게 꾸미다(*up*)《*with* …으로》: ~ *up* a shopwindow 가게 진열장을 (상품으로) 장식하다/~ one's hair *with* flowers 머리를 꽃으로 꾸미다. **4** (말)의 털을 빗겨 주다; (가죽·석재·목재 따위)를 다듬다; (수목 따위)를 가지 치다; (샐러드)에 드레싱을 하다; (고기·생선)을 조리하기 위하여 대강 손질하다《털·내장 따위를 빼내어》: ~ leather 가죽을 무두질하다/~ a chicken (팔기에 적당하게) 닭을 손질하다/~ food for the table 식탁에 내도록 음식을 조리하다. **5** (머리카락)을 손질하다, 매만지다. **6** (상처)를 치료하다: The doctor cleaned and ~*ed* the wound. 의사는 상처를 소독하고 치료해 주었다. **7** 《+목+전+명》 (군대)를 정렬시키다: ~ troops *in* line 군대를 정렬시키다. **8** (땅)에 비료를 주다: ~ a field 밭에 거름을 주다.

—*vi.* **1** 《~/+전+명》 **옷을 입다**〔입고 있다〕; 옷차림을 하다《*in* …으로》: ~ well 〔badly〕 옷차림이 좋다〔나쁘다〕/She always ~*es in* black. 그녀는 항상 검정옷을 입는다. **2** 《+전+명/+부》 **정장하다**, 야회복을 입다(*up*)《*for* …을 위하여》: ~ *for* the opera 오페라에 가기 위해 정장하다. **3** 《+부/+전+명》 〖군사〗 정렬하다: ~ *back* 〔*up*〕 정렬하기 위해 뒤로 물러나다〔앞으로 나오다〕/Right ~! 《구령》 우로 나란히/~ *to* 〔*by*〕 the right 〔left〕 오른쪽〔왼쪽〕으로 정렬하다.

~ ***down*** 《*vt.*+부》 ① (말)의 털을 빗겨 주다. ② 《구어》 …을 호되게 꾸짖다(scold). **—**《*vi.*+부》 ③ (장소에 맞추어) 수수한 옷차림을 하다, 평상복을 입다. ~ ***up*** 《*vi.*+부》 ① 정장하다(⇨*vi.* 2). ② (연극·파티 따위에서) 특수 복장을 하다, 분장하다: My uncle ~*ed up as* Santa Claus. 아저씨는 산타클로스로 분장했다. **—**《*vt.*+부》 ③ (아무)를 성장(盛裝)시키다. ④ 〖~ oneself〗 성장하다. ⑤ …을 꾸미다, 윤색(潤色)하다, 실제보다 아름답게 보이게 하다.

—*n.* **1** U **의복**, 복장: 19th century ~, 19세기풍의 의상/Oriental ~ 동양인 복장. SYN. ⇨ CLOTHES. **2** U 〖보통 수식어를 수반하여〗 정장, 예복: ⇨EVENING DRESS, FULL DRESS, MORNING DRSS. **3** C (원피스의) 여성복 드레스(gown, frock); (원피스의) 아동복. **4** 〖형용사적〗 의복용의; 성장용의; 예복을 착용해야 할; 성장이 허용되는: It's a ~ affair. 예복을 필요로 하는 행사다. "***No*** ~" '정장은 안 해도 좋습니다'《초대장 따위에 적는 말》.

dres·sage [drəsɑ́ːʒ, dres-] *n.* 《F.》 U (말의) 조교(調敎), 조마(調馬); 마장 마술(馬場馬術).

dréss círcle (보통 the ~) 《美》 극장의 특등석《2층 정면》.

dréss cóat 예복, 연미복(tail coat)《남성용 정식 야회복》.

dressed [drest] DRESS의 과거·과거분사.

—*a.* **1** 옷을 입은; 〖양태·정도의 부사와 함께〗 옷차림을 한: Most of the people were simply 〔smartly〕 ~. 그 사람들 대부분이 검소한〔단정한〕 옷차림을 하고 있었다. **2** 마무리(치장)한: (a) ~ brick 화장 벽돌《건물의 외장용》. **3** 손질한: a ~ skin 무두질한 가죽. **4** (닭·생선 등) 언제라도 요리할 수 있게 준비된.

°**dress·er**[1] [drésər] *n.* C **1** (극장 등의) 의상 담당자; (쇼윈도) 장식가(家). **2** 《英》 외과 수술 조수《환자에게 붕대를 감아 주는》. **3** 끝손질〔마무르는〕 직공; 마무리용의 기구. **4** 〖보통 형용사를 수반해〗 (특별한) 옷차림을 한 사람, 잘 차려 입는 사람: a smart ~ 멋쟁이, 맵시꾼.

dress·er[2] *n.* C **1** 《美》 (거울 달린) 화장대. **2** 《英》 (서랍 달린) 찬장.

°**dréss·ing** *n.* **1** U 마무리; 끝손질. **2** U (종류는 C) 〖요리〗 (샐러드·고기·생선 따위에 치는) 드레싱, 소스; (새 요리의) 속(stuffing). **3** C (상처 등 외상 치료용의) 의약 재료《특히 붕대, 탈지면, 연고 따위》; U (상처의) 응급 처치: put a ~ on a wound 상처에 붕대를 감다. **4** U 옷 매무새; 의복(dress); 복장; 옷치장; 화장, 몸단장; 머리 손질.

dréssing bàg 〔**càse**〕 (여행용) 화장품 주머니〔통, 가방〕.

dréssing-dówn *n.* C 《구어》 호되게 꾸짖음, 질책: give a person a good ~ 아무를 몹시 꾸짖다.

dréssing gòwn 〔**ròbe**〕 화장옷, 실내복.

dréssing ròom **1** (극장의) 분장실. **2** (흔히, 침실 옆에 있는) 화장실, 옷 갈아입는 방.

dréssing tàble 화장대, 경대.

°**dréss·màker** [drésmèikər] *n.* C 양재사, 양장점. cf. tailor. **—***a.* A 《美》 (여성복이) 모양 있고 공을 들인. cf. tailor-made.

dréss·màking *n.* U 여성·아동복 제조(업): a ~ school 양재 학교.

dréss paràde 〖군사〗 정장 열병식, 사열식.

dréss rehéarsal 〖연극〗 (의상을 입고 조명·장치 등을 써서 하는) 총연습: have a ~ 무대 연습을 하다.

dréss shírt (남성용) 예장용 와이셔츠; (스포츠셔츠에 대하여 비즈니스용 따위의) 와이셔츠.

dréss súit (남자의) 야회복, 예복.

dréss úniform 〖군사〗 정장용 군복.

dressy [drési] (***dress·i·er; -i·est***) *a.* **1** 옷치장을 좋아하는, 복장에 마음을 쓰는, 잘 차려 입는; 화려한. **2** 멋진, 맵시 있는. 파 **dréss·i·ly** *ad.* **-i·ness** *n.*

drew [druː] DRAW의 과거.

drey, dray [drei] *n.* C 다람쥐 집.

Dréy·fus affàir [dráifəs-, dréi-] (the ~) 드레퓌스 사건《1894년 프랑스에서 유대계 대위 Alfred Dreyfus가 기밀 누설 혐의로 종신 금고형을 선고받아 국론이 갈라질 만큼 사회 문제가 되었으나 결국 무죄가 된 사건》.

drib [drib] (**-bb-**) *vi.* (물방울이) 듣다(dribble).

—*n*. Ⓒ (보통 *pl.*) (액체의) 한 방울; 소량; 단편. **~s and drabs** 《구어》 소량, 소액: in 〔by〕 *~s and drabs* 조금씩.

◇**drib·ble** [dríbəl] *vi., vt*. **1** (물방울 따위가) 똑똑 떨어지다, 듣다; 똑똑 떨어뜨리다; 침을 질질 흘리다. **2** (축구·농구 등에서 공을) 드리블하다.
—*n*. Ⓒ (보통 *sing.*) **1** (물방울이) 똑똑 떨어짐, 적하(滴下). **2** 소량. **3** 〖구기〗 드리블.

drib·(b)let [dríblit] *n*. Ⓒ **1** 작은 물방울. **2** 조금, 소량; 소액: by 〔in〕 *~s* 찔끔찔끔, 조금씩.

dried [draid] DRY 의 과거·과거분사.
—*a*. 말린, 건조한: ~ eggs 말린 달걀, 달걀가루/~ milk 분유/~ goods 말린 식품, 《특히》 건어물.

dríed-úp *a*. (바싹) 마른; (늙어서) 쭈그러든.

dri·er [dráiər] *n*. =DRYER.

⁑**drift** [drift] *n*. **1** Ⓤ (구체적으로는 Ⓒ) **표류** (drifting), 떠내려 감, 흘러감: the ~ of the tide 조류의 흐름. **2** Ⓒ 표류물, (눈·토사 따위의) 불리어〔밀리어〕 쌓인 것; Ⓤ 〖지질〗 표적물(漂積物): a ~ *of* ice 유빙. **3** Ⓤ (구체적으로는 Ⓒ) (사건·국면 따위의) **동향**, 경향, 흐름, 대세: ~ *of* public opinion 여론의 대세〔흐름〕/a ~ toward centralization 중앙 집권화 경향. **4** (*sing.*) (발언·행위 등의) 취지, 주의(主意): I couldn't follow the ~ of the argument. 논의의 취지를 파악할 수 없었다. **5** Ⓤ 되어가는 대로 맡기기: a policy of ~ 대세 순응주의.
—*vt*. **1** 《~+[목]/+[목]+[전]+[명]/+[목]+[부]》 **떠내려 보내다**, 표류시키다; (어떤 상황에) 몰아넣다: be *~ed into* war 전쟁에 휘말려 들다/The boat was *~ed away*. 보트는 떠내려가 버렸다. **2** (바람이 눈·낙엽 따위)를 날려 보내다, 불어서 쌓이게 하다: the back garden *~ed* with fallen leaves 낙엽이 휘날려 쌓인 뒤뜰.
—*vi*. **1** 《~/+[부]/+[전]+[명]》 **a 표류하다**, (바람에 불리어) 떠돌다: ~ *about* at the mercy of the wind 바람 부는 대로 떠돌다/~ *with* the current 흐르는 대로 떠돌다. **b** (군중이) 차츰 흩어져 가다: The spectators *~ed away* 〔*off*〕. 구경꾼은 차츰 자리를 떴다. **2** 바람에 날려〔밀려〕 쌓이다: The snow *~ed* against the fence. 눈이 바람에 날려 울타리에 쌓였다. **3** 《~/+[전]+[명]》 (정처 없이) 떠돌다, 헤매다: ~ *from* job *to* job 이 직업 저 직업 전전하다. **4** 《+[전]+[명]》 부지중에 빠지다 《*into, toward* …에》: ~ *into* war 차츰〔어느 틈에〕 전쟁에 말려들다/The company was *~ing toward* bankruptcy. 그 회사는 부지중에 파산의 길에 빠져들고 있었다.
~ *along* 《*vi*.+[부]》 ① 표류하다. ② 정처없이 헤매다. ③ 멍하니 보내다. **~ *apart*** 《*vi*.+[부]》 ① 표류하여 뿔뿔이 흩어지다. ② (애정이) 엷어지다, (관계가) 소원해지다. ***let things* ~** 사태를 추세에 맡기다.

dríft·age [-idʒ] *n*. Ⓤ **1** 표류 (작용); 표류물. **2** 떠밀려간 거리; 표류 편차《바람·물 흐름에 의한 규정 진로에서 벗어난 정도》.

dríft·er *n*. Ⓒ **1** 표류자〔물〕; 방랑자, 부랑자. **2** 유자망 어선〔어부〕.

dríft ìce 유빙, 성엣장.

dríft nèt 유망(流網)(cf. dragnet).

dríft·wòod *n*. Ⓤ 유목(流木), 부목(浮木).

⁑**drill**[1] [dril] *n*. **1** Ⓒ **송곳**, 천공기, 착암기, 드릴. **2** Ⓤ (구체적으로는 Ⓒ) (엄격한) **훈련, 반복 연습**; 〖군사〗 교련(教練), (실지의) 훈련: soldiers at ~ 훈련 중인 병사. **3** (the ~) 《英구어》 올바른 방법〔절차〕, 정규 수순《*for* …의》: Do you know the ~ *for* doing this? 이것을 제대로 하는 방법을 아십니까.
—*vt*. **1** 《~+[목]/+[목]+[부]》 (송곳 따위로) …을 꿰뚫다; …에 구멍을 뚫다(*up*): ~ a board 판자에 구멍을 뚫다/~ *up* a road 드릴로 도로에 구멍을 내어 표층 부분을 들어내다. **2** 〖군사〗 교련〔훈련〕하다. **3** 《~+[목]/+[목]+[전]+[명]》 반복 연습시켜 가르치다《*in* …을; *into* (아무)에게》: ~ a boy *in* French 소년에게 프랑스어를 철저히 가르치다/We must ~ the traffic rules *into* license applicants. 우리는 운전 면허 신청자에게 교통 규칙을 철저히 주입시켜야 한다. **4** 《美구어》 총알로 꿰뚫다, 쏴 죽이다. —*vi*. **1** 《~/+[전]+[명]》 (드릴로) 구멍을 뚫다《*for* …을 얻으려고》: ~ *for* oil 석유를 얻으려고 시추공을 뚫다. **2** 〖군사〗 교련받다, 훈련받다. **3** 반복 연습하다.

drill[2] *n*. Ⓒ 조파기(條播機)《골을 쳐서 씨를 뿌린 다음 흙을 덮음》; 파종골, 이랑; 한 이랑의 작물.
—*vt*. (씨)를 조파기로 뿌리다.

drill[3] *n*. Ⓤ 능직(綾織) 무명, 능직 리넨《따위》.

drill[4] *n*. Ⓒ 〖동물〗 비비(狒狒)의 일종《얼굴이 새까만 원숭이로 서아프리카산(産)》. cf. mandrill.

dríll bòok 연습장.

dríll·ing[1] *n*. Ⓤ **1** 훈련, 교련; 연습. **2** 송곳으로 구멍뚫기, 천공(穿孔).

dríll·ing[2] *n*. Ⓤ (씨앗의) 조파(법)(條播(法)), 줄뿌림.

dríl·ling[3] *n*. =DRILL[3].

dríll·màster *n*. Ⓒ 엄하게 훈련시키는 사람, (군대식) 체육 교사; 교련 교관.

drily ⇨ DRYLY.

†**drink** [driŋk] (***drank*** [dræŋk]; ***drunk*** [drʌŋk], 〖형용사적〗 《시어》 ***drunk·en*** [drʌ́ŋkən]) *vt*. **1** **a** 《~+[목]/+[목]+[부]》 **마시다**; 다 마시다(empty) (*up, down, off*): ~ a glass of milk 우유를 한 잔 마시다/He *drank* it *off* in one draught. 그는 그것을 단숨에 마셔 버렸다/*Drink up* your milk. 우유를 다 마셔라. **b** 《+[목]+[보]》 (…상태로) 마시다: ~ milk hot 우유를 뜨겁게 하여 마시다/~ coffee black 커피를 블랙으로 마시다. **c** 《+[목]+[보]》 (용기)를 마셔서 비우다《★ 보어는 dry》: ~ a cup *dry* 한 컵을 마셔 비우다. ★ drink는 보통 액체를 용기(容器)에서 마심. eat는 스푼을 써서 스프 따위를 마심. take는 약을 물과 함께 마심.
2 《~+[목]/+[목]+[부]》 (수분)을 빨아들이다, 흡수하다(absorb) (*up; in*): ~ water like a sponge 스펀지처럼 물을 빨아들이다/Plants ~ *up* water. 식물은 물을 빨아들인다.
3 《~+[목]/+[목]+[전]+[명]》 (공기)를 깊이 들이쉬다 《*into* (폐)에》: ~ air (*into* one's lungs) 공기를 (폐속) 깊이 들이마시다.
4 《~+[목]/+[목]+[부]》 (급료 따위)를 술을 마셔 없애 버리다, 술에 소비하다(*up*): He *~s up* all his earnings. 그는 수입 전부를 술을 마셔 없애 버린다.
5 《+[목]+[부]》 술로 시간을 보내다; 술로 괴로움을 잊다(*away*): They *drank* the night *away*. 그들은 밤새껏 술을 마셨다/~ one's troubles *away* 술로 심란한 마음을 달래다.
6 《~+[목]/+[목]+[전]+[명]》 …을 빌며 축배〔건배〕하다, (축배)를 들다《*to* …을 위하여》: ~ a person's health 아무의 건강을 빌며 건배하다/~ success *to* a person 아무를 위해 성공을 빌며 축배를 들다/We *drank* a toast *to* the bride and groom. 신부와 신랑을 위해 우리는 건배하였다.

7 《+목+보/+목+전+명》 〖~ oneself〗 마시어 …되다《*to, into* (어떤 상태)로》; 마시어 잃다 《*out of* …을》: He *drank* himself asleep. 그는 술을 마시고 잠이 들었다 / He *drank* himself *to* death 〔*into* a stupor〕. 그는 과음으로 죽었다 〔인사불성이 되었다〕 / You will ~ your*self out of* your job. 너는 술 때문에 직장을 잃을 것이다.
— *vi.* 1 《~/+전+명》 (음료를) 마시다: eat and ~ 먹고 마시다 / ~ out of a jug 주전자로 물을 마시다 / ~ from a fountain 샘에서 물을 마시다.
2 《~/+부》 술을 많이 마시다; 몹시 취하다: I'm sure he ~*s*. 그는 틀림없이 술꾼이다 / ~ heavily 〔hard〕 말술을 마시다 / He ~*s* too much. 그는 술을 지나치게 마신다.
3 《+전+명》 축배〔건배〕하다《*to* …을 위하여》: Let's ~ *to* his health 〔success〕. 그의 건강〔성공〕을 위하여 건배합시다.
4 《+보》 마시면 …한 맛이 나다(taste): This beer ~*s* flat. 이 맥주는 맛이 없다〔김이 빠져 있다〕 / This cocktail ~*s* sweet. 이 칵테일은 달콤하다.
~ *in* 《*vt.*+부》 ① (수분)을 흡수하다. ② …을 황홀하게 보다〔듣다〕: The traveler *drank in* the beauty of the scene. 나그네는 그 경치의 아름다움에 황홀했다. ~ a person ***under the table*** (상대방인) 아무를 취해 곤드라지게 하다.

> **DIAL.** ***I'll drink to that.*** (당신의 의견에) 대찬성입니다.
> ***What are you drinking?*** 무엇을 마시겠습니까《술집 같은 데서 한턱내면서 하는 말》.

— *n.* 1 Ⓤ (종류·낱개는 Ⓒ) **마실 것**, 음료: food and ~ 음식물. 2 Ⓒ (음료, 특히 술의) **한 잔**, 한 모금: a ~ *of* water 〔milk〕 한 잔의 물〔우유〕 / have a ~ 한 잔 마시다 / make a ~ (칵테일 따위의) 음료를 만들다. 3 Ⓤ **a** 〖집합적〗 술, 주류: strong ~ 알코올, 독한 술. **b** 과음, 대주(大酒): be in ~ 술에 취하여 / be given to ~ 술에 빠져 있다 / take to ~ 술 마시는 버릇이 생기다. 4 (the ~) 《구어》 큰 강, 《특히》 바다, 대양: fall into the ~ 바다에 추락하다.
be on the ~ 늘 술을 마시고 있다. ***drive*** a person ***to*** ~ 《구어》 (일이) 아무로 하여금 울분을 풀기 위해 술을 찾게 하다.

drínk·a·ble *a.* 마실 수 있는, 마셔도 좋은.
— *n.* (보통 *pl.*) 음료: eatables and ~*s* 음식물.

drínk-drìver *n.* Ⓒ 음주 운전자.

drínk-drìving *n.* Ⓤ 음주 운전.

◇**drínk·er** *n.* Ⓒ 1 마시는 사람; 술꾼: a hard ~ 주호. 2 (가축용) 급수기.

drínk·ing *n.* Ⓤ 마시기; 음주: give up ~ 술을 끊다. — *a.* 마시는, 음주의, 마실 수 있는: ~ water 음료수 / a ~ party 연회.

drínking fòuntain (분수식) 물마시는 곳.

drínking sòng 술마실 때 부르는 노래.

drip** [drip] (*p., pp.* ***dripped, dript [-t]; ***drip·ping***) *vi.* 1 《~/+부/+전+명》 (액체가) 듣다, 똑똑 떨어지다(*down*)《*from* …에서》: Dew ~*ped from* the trees. 이슬이 나무에서 똑똑 떨어졌다. 2 《~/+전+명》 흠뻑 젖다, 넘칠 정도이다, 가득 차다《*with* …으로》: The runner is ~*ping with* sweat. 그 주자는 땀에 흠뻑 젖어 있다 / a crown ~*ping with* jewels 보석으로 아로새겨진 왕관. — *vt.* (액체)를 듣게 하다; 똑똑 떨어뜨리다: His finger was ~*ping* blood. 그의 손가락에서 핏방울이 방울져 떨어지고 있었다.
— *n.* 1 Ⓒ (흔히 *pl.*) (듣는) **물방울**: ~*s* of sweat 땀방울. 2 (*sing.*) 방울져 떨어짐, 적하(滴下); 똑똑(떨어지는 소리), 듣는 물방울 소리. 3 Ⓒ 〖의학〗 점적(제)(點滴(劑)). 4 Ⓒ 《속어》 따분한〔쓸모없는〕 사람.

dríp còffee 드립커피《드립식 원두커피 끓이개(drip pot)로 만든 커피》.

dríp-drỳ *a.* (세탁 후에) 다림질이 필요 없는 《천·옷 따위》. ⓒⓕ rough-dry. ¶a ~ shirt.
— [⌐⌐, ⌐⌐] *vi., vt.* 젖은 채로 널어 구김살 없이 마르(게 하)다《나일론 등이》.

dríp·fèed *n.* Ⓒ 《英》 점적(點滴), 점적 주입(注入).

dríp·màt *n.* Ⓒ 컵 받침.

dríp·ping *n.* 1 Ⓤ 적하(滴下), (물방울이) 들음. 2 Ⓒ (흔히 *pl.*) 똑똑 떨어지는 것, 물방울. 3 Ⓤ (《美》 *pl.*) (불고기에서) 떨어지는 국물: Gravy is made from the ~(*s*). 그레이비(소스)는 불고기 국물로 만든다. — *a.* 1 똑똑 떨어지는. 2 흠뻑 젖은. 3 〖부사적으로 wet을 수식하여〗 흠뻑 젖을 만큼: She's ~ wet. 그녀는 흠뻑 젖었다.

drip·py [drípi] (***-pi·er; -pi·est***) *a.* 1 물방울이 똑똑 떨어지는. 2 (비가 올 것 같은) 궂은 날씨의. 3 《속어》 눈물을 자아내게 하는, 훌쩍훌쩍 우는.

dript [dript] DRIP의 과거·과거분사.

†**drive** [draiv] (***drove*** [drouv], 《고어》 ***drave*** [dreiv]; ***driv·en*** [drívən]) *vt.* 1 《~+목/+목+전+명/+목+부》 (소·말 등)을 **몰다**, 쫓다; (새·짐승 따위)를 몰아내다; 몰아치다: ~ cattle *to* pasture 소를 목초지로 몰아 넣다 / ~ the sheep *in* 양을 몰아 넣다 / *Drive* the dog *away*. 개를 쫓아버려라. SYN. ⇨ URGE. ★ 보통 *away, back, down, in, off, on, out, through, up* 등의 각종 부사가 따름.
2 《~+목/+목+전+명/+목+부》 (적 따위)를 **쫓아버리다**《*from, out of* …에서》; 물리치다; (바람·파도가 배 따위)를 밀어치다; (눈·비)를 몰아 보내다: Clouds are *driven* by the wind. 구름이 바람에 흩날린다 / ~ a person *out of* a country 아무를 국외로 추방하다 / ~ *away* the enemy 적을 내몰다.
3 (마차·자동차)를 **몰다, 운전〔조종〕하다**, 드라이브하다《★ drive는 탈것에 앉아서 운전하는 것; ride는 자전거·말 따위에 걸터앉아 갈 때 쓰임》: ~ a taxi 택시를 몰다 / He ~*s* his car to work. 그는 자가용차를 운전하여 통근한다.
4 《+목+전+명》 차(車)로 운반하다〔보내다〕: ~ a person home 아무를 차 태워 보내다 / They drove the injured people *to* the hospital. 그들은 부상자를 병원까지 차로 날랐다.
5 〖보통 수동태〗 (동력 따위가) 기계를 움직이다, 가동시키다: Water ~*s* the mill. 물이 물방아를 돌린다 / The machine *is driven* by electricity. 그 기계는 전기로 움직인다.
6 〖보통 hard를 수반하여〗 (아무)를 바쿠 부리다, 혹사하다: ~ a person *hard* 아무를 혹사하다.
7 《+목+보/+목+전+명/+목+*to* do》 (아무)를 빠뜨리다〔몰아 넣다〕《*to, into, out of* (어떤 상태)에》; 몰아세워 …시키다(compel): His wife's death *drove* him *to* despair. 아내의 죽음이 그를 절망에 빠뜨렸다 / The pain nearly *drove* her mad. 고통으로 그녀는 미칠 것 같았다 / That noise is *driving* me *out of* my mind. 저 소음이 나를 미치게 만든다 / Poverty and hunger *drove* them *to* steal. 가난과 굶주림이 그들로 하여금 도둑질하게 했다.

8 (장사 따위)를 해 나가다, 경영하다; (거래·계약 따위)를 성립시키다: ~ a brisk export trade 활발하게 수출업을 경영하다 / ~ a good bargain 상당히 이문이 있는 거래를 하다.
9 《+목+전+명》 (못·말뚝 따위)를 쳐박다; (머리에) 주입시키다; (우물·터널 등)을 파다, 뚫다; (철도)를 부설하다, 관통시키다: ~ a nail *into* wood 못을 나무에 박다 / ~ a lesson *into* a person's head 학과를 아무의 머리에 주입시키다 / ~ a tunnel *through* a hill 야산에 터널을 뚫다 / ~ a railway *across* 〔*through*〕 a desert 사막에 철도를 부설하다.
10 《~+목/+목+전+명》 〖테니스〗 드라이브를 넣다; 〖골프〗 (공)을 티(tee)에서 멀리 쳐보내다; 〖야구〗 (안타나 희생타로 러너)를 진루시키다, (…점)을 득점시키다: The batter *drove* the ball *into* the bleachers. 타자는 공을 외야 관람석까지 날려 보냈다.
— *vi*. **1 a** 《~/+부/+전+명》 **차를 몰다, 운전하다**; 차로 가다, 드라이브하다: She ~*s* very cautiously. 그녀는 아주 조심스럽게 운전한다 / She got into her car and *drove off*. 그녀는 차에 타자 내달았다 / He ~*s* to work with me. 그는 나와 동승하여 일터로 간다 / ~ *in* a taxi 택시로 가다. **b** 〚well 등의 양태부사와 함께〛 (어떤 상태로) 운전되다: This car ~*s* well 〔easily〕. 이 차는 운전하기 쉽다.
2 《+전+명》 (차·배 따위가) **질주**〔**돌진**〕**하다**; 격돌하다; (구름이 바람에) 날아가다: The ship *drove on* the rocks. 배는 암초에 결렸다 / The clouds *drove before* the wind. 바람에 쫓겨 구름의 흐름이 매우 빨랐다 / The wind *drove against* the door. 바람이 세차게 문에 불어닥쳤다.
3 《+전+명》 〚보통 진행형으로〛 《구어》 **의도하다**, 꾀하다, 노리다, 말할 작정이다《***at*** …을》: I wonder what he *is driving at*. 도대체 그가 하려는 〔말하려는〕 것은 뭘까.
4 《~/+전+명》 (비가) 세차게 퍼붓다《***in, against*** …에》: The rain *drove in* his face 〔*against* the window〕. 비가 그의 얼굴에〔창문에〕 세차게 퍼부었다.
5 〖스포츠〗 공을 세게 치다, 투구하다.
~ ***home*** ① (못 따위)를 쳐서 박다. ② (생각·견해 따위)를 납득시키다《***to*** (아무)에게》: The teacher tried to ~ his points *home to* them. 선생님은 그의 요점을 그들에게 납득시키려고 했다. ~ ***off*** 《*vt*.+부》 ① …을 쫓아버리다, 물리치다, 격퇴시키다. —《*vi*.+부》 ② 차를 몰고 떠나버리다. ③ 〖골프〗 티샷을〔제 1 타를〕 치다. ~ ***up*** 《*vt*.+부》 ① 말을〔차를〕 타고 오다; (길)을 달려오다. ② (값)을 올리다. ***let*** ~ ***at*** …을 겨누어 때리다〔쏘다, 던지다〕: He *let* ~ *at* me with a book. 그 녀석이 나를 향해 책을 던졌다.
— *n*. **1** Ⓒ **드라이브**, 자동차 여행: take 〔go for〕 a ~ 드라이브를 가다 / take a person for a ~ 아무를 드라이브에 데리고 가다. **2** Ⓒ (자동차 따위로 가는) 노정: It's a long ~ from New York to Boston. 뉴욕에서 보스턴까지는 장시간의 노정이다 / The village is an hour's ~ outside the city. 그 마을은 시에서 차로 한 시간 걸리는 교외에 있다. **3** Ⓒ (공원 내의) 드라이브길; 《英》 (큰 저택의 대문에서 현관의 차 대는 곳까지의) 차도(《美》 driveway); (삼림 속의) 차도. **4** Ⓒ (사냥감·가축 따위의) 쫓기, 몰기, 몰이: a cattle ~ 소몰이. **5** Ⓤ (구체적으로는 Ⓒ) 〖심리〗 충동, 본능적 욕구: the sex ~ 성적 충동 / Hunger is a strong ~ to action. 굶주림은 인간을 행동으로 내모는 강력한 욕구이다. **6** Ⓤ **정력**, 의욕, 박력, 추진력: a man of ~ 〔with great ~〕 정력가. **7** Ⓒ **돌진**, 맹공격. **8** Ⓒ **대선전**, 대대적인 판매; (기부·모집 등의) (조직적인) 운동《***for*** (모금 따위)의 / ***to*** do》: a Red Cross ~ *for* contributions 적십자 모금 운동 / a ~ *to* raise funds 기금 모금 운동. **9** Ⓤ 시세, 추세, 경향. **10** Ⓤ (구체적으로는 Ⓒ) 〖골프〗 드라이버로 침, 티샷; 〖테니스〗 라이너성(性) 볼을 치는 타법. **11** Ⓤ (종류는 Ⓒ) (자동차의) 구동(驅動) 장치; 〖기계〗 (동력의) 전동(傳動); 〖컴퓨터〗 드라이브《자기 테이프·자기 디스크 등의 대체 가능한 자기 기억 매체를 작동시키는 장치》: This car has (a) front-wheel ~. 이 차는 전륜(前輪) 구동이다 / a gear ~ 톱니바퀴〔기어〕 전동(傳動). **12** Ⓤ (자동 변속차에서 변속 레버의) 드라이브〔주행〕의 위치《생략: D》.

dríve bày 〖컴퓨터〗 드라이브 자리《개인용 컴퓨터의 케이스에 디스크 드라이브를 넣을 수 있는 자리》.

dríve·bỳ (*pl*. ***-bỳs***) *n*. Ⓒ 《美》 주행 중인 차에서의 발사《~ shooting 이라고도 함》. — *a*. 주행 중인 차에서의.

dríve-ìn *a*. Ⓐ 《美》 차를 탄 채로 들어가게 된《식당·휴게소·영화관 등》: a ~ theater 〔bank〕 드라이브인 극장〔은행〕. — *n*. Ⓒ 드라이브인《차를 탄 채로 들어가는 식당, 휴게소, 극장, 은행, 상점 따위》.

driv·el [drívəl] (***-l-***, 《英》 ***-ll-***) *vi*. **1** 침을 흘리다, 콧물을 흘리다. **2** 철없는〔허튼〕 소리를 하다 (*on; away*)《***about*** …에 관하여》: That old woman is always ~*ing on* 〔*away*〕. 저 노파는 항상 허튼소리를 한다 / What are you ~*ing about?* 무슨 허튼소리를 하고 있어. — *vt*. **1** 분별없이 말하다. **2** (시간 등)을 낭비하다, 헛되게 쓰다 (*away*). — *n*. Ⓤ 침, 콧물; 철없는〔허튼〕 소리: talk ~ 철없는 소리를 하다.
㊕ **~·er**, 《英》 **~·ler** *n*. Ⓒ 침〔콧물〕을 흘리는 사람; 허튼소리를 하는 사람.

driv·en [drívən] DRIVE의 과거분사.
— *a*. (눈 따위가) 바람에 날려 쌓인: ~ snow 바람에 날려 쌓인 눈.

‡driv·er [dráivər] *n*. Ⓒ **1** (자동차를) **운전하는 사람**; (전차·버스 따위의) 운전사; 마부: ⇨ OWNER-DRIVER / a careful ~ 조심스럽게 운전하는 사람. **2** 짐승을 모는 사람, 소〔말〕 몰이꾼. **3** 〖기계〗 (기관차·동력차의) 동륜(動輪), 구동륜(驅動輪) (driving wheel); 동력 전달부(傳達部); 〖컴퓨터〗 드라이버《컴퓨터와 주변 장치 사이의 인터페이스를 제어하는 하드웨어 또는 소프트웨어》. **4** (말뚝 따위를) 박는 기계; 드라이버, 나사 돌리개.

dríver's lìcense 《美》 운전 면허(증)(《英》 driving licence).

dríver's pèrmit 《美》 가(假)운전 면허증《필기 시험에 합격한 사람에게 임시로 발급》.

dríver's sèat 운전석. ***in the*** ~ 지배적 지위〔입장〕에 있는, 권좌(權座)에 있는, 책임 있는 자리에 있는.

dríve-up wìndow 《美》 승차한 채로 서비스를 받을 수 있는 창구: ~*s* at the bank.

◇dríve·wày *n*. Ⓒ (대문에서 현관까지의) 차도, (자택 차고에서 집앞의 도로까지의) 자동찻길(《英》 drive).

driv·ing [dráiviŋ] *a*. **1** 추진하는, 동력 전달의,

구동(驅動)의: ~ force 추진력. **2** (사람을) 혹사하는. **3** 《美》 정력적인(energetic): a ~ personality 정력가. **4** 맹렬한, 세찬; (눈 따위가) 휘몰아치는: a ~ rain 휘몰아치는 비. **5** 사람을 몰아 세울 힘이 있는, 박력 있는. **—***n*. **1** Ⓤ (자동차 따위의) 운전, 조종; 〖형용사적〗 운전(용)의: take ~ lessons 운전 교습을 받다/a ~ school 자동차 운전 교습소. **2** Ⓤ 〖골프〗 티(tee)에서 멀리 치기.

dríving ìron 〖골프〗 낮은 장타용(長打用)의 아이언 클럽, 1 번 아이언 (클럽).

dríving lìcence 《英》 운전 면허(증)(《美》 driver's license).

dríving rànge 골프 연습장.

dríving tèst 운전 면허 시험.

dríving whèel 〖기계〗 (자동차 따위의) 구동륜(驅動輪), (기관차의) 동륜.

driz·zle [drízl] *n*. Ⓤ (또는 a ~) 이슬비, 보슬비, 가랑비. **—***vi*. 〖흔히 it 을 주어로 하여〗 이슬비가 내리다: It ~*d* on and off. 이슬비가 내렸다 개었다 했다. ⓜ **dríz·zly** [drízli] *a*. 이슬비의; 이슬비 오는; 보슬비가 올 것 같은.

drogue [droug] *n*. Ⓒ **1** 〖포경〗 작살줄에 단 부표. **2** (공항의) 풍향 기드림(wind sock). **3** = DROGUE PARACHUTE. **4** 〖공군〗 예인 표적《공대공 사격 연습용으로 비행기가 끄는 기드림》. **5** 〖항공〗 드로그《공중 급유기에서 나오는 호스 끝에 있는 깔때기 모양의 급유구(給油口)》.

drógue párachute 〖항공〗 보조 낙하산《착륙시 감속용(減速用)의》.

droll [droul] *a*. 우스운, 익살스러운. ⓜ **dról·ly** *ad*.

droll·ery [dróuləri] *n*. Ⓤ (구체적으로는 Ⓒ) 익살스러운 짓〔이야기〕; 익살, 해학.

-drome [drðum] 〖명사 연결형〗 '경주로, 광대한 시설; 달리는, 달리는 장소' 란 뜻의 결합사: air*drome*, hippo*drome*.

drom·e·dary [drámidèri, drʌ́m-/drɔ́m-] *n*. Ⓒ 〖동물〗 (승용의) 단봉(單峯) 낙타(Arabian camel)《아라비아산》. ⓒⓕ Bactrian camel.

°**drone** [droun] *n*. **1** Ⓒ (꿀벌의) 수벌. ⓒⓕ worker. **2** Ⓒ 게으름뱅이(idler); 식객. **3** (*sing*.) (꿀벌 등의) 윙윙하는 소리; 단조로운 소리; 〖음악〗 지속 저음; 백파이프(bagpipe)의 저음(관). **4** Ⓒ (무선 조종의) 무인 비행기〔선박〕, 미사일.
—*vt*. 단조롭게 말하다. **—***vi*. **1** (벌 · 비행기 등이) 윙윙거리다: Bees ~*d* among the flowers. 벌들이 꽃 사이에서 윙윙거리고 있었다. **2** 단조롭게 말하다(*on*)《***about*** …에 관하여》: He ~*d on about* crop-dusting for an hour. 그는 농약 살포에 관하여 한 시간 가량 낮은 목소리로 장황하게 이야기했다.

drool [dru:l] *vi*. **1** 침을 흘리다; (침이) 흐르다. **2** 시시한〔허튼〕 말을 하다. **3** 군침을 흘리다, 무턱대고 좋아하다《***about, over*** …에 대하여》.

droop** [dru:p] *vi*. **1** (머리 · 어깨가) **수그러지다**, 숙어지다: Her head ~*ed* sadly. 슬퍼서 그녀의 고개가 숙어졌다. **2** 《~/+전+명》 (초목 · 꽃이) 시들다; (가지가) 축 처지다; (눈이) 내리뜨이다, 내리깔리다: Plants ~ *from* drought. 식물이 가뭄으로 시든다. **3** (기력이) 쇠하다; (의기)소침하다: His spirits seem to be ~*ing* these days. 요즘 그가 의기소침한 것 같다. **—vt*. (머리 따위)를 수그리다, 숙이다; (눈)을 내리깔다. **—***n*. (*sing*.) **1** 숙임, 수그러짐. **2** 풀이 죽음, 의기소침.

dóop·ing·ly *ad*. (고개 · 몸이) 수그러져; 힘없이.

droopy [drú:pi] (***droop·i·er; -i·est***) *a*. 숙인, 수그러진; 의기소침한, 녹초가 된.

†**drop** [drɑp/drɔp] *n*. **1** Ⓒ **방울**, 물방울: a ~ *of* dew 이슬 방울/fall in ~*s* 방울져 떨어지다. **2 a** (a ~) 〖부정문에서〗 한 방울; 미량(微量), 소량《***of*** …의》: There was *not* a ~ *of* water. 물이 한 방울도 없었다/He did*n't* show us a ~ *of* kindness. 그는 우리에게 조금도 친절심을 보이지 않았다. **b** (*pl*.) 점적(點滴)약, 《특히》 점안약(點眼藥): eye ~*s*. **2** Ⓒ 소량〔한 잔〕의 술: He has had a ~ too much. 그는 몹시 취했다/I take a ~ now and then. 나는 가끔 술을 한 잔씩 한다. **3** Ⓒ 물방울 모양의 것; 펜던트에 박힌 보석; 귀걸이(eardrop); (샹들리에의) 장식 구슬; 〖과자〗 드롭스. **4** Ⓒ (보통 *sing*.) **a 낙하**; (낙하산에 의한) 공중 투하. **b** 강하; 하락《***in*** (온도 · 가격 따위)의》: a ~ *in* temperature 온도의 강하/a ~ *in* prices 〔stocks〕 물가〔주식〕의 하락. **5** Ⓒ (보통 *sing*.) 낙하 거리, 낙차: There's a ~ *of* 150 feet from the top of the building to the ground. 그 건물 꼭대기에서 지면까지 낙차가 150 피트이다. **6** Ⓒ (교수대의) 발판; (우체통의) 넣는 구멍; (도서관의) 책 반환 창구; (문 · 서랍 따위의) 열쇠 구멍 덮개. **7** Ⓒ 〖축구〗 드롭킥(drop kick). **8** Ⓒ 《속어》 뇌물; (도난품의) 은닉 매매소. **9** Ⓒ (극장 무대의) 현수막(drop curtain), 배경막(backdrop). **10** Ⓒ 《속어》 스파이 · 마약 판매인의 비밀 정보 은닉 장소.

a ~ in the 〔***a***〕 ***bucket*** =***a ~ in the ocean*** ⇨BUCKET. ***at the ~ of a hat*** 신호가 있으면; 즉시: give an after-dinner speech *at the ~ of a hat* 즉석에서 디너 스피치를 하다. ***~ by ~*** 한 방울씩, 조금씩. ***have*** 〔***get***〕 ***the ~ on*** 《속어》 상대방보다 날쌔게 …에 권총을 들이대다; …의 기선을 제하다. ***to the last ~*** 마지막 한 방울까지.

—(*p*., *pp*. ***dropped*** [-t], ***dropt; dróp·ping***) *vt*. **1** 《~+목/+목+전+명》 **듣게 하다**, 똑똑 떨어뜨리다, 흘리다; ~ sweat 땀을 흘리다/~ tears *over* a matter 어떤 일에 눈물을 흘리다.
2 《~+목/+목+전+명》 (물건)을 **떨어뜨리다**《***on*** …에》; (낙하산으로) 낙하〔투하〕시키다: I ~*ped* my handkerchief. 나는 손수건을 떨어뜨렸다/~ bombs *on* an enemy position 적진지에 폭탄을 투하하다/They ~*ped* the supplies by parachute. 그들은 낙하산으로 보급품을 투하했다.
3 (가치 · 정도 · 수량 등)을 떨어뜨리다, 하락시키다; (음성)을 낮추다, 줄이다: ~ (one's) speed 속도를 줄이다/~ one's voice 음성을 낮추다.
4 (닻 · 낚싯줄 · 막 등)을 내리다; (눈)을 내려뜨다〔깔다〕; (스커트 · 바지의 허리춤)을 끌어내리다: ~ a line 낚싯줄을 드리우다/~ one's gaze 시선을 떨어뜨리다/~ the waist of a skirt 스커트의 허리춤을 내리다.
5 a 《구어》 (사람)을 때려눕히다: ~ a person with a blow 일격에 아무를 쓰러뜨리다. **b** (새)를 쏘아 떨어뜨리다.
6 (게임)에 지다; (돈)을 잃다, 없애다《도박 · 투기 등으로》.
7 (h 나 ng 의 g 또는 어미의 철자 따위)를 빠뜨리고 발음하다, (문자 따위)를 생략하다(omit); (행 · 절)을 건너뛰어 쓰다〔읽다〕: ~ a letter 한 자를 생략하다/He ~*ped* a line when he copied the poem. 그는 시를 베낄 때 1 행을 빼먹었다.
8 무심코 입밖에 내다, 얼결에 말하다; 넌지시 비

추다: ~ a sigh 한숨 쉬다 / I *~ped* him a hint. 나는 그에게 넌지시 말해 주었다.
9 a ⟪+목+전+명⟫ 투함하다, 넣다⟪*in, into* …에⟫: ~ a letter *into* a mailbox 편지를 투함하다. **b** ⟪+목+목/+목+전+명⟫ (짧은 편지)를 써 보내다⟪*to* (아무)에게⟫: *Drop* me a line. =*Drop* a line *to* me. 몇 자 써 보내게.
10 ⟪~+목/+목+부/+목+전+명⟫ (사람)을 차에서 내리다; (어느 장소에) 남기다; 버리고 떠나다: Where shall I ~ you? —*Drop* me (*off*) *at* the next corner, please. 어디에 내려 드릴까요—다음 모퉁이에서 내려 주세요.
11 (습관 · 계획 · 의논 따위)를 **버리다**(give up), 그만두다, 중지하다; …와 관계를 끊다, 절교하다: ~ the idea of going abroad 해외 여행의 생각을 버리다 / ~ math(s) (이수 중의) 수학을 그만두다 / He has *~ped* some of his friends. 그는 몇몇 친구와 절교했다.
12 ⟪+목+전+명⟫ ⟪美⟫ 해고〔퇴학, 탈회, 제명〕시키다⟪*from* …에서⟫: He'll be *~ped from* the club. 그는 그 모임에서 제명될 것이다.
13 〖럭비〗 드롭킥(dropkick)으로 공을 (골에) 넣다⟪3 득점⟫.
—*vi.* **1** ⟪~/+부/+전+명⟫ (물방울이) **듣다**, 똑똑 떨어지다, 방울져 흐르다 (*down*)⟪*from* …에서⟫: Tears *~ped from* her eyes. 그녀의 눈에서 눈물이 흘러내렸다.
2 ⟪~/+부/+전+명⟫ **a** (물건이) **떨어지다**, 낙하하다; (꽃이) 지다; (막 따위가) 내리다(fall) (*down*) ⟪***from, out of*** …에서⟫: The temperature *~ped*. 기온이 내려갔다 / Her earing *~ped down* into the drain. 그녀 귀걸이가 하수구에 떨어졌다 / My wallet has *~ped out of* my pocket. 돈지갑이 포켓에서 떨어졌다 / The book *~ped from* his hand. 그의 손에서 책이 떨어졌다 / An apple *~ped from* the tree. 사과 한 개가 나무에서 떨어졌다 / The curtain *~ped* (at the end of the play). (연극이 끝나고) 막이 내렸다. **b** (해가) 지다: The sun was *~ping toward* the west. 태양이 서쪽으로 기울고 있었다.
3 (강도 · 정도 · 가치 · 음조 등이) 낮아지다; (생산 · 활동 등이) 떨어지다, 하락하다; (바람이) 그치다: Her voice *~ped* to a whisper. 그녀의 목소리가 낮아져 속삭임이 되었다 / Steel production *~ped* by more than 50%. 철강 생산이 50 퍼센트 이상이나 떨어졌다 / The wind will soon ~. 바람은 곧 잠잠해질 것이다.
4 (일이) 중단되다: The matter is not important; let it ~. 그 일은 중요하지 않으니 중지하기로 하자.
5 ⟪~/+부/+전+명⟫ (푹) **쓰러지다**, 지쳐서 쓰러지다, 녹초가 되다: ~ with fatigue 피로로 쓰러지다 / He *~ped to* 〔*down on*〕 his knees in exhaustion. 그는 지쳐서 무릎을 꿇었다 / I *~ped into* the chair. 나는 쓰러지듯 의자에 주저앉았다.
6 ⟪~/+전+명⟫ 낙오〔탈락〕되다; 탈퇴하다⟪***from, out of*** (경주 · 사회 등)에서⟫; (하위로) 내려가다, 후퇴하다⟪*to* …까지⟫: ~ *from* a game 게임을 기권하다 / He *~ped to* the bottom of the class. 그는 학급에서 꼴찌가 되었다.
7 a ⟪~/+전+명⟫ (사람이) 훌쩍 내리다, 뛰어내리다⟪*from* …에서; *to, into* …으로⟫: ~ *from* the window *to* the ground 창문에서 훌쩍 땅으로 뛰어내리다. **b** ⟪+전+명⟫ (언덕 · 개천 따위를) 내려가다: The boat *~ped down* the river. 보트는 강을 내려갔다.
8 ⟪+보/+전+명⟫ 빠지다, 되다⟪*into* (어떤 상태)로⟫: ~ short of money 돈이 부족하게 되다 / He soon *~ped* asleep. 그는 바로 잠들었다 / He *~ped into* the habit of smoking. 그는 담배 피우는 습관이 붙었다.
9 ⟪+전+명⟫ (말 따위가) 불쑥 새어나오다⟪*from* …에서⟫: A sigh *~ped from* his lips. 그의 입에서 불쑥 한숨이 새어나왔다.
10 (일이) 중지되다: The matter is not important; let it ~. 그 일은 중요치 않다, 그만두자.
~ *across ...* ⟪英구어⟫ (사람)을 우연히 만나다; (물건)을 우연히 발견하다. **~ *around*** =~ by. **~ *away*** ⟪*vi.*+부⟫ ① 하나 둘 가버리다, 어느 사인가 가버리다; 적어지다(~ off): Many members *~ped away* when the dues were raised. 회비가 오르자 많은 회원들이 빠져나갔다. ② 급히 낮아지다: The cliff *~s away* 300 feet to a river. 그 절벽은 강에 이르기까지 3 백 피트나 급사면을 이루었다. ③ (질이) 악화〔저하〕하다. **~ *back*** ⟪*vi.*+부⟫ ① (때로 일부러) 뒤(떨어)지다, 낙오하다; 후퇴〔퇴각〕하다. ② (도중에서) 그만두다. **~ *behind*** ⟪*vi.*+전⟫ ① …에서 낙오되다, …에 뒤지다: The youngest boy *~ped behind* the other hikers. 가장 나이 어린 소년이 하이커 일행보다 뒤졌다. **—**⟪*vi.*+부⟫ ② 낙오되다, 뒤지다. **~ *by*** ⟪*vi.*+부⟫ ⟪구어⟫ (예고 없이) 들르다: ~ *by* the pharmacy on the way 도중에 약국에 들르다. **~ *dead*** ① 급사하다, 뻗다: He *~ped dead from* a heart attack. 그는 심장마비로 급사했다. ② 〘명령형〙 ⟪속어⟫ 저리 가, 썩 꺼져; 죽어〔뒈져〕 버려라. **~ *in*** ⟪*vi.*+부⟫ ⟪구어⟫ ① 잠깐 들르다; 불시에 방문하다: He often *~s in on* me 〔*at* my house〕. 그는 자주 나를〔내 집을〕 방문한다⟪★「사람」일 때는 전치사 *on*, 「장소」일 때는 *at*을 씀⟫. **—**⟪*vt.*+부⟫ ② (물건)을 속에 넣다, 떨어뜨리다: He *~ped in* some coins and dialed. 그는 (전화기에) 동전을 몇 개 넣고 다이얼을 돌렸다. **~ *into*** ① …에 들르다, 기항하다. ② (습관 · 상태)에 빠지다(⇨*vi.* 8). **~ *off*** ⟪*vi.*+부⟫ ① (손잡이 · 단추 따위가) 떨어지다, 빠지다. ② (점점) 적어지다, 줄어들다: Sales have *~ped off*. 매상이 줄어들었다. ③ 잠들다(fall asleep); 꾸벅꾸벅 졸다(doze): ~ *off* to sleep 어느새 잠들다. ④ (차에서) 내리다. **—**⟪*vt.*+부⟫ ⑤ …을 (차에서) 내려주다: *Drop* me *off* at the store. 가게 있는 데서 내려주시오. **~ *on*** ⟪*vi.*+전⟫ ① …을 우연히 마주치다. ② ⟪구어⟫ …을 엄하게 꾸짖다. ③ (여럿 가운데에서 골라 아무)에게 불쾌한 임무를 맡기다. ④ ⟪英구어⟫ …을 갑자기 방문하다. **~ *out*** ⟪*vi.*+부⟫ ① 떨어지다. ② 탈락하다, 생략되다: A letter has *~ped out*. 한 자가 빠졌다. ③ (선수가) 결장하다; (단체에) 참가하지 않다, 빠지다: One runner twisted his foot and *~ped out*. 주자 한 명이 발을 접질려 결장했다. ④ 낙오하다, 중퇴하다: ~ *out* in one's junior year 대학 3 학년에서 중퇴하다. **~ *over*** ⟪*vi.*+부⟫ ⟪구어⟫ (예고 없이) 방문하다, 들르다: *Drop over* (to our house) for a visit sometime. 근일 중에 (저의 집에) 들러 주세요. **~ *through*** ⟪*vi.*+부⟫ ⟪英구어⟫ 지쳐, (기획 따위가) 아주 못쓰게 되다; 실패하다. ***ready*** 〔***fit***〕 ***to*** **~** ⟪구어⟫ 지쳐, 녹초가 되어.

> **DIAL.** ***Drop it!*** (잡담 · 못된 장난 따위를) 그만둬, 집어치워.
> ***Drop over sometime.*** 한 번 들르세요.
> ***Drop the subject!*** 이제 그 얘기는 그만두자.

dróp cùrtain (무대의) 현수막.
dróp-dèad *a.* 깜짝 놀라게 하는, 넋을 잃게 하는: a ~ beauty 넋을 잃게 하는 미인.
dróp hàmmer 〖기계 · 건축〗 낙하메(해머).
dróp-hèad *n.* Ⓒ 《英》 (쳤다 거뒀다 할 수 있는 자동차의) 포장 지붕(convertible).
dróp-ìn *n.* Ⓒ **1** 불쑥 들른 사람〔장소〕. **2** 예고 없이 손님이 찾아오는 딱딱하지 않은 파티. **—***a.* Ⓐ **1** 일시적으로 보호해 주는. **2** 삽입식의.
dróp·kìck *n.* Ⓒ **1** 〖미식축구 · 럭비〗 드롭킥《공을 땅에 떨어뜨려 튀어오를 때 차기》. cf. place-kick. **2** (프로 레슬링에서) 뛰어 차기, 드롭킥.
dróp-kíck *vi., vt.* 드롭킥하다; 드롭킥으로 …점 득점하다.
dróp lèaf 현수판(懸垂板)《책상 옆에 경첩으로 매달아 접어 내리게 된 판》.
dróp·let [-lit] *n.* Ⓒ 작은 물방울, 비말(飛沫).
dróp·lìght *n.* Ⓒ (이동식) 현수등(懸垂燈).
dróp oùt 〖컴퓨터〗 드롭아웃《녹음 테이프 · 자기 디스크의 신호의 일부가 표면에 낀 먼지나 자성체(磁性體)의 결함 등으로 결락(缺落)되는 일》.
dróp·òut *n.* Ⓒ **1** 탈퇴(자); 탈락(자); 중퇴(자); 낙오(자): a college ~ 대학 중퇴자. **2** 〖럭비〗 드롭아웃《터치다운 후 25 야드선 안에서의 드롭킥》. **3** (보통 *sing.*) 〖컴퓨터〗 드롭아웃, (녹음〔녹화〕 테이프의) 소리가〔화상이〕 지워진 부분.
dróp·per *n.* Ⓒ **1** 낙오된 사람〔것〕. **2** (안약 따위의) 점적기(點滴器).
dróp·ping *n.* Ⓒ **1** (물방울의) 듣기, 똑똑 떨어짐; 낙하, 강하. **2** (보통 *pl.*) 듣는 것, 낙하물, 촛농; (새 · 짐승의) 똥(dung).
dróp scène 〖연극〗 (배경을 그린) 현수막.
dróp shòt 〖테니스〗 드롭 샷《네트를 넘자마자 공이 떨어지게 하는 타법》.
drop·si·cal [drápsikəl/drɔ́p-] *a.* 수종(水腫)의, 수종 비슷한; 수종에 걸린.
drop·sy [drápsi/drɔ́p-] *n.* **1** Ⓤ 〖의학〗 수종(水腫)〔부종(浮腫)〕(증). **2** Ⓒ 《英속어》 팁, 뇌물.
dross [drɔːs, dras/drɔs] *n.* Ⓤ 〖야금〗 (녹은 금속의) 뜬 찌끼, 불순물; 《비유적》 부스러기, 찌꺼기(rubbish), 쓸모없는 것. 파 **∠y** *a.* 찌꺼기가 많은; 쓸모없는.
***drought** [draut] *n.* Ⓒ **가뭄**, 한발.
droughty [dráuti] (*drought·i·er; -i·est*) *a.* 한발〔가뭄〕의, 갈수(渴水) 상태의; 건조한.
drove[1] [drouv] DRIVE의 과거.
drove[2] *n.* Ⓒ (어슬렁어슬렁 걸어가는) 가축의 떼 〔인파〕.
dro·ver [dróuvər] *n.* Ⓒ (소 · 양 따위) 가축의 무리를 시장까지 몰고 가는 사람; 가축상(商).
‡**drown** [draun] *vt.* **1** 《~+목/+목+전+명》 **a** 〖보통 수동태〗 **물에 빠뜨리다**, 익사시키다: *be ~ed* 익사하다. **b** 〖~ oneself〗 (강 · 바다에) 투신자살하다: ~ one*self in* a river 강에 몸을 던지다. **2 a** 《~+목/+목+전+명》 흠뻑 적시다《*in, with* …에》; 잠그다《*in* …에》: eyes *~ed in* tears 눈물 어린 눈/~ French fries *with* ketchup 프렌치 프라이를 케첩에 듬뿍 묻히다. **b** (토지 등)을 침수시키다《★ 종종 수동태로 쓰며, 전치사는 *by, in*》: All the fields *were ~ed by* the floods. 온 들판이 홍수로 침수되었다. **3** 《+목+전+명》 〖~ oneself; 수동태〗 탐닉하게〔빠지게〕 하다《*in* …에》; (슬픔 · 시름 등)을 달래다, 잊다《*in* …으로》: *be ~ed in* sleep 잠에 깊이 빠지다/~ one*self in* drink 술에 빠지다/~ one's sorrows *in* drink 술로 슬픔을 달래다. **4** 《~+목/+목+부》 (센 소리가 약한 소리 등)을 들리지 않게 하다 (*out*); 압도하다: The roar of the wind *~ed* (*out*) his voice. 윙윙거리는 바람소리에 그의 목소리는 들리지 않았다.
—*vi.* 물에 빠지다, 익사하다: A *~ing* man will catch 〔clutch〕 at a straw. 《속담》 물에 빠진 자는 지푸라기라도 잡는다.
~ *out* ① 〖보통 수동태〗 (홍수가 사람)을 퇴거시키다, 몰아내다: The villagers *were ~ed out.* 마을 사람들은 홍수로 대피했다. ② (작은 소리)를 들리지 않게 하다(⇨*vt.* 4). ***like* 〔*as wet as*〕 *a ~ed rat*** 물에 빠진 생쥐같이 되어.
drowse [drauz] *vi.* **1** 꾸벅꾸벅 졸다(doze) (*off*). SYN. ⇨SLEEP. **2** 멍하니 있다. **—***vt.* (때)를 흐리멍덩하게 보내다(*away*): He *~d away* the summer afternoon. 그는 여름날 오후를 멍하니 보냈다.
—*n.* (a ~) 겉잠, 졸음(sleepiness): in a ~ 졸면서, 선잠 들어.
***drow·sy** [dráuzi] (*-si·er; -si·est*) *a.* **1 졸음이 오는**, 졸리게 하는(lulling). **2 졸리는**, 꾸벅꾸벅 조는, 졸린 듯한: feel ~ 졸음이 오다/look ~ 졸리게 보이다. **3** (거리 따위가) 활기 없는, 조는 듯한: a ~ village (조는 듯이) 조용한 마을. 파 **-si·ly** *ad.* 졸린 듯이, 꾸벅꾸벅. **-si·ness** *n.* Ⓤ 졸음, 깨나른함.
drub [drʌb] (*-bb-*) *vt.* **1** (몽둥이 따위로 계속) 치다, 때리다(beat). **2** (적 · 경쟁 상대)를 쳐부수다, 패배시키다. **3** (생각)을 주입시키다《*into* …에》; (생각)을 억지로 버리게 하다《*out of* …에서》. **—***vi.* 쳐서 소리를 내다, 발을 구르다.
drúb·bing *n.* Ⓤ (또는 a ~) **1** 몽둥이로 때리기, 아프게 때림: give a person a good ~ 아무를 힘껏 때리다. **2** 대패(大敗): They gave the other team a ~. 그들은 상대 팀을 대패시켰다.
drudge [drʌdʒ] *vi.* 꾸준히 정진하다(toil)《*at* (고된 일 따위)에》: ~ *at* a monotonous job 단조로운 일에 꾸준히 정성을 들이다. **—***n.* Ⓒ (단조롭고 힘드는 일을) 꾸준히〔열심히〕 하는 사람, 노예처럼 일하는 사람.
◇**drúdg·ery** [drʌ́dʒəri] *n.* Ⓤ 고된 일, 단조롭고 고된 일.
‡**drug** [drʌg] *n.* Ⓒ **1 약**, 약품, 약제《★ 일상어로는 「마약」의 뜻으로 쓰이는 일이 많음》; 약종(藥種)《약의 재료》: a sleeping ~ 수면제/put a person on ~s 아무에게 약을 처방하다. **2** 마취약, 마약《cocaine, heroin, opium, morphine, LSD 따위의 총칭》; (마약처럼) 중독을 일으키는 것《술 · 담배 따위》: be on ~s 마약 중독에 걸려 있다/be a ~ addict 마약 상용자이다. ***a ~ on* 〔*in*〕 *the market*** 흔해서 팔리지 않게 된 상품; 체화(滯貨).
—(*-gg-*) *vt.* **1** …에 약물을 섞다; (음식물)에 독물을〔마취제를〕 타다〔넣다〕. **2** …에게 마취제를 먹이다; …을 마취〔마비〕시키다. **—***vi.* 마취제를 〔마약을〕 상용하다.
drug·get [drʌ́git] *n.* **1** Ⓤ (인도산의) 거칠게 짠 직물. **2** Ⓒ 거친 융단.
drug·gie [drʌ́gi] *n.* Ⓒ 《속어》 마약 상용자.
◇**drug·gist** [drʌ́gist] *n.* Ⓒ 《美》 약제사(《英》 chemist); 약종상; drugstore 주인. cf. pharmacist.
drug·gy [drʌ́gi] *n.* =DRUGGIE. **—***a.* 마약(사용)의.
◇**drug·store** [drʌ́gstɔːr] *n.* Ⓒ 《美》 약방(《英》

chemist's shop).

> **NOTE** 미국에서는 약품류 외에도 일용 잡화·화장품·담배·잡지·문구류와 소다수·커피 따위 음료를 팔았는데 지금은 supermarket이나 fast food 점(店)에 밀려 전과 같지는 않음.

dru·id [drúːid] *n.* (종종 D–) Ⓒ 드루이드 성직자《기독교로 개종 전의 Gaul, Britain의 고대 Celt 족의 성직자로, 예언자·재판관·시인·마술사 등을 포함함》. ㊞ **dru·íd·ic, -i·cal** [-ik], [-əl] *a.* **~·ìsm** *n.* Ⓤ 드루이드교(敎).

⁑**drum** [drʌm] *n.* Ⓒ **1 북**, 드럼: a bass [side] ~ 큰[작은]북 / beat [play] a ~ 북을 치다 / with ~*s* beating and colors flying 북을 치고 기를 휘날리며. **2** (보통 *sing.*) 북소리; 북소리 비슷한 소리: I heard a distant ~. 멀리서 북소리가 들렸다. **3** 북 모양의 것; 《특히》 드럼통; 【기계】 고동(鼓胴), 고형부(鼓形部). **4** 【해부】 중이(中耳)(middle ear), 고막(eardrum). ***beat the ~(s)*** =***bang the ~*** 《구어》 대대적으로 선전[지지]하다《*for* …을》.

— (**-mm-**) *vi.* 《~/+전+명》 북을 치다; 둥둥 두드리다, 쿵쿵 치다, 쾅쾅 발을 구르다《*with* …으로; *on, at* …을》: ~ *at* the door 문을 쾅쾅 치다 / ~ *on* a table *with* one's fingers 손가락으로 테이블을 통통 두드리다.

— *vt.* **1** 《~+목/+목+전+명》 (곡)을 북으로 연주하다; 북을 치며 환송하다《*off* …으로부터》: ~ the captain *off* a ship 북을 치며 함장을 환송하다. **2** 《~+목/+목+전+명》 둥둥[똑똑] 치다《*with* …으로; *on* …을》: ~ one's fingers *on* the table =~ the table *with* one's fingers 손가락으로 테이블을 똑똑 치다. **3** 《+목+전+명》 (귀가 아프도록) 되풀이하여 주입시키다《*into* (아무)에게》: These facts had been ~*med into* him. 그는 이 사실들을 귀에 못이 박히도록 들었다.

~ a person ***out of*** 아무를 …으로부터 추방[제명]하다: He was ~*med out of* school. 그는 퇴학당했다. ~ ***up*** 《구어》 ① 북을 쳐서 …을 모으다[소집하다]. ② (크게 노력하여) …을 획득하다; (지지)를 얻다: The politician is visiting every house trying to ~ *up* support. 그 정치인은 지지를 얻으려고 호별 방문하고 있다.

drúm·bèat *n.* Ⓒ 북소리.

drúm bràke (자동차 따위의) 원통형 브레이크《회전하는 드럼을 차 바퀴에 밀어붙여 멈추게 함》.

drúm·fire *n.* (*sing.*) 【군사】 (북을 연타하는 듯한) 연속 집중 포화; (질문·비판 따위의) 집중 공세.

drúm·hèad *n.* Ⓒ 북가죽.

drúmhead cóurt-martial 【군사】 전지(戰地) (임시) 군법회의.

drúm màjor 【군사】 군악대장, 악장; (학교 따위의) 밴드 리더.

drúm majorètte 여성 밴드 리더.

drúm mèmory 【컴퓨터】 드럼 기억 장치.

°**drúm·mer** *n.* Ⓒ **1** 고수(鼓手), (악대의) 북 연주자, 드러머. **2** 《美구어》 지방 순회 판매원(commercial traveller), 출장[방문] 판매원, 외판원.

drúm·stìck *n.* Ⓒ 북채; (요리한) 닭[칠면조·오리 따위]의 다리.

⁑**drunk** [drʌŋk] DRINK의 과거분사.

— *a.* Ⓟ **1 술취한**(intoxicated): be ~ 취해 있다 / get ~ (on whiskey) (위스키로) 취하다. **2** 《비유적》 취한, 도취된《*with, on* (기쁨 등)에》: be ~ *with* power 권력에 도취돼 있다. (***as***) ~ ***as a fiddler*** [***lord, fish***] 곤드레만드레 취하여.

— *n.* Ⓒ 《구어》 주정뱅이; 주정꾼.

°**drunk·ard** [drʌ́ŋkərd] *n.* Ⓒ 술고래, 모주꾼.

*****drunk·en** [drʌ́ŋkən] DRINK의 과거분사.

— *a.* Ⓐ **1 술취한.** ↔ *sober.* ¶ a ~ sot 모주꾼 / a ~ driver 음주 운전자《★ 《美》에서는 법률 관계인 경우 a drunk driver라고도 함》/ ~ driving 음주 운전. **2 술고래의**; 음주벽의. **3** (행위 등이) 술로 인한: a ~ quarrel 취한 끝에 하는 싸움. ㊞ **~·ly** *ad.* **~·ness** *n.*

drunk·om·e·ter [drʌŋkɑ́mitər/-kɔ́m-] *n.* Ⓒ 《美》 (자동차 운전자의 음주 측정용) 주기(酒氣) 검지기《★ breath analyzer, Breathalyzer 쪽이 일반적》.

drupe [druːp] *n.* Ⓒ 【식물】 핵과(核果)(stone fruit)《plum, cherry, peach 따위》.

†**dry** [drai] (***drí·er; drí·est***) *a.* **1 마른**, 건조한, 물기가 없는. ↔ *wet.* ¶ a ~ towel 마른 수건 / ~ wood 건조시킨 목재 / get ~ 마르다 / keep ~ 말려서[젖지 않게] 놓아 두다. **2** (날씨가) 비가 안 오는; 가뭄이 계속되는; (샘이) 물이 말라붙은[나오지 않는]. ↔ *wet.* ¶ a ~ spell 한천(旱天) / a ~ season 건기, 갈수기 / a ~ riverbed 물이 마른 강바닥. **3** (소가) 젖이 안 나오는; 버터(따위)를 바르지 않은: a ~ cow / ~ toast. **4** (기침이) 담이 나오지 않는, 건성의: a ~ cough 마른 기침. **5** 눈물을 안 흘리는, 인정미 없는: ~ sobs 눈물이 없는 흐느낌 / with ~ eyes 눈물을 흘리지 않고, 태연히. **6** 《구어》 목마른; 목이 타는: feel ~ 목이 마르다[타다] / ~ work 목이 타는 일. **7** 《美구어》 술을 마시지 않는《사람》, 술이 나오지 않는《파티 따위》, 금주법 실시[찬성]의《지역 따위》. ↔ *wet.* ¶ ~ law 금주법 / a ~ state 금주법 시행주(州). **8** 《美》 무미건조한; 하찮은: a ~ subject. **9** 명백한, 꾸밈없는, 노골적인: ~ facts. **10** 천연스럽게[시치미 떼고] 말하는《유머·풍자 따위》: ~ humor [sarcasm] 시치미 떼고[모르는 체하고] 말하는 농담[비꼼]. **11** 냉담한, 쌀쌀한: a ~ answer 쌀쌀맞은 대답 / ~ thanks 의리상 하는 감사[인사]. **12** (술이) 쓴, 씁쓸한: ~ wine. **13** (상품이) 고체의; 건질(乾質)[건성(乾性)]의, 건식의. ㉢ liquid. ¶ ~ provisions 건조 식품《밀가루·사탕·소금·커피 따위》/ a ~ plate 【사진】 건판 / ⇨ DRY BATTERY [CELL], DRY CLEANING.

(***as***) ~ ***as a bone*** 바싹 말라(붙어). (***as***) ~ ***as dust*** ① 무미건조한: His lecture was *as* ~ *as dust.* 그의 강의는 무미건조했다. ② 목이 바싹 마른. ***go*** ~ 금주법을 펴다; 술을 그만두다. ***not ~ behind the ears*** 《구어》 미숙한; 천진난만한. ***run*** ~ (강·우물 등이) 말라 버리다; 물[젖]이 안 나오게 되다; (비축 따위가) 부족[고갈]하다.

— *vt.* **1 말리다**: ~ wet clothes in the sun 젖은 옷들을 햇볕에 말리다 / hang clothes (out) to ~ 옷들을 (밖에) 내다 말리다. **2** 닦아내다; 〖~ oneself〗 몸을 닦다: ~ one's tears 눈물을 훔치다 / He *dried* him*self* with a towel. 그는 수건으로 몸을 닦았다. **3** (보존하기 위해 식품)을 건조시키다. **—** *vi.* 《~/+부》 **마르다**(*out*): Your clothes will soon ~ (*out*). 네 옷은 금방 마를 것이다 / We'll have to wait until the paint dries. 페인트가 마를 때까지 기다리지 않으면 안 된다.

~ ***off*** 《*vt.*+부》 ① …을 바싹 말리다. **—**《*vi.*+부》 ② 바싹 마르다. ~ ***out*** 《*vi.*+부》 ① 마르다 (⇨*vi.*). ② (마약·알코올 중독 환자가) 금단 요법을 받다. **—**《*vt.*+부》 ③ (햇빛·바람 따위가) …을 바싹 말리다. ④ (마약·알코올 중독 환자)에게

금단 요법을 실시하다. ~ **up** ⟪vi.+副⟫ ① 바싹 마르다, (우물이) 말라붙다: The river *dried up* in this drought. 이 가뭄에 강은 말라붙었다. ② (사상이) 고갈하다; (자금·자원이) 바닥나다: New forms of energy must be developed before oil *dries up*. 석유가 고갈되기 전에 새로운 형태의 에너지가 개발되어야 한다. ③ ⟪구어⟫ 〖보통 명령형〗 이야기를 그치다, 입을 다물다. ④ ⟪英⟫ (식후에) 접시닦기를 하다. ―⟪vt.+副⟫ ⑤ …을 말라붙게 하다; 바싹 말리다. ⑥ …을 입을 열지 못하게 하다. ⑦ (식후에 접시)를 행주로 닦다: ~ *up* the dishes 접시닦기를 하다.

> **DIAL.** ***Dry up!*** 조용히 해, (상대를 꾸짖어) 입 다물어, 이제 그만(해) 둬.

―*n.* (*pl.* 1b는 ***dries,*** 2는 ~**s**) **1 a** Ⓤ 가뭄, 한발(drought); 건조상태(dryness). **b** (*pl.*) 〖기상〗 건조기(期). **2** Ⓒ ⟪美구어⟫ 금주(법 찬성)론자.

dry·ad [dráiəd, -æd] (*pl.* **~s, -a·des** [-ədìːz]) *n.* Ⓒ 〖그리스·로마신화〗 드라이어드⟪숲〔나무〕의 요정⟫.

drý-as-dùst [-əz-] ―*a.* Ⓐ 무미건조한, 지루한, 몰취미한. [◂dry as dust]

drý báttery 〔**céll**〕 건전지⟪여러 개를 결합한⟫.

drý-cléan *vt.* (의류)를 드라이 클리닝하다. ―*vi.* (세탁물이) 드라이 클리닝되다: This dress won't ~. 이 옷은 드라이 클리닝해서는 안 된다.

drý cléaner 드라이 클리닝업자.

drý cléaning 드라이 클리닝(한 세탁물).

Dry·den [dráidn] *n.* **John** ~ 드라이든⟪영국의 시인·비평가·극작가; 1631-1700⟫.

drý dòck 드라이 독⟪보통 말하는 독⟫, 건선거(乾船渠).

drý-dòck *vt.*, *vi.* (선박을) 드라이 독에 넣다〔들어가다〕.

◇**drý·er** *n.* Ⓒ **1** 말리는 사람; 드라이어. **2** (세탁물 따위의) 건조기; (페인트·니스의) 건조 촉진제.

drý-èyed *a.* 울지 않는; 냉정〔무정〕한.

drý fárming ⟪美⟫ 건지 농업⟪수리(水利)가 좋지 않거나 비가 적은 토지의 경작법⟫.

drý flý 제물낚시, 플라이 낚시.

drý-flý *a.* 제물낚시용의.

drý gòods 1 ⟪美⟫ 직물, 의류, 장신구류. **2** ⟪英⟫ 곡류; 건물류(乾物類).

drý íce 드라이 아이스⟪고형(固形) 이산화탄소; 냉각제⟫.

drý·ing *n.* Ⓤ 건조, 말림. ***summer*** ~ 볕에 말려 충해를 막기(summer airing). ―*a.* 건조성의; 건조용의: ~ oil 건성유/a ~ house 〔machine〕 건조실〔기〕.

drý lànd 건조 지역; 육지(terra firma)⟪바다에 대해서⟫.

◇**drý·ly** *ad.* 건조시켜; 냉담하게; 무미건조하게.

drý méasure 건량(乾量)⟪곡물·과일의 부피 계량 단위⟫. ⓒⓕ liquid measure.

drý mílk 분유(powdered milk).

drý·ness *n.* Ⓤ **1** 건조 (상태). **2** 무미건조. **3** (술의) 쓴 맛.

drý nùrse (젖을 먹이지 않는) 유모; 보모(ⓒⓕ wet nurse).

drý-nùrse *vt.* (젖을 먹이지 않고 유아)를 돌보다.

drý rót 1 (목재가) 균에 의하여 썩음; 건조 부패. **2** (사회·도덕적) 퇴폐, 부패.

drý rún 1 〖군사〗 공포탄 사격 연습. **2** 〖일반적〗 예행연습; 모의시험; (연극의) 리허설.

drý-shòd *a.* 신〔발〕을 적시지 않는: go ~ 발을 적시지 않고 가다.

drý wàll ⟪美⟫ 건식 벽체(壁體)⟪회반죽을 쓰지 않은 벽⟫.

D.S. Doctor of Science. **D. Sc.** Doctor of Science. **D.S.C.** 〖英해군·美육군〗 Distinguished Service Cross (수훈십자장(殊勳十字章)). **D.S.M.** 〖英해군·美육군〗 Distinguished Service Medal (수훈장). **D.S.O.** 〖英군사〗 Distinguished Service Order. **DSP** 〖컴퓨터〗 Digital Signal Processor (수치형〔디지털 신호〕 처리기). **DSS** 〖컴퓨터〗 decision support system ((의사) 결정 지원 시스템); ⟪英⟫ Department of Social Security (사회보장성). **D.S.T.** Daylight Saving Time. **DTI** ⟪英⟫ Department of Trade and Industry (통상산업성).

D.T.'s., d.t.'(s) [díːtíː(z)] (보통 the ~) ⟪구어⟫ = DELIRIUM TREMENS.

Du. Duke; Dutch.

◇**du·al** [djúːəl] *a.* Ⓐ **1** 둘의; 이중의(double, twofold); 이체(二體)의; 이원적인: a ~ character 〔personality〕 이중 인격/~ nationality 이중 국적. **2** 〖문법〗 양수(兩數)의.

dúal cárriageway ⟪英⟫ 왕복 분리 도로⟪중앙 분리대로 갈라진⟫.

dúal contról 1 이중 관할, 2국 공동 통치. **2** 〖항공·자동차〗 이중 조종 장치.

dú·al·ìsm *n.* Ⓤ **1** 이중성, 이원성. **2** 〖철학·종교·신학〗 이원론(ⓒⓕ monism, pluralism); 이신교.

du·al·is·tic [djùːəlístik] *a.* 이원(二元)의, 이원적인; 이원론적인: the ~ theory 이원설.

du·al·i·ty [djuːǽləti] *n.* Ⓤ 이중성; 이원성.

dúal-púrpose *a.* **1** 이중 목적의; (차가) 여객·화물 겸용의. **2** (소가) 육우·유우 겸용의; (닭이) 육계·계란 겸용의: ~ breed 겸용종(兼用種)⟪육우(肉牛) 겸 젖소 따위⟫.

dub[1] [dʌb] (**-bb-**) *vt.* **1** (왕이 칼로 가볍게 어깨를 두들기고) 나이트 작위를 주다: The King ~*bed* him (a) knight. 국왕은 그에게 나이트 작위를 내렸다. **2** (새 이름·별명)을 주다, 붙이다, …라고 칭하다, …라는 별명으로 부르다: He was ~*bed* "Pimple Tom." '여드름쟁이 톰'이라는 별명이 붙었다.

◇**dub**[2] (**-bb-**) *vt.* 〖영화·TV〗 **1** (필름)에 새로이 〔추가〕 녹음하다; (필름·테이프에 음향 효과)를 넣다(*in*): The sound effects will be ~*bed in* later. 음향효과는 나중에 추가될 것이다. **2** (녹음한 것)을 재녹음하다, 재취입하다.

Dub. Dublin.

Du·bai [duːbái] *n.* 두바이⟪아랍 에미리트 연방 구성국의 하나; 수도 Dubai⟫

dub·bin [dʌ́bin] *n.* Ⓤ 가죽에 바르는 방수유. ―*vt.* (구두 따위)에 더빈을 바르다.

dúb·bing *n.* Ⓤ 〖영화·TV〗 더빙, 재녹음, 추가 녹음.

du·bi·e·ty [dju(ː)báiəti] *n.* Ⓤ 의심스러움, 의혹; Ⓒ 의심스러운 것〔일〕.

◇**du·bi·ous** [djúːbiəs] *a.* **1** 의심스러운, 수상한; 확실히 알기 어려운; (수단 따위가) 의아스러운: with a ~ expression 의심스러운 표정으로/a ~ character 수상한 인물/a ~ battle 승패를 예측하기 어려운 전투/a ~ reputation 좋지 않

은 평판. SYN. ⇨UNCERTAIN. **2** (사람이) 미심쩍어 하는, 반신반의의《**of, about** …을, …에 대하여/**wh.**/**wh. to** do》: My parents are ~ *of* my success in the new enterprise. 양친은 나의 새로운 사업이 성공할 것인지 미심쩍어하신다/I feel ~ (*about*) *what* I should do 〔*what to* do〕 next. 다음에 무엇을 해야 할지 잘 모르겠다. **3** 모호한, 애매한, 불확실한; (결과 따위가) 미덥지 않은, 불안한: a ~ answer 애매한 대답/The outcome remains ~. 결과는 여전히 불확실하다. ㊞ ~·**ly** *ad*. ~·**ness** *n*.

du·bi·ta·ble [djúːbətəbəl] *a*. 의심스러운; 불확실한.

du·bi·ta·tion [djùːbətéiʃən] *n*. Ⓤ 《문어》 의혹, 반신반의.

du·bi·ta·tive [djúːbətèitiv/-tə-] *a*. 의심을 품고 있는; 망설이는; 의심스러운. ㊞ ~·**ly** *ad*.

Dub·lin [dʌ́blin] *n*. 더블린《아일랜드의 수도》.

du·cal [djúːkəl] *a*. 공작(duke)의; 공작다운; 공작령(領)(dukedom)의, 공국(公國)의.

duc·at [dʌ́kət] *n*. Ⓒ (옛 유럽 각국의) 금화, 은화; 경화(硬貨).

°**duch·ess** [dʌ́tʃis] *n*. Ⓒ **1** 공작(duke) 부인〔미망인〕. **2** 여공작, (공국의) 여공(女公). cf. duke.

duchy [dʌ́tʃi] *n*. (종종 D-) Ⓒ **1** 공국(公國), 공작령(公爵領)《duke 또는 duchess의 영지》. **2** (영국 왕실의) 직할 영지《Cornwall과 Lancaster》.

***duck**[1] [dʌk] (*pl*. ~**s**, 〔집합적〕 ~) *n*. **1** Ⓒ (집)오리; 암오리, 암집오리.

> NOTE 들오리는 wild duck, 오리〔집오리〕의 수컷은 drake, 집오리는 domestic duck, 새끼 오리, 집오리의 새끼는 duckling, 우는 소리는 quack.

2 Ⓤ 오리〔집오리〕의 고기. **3** Ⓒ **a** (~(s)) 《英구어》 사랑하는 사람, 귀여운 사람《특히 호칭으로》. **b** 〔보통 수식어를 수반하여〕 결함이 있는 사람〔것〕: ⇨LAME DUCK, SITTING DUCK. **4** Ⓒ 〖크리켓〗 =DUCK('S) EGG: break one's ~ 최초로 1 점 얻다/make a ~ 득점 없이 아웃되다.

~(s) and drake(s) 물수제비뜨기. ***like water off a ~'s back*** 아무 효과도 없이, 마이동풍격으로. ***play ~s and drakes with money*** 돈을 물쓰듯 하다. ***take to ... like a ~ to water*** 《구어》 매우 자연스럽게 …을 따르다〔좋아하다〕; …에 금방 익숙해지다: She *took to* living in English society *like a ~ to water*. 그녀는 영국 생활에 금방 익숙해졌다.

duck[2] *vi*. **1** 물속에 쑥 잠기다, 무자맥질하다; 물속에 쑥 잠겼다가 곧 머리를 내밀다: The diver rose to the surface and then *~ed* under again. 다이버는 수면으로 올라왔다가 다시 잠수했다. **2** (맞지〔보이지〕 않으려고) 홱 머리를 숙이다, 홱 몸을 굽히다. **3** 《구어》 급히 숨다, 도망치다: The boy *~ed* behind a tree. 소년은 날쌔게 나무 뒤에 숨었다. **4** 《구어》 (회)피하다《***out*** (***of***) (책임·위험 등)을》《★ out of의 목적어가 (대)명사일 때는 수동태 가능; 동명사일 때는 수동태 불가》: He tried to ~ *out of* doing his chores. 그는 잡무 처리를 회피하려고 했다.

— *vt*. **1** (아무)의 머리를 밀어넣다, (머리)를 잽싸게 들이밀다, 쑥 잠그다《***in, into, under*** (물)속에》: Bob *~ed* his little brother *in* the swimming pool. 보브는 동생을 수영장 물속에 밀어넣었다. **2** (머리)를 홱 숙이다; (몸)을 얼른 웅크리다: He *~ed* his head to avoid being hit. 그는 타격을 피하려고 홱 머리를 숙였다. **3** 《구어》 (일·질문 등)을 피하다: ~ the draft 〔a question〕 징병〔질문〕을 회피하다.

— *n*. Ⓒ 쑥 물속에 잠금; 홱 머리를〔몸을〕 숙임.

duck[3] *n*. **1** Ⓤ 즈크《황마로 짠 두꺼운 천》의 일종, 범포(帆布). **2** (*pl*.) 《구어》 즈크 바지.

duck[4] *n*. Ⓒ 《美해군속어》 수륙 양용 트럭《제2차 세계 대전 때 사용; 암호 DUKW에서》.

dúck·bìll *n*. Ⓒ 〖동물〗 오리너구리(platypus).

dúck·bòards *n. pl*. (진창에 건너질러 깐) 판자 길.

dúck·ing *n*. **1** Ⓤ 물속에 처넣음〔잠금〕; 홱 머리를〔몸을〕 숙임. **2** Ⓤ 〖권투〗 밑으로 빠져나오기, 더킹. **3** (a ~) 흠뻑 젖기: get a good ~ 흠뻑 젖다/give a person a ~ 아무를 물속에 처넣다; 흠뻑 젖게 하다.

dúcking stòol 무자맥질 의자《옛날 행실이 좋지 않거나 수다스런 여자·거짓말쟁이·상인 따위를 물 속에 처넣어 징계하던》.

duck·ling [dʌ́kliŋ] *n*. **1** Ⓒ 오리 새끼《때로는 경멸적》. **2** Ⓤ 오리 새끼 고기.

dúck('s) ègg 《英구어》 〖크리켓〗 (타자의) 영점, 제로(duck, 《美》 goose egg).

dúck sóup 《美속어》 힘들지 않은 일, 쉬운 일.

dúck·wèed *n*. Ⓤ 〖식물〗 좀개구리밥《오리가 먹음》.

ducky [dʌ́ki] (**duck·i·er**; **-i·est**) 《美구어》 *a*. 아주 훌륭한, 매우 기쁜; 사랑스러운(cute).

— *n*. 〔호칭으로〕 《英속어》 사랑스러운 사람《★ 주로 여성에게 씀》.

duct [dʌkt] *n*. Ⓒ 송수관, 도관(導管); 〖해부〗 관, 수송관; 〖식물〗 맥관; 〖전기〗 선거(線渠); 〖건축〗 암거(暗渠).

duc·tile [dʌ́ktil] *a*. (금속이) 잡아늘이기 쉬운, 연성(延性)〔전성(展性)〕이 있는《점토(粘土) 따위》, 유연한; 나긋나긋한; (사람·성질 따위가) 고분고분한, 유순한. ㊞ **duc·til·i·ty** [dʌktíləti] *n*. Ⓤ 연성(延性), 전성(展性); 유연성, 탄력성.

dúct·less *a*. (도)관이 없는.

dúctless glánd 〖해부〗 내분비선(腺)《갑상선 따위》.

dud [dʌd] 《속어》 *n*. Ⓒ **1** (보통 *pl*.) 옷, 의류. **2** 결딴난 것; 폐인; 불발탄. — *a*. 가짜의(counterfeit); 그르친; 잘못된: ~ coin 《美》 위조 화폐.

dude [djuːd] *n*. Ⓒ **1** 《美속어》 멋쟁이, 맵시꾼(dandy). **2** 《美서부》 도회지 사람, (특히 동부에서 온) 관광객. **3** 《美속어》 사내, 놈, 녀석(guy).

dúde rànch 《美》 관광 목장《휴가 이용 관광객의 숙박 시설이 있는 미국 서부의 관광 목장〔농장〕》.

dudg·eon [dʌ́dʒən] *n*. Ⓤ (또는 a ~) 성냄, 화냄: in (a) high 〔great, deep〕 ~ 몹시 성나서.

****due** [djuː] *a*. **1 지급 기일이 된**, 만기(滿期)가 된. cf. overdue. ¶ the ~ date (어음의) 지급 기일/fall 〔come〕 ~ (어음 따위가) 만기가 되다, 지급기일이 되다/a bill ~ next month 다음 달이 만기인 어음/The bill is ~ on the 1st of next month. 그 어음은 다음달 1일이 만기이다/Your income taxes are ~ by the 15th of March. 당신의 소득세는 3월 15일이 납입 기한입니다.

2 (열차·비행기·사람 따위가) **도착 예정인**: The train is ~ (in) at two. 기차는 2시에 도착할 예정이다/He's ~ back in a few days. 그는 며칠 내에 돌아올 예정이다.

3 **예정된**《*for* …을 위해》; (…하기로) 되어 있는 《*to* do》: When's the baby ~ ? 아기의 출산 예정일은 언제입니까 / He's ~ *for* a doctorate. 그는 박사 학위를 받기로 되어 있다 / They are ~ *to* arrive here soon. 그들은 곧 여기에 오기로 되어 있다.
4 (돈 · 보수 따위가) **응당 치러져야 할**《*to* …에게》: This money is ~ *to* you. 이 돈은 네가 받을 돈이다 / The balance ~ (*to*) me is $100. 나에게 지급되어야 할 차액은 100 달러이다.
5 [A] **마땅한**, 적당한, 당연한, 합당한. ↔ *undue*.¶in ~ form 정식으로, 형식대로 / in ~ (course of) time 때가 오면; 머지않아, 불원간 / after 〔upon〕 ~ consideration 충분히 고려한 후에 / a ~ margin for delay 늦어도 지장 없는 충분한 여유 / ~ care 당연한 배려.
6 **기인하는, 탓으로 돌려야 할**《*to* …에, …의》《★ 《美구어》에서는 due to가 흔히 쓰이지만 owing to, because of쪽이 일반적》: a delay ~ *to* an accident 사고로 인한 지연 / The failure is ~ *to* his ignorance. 그 실패는 그의 무지의 탓이다 / The event was canceled ~ *to* bad weather. 경기는 악천후로 인하여 취소됐다.
—*n*. [C] **1** (보통 *sing*.) **마땅히 받아야 할 것**, 정당한 보수, 당연한 권리. **2** (보통 *pl*.) **지급금**, 부과금, 세금; 조합비, 회비, 요금, 수수료, 사용료: club ~*s* 클럽의 회비 / harbor ~*s* 입항세 / membership ~*s* 회비.
give a person his ~ ① 아무를 정당〔공평〕하게 대우하다. ② (미운) 아무에게도 인정할 것은 인정하다《=***give the devil his*** ~》. ***pay*** one's ~*s* 《美속어》 ① 회비를〔요금을〕 내다. ② 열심히 일하여 경험을 쌓다.
—*ad*. (방위가) 정(正)…, 바로(exactly): a ~ north wind 정북풍 / go ~ south 정남으로 가다.

◊**du·el** [djúːəl] *n*. [C] **1** 결투: fight a ~ with a person 아무와 결투하다. **2** (양자간의) 싸움, 투쟁; 승부: a ~ of wits 재치 겨루기.
— (*-l-*, 《英》 *-ll-*) *vi*. 결투하다, 싸우다《*with* …(아무)와》: The sisters ~*ed with* each other verbally. 자매는 서로 말다툼을 했다. **—***vt*. (아무)와 결투하다.
[파] **dú·el·(l)er** *n*. [C] 결투자.

du·et [djuét] *n*. [C] 〖음악〗 이중창, 이중주(곡).

duff[1] [dʌf] *n*. [C] (요리는 [U]) 더프《푸딩(pudding)의 일종》.

duff[2] *a*. 《英속어》 **1** 가치 없는, 가짜의. **2** 쓸모없는, 부서진.

duff[3] *vt*. **1** 〖골프〗 (타봉이 공)을 헛치다. **2** 《속어》 후려갈기다, 때리다.

duf·fel, duf·fle [dʌ́fəl] *n*. [U] **1** 성긴 나사(羅紗)의 일종. **2** 〔집합적〕 《美》 캠프 용품.

dúffel 〔dúffle〕 bàg (군대용 · 캠프용의) 즈크제의 원통형 잡낭(雜囊).

dúffel 〔dúffle〕 còat 후드가 달린 무릎까지 내려오는 방한(防寒) 코트.

duf·fer [dʌ́fər] *n*. [C] 바보, 우눈한〔서툰〕 사람《*at* …에》: He's a ~ *at* golf. 그는 골프가 서툴다.

dug[1] [dʌg] DIG의 과거 · 과거분사.

dug[2] *n*. [C] (어미 짐승의) 젖꼭지(teat); 젖통이(udder).

du·gong [dúːgaŋ, -gɔːŋ] *n*. [C] 〖동물〗 듀공(sea cow)《태평양 · 인도양에서 사는 바다소목(目); 소위 '인어(人魚)'》.

dúg·òut *n*. [C] **1** 방공〔대피〕호. **2** 〖야구〗 더그아웃《구장의 선수 대기소》. **3** 마상이(canoe).

***duke** *n*. [C] **1** (종종 D-) **공작**(公爵)《여성형(形)은 duchess》: a royal ~ 왕족의 공작. **2** (유럽의 공국(duchy) 또는 소국의) 군주, 공(公), 대공. **3** (*pl*.) 《속어》 주먹(fists).
[파] **∠·dom** [-dəm] *n*. [C] 공작령, 공국(duchy); [U] 공작의 지위〔신분〕.

dul·cet [dʌ́lsit] *a*. 《문어》 (특히 음색이) 아름다운, 감미로운(sweet): speak in ~ tones 감미로운 어조로 이야기하다.

dul·ci·mer [dʌ́lsəmər] *n*. [C] 〖음악〗 두 개의 작은 방망이로 금속현을 때려 소리내는 악기의 일종《피아노의 원형》.

Dul·ci·nea [dʌ̀lsiníə, dʌlsíniə] *n*. **1** 둘시네아《Don Quixote가 이상적인 여성으로 사모한 처녀의 이름》. **2** (종종 d-) [C] 이상적인 연인.

⁑**dull** [dʌl] *a*. **1** (날 따위가) **무딘, 둔한**. ↔ *keen, sharp*.¶a ~ knife 잘 들지 않는 칼. **2 둔감한, 우둔한**, 투미한《*of* …이》: a ~ pupil 우둔한 생도 / ~ *of* mind 머리가 둔한 / ~ *of* hearing 귀가 어두운. **3 활기 없는**, 활발치 못한; (시황 따위가) 부진한, 한산한, 침체한(slack). ↔ *brisk*.¶I feel too ~ to work today. 오늘은 맥이 빠져 일할 기분이 안 난다 / Trade is ~. 불경기다. **4** (이야기 · 책 따위가) **지루한**, 따분한, 재미없는: a ~ book 〔talk〕 / a ~ party 재미없는 파티. **5** (아픔 따위가) 무지근한, 격렬하지 않은; (색 · 소리 · 빛 따위가) 또렷〔산뜻〕하지 않은, 흐릿한(dim): a ~ pain 〔ache〕 둔통(鈍痛). **6** (날씨가) 흐린(cloudy), 찌푸린(gloomy). **7** (상품 · 재고품이) 팔리지 않는.
as **~** ***as ditchwater*** 몹시 지루한〔따분한〕. ***never a*** **~** ***moment*** 지루한 시간이 전혀 없는〔없이〕; 늘 무척 바쁜: There's *never a* ~ *moment* around here. 이곳은 언제나 떠들썩하다, 여기는 언제나 무슨 소동이 벌어진다.
—*vt*., *vi*. **1** 둔하게〔무디게〕 하다, 무디어〔둔해〕지다. **2** (고통 따위를) 완화시키다, (고통 따위가) 덜해지다. **3** 활발치 못하게 하다〔되다〕. **4** 흐리게 하다, 흐릿해지다. **5** (지능 · 감각 따위) 둔하게 하다〔둔해지다〕. **~** ***the edge of*** ① …의 날을 무디게 하다. ② …의 감도를 덜하게 하다; 흥미를 떨어뜨리다: ~ *the edge of* one's appetite 애써 식욕을 떨어지게 하다.
[파] **∠·ish** *a*. 좀 무딘; 약간 둔한〔둔감한〕; 침체한 듯한. **dúl(l)·ness** *n*.

dull·ard [dʌ́lərd] *n*. [C] 둔한〔투미한〕 사람, 멍청이.

dúll-wìt·ted [-id] *a*. = SLOW-WITTED.

dul·ly [dʌ́li] *ad*. **1** 둔하게. **2** 느리게; 멍청하게(stupidly). **3** 활발치 못하게; 멋대가리 없게. **4** 우중충하게; 흐려서.

◊**du·ly** [djúːli] *ad*. **1** 정식으로, 정당하게, 당연히: The proposal was ~ recorded in the minutes. 그 제안은 정식으로 의사록에 기록되었다. **2** 충분히(sufficiently): The program was ~ considered. 그 계획은 충분히 고려되었다. **3** 제시간에, 지체 없이, 시간대로(punctually); 때에 알맞게: He ~ arrived. 그는 제시간에 도착했다. **~** ***to hand*** 〖상용문에서〗 틀림없이 받음. 〔◂ due〕

Du·mas [djuːmáː] *n*. **Alexandre** ~ 뒤마《프랑스의 소설가 · 극작가 부자(父子), 1802-70; 1824-95》.

***dumb** [dʌm] *a*. **1 벙어리의**, 말을 못하는. [cf.] mute.¶the deaf and ~ 농아자 / the ~ millions (정치적 발언권이 없는) 말 없는 대중, 민중 / ~ creatures 말 못하는 짐승. **2 말을 하지 않는,**

잠자코 있는(taciturn); 말을 쓰지 않는, 무언의 《연극 따위》. **3** 소리 안 나는〔없는〕: This piano has some ~ notes. 이 피아노는 몇 개의 건반이 소리가 나지 않는다. **4** (감정 · 생각 따위) 말로는 나타낼 수 없는; 말이 안 나오는, 이루 말할 수 없는 (정도의)《**with** (놀람 따위)로》: ~ grief 무언의 슬픔/~ despair 말로 나타낼 수 없을 정도의 절망/Surprise struck me ~. 놀라서 말도 안 나왔다/She was ~ *with* surprise 〔horror〕. 그녀는 경악하여 할 말을 잃었다. **5** 《구어》 우둔한, 얼간이의(stupid)《**to** do》: It was ~ *of* you 〔You were ~〕 not *to* accept his offer. 그의 제안을 받아들이지 않았다니 너도 바보군. ㊊ **∠·ly** *ad.* **∠·ness** *n.*

dúmb·bèll *n.* Ⓒ **1** (보통 *pl.*) 아령. **2** 〖you ~로 써서 호칭〗《美속어》 바보, 얼간이(dummy).

dùmb·fóund [dʌmfáund] *vt.* (아무)를 어이없어 말도 못 하게 하다, 아연케 하다《**by** …으로》《★ 흔히 수동태로 형용사적으로 씀》.

dùmb·fóund·ed [-did] *a.* Ⓟ 말을 못할 정도로 놀란, 놀라서 할 말을 잃은《**at, by** …에/**that**》: He was ~ *at* 〔*by*〕 his discovery. 그는 그의 발견에 아연했다/I was ~ *that* he did it with such ease. 그가 그처럼 쉽게 해치운 것을 보고 아연했다.

dum·bo (*pl.* **~s**) *n.* Ⓒ 《속어》 바보, 얼간이; 어리석은 짓, 실수.

dúmb shòw 무언극; 무언의 손짓발짓〔몸짓〕.

dúmb·strùck, -strìcken *a.* 놀라서〔어이없어〕 말도 못하는.

dúmb·wàiter *n.* Ⓒ **1** 식품 · 식기용 엘리베이터, 소화물용 엘리베이터. **2** 《英》 회전대(《美》 lazy Susan).

dum·dum [dʌ́mdʌ̀m] *n.* 덤덤탄(彈) (=∠ **bùllet**)《명중하면 퍼져서 상처가 커짐》.

dùm·fóund *vt.* =DUMBFOUND.

◇**dum·my** [dʌ́mi] *n.* Ⓒ **1** 마네킹, (양복점의) 동체(胴體) 모형, 장식 인형. **2** 바꿔친 것〔사람〕; (영화의) 대역 인형. **3** (사격 · 권투 · 미식 축구 따위의) 연습용 인형, 표적 인형. **4** 모조품, 가짜; (젖먹이의) 고무 젖꼭지(《美》 pacifier); 〖제본〗 부피의 견본(pattern volume); 레이아웃 견본. **5** 명의뿐인 사람(figurehead), 간판 인물, 로봇, 꼭두각시, 앞잡이. **6** 〖카드놀이〗 자기 패를 까놓을 차례가 된 사람; 빈 자리. **7** 《구어》 바보, 멍청이; 《속어》 벙어리; 과묵한 사람.

—*a.* 가짜의(sham), 모조의; 앞잡이의; 가장한; 명의(名義)상의; 가공(架空)의: ~ foods (진열용) 견본 요리/a ~ company 유령 회사/a ~ horse 목마/a ~ director 명의(名義)뿐인 중역〔이사〕/a ~ cartridge 공포(空包).

—*vi.* 《美속어》 입을 (꽉) 다물다.

dúmmy rún 《英구어》 공격〔상륙〕 연습; 시연(試演), 예행 연습.

***dump**[1] [dʌmp] *vt.* **1** 《~+목/+목+전+명》 (무거운 짐)을 **털썩 내려뜨리다**, 부리다; (쓰레기 따위)를 **내버리다**, 투기하다; 쿵하고 떨구다《**on, in** …에》; (그릇의 내용물)을 비우다: The truck ~*ed* the coal *on* the sidewalk. 트럭이 석탄을 보도에 부려 놓았다/~ rubbish *in* the river 쓰레기를 강에 버리다/*Dump* that box over here. 저 상자에 든 것을 여기에다 비우시오. **2** 〖상업〗 투매하다《특히 해외 시장에》. **3** (무책임하게) 내쫓다, 목자르다; (관계를 끊고) 버리다: He ~*ed* his wife a year after marrying her. 그는 결혼한 지 1년 후에 아내를 버렸다. **4** 《+목+전+명》 (책임 따위)를 전가하다《**on** (아무)에게》: Don't ~ your problems *on* me! 너의 문제를 나에게 넘겨 씌우지 마라. **5** 〖컴퓨터〗 덤프하다《내부 기억 장치의 내용을 인쇄, 자기 디스크 등의 외부 매체상으로 출력〔인쇄〕하다》.

—*vi.* **1** 털썩〔쿵〕 떨어지다. **2** 〖상업〗 투매하다. ~ **on** 《美》 야유하다, 비방하다, 헐뜯다.

—*n.* Ⓒ **1** (석탄 · 쓰레기 따위의) 더미; 쓰레기 버리는 곳. **2** 《속어》 불결한〔더러운〕 장소. **3** 〖군사〗 (탄약 등의) 임시 집적장. **4** 〖컴퓨터〗 덤프《컴퓨터가 기억하고 있는 내용을 외부 매체에 출력〔인쇄〕한 것》.

dump[2] *n.* (*pl.*) 우울, 침울; 의기소침. (**down**) **in the ~s** 맥없이, 울적하여, 우울하여.

dúmp·er *n.* =DUMP TRUCK.

dúmp·ing *n.* Ⓤ **1** (쓰레기의) 쏟아버림, (방사성〔유독〕 폐기물의) 투기. **2** 〖상업〗 투매, 덤핑.

dump·ish [dʌ́mpiʃ] *a.* 우울한, 침울한.

dump·ling [dʌ́mpliŋ] *n.* **1** Ⓒ (요리는 Ⓤ) 가루반죽 푸딩, (고기를 넣어 찐) 경단; 파이로 싸서 구운 디저트. **2** Ⓒ 《구어》 키가 작고 뚱뚱한 사람.

Dump·ster [dʌ́mpstər] *n.* 《美》 Ⓒ 대형 쓰레기 수납기《상표명》.

dúmp trùck 덤프 트럭.

dumpy [dʌ́mpi] (**dump·i·er; -i·est**) *a.* (사람이) 땅딸막한, 뭉뚝한. ㊊ **dúmp·i·ness** *n.*

dun[1] [dʌn] *n.* Ⓒ **1** 독촉하는 사람; 빚 독촉자. **2** 빚 독촉; 독촉장. —(**-nn-**) *vt.* …에게 몹시〔성가시게〕 재촉하다; …을 괴롭히다.

dun[2] *a.* 암갈색의(dull grayish brown). —*n.* Ⓤ 암갈색; Ⓒ 암갈색의 말.

Dun·can [dʌ́ŋkən] *n.* 덩컨《남자 이름》.

dunce [dʌns] *n.* Ⓒ 열등생, 저능아; 바보.

dúnce('s) càp (예전에) 공부 못하는 생도에게 벌로 씌우던 원추형의 종이 모자.

Dun·dée càke [dʌndíː-] *n.* 《英》 던디 케이크《아몬드로 장식한 과일 케이크》.

dun·der·head [dʌ́ndərhèd] *n.* Ⓒ 바보, 멍청이. ㊊ **-head·ed** [-id] *a.*

dune [djuːn] *n.* Ⓒ (해변의) 모래 언덕.

dúne bùggy 모래 언덕이나 해변의 모래밭을 달리게 설계된 소형 자동차(beach buggy).

dung [dʌŋ] *n.* Ⓤ (소 · 말 따위의) 똥(excrement); 거름, 비료(manure).

dun·ga·ree [dʌ̀ŋgəríː] *n.* **1** Ⓤ 올이 굵은 무명의 일종《동인도산》. **2** (*pl.*) 위의 천으로 만든 바지 · 작업복 (따위).

◇**dun·geon** [dʌ́ndʒən] *n.* Ⓒ (성(城)의) 토굴 감옥, 지하 감옥.

dúng·hìll *n.* Ⓒ 똥더미, 퇴비.

dunk [dʌŋk] *vt.* **1** (빵 따위)를 적시다《**in, into** (음료)에》: ~ a doughnut *in* 〔*into*〕 coffee 도너츠를 커피에 적시다. **2 a** (물건 · 사람)을 담그다, 잠그다(dip)《**in, into** (액체 · 물) 속에》. **b** 〖~ oneself〗 몸을 잠그다〔담그다〕《**in, into** (물 속)에》: ~ one*self in* a pool. **3** (농구에서 공)을 덩크 샷하다. —*vi.* (빵 따위를) 액체에 담그다; (몸 · 물건을) 물에 잠그다; (농구에서) 덩크 샷을 하다. —*n.* Ⓒ =DUNK SHOT.

Dun·kirk [dʌ́nkəːrk] *n.* 됭케르크《도버 해협에 임한 프랑스의 항구 도시; 1940년 영국군이 독일군 포위 아래 여기서 필사의 철수를 했음》.

dúnk shòt 〖농구〗 덩크 샷《점프하여 바스켓 위에서 공을 내리꽂듯 하는 샷》.

dun·nage [dʌ́nidʒ] *n.* Ⓤ 수화물(baggage),

소지품; 【해사】 짐밑 깔개《뱃짐 사이에 끼우거나 밑에 까는》.

dun·no [dʌnóu] *n.* 《구어》 =DON'T-KNOW.

duo [djúːou] (*pl.* ***dú·os, dui*** [djúːiː]) *n.* 《It.》 Ⓒ **1** 【음악】 2중창, 2중주(곡)(duet). **2** (연예인의) 2인조; 한쌍: a comedy ~.

du·o·dec·i·mal [djùːoudésəməl] *a.* 12를 단위로 하는, 12분의 1의, 12진법의: the ~ system (of notation) 12진법. **—***n.* **1** (*pl.*) 12진법. **2** Ⓒ 12분의 1.

du·o·dec·i·mo [djùːoudésəmòu] (*pl.* ~**s**) *n.* **1** Ⓤ 12절판(twelvemo)《전지의 12분의 1 크기; 대략 4·6판, B6판에 해당; 생략 12mo, 12°》. **2** Ⓒ 12절판(4·6판)의 책. **—***a.* 12절판의.

du·o·den·al [djùːədíːnəl, djuːádnəl] *a.* 【해부】 십이지장의(에 관한): a ~ ulcer 십이지장 궤양.

du·o·de·num [djùːoudíːnəm, djuːádənəm] (*pl.* ***-na*** [-nə]) *n.* Ⓒ 【해부】 십이지장.

du·o·logue [djúːəlɔ̀(ː)g, -làg] *n.* Ⓒ (두 사람만의) 대화(dialogue); (등장 인물 둘의) 대화극. cf. monologue.

dup. duplicate.

°**dupe** [djuːp] *n.* Ⓒ 잘 속는 사람, '봉', 얼뜨기, 얼간이(gull); 괴뢰: make a ~ of a person 아무를 속이다, 바보 취급하다. **—***vt.* 《종종 수동태》 속이다; 속여서 …시키다《***into*** …하게》: I *was* ~*d into* sign*ing* the contract. 속아서 계약서에 서명했다.

du·ple [djúːpəl] *a.* 배(倍)의, 이중의; 【음악】 2박자의.

du·plex [djúːpleks] *a.* Ⓐ 중복의, 이중의, 두배의, 이연식(二連式)의; 【건축】 복식의; 【통신】 이중 통신 방식의, 동시 송수신 방식의: a ~ hammer 양면 망치 / a ~ lamp 쌍심지의 램프 / ~ telegraphy (양쪽에서 동시에 송수신되는) 이중 전신. **—***n.* Ⓒ =DUPLEX APARTMENT; =DUPLEX HOUSE.

dúplex apártment 복식(복층) 아파트《상하층을 한 가구가 쓰게 된》.

dúplex hóuse 《美》 (현관이 양쪽으로 2개 있는) 2세대용 주택.

°**du·pli·cate** [djúːpləkit] *a.* Ⓐ **1** 이중의, 중복의, 한 쌍의; 부(副)의: a ~ key 여벌 열쇠(cf. passkey) / a ~ ratio 【수학】 제곱비. **2** 복제의; 복사의: ~ copy 부본(副本); (회화의) 복제(품) / a ~ copy of a contract 계약서 사본.
—*n.* Ⓒ **1** (동일물의) 2통 중 하나; (그림·사진 따위의) 복제. **2** 등본, 사본, 부본; 복사. ***made*** (***done***) ***in*** ~ 정부(正副) 두 통으로 작성된.
— [-kèit] *vt.* 이중으로 하다, 두 배로 하다; (증서 따위)를 두 통 만들다; 사본하다, 복사하다 (reproduce); 【컴퓨터】 복제(複製)(복사)하다.

dúplicating machìne (**pàper**) 복사기(복사지).

***du·pli·ca·tion** [djùːpləkéiʃən] *n.* **1** Ⓤ **이중**, 2배; 겹침, 둘로 접음. **2** Ⓤ **복제**, 복사; Ⓒ 복제물.

du·pli·ca·tor [djúːpləkèitər] *n.* Ⓒ 복사기; 복제(복사)하는 사람.

du·plic·i·ty [djuːplísəti] *n.* Ⓤ 표리부동, 불성실; 사기; 이중성.

dù·ra·bíl·i·ty *n.* Ⓤ 오래 견딤; 내구성; 내구력.

°**du·ra·ble** [djúərəbəl] *a.* 오래 견디는, 튼튼한; 영속성이 있는, 내구력이 있는: (a) ~ peace 항구적 평화 / ~ goods 내구(소비)재《자동차·가구 따위》. **—***n.* (*pl.*) 내구(소비)재. ↔ *nondurables*. ㊎ **-bly** *ad.* ~**·ness** *n.*

du·ral·u·min [djuərǽljəmin] *n.* Ⓤ 두랄루민《가볍고 강한 알루미늄 경합금의 일종》.

°**du·ra·tion** [djuəréiʃən] *n.* Ⓤ 내구(耐久), 지속, 계속; 계속(지속) 기간; 존속 (기간): ~ of flight 【항공】 체공(滯空)(항속(航續)) 시간 / of long (short) ~ 장기(단기)의, 오래 계속하는(계속하지 않는). ***for the*** ~ ***of*****...** …의 기간 중에. ***for the*** ~ 어떤 일이(사태가) 계속되는 동안; 전쟁 기간 중.

du·ress [djuərés, djúəris] *n.* Ⓤ **1** 구속, 속박, 감금: in ~ 감금당하여. **2** 【법률】 강박, 강요: under ~ 강요(강제)당하여.

Dur·ham [dɔ́ːrəm, dʌ́r-] *n.* **1** 더럼《잉글랜드 북부의 주; 생략: Dur(h).》; 그 주도(州都). **2** Ⓒ 더럼종(種)의 육우(肉牛).

du·ri·an, -on [dúəriən, -àːn] *n.* Ⓒ 【식물】 두리안《Malay 반도산 과실》; 그 나무.

†**dur·ing** [djúəriŋ] *prep.* **1** …**동안** (내내): Don't talk ~ class. 수업 시간에는 이야기하지 마라 / ~ life (the winter) 일생(겨울) 동안 (내내). **2** (특정 기간) 사이의 얼마 동안, …**사이에**: He came ~ my absence. 그는 나의 부재 중에 찾아왔다 / I'll take my vacation for two weeks ~ August. 8월 중에 2주간 휴가를 받을 참이다.

> NOTE during 「특정한 기간을 통하여」의 뜻으로 쓰이며, 그 다음에는 때를 나타내는 명사가 오지만, for 「불특정의 기간 동안」의 뜻으로 쓰이며, 그 다음에는 수사(數詞)를 동반한 명사가 흔히 옴: *during* his stay in London *for* four years, 4년 동안 런던 체재 중.

du·rum [djúərəm] *n.* Ⓤ 밀의 일종(=∠ **whèat**)《마카로니 따위의 원료》.

°**dusk** [dʌsk] *n.* Ⓤ **1** 어둑어둑함, 박명. **2** 땅거미, 황혼(twilight)《darkness가 되기 전》, 어스름: at ~ 해질 무렵에.

dusky** [dʌ́ski] (dusk·i·er; -i·est***) *a.* **1** 어스레한, 희미한. SYN. ⇨DARK. **2** (빛·피부색이) 거무스름한. cf. swarthy. **3** 음침한, 우울한(sad, gloomy). ㊎ **dúsk·i·ly** *ad.* **-i·ness** *n.*

‡**dust** [dʌst] *n.* **1** Ⓤ **먼지**, 티끌: gather (collect) ~ 먼지가 끼다 / *Dust* lay thick on the shelf. 선반에 두껍게 먼지가 쌓였다.
2 Ⓤ 《문어》 시체(dead body), 유해; (티끌이 될) 육체, 인간: the honored ~ 영예로운 유해.
3 Ⓤ 가루, 분말; 금가루; 사금 가루: gold ~ 금가루 / tea ~ 가루차 / saw~ 톱밥.
4 Ⓤ 《英》 쓰레기(refuse), 재; 부스러기: ⇨DUSTBIN, DUSTCART, DUSTMAN.
5 Ⓤ (티끌 같은) 하찮은 것: Fame in the world is ~ to me. 세속적 명성 따위는 나에게 하찮은것없는 것이다.
6 Ⓤ **a** 흙(모래) 먼지: The rain has laid the ~. 비가 와서 먼지가 가라앉았다. **b** (또는 a ~) (뿌옇게 피어오르는) 먼지구름, 사진(砂塵): a cloud of ~ 자욱한 먼지.
7 a Ⓤ (건조하여 먼지투성이의) 지면: His pistol fell in the ~. 그의 권총이 먼지투성이 땅바닥에 떨어졌다. **b** (the ~) (매장 장소의) 흙: laid in the ~ 흙 속에 묻히다.
(*as*) *dry as* ~ 무미건조한. ***bite*** (***eat***) ***the*** ~ ① 땅바닥에 쓰러지다《★ 성서 시편에서》. ② 굴욕을 당하다, 패배하다. ③ 전사하다. ④ 《구어》 (기계

따위가) 고장나다. ~ ***and ashes*** 먼지와 재《실망스러운 것, 하찮은 것》: turn to ~ *and ashes* (희망이) 사라지다. ***in the*** ~ 죽어서; 모욕을 받고. ***lick the*** ~ ① 굽실거리다. ② =bite the ~. ***raise*** 〔***kick up, make***〕 ***a*** ~ 《구어》 소동을 일으키다, 불평하다. ***return to the*** ~ 흙으로 돌아가다, 죽다. ***shake the*** ~ ***off*** 〔***from***〕 ***one's feet*** 〔***shoes***〕 =***shake off the*** ~ ***of one's feet*** 〖성서〗 자리를 박차고 (분연히) 떠나다《마태복음 X:14》. ***throw*** ~ ***in*** 〔***into***〕 ***a person's eyes*** = ***throw*** ~ ***in the eyes of*** a person 아무의 눈을 속이다, 아무를 속이다. ***when the*** ~ ***settles*** 《구어》 혼란이 가라앉은 때에〔다음에〕.

—*vt*. **1** 《~+目/+目+副》 …의 먼지를 떨다; …을 청소하다(*off; down*): ~ a table 책상의 먼지를 닦다/~ oneself *down* 〔*off*〕 (자기) 몸의 먼지를 떨다/~ *off* the table cloth 책상보의 먼지를 떨다. **2** 《+目+前+名》 흩뿌리다, 끼얹다(sprinkle) 《***over, onto*** …위에, ***with*** …을》: ~ a cake *with* sugar =~ sugar *over* 〔*onto*〕 a cake 케이크에 설탕을 뿌리다. **—***vi*. **1** (먼지를 떨어) 청소하다. **2** (새가) 사욕(砂浴)을 하다.

~ ***off*** 《*vt*.+副》 ① …의 먼지를 떨다(⇨*vt*. 1). ② (간수해둔 것)을 꺼내어 다시 사용할 준비를 하다. ~ ***a person's jacket*** 〔***coat***〕 (***for*** him) 《구어》 아무를 두들겨 패다. 파 **∠·less** *a*.

dúst bàth (새의) 사욕(砂浴).

dúst·bìn *n*. Ⓒ 《英》 (옥외용) 쓰레기통(《美》 garbage 〔trash〕 can).

dúst bòwl **1** 황진(黃塵) 지대《모래 강풍(dust storm)이 부는 지역》. **2** (the D- B-) 미국 Rocky 산맥 동쪽 기슭의 대초원 지대《1930년대에 모래 강풍이 내습하였던 지역》.

dúst càrt 《英》 쓰레기 운반차(《美》 garbage truck).

dúst còver **1** (사용하지 않는 가구·비품 따위의) 먼지 방지용 커버. **2** =DUST JACKET.

dúst·er *n*. Ⓒ **1** 먼지 떠는〔청소하는〕 사람; 청소 도구《먼지떨이·총채·행주·걸레 따위》. **2** 《美》 먼지 방지 외투(《英》 dust coat). **3** (설탕·후춧가루·살충제 따위의) 가루 뿌리는 기구.

dúst jàcket 책 커버(book jacket).

dúst·man [-mən] (*pl*. ***-men*** [-mən]) *n*. Ⓒ 《英》 쓰레기 청소부(《美》 ashman, garbageman, garbage collector).

dúst·pàn *n*. Ⓒ 쓰레받기.

dúst shèet 먼지 방지용 천.

dúst stòrm (건조지의) 모래 폭풍; 〖일반적〗 사진(沙塵)을 일으키는 강풍.

dúst·ùp *n*. Ⓒ 《구어》 법석, 소동, 싸움: a literary ~ 문학 논쟁.

dusty** [dʌ́sti] (dust·i·er; -i·est***) *a*. **1** 먼지투성이의, 먼지 많은: a ~ road. **2** (색깔이) 칙칙한, 회색의. **3** 티끌 같은; 분말의(powdery). **4** 무미건조한; 하찮은. **5** 확실치 않은, 불만스러운: a ~ answer 불확실한 대답. ***not*** 〔***none***〕 ***so*** ~ 《英구어》 과히〔아주〕 나쁜 정도의 것은 아닌, (건강 상태가) 그저 그만한, 그다지 나쁘지 않은. 파 **-i·ly** *ad*.

Dutch** [dʌtʃ] *a*. **1** 네덜란드의; 네덜란드령(領)의; 네덜란드 사람의. **2** 네덜란드산〔제(製)〕의. **3** 《경멸적》 네덜란드식의. ***go ~ 《구어》 각추렴하다, 비용을 각자 부담하다《***with*** (아무)와》(cf. Dutch treat): Let's *go* ~. 비용은 각자가 부담하자《★ Let's go fifty-fifty. 또는 Let's split the bill between us 〔among the three of us〕. 따위로도 말함》.

—*n*. **1** (the ~) 〖집합적; 복수취급〗 **네덜란드 사람**〔국민〕《한 사람은 a Dutchman》. **2** Ⓤ **네덜란드어**. cf. double Dutch.

> NOTE (1) 네덜란드를 Holland라고도 하며, 공식적으로는 (the Kingdom of) the Netherlands.
> (2) 네덜란드는 옛날 영국과 해외 식민지 개발을 다툰 강국이었으며, Dutch에는 경멸적인 의미가 내포되어 있음.

beat the ~ 《美구어》 남을 깜짝 놀라게 하다, 경탄시키다: That *beats the* ~. 그거 정말 놀랍군. ***in*** ~ 《美속어》 기분을 상하게 하여, 창피를 당해서《***with*** …에게》; 면목을 잃어, 곤란해서: get *in* ~ 난처한 입장이 되다, 창피당하다. ***double*** ~ 《美속어》 뜻을 알 수 없는 말, 《특히》 어려운 전문용어.

Dútch áuction 경매인이 값을 깎아 내려가는 경매.

Dútch bàrn 《英》 (벽이 없이 마른 풀 따위의 위에 세운) 지붕만 있는 창고.

Dútch cáp **1** 좌우에 늘어진 테가 달린 여성 모자. **2** 《英》 (피임용) 페서리의 일종.

Dútch cóurage 《구어》 술김에 내는 용기.

Dútch dóor **1** 상하 2단으로 된 문《따로따로 여닫게 된》. **2** (잡지 속의) 접어 넣은 광고.

°**Dútch·man** [-mən] (*pl*. ***-men*** [-mən]) *n*. Ⓒ **1** 네덜란드 사람(Netherlander)《★ 《美》에서는 Hollander가 일반적》; 네덜란드 남자. **2** 《美속어》 《때로 경멸적》 독일 사람. **3** 〖해사〗 네덜란드 배: ⇨FLYING DUTCHMAN.

I'm a ~. 《英구어》 목을 내놓겠다《단언할 때 쓰는 말》: *I'm a* ~ if it is true. 그게 사실이라면 내 목을 자르겠다/It is true, or *I'm a* ~. 거짓말이면 내 목을 잘라라.

Dútch óven (묵직한 뚜껑이 딸린 철제) 불고기용 냄비〔기구〕.

Dútch tréat 〔**párty**〕 《구어》 비용을 각자 부담하는 회식〔오락〕, 각추렴의 파티.

Dútch úncle 엄하게 꾸짖는 사람, 잔소리꾼: talk to a person like a ~ 아무를 엄하게 꾸짖다〔타이르다〕.

Dútch·wòman (*pl*. ***-women***) *n*. Ⓒ 네덜란드인 여성.

du·te·ous [djúːtiəs] *a*. 《문어》 의무 관념이 강한; 충절의, 순종하는(dutiful); 정절의; 의리가 있는.

du·ti·a·ble [djúːtiəbəl] *a*. 관세를 물어야 할 《수입품 따위》, 세금이 붙는. ↔ *duty-free*. ¶ ~ goods 과세품.

°**du·ti·ful** [djúːtifəl] *a*. **1** 충실한, 충순한; 본분을 지키는: a ~ servant 충실한 하인. **2** 공손한, 예의바른: ~ respect 정중한 존경, 공순(恭順). 파 **~·ly** *ad*. **~·ness** *n*.

⁑**du·ty** [djúːti] *n*. **1** Ⓤ (구체적으로는 Ⓒ) **의무**, 본분; 의무감, 의리: act out of ~ 의무감으로 행동하다/a strong sense of ~ 강한 의무감/pay a ~ call 〔visit〕 의리상의 방문을 하다/I feel it my ~ to do that. 그것을 하는 것이 나의 의무라고 생각한다.

SYN. **duty** 양심상·윤리상의 요청에서 해야 하는 것: one's *duty* to raise children properly 자식들을 바르게 기를 의무. **obligation** 법률상·사회 관습상의 요청에서 해야 하는 것: This entails no *obligation* on posterity. 이

것 때문에 자손이 (변상 등의) 의무를 지게는 안 된다. **responsibility** …에 응할〔…을 인수할〕 의무.
2 Ⓒ (흔히 *pl.*; 때로 Ⓤ) (특정한) **임무**, 직무, 직책; 〖군사〗 군무: hours of ~ 근무 시간/night 〔day〕 ~ 야근〔일근〕/the *duties* of a teacher 교사의 직무/a ~ officer 당직 장교. **3** Ⓒ (흔히 *pl.*; 또는 Ⓤ) 조세; 관세(customs duties): excise *duties* (국내) 소비세, 물품세/export 〔import〕 *duties* 수출〔수입〕세/legacy ~ 유산 상속세.
as in ~ bound 의무상, 의무〔본분〕에 따라. ***be (in) ~ bound to*** do 의무로서 …해야 하다. ***do ~ for*** 〔***as***〕 …의 대용이 되다, …의 역을 하다: An old sofa *did ~ for* a bed. 낡은 소파가 침대 대용이 되었다. ***do*** 〔***perform***〕 one***'s ~*** 의무를 다하다. ***fail in*** one***'s ~*** 본분을〔의무를, 직무를〕 소홀히 하다. ***in*** (***the***) ***line of ~*** 직무 범위 내에〔의〕. ***off*** 〔***on***〕 ***~*** 비번〔당번〕으로, 근무 (시간)외〔중〕에. ***take on*** a person***'s ~*** 아무의 일을 대신하다.
dúty-frée *a.* 세금 없는, 면세의: ~ goods 면세품/a ~ shop (공항 등의) 면세품점. **—***ad.* 면세로, 세금 없이: I bought it ~. 그것을 면세로 샀다.
dúty-páid *a.* 납세 완료한, 납세필의.
du·vet [djuːvéi] *n.* 《F.》 Ⓒ 새털 이불《quilt 따위》.
D.V. *Deo volente* 《L.》 (=God willing).
Dvo·řák [dvɔ́ːrʒɑːk, -ʒæk] *n.* **Antonin ~** 드보르자크《체코슬로바키아의 작곡가; 1841-1904》.
dwarf** [dwɔːrf] (*pl.* **~s, *dwarves [-vz]) *n.* Ⓒ **1 난쟁이**, 꼬마둥이(pygmy). ⓒⓕ midget. ¶a ~ of a man 난쟁이 같은 사람. **2** (옛 이야기·동화에 나오는) 못생긴 난쟁이. **3** 왜소 동물〔식물〕, 좀생이; 분재. **4** 〖천문〗 =DWARF STAR.
—*a.* 왜소한; 소형의(↔ *giant*); (식물이) 왜성(矮性)인; 지지러진.
—*vt.* **1** 작게 하다; 작아 보이게 하다. **2** …의 발육〔성장, 발달〕을 방해하다: a ~(*ed*) tree 분재(盆栽).
dwarf·ish [dwɔ́ːrfiʃ] *a.* 난쟁이 같은, 왜소한, 자그마한.
dwárf stár 〖천문〗 왜성(矮星)《광도와 질량이 비교적 작은 항성》.
dweeb [dwiːb] *n.* Ⓒ 《美속어》 싫은〔촌스런〕 녀석, 굼뜬 녀석; 바보; 겁쟁이.
dwell** [dwel] (*p.*, *pp.* ***dwelt [-t], ***dwelled*** [-d, -t]) *vi.* **1** 《+전+명》 **살다**, 거주하다(live) 《***at, in, on*** (장소)에》: ~ *at* home 국내에 거주하다/~ *in* a city 도시 생활을 하다《★ 지금은 live가 일반적》. **2** 《+전+명》 (어떤 상태에) **머무르다**, 체재하다: ~ *in* one's mind 마음에 남다/ Her memory ~*s with* me. 그녀의 추억은 언제까지나 내 마음 속에 깃들어 있다.
~ on 〔***upon***〕 ① …을 곰곰〔깊이〕 생각하다: She ~*s* too much *upon* her past. 그녀는 자신의 과거를 너무 깊이 생각한다. ② …을 길게〔상세하게〕 논하다〔쓰다〕: The book ~*s on* the horrors of nuclear war. 그 책은 핵전쟁의 무서움을 상세하게 논하고 있다. ③ …을 꾸물거리다; 천천히 하다; 길게 빼어 발음하다.
◇dwéll·er *n.* Ⓒ 거주자, 주민: a town ~ 도시 주민.
***dwell·ing** [dwéliŋ] *n.* Ⓒ **집**, 주거, 주소. SYN. ⇨HOUSE.
dwélling hòuse (점포·사무실에 대하여) 살림집, 주택.
dwélling plàce 주소, 거처.
dwelt [dwelt] DWELL의 과거·과거분사.
◇dwin·dle [dwíndl] *vi.* **1** (차츰) 줄다, 작아지다, 축소〔감소〕되다(diminish) (*away; down*): ~ in size 〔numbers〕 크기〔수〕가 줄어들다/~ *away* to nothing 점점 줄어서 없어지다/~ *down* to 줄어서〔쇠하여〕 …이 되다/the island's *dwindling* population 섬의 줄어드는 인구/The airplane ~*d* to a speck. 비행기는 점점 작아져서 이내 하나의 점으로 되었다. **2** (명성 따위가) 쇠하다, 못쓰게 되다, (품질이) 저하되다, 하락하다(*away; down*): Her hopes gradually ~*d away*. 그녀의 희망은 점차 사라졌다.
dwt. *denarius weight* 《L.》 (=pennyweight).
DX, D.X. 〖통신〗 distance, distant. **Dy** 〖화학〗 dysprosium.
d'ya [djə] 〖발음철자〗 《구어》 do you의 간약형.
dye** [dai] *n.* Ⓤ (종류·낱개는 Ⓒ) **물감**, 염료: acid 〔alkaline〕 ~(*s*) 산성〔알칼리성〕 염료/synthetic 〔natural〕 ~(*s*) 합성〔천연〕 염료. ***of (***the***) ***deepest*** 〔***blackest***〕 ***~*** 제일류〔1급〕의; 가장 악질의, 극악한: an intellectual *of the deepest ~* 제1급의 지식인/a crime 〔scoundrel〕 *of the blackest* 〔*deepest*〕 ~ 극악한 범죄〔악당〕.
— (*p.*, *pp.* ***dyed; dýe·ing***) *vt.* 《~+목/+목+보》 **물들이다**; 염색〔착색〕하다: have a cloth ~*d* 천을 염색시키다/~ a green over a white 흰 바탕에 녹색을 물들이다/~ a cloth red 천을 붉게 물들이다. **—***vi.* **1** 《+보》 물들다: ~ red 빨갛게 물들다. **2** 《+부》 〖well 따위의 양태부사를 수반하여〗 (…하게) 물들다: This dyestuff ~*s well* 〔*badly*〕. 이 물감은 착색성이 좋다〔좋지 않다〕. ★ 철자에 주의: dye≠die; dyeing≠dying.
dýed-in-the-wóol *a.* **1** Ⓐ 《종종 경멸적》 (사상적으로) 철저한, 변함 없는: a ~ communist 철저한 공산주의자. **2** (모직물이) 짜기 전에 실을 물들인.
dýe·ing *n.* Ⓤ 염색(법); 염색업.
dy·er [dáiər] *n.* Ⓒ 염색하는 사람, 염색공; 염색집〔소(所)〕.
dýe·stùff, -wàre *n.* Ⓤ (종류·낱개는 Ⓒ) 물감, 색소(dye).
⁑dy·ing [dáiiŋ] *a.* **1 죽어가는**, 빈사(瀕死)의; 임종(시)의: a ~ swan 빈사의 백조《죽을 때 비로소 노래를 부른다고 함》. **2** (날·한 해가) 저물어가는; 사라지려는, 꺼져가는, 멸망에 직면한: the ~ year 저물어가는 (한)해. **3** Ⓟ 《구어》 간절히 …하고 싶어하는, 애타게 그리는《***for*** …을/***to*** do》: I'm ~ *for* a drink. 한 잔 하고 싶어 못견디겠군/She is ~ *to* see him. 그녀는 그를 몹시 만나고 싶어한다. ◇ die *v.* one***'s ~ bed*** 〔***wish, words***〕 임종 때의 자리〔소원, 유언〕. ***to*** 〔***till***〕 one***'s ~ day*** 죽는 날까지, 언제까지나.
dyke [daik] *n.* Ⓒ 《속어》 레즈비언, 그 남자역 《특히 여성끼리의 동성애에서》.
◇dy·nam·ic [dainǽmik] *a.* **1** 동력의; 동적인. ↔ *static*. ¶~ density (인구 등의) 동적 밀도. **2** (사람이) 활동적인, 정력적인, 다이내믹한: a ~ person 정력적인 사람/a ~ performance of Beethoven's 5th 베토벤 「제5교향곡」의 다이내믹한 연주. **3** 〖컴퓨터〗 (메모리가) 동적인《내용을 정기적으로 갱신할 필요가 있는》. ↔ *static*. ¶a

~ memory 동적(動的) 기억 장치. **4** 역학상의; 동태의: ~ psychology 역동 심리학/~ economics 동태 경제학. **5** 〖의학〗 기능상의(functional): a ~ disorder 기능성 질환. **—***n*. (*sing.*) 힘; 원동력. ㊞ **-i·cal** [-əl] *a*. =dynamic. **-i·cal·ly** *ad*.

***dy·nam·ics** [dainǽmiks] *n*. **1** Ⓤ 〖물리〗 역학, 동역학: rigid-body ~ 강체(剛體) 역학/the ~ of a power struggle 권력 투쟁의 역학. **2** 《복수취급》 (원)동력, 《일반적》 힘, 활력, 박력. **3** 《복수취급》 (사회 문화적인) 변천〔변동〕(과정).

dy·na·mism [dáinəmìzm] *n*. Ⓤ **1** 〖철학〗 물력론(物力論), 역본설(力本說), 역동설《모든 현상은 자연력의 작용으로 말미암음》.

dy·na·mite** [dáinəmàit] *n*. Ⓤ **1** 다이너마이트《폭약명》. **2** 《구어》 대단한 것〔사람〕: That singer is real ~. 저 가수는 정말 대단한 사람이다. **3** 일촉즉발의 위험, 대단한 위기. **—a*. Ⓐ 《美속어》 최고의, 굉장한, 강력한; 자극적인: a ~ singer.

—*vt*. …을 다이너마이트로 폭파하다; …에 다이너마이트를 장치하다. ㊞ **-mìt·er** *n*.

dy·na·mize [dáinəmàiz] *vt*. …을 활성화하다, …의 활기를 돋우다; …을 보다 생산적으로 하다: ~ the economy 경제를 활성화하다.

◇**dy·na·mo** [dáinəmòu] (*pl*. **~s**) *n*. Ⓒ **1** 발전기: an alternating 〔a direct〕 current ~ 교류〔직류〕 발전기. **2** 《구어》 (지칠 줄 모르는) 정력가, 근면〔활동〕가: She's a real ~. 그녀는 참으로 대단한 활동가이다.

dỳnamo·eléctric, -trical *a*. 발전(發電)의, 전동(電動)의.

dy·na·mom·e·ter [dàinəmɑ́mitər/-mɔ́m-] *n*. Ⓒ 동력계. ㊞ **-try** *n*. Ⓤ 동력 측정법.

dy·na·mo·tor [dáinəmòutər] *n*. Ⓒ 발전동기(發電動機)《발전기와 전동기를 겸함》.

dy·nast [dáinæst, -nəst/dínæst] *n*. Ⓒ (왕조의) 군주, (세습적) 주권자; 왕자, 제일인자.

dy·nas·tic, -ti·cal [dainǽstik/di-], [-əl] *a*. 왕조〔왕가〕의.

◇**dy·nas·ty** [dáinəsti/dí-] *n*. Ⓒ **1** (역대) 왕조, 왕가: the Tudor ~ 튜더 왕조. **2** (어떤 분야의) 지배적 그룹; 명가(名家), 명문.

dyne [dain] *n*. Ⓒ 〖물리〗 다인《힘의 단위; 질량 1g 의 물체에 작용하여 $1cm/sec^2$ 의 가속도를 생기게 하는 힘》.

dys- [dis] *pref*. '악화, 불량, 곤란 등' 의 뜻의 결합사.

dys·en·tery [dísəntèri] *n*. Ⓤ 〖의학〗 이질, 적리; 《구어》 설사병. ㊞ **dỳs·en·tér·ic** *a*.

dys·func·tion [disfʌ́ŋkʃən] *n*. Ⓤ 〖의학〗 (신체 기관의) 기능 장애〔이상, 부전(不全)〕.

dys·gen·ic [disdʒénik] *a*. Ⓐ 〖생물〗 열생학(劣生學)의, 열성의, 비(非)우생학적인; 역도태(逆陶汰)의. ↔ *eugenic*.

dys·lex·ia [disléksiə] *n*. Ⓤ 〖의학〗 난독증(難讀症), 독서 장애. ㊞ **-léx·ic** *a*., *n*. Ⓒ 실독증(失讀症)의 (사람).

dys·pep·sia, -sy [dispépʃə, -siə], [-si] *n*. Ⓤ 〖의학〗 소화 불량(증).

dys·pep·tic [dispéptik] *a*. **1** 소화 불량의; 위병에 걸린. **2** (기질이) 화를 잘 내는, 까다로운. **—***n*. Ⓒ 소화 불량인 사람.

dys·pho·nia, -ny [disfóuniə], [dísfəni] *n*. Ⓤ 〖의학〗 발음 곤란, 언어〔발성〕 장애.

dysp·nea, -noea [disPníːə] *n*. Ⓤ 〖의학〗 호흡 곤란.

dys·pro·si·um [dispróusiəm, -ʃiəm] *n*. Ⓤ 〖화학〗 디스프로슘《자성(磁性)이 강한 희토류(稀土類) 원소; 기호 Dy; 번호 66》.

dys·to·pia [distóupiə] *n*. Ⓤ (유토피아(utopia)에 대하여) 암흑향(暗黑鄕), 지옥향.

dys·tro·phy, -phia [dístrəfi], [distróufiə] *n*. Ⓤ 〖의학〗 영양 실조〔장애〕(증), 영양 불량: ⇨ MUSCULAR DYSTROPHY.

dz. dozen(s).

E

E[1]**, e** [iː] (*pl.* **E's, *Es*, e's, es** [-z]) *n.* **1** [U] (구체적으로는 [C]) 이《영어 알파벳의 다섯째 글자》. **2** [U] (연속하는 것의) 다섯 번째.

E[2] (*pl.* ***E's, Es*** [-z]) *n.* **1** [C] E자 모양(의 것). **2** [U] 『음악』 마음(音)《고정 도창법의 '미'》, 마조(調): *E* 〔major〕 minor 마장조〔단조〕.

e- *pref.* =EX-[1].

E, E., e. East; east(ern). **E, E.** Easter; English. **ea.** each.

†**each** [iːtʃ] *a.* [A] 《단수 명사를 수식하여》 **각각〔각기〕의, 각자의,** 제각기의, 각 …: at 〔on〕 ~ side of the gate 문의 양쪽〔안팎〕에(=at 〔on〕 both sides of the gate) / ~ one of us 우리(들) 각자 / The teacher gave three books to ~ boy. 선생님은 각 소년들에게 책을 세 권씩 주셨다 / *Each* country has its own customs. 각(各) 나라에는 각기 특유한 풍습이 있다. ***bet ~ way*** (경마에서) 연승식(連勝式)에 걸다. ***~ and every*** 《every의 강조》 어느 것이나〔어느 누구도〕 모두, 죄다: *Each and every* boy was present. 어느 학생이나 모두 출석해 있었다. ***~ time*** ① 언제나; 늘, 매번. ② …할 때마다《접속사적 용법》: *Each time* they come, they bring something. 올 때마다 그들은 무엇인가를 가지고 온다. ***on ~ occasion*** 그 때마다.

> [NOTE] (1) 'each+명사'는 단수 취급이 원칙이며, 대명사로 받을 때에는 he, his / they, their로 함: Each student has received his 〔their〕 diploma. 학생은 저마다 졸업증서를 받았다《의미상 students이므로 their로도 받음》. (2) each 뒤에 명사가 둘 이상 연속되어도 단수 취급을 함: Each senator and congressman was 〔were〕 allocated two seats. 상하 양원 의원은 좌석이 두 개씩 할당돼 있었다. (3) each는 '개별적', all은 '포괄적', every는 each와 all의 뜻을 아울러 지님. (4) each의 앞에는 정관사나 소유대명사가 오지 않음. 특정한 것의 각각을 가리킬 때에는 each of the 〔his, these, those〕 books의 형식을 취함.

—*pron.* **1** 《흔히, ~ of+(대)명사》 저마다, **각각,** (제)각기, **각자:** *Each of* us *has* his 〔her〕 opinion. 우리는 제각기 자기의 의견을 갖고 있다《★ 단수 취급을 원칙으로 하지만, 《구어》에서는 *Each of* us have our opinions. 처럼 복수 취급을 할 때도 있음》/ *Each of* the girls was 〔were〕 dressed neatly. 어떤 여자 아이나 말쑥한 복장을 하고 있었다《★ 단수동사가 원칙이지만 girls에 끌려 복수동사를 쓸 때도 있음》. **2** 《복수 (대)명사의 동격으로 쓰이어서》 **제각각:** We ~ have our opinions. 우리는 각기 자기 의견을 갖고 있다《★ 이 때는 주어에 맞추어 복수 취급》/ We gave them ~ a suitable job. 우리는 그들 각자에게 각기 적당한 직업을 주었다《★ we each, them each의 each는 we, them과 동격》. ***~ and all*** 각자 모두; 각기 모두. ***~ other*** ⇨ EACH OTHER.

> [NOTE] (1) each는 보통, 직접 목적어의 뒤에는 오지 않음: I kissed ~ of them. (*I kissed them ~.) 다만, SVOO일 때는 가능함: I gave them an egg ~. 그들에게 달걀을 한 개씩 주었다. (2) 부정문에는 each를 쓰지 않고, no one이나 neither를 씀. (3) 'A and B each'일 때는 복수 취급이 보통임: My brother and sister ~ *give* freely to charity. (나의 형님도 누님도 각자 아낌없이 자선 사업에 기부한다). 다만, A, B를 각기 개개의 것으로 보는 기분이 강할 때에는 단수로 취급함: The rural south and the industrial north ~ *has* its attraction for the tourist. 농촌 지대인 남부와 공업화된 북부는 각기 관광객을 끄는 매력을 갖추고 있다.

—*ad.* **각기; 각각;** 한 개에 대해: They cost a dollar ~. 그것들은 한 개 1달러이다 / The tickets are 500 won ~. 표는 한 장에 500원이다 / The girls were ~ dressed neatly. 소녀들은 모두 말쑥하게 옷을 입고 있었다.

***èach óther** 서로(를), **상호:** We love ~. 우리는 서로 사랑한다 / They held ~'s hands. 그들은 서로 손을 잡았다 / We know ~'s minds very well. 우리는 서로의 마음을 아주 잘 안다.

> [NOTE] (1) 흔히 each other는 두 사람 사이, one another는 셋 이상일 때 쓰인다고 알려져 있으나, 거의 구별없이 쓰임. (2) each other가 하나의 주어로는 쓰이지 않음. each를 주어로 the other를 목적어로 씀: Each of them knows *the other* 〔=They know ~〕. 그들은 서로 아는 사이다.

‡**ea·ger** [íːgər] *a.* **1 열망하는,** 간절히 바라는 《***for, after*** …을 / ***to*** do / ***that***》: ~ *for* 〔*after*〕 knowledge 지식욕에 불타는 / He is ~ *to* go abroad. 그는 외국에 꼭 가고 싶어한다 / They were ~ *for* the game *to* begin. 그들은 경기가 시작되기를 애타게 기다렸다 / He is ~ *that* I (should) succeed. 그는 내가 성공하기를 간절히 바라고 있다.

> [SYN.] **eager** 목적을 달성하고자 열망함. **earnest** 목적을 달성하기 위해 열심히 하는 외에 정성스럽게 노력함. **enthusiastic** eager 보다 더 열광적임. **keen** 강한 욕망으로, 어떤 목적을 위한 적극적인 행위를 나타냄. **anxious** 강한 희망을 품고는 있으나 그것이 달성될지 안 될지에 대한 불안감이 내포되어 있음.

2 열심인, 열의 있는《***in*** …에》: an ~ desire 간절한 욕망 / an ~ glance 뜨거운 눈길 / He's very ~ *in* his studies. 그는 아주 열심히 공부한다. [파] ***~·ly** *ad.* **열심히,** 간절히.

éager béaver 《구어》 열심히 일하는 사람, 일벌레.

ea·ger·ness** [íːgərnis] *n.* [U] **1 열심:** with ~ 열심히. **2 열망**《for*** …에 대한 / ***to*** do / ***that***》: one's ~ *for* fame 명예욕 / have a great ~ *to*

[E]

work 일하겠다는 의욕이 대단하다 / His ~ *that* everyone (should) be happy was quite clear. 그가 누구나 행복하기를 간절히 바란다는 것은 아주 명백했다.

⁑**ea·gle** [íːgəl] *n.* **1** Ⓒ 『조류』 (독)수리. ★ 새끼 (독)수리 eaglet; (독)수리 집 aerie. **2** Ⓒ 독수리표 《미국의 문장(紋章)》. **3** (the E-) 『천문』 독수리자리. **4** Ⓒ 『골프』 표준 타수보다 둘이 적은 타수. **—***vt.* 『골프』 (홀)을 표준 타수보다 둘이 적은 홀인으로 오르다.

éagle èye 날카로운 눈, 형안(炯眼); 눈이 날카로운 사람.

éagle-èyed *a.* 눈이 날카로운; 뚫어지게 보는: watch ~ 응시하다.

ea·glet [íːglit] *n.* Ⓒ 새끼 수리.

†**ear**[1] [iər] *n.* **1** Ⓒ 귀: the (external) ~ 외이(外耳) / the internal ~ 내이 / pull a person by the ~ 아무의 귀를 잡아당기다 / reach 〔fall on, come to〕 one's ~*s* (귀에) 들려오다 / A word in your ~*s*. 귀 좀 빌리자, 잠깐 (은밀히) 할 말이 있다. **2 a** Ⓒ 청각, 청력: have good ears 귀가 밝다. **b** (*sing.*) 듣고 이해하는 힘 《*for* …을》: have no 〔a good〕 ~ *for* music 음악을 이해하지 못하다 〔잘 이해하다〕. **3** (*sing.*) 경청, 주의: catch a person's ~ 아무의 주의를 끌다 / bend an ~ (to) (…에) 귀를 기울이다. **4** Ⓒ 귀 모양의 물건; (냄비 등의) 손잡이.

be all ~s 《구어》 열심히 귀를 기울이다. ***bend*** a person***'s ~*** 《美속어》 남에게 진저리나게 지껄여 대다. ***bow down*** 〔***incline***〕 one***'s ~s to*** …에 귀를 기울이다. ***by ~*** 악보를 안 보고: play *by* ~ 악보 없이 연주하다. ***cannot believe*** one***'s ~s*** 자기의 귀를 의심하다, 사실이라고는 생각되지 않다. ***easy on the ~*** 듣기 좋은. ***fall*** (***down***) ***about*** a person***'s ~s*** (신변의 사항 · 계획 · 희망 따위가) 완전히 와해되다〔무너지다〕. ***fall on deaf ~s*** ⇨DEAF. ***from ~ to ~*** 입을 크게 벌리고: smile *from ~ to ~* 입을 크게 벌리고 웃다. ***give ~ to ...*** 《문어》 …에 귀를 기울이다. ***go in*** (***at***) ***one ~ and out*** (***at***) ***the other*** 한쪽 귀로 듣고 한쪽 귀로 흘려 버리다; 감명〔인상〕을 주지 못하다, 도무지 효력이 없다. ***have*** 〔***hold, keep***〕 ***an*** 〔one***'s***〕 ***~ to the ground*** 여론에 귀를 기울이다; 사태의 추이를 지켜보다. ***meet the ~*** 귀에 들려오다, 들리다. ***My ~s are burning.*** 귀가 간지럽다, 누군가 내 말을 하는 것 같다. ***out on*** (one's) ~ 《속어》 갑자기 직장〔학교, 조직〕에서 쫓겨나서: throw 〔kick〕 a person *out on* his ~ 아무를 갑자기 쫓아내다. ***pin*** a person***'s ~s back*** 《속어》 남을 호되게 때리다, (완전히) 패배시키다. ***play it by ~*** 《구어》 임기응변으로 하다, 되어 가는 형편에 따라 하다. ***set*** persons ***by the ~s*** 사람들 사이에 싸움을 일으키다, 서로 등지게 하다. ***set ... on*** one***'s ~*** 《구어》 …을 흥분시키다, 충격을 주다, 놀래다. ***turn a deaf ~ to*** …을 들으려 하지 않다, 마이동풍이다. ***up to the*** 〔one's〕 ***~s*** =***over*** (***head and***) ***~s*** 《구어》 꼼짝 못할 정도로 《***in*** (일 · 빚 따위)에 빠져》: I'm *up to the ~s in* work. 일 때문에 꼼짝할 수가 없다. ***wet*** 〔***not dry***〕 ***behind the ~s*** ⇨DRY.

㊞ **∠-less** *a.* 귀가 없는; 들리지 않는; 음치의.

ear[2] *n.* Ⓒ (보리 등의) 이삭, (옥수수의) 열매: an ~ of corn 옥수수 1개 / be in (the) ~ 이삭이 패어 있다 《★ in ~는 종종 관사 없이》 / come into ~ 이삭이 나오다 《★ into ~는 관사 없이》.

éar·àche *n.* Ⓤ (《美》에서는 Ⓒ) 귀앓이: have ~ 〔《美》 an ~〕 귀가 아프다.

éar·dròp *n.* Ⓒ 귀고리, 《특히》 펜던트가 달린 귀고리.

éar·drùm *n.* Ⓒ 고막, 귀청.

eared[1] *a.* 귀가 있는〔달린〕: an ~ owl 〔seal〕 (귀가 달린) 부엉이〔물개〕 / long-~ 긴 귀의.

eared[2] *a.* 이삭이 나온〔팬〕: golden-~ 황금빛 이삭이 팬.

éar·flàp *n.* Ⓒ (보통 *pl.*) 《美》 (방한모의) 귀덮개.

ear·ful [íərfùl] *n.* (an ~) 흰소리, 허풍; 귀따가운 이야기, 꾸중: get an ~ 귀가 따가울 정도로 듣다 / give a person an ~ 아무를 꾸짖다.

Earl [əːrl] *n.* 얼 《남자 이름》.

◇**earl** *n.* Ⓒ 《英》 백작 《그 부인은 countess》. ★ 유럽 대륙의 count에 해당하며 marquis (후작) 다음 가는 작위.

earl·dom [ə́ːrldəm] *n.* Ⓤ 백작의 신분〔지위〕; Ⓒ 그 영지.

éar·lòbe *n.* Ⓒ 귓불.

†**ear·ly** [ə́ːrli] (***-li·er; -li·est***) *ad.* **1 일찍이, 일찍부터**, 일찌감치; 초기에, 어릴 적에. ↔ *late*. ¶ get up ~ 일찍 일어나다 / ~ in the year 연초에 / ~ in life 아직 젊었을 때에 / as ~ as May 〔1850〕, 5월〔1850년〕에는 이미 / *Early* to bed and ~ to rise makes a man healthy, wealthy and wise. 《격언》 일찍 자고 일찍 일어남은 건강, 부귀, 지혜의 근본.

> SYN. **early** 어떤 정해진 시간보다 일찍 또는 어떤 기간의 초기란 뜻. **soon** 현재 또는 어떤 시점으로부터 '바로, 곧, 오래지 않아'의 뜻. **fast** 속도가 '빠르게'란 뜻.

2 (먼) 옛날에: Man learned ~ to use tools. 인간은 먼 옛날에 도구의 사용을 익혔다. **3** (예정) 시간 전에, (시간에) 늦지 않게: They came ~ and found their hosts still dressing. 그들이 약속 시간 전에 도착하였더니, 초대한 주인은 아직 옷치레를 하고 있었다.

earlier on 미리, 일찍부터: as I said *earlier on* 전에〔미리〕 말했듯이. ***~ and late*** 조석으로; 아침 일찍부터 밤 늦게까지. ***~ on*** 초기〔조기〕에, 이른 시기에; 시작하자 곧: The race was decided ~ *on*. 경주는 시작하자 곧 결판이 얼추 나 있었다. cf. LATER on. ***~ or late*** 조만간에 《★ sooner or later가 더 일반적》.

— (***-li·er; -li·est***) *a.* **1 이른**; 빠른. ↔ *late*. ¶ an ~ habit 일찍 자고 일찍 일어나는 습관 / ~ spring 이른 봄 / an ~ riser 일찍 일어나는 사람. **2 초기의**; 어릴 때의: an ~ death 요절(夭折) / in one's ~ days 젊은 때에 / from ~ years 어릴 적부터 / He's in his ~ twenties. 그는 20대 초반이다. **3 정각보다 이른**; 올되는; 맏물의: an ~ supper 이른 저녁 식사 / ~ fruits 맏물 과일 / He was ten minutes ~. 그는 10분 일찍 도착했다. **4 가까운 장래의**: I look forward to an ~ reply. 조속한 회신을 기다리겠습니다.

at one***'s earliest convenience*** 될 수 있는 대로 일찍이, 형편이 닿는 대로. ***at the earliest*** 빨라도. ***~ days*** (***yet***) 시기상조인: It's ~ *days yet* to tell. 《주로 英》 입밖에 내기에는 아직 이르다.

㊞ **éar·li·ness** *n.*

éarly bìrd 《구어》 일찍 일어나는 사람; 정각보다 빨리 오는 사람: The ~ catches the worm. 《속담》 부지런한 새가 벌레를 더 먹는다 《부지런해야 수가 난다》.

éarly clósing (**dày**) 《英》 (일정한 요일의 오

후에 실시하는) 조기 폐점(일).

Early Módern Énglish 초기 근대 영어 《1500–1750년경의》.

éarly wárning (방공(防空) 따위의) 조기 경보 〔경계〕.

éar·màrk *n.* Ⓒ **1** 귀표《임자를 밝히기 위해 양 따위의 귀에 표시함》; 책장 모서리의 접힌 부분 (dogear). **2** (흔히 *pl.*) 특징: She has all the ~*s* of a superstar. 그녀는 슈퍼 스타로서의 특징을 모두 갖추고 있다. **—***vt.* …에 귀표를 하다; (자금 따위)를 책정하다, 배당하다《*for* (특정 용도)에》: A thousand dollars is ~*ed for* research. 1천 달러가 연구비로 책정되어 있다.

éar·mùff *n.* Ⓒ (보통 *pl.*) (방한 · 방음용) 귀덮개, 귀가리개: a pair of ~*s*.

earn [əːrn] *vt.* **1** (생활비)를 **벌다**: ~ one's living 〔daily bread〕 생계비를 벌다. **2** (명성 등)을 **획득하다**, 얻다; (비난 · 평판 등)을 받다: ~ one's medical degrees abroad 외국에서 의학박사 학위를 획득하다 / ~ a reputation for honesty 정직하다는 평판을 얻다. **3** 《~+목/+목+목/+목+전+명》 (이익 따위)를 나게 하다, (행위 따위가 명성 · 신용 등)을 가져오다 (bring): Money well invested ~*s* good interest. 적절히 투자된 돈은 충분한 이익을 올린다 / His conduct ~*ed* him universal praise. 그의 행위는 그에게 만인의 칭송을 가져다 주었다 / His diligence ~*ed* success *for* him. 그는 근면한 덕택으로 성공하였다. **4** (보수 등)을 받을 만하다(deserve): receive more than one has ~*ed* 당연히 받아야 할 이상의 것을 받다. 파 **∠·er** *n.*

éarned íncome 근로 소득.

éarned rún 〖야구〗 자책점《투수의 책임이 되는 안타, 4구, 도루 등에 의한 득점; 생략: ER》.

éarned rún àverage 〖야구〗 방어율《투수의 자책점을 투구 이닝수로 나누고 9를 곱한 수; 생략: ERA, era》.

ear·nest[1] [ə́ːrnist] *a.* **1** (인품이) **성실한, 진지한**, 착실한, 열심인《*about, over* …에》: an ~ worker 성실히 일하는 사람 / one's ~ wish 간절한 소망 / He was quite ~ *about* quitt*ing* smoking. 그는 담배를 끊으려고 무척 애썼다. SYN. ⇨EAGER. **2** (사태가) 중대한, 신중히 고려하여야 할. **—***n.* Ⓤ 진지, 진심. ***in*** (***real***) **~** 진지하게, 진심으로; 본격적으로: Are you *in* ~? 진심으로 하는 말이냐? / It is raining *in* ~. 비가 본격적으로 내리고 있다. 파 **~·ness** *n.* Ⓤ 열심.

ear·nest[2] *n.* (an ~) **1** =EARNEST MONEY. **2** 조짐, 전조: an ~ *of* success 성공의 조짐.

ear·nest·ly [ə́ːrnistli] *ad.* **열심히**, 진심으로.

éarnest mòney 계약금, 증거금, 보증금.

earn·ings [ə́ːrniŋz] *n. pl.* 소득, 벌이; 이득: average ~ 평균 소득.

éarnings-reláted [-id] *a.* 소득에 비례하는: an ~ pension 소득액 비례 연금.

EAROM 〖컴퓨터〗 erasable and alterable read-only memory (소거(消去) 재기입 롬(ROM); 기억시킨 데이터를 전기적(電氣的)으로 개서(改書)할 수 있는 롬). cf. ROM.

Earp [əːrp] *n.* **Wyatt** (**Berry Stapp**) ~ 어프 《미국 서부의 연방 보안관으로, 권총의 명수; 1848–1929》.

éar·phòne *n.* Ⓒ 이어폰; =HEADPHONE: put on (a pair of) ~*s* 이어폰을 (양쪽 귀에) 꽂다.

éar·pìece *n.* Ⓒ **1** 이어폰. **2 a** (보통 *pl.*) 《英》 (방한모 따위의) 귀덮개. **b** 《美》 (보통 *pl.*) 안경다리.

éar-pìercing *a.* (비명 따위로) 귀청이 떨어질 정도의, 고막이 째지는 듯한.

éar·plùg *n.* Ⓒ (보통 *pl.*) 귀마개《소음 방지용》.

ear·ring [íəriŋ] *n.* Ⓒ (보통 *pl.*) 이어링, **귀고리**, 귀걸이.

éar·shòt *n.* Ⓤ 부르면 들리는 거리: within 〔beyond, out of〕 ~ 불러서 들리는〔들리지 않는〕 곳에(서).

éar·splìtting *a.* (소리 · 음성 따위가) 귀청이 떨어질 듯한, 지축을 울리는.

earth [əːrθ] *n.* **1** Ⓤ (the ~) **지구**: The ~ goes (a)round the sun. 지구는 태양 주위를 돈다. **2** Ⓤ (보통 the ~) **대지**, **육지**《바다에 대하여》, 지면《하늘에 대하여》: fall to ~ 지상에 떨어지다 / Snow covered the ~. 눈이 대지를 덮었다. **3 a** Ⓤ (종류는 Ⓒ) (암석에 대하여) 흙, (각종) 토양: ~ bags 〖군사〗 사낭(砂囊) / fill a hole with ~ 구멍을 흙으로 메우다 / a clayish ~ 점토질의 토양. SYN. ⇨LAND. **b** Ⓤ 땅, 땅속: deep in the ~ 땅속 깊이. **4** (the ~) 〔집합적〕 지구상의 사람들: The whole ~ was astonished. 온 세계 사람들이 놀랐다. **5** Ⓒ (보통 *sing.*) (여우 따위의) 굴(burrow): stop an ~ 굴을 막다 / go 〔run〕 to ~ (토끼 따위가) 굴로 달아나다; (사람이) 숨다, 자취를 감추다 《★ to ~는 관사 없이》. **6** (the ~) 《英구어》 막대한 양; 큰돈: cost the ~ 거금이 들다 / pay the ~ for a small house 작은 집에 큰돈을 지불하다. **7** 《英》 **a** Ⓤ 접지, 어스: an ~ antenna 〔circuit〕 접지 안테나〔회로〕. **b** Ⓒ (보통 the ~) 〖전기〗 접지〔어스〕선(《美》 ground). **8** Ⓒ 〖화학〗 토류(土類): the rare ~*s* 희토류.

bring a person ***back*** 〔***down***〕 ***to*** **~** (***with a bump***) (아무)를 (꿈에서) 현실로 돌아오게 하다; 현실을 직시케 하다. ***come*** 〔***get***〕 ***down*** 〔***back***〕 ***to*** **~** (꿈에서 깨어나) 현실로 돌아오다. ***on*** **~** ① 지상에(서), 이 세상의〔에〕: while he was *on* ~ 그의 재세(在世) 중에. ② (도)대체《의문사를 강조》: *Where on* ~ have you been? 대체 어디 갔었나. ③ 조금도, 전혀《부정을 강조》: It is *no* use *on* ~. 도무지 쓸모가 없다. ④ 세계에서《최상급을 강조》: the greatest man *on* ~ 세계에서 가장 위대한 사람. ***run to*** **~** ① (여우 따위)를 굴로 몰아넣다, (여우 따위가) 굴 속으로 달아나다. ② 추적하다, 붙잡다.

—*vt.* **1** 《+목+부》 …에 흙을 덮다, 북주다; …을 흙 속에 파묻다(*up*): ~ *up* potatoes 감자에 북주다. **2** (여우 따위)를 굴 속으로 몰아넣다. **3** 《英》 〖전기〗 어스〔접지〕시키다.

—*vi.* (여우 따위가) 굴 속으로 달아나다. 파 **-i·ness** [ə́ːrθinis] *n.*

éarth·bòrn *a.* 땅에서 태어난; 이 세상에 태어난, 인간의: ~ creatures 지상의 생물.

éarth·bòund *a.* **1** (뿌리 등이) 땅에 고착한; (동물 · 새 등이) 지표(地表)〔지상〕에서 떠날 수 없는: an ~ bird 날지 못하는 새. **2** 세속적인, 현세적인; 상상력이 결여된, 산문적인. **3** (우주선 등이) 지구로 향하고 있는.

éarth clòset 《英》 토사(土砂) 살포식 변소.

earth·en [ə́ːrθən] *a.* 흙으로〔오지로〕 만든; 도제(陶製)의; 세속적인(earthly).

éarthen·wàre *n.* Ⓤ 〔집합적〕 토기, 질그릇;

도기, 오지 그릇.

éarth-frìendly *a.* =ECO-FRIENDLY.

earth·ling [ə́:rθliŋ] *n.* Ⓒ 인간, 지구인.

__earth·ly__ [ə́:rθli] (-li·er; -li·est*) *a.* Ⓐ **1 지구의**, 지상의. **2 이 세상의**, 현세의, 속세의, **세속적인**: ~ pleasures 세속적인 쾌락. **3** 《구어》 〖힘줌말〗 도대체《의문》; 하등의《부정》: *What* ~ use does it have? 도대체 무슨 쓸모가 있는가/of *no* ~ use 전혀 쓸모없는.

***have not an* 〔*have no*〕 ~** 《英구어》 조금도 가망〔희망〕이 없다《★ earthly 다음에 chance, hope, idea 따위를 보충해서 풀이함》: He *hasn't an* ~ *of* winn*ing*. 그가 이길 가망은 전혀 없다.

㊞ **-li·ness** *n.* Ⓤ 현세적임, 세속적임.

éarth·man [-mæ̀n, -mən] (*pl.* **-men** [-mèn, -mən]) *n.* =EARTHLING.

éarth mòther 1 (만물의 생명의 근원으로서의) 대지(mother earth). **2** 모성적인 여성; 육감적인 여성.

éarth·mòver *n.* Ⓒ 대량의 흙을 움직이는 대형 기계, 땅 고르는 기계《불도저 등》.

éarth·nùt *n.* Ⓒ 낙화생, 땅콩.

⁑**earth·quake** [ə́:rθkwèik] *n.* Ⓒ **지진**: a slight 〔weak, strong, violent〕 ~ 미(微)〔약(弱), 강(強), 열(烈)〕진(震)/A severe~ struck 〔occurred in〕 Italy. 이탈리아에 심한 지진이 있었다.

éarthquake séa wàve 지진 해일(海溢).

éarth scìence 지구과학《지질학 · 지리학 · 지형학 · 기상학 따위》.

éarth·shàking *a.* 세상을〔세계를〕 뒤흔드는〔떠들썩하게 하는〕, 극히 중대한: an ~ event 경천동지의 대사건. ㊞ **~·ly** *ad.*

éarth stàtion (우주 통신용의) 지상국(局).

éarth trèmor 약한 지진, 미진.

earth·ward [ə́:rθwərd] *a., ad.* 지면을〔지구를〕 향한〔향하여〕.

éarth·wards [-z] *ad.* =EARTHWARD.

éarth·wòrk *n.* Ⓒ (보통 *pl.*) 토루(土壘)《흙으로 만든 보루》; Ⓤ 토목공사.

°**earth·wòrm** *n.* Ⓒ 〖동물〗 지렁이.

earthy [ə́:rθi] (*earth·i·er; -i·est*) *a.* **1** 흙의, 흙 같은, 토질의: an ~ smell 흙 냄새. **2** 세련되지 않은, 촌티가 나는, 조야(粗野)한. ㊞ **éarth·i·ness** *n.*

éar trùmpet (나팔 모양의 옛) 보청기.

éar·wàx *n.* Ⓤ 귀지.

éar·wìg *n.* Ⓒ 〖곤충〗 집게벌레.

⁑**ease** [i:z] *n.* Ⓤ **1 안락**, 편안; 경제적으로 걱정이 없음; 여유: live 〔lead〕 a life of ~ 안락한 생활을 하다. **2** 평정(平靜), 안심. **3** 한가, 태평. **4** 편함; (아픔 따위의) 경감(relief): ~ from pain 〔care〕 고통〔걱정〕의 경감. **5 용이**, 쉬움: with ~ 쉽게, 용이하게/for ~ of reference 참조하기 쉽게. **6** (의복 등의) 넉넉함, 여유.

***at* (one's) ~** 편하게, 마음 편히; 천천히: be 〔feel〕 *at* ~ 안심하다, 기분이 좋아지다/ do a task *at* one's ~ 기분이 내킬 때 일을 하다/ sit *at* ~ 편히 앉다/*At* ~*!* 《구령》 쉬어. ***ill at* ~** 불안한, 마음이 불편한. ***stand at* ~** 〖군사〗 쉬어 자세로 있다. ***take* one's ~** 쉬다.

—*vt.* **1 a** (아픔 등)을 **덜다**, 완화하다: ~ pain 아픔을 덜다/~ financial strain 재정 긴축을 완화하다. **b** 《+목+전+명》 (아무)에게서 제거하다《*of* (고통 따위)를》: She ~*d* me *of* my worries. 그녀는 내 고민을 없애 주었다/~ him *of* care 〔suffering〕 그의 걱정〔괴로움〕을 제거해 주다. **2** 안심시키다, (마음)을 편케 하다: ~ a person's mind/ It ~*d* her to tell him what had happened. 그녀는 그때까지 일어난 일을 그에게 말하고 나니 마음이 편해졌다. **3** (혁대 등)을 헐겁게 하다, (밧줄 등)을 늦추다: He ~*d* his belt a little. 그는 혁대를 좀 헐겁게 했다. **4** 《+목+보/+목+전+명》 (무거운 물건)을 조심해서 움직이다; 〖~ oneself〗 천천히 …하다: ~ the door open 문을 천천히 (움직여) 열다/~ the car *to* a stop 차를 천천히 정지시키다/~ a car *into* a narrow parking space 차를 좁은 주차 공간에 조심히 넣다/He ~*d* him*self* *into* a chair. 그는 느긋이 의자에 앉았다. **—***vi.* 《+부/+전+명》 **편해지다**, (고통 · 긴장 등이) 가벼워지다; 천천히 움직이다: The pain has ~*d off*. 통증이 가벼워졌다/He ~*d into* the car. 그는 천천히 차에 탔다/The car ~*d out of* the garage. 차는 서서히 차고에서 나왔다.

~ *up* 〔*off*〕 《*vi.*+부》 ① (긴장 · 아픔 · 비바람 따위가) 누그러지다, 완화되다, 멎다. ② 편안히 지내다, 일을 조금하다. ③ 엄한 태도를 누그러뜨리다《**on** (아무)에 대해》: *Ease up on* her. 그녀에 대한 태도를 부드럽게 해라. ④ 늦추다《**on** (팽팽한 것)을》: He ~*d off on* the accelerator. 그는 (밟고 있던) 가속 페달을 늦추었다.

ease·ful [í:zfəl] *a.* 편안한, 태평스러운; 안일한, 나태한.

ea·sel [í:zəl] *n.* Ⓒ 화가(畫架); 칠판걸이.

éase·ment *n.* Ⓤ 〖법률〗 지역권(地役權).

⁑**eas·i·ly** [í:zəli] *ad.* **1 용이하게**, 쉽사리, 쉽게: You can get there ~. 그 곳이면 쉽사리 갈 수 있다/He ~ gets tired. 그는 걸핏하면 지친다. **2 안락하게**, 편하게, 한가롭게. **3** 순조롭게, 원활하게: The engine starts ~ even when cold. 그 엔진은 추울 때에도 시동이 잘 걸린다. **4** 문제 없이, 여유 있게; 확실히, 단연: be ~ the first 단연 첫째이다/He is ~ forty years old. 그는 틀림없이 40세는 넘었다. **5** 〖may를 수반〗 아무래도 (…할 것 같다), 자칫하면: He *may* ~ change his mind. 아무래도 그는 생각을 바꿀 것 같다/ The train *may* ~ be late. 그 기차는 자칫하면 늦을 것 같다.

eas·i·ness [í:zinis] *n.* Ⓤ **1** 수월함, 쉬움. **2** 편안, 안락.

†**east** [i:st] *n.* **1** (보통 the ~) **동쪽**, 동방; 동부: in the ~ of …의 동부에/on the ~ of …의 동쪽에 (접하여)/lie to the ~ of …의 동쪽에 있다/ Too far ~ is west. 《속담》 극단은 상접한다. **2** (the ~) 동부 지역〔지방〕; (the E–) 동양, 아시아 (the Orient)(cf. Far East, Middle East, Near East); (the E–) 《美》 동부 (지방); (the E–) 동유럽 제국〔옛 공산 국가들〕; (the E–) 동로마 제국. **3** (the ~) (교회당의) 동쪽 (끝), 제단 쪽.

~ *by north* 동미북(東微北)《생략: EbN》. **~ *by south*** 동미남(東微南)《생략: EbS》.

—*a.* Ⓐ **1 동쪽의**, 동쪽에 있는; 동향의《방향이 좀 불명료한 때는 eastern을 씀》: an ~ window 동쪽의 창문. **2** (교회에서) 제단 쪽의. **3** (종종 E–) 동부의, 동쪽 나라의; 동부 주민의: the ~ coast 동해안. **4** (바람이) 동쪽으로부터의, 동쪽에서 부는: an ~ wind 동풍.

—*ad.* **동(쪽)에〔으로〕**, 동방〔동부〕에〔으로〕: due ~ 진동(眞東)에〔으로〕/go ~ 동쪽으로 가다/lie ~ and west 동서에 걸쳐 있다. **~ *by north* 〔*south*〕** 동미북〔남〕에.

éast·bòund *a.* 동쪽으로 가는《여행 등》: an

~ train 동향(東向) 열차.

East China Séa (the ~) 동(東)중국해.

East End (the ~) 이스트 엔드《런던 동부에 있는 비교적 하층의 근로자들이 많이 사는 상업 지구》. cf. WEST END. ㊞ **~·er** *n.*

‡**East·er** [íːstər] *n.* Ⓤ **부활절〔주일〕**《3월 21일 이후의 만월(滿月) 다음에 오는 첫 일요일; 이 부활 주일을 Easter Sunday 〔day〕라고도 함》; = EASTER WEEK.

Easter càrd 부활절 카드《부활절의 greeting card; 흔히 토끼나 달걀 따위의 그림이 그려져 있음》.

Easter Dày = EASTER SUNDAY.

Easter ègg 색칠한 달걀《부활절의 선물·장식용; 그리스도 부활의 상징》.

Easter Ísland 이스터 섬《남태평양, Chile 서쪽의 외딴 섬; 칠레령; 거대한 상(像)이나 고고학상의 유물이 있음; 현지명은 Rapa Nui》.

éast·er·ly *a.* 동(쪽)의; 동(쪽)으로의; 동(쪽)으로부터의. **—***ad.* 동(쪽)으로(부터). **—***n.* Ⓒ 동풍, 샛바람.

Easter Mónday 부활 주일의 다음 날인 월요일《잉글랜드 등지에서는 법정 휴일》.

‡**east·ern** [íːstərn] *a.* **1 동(쪽)의**; 동(쪽)으로의; 동(쪽)으로부터의: an ~ voyage 동으로의 항해 / an ~ wind 동풍. **2** (E-) **동양(제국)의** (Oriental), 동양풍의: the *Eastern* question 동방 문제. **3** (E-) 《美》 동부 지방의, 동부의; (종종 E-) 동부 방언의: the *Eastern* States 동부 제주(諸州).

Eastern Chúrch (the ~) 동방 교회.

East·ern·er *n.* Ⓒ 동양(東洋) 사람; 《美》 동부 제주(諸州)의 주민〔출신자〕; (e-) 동부〔동방〕 사람.

Eastern Hémisphere (the ~) 동반구(東半球).

éastern·mòst *a.* 가장 동쪽의, 최동단(最東端)의.

Eastern Órthodox Chúrch (the ~) 동방 정교회(Orthodox Eastern Church).

Eastern Róman Émpire (the ~) 동로마 제국《수도 Constantinople; 395-1453》.

Eastern (**Stándard**) **Tíme** (미국·캐나다의) 동부 표준시간《GMT 보다 5시간 뒤짐》.

Easter Súnday 부활 주일. cf. Easter.

Easter·tìde *n.* Ⓤ 부활절 계절《부활 주일로부터 오순절(Whitsunday)까지의 50일간》; = EASTER WEEK.

Easter wéek 부활 주간《Easter Sunday로부터 시작함》.

East Índia Còmpany (the ~) 동인도 회사《동인도 무역을 위해 영국·네덜란드 등이 창립한 17-19세기의 상사 회사》.

East Índies (the ~) 동인도《인도·인도차이나·타이·미얀마·말레이 군도 등의 총칭》.

éast-northéast *n.* (the ~) 동북동《생략: ENE》. **—***a.* 동북동의, 동북동으로(부터)의. **—***ad.* 동북동에, 동북동으로부터.

éast-southéast *n.* (the ~) 동남동(東南東)《생략: ESE》. **—***a.* 동남동의, 동남동으로(부터)의. **—***ad.* 동남동에〔으로부터〕.

East Sússex 이스트 서섹스《잉글랜드 남부의 주; 주도는 Lewes; 1974년 신설》.

East Tímor 동티모르《티모르섬 동쪽 지역에 위치한 국가; 포르투갈로부터 독립한 직후 인도네시아에게 무력으로 합병(1976)되었다가 최근에 독립(2002)》.

east·ward** [íːstwərd] *a.*, *ad.* **동쪽으로(의)**. **—n.* (the ~) 동쪽(지점, 지역). ㊞ **~·ly** *ad.*, *a.* 동쪽으로〔부터〕(의).

east·wards [íːstwərdz] *ad.* = EASTWARD.

†**easy** [íːzi] (**eas·i·er; -i·est**) *a.* **1 쉬운**, 힘들지 않은, 용이한《**for** (아무)에게는; **of** …가 / **to** do》: an ~ task 쉬운 일 / an ~ victory 낙승 / The exam should be ~ *for* you. 그 시험은 너에게는 쉬울 것이다 / This machine is ~ *of* adjustment. 이 기계는 조정이 용이하다 / The problem is ~ (*for* you) *to* solve. = It is ~ (*for* you) *to* solve the problem. 그 문제는 (네가) 풀기 간단하다.

2 안락한, 편안한; (살림 따위가) 편한, 여유 있는: I feel *easier* now. 이제 한결 기분이 좋다 / He lives 〔leads〕 an ~ life. 그는 편히 살고 있다.

3 (심리·건강 상태가) **마음 편한**, 염려〔걱정〕 없는, 느긋한; 다루기 쉬운; 단정치 못한: Be ~. 마음을 느긋이 가져라 / Make your mind ~. 안심하십시오 / Please make yourself ~ about it. 그것에 관해서는 염려하지 마시오 / a woman ~ in her morals 품행이 단정치 못한 여자.

4 (말·문체 따위가) 딱딱하지 않은, 부드러운; (의복 등이) 낙낙한(↔ *tight*): He has an ~ way of speaking. 그는 부드러운 말씨를 쓴다 / an ~ fit 입으면 편한 옷.

5 관대한, 너그러운, 엄하지 않은《**on, with** …에 대하여》: an ~ master 관대한 주인 / be ~ *with* a person 아무에 대해 관대하다.

6 (속도·움직임 따위가) 느릿한, 느린: an ~ motion 느린 움직임 / walk with an ~ gait 천천히 걷다. **7** 『상업』 (거래가) 완만한, 한산한.

as ~ as kiss your hand 《英구어》 = (as) ~ as PIE. ***by*** 〔***in***〕 ***~ stages*** ⇨ STAGE. ***~ on the eye***(***s***) 《구어》 보기에 좋은; (특히 여자가) 매력적인. ***on ~ terms*** 분할불로, 월부로.

—*ad.* 《구어》 **1** 수월하게, 손쉽게: *Easy* come, ~ go. 《속담》 얻기 쉬운 것은 잃기도 쉽다 / It's *easier* 〔*Easier*〕 said than done. 《속담》 말하기는 쉬우나 행하기는 어렵다. **2** 유유히, 무사태평하게, 차분히, 편히, 자유로이.

get off ~ 《구어》 가벼운 벌로〔그다지 꾸지람을 듣지 않고〕 끝나다. ***go ~*** = ***take it*** 〔***things***〕 ~ 서두르지 않다, 태평하게〔여유 있게〕 마음먹다〔하다〕; 관대하게 다루다, 화내지 않다. ***go ~ on*** 《구어》 …을 적당히〔조심해서〕 하다: Go ~ *on* beer! 맥주 적당히 마시게나. ***Stand ~!*** 《英》 《구령》 쉬어《★ 《美》에서는 At ~!》.

> DIAL. ***Easy does it.*** ① 조심해서 해라; 살살 해라. ② 침착해라, 흥분〔당황〕하지 마라.
> ***I'm easy.*** ① 어디든 상관없다: Shall we go to the Italian restaurant, or to the Chinese one? — *I'm easy.* 이탈리아 레스토랑으로 갈까, 중국 레스토랑으로 갈까? — 아무데나 좋아. ② 난 그래도 상관없다; 난 까다롭지 않다《I'm easy to please.라고도 함》.
> ***Take it easy.*** ① 걱정마라, 서두르지 마라. ② 안녕《Good bye.와 같은 뜻으로, 친한 사이에 씀》: See you later. — OK, *take it easy.* 또 보자 — 그래, 잘 가. ③ 잘 좀 부탁하네.
> ***That's easy*** (***for you***) ***to say*** 〔***laugh, criticize***〕. 말하기는〔웃기는, 남말하기는〕 쉽지: Don't be so nervous about it. — *That's easy for you to say!* 그런 일로 너무 신경 쓰지 마라 — 말은 쉽지 (너 같으면 안 그러겠느냐).

éasy chàir 안락의자.

éasy·góing *a.* **1** 안달하지 않는, 태평한, 게으른; 관대한; 안이한. **2** 느린 걸음의《말에 쓰임》.

éasy móney 이자가 싼 자금; 수월하게 번 돈; 부당 이득: ~ policy 저금리 정책.

easy-peasy [iːzipíːzi] *a.* 《英속어》 아주 단순〔간단〕한.

éasy strèet (때로 E- S-) 《구어》 유복한 처지〔환경〕. ***be on*** 〔***in***〕 ~ 유복하게 지내다.

†**eat** [iːt] (***ate*** [eit/et], 《고어》 ~ [et, iːt]; ***~·en*** [íːtn], 《고어》 ~ [iːt, et]) *vt.* **1 a** 먹다, (수프 따위)를 마시다《소리내어 홀짝이는 것이 아니라 숟가락으로 떠 마시는 것을 뜻함》: ~ a piece of bread 빵을 먹다 / ~ soup from a plate 접시의 수프를 (스푼으로) 떠먹다 / good to ~ 먹을 수 있는, 식용이 되는. **b** 《+[목]+[보]》 …을 (…상태로) 먹다; 〖~ oneself〗 먹어서 (…상태로) 되다 《***on*** …을》: ~ fish raw 생선을 날로 먹다 / He *ate* him*self* sick 〔ill〕 *on* cake. 그는 케이크를 먹고 병이 났다.

[SYN.] **eat** '먹다'의 통속어. 품위 있는 뜻으로는 쓰이지 않음. **have** 보통 eat 대신에 쓰임: I *have* enough. 충분히 먹었어요. **take** have와 별로 다르지 않은 뜻으로 쓰임: *take* lunch 점심을 먹다. **dine** '정찬 · 만찬을 먹다'의 뜻: *dine* late 밤 늦게 만찬을 들다. ***feed*** 보통 짐승 따위가 먹이를 '먹다'의 뜻.

2 (식사)를 하다; …을 상식하다: ~ good food 좋은 식사를 하다 / Cattle ~ grass. 소는 풀을 상식한다.

3 《~+[목]/+[목]+[부]》 (벌레 따위가) 파먹다, 파먹어 (구멍)을 뚫다; (산 따위가) 부식(腐蝕)하다; (불 따위가) 태워 버리다; (파도 따위가) 침식하다 (*away; up*): The moths have *~en* holes in my dress. 좀이 먹어 내 옷에 구멍이 났다 / Rust *~s* iron. 녹이 나서 쇠가 삭는다 / be *~en away* with rust 녹이 나서 푸실푸실해지다 / The forest was *~en* (*up*) by fire. 삼림이 불에 타 버렸다 / The waves are *~ing away* the cliff. 파도가 절벽을 침식하고 있다.

4 〖be ~ing으로〗 《구어》 (아무)를 초조하게 하다, 괴롭히다: What's *~ing* you? 무슨 걱정거리라도 있느냐.

— *vi.* **1** 식사를 하다, 음식을 먹다: ~ and drink 먹고 마시다 / ~ well 잘 먹다 / ~ regularly 규칙적으로 식사하다 / ~ at home 집에서 식사하다.

2 《+[전]+[명]》 먹어 들어가다; 부식〔침식〕하다 《***at, into, through*** …을》: The insects have *eaten into* the wood. 벌레가 나무를 갉아 구멍을 내었다 / Road salt *~s into* the metal of automobiles. (눈을 녹이기 위해 뿌린) 도로의 염분은 자동차의 금속을 부식시킨다.

3 《~/+[보]》 먹을 수 있다, 맛이 나다, 맛이 있다: This fruit *~s* like a tomato. 이 과일은 토마토 맛이 난다 / Cheese *~s* well with apples. 치즈는 사과하고 곁들이면 맛있다 / This cake *~s* crisp. 이 과자는 바삭바삭하다.

~ *away at* …을 서서히 파괴〔침식〕하다: The waves are *~ing away at* the cliff. 파도가 절벽을 서서히 침식하고 있다. **~ *crow*** 《美》 (마지못해) 하기 싫은 짓을 하다; 굴욕을 참다; 과오를〔잘못을〕 시인하다. **~ *dirt*** 굴욕을 당하다〔참다〕; 《美구어》 (치욕을 참고) 사과하다. **~ *in*** 《*vi.*+[부]》 집에서 식사하다. **~ *like a bird*** 적게 먹다, 소식하다. **~ *like a horse*** 많이 먹다, 대식하다. **~ *of*** 《문어》 (음식) 대접을 받다, …의 일부를 먹다. **~ *out*** 《*vi.*+[부]》 다 먹어버리다, 침식하다; 외식하다; 《속어》 질책하다. **~ a person *out of house and home*** 아무의 재산을 먹어 없애다. **~ *out of* a person*'s hand*** ⇨HAND. **~ *salt with*** a person 아무의 손님〔식객〕이 되다. **~ one*'s words*** (어쩔 수 없이) 앞에 한 말을 취소하다《'식언'은 아님》. **~ *up*** 《*vt.*+[부]》 ① (음식)을 먹어 없애다, 단번에 먹어치우다; (돈 · 시간 따위)를 다 써 버리다; 먹어 들어가다; 부식〔침식〕하다: ~ *up* the clock (미식축구에서) 시합 시간을 소비하다 / Her savings were *~en up* by medical expenses. 그녀의 저축은 의료비로 바닥이 났다. ② …에 열중〔열광〕하다, 몰두하다: ~ *up* old movies 옛날 영화에 열중하다. ③ 《속어》 …을 자진해서 받아들이다; (이야기 따위)를 그대로 믿다: ~ *up* everything she says 그녀가 말하는 것을 그대로 다 믿다. **—**《*vi.*+[부]》 ④ 먹어 버리다. ***I'll ~ my hat*** 〔***hands, boots***〕 ***if…*** 《구어》 만약 …라면 내 목을 주겠다.

> [DIAL.] ***I couldn't eat another thing.*** 잔뜩 먹었다, 배 부르다(← 더 이상은 하나도 먹을 수 없다).

— *n.* (*pl.*) 《구어》 음식, 식사: Let's have some *~s*. 무언가 식사를 좀 합시다.

éat·a·ble *a.* 먹을 수 있는, 식용에 적합한, 식용의(edible). **—** *n.* (*pl.*) 《구어》 음식, 식료품: ~s and drinkables 음식물.

eat·en [íːtn] EAT의 과거분사.

éat·er *n.* [C] **1** 먹는 사람: a heavy 〔light〕 ~ 대〔소〕식가. **2** 먹을 수 있는 사과(=**éating àpple**).

eat·ery [íːtəri] *n.* [C] 《구어》 간이식당; 음식점.

éat·ing *n.* [U] 먹기; 먹을(수 있는) 것: be good 〔bad〕 ~ 먹어서 맛이 있다〔없다〕. **—** *a.* 식사용의, 식용에 알맞은: ~ utensils 식기.

éating hòuse 〔**plàce**〕 음식점; 싸구려 식당.

eau [ou] *n.* (F.) [U] 물(water).

èau de Colόgne 《F.》 오드콜론《Cologne 원산의 향수》.

***eaves** [iːvz] *n. pl.* 처마, 차양. ★ 단수로 eave를 쓰는 경우도 있음.

éaves·dròp *vi.* 엿듣다, 도청하다《***on*** …을》: ~ *on* a person 〔other people's conversation〕 아무의 말을〔다른 사람의 이야기를〕 엿듣다. [파] **~·per** *n.* [C] 엿듣는 사람.

EB, e.b. eastbound.

***ebb** [eb] *n.* **1** (the ~) 썰물, 간조. ↔ *flow*. ¶The tide was on 〔at〕 the ~. 조수가 빠지고〔빠져〕 있었다《★ on은 과정을, at은 상태를 나타냄》. **2** (*sing.*) 쇠퇴(기), 감퇴: be at a low ~ = be at an ~ (사물이) 쇠퇴기에 있다.

the ~ and flow 조수의 간만; (사업 · 인생의) 성쇠; *the ~ and flow* of the tide 조수의 간만 / *the ~ and flow* of life 인생의 부침.

— *vi.* 《~/+[부]》 **1** (조수가) 삐다, 써다(*away*). **2** 《~/+[부]》 (열정 · 인생 · 정신 · 용기 · 불빛 따위가) 점점 쇠하다, 약해지다; (가산 따위가) 기울다 (*away*): His life was slowly *~ing away*. 그의 생명은 서서히 꺼져 가고 있었다.

~ *back* 《*vi.*+[부]》 소생하다, 되찾다: His courage *~ed back* again. 그는 용기를 되찾았다.

ébb tìde 1 (보통 the ~) 썰물, 간조: on the ~ 썰물을 타고. **2** 쇠퇴(기): civilization at its ~ 쇠퇴기의 문명.

EbN, E.bN. east by north (동미북).

eb·on·ite [ébənàit] *n.* [U] 에보나이트, 경화 고

무(vulcanite).
eb·ony [ébəni] *n.* Ⓒ 【식물】 흑단(黑檀); Ⓤ 흑단 재목《고급 가구용》. **—*a.*** 흑단의; 흑단색의, 칠흑의: an ~ face.
EbS, E.bS. east by south (동미남(東微南)).
ebul·lience, -cy [ibúljəns, -bʌ́l-], [-si] *n.* Ⓤ 비등; (감정·기운 등의) 넘쳐 흐름, 내뿜침: the ~ of youth 넘쳐 흐르는 젊음.
ebul·lient [ibúljənt, -bʌ́l-] *a.* 비등하는; 열광적인, 넘치는《***with*** (기쁨 따위)로》; 몹시 기뻐하는《***over*** …일로》. ⊕ **~·ly** *ad.* **~·ness** *n.*
eb·ul·li·tion [èbəlíʃən] *n.* Ⓤ 비등, 끓어오름; (감정의) 격발, (전쟁의) 돌발; 발발.
EC European Community (유럽 공동체). **E.C.** East Central《London의 동(東) 중앙 우편구(區)》; Established Church《英》(영국국교회).
ec·ce ho·mo [éksi-hóumou, éksei-]《L.》(=Behold the man!) 이 사람을 보라《Pilate가 가시 면류관을 쓴 예수를 가리키며 유대인에게 한 말; 요한 복음 XIX: 5》; 가시 면류관을 쓴 예수의 초상화〔조각상〕.
***ec·cen·tric** [ikséntrik, ek-] *a.* **1 보통과 다른**, 상도(常道)를 벗어난, 괴상한, 괴짜인: an ~ person 괴짜, 기인(奇人). **2** 【수학】 중심을 달리하는, 편심(偏心)의, 이심(離心)의. ↔ *concentric.* **3** 【천문】 (궤도가) 동그랗지 않은, 편심적인. **—** *n.* Ⓒ **1** 괴짜, 기인. **2** 【수학】 이심원(圓); 【기계】 편심기, 편심륜(輪)《원운동을 왕복 직선운동으로 바꿔 주는 장치》. ⊕ **-tri·cal·ly** [-kəli] *ad.*
ec·cen·tric·i·ty [èksentrísəti] *n.* **1** Ⓤ (복장·행동 따위의) 이상야릇함, 기발. **2** Ⓒ 기행(奇行), 기이한 버릇〔점〕: *eccentricities in* design 〔dress〕 디자인〔복장〕의 여러 가지 기발한 점.
Eccl., Eccles. 【성서】 Ecclesiastes.
Ec·cle·si·as·tes [iklìːziǽstiːz] *n.* 【성서】 전도서《구약 성서 중의 한 편》.
ec·cle·si·as·tic [iklìːziǽstik] *n.* Ⓒ 성직자. **—*a.*** =ECCLESIASTICAL.
***ec·cle·si·as·ti·cal** [iklìːziǽstikəl] *a.* **교회의** 〔에 관한〕; 성직의: an ~ court 종교 재판소 / ~ history 교회사. ⊕ **~·ly** *ad.*
ec·cle·si·as·ti·cism [iklìːziǽstisìzəm] *n.* Ⓤ 교회(중심)주의.
Ec·cle·si·as·ti·cus [iklìːziǽstikəs] *n.* 구약 외전(外典) 중의 한 편《생략: Ecclus.》.
ECG electrocardiogram; electrocardiograph.
ech·e·lon [éʃəlɑ̀n/-lɔ̀n] *n.* **1** Ⓤ (구체적으로는 Ⓒ) (군대·비행기의) 제형(梯形)편성, 제대(梯隊), 제진(梯陣): in ~ 제진을 이루어. **2** Ⓒ (보통 *pl.*) (지휘 계통·조직 등의) 단계; 계층: the upper ~s of the administration 행정부의 상층부.
echid·na [ikídnə] (*pl.* **~s, ~e** [-niː]) *n.* Ⓒ 【동물】 바늘두더지(spiny anteater).
echi·no·derm [ikáinədə̀ːrm, ékinə-] (*pl.* ***-der·ma·ta*** [-mətə]) *n.* Ⓒ 극피(棘皮)동물《불가사리·성게 따위》.
echi·nus [ikáinəs] (*pl.* ***-ni*** [-nai]) *n.* Ⓒ 【동물】 성게(sea urchin); 【건축】 도리스식 건축의 기둥머리의 접시판《만두형 쇠시리》.
‡echo [ékou] (*pl.* **~es**) *n.* **1** Ⓒ **메아리, 산울림, 반향. 2** Ⓒ 흉내, (모방하여) 되풀이함, 모방(자); 부화뇌동(하는 사람). **3** Ⓒ (여론 따위의) 반향, 공명. **4** (E-) 【그리스신화】 숲의 요정《Narcissus에 대한 사랑이 이루어지지 않아 비탄에 젖은 나머지 소리만이 남아 메아리가 되었다고 함》. **5** Ⓒ 【전기】 (레이더 따위의) 전자파의 반사, 에코; 【음악】 에코.
— (*p., pp.* **~ed; ~·ing**) *vt.* **1**《~+목/+목+부》(장소가 소리)를 **메아리치게 하다, 반향시키다**(*back*): ~ the faintest sounds 아주 작은 소리도 메아리치게 하다 / ~ *back* a noise 소리를 반향시키다. **2**《~+목/+목+전+명》(남의 생각 등)을 그대로 흉내내다〔되풀이하다〕, 뇌동하다; (감정)을 반영하다: ~ his opinion 그의 의견에 뇌동하다 / ~ a person *in* everything 무슨 일이나 남의 흉내를 내다 / ~ the opinions of his constituency 그의 선거구민의 의견을 반영하다. **—** *vi.*《~/+부/+전+명》(소리·장소 따위가) **메아리치다, 반향하다, 울리다**《***with*** …으로; ***through, in*** …에》: The sound of the cannon *~ed around.* 대포 소리가 사방으로 울려 퍼졌다 / The wood *~ed with* their laughter. 숲에는 그들의 웃음소리가 메아리쳤다 / The shot *~ed through* the cave. 동굴에서 총성이 울렸다 / Satisfaction *~ed in* her voice. 그녀의 목소리에는 만족스러운 울림이 있었다.
écho chàmber 【방송】 반향실(反響室)《에코 효과를 내는 방》.
echo·ic [ekóuik] *a.* **1** 반향(장치)의. **2** 【언어】 의음(擬音)〔의성(擬聲)〕의.
ech·o·lo·ca·tion [èkouloukéiʃən] *n.* Ⓤ 반향 정위(定位)《박쥐 따위가 자기가 발사한 초음파의 반사를 잡아, 물체의 존재를 측정하는 능력》.
écho sòunder 음향 측심기(測深器).
éclair [eikléər, ik-, éikleər] *n.*《F.》Ⓒ (요리는 Ⓤ) 에클레어《가늘고 긴 슈크림에 초콜릿을 뿌린 것》.
éclat [eiklɑ́ː, ⌐-] *n.*《F.》Ⓤ 대성공; 명성, 평판; 갈채: with (great) ~ (대단한) 갈채를 받으며; 성대하게.
ec·lec·tic [ekléktik] *a.* 취사선택하는, 절충하는, 절충주의의. **—*n.*** Ⓒ 절충학파의 사람; 절충주의자. ⊕ **-ti·cal·ly** [-tikəli] *ad.* 절충하여. **-ti·cism** [-tisìzəm] *n.* Ⓤ 절충학파, 절충주의.
***eclipse** [iklíps] *n.* **1** Ⓒ 【천문】 (해·달의) 식(蝕); (별의) 엄폐: a solar ~ 일식 / a lunar ~ 월식 / a total 〔partial〕 ~ 개기〔부분〕식. **2** Ⓤ (구체적으로는 Ⓒ) (명성·영광의) 실추.
— *vt.* **1** (천체가 딴 천체)를 가리다. **2** …의 빛을 잃게 하다, …을 어둡게 하다. **3** (…의 명성·중요성 따위)를 가리다, 무색하게 하다, 능가하다: He has been *~d* by several younger actors. 그(의 존재)는 몇몇 젊은 배우(의 출현)에 의해 희미해졌다.
eclip·tic [iklíptik] 【천문】 *n.* (the ~) 황도(黃道). **—*a.*** 식(蝕)의; 황도의. ⊕ **-ti·cal** [-əl] *a.* =ecliptic.
ec·logue [éklɔːg/-lɔg] *n.* Ⓒ (대화체의) 목가, 전원시, 목가시(牧歌詩).
ECM European Common Market (유럽 공동시장).
ec·o- [ékou, -kə, íːk-] '환경, 생태(학)'의 뜻의 결합사《모음 앞에 올 때는 보통 ec-가 됨》.
èco·catástrophe *n.* Ⓒ (환경오염 등에 의한) 생태계의 큰 이변(異變).
ec·o·cide [iːkousàid, ékou-] *n.* Ⓤ (환경오염에 의한) 환경 파괴, 생태계 파괴.
èco-fríendly *a.* 환경 친화적인.
ecol. ecological; ecology.
ec·o·log·ic, -i·cal [èkəlɑ́dʒik, ìːkə-], [-kəl]

E

a. 생태학의〔적인〕; 환경상〔보전〕의; 환경 친화적인: *ecological* destruction 생태 파괴. ㊞ **-i·cal·ly** *ad*.

ecol·o·gy [iːkálədʒi/-kɔ́l-] *n*. Ⓤ 생태학; 생태; (생체와의 관계로 본) 생태〔자연〕 환경. ㊞ **-gist** *n*. Ⓒ 생태학자.

econ. economic(s); economy.

econ·o·box [ikánəbàks/ikɔ́nəbɔ̀ks] *n*. Ⓒ 《美구어》 경제차《연료 소비가 적은 상자형 소형차》.

econ·o·met·ric [iːkànəmétrik/-kɔ̀n-] *a*. 계량 경제학의. ㊞ **-ri·cal·ly** *ad*.

econ·o·met·rics [iːkànəmétriks/-kɔ̀n-] *n*. Ⓤ 계량 경제학: ~ model 계량 경제학 모델.

ec·o·nom·ic [iːkənámik, èk-/-nɔ́m-] *a*. **1 Ⓐ **경제(상)의**, 재정상의: an ~ blockade 경제 봉쇄/an ~ policy 〔crisis〕 경제 정책〔위기〕/~ powers 경제 대국/~ development (zone) 경제 개발(구(區))/~ geography 경제 지리학/~ growth 경제 성장/~ independence 경제 자립/the *Economic* Report (미국 대통령이 연초에 의회에 보내는) 경제 보고. **2** Ⓐ **경제학의**. **3** 실리적인, 실용상의(practical): ~ entomology 실용 곤충학/~ botany 실용 식물학.

ec·o·nom·i·cal [ìːkənámikəl, èkə-/-nɔ́m-] *a*. **1 **경제적인**; 실속 있는: an ~ car 경제적인 차. **2** 절약하는, 검약하는《*of, with* …을》. ↔ *extravagant*. ¶an ~ housewife 알뜰한 주부: be ~ *with* 〔*of*〕 one's time 〔money〕 시간〔돈〕을 낭비하지 않다. **3** =ECONOMIC 1, 2. ㊞ **~·ly** *ad*. 경제적으로; 경제적 견지에서.

ec·o·nom·ics [ìːkənámiks, èk-/-nɔ́m-] *n*. **1 Ⓤ **경제학**(political economy). **2** 《복수취급》 (국가·기업 등의) 경제 (상태), 경제적인 측면.

*__econ·o·mist__ [ikánəmist/-kɔ́n-] *n*. Ⓒ **경제학자**, 경제 전문가; 경제〔재정〕 관리자.

econ·o·mize [ikánəmàiz/-kɔ́n-] *vt*. …을 경제적으로 쓰다, 절약하다: ~ fuel consumption 연료 소비를 절약하다. SYN. ⇨SAVE. **—***vi*. 절약을 하다, 검약하다《*on* …을, …의》: ~ *on* fuel 연료를 절약하다/try to ~ *on* electricity 전기 절약에 힘쓰다.

ecón·o·mìz·er *n*. Ⓒ 경제가, 절약가; (연료·열량 등의) 절약 장치.

econ·o·my [ikánəmi/-kɔ́n-] *n*. **1 Ⓤ (구체적으로는 Ⓒ) **절약** (frugality), 절검(節儉); Ⓒ 효율적 사용: ~ *of* time and labor 시간과 노력의 절약/practice 〔use〕 ~ 절약하다/with an ~ *of* words 불필요한 말을 생략하고, 간결히. **2** Ⓤ **경제**: domestic ~ 가정 경제/viable ~ 자립 경제. **3** Ⓒ (한 지방·국가 등의) 경제 기구; (유기적) 조직: a democratic ~ 민주주의적인 경제 기구. **4** Ⓤ 경기: The ~ has taken a downturn. 경기가 내림새로 들어섰다. **—***a*. Ⓐ 값싼, 경제적인, 값싸고 쓸모있는; (여객기에서) 이코노미 클래스의: an ~ car 경제적인 차/~ passengers 이코노미 클래스의 승객들/an ~ size bar of soap 덕용(德用) 사이즈의 비누.

ecónomy clàss (열차·여객기 따위의) 이코노미 클래스, 보통〔일반〕석; 《부사적》 이코노미 클래스로: travel ~ 이코노미 클래스로 여행하다.

ecónomy-sìze *a*. Ⓐ 이코노미사이즈의, 덕용(德用) 사이즈의《대량 포장으로 값이 싼》.

ECOSOC Economic and Social Council ((UN) 경제사회 이사회).

éco·sphère *n*. Ⓒ 생물권, 생태권.

éco·sỳstem *n*. Ⓒ (종종 the ~) 생태계: equilibrium of ~ 생태계의 평형.

éco·tòurism *n*. Ⓤ 환경보호 관찰 관광.

ec·ru [ékruː, éi-] *n*. 《F.》 Ⓤ 베이지색, 담갈색. **—***a*. 담갈색〔베이지색〕의.

*__ec·sta·sy__ [ékstəsi] *n*. Ⓤ (구체적으로는 Ⓒ) **1** **무아경, 황홀**, 희열; (시인·예언자 등의) 망아(忘我), 법열(法悅); 환희의 절정: in an ~ of joy 미칠 듯이 기뻐하여/go 〔get〕 into *ecstasies* over =be thrown *ecstasies* over …에 황홀해지다/He was in *ecstasies* over the victory. 그는 승리에 도취되어 있었다.

SYN. **ecstasy** 감각적으로 열중해 미칠 듯이 기뻐하는 상태. **rapture** 일반적인 말. 큰 기쁨에 마음이 젖어 있는 상태: go into *raptures* 기뻐 어쩔 줄을 모르다.

2 〖심리〗 의식 혼미 상태, 황홀 상태.

ec·stat·ic [ekstǽtik] *a*. 열중〔몰두〕한, 도취된《***over, at, about*** …에》; 무아경의, 황홀한: He's ~ *about* his new job. 그는 새 일에 몰두해 있다. ㊞ **-i·cal·ly** *ad*.

ECT, E.C.T. electroconvulsive therapy (전기 충격 요법).

ec·to·derm [éktoudə̀ːrm] *n*. Ⓒ 〖생물〗 외배엽, 외(外)세포층《무장(無腸)동물 등의》.

ec·to·plasm [éktouplæ̀zəm] *n*. Ⓤ 〖생물〗 외형질(外形質)《세포 원형질의 바깥층》; 〖심령술〗 (영매(靈媒)의 몸에서 발한다는) 영기(靈氣), 심령파(波).

ecu, Ecu, ECU [éikjuː, ék-] *n*. Ⓒ 에큐《유럽 통화 단위》. [◂ *E*uropean *C*urrency *U*nit]

Ec·ua·dor [ékwədɔ̀ːr] *n*. 에콰도르《라틴아메리카의 공화국; 수도 Quito》. ㊞ **Èc·ua·dó·ran, -dó·ri·an, -dór·e·an** *a*., *n*. Ⓒ 에콰도르의 (사람).

ec·u·men·ic, -i·cal [èkjuménik/ìːk-], [-əl] *a*. 전반적인, 보편적인, 세계적인; 전기독교(회)의; ecumenism의. ㊞ **-i·cal·ly** *ad*.

èc·u·mén·i·cal·ìsm *n*. =ECUMENISM.

ec·u·me·nism [ékjumenìzəm/íːk-] *n*. Ⓤ (교파를 초월한) 세계 교회주의〔운동〕.

ec·ze·ma [éksəmə, égzi-, igzíːmə] *n*. Ⓤ 〖의학〗 습진.

Ed [ed] *n*. 에드《남자 이름; Edgar, Edmond, Edmund, Edward, Edwin의 애칭》.

ed edited; edition; editor; educated.

-ed [《d이외의 유성음의 뒤》 d; 《t이외의 무성음의 뒤》 t; 《t, d의 뒤》 id, əd] *suf*. **1 규칙 동사의 과거·과거분사를 만듦: call*ed* [-d], talk*ed* [-t], want*ed* [-id]. **2** 명사에 붙여서 '…이 있는, …을 갖춘〔가진〕' 의 뜻의 형용사를 만듦. ★ 형용사의 경우 [t, d] 이외의 음의 뒤라도 [id, əd]로 발음되는 것이 있음: ag*ed*, bless*ed*, (two-)legg*ed*.

Édam (chèese) [íːdəm(-), -dæm(-)] 치즈의 일종《겉을 붉게 칠한 네덜란드산의》.

EDB 〖화학〗 ethylene dibromide (2브롬화 에틸렌).

Ed·da [édə] *n*. (the ~) 에더《고대 아이슬란드의 신화 및 시집》.

Ed·die [édi] *n*. =ED.

ed·dy [édi] *n*. Ⓒ (바람·먼지·안개·연기 따위의) 소용돌이, 회오리《★ 물의 소용돌이는 whirlpool》. **—***vt*., *vi*. 소용돌이〔회오리〕치(게 하)다.

edel·weiss [éidlvàis, -wàis] *n*. 《G.》 Ⓒ 〖식물〗 에델바이스《알프스산(產) 고산 식물; 스위

스의 국화》, 왜솜다리의 일종.

ede·ma [idíːmə] (*pl.* **~s, ~·ta** [-tə]) *n.* Ⓒ (병명은 Ⓤ) 〖의학〗 부종(浮腫), 수종. ㊕ **edem·a·tous** [idémətəs] *a.*

Eden [íːdn] *n.* 〖성서〗 에덴 동산《Adam 과 Eve 가 처음 살았다는 낙원》; Ⓒ 낙원, 낙토.

eden·tate [iːdénteit] *a.* 이가 없는; 〖동물〗 빈치류(貧齒類)의. **—***n.* Ⓒ 〖동물〗 빈치류《개미핥기 · 나무늘보 · 아르마딜로 따위》.

Ed·gar [édgər] *n.* 에드거《남자 이름; 애칭은 Ed, Ned》.

⁑edge [edʒ] *n.* **1** Ⓒ **끝머리, 테두리,** 가장자리, 변두리, 모서리: gilt *~s* (책의) 금테두리 / the water's ~ 물가 / the ~ of a table 테이블의 가장자리. **2** (the ~) 위기, 위험한 지경: on the ~ *of* bankruptcy 파산 직전에.

SYN. **edge** 어느 몇 개의 표면이 교차하는 뾰족한 모나 선을 말함. **margin** 어떤 명확한 특징으로 그것이라고 뚜렷이 구별되는 경계를 이름. 따라서 공간적인 뜻만이 아님: the *margin* of consciousness 의식의 한계. **rim** 원형의 기구 등의 가장자리. **brim** rim 보다 한정되어, 컵이나 접시 등 그릇의 가장자리를 말함.

3 a Ⓒ (칼 따위의) **날**: put an ~ on a knife 칼의 날을 세우다(갈다). **b** (*sing.*) (칼의) 예리함; (비평 · 욕망 따위의) 날카로움, 격렬함: This knife has no (a sharp) ~. 이 칼은 안(잘) 든다 / the ~ *of* desire (sarcasm) 격렬한 욕망(날카로운 풍자) / Exercise gives an ~ to the appetite. 운동은 식욕을 돋운다. **4** (*sing.*) 우세, 강점(advantage)《*on, over* …에 대한》: a decisive military ~ *over* the enemies 적에 대한 결정적인 군사적 우위 / He gained (had, got) the (a) slight ~ *on* (*over*) his opponent. 그는 상대보다 약간 우세했다.

be* (*all*) *on* ~ *to do …하고 싶어 못 견디다. ***give*** a person ***the rough ~ of*** one***'s tongue*** 아무를 호되게 꾸짖다. ***on ~*** ① 초조하여, 안절부절못하여, 불안하여: The noise set him (his nerves) *on* ~. 그 소음 때문에 그는 신경이 날카로워졌다. ② 좁은 가장자리를 밑으로 세워: set a book *on* (its) ~ 책을 세우다. ***set*** a person***'s teeth on ~*** ⇨TOOTH. ***take the ~ off*** (날붙이)의 날을 무디게 하다; …의 기세를 꺾다, …을 둔하게 하다: This medicine will *take the ~ off* the pain. 이 약을 먹으면 통증이 좀 가라앉을 것이다.

—*vt.* **1** 《+목+보》 (칼 따위)에 **날을 세우다,** …을 예리하게 하다: ~ a knife sharp 칼을 날카롭게 갈다. **2** 《~+목/+목+전+명》 …의 **테를 달다,** 테두리를 두르다《*with* …으로》: Hills ~ the village. 마을은 언덕에 둘러싸여 있다 / ~ a skirt *with* lace 스커트 자락에 레이스를 두르다. **3 a** 《+목+전+명》 비스듬히 나아가게 하다, 조금씩(천천히) 움직이게 하다: He *~d* his chair nearer *to* the fire. 그는 의자를 불 곁으로 조금씩 당겼다. **b** 〖~ oneself ; ~ one's way〗 비스듬히 나아가다, 조금씩(천천히) 움직이다: ~ one's *way* (one*self*) *through* the darkness 어둠 속을 더듬어 나아가다. **4** …에 근소한 차로 이기다: The Giants *~d* the Tigers. 자이언트 팀은 타이거스 팀에게 신승했다.

—*vi.* 《+전+명/+부》 비스듬히 나아가다; 천천히(조금씩) 움직이다: ~ *through* a crowd 군중 속을 비집고 나아가다 / He *~d away from* committing himself. 그는 서서히 확약을 하지 않고 빠져나갔다.

~ *in* 《*vt.*+부》 ① (한마디) 참견하다(끼어들다), (말)을 끼어 넣다: She didn't let me ~ *in* a word. 그는 내게 한마디도 참견하지 못하게 했다. **—**《*vi.*+부》 ② 조금씩 다가가다《***on*** (아무)에게》: He *~d in on* his opponent. 그는 상대에게 조금씩 다가갔다. ~ ***out*** 《*vt.*+부》 《구어》 ① …에 근소한 차로 이기다, 신승하다: *~d out* the team in an exciting finish 열전 끝에 그 팀에게 신승하다. ② (지위에서 아무)를 서서히 밀어내다(쫓아내다): They *~d* him *out of* the company. 그들은 그를 회사에서 쫓아냈다.

edge·ways, -wise [édʒwèiz], [-wàiz] *ad.* 날(가장자리, 끝)을 밖으로 대고; 비스듬히; 언저리를 따라; 끝과 끝을 맞대고. ***get a word in ~*** 말참견하다.

edg·ing [édʒiŋ] *n.* Ⓤ 테두리(하기), 선두름; Ⓒ 가장자리 장식, (화단 따위의) 가장자리(border).

édging shèars 잔디 깎는 가위《가장자리 손질용》.

edgy [édʒi] (***edg·i·er; -i·est***) *a.* **1** 날(가장자리, 끝)이 날카로운; 윤곽이 뚜렷한. **2** 《구어》 안절부절못하는; 걸핏하면 화내는《***about*** …에》: get (become) ~ *about* …에 초조해지다. ㊕ **édg·i·ly** *ad.* **édg·i·ness** *n.*

EDI 〖컴퓨터〗 electronic data interchange (전자 데이터 교환).

èd·i·bíl·i·ty *n.* Ⓤ 식용에 적합함.

ed·i·ble [édəbəl] *a.* 식용에 적합한, 식용의(↔ *inedible*): an ~ frog 식용 개구리 / an ~ snail 식용 달팽이 / ~ fat (oil) 식용 지방(기름). **—***n.* (*pl.*) 식품.

edict [íːdikt] *n.* Ⓒ (옛날의) 칙령, 포고; 명령.

ed·i·fi·ca·tion [èdəfikéiʃən] *n.* Ⓤ (덕성 · 정신 따위의) 함양(uplift), 계몽, 교도, 교화. ◇ edify *v.*

ed·i·fice [édəfis] *n.* Ⓒ (큰) 건축물, 건물, 전당; (사상의) 체계: a holy ~ 대사원 / build the ~ of knowledge 지식의 체계를 구축하다.

ed·i·fy [édəfài] *vt.* 교화(계몽)하다: TV should attempt to ~ the masses. TV 방송은 대중 계몽을 꾀하여야 한다. ◇edification *n.* ㊕ **~·ing** *a.* 교훈이 되는, 유익한; 교훈적인: a highly *~ing* book 아주 유익한 책. **~·ing·ly** *ad.*

Ed·in·burgh [édinbə̀ːrou, -bə̀ːrə] *n.* 에든버러《스코틀랜드의 수도》. ***Dúke of ~*** (the ~) 에든버러공(公)《현 영국 여왕 Elizabeth 2세의 부군; 1921- 》.

Ed·i·son [édəsən] *n.* **Thomas Alva ~** 에디슨《미국의 발명가; 1847-1931》.

°ed·it [édit] *vt.* (책 따위)를 편집하다; (원고)를 교정하다; (신문 · 잡지 · 영화 따위)를 편집(발행)하다; 〖컴퓨터〗 (데이터)를 편집하다. Ⓒⓕ compile. **~ *out*** 《*vt.*+부》 (어구 등)을 삭제하다.

edit. edited; edition; editor.

Edith [íːdiθ] *n.* 에디스《여자 이름》.

***edi·tion** [idíʃən] *n.* Ⓒ **1** (초판 · 재판의) **판(版), 간행**: the first ~ 초판 / go through *~s* 판을 거듭하다. **2** (제본 양식 · 체재의) 판: a revised (an enlarged) ~ 개정(증보)판 / a cheap (popular, pocket) ~ 염가(보급, 포켓)판. ★ edition은 일반적으로 개정 · 증보판의 발행을 말하며, 중판(重版)은 흔히 impression임.

⁑ed·i·tor [édətər] (*fem.* ***ed·i·tress*** [édətris]) *n.* Ⓒ **편집자,** 교정자; (신문 · 잡지의) 편집장, 주

E

간, 주필; 〖컴퓨터〗 편집기《컴퓨터의 데이터를 편집할 수 있도록 한 프로그램》: a managing ~ 편집국장/⇨CITY EDITOR/a financial ~ 《美》 경제부장. ***a chief*** ~ 편집 주간, 주필(editor in chief).

◇**ed·i·to·ri·al** [èdətɔ́ːriəl] *n.* Ⓒ (신문의) 사설, 논설(《英》 leading article, leader); (TV·라디오의) 해설: a strong ~ in *The Times* 타임스지(紙)의 강경한 사설.
—*a.* **1** 편집의; 편집자에 관한: the ~ staff (member) 편집부(원)/an ~ office 편집실/an ~ conference 편집회의. **2** 사설의, 논설의: an ~ writer 《美》 논설위원/an ~ page 사설란(欄). ㊥ ~·**ly** *ad.* 사설〔논설〕로서; 편집상; 편집자로서, 주필〔편집장〕의 자격으로.

ed·i·tó·ri·al·ìze *vt., vi.* 사설로 쓰다〔다루다〕, 《***on, about*** …에 관해서》; 의견을 말하다: ~ *on* social problems 사회문제에 관하여 사설에 쓰다.

ed·i·tor·ship [édətərʃìp] *n.* Ⓤ 편집자〔주필〕의 지위〔직, 수완〕; 편집; 교정.

-ed·ly [-idli] *suf.* -ed로 끝나는 낱말을 부사로 만듦.

NOTE -ed를 [d], [t]로 발음하는 낱말에 -ly를 붙일 때, 그 앞의 음절에 강세가 있으면 대개 [id-, əd-]로 발음한다: deserv*edly* [dizə́ːr-vidli].

Ed·mond, Ed·mund [édmənd] *n.* 에드먼드《남자 이름; 애칭 Ed, Eddie, Ned》.

EDPM 〖컴퓨터〗 electronic data processing machine (전자 정보 처리 기계). **EDPS** 〖컴퓨터〗 electronic data processing system (전자 자료 처리 체계). **EDT, E.D.T.** 《美》 Eastern daylight(-saving) time (동부 여름 시간).

ed·u·ca·ble [édʒukəbəl] *a.* 교육 가능한.

⁑**ed·u·cate** [édʒukèit] *vt.* **1** 《~+목/+목+*to* do/+목+전+명》 (사람)을 교육하다, 훈육하다 《***for*** …이 되도록》; 육성하다: ~ a child 어린아이를 교육하다/~ a person *to* do a thing 아무가 어떤 일을 하도록 교육하다/~ a person *for* law 아무를 법률가로 교육하다/be ~*d* at a college 대학에서 교육을 받다/~ oneself 독학〔수학〕하다. SYN. ⇨TEACH. **2** 《+목+전+명》 학교에 보내다, …에게 학교 교육을 받게 하다: He was ~*d at* Oxford. 그는 옥스퍼드 대학에서 교육을 받았다. **3** 《~+목/+목+전+명/+목+*to* do》 (예술적 능력·취미 등)을 기르다; 길들이다, 훈련하다《***to*** …에》: ~ one's taste in music 음악의 취미를 기르다/~ the ear *to* music 음악 듣는 훈련을 하다/~ a dog *to* jump through a hoop 둥근 고리를 점프해서 빠져나오도록 개를 훈련시키다. ◇education *n.*

◇**éd·u·càt·ed** [-id] *a.* Ⓐ 교육받은, 교양 있는, 숙련된; 지식〔경험〕에 기초한, 근거가 있는: an ~ woman 교양이 있는 여성/an ~ taste 교양 있는 취미/an ~ guess 경험에서 나온 추측.

⁑**ed·u·ca·tion** [èdʒukéiʃən] *n.* **1** Ⓤ (또는 an ~) (학교) **교육**: compulsory 〔higher〕 ~ 의무〔고등〕 교육/a college ~ 대학 교육/a vocational ~ 직업 교육/get 〔receive, acquire〕 a good ~ 훌륭한 교육을 받다.

SYN. **education** 사람이 습득한 전반적인 능력·지식 및 그 과정을 뜻하는 말. **training** 일정 기간에 걸쳐서 어떤 목적으로 행하여지는 특정 분야에서의 실제적인 교육. **instruction** 학교 따위에서 하는 조직적인 교육.

2 Ⓤ (품성·능력 따위의) 육성, 양성: moral 〔intellectual, physical〕 ~ 덕〔지, 체〕육. **3** Ⓤ 교육학, 교수법: a college of ~ 《英》 교육 대학.

◇**ed·u·ca·tion·al** [èdʒukéiʃənəl] *a.* **1** 교육(상)의, 교육에 관한: an ~ institution 교육 기관/~ expenses 학비/an ~ age 교육 연령. **2** 교육적인: an ~ show on television 텔레비전 교육 프로그램/an ~ film 교육 영화. ㊥ ~·**ly** *ad.* 교육상〔적〕으로.

èd·u·cá·tion·al·ist *n.* =EDUCATIONIST.

educátion(al) pàrk 《美》 (학교를 대규모로 집중시켜 여러 가지 시설을 공용케 하는) 교육 공원〔단지〕, 학교 도시.

èd·u·cá·tion·ist *n.* Ⓒ 《英》 교육자, 교육 전문가(educator); 《美》 《보통 경멸적》 교육학자.

ed·u·ca·tive [édʒukèitiv/-kə-] *a.* 교육(상)의; 교육적인.

ed·u·ca·tor [édʒukèitər] *n.* Ⓒ 교육자, 교직자.

educe [idjúːs] *vt.* **1** (잠재된 능력·성격)을 끌어〔끄집어〕내다, 발현시키다. **2** (자료·사실 등에서 결론 따위)를 이끌어내다, 추론〔추단〕하다, 연역하다.

Ed·ward [édwərd] *n.* 에드워드《남자 이름》.

Ed·ward·i·an [edwáːrdiən, -wɔ́ːrd-] *a., n.* Ⓒ 〖英역사〗 에드워드《특히 7세》 시대의 (사람).

Ed·win [édwin] *n.* 에드윈《남자 이름》.

-ee [iː, ìː] *suf.* **1** 동사의 어간이 뜻하는 동작을 받아 '…하게 되는 사람'의 뜻의 명사를 만듦: oblig*ee*, pay*ee*. **2** 어간이 뜻하는 동작을 하는 사람: refug*ee*. **3** 어간이 뜻하는 '…상태'에 있는 사람: absent*ee*.

EEC, E.E.C. European Economic Community. **EEG** electroencephalogram (뇌파도).

*__eel__ [iːl] *n.* Ⓒ (식품은 Ⓤ) **뱀장어**; 뱀장어 비슷한 물고기. ***(as) slippery as an*** ~ (뱀장어처럼) 미끈미끈한; 《비유적》 붙잡기 어려운, 믿을 수 없는.

éel·gràss *n.* Ⓤ 〖식물〗 거머리말류(類)《북대서양 연안에 많은 해초의 일종》.

e'en [iːn] *ad., n.* 《시어》 =EVEN[1,2].

ee·nie, mee·nie, mi·nie, moe [ìːni, mìːni, máini, mòu] 누구로〔어느 것으로〕 할까《본래 술래잡기에서 술래를 정할 때 쓰는 말》.

EEPROM 〖컴퓨터〗 electrically erasable programmable read only memory (전기적 소거형 PROM). **EER** energy efficiency ratio (에너지 효율비).

e'er [ɛər] *ad.* 《시어》 =EVER.

-eer [iər] *suf.* '관계자, 취급자, 제작자'의 뜻: auction*eer*, pamphlet*eer*.

ee·rie, ee·ry [íəri] (***-ri·er; -ri·est***) *a.* 섬뜩한, 무시무시한(weird); 기분 나쁜, 기괴한. ㊥ **ée·ri·ly** *ad.* **ée·ri·ness** *n.*

ef- [if, ef] *pref.* =EX-《f의 앞에 쓰임》.

eff [ef] 《英속어》 *vt., vi.* (…와) 성교하다(*off*); 입에 못 담을 말을 하다. ~ ***and blind*** 줄곧 욕지거리를 하다, 더러운 입정을 놀리다.

ef·face [iféis] *vt.* **1** 지우다, 말살〔삭제〕하다; (추억·인상 따위)를 지워 버리다〔없애다〕(wipe out)《***from*** …에서》: ~ one's unhappy memories 불행한 기억들을 지워 버리다/~ some lines *from* a book 책에서 몇 행을 삭제하다/He could not ~ the impression *from* his mind. 그는 그 인상을 마음에서 지워 없앨 수가 없었다. **2** 〖~ oneself〗 눈에 띄지〔표면에 나타나지〕 않게

행동하다. ㊞ ~·a·ble *a*. ~·ment *n*. Ⓤ 말소, 소멸.

ef·fect [ifékt] *n*. **1** Ⓤ (구체적으로는 Ⓒ) **결과** (consequence): cause and ~ 원인과 결과, 인과(因果). SYN. ⇨RESULT.
2 a Ⓤ (구체적으로는 Ⓒ) **효과**; (법률 등의) 효력; **영향**《*on, upon* …에, …의》; (약 등의) 효능: be of no ~ 효과가 없다/immediate ~ 즉효/The experience had a good ~ *on* me. 그 경험은 나에게 좋은 영향을 끼쳤다. **b** Ⓤ 《발견자의 이름에 붙여》 〖물리〗 물리 현상, 효과: the Doppler ~ 도플러 효과.
3 a (*sing*.) (색채·모양의 배합에 의한) 효과, 감명, 인상: for ~ (보는 사람·듣는 사람에게 주는) 효과를 노려. **b** Ⓒ (보통 *pl*.) 〖연극〗 (소리·빛 따위의) 효과: ⇨SOUND EFFECTS.
4 (*sing*.) **취지**, 의미(purport, meaning)《*that*》: the general ~ 대의(大意), 강령(綱領)/to that 〔this, the same〕 ~ 그런〔이런, 같은〕 취지로/He said something to the ~ *that* he would resign. 그는 사직할 것이라는 취지의 말을 했다/I received a letter to the following ~. 다음과 같은 취지의 편지를 받았다.
5 (*pl*.) 동산, 재산, 물건: household ~*s* 가재(家財)/personal ~*s* 휴대품; 사물. ◇effectual *a*. ***come*** 〔***go***〕 ***into*** ~ (새 법률 등이) 실시되다, 발효하다. ***give*** ~ ***to*** (법률·규칙 등)을 실행〔실시〕하다. ***in*** ~ ① 실제에 있어서는, 사실상, 요컨대: The reply was, *in* ~, a refusal. 그 대답은 사실상 거절이었다. ② (법률 등이) 실시〔시행〕되어, 효력을 가지고. ***put*** 〔***carry, bring***〕 ***... into*** ~ …을 실행〔수행〕하다. ***take*** ~ 주효하다, 효험이 있다; (법률이) 효력을 발생하다. ***to good*** ~ 효과적으로, 유효하게. ***to no*** 〔***little***〕 ~ =***without*** ~ 무효로, 효험〔효과〕 없이, 무익하게.
—*vt*. **1** (변화 등)을 **가져오다**, **초래하다**: ~ a cure (병을) 완치하다/~ a change in policy 정책에 변화를 가져오다. **2 실행하다**; (목적 따위)를 성취하다, 완수하다: ~ an escape 교묘하게 도망쳐 버리다/~ a purpose 목적을 달성하다/~ a reform 개혁을 완수하다.

ef·fec·tive [iféktiv] *a*. **1 유효한**, 효력이 있는《*in* …에》; (법률 따위가) 실시되는, 효력을 갖는: ~ steps toward peace 평화에로의 유효한 조처/~ demand 유효 수요/The drug is ~ *in* the treatment of cancer. 이 약은 암 치료에 효력이 있다/The law will be ~ from 〔as of〕 the 1st of April. 그 법률은 4 월 1 일부터 실시된다.
SYN. **effective** 예상한 대로의 효과나 결과를 가져오게 함. 주로 물건에 대하여 말함. **effectual** 사물이 예측한 대로의 효과나 결과가 생기게 하는 힘을 가리킴. **efficient** 시간·노력을 낭비하지 않고 척척 일을 해내는 능력이 있음을 말하며 사람·사물에 두루 쓰임.
2 효과적인, 인상적인, 눈에 띄는: an ~ photograph/make an ~ speech 감명을 주는 연설을 하다. **3** 실제의, 사실상의(actual). cf. nominal.¶~ coin 〔money〕 실제〔유효〕 화폐, 경화(硬貨)(cf. paper money)/the ~ leader of the country 나라의 실질적인 지도자. **4** Ⓐ 실전에 쓸 수 있는, (전투 등에) 동원할 수 있는: the ~ strength of an army 일개 군(軍)의 전투력.
—*n*. Ⓒ (실전(實戰)에 투입할 수 있는) 동원 가능한 병력, 실제 병력. ㊞ ~·ly *ad*. 유효하게; 효과적으로; 유력하게; 실제상. ~·ness *n*.

ef·fec·tu·al [iféktʃuəl] *a*. 효과적인, 효험 있는, 유효한: ~ measures 유효한 수단/an ~ cure 효과적인 치료/~ demand 유효 수요. SYN. ⇨EFFECTIVE. ㊞ ~·ly *ad*. 효과적으로; 유효히; 실제상. ~·ness *n*.

ef·fec·tu·ate [iféktʃuèit] *vt*. 실현〔실시, 수행〕하다(effect); (법률 등)을 발효시키다; (목적 따위)를 이루다. ㊞ **ef·fèc·tu·á·tion** *n*. Ⓤ 달성, 수행, 성취; (법률 따위의) 실시.

ef·fem·i·na·cy [iféməṇəsi] *n*. Ⓤ 여성적임, 나약, 우유부단.

ef·fem·i·nate [iféṃənit] *a*. 여자 같은, 여성적인, 사내답지 못한, 나약한: ~ gestures 사내답지 못한 몸짓. ㊞ ~·ly *ad*. ~·ness *n*.

ef·fer·ent [éfərənt] *a*. 〖생리〗 원심성(遠心性)의《신경 따위》.

ef·fer·vesce [èfərvés] *vi*. **1** (탄산수 따위가) 거품이 일다, 비등하다, (가스 따위가) 거품이 되어 나오다. **2** (사람이) 들뜨다, 활기를 띠다, 흥분하다《*with* …으로 인해》: The crowd ~*d with* enthusiasm. 군중은 미친 듯이 열광했다.

ef·fer·ves·cence, -cen·cy [èfərvésəns], [-sənsi] *n*. Ⓤ 비등(沸騰), 거품이 남, 발포(發泡); 감격, 흥분, 활기.

ef·fer·ves·cent [èfərvésənt] *a*. 비등〔발포〕성의, 거품이 이는; 흥분한; 활기 있는, 열띤.

ef·fete [efí:t] *a*. **1** 정력이 다한, 쇠약해진. **2** (토지·동식물 따위가) 재생산력〔생식력〕이 없는.

ef·fi·ca·cious [èfəkéiʃəs] *a*. (약·치료 따위가) 효험〔효능〕이 있는, (조처·수단 등이) 유효한《*against* …에 대하여》: ~ *against* fever 열에 잘 듣는. ㊞ ~·ly *ad*. ~·ness *n*.

ef·fi·ca·cy [éfəkəsi] *n*. Ⓤ 효험, 효력, 유효.

ef·fi·cien·cy [ifíʃənsi] *n*. Ⓤ **1 능률**, 유효성〔도〕: increase of ~ 능률 증진/~ wages 능률급. **2** 〖물리·기계〗 효율, 능률: an ~ test 효율 시험.

effíciency apàrtment 《美》 간이 아파트《일반적으로 작은 부엌과 거실 겸 침실에 화장실이 있음》.

effíciency bár 《英》 능률 바《급료가 일정액에 이르렀을 때, 일정한 능률 달성이 이루어질 때까지 급료를 못박아 두는 것》.

effíciency èxpert 〔《美》 **engineèr**〕 경영 능률 전문가〔기사〕《기업 등의 작업 능률화·생산성 향상을 지도하는》.

ef·fi·cient [ifíʃənt] *a*. **1 능률적인**, **효과적인**; (수단·조처 따위가) 유효한: an ~ machine 〔factory〕 효율적인 기계〔공장〕. SYN. ⇨EFFECTIVE. **2** (인물에 대해서) **유능한**, 실력 있는《*at, in* …에》; 민완한: He's ~ *at* 〔*in* doing〕 his work. 그는 그의 일에 유능하다. ㊞ ~·ly *ad*. 능률적으로; 유효하게.

ef·fi·gy [éfədʒi] *n*. Ⓒ 상(像), 초상; (저주할 사람의 모습을 본 뜬) 인형, 우상. ***burn*** 〔***hang***〕 ***a person in*** ~ 악한·미운 사람의 형상(形像)을 만들어 불에 태우다〔목매달다〕.

ef·flo·resce [èflərés/-lɔ:-] *vi*. 꽃이 피다; (문화 등이) 개화하다, 번영하다.

ef·flo·res·cence [èflouréṣns] *n*. Ⓤ 개화(기); 절정, 전성(全盛), 융성기; 〖화학〗 풍해(風解), 풍화.

ef·flores·cent [èflourésnt] *a*. 꽃피어 있는; 〖화학〗 풍화〔풍해〕성의.

ef·flu·ence [éfluəns] *n*. Ⓤ (광선·전기·액체 따위의) 방출, 발산, 유출(outflow); Ⓒ 유출〔방출, 발산〕물.

E

ef·flu·ent [éfluənt] *a.* 유출〔방출〕하는. **—***n.* **1** Ⓒ (호수 등에서) 흘러나오는 수류〔유수〕. **2** Ⓤ (구체적으로는 Ⓒ) (공장 등으로부터의) 폐수, 배출〔폐기〕물《특히 환경을 오염하는》: industrial ~*s* 공업 폐수. **3** Ⓤ 하수, 오수(汚水).

ef·flux, ef·flux·ion [éflʌks], [iflʌ́kʃən] *n.* Ⓤ (액체 · 공기 등의) 유출; Ⓒ 유출물, 유출하는 가스〔액체〕.

‡**ef·fort** [éfərt] *n.* **1** Ⓤ (또는 an ~, 흔히 *pl.*) **노력**, 수고, 진력(盡力)《*to* do》: spare no ~*s* 노력을 아끼지 않다/by ~*s* 노력으로/with (an) ~ 애써서, 힘써/with little ~ =without ~ 힘들이지 않고, 손쉽게/under combined ~ 협력에 의해/He made ~*s* 〔an ~〕 *toward* 〔*at*〕 achiev*ing* his goals. 그는 목표 달성을 위해 노력했다/We'll make every ~ *to* hasten delivery of the goods. 물품 배달을 신속하게 하기 위해 온갖 노력을 다하겠습니다. SYN. ⇨EXERTION. **2** Ⓒ 노력의 결과; 역작, 노작(勞作): The painting is one of his finest ~*s*. 그 그림은 그의 걸작의 하나이다. **3** Ⓒ (단체에 의한) 반대 운동: anti-logging ~*s* 벌목 반대 운동.

éf·fort·less *a.* 노력하지 않은; 공〔힘〕들이지 않은; 쉬운(easy): an ~ victory 낙승(樂勝). ㊎ **~·ly** *ad.* 손쉽게. **~·ness** *n.*

ef·fron·tery [efrʌ́ntəri] *n.* **1** Ⓤ 철면피, 파렴치, 뻔뻔함《*to* do》: The ~! 이런 괘씸한《부당한 취급을 당했을 때》/have the ~ *to* do 뻔뻔스럽게도 …하다. **2** Ⓒ (흔히 *pl.*) 파렴치한 행위.

ef·ful·gence [efʌ́ldʒəns] *n.* Ⓤ (또는 an ~) 《문어》 눈부심, 광휘, 찬연한 광채.

ef·ful·gent [efʌ́ldʒənt] *a.* 《문어》 빛나는, 광휘 있는, 눈부신. ㊎ **~·ly** *ad.*

ef·fuse [efjúːz] *vt.* (액체 · 빛 · 향기 따위)를 발산〔유출〕시키다, 방출하다, 스며나오게 하다.

ef·fu·sion [efjúːʒən] *n.* **1** Ⓤ (기체 · 액체 따위의) 유출, 삼출(滲出), 스며나옴; Ⓒ 유출물. **2** Ⓤ (감정 · 말 따위의) 토로, 발로; Ⓒ 감정을 그대로 드러낸 표현〔서투른 시문〕.

ef·fu·sive [efjúːsiv] *a.* 《종종 경멸적》 심정을 토로하는, 감정이 넘쳐나는 듯한; 과장된. ㊎ **~·ly** *ad.* **~·ness** *n.*

EFL English as a foreign language.

É-frée *a.* (식품이) 첨가물이 없는. cf. E number.

eft [eft] *n.* =NEWT.

EFT electronic funds transfer (전자 자금 대체). **EFTA** [éftə] European Free Trade Association (유럽 자유 무역 연합). cf. EEC.

Eg. Egypt; Egyptian.

°**e.g.** [íːdʒíː, fərigzǽmpəl, -záːm-] 《L.》 예를 들면(for example): winter sports, *e.g.* skiing, skating, etc. 동계 스포츠, 예컨대 스키, 스케이팅 따위. [◂*exempli gratia*]

egal·i·tar·i·an [igæ̀lətɛ́əriən] *a.*, *n.* Ⓒ 인류 평등주의의 (사람). ㊎ **~·ism** *n.* Ⓤ 인류 평등주의.

†**egg**[1] [eg] *n.* Ⓒ **1** (새의) **알**; **달걀**: a boiled ~ 삶은 달걀/a soft-boiled 〔hard-boiled〕 ~ 반숙〔완숙〕란/a raw ~ 날달걀/a fried ~ 프라이한 달걀/a poached ~ 수란/a scrambled ~ 스크램블드 에그《우유나 버터를 넣고 휘저어 익힌 달걀》/sit on ~*s* 알을 품다/hatch ~*s* 알을 부화시키다. **2** =EGG CELL. **3** 《구어》 〖good, bad, old, tough 따위를 수반하여〗 놈, 녀석(guy), 자식: *Old* ~*!* 야, 이봐, 자네. ***as full as an*** **~** 꽉 찬. ***as sure as*** **~*s are*** 〔***is***〕 **~*s*** 《우스개》 확실히, 틀림없이: He'll rise in the company *as sure as* ~*s are* ~*s*. 그는 회사에서 꼭 승진할 것이다. ***bring*** one's **~*s to a bad market*** 예상 착오를 하다, 오산하다. ***have*** 〔***put***〕 ***all*** one's **~*s in one basket*** 《구어》 한 가지 사업에 모든 것을 걸다. ***have*** 〔***leave*** a person ***with***〕 **~ *on*** one's ***face*** 《구어》 바보처럼 보이다〔면목을 잃게 하다〕: Do I *have* ~ *on* my *face*? 뭐 실수라도 했나요?《남이 쳐다볼 때 당황하여 하는 말》. ***lay an*** **~** ① 알을 낳다. ② 《속어》 (익살 · 흥행 등이) 완전히 실패하다. ***teach*** one's ***grandmother*** 〔***granny***〕 ***to suck*** **~*s*** ⇨TEACH. ***tread*** 〔***walk***〕 ***upon*** **~*s*** 세심한 주의를 기울이다, 신중하게 거동〔처신〕하다.

> DIAL. ***How would you like your eggs?—Scrambled, please.* / (*Sunny-side*) *up, please.* / *Over, please.*** 달걀을 어떻게 해드릴까요?—스크램블드 에그《달걀을 풀어서 지진 것》로 해 주시오/한 쪽만 프라이해 주시오/양쪽 다 프라이해 주시오《음식점에서 주고받는 말》.

egg[2] *vt.* (아무)를 부추기다, 선동하다, 충동질하다(*on*)《*to* do》: ~ a person *on* to an act 〔*on to* do〕 아무를 부추기어 …을 시키다.

égg·bèater *n.* Ⓒ **1** 달걀 거품기. **2** 《美속어》 헬리콥터.

égg cèll 〖생물〗 난세포(卵細胞), 난자(卵子).

égg crèam 우유 · 초콜릿 시럽 · 소다수를 섞어 만든 음료.

égg·cùp *n.* Ⓒ (식탁에 놓는) 삶은 달걀 담는 그릇.

égg fóo yóng 〔**yóung**〕 [égfúːjʌ́ŋ] 에그 푸양《양파 · 새우 · 돼지고기 · 야채 따위를 넣고 만든 중국식의 미국 달걀 요리》.

égg·hèad *n.* Ⓒ 《구어》 지식인, 인텔리.

égg·nòg [-nɑ̀g, -nɔ̀(ː)g] *n.* Ⓤ (낱개는 Ⓒ) 밀크와 설탕이 든 달걀술《술이 들지 않은 것도 있음》.

égg·plànt *n.* Ⓒ (식품은 Ⓤ) 가지.

égg ròll 《美》 에그 롤《중국 요리의 하나; 야채 · 해산물 · 고기 등의 잘게 다진 소를 넣고 기름에 튀긴 달걀말이》.

égg-shàped [-t] *a.* 난형의, 달걀꼴의.

égg·shèll *n.* Ⓒ 달걀 껍데기. **—***a.* Ⓐ **1** 깨지기 쉬운: ~ china 〔porcelain〕 아주 얇은 자기. **2** 무광택의: ~ paint 무광택 페인트.

égg spòon 삶은 달걀을 먹는 작은 숟가락.

égg tìmer 달걀 삶는 시간을 재는 모래시계《보통 3분간용》.

égg whìsk 《英》 =EGGBEATER 1.

égg whìte (알의) 흰자위. cf. yolk.

egis [íːdʒis] *n.* =AEGIS.

eg·lan·tine [égləntàin, -tìːn] *n.* =SWEETBRIER.

ego [íːgou, égou] (*pl.* **~s**) *n.* **1** Ⓤ (구체적으로는 Ⓒ) 〖철학 · 심리〗 자아: absolute 〔pure〕 ~ 〖철학〗 절대〔순수〕아(我). **2** Ⓤ 지나친 자부심, 자만; 자존심(self-esteem): satisfy one's ~ 자존심을 만족시키다.

ego·cen·tric [ìːgouséntrik, ègou-] *a.* 자기 중심〔본위〕의; 이기적인. **—***n.* Ⓒ 개인〔자기〕 중심적인 사람. ㊎ **-tri·cal·ly** *ad.*

ègo·cen·tríc·i·ty *n.* Ⓤ 자기 중심.

ègo·céntrism *n.* Ⓤ 자기 중심성.

égo·ìsm *n.* Ⓤ **1** 이기주의, 자기 중심주의. **2** 이기심.
égo·ist *n.* Ⓒ 이기주의자; 자기 본위의 사람, 아집이 강한 사람.
ego·is·tic, -ti·cal [ìːgouístik, ègou-], [-əl] *a.* 이기적인; 자기 본위의, 아집이 강한. ㊞ **-ti·cal·ly** *ad.* 이기적으로.
ego·ma·nia [ìːgouméiniə, ègou-] *n.* Ⓤ 병적인 자기 중심 성향; 이상 자만.
ego·ma·ni·ac [ìːgouméiniæ̀k, égou-] *n.* Ⓒ 병적(극단적)으로 자기 중심적인 사람.
ego·tism [íːgoutìzəm, égou-] *n.* Ⓤ **1** 자기 중심벽(癖)《말하거나 글을 쓸 때 I, my, me를 지나치게 많이 쓰는 버릇》. **2** 자부, 자만; 이기주의.
ego·tist [íːgoutist, égou-] *n.* Ⓒ 자기 본위의 사람, 이기주의자(者). ㊞ **ègo·tís·tic, -ti·cal** *a.* 자기 본위(중심)의, 제멋대로의, 이기적인. **-ti·cal·ly** *ad.* 이기적으로.
égo trìp 《구어》 자기 중심적인(이기적인) 행동.
egre·gious [igríːdʒəs, -dʒiəs] *a.* 엄청난, 터무니없는, 엉터리없는(flagrant), 언어도단의: an ~ liar 소문난 거짓말쟁이/an ~ mistake 엄청난 잘못. ㊞ **~·ly** *ad.* **~·ness** *n.*
egress [íːgres] *n.* 《문어》 (↔ *ingress*) **1** Ⓤ 밖으로 나감; 밖으로 나갈 권리. **2** Ⓒ 출구(exit), 배출구.
egret [íːgrit, ég-, iːgrét] *n.* Ⓒ 【조류】 해오라기; 해오라기의 깃털; 깃털 장식《여자 모자에 다는》.
◇**Egypt** [íːdʒipt] *n.* 이집트《공식명은 이집트 아랍 공화국(the Arab Republic of ~)》.
Egyp·tian [idʒípʃən] *a.* 이집트(사람, 말)의. ―*n.* Ⓒ 이집트 사람; Ⓤ (고대) 이집트 말.
Egyp·tol·o·gy [ìːdʒiptálədʒi/-tɔ́l-] *n.* Ⓤ 이집트학(學). ㊞ **-gist** *n.* Ⓒ 이집트학자.
eh [ei] *int.* 뭐, 어, 그렇지《의문 · 놀람 등을 나타내거나, 동의를 구하는 소리》: Wasn't it lucky, *eh?* 운이 좋았구나, 그렇지. [imit.]
EIDE 【컴퓨터】 Extended Integrated Device Electronics (확장 IDE)《기존의 IDE가 갖고 있던 문제점을 해결하기 위해 등장한 인터페이스 규격》.
ei·der [áidər] *n.* Ⓒ (북유럽 연안의) 물오리의 일종(=∠ **dùck**); Ⓤ 그 솜털(eiderdown).
éider·dòwn *n.* Ⓤ eider의 솜털; Ⓒ 그것을 넣은 이불.
ei·do·lon [aidóulən] (*pl.* **~s, -la** [-lə]) *n.* Ⓒ 곡두, 환영(幻影), 유령, 허깨비(phantom); 이상적 인물.
Éif·fel Tówer [áifəl-] (the ~) 에펠탑《A. G. Eiffel이 1889년 파리에 세운 철골탑; 높이 320미터》.
†**eight** [eit] *a.* 여덟의, 8의, 8개(사람)의; 8살인.
―*n.* **1 a** Ⓤ (때로 Ⓒ; 보통 관사 없이) 여덟, 8. **b** Ⓒ 8의 기호《8, viii, VIII》. **2 a** 《복수취급》 8개(사람): There are ~. 8개(사람) 있다. **b** Ⓤ 8시; 8살; 8달러(파운드, 센트, 펜스(따위)). **3 a** Ⓒ 8개(인) 한 조인 것; 노가 8개인 보트, 에이트(정(艇)). **b** (the E-s) (Oxford 대학이나 Cambridge 대학의) 8인승 보트레이스. **4** Ⓒ (카드놀이 따위의) 8.
***have* (*take, be*) *one over the* ~** 《英구어》 얼근히 취하다. ***figure of* ~** 8자형; 【스케이트】 8자형 활주.
†**eight·een** [èitíːn] *a.* 열 여덟의, 18의, 18개(사람)의; 18살인. ―*n.* **1 a** Ⓤ (때로 Ⓒ; 보통 관사 없이) 열 여덟, 18: in the ~-fifties, 1850년대에. **b** Ⓒ 18의 기호《18, xviii, XVIII》. **2 a** 《복수취급》 18개, 18사람: There are ~. 18개(사람) 있다. **b** Ⓤ 18세; 18달러(파운드, 센트, 펜스 (따위)): a girl of 18, 18세의 소녀. **3** 《18로 써서》《英》 18세 미만 관람불가 영화의 기호.
⁑**eight·eenth** [èitíːnθ] *a.* (보통 the ~) 제18의, 18(번)째의; 18분의 1의: three ~s, 18분의 3. ―*n.* **1 a** Ⓤ (보통 the ~) 제18, 18(번)째; (달의) 18일. **b** (the ~) 18번째의 사람(것). **2** Ⓒ 18분의 1.
éight·fòld *a., ad.* 8배의(로), 8개의 부분(면)을 가진.
†**eighth** [eitθ] *a.* **1** (보통 the ~) 8(번)째의, 제8의. **2** 8분의 1의. ―(*pl.* **~s** [-s]) *n.* **1 a** Ⓤ (보통 the ~) 8(번)째, 제8; (달의) 8일. **b** (the ~) 8번째의 사람(것). **2** Ⓒ 8분의 1; 【음악】 8도(度) 음정. ㊞ **∠·ly** *ad.* 8(번)째로.
éighth nòte 《美》 【음악】 8분음표(quaver).
éight-hóur *a.* Ⓐ 8시간제의: the ~ day, 1일 8시간 근무제.
éighth rèst 《美》 【음악】 8분쉼표.
800 number [éithʌ́ndrəd∸] 《美》 (요금 수신인 부담의) 800으로 시작되는 전화번호《장거리 전용》.
⁑**eight·i·eth** [éitiiθ] *a.* (보통 the ~) 제80의, 80번째의; 80분의 1의. ―*n.* **1 a** Ⓤ (보통 the ~) 80번째. **b** (the ~) 80번째의 것(사람). **2** Ⓒ 80분의 1.
†**eighty** [éiti] *a.* 여든의, 80의, 80개(사람)의; 80세의.
―*n.* **1 a** Ⓤ (때로 Ⓒ; 관사 없이) 여든, 80. **b** Ⓒ 80개(의 물건); 80의 기호. **2 a** 《복수취급》 80개(사람): There're ~. 80개(사람) 있다. **b** Ⓤ 80세; 80달러(파운드, 센트, 펜스 (따위)): an old man of ~ 80세 노인. **c** (the eighties) (세기의) 80년대. **d** (one's eighties) (연령의) 80대. one***'s* (*the*) *eighties*** 80대(80년대).
éighty-síx, 86 *vt.* 《美속어》 (바 · 식당 등에서) (손님)에게 식사 제공을 거절하다; (사람)을 배척하다, 거절(무시)하다.
Ein·stein [áinstain] *n.* **Albert ~** 아인슈타인《독일 태생의 미국의 물리학자; 1879–1955》.
ein·stein·i·um [ainstáiniəm] *n.* Ⓤ 【화학】 아인슈타이늄《방사성 원소; 기호 Es; 번호 99》.
Ei·re [ɛ́ərə] *n.* 에이레《아일랜드 공화국의 별칭 · 구칭》.
Ei·sen·how·er [áizənhàuər] *n.* **Dwight D. ~** 아이젠하워《미국의 제34대 대통령; 1890–1969》.
eis·tedd·fod [eistéðvɑd, ais-/aistéðvɔd] (*pl.* **~s, -fod·au** [àisteðvádai/-vɔ̀dai]) *n.* Ⓒ (영국 Wales에서 해마다 개최되는) 시인 (낭송) 대회.
†**either** [íːðər, áiðər] 《★ New England 지방 이외의 미국인에게는 [áiðər]는 거들먹거리는 투의 발음으로 들림》 *ad.* **1** 《부정문의 뒤에서》 …도 또한 (…아니다, 않다): I don't like eggs. I do*n't* like meat, ~. 나는 달걀을 좋아하지 않는다. 고기도 안 좋아한다《비교: I like eggs, I like meat, *too*. 나는 달걀이 좋다, 고기도 좋아한다》/If you don't come, she wo*n't* ~. 자네가 아니 오면 그녀도 안 올 것이다/"I can't do it!" "I ca*n't*, ~!" '난 그걸 할 수 없다' '나도 그렇다' (=*Neither* can I! (Me, *neither*!)).

NOTE (1) 긍정문에서 '…도 또한'은 too, also. (2) not… either로 neither와 같은 뜻이 되지만 전자가 보다 일반적임. 또, 이 구문에서는 either 앞에 콤마가 있어도 좋고 없어도 좋음.

2 〖긍정문 뒤에서, 앞서 말한 부정의 내용을 추가적으로 수정·반복하여〗 그 위에; 게다가(moreover); …라고는 해도 (—은 아니다): It is a nice place, and *not* too far, ~. 그곳은 멋진 곳이고 게다가 멀지도 않다/He is very clever and is *not* proud ~. 그는 아주 똑똑하며, 그렇다고 오만하지도 않다.
3 《구어》 〖의문·조건·부정문에서 강조로〗 게다가, 그런데다: He has *no* family, or friends ~. 그에게는 가족도 없고 친구도 없다/Do you want that one ~? 당신은 그것도 원하십니까/You know it.—I do*n't*, ~! 너 알고 있지—알 게 뭐야. cf. too.
—*a.* 〖단수명사 앞에서〗 **1 a** 〖긍정문에서〗 (둘 중) **어느 한쪽의; 어느 쪽 …든**《'both+복수명사'는, 둘〔두 개〕 다; 둘〔양자 모두〕의 뜻임》: *Either* day is OK. (양일 중) 어느 날이든 좋습니다/Sit on ~ side. 어느 쪽에든 앉으시오/*Either* pen will do. 어느 펜이든 좋다〔괜찮다〕. **b** 〖부정문에서〗 (둘 중) **어느 …도**; 어느 쪽도: I do*n't* know ~ boy. (둘 중에서) 어느 소년도 모른다(=I know *neither* boy.) **c** 〖의문·조건문에서〗 (둘 중) **어느 한쪽의 …든〔라도〕**: Did you see ~ boy? (두 소년 중) 어느 한쪽의 소년이든 만났는가.
2 〖흔히 side, end, hand와 함께〗 (둘 중) **양쪽의**《이 뜻으로는 both+복수명사, each+단수명사 형태를 더 많이 씀》: at ~ end of the table 테이블(의) 양쪽 끝에(=at *both* ends...)/on ~ side of the road 길 양쪽에(=on *both* sides ...).
~ ***way*** (두 가지 중) 어느 것이든; 어떻든; 어느 쪽에도. ***in ~ case*** 어느 경우에든, 어느 쪽이든.
—*pron.* **1** 〖긍정문에 쓰이어〗 (둘 중의) **어느 한 쪽; 어느 쪽이든**: *Either* will do. 어느 쪽이든 좋다/*Either* (*one*) of you is right. 너희 둘 중 어느 한 쪽이 옳다/*Either* of them is 〔are〕 good enough. 그 둘 어느 쪽도 좋다《either는 단수 취급을 원칙으로 하지만 《구어》에서는, 특히 of 다음에 복수(대)명사가 계속될 때에는 복수로 취급될 때가 있음》.
2 〖부정문에 쓰이어〗 (둘 중) **어느 쪽〔것〕도** (…아니다, 않다); 둘 다 (아니다, 않다): I do*n't* like ~ of them.(=I like *neither* of them). 그 어느 쪽도 마음에 들지 않는다/I wo*n't* buy ~ of them. 그 둘 어느 것도 사지 않겠다.
3 〖의문·조건문에 쓰이어〗 (둘 중) **어느 쪽인가**; 어느 쪽이든: Did you see ~ of the pictures? 그 영화 중 어느 것이든 보셨습니까/If you have read ~ of the stories, tell me about it. 그 두 소설의 어느 한 쪽이든 읽으셨으면, 그 이야기를 좀 해 주세요.

NOTE (1) 셋〔3자〕 이상에 관해서는 any, any one of …을 씀: *any one* of us 우리들 중 누구든 한 사람. (2) 'either와 not의 위치' not는 either에 선행될 수 없음: Neither of them came. 둘 다 안 왔다.

—*conj.* 〖either… or —의 형태로서〗 **1** …**거나〔든가〕 또는 —거나〔든가〕** (어느 하나가〔쪽인가가〕): *Either* you *or* I must go. 자네든 나든 어느 한 명은 가야(만) 하네/You must ~ sing *or* dance. 너는 노래를 부르든가, 춤을 추든가 해야 한다.

NOTE (1) either… or —는 두 개의 어구를 잇는 것이 원칙이나 셋 이상의 어구를 이을 때도 있음: To succeed, you need ~ talent, (*or*) good luck, *or* money. 성공하는 데는 재능이든지, 행운이든지, 돈이 있지 않고서는 안 된다. (2) either… or —가 주어일 때 동사의 인칭·수는 보통 뒤의 주어에 일치시킴: *Either* she *or* I am at fault. 그녀나 나 중에서 어느 쪽인가가 잘못돼 있다. 이 때 호응의 번거로움을 피하기 위해 *Either* she is at fault *or* I am. 으로 할 때도 있음. (3) either… or — 로 이어지는 두 말은 원칙적으로 문법상 기능이 같아야 함. 따라서 She went ~ to London *or* Paris. 는 적합하지가 못하며, She went to ~ London *or* Paris. 로 하든가, She went ~ to London *or* to Paris. 로 하는 것이 좋음.

2 〖부정을 수반하여〗 …도 —도(아니다, 않다): He can*not* ~ read *or* write. 그는 읽지도 쓰지도 못한다(=He can *neither* read *nor* write.)
éither-òr *a.* Ⓐ 양자택일의: an ~ situation 양자택일해야 할 상황.
ejac·u·late [idʒǽkjəlèit] *vt.* (특히 정액)을 사출하다; (말)을 돌연 내뱉다, 갑자기 외치다.
ejàc·u·lá·tion *n.* **1** Ⓤ (구체적으로는 Ⓒ) 〖생리〗 (체액의) 사출(射出), 《특히》 사정(射精). **2** Ⓤ 돌연한 외침, 절규; Ⓒ 갑자기 지르는 소리.
ejac·u·la·to·ry [idʒǽkjələtɔ̀ːri/-təri] *a.* 사정의; 절규하는.
eject [idʒékt] *vt.* **1** 몰아내다, 쫓아내다(expel); 물리치다, 추방하다《***from*** (장소·지위 따위)에서》: He was *~ed from* the theater for rowdiness. 그는 소란을 피워 극장에서 쫓겨났다. **2** (연기 따위)를 내뿜다, 분출하다: The volcano *~ed* lava and ashes. 화산은 용암과 재를 분출했다. **—***vi.* (비행기 등에서) 긴급 탈출하다.
ejéc·tion *n.* **1** Ⓤ 쫓아냄, 방축(放逐), 배척《***from*** …에서의》. **2** Ⓤ 방출; 분출; 배설. **3** Ⓒ 분출물; 배설물.
ejéction sèat 〖항공〗 (긴급 탈출용의) 사출 좌석.
ejéct·ment *n.* Ⓤ (구체적으로는 Ⓒ) 내쫓음, 몰아냄; 배출(排出)《***from*** …에서의》.
ejec·tor [idʒéktər] *n.* Ⓒ 쫓아내는 사람; 배출〔방출〕기(器), 배출관, 배출 장치.
ejéctor sèat =EJECTION SEAT.
eke [iːk] *vt.* **1** 보충하다, …의 부족분을 채우다 (*out*)《***by, with*** …으로》: ~ *out* one's salary *with* odd jobs 부업을 해서 봉급에 보태다. **2** (생계)를 근근히 꾸려가다〔이어가다〕 (*out*): ~ *out* a scanty livelihood 겨우 생계를 꾸려 나가다/barely ~ *out* an existence 근근히 연명하다.
EKG electrocardiogram (심전도).
ekis·tics [ikístiks] *n.* Ⓤ 인간 거주학.
el [el] *n.* Ⓒ (보통 the ~) 《美구어》 고가 철도 (elevated railway).
elab·o·rate [iléb...] [ilǽbərèit] *vt.* **1 정성들여 만들다, 힘들여 마무르다: ~ a theory 이론을 치밀하게 정립하다. **2** (문안 따위)를 퇴고(推敲)하다, 힘들여 다듬다: ~ the plot of a novel 소설 줄거리를 잘 다듬다. **—***vi.* 《~/+전+명》 잘 다듬다; 상세히 설명하다《***on, upon*** …을》: Don't ~. 너무 공들이지 마라/~ *on* a plan 계획을 잘 다듬다/~ *upon* a theme 제목에 대해서 상술하다. **—** [ilǽbərit] *a.* **공들인; 정교한**, 정묘한: an ~

hat 공들여 만든 모자/an ~ design 정교한 의장(意匠). ㊥ **~·ly** *ad.* **~·ness** *n.*

elab·o·ra·tion [ilæ̀bəréiʃən] *n.* **1** Ⓤ 공들여 함; 애써 마무름; 퇴고(推敲); 고심, 정성; 정교. **2** Ⓒ 노작(勞作), 역작(力作); (추가한) 상세한 내용.

élan [eilɑ́:n, -lǽn] *n.* 《F.》 Ⓤ 예기(銳氣), 활기, 활력; 열의, 열정: with ~ 열의를 갖고.

eland [í:lənd] (*pl.* **~, ~s**) *n.* Ⓒ 【동물】 엘란드《남아프리카산의 큰 영양(羚羊)》.

élan vi·tal [ˊvi:tɑ́:l] 《F.》 【철학】 생의 약동, 창조적 생명력《베르크송의 용어》.

elapse [ilǽps] *vi.* (때가) 경과하다: Days ~*d* while I remained undecided. 마음을 정하지 못하는 동안에 몇 일이 지나갔다. **—*n.*** Ⓤ 《美》 (시간의) 경과: after the ~ *of* ten years, 10 년이 지나.

elas·tic [ilǽstik] *a.* **1** 탄력(성) 있는, 신축성 있는: an ~ cord 고무줄. **2** (정신·육체가) 부드러운, 유연한, 유순한; (규칙·사고 방식 따위가) 융통성〔순응성〕 있는: ~ motion 유연한 움직임/~ hours of work 융통성 있는 근무 시간. **3** 굴하지 않는, 불굴의: an ~ mind 슬픔을 당해도 곧 이겨내는 마음. **4** 【물리】 탄성이 있는, 탄성체의: ~ body 탄성체/~ force 탄력성. **—*n.*** Ⓤ 고무줄; 고무실이 든 천; Ⓒ 《美》 고무 고리. ㊥ **-ti·cal·ly** [-tikəli] *ad.* 탄력 있게; 신축 자재하게; 유연하게; 경쾌하게.

elas·ti·cate [ilǽstəkèit] *vt.* (고무실 따위로 짜서, 옷감·옷 따위)에 신축성을 지니게 하다. ㊥ **-càt·ed** [-id] *a.*

elas·tic·i·ty [ilæstísəti, ì:læs-] *n.* Ⓤ 탄력, 신축성; 융통성; (불행 등에서) 곧 회복하는 힘; 순응성.

elate [iléit] *vt.* 기운을 돋우다; 의기양양하게 하다.

elát·ed [-id] *a.* 의기양양한, 우쭐대는《***at, by*** …으로/***that***》: an ~ look 의기양양한 얼굴/be ~ *at* 〔*by*〕 one's success 성공해서 의기양양하다/He was ~ *that* he had passed the exam. 그는 시험에 합격했다고 우쭐댔다. ㊥ **~·ly** *ad.* **~·ness** *n.*

elá·tion *n.* Ⓤ 의기양양, 득의만면.

***el·bow** [élbou] *n.* Ⓒ **1 팔꿈치**; 팔꿈치 모양의 것. **2** 후미, (해안선·강 따위의) 급한 굽이, 굴곡; (의자의) 팔걸이; L자 모양의 관(管).

at* one's ~** 바로 곁에. ***bend 〔***crook, lift, tip***〕 ***an*** 〔one's〕 **~** 《구어》 폭음하다. ***get the* ~** 《구어》 퇴짜맞다. ***give* a person *the* ~** 《구어》 아무와 인연을 끊다, 퇴짜놓다. ***out at*** (***the***) **~s** (옷의) 팔꿈치에 구멍이 나서, 몹시 추레하게; (경제적으로) 가난해져. ***rub*** 〔***touch***〕 **~s *with*** (저명인사와) 사귀다. ***up to the*** 〔one's〕 **~s** 몰두하여《***in*** (일 따위)에》.

—*vt.* 《+목+부/+목+전+명》 **1 팔꿈치로 밀다** 〔찌르다〕: ~ people *aside* 〔*off*〕 사람들을 밀어 제치다/~ a person *out of* the way 방해가 안 되도록 아무를 밀어내다. **2** 〖~ one's way; ~ oneself〗 (팔꿈치로) 밀어제치고 나아가다: ~ one*self in* 밀치고 들어가다/~ one*self into* a crowded train 사람들을 밀어제치고 혼잡한 열차를 타다/He ~*ed* his *way through* the crowd to her. 그는 군중을 밀어제치고 그녀에게 갔다. **—*vi.*** 팔꿈치로 밀어제치고 나아가다.

élbow grèase 《구어》 힘드는 육체노동: Put a little ~ into it. 좀 더 힘써서 해라.

élbow·ròom *n.* Ⓤ 팔꿈치를 움직일 수 있을 만한 여지; 여유, (충분한) 활동 범위: have no ~ 운신을 못하다.

***eld·er**[1] [éldər] *a.* Ⓐ 〖old의 비교급〗 **1 손위의**, 연장의(↔ *younger*): an 〔one's〕 ~ brother 〔sister〕 형〔누나〕/Which is the ~ of the two? 둘 중 어느 쪽이 형〔언니〕인가? ★ elder는 형제자매 관계에 쓰며, 서술적으로는 be older than이라 함. **2** 고참의, 선배의, 원로(격)의: an ~ officer 상관. **3** (the E-) 〖사람 이름의 앞이나 뒤에 붙여〗 (동성 또는 동명인 사람·부자·형제 따위의) 연상인(↔ *the Younger*): the *Elder* Pitt =Pitt the *Elder* 대(大)피트.

—*n.* Ⓒ **1 연장자**, 연상의 사람, 노인, 고로(古老). **2** (보통 one's ~s로) 선배, 손윗사람. **3** 원로, 원로원 의원; (장로교회 등의) 장로.

el·der[2] *n.* Ⓒ 【식물】 양딱총나무(=ˊ **trèe**).

élder·bèrry *n.* Ⓒ 양딱총나무의 열매.

éld·er·ly *a.* 중년을 지난, 나이가 지긋한, 초로(初老)의; (the ~) 나이가 지긋한 사람들. SYN. ⇨OLD.

***eld·est** [éldist] *a.* Ⓐ 〖old의 최상급〗 **가장 나이 많은**, 최연장의, 제일 손위의: an 〔one's〕 ~ son〔daughter〕 맏아들〔맏딸〕.

El Do·ra·do [èldərɑ́:dou] (*pl.* **~s**) *n.* **1** 《Sp.》 엘도라도《(아마존 강변에 있다고 상상한) 황금의 나라》. **2** Ⓒ 황금향(黃金鄕), 보물산.

El·ea·nor [élənər, -nɔ:r] *n.* 엘리너《여자 이름》.

***elect** [ilékt] *vt.* **1** 《~+목/+목+(*to be*) 보/+목+*as* 보/+목+전+명/+목+*to* do》 (투표 따위로) **선거하다**, 뽑다, 선임하다: ~ a person (*to be*) president 아무를 회장으로 선임하다/~ a person *as* chairman 아무를 의장으로 선출하다/~ a person *to* the presidency 아무를 총재〔회장, 대통령 따위〕로 뽑다/He was ~*ed for* 〔*to*〕 Congress in 1994. 그는 1994 년에 국회의원으로 선출되었다/We ~*ed* him *to* represent us. 우리 대표로서 그를 뽑았다. SYN. ⇨CHOOSE. **2** 《~+목/+*to* do》 택하다, 결심하다: ~ suicide 자살을 택하다/He ~*ed to* remain at home. 그는 집에 남아 있기로 정하였다. **3** 《~+목/+목+*as* 보》 (학과)를 선택하다: I ~*ed* Korean history *as* a minor. 나는 한국사를 부전공으로 택했다. **4** 【신학】 (하느님이) 선택하다, 소명을 받다.

—*a.* 당선된, 뽑힌, 선정된; (신에게) 선택받은: the bride-~ 약혼자《여자》/a governor-~ 차기(次期) 지사《당선 후 취임 전의 경우》. **—*n.*** (the ~) 〖집합적; 복수취급〗 《문어》 뽑힌 사람들, (신의) 선민(God's ~); 엘리트 계층, 특권 계급.

***elec·tion** [ilékʃən] *n.* **1** Ⓤ (구체적으로는 Ⓒ) **선거**; 선정; 당선: ~ expenses 선거비/an ~ campaign 선거 운동/a general ~ 총선거/a special ~ 《美》 보궐선거(《英》 by-~)/carry 〔win〕 an ~ 선거에 이기다, 당선되다/off year ~s 《美》 중간선거/run for ~ 입후보하다/~ fraud 선거 위반. **2** Ⓤ 【신학】 신에 의한 선정.

Eléction Dày 1 《美》 대통령 선거일《11 월 첫 월요일 다음의 화요일》. **2** (e- d-) 선거일.

elec·tion·eer [ilèkʃəníər] *vi.* 선거 운동을 하다. ㊥ **~·ing** *n.* Ⓤ, *a.* 선거 운동(의): an ~*ing* agent 선거 운동원.

elec·tive [iléktiv] *a.* 선거의〔에 관한〕; 선거에 의한, 선거권이 있는; 선택의; 《美》 (과목이) 수의(隨意) 선택의(《美》 optional): an ~ body 선거단체〔모체(母體)〕/an ~ course 선택과정/an ~ office 민선 관직/an ~ system 선택과목 제도.

E

—*n*. Ⓒ《美》 선택과목〔과정〕(《美》 optional): take an ~ in …을 선택과목으로 하다. ㊎ ~·ly *ad*. ~·ness *n*.

elec·tor [iléktər] *n*. Ⓒ 선거인, 유권자; 《美》 정·부통령 선거인.

elec·tor·al [iléktərəl] *a*. Ⓐ 선거(인)의: an ~ district 선거구/an ~ system 선거 제도.

eléctoral cóllege (the ~ ; 때로 E– C–) 《美》 (대통령·부통령을 선출하는) 선거인단.

> **NOTE** 미국의 대통령·부통령은 electoral college에 의해 선출된다. 유권자는 선거인에 투표하고, 많은 선거인을 획득한 사람이 대통령이 된다. 각 주에서 선출된 선거인의 수는 상원의원(100명)과 하원의원(435명)과 동수이며, 여기에 Washington, D.C.에서 선출된 3명을 합하여 총 538명이 electoral college를 구성한다.

eléctoral róll 〔**régister**〕 (보통 the ~) 선거인 명부.

elec·to·rate [iléktərit] *n*. Ⓒ (the ~) 〘집합적; 단·복수취급〙 선거민, (한 선거구의) 유권자: the registered ~ 등록 유권자.

e·lectr- [iléktr-], **e·lec·tro-** [iléktrou, -trə] '전기, 전해(電解), 전자(電子)'의 뜻의 결합사.

Elec·tra [iléktrə] *n*. 〘그리스신화〙 엘렉트라 《Agamemnon의 딸; 동생 Orestes를 설득하여 어머니 Clytemnestra와 그 정부를 죽이게 하여 아버지의 원수를 갚음》.

Eléctra còmplex 〘정신의학〙 엘렉트라 콤플렉스《딸이 아버지에 대해 무의식중에 품는 성적인 사모》. cf. Oedipus complex.

E

‡**elec·tric** [iléktrik] *a*. **1** Ⓐ **전기의**, 전기를 띤; 발전하는, 발전용의; 전기로 움직이는, 전동의: ~ appliances 〔apparatus〕 전기 기구/an ~ bulb 전구/an ~ car 전기 자동차/an ~ circuit 전기회로/an ~ clock 전기시계/~ conductivity 전기의 전도성/~ discharge 방전/an ~ fan 선풍기/an ~ iron 전기다리미/an ~ lamp 전등/an ~ motor 전동기/an ~ railroad 〔railway〕 전기철도/an ~ torch 《英》 회중 전등(《美》 flashlight)/an ~ refrigerator 전기냉장고/an ~ sign 전광(電光)간판/an ~ spark 전기 불꽃/an ~ washing machine 전기세탁기. **2** 충격적인, 전격적인, 자극적인: an ~ personality (전기와 같은) 강렬한 개성/an ~ atmosphere 열광적인 분위기. —*n*. Ⓒ 전기로 움직이는 것《전차 따위》; (*pl*.) 《英》 전기 장치〔설비〕.

‡**elec·tri·cal** [iléktrikəl] *a*. **전기에 관한**, 전기를 쓰는; 전기를 다루는; 전격적인: an ~ engineer 전기 기사/~ engineering 전기공학/(an) ~ wire 전선/~ goods 〔appliances〕 전기 제품〔기구〕. ㊎ ~·ly *ad*.

eléctrical stórm =ELECTRIC STORM.

eléctric cháir (사형용) 전기의자; (the ~) 전기의자에 의한 사형: be sent to the ~ 전기의자에 의한 사형에 처해지다.

eléctric éel 〘어류〙 전기뱀장어《남아메리카산》.

eléctric éye 《구어》 광전지(光電池); (라디오 따위의) 매직 아이(magic eye).

elec·tri·cian [ilèktríʃən, ìːlek-] *n*. Ⓒ 전기학자; 전기 기사; 전기공; 전기 담당원.

‡**elec·tric·i·ty** [ilèktrísəti, ìːlek-] *n*. Ⓤ **1 전기**; 전류; (공급) 전력: install ~ 전기를 끌다/supply ~ 전력을 공급하다/atmospheric ~ 공중 전기/dynamic 〔galvanic〕 ~ 동(動)전기/frictional ~ 마찰 전기/magnetic ~ 자기(磁氣) 전기/negative 〔positive〕 ~ 음〔양〕전기/static ~ 정(靜)전기/thermal ~ 열전기/It runs on ~. 그것은 전기로 움직인다. **2** (사람에서 사람에게 전달되는) 강한 흥분, 열광.

eléctric ráy 〘어류〙 시끈가오리.

eléctric shóck 전기 쇼크, 감전.

eléctric shóck thèrapy 〘의학〙 (정신병의) 전기 쇼크 요법.

eléctric stórm 〘기상〙 심한 뇌우(雷雨).

elec·tri·fi·ca·tion [ilèktrəfikéiʃən] *n*. Ⓤ 대전; 감전; (철도 등의) 전화(電化); 강한 흥분〔감동〕(을 주는 일).

elec·tri·fy [iléktrəfài] *vt*. **1** …에 전기를 통하다; 감전시키다; 전기를 띠게 하다; 전화(電化)하다: an *electrified* body 대전체(帶電體)/~ a railroad 철도를 전화하다. **2** 깜짝 놀라게 하다, 충격을 주다, 흥분시키다: ~ an audience 청중을 흥분시키다. ◇electrification *n*. ㊎ **-fi·er** *n*. **-fi·a·ble** *a*.

electro- ⇨ELECTR-.

elèctro·cárdiogram *n*. Ⓒ 〘의학〙 심전도《생략: ECG, EKG》. ㊎ **-gràph** *n*. Ⓒ 〘의학〙 심전계.

elèctro·chémical *a*. 전기화학의. ㊎ ~·ly *ad*.

elèctro·chémistry *n*. Ⓤ 전기화학.

electroconvúlsive thérapy 〘정신의학〙 전기 쇼크〔경련〕 요법(electroshock therapy)《생략: ECT》.

elec·tro·cute [iléktrəkjùːt] *vt*. 전기의자로 처형하다; 전기충격으로 죽이다, 감전시켜 죽이다.

elèc·tro·cú·tion *n*. Ⓤ (구체적으로는 Ⓒ) 전기 사형; 감전사.

elec·trode [iléktroud] *n*. Ⓒ (흔히 *pl*.) 전극(電極).

elèctro·dynámic *a*. 전기 역학의.

elèctro·dynámics *n*. Ⓤ 전기 역학.

elèctro·encéphalogram *n*. Ⓒ 〘의학〙 뇌파, 뇌전도《생략: EFG》. ㊎ **-encéphalograph** *n*. Ⓒ 〘의학〙 뇌파 기록 장치.

elec·trol·y·sis [ilèktrάləsis/-trɔ́l-] *n*. Ⓤ 전기분해; 전해(電解); 〘의학〙 전기분해 요법《모근·종양 따위를 전류로 파괴함》.

elec·tro·lyte [iléktroulàit] *n*. Ⓒ 전해물(電解物); 전해질(質); 전해액(液).

elec·tro·lyt·ic [ilèktroulítik] *a*. 전기분해의, 전해질의: an ~ bath 〔cell〕 전해조(電解槽).

elec·tro·lyze [iléktroulàiz] *vt*. 전기분해하다; …에 전기분해 요법을 행하다.

elèctro·mágnet *n*. Ⓒ 전자석(電磁石).

elèctro·magnétic *a*. 전자기(電磁氣)의; 전자석의: ~ induction 전자기 유도/~ radiation 전자기 복사(輻射)/~ spectrum 전자기파 스펙트럼/the ~ theory 전자기 이론/~ waves 전자기파(波).

elèctro·mágnetism *n*. Ⓤ 전자기학.

elec·trom·e·ter [ilèktrάmitər/-trɔ́m-] *n*. Ⓒ 전위계(電位計).

elec·tro·mo·tive [ilèktroumóutiv] *a*. 기전(起電)의, 전동(電動)의: ~ force 기전력, 전동력《생략: E.M.F., e.m.f.》.

elec·tron [iléktran/-trɔn] *n*. Ⓒ 〘물리〙 전자, 일렉트론: ~ emission 전자 방출/~ mobility 전자 이동도/~ orbit 전자 궤도/~ specific charge 전자의 비전하(比電荷)/the ~ theory 전자설. [◂*electric*+*on*]

elèctro·négative *a.* 〖전기·화학〗 음전기를 띤, 음전성의. ↔ *electropositive.*
eléctron gùn 〖TV〗 (브라운관 따위의) 전자총.
elec·tron·ic [ilèktránik/-trɔ́n-] *a.* **1** 전자(학)의, 일렉트론의: ~ industry 전자 산업/~ engineering 전자 공학/an ~ flash 〖사진〗 스트로보《발광 장치》. **2** 전자 음악의.
electrónic búlletin bòard 전자 게시판《컴퓨터 통신을 통한 메시지의 송수신 시스템》.
electrónic dáta interchánge 〖컴퓨터〗 전자 자료 교환《통신망을 통하여 하나의 컴퓨터에서 다른 컴퓨터에 정보를 교환하는 능력》.
electrónic dáta prócessing 전자 정보 처리《생략: EDP》.
electrónic engineéring 전자 공학.
㊞ **electrónic engineéer**
electrónic flàsh 〖사진〗 발광 장치.
electrónic màil 〖컴퓨터〗 전자 우편, e메일(E-mail).
electrónic músic 〖음악〗 전자 음악.
elèc·trón·ics *n.* **1** Ⓤ 전자 공학. **2** 〔복수취급〕 전자 장치.
electrónic survéillance (도청 장치 등) 전자 기기를 이용한 정보 수집.
electrónic tág 〖컴퓨터〗 전자 태그(tag).
electrónic vírus 〖컴퓨터〗 컴퓨터 바이러스.
eléctron mìcroscope 전자 현미경.
eléctron òptics 전자 광학.
eléctron tùbe 전자관《진공관의 일종》.
eléctron-vòlt *n.* Ⓒ 전자 볼트(=**eléctron vòlt**)《생략: EV, eV》.
elèctro·photógraphy *n.* Ⓤ 전기 사진.
elec·tro·plate [iléktrou̯plèit] *vt.* …에 전기 도금하다《*with* (은 따위)로》.
elèctro·pósitive *a.* 〖전기〗 양전기를 띤; 〖화학〗 양성의. ↔ *electronegative.*
elec·tro·scope [iléktrəskòup] *n.* Ⓒ 검전기(檢電器).
eléctro·shòck thèrapy =ELECTRIC SHOCK THERAPY.
elec·tro·stat·ic [ilèktroustǽtik] *a.* 정(靜)전기의: an ~ generator 정전(靜電) 발생 장치.
elèctro·státics *n.* Ⓤ 정전기학.
elèctro·technólogy *n.* Ⓤ 전자 공학.
elec·tro·ther·a·py [ilèktrouθérəpi] *n.* Ⓤ 전기 요법.
eléctro·tỳpe *n.* Ⓤ 〖인쇄〗 전기판(版)(제작법), 전기 제판(製版). **—***vt.* 전기판으로 뜨다.
el·ee·mos·y·nary [èlimásənèri, -máz-/èlii:mɔ́sənəri] *a.* 《문어》 (은혜를) 베푸는, 자선의.
°**el·e·gance, -gan·cy** [éligəns], [-i] (*pl.* **-ganc·es; -cies**) *n.* **1** Ⓤ 우아, 고상, 기품: with ~ 우아하게. **2** Ⓒ 우아한 것, 고상한 말, 세련된 예절. **3** Ⓤ (사고·증명 따위의) 명쾌함, 간결함.
*__el·e·gant__ [éləgənt] *a.* **1** (인품 등이) **기품 있는**, 품위 있는(graceful); (취미·습관·문체 따위가) **우아한**, 세련된: life of ~ ease 여유 있고 우아한 생활.

SYN. **elegant** 후천적으로 사람의 품성이나 취미가 세련됨을 나타냄. **graceful** 선천적으로 잘 길러진 우아함·고상함을 나타냄.

2 (물건 따위가) 풍아한, 아취가 있는: ~ furnishings 고상한 가구. **3** (사고·증명 따위가) 명쾌한, 간결한. **4** 《美》 멋있는, 훌륭한(fine, nice): an absolutely ~ wine 천하의 명주. ㊞ **~·ly** *ad.*
el·e·gi·ac, -a·cal [èlədʒáiək, ilí:dʒiæ̀k], [-əkəl] *a.* 만가(挽歌)의, 애가(哀歌)의; 만가 형식의, 애가조(調)의; 구슬픈, 애수적인. **—***n.* Ⓒ (흔히 *pl.*) 만가〔애가〕 형식의 시가.
el·e·gize [élədʒàiz] *vt., vi.* 만가(挽歌)로 노래하다; 만가로 쓰다; 애가를 짓다《***on, upon*** …의》.
el·e·gy [élədʒi] *n.* Ⓒ 비가(悲歌), 엘레지, 애가, 만가; 만가조의 시.
elem. element(s); elementary.
‡**el·e·ment** [éləmənt] *n.* **1** Ⓒ **a** **요소**, 성분; 구성 부분: the ~*s* of a sentence 문장의 요소/Love is an ~ of kindness. 사랑은 친절에 필요한 요소이다. **b** (흔히 *pl.*) (정치적 의미로, 사회의) 집단, 분자: discontented ~*s* of society 사회의 불평분자.

SYN. **element** 이루기 위한 기본적이며 불가결한 요소: Letters are the *elements* out of which all our words are formed. 문자는 모든 말을 구성하는 데 불가결한 요소이다. **component** 성분의 하나: Carbon is a *component* of steel. 탄소는 강철의 한 성분이다. **constituent** 구성 요소 전부를 가리키는 경우가 많음: Hydrogen and oxygen are the *constituents* of water. 수소(水素)와 산소가 물의 성분이다. **ingredient** 반드시 불가결하진 않은 요소: the *ingredients* of the cake 케이크의 재료. **factor** 사물의 성질을 결정하는 요소·요인.

2 Ⓒ 〖화학〗 **원소**: reduced to its ~*s* 원소로 분해〔환원〕되어. **3 a** Ⓒ 사(四)원소《흙·물·불·바람》의 하나. **b** (the ~s) 자연력, 《특히》 (폭)풍우: the fury of the ~*s* 자연력의 맹위/exposed to the ~*s* 비바람에 씻기어. **4** Ⓒ (생물의) 고유의 환경; 활동 영역; (사람의) 본령, 천성; 적소. **5** (the ~s) (학문의) 원리; 초보, 첫걸음: the ~*s of* grammar 문법의 요강〔첫걸음〕. **6** Ⓒ (보통 an ~) …의 기미, 다소: There's an ~ *of* truth in what you say. 네 말에는 일리가 있다. **7** (the E-s) 〖교회〗 성찬용의 빵과 포도주.
be in one***'s*** **~** 본래의 활동 범위 내에 있다, 득의의 경지에 있다. ***be out of*** one***'s*** **~** 자기에게 맞지 않는 환경 속에 있다.
°**el·e·men·tal** [èləméntl] *a.* **1** 요소의; 〖화학〗 원소의; 사(四)원소《흙, 물, 불, 바람》의. **2** 자연력의; 절대의, 굉장한: ~ grandeur 자연의 웅대함/~ forces 자연력/~ tumults 폭풍우/~ worship 자연력 숭배. **3** (사람의 성격·감정이) 자연 그대로의, 소박한, 매우 단순한: ~ human nature 자연 그대로의 인간성.
‡**el·e·men·ta·ry** [èləméntəri] *a.* **1** **기본의, 초보의**, 초등 교육〔학교〕의: ~ education 《美》 초등 교육(《英》 primary education)/~ knowledge 초보적 지식/an ~ teacher. **2** (문제 따위가) 초보적인, 간단한. ㊞ **-ri·ly** [-tərili] *ad.* **-ri·ness** [-tərinis] *n.*
eleméntary párticle 〖물리〗 소립자(fundamental particle).
eleméntary schòol 《美》 초등학교《6-3-3 제에서는 6년, 8-4 제에서는 8년》; 《英》 primary school의 구칭.
‡**el·e·phant** [éləfənt] *n.* Ⓒ 〖동물〗 **코끼리.** ★ 미국에서는 이것을 만화화하여 공화당의 상징으로 함. cf. donkey.

NOTE 코끼리의 수컷은 bull ~, 암컷은 cow ~, 새끼는 calf ~, 울음소리는 trumpet, 코는 trunk라 함.

E

el·e·phan·ti·a·sis [èləfəntáiəsis] *n.* Ⓤ 〚의학〛 상피병(象皮病).

el·e·phan·tine [èləfǽntain, -ti(ː)n] *a.* 코끼리의, 코끼리 같은; 거대한(huge); 볼꼴 사나운(clumsy); 느릿느릿한, 무거운: ~ steps 무거운 발걸음.

*__el·e·vate__ [éləvèit] *vt.* **1** (들어) **올리다**; (목소리)를 **높이다**: ~ the voice 목소리를 높이다. SYN. ⇨RAISE. ★ 일반적으로 put up, lift, raise를 쓰는 것이 좋음. **2** 《+목+전+명》 승진시키다; 등용하다《*to* …에》: ~ a commoner *to* the peerage 평민을 귀족으로 끌어올리다. **3** (지적·정신적으로) 향상시키다, 고상하게 하다; 기분을 돋우다: Reading good books ~*s* the mind. 양서를 읽는 것은 정신을 향상시킨다. ◇ elevation *n.*

él·e·vàt·ed [-id] *a.* 높여진, 높은; 숭고〔고결〕한, 고상한; 쾌활한, 유쾌한; 《구어》 거나한, 얼근히 취한.

élevated ráilroad 〔**ráilway**〕 《美》 고가 철도《생략: L, el》.

*__el·e·va·tion__ [èləvéiʃən] *n.* **1 a** (an ~) 높이, 고도, 해발(altitude): at an ~ of 1000 feet 고도 1000 피트에서. **b** Ⓒ 약간 높은 곳, 고지(height). **2** Ⓤ (또는 an ~) 고귀〔숭고〕함, 고상. **3** Ⓤ 올리기, 높이기; 등용, 승진. **4** (an ~) 〚측량〛 앙각(仰角). **5** Ⓒ 〚건축〛 입면도(立面圖), 정면도(正面圖). ***the Elevation*** (***of the Host***) 〚가톨릭〛 (성체) 거양.

__el·e·va·tor__ [éləvèitər] *n.* Ⓒ **1 《美》 **엘리베이터**, 승강기(《英》 lift): an ~ operator 《美》 승강기 운전사(《英》 liftman)/go up 〔down〕 in an ~ 엘리베이터를 타고 올라가다〔내려가다〕/I took the ~ to the 10th floor. 엘리베이터를 타고 10층까지 올라갔다/Does this ~ stop at the seventh floor?—I'm afraid not. 이 엘리베이터는 7층에 섭니까—서지 않는데요. **2** 물건을 올리는 장치〔사람〕 (freight ~). **3** (비행기의) 승강타(舵); (건축 공사 등의) 기중기. **4** 양곡기(揚穀機), 양수기. **5** 대형 곡물 창고(grain ~)《양곡기를 갖춘》.

E

†**e·lev·en** [ilévən] *n.* **1 a** Ⓤ (또는 Ⓒ; 보통 관사 없이) 11, **열하나**. **b** Ⓒ 11의 기호《11, xi, XI》. **2 a** 〖복수취급〗 **11개**〔**명**〕: There're ~. 11개〔명〕 있다. **b** Ⓤ **11시**; **11살**; 11달러〔파운드, 센트, 펜스 (따위)〕. **3** Ⓒ 11개〔명〕 한 조인 것, 《특히》 축구〔크리켓〕 팀: be in the ~ (축구·크리켓의) 선수이다. **4** (the E-) 예수의 11사도《12사도 중 Judas를 제외한》. **—*a.*** **11의**, **11개**〔**명**〕**의**; 11살인: She's ~. 그녀는 11살이다.

eléven-plús (**examinátion**) (the ~) 《英》 중등학교 진학 적성 시험.

e·lev·ens·es [ilévənziz] *n. pl.* 〖보통 단수취급〗 《英구어》 (오전 11시경의) 간식, 차.

†**e·lev·enth** [ilévənθ] *a.* **1** (보통 the ~) **열한**(**번**)**째의**, 제11의. **2** 11분의 1의. **—*n.*** **1 a** (the ~) 11번째의 것〔사람〕. **b** Ⓤ (보통 the ~) **11번째**, 제11; (달의) 11일. **2** Ⓒ 11분의 1.

elf [elf] (*pl.* ***elves*** [elvz]) *n.* Ⓒ 꼬마 요정; 난쟁이, 꼬마.

elf·in [élfin] *a.* 꼬마 요정(妖精)의; 꼬마 요정 같은; 장난기 있는, 익살맞은.

elf·ish [élfiʃ] *a.* 요정 같은; 못된 장난을 하는. ㊞ **~·ly** *ad.* **~·ness** *n.*

élf·lòck *n.* Ⓒ 헝클어진 머리카락, 난발.

El Gre·co [elgrékou] 엘 그레코《그리스 태생의 스페인 화가; 1541-1614》.

el·hi [élhai] *a.* 초등학교에서 고등학교까지의. [◂ *el*ementary school+*hi*gh school]

Eli·as [iláiəs] *n.* 엘리아스《남자 이름》.

elic·it [ilísit] *vt.* (사실 따위)를 이끌어내다; (웃음 따위)를 유도해내다《***from*** …에서》: ~ a laugh *from* a person 아무를 (저도 모르게) 웃게 하다/~ an opinion *from* a person 아무에게 의견을 물어 알아내다/~ a reply 어떻게든 해서 대답하게 하다. ㊞ **elic·i·ta·tion** [ilisətéiʃən] *n.*

elide [iláid] *vt.* 〚문법〛 (모음 또는 음절)을 생략하다.

èl·i·gi·bíl·i·ty *n.* Ⓤ 피선거 자격; 적임, 적격성: ~ rule 자격 규정.

el·i·gi·ble [élidʒəbəl] *a.* **1** 적격의, 피선거 자격이 있는; 적임의《***for*** …에/***to*** do》: ~ *for* membership 회원이 될 자격이 있는/He's not ~ *to* vote. 그는 투표할 자격이 없다. **2** 결혼 상대로서 바람직한〔적당한〕: an ~ bachelor (결혼 상대로서) 적당한 독신 남자/an ~ young man *for* one's daughter 사윗감으로 알맞은 청년. ㊞ **-bly** *ad.*

Eli·jah [iláidʒə] *n.* 〚성서〛 엘리야《헤브라이의 예언자》.

*__elim·i·nate__ [ilímənèit] *vt.* **1** 《~+목/+목+전+명》 **제거하다**, **배제하다**; 몰아내다《***from*** …에서》. cf. exclude. ¶She ~*d* all errors *from* the typescript. 그녀는 타이프 원고에서 틀린 걸 모두 없앴다. **2** (팀·선수)를 실격시키다: She was ~*d* in the preliminaries. 그녀는 예선에서 떨어졌다. **3** 《~+목/+목+전+명》 〚생리〛 …을 배출〔배설〕하다《***from*** …에서》: ~ waste matter *from* the system 노폐물을 몸에서 배설하다. **4** 《구어》 없애다, 죽이다(kill). ◇elimination *n.*

elìm·i·ná·tion *n.* **1** Ⓤ (구체적으로는 Ⓒ) 배제, 제거; 〚수학〛 소거(법); 〚경기〛 예선: an ~ contest 〔match, race〕 예선 경기. **2** Ⓤ 〚생리〛 배출, 배설. ◇eliminate *v.*

ELINT, el·int [ilínt] *n.* Ⓒ (고성능 전자 정찰 장비를 갖춘) 정보 수집선〔기(機)〕(spy ship 〔plane〕); Ⓤ 그에 의한 정보 수집 활동, 전자 정찰. [◂ *el*ectronic *int*elligence]

El·i·ot [éliət, -jət] *n.* 엘리엇. **1** 남자 이름. **2** **George ~** 영국 여류 소설가 Mary Ann Evans의 필명(1819-80). **3 T**(**homas**) **S**(**tearns**) ~ (미국 출생의) 영국 시인·평론가《노벨 문학상 수상(1948); 1888-1965》.

eli·sion [ilíʒən] *n.* Ⓤ (구체적으로는 Ⓒ) 〚음성〛 모음〔음절〕 탈락. ◇elide *v.*

elite, élite [ilíːt, eilíːt] *n.* **1** Ⓒ (흔히 the ~) 〖집합적; 단·복수취급〗 엘리트, 정예, 선발된 것〔사람〕: the ~ of society 명사, 상류 인사/a new ~ 새 엘리트 집단. **2** Ⓤ (타이프라이터의) 엘리트 활자《10포인트》. **—*a.*** Ⓐ 엘리트의, 선발된.

elit·ism [ilíːtizəm, ei-] *n.* Ⓤ 엘리트에 의한 지배, 엘리트 의식〔자존심〕, 엘리트주의, 정예주의.

elit·ist [ilíːtist, ei-] *n.* Ⓒ 엘리트주의자.

elix·ir [ilíksər] *n.* Ⓒ 연금약액(鍊金藥液)《비금속을 황금으로 바꾼다는》; 만병 통치약(cure-all), 특효약; (the ~) 불로장수약(the ~ of life).

Eli·za [iláizə] *n.* Elizabeth의 애칭.

Eliz·a·beth [ilízəbəθ] *n.* **1** 엘리자베스《여자 이름》. **2** 영국 여왕(女王). **~ I** 엘리자베스 1세(1533-1603). **~ II** 엘리자베스 2세(1926-)《현여왕(1952-)》.

Eliz·a·be·than [ilìzəbíːθən, -béθ-] *a.* Elizabeth 1세 시대의; Elizabeth 여왕의. —*n.* [C] Elizabeth 시대의 사람《특히 시인·극작가·정치가 등》.

elk [elk] (*pl.* **~s,** 〖집합적〗 ~) *n.* [C] 〖동물〗 엘크《현존 사슴 중 가장 큼》. [cf.] moose.

ell[1] [el] *n.* [C] 엘《옛 척도(尺度); 영국에서는 45 인치》: Give him an inch, and he'll take an ~. 《속담》 봉당을 빌려 주니 안방까지 달란다.

ell[2] *n.* [C] L, l자(字); L 모양의 것; 몸채에 직각으로 붙여 지은 건물; L자형 파이프.

el·lipse [ilíps] *n.* [C] 〖수학〗 타원.

el·lip·sis [ilípsis] (*pl.* **-ses** [-si:z]) *n.* **1** [U] (구체적으로는 [C]) 〖문법〗 (말의) 생략. **2** [C] 〖인쇄〗 생략부호《—, …, *** 따위》.

el·lip·tic, -ti·cal [ilíptik], [-əl] *a.* **1** 타원(형)의: ~ trammels 타원 컴퍼스. **2** 〖문법〗 생략의, 생략된: an ~ remark 에둘러 하는 표현. [파] **-ti·cal·ly** *ad.* 타원형으로; 생략하고.

Éllis Ísland 엘리스 섬《뉴욕 만 안의 작은 섬; 전에 이민 검역소(1892-1943)가 있었음》.

elm [elm] *n.* [C] 느릅나무; [U] 느릅나무 재목.

El Ni·ño [elní:njou] 엘리뇨, 엘리뇨 현상(~ phenomenon)《페루 앞바다 적도 부근의 중부 태평양 해역의 해면 온도가 급상승하여 연안의 농어업에 피해를 주고 발생년을 중심으로 지구 전체에 이상 현상(~ Effect)을 가져옴》.

el·o·cu·tion [èləkjú:ʃən] *n.* [U] 웅변술, 연설〔낭독·발성〕법; 연설조: theatrical ~ 무대 발성법. [파] **~·ary** [-èri/-əri] *a.* **~·ist** *n.* [C] 웅변가; 연설법〔낭독법〕 교사.

elon·gate [ilɔ́:ŋgeit/í:lɔŋgèit] *vt.* 길게 하다, (잡아) 늘이다, 연장하다.

elon·ga·tion [ilɔ̀:ŋgéiʃən/ì:lɔŋ-] *n.* [U] 신장(伸張), 연장; [C] 연장선(부(部)).

elope [ilóup] *vi.* (남녀가) 눈이 맞아 달아나다, 가출(家出)하다《*with* (애인)과》; 도망가다《*with* (돈 따위)를 가지고》. [파] **~·ment** *n.* [U] (구체적으로는 [C]) 가출; 도망.

***el·o·quence** [éləkwəns] *n.* [U] **웅변,** 능변: fiery ~ 열변.

***el·o·quent** [éləkwənt] *a.* **1 웅변의,** 능변인. **2** 설득력 있는; 감동적인: Eyes are more ~ than lips. 《속담》 눈은 입보다 더 능변이다《더 풍부하게 감정을 표현한다》. **3** 표정이 풍부한; 잘 표현하는《*of* …을》: an ~ gesture 표정이 풍부한 몸짓 / Her face was ~ *of* her pleasure. 그녀의 얼굴에는 기뻐하는 기색이 역력했다. [파] **~·ly** *ad.* 웅변〔능변〕으로.

El Sal·va·dor [elsǽlvədɔ̀:r] *n.* 엘살바도르《중앙 아메리카의 공화국; 수도 San Salvador》.

†**else** [els] *ad.* **1** 〖의문부사·-where로 끝나는 낱말 뒤에 붙여서〗 **그 외에, 그 밖에,** 달리, 그 위에: *How* ~ could I do it? 그렇게 할 도리밖에 없죠 / *What* ~ did you do? 너는 그 밖에 무엇을 했느냐 / *Where* ~ can I go? 그 밖에 어디로 갈 수 있을까 / You had better go *somewhere* ~. 어딘가 다른 곳으로 가는 것이 좋겠다 / She wanted to go home and *nowhere* ~. 그녀는 다른 곳이 아니라 집에만 가고 싶어했다. **2** 〖보통 or ~로〗 **그렇지 않으면:** You can go alone, *or* ~ with Tom. 혼자 가도 좋고, 톰과 같이 가도 좋다 / Take care, *or* ~ you will fall. 조심하지 않으면 떨어져요. ★ or *else*의 뒤를 생략할 경우가 있음: Do as I say, *or else*. 내가 하라는 대로 해라, 안 그러면《나중에 좋지 않다는 위협》.

—*a.* 〖부정대명사·의문대명사의 뒤에 붙여서〗 **그 밖의,** 다른: *someone* ~ 누군가 다른 사람 / Is

there *anything* ~ ? 그 밖의 필요하신 것이 또 있습니까 / There's *no one* ~ to come. 더 이상 올 사람은 없다 / *Who* ~ can I trust? 당신 말고 다른 누구를 신용할 수 있겠는가 / I did *nothing* ~ but watch TV. 나는 TV를 보는 것 이외에 아무 것도 하지 않았다 / If you can't find my umbrella, *anyone* ~'s will do. 만일 내 우산을 찾을 수 없으면 다른 아무의 것이라도 상관없다.

> [NOTE] 「부정〔의문〕대명사+else」의 소유격은 else에 's를 붙여 만듦. 단, whose else는 가능함: someone else's book 누군가 딴 사람의 책 / It's *no one else's* business. 다른 사람에게 관계없는 일이다.
>
> [DIAL.] ***Anything else?*** 뭐 다른 건 없습니까: Two hamburgers, please.—*Anything else?* —No, thanks. 햄버거 둘 주세요—뭐 다른 건 없습니까—없습니다, 고마워요.
>
> ***There's nothing else.*** 다른 건 없습니다, 이상이 전부입니다.
>
> ***What else can I say?*** 뭐 더 드릴 말씀이 있겠습니까, 그리 말씀 드릴 수밖에 없습니다.

‡**else·where** [élshwὲər] *ad.* **1** (어딘가) **다른 곳에**(서)〔으로〕: look ~ 다른 곳을 찾다 / His mind was ~. 그의 마음은 딴 데 있었다. **2** 다른 경우에: here as ~ 딴 경우와 마찬가지로 이 경우에도.

El·sie [élsi] *n.* 엘시《여자 이름; Alice, Elizabeth, Elsa의 애칭》.

ELT English Language Teaching.

elu·ci·date [ilú:sədèit] *vt.* (문제 등)을 밝히다, 명료하게 하다, 설명하다(explain). [파] **elù·ci·dá·tion** *n.* [U] (구체적으로는 [C]) 설명, 해명, 해설. **elú·ci·dà·tor** *n.* [C] 해설자.

elude [ilú:d] *vt.* **1** (추적·벌·책임 따위)를 교묘히 피하다, 회피하다(evade), 면하다: ~ the law 법망을 뚫다 / ~ payment 〔taxation〕 지불을〔납세를〕 면하다 / ~ one's grasp (잡으려 해도) 잡히지 않다. **2** (이해·기억 따위)에서 벗어나다, 빠져나가다; (아무)에게 이해〔파악〕되지 않다: ~ a person's understanding (문제 따위가) 이해되지 않다 / His name ~*s* me. 그의 이름이 생각나지 않는다 / The meaning ~*s* me. 그 뜻이 이해되지 않는다.

elu·sion [ilú:ʒən] *n.* [U] 피함, 회피, 도피.

elu·sive [ilú:siv] *a.* **1** 파악하기 어려운, 알기 어려운; 기억하기 어려운: an ~ problem 파악하기 어려운 문제 / track down an ~ fact 알기 어려운 사실을 알아내다. **2** 교묘히 잘 빠지는〔도망가는〕: an ~ answer 발뺌하는 대답 / an ~ criminal 교묘하게 잘 도망다니는 범인. [파] **~·ly** *ad.* **~·ness** *n.*

elu·so·ry [ilú:səri] *a.* =ELUSIVE.

el·ver [élvər] *n.* [C] (바다에서 오른) 새끼 뱀장어.

elves [elvz] ELF의 복수.

El·vis [élvis] *n.* 엘비스《남자 이름》.

elv·ish [élviʃ] *a.* =ELFISH

Ely·sian [ilí(ː)ʒiən] *a.* Elysium 같은; 더 없이 행복한: ~ joy 극락〔무상〕의 기쁨.

Ely·si·um [ilíziəm, -ʒəm] *n.* **1** 〖그리스신화〗 엘리시움《영웅·선인(善人)이 사후에 가는 낙원》. **2** [U] 이상향; 최상의 행복.

em [em] (*pl.* **ems**) *n.* [C] M자(字); 〖인쇄〗 전각

E

(全角). cf. en.

EM enlisted man (men).

'em [əm] *pron. pl.* 《구어》 =THEM.

em- [im, em] *pref.* =EN- 《b, p, m, ph 앞》.

EMA 【경제】 European Monetary Agreement (유럽 통화 협정).

ema·ci·ate [iméiʃièit] *vt.* 【보통 수동태】 여위게〔쇠약하게〕 하다; (땅)을 메마르게 하다: He *was* ~*d* by long illness. 그는 오랜 병으로 여위었다. ⓟ **-àt·ed** [-id] *a.* 여윈, 쇠약해진; (땅이) 메마른.

emà·ci·á·tion *n.* Ⓤ 여윔, 쇠약, 초췌.

E-mail, e-mail, email [íːmèil] *n.* Ⓤ 전자 메일(electronic mail). **—***vt.* …에게 ~을 보내다; …을 ~로 보내다.

É-mail addrèss 【컴퓨터】 (인터넷상의) 전자 우편 어드레스, e 메일 어드레스《전자우편을 주고받을 주소로, 기본적으로는 '사용자명(ID)@가입 업체의 도메인명' 의 순서로 적음》.

em·a·nate [éməneit] *vi.* (냄새·빛·소리·증기·열 따위가) 나다, 방사〔발산·유출〕하다; (생각·명령 등이) 나오다《*from* …에서》: A sweet smell ~*s from* the earth after (a) rain. 비 온 뒤에는 지면에서 향긋한 냄새가 난다/This new idea ~*d from* him. 이 새로운 아이디어는 그에게서 나왔다.

èm·a·ná·tion *n.* Ⓤ 방사, 발산; 감화〔영향〕력; Ⓒ 방사〔발산〕물《향기, 빛 따위》.

eman·ci·pate [imǽnsəpèit] *vt.* (노예 등)을 해방하다; 이탈시키다《*from* (속박·권력·인습 따위)에서》: ~ slaves 노예를 해방시키다/~ oneself *from* one's smoking habit 담배를 끊다.

emàn·ci·pá·tion *n.* Ⓤ **1** (노예 따위의) 해방. **2** 이탈, 모면《*from* (속박·인습 따위)에서의》: the ~ *of* women 여성 해방.

eman·ci·pa·tor [imǽnsəpèitər] *n.* Ⓒ (노예) 해방자: the Great *Emancipator* 위대한 해방자《Abraham Lincoln》.

emas·cu·late [imǽskjəlèit] *vt.* 불까다, 거세하다(castrate); (남성적인) 활력〔기력〕을 빼앗다, (나)약〔무기력〕하게 하다(weaken); (문장 따위의) 골자를 빼 버리다《★ 종종 수동태》: a novel ~*d* by censorship 검열에서 알맹이가 빠져 버린 소설. **—** [imǽskjulit, -lèit] *a.* 거세된; 유약한; 힘없는, 무기력한; (문장 따위의) 골자가 빠진. ⓟ **emàs·cu·lá·tion** *n.* Ⓤ 거세(된 상태); 무력화(無力化).

em·balm [imbáːm] *vt.* (시체)를 방부 처리하다, 미라로 만들다《옛날에는 향료·향유를 썼고, 지금은 방부·살균제를 씀》; …에 향기를 채우다; 《비유적》 오래 기억해 두다. ⓟ **~·er** *n.* Ⓒ 시체 정복사(整復師). **~·ment** *n.* Ⓤ (시체의) 방부 처리.

em·bank [imbǽŋk] *vt.* (하천 따위)를 둑으로 둘러막다, 제방을 (둘러)쌓다.

em·bánk·ment *n.* Ⓤ 제방쌓기; Ⓒ 둑, 제방.

em·bar·go [embáːrgou] *vt.* (선박)의 출항〔입항〕을 금지하다; …의 무역을 금지하다. **—**(*pl.* ~*es*) *n.* Ⓒ 출항〔입항〕 금지, 선박 억류; 통상〔수출입〕 금지; 【일반적】 제한, 금지《*on* …에 대한》: a gold ~ 금 수출 금지/an ~ *on* the supply of arms 무기 공급 금지.

lay* 〔*put, place*〕 *an* ~ *on* =*lay* 〔*put, place*〕 *... under* (*an*) ~** …의 수출을 금지하다; …의 출항을 금지하다; …을 금지〔방해, 억압〕하다: *lay an* ~ *on* free speech 언론의 자유를 억압하다. ***lift* 〔*raise, take off, remove*〕 *an* ~ *on (a ship) (배)의 수출〔출항〕 정지를 해제하다.

***em·bark** [embáːrk, im-] *vi.* **1 배를 타다**; 비행기에 탑승하다. ↔ *disembark.* ¶ ~ at New York for Seoul 뉴욕에서 서울행 배〔비행기〕를 타다. **2** 《+전+명》 착수하다, 종사하다, 관계하다 《*on, upon, in* (새 사업 따위)에》: ~ *on* a new enterprise 새로운 사업을 시작하다/~ *in* 〔*on*〕 matrimony 결혼 생활로 들어가다.

—*vt.* **1** 배〔비행기〕에 태우다〔싣다〕: ~ the contraband goods under cover of night 야음을 틈타 금제품을 배에 싣다. **2** 《+목+전+명》 관계〔종사〕시키다, (자금)을 투자하다《*in* (사업 따위)에》: ~ much money *in* trade 상업에 많은 돈을 투자하다.

em·bar·ka·tion, -ca- [èmbaːrkéiʃən] *n.* **1** Ⓤ (구체적으로는 Ⓒ) 승선; 비행기에 탑승하기; 싣기, 적재. **2** Ⓤ 관계〔착수〕함《*on, upon* (새 사업 따위)에》.

embarkátion càrd 출국 카드. ↔ *disembarkation card.*

***em·bar·rass** [imbǽrəs, em-] *vt.* **1 당혹〔당황〕하게 하다**, 난처케 하다, 쩔쩔매게 하다: ~ a person with questions/The revelation ~*ed* the administration. 그 폭로는 정부를 당혹케 하였다/I was 〔felt〕 very ~*ed.* 나는 매우 당혹스러웠다〔쑥스러웠다〕/I was ~*ed by* 〔*at*〕 her unexpected question. 나는 그녀의 뜻밖의 질문에 쩔쩔맸다. SYN. ⇨CONFUSE. **2** 곤경에 빠뜨리다; (재정상) 곤란에 빠뜨리다, …으로 하여금 빚을 지게 하다: He's financially ~*ed.* 그는 재정상 어려움에 빠져 있다/They *are* ~*ed* in their affairs. 그들은 재정난에 빠져 있다. ⓟ **~·ing** *a.* 난처하게 하는, 성가신, 곤란한. **~·ing·ly** *ad.* 난처〔곤란〕하게.

em·bár·rassed [-t] *a.* **1** 거북〔무안〕한, 당혹〔쑥〕스러운, 난처한; 쩔쩔매는: an ~ smile 당혹스런 웃음. **2** (금전적으로) 어려운, 빚을 진.

em·bár·rass·ment *n.* **1** Ⓤ 당황, 곤혹, 거북함; 어줍음. **2** Ⓒ (보통 *pl.*) 재정 곤란. **3** Ⓒ 당혹케 하는 것〔사람〕, 골칫거리: He's an ~ to his parents. 그는 부모의 골칫거리다. ***an* ~ *of riches*** 너무 많은 재산.

***em·bas·sy** [émbəsi] *n.* Ⓒ **1** (흔히 E-) **대사관**: the Korean *Embassy* in Paris 파리 주재 한국 대사관. **2** 【집합적】 대사관원, 대사 및 수행원; 사절단.

em·bat·tle [imbǽtl, em-] *vt.* **1** (군대)에게 진을 치게 하다, 포진케 하다. **2** 총안(銃眼) 달린 성(城)의 흉벽을 설치하다.

em·bát·tled *a.* **1** 진용을 정비한, 싸울 준비가 된, 요새화된; 적에게 포위된. **2** (성벽 따위가) 총안이 달린 흉벽이 있는. **3** (계속) 괴로움을 당한, 번민에 시달린.

em·bay [imbéi] *vt.* (배)를 만에 넣다〔대피시키다, 몰아넣다〕; (해안 따위)를 만 모양으로 하다〔둘러싸다〕; 에워싸다; 가두(어 넣)다.

em·bed [imbéd] (*-dd-*) *vt.* **1** (물건)을 끼워넣다, 묻다《*in* …속에》: a thorn ~*ded in* the finger 손가락에 박힌 가시. **2** 깊이 새겨두다《*in* (마음·기억 따위)에》: The incident was ~*ded in* her mind. 그 사건은 그녀 마음에 깊이 새겨졌다.

em·bel·lish [imbéliʃ, em-] *vt.* 아름답게 하다, 꾸미다; 윤색하다, (이야기 따위)를 재미있게 하다《*with* …으로》: ~ a room *with* flowers 꽃으로 방을 아름답게 꾸미다.

E

em·bél·lish·ment *n.* [U] 장식; 수식, (이야기 등의) 윤색; [C] 장식물〔품〕.

em·ber [émbər] *n.* [C] (보통 *pl.*) 타다 남은 것, 깜부기불, 여신(餘燼). [cf] cinder. ¶rake (up) hot ~*s* 잿불을 긁어모으다.

Émber dàys 〖가톨릭〗 사계 대재(四季大齋).

em·bez·zle [embézəl, im-] *vt. vi.* 유용〔착복〕하다, (위탁금 등)을 횡령하다. [파] **~·ment** *n.* [U] (구체적으로는 [C]) 착복, 유용, 횡령. **~r** *n.* [C] 횡령 범인, (공금) 유용〔착복〕자.

em·bit·ter [imbítər] *vt.* 몹시 기분나쁘게 하다; 한층 더 비참하게〔나쁘게〕 하다; 분격(憤激)〔실망〕시키다《★ 흔히 수동태》: He *was* ~*ed* by the failure of his plans. 그는 자기 계획의 실패로 더 비참해졌다. [파] **~·ment** *n.*

em·bla·zon [imbléizən, em-] *vt.* **1** (문장(紋章))을 그리다《*on* (방패 따위)에》; (방패)를 꾸미다《*with* (문장)으로》. **2** 화려하게 그리다〔꾸미다〕《*with* …으로; *on* …에》. **3** 극구 칭찬하다.

em·blem [émbləm] *n.* [C] **1** 상징, 표상(symbol): The dove is the ~ *of* peace. 비둘기는 평화의 상징이다. **2** 기장(記章), 문장(紋章), 표장(標章): a national ~ 국장(國章).

em·blem·at·ic, -i·cal [èmbləmǽtik], [-əl] *a.* 상징의, 상징적인; 표시가 되는, 상징하는《*of* …을》: Rosemary is ~ *of* constancy. 로즈메리는 정절의 상징이다. [파] **-i·cal·ly** *ad.* 상징적으로.

em·bod·i·ment [embádimənt/-bɔ́di-] *n.* **1** [U] 형체를 부여하기, 구체화, 구상화(具象化), 체현(體現). **2** (*sing.*; 종종 the ~) (미덕의) 권화(權化), 화신(化身)(incarnation), 구체화된 것《*of* (성질 · 감정 · 사상 따위)의》.

em·body [embádi/-bɔ́di] *vt.* **1** (사상 · 감정 따위)를 구체화하다, 유형화하다. **2** (사상 · 감정 따위)를 구체적으로 표현하다《*in* (작품 · 언어 따위)로》: ~ democratic ideas *in* the speech 민주주의 사상을 연설로써 구체적으로 나타내다. **3** (주의 등)을 구현하다, 실현하다; (관념 · 사상)을 스스로 체현하다. **4** 일체화하다, 합병〔통합〕하다. **5** 수록하다, 포함하다《*in* …안에》: The book *embodies* all the rules. 그 책에는 모든 규칙이 수록되어 있다 / Many improvements are *embodied in* the new edition. 신판은 많은 것이 개선되어 있다.

em·bold·en [embóuldən] *vt.* 대담하게 하다, (아무)에게 용기를 주다《*to* do》: This ~*ed* me *to* ask for more help. 이것으로 용기를 얻어 더 많은 원조를 요청하게 되었다.

em·bo·lism [émbəlìzəm] *n.* [C] 〖의학〗 (혈관의) 색전(塞栓); 색전증.

em·bon·point [ɑ̃:mbɔ(:)mpwǽŋ/ɔ̃(:)m-; *F.* ɑ̃bɔ̃pwɛ] *n.* 《F.》 [U] (주로 여성의) 비만(plumpness).

em·bos·omed [embú(:)zəmd] *a.* [P] 《시어》 (집 따위가) 둘러싸인《*in, among* …에; *with* …으로》: a house ~ *with* 〔*in*〕 trees 나무로 둘러싸인 집.

em·boss [embɔ́s, -bás, im-] *vt.* (도안 따위)를 돋을새김하다《*on* …에》; …에 도드라지게 새기다《*with* (도안 따위)를》: ~ a head *on* a coin =~ a coin *with* a head 경화에 두상을 눌러 도드라지게 새기다 / The gold cup is ~*ed with* a design of flowers. 금배에는 꽃무늬가 돋을새김으로 되어 있다. [파] **~·ment** *n.*

em·bow·ered [imbáuərd] *a.* [P] 《문어》 (집 따위가) 뒤덮인, 휩싸여 가려진《*in, among, with* (푸른 잎 · 수목 따위)에, 로》.

***em·brace** [embréis] *vt.* **1 얼싸안다,** 껴안다(hug), 포옹하다: They ~*d* each other. 그들은 서로 껴안았다. **2** (산 · 언덕이) 둘러〔에워〕싸다. **3** 《~+[목]/+[목]+[전]+[명]》 품다, 포함〔포괄〕하다《*in* …안에》: ~ every field of science 과학의 전분야를 포괄하다 / A broad range of subjects are ~*d in* an encyclopedia. 백과사전에는 광범위한 제목들이 포함되어 있다. **4** (기꺼이) **맞이하다,** 환영하다; (기회)를 붙잡다, (신청 따위)를 받아들이다, 직업에 종사하다; (주의 · 신앙 따위)를 채택하다, 신봉하다(adopt): ~ a new life 새로운 생활로 들어가다 / ~ Buddhism 불교에 귀의하다.
—*vi.* 서로 껴안다: They shook hands and ~*d*. 그들은 악수를 하고 서로 껴안았다.
—*n.* [C] 포옹: He held her in an ~. 그는 그녀를 포옹했다.

em·bra·sure [embréiʒər] *n.* [C] 〖축성(築城)〗 (쐐기 모양의) 총안(銃眼); 〖건축〗 (문 또는 창 주위가 안쪽으로) 비스듬히 벌어진 부분.

em·bro·ca·tion [èmbrəkéiʃən] *n.* **1** [U] (구체적으로는 [C]) 물약의 도찰(塗擦), 찜질. **2** [U] (종류 · 낱개는 [C]) 도찰제(劑)〔액〕.

°**em·broi·der** [embrɔ́idər] *vt.* **1** (무늬 따위)를 수놓다, 자수하다《*on* …에》; (천 따위)에 자수하다《*with* (무늬 따위)를》: a scarf ~*ed* in red thread 붉은 실로 수놓은 스카프 / She ~*ed* her initials *on* the handkerchief. =She ~*ed* the handkerchief *with* her initials. 그녀는 손수건에 자기(이름)의 머리글자를 수놓았다. **2** 꾸미다, 분식(粉飾)하다, (이야기 따위)를 윤색하다《*with* …으로》. —*vi.* 수놓다; 과장하다.

°**em·broi·dery** [embrɔ́idəri] *n.* **1** [U] 자수, 수(놓기); [C] 자수품. **2** [U] (이야기 따위의) 윤색, 과장.

em·broil [embrɔ́il] *vt.* (문제 · 사태 따위)를 혼란케 하다, 번거롭게 하다; 관련시키다, 끌려들게 하다, 휩쓸어 넣다《*in* (사건 · 분쟁 따위)에》; (아무를) 불화케 하다, 다투게 하다《*with* …와》: They did not wish to become ~*ed in* the dispute. 그들은 그 분쟁에 휘말려들고 싶지 않았다.
[파] **~·ment** *n.* [U] (구체적으로는 [C]) 혼란, 분규, 분쟁; 휘말림, 연루(連累).

em·brown [embráun] *vt., vi.* 갈색으로 하다〔되다〕, 거무스름하게 하다〔되다〕.

°**em·bryo** [émbriòu] (*pl.* **~s**) *n.* [C] 〖생물〗 태아《사람의 경우 보통 임신 8주까지의》; 배(胚), 눈; 싹, 움; 유충(幼蟲); (발달의) 초기. ***in*** **~** 미발달의, 초기의; 준비 중인: Her plans for the future are still *in* ~. 장래에 대한 그녀의 계획은 아직 확립되지 않았다.

em·bry·ol·o·gist [èmbriálədʒist/-ɔ́lə-] *n.* [C] 태생학자, 발생학자.

em·bry·ol·o·gy [èmbriálədʒi/-ɔ́lə-] *n.* [U] 태생학, 발생학.

em·bry·on·ic [èmbriánik/-ɔ́n-] *a.* 배(胚)의; 태아의; 유충의; 미발달의, 유치한.

émbryo trànsfer 〖의학〗 배이식(胚移植)《분열 초기의 수정란(受精卵)을 자궁이나 난관에 옮겨 넣는 일》.

em·cee [émsí:] 《美구어》 *n.* [C] 사회자《M.C. 라고도 씀》. —(*p., pp.* **~d; ~·ing**) *vt., vi.* 사회하다. [◂ *master of ceremonies*]

emend [iménd] *vt.* (문서 · 서적의 본문 따위)를 교정〔수정〕하다.

emen·date [í:mendèit, émən-, iméndeit]

vt. =EMEND.

èmen·dá·tion *n.* Ⓤ 교정, 수정; Ⓒ (흔히 *pl.*) 교정〔수정〕 개소(個所)〔어구〕.

em·er·ald [émərəld] *n.* **1** Ⓒ 〖광물〗 에메랄드, 취옥(翠玉); Ⓤ 선녹색(= ∠ gréen). **2** Ⓤ 《英》 〖인쇄〗 에메랄드 활자체《약 6.5 포인트》. **—***a.* 에메랄드(제)의; 에메랄드색〔선녹색〕의.

Émerald Ísle (the ~) 아일랜드의 별칭.

emerge** [imə́ːrdʒ] *vi.* **1** 《~/+전+명》 **나오다, 나타나다**(appear)《from, out of*** (물속 · 어둠속 따위)에서》. ↔ *submerge*. ¶ As the clouds drifted away the sun *~d*. 구름이 흘러가고 해가 나왔다 / The full moon will soon ~ *from* behind the clouds. 보름달이 곧 구름 속에서 모습을 나타낼 것이다. **2** 《+전+명/+(*as*) 보》 벗어〔헤어〕나다, 빠져나오다(come out)《***from*** (빈곤 · 낮은 신분 따위)에서》: ~ *from* obscurity 유명해지다 / He *~d as* the leading candidate. 그는 주요한 후보자로 부상했다. **3** 《~/+전+명》 (새로운 사실이) 알려지다, 분명해지다, 드러나다; (곤란 · 문제 따위가) 생기다《***from, out of*** …에서》: New evidence *~d from* the investigation. 조사 결과 새로운 증거가 드러났다.

emer·gence [imə́ːrdʒəns] *n.* Ⓤ 출현; 발생.

⁑**emer·gen·cy** [imə́ːrdʒənsi] *n.* Ⓤ (구체적으로는 Ⓒ) **비상〔돌발〕 사태, 위급**: an ~ act 〔ordinance〕 긴급 법령 / an ~ man 보결선수 / ~ ration 〖군사〗 비상 휴대식량 / ~ measures 응급조치 / ~ stairs 비상계단 / a national ~ 국가 비상시 / in an ~ =in case of ~ 위급한〔만일의〕 경우에, 비상시에.

emérgency médical sèrvice ⇨EMS.

emérgency médical technìcian ⇨ EMT.

emérgency ròom (병원의) 응급 치료실《생략: ER》.

emer·gent [imə́ːrdʒənt] *a.* Ⓐ **1** (물속에서) 떠오르는, 불시에 나타나는. **2** (나라 등이) 새로 독립한, 신흥〔신생〕의: the ~ nations of Africa 아프리카의 신흥 국가들.

emer·i·tus [imérətəs] *a.* Ⓐ 〔때로 명사 뒤에 둠〕 명예 퇴직의: an ~ professor =a professor ~ 명예 교수.

emer·sion [imə́ːrʒən, -ʃən] *n.* Ⓤ (구체적으로는 Ⓒ) 출현.

Em·er·son [émərsn] *n.* **Ralph Waldo** ~ 에머슨《미국의 사상가 · 시인; 1803–82》.

em·ery *n.* Ⓤ 금강사(金剛砂)《연마제》.

émery bòard 손톱줄《매니큐어용》.

émery clòth (금강사로 된) 사포《연마용》.

émery pàper (금강사로 만든) 사지(砂紙).

emet·ic [imétik] 〖의학〗 *a.* 토하게 하는, 게우게 하는; 구역질나는. **—***n.* Ⓒ 구토제(嘔吐劑).

EMF, emf electromotive force.

***em·i·grant** [émәgrənt] *a.* Ⓐ (타국 · 외지로) **이주하는,** 이민의. cf. immigrant.
—*n.* Ⓒ (타국 · 타향으로의) 이민, 이주민《***to*** …으로의; ***from*** …으로부터의》: Korean *~s to* Brazil 브라질로 간 한국인 이주자 / *~s from* Ireland 아일랜드에서 온 이주민.

em·i·grate [éməgrèit] *vi.* 이주하다《***from*** (자국)에서; ***to*** (타국)으로》: ~ *from* Korea *to* Hawaii 한국에서 하와이로 이주하다. **—***vt.* (국외로) 이주시키다.

èm·i·grá·tion *n.* **1** Ⓤ (구체적으로는 Ⓒ) (타국으로의) 이주. cf. immigration. **2** Ⓤ 〔집합적〕 이민(emigrants).

émi·gré [émigrèi, èiməgréi] *n.* 《F.》 Ⓒ 이주자; 망명한 왕당원《특히, 1789년 프랑스 혁명 당시의》; 정치적 망명자.

Emile [eimíːl] *n.* 에밀《남자 이름》.

Emi·lia [imíljə, -liə], **Em·i·lie, Em·i·ly** [éməli] *n.* 에밀리아, 에밀리《여자 이름》.

em·i·nence [émənəns] *n.* **1** Ⓤ (지위 · 신분 따위의) 고위, 높음, 고귀: a man of social ~ 사회적 지위가 높은 사람 / rise to a position of ~ 출세하여 높은 지위에 오르다. **2** (His 〔Your〕 E–) 〖가톨릭〗 예하(猊下)《cardinal에 대한 존칭》. **3** Ⓤ (학덕 따위의) 탁월; 고명, 명성: win 〔reach〕 ~ as an artist 화가로서 유명해지다 / attain ~ in the field of science 과학 분야에서 고명해지다. **4** Ⓒ 높은 곳, 언덕, 대지.

émi·nence grise [éiminɑːnsgríːz] 《F.》 심복인 앞잡이, 밀정; 흑막, 배후 인물〔세력〕.

em·i·nent** [émənənt] *a.* **1 저명한,** 유명한《for*** …으로; ***as*** …로서》: be ~ *as* a painter 화가로서 명성이 있다 / He was ~ *for* his oriental paintings. 그는 동양화에서 유명했다. SYN. ⇨ FAMOUS. **2** 신분이〔지위가〕 높은. **3** (성질 · 행위 따위가) 뛰어난, 탁월한: a man of ~ honor 매우 도의심이 강한 사람. 파 °**~·ly** *ad.* 뛰어나게; 현저하게.

éminent domáin 〖법률〗 토지 수용권(收用權).

emir, amir [əmíər] *n.* Ⓒ (아라비아 · 아프리카의) 족장(族長), 대공(大公), 토후(土侯); Mohammed의 자손《칭호》.

emir·ate [əmíərit] *n.* Ⓒ emir의 관할권; 토후국.

em·is·sary [éməsèri/éməsəri] *n.* Ⓒ 사자(使者)(messenger); 밀사; 간첩(spy).

emis·sion [imíʃən] *n.* **1** Ⓤ (구체적으로는 Ⓒ) (빛 · 열 · 향기 따위의) 방사, 발산; Ⓒ 방사물. **2** Ⓤ (구체적으로는 Ⓒ) 〖의학〗 누정(漏精), 사정(射精). **3** Ⓤ (구체적으로는 Ⓒ) (차 엔진 따위의) 배기(排氣), 배출, Ⓒ 배출물: an ~ factor 대기 오염 물질 배출 계수 / automobile *~s* 자동차 배기가스. ◇ emit *v*.

emis·sive [imísiv] *a.* 발사〔방사〕(성)의.

emit [imít] (*-tt-*) *vt.* **1** (빛 · 열 · 냄새 · 소리 따위)를 내다, 발하다, 방출하다, 방사하다: ~ exhaust fumes 배기 가스를 내다 / ~ a moan 신음소리를 내다. **2** (용암 · 액체 · 가스 따위)를 분출하다, 내뿜다. **3** (의견 따위)를 토로하다, 말하다. **4** (지폐 · 어음 등)을 발행하다. **5** (전파로 신호)를 보내다. 파 **~·ter** *n.*

Em·ma [émə] *n.* 에마《여자 이름》.

Em·man·u·el [imǽnjuəl] *n.* 에마뉴엘《남자 이름》.

Em·my, Em·mie [émi] *n.* 에미《여자 이름; Emma, Emily, Emilia의 애칭》.

Émmy Awárd 에미상(賞)《미국의 텔레비전의 우수 프로 · 연기자 · 기술자 등에게 해마다 주어지는 상》. cf. Grammy.

emol·lient [imáljənt/imɔ́l-] *a.* 부드럽게〔연하게〕 하는 (힘이 있는). **—***n.* Ⓤ (종류 · 낱개는 Ⓒ) 〖약학〗 (피부) 연화제(軟化劑), 유연.

emol·u·ment [imáljəmənt/imɔ́l-] *n.* Ⓒ (보통 *pl.*) 급료, 봉급, 수당; 보수.

emote [imóut] *vi.* 《구어》 허풍떨다; 감정을 과장해서 나타내다; 과장된 연기를 하다.

⁑**emo·tion** [imóuʃən] *n.* **1** Ⓤ **감동,** 감격, 흥분:

She wept with ~. 그녀는 감격해서 울었다. **2** Ⓒ (흔히 *pl.*) (이성·의지에 대한) 감정; (희로애락의) 정서: a person of strong ~*s* 감정이 격한 사람 / suppress one's ~*s* 감정을 억제하다. SYN. ⇨ FEELING.

*__emo·tion·al__ [imóuʃənəl] *a.* **1 감정의**, 희로애락의, 정서의. **2 감정적인**, 감동하기 쉬운, 다감한; 감동시키는, 감정에 호소하는, 정에 약한: an ~ decision 감정적인 결정 / an ~ actor 감정 표현이 능숙한 배우 / ~ music 감동적인 음악. ㊕ **~·ly** *ad.* 정서적〔감정적〕으로.

emó·tion·al·ìsm *n.* Ⓤ 감격성; 감동하기 쉬움; 감정 표출; 〖예술〗 주정(主情)주의.

emó·tion·al·ist *n.* Ⓒ 감정가; 감정에 약한 사람; 〖예술〗 주정(主情)주의자.

emo·tíon·less *a.* 무감동의, 무표정의, 감정이 담기지 않은. ㊕ **~·ly** *ad.* **~·ness** *n.*

emo·tive [imóutiv] *a.* 감동시키는; 감정적인; 감동을 나타내는; 감정을 일으키는; 감정에 호소하는. ㊕ **~·ly** *ad.* **~·ness** *n.*

em·pan·el [impǽnəl] *vt.* =IMPANEL.

em·pa·thize [émpəθàiz] *vi.* 감정 이입(感情移入)을 하다, 공감하다《***with*** …에》.

em·pa·thy [émpəθi] *n.* Ⓤ (또는 an ~) 〖심리〗 감정 이입, 공감《***with, for*** …에의》.

*__em·per·or__ [émpərər] (*fem.* ***ém·press***) *n.* Ⓒ **황제**, 제왕. cf. empire. ¶ ~ system 황제 제도 / ~ worship 황제 숭배 / His Majesty 〔H.M.〕 the *Emperor* 황제 폐하. ★ 고유명사와 더불어 쓸 때에도 보통 the를 붙임: the *Emperor* Gojong 고종 황제.

émperor pénguin 〖조류〗 (남극 대륙의 큰) 황제 펭귄.

‡**em·pha·sis** [émfəsis] (*pl.* ***-ses*** [-sìːz]) *n.* Ⓤ (구체적으로는 Ⓒ) **1 강조**, 중시, 중점, 역설《***on, upon*** …의》: dwell on a subject with ~ 되풀이 강조하다 / lay 〔place, put〕 (great) ~ *on* 〔*upon*〕 …에 (큰) 비중을 두다; …을 (크게) 역설〔강조〕하다. **2** 〖수사학〗 강세(법); 〖음성〗 강세 (accent).

‡**em·pha·size** [émfəsàiz] *vt.* **1** 《~+목/+*that* 절》 **강조하다**; 역설하다: ~ the importance of… / The author ~*s that* many of the figures quoted are merely 〔just〕 estimates. 저자는 인용된 대부분의 숫자는 단지 어림잡은 것임을 강조하고 있다. **2** 〖음성〗 …에 강세를 두다, (어구)를 힘주어 말하다: ~ a word (어떤) 말을 강조해서 말〔발음〕하다.

◇**em·phat·ic** [imfǽtik, em-] *a.* **1** 어조가 강한; (사건 따위가) 뚜렷한, 눈에 띄는, 명확한; (사상·신념 따위가) 굳은, 단호한: an ~ opinion 확고한 의견 / an ~ denial 단호한 부정. **2** 강조〔역설〕한《***about*** …을 / ***that***》: He was ~ *about* the importance of being punctual. 그는 시간 엄수의 중요성을 역설했다 / He was ~ *that* nuclear arms should be banned. 그는 핵무기는 금지시켜야 한다고 역설했다.

◇**em·phát·i·cal·ly** [-kəli] *ad.* **1** 강조하여, 힘주어; 단호하게. **2** 절대로, 단연코: It's ~ not true. 그것은 절대로 사실이 아니다.

em·phy·se·ma [èmfəsíːmə] *n.* Ⓤ 〖의학〗 기종(氣腫), 《특히》 폐기종(=***púlmonary*** ~).

‡**em·pire** [émpaiər] *n.* **1** Ⓒ **제국**(帝國); 《비유적》 (거대 기업의) 왕국. **2** Ⓤ (제왕의) 통치(권), 제정(帝政). **3** (the E-) 대영 제국(the British Empire); 신성 로마 제국; 프랑스 제국《특히 나폴레옹 치하의》.

—*a.* Ⓐ **1** (E-) 제국의. **2** (가구·복장 따위가) 제정〔나폴레옹〕 시대풍의.

Émpire Státe (the ~) New York주의 별칭.

Émpire Státe Bùilding (the ~) 뉴욕 시의 고층 빌딩《102층, 381m; 1931년 완성; 1950년 그 위에 67.7m의 텔레비전 탑을 설치》.

em·pir·ic [empírik, im-] *a.* =EMPIRICAL.

em·pir·i·cal [empírikəl] *a.* 경험의, 경험적인; (이론보다도) 실험·관찰에 의한; 경험주의의《의사 등》: ~ philosophy 경험 철학 / an ~ formula 〖화학〗 실험식. ㊕ **~·ly** *ad.*

em·pir·i·cism [empírəsìzəm] *n.* Ⓤ 경험주의; 경험적〔비과학적〕 치료법. ㊕ **-cist** *n.* Ⓒ 경험주의자; 〖철학〗 경험론자.

em·place [empléis] *vt.* 설치하다《특히 포상(砲床)을》.

em·pláce·ment *n.* **1** Ⓤ 설치, 고정시키기, 정치(定置); 위치, 장소. **2** Ⓒ 포좌, 포상(砲床), 총좌(銃座).

em·plane [empléin] *vt.*, *vi.* =ENPLANE.

‡**em·ploy** [emplɔ́i] *vt.* **1** 《~+목/+목+*as* 보》 (사람)을 **쓰다**, **고용하다**; (아무)에게 일을 주다: He is ~*ed* in a bank. 그는 은행에 근무하고 있다 / the ~*ed* 피고용자, 노동자, 종업원 / This work will ~ 60 men. 이 일에는 60명이 필요하다 / He is ~*ed as* a clerk. =They ~ him *as* a clerk. 그는 사무원으로 근무하고 있다.

SYN. **employ** 고용인을 '부리고 있다'는 점이 강조됨. **engage** 고용인을 '계약으로 묶어 놓았다'는 점이 강조됨《호텔 방이나 물건을 계약할 때에도 씀》. **hire** '돈을 지불하고 그 서비스를 독점한다'는 점이 강조됨《목적어가 사람 이외인 경우도 있음》: *hire* a hall for a convention 집회를 위해 홀을 빌리다.

2 《+목+전+명》〖보통 수동태; ~ oneself〗 …에 종사하다, …에 헌신하다: He *was* ~*ed* 〔~*ed* him*self*〕 *in* clipp*ing* the hedge. 그는 산울타리의 가지치기를 하였다. **3** 《+목/+목+*as* 보/+목+*to* do》 (물건·수단)을 쓰다, 사용하다(use): ~ alcohol *as* a solvent 알코올을 용제로 쓰다 / ~ a new method *to* solve the problem 그 문제를 해결하기 위해 새 방법을 쓰다. SYN. ⇨ USE. **4** 《+목+전+명》 (시간·정력 따위)를 **소비하다**, 쓰다(spend)《***in, on, for*** …에》: ~ one's spare time *in* read*ing* 여가를 독서에 충당하다.

—*n.* Ⓤ 고용: be in the ~ of a person =be in a person's ~ 아무에게 고용되어 있다.

em·plóy·a·ble *a.* Ⓟ 고용할 수 있는, 고용 조건에 맞는. —*n.* Ⓒ 고용 대상자.

*__em·ploy·ee,__ 《美》 **-ploye** [implɔ́iiː, èmplɔiíː/èmplɔiíː] *n.* Ⓒ **고용인**, 피고용자, 종업원. ↔ *employer*. ★ 보통 employee를 씀.

em·plóy·er *n.* Ⓒ 고용주, 사용자.

*__em·ploy·ment__ [emplɔ́imənt] *n.* **1** Ⓤ **사용**, **고용**; 사역: full ~ 완전고용. **2 a** Ⓤ (급료를 받고 일하는) **직**(職), 직업: get 〔lose〕 ~ 취직〔실직〕하다 / a public ~ stabilization office 공공직업 안정소 / seek ~ 구직하다. **b** Ⓒ (취미로서의) 일, 활동: Knitting was a pleasant ~ for her spare time. 뜨개질은 그녀가 한가할 때 하는 즐거운 일이었다. **3** Ⓤ (시간·물건·노력 따위의) 사용, 이용: the ~ *of* computers 컴퓨터의 사용.

emplóyment àgency (민간의) 직업 소개소.

emplóyment òffice 《英》 직업 소개소.

em·po·ri·um [empɔ́ːriəm] (*pl.* ~**s**, **-ria** [-riə]) *n.* Ⓒ **1** 중앙 시장(mart), 상업 중심지. **2** 큰 상점, 백화점.

em·pow·er [empáuər] *vt.* …에게 권력〔권한〕을 주다(authorize), …에게 능력 〔자격〕을 주다 《**to** do》: Science ~*s* men *to* control natural force. 과학은 인간에게 자연의 힘을 제어하는 능력을 준다. ㊎ **~·ment** *n.*

***em·press** [émpris] *n.* Ⓒ **1 왕비**, 황후: an ~ dowager 황태후 / Her Majesty 〔H.M.〕 the Empress 여왕 폐하; 황후 폐하. **2 여왕**, 여제.

****emp·ty** [émpti] (**-ti·er; -ti·est**) *a.* **1 빈, 공허한**, 비어 있는: an ~ purse 빈 지갑 / get ~ 비다. SYN. ⇨VACANT.
2 없는, 결여된 《**of** …이》: a room ~ *of* furniture 가구가 없는 방 / a head ~ *of* ideas 석두, 바보 / a street ~ *of* traffic 차의 왕래가 없는 거리.
3 헛된; 무의미한, 쓸데없는, (마음 · 표정 등이) 허탈한: feel ~ 허무한 생각이 들다 / ~ promises 말뿐인 약속, 공수표 / have an ~ sound 무의미하게 들리다 / Life is but an ~ dream. 인생은 헛된 꿈에 지나지 않는다.
4 《구어》 속이 빈, 배고픈, 공복의: I feel ~. 배가 고프다.
5 빈 짐의, 아무것도 싣지 않는.
6 사람이 살지 않는: an ~ house.
—*n.* Ⓒ (보통 *pl.*) 빈 그릇, 빈 집, 빈 차 《따위》.
—*vt.* **1** 《~+목/+목+전+명/+목+부》 (그릇 따위)를 비우다 (*out*): ~ a bucket 양동이를 비우다 / ~ a box *of* its contents 상자 안의 것을 비우다 / I had to ~ *out* the drawer to find the papers. 나는 그 서류를 찾기 위해 서랍을 비우고 뒤져보아야만 했다.
2 〖~ oneself〗 (강이) 흘러 들어가다 《**into** …으로》: The Mississippi *empties* its*elf into* the Gulf of Mexico. 미시시피 강은 멕시코 만으로 흘러 든다.
3 《+목+전+명》 (내용물)을 비우다 《**from, out of** (용기)에서》; 옮기다 《**into, on** (다른 용기)에》; (액체)를 쏟다: ~ grain *from* a sack *into* a box 곡식을 자루에서 상자로 옮기다 / You'd better ~ the water *out of* your boots. 장화에서 물을 쏟아내는 것이 좋겠다 / *He emptied* (*out*) his bag *on* the tray. 그는 가방에 든 것을 쟁반에 비웠다.
—*vi.* **1 비다**: The hall *emptied* quickly. 홀은 순식간에 비었다. **2** 《+전+명》 (강이) 흘러 들어가다 《**into** …으로》: The Han River *empties into* the Yellow Sea. 한강은 황해로 흘러 들어간다. ★ itself를 넣으면 empty는 *vt.*
㊎ **-ti·ly** *ad.* 헛되이, 공허하게. **-ti·ness** *n.* Ⓤ (텅) 빔; (사상 · 마음의) 공허; 덧없음; 무가치; 공복; 무지; 무의미.

émpty cálorie 단백질 · 무기질 · 비타민이 없는 식물 칼로리.

émpty-hánded [-id] *a.* 빈손〔맨손〕의: He returned ~. 그는 빈손으로 돌아왔다.

émpty-héaded [-id] *a.* 《구어》 머리가 빈, 무지한, 바보 같은.

émpty néster 《구어》 자식이 없는 부부, (자식들이 자라서 집을 떠나) 둘만 남은 부부.

émpty nést sỳndrome 자식들이 떠난 노부부들에게 나타나는 우울증을 수반한 허탈감.

em·pur·ple [empə́ːrpl] *vt.* 자줏빛으로 하다 〔물들이다〕. ㊎ **~d** *a.* 자줏빛으로 된.

em·py·e·ma [èmpaiíːmə] *n.* Ⓒ 〖의학〗 축농(증).

em·py·re·al [empíriəl, èmpəríːəl, èmpairíːəl] *a.* Ⓐ 최고천(最高天)의, 천상계(天上界)의; 높은 하늘의.

em·py·re·an [èmpəríːən, -pai-, empíriən] *n.* (the ~; 종종 E-) 최고천(最高天) 《불과 빛의 세계로, 나중에는 신이 사는 곳으로 믿었음》; 높은 하늘(sky).

EMS [íːèmés] *n.* Ⓒ 〖컴퓨터〗 이엠에스 《DOS에서 통상의 1MB를 넘는 메모리를 쓰기 위한 규격》. [◂ *E*xpanded *M*emory *S*pecification]

EMS European Monetary System 《EC의》 유럽 통화 제도); emergency medical service (긴급 의료). **EMT** emergency medical technician (구급 의료 기사).

emu [íːmjuː] *n.* Ⓒ 〖조류〗 에뮤 《타조 비슷한, 오스트레일리아산의 날지 못하는 큰 새》.

em·u·late [émjəlèit] *vt.* …와 (우열을) 다투다, 겨루다; (서로 지지 않으려고) 열심히 배우다, 흉내내다; …에 필적하다; 〖컴퓨터〗 에뮬레이션〔모방〕하다.

èm·u·lá·tion *n.* Ⓤ 경쟁, 대항, 겨룸; 〖컴퓨터〗 에뮬레이션, 모방 《다른 컴퓨터의 기계어 명령대로 실행할 수 있는 기능》: a spirit of ~ (남을 모방하여 앞서려는) 경쟁 정신.

em·u·la·tive [émjəlèitiv/-lətiv] *a.* 따라잡으려는, 지기 싫어하는. ㊎ **-la·tive·ly** *ad.*

em·u·la·tor [émjəlèitər] *n.* Ⓒ 경쟁자; 〖컴퓨터〗 에뮬레이터 《emulation을 하는 장치 · 프로그램》.

em·u·lous [émjələs] *a.* 경쟁적인, 경쟁심〔대항 의식〕이 강한. ㊎ **~·ly** *ad.* 다투어, 경쟁적으로. **~·ness** *n.*

emul·si·fi·er [imʌ́lsəfàiər] *n.* Ⓒ 〖화학〗 유화제(劑).

emul·si·fy [imʌ́lsəfài] *vt.* 유제화(乳劑化)하다, 유화(乳化)하다. ㊎ **emùl·si·fi·cá·tion** [-fikéiʃən] *n.* Ⓤ 유화 (작용).

emul·sion [imʌ́lʃən] *n.* Ⓤ (종류는 Ⓒ) 〖화학〗 유제(乳劑); 유상액(乳狀液); 〖사진〗 감광 유제(感光乳劑).

emúlsion pàint 에멀션 페인트〔도료〕 《바르면 윤이 없어짐》.

emul·sive [imʌ́lsiv] *a.* 유제질(質)의; 유상화(乳狀化)의〔할 수 있는〕.

en [en] *n.* Ⓒ N자; 〖인쇄〗 반각, 이분(二分) 《em의 절반》. cf. em.

en- [in, en], **em-** [im, em] *pref.* **1** 〖명사에 붙어서〗 '…안에 넣다, …위에 놓다' 의 뜻을 나타내는 동사를 만듦: *en*gulf, *em*bed. **2** 〖명사 또는 형용사에 붙어〗 '…으로〔하게〕 하다, …이 되게 하다' 의 뜻을 나타내는 동사를 만듦: *en*slave, *em*bitter. ★ 이런 경우 접미사 -en이 덧붙을 때가 있음: *em*bold*en*, *en*light*en*. **3** 〖동사에 붙어서〗 '…속〔안〕에' 의 뜻을 첨가함: *en*fold.

-en [ən] *suf.* **1** 〖형용사 · 명사에 붙여〗 '…하게 하다, …이〔하게〕 되다' 의 뜻을 나타내는 동사를 만듦: moist*en*, deep*en*, strength*en*. **2** 〖물질명사에 붙여〗 '…의〔로 된〕, …제(製)의' 란 뜻을 나타내는 형용사를 만듦: wood*en*, gold*en*. **3** 〖불규칙동사에 붙여〗 과거분사형을 만듦: fall*en*. **4** 지소(指小)명사를 만듦: chick*en*, maid*en*. **5** 복수를 만듦: childr*en*, brethr*en*.

****en·a·ble** [enéibəl] *vt.* **1** 《~+목/+목+*to* do》 …에게 **힘〔능력〕을 주다**, …에게 **가능성을 주다**; …에게 권한〔자격〕을 주다; 가능〔용이〕하게 하다;

〖컴퓨터〗 (장치)를 작동시키다, …에 스위치를 넣다: Rockets have ~*d* space travel. 로켓 덕분으로 우주 여행이 가능해졌다/The law ~*s* us *to* receive an annuity. 그 법률은 우리에게 연금을 받을 권한을 부여한다. **2** …을 허가하다.

en·á·bling *a.* Ⓐ 〖법률〗 권능을 부여하는: ~ legislation 수권법(授權法).

en·act [enǽkt] *vt.* **1** 《종종 수동태》 법령〔법제〕화하다; (법령으로) 규정하다; (법률)을 제정하다; (법률이) 규정하다《***that***》: as by law ~*ed* 법률이 규정하는 바와 같이/Be it further ~*ed that* .... 다음과 같이 법률로 정한다《enacting clause 서두 문구》/It *was* ~*ed that* no wheat should be imported. 소맥의 수입이 법률로 금지되었다. **2** (극 따위)를 공연하다; (…의 역(役))을 연기하다: ~ a play 연극을 공연하다.

en·áct·ment *n.* Ⓤ (법률의) 제정; Ⓒ 법규, 조례, 법령.

enam·el [inǽməl] *n.* Ⓤ **1** 법랑(琺瑯); (도기의) 잿물, 유약. **2** 에나멜; 광택제(劑)《매니큐어용 따위의》: ~ paint 에나멜〔광택〕 도료. **3** 〖치과〗 법랑질(質). **—**(***-l-,*** 《英》 ***-ll-***) *vt.* …에 에나멜〔유약〕을 입히다; 에나멜로 광택을 내다: ~*ed* glass 에나멜칠한 유리/~*ed* leather 에나멜 가죽.

enámel·wàre *n.* Ⓤ 《집합적》 양재기, 법랑 철기(鐵器).

en·am·or, 《英》 **-our** [inǽmər] *vt.* 《주로 수동태》 …에 반하게 하다, 호리다, 매혹하다: He *is* ~*ed* of the girl. 그는 그 소녀에 반해 있다. ㊕ **~ed** *a.* Ⓟ 사랑에 빠진; 매혹된, 반한.

en bloc [*F.* ɑ̃blɔk] 《F.》 총괄하여, 일괄하여: resign ~ 총사직하다.

en·cage [enkéidʒ] *vt.* 둥우리에 넣다; 가두다 (cage).

en·camp [enkǽmp] *vi., vt.* 〖군사〗 진을 치다, 야영하다〔시키다〕, 주둔하다〔시키다〕《***at, in, on*** …에》: The soldiers were ~*ed in* a clearing. 병사들은 숲 개간지에 야영했다.

en·cámp·ment *n.* Ⓤ 야영, 진을 침; Ⓒ 야영지, 진지.

en·cap·su·late [inkǽpsjəlèit] *vt.* 캡슐로 싸다, 캡슐에 넣다; (사실 · 정보 따위)를 요약하다. ㊕ **en·càp·su·lá·tion** *n.*

en·case [enkéis] *vt.* =INCASE. ㊕ **~·ment** *n.*

en·caus·tic [inkɔ́:stik] *a.* (색을) 달구어 넣은; 소작화(燒灼畫)의, 낙화(烙畫)의; 납회(법) (蠟畫(法))의: ~ brick 〔tile〕 채색 벽돌〔기와〕. **—** *n.* Ⓤ 납화법; Ⓒ 낙화, 납화.

-ence [əns] *suf.* -ent를 어미로 갖는 형용사에 대한 명사 어미: depend*ence*, abs*ence*.

en·ceph·a·li·tis [insèfəláitis] *n.* Ⓤ 〖의학〗 뇌염: ~ epidemia 유행성 뇌염.

en·ceph·a·lon [inséfəlàn, en-/-kéfəlɔ̀n, -séf-] (*pl.* ***-la*** [-lə]) *n.* Ⓒ 〖해부〗 뇌, 뇌수 (brain).

en·chain [entʃéin] *vt.* 사슬로 매다; 속박하다; (주의 · 흥미 등)을 강하게 끌다. ㊕ **~·ment** *n.*

en·chant [entʃǽnt, -tʃɑ́:nt] *vt.* **1** 매혹하다, 황홀케 하다, …의 마음을 호리다《★ 종종 수동태로 쓰며, 전치사는 *by, with*》: I *was* ~*ed by* 〔*with*〕 the performance. 나는 그 연기에 매혹되었다. **2** …에 마법을 걸다. ㊕ **~·ed** [-id] *a.* 매혹된, 마술에 걸린: ~*ed* land 마경(魔境).

en·chánt·er *n.* Ⓒ **1** 마법사, 요술쟁이. **2** 매혹시키는〔매력 있는〕 사람〔것〕.

°**en·chánt·ing** *a.* 매혹적인, 황홀케 하는, 혼을 빼앗는: an ~ smile. ㊕ **~·ly** *ad.* **~·ness** *n.*

en·chánt·ment *n.* **1** Ⓤ 희열, 황홀 (상태). **2** Ⓒ 매혹하는 것, 황홀케 하는 것. **3** Ⓤ 마법을 걸기; 마법에 걸린 상태.

en·chant·ress [entʃǽntris, -tʃɑ́:nt-] *n.* Ⓒ **1** 여마법사. **2** 매력 있는 여자, 요부.

en·chase [intʃéis, en-] *vt.* 아로새기다, (이름 따위)를 새겨 넣다; (보석 따위)를 박다; 돋을새김으로 장식하다; 상감(象嵌)하다《***on, in*** …에; ***with*** …을》: ~ diamonds *in* gold =~ gold *with* diamonds 금에 다이아몬드를 박아 넣다.

en·chi·la·da [èntʃəlɑ́:də] *n.* Ⓒ (요리는 Ⓤ) 고추로 양념한 멕시코 요리의 일종.

en·ci·pher [insáifər, en-] *vt.* (통신문 따위)를 암호로 하다, 암호화하다. ↔ *decipher*. ㊕ **~·er** *n.* **~·ment** *n.*

en·cir·cle [ensə́:rkl] *vt.* **1** 에워〔둘러〕싸다 (surround)《★ 종종 수동태로 쓰며, 전치사는 *by, with*》: Mist ~*d* the island. 그 섬은 안개에 덮여 있었다/The pond *is* ~*d by* trees. 그 연못은 나무에 둘러싸여 있다. **2** 일주하다: ~ the globe 지구를 일주하다. ㊕ **~·ment** *n.* Ⓤ 둘러쌈, 포위.

en·clave [énkleiv] *n.* 《F.》 Ⓒ **1** 타국 영토로 둘러싸인 지역〔영토〕. ⓒⓕ exclave. **2** (타민족 속에 고립된) 소수민족 집단. **3** (특정 문화권에 고립된) 이종(異種) 문화권.

‡**en·close** [enklóuz] *vt.* **1 a 둘러싸다**, 에워싸다《★ 종종 수동태로 쓰며, 전치사는 *by, with*》: A fence ~*s* the land. 울타리가 토지를 둘러싸고 있다/The pond *is* ~*d by* 〔*with*〕 trees. 연못은 나무로 둘러싸여 있다. **b** 《목+전+명》 두르다《***with*** (담장 따위)로》: ~ a letter *with* a circle 글자에 동그라미를 치다/He ~*d* his garden *with* a hedge. 그는 정원에 생울타리를 쳤다. SYN. ⇨SURROUND. **2** 《~+목/+목+전+명》 **동봉하다**, 봉해 넣다《***with*** (편지 따위)에》: I'm *enclosing* my photo. 내 사진을 동봉합니다《★ 종종 진행형을 씀》/*Enclosed* please find a check for 100 dollars. 100달러 수표를 동봉하니 받아 주시오/~ a check *with* a letter 편지에 수표를 동봉하다. **3** (공유지를 사유지로 하기 위해) 둘러막다: ~ common land 공유지를 둘러막아 사유화하다. ◇enclosure *n.*

en·clo·sure [enklóuʒər] *n.* **1** Ⓤ 울을 침, (특히 공유지를 사유지로 하기 위해) 울을 둘러치는 일. **2** Ⓒ 봉입(물)(封入(物)); 동봉한 것. **3** Ⓒ 울로 둘러막은 땅; 구내, 경내(境內); 울, 담, 울타리.

en·code [enkóud] *vt., vi.* (보통문을) 암호로 고쳐 쓰다; 암호화〔기호화〕하다; 〖컴퓨터〗 부호화하다.

en·cód·er *n.* Ⓒ 암호기; 〖컴퓨터〗 부호기(coder), 인코더

en·co·mi·um [enkóumiəm] (*pl.* **~s, *-mia*** [-miə]) *n.* Ⓒ 《문어》 찬사, 칭찬, 잔미.

en·com·pass [inkʌ́mpəs] *vt.* **1** 둘러〔에워〕싸다, 포위하다《★ 종종 수동태로 쓰며, 전치사는 *by, with*》: The city *was* ~*ed with* 〔*by*〕 a thick fog. 그 도시는 짙은 안개에 싸여 있었다. **2** 품다, 포함하다. **3** (나쁜 결과 따위)를 가져오다. ㊕ **~·ment** *n.*

en·core [ɑ́ŋkɔ:r, ɑnkɔ́:r/ɔŋkɔ́:r] *n.* 《F.》 Ⓒ 재청, 앙코르; 재연주(의 곡): call for 〔give〕 an ~ 앙코르를 요청하다/get an ~ 앙코르를 요청받다. **—*int.*** 재청이오! ★ 프랑스에서는 encore라고 외치지 않고, bis [bis]라고 외침. **—***vt.* 재청

하다: ~ a singer 〔song〕 가수에게〔노래의〕 앙코르를 요청하다.

*__en·coun·ter__ [enkáuntər] *n.* Ⓒ **1** (우연히) 만남, 조우(《*with* …와의》; 〖로켓〗 우주선과 다른 천체와의 만남: have an ~ *with* …와 우연히 만나다. SYN. ⇨MEET. **2** 조우전(遭遇戰), 회전(會戰), 충돌; 대결《*with* …와의》. SYN. ⇨FIGHT.
—*vt.* **1** …와 우연히 만나다, 마주치다, 조우하다: ~ a classmate unexpectly 우연히 반 친구를 만나다 / ~ an old friend on the street 거리에서 옛 친구를 우연히 만나다. **2** (적)과 교전하다, …와 맞서다, …에 대항하다: ~ an enemy force 적군과 대전하다. **3** (곤란 · 반대 · 위험 등)에 부닥치다.

encóunter gròup 〖정신의학〗 집단 감수성 훈련 그룹《서로 접촉함으로써 심리적 혜택을 얻는 집단 요법》.

‡__en·cour·age__ [enkə́:ridʒ, -kʌ́r-] *vt.* **1** 《~+목/+목+*to* do/+목+전+명》 용기를 돋우다, 격려하다, 고무하다; 권하다《★ 종종 수동태로 쓰며, 전치사는 *by, at*》: Your letter ~*d* me greatly. 너의 편지는 나를 크게 고무시켰다 / He *was* ~*d at* 〔*by*〕 his success. 그는 성공해서 용기를 얻었다 / ~ a person *to* write essays 아무에게 수필을 쓰도록 권하다 / The professor ~*d* me *in* my studies. 교수는 나의 연구를 격려해 주었다. **2** 장려하다, 조장하다, 촉진하다. ↔ *discourage*. ¶ ~ agriculture 농업을 장려하다.

*__en·cóur·age·ment__ [-mənt] *n.* **1** Ⓤ 용기를 돋움, 격려, 장려《*to* do》; 촉진, 조장(↔ *discouragement*): grants for the ~ of research 연구 장려금 / He gave us ~ *to* carry out the plan. 그는 우리들이 그 계획을 수행할 수 있도록 격려해 주었다. **2** Ⓒ 격려가 되는 것, 자극: an ~ to young people 젊은이들에게 격려가 되는 것.

◇__en·cóur·ag·ing__ *a.* 장려〔고무〕하는; 격려되는; 유망한. ↔ *discouraging*. ¶ ~ news 쾌보. 파 **~·ly** *ad.* 고무적으로.

en·croach [enkróutʃ] *vi.* **1** (서서히) 침입하다, 잠식〔침해〕하다; 침해하다《*on, upon* (남의 토지 · 권리 따위)를》: ~ *on* another's rights 남의 권리를 침해하다 / A good salesman will not ~ *on* his customer's time. 훌륭한 세일즈맨은 고객의 시간을 빼앗지 않는다. **2** (바닷물이) 침식히다《*on, upon* (육지 따위)를》: The sea has ~*ed upon* the land. 바다가 육지를 침식하고 있다. 파 **~·er** *n.* **~·ment** *n.* Ⓤ (구체적으로는 Ⓒ) 침입, 침해, 잠식; Ⓒ 침식지.

en·crust [enkrʌ́st] *vt.* (…의 표면)을 껍데기로 뒤덮다; …에 아로새기다《★ 보통 수동태로 쓰며, 전치사는 *with*》: a crown ~*ed with* jewels 보석으로 아로새긴 왕관.

en·crus·ta·tion [ènkrʌstéiʃən] *n.* =INCRUSTATION.

en·crypt [enkrípt] *vt., vi.* =ENCODE. 파 **en·crýp·tion** *n.* Ⓤ 부호 매김.

encrýption àlgorithm 〖컴퓨터〗 부호 매김 풀이법《정보 해독 불능에 대비해 수학적으로 기술된 법칙의 모음》.

en·cum·ber [enkʌ́mbər] *vt.* **1** 방해하다, 거치적거리게 하다; (빚 · 의무 등)을 지우다《★ 흔히 수동태로 쓰며, 전치사는 *with*》: ~ a place *with* chairs / Heavy armor ~*ed* him in the water. 수중에서 중장비가 거치적거렸다 / His estate *is* ~*ed with* a heavy mortgage. 그의 택지는 고액의 저당에 잡혀 있다. **2** (가구 따위가 장소)를 막다《★ 종종 수동태로 쓰며, 전치사는 *with, by*》: The room *was* ~*ed with* old furniture. 그 방에는 오래된 가구가 어수선하게 놓여 있었다. **3** (걱정 · 의혹이) 번민하게〔번거롭게〕 하다《★ 종종 수동태로 쓰며, 전치사는 *with*》: He *was* ~*ed with* cares. 그는 걱정스런 일로 번민했다. [◂ cumber]

en·cum·brance [inkʌ́mbrəns, en-] *n.* Ⓒ 방해물, 장애물; 걸리는 것, 두통거리; 《특히》 (거추장스러운) 아이; 〖법률〗 (재산상의) 부담《저당권 · 채무 따위》: an estate freed from all ~*s* 전혀 저당이 잡혀 있지 않은 땅 / without ~ 달린 것이〔아이가〕 없는《★ 관사 없이》.

-en·cy [ənsi] *suf.* '성질 · 상태'의 뜻을 나타내는 명사를 만듦: depend*ency*.

en·cyc·lic, -li·cal [ensíklik, -sáik-], [-əl] *n.* Ⓒ 회칙(回勅), 동문 통달(同文通達)《특히 로마 교황이 모든 성직자에게 보내는 회칙》. **—***a.* 회칙의, 회람의.

*__en·cy·clo·pe·dia, -pae-__ [ensàikloupí:diə] *n.* Ⓒ 백과사전. 파 **-dic, -di·cal** [-pí:dik], [-əl] *a.* 백과사전의; 지식이 광범한, 박학한: *encyclopedic* knowledge. **-dist** [-dist] *n.* Ⓒ 백과 사전 편집자〔집필자〕.

†**end** [end] *n.* Ⓒ **1** (시간 · 사물의) 끝(남), 마지막, 말기; (이야기 따위의) 결말, 끝맺음, 말미(末尾); 결과: the ~ of a day 〔year〕 하루〔한 해〕의 끝 / from beginning to ~ 처음부터 끝까지《★ 짝을 이루는 말은 관사 없음》/ to the ~ of time 언제까지나 / to the (very) ~ 최후까지, 어디까지나 / at the ~ of a letter 편지의 말미에 / And there is the ~ (of the matter). 그것으로 끝이다 / I was moved by the ~ of this novel. 이 소설의 결말에 감동했다. **2** 종지; 멸망; 최후, (세상의) 종말; (보통 one's ~, the ~) 죽음: come to an ~ 끝나다 / bring ... to an ~ …을 끝내다 / make an ~ of …을 끝내다 / put an ~ to …을 끝내다, 그만두다 / meet one's ~ 죽다 / near one's ~ 임종이 가까워 / The ~ makes all equal. 《속담》 죽으면 모두가 평등하다. **3** 끄트머리, 말단; (가로 따위의) 막다른 곳; (막대기 등의) 앞끝: the deep ~ of a swimming pool 풀의 깊은 쪽 / the ~ of the street 도로의 막다른 곳 / the person at 〔on〕 the other ~ of the line 전화의 상대 / from ~ to ~ 끝에서 끝까지 / no problem at my ~ 이쪽으로서는 문제 없음. **4** (흔히 *pl.*) 지스러기, 나부랑이: cigarette ~*s* 담배꽁초. **5** 한도, 제한, 한(限)(limit): at the ~ of stores 〔endurance〕 저축〔인내력〕이 다해 / There's no ~ to it. 제한이 없다. **6** 〖미식축구〗 엔드《라인 양 끝의 선수》. **7** (흔히 *pl.*) 목적(aim): a means to an ~ 목적에 이르는 수단 / gain 〔attain〕 one's ~(*s*) 목적을 이루다 / The ~ justifies the means. 《속담》 목적은 수단을 정당화한다. **8** (사업 등의) 부문, 면: the sales ~ of the manufacturing industry 제조 공업의 판매면. ◇final, terminal, ultimate *a.*

all ~s up 완전히, 철저하게: beat a person *all ~s up* 아무를 심하게 때리다. ***at a loose ~*** =***at loose ~s*** ⇨LOOSE END. ***at an ~*** 다하여, 끝나고: Our vacation is *at an* ~. 우리 휴가는 끝났다. ***at an idle ~*** =at a loose ~. ***at one's wit's*** 〔***wits'***〕 ***~*** 곤경에 빠져, 어찌해야 할지 난처하여. ***at the deep ~*** (일 따위의) 가장 곤란한 곳에. ***at the ~ of the day*** 여러 가지 고려해 보고, 요컨대. ***be at*** 〔***come to***〕 ***the ~ of*** ***one's rope*** ⇨

ROPE. **begin** 〔**start**〕 **at the wrong ~** 첫머리부터 잘못하다. **come to** 〔**meet**〕 **a bad** 〔**no good, nasty, sticky**〕 **~** 좋지 않은 일을 당하다, 불행한 최후를 마치다. **~ for ~** 양끝을 거꾸로, 반대로: Turn the photo *~ for ~* and look at it upside down. 사진을 돌려 거꾸로 보아 주십시오. **~ on** (선단(先端)을) 앞으로 향하게; 정면으로. **~ on ~** 나란히. **~ over ~** 빙글빙글 (회전하여): The car went over the cliff spinning *~ over ~*. 그 차는 빙글빙글 돌면서 벼랑에서 떨어졌다. **~ to ~** 끝과 끝을 이어서: We lined up the benches *~ to ~*. 우리는 벤치를 연이어 한 줄로 늘어놓았다. **~ up** 한 끝을 위로 하여, 직립하여. **get** (**hold of**) **the wrong ~ of the stick** 잘못 알다, 크게 오해하다. **get** one**'s ~ away** 《英속어》 (남성이) (오랜만에) 성교하다. **get the better ~ of** …보다 낫다, 이기다. **get the dirty ~ of the stick** 《구어》 싫은 일을 하게 되다; 부당한 취급을 받다. **go off** (**at**) **the deep ~** 분별없이 일을 시작하다, 턱없는 짓을 하다; 자제력을 잃다, 욱하다. **in the ~** 마침내, 결국은. **jump off** 〔**in at**〕 **the deep ~** =plunge in at the deep ~. **keep** 〔**hold**〕 one**'s ~ up** =**keep hold up** one**'s ~** 자기가 맡은 일은 충분히 다하다; (곤란에 직면해도) 꺾이지 않다. **make** (**both, two**) **~s meet** 수지를 맞추다, 빚 안 지고 살아가다: It's difficult to *make ~s meet* on my husband's small salary. 남편의 얼마 안 되는 봉급만으로 살아가기는 힘들다. **meet** one**'s ~** 최후를 마치다, 숨을 거두다. **never** 〔**not**〕 **hear the ~ of** …에 대해 끝없이 듣다. **no ~** 《구어》 ① 듬뿍, 많이, 몹시: She was powdered *no ~*. 그녀는 짙은 화장을 했다/I'm *no ~* glad. 몹시 기쁘다. ② 거의 그침이 없이, 계속: The baby cried *no ~*. 아기는 계속 울어댔다. **no ~ of** 〔**to**〕 《구어》 ① 매우 많은, 끝이 없는: I met *no ~ of* people. 나는 여러 사람을 만났다. ② 〖no ~ of a...로〗 굉장한, 훌륭한; 심한: *no ~ of a* fool 큰 바보. **on ~** ① 똑바로 서서, 직립하여: put a thing *on ~* 물건을 똑바로 세우다. ② 계속하여, 연달아: for hours *on ~* 여러 시간 계속하여. **play both ~s against the middle** 자기 이익을 위해 대립하는 양자가 싸우게 놔두다, 어부지리를 차지하다. **plunge in at the deep ~** 《구어》 (일 따위를) 갑자기 어려운 곳부터 시작하다. (**reach**) **the ~ of the line** 〔**road**〕 파국(破局)(에 이르다). **the** (**absolute**) **~** 《구어》 모진〔지독한〕 것〔일〕, 인내의 한계: His insulting my mother is *the absolute ~*. 그가 나의 어머니를 모욕한 것은 도저히 참을 수 없다. **the ~ of the world** ① 세상의 종말《파국》: It's not *the ~ of the world*. 그렇다고 세상이 끝난 건 아니다《불행에 대한 위로의 말》. ② =the ~(s) of the earth. **the ~**(**s**) **of the earth** 땅끝, 지구의 끝. **throw** a person **in at the deep ~** 《구어》 …를 갑자기 어려운 일을 하게 하다. **to no ~** 무익하게, 헛되이(vain): I labored *to no ~*. 헛일을 했다. **to the ~ that...** …하기 위하여, …의 목적으로(in order that). **to this** 〔**that, what**〕 **~** 이것〔그것, 무엇〕 때문에. **without ~** 끝없이, 영구히.

—*a*. Ⓐ 최후의, 최종적인: the ~ result 최종 결과.

—*vt*. **1 끝내다**, 마치다(finish): We *~ed* the negotiation. 우리는 교섭을 마쳤다/~ a war 전쟁을 끝내다. **2** …의 끝부분을 이루다: the promontory that *~s* the land 땅끝을 이루는 해각(海角)/His speech *~ed* the meeting. 그의 연설로 모임이 끝났다.

—*vi*. **1** 《~/+전+명》 **끝나다**, 끝마치다, 종말을 고하다《**with** …으로; **by** do*ing* …함으로써》: Here our journey *~s*. 여기가 우리의 목적지다/The concert *~ed with* a Bach piece. 음악회는 바흐의 작품으로 끝을 맺었다/I ~, as I began, by thank*ing* you. 끝으로 다시 한 번 감사드립니다.

SYN. **end** begin의 반의어로서 사물의 종료를 객관적으로 알림: The vacation *ended*. 휴가가 끝났다. **close** open의 반의어로서 '닫다 ⇨ 마감되다' 라는 어감이 있음: The play *closed* after two weeks. 2주 후에 연극은 막을 내렸다〔닫았다〕. **finish** 결말을〔마무리를〕 보아 끝나다: They *finished* by singing the National Anthem. 그들은 마지막에 국가를 불렀다. **conclude** 형식에 치우친 표현으로, 연설의 종료, 결론을 내릴 때 따위에 흔히 씀: to *conclude*... 마지막 결론으로서 말씀드리자면…. **terminate** 지금까지 계속되던 것에 종지부가 찍힘, 기한이 다 됨: Our contract will *terminate* on the 2nd next month. 계약은 내달 2일에 끝난다.

2 《~/+전+명》 (결국에는) 끝나다《**in** …으로》: The game *~ed in* a draw. 경기는 무승부로 끝났다/The novel *~s in* catastrophe. 그 소설은 비극적 종말로 끝난다. **3** 최후를 마치다, 죽다(die).

~ it (**all**) 《구어》 자살하다. **~ off** 《*vt*.+부》 (연설 따위)를 결론짓다, 끝내다《**by, with** …으로》: He *~ed off* his story *with* a moral. 그는 끝으로 교훈을 주고 이야기를 마쳤다. **~ up** 《*vi*.+부》 (결국에는) 끝나다《**in, with** …으로; **as** …로서; **by** do*ing* …함으로써》: Bush *~ed up with* a very poor record of economic growth. 부시는 아주 저조한 경제 성장 기록을 남기고 (임기를) 마쳤다/*~ up* (*as*) head of a firm 마지막에 회사의 사장이 되다/He *~ed up* (*by*) winn*ing*. 그는 승리로 끝냈다.

end-, **en·do-** [end], [éndou, -də] **1** '내(부)…' 란 뜻의 결합사. **2** '흡수' 란 뜻의 결합사.

en·dan·ger [endéindʒər] *vt*. 위태롭게 하다, 위험에 빠뜨리다: ~ a person's life 아무의 생명을 위태롭게 하다. ㊥ **~ed** *a*. (동식물이) 절멸 위기에 처한: an *~ed* species 멸종 위기에 있는 종(種).

énd-consùmer *n*. Ⓒ 최종 소비자(end user).

en·dear [endíər] *vt*. 애정을 느끼게〔그립게〕 하다; 〖~ oneself〗 사랑받다《**to** (아무)에게》: His humor *~ed* him *to* all. =He *~ed* him*self to* all by his humor. 유머가 있어 그는 모든 사람에게 사랑받았다/The sweet temper of the child *~ed* him *to* all. 그 애는 마음씨가 고와서 모든 사람의 귀염을 받았다.

en·déar·ing *a*. 애정을 느끼게 하는, 귀여운, 사랑스런, 그리운: an ~ smile 귀여운 미소. ㊥ **~·ly** *ad*.

en·déar·ment *n*. Ⓤ 친애, 총애, 사랑스러움, 매력; Ⓒ 애정 표시, 애무: a term of ~ 애칭《Elizabeth에 대한 Beth 따위; 또는 darling, dear 등의 호칭》.

***en·deav·or,** 《英》 **-our** [endévər] *vi*. 《~/+*to* do/+전+명》 …하려고 **노력하다**, 애쓰다, …을 시도하다: ~ *to* soothe her 그녀를 달래려고 애쓰다/Anyhow, he is *~ing*. 여하튼 그는 노력

하고 있다 / ~ *after* happiness 행복을 얻으려고 노력하다. SYN. ⇨TRY. —*n*. Ⓤ (구체적으로는 Ⓒ) **노력**, 진력; 시도《**to** do》: do [make] one's best ~*s* =make [use] every ~ 갖은 노력을 다하다 / My ~ *to* bring about a settlement ended in vain. 화해시키려는 나의 노력은 헛되이 끝났다. SYN. ⇨EXERTION.

en·dem·ic [endémik] *a*. **1** (병이) 한 지방에 특유한, 풍토성의; 특유한《**in, to** (어떤 지방·주민)에》: an ~ disease 풍토병 / a fever ~ *to* [*in*] the tropics 열대 특유의 열병. **2** (동식물 등이) 특정 지방에 한정된; 고유한《**to** …에》: a species ~ *to* Siberia 시베리아 고유의 종(種). —*n*. Ⓒ 풍토병, 지방병. ㊞ **-i·cal** [-kəl] *a*. = ENDEMIC. **-i·cal·ly** *ad*.

énd gàme (체스 따위의) 종반(전); (전쟁 등의) 막판.

énd·ing *n*. Ⓒ **1** 결말, 종료, 종국: a film with a happy ~ 해피 엔딩의 영화. **2** 〖문법〗 (활용) 어미《books 의 -*s*, kindness 의 -ness 따위》: plural ~*s* 복수 어미.

en·dive [éndaiv, ɑ́ndiv] *n*. Ⓒ (식품은 Ⓤ) 〖식물〗 꽃상추의 일종(escarole)《chicory 의 일종; 샐러드용》.

énd kèy 〖컴퓨터〗 엔드키《커서를 문서나 페이지 끝으로 이동시키는》.

***end·less** [éndlis] *a*. **1 끝없는**, 무한한; 길게 늘어진; 무수한: an ~ desert 광막한 사막 / an ~ sermon 장황한 설교 / make ~ repairs 몇 번이고 수리하다. **2 끊임없는**, 부단한: ~ argument 끝없는 논의 / an ~ stream of cars 끊임없이 계속되는 자동차의 물결. **3** 〖기계〗 순환하는: an ~ belt [chain] (이음매가 없는) 순환 피대[사슬] / an ~ saw 띠톱. ㊞ **~·ly** *ad*. 끝없이, 계속적으로. **~·ness** *n*.

end·most [éndmòust] *a*. 말단의[에 가까운].

endo- ⇨END-.

en·do·carp [éndoukɑ̀:rp] *n*. Ⓒ 〖식물〗 내과피(內果皮).

en·do·crine [éndoukràin, -krì(:)n] *a*. 〖생리〗 Ⓐ 내분비(선(腺))의. —*n*. Ⓒ 내분비물; 내분비선(=∠ **glànd**).

en·do·cri·nol·o·gy [èndoukrainɑ́lədʒi, -krə-/-nɔ́l-] *n*. Ⓤ 내분비학. ㊞ **-gist** *n*. Ⓒ 내분비학자.

en·do·derm [éndoudə̀:rm] *n*. Ⓒ 〖생물〗 내배엽(內胚葉). cf. ectoderm.

énd-of-fíle *n*. 〖컴퓨터〗 ⇨EOF.

en·dog·a·my [endɑ́gəmi/-dɔ́g-] *n*. Ⓤ 동족결혼, 족내혼(族內婚). ↔ *exogamy*.

en·do·plasm [éndouplæ̀zəm] *n*. Ⓤ 〖생물〗 (세포 원형질의) 내질(內質), 내부 원형질.

en·dorse, in- [endɔ́:rs], [in-] *vt*. **1** (어음 따위)에 배서(背書)하다: ~ a check 수표에 배서하다 / ~ over a bill to ... 어음에 배서하여 …에게 양도하다. **2** (남의 의견·행동 등)을 승인[확인·시인]하다, 찬성하다; 《美》 (유명인이 상품 광고에) 보증 선전하다. **3** 《英》 〖흔히 수동태로〗 (자동차 면허장) 뒤에 위반 사항 등을 적어 넣다: His driving licence had *been* ~*d*. 그의 운전면허증에는 위반 사항이 기입되어 있었다. ㊞ **en·dórs·a·ble** *a*. 배서할 수 있는. **en·dórs·er, en·dór·sor** *n*. Ⓒ 배서(양도)인.

en·dor·see [endɔ:rsí:, ⌐-∠, -∠-] *n*. Ⓒ 피(被)배서(양수)인《배서에 의한 어음의 양수인》.

en·dórse·ment *n*. Ⓤ (구체적으로는 Ⓒ) **1** 배서: ~ in blank [in full] 무기명[기명]배서. **2** 보증, 시인, 승인; 《美》 (유명인의 텔레비전 등에서의 상품) 보증 선전: give one's ~ to …을 보증[시인]하다 / commercial ~s by celebrities 유명인이 보증 선전하는 광고 방송. **3** (운전 면허증에 기입된) 교통 위반 기록.

en·do·scope [éndəskòup] *n*. Ⓒ (직장·요도(尿道) 등의) 내시경(內視鏡). ㊞ **en·do·scop·ic** [èndəskɑ́pik] *a*. 내시경의[에 의한].

en·dos·co·py [endɑ́skəpi/-dɔ́s-] *n*. Ⓤ 〖의학〗 내시경 검사(법).

***en·dow** [endáu] *vt*. **1** 《~+목/+목+전+명》 〖보통 수동태〗 …에게 **주다**, …에게 부여하다《**with** (재능·특권 따위)를》: Nature has ~*ed* him *with* great ability. 그에게는 위대한 천부적 재능이 있다 / She *is* ~*ed* (by nature) *with* beauty. 그녀에게는 타고난 미모가 있다. **2** 《~+목/+목+전+명》 (병원·학교 등)에 **재산을 증여하다**; 기부[기증]하다《**with** (기금)을》: an ~*ed* school 재단 법인 조직의 학교 / ~ a hospital *with* a large sum of money 병원에 많은 돈을 기부하다. ㊞ **~·er** *n*.

en·dów·ment *n*. **1 a** Ⓤ 기증, (기금의) 기부, 유증(遺贈). **b** Ⓒ (보통 *pl*.) 기부금; (기부된) 기본재산: The college received a large ~ from Mr. Smith. 대학은 스미스씨로부터 많은 기부금을 받았다. **2** Ⓒ (보통 *pl*.) 천부의 재주, 타고난 재능: natural ~*s* 천부의 재질.

endówment insùrance [《英》 **assùrance**] 양로 보험.

endówment pòlicy 양로 보험증권.

énd·pàper Ⓒ (보통 *pl*.) (책의) 면지(=**énd shèet**).

énd pòint 종료점(終了點), 종점.

énd pròduct (일련의 변화, 화학 반응의) 최종 결과; 최종 완제품.

énd resùlt 최종 결과.

énd rùn 《美》 **1** 〖미식축구〗 공을 갖고서 상대편의 측면을 돌아 후방으로 나감. **2** (전쟁·정치 따위에서) 회피책.

énd tàble 《美》 (소파 곁에 놓는) 작은 탁자.

en·due [indjú:, en-] *vt*. 〖보통 수동태〗 …에게 부여하다, 주다《**with** (능력·재능 따위)를》: a man ~*d with* virtue 덕을 겸비한 사람 / ~ a person *with* the full right of citizen 아무에게 모든 시민권을 주다.

en·dur·a·ble [indjúərəbəl, en-] *a*. 견딜[참을] 수 있는; 감내할 수 있는(↔ *unendurable*): His insults were not ~. 그의 모욕에는 참을 수 없었다. ㊞ **-bly** *ad*. 견딜 수 있도록.

***en·dur·ance** [indjúərəns, en-] *n*. Ⓤ **1** 인내, 감내: beyond [past] ~ 견딜[참을] 수 없을 만큼. SYN. ⇨PATIENCE. **2** 인내력, 지구력, 내구력: develop physical ~ 지구력을 기르다.

endúrance tèst 내구 시험.

****en·dure** [endjúər] *vt*. 《~+목/+-*ing* /+to do》 (사람·물건이) **견디다**, 인내하다, 참다: ~ pain(s) 고통을 견디다 / cannot ~ the sight 차마 볼 수 없다 / That dike will not ~ the rising water. 저 제방은 이 증수(增水)에는 견디지 못할 것이다 / I cannot ~ be*ing* [*to* be] disturbed. 방해당해서는 참을 수 없다. SYN. ⇨BEAR. —*vi*. **1 지탱하다**, 지속하다: as long as life ~*s* 목숨이 지속하는 한. **2** 참다: ~ to the last 최후까지 참고 견디다.

en·dur·ing [indjúəriŋ, en-] *a*. 지속하는, 영

속〔영구〕적인; 내구성이 있는: win ~ fame 불후의 명성을 얻다 / ~ peace 항구적 평화. ⊞ **~·ly** *ad.* **~·ness** *n.*

en·duro [indjúərou] (*pl.* **~s**) *n.* Ⓒ (자동차 등의) 장거리 내구(耐久) 경주.

énd úser **1** 〖컴퓨터〗 최종 사용자. **2** =END CONSUMER.

end·ways, end·wise [éndwèiz], [-wàiz] *ad.* 끝을 앞쪽으로〔위로〕 하고, 세로로, 똑바로; (이을 때) 두 끝을 맞대고: slide it in ~ 끝을 위로 해서 슬쩍 넣다 / Line them up ~. 그것들을 끝과 끝을 맞대어 늘어놓아라.

En·dym·i·on [endímiən] *n.* 〖그리스신화〗 엔디미온《달의 여신 셀레네(Selene)의 사랑을 받은 양치기 미소년》.

ENE, E.N.E., e.n.e. east-northeast (동북동).

en·e·ma [énəmə] (*pl.* **~s, ~·ta** [-tə]) *n.* Ⓒ 〖의학〗 관장(제)(灌腸(劑)); 관장기: give an ~ 관장을 하다.

†**en·e·my** [énəmi] *n.* **1** Ⓒ **적**, 원수; 적수, 경쟁 상대. ↔ *friend.* ¶ a sworn ~ 용서 못할 적 / make many *enemies* 많은 적을 만들다 / make an ~ of …을 적으로 돌리다, …의 반감을 사다.

SYN. **enemy** 일반적으로 쓰이는 말. 자기에게 반대하거나 해가 되거나 하는 사람. **foe** 문어적인 말로서 시에 쓰이는 경우가 많음. 보다 강한 적대자를 말함.

2 a Ⓒ 적병, 적함, 적기(따위); 적국인. **b** (보통 the ~) 〖집합적; 단·복수취급〗 적군, 적함대, 적국: The ~ was 〔were〕 driven back. 적(군)은 격퇴되었다. **3** Ⓒ 해를 끼치는 것〔사람〕, 반대자《*of, to* …에》: an ~ *of* democracy 민주주의의 적 / one's political ~ 정적. **—** *a.* Ⓐ 적의, 적군〔적국〕의: an ~ plane 적기(敵機) / ~ property 적국인 자산.

***en·er·get·ic, -i·cal** [ènərdʒétik], [-ikəl] *a.* **1 정력적인, 원기왕성한**, 활동적인: an ~ person 정력가. **2** 강력한, 효과적인: ~ laws 〔measures〕 효과적인 법률〔방책〕. ⊞ **-i·cal·ly** [-ikəli] *ad.* 정력적으로, 힘차게.

èn·er·gét·ics *n.* Ⓤ 에너지학〔론〕.

en·er·gize [énərdʒàiz] *vt.* …에 정력을〔에너지를〕 주입하다, 활기를 주다; …을 격려하다.

‡**en·er·gy** [énərdʒi] *n.* Ⓤ **1 정력, 활기**, 원기: physical 〔spiritual〕 ~ 체력〔기력〕 / full of ~ 정력이 왕성하여. **2** (말·동작 따위의) 힘, 기세: act 〔speak〕 with ~ 기운차게 행동〔말〕하다. SYN. ⇨POWER. **3** (종종 *pl.*) (개인의) 활동력, 행동력: brace one's *energies* 힘을 내다 / My *energies* are low these days. 요즈음 일에 힘이 나지 않는다 / devote 〔apply〕 one's energies to …에 정력을 기울이다. **4** 〖물리〗 **에너지**: kinetic 〔active, motive〕 ~ 운동 에너지 / atomic ~ 원자력 / ~ conversion 에너지 전환 / ~ resources 에너지 자원 / ~ source 에너지원(源) / ~ equipartition law 에너지 등분배 법칙 / the law of ~ conservation 에너지 보존의 법칙.

en·er·vate [énərvèit] *vt.* …의 기력을 빼앗다, 힘을 약화시키다. ⊞ **-vàt·ed** [-vèitid] *a.* 힘없는, 연약한. **-vàt·ing** *a.* **èn·er·vá·tion** *n.* Ⓤ 활력을 빼앗음; 쇠약, 허약.

en fa·mille [*F.* ɑ̃famij] 《F.》 가족이 다 모여, 가족적으로, 집안끼리; 허물〔격의〕 없이.

enfant ter·ri·ble [*F.* -teribl] 《F.》 무서운 아이《어른이 당황할 만한 말이나 질문을 하는 아이》; (남에게 폐가 되는 것을 고려하지 않는) 무책

임한〔분별 없는〕 사람.

en·fee·ble [infíːbəl, en-] *vt.* 〖흔히 수동태〗 약하게 하다: *be ~d* by illness 병으로 심신이 쇠약해져 있다. ⊞ **~·ment** *n.* Ⓤ 약하게 하기, 쇠약.

en·fi·lade [ènfəléid, ⌐-⌐] *n.* Ⓤ (또는 an ~) (총의) 종사(縱射). **—** *vt.* …에 종사를 퍼붓다.

en·fold [enfóuld] *vt.* **1** 〖흔히 수동태〗 싸다《*in* …에; *with* …으로》: She *was ~ed in* a shawl. 그녀는 숄로 몸을 감쌌다. **2** 안다, 포옹하다《*in* (팔)로》: ~ a baby *in* one's arms 양팔로 아이를 안다.

***en·force** [enfɔ́ːrs] *vt.* **1** (법률 등)을 **실시〔시행〕하다**, 집행하다: ~ a law 법을 (실제로) 지키게 하다. **2** 《~+목/+목+전+명》 (지불·복종 등)을 강요〔강제〕하다, 억지로 시키다《*on, upon* (아무)에게》: ~ obedience 복종을 강요하다 / ~ peace *on* the defeated 패자에게 강화를 강요하다. **3** (요구·의견 등)을 강경하게 주장하다, 역설〔강조〕하다. ⊞ **~·a·ble** *a.* ~할 수 있는. **~·ment** *n.* Ⓤ 시행, 실시; 강제; 강조.

en·fórced [-t] *a.* 강제적인, 강요된: ~ education 의무교육 / ~ insurance 강제 보험. ⊞ **en·fór·ced·ly** [-sidli] *ad.*

en·fran·chise [enfrǽntʃaiz] *vt.* **1** …에게 선거권〔공민권〕을 주다. **2** (도시)에 자치권을 주다. **3** (노예 따위)를 해방하다, 자유민이 되게 하다. ⊞ **~·ment** *n.* Ⓤ 선거권〔공민권·자치권〕의 부여; (노예의) 해방, 석방.

Eng. England; English. **eng.** engine; engineer(ing); engraved; engraver; engraving.

‡**en·gage** [engéidʒ] *vt.* **1** 《+목+*to* do /+*to* do /+*that* 절》 **약속하다**(SYN. ⇨PROMISE); (맹세·약속 따위로) **속박하다**; 보증하다: He *~d* himself *to* pay the money by the end of the month. 그는 월말까지는 돈을 지불하겠다고 약속했다 / She *~d to* visit you tomorrow. 그녀는 내일 당신을 방문한다고 약속했다 / Can you ~ *that* everything is all right? 만사 잘 되어 있다고 보증할 수 있나.

2 《~+목/+목+전+명》 〖흔히 수동태〗 **약혼시키다**《*to* …와》: We *became ~d* this month. 이 달에 약혼했다 / I *am ~d to* Nancy. 낸시와 약혼중이다 / Mary *~d* herself *to* Tom. 메리는 톰과 약혼했다.

3 《~+목/+목+*as* 보》 (아무)를 **고용하다**: ~ a servant 심부름꾼을 고용하다 / ~ a person *as* a secretary 아무를 비서로 고용하다.

4 (좌석·호텔방·차 따위)를 예약하다, 빌리다: ~ two seats at a theater 극장 좌석 두 개를 예약하다 / ~ a carriage by the hour 시간제로 마차를 빌리다《★ 이 경우 hire가 일반적》.

5 (시간)을 투입〔충당〕하다, 쓰다; (전화선)을 사용하다: have one's time fully *~d* with work 일로 시간이 꽉 차 틈이 없다 / ~ the line for ten minutes, 10분간 전화로 이야기를 하다.

6 《~+목/+목+전+명》 〖흔히 수동태; ~ oneself〗 **종사하다**《*in* …에》: *be ~d in* (doing) a thing 어떤 일에 종사하고 있다 / She *~d herself in* knitting. 그녀는 뜨개질을 했다.

7 《~+목/+목+전+명》 (사람)을 끌어들이다《*in* (이야기 따위)에》; (흥미·주의 따위)를 끌다: ~ a person's attention 아무의 주의를 끌다 / He boldly *~ed* the girls *in* conversation. 그는 대담하게도 소녀들을 이야기에 끌어들였다.

8 …의 마음을 〔호의를〕 끌다: His good nature *~s* everybody (to him). 사람이 착해서 모두 그를 좋아하게 된다.
9 (부대 등)을 교전시키다; …와 교전하다: Our army *~d* the enemy. 아군은 적과 교전했다.
10 (톱니바퀴)를 맞물리게 하다.
— *vi.* **1** 《+전+명》 **종사하다, 관계하다** 《*in* …에》: After graduating from college, he *~d in* business. 대학을 졸업한 후 그는 사업에 종사했다. **2** 《+전+명》 보증하다, 책임지다 《*for* …을》: That's what I can *~ for*. 그것은 내가 책임질 수 있는 것이다. **3** 《+전+명》 교전하다 《*against, with* (적군)과》: ~ *with* the enemy 적과 교전하다. **4** 《~/+전+명》 (톱니바퀴가) 맞물다, 연동하다 《*with* …와》: The two wheels ~. = One wheel *~s with* the other. 2개의 톱니바퀴가 〔한 톱니바퀴가 다른 톱니바퀴와〕 맞물린다.
~ ***in*** 《*vi.*+전》 ① …에 종사하다(⇨ *vi.* 1). ② (일·사업)에 착수하다, …을 시작하다. ③ (경기 등)에 참가하다. ~ ***upon*** 《*vi.*+전》 (새 일 따위)를 시작하다.

‡**en·gaged** [engéidʒd] *a.* **1 약속이 있는**; 예약된: an ~ seat 예약된 좌석. **2 예정이 있는**; 활동 중인, 틈이 없는; 바쁜: He will see you if he is not ~. 그가 바쁘지 않으면 너를 만날 것이다. **3** 약혼 중인: an ~ couple 약혼한 남녀. **4** 종사하고 있는, 관계하는. **5** (전화·변소가) 사용 중인 (《美》 busy), 비어 있지 않은: The number 〔line〕 is ~. 통화 중입니다. **6** 교전 중인: ~ troops 교전 중인 부대. **7** 【기계】 기어가 걸린; 연동의.

‡**en·gage·ment** [engéidʒmənt] *n.* **1** Ⓒ **약속,** 맹세; 계약; 예약: I have a previous ~. 선약이 있다/break off an ~ 약속을 어기다, 해약하다/make an ~ 약속〔계약〕을 하다. SYN. ⇨PROMISE. **2** Ⓒ **약혼**; 약혼 기간: break off one's ~ 약혼을 취소하다. **3** (*pl.*) 채무: meet one's *~s* 채무를 갚다. **4** Ⓒ 고용 (기간). **5** Ⓒ 싸움, 교전: a military ~ 무력 충돌. SYN. ⇨FIGHT. **6** Ⓤ 【기계】 (톱니바퀴 따위의) 맞물림, 연동 상태.

engágement rìng 약혼반지.

en·gág·ing *a.* 마음을 끄는, 매력적인, 애교 있는. ★ 반어(反語)로도 씀. ¶an ~ smile 매력적인 미소. 파 **~·ly** *ad.* **~·ness** *n.*

Eng·els [éŋgəls] *n.* **Friedrich** ~ 엥겔스《독일의 사회주의자, 경제학자, Marx의 협력자; 1820–95》.

en·gen·der [endʒéndər] *vt.* (사태 등)을 발생시키다, 야기시키다, (애정·미움 따위)를 일으키다(produce): Sympathy often *~s* love. 동정에서 흔히 사랑이 싹튼다.

‡**en·gine** [éndʒən] *n.* Ⓒ **1 엔진, 발동기,** 기관: a steam ~ 증기기관/start the ~ 엔진에 시동을 걸다. **2 기관차**; 소방차(fire ~).

éngine drìver 《英》 (철도의) 기관사(《美》 engineer).

‡**en·gi·neer** [èndʒəníər] *n.* Ⓒ **1 기사,** 기술자; 공학자; 토목기사(civil ~). **2** (상선의) 기관사, 《美》 (철도의) **기관사**(《英》 engine driver); 기계공(工)(mechanic): a chief ~ (배의) 기관장/a first ~ 1등 기관사. **3** (육군의) 공병; (해군의) 기관 장교.
— *vt.* **1** (기사로서 공사)를 감독〔설계, 건조〕하다: a well *~ed* bridge 공학적으로 잘 설계된 다리. **2** (계획 따위)를 꾸미다, 꾀하다: ~ a plot 계략을 꾸미다.

***en·gi·neer·ing** [èndʒəníəriŋ] *n.* Ⓤ **1 공학,** 기관학: civil 〔electrical, mechanical〕 ~ 토목〔전기, 기계〕 공학/military ~ 공병학/an ~ college 공과대학/a doctor of ~ 공학박사. **2** 공학 기술; 토목 공사. **3** 교묘한 공작〔처리〕.

engineéring geólogy 토목지질학.

engineéring scìence 기초 공학《물리적·수학적 기초에 관한 공학 부문》.

éngine ròom (배 따위의) 기관실.

en·gine·ry [éndʒənri] *n.* Ⓤ 〔집합적〕 기관〔기계〕류.

†**Eng·land** [íŋglənd] *n.* **1** 〔좁은 뜻으로〕 **잉글랜드**《Great Britain에서 Scotland 및 Wales를 제외한 부분》. **2** 〔넓은 뜻으로〕 **영국**(Great Britain; United Kingdom).

†**Eng·lish** [íŋgliʃ] *a.* **1 영국의**; 영국 사람의. **2** 잉글랜드의; 잉글랜드 사람의. **3 영어의.** **—** *n.* **1** Ⓤ **영어**(the ~ language): in plain 〔simple〕 ~ 알기 쉬운 영어로/How do you say 'haksaeng' in ~? = What is the ~ for 'haksaeng'? '학생'을 영어로 무엇이라 하느냐《★ for 'haksaeng' 과 같이 수식어를 붙여 특정할 때에는 the를 붙임》. **2** (the ~) 〔복수취급〕 영국인, 영국민; 영국군: The ~ are a conservative people. 영국인은 보수적인 국민이다.

Énglish bréakfast 영국식 아침 식사《bacon and eggs, 마멀레이드를 곁들인 토스트와 홍차 등》. cf. continental breakfast.

Énglish Chánnel (the ~) 영국 해협.

Énglish dáisy 【식물】 데이지.

Énglish hórn 【음악】 《美》 잉글리시 호른(《英》 cor anglais)《oboe 계통의 목관 악기》.

†**Eng·lish·man** [íŋgliʃmən] (*pl.* ***-men*** [-mən]) *n.* Ⓒ **잉글랜드 사람,** 영국인.

> NOTE [ʃ, tʃ]로 끝나는 국민(English, French, Irish 따위)의 경우, 국민 전체는 the English, 개인은 an Englishman, some Englishmen과 같이 나타냄.

Énglish múffin 《美》 영국식 머핀《이스트가 든 납작한 머핀》.

Énglish Revolútion (the ~) 【英역사】 영국 혁명, 명예〔무혈〕 혁명《1688–89》.

Énglish sétter 영국종의 세터《사냥개》.

Énglish spárrow (유럽산) 참새의 일종.

Énglish-spèaking *a.* Ⓐ 영어를 쓰는: ~ people 영어 국민《영국인·미국인·캐나다인·오스트레일리아인 따위》.

Eng·lish·wom·an** [íŋgliʃwùmən] (*pl.* ***-wòm-en) *n.* Ⓒ **잉글랜드 여자; 영국 여성.**

en·gorge [engɔ́:rdʒ] *vt.* 게걸스럽게 먹다; 포식하다; 【의학】 충혈시키다. 파 **~·ment** *n.*

en·graft [engrǽft, -grá:ft] *vt.* 접붙이다, 접목하다《*into, on, upon* …에》; (사상 등)을 주입하다, 명기시키다《*in* …에》; 통합〔혼입〕하다《*into* …에》: ~ a peach *on* a plum 서양자두나무에 복숭아를 접목하다/Thrift is *~ed in* his character. 그의 성격에는 검약이 배어 있다.

en·grain [engréin] *vt.* = INGRAIN.

en·gráined *a.* = INGRAINED.

***en·grave** [engréiv] *vt.* 《~+목/+목+전+명》 **1** (금속·돌 따위)에 **조각하다** 《*with* (문자·도형 따위)를》; (문자·도형 등)을 새기다 《*on* (금속·돌 따위)에》: ~ a stone *with* designs 돌에 무늬를 새기다/~ an inscription *on* a tablet 액자에 명(銘)을 새기다. **2** 〔보통 수동태〕 명심하다,

새겨 두다《**on** (마음 따위)에》: His mother's face *is ~d on* his memory. 어머니의 얼굴이 그의 뇌리에 새겨져 있다. **3** …을 새긴 동판〔목판〕으로 인쇄하다. ㊀ **en·gráv·er** *n*. Ⓒ 조각사; 조판공(彫版工).

en·gráv·ing *n*. **1** Ⓤ 조각; 조각술, 조판술(彫版術). **2** Ⓒ (동판·목판 따위에 의한) 판화(版畫), 조판 인쇄(물).

en·gross [engróus] *vt*. **1** (주의·시간 따위)를 …에 집중시키다; (아무)를 몰두시키다, 열중시키다: Their discussion *~ed* his attention. 그들의 토론에 그는 주의를 쏟게 되었다 / I was *~ed* with other matters. 다른 일로 머리가 꽉 찼었다. **2** (공문서 따위)를 큰 글자로 정서하다. ***be ~ed in*** …에 열중해 있다: He *was ~ed in* thought. 그는 깊은 생각에 잠겨 있었다.

en·gróss·ing *a*. 마음을 빼앗는, 몰두시키는: an ~ story 〔novel〕 아무를 열중케 하는 이야기〔소설〕. ㊀ **~·ly** *ad*.

en·gróss·ment *n*. **1** Ⓤ 큰 글자로 쓰기, 정서; Ⓒ 정서물(淨書物). **2** Ⓤ 전심(專心), 열중, 몰두.

en·gulf [engʌ́lf] *vt*. **1** (파도 따위가) 삼켜 버리다, 말려들게 하다《★ 흔히 수동태로 쓰며, 전치사는 *in, by*》: The high waves *~ed* the ship. 높은 파도가 배를 삼켜 버렸다 / The boat *was ~ed by* 〔*in*〕 waves. 보트는 파도에 휩쓸려 들어갔다 / The country *was ~ed in* civil war. 그 나라는 내전에 휘말려 들었다. **2** (비애 따위가) 압도하다: He was *~ed* by grief. 그는 슬픔에 빠졌다.

en·hance [enhǽns, -hɑ́:ns] *vt*. (가치·능력·매력 따위)를 높이다, 늘리다, 더하다, 증진시키다. ㊀ **~·ment** *n*. Ⓤ (구체적으로는 Ⓒ) 증진, 증대, 고양.

enig·ma [inígmə] (*pl*. **~s, ~·ta** [-tə]) *n*. Ⓒ 수수께끼(riddle)(의 인물); 불가해한 사물《**to** (아무)에게》: He's an ~ *to* all of us. 그는 우리 모두에게 수수께끼의 인물이다.

enig·mat·ic, -i·cal [ènigmǽtik, in-], [-əl] *a*. 수수께끼 같은, 불가해한, 정체 모를: an ~ smile 뜻을 알 수 없는 미소. ㊀ **-i·cal·ly** *ad*.

en·jamb·ment, -jambe- [endʒǽmmənt, -dʒǽmb-] *n*. Ⓤ 〖시학〗 뜻이 다음 행 또는 연구(連句)에 계속되는 일.

en·join [endʒɔ́in] *vt*. **1** 명령하다, (침묵·순종 따위)를 요구하다(demand), 강요하다《**on, upon** (아무)에게 / **to** do / **that**》: ~ obedience 〔silence〕 순종〔침묵〕을 명하다 / ~ diligence *on* pupils = ~ pupils *to* be diligent 열심히 공부하도록 학생들에게 명(命)하다 / Christianity *~s that* we love our neighbors. 우리들에게 이웃을 사랑하라고 기독교는 요구한다. **2** 〖법률〗 …을 금하다; …에게 금지하다(prohibit)《**from** …(하는 것)을》: ~ a demonstration 데모를 금하다 / ~ a company *from* us*ing* the dazzling advertisements 회사에 대해 과대광고를 금지하다.

†**en·joy** [endʒɔ́i] *vt*. **1 a** 《~+目/+-*ing*》 **즐기다**, (즐겁게) **맛보다**, 향락하다, 재미보다: ~ life 인생을 즐기다, 즐겁게 살아가다 / ~ one's dinner 맛있게 식사를 하다 / I've *~ed* talk*ing* to you about old times. 옛〔지난〕 이야기를 할 수 있어 즐거웠습니다《★ to do를 쓰면 잘못》/ How did you ~ your vacation? 휴가는 즐거웠습니까. **b** 《+目/+目+前+名》 〖~ oneself〗 즐기다, 즐겁게 지내다《**at, in** …에서》: We *~ed* our*selves at* the party. 우리는 파티에서 즐겁게 지냈다. **2** (좋은 것)을 **받다**, 누리다, (이익 등)을 얻다: ~ a good income 상당한 수입이 있다 / ~ popularity 인기를 누리다 / I hope you are *~ing* good health. 건강하시기 바랍니다. **3** 《우스개》 (나쁜 것)을 가지고 있다: ~ a bad reputation 나쁜 평판을 얻고 있다.

> DIAL. ***Enjoy!*** ① 어서〔맛있게〕 드세요《음식을 권하는 말》: Here's your beer. *Enjoy!* 맥주 여기 있습니다. 맛있게 드세요. ② 그럼 건강하세요《작별할 때의 인사말》.

en·jóy·a·ble *a*. 즐거운, 재미있는, 유쾌한; 즐길〔누릴〕 수 있는: have an ~ time 즐거운 시간을 갖다. SYN. ⇨PLEASANT. ㊀ **-bly** *ad*. 즐겁게, 유쾌하게. **~·ness** *n*.

‡en·joy·ment [endʒɔ́imənt] *n*. **1** Ⓤ (구체적으로는 Ⓒ) **즐거움, 기쁨**; 유쾌: take ~ in …을 즐기다 / Music was a great ~ to him. 음악은 그에게 큰 즐거움이었다. **2** Ⓤ (보통 the ~) **향락; 향유**, 향수(享受): He has 〔He's in〕 the ~ *of* good health. 그는 건강을 누리고 있다.

en·kin·dle [enkíndl] *vt*. (불)을 붙이다, 점화하다; (정열·정욕·분노 등)을 타오르게 하다.

en·lace [enléis] *vt*. …에 (휘)감다; …을 두르다; 얽히게 하다. ㊀ **~·ment** *n*.

en·large** [enlɑ́:rdʒ] *vt*. **1 크게 하다**, 확대〔증대〕하다; (건물 등)을 넓히다, (책)을 증보하다: a revised and *~d* edition 개정 증보판 / ~ a photograph 사진을 확대하다. SYN. ⇨INCREASE. **2** (마음·견해 따위)를 넓게 하다; (사업 따위)를 확장하다: ~ one's views by reading 독서로 견식(見識)을 넓히다 / Knowledge *~s* the mind. 지식은 마음을 넓힌다. **—vi*. **1** 넓어지다, 커지다. **2** (사진이) 확대되다. **3** 《+前+名》 상술하다《**on, upon** …에 대해》: ~ *on* one's favorite subject 자기가 좋아하는 문제에 대해 상술하다. ㊀ **en·lárg·er** *n*. Ⓒ 확대기.

en·lárge·ment [-mənt] *n*. **1** Ⓤ 확대, 증대, 확장. **2** Ⓒ 증축, 증보; 확대한 사진.

***en·light·en** [enláitn] *vt*. 《~+目/+目+前+名》 **계몽하다**, 계발〔교화〕하다; …에게 가르치다, 알리다, 분명하게 하다《**on, about, as to** …에 관해》: ~ ignorant inhabitants 무지한 주민을 계몽하다 / ~ the heathen 이교도를 교화하다 / ~ a person *on* the subject 그 문제에 대해서 아무에게 가르치다 / ~ a person *about* what happened 일어난 사태에 관해 아무에게 설명하다. ㊀ **~·ing** *a*. 계몽적인; 분명히 하는.

en·líght·ened *a*. Ⓐ 계발된, 개화된: the ~ world 개화된 세상.

en·líght·en·ment *n*. **1** Ⓤ 계발, 계몽, 교화; 〖불교〗 깨달음. **2** (the E-) 계몽운동《18세기 유럽의 합리주의 운동》.

en·list [enlíst] *vt*. **1** 병적에 편입하다; (군인)을 징모하다《**for** …을 위해; **in** …에》: ~ a recruit 신병을 뽑다 / ~ a person *for* military service 아무를 병적에 편입하다 / ~ a person *in* the army 아무를 육군에 입대시키다. **2** …의 협력을 얻다〔구하다〕; (아무의 도움·원조 따위)를 얻다《**in** …에; **for** …을 위해》: ~ a person *in* an enterprise 아무를 사업에 참가시키다 / I tried to ~ his aid *in* this project. 나는 이 계획에 그의 도움을 얻고자 했다. **—***vi*. 입대하다, 징병에 응하다; 적극적으로 협력〔참가〕하다《**as** …으로서; **in** …에》: He *~ed as* a volunteer *in* the army. 그는 지원병으로 육군에 입대했다.

enlísted màn 《美》 사병(士兵)(《英》 private soldier)《생략: EM》.

enlísted wòman 《美》 여군 사병《생략: EW》.

en·list·ee [enlistíː] *n.* [C] 지원병, 신병.

en·líst·er *n.* [C] 징병관, 모병관.

en·líst·ment *n.* [U] 병적 편입; 모병; 응모, 입대《*in* …에의》; [C] 병적 기간.

en·liv·en [enláivən] *vt.* **1** 기운을 돋우다, 생기를 주다. **2** (광경·담화 따위)를 활기차게 하다《*with* …으로》. **3** (장사 따위)에 활기를 불어넣다.

en masse [enmǽs, ɑːŋmɑ́ːs] 《F.》 한꺼번에, 일괄하여.

en·mesh [enméʃ] *vt.* 〖보통 수동태〗 그물로 잡다, 망에 걸리게 하다; (아무)를 빠뜨리다《*in* (곤란 따위)에》: ~ a person *in* a net 아무를 함정에 빠뜨리다 / *be* ~*ed in* difficulties 곤란에 말려들다.

en·mi·ty [énməti] *n.* [U] (구체적으로는 [C]) 증오, 적의; 불화, 반목: have 〔harbor〕 ~ against …에게 적의를 품다 / at ~ with …와 반목하여, …에게 적의를 품고.

en·no·ble [enóubl] *vt.* (아무)를 품위 있게 하다, 고상하게 하다; 귀족으로 만들다, 작위를 주다. [파] **~·ment** *n.*

en·nui [ɑ́ːnwiː, -´; *F.* ɑ̃nɥi] *n.* 《F.》 [U] 권태, 지루함.

enor·mi·ty [inɔ́ːrməti] *n.* **1** [U] 극악함; [C] (보통 *pl.*) 무도한 행위, 큰 죄: These *enormities* cannot be forgiven. 이런 극악 무도한 행위는 용서받을 수 없다. **2** [U] (일·문제 등의) 거대함, 터무니없이 큼.

***enor·mous** [inɔ́ːrməs] *a.* **거대한**, 막대한, 매우 큰(immense): an ~ sum of money 거액의 돈 / an ~ difference 매우 큰 차이. [파] **~·ly** *ad.* 대단히, 매우, 막대하게. **~·ness** *n.*

†**enough** [inʌ́f] *a.* **충분한, 족한**, 필요한 만큼의《*for* …에 / *to* do》: Thank you, that's ~. 고맙습니다, 그것으로 충분합니다 / It's ~ that you brought yourself. 네가 와 준 것만으로 충분하다 / I've had ~ trouble. 지긋지긋하게 고생했다 / food ~ *for* a week 일주일분의 식량 / ~ money 〔money ~〕 *to* buy a house 집 사기에 충분한 돈《★ 명사 앞에 붙이는 편이 뜻이 강함》/ There's ~ room *for* eight people *to* sit at the table. 식탁에는 8 명이 앉기에 충분한 자리가 있다 / I have ~ time. 시간은 충분하다 / Ten men are ~. 10 사람이면 충분하다.

[SYN.] **enough, sufficient** 서로 대치 가능한 말이나 enough는 명사 뒤에 오는 일이 많음. 또 sufficient는 '매우 만족하나 이 이상 더 있어도 나쁘지 않다'의 뜻. enough는 '이 이상 필요 없다'고 할 경우에 쓰이는 일도 있음: *sufficient* income 충분한 수입. *enough* trouble 지긋지긋한 고생. **adequate** 어떤 목적·요구에 충분하다. 따라서 '양' 이외에 '능력' 따위에도 쓰임.

— *n.* [U] **1 충분한 양**(量)(**수**)《*for* …에 / *to* do》: *Enough* has been said. 말할 것은 다 말했다 / *Enough* is as good as a feast. 《속담》 배부름은 진수성찬이나 다름없다, 부족하지 않으면 충분한 것으로 알아라 / There is 〔are〕 ~ *for* everybody. 모두에게 돌아갈 만큼의 양이〔수가〕 있다 / He earns just ~ (*for* us) *to* live on. 그는 (우리가) 먹고 살 만큼은 번다. **2** (필요한 만큼) 많음: *Enough* (of that)! 이제 (그것으로) 됐습니다〔충분합니다〕/ *Enough* about my affairs. 내 일은 이제 됐지 않습니까〔그만해 둡시다〕.

~ and to spare ⇨ SPARE. ***have ~ of*** …을 충분히 가지고 있다, …은 이제 질색이다. ***have ~ to do to*** do …하는 것이 고작이다: I *had* ~ *to do to* get here, without thinking about presents. 간신히 여기 왔을 뿐, 선물 같은 건 생각지도 못했다. ***more than ~*** 충분히, 진절머리가 날 만큼: I took *more than* ~. 많이 먹었습니다.

> [DIAL.] ***Enough is enough!*** 이제 그만, 그만하면 충분하다〔됐다〕.
> ***Enough said.*** 그만 말해라, (더 말 안 해도) 잘 알겠다.
> ***That's enough.*** 그것으로 충분하다, 이제 그만 해둬라.

— *ad.* **1** 〖보통 형용사·부사의 뒤에 붙임〗 **충분히**, 필요한 만큼, 족할 만큼《*for* …에; *to* do》: This is good ~. 이것으로 족하다 / I'm not good ~ *for* it. 나에게는 그것이 무리다 / I was foolish 〔fool〕 ~ *to* think so. 어리석게도 그렇게 생각했다 / It was warm ~ *for* me *to* go out in a T-shirt. 날씨가 T셔츠로 외출할 수 있을 만큼 따뜻했다. **2** 〖빈정대는 투로〗 상당히, 꽤; 어지간히, 그런대로: She speaks English well ~. 그녀는 영어를 꽤 잘한다 / It's bad ~. 꽤 나쁘다〔심하다〕. **3** 〖강조적〗 아주, 모두: I know well ~ what he is up to. 그가 무엇을 꾀하고 있는지 잘 알고 있다.

cannot 〔***can never***〕 do ~ 아무리 …하여도 부족하다: I *can never* thank you ~. 무엇이라 감사의 말씀을 드려야 할지 모르겠습니다. ***strange*** 〔***curious***(***ly***)***, oddly***〕 ~ 기묘하게, 참 이상하게도.

en pas·sant [*F.* ɑ̃pɑːsɑ́ː] 《F.》 …하는 김에.

en·plane [enpléin] *vi.* 비행기에 타다. ↔ *deplane*.

enquire, etc. = INQUIRE, etc.

en·rage [enréidʒ] *vt.* 노하게 하다, 분격시키다《*at, by* …에; *with* (아무)에게 / *to* do / *that*》: His remarks ~*d* me. 그의 말로 나는 분격했다 / He was ~*d at* the insult. 그는 그 모욕에 분격했다 / He was ~*d with* me. 그는 나에게 몹시 화를 냈다 / He was ~*d to* hear the news. 그는 그 소식을 듣고 몹시 화를 냈다 / He was ~*d that* he was asked to leave. 그는 떠나라는 요청을 받고 노했다. [파] **~·d** *a.* 격노한. **~·ment** *n.*

en·rapt [enrǽpt] *a.* = ENRAPTURED.

en·rap·ture [enrǽptʃər] *vt.* 황홀케 하다, 도취시키다. ***be ~d over*** 〔***at***〕 …이 좋아서 어쩔 줄 모르다. [파] **~d** *a.* 도취된, 황홀해진.

***en·rich** [enrítʃ] *vt.* **1 부유하게 만들다**, 유복하게 하다: ~ a country 나라를 부유하게 하다. **2 넉넉하게〔풍부하게〕 하다**: ~ experience 경험을 넓히다. **3** 《~+[목]/+[목]+[전]+[명]》 (토지)를 비옥하게 하다《*with* …으로》: ~ soil *with* manure 비료로 땅을 비옥하게 하다 / Fertilizer ~*s* the soil. 비료는 토양을 비옥하게 한다. **4** 《+[목]+[전]+[명]》 (빛깔·맛 등)을 진하게 하다, 짙게 하다; (가치 따위)를 높이다; (음식)의 영양가를 높이다《*with* …으로》: ~ a book *with* notes 주석으로 책 내용을 보강하다. **5** 《+[목]+[전]+[명]》 꾸미다, 장식하다《*with* …으로》: ~ a room *with* flowers 방을 꽃으로 장식하다. [파] **~·ment** *n.*

enríched uránium 〖물리〗 농축 우라늄.

en·roll, -rol [enróul] (*-ll-*) *vt.* 등록하다, 명부에 기재하다; 입회〔입학, 입대〕시키다《*in* (모임·

학교 따위)에; **as** …으로서》: ~ a voter 선거인을 등록하다 / ~ a student *in* a college 학생을 대학 학적에 올리다 / ~ oneself *in* the army 육군에 입대하다 / I'd like to ~ you *as* a member of our club. 너를 우리 클럽 회원으로 하고 싶다. **—***vi.* 입회〔입학, 입대〕하다《**at, in** …에》; 등록하다《**in** …에; **as** …으로서》: ~ *in* the army 육군에 입대하다.

en·ról(l)·ment *n.* **1** Ⓤ 기재; 등록, 입대, 입학. **2** Ⓒ 등록〔재적〕자수: Our school has an ~ of 2,000 students. 우리 학교의 등록 학생수는 2,000 명이다.

en route [ɑːnrúːt] 《F.》 도중에; 도중의《**to, for** …에로의; **from** …으로부터의》: stop in Chicago ~ *to* 〔*from*〕 New York 뉴욕으로 가는 〔에서 오는〕 도중에 시카고에 들르다.

en·sconce [inskɑ́ns/-skɔ́ns] *vt.* 〖~ oneself〗 (편히) 앉다, 자리잡다《**on, in** …에》: He ~*d* him*self in* an armchair. 그는 안락의자에 편히 앉았다.

en·sem·ble [ɑːnsɑ́ːmbəl] *n.* 《F.》 Ⓒ **1** (보통 the ~) 총체(總體)《예술작품 따위의》; 종합적 효과. **2** 〖복식〗 전체적 조화; 갖춘 한 벌의 여성 복장, 앙상블. **3** 〖음악〗 앙상블《(1) 2부 이상으로 된 합창〔합주〕곡(의 연주자들). (2) 연주자 · 가수 · 무용수의 일단》: a brass ~ 금관악기의 합주단.

en·shrine [enʃráin] *vt.* 〖종종 수동태〗 모시다, 안치하다《**in** (신성한 곳)에》; 신성한 것으로 소중하게 여기다, 간직하다《**in** (마음)에》: ~ the nation's ideals 국가의 이상을 소중히 하다 / His love for her *is* ~*d* forever *in* his poetry. 그녀에 대한 그의 사랑은 그의 시에 영원히 간직되어 있다.

en·shroud [enʃráud] *vt.* **1** (시신에) 수의를 입히다. **2** 가리다, 덮다《★ 종종 수동태로 쓰며, 전치사는 *in, by*》: The hills *were* ~*ed in* mist. 산이 안개에 싸여 있었다.

en·sign [énsain, 〖군사〗 énsn] *n.* Ⓒ (선박 · 비행기의 국적을 나타내는) 기: ⇨ RED 〔WHITE〕 ENSIGN / the national ~ 국기.

en·si·lage [énsəlidʒ] *n.* Ⓤ 엔실리지《사일로(silo)에 생(生)목초 등을 신선하게 보존하는 방법》; 그 보존된 생목초. **—***vt.* = ENSILE.

en·sile [ensáil] *vt.* (목초)를 사일로(silo)에 저장하다.

en·slave [ensléiv] *vt.* 노예로〔포로로〕 하다, 예속시키다: be ~*d* by one's passions 격정에 사로잡히다 / ~ a person to superstition 아무를 미신의 노예가 되게 하다 / Her beauty ~*d* him. 그는 그녀의 아름다움에 사로잡혔다. ㊞ **~·ment** *n.*

en·snare [ensnέər] *vt.* 올가미로〔덫으로〕 잡다; 유혹하다; 빠뜨리다《**in, into** (함정 · 유혹 따위)에》.

en·sue [ensúː] *vi.* **1** 계속해서〔잇따라〕 일어나다. **2** 결과로서 일어나다《**from** …의》: Heated discussions ~*d*. 격론이 벌어졌다 / What will ~ *from* this? 이제부터 무엇이 일어날까.

en·sú·ing *a.* Ⓐ 다음의, 계속되는; 잇따라 일어나는, 결과로서 계속되는: during the ~ months 그 후 몇 달 동안 / in the ~ year 그 다음해에 / the war and the ~ disorder 전쟁과 그에 따른 혼란.

***en·sure** [enʃúər] *vt.* **1** 《~+목/+목+목/+목+전+명/+*that* 절》 …을 **책임지다**, 보장〔보증〕하다, (성공 등)을 확실하게 하다; (지위 등)을 확보하다: ~ the freedom of the press 출판〔보도〕의 자유를 보장하다 / It will ~ you success. 그것으로 성공은 확실하다 / ~ a post *to* 〔*for*〕 a person 아무에게 지위를 보증하다 / I can not ~ *that* he will keep his word. 그가 약속을 지킬는지 보증할 수 없다. **2** 《+목+전+명》 …을 안전하게 하다, 지키다《**against** (위험 따위)로부터》: ~ a person *against* danger 위험으로부터 아무를 지키다.

-ent [ənt] *suf.* **1** 동사에 붙여 형용사를 만듦: insist*ent*. **2** 동사에 붙여 행위자를 나타내는 명사를 만듦: superintend*ent*. ★ -ent는 본디 라틴어 현재분사의 어미.

ENT, E.N.T. ear, nose, and throat (이비인후(과)).

en·tab·la·ture [entǽblətʃər, -tʃùər] *n.* Ⓒ 〖건축〗 기둥(columns) 위에 건너지른 수평부(部)《위로부터 cornice, frieze, architrave의 세 부분으로 됨》.

en·tail [entéil] *vt.* **1** (필연적 결과로서) 수반하다, 필요로 하다: Liberty ~*s* responsibility. 자유는 책임을 수반한다 / Success ~*s* hard work. 성공에는 노력이 필요하다. **2** (노력 · 비용 따위)를 들게 하다, 부과하다《**on, upon** …에》: The undertaking ~*ed* great expense *upon* the government. 그 사업은 정부에 큰 경비를 부담시켰다. **3** 〖법률〗 (부동산의) 상속인을 한정하다《**on** …에》《★ 종종 수동태》: ~ one's property *on* one's eldest son 장남을 재산 상속인으로 삼다. **—***n.* 〖법률〗 **1** Ⓤ 한사(限嗣) 상속; Ⓒ 한사부동산권〔상속재산〕. **2** Ⓤ (관직 등의) 계승 예정 순위. ㊞ **~·ment** *n.*

***en·tan·gle** [entǽŋgl] *vt.* **1** 《~+목/+목+전+명》〖종종 수동태〗 **엉클어지게 하다**, 얽히게 하다《**in** …에》: get ~*d in* bushes 덤불에 걸리다 / A long thread *is* easily ~*d*. 긴 실은 얽히기 쉽다 / My foot ~*d* itself *in* the net. 한 쪽 발이 그물에 얽혔다. **2** 《~+목/+목+전+명》〖종종 수동태〗 빠뜨리다, 휩쓸려〔말려〕들게 하다《**in, with** (함정 · 곤란 따위)에》: *be* ~*d in* an affair 〔a plot〕 사건〔음모〕에 말려들다 / ~ a person *in* a conspiracy 〔an evil scheme〕 아무를 음모에 끌어넣다〔간계에 빠뜨리다〕 / *be* ~*d with* a woman 여자 일에 얽혀 들다〔관련되다〕 / He ~*d* him*self in* debt. 그는 부채로 꼼짝 못하게 됐다.

en·tán·gle·ment *n.* **1** Ⓤ 얽힘, 얽히게 함; Ⓒ (흔히 *pl.*) 분규, 연루(連累). **2** Ⓒ (흔히 *pl.*) 철조망.

en·tente [ɑːntɑ́ːnt] *n.* 《F.》 Ⓒ **1** (정부간의) 협정, 협상. **2** 〖집합적; 단 · 복수취급〗 협상국.

entente cor·diale [⌐kɔːrdjɑ́ːl] 《F.》 (두 나라 사이의) 화친 협정.

†**en·ter** [éntər] *vt.* **1** …에 **들어가다**; 〖법률〗 불법 침입하다: ~ a room 〔house〕 방〔집〕에 들어가다. **2** (가시 · 탄환 등이) …에 박히다: The bullets ~*ed* the wall. 총탄이 벽에 박혔다. **3** (새로운 생활 따위)를 시작하다, (새 시대)에 들어가다: ~ politics 〔the legal profession〕 정계〔법조계〕에 들어가다 / ~ a new era 새로운 시대로 접어들다. **4** (단체 따위)에 가입〔참가〕하다; …에 입회〔입학, 입대〕하다: ~ a school / ~ the army 군인이 되다 / ~ (《美》 the) hospital 입원하다. **5** (마음)에 떠오르다: The idea never ~*ed* his head. 그 생각은 그의 머리에 전혀 떠오르지 않았다. **6** 《~+목/+목+전+명》 **넣다**, 박다: ~ a wedge 쐐기를 박다 / ~ a nail *in* a pillar 기둥에

못을 박다. 7 《(+[목]+[전]+[명]》 **a** 가입〔참가〕시키다《**in, for** (경기 따위)에》; 입회〔입학〕시키다《**in, at** …에》: ~ students *for* the examination 학생에게 시험을 치르게 하다 / ~ a horse *for* the race 말을 경마에 내보내다 / ~ one's son *at* college 〔*in* school〕 자식을 대학〔학교〕에 입학시키다. **b** 〖~ oneself〗 참가 신청을 하다, 응모하다《**for** …에》: He decided to ~ him*self for* the examination. 그는 그 시험에 응시하기로 결심했다. **8** 《~+[목]/+[목]+[부]/+[목]+[전]+[명]》 (이름·날짜 등)을 기재〔기입〕하다; 등기하다, 등록하다: ~ a name 이름을 기입하다 / ~ (*up*) the sum *in* a ledger 〔book〕 대장〔장부〕에 그 금액을 기입하다. **9** 〖법률〗 (소송)을 제기하다. **10** 〖컴퓨터〗 (정보·기록·자료)를 넣다, 입력하다.

— *vi*. **1** 《~/+[전]+[명]》 들다, 들어가다《**at, by, through** (문 따위)로》: ~ *at* 〔*by*〕 the door 〔*through* the window〕 문〔창〕으로 들어가다 / May I ~ ? 들어가도 좋습니까. **2** (E-) 〖연극〗 (무대에) 등장하다. ↔ *exit*. ¶*Enter* Hamlet. 햄릿 등장《3인칭 명령법으로, 무대 지시》. **3** 《~/+[전]+[명]》 참가신청을 하다《**for** (경기 따위)에》: Some contestants *~ed*. 몇 명의 경기자가 참가를 신청했다 / ~ *for* an examination 수험을 신청하다. ◇entrance *n*.

~ into ① (관계 따위)를 맺다, …에 들어가다: ~ *into* business 실업계에 들어가다 / ~ *into* relations with …와 관계를 맺다 / ~ *into* a contract with …와 계약을 맺다. ② (일·담화·교섭 등)을 시작하다, 개시하다: ~ *into* explanations 설명을 시작하다 / ~ *into* service 근무를 시작하다, 근무하다. ③ …의 일부가 되다, 일부를 이루다, …의 요소가〔성원이〕 되다: subjects that do not ~ *into* the question 이 문제와 관계없는 사항. ④ (남의 마음·기분)에 공감〔동정〕하다, 관여하다; (분위기·재미 등)을 맛보다, …을 이해하다: She *~ed into* his feelings. 그녀는 그의 기분을 이해했다 / ~ *into* the spirit of … (행사 따위)의 분위기에 동화되다. ⑤ (세세한 점까지) 깊이 파고들다, 조사하다: ~ *into* detail 세부에까지 미치다〔조사하다〕. **~ on** 〔**upon**〕 ① (일 따위)에 착수하다, …을 시작하다: ~ *upon* one's duties 취임하다. ② (새로운 생활 따위)에 들어가다: ~ *on* one's fiftieth year, 50세에 접어들다.

en·ter·ic [entérik] *a*. 장(腸)의, 창자의: ~ fever 장티푸스.

en·ter·i·tis [èntəráitis] *n*. [U] 〖의학〗 장염(腸炎).

***en·ter·prise** [éntərpràiz] *n*. **1** [C] **기획**, 계획《특히 모험적인》. **2** [U] **기업**, 사업; [C] 기업체, 회사: government 〔private〕 ~ 공〔민간〕 기업 / small-to-medium-sized *~s* 중소 기업체. **3** [U] **진취적인 정신**, 기업심〔열〕; 모험심; 적극성: a man of ~ 진취성 있는〔적극적인〕 사람 / have a spirit of ~ 기업심〔진취적인 기상〕이 있다.
㊇ **-pris·er** *n*. [C] 기업가, 사업가.

én·ter·pris·ing *a*. 기업심〔모험심〕이 왕성한, 적극적인; (매우) 진취적인, 모험적인: an ~ businessman 기업심이 왕성한 사업가 / It was ~ *of* him *to* go by himself. 혼자 가다니 그도 어지간히 모험을 좋아하는군. ㊇ **~·ly** *ad*.

***en·ter·tain** [èntərtéin] *vt*. **1** 《~+[목]/+[목]+[전]+[명]》 **대접〔환대〕하다**《**with** …으로》; 초대하다《**at,** 《英》 **to** (식사 따위)에》: ~ guests *with* refreshments 다과를 내놓고 손님을 대접하다 / ~ a person *at* 〔《英》 *to*〕 dinner 아무를 식사에 초대하다. **2** 《~+[목]/+[목]+[전]+[명]》 **즐겁게 하다,** 위로하다《**with** …으로》: The movie will ~ you very much. 그 영화는 매우 재미있을 것이다 / ~ the company *with* 〔*by*〕 tricks 요술로 일동을 즐겁게 하다. **3 마음에 품다**, 생각하다: ~ a doubt 의문을 품다. **4** (신청 등)을 받아들이다, …에 응하다.
㊇ **~·er** *n*. [C] 환대자; 재미있는 사람; 《특히》 예능인; 접대하는 사람. **~·ing** *a*. 유쾌한, 재미있는. **~·ing·ly** *ad*.

‡**en·ter·tain·ment** [èntərtéinmənt] *n*. **1** [U] **대접, 환대**: ~ expenses 접대비, 사교비 / make preparations for the ~ of guests 손님 대접할 준비를 하다. **2** [C] 연회, 주연, 파티: a farewell ~ 송별연 / give an ~ 파티를 열다. **3** [U] 위로, 즐거움: find ~ in reading 독서를 즐거움으로 하다. **4** [U] (구체적으로는 [C]) 오락: a place 〔house〕 of ~ 오락장. **5** [C] **연예**, 여흥: theatrical *~s* 연극 / a musical ~ 음악회.

en·thrall, -thral [enθrɔ́ːl] (*-ll-*) *vt*. 매혹하다, 마음을 빼앗다; 사로잡다《★ 종종 수동태》: He *was ~ed* by her story. 그는 그녀의 이야기에 마음을 빼앗겼다. ㊇ **~·ing** *a*. **~·ment** *n*. [U] 매료, 매혹.

en·throne [enθróun] *vt*. **1** 왕좌〔왕위〕에 앉히다, 즉위시키다; 〖교회〗 bishop의 자리에 임명하다. **2** 받들다, 깊이 존경〔경애〕하다: Washington was *~d* in the hearts of his countrymen. 워싱턴은 국민의 경애의 대상이었다. ㊇ **~·ment** *n*. [U] 즉위; 성직 취임; [C] 즉위식, 성직 취임식.

en·thuse [inθjúːz, en-] *vt*., *vi*. 열광〔열중〕시키다〔하다〕; 감격시키다〔하다〕《**about, over** …에》.

***en·thu·si·asm** [enθjúːziæ̀zəm] *n*. **1** [U] **열심, 열중**, 열광, 의욕, 열의; 감격《**for, about** …에 대한》: He showed much ~ *for* our plan. 그는 우리의 계획에 강한 열의를 보였다. **2** [C] 열심의 대상, 열중시키는 것: His ~ is stamp collection. 그가 열중하고 있는 것은 우표 수집이다. [SYN.] ⇨PASSION.

en·thu·si·ast [enθjúːziæ̀st] *n*. [C] 열광자, 팬, …광(狂)《**for, about** …의》: a sports ~ = an ~ *for* sports 스포츠 팬.

***en·thu·si·as·tic, -ti·cal** [enθùːziǽstik], [-əl] *a*. **1 열심인**; 열광적인《**about, for, over** …에》: an ~ baseball fan 열광적인 야구팬 / She became ~ *about* 〔*over*〕 mordern drama. 그녀는 근대 연극에 열중하게 되었다. **2** 열성적인, 열렬한: an ~ welcome 열렬한 환영 [SYN.] ⇨EAGER. ㊇ **-ti·cal·ly** *ad*.

en·tice [entáis] *vt*. 꾀다, 유혹하다; 부추기다; (아무)를 부추겨 …시키다(*away*)《**from** …에서; **into** …으로 / **to** do》: be *~d* by dreams of success 성공의 꿈에 이끌리다 / ~ a girl *away from* home 소녀를 집에서 꾀어내다 / The smell of fish *~d* the cat *into* the kitchen. 생선 냄새에 이끌려 고양이가 부엌으로 들어왔다 / ~ a person *with* …으로 아무를 유혹하다 / She *~d* her husband *into* buy*ing* 〔*to* buy〕 her a diamond ring. 그녀는 남편을 부추겨 다이어몬드 반지를 사게 했다.

en·tíce·ment *n*. **1** [U] 유혹; 매력: He fell victim to her ~. 그는 그녀의 매력에 사로잡혔다. **2** [C] (흔히 *pl.*) 유혹물, 미끼: the *~s* of city life 도시 생활의 유혹물들.

en·tíc·ing *a*. 마음을 끄는, 매혹〔유혹〕적인.

㊞ ~·ly *ad*.

***en·tire** [entáiər] *a*. **1** Ⓐ **전체**〔전부〕**의**: the ~ city 시 전체/an ~ day 꼬박 하루/clean the ~ room 방을 구석구석 청소하다.

SYN. **entire** 부분 · 각 요소 따위에 빠지는 것이 없이 '전체의' 라는 뜻. **whole** entire보다 뜻이 좁으며, 분할되는 것이 없이 각 분단 등이 갖추어진 '전체의' 뜻을 나타냄.

2 Ⓐ **완전한**, 전적인: ~ freedom 완전한 자유/You have my ~ confidence. 자네를 전폭적으로 신뢰하고 있네. SYN. ⇨COMPLETE. **3** (물건이) 흠 없는, 온전한: The urn was unearthed ~. 그 항아리는 온전한 모양으로 발굴되었다. **4** Ⓐ (한 벌의 물건이) 전부 갖추어진: an ~ set of an encyclopedia 백과사전 한 세트. **—***n*. Ⓒ 거세하지 않은 말, 종마. ㊞ **~·ness** *n*.

***en·tire·ly** [entáiərli] *ad*. **1 아주, 완전히**; 《부정어구를 수반하여 부분 부정으로》 완전히 (…은 아니다): That's ~ wrong. 그것은 완전히 틀렸다/I am *not* ~ satisfied with the result. 결과에 전적으로 만족하고 있는 것은 아니다. **2** 오로지, 한결같이: His time was devoted ~ to his work. 그의 시간은 오로지 일에 바쳐졌다.

en·tíre·ty [-ti] *n*. **1** Ⓤ 완전, 모두 그대로임〔의 상태〕. **2** (the ~) 전체, 전액.

in its 〔***their***〕 ~ 전체로서; 완전히; 온전히 그대로: Hamlet *in its* ~ '햄릿' 전막 상연/He translated both books *in their* ~. 그는 두 책을 다 완전히 번역했다.

en·ti·tle** [entáitl] *vt*. 〔종종 수동태〕 **1** 《+목+보》 …에 **제목을 붙이다**, …에게 명칭을 부여하다: The book *is* ~*d* "Gulliver's Travels." 그 책은 '걸리버 여행기' 라는 제목이 붙여져 있다. **2** 《+목+전+명/+목+*to* do》 …에게 **권리를**〔**자격을**〕 **주다**《to*** …의》: This ticket ~*s* you *to* free drinks. 이 표가 있으면 무료로 음료를 마실 수 있다/He's ~*d to* a pension. 그는 연금을 받을 자격이 있다/*be* ~*ed to* enter the laboratory 연구실에 들어갈 권리가 주어져 있다.

㊞ **~·ment** *n*.

en·ti·ty [éntəti] *n*. **1** Ⓤ 실재, 존재. **2** Ⓒ 실재물(物), 존재물; (자주) 독립체: a legal ~ 법인/a political ~ 국가.

en·tomb [entúːm] *vt*. …을 무덤에 묻다, 매장〔매몰〕하다(bury). ㊞ **~·ment** *n*. Ⓤ (구체적으로는 Ⓒ) 매장; 매몰.

en·to·mo·log·ic, -i·cal [èntəməlɑ́dʒik/-lɔ́dʒ-], [-əl] *a*. 곤충학(상)의. ㊞ **-i·cal·ly** *ad*.

en·to·mol·o·gy [èntəmɑ́lədʒi/-mɔ́l-] *n*. Ⓤ 곤충학. ㊞ **-gist** *n*. Ⓒ 곤충학자.

en·tou·rage [ɑ̀ːnturɑ́ːʒ] *n*. 《F.》 Ⓒ 〔집합적; 단 · 복수취급〕 측근자, 수행원.

en·trails [éntreilz, -trəlz] *n*. *pl*. 내장; 장, 창자.

en·train [entréin] *vt*. (특히 군대)를 열차에 태우다. **—***vi*. 열차에 올라타다. ↔ *detrain*.

en·trance**[1] [éntrəns] *n*. **1** Ⓒ **입구, 출입구**, 현관《to*** …에의》: at the ~ 입구에서/the ~ *to* a schoolhouse 〔a tunnel〕. **2** Ⓤ (구체적으로는 Ⓒ) **들어감**, 입장; 입회, 입학, 입사; 입항《***to, into*** …에의》; 취임, 취업《***into, upon*** …으로의》; (배우의) 등장: an ~ examination 입학〔입사〕 시험/*Entrance* Free 《게시》 입장 무료/No *Entrance* 《게시》 입장 금지/one's ~ *into* 〔*upon*〕 a new life 새 생활의 출발/~ *into* college 대학 입학/one's ~ *into* office 취임/~ *into* a port 입항/make one's ~ (배우가) 등장하다. SYN. ⇨ ADMISSION. **3** Ⓤ 들어갈 기회; 입장권(權); 입장료: an ~ fee 〔money〕 입장료, 입회금(《美》 initiation fee)/have free ~ to …에 자유로이 출입이 허용되다. ◇enter *v*.

en·trance[2] [entrǽns, -trɑ́ːns] *vt*. (기쁨 · 경탄 등으로) 황홀하게 하다, 도취시키다《흔히 수동태로 쓰며, 전치사는 *at, by, with*》: Her beauty ~*d* him. 그녀의 아름다움이 그를 매료시켰다/I *was* ~*d with* the music. 나는 그 음악을 듣고 황홀해졌다.

en·tránce·ment *n*. Ⓤ 기뻐 어쩔 줄 모름, 광희; 실신 상태, 황홀경.

éntrance·wày *n*. Ⓒ 《美》 입구(의 통로).

en·tránc·ing *a*. 넋〔정신〕을 빼앗는, 황홀케 하는, 매혹적인: an ~ little girl. ㊞ **~·ly** *ad*.

en·trant [éntrənt] *n*. Ⓒ 들어가는〔오는〕 사람; 신입자, 신규 가입자《***to*** …에의》; 참가자《***for*** (경기 따위에)의》: an illegal ~ 불법 입국자.

en·trap [entrǽp] (**-pp-**) *vt*. 올가미에 걸리게 하다; 빠뜨리다《***to, into*** (함정 따위)에》; 속여 … 시키다《***into*** …하도록》: ~ a person *to* destruction 아무를 함정에 빠뜨리어 파멸로 이끌다/He ~*ped* her *into* making confession. 그는 그녀를 유도하여 자백시켰다/He was ~*ped into* undertaking the work. 그는 속아서 그 일을 떠맡았다. ㊞ **~·ment** *n*. Ⓤ 〖법률〗 함정 수사.

en·treat** [entríːt] *vt*. 《+목+전+명/+목+*to* do》 **1** …에게 **탄원하다**, 간청하다《for*** …을/***to*** do》: "Let me go," he ~*ed*. "보내 주세요"라고 그는 간청했다/~ a person *for* mercy 〔*to* have mercy〕 아무에게 간절히 자비를 간청하다/I ~ you *to* let me go. 제발 가게 해 주십시오. SYN. ⇨BEG. **2** 《~+목/+목+전+명》 **원하다**, 간절히 부탁하다《***of*** (아무)에게》: He ~*ed* help in his homework. 그는 숙제를 도와 달라고 부탁했다/I ~ this favor *of* you. 제발 이 소원을 들어 주십시오. ㊞ **~·ing** *a*. 간원〔애원〕하는 (듯한), 탄원하는 (듯한). **~·ing·ly** *ad*. 간원〔애원〕하듯이, 간절하게.

en·treaty [entríti] *n*. Ⓤ (구체적으로는 Ⓒ) 애원, 탄원, 간청: a look of ~ 애원하는 표정/reject 〔grant〕 their *entreaties* 그들의 간청을 거절하다〔받아들이다〕.

en·trée, en·tree [ɑ́ːntrei, -⌐] *n*. 《F.》 **1** Ⓤ (구체적으로는 Ⓒ) 출장(出場), 입장(허가); 입장권(權); Ⓒ 참가〔가입〕의 계기(가 되는 것): have the ~ of a house 집에 자유로이 출입할 수 있다/The product was our ~ into the U.S market. 그 제품은 우리가 미국 시장에 진출하는 계기가 되었다. **2** Ⓒ 앙트레 (《英》 생선이 나온 다음 구운 고기가 나오기 전에 나오는 요리; 《美》 주요리).

en·trench [entréntʃ] *vt*. **1** 〔보통 수동태〕 참호로 에워싸다〔지키다〕: The enemy *were* ~*ed* beyond the hill. 적은 언덕 너머에 참호를 구축하고 있었다. **2** 〔~ oneself〕 참호를 파서 몸을 숨기다; 자신을 지키다, 자기 입장을 지키다《***against*** …에 대하여; ***behind*** …뒤에서》: The army ~*ed* them*selves* near the shore. 군대는 바닷가에 참호를 파고 잠복했다/They ~*ed* them*selves* *behind* a wall of tradition. 그들은 전통을 내세워 자기들 입장을 고수했다.

—*vi*. 참호를 파다; 참호에 몸을 숨기다; 침해하다《***on, upon*** …을》. ㊞ **~·ment** *n*. Ⓤ 참호 구축 작업; Ⓒ 참호를 갖춘 진지.

en·tre nous [à:ntrənú:] ⦅F.⦆ 우리끼리의〔비밀〕 얘기지만(between ourselves).
en·tre·pre·neur [à:ntrəprənə́:r] *n.* ⦅F.⦆ [C] (보통 독창적이고 모험적인) 실업가, 기업가, 사업주; 중개자. ★ 특정한 사업의 기획·실행자는 undertaker. [파] **~·i·al** *a.* **~·ship** [-ʃip] *n.* [U] 기업가 정신.
en·tro·py [éntrəpi] *n.* [C] **1** 엔트로피. **a** 〖물리〗 물체의 열역학적 상태를 나타내는 양. **b** 〖정보이론〗 정보 전달의 효율을 나타내는 양. **2** 균질성; (질의) 저하, 붕괴.
◇**en·trust** [entrʌ́st] *vt.* …을 맡기다, 위임하다 ⦅***to*** (아무)에게⦆; …에게 맡기다, 위임하다⦅***with*** (책임·임무 따위)를⦆: ~ a person *with* a task = ~ a task *to* a person 임무를 아무에게 위임하다 / ~ a person *with* a secret 아무를 신용하여 비밀을 밝히다 / ~ a large sum of money *to* a person 큰돈을 아무에게 맡기다.
⁑**en·try** [éntri] *n.* **1** [U] (구체적으로는 [C]) **들어감, 입장; 참가**, 가입; (배우의) 등장; [U] 입장권(權): The army made a triumphant ~ *into* the city. 군대는 의기양양하게 도시로 들어갔다 / a developing nation's ~ *into* the UN 발전 도상국의 UN 가입 / have free ~ *to* …에 자유로 들어갈 수 있다 / No ~. ⦅게시⦆ 들어가지 마시오, 진입 금지. **2** [C] 입구, 현관. **3** [U] (구체적으로는 [C]) **기입, 기재**; 등록, 등기; 기재 사항; (경기 등의) 참가 등록: make an ~ of an item 사항을 기입〔등록〕하다 / an ~ *in* the family register 입적(入籍) / ⇨ DOUBLE 〔SINGLE〕 ENTRY. **4** [C] (사전 등의) 표제어(= ∠ **wòrd**): author 〔subject〕 *entries* (도서관의) 저자명〔건명〕 목록. **5** [C] 〖종종 집합적〗 참가자⦅***for, of*** (경기 등에)의⦆: The *entries* from one school are limited to five players. 한 학교의 참가 선수 수는 5명에 한한다 / There was a large ~ *for* the contest. 콘테스트의 참가자가 다수 있었다. **6** [C] 〖컴퓨터〗 어귀, 입구. **7** [U] 〖법률〗 (토지·가옥의) 출입, 점유 행위.
éntry fòrm 〔⦅美⦆ **blànk**〕 (경기 따위의) 참가 등록 용지.
éntry-lèvel *a.* 미숙련 노동자 대상의; 초보적인.
éntry vìsa 입국 사증.
éntry·wày *n.* [C] (건물 안으로의) 통로, 입구.
en·twine [entwáin] *vt.* **1** 휘감다, 얽히게 하다 ⦅***with*** …을; ***about, around, round*** …주위에⦆: ~ a post *with* a rope = ~ a rope *around* a post 기둥에 밧줄을 휘감다 / The oak was ~*d with* ivy. 참나무에는 담쟁이 덩굴이 휘감겨 있었다 / A creeper was ~*d* (*a*)*round* 〔*about*〕 the pillar. 담쟁이가 기둥에 얽혀 있었다. **2** (화환(花環) 등)을 엮다, 짜다.
É nùmber E넘버⦅EU의 규정에 따른 식품 첨가물의 인가 번호⦆. [◂*E*urope+*number*]
◇**enu·mer·ate** [injú:mərèit] *vt.* 일일이 들다〔세다〕, 열거〔매거〕하다; 세다: The errors are too many to ~. 틀린 것이 너무 많아 일일이 열거할 수 없다.
[파] **enù·mer·á·tion** *n.* [U] 계산, 일일이 셈〔듦〕, 열거, 매거; [C] 목록, 일람표. **enú·merative** [-rèitiv, -rət-] *a.* 계수(計數)상의, 열거의〔하는〕.
enun·ci·ate [inʌ́nsièit, -ʃi-] *vt., vi.* **1** (학설 따위를) 발표하다; (이론·제안 따위를) 선언하다. **2** (똑똑하게) 발음하다. [파] **enún·ci·a·ble** *a.* 발음할 수 있는.
enùn·ci·á·tion *n.* **1** [U] 발음 (방법). **2** [U] (구체적으로는 [C]) 공표, 선언, 언명⦅***of*** (이론 따위)의⦆.
en·u·re·sis [ènjurí:sis] *n.* [U] 〖의학〗 유뇨(遺尿)(증): nocturnal ~ 야뇨증.
env. envelope; envoy.
◇**en·vel·op** [envéləp] (*p.*, *pp.* **~ed; ~ing**) *vt.* 싸다, 봉하다; 덮(어 가리)다⦅***in*** …에, …속에⦆: The long cape ~*ed* the baby completely. 긴 망토로 아기를 폭 쌌다 / be ~*ed in* mystery 수수께끼에 싸여 있다 / ~ oneself *in* a blanket 모포를 두르다. [파] **~·ment** *n.* [U] 쌈, 봉하기; 포위.
⁑**en·ve·lope** [énvəlòup, á:n-] *n.* [C] **1 봉투**: seal 〔open〕 an ~ 봉투를 봉하다〔열다〕. **2** 싸개, 덮개, 외피; (비행선·기구 등의) 기낭(氣囊).
en·ven·om [invénəm] *vt.* **1** …에 독을 넣다, 독을 바르다. **2** …에 독기〔적의(敵意), 증오〕를 띠〔품〕게 하다: ~*ed* words 독설.
en·vi·a·ble [énviəbəl] *a.* 부러운, 탐나는, 바람직한. [파] **~·ness** *n.* **-bly** *ad.* 부럽게.
*__en·vi·ous__ [énviəs] *a.* **샘〔부러워〕하는**⦅***of*** …을⦆; 질투심이 강한: be ~ *of* a person's success 아무의 성공을 (시)샘하다 / ~ looks 부러운 듯한 표정. ◇envy *v.* [파] **~·ly** *ad.* 부러운 듯이, 시기하여.
en·vi·ron [inváiərən] *vt.* 둘러〔에워〕싸다, 포위하다⦅★ 종종 수동태로 쓰며, 전치사는 *by, with*⦆: a town ~*ed by* 〔*with*〕 forests 숲으로 둘러싸인 도시 / *be* ~*ed by* hills 언덕으로 둘러싸여 있다. [SYN.] ⇨ SURROUND.
*__en·vi·ron·ment__ [inváiərənmənt] *n.* **1** [U] (구체적으로는 [C]) **주위의 상황**; (생태학적·사회적·문화적인) **환경**: social ~ 사회적 환경 / one's home ~ 가정 환경. **2** (the ~) 자연 환경: protect the ~ 자연 환경을 보호하다.
en·vi·ron·men·tal [invàiərənméntl] *a.* 주위의; 환경의: ~ destruction 〔pollution〕 환경 파괴〔오염〕 / ~ preservation 환경 보전 / an ~ group 환경 보호 단체. [파] **~·ly** *ad.*
environméntal árt 환경 예술⦅관객을 포함하는 종합 예술⦆.
en·vì·ron·mén·tal·ìsm *n.* [U] 환경론; 환경 보전주의.
en·vì·ron·mén·tal·ist *n.* [C] 환경(보호)론자; 환경 문제 전문가.
environméntally-fríendly *a.* = ENVIRONMENT-FRIENDLY.
environméntal scíence 환경 과학.
envíronment-fríendly *a.* 환경 친화적인.
en·vi·rons [inváiərənz, énviərənz] *n. pl.* 주변(의 지역), (도시의) 근교, 교외(郊外): Seoul and its ~ 서울과 그 근교.
en·vis·age [invízidʒ] *vt.* (미래의 일·상황 따위)를 마음 속에 그리다, 상상하다, 예상하다 ⦅***that***⦆: She ~*d* her married life as a bed of roses. 그녀는 마음속으로 결혼 생활을 안락한 생활이라고 생각했다 / He ~*d living* in London. 그는 런던의 생활을 마음속에 그려보았다 / He ~*d that* she would eventually marry him. 그는 그녀가 결국은 자기와 결혼할 것이라고 예상했다.
en·vi·sion [invíʒən] *vt.* = ENVISAGE.
en·voi [énvɔi, á:n-] *n.* = ENVOY².
en·voy¹ [énvɔi, á:n-] *n.* [C] (외교) 사절, 특사(特使); 특명 전권 공사: an *Envoy* Extraordinary (and Minister Plenipotentiary) 특명 전권 공사 / an Imperial ~ 칙사 / a peace ~ 평화 사절.

en·voy² *n.* [C] (시의) 결구(結句); 발문(跋文).

en·vy** [énvi] *n.* **1** [U] **질투, 부러움,** 시기, 샘, 시샘《at, of, toward*** …에의, …을》: be green with ~ (얼굴색이 변할 정도로) 몹시 부러워하다 / be in ~ *at* 〔*of*〕 …을 샘〔부러워〕하다 / feel ~ *at* 〔*of*〕 …을 부러워하다 / out of ~ 부러운 나머지, 질투가 원인이 되어. **2** (the ~) **선망의 대상,** 부러운 것〔사람〕: His new sports car was the ~ of all. 그의 새 스포츠카는 모두가 부러워했다. ◇ enviable, envious *a.*

— *vt.* 《~+[목]/+[목]+[목]/+[목]+[전]+[명]/+[목]+*-ing*》 **부러워하다,** 샘하다, 질투하다《***for, on account of, because of*** …때문에》. ★ envy 바로 뒤에는 *that*-clause를 쓰지 않음. ¶He *envied* my success. 그는 나의 성공을 부러워했다 / I ~ you your beautiful wife. 나는 자네의 아름다운 부인이 부럽다 / I ~ him *for* his good fortune. 그의 행운이 부럽다 / I do not ~ you the task. 너의 그 일이 내 일이 아니어서 기쁘다 / I ~ him 〔his〕 *going* abroad. 나는 그의 외국행을 부럽게 생각한다.

en·wrap [inrǽp] (*-pp-*) *vt.* **1** 《문어》 싸다, 두르다; 휩싸다《***in*** …에》. **2** 열중시키다《***in*** …에》.

en·wreathe [inríːð] *vt.* 《문어》 …에 화환을 두르다.

en·zyme [énzaim] *n.* [C] 【화학】 효소(酵素).

Eo·cene [íːəsìːn] 【지질】 *a.* (제3기) 에오세(世)의. —*n.* (the ~) 에오세.

EOF 【컴퓨터】 end-of-file《파일 끝에 붙이는 표시》.

Eo·li·an [i(ː)óuliən] *a.* =AEOLIAN.

eon ⇨AEON.

Eos [íːɑs/-ɔs] *n.* 【그리스신화】 에오스《새벽의 여신》.

eo·sin, -sine [íːəsin], [-si(ː)n] *n.* [U] 【화학】 에오신《선홍색의 산성 색소 · 분석 시약; 세포질의 염색 따위에 쓰임》.

eo·sin·o·phil, -phile [ìːəsínəfil], [-fàil] *n.* [C] 【생물】 호산구(好酸球).

EOT 【컴퓨터】 end of tape 〔task, text, transmission〕.

-e·ous [iəs] *suf.* 형용사 어미 -ous의 변형: beaut*eous*.

EP [íːpíː] *n.* [C] 이피〔도넛〕판 레코드《1분간 45 회전》. [cf.] LP, SP. [◂*e*xtended *p*lay (record)]

Ep. Epistle. **EPA** Environmental Protection Agency (미국 환경 보호국).

ep·au·let(te) [épəlèt, -lit] *n.* [C] (장교 정복의) 견장.

épée, epee [eipéi, épei] *n.* 《F.》 [C] 【펜싱】 에페《끝이 뾰족한 경기용 칼; 이 칼로써 겨루는 경기》.

ephed·rine, -rin [ifédrin, éfidrìːn], [eféd-rin] *n.* [U] 【약학】 에페드린《감기 · 천식 등의 약》.

ephem·er·al [ifémərəl] *a.* 하루밖에 못 가는 〔못 사는〕《곤충 · 꽃 따위》, 하루살이의; 단명한; 순간의, 덧없는: ~ popularity 순간적인 인기. [파] ~·**ly** *ad.* ~·**ness** *n.*

Ephe·sian [ifíːʒən] *n.* (the ~s) 〖단수취급〗 【성서】 에베소서(書)《신약성서 중의 한 편; 생략: Eph., Ephes.》.

Eph·e·sus [éfəsəs] *n.* 에베소《소아시아의 옛 무역 도시; Artemis 〔Diana〕 신전이 있음》.

ep·i- [épi, épə] *pref.* '위, 그 위, 외(外)'의 뜻.

ep·ic [épik] *n.* [C] 서사시, 사시(史詩)《영웅의 업적 · 민족의 역사 등을 노래한 장시(長詩)》; 서사시적 소설〔영화 따위〕. [cf.] lyric. —*a.* 서사시의, 사시(史詩)의; 웅장한, 영웅적인; 엄청나게 큰, 대규모인: an ~ poet 서사시인.

ep·i·carp [épəkɑ̀ːrp] *n.* [C] 【식물】 외과피(外果皮).

ep·i·cen·ter, 《英》 **-tre** [épisèntər] *n.* [C] 【지질】 (지진의) 진앙(震央), 진원지(震源地)《진원의 바로 위의 지점》.

ep·i·cure [épikjùər] *n.* [C] 미식가, 식도락가.

Ep·i·cu·re·an [èpikjuríːən, -kjú(ː)ri-] *a.* **1** Epicurus의; 에피쿠로스학파(學派)의. **2** (e-) 쾌락주의의; 식도락의. —*n.* [C] Epicurus 설(說) 신봉자; (e-) 쾌락주의자; (e-) 미식가(美食家). [파] ~·**ism** *n.* [U] Epicurus의 철학; (e-) 쾌락주의; (e-) 식도락.

Ep·i·cur·ism [épikjurìzəm] *n.* =EPICUREANISM.

Ep·i·cu·rus [èpikjúərəs] *n.* 에피쿠로스《쾌락을 인생 최대의 선(善)이라 한 고대 그리스의 철학자; 342?-270 B.C.》.

◇**ep·i·dem·ic** [èpədémik] *n.* [C] 유행병〔전염병〕의 발생; (사상 · 전염병 따위의) 유행: There is an ~ of cholera reported. 콜레라가 돈다는 보도가 나왔다 / an ~ of terrorism 다발(多發)하는 테러 행위. —*a.* **1** 유행병〔전염병〕의. [cf.] endemic. **2** 유행하고 있는《사상 따위》. [파] **-i·cal** *a.* =EPIDEMIC. **-i·cal·ly** *ad.*

ep·i·der·mal, -mic [èpədə́ːrməl], [-mik] *a.* 표피의, 외피의: ~ tissue 표피 조직.

ep·i·der·mis [èpədə́ːrmis] *n.* [U] (종류는 [C]) 【해부 · 생물】 표피, 외피(外皮); 세포성 외피.

ep·i·du·ral [epədjúərəl] *a.* 【해부】 경막외(硬膜外)의.

ep·i·glot·tis [èpəglɑ́tis/-glɔ́t-] *n.* [C] 【해부】 후두개(喉頭蓋), 후두개(연골(軟骨)).

ep·i·gone, -gon [épəgòun], [-gɑ̀n/-gɔ̀n] *n.* [C] **1** (조상보다 못한) 자손. **2** (문예 · 사상 따위의) 아류(亞流), 모방자.

ep·i·gram [épigræ̀m] *n.* [C] 경구(警句); (짧은) 풍자시. [cf.] aphorism. [SYN.] ⇨SAYING.

ep·i·gram·mat·ic, -i·cal [èpigrəmǽtik], [-əl] *a.* 경구(警句)의; 풍자(시)의; 경구투의. [파] **-i·cal·ly** *ad.* 경구투로.

èp·i·grám·ma·tist *n.* [C] 경구가(家); 풍자 시인.

ep·i·graph [épigræ̀f, épigrɑ̀ːf] *n.* [C] (묘비 · 동상 따위의) 비문, 비명; (서책 등의) 제사(題詞).

epig·ra·phy [epígrəfi] *n.* [U] **1** 〖집합적〗 비문, 비명(碑銘). **2** 비명 연구, 금석학(金石學).

ep·i·late [épəlèit] *vt.* …에서 탈모(脫毛)하다, 털을 제거하다(depilate). [파] **èp·i·lá·tion, ép·i·là·tor** *n.*

ep·i·lep·sy [épəlèpsi] *n.* [U] 간질: a fit of ~ 간질 발작.

ep·i·lep·tic [èpəléptik] *a.* 지랄병의, 간질의. —*n.* [C] 지랄병 환자. [파] **-ti·cal·ly** *ad.*

ep·i·log, -logue [épilɔ̀ːg, -lɑ́g/épilɔ̀g] *n.* [C] (문학 작품의) 발문(跋文), 결어(結語); 【연극】 끝맺음말(을 하는 배우); 종막(終幕), 에필로그. ↔ *prologue.*

Epiph·a·ny [ipífəni] *n.* **1** (the ~) 【가톨릭】 예수 공현(公顯)《특히 예수가 이방인인 세 동방박사를 통하여 메시아임을 드러낸 일》. **2** (e-) [C] 본질(적 의미)의 돌연한 현현〔지각〕; 직관적인 진실 파악.

ep·i·phyte [épəfàit] *n.* Ⓒ 〖식물〗 착생(着生) 식물. ㊕ **ep·i·phyt·ic** [èpəfítik], **-phýt·al** *a.* 착생의.

epis·co·pa·cy [ipískəpəsi] *n.* **1** Ⓤ 〖기독교〗 감독〔주교〕 제도《bishop, priest, deacon의 세 직을 포함하는 교회 정치 형태》. **2** Ⓤ (the ~) 〖집합적; 단·복수취급〗 감독〔주교〕단.

epis·co·pal [ipískəpəl] *a.* **1** 감독〔주교〕(제도)의; episcopacy를 주창하는. **2** (E–) 감독파(派)의, 영국국교회파의.

Epis·co·pa·lian [ipìskəpéiljən, -liən] *a.* =EPISCOPAL. **—***n.* Ⓒ 감독파의 사람, 감독 교회원.

◇**ep·i·sode** [épəsòud, -zòud] *n.* Ⓒ **1** (소설·극 따위 속의) 삽화(揷話), 에피소드. **2** (사람의 일생 또는 경험 중의) 일련의 삽화적인 사건. **3** 〖TV·라디오〗 연속물의 1회분: the last week's ~ 지난 주 (방송)분.

ep·i·sod·ic, -i·cal [èpəsádik/èpisɔ́d-], [-əl] *a.* 에피소드적인; 삽화(揷話)로 이루어진; 일시적인; 우연적인. ㊕ **-i·cal·ly** *ad.*

epis·te·mo·log·i·cal [ipìstəməládʒikəl/-mələ́dʒ-] *a.* 인식론(상)의. ㊕ **~·ly** *ad.*

epis·te·mol·o·gy [ipìstəmálədʒi/-mɔ́l-] *n.* Ⓤ 〖철학〗 인식론. ㊕ **-gist** *n.* Ⓒ 인식론 학자.

epis·tle [ipísl] *n.* **1** Ⓒ 《문어·우스개》 (특히 격식차린) 편지, 서한; 서한체의 시(詩). **2** (the E–) (신약성서 중의) 사도 서간(使徒書簡); (the E–) 서간경(書簡經)《성체 성사에서 낭독하는 사도 서간의 발췌》: the *Epistle* of Paul to the Romans 로마서(書).

epis·to·lary [ipístəlèri/-ləri] *a.* Ⓐ 편지〔서간〕의〔에 의한〕; 서한체의: an ~ novel 서한체 소설.

ep·i·taph [épətæ̀f, -tɑ̀ːf] *n.* Ⓒ 비명(碑銘), 비문; 비문체의 시〔산문〕.

ep·i·tha·la·mi·um [èpəθəléimiəm] (*pl.* **~s, -mia** [-miə]) *n.* Ⓒ 결혼 축시〔축가〕.

ep·i·thet [épəθèt] *n.* Ⓒ 성질·속성을 나타내는 형용사〔형용어구〕; 별명, 통칭, 통명《보기: the *crafty* Ulysses, Richard the *Lion-Hearted*》; 모멸적인 말.

epit·o·me [ipítəmi] *n.* (the ~) 축도(縮圖), 전형: man, the world's ~ 세계의 축도인 인간/He's the ~ *of* diligence. 그는 전형적인 근면가이다. ***in*** **~** 요약〔축소〕한 형으로.

epit·o·mize [ipítəmàiz] *vt.* …을 집약적으로 보이다, …의 축도〔전형〕이다: Shylock ~*s* greed. 샤일록은 욕심쟁이의 전형이다.

e plu·ri·bus unum [ìː-plúːribəs-júːnəm] 《L.》 (=one out of many) 다수로 이루어진 하나《미합중국의 표어》.

*****ep·och*** [épək/íːpɔk] *n.* Ⓒ **1** (획기적인) **시대**: a great ~ in history 역사상 획기적인 시대. SYN. ⇨PERIOD. **2** (역사·정치 등의) **신기원**, 새 시대: make 〔mark, form〕 an ~ 신기원을 이루다. **3** 〖지질〗 세(世)《연대 구분의 하나로 period (기(紀))보다 작고 age (기(期))보다 큼》. **4** 획기적인 사건, 중요한 사건.

ep·och·al [épəkəl/ épɔk-] *a.* 신기원의; 획기적인: an ~ event 획기적인 사건.

époch-màking *a.* 획기적인, 신기원을 이루는 (epochal): an ~ discovery 획기적인 발견.

ep·o·nym [épounìm] *n.* Ⓒ 이름의 시조《인종·토지·시대 따위의 이름의 유래가 되는 인물; Rome의 유래가 된 Romulus 따위》. ㊕ **ep·on·y·mous** [ipánəməs/ipɔ́n-] *a.* 이름의 시조가 되는; 시조의 이름을 붙인.

ep·oxy [epáksi/epɔ́k-] *a.* 〖화학〗 에폭시의《산소 원자가 동일 분자 내의 2원자의 탄소와 결합하고 있는 구조의 기(基)를 가진》: ~ resin 에폭시 수지(樹脂). **—***n.* Ⓤ (제품·종류는 Ⓒ) 에폭시(수지)《도료·접착제용》.

EPROM [íːprɑm/-rɔm] 〖컴퓨터〗 erasable programmable read-only memory (이피롬; PROM의 일종으로 일단 기억시킨 내용을 소거(消去)하고 다른 데이터를 기억시킬 수 있는 LSI).

ep·si·lon [épsəlɑ̀n/epsáilən] *n.* Ⓤ (구체적으로는 Ⓒ) 엡실론《그리스어 알파벳의 5번째 글자 *E*, ε; 영자 단음의 E, e에 해당》.

Ep·som [épsəm] *n.* 영국 Surrey주의 도시《Epsom 경마장이 유명함》.

Épsom sàlt(s) 황산마그네슘《하제용(下劑用)》.

eq. equal; equation; equator; equivalent.

eq·ua·ble [ékwəbəl, íːk-] *a.* **1** 균등한, 한결같은. **2** (기온·온도 등이) 변화가 없는〔적은〕: an ~ climate 온화한 기후. **3** (마음이) 고요한, 평온한: an ~ disposition 온화한 성격. ㊕ **-bly** *ad.* **~·ness** *n.* =EQUABILITY. **èq·ua·bíl·i·ty** *n.* Ⓤ 균등성, 한결같음; (기분·마음의) 평정, 침착.

‡**equal** [íːkwəl] *a.* **1** 같은, 동등한《***to, with*** …와》, (힘이) 호각의: Twice 2 is ~ *to* 4. 2의 2배는 4; 2×2=4. SYN. ⇨SAME. **2** Ⓟ **적당한, 대처할 수 있는**, (충분한) 역량이 있는《***to*** (임무 따위)에》: He is ~ *to* the task. 그는 충분히 그 일을 할 수 있다/He was ~ *to* the occasion 〔situation〕. 그는 그 경우에 잘 대처했다. **3** (양·정도가) 충분한《***to*** …에》: The supply is ~ *to* the demand. 수요에 응할 만큼의 공급이 있다. **4** 평등〔균등, 대등〕한《***with*** …와》: receive ~ shares 균등한 몫을 받다/All men are ~. 모든 사람은 평등하다/ on ~ terms *with* …와 대등한 조건으로.

other things being ~ 다른 조건이 같다면: *Other things being* ~, the shortest answer is the best. 다른 조건이 같다면 가장 짧은 답이 제일 좋다.

—*n.* Ⓒ **1** (지위 따위의) **동등자**, 대등한 사람; 동배(同輩); 동등한 것: one's social ~*s* 자기와 사회적으로 동등한 사람들/mix with one's ~*s* 같은 또래와 교제하다. **2** 필적하는 사람〔것〕《***in*** (역량 따위)에서》: She has no ~ *in* cooking. 요리에 있어서는 그 여자를 따를 사람이 없다. ***without (an) ~*** 필적할 사람이 없는, 출중하여.

— (**-l-,** 《英》 **-ll-**) *vt.* 《~+목/+목+전+명》 …와 같다; …에 필적하다, …에 못지않다《***in*** …점에서; ***as*** …로서》: Four times six ~*s* twenty-four. 4×6은 24/Few can ~ him *in* intelligence. 총명함에 있어서는 그에게 필적할 자가 별로 없다/Nobody can ~ him *as* a marathon runner. 마라톤 주자로서 그에게 필적할 사람은 아무도 없다.

equal·i·tar·i·an [i(ː)kwɑ̀lətέəriən/-kwɔ̀l-] *a., n.* =EGALITARIAN.

*****equal·i·ty*** [i(ː)kwɑ́ləti/-kwɔ́l-] *n.* Ⓤ **같음; 동등; 대등; 평등; 균등**: ~ of size 크기가 같은 것/claim racial ~ 인종의 평등을 주장하다/~ of opportunity 기회의 균등/~ between the sexes 남녀 동등권. ***on an ~ with*** (사람이) …와 대등한 입장에서; (사물이) …와 동등하게, 동격으로.

equal·ize [íːkwəlàiz] *vt.* 같게 하다; 평등[동등]하게 하다《*to, with* …와》; 한결같이 하다; 《특히》 균등히 분배하다; 평준화하다: ~ tax burdens 세부담을 균등하게 하다. **—*vi.*** 동등해[같아]지다; 《英》 (경기에서) 동점이 되다《*with* (상대)와》: Our team ~*d with* theirs. 우리 팀은 그들의 팀과 동점이 되었다. ㊞ **èqual·i·zá·tion** *n.* Ⓤ 평등[균일]화.

équal·iz·er *n.* Ⓒ 평등하게 하는 사람[것]; 〖경기〗 동점타(打)[골 따위]; 평형 장치; 《속어》 총.

***equal·ly** [íːkwəli] *ad.* **1 같게, 동등하게**: They are ~ good. 어느 것[쪽]도 다 좋아 우열을 매길 수 없다. **2 평등하게**, 균등하게: treat ~ 차별 없이 다루다 / The property was divided ~ among the heirs. 재산은 상속인들간에 균등하게 분배되었다. **3** 〖접속사적; 앞 문장과 대립관념을 나타내는 문 중에서〗 동시에, 또: Industrialization brought us great material comfort and, ~, great environmental pollution. 공업화는 우리에게 커다란 물질적 안락을 가져왔지만, 동시에 커다란 환경오염도 초래했다.

Équal Emplòyment Opportúnity Commìssion (the ~) 《美》 고용 기회 균등 위원회 《생략: EEOC》.

Équal Opportúnities Commìssion (the ~) 《英》 기회 균등 위원회《생략: EOC》.

Équal Ríghts Amèndment (the ~) 《美》 남녀평등 헌법 수정안《생략: ERA》.

équal(s) sìgn 같음표, 등호《=》.

equa·nim·i·ty [ìːkwənímәti, èk-] *n.* Ⓤ (마음의) 평정(平靜); 침착; 냉정: with ~ 침착하게, 태연히.

equate [ikwéit] *vt.* (2개의 것)을 같다고 표시하다, 같다고 (생각)하다《*to, with* …와》; 〖수학〗 등식화하다, 방정식으로 나타내다: ~ religion *with* churchgoing 신앙과 교회에 가는 것을 동일시하다 / Can we ~ theft and robbery? 절도와 강도를 같다고 생각할 수 있느냐.
㊞ **equát·a·ble** *a.*

equa·tion [i(ː)kwéiʒən, -ʃən] *n.* **1** Ⓤ (또는 an ~) 같게 함, 균등화; 동일시; 평형 상태: the ~ of supply and demand 수요와 공급의 균형(화) / the ~ of wealth *with* [and] happiness 부(富)가 즉 행복이라고 보는 것. **2** Ⓒ 〖수학·화학〗 방정식: a chemical ~ 화학 방정식 / an ~ of the first [second] degree 1차[2차] 방정식 / solve an ~ 방정식을 풀다.

e·qua·tion·al [iːkwéiʒənəl, -ʃənəl] *a.* 균등[동등]의; 방정식의.

***equa·tor** [ikwéitər] *n.* (the ~) **적도**: right on the ~ 적도 직하에서[의].

eq·ua·to·ri·al [èkwətɔ́ːriəl, ìːk-] *a.* 적도의, 적도 부근의; 몹시 더운.

Equatórial Guínea (the ~) 적도 기니《적도 아프리카 중서부의 공화국; 수도 Malabo》.

eq·uer·ry [ékwəri] *n.* Ⓒ (영국 왕실의) 시종 무관.

eques·tri·an [ikwéstriən] *a.* Ⓐ 마술(馬術)의; 기마[승마]의: ~ events 마술 경기 / an ~ statue 승마상(像). **—*n.*** (*fem.* **-tri·enne** [ikwèstrién]) Ⓒ 마술가, 기수; 곡마사. ㊞ **~·ism** *n.* Ⓤ 마술.

equi- '같은'의 뜻의 결합사: *equi*distant.

èqui·ángular *a.* 등각(等角)의: an ~ triangle 등각 삼각형.

èqui·dístant *a.* Ⓟ 등(等)거리의《*from* …에서》: ~ diplomacy 등거리 외교 / The two parks are about ~ *from* the station. 그 두 공원은 정거장에서 거의 같은 거리에 있다. ㊞ **~·ly** *ad.*

èqui·láteral *a.* 등변의: an ~ triangle [polygon] 등변 삼각형[다각형]. **—*n.*** Ⓒ 등변형.

equil·i·brate [iːkwíləbrèit, ìːkwəláibreit] *vt., vi.* 평형시키다[되다], 균형잡히게 하다[잡히다]. ㊞ **equi·li·bra·tion** [iːkwìləbréiʃən] *n.* Ⓤ 평형, 균형; 평형 상태.

equil·i·brist [ikwíləbrist] *n.* Ⓒ 줄타기 광대 (ropewalker), (공타기 따위의) 곡예사(acrobat).

equi·lib·ri·um [ìːkwəlíbriəm] (*pl.* **~s, -ria** [-riə]) *n.* Ⓤ 평형 (상태), 균형; (마음의) 평정: ~ point 평형점 / ~ state 평형 상태 / ~ of force 힘의 평형 / maintain [lose] one's (emotional) ~ (마음의) 평정을 유지하다[잃다].

equine [íːkwain, ék-] *n.* Ⓒ, *a.* 말(horse)(의 [같은]).

equi·noc·tial [ìːkwənákʃəl/-nɔ́k-] *a.* Ⓐ 주야 평분(平分)(시(時))의, 춘분·추분의: the vernal [autumnal] ~ point 춘분[추분]점.

equi·nox [íːkwənàks/-nɔ̀ks] *n.* Ⓒ 주야 평분시, 춘[추]분: the autumnal [vernal, spring] ~ 추분[춘분].

***equip** [ikwíp] (**-pp-**) *vt.* **1** 《+목+전+명/+목+*as* 보/+목+*to* do》 …에 **갖추다**, …에 **설비하다**, 장비하다《*with* (도구·장비)를; *for* …을 위해》: soldiers ~*ped with* new guns 새 총을 갖춘 군인 / ~ a ship *for* a voyage 출항 준비를 하다 / a building ~*ped as* a hospital 병원으로서의 설비를 갖춘 건물 / This ambulance is ~*ped to* deal with any emergency. 이 구급차는 어떤 위급 사태에도 대처하도록 장비를 갖추고 있다. SYN. ⇨SUPPLY. **2** 《+목+전+명/+목+*to* do》 …에게 가르쳐 주다, 갖추게 하다, 길러 주다《*with* (학문·교육·소양·능력 등)을; *for* …을 위해》: ~ a person *with* learning 아무에게 지식[학문]을 가르쳐 주다 / He's well ~*ped for* the job. 그는 그 일을 할 능력이 충분히 있다 / Experience has ~*ped* him *to* deal with the task. 경험을 쌓은 덕택에 그는 그 일을 처리할 수가 있다. **3** 《+목+전+명》 〖보통 ~ oneself 또는 수동태〗 채비를 하다, 몸차림을 하다《*for* …을 위해》; 갖추다, 입다《*with* (옷·장비 따위)를》: She ~*ped* her*self for* the trip. 그녀는 여행 채비를 끝냈다 / He *was* ~*ped with* mountain climbing gear. 그는 등산 장비를 갖추고 있었다.

eq·ui·page [ékwəpidʒ] *n.* Ⓒ **1** 마차와 거기에 딸린 말구종 일체. **2** (군대·선박·탐험대 등의) 장비품, 필요품 (일습).

***equip·ment** [ikwípmənt] *n.* Ⓤ **1** 〖집합적〗 **장비**, 설비, 비품; 의장(艤裝)(품); 〖컴퓨터〗 장비: a factory with modern ~ 최신 설비를 갖춘 공장 / heating ~ 난방 설비. **2 준비**, 채비; 여장: with elaborate ~ 공들여[면밀히] 준비하여. **3** (일에 필요한) **능력**, 자질, 소질, 소양, 지식: one's linguistic ~ 어학 소양.

eq·ui·poise [ékwəpɔ̀iz, íːk-] *n.* **1** Ⓤ 평형; 균형. **2** Ⓒ 균형을 잡는 것, 평형추.

eq·ui·ta·ble [ékwətəbəl] *a.* **1** 공정[공평]한, 정당한: an ~ price [arrangement] 공정한 가격[협정]. **2** 〖법률〗 형평법(衡平法)상의, 형평법상 유효한. ㊞ **-bly** *ad.* **~·ness** *n.* 공평, 정당.

eq·ui·ta·tion [èkwətéiʃən] *n.* Ⓤ 승마; 마술(馬術).

eq·ui·ty [ékwəti] *n.* **1** Ⓤ 공평, 공정; 정당. **2**

Ⓤ 〖법률〗 형평법(衡平法)《공평과 정의면에서 common law의 미비점을 보완한 법률》. **3** 《英》 *pl.*) (고정 금리가 붙지 않는) 보통주. ⓒⓕ common stock.

équity càpital (주식에 의한) 출자 자본, 자기 자본.

equiv·a·lence, -len·cy [ikwívələns], [-i] *n.* Ⓤ 같음; 등가(等價), 등치(等値); 동의의(同意義); 〖화학〗 (원자의) 등가(等價), 당량(當量).

*__equiv·a·lent__ [ikwívələnt] *a.* **1 동등한**, 같은; (가치 · 힘 따위가) 대등한; (말 · 표현이) 같은 뜻의《***to*** …와》: ~ *to* an insult 모욕과 같은. SYN. ⇨SAME. **2** 〖화학〗 당량(當量)의, 등가의.
—*n.* Ⓒ **1** 동등한 것, 등가〔등량〕물; (타국어로 서의) 동의어: ten dollars or its ~ in books, 10달러 또는 그 금액에 상당한 책/the Korean ~ *of* "thank you", "thank you"에 상당하는 한국말. **2** 〖문법〗 상당 어구: a noun ~ 명사 상당 어구. **3** 〖물리〗 등가; 〖화학〗 당량. ㊞ **~·ly** *ad.*

equiv·o·cal [ikwívəkəl] *a.* 두 가지 (이상의) 뜻으로 해석할 수 있는, (뜻이) 애매〔모호〕한; 의심스런, 수상한《행동》: an ~ answer 분명치 않은 대답/a company of ~ reputation 수상쩍은 평판이 도는 회사. ㊞ **~·ly** *ad.* **~·ness** *n.*

equiv·o·cate [ikwívəkèit] *vi.* 두 가지 뜻으로 취할 수 있는 말을 쓰다, 모호한 말을 쓰다; 얼버무리다, 속이다. ㊞ **-càt·ing·ly** *ad.* **equív·o·cà·tor** *n.*

equìv·o·cá·tion *n.* Ⓤ (구체적으로는 Ⓒ) 애매함, 다의(多義)성, 다의적〔양의적〕인 말로 말함〔속임, 확언을 피함〕.

er [ə:r] *int.* 에에, 저어《망설이거나 말이 막혔을 때에 내는 소리》: I—*er*—don't know. 나는—에에—모르겠는데. ★ 미국에서는 uh로 쓰기도 함.

-er[1] [ər] *suf.* **1** '…하는 사람〔것〕'의 뜻: admir*er*, burn*er*. **2** '…거주자'의 뜻: Lond*oner*, villag*er*. **3** '…제작자 · 관계자'의 뜻: hatt*er*, geograph*er*. **4** '…을 가진 사람〔것〕'의 뜻: six-foot*er*, three-mast*er*. **5** 딴 어미를 가진 명사의 간략화: rugg*er*, socc*er*.

-er[2] *suf.* **1** 단음절 또는 -y, -ly, -er, -ow 따위로 끝나는 2음절의 형용사에 붙여 비교급을 만듦: poor*er*, dri*er*. **2** 어미에 -ly가 붙지 않는 부사도 이 형태를 취하는 것이 많음.

-er[3] *suf.* 〖동사에 붙여〗 '빈번히〔반복적으로〕…하다'의 뜻: flick*er*, patt*er*.

ER, er, e.r. 〖야구〗 earned run(s). **ER** 〖의학〗 emergency room (응급 치료실). **Er** 〖화학〗 erbium. **E.R.** *Elizabeth Regina* 《L.》 (= Queen Elizabeth).

*__era__ [íərə, érə] *n.* Ⓒ **1** (연호의) **기원; 연대**, (역사상의 중요한) 시대, 시기(epoch): the Christian ~ 서력 기원/the cold war ~ 냉전 시대. SYN. ⇨PERIOD. **2** (역사의 신시대를 구획하는) 중요한 날짜〔월, 해〕; 중대 사건: The year 1492 marks an ~ in world history. 1492년은 세계 역사상 획기적인 해이다. **3** 〖지질〗 …대(代), …기(紀).

ERA 〖야구〗 earned run average. **ERA, E.R.A.** 《美》 Equal Rights Amendment.

erad·i·ca·ble [irǽdəkəbəl] *a.* 근절할 수 있는. ㊞ **-bly** *ad.*

erad·i·cate [irǽdəkèit] *vt.* 뿌리째 뽑다(root up); 근절하다(root out), 박멸하다: ~ crime 범죄를 뿌리 뽑다.
㊞ **eràd·i·cá·tion** *n.* Ⓤ 뿌리째 뽑음; 근절; 박멸. **erád·i·cà·tive** [-kèitiv/-kə-] *a.* 근절〔근치〕하는.

erád·i·cà·tor *n.* Ⓒ 근절〔박멸〕하는 사람〔것〕, 제초기; Ⓤ 얼룩 빼는 약, 잉크 지우개.

eras·a·ble [iréisəbəl/iréiz-] *a.* 지울〔말살할〕 수 있는; 〖컴퓨터〗 소거할 수 있는.

°**erase** [iréis/iréiz] *vt.* **1 a** …을 지우다; 말소〔말살, 삭제〕하다《***from*** …에서》: ~ a penciled remark 연필로 쓴 소견을 지우다/~ a problem *from* the blackboard 흑판의 문제를 지우다. **b** (녹음한 테이프 · 컴퓨터 파일 따위)를 지우다. **2** 없애다, 잊어버리다《***from*** (기억)에서》: ~ a hope *from* one's mind 희망을 버리다. **3** …의 효과를〔효력을〕 무로 돌리다. **4** 《속어》 죽이다, 없애다(kill).

*__eras·er__ [iréisər/-zər] *n.* Ⓒ 지우는 사람; (칠판) **지우개**; 《美》 고무 지우개(《美》 rubber).

Eras·mus [irǽzməs] *n.* **Desiderius ~** 에라스무스《네덜란드의 인문주의자 · 신학자; 1466?–1536》.

era·sure [iréiʃər] *n.* **1** Ⓤ 지워 없앰; 말소, 삭제. **2** Ⓒ 삭제한 어구(語句); 말살 부분, 지운 자국.

Er·a·to [érətòu] *n.* 〖그리스신화〗 에라토《서정시 · 연애시를 맡은 여신; the Muses의 하나》.

er·bi·um [ə́:rbiəm] *n.* Ⓤ 〖화학〗 에르븀《희토류(稀土類) 원소; 기호 Er; 번호 68》.

ere [eər] 《시어 · 고어》 *prep.* …전에: ~ long 머지않아, 마침내. —*conj.* …하기 전에, …하지 않을 동안에.

__erect__ [irékt] *a.* **1 똑바로 선, 직립(直立)의: stand ~ 똑바로 서다. **2** (머리 · 손 따위를) 쳐든; (머리카락 등이) 곤두선: with ears ~ (동물이) 귀를 쫑긋 세우고. **3** 〖생리〗 (음경 따위가) 발기한.
—*vt.* **1** (몸 · 기둥 따위)를 **똑바로 세우다**, 직립시키다; (머리 · 귀 · 꼬리 따위)를 곤두세우다: ~ a flag pole 깃대를 똑바로 세우다. **2** (기계)를 조립하다, (건조물)을 건설〔건립〕하다: ~ a monument in the park 공원에 기념비를 건립하다. **3** 《~+목/+목+*as* 보》 (제도 · 기관 · 학교 따위)를 창설〔설립, 수립〕하다: He *~ed* the college *as* a monument to his father. 그는 부친을 기리어 그 대학을 설립했다. ㊞ **~·ly** *ad.* 똑바로, 꼿꼿이 (서서), 수직으로. **~·ness** *n.*

erec·tile [iréktil, -tail] *a.* 꼿꼿이 세울 수 있는; 〖생리〗 (조직이) 발기성의.

eréc·tion *n.* **1** Ⓤ 직립, 기립. **2** Ⓤ 건설; 조립; 설립. **3** Ⓒ 건조물, 건물. **4** Ⓤ (구체적으로는 Ⓒ) 〖생리〗 발기.

erg [ə:rg] *n.* Ⓒ 〖물리〗 에르그《일의 cgs 단위: 1 dyne의 힘이 작용하여 그 방향으로 물체를 1cm 이동시키는 일의 양; 기호 e》.

er·go [ə́:rgou] *ad.* 《L.》 그러므로(therefore).

er·go·nom·ics [ə̀:rgənámiks/-nɔ́m-] *n.* Ⓤ 인간공학; 생물공학.

er·got [ə́:rgət] *n.* Ⓤ 맥각(麥角)《독성의 균류》; 〖식물〗 맥각병; 〖약학〗 맥각《자궁 수축 촉진, 산후의 자궁 지혈제》.

Er·ic [érik] *n.* 에릭《남자 이름》.

er·i·ca *n.* Ⓒ 〖식물〗 에리카《히스(heath)의 일종》.

Er·ie [íəri] *n.* **Lake ~** 이리 호(湖)《미국 동부의 5대호의 하나》.

Er·in [érin, í:r-, έər-] *n.* 《고어 · 시어》 아일랜드《옛 이름》.

Eris [í(:)ris, éris] *n.* 〖그리스신화〗 에리스《불화(不和)의 여신》.

Er·i·trea [èritríːə] *n.* 에리트레아《1993년 에티오피아로부터 독립한, 아프리카 북동부 홍해에 임한 공화국; 수도 Asmara》.

er·mine [ə́ːrmin] (*pl.* ~, ~*s*) *n.* [C] 〖동물〗 산족제비; 어민, (흰)담비; [U] 담비의 흰 모피.

ér·mined *a.* 담비털로 가를 두른〔안을 댄〕; 담비털옷을 입은.

-ern [ərn] *suf.* '…쪽의'의 뜻: east*ern*.

Er·nest [ə́ːrnist] *n.* 어니스트《남자 이름》.

erode [iróud] *vt.* (산(酸) 따위가 금속)을 부식하다; (물이 땅·암석)을 침식하다; (병이 몸)을 해치다(*away*); (서서히) 쇠퇴케 하다, 좀먹다. **—***vi.* 부식하다; 침식되다; 감퇴하다(*away*).

erog·e·nous, ero·gen·ic [irádʒənəs/irɔ́dʒ-], [èrədʒénik] *a.* 성욕을 자극하는; 성적 자극에 민감한: ~ zones 성감대(帶).

Eros [íərɑs, érɑs/íərɔs, érɔs] *n.* **1** 〖그리스신화〗 에로스《Aphrodite의 아들이며 사랑의 신》. [cf.] Cupid. **2** 〖정신분석〗 생의 본능, 자기 보존의 본능. **3** [U] (종종 e-) 성애(性愛), 성적 욕구.

ero·sion [iróuʒən] *n.* [U] 〖지질〗 침식, 침식 작용: wind ~ 풍식 작용 / soil ~ 토양 침식.

ero·sive [iróusiv] *a.* 부식〔침식〕성의.

erot·ic [irátik/irɔ́t-] *a.* **1** 성애의〔를 다룬〕. **2** 색정적인; 성욕을 자극하는. **3** (사람이) 호색의(=**erót·ical**). ㊕ **-i·cal·ly** *ad.* 성애적으로.

erot·i·ca [irátikə/irɔ́t-] *n. pl.* 《종종 단수취급》 성애를 다룬 문학〔예술작품, 책〕; 춘화.

erot·i·cism [irátəsìzəm/irɔ́t-] *n.* [U] 성애적 경향, 호색성, 에로티시즘; 성욕.

er·o·tism [érətìzəm] *n.* =EROTICISM.

ero·tol·o·gy [èrətálədʒi/-tɔ́l-] *n.* [U] 호색 문학〔예술〕; 성애학.

ero·to·ma·nia [iròutəméiniə, iràt-/iròut-, irɔ̀t-] *n.* [U] 색정광(色情狂).

◇**err** [əːr, ɛər] *vi.* **1** 벗어나다, 잘못 들어서다《***from*** (정도·진리 따위)에서》: ~ *from* the right path 옳은 길에서 벗어나다. **2** 잘못〔실수〕하다, 틀리다; 그르치다《***in*** …에서》: ~ *in* one's judgment 판단을 그르치다 / I ~*ed in* believing him. 내가 그를 믿은 것이 잘못이었다. **3** (도덕·종교의 신조에) 어긋나다, 죄를 범하다: To ~ is human, to forgive divine. 《격언》 잘못은 인지상사요, 용서는 신의 본성이다《영국 시인 A. Pope의 말》. ◇ error, errancy *n.* erroneous *a.*

~ *on the side of* …에 너무 치우치다, 지나치게 …하다: ~ *on the side of* generosity 〔severity〕 지나치게 관대〔엄격〕하다.

***er·rand** [érənd] *n.* [C] **1 심부름**: send a person on an ~ 아무를 심부름보내다. **2** (심부름의) **용건**, 볼일: I have an ~ (to do) in town. 나는 읍내에서 볼일이 있다.

an ~ of mercy 구난(救難) 여행. ***go*** 〔***on***〕 〔***run***〕 ***~s for*** a person 아무의 심부름을 하다. ***go on a fool's*** 〔***a gawk's***〕 **~** 헛수고하다.

er·rant [érənt] *a.* [A] **1** (모험을 찾아) 편력하는, 무예 수업을 하는. **2** 길을 잘못 든; 정도를〔궤범을〕 벗어난, (사상·행위가) 잘못된. **3** (바람 따위가) 방향이 불규칙한.

er·ra·ta [eráːtə, ir-, iréi-] *n.* **1** ERRATUM의 복수. **2** 정오(正誤)표(corrigenda).

er·rat·ic [irǽtik] *a.* **1** 일정하지 않은, 변하기 쉬운, 불규칙적인. **2** 별난, 야릇한, 상궤(常軌)를 벗어난: ~ behavior 기행(奇行). **3** 〖지질〗 이동하는: ~ boulder 〔block〕 표석 (漂石). **—***n.* [C] 괴짜; 변덕쟁이. ㊕ **-i·cal** *a.* **-i·cal·ly** [-ikəli] *ad.*

er·ra·tum [eráːtəm, ir-, iréi-] (*pl.* **-ta** [-tə]) *n.* [C] 잘못, 틀림; 오사(誤寫), 오자, 오식.

er·ro·ne·ous [iróuniəs] *a.* 잘못된, 틀린: an ~ assumption 잘못된 전제〔가정〕. ㊕ **~·ly** *ad.* 잘못되어, 틀리어. **~·ness** *n.*

‡**er·ror** [érər] *n.* **1** [C] **잘못, 실수**, 틀림: make 〔commit〕 an ~ 잘못을 범하다〔저지르다〕 / correct ~*s* 잘못을 고치다 / catch a person in ~ 아무의 잘못을 찾아내다 / a clerical ~ 오기(誤記) / an ~ of judgment 판단의 잘못 / Correct ~*s*, if any. 틀린 것이 있으면 고치시오.

[SYN.] **error** 무의식중에 저지르는 실수: *errors* in 〔of〕 spelling 철자의 틀림. **mistake** 원칙·규칙 등에 대한 무지, 판단의 잘못, 오해 따위로 일어나는 잘못: take a wrong train by *mistake* (시간표나 행선지를 보지 않아) 열차를 잘못 타다. **blunder** 큰 실수, 바보짓. **slip** (사소한) 잘못, 과실: a *slip* of tongue 실언(失言).

2 [U] 잘못된 생각, 잘못되어 있음, 오신(誤信)(delusion): fall into ~ 잘못 생각하다, 잘못하다 / lead a person into ~ 아무를 잘못 생각케 하다. **3** [C] (도덕적인) 과실, 죄: an ~ of omission 태만의 죄. **4** [C] 〖수학〗 오차; 〖법률〗 오류, 하자, 오심: a personal ~ 개인(오)차 / an ~ of measurement 측정 오차 / a writ of ~ 재심 명령. **5** [C] 〖야구〗 에러, 실책. **6** [C] 〖컴퓨터〗 착오, 틀림, 오차, 에러《프로그램상의〔하드웨어의〕 오류》. ◇err *v.*

in **~** ① 그릇된, 잘못된, 틀린: You are *in* ~. 네가 잘못이다 / His figures were *in* ~. 그의 계산은 틀렸다. ② 잘못해서, 실수로: I put on his shoes *in* ~. 실수로 그의 신발을 신었다.

érror corrèction 〖컴퓨터〗 오류 정정, 오류(자동) 수정.

érror mèssage 〖컴퓨터〗 오류 메시지《프로그램에 오류가 있을 때 출력되는 메시지》.

érror tràpping 〖컴퓨터〗 오류 트래핑《프로그램의 작동 중에 일어난 오류를 검출하여 대처하는 것》.

er·satz [érzɑːts, -sɑːts] *a.* 《G.》 대용(代用)의; 모의〔모조〕의: ~ coffee 대용 커피. **—***n.* [C] 대용품(substitute).

Erse [əːrs] *n.* [U] 어스말《스코틀랜드 및 아일랜드의 고대 켈트어(語); 특히 전자를 이름》. **—***a.* 어스말의.

erst·while [ə́ːrsthwàil] 《고어》 *ad.* 이전에, 예전에. **—***a.* 이전의, 옛날의.

eruct, eruc·tate [irʌ́kt], [-teit] *vi.* 트림하다; (화산이) 분출(噴出)하다. ㊕ **erùc·tá·tion** *n.* [U] (구체적으로는 [C]) 트림(belching); (화산의) 분출.

er·u·dite [érjudàit] *a.* 박식한, 학식이 있는; (책이) 학식의 깊이를 드러내는. ㊕ **~·ly** *ad.* 박학하게. **~·ness** *n.*

èru·dí·tion *n.* [U] (특히 문학·역사 등의) 박학, 박식; 학식. [SYN.] ⇨LEARNING.

erupt** [irʌ́pt] *vi.* **1** (화산재·간헐천 등이) 분출하다; (화산 등이) **분화하다**; (이가) 잇몸을 뚫고 나오다, 나다; 발진(發疹)하다; (폭동 등이) 발발하다. **2** 《+[전]+[명]》 (아무가) 폭발시키다《with, in*** (분노 따위)를》; 갑자기 되다《***into*** …으로》: ~ *in* 〔*with*〕 anger 노여움이 폭발하다 / ~ *into* wild cheers 일제히 열광적으로 갈채하다.

◇**erúp·tion** *n.* [U] (구체적으로는 [C]) **1** (화산의) 폭발, 분화; (용암·간헐천의) 분출: ~ cycle 〖지학〗 분화 윤회. **2** (감정의) 폭발; (사건의) 돌발. **3**

(이가) 남; (피부의) 부스럼, 발진.

erup·tive [irʌ́ptiv] *a.* **1** 분출하는; 폭발하는; 폭발하기 쉬운; 화산 폭발의, 분화에 의한: ~ rocks 분출암, 화산암. **2** 〖의학〗 발진성의: ~ fever 발진열(熱).

-ery [əri] *suf.* =-RY: fool*ery*.

er·y·sip·e·las [èrəsípələs, ìːr-] *n.* Ⓤ 〖의학〗 단독(丹毒) (St. Anthony's fire).

-es [(s, z, ʃ, ʒ, tʃ, dʒ의 뒤) iz, əz; (기타의 유성음의 뒤) z; (기타의 무성음의 뒤) s] **1** 명사 복수형을 만드는 어미: box*es*. **2** 동사 3인칭·단수·현재형의 어미: do*es*, go*es*.

Es 〖화학〗 einsteinium. **ESA** European Space Agency.

Esau [íːsɔː] *n.* 〖성서〗 에서(Isaac의 장남; 창세기 XXV: 21-34).

es·ca·late [éskəlèit] *vt.* **1** 단계적으로 확대〔증대, 강화〕하다(*into* …으로): ~ a conventional war *into* an annihilating atomic war 통상전(通常戰)을 섬멸적 원자력전으로 확대하다. **2** (임금·가격 따위)를 점차 상승시키다. **—***vi.* **1** (전쟁·의견의 차이 따위가) 단계적으로 확대되다(*into* …으로): Even a limited confrontation can ~ *into* a major war. 국지전이라도 큰 전쟁으로 확대될 수 있다. **2** (임금·물가 따위가) 점점 오르다: Prices are *escalating*. 물가가 점점 오르고 있다.

ès·ca·lá·tion *n.* Ⓤ (구체적으로는 Ⓒ) (수·양·금액의) 점증, (규모·범위·강도의) 단계적 확대. ↔ *de-escalation*.

es·ca·la·tor [éskəlèitər] *n.* Ⓒ **1** 에스컬레이터: take an ~ 에스컬레이터를 타다. **2** (에스컬레이터 같은) 출세 코스: She's on the ~ to stardom. 그녀는 순조롭게 스타덤에 오르고 있다.

es·cal·(l)op [eskǽləp, -kál-/-kɔ́l-] *n.*, *vt.* =SCALLOP.

ESCAP [éskæ̀p] Economic and Social Commission for Asia and the Pacific ((유엔) 아시아 태평양 경제사회 위원회)(종래의 ECAFE를 1974년에 개칭).

es·ca·pade [éskəpèid, ⌐-⌐] *n.* Ⓒ 멋대로 구는 짓; 엉뚱한 짓; 탈선; 장난.

es·cape [iskéip] *vi.* (~/+전+명) **1** 달아나다, 탈출〔도망〕하다(*from, out of* (속박 따위)에서; *to* …으로): Two were killed, but he ~*d*. 두 사람은 죽었으나 그는 탈출했다/~ *from* (a) prison 탈옥하다/~ *to* a foreign country 외국으로 도망하다. **2** (액체·가스 따위가) 새다(*from, out of* …에서): Gas is *escaping from* the range. 가스가 레인지에서 새고 있다. **3** 벗어나다, 헤어나다(*from, out of* (재난·위험 따위)에서): ~ *from* pursuers 〔danger〕 추적자들로부터 헤어나다〔위험에서 벗어나다〕.

—*vt.* **1** (~+목/+-*ing*) (추적·속박 따위)에서 달아나다, (재난 따위)를 (모)면하다: ~ one's pursuers 추적자에게서 달아나다/~ prison 교도소행을 면하다/He narrowly ~*d* death 〔be*ing* killed〕. 그는 구사일생으로 살아났다.

SYN. **escape** 위험이나 위해 따위를 피하여 달아나는 일. **avoid** 위험을 무릅쓰고 싶지 않다거나 위험하다고 생각되는 것에 가까이 가지 않는다는 뜻에서 escape보다는 소극적인 말임. **flee** 급히 달아나다. **abscond** 자취를 감추다: *abscond* with the office money 회사의 돈을 갖고 잠적하다.

2 (아무의 관심·주의)에서 벗어나다; (아무의 기억)에 남지 않다: ~ notice 눈치채이지 않다, 눈에 띄지 않다/Her name ~*s* me 〔my memory〕. 그녀의 이름이 생각나지 않는다. **3** (탄식·말·미소 등이) …에서 (새어)나오다: A lament ~*d* him 〔his lips〕. 저도 모르게 탄식이 그의 입에서 흘러나왔다/A smile ~*d* him. 그는 자신도 모르게 미소지었다.

—*n.* **1** Ⓤ (구체적으로는 Ⓒ) 탈출, 도망(*from, out of* (위험 따위)로부터의); 모면(*from* (재난·역병 따위)의): make 〔effect〕 an ~ 도망치다/make (good) one's ~ (무사히) 도망치다/have a narrow 〔hairbreath〕 ~ 구사일생하다/We had three ~*s from* the prison this year. 금년에는 교도소 탈출이 3건 있었다. **2** Ⓒ 벗어나는 수단; 도망갈 길, 피난장치; 배기〔배수〕관: a fire ~ 화재 비상구/have one's ~ cut off 퇴로가 끊기다. **3** Ⓒ (가스 따위의) 샘, 누출(*from* …으로부터의): There is an ~ of gas *from* the main. 본관(本管)에서 가스가 새고 있다. **4** (an ~) 현실 도피: read fiction as an ~ 현실 도피로 소설을 읽다.

escápe àrtist 포승을 풀고 빠져 나가는 곡예사; 탈옥의 명수.

escápe chàracter 〖컴퓨터〗 이스케이프 문자.

escápe clàuse 면책〔면제〕 조항.

es·ca·pee [iskeipíː] *n.* Ⓒ 도망〔도피〕자, 탈옥수; 망명자.

escápe hàtch (배·비행기·엘리베이터 따위의) 긴급 피난구.

escápe kèy 〖컴퓨터〗 이스케이프 키(이스케이프 문자를 입력하기 위한 키; 때때로 프로그램을 중단시키거나 강제로 마감하는 데 쓰기도 함).

escápe mèchanism 〖심리〗 도피기제(機制).

es·cápe·ment *n.* Ⓒ 도피구; (시계 톱니바퀴의) 지동 기구(止動機構); (타자기의) 문자 이동 장치.

escápe ròad 긴급피난 도로(제어불능이 된 자동차를 정지시키기 위하여 흙을 쌓아 올린 것).

escápe ròutine 〖컴퓨터〗 탈출 루틴(하나의 프로그램의 명령열이 끝나기 전에, 여기에서 빠져나와 또 다른 명령열을 시작하기 위한 루틴).

escápe velòcity 〖물리〗 탈출 속도(로켓 등의 행성 중력장 탈출을 위한 최저 속도).

es·cap·ism [iskéipizəm] *n.* Ⓤ 현실 도피(벽(癖)), 도피주의. ⓜ **es·cáp·ist** *a.*, *n.* Ⓒ 도피주의의 (사람).

es·ca·pol·o·gy [iskeipálədʒi/-pɔ́l-] *n.* Ⓤ 포박 탈출 곡예〔기술〕. ⓜ **-gist** *n.* Ⓒ 포박 탈출 곡예사.

es·car·got [èskɑːrgóu] (*pl.* **~s** [-z]) *n.* (F.) Ⓒ (식용) 달팽이.

es·cárp·ment *n.* Ⓒ 절벽, 급사면.

-esce [és] *suf.* '…하기 시작하다, …이 되다, …으로 화하다'의 뜻을 나타내는 동사를 만듦: coal*esce*, efferv*esce*.

-es·cence [ésns] *suf.* '작용, 과정, 변화, 상태'의 뜻을 나타내는 명사를 만듦: convales*cence*, lumin*escence*.

-es·cent [ésnt] *suf.* '…하기 시작한, …되기 시작한, …성(性)의'의 뜻을 나타내는 형용사를 만듦: adol*escent*, conval*escent*.

es·cha·tol·o·gy [èskətálədʒi/-tɔ́l-] *n.* Ⓤ 〖신학〗 종말론, 내세론, 말세론. ⓜ **-gist** *n.* **ès·cha·to·lóg·i·cal** *a.* **-i·cal·ly** *ad.*

es·chew [istʃúː] *vt.* 피하다, 삼가다: ~ a life

of ease 안이한 생활을 피하다.

*es·cort [éskɔːrt] n. 1 Ⓒ 《집합적》 호송자〔대〕, 호위자; 호위 부대; 호위함〔선〕; 호위기(機)〔대〕: an ~ ship 호위선/A large ~ accompanied the premier. 많은 호위가 수상을 수행했다. 2 Ⓤ (사람·함선·항공기 등에 의한) 호위, 호송: under the ~ of …의 호위하에. 3 Ⓒ (여성에 대한) 동반 남성.
—[iskɔ́ːrt, es-] vt. 《~+목/+목+전+명》 호위하다, 호송하다; (여성의) 동반자 노릇을 하다: May I ~ you home? 댁까지 바래다 드릴까요/He ~ed her to the station. 그는 그녀를 역까지 바래다 주었다. SYN. ⇨ACCOMPANY.

es·crow [éskrou, -ʹ] n. Ⓒ 〖법률〗 조건부 날인 증서, 에스크로《어떤 조건이 실행되기까지 제삼자가 보관해 두는 증서》.

es·cu·do [eskúːdou] (pl. ~s) n. Ⓒ 포르투갈〔옛날 칠레 등〕의 화폐 단위.

es·cu·lent [éskjələnt] a. 식용의〔에 적당한〕. —n. Ⓒ 식용품.

es·cutch·eon [iskʌ́tʃən, es-] n. Ⓒ 가문(家紋)이 그려진 방패; 방패 모양의 가문 바탕. *a blot on one's* 〔*the*〕 ~ 오명, 불명예.

-ese [íːz, íːs/íːz] suf. 영국 이외의 국명·지명 또는 특수한 작가 이름 등에 붙여서 그 형용사와 '…말, …사람' 등의 뜻을 나타내는 명사를 만듦: Chin*ese*, Portugu*ese*.

ESE, E.S.E., e.s.e. east-southeast.

Es·ki·mo [éskəmòu] (pl. ~s, ~) n. (the ~(s)) 에스키모족(族); Ⓒ 에스키모인; Ⓤ 에스키모 말. —a. 에스키모(사람·말)의.

Éskimo dòg 에스키모 개; 《흔히》 미국 원산의 썰매 개.

ESL [ésəl] English as a second language.

esoph·a·gus [isɑ́fəgəs/-sɔ́f-] (pl. -gi [-dʒài]) n. Ⓒ 〖해부〗 식도(食道). ㊞ esoph·a·geal [isɑ̀fədʒí(ː)əl/isɔ̀f-] a.

es·o·ter·ic, -i·cal [èsoutérik], [-əl] a. 비교적(秘敎的)인(↔ *exoteric*); 비법의, 비전(秘傳)의; 비법을 이어받은; 비밀의, 내밀한(secret). ㊞ -i·cal·ly ad.

ESP English for Special Purposes; extrasensory perception. **esp.** especially.

es·pa·drille [éspədril] n. Ⓒ 에스퍼드릴《끈을 발목에 매는 즈크제 샌들화》.

es·pal·ier [ispǽljər, -jei] n. Ⓒ 〖원예〗 과수(果樹)를 받치는 시렁; 과수 시렁으로 받친 나무.

◇es·pe·cial [ispéʃəl] a. Ⓐ 특별한, 각별한; 현저한: a thing of ~ importance 특히 중요한 일/an ~ friend 각별한 친구/for your ~ benefit 특별히 너를 위해. ★ 지금은 일반적으로 special을 씀.

‡es·pe·cial·ly [ispéʃəli] ad. 특히, 각별히, 특별히: Be ~ watchful. 각별히 경계를 잘 하라/I prepared lunch ~ for you. 특별히 너를 위해 점심을 준비했다.
SYN. **especially, particularly** '각별히'. 이 두 낱말은 대치가 가능하나 전자에는 '특히 잘·몹시 (따위)', 후자에는 '여러 가지 있는 것 중에서 특히 지적한다면'이라는 어감이 있음: Corn grows well in the Middle West, *particularly* in Iowa. 옥수수는 중서부, 그 중에서도 Iowa주에서 잘 자란다. **specially** special의 파생어로서 '특별히·모처럼·오로지'의 뜻이 강함: a subject *specially* studied 전공한 과목.

Es·pe·ran·tist [èspərǽntist, -rɑ́ːn-] n. Ⓒ 에스페란토어 사용자〔학자〕.

Es·pe·ran·to [èspərǽntou, -rɑ́ːn-] n. Ⓤ 에스페란토《폴란드의 언어학자 L. L. Zamenhof (1859-1917)가 창안한 인공 국제어》.

es·pi·o·nage [éspiənɑ̀ːʒ, -niʒ, ʹ--nɑ́ːʒ] n. Ⓤ (특히 국가·기업 등에 대한) 간첩〔첩보, 스파이〕 활동: industrial ~ 산업 스파이 활동.

es·pla·nade [èsplənéid, -nɑ́ːd, ʹ-ʹ] n. Ⓒ (특히 해안·호안의 조망이 트인) 산책〔드라이브〕길《원래는 성채(城砦)와 시가 사이의 공터》.

es·pous·al [ispáuzəl, -səl] n. Ⓤ (구체적으로는 Ⓒ) 지지, 옹호《of (주의·설 등)의》.

es·pouse [ispáuz, es-] vt. (주의·설)을 지지〔신봉〕하다. ◇espousal n.

es·pres·so [esprésou] (pl. ~s) n. 《It.》 1 Ⓤ 에스프레소《커피의 일종; 검게 구운 커피; 가루에 스팀을 쐬어 진하게 만듦》. 2 Ⓒ 에스프레소 한 잔; 에스프레소를 만드는 기구.

es·prit [espríː] n. 《F.》 Ⓤ 정신; 재치, 기지.

esprit de corps [-dəkɔ́ːr] 《F.》 단체정신, 단결심《애당〔애교〕심 등》.

es·py [espái] vt. 《문어》 (보통 먼 곳의 잘 안 보이는 것)을 찾아내다; (결점 등)을 발견하다.

Esq., Esqr. esquire.

-esque [ésk] suf. '…식의, …모양의, …와 같은'의 뜻을 나타내는 형용사를 만듦: Dant*esque*, Roman*esque*, arab*esque*.

es·quire [eskwáiər, éskwaiər] n. 《英》 님, 귀하《경칭; 특히 편지에서 Esq.로 약하여 성명 다음에 씀》. ★ 미국에선 변호사에 한해 쓰임.

ess [es] (pl. ~·es [ésiz]) n. Ⓒ S자(字); S자꼴의 것.

-ess [is] suf. 1 여성명사를 만듦: tigr*ess*, poet*ess*. 2 형용사를 추상명사로 만듦: larg*ess*, dur*ess*.

Ess. Essex.

‡es·say [ései] n. Ⓒ 1 수필, (문예상의) 소론(小論), 시론(詩論), 평론《*on, upon* …에 관한》: a collection of ~s 수필집/a critical ~ 평론. 2 [+eséi] 《문어》 시도, 시험《*at, in* …의》; 시도의 노력《*at* …의/*to* do》: make an ~ *to* assist a friend 친구를 도우려 하다.
—[eséi] vt. 《~+목/+*to* do》 《문어》 시도하다; 해보다: He ~*ed* escape. 도주를 시도했다/I ~*ed to* speak. 말해 보려고 했다. SYN. ⇨TRY.

◇es·say·ist [éseiist] n. Ⓒ 수필가, 평론가.

éssay quéstion 논문식 문제〔설문〕.

‡es·sence [ésəns] n. 1 Ⓤ (보통 the ~) 본질, 진수, 정수, 본질적 요소: the ~ of democracy 민주주의의 본질/absorb the ~ of Orient art 동양 미술의 진수를 흡수하다. 2 Ⓤ (종류는 Ⓒ) 에센스《식물성 정유의 알코올 용액》; 엑스트랙트; 정유(精油); 향수: vanilla ~ 바닐라 에센스/~ of mint 박하유. 3 a Ⓤ 〖철학〗 실재, 실체. b Ⓒ 영적 존재: God is an ~. 신은 실재이다. ◇essential a. *in* ~ 본질〔근본〕적으로; 진짜로는: For all his bluster, he is *in* ~ a shy person. 그가 저렇게 큰소리를 치고 있지만, 진짜로는 매우 소심한 사람이다. *of the* ~ 불가결의, 가장 중요한.

‡es·sen·tial [isénʃəl] a. 1 근본적인, 필수의, 불가결한, 가장 중요한《*to, for* …에》: It's ~ that we (should) act quickly. =It's ~ for us to act quickly. 우리가 빨리 행동하는 것이 가장 중요하다/Oxygen is ~ *to* life 〔*for* the mainte-

nance of life]. 산소는 생명[생명 유지]에 불가결한 것이다. SYN. ⇨NECESSARY. **2** Ⓐ **본질적인**, 본질의: ~ qualities 본질/an ~ proposition 〖논리〗 본질적 명제. **3** Ⓐ 엑스트랙트의, 엑스트랙트를 모은: ⇨ESSENTIAL OIL. ◇essence *n.*
—*n.* Ⓒ (흔히 *pl.*) 본질적인 것[요소]; 필수의 것[요소], 불가결한 것[요소]: ~*s* to success 성공에 불가결한 것/It is the same in ~*s*. 요점은 같다.

°**es·sén·tial·ly** *ad.* 본질적으로, 본질상(in essence); 본래: He is ~ a good man. 그는 본래 좋은 사람이다.

esséntial óil (식물성) 정유(精油)《방향(芳香)이 있는 휘발성유》.

Es·sex [ésiks] *n.* 에식스《잉글랜드 남동부의 주; 생략: Ess.》.

-est[1] [ist] *suf.* 형용사·부사의 최상급의 어미: cold*est*. cf. -er[2].

-est[2] [ist], **-st** [st] *suf.* 《고어》 thou[1]에 따르는 동사《제2인칭 단수·현재 및 과거》를 만듦: thou sing*est*, did*st*.

EST, E.S.T., e.s.t. 《美》 Eastern Standard Time. **est.** established; estimate(d). **estab.** established.

*__es·tab·lish__ [istǽbliʃ] *vt.* **1** (학교·회사 따위)를 **설립하다**, 창립하다; (국가·정부 따위)를 수립하다; (관계 따위)를 확립하다, (제도·법률 등)을 제정하다: ~ a university 대학을 설립하다/~ a law 법률을 제정하다/~ friendly relations with the country 그 나라와 우호 관계를 확립하다.
2 《~+목/+목+전+명》 (선례·습관·소신·요구·명성 등)을 **확립하다**, 확고히 굳히다: ~ (one's) credit 신용(의 초석)을 굳히다/He ~*ed* his fame *in* business [*as* an actor]. 그는 실업계에서 [배우로서의] 명성을 확립했다.
3 《~+목/+*that* 절/+*wh.* 절》 (사실·이론 등)을 확증[입증]하다: The plaintiff ~*ed* his case. 원고는 자기가 한 말을 입증했다/It has been ~*ed that* he was not there. 그는 거기에 없었다는 것이 확증되었다/The police ~*ed that* she was innocent. 경찰은 그녀가 무죄임을 입증했다/We have ~*ed where* the boundary lies. 우리는 경계선이 어디 있는지 입증했다.
4 《+목+전+명/+목+*as* 보》 **안정케 하다**《결혼·취직 따위로》; 자리잡게 하다, 취직시키다《*in* (직업·지위·장소)에》; 〖~ oneself〗 (…으로서) 개업하다: I ~*ed* my son *in* business. 나는 내 자식을 실업에 종사케 했다/They ~*ed* them*selves in* their new house. 그들은 새 집에 정착했다/He was ~*ed as* mayor of our city. 그는 우리 시의 시장으로 취임했다.

°**es·táb·lished** [-t] *a.* **1** 확실한, 확립된, 확인[확증]된, 기정(旣定)의: an ~ fact 기정 사실/an old and ~ shop 노포(老舖). **2** 설립[제정]된, 인정된: a person of ~ reputation 정평 있는 인물. **3** (장소·직업 등에) 안정된, 정착한. **4** (교회가) 국교인: the ~ religion 국교(國敎).

Estáblished Chúrch (the ~) 영국국교(회) (the Church of England)《略: E.C.》; (e- c-) 국립 교회.

*__es·tab·lish·ment__ [istǽbliʃmənt] *n.* **1** Ⓤ **설립**, 창립; 성립, 수립: the ~ *of* a school 학교의 설립/the ~ *of* diplomatic relations 외교 관계의 수립. **2** Ⓒ **a** (공공 또는 사설의) 시설물《학교·병원·상점·회사·여관 따위》: a private ~ 개인 기업/an educational ~ 학교. **b** 〖집합적; 단·복수취급〗 설립물의 직원 (전원). **3 a** Ⓤ (관청·육해군 등의) 편성, 편제, 상비 병력[인원], 정원: war ~ 전시 편제. **b** (the E-) (행정제도로서의) 관청; 육군, 해군. **4** Ⓤ (질서 따위의) 확립, 확정; (법령 따위의) 제정; (사실 따위의) 입증, 증명: the ~ *of* one's innocence 결백의 입증/the ~ *of* a constitution 헌법의 제정. **5** Ⓤ (보통 the E-) (기성의) 체제, 지배층[계급]; 기성 조직[집단]; 주류파; 영국국교. **6 a** Ⓤ (결혼 따위로) 안정시킴. **b** Ⓒ 세대, 가정: keep a large ~ 큰 가정을 이루고 있다.

es·tab·lish·men·tar·i·an [istæ̀bliʃmən-tέəriən] *a.* (영국) 국교주의의; 체제 지지(자)의.
—*n.* Ⓒ (영국) 국교주의 지지자, 국교 신봉자; 기성 체제 소속자, 체제 지지자.

*__es·tate__ [istéit] *n.* **1** Ⓒ **토지**, (별장·정원 등이 있는) 사유지(landed property); (고무·차·포도 등의) 재배지: have an ~ in the country 시골에 토지가 있다. **2** Ⓤ 〖법률〗 **재산**: personal ~ 동산/real ~ 부동산. **3** Ⓒ (정치·사회상의) 계급(~ of the realm)《특히 프랑스 혁명 이전의 성직자·귀족·평민의 세 계급을 말함》: ⇨FOURTH ESTATE. **4** Ⓒ 《英》 단지(團地): a housing [an industrial] ~ 주택[공장] 단지.

estáte àgent 《英》 부동산 관리인; 부동산 중개업자(《美》 real estate agent).

estáte tàx 《美》 유산세.

*__es·teem__ [istíːm] *vt.* **1** 《~+목/+목+전+명》 〖종종 수동태〗 **존경하다**(respect), 존중하다《*for* … 때문에》: ~ a person (*for* his honesty) 아무를 [의 정직성을] 높이 평가하다/He *is* highly ~*ed* in business circles. 그는 실업계에서 높이 존경받고 있다. SYN. ⇨REGARD, RESPECT.
2 《+목+(*to be*) 보/+목+(*as*) 보》 《문어》 …으로 **간주하다**, …으로 생각하다(consider): I ~ myself (*to be*) happy. 나는 행복하다고 생각한다/I should ~ it (*as*) a favor if you could do so. 그렇게 해 주시면 고맙겠습니다. ◇estimable *a.*
—*n.* Ⓤ (또는 an ~) **존중**, 존경, 경의: feel no ~ for a person 아무에 대하여 존경의 마음이 일지 않다/hold a person in (high) ~ 아무를 존경하다/win the ~ of one's friends 친구들로부터 존경을 받다.

es·ter [éstər] *n.* Ⓤ 〖화학〗 에스테르.

Esth. 〖성서〗 Esther.

Es·ther [éstər] *n.* **1** 에스터《여자 이름》. **2** 〖성서〗 (구약의) 에스더서(書)(=**The Bóok of ~**) 《생략: Esth.》.

esthete, esthetic, etc. ⇨AESTHETE, AESTHETIC, etc.

es·ti·ma·ble [éstəməbəl] *a.* 존중할 만한; 존경할 만한; 평가할 수 있는, 어림할 수 있는: an ~ achievement 훌륭한 업적. ◇esteem *v.*

*__es·ti·mate__ [éstəmèit] *vt.* **1** 《~+목/+목+전+명/+*that* 절/+목+*to be* 보》 **어림잡다**, 견적하다, 산정하다; 판단[추단]하다: ~ the value of a person's property 아무의 재산 가치를 견적하다/~ the cost *at* 10,000 dollars 비용을 1만 달러로 어림하다/We ~ *that* it would take three months to do the work. 완성까지 3개월로 어림잡고 있다/I ~ the room *to be* about 30 feet long. 그 방은 길이가 30피트는 된다고 나는 어림[판단]한다. **2** 〖부사를 수반〗 …의 가치[의의]에 대하여 평가하다: ~ a person's character very *highly* 아무의 인격을 매우 높이 평가하다.
—*vi.* 《+전+명》 견적을 하다, 견적서를 만들다

《**for** …의》: ~ *for* the repair 수리비를 견적하다.
— [éstəmit, -mèit] *n*. Ⓒ **1 평가**, 견적, 개산(槪算): give a person a rough ~ 아무에게 대충 견적을 내주다 / make (form) an ~ of …을 견적을 내다, …을 평가하다 / at a moderate ~ 줄잡아 어림하여. **2** (종종 *pl*.) 견적서: a written ~ 견적서. **3** (인물 등의) 평가, 가치판단: make an ~ of a person's reliability 아무의 신뢰성을 평가하다.

és·ti·màt·ed [-id] *a*. Ⓐ 평가상의, 견적(개산)의: an ~ sum 견적액 / ~ time of arrival (departure) 도착(출발) 예정 시간.

ès·ti·má·tion *n*. Ⓤ **1** 의견, 판단, 평가: in my ~ 내가 보건대는 / in the ~ of the law 법률상의 견해로는. **2** 존경, 존중(尊重)(respect): be (held) in (high) ~ (매우) 존중되고 있다 / stand high in a person's ~ (in the ~ of a person) 아무에게 크게 존경받다.

es·ti·ma·tor [éstəmèitər] *n*. Ⓒ 평가(견적)인, 감정인.

estivate ⇨ AESTIVATE.

Es·to·nia, -tho- [estóuniə], [-tóu-, -θóu-] *n*. 에스토니아《발트해 연안에 있는 공화국; 1991년 소련의 붕괴로 독립; 수도 Tallinn [tá:lin]》. ㊕ **-ni·an** *a*. 에스토니아(인)의. —*n*. Ⓒ 에스토니아인; Ⓤ 에스토니아어.

es·trange [istréindʒ] *vt*. **1** (…의 사이)를 나쁘게 하다, 이간하다《**from** …에서》: His impolite behavior ~*d* his friends. 그의 무례한 행동 때문에 그의 친구들은 떨어져 나갔다 / be ~*d from* one's friends 친구들로부터 소원해지다 / The dispute ~*d* him *from* his wife. 그 말다툼으로 그는 아내와의 사이가 나빠졌다. **2** 〖~ oneself〗 멀리하다, 떼다《**from** …에서》: ~ a person *from* city life 아무를 도시 생활에서 떼어놓다 / He ~*d* him*self from* politics. 그는 정치에서 손을 떼었다. ㊕ **~·ment** *n*. Ⓤ (구체적으로는 Ⓒ) 이간, 버성김, 소원, 소외.

ès·tránged *a*. (표정 등이) 쌀쌀한; (심정적으로) 멀어진, 소원해진《**from** …와》: one's ~ wife 사이가 나빠 별거하는 처 / They have become ~ *from* each other. 그들은 서로 소원해졌다.

es·tro·gen, oes- [éstrədʒən] *n*. Ⓤ 〖생화학〗 에스트로겐《여성 발정(發情) 호르몬 물질》.

éstrous cỳcle 〖동물〗 발정주기(發情週期)(reproductive cycle).

es·trum, oes- [éstrəm], **es·trus, oes-** [éstrəs] *n*. Ⓤ (암컷의) 발정(發情), 암내피움; 발정기: be in *estrus* 발정기에 있다.

es·tu·a·ry [éstʃuèri] *n*. Ⓒ (간만의 차가 있는) 큰 강의 어귀; 내포, 후미.

E.T. Eastern Time; extraterrestrial.

-et [it] *suf*. 명사에 붙여 '작은'의 뜻을 나타내는 축소사(縮小辭).

eta [éitə, í:tə] *n*. Ⓤ (구체적으로는 Ⓒ) 그리스어 알파벳의 일곱째 글자《H, *η*; 영어의 E, e에 해당》.

ETA, E.T.A. estimated time of arrival (도착 예정 시각).

et al. [et-ǽl, -á:l, -ɔ́:l] 《L.》 *et alibi* (=and elsewhere); *et alii* (=and others). ★ '기타'는 사람은 et al. 물건은 etc.를 씀.

***etc., &c.** [etsétərə, ənsóufɔ̀:rθ] =ET CETERA.

> NOTE (1) 상용문(商用文)이나 참조에 주로 쓰이며, 앞에 comma를 찍음《명사가 하나일 때는 예외》.
> (2) 영국에서는 마침표를 빼고 etc를 쓰는 경향이 있음.
> (3) etc., etc., etc.,라고 되풀이해서 쓰는 경우가 있으나, 이는 '이하 생략'이란 뜻.
> (4) 사람에 관해 말할 때는 et al.을 씀.

et cet·era [et-sétərə, it-sétrə] 《L.》 기타, …따위, 등등《생략: etc., &c.; 보통 약자를 씀》.

et·cet·er·as [etsétərəz] *n*. *pl*. 그 밖의 갖가지의 것(사람); 잡동사니, 잡품.

°etch [etʃ] *vt*. …에 식각(蝕刻)(에칭)하다; (그림·무늬)를 에칭으로 새기다《**on** (동판 따위)에》; 선명하게 그리다; 깊이 새기다《**in, into, on** (마음 따위)에》: The incident was ~*ed in* his memory. 그 사건은 그의 기억에 깊이 새겨져 있다.
— *vi*. 에칭을 하다; 동판화를 만들다.
㊕ **∠·er** *n*. Ⓒ 에칭(부식 동판) 제작자.

°étch·ing *n*. **1** Ⓤ 식각법, 부식 동판술, 에칭. **2** Ⓒ 에칭판; 에칭(판)화.

ETD, E.T.D. estimated time of departure (출발(출항) 예정 시각).

***eter·nal** [itə́:rnəl] *a*. **1 영구(영원)한**, 영원히 변치 않는, 불멸의: ~ life 영원한 생명, 영생. **2** 《구어》 끝없는; 끊임없는(incessant); 변함없는(immutable): ~ quarreling 끝없는 말다툼. SYN. ⇨ EVERLASTING. —*n*. (the ~) 영원한 것; (the E–) 하느님(God). ㊕ **°~·ly** *ad*. 영원히; 언제까지나; 《구어》 끊임없이.

Etérnal Cíty (the ~) 영원한 도시《Rome의 별칭》.

eter·nal·ize [itə́:rnəlàiz] *vt*. =ETERNIZE.

etérnal tríangle (an ~) (남녀의) 삼각관계.

°eter·ni·ty [itə́:rnəti] *n*. **1** Ⓤ 영원, 무궁; 불사, 불멸; (사후의) 영세, 내세: through all ~ 영원무궁토록 / between this life and ~ 이승과 저승 사이에, 생사지경에. **2** (an ~) 《구어》 (끝이 없게 여겨지는) 긴 시간: It seemed to me an ~. 길고 긴 시간으로 여겨졌다.

etérnity rìng 이터니티 링《보석을 돌아가며 틈없이 박은 반지; 영원한 사랑을 상징》.

eter·nize [itə́:rnaiz] *vt*. 영원한 것으로 하다, 불후(不朽)하게 하다; 영원토록 전하다.

etext [í:tèkst] *n*. 〖컴퓨터〗 전자 텍스트《기계적으로 읽어낼 수 있는 텍스트》. [◂electronic *text*]

ETF electronic transfer of funds.

-eth [iθ] *suf*. ⇨ -TH².

eth·ane [éθein] *n*. Ⓤ 〖화학〗 에탄《석유에서 나는 무색·무취·가연성 가스; 연료용》.

eth·a·nol [éθənɔ̀(:)l, -nàl] *n*. Ⓤ 〖화학〗 에탄올(alcohol), 에틸알코올.

Eth·el [éθəl] *n*. 에셀《여자 이름》.

ether, ae·ther [í:θər] *n*. **1** Ⓤ 〖화학〗 에테르, 《특히》 에틸 에테르《용매(溶媒)·마취약》. **2** (the ~) 《시어》 상공, 천공(天空).

°ethe·re·al, -ri·al, ae·the- [iθí:riəl] *a*. **1** 공기 같은; 아주 가벼운, 희박한. **2** 《시어》 천상의, 하늘의: ~ messengers 천사. **3** 우미한, 영묘한. **4** 〖물리·화학〗 에테르의(같은), 에테르를 함유한. ㊕ **~·ly** *ad*. **~·ness** *n*.

ether·ize [í:θəràiz] *vt*. 에테르로 처리하다; 〖의학〗 …을 에테르로 마취시키다.

eth·ic [éθik] *a*. =ETHICAL. —*n*. Ⓒ 윤리, 도덕률. cf. ethics.

***eth·i·cal** [éθikəl] *a*. **1 도덕상의, 윤리적인**; 윤리(학)의; 윤리에 타당한: an ~ movement 윤리

화 운동. **2** (의약이) 의사의 처방 없이 매매할 수 없는; (약품이) 인정 기준을 좇은: an ~ drug 처방약. ㊞ **~·ly** *ad.* **~·ness** *n.*

*__eth·ics__ [éθiks] *n.* **1** Ⓤ **윤리학**, 도덕론: practical ~ 실천 윤리학. **2** 〖복수취급〗 (개인·어느 사회·직업에서 지켜지고 있는) 도의, 도덕, 윤리(관): medical 〔professional〕 ~ 의사의〔직업〕 윤리/His ~ are abominable. 그의 도덕관념은 형편없다.

Ethi·o·pia [ì:θióupiə] *n.* 에티오피아《옛이름: Abyssinia; 수도는 Addis Ababa》.

Ethi·ó·pian [-n] *a.* 에티오피아(사람)의. — *n.* Ⓒ 에티오피아인; 《고어》 흑인(Negro).

Ethi·op·ic [ì:θiápik/-ɔ́p-] *a.* =ETHIOPIAN; 고대 에티오피아어(족)의. —*n.* Ⓤ 고대 에티오피아어(족).

eth·nic [éθnik] *a.* **1** 인종의, 민족의; 민족 특유의: an ~ nation 부족적 국민/~ society 종족적 사회/~ music 민족 특유의 음악. **2** 특정 (소수) 인종〔민족〕의《문화에 유래하는》. —*n.* Ⓒ 소수 민족의 사람.

eth·ni·cal [éθnikəl] *a.* 민족학의〔에 관한〕. ㊞ **éth·ni·cal·ly** *ad.* **eth·nic·i·ty** [eθnísəti] *n.* Ⓤ 민족성.

eth·no- [éθnou, -nə] '인종, 민족'이란 뜻의 결합사.

eth·no·cen·tric [èθnouséntrik] *a.* 민족 중심적인; 자기 민족 중심주의의.

eth·no·cen·trism [èθnouséntrizəm] *n.* Ⓤ 자기 민족 중심주의《다른 민족을 멸시하는》. ⓒⓕ nationalism, chauvinism.

eth·nog·ra·phy [eθnágrəfi/-nɔ́g-] *n.* Ⓤ 민족지학(誌學), 기술적(記述的) 인종학. ㊞ **-pher, -phist** *n.* Ⓒ 민족지학자. **eth·no·graph·ic, -i·cal** [èθnəgrǽfik], [-əl] *a.* 민족지(誌)적인, 민족지학상의. **-i·cal·ly** *ad.*

eth·no·log·ic, -i·cal [èθnəládʒik/-lɔ́dʒ-], [-əl] *a.* 민족학상의, 인종학의. ㊞ **-i·cal·ly** [-kəli] *ad.* 민족학적으로.

eth·nol·o·gy [eθnálədʒi/-nɔ́l-] *n.* Ⓤ 민족학, 문화인류학. ㊞ **-gist** *n.* Ⓒ 민족학〔인종학〕자.

èthno·scíence *n.* Ⓤ 민족 과학, 민족지(誌)학.

ethol·o·gy [i(:)θálədʒi/-θɔ́l-] *n.* Ⓤ (동물)행동학, 행동 생물학; 인성학(人性學); 품성론.

◇**ethos** [í:θas/-θɔs] *n.* Ⓤ **1** 민족 정신, 사회 사조. ⓒⓕ pathos. **2** (시대·문화 등의) 기풍, 풍조.

eth·yl [éθəl] *n.* Ⓤ 〖화학〗 에틸(기).

éthyl álcohol 에틸알코올《보통 알코올》.

eth·yl·ene [éθəlì:n] *n.* Ⓤ 〖화학〗 에틸렌.

eti·o·late [í:tiəlèit] *vt.* 누렇게 뜨게 하다, 황화(黃化)시키다《식물이 햇빛을 못 보게 해》; 병색이 나게 하다, 병약하게 하다. ㊞ **èti·o·lá·tion** *n.*

eti·ol·o·gy, ae·ti- [ì:tiálədʒi/-ɔ́l-] *n.* Ⓤ 원인론, 인과관계론; 〖의학〗 병인학(病因學); 원인 추구. ㊞ **-ó·log·ic, -i·cal** *a.* **-i·cal·ly** *ad.*

*__et·i·quette__ [étikèt, -kit] *n.* Ⓤ **에티켓**, 예절, 예법: proper ~ 올바른 예절/a breach of ~ 예의에 벗어남.

Et·na, Aet·na [étnə] *n.* **Mount ~** 에트나 산《이탈리아 Sicily 섬의 유럽 최대의 활화산》.

Éton cóllar [í:tn-] 이튼 칼라《상의의 깃에 덧대는 폭이 넓은 칼라》.

Éton Cóllege 이튼 칼리지《영국의 public school 로 1440년 창설》.

Eto·ni·an [i:tóuniən] *n.* Ⓒ 이튼교의 학생; 이튼교 출신자. —*a.* 이튼교의.

Éton jácket 이튼 재킷《이튼식의 깃이 넓고 길이가 짧은 소년용 상의》; 여자용 짧은 저고리.

Etru·ria [itrúəriə] *n.* 에트루리아《이탈리아 서부에 있는 지방의 옛 이름》.

Etrus·can [itrʌ́skən] *a.* 에트루리아(인〔어〕)의. —*n.* Ⓒ 에트루리아인; Ⓤ 에트루리아어.

-ette [ét] *suf.* '작은, 여성, 모조(模造), 집단'의 뜻: cigar*ette*; leather*ette*; oct*ette*.

étude [eitjú:d] *n.* 《F.》 Ⓒ 〖음악〗 연습곡, 에튀드.

ETX 〖컴퓨터〗 end of text (텍스트 종결(문자)).

ety., etym., etymol. etymological; etymology.

et·y·mo·log·ic, -i·cal [ètəməládʒik/-lɔ́dʒ-], [-əl] *a.* 어원(語源)의; 어원학의: an *etymological* dictionary 어원 사전. ㊞ **-i·cal·ly** *ad.* 어원상; 어원적으로.

◇**et·y·mol·o·gy** [ètəmálədʒi/-mɔ́l-] *n.* **1** Ⓤ 어원; 어원학; 어원론. **2** Ⓒ (어떤 낱말의) 어원의 추정〔설명〕. ㊞ **-gist** *n.* Ⓒ 어원학자.

eu- [ju:] *pref.* '선(善), 양(良), 미, 우(優)'의 뜻: *eu*logy, *eu*phony. ↔ *dys-*.

EU European Union; enriched uranium (농축 우라늄). **Eu** 〖화학〗 europium.

eu·ca·lyp·tus [jù:kəlíptəs] (*pl.* **~·es, -ti** [-tai]) *n.* Ⓒ 〖식물〗 유칼립투스, 유칼리《오스트레일리아 원산의 교목》: ~ oil 유칼리유(油).

Eu·cha·rist [jú:kərist] *n.* (the ~) 〖가톨릭〗 성체(聖體), 성체 성사, 성찬; 성체용〔성찬용〕 빵과 포도주; 〖기독교〗 성찬: give 〔receive〕 the ~ 성체를 주다〔받다〕. ㊞ **Eù·cha·rís·tic, -ti·cal** [-tik], [-əl] *a.*

Eu·clid [jú:klid] *n.* **1** 유클리드《기원전 300 년경의 Alexandria 의 기하학자》. **2** Ⓤ 유클리드 기하학. ㊞ **Eu·clid·e·an, -i·an** [ju:klídiən] *a.*

Eu·gene, Eu·gène [ju:dʒí:n, ⌐-], [ju:ʒéin] *n.* 유진《남자 이름; 애칭 Gene》.

eu·gen·ic, -i·cal [ju:dʒénik], [-əl] *a.* Ⓐ 〖생물〗 우생(학)의; 우생학적으로 우수한. ㊞ **-i·cal·ly** *ad.* 우생학적으로.

eu·gen·i·cist, eu·gen·ist [ju:dʒénəsist], [jú:dʒənist] *n.* Ⓒ 우생학자.

eu·gén·ics *n.* Ⓤ 우생학.

eu·lo·gist [jú:lədʒist] *n.* Ⓒ 예찬자, 찬미자.

eu·lo·gis·tic, -ti·cal [jù:lədʒístik], [-əl] *a.* 찬사의, 찬미의. ㊞ **-ti·cal·ly** *ad.*

eu·lo·gize [jú:lədʒàiz] *vt.* 칭찬〔칭송〕하다, 기리다, 찬사를 드리다.

eu·lo·gy [jú:lədʒi] *n.* **1** Ⓒ 찬사; 송덕문(頌德文); 《美》 조사(弔辭)《***of, on, to*** …에 대한》: pronounce a person's ~ =pronounce a ~ *on* a person 아무의 덕을 기리다〔칭송하다〕. **2** Ⓤ 칭송, 칭찬, 찬미.

eu·nuch [jú:nək] *n.* Ⓒ **1** 거세된 남자; (특히 옛 동양 왕조의) 환관, 내시. **2** 《구어》 유약한 사내, 무능한 남자.

eu·phe·mism [jú:fəmìzəm] *n.* **1** Ⓤ 〖수사학〗 완곡어법. **2** Ⓒ 완곡 어구《***for*** …의》: 'Pass away' is a ~ *for* 'die.' '가버리다'는 '죽다'의 완곡어이다.

eu·phe·mis·tic, -ti·cal [jù:fəmístik], [-əl] *a.* 완곡어법의; 완곡한. ㊞ **-ti·cal·ly** *ad.*

eu·phe·nics [ju:féniks] *n.* Ⓤ 인간 개조학《장기 이식·보철(補綴) 공학 등에 의한》.

eu·phon·ic, -i·cal [ju:fánik/-fɔ́n-], [-əl] *a.*

어조(語調)〔음조〕가 좋은; 음편(音便)의: *euphonic* changes 음편. ㉺ **-i·cal·ly** *ad.* 음조가 좋게.

eu·pho·nious [ju:fóuniəs] *a.* 음조가 좋은, 듣기 좋은; 조화된. ㉺ **~·ly** *ad.*

eu·pho·nium [ju:fóuniəm] *n.* [C] 〖음악〗 유포늄(튜바(tuba)의 일종).

eu·pho·ny [jú:fəni] *n.* [U] (구체적으로는 [C]) 기분 좋은 소리; 음편(↔ *cacophony*).

eu·pho·ria [ju:fɔ́:riə] *n.* [U] 행복감(***about, over*** …에 대한). ㉺ **eu·phór·ic** [-rik] *a.* **-i·cal·ly** *ad.*

Eu·phra·tes [ju:fréiti:z] *n.* (the ~) 유프라테스 강(Mesopotamia 지방의 강으로 그 유역은 고대 문명의 발상지).

eu·phu·ism [jú:fju:izəm] *n.* [U] 〖수사학〗 과식체(誇飾體); [C] 미사여구.

Eur- [juər, jər/juər], **Eu·ro-** [júərou, -rə, jə́:r-/júər-] '유럽'이란 뜻의 결합사.

Eur. Europe; European.

Eur·a·sia [juəréiʒə, -ʃə] *n.* 유라시아, 구아주(歐亞洲).

Eur·a·sian [juəréiʒən, -ʃən] *a.* 구아(歐亞)의, 유라시아의; 유라시아 혼혈의: the ~ Continent 유라시아 대륙.

Eu·rat·om [juərǽtəm] *n.* 유럽 원자력 공동체. [◂*Eur*opean *Atom*ic Energy Community]

eu·re·ka [juərí:kə] *int.* (Gr.) (=I have found it!) 알았다, 됐다. ★ 아르키메데스가 왕관의 순금도를 재는 방법을 발견했을 때에 지른 소리; California 주의 표어.

eurhythmics ⇨EURYTHMICS.

Eu·rip·i·des [juərípədi:z] *n.* 에우리피데스(그리스의 비극 시인; 480?-406? B.C.). ㉺ **Eu·rìp·i·dé·an** *a.*

Eu·ro [júərou, -rə] *a.* 유럽의. —*n.* [C] 유럽 사람; (e-) 유러 화폐 단위(유럽 공통 화폐 단위; 기호 €).

Éuro·bònd *n.* [C] 유러채(債).

Eu·ro·cen·tric [jùərəséntrik] *a.* 유럽(인) 중심(주의)의.

Eu·ro·crat [júərəkræ̀t] *n.* [C] 유럽 공동시장 행정관.

Éuro·cùrrency *n.* [U] 유러머니(유럽에서 쓰이는 각국의 통화).

Éuro·dòllar *n.* [C] 유러달러(유럽에서 국제 결제에 쓰이는 미국 dollar).

Éuro·màrket, Éuro·màrt *n.* =EUROPEAN COMMON MARKET.

Eu·ro·pa [juəróupə] *n.* 〖그리스신화〗 에우로페, 유러파(Phoenicia의 왕녀로 Zeus의 사랑을 받음).

†**Eu·rope** [júərəp] *n.* 유럽(주).

†**Eu·ro·pe·an** [jùərəpí:ən] *a.* 유럽의; 유럽 사람의; 백인의. —*n.* [C] 유럽 사람; 백인.

Européan Commíssion (the ~) 유럽 위원회(European Union의 집행 기관의 하나).

Européan Cómmon Márket (the ~) 유럽 공동시장(European Economic Community의 별칭; 생략: ECM).

Européan Commúnity (the ~) 유럽 공동체(생략: EC).

Européan Económic Commúnity (the ~) 유럽 경제 공동체(생략: EEC; 1967년 EC로 통합).

Eu·ro·pe·an·ize [jùərəpí:ənàiz] *vt.* 유럽식으로 하다, 유럽화(化)하다.

Européan Mónetary Sỳstem (the ~) 유럽 통화 제도(생략: EMS).

Européan Párliament (the ~) 유럽 의회(EC 가맹국 국민의 직접 선거로 의원을 선출함).

Européan plàn (美) (the ~) 유럽 방식(투숙비와 식비를 따로 계산하는 호텔 요금제). [cf.] American plan.

Européan Únion 유럽 연합(1993년 유럽 연합 조약 발효로 EC를 개칭한 것; 생략: EU).

eu·ro·pi·um [juəróupiəm] *n.* [U] 〖화학〗 유러퓸(희토류(稀土類) 원소; 기호 Eu; 번호 63).

Éuro·tùnnel *n.* 유러터널(Channel Tunnel의 별칭).

Éuro·vision *n.* [U] 유러비전(서유럽 제국에서 만든 텔레비전 프로그램의 국제 중계·교환 조직). [◂*Euro*+tele*vision*]

Eu·ryd·i·ce [juərídəsi:] *n.* 〖그리스신화〗 에우리디케(Orpheus의 아내).

eu·ryth·mic, -rhyth-, -mi·cal [juəríðmik], [-kəl] *a.* 조화와 균형이 잡힌; (음악·댄스가) 기분 좋은 리듬을 지닌, 율동적인.

eu·rýth·mics, -rhyth- *n.* [U] 유리드믹스(음악 리듬을 몸놀림으로 표현하는 리듬 교육법).

eu·stá·chian tùbe [ju:stéiʃiən-, -kiən-] (종종 E- t-) 〖해부〗 유스타키오관(管)(중이(中耳)에서 인후로 통함).

Eu·ter·pe [ju:tə́:rpi] *n.* 〖그리스신화〗 에우테르페(음악·서정시의 여신; Nine Muses의 하나).

eu·tha·na·sia [jù:θənéiʒiə, -ziə] *n.* [U] 〖의학〗 안락사, 안사술(安死術).

eu·tha·nize [jú:θənàiz] *vt.* 안락사시키다.

eu·then·ics [ju:θéniks] *n.* [U] 우경학(優境學), 환경 개선학, 생활 개선학.

eu·troph·ic [ju:tráfik/-trɔ́f-] *a.* 〖생태〗 (하천·호수가) 부영양(富營養)의.

eu·troph·i·cate [ju:tráfəkèit] *vi.* 〖생태〗 (호수 등이) 부영양화(富營養化)하다. ㉺ **eu·tròph·i·cá·tion** *n.* [U] 부영양화.

Eva [í:və] *n.* 에바(여자 이름).

◇**evac·u·ate** [ivǽkjuèit] *vt.* **1 a** 철수하다; (군대 따위)를 철수시키다(***from*** (점령지 따위)에서). **b** 피난〔소개(疏開)〕하다(***from*** (위험지역)에서); (사람)을 피난〔소개〕시키다(***from*** …에서; ***to*** …으로); (집 따위)를 비워주다: We were ~*d from* the war zone. 우리는 전투 지대에서 소개되었다 / ~ children *from* town *to* the country 아이들을 도시에서 시골로 소개시키다 / The whole building was ~*d*. 건물은 완전히 비워졌다. **2 a** (위·장(腸) 따위)를 비우다; (대소변)을 배설하다: ~ bowels 배변하다. **b** (용기 따위)에서 빼다, 배출하다(***of*** …을); (내용물)을 빼다, 배출하다(***from*** …에서): ~ a vessel *of* air =~ air *from* a vessel 용기를 진공으로 만들다.

◇**evàc·u·á·tion** *n.* [U] (구체적으로는 [C]) 철군, 철병; 소개(疏開), 피난, 비워줌, 물러남; 배출, 배설; [C] 배설물.

evac·u·ee [ivæ̀kjuí:] *n.* [C] 피난민, 소개자(疏開者).

***evade** [ivéid] *vt.* **1** (적·공격 등)을 (교묘히) 피하다, 비키다, 면하다, 벗어나다: ~ one's pursuer 추적자를 따돌리다 / ~ a blow 타격을 피하다.
2 (질문 따위)를 얼버무려 넘기다(duck): ~ a question 질문을 얼버무려 넘기다.
3 (~+[목]/+-*ing*) (의무·지급 등의 이행)을 회피하다, (특히) (세금)의 탈세를 하다; (법·규칙)을

빠져나가다: ~ one's duties 자기 의무를 회피하다/~ (pay*ing*) taxes 탈세하다/~ meet*ing* one's debtors 채권자 만나기를 회피하다.
4 (사물 따위가) …에게 벅차다, 힘겹다; (설명·이해·해결 따위)가 하기 어렵다: The problem ~*s* me. 그 문제는 내게 벅차다/This taste ~*s* explanation. 이 맛은 설명하기 어렵다. ◇evasion *n.*

◇**eval·u·ate** [ivǽljuèit] *vt.* …을 평가하다, 사정(査定)하다, 가치를 어림하다: ~ the cost of the damage 손해액을 사정하다. ㊐ **evàl·u·á·tion** *n.* Ⓤ (구체적으로는 Ⓒ) 평가, 사정(査定).

ev·a·nesce [èvənés, ㅡㅡㅡ] *vi.* (자태가) 점차 사라져 가다, (김처럼) 소산(消散)하다, 스르르 사라지다.

eva·nes·cent [èvənésənt] *a.* (김처럼) 사라지는; 순간의, 덧없는. ㊐ **~·ly** *ad.* 덧없이. **-cence** [-səns] *n.* Ⓤ 소실; 덧없음.

evan·gel [ivǽndʒəl] *n.* **1** Ⓒ 복음(福音). **2 a** (E-) Ⓒ (성서의) 복음서. **b** (the E-s) 4복음서《Matthew, Mark, Luke, John》. ⓒⓕ gospel.

evan·gel·ic [ìːvændʒélik, èvən-] *a., n.* = EVANGELICAL.

◇**evan·gel·i·cal** [ìːvændʒélikəl, èvən-] *a.* **1** Ⓐ 복음(서)의, 복음 전도의. **2** 복음주의의《영국에서는 저(低)교회파를, 미국에서는 신교 정통파를 이름》. **3** 복음(주의)적인. **—*n.*** Ⓒ 복음주의자, 복음파의 사람. ㊐ **-i·cal·ly** *ad.* 복음에 의하여. **-i·cal·ism** *n.* Ⓤ 복음주의.

evάn·ge·lìsm *n.* Ⓤ 복음 전도; 복음주의《형식보다 신앙을 중시함》.

◇**evάn·ge·list** *n.* **1** Ⓒ 복음 전도자. **2** (E-) 복음사가(史家), 신약 복음서 기록자.

evan·ge·lis·tic [ivæ̀ndʒəlístik] *a.* 복음사가(史家)의; 복음 전도자의[에 의한], 전도적인.

evan·gel·ize [ivǽndʒəlàiz] *vt., vi.* (…에게) 복음을 전하다; 전도하다.

evap·o·rate** [ivǽpərèit] *vi.* **증발하다**; (희망·의욕 따위가) 무산되다, 사라지다: My passion soon ~*d.* 내 정열은 곧 식었다. **—*vt. 증발시키다; (과일 따위)의 수분을 빼다, (우유 따위)를 농축하다; (희망 따위)를 무산시키다: Heating ~*s* water. 가열하면 물이 증발한다. ◇evaporation *n.* ㊐ **eváp·o·ràtor** *n.*

eváporated mílk 무당 연유(無糖煉乳), 농축 우유.

◇**evàp·o·rá·tion** *n.* Ⓤ 증발 (작용), (수분의) 발산; (증발에 의한) 탈수(법); 증발 건조[농축]; (희망 따위의) 무산. ◇evaporate *v.*

◇**eva·sion** [ivéiʒən] *n.* Ⓤ (구체적으로는 Ⓒ) (책임·의무 등의) **회피**, 기피; (질문에 대해) 얼버무림, 둘러댐, 핑계: tax ~ 탈세/take shelter in ~*s* 핑계를 대고 빠져나가다. ◇ evade *v.*

eva·sive [ivéisiv] *a.* **1** 회피[도피]하는; 둘러대는; 분명치 않은: an ~ answer 둔사(遁辭). **2** (눈초리 등이 상대를) 정면으로 보려 하지 않는; 교활한. ㊐ **~·ly** *ad.* 도피적으로. **~·ness** *n.*

Eve [iːv] *n.* 〖성서〗 하와《아담의 아내; 하느님이 창조한 최초의 여자》.

***eve** [iːv] *n.* **1** (E-) (축제의) **전야**, 전일: Christmas *Eve.* **2** Ⓒ (보통 the ~) (사건 따위의) 직전: on the ~ of victory 승리 직전에. **3** Ⓤ《시어》 **저녁**, 해질녘, 밤(evening).

Eve·lyn [évəlin/íːv-] *n.* 에벌린《여자 이름; 《英》 남자 이름》.

†**even**[1] [íːvən] *ad.* **1 a** 〖예외적인 일을 강조하여서〗 …**조차(도)**, …**라도**, …**까지**《수식받는 말(이하 이탤릭체 부분)에 강세가 옴》: *Even now* it's not too late. 지금이라도 늦지는 않다/She doesn't ~ *open* the letter. 그 편지를 (읽기는 커녕) 펴 보지도 않는다/*Even the slightest noise* disturbs him. 아무리 작은 소리라도 그의 기분을 어지럽힌다/God cares for *the sparrows* ~, and feed them. 신은 참새까지도 보살피시며, 먹이를 주신다.

> **NOTE** (1) even은 보통 수식되는 어구의 직전에 놓이어 그 어구를 강조함.
> (2) 전치사구의 경우, 두 가지 위치가 가능: *even* for a month =for *even* a month 한 달 동안이라도.
> (3) 같은 형태의 문장이라도 문강세(文強勢)의 위치에 따라 그 뜻을 판단해야 할 때가 있음: He *even* gáve me his camera. 그는 자기 카메라를 나에게 주기까지 했다《'빌려주었을 뿐 아니라' 따위의 뜻을 내포》. ≠He *even* gave me his cámera. 그는 나에게 카메라도 주었다(=He gave me *even* his cámera).

b 〖좀 더 강조하여〗 (그 정도가 아니라) **정말이지; 실로**(indeed): I am willing, ~ eager, to help. 기꺼이, 아니 꼭 힘이 되어 드리겠습니다/I was happy, ~ joyous. 행복하고, 정말이지 기쁘기까지 했다.
2 〖비교급을 강조하여〗 **한층** (더); 더욱; (—보다) …할 정도다: This dictionary is ~ *more useful* than that. 이 사전은 저 사전보다 더욱 유익하다.
3 원활하게; 한결같이; 호각(互角)으로; 대등하게: The motor ran ~. 모터는 원활하게 작동했다/The two horses ran ~. 두 마리 말은 막상막하로 달렸다.
~ *as*... 《문어》 마침[바로] …할 때에《보통은 just as》: *Even as* I looked up, he went out the door. 마침 내가 쳐다볼 때 그가 문을 나갔다.
~ *if* 비록 …할지라도, 비록 …라(고) 하더라도: *Even if* I were to fail again, I would not despair. 만일 또다시 실패하는 일이 있다 하더라도 나는 절망하지 않을 것이다. ★ 위에 보인 even은 종종 생략됨. **~ *so*** (비록) 그렇다(고) 하더라도: He has some faults; ~ *so,* he is a good man. 결점은 있지만, (비록) 그렇다 하더라도 그는 선량한 사람이다. **~ *then*** 그 때조차도, 그 경우라도; 그래도; 그(것으)로도: I could withdraw my savings, but ~ *then* we'd not have enough. 저금을 찾을 수도 있으나 그래도 우리는 부족할 것이다. **~ *though*** ① …이긴 하지만《though보다 강조적》: *Even though* he is over eighty, he can walk pretty quickly. 그는 80세가 넘었지만 상당히 빨리 걸을 수 있다. ② =~ if《★ 절 안의 동사에 may를 붙임》: *Even though* you may fail this time, you can try again. 비록 이번에 실패해도 한 번 더 해 볼 수 있다.

—(*more* ~, *most* ~; ~·*er*, ~·*est*) *a.* **1 a** (표면·판자 따위가) **평평한**; 평탄한, 반반한; 수평(水平)의(↔ *uneven*): a rough but ~ surface 껄끄럽지만 평평한 표면/She has ~ teeth. 그 여자는 잇바디가 곱다. **b** (선(線)·해안선 따위가) **울퉁불퉁하지 않은**; 들쭉날쭉하지 않은; 끊어진 데가 없는: an ~ coastline 굴곡 없는[쭉 뻗은] 해안선.
2 Ⓟ **같은 높이인**; 동일면[선]상의《***with*** …와》;

평행의, 수평의: houses ~ *with* each other 같은 높이의 집들/The snow was ~ *with* the window. 눈은 창 높이까지 쌓여 있었다.

3 a (행동·동작이) **규칙바른**; 한결같은; 정연한; (음(音)·생활 따위가) 단조로운; 평범한: a strong, ~ pulse 힘차고 규칙적인 맥박/an ~ tenor of life 단조로운 나날의 생활/His work is very ~. 그의 일하는 태도는 한결같다. **b** (색깔 등이) 한결같은; 고른: an ~ color 한결같이 고른 색깔. **c** (마음·기질 따위가) 침착한, 차분한; 고요한(calm): an ~ temper 침착한 기질.

4 a 균형이 잡힌; 대등〔동등〕한《**with** …와》; 호각의(equal); 반반의: an ~ fight 호각의 싸움/on ~ ground *with*… …와 대등하여〔하게〕/have an ~ chance 승산은 반반이다/stand ~ 호각지세이다/The odds are ~. 가능성은 반반이다/We are ~ now. (대갚음 따위를 하고 나서) 이제 우리는 피차 비긴 셈이다. **b** (수량·득점 따위가) **같은**; 동일한: an ~ score 동점/~ share 균등한 몫/of ~ date (서면 따위가) 같은 날짜의. **c** (거래·교환·판가름 따위가) 공평한; 공정한(fair): an ~ bargain (대등한 이득을 보는) 공평한 거래/an ~ decision 공평한 결정.

5 청산(淸算)이 끝난; 대차(貸借)가 없는; 손득(損得)이 없는: an ~ exchange 득실 없는 교환/This will make (us) all ~. 이로써 (우리는) 대차 관계가 없어진다/*Even* reckoning makes long friends. 《속담》 대차가 없으면 교우는 오래 간다.

6 a **짝수의**, 우수(偶數)의; 짝수번(番)의: an ~ number 짝수/an ~ point 〖수학〗 짝수점/an ~ page 짝수 페이지. ↔ *odd*. **b** (돈·시간 따위가) 우수리 없는; 꼭; 딱: an ~ mile 꼭 1마일/an ~ 5 seconds 꼭 5초(=5 seconds ~)《even이 뒤에 오면 부사로 볼 수 있음》.

be* 〔*get*〕 ~ *with a person 아무에게 대갚음하다; 《美》 아무에게 빚이 없다〔없게 되다〕: I'll *get* ~ *with* you. 앙갚음〔보복〕을 해 줄 테다.

—*vt.* 《~+목/+목+부》 **1** 평평하게〔반반하게〕 하다, 고르다(smooth)(*out; off*): ~ (*out*) the ground 땅을 고르다. **2** 평등〔균일〕하게 하다(*up; out*); 청산하다; 균형을 맞추다(*up; out*); …의 변동〔고르지 못함〕을 없애다: ~ *out* the trade imbalance 무역 불균형 문제를 바로잡다/~ (*up*) accounts 셈을 청산하다/That will ~ things *up*. 그것으로써 일이 안정될 것이다.

—*vi.* 《~/+부》 평평해지다(*out; off; up*); (물가 따위가) 안정되다(*out*); 평형이 유지되다; 균형이 잡히다(*up; off*): Things will ~ *out* in the end. 결국 만사가 안정될 것이다.

~ up on* 〔*with*〕 *… 《美구어》 (아무의 친절·호의)에 보답하다; 대갚음하다: I'll ~ *up with* you later. 뒤에 보답하겠습니다.

—*n.* (*pl.*) 《英》 =EVEN MONEY.

even[2] [íːvən] *n.* Ⓤ 《시어》 저녁, 밤(evening).

éven·hánded [-id] *a.* 공평한, 공정한(impartial). ㊎ **~·ly** *ad.*

†**eve·ning** [íːvniŋ] *n.* **1 a** Ⓤ (수식어가 붙거나 셀 때에는 보통 Ⓒ) **저녁**, 해질녘; **밤**《해가 진 뒤부터 잘 때까지》: in the ~ 저녁〔밤〕에/on Monday ~ 월요일 밤에《★ 요일 따위가 붙으면 관사 없이; 특정한 날의 경우 전치사는 on》/~ *by* ~ 매일 밤/*Evening* came 〔fell〕. 저녁이 되었다. **b** 〖부사적〗 저녁에: Will you come this 〔tomorrow〕 ~? 오늘〔내일〕 저녁에 오겠느냐? **2** Ⓒ 〖보통 수식어가 붙어〗 …밤; 야회(夜會): a musical ~ 음악의 밤/one's weekly bridge ~ 매주 한 번

모이는 브리지의 밤. **3** (the ~) 만년, 말기, 쇠퇴기: in the ~ *of* life 만년에.

~ after ~ 저녁마다, 밤마다. ***of an ~*** 《고어》 저녁에 흔히. ***toward*(*s*) *~*** 저녁 무렵에: *Toward*(*s*) ~ the wind usually shifts. 저녁 무렵에는 보통 풍향이 바뀐다.

> DIAL. ***Evening!*** 안녕하십니까(=Good evening!).

—*a.* Ⓐ 밤의, 저녁의; 밤에 일어나는〔볼 수 있는〕: the ~ glow 저녁놀/an ~ party 야회.

évening clàss (보통 성인을 대상으로 하는) 야간반, 야간 수업: attend *~es* 야간반에 다니다.

évening drèss 〔**clòthes**〕 야회복.

évening gòwn (여성용) 야회복.

évening práyer 저녁 기도(evensong).

évening prímrose 〖식물〗 (금)달맞이꽃, 월견초.

éve·nings *ad.* 《美구어》 저녁이면 반드시, 밤이면 언제나, 매일 저녁. ***mornings and ~*** 아침 저녁; 매일 아침 매일 밤.

évening schòol 야학교(night school).

évening stár (the ~) 개밥바라기, 금성(Venus) 《저녁에 서쪽에서 반짝이는》.

◇**éven·ly** *ad.* 평평〔평탄〕하게; 평등하게; 공평하게: spread the cement ~ 시멘트를 평평하게 펴다.

éven móney (도박에) 태우는 같은 액수의〔대등한〕 돈.

éven·ness *n.* Ⓤ 평평함, 고름; 평등; 침착.

éven·sòng *n.* (종종 E-) Ⓤ 〖영국국교회〗 만도(晩禱); 〖가톨릭〗 저녁기도(vespers).

éven-stéphen, -stéven *a.* (종종 e-S-) 《구어》 기회가 동등한; 동점인, 타이의.

‡**event** [ivént] *n.* **1 a** Ⓒ **사건**, 사변; 행사: chief *~s* of the year 그 해의 주요 사건/Coming *~s* cast their shadows before (them). 《속담》 일엽지추(一葉知秋)《일이 생기려면 조짐이 있는 법》. **b** ((quite) an ~) 《구어》 대사건, 의외의 사건: It was quite an ~. 그것은 대단한 소동〔사건〕이었다. SYN. ⇨ ACCIDENT. **2** Ⓒ 〖경기〗 **종목**, 승부, 시합: the main ~ 주종목, 메인이벤트/a big ~ 큰〔주된〕 시합.

at all ~s =***in any ~*** 좌우간, 여하튼간에: *At all ~s*, we should listen to his opinion. 여하튼 우리는 그의 의견을 들어야 한다. ***in either ~*** 여하튼간에, 하여튼. ***in that ~*** 그 경우에는, 그렇게 되면. ***in the ~*** 결과로서, 결국. ***in the ~ of*** (rain) (비)가 올 경우에는. ***in the ~* (*that*) *…*** 《美》 (만일) …일 경우에는: *in the* ~ he does not come 그가 안 오는 경우에는. ★ if, in case 쪽이 더 일반적임.

éven-témpered *a.* 마음이 평온한, 침착한.

◇**event·ful** [ivéntfəl] *a.* 사건이 많은, 파란 많은; 중대한: an ~ affair 중대 사건. ㊎ **~·ly** *ad.*

éven·tìde *n.* Ⓤ 《시어》 저녁 무렵〔때〕: at ~ 저녁에.

evént·less *a.* 평온한, 사건이 없는.

***even·tu·al** [ivéntʃuəl] *a.* Ⓐ **종국의**, 최후의, 결과로서〔언젠가〕 일어나는: His efforts led to his ~ success. 그의 노력이 열매를 맺어 드디어 성공했다.

even·tu·al·i·ty [ivèntʃuǽləti] *n.* Ⓒ 일어날 수 있는 사태〔결과〕, 만일의 경우: in such an ~ 만일 그런 경우에는/provide for every ~ 있을

수 있는 모든 경우에 대비하다.

°**e·vén·tu·al·ly** *ad.* 최후에(는), 드디어, 결국(은), 언젠가는.

even·tu·ate [ivéntʃuèit] *vi.* **1** 결국 …이 되다〔끝나다〕《**in** …(결과)로》: ~ well 〔ill〕 좋은〔나쁜〕 결과로 끝나다/The program ~*d in* failure. 그 계획은 실패로 끝났다. **2** (우발적으로) 일어나다, 생기다《**from** …에서》: Unexpected results ~*d from* this decision. 예상 못한 결과가 이 결정으로 인해 생겼다.

†**ever** [évər] *ad.* **1** 《의문문에서》 **일찍이; 이제〔지금〕까지; 언젠가** (전에); **도대체**: Have you ~ been to Seoul 〔in New York〕? 서울에 가 본〔뉴욕에 사신〕 적이 있습니까《★ 이 말의 응답에는 ever를 사용할 수 없음: Yes, I have (once). 또는 No, I have not./No, I never have.》/How can I ~ thank you (enough)? 정말이지 감사의 말씀 이루 다 드릴 수가 없습니다. ★ 상대를 비난하고 따질 때 종종 쓰임: Do your trains ~ run on time? 대체 당신네 열차가 제 시간대로 운행된 적이 있는가.

2 《조건문에서》 …(하는) 일이 있으면〔있다고 하더라도〕; **언젠가; 어쨌든**: Come and see me if you are ~ in Busan. 부산에 오시는 일이 있으면 들러 주십시오/He seldom, if ~, goes to the movies. 그는, 설사 영화구경을 간다 하더라도, 좀처럼 가지 않는다《if he *ever* goes there가 생략된 것임》/He was a great musician if ~ there was one. 그 사람이야말로 확실히 대음악가였다.

3 《비교급·최상급 뒤에서 이를 강조하여》 이제까지〔껏〕; 지금까지; 일찍이 (없을 만큼): It is raining *harder than* ~. 일찍이 없었던 큰 호우다/This is *the best* beer (that) I have ~ tasted. 이렇게 맛 좋은 맥주는 마셔 본 일이 없다《관계사절은 과거형도 좋으나 완료형이 보통임》/It is *the biggest* ~. 그것은 일찍이 없었던 큰 것이다.

4 《부정문에서》 **이제까지** (한 번도 …않다); 결코 (…않다): I have*n't* ~ been there. 거기에 한 번도 가 본 일〔적〕이 없다《I've *never* been there. 가 보통》/I do*n't* think I shall ~ see him again. 이제 두 번 다시 그를 볼 수 있으리라곤 생각지 않는다/*Nobody* ~ comes to this part of the country. 이 지방에는 아무도 오는 사람이 없다.

5 a 《긍정문에 쓰이어서》 **언제나; 늘; 항상**《as ever, ever since, ever after 따위의 관용구 외에는 《고어》; 오늘날에는 always가 더 일반적이며, 평서문의 현재완료형에는 쓰지 않음》: He ~ repeated the same words. 그는 늘 같은 말을 되풀이했다/He is ~ quick to respond. 그는 언제나 응답이 빠르다. **b** 《합성어를 이루어》 언제나, 늘: ~-active 항상 활동적인/an ~-present danger 늘 존재하는 위험.

6 《강조어로 쓰이어》 **a** 《as... as를 강조하여》 될 수 있는 대로〔한〕…; 가급적…: *as* much 〔little〕 *as* ~ I can 될 수 있는 대로 많이〔적게〕/Be *as* quick *as* ~ you can! 될 수 있는 대로〔한〕 서둘러라. **b** 《so (much), such를 강조하여》 대단히; 매우: ~ *such* a nice man 정말이지 좋은 사람/The patient is ~ *so much* better. 환자는 용태가 매우 좋다. **c** 《wh. 따위 의문사를 강조하여》 (도)대체; 대관절: *What* ~ do you think you're doing? 도대체 당신은 자신이 하고 있는 일을 알고 있는가/*Which* ~ way did he go? 《구어》 대관절 그는 어느 쪽으로 갔나요/*Why* ~ did you say so? 대관절 당신은 왜 그런 말을 했나요. **d** 《의문형식의 감탄문에서》 《美구어》 매우; 무척(이나); 정말이지: Is this ~ beautiful! 이건 정말(이지) 아름답지 않은가/Is 〔Isn't〕 he ~ mad! 그 사람 정말이지 돌았군(=How mad he is!).

(**as**) **... as ~** 변함〔다름〕없이 …; 전과 같이 …: The boy behaved *as* badly *as* ~. 그 소년의 행실은 여전히 나빴다. **as ~** 언제나처럼: *As* ~, he was late in arriving. 언제나처럼 그는 늦게 도착했다. ***As if ... ~!*** 설마 …은 않을 테지: *As if* he would ~ do such a thing! 그 사람이 그런 일을 할 리는 없지. ***Did you ~ (...)!*** 《구어》 그것은 금시초문이다; 이거 정말 놀랐다《*Did you ever* hear 〔see〕 the like?의 단축》. **~ *after*** 〔***afterwards***〕 그 후 내내《과거시제에 씀》: They lived happily ~ *after*. 그들은 그 후 내내 행복하게 살았다. **~ *and again*** 〔《시어》 ***anon***〕 이따금, 가끔(sometimes). **~ *since*** ⇨SINCE *ad.* 1 b, *prep.* 1 a, *conj.* 1 a. **~ so** ① 매우; 대단히(⇨6 b). ② 《양보절에서》 비록 아무리 (…하더라도): Home is home, be it ~ *so* humble. 비록 아무리 초라해도 내 집만한 곳은 없다. ***Ever yours*** 언제나 (변함없는) 그대의 벗(Yours ever)《편지의 맺음말》. ***for ~*** ① 영원히; 길이(=《美》 forever): I am *for* ~ indebted to you. 은혜는 한평생 잊지 않겠습니다. ② 언제나; 늘(=forever): He is *for* ~ losing his umbrella. 그는 항상 우산을 잃어버린다. ***for ~ and ~*** =***for ~ and a day*** 《英》 영원히, 언제까지나. ***hardly*** 〔***scarcely***〕 **~** ⇨HARDLY 〔SCARCELY〕 ~. ***if ~ there was one*** 확실히, 틀림없이: He was a great scientist *if* ~ *there was one*. 그는 확실히 위대한 과학자였다. ***never ~*** 《구어》 결코 …아니게〔않게〕: I'll *never* ~ trust him again. 다시는 그를 믿지 않겠다〔않을 작정이다〕. ***Yours ~*** =Ever yours.

èver·blóoming *a.* 끊임없이 꽃을 피우는, 사계절 피는.

Ev·er·est [évərist] *n.* **Mount ~** 에베레스트산 《세계 최고봉; 해발 8,848m》.

éver·glàde *n.* **1** Ⓒ 《美》 저습지, 소택지. **2** (the E-s) 에버글레이즈《미국 Florida 주 남부의 대(大)소택지; 남서부는 국립공원을 이룸》.

°**éver·grèen** *a.* 상록의; 불후의《작품》. **—***n.* Ⓒ 상록수〔식물〕; (*pl.*) (장식용) 상록수의 가지.

***ev·er·last·ing** [èvərlǽstiŋ, -lɑ́ːst-] *a.* **1** 영구한, 불후의: ~ glory 불후의 영광.

SYN. **everlasting** 현재에서 무한한 미래로 계속되는 영원한 뜻의 강한 말: *everlasting* fame 영원한 명성. **eternal** '과거부터 미래에 걸치는 영원한'의 뜻. **permanent**는 '변하지 않는'의 뜻으로 temporary(일시적)에 대한 '항구적'의 뜻. cf. lasting.

2 Ⓐ 끝없는, 끊임없는, 지루한, 질력나는(tiresome): ~ grumbles 끊임없는 불평. **3** 내구성〔영속성〕의. **—***n.* **1** Ⓤ 영구, 영원(eternity). **2** (the E-) (영원한) 신.

from ~ to ~ 영원히, 영원무궁토록.

㊕ **~·ly** *ad.* 영구히, 끝없이.

èver·móre *ad.* 늘, 항상, 언제나; 영구히.

†**every** [évriː] *a.* Ⓐ **1** 《단수형의 셀 수 있는 명사와 더불어 관사없이》 **a** 어느 …이나 다; 각 …마다 다; 온갖: *Every* word of it *is* false. 그 말 하나하나가 모두 거짓이다/*Every* boy loves their school. 어느 소년이나 저희 학교를 사랑한다《구어에서는 복수대명사로 받는 일이 있음》/

They listened to his ~ word. 그들은 그의 말 하나하나에 귀를 기울였다《every의 앞에는 관사가 붙지 않지만 소유격 대명사는 쓸 수 있음》. **b** 〖not과 함께 부분부정을 나타내어〗 **모두가 …라고는 할 수 없다**: *Not* ~ man can be a genius. 누구나 다 천재가 될 수 있다고는 할 수 없다(=*Every* man can*not* be a genius.)/Such things do *not* happen ~ day. 이런 일이 언제나 일어난다고는 할 수 없다.

2 〖추상명사를 수반하여〗 **가능한 한의; 온갖 …; 충분한**《뒤에 이어지는 명사는 intention, reason, kindness, sympathy 따위 추상명사임》: There is 〔We have〕 ~ reason to believe that .... …하다는 것을 믿을 만한 충분한 이유가 있다/He showed me ~ kindness. 그는 나에게 정말 여러 가지로 친절하게 해주었다/I have ~ confidence in him. 나는 전폭적으로 그를 신뢰하고 있다.

3 a 〖day, week 따위의 앞에 와서 부사구를 이루어〗 **매(每)…**: ~ day 〔week, year〕 매일〔매주, 매년〕/~ morning 〔afternoon, night〕 아침〔오후, 밤〕마다. **b** 〖수사 · other · few구의 앞에서〗 **…마다**: ~ *few* years 몇 해마다/~ four days =~ fourth day, 4일마다/*Every* third man has a car. 세 사람에 한 대씩 차를 갖고 있다.

> **NOTE** (1) every는 낱낱의 것을 통해서 전체를 보임. 즉 "each and all" '각기 모두'란 뜻으로, each나 all 보다도 뜻이 강함.
> (2) every는 all처럼 almost 따위의 부사 뒤에 쓰나, each는 쓰지 않음: *almost every* morning 거의 매일 아침.
> (3) every는 (대)명사의 소유격 뒤에 쓰나, all은 소유격 앞에 씀: *her every* dress/*all her* dress. ★ each의 경우는 *each* of *her* dresses로 함.
> (4) every의 뒤에 따르는 명사가 둘 이상일 때에도 단수 취급: *Every* man and woman was happy at the news. 남녀 모두 그 소식을 듣고 기뻤다.
> (5) **not every**와 **not any** 전자는 부분부정, 후자는 전체부정임: He has *not* read *every* book in the library. 그는 도서관의 모든 책을 다 읽은 것은 아니다《즉 얼마쯤은 읽었다》. He has *not* read *any* book in the library. 그는 도서관의 어떤 책도 읽은 적이 없다.

~ after 〔***second***〕 하나 걸러의. ***~ bit*** 어디까지나, 어느 모로나; 아주: He is ~ *bit* a scholar. 그는 어디까지나 학자다/This is ~ *bit as* good *as* that. 정말이지 이것은 저것만큼 좋다. ***~ inch*** =~ bit. ***~ last ...*** 마지막〔최후의〕 …: spend ~ *last* penny 마지막 1페니까지〔있는 돈 전부를〕 다 써 버리다. ***~ last man***=***~ man Jack*** (***of them*** 〔***us***〕) (그들〔우리들〕) 누구나 다, 모두. ***~ mother's son of them*** 한 사람 남(기)지 않고, 모두. ***~ now and again*** 〔***then***〕 때때로, 가끔. ***~ once in a while*** 〔***way***〕 =~ now and again. ***~ one*** ① [évriwʌ̀n/⸍--] 누구나 모두, 모든 사람. ★ 보통 everyone과 같이 한 말로 씀. ② [évriwʌ́n] 남김없이 모두 다; 모조리: They were killed ~ *one* of them. 그들은 모조리 살해되었다. ***~ other*** ① 하나 걸러(서): ~ *other* day 하루 걸러(서), 격일로/~ *other* line, 1행 걸러. ② 그 밖의 모든: *Every other* boy was present. 그 밖의 다른 학생은 모두가 출석했다. ***~ so often*** 때때로, 이따금. ***~ time*** ① 《구어》 언제고, 언제라도. ② 〖접속사적으로〗 (…할) 때마

다: *Every time* I go to his house, he's out. 내가 그의 집을 찾아갈 때면 언제나 그는 외출하고 없다. ***~ time*** one ***turns around*** 늘; 언제나: She says something ~ *time* I *turn around*. 내가 나타나면 그녀는 언제나 불평을 한다. ***~ which way*** 《美구어》 사방(팔방)으로; 뿔뿔이 흩어져, 어수선하게: The cards were scattered ~ *which way*. 카드는 어지럽게 흩어져 있었다.

†**eve·ry·body** [évribɑ̀di, -bʌ̀di/-bɔ̀di] *pron.* **1 각자 모두, 누구나**, 모두: *Everybody* has a way of their own. 누구에게나 버릇은 있다.

> **NOTE** (1) everyone과 뜻은 같으나 everybody 쪽이 스스럼없이 쓰는 말.
> (2) 문법적으로 단수취급. 구어에서는 복수대명사로 받는 일이 많음: *Everybody* 〔Everyone〕 has the right to speak *his* 〔*their*〕 mind.

2 〖not을 수반하여 부분부정으로 쓰여〗 모두가 …하는〔인〕 것은 아니다: *Not* ~ (↗) can be a poet. 모든 사람이 시인이 될 수 있는 것은 아니다 《이 not는 문장 전체를 부정하나 Don't ~(↘) listen to him! (누구도 그의 말을 듣지 마라)에서는 *Everybody*, don't listen to him.의 뜻으로서 not는 do에 걸리고 everybody에 걸리지 않음》.

*****eve·ry·day** [évridèi] *a.* Ⓐ **1 매일의**: one's ~ routine 일과. **2** 일상의, 습관적인; 예사로운, 평범한: an ~ occurrence 〔matter〕 대수롭지 않은 일〔사항〕/~ affairs 일상적인〔사소한〕 일/~ wear 〔clothes〕 평상복/~ shoes 평상화/~ words 일상어. ★ '매일'은 every day.

évery·màn [-mæ̀n] *pron.* =EVERYBODY.
—*n.* (종종 E-; *sing.*) 보통 사람, 통상인: Mr. ~ 보통 사람.

†**eve·ry·one** [évriwʌ̀n, -wən] *pron.* **모든 사람, 누구나**, 모두. ⓒⓕ EVERY one.
SYN. **everyone**은 셋 이상의 사람을 모두 포괄적으로 가리키는 말. **everybody**는 everyone과 같은 뜻으로 평범한 일상어. 항상 한 낱말로 씀. **every one**은 셋 이상의 사람을 개별적으로 가리키고 있는 말로서 each one과 같은 뜻.

évery·plàce *ad.* 《美구어》 =EVERYWHERE.

†**eve·ry·thing** [évriθìŋ] *pron.* **1** 〖단수취급〗 **모든 것**, 무엇이나 다, 만사: ~ in one's power 힘이 미치는 한의 모든 것. **2** 〖not를 수반하여 부분부정으로 쓰여〗 **모두가〔무엇이나〕 다 …은 아니다**: You can*not* have ~ . 모든 것을 다 손에 넣을 수는 없다.
—*n.* Ⓤ 〖보어로 쓰여〗 가장 중요한 일〔귀중한 것〕: This news means 〔is〕 ~ to us. 이 소식은 우리에게 중요한 뜻을 지닌다/Money is ~. 만사는 돈이다/Career isn't ~. 출세가 전부는 아니다.
above 〔***before***〕 ~ (***else***) 무엇보다도 (먼저): His work comes *before* ~. 그는 무엇보다도 일을 우선으로 한다. ***and*** ~ 《구어》 그 밖에 이것저것: His constant absences *and* ~ led to his dismissal. 그는 연속 결근에다 이런저런 이유로 해고당했다. ***like*** ~ (다른) 모든 일이 그러하듯이, 매사 마찬가지로: Scholarship, *like* ~ (else), requires hard work. 학문은 무슨 일이나 그렇듯이 많은 공부가 필요하다.

†**eve·ry·where** [évrihwὲər] *ad.* **1 어디에나, 도처에**: I've looked ~ for it. 나는 구석구석 그

것을 찾아보았다. **2** 《접속사적으로 써서》 어디로 …하여도, 어디에 …라도: *Everywhere* we go, people are much the same. 어디를 가나 사람은 별 차이 없다. **—***n.* Ⓤ 《구어》 모든 곳: People gathered from ~. 모든 곳에서 사람들이 모여들었다.

evict [ivíkt] *vt.* 퇴거시키다, 쫓아내다《***from*** (가옥·토지 따위)에서》《법절차에 따라》: ~ a person *from* a house 아무를 집에서 퇴거시키다 / ~ the enemy *from* the town 도시에서 적을 쫓아내다. ㊕ **evíc·tion** *n.* Ⓤ (구체적으로는 Ⓒ) 퇴거시킴, 쫓아냄.

ev·i·dence** [évidəns] *n.* **1** Ⓤ **증거**, 물증, 증언《of, for*** …에 대한 / ***to*** do / ***that***》: a piece of ~ 하나의 증거 / give 〔offer〕 ~ 증언하다 / give false ~ 위증하다 / take ~ 증언을 듣다; 증언을 조사하다, 증거를 모으다 / look for ~ *to* prove his innocence 그의 결백을 증명할 증거를 찾다 / Is there any ~ *of* 〔*for*〕 this? 이것에는 어떤 증거가 있느냐 / There's no ~ *that* he is guilty. 그가 유죄라는 증거는 아무것도 없다.

SYN. **evidence** 진실함을 증명하는 모든 종류의 것을 뜻하는 말. proof 보다는 품위가 있는 말로 정신적·지적인 것에 많이 쓰임. **proof** 사실이나 문서의 내용 따위에 관한 증거를 가리키는데, evidence 보다는 뜻이 강함. **testimony** 증인이 선서 절차를 거친 후에 하는 증언을 뜻하는 법률 용어이나 보통의 일에도 쓰이는 경우가 있음.

2 Ⓤ (때로 *pl.*) **형적**, 흔적(sign)《***that***》: There were ~*s of* foul play. 범죄가 행해진 흔적이 있었다 / There were ~*s that* the records had been tampered with. 그 기록은 함부로 고친 흔적이 있었다.

in **~** 눈에 띄는, 분명히 보이는〔느껴지는〕; 증거로서, 증인으로서: Children were not much *in* ~. 아이는 별로 눈에 띄지 않았다 / call a person *in* ~ 아무를 증인으로 소환하다 / He produced it *in* ~. 그는 증거로서 그것을 제출하였다. ***on*** **~** 증거가 있어서: He was released *on* insufficient ~. 그는 증거 불충분으로 석방되었다. ***on the* ~ *of*** …의 증거에 입각하여, …을 증거로 하면. ***turn King's*** 〔***Queen's,*** 《美》 ***State's***〕 **~** (공범자가) 딴 공범자에게 불리한 증언을 하다.

—*vt.* …을 증언하다; …의 증거가 되다.

***ev·i·dent** [évidənt] *a.* **분명한**, 명백한, 뚜렷한; 분명히 나타나 있는: an ~ mistake 분명한 실수〔잘못〕 / with ~ satisfaction 〔pride〕 자못 만족스레〔자랑스레〕 / It's ~ (to all) that he has failed. 그가 실패했다는 것은 (누구나) 분명히 알 수 있다 / His age was ~ in his wrinkled hands. 그의 노령은 주름투성이인 그의 손에 분명히 나타나 있었다. SYN. ⇨CLEAR.

SYN. **evident** 사실·증거·상황 따위에 비추어 분명한. **apparent** 외견상으로 봐서 분명한: an *apparent* effort 옆에서 보아도 곧 알 수 있는 노력. **obvious** 누가 보아도 알 수 있는, 의문의 여지가 없는. **manifest** apparent와 obvious의 양 뜻을 포함하는 좀 형식적인 말. **patent** 감출〔숨길〕 수 없는, 눈에 띄어서 곤란한 것에 씀: a *patent* error 뚜렷한 잘못. **conspicuous** 사람의 눈을 끄는, 눈에 띄는.

ev·i·den·tial [èvidénʃəl] *a.* 증거의; 증거가 되는; 증거에 의거한.

***ev·i·dent·ly** [évidəntli, èvidént-, évidènt-] *ad.* 《문장 전체를 수식하여》 **1 분명하게**〔히〕, 의심 없이: You are ~ in the wrong. =*Evidently* you are in the wrong. 분명히 네가 틀렸다. **2** 보기에는, 아마도: We have ~ lost our way. 아마 우리는 길을 잃었나 보다.

‡**evil** [íːvəl] (***more*** **~*;*** ***most*** **~*;*** 때로 ***evil(l)er; -(l)est***) *a.* **1 나쁜**, **사악한**, 흉악한: ~ conduct 비행 / an ~ spirit 악령, 악마 / an ~ tongue 독설; 중상자(中傷者). SYN. ⇨BAD. **2 불길한**, 불운한, 징조가 나쁜: ~ news 흉한 소식. **3** 싫은, 불쾌한: an ~ smell 〔taste〕 역겨운 냄새〔맛〕.

fall on* ~ *days 불운한 일을 당하다.

—*n.* **1** Ⓤ **악**, 사악; 죄악: the root of all ~ 모든 악의 근원 / return good for ~ 악을 선으로 갚다 / An ~ man is full of wicked thoughts. 사악한 남자는 사악한 생각으로 꽉 차 있다. **2** Ⓒ **해악**, 악폐: a necessary ~ 어쩔 수 없는 폐해, 필요악 / Poverty brings many ~*s*. 가난은 많은 해악을 가져온다. **3** Ⓤ 불운, 불행; 재앙: wish a person ~ 아무에게 재앙이 있기를 빌다.

—*ad.* 나쁘게(ill): speak ~ of others 남의 험담을 하다 / It went ~ with him. 그는 혼쭐이 났다. ㊕ **~·ly** [íːvəli] *ad.* **~·ness** *n.*

évil·dòer *n.* Ⓒ 악행을 저지르는 자, 악인.

évil·dòing *n.* Ⓤ 못된 짓, 악행.

évil éye (the ~) 흉안(凶眼)《그 시선(視線)이 닿게 되면 재난이 닥친다고 함》.

évil-lóoking *a.* 인상이 험한〔나쁜〕.

évil-mínded [-id] *a.* 악의에 찬, 뱃속이 검은; (말을) 악의로 해석하는; 《구어·우스개》 호색적인, 외설스런. ㊕ **~·ly** *ad.* **~·ness** *n.*

Évil Òne (the ~) 마왕(the Devil, Satan).

évil-témpered *a.* 기분이 언짢은.

evince [ivíns] *vt.* (감정 따위)를 나타내다, 표시하다: He ~*d* his displeasure by scowling. 그는 얼굴을 찌푸려 불쾌함을 드러냈다.

evis·cer·ate [ivísərèit] *vt.* 창자를 끄집어 내다; 골자를〔긴요한 부분을〕 빼버리다.

ev·o·ca·tion [èvəkéiʃən, ìːvou-] *n.* Ⓤ (구체적으로는 Ⓒ) (기억·감정 등을) 불러일으킴, 환기(喚起); (공수·신접(神接)을 위해 영혼 따위를) 불러냄. ◇evoke *vt.*

evoc·a·tive [ivákətiv, -vóuk-] *a.* 불러내는; 환기하는《***of*** (추억·감정 따위)를》: a place ~ *of* one's childhood 어린 시절을 떠오르게 하는 곳.

evoke** [ivóuk] *vt.* 《~+목/+목+전+명》 (기억·감정)을 **불러일으키다**, 환기하다; (웃음·갈채 따위)를 자아내다; (영혼 따위)를 불러내다《from*** …에서》: The story ~*s* old memories. 그 이야기는 옛 기억을 환기시킨다 / ~ spirits *from* the other world 저승에서 영혼을 불러내다. ◇evocation *n.*

***ev·o·lu·tion** [èvəlúːʃən/ìːvə-] *n.* Ⓤ **1 전개**, 발전, 진전: the ~ of a drama 극의 전개 / the ~ of democracy 민주주의의 발달. **2** 【생물】 **진화**(론): the theory 〔doctrine〕 of ~ 진화론. ◇evolve *v.*

ev·o·lu·tion·al [èvəlúːʃənəl/ìːvə-] *a.* =EVOLUTIONARY. ㊕ **~·ly** *ad.*

ev·o·lu·tion·ary [èvəlúːʃənèri/ìːv-] *a.* 발달의, 발전의; 진화의; 진화론에 의한; 전개의: ~ cosmology 진화 우주론.

èv·o·lú·tion·ìsm *n.* Ⓤ 진화론; 사회 진화론.

èv·o·lú·tion·ist *n.* Ⓒ 진화론자.

°**evolve** [iválv/ivɔ́lv] *vt.* **1** (이론·의견·계획 따위)를 서서히 발전〔전개〕시키다, 안출〔개발〕하

다; (이야기 따위의 줄거리)를 진전시키다: ~ a new theory 새 학설을 발전시키다 / ~ a new system for running the company 회사 운영의 새 방식을 안출하다. **2** 『생물』 진화시키다. **3** (열·빛 등)을 방출하다. **—** *vi.* 서서히 발전〔전개〕하다; 진화하다《***from, out of*** …에서; ***into*** …으로》: ~ *from* a lower form 〔*into* a higher form〕 of animal life 하등생물에서〔고등생물로〕 진화하다 / Man ~*d from* the ape. 인간은 유인원(類人猿)에서 진화했다. ◇ evolution *n.*

ewe [juː, jou] *n.* Ⓒ 암양.

ew·er [júːər] *n.* Ⓒ 물병; (특히 침실용의 주둥이 넓은) 물단지.

ex[1] [eks] 《구어》 *a.* 이전〔본디〕의; 시대에 뒤진. **—** (*pl.* **~·*es,* ~*s***) *n.* Ⓒ (보통 one's ~로) 전처, 전남편(따위).

ex[2] *prep.* 《L.》 **1** …으로부터. **2** 『상업』 …인도(引渡)로: ~ ship 본선 인도 / ~ store 창고 인도 / ~ bond 보세 창고 인도. **3** 『증권』 …낙(落)으로〔의〕, 없이, 없는: ~ interest 이자락(落)으로〔의〕 / ⇨ EX DIVIDEND.

ex- [iks, eks] *pref.* **1** '…에서 (밖으로), 밖으로'의 뜻: *ex*clude; *ex*port. **2** '아주, 전적으로'의 뜻: *ex*terminate. **3** 《보통 하이픈을 붙여서》 '전(前)의, 전…'의 뜻: *ex*-president.

Ex., Exod. Exodus. **ex.** examination; examined; example; exception; exchange; executive; exit; export.

ex·a- [éksə, égzə] '엑서(=10^{18}; 기호 E)'의 결합사: *exa*meter.

ex·ac·er·bate [igzǽsərbèit, iksǽs-] *vt.* (고통·병·노여움 따위)를 악화시키다, 더하게 하다; (사람)을 노하게 하다, 격분시키다.
㊕ **ex·àc·er·bá·tion** *n.* Ⓤ (감정·병세 따위의) 악화, 격화; 격분.

⁑**ex·act** [igzǽkt] *a.* **1 정확한**, 적확한(accurate): the ~ date and time 정확한 일시 / repeat the ~ words 말을 정확히 반복하다 / ~ to the life 실물 그대로의 / *Exact* fare (requested). 《게시》 운임은 거스름돈 없게 내시오 / It's 3:10.—Is that ~? 3시 10분이다—딱 10분이냐. SYN. ⇨ CORRECT.
2 정밀한, 엄밀한(precise): ~ sciences 정밀 과학 / ~ instruments 정밀 기계.
3 꼼꼼한, 착실한《***in*** …에》; 엄격한, 엄중한: an ~ thinker (매우) 꼼꼼한 사람 / ~ directions 엄격한 지시 / He's ~ *in* keep*ing* appointments. 그는 약속을 착실히 지킨다.
to be **~** 엄밀히 말하면: within a matter of weeks—25 days, *to be* ~ 몇 주인가—정확히 25일 이내에.
— *vt.* 《~+목/+목+전+명》 **1** …을 (요)구하다《***from, of*** …에게서》; (일 따위가 노력 등)을 필요로 하다: ~ respect *from* one's children 아이들에게 존경을 요구하다 / A hard piece of work ~s effort and patience. 어려운 일은 노력과 인내를 필요로 한다.
2 (지급·항복 따위)를 강요〔강제〕하다《***from, of*** …에게서》: ~ sacrifice *from* the people 국민에게 희생을 강요하다 / ~ money *from* 〔*of*〕 a person 아무에게서 돈을 거두다.
㊕ **~·ness** *n.* **-ác·tor** *n.*

ex·áct·ing *a.* 엄한, 강요하는; 착취적인, 가혹한; 쓰라린, 힘든《일 등》: an ~ teacher 엄한 선생 / an ~ job 힘든 일. ㊕ **~·ly** *ad.*

ex·ác·tion *n.* **1** Ⓤ 강요, 강탈; 부당한 요구. **2** Ⓒ 가혹한 세금, 강제 징수금.

ex·ac·ti·tude [igzǽktətjùːd] *n.* Ⓤ 정확, 엄밀; 정밀(도); 꼼꼼함, 엄정: with scientific ~ 과학적 정밀성으로. ◇exact *a.*

⁑**ex·act·ly** [igzǽktli] *ad.* **1 정확하게**, 엄밀히, 정밀하게, 꼼꼼하게: ~ at five 정각 5시에 / at ~ the same time 바로 동시에 / Repeat ~ what he said. 그가 한 말을 그대로 되풀이해 보아라. **2 정확히 말해서**: He is not ~ a gentleman. 그는 엄밀히 말해서 신사는 아니다. **3** 틀림없이, 바로, 꼭(just, quite): *Exactly* (so)! 그렇소, 바로 그렇다.

> DIAL. ***They left for New York suspiciously suddenly, didn't they?—Exactly.*** 그들은 이상하게도 갑자기 뉴욕으로 떠나버렸지요—정말 그래요.
> ***Do you mean that he's dishonest?—Well, not exactly, but ....*** 그가 정직하지 않단 말입니까—아니, 꼭 그런 것은 아니지만….

***ex·ag·ger·ate** [igzǽdʒərèit] *vt.* **1 과장하다**, 침소봉대하다, 과대하게 보이다; 지나치게 강조하다: It is impossible to ~ the fact. 그 사실은 아무리 강조해도 지나치지 않다 / Those shoes ~ the size of my feet. 이 구두를 신으면 발이 매우 커 보인다. **2** …을 과대시(視)하다, 과장해서 생각하다: You ~ the difficulties. 곤란을 너무 과장하고 있다. **—** *vi.* 과장해서 말하다, 과대시하다: Don't ~. 허풍떨지 마라.

°**ex·ág·ger·àt·ed** [-id] *a.* 떠벌린, 과장된; 부자연스러운, 무리한. ㊕ **~·ly** *ad.*

°**ex·àg·ger·á·tion** *n.* **1** Ⓤ 과장, 과대시: without ~ 과장 없이 (말하면). **2** Ⓒ 과장된 표현: It is no ~ to say that .... …라고 해도 과언은 아니다. ◇exaggerate *v.*

°**ex·alt** [igzɔ́ːlt] *vt.* (명예·품위 따위)를 높이다; (관직·신분 따위)를 올리다, 승진시키다《***to*** …까지》; 칭찬하다, 찬양하다: ~ the imagination 상상력을 높이다 / ~ a person *to* a high office 아무를 높은 관직으로 승진시키다 / ~ a person *to* the skies 아무를 격찬하다. ◇exaltation *n.*

°**ex·al·ta·tion** [ègzɔːltéiʃən] *n.* Ⓤ 높임; 승진(promotion); 칭찬, 찬양; 우쭐함, 의기양양.

ex·ált·ed [-id] *a.* 고귀한, 지위가〔신분이〕 높은, 고위의; 우쭐한, 의기양양한: an ~ personage 고위 인사, 귀인 / ~ aims 숭고한 뜻.
㊕ **~·ly** *ad.* **~·ness** *n.*

ex·am [igzǽm] *n.* Ⓒ 《구어》 시험. [◂*examination*]

⁑**ex·am·i·na·tion** [igzæ̀mənéiʃən] *n.* **1** Ⓒ **시험**, (성적) 고사《***in, on*** …의》: an ~ *in* English = an English ~ 영어 시험 / entrance ~s 입학시험 / a written 〔an oral〕 ~ 필기〔구두〕 시험 / pass 〔fail *in*〕 an ~ 시험에 합격〔불합격〕하다 / give an English ~ to ... …에게 영어 시험을 치르게 하다 / cheat *in* 〔*on*〕 an ~ 시험에서 커닝을 하다 / take 〔do, 《英》 sit (for)〕 an ~ 시험을 보다 / go in for one's ~ 시험을 치르다.

> NOTE 중간 시험은 midterm examination 또는 midyears examination, 기말 시험은 finals, 한 주에 한 번 정도 치르는 간단한 시험은 test, quiz라고 함. 구에서는 흔히 exam을 씀.

2 Ⓤ (구체적으로는 Ⓒ) **a** 조사, 검사, 심사《***of, into*** (사건·사고 따위)의》: an ~ *into* the mat-

ter 사건의 조사/make an ~ *of* …을 검사(심사)하다/on ~ 조사(검사)해 보고; 조사해 보니/under ~ 검사(조사) 중인. **b** (학설·문제 따위의) 고찰, 음미. **c** (의사가 행하는) **검사, 진찰**: a clinical ~ 임상 검사(법)/a mass ~ 집단 검진/a medical ~ 건강 진단/a physical ~ 신체 검사. **3** Ⓤ (구체적으로는 Ⓒ) 〖법률〗 신문, 심문; 심리: a preliminary ~ 예비 심문/the ~ of a witness 증인 신문. ◇examine *v.*
㊕ **~·al** *a.* 시험(심문)의; 검사(심리)상의.

examinátion pàper (인쇄된) 시험 문제; 시험 답안.

ex·am·ine [igzǽmin] *vt.* **1** 《~+목/+목+전+명》 **시험하다** 《*in, on, upon* …에 관해서》 (★ 학과목에는 *in*): ~ pupils *in* grammar 학생들에게 문법시험을 보이다/He ~*d* students *on* their knowledge of history. 그는 학생들의 역사 지식을 테스트했다. SYN. ⇨TEST.
2 《~+목/+*wh.* 절》 **검사하다**, 조사(심사)하다 (inspect, investigate); 고찰(검토, 음미)하다: ~ old records 오래된 기록을 조사하다/~ oneself 반성하다/~ *how* the accident happened 어떻게 사고가 일어났는가를 조사하다/He ~*d* by touch *whether* the kettle was hot or not. 그는 주전자가 뜨거운지 어떤지 손을 대보았다.
3 진찰하다, 검사(검진)하다: have one's eyes ~*d* 눈을 진찰받다.
4 〖법률〗 신문(심문)하다; 심리하다: ~ a witness 증인을 신문하다.
— *vi.* 《~/+전+명》 조사(심리, 음미)하다 《*into* …을》: ~ *into* details 상세한 것을 조사하다. ◇examination *n.*

ex·am·i·nee [igzæ̀məníː] *n.* Ⓒ 수험자; 검사(신문, 심리)를 받는 사람.

ex·ám·in·er *n.* Ⓒ 시험관, 시험 위원, 심사관, 검사관, 조사관; 〖법률〗 (증인) 신문관.
satisfy the **~(*s*)** 《英》 (대학의 시험에서) 합격점에 이르다.

ex·am·ple [igzǽmpəl, -zɑ́ːm-] *n.* Ⓒ **1 예, 보기**, 실례, 예증; 전례(precedent): give an ~ 예를 들다/as an ~ =by way of ~ 한 예를 들면, 예로서 (★ by way of ~은 관사 없이). SYN. ⇨INSTANCE. **2 견본**, 표본(specimen, sample): an ~ of his work 그의 작품의 한 예. **3 모범**, 본보기(model) 《*for, to* …에의》: follow the ~ of a person =follow a person's ~ 아무를 본보기로 따르다/set (give) a good ~ *for* a person = set (give) a person a good ~ 아무에게 좋은 본보기를 보이다. **4** 전례, 선례: without ~ 전례 없는, 공전(空前)의 《관사 없이》. **5** 본때(로 벌받은 사람), 훈계(warning): Let this be an ~ to you. 이것을 너의 교훈으로 삼아라.
for **~** 예를 들자면, 예컨대(for instance): There are a lot of domestic animals on the farm—cows, horses and pigs, *for* ~. 그 농장에는 가축이 많이 있다. 예컨대 젖소, 말, 돼지 따위가 있다. ***take*** **~ *by*** …을 본보기로 하다, …의 예에 따르다.

ex·as·per·ate [igzǽspərèit, -rit] *vt.* 노하게 하다, 격앙(분격)시키다 (★ 종종 수동태로 쓰며, 전치사는 *at, by*): His slowness often ~*s* her. 그녀는 그의 느린 동작에 자주 화를 낸다/*be* ~*d by* (*at*) a person's dishonesty 아무의 부정직에 화를 내다. SYN. ⇨IRRITATE. ㊕ **-àt·ed·ly** [-idli] *ad.* 격노(격분)하여, 홧김에.

ex·ás·per·àt·ing *a.* 화나(게 하)는, 분통터지는. ㊕ **~·ly** *ad.* 화가 날 정도로, 분통터지게.

ex·às·per·á·tion *n.* Ⓤ 격분, 격노, 격앙: in ~ 격분하여/drive a person to ~ 아무를 격분케 하다.

ex ca·the·dra [éks-kəθíːdrə] 《L.》 *ad.* 권위로써; 명령적으로. — *a.* 권위 있는, 권위에 의한.

ex·ca·vate [ékskəvèit] *vt.* …에 구멍(굴)을 파다(뚫다); (터널·지하 저장고 등)을 파다, 굴착하다; (광석 등)을 파내다, 발굴하다: ~ a tunnel 터널을 파다/~ a stone-age midden 석기 시대 패총을 발굴하다.

èx·ca·vá·tion *n.* **1** Ⓤ (구멍·굴·구덩이를) 팜, 굴착, 개착; 발굴. **2** Ⓒ 굴, 동굴; 산·언덕·땅을 파서 낸 길; 발굴물, 출토품; 유적.

ex·ca·va·tor [ékskəvèitər] *n.* Ⓒ 구멍(굴)을 파는 사람(동물); 굴착하는 사람(도구); 굴착기(機); 발굴자; 〖치과〗 엑스커베이터 《긁어내는 기구》.

ex·ceed [iksíːd] *vt.* **1** 《~+목/+목+전+명》 (수량·정도·한도·범위)를 **넘다**, 초과하다 《*by* …만큼》: ~ the speed limit 속도제한을 어기다/~ one's authority 월권행위를 하다/~ anticipation 예상을 상회하다/His expenses ~ his income. 그의 지출은 수입을 상회한다/Imports ~*ed* exports *by* $27 billion. 수입액이 수출액을 270억 달러 초과했다.
2 《~+목/+목+전+명》 …보다 **뛰어나다**, …보다 낫다, 능가하다 《*in* (규모·수준 따위)에서》: results ~*ing* all my expectations 나의 모든 예상을 능가하는 결과/~ a person *in* strength (height) 아무보다 힘이 세다(키가 크다)/The new model ~*s* last year's *in* all respects. 새 모델은 작년 모델에 비해 모든 면에서 뛰어나다.
— *vi.* 《~/+전+명》 도를 넘다; 남보다 뛰어나다 《*in* …에서》: ~ *in* eating 과식하다/~ *in* beauty 한층 아름답다/They ~*ed in* number. 그들은 수적으로 우세했다. ◇excess *n.*

ex·céed·ing *a.* 대단한, 지나친, 굉장한: a scene of ~ beauty 매우 아름다운 경치.

ex·ceed·ing·ly [iksíːdiŋli] *ad.* 대단히, 매우, 몹시: ~ difficult 대단히 어려운.

ex·cel [iksél] (*-ll-*) *vt.* 《~+목/+목+전+명》 (남)을 **능가하다**, …보다 **낫다**, …보다 탁월하다 《*in, at* …에서》: ~ oneself 이전보다 잘 하다/~ all other poets of the day 당대의 시인 중에서 가장 뛰어나다/~ others *in* speaking English (*at* sports) 남보다 영어 회화가 낫다(스포츠에 뛰어나다). — *vi.* 《+전+명/+*as* 보》 **뛰어나다**, 출중하다, 탁월하다 《*in, at* …에서》: ~ *in* fencing 펜싱에서 뛰어나다/~ *at* a game 경기에서 출중하다/~ *as* a painter 화가로서 탁월하다. ◇excellence, excellency *n.*
SYN. **excel** 단연 남보다 뛰어나다: He *excels* in mathematics. 그는 수학이 우수하다. **surpass** 남에 비해 훌륭하다: Mary *surpasses* her sister in history. 메리는 언니보다 역사를 잘한다. **outdo** 지금까지 이룬 것보다 훌륭하다: The runner *outdid* his previous record for the race. 그 주자는 경주에서 이전 기록을 경신하였다.

ex·cel·lence [éksələns] *n.* Ⓤ **우수**, 탁월(성), 뛰어남 《*at, in* …에서의》: receive a prize for ~ *in* the arts 인문 과학의 성적이 우수하여 상을 받다. ◇excel *v.*

Ex·cel·len·cy [éksələnsi] *n.* Ⓒ 각하 《장관·대사·총독·지사 기타 고관 및 그 부인과 주교·

대주교에 대한 경칭; 생략: Exc.》.

NOTE His, Her 따위의 인칭대명사 소유격과 함께 씀: Your *Excellency* 《직접 호칭》 각하(부인)/His 〔Her〕 *Excellency* 《간접으로》 각하(각하 부인). 복수일 때에는 Your 〔Their〕 *Excellencies*.

***ex·cel·lent** [éksələnt] *a.* **우수한**, 일류의, 훌륭한, 뛰어난《*in, at* …에서》: an ~ teacher/~ weather/He is ~ *in* English. 그는 영어를 썩 잘한다/She is ~ *at* her job. 그녀는 일을 솜씨 있게 잘한다. ◇excel *v.* —*int.* (E-) (찬성·만족을 나타내어) 훌륭해!, 잘했어! ⊞ ◇**~·ly** *ad.* 아주 잘〔훌륭하게, 멋있게〕; 매우.

ex·cel·si·or [iksélsiər, ek-] *int.* 《L.》 보다 높은 것을 목표로, 보다 높이(higher)《미국 New York주의 표어》. —*n.* Ⓤ 고운 대팻밥《포장 속에 넣는 파손 방지용》.

****ex·cept** [iksépt] *prep.* **1** …**을 제외하고**, …**외에는**(but)《생략: exc.》: We are all ready ~ you. 너 말고는 우린 모두 준비가 돼 있다/There was little I could do ~ wait. 기다리는 것 외엔 별 도리가 없었다/He won't work ~ when he is pleased. 그는 마음이 내킬 때가 아니면 일을 하려고 하지 않는다.

2 〖부사(구·절)을 수반하여〗 …경우 이외에는; …이 아니면: The weather is good everywhere today, ~ here. 이곳 외에는 어디나 오늘은 날씨가 좋다/~ by agreement 협정에 의한 것이 아니면/We work every day ~ on Sunday. 우리는 일요일 외엔 매일 일한다/He cannot have done it ~ for his children. 그는 애들을 위한 것 외에 (딴 목적으로) 그것을 했다고는 생각할 수 없다/He's everywhere ~ where he ought to be. 그는 어디고 얼굴을 내밀지만, 꼭 있어야 할 곳에는 없다.

3 〖동사 원형 또는 to do를 수반하여〗 …하는 이외는〔경우 아니고는〕: He never came to visit ~ *to* borrow something. 그는 무엇을 빌리기 위한 경우 아니고는 절대로 오지 않았다.

~ *for* ① …을 제외하고는, …외에는: The dress was ready ~ *for* its buttons. 단추 다는 일 말고는 옷은 다 되었다. ② …이 없(었)더라면(but for): We should have died ~ *for* him. 그가 없었더라면 죽을 뻔했다. ③ …을 별도로 하면, …말고는: *Except for* jealousy, she was free from faults. 그녀는 질투심 말고는 결점이 없었다.

SYN. **except** 제외의 뜻이 강한 어휘임: All went *except* him. 그를 제외하고는 모두 갔다(그만이 가지 않았다). **save** except와 같은 뜻으로 예스러운 아어(雅語)이나 미국에서는 현재 쓰이고 있음. **besides** 제외의 뜻은 없고 '부가'의 뜻: All went *besides* him. 그 외에도 모든 사람이 갔다.

—*vt.* 《~+목/+목+전+명》 …을 **빼다**, **제외하다**《*from* …에서》: the present company *~ed* 여기에 계신 분은 제외〔예외로〕 하고/~ a person *from* a group 아무를 그룹에서 빼다/~ a person's name *from* a list 리스트에서 아무의 이름을 제외하다.

—*conj.* 〖종종 ~ that 으로〗 **1** …라는 것 이외에는: I know nothing, ~ *that* he was there. 나는 그가 거기에 있었다는 것 이외에는 아무것도 모른다. **2** …라는 것〔사실〕을 별도로 하면: That will do, ~ *that* it's too long. 너무 길지만 그것이면 되겠지. **3** …한 일이 없(었)다면, 그러나〔하

지만〕 …: I would go with you, ~ (*that*) I have a cold. 감기가 안 걸렸으면 너와 같이 갈텐데/I would go, ~ it's too far. 가고 싶기는 한데, 다만 너무 멀다.

◇**ex·cépt·ing** *prep.* 〖문장의 앞, 또는 not, without 뒤에 써서〗 …을 빼고, …을 제외〔생략〕하고: *Excepting* the mayor, all were present. 시장 이외에는 모두 참석했다/Everyone, *not* ~ myself, agreed to the plan. 나 자신을 포함해서 모두가 그 안건에 찬성했다.

***always* ~ ...** ① 〖법률〗 다만 …은 그러하지 아니하다〔이에 해당되지 않는다〕. ② 《英》 …을 제외하고(는): Everyone was drunk, *always* ~ Tom. 톰 이외에는 모두 취해 있었다.

***ex·cep·tion** [iksépʃən] *n.* **1** Ⓤ **예외**, 제외. **2** Ⓒ 제외례(除外例), 예외의 사람〔물건〕, 이례(異例)《*to* …에 대한》; 〖법률〗 예외 조항: an ~ *to* the rule 규칙의 예외/The ~ proves the rule. 《속담》 예외가 있음은 규칙이 있다는 증거다/There is no rule but has some *~s*. 《속담》 예외 없는 법칙은 없다/You are no ~. 너도 예외는 아니다. **3** Ⓤ 이의; 〖법률〗 (구두·문서에 의한) 이의 신청.

***make an* ~** 예외로 하다, 특별 취급하다《*of* …을》: In your case we will *make an* ~. 너의 경우는 특별 취급을 하겠다. ***make no* ~(*s*)** 어떠한 특별〔예외〕 취급도 하지 않다《*of* …을》. ***take* ~** ① 이의를 제기〔신청〕하다《*to, against* …에》. ② 성내다《*to* …에》: I took great ~ *to* his remark that I was incompetent. 내가 무능하다는 그의 말에 나는 크게 화가 났다. ***without* ~** 예외 없이〔없는〕, 남김 없이: You're all, *without* ~, required to do it. 여러분은 예외 없이 그것을 하지 않으면 안 됩니다〔할 필요가 있습니다〕. ***with the* ~ *of* 〔*that*〕** …은 예외로 하고, …을 제외하고는, …외에는: *With the* ~ *of* milk and eggs, we eat no animal foods. 우유와 달걀 이외에는 우리는 동물성 식품을 먹지 않는다.

ex·cép·tion·a·ble *a.* 《문어》 반대〔비난〕할 수 있는〔할 만한〕, 이의를 말할 수 있는; 바람직하지 않은; =EXCEPTIONAL.

***ex·cep·tion·al** [iksépʃənəl] *a.* **예외적인**, 이례의, 특별한, 보통이 아닌, 드문, 희한한; 특별히 뛰어난, 빼어난, 비범한: an ~ promotion 이례〔파격〕적인 승진/Her beauty is ~. 그녀의 아름다움은 빼어나다. SYN. ⇨IRREGULAR.

***ex·cep·tion·al·ly** [iksépʃənəli] *ad.* **예외적으로**, 특별히, 대단히: an ~ hot day 몹시 더운 날.

ex·cerpt [éksəːrpt] (*pl.* **~s, -cerp·ta** [-tə]) *n.* Ⓒ 발췌(拔萃), 초록(抄錄); 인용(구·문)《*from* …에서의》. —[iksə́ːrpt, ek-] *vt.* 발췌하다, 인용하다《*from* …에서》: ~ a passage *from* a book 책에서 한 구절을 발췌하다.

ex·cess** [iksés, ékses] *n.* **1** Ⓤ (또는 an ~) 과다, 과잉; 초과《*of, over* …의》: ~ *of* fat 지방과다/an ~ *of* production 생산 과잉. **2** Ⓤ 〖보통 to ~〗 **과도**; 지나침: the ~ *of* liberty 지나친 자유/go 〔run〕 *to* ~ 지나치다, 극단으로 흐르다/carry something *to* ~ 무엇을 지나치게 하다/drink *to* ~ 과음하다. **3** (*pl.*) 폭음, 폭식; 지나친 행위, 난폭〔무도, 잔학〕한 행위: His *~es* shortened his life. 폭음 폭식이 그의 목숨을 단축(短縮)시켰다. ***in* ~ *of …을 초과하여, …보다 많이〔많은〕: an annual income *in* ~ *of* $300,000, 30만 달러 이상의 연수입.

— [ékses, iksés] *a.* Ⓐ 제한 초과의, 여분의: ~ deaths 과잉 사망《평소의 사망자수를 초과한 사망자수를 나타냄》/ ~ baggage (luggage) (무료 수송 중량의) 제한 초과 수화물 / an ~ fare (철도의) 구간 초과 요금, (윗등급차로 갈아 탈 때의) 추가 요금.

***ex·ces·sive** [iksésiv] *a.* **1** **과도한**, 과대한, 과다한: ~ charges 과도한 요금. **2** 지나친, 심한, 엄청난; 무절제한. ㊀ **~·ness** *n.*

ex·cés·sive·ly *ad.* **1** 지나치게: She is ~ sensitive. 그녀는 지나치게 민감하다. **2** 《구어》 대단히, 매우, 몹시: She's ~ fond of music. 그녀는 음악을 매우 좋아한다.

exch. exchange(d); exchequer.

****ex·change** [ikstʃéindʒ] *vt.* **1** 《~+목/+목+전+명》 **교환하다**, 바꾸다; 교역하다《**for** (다른 것)과, …으로; **with** …와》: ~ prisoners 포로를 교환하다 / ~ goods *with* foreign countries 외국과 물자를 교역하다 / ~ tea *for* sugar 차를 설탕으로 바꾸다 / We can ~ no fruit. 과일은 바꿔드릴 수 없습니다.

SYN. **exchange** 다른 것과 교환하다: In most stores the purchaser may *exchange* goods. 대개의 상점에선 산 상품을 딴 상품과 교환할 수 있다. **interchange** (두 개의 것을 서로) 대치(치환)하다: The twins *interchanged* clothes frequently. 쌍둥이는 자주 옷을 바꿔 입었다. **barter** 물물교환하다: *barter* jewels for food 보석을 식료품과 교환하다.

2 《~+목/+목+전+명》 서로 바꾸다, 주고받다《**with** (아무)와》: ~ gifts 선물을 서로 교환하다 / ~ letters (views) *with* another 남과 편지를 (의견을) 교환하다 / I have not ~*d* more than a few (half a dozen) words *with* him. 그와 별로 말을 주고받은 적이 없다.

3 《+목+전+명》 환전(換錢)하다《**for, into** (다른 통화)로》: ~ pounds *for* dollars 파운드화를 달러와 교환하다 / ~ Korean money *into* American 한화(韓貨)를 미화(美貨)로 바꾸다.

—*vi.* 《~/+전+명》 교환하다, 교역하다《**for** …와》; 환전되다《**for** (얼마)로》: American dollar ~*s* well. 미국 달러는 거래가 많다 / A dollar ~*s* *for* more than 1,200 won. 1달러는 1,200원 이상으로 환전된다.

~ (**angry**) **words** 말다툼을 하다《**with** …와》.

—*n.* **1** Ⓤ (구체적으로는 Ⓒ) **교환**, 주고받기《**of** …의; **for, with** …와의; **between** …간의》: an ~ *of* gifts 선물의 교환 / the ~ *of* gold *for* silver 금과 은의 교환 / a frank ~ *of* views *with* him (*between* two leaders) 그와의(두 지도자 간의) 솔직한 의견 교환 / make an ~ 교환하다.

2 Ⓒ 교환물, (다른 것으로) 바꾸는 물건: a good ~ 이로운 교환물.

3 Ⓤ 환전; 환(시세): a bill of ~ 환어음 / an ~ bank 외환 은행 / the ~ quotation 외환 시세표 / par of ~ (환의) 법정 평가.

4 (종종 E-) Ⓒ 거래소: the grain ~ 《美》 곡물 거래소(《英》 the corn ~) / the Stock *Exchange* 증권 거래소.

5 Ⓒ (전화의) 교환국: a telephone ~.

in ~ for (***of***) …대신; …와 교환으로: deliver goods *in* ~ *for* money 대금 상환으로 물품을 인도하다.

ex·chánge·a·ble *a.* 교환(교역)할 수 있는, 태환할 수 있는, 바꿀 수 있는《**for** …와》: A check is ~ *for* cash. 수표는 현금과 바꿀 수 있다.

exchánge ràte (the ~) 환율, 외환 시세.

exchánge ràte mèchanism (the ~) 환율 메커니즘《각국의 통화 당국이 시장 개입에 의해 외환 시세를 조정하는 제도; 생략: ERM》.

exchánge stùdent 교환 (유)학생.

ex·cheq·uer [ikstʃékər, éks--] *n.* **1** (*sing.*) 국고(國庫)(national treasury). **2** Ⓒ (보통 the ~) 《구어》 (개인 · 회사 등의) 재원, 재력, 자력: My ~ is low. 나의 재정 형편은 어렵다. **3** (the E-) 《英》 재무부: the Chancellor of the *Exchequer* 재무 장관.

ex·cise[1] [éksaiz, -s] *n.* Ⓒ (종종 the ~) 물품세, (국내) 소비세《**on** …에 대한》: There is an ~ *on* tobacco. 담배에는 소비세가 붙어 있다.

ex·cise[2] [iksáiz] *vt.* (어구 · 문장)을 삭제하다《**from** …에서》; (종기 따위)를 잘라내다, 절제하다《**from** …에서》.

ex·ci·sion [eksíʒən] *n.* Ⓤ 삭제; 적출, 절제; Ⓒ 삭제 부분, 절제물. ◇ excise[2] *v.*

◇**ex·cít·a·ble** *a.* 격하기 쉬운, 흥분하기 쉬운. ㊀ **-bly** *ad.* 흥분하도록. **ex·cit·a·bíl·i·ty** *n.* Ⓤ 격(흥분)하기 쉬운 성질. **~·ness** *n.*

****ex·cite** [iksáit] *vt.* **1** **흥분시키다**《★ 종종 수동태로 쓰며, 전치사는 *at, about, by*》: ~ oneself 흥분하다 / feel ~*d* 흥분하다 / Don't get ~*d!* 화내지 마라, 침착해라 / I *was* very ~*d by* the news (*about* the baby). 나는 그 뉴스에(아기의 일로) 매우 흥분했었다 / She *was* ~*d* to hear the news. 그녀는 그 소식을 듣고 흥분했다.

2 《~+목/+목+전+명》 (감정 · 상상력 따위)를 일으키다, 자아내다《**in** (아무)에게》; (아무)에게 일으키게 하다《**to** (감정 · 상상력 따위)를》: ~ jealousy 질투심을 일으키다 / The news ~*d* envy *in* him. =The news ~*d* him *to* envy. 그 소식은 그로 하여금 선망을 일으키게 하였다.

3 《~+목/+목+전+명/+목+*to* do》 (폭동 따위)를 일으키다; (아무)에게 선동하다《**to** (반란 따위)를》: ~ rebellion 반란을 일으키다 / ~ the people *to* rebellion 민중에게 반란을 선동하다 / ~ the people *to* rebel against the government 민중을 선동하여 정부에 대해 반란을 일으키게 하다.

4 〖생리〗 (기관 따위)를 자극하다.

***ex·cit·ed** [iksáitid] *a.* **흥분한**; 활발한; 성적으로 흥분한: an ~ mob 흥분한 폭도 / an ~ buying and selling of stocks 활기를 띤 주식의 매매. ㊀ **~·ly** *ad.* **~·ness** *n.*

****ex·cite·ment** [iksáitmənt] *n.* **1** Ⓤ **흥분**(상태), (마음의) 동요, 격앙; (경사의) 소동: cry in ~ 흥분하여 외치다 / flushed with ~ 흥분으로 얼굴이 상기되어 / cause great ~ in many quarters 다방면에 큰 소동을 일으키다. **2** Ⓒ 자극적인 것, 흥분시키는 것: a life *without* ~*s* 자극 없는 생활.

ex·cít·er *n.* Ⓒ 자극하는(흥분시키는) 사람(것); 〖의학〗 자극제, 흥분제.

****ex·cit·ing** [iksáitiŋ] *a.* **흥분시키는**, 자극적인, 몹시 흥취를 자극하는; 오싹오싹(조마조마)하게 하는; 활기찬: an ~ story 흥미진진한 이야기 / an ~ game 손에 땀을 쥐게 하는 경기. ㊀ **~·ly** *ad.*

****ex·claim** [ikskléim] *vt.* 《~+목/+*that* 절/+*wh.* 절》 (감탄적으로) **외치다**; 큰 소리로 말하다(주장하다): "You fool!", he ~*ed*. '바보야' 하고 그는 외쳤다 / He ~*ed that* he would rather die. 그는 차라리 죽겠다고 소리쳤다 / She ~*ed what* a beautiful lake it was. 그 여자는 참 아름다운

호수군요 하며 탄성을 질렀다.

—vi. 《~/+[전]+[명]》 외치다, 고함을 지르다《**at, on, upon, over** …에 관하여》; 큰소리로 비난하다《**against** …에 반대하여》: ~ in excitement 흥분해서 소리지르다 / ~ *at* 〔*on, upon*〕 the wickedness of the policy 수법의 사악함에 큰 소리로 항의하다 / ~ *against* the government's corruptions 정부의 부패를 큰 소리로 비난하다. [SYN.] ⇨CRY.

*__ex·cla·ma·tion__ [èkskləméiʃən] *n.* **1** [U] 외침, 절규, 감탄. **2** [C] **외치는 소리; 감탄의 말**: an ~ of surprise 놀라 외치는 소리. **3** [C] 〖문법〗 감탄사; 감탄문; 느낌표(mark 〔note〕 of ~)《!》.

exclamátion màrk 〔《美》 **pòint**〕 감탄부호, 느낌표《!》.

ex·clam·a·to·ry [iksklǽmətɔ̀ːri/-təri] *a.* 감탄의; 감탄을 나타내는; 감탄조〔영탄조〕의: an ~ sentence 〖문법〗 감탄문. ◇exclaim *v.*

ex·clave [ékskleiv] *n.* [C] 본국에서 떨어져 다른 나라 영토에 둘러싸인 영토. [cf.] enclave.

*__ex·clude__ [iksklúːd] *vt.* **1** 《~+[목]/+[목]+[전]+[명]》 **못 들어오게 하다**, 차단하다(↔ *include*) 《**from** …에서》: Shutters ~ light. 셔터는 빛을 차단한다 / ~ foreign ships *from* a port 외국선을 입항(入港)시키지 않다 / The refugees were ~*d from* (entry to) the country. 난민들은 그 나라에 들어가지 못하게 되었다.

2 《~+[목]/+[목]+[전]+[명]》 배제〔제외〕하다《**from** (패거리 · 고려 따위)에서》; (증거 따위)를 받아들이지 않다, 기각하다; (의문 따위)의 여지를 주지 않다; (가능성 따위)를 부정〔배제〕하다: ~ a person *from* 〔*out of*〕 a club 아무를 클럽에서 제명하다 / ~ the problem *from* consideration 그 문제를 고려하지 않기로 하다 / In this case we can ~ the possibility of cancer. 이 경우 암의 가능성은 배제할 수 있다 / Absolute indifference ~*s* the conception of will. 아주 무관심하면 의지가 있다고 생각할 수 없다. ◇exclusion *n.*

ex·clúd·ing *prep.* …을 제외하고. ↔ *including.* ¶There were ten persons, ~ myself. 나를 제외하고 10사람이 출석했었다.

*__ex·clu·sion__ [iksklúːʒən] *n.* [U] **제외, 배제,** 배척; 거절; 축출《**of** …의; **from** …에서의》: the ~ *of* women *from* some jobs 몇몇 직업에서의 여성의 배제 / demand the ~ *of* the country *from* the U.N. 유엔으로부터 그 나라의 제명을 요구하다. ◇exclude *v.*

to the* ~ *of …을 제외하도록〔하고, 할 만큼〕: Mary is keen of music *to the* ~ *of* all else. 메리는 다른 것은 일체 안중에 없이 음악에 몰두한다.

[파] **~·ism** *n.* [U] 배타주의. **~·ist** *a., n.* [C] 배타적인 (사람); 배타주의자.

*__ex·clu·sive__ [iksklúːsiv, -ziv] *a.* **1 배타적〔폐쇄적〕인**; 양립할 수 없는. ↔ *inclusive.* ¶mutually ~ ideas 서로 용납되지 않는 생각. **2 독점적인**; 한정적인, 한정된; 유일한《**to** …에》: an ~ agency 특약점, 총대리점 / an ~ story 특종 기사(記事) / an ~ right (to publish a novel) (소설 출판의) 독점권 / an ~ use 전용(專用) / ~ information 독점적〔자기만이 아는〕 정보 / a story ~ *to* this magazine 본지 독점〔특종〕 기사 / the ~ means of transport 유일한 교통 수단. **3** 전문적인: ~ studies 전문적 연구. **4** 회원〔고객〕을 엄선하는; 상류층용〔상대〕의, 고급의, 일류의: a very ~ club 고급 클럽 / an ~ shop 고급 상점.

~ ***of*** 〖전치사적〗 …을 제외하고, …을 넣지 않고: There are 26 days in this month, ~ *of* Sundays. 이 달은 일요일을 빼고 26일이다.

—*n.* [C] **1** 배타적인 사람. **2** 독점 기사, 특종; (상점 이름이 붙은) 전매(專賣) 상품.

[파] **~·ness** *n.*

◇__ex·clú·sive·ly__ *ad.* 배타적으로; 독점적으로; 오로지 …만(solely, only): The car is ~ for her use. 그 차는 그녀 전용이다.

exclúsive ÓR cìrcuit 〔**gàte**〕 〖컴퓨터〗 배타적 논리합 회로〔게이트〕.

ex·cog·i·tate [ekskάdʒətèit/-kɔ́dʒ-] *vt.* (계획 · 안 따위)를 숙고하다; 생각해내다, 고안하다. [파] **ex·còg·i·tá·tion** *n.*

ex·com·mu·ni·cate [èkskəmjúːnəkèit] *vt.* 〖교회〗 파문하다; 제명〔축출〕하다.

èx·com·mù·ni·cá·tion *n.* [U] (구체적으로는 [C]) 〖교회〗 파문; 제명, 축출.

éx-cón [ekskάn/-kɔ́n], **éx-cónvict** *n.* [C] 전과자.

ex·co·ri·ate [ikskɔ́ːrièit] *vt.* …의 피부를〔껍질을〕 벗기다〔손상하다〕; (피부)를 벗기다, 다치다; 통렬히 비난하다. [파] **ex·cò·ri·á·tion** *n.* [U] 피부를 벗김〔깜〕; [C] 피부가 까진 자리, 찰과상; [U] 통렬한 비난.

ex·cre·ment [ékskrəmənt] *n.* [U] 배설물; (또는 *pl.*) 대변(feces). [cf.] excretion.

ex·cres·cence, -cy [ikskrésəns], [-si] *n.* [C] (동식물체의) 이상〔병적〕 생성물《군살 · 혹 · 사마귀 따위》; 무용지물.

ex·cres·cent [ikskrésənt] *a.* 이상적(異常的)〔병적〕으로 생성된〔증식하는〕; 혹〔사마귀〕의; 군, 쓸데없는.

ex·cre·ta [ikskríːtə] *n. pl.* 〖생리〗 배설물《소변 · 대변 · 땀 등》.

ex·crete [ikskríːt] *vt., vi.* 〖생리〗 배설하다.

ex·cre·tion [ikskríːʃən] *n.* 〖생리〗 **1** [U] 배설(작용). **2** [U] (구체적으로는 [C]) 배출물《대소변 · 땀 따위》. [cf.] excrement.

ex·cre·to·ry [ékskritɔ̀ːri/ekskríːtəri] *a.* 배설의: ~ organs 배설 기관《사람의 경우에는 특히 비뇨기》.

ex·cru·ci·ate [ikskrúːʃièit] *vt.* 몹시 고통을 주다, 고문하다; 괴롭히다.

ex·crú·ci·àt·ing *a.* 몹시 고통스러운, 참기 어려운; 몹시 괴롭히는; (종종 원뜻을 벗어나서) 대단한, 이만저만이 아닌; 맹렬한, 극도의: an ~ headache 참기 어려운 두통 / with ~ politeness 아주 정중하게. [파] **~·ly** *ad.*

ex·cul·pate [ékskʌlpèit, iksˊ-] *vt.* 《문어》 (아무)의 무죄를 증명하다; (아무)를 벗어나게 하다《**from** (죄 · 의혹 따위)에서》: ~ oneself 자신의 결백을 증명하다 / The evidence ~*d* him *from* the charge. 그 증거로 그는 혐의에서 벗어났다. [파] **èx·cul·pá·tion** *n.*

◇__ex·cur·sion__ [ikskə́ːrʒən, -ʃən] *n.* [C] 회유(回遊), 소풍, 유람, 수학여행; (열차 · 버스 · 배 따위에 의한) 할인 왕복〔회유〕 여행: a business ~ 상용 여행 / go on 〔for〕 an ~ 소풍가다 / make 〔take〕 an ~ to the seashore 〔into the country〕 해변으로〔시골로〕 소풍가다. [파] **~·ist** *n.* [C] ~하는 사람.

ex·cur·sive [ikskə́ːrsiv] *a.* 두서 없는, 산만한《독서 따위》: ~ reading 남독(濫讀). [파] **~·ly** *ad.* **~·ness** *n.*

ex·cús·a·ble *a*. 변명이 서는; 용서할[받을] 수 있는: an ~ error 허용되는 과실. ㊞ **-bly** *ad*.

⁑**ex·cuse** [ikskjúːz] *vt*. **1** ⦅~+목/+목+전+명⦆ **용서하다**(forgive), 너그러이 봐주다⦅*for* …에 관해서⦆. ↔ *accuse*.¶~ a fault [a person *for* his fault] 과실[아무의 과실]을 용서하다/*Excuse* me *for* not hav*ing* answered your letter sooner. 답장이 늦어져서 죄송합니다.

SYN. **excuse** 고의는 아니라고 인정하여 비교적 가벼운 잘못을 용서할 경우에 씀: *excuse* a person's coming late 아무의 지각을 용서하다. **forgive** 좀 무거운 죄를[잘못을] 용서[사면]함과 동시에 가해자에게 원한을 품지 않았다는 뜻으로 사용: *forgive* and forget 용서하고 깨끗이 잊다. **pardon** 윗사람이 아랫사람[죄인]의 비교적 큰 잘못이나 죄를 용서[사면]할 때 씀. 따라서 약간 점잔을 빼는 사교적 표현에 쓰임: *Pardon* the liberty I am taking. 저의 실례를 용서하여 주십시오. **condone** 도덕이나 법을 위배한 행위를 사정에 의해 너그러이 봐주는 뜻으로 씀.

2 ⦅~+목/+목+전+명⦆ **a** 면하다, 면제하다⦅*from* (의무·부채 따위)에서⦆: We will ~ your attendance. 너의 출석은 면제해 주겠다/~ a person *from* attendance [a debt] 아무의 출석을[채무를] 면제하다. **b** 〖~ oneself〗 사퇴하다, 사양하다⦅*from* …을⦆: He ~*d* him*self from* attendance [be*ing* present]. 그는 출석을 사절했다. **3 a 변명하다**, …의 구실을 대다: ~ one's mistake 자기의 잘못을 변명하다/~ one's absence by saying that one is ill 아프다고 결석의 구실을 대다. **b** ⦅+목+전+명⦆ 〖~ oneself〗 변명을 하다⦅*for* …의⦆: He ~*d* him*self for* be*ing* late. 그는 지각한 변명을 했다. **4** (사정 등이) …의 변명[구실]이 되다: Ignorance of the law ~*s* no man. 법을 몰랐다고 해서 죄를 면할 수는 없다/Sickness ~*d* his absence. 그의 결석은 병 때문이었다. **5** ⦅~+목/+목+전+명⦆ 〖~ oneself〗 양해를 구하고 자리를 뜨다⦅*from* …에서⦆: I ~*d* my*self from* the table. 실례한다고 말하고 식탁을 떴다.

DIAL. ***Can*** [***May, Could***] ***I be excused?*** ① 좀 실례하겠습니다⦅식사 때 자리를 뜨면서 하는 말⦆. ② 화장실 좀 다녀오겠습니다⦅교실에서 학생이 하는 말⦆.
Excuse me. [종종 skjúːzmiː] ① 실례합니다[했습니다]⦅모르는 사람에게 말을 걸 때, 사람 앞을 통과할 때, 자리를 뜰 때 등에⦆: *Excuse me*, but could you tell me the way to the station? 죄송하지만 역으로 가는 길을 가르쳐 주시겠습니까. ② ⦅美⦆ (발을 밟거나 하여) 미안합니다.
Excuse me? 다시 한번 말씀해 주세요.
Excuse (***me***) ***my clumsiness.*** 용서하세요⦅상대에게 예의에 벗어난 짓을 했을 때 하는 말⦆.
Would you excuse me? ① 이제 가봐야겠습니다. ② 미안하지만 좀 지나가겠습니다.
You're excused. ① 좋다, 괜찮다⦅도중에 자리를 뜬다는 뜻의 May I *be excused?*에 대하여, 주로 윗사람이 하는 말⦆. ② 이제 가봐라⦅상대를 꾸짖고 난 다음에 끝으로 하는 말⦆. ③ 괜찮아요, 개의치 않아요⦅실례되는 짓을 사과하는 상대에게 하는 말⦆.

— [ikskjúːs] *n*. **1** Ⓤ (구체적으로는 Ⓒ) **a 변명**, 해명⦅*for* …에 대한⦆: an adequate ~ 충분한 해명/in ~ of …의 변명으로/make one's ~ *for* … …의 변명을 하다/I have no ~ *for* com*ing* late. 늦게 와서 미안합니다. **b** 〖복수꼴로〗 사과: Please make my ~*s* to them. =Please give them my ~*s*. (참석지 못하니) 그들에게 사과의 말씀 전해 주십시오.

2 Ⓤ (구체적으로는 Ⓒ) 이유; 구실, 핑계⦅*for* …의/*that*⦆: What is your ~ *for* be*ing* late? 지각한 이유는 무언가/invent ~*s* 구실을 만들다/offer an ~ *for* …의 구실을[핑계를] 대다, 변명을 하다/on the ~ *of* …을 구실로/He made an ~ *that* he had to visit a sick uncle. 그는 아픈 아저씨의 병문안을 가야 한다고 핑계를 댔다.

3 〖보통 a poor [bad] ~〗 명목[이름]뿐인 것, 빈약한 예⦅*for* …의⦆: a poor [bad] ~ *for* a house 명색뿐인 볼품없는 집.

DIAL. ***Excuses, excuses!*** (너는) 항상 변명만 늘어놓는구나.

ex-di·rec·to·ry [èksdiréktəri, -dai-] *a*. ⦅英⦆ 전화번호부에 올라 있지 않은(⦅美⦆ unlisted): go ~ 전화번호부에 전화번호를 올리지 않(고 두)다.

ex div. 〖증권〗 ex dividend.

èx dívidend 〖증권〗 배당락(配當落)⦅생략: ex div. 또는 X.D.⦆. ↔ *cum dividend*.

EXEC 〖컴퓨터〗 executive control program ⦅다른 프로그램의 수행을 제어하는 운영 체제[프로그램]⦆.

exec. executive; executor.

ex·e·cra·ble [éksikrəbəl] *a*. 저주할, 밉살스러운, 지겨운; 몹시 나쁜. ㊞ **-bly** *ad*.

ex·e·crate [éksikrèit] *vt*. 입정사납게 욕하다, 통렬히 비난하다; 혐오[증오]하다; 저주하다.

èx·e·crá·tion *n*. **1** Ⓤ 매도, 통렬한 비난; 혐오; 저주. **2** Ⓒ 주문, 저주하는 말; 저주받은 것[사람], 혐오하는 것.

ex·ec·u·tant [igzékjətənt] *n*. Ⓒ 실행자, 집행자; 연기자, 연주자.

*__ex·e·cute__ [éksikjùːt] *vt*. **1** (계획 따위)를 **실행하다**, 실시하다; (목적·직무 따위)를 수행[달성, 완수]하다: ~ a plan [one's duty] /~ an order 주문에 응하다; 명령을 수행하다. SYN. ⇨PERFORM. **2** 시공(施工)하다; (미술품 따위)를 완성하다, 제작하다: ~ a statue in bronze 청동상(像)을 만들다. **3** (배우가 배역)을 연기하다; (음악)을 연주하다. **4** 〖법률〗 **a** (계약서·증서 등)을 작성하다; (법률·유언 등)을 집행[이행, 시행]하다. **b** (재산)을 양도하다. **5** ⦅~+목/+목+전+명/+목+*as* 보⦆ (죄인)의 **사형을 집행하다**, 처형하다⦅*for* …때문에⦆: ~ a person *for* murder [*as* a murderer] 아무를 살인죄로[살인자로서] 처형하다. **6** 〖컴퓨터〗 (프로그램의 명령)을 실행하다.

◇**ex·e·cu·tion** [èksikjúːʃən] *n*. **1** Ⓤ 실행, 실시; 수행, 달성: in (the) ~ *of* one's duties 직무 수행 중에/carry ... into ~ =put ... in [into] ~ (계획 따위)를 실행[실시]하다. **2** Ⓤ (예술 작품의) 제작; (음악의) 연주 (솜씨); (배우의) 연기. **3** Ⓤ (직무·판결·처분·유언 등의) 집행, 〖법률〗 강제 집행[처분]; (증서의) 작성 (완료): forcible ~ 강제 집행. **4** Ⓤ (구체적으로는 Ⓒ) 사형 집행, 처형: ~ by hanging 교수형. **5** Ⓤ 〖컴퓨터〗 실행. ◇execute *v*.

èx·e·cú·tion·er *n*. Ⓒ 실행[집행]자, ⦅특히⦆ 사형 집행인.

◇**ex·ec·u·tive** [igzékjətiv] *a.* [A] **1** 실행〔수행, 집행〕의; 실행상의, 실행 가능한: ~ ability 실무 능력. **2** 집행하는, 집행부의; 행정상의, 행정적인: an ~ committee 〔commission〕 실행〔집행〕 위원회/an ~ director 전무 이사/the ~ branch 〔department〕 행정부〔각 부〕.
—*n.* **1 a** [C] (관공서의) 행정관. **b** (the E-) 《美》 행정 장관《대통령 · 주지사 · 시장 따위》: the Chief *Executive* 《美》 대통령. **c** (the ~) (정부의) 행정부; (단체의) 집행위원회, 집행부. **2** [C] (사장 · 중역 · 지배인 등 기업의) 간부, 관리직원, 경영진, 임원.

Exécutive Mánsion (the ~) 《美》 대통령 관저(the White House); 주지사 관저.

◇**ex·ec·u·tor** [igzékjətər] *n.* [C] **1** 〖법률〗 지정 유언 집행자. **2** [éksikjùːtər] 실행〔수행, 이행, 집행〕자.

ex·ec·u·trix [igzékjətriks] (*pl.* **-tri·ces** [igzèkjətráisiːz], **~·es**) *n.* [C] 〖법률〗 여자 지정 유언 집행자《executor 의 여성형》.

ex·e·ge·sis [èksədʒíːsis] (*pl.* **-ses** [-siːz]) *n.* [U] (구체적으로는 [C]) 설명, 해설, 석의(釋義), (특히 성서 · 경전의) 주석.

ex·em·plar [igzémplər, -plɑːr] *n.* [C] 모범, 본보기; 전형, 견본, 표본.

ex·em·pla·ry [igzémpləri] *a.* 모범적인; 칭찬할 만한, 훌륭한; 본보기의; 징계적인; 전형적〔예시적〕인: ~ conduct 모범적인 행위/an ~ punishment 징계벌/be ~ of …의 전형이다, …의 좋은 예이다. [파] **-ri·ly** [-rili] *ad.* 모범적으로, 본보기로.

ex·em·pli·fi·ca·tion [igzèmpləfikéiʃən] *n.* **1** [U] 예증(例證), 예시(例示); 모범. **2** [C] 표본, 적례(適例).

ex·em·pli·fy [igzémpləfài] *vt.* 예증〔예시〕하다; (일이) …의 모범이 되다, …의 좋은 예가 되다.

ex·em·pli gra·tia [egzémplai-gréiʃiə, -zémpliː-grɑ́ːtiɑ̀ː] 《L.》 (=for example) 예컨대, 예를 들면《생략: e.g. 또는 ex.g(r).》.

◇**ex·empt** [igzémpt] *vt.* 면제하다, 면하게 하다 《***from*** (책임 · 의무 따위)에서》: ~ a person *from* taxes 아무의 조세를 면제하다. **—***a.* 면제된《***from*** (과세 · 의무 따위)에서》; 면세의: goods ~ *from* taxes 면세품/~ income 비과세 소득. **—***n.* [C] (의무 · 법의 적용 등을) 면제받은 사람〔것〕, 《특히》 면세자.

ex·emp·tion [igzémpʃən] *n.* **1** [U] 면제《***from*** (과세 · 의무 따위)의》. **2** [C] 면제되는 사람〔것〕; 소득세 과세 공제액〔품목〕.

*‡**ex·er·cise** [éksərsàiz] *n.* **1** [U] (구체적으로는 [C]) (신체의) **운동**; 체조: take 〔get〕 (more) ~ 운동을 (더) 하다/gymnastic 〔physical〕 ~*s* 체조/outdoor ~ 옥외 운동/lack of ~ 운동 부족/do (one's) ~*s* 체조를 하다/Jogging is a good ~ for losing weight. 조깅은 체중을 줄이는 데에 좋은 운동이다.
2 [C] (육체적 · 정신적인) **연습**, 실습, 훈련, 수련 《***in*** …의》; (흔히 *pl.*) (군대 · 함대의) 연습 훈련: piano ~*s* =~*s* for the piano 피아노 연습/finger ~*s* for 〔on〕 the harp 하프의 손가락 연습/an ~ *in* articulation 발음 연습/do voice 〔vocal〕 ~*s* 발성 연습을 하다. [SYN.] ⇨PRACTICE.
3 [C] 연습 문제〔교재, 곡〕, 과제《***in*** …의》: a Latin ~ 라틴어 연습 문제/~*s in* English grammar 영문법 연습 문제.
4 [U] (종종 the ~) (주의력 · 의지력 · 능력 등의) 발휘, 활용; (권력 · 직권 따위의) 행사; (미덕 · 직분 등의) 이행, 실행: by the ~ of imagination 상상력을 발휘하여/free ~ *of* (one's) religion 신앙의 자유.
5 (*pl.*) 《美》 식(式), 식순, 의식: graduation ~*s* 졸업식/opening ~*s* 개회식.
—*vt.* **1** 《~+[목]/+[목]+[전]+[명]》 (신체 · 정신)을 **활동시키다**, **훈련하다**, 단련하다; (손발)을 움직이다; (군대 · 동물 따위)에게 훈련을 시키다, 운동을 시키다《***in*** …의》: ~ one's arms and legs 팔 다리를 움직이다/~ a horse 〔troops〕 말을〔군대를〕 훈련시키다/~ a person *in* swimm*ing* 아무에게 수영 연습을 시키다/~ oneself *in* fenc*ing* 펜싱 연습을 하다.
2 《~+[목]/+[목]+*to* do》 (체력 · 능력)을 발휘하다, 쓰다; (권력)을 발동하다, 행사하다: ~ one's intelligence 〔patience〕 지력〔인내력〕을 발휘하다/~ one's right *to* refuse 거부권을 행사하다.
3 (의무)를 실행하다, 다하다; (좋은 일 등)을 하다: ~ the duties of one's office 임무를 수행하다.
4 …의 주의를 끌다, 《특히》 (마음 · 사람)을 괴롭히다, 번민〔걱정〕하게 하다《★ 보통 수동태로 쓰며, 전치사는 *by, about*》: He *is* greatly ~*d about* his future. 그는 장래에 대해 몹시 걱정하고 있다.
5 《+[목]+[전]+[명]》 (영향 · 감화 등)을 미치다《***on, over*** …에》: ~ great influence *on* a person 아무에게 큰 영향을 미치다.
—*vi.* 운동을〔체조를〕 하다; 연습하다.

éxercise bòok 연습장.

◇**ex·ert** [igzə́ːrt] *vt.* **1** (힘 · 지력 따위)를 발휘하다, 쓰다; 〖~ oneself〗 노력〔진력〕하다《***for*** …을 위하여/***to*** do》: ~ every effort 전력을 다하다/He ~*ed* him*self to* finish the work. 그는 그 일을 끝내기 위해 노력했다/He ~*ed* him*self for* the achievement of his dream. 그는 그의 꿈을 실현키 위해 진력했다. **2** (권력)을 휘두르다, (영향력 · 압력 등)을 지속적으로 행사하다, 가하다, 미치다《***on, over*** …에》: ~ a favorable influence *on* a person 아무에게 좋은 영향을 미치다/~ control *over* one's emotions 자기의 감정을 억제하다.

◇**ex·er·tion** [igzə́ːrʃən] *n.* **1** [U] (구체적으로는 [C]) 노력, 전력, 분발(endeavor): use 〔make, put forth〕 ~*s* 진력〔노력〕하다/make a great ~ to help others 남을 돕기 위해 대단한 노력을 하다. **2** [U] 행사, 발휘《***of*** (권력 따위)의》: ~ *of* authority 권력 행사. ◇exert *v.*
[SYN.] **exertion** 일정한 목적과는 관계 없이 행해지는 격심한 계속적인 노력. **effort** 일정한 목적을 이루기 위해 하는 노력으로서 보통 1회의 행위를 가리킴. **endeavor** 훌륭한 목적을 달성하기 위하여 하는 조직적이고 영속적인 노력의 뜻으로 effort 보다도 격식을 갖춘 말임. **pains** 힘이 드는, 또는 마음을 졸이면서 하는 노력.

ex·e·unt [éksiənt, -ʌnt] *vi.* 《L.》 〖연극〗 퇴장하다(they go out). [cf.] exit. ¶*Exeunt* John and Bill. 존과 빌 퇴장《극본(劇本)에서의 지시》.

ex gra·tia [eks-gréiʃiə] 《L.》 호의로서(의), 친절에서(의) (out of goodwill).

ex·ha·la·tion [èkshəléiʃən, ègzəl-] *n.* **1** [U] 숨을 내쉬기; 내뿜기; 발산; 증발; 호기(呼氣). **2** [C] 증발기《수증기 · 안개 등》; 발산물.

ex·hale [ekshéil, igzéil] *vt.* (숨)을 내쉬다, (말)을 내뱉다, (공기 · 가스 등)을 내뿜다(↔

inhale); (냄새 등)을 발산시키다. —*vi.* (가스·냄새 등이) 발산하다; 숨을 내쉬다.

*__ex·haust__ [igzɔ́ːst] *vt.* **1** **다 써버리다**(use up); (자원·지력 따위)를 고갈시키다; (체력·인내력 따위)를 소모하다(consume); (국력)을 피폐시키다: ~ a fortune in gambling 노름으로 재산을 탕진하다 / My energy is ~*ed*. 힘이 다 빠졌다. **2** (사람)을 **지쳐빠지게 하다**, 피로(疲勞)하게 하다 (tire out); 〖~ oneself〗 지쳐빠지다, 녹초가 되다: The hard work ~*ed* me. 중노동으로 나는 지쳐버렸다 / I have ~*ed* my*self* walking. 걸어서 지쳐버렸다. **3** (문제 따위)를 자세히 구명(究明)하다, 남김없이 논〔이야기〕하다. **4** 《+[목]+[전]+[명]》 (그릇 따위)에서 비우다(empty)《*of* …을》; (공기·물·가스 따위)를 완전히 빼다; 배출〔배기〕하다《*from* …에서》: ~ a cask *of* liquor 술통을 비우다 / ~ a tube *of* air = ~ air *from* a tube 튜브〔관〕에서 공기를 빼다.

—*n.* **1** [U] (엔진의) 배기 가스; (기체의) 배출, 배기: auto ~ 자동차의 배기 가스 / ~ control 배출물 규제. **2** [C] (엔진의) 배기관; 배기 장치.

◇**ex·háust·ed** [-id] *a.* **1** 다 써버린, 소모된; 고갈된: his ~ means 다 써버린 재산 / an ~ well 고갈된 우물 / ~ tea 너무 끓여서 맛이 빠진 차. **2** 지쳐빠진: I am ~. 녹초가 되었다. [SYN.] ⇨ TIRED.

exháust fùmes 배기 가스, 매연.

exháust gàs 배기 가스.

ex·háust·i·ble *a.* 다 써 버릴 수 있는, 고갈시킬 수 있는.

ex·háust·ing *a.* 소모적인; (심신을) 지치게 하는. ㉺ **~·ly** *ad.*

*__ex·haus·tion__ [igzɔ́ːstʃən] *n.* [U] **1** **다 써버림**, 소모, 고갈: ~ *of* wealth 〔resources〕 재산〔자원〕의 고갈. **2** 극도의 피로, 기진맥진: mental ~ 정신적 피로 / faint with 〔from〕 ~ 기진맥진하여 실신하다. ◇exhaust *v.*

*__ex·haus·tive__ [igzɔ́ːstiv] *a.* **1** (조사 따위가) **철저한**(thorough), **남김없는**: an ~ study 철저한 연구 / make an ~ inquiry into …에 대하여 철저한 조사를 하다. **2** (자원·정력 따위를) 고갈시키는, 소모적인. ㉺ **~·ly** *ad.* **~·ness** *n.*

exháust pìpe (엔진의) 배기관.

exháust sỳstem 배기 장치.

exháust vàlve 배기 밸브, 배기판(瓣).

*__ex·hib·it__ [igzíbit] *vt.* **1** 《~+[목]/+[목]+[전]+[명]》 **전람〔전시〕하다**, 출품하다, 진열하다《*at, in* …에》: ~ the latest models of cars 최신 모델의 차를 전시하다 / ~ goods *in* a show window 진열창에 물건을 전시하다. [SYN.] ⇨ SHOW. **2** (징후·감정 등)을 **나타내다**, 보이다, 드러내다, 표시하다: ~ anger 얼굴에 노기를 띠다 / ~ courage 용기를 보이다 / He ~*ed* no interest. 그는 아무 흥미도 보이지 않았다.

—*vi.* 전람회를 열다; 전시회에 출품〔전시〕하다.

—*n.* [C] **1** 《美》 전시회, 전람회. **2** **전시품**, 진열품: Do not touch the ~*s*. 전시품에 손대지 마시오. **3** 〖법률〗 증거 서류, 증거물; 중요 증거물〔증인〕: ~ A, 증거물 A〔제 1 호〕.

*__ex·hi·bi·tion__ [èksəbíʃən] *n.* **1** [U] (또는 an ~) **전람**, 전시, 진열; 공개: the ~ *of* a cultural film 문화 영화의 공개. **2** [C] **전람회**, 전시회, 박람회, 품평회. [cf.] exposition. ¶a competitive ~ 경진회 / an industrial ~ 산업 박람회 / an ~ of photographs 사진전. **3** [C] 《英》 장학금. ◇exhibit *v.*

make an* 〔*a regular*〕 ~ *of* one*self (바보짓을 하여) 웃음거리가 되다, 창피를 당하다. ***on*** ~ 진열〔전시〕되어.

㉺ **~·er** *n.* [C] 《英》 장학생; = EXHIBITOR.

èx·hi·bí·tion·ism *n.* [U] (타인을 의식한) 자기현시〔과시〕 (경향); 자기 선전벽(癖); 노출증.

㉺ **-ist** *n.*, *a.*

ex·hib·i·tor, -it·er [igzíbitər] *n.* [C] 출품자.

◇**ex·hil·a·rate** [igzílərèit] *vt.* 원기를〔기분을〕 돋우다, 유쾌〔상쾌〕하게 하다《★종종 수동태로 쓰며, 전치사는 *by, at*》: He *was* ~*d by* 〔*at*〕 the thought of his forthcoming trip. 그는 다가오는 여행 생각에 신이 났다.

ex·híl·a·ràt·ing *a.* 기분을 돋우어 주는, 유쾌하게 하는; 상쾌한: an ~ experience 유쾌한 경험. ㉺ **~·ly** *ad.*

ex·hìl·a·rá·tion *n.* [U] 기분을 돋우어 줌; 들뜬 기분, 유쾌, 상쾌, 흥분.

ex·hort [igzɔ́ːrt] *vt.* …에게 열심히 타이르다〔권하다〕; …에게 권고하다〔충고, 경고, 훈계〕하다)《*to* …을 / *to* do》: ~ the students *to* responsible freedom 학생들에게 책임있는 자유를 행사하도록 훈계하다 / ~ a person *to* enter college 아무에게 대학에 가도록 간곡히 권하다. [SYN.] ⇨ URGE.

—*vi.* 권고〔경고, 훈계〕를 하다; 간곡히 타이르다〔호소하다〕.

ex·hor·ta·tion [ègzɔːrtéiʃən, èksɔːr-] *n.* [U] (구체적으로는 [C]) 간곡한 권유, 권고, 충고, 경고, 훈계.

ex·hor·ta·tive, -ta·to·ry [igzɔ́ːrtətiv], [-tɔ̀ːri/-təri] *a.* 권고의; 타이르는, 훈계적인.

ex·hu·ma·tion [èks*h*juːméiʃən, ègz*j*uː-] *n.* [U] (구체적으로는 [C]) 발굴, 《특히》 시체 발굴.

ex·hume [igz*j*úːm, eks*h*júːm] *vt.* 파내다, (특히 시체)를 발굴하다; (숨은 인재·명작 등)을 찾아내다, 발굴하다.

ex·i·gen·cy, -gence [éksədʒənsi], [-dʒəns] *n.* **1** [U] 긴급성, 급박, 위급, 위기: in this ~ 이런 위기에. **2** [C] (보통 *pl.*) 절박〔급박〕한 사정, 급무: meet the *exigencies of* the moment 급박한 정세에 대처하다.

ex·i·gent [éksədʒənt] *a.* **1** 절박한, 급박한 (pressing), 긴급한, 위급한(critical). **2** 자꾸만〔몹시〕 요구하는《*of* …을》.

ex·ig·u·ous [igzígjuəs, iksíg-] *a.* 근소한, 적은, 빈약한, 소규모의. ㉺ **~·ly** *ad.* **~·ness** *n.*

*__ex·ile__ [égzail, éks-] *n.* **1** [U] (또는 an ~) **망명**, 국외 생활〔유랑〕; **국외 추방**, 유형, 유배: a place of ~ 유배지 / go into ~ 망명하다; 추방〔유랑〕의 몸이 되다 / live in ~ 귀양살이〔망명 생활, 타향살이〕를 하다. **2** [C] 망명자, 추방된 사람, 유배자; 유랑자. —*vt.* **1** 《~+[목]/+[목]+[전]+[명]》 〖종종 수동태〗 추방하다《*from* …에서; *to* …으로》: ~ a person *from* his country 아무를 고국에서 추방하다 / Napoleon *was* ~*d to* St. Helena. 나폴레옹은 세인트헬레나 섬으로 유배되었다. **2** 〖~ oneself〗 망명하다.

__ex·ist__ [igzíst] *vi.* **1 **존재하다**, 실재하다, 현존하다: God ~*s*. 신은 존재한다. **2** 《+[전]+[명]》 (특수한 조건·장소·상태에) 있다, 나타나다(be, occur): Salt ~*s in* the sea. 소금은 바닷물 속에 있다 / Such things ~ only *in* cities. 그러한 일들은 도시에서만 나타난다〔일어난다〕. **3** 《~/+[전]+[명]》 **생존하다**, 존속하다; (어렵게) 살고 있다, 살아가다《*on* …으로》: We cannot ~ without air. 우리는 공기 없이는 생존할 수 없다/~ *on* a meager salary 박봉으로 생활하다. ◇ existence *n*.

⁑**ex·ist·ence** [igzístəns] *n*. **1** Ⓤ **존재**, 실재, 현존; 〖철학〗 실존: I believe in the ~ of ghosts. 유령의 존재를 믿고 있다/call 〔bring〕 into ~ 생기게 하다, 낳다; 성립시키다/come into ~ 생기다, 태어나다, 성립하다/go out of ~ 소멸하다, 없어지다/in ~ 현존의, 존재하는(existing)/put ... out of ~ …을 절멸시키다, 죽이다. **2** Ⓤ **생존**: the struggle for ~ 생존 경쟁. **3** (an ~) **생활**, 존재 양식, 생활 방식: lead a peaceful 〔dangerous〕 ~ 평화로운〔위험한〕 생활을 하다. ◇ exist *v*.

◦**ex·ist·ent** [igzístənt] *a*. 존재하는, 실재하는; 현존하는(existing); 목하(目下)의, 현행(現行)의 (current): the ~ circumstances 현재의 사정.

ex·is·ten·tial [ègzisténʃəl, èksi-] *a*. 존재에 관한, 실존의; 〖철학〗 실존주의의. ㊞ **~·ism** *n*. Ⓤ 〖철학〗 실존주의. **~·ist** *n*. Ⓒ, *a*. 실존주의자; 실존주의(자)의.

ex·íst·ing *a*. Ⓐ 현존하는, 현재의.

⁑**ex·it**[1] [égzit, éksit] *n*. Ⓒ **1 출구**(《英》 way out); 《美》 (고속도로 등의) 출구(↔ *access*). **2** 나감; 퇴출, 퇴거, 출국; (배우의) 퇴장; 사망(death): illegal ~ 불법 출국/make one's ~ 퇴장〔퇴거, 퇴출〕하다; 죽다/give ~ to a person 아무를 퇴출시키다.

— *vi*. 나가다, 떠나다; 죽다; 〖컴퓨터〗 (시스템 · 프로그램에서) 나가다.

ex·it[2] *vi*. 《L.》 〖연극〗 퇴장하다(he 〔she〕 goes out). ⓒⓕ exeunt. ↔ *enter*. ¶*Exit* Hamlet. 햄릿 퇴장.

éxit pèrmit 출국 허가(증).

éxit pòll 출구 조사《선거 결과에 대한 예상을 위해 투표소 출구에서 하는 앙케트 조사》.

éxit vìsa 출국 사증.

ex li·bris [eks-láibris, -lí:b-] (*pl*. ~) 《L.》 장서표(藏書票)《from the books of... 의 뜻에서; 생략: ex lib.》.

ex·o- [éksou, -sə] '외(外), 외부'의 뜻의 결합사: *exo*sphere. ↔ *endo-*.

èxo·biólogy *n*. Ⓤ 우주 생물학.

Ex·o·cet [éksousèt] *n*. 《F.》 **1** 엑조세《프랑스제(製) 대함(對艦) 미사일; 상표명》. **2** Ⓒ 파괴력 있는 것.

Exod. Exodus.

ex·o·dus [éksədəs] *n*. **1** Ⓒ (*sing*.) 집단적 (대)이동〔탈출, 출국〕. **2** (the E-) 이스라엘 사람의 이집트 탈출; (E-) 〖성서〗 출애굽기《구약성서 중의 한 편; 생략: Ex., Exod.》.

ex of·fi·cio [èks-əfíʃiòu] 《L.》 직권에 의하여 〔의한〕, 직권상(의), 직권상 겸(무)하는《생략: e.o., ex off.》: be an ~ chairman 직권상 의장을 겸무하다.

ex·og·a·mous, -o·gam·ic [eksɑ́gəməs/-sɔ́g-], [èksəgǽmik] *a*. 이족(異族) 결혼의, (족)외혼의.

ex·og·a·my [eksɑ́gəmi/-sɔ́g-] *n*. Ⓤ 외혼(外婚), 족외혼(族外婚)(↔ *endogamy*).

ex·og·e·nous [eksɑ́dʒənəs/-sɔ́dʒ-] *a*. 외부적 원인에 의한; 〖생리〗 외인(外因)성의《비만 · 감염 따위》. ㊞ **~·ly** *ad*.

ex·on·er·ate [igzɑ́nərèit/-zɔ́n-] *vt*. (아무)를 면제〔해제〕하다, 해방하다《***from*** (의무 · 책임 · 죄 따위)에서》: be ~*d from* the charge of murder 살인 혐의가 풀리다/~ a person *from* payment 지불을 면제하다. ㊞ **ex·òn·er·á·tion** *n*.

ex·or·bi·tance [igzɔ́:rbətəns] *n*. Ⓤ 과대, 과도, 부당.

ex·or·bi·tant [igzɔ́:rbətənt] *a*. (욕망 · 요구 · 가격 따위가) 터무니없는, 과대한, 부당한, 엄청난. ㊞ **~·ly** *ad*.

ex·or·cise, -cize [éksɔ:rsàiz] *vt*. (기도 · 주문을 외워 악령)을 쫓아내다, 몰아내다《***from, out of*** …에서》; (사람 · 장소)에서 쫓아내다《***of*** (악령)을》; (나쁜 생각 · 기억 등)을 몰아내다, 떨쳐버리다: ~ a demon *from* 〔*out of*〕 a house = ~ a house *of* a demon 악귀를 집에서 몰아내다/~ the memory of the accident 그 사고의 기억을 떨쳐버리다.

ex·or·cism [éksɔ:rsìzəm] *n*. Ⓤ (구체적으로는 Ⓒ) 귀신물리기, 액막이, 불제(祓除). ㊞ **-cist** *n*. Ⓒ 귀신 물리는 사람, 무당, 불제 기도사, 액막이하는 사람.

ex·o·sphere [éksousfìər] *n*. (the ~) 〖기상〗 외기권, 일탈권(逸脫圈).

ex·o·ter·ic [èksətérik] *a*. **1** 문외한에게도 이해 가능한; 공개적인; 통속적인, 대중적인. **2** 외적인; 밖의, 외부〔외면〕의(external). ㊞ **-i·cal** *a*. **-i·cal·ly** *ad*.

◦**ex·ot·ic** [igzɑ́tik/-zɔ́t-] *a*. 외래의, 외국산의; 이국적인, 이국풍의, 이국 취미〔정서〕의. ㊞ **-i·cal·ly** *ad*.

ex·ot·i·ca [igzɑ́tikə/-zɔ́t-] *n*. *pl*. 이국적인〔진기한〕 것; 이국 취미의 문학〔미술〕 작품.

exótic dáncer 스트립쇼 · 벨리 댄스의 무희.

ex·ot·i·cism [igzɑ́təsìzəm/-zɔ́t-] *n*. Ⓤ 이국 취미〔정서〕.

exp. expense(s); export(ed); express.

*__ex·pand__ [ikspǽnd] *vt*. **1 펴다**, 펼치다; **넓히다**, 확장〔확대〕하다: ~ wings 날개를 펴다/~ a business 사업을 확장하다. **2 팽창시키다**, 부풀게 하다: Heat ~*s* metal. 열은 금속을 팽창시킨다. **3** 《+목+전+명》 (의론 · 관념 등)을 발전〔전개, 진전〕시키다(develop); (요지 · 초고 등)을 상술〔부연, 확충〕하다, 늘이다《***into*** …으로》: ~ a jotting *into* a news story 메모를 확충하여 신문기사로 하다. **4** 〖수학〗 전개하다. ◇ expanse, expansion *n*.

— *vi*. **1 퍼지다**, 넓어〔커〕지다. **2 부풀어오르다**, 팽창하다: Metal ~*s* when heated. 가열하면 금속은 팽창한다/This metal scarcely ~*s* with heat. 이 금속은 거의 열팽창을 하지 않는다. **3** 《+전+명》 성장하다, 발전하다《***into*** …으로》: The small college has ~*ed into* a big university. 그 작은 단과대학이 발전하여 지금은 커다란 종합대학이 되었다. **4** (마음이) 넓어지다; (사람이) 마음을 터놓다. **5** 《+전+명》 상술〔부연〕하다《***on, upon*** …에 관해서》: ~ *on* one's opinion 자기 의견을 더 자세히 말하다.

ⓈⓎⓃ **expand** 내부 및 외부 어느 쪽의 힘으로든 길이 · 너비 · 깊이를 더한다는 뜻의 일반적인 말. **swell** 내부의 힘에 의하여 보통 크기 이상으로 부푼다는 뜻.

㊞ **~·a·ble, ~·i·ble** *a*. =EXPANSIBLE.

expánded mémory 〖컴퓨터〗 확장 메모리《상위 메모리 영역의 페이지 프레임을 통하여 시스템 메모리와 연결되는 특수 메모리》.

◦**ex·pánd·er** *n*. Ⓒ 확대〔확장〕시키는 사람〔물건, 장치〕.

*__ex·panse__ [ikspǽns] *n*. (*sing*. 또는 *pl*.) 〖단

수취급》 (바다·대지 등의) **광활한 공간**, 넓디넓은 장소〔구역〕: an ~(s) *of* water 〔snow〕 드넓은 수면〔설원〕/the blue ~(s) *of* heaven 넓고 푸른 하늘, 창공(蒼空)/the boundless ~(s) of the Pacific 한없이 넓은 태평양.

ex·pán·si·ble *a.* 팽창〔신장, 전개〕할 수 있는; 팽창성의; 발전성 있는.

ex·pan·sile [ikspǽnsəl, -sail] *a.* 확장〔확대〕할 수 있는; 팽창성의.

◇**ex·pan·sion** [ikspǽnʃən] *n.* **1** [U] 팽창; 신장; 확장, 확대: an ~ coefficient 팽창 계수/the ~ *of* the currency 통화의 팽창/the rate of ~ 팽창률/the ~ *of* armaments 군비 확장/the ~ *of* a city 도시의 확장. **2** [C] 확장〔확대〕된 것: His book is an ~ *of* his earlier article. 그의 책은 이전의 논문을 증보한 것이다. **3** [U] (사업의) 발전; (수량의) 증가. **4** 〚수학〛 [U] 전개; [C] 전개식. ◇ expand *v.*

[파] **~·ism** *n.* [U] (상거래·통화 등의) 팽창주의, 팽창론; (영토 등의) 확장주의〔정책〕: economic ~ism 경제 확장론〔정책〕. **~·ist** *n.* [C] 확장론자; 영토 확장론자. **—***a.* 확장론(자)의.

expánsion càrd 〔**bòard**〕 〚컴퓨터〛 확장 카드〔기판〕《주 기판의 확장 슬롯에 꽂는 회로기판》. ★ 간단히 card 라고도 함.

expánsion slòt 〚컴퓨터〛 확장 슬롯.

ex·pan·sive [ikspǽnsiv] *a.* **1** 팽창력이 있는, 팽창성의; 확장적인; 전개적인: ~ force 팽창력. **2** 넓디넓은, 광대한(broad). **3** 포용력 있는; 마음이 넓은; 개방적인, 대범한. ◇expand *v.*

[파] **~·ly** *ad.* **~·ness** *n.*

ex par·te [eks-pɑ́ːrti] 《L.》 〚법률〛 당사자의 한쪽에 치우쳐〔치우친〕; 일방적으로〔인〕.

ex·pat [ékspæt/-ˊ] *n.* 《구어》 =EXPATRIATE.

ex·pa·ti·ate [ikspéiʃièit] *vt.* 상세히 설명하다, 부연하다《***on, upon*** …에 관해서》: He ~*d on* his plan. 그는 자기 계획을 상세히 말했다.

[파] **ex·pà·ti·á·tion** *n.* [U] (구체적으로는 [C]) 상세한 설명, 부연, 상술.

ex·pa·tri·ate [ekspéitrièit/-pǽt-] *vt.* **1** 국외로 추방하다; …에게서 국적을 빼앗다. **2** 《~ oneself》 고국을 떠나다, 국적을 버리다.

— [-triət, -trièit] *a., n.* [C] 국외로 추방된〔이주한〕 (사람), 국적을 이탈한 (사람).

ex·pà·tri·á·tion *n.* [U] 국외 추방; 국외 이주; 〚법률〛 국적 이탈: the right of ~ 국적 이탈권.

‡**ex·pect** [ikspékt] *vt.* **1** 《~+[목]/+[목]+[전]+[명]/+*to* do/+[목]+*to* do/+*that* [절]》 **기대하다**《***of, from*** …에게서》; 예상〔예기〕하다; 기다리다; …할 작정이다: Don't ~ immediate results. 즉석의 결과는 기대 마라/You're ~*ing* too much *of* him. 너는 그에게서 너무 많은 것을 기대하고 있다/I ~ *to* do it. 그것을 할 작정이다/I ~*ed* him *to* come. =I ~*ed that* he would come. 그가 오리라고 생각했었다/What time do you ~ him home? 그는 몇 시에 귀가하느냐/A new edition is ~*ed* (*to* come out) next month. 신판이 내달 나오기로 되어 있다/The students are ~*ed to* be present at the lecture. 학생들은 그 강의에 출석하지 않으면 안 된다. ★ 나쁜 경우에도 씀: I ~*ed* something worse. 더 나쁜 일을 각오하고 있었다.

[SYN.] **expect** 어떤 일이 일어날 것을 상당한 확신을 갖고 기대함. **anticipate** 어떤 일을 대비하고 기다리는 뜻으로 그것을 마음에 그려보는 일도 있음: *anticipate* seeing a play 연극 볼 것을 즐거움으로 삼고 있다. **hope** 어떤 바람직한 일의 실현을 확신하고 대망함.

2 《+*that* [절]》 《구어》 …라고 생각하다, 추측하다: I ~ (*that*) you have been to Europe. 유럽에 갔다 오신 적이 있지요/Will he come? —I ~ so. 그가 올까요—올 거예요《★ 이 때의 so는 앞 글의 내용을 받아주는 것으로 that 절의 대용임》. **3** 《구어》 (아기)를 출산할 예정이다: Paul and Sylvia ~ their second right after Christmas. 폴과 실비아 사이에는 크리스마스 직후에 둘째 아이가 태어나게 된다. ◇ expectance, expectation *n.*

—*vi.* 《구어》 〔진행형〕 임신하고 있다; 출산 예정이다: His wife *is* ~*ing* next month. 그의 아내는 다음 달 출산 예정이다.

as might be ~ed 예기되는 바와 같이, 역시, 과연: *As might be* ~*ed* of a gentleman, he was as good as his word. 과연 신사답게 그는 약속을 잘 지켰다. ***be*** (***only***) ***to be ~ed*** 예상했던 대로이다, 당연하다: The accident *was only to be* ~*ed* because of his reckless driving. 그의 무모한 운전 때문에 그 사고는 예상된 것이었다. ***Expect me when you see me.*** 언제 돌아올지 모르겠소.

> [DIAL.] ***What*** (***else***) ***can*** 〔***do***〕 ***you expect?*** 당연하지, (그것은) 예상한 것 아니냐, 그 이상 뭘 바라.
> ***Will he run for election?—I expect so*** 〔***not***〕. 그는 선거에 출마할까—그러리라고〔그렇지 않으리라고〕 생각한다.

◇**ex·pect·an·cy, -ance** [ikspéktənsi], [-əns] *n.* [U] 기다림, 예기, 기대, 대망(待望); 가망: with a look of ~ 기대하고 있는 표정으로. ◇expect *v.*

life expectancy =the EXPECTATION of life.

◇**ex·pect·ant** [ikspéktənt] *a.* **1** 기다리고 있는, 기대〔예기〕하고 있는《***of*** …을》: with an ~ look 고대하는 눈치로/He seemed ~ *of* getting his way. 그는 생각대로 되리라고 기대하고 있는 듯하다. **2** [A] 출산을 앞두고 있는, 임신 중인: an ~ father 머지않아 아버지가 될 사람/an ~ mother 임신부/an ~ heir 추정 상속인. **—***n.* [C] 예기〔기대〕하는 사람; (관직 등의) 지망자, 채용 예정자. [파] **~·ly** *ad.* 기다려서, 기대하여.

ex·pec·ta·tion** [èkspektéiʃən] *n.* **1** [U] (종종 *pl.*) **예상**, 예기; **기대**《that***》: according to ~ 예상한 대로/against 〔contrary to〕 (all) ~(s) 기대와 달리/beyond (all) ~(s) 예상 외로/in ~ *of* …을 예상〔기대〕하고/wait in ~ 기대하다/fall short of a person's ~s 아무의 기대에 어긋나게 되다, 예상을 밑돌다/There's no ~ *of* a good harvest. 풍작의 가망은 전혀 없다/There's some ~ *that* the prime rate will soon be lowered. 프라임 레이트가 곧 낮추어질 것이라는 예상이 있다. **2** (*pl.*) 예상되는 일, 《특히》 예상되는 유산 상속: have brilliant ~s 멋진 일이 있을 것 같다/have great ~s 큰 유산이 굴러들 것 같다. ◇ expect *v.*

the ~ of life 〚보험〛 평균 여명(餘命).

ex·pec·to·rate [ikspéktərèit] *vt.* (가래·혈담 등)을 뱉어 내다. **—***vi.* 가래를〔침을〕 뱉다: ~ on the walk 보도에 가래를 뱉다.

ex·pèc·to·rá·tion *n.* **1** [U] 가래를〔침을〕 뱉음, 객담(喀痰). **2** [C] 뱉어낸 것, 객출물(喀出物).

ex·pe·di·en·cy, -ence [ikspíːdiənsi], [-əns] *n.* **1** [U] 편의, 형편 좋음; (타산적인) 편의주의;

(악랄한) 사리(私利) 추구. 2 =EXPEDIENT.

°**ex·pe·di·ent** [ikspíːdiənt] *a.* **1** 편리한, 편의의; 마땅한, 상책인: It is ~ that he should go. 그가 가는 편이 상책이다. **2** 편의주의의, 방편적인, 타산적인: The proposal is only ~. 그 제안은 단지 방편적인 것이다. **—*n.*** Ⓒ 수단, 방편, 편법, 임기(응변)의 조처: resort to an ~ 편법을 강구하다. ㊕ **~·ly** *ad.*

ex·pe·dite [ékspədàit] *vt.* (계획 따위)를 진척시키다, 촉진하다; (일)을 신속히 처리하다; (군대 따위)를 파견하다.

***ex·pe·di·tion** [èkspədíʃən] *n.* **1** Ⓒ (탐험·전투 등 명확한 목적을 위한) 긴 여행〔항해〕, **탐험(여행), 원정**, 장정; 파견: an antarctic ~ 남극 탐험/an exploring ~ 탐험 여행/military ~*s* (in)to Egypt 군대의 이집트 원정/go 〔start〕 on an ~ 원정길에 오르다〔나서다〕/make an ~ into …을 탐험〔원정〕하다. **2** Ⓒ **원정대**, 탐험대: send an ~ to the South Pole 남극으로 탐험대를 보내다. **3** Ⓤ 신속, 기민, 민활: use ~ 후딱 해치우다/with (all possible) ~ (가능한 한) 빨리, 신속히. SYN. ⇨HASTE.
㊕ **~·ary** [-nèri/-nəri] *a.* Ⓐ 원정〔탐험〕의; (군대가) 해외에 파견된: an ~*ary* force 파견군; 원정군.

ex·pe·di·tious [èkspədíʃəs] *a.* 날쌘, 신속한, 급속한: ~ measures 응급 처치.
㊕ **~·ly** *ad.* **~·ness** *n.*

ex·pel** [ikspél] (*-ll-*) *vt.* 《~+목/+목+전+명》 **1** 쫓아내다, 물리치다, 구축하다(drive out)《from*** …에서》: ~ an invader *from* a country 침입자를 국외로 내쫓다. **2** 추방〔제명〕하다, 면직시키다(dismiss)《***from*** …에서》: He was ~*led from* school. 그는 퇴학당하였다. **3** (세차게) 방출〔배출〕하다, (숨 등)을 내쉬다; (가스 등)을 분출하다; (탄환)을 발사하다: ~ one's breath in a long sigh 후— 하고 깊은 한숨을 내쉬다.

°**ex·pend** [ikspénd] *vt.* **1** (시간·노력 따위)를 들이다, 쓰다, 소비하다《***on, upon, in*** …에》: ~ time and energy *on* 〔*in*〕 something 어떤 일에 시간과 정력을 소비하다/~ one's energy *in* do*ing* it 그것을 하는 데 정력을 소비하다. **2** 다 써버리다(use up): He ~*ed* all his fuel. 그는 모든 연료를 써버렸다. **3** (금전)을 지출하다, 쓰다. ★ 단순히 돈을 쓰는 경우 spend가 보통임. ¶~ all one's income for food and clothing 수입을 몽땅 먹는 것과 옷에 쓰다. ◇ expenditure, expense *n.* expensive *a.*

ex·pénd·a·ble *a.* 소비〔소모〕해도 좋은, 소모용의; 〖군사〗 (전략상) 소모할〔버릴〕 수 있는, 희생시켜도 좋은《병력·자재 등》. **—*n.*** Ⓒ (보통 *pl.*) 소모품.

ex·pend·i·ture** [ikspénditʃər] *n.* **1** Ⓤ (또는 an ~) **지출**; 소비, 소모《of*** …의; ***on*** …에의》: annual ~ 세출/current ~ 경상비/extraordinary ~ 임시비/revenue and ~ 수지, 세입과 세출/the ~ *of* time 시간의 소비. **2** Ⓤ (구체적으로는 Ⓒ) **경비**, 비용, 출비; 소비량, 지출액《***of*** …의; ***on*** …에의》: a large ~ *of* money *on* armaments 거액의 군사비/an annual ~ *of* ten billion pounds, 100억 파운드의 세출.

‡**ex·pense** [ikspéns] *n.* **1** Ⓤ (또는 an ~) (돈·시간 등을) 들임, 소비함; **지출**, **비용**, 출비: at public ~ 공비〔관비〕로/at an ~ of $55, 55달러를 들여서/spare no ~ =go to a lot of ~ 비용을 아끼지 않다/Blow the ~! 《속어》 비용 같은 건 상관할 것 없다. **2** (*pl.*) 지출금, 제(諸)경비, 소요 경비, …비; 수당: meet 〔cut down〕 ~*s* 경비를 치르다〔절감하다〕/receive a salary and ~*s* 월급과 수당을 받다/school ~*s* 학비/social ~*s* 교제비. **3** Ⓒ 돈이 드는 것〔일〕: Repairing a house is an ~. 집수리에는 돈이 든다. ◇ expend *v.*
at any **~** 아무리 비용이 들더라도; 여하한 희생을 치르더라도. ***at*** one***'s*** (***own***) **~** 자비로; 자기를 희생하여: He published the book *at* his *own* ~. 그는 그 책을 자비로 출판했다. ***at the*** **~** ***of*** =***at*** a person***'s*** **~** …의 비용〔돈〕으로; …을 희생하여: He did it *at the* ~ *of* his health. 그는 건강을 희생하여 그것을 해냈다. ***put*** a person ***to*** **~** 아무에게 돈을 쓰게 하다, 비용을 부담시키다.

expénse accòunt 비용 계정; 그 돈, 교제비.

expénse-accòunt *a.* Ⓐ 비용 계정의, (기업체 등의) 교제비의〔로 쓴〕: an ~ dinner (회사의) 교제비로 하는 식사.

‡**ex·pen·sive** [ikspénsiv] *a.* **돈이 드는, 값비싼**; 사치스러운: ~ clothes 값비싼 옷/The battle proved ~. 그 싸움은 (여러 의미로) 비싸게 먹혔다. ◇expend *v.*
SYN. **expensive** 같은 종류의 물건으로서 싼 것도 있으나 그 중에서 비싼, 고급의: an *expensive* car 고급차. **costly** 막대한 금액을 요하는. 원래 비싼 것으로서 같은 종류의 것에 싼 것은 별로 없는: *costly* jewels 고가의 보석. **dear, high-priced** 값비싼. dear는 영국에서 흔히 씀.
㊕ **~·ly** *ad.* 비용을 들여, 비싸게. **~·ness** *n.*

‡**ex·pe·ri·ence** [ikspíəriəns] *n.* **1** Ⓤ **경험**, 체험《***in, of*** …의》: a man of ~ 경험가/I speak from ~. 나의 경험에 바탕을 두고 말하는 것이다/*Experience* teaches. 사람은 경험을 통해서 영리해진다/*Experience* keeps a dear school. 《격언》 경험이란 학교는 수업료가 비싸다《쓰라린 경험을 통해서 현명해진다》/gain one's ~ 경험을 쌓다/~ *in* teaching =teaching ~ 교직 경험. **2** Ⓒ 경험〔체험〕한 것; (*pl.*) 경험담, 경험으로 얻은 지식: have an interesting 〔a painful〕 ~ 재미있는〔고통스런〕 경험을 하다.
—*vt.* 경험〔체험〕하다; 경험하여 알다: ~ nausea 구역질나다/~ difficulties 곤란을 겪다.

°**ex·pé·ri·enced** [-t] *a.* 경험 있는〔많은〕, 숙련된, 체험된《***at, in*** …에》: have an ~ eye 안목이 있다, 안식이 높다/a man ~ *in* 〔*at*〕 teaching 교직 경험이 있는 사람.

ex·pe·ri·en·tial [ikspìəriénʃəl] *a.* 경험(상)의; 경험에 의거한; 경험적인: ~ philosophy 경험 철학. ㊕ **~·ly** *ad.*

‡**ex·per·i·ment** [ikspérəmənt] *n.* **1 a** Ⓒ **실험**《***in, on*** (과학상)의》: in a medical ~ 의학상의 실험에 있어서/a new ~ *in* education 교육상의 새로운 시도/make 〔carry out〕 an ~ *in* chemistry 화학 실험을 하다. **b** Ⓤ 실험하기: test ... by 〔through〕 ~ 실험으로 …을 검사하다/*Experiment* has shown that .... 실험으로 …라는 것이 드러났다. SYN. ⇨TRIAL. **2** Ⓒ (실지의) 시험, 시도: We tried eating kimchi as an ~. 우리는 시험 삼아 김치를 먹어 보았다.
— [-mènt] *vi.* 《~/+전+명》 **실험을 하다**《***on, upon, with*** …으로》: ~ *on* 〔*with*〕 mice (약 등의 효과를 알기 위해) 생쥐로 실험하다/~ *on* animals *with* a new medicine 신약으로 동물

실험을 하다. ★ on, upon은 직접 실험 대상으로, with는 실험 수단으로 사용하는 경우임.

*__ex·per·i·men·tal__ [ikspèrəméntl] *a.* **1 실험의**; 실험용의; 실험에 의거한: an ~ rocket 실험용 로켓 / an ~ theater 실험 극장 / an ~ science 실험 과학 / ~ philosophy 실험〔경험〕 철학 / ~ psychology 실험 심리학. **2 시험적인**, 실험적인, 시도의: ~ flights 시험 비행.
[파] **~·ism** *n.* [U] 실험주의; 경험주의. **~·ist** *n.* 실험〔경험〕 주의자. **~·ly** *ad.* 실험〔시험〕적으로.

ex·per·i·men·ta·tion [ikspèrəmentéiʃən] *n.* [U] 실험, 실험법.

ex·pér·i·mènt·er, -mèn·tor *n.* [C] 실험자.

⁑**ex·pert** [ékspəːrt] *n.* [C] **숙달자, 전문가**, 숙련가 《*at, in, on* …의》: a linguistic ~ 어학의 전문가 / a mining ~ 광산 기사 / an ~ *at* skiing 스키의 명수 / an ~ *in* economics 경제학의 전문가 / an ~ *on* the population problem 인구 문제의 전문가.
— [ikspə́ːrt, ékspəːrt] *a.* **1 숙달된, 노련한** 《*at, in, with* …에》: an ~ carpenter 솜씨 좋은 목수 / be ~ *in* 〔*at*〕 driving a car 자동차 운전을 잘 하다 / He has become ~ *at* figures 〔*with* a rifle〕. 그는 계산〔라이플 총〕에 능숙해졌다. **2 숙달자의, 전문가의**, 전문가에 의한, 전문적인: ~ work 전문적인 일 / ~ advice 전문가의 조언 / ~ evidence 감정인의 증언 / in an ~ capacity 전문가의 자격으로.
[SYN.] **expert** 훈련과 경험으로 아주 숙달된 능력을 갖고 있는 경우를 가리킴. **proficient** 특히 훈련의 결과 고도로 숙달되어 있는 경우를 뜻함. **skilled** 실습에 의하여 세밀한 점까지 정통해 있다는 뜻으로 기예(技藝) 등에 잘 쓰임. **skillful** 지식이 있고 숙련된 경우에 쓰임.
[파] **~·ly** *ad.* 잘, 능숙〔노련〕하게, 교묘하게. **~·ness** *n.* [U] 숙달.

ex·per·tise [èkspərtíːz] *n.* 《F.》 [U] 전문적 기술〔지식〕, 노하우(know-how).

éxpert sýstem 〖컴퓨터〗 전문가 시스템《의사 · 변호사 · 기술자 등의 전문 지식을 컴퓨터에 입력하면 그들의 역할을 컴퓨터가 대행하는 소프트웨어》.

ex·pi·a·ble [ékspiəbəl] *a.* 속죄〔보상〕할 수 있는.

ex·pi·ate [ékspièit] *vt.* 속죄하다, 속(贖)바치다, 보상하다. [파] **-a·tor** [-èitər] *n.* [C] 속죄〔보상〕하는 사람.

èx·pi·á·tion *n.* [U] 속죄, 죄를 씻음, 보상: in ~ of one's sin 〔crime〕 속죄로. ◇expiate *v.*

ex·pi·a·to·ry [ékspiətɔ̀ːri/-təri] *a.* 속죄의; 보상의.

ex·pi·ra·tion [èkspəréiʃən] *n.* [U] **1** (기한 · 임기 따위의) 종결, 만료, 만기: the ~ *of* a contract 계약의 만기 / at 〔on〕 the ~ *of* one's term of office 〔service〕 임기 만료시에. **2** 숨을 내쉼, 호기(呼氣) (작용). ↔ *inspiration*. ◇ expire *v.*

ex·pir·a·to·ry [ikspáirətɔ̀ːri, -tòuri/-təri] *a.* 숨을 내쉬는, 호기(呼氣)의.

*__ex·pire__ [ikspáiər] *vi.* **1** (기간 따위가) **끝나다**, 만기가 되다, 종료〔만료〕되다. **2** 숨을 내쉬다. ↔ *inspire*. **3** 《문어》 숨을 거두다, 죽다. [SYN.] ⇨ DIE. —*vt.* (숨)을 내쉬다; 배출하다. ◇expiration *n.* expiratory *a.*

ex·pi·ry [ikspáiəri, ékspəri] *n.* [U] (기간의) 종료, 만료, 만기: at 〔on〕 the ~ *of* the term 만기 때에. —*a.* 만료〔만기〕의: the ~ date 유효기간 만료일.

⁑**ex·plain** [ikspléin] *vt.* **1** 《~+[목]/+[목]+*as* [보]》 **분명〔명백〕하게 하다**, 알기 쉽게 하다; 해석하다: ~ an obscure point 애매한 점을 분명하게 하다 / ~ a person's silence *as* consent 아무의 침묵을 동의로 해석하다.
2 《~+[목]/+[목]+[전]+[명]/+*wh. to* do / +*wh.* [절]/+*that* [절]》 (상세히) …을 **설명하다**; …의 이유를 말하다, 변명〔해명〕하다: ~ a process of making paper 종이의 제조법을 설명하다 / ~ *where to* begin and *how to* do something 무엇을 어디에서 시작하고 어떻게 하는지 설명하다 / He ~*ed* (*to* us) *what* we were expected to do. 그는 우리에게 어떤 기대를 걸고 있는지 (우리에게) 설명했다 / He ~*ed* (*to* me) *that* they should go right away. 그들은 곧 가야 한다고, 그는 (나에게) 설명하였다 / That ~*s* his absence. 그것으로 그가 결석한 이유를 알겠다 / ~ one's conduct *to* others 남에게 자기의 행위를 변명하다 / *Explain why* you didn't telephone. 네가 전화를 하지 않은 이유를 말해라.
3 〖~ oneself〗 자기가 하는 말의 뜻을 분명히 하다, 의도를 분명히 하다: Let me ~ my*self*. 내 생각〔입장〕을 설명하게 해 주시오.
—*vi.* 설명〔해석, 해명, 변명〕하다. ◇ explanation *n.*
~ ***away*** (곤란한 입장 · 실언 · 실수 등)을 잘 설명〔해명〕하다, 교묘히 변명하여 발뺌하다: Alcoholism cannot be ~*ed away* as a minor problem. 알코올 중독은 사소한 문제로 어물어물 넘길 수는 없다.
[파] **~·a·ble** *a.* 설명〔해석〕할 수 있는. **~·er** *n.*

⁑**ex·pla·na·tion** [èksplənéiʃən] *n.* [U] (구체적으로는 [C]) **설명**, 해설; 해석; 석명, 해명, 변명 《*of, for* …에 관한 / ***that***》: give an ~ *for* one's delay 지연된 이유를 말하다 / give full ~ to …에게 충분한 설명을 하다 / That made a complete ~. 그것으로 완전한 진상이 파악되었다 / His ~ *that* he was late because of a traffic jam was plausible. 교통 정체 때문에 늦었다는 그의 설명은 그럴 듯했다. ◇explain *v.*

ex·plan·a·to·ry [iksplǽnətɔ̀ːri/-təri] *a.* [A] 설명의, 설명적인; 해석의: ~ remarks 〔notes〕 주석(注釋) / an ~ title (영화의) 자막.
[파] **-ri·ly** [-li] *ad.*

ex·ple·tive [éksplətiv] *a.* 부가적인, 덧붙이기의; 군더더기의.
—*n.* [C] 〖문법〗 허사(虛辭)《문장 구조상 필요하지만 일정한 의미가 없는 어구: There is a book on the table.의 there》; 무의미한 감탄사〔욕설〕《Damn!, My goodness! 따위》.

ex·pli·ca·ble [iksplíkəbəl, ékspli-] *a.* [P] 〖종종 부정문〗 설명〔납득〕할 수 있는: His conduct is *not* ~. 그의 행위는 납득할 수 없다.

ex·pli·cate [éksplәkèit] *vt.* 상설(詳說)하다, (원리 따위)를 해설하다.
[파] **èx·pli·cá·tion** *n.* [U] (구체적으로는 [C]) 해설; 설명, 상설. **ex·pli·ca·tive, -to·ry** [iksplíkətiv, éksplikèitiv], [éksplikətɔ̀ːri/iksplíkətəri] *a.* 해설하는; 설명적인.

◇**ex·plic·it** [iksplísit] *a.* **1** (진술 따위가) 뚜렷한, 명백한, 분명한: ~ instruction 명확한 지시 / Be ~. 분명히 말해다오. ↔ ***implicit***. **2** (영화 · 보도 따위가) 노골적인; (사람이) 솔직한, 숨김없는, 기탄없는《***about*** …에 관해서》: He was ~ *about* what he thought of her. 그는 그녀를 어

떻게 생각하는지 솔직히 말했다.
[파] ~·ly *ad.* 명백[명쾌]히. ~·ness *n.*

*__ex·plode__ [iksplóud] *vt.* 1 **폭발시키다**, 파열시키다: ~ dynamite 다이너마이트를 폭발시키다. 2 (학설 · 사상 따위)를 논파하다; (미신 등)을 타파하다: ~ a theory 학설의 잘못을 논파하다.
—*vi.* 1 **폭발하다**, 작렬하다; 파열하다. [cf.] implode. ¶The gas main ~*d*. 가스 본관이 파열했다. 2 《~/+[전]+[명]》 (사람이) 돌연 …하다; (감정이) 격발하다: At last his anger ~*d*. 마침내 그의 분노가 폭발했다/The students ~*d into* [*with*] laughter. 학생들은 돌연 웃음을 터뜨렸다/Father ~*d with* [*in*] rage. 아버지는 격분하셨다. 3 (인구 따위가) 급증하다. ◇ explosion *n.*

ex·plód·ed [-id] *a.* 폭발[파열]된; (이론 · 미신 등이) 논파[타파]된; 분해한 부분의 상호관계를 나타내는: an ~ view [diagram] of an engine 엔진의 분해(조립)도(圖).

◇**ex·ploit**[1] [éksplɔit, iksplɔ́it] *n.* [C] (큰) 공, 공훈, 공적, 위업: military ~*s* 무공.

◇**ex·ploit**[2] [iksplɔ́it] *vt.* 1 (자원 등)을 개발[개척]하다, 채굴[벌채]하다: ~ natural resources 천연자원을 개발하다/~ a mine 광산을 개발하다. 2 (이기적인 목적으로) 이용하다, 미끼삼다; (남의 노동력 등)을 착취하다: The boss ~*ed* his men (for his own ends). 두목은 부하들을 (자신의 목적을 위해) 이용해 먹었다. ◇ exploitation *n.* [파] ~·a·ble *a.* 개발[개척]할 수 있는; 이용할 수 있는. ~·er *n.* [C] (나쁜 뜻으로) 이용자, 착취자.

◇**ex·ploi·ta·tion** [èksplɔitéiʃən] *n.* [U] 1 이용; 개발; 개척; 채굴, 벌채. 2 사리를 위한 이용, 불법 이용; 착취. ◇exploit[2] *v.*

ex·ploit·a·tive, -ploit·ive [iksplɔ́itətiv], [-plɔ́itiv] *a.* 자원 개발의; 착취적인.

◇**ex·plo·ra·tion** [èksplәréiʃən] *n.* [U] (구체적으로는 [C]) 1 실지 답사, 탐험, 탐사: make an ~ *of* the moon 달을 탐사하다. 2 탐구, 조사(*of, into* (문제 따위)의): They are making ~*s into* the social problems of South Africa. 그들은 남아프리카의 사회 문제를 연구하고 있다. 3 【의학】 검사, 검진.

ex·plor·a·tive [iksplɔ́:rətiv] *a.* =EXPLORATORY.

ex·plor·a·to·ry [iksplɔ́:rətɔ̀:ri/-təri] *a.* (실지) 답사의; 탐험[탐사]의; 【의학】 검사[검진]의.

‡**ex·plore** [iksplɔ́:*r*] *vt.* 1 (미지의 땅 · 바다 등)을 **탐험하다**, 탐사하다, 실지 답사하다: ~ the Antarctic Continent 남극대륙을 탐험하다. 2 (문제 · 사건 등)을 **탐구하다**, 조사하다: ~ the causes of an accident 사고 원인을 조사하다. 3 【의학】 세밀히 진찰하다; (상처)를 살피다: ~ a wound for bullet 상처를 살펴서 탄환을 찾아내다. —*vi.* 탐험을 하다; 조사하다: go *exploring* 탐험하러 가다.

*__ex·plor·er__ [iksplɔ́:rə*r*] *n.* [C] **탐험가**; 탐구자.

‡**ex·plo·sion** [iksplóuʒən] *n.* 1 [U] (구체적으로는 [C]) **폭발**, 폭파, 파열; [C] 폭음: a gas ~ 가스 폭발/the ~ of a bomb 폭탄의 폭발. 2 [C] (웃음 · 노여움 따위의) 폭발: an ~ *of* laughter 폭소. 3 [C] 급격한[폭발적] 증가: a population ~ 인구의 급증. 4 [U] (구체적으로는 [C]) 【음성】 (폐쇄자음의) 파열. [cf.] implosion. ◇ explode *v.*

◇**ex·plo·sive** [iksplóusiv] *a.* 1 폭발하기 쉬운, 폭발성의, 폭발의; 폭발적인: an ~ substance 폭발성 물질/an ~ increase 폭발적인 증가. 2 감정이 격하기 쉬운, 격정적인. 3 (문제 등이) 논

쟁을 일으키는, 말썽을 이는. 4 【음성】 파열음의. [cf.] implosive. —*n.* [C] 1 폭약; 폭발성 물질: a high ~ 고성능 폭약. 2 【음성】 파열음(《p, b, t, d 따위》). ◇ explode *v.*
[파] ~·ly *ad.* 폭발적으로. ~·ness *n.*

Ex·po, ex·po [ékspou] *n.* [C] 박람회. [◂*exposition*]

ex·po·nent [ikspóunənt] *n.* [C] 1 (학설 · 의견 따위의) 설명자, 해설자. 2 (전형적인) 대표자, 대표적 인물: Lincoln is an ~ *of* American democracy. 링컨은 미국 민주주의의 상징이다. 3 【수학】 지수, 멱(冪)지수; 【컴퓨터】 지수.

ex·po·nen·tial [èkspounénʃəl] *a.* 1 【수학】 (멱)지수(指數)의: an ~ equation 지수 방정식. 2 (증가율 등이) 기하급수적인, 급격한: increase at an ~ rate 기하급수적으로 증가[증대]하다.

‡**ex·port** [ikspɔ́:*r*t, ekspɔ́:*r*t] *vt.* 《~+[목]/+[목]+[전]+[명]》 **수출하다**《*to* …으로》; (사상 등)을 외국으로 전하다. ↔ *import*. ¶ ~ computers *to* Western countries 컴퓨터를 서양 여러 나라에 수출하다. —*vi.* 수출하다. ◇ exportation *n.*
— [ékspɔ:*r*t] *n.* 1 [U] **수출**: the ~ of tea 차 수출/an ~ bounty 수출 장려금/~ trade 수출 무역/an ~ bill 수출 환(換)어음/an ~ duty 수출세. 2 [C] (흔히 *pl.*) 수출품; (보통 *pl.*) 수출액: an ~ *of* Korea 한국의 수출품/Korea's ~*s* in 1994, 1994 년의 한국의 수출액. 3 [U] 【컴퓨터】 보내기.
[파] ~·a·ble *a.* 수출할 수 있는. ◇**èx·por·tá·tion** *n.* [U] 수출; [C] 수출품. ↔ *importation*. ~·er *n.* [C] 수출업자.

éxport rèject 수출 기준 불합격품《수출 기준에 미달되어 제조국에서 파는 상품》.

*__ex·pose__ [ikspóuz] *vt.* 1 《+[목]+[전]+[명]》 **쐬다**, 맞히다, 노출시키다《*to* (볕 · 비바람 따위)에》; 몸을 드러내다《*to* (공격 · 위험 따위)에》; 접하게 하다《*to* (작용 · 영향 따위)에》: Don't ~ the plant *to* direct sunlight. 그 식물은 직사광선에 쐬지 마라/~ soldiers *to* gunfire 병사들을 포화에 노출시키다/be ~*d to* actual spoken English 실제의 영어 회화에 접하게 되다. 2 (죄 · 비밀 따위)를 **폭로하다**, 까발리다(disclose), …의 가면을 벗기다(unmask); 적발하다: ~ a secret 비밀을 폭로하다/~ a crime 범죄를 적발하다. 3 **보이다**; 진열하다. [SYN.] ⇨SHOW. 4 (계획 · 의도 따위)를 표시하다, 발표하다, 밝히다. 5 (어린애 등)을 집 밖에 버리다. 6 【사진】 (필름)을 노출하다, 감광시키다. 7 〖~ oneself〗 몸을 드러내다; (노출증 환자가 성기)를 내놓다, 노출하다.

ex·po·sé [èkspouzéi] *n.* 《F.》 [C] (추한 사실 따위의) 폭로, 적발.

ex·posed [ikspóuzd] *a.* 1 드러난, 환히 보이는; 위험 (따위)에 노출된, 비바람을 맞는: ~ goods 팔리지 않고 묵어 있는 상품. 2 【사진】 노출한. 3 【카드놀이】 (패가) 까놓인.

ex·po·si·tion [èkspəzíʃən] *n.* 1 [C] 박람회, 전람회: a world ~ 세계 박람회. 2 [U] 전시, 진열. 3 [U] (구체적으로는 [C]) (이론 · 난해한 텍스트 따위의 상세하고 명확한) 설명(문), 해설. ◇ expose, expound *v.* [파] ~·al *a.*

ex·pos·i·tor [ikspázətə*r*/-pɔ́z-] *n.* [C] 설명자, 해설자.

ex·pos·i·to·ry [ikspázitɔ̀:ri/-pɔ́zitəri] *a.* 설명적인, 해설적인: ~ writing 설명문.

ex post fac·to [éks-pòust-fǽktou] 《L.》

〖법률〗 사후(事後)의〔에〕; 과거로 소급하여: an ~ law 소급 처벌법.

ex·pos·tu·late [ikspástʃulèit/-pɔ́s-] *vi.* 간(諫)하다, 충고하다, 타이르다; 훈계하다《*with* (아무)에게; *on, about* …에 관해서》: His father *~d with* him *about* the evils of gambling. 그의 부친은 도박의 폐해에 대하여 그에게 타일렀다.
㊕ **ex·pòs·tu·lá·tion** *n.* [U] (구체적으로는 [C]) 간언, 충고, 설유; 훈계. **ex·pós·tu·là·tor** [-ər] *n.* [C] 간하는 사람, 충고자. **-la·to·ry** [-lətɔ̀:ri/-təri] *a.* 충고의; 훈계의.

*__ex·po·sure__ [ikspóuʒər] *n.* **1** [U] (구체적으로는 [C]) **노출**, 쐼, 맞힘《*to* …에(의)》: ~ *to* nuclear radiation 핵방사에 쐼. **2** [U] (구체적으로는 [C]) (비밀·비리 따위의) 노현(露顯), 발각; 적발, 탄로, 폭로: the ~ *of* a fraud 사기의 적발〔폭로〕. **3** [U] (TV·라디오 등을 통하여) 사람 앞에 (빈번히) 나타남, 출연함: ~ on national TV, 전국 방송 TV에의 출연. **4** [U] (상품 등의) 진열; 〖카드놀이〗 패를 보이기. **5** (an ~) 〘수식어를 수반하여〙 (집·방 등의) 방위, 방향: a house with a southern ~ 남향집. **6** 〖사진〗 **a** [U] 노출: double ~ 이중 노출. **b** [C] 노출 시간: an ~ of $^1/_{125}$ of a second, $^1/_{125}$초의 노출 시간. **c** [C] (필름 따위의) 한 장: a roll of film with 36 *~s* 필름 36 컷짜리 한 롤. ◇expose *v.*

expósure mèter 〖사진〗 노출계(計).

ex·pound [ikspáund] *vt., vi.* 상술하다, 해설하다.

⁑**ex·press** [iksprés] *vt.* **1** 《~+[목]/+*wh.* [절]/+[목]+[전]+[명]》 **a** (말로) **표현하다, 나타내다**《*to* (아무)에게》; 〘~ oneself〙 자기 생각을 말하다: The beauty of the scene cannot be *~ed* in 〔by〕 words. 그 경치의 아름다움은 말로 표현할 수 없다/She *~ed* her wish *to* me. 그녀는 자기 소원을 나에게 표명했다/I can not ~ *what* I mean. 내가 말하고 싶은 것을 표현할 수 없다/He *~ed* him*self* in good English. 그는 능숙한 영어로 자기 의견을 말했다. **b** (표정·기호 따위가) **나타내다**; 〘~ oneself〙 (감정 따위가) 나타나다, 밖으로 드러나다: A doubled fist *~es* challenge. 쥔 주먹은 도전을 나타낸다/The sign + *~es* addition. + 기호는 덧셈을 나타낸다/Her face *~ed how* happy she was. 그녀의 얼굴을 보아 그녀가 얼마나 행복한지 알 수 있었다.
2 《+[목]+[전]+[명]》 (과즙 따위)를 짜내다《*from, out of* …에서》: ~ the juice *from* 〔*out of*〕 oranges 오렌지의 즙을 짜내다/ ~ grapes *for* juice 주스용으로 포도를 짜다.
—*a.* [A] **1 명시된, 명백한,** 명확한, 분명한: an ~ provision (법률의) 명문(明文)/give ~ consent 명확히 승낙하다. **2** 특수한, 특별한, 특별히 맞춘: for the ~ purpose of ... 특히 …의 목적으로. **3** 꼭 그대로의, 정확한: He is the ~ image of his father. 그는 아버지를 꼭 닮았다. **4** 《美》 **지급의,** 급행의; 《英》 속달편의: an ~ bus 〔train〕 급행 버스〔열차〕/~ highway 〔route〕 고속도로/~ cargo 급행화물.
—*n.* **1** [U] (기차·버스·승강기 등의) **급행편,** 직통편; [C] 급행열차: travel by ~ 급행으로 가다《보통 train은 약함》/the 8:00 ~ to London, 8시의 런던행 급행(열차). **2** [U] 《美》 (화물의) **지급편,** 속달편; 《英》 속달우편.
—*ad.* 급행으로, 급행열차로; 《英》 속달(우편)으로(by ~): travel ~ 급행으로 여행하다.
㊕ **~·age** [-idʒ] *n.* [U] 속달 운송료〔업무〕, 특별 배달료.

expréss delívery 《英》 속달편(《美》 special delivery); 《美》 (통운회사의) 배달편.

ex·préss·i·ble, -a·ble *a.* 표현할 수 있는; (과즙 따위를) 짜낼 수 있는.

⁑**ex·pres·sion** [ikspréʃən] *n.* **1 a** [U] **표현**(함): poetic ~ 시적 표현/give ~ to one's feelings 감정을 나타내다. **b** [C] (기분·성격 따위의) **표시**: a person's warm *~s of* gratitude 아무의 따뜻한 감사의 표시. **2** [C] **말씨,** 어법, 말투, 어구: an idiomatic ~ 관용적인 표현/a vulgar ~ 상스런 말투. **3** [U] (구체적으로는 [C]) **표정**: a face that lacks ~ 표정이 없는 얼굴. **4** [U] 표현〔표정〕의 풍부함, 표현력: read a poem aloud with ~ 풍부한 표정으로 시를 낭독하다. **5** [U] 〖음악〗 표출, 발상, 표현. **6** [U] (구체적으로는 [C]) 〖수학·컴퓨터〗 식: a numerical ~ 수식. ◇express *v.*
beyond 〔***past***〕 **~** 표현할 수 없는, 필설로 다할 수 없는: She is beautiful *beyond* ~. 그녀는 이루 말할 수 없을 만큼 아름답다. ***find* ~ (*in*)** (…에) 나타나다, (…에) 표현되다.

ex·prés·sion·ìsm *n.* (종종 E-) [U] 표현주의.
㊕ **-ist** *a., n.* [C] 표현파의 (작가). **ex·près·sion·ís·tic** [-ístik] *a.*

°**ex·prés·sion·less** *a.* 무표정한, 표정이 없는; (목소리가) 감정이 담기지 않은.

°**ex·pres·sive** [iksprésiv] *a.* **1** 표현하는, 나타내는《*of* …을》: a song ~ *of* joy 기쁨을 나타내는 노래. **2** 표정〔표현〕이 풍부한; 뜻이 있는, 의미가 있는 듯한《표정·말 따위》: an ~ look 표정이 풍부한 얼굴 모습.
㊕ °**~·ly** *ad.* **~·ness** *n.*

ex·préss·ly *ad.* 명백〔분명〕히; 일부러, 특별히.

expréss·man [-mæ̀n, -mən] (*pl.* ***-men*** [-mèn, -mən]) *n.* [C] 《美》 지급편 운송 회사원; 《특히》 급행편 트럭 운전사.

°**expréss·wày** *n.* [C] 《美》 (인터체인지가 완비된) 고속도로(《英》 motorway).

ex·pro·pri·ate [ekspróuprièit] *vt.* (토지·재산 등)을 빼앗다, 수용하다. ㊕ **ex·prò·pri·á·tion** *n.* [U] (구체적으로는 [C]) (토지 등의) 몰수, 수용.

expt(.) experiment.

ex·pul·sion [ikspʌ́lʃən] *n.* [U] (구체적으로는 [C]) 추방; 배제, 구제(驅除); 제명, 제적《*from* …으로부터의》: his ~ *from* school 그의 퇴교. ◇expel *v.*

ex·pul·sive [ikspʌ́lsiv] *a.* 추방력〔구축력〕 있는; 배제성〔구제성〕의.

ex·punge [ikspʌ́ndʒ] *vt.* 지우다, 삭제하다, 말살하다《*from* …에서》: They *~d* his name *from* the list. 그들은 명단에서 그의 이름을 삭제했다.

ex·pur·gate [ékspərgèit] *vt.* (책 따위)의 불온한 대목을 삭제하다.
㊕ **èx·pur·gá·tion** *n.* [U] (구체적으로는 [C]) 삭제.

*__ex·qui·site__ [ikskwízit, ékskwi-] *a.* **1 절묘한,** 절미한《조망·아름다움 등》; **정교한,** 썩 훌륭한《세공·연주 등》; 극상의, 맛나는《음식·와인 등》: an ~ day 참으로 멋진 하루/a dancer of ~ skill 절묘한 기량을 지닌 무용수. **2** 예민한; 고상한: an ~ sensibility 예민한 감수성/a man of ~ taste 세련된 취미를 가진 사람. [SYN.] ⇨ DELICATE. **3** 격렬한《쾌감·고통 등》: ~ pain 격심한 아픔. ㊕ **~·ly** *ad.* 절묘하게; 정교하게; 멋지게. **~·ness** *n.*

èx-sérvice *a.* [A] 《英》 군 불하(拂下)의 《물자》; 퇴역의《군인》.
èx-sérvicemàn [-mæ̀n] (*pl.* **-mèn** [-mèn]) *n.* [C] 《英》 퇴역 군인(《美》 veteran).
ext. extension; exterior; external(ly).
ex·tant [ekstǽnt, ékstənt] *a.* (문서 · 기록 따위가) 현존하는, 잔존하는.
ex·tem·po·ra·ne·ous [ikstèmpəréiniəs] *a.* **1** 준비 없는, 즉흥적인, 즉석의《연설 등》: an ~ speech 즉흥 연설. **2** 일시적인, 임시변통의: an ~ shelter against a storm 급조한 폭풍우 대피소. ㊐ **~·ly** *ad.*
ex·tem·po·rary [ikstémpərèri/-rəri] *a.* 즉석의, 즉흥적인. ㊐ **-rar·i·ly** *ad.*
ex·tem·po·re [ikstémpəri] *ad., a.* 즉석에서〔의〕, 즉흥적으로〔인〕, 그 자리에서, 준비 없이 (하는): speak ~ 즉흥 연설을 하다.
ex·tèm·po·ri·zá·tion *n.* [U] 즉석, 즉흥; 즉석 연설, 즉흥 연주.
ex·tem·po·rize [ikstémpəràiz] *vi., vt.* (연설, 연주 따위를) 즉석에서 만들다; 즉흥적으로 연주〔작곡, 연설〕하다.
⁑**ex·tend** [iksténd] *vt.* **1** 《~+[목]/+[목]+[전]+[명]》 (손 · 발 따위)를 **뻗다**, 펴다, 내밀다《***to*** …에》: ~ one's right arm 오른팔을 뻗다〔펴다〕/ ~ one's hand *to* a person (악수하려고) 아무에게 손을 내밀다. ◇ extension *n.*

[SYN.] **extend** 길이 · 너비를 늘리는 뜻과, 비유적으로 활동 범위 · 세력 · 의미 등의 확장을 나타내는 뜻을 가짐. **lengthen** 공간적 · 시간적으로 길게 하는 뜻뿐이며, 비유적으로는 쓰이지 않음. **prolong** 시간을 보통 생각되고 있는 것보다 길게 하는 뜻을 지님.

2 《+[목]+[전]+[명]》 (선 따위)를 긋다; (쇠줄 · 밧줄 따위)를 치다, 건너 치다: ~ a rope *from* tree *to* tree 나무에서 나무로 밧줄을 건너 치다.
3 《~+[목]/+[목]+[전]+[명]》 (선 · 도로 · 기간 따위)를 연장하다, 늘이다; …의 기한을 연장하다, 연기하다: Life expectancy has been greatly *~ed.* 평균 수명이 크게 늘어났다 / ~ one's visit 방문을 뒤로 미루다 / ~ a road *to* the next city 다음 시까지 도로를 연장하다.
4 (영토 등)을 확장하다, 확대하다; (세력 따위)를 펴다, 미치다; 〖컴퓨터〗 확장하다: ~ one's influence 세력을 확장하다.
5 《+[목]+[목]/+[목]+[전]+[명]》 (은혜 · 친절 · 원조 따위)를 **베풀다, 주다**《***to*** (아무)에게》; (환영 · 감사)의 뜻을 표하다《***to*** (아무)에게》: ~ her a warm welcome = ~ a warm welcome *to* her 그녀를 따뜻이 맞이하다 / ~ congratulations *to* a person 아무에게 축하의 말을 하다.
6 〖보통 수동태 또는 ~ oneself〗 (경마에서 말에게) 전력을 다해 달리게 하다; 〖일반적〗 힘껏 노력하게 하다: *be ~ed* in ... …에 온 힘을 내다 / ~ one*self* to meet the deadline 마감 시간에 대기 위해 전력을 다하다.
— *vi.* **1 늘어나다**, 퍼지다, 넓어지다, 연장되다: The plains ~ as far as the eye can see. 평원은 끝이 보이지 않게 펼쳐져 있다.
2 《+[전]+[명]》 달하다, 미치다; 걸치다, 계속되다: His absence *~s to* five days. 그의 결석일수는 닷새나 된다 / The committee meetings ~ *for* three days. 위원회는 3 일간 계속된다.
㊐ **~·i·ble, ~·a·ble** *a.*
°**ex·ténd·ed** [-id] *a.* **1** 한껏 뻗친〔펼친〕: ~ dislocation 확장 이전. **2** (기간을) 연장한; 장기의: an ~ game 연장전. **3** 광대한, 광범위한, 더욱 자세한, 증보한; (어의 따위가) 파생적인: an ~ knowledge 광범위한 지식 / an ~ usage 파생적인 어법. ㊐ **~·ly** *ad.* **~·ness** *n.*
exténded fámily 확대 가족《근친을 포함한》. [cf.] nuclear family.
exténded mémory 〖컴퓨터〗 연장 기억 장치 《Disk operating system(DOS)을 운영 체제로 하는 컴퓨터에서 DOS가 서포트하는 1mega bit 보다 높은 어드레스의 기억 장치》.
exténded pláy (45회전의) 도넛판 레코드《생략: EP》.
exténded precísion 〖컴퓨터〗 확장 정도(精度)《계산기가 본래 다루는 자릿수의 2배 이상의 자릿수를 다룸》.
ex·ten·si·ble [iksténsəbəl] *a.* 넓힐〔펼〕 수 있는; 늘일 수 있는; 연장〔확장〕할 수 있는.
***ex·ten·sion** [iksténʃən] *n.* **1** [U] 신장(伸張), **연장**, 늘임; **확대**, 확장, 넓힘: the ~ *of* highway 간선도로의 연장 / the ~ *of* one's house 집의 증축 / by ~ 확대(해석)하면. **2** [C] 신장〔연장, 확대, 확장〕 부분; 증축 부분; (철도 따위의) 연장선; 〖전화〗 내선(內線): build an ~ to a hospital 병원을 증축하다 / May I have *Extension* 120, please? 내선 120번을 부탁합니다. **3** [C] 연기; 연장된 기간: grant an ~ of ten days 10일간 연장해 주다. **4** [U] 〖논리〗 외연(外延). ↔ *intension.* **—** *a.* [A] 이어 대는, 신축 자재의, 확장하는. ◇ extend *v.* ㊐ **~·al** *a.*
***ex·ten·sive** [iksténsiv] *a.* **1 광대한**, 넓은: an ~ area. **2** 광범위하게 미치는; 다방면에 걸치는, (지식 따위가) 해박한: an ~ influence 광범위한 영향력 / ~ reading 다독(多讀). **3** 〖농업〗 조방(粗放)의. ↔ *intensive.* ¶ ~ agriculture 조방 농업. ㊐ **~·ly** *ad.* 넓게, 광범위하게. **~·ness** *n.*
ex·ten·sor [iksténsər] *n.* [C] 〖해부〗 신근(伸筋) (= **∠ mùscle**).
***ex·tent** [ikstént] *n.* **1** [U] **넓이**, 크기: The property was several acres in ~. 그 토지는 넓이가 수에이커였다. **2** [C] (보통 *sing.*) 광활한 지역: a vast ~ *of* land 광대한 토지. **3 a** (*sing.*) **정도**, 한도: to a considerable ~ 상당한 정도까지 / to a great 〔large〕 ~ 대부분은, 대체로 / to some 〔a certain〕 ~ 어느 정도까지는, 약간은 / to this 〔that〕 ~ 이〔그〕 정도까지, 이〔그〕 점에서 / to the (full) ~ of one's powers 힘껏, 힘이 미치는 한 / What's the ~ of the damage? 피해 정도는 어느 만큼이냐? **b** (the ~) 범위: reach the ~ *of* one's patience 인내의 한계에 달하다.
to the 〔***such an***〕 **~ *that ...*** ① …라는 정도까지, …라는 점에서. ② …인 한.
ex·ten·u·ate [iksténjuèit] *vt.* (범죄 · 결점)을 (구실을 붙여) 경감하다, (정상)을 참작하다: Nothing can ~ his guilt. 그의 죄상은 참작할 여지가 없다.
ex·tén·u·à·ting *a.* 죄를 가볍게 하는, 참작할 수 있는: ~ circumstances 〖법률〗 참작할 정상, 경감 사유.
ex·ten·u·a·tion [ikstènjuéiʃən] *n.* **1** [U] (죄의) 경감, 정상 참작: in ~ of …의 사정〔정상〕을 참작하여. **2** [C] 참작할 만한 정상.
***ex·te·ri·or** [ikstíəriər] *a.* **1** [A] **바깥쪽의**, 외부의. ↔ *interior.* ¶ an ~ wall 외벽 / the ~ covering 외피. **2** 외부로부터의; 대외적인, 해외의: an ~ policy 대외 정책 / ~ help 외부로부터

의 원조. **3** 바깥쪽〔외부〕에 있는《*to* …보다》: a point ~ *to* a circle 원 밖에 있는 점.

—*n.* **1** (the ~) **바깥쪽, 외부**, 외면. **2** Ⓒ 외모, 외관: a good man with a rough ~ 거칠어 보이지만 마음이 좋은 사람. **3** Ⓒ 〖영화·연극〗 야외〔옥외〕 풍경《촬영용 세트·무대용 배경》; (밖에서 촬영하는) 야외〔옥외〕 장면. ㊕ **~·ly** *ad.*

*__ex·ter·mi·nate__ [ikstə́ːrmənèit] *vt.* (병·사상·신앙·잡초·해충 등)을 **근절하다**, 절멸〔박멸〕시키다, 몰살하다.

㊕ **ex·tèr·mi·ná·tion** *n.* Ⓤ (구체적으로는 Ⓒ) 근절, 박멸, 몰살. **ex·tér·mi·nà·tor** *n.* Ⓒ 박멸하는〔몰살시키는〕 사람〔것〕; 해충 구제업자.

ex·tern [ikstə́ːrn] *n.* Ⓒ《美》(병원의) 통근 의사, 통근 의학 연구생. ⓒⓕ intern.

__ex·ter·nal__ [ikstə́ːrnəl] *a.* **1 외부의, 밖의; 외면의; 외측〔외면〕에 있는《*to* …의》. ↔ *internal*.¶~ evidence 외적 증거 / The engine is ~ *to* the boat. 엔진은 배의 바깥쪽에 있다. SYN. ⇨ OUTSIDE. **2 표면의**, 외관의; 겉의, 형식적인: ~ acts of worship 형식적인 예배. **3** 외부용의《약 등》: For ~ use 〔application〕 only. 외용(外用), '먹으면 안 됨'. **4 대외적인**, 국제적인; 외래의, 외국의: ~ accounts 국제수지 / ~ bonds 외채(外債) / ~ deficit 〔surplus〕 국제수지의 적자〔흑자〕 / ~ reserves 외화 준비(액) / ~ trade 대외무역. **5** 밖으로부터의: an ~ force 〔cause〕 외부 압력〔원인〕. **6** 〖철학〗 외계의, 현상〔객관〕계의: ~ objects 외물《외계에 존재하는 사물》/ the ~ world 외계《객관적 세계》.

—*n.* (*pl.*) 외관, 외형, 외모; 외부 사정: judge people by ~*s* 풍채로 사람을 판단하다.

㊕ **~·ly** *ad.* 외부적으로, 외부에서, 외면상, 외견적으로(는).

ex·tér·nal·ìsm *n.* Ⓤ 형식주의, (특히 종교에서) 극단적인 형식 존중주의. ㊕ **-ist** *n.*

ex·ter·nal·i·ty [èkstəːrnǽləti] *n.* **1** Ⓤ 외면성. **2** Ⓒ 외관, 외형; 외계. **3** = EXTERNALISM.

ex·ter·nal·ize [ekstə́ːrnəlàiz] *vt.* (내부적인 것)을 외면화〔객관화〕하다; 외재(外在)하는 것으로 생각하다; 〖심리〗 (실패 따위)를 외적 원인으로 돌리다.

extérnal stórage 〖컴퓨터〗 외부 기억 장치.

ex·ter·ri·to·ri·al [èksteritɔ́ːriəl] *a.* = EXTRATERRITORIAL.

◇**ex·tinct** [ikstíŋkt] *a.* **1** (불이) 꺼진, (화산 따위가) 활동을 그친(ⓒⓕ active); 사멸한; (희망·정열·생명력이) 끊어진, 다한, 끝난: an ~ volcano 사화산,《비유적》 이전의 활력을 잃은 사람. **2** (인종·동식물 따위가) 절멸(絶滅)한, 멸종한; (가문·작위 따위가) 단절된: an ~ species 〖생물〗 절멸종.

◇**ex·tínc·tion** *n.* Ⓤ **1** 사멸, 절멸; (가계(家系)의) 폐절. **2** 소화, 진화.

◇**ex·tin·guish** [ikstíŋgwiʃ] *vt.* **1** (빛·불 따위)를 끄다; (화재)를 진화하다: ~ a candle 촛불을 끄다. **2** (희망·정열 따위)를 소멸시키다, 잃게 하다: Our hopes have been ~*ed* by this setback. 이 실패로 우리 희망은 사라졌다.

㊕ **~·a·ble** [-əbəl] *a.* 끌 수가 있는, 절멸시킬 수 있는.

ex·tín·guish·er *n.* Ⓒ 불을 끄는 사람〔물건〕; 촛불 끄개; 소화기(消火器): a chemical ~ 화학 소화기.

ex·tir·pate [ékstərpèit, ekstə́ːrpeit] *vt.* 근절시키다, 박멸하다, 구제(驅除)하다, 일소하다: ~ organized crime 조직 범죄를 근절하다.

㊕ **èx·tir·pá·tion** *n.* Ⓤ 근절, 절멸. **éx·tir·pà·tor** [-tər] *n.*

ex·tol, 《美》 **-toll** [ikstóul] (**-ll-**) *vt.* 칭찬〔상찬·격찬〕하다: ~ a person to the skies 아무를 극구 칭찬〔칭송〕하다.

㊕ **ex·tól·ler** *n.* **ex·tól(l)·ment** *n.*

ex·tort [ikstɔ́ːrt] *vt.* (돈 따위)를 억지로 빼앗다, 강탈하다; (약속·자백 따위)를 강제로 받아내다《*from* …에게서》: ~ money 〔a bribe〕 *from* a reluctant person 달갑잖게 여기는 사람에게 돈〔뇌물〕을 내도록 강요하다 / ~ a confession *from* a person by threats 위협에서 아무를 억지 자백시키다.

◇**ex·tór·tion** *n.* **1** Ⓤ 억지로 입수함〔끄집어냄〕, 강요; (특히 금전·재물의) 강탈; 빼앗음. **2** Ⓒ 강요〔강탈〕 행위. ㊕ **~·er, ~·ist** *n.* Ⓒ 강탈자, 착취자.

ex·tór·tion·ate [-it] *a.* **1** 강요의; 착취적인; 강탈적인. **2** (가격·요구 등이) 터무니없는, 과대한. ㊕ **~·ly** *ad.*

__ex·tra__ [ékstrə] *a.* **1 Ⓐ **여분의, 임시의; 특별한**: ~ time 여분의 시간 / ~ pay 임시 급여 / an ~ edition 특별호, 임시 증간호 / an ~ inning game (야구 등의) 연장전 / an ~ train 〔bus〕 임시 열차〔버스〕. **2** 추가 요금으로의, 별도 계정에 의한: Dinner costs $5, and wine (is) ~. 식사 5달러에 와인은 별도 (계산) / ~ freight 할증운임. **3** 극상의; 특대의: ~ binding 특별 장정 / ~ whiteness (윤이 나는) 극상의 백(白) / ~ octavo 특대 8절판.

—*n.* Ⓒ **1** 여분의 것, 특별한 것; 특별 프로; (신문의) 호외; 특별호; 추가요금; 과외 강의. **2** 임시 고용 노동자; 〖영화〗 보조 출연자.

—*ad.* **1 특별히**, 대단히: ~ fine 〔good〕 특별히 좋은 / ~ large 특대의 / ~ special edition 《英》 석간의 최종판. **2** 여분으로: You have to pay ~ for an express train. 급행 열차는 별도 요금을 내야 한다.

ex·tra- [èkstrə] *pref.* '…외의, 범위 밖의, …이외의, 특별한〔히〕' 의 뜻. ↔ *intra-*.

éxtra-báse hít 〖야구〗 롱 히트; 장타《2루타·3루타·홈런》.

*__ex·tract__ [ikstrǽkt] *vt.* **1** 《~+목/+목+전+명》 **뽑아내다, 빼어내다**《*from* …에서》: ~ a tooth 이를 뽑다 / ~ a cork *from* a bottle 병마개를 따다. **2** 《+목+전+명》 (진액 따위)를 추출하다, 증류해서 얻다《*from* …에서》: oil ~*ed from* olives 올리브에서 짜낸 기름. **3** 《+목+전+명》 **발췌하다**, 인용하다《*from* …에서》; (공문서)의 초본을 만들다: ~ a passage *from* a book 책에서 1절을 발췌하다. **4** 《~+목/+목+전+명》 (정보·금전 등)을 억지로 끄집어내다; (기쁨 등)을 얻다《*from* …에서》: ~ a promise 약속을 성립시키다 / ~ a confession 자백을 얻어내다 / ~ pleasure *from* toil 괴로움 속에서 즐거움을 얻다. **5** 《+목+전+명》 (학설·이론 등)을 도출하다, 이끌어내다《*from* …에서》: ~ some moral lessons *from* religious formularies 종교 의식서에서 몇 가지 도덕적 교훈을 이끌어내다. ◇ extraction *n.* **—** [ékstrækt] *n.* **1** Ⓤ (종류·낱개는 Ⓒ) 추출물, (정분을 내어 농축한) 진액; 달여낸 즙. **2** Ⓒ 발췌, 인용 문구《*from* …으로부터의》: read an ~ *from* the Old Testament 구약 성서의 한 구절을 읽다. ㊕ **~·a·ble** *a.*

ex·trác·tion *n.* **1** Ⓤ (구체적으로는 Ⓒ) 뽑아

냄; 빼어냄, 적출(법); 〖치과〗 뽑아냄, 발치(拔齒). **2** [U] 〖화학〗 추출; (즙 · 기름 등의) 짜냄; (약물 등의) 달여냄. **3** [U] 혈통, 태생: an American of Korean ~ 한국계 미국인.

ex·trac·tive [ikstrǽktiv] *a.* 추출할 수 있는, 발췌의: ~ industries 채취 산업《광업 등》.
—*n.* [C] 추출물; 진액; 달인 즙.

ex·trac·tor [ikstrǽktər] *n.* [C] 추출자, 발췌자; 추출 장치〔기(器)〕; (과즙 등의) 착즙기.

extráctor fàn 환기 팬〔장치〕.

èxtra·cúrricular, -lum *a.* 과외(課外)의, 정규 과목 이외의: ~ activities 과외 활동.

éx·tra·dìt·a·ble *a.* (도망범으로 본국에) 인도해야 할; 인도 처분에 처해야 할.

ex·tra·dite [ékstrədàit] *vt.* (해외 도망범)을 인도〔송환〕하다《*to* (관할국)에》; (도망범)을 인도받다《*from* …에서》: They refused to ~ the hijackers *to* the U.S. 그들은 납치범들을 미국에 송환하려 하지 않았다. [파] **èx·tra·dí·tion** [-díʃən] *n.* [U] (구체적으로는 [C]) (국제간의) 도망범 인도, 망명자 소환.

èxtra·galáctic *a.* 〖천문〗 은하계 밖의.

éxtra-hígh-dénsity dìsk 〖컴퓨터〗 초(超)고밀도 디스크《양면에 2.88 mega bit의 자료를 기록할 수 있는 특수한 자기(磁氣) 디스크》.

èxtra·judícial *a.* 재판 사항 이외의, 법정 밖의; 법적으로 인정되지 않는, 위법의.

èxtra·légal *a.* 법률의 지배를 받지 않는, 법의 범위 외의. [파] **~·ly** *ad.*

èxtra·márital *a.* [A] 혼외정사의, 간통〔불륜〕의.

èxtra·múral *a.* [A] **1** 성 밖의, 교외의. **2** 시설〔병원, 대학〕 구외(構外)의; (강사 · 강연 따위가) 학외(學外)의. ↔ *intramural.*

ex·tra·ne·ous [ikstréiniəs] *a.* 외부로부터의, 외래(外來)의; 이질의; 무관계한, 연고 없는《*to* …와》: an ~ issue (주제와) 관계없는 문제/~ *to* the subject 이 제목에 관계가 없는.
[파] **~·ly** *ad.* **~·ness** *n.*

èxtra·nét *n.* [C] 〖컴퓨터〗 엑스트라넷《intranet을 한정된 부서 이외의 사람에게도 액세스할 수 있게 한 것》.

***ex·traor·di·nar·i·ly** [ikstrɔ̀ːrdənérəli, èkstrəɔ̀ːrdənèrə-/-dənəri-] *ad.* **대단히**, 엄청나게, 이례적으로, 특별히, 터무니없이: an ~ beautiful woman 빼어난 미인.

***ex·traor·di·nary** [ikstrɔ́ːrdənèri, èkstrəɔ́ːr-/-dənəri] *a.* **1 대단한**, 비상한, 보통이 아닌, 비범한, 엄청난: a man of ~ genius 비범한 천재.
[SYN.] **extraordinary** 보통과는 다른, 예외적인 → 비상한: *extraordinary* powers given to the President in wartime 전시중 대통령에게 부여되는 특별한 권한. **remarkable** 주목할 만한, 눈에 띄는 → 보통이 아닌: a *remarkable* change 현저한 변화. **unusual** 보통(일)이 아닌: There was something *unusual* in the atmosphere. 분위기가 심상치 않았다.
2 터무니없는, 놀라운, 의외의; 이상한: an ~ man 괴짜/~ weather 이상한 날씨/an ~ event 의외의 사건. **3** [A] 특별한, 임시의: ~ expenditure 〔revenue〕 임시 세출〔세입〕/an ~ general meeting 임시총회/an ~ session 임시국회. **4** 특명〔특파〕의; 특별 임용의: an ~ ambassador =an ambassador ~ 특명 대사/a physician ~ (왕실의) 특별 임용의(醫).
[파] **-nàr·i·ness** *n.*

ex·trap·o·late [ikstrǽpəlèit] *vt., vi.* 〖통계〗 보외(補外)하다, 외삽(外挿)하다, (미지의 사실을) 기지의 사실로부터 추정하다.

ex·tràp·o·lá·tion *n.* [U] 〖통계〗 외삽(外挿)〔보외(補外)〕(법); 추정; 연장; 부연.

èxtra·sénsory *a.* 정상 감각 밖의, 초감각적인.

extrasénsory percéption 초감각적 지각《천리안 · 투시 · 정신감응 등; 생략: ESP》.

èxtra·terréstrial *a.* 지구 밖의: ~ life. **—***n.* [C] 지구 이외의 행성〔생물〕; 우주인.

èxtra·territórial *a.* [A] 치외 법권의: ~ right 치외 법권. [파] **-territoriálity** [-əti] *n.* [U] 치외 법권.

éxtra tíme 《英》 (경기의) 연장 시간《로스 타임을 보충하는》.

èxtra·úterine *a.* 자궁 외의: (an) ~ pregnancy 자궁외 임신.

°**ex·trav·a·gance, -cy** [ikstrǽvəgəns], [-i] *n.* **1** [U] (구체적으로는 [C]) (돈의) 낭비, 사치: ~ with the public purse 국고의 낭비/eat up one's fortune through ~ 낭비로 재산을 다 써 버리다. **2 a** [U] 무절제, 방종. **b** [C] 터무니없는 언행〔생각〕: commit ~*s* 엉뚱한 행동을 하다.

***ex·trav·a·gant** [ikstrǽvəgənt] *a.* **1 함부로 쓰는**, 낭비하는; 사치하는《*with, in* …을》: She is ~ *with* her money. 그녀는 돈의 씀씀이가 헤프다. **2** 터무니없는, 지나친, 엄청난, 엉뚱한: an ~ price 엄청난 가격/make ~ demands 터무니없는 요구를 하다.
[파] **~·ly** *ad.* 낭비적으로; 엄청나게, 엉뚱하게.

ex·trav·a·gan·za [ikstræ̀vəgǽnzə] *n.* [C] **1** 엑스트래버갠자《호화현란한 연예물, 특히 19세기 미국의 뮤지컬 쇼〔영화〕》. **2** 기발한 것; 호화 쇼.

èxtra·váscular *a.* 혈관 밖의.

èxtra·vehícular *a.* 우주선(船) 밖의: ~ activity (우주인의) 선외 활동/~ space suits 선외 우주복.

ex·tra·vert [ékstrəvə̀ːrt] *n.* =EXTROVERT.

⁑**ex·treme** [ikstríːm] *a.* **1 극도의**, 심한: ~ cold 극도의 추위/~ joy 대단한 기쁨/~ poverty 극도의 빈곤/an ~ case 극단의 예〔경우〕/the ~ penalty 극형, 사형. **2** (시책 등이) 매우 엄한〔거친, 대담한〕; (사상 · 행동 · 사람이) 극단적인, 과격한: take ~ measures 강경책을 쓰다/the ~ Left 〔Right〕 극좌파〔극우파〕/~ ideas 과격사상. **3 맨끝의**, 말단의: He's at the ~ right of the picture. 그는 사진 맨오른쪽 끝에 있다.
—*n.* **1** [C] (흔히 *pl.*) **극단**; 극도, 극치: go 〔run〕 to ~*s* 극단으로 치닫다/go to the other 〔opposite〕 ~ 반대편으로 달리다, (그때까지와) 정반대의 행동을 취하다/go from one ~ to the other 극단에서 극단으로 달리다. **2** (*pl.*) 양극단: ~*s* of heat and cold 한서(寒暑)의 양극단/*Extremes* meet. 《속담》 양극단은 일치한다.
in the 〔*to an*〕 ~ 극단으로, 극도로.
[파] **~·ness** *n.*

⁑**ex·treme·ly** [ikstríːmli] *ad.* **1 극단(적)으로**, 극도로: It pains me ~ to have to tell you this. 너에게 이런 말을 해야 하니 정말 고통스럽다. **2** 《구어》 **아주**, 대단히, 몹시: an ~ cold wind 몹시 찬 바람.

extréme únction 〖가톨릭〗 병자성사(病者聖事).

ex·trem·ism [ikstríːmizəm] *n.* [U] 극단적인 경향; 극단론; 과격주의. [파] **-ist** [-ist] *n.* [C], *a.*

극단론자, 과격론자; 극단론〔과격론〕의: a student *extremist* 과격파 학생.

°**ex·trem·i·ty** [ikstréməti] *n.* **1** Ⓒ 끝, 말단: at the eastern ~ of the island 섬의 동쪽 끝에. **2** (*pl.*) 사지, 수족: the lower 〔upper〕 *extremities* 사람의 하지〔상지〕. **3** Ⓤ (또는 an ~) (아픔·감정 따위의) 극한, 극도: an ~ *of* joy 〔misfortune〕 환희〔비운〕의 극. **4** (*sing.*) 궁경, 난국, 궁지: be driven 〔reduced〕 to the last ~ 막바지 궁지로 몰리다 / be in a dire ~ 비참한 궁경에 있다. **5** Ⓒ (보통 *pl.*) 비상수단: proceed 〔go, resort〕 to *extremities* 비상수단을 쓰다. ◇ extreme *a.*

ex·tri·ca·ble [ékstrəkəbəl] *a.* 구출〔해방〕할 수 있는.

ex·tri·cate [ékstrəkèit] *vt.* **1** 구출(救出)하다, 탈출시키다, 해방하다《***from*** (위험·곤경)에서》: ~ a person *from* 〔*out of*〕 dangers 아무를 위험에서 구출하다. **2** 〖~ oneself〗 탈출하다, 벗어나다《***from*** …에서》: ~ *oneself from* a difficult situation 궁지에서 벗어나다. ㊍ **èx·tri·cá·tion** *n.* Ⓤ 구출, 해방, 탈출.

ex·trin·sic [ekstrínsik, -zik] *a.* 고유(固有)의 것이 아닌, 비본질적인; 외부의; 외부로부터의; 관계없는, 부대적(附帶的)인《***to*** …에는》: The question is ~ *to* our discussion. 그 질문은 우리 토론에는 관계가 없다. ↔ *intrinsic.* ㊍ **-si·cal·ly** *ad.*

ex·tro·ver·sion [èkstrouvə́ːrʒən, -ʃən] *n.* Ⓤ 〖의학〗 외번(外翻)《눈꺼풀·방광 등의》, 외전(外轉); 〖심리〗 외향성.

ex·tro·vert [ékstrouvə̀ːrt] *n.* Ⓒ 사교적인 사람; 〖심리〗 외향적인 사람(extravert). **—*a.*** = EXTROVERTED. ↔ *introvert.* ㊍ **~·ed** [-id] *a.* 외향성이 강한, 외향형인.

ex·trude [ikstrúːd] *vt.* 밀어내다, 내밀다; (범죄인 따위)를 쫓아내다; (금속·수지·고무)를 사출 성형하다. ㊍ **ex·trúd·er** *n.*

ex·tru·sion [ikstrúːʒən] *n.* **1** Ⓤ (구체적으로는 Ⓒ) 밀어냄, 내밂, 쫓아냄, 추방. **2** Ⓤ 사출 성형; Ⓒ 사출 성형 제품.

ex·tru·sive [ikstrúːsiv] *a.* 밀어내는 (작용이 있는), 내미는; 〖지질〗 (화산에서) 분출성의: ~ rocks 분출암(噴出岩).

ex·u·ber·ance [igzúːbərəns] *n.* Ⓤ (또는 an ~) 풍부, 충일(充溢); 무성: an ~ *of* joy 넘치는 기쁨 / an ~ *of* foliage 무성한 가지와 잎.

ex·u·ber·ant [igzúːbərənt] *a.* **1** (정애·기쁨·활력 등이) 넘치는; 열광적인, 열의가 넘치는; 원기왕성한. **2** (상상력·재능 등이) 풍부한. **3** (식물·가지 따위가) 무성한. **4** (언어·문체 따위가) 화려한. ㊍ **~·ly** *ad.*

ex·u·da·tion [èksjudéiʃən, èksə-, ègzə-] *n.* Ⓤ 삼출(滲出), 분비; Ⓒ 삼출물, 분비물.

ex·ude [igzúːd, iksúːd] *vt.* 삼출〔발산〕시키다. **—*vi.*** 스며나오다; 유출하다.

°**ex·ult** [igzʌ́lt] *vi.* **1** 크게 기뻐하다, 기뻐 날뛰다《***at, in, over*** …에 / ***to*** do》: ~ *at* 〔*in*〕 one's victory 승리에 광희하다 / ~ *over* (winning) the grand prize 그랑프리를 획득하여 미친듯이 기뻐하다 / ~ *to* hear the news of his success 그의 성공 소식을 듣고 크게 기뻐하다. **2** 승리하여 의기양양해 하다〔뽐내다〕《***over*** …에》: ~ *over* one's rival 경쟁 상대를 이겨 의기양양해 하다. ◇exultation *n.* ㊍ **~·ance, ~·an·cy** [-əns], [-ənsi] *n.* = EXULTATION.

°**ex·ult·ant** [igzʌ́ltənt] *a.* 몹시 기뻐하는; 승리를 뽐내는, 의기양양한. ㊍ **~·ly** *ad.*

°**ex·ul·ta·tion** [ègzʌltéiʃən, èksʌl-] *n.* Ⓤ 몹시 기뻐함, 광희(狂喜), 환희; 이겨서 뽐냄《***over*** …을》.

ex·últ·ing·ly *ad.* 기뻐 날뛰어.

ex·urb [éksəːrb, égz-] *n.* Ⓒ 《美》 준교외(準郊外)《교외에서 더 떨어진 지역》.

ex·ur·bia [eksə́ːrbiə] *n.* Ⓤ 《美》 준(準)교외 지역.

†**eye** [ai] *n.* **1** Ⓒ **눈**; 동공, 눈동자: brown 〔blue〕 ~*s* 갈색〔푸른〕 눈동자 / an artificial ~ 의안 / heavy ~*s* 졸린 듯한 눈 / dry one's ~*s* 눈(물)을 닦다.

2 Ⓒ 눈언저리, 눈가: give a black ~ 때려서 눈을 멍들게하다.

3 Ⓒ (흔히 *pl.*) 시력, 시각(視覺): have good 〔weak〕 ~*s* 시력이 좋다〔나쁘다〕 / lose one's ~*s* 시력을 잃다.

4 (보통 *sing.*) **관찰력**, 보는 눈, 감상〔판단〕력; 안목《***of*** …으로서의; ***for*** …에 대한》: the ~ *of* a painter 화가의 보는 눈 / have an ~ *for* a horse 말을 볼 줄 알다.

5 Ⓒ (흔히 *pl.*) 눈의 표정, 시선, 눈길: cast an ~ 시선을 보내다, 눈길을 주다 / a green 〔jealous〕 ~ 질투의 눈길 / a friendly ~ 호의적인 시선.

6 Ⓒ (흔히 *pl.*) **주시**, 주목, 주의: draw the ~*s* of …의 눈을 끌다 / All ~*s* were on 〔upon〕 her. 모든 사람이 그녀를 주시〔주목〕했다.

7 Ⓒ (흔히 *pl.*) 감시〔경계〕의 눈: under the ~ of …의 감시 아래 / keep an 〔one's〕 ~ on …에서 눈을 떼지 않다, …을 감시하고 있다 / keep one's 〔both〕 ~*s* (wide) open 〔peeled, 《英》 skinned〕 방심 않고 경계하고 있다.

8 (an 〔one's〕 ~) 목표, 기도: have an ~ to one's advantage 사리(私利)를 도모하다.

9 Ⓒ (흔히 *pl.*) 견해, 의견, 해석: in my ~*s* 내가 보기에는 / in the ~*s* of common sense 상식적으로 보면 / through the ~*s* of …의 관점에서.

10 Ⓒ (표적의) 중심; 〖기상〗 (태풍의) 눈, 중심.

11 Ⓒ 눈 모양의 것; (바늘의) 귀; 닻고리; (밧줄을 꿰는) 고리(loop); (호크단추의) 구멍; (감자 따위의) 싹, 눈; (노끈 등의) 고달이: the ~ of a needle 바늘귀 / the ~ of a potato 감자의 싹〔눈〕.

All my ~ (and Betty Martin)! 《英속어》 말도 안돼, 같잖아. ***an ~ for an ~*** 〖성서〗 눈에는 눈으로《같은 수단에 의한 보복; 출애굽기 XXI: 24》. ***a sight for sore ~s*** 보기에도 즐거운 것, 《특히》 진객(珍客). ***be all ~s*** 눈을 똑바로 뜨고 보다, 온 정신을 집중하여 주시하다. ***before*** one***'s very ~s*** 바로 눈앞에; 드러내놓고. ***cannot believe*** one***'s ~s*** 자기의 눈을 의심하다: I *couldn't believe* my ~*s* when the scoreboard showed we had won. 스코어보드를 보고 우리의 승리를 알았지만, 나는 내 눈을 믿을 수 없었다. ***cast an*** 〔one's〕 ***~ over*** = run an ~ over. ***cast*** 〔***make***〕 ***sheep's ~s at…*** …에게 추파를 던지다. ***catch*** a person***'s ~(s)*** 아무의 눈을 끌다〔눈에 띄다〕; 아무와 시선이 마주치다. ***clap*** 〔***set, lay***〕 ***~s on*** 《구어》 ⇨CLAP. ***close*** one***'s ~s to*** …에 눈을 감다; 무시하다, 보고도 못 본 체하다; (과오 등)을 묵인하다. ***cry*** one***'s ~s out*** 하염없이 울다, 울어서 눈이 붓게 하다. ***do*** a person ***in the ~*** 《英구어》 아무를 속이다. ***easy on the ~*** (사람·물

건이) 보기에 괜찮은, 매력적인. ***Eyes front!*** 바로 《구령》. ***Eyes left*** 〔***right***〕***!*** 좌로〔우로〕 봐《구령》. ***feast*** one***'s*** **~*s on*** …을 즐겁게〔감탄하면서〕 바라보다. ***get*** one***'s*** **~*s in*** 《英》 〖크리켓·테니스 등〗 공을 눈에 익히다. ***give an*** **~** ***to*** …을 주시하다; …을 돌보다. ***give the big*** 〔***glad***〕 **~** ***to*** a person 아무에게 추파를 던지다. ***have an*** **~** ***to*** …에 주목하다; …을 안중에 두다; …에 야심을 갖다: *have an ~ to* business 사업에 야심이 있다. ***have*** **~*s at*** 〔***in***〕 ***the back of*** one***'s head*** 사방팔방으로 살피다; 《구어》 무엇이든 꿰뚫어 보고 있다. ***have*** **~*s for*** …에 흥미가〔관심이〕 있다. ***have*** **~*s only for*** …밖에 안 보다〔바라지 않다〕. ***hit*** a person ***between the*** **~*s*** 〔***in the eye***〕 《구어》 아무에게 강렬한 인상을 주다. ***if*** a person ***had half an*** **~** 아무가 좀 더 주의한다면. ***in the*** **~** ***of the wind*** =***in the wind's*** **~** 〖해사〗 맞바람을 안고. ***in the public*** **~** 사회의 주목을 받아, 신문·TV 따위에 자주 나와. ***keep an*** **~** ***out for*** 《구어》 …을 감시하고 있다. ***keep*** one***'s*** **~** ***in*** (연습을 계속하여 공 따위를 보는 눈을) 둔화시키지 않다. ***keep*** one***'s*** **~*s off*** …을 안 보고 있다; 〖보통 can't의 부정문으로〗 …에게 매혹되다: The boy *couldn't keep his ~s off* the shiny, red bike. 소년은 반짝이는 빨간 자전거를 넋을 잃고 보고 있었다. ***lay*** **~*s on*** …에 시선을 던지다, …에 시선을 고정시키다. ***leap*** 〔***jump***〕 ***to the*** **~(*s*)** 금세 눈에 띄다, 탓할 데 없이 명백하다. ***look*** a person (***straight*** 〔***right***〕) ***in the*** **~(*s*)** (켕김이나 흥분 등을 보이지 않고) 아무를 똑바로 쳐다보다. ***lower*** one***'s*** **~*s*** (얌전하여, 또는 부끄러워) 눈을 내리 뜨다. ***make*** a person ***open*** his **~*s*** 아무를 깜짝 놀라게 하다. ***meet the*** 〔a person***'s***〕 **~** (경치 따위가) 눈에 들어오다〔보이다, 띄다〕. ***Mind your*** **~*!*** 《속어》 잘 봐! 조심해! ***more than meets the*** **~** 눈으로 본 것 이상의 것《숨겨져 있는 자질·곤란·사정 따위》: There's *more* in 〔to〕 it *than meets the ~*. 그것에는 겉에 드러나지 않는 사정〔곤란〕이 있다. ***one in the*** **~** ***for*** 《구어》 …에게 실망〔징계, 타격〕을 주는 것, 사람을 당황케 하는 것. ***open*** (***up***) a person***'s*** **~*s*** =***open*** (***up***) ***the*** **~*s of*** a person (놀라움 등으로) 아무의 눈을 크게 뜨게 하다; 아무에게 깨닫게 하다《***to*** …을》: *open* a person*'s ~s to* the truth 아무에게 사실을 깨닫게 하다. ***out of the public*** **~** 세상 눈에 띄지 않게 되어; 세상에서 잊혀져. ***pass*** one***'s*** **~** ***over*** …을 일별하다〔훑어보다〕. ***raise*** one***'s*** **~*s*** 올려다보다. ***run an*** 〔one***'s***〕 **~** ***over*** 〔***through***〕 …을 대강 훑어보다. ***see*** **~** ***to*** **~** ***with*** a person (***about*** 〔***on, over***〕 a thing) (…에 대해) 아무와 견해가 완전히 일치하다: I don't *see ~ to ~ with* her *on* this subject. 나는 이 문제에 관해서 그녀와 견해가 완전히 일치하지는 않는다. ***set*** **~*s on*** =lay *~s* on. ***shut*** one***'s*** **~*s to*** = close one's *~s* to. ***take*** one***'s*** **~*s off*** 〖보통 부정문으로〗 …에서 눈을 떼다: be *unable* to *take* one's *~s off* …에서 눈이 떨어지지 않다《매료되다, 감탄하여 바라보다 등》. ***That's all my*** **~** (***and Betty Martin***)***!*** =All my ~ ! ***through*** a person***'s*** **~*s*** =***through the*** **~*s of*** a person 아무의 눈을 통하여, 아무의 시각에서〔사고방식으로〕. ***to the*** **~** ***of*** …의 눈에는, …가 본 바로는: *To the ~ of* the average consumer the economy seems stable enough. 일반 소비자의 눈에는 경제가 아주 안정된 것처럼 보인다. ***turn a blind*** **~** 보고도 못 본 체하다, 간과하다《***to, on*** …을》. ***under*** one***'s*** (***very***) **~*s*** ⇨before one's very *~s*. ***up to the*** 〔one***'s***〕 **~*s*** 몰두하여, 열중하여; 깊이 빠져《***in*** …에》. ***wipe*** a person***'s*** **~** =***wipe the*** **~** ***of*** a person 아무를 꼭뒤질러 깜짝 놀라게 하다《사냥에서 남이 빗맞힌 사냥감을 맞혀 잡은 데서》. ***with an*** **~** ***to*** …을 목표로〔염두에 두고〕: *with an ~ to* winning favor 마음에 들게 하려고. ***with dry*** **~*s*** 눈물 한 방울 흘리지 않고, 태연히, 천연덕스레. ***with half an*** **~** 언뜻 보아, 쉽사리: Anyone could see *with half an ~* that ... …라는 것은 누구나 쉽게 알 수 있을 것이다. ***with one*** **~** ***on...*** 한 눈으로 …을 보면서. ***with*** one***'s*** **~*s closed*** 〔***shut***〕 눈을 감은 채로(도), 사정도 잘 모르면서, 손쉽게. ***with*** one***'s*** **~*s open*** (결점·위험 따위를) 다 알고서, 잘 분별하여.

> **DIAL.** ***My eye(s)!*** 설마, 말도 안 돼; 맙소사, 놀랍군.
> ***There wasn't a dry eye in the house.*** 거기 있던 사람은 모두 눈물을 흘렸다.

—(*p.*, *pp.* **~*d*; *éy·ing*, *ㅗ·ing***) *vt.* 보다; 노려보다; 잘〔자세히〕 보다, 주시하다: ~ a person askance 아무를 흘겨보다.

éye·bàll *n.* Ⓒ 눈알, 안구.
~ ***to*** **~** 《구어》 얼굴을 맞대고《***with*** …와》. ***up to the*** **~*s*** 《구어》 (빚·어려움·일 따위로) 꼼짝할 수 없게 되어. **—***vt.* 《美구어》 지그시〔날카롭게〕 보다.

éye bànk 안구〔각막〕 은행.

***eye·brow** [áibràu] *n.* Ⓒ **1 눈썹**: knit the *~s* 눈살을 찌푸리다. **2** 〖건축〗 (눈썹꼴의) 지붕창.
hang 〔***hold***〕 ***on by*** one***'s*** 〔***the***〕 **~*s*** 〔***eyelashes***〕 《英속어》 간신히 곤경을 견디어〔이겨〕내다. ***raise*** (***a lot of***) **~*s*** 사람들을 (크게) 놀라게 하다. ***raise*** one***'s*** **~*s*** (경멸·놀람·의심 등으로) 눈살을 치키다《***at*** …에게》. ***up to the*** 〔one***'s***〕 **~*s*** 몰두하여; 깊이 빠져《***in*** …에》.

éyebrow pèncil 눈썹 연필.

éye-càtcher *n.* Ⓒ 사람 눈을 끄는〔아름다운〕 것; 젊고 매력적인 여자.

éye-càtching *a.* 남의 눈을 끄는. ㊕ **~·ly** *ad.*

éye chàrt 시력 검사표.

éye còntact (서로의) 시선이 마주침, 서로 다정하게 쳐다봄, 서로 노려보기.

éye·cùp *n.* Ⓒ 세안용(洗眼用) 컵.

(-)eyed [aid] *a.* **1** 〖합성어〗 (…의) 눈을 한〔가진〕, 눈이 …와 같은: blue-~ 푸른 눈의/eagle-~ 독수리 같은 날카로운 눈을 가진. **2** 구멍이〔귀가〕 있는《바늘 따위》; 눈 모양의 무늬가 있는.

éye dòctor 안과 의사.

éye·dròpper *n.* Ⓒ 점안기(點眼器), 점안병(瓶) (dropper).

eye·ful [áifùl] *n.* **1** (an ~) 한눈에 볼 수 있는 정도의 것: get 〔have〕 an ~ 한껏 보다. **2** Ⓒ 《구어》 남의 눈을 끄는 사람〔사물〕, 《특히》 굉장한 미인.

éye·glàss *n.* Ⓒ 안경알; 외알 안경; (*pl.*) 안경.

éye·hòle *n.* Ⓒ 안와(眼窩); 들여다보는 구멍; (바늘 등의) 귀.

°**éye·làsh** *n.* Ⓒ 속눈썹; (보통 *pl.*) 〖집합적〗 속눈썹《전부》.
by an **~** 근소한 차로. ***flutter*** one***'s*** **~*es at*** (여성이) …에게 윙크하다.

éye·less *a.* 눈 없는, 소경의; 맹목적인.

eye·let [áilit] *n.* Ⓒ 작은 구멍; (구두 따위의) 끈구멍; 들여다보는 구멍; 총안(銃眼).

***eye·lid** [áilìd] *n.* Ⓒ **눈꺼풀**: the upper 〔lower〕 ~ 윗〔아랫〕 눈꺼풀.
not 〔*never*〕 *bat an* ~ 《구어》 눈도 깜짝 안 한다, (이상 사태에도) 태연하다.

éye·lìner *n.* 아이라이너《(1) Ⓤ 눈의 윤곽을 돋우는 화장품. (2) Ⓒ 이를 칠하는 붓》.

éye lòtion 세안액.

éye màsk 아이 마스크《잠자기 쉽게 눈에 쓰는》.

éye-òpener *n.* Ⓒ **1** 눈이 휘둥그레지게 하는 것, 놀랄 만한 일〔사건, 행위, 이야기〕; 진상을 밝히는 새 사실. **2** 《美구어》 해장술.

éye·pàtch *n.* Ⓒ 안대(眼帶).

éye·pìece *n.* Ⓒ 접안 렌즈, 접안경.

éye-pòpper *n.* Ⓒ 《구어》 굉장한〔놀라운〕 것.

éye-pòpping *a.* 《구어》 눈이 휘둥그레질 만한, 깜짝 놀라게 하는, 놀라운.

éye·shàde *n.* Ⓒ 보안용 챙《테니스 · 독서할 때 등에 씀》.

éye shàdow 아이 섀도: wear heavy ~ 아이 섀도를 짙게 바르고 있다.

éye·shòt *n.* Ⓤ 눈길이 닿는 곳, 시계(視界): beyond 〔out of〕 ~ 안 보이는 곳에/in 〔within〕 ~ 보이는 곳에.

***eye·sight** [áisàit] *n.* Ⓤ **1 시력**, 시각: He lost his ~. 그는 실명했다. **2** 시계(視界), 시야: within ~ 시계 안에.

éye sòcket 눈구멍, 안와(眼窩).

éyes-ònly *a.* (정보 · 문서가) 최고 기밀의《메모 · 복사 따위가 금지된》.

éye·sòre *n.* Ⓒ 눈에 거슬리는 것〔사람〕.

éye·stràin *n.* Ⓤ 눈의 피로(감), 안정(眼精) 피로.

éye·tòoth (*pl.* ***-teeth*** [-tìːθ]) *n.* Ⓒ 송곳니《특히 윗니의》.
cut** one's **eyeteeth 어른이 되다《철들다》. ***give** one's **eyeteeth for*** …을 위해 소중한 것을 바치다〔어떤 대가라도 치르다〕.

◇**éye·wàsh** *n.* **1** Ⓤ (종류 · 낱개는 Ⓒ) 안약, 세안약(洗眼藥). **2** Ⓤ 《구어》 속임수, 사기.

éye·wìtness *n.* Ⓒ 목격자; 실지 증인.

ey·ot [éiət, eit] *n.* Ⓒ 《英》 (강 · 호수 안의) 작은 섬.

ey·rie, ey·ry [ɛ́əri, íəri] *n.* =AERIE.

EZ., Ezr. 〖성서〗 Ezra. **Ezek.** 〖성서〗 Ezekiel.

Eze·ki·el [izíːkiəl] *n.* 〖성서〗 에스겔《유대의 예언자》; 에스겔서《구약성서 중의 한 편》.

Ez·ra [èzrə] *n.* 〖성서〗 에스라《유대의 예언자》; 에스라서(書)《구약성서의 한 편》.

F

F[1], **f** [ef] (*pl.* **F's, *Fs*, f's, *fs*** [efs]) *n.* **1** Ⓤ (구체적으로는 Ⓒ) 에프《영어 알파벳의 여섯째 글자》. **2** Ⓤ 여섯 번째의 것《연속된 것의》.

F[2] [ef] (*pl.* **F's, Fs** [efs]) *n.* **1** Ⓒ F자 모양의 것. **2** Ⓤ (구체적으로는 Ⓒ) 《美》 (학업 성적의) 불가, 낙제점(failure), 《때로》 가(可)(fair): He got an *F* in history. 그는 역사에서 낙제점을 받았다. **3** Ⓤ 〖음악〗 바음《고정 도 창법의 '파'》, 바조(調): *F* sharp 올림 바조《F#》/ *F* major 〔minor〕 바장조〔단조〕.

F 〖유전〗 filial; fine《연필의 심이 가는; 잔 글씨용》; 〖화학〗 fluorine; 〖수학〗 function; 〖전기〗 farad(s). **F.** Fahrenheit; Father; February; Fellow; France; French; Friday. **f., f** 〖전기〗 farad(s); feet; female; feminine; filly; 〖광학〗 focal length; folio(s); following; foot; forte; 〖야구〗 foul(s); franc(s); fluorine; 〖수학〗 function; 〖사진〗 f-number.

fa, fah [fɑː] (*pl.* **~s**) *n.* Ⓤ (낱개는 Ⓒ) 〖음악〗 파《장음계의 넷째 소리》.

F.A.A., FAA 《美》 Federal Aviation Administration(연방 항공국).

fab [fæb] *a.* 《구어》 멋진, 굉장한, 놀랄 만한. [◂*fab*ulous]

Fa·bi·an [féibiən] *a.* 고대 로마 장군 Fabius 식(전략)의《지구전으로 적의 자멸을 기다림》, 지구적인; (영국) 페이비언 협회의: a ~ policy 지구책 / ~ tactics 지구 전법. **—*n.*** Ⓒ 페이비언 협회원〔주의자〕. ㊕ **~·ism** *n.* Ⓤ 페이비언주의.

Fábian Socíety (the ~) 페이비언 협회《1884년 Sidney Webb, Bernard Shaw 등이 설립한 점진적 사회주의 단체》.

***fa·ble** [féibəl] *n.* **1** Ⓒ **우화**, 교훈적 이야기: Aesop's *Fables* 이솝 이야기. **2** Ⓒ (집합적으로는 Ⓤ) 신화, 전설, 설화. **3** Ⓤ (구체적으로는 Ⓒ) **꾸며낸 이야기**, 꾸며낸 일, 거짓말.

fá·bled *a.* 우화의〔에 나오는〕, 우화〔전설〕로 알려진; 가공의(fictitious): Babe Ruth, the ~ homerun king 전설적 홈런왕 Babe Ruth.

Fa·bre [fáːbər] *n.* **Jean Henri ~** 파브르《프랑스의 곤충학자; 1823-1915》.

***fab·ric** [fǽbrik] *n.* **1 a** Ⓤ (종류·낱개는 Ⓒ) **직물**, 천: enough ~ to make a coat 코트를 만들기에 충분한 천. **b** Ⓤ 짜는 방법; 옷감. **2** (*sing.*) **a** 구조; 조직: the ~ *of* society 사회 조직. **b** 〖집합적〗 (교회 따위의) 건물의 외부《지붕·벽 따위》.

◇**fab·ri·cate** [fǽbrikèit] *vt.* 제조하다; 조립하다; (부품)을 규격대로 만들다; (원료)를 가공품으로 만들어내다; (이야기·거짓말 따위)를 꾸며〔만들어〕내다(invent), 날조〔조작〕하다; (문서 따위)를 위조하다(forge): ~ an engine 엔진을 조립하다 / a ~*d* account of adventures 꾸며낸 모험담. SYN. ⇨MAKE.

fàb·ri·cá·tion *n.* **1** Ⓤ 제작, 구성; 위조; 조립. **2** Ⓒ 날조한 것, 거짓(말): a pure 〔total〕 ~ 새빨간 거짓말.

fáb·ri·cà·tor [-tər] *n.* Ⓒ 제작자; 만들어내는 사람; 거짓말쟁이.

fab·u·list [fǽbjəlist] *n.* Ⓒ 우화(寓話) 작가; 거짓말쟁이.

◇**fab·u·lous** [fǽbjələs] *a.* **1** 전설적인(mythical); 전설·신화 등에 나오는(legendary): a ~ hero 전설상의 영웅. **2** 황당무계한, 믿을 수 없는; 터무니없는, 엄청난; 《구어》 매우 멋진, 굉장한(superb): a ~ sum of money 엄청나게 많은 돈 / a ~ party 〔idea〕 멋진 파티〔착상〕. ◇ fable *n.* ㊕ **~·ly** *ad.* 믿어지지 않을 만큼, 엄청나게, 터무니없이. **~·ness** *n.*

fa·çade, -cade [fəsɑ́ːd, fæ-] *n.* 《F.》 Ⓒ 〖건축〗 (건물의) 정면(front); (사물의) 겉, 외관: a hotel with a classical ~ 정면이 고전적인 호텔 / His fine clothes are a mere ~. 그의 훌륭한 옷차림은 허울에 불과하다.

†**face** [feis] *n.* **1** Ⓒ **얼굴**, 얼굴 모습(look); 얼굴 표정, 안색: stare a person in the ~ =stare in a person's ~ 아무의 얼굴을 뚫어지게 보다 / She got red in the ~. 그녀는 얼굴을〔안색을〕 붉혔다 / ⇨LONG FACE.

2 Ⓒ 찡그린 얼굴: make 〔pull〕 a ~ 〔~*s*〕 at ... …에 얼굴을 찡그리다.

3 Ⓤ 면목, 체면(dignity): lose ~ 면목을 잃다 / save (a person's) ~ (아무의) 면목을 살리다.

4 (the ~) 뻔뻔스러움(effrontery)《*to* do》: He had the ~ *to* oppose me. 그는 건방지게도 내게 반대하였다.

5 Ⓒ **면, 표면**: A cube has six ~*s*. 정육면체는 6면이다.

6 Ⓒ (화폐 따위의) 표면, 겉면; (시계 따위의) 문자반; (기구의) 사용면; (건물 따위의) 정면(front).

7 Ⓒ **외관**, 외견, 겉모습: put a new ~ on …의 겉모습〔외관〕을 일신(一新)하다.

8 Ⓒ (문서 따위의) 문면: on the ~ of a document 서류의 문면상으로는.

9 Ⓒ 〖상업〗 (증권 따위의) 액면(~ value).

10 Ⓒ 〖광산〗 막장, 채벽; (암석의) 노출면.

~ *down* 〔***up***〕 얼굴을 숙이고〔들고〕; 겉을 밑으로〔위로〕 하고: lay a book ~ *down* 책을 엎어 놓다. **~ *on*** 얼굴을 그쪽으로 향하여; 엎어져《쓰러지는 따위》. **~ *to* ~** 정면으로, 마주 대하여 《***with*** (아무)와》; 직면하여《***with*** (위험·죽음 따위)에》: I came ~ *to* ~ *with* death. 하마터면 죽을 뻔했다. ***fall*** (***flat***) ***on*** one***'s* ~** 엎드러지다, 꼴사납게 넘어지다〔실패하다〕. ***have two* ~*s*** 표리가 있다, 두 마음을 품다. ***in*** a person***'s* ~** 면전에서, 공공연하게: laugh *in* a person's ~ ⇨LAUGH (관용구). ***in*** (***the***) **~ *of*** …의 앞에서; …에 거슬러, …에도 아랑곳없이〔불구하고〕(in spite of): *in the* ~ *of* the world 체면 불구하고 / *in the* ~ *of* day 〔the sun〕 공공연하게, 드러내 놓고. ***keep*** one***'s* ~** (***straight***) =***keep a straight* ~** ⇨STRAIGHT. ***look*** a person ***in the* ~** =***look in*** a person***'s* ~** 얼굴을 똑바로〔거리낌 없이〕 바라보다. ***be not just a pretty* ~** =***be more than*** (***just***) ***a pretty* ~** (사람이) 보기보다 능력

〔지성〕이 있다, 얼굴만 예쁜 것이 아니다. ***on the (mere) ~ of it*** 〔*things*〕 본 바(로는), 표면상으로; 분명하게(obviously). ***put a bold*** 〔*brave, good*〕 ***~ on*** …을 태연한 얼굴로〔대담하게〕 해치우다; (난국)을 꾹 참아 견디어내다. ***put on*** one's ***~*** 《구어》 (얼굴에) 화장〔메이크업〕을 하다. ***set*** 〔*put*〕 one's ***~ against*** …에 단호하게 반항〔반대〕하다. ***show*** one's ***~*** 얼굴을 내밀다, 모습을 나타내다. ***to*** a person's ***~*** 아무에게 정면으로; 공공연히. ***turn ~ about*** 홱 돌아다보다; (형세 따위가) 역전하다; 방향 전환을 하다《***on*** … 에 대하여》: He's *turned ~ about on* the issue. 그는 그 문제에 대해 태도를 싹 바꾸었다. ***Was my ~ red!*** 난처했다, 창피했다.

DIAL. ***Bag*** 〔*Shut*〕 ***your face!*** 입 다물어, 시끄러워.
Your face fits! 《英》《허물없는 사이에》 (일 따위가) 너에게 안성맞춤이다〔딱 맞다〕.

— *vt.* **1** …에 면하다, …을 향하다; 얼굴을 마주하다: My house *~s* (the) south. 내 집은 남향이다 / They *~d* each other. 그들은 서로 마주 대했다.
2 …에 용감하게 맞서다; 대항하다(confront); (사실·사정 등)을 직시(直視)하다, 직면하다; (곤란·문제 따위가) …에게 닥치다《★ 종종 수동태로 쓰며, 전치사는 *with, by*》: ~ death bravely 용감하게 죽음과 맞서다 / A crisis was *facing* him. 위기가 그에게 다가왔다 / *be ~d with* 〔*by*〕 a problem 문제에 직면하다.
3 《~+목/+목+전+명》 〖종종 수동태〗 …의 겉에 칠하다〔바르다, 대다〕《***with*** …으로》: The wall *is ~d with* tiles. 그 벽은 겉에 타일을 붙였다.
4 《~+목/+목+전+명》 (옷 따위)에 장식을〔레이스를〕 붙이다, 선두르다《***with*** …으로》: a coat *~d with* silk 비단으로 선을 두른 코트 / The tailor *~d* a uniform *with* gold braid. 재단사는 제복에 금몰을 달았다.
— *vi.* **1** 《+전+명》 면하다, 향하다《***on, to, toward*** …에》: His house *~s* north 〔*to* the north〕. 그의 집은 북향이다.
2 〖보통 구령으로〗 〖군사〗 방향 전환을 하다: About ~! 뒤로 돌아 / Left 〔Right〕 ~! 좌향좌〔우향우〕.
~ a person ***down*** 아무를 무섭게 으르다, 위압하다. ~ (***it***) ***out*** 대담하게 밀어붙이다, (비판 등에) 지지 않고 밀고 나가다; 끝까지 견뎌내다: He *~d it out* against the strikers. 그는 파업 참가자들과 대립하여 일을 대담하게 처리했다. ***~ off*** 《*vi.*+부》 ① 〖아이스하키〗 경기를 개시하다. ② 대결하다. ***~ out*** 《*vt.*+부》 (일)에 대담하게 대처하다, 정면으로 맞서다. ***~ up to*** …에 직면하다, …을 직시하다; …에 감연히 맞서다: reluctant to ~ *up to* sensitive foreign policy issues 미묘한 외교 문제에 적극적으로 나서길 꺼리는.

DIAL. ***Let's face it!*** (싫지만) 인정할 건 인정하자, 사실로 받아들이자.

fáce-àche *n.* **1** Ⓤ 안면 신경통. **2** Ⓒ 《英속어》 몹시 슬픈 얼굴을 한 사람.
fáce càrd 《美》 (카드의) 그림패(《英》 court card)《킹·퀸·잭》.
fáce·clòth *n.* Ⓒ 수건.
fáce creàm 화장용 크림.
-faced [-t] *a.* 〖합성어로〗 …의 얼굴을 한; …개의 면이 있는, 표면이 …한: sad-~ 슬픈 얼굴을 한 / two-~ 양면이 있는 / rough-~ 표면이 거친.
fáce·dówn *ad.* 얼굴을 숙이고. — [ㅅㅅ] *n.* (a ~) 대결. cf. showdown.
fáce flànnel 《英》 수건(《美》 washcloth).
fáce·less *a.* **1** 얼굴이 없는; 정체 불명의: a ~ kidnap(p)er 정체 불명의 유괴범. **2** 개성〔주체성〕이 없는. 파 **~·ness** *n.*
fáce-lìft *vt.* …에 face-lifting을 하다.
— *n.* Ⓒ **1** (얼굴의) 주름 펴는 성형 수술. **2** (건물 따위의) 개장(改裝); (자동차 등의) 소규모적인 모델 변경: give a house a ~ (페인트 덧칠 따위로) 집모양을 바꾸다.
fáce-lìfting *n.* Ⓤ face-lift 하는 것.
fáce màsk 〖스포츠〗 페이스 마스크《야구 포수나 하키 골키퍼의 안면 방호 용구》.
fáce-òff *n.* Ⓒ (하키의) 경기 개시; 대립, 대결.
fáce pàck (안면용) 미용 팩.
fáce pòwder (얼굴 화장용) 분.
fac·er [féisər] *n.* Ⓒ **1** 《英구어》 (권투 등의) 안면 펀치, 얼굴 치기; 당황(케)하는 것〔말, 일〕, 뜻밖의 곤란〔패배〕. **2** 겉을 꾸미는 물건〔사람〕.
fáce-sàving *a.* Ⓐ 낯〔체면〕을 깎이지 않는, 면목을 세우는.
fac·et [fǽsit] *n.* Ⓒ (결정체·보석의) 작은 면, 깎은 면, 마면(磨面), (컷 글라스의) 각면(刻面); (일의) 일면, 양상, 국면(phase). SYN. ⇨ PHASE.
— (*-t-*, 《英》 *-tt-*) *vt.* (보석 따위)에 작은 면을 내다〔깎다〕.
fáce tìme (텔레비전에) 단시간 출연하는 것, 잠시 나타나는 것; (단시간의) 대면, 면담, 상면. 〖컴퓨터〗《속어》 대면 시간, (전자 메일에 의한 교제가 아니라) 직접 만나서 교제하는 시간.
fa·ce·tious [fəsí:ʃəs] *a.* 익살맞은, 우스운; 농담 삼아서 한《★ 해서는 안 될 경우에 하는 농담 따위에 씀》: Stop being ~. This is a serious matter. 농담은 그만해 줘. 이건 진지한 이야기야. 파 **~·ly** *ad.* **~·ness** *n.*
fáce-to-fáce *a.* Ⓐ 정면으로 마주보는; 직접의; 맞부딪치는: a ~ confrontation 정면 대결 / ~ negotiations 직접 교섭.
fáce válue 〖상업〗 액면 가격; 《비유적》 표면상의 가치: take a person's promise at (its) ~ 아무의 약속을 액면대로 믿다.
facia ⇨ FASCIA.
°**fa·cial** [féiʃəl] *a.* 얼굴의, 안면의; 표면(상)의: one's ~ expression (얼굴의) 표정 / a ~ massage 안면 마사지 / ~ tissue (흡수성의) 고급 화장지. — *n.* Ⓒ 미안술, 안면 마사지.
fac·ile [fǽsil/fǽsail] *a.* Ⓐ **1** 손쉬운, 용이한(easy): a ~ victory 낙승(樂勝) / a ~ solution 안이한 해결책. **2** (입·손 따위가) 날랜, 잘 움직이는; 유창한(fluent)《★ 좋지 않은 의미로》: wield a ~ pen 줄줄 써 내리다 / a ~ style 알기 쉬운 문체 / have a ~ tongue 입이 가볍다. ◇ facility *n.* 파 **~·ly** *ad.* **~·ness** *n.*
°**fa·cil·i·tate** [fəsílətèit] *vt.* (손)쉽게 하다; (행위 따위)를 돕다; 촉진〔조장〕하다《★ 사람을 주어로 하지 않음》: The police held back the crowds to ~ the work of the firemen. 소방 활동을 쉽게 하기 위해서 경찰은 군중을 막았다.
fa·cil·i·tá·tion *n.* Ⓤ 용이〔편리, 간편〕하게 함; 도움, 촉진.
fa·cil·i·ty [fəsíləti] *n.* **1** Ⓤ 쉬움, 평이〔용이〕함: with ~ 수월하게. **2** Ⓤ (구체적으로는 Ⓒ) (쉽게 배우고 부리는) 솜씨, 재주(dexterity), 능숙《***in, for*** …의》: Practice gives ~. 연습을 쌓으면

F

솜씨가 는다/~ *in* cooking 음식〔요리〕 솜씨/have ~ *in* speak*ing* 〔writ*ing*〕 말 잘하는〔글 쓰는〕 재능이 있다/have a 〔no〕 ~ *for* language 어학 재능이 있다〔없다〕. **3** (*pl.*) 시설, 설비; 〖컴퓨터〗 설비; 《완곡어》 변소: transportation 〔monetary〕 *facilities* 교통 시설〔금융 기관〕/*facilities* of civilization 문명의 이기(利器). **4** Ⓒ (흔히 *pl.*) 편의: give 〔afford, offer〕 full *facilities* 〔every ~〕 for …에게 모든 편의를 제공하다. ◇ facile *a.*

facílity mánagement 〖컴퓨터〗 컴퓨터는 자사에서 소유하고, 그 시스템 개발·관리 운영은 외부 전문회사에 위탁하는 일《생략: FM》.

fác·ing *n.* **1 a** Ⓤ (의복의) 가선 두르기. **b** (*pl.*) 〖군사〗 (병과를 나타내는) 깃, 소매의 표지. **2** 〖건축〗 **a** Ⓒ 마무리 치장한 면. **b** Ⓤ 겉단장, 외장(外裝).

◇**fac·sim·i·le** [fæksíməli] *n.* **1** Ⓒ (책·필적·그림 따위의) 모사(模寫), 복사(exact copy): in ~ 복사로; 실물 그대로《★관사 없이》/make a ~ of …을 모사〔복사〕하다. **2** Ⓤ (구체적으로는 Ⓒ) 팩시밀리; 사진 전송. **—***vt.* 모사〔복사〕하다; 팩시밀리로 보내다(fax).

†**fact** [fækt] *n.* **1 a** Ⓒ (발생한〔발생하고 있는〕) **사실**, 실제(의 일), 진실, 진상(眞相)(reality): an accepted ~ 용인된 사실/I know it for a ~. 나는 그것을 사실이라고 알고 있다/It's a ~ that every language changes. 모든 언어가 변한다는 것은 사실이다. **b** (the ~) (…이라는) 사실; 현실《*that*》: No one can deny the ~ *that* smoking leads to cancer. 흡연이 암을 유발한다는 사실을 아무도 부인할 수 없다. **c** Ⓤ (이론·의견·상상 등에 대한) 사실: a novel based on ~ 사실에 기초한 소설/*Fact* is more curious than fiction. 사실은 소설보다 기이하다. **2** 〖법률〗 **a** (the ~) (범죄 등의) 사실, 범행: confess the ~ 범행을 자백하다. **b** Ⓒ (흔히 *pl.*) 진술한 사실: His ~*s* are false. 그의 진술은 거짓이다.

as a matter of* ~** 사실은, 사실상; (앞의 말을 정정하여) 실제는, 실(實)은: Who was elected?—Well, *as a matter of* ~, I was. 누가 당선됐습니까?—못마땅하겠지만, 제가 됐어요. ★구어에서는 흔히 (a) matter of ~, matter-of-factly로 씀. ***face* (*the*) *facts 사실을 인정하다. **~ *of life*** ① (움직일 수 없는) 인생의 현실. ② 현실, 현상. ③ 〔the ~s of life로〕 《완곡어》 성의 실태〔지식〕: teach children *the ~s of life* 어린이에게 성교육을 하다. **~*s and figures*** 정확한 정보, 상세한 내용(details). ***in* (*actual*) ~** (예상·겉보기 등에 대해) 실제로; (명목·약속 등에 대해) 실제로는, 사실상; 실은: He's a good student, *in* ~ he's at the top of the class. 그는 좋은 학생이다. 실제로 반에서 톱이다/She said she was alone. *In* fact there was someone else there, too. 그녀는 혼자 있다고 말했다. 그렇지만 실제로는 누군가가 또 있었다. ***the* ~ *is* (*that*)...** 사실〔진상〕은 …이다《★《구어》에서는 Fact is ... 라고도 함》: *The ~ is*, I don't like it. 사실은 그것을 좋아하지는 않아.

fáct finder 진상 조사(위)원.

fáct-finding *a.* 진상 조사의: a ~ committee 진상 조사 위원회.

◇**fac·tion**[1] [fǽkʃən] *n.* **1** Ⓒ 도당, 당파, (정당·정부·기관 등의) 파벌, 분파: split into ~ 파벌로 분열하다. **2** Ⓤ 파벌 싸움, 당쟁, 내분(dissension); 당파심.

fac·tion[2] *n.* Ⓤ 실록 소설, 실화 소설. [◂*fact*+fiction]

fác·tion·al *a.* 도당의, 당파적인; 당파심이 강한: a ~ dispute 파쟁(派爭). ㊎ **~·ìsm** *n.* Ⓤ 파벌주의, 당파심.

fac·tious [fǽkʃəs] *a.* 당파적인; 당쟁을 일삼는, 당파심이 강한. ㊎ **~·ly** *ad.* **~·ness** *n.*

fac·ti·tious [fæktíʃəs] *a.* 인위적인, 인공적인(artificial); 부자연한. ↔ *natural.* ㊎ **~·ly** *ad.* **~·ness** *n.*

fac·ti·tive [fǽktətiv] *a.* 〖문법〗 작위(作爲)적인: ~ verbs 작위 동사《목+보 형의 make, cause, think, call 등》. ㊎ **~·ly** *ad.*

fac·toid [fǽktɔid] *n.* Ⓒ (인쇄·발간되어) 사실처럼 인정되고 있는 일〔이야기〕; (입증되지 않은 채 언론에 보도된) 의사(擬似) 사실, 유(類)사실. **—***a.* 의사 사실의.

‡**fac·tor** [fǽktər] *n.* Ⓒ **1 요인**, 인자, 요소《***of, in*** …의》: a ~ *of* happiness 행복의 요인/the principal ~ 주인(主因)/Luck was a ~ *in* his success. 행운이 그가 성공한 한 요인이었다. SYN. ⇨ELEMENT. **2** 대리상, 중개인. **3** 〖수학〗 인자(因子), 인수, 약수: a common ~ 공통 인자, 공약수/resolution into ~*s* 인수분해. **—***vt.* 〖수학〗 인수분해하다.

fac·tor·age [fǽktəridʒ] *n.* Ⓤ 대리업, 중개업; 중개 수수료; 구문.

fáctor VIII [-éit] 〖생화학〗 항혈우병(抗血友病) 인자.

fac·tor·ize [fǽktəràiz] *vt.* =FACTOR.

‡**fac·to·ry** [fǽktəri] *n.* Ⓒ **공장**, 제조소(所)(works): a shoe ~ 제화공장/a ~ girl 여공, 여직공/a ~ price 공장도 가격. ★ 소규모의 것은 workshop.

fáctory fàrm(ing) 공장화된 축산 농장.

fáctory shìp 모선(母船)《공장 시설을 갖춘 어선 따위》; 공작함(艦)〔선(船)〕.

fac·to·tum [fæktóutəm] *n.* Ⓒ 허드렛일꾼, 잡역부, 막일꾼.

fac·tu·al [fǽktʃuəl] *a.* 사실의, 사실에 입각한; 실제의(actual). ㊎ **~·ly** *ad.*

‡**fac·ul·ty** [fǽkəlti] *n.* Ⓒ **1 능력**, 기능(function), **재능**《***for, of*** …의/***to*** do》: mental ~ 정신 능력, 지능/reasoning ~ 추리력/He has the ~ *of* 〔a ~ *for*〕 do*ing* two things at once. 그는 한 번에 두 가지 일을 하는 능력이 있다/He has the ~ *to* understand difficult concepts. 그는 난해한 개념을 이해하는 능력이 있다. SYN. ⇨TALENT. **2** (신체·정신의) **기능**: the ~ *of* hearing 〔sight, speech〕 청각〔시각, 언어〕 기능. **3** (대학의) 학부(department), 분과(分科): the ~ *of* law 법학부/the science ~ 이학부. **4** 〔집합적; 단·복수 취급〕 (학부의) **교수단**; 《美》 (대학의) 전교직원: a ~ meeting (학부) 교수회/a member of the ~ 교직원의 한 사람.

fad [fæd] *n.* Ⓒ 일시적 유행〔열광〕(craze); 《英》 (특히 식성의) 까다로움: have a ~ for …에 열중하다〔빠지다〕/the latest ~*s* 최신 유행/go in ~*s* (일시적으로) 유행하다/She has ~*s* about food. 그녀는 식성이 까다롭다〔음식을 가린다〕.

fad·dish [fǽdiʃ] *a.* 변덕스러운, 일시 열중하는; 《英》 까다로운. ㊎ **~·ly** *ad.*

‡**fade** [feid] *vi.* **1** 《~/+부/+전+명》 (빛·소리·색 따위가) **흐릿해지다**, 희미〔아련〕해지다, **꺼져〔사라져〕 가다**(*out; away; off*)《***from, out of*** …에서; ***into, to*** …으로》: The light has ~*d.*

빛이 흐려졌다/The sound ~d *away* little by little. 소리가 점점 희미해져 갔다/The colors soon ~*d out of* the fabric. 천의 색깔이 금방 바랬다/His shout ~*d into* the stillness of the night. 그의 고함 소리는 밤의 정적 속으로 사라져 갔다. SYN. ⇨DISAPPEAR.
2 《~/+㉯/+㉸+㉹》 (기억·인상·감정 따위가) 어렴풋해지다, 약해지다(*away; out*)《**from, out of** …에서》: His first intense impression ~*d away* (*from* his mind). 그의 강렬한 첫 인상도 (그의 마음속에서) 어렴풋해졌다.
3 《~/+㉯》 (꽃 등이) **시들다**, 이울다(wither); (젊음·아름다움·기력 따위가) 쇠퇴하다(*away*): Her beauty has not yet ~*d*. 그녀의 미모는 아직 쇠하지 않았다/She became ill and slowly ~*d away*. 그녀는 병이 나서 차츰 쇠약해졌다.
4 《+㉯》 자취를 감추다, 사라지다: All hope of success soon ~*d away*. 모든 희망이 이윽고 사라졌다.
—*vt*. 바래게〔시들게, 쇠하게〕 하다: The sun has ~*d* the curtains. 햇볕에 쬐여 커튼 색이 바랬다.
~ ***in*** 〔***out***〕 『영화·방송』 《*vi*.+㉯》 ① (화면·음향이) 점차 또렷해지다〔희미해지다〕. **—** 《*vt*.+㉯》 ② (화면·음향)을 점차 뚜렷하게〔희미하게〕 하다, 용명(溶明)〔용암(溶暗)〕하다. ~ ***up*** =~ in.

fáde-ìn *n*. Ⓤ (구체적으로는 Ⓒ) 『영화·방송』 용명(溶明)《음량·영상이 차차 분명해지기》, 페이드인.

fáde·less *a*. 색이 날지 않는; 시들지 않는; 쇠하지 않는; 불변의.

fáde-òut *n*. Ⓤ (구체적으로는 Ⓒ) 『영화·방송』 용암(溶暗)《음량·영상·신호가 차차 희미해지기》, 페이드아웃.

Fá(e)r·oe Íslands, Fa(e)r·oes [fέərou-], [-z] (the ~) 페로스 제도《영국과 아이슬란드 사이에 있는 21개의 화산 군도; 덴마크령》.

faff [fæf] 《英구어》 *vi*. 공연한 소란을 피우다; 허둥대다(*about; around*). **—***n*. Ⓤ (또는 a ~) 공연한 소란.

fag[1] [fæg] (**-gg-**) 《英》 *vi*. **1** 《구어》 열심히 일〔공부〕하다(drudge)(*away*)《**at** …을》: Jack ~*ged away at* his math. 잭은 수학을 열심히 공부했다. **2** (public school에서 하급생이) 잔심부름을 하다《**for** (상급생)의》: Tom ~*ged for* some of the elder boys. 톰은 상급생이 시켜서 잔심부름을 했다. **—***vt*. **1** (일 따위가 아무)를 지치게 하다(*out*)《★ 보통 수동태로》: He *was* completely ~*ged out*. 그는 완전히 녹초가 됐다〔기진맥진했다〕. **2** 《英》 (상급생이 하급생)에게 잔일을 시키다. **—***n*. **1** (*sing*.) 《구어》 시시한〔힘드는〕 일: It is too much (of a) ~. 정말 뼈빠지는 일이다. **2** Ⓒ (public school에서) 상급생의 잔심부름하는 하급생.

fag[2] *n*. Ⓒ 《구어》 싸구려 궐련.

fag[3] *n*. 《美속어》 =FAGGOT[2].

fág énd 1 (피륙의) 토끝; 밧줄의 풀린 끄트머리. **2** 끄트머리, 끄트러기. **3** 《英구어》 담배 꽁초. **4** (the ~) 최후, 종말.

fag·got[1] [fǽgət] *n*.《英》 =FAGOT.

fag·got[2] *n*. Ⓒ 《美속어·경멸적》 남성 동성애자.

fag·ot [fǽgət] *n*. Ⓒ 《美》 **1** 장작뭇〔단〕, 섶〔나무〕단. **2** (가공용) 쇠막대 다발; 지금(地金) 뭉치. **3** 돼지간(肝) 요리의 일종《경단 모양 또는 롤》. **—***vt*. …을 다발짓다, 묶다.

Fah., Fahr. Fahrenheit (thermometer).

°**Fahr·en·heit** [fǽrənhàit, fáːr-] *a*. 화씨(온도계)(~ thermometer)의《생략: F., Fah(r).》. cf. centigrade. ¶ 32°*F*. =thirty-two degrees ~ 화씨 32도《★ 미·영에서 특히 아무 표시가 없는 경우의 온도는 F.임》. **—***n*. Ⓤ 화씨 온도; 화씨 눈금(=∠ **scàle**): measure in ~ 화씨 온도계로 재다.

fa·ience, -ïence [faiáːns, fei-] *n*. 《F.》 Ⓤ 파양스 도자기《광택이 나는 고급 채색의》.

‡**fail** [feil] *vi*. **1** 《~/+㉸+㉹》 **실패하다**, 실수하다《**in** …에》. ↔ *succeed*. ¶The scheme ~*ed*. 계획은 실패로 끝났다/You can't ~. 너라면 반드시 할 수 있다/I ~*ed in* persuad*ing* him. 나는 그를 설득시키지 못하였다/~ *in* business 장사에 실패하다.
2 《+*to* do》 **a** …을 (하지) **못하다**, …하지 않다: ~ *to* keep one's word 약속을 어기다/He ~*ed to* appear. 그는 모습을 나타내지 않았다. **b** 〖not와 함께 써서〗 반드시 …하다: Don't ~ *to* let me know. 꼭 알려다오.
3 《+㉸+㉹》 이루지〔성취하지〕 못하다《**of** …을》: ~ *of* success 성공을 못하다.
4 (공급 등이) **부족하다**, 달리다, 동나다; (작물이) 잘 안 되다: Water often ~*s* in the dry season. 가뭄 때는 종종 물이 달리게 된다.
5 《+㉸+㉹》 결여되다, 모자라다《**in** (덕성·의무 따위)가》: ~ *in* respect 존경하는 마음이 없다/~ *in* one's duty 의무를 게을리하다/He has plenty of ability, but ~*s in* patience. 그는 능력은 상당히 있지만 인내력이 없다.
6 《~/+㉸+㉹》 낙제하다; 떨어지다《**in** (시험·학과)에》: a ~*ing* mark 낙제점/~ *in* one's exams 시험에 떨어지다.
7 (힘·시력·건강·미모 등이) **쇠하다**, 약해지다; (바람이) 자다: His health has ~*ed*. 건강이 쇠해졌다/The wind ~*ed*. 바람이 약해졌다.
8 (기계류가) 고장나다, 작용〔작동〕하지 않다; (호흡 등이) 멎다: The engine suddenly ~*ed*. 엔진이 갑자기 멈췄다/My heart is ~*ing*. 심장이 멈출 것 같다.
9 (은행·회사 따위가) 파산하다.
—*vt*. **1** …의 **기대를 어기다**, (요긴(要緊)할 때에) …의 도움이 되지 않다, …을 저버리다(desert): He ~*ed* me at the last minute. 마지막 순간에 와서〔급할 때에〕 그는 나를 버렸다/Words ~*ed* me. 나는 (감동하여) 말이 안 나왔다/His heart ~*ed* him. 그의 심장이 멎었다.
2 a (학생)을 낙제시키다; (학생)에게 낙제점을 주다: The professor ~*ed* him *in* history. 교수는 그에게 역사 시험에서 낙제점을 주었다. **b** (시험·학과)의 낙제점을 받다, …에 낙제하다: He ~*ed* history. 그는 역사 시험에서 낙제했다. ◇ failure *n*.
—*n*. 〖다음 관용구로〗 ***without*** ~ 틀림〔어김〕없이, 반드시: I'll come tomorrow evening *without* ~. 내일 반드시〔꼭〕 오겠습니다.

failed *a*. 실패한; 성공하지 못한: a ~ candidate 낙선한 후보자/a ~ examination 불합격.

fáil·ing *n*. Ⓒ **1** 실패(failure). **2** 결점, 약점, 단점(fault, weakness). **—** [∸-, ∸-] *prep*. …이 없을 때〔경우〕에는(in default of): *Failing* payment, we shall attach your property. 지불 못하면 당신의 재산을 압류하겠다.

fáil-sàfe *a*. **1** (만일의 실책·고장에 대비한) 안

전 장치의. **2** (때로 F–) (핵장비 폭격기의 오폭에 대비한) 제어 조직의. **—***n.* [C] (때로 F–) 폭격기의 진행 제한 지점; (핵 병기의) 기폭 안전 장치.

fáil sòft 〖컴퓨터〗 페일 소프트《고장이나 일부 기능이 저하되어도 주기능을 유지시켜 작동하도록 짠 프로그램》. [cf.] fallback.

⁑**fail·ure** [féiljər] *n.* **1 a** [U] **실패**《*in* …의》: end in ~ 실패로 끝나다/*Failure* teaches success. 《속담》 실패는 성공을 가르친다/His ~ *in* business was due to his own laziness. 그의 영업 실패는 그 자신의 태만 탓이었다. **b** [C] 실패자; 실패한 것《*in* …의》: He was a ~ as a businessman 〔*in* business〕 그는 실업가로서는 실패자였다/The experiment was a ~. 그 실험은 실패였다. **2** [U] (구체적으로는 [C]) 불이행, 태만(neglect)《*in* …의/*to* do》: a ~ *in* duty 직무 태만/Her ~ *to* keep her promise disappointed me. 그녀가 약속을 지키지 않았기 때문에 나는 실망했다. **3** [U] (구체적으로는 [C]) **부족**, 결핍: a ~ *of* crops 흉작. **4** [U] (구체적으로는 [C]) **쇠약**, 감퇴(decay)《*of, in* …의》: (a) heart ~ 심장 쇠약/a ~ *in* health 건강 쇠퇴. **5** [U] (구체적으로는 [C]) 파산(bankruptcy), 지급 정지〔불능〕, 도산, 파산. **6** [U] 낙제; [C] 낙제점, 낙제생〔자〕; 낙오자. **7** [U] (구체적으로는 [C]) 〖기계〗 고장; 정지: engine ~ 엔진 고장/(a) power ~ 정전(停電). ◇fail *v.*

fain [fein] 《고어》 *a.* [P] 기꺼이〔자진해서〕 …하는, …하고 싶어 하는《*to* do》: They were ~ *to* go. 그들은 기꺼이 갔다. **—***ad.* 〖would와 함께〗 기꺼이, 자진하여(glad): I *would* ~ help you. 기꺼이 돕고 싶다(만).

⁑**faint** [feint] *a.* **1 어렴풋한**(dim), (빛이) 희미한, (색이) 엷은, (소리가) 약한, 가냘픈; (희망이) 실낱 같은: a ~ light/a ~ sound/The sound grew ~. 그 소리는 희미해졌다/We don't have the ~*est* idea what the murderer looks like. 우리는 살인범의 인상을 전혀 모른다. **2** (기력·체력 따위가) **약한**(weak), 힘없는; 나약한, 용기〔활기〕 없는, 마음이 내키지 않는: a ~ resistance 무기력한 저항/a ~ heart 겁많은 마음, 겁쟁이/a ~ effort 내키지 않는 노력. **3 기절할 것 같은**, 실신한, 어찔한《*with, from* (피로·공복·병 따위)로》: feel ~ 어지럽다/I am ~ *with* hunger. 배고파서 쓰러질 지경이다.

—*n.* [C] 기절, 졸도, 실신(swoon): fall into a ~ 기절하다/in a dead ~ 기절하여.

—*vi.* 《~/+[부]/+[전]+[명]》 **실신하다**, 졸도하다, 기절하다(*away*)《*from, with* (피로·공복·병 따위)로》: She ~*ed* (*away*) *from* the heat. 그녀는 더위로 졸도했다.

[파] ∠·ness *n.*

fáint·héarted [-id] *a.* 나약〔겁약〕한, 겁많은(timid), 무기력한. [파] **~·ly** *ad.* **~·ness** *n.*

*__faint·ly__ [féintli] *ad.* **1 희미하게**, 어렴풋이. **2** 힘없이(feebly), 소심〔겁약〕하게(timidly).

⁑**fair**[1] [fɛər] *a.* **1 공평한**, 공정한, 정당한(reasonable)《*to, with, toward* …에게》. ↔ *foul.* ¶ a ~ decision 정당한 결정/~ wages 적정한 임금/He's ~ even *to* people he dislikes. 그는 싫어하는 사람에게조차도 공평히 대한다.

[SYN.] **fair** '공평한'을 뜻하는 일반적인 말로 자신의 감정에 따르는 불공평한 일을 하지 않음. **just** 정의·진실·합법의 표준을 굳게 지키는 것.

2 〖경기〗 규칙에 맞는(↔ *foul*); 〖야구〗 (타구가) 페어의: a ~ hit (야구의) 페어.

3 (양·크기가) **꽤 많은**, 상당한: a ~ income 〔heritage〕 상당한 수입〔유산〕/a ~ number of 상당수의.

4 그저 그런, 어지간한, 무던한: merely ~ 그저 그런 정도/He has a ~ understanding of it. 그는 그것을 어지간히 이해하고 있다.

5 (하늘이) **맑게 갠**, 맑은(clear). ↔ *foul.* ¶ ~ or foul weather 청우(晴雨)에 관계없이. [SYN.] ⇨ FINE.

6 〖항해〗 (바람·조류가) 순조로운, 알맞은(favorable): a ~ wind 순풍.

7 살이 흰(light-colored), **금발의**(blond); 살갗이 희고 금발의. ↔ *dark.* ¶ ~ hair 금발/a ~ man 살결이 흰 남자.

8 《문어·시어》 (여성이) **아름다운**, 매력적인: a ~ woman 〔one〕 미인. [SYN.] ⇨ BEAUTIFUL.

9 깨끗한, 더럼이 없는; (필적·인쇄가) 읽기 쉬운, 똑똑한(neat): a ~ name 명성/make a ~ copy 정서(淨書)하다.

10 [A] 그럴 듯한, 솔깃한(plausible): ~ words 감언/a ~ promise 그럴 듯한 약속.

11 (성적의 5 단계 평가에서) 미(美)의, C 의.

a ~ crack of the whip ⇨ CRACK. ***be in a ~ way to*** do …할 가망이 충분히 있다: He *is in a ~ way to* make some money. 그는 돈을 벌 것 같다. ***~ and square*** 《구어》 공정한, 올바른. ***Fair do's*** 〔***dos***〕***!*** ⇨ DO[1] *n.* (관용구). ***~ to middling*** 《美구어》 그저 그만한, 어지간한; 좋지도 나쁘지도 않은(so-so): The dinner was ~ *to middling.* 식사는 그저 그랬어.

—*ad.* **1** 공명정대히, 정정당당히: play 〔fight〕 ~ 정정당당히 행동하다〔싸우다〕.

2 정중히: speak a person ~ 아무에게 정중하게 이야기하다.

3 깨끗하게: copy 〔write out〕 ~ 정서(淨書)하다.

4 똑바로, 정면으로: The ball hit him ~ in the head. 공이 그의 머리에 정면으로 맞았다.

~ and square 《구어》 공명정대하게, 올바르게, 당당히; 정면으로, 똑바로.

—*vt.* (선박·항공기)를 정형(整形)하다《유선형 따위로》.

[DIAL.] ***Fair enough!*** (제안 따위에 대한 대답으로) 알았다, 좋다; (상대방의 말을 인정하며) 그렇긴 하다만.
Fair's fair! (서로) 공평하게 하자: Come on, *fair's fair.*—I paid last time so it's your turn. 이봐, 공평하게 하자. 전번에는 내가 (돈을) 냈으니까 이번에는 네 차례야.

⁑**fair**[2] [fɛər] *n.* [C] **1** 《英》 (정기적으로 열리는) **장, 정기 시**(市). **2** 《美》 (농축산물 따위의) 공진회, 품평회. **3 박람회**, 견본시, 전시회; 《英》 (이동) 유원지: an industrial ~ 산업 박람회/an international trade ~ 국제 견본시/a world's ~ 만국 박람회.

fáir báll 〖야구〗 페어볼. ↔ *foul ball.*

fáir gáme (조소·공격의) 목표, 《비유적》 '봉'《*for* …의》: A fool is ~ *for* a cruel wit. 바보는 심술쟁이의 좋은 봉이 된다.

fáir·gròund *n.* [C] (흔히 *pl.*) 박람회·장·서커스 따위가 열리는 곳.

fáir-háired *a.* 금발의.

fáir-háired bóy 《美》 (윗사람의) 마음에 드는 〔총애받는〕 남자(《英》 blue-eyed boy): the ~ of the family 그 집안의 귀염둥이 아들.

fair·ing [fɛ́əriŋ] *n.* [U] (비행기·선박 따위 표면

F

의) 정형(整形)《유선형으로 하기》; Ⓒ 유선형 덮개〔구조〕.

fair·ly [fέərli] *ad.* **1 공평히**(justly), 공명정대하게, 정정당당히: I felt they hadn't treated me ~. 그들이 나를 공평하게 대우하지 않았음을 알았다 / fight ~ 정정당당히 싸우다. **2** 〖정도를 나타내어〗 꽤, 어지간히, 상당히(tolerably); 그저 그렇게(moderately): ~ good 꽤〔그만하면〕 좋은: It's a ~ difficult book. 상당히 어려운 책이다 / She's making ~ good progress. 그녀는 착실하게 진보하고 있다. **3** 아주, 완전히, 감쪽같이(completely): be ~ exhausted 녹초가 되다 / I was ~ caught in the trap. 나는 감쪽같이 덫에 걸렸다〔함정에 빠졌다〕.

fáir-mínded [-id] *a.* 공평한, 공정한(just). ㊞ **~·ly** *ad.* **~·ness** *n.*

fáir·ness *n.* Ⓤ **1** 공평함, 공정: in ~ to … 에 대해 공평히 말하자면. **2** 금발(임); 살결이 흼.

fáir pláy 정정당당한 경기 태도; 공명정대한 행동, 페어플레이.

fáir sháke (a ~) 《美구어》 공평한 취급〔기회〕: give a person a ~ 아무를 공평하게 다루다.

fáir-spóken *a.* (말씨가) 정중한, 은근한(polite); 붙임성 있는; 말솜씨 좋은.

fáir tráde 〖경제〗 공정 거래〔무역〕, 호혜 무역(거래).

fáir-tráde *a.* 공정 거래〔무역〕의.

fáir-tráde agrèement 〖경제〗 공정 거래〔공정 무역, 호혜 무역〕 협정.

fáir·wày *n.* Ⓒ (강·항구 따위의) 항로; 〖골프〗 tee와 putting green 중간의 잔디 구역. cf. rough.

fáir-wèather *a.* 날씨가 좋을 때만의; 유리한〔순조로운〕 때만의: a ~ craft 폭풍시에는 쓸 수 없는 배 / a ~ friend 다급할 때에 믿을 수 없는 친구.

fairy** [fέəri] *n.* Ⓒ **1 요정**(妖精). **2** 《구어》 (여자역의) 동성애 남자, 면(catamite)《남색의 상대》. **—a.* 요정의〔같은〕(fairylike); 작고 아름다운: a ~ shape 아름다운 모양.

fáiry gódmother (곤란할 때에 갑자기 나타나는) 친절한 사람〔아주머니〕.

°fáiry·lànd *n.* **1** Ⓤ 요정〔동화〕의 나라. **2** (*sing.*) 도원경; 더없이 아름다운 곳, 불가사의한 세계.

fáiry rìng 요정의 고리《잔디밭에 환상(環狀)으로 균류(菌類)가 나서 생긴 짙은 녹색을 띤 부분; 요정들이 춤추던 곳으로 여겼음》.

fáiry tàle 〔**stòry**〕 동화, 옛날 이야기; 꾸민 이야기.

fait ac·com·pli [fèitəkɔmplíː/*F.* fɛtɑkɔ̃pli] 《F.》 기정 사실(accomplished fact).

‡faith [feiθ] *n.* **1** Ⓤ **신념**(belief); 확신《*in* …에 대한 / *that*》: have ~ *in* one's (own) future 자기의 장래를 확신하다 / He had ~ *that* I was in the right. 그는 내가 옳았다고 확신했다.

2 Ⓤ **신앙**, 믿음《*in* …에의》; (the ~) 참된 신앙, 기독교(의 신앙): ~, hope, and charity 믿음, 소망, 사랑 / I have ~ *in* Christ. 나는 그리스도를 믿는다.

3 Ⓒ 신조(信條), 종지(宗旨), 교의(敎義) (creed); …교(敎): the Catholic 〔Jewish〕 ~ 가톨릭교〔유대교〕.

4 Ⓤ 신뢰, 신용(trust, confidence)《*in* …에 대한》: ~ *in* another's ability 남의 능력에 대한 신뢰 / put one's ~ *in* …을 믿다〔신용하다〕 / lose ~ *in* …을 믿지 못하게 되다 / I have ~ *in* you. 나는 너를 신뢰하고 있다. SYN. ⇨BELIEF.

5 Ⓤ 신의, 성실(honesty), 충실(fidelity): bad ~ 불신, 배신 / good ~ 성심, 성실.

6 Ⓤ 약속, 서약: keep 〔break〕 ~ with …와의 약속을 지키다〔어기다〕 / give one's ~ to a person 아무에게 약속〔서약〕하다.

fáith cùre 신앙 요법《기도에 의한》.

***faith·ful** [féiθfəl] *a.* **1 충실한**, 성실한; 정절을 지키는《*to* …에》: a ~ wife 정숙한 아내 / He was ~ *to* his promise 〔friends〕. 그는 약속에 충실〔친구들에게 성실〕했다. SYN. ⇨SINCERE. **2 정확한**(accurate), (사실·원본 따위에) 충실한(true): a ~ copy 원본에 충실한 사본. **3** (the ~) 〖명사적; 복수취급〗 충실한 신자들《특히 기독교도·이슬람교도》; 충실한 지지자들. ㊞ **°~·ness** *n.* Ⓤ 충실, 성실; 정절(貞節); 정확.

***faith·ful·ly** [féiθfəli] *ad.* **1 성실하게**, 충실히; 정숙하게. **2** 성의를 다하여, 굳게: promise ~ 《구어》 굳게 약속하다. **3 정확히**.

deal* ~ *with …을 충실히 다루다; …을 엄히 다루다, 엄벌하다. ***Yours*** ~ =《美》 ***Faithfully*** (***yours***) 여불비례(餘不備禮)《편지 맺음말》.

fáith hèaler 신앙 요법을 베푸는 사람.

fáith hèaling =FAITH CURE.

fáith·less *a.* 신의 없는, 불충실한, 부정(不貞)한; 믿음〔신앙심〕 없는; 믿을 수 없는: a ~ wife 〔husband〕 부정한 아내〔남편〕 / a ~ friend 믿지 못할 친구. ㊞ **~·ly** *ad.* **~·ness** *n.*

°fake [feik] *vt.* 《구어》 **1** (미술품 따위)를 위조하다(counterfeit); 꾸며〔조작해〕 내다(fabricate) (*up*): ~ (*up*) news 기사를 날조하다. **2** 가장하다(pretend): ~ illness 꾀병부리다. **3** 〖스포츠〗 (상대방)에게 feint를 걸다(*out*). **—***vi.* 눈비음하다, 가장하다; 날조하다; 〖스포츠〗 feint하다.

~ a person ***out*** 아무를 속이다.

—*n.* Ⓒ **1 위조품**〔물〕, 가짜(sham); 꾸며낸 일; 허위 보도. **2** 사기꾼(swindler). **—***a.* Ⓐ 가짜의, 위조〔모조〕의: ~ money 위조 지폐〔화폐〕 / a ~ picture 가짜 그림 / ~ pearls 모조 진주.

fak·er [féikər] *n.* Ⓒ 《구어》 **1** 날조자; 협잡꾼, 야바위꾼(frauder). **2** (엉터리 물건을 파는) 행상인(pedlar), 노점상인.

fak·ery [féikəri] *n.* Ⓤ (구체적으로는 Ⓒ) 속임, 협잡.

fa·kir, -quir, -qir [fəkíər, féikər] *n.* Ⓒ (회교·힌두교의) 탁발승(mendicant), 행자(行者), 수도승(dervish).

fal·con [fǽlkən, fɔ́ːl-, fɔ́ːk-] *n.* Ⓒ 송골매《특히 암컷》; (매 사냥용) 매.

fál·con·er *n.* Ⓒ 매부리.

fal·con·ry [fǽlkənri, fɔːl-, fɔ́ːk-] *n.* Ⓤ 매 부리는 법, 매 훈련법〔술〕; 매사냥(hawking).

fal·de·ral, -rol [fǽldəræ̀l], [-rɑ̀l/-rɔ̀l] *n.* **1** Ⓒ 겉만 번드레한 싸구려, 굴퉁이, 하찮은 물건. **2** Ⓤ 허튼 수작〔말〕, 부질없는 생각.

†fall [fɔːl] (***fell*** [fel]; ***fall·en*** [fɔ́ːlən]) *vi.* **1** 《~/+副/+前+名》 **떨어지다**, 낙하하다; (꽃·잎이) 지다; 빠지다: The poster *fell down*. 포스터가 떨어졌다 / There was a big hole and he *fell in*. 큰 웅덩이가 있어서 그가 빠졌다 / ~ *to* the ground with a thud 털썩 땅바닥에 떨어지다 / Ripe apples *fell off* the tree. 익은 사과가 나무에서 떨어졌다 / ~ *off* 〔(*down*) *from*〕 a ladder 사다리에서 떨어지다 / He *fell down* the stairs. 그는 계단에서 굴러 떨어졌다.

2 (비·눈·서리 따위가) 내리다: The snow was ~*ing* fast. 눈이 세차게 내리고 있었다.

3 《~/+[전]+[명]》 (말 · 목소리가) 새다, 나오다《***from*** (입)에서》: Not a word *fell from* his lips. 그는 한 마디도 하지 않았다.
4 《~/+[전]+[명]》 (물가 · 수은주 따위가) 하락하다, 내리다《***to, below*** …으로》, (수량 따위가) 감소하다; (인기 따위가) 떨어지다; (목소리가) 낮아지다: The temperature fall 5° 〔*to* zero〕. 온도가 5 도 〔0 도까지〕 내려갔다 / Their voices *fell to* a whisper. 그들의 음성이 낮아져서 속삭임으로 바뀌었다 / The price *fell* sharply 〔by ten cents〕. 가격이 급격히 〔10 센트〕 하락했다 / His popularity has *fallen*. 그의 인기가 떨어졌다.
5 《+[전]+[명]》 (땅이) 경사지다(slope)《***to, toward*** …으로》: The land *~s to* the river. 그 땅은 강 쪽으로 경사져 있다.
6 《~/+[전]+[명]》 (머리털 · 의복 따위가) 늘어지다《***over, down*** …에》; (휘장 · 커튼 따위가) 처지다, 드리워지다(droop)《***to*** …까지》: Her hair *~s* loosely *over* her shoulders. 그녀의 머리는 어깨 위로 축 늘어져 있다 / The curtain *~s to* the floor. 커튼은 마루바닥까지 드리워져 있다.
7 《~/+[부]/+[전]+[명]/+[보]》 **넘어지다,** 쓰러지다, 뒹굴다; 엎드리다: The old man stumbled and *fell*. 노인은 걸려 넘어졌다 / ~ *at* a person's feet 아무의 발 아래에 엎드리다 / The tree *fell* (*over*) in the storm. 나무가 폭풍에 쓰러졌다 / The deer *fell* (*down*) dead. 사슴은 쓰러져 죽었다.
8 《~/+[전]+[명]》 (부상하여) 쓰러지다, (전투 등에서) 죽다《***to*** (총 따위)에 맞아》: ~ *in* battle 전사하다 / Many soldiers *fell under* the enemy's bombardment. 적의 폭격으로 많은 병사가 쓰러졌다 / Two lions *fell to* his gun. 그의 총에 두 마리의 사자가 쓰러졌다.
9 《~/+[전]+[명]/+[보]》 (건물 따위가) 무너지다; (국가 · 정부 따위가) 붕괴하다; 실각하다, 성망을 잃다《***from*** (높은 지위)에서》; (요새 · 도시 따위가) 함락되다《***to, under*** (적의 손)에》: The fort *fell*. 요새가 함락됐다 / The city *fell to* the enemy. 그 시는 적의 수중에 함락되었다 / The building *fell* asunder. 그 건물은 산산이 무너졌다 / The Prime Minister *fell from* favor with the people. 수상은 국민의 지지를 잃었다.
10 유혹에 굴하다, 타락하다; (여자가) 순결을 잃다.
11 (기운 따위가) 쇠하다(decline); (얼굴 표정이) 침울해지다; (눈 · 시선이) 밑을 향하다: His face *fell*. 그의 안색이 침울해〔어두워〕졌다 / Her eyes *fell*. 그녀는 눈을 내리 깔았다.
12 (바람 · 불기운 따위가) 약해지다, 자다(subside); (홍수 · 물이) 삐다, 나가다, (조수가) 써다(ebb): The wind *fell* during the night. 밤새 바람이 잠잠해졌다.
13 《~/+[전]+[명]》 (어둠 · 정적 따위가) 내려 깔리다, 깃들다; (재난 따위가) 엄습하다, 덮치다《***on, upon, over*** …에》: Dark *fell on* the harbor. 항구에 어둠이 깔렸다 / Tragedy *fell upon* him. 비극이 그를 덮쳤다.
14 《+[전]+[명]》 (화살이) 맞다; (광선 · 시선이) 향하다, 쏠리다《***on, upon*** …에》: The sound *fell on* his ears. 그 소리가 그의 귀에 들어왔다 / His eyes *fell on* me. 그의 시선이 나에게 쏠렸다.
15 《+[전]+[명]》 (적 · 도적 등이) 습격하다《***on, upon*** …에》: The enemy *fell on* them suddenly from the rear. 적은 갑자기 배후에서 그들을 습격했다.
16 《+[전]+[명]》 (재산 따위가) 넘어가다《***to*** …에게》; (추첨 따위가) 당첨되다《***on, upon*** …에게》; (부담 따위가) 과해지다《***on, upon, to*** …에게》: The lot 〔choice〕 *fell upon* him. 그가 당첨〔선발〕되었다 / The expenses *fell on* 〔*to*〕 me. 경비는 나의 부담이 되었다 / All the responsibility will ~ *on* you. 모든 책임은 너에게 있다.
17 《+[보]/+[전]+[명]》 빠지다, 놓이다, 들다《***in, into, under, within*** (어떤 상태 · 범위)에》: ~ *in* love with …와 사랑에 빠지다 / ~ asleep 잠들어 버리다 / ~ ill 병이 나다 / ~ *into* disuse 안 쓰이게 되다 / ~ due 지불 기일이〔만기가〕 되다 / The issue *~s under* another category. 그 문제는 다른 범주에 속한다.
18 a (우연히) 도래하다, 생기다: A handsome fortune *fell* in my way. 상당한 유산이 내 손에 들어왔다. **b** 《+[전]+[명]》 만나다《***on*** (불운 따위)를》: ~ *on* hard times 불운을 만나다, 영락하다. **c** 《~/+[전]+[명]》 (시절이) 오다, 되다《***on*** (어느 날)에》: Easter *~s* late in March this year. 금년에는 부활절이 3 월 하순이다 / Christmas *~s on* Tuesday this year. 올해 크리스마스는 화요일이다. **d** 《+[전]+[명]》 (악센트가) 있다《***on*** …에》: The accent of "beautiful" *~s on* the first syllable. "beautiful"의 강세는 첫번째 음절에 있다〔온다〕.
19 《+[전]+[명]》 둘러 싸이다《***among*** (도둑 따위의 집단)에》.

~ *about laughing* 〔***with laughter***〕 《구어》 포복절도하다. **~ *all over*** a person 《구어》 아무에게 잘 보이려고 아부하다; 지나칠 정도로 애정을〔감사를〕 표현하다. **~ *apart*** 《*vi.*+[부]》 산산조각이 나다; (계획 · 동맹 · 결혼 따위가) 깨어지다; 맥 빠지다: Their marriage *fell apart*. 그들의 결혼은 파경에 이르렀다 / She *fell apart* when he divorced her. 그에게 이혼당하자 그녀는 견딜 수 없는 비탄에 잠겼다. **~ *away*** 《*vi.*+[부]》 ① 떨어져 나가다《***from*** …에서》; 변절하다, 배반하다, (지지자 등이) 저버리다《***from*** …을》: All his old friends *fell away from* him. 옛 친구들은 모두 그에게서 떨어져 나갔다. ② (인원수 · 수요 · 생산 따위가) 감소하다, 뚝 떨어지다, 줄다《***to*** …까지》: ~ *away to* nothing 줄어서 없어져 버리다. ③ (지면이) (급)경사져 있다. ④ 여위다; 쇠퇴하다《***to, into*** …으로》: ~ *away* in flesh 살이 빠지다 / ~ *away into* disuse 쓰이지 않게 되다. ⑤ 죽다. **~ *back*** 《*vi.*+[부]》 ① 벌렁 자빠지다. ② 후퇴하다; 뒷걸음치다. ③ 쩔쩔매다. ④ 되돌아가다《***into*** (본래의 나쁜 상태 따위)로》: He has *fallen back into* drinking. 그는 다시 술을 마셨다. **~ *back on*** 〔***upon***〕 ① (최후의 수단으로) …을〔에〕 의지하다: All he had to ~ *back on* was his own experience. 그가 의지하는 것은 지금까지 쌓은 그 자신의 경험밖에는 없었다. ② 〖군사〗 후퇴하여 …을 거점으로 하다. **~ *behind*** 《*vi.*+[전]》 ① …보다 뒤지다, …에 뒤떨어지다: She *fell* slightly *behind* the others. 그녀는 다른 사람들보다 조금 뒤졌다. ―《*vi.*+[부]》 ② (남보다) 뒤지다. ③ 늦어지다《***in, with*** (지불 · 배달 따위)가》: He often *~s behind with* the rent. 그는 자주 집세 지불이 늦는다. **~ *by the wayside*** ⇨WAYSIDE. **~ *down*** 《*vi.*+[부]》 ① 땅에 엎드리다; (땅에) 넘어지다; 쓰러지다. ② (계획 · 주장 따위가) 실패하다, 좌절되다. ③ 흘러 내려가다. ④ 떨어지다(⇨ *vi.* 1). ⑤ 《美속어》 방문하다, 찾아오다. **~ *down on*** 《구어》 …에 실패하다, (스케줄 따위)를 못 지키게 되다: ~ *down on* the job 일에 실패하다 / ~ *down on* one's promises

약속을 어기다. ~ **(flat) on** one**'s face** ⇨FACE (관용구). ~ **for** 《구어》 …을 믿어버리다; …에게 속다; 《구어》 …에(게) 반하다, 매혹되다: He *fell for* the trick. 그는 그 책략에 걸려들었다〔속았다〕/ He *fell for* Ann in a big way. 그는 앤에게 홀딱 반했다. ~ **foul of** ⇨FOUL (관용구). ~ **in** 《*vi.*+ 副》 ① (지붕 · 벽 따위가) 내려〔주저〕앉다; (지반이) 함몰하다; (눈 · 볼 따위가) 우묵 들어가다. ② (부채 · 계약 등이) 기한이 되다. ③ 빠지다 (⇨*vi.* 1). ④ 〖군사〗 정렬하다, 대열을 짓다; 《구령》 집합, 정렬! —《*vt.*+副》 ⑤ (병사)를 정렬시키다. ~ **in alongside** 〔**beside**〕 (걸어가는 사람)의 옆에서 걷다. ~ **in with** …와 우연히 만나다; …에 동의하다, …에 찬성하다; …와 조화〔일치〕하다: I *fell in with* her on the plane to Paris. 나는 파리로 가는 비행기에서 그녀를 만났다. ~ **off** 《*vi.*+前》 ① …에서 떨어지다(⇨*vi.* 1). —《*vi.*+副》 ② (친구 따위와) 소원해〔멀어〕지다, 이반(離反)하다(revolt) 《**from** …에서》. ③ (이익 · 출석자 · 매상고 등이) 줄다; (건강 · 활력 · 아름다움 따위가) 쇠퇴하다; (질 · 인기 따위가) 떨어지다: Attendance 〔Production〕 *fell off*. 출석자가〔생산량이〕 줄었다 / Their enthusiasm is beginning to ~ *off*. 그들의 열의는 식기 시작했다. ~ **on** one**'s feet** 〔**legs**〕 ⇨LEG. ~ **out** 《*vi.*+副》 ① 밖으로 떨어지다. ② (사이가) 틀어지다, 불화하다, 다투다 《**with** …와》: She often ~*s out with* her neighbors. 그녀는 자주 이웃 사람들과 티격태격한다. ③ 일어나다, 생기다: It *fell out that* we met by chance weeks later. 몇 주일 후 우리는 우연히 얼굴을 대하게 되었다. ④ 〔well 따위의 양태 부사와 함께〕 결국 …하게 되다: Things *fell out* well. 결과는 아주 좋았다. ⑤ 〖군사〗 대열에서 이탈하다, 낙오하다. —《*vt.*+副》 ⑥ (부대)를 해산시키다. ~ **over one another** 〔**each other**〕 서로 경쟁하다 《**for** …을 얻기 위해》. ~ **over** one**self** ① 아주 열심히 …하다 《**to** do》. ② (서두르거나 하여) 넘어져 구르다. ~ **short of** …이 결핍〔부족〕하다; …에 미치지 못하다: The arrow *fell short of* the target. 화살은 과녁에 미치지 못했다 / The result *fell short of* our expectation. 그 결과는 우리들의 기대에 미치지 못했다. ~ **through** 《*vi.*+副》 ① (열린 구멍 따위에) 빠져 떨어지다. ② 실패하다, 그르치다, 실현되지 않다. —《*vi.*+前》 ③ …에 빠져 떨어지다. ~ **to** 《*vi.*+副》 ① (식사 · 일 따위를) 시작하다, 착수하다: They *fell to* and soon finished off the entire turkey. 칠면조를 먹는가 했더니, 게눈 감추듯 했다. ② (문이) 저절로 닫히다. ~ **wide of** 빗나가다. **let** ~ …을 떨어뜨리다 《**on, upon, to** …에》; (말 따위)를 누설(漏泄)하다: He *let* ~ that he'd gotten a new job. 그는 새 일자리를 얻었다고 얼떨결에 말했다.

—*n.* **1** Ⓒ **a** 낙하(落下), 추락; 낙하물: He had a ~ from a horse. 그는 낙마(落馬)했다. **b** (보통 *sing.*) 낙하 거리, 낙차: a waterfall with a ~ *of* 100 feet 낙차 100 피트의 폭포.

2 Ⓒ (때로 Ⓤ) 하강, 하락 《**in, of** (온도 · 물가 따위)의》: a ~ *in* prices 〔temperature〕 물가 하락〔온도 하강〕.

3 Ⓒ **a** 강우, 강설: a heavy ~ *of* snow 대설(大雪). **b** (보통 *sing.*) 강우〔강설〕량: a two-inch ~ *of* rain 2 인치의 강우량.

4 (*pl.*) 폭포(waterfall): Niagara *Falls* is receding. 나이아가라 폭포가 뒤로 물러나고 있다 《★ 고유 명사의 경우는 단수 취급》 / The ~*s* are 30 ft. high. 그 폭포의 높이는 30 피트이다.

5 Ⓤ (때로 Ⓒ; 특정한 때는 the ~) 《보통 美》 **가을**(autumn): in (the) ~ 가을에 / the ~ term 〔semester〕 가을 학기 / in the ~ of 2003, 2003 년 가을에.

6 Ⓒ **전도**(轉倒), 쓰러짐; (건물의) 도괴(倒壞).

7 (the ~) 함락; 무너짐, 와해, 붕괴; 멸망: the rise and ~ of the Roman Empire 로마 제국의 성쇠〔흥망〕.

8 a (*sing.*) 타락; 악화. **b** (the F-) 인간〔아담과 이브〕의 타락 (the Fall (of Man)).

9 Ⓒ 경사, 내리막, 구배(勾配).

10 a Ⓤ 드리워짐. **b** Ⓒ 아래로 늘어진 주름장식; 장발의 가발.

11 Ⓒ 〖레슬링〗 폴; 한 번의 승부.

ride 〔**head**〕 **for a** ~ ⇨RIDE.

—*a.* Ⓐ 《美》 가을의; 가을용의: brisk ~ days 상쾌한 가을의 나날 / ~ goods 가을용품.

fal·la·cious [fəléiʃəs] *a.* 불합리한, 틀린, 그른; 거짓의; (사람을) 현혹시키는, 믿을 수 없는. 파 **~·ly** *ad.* **~·ness** *n.*

°**fal·la·cy** [fǽləsi] *n.* **1** Ⓒ 잘못된 생각〔의견, 신념, 신앙〕. **2** Ⓤ 궤변(sophism); 잘못된 추론; Ⓒ 이론〔추론〕상의 잘못. **3** Ⓤ 〖논리〗 허위; 오류.

fáll·bàck *n.* Ⓒ (필요한 때에) 의지가 되는 것, 예비품〔금〕(reserve); 후퇴, 퇴각; 〖컴퓨터〗 대체 시스템.

*__fall·en__ [fɔ́ːlən] FALL 의 과거분사.

—*a.* **1 떨어진**(dropped): ~ leaves 낙엽. **2** 타락한, 영락한(degraded): a ~ woman 타락한 여자, 《속어》 창녀 / a ~ angel (천국에서 쫓겨난) 타락한 천사. **3 a** (전장에서) 쓰러진. **b** (the ~) 《집합적; 명사적; 복수취급》 전사자들. **4** 파멸된, 파괴된; 함락된; 전복한.

fáll gùy 《구어》 희생이 되는 사람, 대역(scapegoat), (남의) '봉', '밥', 잘 속는 사람.

fàl·li·bíl·i·ty [fæ̀ləbíləti] *n.* Ⓤ 틀리기 쉬움.

fal·li·ble [fǽləbəl] *a.* 틀리기 쉬운; (법칙 따위가) 오류를 면치 못하는; (사람이) 속기 쉬운. 파 **-bly** *ad.*

fáll-in *n.* Ⓤ (원자력 평화 이용의 결과로 생기는) 방사성 폐기물. cf. fallout.

fáll·ing-óut (*pl.* **fállings-óut,** ~**s**) *n.* Ⓒ (친밀했던 사람과의) 불화, 다툼: I had a ~ with him. 나는 그와 다투었다.

fálling stár 유성(流星), 별똥별(meteor).

fáll·òff *n.* Ⓤ (구체적으로는 Ⓒ) (양적 · 질적인) 저하, 감소, 쇠퇴 《**in** …의》: a ~ *in* production 생산량의 감소.

fal·ló·pi·an tùbe [fəlóupiən-] 〖해부〗 나팔관, (수)란관((輸)卵管) (oviduct) 《16 세기 이탈리아의 해부학자 G. Fallopius 의 이름에서》.

fáll·òut *n.* Ⓤ 방사성 낙진, '죽음의 재'; (방사성 물질 등의) 강하. cf. fall-in.

fállout shélter 방사성 강하물 지하 피난 참호.

fal·low [fǽlou] *a.* 묵히고 있는 《밭 따위》, 휴한(休閑) 중인; 미개간의; (이용 가치가 있는데도) 사용하지 않는: lie ~ (밭 따위가) 묵고 있다 / leave land ~ 토지를 묵히다. —*n.* **1** Ⓤ (또는 a ~) 놀리는 땅, 휴경〔휴한〕지. **2** Ⓤ 휴한(休閑), 휴작(休作): land in ~ 휴한지. —*vt.* (땅)을 갈아만 놓고 놀리다, (농토)를 묵히다.

fállow déer 담황갈색에 흰 반점이 있는 사슴 《유럽산》.

fáll·pìpe *n.* Ⓒ 홈통.

‡**false** [fɔːls] *a.* **1 그릇된**, 틀린, 잘못된; 부정(不

F

正)한, 불법적인: a ~ judgment 그릇된 판단, 오판/~ pride 그릇된 긍지/a ~ balance 불량 저울. **2 거짓〔허위〕의**, 가장된: a ~ attack 양동(陽動) 공격/a ~ charge 〖법률〗 무고/a ~ report 허위 보도/bear ~ witness 위증하다. **3** 성실치 않은, 부실〔부정(不貞)〕한; 배반한《*to* …에》: a ~ friend 미덥지 못한 친구/a ~ wife 부정한 아내/He was ~ *to* his word. 그는 약속을 지키지 않았다. **4** 위조의, 가짜의; 모조의; 임시의, 일시적인; 보조의(subsidiary): a ~ signature 가짜 서명/a ~ diamond 가짜〔모조〕 다이아몬드/a ~ eye 의안(義眼)/~ teeth 의치/~ hair 가발. **5** 〖식물〗 의사(擬似)의; 〖의학〗 위성(僞性)〔의사〕의: a ~ cholera 의사 콜레라.

—*ad.* 〔다음 관용구로 쓰임〕 ***play*** a person ~ 아무를 속이다(cheat); 배반하다(betray): Events *played* him ~. 일의 추세는 그의 기대를 어겼다/My memory never *plays* me ~. 내 기억은 절대 틀림없다.

fálse acácia 아카시아(의 일종)(locust).

fálse bóttom (상자 · 트렁크 등의) 덧댄 바닥, (비밀의) 이중 바닥.

fálse fáce 가면《특히 우스꽝스러운》.

fálse-héarted [-id] *a.* (마음이) 불성실한, 배신의.

◇**false·hood** [fɔ́:lshùd] *n.* **1** Ⓒ 거짓말(lie), 허언: tell a ~ 거짓말하다. **2** Ⓤ 허위, 거짓, 기만.

fálse imprísonment 〖법률〗 불법 감금.

fálse·ly *ad.* 잘못되어; 거짓으로; 부정하게; 불성실하게.

fálse·ness *n.* Ⓤ 실수, 잘못; 허위, 부정; 불성실.

fálse ríb 〖해부〗 가늑골(假肋骨).

fálse stárt (경주의) 부정 출발〔스타트〕; 잘못된 첫발〔출발〕: make a ~ 부정 출발을 하다.

fálse stép 헛디딤; 실책, 차질: make 〔take〕 a ~ 발을 헛디디다; 실수하다.

fal·set·to [fɔ:lsétou] (*pl.* **~s**) 〖음악〗 *n.* **1** Ⓤ (구체적으로는 Ⓒ) 가성(假聲); 꾸민 목소리《특히 남성의》: in a ~ 가성으로. **2** Ⓒ 가성을 쓰는 가수. **—***a.*, *ad.* 가성의〔으로〕.

fálse·wòrk *n.* Ⓒ 〖건축〗 비계, 가설물, 발판.

fals·ie [fɔ́:lsi] *n.* Ⓒ (보통 *pl.*) 《구어》 여성용 가슴받이《유방을 크게 보이기 위한》, 유방 패드: wear ~*s* 유방 패드를 대다.

fal·si·fi·ca·tion [fɔ̀:lsəfikéiʃən] *n.* Ⓤ (구체적으로는 Ⓒ) **1** 위조, 변조. **2** (사실의) 왜곡, 곡해; 허위임을 밝히는 입증, 반증(反證), 논파(論破).

fal·si·fy [fɔ́:lsəfài] *vt.* (서류 따위)를 위조〔변조〕하다(forge); 속이다; 왜곡하다; …의 거짓〔틀림〕을 입증하다; 논파하다; 배신하다, (기대 등)을 저버리다. **—***vi.* 거짓말하다, 속이다.

fal·si·ty [fɔ́:lsəti] *n.* **1** Ⓤ 사실에 반함, 허위. **2** Ⓒ 거짓말; 배신 (행위).

Fal·staff [fɔ́:lstæf, -stɑ:f] *n.* Sir **John** ~ 폴스타프《술을 좋아하고 기지가 있고 몸집이 큰 쾌남; Shakespeare의 극에 나오는 인물》.

falt·boat [fɑ́:ltbòut, fɔ́:lt-] *n.* Ⓒ 접게 된 보트(foldboat)《kayak 비슷하고 운반이 간편함》.

*__fal·ter__ [fɔ́:ltər] *vi.* **1 비틀거리다**, 발에 걸려 넘어지다(stumble), 비슬대다. **2** 《~/+전+명》 **머뭇거리다**(hesitate), 멈칫〔움찔〕하다: Never ~ *in* do*ing* good. 선을 행하는 데 주저하지 마라. **3** (기력 · 효력 따위가) 약해지다; 약체화(化)하다. **4 말을 더듬다**(stammer): She ~*ed* in her speech. 그녀는 더듬으면서 말했다. **—***vt.* 《+목+부》 더듬더듬〔우물우물〕 말하다(*out*): ~ *out* an excuse 더듬거리면서 변명하다. **—***n.* Ⓒ **1** 비틀거림. **2** 머뭇거림, 움츠림(flinch). **3** 말더듬음, 더듬는 말.

fál·ter·ing·ly *ad.* 비틀거리며; 말을 더듬으며; 머뭇거리며.

‡**fame** [feim] *n.* Ⓤ **1 명성**, 명예, 성망: win 〔achieve〕 ~ 유명해지다/The film brought him ~. 그 영화로 그는 유명해졌다. **2** 평판, 풍문: good ~ 호평/ill ~ 악평, 오명. ◇ famous *a.*

famed *a.* 유명한, 이름 있는《*for* …으로》: the world's most ~ garden 전세계에서 가장 유명한 정원/He is ~ *for* his novels. 그는 그의 소설로 유명하다.

fa·mil·ial [fəmíljəl, -liəl] *a.* Ⓐ 가족의; (병이) 일족에 특유한〔유전적인〕. 㑇 **~·ly** *ad.*

‡**fa·mil·iar** [fəmíljər] *a.* **1 친(밀)한**, 가까운《*with* …와》: a ~ friend 친우/I am ~ *with* him. 나는 그와 친하다.

SYN. **familiar** 자주 만나는, 잘 알고 있는: a *familiar* friend 일상의 벗. **intimate** 마음을 서로 잘 알고 애정 · 관심 따위를 서로 나눌 수 있는 극히 친한: an *intimate* friend 마음을 터놓은 벗. **confidential** 서로 믿는, 개인의 비밀까지도 털어놓는: a *confidential* friend 친우. **friendly** 친구 같은, 우호적인, 붙임성 있게 구는: a *friendly* state 우호국.

2 정통한《*with* …에》; 잘 알려진《*to* (아무)에게》: He's ~ *with* the subject. =The subject is ~ *to* him. 그는 그 문제에 정통하다/The name is ~ *to* me, but I've never met him. 이름은 잘 알고 있지만 그를 만난 적은 없다. **3 잘 알고 있는**, 낯〔귀〕익은: a ~ voice 귀에 익은 목소리. **4** 흔한, 보통〔일상〕의, 통속적인: The word processor is a ~ article now. 워드프로세서는 지금은 흔한 물건이다. SYN. ⇨COMMON. **5 a** 편한, 거북〔딱딱〕하지 않은: a ~ freind 편한 친구. **b** Ⓟ 무간한, 무람〔스스럼〕 없는《*with* …에게》: He is too ~ *with* me. 그는 나에게 너무 버릇없이 군다. **6** (동물이) 잘 길든(domesticated). ◇ familiarity *n.*

be on ~ terms with …와 친숙하다. ***make*** one*self* **~ *with*** …에 정통해지다.

—*n.* Ⓒ **1** 친구. **2** =FAMILIAR SPIRIT. 㑇 ◇**~·ly** *ad.* 친하게, 무람〔스스럼〕 없이, 정답게.

‡**fa·mil·i·ar·i·ty** [fəmiljǽrəti, -liǽr-] *n.* **1** Ⓤ **친밀, 친숙**, 친교; 친밀한 사이. **2 a** Ⓤ 무간함, 허물없음; 스스럼〔무람〕없음: *Familiarity* breeds contempt. 《속담》 너무 스스럼없이 굴면 멸시를 받는다. **b** Ⓒ (보통 *pl.*) 무람〔허물〕없는 언행. **3** Ⓤ **익히 앎**; 정통, 숙지《*with* …에 관한》: We admire his ~ *with* so many languages. 그가 저렇게도 많은 외국어에 정통한 것이 감탄스럽다. ◇ familiar *a.*

fa·mìl·iar·i·zá·tion *n.* Ⓤ 익숙〔정통〕케 함《*with* …와》.

fa·mil·iar·ize [fəmíljəràiz] *vt.* **1** 친하게 하다; 익숙케 하다《*with* …에; *to* (아무)에게》: ~ a person *with* a job 아무를 일에 익숙케 하다/Only reading can ~ literature *to* us. 책을 읽음으로써만 문학에 익숙해질 수 있다/*Familiarize* yourself *with* their customs. 그들의 관습을 잘 알도록 하시오. **2** 보급하다, 세상에 퍼뜨리다: Advertisements ~ a product. 광고가 제품을 세상에 퍼뜨린다.

famíliar spírit 부리는 마귀《마법사 또는 사람을 섬기는 마귀); (죽은 이의) 영혼.

†**fam·i·ly** [fǽməli] (*pl.* **-lies**) *n.* **1** Ⓒ 《집합적; 단·복수취급》 **가족**, 식구《부부와 그 자녀》, 가구(家口)《때로는 하인들도 포함》: a ~ *of* five, 5 인 가족 / five *families*, 5가구 / He has a large ~ *to* support. 그는 부양 가족이 많다 / My ~ are all early risers. 우리 식구는 모두 일찍 일어난다.
2 Ⓤ (또는 a ~) (한 집의) **아이들**, 자녀: raise a ~ 아이들을 기르다 / Does he have any ~? 그는 애가 있느냐 / Say hello to your wife and ~. 부인과 아이들에게 안부 전해 주시오.
3 Ⓒ **집안**, **일족**; 친족, 일가 친척: one's immediate ~ 근친(近親).
4 Ⓤ 《英》 가문, 가계(家系); 《英》 명문(名門), 문벌: a man of (good) ~ 명문의 사람 / a man of no ~ 이름 없는 가문의 사람.
5 Ⓒ 〖생물〗 과(科)《order와 genus의 중간》; 〖언어〗 어족: the Indo-European ~ (*of* languages) 인도유럽 어족 / the cat ~ 고양잇과(科).
6 Ⓒ (생각이 같은) 한동아리; (정치〔종교〕적 이해를 같이 하는) 그룹, 집단; 《美》 (마피아 등의) 활동 조직 단위: the ~ *of* romantic poets 낭만파 시인들 / the ~ *of* free nations 자유 국가군(群).
run in the 〔one's〕 ~ ⇨RUN. ***start a*** ~ 첫 아이를 보다.

> DIAL. ***How is*** 〔《종종 英》 ***are***〕 ***your family?*** —***They are all fine, thank you.*** 댁내 두루 안녕하십니까? — 감사합니다. 모두 건강합니다〔잘 있습니다〕.

— *a.* Ⓐ 가족(용)의, 가정의: ~ life 가정 생활 / a ~ council 친족 회의 / a ~ film 가족용 영화.
in a ~ way 정답게, 흉허물없이; =in the ~ way. ***in the ~ way*** 《구어》 임신하여(pregnant).

fámily allówance 가족 수당; 《英》 CHILD BENEFIT의 구칭.

fámily Bíble 가정용 성서《가족의 출생·결혼·사망 등을 기입할 여백이 있는 큰 성서》.

fámily círcle 1 (보통 the ~) 〔집합적〕 한 집안 (식구들). **2** 《美》 (극장 따위의) 가족석.

fámily còurt 《美》 가정법원.

fámily crédit (흔히 F- C-) 《英》 육아 부양 수당《어린 자식이 있는 저소득층에게 지급》.

Fámily Divìsion 《英》 (고등 법원의) 가사부《이혼·입양 따위의 민사를 다룸》.

fámily dóctor 〔**physícian**〕 가정의, 단골 의사.

fámily íncome sùpplement 《英》 소득 보충 수당《일정 수입액 미만 세대에 국가가 지급하는 수당》.

fámily léave 육아·간호 휴가《출산·가족의 병 수발을 위한 무급의 휴가》.

fámily màn 가정을 가진 남자; 가정적인〔가정 중심의, 외출을 싫어하는〕 남자.

fámily médicine 《英》 가족 의료.

‡**fámily náme** 성(姓)(surname). cf. Christian name.

fámily plànning 가족 계획《산아제한》.

fámily práctice =FAMILY MEDICINE.

fámily skéleton (남의 이목을 꺼리는) 집안 비밀(a SKELETON in the closet).

fámily stỳle 가족 방식《음식을 각자가 떠먹을 수 있게) 큰 그릇에 담는 방식》; 가족 방식(의)〔으로〕.

fámily thérapy 〖정신의학〗 (환자 치료에 가족까지 참여하는) 가족 요법.

fámily trée 가계도(家系圖), 계보, 족보; (언어의) 계통수(樹).

*****fam·ine** [fǽmin] *n.* **1** Ⓤ (구체적으로는 Ⓒ) **기근**; 식량 부족: Thousands died during the ~. 그 기근으로 무수한 사람이 죽었다 / die of 〔suffer from〕 ~ 굶어 죽다〔기아로 고생하다〕. **2** Ⓒ (물자) 결핍, 부족: a house 〔fuel〕 ~ =a ~ of house 〔fuel〕 주택〔연료〕 부족.

°**fam·ish** [fǽmiʃ] *vt.* 《보통 수동태》 굶주리게 하다(starve); 아사(餓死)시키다: *be ~ed* to death 굶어 죽다.

fám·ished *a.* 《구어》 굶주린; 배가 고픈: I'm ~. 배고프다.

†**fa·mous** [féiməs] *a.* **1 유명한**, 이름난, 잘 알려진(well-known)《***for*** …으로; ***as*** …으로서》: ~ *for* scenic beauty 경치로 유명한 / a ~ golfer 유명한 골퍼 / London was once ~ *for* its fogs. 런던은 이전에 안개로 유명했다 / Brighton is ~ *as* a bathing place. 브라이턴은 해수욕장으로 유명하다.

> SYN. **famous** 사람에게 잘 알려진: a *famous* tower 유명한 탑. **renowned** 평판이 높은, 명성 있는. famous에는 실질(實質)이 따르지 않는 것도 있는데, renowned는 실질도 훌륭하다고 볼 수 있음. **celebrated** 남달리 뛰어난 재능·업적 따위로 유명한: a *celebrated* writer 이름 높은 작가. **eminent, distinguished** 동료·동업자에 비해 한층 탁월한, 당대를 대표하는: a *distinguished* statesman 일류 정치가.

2 《구어》 굉장한, 멋진, 훌륭한(excellent): a ~ performance 훌륭한 연기〔연주〕 / That's ~! 참 멋지다. ◇fame *n.*

fá·mous·ly *ad.* 유명하게; 《구어》 굉장〔훌륭〕히: He is getting on ~ with his work. 그는 일이 매우 순조롭게 진척되고 있다.

‡**fan**[1] [fæn] *n.* Ⓒ **1 부채**; **선풍기**, 송풍기: an electric ~ (전기) 선풍기 / a folding ~ 쥘부채 / a ventilation ~ 환풍기. **2** 부채꼴의 것《풍차·추진기의 날개, 새의 꽁지깃 등》; 《속어》 (비행기의) 프로펠러, 엔진. **3** 키; 풍구(winnowing fan); 〖지리〗 선상지(扇狀地).
— (**-nn-**) *vt.* **1** 《~+목/+목+전+명》 …을 부치다, …에 바람을 보내다《***with*** (부채 따위)로》: ~ one's face *with* a notebook 노트로 얼굴을 부채질하다. **2** (바람이) 살랑살랑 불다: The breeze *~ed* her hair. 산들바람이 그녀 머리카락을 어루만졌다. **3** 《+목+전+명》 선동하다, 부추기다《***into*** …으로》: Bad treatment *~ned* their dislike *into* hate. 대우가 나빠서 그들의 혐오는 증오로 변했다. **4** (곡식 따위)를 까부르다《키로》, (풍구로) 가려내다. **5** 《+목(+부)》 부채꼴로 펴다 (*out*): He *~ned out* the cards on the table. 그는 트럼프를 테이블 위에 부채꼴로 펼쳤다. **6** 《+목+부/+목+전+명》 (파리)를 부채질로 쫓다 (*away*)《***from*** …에서》: ~ the flies *away* (*from* a baby) 부채질하여 (아기한테서) 파리를 쫓아버리다. **7** 〖야구〗 삼진(三振)시키다. — *vi.* **1** 《+부》 부채꼴로 펼쳐지다(*out*): The forest fire *~ned out* in all directions. 산불이 모든 방향으로 부채꼴로 퍼져갔다. **2** 〖야구〗 삼진당하다.

‡**fan**[2] *n.* Ⓒ 《구어》 (영화·스포츠·특정 취미의) **팬**, 열렬한 애호가, …광(狂): a baseball ~ 야구광 / a ~ club 팬 클럽 / Is your sister a ~ of the Beatles, too? 네 여동생도 비틀즈 팬이니? [◂ *fanatic*]

°**fa·nat·ic** [fənǽtik] *n.* Ⓒ 광신자, 열광자. —

a. 광신〔열광〕적인, 열중한《*about* …에》.
fa·nat·i·cal [fənǽtikəl] *a.* ＝FANATIC.
fa·nát·i·cal·ly [-kəli] *ad.* 광신〔열광〕적으로.
fa·nat·i·cism [fənǽtəsìzəm] *n.* Ⓤ 광신; 열광, 열중.
fán bèlt (자동차의) 팬 벨트.
fan·cied [fǽnsid] *a.* 공상의, 가공의, 상상의.
fan·ci·er [fǽnsiər] *n.* Ⓒ (음악·미술·꽃·새 등의) 애호가; (품종 개량을 목적으로 하는) 사육자, 재배자: a bird ~ 새 장수; 애조가.
°**fan·ci·ful** [fǽnsifəl] *a.* **1** 상상력이 풍부한; 변덕스러운(whimsical). **2** 별난, 괴상한, 기발한: a ~ design. **3** 공상적인, 비현실적인, 가공의: a ~ story. ㊕ **~·ly** *ad.* **~·ness** *n.*
fan·cy [fǽnsi] *n.* **1** Ⓤ (두서없이 자유로운) **공상**; (예술가의 창조적) 공상력: a story based on ~ 공상에 의거한 이야기.
2 Ⓒ 이미지; 환상, 기상(奇想); 망상.
3 Ⓒ (근거 없는) **상상**, 추측, 예상《*that*》: I have a ~ *that* he will not come. 그가 올 것 같지 않은 예감이 든다.
4 Ⓒ **변덕**(whim), 일시적인 생각: a passing ~ 일시적인 변덕〔생각〕.
5 Ⓒ **좋아함**, 애호; 연모(love); 취미, 기호, 도락(hobby)《*for, to* …에 대한》: follow one's ~ 자기 하고 싶은 것을 하다/He has a ~ *for* wine. 그는 와인을 좋아한다/They took a great ~ *to* each other. 두 사람은 서로 아주 좋아하게 되었다.
— (*-ci·er; -ci·est*) *a.* **1 공상의**, 상상의; 변덕의: a ~ picture 상상화.
2 의장(意匠)에 공들인, 장식적인(↔ *plain*); 화려한: a ~ button 장식 단추/This dress is too ~ for the party. 이 드레스는 파티에서 입기는 너무 화려하다.
3 Ⓐ (동·식물 따위가) 잡색의; (애완 동물 따위가) 변종(變種)의, 진종(珍種)의: a ~ dog 진종의 개.
4 Ⓐ 《美》 상등(上等)의, 극상품의《과일 등》, 특선의《통조림 등》: ~ fruits and vegetables 극상의 과일과 야채/a ~ restaurant 고급 레스토랑.
5 (가격 등이) 엄청난, 터무니없는(extravagant): at a ~ price 〔rate〕 엄청난 값으로〔속도로〕.
— *vt.* **1** 《~+목/+목+(*to be*) 보/+목+*as* 보/+목+*-ing* /+*that* 절》 **공상〔상상〕하다**; 마음에 그리다: ~ a life without electricity 전기 없는 생활을 상상하다/Can you ~ him *as* an actor? ＝Can you ~ him (*to be*) an actor? 배우인 그를 상상할 수 있겠는가/I cannot ~ them 〔their〕 speak*ing* ill of me. 그들이 나에 대해 악평을 한다고는 도무지 생각할 수 없어/I can't ~ your ever *saying* such a thing. ＝I can't ~ (*that*) you would ever say such a thing. 자네가 그런 말을 하다니 상상할 수 없군.
2 《~+목/+*-ing* /+목+*-ing*》 〖명령형〗 …을 상상해 봐; 저런 …라니《가벼운 놀람의 표현》: *Fancy* read*ing* all day long. 하루종일 책만 읽다니/*Fancy* him *driving* a car. 그가 차 운전을 하다니, 생각해 보게.
3 《+목+(*to be*) 보/+목+*as* 보》 〖~ oneself〗 자만하다; …하다고 자부하다: She *fancies* her*self* (*to be*) beautiful. 그녀는 미인이라고 자부하고 있다/He *fancies* him*self as* a great scholar. 그는 자신을 훌륭한 학자라고 자만하고 있다.
4 《+*that* 절/+목+(*to be*) 보》 (어쩐지) …**라고 생각하다**, …같은 생각이 들다, …이라고 믿다: I rather ~ (*that*) he is about forty. 그가 아무래도 40세 정도라고 생각된다/She *fancied* her husband (*to be*) a great lover. 그녀는 남편을 매력적인 남자라고 생각했다.
5 《+목/+*-ing*》 《英구어》 …을 **좋아하다**, …이 마음에 들다: You may select anything you ~ from the menu. 메뉴에서 무엇이든 좋아하는 것을 고르세요/I ~ a drink. 한 잔 하고 싶다/Tom *fancied* Mary a lot. 톰은 메리를 많이 좋아했다/She *fancies* this yellow hat. 그녀는 이 노랑 모자를 마음에 들어 한다/I don't ~ act*ing* as chairman. 의장 노릇은 하고 싶지 않다.
— *vi.* 〖명령형으로〗 상상 좀 해 봐, 설마: Just 〔Only〕 ~ ! (＝*Fancy* that!) 그런 일이 있다니, 정말 놀랐어, 기가 막혀; (그건) 이상한〔기쁜〕 얘기인데.

> **DIAL.** ***Fancy meeting you here!*** 이런 데서 널 만나다니 뜻밖이다.

fáncy dréss 가장 무도회복; 색다른 옷; 《美속어》 멋있는 옷.
fáncy drèss báll 〔**párty**〕 가장 무도회.
fáncy-frée *a.* 아직 사랑을 모르는, 순진한; 한 가지 일에 집착 안 하는, 자유분방한.
fáncy gòods 방물, 잡화, 장신구.
fáncy màn 《속어·경멸적》 애인, 정부(情夫), (매춘부의) 기둥서방; 유객.
fáncy·sìck *a.* 사랑으로 번민하는(lovesick).
fáncy wòman 〔**gìrl, làdy**〕 《속어·경멸적》 정부(情婦), 첩; 갈보.
fáncy·wòrk *n.* Ⓤ 수예(품), 편물, 자수.
fan·dan·go [fændǽŋgou] (*pl.* **~(*e*)*s***) *n.* Ⓒ 3박자의 스페인 무용의 일종; 그 무곡.
fan·fare [fǽnfɛər] *n.* 《F.》 **1** Ⓒ 〖음악〗 (트럼펫 등의) 화려한 취주(吹奏), 팡파르. **2** Ⓤ 허세, 과시(showy display): with ~ 요란하게, 대대적으로.
fang [fæŋ] *n.* Ⓒ **1** (육식 동물의) 엄니, 견치(canine tooth); (보통 *pl.*) (뱀의) 독아(毒牙). ⓒⓕ tusk. **2** (도구 따위의) 뾰족한 엄니 모양의 것.
fán hèater 송풍식 전기 난로.
fán-jèt *n.* Ⓒ 팬제트기; 터보팬.
fán lètter 팬레터. ⓒⓕ fan mail.
fán·light *n.* Ⓒ (문이나 창 위의) 부채꼴 채광창.
fán màil 〖집합적〗 팬레터(fan letter).
Fan·nie, Fan·ny [fǽni] *n.* Frances의 애칭.
fan·ny [fǽni] *n.* Ⓒ 《美구어》 《완곡어》 엉덩이(buttocks); 《英속어》 여성의 성기(vagina).
Fánny Ádams (종종 f– a–) 《항해 속어》 통조림 고기, 스튜; (종종 Sweet ~, sweet f– a–) 전혀 없음.
fan·tab·u·lous [fæntǽbjələs] *a.* 《속어》 믿을 수 없을 만큼 훌륭한.
fán·tàil *n.* Ⓒ 부채꼴의 꼬리; 공작비둘기《집비둘기의 일종》; ＝FANTAIL GOLDFISH.
fántail góldfish 〖어류〗 금붕어의 일종.
fan·ta·sia, fan·ta·sie [fæntéiʒiə, -téiziə], [fæ̀ntəzíː, fɑn-] *n.* 《It.》 Ⓒ 〖음악〗 환상곡; 접속곡《유명한 곡의》.
fan·ta·size, phan- [fǽntəsàiz] *vt.* 공상하다; 꿈에 그리다《*that*》. **—** *vi.* 공상에 빠지다; 몽상하다《*about* …에 대해》.
***fan·tas·tic** [fæntǽstik] *a.* **1 환상적인**, 몽환〔공상〕적인, 기상천외의. **2** 《구어》 **굉장한**, 멋진. **3 이상한**, 야릇한. **4** 터무니없는, 엄청난: ~ sums of money 엄청나게 큰 돈.
fan·tas·ti·cal [fæntǽstikəl] *a.* ＝FANTASTIC.

F

㊋ **-ti·cal·ly** *ad.*

***fan·ta·sy, phan-** [fǽntəsi, -zi] *n.* **1** Ⓤ **공상**, 환상; 기상(奇想); 변덕, 야릇함. **2** Ⓒ 〖심리〗 백일몽. **3** Ⓒ 공상의 산물, 기발한 생각; 환상적인 작품; 공상〔기상(奇想)〕적 이야기《때로 과학 소설》. **4** Ⓒ 〖음악〗 환상곡(fantasia).

fan·zine [fǽnziːn] *n.* Ⓒ (특히 팝 가수의) 팬 대상 잡지.

FAO, F.A.O. Food and Agriculture Organization (of the United States) (국제 식량 농업 기구). **FAQ** 〖컴퓨터〗 Frequently Asked Question《뉴스 그룹이나 게시판에서 사람들이 일반적으로 흔히 하는 질문들》.

†**far** [fɑːr] (**far·ther** [fɑ́ːrðər], **fur·ther** [fə́ːrðər]; **far·thest** [fɑ́ːrðist], **fur·thest** [fə́ːrðist]) *ad.* **1** 〖장소·거리〗 **멀리**(에), 아득히, 먼 곳으로. ↔ *near.* ¶ ~ ahead 〔back〕 멀리 앞쪽〔뒤쪽〕에 / ~ apart 멀리 떨어져서 / He lives ~ from here. 그의 집은 여기에서 멀다 / How ~ did he go? 그는 얼마나 멀리 갔느냐 / He hasn't gone ~. 그는 멀리는 가지 않았다.

> **NOTE** 보통 의문문·부정문에서는 단독으로 쓰이며, 긍정문에서는 보통 부사 또는 전치사구를 수반함. 구어적인 긍정문에서는 a long way를 대신 씀: He has gone *a long way*. 그는 멀리 갔다.

2 〖시간〗 멀리, 이슥토록: ~ back in the past 훨씬 이전에 / ~ *into* the future 먼 장래에 / ~ *into* the night 밤늦게까지. ★ 보통 부사 또는 전치사(특히 *into*)를 동반함.

3 〖정도〗 **훨씬**, 매우, 크게(in 〔to〕 a great degree), 단연: It's ~ different now. 그것은 지금은 크게 다르다 / ~ distant 《문어》 아득히〔훨씬〕 먼 / It's ~ too cold to play tennis. 테니스하기에는 너무 춥다 / This is ~ better (than it was). 이쪽〔이편〕이 (이전보다) 훨씬 좋다.

4 〖명사적〗 먼 곳: from ~ 먼 곳에서, 멀리(에)서. ★ farther, farthest는 주로 공간적인 뜻, further, furthest는 주로 비유적인 뜻.

as* 〔*so*〕 ~ *as ① 〖전치사적〗 (어떤 장소)까지《★ 부정문에서는 보통 so ~ as를 씀》: go *as* ~ *as* Ireland 아일랜드까지 가다. ② 〖접속사적〗 …하는 한(에서는); …하는 한 멀리까지: *as* ~ *as* I know 내가 아는 한에서는 / *as* ~ *as* the eye can reach 눈이 미치는 한에는 / Let's swim *as* ~ *as* we can. 가능한 한 멀리까지 헤엄치자. ***by* ~** ① 〖최상급, 때로 비교급을 강조하여〗 훨씬, 단연: *by* ~ the best 단연 최고 / Skating and skiing are *by* ~ the most popular winter sports. 스케이팅과 스키잉은 가장 인기있는 겨울 스포츠이다. ② 매우, 대단히: too easy *by* ~ 아주 쉬운. **~ *and away*** 훨씬, 단연《★ far의 강조형; 비교급·최상급과 함께 씀》: He is ~ *and away* the best writer of today. 그는 단연 당대 제일의 작가이다. **~ *and near* 〔*nigh*〕** 여기저기에, 도처에. ***Far be it from me to* do** …하려는 생각 따위는 조금도 없다: *Far be it from me to* consent. 내가 승낙하다니 말도 안 되지. **~ *from*** ① …에서 멀리: The station is ~ *from* here. 역은 여기서 멀다. ② 조금도 …하지 않다(not at all): It is ~ *from* the truth 〔true〕. 그것은 전연 사실과 다르다. **~ 〔*so* ~〕 *from* doing** …하기는 커녕: *Far from* read*ing* the letter, he didn't even open it. 그는 그 편지를 읽기는 커녕 뜯어보지도 않았다. ***Far from it!*** 그런 일은 결코 없다, 전혀 그렇지 않다, 당치도 않다. **~ *out*** 《속어》 보통이 아닌, 엉뚱한; = FAR-OUT. ***go* ~** ⇨ GO (관용구). ***go too* ~** 지나치다, 너무하다, 과장하다. ***how* ~** 얼마만큼, 어느 정도, 어디까지: I cannot say *how* ~ it is true. 어디까지 진실인지 알 수 없다. ***in so* ~ *as*** …하는 한에서는(⇨ INSOFAR). ***so* ~** ① 이〔그〕 점까지는; 지금〔그 때〕까지(로)는. ② '이만큼 해둡시다'《이야기를 중단할 때의》. ***take ... too* ~** = ***carry ... too* ~** ⇨ CARRY (관용구). ***this* ~** = ***thus* ~** 여기〔이제〕까지는.

> **NOTE** ***How far is it from the airport to the hotel?—Not far. It's about 10 kilometers.*** 공항에서 호텔까지 거리가 얼마나 됩니까?—멀지 않습니다. 한 10킬로미터 됩니다.
> ***So far so good.*** 지금까지는 잘 되고 있다.

—*a.* **1** 《거리·시간적으로》 **먼**, 멀리 떨어진: a ~ country 먼 나라 / the ~ future 먼 장래 / My house is rather ~ from school. 우리 집은 학교에서 조금 먼 곳에 있다. **2** 먼 길의, 먼 곳의〔으로부터의〕: a ~ traveler 멀리 여행하는 사람. **3** Ⓐ (양자 중에서) 먼 쪽의, 저쪽의: the ~ side of the room 방의 저쪽 끝 / sit at the ~ end of the table 테이블의 저쪽 끝에 앉다 / the ~ end of the line (전화의) 상대방. **4** Ⓐ (정치적으로) 극단적인: the ~ right 극우.

(*few and*) ~ *between* ⇨ FEW.

far·ad [fǽrəd, -æd] *n.* Ⓒ 〖전기〗 패럿《전기 용량의 실용 단위; 기호 F》. [◂*Fara*day]

Far·a·day [fǽrədèi, -di] *n.* **Michael ~** 패러데이《영국의 물리학자·화학자; 1791–1867》.

Fáraday càge 〖물리〗 패러데이 상자《외부 정전계(靜電界)의 영향을 차단하는》.

Fáraday effèct 〖물리〗 패러데이 효과.

◇**fár·awày** *a.* Ⓐ **1 a** (거리·시간 따위가) 먼: a ~ cousin 먼 친척. **b** (소리 따위가) 멀리서 들려오는: ~ thunder 멀리서 들려오는 천둥. **2** (얼굴 표정·눈길 따위가) 꿈꾸는 듯한(dreamy), 멍한: a ~ look 멍한 표정.

farce [fɑːrs] *n.* **1** Ⓤ (낱개는 Ⓒ) 소극(笑劇), 어릿광대극, 익살극. **2** Ⓤ 익살, 우스개. **3** Ⓒ 바보 같은 흉내내기, '연극'.

far·ci·cal [fɑ́ːrsikəl] *a.* 어릿광대극의, 익살극의; 익살맞은, 웃기는: a ~ play 소극(笑劇).
㊋ **~·ly** *ad.*

‡**fare** [fɛər] *n.* **1** Ⓒ (열차·전차·버스·배 따위의) **운임**, 요금: a single 〔a round-trip〕 ~ 편도〔왕복〕 운임 / a railway 〔taxi〕 ~ 철도 운임〔택시 요금〕 / What 〔How much〕 is the ~ to Dover? 도버까지 운임은 얼마입니까. SYN. ⇨ PRICE. **2** Ⓒ (기차·버스·택시 등의) 승객(passenger). **3** Ⓤ 음식, 요리, 식사: good ~ 성찬, 맛있는 음식 / coarse ~ 변변찮은 음식, 조식(粗食).

—*vi.* **1** 〖양태 부사와 함께〗 지내다, 살아가다: He ~s well in his new position. 그는 새로운 직책에서 잘하고 있다. **2** 〖it을 주어로; 양태 부사와 함께〗 일이 되어 가다, 진척되다: How ~s *it* with you? 어떻게 지내나; 별고 없나 / *It* ~s well with me. 잘 지냅니다; 무고합니다 / *It* has ~*d* ill with him. 그는 일이 여의치 않았다.

Fár Éast (the ~) 극동《본디 영국에서 한국·중국·일본 따위를 지칭》.

Far Éastern 극동의.

fáre stàge 《英》 (버스 등의) 동일 요금 구간(을 표시한 정류장).

‡**fare·well** [fɛ̀ərwél] *int.* **안녕!** (goodbye!)

《오랫동안 헤어질 때 씀》. ★ good-by(e)쪽이 일반적임. **—a.** [A] **결별의**, 고별〔송별〕의: a ~ address 고별사/a ~ dinner 〔party〕 송별연〔회〕/a ~ present 전별품/a ~ performance 고별 공연. **—n. 1** [U] **작별**, 고별: bid 〔say〕 ~ to ... =take one's ~ of ... …에게 작별을 고하다/We bid 〔bade〕 them ~. 우리는 그들에게 작별을 고했다. **2** [C] 고별사, 작별 인사: *A Farewell to Arms* 무기여 안녕《E. Hemingway의 소설 이름》/I made my ~*s* to them. 그들에게 작별인사를 했다.

fár·fétched [-t] *a.* 에두른, 빙 둘러서 말하는; 무리한(forced); 부자연스러운, 억지의《해석·비교·비유·변명·알리바이 등》: a ~ joke 부자연스러운 익살.

fár-flúng *a.* 널리 퍼진, 광범위한; 멀리 떨어진, 먼 곳의: the ~ mountain ranges of the West 서부의 광대한 산맥.

fár-góne *a.* [P] (병 등이) 꽤 진전〔진행〕된; 몹시 취하여; (빚을) 많이 져서; (옷·구두가) 낡아빠진; (시간이) 꽤 지난, (밤이) 이슥한: be ~ *in* debt 빚이 밀려 있다.

fa·ri·na [fəríːnə] *n.* [U] (옥수수 따위의) 곡분; 분말, 가루(powder); 《英》 (특히 감자의) 전분, 녹말(starch).

far·i·na·ceous [fæ̀rənéiʃəs] *a.* 곡분의; 전분질의.

†**farm** [fɑːrm] *n.* [C] **1 농장**, 농지, 농원([cf.] plantation): run 〔keep〕 a ~ 농장을 경영하다/work on a ~ 농장에서 일하다/a dairy ~ 낙농장. **2** 양식장, 사육장: an oyster 〔a pearl〕 ~ 굴〔진주〕 양식장/a poultry 〔chicken〕 ~ 양계장/a fish ~ 양어장. **3** =FARM TEAM.

—vt. 경작하다, 농지로 만들다(cultivate): He ~*s* 300 acres. 그는 300에이커의 토지를 경작하고 있다. **—vi.** 경작하다, 농장을 경영하다, 영농하다, 농사짓다: My uncle ~*s* in Canada. 삼촌은 캐나다에서 농장을 경영하고 있다.

~ ***out*** 《*vt.*+[副]》 ① (토지·시설 등)을 임대하다. ② (일)을 하청주다, 하도급시키다. ③ (어린아이 따위)를 돈을 내고 맡기다《***to*** …에게》. ④ 〖美야구〗 (선수)를 2군 팀에 맡기다. ⑤ (연작(連作)하여 땅)을 황폐케 하다.

†**farm·er** [fɑ́ːrmər] *n.* [C] **농부**, 농민, 농장주; 농업가(agriculturist). [cf.] peasant. ¶a landed 〔a tenant〕 ~ 자작〔소작〕농.

fárm·hànd *n.* [C] 농장 노동자, 농사 일꾼.

***farm·house** [fɑ́ːrmhàus] *n.* [C] **농가**, 농장 안의 주택.

◇**fárm·ing** *a.* 농업(용)의: ~ implements 농기구/~ land 농지. **—n.** [U] 농업, 농장 경영.

fárm·lànd *n.* [U] 경작지, 농지.

fárm·stèad, -stèading *n.* [C] 농장《부속건물 포함》.

fárm tèam 《美》 (야구 등의) 2군 팀.

◇**fárm·yàrd** *n.* [C] 농장의 구내, 농가 주변의 뜰

faro [fέərou] *n.* [U] '은행' 《카드 놀이의 일종》.

Fár·oe Íslands [fέərou-] =FAEROE ISLANDS.

far-off [fɑ́ːrɔ́(ː)f, -ɑ́f] *a.* (장소·시간이) 먼, 멀리 떨어진.

far-out [fɑ́ːráut] *a.* **1** 《英》 멀리 떨어진. **2** 《구어》 현실과는 동떨어진; 전위적인, 참신한 스타일의《재즈 따위》; 멋진, 훌륭한.

far·rag·i·nous [fərǽdʒənəs] *a.* 잡다한, 잡동사니의.

far·ra·go [fəréigou, -rɑ́ː-] (*pl.* ~(**e**)**s**) *n.* [C] 뒤범벅, 잡동사니(mixture).

fár-réaching *a.* 멀리까지 미치는《영향 등》; 원대한《계획 등》.

far·ri·er [fǽriər] *n.* [C] 《英》 편자공(工); (말의) 수의(獸醫).

far·row [fǽrou] *n.* [C] 한 배의 새끼 돼지. **—vt.** (새끼 돼지)를 낳다. **—vi.** (돼지가) 새끼를 낳다.

fár·séeing *a.* =FAR-SIGHTED.

fár-síghted [-id] *a.* **1** 《美》 먼눈이 밝은; 〖의학〗 원시의. **2** 선견지명이 있는, 분별 있는. ↔ *near-sighted*. [파] ~**·ly** *ad.* ~**·ness** *n.*

fart [fɑːrt] *n.* [C] 방귀; 등신 같은〔아무짝에도 못쓸, 지겨운〕 녀석. **— vi.** 방귀 뀌다. ~ ***around*** 〔***about***〕 《속어》 빈둥거리며 지내다.

‡**far·ther** [fɑ́ːrðər] 〘far의 비교급〙 *ad.* **1 더(욱) 멀리**, 더 앞에, 더욱 앞으로: Let's discuss it no ~. 이 이상은 논하지 말기로 하세; 의론은 이쯤 해 두지/I can go no ~. 이 이상 더는 못 간다 《비유적으로도》. **2** (보통 further) **다시 더, 더욱이**, 또 게다가, 그 위에 (더).

~ ***on*** 더 앞〔뒤〕에: He is ~ *on* than you. 그는 당신보다 앞서 있다/*Farther on*, the road narrows. 이 앞에는 도로 폭이 좁아진다.

—a. [A] **더 먼〔앞의〕**, 더 앞의: the ~ shore 대안(對岸). ★ 정식으로는 farther는 '거리'에, further는 '정도 또는 양(量)'에 쓰지만 구어에서는 어느 경우건 further를 쓰는 경향이 있음.

fárther·mòst *a.* 가장 먼(farthest).

‡**far·thest** [fɑ́ːrðist] 〘far의 최상급〙 *ad.* (거리·시간상으로) **가장 멀리(에)〔까지〕**; (정도가) 극단으로, 최대한으로. **—a.** 가장 먼.

at (***the***) ~ ① 멀어야; 늦어도《미래에 관하여》. ② 기껏해야: It's ten miles *at the* ~. 기껏해야 10마일이다.

far·thing [fɑ́ːrðiŋ] *n.* 《英》 **1** [C] 파딩《영국의 청동화(青銅貨)로 1/4 페니; 1961년 폐지》. **2** (a ~) 〘부정문〙 조금도: I do*n't* care a ~. 조금도 개의〔상관〕치 않는다/be *not* worth a (brass) ~ 한푼의 값어치도 없다.

far·thin·gale [fɑ́ːrðiŋgèil] *n.* [C] (고래 수염 등으로 만든) 속버팀《16–17세기에 스커트를 부풀리는 데 썼음》; 그것으로 부풀린 스커트.

Fár Wést (the ~) (북아메리카의) 극서부 지방 《로키 산맥에서 태평양 연안까지; 본디 Mississippi강 이서(以西)》.

FAS 〖컴퓨터〗 flexible assembling system (플렉시블 조립 시스템; 소량 다품종 생산에 적합한 융통성 있는 자동 조립 시스템).

fas·ces [fǽsiːz] *n. pl.* (*sing.* ***fas·cis*** [fǽsis]) 《L.》 〘종종 단수취급〙 〖고대로마〗 속간(束桿)《막대기 다발 사이로 도끼를 끼운 집정관의 권위 표지; 후에 이탈리아 파시스트당의 상징이 됨》.

fas·cia, fa·cia [fǽʃiə, féiʃə] (*pl.* ***-ci·ae*** [-ʃiìː]) *n.* [C] 《L.》 (보통 facia) (가게의) 간판; 《英》 (자동차의) 계기판(=∠ **bòard**).

fas·ci·cle, -cule [fǽsikəl], [-kjùːl] *n.* [C] **1** 작은 다발. **2** (몇 회에 나눠어 발행되는 서적의) 분책(分冊). **3** 〖해부〗 신경〔근육〕 섬유 다발.

***fas·ci·nate** [fǽsənèit] *vt.* **1 황홀케 하다**, 매혹시키다(charm)《★ 종종 수동태로 쓰며, 전치사는 *with*, *by*》: The music ~*d* everyone in the hall. 그 음악에 홀의 사람들은 모두 넋을 잃었다/He *was* ~*d by* 〔*with*〕 the girl's beautiful eyes. 그는 그 소녀의 아름다운 눈에 매료당했다. **2** (뱀이 개구리·작은 새 등)을 노려보아 움츠리게

F

하다.

*__fas·ci·nat·ing__ [fǽsənèitiŋ] *a.* **황홀케 하는,** 호리는, 매혹적인, 아주 재미있는〔아름다운〕: ~ jewels 참으로 아름다운 보석. ㊕ ~·**ly** *ad.*

◇**fas·ci·ná·tion** *n.* **1** Ⓤ 매혹, 황홀케 함, 홀린 상태; 매력. **2** (a ~) 매혹하는 힘; 매력 있는 것. **3** Ⓤ (뱀 따위가) 노려봄.

fas·ci·na·tor [fǽsənèitər] *n.* Ⓒ 매혹하는〔호리는〕 사람〔물건〕; 매혹적인 여자.

fas·cism [fǽʃizəm] *n.* (흔히 F-) Ⓤ 파시즘《2차 대전 전의 이탈리아 국수당의 주의; 광범한 독재적 국가주의》. cf. Nazism.

◇**fas·cist** [fǽʃist] *n.* Ⓒ **1** 파시즘 신봉자. **2** (흔히 F-) 파시스트 당원, 국수주의자, 파쇼.

FASE 〖컴퓨터〗 fundamentally analyzable simplified English (간이 영어).

‡**fash·ion** [fǽʃən] *n.* **1** (*sing.*) **하는 식〔투〕,** 방식: do a thing in one's own ~ 자기식대로 하다. SYN. ⇨METHOD. **2 a** Ⓤ (구체적으로는 Ⓒ) **유행**(vogue); 유행의 형식, 시대의 기호(嗜好): be in (the) ~ 유행되고 있다 / in the latest ~ 최신형의 / follow (the) ~ 유행을 좇다 / come into ~ 유행되다. **b** Ⓤ (옷 따위의) 패션. **3** Ⓤ (the ~) 유행을 좇는 사람, 유행물; 상류 사회 (사람들); 사교(계 사람들): He is the ~. 그는 지금 인기를 얻고 있다 / Tennis is all the ~. 테니스가 대유행이다. **4** 〘합성어로 부사적〙 …류(流)〔식으〕로: walk crab-~ 게걸음치다, 모로 움직이다 / cook Italian-~ 이탈리안식으로 요리하다.

after a ~ 어느 정도, 그럭저럭: cook *after a* ~ 그럭저럭 요리를 만들다 / My sister can play the piano *after a* ~. 여동생은 서툴게나마 피아노를 연주할 수 있다. ***after the*** ~ ***of*** …에 따라서, …식〔풍〕으로.

—*vt.* 《+목+전+명》 형성하다, 만들다《***to, into*** (제품)으로; ***out of, from*** (재료)로》: ~ fishhooks *out of* 〔*from*〕 pins =~ pins *into* fishhooks 핀으로 낚시를 만들다 / ~ an image *out of* marble 대리석으로 상(像)을 만들어 내다 / ~ a pipe *from* clay 점토로 파이프를 만들다. SYN. ⇨MAKE.

*__fash·ion·a·ble__ [fǽʃənəbəl] *a.* **1 유행의,** 유행을 따른, 당세풍의: ~ clothes 유행하는 옷 / a ~ amusement 유행하는 오락 / ~ goods 유행품 / a ~ painter 요즘의 인기 화가. **2 사교계의,** 상류의; 유행에 관심 있는 사람이 모이는〔이용하는〕: ~ society 상류 사회 / a ~ resort 상류 인사들이 모이는 곳 / a ~ tailor 일류 양재사. —*n.* Ⓒ 유행을 좇는 사람; 상류 사회의 사람.

㊕ ◇**-bly** *ad.* 최신 유행대로, 유행을 따라.

fáshion mòdel 패션 모델.

fáshion plàte (흔히 색도 인쇄로 된 큰 판의) 신형〔유행〕 복장도(圖); 늘 최신 유행의 옷을 입는 사람.

fáshion shòw 패션 쇼.

†**fast**[1] [fæst, fɑːst] *a.* **1 빠른, 고속의,** 급속한 (↔ *slow*): a ~ highway 고속도로.

SYN. **fast, rapid** 서로 바꿔 쓸 수 있으나 fast 에는 속도의 지속, rapid 에는 '재빠른, 머뭇거리지 않는' 의 어감이 있음: a *fast* train 급행열차. *rapid* progress 급속한 진전. **swift** '잽싼 속도여서 남이 붙잡을 수 없는' 의 어감을 지님: as *swift* as lightning 번개같이 빨리, 눈 깜짝할 사이에. **quick** 민첩한, 즉석의. fast 에 비하여 지속을 암시하지 않음: a *quick* reply 즉답. **speedy** fast 와 뜻이 같지만, 운동 그 자체 외에, 절차 · 처리 따위에 관해서 형용할 때가 많음: need *speedy* reinforcement 조속히 증강할 필요가 있다.

2 Ⓟ (시계가) 더 가는: My watch is 5 minutes ~. 내 시계는 5 분 빠르다.

3 재빠른, 날쌘; 빨리 끝나는, 간단히 해치울 수 있는〔해치운〕, 속성의; 단기간의; 〖야구 · 크리켓〗 (투수가) 속구파의: a ~ reader 독서를 빨리 하는 사람 / a ~ pitcher 〔bowler〕 속구 투수 / a ~ race 단거리 경주 / a ~ reading 속독 / a ~ trip 단기 여행 / ~ work 빠른 일 솜씨 / a ~ worker 일손이〔진보가〕 빠른 사람 / ⇨FAST FOOD.

4 고정된, 흔들리지 않는; 꽉 매어진〔닫힌, 잠긴〕. ↔ *loose*. ¶a stake ~ in the ground 땅 속에 단단히 때려 박은 말뚝 / take a ~ grip 꽉 쥐다 / ~ in the mud 진창에 푹 박힌 / The door is ~. 문이 잠겨 있다.

5 (색이) 바래지 않는(unfading), 오래 가는: a ~ color 불변색.

6 (우정 따위가) 변함없는(loyal, steadfast), 성실한: a ~ friend 친구 / ~ friendship 변함없는 우정.

7 〖경마〗 (주로가) 마른, 굳은.

8 (사람 또는 생활이) 쾌락〔자극〕을 좇는; (여자가) 몸가짐이 헤픈: a ~ woman / a ~ liver 난봉꾼, 방탕아 / lead a ~ life 방탕한 생활을 하다.

9 Ⓐ 〖사진〗 (필름이) 고감도의; (렌즈가) 고속 촬영(용)의.

~ ***and furious*** (게임 등이) 백열화하여; (놀이가) 한참 무르익어. ***pull a*** ~ ***one*** 《속어》 (목적 달성을 위하여) 감쪽같이 속이다.

—*ad.* **1 빨리,** 신속히: speak ~ 빨리 말하다 / Children grow up ~. 아이들은 빨리 자란다 / Light travels much ~*er* than sound. 빛은 소리보다 훨씬 빠르게 전달된다. **2** 꽉, 굳게; 꼼짝도 않고: stand ~ 꿋꿋이 서다; 고수(固守)하다 / a door ~ shut 굳게 닫혀 있는 문 / be ~ bound by the feet 양 다리가 꽉 묶여 있다 / hold ~ to a rail 난간에 매달리다 / *Fast* bind, ~ find. 《속담》 문단속을 잘 하면 잃는 법이 없다. **3** 푹, 깊이 《자다》: sleep ~ 깊이 잠들다. **4** 줄기차게, 끊이지 않고, (눈물이) 하염없이, 막: It is raining ~. 비가 줄기차게 내리고 있다.

play ~ ***and loose*** ① 태도가 확고하지 못해 믿을 수 없다; 언행이 일치하지 않다. ② 농락하다《***with*** …을》.

DIAL. ***Not so fast!*** 그리 서두르지마《좀 천천히 조심해서 하라고 할 때》.

fast[2] *vi.* 단식〔절식〕하다; (종교상) 정진(精進)하다《***on*** …으로》: ~ *on* bread and water 빵과 물만으로 정진하다 / He had ~*ed* forty days and forty nights. 예수가 40 주야를 단식하였느니라《마태복음 IV: 1-2》.

—*n.* Ⓒ 단식《특히 종교상의》; 금식; 단식일〔기간〕: go on a ~ of five days, 5일간의 단식을 시작하다. ***break*** one's ~ 단식을 그치다; 조반을 들다. cf. breakfast.

fást·bàck *n.* Ⓒ 패스트백(의 자동차)《뒷부분이 유선형으로 된》.

fást·bàll *n.* Ⓒ 〖야구〗 (변화가 없는) 속구(速球).

fást bréak 〖농구〗 속공.

fást bréeder, fást-bréeder reàctor 〖물리〗 고속 증식로《생략: FBR》.

fást dày 〖종교〗 단식일.

*__fas·ten__ [fǽsn, fɑ́ːsn] *vt.* **1** 《~+목/+목+전

+명)) 묶다, 동이다, 붙들어 매다((*to, on, onto* …에)): ~ shoelaces 신끈을 꼭 매다 / ~ a boat *to* a tree by a rope 밧줄로 배를 나무에 붙들어매다 / ~ a label *on* 〔*onto*〕 a bottle 병에 라벨을 붙이다. SYN. ⇨TIE. **2** ((~+목/+목+부)) **죄다**, 잠그다, 채우다((지퍼 · 호크 · 단추 · 클립 · 핀 따위를)), 지르다((볼트 · 빗장 따위로)) (*up; down; together*): ~ (*up*) the buttons on one's coat 코트의 단추를 채우다 / ~ a door with a bolt 문에 빗장을 지르다 / ~ *down* lifeboats on deck 구명 보트를 갑판에 꼭 붙들어 매다 / Pins are used to ~ things *together*. 물건을 고정시키는 데 핀을 사용한다 / Please ~ your seat belt. 좌석〔안전〕 벨트를 매어 주세요. **3** ((+목+전+명)) **고정하다**; (눈 · 시선)을 멈추다, (주의)를 쏟다, (희망)을 걸다((*on, upon* …에)): The child *~ed* his eyes *on* the old man's beard. 아이는 그 노인의 수염을 꼼짝 않고 바라보았다. **4** ((+목+전+명)) (별명 따위)를 붙이다; (누명 · 죄 따위)를 (들)씌우다; (비난)을 퍼붓다((*on, upon* 아무에게)): ~ a nickname 〔crime, quarrel〕 *on* a person 아무에게 별명을 붙이다〔죄를 씌우다, 싸움을 걸다〕. **5** ((+목+전+명)) 〖~ oneself〗 꽉 붙잡다, 매달리다((*to, on* …을, …에)): She *~ed herself to* 〔*on*〕 my arm. 그녀는 내 팔을 꽉 붙잡았다.

— *vi.* **1** (문 따위가) **닫히다**, (자물쇠 등이) 잠기다: This door will not ~. 이 문은 도무지 안 닫힌다. **2** (지퍼 · 단추 · 호크 따위가) 채워지다, (볼트 따위가) 죄이다. **3** ((+전+명)) 달라붙다, 매달리다; (시선이) 쏠리다, 고정되다((*on, upon* …에)): ~ *on* a person's arm 아무의 팔에 매달리다 / Her gaze *~ed on* the jewels. 그녀의 시선이 그 보석에 멈추었다. **4** ((+전+명)) 집착하다((*on, onto, upon* (생각 따위)에)): ~ *on* the idea 그 생각에 집착하다.

~ *down* ((*vt.*+부)) ① 눌러 고정시키다, 단단히 못박다, (상자 뚜껑 따위)를 단단히 붙박다(⇨*vt.* 2). ② (의미 따위)를 확정하다(fix definitely): We haven't yet *~ed down* the meaning of his statement. 우리는 아직 그가 한 말의 의미를 정확히 파악하지 못하고 있다. ③ 결심시키다((*to* …에 대하여)): He's finally *~ed down to* his work. 그는 마침내 일을 할 결심을 했다.

◇**fás·ten·er** *n.* Ⓒ 죄는 사람; 죔쇠, 잠그개((스냅 · 볼트 · 호크 · 지퍼 · 단추 등)); 서류를 철하는 기구, 파스너; 염색의 고착제(劑).

fás·ten·ing *n.* **1** Ⓤ 죔, 잠금. **2** Ⓒ 죄는〔잠그는, 채우는〕 제구((볼트 · 지퍼 · 클립 · 핀 · 단추 · 호크 · 빗장 따위)).

fást fóod ((美)) 간이〔즉석〕 식품((즉석에서 먹거나 갖고 갈 수 있는 햄버거 · 치킨 등)).

fást-fóod *a.* Ⓐ (식당 등이) 간이 음식 전문의, 즉석 요리의: a ~ restaurant 간이 식품 레스토랑.

◇**fas·tid·i·ous** [fæstídiəs, fəs-] *a.* 괴까다로운, 선호에 까다로운((*in, about* …에)): ~ *about* 〔*in*〕 one's food 〔clothes〕 음식〔옷〕에 까다로운. 파 **~·ly** *ad.* **~·ness** *n.*

fást láne (보통 the ~) (도로의) 추월차로, 고속 주행로. ***life in the ~*** 경쟁 사회, 먹느냐 먹히느냐의 사회(rat race).

fást·ness *n.* **1** Ⓤ 고정, 고착; (색의) 정착. **2** Ⓒ 요새, 성채(城砦): a mountain ~ (도적 등이 사는) 산채. **3** Ⓤ 신속, 빠름.

fást-tálk *vt.* ((美구어)) 허튼 수작으로〔유창한 말로〕 구슬리다((*into* …하도록)).

fást tráck **1** 〖철도〗 급행열차용 선로. **2** ((구어)) 출세가도(出世街道).

FAT 〖컴퓨터〗 file allocation table((MS-DOS 에서 디스크에 존재하는 파일의 정보가 저장되어 있는 섹터들을 찾아볼 수 있도록 정보를 저장하고 있는 특수 영역)).

†**fat** [fæt] (*-tt-*) *a.* **1 살찐**, 뚱뚱한, 비대한: a ~ man 뚱뚱한 남자 / get ~ 뚱뚱해지다 / Laugh and grow ~. ((속담)) 소문만복래(笑門萬福來).

SYN. **fat** 지방이 많아 '통통히 살찐'의 뜻, 사람에 대해서는 '살쪄서 맺힌 데가 없는'의 뜻이 됨. **stout** '살찌고 맺힌 데가 있는'의 뜻. **thick**는 '살찐'의 뜻이지만 신체의 일부가 '굵은'의 뜻으로 많이 쓰임.

2 지방이 많은, 기름기가 많은. ↔ *lean*². ¶ ~ soup / a ~ diet 기름기 많은 식사.

3 (도살용으로) 살찌운(fatted): a ~ ox 〔sow〕 비육우(牛)〔돈(豚)〕.

4 (손가락 따위가) 굵은, 땅딸막한(stumpy); 두꺼운; 불룩한; 〖인쇄〗 획이 굵은((활자)): a ~ sheaf of bills 두툼한 돈다발.

5 듬뿍 있는, 양이 많은: a ~ salary 고액의 봉급 / a ~ purse 〔pocketbook〕 돈이 가득 든 지갑.

6 풍부한; (땅이) 비옥한(fertile); (일 등이) 수익이 많은, 벌이가 되는(profitable): a ~ year 풍년 / a ~ job 〔office〕 수입이 좋은 일〔직무〕.

7 (어떤 물질을) 다량으로 함유한, (목재가) 진이 많은: ~ pine 송진이 많은 소나무 / ~ clay 고(高)가소성 점토.

8 얼빠진, 굼뜬, 우둔한: make a ~ mistake 얼빠진 실수를 저지르다.

(***a***) **~ *chance*** ((속어)) 많은 기회 ; 〖반어적〗 미덥지 않은 기대〔전망〕, 희박한 가망성. ***a ~ lot*** ((속어)) 많이, 두둑히; 〖반어적〗 조금도 … (하지) 않다(not at all): *A ~ lot* you know about it! 조금도 모르면서 / *A ~ lot* I care! 전혀〔조금도〕 상관없어.

> DIAL. ***Fat chance!*** (그런 일은) 없을 거야, 그럴 리 없다: Maybe she'll help you. —*Fat chance!* 아마 그녀가 도와줄 거야—그럴 리 없지.

— *n.* **1** Ⓤ (종류는 Ⓒ) **지방**, 비계, 지방질; (요리용) 기름(cf. lard): animal 〔vegetable〕 ~ 동물〔식물〕성 지방 / put on ~ 살찌다 / fry in deep ~ 기름에 푹 담가서 튀기다.

2 Ⓤ (흔히 the ~) 비곗살.

3 (the ~) 가장 좋은〔양분이 많은〕 부분: live on 〔eat〕 the ~ of the land 〖성서〗 호화로운 생활을 하다 / run to ~ 살이 너무 찌다.

4 Ⓤ 여분: cut ~ off the budget 예산에서 여분을 삭제하다.

chew the ~ ⇨CHEW.

> DIAL. ***The fat is in the fire.*** 큰 실수를 저질렀다, 큰일 나겠다(←요리 기름이 불에 들어갔다).

파 **∠·ness** *n.*

***fa·tal** [féitl] *a.* **1 치명적인**((*to* …에게, *for* …에)): a ~ wound 치명상 / a ~ disease 불치병, 죽을 병 / a ~ dose 치사량 / Lack of oxygen is ~ *to* human. 산소 부족은 인간에게는 치명적이다. SYN. ⇨DEADLY. **2** 파멸적인(destructive), 중대한, 엄청난: make a ~ mistake 중대한 실책을 범하다. **3** 운명의〔에 관한〕; 숙명적인(fateful), 피할 수 없는(inevitable): the ~ day 운명의 날.

the Fatal Sisters ⇨SISTER(관용구).
㊕ ~·ism *n*. Ⓤ 운명론, 숙명론. ~·ist *n*. Ⓒ 운명〔숙명〕론자.

fa·tal·is·tic [fèitəlístik] *a*. 숙명적인; 숙명론(자)의. ㊕ **-ti·cal·ly** *ad*.

fa·tal·i·ty [feitǽləti, fə-] *n*. **1** Ⓤ 불운, 불행(misfortune). **2** Ⓒ (보통 *pl*.) (사고 · 전쟁 따위로 인한) 죽음; 사망자: Traffic accidents cause many *fatalities*. 교통사고로 죽는 사람이 많다. **3** Ⓤ (병 따위의) 치사성, 불치: reduce the ~ *of* cancer 암에 의한 치사율을 줄이다. **4** (a ~) 숙명, 천명; 인연; 불가피성.

fatálity ràte 사망률.

◇**fá·tal·ly** *ad*. 치명적으로; 숙명적으로, 불가피하게: be ~ wounded 치명상을 입다.

fát·bàck *n*. Ⓤ 돼지의 옆구리 위쪽의 비곗살《보통 소금을 쳐서 말림》.

fát cát 《美속어》 정치 자금을 많이 바치는 부자; 유력 인사, 거물; 무기력하고 욕심이 없는 사람.

fát cíty 《美속어》 더할 나위 없는〔멋진〕 상태〔상황〕: I'm in ~. 나는 기분이 참 좋다.

⁑**fate** [feit] *n*. **1** (때로 F-) Ⓤ (절대 불가피한) **운명**, 숙명: by the irony of ~ 운명의 (짓궂은) 장난으로.
2 Ⓒ (개인 · 국가 따위의) 운명, 운(運), 비운(doom); (사물의) 결과, 결말: decide 〔fix〕 a person's ~ 아무의 운명을 결정하다 / It was his ~ 〔His ~ was〕 to live a lonely life. 그는 외롭게 살아갈 운명이었다. SYN. ⇨FORTUNE.
3 Ⓒ **죽음**, 최후; 파멸: go to one's ~ 최후를 마치다, 죽다; 파멸하다.
4 (the F-s) 〖그리스신화〗 운명을 맡은 세 여신《Clotho, Lachesis 및 Atropos》.
a ~ worse than death 아주 지독한 재난; 《우스개》 처녀 상실. **(*as*) *sure as* ~** 반드시, 틀림없이. ***meet* (*with*) *one's* ~** 최후를 마치다; 《우스개》 장차 아내가 될 여성을 만나다.
—*vt*. 운명지우다.

fat·ed [féitid] *a*. 운명이 정해진《*to* do》; 운이 다한, 저주받은: He was ~ *to* be always left behind. 그는 언제나 뒤질 운명에 있었다 / It was ~ that he should meet her there. 그는 거기에서 그녀를 만나도록 운명지워져 있었다.

fate·ful [féitfəl] *a*. 운명을 결정하는, 결정적인, 중대한; 숙명적인; 치명〔파멸〕적인; 예언적인; 불길한. ㊕ ~·**ly** *ad*.

fát·hèad *n*. Ⓒ 멍텅구리, 얼간이, 바보.
㊕ ~**ed** [-id] *a*. 어리석은(stupid).

†**fa·ther** [fáːðər] *n*. **1** Ⓒ **a 아버지**, 부친: He is now a ~. 그도 아버지가 되었다 / Like ~, like son. 《속담》 그 아비에 그 아들, 부전자전《★ 대응구에서는 관사를 쓰지 않음》. **b** (F-) 《호칭》 아버지《★ 가족끼리는 관사 없이 고유명사처럼 씀》: *Father* is out. 아버지께서는 외출중이다.
SYN. **father** 자신이나 남의 '아버지'를 정식으로 말하는 경우에 쓰임. **dad** father에 대한 아이들의 친근미 있는 말. **daddy** dad, father에 대한 애칭. **papa** 보통 유유아기(乳幼兒期)의 어린이가 아버지를 부를 때 쓰나 지금은 dad, daddy 대신에 쓰는 일이 많음.
2 Ⓒ (보통 *pl*.) **선조**, 조상(forefather).
3 Ⓒ 아버지와 같은 사람, 옹호자, 후원자, 보호자: a ~ to the poor 빈민의 아버지.
4 (the ~) 부정(父情), 부성애(父性愛): The ~ in him was aroused. 그의 부성애가 발동했다.
5 〖종교〗 **a** 신부, 대부(代父); 수도원장; 《호칭》 … 신부님: *Father* Brown 브라운 신부. **b** (흔히 F-s) 기독교 초기의 교부. **c** (F-) 하느님 아버지.
6 (*pl*.) (시읍면 의회 등의) 최연장자; 장로, 원로, 그 길의 선배: the *Fathers* of the House (of Commons) 《英》 최고참 (하원) 의원들 / the ~*s* of a city 시의 장로들(city fathers).
7 a Ⓒ **창시자**, 창립〔설립〕자, 개조(founder). **b** (the ~) …아버지; (보통 관사 없이) 근본, 근원: the ~ of one's country 건국의 아버지 / The wish is ~ to the thought. 《속담》 소망은 생각의 근원.
8 (the ~) 발안자, 발명자: the ~ of the atomic bomb 원자 폭탄의 아버지.
9 (the F-s) 《美》 =PILGRIM FATHERS; FOUNDING FATHERS.
—*vt*. **1** 《~+목/+목+전+명》 …의 아버지이다; …의 아버지가 되다; (자식)을 보다《*by* (여자)에게서》: He ~*ed* three children. 그는 세 아이의 아버지가 되었다 / He ~*ed* two sons *by* two women. 그는 두 여인에게서 두 아들의 아버지가 되었다. **2** …의 작자〔발명가〕이다; …을 창시하다: He ~*ed* many inventions. 그는 많은 발명을 했다. **3** …에게 아버지로서 행세하다; (자식)을 인지(認知)하다. **4** (책임)을 지우다《***on, upon*** …에게》: The responsibility for it was ~*ed on* me. 그 책임은 내가 지게 되었다. **5** 《+목+전+명》 …의 아버지〔작자, 책임자〕임을 인정하다《***on, upon*** …에게》: ~ a child 〔a book, a fault〕 *on* a person 아무를 아이의 아버지〔책의 저자, 과실의 책임자〕로 판정하다.
㊕ ~·**lìke** *a*. 아버지 같은〔다운〕.

Fáther Chrístmas 《英》 =SANTA CLAUS.

fáther fìgure 아버지 대신이 될 만한 사람, 신뢰할 만한 지도자.

fáther·hòod *n*. Ⓤ 아버지임; 아버지의 자격, 부권.

fáther ìmage 이상적인 아버지 상(像); =FATHER FIGURE.

◇**fáther-in-làw** (*pl*. **-s-in-làw**) *n*. Ⓒ 장인, 시아버지.

fáther·lànd *n*. Ⓒ 조국; 조상의 땅.

fá·ther·less *a*. 아버지가 없는, 아버지를 알 수 없는: a ~ child 아버지를 잃은 아이; 아버지를 알 수 없는 사생아.

◇**fá·ther·ly** *a*. 아버지의〔같은, 다운〕. cf. paternal. **—***ad*. 아버지같이〔답게〕. ㊕ **-li·ness** *n*.

Fáther's Dày 《美》 아버지날《6월의 제3 일요일》. cf. Mother's Day.

Fáther Tíme 〖의인적〗 때, 시간.

◇**fath·om** [fǽðəm] (*pl*. ~**s**, 〖집합적〗 ~) *n*. Ⓒ 길《1m 83cm, 6피트; 생략: f., fm., fath.》.
—*vt*. **1** …의 깊이를 재다(sound)《측심연 따위로》. **2** 〖보통 부정문〗 (심중)을 헤아리다, 떠보다, 통찰하다: I can*not* ~ what you mean. 무슨 말씀을 하시는지 모르겠습니다. ㊕ ~·**a·ble** *a*. 잴〔추측할〕 수 있는.

fáth·om·less *a*. (바닥을) 헤아릴 수 없는; 불가해한, 알 수 없는.

***fa·tigue** [fətíːg] *n*. **1** Ⓤ **피로**, 피곤. **2** Ⓤ 〖기계〗 (금속 재료의) 피로, 약화. **3** Ⓒ 〖군사〗 잡역(=∠ **dùty**); 작업반(=∠ **pàrty**); (보통 *pl*.) 작업복(=∠ **clòthes**): on ~ 잡역 중《★ 관사 없이》/ a ~ cap 작업모 / dressed in ~*s* 작업복을 입고.
—(*p*., *pp*. ~**d; *fatigu·ing***) *vt*. 지치게〔피로케〕 하다; 약화시키다《★ 종종 수동태로 쓰며, 전치사는 *with*》: I *was* ~*d with* my work 〔*with* sit-

ting up all night). 일로〔철야하여〕 지쳤다.

fa·tígu·ing *a.* 지치게 하는; 고된: ~ work 고된 일.

fát·less *a.* 지방이 없는; (고기가) 살코기인.

fat·ling [fǽtliŋ] *n.* Ⓒ 비육 가축《육용으로 살찌운 송아지·새끼 양·새끼 돼지 따위》.

fát líp (얻어맞아) 부어오른 입술.

fát·ted [-id] *a.* 살찌운.

fat·ten [fǽtn] *vt.* (도살하기 위하여) 살찌우다 (*up*); (땅)을 기름지게 하다. **—***vi.* 살찌다《*on* …으로》; 비옥해지다.

fat·tish [fǽtiʃ] *a.* 약간 살이 찐, 좀 뚱뚱한.

fat·ty [fǽti] (**-ti·er; ti·est**) *a.* 지방질의; 지방이 많은, 기름진; 지방 과다(증)의: ~ tissue 지방 조직. **—***n.* Ⓒ 《구어》 뚱뚱이, 뚱뚱보.

fátty ácid 〖화학〗 지방산.

fa·tu·i·ty [fətjúːəti] *n.* **1** Ⓤ 어리석음, 우둔. **2** Ⓒ 어리석은 말〔행위〕.

fat·u·ous [fǽtʃuəs] *a.* 얼빠진, 어리석은; 실체가 없는, 환영(幻影)의(illusory): a ~ fire 도깨비불. ㊍ **~·ly** *ad.*

°**fau·cet** [fɔ́ːsit] *n.* Ⓒ 《美》 (수도·통 따위의) 주둥이, 고동(《英》 tap): turn on 〔off〕 a ~ 고동을 틀다〔잠그다〕.

faugh [fɔː] *int.* 피이, 체, 흥《혐오·경멸 따위를 나타냄》.

Faulk·ner [fɔ́ːknər] *n.* **William** ~ 포크너《미국의 소설가; Nobel 문학상 수상(1949); 1897–1962》.

⁑**fault** [fɔːlt] *n.* **1** Ⓒ **과실**, 잘못(mistake), 허물, 실책《*in, of* …의》: commit a ~ 과실을 범하다 / ~*s of* 〔*in*〕 grammar 문법상의 오류.
2 Ⓒ (성격상의) **결점**, 결함, 단점, 흠(defect)《*in* …의》: People like her in spite of her ~*s*. 결점이 있음에도 사람들은 그녀를 좋아한다 / There's a ~ *in* the casting. 그 주물(鑄物)에 결함이 있다.
3 Ⓤ (보통 one's ~, the ~) (과실의) **책임**, 죄(과)(culpability): It's my ~. =The ~ is mine. 그것은 내 탓〔죄〕이다; 내가 나쁘다.
4 Ⓒ 〖전기〗 누전(leakage), 고장; 〖컴퓨터〗 장애; 〖지질〗 단층: a ~ current 누전.
5 Ⓒ 〖구기〗 폴트《서브의 실패〔무효〕》.
6 Ⓤ 〖사냥〗 (사냥개가) 냄새 자취를 놓침.
***at* ~** ① 잘못하여; 죄〔책임〕 있는; 당황하여, 어찌할 바를 몰라(puzzled): I admit I was *at* ~. 나에게 잘못이 있음을 인정한다. ② (사냥개가) 냄새 자취를 놓쳐. ***find* ~ (*with*)** (…의) 흠〔탈〕을 잡다; (…을) 비난〔탓〕하다, 나무라다: She is constantly *finding* ~ *with* her husband. 그녀는 끊임없이 남편의 흠만 잡고 있다. ***to a* ~** 결점이라 해도 좋을 만큼; 극단으로, 너무나: He is kind 〔generous, austere〕 *to a* ~. 그는 너무나 도 친절〔관대, 엄격〕하다.
—*vt.* **1** 〖지질〗 …에 단층을 일으키다. **2** …의 흠을 잡다; …을 비난하다(blame). **—***vi.* 〖지질〗 단층이 생기다.

fáult·finder *n.* Ⓒ **1** 까다로운 사람, 흠잡는〔탓하는〕 사람. **2** 〖전기〗 (회로 따위의) 장애점 발견 장치.

fáult·finding *n.* Ⓤ 흠〔탈〕잡기, 헐뜯음. **—***a.* 헐뜯는, 흠잡는; 까다로운.

°**fáult·less** *a.* **1** 결점〔과실〕 없는; 흠(잡을 데) 없는, 완전무결한. **2** (테니스 등에서) 폴트가 없는. ㊍ **~·ly** *ad.* **~·ness** *n.*

fáult lìne 〖지질〗 단층선.

fáult tòlerance 〖컴퓨터〗 고장 방지능력《일부 회로가 고장나도 시스템 전체에는 영향을 주지 않도록 하는》.

fáult-tólerant *a.* 〖컴퓨터〗 고장 방지의.

faulty [fɔ́ːlti] (***fault·i·er; -i·est***) *a.* 과실 있는, 불완전한, (기계 장치 따위가) 결점〔결함〕이 많은; 그릇〔잘못〕된, 비난할 만한: ~ reasoning 그릇〔잘못〕된 추론(推論). ㊍ **fáult·i·ly** *ad.* 불완전하게, 잘못하여.

faun [fɔːn] *n.* Ⓒ 〖로마신화〗 목신(牧神)《반은 사람, 반은 양의 모습을 한 신으로 음탕한 성질을 지님》. ㊌ satyr.

fau·na [fɔ́ːnə] (*pl.* **~s, -nae** [-niː]) *n.* **1** Ⓤ (낱개는 Ⓒ) 〖집합적〗 (일정한 지방 또는 시대의) 동물군〔상(相)〕, 동물 구계(區系): the ~ *of* North America 북아메리카의 동물상. **2** Ⓒ (한 지방·시대의) 동물지(誌). ㊌ flora.

Faust [faust] *n.* 파우스트《⑴ 전지 전능을 바라며 혼을 악마(Mephistopheles)에게 판 독일 전설상의 인물. ⑵ Goethe의 대표적 희곡》: ~ legend 파우스트 전설.

Fau·vism [fóuvizəm] *n.* Ⓤ 〖미술〗 야수파(野獸派).

Fáu·vist [-vist] *n.* Ⓒ 야수파 화가. **—***a.* 야수파(화가)의.

faux pas [fóupáː] (*pl.* ~ [-z]) 《F.》 Ⓒ (특히 사교상의) 실수, 과실, 실책; 방탕《특히 여자의》: commit a ~ 과실을 범하다.

⁑**fa·vor,** 《英》 **-vour** [féivər] *n.* **1** Ⓤ **호의**, 친절(good will): treat a person with ~ 아무를 호의적으로 대하다.
2 Ⓒ 친절한 행위; 부탁: ask a ~ of a person 아무에게 부탁하다 / I have a ~ to ask (of) you. 부탁드릴 게 있습니다만.
3 Ⓤ **총애**, 애고(愛顧), 특별한 사랑〔돌봄〕: in ~ with a person 아무의 마음에 들어 / out of ~ with a person 아무의 총애를 잃어 / be 〔stand〕 high in a person's ~ 아무의 마음에 쏙 들다 / lose ~ in a person's eyes =lose ~ with a person 아무의 총애를 잃다, 아무의 눈 밖에 나다 / He lost the queen's ~. 그는 여왕의 총애를 잃었다.
4 Ⓤ 지지(support), 찬성; 편애, 역성: All those in ~ raised their hands. 찬성하는 사람들은 모두 손을 드세요.
5 Ⓒ 《美》 선물, 기념품; (파티에서 나누어 주는) 물품《폭죽, 종이 모자 따위》.
6 Ⓒ 《英》 (모임·클럽 따위의) 회원 표지《배지·리본 따위》.
7 Ⓒ (보통 one's ~s) 여자가 몸을 허락하는: bestow her ~*s* on her lover (여자가) 애인에게 몸을 허락하다.
do a person ***a* ~** =***do a* ~ *for*** a person 아무에게 은혜를 베풀다, 힘〔애〕쓰다; 아무의 부탁을 들어주다: Do me *a* ~. 부탁합니다. ***Do me*** 〔***us***〕 **~!** 《속어》 사람을 그렇게 속이는 게 아냐, 바보같은 소리 작작 해라. ***in* ~ *of*** ① …에 찬성〔지지〕하여, …에 편을 들어(↔ *against*): I am *in* ~ *of* your proposal. 당신 제안에 찬성이요. ② …의 이익이 되도록, …을 위해: The court found *in* ~ *of* the accused. 법정은 피고에게 유리한 판결을 내렸다. ③ …에게 지급하는《수표 따위》: write a check *in* ~ *of* Mr. Brown 브라운씨 수취의 수표를 쓰다. ***in*** a person***'s* ~** ① 아무의 마음에 들어, 아무에게 호감을 주어. ② 아무에게 유리(有利)하게: The present situation is strongly *in* our ~. 상황은 우리에게 매우 유리하다.

DIAL. ***May I ask a favor of you?*** 부탁좀 드려도 될까요.
Will you do me a favor?—Anything you ask. 부탁이 있는데요—뭐든지 말해 보세요.

—*vt.* **1** …에게 **호의를 보이다**, …에게 친절히 하다: Fortune ~*s* the brave. 《속담》 용감한 자는 행운의 혜택을 받는다.
2 …에 찬성하다, 지지하다: ~ a proposal 제안에 찬성하다.
3 (날씨·사정 등이) …에게 유리하게 되어 나가다〔유리하다〕; …을 촉진하다: The market ~*s* the buyers. 시황(市況)은 구매자에게 유리하다.
4 《+목+전+명》 …에게 **은혜를 베풀다**, 영광을 주다《***with*** …의》: ~ a person *with* a smile 아무에게 미소짓다/~ a person *with* an interview 아무에게 면회를 허락하다.
5 편애하다, 두둔하다: ~ one's eldest daughter 맏딸만을 편애하다/Which color do you ~? 어느 색이 마음에 드십니까.
6 (사람·몸)을 소중히 하다, 혹사하지 않고 아끼다: ~ a lame leg 부자유한 다리를 소중히 다루다.
7 《구어》 (혈족 등)을 닮다(look like): The child ~*s* its mother. 그 아이는 엄마를 닮았다.

⁑fa·vor·a·ble [féivərəbəl] *a.* **1 호의를 보이는**, 찬성하는《***to*** (계획·제안 따위)에》: a ~ answer 호의적인 대답/a ~ comment 호평/He's ~ *to* the scheme. 그는 그 계획에 찬성이다. **2 유리한**, 형편이 좋은(advantageous); 알맞은(suitable)《***to, for*** …에》: a ~ opportunity 호기(好機)/a ~ wind 순풍/soil ~ *to* roses 장미에 맞는 땅/The weather seemed ~ *for* a picnic. 날씨는 피크닉 가기에 꼭 알맞았다.

°fá·vor·a·bly *ad.* **1** 유리하게, 순조롭게. **2** 호의적으로: be ~ impressed by a person 아무에게서 좋은 인상을 받다.

fá·vored *a.* **1** 호의를〔호감을〕 사고 있는; 편벽된 사랑을〔지지를〕 받는: a ~ star 인기 스타. **2** 혜택을 받은; 특전이 부여된, 특혜의: the ~ few 혜택받은 몇몇 사람/the most ~ nation (treatment) 최혜국(대우). **3** 〖합성어로〗 얼굴이 …한: well-~ 얼굴이 잘생긴/ill-~ 못생긴.

⁑fa·vor·ite [féivərit] *n.* **1** Ⓒ **마음에 드는 것**〔사람〕《***with*** …의》; 인기인, 총아: a fortune's ~ 행운아/Helen is a ~ *with* the teacher. = Helen is one of the teacher's ~*s*. 헬렌은 선생님이 가장 마음에 들어하는 사람이다/He was a ~ *with* the ladies. 그는 여인들에게 인기가 있었다. **2** Ⓒ 좋아하는 것〔물건〕. **3** (the ~) 인기〔우승 예상〕 말; (경기의) 인기 선수《우승 후보》.
—*a.* Ⓐ **마음에 드는**, 특히 좋아하는: one's ~ restaurant 단골 식당/a ~ child 애지중지하는 아이/a ~ girl 인기 아가씨/one's ~ song 가장 잘하는 노래/one's ~ book 애독서.

fávorite són 《美》 인기 후보자《당의 대통령 후보 지명 대회에서 자기 주 출신 대의원의 지지를 받는》; 지방〔주〕의 명사.

fá·vor·it·ìsm *n.* Ⓤ 치우친 사랑, 편애, 정실.

fawn[1] [fɔːn] *n.* Ⓒ 새끼 사슴《한 살 이하의》; Ⓤ 엷은 황갈색(= ∠ **brówn**). **—***a.* 엷은 황갈색의.

fawn[2] *vi.* **1** (개가 꼬리를 치며) 해롱거리다《***on, upon*** …에게》: The dog ~*ed on* 〔*upon*〕 him. 그 개는 그에게 재롱을 부렸다. **2** 아양부리다, 아첨하다《***on, upon*** …에게》: ~ *on* one's superiors 상사에게 아첨하다.

fáwn·ing *a.* 해롱거리는; 아양부리는, 아첨하는. ㉥ **~·ly** *ad.*

fax [fæks] *n.* Ⓤ (낱개는 Ⓒ) 〖통신〗 팩시밀리(facsimile), 전송 사진. **—***vt.* 〖통신〗 (서류·사진 등)을 팩시밀리로 보내다.

fáx módem 〖컴퓨터〗 팩스모뎀《컴퓨터로 팩스의 송수신을 할 수 있도록 하는 장치》.

fay [fei] *n.* Ⓒ 《시어》 요정(fairy).

faze [feiz] *vt.* 《구어》〖보통 부정문〗 …의 마음을 혼란시키다(disturb), …을 괴롭히다(worry), 당황케 하다(disconcert): *Nothing* they said ~*d* him. 그들이 무슨 말을 하든 그는 태연했다.

FBA, F.B.A. Fellow of the British Academy (영국 학술원 회원). **FBI, F.B.I.** 《美》 Federal Bureau of Investigation (연방(범죄) 수사국).

F clèf 〖음악〗 바음 기호《저음부(bass)기호》.

FDA, F.D.A. 《美》 Food and Drug Administration (식품 의약품국). **FDD** 〖컴퓨터〗 floppy disk drive《플로피 디스크에서 정보를 읽거나 또는 플로피 디스크에 정보를 저장할 수 있도록 구동시키는 장치》. **FDDI** 〖컴퓨터〗 Fiber Distributed Data Interface《광케이블을 사용한 컴퓨터 네트워크의 규격》. **FDX** 〖통신〗 full duplex. **Fe** 〖화학〗 *ferrum* 《L.》 (=iron).

fe·al·ty [fíːəlti] *n.* Ⓤ **1** 〖역사〗 (옛날 신하가 영주에 맹세하는) 충성의 의무; 충절《***to*** …에 대한》: swear ~ *to* =take an oath of ~ *to* …에 충성을 맹세하다. **2** 충실, 성실, 신의.

⁑fear [fiər] *n.* **1** Ⓤ (또는 a ~) **두려움**, 무서움, 공포: with ~ 두려워하며/feel no ~ 무서움을 모르다, 눈 하나 까딱 않다/scream out in ~ 무서워서 비명을 지르다/He has a ~ of dogs. 그는 개를 무서워한다.

SYN. **fear** 가장 일반적인 말로서 다음 말들에 비해서 지속되는 경우가 많으며, 비겁 또는 그 반대 행동의 원인이 되는 수가 있음: the human *fear* of death 인간의 죽음에 대한 공포. *Fear* often makes you insolent. 자신이 없으므로 해서 도리어 거만해지기 쉽다. **dread** 특정한 인물·사물에 접근할 때의 극도의 두려움 등에 씀: have a *dread* of water 물을 무척 무서워하다. **fright** 일시적인, 갑작스러운 공포. fear, dread에 비해 '자기의 약함'은 암시되지 않음: a face to inspire *fright* 사람을 두렵게 하는 얼굴. **alarm** 몸에 닥쳐오는 위험을 느낀 갑작스런 불안.

2 Ⓤ (또는 a ~; 때로 *pl.*) **근심**, 걱정, 불안(anxiety)《***of, for*** …에 대한/***that***》: There is not the slightest ~ *of* rain today. 오늘 비 올 염려는 조금도 없다/be full of ~*s* and hopes 불안과 희망으로 가득 차 있다/have ~*s for* a person 아무의 안부를 염려하다/I have no ~ *that* she will die. 그녀가 죽을 거라고 걱정하지 않는다.
3 Ⓒ (보통 a ~) 걱정거리: Cancer is a common ~. 암은 누구에게나 걱정거리이다.
4 Ⓤ (신에 대한) 두려움, 외포(畏怖), 외경(畏敬)의 마음(awe): the ~ of God 경건한 마음.
for ~ of ① …을 두려워하여: The child could not enter *for ~ of* the large dog. 아이는 그 큰 개가 무서워서 들어갈 수 없었다. ② …을 하지 않도록, …이 없도록: *for ~ of* (mak*ing*) mistakes 실수할까봐 두려워. ***for ~ that*** 〔《문어》 ***lest***〕 … 하지 않도록, …할까 두려워: I did not tell it to her *for ~ that* she would be upset. 그녀가 충격을 받지 않도록 그것을 그녀에게 말하지 않았다. ***Have no ~!*** 괜찮다, 걱정없다. ***in ~ and***

trembling 무서워 떨면서. ***in ~ of*** ① …을 두려워하여: stand *in ~ of* dismissal 해고당할 것을 걱정하다. ② …을 잃을 것을 두려워하여, …을 걱정〔염려〕해: be *in ~ of* one's life 생명을 잃을까봐 두려워하다. ***put the ~ of God into*** 〔***in, up***〕 a person 아무를 몹시 겁주다〔위협하다〕. ***without ~ or favor*** 공평하게, 엄밀히.

> DIAL. ***No fear!*** 천만에《무엇을 절대 하지 않겠다고 할 때》: Are you going to Tom's party tonight?—*No fear!* 오늘 저녁에 톰의 파티에 갈 거냐—천만에 (가지 않아).

—*vt.* **1** 《~+목/+*to* do/+-*ing*》 **두려워하다,** 무서워하다: ~ the unknown 미지의 것을 두려워하다/Man *~s to* die. 사람은 죽는 것을 두려워한다/I ~ do*ing* it. 나는 그것을 하기가 두렵다. **2** 《+(*that*) 절》 **근심〔걱정〕하다,** 염려하다: I ~ (*that*) he will not come. 그가 오지 않을까 걱정이다/You need not ~ but *that* he will get well. 그가 좋아질 것에 대해서는 걱정할 것 없다/It's too late, *I ~*. 너무 늦은 것 아니야(★ I fear는 주문(主文)에 병렬적 또는 삽입적으로 쓰임)/Will he fall the exam?—I ~ *so*. 그가 시험에 합격할까—떨어질 것 같아/Will he pass the exam?—I ~ *not*. 그가 시험에 합격할까—안될 것 같아(★ so나 not은 앞 문장을 받는 that절 대용).
3 《+*to* do》 망설이다, 머뭇거리다: I ~ *to* speak in his presence. 그분 앞에서는 주눅이 들어 말하기가 두렵다.
4 a 《+목+(*to be*) 보/+목 +*to* do》 (두렵게) 생각하다: They are *~ed* (*to be*) dead. 그들은 죽은 것 같다/The explosion is *~ed to* have killed all the men. 그 폭발로 전원이 사망한 것으로 여겨진다. **b** 〖I ~로 병렬적 또는 삽입적으로 써서〗 …라고 생각하다: You're ill, I ~. 넌 아무래도 병이 난 것 같다.
5 어려워〔경외〕하다: *Fear* God. 신을 경외하라.
—*vi.* 《~/+전+명》 걱정하다, 염려하다《***for*** …을》: I *~ed for* your safety. 나는 당신의 안전을 걱정하고 있었다.

fear·ful** [fíərfəl] *a.* **1 무서운,** 무시무시한(terrible): a ~ railroad accident 무서운 철도사고. **2 무서워하는,** 두려워하는, 걱정하는(afraid)《of*** …을/***that*** 〔《문어》 ***lest***〕》: I am ~ *of* failure. 실패할까봐 두렵다/She was ~ *that* in the end the prize should escape her. 그녀는 막판에 상을 놓칠까봐 걱정했다. **3** (나쁜 뜻으로) 대단한, 지독한, 굉장한: a ~ waste 지독한 낭비/What a ~ mess! 되게 어질러〔흩뜨려〕 놓았군. ㊔ **~·ness** *n.*

◇**féar·ful·ly** *ad.* **1** 무섭게; 벌벌 떨며. **2** 몹시, 지독히: It's ~ cold. 무척 춥다.

fear·less** [fíərlis] *a.* **두려움을 모르는,** 대담무쌍한; 두려워하지 않는《of*** …을》: He's ~ *of* danger. 그는 위험을 두려워하지 않는다. ㊔ **~·ly** *ad.*, **~·ness** *n.*

fear·some [fíərsəm] *a.* (얼굴 등이) 무서운, 무시무시한(terrible).

fèa·si·bíl·i·ty *n.* Ⓤ 실행할 수 있음, 가능성.

◇**fea·si·ble** [fíːzəbəl] *a.* **1** 실행할 수 있는, 가능한; 그럴 듯한, 있을 법한(likely): a ~ scheme 실행 가능한 계획/a ~ excuse 그럴듯한 구실/It's ~ that it will snow. 눈이 내릴 것 같다. SYN. ⇨POSSIBLE. **2** 적합한, 편리한《***for*** …에》: a bay ~ *for* yachting 요트 타기에 적합한 만(灣). ㊔ **-bly** *ad.* 실행할 수 있도록, 잘; 그럴듯하게.

***feast** [fiːst] *n.* Ⓒ **1 축제**(일)《주로 종교상의》: a movable ~ 이동 축제일《Easter 따위》/an immovable ~ 고정 축제일《Christmas 따위》. **2 축연**(祝宴), 잔치, 향연(banquet): a wedding ~ 결혼 축연/give 〔make〕 a ~ 잔치를 베풀다.
SYN. **feast**는 원래 기독교와 관계 있는 축연을 뜻하였으나 지금은 진수성찬을 차리는 '축연'을 뜻하는 일반적인 뜻의 '축연'. **fete**는 특히 문밖에서 행하는 화려한 축연. **festival**은 환락하는 것이 특색인 축연으로서 반드시 성찬을 안 차려도 좋음. **banquet**는 성찬을 풍부히 제공하는 호화롭고 사치한 연회(feast).
3 대접; 진수성찬. **4** 즐겁게 하는 것《***for*** (이목)을》: a ~ *for* the eyes 눈을 즐겁게 해 주는 것, 눈요기.
—*vt.* **1** 《~+목/+목+전+명》 …을 위해 축연을 베풀다(regale); …에게 대접하다《***on, upon*** …을》: ~ one's guests 손님을 대접하다/~ a person *on* duck 아무를 오리 요리로 대접하다. **2** 《+목+전+명》 (눈·귀)를 기쁘게〔즐겁게〕 하다(delight)《***on, with*** …으로》: ~ one's eyes *on* a landscape 경치를 보며 즐기다/~ one's ears *with* music 〔Bach〕 음악을〔바흐를〕 들으며 즐기다. —*vi.* 《+전+명》 **1** 실컷 먹다《***on, upon*** …을》: We *~ed* for weeks *on* the deer that I shot. 우리는 내가 잡은 사슴으로 몇 주 동안 포식했다. **2** 마음껏 즐기다《***on, upon*** …을》: ~ *on* a novel 소설을 읽고 즐기다.

féast dày 축제일, 연회날.

***feat** [fiːt] *n.* Ⓒ **1 위업**(偉業); 공(적), 공훈(exploit): a ~ of arms 무훈. **2** 묘기, 재주, 곡예, 기술(奇術): *~s* of horsemanship 곡마(曲馬).

†**feath·er** [féðər] *n.* **1** Ⓒ **깃털,** 깃(plume, plumage). **2** Ⓒ (모자 따위의) 깃(털)장식; (*pl.*) 《고어》 의상(attire): Fine *~s* make fine birds. 《속담》 옷이 날개라. **3** Ⓤ 건강 상태, 기분, 원기: in fine 〔good, high〕 ~ 기분이 썩 좋아, 의기양양하여. **4** Ⓒ 살깃. **5** Ⓒ 깃 비슷한 것; 깃털처럼 가벼운 것; 아주 시시한〔하찮은〕 것(trifle): I don't care a ~. 조금도 개의치 않는다. **6** Ⓒ (보석·유리의) 깃털 모양의 흠집. **7** Ⓒ 종류(kind); 같은 깃털 빛: I'm not of that ~. 나는 그런 부류의 인간이 아니다/Birds of a ~ flock together. ⇨BIRD.
a ~ in one***'s cap*** 〔***hat***〕 자랑(거리), 명예, 공적. (***as***) ***light as a ~*** 아주 가벼운. ***make the ~s fly*** ⇨FLY. ***ruffle*** a person***'s ~s*** 아무를 괴롭히다, 귀찮게 하다. ***You could*** 〔***might***〕 ***have knocked me down with a ~.*** 깜짝 놀라 자빠질 뻔했다.
—*vt.* **1** 《~+목/+목+전+명》 …에 깃털을 달다, 깃으로 장식하다, (화살)에 살깃을 달다《***with*** …의》. **2** (노깃)을 수평으로 젓다《공기 저항을 덜 받게》. —*vi.* **1** (새끼 새가) 깃털이 나다, 깃털이 자라다. **2** (보트의) 노깃을 수평으로 젓다. ***~ one's nest*** ⇨NEST.

féather béd 깃털 침대〔요〕.

féather·bèd (**-dd-**) *vt.* (실업 방지책으로서) …에 과잉 고용을 적용하다; (산업·경제 등)을 정부 보조금으로 원조하다; 응석을 받아 주다. ㊔ **~·ding** *n.* Ⓤ 과잉 고용 요구.

féather·bràin *n.* Ⓒ 덤벙이, 바보.

féath·ered *a.* **1** 깃이 있는; 깃을 단; 깃털로 장식된; 깃 모양을 한. **2** 〖보통 합성어로〗 …의 깃이 있는: white-~ 흰 깃털의.

féather·èdge [-rèdʒ] *n.* Ⓒ 〖건축〗 얇게 후린

F

끝, 후림 끝. —*vt.* (판자의) 가장자리를 얇게 깎다〔후리다〕.

féather·less *a.* 깃털이 없는.

féather·stitch *n.* Ⓤ, *vt.* 갈짓자 수놓기〔수를 놓다〕, 갈짓자 수(로 꾸미다).

féather·wèight *n.* **1** (a ~) 매우 가벼운 사람〔물건〕; 하찮은 사람〔물건〕. **2** Ⓒ 〖경마〗 최경량 기수; 〖권투·레슬링〗 페더급 선수. —*a.* Ⓐ **1** 매우 가벼운; 하찮은. **2** 〖권투〗 페더급의.

feath·ery [féðəri] *a.* 깃이 난; 깃으로 덮인; 깃털 같은《눈송이 따위》; 가벼운; 천박한.

***fea·ture** [fíːtʃər] *n.* Ⓒ **1** 〔보통 수식어를 수반하여〕 (이목구비 따위) **얼굴의 생김새**; (*pl.*) 용모, 얼굴: Her eyes are her best ~. 그녀는 눈이 가장 예쁘다 / a man of fine ~*s* 잘생긴 남자.

2 특징, 특색; 두드러진 점: a significant ~ *of* our time 우리 시대의 두드러진 특징 / the geographical ~*s of* a district 어느 지방의 지리적 특징.

3 (신문·잡지 따위의) 특집기사; 특집란《뉴스 이외의 특별한 읽을거리·만화 따위》; (TV·라디오의) 특별 프로그램(=∠ **prógram**); (영화·쇼 등의) 인기물, 볼만한 것; 〖컴퓨터〗 기능, 특징.

—*vt.* **1** 특색짓다; …의 특징을 이루다: a festival ~*d* by a big parade 큰 행렬로 인기를 끄는 축제. **2** …의 특색을 묘사하다. **3** 두드러지게 하다, 인기물로 하다; (사건 등)을 대서특필하다, 크게 다루다: a newspaper *featuring* the accident 그 사고를 크게 다룬 신문. **4** 〖영화〗 주연시키다; …의 역을 하다: a film *featuring* a new actress 신인 여배우를 주연으로 한 영화.

—*vi.* 《+전+명》 중요한 역할을 하다; (영화에) 주연하다《*in* …에서》: He didn't ~ *in* that movie. 그는 저 영화에서 주연을 하지 않았다.

(-)féa·tured *a.* 특색으로 하는, 인기를 끄는; 〔합성어〕 얼굴(모양)이 …한: a ~ article 특집 기사 / pleasant-~ 호감이 가는 얼굴의 / broad-~ 얼굴이 넓적한.

féature film 〔**pìcture**〕 장편 특선 영화.

féa·ture·less *a.* 특색 없는, 평범한; 〖경제〗 가격 변동이 없는.

féature stóry (신문·잡지 따위의) 인기 기사; (감동적 또는 유머러스한) 특집 기사.

Feb. February.

feb·ri·fuge [fébrəfjùːdʒ] *n.* Ⓒ 해열제. —*a.* 해열(성)의.

fe·brile [fíːbrəl, féb-/fíːbrail] *a.* 열병(성)의; 열로 생기는; 열광적인.

†**Feb·ru·ary** [fébruèri, fébrju-/fébruəri] *n.* 2월《생략: Feb.》.

fe·cal, fae- [fíːkəl] *a.* 배설물의, 대변의; 찌꺼기(dregs)의.

fe·ces [fíːsiːz] *n. pl.* 대변, 배설물.

feck·less [féklis] *a.* (사람이) 무기력한, 연약한; 쓸모없는; 사려 없는; 무책임한. ㊞ **~·ly** *ad.* **~·ness** *n.*

fe·cund [fíːkənd, fék-] *a.* 다산의(prolific); (땅이) 비옥한, 기름진(fertile); 상상력〔창조력〕이 풍부한; 풍성한.

fe·cun·date [fíːkəndèit, fék-] *vt.* 다산하게 하다, (땅)을 비옥〔풍요〕하게 하다; 〖생물〗 수태〔수정〕시키다(impregnate).

fe·cun·di·ty [fiːkʌ́ndəti] *n.* Ⓤ 다산; 풍요, 비옥; 생식〔생산〕력; (상상력이) 풍부함: ~ of fancy 풍부한 상상력.

Fed [fed] *n.* **1** (the ~) 《美구어》 연방 준비 제도(Federal Reserve System). **2** Ⓒ 《美속어》 연방 수사국(FBI)의 수사관; 경찰 직원.

fed [fed] FEED의 과거·과거분사. —*a.* (가축이 시장용으로) 비육된: ~ pigs 비육돈(豚).

‡**fed·er·al** [fédərəl] *a.* **1** (국가간의) **동맹의,** 연합의; 연방(정부)의, 연방제의: a ~ state 연방 / a ~ government 연방정부. **2** (보통 F-) 《美》 연방(정부)의, 합중국의: the *Federal* City 워싱턴시(市)《속칭》/ the *Federal* Constitution 미국 헌법 / the *Federal* Government 연방〔중앙〕정부 《각 주의 state government에 대한》/ the *Federal* Aviation Administration 미국 연방 항공국《생략: FAA》/ the *Federal* Bureau of Investigation 연방 수사국《생략: FBI, F.B.I.》/ the *Federal* Law 연방법. **3** (F-) 〖美역사〗 (남북 전쟁 시대의) 북부 연방주의자의, 연방당의(cf. Confederate): the *Federal* army 북군.

—*n.* **1** Ⓒ 연방주의자(federalist). **2** (F-) 〖美역사〗 북부 연방 지지자; 북군병(兵)(↔ *Confederate*). ◇ federalize *v.*, federalization *n.*

féd·er·al·ìsm *n.* Ⓤ **1** 연방주의〔제도〕. **2** (F-) 〖美역사〗 연방당(the Federal party)의 주의〔주장〕; (F-) 《美》 연방 정부에 의한 통제.

féd·er·al·ist *n.* Ⓒ 연방주의자; (F-) 〖美역사〗 북부 연맹 지지자, 연방 당원. —*a.* 연방주의(자)의.

Féderalist Pàrty 1 (the ~) 〖美역사〗 연방당. **2** 《널리》 연방(추진)파.

fed·er·al·ize [fédərəlàiz] *vt.* 연방으로 하다; 연합〔동맹〕시키다.

féd·er·al·ly *ad.* 연방 정부로〔에 의하여〕: a ~ funded program 연방 정부 자금에 의한 계획.

Féderal Pàrty (the ~) =FEDERALIST PARTY.

fed·er·ate [fédərit] *a.* 동맹의, 연합의; 연방제의. — [fédərèit] *vt.* 연방제로 하다, 연합시키다; 동맹〔연합〕하다.

◇**fed·er·a·tion** [fèdəréiʃən] *n.* **1** Ⓤ 동맹, 연합; 연방제. **2** Ⓒ 연방 (정부); 연맹, 연합 조합회: a ~ *of* labor unions 노동조합 총동맹.

fed·er·a·tive [fédərèitiv, -rə-] *a.* 연합〔연맹〕의, 연방의.

‡**fee** [fiː] *n.* **1** Ⓒ **a 요금,** 수수료, 수고값; 입회금, 입장료(admission ~): a membership ~ 회비. **b** (흔히 *pl.*) 회비(membership ~); 수업료(tuition ~). SYN. ⇨PRICE. **2** Ⓒ 보수, 사례금《의사·변호사 등에게 주는》; 봉급: legal ~*s* 변호사 사례금. SYN. ⇨PAY. **3** Ⓒ 축의금, 행하(行下), 팁. **4** Ⓤ 〖법률〗 봉토(封土), 영지; 세습지; 상속 재산《특히 부동산》.

hold in ~ (***simple***) (토지를) 무조건 상속〔세습〕지로서 보유하다.

> **DIAL.** ***How much is the admission fee?*** — ***4,500 won for an adult and 2,500 won for a child.*** 입장료는 얼마입니까 — 어른은 4,500원, 어린이는 2,500원입니다.

‡**fee·ble** [fíːbəl] (**-bler; -blest**) *a.* **1 연약한,** 약한, 힘없는. SYN. ⇨WEAK. **2** (의지가) 박약한, 나약한, 기력이 없는; 저능의: be ~ in mind 정신박약이다. **3** (빛·효과 따위가) 약한, 미약한, 희미한; (내용이) 빈약한; (목소리가) 가냘픈. ㊞ **~·ness** *n.*

féeble-mínded [-id] *a.* **1** 정신박약의, 저능의. **2** 《고어》 의지가 약한. ㊞ **~·ness** *n.*

◇**fee·bly** [fíːbli] *ad.* 나약하게; 무기력하게.

‡**feed** [fiːd] (*p., pp.* ***fed*** [fed]) *vt.* **1 a** 《~+목/

+목+전+명/+목+목》 **음식을〔먹이를〕 주다**《*to* (사람·동물)에게; *on, with* (음식·먹이)를》; (아이·환자)를 먹이다; (아기)에게 젖을 주다: ~ the pigs 돼지에게 사료를 주다 / What do you ~ the chicken? 닭에게 무슨 사료〔먹이〕를 주십니까 / I must ~ the children tonight because my wife is out. 오늘 밤은 아내가 외출하고 없어서 아이들에게 저녁밥을 먹여야만 한다 / Farmers ~ oats *to* their horses. =Farmers ~ their horses *on* 〔*with*〕 oats. 농부들은 말에게 귀리를 먹인다 / *Feed* the chickens this grain. 이 곡식을 닭에게 주어라 / Well *fed*, well bred. 《속담》 의식(衣食)이 족해야 예절을 안다. **b** 〖~ oneself〗 (다른 사람의 도움 없이) 혼자서 먹다: It will take another month for our baby to ~ it*self*. 우리 아기가 혼자서 먹으려면 한 달은 더 걸릴 것이다.
2 《~+목/+목+전+명》 (가족)을 **부양하다**, 양육하다; (가축)을 기르다, 사육하다《*on, with* …으로》: ~ a large family *on* a meager salary 박봉으로 대가족을 부양하다《★ with는 쓰지 않음》/ ~ a kitten *on* 〔*with*〕 milk 새끼 고양이를 우유로 기르다 / a field that ~*s* three cows 소 세 마리를 기르기에 족한 땅.
3 《~+목/+목+전+명》 …에 즐거움을 주다; …을 만족시키다(gratify); …의 힘을 북돋우다, …을 조장하다《*with* …으로》: ~ a person's eyes 눈을 즐겁게 하다 / Praise *fed* her vanity. 칭찬은 그녀의 허영심을 만족시켰다 / ~ a person *with* hopes 아무에게 희망을 주어 힘을 북돋우다.
4 《~+목/+목+전+명》 공급하다《*to, into* (기계·스토브 따위)에; *with* (연료·전력·자료)를》; (보일러)에 급수하다, (램프)에 기름을 넣다: ~ a motor 모터에 전력을〔연료를〕 공급하다 / ~ a stove *with* coal =~ coal *into* 〔*to*〕 a stove 스토브에 석탄을 때다 / ~ a computer *with* data =~ data *into* a computer 컴퓨터에 데이터를 입력하다.
5 (강·호수 등이) …의 물을 공급하다; …으로 흘러들다: the two streams that ~ the big river 큰 강으로 흘러드는 2개의 지류.
6 《구어》〖연극〗 (상대 배우)에게 대사의 실마리를 주다(prompt); 〖경기〗 (공을 자기 편)에게 패스하다. ◇ food *n*.
—*vi*. **1** (동물이) 먹이를 먹다, 사료를 먹다; 《구어·우스개》 (사람이) 식사하다: The cows are ~*ing* in the barn. 소들이 우리에서 사료를 먹고 있다. SYN. ⇨ EAT.
2 《+전+명》 (보통, 동물이) 먹이로〔상식으로〕 하다《*on* …을》: The lion ~*s on* flesh. 사자는 고기를 상식한다.
3 《+전+명》 (원료·연료 등이) 공급되다, 들어가다《*into* (기계 따위)에》: Bullets *fed into* a machine gun. 기관총에 탄환이 장전되었다 / Fuel ~*s into* the engine through this tubing. 연료는 이 관을 통해 엔진에 들어간다.
4 《+전+명》 (물이) 흘러들다《*into* (강·호수 따위)에》: Three rivers ~ *into* this lake. 세 강이 이 호수로 흘러든다.
be fed up with 〔***on***〕 《구어》 …에 물리다, 진저리〔넌더리〕 나다: I *am fed up with* that. 그것엔 신물이 난다 / We *are fed up with* your complaining. 너의 푸념에는 이제 진절머리가 난다.
~ *back* 《*vt*.+부》 ① 〖보통 수동태로〗〖전자〗 (출력·신호·정보 등)을 피드백하다《*to, into* …으로》. **—**《*vi*.+부》 ② (청중의 반응 따위가) 되돌아오다. **~ *off*** 《*vt*.+부》 (목초)를 다 먹어치우다; …을 정보〔식료, 연료〕 원(源)으로 이용하다. **~ *up*** 《*vt*.+부》 ① …에게 맛있는 것을 흠씬 먹이다, 물리도록 먹이다, (가축 따위)를 살찌우다. ② 〖보통 수동태로〗《구어》 물리게 하다, 넌더리나게 하다《*with* …에》.
—*n*. **1** Ⓒ (가축·아이에게 주는 1회분의) 식사, 음식물 공급: at one ~ 한 끼의 식사로(서).
2 Ⓤ (동물의) 먹이, 사료, 마초, 꼴; 모이; (사료의) 1회분.
3 (a ~) 《구어》 식사; 맛있는 음식: have a good ~ 맛있는 음식을 배부르게 먹다.
4 a Ⓒ 〖기계〗 (원료의) 급송(給送) (장치); Ⓤ 공급 재료. **b** Ⓤ (보일러의) 급수(給水); 〖전자〗 급전(給電).
5 Ⓒ 《英구어》〖연극〗 대사의 계기를 주는 사람(feeder)《특히 코미디언의 상대역》; 어떤 계기가 되는 대사.
be off one's **~** 식욕이 없다; 《구어》 몸이 좋지 않다.

◇**féed·bàck** *n*. Ⓤ **1 a** 〖전자〗 귀환(歸還)《출력 에너지의 일부를 입력측으로 되돌리는 조작》. **b** 피드백《(1) 자동 제어 장치의 제어계(系) 요소의 출력 신호를 입력측에 되돌림. (2) 생체(生體)기구에 있어서 다른 환경에 대한 적응 기능》. **c** 〖컴퓨터〗 피드백《잘못을 고치기 위해 output의 일부를 입력측으로 되돌림》. **2** 스피커 소리의 일부가 마이크로폰을 통하여 반복해서 증폭됨(으로 인한 찡하는 소리), 하울링. **3** (정보·질문·서비스 등을 받는 측의) 반응, 의견, 감상.

féed bàg 《美》 (말의 목에 거는) 꼴망태(《英》 nose bag).

féed·er *n*. Ⓒ **1** 가축 따위를 치는 사람, 사양자, 비육 가축 사육자. **2** 〖보통 수식어를 수반하여〗 먹는 사람〔짐승〕: a large 〔quick〕 ~ 대식가(大食家)〔빨리 먹는 이〕. **3** (유아용) 젖병; 《英》 (식사 때의) 턱받이; 구유, (조류의) 모이통. **4** 지류(支流); 급수로(路); 〖광산〗 지맥(支脈); 〖전기〗 급전〔송전〕선; (항공로·철도의) 지선; 지선 도로(~ road). **5** 원료 공급 장치; 깔때기; 급유기(給油器); 급광기(給鑛器); 〖인쇄〗 (자동) 급지기(給紙機); 〖연극〗 =FEED.

féeding bòttle 《英》 (유아용) 젖병(《美》 nursing bottle).

†**feel** [fiːl] (*p*., *pp*. ***felt*** [felt]) *vt*. **1 a** 《~+목/+*wh*. 절》 **만지다**, 만져보다; 손대(어 보)나(touch); 만져서〔손에 들어〕 알다〔확인하다〕: The doctor *felt* my pulse. 의사는 내 맥을 짚어 보았다 / ~ the difference in the fabrics 만져서 직물의 차이를 알다 / *Feel how* cold my hands are. 내 손이 얼마나 찬지 만져 보렴. **b** 《~+목/+목+전+명》 〖~ one's way로〗 손으로 더듬어 나아가다; 신중히 일을 진행시키다: He *felt* his way *to* the door in the dark. 그는 어둠 속에서 손으로 더듬어 문까지 갔다.
2 《~+목/+목+*do*/+목+*-ing*/+목+*done*》 (신체적으로) **느끼다**, 감지하다, 지각하다: ~ pain 〔hunger〕 통증〔공복〕을 느끼다 / ~ the heat 더위를 느끼다 / I *felt* my heart beat violently. 심장이 심하게 고동치는 것을 느꼈다 / I *felt* something creep 〔creep*ing*〕 on the back. 등에 무언가 기어 가는 것을 느꼈다 / I *felt* myself lift*ed* up. 몸이 들려지는 것을 느꼈다.
3 《~+목/+목+do/+목+*-ing*》 (정신적으로) …을 느끼다; 통절히 느끼다, …에 감동하다: ~ anger 〔fear, joy, sorrow〕 노여움〔두려움, 기쁨, 슬픔〕을 느끼다 / ~ an insult 모욕을 느끼다 / ~

poetry 〔music〕 시〔음악〕에 감동하다/I don't ~ much pity for her. 그녀를 그다지 불쌍하다고는 생각지 않는다/What do they ~ toward you? 그들은 당신에 대해 어떤 감정을 갖고 있습니까/She *felt* anger rise in her heart. 그녀는 마음에 분노가 치밀어오름을 느꼈다/He *felt* his interest in her grow*ing* 〔fad*ing*〕. 그는 그녀에 대한 관심이 커져가는〔식어가는〕 것을 느꼈다.

4 《~+목/+목+(*to be*) 보/+목+*done*/+*that* 절》 (어쩐지) …**라고 생각하다**, …이라는 생각〔느낌〕이 들다: I could ~ her disappointment. 그녀가 실망하고 있다는 생각이 들었다/I *felt* this (*to be*) 〔This was *felt to be*〕 necessary. 이것은 필요한 것이라고 생각했습니다/~ one*self praised* 칭찬받았다고 생각하다/I ~ *that* I ought to say no more at present. 나는 현재 이 이상 아무 말도 해서는 안 된다고 생각한다.

5 (중요성 · 아름다움)을 느껴 알다, 깨닫다; (입장 따위)를 자각하다; …에 고통스러워하다: I began to ~ the weight of his argument. 그가 논의한 것의 중요성을 깨닫기 시작했다/She ~*s* the cold badly in winter. 그녀는 겨울철에 추위를 몹시 탄다.

6 …의 영향을 받다, …에 의하여 타격을 받다, …을 톡톡히 맛보다: The whole island *felt* the earthquake. 섬 전체가 지진의 영향을 받았다/He shall ~ my vengeance. 이 원한은 톡톡히 갚겠다.

7 (무생물이) …의 작용을 받다, …에 느끼는 듯이 움직이다, …에 반응을 보이다: Industry was quick to ~ the effects of the energy crisis. 산업은 민감하게 에너지 위기의 영향을 받았다.

—*vi.* **1** 《+부/+전+명》 **손으로 더듬다**, 찾다; 살피다 (*about; around*) 《***for, after*** …을》: ~ *around* 〔*about*〕 *for* the handle 손으로 더듬어서 핸들을 찾다/~ in one's pocket *for* one's key 주머니를 더듬어 열쇠를 찾다/~ *for* 〔*after*〕 an excuse 변명의 이유를 찾다.

2 감각〔느낌〕이 있다, 느끼는 힘이 있다: My fingers have stopped ~*ing*. 내 손가락에 감각이 없어졌다.

3 《+전+명》 감동하다; 공명하다; 불쌍히 여기다, 동정하다《***for, with*** (아무)에게》: She ~*s for* 〔*with*〕 me. 그녀는 나에게 동정심을 품고 있다/He ~*s for* all who suffer. 그는 고통받는 사람은 모두 불쌍히 여긴다.

4 a 《~/+보》 (아무가) …**한 생각이**〔기분이〕 **들다**, …하게 생각하다〔느끼다〕; …라고 여겨지다: ~ hungry 〔cold, happy〕 배고프게〔춥게, 행복하게〕 느끼다/I *felt* sorry for her. 그녀가 불쌍하다는 생각이 들었다/He *felt* bad 〔badly〕 about the remark. 그는 그 말에 기분이 나빴다/I *felt* disgust. 속이 메스꺼웠다. **b** 〘~ like+명 또는 ~ as if+절 로〙 (마치 …같은) 생각이 들다: He *felt like* a fool. 그는 마치 바보 같은 생각이 들었다/He *felt as if* he were 〔was〕 stepping back into the past. 그는 마치 과거로 돌아간 듯한 생각이 들었다.

5 《+보/+전+명》 (사물이) …의〔한〕 느낌〔감촉〕을 주다, …의〔한〕 느낌〔감촉〕이 있다; 〘~ as if〙 …처럼 느껴지다: Velvet ~*s* smooth. 벨벳은 보드랍다/This paper ~*s like* silk. 이 종이는 비단결 같다/It ~*s as if* it were the fur of a fox. 그것은 마치 여우털같이 느껴진다.

6 《~/+전+명》 〘양태부사를 수반하여〙 (찬부의) 의견을 갖다, (어떤) 생각을 갖다〔품다〕《***about, on, toward*** …에 대하여》: ~ differently 다르게 생각하다/How do you ~ *about* going for a walk? 산보하러 나가는 게 어때/How do you ~ *toward* your father now? 지금 너의 아버지에 대해서 어떻게 생각하니.

~ *certain* ① 확신하다《***of*** …을/***that***》: I ~ *certain of* his success. 나는 그의 성공을 확신한다/I ~ *certain that* he will succeed. 나는 그가 성공하리라고 확신한다. **~ *free to*** do 〘보통 명령문으로〙 마음대로 …해도 좋다: Please ~ *free to* use my car. 마음대로 제 차를 사용하십시오. **~ *in*** one***'s bones*** ⇨BONE. **~ *like*** ① 〘it을 주어로〙 아무래도 …같다: It ~*s like* rain. 아무래도 비가 올 것 같다. ② …이 요망되다, …을 하고 싶다《do*ing*》: I ~ *like* a cup of water. 나는 물을 한 컵 마시고 싶다/I *felt like* crying. 나는 울고 싶은 심정이었다. ③ …같은 감촉이 들다: This paper ~*s like* silk. 이 종이는 비단 같은 감촉이 든다. ④ 〘like를 as if 대용으로 써서〙《美구어》 …이 된〔…인 듯한〕 기분이다: He *felt like* he was a king. 그는 임금님이 된 기분이었다. ⑤ 〘~ like oneself로; 보통 부정문에서〙 기분이 좋다, 심신의 상태가 좋다: I do*n't* ~ *like* my*self* today. 나는 오늘은 어쩐지 기분이 좋지 않다. **~ (*quite*)** one***self*** 〘보통 부정문에서〙 기분이 좋다, 건강하다: I do*n't* ~ my*self* this morning. 오늘 아침은 기분이 좋지 못하다. **~ ... *out*** 《*vt.*+부》 아무(의 의향 따위)를 넌지시 떠보다, 타진하다; …의 유효성을 조사하다: Let's ~ him *out* about a merger. 그에게서 합병에 대한 의중을 떠봅시다. **~ *sure*** 확신하다《***of*** …을/***that***》: I ~ *sure of* his success. 나는 그의 성공을 확신한다. **~ *up*** 《*vt.*+부》《속어》 (특히 여자)의 국부(언저리)에 손을 대다. **~ *up to ...*** 〘보통 부정문 · 의문문 · 조건문에서〙《구어》 …을 견디어 내다, 감당하다, 해낼 수 있을 것 같은 마음이 들다: I do*n't* ~ *up* 〔equal〕 *to* the task. 그 일을 감당해 낼 수 있을 것 같지가 않다. ***make*** one***self*** 〔one***'s presence,*** one***'s influence***〕 ***felt*** 남에게 자기의 존재를 인정하게 하다, 영향력을 미치게 되다: He has *made* him*self felt* in his class. 그는 반에서 두각을 나타냈다.

—*n.* (*sing.*) **1** 느낌, 촉감, **감촉**; 기미, 분위기: have a soft ~ 감촉이 부드럽다/a ~ of a home 가정적인 분위기.

2 《英구어》 만짐: Let me have a ~. 좀 만져 보게 해줘, 좀 만져 보자.

3 《구어》 직감, 육감, 센스《***for*** …에 대한》: have a ~ *for* words 단어에 대한 센스가 있다.

by the ~ (***of it***) 손으로 만져서, 감촉〔느낌〕으로 (판단하건대): You can tell it's silk *by the* ~. 감촉으로 비단임을 알 수 있다. ***get the ~ of ...*** …에 익숙해지다, …의 요령을 익히다, (사물)의 느낌을 파악하다: *get the* ~ *of* a new car 새 차에 익숙해지다. ***to the ~*** 촉감에: The cloth is very soft *to the* ~. 이 천은 촉감이 썩 부드럽다.

°**féel·er** *n.* Ⓒ **1** 만져〔더듬어〕 보는 사람; 타진, 떠봄: put out ~*s* 의중을 떠보다. **2** 〖동물〗 더듬이, 촉감, 촉모(觸毛), 촉수(觸鬚); 〖군사〗 척후; 《구어》 염탐꾼, 첩자.

féel-gòod *a.* 만족〔행복〕한 기분을 갖게 하는.

feel·ing [fíːliŋ] *n.* **1** Ⓤ **촉감**, 감촉; 더듬음; **감각**, 지각: lose all ~ in the arm 팔에 감각이 완전히 없어지다. SYN. ⇨SENSE.

2 a (*pl.*) (희로애락 따위의 여러 가지) **감정**, 기분: hurt a person's ~*s* 아무의 감정을 상하다/

You have no thought for the ~s of others. 자넨 남의 기분을 전혀 생각 않는군. **b** Ⓤ (개인간에 생기는) **감정**: good ~ 호감, 호의/ill 〔bad〕 ~ (between) (…사이의) 반감.

SYN. **feeling** 감각(sensation)에 대해서 마음이 받아들이는 느낌: hostile *feelings* toward strangers 외국인에 대해 품는 적대의식. **affection** 호의적인 감정, 애착. **emotion** 마음 전체를 지배하는 강렬한 feeling, 감동, 육체적 변화(눈물·땀 따위)까지 수반하는 수가 있음. **sentiment** 사람의 의견을 형성하는 근본이 되는 감정: antislavery *sentiment* 노예폐지를 바라는 마음. **passion** 이성을 잃은 격렬한 emotion을 뜻하며, 격노·성적 감정에 쓰임.

3 Ⓤ 열의, 감동, 감격, 격정, 흥분: with ~ 열의 있게/sing with ~ 감정을 넣어 노래하다. **4** Ⓤ 동정, 동정심; 배려; 친절《**for** …에 대한》: He has little ~ *for* others. 그는 다른 사람에 대한 동정심이 조금도 없다. **5** Ⓤ (또는 a ~) 감수성; 센스; 적성《**for** (예술 따위)에 대한》: a person of fine ~ 감수성이 뛰어난 사람/a ~ *for* music 음악에 대한 센스. **6** (*sing.*) 의식, 예감; 느낌, 인상《**of** …의/**that**》: a ~ *of* danger 위험이 절박하다는 의식/I had a ~ *that* something dreadful was going to happen. 뭔가 무서운 일이 일어날 것 같은 예감이 들었다. ***have mixed ~s*** 희비가 엇갈리는 감정〔착잡한 기분〕을 품다.

DIAL. ***I know the feeling.*** 기분은 알겠습니다만《상대방이 언짢아 할 때》.
No hard feelings. 원망하지는 마세요; 나쁘게 생각하지는 마세요.

—*a.* Ⓐ **1** 감각이 있는. **2** 다감한, 감정적인; 인정 많은: a ~ heart 다정한 마음. **3** 감동시키는: a ~ story 감동적인 이야기.

féel·ing·ly *ad.* 감동하여; 다정하게, (뼈에) 사무치게, 실감나게.

feet [fiːt] FOOT의 복수.

◇**feign** [fein] *vt.* …을 가장하다; 〖~ oneself〗 …인 체하다《**to** do/**that**》: ~ friendship 우정을 가장하다/~ indifference 무관심한 체하다/~ *to be* sick 앓는 체하다/He ~*ed that* he was mad. =He ~*ed* him*self* (*to be*) mad. 그는 미치광이로 가장하였다. SYN. ⇨ASSUME. —*vi.* 속이다, 체하다.

feigned *a.* 거짓의, 가장된: a ~ illness 꾀병/with ~ surprise 놀란 체하고.

féign·ed·ly [-idli] *ad.* 거짓으로, 가장하여.

◇**feint** [feint] *n.* Ⓒ **1** 거짓 꾸밈, …하는 체함, 가장: make a ~ *of* work*ing* 일하는 체하다. **2** 공격하는 시늉; 〖군사·펜싱·권투·배구〗 페인트, 양동 작전; (적을 속이기 위한) 견제 행동.
—*vi.* **1** 속이다, (…하는) 체하다: He ~*ed* to the left and ran to the right. 그는 왼쪽으로 가는 체하다가 오른쪽으로 도망쳤다. **2** (권투·펜싱·구기에서) 페인트를 쓰다.

feisty [fáisti] (**feist·i·er; -i·est**) *a.* 《美구어》 **1** 기운찬, 혈기왕성한, 의욕이 넘치는. **2** 성마른, 기분이 언짢은; 잘 싸우는, 공격적인.

feld·spar [féldspàːr] *n.* Ⓤ 〖광물〗 장석(長石).

fe·lic·i·tate [filísətèit] *vt.* (아무)에게 축하하다《**on, upon** …을》: ~ a friend *on* his success 친구의 성공을 축하하다.

fe·lìc·i·tá·tion *n.* Ⓒ (보통 *pl.*) 축하; 축사《**on, upon** …에 대한》.

fe·lic·i·tous [filísətəs] *a.* (표현 따위가) 그럴듯한, 알맞은. ㊞ **~·ly** *ad.* **~·ness** *n.*

fe·lic·i·ty [filísəti] *n.* **1** Ⓒ 경사; Ⓤ 더없는 행복 (bliss). **2** Ⓤ (표현의) 적절함, 교묘함; Ⓒ 적절한 표현: with ~ 적절하게, 솜씨 있게.

fe·line [fíːlain] *a.* 고양이의; 고양잇과(科)의; 고양이 같은; 교활한(sly), 음험한(stealthy): ~ amenities 흉계를 품은 감언. —*n.* Ⓒ 〖동물〗 고양잇과의 동물.

Fe·lix [fíːliks] *n.* 펠릭스《남자 이름》.

fell[1] [fel] FALL의 과거.

fell[2] *vt.* (나무)를 베어 넘어뜨리다; (사람)을 쳐서 쓰러뜨리다; 동댕이치다. —*n.* Ⓒ (한 철의) 벌채량.

fell[3] *a.* Ⓐ 《문어》 잔인한; 무서운(terrible), 사나운. ***at*** 〔***in***〕 ***one ~ swoop*** ⇨SWOOP.

fell[4] *n.* Ⓒ 수피(獸皮)(hide), 모피(pelt); (사람의) 피부; 모발.

fell[5] *n.* 《Sc.》 **1** Ⓒ (바위가 많은) 고원 지대. **2** …산(山): Bow *Fell*, Bow 산.

fel·la [félə] *n.* Ⓒ 《속어·방언》 =FELLOW.

fel·la·tio [fəláːtiòu, -léiʃiòu, fe-] *n.* Ⓤ (음경에 대한) 구강 성교.

féll·er[1] *n.* Ⓒ 벌목〔벌채〕꾼; 벌목기(機).

féll·er[2] *n.* Ⓒ 《속어·방언》 =FELLOW: a young ~-me-lad 경박한 젊은이.

‡**fel·low** [félou] (★ 사람을 말할 때 구어로는 종종 [félə]) *n.* Ⓒ **1 동무**, 친구: a ~ in misery 가난한 때의 친구. **2** (보통 *pl.*) 동아리, 동료, 동배(companion), 한패: ~*s* in arms 전우/~*s* in crime 범죄의 한패. **3** 동업자. **4** (보통 *pl.*) 같은 시대 사람(contemporaries): the ~*s* of Milton 밀턴과 같은 시대의 사람들. **5** 상대, 필적자, 경쟁자; (한 쌍의 것의) 한 쪽: the ~ of a shoe 〔glove〕 구두〔장갑〕의 다른 한 짝. **6** 《구어》 **놈**, 녀석: a stupid ~ 바보 같은 녀석/Poor ~! 불쌍한 놈 같으니. **7** 《구어》 **사람**, 사내: a good 〔jolly〕 ~ 재미있는 사내. **8** 《구어》 (남성) 연인, 애인: her young ~ 그녀의 젊은 정부. **9** (a ~) 〖일반적〗 인간(person), 누구든(one), 나(I): A ~ must eat. 인간은 먹지 않으면 살 수 없다/Why can't you let a ~ alone? 나 혼자 있도록 내버려 둘 수 없는가. **10** (특히 영국 대학의) 평의원; (대학의) 특별 연구원; 《英》 (대학의) 명예 교우(校友); (보통 F-) (학술 단체의) 특별 회원《보통 평회원(member)보다 높음》: a *Fellow of* the British Academy 영국 학사원 특별 회원.
my dear 〔***good, old***〕 **~** 여보게 자네《허물 없는 사이의 호칭》.
—*a.* Ⓐ **1 동아리**〔**한패**〕**의**, 동료의, 동업의: a ~ countryman 동포/~ students 학우, 동창생/a ~ soldier 전우/a ~ worker 작업 동료/~ traders 동업자. **2** 동행하는, 길동무의: a ~ passenger 동승〔동선(同船)〕자.

féllow féeling 동정(sympathy), 공감; 상호 이해, 동료 의식.

féllow·man [-mǽn] (*pl.* **-mén** [-mén]) *n.* Ⓒ 같은 인간, 동포.

*__fel·low·ship__ [félouʃip] *n.* **1** Ⓤ **친구**〔**동료, 동아리**〕**임**(companionship), 친구로서의 사귐, 교우(交友), 동료 의식. **2** Ⓤ **우정**, 친교(comradeship), 친목: enjoy good ~ with one's neighbors 이웃 사람들과 친교를 유지해 나가다. **3** Ⓤ (이해 등을) 같이하기, 공동(sharing), 협력(participation), 제휴: ~ in misfortune 불행을 같이하기. **4** Ⓒ (동지)회, 단체, 조합: a world ~ of scientists 세계 과학자 동맹/admit a person to a ~ 아무를 입회시키다. **5** Ⓒ 대학 평의원의 직; 학회 회원의 자격; (대학의) 특별 연구원의 지위〔신분〕; 특별 연구원 연구비.

féllow tráveler 길동무; 동조자《정치상 특히 공산주의의》.

fel·on[1] [félən] *n.* Ⓒ 〖법률〗 중죄인.

fel·on[2] *n.* Ⓒ 〖의학〗 표저(瘭疽)(whitlow).

fe·lo·ni·ous [filóuniəs] *a.* 〖법률〗 중죄(범)의: ~ homicide 살인죄.

fel·o·ny [féləni] *n.* Ⓤ (구체적으로는 Ⓒ) 〖법률〗 중죄(重罪)《살인 · 방화 · 강도 등》. ↔ *misdemeanor*.

fel·spar [félspɑ̀ːr] *n.* 《英》 =FELDSPAR.

felt[1] [felt] FEEL 의 과거 · 과거분사.

felt[2] *n.* Ⓤ 펠트, 모전(毛氈); Ⓒ 펠트 제품.
—*a.* 펠트제(製)의: a ~ hat 펠트 모자, 중절모.

félt-tip(ped) pén 펠트펜(=**félt pén** 〔**típ**〕).

fe·luc·ca [fəlúːkə, felʌ́kə] *n.* Ⓒ 펠러커 선(船)《지중해 연안의 세대박이 삼각돛의 작은 배》.

fem [fem] *n.* =FEMME.

fem. female; feminine.

‡fe·male [fíːmeil] *a.* **1 여성의**, 여자의: a ~ child 계집아이, 여아/the ~ sex 여성/~ psychology 여성 심리. **2** 부인의, 여자다운〔같은〕(womanish); 여성으로 이루어진; 여자만의. **3** (동물의) **암(컷 · 놈)의**; 〖식물〗 암의, 자성(雌性)의, 암술만 있는; 〖기계〗 암의: a ~ dog 암캐/a ~ flower 암꽃/a ~ gamete 〖생물〗 암배우자/a ~ screw 암나사. **—***n.* Ⓒ **1** 여자, 여성, 부인; 《경멸적》 계집, 아녀자. **2** 〖동 · 식물〗 암, 암컷〔놈〕; 암술, 자성(雌性) 식물. ⇔ *male*. ㊎ **~·ness** *n.*

fémale impérsonator (배우 등의) 여장(女裝) 남자.

***fem·i·nine** [fémənin] *a.* **1 여자의**, 여성〔부인〕의: ~ beauty 여성미. **2** 여자 같은, 연약한, 상냥한: ~ nature 여성다운 기질. **3** (남자가) 계집애〔여자〕 같은, 나약한(effeminate). **4** 〖문법〗 여성의《생략: f., fem.》: the ~ gender 여성.
—*n.* 〖문법〗 **1** (the ~) 여성(형). **2** Ⓒ 여성어(語). ↔ *masculine*.

féminine énding 〖운율〗 여성 행말(行末)《행 끝에서 무양음(無揚音)〔무강세〕의 음절이 하나 더 붙음》; 〖문법〗 여성 어미.

féminine rhýme 〖운율〗 여성운(韻).

fem·i·nin·i·ty [fèmənínəti] *n.* Ⓤ 여자임, 여자다움; 계집애 같음; 《집합적》 여성.

fem·i·nism [fémənìzəm] *n.* Ⓤ 여권주의, 남녀 동권주의; 여권 신장론(伸張論).

fém·i·nist *n.* Ⓒ 여권주의자, 남녀 동권론자, 여성 해방론자.

femme [fem] *n.* 《F.》 Ⓒ 여자(woman); 처(wife); 《美구어》 레스비언의 아내역(↔ *butch*); 남자 동성애의 여자역.

femme fa·tale [fèmfətǽl, fèi-, -tɑ́ːl] (*pl.* ***femmes fa·tales*** [-z]) 《F.》 Ⓒ 요부(妖婦).

fem·o·ral [fémərəl] *a.* 〖해부〗 대퇴부의, 넓적다리의.

fem·to- [fémtou, -tə] '1,000 조(兆)분의 1' 이란 뜻의 결합사《10^{-15}; 기호 f》.

fe·mur [fíːmər] (*pl.* **~*s*, *fem·o·ra*** [fémərə]) *n.* 《L.》 Ⓒ 〖해부〗 대퇴골(thighbone); 넓적다리(thigh); 〖곤충〗 퇴절(腿節).

fen [fen] *n.* Ⓒ (흔히 *pl.*) 늪지, 소택지; (the F-s) 소택 지대《잉글랜드 동부 Lincolnshire 의 Wash 만 부근의》.

‡fence [fens] *n.* Ⓒ **1 울타리**, 목책, 담(enclosure, barrier); (마술 경기 등의) 장애물: put the horse at 〔to〕 the ~ 말에 박차를 가하여 장애물을 뛰어넘게 하다/Good ~*s* make good neighbors. 아무리 가까운 사이라도 지킬 것은 〔예의는〕 지켜야 한다. **2** 장물 취득인〔아비〕, 장물 사들이는 곳.
come down 〔***descend***〕 ***on the right side of the*** ~ 이길 듯한 쪽에 붙다. ***mend*** 〔***look after***〕 one***'s*** **~*s*** ① 자기 입장을 강화하다. ② 《美》 선거구 지반을 다지다. ③ (남과) 화해하다, 관계를 개선하다《***with*** …와》. ***on the other side of the*** ~ 반대측에〔으로〕, 반대당에 참가하여.
—*vi.* **1** 검술을 하다. **2** 《+전+명》 교묘히 얼버무려 넘기다, 재치있게 받아 넘기다《***with*** (질문 따위)를》: ~ *with* a question 질문을 재치있게 받아 넘기다. **3** (말이) 울타리를 뛰어넘다. **4** 장물을 매매하다. **—***vt.* **1** 《~+목/+목+부/+목+전+명》 …에 **울타리를**〔**담을**〕 **두르다** (*around; round; off*)《***with*** …으로; ***from*** …을 막으려고》: ~ the place 그 곳을 에두르다/~ (*off*) fields 〔a garden〕 논밭〔마당〕을 울타리로 두르다/The plot was ~*d round*. 그 땅에는 담이〔울타리가〕 둘러져 있었다/The field is ~*d with* barbed wire. 그 밭 주위에는 가시 철망이 둘러져 있다/~ a garden *from* children 어린이들이 들어가지 못하게 정원에 울타리를 두르다. **2** (장물)을 매매하다, 장물아비에게 팔다. **~ *...* in** = **~ *in...*** ① …에 울타리를〔담을〕 두르다(⇨*vt.* 1). ② 《종종 수동태》 가두다, 구속하다. [◂de*fence*]

fénce·less *a.* 울타리가〔담이〕 없는, 출입이 자유로운.

fénce-mènding *n.* Ⓤ 《美구어》 (외국 등과의) 관계 회복, (의원의) 기반 굳히기.

fénc·er *n.* Ⓒ 검객, 검술가(swordsman), 펜싱 선수; 담을 두르는〔수리하는〕 사람.

fénce-sìtter *n.* Ⓒ 형세를 관망하는 사람, 기회주의자; (토론에서) 중립을 지키는 사람.

°fenc·ing [fénsiŋ] *n.* **1** Ⓤ 펜싱, 검술. **2** 《형용사적》 펜싱〔검술〕의: a ~ foil (연습용) 펜싱칼/a ~ master 펜싱 사범/a ~ school 펜싱 도장. **3** Ⓤ 담 · 울타리의 재료; 《집합적》 울타리, 울짱. **4** Ⓤ 교묘히 받아넘기는 답변.

fend [fend] *vt.* (질문 · 공격 등)을 받아넘기다, 피하다, 빗기다(*off*): ~ *off* a blow 강타를 (몸을 돌려) 피하다/~ *off* a question 질문을 적당히 받아넘기다. ~ ***for*** one***self*** 혼자 힘으로 꾸려나가다, 자활하다.

°fénd·er *n.* Ⓒ 방호물; 《美》 (자동차 등의) 바퀴 덮개, 흙받기(《英》 wing); (전동차 따위의) 완충판〔장치〕(cowcatcher); 《英》 (자동차의) 완충기, 범퍼(《美》 bumper); 난로 울, (벽로의) 불똥막이 울; (배의) 방현재(防舷材); (교각의) 방호물.

fénder bènder 《美속어 · Can. 속어》 (비교적 가벼운) 자동차(접촉) 사고(에 관계된 운전사).

fen·es·tra·tion [fènəstréiʃən] *n.* Ⓤ **1** 〖건축〗 창(窓)내기. **2** 〖의학〗 천공(穿孔) 설치〔술〕.

fen·nel [fénəl] *n.* Ⓒ 〖식물〗 회향풀(의 씨): ~ oil 회향유(油)《약용》.

fen·ny [féni] *a.* 늪의; 소택지에 나는〔사는〕; 소택지 특유의.

feoff [fef, fiːf] *n.* =FIEF.

fe·ral [fíərəl] *a.* 야생의; 야생으로 돌아간; (사람이) 야성적인, 잔인〔흉포〕한(brutal): ~ animals 〔plants〕 야생 동물〔식물〕.

Fer·di·nand [fə́ːrdənæ̀nd] *n.* 퍼디낸드《남자

이름》.

°**fer·ment** [fə́ːrment] *n.* **1 a** Ⓒ 효소(enzyme) 《발효를 일으키는 물질》. **b** Ⓤ 발효. **2** Ⓤ (또는 a ~) 들끓는 소란, 동요(commotion), 흥분: in a ~ 대소동으로, 동요하여.
— [fəːrmént] *vt.* **1** 발효시키다: ~ grapes 포도를 발효시키다. **2** (감정 등)을 들끓게 하다; (소동 따위)를 일으키다. —*vi.* 발효하다; 큰 법석을 떨다; 격동〔동요〕하다.
㊕ **~·a·ble** *a.* 발효성의.

fer·men·ta·tion [fə̀ːrmentéiʃən] *n.* Ⓤ 발효(작용); 소동, 동요, 흥분.

fer·mi·um [féərmiəm, fə́ːr-] *n.* Ⓤ 【화학】 페르뮴《인공 방사성 원소; 기호 Fm; 번호 100》.

°**fern** [fəːrn] *n.* Ⓒ (집합적으로는 Ⓤ) 【식물】 양치류(類). ***the royal ~*** 【식물】 고비. ㊕ **~·like** *a.*

fern·ery [fə́ːrnəri] *n.* Ⓒ 양치식물의 숲; 양치식물 재배지; 양치식물 재배 케이스《장식용》.

ferny [fə́ːrni] *a.* 양치식물의〔같은〕; 양치식물이 우거진.

°**fe·ro·cious** [fəróuʃəs] *a.* 사나운, 잔인한; 모진, 지독한: a ~ appetite 굉장한 식욕. ㊕ **~·ly** *ad.* **~·ness** *n.*

°**fe·roc·i·ty** [fərɑ́səti/-rɔ́s-] *n.* Ⓤ 사나움, 잔인성(fierceness); Ⓒ 광포한 행동, 만행.

fer·ret [férit] *n.* Ⓒ 【동물】 흰족제비《구서(驅鼠)·토끼 사냥에 이용》. —*vt.* **1** 흰족제비로 사냥하다. **2** (비밀·범인 등)을 찾아내다; 수색하다 (*out*): ~ *out* a criminal 범인을 수색하다. —*vi.* **1** 흰족제비를 이용하여 사냥하다. **2** 찾아다니다(*about; around*)《***for*** …을》: ~ *about* among old documents *for* a secret 비밀을 찾아내려고 고문서를 뒤지다.

fer·ric [férik] *a.* 철분이 있는; 【화학】 제2철의: ~ oxide 〔chloride, sulfate〕 산화〔염화, 황산〕 제2철《적색 안료·수렴제·매염제(媒染劑) 따위》.

Fér·ris whèel [féris-] (유원지의) 대회전식 관람차《★ 미국의 발명가의 이름에서》.

fer·rite [férait] *n.* Ⓤ 【화학】 아철산염(亞鐵酸鹽), 페라이트.

fer·ro- [férou, -rə] '철의, 철을 함유한' 이란 뜻의 결합사.

fèrro·cóncrete *n.* Ⓤ 철근 콘크리트.

fèrro·magnétic *a.* 【물리】 강자성(強磁性)의.

fèrro·mágnetism *n.* Ⓤ 【물리】 강자성(強磁性).

fer·ro·type [féroutàip] 【사진】 *n.* **1** Ⓤ 페로타이프《광택 인화법》. **2** Ⓒ 광택 사진. —*vt.* 페로타이프판(板)에 걸다.

fer·rous [férəs] *a.* **1** 쇠〔철〕의; 《일반적》 쇠를 함유하는: ~ and nonferrous metals 철금속과 비(非)철금속. **2** 【화학】 제1철의: ~ chloride 〔oxide, sulfate〕 염화〔산화, 황산〕 제1철.

fer·rule [férəl, férul] *n.* Ⓒ (지팡이 따위의) 물미; 칼코등이; 【기계】 페룰《보일러관의 접합부 보강을 위한 쇠테》. —*vt.* …에 ~을 달다〔대다〕.

⁑**fer·ry** [féri] *n.* Ⓒ **1 나루터**, 도선장: He rowed the traveler over the ~. 그는 배를 저어 여행자를 나루터로 날랐다. **2 나룻배**(ferryboat), 연락선: by ~《★ 관사 없이》. **3** 【항공】 (새로 만든 항공기의) 자력(自力) 현지 수송《공장에서 현지까지 가는》; (정기) 항공편; 정기 항공기(의 발착장).
—*vt.* **1** 《+목+전+명》 (사람·자동차·화물)을 배로 건네다〔나르다〕: ~ people *across* a river 나룻배에 사람들을 싣고 강을 건네주다. **2** 【항공】 자력 수송하다; (정기적으로) 항공기로 수송하다.

—*vi.* 나룻배로 건너다.

°**férry·bòat** *n.* Ⓒ 나룻배, 연락선.

férry·man [-mən] (*pl.* **-men** [-mən]) *n.* Ⓒ 나룻배 사공, 도선업자.

⁑**fer·tile** [fə́ːrtl/-tail] *a.* **1** (땅이) **비옥한**, 기름진; 많이 생산하는《***of, in*** …을》: ~ *in* 〔*of*〕 wheat 밀이 잘 되는/The district is ~ *of* oranges. 그 지방은 오렌지가 많이 난다. **2** (인간·동물이) 다산(多產)의, 자식을 많이 낳는. **3** 풍작을 가져오는; 결실이 많은. ↔ *sterile*. ¶ ~ showers 단비/a ~ year 풍년. **4 a** (마음이) 독창성이 많은: a ~ imagination 풍부한 상상력/a ~ mind 창의력이 풍부한 마음. **b** (사람이) 풍부한《***in, of*** (상상력·창의력)이》: He's ~ *in* creative ideas. 그는 창의력이 풍부하다. ㊕ **~·ly** *ad.* **~·ness** *n.*

Fértile Créscent (the ~) 비옥한 반원(半圓) 지역《팔레스타인에서 페르시아만까지의》.

°**fer·til·i·ty** [fəːrtíləti] *n.* Ⓤ **1** (토지가) 기름짐, 비옥. **2** 다산(多產), 풍부. **3** 독창성. **4** (토지의) 산출력. **5** 【동물】 번식〔생식〕력, 수정〔수태〕 능력. ⇔ *sterility*. ◇ fertile *a.*

fèr·ti·li·zá·tion *n.* Ⓤ (땅을) 기름지게 하기; 풍요하게 하기; 시비(施肥); 【생물】 수정〔수태〕 작용.

°**fer·ti·lize** [fə́ːrtəlàiz] *vt.* (땅)을 기름지게 하다; (흙에) 비료를 주다; (정신 등)을 풍부하게 하다; 【생물】 수정〔수태〕시키다. ◇ fertile *a.*

°**fér·ti·lìz·er** [fə́ːrtəlàizər] *n.* **1** Ⓤ (종류·낱개는 Ⓒ) 거름, 비료(manure), 《특히》 화학 비료. **2** Ⓒ 수정 매개물《벌·나비 따위》.

fer·ule [férəl, -ruːl] *n.* Ⓒ (체벌용) 나무주걱, 막대기. —*vt.* ~로 때려 징벌하다.

fer·ven·cy [fə́ːrvənsi] *n.* Ⓤ 뜨거움; 열렬; 열정, 열성.

°**fer·vent** [fə́ːrvənt] *a.* 뜨거운; 타는 듯한; 열심인, 열렬한, 격심한, 백열의. ◇ fervor *n.*
㊕ **~·ly** *ad.*

fer·vid [fə́ːrvid] *a.* 《시어》 뜨거운; 열정적인, 열렬한(ardent). ㊕ **~·ly** *ad.*

°**fer·vor,** 《英》 **-vour** [fə́ːrvər] *n.* Ⓤ 백열(상태), 작열, 염열(炎熱)(intense heat); 열정, 열렬. SYN. ⇨PASSION. ◇ fervent *a.*

fess, fesse [fes] *n.* Ⓒ 【문장(紋章)】 중대(中帶)《방패꼴 무늬 바탕 중앙의 가로띠》.

-fest [fèst] 《美구어》 '축제, 집회' 란 뜻의 결합사: song*fest*; slug*fest*; peace*fest*.

fes·tal [féstl] *a.* =FESTIVE.

fes·ter [féstər] *vi.* **1** (상처가) 곪다; 짓무르다: a ~*ing* wound 곪은〔짓무른〕 상처. **2** (분노 따위로) 마음이 아프다: The grievance ~*ed* in her mind. 불평으로 그녀의 마음은 편치 않았다. —*n.* Ⓒ 화농(化膿), 궤양; 짓무름.

⁑**fes·ti·val** [féstəvəl] *a.* **1 잔치의**, 축(제)일의. **2** (축제같이) 즐거운. —*n.* Ⓒ **1 잔치**, 축전. **2** 축일, 축제일. **3** (축제의) 향연. **4** (흔히 F-) 정기적인 행사; 행사 시즌: a music ~ 음악제/the Bach ~ 바흐 기념 축제. SYN. ⇨FEAST. ***hold*** 〔***keep, make***〕 ***a ~*** 향연을 베풀다.

fes·tive [féstiv] *a.* Ⓐ 경축의; 축제의, 명절 기분의, 즐거운, 명랑한: be in a ~ mood 축제 기분이다/a ~ season 명절, 축제 계절《Christmas 따위》. ㊕ **~·ly** *ad.*

fes·tiv·i·ty [festívəti] *n.* **1** Ⓤ 축제, 잔치, 제전; 축제 기분. **2** Ⓒ (보통 *pl.*) 축제의 행사, 잔치 때의 법석.

fes·toon [festúːn] *n.* Ⓒ **1** 꽃줄《꽃·잎·리본

등을 길게 이어 양끝을 질러 놓은 장식》. **2** 〖건축〗 꽃줄 장식.
—*vt.* **1** 꽃줄 모양으로 꾸미다〔장식하다〕《*with* …으로》: ~ a Christmas tree *with* tinsel 크리스마스 트리를 금은의 몰로 장식하다. **2** 꽃줄 모양으로 잇다, 뒤덮다《*over* …의 위에; *round* …의 둘레에》: We ~*ed* flowers *round* the picture. 우리는 그 그림에 꽃줄로 테를 둘렀다.

Fest·schrift [féstʃrìft] (*pl.* ~*en*, ~*s*) *n.* (종종 f-) 《G.》 [C] (선배 학자에게 바치는) 기념 논문집.

fe·tal, foe- [fíːtl] *a.* 태아(fetus)의, 태아 단계〔상태〕의: ~ movements 태동(胎動).

fétal álcohol sỳndrome 〖의학〗 태아기(期) 알코올증후군《임부의 알코올 과음에 의한 신생아의 기형·기능장애 등; 생략: FAS》.

****fetch** [fetʃ] *vt.* **1** 《~+[목]/+[목]+[목]/+[목]+[전]+[명]/+[목]+[부]》 (가서) **가져오다**〔오게 하다〕, (가서) 데려〔불러〕 오다《*from* …에서; *for* (아무)에게》《★ 본래 fetch만으로 go and bring이란 뜻이나 《구어》에서는 go and fetch라고도 함》. [cf.] take. ¶ (Go and) ~ a doctor at once. 곧 의사 좀 불러다 주게/She ~*ed* her child home *from* school. 그녀는 아이를 학교에서 집으로 데리고 왔다/Shall I ~ you your overcoat? =Shall I ~ your overcoat *for* you? 코트를 가져다 드릴까요/*Fetch* the chair *in*. 가서 의자를 안에 들여 놓고 오세요. [SYN.] ⇨BRING. **2** 《~+[목]/+[목]+[전]+[명]》 (물·눈물·피 등)을 **자아내다**, 나오게 하다《*from* …에서》: ~ a pump 펌프에 마중물을 부어서 물이 나오게 하다/The gesture ~*ed* a laugh *from* the audience. 그 몸짓이 청중에게 웃음을 자아내게 했다. **3** (큰 소리·신음 소리)를 발하다, 내다; (한숨)을 짓다: ~ a groan 신음 소리를 내다/~ a deep sigh 크게 탄식을 하다. **4** 《~+[목]/+[목]+[목]》 (상품 따위가 얼마)에 팔리다; (…의 금액)을 호가하다: How much did the picture ~? 그 그림은 얼마에 팔렸는가/This won't ~ (you) much. 대단한 값은 안 될 거다. **5** 《+[목]+[목]》 (타격 등)을 가하다, 한 대 먹이다(strike): ~ a person a blow 〔box〕 *on* the head 〔nose〕 아무의 머리〔코〕에 일격을 가하다. **6** …의 마음을 사로잡다; …을 매혹하다(attract); (청중)의 인기를 끌다. **7** 〖컴퓨터〗 (명령)을 꺼내다.
—*vi.* **1** 가서 (물건을) 가져오다; (사냥개가) 잡은 사냥감을 물고 오다: (Go) ~! (사냥개에게) 물고 와. **2** 《+[부]》 멀리 돌아가다〔우회하다〕 (*about; around*).
~ ***and carry*** 심부름을 다니다; 잡일을 하다《*for* (아무)를 위해》. ~ ***in*** 《*vt.*+[부]》 …을 안으로 들여놓다; (한 패로) 끌어넣다〔들이다〕: The stool is on the terrace; ~ it *in*. 그 의자는 테라스에 있다, 안으로 들여 놓아라. ~ ***out*** 《*vt.*+[부]》 끌어〔끄집어〕내다; 데리고 가다. ~ ***over*** 《*vt.*+[부]》 (사람)을 집으로 데리고 오다. ~ ***up*** 《*vi.*+[부]》 ① 《구어》 끝나다; (배·사람이) 갑자기 멈추어 서다. ② 《구어》 결국 (…으로) 끝나다. ③ (뜻밖의 곳에) 도착하다. ④ 구역질이 나다, 토하다. **—**《*vt.*+[부]》 ⑤ (음식물)을 토하다. ⑥ …을 생각해내다. ⑦ (의식·체력 등)을 회복하다.

fétch·ing *a.* 사람의 눈을 끄는, 마음을 빼앗는; 매혹적인. [파] **~·ly** *ad.*

fete, fête [feit, fet] *n.* 《F.》 [C] **1** 축제, 축(제)일(~ day); 축연. **2** (특히 옥외에서, 모금 목적으로 베푸는) 향연, 축연: a garden 〔lawn〕 ~ 《美》 원유회(園遊會). **—***vt.* 잔치를 베풀어 축하하다; 향응〔환대〕하다.

fe·ti·cide [fíːtəsàid] *n.* [U] 태아 살해, 낙태.

fet·id [fétid, fíːtid] *a.* 악취를 내(뿜)는, 고약한 냄새가 나는.

fet·ish [fétiʃ, fíːt-] *n.* [C] 주물(呪物), 물신(物神)《야만인이 숭배하는 나뭇조각·동물 등》; 미신; 맹목적인 숭배의 대상; 〖심리〗 성적 감정을 불러일으키는 무성물(無性物)《이성의 구두·장갑 따위》. ***make a ~ of*** …을 맹목적으로 숭배하다, …에 열광하다.

fét·ish·ìsm *n.* [U] 주물(呪物)〔물신〕 숭배; 맹목적 숭배; 〖심리〗 배물성애(拜物性愛).

fét·ish·ist *n.* [C] 주물〔물신〕 숭배자; 〖심리〗 배물 성애자(性愛者).

fet·lock [fétlɑ̀k/-lɔ̀k] *n.* [C] (말굽 뒤쪽의) 텁수룩한 털; 구절(球節)《말굽 뒤쪽의 털난 곳》.

fe·tol·o·gy [fiːtɑ́lədʒi/-tɔ́l-] *n.* [U] 태아학《자궁 내의 태아 연구·치료를 다루는 의학 부문》.

fe·tor [fíːtər, -tɔːr] *n.* [U] 강한〔지독한〕 악취(惡臭).

fe·to·scope [fíːtəskòup] *n.* [C] 〖의학〗 태아경(鏡).

°**fet·ter** [fétər] *n.* **1** [C] (보통 *pl.*) 족쇄(shackle), 차꼬. [cf.] manacle. **2** (*pl.*) 속박; 구속: in ~*s* 사로잡혀; 속박되어. **—***vt.* …에 차꼬를 채우다; …을 속박〔구속〕하다: be ~*ed* by convention 인습에 사로잡혀 있다.

fet·tle [fétl] *n.* [U] (심신의) 상태《보통 다음 관용구로》. ***in good*** 〔***fine***〕 ~ 원기 왕성하여, 좋은 상태로.

fe·tus [fíːtəs] *n.* [C] (포유 동물, 특히 사람의 임신 3개월이 넘은) 태아(胎兒).

feud[1] [fjuːd] *n.* [U] (구체적으로는 [C]) (씨족간 등의 여러 대에 걸친 유혈의) 불화, 숙원(宿怨); 《일반적》 (장기간의) 다툼, 반목: at ~ with …와 불화〔반목〕하여/a deadly ~ 불구대천의 원한. **—***vi.* (두 집안이) 반목하다; 다투다《*with* …와》.

feud[2] *n.* [C] (봉건 시대의) 영지, 봉토(fee).

***feu·dal** [fjúːdl] *a.* 영지〔봉토〕의; **봉건(제도)의**; 봉건 시대의: ~ estates 봉토/the ~ age 봉건 시대/the ~ system 봉건 제도.

°**feu·dal·ism** [fjúːdəlìzəm] *n.* [U] 봉건 제도.

feu·dal·is·tic [fjùːdəlístik] *a.* 봉건 제도의; 봉건적인: a ~ idea 봉건 사상.

feu·dal·i·ty [fjùːdǽləti] *n.* **1** [U] 봉건 제도; 봉건성. **2** [C] 봉토, 영지(fief).

feu·da·to·ry [fjúːdətɔ̀ːri/-təri] *a.* (토지 따위가) 봉토인; 봉토를 받은; 가신(家臣)의《*to* (영주)의》. **—***n.* [C] (봉건) 가신(vassal), 봉토(封土)에 의해 땅을 소유한 자; 영지(feud[2]), 봉토.

****fe·ver** [fíːvər] *n.* **1** [U] (또는 a ~) (병으로 인한) **열**, 발열: have a slight 〔high〕 ~ 미열〔고열〕이 있다/run a ~ 발열하다/I don't have much ~. 열은 그다지 없다. **2** [U] 열병: intermittent ~ 간헐열/He died of ~. 그는 열병으로 죽었다. **3** (a ~) **열중**, 열광(craze), 흥분: in a ~ *of* passionate love 열렬한 사랑에 들떠서.

féver blìster 〖의학〗 =COLD SORE.

fé·vered *a.* [A] **1** 열이 있는; 열병에 걸린: She cooled his ~ brow. 그녀는 그의 열이 있는 이마를 식혀 주었다. **2** 몹시 흥분한.

***fe·ver·ish** [fíːvəriʃ] *a.* **1 열이 있는**, 뜨거운; 열병의〔에 의한〕; 열병이 많은《지방 따위》; (기후가) 무더운. **2** 열광적인; 큰 소란을 피우는; (시세가) 불안정한: the ~ market 과열 장세.

㊎ ~·ly *ad.* ~·ness *n.*

féver pítch 병적 흥분, 열광.

†**few** [fjuː] *a.* (∠·*er*; ∠·*est*) 《셀 수 있는 명사에 붙어》 **1** 〖a가 붙지 않는 부정적 용법〗 거의 없는; **조금〔소수〕밖에 없는**; 〖흔히 한정용법에서〗 극히 소수의(↔ *many* ⓒⓕ little): a man of ~ words 말이 적은 사람/He had ~ friends and little 〔*few〕 money. 그는 친구도 돈도 거의 없었다/*Few* tourists stop here. 이곳에 들르는 관광객은 거의 없다/Children have ~*er* teeth *than* adults. 어린이는 어른보다 치아 수가 적다《fewer 대신 less를 쓸 때도 있음》. ★구어에서는 few보다 not many, hardly any를 많이 씀. 다만, 연어 very few는 구어에서도 많이 씀: He has very ~ friends. 그는 친구가 거의 없다.

> NOTE few는 '수가 적은'의 뜻이며 many에 대립되고, little은 '양이 적은'의 뜻으로 much에 대립됨. 다만, few에는 부사로서의 용법이 없으며 little보다는 문법적으로 단순함.

2 (비교 없음) 〖a ~ 형태로 긍정적 용법〗 **조금〔약간〕은 있는**; 얼마〔몇 개〕인가의; 조금의; 다소의 (some) 《구체적인 수(數)는 문맥 여하에 따름》 (↔ *no, none*): He has *a* ~ friends. 그에겐 친구가 좀〔몇 사람〕 있다/one of *the* ~ relatives (that) she has 몇 안 되는 그녀의 친척 중 하나 《★ 특정의 것을 가리킬 때엔 a가 the나 one's로 바뀜》.

a good ~ 《英구어》 =quite a ~. ***every*** ~ 〖복수명사 앞에 쓰여〗 몇 …마다: *every* ~ hours 몇 시간마다. ~ ***and far between*** 극히 드물게〔적은〕: In Nevada the towns are ~ *and far between.* 네바다주에는 읍이 적고 띄엄띄엄 있다. ***no*** ~***er than*** …(만큼)이나: There were *no* ~*er than* sixty people present. 참석자가 60명이나 되었다. ***not a*** ~ 적지 않은, 꽤 많은, 상당수의: *Not a* ~ members were present. 상당수의 회원이 참석했다. ***not*** ~***er than*** …이상의, 적어도: There were *not* ~*er than* sixty people present. 참석자가 60명 이상〔적어도 60명〕이나 되었다. ***only a*** ~ 불과 얼마 안 되는, 극히 소수의: *Only a* ~ people came here. 불과 몇 사람밖에 이곳에 오지 않았다. ***quite a*** ~ 《구어》 꽤〔상당히〕 많은 수의: He owns *quite a* ~ cows. 그는 젖소를 꽤 많이 갖고 있다. ***some*** ~ 소수의, 조금의, 다소의: There were *some* ~ houses along the road. 길을 따라서 집이 몇 채 있었다.

—*n., pron.* 《복수취급》 **1** 〖a를 붙이지 않는 부정적인 용법〗 (수가) **소수〔조금〕**(밖에 없다); 극히 …밖에 안 되는 것〔사람〕: Betty must have a lot of friends.—You are wrong. She has very ~. 베티는 친구가 많은 것 같다—그렇지 않아요. 그녀는 친구가 거의 없습니다《very ~ ones 라고는 할 수 없으며, friends를 되풀이하여 very ~ friends라고는 할 수 있음. 이때의 few는 형용사임》/Very 〔Comparatively〕 ~ understand what he said. 그가 한 말을 이해하는 사람은 극히〔비교적〕 적다.

2 〖a ~의 형태로 긍정적 용법〗 **소수의 사람〔것〕**, 《구어》 몇 잔의 술: *A* ~ *of* them know it. 그들 중 그것을 알고 있는 자가 조금 있다/Only *a* ~ came to help me. 나를 도우러 온 사람은 불과 몇 사람뿐이었다/go into a pub, and have *a* ~ 술집에 들어가서 몇 잔 마시다.

3 (the ~) (다수에 대하여) 소수의 사람; 소수파(派); 엘리트《명사로도 볼 수가 있으며 이 때 few 앞에 형용사가 올 때가 있음》(↔ *many*): for the ~ 소수를 위한/to the happy ~ 행복한 소수에게/the discriminating 〔wealthy〕 ~ 소수 특권〔부유〕 계급.

> NOTE (1) few는 수에 관하여 쓰고, 양에 관해서는 little을 씀.
> (2) few와 a few는 말하는 사람의 기분상의 차이이며, 실제 수의 많고 적음에 따라 구별되는 것은 아님.
> (3) 비교급 fewer는 수에, less는 양에 씀. 다만, 특정 수를 수반하면 흔히 less가 대용됨: There were *less* 〔not *less*〕 than ten applicants. 지원자는 열 명도 못 됐다〔열 명 이상이나 됐다〕. This means one *less* idler. 이것으로 태만자가 하나 줄어드는 셈이다.

not a ~ 적지 않은 수, 상당수《*of*》: *Not a* ~ *of* the members were present. 상당수의 회원이 참석했다. ***only a*** ~ 아주 소수: *Only a* ~ *of* them came here. 불과 몇 사람만 이 곳에 왔다. ***quite a*** ~ 《구어》 꽤〔상당히〕 많은 수; 상당수: *Quite a* ~ *of* them agreed. 그들 가운데 찬성하는 사람이 꽤 많았다. ***some*** ~ 소수: *Some* ~ *of* them came here. 그들 중 몇 사람이 여기 왔다.

féw·ness *n.* Ⓤ 근소, 약간.

fey [fei] *a.* **1** (사람 · 행동이) 이상한; 머리가 돈, 변덕스러운. **2** 제 6감이 있는, 미래를 내다보는, 천리안의. ㊎ ∠·ly *ad.* ∠·ness *n.*

fez [fez] (*pl.* ∠·(*z*)*es* [féziz]) *n.* Ⓒ 터키모(帽) 《붉은 색; 검은 술이 달렸음》.

ff, ff. 〖음악〗 fortissimo. **ff.** and the following (pages, verses, etc.); and what follows; folios.

F.G. Foot Guards.

fi·an·cé [fiːɑːnséi, fiáːnsei] *n.* 《F.》 Ⓒ 약혼자 《남성》.

fi·an·cée [fiːɑːnséi, fiáːnsei] *n.* 《F.》 Ⓒ 약혼녀.

fi·as·co [fiǽskou] (*pl.* ~(*e*)*s*) *n.* 《It.》 Ⓤ (구체적으로는 Ⓒ) (연극 · 연주 · 야심적 기획 따위의) 큰 실수〔실패〕: The party was a ~ 〔ended in ~〕. 그 파티는 큰 실패였다〔로 끝났다〕.

fi·at [fíːət, fáiət, -æt] *n.* Ⓒ (권위에 의한) 명령(command), 엄명(decree); 인가(sanction), 허가. ***by*** ~ (절대) 명령에 의해.

fíat mòney 《美》 법정 불환(不換) 지폐.

fib [fib] *n.* Ⓒ 악의 없는 거짓말, 사소한 거짓말. —(*-bb-*) *vi.* 악의 없는 거짓말을 하다.

fib·ber [fíbər] *n.* Ⓒ (악의 없는) 거짓말쟁이.

***fi·ber,** 《英》 **fi·bre** [fáibər] *n.* **1** Ⓒ (동식물 · 광물의) **섬유**(한 올): nerve ~*s* 신경 섬유. **2** Ⓤ (방적용) 섬유; (피륙의) 감(texture): synthetic ~ 합성 섬유/cotton ~ 면섬유. **3** Ⓒ 섬유 조직, 섬유질; (건강 증진을 위한) 섬유질 식품. **4** Ⓤ 〖수식어를 수반하여〗 소질, 기질, 성격(character); 근성: a man of coarse 〔fine〕 ~ 성격이 거친 〔섬세한〕 사람/He has no 〔lacks〕 moral ~. 그는 도의심이 없다.

fíber·bòard, 《英》 **-bre-** *n.* Ⓒ (건축용) 섬유판.

fíber·glàss *n.* Ⓤ 섬유 유리.

fíber òptics 1 〖단수취급〗 광학 섬유. **2** 파이버 옵틱스《빛을 전달하는 유리 섬유 다발; 통신 · 위내시경용》.

fíber·scòpe *n.* Ⓒ 파이버스코프《유리 섬유의 위내시경》.

fi·bril [fáibril, fí-] *n.* Ⓒ 가는 섬유; 〖식물〗 수염뿌리, 수근.
fi·brin [fáibrin] *n.* Ⓤ 〖생리〗 섬유소(素)《혈액 응고 때 형성되는 섬유 모양의 단백질》.
fi·broid [fáibrɔid] *a.* 섬유성의, 섬유 모양의. **—***n.* Ⓒ 〖의학〗 유섬유종(類纖維腫); 자궁근종(筋腫).
fi·brous [fáibrəs] *a.* 섬유(질)의, 섬유성〔상〕의, 섬유가 많은.
fib·u·la [fíbjulə] (*pl.* **~s, -lae** [-lìː]) *n.* Ⓒ 〖해부〗 종아리뼈, 비골(腓骨).
-fic [fik] '…으로 하는, …화(化)하는' 의 뜻의 형용사를 만드는 결합사: terri*fic*.
-fi·ca·tion [fikéiʃən] -fy 의 어미를 가진 동사에서 '…로 함, …화(化)' 의 뜻의 명사를 만드는 결합사: identi*fication*; puri*fication*.
fiche [fiːʃ] *n.* =MICROFICHE.
Fich·te [fíktə, fíçtə] *n.* **Johann Gottlieb ~** 피히테《칸트파의 독일 철학자; 1762-1814》.
fichu [fíʃuː, fiːʃuː] *n.* 《F.》 Ⓒ (여성이 어깨에 걸치는 삼각형) 숄.
◇**fick·le** [fíkəl] *a.* 변하기 쉬운, 마음이 잘 변하는, 변덕스러운: a ~ woman 변덕스러운 여자/a ~ lover 바람 피우는 애인/Fortune's ~ wheel 변하기 쉬운 운명의 수레바퀴. ㊕ **~·ness** *n.*
⁑**fic·tion** [fíkʃən] *n.* **1** Ⓤ 〔집합적〕 (문학으로서의) 창작; 《특히》 **소설**. ↔ *nonfiction.* ¶works of ~ 소설류/detective ~ 탐정〔추리〕 소설/Fact 〔Truth〕 is stranger than ~. 《속담》 사실은 소설보다 기이하다. SYN. ⇨ NOVEL.

> NOTE novel 이 주로 장편소설을 지칭하는 데 반해 fiction 은 장 · 단편 소설을 총괄적으로 지칭하며 보통 불가산(不可算)명사: read *fiction* 소설을 읽다. 비교: read *a novel* 〔*a short story*〕 장편〔단편〕 소설을 읽다《가산명사》.

2 Ⓒ 꾸민 이야기, 가공의 이야기, **꾸며낸 일**, 허구: His testimony was a complete ~. 그의 증언은 정말 엉터리였다. **3** Ⓒ 〖법률〗 (법률상) 의제(擬制), 가정, 가설. ◇ fictitious *a.*
fic·tion·al [fíkʃənəl] *a.* 꾸며낸, 허구의; 소설적인. ㊕ **~·ly** *ad.*
fic·tion·al·ize [fíkʃənəlàiz] *vt.* (실화)를 소설로 만들다, 소설화하다. ㊕ **-i·za·tion** *n.*
fic·ti·tious [fiktíʃəs] *a.* **1** 허위〔거짓〕의, 허구의, 가짜의: a ~ name 가명/a ~ price 더 얹어서 부르는 값, 에누리. **2** 가공의, 꾸민 이야기 같은, 소설〔창작〕적인: a ~ character 가공 인물. **3** 〖법률〗 의제적(擬制的)인: a ~ action 가장 소송/a ~ party 의사(擬似) 당사자/~ transactions 의제〔공(空)〕거래. ◇ fiction *n.* ㊕ **~·ly** *ad.* 허위로, 거짓으로. **~·ness** *n.*
fictítious pérson 〖법률〗 법인.
◇**fid·dle** [fídl] *n.* Ⓒ **1** 바이올린; 피들《비올속(屬)의 현악기》. **2** 《구어》 사기, 사취: be on the ~ 《英》 사기치다. **(as) fit as a ~** 건강〔튼튼〕하여. **have a face as long as a ~** 《구어 · 우스개》 우울한 얼굴을 하고 있다. **play first** 〔**second**〕 **~** (**to ...**) (관현악에서) 제 1 〔2〕 바이올린을 켜다; (아무의) 위에 서다〔밑에 종속하다〕, (…에 대하여) 주역〔단역〕을 맡다: I always *played second ~ to* him. 나는 언제나 그 사람 밑에서 하라는 대로 했다.
—*vi.* **1** 《구어》 바이올린을 켜다. **2** (손가락으로) 만지작거리다; 만지다(*about; around*)《**with** …을》: ~ *around with* a computer 컴퓨터를 만지작거리다/He is *fiddling with* his cuffs. 그는 소매를 만지작거리고 있다. **3** 빈들빈들 시간을 보내다(*about; around*): ~ *around* 빈둥거리다/~ *about* doing nothing 아무 일도 하지 않고 빈둥거리며 보내다. **4** 《英속어》 사기〔야바위〕치다, 속이다. **—***vt.* **1** 《구어》 (곡)을 바이올린으로 켜다. **2** (시간)을 빈들빈들 보내다(*away*): ~ the day *away* 빈둥빈둥 하루를 보내다. **3** 《구어》 (숫자 따위)를 속이다.
fíddle bòw 바이올린 활(fiddlestick).
fid·dle-de-dee [fìdldidíː] *int.* 당찮은!, 부질없는!, 시시한!
fid·dle-fad·dle [fídlfæ̀dl] 《구어》 *n.* Ⓤ 부질없는 짓. **—***int.* 시시하다!, 어이〔부질〕없다! **—***vi.* 허튼 수작을〔짓을〕 하다(trifle); 쓸데없는 일로 떠들다.
fíd·dler *n.* Ⓒ **1** 피들 주자, 《구어》 바이올리니스트. **2** 《英속어》 사기꾼.
fíddle·stìck *n.* Ⓒ **1** 《구어》 바이올린 활(fiddle bow). **2** (보통 a ~) 〔부정어와 함께〕 조금, 약간: do *not* care a ~ 조금도 개의치 않다.
fíddle·stìcks *int.* 시시하다!, 뭐라고《불신 · 조소를 나타냄》.
fíd·dling *a.* 바이올린을 켜는; 쓸데없는, 하찮은, 사소한(petty).
fid·dly [fídli] *a.* 《英구어》 다루기 힘든, 귀찮은, 성가신.
◇**fi·del·i·ty** [fidéləti, fai-] *n.* Ⓤ **1** 충실, 충성, 성실《**to** (사람 · 주의 등)에 대한》; (부부간의) 정절《**to** (남편 · 아내)에 대한》. **2** 원물(原物)과 똑같음, 박진성(迫眞性); (보고 따위의) 사실〔신빙〕성; 〖전자〗 충실도: reproduce with complete ~ 아주 원물〔원음〕 그대로 복제〔재생〕하다/a high-~ receiver 고성능〔하이파이〕 수신기.
fidg·et [fídʒit] *vi.* **1** 안절부절못하다, 불안해〔초조해, 싱숭생숭해〕 하다, 우물쭈물하다: Stop ~*ing!* 우물쭈물하지 마라. **2** (안절부절못하며) 만지작거리다《**with** …을》: ~ *with* one's hat 침착을 잃고 모자를 만지작대다. **—***vt.* 애타게〔불안하게〕 하다, 안절부절못하게 하다.
—*n.* **1 a** Ⓒ 싱숭생숭함, 안절부절못함: be in a ~ 안절부절못하고 있다. **b** (the ~s) 침착하지 못한 기분, 불안해 하는 것: give a person the ~*s* 아무를 불안케〔조바심나게〕 하다/have the ~*s* 불안해 하다. **2** Ⓒ 침착하지 못한 사람, 안달하는 아이.
fidg·ety [fídʒiti] *a.* 《구어》 안절부절못하는, 침착성을 잃은, 안달하는.
fi·du·ci·ary [fidjúːʃièri/-ʃiəri] *a.* 〖법률〗 피신탁인(被信託人)의, 수탁자의; 신용상의; 신탁(信託)의; (화폐 따위가) 보증〔신용〕 발행의: a ~ institution 신용 기관《은행 따위》/a ~ loan 신용 대부금/~ notes 〔paper currency〕 (무준비 발행의) 신용 지폐. **—***n.* Ⓒ 〖법률〗 피신탁자, 수탁자(trustee).
fie [fai] *int.* 《우스개》 저런, 에잇, 체《경멸 · 불쾌 따위를 나타냄》. ***Fie upon you!*** 이거, 기분 나쁜데 (자네).
fief [fiːf] *n.* Ⓒ 봉토(封土), 영지(feud[2]).
†**field** [fiːld] *n.* **1** Ⓒ (보통 *pl.*) 들(판), 벌판; 논, 밭, 목초지: in the ~*s* 벌판에서/a wheat ~ 밀밭/a rice ~ 논.
2 Ⓒ 〔보통 복합어〕 (바다 · 하늘 · 얼음 · 눈 따위의) 질펀하게 펼쳐진 곳: a ~ *of* clouds 운해(雲海)/an ice ~ 빙원(氷原).
3 Ⓒ 〔보통 복합어〕 (특정한 사용 목적을 지닌) 광

장, 지면, …사용지, …장(場): landing ~ 비행장/playing ~ 경기장, 운동장.
4 [C] (광산물의) 산지, 매장 지대, 광상: a coal ~ 탄전/an oil ~ 유전.
5 [C] **싸움터**(~ of honor); 경쟁의 장(場); 전지(戰地)(battle ~); 싸움, 전투: a ~ of battle 전장/a hard-fought ~ 격전(지)/a single ~, 1대 1의 싸움.
6 a [C] **경기장**, 필드《track과 상대되는 말》; 야구장: a baseball ~. **b** [U] 〖야구〗 내야, 외야; 야수(野手), 수비측: left 〔right〕 ~ 좌〔우〕익.
7 [U] (the ~) 〘집합적; 단·복수취급〙 경기 참가자 전체; 사냥 참가자.
8 a [C] (활동의) **분야**, 범위; (연구의) 방면: a new ~ *of* research 새로운 연구 분야/the ~ *of* medicine 의학 분야〔영역〕/Many scientists are working in this ~. 많은 과학자들이 이 분야의 연구를 하고 있다. **b** (the ~) 실제의 활동 범위, 현장.
9 [C] (the ~) 〘집합적; 단·복수취급〙 〖경마〗 (인기마 이외의) 전출장마.
10 [C] 〖물리〗 장(場), 역(域), 계(界)《힘의 작용이 미치는 범위》; 시야, 시역(視域)《망원경 따위의》; 〖TV〗 영상면: a magnetic ~ 자기장(磁氣場)/the ~ *of* fire (총·대포의) 사계(射界)/~ *of* vision 시야/~ *of* force 힘의 장.
11 [C] 바탕《그림·기(旗) 따위의》, 바탕의 색; 〖문장(紋章)〗 무늬 바탕.
12 [C] 〖전기〗 계(界); 〖컴퓨터〗 필드, 기록란(欄); 〖전기〗 자기장(磁氣場).
hold the **~** 유리한 위치를 차지하다, 한 발짝도 물러서지 않다《***against*** …에 대하여》. ***in the*** **~** ① 싸움터에; 출정〔종군〕 중에, 현역(現役)으로. ② 경기에 참가하여. ③ 현지〔현장〕에서: Archaeologists often work *in the* ~. 고고학자는 종종 현장에서 일을 한다. ***keep*** 〔***maintain***〕 ***the*** **~** 작전〔활동〕을 계속하다; 진지를〔전선을〕 유지하다. ***play the*** **~** 〖경마〗 인기말 이외의 출장한 말 전부에 걸다; 《구어》《특히》 많은 이성과 교제하다(↔ *go steady*). ***take*** 〔***leave***〕 ***the*** **~** 출전〔퇴진〕하다, 전투를 시작하다〔그치다〕; 경기를 시작하다〔마치다〕. ***take to the*** **~** 경기장에 나가다; 수비에 임하다〔를 맡다〕.
—*vt*. **1** 전투배치를 시키다; (선수·팀)을 수비에 세우다; 경기〔전투〕에 참가시키다. **2** (타구)를 받아서 던지다, 처리하다. **3** 《비유적》 (질문)을 적절히 받아넘기다. **—***vi*. 〖야구〗 수비를 맡다.

fíeld artìllery 〘집합적〙 야포 (부대); (F- A-) (미군) 야전 포병대.
fíeld còrn 《美》 (사료용) 옥수수.
fíeld dày 1 〖군사〗 (공개) 야외 훈련일. **2** 야외 집회일; 야외 연구일《생물 연구회 따위》. **3** (중요한 일의) 행사일, 야외 경기일; 《美》 운동회 날. **4** 유렵일(遊獵日); 즐거운 한때: have a ~ (야외에서) 즐거운 한때를 보내다.
fíeld·er *n*. [C] 〖크리켓〗 야수(野手)(fieldsman); 〖야구〗 야수, 《특히》 외야수: a left 〔right〕 ~ 좌익〔우익〕수.
fíelder's chóice 〖야구〗 야수(野手) 선택, 야선(野選).
fíeld glàss(es) 쌍안경; (망원경 등의) 렌즈.
fíeld gòal 〖구기〗 《美》 필드에서의 득점; (특히 농구의) 경기중의 골《2득점》.
fíeld hànd 《美》 농장 일꾼(farm laborer).
fíeld hòckey 《美》 필드 하키.
fíeld hòspital 야전 병원.
fíeld hòuse 《美》 경기장의 부속 건물《용구실·탈의실 따위》; (육상 경기의) 실내 경기장.
fíeld·ing *n*. [U] 〖야구〗 수비.
fíeld màrshal 《英》 육군 원수《美육군은 general of the army; 생략: F.M.》.
fíeld mòuse 들쥐.
fíeld òfficer 〖군사〗 영관(領官)(급의 장교)《colonel, lieutenant colonel 및 major; 생략: F.O.》.
fields·man [fíːldzmən] (*pl*. ***-men*** [-mən]) *n*. [C] 〖크리켓〗 야수(fielder).
fíeld spòrts 1 야외 스포츠《사냥·사격·낚시 따위》. **2** 필드 경기《트랙 경기에 대해서》.
fíeld tèst 실지 시험(實地試驗).
fíeld-tèst *vt*. (신제품 따위)를 실지 시험하다.
fíeld trìp 실지 연구〔견학〕 여행, (연구 조사를 위한) 야외 연구 조사 여행.
fíeld·wòrk *n*. [U] (생물학 따위의) 야외 연구, 야외 채집; (인류학·사회학 등의) 현지〔실지〕 조사; 현장 방문. [파] **~·er** *n*.
fiend [fiːnd] *n*. [C] **1** 마귀, 악마(the Devil), 악령; (the F-) 마왕; 마귀〔악마〕처럼 잔인〔냉혹〕한 사람. **2** 사물에 열광적인 사람, …광(狂); …중독자; (기술·학문 등이) 뛰어난 사람, 달인(達人): an opium ~ 아편쟁이/a golf ~ 골프광/a film ~ 영화광/a cigarette ~ 지독한 골초/a ~ *at* tennis 테니스의 명수.
fiend·ish [fíːndiʃ] *a*. **1** 귀신〔악마〕 같은, 마성(魔性)의; 극악한, 잔인한. **2** 《구어》 (계획·행동 따위가) 교묘한. **3** (문제 따위가) 매우 어려운; 대단한; (날씨 따위가) 아주 험악한. [파] **~·ly** *ad*. **~·ness** *n*.
fierce** [fiərs] (fíerc·er; -est***) *a*. **1 흉포한**, 몹시 사나운(savage): a ~ tiger 맹호/~ animals 맹수/~ looks 사나운 표정. **2** (폭풍우·기후 따위가) 사나운, 모진(raging): ~ heat 염서(炎暑). **3** 〘일반적〙 **맹렬한**, 격심한(intense): a ~ competition 격심한 경쟁. **4** 《구어》 지독한, 고약한: a ~ taste 지독한 악취미. [파] **ˊ~·ly** *ad*. 맹렬히, 지독히. **ˊ~·ness** *n*. [U] 흉포, 광포; 맹렬.
fi·ery** [fáiəri] (more ~, fi·er·i·er; most ~, -i·est***) *a*. **1 불의**, 불길의; 불타는. **2 불 같은**, 불같이 뜨거운, 활활 타는 듯한; 빛나는, 번쩍이는: ~ eyes 노여움에 이글거리는 눈/~ winds 열풍(熱風). **3 열띤**, 열렬한, 격렬한: a ~ speech 불꽃이 튀는 듯한 열띤 연설. **4** (성질이) 격하기 쉬운, 열화 같은; (말이) 사나운. **5** 인화하기〔불붙기〕 쉬운; 폭발하기 쉬운《가스 따위가》. **6** 염증을 일으킨(inflamed): a ~ tumor 염증을 일으킨 종기. **7** (맛 따위가) 짜릿한, 얼얼한: a ~ taste 얼얼한〔짜릿한〕 맛.
fi·es·ta [fiéstə] *n*. 《Sp.》 [C] (종교상의) 제례(祭禮), 성일(聖日) (saint's day); 휴일, 축제.
FIFA [fíːfə] 《F.》 Fédération Internationale de Football Association (국제 축구 연맹).
fife [faif] *n* [C] (고적대의) 서, 횡적(橫笛).
—*vi*., *vt*. 저를〔횡적을〕 불다. [파] **fíf·er** *n*.
‡**fif·teen** [fíftíːn] *a*. **열다섯의**, 15의, 열다섯 개〔사람〕의; 열다섯 살의.
—*n*. **1 a** [U] (때로 [C]) 〘보통 관사 없이〙 **열다섯**, 15. **b** [C] 15의 숫자〔기호〕《15, xv, XV》. **2 a** 〘복수취급〙 15개〔사람〕: There're ~. 15개〔사람〕 있다. **b** [U] 15살; 15달러〔파운드, 센트, 펜스(따위)〕. **3** [C] 〖럭비〗 (15인의) 한 조. **4** [U] 〖테니스〗 피프틴《1득점》: ~ love 피프틴 러브《1:0》.
‡**fif·teenth** [fíftíːnθ] *a*. 제 15의, **15 번째의**; 15분의 1의. **—***n*. **1** (보통 the ~) **a** (서수의) 제

15《생략: 15 th》. **b** (달의) 15일. **2** Ⓒ 15분의 1.

†**fifth** [fifθ] *a.* **1** (보통 the ~) **다섯(번)째의**, 제5의. **2** 5분의 1의.
—*n.* **1** Ⓤ (보통 the ~) **a** (서수의) 제 5《생략 5th》. **b** (달의) 5일. **2 a** (the ~) 제5번째 사람〔것〕. **b** Ⓒ 5분의 1. **c** Ⓒ 《美》 5분의 1갤런: A ~ of wiskey, please. 위스키 5분의 1갤런 주세요. **d** Ⓒ 5분의 1갤런들이 병〔용기〕. **3** Ⓒ 〖음악〗 5도(度), 5도 음정. **4** (*pl.*) 〖상업〗 5등품.
take the ~ 《美구어》 묵비권을 행사하다《**on** …에 대해》; 증언을 거부하다(ⓒⓕ Fifth Amendment): I'll *take the* ~ *on* that. 나는 그것에 관해 말하고 싶지 않다.

Fífth Améndment (the ~) 미국 헌법 수정 제5조《자신에게 불리한 증언을 거부하는 것 등을 인정하는 조항》.

Fífth Ávenue (the ~) 5번가(街)《미국 New York의 번화가》.

fífth cólumn 제5열《적과 내통하여 국내에서 파괴 행위를 하는 일단의 사람들》.

fífth cólumnist 제5열 분자; 배반자.

fífth generátion compúter (the ~) 〖컴퓨터〗 제5세대 컴퓨터《초(超)LSI에 의한 제4세대 컴퓨터 다음에 나타날 컴퓨터》.

fífth whéel (4륜 마차의) 전향륜(轉向輪); (4륜차의) 예비바퀴; 좀처럼 쓰지 않는 것〔사람〕, 무용지물.

***fif·ti·eth** [fíftiiθ] *a.* **1** (보통 the ~) 50 (**번째**)의. **2** 50분의 1의. —*n.* **1** Ⓤ (보통 the ~) (서수의) 제50《생략: 50 th》. **2** (the ~) 50번째의 사람, 물건. **3** Ⓒ 50분의 1.

†**fif·ty** [fífti] *a.* **1** **쉰의, 50의**; 50개〔사람〕의, 50 세의. **2** (막연히) 많은: I have ~ things to tell you. 이야기할 것이 많다.
—*n.* **1 a** Ⓤ (때로 Ⓒ) 〖보통 관사 없이〗 **쉰**, 50. **b** Ⓒ 50의 숫자〔기호〕《50, l, L》. **2 a** 〖복수취급〗 50개〔사람〕: There're ~. 50개〔사람〕 있다. **b** Ⓤ 50살; 50달러〔파운드, 센트, 펜스(따위)〕: a man of ~, 50세의 남자/one pound (and) ~, 1파운드 50센트. **c** (the fifties) (세기의) 50년대. **d** (one's fifties) (연령의) 50대(代).

fífty-fífty *a., ad.* (절)반씩의〔으로〕; 50대 50의〔으로〕: a ~ chance of survival 살아남을 가능성은 반반. ***go*** ~ 반반으로 하다, 절반씩 나누다《**with** …와》. ***on a*** ~ ***basis*** 반반의 조건으로.

◇**fig**[1] [fig] *n.* **1** Ⓒ 무화과《열매 또는 나무》; 무화과 모양의 것: a green ~ 생무화과《말린 것에 대하여》. **2** 〖주로 부정문에서 부사적으로 써서〗 (a ~) 조금, 약간; 하찮은〔시시한〕 것: I don't care a ~ for ... …따위 아무래도 상관 없다. **3** Ⓒ 상스러운 경멸적인 손짓《두 손가락 사이에 엄지손가락을 끼워 넣는 따위의》.

fig[2] 《구어》 *n.* Ⓤ 옷, 옷〔몸〕차림, 복장; 모양, 상태, 형편: in full ~ 성장(盛裝)하고/in good ~ 탈없이, 아주 건강하게. —(**-gg-**) *vt.* 꾸미다, 장식하다; 치장시키다, 성장시키다(*out; up*).

fig. figurative(ly); figure(s).

†**fight** [fait] (*p., pp.* ***fought*** [fɔːt]) *vi.* **1** 《~/+전+명》 **싸우다**, 전투하다, 서로 치고 받다, (논쟁·소송 따위로) 다투다; (우열을) 겨루다《**against, with** …와》: Two boys were ~*ing* on the street. 두 소년이 길에서 싸우고 있었다/~ *with* 〔*against*〕 an enemy 적군과 싸우다. **2** 《+전+명》 **노력하다, 분투하다**《**for** …을 위하여》: ~ *for* fame 명성을 얻으려고 애를 쓰다〔분투하다〕. **3** 《+전+명》 (지지 않으려고) 싸우다《**against** (유혹·곤란 따위)와》: ~ *against* temptation 유혹과 싸우다. **4** 격론하다, 언쟁하다《**over, about** …에 관하여》.
—*vt.* **1** …와 싸우다; 다투다; 겨루다: ~ an enemy 적군과 싸우다/~ a person over 〔for〕 a girl 한 여자를 두고 아무와 겨루다. **2** 《+목+전+명》 〖~ one's way로〗 분투하면서 진로를 뚫고 나아가다: ~ one's *way against* the wind 〔*through* snowdrifts〕 바람을〔눈보라를〕 뚫고 나아가다. **3** 〖동족목적어를 수반하여〗 (싸움)을 하다, 벌이다: ~ a losing battle 싸워서 지다/~ a heavy fight 〔battle〕 격전을 벌이다. **4** (주장·주의 따위)를 싸워 지키다, 싸워서 획득하다. **5** (닭·개 따위)를 싸움 붙이다. **6** (군대)를 지휘하다, 움직이다.
~ ***back*** 《*vi.*+부》 ① 저항〔저지, 반격〕하다. —《*vt.*+부》 ② (감정 등)을 억제하다, 참다; (공격)을 저지하다: I *fought back* the urge to hit him. 나는 그를 때리고 싶은 충동을 억제했다. ~ ***down*** 《*vt.*+부》 (감정·재채기 따위)를 억제하다, 참다. ~ ***it out*** 승부가 날 때까지〔끝까지〕 싸우다, 자웅을 겨루다. ~ ***off*** 《*vt.*+부》 …을 싸워서 격퇴하다; 퇴치하다: ~ *off* a cold 감기를 이겨내다. ~ ***on*** 《*vi.*+부》 계속해 싸우다. ~ ***out*** 《*vt.*+부》 (문제·불화 따위)를 싸워 해결하다: They *fought out* the issue with the opposition. 그들은 야당과 논쟁하여〔싸워〕 그 문제를 해결했다.
—*n.* **1** Ⓒ **싸움**, 전투, 접전; 결투, 격투, 1대 1의 싸움, 권투경기: ~*s* by land and sea 육해전/a running ~ 추격전/a free ~ 난투.
SYN. **fight** 가장 일반적인 말로서, 흔히 군사행동 이외의 뜻으로 쓰임: a *fight* for freedom 자유를 위한 전투. **battle** 일련의 교전 행위로 이루어지는 전투: the *Battle* of Waterloo 워털루의 전투. **war** 국가끼리 하는 조직적인 싸움. 일련의 battles (전투)로 이루어지는 '전쟁': the World *War* 세계 대전. **engagement, action** 공방(攻防), 교전, 작전 행동. **combat** 좁은 뜻에서의 전투. (보급 수송 따위를 포함하지 않는) 결전, 대결, 1대 1의 싸움 따위의 뜻을 내포함. **campaign** 규모가 큰 전략과 그것에 의거한 일련의 군사행동. **encounter** 적과의 조우에 의한 기동적인 전투, 조우전. **skirmish** 전초전, 전위·척후끼리의 총격, 소규모의 싸움〔충돌〕, 비유적으로 '승강이'.
2 Ⓒ 투쟁《**for** …을 위한; **against** …에 대한》; 쟁패전, 승부, 경쟁《**with** …와의》: a ~ *for* higher wages 임금인상 투쟁/a ~ *against* (a) disease 투병. **3** Ⓤ 전투력; **전의(戰意)**, 투지: He has plenty of ~ in him. 그는 투지 만만하다. **4** Ⓒ 논쟁, 격론《**with** …와의; **over** …에 대한》. **5** Ⓒ (사회) 운동(campaign)《**for** …을 위한》: a ~ *for* lower taxes 감세(減稅)운동. ***give*** 〔***make***〕 ***a*** ~ 일전을 벌이다. ***put up a good*** 〔***poor***〕 ~ 선전〔고전〕 분투하다.

◇**fight·er** *n.* Ⓒ **1** 싸우는 사람, 투사; 전투원, 무인(武人). **2** 호전가; 싸움을 좋아하는 사람; (프로) 권투선수. **3** 전투기(~ plane): ~ pilot 전투기 비행사.

fighter-bómber *n.* Ⓒ 〖군사〗 전투 폭격기.

◇**fight·ing** *n.* Ⓤ 싸움, 전투, 투쟁; 격투; 논쟁: street ~ 시가전.
—*a.* Ⓐ **1** 싸우는; 전투의, 교전 중인; 호전적인, 투지가 있는: ~ men 전투원; 투사/a ~ spirit 투지/~ fields 전장(戰場), 싸움터. **2** 《구

어)《부사적》몹시, 지독하게: ~ drunk [tight] 취해서 싸우려들어/~ fit 전투에 알맞아; 몸의 컨디션이 매우 좋아/I was ~ mad at him. 그에게 몹시 화가 났다.

fíghting chàir《美》갑판에 고정시킨 회전의자《큰 고기를 낚기 위한》.

fíghting chánce 노력 여하로 얻을 수 있는 승리[성공]의 가망; 성공할 수 있는 기회《***to*** do/***that***》: Give them a ~. 그들에게 기회를 주어라/We have a ~ *to* save them. 우리가 그들을 어쩌면 구할 수 있을 것 같다/There's a ~ *that* you will succeed. 너에게도 노력 여하에 따라 성공할 기회가 있다.

fíghting wòrds [**tàlk**] 도전적인 말.

fíg lèaf 무화과나무 잎; (조각 등에서) 국부를 가리는 것; 《비유적》(흉한 것이나 수상한 것을) 감추는 것, 은폐물, 악취나는 것을 덮는 뚜껑.

fig·ment [fígmənt] *n.* Ⓒ 가공적(架空的)인 일, 허구(虛構); 꾸며낸 일, 지어낸 이야기: a ~ of one's imagination 상상의 산물.

fig·u·ra·tion [fìgjəréiʃən] *n.* **1** Ⓤ 형체 부여; 성형. **2** Ⓒ 형상, 형태, 외형; 상징. **3** Ⓤ (구체적으로는 Ⓒ) 비유적 표현. **4** Ⓤ (구체적으로는 Ⓒ) 의장(意匠), (도형 등에 의한) 장식; 〖음악〗 장식《음 · 선율의》.

°**fig·u·ra·tive** [fígjərətiv] *a.* **1** 비유적인; 비유적 의미의, 비유적으로 쓰이는: a ~ use of a word 낱말의 비유적인 용법/in a ~ sense 비유적인 의미로. **2** (문체 따위가) 수식(修飾)이[비유가] 많은, 화려한: a ~ style 미문체(美文體). **3** 상징적인; 구상적(具象的)인, 조형적인: the ~ arts 조형 미술《회화와 조각》. ㊞ **~·ly** *ad.* 비유적[상징적]으로. **~·ness** *n.*

‡**fig·ure** [fígjər/-gər] *n.* Ⓒ **1 숫자**; (숫자의) 자리; (*pl.*) 계수, 계산: an income of five ~s 다섯 자리(1만 이상 10만 달러[원] 미만)의 수입/double ~s 두 자리 수《10에서 99까지의 수》/a number in three ~s 세 자리의 수/be good [poor] at ~s 계산에 밝다[어둡다]/do ~s 계산하다/significant ~s 유효 숫자.

2《보통 수식어를 수반하여》 합계(수), 총계; 값: sell goods at [for] a high [low] ~ 상품을 비싼 값[싼 값]에 팔다.

3 모양, 형태, 형상: a solid ~ 입체형/a ~ of 8, 8자 모양; 〖스케이트〗 8자형의 활주(滑走).

4 사람의 모습, 사람의 그림자: A tall ~ stood there. 키 큰 사람이 거기 서 있었다/I saw the ~ of a man in the shadows. 그늘 속에 사람의 모습을 보았다.

5 몸매, 풍채, 자태, 외관, 눈에 띄는[두드러진] 모습, 이채(異彩): a slender ~ 날씬한 몸매/a fine ~ of a man 훌륭한 체격의 남자/have a good ~ 풍채[자태]가 훌륭하다.

6《보통 수식어를 수반하여》(중요한) **인물**, 거물: a political ~ 정계 인사/great ~s of the age 그 시대의 거물들.

7 (그림 · 조각 따위의) **인물**, 초상, 화상(畫像), 조상(彫像).

8 상징, 표상(emblem): The dove is a ~ *of* peace. 비둘기는 평화의 상징이다.

9 도안, 디자인, 무늬; 〖수학〗 도형; 도해(diagram); (본문 따위를 위한) **그림**, 삽화(illustration)《생략: fig.》: The statistics are shown in *Figure* 3. 그 통계는 그림 3에 나타나 있다.

10 〖수사학〗 비유, 비유적 표현(~ of speech)《직유(直喩) · 은유(隱喩) 따위》, 문채(文彩).

11 (댄스 · 스케이트의) 피겨; 〖음악〗 음형(音形).

12 〖논리〗 (삼단논법의) 격(格), 도식(圖式).

cut [***make***] ***a*** (***brilliant, conspicuous, fine***) ~ 두각을 나타내다, 이채를 띠다. ***cut*** [***make***] ***a poor*** [***sorry***] ~ 초라한 모습을 드러내다. ***cut no*** ~ 축에 들지[끼지] 못하다: *cut no* ~ in the world 세상에 이름이 나지 않다, 세상에서 문제가 되지 않다. ~ ***of speech*** ① 수사적 표현. ② 비유, 비유적 표현.

—*vt.* **1**《~+목/+목+부》…을 숫자로 표시하다; 계산하다(compute), 합계하다; …의 가격을 사정[평가]하다(*up*): ~ *up* a sum 총계를 내다/He ~*d* them all *up*. 그는 그것들을 모두 합계했다. **2**《~+목/+목+(*to be*) 보/+(*that*) 절》《美구어》(…하다고) 생각하다, 판단하다, 보다: I ~ it like this. 나는 이렇게 생각한다/I ~*d* him *to be* about fifty. =I ~*d that* he was about fifty. 그 사람을 50세쯤으로 보았다. **3** 그림[도형]으로 보이다; 그림[조상]으로 나타내다. **4** 상징[표상]하다; 비유로 나타내다. **5** 마음에 그리다, 상상하다: the most beautiful scene my imagination has ~*d* 내가 상상하던 가장 아름다운 경치.

—*vi.* **1**《+전+명》《美구어》 기대하다, 예기하다(reckon), 고려하다, 믿고 의지하다《***on, upon*** …을》: ~ *on* a success 성공을 기대하다/We ~*d on* their coming earlier. 그들이 좀더 일찍 올 것으로 생각하고 있었다/You can always ~ *on* me. 언제든 나를 믿고 의지해도 좋다. **2** 꾀하다; 궁리[계획]하다《***on*** …을》: I ~ *on* going abroad. 외국에 갈 계획을 하고 있다. **3**《+*as* 보/+전+명》(어떤 인물로서) 나타나다, 통하다; 연기하다; 두드러지다, 두각을 나타내다《***in*** …에서》: He ~*d as* a king in the play. 그 연극에서 그는 왕의 역을 하였다/The name ~*s in* the history. 그 이름은 역사상 유명하다.

~ ***in***《*vt.*+부》…을 계산에 넣다. ~ ***out***《*vt.*+부》① …을 이해하다《***wh.***》: I haven't ~*d out* what is happening. 무슨 일이 일어나고 있는지를 알지 못했다. ② (문제)를 풀다, 해결하다: Have you ~*d out* the math problem yet? 그 수학 문제를 벌써 다 풀었습니까. ③ …을 계산하다; …의 합계를 내다: ~ *out* how much energy is produced 얼마의 에너지가 생기는가를 계산하다. **—**《*vi.*+부》④ 총계하여 …되다《***at*** …으로》: All together it ~*s out at* $200. 전부 합하여 200 달러가 된다.

> **DIAL** ***That figures.*** 수긍이 간다, 그도 그렇겠다: He looks depressed. What happened? —Oh, he lost his job. —*That figures*. 그가 기운이 없어 보이는데, 무슨 일 있었나—실직했어—알겠구먼.

fíg·ured *a.* Ⓐ **1** 모양[그림]으로 표시한, 도시(圖示)된. **2** 숫자로 나타낸. **3** 무늬가[의장(意匠)이] 있는: a ~ mat 꽃자리/~ satin 무늬 공단. **4** 형용이 많은, 수식이 있는. **5** 〖음악〗 수식된, 화려한.

fígure·hèad *n.* Ⓒ **1** 〖선박〗 이물 장식《전신 · 반신의 인물상》. **2**《비유적》 간판, 명색뿐인 수령.

fígure skàter 피겨 스케이팅을 하는 사람.

fígure skàting 피겨 스케이팅.

fig·u·rine [fìgjuríːn] *n.* Ⓒ (금속 · 도기제의) 작은 상(像)(statuette), 인형.

Fi·ji [fíːdʒiː] *n.* 피지《남태평양의 섬나라; 1970년 독립; 수도 Suva [súːvə]》.

Fi·ji·an [fíːdʒiːən/-´-] *a.* 피지(Fiji) 제도(諸島)

의. —*n.* Ⓒ 피지 사람; Ⓤ 피지 말.

Fíji Íslands (the ~) 피지 제도《남태평양상의》.

fil·a·ment [fíləmənt] *n.* Ⓒ **1** 가는 실, 홑 섬유《방직 섬유》. **2** 〖식물〗 꽃실, (수술의) 화사(花絲). **3** 〖전기〗 필라멘트.

fi·lar·ia [filέəriə] (*pl.* ***-ri·ae*** [-riìː, -riài] *n.* Ⓒ 〖수의〗 필라리아, 사상충(絲狀蟲).

fil·a·ture [fílətʃər] *n.* Ⓤ 실뽑기《누에고치에서》, 제사(製絲); Ⓒ (생사(生絲)의) 제사장(製絲場): ~ silk 기계 생사.

fil·bert [fílbərt] *n.* Ⓒ 〖식물〗 개암나무; 그 열매《식용》.

filch [filtʃ] *vt.* 훔치다, 좀도둑질〔들치기〕하다: He ~*ed* a piece of candy from the counter. 그는 매장에서 캔디 한 개를 훔쳤다.

⁑**file**[1] [fail] *n.* Ⓒ **1 서류꽂이, 서류철**(綴)(표지), 서류 보관 케이스; 철하는 판〔쇠〕. **2** (서류 · 신문 등의) 철(綴), 파일; 철한 서류; (정리된) 자료, 기록: a ~ of 'the Times' 런던 타임스의 철. **3** 〖컴퓨터〗 파일《한 단위로서 취급되는 관련 기록》.
on ~ =***on*** 〔***in***〕 ***the*** 〔***one's***〕 ***~s*** (참조를 위해) 철해져서, 정리 보관되어; 기록에 올라: keep 〔place〕 *on* ~ 철하여 두다.
—*vt.* **1** 《~+목/+목+부》 (항목별로) 철(綴)하다, (철하여) 보관〔보존, 정리〕하다(*away*): ~ letters *away* 편지를 정리〔보존〕하다. **2** (기사 따위)를 보내다《전보 · 전화 따위로》: The reporter ~*d* his story just before the paper went to press. 그 기자는 신문이 인쇄에 들어가기 직전에 기사를 보냈다. **3** 《~+목/+목+전+명》 (신청 · 고소 등)을 제출〔제기〕하다《***against*** …을 상대로》: ~ an application for admittance to a school 입학원서를 제출하다/~ a divorce suit *against* … …을 상대로 이혼을 제소하다.
—*vi.* 《+전+명》 입후보〔응모〕의 등록을 하다; 〖법률〗 신청하다《***for*** …을》: ~ *for* divorce 이혼 신청을 하다.

*__file__[2] *n.* Ⓒ **1** 열(列); 〖군사〗 대오, 종렬(縱列). **2** (체스반의) 세로줄. **~ *by* ~** 줄줄이; 잇따라. ***in ~*** 대오를 지어; 2열 종대로. ***in Indian*** 〔***single***〕 ***~*** 일렬 종대로.
—*vi.* 《+부/+전+명》 열을 지어 행진하다: ~ *off* 〔*away*〕 (일렬 종대로) 분열 행진하다/They ~*d through* the gate. 그들 열을 지어 대문을 통과했다/*File* left 〔right〕. 《구령》 줄줄이 좌〔우〕로.

file[3] *n.* Ⓒ (쇠붙이 · 손톱 가는) 줄.
—*vt.* **1** 줄질〔손질〕하다, 줄로 갈다; 줄로 갈아서 자르다〔없애다〕(*away; off*); 줄로 갈아서 각을 없애다(*down*): ~ a saw 줄로 톱날을 세우다/~ *away* 〔*off*〕 rust 녹을 문질러 벗기다/~ *down* the rough edges 거친 모서리를 줄로 갈아서 매끈하게 하다/~ the surface smooth 표면을 매끄럽게 줄질하다. **2** (인격 등)을 도야하다; (문장 등)을 퇴고하다, 다듬다.

fíle clèrk 문서 정리원(filer).

fíle extènsion 〖컴퓨터〗 파일 확장자《파일의 이름에서 파일명 뒤에 점을 찍고 확장자를 붙이는 부분》.

fíle mànager 〖컴퓨터〗 파일 관리자《컴퓨터 시스템이 가지고 있는 여러 개의 파일을 관리하는 프로그램》.

fíle nàme 〖컴퓨터〗 (기록)철〔파일〕 이름《식별을 위해 각 파일에 붙인 고유명》.

fíle sèrver 〖컴퓨터〗 파일서버《네트워크에서 파일 관리를 하는 장치〔시스템〕》.

fi·let [filéi, ⌐–] *n.* 《F.》 **1** Ⓤ 그물눈 세공, 레이스. **2** 〖요리〗 =FILLET.

filét mi·gnón [-miːnján/-njɔ́n] 필레살《소의 두꺼운 등심살》.

fil·i·al [fíliəl] *a.* **1** 자식(으로서)의; 효성스러운: ~ duty 〔piety, obedience〕 효도. **2** 〖유전〗 잡종 세대의《생략: F》: the second ~ generation 잡종(雜種) 제2대(F_2). ㊕ **~·ly** *ad.*

fil·i·bus·ter [fíləbʌ̀stər] *n.* **1** Ⓒ 해적《17세기경의》; 불법 침입자《본국의 명령 없이 함부로 외국 영토를 침범하는》. **2 a** Ⓒ 《美》 의사(議事) 방해자. **b** Ⓤ (구체적으로는 Ⓒ) 의사 방해. —*vi.* 약탈하다; 외국 영토에 침입하다; 《美》 (법안) 통과를 막고자 긴 연설로) 의사를 방해하다(《英》 stonewall). —*vt.* (법안)을 의사 방해하여 저지하다.

fil·i·gree, fil·a- [fíləgrìː] *n.* Ⓤ (금은 따위의) 가는 줄세공, 선조(線條) 세공, 섬새김 세공. —*a.* Ⓐ 가는 줄세공〔선조 세공〕의〔을 한〕.

fil·ing[1] [fáiliŋ] *n.* Ⓤ 철하기, 서류 정리: a ~ clerk (사무소의) 문서 정리원.

fil·ing[2] *n.* **1** Ⓤ 줄질, 줄로 다듬기. **2** (*pl.*) 줄밥: iron ~*s* 쇠의 줄밥.

fíling càbinet 서류〔카드〕 정리 캐비닛.

Fil·i·pi·no [fìləpíːnou] (*pl.* **~s;** *fem.* ***-na*** [-nəː]) 《Sp.》 *n.* Ⓒ 필리핀 사람. —*a.* 필리핀 사람의.

†**fill** [fil] *vt.* **1** 《~+목/+목+목/+목+전+명》 …을 **가득하게 하다, 채우다**; …에 (잔뜩) 채워 넣다《***with*** …으로; ***for*** (아무)에게》; …을 가득 담다〔넣다〕《***into*** (그릇)에》: ~ a pipe 파이프에 담배를 채우다/*Fill* the bottle *with* water. 그 병에 물을 가득 채우세요/The audience ~*ed* the hall. 청중은 회관을 메웠다/He ~*ed* me a glass. =He ~*ed* a glass *for* me. 그는 나에게 한 잔 가득 따라 주었다/~ wine *into* a decanter 유리병에 포도주를 가득 담다.
2 …에 충만하다, 그득하다, 널리 퍼지다〔미치다〕: The odor ~*ed* the air. 냄새가 공기 속에 충만하였다/The scandal ~*ed* the world. 추문이 세상에 퍼졌다.
3 《~+목/+목+전+명》 (구멍 · 공백)을 메우다, …의 구멍〔틈〕을 틀어막다《***with*** …으로》; (결함)을 메우다: ~ a blank 빈 칸을 채우다/~ tooth 충치에 봉박다/~ an ear *with* cotton 귀를 솜으로 틀어막다.
4 (빈 자리)를 채우다, 보충하다, (지위)를 차지하다(hold): ~ a vacancy 공백을 메우다/~ a post 지위를 차지하다, 취임하다.
5 (요구 · 필요 따위)를 충족〔만족〕시키다; (수요)에 응하다; (처방)을 조제하다: ~ a long-felt want 갈망하던 것을 충족시키다/~ an order 주문에 응하다.
6 《~+목/+목+전+명》 (아무)를 배부르게 하다; 만족시키다, 흡족케 하다《***with*** (음식물)로》: The meal failed to ~ him. 그 식사로는 그의 식욕이 채워지지 않았다/~ one's guest *with* a good meal 좋은 음식으로 손님을 접대하다.
7 《+목+전+명》 (마음)을 채우다《***with*** (감정)으로》: be ~*ed with* joy 기쁨으로 가슴이 뿌듯하다/The sight ~*ed* his heart *with* anger. 그 광경을 보자 그의 마음에 노여움이 치밀어 올랐다.
8 《~+목/+목+부》 (바람이 돛)을 부풀리다(*out*).
—*vi.* 《~/+전+명》 **1 그득 차다**, 넘치다, 충만해지다, 그득〔뿌듯〕해지다《***with*** …으로》: The church ~*ed* soon. 교회는 대번에 가득 찼다/Her eyes ~*ed with* tears. 그녀의 눈엔 눈물이

글썽거렸다.
2 ⟪~/+전+명⟫ (돛 따위가) 부풀다⟪**with** (바람)으로⟫: The sails *~ed with* the wind. 돛은 바람으로 부풀었다.
~ in ⟪*vt.*+부⟫ ① (구멍·틈)을 메우다; (서류·빈 곳)에 써 넣다, (필요사항 따위)를 적어넣다: *~ in* the time 여가 시간을 메우다/*Fill in* this form, please. 이 서식에 필요 사항을 적어 넣으시오. ② ⟪구어⟫ (아무)에게 자세한 지식을〔새로운 정보를〕 알리다〔가르치다〕⟪**on** …에 대하여⟫: *Fill* me *in on* it. 그것에 관해 자세히 알려 주시오. ━⟪*vi.*+부⟫ ③ 대리를〔대역을〕 하다⟪**for** …의⟫: I'll *~ in for* him if he's sick. 그가 병이 나면 내가 대신 해줄께. ④ 막히다, 메다. **~ out** ⟪*vt.*+부⟫ ① (돛 따위)를 활짝 부풀리다, 불룩하게 하다. ② (서식·문서 등)의 빈 곳을 채우다, …에 써넣다: *~ out* an application 신청서에 필요 사항을 써 넣다. ━⟪*vi.*+ 부⟫ ③ 가득해지다; 부풀다, 커지다; 살찌다: The children are *~ing out* visibly. 애들은 눈에 띄게 커가고 있다. **~ the bill** ⟪美구어⟫ 주문〔요구〕대로 하다; 요건을 채우다; ⟪英⟫ 인기를 독차지하다, 인기〔주연〕 스타이다. **~ up** ⟪*vt.*+부⟫ ① (빈 곳)을 채우다, 메우다; 보충하다; 써 넣다. ② (자동차에 연료)를 가득 채우다: *Fill* it 〔her〕 *up!* ⟪구어⟫ (자동차의) 탱크에 기름을 가득 채우시오. ━⟪*vi.*+부⟫ ③ 가득 차다; 메워지다, 막히다.
━*n.* **1** (a ~) (그릇에) 가득한 양, 충분한 양: a ~ *of* tobacco 파이프 담배 한 대. **2** (one's ~) 배불리, 잔뜩; 실컷, 마음껏: drink 〔eat, have〕 one's ~ 잔뜩 마시다〔먹다〕/weep one's ~ 실컷 울다/get 〔have〕 one's ~ of sleep 실컷 자다.

fíll·er *n.* **1** Ⓒ 채우는〔채워 넣는〕 사람〔물건〕. **2** Ⓤ (또는 a ~) (여백을 메우는) 단편 기사⟪신문·잡지 등의⟫; (무게·양을 늘리기 위한) 첨가물, 혼합물, 증량제(增量劑); (구멍·틈을) 메우는 것, 충전제.

fíller càp 연료 주입구의 뚜껑⟪자동차·항공기의⟫.

fil·let [fílit] *n.* Ⓒ **1** (머리용) 리본, 머리띠(headband), 테이프 모양의 물건, 가는 띠, 끈. **2** 〖요리〗 필레 살⟪소·돼지의 연한 허리 고기; 양의 허벅지살⟫; (가시를 발라낸) 생선의 저민 고기.
━*vt.* **1** (머리)를 리본으로 동이다〔매다〕. **2** (생선)을 저미다, 필레 살을 발라내다.

fíll-ìn *n.* Ⓒ 대리, 보결, 빈 자리를 채우는 사람; 대용품, 보충물; ⟪美구어⟫ 개요 설명〔보고〕.

fíll·ing *n.* Ⓒ 채우는 것; 충전물, (음식물의) 소, 속, (치아의) 충전재.

fílling stàtion 주유소.

fil·lip, fil·ip [fíləp] *n.* Ⓒ 손가락으로 튀기기; 가벼운 자극〔격려〕⟪**to** …에 대한⟫: with a ~ 손가락으로 튀겨/a ~ *to* the memory 기억을 불러일으키는 것/a ~ *to* my appetite 내 식욕을 자극하는 것. ━*vt.* **1** 손가락으로 튀기다; 튀겨 날리다. **2** 촉진시키다, 기운을 돋우다, 자극하다: ~ one's memory 기억을 불러일으키나. ━*vi.* 손가락을 튀기다.

Fill·more [fílmɔːr] *n.* **Millard** ~ 필모어⟪미국 제13대 대통령; 1800-74⟫.

fil·ly [fíli] *n.* Ⓒ **1** (4세 미만의) 암망아지. cf. colt. **2** ⟪구어⟫ 말괄량이, 매력 있는 젊은 아가씨.

film [film] *n.* **1** Ⓤ (또는 a ~) **얇은 껍질**〔**막·층**〕, 얇은 잎, (표면에 생긴) 피막(被膜); 얇은 운모판: There was a ~ *of* oil on the water. 수면에 유막(油膜)이 있었다/a ~ *of* dust 엷게 내려앉은 먼지. **2** Ⓤ (낱개는 Ⓒ) 〖사진〗 **필름**; (건판의) 감광막: a roll of ~ 필름 한 통/I'd like to get this ~ developed.—O.K. You can pick up your pictures any time after six tomorrow. 이 필름 현상하고 싶은데요—알겠습니다. 내일 6시 이후 언제라도 찾으러 오십시오. **3 a** Ⓒ (한 편의) **영화**: a ~ actor 영화배우/a ~ projector 영사기/a silent 〔sound〕 ~ 무성〔발성〕 영화/a ~ festival 영화제/shoot a ~ 영화를 촬영하다/put a novel on the *~s* 소설을 영화화하다. **b** (the ~s) 〔집합적〕 영화(movies); 영화산업; 영화계. **4** Ⓒ 가는 실, 공중의〔에 하늘거리는〕 거미줄. **5** Ⓒ (눈의) 부염, 흐림; 엷은 안개, 흐린 기운: a ~ *of* twilight 땅거미.
━*vt.* **1** ⟪~+목/+목+전+명⟫ 얇은 껍질로〔막으로〕 덮다; 얇은 막처럼 덮다⟪**with** …으로⟫: The pond was *~ed with* algae. 연못은 이끼가 막처럼 덮여 있었다. **2** 필름에 찍다〔담다〕; 〖영화〗 촬영하다, (소설 등)을 영화화하다: They have *~ed* most of Shakespeare's plays. 셰익스피어 희곡의 대부분이 영화화되었다. ━*vi.* **1** ⟪~/+부/+전+명⟫ 얇은 막으로 덮이다; 막처럼 얇게 덮이다; (눈물 등이) 어리다, 부예지다(*over*)⟪**with** …으로⟫: The water *~ed over with* ice. 수면은 온통 살얼음으로 덮였다/Her eyes *~ed over*, and I thought she was going to cry. 그녀는 눈에 눈물이 어리어 곧 울 것만 같았다. **2** 〔양태부사를 수반하여〕 영화화되다; 촬영에 적합하다: This story will ~ well 〔ill〕. 이 이야기는 영화에 맞을 것이다〔맞지 않을 것이다〕.
㊕ **∠·a·ble** *a.* (소설 등이) 영화화할 수 있는, 영화용으로 알맞은.

film·dom [fílmdəm] *n.* Ⓤ 영화계〔산업〕.

fílm·gòer *n.* Ⓒ 영화구경 자주 가는 사람, 영화팬.

fílm lìbrary 영화 도서관, 필름 대출소.

film·og·ra·phy [filmágrəfi/-mɔ́g-] *n.* Ⓒ 영화 관계 문헌, (주제 등에 관한) 영화 작품 해설, 특정 배우〔감독〕의 작품 리스트.

fílm stàr 영화 배우.

fílm·strìp *n.* Ⓤ (낱개는 Ⓒ) (연속된 긴) 영사 슬라이드.

filmy [fílmi] (**film·i·er; -i·est**) *a.* 얇은 껍질〔막〕의, 필름 같은; 얇은; 얇은 껍질로〔막으로〕 덮인〔싸인〕; 가는 실의; 흐린, 희미한: ~ ice 박빙(薄氷)/~ clouds 엷게 낀 구름/~ eyes 침침한 눈. ㊕ **fílm·i·ly** *ad.* **-i·ness** *n.*

FILO 〖컴퓨터〗 선입후출 방식⟪먼저 들어간 자료를 나중에 꺼내는 방식⟫. [◂first in, last out]

***fil·ter** [fíltər] *n.* Ⓒ **1** 여과기; 여과판(板). **2** 〖전기〗 여파기(濾波器); 〖사진〗 필터, 여광기(濾光器); 〖컴퓨터〗 필터, 여과기. **3** 여과용 다공성 물질, 여과용 자재⟪필터·모래·숯 등⟫. **4** ⟪구어⟫ 필터 담배. **5** ⟪英⟫ (교차점에서 특정 방향으로의 진행을 허락하는) 화살표 신호, 보조 신호.
━*vt.* ⟪~+목/+목+부⟫ 거르다, 여과하다; 여과하여 제거하다(*off; out*): ~ *off* impurities 걸러서 불순물을 제거하다. ━*vi.* **1** ⟪+부/+전+명⟫ (액체 따위가) 스미다; (빛이) 새어들다; (사상 따위가) 침투하다⟪**through** …을 통해; **into** …에⟫: Sunlight *~ed in through* the dusty window. 햇빛이 먼지 낀 창으로 새어 들어왔다/Water *~s through* the sandy soil and *into* the well. 물은 모래를 통해 우물로 스며든다/These new ideas were *~ing into* their minds. 이 새로운 사상들은 그들의 마음에 침투하고 있었다. **2** ⟪英⟫ (자동차가 교차점에서 직진 방향이 붉은 신호일

때) 녹색의 화살표 신호에 따라 좌〔우〕회전하다.

fíl·ter·a·ble [-rəbəl] *a.* 거를 수 있는, 여과되는: a ~ virus 여과성 바이러스〔병원체〕.

fílter bèd (상하수도 등 물 처리용의) 여과지(池), 여상(濾床), 여수(濾水) 탱크.

fílter pàper 여과지(紙), 거름종이.

fílter tìp 필터; 필터 담배.

fílter-tìp(ped) *a.* (담배가) 필터 달린.

°**filth** [filθ] *n.* Ⓤ 오물, 쓰레기; 더러움, 불결; 외설; 추잡스런 말〔생각〕; 추행; 부도덕; (the ~) 《英속어》 경찰.

°**filthy** [fílθi] (*filth·i·er; -i·est*) *a.* **1 불결한**, 더러운; 부정한: His clothes were ~. 그의 옷은 더러웠다. **2** 외설한, 상스러운, 천박한: use ~ language 상스러운 말을 쓰다. **3** 《구어》 정말로 싫은, (날씨 따위가) 지독한: ~ weather 정말로 싫은 날씨. **4** Ⓟ 《美속어》 (돈이) 썩을 만큼 많은 《*with* (돈 따위)가》: He's ~ *with* money. 그는 돈이 많다. **—** *ad.* 《美속어》 대단히, 매우. ㊞ **fílth·i·ly** *ad.* **-i·ness** *n.*

fílthy lúcre 《우스개》 돈.

fil·tra·ble [fíltrəbl] *a.* =FILTERABLE.

fil·trate [fíltreit] *vt., vi.* =FILTER. **—** [-trit, -treit] *n.* Ⓤ 여과액, 여과수(水). ㊞ **fil·tra·tion** [filtréiʃən] *n.* Ⓤ 여과(법); 여과 작용.

°**fin** [fin] *n.* Ⓒ **1** (물고기의) 지느러미; 지느러미 모양의 물건: an anal 〔dorsal, pectoral, ventral〕 ~ 꼬리〔등, 가슴, 배〕지느러미. **2** (항공기의) 수직 안전판(板); (잠수함의) 수평타(舵); 주형(鑄型)의 지느러미 모양의 돌출 부분. **3** (잠수부용의) 물갈퀴(flipper). **4** 《美속어》 5달러짜리 지폐.

Fin. Finland; Finnish. **fin.** finance; financial; finis; finish(ed).

fin·a·ble, fine- [fáinəbəl] *a.* (범죄 등이) 과료〔벌금〕에 처할 수 있는.

fi·na·gle [finéigl] 《구어》 *vi., vt.* 야바위치다, 속이다, 속여 빼앗다《*out of* …을》: ~ a person *out of* ... 아무를 속여 …을 빼앗다.

‡**fi·nal** [fáinəl] *a.* **1** Ⓐ **마지막의**, 최종의, 최후의; 종국의. ㏉ initial. ¶ the ~ edition (신문의) 최종판 / the ~ round (경기의) 최종회, 결승전. SYN. ⇨LAST. **2** 최종적인, 확정적인, 결정적인 (conclusive), 궁극적인: the ~ ballot 결선 투표 / a ~ decision 최종적인 결정 / the ~ aim 궁극적인 목표. **3** 〖문법〗 목적을 나타내는: a ~ clause 목적절. **—** *n.* Ⓒ **1** (보통 *pl.*) 〖경기〗 **결승전**, 파이널; (대학의) 학기말 시험: run 〔play〕 in the ~*s* 결승전까지 올라가다. **2** (신문의) 최종판(版). **3** 종국, 최종〔최후〕의 것.

fi·na·le [finá:li, -nǽli] *n.* 《It.》 Ⓒ 피날레. **1** 〖음악〗 끝악장, 종악장(終樂章), 종곡. **2** 〖연극〗 최후의 막, 대미(大尾). **3** 종국, 대단원.

fí·nal·ist *n.* Ⓒ 결승전 출장 선수.

°**fi·nal·i·ty** [fainǽləti] *n.* **1** Ⓤ 종국(終局), 결말(結末), 결착(結着), 완료: with an air of ~ 확고한 태도로 / speak with ~ 딱 잘라 말하다, 단언하다. **2** Ⓒ 최종적〔결정적〕인 것; 최후의 판결·회답《따위》.

fi·nal·ize [fáinəlàiz] *vt.* …을 끝손질〔마무리〕하다, …의 결말을 짓다〔내다〕, (계획 등)을 완성〔종료〕시키다; 최종적으로 승인하다. ㊞ **fi·nal·i·zá·tion** *n.*

‡**fi·nal·ly** [fáinəli] *ad.* **1 최후로**; 마지막에: And, ~, I should like to thank all. 그리고 끝으로, 여러분에게 감사드리고 싶습니다. **2** 마침내, 결국(ultimately): He ~ confessed his crime. 그는 결국 범행을 고백했다. **3 최종적으로**, 결정적으로(decisively): The matter is not yet ~ settled. 그 문제는 아직 모두 해결되지는 않았다.

***fi·nance** [finǽns, fáinæns] *n.* **1** Ⓤ **재정**, 재무: public ~ 국가 재정. **2** (*pl.*) 재원(funds), 재력; 세입, 소득(revenues). **3** Ⓤ 재정학.
— *vt.* …에 자금을 공급〔조달〕하다, 융자하다: universities ~*d* by the Government 정부로부터 재정 지원을 받는 대학들 / ~ an enterprise 기업에 융자하다.

fináncе còmpany 〔《英》 **hòuse**〕 (할부) 금융 회사.

‡**fi·nan·cial** [finǽnʃəl, fai-] *a.* **재정(상)의**, 재무의; 재계의; 금융(상)의: ~ ability 재력 / ~ affairs 재무(사정) / ~ circles =the ~ world 재계 / ~ condition 재정 상태 / a ~ crisis 금융 공황 / ~ difficulties 재정난 / ~ operations 재정〔금융〕 조작 / ~ resources 재원.
SYN. **financial** 일반적으로 '금융·재정에 관한' 것을, **fiscal** 정부·공공 시설·단체 등의 '재정자금에 관한' 것을, **monetary** '금전에 관한' 것을 각각 뜻함.
㊞ **~·ly** *ad.* 재정적으로, 재정상(의 견지에서).

fináncial yéar 《英》 회계 연도(《美》 fiscal year).

°**fi·nan·ci·er** [finənsíər, fài-] *n.* Ⓒ 재정가; 《특히》 재무관; 금융업자; 자본가, 전주.

fín·bàck *n.* Ⓒ 〖동물〗 긴수염고래(=∠ **whàle**).

finch [fintʃ] *n.* Ⓒ 〖조류〗 피리새류.

†**find** [faind] (*p., pp.* **found** [faund]) *vt.* 《용법에 따라 목적어가 생략되는 수가 있음》 **1** 《~+목/+목+보/+목+-*ing*/+목+*done*》 (우연히) **찾아내다**, 발견하다: ~ a treasure by accident 우연히 보물을 발견하다 / She found her baby still asleep. 보니까 그녀의 아기는 아직 잠들어 있었다 / I *found* him ly*ing* on the bed. 나는 그가 침대에 누워 있는 것을 발견했다 / The boy was *found* dead 〔injur*ed*〕 in the woods. 소년은 숲속에서 죽어〔부상당해〕 있는 것이 발견되었다.
SYN. **find** 가장 일반적이며 특히 눈에 띄는 것을 '발견하다'의 뜻으로 자주 사용됨. find out는 주로 사실을 규명한다는 뜻으로 쓰임. **discover** …에 관한 새 지식을 얻다: "*Discover* America" 미국 버스 회사의 전국 관광 할인권의 이름(전국을 돌아보며 여러 가지 새로운 지식·경험을 얻으라는 뜻). **detect** 숨어 있는 것을 찾아내다. 목적어로서 결함·범죄 등 '달갑지 않은 것'을 취하는 수가 많음: *detect* the leakage of gas 가스가 새는 곳을 찾아내다. **ascertain** 실재함을 명백히 확인하다.

2 《~+목/+*wh.* 절/+*wh.*+*to* do/+(*that* 절)》 (연구·조사·계산하여) **찾아내다**, 발견하다; (해답 등)을 알아내다; (…인지)를 조사하다, 생각해 내다: ~ an answer 〔a solution〕 to ... …의 해결책을 찾아내다 / Did you ~ *when* the next bus leaves? 다음 버스가 언제 출발하는지 알아보셨습니까 / *Find* (out) *how to* get there. 그 곳에 가는 방법을 조사해 주게 / The doctor *found that* she had cancer in her throat. 의사는 그녀의 목에 암이 있음을 발견했다.

3 a 《~+목/+목+-*ing*/+목+목/+목+전+명/+목+부》 (애써) 찾아내다; (하고 있음)을 알아내다, 발견하다; 찾아 주다《*for* (아무)에게》: ~ the right man for a job 일에 적임자를 찾아내다 / We *found* the missing girl wander*ing* about the woods. 행방불명된 소녀가 숲속을 헤매고 있는 것

을 발견했다 / Will you ~ me my contact lens? = Will you ~ my contact lens *for* me? 내 콘택트 렌즈를 찾아 주겠니. **b** 《~+목/+목+전+명》 〔~ one's way로〕 힘겹게 나아가다〔도달하다〕: ~ one's *way* home alone 혼자서 집으로 돌아오다 / We *found* our *way to* the hotel. 우리는 호텔에 간신히 도착했다.

4 《~+목/+목+전+명》 〔one, you를 주어로 하거나 수동태로 써서〕 (찾으면) 발견된다, (볼 수) 있다; 있다, 존재하다 《*in* …에》: You can ~ bears 〔Bears *are found*〕 *in* these woods. 이 부근의 숲에는 곰이 있다.

5 a (필요한〔바람직한〕 것)을 얻다, 입수〔획득〕하다, 받아들이다; (시간·돈 따위)를 찾아내다, 마련하다; (용기 등)을 내다: ~ the capital for a new business 새로운 사업을 시작할 자금을 마련하다 / ~ the courage to do …할 용기를 내다 / ~ a situation abroad 해외에 일자리를 얻다 / The idea *found* general acceptance. 그 생각은 일반적으로 받아들여졌다. **b** (기관)의 기능을 회복하다, …이 쓸 수 있게 되다: The young bird *found* its wings. 새끼새는 날게 되었다.

6 《~+목/+목+(*to be*) 보/+목+*to* do/+목+*do*/+*that* 절/+*wh. to* do/+*wh.* 절/+목+전+명》 …임을〔함을〕 **알다**, 이해하다; **깨닫다**, 느끼다; (…의 존재)를 알아내다, (기쁨·곤란 따위)를 경험하다 《*in* …에서》: Ho did you ~ Switzerland? —Fantastic! 스위스는 어땠어—환상적이었어 / They *found* his claim (*to* be) reasonable. 그들은 그의 주장이 정당하다는 것을 알았다 / She *found* the box *to* contain nothing. 열어보니 상자엔 아무것도 들어 있지 않았다 / They *found* the business *pay*. 그 장사는 수지가 맞음을 알았다 《★ 《+목+*do*》는 문어적 표현》 / He *found that* he was mistaken. 그는 자신이 실수했음을 알았다 / Will you ~ *how to* get there? 그 곳에 어떻게 가는지 알고 있습니까 / Can you ~ *where* he has gone? 그가 어디 갔는지 알고 있소 / I ~ a warm cooperation *in* him. 그는 친절한 협력자임을 알았다 / He *found* no difficulty *in* solv*ing* the problem. 그는 어렵지 않게 그 문제를 풀었다.

7 《~목/+목+보/+목+*-ing*/+목+*as*+보》 〔~ oneself〕 (알고 보니, 어떤 상태〔장소〕에) 있음을 깨닫다, 알아차리다; (…하고 있음)을 알다, (알고 보니) …하고 있다; (자기의) 천성〔적성〕을 알다; (어떤) 기분이다: After a long illness, he *found* him*self* well again. 오랜 병환 끝에 그는 다시 건강해져 있었다 / *I found* my*self* lying in my bedroom. 깨어보니 내 침실에 누워 있었다 / He finally *found* him*self as* a cook. 마침내 자기가 요리사의 적성이 있음을 알았다 / How do you ~ your*self* today? 오늘은 기분이 어떻습니까.

8 《~+목/+목+보/+*that* 절》 〖법률〗 (배심이 평결)을 내리다, (…라고) 평결하다: ~ a verdict of guilty 유죄 판결을 내리다 / ~ a person guilty 〔not guilty〕 아무를 유죄〔무죄〕로 판결하다 / The jury *found that* the man was innocent. 배심원은 그 사람을 무죄라고 평결하였다.

9 …에 도달하다, 맞다; (자연히) …하게 흐르다〔되다〕: The arrow *found* its mark. 화살은 과녁에 맞았다 / Water ~*s* its own level. 물은 낮은 곳으로 흐른다 / Rivers ~ their way to the sea. 강물은 바다로 흘러든다.

— *vi.* **1** 《+전+명》 〖법률〗 (배심원이) 평결을 내리다 《**for** …에게 유리한; **against** …에게 불리한》: The jury *found for* 〔*against*〕 the plaintiff. 배심원은 원고에게 유리〔불리〕한 평결을 내렸다. **2** 찾아내다, 발견하다: Seek, and ye shall ~. 〖성서〗 찾으라, 그러면 찾을 것이오 《마태복음 VII: 7》. **~ *fault with*** ⇨FAULT. **~ *it in* one's *heart to*** (do) …할 마음이 나다, …하려고 마음 먹다 《주로 can, could 등과 함께 의문문·부정문에서》. **~ *out*** 《*vt.*+부》 ① (조사하여) 발견하다, 찾아내다; (해답)을 생각해내다, (수수께끼)를 풀다 《★ find out는 조사·관찰한 결과 알아낸 것으로, 사람·물건 등을 찾아냈을 때는 쓰이지 않음》: ~ *out* a person's address 아무의 주소를 조사하여 알아내다. ② (…임)을 알다, 알아내다; 발견하다 《***wh.*** 절; ***wh. to*** do; ***that*** 절》: We *found out where* he lives. 그가 어디에 사는지를 알아냈다 / I *found out that* there's going to be a sale next week. 내주에 세일이 있다는 것을 알아냈다. ③ (죄·범인 따위)를 폭로하다, 간파하다; 정체〔진의〕를 간파하다. **—** 《*vi.*+부》 ④ 찾아내다. ⑤ 사실〔진상〕을 알다 《***about*** …에 대하여》: I went to the library to ~ *out about* wine making. 포도주 제조법을 알아보려고 도서관에 갔다. **~ one's *feet*** ⇨FOOT.

— *n.* Ⓒ **1** (재보·광천 따위의) 발견(discovery): have 〔make〕 a great ~ 뜻밖에 희한한 물건을 얻다. **2** 발견물; 발굴해낸 것(finding), 희한한 발견물, 횡재: Our cook was a ~. 우리 요리인은 보기 드문 사람이었다. **3** 《英》 사냥감의 발견 《특히 여우 따위의》. **4** 〖컴퓨터〗 찾기.

°**fínd·er** *n.* Ⓒ **1** 발견자; (분실물 등의) 습득자: *Finders* (are) keepers. 《구어》 발견한 사람이 주인이다. **2** (망원경·카메라의) 파인더(viewfinder); (방향·거리의) 탐지기; 측정기.

fin de siè·cle [fæ̃ŋdəsjékl] 《F.》 (19)세기말의, 데카당파의, 퇴폐파의; 현대적인, 진보적인 《19세기말의 유행어》.

°**fínd·ing** *n.* **1 a** Ⓤ 발견(discovery). **b** Ⓒ (흔히 *pl.*) 발견물, 습득물. **2** Ⓒ (흔히 *pl.*) **a** 조사〔연구〕 결과; 소견. **b** 〖법률〗 (법원의) 사실 인정; (배심원 등의) 평결, 답신. **3** (*pl.*) 《美》 (장인(匠人)이 쓰는) 자질구레한 도구들, 재료, 부속품.

†**fine**[1] [fain] (***fín·er; fín·est***) *a.* **1 훌륭한**, 뛰어난; 좋은, 굉장한, 멋진: a ~ view 훌륭한 전망 / a ~ musician 뛰어난 음악가 / a ~ idea 좋은 생각〔착상〕 / have a ~ time 즐거운 시간을〔유쾌하게〕 보내다.

2 (날씨 따위가) **갠**, 맑은; 활짝 갠, 구름 없는: ~ weather 쾌청한〔좋은〕 날씨 / one ~ morning 〔day〕 어느 (맑게 갠) 아침〔날〕(에) 《★ 이야기에서 상투적으로 쓰이는 말로, fine은 거의 무의미함》.

SYN. **fine** 비교적 흐리지 않은, 또는 비나 눈이 내리고 있지 않음을 뜻함. **clear** 구름이나 안개가 없이 먼뎃 것이 분명하게 보이는 뜻. **fair** 구름은 있어도 비가 오지 않고 있는 뜻으로 보통 신문의 일기예보나 일기(日記) 등에 쓰임.

3 Ⓐ 정제된, 순수한, 순도(純度) 높은; 순도 …의: ~ silver 순은(純銀) / gold 14 karats ~ 순도 14 금의 금 / ~ sugar 정제당(糖).

4 (낟알 따위가) **자디잔**(comminuted); (입자가) 미세한; (올이) 고운; 감촉이 좋은; (농도가) 엷은, 희박한: ~ sand 고운 모래 / ~ rain 이슬비, 가랑비 / chop meat ~ 고기를 잘게 썰다 / ~ texture 올이 고운 직물 / ~ air 상쾌한 공기 / ~ gas 농도가 희박한 가스.

5 (실·끈 따위가) 가는; (손·발 따위가) 늘씬한; (펜촉이) 가느다란; (펜·연필이) 가는 글씨용의; 〖인쇄〗 가는 활자로 인쇄된: ~ wire 가느다란 철

사/a ~ line (제도의) 세선(細線).
6 (날이) 얇은; 잘 드는, 예리한《칼 따위》: a ~ edge 예리한 날.
7 (감각이) 예민한, 민감한, 섬세한(delicate): a ~ ear 예민한〔밝은〕 귀/a ~ sense of humor 유머를 이해하는 섬세한 마음.
8 (차이 따위가) 미묘한, 미세한: a ~ distinction 미세한 구별.
9 (일이) 정교한, 공들인: ~ workmanship 정교한 세공.
10 (사람이) 기술이〔솜씨가〕 뛰어난, 교묘한: a ~ worker 기술이 좋은 장색/a ~ athlete 기술이 뛰어난 운동가.
11 (사람·태도 따위가) **세련된**(polished), 고상한: ~ manners 세련된 몸가짐/a ~ character 고상한 인품.
12 Ⓐ 〖반어적〗 뽐낸, 짐짓 점잔 빼는; 훌륭한, 대단한: You are a ~ fellow. 너는 대단한 놈이다/That's a ~ excuse to make. 그거 참 그럴싸한 변명이군.
13 (사람·의복이) 아름다운 (handsome), 예쁜, (외관이) 훌륭한; (물건이) 상품(上品)의, 상질(上質)의; (말·문장 따위가) 화려한, 지나치게 꾸민: ~ clothes 아름다운 옷/~ tea 고급차/You're looking very ~ today. 자네 오늘 아주 멋져 보이는데/a ~ piece of writing 미문(美文).
14 Ⓟ 적합한, 쾌적한, (건강상) 좋은《*for* …에게》: This house is ~ *for* us. 이 집은 우리에게 매우 알맞은 집이다/When would be convenient for you?—Tuesday would be ~. 언제면 형편에 맞겠습니까—화요일이면 좋습니다.
15 Ⓟ **원기왕성한**, 기분이 좋은: feel ~ 씽씽하다, 기분이 좋다/"How are you?" "*Fine*, thank you." '안녕하십니까' '예, 덕분에 건강합니다'.
16 a 좋다, 좋아《대화 중의 대답으로서 주로 손윗사람이 손아랫사람에게》: Have you finished it?—Yes.—*Fine*. 그 일은 끝마쳤나요—그렇습니다—됐어요. **b** 〖강의적〗 대단한, 심한: in a ~ rage 격노하여.
all very ~ and large 〔***well***〕 그럴 듯한, 정말 같은; 대단히 좋은. ***~ and*** 매우, 아주《★ 뒤의 형용사를 강조하여》: Her floor exercise was ~ *and* beautiful. 그녀의 마루 운동은 참으로 아름다웠다. ***not to put too ~ a point*** (***up***)***on it*** 노골적으로〔까놓고〕 말하면: He was—*not to put too ~ a point upon* 〔*on*〕 *it*—hard up. 사실대로 말한다면 그는 돈에 쪼들리고 있었다.

> **DIAL.** ***(That's) fine with*** 〔***by, for***〕 ***me.*** 찬성이다, 그거 좋지, 나는 그래도 상관 없다: How about going fishing tomorrow?—*That's fine with* 〔*by, for*〕 *me*. 내일 낚시 갈래—난 가도 괜찮아.

—*ad*. **1** 《구어》 훌륭하게, 잘: talk ~ 제법 근사하게 말하다/work ~ (계획 따위가) 잘 되다/The hat will suit you ~. 그 모자는 잘 어울립니다. **2** 미세하게, 잘게: cut an onion ~ 양파를 잘게 썰다.
run 〔***cut***〕 ***it*** (***too***) ~ ① 마지막〔…하려는〕 순간에야 이루다; 간신히 성취하다. ② (시간을) 매우 절약하다; (값 등을) 바싹 깎다. ③ 《구어》 정확하게 구별하다.
—*vt*. 《+목+부》 **1** 순화(純化)하다, 정제〔정련〕하다(refine); (문장·계획 등)을 더욱 정확하게 하다 (*down*). **2** 잘게〔가늘게, 엷게〕 하다(*down*). —*vi*. 《+부》 잘게〔가늘게〕 되다, 엷어〔작아〕지다 (*down*): ~ *away* 〔*down, off*〕 점점 가늘어〔잘아·엷어·순수해〕지(게 하)다.

*__fine__[2] [fain] *n*. Ⓒ **벌금**, 과료: pay a $100 ~ for speeding 속도 위반으로 100달러의 벌금을 물다/He got off with a $100 ~ for speeding. 그는 속도 위반으로 100달러의 벌금을 물고 풀려났다. ***in ~*** 결국; 요컨대.
—(*p*., *pp*. ***fined; fín·ing***) *vt*. 《~+목/+목+목/+목+전+명》 …에게 벌금을 과하다, …을 과료에 처하다《*for* …일로》: The magistrate ~*d* him 30 pounds *for* drunkenness. 치안 판사는 음주로 그에게 30파운드의 벌금을 부과했다.
fíne árt 1 (the ~s) 미술《그림·조각·건축 따위》. **2** 〖집합적〗 미술품.
fíne chémical 정제(精製) 약품, 정제 화학 제품《소량으로 쓰이며 순도가 높은 화학 약품》.
fíne-dráwn *a*. Ⓐ **1** 감쪽같이 꿰맨. **2** (철사 따위)를 가늘게 늘인. **3** (의론·구별 등이) 미묘한, 정밀한; 섬세한.
fíne-gráined *a*. Ⓐ 나뭇결이 고운; 〖사진〗 미립자의.
°**fine·ly** [fáinli] *ad*. 곱게, 아름답게, 훌륭하게; 잘게, 가늘게; 정교하게.
°**fíne·ness** *n*. Ⓤ **1** 고움, 아름다움, 훌륭함; (품질의) 우량. **2** 미세함, 가느다람; 섬세함.
fíne prínt (the ~) **1** 작은 활자. **2** 작은 글자 부분(= **smáll prínt**)《계약서 등에서 본문보다 작은 활자로 인쇄된 주의사항 따위》; 《비유적》 (계약 따위에) 숨겨져 있는 불리한 조건.
fin·ery [fáinəri] *n*. Ⓤ 〖집합적〗 (아름다운) 장식; 장신구; 화려한 옷: in one's best ~ 가장 멋진 옷을 차려 입고.
fíne·spún *a*. 아주 가늘게 자아낸; 섬세한; (이론 따위가) 지나치게 면밀한, 미묘한; 지나치게 정밀하여 실제적이 아닌.
fi·nesse [finés] *n*. 《F.》 Ⓤ **1** 교묘한 처리〔기교〕, 솜씨: the ~ of love 사랑의 기교. **2** 술책(stratagem), 책략(cunning), 흉계. **3** 〖카드놀이〗 피네스《브리지에서, 점수 높은 패가 있으면서도 낮은 패로 판에 깔린 패를 따려는 짓》.
—(*p*., *pp*. ***-néssed; -néss·ing***) *vi*., *vt*. 술책을 쓰다; 책략으로 처리하다; 〖카드놀이〗 피네스를 쓰다.
fíne-tooth(ed) cómb 가늘고 촘촘한 빗, 참빗. ***go over*** 〔***through***〕 ***with a ~*** 세밀히 조사〔음미, 수사〕하다.
fíne-tùne *vt*. (라디오·TV)를 (미세(微細)) 조정하다.
†**fin·ger** [fíŋgər] *n*. Ⓒ **1** **손가락**: the index 〔first〕 ~ 집게손가락(forefinger)/the little 〔small, fourth〕 ~ 새끼손가락(pinkie)/the middle 〔second〕 ~ 가운뎃손가락/the ring 〔third〕 ~ 약손가락. ★ 흔히 엄지손가락(thumb)을 제외한 네 손가락을 말함. 발가락은 toe. **2** (장갑의) 손가락. **3** 지침(指針), 바늘《계량기 따위의》; 손가락 모양의 것; (기계 등의) 손가락 모양의 돌기; 지시물(指示物). **4** 《구어》 손가락 폭《약 3/4인치; 액체의 깊이를 재는 단위》. **5** 《속어》 밀고자(informer); 경찰관; 소매치기. **6** 〖컴퓨터〗 핑거《하나의 컴퓨터 시스템에 접속해 있는 사용자 정보를 알아내기 위해 사용되는 프로그램》.
burn one***'s ~s*** ⇨BURN. ***cross*** one***'s ~s*** (액막이로 또는 행운을 빌어) 집게손가락 위에 가운뎃손가락을 포개다: We all kept our ~*s crossed* as the plane made an emergency landing. 비행기가 불시착할 때 모두 (기도하는 심정으로) 집게

손가락 위에 가운뎃 손가락을 포갰다. ***have a ~ in the pie*** 몫에 참여하다; 관여하다, 쓸데없이 참섭하다. ***have... at*** one's ***~s' ends*** 〔***~ ends, ~ tips***〕 정통하다, 환하다. ***have*** one's ***~s in the till*** 《구어》 자신이 근무하는 가게 돈을 (장기간에 걸쳐) 후무리다〔슬쩍하다〕. ***His ~s are all thumbs.*** 그는 도무지 손재주가 없다. ***keep*** 〔***have***〕 one's ***~s crossed*** =cross one's fingers. ***lay a ~ on*** …에 상처를 주다, 때리다, 꾸짖다, 학대하다. ***lay*** 〔***put***〕 one's ***~ on*** 〔***upon***〕 〖보통 부정문〗 ① (원인·해답 등)을 정확히 지적하다; 또렷이 생각해내다: I know the name, but I can't *put* my ~ *on* it. 이름은 알고 있지만, 도무지 생각이 나지 않는다. ② …을 밝혀내다, 알아내다. ③ …에 손가락을 대다; (여성·아이)에게 위해를 가하다. ***let ... slip through*** one's ***~s*** …을 손에서 놓치다; (좋은 기회)를 놓치다. ***not lift*** 〔***raise, stir***〕 ***a ~*** 손가락 하나 까딱 않다, 노력을 조금도 않다. ***point a*** 〔***the***〕 ***~ at ...*** (남)을 지명하여 비난하다. ***pull*** 〔***take***〕 one's ***~ out*** 《英속어》 (태도를 바꾸어 다시) 일을 시작하다, 발분하다, 서두르다. ***put the ~ on*** 《속어》 (경찰 등에) …을 밀고하다, …에 정보를 제공하다. one's ***~s itch*** (***for, to*** do) (하지 말라는 것을 …하고 싶어) 좀이 쑤시다. ***slip through*** a person's ***~s*** ① (잡았던 것이) 손에서 빠져나가다. ② (기회·금전 등이) 사라지다, 없어지다: I let the chance *slip through* my ~*s*. 눈을 멍청히 뜨고서 기회를 잡으려다가 놓치고 말았다. ***snap*** one's ***~s at*** (손가락으로 딱 소리를 내어 남〔사환 등〕)의 주의를 끌다; …을 멸시〔무시〕하다. ***turn*** 〔***twist***〕 a person ***around*** 〔***round***〕 one's (***little***) ***~*** 아무를 마음대로 (조종)하다〔가지고 놀다〕, 농락하다. ***work*** one's ***~s to the bone*** 《구어》 몸을 아끼지 않고 열심히 일하다.

—*vt.* **1** …에 손가락을 대다, …을 만지다(handle): Please, don't ~ the goods. 상품에 손을 대지 마십시오. **2** (바이올린 따위)를 손가락으로 켜다. **3** (악보)에 운지법(運指法)을 표시하다. **4** 《美속어》 밀고하다 《***to*** (경찰)에》; 미행하다 (shadow). **—***vi.* (손가락으로) 만지다.

fínger àlphabet 지(指)문자(manual alphabet)《언어 장애자의》.

fínger bòard (바이올린 따위의) 지판(指板); (피아노 따위의) 건반(keyboard); (손가락 모양의) 길 안내 표지.

fínger bòwl (식후의) 손가락 씻는 그릇.

fínger-drỳ *vt.* (드라이어를 사용하지 않고 머리)를 손가락으로 들어올려〔모양을 갖추어〕 말리다.

(-)fín·gered *a.* **1** 〖보통 합성어〗 손가락이 있는; 손가락이 …한: light-~ gentry 《우스개》 소매치기 패거리/five-~ 손가락이 다섯인. **2** 〖식물〗 (열매·뿌리가) 손가락 모양의; (잎이) 장상(掌狀)의.

fínger hòle 전화 다이얼의 글자 구멍; 볼링공의 손가락 구멍; 목관 악기의 바람 구멍.

fín·ger·ing [-riŋ] *n.* Ⓤ 손가락으로 만지작거림; 〖음악〗 운지법(運指法), 운지 기호.

fínger lànguage (언어 장애자의) 지화법(指話法).

fín·ger·ling [fíŋgərliŋ] *n.* Ⓒ 작은 물고기《특히 연어 따위의 새끼》; 극히 작은 것.

fínger màrk (때묻은) 손가락 자국.

fínger·nàil *n.* Ⓒ 손톱: to the 〔one's〕 ~ 아주, 완전히; 손톱 끝까지.

fínger pàinting 지두화법(指頭畫法)(으로 그린 그림).

fínger·plàte *n.* Ⓒ 〖건축〗 지판(指板)《문의 손잡이 부분에 댄 금속판》.

fínger·pòst *n.* Ⓒ (손가락 모양의) 도표(道標), 방향표시 말뚝(guidepost); 안내서, 지침《***to*** …의》.

fínger·prìnt *n.* Ⓒ 지문: take a person's ~*s* 아무의 지문을 채취하다. **—***vt.* …의 지문을 채취하다.

fínger·spèlling *n.* Ⓤ 수화(手話)(dactylology).

fínger·stàll *n.* Ⓒ 손가락 싸개《수공에 작업용·상처 보호용》.

fínger·tìp *n.* Ⓒ 손가락 끝; 골무. ***have*** 〔***keep***〕 ***... at*** one's ***~s*** ① …을 즉시 이용할 수 있다; 곧 입수할 수 있다. ② …을 잘 알고 있다; 쉽게 처리할 수 있다: He *has* all the relevant facts *at his ~s*. 그는 온갖 관련 사실을 잘 알고 있다. ***to the*** 〔one's〕 ***~s*** 완전히, 철저하게: He is a pacifist *to* his ~*s*. 그는 철저한 평화주의자다.

fínger tróuble 〖컴퓨터〗 키를 잘못 눌러 생기는 장애.

fin·i·cal [fínikəl] *a.* 몹시 신경을 쓰는, 까다로운《***about*** (옷 따위)에》; 지나치게 공들인〔꾸민〕(fussy). ㊔ **~·ly** *ad.* 아주 까다롭게.

fin·ick·ing, fin·i·kin, fin·icky [fínikiŋ], [fínikin], [fíniki] *a.* =FINICAL.

fi·nis [fínis, fáinis] *n.* 《L.》 Ⓤ 끝, 결미(結尾), 마지막, 종말; 죽음.

†**fin·ish** [fíniʃ] *vt.* **1** 《~+목/+목+부》 **끝내다**, 마치다, 완성하다, 완료하다(*off, up*): ~ one's life 일생을 마치다/~ *up* the work 일을 끝내다. **2** 《+*-ing*》 …하기를 끝내다《★ begin의 경우와 달리 to do를 쓰지 않음》: ~ speak*ing* 이야기를 끝마치다/~ read*ing* the book 책을 다 읽다/~ writ*ing* a report 리포트 쓰기를 끝마치다.
3 《~+목/+목+부》 (물건)을 다 쓰다; (음식)을 다 먹어〔마셔〕버리다(*off; up*): We've ~*ed off* the last of our fuel oil. 우리는 마지막 남은 연료 기름을 다 써버렸다/We've ~*ed up* every bit of liquor in the house. 우리는 집에 있는 술을 깡그리 다 마셔버렸다.
4 《~+목/+목+부》 《구어》 (상대)를 패배시키다, 녹초를 만들다; 파멸시키다, 없애버리다, 죽이다(kill)(*off*): My answer ~*ed* him. 내 대답에 그는 두 손을 들었다/The heat ~*ed* her *off*. 그녀는 더위에 지쳐버렸다.
5 《~+목/+목+전+명》 …을 **마무르다**, 만들어 내다; 다듬다, …의 마지막 손질을 하다: ~ a picture finely 그림을 훌륭히 마무리하다/~ the edge *with* a file 가장자리를 줄로 다듬다.
6 《~+목/+목+부》 …의 교육〔훈련〕을 끝내다, …을 졸업시키다; (과정·학교)를 수료〔졸업〕하다(*off*): She ~*ed off* her education at Harvard. 그녀는 하버드 대학을 수료했다.
—*vi.* **1** 《~/+전+명》 **끝나다**, 그치다《***by, with*** …으로》: The training ~*ed* before noon. 훈련은 오전 중에 끝났다/We ~*ed by* sing*ing* 〔~*ed with*〕 the national anthem. 우리는 애국가를 부르고 마쳤다. SYN. ⇨END.
2 (결승점에) 닿다, 골인하다: Where did you ~ in the 100-meter dash?—I ~*ed* first 〔second, third〕. 100미터 경주에서 몇 등했니?—1〔2, 3〕등 했어.
3 《+전+명》 〖보통 완료형〗 다 써버리다, 사용을 마치다《***with*** …을, …의》: *Have* you ~*ed with*

this book? 이 책을 다 읽었니 / I *have ~ed with* such foolishness. 이런 어리석은 짓은 이젠 안 한다.

> DIAL. ***I'm not finished with you.*** 아직 내 말 안 끝났어.

— *n.* **1** Ⓒ (보통 *sing.*) 끝, 마지막, 종국; 마지막 단계; 최후: cross the ~ (line) 골인하다 / fight to the ~ 승부가 날 때까지 싸우다 / The race had a close ~. 레이스는 골인 지점에서 대접전이었다.

2 Ⓤ (또는 a ~) 마무리, 끝손질, 완성; (태도의) 세련: His manners show ~. 그의 태도는 세련되어 보인다.

3 Ⓤ (또는 a ~) (벽·가구 따위의) 마무리 칠하기, 광내기: a plaster ~ 회반죽칠의 마무리.

be in at the ~ 마지막 단계에 있다《본디 여우 사냥 용어》; (경기 따위에서) 최후까지 남다; (사건의) 최종 결과를 지켜보다.

fín·ished [-t] *a.* **1** 끝낸, 끝마친; 끝손 본, 완성된: ~ goods 완성품 / ~ manufacture 제조 공업 제품. **2** (교양 등이) 완전한, 더할 나위 없는, 때벗은, 세련된: ~ manners 세련된 몸가짐 / a ~ gentleman 교양 있는 신사. **3** 죽어〔사라져〕 가는, 몰락한, 과거의 것이 되어 버린.

fín·ish·er *n.* Ⓒ **1** 완성자; (경주의) 완주자; 마무리공(工); 마무리 기계. **2** 《구어》 결정적인 것〔사건〕.

fín·ish·ing *a.* 최후의; 끝손질의, 마무리의: a ~ coat 마무리 칠, 겉칠 / ~ touches 마무리, (그림 따위의) 끝손(질) / a ~ school 교양〔신부〕 학교《젊은 여성에게 사교계에 나갈 준비 교육을 시키는》.

fínishing stróke (the ~) 최후〔마무리〕의 일격.

fi·nite [fáinait] *a.* 한(限)이 있는, 한정〔제한〕되어 있는, 유한의; 〖문법〗 (동사가) 정형(定形)의. ↔ *infinite.* ㊀ **~·ly** *ad.* **~·ness** *n.*

fínite vèrb 〖문법〗 정형(定形) 동사《수·인칭·시제·법에 의해 한정된 동사의 어형》.

fink [fiŋk] *n.* Ⓒ 《美속어》 스트라이크 파괴자, 배반자; (경찰의) 밀고자; 염탐꾼; 《경멸적》 지겨운〔더러운〕 놈; 마음에 안 드는 녀석. **—** *vi.* ~ 노릇을 하다; (경찰에) 밀고하다. **~ *out*** 《*vi.*+副》 약속을 어기다; (활동 등에서) 빠지다, 손을 떼다.

Fin·land [fínlənd] *n.* 핀란드《수도 Helsinki》.

Finn [fin] *n.* Ⓒ 핀 사람《핀란드 및 북서 러시아 부근의 민족》; 핀란드 사람.

Finn. Finnish.

fin·nan had·die, fin·nan had·dock [fínənhǽdi], [-hǽdək] 훈제(燻製)한 대구.

Finn·ish [fíniʃ] *a.* **1** 핀란드의; 핀란드 사람〔말〕의. **2** 핀족의. **—** *n.* Ⓤ 핀란드 말, 핀어(語).

fin·ny [fíni] *a.* 지느러미가 있는; 지느러미 같은 〔모양의〕.

fín rày 지느러미의 가시.

fín whàle =FINBACK.

fiord, fjord [fjɔːrd] *n.* Ⓒ 〖지리〗 피오르드, 협만《높은 단애 사이의 협강(峽江)》.

°**fir** [fəːr] *n.* **1** Ⓒ 〖식물〗 (서양) 전나무: a ~ needle 전나무 잎. **2** Ⓤ 그 재목(cf. deal[2]).

†**fire** [faiər] *n.* **1** Ⓤ 불; 화염; 연소: *Fire* burns. 불이 피어오른다; 불은 화상을 입힌다 / Where there's smoke there's ~. =There's no smoke without ~. 《속담》 아니 땐 굴뚝에 연기 나랴.

2 Ⓒ (난방·요리용의) 때는 불, 숯불, 화롯불; 모닥불; 《英》 난방기, 히터: a ~ shovel 부삽 / sit by the ~ 난롯가에 앉다 / lay a ~ 불을 지피다 / make 〔build〕 a ~ 불을 때다〔피우다〕 / blow (up) a ~ 바람을 보내 불을 잘 타게 하다 / make up a ~ 불에 연료를 공급하다 / an electric 〔a gas〕 ~ 전기〔가스〕 히터.

3 Ⓤ (구체적으로는 Ⓒ) 화재, 불: *Fire!* 불이야 / a forest ~ 산불 / There were several ~*s* last year. 작년에 몇 건의 화재가 있었다 / A ~ broke out last night. 어젯밤에 불이 났다 / We have many ~*s* in winter. 겨울에는 화재가 많이 일어난다 / insure a house against ~ 집을 화재 보험에 들다.

4 Ⓤ 불꽃(flame), 섬광, 번쩍임; (보석 따위의) 광휘(luminosity): the ~ of a gem.

5 Ⓤ 정열, 정염(情炎); 발랄한 상상력, 시적(詩的) 영감; 활기(animation), 원기: a speech lacking ~ 활기 없는 연설 / ~ in one's belly 야심, 열의, …할 마음.

6 Ⓤ (병으로 인한) (발)열; 염증.

7 Ⓒ (종종 *pl.*) 고난, 시련.

8 Ⓤ 포화; 발포, 사격, 폭파; 《비유적》 (비난·질문 따위를) 퍼붓기: random ~ 난사 / running ~ (사격·욕설의) 연발 / a line of ~ 탄도, 사격 방향 / ⇨ CROSS FIRE.

between two ~s 《문어》 앞뒤에 포화를 받고, 협공당하여. ***build a ~ under*** a person 《구어》 (아무)에게 행동〔결단〕을 촉구하다. ***catch*** (***on***) ***~*** ① 불이 붙다〔댕기다〕: The house caught ~. 그 집에 불이 붙었다. ② 열광하다, 흥분하다. ***Cease*** 〔***Commence***〕 ***~!*** 사격 중지〔개시〕. ***draw*** a person***'s ~*** 아무의 사격 표적이 되다; 비난〔말썽〕을 초래하다. ***false ~*** 거짓 신호《적을 유인하기 위한》. ***~ and brimstone*** 불과 유황, 천벌, 지옥의 모진 고문《성서 「창세기」》. ***~ and sword*** 전화(戰禍). ***go through ~ and water*** 물불을 가리지 않다《***for*** …을 위하여》; 온갖 위험을 무릅쓰다: Joe *went through ~ and water.* 조는 산전수전을 다 겪었다. ***hang ~*** (총포가) 좀처럼 발화하지 않다; (일이) 주춤거리다, 지체되다. ***on ~*** ① 화재가 나서, 불타는 (중에): When we arrived, the hotel was *on ~*. 우리가 도착했을 때 호텔은 불타고 있었다. ② 《비유적》 흥분하여, 열중하여: He's *on ~* with rage. 그는 불같이 화가 나 있었다. ***open ~*** 사격을 개시하다, 포문을 열다《***at, on*** …을 향하여》; (일을) 시작하다. ***play with ~*** ① 불장난을 하다, 위험한 짓을 하다. ② 중대한〔위험한〕 일에 손을 대다. ***pull*** 〔***snatch***〕 ***... out of the ~*** …을 어려운 상황에서 구해내다, (질 듯한 승부)를 용케 승리로 이끌다. ***set ~ to*** =***set on ~*** …에 불을 지르다〔붙이다〕; …을 흥분시키다, 격하게 하다. ***set the world*** 〔***river,*** 《英》 ***Thames***〕 ***on ~*** 〖보통 부정문〗 세상을 깜짝 놀라게 하다〔발칸 뒤집다〕; (눈부신 일을 하여) 이름을 떨치다. ***take ~*** = catch ~. ***under ~*** ① 포화〔비난〕의 세례를 받고. ② 비난을 받아.

> DIAL. ***Where's the fire?*** 호떡집에 불이라도 났습니까《불이라도 난 것처럼 서두르는 속도 위반자에게 경관이 쓰는 말》.

— *vt.* **1** …에 불을 붙이다〔지르다〕: ~ a house 집에 불을 지르다.

2 《~+目/+目+前+名》 (감정)을 격앙시키다, 고무〔분기〕시키다《***with*** …으로》, (상상력)을 북돋우다, 자극하다: The book ~*d* his imagination. 그 책은 그의 상상력을 불러일으켰다 / ~ a per-

son *with* indignation 아무를 분격케 하다.
3 《~+목/+목+전+명》 (화기 · 탄환)을 **발사[발포]하다**(discharge)《***at, on, into*** …을 향하여》; (폭약 따위)를 폭발시키다; (질문 따위)를 퍼붓다《***at*** …에게》: ~ a blank shot 공포를 쏘다 / The hunter ~*d* a round *at* the ducks. 사냥꾼은 오리를 향해 한 발 발포했다 / ~ questions *at* a person 아무에게 질문을 퍼붓다.
4 (도자기 따위)를 구워 만들다, 굽다, 소성(燒成)하다: ~ bricks 벽돌을 굽다.
5 불에 쬐어 그슬리다[건조시키다]; (차)를 볶다: ~ tea.
6 …의 불을 때다, …에 연료를 지피다: ~ a boiler [furnace].
7 《美구어》 목자르다, 내쫓다, 해고하다: ~ a drunkard 취한을 내쫓다 / He was ~*d* from his job. 그는 일자리에서 쫓겨났다.
—*vi.* **1** 불이 붙다, (불)타다. **2** 새빨개지다, 빨갛게 빛나다. **3** 열을 띠다, 격해지다, 흥분하다. **4** 《~/+전+명》 발포하다, 사격하다, 포화를 퍼붓다《***at, on, upon*** …을 향하여》; (총포 · 내연 기관이) 발화[시동]하다, 발사되다: The gun ~*d*. / The soldiers ~*d at* the fleeing enemy. 병사들은 도망치는 적에게 발포하였다.
~ ***away*** 《*vt.*+부》 ① (탄환)을 마구 쏴대어 다 써버리다; 《구어》 (질문 · 일 따위)를 지체 없이 척척 시작하다. **—**《*vi.*+부》 ② 계속 발포하다; 질문을 계속하다《***at*** …에게》: The reporters ~*d away at* the Prime Minister. 기자단은 수상을 향해 잇따라 질문을 퍼부었다. ~ ***off*** 《*vt.*+부》 ① (탄환)을 발사하다; (말 · 비난 등)을 발하다[퍼붓다]《***at*** …에게》. ② (벽로 등)의 불을 끄다. ③ (우편 · 전보 등)을 급송하다《***to*** …으로》. ~ ***up*** 《*vt.*+부》 ① (난로 · 보일러 따위)의 불을 때다. **—**《*vi.*+부》 ② 불끈하다, 욱하다《***at*** …에》: He ~*d up at* that remark. 그는 그 말에 불끈했다.

> **DIAL.** ***Fire away!*** =***Fire ahead!*** (무엇이든) 질문을 하십시오.

fíre alárm 화재경보; 화재경보기.
°**fíre·àrm** *n.* Ⓒ (보통 *pl.*) 화기(火器); 《특히》 소화기(小火器)《rifle, pistol 등》.
fíre·bàll *n.* Ⓒ **1** 불덩이; 번개; 【천문】 큰 별똥별, 태양. **2** 【군사】 화구(火球)《핵 폭발 때의》; (옛날의) 소이탄. **3** 【야구】 속구. **4** 《美구어》 정력적인 활동가; 야심가.
fíre bèll 화재 경종.
fíre blìght 【식물】 (사과 등의) 고사병(枯死病).
fíre·bòat *n.* Ⓒ 소방정(消防艇).
fíre·bòmb *n.* Ⓒ 소이탄; 화염병. **—*vt.*** 소이탄[화염병]으로 공격하다.
fíre·bòx *n.* Ⓒ (보일러 · 기차의) 화실(火室).
fíre·brànd *n.* Ⓒ **1** 횃불; 관솔. **2** (스트라이크 · 반항 등의) 선동자; 대(大)정력가.
fíre·brèak *n.* Ⓒ (산불 따위의 확산을 막기 위한) 방화대(帶)[선(線)].
fíre·brìck *n.* Ⓒ 내화(耐火) 벽돌.
fíre brigàde 《英》 소방서; 《집합적; 단 · 복수취급》 소방대.
fíre·bùg *n.* Ⓒ 《美구어》 방화범(incendiary).
fíre chìef 《美》 소방서장, 소방대장.
fíre·clày *n.* Ⓤ 내화 점토(粘土): a ~ brick 내화 벽돌.
fíre còmpany **1** 《美》 소방대. **2** 《英》 화재 보험 회사.
fíre contról **1** 【군사】 (군함 따위 범위가 넓은) 사격 지휘. **2** 방화[소화(消火)] (활동).
°**fíre·cràcker** *n.* Ⓒ 딱총, 폭죽(爆竹).
fired *a.* 《보통 합성어》 (…을) 연료로 하는: a coal-~ furnace 석탄을 연료로 하는 용광로.
fíre·dàmp *n.* Ⓤ (탄갱 안의) 폭발성 메탄가스.
fíre depàrtment 《美》 소방서; 《집합적; 단 · 복수취급》 소방대(원).
fíre·dòg *n.* Ⓒ (벽로의) 장작 받침쇠(andiron).
fíre dòor (보일러 등의) 연료 주입구, 아궁이, 점화[점검]창; 방화(防火)문.
fíre drìll 소방 연습, 방화 훈련; (학교 · 병원 따위의) 화재 피난 훈련.
fíre-èater *n.* Ⓒ **1** 불을 먹는 요술쟁이. **2** 싸우기 좋아하는 사람, 팔팔한 사람.
fíre ènginé 소방 펌프, 소방(자동)차.
fíre escàpe 화재시 비상구, 화재 피난 장치《사닥다리 · 계단 등》.
fíre extìnguisher 소화기.
fíre·fìght *n.* Ⓒ 【군사】 포격전, 총격전《육탄전에 대하여》.
fíre fìghter 소방관[대원].
fíre fìghting 소방 (활동).
°**fíre·flỳ** *n.* Ⓒ 【곤충】 개똥벌레. ⓒⓕ glowworm.
fíre·guàrd *n.* Ⓒ **1** 난로 울. **2** 《美》 화재 감시원.
fíre hòse 소화 호스.
°**fíre·hòuse** *n.* 《美》 =FIRE STATION.
fíre hỳdrant 《美》 소화전(fireplug).
fíre insùrance 화재 보험.
fíre ìrons 난로용 제구《부젓가락 · 부지깽이 · 부삽 등》.
fíre·less *a.* **1** 불 없는: a ~ cooker 불이 필요치 않은 풍로, 축열(蓄熱) 요리기. **2** 활기 없는.
fíre·lìght *n.* Ⓤ 불빛; 난로의 불빛.
fíre·lìghter *n.* Ⓤ (낱개는 Ⓒ) 《英》 불쏘시개.
fire·man** [fáiərmən] (*pl.* ***-men [-mən]) *n.* Ⓒ **1** 소방관. **2** 화부《기관 · 보일러 따위의》. **3** 《야구속어》 구원 투수.
fíre màrshal 《美》 (주(州)나 시(市)의) 소방부[서]장; (공장 등의) 방화 관리[책임]자.
fíre òffice 《英》 화재 보험 회사 (사무소).
****fire·place** [fáiərplèis] *n.* Ⓒ **난로, 벽로**(壁爐).
fíre·plùg *n.* Ⓒ 소화전(栓)《생략: F.P.》.
fíre pòwer 【군사】 (부대 · 병기의) 화력.
°**fíre·pròof** *a.* 내화(耐火)의, 방화의; 불연성(不燃性)의. **—*vt.*** 내화성으로 만들다.
fíre ràiser 《英》 방화자.
fíre-ràising *n.* Ⓤ 《英》 방화죄(arson).
fíre scrèen (난로용) 화열(火熱) 방지 칸막이.
fire·side** [fáiərsàid] *n.* Ⓒ **1** (보통 the ~) 난롯가, 노변; (모닥) 불가. **2** (단란한) 가정; (the ~) 가정 생활, 한 가정의 단란. **—*a. Ⓐ 난롯가의, 노변의: a ~ chat 노변 한담(閑談)《미국 F.D.Roosevelt가 취한 정견 발표 형식》.
fíre stàtion 소방서, 소방 대기소.
fíre·stòne *n.* Ⓤ (난로용) 내화석(石); 부싯돌.
fíre·stòrm *n.* Ⓒ 화재 폭풍《소이탄 · 핵폭탄 등에 의한 대화재로 일어나는, 비를 동반한 강풍》.
fíre tòngs 부집게, 부젓가락.
fíre tòwer 《美》 (보통 산 위의) 화재 감시 망대.
fíre·tràp *n.* Ⓒ 비상구 따위가 없는 화재에 위험한 집; 불타기 쉬운 건물.
fíre trùck 소방차.
fíre·wàrden *n.* Ⓒ 《美》 (산림 · 도시 · 캠프의) 소방[방화] 감독관.
fíre·wàtcher *n.* Ⓒ (공습 때의) 화재 감시원.
fíre·wàter *n.* Ⓤ 《구어》 화주(火酒)《위스키 · 브

랜디 따위 독한 술》.

°**fíre·wòod** *n.* Ⓤ 장작, 땔나무; 《英》 불쏘시개.

°**fíre·wòrk** *n.* **1** Ⓒ (보통 *pl.*) 불꽃(놀이), 봉화. **2** (*pl.*) 〖때로 단수취급〗 재기〔정열〕의 번득임; 《구어》 감정〔정열〕의 격발.

> DIAL. ***There will be fireworks.*** 한바탕 말썽이 나겠는데.

fir·ing [fáiəriŋ] *n.* Ⓤ **1** 발포, 발사, 사격. **2** 불붙임, 점화; (난로·벽로 등의) 불때기. **3** (도자기 등의) 구워내기; (차를) 볶기. **4** 장작, 석탄, 연료, 땔감.

fíring lìne (the ~) 〖군사〗 사선(射線); 포열선(砲列線); (전투 따위의) 최전선; 일선 부대: on 〔《英》 in〕 the ~ 제 1 선에서.

fíring squàd 〔**pàrty**〕 (군대 장례의) 조총(弔銃) 사격 부대; 총살(형) 집행대.

fir·kin [fə́ːrkin] *n.* Ⓒ **1** (버터 따위를 담는) 조그마한 나무통《8-9 갤런들이》. **2** 《英》 용량의 단위《1 배럴의 1/4》.

‡**firm**[1] [fəːrm] (*∠·er; ∠·est*) *a.* **1 굳은,** 단단한, 튼튼한, 견고한: ~ ground 굳은 지면/~ muscles 단단한 근육/~ wood 단단한 재목/a ~ mouth 꽉〔굳게〕 다문 입.

SYN. **firm** 견고하여 '굳건한'. 내적인 강인성을 강조함: a *firm* foundation 견고한 기반. **hard** 물질이 딱딱한. 물질 이외에는 표면의 감촉이 딱딱함, 다루기 곤란함을 나타냄: *hard* rocks 딱딱한 암석/a *hard* problem 다루기 힘든〔어려운〕 문제. **solid** fluid(액체의)의 반의어로서 거의 firm에 가까운 뜻이지만, 내용의 충실, 밀도가 암시됨: a *solid* company 내용이 충실한 〔자산·채산이 견실한〕 회사.

2 굳건한, 흔들리지 않는: a ~ foundation 흔들리지 않는 토대/be on ~ ground 굳건한 기초〔논거〕에 입각하다/keep a ~ hold on …을 꽉 붙잡고 있다.

3 《비유적》 굳은, (신념·주의·태도 등이) 변치 않는, 견실한; 단호한《*with* …에 대하여》: ~ friendship 변치 않는 우정/a ~ determination 굳은 결의/be ~ *with* one's students 학생들에게 단호한 태도를 취하다.

4 〖상업〗 변동이 적은, 안정된: a ~ price 〔market〕 변동 없는 가격〔시황〕.

be ~ on one's legs 확고히 (자기 다리로) 서 있다.

—*ad.* 단단히, 굳게《★ 주로 다음 구로》: hold ~ (to) (…을) 꽉 붙들고 놓치지 않다; …을 고수하다/stand 〔remain〕 ~ 확고한 태도로 양보치 않다; 확고히 서다.

—*vt.* 《~+목/+목+부》 굳게〔단단하게〕 하다; (가격 등)을 안정시키다(*up*): ~ *up* one's hold on something …을 꽉 쥐다. **—*vi.*** 《~/+부》 굳다; (가격이) 안정되다(*up*).

***firm**[2] [fəːrm] *n.* Ⓒ **상사(商社),** 상회, 회사: a law ~ 법률사무소.

°**fir·ma·ment** [fə́ːrməmənt] *n.* Ⓒ (보통 the ~) 《문어》 하늘, 창공(sky); 천계(天界)(heavens). ㊥ **fir·ma·mén·tal** [-əl] *a.* 하늘의, 창공의.

***firm·ly** [fə́ːrmli] *ad.* 굳게, 단단히, 견고하게; 단호〔확고〕하게: I'm ~ resolved to oppose the bill. 나는 단호하게 그 법안에 반대할 각오다.

°**fírm·ness** *n.* Ⓤ 견고; 견실; 확고부동, 강경.

fírm·wàre *n.* Ⓤ 〖컴퓨터〗 펌웨어《hardware로 실행되는 software의 기능; 이를테면, ROM에 격납된 마이크로프로그램 등》.

†**first** [fəːrst] *a.* **1** (보통 the ~, one's ~) **첫(번)째의, 최초의,** 맨처음〔먼저〕의, 시초의. ↔ last. ¶the ~ edition 초판(본)/the ~ snow of the year 첫눈/the ~ man to arrive 맨 먼저 도착한 사람/King George the *First* 조지 1세/a ~ offender 초범자/her ~ book 그녀의 처녀작/the ~ ten days 처음 10일간.

2 으뜸의, 수위의, 제1급의, 일류의; 최상급의, 주요한: win (the) ~ prize 1등상을 타다/the ~ scholar of the day 당대 으뜸가는 학자.

3 (the ~) 〖부정문에서〗 조금의(…도 아니다): He has*n't* the ~ idea (of) what I mean. 그는 내 의도를 조금도 이해하지 못한다.

at ~ hand 바로, 직접(으로). ***at ~ sight*** 〔***blush, view, glance***〕 첫눈에, 한 번 보아서; 언뜻 본 바로는〔보아서는〕. ***for the ~ time*** 처음으로. **(*the*) *~ thing*** 우선 첫째로, 맨 먼저: I'll call you (*the*) ~ *thing* when I arrive. 도착하는 대로 우선 전화하겠다. **(*the*) *~ time*** 〖접속사적〗 처음 …했을 때는, …하자 우선《★ time 뒤에 that을 쓸 때도 있음》: *The ~ time* we met she told me that he was seriously ill. 내 얼굴을 보자마자 그녀는 그가 중병이라고 말하였다.

—*n.* **1** Ⓤ (보통 the ~) **a 첫째〔제1〕**《생략: 1st》; 제1위, 1등, 1번, 1착(着), 우승, 수석; 제1호; 제1부; 제1세, 초대째. **b 초하루,** 첫째날: April (the) ~ =the ~ of April, 4월 1일.

2 (the ~) 최초, 처음: from the (very) ~ 처음부터.

3 Ⓒ 《英》 (대학 시험의) 최우등: get 〔take〕 a ~ in mathematics 수학에서 최우등을 하다.

4 Ⓒ 〖음악〗 최고 음부.

5 Ⓤ (관사 없이) (야구의) 1루(~ base).

6 Ⓤ (자동차의) 저속〔1단〕 기어(~ speed).

7 (*pl.*) 일등품, 일급품.

8 (the ~) 최초의 사람〔것〕《***to*** do》: He was the ~ *to* come and the last to leave. 그는 제일 먼저 와서 제일 나중에 돌아갔다.

at ~ 최초〔처음〕에는, 애초에는: He looked cold *at ~*, but soon he turned out to be a kind man. 처음에는 냉혹하게 보였지만 곧 친절한 사람임을 알았다《단순한 first와 비교. ⇨ *ad.*》. ***from ~ to last*** 처음부터 끝까지, 시종, 내내: *From ~ to last* his interest never flagged. 시종 그의 흥미는 시들지 않았다.

> DIAL. ***That's the first I've heard about it.*** 그거 금시초문인데.

—*ad.* **1 첫째로, 최초로,** 우선, 맨 먼저; 일등으로〔차로〕: Who did it ~? 누가 맨 먼저 그것을 하였느냐/I must finish this work ~. 이 일부터 우선 해치워야겠다/travel ~ 1등으로 여행하다/First come, ~ served. 선착순.

2 처음으로: when we ~ met him 그를 처음 만났을 때.

3 〖would, will과 함께〗 오히려, 차라리: She said she *would* die ~. 그녀는 차라리 죽어 버리고 싶다고 말했다.

~ and foremost 맨 먼저, 우선 무엇보다도: Music is, ~ and foremost, something to be enjoyed. 음악은 무엇보다도 즐거운 것이어야 한다. ***~ and last*** 대체로, 전체로 (보아), 결국: He is an educator ~ *and last*. 그는 모든 면에서 (볼 때) 교육자다. ***~, last, and all the time*** 《美》 시종일관하여; 변함없이: Safety is important ~, *last, and all the time*. 처음부터 마칠 때까지

제일 중요한 것은 안전이다. ~ ***of all*** 우선 첫째(로), 무엇보다도: I am ~ *of all* a man. 나는 무엇보다도 먼저 인간이다. ~ ***off*** 《구어》 첫째로; 곧: He headed for the hotel ~ *off*. 그는 먼저 호텔로 갔다. ~ ***or last*** 조만간, 머지않아. ~ ***things*** ~ 중요 사항을 우선적으로.

fírst áid 〖의학〗 응급 치료〔처치〕.

fírst-áid *a*. Ⓐ 응급의, 구급(용)의: a ~ case 〔kit〕 구급 상자 / a ~ treatment 응급 처치.

fírst báse 〔보통 관사 없이〕〖야구〗 1루. ***get to*** 〔***reach, make***〕 ~ 1루에 나가다; 《美구어》 〔부정 · 의문문〕 제1단계를 성취하다, 약간 전진하다: He did*n't get to* ~ with his research. 그는 그 연구에서 하나도 성과를 거두지 못했다.

fírst báseman 〖야구〗 1루수.

fírst·bórn *a*. Ⓐ 맨 처음 태어난; 장남〔장녀〕의. —*n*. Ⓒ 장자(長子).

fírst cáuse 〖철학〗 제1원인; 원동력; (the F- C-) 조물주, 신(神)(the Creator).

fírst cláss 일류, 최고급; 제1급; 1등; 제1종 《우편물》.

***first-class** [fə́ːrstklǽs, -klɑ́ːs] *a*. **1 제1급의**, 최고급의; 일류의, 우수한; 《구어》 훌륭한: a ~ hotel 일류 호텔 / The weather was ~. 날씨는 아주 좋았다 / I feel ~. 아주 기분좋다. **2 1등의** 《기차 · 배 따위》; 제1종의 《우편물》: a ~ ticket 일등 차표 / the ~ mail 제1종 우편. **3** 《구어》 몹시, 지독하게: a ~ mess 몹시 어지러진 모양.
—*ad*. **1** 1등(승객)으로; 제1종 우편으로: travel ~, 1등으로 여행하다. **2** 《구어》 굉장히, 훌륭하게, 멋지게: She sang ~. 그녀는 아주 능숙하게 노래를 불렀다.

fírst-dày cóver 〖우편〗 첫날 커버 《붙인 우표에 발행 당일의 소인이 찍힌 봉투》.

fírst-degrée *a*. Ⓐ (화상 등이) 가장 낮은〔가벼운〕, 1도의; (특히 죄상 따위가) 제1급의, 최고의: ~ burn 1도 화상 / a charge of ~ murder 1급 살인죄.

fírst finger 집게손가락.

fírst flóor (the ~) 《美》 1층; 《英》 2층.

fírst frúits 만물, 신출, 첫 수확; 최초의 성과.

fírst-generátion *a*. **1** (이민) 2세의; 외국에서 태어나 귀화한, 1세의. **2** 〖컴퓨터〗 (컴퓨터가) 제1세대의: the ~ computer 제1세대 컴퓨터.

***first·hand** [fə́ːrsthǽnd] *a*. **직접의**(direct).
—*ad*. 직접(적으로): hear the news ~ from her 그 소식을 그녀에게 직접 듣다.

fírst lády 《美》 **1** (보통 the ~; 종종 F- L-) 대통령〔주지사〕 부인. **2** (여성의) 제1인자.

fírst lieuténant 《美》 (육군 · 공군 · 해병대의) 중위.

first·ling [fə́ːrstliŋ] *n*. Ⓒ (보통 *pl*.) 맏배 《가축의》; 만물, 신출, 첫 수확; 최초의 결과〔산물〕.

°**fírst·ly** *ad*. (우선) 첫째로, 최초로.

fírst nàme (성에 대하여) 이름(Christian name, given name).

fírst-nàme *a*. Ⓐ (서로 이름을 부를 만큼) 친밀한: be on ~ terms with …와 절친한 사이다.

fírst níght (연극 따위의) 첫날.

fírst-níghter *n*. Ⓒ 연극의 첫날 공연을 빼놓지 않고 보는 사람.

fírst ófficer 〖항해〗 1등 항해사 《부선장격》.

fírst pérson (the ~) **1** 〖문법〗 제1인칭 《I, we》: ~ story, 1인칭 소설, 사소설. **2** 1인칭 이야기 형식.

***first-rate** [fə́ːrstréit] *a*. **1 일류의**, 일급의, 최상〔최량〕의: a ~ hotel 일류 호텔. **2** 《구어》 훌륭한, 멋진: He did a ~ job on the deal. 그는 그 거래를 훌륭하게 잘 해냈다. —*ad*. 《구어》 굉장히 잘, 훌륭히: My car runs ~. 내 차는 아주 잘 달린다. ㊕ **-rát·er** *n*. Ⓒ 제1급의 사람〔것〕.

fírst sérgeant 《美》 (육군 · 해병대의) 선임 부사관, 상사. cf. master sergeant.

fírst-stríke *a*. (핵무기에 의한) 선제 공격의, 제일격의: ~ capability 제일격 능력.
—*n*. Ⓒ (핵무기에 의한) 선제 공격, 제일격.

fírst-stríng *a*. 《美》 일류의, 일급의; 정규〔정식〕의, 일군(一軍)의 《운동 선수 등》.

Fírst Wórld (the ~) 제1세계 《비사회주의 선진 공업 제국》.

Fírst Wórld Wár (the ~) = WORLD WAR I.

firth [fəːrθ] *n*. Ⓒ (특히 스코틀랜드의) 협만(峽灣), 내포; 하구(河口)(estuary).

fis·cal [fískəl] *a*. 국고의; 재정(상)의, 회계의: ~ law 회계법. SYN. ⇨FINANCIAL.

físcal yéar 《美》 회계 연도(《英》 financial year).

†**fish** [fiʃ] (*pl*. **~·es** [fíʃiz], 〔집합적〕 ~) *n*. **1** Ⓒ **물고기**, 어류.

> NOTE (1) 분명히 개별적인 의미의 경우에도, 복수형은 보통 fishes 보다 fish를 씀.
> (2) 종류를 말하는 경우에는 보통 three *~es* 따위보다는 three kinds 〔varieties〕 of ~를 씀.

¶catch a ~ 물고기를 한 마리 잡다 / catch a lot of ~ 물고기를 많이 잡다 / The boys were swimming in the pond like so many ~ 〔*~es*〕. 소년들은 마치 물고기처럼 못에서 헤엄치고 있었다 / All is ~ that comes to his net. 《속담》 자빠져도 빈손으로는〔그냥은〕 일어나지 않는다 / The best ~ smell when they are three days old. 《속담》 좋은 생선도 사흘이면 냄새난다; 귀한 손님도 사흘이면 귀찮다.
2 Ⓤ 어육(魚肉), 생선. cf. meat. ¶Some people eat ~ on Friday. 금요일에는 (육식을 끊고) 생선을 먹는 사람들이 있다 《가톨릭교도나 유대교도》 / Do you like ~ ? 생선 좋아합니까.
3 Ⓒ 〔주로 합성어〕 수서(水棲) 동물, 어패류(魚貝類): jellyfish 해파리 / shellfish.
4 Ⓒ 《구어》 〔보통 수식어를 수반하여〕 사람, 놈, 녀석: a queer ~ 묘한 놈 / a cool 〔poor〕 ~ 냉정한〔불쌍한〕 녀석.
5 (the Fish(es)) 〔복수취급〕 〖천문〗 물고기자리, 쌍어궁(雙魚宮).
a big ~ in a little pond 《구어》 우물 안 개구리. ***a nice*** 〔***pretty, fine, rare***〕 ***kettle of ~*** ⇨KETTLE. (***as***) ***drunk as a ~*** 몹시 취한. ***drink like a ~*** 술을 벌떡벌떡 들이켜다. ***have other ~ to fry*** 《구어》 해야 할 다른 더 중요한 일이 남아 있다. ***like a ~ out of water*** 뭍에 오른 물고기같이 《사정이 바뀌어 제 실력을 충분히 발휘 못 함》. ***neither ~, flesh, nor fowl*** 〔***nor good red herring***〕 전혀 정체 모를 물건.

> DIAL. ***There are other fish in the sea.*** = ***There are plenty more fish in the sea.*** (실연한 사람에게) 그 사람 말고도 좋은 사람은 얼마든지 있어.

—*vi*. **1 a 낚시질하다**, 고기를 낚다, 고기잡이하다: go (out) *~ing* 낚시하러 가다. **b** 《+전+명》 낚다, 잡다 《***for*** (고기)를》: ~ *for* trout 송어 낚시를 하다. **2** 《+전+명》 **찾다**, 알아보다, 타진하다

(elicit), 구하다《*for* …을》: ~ *for* pearls 진주 채취를 하다 / ~ in one's pocket *for* the key 호주머니를 뒤져 열쇠를 찾다 / ~ *for* information 정보를 탐지하려 하다.

— *vt*. **1** (물고기)를 낚다, 잡다(catch). **2** 《~+[목]/+[목]+[부]/+[목]+[전]+[명]》 끌어올리다, 꺼내다, 찾아내다(*up*)《*out of, from* (물 속 따위)에서》: They *~ed up* the dead man *from* the water. 물 속에서 시체를 인양하였다 / He *~ed* some cigarettes *out of* his shirt pocket. 그는 셔츠 주머니에서 담배를 몇 개 꺼냈다. **3** (강 따위)에서 고기잡이하다: ~ the river 강에서 낚시질하다.

~ *in troubled waters* 혼란을 틈타 한몫 보다, 화재 난 데서 도둑질하다, 어부지리를 얻다. **~ *or cut bait*** 《美구어》 거취를 분명히 하다《특히 계획·일에 참여할 것인지 안 할 것인지를》. **~ *out*** 《*vt*.+[부]》 ① …의 물고기를 몽땅 잡아 버리다. ② 꺼내다《*from* (물속·품속 등)에서》: She *~ed out* a compact *from* her bag. 그녀는 백에서 콤팩트를 꺼냈다. ③ (정보·비밀 등)을 탐지해 내다.

fish bàll 〔**càke**〕 어육(魚肉) 완자《요리》.

físh·bòwl *n*. [C] (유리) 어항; 사방에서 빤히 보이는 장소〔상태〕: Barracks life is like living in a ~. 병영생활은 비밀에 가리워진 것이 없어서 전혀 개인적 자유〔프라이버시〕가 없다.

fish·er [fíʃər] *n*. **1** [C] 고기를 잡아먹는 동물; 〖동물〗 담비류(類)《북아메리카산》. **2** [U] 그 털가죽. **3** [C] 어부(fisherman).

fish·er·man** [fíʃərmən] (*pl*. ***-men [-mən]) *n*. [C] 어부, 낚시꾼, 어민; 낚싯배, 고기잡이 배, 어선.

°**fish·ery** [fíʃəri] *n*. **1 a** [U] 어업, 수산업: ~ industry 어업 / ~ products 수산물 / inshore 〔deep-sea〕 ~ 연안〔심해〕 어업. **b** (*pl*.) 수산학: a school of *fisheries* 수산 학교. **2** [C] 어장; 수산물 채취장: a pearl 〔oyster〕 ~ 진주〔굴〕 채취장. **3** [C] 수산 회사. **4** [U] 〖법률〗 어업권: common ~ 공동 어업권.

físh-eye léns 어안 렌즈.

fish fínger 《英》 =FISH STICK.

fish·hòok *n*. [C] 낚싯바늘.

⁑**fish·ing** [fíʃiŋ] *n*. [U] **1 낚시질, 어업**; 〖법률〗 어업권: a ~ boat 어선, 낚싯배 / a ~ port 어항(漁港) / go (out) ~ 낚시질 가다. **2** 어장, 낚시터.

fishing bànks (얕은 여울의) 어초(漁礁).

fishing lìne 낚싯줄.

fishing ròd (릴용) 낚싯대.

fishing tàckle 〖집합적〗 낚시 도구.

fish knìfe 어육용 식탁 나이프.

fish làdder 어제(魚梯)《어류가 댐 등을 거슬러 오를 수 있도록 한 계단식 어도(魚道)》.

físh·lìne *n*. [C] 낚싯줄.

fish mèal 어분(魚粉)《비료·사료 등에 씀》.

físh·mònger *n*. [C] 《英》 생선 장수.

físh·nèt *n*. [C] 어망(漁網).

físh·plàte *n*. [C] (철도 선로의) 이음판.

físh·pònd *n*. [C] 양어지(養魚池), 양어못.

fish slìce (요리용) 생선 뒤집개.

fish stìck 《美》 피시 스틱《가늘고 긴 생선 토막에 빵가루를 묻혀 튀긴 것》.

fish stòry 《美구어》 터무니없는 이야기, 허풍.

físh·tàil *vi*. (항공기가) 미익을 흔들어 속력을 늦추다; (자동차가) 미끄러져 꽁무니를 흔들다.

físh·wìfe (*pl*. ***-wives*** [wàivz]) *n*. [C] 여자 생선 장수; 입이 건 여자, 앙알거리는 여자.

fishy [fíʃi] (***fish·i·er; -i·est***) *a*. **1** 물고기의〔같은〕; 물고기가 많은; 비린내 나는. **2** 흐린《눈 따위》; 탁한《빛》. **3** 《구어》 의심스러운, 수상한: There is something ~ about the story. 그 이야기에는 뭔가 의심스러운 것이 있다. [파] **físh·i·ly** *ad*. **-i·ness** *n*.

fis·sile [físəl] *a*. 쪼개지기〔갈라지기〕 쉬운; (원자핵 따위가) 분열성의.

fis·sion [fíʃən] *n*. [U] **1** 분열, 열개(裂開). **2** 〖물리〗 (원자의) 핵분열(nuclear ~). **3** 〖생물〗 분열, 분체(分體); 분체 생식.

físs·sion·a·ble *a*. 〖물리〗 핵분열성의, 핵분열하는: ~ material 핵분열 물질.

físsion bòmb 핵분열 폭탄, 원자폭탄.

fis·sip·a·rous [fisípərəs] *a*. **1** 〖생물〗 분열 생식하는. **2** (정당 따위가) 분열할 것 같은.

°**fis·sure** [fíʃər] *n*. [C] 터진〔갈라진〕 자리, 틈, 균열; 〖식물·해부〗 열구(裂溝). — *vt*. 터지게〔갈라지게〕 하다; 쪼개다. — *vi*. 터지다, 갈라지다; 금이 가다.

fist** [fist] *n*. [C] **1** (쥔) **주먹**, 철권: clench the ~ 주먹을 쥐다. **2** 《구어》 손: Give us your ~. 악수하자. **3** (꽉) 움켜 쥠, 파악(grasp). **4** 〖인쇄〗 손가락표(☞). ***make a good 〔***bad, poor***〕 **~ *at*** 〔***of***〕 《구어》 …을 잘〔서투르게〕 하다.

— *vt*. 주먹으로 때리다.

-fist·ed [fístid] '주먹이 …한, …하게 쥔' 이란 뜻의 결합사: close-~ 꽉 쥔; 인색한.

fist·ful [fístfùl] *n*. [C] 한 줌(의 분량).

fist·ic [fístik] *a*. 《우스개》 주먹다짐의, 권투의: a ~ champion 권투 챔피언.

fist·i·cuff [fístikʌ̀f] *n*. **1** [C] 주먹으로 한 번 침. **2** (*pl*.) 주먹다짐, 난투.

fis·tu·la [fístʃulə] (*pl*. **~*s, -lae*** [-lìː]) *n*. 《L.》 [C] 〖의학〗 누관(瘻管), 누(瘻).

⁑**fit**[1] [fit] (***-tt-***) *a*. **1** (꼭)**맞는, 알맞은, 적당한**(suitable); 어울리는, 안성맞춤의《*for* …에〔가〕 / *to* do》: a ~ occasion 적당한 기회 / This is not a ~ place *for* the party. 이곳은 파티하기에 적당한 장소가 아니다 / I am hardly ~ *for* company. 나는 상대로서 적당치가 않다 / I am not ~ *to* be seen. 이 꼴로는 남 앞에 나갈 수 없다 / I have nothing ~ *to* wear. 나는 입을 만한 것이 없다 / That house is not ~ *for* you *to* live in. 그 집은 네가 살기에는 어울리지 않는다.

[SYN.] **fit** 꼭 맞는→적당한: an occupation *fit* for a gentleman 신사에게 어울리는 직업. **suitable** 요구·필요 조건 따위에 맞는: tracts of land *suitable* for vineyards 포도 재배에 적합한 땅. **proper** 본래 합당한, 무엇보다도 어울리는: The *proper* study of mankind is man. 인간 자체를 연구 대상으로 하는 것이 인간으로서 가장 자연스럽다. **appropriate** 어떤 특정한 목적에 맞는: be *appropriate* for school wear 교복으로 적당하다.

2 적격〔적임〕의(competent)《*for* …에 / *to* do》: He is ~ *for* nothing. 그는 능한 것이〔쓸모가〕 없다 / Is he ~ *to* do the job? 그는 그 일에 적임인가 / She's not a ~ person *to* baby-sit. 그녀는 아이를 돌보는 데에 적임자가 아니다.

3 [P] **건강이 좋은**, 튼튼한; (컨디션이) 좋은, 호조의《*for* …하기에 / *to* do》: feel ~ 몸 상태가 좋다 / keep ~ 건강을〔몸의 호조를〕 유지하다 / The team was ~ *for* the game. 팀은 경기에 더할 나위 없이 컨디션이 좋았다 / Is he ~ *to* travel? 그는 이제 여행할 만큼 건강한가.

4 준비가 되어 있는《*for* …의 / *to* do》; 《구어》 곧

…할 것같이 되어, …라도 할 것 같은《*to* do》: a ship ~ *for* an ocean voyage 대양으로의 항해를 갖춘 배/These peaches will be ~ *to* eat in a few days. 이 복숭아들은 2, 3일 있으면 먹기 좋게 된다/I felt ~ *to* drop. 곧 쓰러질 것 같았다.
5 [P] 〖보통 부정문〗 온당한, 바른《*to* do》: It's *not* ~ that he (should) say that. =It's *not* ~ *for* him *to* say that. 그가 그런 말을 하는 것은 온당치 않다.
(as)* ~ *as a fiddle* 〔*flea*〕** 아주 건강하여, 팔팔하여. **~ *to be tied 《구어》 흥분하여, 성을 내어.
think* 〔*see*〕 ~ *to (do) ⇨THINK.
— (**-*tt*-**) *vt*. **1** …**에 맞다**, 적합하다, 어울리다(suit): This hat does not ~ me. 이 모자는 내게 맞지 않는다《크기 · 모양 · 빛깔이》/Does this key ~ the lock? 이 열쇠는 그 자물쇠에 맞습니까/The theory doesn't ~ the facts. 그 이론은 사실에 적합치 않다.
2 《+[목]+[전]+[명]》 맞추다, 적응시키다, 적합하게 하다(adapt)《*to* …에》: I'll ~ my schedule *to* yours. 내 예정을 너에게 맞출께/Please ~ this ring *to* my finger. 이 반지를 손가락에 맞게 해 주세요.
3 a (옷 · 안경 따위)를 맞게 하다: She had the coat ~*ted*. 그녀는 웃도리 가봉을 했다《양장점에서》/I'll get my glasses ~*ted*. 나는 안경을 맞춰야겠다. **b** 《+[목]+[전]+[명]》 (아무)에게 맞게 만들다〔조정하다〕《*for* (옷 · 안경 따위)를》: I went to be ~*ted for* glasses. 나는 안경을 맞추러 갔다.
4 《+[목]+[전]+[명]/+[목]+*to* do》 …에게 자격〔능력〕을 주다《*for* …의》; 《美》 …에게 입학 준비를 시키다《*for* (대학)의》: ~ oneself *for* a post 어떤 지위에 필요한 자격〔지식 · 기능〕을 얻다/The training ~*ted* us *to* swim across the river. 우리는 그 훈련 덕분으로 강을 헤엄쳐 건너갈 수 있게 되었다/This school ~*s* students *for* college. 이 학교에서는 대학 진학 교육을 한다.
5 《+[목]+[전]+[명]》 (적당한 것)을 설비하다, 달다《*to* …에》; …에 설비하다, 달다《*with* (적당한 것)을》: ~ a door *with* a new handle 문에 새 손잡이를 달다/~ new tires *to* a car =~ a car *with* new tires 자동차에 새 타이어를 끼우다.
6 《~+[목]/+[목]+[전]+[명]》 짜맞추다, 조립하다, 꼭 끼워 넣다《*in, to, into,* etc. …에》: ~ a part *into* another 부분품을 짜맞추다/He ~*ted* the key *in* the lock. 그는 자물쇠에 열쇠를 끼웠다.
— *vi*. 《~/+[전]+[명]》 맞다, 적합〔합치 · 일치〕하다; 꼭 맞다, 어울리다; 조화하다《*into, with* …에》: Your new dress ~*s* well. 당신의 새 드레스는 몸에 꼭 맞습니다/They ~*ted into* the new life without giving up the old ways. 그들은 옛 풍습을 버리지 않고 새 생활에 적응하였다.
~ *in* 《*vi*.+[부]》 ① 잘 들어맞다, 딱 맞다, 적합하다; 조화〔일치〕하다《*with* …와》: The key won't ~ *in*. 열쇠가 꼭 맞지 않는다/My plans do not ~ *in with* yours. 내 계획은 당신 계획과 일치하지 않습니다. **—**《*vt*.+[부]》 ② (아무)에게 (형편 · 시간을) 맞추다: I'm busy but I can ~ you *in* at 4:30. 나는 바쁘지만 4시 반이라면 시간을 낼 수 있습니다. **~ *on*** 《*vt*.+[부]》 ① (물건)을 달다; 잘 맞추다: ~ the handle *on* 손잡이를 달다. **—** 《*vi*.+[부]》 ② 잘 맞다. **~ *out*** 《*vt*.+[부]》 (아무)에게 채비〔준비〕를 해주다; 〖항해〗 (배)를 의장(艤裝)하다《*for* …을 위해; *with* …으로》: ~ *out* a ship *for* a long voyage 원양 항해를 위한 준비로 배를 의장하다/The explorers were ~*ted out with* all the necessary supplies. 탐험대원들은 필요한 보급품을 모두 갖추고 있었다. **~ *up*** 《*vt*.+[부]》 …을 설비〔채비〕하다《*as* …으로서》; …에 비치하다《*with* …을》: ~ *up* a room (*as* a dentist's office) 방을 (치과 진료소로) 설비하다/a laboratory ~*ted up with* the newest equipment 최신 기계 설비를 갖춘 실험실.
— *n*. (a ~, one's ~) 〖수식어를 수반하여〗 꼭 맞는 것《옷 · 신 따위》: This is a perfect 〔right〕 ~ *for* me. 이것은 내게 꼭 맞는다/This coat is just his ~. 이 상의는 그에게 꼭 맞는다.

***fit**[2] [fit] *n*. [C] **1** (병의) **발작**(paroxysm); 경련: a hysteric ~ 히스테리의 발작/a ~ of gastralgia 위경련. **2** (감정의) 격발, 폭발; 일시적 기분, 변덕(caprice): be in ~*s of* laughter 자지러지게 웃다, 웃음이 그치지 않다/in a ~ *of* anger 홧김에.
***by* 〔*in*〕 ~*s* (*and starts*)** 발작적으로, 이따금 생각난 듯이: He does everything *by* 〔*in*〕 ~*s* (*and starts*). 그는 무엇이든지 가끔 생각난 듯이 한다. ***give* a person *a* ~** 《구어》 아무를 깜짝 놀라게 하다; 아무를 성나게 하다. ***have* 〔*throw*〕 *a* ~** 《구어》 깜짝 놀라다; 불같이 노하다.

fitch [fitʃ] *n*. [C] 〖동물〗 족제비의 일종《유럽산》; [U] 그 모피.

°**fit·ful** [fítfəl] *a*. 발작적인; 단속적인; 일정치 않은, 변덕스런: a ~ wind 변덕스럽게 부는 바람.
[파] ~**·ly** *ad*. ~**·ness** *n*.

fít·ly *ad*. 적당하게, 정연하게; 알맞게, 적시에.

fít·ment *n*. [C] (보통 *pl*.) 내부 시설(품).

°**fít·ness** *n*. [U] **1** 적당, 적절; 적합(성), 타당(성)(propriety)《*for* …에 대한/*to* do》: He didn't consider the ~ of the tool *for* the task. 그는 그 도구가 일에 적합한지 충분히 생각지 않았다/His ~ *to* operate on a patient is in question. 그가 환자를 수술하는 데 적격인지 의문이다. **2** (건강 상태의) 양호, 건강: improve one's ~ 건강을 증진하다.

fítness fréak 건강광(狂)《건강을 위해 무턱대고 운동만 하는 사람》.

fit·ted [fítid] *a*. **1** 적합〔합당〕한《*for, to* …에/*to* do》: She's ~ *for* the job. 그녀는 그 일에 적임이다. **2** 갖춘, 장비한《*with* …을》: The assembly line is ~ *with* robots. 그 조립리인〔컨베이어 시스템〕에는 로봇이 장비돼 있다. **3** [A] 모양에 꼭 맞게 만들어진; 붙박이의; 가구가〔세간, 부속품이〕 갖추어진: a ~ carpet 바닥 전면에 깔도록 만들어진 양탄자/a ~ cupboard 붙박이 찬장/a ~ kitchen 모든 것이 갖추어진 부엌.

fit·ter [fítər] *n*. [C] (의복의) 가봉을 하는 사람; (기계 · 부품 등을) 설치〔설비〕하는 사람, 조립공, 정비공; 장신구〔여행용품〕 장수.

***fit·ting** [fítiŋ] *n*. [C] (가봉한 옷의) **입혀 보기**; 조립(組立), 마무리 설치; (보통 *pl*.) 용구(用具), 부속품, 내부 시설물. **—** *a*. **1** 적당한, 적절한《*to* do》: It's ~ that he should say that. =It's ~ *for* him *to* say that. 그가 그런 말을 하는 것은 적절하다. **2** 꼭 맞는, 어울리는《*for* …에》: ~ words *for* the occasion 그 경우에 꼭 맞는 말.
[파] ~**·ly** *ad*. 적당하게, 어울리게. ~**·ness** *n*.

fítting ròom (양복점의) 가봉실.

Fitz- [fits] *pref*. 《F.》 (=the son of) …의 아들: *Fitzgerald*. [cf] Mac-, O'.

Fitz·ger·ald [fitsdʒérəld] *n*. 피츠제럴드. **1** 남자 이름. **2 F. Scott ~** 미국의 소설가(1896–1940).

†**five** [faiv] *a.* Ⓐ **다섯의, 5의,** 5개〔명〕의; 5살의: The child is ~ years old 〔of age〕. 그 애는 5살이다 / I was ~ then. 그때 나는 5살이었다.
—*n.* **1 a** Ⓤ (때로 Ⓒ) 〚보통 관사없이〛 **다섯,** 5; Two times ~ makes 〔is〕 ten. 2곱하기 5는 10. **b** Ⓒ 5의 숫자〔기호〕《5, v, V》. **2 a** 〚복수취급〛 5개〔사람〕: There're ~. 5개〔사람〕 있다. **b** Ⓤ 5시; 5살; 5달러〔파운드, 센트, 펜스 (따위)〕: a child of 5, 5살난 아이. **3** Ⓒ 5개〔사람〕 한 조인 것; 농구 팀. **4** Ⓒ 〚카드놀이〛 5의 패; 〚크리켓〛 5점타. **5** Ⓒ 《美구어》 5달러(지폐); 《英》 5파운드 지폐.

> DIAL. ***Give*** 〔***Slip***〕 ***me five!*** 치켜 든 손바닥을 서로 부딛치며 인사할 때 하는 인사말《five는 손을 폈을 때의 다섯 손가락》.
> ***Give me a high five!*** 《美》 치켜든 자기 손바닥에 상대방의 손바닥을 쳐 달라고 할 때 하는 말.
> ***Take five!*** 《美》 잠깐 휴식, 한 숨 돌리세.

fíve-and-tén [-ən-] *n.* Ⓒ 《美》 싸구려 잡화점.
fíve-and-tén-cent stòre [-ən-] =FIVE-AND-TEN.
fíve-day wéek 주(週) 5일제(制).
fíve·fòld *a., ad.* 다섯 부분으로〔요소로〕 된; 5중〔다섯 겹〕의〔으로〕, 5배의〔로〕.
fiv·er [fáivər] *n.* Ⓒ 《구어》 5달러〔파운드〕 지폐.
fives [faivz] *n.* Ⓤ 《英》 핸드볼 비슷한 구기.
fíve-stàr *a.* **1** 별이 다섯인, 오성(五星)의: a ~ general 《美》 육군 원수(General of the Army). **2** 최고의, 제1급의: a ~ hotel 일류 호텔.
†**fix** [fiks] *vt.* **1** 《~+목/+목+전+명》 **고정〔고착〕시키다;** 달다, 붙이다(fasten), 붙박다; 설치하다 《***in, on, to*** …에》: ~ a mosquito net 모기장을 치다 / ~ a post *in* the ground 지면에 기둥을 세우다 / ~ a bayonet *on* a rifle 총에 총검을 달다 / ~ a shelf *to* the wall 선반을 벽에 붙박다.
2 《+목+전+명》 (주거 따위)를 정하다《***in, at*** …에》: ~ one's residence *in* the suburbs 교외에 주거를 정하다.
3 a (습관·제도·관념·견해 따위)를 굳히다; (결의·의견 등)을 확고히 하다; (의미·특징 등)을 명확히 하다: ~ standards for patent registrations 특허 등록의 기준을 정하다. **b** 《+목+전+명》 남기다, 새기다《***in*** (마음·기억 따위)에》: I tried to ~ the date *in* my mind. 나는 그 날짜를 기억해 두려고 했다 / *Fix* these words *in* your mind. 이 말을 꼭 마음에 새겨 두게.
4 a (눈길·주의)를 끌다: The matter *~ed* his attention. 그 일이 그의 주목을 끌었다. **b** 《+목+전+명》 찬찬히 보다, 응시하다《***with*** (어떤 눈초리)로》: He *~ed* me *with* an accusing eye. 그는 꾸짖는 듯한 눈으로 나를 응시하였다. **c** 《+목+전+명》 (시선·눈·카메라 따위)를 고정시키다; (생각·마음 따위)를 집중하다《***on*** …에》: Children cannot ~ their attention *on* anything for long. 아이들은 오랫동안 한 가지 것〔일〕에 주의를 집중하지 못한다.
5 《+목+전+명》 (허물·죄 따위)를 (덮어)씌우다, 돌리다(place)《***on*** (아무)에게》: ~ a blame *on* a person 아무에게 책임을 지우다〔돌리다〕.
6 《~+목/+목+전+명/+*wh.* 절/+*to* do/+*wh.*+*to* do》 (날짜·장소 등)을 정하다, 결정하다; (값)을 매기다《***at*** …으로》: ~ the date 〔place〕 for 〔of〕 a wedding 결혼식 날짜〔장소〕를 정하다 / The price has been *~ed at* two dollars. 가격이 2달러로 매겨졌다 / Let's ~ *when* we will start. 우리가 언제 출발할지 정하자 / Have you *~ed where to* stay? 숙박할 곳을 정했습니까 / I've *~ed to* go to London next week. 나는 다음 주에 런던에 가기로 결정했다.
7 《美》 (머리)를 다듬다; 화장하다: ~ one's face.
8 (염색)을 고착시키다: ~ dyes by mordant 매염제로 염색을 고착시키다.
9 (사진 영상)을 정착시키다; 〚화학〛 (휘발성 물질·액체)를 응고시키다(congeal), 불(不)휘발성으로 하다: ~ a negative (사진) 원판을 정착하다.
10 …을 **고치다,** 수리〔수선〕하다(repair); (분규 따위)를 해결하다: ~ the watch 시계를 고치다. SYN. ⇨ MEND.
11 …을 가지런히 정리하다, 정돈하다, 마련〔준비〕하다(arrange): ~ a room 방(房)을 정돈하다 / How are you *~ed* for money? 돈은 마련됐나.
12 《~+목/+목+목/+목+전+명》 《美》 (식사)를 준비하다, (요리)를 만들다(cook)《***for*** (아무)를 위해》: ~ a salad 샐러드를 만들다 / She *~ed* us a snack. =She *~ed* a snack *for* us. 그녀는 우리에게 가벼운 식사를 해주었다.
13 《~+목/+목+전+명》 (사람)을 꼼짝 못하게 하다; (얼굴 따위)를 굳어지게 하다《***in, with*** (감정)으로》: ~ one's jaw *in* determination 입을 꽉 다물어 결의를 나타내다.
14 《구어》 (재판관 등)을 매수하다(square), 포섭하다; (경기·경마 등)을 미리 짜고 하다; (선거 따위)의 부정 공작을 하다.
15 《구어》 (사람)을 해치우다, 응징하다; 죽이다.
16 《속어》 …에게 마약을 주사하다.
17 《구어》 (가축)을 불까다, 거세하다(castrate).
—*vi.* **1** 고정〔고착〕되다, 굳어지다; 응고하다.
2 《+전+명》 (시선이) 고정되다《***on, upon*** …에》: My eyes *~ed on* a distant light. 내 눈은 먼 불빛에 머물었다.
3 《+전+명/+*to* do》 정하다(decide), 택하다《***on, upon*** …을》: ~ *on* a date for a journey 여행 날짜를 정하다 / We *~ed* for the meeting *to* be held on Saturday. 우리는 토요일에 모임을 갖기로 했다.
4 《+*to* do》 《美구어》 〚주로 진행형〛 …할 예정이다; …할 것 같다: I *am ~ing to* go shooting on Monday. 나는 월요일에 사냥을 갈 예정이다 / It's *~ing to* rain. 비가 올 것 같다.
5 《속어》 마약을 주사하다.
~ *over* 《*vt.*+부》 《美》 (의복 따위)를 다시 고치다, 고쳐 짓다. **~ *up*** 《*vi.*+부》 《美구어》 ① 차려입다, 정장하다. —《*vt.*+부》 ② (모임·약속 등)을 정하다《***for*** …으로》: We've *~ed up* the meeting *for* next Monday. 다음 월요일에 회의를 하기로 정했다. ③ …에게 마련해 주다, 구해주다《***with*** …을》: ~ a person *up with* a new car 아무에게 새 차를 마련해 주다. ④ 《美구어》 …을 수리〔개조〕하다; (오두막 등)을 재빨리〔날림으로〕 세우다, 만들다: He ~ed the room *up* as a study. 그는 그 방을 서재로 만들었다. ⑤ (분쟁 등)을 조정하다, 해결하다: ~ it 〔things〕 *up* with a person 아무와 양해에 도달하다〔분쟁을 매듭짓다〕. ⑥ 〚~ oneself〛 《美속어》 차려 입다: *Fix yourself up*. 몸치장을 하세요. ⑦ 《구어》 …의 병을 치료하다. ⑧ (방 등)을 정리하다; (방 등)에 설치하다《***with*** …을》. ⑨ (식사)를 준비하다.
—*n.* **1** Ⓒ (보통 a ~) 《구어》 곤경(困境)(predicament), 궁지(dilemma): in a ~ for money 돈

에 궁하여. **2** Ⓒ (기계에 의한) 위치 결정《**on** (선박·항공기)의》: get a ~ *on*... (레이더 따위로) …의 위치를 확인하다. **3** (a ~) 《구어》 (경기 따위의) 부정공작; 《美속어》 짬짜미 (경기), 뇌물. **4** Ⓒ 《속어》 마약 주사: get 〔give〕 a person a ~ 아무에게 마약 주사를 놓다.

fix·ate [fíkseit] *vt., vi.* 고정〔정착〕하다〔시키다〕; 응시하다; 병적으로 집착하다〔시키다〕.

fix·á·tion *n.* Ⓤ (구체적으로는 Ⓒ) **1** 고착, 고정; 응시, 주시; 색이 바래지 않게 함. **2** 〖사진〗 정착; 〖화학〗 응고; (질소 따위의) 고정. **3** 〖정신의학〗 병적 애착〔집착〕《**on** …에 대한》: He has a ~ *on* older women. 그는 연상의 여성에게 병적으로 집착한다.

fix·a·tive [fíksətiv] *a.* 고착(固着)하는, 고정하는; (색·영상을) 정착(定着)하는. **—***n.* Ⓤ (종류·낱개는 Ⓒ) 염착제(染着劑); 〖사진〗 정착액.

***fixed** [fikst] *a.* **1 고정된**, 일정(불변)한(definite, permanent): a ~ salary 고정급 / a ~ idea 고정관념 / ~ capital 고정자본 / a ~ deposit 정기예금 / a ~ price 정가, 정찰가격. **2** (일정 장소에) 붙박아 놓은; (시선이) 움직이지 않는: look at a person with a ~ gaze 아무를 뚫어지게 바라보다. **3** 《구어》 충분히 주어진《**for** (돈 따위)가》: I'm comfortably ~ *for* money. 나는 돈은 풍족하다. **4** 〖화학〗 응고한; 불휘발성의《산·기름》; 고정된《질소 따위》: ~ acid 불휘발산(酸). **5** 《구어》 짬짜미의《경마 등》; 뇌물을 받은.

> DIAL. ***How are you fixed for*** A**?** ① A(현금 따위)는 얼마나 갖고 있느냐. ② A(날짜·시간 따위)의 예정은 어찌 되느냐.

㊞ **fix·ed·ness** [fíksidnis, -st-] *n.*

fíxed ássets 〖상업〗 (유형) 고정 자산.

fíxed dísk 〖컴퓨터〗 고정(자기) 디스크, 하드 디스크.

fíxed-léngth rècord 〖컴퓨터〗 고정 길이 레코드.

fix·ed·ly [fíksidli, -st-] *ad.* 단호〔확고〕하게; 꼼짝 않고, 뚫어지게《보다 따위》: He looked 〔stared〕 ~ at her. 그는 그녀를 응시했다.

fíxed-póint *a.* 〖컴퓨터〗 고정 소수점의. cf. floating-point. ¶ ~ representation 고정 소수점 표시.

fixed-point aríthmetic 〖컴퓨터〗 고정 소수점 연산《소수점을 고정 위치에 두고 실행하는 산술 연산》.

fíxed sátellite 정지 위성《24 시간에 지구를 한 바퀴 도는 위성; 지상에서는 정지한 것처럼 보임》.

fíxed stár 〖천문〗 항성. cf. planet.

fíx·er *n.* Ⓒ 설치하는 사람〔것〕; 염착제; 〖사진〗 정착제; 《구어》 (사건을 매수 따위로) 쓱싹하는 사람; 조정자.

fíx·ing *n.* **1** Ⓤ 고착, 고정; 설치; 응고; 〖사진〗 정착: ~ solution 정착액. **2** Ⓤ 수선, 손질; 정리, 정돈. **3** (*pl.*) 《美구어》 (실내 따위의) 설비, 비품; 장구(裝具), 장신구; 요리에 곁들이는 것.

fix·i·ty [fíksəti] *n.* Ⓤ **1** 정착, 고정; 영속성, 불변(성). **2** 부동(不動)《시선 따위의》: stare with ~ 응시하다.

***fix·ture** [fíkstʃər] *n.* Ⓒ **1 정착물**; 비품, 설비(물), 내부 시설(품): gas 〔electric light〕 ~*s* 가스〔전등〕 설비. **2** 《英》 〖경기·경마〗 (기일이 확정된) 대회, 경기 종목. **3** 《구어》 (일정한 직업·장소에) 오래 붙박이는〔눌어붙는〕 사람.

fizz, fiz [fiz] *n.* **1** (a ~) 쉬잇하는 소리. **2** Ⓤ (낱개는 Ⓒ) 발포성 음료; 《英구어》 샴페인. **—** *vi.* 쉬잇 소리를 내다, 쉬잇하고 거품이 일다《음료 따위가》.

fiz·zle [fízl] *n.* **1** (a ~) 쉬잇하는 소리. **2** Ⓒ 《구어》 실패. **—***vi.* **1** 쉬잇하고 소리내다: The firecracker ~*d* but didn't explode. 폭죽은 쉬잇하고 소리냈지만 펑하고 터지지는 않았다. **2** 《구어》 용두사미로 끝나다; 어이없이 끝나다(*out*): The political reform soon ~*d out*. 정치개혁은 얼마 안 되어 흐지부지되었다.

fízz·wàter *n.* Ⓤ 소다수.

fizzy [fízi] (**fizz·i·er; -i·est**) *a.* 쉬잇하고 거품이 이는: ~ waters 소다〔탄산〕수.

fjord ⇨ FIORD.

F kèy [éfkiː] 〖컴퓨터〗 function key.

FL 〖美우편〗 Florida. **Fl.** Flanders; Flemish.

fl. floor; florin(s); *floruit* 《L.》(=flourished); fluid. **Fla., Flor.** Florida.

flab [flæb] *n.* Ⓤ 《구어》 비만.

flab·ber·gast [flǽbərgæ̀st/-gɑ̀ːst] *vt.* 《구어》 소스라쳐 놀라게 하다, 당황하게 하다《★ 보통 수동태로 쓰며, 전치사는 *at, by*》: I *was* ~*ed at* his appearance. 나는 그의 모습에 깜짝〔소스라치게〕 놀랐다.

flab·by [flǽbi] (**-bi·er; -bi·est**) *a.* (근육 따위가) 흐늘흐늘하는, 축 늘어진; (성격·사람이) 무기력한, 연약한, 활기 없는, 맥없는. ㊞ **fláb·bi·ly** *ad.* **-bi·ness** *n.*

flac·cid [flǽksid] *a.* (근육 등이) 흐늘흐늘한, 축 늘어진; 무기력한, 나약한. ㊞ **flac·cid·i·ty** [flæksídəti] *n.* Ⓤ 연약, 무기력.

flack [flæk] *n.* 《美속어》 Ⓒ 선전〔공보〕원(press agent); Ⓤ 선전.

fla·con [flǽkən] *n.* 《F.》 Ⓒ (향수 따위의) 작은 병.

‡**flag**[1] [flæg] *n.* Ⓒ **1** 기(旗): a national ~ 국기 / ⇨BLACK 〔RED, WHITE, YELLOW〕 FLAG.

> SYN. **flag** '기'의 가장 일반적인 말. **banner** 주의·주장 등을 쓴 깃발. **pennant** 선박이 표지·신호용으로 쓰는 좁고 길며 끝이 뾰족한 기. **ensign** 선박이 국적을 나타내기 위해 게양하는 기. **standard** 의식용의 기·군기(軍旗).

2 기 모양의 것; (사슴·세터종(種) 개 따위의) 털이 북슬북슬한 꼬리. **3** 《英》 (택시의) 빈차 표지: put the ~ down (손님이 타서) 빈차 표지를 내리다. **4** 〖컴퓨터〗 깃발; 표시 문자.

keep the ~ flying 《구어》 항복하지 않다, 싸움〔저항〕을 계속하다. ***show the ~*** 외국항(등)을 공식 방문하다; (무력〔실력〕을 배경으로) 요구를 들이밀다, 주장을 선명히 하다.

— (**-gg-**) *vt.* **1** …에 기를 세우다, …을 기로 장식하다. **2** 《~+목/+목+전+명/+*that* 절》 **a** (정보 따위)를 기로 알리다《**to** …에》: ~ a message *to* a nearby ship 가까운 배에 기로 통신하다. **b** (아무)에게 기로 신호하다〔알리다〕. **3** 《~+목/+목+부》 (열차 따위)를 신호로 멈추게 하다(*down*): ~ *down* a train 열차를 신호로 정지시키다.

flag[2] *n.* Ⓒ 판석(板石), 포석(鋪石)(flagstone); (*pl.*) 판석 포장 도로. **—** (**-gg-**) *vt.* 판석〔포석〕을 깔다.

flag[3] *n.* Ⓒ 〖식물〗 황창포, 창포.

flag[4] (**-gg-**) *vi.* (돛·초목 등이) 축 늘어지다, 시들다; (기력이) 쇠(약)해지다; (이야기 따위가) 시시해지다; (흥미가) 없어지다: revitalize the ~*ging* economy 침체되는 경제를 회복시키다.

flág càptain 〖해군〗 기함의 함장.

Flág Dày **1** 《美》 국기 제정 기념일《6월 14일; 1777년의 이 날 성조기를 미국 국기로 제정》. **2** (f- d-) [C] 《英》 기의 날(《美》 tag day)《거리에서 자선 사업 따위의 기금을 모집하고자 작은 기를 파는 날》.

flag·el·lant [flǽdʒələnt] *n.* [C] 매질〔채찍질〕하는 사람; 채찍질 고행자《스스로 채찍질하며 고행한 중세의 광신자》; 때리기〔매맞기〕를 바라는 변태 성욕자.

flag·el·late [flǽdʒəlèit] *vt.* 매질〔채찍질〕하다; 꾸짖다; 벌하다.

flàg·el·lá·tion *n.* [U] (특히 종교적·성적인) 매질, 채찍질.

fla·gel·lum [flədʒéləm] (*pl.* ***-la*** [-lə], **~*s***) *n.* [C] 〖생물〗 편모(鞭毛); 〖식물〗 포복경(匍匐莖); 《우스개》 매, 채찍(whip, lash).

flag·eo·let [flæ̀dʒəlét] *n.* [C] 〖음악〗 플래절렛《구멍이 여섯 개인 피리》; (파이프 오르간의) 플래절렛 음전(音栓).

flag·ging[1] [flǽgiŋ] *n.* [U] **1** (판석을 깐) 포장(鋪裝). **2** 〖집합적〗 판석류(板石類).

flag·ging[2] *a.* 처지는, 늘어지는; 쇠퇴〔감소〕 기미의. [파] **~·ly** *ad.*

fla·gi·tious [flədʒíʃəs] *a.* 파렴치한; 극악무도한, 잔인〔흉악〕한; 악명 높은.

flág·man [-mən] (*pl.* ***-men*** [-mən]) *n.* [C] 신호 기수; 《美》 (철도의) 신호수, 건널목지기.

flág òfficer 해군 장관(將官)《장관이 탄 군함에는 그 위계(位階)를 표시하는 장관기(旗)를 닮》.

flag·on [flǽgən] *n.* [C] 식탁용 포도주 병《손잡이와 귀때·뚜껑이 있음》; 포도주 파는 큰 병.

flág·pòle *n.* [C] 깃대.

fla·grance, -gran·cy [fléigrəns], [-si] *n.* [U] 극악; 악명(notoriety).

fla·grant [fléigrənt] *a.* 극악(무도)한, 악명 높은(notorious); 언어도단의(scandalous): a ~ offense 〔crime〕 대죄(大罪). [파] **~·ly** *ad.*

flág·shìp *n.* [C] 기함; (일련의 것 중) 최고의 것: the ~ station of a national TV network 전국 TV 방송망에서 제일 큰 방송국.

flág·stàff (*pl.* **~*s,*** ***-staves***) *n.* [C] 깃대(flagpole).

flág·stòne *n.* [C] (포장용) 판석, 포석(鋪石).

flág-wàving *n.* [U] 애국심〔애당심〕의 과시.

flail [fleil] *n.* [C] 도리깨. **—***vt.* (곡물)을 도리깨질하다; 연타하다, 때리다; (양팔 따위)를 휘두르다. **—***vi.* 도리깨질하다; (팔이) 휘돌다, (발이) 버둥거리다(*about; around*): He rushed at them, his arms *~ing* wildly. 그는 양팔을 세차게 휘두르며 그들을 향해 돌진했다.

flair [flɛər] *n.* **1** [U] (또는 a ~) 날카로운 안식(眼識), 제6감; 재주, 재능; (예민한) 후각《***for*** …에 대한》: have a ~ *for* music 음악 재능이 있다. **2** [U] 재치 있음, 센스가 좋음: She dresses with ~. 그녀는 센스 있게 옷을 입는다.

flak, flack [flæk] *n.* [U] **1** 대공포(對空砲); 대공 사격. **2** 잇따른〔격렬한〕 비난: He took a lot of ~ for his stand on abortion. 그는 임신중절에 관한 그의 의견에 대해 잇따른〔격렬한〕 비난을 받았다.

***flake**[1] [fleik] *n.* [C] **1** **얇은 조각**, 박편(薄片); 조각, 지저깨비(chip): a ~ of cloud 조각 구름 / *~s* of snow 눈송이 / fall in *~s* 엷은 조각이 되어 벗겨지다; (눈이) 펄펄 내리다. **2** 불꽃, 불똥. **3** 《美속어》 괴상한 사람, 괴짜. **4** 플레이크《낟알을 얇게 으깬 식품》: corn *~s* 콘플레이크.

—*vi.* 《~/+[부]》 벗겨져 떨어지다(*off*); (박편이 되어) 떨어져 내리다; (눈 따위가) 펄펄 내리다: The paint has *~d* (*off*) in some places. 페인트가 군데군데 벗겨져 떨어졌다.

flake[2] *vi.* 《구어》 (피곤하여·마약을 맞고) 잠들다, 선잠자다, 졸다; 기절하다(*out*).

flák jàcket 〔**vèst**〕 공군용 방탄 조끼.

flaky [fléiki] (***flak·i·er; -i·est***) *a.* 박편(薄片)의; 조각조각의; 벗겨지기 쉬운; 《美속어》 괴상한. [파] **-i·ness** *n.*

flam·bé [flɑːmbéi] *a.* 《F.》 (고기·생선·과자에 브랜디를 붓고) 불을 붙여 눈게 한《요리〔디저트〕》.

flam·beau [flǽmbou] (*pl.* **~*s,*** ***-beaux*** [-bouz]) *n.* 《F.》 [C] 횃불; 장식한 큰 촛대.

flam·boy·ance, -an·cy [flæmbɔ́iəns], [-si] *n.* [U] 현란함, 화려함.

flam·boy·ant [flæmbɔ́iənt] *a.* 《F.》 현란한, 화려한; 타는 듯한.

⁑**flame** [fleim] *n.* **1** [U] (종종 *pl.*) **불길, 불꽃, 화염**: in *~s* 불붙어, 불길에 싸여서 / burst into ~(*s*) 확 타오르다 / commit to the *~s* 불 속에 던지다, 태워 버리다, 불사르다 / go up in *~s* 타오르다; 꺼져〔사라져〕 없어지다. **2** [C] 불 같은 광채〔광휘〕: the ~(*s*) of sunset 붉게 물든 저녁놀. **3** [C] 정염, 정열; 격정: a ~ of anger 불길 같은 노여움. **4** [C] 《구어》 애인, 연인(sweetheart): an old ~ of his 그의 옛 연인.

—*vi.* **1** 《+[부]》 (불꽃을 올리며) **타오르다**(blaze), 불꽃을 내다(*out; up*): They poured oil on the fire and it *~d out*. 그들이 불에다 기름을 붓자 불꽃이 확 피어올랐다.

[SYN.] **flame** 밝게 갑자기 불꽃을 올리며 타다. **blaze** flame보다 크게, 뜨겁게, 밝게 불꽃을 올리며 타다.

2 《~/+[보]/+[전]+[명]》 불꽃처럼 빛나다〔비추다〕; (얼굴 등이) 확 붉어지다(glow)《***with*** …으로》; (태양이) 이글거리다: Her cheeks *~d* (red). 그녀의 볼이 확 붉어졌다 / The hill *~s with* azaleas. 언덕은 진달래로 불타는 듯하다. **3** 《~/+[부]/+[전]+[명]》 《비유적》 불타오르다; 발끈하다(*out; up*)《***at*** …에; ***with*** (정열·노여움)으로》: Her passion *~d up*. 그녀의 정열이 불타올랐다 / He *~d up at* the words. 그는 그 말을 듣고 발끈했다 / He *~d with* anger. 그는 발끈했다. **~ *out*** 《*vi.*+[부]》 〖항공〗 (제트 엔진이) 갑자기 연소 정지하다.

fláme gùn 《英》 화염(火焰) 제초기.

fla·men·co [flɑːméŋkou] *n.* 《Sp.》 [U] 플라멩코《스페인의 집시 춤》.

fláme·òut *n.* [U] (제트 엔진의) 돌연 정지《비행 중 불완전 연소·연료부족으로 인한》.

fláme·pròof *a.* 내화성의; 불타지 않는.

fláme·thròwer *n.* [C] 화염방사기.

flam·ing [fléimiŋ] *a.* [A] 타오르는; 타는 듯한《색채 따위》; (기후 등이) 염열(炎熱)의, (태양 등이) 이글거리는; 욕정에 불타는, 열렬한《애국심 따위》; 《英구어》 대단한, 심한. [파] **~·ly** *ad.*

fla·min·go [fləmíŋgou] (*pl.* **~(*e*)*s***) *n.* [C] 〖조류〗 플라밍고, 홍학(紅鶴).

flam·ma·ble [flǽməbəl] *a.* =INFLAMMABLE.

flan [flæn] *n.* **1** [U] (낱개는 [C]) (치즈·과일 따위를 넣은) 파이의 일종. **2** [C] (도안에 대한) 화폐의 지금(地金).

Flan·ders [flǽndərz/flɑ́ːn-] *n.* 플랑드르《현재의 벨기에 서부·네덜란드 남서부·프랑스 북부를 포함한 북해에 면한 중세의 국가》.

flange [flændʒ] *n.* Ⓒ 〖기계〗 플랜지《관(管)을 잇기 위해 덧붙인 날밑 모양의》, (레일의) 발, (차바퀴의) 불룩한 테두리. **—***vt.* …에 플랜지를 붙이다.

◇**flank** [flæŋk] *n.* Ⓒ **1** 옆구리; 옆구리 살《쇠고기 따위의》. **2** (산·건물의) 측면(side); 〖군사〗 (좌우의) 익(翼)《부대·함대의》, 측면: a ~ attack 측면 공격/the right 〔left〕 ~ 우〔좌〕익/turn the enemy's ~ 적의 측면을 돌아 후방으로 나오다. ***in*** **~** 〖군사〗 측면에서.
—*vt.* **1** …의 측면에 서다〔있다〕; …에 접하다《★ 흔히 수동태로 쓰며, 전치사는 *with, by*》: The road *is ~ed with* 〔*by*〕 trees. 그 도로 양쪽에는 가로수가 있다. **2** 〖군사〗 …의 측면을 공격하다.

flank·er [flǽŋkər] *n.* Ⓒ 측면에 위치한 사람〔것〕; 〖미식축구〗 플랭커(= **∠ bàck**)《좌우 양끝에 있는 선수, 특히 half back》.

◇**flan·nel** [flǽnl] *n.* **1** Ⓤ 플란넬; 《美》 면(綿)플란넬. **2** (*pl.*) 플란넬 의류《특히 운동 바지》; 두터운 모직 속옷. **3** Ⓒ 《英》 플란넬로 만든 때 미는 헝겊(걸레). **4** Ⓤ 《英구어》 엄포, 허세; 아첨말.
—*a.* Ⓐ 플란넬제의: a ~ skirt 플란넬 스커트.
—(**-l-,** 《英》 **-ll-**) *vt.* **1** …에게 플란넬을 입히다; …을 플란넬로 싸다; 플란넬로 닦다〔문지르다〕. **2** 《英구어》 …에게 엉너리를 치다; 엉너리쳐 …을 속이다; 엉너리쳐 …시키다《***into*** …하게》. **—***vi.* 《英구어》 엉너리를 치다.

flánnel·bòard *n.* Ⓒ 플란넬보드《교수용 게시판; 그림이나 도형을 눌러 붙임》.

flan·nel·et(te) [flæ̀nəlét] *n.* Ⓤ 면(綿)플란넬.

***flap** [flæp] (**-pp-**) *vt.* **1** (날개 따위)를 **퍼덕〔퍼드덕〕거리다**(beat), 펄럭이게 하다, 아래위로 움직이다: The bird *~ped* its wings. 새가 날개를 퍼덕거렸다/A sudden breeze *~ped* the flags. 갑작스러운 바람이 기를 펄럭이게 했다. **2** 《+목+전+명》 (납작한 것으로) **딱 때리다**, 손바닥으로 찰싹 때리다: ~ a person *on* the face 아무의 얼굴을 철썩 갈기다. **3** 《+목+부》 (파리 따위)를 날려 쫓아버리다(*away; off*); 가볍게 흔들어서 (불)을 끄다(*out*): ~ flies *away* 파리를 날려 쫓아버리다/~ *out* a candle 손을 흔들어서 촛불을 끄다.
—*vi.* **1** 《~/+전+명》 퍼덕〔펄럭〕이다, 나부끼다, 휘날리다(flutter); 펄럭펄럭 움직이다《***against*** …에 닿아》: The flags in the stadium *~ped* in the wind. 경기장에 깃발이 바람에 펄럭였다/The curtains were *~ping against* the window. 커튼이 펄럭펄럭 창에 부딪고 있었다. **2** 《+부》 날개치다; 날개쳐 날다(*away; off*): The bird *~ped away*. 새가 날개치며 날아가 버렸다. **3** (모자·테 따위가) 축 처지다. **4** 《구어》 당황하다, 흥분하다. **5** 《英구어》 (귀가) 쫑긋해지다: have one's ears *~ping* (귀를 쫑긋 세우고) 열심히 듣다.
—*n.* **1** Ⓒ **펄럭임**, 나부낌; 찰싹 때리기. **2** (*sing.*; 보통 the ~) (날개·깃발 따위의) 퍼덕거리는 소리; 찰싹 때리는 소리: the ~ of the oars on the water 물을 찰싹거리며 노젓는 소리. **3** Ⓒ **축 늘어진 것**; 드림; (모자의) 귀덮개; (모자의) 넓은 테; (호주머니의) 뚜껑; (봉투의) 접어 젖힌 부분; (책 커버의) 꺾은 부분, 날개판(板)《경첩으로 접을 수 있는 책상·테이블의》; 〖항공〗 플랩, 보조익(翼). **4** (a ~) 《구어》 흥분 상태, 동요, 당황: in a ~ 안절부절 못하여, 갈팡질팡〔흥분〕하여.

fláp·dòodle *n.* Ⓤ 《구어》 허튼〔엉터리 없는〕

이야기, 되지 않는 소리(nonsense).

fláp·jàck *n.* Ⓒ **1** 핫케이크류의 과자(griddle cake). **2** 콤팩트《화장용》.

flap·pa·ble [flǽpəbəl] *a.* 《구어》 (위기에 처했을 때) 흥분〔동요〕하기 쉬운, 안절부절 못하는, 갈팡질팡하는.

fláp·per *n.* Ⓒ **1** 퍼덕이는 것; 펄럭이는 것; (아직 날지 못하는) 새끼 새《오리 따위의》. **2** 가볍게 때리는 사람〔것〕; 파리채(flyflap); (새를 쫓는) 딱딱이(clapper); 도리깻열. **3** 경첩 달린 문짝; (바다 짐승의) 지느러미 모양의 앞발. **4** 《구어》 (1920년대의) 건달 아가씨, 왈가닥, 플래퍼.

***flare** [flɛər] *n.* **1** (*sing.*) **너울거리는 불길**, 흔들거리는 빛: the ~ of a match 확 타오르는 성냥불. **2** (a ~) (노여움·소리 따위의) 격발: a ~ *of* anger 격노/a sudden ~ *of* trumpets 갑작스런 나팔 소리. **3** Ⓒ 섬광 신호; 조명탄(= **∠ bòmb**). **4 a** Ⓤ (구체적으로는 Ⓒ) (스커트·슬랙스의) 플레어. **b** (*pl.*) 플레어형 양복바지.
—*vi.* **1** 흔들리며 빛나다, 너울거리며 타다. **2** (싸움·질병 따위가) 돌발하다. **3** (스커트 따위가) 나팔꽃 모양으로 벌어지다. **—***vt.* **1** 확 타오르게〔불붙게〕 하다. **2** 섬광 따위로 신호하다. **3** 나팔꽃 모양으로 벌리다; (스커트)에 플레어를 달다.
~ *up* 〔***out***〕 《*vi.*+부》 확 타오르다; (병 따위가) 재발하다; 불끈 성내다: My ulcers have *~d up* again. 위궤양이 다시 도졌다/My temper *~d up* at that remark. 그 말을 듣고 울컥 화가 치밀었다.

flared *a.* (스커트·슬랙스가) 플레어형인.

fláre pàth 조명로《비행기 이착륙 유도용의》.

fláre·ùp [flέər-] *n.* Ⓒ **1** 확 타오름, 섬광. **2** 《구어》 (감정의) 격발, 격노; (병 따위의 돌연한) 재발; (문제 등의) 급격한 재연(再燃), (전쟁 따위의) 돌발.

flar·ing [flέəriŋ] *a.* 활활〔너울거리며〕 타는; 번쩍번쩍하는; 현란한; 나팔꽃 모양의; 플레어가 있는. ㊔ **~·ly** *ad.*

****flash** [flæʃ] *vi.* **1** 《~/+전+명》 **번쩍이다, 빛나다**; (눈 따위가) 번득이다《***with*** …으로》: a *~ing* signal 발화 신호/His eyes *~ed with* anger 〔excitement〕. 그의 눈은 노염〔흥분〕으로 번득였다.
2 《+부/+전+명》 휙 지나치다, 스치듯 지나가다(*by; past*); 갑자기 나타나다: The swallow *~ed by*. 제비가 휙 날아갔다/Color *~ed into* his cheeks. 그의 볼에 붉은 빛이 확 돌았다.
3 《+전+명》 (마음에) **번개처럼 스치다**, (생각이) 문뜩 떠오르다: The idea *~ed into* 〔*across, through*〕 his mind. 생각이 퍼뜩 그의 뇌리를 스쳤다/A good idea *~ed on* me. 좋은 생각이 머릿속에 문뜩 떠올랐다.
4 《속어》 (여자가 유방·성기 따위를) 슬쩍 보이다.
—*vt.* **1** (불·빛)을 빈쩍 발하다: *Flash* your light over here. 등불을 이쪽으로 비춰주세요/His eyes *~ed* fire. 눈이 불빛처럼 번쩍였다.
2 《+목+목/+목+전+명》 (눈길)을 돌리다, 쏟다; (미소 따위)를 언뜻 보이다《***at*** (아무)에게》: He *~ed* her a smile. =He *~ed* a smile *at* her. 그는 그녀에게 살짝 미소를 던졌다.
3 《~+목/+목+부/+목+전+명》 (신호·정보 따위)를 급히 보내다〔전하다〕: ~ signals 급히 신호를 보내다, 〖야구〗 사인을 보내다/~ the news *to* Seoul 그 소식을 서울에 전하다/~ a message *over* the radio 무선으로 통신을 보내다.

4 (눈이) 번득이며 (감정 따위)를 나타내다: His eyes *~ed* defiance. 그의 눈에는 반항하는 빛이 보였다.
5 《구어》 과시하다, 자랑해 보이다: ~ one's diamonds.
6 (카드 따위)를 언뜻 보이다: He *~ed* his I.D. card. 그는 신분증을 언뜻 보였다.
~ *back* 《vi.+副》 ① 되쏘아 비추다, 반사하다. ② (기억 따위가) 불현듯 돌아가다《*to* (과거)로》: My mind *~ed back to* my school days. 갑자기 학생시절의 기억이 생각났다. ―《vt.+副》 ③ 반사시키다. ④ 되쏘아보아 …을 나타내다: *~ back* defiance 반항하듯 되쏘아보다. **~ *in the pan*** 일시적인 성공으로〔용두사미로〕 끝나다.
―*n.* **1** Ⓒ **섬광, 번득임,** 확 터지는 발화: a ~ *of* lightning 전광의 번득임, 번개/The car's headlights *~ed* in my eyes. 차의 헤드라이트가 내 눈에 확 비쳤다.
2 Ⓤ (구체적으로는 Ⓒ) 〖사진〗 플래시: use (a) ~ 플래시를 쓰다.
3 a (a ~) 순간: in a ~ =like a ~ 대번에, 즉시/(as) quick as a ~ 즉시. **b** Ⓒ 《구어》 흘끗 봄.
4 Ⓒ 〖영화〗 플래시《순간 장면》; 〖신문·라디오〗 (뉴스) 속보.
5 Ⓒ (감흥·기지 등의) 번득임: a ~ *of* hope 한 순간의 희망/a ~ *of* wit 기지의 번득임/I had a sudden ~ *of* memory. 퍼뜩 생각이 났다.
6 Ⓤ (화려한) 허식, 현란함.
7 Ⓒ 《속어》 (슬쩍 보이는) 음부의 노출.
a ~ in the pan 《비유적》 일시적인〔1회만의〕 성공(자); 용두사미(의 노력, 로 끝나는 사람)《화승총이 화약만 타고 공포로 끝나는 일에서》.
―*a.* **1** 값싸고 번드르르한, 겉치장의, 야한: a ~ dresser 화려한 옷을 입는 사람. **2** 가짜의, 위조의(counterfeit): ~ notes 위조 지폐. **3** Ⓐ (폭풍우 따위가) 갑작스럽게 닥친, 순간적인. **4** 도둑〔불량〕 사회의: a ~ term 불량배 사이의 은어.
flásh·bàck *n.* Ⓤ (구체적으로는 Ⓒ) 〖영화〗 플래시백《과거의 회상 장면으로의 전환》.
flásh bùlb 〖사진〗 섬광 전구.
flásh bùrn 섬광 화상(火傷)《원폭 따위의》.
flásh càrd 플래시 카드《잠깐 보여 글자를 읽게 하는 외국어 따위의 교수용 카드》.
flásh·cùbe *n.* Ⓒ 〖사진〗 섬광 전구 4개가 회전하면서 발광하는 장치.
flásh·er *n.* Ⓒ 자동 점멸 장치〔신호〕; (자동차의) 방향 지시등; (구급차 따위의) 회전등; 《속어》 (성기·유방) 노출광(狂).
flásh-fòrward *n.* Ⓤ (구체적으로는 Ⓒ) 〖영화〗 미래 장면의 사전 삽입.
flásh-fréeze *vt., vi.* =QUICK-FREEZE.
flásh gùn 〖사진〗 카메라의 섬광 장치.
flásh làmp 〖사진〗 섬광등.
***flash·light** [flǽʃlàit] *n.* Ⓒ (등대·신호 따위의) **섬광**; 《美》 회중 전등; 〖사진〗 플래시 (장치).
flásh mèmory 〖컴퓨터〗 플래시 메모리《컴퓨터 내의 데이터를 소거하거나 써 넣을 수 있는》.
flashy [flǽʃi] (***flash·i·er; -i·est***) *a.* 번쩍이는, 섬광 같은; 화려한, 야한.
㊞ **flásh·i·ly** *ad.* **-i·ness** *n.*
°**flask** [flæsk, flɑːsk] *n.* Ⓒ 플라스크《화학 실험용》; (술 따위의) 휴대 용기(容器); 플라스크 한 개의 용량; 《英》 보온병.
†**flat**[1] [flæt] (***-tt-***) *a.* **1 편평한,** 평탄한; (발이) 편평한; (접시 따위가) 납작한: ~ land 평지/a ~ dish 운두가 얕은 접시.
2 편, 펼친, 벌린《손바닥·지도 따위를》.
3 Ⓟ 《보통 보어로 쓰여》 **a** 납작 엎드린, 벌렁 자빠진: He lies ~ on his face. 그는 얼굴을 바닥에 대고 엎드려 자고 있다. **b** 바싹 붙어 있는: He stood ~ against the wall. 벽에 바싹 붙어 서있었다. **c** (수목·건물이) 쓰러진, 도괴된: The village was laid ~ by the typhoon. 마을은 태풍으로 괴멸되었다.
4 (그림·사진이) 명암차가 없는; 깊이가 없는.
5 (빛깔이) 두드러지지 않은, 광택이 없는.
6 (음식이) 맛없는; (맥주 따위가) 김빠진(stale); (타이어가) 공기가 빠진; (전지가) 다 쓴.
7 (이야기 등이) 단조로운, 흥미 없는, 따분한.
8 (시황(市況)이) 활기 없는, 부진한, 불경기의: The market is ~. 시황은 불경기다.
9 《구어》 기운 없는(dejected): feel ~ 따분하다, 의기소침하다.
10 Ⓐ (값 따위가) 일률적인, 균일의(uniform): at ~ rate 균일 요금으로/give everyone a ~ sum of 1000 dollars 일률적으로 1000달러씩 모두에게 주다.
11 Ⓐ 단호한, 솔직한, 전적인: a ~ denial 단호한 부정/~ nonsense 어이없는 잠꼬대.
12 음이 내려간; 〖음악〗 반음 내림의. ↔ *sharp*.
13 〖문법〗 어미 무음화(無音化) 파생의《형용사 slow를 그대로의 형태로 부사로 쓰는 따위》.
14 〖음성〗 입술을 벌린《[a]의 변종으로서의 [æ] 따위》.
(*as*) ~ *as a pancake* 《구어》 (토지 따위가) 평탄한; (모자·가슴 따위가) 납작한; (이야기 따위가) 지루하고 무미건조한. ***fall ~*** ① 벌렁 넘어지다. ② (농담·흥행·기획 등이) 완전히 실패로 끝나다; 전혀 효과가〔반응이〕 없다: His joke *fell* ~. 그의 농담은 전연 받아들여지지 않았다. ***in nothing ~*** 《구어》 눈 깜짝할 사이에, 순식간에.

> **DIAL.** ***and that's flat!*** 정말 그렇다니까: I won't go, *and that's flat!* 나는 안 가, 정말로 안 간다니까.

―*ad.* **1 편평하게,** 판판하게.
2 딱 잘라, 단호히: He contradicted me ~. 그는 내 말을 단호히 부정했다.
3 꼭, 정확히: ~ five seconds =five seconds ~, 5초 플랫《경기 기록 따위에서》.
4 아주, 완전히, 전혀: ~ broke 완전히 무일푼이 되어/~ aback 지독히 놀라.
5 〖음악〗 반음 내리어.
~ *out* 《구어》 ① 전속력으로: drive ~ *out* 전속력으로 운전하다. ② 솔직하게 터놓고, 노골적으로: speak ~ *out* 솔직하게 말하다.
―*n.* Ⓒ **1 a 평면,** 편평한 부분《손바닥 따위》: the ~ *of* a hand. **b** 평면도, 회화: in 〔on〕 the ~ 종이〔화포〕에; 그림으로서.
2 (보통 *pl.*) 평지(plain); (시냇가의) 저습지(swamp), 소택지; 모래톱, 여울(shoal).
3 편평한〔납작한〕 것. **a** 운두가 얕은 바구니, (모기르는) 평상자. **b** 너벅선(船). **c** 〖건축〗 평지붕; 〖연극〗 플랫《밀어들이거나 내는 무대 장치》. **d** 《美》 바람이 빠진〔펑크 난〕 타이어: I've got a ~. 펑크 났다. **e** 〖광물〗 수평층, 수평 광맥.
4 〖음악〗 반음내린 음, 내림표《♭》: sharps and *~s* (피아노의) 검은 건반.
on the ~ 평면〔평지〕에.
⁑**flat**[2] [flæt] *n.* 《英》 **1** Ⓒ **플랫**《각층에 1가구가 살게 만든 아파트》. **2** (*pl.*) 플랫식 공동 주택(《美》

apartment house).
flát·bèd *a.* (트럭 등) 평상꼴의. **—***n.* Ⓒ 평상꼴의 트레일러〔트럭〕.
flát·bòat *n.* Ⓒ 너벅선(船).
flát·bóttomed *a.* 바닥이 편평한《배》.
flát·càr *n.* Ⓒ 《美》 〖철도〗 (지붕도 측면도 없는) 무개 화차, 목판차.
flát-chésted [-id] *a.* (여자가) 앞가슴이 편평한.
flát displày 〖컴퓨터〗 평면 화면 표시 장치《액정(LC), 평면 브라운관 등을 이용한》.
flát-file dátabase 〖컴퓨터〗 평면파일 데이터베이스《한 개의 데이터 베이스가 단일 파일에 내장되는 데이터 베이스 시스템》.
flát·fish (*pl.* **~, ~·es**) *n.* Ⓒ 〖어류〗 넙치·가자미류의 총칭.
flát·fòot *n.* Ⓒ **1** (*pl.* **-fèet**) 편평족. **2** (*pl.* 종종 ~s) 《속어》 (순찰) 경(찰)관.
flát·fóoted [-id] *a.* **1** 편평족의. **2** 《구어》 보기 흉한, 못생긴. **3** 《구어》 기탄 없는(downright), 단호한(determined): a ~ refusal 단호한 거절. ***catch*** a person **~** 《구어》 아무를 불시에 덮치다, 아무에게 기습을 가하다.
㊀ **~·ly** *ad.*
flát·ìron *n.* Ⓒ (옛날의) 다리미, 인두.
flát·lànd *n.* Ⓒ 평지, 평탄한 토지.
flat·let [flǽtlit] *n.* Ⓒ 《英》 소(小)플랫《거실겸 침실과 목욕실·부엌뿐인 아파트》.
***flat·ly** [flǽtli] *ad.* **1 평평〔평탄〕하게. 2** 단조롭게, 활기 없이, 굼뜨게, 맥빠지게: a ~ delivered speech 맥빠진 연설. **3** 딱 잘라, 단호히, 쌀쌀하게: He ~ rejected 〔refused〕 my proposal. 그는 내 제안을 딱 잘라 거절하였다.
flát·ness *n.* Ⓤ 평탄; 단조, 지루함.
flát-óut *a.* Ⓐ 《구어》 **1** 최고 속도의, 전속의: a ~ dash for the finish 골을 향해 전력 질주하다. **2** 솔직한; 전적인: a ~ lie 새빨간 거짓말.
flát ràce (장애물 없는) 평지 경주〔경마〕.
flát róof 평지붕.
flát-róofed [-t] *a.* 지붕이 납작한, 평지붕의.
flát spìn (비행기의) 수평 나선 운동. ***go into* 〔*be in*〕 *a* ~** 《구어》 몹시 당황하(고 있)다.
flat·ten** [flǽtn] *vt.* **1 a** 《~+[목]/+[목]+[부]》 **평평〔반반〕하게 하다,** 고르다, 펴다(*out*): ~ crumpled paper 구겨진 종이를 펴다 / He *~ed out* the bent plate. 그는 굽은 철판을 평평하게 했다. **b** 《+[목]+[전]+[명]》 〔~ oneself〕 납작 엎드리다《*on* …에》; 바싹 붙다《*against* …에》: Tom *~ed* him*self against* the wall. 톰은 벽에 몸을 바싹 붙였다 / The cat *~ed* him*self on* the ground. 고양이는 땅바닥에 납작 엎드렸다. **2** 맥빠지게 하다, 쓰러뜨리다(prostrate). **3** 단조롭게 하다, 시시하게 하다; 무미하게 하다. **4** 〖음악〗 (음)을 반음 내리다. **—vi.* **1** 《~/+[부]》 평평〔반반〕해지다(*out*). **2** 반음 낮아지다.
~ *out* 《*vt.*+[부]》 ① (두드려) 펴다; 반반〔편평〕하게 하다(⇨*vt.* 1). ② 〖항공〗 강하〔상승〕에서 수평비행으로 들리다. **—**《*vi.*+[부]》 ③ 펴지다; 반반〔편평〕해지다(⇨*vi.* 1). ④ 〖항공〗 강하〔상승〕에서 수평비행으로 돌아가다.
flat·ter** [flǽtər] *vt.* **1** 《~+[목]/+[목]+[전]+[명]》 …에게 **발림말하다;** 아첨하다, 빌붙다《on, about*** …에 대하여》: Don't ~ me. 아첨하지 마라 / They *~ed* him *about* his diligence. 그들은 그에게 근면하다며 발림말을 했다 / This is the best meal I've ever eaten?—Don't try to ~ me. 이렇게 맛있는 식사는 처음입니다—너무 비행기 태우지 말게. **2** 《+[목]+[전]+[명]》 치켜세워 …시키다《***into*** …하게》: They *~ed* him *into* contributing heavily to the foundation. 그를 치켜세워 재단에 많은 기부를 하게 했다. **3** 《+[목]+[전]+[명]/+[목]+*that* [절]》 〔또는 ~ oneself〕 기쁘게 하다, 우쭐〔득의만만〕하게 하다《★ 흔히 수동태로 쓰며, 전치사는 *at, by*》: ~ one*self on* being clever 〔*on* one's cleverness〕 머리 좋은 체 우쭐해하다 / ~ one*self with* hopes of success 〔*that* one will succeed〕 꼭 성공할 것같이 생각하다 / I feel greatly *~ed at* 〔*by*〕 your compliment. 칭찬해 주니 대단히 기쁩니다. **4** (사진이나 그림이) 실물 이상으로 잘 묘사되다, (옷 따위가 모습)을 돋보이게 하다: This portrait *~s* her. 이 초상화는 실물보다 잘 되었다. **5** (감각)을 즐겁게 하다: music that *~s* the ear 듣기 좋은 음악.
flát·ter·er [-tərər] *n.* Ⓒ 아첨꾼, 빌붙는〔발림말하는〕 사람.
◇**flát·ter·ing** [-təriŋ] *a.* **1** 빌붙는, 아부〔아첨〕하는, 발림말하는; 기쁘게 하는: a ~ remark 아첨하는 말. **2** 실제보다 좋아 보이는《초상 따위》: a ~ portrait 실물보다 나은 초상화. ㊀ **~·ly** *ad.*
***flat·tery** [flǽtəri] *n.* Ⓤ (구체적으로는 Ⓒ) **아첨, 치렛말,** 빌붙음.

> **DIAL.** ***Flattery will get you nowhere.*** 알랑거려 봤자 소용없어《농담으로》.

flat·tie [flǽti] *n.* Ⓒ 《구어》 **1** 뒷굽이 낮은 구두. **2** 평저선(船). **3** 경관, 경찰.
flat·tish [flǽtiʃ] *a.* 약간 편평한; 좀 단조로운.
flát·tòp *n.* Ⓒ 《美구어》 **1** 각지게 치켜 깎은 머리. **2** 항공 모함.
flat·ty [flǽti] *n.* =FLATTIE.
flat·u·lence, flat·u·len·cy [flǽtʃələns], [-lənsi] *n.* Ⓤ 위장에 가스가 참; 허세, 허영.
flat·u·lent [flǽtʃələnt] *a.* (가스로) 배가 부른; (음식이) 가스를 많이 생기게 하는; (말이) 과장된.
fla·tus [fléitəs] *n.* 《L.》 Ⓤ (위장 내의) 가스.
flát·wàre *n.* Ⓤ 〔집합적〕 식탁용의 운두 얕은 식기《접시류》; 《美》 (은)식기류.
flat·ways, 《美》 **-wise** [flǽtwèiz], [-wàiz] *ad.* 편평하게, 납작하게, 평면으로.
flát·wòrk *n.* Ⓤ 〔집합적〕 다림질이 쉬운 판판한 빨랫감《시트·냅킨 따위》.
Flau·bert [floubɛ́ər] *n.* **Gustave ~** 플로베르《프랑스의 소설가; 1821–80》.
flaunt [flɔːnt] *vt.* **1** (부·의복 따위)를 자랑하다, 과시하다: ~ one's riches in public 사람 앞에서 자기의 부를 과시하다. SYN. ⇨SHOW. **2** (기 따위)를 나부끼게 하다. **3** 《美》 깔보다(flout). **—** *vi.* **1** 자랑하다, 과시하다. **2** 휘날리다: Flags are *~ing* in the breeze. 깃발이 산들바람에 펄럭이고 있다.

> **DIAL.** ***If you've got it, flaunt it!*** (자기 재능·아름다움 따위를) 감추지 말고 당당히 한 번 보여 봐《우스개로》.

—*n.* Ⓤ 자랑, 과시.
flaut·ist [flɔ́ːtist] *n.* 《英》 =FLUTIST.
⁑**fla·vor,** 《英》 **-vour** [fléivər] *n.* **1** Ⓤ (구체적으로는 Ⓒ) (독특한) **맛,** 풍미(savor), 향미: a strong ~ of garlic 마늘의 강렬한 맛 / We have three *~s* of ice cream—vanilla, chocolate and strawberry. 아이스크림은 (맛이 다른) 세 종류가 있습니다—바닐라, 초콜릿, 딸기입니다. **2**

(a ~) 맛, 정취, 운치, 멋, 묘미: a story with a romantic ~ 낭만의 향기 높은 이야기.
—*vt.* 《~+목/+목+전+명》 …에 **맛을 내다**, …에 풍미〔향기〕를 곁들이다(season); …에 멋을〔풍취를, 운치를〕 곁들이다《*with* …으로》: ~ soup *with* garlic 수프를 마늘로 양념하다 / ~ the evening *with* a poetry reading 야회(夜會)에서 시 낭송으로 운치를 더하게 하다.

flá·vored *a.* 〖보통 합성어로〗 맛을 낸, 풍미를 곁들인: lemon-~ cakes 레몬향 케이크.

fla·vor·ful [fléivərfəl] *a.* 풍미 있는, 맛이 좋은.

flá·vor·ing [-riŋ] *n.* **1** Ⓤ 조미, 맛내기. **2** Ⓤ (종류는 Ⓒ) 조미료, 양념.

flá·vor·less *a.* 맛없는, 풍미 없는.

flá·vor·some *a.* =FLAVORFUL.

◇**flaw**[1] [flɔː] *n.* Ⓒ **1** 결점, 흠, 결함《*in* (성격 등)의》: a fatal ~ *in* one's character 성격의 치명적 결함. **2** 금(간 곳), 흠(집)(crack)《*in* (보석·자기 따위)의》: A ~ *in* a gem lowers its value. 보석은 흠이 있으면 가치가 떨어진다.
—*vt.*, *vi.* …에 금가(게 하)다, 흠(집)을 내다; 무효로 하다(nullify): a ~*ed* gem 흠 있는 보석.

flaw[2] *n.* Ⓒ 돌풍(突風), 질풍; 한 차례의 광풍.

fláw·less *a.* 흠 없는; 완벽〔완전〕한: a ~ performance 완벽한 연주〔연기〕. 파 **~·ly** *ad.*

flax [flæks] *n.* Ⓤ 〖식물〗 아마(亞麻); 아마 섬유; 아마 천, 리넨(linen).

flax·en [flǽksən] *a.* 아마(제)의; 아마 같은; 담황갈색의.

fláx·sèed *n.* Ⓒ (집합적으로는 Ⓤ) 아마인(linseed).

flay [flei] *vt.* (나무·짐승 따위)의 껍질〔가죽〕을 벗기다; (아무)를 호되게 매질하다; 혹평하다, 깎아내리다.

fl. dr. fluid dram.

◇**flea** [fliː] *n.* Ⓒ 벼룩. ***a ~ in** one's* 〔***the***〕 ***ear*** 힐책; 빈정댐, (듣기) 싫은 소리; 귀따가운 말: send a person away 〔off〕 with *a ~ in* his *ear* 귀따가운 말을 하여 아무를 쫓아내다.

fléa·bàg *n.* Ⓒ 《속어》 **1** 《美》 싼 여인숙. **2** 지저분한 동물〔사람〕.

fléa·bìte *n.* Ⓒ 벼룩에 물린 자리; 《비유적》 약간의 고통; 사소한 것: You're bleeding!—It's a mere ~. 피가 흐르는데—그저 긁힌 상처야.

fléa-bìtten *a.* 벼룩에 물린; 초라한; (말의 털이) 흰 바탕에 갈색 반점이 있는.

fléa còllar (애완 동물의 살충제가 들어 있는) 벼룩 구제(驅除) 목걸이.

fléa màrket 〔**fàir**〕 도떼기〔고물, 벼룩〕 시장.

fléa·pìt *n.* Ⓒ 《英속어》 구지레한 건물〔방, 영화관, 극장〕.

fleck [flek] *n.* Ⓒ **1** (피부의) 반점, 주근깨(freckle), 기미; (색·광선의) 얼룩, 반문: a ~ *of* milk on the chin 턱에 붙은 우유 방울. **2** 〖흔히 부정문〗 작은 조가리: *not* a ~ *of* dust 먼지 하나 없다. —*vt.* …에 반점을 찍다; …을 얼룩지게 하다《★ 종종 수동태로 쓰며, 전치사는 *with*》: The sky *was* ~*ed with* clouds. 하늘에는 구름이 점점이 깔려 있었다. 파 **~ed** [-t] *a.* ~이 있는.

flec·tion, 《英》 **flex·ion** [flékʃən] *n.* **1** Ⓤ 굴곡. **2** Ⓒ 굴곡부(curve). **3** Ⓤ (구체적으로는 Ⓒ) 〖문법〗 굴절, 어미 변화(inflection). 파 **~·al** [-ʃənəl] *a.*

fled [fled] FLEE의 과거·과거분사.

fledge [fledʒ] *vt.* (새 새끼)를 기르다《날 때까지》. —*vi.* 깃이 다 나다; 날 수 있게 되다.

fledged [-d] *a.* 깃털이 다 난; 날 수 있게 된; 성인이 된.

fledg·ling, 《英》 **fledge-** [flédʒliŋ] *n.* Ⓒ 겨우 부등깃이 난〔보금자리를 갓 떠난〕 새 새끼, 햇병아리; 풋내기, 애송이. —*a.* 미경험의, 신출내기의: a ~ actress 신출내기 여배우.

*__flee__ [fliː] (*p.*, *pp.* **fled** [fled]; **flée·ing**) *vi.* 《~/+전+명》 **1** 달아나다, 도망하다, 피하다, 피난하다《*from* …에서; *to* …으로》: He *fled* at the sight of his enemy. 그는 적의 모습을 보자 도망쳤다 / ~ *from* temptation 유혹으로부터 피하다 / ~ *from* responsibility 책임을 회피하다 / ~ *to* a place of safety 안전한 곳으로 피난하다. SYN. ⇨ESCAPE. **2** 사라져 없어지다; (시간 따위가) 속히 지나가다: Life had 〔was〕 *fled*. 숨은 이미 끊어져 있었다 / The fleeces are ~*ing* before the wind. 흰구름이 바람에 몰려 간다 / The smile *fled* from his face. 그의 얼굴에서 미소가 사라졌다.
—*vt.* …에서 도망치다, 떠나다(quit): They *fled* the town after the earthquake. 그들은 지진이 있은 후에 그 마을에서 도망쳤다.

◇**fleece** [fliːs] *n.* **1 a** Ⓤ 양털. **b** Ⓒ 한 마리에서 한 번 깎는 분량의 양털. **2** Ⓒ 양털 모양의 것; 흰구름; 흰눈; 보풀이 인 보드라운 직물.
—*vt.* **1** (양)의 털을 깎다. **2** …에게서 빼앗다, 탈취하다《*of* (돈)을》: be ~*d* by sharpers 사기꾼에게 돈을 빼앗기다 / ~ a person *of* all his possessions 아무의 가진 것을 몽땅 빼앗다.

fleecy [flíːsi] (***fleec·i·er; -i·est***) *a.* 양털로 (뒤)덮인; 양털 같은, 폭신폭신한: ~ clouds 솜구름.

fleer[1] [fliər] *vi.* 조롱하다, 경멸〔우롱〕하다(sneer)《*at* …을》. —*n.* Ⓒ 비웃음, 조롱, 우롱.

fle·er[2] [flíːər] *n.* Ⓒ 도망자.

*__fleet__[1] [fliːt] *n.* Ⓒ 〖집합적〗 **1 함대; 선단**(船團)《상선·어선 따위의》: a combined ~ 연합함대. **2** (항공기의) 비행단; (전차·수송차 따위의) 차대(車隊); (택시 회사 등이 소유하는) 전차량: ~ cars 택시〔버스〕 회사에 일괄로 판매되는 차. **3** (the ~) (한 나라의) 전(全) 함대.

fleet[2] 《문어》 *vi.* 날아가다, 빨리〔휙휙〕 지나〔날아〕가다(*away*). —*a.* 쾌속의(swift), 빠른《말 따위》: be ~ of foot 걸음이 빠르다.
파 **∠·ly** *ad.* **∠·ness** *n.*

fléet àdmiral 《美》 해군 원수.

fléet·fóoted [-id] *a.* 발이 빠른.

fléet·ing *a.* 질주하는; 빨리 지나가는, 쏜살 같은; 덧없는, 무상한(transient). 파 **~·ly** *ad.*

Fléet Strèet 플리트가(街)《런던의 신문사 거리》; 《비유적》 영국의 신문계.

Flem. Flemish.

Flem·ing[1] [flémiŋ] *n.* Ⓒ (벨기에의) Flanders 사람; Flanders 말을 쓰는 벨기에 사람.

Flem·ing[2] *n.* Sir **Alexander** ~ 플레밍《영국의 세균학자; 1881–1955; 페니실린의 발명자》.

Flem·ish [flémiʃ] *a.* Flanders (사람·말)의.
—*n.* Ⓤ **1** Flanders 말. **2** (the ~) 〖집합적〗 Flanders 사람.

‡**flesh** [fleʃ] *n.* **1** Ⓤ **살**《뼈·가죽에 대하여》; (the ~) 육체(body)《영(靈)에 대하여》. cf. spirit. ¶the ills of the ~ 육체적인 질환, 병 / after the ~ 세속적으로. **2** Ⓤ 살색, 피부색: a man of dark ~ 살갗이 거무스름한 사람. **3** (the ~) 육욕, 정욕: the sins of the ~ 육욕의 죄, 부정(不貞). **4** Ⓤ 〖집합적〗 인류(mankind), 생물: all ~ 모든 생물, 일체 중생. **5** (one's (own) ~) 골육, 육친

(kindred). 6 Ⓤ 식육(食肉), 수육(獸肉)《어육, 때로 새고기와 구별하여》: live on ~ 육식하다. ★ 지금은 일반적으로 meat를 씀. 7 Ⓤ (식물의) 과육(果肉); (야채 따위의) 잎: the ~ of a melon 멜론 과육.

become 〔***be made***〕 ***one*** ~ (부부로서) 일심동체가 되다. ***in the*** ~ ① 살아서. ② (사진·그림 따위로서가 아닌) 실물로; 몸소, 친히, 본인을 직접: I've never met her *in the* ~. 그녀 본인을 직접 만나본 적은 한 번도 없다. ***make*** a person***'s*** ~ ***creep*** 〔***crawl***〕 아무를 소름끼치게 하다. ***press*** (***the***) ~ 《구어》 (선거 운동 같은 때에) 악수하다.

—*vt*. 1 (사냥개)를 살코기를 맛보여 자극(刺戟)하다. 2 (군인)을 잔학 행위〔전쟁〕에 익숙케 하다. 3 (칼)을 살에 찌르다; (칼)을 시험삼아 써 보다; (문필·재능 따위)를 실지로 시험하다.

~ ***out*** 《*vt*.+副》 ① …을 알맞게 살찌게 하다. ② 내용을 충실하게 하다《***with*** …으로》. —《*vi*.+副》 ③ 살찌다.

flésh and blóod 1 (one's own ~) 자손; 육친; 피붙이. 2 (피가 통하는) 육체; 산 인간: We are only ~; we can't work like machine. 산 인간이므로 기계처럼 일할 수는 없다. 3 인정, 인간성. 4 〘형용사적〙 살아 있는; 현실의.

flésh còlor 살색, 피부색《백인의 약간 붉은 색을 띤 크림색》.

flésh-cólored, 《英》 **-oured** *a*. 살색의.

flésh·ings *n*. *pl*. (몸에 착 붙는) 살색 속옷.

flésh·ly *a*. Ⓐ 육체의; 육욕의.

flésh·pòt *n*. Ⓒ (보통 *pl*.) 환락가.

flésh sìde 가죽의 안《즉, 털 없는 쪽》.

flésh wòund 얕은 상처, 경상.

°**fleshy** [fléʃi] (***flesh·i·er; -i·est***) *a*. 살의, 육질의; 살찐; 뚱뚱한; (과일이) 다육질(多肉質)의. 파 **flésh·i·ness** *n*.

fleur-de-lis [flə̀ːrdəlíːs] (*pl*. ***fleurs-*** [-líːz]) *n*. 《F.》 Ⓒ 1 〖식물〗 붓꽃속(屬)의 식물(iris). 2 붓꽃의 무늬《속칭 백합 무늬; 1147년 이래 프랑스 왕실의 문장(紋章)》.

flew [fluː] FLY[1]의 과거.

flex [fleks] *vt*. (근육·관절)을 구부리다. ~ one***'s muscle*** 《美구어》 (싸우려고) 몸을 도스르다; 위력을 보이다. —*n*. Ⓤ (낱개는 Ⓒ) 《英》 (전기의) 가요선(可撓線)(《美》 electric cord), 코드. —*a*. 융통성〔적응성〕 있는.

flèx·i·bíl·i·ty [flèksəbíləti] *n*. Ⓤ 구부리기 쉬움, 유연성; 융통성, 적응성, 신축성; 탄력성.

flex·i·ble** [fléksəbəl] *a*. 1 **구부리기 쉬운**, 굴절성의. 2 **휘기 쉬운**, 유연성이 있는(pliable). 3 적응성이 있는(adaptable), 융통성 있는, 유순한: a ~ system 〔personality〕 융통성 있는 제도〔개성〕/a ~ character 유순한 성격/work ~ hours 작업 시작·마감 시간을 자유롭게 선택하여 일하다. 4 하라는 대로 하는《with*** …(아무)에게》: You're too ~ *with* her. 너는 그녀 말을 너무 잘 듣는다.

> **DIAL.** ***Be flexible.*** 융통성을 좀 가져라, 좀 융통성 있게 생각해라.

파 **-bly** *ad*.

flex·i·time [fléksətàim] *n*. 《英》 =FLEXTIME.

flex·or [fléksər] *n*. Ⓒ 〖해부〗 굴근(屈筋)(=∠ **múscle**). cf. extensor.

fléx·tìme *n*. Ⓤ 근무 시간의 자유 선택 제도(flexitime). [◂*flex*ible *time*]

flex·ure [flékʃər] *n*. Ⓤ 굴곡, 만곡(bending).

flib·ber·ti·gib·bet [flíbərtidʒìbit] *n*. Ⓒ 수다쟁이(chatterbox)《특히 여자》; 경박한 사람.

°**flick** [flik] *n*. 1 Ⓒ (매·채찍 따위로) 찰싹〔탁〕 때리기; (손가락 끝으로) 가볍게 튀기기: give a ~ 가볍게 때리다, 튀기다. 2 Ⓒ (흙탕 따위의) 튀김; 갑작스러운 움직임, 홱 움직임(jerk): great ~*s* of spray and foam 큰 물보라. 3 Ⓒ 휙〔탁, 찰싹〕하는 소리. 4 《구어》 **a** (the ~s) 〖집합적〗 영화: go to the ~*s* 영화 보러 가다. **b** Ⓒ (한 편의) 영화.

—*vt*. 1 (말 따위)를 찰싹 치다〔때리다〕《***with*** (채찍 따위)로》; (채찍 따위)를 치다《***at*** …를 향해》: ~ a horse *with* a whip =~ a whip *at* a horse 말을 채찍질하다/He ~*ed* me in the face. 그는 내 얼굴을 툭 쳤다. 2 가볍게 쳐서 털다〔떨다〕 (*off; away*): ~ *away* a crumb 빵부스러기를 튀겨 버리다/~ dust *from* one's coat 상의의 먼지를 털다. 3 홱 움직여 …상태로 하다; (스위치 따위를 움직여) 탁 켜다(*on*), 탁 끄다(*off*): He ~*ed* open the book. 그는 책을 척 펼쳤다/I ~*ed on* 〔*off*〕 the light. 나는 전등을 탁 켰다〔껐다〕. —*vi*. (꼬리 따위가) 홱 움직이다; (혀가) 낼름거리다: The lizard's tongue ~*ed out* and caught a mosquito. 도마뱀이 혀를 쑥 내밀어 모기를 잡았다.

~ ***through*** 《*vt*.+副》 (페이지·카드 따위)를 훌훌 넘기다. (훌훌 넘기어 책 따위)를 대충 훑어보다.

***flick·er** [flíkər] *n*. (*sing*.) 빛이 깜박임〔어른거림〕, **명멸**; 깜박이는〔어른거리는〕 빛; (희망 따위의) 희미한 빛; (나뭇잎의) 흔들림, 나풀거림: a ~ of hope 한 가닥 희망.

—*vi*. (빛이) 명멸하다, **깜박이다**; 흔들리다; (기 따위가) 휘날리다; (나뭇잎 따위가) 나풀거리다; (TV 화상이) 어른거리다: The candle ~*ed* 〔was ~*ing*〕. 촛불이 깜박거리고 있었다/The leaves ~*ed* in the breeze. 나뭇잎이 미풍에 살랑거리고 있었다.

파 **~·ing·ly** *ad*. 명멸하여, 깜박깜박, 흔들흔들.

flíck-knìfe *n*. Ⓒ 《英》 플릭나이프(《美》 switchblade (knife))《날이 자동적으로 튀어나오는》.

°**fli·er, fly·er** [fláiər] *n*. Ⓒ 1 나는 것《새·곤충 등》; 비행사, 비행기; 쾌속정〔선, 차, 마〕; 《美》 급행 열차, 급행 버스. 2 (직선 계단의) 한 단. 3 《美구어》 투기, 재정적 모험(speculation): take a ~ 투기하다, 요행수를 노리다. 4 《美》 광고 쪽지, 전단. 5 =FLYING START.

‡**flight**[1] [flait] *n*. 1 Ⓤ (구체적으로는 Ⓒ) **날기**, 비상(飛翔); **비행**: a night ~ 야간 비행/a long-distance ~ 장거리 비행/make 〔take〕 a test ~ 실험 비행하다/take 〔wing〕 one's ~ 비행하다.

2 Ⓒ 비행 거리: a ~ of 300 kilometers, 300 킬로미터 비행.

3 Ⓒ **비행기 여행**; (정기 항공로의) **편**(便): *Flight* No. 7, 제7편/take a 9:30 ~, 9시 30분발편(便)에 탑승하다/a domestic 〔an overseas〕 ~ 국내〔국제〕편/book 〔cancel〕 a ~ 비행편을 예약〔취소〕하다/Did you have a good ~? 즐거운 비행기 여행을 하셨습니까.

4 Ⓒ (철새의) 이동(migration); (나는 새의) 떼: a ~ of wild geese 이동하는 기러기의 한 떼.

5 Ⓒ 〖군사〗 비행 편대.

6 Ⓒ (공상·야심 따위의) 비약, 고양(高揚); (재치의) 넘쳐 흐름.

7 Ⓤ 급히 지나감; (구름 등이) 재빨리 스쳐 지나

감; (시간의) 경과: the ~ *of* time 시간이 살처럼 빨리 지나감.
8 Ⓒ (층계의) 일련의 계단; 층(계참)과 층(계참)을 잇는 계단: a ~ *of* stairs 일련의 계단.
9 Ⓒ (가벼운) 화살(~ arrow); Ⓤ 원시 경사(遠矢競射)(~ shooting); 화살의 발사.
10 Ⓒ 일제 사격(volley). ◇ fly *v*.
***in the first* 〔*top*〕 ~** 《英》 ① 앞장〔선두에〕 서서, 솔선하여; 주요한 지위를 차지하고. ② 일류로〔의〕, 우수한.

> **DIAL.** ***Have a nice flight.*** 여행 즐겁게 해라《비행기에 탑승하는 사람에게 하는 말》.
> ***Are there any non-stop flights to Warsaw? —I'm afraid not. You'll have to change planes at Moscow.*** 바르샤바 직행편이 있습니까?—없는데요. 모스크바에서 비행기를 갈아타셔야 합니다.

***flight²** *n*. Ⓤ (구체적으로는 Ⓒ) **도주**, 궤주(潰走), 패주; 탈출: put (the enemy) to ~ (적)을 패주시키다/take (to) ~ 도망치다. cf. flee.
flíght attèndant (여객기의) 접객 승무원《stewardess, hostess 등의 대용어로 성별을 피한 말》.
flíght bàg 항공 가방《여행용 가방 또는 숄더 백》.
flíght chàrt 항공도.
flíght contròl 〖항공〗 (이착륙) 관제(管制); 항공 관제소: a ~ tower 관제탑.
flíght dèck (항공 모함의) 비행〔발착〕 갑판; (대형 비행기의) 조종실.
flíght fèather 〖조류〗 날개깃, 칼깃.
flíght·less *a*. (새가) 날지 못하는.
flíght lieutènant 《英》 공군 대위.
flíght òfficer 《美》 공군 준위.
flíght pàth 〖항공·우주〗 비행 경로.
flíght recòrder 〖항공〗 비행(飛行) 기록 장치(《속어》 black box).
flíght-tèst *vt*. …의 비행 시험을 하다.
flíght·wòrthy *a*. 안전 비행 가능 상태의, 내공성(耐空性)의.
flighty [fláiti] (***flight·i·er; -i·est***) *a*. **1** (특히 여성이) 변덕스러운, 일시적 기분의, 엉뚱한. **2** 변하기 쉬운, 들뜬. **3** 경솔한; 머리가 좀 돈.
㊕ **flíght·i·ly** *ad*. **-i·ness** *n*.
flim·flam [flímflæ̀m] *n*. Ⓤ (구체적으로는 Ⓒ) 엉터리, 허튼 소리; 속임(수). **—** (**-*mm-***) *vt*. …에게 허튼 소리하다; 속이다(cheat); 속여 빼앗다.
◇**flim·sy** [flímzi] (***-si·er; -si·est***) *a*. (종이·천 따위가) 얄팍한; (근거·논리가) 박약한(weak), 천박한(shallow): a ~ structure 취약한 건물/a ~ excuse 빤히 들여다보이는 변명. **—** *n*. Ⓤ (낱개는 Ⓒ) 얇은 종이, 전사지(轉寫紙), 복사지; 《특히》 여자의 얇은 속옷. ㊕ **-si·ly** *ad*. **-si·ness** *n*.
◇**flinch** [flintʃ] *vi*. 주춤〔움찔〕하다, 겁을 내다; 꽁무니 빼다《***from*** (위험·책임 따위)에서》: I ~*ed* when he shouted at me. 그가 내게 소리를 지를 때 멈칫했다/He did not ~ *from* his duty. 그는 자신이 맡은 일을 회피하는 짓은 하지 않았다. **—** *n*. Ⓒ (보통 *sing.*) 주춤함, 꽁무니 뺌.
flin·ders [flíndərz] *n*. *pl*. 파편, 부서진 조각.
fling** [fliŋ] (*p*., *pp*. ***flung [flʌŋ]) *vt*. **1** 《~+목/+목+전+명/+목+목》 **던지다**(throw), 내던지다(hurl); (욕설 따위)를 퍼붓다《***at*** …에》: ~ a stone *at* a dog 개에게 돌을 던지다/He *flung* me a stream of abuse. =He *flung* a stream of abuse *at* me. 그는 나에게 욕설을 퍼부었다. SYN. ⇨THROW.
2 《+목+전+명/+목+보》 던져 넣다, 집어〔처〕 넣다; 빠지게 하다《***into*** (어떤 상태)에》; 움직여 …하다: ~ a person *into* prison 아무를 투옥하다/~ the enemy *into* confusion 적을 혼란에 빠지게 하다/~ a window open 〔shut〕 창을 거칠게 열다〔닫다〕.
3 《+목+전+명/+목+부》 (팔 따위)를 갑자기 내뻗다, (머리 따위)를 흔들다(toss); (머리·고개 따위)를 치켜들다: ~ one's arms *round* a person's neck 아무의 목을 껴안다/She angrily *flung up* her head. 그녀는 화가 나서 머리를 치켜들었다/~ the head *about* (말이) 목을 흔들다.
4 (레슬링 따위에서) 메어치다; (말이 탄 사람)을 흔들어서 떨어뜨리다.
5 〘~ oneself〙 **a** 《+목+부/+목+전+명》 급히 몸을 던지다〔움직이다〕: He *flung* him*self about*. 그는 몸부림쳤다/~ one*self* angrily *from* the room 분연히 방에서 나가다. **b** 《+목+전+명》 매달리다, 기대다《***on, upon*** …에》; 몰두하다《***into*** (일)에》: He *flung* him*self on* my generosity. 그는 나의 관대한 처분에 매달렸다/He *flung* him*self into* his work. 그는 자기 일에 몰두했다.
— *vi*. 《+부/+전+명》 돌진하다, 뛰어들다; 자리를 박차고 떠나다, 달려나가다(*away; off*): She *flung off* in anger. 그녀는 화가 나서 뛰쳐나갔다/He *flung into* the room. 그는 방으로 뛰어들었다.
~ *away* 《*vt*.+부》 ① …을 내동댕이치다. ② (기회 따위)를 헛되이 보내다, 놓치다: ~ *away* one's chances of promotion 승진의 기회를 놓치다. **—**《*vi*.+부》 ③ 뛰쳐나가다. **~ *in*** 《*vt*.+부》 던져 넣다. **~ ... *in*** a person***'s teeth*** 〔***face***〕 (과실 따위)를 들이대며 책망하다. **~ *off*** 《*vt*.+부》 ① …을 떨어버리다, (옷)을 홱 벗어던지다: ~ *off* one's coat 코트를 벗어던지다. **—**《*vi*.+부》 ② 튀어나가다. **~ *on*** 《*vt*.+부》 (옷 따위)를 입다〔걸치다〕, 서둘러 입다. **~ *out*** 《*vt*.+부》 ① (양팔 따위)를 쑥 내밀다. ② (폭언 따위)를 퍼붓다. **—** 《*vi*.+부》 ③ (말이) 날뛰다; 폭언을 퍼붓다. **~ *up*** 《*vt*.+부》 ① (팔 따위)를 흔들어〔치켜〕 올리다: They *flung up* their hands in despair. 그들은 절망한 나머지 손을 번쩍 들었다. ② (머리·고개)를 치켜들다(⇨*vt*. 3).
— *n*. **1** (a ~) (내)**던지기**, 투척. **2** Ⓒ (댄스의) 활발한 동작〔스텝〕: ⇨HIGHLAND FLING. **3** (a ~) 약진, 돌진; (말 따위의) 날뜀. **4** (a ~, one's ~) 기분〔멋〕대로 하기; (청년기의) 방자, 방종: have one's ~ 마음껏〔마음대로〕 하다, 실컷 놀다.
have* 〔*take*〕 *a* ~ *at …을 시도〔시험〕하다.
◇**flint** [flint] *n*. **1** Ⓤ (낱개는 Ⓒ) 부싯돌; 수석(燧石): a ~ and steel 부싯돌과 부시, 부시 도구. **2** Ⓒ 라이터 돌. **3** Ⓤ 아주 단단한 것; 냉혹〔무정〕한 것: a heart of ~ 무정〔냉혹〕한 마음.
(***as***) ***hard as*** (***a***) **~** 돌처럼 단단〔완고〕한.
flínt còrn 《美》 알갱이가 딱딱한 옥수수의 일종.
flínt glàss 납유리, 플린트 유리(crystal glass)《광학 기계·식기용 고급 유리》.
flínt·lòck *n*. Ⓒ 부싯돌식 발화 장치(의 구식 총).
flinty [flínti] (***flint·i·er; -i·est***) *a*. 수석질(燧石質)의《토양 따위》; 부싯돌 같은; 매우 단단한; 완고한; 냉혹〔무정〕한, 피도 눈물도 없는: a ~ heart 무정한 마음.
◇**flip¹** [flip] (**-*pp-***) *vt*. **1** (손톱·손가락으로) 튀기다, 툭 치다; 홱 던지다: ~ the ash *off* a cigar 시가 재를 털다/~ a coin 경화(硬貨)를 손가락으로 튀기다《앞면·뒷면을 가리기 위해》/She ~*ped*

the insect *from* her face. 그녀는 얼굴에서 벌레를 튀겨 떨어뜨렸다 / He ~*ped* his lighter *onto* the desk. 그는 라이터를 책상 위에 휙 던졌다. **2** 홱 움직이게 하다; 홱 뒤집다(*over*); (책장 따위)를 홱 넘기다: She ~*ped on* 〔*off*〕 the switch. 그녀는 찰깍 스위치를 켰다〔껐다〕/ I ~*ped* my fan open 〔shut〕. 부채를 홱 폈다〔접었다〕.

—*vi.* **1** (손가락으로) 튀기다; 홱 움직이다; 경화를 공중으로 튀기다(*up*). **2** (채찍 따위로) 찰싹 때리다《***at*** …을》: She ~*ped at* the fly with a swatter. 그녀는 파리채로 파리를 쳤다. **3** (책 따위의) 페이지를 훌훌 넘기다; 휙 훑어보다《***through*** (책 따위)를》. **4** 《속어》 정신이 돌다, 발끈하다, 흥분하다 (*out*); 열중하다 (*out*)《***over*** …에》: He ~*ped* (*out*) *over* her. 그는 그녀에게 열을 올리고 있다.

~ one**'s lid** 〔***raspberry, stack, top, wig***〕 ⇨ LID.

—*n.* [C] **1** 손가락으로 튀김, 가볍게 치기: give a person a ~ on the cheek 아무의 볼을 톡 튀기다. **2** 공중제비: do a ~ 공중제비를 하다.

flip[2] *n.* [U] (낱개는 [C]) 플립《맥주 · 브랜디에 향료 · 설탕 · 달걀 등을 넣어 달군 쇠막대로 저어 만든 음료》.

flip[3] *a.* 경박한, 까부는. [◂ *flip*pant].

flíp chàrt 플립 차트《강연 따위에서 쓰는 한 장씩 넘길 수 있게 된 해설용 도표》.

flíp-flàp, -flòp *n.* **1** [C] 공중제비; (동향 · 소신 · 태도 · 방침 등의) 돌변, 급변, 표변. **2** (a ~) (세탁물 · 기 · 샌들 따위의) 퍼덕퍼덕〔달그락달그락〕 울리는 소리. **3** [C] (보통 *pl.*) (-flop) (가죽 끈 달린) 샌들.

—*ad.* 퍼덕퍼덕, 달그락달그락.

flip·pan·cy [flípənsi] *n.* **1** [U] 경솔, 경박. **2** [C] 경솔〔경박〕한 언행.

◇**flip·pant** [flípənt] *a.* 경박한, 까부는.
[파] **~·ly** *ad.* **~·ness** *n.*

flíp·per *n.* [C] 지느러미 모양의 발, 물갈퀴《바다표범 · 펭귄 따위의》; (보통 *pl.*) 잠수용 고무 물갈퀴.

flíp·ping 《英속어》 *a.* [A], *ad.* 지독한〔하게〕, 지긋지긋한〔하게〕.

flip·py [flípi:] *n.* [C] 〖컴퓨터〗 mini floppy disk 의 별칭. [cf.] floppy disk.

flíp sìde (the ~) 《구어》 (레코드의) 뒷면〔B면〕.

flíp-top cán 깡통의 일부가 경첩으로 고정되어 반대쪽을 밀어올리면 열려지는 깡통.

flirt [flə:*r*t] *vi.* **1** (남녀가) 새롱〔시시덕〕거리다, 농탕치다, '불장난'하다《***with*** (이성)과》: She's always ~*ing with* men. 그녀는 언제나 남자들과 새롱거린다. **2** 홈칫홈칫 움직이다, 훨훨 날아다니다: bees ~*ing from* flower *to* flower 꽃에서 꽃으로 날아다니는 벌들. **3 a** 반 장난으로 손을 대다《***with*** …에》; 농락하다, 가지고 놀다《***with*** …을》: ~ *with* an idea 관념의 유희에 빠지다. **b** (위험을 각오하고) 가벼운 마음으로 해보다《***with*** …을》. **—***vt.* …을 튀기다(fillip), 홱 던지다; (새가 꼬리)를 활발히 (앞뒤로) 움직이다; (부채)를 확확 부치다.

—*n.* [C] 바람난〔불장난하는〕 여자〔남자〕(flirter); 홱 던지기; 활발하게 움직이기.

flir·ta·tion [flə:*r*téiʃən] *n.* **1** [U] (구체적으로는 [C]) (남녀의) 새롱거림《***with*** …와》: have 〔carry on〕 a ~ *with* one's secretary 자기 비서와 희롱거리다. **2** [C] 갖고 놂《***with*** …을》; 일시적인 흥미〔관심〕《***with*** …에의》.

flir·ta·tious [flə:*r*téiʃəs] *a.* 새롱거리는, 농탕치는(coquettish), '불장난'의, 들뜬, 경박한.
[파] **~·ly** *ad.* **~·ness** *n.*

◇**flit** [flit] (***-tt-***) *vi.* **1** (새 등이) 훌쩍 날다, 훨훨 날다: Bats ~ *about* in the twilight. 박쥐는 석양이 되면 날아다닌다 / A butterfly is ~*ting from* flower *to* flower. 나비가 이 꽃에서 저 꽃으로 날아다니고 있다. **2** (사람이) 휙 지나가다, 오가다; (생각 따위가) 문뜩 (머릿속을) 스치다; (시간 따위가) 지나가다: Fancies ~ *through* his mind. 환상이 그의 마음 속을 오간다. **3** 《英구어》 (남녀가) 눈이 맞아 도망치다; 야반도주하다.

—*n.* [C] **1** 휙 낢. **2** 《英구어》 (몰래 하는) 이사, 야반도주: do a ~ 야반도주하다.

flitch [flitʃ] *n.* [C] 소금에 절인〔훈제(燻製)한〕 돼지의 옆구리살 베이컨의 한 조각.

flit·ter [flítə*r*] *vi.* 훨훨 날아다니다.

fliv·ver [flívə*r*] *n.* [C] 《美속어》 **1** 값싼 물건, 《특히》 싸구려 자동차; 소형 비행기《개인용》. **2** 실패, 허사.

⁑**float** [flout] *vi.* **1** 《~/+[부]/+[전]+[명]》 뜨다(↔ sink); 떠(돌아)다니다, 표류하다(drift): ~ *in* the air 공중에 뜨다〔떠다니다〕/ ~ *on* the water 물 위에 뜨다〔떠다니다〕/ The canoe ~*ed* downstream. 통나무 배는 강 아래로 둥둥 떠내려갔다 / The baloon ~*ed up into* the air. 풍선은 둥실둥실 하늘로 날아갔다.

2 《~/+[전]+[명]》 (상념이) 떠오르다《***before*** (눈)앞에; ***in, through*** (마음)에》: Romantic vision ~*ed before* my eyes. 로맨틱한 환상이 눈앞에 떠올랐다 / Confused ideas ~*ed through* my mind. 착잡한 생각들이 머리에 떠올랐다.

3 《+[부]/+[전]+[명]》 (사상 · 소문 따위가) 퍼지다, 유포하다: A nasty rumor about him is ~*ing around* (the town). 그에 관한 추문이 (읍내에) 퍼져 있다.

4 a 《+[전]+[명]》 옮겨다니다, 유랑하다: ~ *from* place *to* place 옮겨 다니며 주소를 바꾸다. **b** (정책 · 지조 따위가) 흔들리다, 동요하다.

5 《+[부]》〘보통 진행형〙 (찾고 있는 것이) 어디엔가 근처에 있다(*about, around*): Where's my hat? — It must *be* ~*ing about*. 모자가 어디에 있지? — 틀림없이 어딘가 근처에 있을거야.

6 〖경제〗 (통화가) 변동 시세〔환율〕제로 되다.

—*vt.* **1** 《~+[목]/+[목]+[부]/+[목]+[전]+[명]》 …을 띄우다, 떠돌게〔감돌게〕 하다; (바람이 향기)를 풍기다, 나르다: ~ a paper boat on the stream 종이배를 시냇물에 띄우다 / ~ a raft *down* a river 〔*downstream*〕 뗏목을 강 하류로 흘러가게 하다 / Our boat was ~*ed to* shore by a current. 우리들의 배는 조류에 의해 해안으로 밀려갔다. **2** (소문)을 퍼뜨리다, 전하다; (생각 따위)를 제기하다. **3** (회사)를 설립하다. **4** 〖상업〗 (돈을 모으기 위해) (채권 · 주식)을 발행하다(market). **5** 〖경제〗 …을 변동 시세〔환율〕제로 하다.

—*n.* [C] **1** 뜨는〔떠도는〕 것, 부유물; 부평초; 성엣장, 부빙(浮氷); 뗏목(raft). **2** (낚싯줄 · 어망 따위의) 찌; 부구(浮球)《물탱크의 수위를 조절하는》. **3** 구명대(袋), 구명구(具). **4** 《美》 (수상기의) 플로트, 부주(浮舟). **5** (물고기의) 부레. **6** (행렬 때의) 장식〔꽃〕 수레; (화물 운반용의) 대차(臺車). **7** 《英》 (배달용의) 자동차. **8** 점포나 상인이 하루의 일을 시작할 때 갖고 있는 잔돈; 예비금, 소액의 현금; 소액의 대부(금). **9** 변동 환율〔환시세〕.

flóat·a·ble *a.* **1** 뜰 수 있는; 물에 뜨는. **2** (강이) 배 · 뗏목을 띄울 수 있는, 항해할 수 있는.

floatage ⇨FLOTAGE.
floatation ⇨FLOTATION.
flóat·er *n.* Ⓒ **1** 뜨는 사람〔물건〕. **2** 《美》 부동 투표자, 부정〔이중〕 투표자; 《구어》 이리저리 이전〔전직〕하는 사람, 뜨내기〔이동〕 노동자. **3** (회사 설립의) 발기인; 《英》 부동 증권. **4** 《속어》 잘못, 실수.
flóat glàss 플로트 유리 《플로트법으로 제조된 판유리》.
flóat·ing *a.* **1** 떠 있는, 부동하는; 이동〔유동〕하는, 일정치 않은: a ~ pier 뗏목 따위를 띄워서 만든 부두/the ~ population 부동 인구. **2** 【경제】 (자본 따위가) 고정되지 않은, 유동하고 있는; (통화 · 환이) 변동하는: ~ capital 유동 자본.
flóating brídge 부교(浮橋), 배다리.
flóating débt 【경제】 일시 차입금, 유동 부채.
flóating décimal póint 【컴퓨터】 부동십진(浮動十進) 소수점.
flóating ísland (연못 · 늪 등의) 부유물이 뭉쳐 섬처럼 된 것; 【요리】 일종의 커스터드(custard).
flóating líght 등대선(lightship); 부표등.
flóating-pòint *a.* 【컴퓨터】 부동(浮動) 소수점식의. ⓒⓕ fixed-point. ¶ ~ representation 부동 소수점 표시.
flòating-point aríthmetic 【컴퓨터】 부동 소수점 연산 《부동 소수점 수를 대상으로 하는 산술 연산》.
flóating ríb 【해부】 유리(遊離) 늑골 《흉골에 연결되지 않고 척추골에만 연결된》.
flóating vòte (선거의) 부동표; (the ~) 〖집합적〗 부동 투표층(層).
flóating vóter 부동 투표자.
floc·cu·lent [flɑ́kjələnt/flɔ́k-] *a.* 부드러운 털의; 양털 같은; 【동물】 솜털로 뒤덮인.
‡**flock**[1] [flɑk/flɔk] *n.* Ⓒ 〖집합적; 단 · 복수취급〗 **1** (나비 · 새 · 양 따위의) **무리**, 떼. ⓒⓕ herd, flight. ¶ a ~ of wild geese 기러기 떼/a shepherd tending his ~ 양을 돌보는 목동/~*s* and herds 양과 소. **2** 《구어》 (사람의) 떼(crowd), 일단(一團); (물건의) 다수: a mother with her ~ 아이들을 데리고 있는 어머니/a teacher and his ~ 선생님과 학생들/come in ~*s* 떼를 지어 오다. **3** (기독교회의) 신자, 회중.
—*vi.* 《+전+명/+부》 **떼〔무리〕짓다**; 떼지어 몰려오다〔가다〕: Pilgrims ~ *to* Mecca every year. 순례자는 매년 메카로 몰려온다/Birds of a feather ~ *together*. 유유상종(類類相從).
flock[2] *n.* **1** Ⓒ (양)털뭉치; (*pl.*) 털〔솜〕부스러기. **2** Ⓤ (벽지 따위 장식용) 연한 양털 모양의 물질.
floe [flou] *n.* Ⓒ (흔히 *pl.*) 부빙(ice ~); (해상에 떠 있는 넓은) 얼음벌, 빙원. ⓒⓕ iceberg.
°**flog** [flɑg, flɔ(:)g] (**-gg-**) *vt.* **1** 매질하다, 채찍질하다(whip); 매질하여〔몰아세워〕 …시키다 (*along*)《*into* …하게》: ~ a donkey *along* 채찍질해서 당나귀를 가게 하다/The criminal was ~*ged into* confessing 〔confession〕. 죄인은 매를 맞고 고백했다. **2** 《英속어》 (불법으로 남의 것 · 공공재산 따위)를 팔아 치우다《*to* …에》: ~ a broken watch 부서진 시계를 강매하다.
~ (*a*) *dead horse* 헛수고하다. **~ ... *to death*** 《구어》 (상품 선전 · 말을 되풀이하여) 진절머리나게 하다: That idea has been ~*ged to death*. 그 발상은 너무나 자주 써서 새로운 맛이 없다.
flóg·ging *n.* Ⓤ (구체적으로는 Ⓒ) 매질, 태형: give a person ~ 아무를 매질하다.
‡**flood** [flʌd] *n.* **1** Ⓒ (흔히 *pl.*) **홍수**, 큰물 (inundation); (the F-) 【성서】 노아의 홍수 (Noah's F-) 《창세기 VII》: before the *Flood* 〔~〕 노아의 홍수 이전에, 아주 옛날에. **2** (a ~ 또는 *pl.*) **범람**, 쇄도, 충만: a ~ *of* letters 쇄도하는 편지/a ~ *of* tears 쏟아지는 눈물/a ~ *of* words 도도한 변설/a ~ *of* light 넘쳐 흐르는 빛/~*s of* rain 호우. **3** Ⓒ 밀물, 만조(~ tide): ebb and ~ 조수의 간만. **4** =FLOODLIGHT 1.
***at the* ~** 밀물〔만조〕(때)에; 한창 좋은 시기에: The tide is now *at the* ~. 조수는 지금 만조다. ***in* ~** 홍수가 되어, (냇물이) 넘쳐서.
—*vt.* **1** (강 · 토지)를 **범람시키다**, 잠기게 하다, 침수시키다(inundate) 《★ 종종 수동태로 쓰며, 전치사는 *with, by*》: The typhoon ~*ed* the river. 태풍으로 강이 범람했다/The town *was* ~*ed by* heavy rain. 그 마을은 호우로 인해 침수되었다. **2** …에 물을 대다〔관개하다〕; …에 물을 많이 붓다〔쏟다〕. **3** 《~+목/+목+전+명》 (빛이) …에 넘쳐 흐르다; …을 가득히 비추다 《★ 종종 수동태로 쓰며 전치사는 *with, by*》: Autumnal sunlight ~*ed the room*. =The room *was* ~*ed with* autumnal sunlight. 가을 햇빛이 방에 넘쳐 흘렀다. **4** 《~+목/+목+전+명》 **…에 몰려〔밀려〕들다**, 쇄도하다 《★ 종종 수동태로 쓰며, 전치사는 *with, by*》: Applicants ~*ed* the office. 응모자들이 사무실에 몰려들었다/The station *was* ~*ed with* refugees. 역에는 피난민들이 몰려들었다.
—*vi.* 《~/+부/+전+명》 (강이) **넘쳐 흐르다**, 물이 나다, 범람하다; 조수가 밀려오다; 빛이 휘황찬란하다; (사람 · 물건이) 몰려들다, 쇄도하다: Fan letters ~*ed in*. 팬 레터가 밀려들었다/Sunlight ~*ed into* the room. 햇빛이 방 안으로 환히 들이 비쳤다/People ~*ed from* Ireland *to* America. 사람들은 한꺼번에 많이 아일랜드로부터 미국으로 건너갔다.
be* ~*ed out 홍수로 집을 잃다: People living near the river *were* ~*ed out*. 강가에 살고 있던 사람들은 홍수로 집을 잃었다.
flóod·ed [-id] *a.* 침수된, 물에 잠긴: ~ districts 침수 지역.
flóod·gàte *n.* Ⓒ 수문(sluice), 방조문(防潮門); (보통 *pl.*) (분노 등의) 배출구.
flóod·lìght *n.* **1** Ⓤ 투광(投光) 조명. **2** Ⓒ (흔히 *pl.*) 투광 조명등(=∠ **projèctor**). **—** (*p.*, *pp.* **~·ed, -lit** [-lìt]) *vt.* 투광 조명등으로 비추다.
flóod·plàin *n.* Ⓒ 【지질】 범람원(氾濫原).
flóod tìde (보통 the ~) **1** 밀물. ↔ *ebb tide*, *neap tide*. **2** 최고조, 피크.
flóod·wàter *n.* Ⓤ 홍수의 물.
†**floor** [flɔːr] *n.* **1** Ⓒ **마루**; 마루방; 지면, 노면. **2** Ⓒ (건물의) **층**(story): This elevator stops at every ~. 이 승강기는 각 층마다 섭니다/the first ~ 《美》 1층; 《英》 2층. ★ 영국에서는 ground *floor* 1층, first *floor* 2층, second *floor* 3층이 됨. **3** (the ~) 회의장, 의원석; (의회에서의) 발언권; (연단에 대한) 회장(會場) 참가자: from the ~ (연단이 아니라) 의원석으로부터/get 〔obtain, be given〕 the ~ 발언권을 얻다. **4** Ⓒ (특별 목적을 위한) 장소: a dance ~ 댄스장/the ~ *of* the exchange 거래소의 입회장. **5** Ⓒ (동굴 등의) 밑바닥; 바닥바닥, 해상(海床). **6** Ⓒ (가격 · 임금 따위의) 최저 한도. ↔ ceiling.
cross the* ~** (회의장에서) 반대당〔파〕에 찬성하다; 반대당으로 옮기다. ***mop* (*up*)** 〔dust, sweep,***

wipe (*up*)〕 *the* ~ *with* ... ((구어)) …을 완전히 압도하다, …을 완패시키다. *take the* ~ ① (발언하기 위해) 일어서다, 토론에 참여하다. ② 춤추려고 (자리에서) 일어서다. *walk* 〔*pace*〕 *the* ~ ((美)) (고통 · 근심 따위로) 실내를 우왕좌왕하다. *wipe the* ~ *with* ((구어)) (상대)를 여지없이 해치우다, 완전히 패배시키다.

—*vt*. **1** ((~+목/+목+전+명)) …에 마루청〔바닥〕을 깔다〔대다〕((*with* …으로)): ~ a house 집에 마루청을 깔다 / The approach is *~ed with* bricks. 현관으로의 통로에는 벽돌이 깔려 있다. **2** (상대)를 바닥에 때려눕히다; 여지없이 해대다, 윽박지르다(defeat), 찍소리 못하게 하다(silence), (놀라게 하거나 쇼크로) 졸도시키다: He was *~ed* by the problem. 그 문제에 두 손 들었다.

flóor·bòard *n*. Ⓒ 마루청〔널〕; ((美)) (자동차의) 바닥.

flóor·clòth *n*. Ⓒ ((英)) 마룻걸레.

flóor èxercise (체조 경기의) 마루 운동.

floor·ing [flɔ́ːriŋ] *n*. **1** Ⓒ 〖종종 집합적〗 마루, 바닥(floor). **2** Ⓤ 마루청, 마루 까는 재료.

flóor làmp ((美)) 마루 위에 놓는 램프〔스탠드〕.

flóor lèader ((美)) (정당의) 원내 총무. ㊀ whip.

flóor mànager **1** ((美)) (회의장의) 지휘자((특정 후보 또는 의안(議案)을 유리하게 이끌기 위해 막후 공작을 하는)). **2** 텔레비전의 무대 매니저((감독의 지시에 따라 출연자를 지휘하는)); (백화점 따위의) 매장 감독.

flóor plàn 〖건축〗 평면도.

flóor pòlish 바닥 연마제.

flóor sàmple 견본 전시품((전시후 할인 판매)).

flóor·shìft *n*. Ⓒ (자동차의) 바닥에 설치된 기어 전환 장치.

flóor shòw (나이트클럽 · 카바레 따위의) 여흥, 플로어쇼.

flóor-thròugh *n*. Ⓒ ((美)) 한 층 전체를 차지하는 아파트. —*a*. 한 층 전체를 차지하는.

flóor·wàlker *n*. Ⓒ ((美)) (백화점 따위의) 매장 감독(((英)) shopwalker).

floo·zy, -sy, -sie [flúːzi] *n*. Ⓒ ((구어)) 매춘부.

***flop** [flɑp/flɔp] (*-pp-*) *vt*. **1** ((~+목/+목+부/+목+전+명)) **a** 툭 던지다, 탁 때리다, **쿵〔쾅〕 떨어뜨리다**: ~ *down* a sack of corn 옥수수 자루를 털썩 내려놓다 / ~ one's book *on* the desk 책상에 책을 털썩 던지다. **b** 〖~ oneself〗 털석 주저앉다: ~ one*self down* 털썩 앉다 / ~ one*self in* a sofa 소파에 털썩 앉다. **2** (날개 따위)를 퍼덕거리다. —*vi*. **1** ((+부/+전+명)) **픽 쓰러지다, 쿵〔쾅〕 떨어지다**; 펄썩 (주저)앉다; 벌렁 드러눕다: ~ *down on* 〔*into*〕 the chair 의자에 털썩 앉다. **2** ((+전+명)) 퍼덕〔펄럭〕이다: Fish were *~ping on* the deck. 생선들이 갑판에서 퍼덕였다. **3** ((+부/+전+명)) ((美)) 돌연 태도를 바꾸다, 변절〔배신〕하다: He *~ped over to* the other party. 그는 갑자기 다른 당(黨)으로 변절했다. **4** ((구어)) (계획 · 극 따위가) 실패로 끝나다. **5** ((속어)) 잠들다.

—*n*. **1** (a ~) 툭 떨어뜨림, 털썩 주저앉음; 퍼덕거림; 쿵〔쾅〕 떨어지는 소리: sit down with a ~ 털썩 주저앉다. **2** Ⓒ 배면(背面)뛰기. **3** Ⓒ ((구어)) 실패(자), (책 · 극 등의) 실패작. **4** Ⓒ ((美속어)) 잠자리, 싸구려 여인숙.

—*ad*. 털썩, 툭: fall ~ 푹 쓰러지다, 털썩 떨어지다.

FLOP [flɑp/flɔp] 〖컴퓨터〗 floating-point operation (부동 소수점 연산).

flóp·hòuse *n*. Ⓒ ((美)) 간이 숙박소, 싸구려 여인숙((보통 남자 전용)).

flóp·òver *n*. Ⓒ 〖TV〗 영상(映像)이 위아래로 흔들림.

flop·py [flɑ́pi/flɔ́pi] (*-pi·er; -pi·est*) *a*. ((구어)) (사람이) 야무지지 못한, 흘게늦은; 기운 없는, 약한. —*n*. FLOPPY DISK. ㊕ **flóp·pi·ly** *ad*. **-pi·ness** *n*.

flóppy dísk 〖컴퓨터〗 플로피디스크((외부 기억용의 플라스틱제 자기(磁氣) 디스크)).

flóppy dísk drìve 〖컴퓨터〗 플로피디스크 드라이브((floppy disk를 회전시키는 기계장치와 디스크에 자료를 기록하고 읽어내는 일을 수행하는 전자회로 제어장치로 구성됨)).

FLOPS, flops [flɑ́ps/flɔ́ps] 〖컴퓨터〗 floating point operations per second (초당(秒當) 부동 소수점 연산회수; 과학기술 계산에 있어서의 컴퓨터의 연산속도의 단위).

Flo·ra [flɔ́ːrə] *n*. 플로라. **1** 여자 이름. **2** 〖로마 신화〗 꽃의 여신.

flo·ra [flɔ́ːrə] (*pl*. **~s, *flo·rae*** [-riː]) *n*. **1** Ⓤ (낱개는 Ⓒ) 〖집합적〗 (한 지방이나 한 시대 특유의) 식물상(相), 식물(군(群)), 식물구계(區系). **2** Ⓒ 식물지(誌). ㊀ fauna.

flo·ral [flɔ́ːrəl] *a*. 꽃의, 꽃 같은; 꽃무늬의; 식물(상)의. ㊕ **~·ly** *ad*.

Flor·ence [flɔ́(ː)rəns, flɑ́r-] *n*. 플로렌스. **1** 이탈리아 중부의 도시((이탈리아 이름은 Firenze)). **2** 여자 이름.

Flor·en·tine [flɔ́(ː)rəntiːn, -tàin, flɑ́r-] *a*. Florence 의. —*n*. Ⓒ Florence 사람.

flo·res·cence [flɔːrésəns] *n*. Ⓤ 개화(開花); 한창; 개화〔전성〕기, 번영기.

flo·res·cent [flɔːrésənt] *a*. 꽃이 핀; 꽃이 한창인.

flo·ret [flɔ́ːrit] *n*. Ⓒ 작은 꽃; 〖식물〗 작은 통꽃((국화과(科) 식물의)).

flo·ri·cul·tur·al [flɔ̀ːrəkʌ́ltʃərəl] *a*. 꽃가꾸기의.

flo·ri·cul·ture [flɔ́ːrəkʌ̀ltʃər] *n*. Ⓤ 꽃가꾸기, 화훼 원예.

㊕ **flò·ri·cúl·tur·ist** [-tʃərist] *n*. Ⓒ 화초 재배자.

flor·id [flɔ́(ː)rid, flɑ́r-] *a*. 불그레한, 혈색이 좋은((안색 따위)); 화려한, 찬란한, 현란한: a ~ (prose) style 미문체(美文體) / a ~ speaker 미사여구를 사용하는 연설가. ㊕ **~·ly** *ad*. **~·ness** *n*.

Flor·i·da [flɔ́(ː)ridə, flɑ́r-] *n*. 플로리다((미국 대서양 해안 남동쪽 끝에 있는 주(州); 생략: Fla., Flor., FL)).

㊕ **-dan, Flo·rid·i·an** [-dən], [flərídiən] *a*. Florida 의. —*n*. Ⓒ Florida 의 주민.

flo·rid·i·ty [flɔːrídəti] *n*. Ⓤ 색이 선명함; 혈색이 좋음; 화려함, 찬란.

°**flor·in** [flɔ́(ː)rin, flɑ́r-] *n*. Ⓒ 플로린 화폐((1849–1971년까지의 영국 2실링 은화)).

°**flo·rist** [flɔ́(ː)rist, flɑ́r-] *n*. Ⓒ 꽃 가꾸는 사람, 화훼 재배자; 꽃장수: at a ~'s 꽃집에서.

floss [flɔ(ː)s, flɑs] *n*. Ⓤ 명주솜, 누에솜; 풀솜; =FLOSS SILK; 명주솜 모양의 것((옥수수의 수염 따위)). —*vt*. (이 사이)를 dental floss를 써서 깨끗이 하다.

flóss sìlk 명주실((꼬지 않은 비단실; 자수용)).

flossy [flɔ́(ː)si, flɑ́si] (*floss·i·er; floss·i·est*) *a*. 풀솜 같은; 폭신폭신한; ((구어)) (복장이) 야한. ㊕ **flóss·i·ly** *ad*. **-i·ness** *n*.

flo·tage, float·age [flóutidʒ] *n*. **1** Ⓤ 부유

(浮遊), 부양(력), 부력(buoyancy). **2** Ⓒ 부유물, 표류물(flotsam); 물에 뜨는 배, 뗏목.

flo·ta·tion, floa·ta- [floutéiʃən] *n.* Ⓤ (구체적으로는 Ⓒ) **1** (회사의) 설립, 기업(起業); (신규 증권의) 모집; (공채의) 발행, 기채(起債): the ~ of a loan 기채. **2** 부양(력); 〖물리〗 부심(浮心).

flo·til·la [floutílə] *n.* Ⓒ 소함대; 소형 선대(船隊), 정대(艇隊).

flot·sam [flátsəm/flɔ́t-] *n.* Ⓤ (난파선에서 나온) 표류 화물; 잡살뱅이; 《집합적》 깡패, 부랑자, 인간 쓰레기: ~ and jetsam 바닷물에 표류하거나 물가에 밀려온 화물; 잡동사니; 《집합적》 부랑자.

flounce[1] [flauns] *n.* Ⓒ (스커트에서 옆으로 여러 겹 댄) 주름 장식. **—***vt.* 주름 장식을 붙이다〔달다〕.

flounce[2] *vi.* **1** (골이 나서) 홀쩍 자리를 뜨다〔박차다〕, 뛰어나가다〔들다〕: She *~d about* like a mad woman. 그녀는 미친 여자처럼 뛰어 돌아다녔다 / He *~d out* (*of* the room) in anger. 그는 잔뜩 부아가 나서 (방에서) 뛰어나갔다 / He *~d into* the water. 그는 물 속에 뛰어들었다. **2** 몸부림〔발버둥〕치다, 버둥거리다; 과장되게 몸을 움직이다: She *~d up* and *down*. 그녀는 몸부림쳤다 / The clown *~d about* the circus ring. 광대는 서커스 링을 과장된 몸짓을 하며 다녔다. **—***n.* Ⓒ 버둥거림, 몸부림; (성이 나서) 몸을 떪.

◇**floun·der**[1] [fláundər] *vi.* **1** (흙 · 진창 속에서) 버둥거리다, 몸부림치다; 허위적거리며 나아가다: ~ *about* 〔*around*〕 (진창 따위의 속에서) 버둥거리다; (난관에 부닥쳐) 몸부림치다 / ~ *in through* the deep snow 깊은 눈 속에서 허위적거리며 나아가다. **2** 당황해하다, 허둥대다: The question took him by surprise and he *~ed* for a while. 그 질문에 놀라서 그는 잠시 당황하였다 / ~ *through* a song 떠듬떠듬 노래하다. **—***n.* Ⓤ 버둥거림, 몸부림; 허둥〔갈팡〕댐, 실수함.

floun·der[2] (*pl.* **~s,** 《집합적》 ~) *n.* Ⓒ 〖어류〗 넙치류, 가자미류.

⁑**flour** [flauər] *n.* Ⓤ 곡분, 《특히》 **밀가루**; 분말, 가루. **—***vt.* 〖요리〗 …에 가루를 뿌리다; 《美》 (밀 따위)를 가루로 하다, 제분하다. ◇ floury *a.*

flour·ish** [flə́ːriʃ, flʌ́riʃ] *vi.* **1 번영〔번성〕하다**(thrive); (동 · 식물이) 잘 자라다, 우거지다: Roses ~ in the English climate. 장미는 영국 풍토에서는 잘 자란다 / His business seems to be *~ing*. 그의 사업은 번영하고 있는 것 같다. SYN. ⇨SUCCEED. **2** 《+전+명》 활약하다; 재세(在世)하다《*in, at* (어떤 시대)에》: Archimedes *~ed in* the 3rd century B.C. 아르키메데스는 기원 전 3세기의 사람이었다. **3** 팔(따위)을 휘두르다; 과장된 몸짓을 하다. **—vt.* **1** 자랑스럽게 내보이다, 과시하다(display): He *~ed* his credit card. 그는 그의 크레디트 카드를 자랑스럽게 내보였다. **2** (칼 · 팔 · 지휘봉)을 휘두르다(brandish): The guard *~ed* his pistol at the crowd. 경비원은 군중을 향해 권총을 휘둘렀다.

—*n.* Ⓒ **1** (조각 · 인쇄 등의) 당초무늬식의 장식 곡선; 장식체로 쓰기. **2** (칼 · 팔 · 지휘봉 따위를) 뽐내어 휘두르기; 여봐란 듯한 태도; 과시: give one's sword a ~ =give 〔make〕 a ~ with one's sword 칼을 휘두르다 / with a ~ 화려하게, 과장된 몸짓으로. **3** 〖음악〗 장식악구(句); (나팔 등의) 화려한 취주(fanfare).

㊞ **~·ing** *a.* 무성한, 번영하는, 융성〔성대〕한. **~·ing·ly** *ad.*

flóur mìll 제분기〔소〕, 방앗간.

floury [fláuəri] *a.* **1** 가루의; 가루 모양의. **2** 가루투성이의: ~ hands 가루투성이가 된 손. ㊞ **flóur·i·ness** *n.* [◂flour]

flout [flaut] *vt.* 비웃다, 업신여기다, 깔보다. **—***vi.* 조롱〔모욕〕하다, 놀리다《***at*** …을》. **—***n.* Ⓒ 모욕의 말; 조롱, 우롱, 경멸.

⁑**flow** [flou] *vi.* **1** 《~/+부/+전+명》 **흐르다**(stream); 흘러나오다; (세월이) 물 흐르듯 지나가다, 흘러가다: ~ *away* 흘러가다, (세월이) 경과하다 / Tears *~ed down* her cheeks. 눈물이 그녀의 뺨에 흘러내렸다 / Rivers ~ *into* the ocean. 강은 바다로 흘러들어간다 / The water is *~ing out*. 물이 흘러나오고 있다 / The oil *~ed over* the rim of the drum. 기름은 드럼통을 넘쳐흘렀다.

2 《+부/+전+명》 (인파 · 차량 따위가) 물결처럼 지나가다, 쇄도하다; (말이) 술술〔줄줄〕 나오다, (문장이) 거침없이 계속되다: His talk *~ed on*. 그의 말은 술술 계속되었다 / Traffic *~s along* the street all day. 차량 행렬이 온종일 그치지 않았다.

3 《~/+전+명》 (머리 · 옷 따위가) 멋지게 늘어지다; (깃발 등이) 나부끼다: Her long hair *~ed down* her back. 그녀의 긴 머리가 등뒤로 늘어졌다 / ~ *in* the breeze 미풍에 나부끼다.

4 《+전+명》 발하다, 샘솟다, 생기다《***from*** (근원)에서》; (명령 · 정보 따위가) 나오다: Love *~s from* the heart. 사랑은 진심에서 나온다.

5 (조수가) 밀려오다, 밀물이 들어오다.

6 《+전+명》 (피 따위가) 흐르다, 돌다(circulate); (전기 따위가) 통하다; 유동하다: Royal blood *~s in* his veins. 그의 몸엔 왕족의 피가 흐르고 있다.

7 《+전+명》 넘치다, 잔뜩 있다, 충만하다《***with*** …으로》: a land *~ing with* milk and honey 젖과 꿀이 충만한 땅.

~ over (소란 · 비난 따위가) …에 영향을 주지 못하다, …의 위를 지나쳐 가다.

—*n.* **1** (*sing.*) (물 · 차량 따위의) 흐름, 유동.

SYN. **flow** 액체가 끊임없이 흐른다는 뜻에서 연속적인 것의 비유로도 쓰임: a cheerful *flow* of conversation 막힘없이 계속되는 유쾌한 대화. **stream** 가늘지만 밀도가 있는 빠른 흐름: A continuous *stream* of messages came in. 전문(電文)이 계속 들어왔다. **current** 방향성을 가진 흐름: the *current* of air from the ventilator 환기 장치에서 들어온 공기의 흐름.

2 (*sing.*) 유출(량), 유입(량); (전기 · 가스의) 공급(량); 〖컴퓨터〗 흐름. **3** (the ~) 밀물. ↔ *ebb.* ¶The tide was on 〔at〕 the ~. 조수가 밀려오고 있었다. **4** Ⓒ 홍수, 범람(overflowing) 《특히 나일 강의》. **5** (*sing.*) (말이) 거침없이 나옴, 유창함: a ~ of eloquence 도도한 변설 / a ~ of joy 넘치는 기쁨. **6** Ⓤ (옷 · 머리 따위의) 멋진 늘어짐.

go with the ~ 시류에 따르다.

flów·chàrt *n.* Ⓒ 작업 공정도(flow sheet); 〖컴퓨터〗 흐름도, 순서도.

flów dìagram =FLOWCHART.

†**flow·er** [fláuər] *n.* **1** Ⓒ **꽃**(blossom); 꽃을 피우는 식물, 《특히》 **화초**, 화훼(花卉); 관상 식물: artificial *~s* 조화 / the national ~ 국화(國花) / No *~s*. 조화 사절《사망 공고 문구》/ Say it with *~s*. 꽃으로 말하라; 그대 품은 마음을 꽃으로 전하시오《꽃집의 표어》.

SYN. **flower** 일반적으로 '꽃'을 뜻하는 일상용어이나 blossom에 대해서는 관상용 꽃을 가리킴. **blossom** 과수의 꽃을 가리킴: The apple trees are in *blossom*. 사과나무는 꽃이 활짝 피었다. **bloom** 꽃의 가장 아름다운 상태를 뜻함: The roses are in *bloom*. 장미가 한창 피어나 있다.

2 a Ⓤ 개화(開花), 만발, 만개(bloom): come into ~ 꽃피기 시작하다. **b** (the ~) 《문어》 청춘; 한창(때)(prime): in the ~ *of* one's age 한창 젊은 때에 / in full ~ 절정에.
3 (the ~) 《문어》 정화(精華), 정수(pick, essence): the ~ *of* chivalry 기사도의 정화.
4 (*pl.*) 사화(詞華), 문식(文飾), 수사적인 말.
5 (*pl.*) 〖단수취급〗 【화학】 화(華); (발효로 생기는) 뜬 찌끼〔거품〕.
—*vt.* **1** 꽃으로〔꽃무늬로〕 장식하다. **2** …에 꽃을 피우다. **—***vi.* **1** 꽃이 피다. **2** 번영〔번창, 성숙〕하다: Great talents ~ late. 대기만성(大器晩成).

flówer·bèd *n.* Ⓒ 화단.

flówer bùd 꽃눈, 꽃망울, 꽃봉오리.

flów·ered *a.* **1** 꽃으로 뒤덮인; 꽃으로 꾸며진; 꽃무늬의. **2** 〖보통 합성어〗 …꽃이 피는: single-〔double-〕~ 홑꽃〔겹꽃〕이 피는.

flów·er·er [-rər] *n.* Ⓒ 특정한 시기에〔방법으로〕 꽃이 피는 식물: an early 〔a late〕 ~ 빨리〔늦게〕 꽃이 피는 화초.

flówer gàrden 화단, 화원.

flówer gìrl 《英》 꽃 파는 소녀; 《美》 결혼식에서 꽃을 들고가는 신부의 들러리 소녀.

flów·er·ing [-riŋ] *a.* 꽃이 있는; 꽃이 피는, 꽃이 만발한: a ~ plant 현화(顯花) 식물, 꽃식물 / a ~ orchard 꽃이 한창인 과수원. **—***n.* (*sing.*) 개화(開花); 개화기; 전성기(全盛期): the ~ of Impressionism 인상파의 전성기.

flówering dógwood 【식물】 층층나무의 일종《북아메리카 원산의 낙엽 교목》.

flów·er·less *a.* 꽃이 없는, 꽃이 피지 않는: a ~ plant 민꽃식물.

flow·er·let [fláuərlit] *n.* =FLORET.

flówer·pòt *n.* Ⓒ 화분.

flówer shòp 꽃가게, 꽃집.

flówer shòw 화훼 품평회.

°**flow·ery** [fláuəri] (***-er·i·er; -i·est***) *a.* **1** 꽃 같은. **2** 꽃이 많은, 꽃으로 뒤덮인. **3** 꽃으로 장식한; 꽃무늬의. **4** (말·문체 등이) 화려한.
㊊ **-er·i·ness** *n.*

flów·ing *a.* Ⓐ **1** 흐르는; (조수가) 밀려오는: the ~ tide 밀물; 여론의 움직임 / swim with the ~ tide 우세한 쪽에 붙어 있다. **2** 흐르는 듯한; 술술 이어지는; (말이) 유창한, 유려한. **3** (머리카락 등이) 치렁치렁한: ~ locks 늘어진〔물결치는〕 머리카락. ㊊ **~·ly** *ad.*

flown [floun] FLY[1]의 과거분사.

fl. oz. fluid ounce.

***flu** [flu:] *n.* 《구어》 =INFLUENZA.

flub [flʌb] (***-bb-***) 《美구어》 *vt., vi.* 실패〔실수〕하다. **—***n.* Ⓒ 《美구어》 실수, 실패.

°**fluc·tu·ate** [flʌ́ktʃuèit] *vi.* (물가·열 등이) 오르내리다, 변동〔동요〕하다《***between*** …사이에》: ~ *between* hopes and fears 일희일비(一喜一悲)하다 / My weight ~*s between* 110 *and* 120 pounds. 내 몸무게는 110–120 파운드 사이를 오르내리고 있다.

flùc·tu·á·tion *n.* Ⓤ (구체적으로는 Ⓒ) 오르내림, 변동.

flue [flu:] *n.* Ⓒ (굴뚝의) 연도(煙道); (냉난방·

환기용) 송기관(送氣管); (보일러의) 염관(焰管); (파이프 오르간의) 순관(脣管).

flu·en·cy [flú:ənsi] *n.* Ⓤ 유창; 능변; 거침없음: with ~ 술술, 줄줄, 유창하게.

flu·ent** [flú:ənt] *a.* **1** **유창한**, 거침없는, 능변의; 정통한《in*** …에》: He's ~ *in* English 〔several languages〕. 그는 영어를 잘한다〔수개 국어를 자유롭게 구사한다〕. **2** (윤곽·커브 따위가) 민틋한, 완만한, (움직임 따위가) 부드러운, 우아한.

°**flú·ent·ly** *ad.* 유창하게, 줄줄, 술술, 거침없이.

flúe pìpe 【음악】 (파이프 오르간의) 순관(脣管).

fluff [flʌf] *n.* **1** Ⓤ (나사 따위의) 괴깔, 보풀; 솜털, (짐승의) 배냇털. **2** Ⓒ 푸한 것. **3** Ⓒ 실패; (연기·연주 따위에서의) 실수. **4** 〖a bit 〔piece〕 of ~〗 《英속어》 (성적 매력이 있는) 아가씨.
—*vt.* **1** 괴깔〔보풀〕이 일게 하다; 푸하게〔부풀게〕 하다, (털이불 등)을 푹신하게 하다(*out; up*): The bird ~*ed* itself *up*. 새는 부르르 떨며 몸〔털〕을 부풀렸다. **2** 《구어》 …에 실수〔실패〕하다; (대사)를 틀리다, 잊다. **—***vi.* 괴깔이 일다, 푸해〔푹신해〕지다; 《구어》 실수〔실패〕하다, (특히 배우 등이) 대사를 틀리다〔잊다〕.

°**fluffy** [flʌ́fi] (***fluff·i·er; -i·est***) *a.* 괴깔〔보풀〕의, 솜털의〔같은〕; 푸한, 푹신한. ㊊ **-i·ness** *n.*

flu·id** [flú:id] *n.* Ⓤ (종류는 Ⓒ) **유동체**, 유체(~ substance)《액체·기체》. **—a.* **1** 유동체〔성〕의. ↔ *solid*.¶Mercury is a ~ substance. 수은은 액상(液狀) 물질이다. **2** 유동적인, 불안정한, 변하기 쉬운: The situation is very ~. 사태는 극히 유동적이다. **3** (자산이) 현금으로 바꿀 수 있는: ~ assets 유동자산. ㊊ **~·ly** *ad.*

flúid drám 〔**dráchm**〕 =FLUIDRAM.

flu·íd·ics *n.* Ⓤ 유체공학《유체 운동에 의한 정보 전달을 위해 유체 장치를 다루는 공학》.

flu·id·i·ty [flu:ídəti] *n.* Ⓤ 유동성〔상태〕; 변하기 쉬움.

flu·id·ounce, flúid óunce [flú:idáuns] *n.* Ⓒ 액량 온스《약제 등의 액량 단위, 미국은 1/16 파인트, 영국에서는 1/20 파인트》.

flu·i·dram, -drachm [flù:ədrǽm] *n.* Ⓒ 액량 드램《=1/8 fluidounce; 생략: fl. dr.》.

fluke[1] [flu:k] *n.* Ⓒ **1** (보통 *pl.*) 【항해】 닻혀. **2** (창·작살·낚시 등의) 미늘(barb).

fluke[2] *n.* Ⓒ (보통 *sing.*) 【당구】 플루크《우연히 들어맞음》; 어쩌다 들어맞음, 요행: win by a ~ 요행으로 이기다.

fluke[3] *n.* Ⓒ **1** 【어류】 가자미·넙치류(類). **2** 【동물】 흡충(吸蟲)(trematode)《양(羊) 따위의 간장에 기생하는 편충》.

fluky, fluk·ey [flú:ki] (***fluk·i·er; -i·est***) *a.* 우연히 들어맞은, 요행의; (바람이) 변덕스런, 변하기 쉬운.

flume [flu:m] *n.* Ⓒ 인공 수로(水路); (목재 운반용의) 용수로; 계류(溪流), 시내.

flum·mery [flʌ́məri] *n.* **1** Ⓒ (요리는 Ⓤ) 오트밀〔밀가루〕로 만든 죽; (우유·밀가루·달걀 따위로 만든) 푸딩. **2** Ⓤ 겉치렛말, 아첨, 허튼 소리.

flum·mox, -mux [flʌ́məks] *vt.* 《구어》 쩔쩔매게〔당황하게〕 하다, 혼내다.

flump [flʌmp] *n.* (a ~) 털썩(하는 소리): sit down with a ~ 털썩 앉다. **—***vt.* 털썩 떨어뜨리다〔놓다〕(*down*): ~ *down* a sack of flour 밀가루 부대를 털썩 떨어뜨리다. **—***vi.* 털석 떨어지다, 쿵 넘어지다(*down*).

flung [flʌŋ] FLING의 과거·과거분사.

flunk [flʌŋk] 《美구어》 *n.* [C] (시험 따위의) 실패, 낙제(점). **—***vt.* (시험 따위)에 실패하다; (아무)에게 낙제점을 주다, …을 낙제시키다; (아무)를 성적불량으로 퇴학시키다(*out*). **—***vi.* 실패하다《**in** (시험 따위)에》; 성적불량으로 퇴학하다(*out*); 단념하다, 그만두다(give up), 손을 떼다.

flun·ky, flun·key [flʌ́ŋki] *n.* [C] 제복 입은 고용인《사환 · 수위 따위》; 《경멸적》 아첨꾼, 추종자(toady, snob).

fluo·resce [flùərés, flɔːr-] *vi.* 형광을 발하다.

fluo·res·cence [flùərésəns, flɔːr-] *n.* [U] 〖물리〗 형광(성).

fluo·res·cent [flùərésnt, flɔːr-] *a.* 형광을 발하는, 형광성의: ~ ink 형광 잉크.

fluoréscent lámp 〔**túbe**〕 형광등〔램프〕, 형광 방전등.

fluoréscent scréen 〖전자〗 형광면〔판〕.

fluor·i·date [flúəridèit, flɔ́ːr-] *vt.* (음료수 따위)에 플루오르를 넣다《충치 예방》.
[파] **flùor·i·dá·tion** *n.*

fluor·ide, -id [flúəràid, flɔ́ːr-], [-rid] *n.* [U] 〖화학〗 플루오르화물.

fluor·ine, -in [flúəri(ː)n, flɔ́ːr-], [-rin] *n.* [U] 〖화학〗 플루오르《비금속 원소; 기호 F; 번호 9》.

fluo·rite [flúəràit, flɔ́ːr-] *n.* [U] 〖광물〗 형석(螢石).

flùoro·cárbon *n.* [U] 〖화학〗 탄화 플루오르.

flur·ry [flə́ːri, flʌ́ri] *n.* **1** [C] (비 · 눈 따위를 동반한) 질풍, 돌풍: a ~ of wind 돌풍/a ~ of snow =a snow ~ 갑작스러운 눈. **2** (a ~) 당황, 낭패; (마음의) 동요; 혼란, 소동: in a ~ 당황하여, 허둥지둥. **3** [C] 〖증권〗 (시장의) 소(小)공황, 작은 파란. **—** *vt.* 당황케 하다: Don't get *flurried*. 허둥대지 마.

***flush**[1] [flʌʃ] *vi.* **1** (물 따위가) **왈칵〔쏟아져〕 흐르다**, 분출하다(spurt): Pull the chain, and the water *~es*. 사슬을 당기면 물이 흘러나온다. **2** 《~/+[부]/+[전]+[명]/+[보]》 (얼굴이) **붉어지다**, 홍조를 띠다(blush), 상기하다; 얼굴이 화끈 달다; (하늘이) 붉게 물들다; (색 · 빛깔이) 빛나다: She *~ed with* embarrassment. 그녀는 당황하여 얼굴을 붉혔다/~ *up to* the ears 귀까지 빨개지다/He *~ed into* rage. 그는 빨끈 화를 냈다/Her face *~ed* rose. 그녀의 얼굴은 장밋빛으로 물들었다.

—*vt.* **1** (물)을 왈칵 쏟아져 흐르게 하다. **2** (수채 · 난방 파이프 · 수세식 변소 따위)를 물로 씻어 내리다. **3** (얼굴 따위)를 **붉히게 하다**; (아무)로 하여금 얼굴 붉히게 하다《★ 흔히 수동태로 쓰며, 전치사는 *with*》: Shame *~ed* his face. 그는 부끄러워서 얼굴을 붉혔다/She was *~ed with* anger 〔shame〕. 그녀는 노여움〔수치심〕으로 얼굴이 빨개졌다. **4** 활기를 띠게 하다(animate), 흥분시키다(excite), 우쭐하게 하다《★ 흔히 수동태로 쓰며, 전치사는 *with*》: *be ~ed with* victory 승리로 의기양양해지다.

—*n.* **1** (a ~) **얼굴 붉힘**, 홍조(blush): a ~ *of* embarrassment 부끄럼으로 인한 홍조/with a ~ on one's face 얼굴을 붉히고. **2 a** (a ~) 돌연한 감정: feel 〔have〕 a ~ *of* excitement 갑자기 홍분하다. **b** [U] (보통 the ~) 상기, 홍분, 의기양양(elation): in the full ~ *of* triumph 〔success〕 승리〔성공〕의 감격에 취하여. **3** [U] (보통 the) 신선한 빛; 싱싱함, 발랄함(freshness), 활기(vigor), 한창때: the ~ *of* youth 발랄한 젊음/in the full ~ *of* life 원기왕성하여. **4** (*sing.*) (풀의) 싹틈, 싹트는 시기; (싹튼) 어린 잎: Young shoots are in full ~. 새싹이 한창 돋아나고 있다. **5** (a ~) **a** 증수(增水), 홍수. **b** (물의) 쏟아짐, 분출, 왈칵 흐름. **c** 물로 씻어버림; (변소의) 수세(水洗).

—*a.* **1** [P] (강 따위가) 그득 찬〔붇은〕, 넘치는《**with** (물)로》: The river is ~ *with* rain 〔melted snow〕. 강은 비〔눈 녹은 물〕로 넘치고 있다. **2** [P] 많은, 풍부한(abundant); 많이 가진《**of, with** (돈 따위)를》: Let him pay; he's ~ tonight. 그가 내게〔지불하게〕 해. 오늘 밤에 돈을 많이 가지고 있으니까/be ~ *of* 〔*with*〕 money 돈을 많이 가지고 있다. **3** [P] 활수(滑手)한, 손이 큰(lavish): He is ~ *with* (his) money. 그는 돈을 잘 쓴다. **4** 동일 평면의, 같은 높이의(level)《**with** …와》; (갑판 따위가) 계속된 평면의, 평평한: houses built ~ *with* the pavement 포장길과 같은 평면에 세운 집.

—*ad.* **1** 같은 높이로, 평평하게(evenly). **2** 곧장; 정면으로, 바로: ~ against the edge 끝에 꼭 접하여/The ball hit him ~ on the head. 공이 그의 머리에 정면으로 맞았다. **—***vt.* (표면)을 평평하게 하다.

°**flush**[2] *vi.* (새가) 푸드덕 날아오르다. **—***vt.* (새)를 날아가게 하다《**from** …에서》; (범인)을 몰아내다(*out*)《**out of, from** (숨은) 데서》: The dog *~ed* a pheasant *from* the bushes. 개가 꿩을 덤불에서 날아오르게 했다.

—*n.* [U] 푸드덕 날아오름; 날아오르게 함; [C] (한꺼번에) 날아오르는 새떼.

flush[3] *n.* [C] 〖카드놀이〗 그림이 같은 패 5장 모으기. [cf] royal flush.

flúsh tòilet 수세식 변소.

flus·ter [flʌ́stər] *n.* (a ~) 당황, 낭패, 혼란: be all in a ~ 몹시 당황하고 있다. **—***vt.* 당황케 하다, 혼란케 하다《★ 종종 수동태로 씀》: get *~ed* 당황하여 부산떨다/~ oneself 당황하다, 이성을 잃다.

***flute** [fluːt] *n.* [C] **1 플루트**, 저, 피리. **2** 〖건축〗 세로 홈, 둥근 홈. **3** (여성복의) 둥근 홈 주름.

—*vi.* **1** 플루트〔피리〕를 불다. **2** 저〔피리〕 같은 소리를 내다. **—***vt.* **1** (기둥 따위)에 세로 홈을 파다. **2** (곡)을 저〔피리〕로 불다. [파] **flút·ist** *n.* [C] 《美》 저〔피리〕 부는 사람, 플루트 주자(~ player).

flút·ed [-id] *a.* (기둥에) 세로 홈을 판; 홈이 있는.

flút·ing *n.* [U] **1** 저〔피리〕불기. **2** 《집합적》 (기둥 따위에) 홈 새기기; 세로 홈; (옷의) 홈 주름.

flut·ter** [flʌ́tər] *vi.* **1 퍼덕거리다**, 날개치며 날다; (나비 따위가) 훨훨 날다; (깃발 따위가) 펄럭이다: The curtain *~ed* in the breeze. 커튼이 미풍에 펄럭였다. **2** 《+[전]+[명]》 (지는 꽃잎이) 팔랑팔랑 떨어지다, (눈발이) 펄펄 날리다: A petal *~ed to* the ground. 꽃잎 하나가 지면에 하늘하늘 떨어졌다. **3** (심장 · 맥이) 불규칙하게 빨리 뛰다, **두근거리다**; (눈꺼풀 따위가) 불규칙하게 빨리 움직이다: My heart *~ed* absurdly. 심장이 이상하게 두근거렸다. **4** 《+[부]/+[전]+[명]》 서성거리다, 배회〔방황〕하다: He *~ed back* and *forth* in the corridor. 그는 복도를 왔다갔다 서성거렸다/The boy *~ed about* the hall. 그 소년은 홀을 배회했다. **—vt.* **1** (날개)를 퍼덕이다; 날개치다: The bird *~ed* its wings. 새가 날개를 퍼덕였다. **2** (손수건 · 깃발 따위)를 흔들어 움직이다(agitate), 나부끼게〔휘날리게〕 하다; (눈꺼풀)을 끔

벅거리다. **3** (가슴)을 두근거리게 하다; 안절부절 못하게〔갈팡질팡하게〕 하다(confuse).

— *n*. **1** (*sing*.) (날개의) **퍼덕거림**; 나부낌, 펄럭임. **2** Ⓒ 고동, 두근거림. **3** (a ~) 당황, (마음의) 동요; (세상의) 술렁거림, 큰 소동: fall into a ~ 당황하다, 갈팡질팡하다 / in a ~ 두근거리며, 안절부절 못하여 / make 〔cause〕 a (great) ~ 세상을 떠들썩하게 하다, 평판이 자자해지다 / put 〔throw〕 a person in 〔into〕 a ~ 아무를 애타게 하다. **4** Ⓒ (보통 *sing*.) 《英구어》 투기, 내기: do 〔have〕 a ~ 조금 걸다. **5** Ⓤ 〖TV〗 (영상에 나타나는) 광도(光度)의 채《고르지 못함》; 〖오디오〗 불안정 재생채; 〖항공〗 (비행기 날개 등의) 고르지 못한 진동.

flútter kìck 〖수영〗 물장구(치기).

fluty [flú:ti] (***flut·i·er; -i·est***) *a*. 피리〔플루트〕 소리 같은; (소리가) 맑은, 맑고 부드러운.

flu·vi·al [flú:viəl] *a*. 강〔하천〕의; 강에 사는; 강에 나는; 하천에 의해 이룩된.

flux [flʌks] *n*. **1** (a ~) (물의) 흐름(flowing); (액체 · 기체 등의) 유동, 유출. **2** Ⓤ 밀물. **3** Ⓤ 《비유적》 유전(流轉), 끊임없는 변화: All things are in a state of ~. 만물은 유전한다. **4** Ⓤ 〖화학 · 야금 · 요업〗 용제, 융제(融劑).

the ~ and reflux (***of the tide***) 조수의 간만; (사물의) 변천; 소장(消長), 성쇠, 부침(浮沈).

⁑**fly**[1] [flai] (***flew*** [flu:]; ***flown*** [floun]) *vi*. **1** 《~/+뿌/+전+명》 (새 · 비행기 · 구름 따위가) **날다**: a bird *~ing about in* the air 하늘을 날아다니고 있는 새 / The bird *flew out of* its cage. 새가 새장에서 날아갔다《도망갔다》 / The airplane was *~ing south*. 비행기는 남쪽으로 날아가고 있었다 / The clouds *flew across* the sky. 구름이 하늘을 가로질러 날아갔다 / The ball *flew over* the fence. 공이 담을 넘어갔다.

2 《+전+명》 (사람이) 비행하다, 비행기로 가다: ~ *across* the Pacific 태평양을 횡단비행하다 / He *flew from* New York *to* Rome. 그는 뉴욕에서 로마까지 비행기로 갔다.

3 《~/+전+명/+뿌》 (나는 듯이) **급히〔달려〕 가다**; (시간이) 빨리 지나가다: ~ *for* a doctor 의사를 모시러 뛰어가다 / Time *flies* (like an arrow). 세월은 유수(流水) 같다 / He *flew upstairs*. 그는 이층으로 뛰어 올라갔다.

4 《+보/+전+명》 갑자기 움직여 …되다; 갑자기 …되다《***into*** (어떤 상태)로》: The window *flew* open. 창이 홱 열렸다 / ~ *into* a rage 갑자기 불끈하다.

5 (재산 · 돈이) **나는 듯이 없어지다**, 순식간에 사라지다: He's just making the money ~. 그는 큰돈을 아낌없이 쓰고 있다.

6 《~/+뿌》 (바람에) 날아가 버리다; (안개 따위가) 흩어져 없어지다: My hat *flew off* in the wind. 바람에 모자가 날아갔다.

7 《~/+전+명》 **도망치다**, 피하다《***from*** …에서; ***to*** …으로》: ~ *from* the heat of the town 도시의 더위를 피하다. ★ 《英》에서는 흔히 flee 대신 fly를 씀.

8 《+전+명》 부서져 흩어지다, 산산조각이 나다: The glass *flew into* fragments. 컵은 산산조각이 났다.

9 《~/+전+명》 (바람 · 공기 따위로) 둥실 떠오르다, (공중에) 뜨다; (깃발 · 머리털 따위가) 나부끼다, 펄럭이다《바람에》; (탄알 따위가) 나는 듯이 지나가다; (불꽃 따위가) 흩날리다: make sparks ~ 불똥을 튀기다 / The dust *flew about* in clouds. 먼지가 구름처럼 일어났다 / Her tresses *flew in* the wind. 그녀의 탐스러운 머리카락이 바람에 나부꼈다.

10 《+전+명》 덤벼〔달려〕들다《***at*** (사냥감 따위)에》; 호되게 꾸짖다; 공격하다《***at*** …을》: ~ *at* high game 큰 것을 노리다; 대망을 품다 / The cat *flew at* the dog. 고양이가 개에 덤벼들었다 / ~ *at* a person 아무에게 덤벼들다.

11 〖야구〗 **a** 플라이〔비구〕를 치다. **b** 《+뿌》 플라이를 쳐서 아웃되다(*out*). ★이 뜻으로 과거 · 과거분사는 flied.

— *vt*. **1 날리다**; (새)를 날려〔풀어〕주다; (연 따위)를 띄우다; (기)를 달다(hoist): The ship is *~ing* the British flag. 그 배는 영국기를 달고 있다. **2** 《~+목/+목+전+명》 (비행기)를 조종하다; (장소 · 거리)를 비행기로 날다; (사람 · 물건)을 비행기로 나르다《***to*** …으로》; (특정한 항공 회사)를 이용하다: ~ a spaceship 우주선을 조종하다 / We *flew* the Pacific. 우리는 태평양을 날았다 / I ~ always Korean Air. 나는 항상 대한항공을 이용한다 / Doctors and nurses were *flown to* the scene of the disaster. 의사와 간호사들이 항공기로 재난 현장에 수송되었다. **3** …에서 달아나다; …을 피하다: ~ the country 국외로 도망가다 / ~ the approach of danger 위험을 피하다.

~ blind 〖항공〗 (계기를 쓰지 않고) 맹목 비행하다. ***~ high*** ⇨HIGH. ***~ in the face*** 〔***teeth***〕 ***of*** … 에 반항하다, …에게 정면으로 대들다〔반대하다〕: ~ *in the face of* convention 인습에 정면으로 반항하다. ***~ off*** 《*vi*.+뿌》 날아가다, 도망치다. ***~ off the handle*** ⇨HANDLE. ***let ~*** ① (탄알 따위)를 쏘다《***at*** …에》: The hunter *let* ~ an arrow *at* the deer. 사냥꾼은 사슴을 향해 화살을 쏘았다. ② 폭언을 하다《***at*** …에게》.

— (*pl*. ***flies***) *n*. **1** Ⓒ 〖야구〗 플라이, 비구(飛球). **2** Ⓒ **a** (종종 *pl*.) (양복의) 단추가림. **b** 천막 입구의 드림(자락); 천막 위의 겹덮개. **3** Ⓒ 깃발의 가장자리 끝; 깃발의 가로 폭. **4** (the flies) 〖연극〗 (무대의 천장 속의) 무대 장치 조작부(部). **5** Ⓒ (*pl*. ***flys***) 《英》 한 마리가 끄는 세(貰)마차.

on the ~ ① 비행 중에 있어, 날고 있는; 《美》 (공 따위가) 땅에 떨어지기 전에: catch a ball *on the* ~ 뜬 볼을 받아내다. ② 《구어》 황급하게, 몹시 분주히.

⁑**fly**[2] (*pl*. ***flies***) *n*. **1** Ⓒ 〖곤충〗 **파리**, 《특히》 집파리; 날벌레《mayfly, firefly 따위》. **2** Ⓤ (동식물의) 해충; 충해. **3** Ⓒ 날벌레 낚싯밥; 제물낚시.

a 〔***the***〕 ***~ in the ointment*** 《구어》 옥에 티; 흥깨기. ***a ~ on the wall*** 몰래 사람을 감시하는 자. ***like flies*** 대량으로《죽다, 쓰러지다》. ***There are no flies on*** 〔***about***〕 ***...*** 《구어》 (사람)이 빈틈없다, 결점이〔죄가〕 없다; (거래)에 꺼림칙한 점이 없다. ***would not hurt*** 〔***harm***〕 ***a ~*** (무섭게 보이는 사람 · 짐승이 사실은) 아주 온순하다.

fly·awày *a*. Ⓐ (옷 · 머리털이) 바람에 나부끼는〔펄럭이는〕; 마음이 들뜬, 촐싹거리는; (공장의 비행기가) 비행 준비가 된; (군수품이) 공수하도록 되어 있는.

flý·blòwn *a*. **1** 파리가 쉬를 슨; 구더기가 끓는; 더러운, 부패한. **2** 낡은, 새것이 아닌; 진부한.

flý·bỳ (*pl*. *~s*) *n*. Ⓒ 〖항공 · 우주〗 (목표에 대한) 저공〔접근〕 비행; 공중 분열 비행.

flý-by-nìght *a*. 믿을 수 없는, 무책임한《금전적으로》; (유행이) 오래 못 가는. **—** *n*. Ⓒ 《구어》 (빚지고) 야반도주하는 사람; 신용할 수 없는 사람.

flý càsting 제물낚시질.
flý·càtcher *n.* [C] 【조류】 딱새《파리를 잡아먹는 작은 새; 남북미산(產)》.
◇**flý·er** *n.* =FLIER.
flý-fish *vi., vt.* 제물낚시질을 하다[로 낚다].
[파] ~·**ing** *n.*
flý·ing *a.* [A] **1** 나는, 비행하는: a ~ bird 날고 있는 새. **2** (깃발·머리털 따위가) 나부끼는, 휘날리는, 펄럭이는. **3** 나는 듯이 빠른; 날쌔게 행동하는; 몹시 급한; 허둥지둥 달아나는: a ~ visit 황급한 방문. **—***n.* [U] **낢**, 비행; 항공술; 비행기 여행; 질주: ~ *in* formation 편대 비행.
flýing bòat 비행정(飛行艇).
flýing bòmb 비행 폭탄.
flýing búttress 【건축】 플라잉 버트레스(arch buttress).
flýing còlumn 유격대, 별동대, 기동 부대.
flýing dóctor (멀리 떨어진 곳에) 비행기로 왕진하는 개업의(醫).
Flýing Dútchman (the ~) 폭풍우 때 희망봉 부근에 출몰한다는 네덜란드 유령선(의 선장).
flýing fish 【어류】 날치.
flýing fóx 【동물】 (얼굴이 여우 비슷한) 큰박쥐.
flýing jíb 【항해】 플라잉 지브《앞 비듬돛대의 삼각돛》.
flýing lémur 【동물】 박쥐원숭이《필리핀·동남아산(產)》.
flýing lízard 【동물】 날도마뱀.
flýing òfficer 《英》 공군 중위《생략: F.O.》.
flýing sáucer 비행접시. [cf.] UFO.
flýing squàd **1** 〖집합적; 단·복수취급〗 긴급 파견대, 기동 경찰대. **2** (종종 F- S-) 《英》 (런던 경시청의) 특별 기동대.
flýing squírrel 【동물】 날다람쥐.
flýing stárt (a ~) 【경기】 도움닫기 스타트《출발점 앞에서부터 달리는》; 호조(好調)의 출발.
flýing wíng 전익(全翼) 비행기《주익(主翼) 일부를 동체로 이용한 무미익기(無尾翼機)》.
flý·lèaf (*pl.* **-lèaves**) *n.* [C] 면지《책의 앞뒤 표지 뒷면에 붙어 있는 백지 또는 인쇄물》; (프로그램·광고지 따위의) 여백의 페이지.
flý-òff *n.* [C] 【항공】 (항공기 구입시의) 성능 비교 비행.
flý·òver *n.* [C] 《美》 저공 의례(儀禮) 비행, 공중 분열(分列) 비행; 《英》 (철도·도로의) 입체 교차(횡단교(橋)), 고가 횡단도로(《美》 overpass).
flý·pàper *n.* [U] 파리잡이 끈끈이.
flý·pàst *n.* [C] 《英》 분열 비행. [cf.] march-past.
flý-pìtcher *n.* [C] 《英속어》 무허가 노점상.
flý·pòst *vt.* 《英》 (위법 장소에 전단)을 몰래 붙이다; …에 몰래 전단을 붙이다.
flý shèet 광고지, 광고용 전단; 취지서; 《美》 플라이시트《천막의 방수용 바깥 천》; 천막 입구의 드림 천.
flý·spèck *n.* [C] 파리똥 자국; 작은 점; 사소한 결점. **—***vt.* …에 작은 얼룩을 묻히다.
flý·swàt(ter) *n.* [C] 파리채(swatter).
flý-tìp (**-pp-**) *vt.* 《英》 (쓰레기)를 쓰레기장 아닌 곳에 버리다.
flý-tìpping *n.* [U] 《英》 (쓰레기 따위의) 불법투기(不法投棄).
flý·tràp *n.* [C] 파리잡이 통; 【식물】 식충(食蟲) 식물.
flý·wày *n.* [C] 철새의 통로.
flý·wèight *n.* [C] 【권투】 플라이급(선수)《체중 112파운드 이하》.
flý·whèel *n.* [C] 【기계】 플라이휠, 속도 조절 바퀴.
FM, F.M. 【통신】 frequency modulation([cf.] AM). **Fm** 【화학】 fermium. **fm., fm** fathom; from. **F.M.** Field Marshal. **fn., f.n.** footnote.
f-nùmber *n.* [C] 【사진】 F넘버《렌즈의 초점거리를 구경으로 나눈 수치; 렌즈의 밝기를 나타냄; 기호 f》.
F.O. 《英》 Flying Officer; 《英》 Foreign Office.
foal [foul] *n.* [C] (특히 1세 미만의 말·나귀 따위의) 새끼. **—***vi.* (말 따위가) 새끼를 낳다.
***foam** [foum] *n.* [U] **1** **거품**(덩어리)(froth, bubble); 게거품: gather ~ 거품이 일다. **2** (말 따위의) 비지땀; 소화기의 거품. **3** =FOAM RUBBER.
—*vi.* 《~/+[전]+[명]/+[부]》 (바닷물·맥주 따위가) **거품이 일다**; 거품을 일으키며 흐르다[넘치다](*along; down; over*); 거품이 되어 사라지다(*off; away*); (말이) 비지땀을 흘리다; (사람이) 게거품을 뿜다《**with** (화 따위)로》: The beer *~ed over onto* the table. 맥주가 테이블 위에 거품을 일으키며 넘쳐 흘렀다 / ~ *with* rage 격노하다 / The torrent roared and *~ed along*. 급류는 요란한 소리를 내고 거품을 일으키며 흘렀다.
~ ***at the mouth*** 입에서 게거품을 뿜다; 《구어》 격노하다.
fóam extínguisher 포말 소화기.
fóam rúbber 기포 고무, 발포(發泡) 고무.
foamy [fóumi] (***foam·i·er; -i·est***) *a.* 거품투성이의; 거품 이는, 거품 같은.
[파] **fóam·i·ly** *ad.* **-i·ness** *n.*
fob[1] [fab/fɔb] *n.* [C] (바지의) 시계 주머니; (사슬로 된) 시곗줄; 《美》 그 끝에 단 장식.
fob[2] (**-bb-**) *vt.* ★ 다음 관용구로만 쓰임.
~ ***off*** 《*vt.*+[부]》 ① (아무)를 속이다《**with** (거짓 약속)으로》: ~ a person *off with* empty promises 말뿐인 약속으로 사람을 속이다. ② (속여서) 떠맡기다《**with** (불량품·가짜 물건)을; ***on, upon*** (아무)에게》: ~ *off* a person *with* an imitation =~ *off* an imitation *on* a person 아무에게 모조품을 떠맡기다[사게 하다]. ③ (요구·사람 따위)를 피하다, 무시하다.
F.O.B., f.o.b. 【상업】 free on board(⇨FREE 관용구).
fób chàin (바지의 작은 주머니에 달린) 시곗줄 [사슬, 리본].
fo·cal [fóukəl] *a.* [A] 초점의: (the) ~ distance [length] 【광학】 초점 거리.
fó·cal·ìze *vt.* (광선 등)을 초점에 모으다; (렌즈 따위)의 초점을 맞추다; 【의학】 (감염 등)을 국부적으로 막다.
fócal pòint 【광학·사진】 초점; (활동[화제]의) 중심, 초점.
fo·ci [fóusai, -kai] *n.* FOCUS의 복수.
fo'c's'le [fóuksəl] *n.* =FORECASTLE.
‡**fo·cus** [fóukəs] (*pl.* **~·es, fo·ci** [-sai, -kai]) *n.* **1** [C] 【물리·수학】 **초점**: a principal [real, virtual] ~ 주[실, 허]초점. **2** [U] 초점 조절[맞추기]: bring a camera into ~ 카메라 (렌즈의) 초점을 맞추다; (피사체에) 초점을 맞추다. **3** [U] (보통 the ~) (흥미·주의 따위의) **중심**(점), 집중점: the ~ *of* interest 흥미의 중심. **4** [U] (the ~) (폭풍우·분화·폭동 등의) 중심; (지진의) 진원(震源): the ~ of an earthquake 진원.

come into ~ (현미경 · 표본 따위가 초점이 맞아) 똑똑히 보이다〔보이게 되다〕; 《비유적》 (문제가) 명확해지다. *in* ~ 초점이〔핀트가〕 맞아; 뚜렷하여; 표면화되어. *out of* ~ 핀트를〔초점을〕 벗어나, 흐릿하여.

— (*-s-*, 《英》 *-ss-*) *vt.* **1** 《~+목/+목+전+명》 …의 **초점을 맞추다**《*on* …에》: ~ a camera (lens) 카메라(렌즈)의 초점을 맞추다 / He *~ed* his binoculars *on* the bird. 그는 그 새에게 쌍안경의 초점을 맞추었다. **2** 《+목+전+명》 **집중**〔**집속(集束)**〕**시키다**, 모으다《*on* …에》: Try and ~ your mind *on* the problem. 그 문제에 주의를 집중시키도록 노력해라 / Everybody's eyes were *~ed on* her. 모든 사람의 눈은 그녀에게 집중되었다. — *vi.* 《~/+전+명》 초점이 맞다, 초점에 모이다; 집중〔집속〕하다; 생각을 집중하다《*on* …에》: He was too short sighted to ~ *on* the object. 그는 너무 근시라 그 물체에 초점을 맞출 수가 없었다 / His anger *~ed on* me. 그의 노여움은 나에게 집중되었다.

°**fod·der** [fádər/fɔ́d-] *n.* Ⓤ **1** 마초, 꼴, (가축의) 사료. **2** (작품 · 예술의) 소재. — *vt.* (가축)에 꼴을 주다. ⓒⓕ feed.

***foe** [fou] *n.* Ⓒ 《시어 · 문어》 적, 원수.

foehn [fein] *n.* Ⓒ 〖기상〗 =FÖHN.

foetal ⇨FETAL.

foe·tus [fíːtəs] *n.* =FETUS.

⁑**fog** [fɔ(ː)g, fag] *n.* **1** Ⓤ (상태 또는 기간을 나타낼 때는 Ⓒ) (짙은) **안개**; 농무(濃霧); 연무(煙霧): A dense ~ rolled over the city. 짙은 안개가 도시를 뒤덮었다 / We had bad *~s* this winter. 금년 겨울은 안개가 몹시 심했다 / The ~ cleared 〔lifted〕. 안개가 걷혔다. **2** Ⓤ (구체적으로는 Ⓒ) 〖사진〗 희끄무레함, 흐림. (***all***) ***in a*** ~ 어찌할 바를 몰라, 아주 당황하여《*about* …에 대하여》; 오리무중에.

— (*-gg-*) *vt.* **1** 《~+목/+목+부》 안개로 덮다; 어렴풋하게 하다; (유리 따위)를 흐리게 하다(*up*): They used dry ice to ~ the stage. 그들은 무대를 안개로 덮기 위해 드라이 아이스를 이용했다 / The steam *~ged* my glasses. 안경에 김이 서렸다. **2** (문제)를 얼버무리다, 아리송하게 하다: ~ the issue with jokes 농담으로 문제점을 애매하게 하다. **3** 당혹시키다, 어찌할 바를 모르게 하다 (confuse): I was *~ged* by his question. 그의 질문에 당혹했다. **4** 〖사진〗 (인화 · 원판)을 부옇게 하다.

— *vi.* **1** 《~/+부》 안개로 덮이다, 안개가 끼다 (*up*): The valley has *~ged up*. 골짜기에는 안개가 자옥했다. **2** 안개로 흐려지다; 흐릿하다, 막연하다(*up; over*): My glasses have *~ged up* in the bathroom. 목욕탕에서 안경이 흐릿해졌다.

fóg bànk 무제(霧堤)《해상에서 육지처럼 보이는 짙은 안개》.

fóg·bòund *a.* 안개가 길게 낀, 짙은 안개로 항행(航行)〔이륙〕이 불가능한.

fóg·bòw *n.* Ⓒ 흰 무지개《안개 속에 나타나는 희미한 무지개》.

fo·gey [fóugi] *n.* =FOGY.

°**fog·gy** [fɔ́(ː)gi, fági] (*-gi·er; -gi·est*) *a.* **1** 안개〔연무〕가 낀, 안개가 자욱한: a ~ night 안개 낀 밤 / It was a ~ morning. 안개가 자욱한 아침이었다. **2** 《구어》 머리가 흐리멍덩한, 흐린: I hadn't the *foggiest* (idea). 전혀 짐작이 안 갔어. **3** (인화 · 원판이) 부연. ⓟ **-gi·ly** *ad.* 안개가 자욱이; 어찌할 바를 몰라. **-gi·ness** *n.*

Fóggy Bóttom 미 국무부의 속칭.

fóg·hòrn *n.* Ⓒ 〖항해〗 무적(霧笛); 《비유적》 크고 거친 소리.

fóg lìght 〔**làmp**〕 (자동차용) 안개등(燈), 포그램프《보통 황색》.

fóg sìgnal 〖英철도〗 농무(濃霧) 신호《철로 위에 놓은 폭명(爆鳴) 장치》.

fo·gy [fóugi] *n.* Ⓒ 〚보통 old ~로〛 시대에 뒤진 사람, 구식 사람, 구폐가(舊弊家). ⓟ **~·ish** [-iʃ] *a.*

föhn [fein] *n.* 《G.》 Ⓒ 〖기상〗 푄《산맥을 넘어 불어내리는 건조한 열풍》, 재넘이.

foi·ble [fɔ́ibəl] *n.* Ⓒ **1** (애교 있는) 약점, 결점, 흠. **2** 〖펜싱〗 칼의 약한 부분《칼 가운데서 칼끝까지》. ↔ *forte*¹.

foie gras [fwáːgráː] 《F.》 《구어》 푸아그라《특별히 살찌운 집오리의 간(肝)요리; 진미》.

°**foil**¹ [fɔil] *n.* **1** Ⓤ 〚종종 복합어〛 박(箔), (식품 · 담배 따위를 싸는) 포일: gold ~ 금박 / tin ~ 주석박 / wrap a fish in ~ 물고기를 포일로 둘러싸다. **2** Ⓤ 거울 뒷면의 박. **3** Ⓒ 남을 돋보이게 하는 사람〔물건〕《*to, for* …에 대조하여》: Her quiet character serves as a ~ *to* his brilliance. 그녀의 차분한 성격이 그의 두뇌의 명석함을 돋보이게 해주고 있다. **4** Ⓒ 〖건축〗 잎새김 장식《고딕 양식에서 흔히 씀》.

— *vt.* **1** …에 박을 입히다, (보석)에 박으로 뒤를 붙이다. **2** 〖건축〗 …에 잎새김 장식을 붙이다: a *~ed* window 잎새김 장식이 있는 창.

foil² *n.* Ⓒ (끝을 둥글고 뭉툭하게 만든) 연습용 펜싱검(劍); (*pl.*) 펜싱 (연습).

foil³ *vt.* (상대방)의 역(逆)을〔허를〕 찌르다, (아무)를 방해하여 좌절〔실패〕시키다《*in* (계획 등)을》《★ 종종 수동태》: His attempt to escape *was ~ed*. 도망치려던 그의 계획은 좌절되었다 / He *was ~ed in* his attempt to take over our company. 우리 회사를 흡수 합병하려던 그의 기도는 수포로 돌아갔다.

foist [fɔist] *vt.* **1** (부정한 사항)을 몰래 삽입하다〔써넣다〕《*to, into* …에》: Translators should not ~ their own opinions *into* the text. 번역자는 원문에 제멋대로 자기 의견을 덧붙여서는 안된다. **2** (가짜 · 무가치한 것 따위)를 억지로 떠맡기다, (속여서) 사게 하다 (*off*)《*on, upon* (아무)에게》: He tried to ~ (*off*) the responsibility for it *on* me. 그는 나에게 그 책임을 억지로 떠맡기려 했다.

fol. folio; followed; following.

⁑**fold**¹ [fould] *n.* Ⓒ **1 주름**, 접은 자리; 층(層): the *~s* of a skirt 스커트의 주름. **2** (산이나 토지의) 우묵한 곳. **3** 〖지질〗 (지층의) 습곡(褶曲).

— *vt.* **1** 《~+목/+목+부》 **접다** (*up; down*); 접어 포개다(*over; together*), 꺾어 젖히다 (*back*); (소매 등)을 걷어 올리다 (*up*): ~ a letter 편지를 접다 / ~ *up* a map 지도를 접다 / ~ *down* the corner of the page 페이지의 귀퉁이를 접다 / ~ *back* the sleeves of one's shirt 셔츠 소매를 걷어붙이다.

2 (다리 따위)를 구부리다, 옴츠리다; (새가 날개)를 접다.

3 (두 손)을 포개다; (팔)을 **끼다**: ~ one's hands / with one's arms *~ed* =with *~ed* arms 팔짱을 끼고, 수수방관하여.

4 《+목+전+명》 (양팔 따위로) 감다, (옷 따위)를 걸치다《*about, around* …에》: ~ one's arms *around* a person's neck 아무의 목을 껴안다 /

He ~*ed* his cloak *about* him. 그는 외투를 걸쳤다.
5 《+[목]+[전]+[명]》 안다, 포옹하다《*in, to* …에》: She ~*ed* her baby *in* her arms 〔*to* her breast〕. 그녀는 아기를 두 팔로〔가슴에〕 꼭 껴안았다.
6 《~+[목]/+[목]+[부]/+[목]+[전]+[명]》 싸다; 푹 싸다; 덮다(*up*)《★ 보통 수동태로 쓰며, 전치사는 *in*》: Clouds ~*ed* the hills. 구름이 산들을 덮었다/~ a thing *in* paper 물건을 종이로 싸다/The mountains *were* ~*ed in* clouds. 산들은 구름에 둘러싸여 있었다.
7 《+[목]+[전]+[명]》 『요리』 (아래위로 뒤집어) 섞다 《*in, into* …에》: *Fold* an egg *into* the batter. 반죽한 밀가루에 계란을 깨어 뒤섞으시오.
—*vi.* 《~/+[부]》 **1** (병풍 등이) 접히다, 포개지다; 접어서 겹치다(*up; back*); (지층에) 습곡이 생기게 하다: The doors ~ *back*. 그 문은 접어서 겹쳐진다. **2** (사업·흥행 등이) 실패하다, 파산하다, 망하다(*up*).

fold² *n.* **1** [C] (가축, 특히 양의) 우리. **2** (the ~) (우리 안의) 양떼; 《비유적》 (기독교 교회의) 집회; 교회의 신자들; 『일반적』 가치관〔목적〕을 같이하는 사람들, 동료. ***return*** 〔***come back***〕 ***to the*** ~ ① 집에 돌아오다. ② 옛 둥지〔신앙, 정당 따위〕로 돌아오다.
—*vt.* (양)을 우리에 넣다.

-fold [fòuld] *suf.* '…배(倍), …겹〔중(重)〕' 의 뜻: three*fold*.

fóld·away *a.* [A] (의자·침대 따위가) 접어서 치울 수 있는, 접는 식의: a ~ bed 접침대.

fóld·bòat *n.* [C] 접는 보트(faltboat).

°**fóld·er** *n.* [C] 접는 사람〔기구〕; 접지기(摺紙機); 접책(摺冊), 접게 된 인쇄물; 종이 끼우개; (*pl.*) 접는 안경; 『컴퓨터』 폴더《컴퓨터의 저장 장치인 하드 디스크나 플로피 디스크의 공간을 하나 혹은 여러 개의 방으로 나누어서 파일을 저장하는 경우에 사용되는 방》.

fol·de·rol [fáldəràl/fɔ́ldərɔ̀l] *n.* =FALDERAL.

fold·ing [fóuldiŋ] *a.* [A] 접는, 접을 수 있는: a ~ bed 접침대/a ~ chair 접의자/a ~ scale 〔rule〕 접자/a ~ screen 병풍.

fólding dóor (종종 *pl.*) 접게 된 문; 두짝 문.

fólding móney 《美구어》 큰돈, 지폐.

fóld·òut *n.* [C] (잡지의) 접어서 끼워 넣은 페이지.

fóld·up, fóld-ùp *n.* [C] 접는 것《의자·침대 따위》; 실패, 파산.

*__fo·li·age__ [fóuliidʒ] *n.* [U] 『집합적』 **1 잎**; 잎의 무성함, 군엽(群葉). **2** 『건축』 (도안·조각 등의) 잎장식. [파] ~**d** [-d] *a.* 잎이 무성한; 잎장식이 있는.

fóliage plánt 관엽(觀葉) 식물.

fo·li·ate [fóulièit] *vt.* 잎사귀 모양으로 하다; 박(箔)으로 하다; 『건축』 잎장식으로 꾸미다; (책에 페이지가 아닌) 장〔매〕수를 매기다: ~ a book 책에 장수를 매기다. **—***vi.* 잎을 내다; 박(箔)이 되다. **—** [fóuliit, -èit] *a.* **1** 『흔히 합성어』 『식물』 잎이 있는, …장(張)의 잎이 있는: 5-~ 다섯 잎의. **2** 엽상(葉狀)의(leaflike); 잎 같은.
[파] **fò·li·á·tion** *n.*

fó·lic ácid [fóulik-] 『생화학』 폴산《빈혈의 특효약》.

fo·lio [fóuliòu] (*pl.* ~**s**) *n.* **1 a** [C] 2절지(二折紙); 2절판(折判) 책《제일 큰 책; 보통 높이가 30cm 이상》. **b** [U] 2절판 책의 크기, 폴리오판: in ~ (책이) 전지 2절판의〔인〕. **2** [C] 『인쇄』 페이지 매기기, 장수; 『부기』 장부의 좌우 2페이지《같은 페이지로 매겨 있음》. **3** [C] (겉에만 페이지를 매긴) 한 장《서류·원고의》. **—***a.* 2절의; 2절판의.

‡**folk** [fouk] (*pl.* ~(**s**)) *n.* **1** 『집합적; 복수취급』 **a 사람들**(people). ★ 오늘날에는 보통 people을 쓰나, 미국에서는 이 뜻으로 ~s도 쓰임. ¶Home care has been arranged for the old ~*s*. 노인들을 위해서 재택 치료가 준비되어 있다. **b** 『보통 수식어를 수반하여』 (특정한) 사람들: country 〔town〕 ~ 시골〔마을〕 사람들. **c** 『복수형으로; 친밀함을 나타내는 호칭으로 써서』 여러분: Good morning, ~*s!* 안녕하십니까, 여러분. **2** (one's ~s) 《구어》 가족, 친척; 《특히》 양친: my ~*s* 우리 가족〔양친〕. **3** (the ~) 『복수취급』 평민《한 나라의 문화·전통·미신을 전승하는 사람들의 집단》.
—*a.* [A] **1** 서민의, 민중의, 민간의: a ~ remedy 민간 요법. **2** 민속의, 민간(전승)의: ~ art 민예(民藝)/a ~ dance 민속 무용. **3** 민요(조)의, 민속 음악의: ⇨FOLK MUSIC, FOLK SONG.

fólk etymólogy 민간 어원(설), 통속 어원.

fol·kie [fóuki] *n.* [C] 《속어》 포크송〔민요〕 가수〔팬〕.

°**fólk·lòre** *n.* [U] **1** 『집합적』 민간 전승(傳承), 민속. **2** 민속학〔연구〕. [파] **-lòr·ist** *n.* [C] 민속학자.

fólk màss (전통적인 예배용 음악 대신에) 민속 음악을 써서 행하는 미사.

fólk mèdicine 민간 의학.

fólk mùsic 민속〔향토〕 음악.

fólk sìnger 민요 가수(folkster).

fólk sòng 민요.

folk·sy [fóuksi] (**-si·er; -si·est**) *a.* **1** 《때로 경멸적》 탁 털어놓는(informal), 평민적인. **2** 친하기 쉬운, 소탈한: I like his ~ manner. 그의 소탈한 태도가 좋다.

fólk tàle 민간 설화, 민화(民話), 구비(口碑).

fólk·wày *n.* [C] (보통 *pl.*) 『사회』 민속, 습속, 사회적 관행.

†**fol·low** [fálou/fɔ́lou] *vt.* **1** 《~+[목]/+[목]+[전]+[명]/+[목]+[부]》 **좇다**, 동행하다, 따라가다〔오다〕: ~ hounds (사냥개를 앞세워) 사냥을 하다/Please ~ me. 어서 저를 따라 오세요/The dog ~*ed* me *to* the house. 그 개는 나를 따라 집에까지 왔다/~ a person *in* 〔*out*〕 아무의 뒤를 따라 들어가다〔나오다〕.
2 《~+[목]/+[목]+[전]+[명]》 (지도자 등)을 따르다; (방침·선례)를 따르다, (세태·유행 따위)를 따라가다; (충고·가르침·주의 따위)를 좇다, 지키다, 신봉하다: ~ the fashion 〔a custom, a precedent〕 유행〔관습, 선례〕을 따르다/~ the rules of a game 경기의 규칙을 지키다/~ a person's advice 아무의 충고를 따르다/~ the example of a person 아무를 모범으로 삼다/~ Confucius 공자의 설을 신봉하다.
3 …에 **계속하다**, …의 다음에 오다, 뒤를 잇다: Night ~*s* day. 밤은 낮에 계속된다/Summer ~*s* spring. 봄 다음에 여름이 온다/One misfortune ~*ed* another. 재앙이 겹쳤다/The meal was ~*ed* by coffee. 식사 후에 커피가 나왔다.
4 …의 뒤에 일어나다〔생기다〕, 결과로서 일어나다: Economic depression often ~*s* war. 전쟁 후에 종종 경제불황이 일어난다/Misery ~*s* war. 전쟁 때문에 비참한 일이 일어난다.
5 뒤쫓다, 추적하다; (이상·명성 따위)를 추구하다, 구하다: ~ fame 명성을 추구하다/They ~*ed*

같은 뜻으로 쓰임: It is *stupid* to do such a thing.

[파] *~·**ly** *ad*. ~·**ness** *n*.

fóol·pròof *a*. **1** (기계 따위가) 아무라도 다룰 수 있는, 고장이 없는, 간단 명료한: a ~ camera 누구라도 간단히 찍을 수 있는 (전자동) 소형 카메라. **2** (규칙 · 계획 따위가) 오해〔실패〕의 여지가 없는, 확실한.

fools·cap [fú:lzkæ̀p, fú:lskæ̀p] *n*. [U] 대판 양지(大判洋紙)《$13^1/_2$×17인치》.

fóol's càp (방울 따위가 달린 원뿔형의) 어릿광대 모자; 원뿔형의 종이 모자(dunce cap)《학생에게 벌로 쓰게 함》.

fóol's érrand (a ~) 헛걸음, 헛수고: go on a ~ 헛수고를 하다/send a person on a ~ 아무에게 헛걸음을〔헛수고를〕 하게 하다.

fóol's góld 〖광물〗 황철광, 황동광.

fóol's páradise 어리석은 자의 천국, 헛된 기대〔행복〕: be 〔live〕 in a ~ 헛된 행복을 꿈꾸다〔꿈꾸며 살다〕.

†**foot** [fut] (*pl*. ***feet*** [fi:t]) *n*. **1** [C] **a** 발《복사뼈에서 밑부분을 말함》. [cf.] leg. **b** (보통 *sing*.) **발 부분**《양말의 발 부분 따위》. **2** [C] (연체 동물의) 촉각(觸脚). **3** [U] (보통 the ~) **a** (테이블 따위의) 다리; (침대 · 마루 · 무덤 따위의) 발치〔아래〕쪽. **b** (사물의) 밑부분, 기슭, 아래, 밑바닥, 최하부, 기부(基部): at the ~ *of* a hill 언덕의 기슭에/at the ~ *of* a page 페이지 아래 부분에. **c** 말위(末位), 말석: at the ~ *of* a class 학급의 말석에. **4** [C] **피트**《길이의 단위; =1/3 yard, 12 inches, 30.48cm; 발 길이에서 기인; 생략: ft.,′》: five ~ 〔*feet*〕 eleven inches, 5피트 11인치.

> [NOTE] (1) 복수형은 보통 feet이지만, 다음과 같은 경우 주로 《구어》에서는 foot도 쓰임: He's six *feet* 〔*foot*〕 tall. 그는 키가 6피트이다/five *feet* six =《구어》 five *foot* six inches, 5피트 6인치. 단, 큰 숫자의 뒤에서는 feet가 보통: a mountain (which is) 6,000 *feet* high 높이 6천 피트의 산.
> (2) 수사와 함께 복합어를 만들 때는 항상 foot: a five-*foot* fence 높이 5피트의 울타리/an eight-*foot*-wide path 폭 8피트의 오솔길/a 6,000-*foot* high mountain 높이 6천 피트의 산.

5 [U] (또는 a ~) 도보; 걸음, 걸음걸이(step): with heavy ~ 무거운 걸음으로/have a heavy 〔light〕 ~ 걸음걸이가 무겁다〔가볍다〕/be swift 〔slow〕 of ~ 걸음이 빠르다〔느리다〕/at a ~'*s* pace 보통 걸음으로〔보조로〕. **6** [U] 〖집합적〗《英고어》 보병(infantry)《★ 이 뜻의 복수형은 없음》: a regiment of ~ 보병 연대/horse and ~ 기병과 보병. **7** [C] 〖운율〗 운각, 시각(詩脚).

at a person***'s feet*** 아무의 발 아래에, 아무에게 복종하여, 아무가 시키는대로. ***carry*** a person ***off*** his ***feet*** ⇨CARRY. ***catch*** a person ***on the wrong*** ~ 아무의 허점을 찌르다. ***find*** 〔***feel***〕 one***'s feet*** 〔***legs***〕 ① 자신이 붙다, 기술이 늘다, (새 환경에) 익숙해지다: She's beginning to *find* her *feet* at her new school. 그녀는 새 학교에 가까스로 적응하기 시작했다. ② 능력〔본래의 특색〕을 발휘하다; 자립하여 해나가다: He's *found* his *feet* in the business world. 그는 실업계에서 간신히 자립할 수 있었다. ③ (아기 등이) 걷기 시작하다. ***get*** 〔***have***〕 ***a*** 〔***one,*** one***'s***〕 ~ ***in*** (***the door***) =***get*** one***'s*** ~ 〔***feet***〕 ***in*** 〔***under the table***〕 《구어》 (조직 따위에) 잘 파고 들어가다, 발붙일 데를 얻다, (거래할) 기회를 얻다. ***get*** (***...***) ***off on the right*** 〔***wrong***〕 ~ = start (...) (off) on the right 〔wrong〕 ~. ***get*** one***'s feet wet*** 참가하다, 손을 대다. ***have*** 〔***keep***〕 ***a*** ~ ***in both camps*** 신중(愼重)히 양다리 걸치고 있다, 양진영(兩陣營)에 발을 디밀고 있다. ***have*** 〔***keep***〕 ***both*** 〔one***'s***〕 ***feet*** (***set*** 〔***planted***〕) (***firmly***) ***on the ground*** 현실적〔실제적〕이다. ***have one*** ~ ***in the grave*** ⇨GRAVE. ***keep*** one***'s*** ~ 〔***feet***〕 똑 바로 서다〔서서 걷다〕; 발 밑을 조심하다; 신중하게 행동하다. ***land*** 〔***drop, fall***〕 ***on*** one***'s feet*** =***land on both feet*** (고양이처럼) 떨어져서 사뿐히 서다; 《비유적》 거뜬히 어려움을 면하다, 운이 좋다: He always *lands on* his *feet*. 그는 (결국에는) 언제나 잘 된다. ***My*** 〔***Your***〕 ~***!*** 《구어》〖앞서 한 말을 받아서〗 맙소사, (…이라니) 믿을 수 없어: You are mistaken.—Mistaken, *my* ~! 네가 틀렸어—틀렸다니, 맙소사. ***off*** one***'s feet*** 서 있지 말고: The doctor told me to stay *off* my *feet*. 의사는 나에게 누워 있으라고〔쉬라고〕 말했다. ***on*** ~ ① 걸어서, 도보로. ② 발족하여, 착수되어. ***on*** one***'s feet*** ① 일어서서; 일어나서: be 〔get〕 *on one's feet* 일어서 있다〔일어서다〕. ② (병후에) 원기가 회복되어: be back *on one's feet* (병후에) 원기가 회복되다. ③ (경제적으로) 자립하여: stand *on one's* (own) *feet* 자립하다. ***put*** 〔***set***〕 ***a*** ~ ***wrong*** =***not put*** 〔***set***〕 ***a*** ~ ***right*** 《특히 英》 잘못 말하다; 실수하다. ***put*** 〔***set***〕 one***'s best*** ~ 〔***leg***〕 ***foremost*** 〔***forward***〕 《英》 가능한 한 급히 가다; 전속력으로 달리다; 전력을 다하다. ***put*** 〔***get***〕 one***'s feet up*** 《구어》 (누워서〔앉아서〕) 잠시 쉬다. ***put*** one***'s*** ~ ***down*** 《구어》 ① 단호히 행동하다, 반대하다: When I said I would marry her, my father really *put* his ~ *down*. 내가 그녀와 결혼하겠다고 말했을 때 아버지는 무슨일이 있어도 허락하지 않겠다고 말했다. ② 차를 가속시키다. ***put*** one***'s*** ~ ***in*** 〔***into***〕 ***it*** 〔one***'s mouth***〕 《구어》 (무심코 발을 들여놓아) 곤경에 빠지다, 실패하다; 《구어》 실언하다. ***set*** ~ ***in*** 〔***on***〕 …에 들어가다, …을 방문하다: I'll never *set* ~ *in* his house again. 그의 집에는 다시는 안 갈 테야. ***set ... on*** ~ …을 개시〔착수〕하다: *set* a plan *on* ~ 계획을 세우다〔에 착수하다〕. ***start*** (***...***) (***off***) 〔***begin*** (***...***), ***get*** (***...***) ***off***〕 ***on the right*** 〔***wrong***〕 ~ (인간 관계 따위에서) (…을) 잘〔잘못〕 시작하다, (…의) 출발이 순조롭다〔순조롭지 않다〕. ***to*** one***'s feet*** (발로) 일어서: come 〔get, rise〕 *to* one's *feet* 일어서다/raise 〔bring〕 a person *to* his *feet* 아무를 일으켜 세우다. ***under*** a person***'s feet*** 아무를 방해하여; 아무의 발밑에, 복종하여, 아무의 뜻대로 되어. ***with both feet*** 단호히, 확고하게: He leapt into the task *with both feet*. 그는 그 일에 단호한 결의를 하고 뛰어들었다〔착수했다〕. ***with*** one***'s feet foremost*** 두 발을 내뻗고; 입관(入棺)되어, 시체가 되어.

—*vt*. **1** 〖~ it으로〗 걷다, 걸어가다, 춤추다. **2** (양말 따위)에 발 부분을 붙이다, …의 발 부분을 수선하다. **3** 《구어》 (셈)을 치르다, 지급하다, …의 비용을 부담하다: I'll ~ the cost. 비용은 내가 마련하지. ~ ***the bill*** ⇨BILL.

foot·age [fútidʒ] *n*. [U] 피트수(數)《특히 영화 필름 · 목재의 길이》; (어떤 길이의) 영화 필름《특히 장면의》; (영화의 연속된) 장면.

†**foot·ball** [fútbɔ̀:l] *n*. **1** [U] 풋볼《미국에서는 미

식 축구, 영국에서는 주로 축구 또는 럭비》: ⇨ ASSOCIATION 〔RUGBY〕 FOOTBALL. **2** Ⓒ 풋볼 공. **3** Ⓒ 《비유적》 난폭하게〔소홀히〕 취급되는 사람〔물건〕; 목침돌림의 대상이 되는 물건〔문제〕. ㊕ **~·er** n. Ⓒ ~ 선수.

fóotball pòols pl. (흔히 the ~) 《英》 풋볼 도박《경기 결과에 돈을 걺》.

fóot·bàth (pl. ~s [-bæðz, -bɑ̀ːðz]) n. Ⓒ 발 씻기, 발 대야.

fóot·bòard n. Ⓒ (침대 · 기차 등의) 발판, 디딤판; (마차의 마부용) 발디딤판; (기계의) 페달.

fóot bràke (자동차 따위의) 브레이크.

fóot·brìdge n. Ⓒ 인도교《특히 역의 선로 위에 가설한》.

fóot-dràgging n. Ⓤ 《美구어》 (고의로) 지체함, 억지로 함; 주저함.

fóot·ed [-id] a. **1** 발이 있는. **2** 〖보통 합성어〗 …발 가진; 발이 …한: a four-~ animal 네발짐승 / fleet-~ 걸음이 빠른.

fóot·er n. **1** Ⓒ 보행자. **2** Ⓒ 〖보통 합성어〗 키〔길이〕가 …인 사람〔물건〕: a six-~ 키가 6 피트인 사나이. **3** Ⓤ 《英구어》 럭비, 사커. **4** Ⓒ 〖컴퓨터〗 꼬리말, 푸터.

◇**fóot·fàll** n. Ⓒ 발소리.

fóot fàult 〖테니스〗 서브할 때에 라인을 밟는 반칙.

fóot·gèar n. Ⓤ 〖집합적〗 신는 것《신발 · 슬리퍼 · 양말 따위》.

Fóot Guàrds pl. (the ~) 영국 근위 보병 (연대).

fóot·hìll n. Ⓒ (보통 pl.) 산기슭의 작은 언덕.

◇**fóot·hòld** n. Ⓒ **1** (암반 등반시의) 발 디딜 곳. **2** (보통 sing.) 기지, 확실한 발판: gain 〔get〕 a ~ in …에 발판을 마련하다〔구축하다〕.

◇**fóot·ing** n. **1** Ⓤ (또는 a ~) 발 밑, 발판, 발디딤 (foothold): Mind your ~. 발 밑을 조심하시오. **2** (a ~) 발 붙일 데, 터전; (확고한) 기반; 지위, 신분: get 〔gain, obtain〕 a ~ in society 사회에 기반을〔지위를〕 얻다 / keep one's ~ 선 자리〔지위〕를 유지하다 / lose one's ~ 발을 헛딛다; 설 자리를 잃다. **3** (sing.) 〖보통 수식어를 수반하여〗 입장, 사이, 관계(relationship); 자격: on an equal 〔the same〕 ~ with …와 동등한 자격으로〔관계로〕, 대등하게 / be on a friendly ~ with …와 친한 사이〔관계〕이다.

foo·tle [fúːtl] vi. 《구어》 어리석은 말〔허튼짓〕을 하다, 바보 같은 짓을 하다; 어슬렁거리다 (about; around).

fóot·less a. **1** 발이 없는; 실체〔근거〕가 없는; 뒷받침이〔기초가〕 없는. **2** 《구어》 맵시〔쓸모〕 없는; 무능한.

fóot·lìghts n. pl. **1** 〖연극〗 각광《무대의 전면 아래쪽에서 배우를 비추는 광선》, 풋라이트. **2** (the ~) 무대(stage); 배우업(俳優業). ***appear before the ~*** 무대에 서다, 각광을 받으며 등장하다. ***smell of the ~*** 연극조다, 배우티가 나다.

foot·ling [fútliŋ] a. 《구어》 어리석은, 분별없는; 미덥지 못한, 쓸모없는.

fóot-lòose a. Ⓟ (가정 · 일 따위에 속박당하지 않고) 가고 싶은 곳에 갈 수 있는, 자유로운.

fóot·man [-mən] (pl. **-men** [-mən]) n. Ⓒ (제복을 입은) 종복(從僕), 하인, 마부.

fóot·màrk n. Ⓒ 발자국(footprint).

fóot·nòte n. Ⓒ **1** (페이지 하단의) 각주(脚注); 보충 설명《생략: fn.》: in a ~ 각주에 / in ~ 3, 각주 3에. **2** 부수적 사건〔사항〕. **—** vt. (책 · 페이지)에 각주를 달다.

fóot·pàce n. Ⓒ 보통 걸음.

fóot·pàd n. Ⓒ (도보의) 노상(路上) 강도《highwayman은 보통 말 탄 강도》.

◇**fóot·pàth** (pl. ~s [-pæðz, -pæθs, -pɑ̀ːðz, -pɑ̀ːθs]) n. Ⓒ (보행자용) 작은 길; 보도.

fóot-póund (pl. **-póunds**) n. Ⓒ 〖물리〗 피트 파운드《1 파운드 무게의 물체를 1 피트 들어올리는 일의 양》.

◇**fóot·prìnt** n. Ⓒ 발자국.

fóot ràce 도보 경주, 뜀박질 경주.

fóot·rèst n. Ⓒ (이발소 의자 등의) 발판.

fóot rùle 《英》 피트 자; (판단의) 기준.

foots n. pl. **1** 침전물, 앙금, 찌꺼기. **2** =FOOTLIGHTS.

foot·sie, -sy [fútsi] n. 〖다음 관용구로〗 ***play ~(s) with*** 《구어》 …와 시룽대다; 《구어》 …와 몰래 정을 통하다〔부정한 거래를 하다〕.

fóot·slòg (**-gg-**) vi. (진창 · 먼 길을) 힘들게 도보 행진을 하다, 터벅터벅 걷다.

fóot sòldier 보병.

fóot·sòre a. 발병난, 신발에 쓸려 상처가 난.

foot·step** [fútstèp] n. Ⓒ **1** 걸음걸이, 발걸음. **2** 발소리; 발자국. **3** 보폭, 1 보. ***follow 〔***tread, walk***〕 ***in a*** person***'s ~s*** ⇨FOLLOW.

◇**fóot·stòol** n. Ⓒ (앉아있는 사람의) 발판.

fóot·wày n. =FOOTPATH.

fóot·wèar n. Ⓤ =FOOTGEAR.

fóot·wòrk n. Ⓤ (구기 · 복싱 · 춤 등의) 발놀림, 발재주.

fóot·wòrn a. 걸어서 지친, 다리가 아픈; 밟아서 닳은.

foo·zle [fúːzəl] vt. 〖골프〗 (공)을 서투르게 치다, 잘못 치다(bungle). **—** n. Ⓒ 〖골프〗 잘못 친 타구.

fop [fap/fɔp] n. Ⓒ 맵시꾼, 멋쟁이.

fop·pery [fápəri/fɔ́p-] n. Ⓤ (구체적으로는 Ⓒ) (남자가) 멋부림, 멋을 냄.

fop·pish [fápiʃ/fɔ́p-] a. 멋부린, 모양을〔맵시를〕 낸. ㊕ **~·ly** ad. **~·ness** n.

†**for** [fɔːr, 약 fər] prep. **1** 〖이익 · 영향〗 …을 위해〔위한〕; …에(게)는: a great pleasure ~ me 내게는 큰 기쁨 / give one's life ~ one's country 나라를 위해 목숨을 바치다 / work ~ an oil company 석유 회사에 근무하다 / Can I do anything ~ you? 무어 시키실 일은 없으신지요 / Smoking is not good ~ your health. 담배는 몸에 좋지 않다 / It was fortunate ~ you that he was there. 그가 거기 있었던 것은 너에게 다행이었다.

> **NOTE** for는 다른 많은 짧은 전치사와는 달리 부사로는 사용되지 않음. 전치사가 문 중에서 대체로 약하게 발음되지만 잘못해서 강하게 발음하면 four로 오해되기 쉬움.

2 〖방향 · 목적지〗 …을 향하여; (열차 따위가) …행(行)의; …에 가기 위해〔위한〕; …에 입장하기 위해〔위한〕: start 〔leave〕 (Busan) ~ China 중국을 향해 (부산을) 떠나다 / the train ~ London 런던행(行) 열차 / The ship is bound ~ Busan. 그 배는 부산행(行)이다 / change ~ the better 〔worse〕 좋은〔나쁜〕 쪽으로 변하다; 호전〔악화〕되다 / Did you get the tickets ~ the game? 그 경기의 입장권은 구하셨습니까.

3 〖대리 · 대용 · 대표〗 …대신(에, 의, 으로)《on behalf of는 딱딱한 표현임》; …을 위해, …을

나타내는; …을 대표하여: speak ~ another 남을 대신하여〔위해〕 말하다, 대변하다/the member ~ Manchester 맨체스터 대표인 하원 의원/substitute margarine ~ butter 마가린을 버터 대용품으로 쓰다/What's the word ~ "ship" in Spanish? "ship"을 스페인 말로 뭐라고 합니까.

4 〖목적·목표·의향〗 …**을 위해〔위한〕**; …을 목표로 하여; …을 할〔…이 될〕 작정으로: dress ~ dinner 만찬을 위하여 옷을 갈아입다/go ~ a walk 〔swim〕 산책〔수영〕하러 가다/go to the restaurant ~ a meal 식사하러 레스토랑으로 가다/a house ~ rent 《美》 셋집/just ~ fun 그저〔단지〕 재미로(서)/What do you work ~? 당신은 무슨 목적으로 일을 합니까.

5 〖획득·추구·기대의 대상〗 …**을 얻기 위해〔위한〕**; …**을 찾아〔구하여〕**: an order ~ tea 차의 주문/wait ~ an answer 회답을 기다리다/cry ~ one's mother 엄마를 찾으며 울다/Everyone wishes ~ happiness. 모두(가) 행복을 바란다/We wrote to him ~ advice. 편지를 보내 그에게 조언을 구했다.

6 〖적합·용도·대상〗 …**에 적합한**, …에 어울리는〔걸맞는〕; …목적〔필요〕에 맞는; …**대상의**; …**용의〔에〕**: books ~ children 어린이를 위한〔용〕 책/a dress ~ the occasion 그 자리에 어울리는 옷/It's time ~ action. 행동을 취할 때다/What is this used ~? 이건 무엇에 쓰이는 것인가.

7 〖준비·보전·방지〗 …**에 대비하여**; …을 위해; …을 보전하기〔고치기〕 위해〔위한〕: prepare ~ an exam 시험준비를 하다/get ready ~ supper 저녁 식사의 준비를 하다/get ready ~ school 등교(의) 채비를 하다/a good remedy ~ headaches 두통에 잘 듣는 약.

8 **a** 〖경의〗 …**을 기념하여**; …**을 위해**; …에 경의(敬意)를 표하여(in honor of): give a party ~ a new ambassador 신임 대사를 위해 파티를 열다. **b** 〖모방·본뜸〗 《美》 …에 관련지어; …의 이름을 따(라)서(《英》 after): The baby was named ~ his grandfather. 아기 이름은 할아버지의 이름을 따서 지었다.

9 〖이유·원인〗 **a** …**이유로**; …**때문에**; …으로 인하여〔인한〕: ~ fear of … …을 두려워하여/~ many reasons 많은 이유로/shout ~ joy 기쁜 나머지 큰 소리를 지르다(《for는 pity, grief, sorrow 따위의 감정을 나타내는 명사와 함께 쓰임》)/a city known ~ its beauty 그 아름다움으로 알려져 있는 도시/I can't see anything ~ the fog. 안개로 인해 아무것도 안 보인다/be dismissed ~ neglecting one's duties 직무를 태만히 하여 해고되다. **b** 〖보통, the+비교급의 뒤에서〗 …**결과(로서)**; …탓으로: He felt (*the*) *better* ~ having said it. 그는 그것을 말하고 나니 오히려 속이 시원했다/⇨be the BETTER[1] for, be the worse ~ WEAR[1](관용구).

10 〖찬성·지지〗 …**에 찬성하여**; …**을 지지하여〔한〕**; …을 위하여; …을 편들어(↔ *against*): vote ~ 〔against〕 a person 아무에게 찬성〔반대〕 투표하다/stand up ~ women's rights 여성의 권리를 옹호하다/Are you ~ or against the proposal? 그 제안에 찬성인가 아니면 반대인가(《for or against는 목적어 생략이 가능》)/I'm ~ calling it a day. 오늘 일은 이것으로 마치자/Three cheers ~ our team! 우리 팀을 위해 만세 삼창을.

11 〖감정·취미·적성 따위의 대상〗 **a** …**에 대하여〔대한〕**; …을 이해하는: a great affection ~ her 그녀에 대한 큰 사랑/an eye ~ beauty 심미안(審美眼)/have a taste ~ music 음악을 좋아하다/I'm sorry ~ you. 미안하게〔딱하게〕 여긴다. **b** 〖cause, reason, ground, motive 따위 뒤에 와서〗 …**에 대해서의**; …(해야) 할: You have no cause ~ worry. 걱정할 필요가 전혀 없다.

12 〖흔히 ~ all의 형태로〗 …에도 불구하고, …한데도 (역시) (in spite of): ⇨ ~ all(관용구).

13 〖교환·대상(代償)·등가〗 …**와 상환(相換)으로**; …**에 대해**; …**의 금액〔값〕으로**: He gave her his camera ~ her watch. 그는 자기 카메라를 그녀의 시계와 맞바꿨다/I paid $50 ~ the camera. 그 카메라에 50달러를 지불했다/The eggs are ₩3,000 ~ 10 〔10 ~ ₩3,000〕. 이 달걀은 10개에 3천원입니다/We sold our car ~ 〔at〕 $1,000. 자동차를 천 달러에 팔았다(《for는 '…와 상환으로', at은 '…의 값으로'를 나타냄》).

14 〖보상·보답·보복을 나타내어〗 …**에 대해**, …의 보답으로서; …의 대갚음으로: five points ~ each correct answer 각 정답에는 5점/make up ~ a loss 손실을 벌충하다〔메우다〕/reward him ~ his services 그의 일에 대해 보수를 주다/give blow ~ blow 주먹엔 주먹으로 맞서다/an eye ~ an eye 〖성서〗 눈에는 눈으로(출애굽기 XXI: 24)/Thank you ~ your kindness. 친절히 해 주셔서 감사드립니다/He was fined ~ speeding. 그는 과속으로 벌금이 부과되었다.

15 〖시간·거리〗 …**동안** (죽); (예정 기간으로서의) …**간(間)**: ~ hours 〔days, years〕 몇 시간이〔며칠이, 몇 해〕나 되는 동안/~ the last ten years 지난 10년 동안/~ days (and days) on end 날이면 날마다 (끝없이)/imprisonment ~ life 종신〔무기〕 징역/*For* miles and miles there was nothing but sand. 몇 마일이나 계속해서 오직 모래뿐이었다/The forest stretches ~ a long way. 숲이 멀리 잇따라 뻗쳐 있다/The road runs ~ five miles. 길은 5마일이나 뻗쳐 있다/He didn't work ~ (very) long. 그는 (그다지) 오랫동안 일하지 않았다(《곧 그만두었다》).

> **NOTE** (1) **for의 생략**: 계속·상태를 나타내는 동사 뒤에 와서, 특정한 시간·거리를 나타낼 경우에는 생략할 수가 있음: We stayed there (*for*) two 〔several〕 weeks. 단, 수사(數詞)가 없을 때에는 생략할 수가 없음: The rain lasted *for* hours 〔days〕.
> (2) 특정한 기간을 가리킬 경우 for는 쓸 수 없음: *during* [×for] the six weeks (그 6주일간). 단, '(어느 특정한) 기간을 지내기 위해'의 문맥(文脈)에서는 쓸 수 있음: We camped there ~ 〔*throughout*, *in*, *during*〕 the summer. 우리는 여름 동안 그곳에 캠프를 했다 (throughout는 '처음부터 끝까지'의 뜻을 강조, in은 '여름철 어느 시기에'의 뜻임. during은 문맥에 따라 어떤 의미로도 됨).

16 〖받을 사람·보낼 곳〗 …**에게 주기 위해〔위한〕**; …**앞으로(의)**: a present ~ you 당신을 위한 선물/I've got some good news ~ you. 네게 좋은 소식이 있다/Who is it ~? 누구에게 줄 것입니까/Bill, there's a call ~ you. 빌, 너에게 전화다/She bought a new tie ~ Tom. 그녀는 톰에게 새 넥타이를 사 주었다(=She bought

Tom a new tie.).

> **NOTE** for는 이익을 받는 대상을 나타냄. 불이익의 대상에는 종종 on: She shut the door *on* me. 그녀는 내 앞에서 문을 쾅하고 닫았다. She opened the door *for* me. 그녀는 나에게 문을 열어 주었다.

17 〖지정된 때 · 경우〗 (어떤 정한 일시)**에**; (어떤 행사가 있는 경우)**에**; …을 축하하기 위해: make an appointment ~ five o'clock 5시로 약속하다/wear black ~ funerals 장례식에 검은 상복을 입다/hold special services ~ Christmas 크리스마스에 특별 예배를 드리다/The wedding has been fixed ~ April 6th. 결혼식 날짜는 4월 6일로 정해졌다/She was Miss Korea ~ 1990. 그녀는 1990년의 미스 코리아였다.
18 〖자격 · 속성〗 …**로(서)**(as)《이 용법으로는 종종 뒤에 형용사나 분사가 따름》: take ... ~ granted …을 당연한 것으로 여기다/I know it ~ a fact. 그것을 사실로 알고 있다/Do you take me ~ a fool? 자넨 나를 바보로 아는가/They chose him ~ 〔as, to be〕 their leader. 그들은 그를 지도자로 택했다/He was given up ~ lost 〔dead〕. 그는 죽었다고 모두가 체념했다.
19 a 〖to 부정사의 의미상의 주어를 나타내어〗 …**이(—하다)**: It is important ~ you *to* go at once. 네가 곧 가는 것이 중요하다(=It is important that you (should) go at once.)/It's time ~ me *to* go. 이제 갈 시간이다(=It's time I went.)/There's no need ~ us *to* hurry. 우린 서두를 필요가 없다(=We need not hurry.)/They arranged ~ her *to* come here. 그들은 그녀가 이 곳에 올 수 있도록 마련했다《이같은 구문을 취하는 동사에 ask, call, long, plan, wait 따위가 있음》. **b** 〖보통 It is ~ a person to do의 꼴로〗 (…하는 것은) …**가 해야 할 일이다, …에게 걸맞다**: *It's ~ you to* decide. 그것은 네가 결정해야 할 일이다/*It's* not ~ *me to* say how you should do it. 네가 그것을 어떻게 해야 하는가는 내가 말할 것이 못된다.
20 〖수량 · 금액〗 …**만큼(의)**; …까지: a check ~ $20. 20달러의 수표/Put me down ~ $30. 내 몫〔앞〕으로 30달러만 기입해 주시오.
21 〖관련〗 …**에 관해서(는)**; …에 대해서; …점에서는: ~ my part 나로서는(=as for me)/~ this time 〔once〕 이번만은/~ that matter 그 일에 관해서 말하면/be hard up 〔all right〕 ~ money 돈이 없어 곤란하다〔돈은 충분하다〕/He has no equal ~ speech. 화술에 관해선 그 사람을 따를 자가 없다/*For* the use of far, see p. 450. far의 용법에 관해서는 450 페이지를 보라.
22 〖기준 · 관점〗 …**로서는**, …**치고는**; …에 비해서는: It is cool ~ July. 7월치고는 선선하다/He is young ~ his age. 그는 나이에 비해서 젊다/*For* a learner, he swims well. 그는 초심자로서는 수영을 잘 한다.
23 〖주로 too+형용사 · 부사+~, enough+~의 형태로〗 …**에 있어서(는)**; …하기에는: It's too early ~ supper. 저녁 먹기에는 너무 이르다/That hat is too small ~ me. 그 모자가 내게는 너무 작다/There was *enough* food ~ us all. 우리 모두에게 충분하리만큼의 음식이 있었다.
24 〖대비 · 비율〗 **a** 〖each, every나 수사 앞에서〗 …**에 대해(—꼴로)**: There is one Korean passenger ~ *every* five English. 승객은 영국인 5명에 한국 사람 1명 꼴이다/Use four cups of water ~ *one* cup of dry beans. 마른 콩 한 컵에 4컵의(비율로) 물을 사용하시오/*For every* mistake you make I will deduct 5 points. 틀린 것 하나마다 5점 감점합니다. **b** 〖앞뒤에 같은 명사를 써서〗 …**와 —을 비교해** (볼 때): Dollar ~ dollar, you get more value at this store than at the other one. 같은 1달러로, 그쪽보다 이쪽 가게에서 물건을 더 살 수(가) 있다/⇨MAN for man, POINT for point, WORD for word (관용구).

as **~** ⇨AS[1]. ***be* ~ *it*** 《英구어》 반드시 벌을 받게 〔야단맞게〕 돼 있다: You'll *be* ~ *it* when your mother comes home! 어머니가 돌아오시면 꾸중을 듣는다. **~ *all ...*** ① …에도 불구하고, …한데도: ~ *all* that 그럼에도 불구하고/*For all* his riches he is not happy. 그렇게 부자인데도 그는 행복하지가 않다. ② 〖종종 that와 함께 접속사적〗《英 드물게》 …는 (했)지만, …는 데도: *For all (that)* he said he would come, he didn't. 그는 오겠다고 말하고서 오지를 않았다. ③ …(이 대수롭지 않은 것)을 고려하여 (보면): *For all* the good it has done, I might just as well not have bought this medicine. 효능면에서 보아 이 약(藥)은 사지 않아도 되었었다. **~ *all*** 〔***aught***〕 ***I care*** ⇨CARE. **~ *all*** 〔***aught***〕 ***I know*** 아마 (…일 게다): He may be a good man ~ *all I know*. 아마 좋은 사람일지도 모른다. **~ *it*** 그것에 대처할《it은 막연히 사태를 가리킴》: There was nothing ~ *it* but to run. 달아나는 길 외〔밖〕엔 방도가 없었다. **~ one*self*** ⇨ONESELF. ***if it had not been*** **~** ⇨IF. ***if it were not*** **~** ⇨IF. ***Now*** **~ *it!*** 자아 이제부터다. **O ~ *...!*** 아아 …가 있었으면 (좋을 것을)! ***So much*** **~** (the place, and) ***now*** **~** (the date). (장소는) 그곳으로 됐다 치고, 이번엔 (날짜)다. ***That's ...*** **~ *you.*** 〖상대의 주의를 환기하여〗 ① 거 봐(라)〔어때〕 …이〔하〕지: *That's* a big fish ~ *you*. 자 봐라 큰 고기지. ② 그런 일이 …에겐 흔히 있는 일〔어려운 점〕이다: *That's* life ~ *you*. 인생이란 그런 것이다. ***That's what ... is*** **~.** 그런 일은 …이라면 당연하다: *That's what* friends *are* ~. 그런 건 친구라면 당연하지 않습니까. ***There's ...*** **~ *you.*** 〖상대의 주의를 환기하여〗 ① 보세요 …하지요: *There's* a fine rose ~ *you*. 자 보세요, 멋진 장미죠. ② 《경멸적》 …라니 기가 차군: *There's* gratitude ~ *you*. 그게 (소위) 감사라는 건가.

> **DIAL.** ***It's for you.*** 당신에게 전화 왔습니다, 당신 전화입니다.

—*conj*. 〖앞말에 대한 부가적 설명이나 이유를 나타내어〗《문어》 **왜냐하면 …하니까**; …한 걸 보니—《보통 앞에 콤머나 세미콜론을 찍음》: Let me stay, ~ I am tired. 여기(에) 있게 해주시오, 지쳤으니까요/She must be very happy, ~ she is dancing. 춤추고 있는 것을 보니 그녀는 무척 기쁜 모양이다. SYN. ⇨BECAUSE.

for- [fɔːr, fər] *pref*. '금지, 부정, 거부, 비난, 과도(過度), 배제, 생략' 등의 뜻: *for*bid, *for*bear.

for. foreign; forestry. **F.O.R., f.o.r.** 〖상업〗 free on rail.

fo·ra [fɔ́ːrə] *n*. FORUM의 복수형.

for·age [fɔ́ːridʒ, fάr-/fɔ́r-] *n*. **1** Ⓤ 꼴, 마초, 말〔소〕먹이. **2** Ⓤ (또는 a ~) 마초 징발; 식량 구하기.
—*vi*. **1** 마초를 찾아다니다; 찾아다니다(*about*)

《**for** (먹을 것)을》: Cows are allowed to ~ *about for* food. 소는 꼴을 찾아 돌아다닐 수 있게 되어 있다. **2** 《비유적》 찾아다니다, 마구 뒤적여 찾다 (*about*) 《**for** …을》: ~ *about for* a book 여기저기 뒤져 책을 찾다 / He ~*d* in the pockets of his coat. 그는 상의 주머니를 이리저리 뒤졌다.

fórage càp (보병의) 약모(略帽), 작업모.

fór·ag·er *n.* Ⓒ 마초 징발대원; 약탈자.

for·as·much [fɔ̀:rəzmʌ́tʃ/fərəz-] *conj.* 《문어》 〖법률〗 〔다음 형태로만 쓰임〕 ~ **as** …임을 보면, …인 까닭에(seeing that, since): ~ *as* the time is short 시간이 짧기 때문에.

for·ay [fɔ́:rei/fɔ́r-] *vi.* 약탈〔습격〕하다 《**into** (적지 등)을》. **—*n.*** Ⓒ 침략, 약탈(incursion); 잠시 관계〔개입〕함 《**into** (본업 이외의 분야)에》: a ~ *into* politics 정치에 잠시 관계함.

for·bade, -bad [fərbéid], [-bǽd] FORBID 의 과거.

°**for·bear**[1] [fɔ:rbέər] (**-bore** [-bɔ́:r]; **-borne** [-bɔ́:rn]) *vt.* **1** 억제하다, 참다 《**to** do / do**ing**》 《★ ~ do*ing* 쪽이 일반적》: ~ angry feelings 노여움을 참다 / ~ reproach*ing* a person 아무를 비난하지 않다 / I could not ~ smil*ing*. 엉겁결에 미소를 지었다 《★ I could not help smiling. 보다 문어적》 / ~ *to* drink wine 술을 마시지 않도록 하다. **2** …(의 사용)을 아끼다, 삼가다: ~ wine 술을 마시지 않다. **—*vi.*** **1** 멀리하다, 삼가다, 그만두다 《**from** …을》: I wanted to punch him, but I *forbore*. 그를 때려주고 싶었지만 그만두었다 / ~ *from* drink*ing* 음주를 삼가다. **2** 참다; 관용하다 《**with** …을》: I cannot ~ *with* his insolence. 그의 무례함을 참을 수 없다. ***bear and* ~** 잘 참고 견디다.

forbear[2] ⇨FOREBEAR.

°**for·bear·ance** [fɔ:rbέərəns] *n.* Ⓤ 삼감, 자제(심)(self-control); 인내, 참음(patience); 용서, 관용(寬容); 〖법률〗 (권리 행사의) 보류.

for·béar·ing [-bέəriŋ] *a.* 참을성 있는(patient); 관대한(lenient).

*⁑***for·bid** [fərbíd] (**-bade** [-béid, -bǽd], **-bad** [-bǽd]; **-bid·den** [-bídn]; **-bid·ding** [-bídiŋ]) *vt.* **1 금하다**, 허락하지 않다: Fishing is *forbidden*. 《게시》 낚시 금지 / Cameras (are) *forbidden*. 《게시》 촬영 금지 / Smoking is *forbidden* here. 이곳은 금연입니다 / My health ~*s* my coming. 건강이 좋지 않아 가지 못하겠습니다. **2** 《+목+목/+목+*to* do/+목+*-ing*》 …을 금지하다, 허용치 않다; …의 사용〔출입〕을 금하다: His doctor *forbade* him alcohol. =Alcohol was *forbidden* (to) him by his doctor. 의사는 그에게 알코올류(類)를 금했다 / I *forbade* him 〔his〕 enter*ing* the house. 나는 그에게 그 집에 출입하는 것을 금했다 / Foreigners were *forbidden to* enter the country. 외국인은 입국이 금지되었다 / ~ a person wine 아무에게 술을 금하다 / ~ a person *to* smoke 아무에게 금연시키다 / I ~ you (*to* enter) my house. 너에게 내 집 출입을 금한다 / The law ~*s* shops to sell alcoholic drinks to minors. 미성년자에게 주류를 판매하는 것은 법으로 금지돼 있다. **3** 《~+목/+목+*to* do》 (사정 등이) 불가능하게 하다, 방해하다: A river *forbade* the approach of the army. 강 때문에 군대는 접근하지 못했다 / The storm ~*s* us *to* proceed. 폭풍 때문에 우리들은 전진하지 못한다. **4** 《+*that* 절》 〔God 〔Haven〕을 주어로 하여 가정법을 써서〕 절대로 있을 수 없도록: *God* 〔*Heaven*〕 ~ *that* war *should* break out. 신이여, 전쟁이 일어나는 일이 절대로 없도록.

> DIAL. ***God* 〔*Heaven*〕 *forbid!*** 그럴 리 없다, 터무니 없다 《어떤 일이 일어나지 않기를 바랄 때》.

for·bid·den [fərbídn] FORBID 의 과거분사. **—*a.*** Ⓐ 금지된, 금단의.

forbídden frúit (the ~) 〖성서〗 금단의 열매; 금지되어 있기 때문에 더 갖고 싶은 것; 《특히》 불의의 쾌락.

forbídden gróund **1** 출입 금지 지역. **2** 다루어서는 안 되는 화제(話題).

for·bíd·ding *a.* **1** 가까이하기 어려운; 기가 질릴 만큼 험악한〔급경사진〕: a ~ cliff 험악한 절벽. **2** 무서운, 험상궂은: a ~ countenance 무서운 얼굴. 파 **~·ly** *ad.*

for·bore [fɔ:rbɔ́:r] FORBEAR[1]의 과거.

for·borne [fɔ:rbɔ́:rn] FORBEAR[1]의 과거분사.

*⁑***force** [fɔ:rs] *n.* **1** Ⓤ (물리적) **힘**, 에너지, 기세(impetus): the ~ of nature 자연의 힘 / the ~ of gravity 〔gravitation〕 중력〔인력〕 / magnetic ~ 자력. ★ 물리학 용어로서는 force '힘'; power '일률(率), 공률(工率)'; energy '에너지'. SYN. ⇨POWER.

2 Ⓤ **폭력**(violence), 완력, 강압: resort to ~ 폭력을 행사하다 / take ... from a person by ~ 아무에게서 …을 강탈하다.

3 Ⓤ 정신력, 박력; 설득력: ~ of character 성격의 강인함 / the ~ of an argument 논의의 설득력.

4 Ⓤ (법률 · 규칙 · 계약 따위의) 효과; 효력(validity): put a law into ~ 법률을 시행하다 / The new law will come into ~ next month. 새 법은 다음달부터 효력을 발생한다.

5 Ⓒ 영향력을 가진 사람〔것〕; (사회적) 권력, 세력, 유력한 인물: the ~*s* of nature 자연력 《폭풍, 지진 따위》 / social 〔political〕 ~*s* 사회적〔정계의〕 세력 / He's a ~ to reckon with in the Republic Party. 그는 공화당 내에서는 무시할 수 없는 중진이다 / The influence of parents is a major ~ in the development of character. 부모의 영향력은 인격 형성에 주요한 힘이 되고 있다.

6 Ⓒ (흔히 *pl.*) **무력**, 병력; 군대, 부대; 경찰(대); (*pl.* 종종 the F-s) (한 나라의) 육 · 해 · 공군, 전군: the air ~ 공군 / the armed ~*s* (한 나라의) 군대 / the police ~ 경찰(대).

7 Ⓒ (공동 활동의) 대(隊), 집단: office ~ 사무소원 / A ~ of 20 policemen raided the house. 경찰관 20 명으로 구성된 일대(一隊)가 그 집을 덮쳤다.

8 Ⓤ (언어표현의) 힘참, 생기; 참뜻, 의의: He writes with ~. 그의 문장〔글〕은 힘이 있다 / It's difficult to convey adequately the ~ of this poem. 이 시의 참뜻을 충분히 전달하기는 어렵다. ◇ forceful, forcible *a.*

by* (*the*) ~ *of …의 힘으로, …에 의하여: *by* ~ *of* habit 습관의 힘으로 / *by* ~ *of* contrast 대조에 의해. ***in* ~** ① 유효하여, 실시 중으로: This rule is no longer *in* ~. 이 규칙은 이미 효력을 잃고 있다. ② 〖군사〗 대거(하여): The guerrillas gathered *in* ~. 게릴라들이 대거〔한꺼번에〕 모여들었다. ***join* ~*s with*** …와 협력〔제휴〕하다: *join* ~*s with* the public against crime 일반 대중과 힘을 합쳐 범죄에 대항하다.

—*vt*. **1** 《+목+*to* do/+목+전+명》 …에게 강제하다, 우격다짐으로 …시키다, 억지로 …시키다 《*into* …을 하게》《★ 종종 수동태로 쓰임》: We ~*d* him *to* sign the paper. 우리들은 그에게 억지로 그 서류에 서명하게 했다/Poverty ~*d* her *into* a crime. 가난 때문에 그녀는 범죄를 저질렀다/I *was* ~*d to* accept his offer. 나는 그의 제의를 받아들이지 않을 수 없었다/He ~*d* himself *to* swallow the medicine. 그는 억지로 약을 삼켰다. SYN. ⇨ COMPEL.

2 a 《~+목/+목+부/+목+전+명》 무리하게 내몰다; 〖~ one's way로〗 억지로 밀고 나아가다: They ~*d* an entry *into* the house. 그들은 그 집에 침입했다/He ~*d* his horse *on through* the storm. 그는 폭풍우 속으로 말을 몰아 갔다/He ~*d* his *way in* 〔out〕. 그는 억지로 밀고 들어갔다〔나왔다〕. **b** 《+목+전+명》〖~ oneself〗 쳐들어가다《*into* …에》: They ~*d* them*selves* *into* her room. 그들은 그녀의 방으로 쳐들어갔다. **c** 《+목+전+명》 억지로 밀어넣다《*into* …에》: Don't ~ your foot *into* the shoe; it's too small for you. 그 구두를 무리하게 신지 마라, 네 발에는 너무 작다.

3 《~+목/+목+보》 (문·금고 따위)를 비집고 열다: ~ the lock with a penknife 주머니칼로 자물쇠를 비집어 열다/The door was ~*d* open. 문이 억지로 열렸다.

4 《+목+전+명/+목+부》 밀어붙이다; (억지로) 떠맡기다, 강매하다《*on, upon* (아무)에게》: ~ one's idea *upon* another 자기 생각을 남에게 밀어붙이다/~ food *down* a person's throat 아무에게 음식을 억지로 먹이다/~ *back* a current 흐름을 역류시키다.

5 《~+목/+목+부/+목+전+명》 (웃음 따위)를 억지로 짓다; (억지로) 끌어내다; (우격으로) 빼앗다, 강탈하다《*from, out of* …에서》: ~ a smile 억지웃음을 짓다/~ a secret 〔an answer〕 *out of* a person 아무에게서 비밀을 캐내다〔답변을 이끌어내다〕/~ a promise *from* a person 억지로 약속시키다/I ~*d* the gun *from* his hand. 그의 손에서 총을 빼앗았다.

6 …에 무리를 가하다; …을 강요하다, 억지로 일〔공부〕시키다: ~ a confession 억지로 자백시키다/Illness ~*d* his retirement. 병 때문에 그는 사직하지 않을 수 없었다/~ the pace 스피드를 올리다/~ a motor 모터를 과열시키다.

7 《+목+부》〖야구〗 봉살하다(*out*); (만루에서) …에게 밀어내기 득점을 허용하다(*in*).

8 〖원예〗 촉성(促成) 재배하다; 촉성〔영재〕 교육을 하다: ~ a plant. cf. forward.

~ a person*'s* ***hand*** ⇨HAND. ~ one***'s way through*** 억지로 헤치며 나아가다: He ~*d* his *way through* the crowd. 그는 군중을 헤치고 나아갔다. ~ ***out*** 《*vt*.+부》 ① (음성 따위)를 무리하게 내다, 쥐어짜다: He ~*d out* the words. 그는 그 말을 쥐어짜내듯이 했다. ② …을 내쫓다, 추방하다. ③ …을 실격시키다. ④ 〖야구〗 (주자)를 봉살하다.

forced [-t] *a*. **1** 강요된, 강제적인(compulsory); 무리한, 억지의, 부자연한(unnatural): a ~ draft 강제 통풍《노(爐)에 대한》/~ labor 강제 노동/a ~ smile 억지 웃음/~ quotations 조작된〔인위적인〕 시세/~ interpretation 억지 해석, 곡해. **2** 긴급시에 행하는, 불시의: a ~ landing (비행기의) 불시착.

forc·ed·ly [fɔ́ːrsidli] *ad*. 무리하게, 강제적으로.

fòrce-féed (*p*., *pp*. ***-fed*** [-féd]) *vt*. (동물 따위)에게 강제로 먹이를 먹이다; 《비유적》 (습관·생각 따위)를 억지로 주입하다〔받아들이게 하다〕: They were *force-fed* a military attitude. 그들은 군인으로서의 태도를 주입 교육당했다.

°**force·ful** [fɔ́ːrsfəl] *a*. (말·사람 따위가) 힘이 있는; 설득력 있는. 파 **~·ly** *ad*. **~·ness** *n*.

fòrce(-)lánd *vi*. (비행기가) 불시착하다, 긴급 착륙하다.

force ma·jeure [fɔ́ːrsməʒə́ːr, -mæ-] 《F.》 〖법률〗 불가항력《계약 불이행이 허용될 만한》; (강대국의 약소국에 대한) 강압적인 힘, 압도적인 힘.

fórce·mèat *n*. U (소로 쓰이는) 양념하여 다진 고기.

fórce-òut *n*. C 〖야구〗 봉살(封殺), 포스아웃.

fórce plày 〖야구〗 포스플레이《러너가 병살되는 플레이》.

for·ceps [fɔ́ːrsəps, -seps] (*pl*. **~, ~·es, *for·ci·pes*** [-səpìːz]) *n*. C 핀셋, 겸자(鉗子), 족집게(pincers): a pair 〔two pairs〕 of ~ 겸자 1 개.

fórce pùmp 밀펌프, 압력 펌프.

°**for·ci·ble** [fɔ́ːrsəbəl] *a*. **1** 억지로 시키는, 강제적인: (a) ~ entry 불법 침입. **2** 힘찬, 힘 있는, 강력한; 유력한, 설득력이 있는(convincing): a ~ speaker 열변가.

°**for·ci·bly** [fɔ́ːrsəbli] *ad*. **1** 우격다짐으로, 불법으로, 강제적으로. **2** 강력히, 세차게, 힘차게.

Ford [fɔːrd] *n*. 포드. **1 Henry ~** 미국의 자동차 제조업자(1863–1947). **2** C Ford 회사제(製)의 자동차: a 2003 ~, 2003 년형 포드차. **3 Gerald R** (**udolph, Jr.**) ~ 미국 제38대 대통령(1913–).

ford [fɔːrd] *vt*. (개울·여울목)을 걸어서 건너다. —*n*. C (개울 따위의) 걸어서 건널 수 있는 곳, 얕은 여울. 파 **∠·a·ble** *a*.

***fore** [fɔːr] *a*. A 앞의, 전방의; (시간적으로) 전(前)의: the ~ part of a ship 배의 앞 부분.

—*ad*. 앞에, 전방에; 〖항공〗 기수(쪽)에; 〖항해〗 선수〔이물〕(쪽)에: ~ and aft 이물에서 고물까지; 배 안 어디에나; 배의 전후 방향으로.

—*int*. 〖골프〗 공 간다!《위험을 환기시키는 소리》.

—*n*. (the ~) 전부(前部), 전면(front); 〖선박〗 선수부(船首部). ***at the* ~** 〖항해〗 앞돛대 머리에; (배의) 맨 앞에. ***to the* ~** 전면에; 눈에 띄게, 주목을 끌어: As a writer he didn't come *to the* ~ until recently. 작가로서 그는 최근까지 주목을 끌지 못했다.

fore- [fɔːr] *pref*. '먼저, 앞, 전, 미리' 의 뜻: *fore*runner, *fore*cast.

fore·arm[1] [fɔ́ːrɑ̀ːrm] *n*. C 〖해부〗 전완(前腕), 전박(前膊), 하박(下膊), 팔뚝.

fore·arm[2] [fɔːrɑ́ːrm] *vt*. **1** 〖종종 수동태〗 미리 준비하다; 〖~ oneself〗 대비하다《*against* (곤란 따위)에》: ~ oneself *against* attack 공격에 대비하다. **2** 〖보통 수동태〗 미리 무장하다.

fóre·bèar, fór- *n*. C (보통 *pl*.) 선조(先祖).

fore·bóde, for- *vt*. **1** (좋지 않은 일)을 미리 슬쩍 비추다, …의 전조〔징조〕가 되다(portend); …을 예시하다: Those black clouds ~ rain. 저 먹구름은 비가 올 징조다. **2** (불길한 일 따위)의 예감이 들다; …을 예감하다《*that*》: clouds that ~ a storm 폭풍을 예고하는 구름/She ~*d* her husband's death 〔*that* her husband would die〕. 그녀는 남편의 죽음을 예감했다.

fore·bód·ing *n*. U (구체적으로는 C) (불길한)

예감, 전조, 조짐, 육감 《*that*》: She had a ~ *that* he might have [meet with] an accident. 그녀는 그가 사고를 당할지도 모른다는 예감이 들었다.

fóre·bràin *n*. [C] 〖해부〗 전뇌(前腦)(부).

*__fore·cast__ [fɔ́ːrkæ̀st, -kɑ̀ːst] *n*. [C] **1** **예상**, 예측《*that*》: a business ~ 경기 예측/The ~ *that* war would break out proved true. 전쟁이 일어날 것이라는 예상은 사실이 되었다. **2** (기상) **예보**: a [the] weather ~ 일기 예보/What's the ~ for tomorrow?—They say it will be fine but with scattered clouds. 내일 일기 예보는 뭐지요—맑고 때로 흐린다더군요.
—(*p*., *pp*. **-cast,** **~·ed**) *vt*. **1** **예상**〔**예측**〕**하다** 《~+[목]/+that [절]/+wh. [절]》: ~ the future 미래를 예측하다/He ~ *that* it would rain. 그는 비가 올지도 모른다고 예측했다/We cannot ~ *how* long the war will last. 전쟁이 언제까지 계속될지 예상할 수 없다. **2** (날씨)를 **예보하다** (predict): It rained as was ~. 예보대로 비가 왔다. **3** 예고〔전조〕가 되다: Tremors ~ the eruption. 미진(微震)은 분화(噴火)의 전조다. [파] **~·er** *n*. [C] 예측자; 일기 예보자.

fore·cas·tle [fóuksəl, fɔ́ːrkæ̀səl] *n*. [C] (군함의) 앞 갑판; (상선의) 앞 갑판 밑 선원실; 선수루(船首樓). ★ 발음대로 fo'c's'le로도 씀.

fore·close [fɔːrklóuz] *vt*., *vi*. **1** 따돌리다, 제외〔배제〕하다. **2** (문제 · 토론 따위를) 끝맺다; 미리 처리하다. **3** 〖법률〗 …에게 저당물 찾는 권리를 상실하게 하다, 유질(流質)시키다.

fore·clo·sure [-klóuʒər] *n*. [U] (구체적으로는 [C]) 〖법률〗 저당물을 찾는 권리의 상실, 유질.

fóre·còurt *n*. [C] 앞마당; (테니스 따위의) 포코트. ↔ *backcourt*.

fóre·dèck *n*. [C] 〖선박〗 앞갑판.

fore·doom [fɔːrdúːm] *vt*. …의 운명을 미리 정하다《*to* …으로》: a project *~ed to* failure 실패할 것이 뻔한 계획. [파] **~·dóomed** *a*.

*__fore·fa·ther__ [fɔ́ːrfɑ̀ːðər] *n*. [C] (보통 *pl*.) 조상, 선조(ancestor). [cf] descendant.

Fórefathers' Dày 《美》 (1620년의) Pilgrim Fathers의 미국 상륙 기념일《본디 12월 21일, 지금은 22일》.

◇**fóre·fìnger** *n*. [C] 집게손가락(first [index] finger).

fóre·fòot (*pl*. **-fèet**) *n*. [C] (네발 짐승 · 곤충의) 앞다리.

fóre·frònt *n*. (the ~) 최전부, 최전선; (흥미 · 여론 · 활동 따위의) 중심; 가장 중요한 위치〔지위〕: the ~ of technological development 기술 개발의 최선단(最先端). ***in*** [***at***] ***the ~ of ...*** (전투 등)의 최전방에서; …의 선두가〔중심이〕 되어: His company is *in the ~ of* the chemical industry. 그의 회사는 화학 산업의 선두를 달리고 있다.

fore·gáther *vi*. =FORGATHER.

fore·go¹ [fɔːrgóu] (**-went; -gone**) *vt*., *vi*. 앞에 가다, 선행하다, 앞서다(go before).

◇**fore·go**² *vt*. =FORGO.

*__fore·go·ing__ [fɔːrgóuiŋ] *a*. **1** [A] (보통 the ~) 앞의(preceding), 먼저의, 전술한, 전기(前記)의: from the ~ examples 전술한 여러 보기로 보아. **2** (the ~)〖명사적〗 **전술한**, 전기의《★ 내용에 따라 단수 또는 복수취급》.

◇**fore·góne** FOREGO¹·²의 과거분사. **—***a*. [A] 이전의, 기왕의; 이미 아는; 기정의, 과거의.

foregóne conclúsion **1** 처음부터 뻔한 결론. **2** 필연적 결론〔결과〕; 확실한 일: Defeat is a ~. 질 것은 뻔하다.

fóre·gròund *n*. (the ~) **1** (그림의) 전경(前景). ↔ *background*. **2** 최전면, 가장 잘 드러나는 위치. **3** 〖컴퓨터〗 전경, 전면, 포그라운드《다중 프로그래밍 · 프로세서 등과 같이 동시에 몇 개의 프로그램이 실행될 때 높은 우선도의 프로그램이 실행되는 상태〔환경〕》.

fóre·hànd *n*. [C] **1** 말의 앞몸뚱이. **2** 〖테니스〗 포핸드, 정타(正打), 전타(前打). ↔ *backhand*. **—***a*. **1** 전방의; 가장 앞부분의, 선두의. **2** 〖테니스〗 포핸드의: a ~ stroke. **—***ad*. 포핸드로.

fóre·hánded [-id] *a*. **1** 《美》 장래에 대비한, 알뜰한; 저축이 있는; (생활이) 편한, 유복한. **2** 〖테니스〗 포핸드의.

*__fore·head__ [fɔ́(ː)rid, fɑ́r-, fɔ́ːrhèd] *n*. [C] **1** 이마, 앞머리: rub one's ~ 이마를 문지르다. **2** (물건의) 앞부분, 앞쪽.

⁑**for·eign** [fɔ́(ː)rin, fɑ́r-] *a*. **1** **외국의**; 외국산의; 외국풍〔외래〕의. ↔ *domestic*, *home*, *interior*. ¶a ~ accent 외국 말투/a ~ country 외국/~ goods 외래품/~ investment 해외 투자/~ mail 외국 우편/a ~ language 외국어. **2** 재외의; 대외적; 외국 상대의: a ~ deposit 재외 예금/~ trade 외국 무역/~ negotiations 외교 교섭/a ~ settlement 외국인 거류지. **3** [P] **관계없는**; 서로 맞지 않는(inappropriate); 성질이 다른《*to* …와》: ~ *to* the question 문제와 관계가 없는/Flattery is ~ *to* his nature. 아첨은 그의 본성에 맞지 않는다. **4** [A] 외래의, 이질(異質)의: ~ matter [a ~ substance] in the eye 눈에 들어간 이물(異物). **5** 낯선, 눈에 익지 않은; 기묘한.

fóreign affáirs 외교 문제, 외무, 국제 관계.

fóreign áid (패전국 · 발전 도상국 등에의) 대외 원조.

fóreign·bórn *a*. 외국 태생의.

fóreign correspóndent (신문 · 잡지의) 해외〔외국〕 특파원, 외국 통신원.

⁑**for·eign·er** [fɔ́(ː)rinər, fɑ́r-] *n*. [C] **외국인** (alien), 외인.

fóreign exchánge 외국환《생략: FX》.

fóreign légion 외인 부대《특히 프랑스의》.

Fóreign Mínister (영미 이외의) 외무 장관, 외상(the Minister for [of] Foreign Affairs).

Fóreign Òffice (the ~) 〖집합적; 단 · 복수취급〗《英》 외무부《생략: F.O.》.

fóreign pólicy 외교 정책〔방침〕.

fore·judge, for·judge [fɔːrdʒʌ́dʒ] *vt*. 지레짐작하다, 예단(豫斷)하다.

fore·know [fɔːrnóu] (**-knew** [-njúː]; **-known** [-nóun]) *vt*. 미리 알다, 예지하다.

fore·knowledge [ˊ⌐-, ⌐ˊ-] *n*. [U] 예지, 선견(지명), 통찰.

fóre·làdy *n*. [C] 《美》 여자 감독〔십장〕.

fore·land [fɔ́ːrlənd] *n*. [C] 곶, 갑(headland). ↔ *hinterland*.

fóre·lèg *n*. [C] (짐승 · 곤충 · 의자의) 앞다리.

fóre·lòck *n*. [C] 앞머리. ***take*** [***seize***] ***time*** [***an occasion, an opportunity***] ***by the ~*** 기회를 놓치지 않다, 기회를 타다〔이용하다〕. ***touch*** [***pull, tug at***] ***one's ~*** 《英우스개》 (필요 이상으로) 정중히 인사하다, 굽실굽실하다.

fore·man [fɔ́ːrmən] (*pl*. **-men** [-mən]) *n*. [C] **1** (노동자의) 십장(什長), 직장(職長), 감독: a shop ~ 공장장. 2 〖법률〗 배심장(陪審長).

fore·mast [fɔ́ːrmæ̀st, -mɑ̀ːst] *n.* Ⓒ 〖선박〗 앞돛대.

fóremast·man [-mən-] (*pl.* **-men** [-mən]) *n.* Ⓒ 〖항해〗 앞돛대 선원; 평선원, 수병.

*__fore·most__ [fɔ́ːrmòust] *a.* Ⓐ (the ~) **1 맨 먼저의**, 최초의. **2 수위(首位)의**, 일류의, 주요한: the world's ~ authority on the subject 그 문제에 관해서 세계 일류의 권위. **—*ad.* 맨 먼저**, 선두에. ***first and ~*** 맨 먼저, 맨 첫번째로. ***head ~*** 곤두박이로.

fóre·nàme *n.* Ⓒ (성(姓)에 대하여) 이름(first name). ★ 격식차린 말씨.

fóre·námed *a.* Ⓐ 앞에 말한, 전술한.

◇**fore·noon** [fɔ́ːrnùːn] *n.* Ⓒ 《문어》 오전《오전 8–9시에서 정오까지》: in the ~ 오전 중에.

fo·ren·sic [fərénsik] *a.* Ⓐ 법정의〔에 쓰이는〕, 법정에 관한.

forénsic médicine 법의학(法醫學).

fòre·ordáin [fɔ̀ːr-] *vt.* 〖종종 수동태로〗 …의 운명을 미리 정하다《***to*** …으로; ***to*** do; ***that***》: He *was ~ed to* failure. 그는 실패할 운명이었다/He *was ~ed to* fail. 그는 실패할 운명이었다/God has *~ed that* he (should) die young. 그는 요절하도록 신은 미리 정해 놓고 있었다.

fóre·pàrt *n.* Ⓒ (최)전부(前部); 첫부분.

fóre·pàw *n.* Ⓒ (개·고양이 따위의) 앞발.

fóre·plày *n.* Ⓤ (성교의) 전희(前戱).

fore·run [fɔːrrʌ́n] (***-ran; -run; -run·ning***) *vt.* …의 선구자가 되다; …을 앞지르다, …에 앞서다(outrun); …을 예시〔예보〕하다(foreshadow).

◇**fore·run·ner** [fɔ́ːrrʌ̀nər, -ˊ-] *n.* Ⓒ 전구(前驅) (herald), 선구자, 선인(predecessor); 선조; 전조, 예고: Swallows are the *~s of* spring. 제비는 봄의 예고자이다/Anglo-Saxon is the ~ *of* modern English. 앵글로색슨어(語)는 현대 영어의 전신이다/Black clouds are *~s* of a storm. 검은 구름은 폭풍의 전조이다.

fóre·sàil [fɔ́ːrsèil; 〖항해〗 -sl] *n.* Ⓒ 앞돛.

*__fore·see__ [fɔːrsíː] (***-saw; -seen***) *vt.* **예견하다**, 앞일을 내다보다, 미리 알다《***that***/***wh.***》: ~ trouble 곤란을 예견하다/I ~ *that* there will be problems. 문제가 생길지도 모른다고 생각된다/~ *what* will happen 무슨 일이 일어날 것을 미리 알다.

fore·sée·a·ble *a.* **1** 예지〔예측〕할 수 있는. **2** (장래가) 그다지 멀지 않은: in the ~ future 가까운 장래에(는).

fore·shádow *vt.* …의 전조가 되다; …을 슬쩍 비추다, 예시하다.

fóre·shòre *n.* (the ~) (만조선과 간조선 중간의) 물가, 바닷가(beach); (물가와 경작지 사이의) 둔치.

fore·shórten *vt.* 〖회화〗 원근을 넣어〔원근법으로〕 그리다; 〖일반적〗 단축〔축소〕하다.

fore·show [fɔːrʃóu] (***-showed; -shown*** [-ʃóun]) *vt.* 조짐을 보이다, 전조를 나타내다; 예고하다, 예시하다(foreshadow).

*__fore·sight__ [fɔ́ːrsàit] *n.* **1** Ⓤ **선견, 예지**, 예측; 선견지명(prescience). **2** Ⓤ 심려(深慮), 조심. ↔ *hindsight*. **3** Ⓒ 총포의 가늠쇠. ㊞ **-sìght·ed** [-id] *a.* 선견지명이 있는; 조심성 있는. **-sìght·ed·ly** *ad.* **-sìght·ed·ness** *n.*

fóre·skìn *n.* Ⓒ 〖해부〗 (음경의) 포피(包皮)(prepuce).

‡**for·est** [fɔ́(ː)rist, fɑ́r-] *n.* **1** Ⓒ (집합적으로는 Ⓤ) (광대한 지역의) **숲, 산림, 삼림**《★ 좁은 지역의 숲은 wood(s)》: a natural ~ 자연림/cut down a ~ 산림을 벌채하다/fifty acres of ~ 50 에이커의 산림/The mountain is covered with ~. 그 산은 삼림으로 덮여 있다. SYN. ⇨ WOOD. **2** (a ~) 숲처럼 늘어선 것: a ~ *of* chimneys 〔TV antennas〕 임립(林立)한 굴뚝〔TV 안테나〕. **3** Ⓒ 〖英역사〗 (왕실 등의) 사냥터, 금렵지. ***cannot see the ~ for the trees*** (=not see the WOOD(s) for the trees) 《美》 나무를 보고 숲을 보지 못하다《작은 일에 사로잡혀 큰 일을 그르치다》. **—*a.*** Ⓐ 삼림의, 삼림 지방의: a ~ fire 산불/a ~ tree 삼림수(樹).

—*vt.* …에 식림하다; 조림하다.

◇**fore·stall** [fɔːrstɔ́ːl] *vt.* **1** …을 앞지르다, 앞질러 방해하다, …의 기선을 제압하다(anticipate). **2** (이익을 위해) 매점하다(buy up).

for·es·ta·tion [fɔ̀(ː)ristéiʃən, fɑ̀r-] *n.* Ⓤ 조림, 식림, 영림(營林).

◇**fór·est·er** *n.* Ⓒ **1** 산림에 사는 사람; 삼림 관리인, 임정관; 사냥터지기. **2** 숲에 사는 동물.

fórest·lànd *n.* Ⓒ 삼림대(森林帶).

fórest ránger 《美》 산림 경비원.

for·est·ry [fɔ́(ː)ristri, fɑ́r-] *n.* Ⓤ 임학, 임업; 산림 관리; 삼림지.

foreswear, foresworn ⇨ FORSWEAR.

fore·taste [fɔːrtéist] *vt.* (고락(苦樂) 따위)를 미리 맛보다〔경험하다〕. **—** [ˊˋ] *n.* (a ~) (장차의 고락을) 미리 맛봄; 예기(anticipation); 전조, 조짐: Her caustic remark gave him a ~ *of* her anger. 그녀의 신랄한 말을 듣고 그는 그녀가 화가 나 있음을 알았다/The briny air gave a ~ *of* the nearby sea. 갯바람으로 바다가 가까움을 알았다.

*__fore·tell__ [fɔːrtél] (*p., pp.* ***-told*** [-tóuld]) *vt.* **1** 《~+목/+*that* 절/+*wh.* 절》 **예언하다**(prophesy); 예고하다: ~ a person's future 아무의 장래를 예언하다/He *foretold that* an accident would happen. 사고가 일어날 것이라고 예언했다/Nobody can ~ *what* will happen tomorrow. 내일 무슨 일이 일어날지 아무도 모른다. **2** …을 예시하다, …의 전조(前兆)가 되다.

fore·thought [fɔ́ːrθɔ̀ːt] *n.* Ⓤ 사전의 고려, (장래에 대한) 심려; 원려(遠慮); 선견, 예상.

fore·to·ken [fɔ́ːrtòukən] *n.* Ⓒ 전조, 조짐(omen). **—** [-ˊ-] *vt.* …의 전조가 되다, …을 예시(豫示)하다.

‡**for·ev·er** [fərévər] *ad.* **1 영구히**《★ 영국에서는 for ever로 갈라 씀》: I'm yours ~. 나는 언제까지나 당신의 것입니다《언제나 당신을 사랑합니다》/He has gone away ~. 그는 떠나가서 다시는 돌아오지 않는다. **2** 끊임없이, 언제나《★ 보통 동사의 진행형을 수반함》: He's ~ complain*ing*. 그는 언제나〔늘〕 푸념만 늘어놓는다. ***~ and a day*** = ***~ and ever*** 영구히.

for·ev·er·more [fərèvərmɔ́ːr] *ad.* 영구히, 언제까지나. ★ forever의 힘줌말.

fore·warn [fɔːrwɔ́ːrn] *vt.* …에게 미리 주의〔경고〕하다; 미리 알리다; 예고하다《***of*** …을/***to*** do/***that***》: ~ a person *of* a danger 아무에게 위험을 알리다/He *~ed* me not *to* go there. 그는 나에게 거기에 가지 말라고 주의했다/They *~ed* us *that* there were pickpockets on the train. 그들은 열차 안에 소매치기가 있다고 알려 주었다/I was *~ed* against climbing the mountain. 나는 그 산에 오르지 말라는 경고를

받았다 / *Forewarned* is forearmed. 《격언》 유비무환(有備無患).

fóre·wòman (*pl.* **-wòmen**) *n.* Ⓒ 여직장(女職長), 여공장(長); 여배심장. ★ foreman 의 여성형.

fóre·wòrd *n.* Ⓒ 머리말, 서문《특히 저자 아닌 남이 쓴 것》. cf. preface, afterword.

†**for·feit** [fɔ́ːrfit] *vt.* (죄 · 과실 등에 의하여 지위 · 재산 · 권리)를 **상실하다**; 몰수되다: ~ one's property 재산을 몰수당하다 / He *~ed* payment by a breach of the contract. 그는 계약 위반으로 지불받을 권리를 상실했다.
—*n.* **1** Ⓒ **벌금**, 과료(fine); 벌로서 잃는 것, 대상(代償)《***of, for*** …의》: His health was the ~ *of* heavy drinking. 과음한 응보로 그는 건강을 해쳤다 / His life was the ~ *for* his carelessness. 그는 부주의로 인하여 목숨을 잃었다. **2** Ⓤ (권리 · 명예 따위의) **상실**, 박탈: the ~ *of* one's civil rights 시민권의 박탈. **3 a** Ⓒ (벌금놀이에) 거는 것, 벌금. **b** (*pl.*) 〖단수취급〗 벌금놀이.
—*a.* Ⓟ 잃은, 몰수된, 몰수당한《***to*** …에》: His lands were ~ (*to* the state). 그의 토지는 (국가에) 몰수당했다.

for·fei·ture [fɔ́ːrfətʃər] *n.* **1** Ⓤ (죄 · 과실 등에 의한 지위 · 재산 · 권리 따위의) 상실, 몰수; (계약 등의) 실효. **2** Ⓒ 몰수물; 벌금, 과료.

for·fend [fɔːrfénd] *vt.* 방지하다(prevent), 예방하다; 《美》 방호〔방위〕하다(protect).

for·gath·er [fɔːrgǽðər] *vi.* 모이다; (우연히) 만나다.

for·gave [fərgéiv] FORGIVE 의 과거.

◇**forge**[1] [fɔːrdʒ] *n.* Ⓒ **1** (제련소의) 용광로. **2** 제철소; 대장간(smithy), 철공장. **—***vt.* **1** (쇠)를 불리다; 단조(鍛造)하다. **2** (말 · 거짓말 따위)를 꾸며내다. **3** (문서 · 지폐 따위)를 위조하다(counterfeit). **4** (계획 등)을 안출하다, 세우다.
—*vi.* 날조〔위조, 모조〕하다.

forge[2] *vi.* 서서히 나아가다; (배 · 주자 따위가) 갑자기 스피드를 내어 앞지르다(*ahead*).

forg·er [fɔ́ːrdʒər] *n.* Ⓒ **1** 위조자〔범〕, 날조자: a passport ~ 여권 위조자. **2** 제련소 직공, 단조공(鍛造工).

forg·ery [fɔ́ːrdʒəri] *n.* **1** Ⓤ (문서 · 화폐 따위의) 위조; 위조죄. **2** Ⓒ 위조품〔문서〕; 위폐.

⁑**for·get** [fərgét] (**-got** [-gát/-gɔ́t]; **-got·ten** [-gátn/-gɔ́tn], **-got; -get·ting**) *vt.* **1** 《~+목/+*wh. to* do/+*that* 절/+*wh.* 절》 **잊다**, 망각하다, 생각이 안 나다: I shall never ~ your kindness. 친절은 결코 잊지 않을 겁니다 / I've *forgotten how to* do it. 어떻게 하는지 잊어버렸다 / Did you ~ *that* I was coming? 내가 온다는 걸 잊었습니까 / I ~ *whether* she said August or September. 그녀가 8월이라고 했는지 9월이라고 했는지 기억이 안 난다. ★ I *forget*는 종종 '잊어버리고 말았다' (I have *forgotten*; I am unable to recall)를 뜻한다.
2 《+*to* do/+*-ing*》 (…하는 것)을 잊다, 깜박 잊다: Don't ~ *to* attend the meeting. 꼭 모임에 참석해 주시오《미래의 일》 / I will never ~ see*ing* her at the party. 파티에서 그녀를 만난 것을 잊지 못할 것이다《과거의 일》.

> **NOTE** (1) ~ *to* do는 '잊어버리고 …하지 않다'의 뜻으로 forget보다 시간적으로 미래의 행위를 표현하는 데 쓰이며 ~ do*ing*으로 바꿔쓸 수 없음: Don't ~ *to* sign your name. 잊지 말고 서명하시오.
> (2) ~ do*ing*은 '…한 것을 잊어버리다'의 뜻으로 forget보다 시간적으로 과거의 경험을 표현하는 데 쓰이며 ~ *to* do로 바꿔쓸 수 없고, 보통 부정미래형에 쓰임: I shall never ~ hear*ing* the President's address. 대통령의 연설을 들은 일을 결코 잊지 못할 것이다.

3 (소지품 따위)를 놓아두고 잊다, 잊고 오다〔가다〕: I'm *forgetting* my umbrella. 우산을 잊어버릴 뻔했다《우산을 손에 들기 전에 하는 말》/ I almost *forgot* my umbrella. 하마터면 우산을 잃어버릴 뻔했다《우산을 손에 들고서 하는 말》/ He *forgot* his ticket and went back for it. 그는 표를 두고 와서 가지러 갔다《★ 잃어버린 장소를 나타낼 경우에는 보통 leave를 씀》.
4 〖~ oneself〗 (무언가에) 마음을 빼앗기다; (제정신을 잃고) 발끈하다; 분수를 잊다; (멍청하게) 깜박 잊다: I *forgot myself* so far as to tell it to him. 깜박 잊고 그 말을 그에게 해버렸다 / She *forgot herself* and slapped him in the face. 그녀는 발끈하여 그의 얼굴을 철썩 때렸다.
5 게을리 하다, 소홀히 하다, 무시하다: ~ one's responsibility 책임을 잊다 / Don't ~ your duty. 의무를 소홀히 하지 마라.
—*vi.* 《~/+전+명》 잊다《***about*** …을》: I *forgot about* the holiday tomorrow. 내일이 휴일이라는 것을 잊고 있었다.
~ and forgive =***forgive and ~*** (과거의 원한 따위를) 죄다 흘려버리다. ***not ~ting*** …을 포함하여, …도 잊지 않고: You must invite Sam and Tom, *not ~ting* Mike. 샘, 톰, 그리고 마이크도 잊지 말고 초대해야 한다.

> **DIAL** ***Don't forget to*** do. 잊지 말고 …해 주십시오《★ 대답은 No, I won't. 「반드시 하겠습니다」, 또는 간단히 No.라고 함》: *Don't forget to* come to your welcome party. —No. I won't. 당신의 환영회에 나오시는걸 잊지 마십시오—예, 절대 잊어버리지 않겠습니다.
> ***Forget*** (***about***) ***it.*** 《美》 마음에 두지 마라; 아무 것도 아냐, 잊어버려, 별거 아니다《상대방의 감사 · 사과의 말에 대한 의례적 대답》.

*__for·get·ful__ [fərgétfəl] *a.* **1 잘 잊는**; 잊어버리는《***of*** …을》: a ~ person 잘 잊는 사람 / He's often ~ *of* his students names. 그는 곧잘 학생들의 이름을 잊는다. **2** Ⓟ 등한히 하는, 게으름 피우는《***of*** …을》: be ~ *of* one's responsibilities 직무를 태만히 하다.

for·gét·ful·ly *ad.* 잘 잊어서; 부주의하게.

for·gét·ful·ness *n.* Ⓤ 건망증; 부주의, 태만.

forgét-me-nòt *n.* Ⓒ 〖식물〗 물망초.

for·gét·ta·ble *a.* 잊기 쉬운; 잊어도 좋은.

forg·ing [fɔ́ːrdʒiŋ] *n.* **1** Ⓤ 단조(鍛造); 위조(forgery), 날조. **2** Ⓒ 단조물; 위조물.

for·gív·a·ble *a.* 용서할 수 있는, 용서해도 좋은: a ~ offense 너그러이 봐줘도 좋은 위반.

for·gív·a·bly *ad.* 너그럽게 봐주어.

⁑**for·give** [fərgív] (**-gave** [-géiv]; **-giv·en** [-gívən]) *vt.* **1** 《~+목/+목+전+명/+목+목》 **용서하다**, 너그럽게 봐주다《***for*** …을》: Am I *forgiven?* 저를 용서해 주셨습니까 / *Forgive* me *for* being late. 늦어서 죄송합니다 / ~ a person *for* being rude 〔his rudeness〕 아무의 무례함을 용서하다 / *Forgive* us our trespasses. 우리의 죄를 용서하소서. SYN. ⇨EXCUSE. **2** 《+목+목》

(빚 따위)를 탕감하다: Will you ~ me the debt? 빚을 탕감해 주시겠습니까.
—*vi*. 용서하다: Let's ~ and forget. 깨끗이 물에 흘려버립시다《지나간 일 따위》/He's quick to ~. 그는 남을 바로 용서한다.

> **DIAL.** ***Forgive me, but ....*** 이런 말하기는 뭐하지만…, 실례지만….

for·giv·en [fərgívən] FORGIVE의 과거분사.
for·gíve·ness *n*. Ⓤ (죄 등의) 용서; 관대함; (빚의) 탕감.
for·gív·ing *a*. 관대한, 책망하지 않는; 인정 많은: a ~ nature 너그러운 성미. ㊞ **~·ly** *ad*.
◇**for·gó** (***-went*** [-wént]; ***-gone*** [-gɔ́ːn, -gán/-gɔ́n]) *vt*. …없이 때우다(do without); …을 보류하다, 그만두다(give up); 버리다: ~ a pay raise 임금 인상을 보류하다.
for·got [fərgát/-gɔ́t] FORGET의 과거·과거분사.
for·got·ten [fərgátn/-gɔ́tn] FORGET의 과거분사.
†**fork** [fɔːrk] *n*. Ⓒ **1** (식탁용) **포크**, 삼지창: a knife and ~ (한 벌의) 나이프와 포크. **2** 갈퀴, 쇠스랑. **3** 가랑이진 모양의 것; (나무·가지 따위의) 갈래; (강·길 따위의) 분기(점); 《비유적》 갈림길: take the left ~ at a crossroads 네거리에서 왼쪽 길로 가다/come to a ~ in a road 도로의 분기점에 접어들다. **4** 〖음악〗 소리굽쇠(tuning ~). **5** 차상 전광(叉狀電光).
—*a*. Ⓐ 《英》 **서서 먹는, 입식**(立食)의, 나이프를 사용치 않는: a ~ supper 〔lunch〕.
—*vt*. 《~+목/+목+부/+목+전+명》 (쇠스랑·갈퀴 따위로) 긁어〔떠서〕 올리다〔던지다, 나르다, 일으키다〕: ~ *up* hay/~ hay *into* a wagon 건초를 쇠스랑으로 떠서 짐마차에 던져 넣다.
—*vi*. 분기하다, 갈라지다; (갈림길에서 어떤 방향으로) 가다: ~ (to the) left 〔right〕.
~ ***out*** 〔***over, up***〕 《구어》 《*vt*.+부》 ① (마지못해) 내주다, 지급하다《***for, on*** …에》: He *~ed out* a pile to buy the house. 그는 그 집을 사기 위해 큰 돈을 마지못해 치렀다. —《*vi*.+부》 ② (마지못해) 돈을 내다, 지급하다《***for, on*** …에》.
fórk·bàll *n*. Ⓒ 〖야구〗 포크볼.
forked [fɔːrkt, -id] *a*. **1** 갈래진, 갈래진 모양의: ~ lightning 차상 전광(叉狀電光). **2** 〖보통 합성어〗 …갈래의: three-~ 세 갈래의.
fórked tòngue 일구이언(一口二言), 속임수: speak with a ~ 일구이언하다.
fork·ful [fɔ́ːrkfùl] (*pl*. ***~s, fórks·fùl***) *n*. Ⓒ 포크〔쇠스랑〕 가득, 한 포크〔쇠스랑〕분.
fórk·lìft *n*. Ⓒ 포크리프트《짐을 들어올리는 장치》; 지게차(= ∠ **trùck**).
◇**for·lorn** [fərlɔ́ːrn] *a*. **1** 버려진, 버림받은; (모습이) 초라한. **2** 고독한, 쓸쓸한(desolate), 의지가지 없는: a ~ child 의지가지 없는 아이. ㊞ **~·ly** *ad*. **~·ness** *n*.
forlórn hópe 성공할 가망이 없는 행동〔기도〕; 결사적 행동: the ~ of seeing her dead child again 죽은 아이라도 다시 한 번 보고 싶다는 허망한 소원.
‡**form** [fɔːrm] *n*. **1** Ⓤ (구체적으로는 Ⓒ) **모양**, 형상, 외형, 윤곽; 자태, 외관: a devil in human ~ 인간 모양을 한 악마/a woman of delicate ~ 날씬한 몸매의 여인/in the ~ of …의 모양〔모습〕을 따서/take ~ and shape 모양을 이루다; 구체화하다/take the ~ of …의 모양을 취하다; …로서 나타나다. SYN. ⇨ PATTERN.
2 Ⓤ (내용에 대하여) 형식, 외형(↔ *content*); 표현 형식: in book ~ 책 모양으로〔으로서〕, 단행본으로/in due 〔proper〕 ~ 정식으로, 형식대로/a piece of music in sonata ~ 소나타 형식의 음악 작품.
3 Ⓒ (구성) 방식, 형태, 종류; 형(型): a ~ *of* government 정치의 한 형태/Heat is a ~ *of* energy. 열은 에너지의 일종이다.
4 Ⓒ 사람의 모습, 물체의 모양: I saw a ~ in the dark. 어둠 속에서 사람의 모습을 보았다.
5 Ⓤ (경주마·운동선수 등의) 심신의 상태, 몸의 컨디션; 〖일반적〗 원기: on 〔off〕 ~ =in 〔out of〕 ~ 상태가 좋은〔나쁜〕/in good 〔great, top〕 ~ 매우 원기 충만하여.
6 Ⓤ (구체적으로는 Ⓒ) 예의; 관례; 예절: be out of ~ 예의에 벗어나다/It's good 〔bad〕 ~ to do .... …하는 것은 예의다〔예의가 아니다〕.
7 Ⓒ 양식, 서식 (견본); (기입) 용지: an application ~ 신청 용지/a telegraph ~ 전보 용지/fill in 〔out〕 the ~ 서식에 기입하다(《美》 fill out the blank)/after the ~ of …의 서식대로.
8 Ⓒ 《英》 (등널 없는) 긴의자.
9 Ⓒ 《英》 (public school 등의) 학년《first ~에서 sixth ~까지》: the sixth ~ 6학년.
10 Ⓤ (구체적으로는 Ⓒ) 〖문법〗 형태, 형식, 어형.
11 Ⓤ 〖철학·논리〗 형식(形式), 형상(形相). ↔ *matter*.
as a matter of ~ 형식상, 의례상. ***for ~'s sake*** 형식상. ~ ***of address*** (구두나 서면상의) 호칭, 경칭, 직함. ***true to ~*** (특히, 나쁜 행동에 대하여) 언제나처럼, 여전히: run *true to* ~ (행실이) 늘 그 식이다.
—*vt*. **1** 《~+목/+목+전+명》 (물건의 형태)를 만들다, **형성하다**(shape)《***into*** …으로; ***from, out of*** …에서》: The island was *~ed* by a volcanic eruption. 그 섬은 화산 폭발에 의해 생겨났다/The girl *~ed* the clay *into* a doll. =The girl *~ed* a doll *from* 〔*out of*〕 clay. 그 소녀는 점토로 인형을 만들었다. SYN. ⇨ MAKE. **2** 구성하다, 조직하다: ~ a cabinet 조각하다. **3** (품성·능력 등)을 만들어〔가르쳐〕 내다, 훈련〔단련〕하다: a mind *~ed* by a military education 군사 교육으로 단련된 정신. **4** (관계·동맹 등)을 맺다; (습관 따위)에 익숙해지다, 젖다: ~ a good habit 좋은 습관을 들이다. **5** (의견·사상 따위)를 형성하다, 품다(conceive). **6** 〖문법〗 (말·문장)을 만들다 (construct). **7** (말·음성 등)을 똑똑히 발음하다. **8** 《~+목/+목+부/+목+전+명》 〖군사〗 (대형)을 만들다, 정렬시키다《***into*** …으로》: ~ a column 종대를 만들다/~ the soldiers *into* a line 병사를 횡대로 정렬시키다.
—*vi*. **1** (물체가) 모양을 이루다, 형성되다: Ice is *~ing* on the window. 창에 점점 성에가 끼어 간다. **2** (신념·희망 따위가) 생겨나다(arise); (눈에) 눈물이 어리다: An idea *~ed* in his mind. 어떤 생각이 그의 마음에 떠올랐다/Tears *~ed* in her eyes. 그녀의 눈에 눈물이 어렸다. **3** 《+부/+전+명》 〖군사〗 정렬하다, 대형을 짓다(*up*)《***into, in*** …으로》: ~ (*up*) *into* a column 종대가 되다.
◇ formation *n*.
~ ***part of*** …의 일부를 이루다; …의 요소(要素)가 되다.
-form [fɔ̀ːrm] *suf*. '…형의, …모양의, …상(狀)의' 라는 뜻: cruci*form*, multi*form*.
‡**for·mal** [fɔ́ːrməl] *a*. **1** 모양의, 형식의, 외형의:

~ resemblance 외형의 유사. **2 정식의**, 공식의, 형식에 맞는(↔ *informal*): a ~ contract 정식 계약/in ~ dress 정식 복장으로. **3** 정연한, 질서 정연한. **4** 의례상의, 예식의: a ~ call 〔visit〕 의례적 방문. **5 형식적인, 표면적인**, 외견상의, 겉치레뿐인: ~ obedience 표면적인 복종. **6** (태도 · 문체 따위가) **형식에 치우친**, 딱딱한, 격식을 차린 (↔ *informal*): ~ expression 딱딱한〔격식을 차린〕 표현. **7** 〖논리〗 형식(상)의. ↔ *material*.¶ ~ logic 형식 논리학. **8** (정원 · 도형 등) 좌우 대칭의, 기하학적인: a ~ garden.

form·al·de·hyde [fɔːrmǽldəhàid] *n.* Ⓤ 〖화학〗 포름알데히드《방부 · 소독제》.

for·ma·lin [fɔ́ːrməlin] *n.* Ⓤ 〖화학〗 포르말린《포름알데히드 수용액; 살균 · 방부제》.

fór·mal·ìsm *n.* Ⓤ **1** (종교 · 예술상의) 형식주의, 형식론(論)(↔ *idealism*). **2** 극단적 형식주의, 허례.

fór·mal·ist *n.* Ⓒ 형식주의〔론〕자; 딱딱한 사람. **—***a.* 형식주의(자)의.

for·mal·is·tic [fɔ̀ːrməlístik] *a.* 형식주의의, 형식 존중의; 딱딱한.

***for·mal·i·ty** [fɔːrmǽləti] *n.* **1** Ⓤ **형식에 구애됨**; 딱딱함(stiffness); 격식을 차림; 예식; 정식, 상례(conventionality): without ~ 형식〔격식〕을 차리지 않고. **2** (*pl.*) **정식 절차**: legal *formalities* 법률상의 정식 절차/go through due *formalities* 정규의 절차를 거치다. **3** Ⓒ (내용이 없는) 형식적인 행위〔일〕: It's a mere ~. 그것은 형식적인 일일 뿐이다.

fòr·mal·i·zá·tion *n.* Ⓤ 형식화; 의례화.

for·mal·ize [fɔ́ːrməlàiz] *vt.* 정식의 것으로 하다; 형식화(化)하다.

◇**fór·mal·ly** *ad.* 정식으로, 공식으로; 형식적으로; 격식을 차려(ceremoniously); 딱딱하게.

for·mat [fɔ́ːrmæt] *n.* 《F.》 Ⓒ **1** (서적 따위의) 체제, 형(型), 판형《folio, foolscap 등》: reissue a book in a new ~ 책을 새 체제로 재발행하다. **2** (라디오 · 텔레비전 프로 따위의) 전체 구성, 방식. **3** 〖컴퓨터〗 틀잡기, 포맷, 형식, 서식. **—***vt.* (*-tt-*) 〖컴퓨터〗 포맷에 넣다.

◇**for·ma·tion** [fɔːrméiʃən] *n.* **1** Ⓤ 형성; 성립; 구성, 편성: the ~ of a cabinet 조각(組閣)/the ~ of character 인격 형성. **2 a** Ⓤ 형태, 구조(structure). **b** Ⓒ 형성물, 구성물. **3** Ⓤ (구체적으로는 Ⓒ) **a** 〖군사〗 대형(隊形), 편대: a fighting 〔battle〕 ~ 전투 대형/~ flying 〔flight〕 편대 비행. **b** 〖미식축구〗 포메이션, 배열. **4** Ⓒ 〖지질〗 (지층의) 계통, 층(層).

form·a·tive [fɔ́ːrmətiv] *a.* Ⓐ 모양을〔형태를〕 이루는, 형성〔구성〕하는: the ~ arts 조형 미술/one's ~ years 〔period〕 인격 형성기. **—***n.* Ⓒ 〖문법〗 (어휘의) 구성 요소《접두사 · 접미사 따위》. ㊞ **~·ly** *ad.* **~·ness** *n.*

⁑**for·mer**[1] [fɔ́ːrmər] *a.* Ⓐ **1** (시간적으로) **전의**, 앞의(earlier): in ~ times 〔days〕 옛날엔. **2** 이전의(previous), 기왕의: a ~ minister 전직 장관. **3** (the ~) 〘종종 대명사적〙 (양자 중) **전자**(↔ *the latter*)《★ 단수 명사를 받으면 단수 취급, 복수 명사를 받으면 복수 취급》: in the ~ case 전자의 경우는/I prefer the ~ picture to the latter. 후자의 그림보다 전자의 그림 쪽이 좋다/Canada and the United States are in North America; the ~ lies north of the latter. 캐나다와 미국은 북아메리카에 있지만, 전자는 후자의 북쪽에 있다.

form·er[2] *n.* Ⓒ **1** 형성〔구성〕자; 창립자. **2** 〖기계〗 형(型), 본, 모형, 성형구(成形具). **3** 〘보통 복합어〙《英》 …학년생(生): a sixth ~ 6학년생.

⁑**for·mer·ly** [fɔ́ːrmərli] *ad.* **이전에는**, 원래는, 옛날에는: He ~ worked for the government. 그는 이전에는 공무원이었다.

fórm fèed 〖컴퓨터〗 서식 이송《용지의 지정 부분을 인쇄 위치로 전송하는 것》.

fórm·fìtting *a.* (옷 따위가) 몸에 꼭 맞는 (close-fitting): a ~ blouse.

for·mic [fɔ́ːrmik] *a.* 개미의; 〖화학〗 포름산(酸)의.

For·mi·ca [fɔːrmáikə] *n.* Ⓤ 포마이커《내열(耐熱) · 내약 품성의 합성 수지 도료; 가구 등에 씀; 상표명》.

fórmic ácid 〖화학〗 포름산(酸).

***for·mi·da·ble** [fɔ́ːrmədəbl] *a.* **1** (의혹 · 불안을 일으킬 만큼) **무서운**; (상대 · 적이) 만만찮은, 얕잡을 수 없는: present a ~ appearance 무서운 모습을 드러내다/a ~ enemy 강적/a ~ danger 가공할 위험. **2** (일이) 매우 어려운, 감당할 수 없는; (장대함 · 위대함 · 힘 따위가) 경이적인, 매우 뛰어난: a ~ question 아주 어려운 문제/his ~ accomplishments in business 실업계에서의 경이적인 업적. **3** 굉장히 많은〔큰〕; 굉장한: a ~ helping of pudding 아주 푸짐한 푸딩/a ~ amount of literature 방대한 양의 문헌. ㊞ **-bly** *ad.* **~·ness** *n.*

fórm·less *a.* **1** 형체 없는; 모양이 확실〔일정〕치 않은, 무정형의. **2** 질서 없는, 소식석이 아닌, 혼돈의. ㊞ **~·ly** *ad.* 확실한 모양이 없이; 축 (처져서). **~·ness** *n.*

fórm lètter (인쇄 · 복사한) 동문(同文) 편지《날짜 · 수신인 만을 개별적으로 기입》.

For·mo·sa [fɔːrmóusə] *n.* 타이완(Taiwan)의 구칭.

***for·mu·la** [fɔ́ːrmjələ] (*pl.* **~s, -lae** [-lìː]) *n.* **1** Ⓒ 〖수학 · 화학〗 **공식**; 식: a binomial ~ 〖수학〗 이항식(二項式)/a molecular ~ 〖화학〗 분자식/a structural ~ 구조식. **2** Ⓒ (식사(式辭) · 편지 등의) 정해진 말씨〔문구〕, 관용 표현; 겉치레의 말, 공허한 말: a conversation ~ 대화의 관용 표현. **3** Ⓒ (일정한) **방식**; 정칙(定則); 습관적인 〔정해진〕 방식《*for* …을 위한》: There is no ~ *for* success in literature. 문학에서 성공하기 위한 정해진 방법은 없다. **4** Ⓒ 제조법; 처방(전); 조리법《*for* …의》: a ~ *for* making soap 비누 제조법. **5** Ⓤ 《美》 유아용 조유(調乳). **6** Ⓒ 포뮬러, 공식 규격《주로, 엔진 배기량에 따른 경주차(車)의 분류》.
—*a.* Ⓐ (경주차가) 포뮬러 규격에 따른.
㊞ **fòr·mu·lá·ic** [-léiik] *a.*

for·mu·la·ry [fɔ́ːrmjulèri] *n.* Ⓒ 공식집; (약품의) 처방집; 제문집(祭文集); 의식서(儀式書).
—*a.* 규정의(prescribed), 공식의; 처방의; 의식상의.

◇**for·mu·late** [fɔ́ːrmjəlèit] *vt.* **1** 형식〔공식〕으로 나타내다, 공식화하다. **2** 처방하다, 처방대로 조제하다. **3** (계획)을 세우다; (의견)을 정리하다.

fòr·mu·lá·tion *n.* **1** Ⓒ 간명한 기술. **2** Ⓤ 정식〔공식〕화(化); 계통적인 조직화.

for·mu·lize [fɔ́ːrmjəlàiz] *vt.* =FORMULATE.

for·ni·cate [fɔ́ːrnəkèit] *vi.* 〖법률〗 간통〔간음〕하다.

fòr·ni·cá·tion *n.* Ⓤ **1** 〖법률〗 간통. ⓒⓕ adultery. **2** 〖성서〗 간음; 우상 숭배.

for·rad·er, for·rard·er [fɔ́(ː)rədər, fɑ́r-] *ad.* 《英구어》 (보다) 앞(쪽)으로.

◇**for·sake** [fərséik] (**-sook** [-súk]; **-sak·en** [-séikən]) *vt.* **1** (벗 따위)를 버리고 돌보지 않다(desert), 내버리다: She *forsook* him for another. 그녀는 그를 버리고 다른 남자와 사이가 좋아졌다. **2** (습관·신앙 따위)를 버리다(give up), 떠나다, 포기하다: ~ one's ideal for moneymaking 이상을 버리고〔포기하고〕 돈벌이 쪽으로 치우치다. SYN. ⇨ABANDON.

for·sak·en [fərséikən] FORSAKE의 과거분사. —*a.* 버려진; 의지가지 없는, 고독한: a ~ farmhouse 사람이 살지 않게 된 농가/You look very ~ tonight. 오늘밤은 매우 외로운 것 같군.

for·sook [fərsúk] FORSAKE의 과거.

For·ster [fɔ́ːrstər] *n.* **Edward Morgan** ~ 포스터《영국의 소설가·비평가; 1879–1970》.

for·swear, fore- [fɔːrswέər, -swǽər] (**-swore** [-swɔ́ːr]; **-sworn** [-swɔ́ːrn]) *vt.* (나쁜 습관 등)을 맹세코 그만두다; 단연코 부인하다. ~ one**self** 맹세를 저버리다; 거짓 맹세〔위증〕하다.

for·syth·ia [fərsíθiə, fɔːr-, -sáiθiə] *n.* U 개나리속(屬)의 식물.

fort** [fɔːrt] *n.* C **1 성채**, 보루, 요새. **2** 《美》 (북아메리카 변경의) 교역 시장《옛날 성채가 있었던 데서》. **3** 〖美육군〗 상설 주둔지. ***hold the ~ (공격·비판에 대해) 자기 입장을 고수하다, 양보치 않다; 세력을 유지하다; (남 대신) 직무를 수행하다; 긴급 사태에 대처하다.

forte[1] [fɔːrt] *n.* **1** (one's ~) 장점; 특기, 장기: Singing is not really my ~, but I'll try. 노래는 그다지 잘 하지는 못하지만 불러 보겠습니다. **2** C 〖펜싱〗 칼의 가장 강한 부분《자루에서 중간까지》. ↔ *foible*.

for·te[2] [fɔ́ːrti, -tei] 《It.》 〖음악〗 *a.* 포르테의, 강성의, 강음의(loud). ↔ *piano*. —*ad.* 강한 음성으로, 세게《생략: f.》. —*n.* C 강음(부).

forth** [fɔːrθ] *ad.* **1 앞으로**(forward); 전방으로: stretch ~ one's hand 손을 내밀다. **2 밖으로**, 외부로: go ~ 외출하다, 출발하다/send ~ shoots (새)싹을 내밀다. **3** 〖때를 나타내는 명사 뒤에 써서〗 (시간적으로) 이후(onward): from this 〔that〕 day ~ 오늘〔그날〕 이후에는, 앞으로는. ★ 동사와의 결합에 의한 관용구는 해당 동사를 참조. ***and so ~ …등등, …운운(and so on). ***back and*** ~ ⇨BACK.

◇**forth·com·ing** [fɔ̀ːrθkʌ́miŋ] *a.* **1** 곧 나오려고〔나타나려고〕 하는, 다가오는, 이번의: a list of ~ books 근간 서적 목록/the ~ holidays 이번 휴가. **2** 〖보통 부정문〗 곧 (필요한 때에) 얻을 수 있는, 소용에 닿는; (기꺼이) 도와주는; 외향적인, 사교적인: We needed money, but *none* was 〔were〕 ~. 돈이 필요했으나 조금도 손에 들어오지 않았다/*None* of them was 〔were〕 ~. 누구 하나 도우려 들지 않았다/She's *not* a very ~ person. 그녀는 그다지 사교적인 편은 아니다.

fórth·rìght *ad.* 똑바로; 곧바로; 곧, 즉시. —*a.* 똑바른; 털어놓는; 솔직한(outspoken). ㊞ ~**·ly** *ad.* ~**·ness** *n.*

fòrth·wíth *ad.* 곧, 즉시, 당장.

***for·ti·eth** [fɔ́ːrtiiθ] *a.* (보통 the ~) **제 40의**, 40번째의; 40분의 1의. —*n.* **1** U (보통 the ~) **제 40**《생략: 40th》. **2 a** C 40분의 1. **b** (the ~) **제 40번째 사람**〔것〕.

for·ti·fi·ca·tion [fɔ̀ːrtəfikéiʃən] *n.* **1** U 축성(술, 법, 학). **2** C (보통 *pl.*) 방어 공사, 요새. **3** U (포도주의) 알코올분 강화; (음식의) 영양가의 강화.

fórtified wíne 강화〔보강〕 포도주《브랜디 등을 타서 알코올분을 강화한》.

◇**for·ti·fy** [fɔ́ːrtəfài] *vt.* **1** 요새화〔방어 공사를〕 하다: ~ a city against the enemy 적의 공격에 대비하여 도시를 요새화하다. **2** (조직·구조)를 강화하다, (육체적·정신적으로) 튼튼히 하다. **3** (포도주 등)에 알코올을 넣어 독하게 하다. **4** (비타민 등으로 음식)의 영양가를 높이다(enrich). —*vi.* 요새를 쌓다, 축성하다. ㊞ **fór·ti·fi·a·ble** *a.*

for·tis·si·mo [fɔːrtísəmòu] *ad., a.* 《It.》 〖음악〗 매우〔아주〕 세게, 포르티시모로〔의〕《생략: *ff*》. —*n.* (*pl.* **-mi** [-mìː], ~**s**) C 포르티시모의 악구(樂句)〔음〕. ↔ *pianissimo*.

for·ti·tude [fɔ́ːrtətjùːd] *n.* U 용기, 불굴의 정신, 강한 참을성, 인내: with ~ 의연하게, 결연히.

***fort·night** [fɔ́ːrtnàit] *n.* C (보통 *sing.*) 《英》 **2주일간**《★ 《美》에서는 보통 two weeks를 씀》: a ~'s holiday, 2주간의 휴가/in a ~'s time, 2주일 후에/a ~ ago yesterday, 2주 전의 어제/Monday ~, 2주일 후〔전〕의 월요일/today 〔this day〕 ~ = a ~ (from) today 내내〔전전〕주의 오늘.

fórt·nìght·ly *a.* 《英》 2주일에 한 번의, 격주 발행의. —*n.* C 격주 간행물. —*ad.* 격주로, 2주일에 한 번.

FORTRAN, For·tran [fɔ́ːrtræn] *n.* U 〖컴퓨터〗 포트란《과학 기술 계산용의 프로그램 언어》. [◂*for*mula *tran*slation]

***for·tress** [fɔ́ːrtris] *n.* C **1 요새**(지); 성채. **2** 〖일반적〗 안전 견고한 곳.

for·tu·i·tous [fɔːrtjúːətəs] *a.* 우연의, 예기치 않은, 뜻밖의; 행운의. ◇fortuity *n.* ㊞ ~**·ly** *ad.* ~**·ness** *n.*

for·tu·i·ty [fɔːrtjúːəti] *n.* **1** U 우연; 우연성. **2** C 뜻밖의 (돌발) 사건. ◇fortuitous *a.*

‡**for·tu·nate** [fɔ́ːrtʃənit] *a.* **1 운이 좋은**, 행운의《***in*** …라는 점에서; ***for*** …에게는, …의 경우에는/***to*** do》: a ~ man 운좋은 남자/She's ~ *in* hav*ing* such a kind husband. 그녀는 그런 다정한 남편이 있어서 행운이다/That was ~ *for* you. 그것은 네게 운이 좋았다/It's ~ *for* the country that it has rich natural resources. 풍부한 천연자원을 갖고 있어서 그 나라는 행운이다《★ 이것은 The country is ~ *in* hav*ing* 〔~ (enough) *to* have〕 rich natural resources. 로 바꾸어 쓸 수 있음》. SYN. ⇨LUCKY. **2** 상서로운, 재수가 좋은. **3** (the ~) 〖명사적; 복수취급〗 행운의 사람들. ◇fortune *n.*, *v.*

‡**for·tu·nate·ly** [fɔ́ːrtʃənətli] *ad.* **다행히(도)**, **운좋게(도)**: *Fortunately* the weather was good. 다행히도 날씨는 좋았다.

†**for·tune** [fɔ́ːrtʃən] *n.* **1 a** U **운**: good ~ 행운/ill ~ 악운/by good 〔bad〕 ~ 운좋게도〔나쁘게도〕/try one's ~ 운명을 시험해 보다; 모험을 하다. **b** 〖the good 〔bad〕 ~으로〗 행운〔불운〕《***to*** do》: I had *the good* ~ *to* be chosen. 나는 운좋게도 뽑혔다.
2 C (장래의) 운명, 숙명, 운세; (종종 *pl.*) 인생의 부침, 성쇠: vicissitudes of ~ 운명의 부침(浮沈)/tell 〔read〕 a person's ~ 아무의 운세를 점치다/have one's ~ told 점쟁이에게 운세를 보다. **3** (F-) 운명의 여신: *Fortune* favors the bold 〔brave〕. 운명의 여신은 용감한 자의 편이다.

4 **a** Ⓒ **행운**, 행복; 번영, 성공, 출세: seek one's ~ (집을 떠나) 출세〔성공〕의 길을 찾다/have ~ on one's side 운이 트이다. **b** (the ~) 행운《*to* do》: I had the ~ *to* obtain his services. 나는 다행히 그의 힘을 빌릴 수 있었다.

SYN. **fortune** 우연을 지배하는 힘에 의해 만나게 되는 '운', luck 보다 좀 격식차린 말. 선악 어느쪽으로도 쓰이며, 자주 의인화하여 씀: the *fortune* of war 무운(武運)/*Fortune* smiled on her. 운명의 여신이 그녀에게 미소지었다. **luck** 우연히 다가오는 '운'을 뜻하는 구어적인 말. 선악 어느쪽으로도 두루 쓰임: good 〔bad〕 *luck* 행〔불〕운. **lot** 제비로 정하는 따위의 우연한 '운'으로서, 자기 생애에 주어진〔할당된〕 운명이란 뜻이 내포됨. **fate** 인력으로는 피할 수 없는 숙명을 뜻하며 주로 죽음·파멸 등의 뜻이 있음.

5 **a** Ⓤ **재산**, 부: a man of ~ 재산가/make one's ~ 입신 출세하다; 한재산 모으다. **b** Ⓒ 큰 재산, 큰돈, 대금(大金): make a ~ 재산을 모으다, 부자가 되다/come into a ~ (유산 상속 따위로) 큰 재산을 손에 넣다/That must have cost a ~. 그것은 무척 비쌌겠지요. ◇fortunate *a*.

a small ~ 《구어》 (비용·대가가) 상당한 금액, 대금: lose *a small* ~ in bad investment 잘못 투자하여 한 재산을 잃다. ***marry a ~*** 돈많은 여자와 결혼하다, 재산을 노리고 결혼하다《★ fortune에는 《고어》에서 '여성 재산가'라는 뜻이 있음》.

fórtune còokie 〔**còoky**〕 《美》 (중국 요릿집 등에서 내는) 점괘 과자.

fórtune hùnter 재산을 노리는 구혼자, 부자 결혼 상대자를 찾는 사람.

fórtune·tèller *n*. Ⓒ 점쟁이.

fórtune·tèlling *n*. Ⓤ 점(을 치기), 운세〔길흉〕 판단.

†**for·ty** [fɔ́ːrti] *a*. 40의, 40개〔명〕의; 40세의: He's ~ years old 〔of age〕. 그는 40세다/He's ~. 그는 40세다.

—*n*. **1 a** Ⓤ (종종 Ⓒ; 보통 관사없이) 40. **b** Ⓒ 40의 숫자〔기호〕《40, xl, XL》. **2 a** 〖복수취급〗 40개〔사람〕: There are ~. 40개가〔사람이〕 있다. **b** Ⓤ 40살; 40달러〔파운드, 센트, 펜스 (따위)〕: a man of ~, 40세의 남자. **c** (the Forties) 스코틀랜드 북동 해안과 노르웨이 남서안 사이의 바다《깊이가 40길 이상인 데서》: ⇨ROARING FORTIES. **d** (the forties) (세기의) 40년대. **e** (one's forties) (나이의) 40대. **3** Ⓤ 〖테니스〗 3점(의 득점).

fórty-fíve *n*. **1** Ⓤ (종종 Ⓒ) 45《★ 보통 관사없이》. **2** Ⓒ 45회전 레코드. **3** Ⓒ 《美》 45구경 권총.

fórty-níner *n*. Ⓒ 〖美역사〗 (때로 Forty-Niner) 1849년의 gold rush에 들떠 California로 몰려간 사람.

fórty wínks 《구어》 (식사 후의) 졸음(nap); 낮잠: catch 〔have, take〕 ~ 한잠 자다.

◇**fo·rum** [fɔ́ːrəm] (*pl*. **~s, -ra** [-rə]) *n*. 《L.》 Ⓒ **1** (때로 the F-) (고대 로마의) 공회(公會)용 광장, 포럼. **2** 재판소, 법정. **3** 공개 토론회(의 회장); (TV·라디오의) 토론 프로, (신문 등의) 토론란: offer a ~ for public discussion 공개토론회를 마련하다. **4** (여론 등의) 비판; 판가름: the ~ of conscience 양심의 심판.

⁑**for·ward** [fɔ́ːrwərd] *ad*. **1 앞으로**, 전방으로〔에〕. ↔ *backward*. ¶run ~ 앞으로 달리다/go ~ 전진하다/look ~ 앞쪽을 보다/*Forward!* 〖군

사〗 앞으로 가!/rush ~ 돌진하다.

2 〔보통 동사와 함께 써서〕 밖으로, 표면으로 나와: ⇨BRING forward, COME forward/put ~ an important plan 중요한 계획을 제창하다.

3 장래, 금후; 〔명사 뒤에 써서〕 …이후; 〖상업〗 선불하여: look ~ 장래를 생각하다/from this time ~ 지금 이후/from that day ~ 그날 이후/date a check ~ 수표를 선일자(先日字)로 하다.

4 (예정·기일 등을) 앞당겨: bring (the date of) one's party ~ from the 12th to the 5th of May 파티 날짜를 5월 12일에서 5일로 앞당기다. ★ 동사와의 결합에 의한 관용구는 해당 동사를 참조.

look ~ to …을 기대하다; …을 즐거움으로 기다리다.

—*a*. **1** Ⓐ **전방(으로)의**; 앞(부분)의; 전진의(↔ *backward*): a ~ march 전진/the ~ part of a train 열차 앞 부분/(a) ~ movement 전진 운동.

2 진보적인, 진보한; 급진적인; 촉진의: a ~ opinion 진보적인 의견/a ~ party 진보적 정당/~ measures 과격한 수단/a ~ movement 촉진 운동/He has very ~ ideas about sex education. 그는 성교육에 대해 대단히 급진적인 생각을 지니고 있다.

3 Ⓟ 나아간, 진행된, 진척된《***in, with*** (일·준비 따위)가》: be ~ *in* 〔*with*〕 one's work 일이 진척되어 있다.

4 주제넘은, 뻔뻔스러운, 건방진《***with*** …에 대하여/***to*** do》: a ~ girl 〔manner〕 되바라진 소녀〔태도〕/He's too ~ *with* adults. 그는 어른에 대한 태도가 너무 건방지다/It's rather ~ *of* you to say such things. =You're rather ~ *to* say such things. 그런 말을 하다니 너도 좀 뻔뻔스럽군.

5 Ⓟ 열심인, 앞장서는《***with, in*** …에》; 자진하여 …하는《***to*** do》: We were ~ *to* help him. 자진하여 그를 도왔다/She's always ~ *with* help 〔*in* help*ing*〕. 그녀는 항상 자진하여 돕는다.

6 (계절에) 앞선, 이른; (작물·아이가) 조숙한, 올된: a ~ spring 여느때보다 이른 봄/The crops are rather ~ this year. 금년에는 작물의 생육이 좀 빠르다/a ~ child 조숙한 아이.

7 Ⓐ 장래를 내다본; 〖상업〗 선물(先物)의: a ~ contract 선물(先物) 계약/~ planning 장래 계획.

—*n*. Ⓒ (수비위치는 Ⓤ) 〖구기〗 전위, 포워드 《생략: F.W.》.

—*vt*. **1 나아가게 하다**; (계획 따위)를 촉진하다; 조성하다, 진척시키다; (식물 따위의) 성장을 빠르게 하다(cf. force 7): ~ a plan 계획을 촉진하다/~ flowers 빨리 꽃피게 하다.

2 《~+목/+목+목/+목+전+명》 (편지 따위)를 **회송하다**, 전송(轉送)하다; 보내다《***to*** …으로; ***from*** …에서》; 〖상업〗 (짐·주문품)을 발송하다《***to*** (아무)에게》: ~ a letter *to* a new address 새 주소로 편지를 회송하다/~ merchandise by passenger train 상품을 객차편으로 부치다/Please ~ the goods on receipt of our check. 수표를 받는 대로 물품을 보내 주시오/Your letter has been *~ed to* me *from* my former address. 당신의 편지는 전 주소에서 (지금) 나의 주소로 전송되어 왔습니다/We will ~ you our new catalogue. 우리 회사의 새 카탈로그를 보내겠습니다.

—*vi*. (우편물을) 전송하다《★ 보통 우편물 윗부분에 씀》: Please ~ (if not at this address). (하기 주소에 없으면) 전송해 주세요.

fór·ward·er *n.* Ⓒ 촉진〔조성〕자; 회송〔발송〕자(回送者), 운송업자.

fór·ward·ing *n.* **1** Ⓤ 운송(업), 회송, 발송. **2** 〘형용사적〙 운송의, 회송〔발송〕의: the ~ business 운송(주선)업/a ~ station 발송역.

fórward-lòoking *a.* 앞으로 향한, 적극적인, 진보적인: a ~ attitude 〔posture〕 전향적인 자세.

fór·ward·ly *ad.* 주제넘게, 오지랖 넓게.

fór·ward·ness *n.* Ⓤ (진보·계절·작물의) 빠름; 조숙성; 주제넘음, 건방짐.

fórward páss 〖미식축구·럭비〗 공을 상대방 골 방향으로 패스하기《럭비에서는 반칙》.

for·wards [fɔ́ːrwərdz] *ad.* =FORWARD.

fos·sa [fɑ́sə/fɔ́sə] (*pl.* **-sae** [-siː]) *n.* Ⓒ 〖해부〗 (뼈 따위의) 와(窩), 구(溝).

fosse, foss [fɔːs, fɑs/fɔs] *n.* Ⓒ 〖건축〗 해자(垓字); 호(濠); 운하; 〖해부〗 와(窩).

°**fos·sil** [fɑ́sl/fɔ́sl] *n.* Ⓒ **1** 화석(~ remains). **2** 〔흔히 old ~로〕《구어》 시대에 뒤진 사람〔물건〕, 구제도. **—***a.* Ⓐ **1** 화석의, 화석이 된. **2** 시대에 뒤진, 진보〔변화〕가 없는.

fóssil fùel 화석 연료《석탄·석유·천연 가스 등》.

fòs·sil·i·zá·tion *n.* Ⓤ 화석화 (작용); 시대에 뒤짐.

fos·sil·ize [fɑ́səlàiz/fɔ́s-] *vt.* 화석화하다; 시대에 뒤지게 하다; 고정화(固定化)하다. **—***vi.* 화석화되다《*into* …으로》; 시대에 뒤지다: ~ *into* coal 화석화하여 석탄이 되다.

Fos·ter [fɔ́(ː)stər, fɑ́s-] *n.* **Stephen Collins ~** 포스터《미국의 작곡가; 1826–64》.

***fos·ter** [fɔ́(ː)stər, fɑ́s-] *vt.* **1** (양자 등으로) 기르다, 양육하다; 돌보다: ~ the sick 병구완하다. **2** 육성〔촉진, 조장〕하다: Ignorance ~*s* superstition. 무지는 미신을 조장한다. **3** (사상·감정·희망 따위)를 마음에 품다(cherish).

—*a.* Ⓐ 양육하는, 기르는, 양〔수양〕…: a ~ parent 수양아버지〔어머니〕/a ~ brother 〔sister〕 젖형제〔젖자매〕/a ~ child 수양아들〔딸〕/~ daughter 양녀/~ son 양자.

fóster fáther 양부.

fóster hóme 수양 아이를 맡아 기르는 집.

fos·ter·ling [fɔ́(ː)stərliŋ, fɑ́s-] *n.* Ⓒ 수양아들〔딸〕(foster child).

fóster móther 양모(養母), 유모.

fóster núrse (수양 아이의) 양육자《여자》, 유모.

fought [fɔːt] FIGHT의 과거·과거분사.

‡**foul** [faul] *a.* **1** (감각적으로) 더러운, 불결한; 악취 나는; (공기가) 오염된; (음식이) 부패한: ~ air 오염된 공기/~ water 오수(汚水), 구정물/~ smell 〔odor〕 악취, 구린내. **2** (품위상) 더러운, 천한: a ~ talk 음담/~ language 천한 말. **3** (성격·행위 등이) 비열한, 음험한《*to* do》: a ~ murder 무참한 살인/It was ~ *of* him *to* betray her. =He was ~ *to* betray her. 그녀를 배신했다니 그도 비열한〔형편 없는〕 사람이다. **4** Ⓐ (경기에서) **부정한**, 반칙적인(↔ *fair*); 〖야구〗 파울의 (↔ *fair*): play a ~ game/a ~ blow 반칙의 타격/win by ~ play 부정한 짓으로 이기다. **5** 《구어》 아주 불쾌한, 시시한, 하찮은: be a ~ dancer 춤이 엉망이다/This soup is absolutely ~. 이 수프는 아주 형편 없다. **6** (날씨가) 몹시 나쁜, 잔뜩 찌푸린; (바람이) 역풍의; (도로가) 진창인; (물길이) 위험한: ~ weather 악천후/a ~ road 진창길/~ wind 역풍/a ~ coast 〔ground〕 〖항해〗 암초가 있는 위험한 해안〔해저〕. **7** (굴뚝·하수 따위가) 막힌; (밧줄이) 엉클어진, (닻이) 걸린; (배 밑에) 부착물이 엉겨 붙은: get ~ 엉클어지다/a ~ bottom 〖항해〗 해초·조가비 등이 들러붙은 배 밑. **8** (원고·교정쇄가) 오기가〔오식이〕 많은, 정정(訂正)이 많은: ~ copy 지저분한 원고. ***by fair means or*** **~** 수단의 좋고 나쁨을 가리지 않고, 어쨌든.

—*ad.* 부정하게; 반칙적으로. ***fall*** **~ *of*** ① (다른 배 따위)와 충돌하다. ② …와 다투다, 싸움을 하다; …을 화나게 하다. ③ (법률 따위)에 저촉되다. ***hit*** **~** 〖권투〗 부정하게 치다; 비열한 수를 쓰다. ***play*** a person **~** 아무에게 반칙 행위를 하다, (몰래) 비열한 짓을 하다; 배신하다.

—*n.* Ⓒ **1** (경기 따위에서) **반칙**; 〖야구〗 파울《생략: f.》. **2** 〖항해〗 (보트·노 따위의) 충돌; (밧줄 따위의) 엉킴, 얽힘.

—*vt.* **1** (물건)을 **더럽히다**; (명성 따위)를 더럽히다: ~ a person's name 아무를 헐뜯다/~ one's hands with …에 관여하여 몸을 더럽히다〔체면을 잃다〕. **2** (굴뚝·총 따위)를 막히게 하다; (교통·노선)을 막다. **3** 〖해사〗 (밧줄 따위)를 뒤얽히게 하다《★ 종종 수동태》. **4** 〖경기〗 반칙으로 방해하다; 〖야구〗 (공)을 파울로 하다. **—***vi.* **1** 더러워지다, 오염되다. **2** (밧줄 등이) 얽히다, 엉클어지다. **3** (굴뚝·총 따위가) 막히다. **4** 〖경기〗 반칙을 하다; 〖야구〗 파울을 치다.

~ *out* 《*vi.*+뷔》 ① 〖야구〗 파울공이 잡혀 아웃이 되다. ② 〖농구〗 (5회) 반칙으로 퇴장하다. **~ *up*** 《*vi.*+뷔》 ① 실수를 하다. **—**《*vt.*+뷔》 ② (실수로) …을 망쳐놓다: I'm afraid I've ~*ed up* your computer. 당신의 컴퓨터를 망쳐놓지 않았는지 걱정스럽습니다.

fóul báll 〖야구〗 파울볼(↔ *fair ball*).

fóul líne 〖야구·농구〗 파울 라인.

foul·ly [fául*l*i] *ad.* 더럽게, 불결하게; 불쾌하게; 부정하게.

fóul·mòuth *n.* Ⓒ 《구어》 입정 사나운 〔입이 건〕 사람.

fóul·móuthed [-máuðd, -θt] *a.* 입정 사나운, 잡스러운 말을 쓰는.

fóul·ness *n.* Ⓤ 불결, 입이 더러움; Ⓒ 불결물.

fóul pláy (경기의) 반칙; 부정 행위, 비겁한 수법(ⓒⓕ fair play); 폭력; 범죄, 살인.

fóul shòt 〖농구〗 (상대의 반칙에 의해서 주어지는) 프리 스로(free throw).

fóul-spòken *a.* =FOULMOUTHED.

fóul típ 〖야구〗 파울 팁.

fóul-ùp *n.* Ⓒ 《구어》 (부주의·미숙 등에 의한) 혼란; (기계의) 고장; 덜된 것, 엉망.

‡**found**[1] [faund] (*p.*, *pp.* **∠·ed; ∠·ing**) *vt.* **1** 《+목+전+명》 …의 **기초를 두다**〔**세우다**〕; …의 근거로 하다《***on, upon*** …에, …을》《★ 종종 수동태》: ~ a house *on* a rock 반석 위에 집을 짓다/~ a story *on* facts 사실에 입각하여 이야기를 만들다/Marriage should *be* ~*ed on* love. 결혼은 사랑을 토대로 하여 이루어져야만 한다. **2** (단체·회사 따위)를 **설립하다**; 창시〔창설〕하다; (학파·학설)을 세우다: ~ a school 〔hospital〕 학교를〔병원을〕 세우다. ◇ foundation *n.* ***be well*** 〔***ill***〕 **~*ed*** 근거가 충분〔박약〕하다.

found[2] *vt.* (금속)을 녹여 붓다, 주조하다; (유리 원료)를 녹이다; (유리)를 만들다.

found[3] FIND의 과거·과거분사. **—***a.* **1** (방·선박 등) 설비가 갖추어진, 지식·교양이 있는. **2** (예술품 소재 등) 자연을 이용한.

‡foun·da·tion [faundéiʃən] *n.* **1** Ⓤ **창설**, 창립, 건설; (기금에 의한) 설립: the ~ of a municipal zoo 시립 동물원 창설. **2** Ⓒ (흔히 *pl.*) (건물의) **기초**, 토대, 주춧돌; (사상·학설 따위의) 기초, 토대, 출발점: lay 〔build up〕 the ~ 기초를 쌓다/Aristotle laid the ~*s* of logic. 아리스토텔레스는 논리학의 기초를 쌓았다. SYN. ⇨BASE. **3** Ⓤ (보도·소문 따위의) 근거: a rumor without ~ 근거 없는 소문. **4** Ⓒ (재단 등의) 기본금, 유지 기금. **5** Ⓒ 재단, 협회, 사회 사업단: the Carnegie *Foundation* 카네기 재단. **6** Ⓤ 기초 화장품, 파운데이션; 그림의 바탕칠 물감. **7** Ⓒ 몸매를 고르기 위한 속옷(~ garment)《코르셋 등》. ◇found[1] *v.*

foundátion crèam 파운데이션〔기초 화장〕 크림.

foundátion gàrment (몸매를 고르기 위한) 여자 속옷《코르셋·거들 따위》.

foundátion schòol 재단 설립 학교.

foundátion stòne 주춧돌; (기념사 등을 새긴) 기석(基石)(cf. cornerstone); 기초적 사실; 기본 원리.

found·er[1] [fáundər] *n.* Ⓒ 주조자, 주물공(工).

found·er[2] (*fem.* ***found·ress*** [fáundris]) *n.* Ⓒ 창립〔설립〕자, 발기인; 기금 기부자; (학파·종파 등의) 창시자: the ~ of a school 학교 설립자.

found·er[3] *vi.* **1** 〖항해〗 (배 따위가) 침수〔침몰〕하다; (계획·사업 등이) 틀어지다, 실패하다. **2** (땅·건물 등이) 꺼지다, 무너지다. **—***vt.* (배)를 침수〔침몰〕시키다.

fóunder mèmber 창립 위원.

fóunding fáther (국가·제도·시설·운동의) 창립〔창시〕자: (the F- F-s) 〖美역사〗 (1789년의) 합중국 헌법 제정자들.

found·ling [fáundliŋ] *n.* Ⓒ 기아(棄兒), 주운〔버린〕 아이: a ~ hospital 고아원, 기아 보호소.

found·ry [fáundri] *n.* **1** Ⓤ 주조(업). **2** Ⓤ 〘집합적〙 주물류. **3** Ⓒ 주조장(鑄造場), 주물〔주조〕 공장; 유리 공장.

fount[1] [faunt] *n.* Ⓒ《시어·문어》샘; 원천.

fount[2] *n.*《英》〖인쇄〗 =FONT[2].

‡foun·tain [fáuntin] *n.* Ⓒ **1 a 분수**; 분수지(池), 분수반, 분수탑〔기〕. **b** (불꽃·용암 등의) 분류, 흐름. **c** =DRINKING FOUNTAIN; SODA FOUNTAIN. **2 a 샘**; 수원(水源). **b** 원천, 근원: a ~ *of* wisdom 지혜의 원천.

fóuntain·hèad *n.* Ⓒ (보통 *sing.*) (하천의) 수원(水源), 원천; 근원, 출처.

fóuntain pèn 만년필.

†four [fɔːr] *a.* **1** Ⓐ **4의**, 4개의, 4사람의: ~ figures 네 자리 숫자/~ balls 〖야구〗 4구/He's ~ years old 〔of age〕. 그는 4살이다. **2** Ⓟ 4살인: He's ~. 그는 4살이다. ***to the ~ winds*** 사방(팔방)으로: scatter ... *to the ~ winds* …을 사방팔방으로 흩뿌리다.

—*n.* **1 a** Ⓤ (종종 Ⓒ; 보통 관사없이) 4: *Four* and ~ make eight. 4+4=8. **b** Ⓒ 4의 숫자〔기호〕《4, iv, IV》. **2 a** 〘복수취급〙 4개〔사람〕: There're ~. 4개〔사람〕있다. **b** Ⓤ 4시; 4살; 4달러〔파운드, 센트, 펜스 (따위)〕: at ~, 4시에/a child of ~, 4살짜리 아이. **3** Ⓒ 4인〔개〕조, 4필의 말《★ four horses의 약어로 관사 없이》; 4기통 엔진〔차〕: in ~*s* 네 개씩 조〔무리〕를 지어/a carriage 〔coach〕 and ~, 4두 마차. **4** Ⓒ 노가 넷인 보트; 그 승무원; (*pl.*) 4인승 보트레이스. **5** Ⓒ (카드·주사위의) 네 끗. **6** (*pl.*) 〖군사〗 4열 종대. ***on all ~s*** 네 발로 기어서; 꼭 일치하여《***with*** …와》.

fóur bíts《美구어》50센트.

fóur córners (the ~) 전(全)영역: the ~ of the earth 지구의 전영역.

fóur-èyes [fɔ́ːr-] (*pl.* ~) *n.* Ⓒ《구어·우스개》안경 쓴 사람, 안경쟁이.

fóur flùsh 〖카드놀이〗 포 플러시《포커에서 같은 조의 패 4매와 다른 패 1매; flush가 성립되지 않음》.

fóur-flùsher *n.* Ⓒ《美구어》허세를 부리는 사람(bluffer); 가짜.

fóur·fòld *a.*, *ad.* 4중(重)의〔으로〕, 네 겹의〔으로〕, 4배의〔로〕; 4절(折)의〔로〕.

fóur-fóoted [-id] *a.* 네발(짐승)의.

fóur fréedoms (the ~) 4개의 자유《1941년 1월 미국 대통령 F. D. Roosevelt가 선언한 인류의 기본적 4대 자유: freedom of speech and expression, freedom of worship, freedom from want, freedom from fear 언론·신앙의 자유, 가난·공포로부터의 자유》.

fóur-hánded [-id] *a.* 네 손 가진; 넷이 하는《게임 등》, 4인조의; 〖음악〗 두 사람 연탄(聯彈)의《피아노 연주에서》.

Fóur-H 〔4-H〕 clùb [fɔ́ːréitʃ-] 4-H 클럽《*h*ead, *h*ands, *h*eart, *h*ealth를 모토로 하는 미국 농촌 청년 교육 기관의 한 단위》.

fóur-in-hánd *n.* Ⓒ **1**《美》(보통 매는 방식이) 잡아당겨 풀어지게 매는 넥타이. **2** (옛날) 마부 한 사람이 모는 4필의 말이 끄는 마차. **—***a.* 4필의 말이 끄는. **—***ad.* 마부 1명이 4필의 말을 몰아.

fóur-lèaf 〔lèaved〕 clóver 네 잎 클로버《행운의 표시》.

fóur-lètter wórd 네 글자 말, 추잡한 말《4자로 이루어진 성(性) 및 배설에 관련된 단음절의 말; fuck, cunt, shit 등》.

fóur-pàrt *a.* Ⓐ 〖음악〗 4부 합창의《soprano, alto, tenor, bass로 이루어짐》.

four·pen·ny [-pəni, -pè-] *a.*《英》4펜스(값)의: a ~ loaf 1개 4펜스인 빵.

a ~ one《英속어》구타, 강타: I'll give you *a ~ one*. 후려갈길 테야.

fóur-póster *n.* Ⓒ 사주식(四柱式) 침대; 4돛박이 배.

fóur·scóre *a.*《고어》80(개)의, 20의 4배의: ~ and seven years ago, 87년전.

fóur·some [-səm] *n.* Ⓒ《구어》네 사람 한 패〔조〕, 4인조; 〖골프·테니스〗 포섬《네 사람이 두 패로 갈려 하는 경기》.

fóur·squáre *a.* 정사각형의; 솔직한; 견실한; (건물이) 견고한, 튼튼한. **—***ad.* 솔직하게; 견고하게.

fóur-stàr *a.* Ⓐ《美》**1** (호텔 따위가) 우수한. **2** 사성(四星)의: a ~ general《구어》사성 장군, 육군 대장.

fóur-stròke *a.* (내연 기관이) 4사이클〔행정(行程)〕의; 4사이클 엔진의.

†four·teen [fɔ́ːrtíːn] *a.* **1** Ⓐ **14의**, 14개〔사람〕의. **2** Ⓟ 열네 살인: He's ~. 그는 14살이다. **—***n.* **1 a** Ⓤ (종종 Ⓒ; 보통 관사없이) 14. **b** Ⓒ 14의 숫자〔기호〕《14, xiv, XIV》. **2 a** 〘복수취급〙 14개〔사람〕: There're ~. 14개〔사람〕 있다. **b** Ⓤ 14살; 14달러〔파운드, 센트, 펜스 (따위)〕: a boy of ~, 14살 난 소년.

‡four·teenth [fɔ́ːrtíːnθ] *a.* (보통 the ~) 열네

(번)째의, 제14의; 14분의 1의.
—*n*. **1** [U] (보통 the ~) 제14, 14(번)째《생략: 14th》; (달의) 14일. **2** [C] 14분의 1.

†**fourth** [fɔːrθ] *a*. **1** (보통 the ~) **제4의**; 네(번)째의. **2** 4분 의 1의: a ~ part, 4분의 1. —*ad*. 네(번)째로.
—*n*. **1** [U] (보통 the ~) **제4**; 네(번)째《생략: 4th》; (달의) 4일; (the F-) 《美》 =the Fourth of July (관용구). **2** [C] 4분의 1: three ~*s*, 4분의 3/About one 〔a〕 ~ of the earth is dry land. 지구의 약 4분의 1은 육지이다. **3** [C] 〖음악〗 4도(음정). **4** (*pl.*) 〖상업〗 4급품. **5** (the ~) 4번째 사람〔것〕. ***the Fourth of July*** (7월 4일의) 미국 독립 기념일(Independence Day).

fóurth cláss 네번째 등급, 4등; 〖美우편〗 제4종 우편물.

fóurth-cláss *a*., *ad*. 〖美우편〗 제4종 우편의 〔으로〕.

fóurth diménsion (the ~) 제4차원.

fóurth estáte (the ~; 종종 F- E-) 제4계급 《신문 · 신문 기자단》; 언론계.

fóurth generátion compùter (the ~) 〖컴퓨터〗 제4세대 컴퓨터.

fóurth-generátion lànguage 〖컴퓨터〗 제 4세대 언어《사무처리 프로그램이나 데이터베이스를 다루는 작업을 비절차적으로 기술하는 언어의 총칭; 기계어(제1세대), 어셈블리 언어(제2세대), 컴파일러 언어(제3세대) 다음 세대의 언어란 뜻; 생략: 4GL》.

fóurth·ly *ad*. 네(번)째로.

fóurth márket 《美》 〖증권〗 장외 시장《비(非)상장주를 기관 투자가끼리 직접 매매하는 거래 시장》. [cf] third market.

Fóurth Wórld (the ~) 제4세계《아시아 · 아프리카 등의 빈곤 · 비공업국들》.

fóur-whèel dríve (자동차의) 4륜 구동(차) 《생략: 4WD》.

fóur-whéel(ed) *a*. 4륜의.

fowl** [faul] (*pl*. **~*s, 〖집합적〗 ~) *n*. **1** [C] **닭, 가금**: domestic ~*s* 가금/keep ~*s* 닭을 치다. **2** [U] 닭고기; 새고기: fish, flesh, and ~ 어육 · 수육 · 새고기. **3** [C] 〖보통 합성어〗 …새: ⇨SEAFOWL, WATERFOWL, WILDFOWL. **4** [C] 《고어 · 시어》 새: the ~*s of* the air 〖성서〗 하늘의 새. —*vi*. 들새를 잡다〔쏘다〕, 들새 사냥을 하다.

‡**fox** [faks/fɔks] (*pl*. **⌐·*es***, 〖집합적〗 ~) *n*. **1** [C] **여우**《★ 암여우는 vixen, bitch fox, 수여우는 dog fox, 새끼 여우는 cub》. **2** [C] 수여우; [U] 여우 모피. **3** [C] **교활한 사람**: an old ~ 교활한 사람. **4** [C] 《美속어》 성적 매력이 있는 여자.
—*vt*. **1** (종이 따위)를 갈색으로 변색시키다. **2** 속이다. **3** (문제 따위가) 너무 어려워 당황케 하다. —*vi*. 교활한 짓을 하다.

fóx·glòve *n*. [C] 〖식물〗 디기탈리스(digitalis).

fóx·hòle *n*. [C] 〖군사〗 1인용 참호.

fóx·hòund *n*. [C] 폭스하운드《여우 사냥개》.

fóx·hùnt *n*. [C] 여우 사냥《많은 사냥개가 여우 뒤를 좇게 하여 말에 탄채 사냥하는 영국 귀족의 스포츠》. —*vi*. 여우 사냥을 하다. [파] **~·er** *n*.

fóx-hùnting *n*. [U] 여우 사냥.

fóx·tàil *n*. [C] 여우 꼬리; 〖식물〗 뚝새풀, 강아지풀, 보리《따위》.

fóx térrier 폭스 테리어《애완용 개》.

fóx-tròt *n*. [C] **1** 〖승마〗 완만한 속보(速步)의 하나《trot에서 walk로, 또 그 반대로 옮길 때의 잰 걸음》. **2** 〖댄스〗 급조(急調) 스텝, 폭스 트롯; 그 곡. —(**-*tt*-**) *vi*. 폭스 트롯을 추다.

foxy [fáksi/fɔ́ksi] (***fox·i·er; -i·est***) *a*. 여우 같은; 교활한(표정을 짓는); 적갈색의; 〖회화〗 (색채가) 너무 짙은; (적갈색으로) 변색한《책 따위》; 《美속어》 (여자가) 매력적인, 섹시한. [파] **fóx·i·ly** *ad*. **-i·ness** *n*.

foy·er [fɔ́iər, fɔ́iei] *n*. 《F.》 [C] (극장 · 호텔 따위의) 휴게실, 로비(lobby); 《美》 현관의 홀.

Fr 〖화학〗 francium. **Fr.** Father; France; Frau; French; Friar; Friday. **fr.** fragment; franc(s); frequent; from.

Fra, fra [frɑː] *n*. 《It.》 〖가톨릭〗 …사(師)《수사(修士)(friar)의 칭호로서 이름 앞에 붙임》: ~ Giovanni 조반니(수)사.

fra·cas [fréikəs/frǽkɑː] (*pl*. **~·*es***, 《英》 ~ [-kɑːz]) *n*. [C] (보통 많은 사람의) 싸움(판), 소동.

frác·tal graphìcs [frǽktəl-] 〖컴퓨터〗 프랙탈 그래픽《컴퓨터 그래픽에서 아름다운 무늬 모양이나 해안선, 구름 등 자연계의 복잡한 모양을 나타내는 기법》.

frac·tion** [frǽkʃən] *n*. **1** [C] **파편, 단편**: crumble into ~*s* 무너져서 산산조각이 나다. **2** [C] 〖수학〗 **분수**: ⇨COMMON 〔COMPLEX, DECIMAL, PROPER, IMPROPER〕 FRACTION. [cf] integer. **3** (a ~) **a 아주 조금**, 소량《of*** …의》: I got only a ~ *of* what I wanted. 바라던 것의 극히 일부밖에 손에 넣지 못했다/in a ~ (*of* a) second 수분의 1초에, 순식간에. **b** 〖부사적〗 아주 조금: The door opened a ~. 문이 조금 열렸다.

frac·tion·al [frǽkʃənəl] *a*. **1** 단편의; 얼마 안 되는: ~ currency 소액 화폐. **2** 분수의; 끝수의: a ~ expression 분수식. [파] **~·ly** *ad*.

frac·tious [frǽkʃəs] *a*. 성마른, 성 잘 내는, 까다로운; 다루기 힘든.

◇**frac·ture** [frǽktʃər] *n*. **1** [U] 부숨, 분쇄, 좌절; 분열. **2** [C] 〖의학〗 골절, 좌상(挫傷): suffer a ~ 뼈가 부러지다/⇨COMPOUND FRACTURE. **3** [C] 갈라진 금, 터진 데(crack). —*vt*. **1** 부수다; (뼈 따위)를 부러뜨리다: ~ one's arm. **2** 금가게 하다. —*vi*. 부서지다, 부러지다, 갈라지다.

***frag·ile** [frǽdʒəl/-dʒail] *a*. **1** (물체 등이) **망가지기 쉬운**(brittle), (신념 등이) 무너지기 쉬운; 무른(frail): Glass is ~. 유리는 깨지기 쉽다. **2** (체질이) 허약한, 연약한: be in ~ health 허약한 건강 상태이다. [SYN.] ⇨WEAK. **3** 덧없는; (향기 등이) 곧 사라지는: this ~ life 이 세상의 허무한 인생. ◇ fragility *n*. [파] **~·ly** *ad*. **~·ness** *n*.

fra·gil·i·ty [frədʒíləti] *n*. [U] **1** 부서지기 쉬움, 무름. **2** 허약. **3** 허무, 무상. ◇fragile *a*.

***frag·ment** [frǽgmənt] *n*. [C] **1 파편**, 조각, 단편; 나머지, 부스러기: in ~*s* 단편으로 되어; 단편적으로/in(to) ~*s* 산산조각으로, 단편적으로. **2** 단장(斷章); 미완성 유고(遺稿). ◇ fraction *n*.
— [-ment] *vi*. 《~/+[전]+[명]》 파편이 되다; 분해되다, 부서지다《***into*** …으로》: ~ *into* small pieces 산산이 부서지다. —*vt*. 파편이 되게 하다; 분해하다.

frag·men·tal [frægméntl] *a*. **1** =FRAGMENTARY. **2** 〖지질〗 쇄설질(碎屑質)의: ~ rocks 쇄설암. [파] **~·ly** *ad*.

frag·men·tary [frǽgməntèri/-təri] *a*. 파편의; 단편적(斷片的)인, 조각조각난. [파] **-tàr·i·ly** *ad*. 단편적으로, 조각조각.

fràg·men·tá·tion *n*. **1** [U] (폭탄 따위의) 분열; 파쇄. **2** [C] 분열〔파쇄〕된 것.

fragmentátion bòmb 파쇄(성) 폭탄; 파편 폭탄.

***fra·grance, -gran·cy** [fréigrəns], [-si] *n.* [U] (구체적으로는 [C]) **향기**, 방향(芳香).

‡**fra·grant** [fréigrənt] *a.* **1 냄새 좋은**, 향기로운, 방향성의. **2** 유쾌한: ~ memories 즐거운 추억. [파] **~·ly** *ad.*

***frail** [freil] *a.* **1 무른**, 부서지기 쉬운; (체질이) 약한: He's old and rather ~. 그는 나이가 들어 상당히 몸이 약해졌다. [SYN.] ⇨WEAK. **2** 덧없는: Life is ~. 인생은 덧없다〔무상하다〕. **3** 의지가 약한, 유혹에 약한. [파] **∠·ly** *ad.* **∠·ness** *n.*

frail·ty [fréilti] *n.* **1** [U] 무름, 약함; 덧없음; 유혹에 약함. **2** [C] 약점, 단점; 과실.

‡**frame** [freim] *n.* **1** [C] (건물 · 선박 · 비행기 따위의) **뼈대, 구조**; (제도의) 조직, 기구, 구조, 구성, 체제: the ~ *of* government 정치 기구.
2 [U] (또는 a ~, one's ~) (인간 · 동물의) **체격**, 골격; 몸: a man of fragile 〔robust〕 ~ 몸이 가냘픈〔튼튼한〕 사람/She has a slender ~. 그녀는 호리호리한 체격이다/Sobs shook her ~. 그녀는 몸을 흔들면서 흐느꼈다.
3 〖보통 a 〔the〕 ~ of mind로〗 **기분**: be in *a* bad ~ *of mind* 기분이 언짢다.
4 [C] **틀**; **테**; 창틀; 액자; 틀형(型)〔대(臺)〕《자수틀 · 식자대 · 선광반 · 방적기 · 식물 재배용 프레임》; (*pl.*) 안경테; (떼어내게 되어 있는 양봉용) 상자형 프레임.
5 [C] 영화〔텔레비전〕의 한 화면, 구도; 〖TV〗 프레임《주사선의 연속으로 보내지는 한 완성된 영상》; 《美구어》 야구의 1 이닝〔한 경기〕; 〖권투〗 라운드, 회; 당구의 1 회분 게임; (볼링 · 투구의) 번, 회; 〖컴퓨터〗 짜임, 프레임《(1) 스크린 등에 수시로 일정 시간 표시되는 정보〔화상〕. (2) 컴퓨터 구성 단위》.
6 《美속어》 =FRAME-UP.
—*vt.* **1** …의 **뼈대를 만들다**, 짜 맞추다(shape), 건설하다(construct): ~ a roof 지붕의 뼈대를 짜다/a house ~*d* to resist typhoon 태풍에 견디게끔 만들어진 집. **2 a** …의 구성〔조직〕을 만들다, 고안하다, 짜 넣다: ~ a sentence 문장을 짓다/~ an idea 생각을 정리하다. **b** (시 · 법률 등)을 짓다; (계획 · 이론 등)을 세우다, 짜다. **3** 《+[목]+[전]+[명]》 (틀에 따라) 만들다, 모양짓다: ~ a statue *from* marble 대리석으로 상(像)을 만들다. **4** 《~+[목]/+[목]+[전]+[명]》 (사람)을 함정에 빠뜨리다; 억울한 죄를〔누명을〕 씌우다《***on*** (아무)에게》: ~ a murder *on* a person 아무에게 살인의 누명을 씌우다. **5** …에 **테를 씌우다**; 테를 두르다, 달다, 틀에 넣다: ~ a picture 그림을 액자에 넣다. **6** (말 · 문장 따위)로 나타내다, 말하다.

fráme àerial 〔**antènna**〕 프레임형 안테나 〔공중선〕.

fráme hóuse 《美》 목조 가옥, 판잣집.

fráme of réference 평가 기준계, 준거 기준《행동 · 판단 등을 지배하는》; 〖수학 · 물리〗 (준거) 좌표계; 견해, 이론.

fráme-ùp *n.* [C] 《구어》 음모, 흉계, 조작; 《구어》 계획적 부정 경기.

***frame·work** [fréimwə̀ːrk] *n.* [C] **1** (구조물 · 이론 · 계획 · 이야기 따위의) **뼈대**, 얼거리, 하부〔기초〕 구조, 골조(骨組); 구성, 체제. **2** 틀자수. **3** 〖원예〗 주지(主枝).

fram·ing [fréimiŋ] *n.* **1** [U] 구성, 조립; 입안, 구상; 획책. **2** [C] 뼈대; 얼개, 테, 틀.

°**franc** [fræŋk] *n.* [C] 프랑《프랑스 · 벨기에 · 스위스 등지의 화폐 단위; 기호 Fr, F》; 1 프랑 화폐.

‡**France** [fræns, frɑːns] *n.* **1 프랑스**. **2 Anatole ~** 프랑스《프랑스의 소설가 · 비평가; 1921년 노벨 문학상 수상; 1844–1924》.

°**fran·chise** [frǽntʃaiz] *n.* **1** [U] (the ~) 선거권, 참정권(suffrage). **2** [C] 《美》 **a** (관청이 부여하는) 특권, 특허; 특별 면제; 《美》 특권 행사 허가 지구; 〖일반적〗 관할권. **b** 《美》 (제품의) 독점 판매권; 총판권: a ~ for a fast-food restaurant 간이 식품 레스토랑 영업권. **3** [C] 《美》 (직업 야구 리그 등의) 가맹권, 가맹자격, 구단 소유권; (스포츠 경기의) 방송〔방영〕권.

Fran·cis [frǽnsis] *n.* 프랜시스《남자 이름》.

Fran·cis·can [frænsískən] *a.* St. Francis 의; 프란체스코 수도회의.
the ~ order 프란체스코 수도회.
—*n.* **1** (the ~s) 프란체스코 수도회. **2** [C] 프란체스코 수도회의 수사.

fran·ci·um [frǽnsiəm] *n.* [U] 〖화학〗 프란슘《방사성 원소의 하나; 기호 Fr; 번호 87》.

Fran·co [frǽŋkou, frɑ́ːŋ-] *n.* **Francisco ~** 프랑코《스페인의 총통; 1892–1975》.

Fran·co- [frǽŋkou, -kə] '프랑스'란 뜻의 결합사: the *Franco*-Prussian War 프로이센 프랑스 전쟁.

fran·gi·ble [frǽndʒəbəl] *a.* 무른, 단단치 못한, 부서지기 쉬운.

Fran·glais [frɑːŋgléi] *n.* [U] (종종 f–) 프랑스어화된 영어.

Frank [fræŋk] *n.* **1** 프랭크《남자 이름; Francis 의 애칭》. **2 a** (the ~s) 프랑크족(族)《Gaul 사람을 정복하여 프랑스 왕국을 세운》. **b** [C] 프랭크 사람. **3** [C] 서유럽인《근동 지방에서의 용어》.

‡**frank**[1] [fræŋk] *a.* **1 솔직한**, 숨김 없는《***with*** (아무)에게》: a ~ opinion 솔직한 의견/He's ~ *with* me about everything. 그는 나에게 모든 것을 숨김없이 털어놓는다. **2** 명백한, 공공연한.
to be ~ with you 까놓고 말하면, 사실은.

frank[2] *n.* [C] 무료 송달의 서명(署名)〔도장〕; 무료 송달 우편물. **—***vt.* (편지)의 봉투에 무료 송달의 도장을 찍다, …을 무료로 보내다.

frank[3] *n.* 《美》 =FRANKFURTER.

Frank·en·stein [frǽŋkənstàin] *n.* **1** 프랑켄슈타인《M. W. Shelley의 소설 *Frankenstein* (1818) 속의 주인공; 자기가 만든 괴물에 의해 파멸됨》. **2** [C] 자기를 파멸시키는 물건을 만드는 사람.

Fránkenstein('s) mònster (Frankenstein의) 인조 인간; 자기가 만들어낸 저주의 씨, 창조자에의 위험.

Frank·fort [frǽŋkfərt] *n.* **1** 프랑크푸르트《독일 남서부의 도시; 독일어명 Frankfurt》. **2** 프랭크퍼트《미국 Kentucky 주의 주도(州都)》.

frank·furt(·er), -fort(·er) [frǽŋkfərt(ər)] *n.* [C] 《美》 프랑크푸르트 소시지(=**fránkfurt** 〔**fránkfort**〕 **sáusage**)《쇠고기 · 돼지고기를 섞은 소시지; 종종 이어져 있음》.

fran·kin·cense [frǽŋkinsèns] *n.* [U] 유향(乳香)《동아프리카 · 아라비아산 감람의 일종; 이스라엘 민족이 제례에 쓰던 고급 향료》.

fránking machìne 《英》 =POSTAGE METER.

Frank·ish [frǽŋkiʃ] *a.* 프랑크족의; 서유럽인의. **—***n.* [U] 프랑크 말.

Frank·lin [frǽŋklin] *n.* 프랭클린. **1** 남자 이름《애칭 Frank》. **2 Benjamin ~** 미국의 정치가 · 과학자(1706–90).

‡**frank·ly** [frǽŋkli] *ad.* **솔직히**, 숨김없이: Mary admitted her mistake ~. 메리는 잘못을 솔직히 인정했다.
~ ***speaking*** 솔직히 말하면: *Frankly (speaking)*, you have small chance to be reelected. 솔직히 말하면 네가 재선될 가망은 적다.

◇**frank·ness** [frǽŋknis] *n.* Ⓤ 솔직함.

fran·tic** [frǽntik] *a.* **1 미친 듯 날뛰는**, 광란의 《with*** (공포·흥분·기쁨 따위)로》: She was ~ *with* grief. 그녀는 슬픔으로 인해 미칠 것 같았다. **2** 《구어》 다급한, 매우 당황한: with ~ haste 황급히.

fran·ti·cal·ly [frǽntikəli] *ad.* 미친 듯이, 광포하게, 광란하여; 대단히, 아주.

frap·pé [fræpéi] 《F.》 *a.* 〖보통 명사 뒤에 두어〗 (얼음으로) 차게 한: wine ~.
—*n.* Ⓤ 《美》 프라페《살짝 얼린 과즙, 술을 친 빙수 따위》.

◇**fra·ter·nal** [frətə́ːrnəl] *a.* 형제의; 형제 같은〔다운〕, 우애의. ㊊ **~·ly** *ad.* 형제같이.

fratérnal órders 〔**socíety**〕 《美》 공제〔우애〕 조합.

fratérnal twíns 이란성(二卵性) 쌍둥이. ⓒⓕ identical twins.

◇**fra·ter·ni·ty** [frətə́ːrnəti] *n.* **1** Ⓤ 형제임, 형제의 사이〔정〕; 동포애, 우애. **2** Ⓒ 우애〔종교〕 단체, 공제 조합; 〖집합적; 단·복수취급〗 동업자들.

frat·er·nize [frǽtərnàiz] *vi.* **1** 형제로서의 교제를 하다; 친하게 사귀다《***with*** (아무)와》. **2** (군인이) 친하게 사귀다《***with*** (적국민·피점령 국민)과》.

frat·ri·cid·al [frӕtrəsáidl] *a.* 형제〔자매〕를 죽이는; 동족 상잔의.

frat·ri·cide [frǽtrəsàid] *n.* **1** Ⓤ 형제〔자매〕 살해(죄). **2** Ⓒ 형제〔자매〕 살해자.

Frau [frau] (*pl.* **~s, ~·en** [fráuən]) *n.* 《G.》 …부인《Mrs., Madam에 상당하는 경칭; 생략: Fr.》.

***fraud** [frɔːd] *n.* **1** Ⓤ **사기**, 협잡; Ⓒ 사기 행위, 부정 수단: a pious ~ (종교상 방편으로서의) 거짓말. **2** Ⓒ 협잡꾼, 사기꾼; 가짜.

fraud·u·lence, -len·cy [frɔ́ːdʒuləns], [-lənsi] *n.* Ⓤ 사기, 기만.

◇**fraud·u·lent** [frɔ́ːdʒulənt] *a.* 사기(행위)의, 부정한; 사기로 손에 넣은: ~ gains 부정 이득. ㊊ **~·ly** *ad.*

fraught [frɔːt] *a.* Ⓟ 내포한, 수반하는《***with*** (위험 따위)를》: an enterprise ~ *with* danger 위험을 지닌〔내포한〕 사업.

Fräu·lein [frɔ́ilain] (*pl.* **~s**) *n.* 《G.》 영양(令孃), …양(孃)《영어의 Miss에 해당》.

◇**fray**[1] [frei] *vt.* **1** (옷·끈 등)을 닳아 떨어지게〔풀어지게〕 하다; 해지게 하다: *~ed* pants 닳아 해진 바지. **2** (신경 등)을 소모시키다: Her nerves got *~ed* taking care of her sick child. 병든 아이를 돌보느라고 그녀는 신경이 쇠약해졌다.
—*vi.* **1** (신경 등이) 소모되다. **2** (옷 등이) 해지다; 닳아 문드러지다.

fray[2] *n.* (the ~) 소동, 싸움; 시끄러운 언쟁, 논쟁: be eager for the ~ (무슨) 일이 일어나길 고대하다.

fraz·zle [frǽzəl] 《美구어》 *vt., vi.* 닳아 떨어지(게 하)다; 무지러지(게 하)다; 너덜너덜해지(게 하)다; 지쳐빠지(게 하)다. —*n.* (a ~) 해진〔너덜너덜한〕 상태; 《구어》 기진맥진한 상태: He worked himself to *a* ~. 그는 일을 해서 기진맥진했다.

FRB, F.R.B. 《美》 Federal Reserve Bank; Federal Reserve Board.

◇**freak**[1] [friːk] *n.* **1** Ⓒ **a** 기형, 변종: a ~ of nature 조물주의 장난《기형의 것, 거대한 것》. **b** 《구어》 (사상·습관 따위에서) 색다른 사람, 기인. **2** Ⓤ (구체적으로는 Ⓒ) 변덕, 색다른 것을 좋아함: out of mere ~ 일시적 기분〔변덕〕에서. **3** Ⓒ 《속어》 열중한 사람, …광(狂); 히피족; 마약중독자: a baseball ~ 야구광. —*a.* Ⓐ 야릇한, 별난: a ~ epidemic 별난〔특이한〕 유행병.
—*vi.* 《구어》 **1** 마약으로 흥분하다(*out*). **2** (공포 따위로) 정신 상태가 이상해지다(*out*).

freak[2] *vt.* 줄무늬지게 하다, 얼룩지게 하다. —*n.* Ⓒ (색) 줄무늬, 얼룩.

freak·ish [fríːkiʃ] *a.* 변덕스러운; 야릇한; 기형의, 병신의. ㊊ **~·ly** *ad.* **~·ness** *n.*

fréak-òut *n.* Ⓒ 《속어》 **1** (마약에 의한) 환각 상태; 정신 이상 상태. **2** 마약 환각자.

◇**freck·le** [frékl] *n.* Ⓒ (흔히 *pl.*) 주근깨; (피부의) 반점, 기미: have ~s 주근깨가 있다.
—*vt.* …에 ~이 생기게 하다. —*vi.* ~이 생기다.
㊊ **~d** *a.* 주근깨〔기미〕가 있는.

Fred, Fred·dy [fred], [frédi] *n.* 프레드, 프레디《남자 이름; Frederic(k)의 애칭》.

Fred·er·ick [frédərik] *n.* 프레더릭《남자 이름; 애칭 Fred, Freddy, Freddie》.

†**free** [friː] (***fre·er*** [fríːər]; ***fre·est*** [fríːist]) *a.*
1 자유로운; 속박 없는: ~ speech 자유로운 언론, 언론의 자유 / set a prisoner ~ 죄수를 석방하다 / set a bird ~ from a cage 새를 새장에서 놓아주다.
2 자유주의의: the ~ world 자유 세계.
3 자주적인, 자주 독립의.
4 (권위·전통 따위에) 얽매이지 않는, 편견 없는: ~ love 자유 연애.
5 (규칙·형식 등에) 구애되지 않는: ~ skating 자유형 피겨 스케이팅 / ~ translation 의역.
6 거리낌 없는; 절도 없는, 무절제한《***with*** …에》: ~ manners 거리낌 없는 태도 / He's too ~ *with* his boss. 그는 상사에게 너무 버릇이 없다.
7 (태도 따위가) 대범한, 여유 있는.
8 활수한, 손〔통〕이 큰, 아낌 없는《***with*** (금전 따위)에》: ~ *with* one's money 돈을 잘 쓰는.
9 사치스러운: ~ living 사치스런 생활.
10 면제된《***of*** (의무·세 따위)가》; 면한《***from, of*** …을》: ~ *of* taxes 면세의 / ~ *from* disease 병에 걸릴 염려가 없는 / ~ *from* charges 비난을 받지 않는.
11 선약(先約)이 없는, 한가한, 볼일 없는: Are you ~ this evening? 오늘 저녁 시간이 있으십니까.
12 비어 있는, 쓸 수 있는: a ~ room 빈 방 / a ~ taxi 빈 택시.
13 자유로 통행〔이용〕할 수 있는《***of*** …을》: allow a person ~ passage 아무를 자유롭게 통행하게 하다 / make a person ~ *of* one's house 아무에게 집을 자유롭게 출입〔이용〕할 수 있게 하다.
14 없는《***of*** …이》; 멀리 떨어진《***of*** …에서》: The road was ~ *of* snow. 길에는 눈이 없었다 / The ship was ~ *of* the harbor. 배는 항구에서 멀리 있었다.
15 무료의, 입장 무료의; 세금 없는: a ~ patient 무료 진료 환자 / ~ imports 비과세(稅) 수입품 / ~ medicine 무료 의료.
16 Ⓟ 마음대로 …할 수 있는; 자진해서 …하는《***to*** do》: You are ~ *to* stay as long as you like. 원하신다면 언제까지고 마음대로 계셔도 좋

습니다/It is ~ *for* 〔*to*〕 her to do so. 그렇게 하는 것은 그녀의 자유다/I am ~ *to* confess. 자진해서 자백하겠습니다.
17 고정되어〔묶여〕 있지 않은; 〖화학〗 유리된: the ~ end of a rope 밧줄의 매듭을 짓지 않은 끝/a ~ acid 유리산. ◇ freedom *n.*
for ~ 《구어》 무료로. ~ ***and easy*** ① 스스럼 없는, 터놓은, 개의치 않는. ② 〖부사적〗 한가로이, 유유히: live ~ *and easy* 유유히 살다. ③ 후한, 헙헙한. ~ ***on rail*** ⇨FREE ON RAIL. ***have*** one***'s hands*** ~ 손이 비어 있다, 한가하다; 할 일이 없다. ***make*** ~ ***with*** …을 마음대로 쓰다; …에게 허물없이 굴다: She *made* ~ *with* my books. 그녀는 내 책을 제멋대로 사용했다. ***with a*** ~ ***hand*** 아낌 없이, 활수하게.

> DIAL. ***feel free*** 마음 놓고 …하세요《*to* do》; 〖허가〗 그러세요, 좋습니다: Please *feel free* to ask me questions. 어서 질문해 주세요/May I use this word processor?—Yes, *feel free*. 이 워드프로세서 좀 써도 좋을까요?—그래, 마음대로 쓰렴.
> ***I'll tell you that for free.*** 분명히 말하건대《화가 나서 자기 말을 강조할 때 덧붙이는 말》.

—*ad.* **1** 자유롭게; 방해를 받지 않고: run ~ 자유롭게 달리다. **2** 무료로: An excellent lunch is provided ~. 맛있는 점심이 무료로 제공된다/All members admitted ~. 회원은 입장 무료.
—(*p., pp.* ***freed; frée·ing***) *vt.* **1** 《~+목/+목+전+명》 **자유롭게 하다**, 해방하다; 벗어나게 하다《***from, of*** …에서》: They ~*d* their hostages. 그들은 인질을 풀어 주었다/~ a person *from* want 아무를 궁핍에서 구하다/~ a bird *from* a cage 새장에서 새를 놓아 주다.
2 《+목+전+명》 …에게 면제하다, …으로 하여금 면하게 하다《***from, of*** (의무 · 빚 · 곤란)에서》; …에서 제거하다《***from, of*** (방해물)을》: ~ oneself *from* anxiety 〔*of* a foolish idea〕 근심〔어리석은 생각〕을 없애다/~ a person *of* his duty 아무를 해임하다/~ a person *of* his obligations 아무에게 의무를 면제하다/~ a room *of* clutter 방에서 잡동사니를 없애다.
3 《+목+*to* do》 …에게 자유롭게 …할 수 있게 하다: Retiring ~*d* him *to* concentrate on his hobby. 퇴직한 덕분에 그는 자유롭게 취미(생활)에 전념할 수 있게 되었다.
~ ***up*** 《*vt.*+부》 (제한 따위에서) 해방시키다; …의 뒤엉킴을 풀다: ~ *up* the traffic jam 교통 체증을 해소하다.
-free [fríː, frìː] '…에서 자유로운, …을 면한, …이 없는' 이란 뜻의 결합사: trouble-*free*.
frée ágent 자유 행위자; 《美》 자유 계약 선수〔배우〕.
frée associátion 〖정신의학〗 자유 연상(聯想).
frée·bàse 《속어》 *vt.* (코카인)을 순화하다. —*n.* Ⓤ 순화한 코카인.
free·bie, -bee, -by [fríːbiː] *n.* Ⓒ 《속어》 공으로 얻는 것, 경품(景品).
frée·bòard *n.* Ⓤ (구체적으로는 Ⓒ) 〖항해〗 건현(乾舷)《흘수선에서 상갑판까지의 현측(舷側)》.
frée·bòot *vi.* 약탈하다, 해적질을 하다.
㊕ ~·**er** *n.* Ⓒ 약탈자, 해적.
frée·bòrn *a.* (노예 아닌) 자유의 몸으로 태어난; 자유민의.
frée chúrch (국교에서 분리한) 독립 교회; (the F- C-es) 《英》 비국교파 교회.
frée clímbing 〖등산〗 자유 등반《하켄 · 자일

등의 등반 용구를 사용하지 않음》.
freed·man [fríːdmən, -mæ̀n] *n.* (*pl.* **-men** [-mən, -mèn]) *n.* Ⓒ (노예에서 해방된) 자유민.
‡**free·dom** [fríːdəm] *n.* **1** Ⓤ (구체적으로는 Ⓒ) **자유**《***of*** …의/***to*** do》: ~ *of* speech 〔press〕 언론〔출판〕의 자유/the ~ *of* the will 의지의 자유/He had ~ *to* do what he liked. 그는 하고 싶은 것을 할 수 있는 자유가 있었다. **2** Ⓤ 해방, 탈각; 면제, 해제《***from*** …에서의》; 전혀 없음《***from*** (의무 · 공포 따위)가》: ~ *from* fear 공포로부터의 해방; 공포가 없음/~ *from* import duties 수입세 면제. **3 a** Ⓤ (행동의) 거침새 없음; 스스럼〔허물〕 없음: speak with ~ 마음대로〔자유로이〕 이야기하다. **b** Ⓒ 자유스런〔거침없는〕 행동: take 〔use〕 ~*s* with a person 아무에게 허물없이 굴다. **4** (the ~) 출입의 자유; 사용의 자유; 특권; 특권 면허: have the ~ *of* a library 도서관을 자유로이 출입〔이용〕할 수 있다.
fréedom of the cíty (the ~) 명예 시민권.
fréedom of the séas (the ~) 〖국제법〗 공해(公海)의 자유《특히 전시(戰時)의 중립국 선박의 공해 자유 항행권》.
frée-fáll *n.* Ⓤ 자유 낙하《물체의 중력만에 의한 낙하, 특히 낙하산이 펴질 때까지의 강하; 우주선의 관성 비행》.
frée fíght 난투, 난전(亂戰).
frée flíght (동력 정지 후의 로켓이나 로프에서 풀린 글라이더 등의) 자유 비행.
frée-flóating *a.* 자유로이 움직이는, 부동성의; 자유로운 입장에 있는; (불안 등이) 웬지 모르게 느껴지는, 막연한.
frée-for-àll [-fərɔ̀ːl] *a.* 입장 자유의, 누구나 참가할 수 있는.
—*n.* Ⓒ 누구나 참가할 수 있는 경기〔경주〕; 난투.
frée hánd (a ~) 자유 행동권, 자유재량권: give a person a ~ 아무의 자유 재량에 맡기다.
frée·hànd *a.* (기구를 쓰지 않고) 손으로 그린, 자유 묘사의: a ~ drawing 자재화(自在畫).
—*ad.* 자유로운 묘사법으로.
frée·hánded [-id] *a.* 아낌없이 쓰는, 활수한《***with*** …에》.
frée-héarted [-id] *a.* (마음이) 맺힌 데가 없는; 솔직한; 대범한. ㊕ ~·**ly** *ad.* ~·**ness** *n.*
frée·hòld *n.* 〖법률〗 **1** Ⓤ (부동산 · 관직 따위의) 자유 보유(권). **2** Ⓒ 자유 보유 부동산.
㊕ ~·**er** *n.* Ⓒ 자유 부동산 보유자.
frée hòuse 《英》 (특정 회사와 제휴 없이 각종 술을 취급하는) 술집.
frée kíck 〖축구〗 프리킥《상대방의 반칙에 대한 벌로서 허용되는 킥》.
frée lábor 비조합원의 노동.
frée lánce 1 (중세의) 용병(傭兵). **2** 자유로운 입장에 있는 사람; 자유 논객〔기고가〕, 무소속 기자(記者); (특별 계약 없는) 자유 작가〔배우〕.
frée-lánce *a.* 자유 계약의; 비전속의: a ~ reporter 〔photographer, writer〕 자유계약 기자〔사진가, 작가〕. —*vi.* (작가 · 배우 등이) 자유로운 입장에서 활동〔기고〕하다. —*ad.* 자유 계약〔비전속〕으로: He works ~. 그는 자유 계약으로 일을 하고 있다.
㊕ **-lánc·er** *n.* Ⓒ 프리랜서, 자유 계약자.
frée líver 식도락가; 멋대로 사는 사람.
frée-líving *a.* 식도락의.
frée·lòad *vi.* 《구어》 (음식물 등을) 공짜로 얻어먹다. ㊕ ~·**er** *n.*

free·ly [fríːli] *ad.* **1 자유로이,** 마음대로: The cattle are roaming the pasture ~. 소들은 목장을 자유로이 거닐고 있다/Guns are ~ available in some states. 어떤 주에서는 총을 쉽게 입수할 수 있다. **2** 거리낌 없이, 마음 가벼이: Please speak to me ~. 어서 기탄없이 말씀하세요. **3 아낌없이,** 활수하게; 충분히: Wine was distributed ~. 포도주는 충분하게 배부되었다.

frée·man [-mən] (*pl.* ***-men*** [-mən]) *n.* Ⓒ (노예가 아닌) 자유민; 자유 시민, 공민.

Free·ma·son [fríːmèisn] *n.* Ⓒ (종종 f-) 프리메이슨《공제(共濟)·우애(友愛)를 목적으로 하는 비밀 결사인 프리메이슨단(Free and Accepted Masons)의 조합원》.

Free·ma·son·ry [fríːmèisnri] *n.* Ⓤ **1** (종종 f-) 프리메이슨주의〔제도〕. **2** (f-) 우애적 이해, 암암리의 양해.

frée on bóard 〖상업〗 본선 (적재) 인도(引渡); 《美》 (화차) 적재 인도《생략: F.O.B.》.

frée on ráil 《英》 〖상업〗 화차 인도《생략: F.O.R. 〔F.O.T.〕》.

frée pórt (수출입 면세의) 자유 무역항.

Frée·pòst *n.* Ⓤ (때로 f-) 〖英우편〗 요금 수취인 부담(제도).

frée-rànge *a.* Ⓐ (가금(家禽)을) 놓아 기르는; 놓아 기르는 닭의《달걀》.

frée réin (행동·결정의) 완전한 자유.

frée schóol 무료 학교; 자유 학교《전통적 교수법에 구애 받지 않고 학생이 흥미 있는 과목을 자유로이 배우는》.

free·sia [fríːʒiə, -ziə] *n.* Ⓒ 〖식물〗 프리지어.

frée-spóken *a.* 기탄없이 말하는, 숨김 없이 말하는.

frée·stánding *a.* (담·계단·조각 등 외적 지지 구조를 갖지 않고) 그 자체의 독립 구조로 서 있는.

Frée Státe 《美》 (남북전쟁 전에 노예를 쓰지 않았던) 자유주(州).

frée·stòne *n.* **1** Ⓤ 특별한 돌의 결이 없고 자유롭게 끊어낼 수 있는 돌《사암·석회석 따위》. **2** Ⓒ 씨가 잘 빠지는 과실.

frée·style *n.* Ⓤ (수영·스키·스케이트·레슬링에서) 자유형. **—***a.* 자유형의. ㊕ **frée·stỳler** *n.* Ⓒ 자유형 선수.

frée·thínker *n.* Ⓒ 자유 사상가《특히 종교 문제를 합리적으로 고찰하며 교회의 권위를 무시하는》.

frée·thínking *n.* Ⓤ 자유 사상. **—***a.* 자유 사상의.

frée thóught (특히 종교상의) 자유 사상.

frée thrów 〖농구〗 자유투, 프리 스로《득점 1점》.

frée univérsity (대학 내의) 자주(自主)강좌, 자유 대학.

frée vérse 자유시(詩).

frée·wàre *n.* Ⓤ 〖컴퓨터〗 프리웨어《컴퓨터 통신망 등에서 배포되는 누구나 쓸 수 있는 소프트웨어》.

frée·wày *n.* Ⓒ 《美》 (보통 신호가 없는) 다차선식(多車線式) 고속도로(《英》 motorway).

frée·whéel *n.* Ⓒ 자유륜(輪)《페달이나 동축(動軸)을 멈춰도 회전하는 자전거의 뒷바퀴》; (자동차의) 자유 회전장치. **—***vi.* (페달 또는 동력을 멈추고) 타성으로 달리다; 자유롭게 행동하다.

frée·whéeling *a.* (구속·책임 등에) 구속당하지 않는, 자유분방한: lead a ~ life 자유분방한 생활을 하다.

frée wíll 1 자유 의지: of one's (own) ~ 자유 의지로. **2** 〖철학〗 자유 의지설.

frée·wíll *a.* Ⓐ 자유 의지의; 임의의, 자발적인.

frée wórld (the ~; 종종 F- W-) (공산권에 대한) 자유 세계, 자유 진영.

freeze [friːz] (***froze*** [frouz]; ***fro·zen*** [fróuzən]) *vi.* **1** 《~/+뿌/+보》 **얼다,** 동결〔빙결〕하다; 얼어붙다(*up; over*): Water ~s at 32° F. 물은 화씨 32°에 언다/The pipes *froze up.* 수도관이 얼었다/The pond has *frozen over.* 연못은 온통 얼어붙었다/The jelly has *frozen* solid. 젤리가 얼어 딱딱해졌다.

2 〔보통 비인칭의 it을 주어로〕 몹시 추워지다; 얼어붙다: *It* is *freezing* tonight. 오늘 저녁은 굉장히 춥다.

3 《~/+전+명》 (몸이) 어는 듯이 춥게 느끼다: I'm *freezing.* 추워서 몸이 얼어붙을 것 같다/~ *to* death 얼어죽다.

4 간담이 서늘하다, 등골이 오싹하다《***with*** (공포 따위)로》; 그 자리에서 꼼짝 못하게 되다: *Freeze!* You're under arrest! 꼼짝 마라, 너희를 체포한다/He *froze with* terror. 그는 공포로 등골이 오싹해졌다.

5 《~/+뿌》 **a** 냉담해지다; (정열이) 식다; (표정 등이) 굳다(*up*): He gradually *froze up* and stopped visiting us. 그는 점차 냉담해지더니 드디어 발길을 끊었다/He *froze up* when I mentioned his debts. 내가 빚 이야기를 하니까 그는 표정이 굳어졌다. **b** (엔진 따위가 저온·기름 부족 등으로) 작동하지 않다(*up*).

6 〔well 따위의 양태부사와 함께〕 (식품이) 냉동 보존되다: Fruits don't ~ well. 과일은 냉동 보존이 잘 안 된다.

—*vt.* **1** 《~+목/+목+뿌/+목+보》 **얼게 하다,** 빙결시키다; 얼어붙게 하다(*up, over*): The north wind *froze* the water pipes. 북풍 때문에 수도관이 얼었다/The river was *frozen over.* 강이 온통 얼어붙었다/The cold snap *froze* the pond solid. 갑작스런 추위로 연못이 꽁꽁 얼어붙었다.

2 《~+목/+목+뿌/+목+전+명/+목+보》 (사람)을 얼게 하다; (물건)을 얼리다(*up*); 얼려 죽이다, 동사시키다: He was *frozen* dead. 그는 얼어 죽었다/The dog was *frozen to* death. 개는 얼어 죽었다.

3 《~+목/+목+전+명》 …의 간담을 서늘케 하다, …을 오싹하게 하다《***with*** (공포 따위)로》: He *froze* me *with* a glare. 그는 노려보아 나를 움츠러들게 했다.

4 (예금·자산·물가·임금)을 동결하다.

5 (표정·감정 따위)를 가시게 하다; (공포 따위로 사람)을 꼼짝 못하게 하다; 얼어서 기계 따위를 움직이지 못하다: Her words *froze* his interest in her. 그녀의 말을 듣고 그는 그녀에 대해 지니고 있던 좋은 감정이 가시고 말았다/The cold has *frozen* the engine. 추위로 인해 엔진이 작동하지 않았다.

~ ***in*** 《*vt.*+뿌》 (배)를 얼음에 갇히게 하다. ~ **(*on*) *to*** 〔***onto***〕 …에 얼어붙다; 《구어》 …에 꼭 매달리다; (생각 등에) 집착하다. ~ ***out*** 《*vt.*+뿌》 ① 《美구어》 (냉대 등으로) 몰아내다, 내쫓다. ② 《주로 美》 〔보통 수동태〕 (일)을 추위로 중지케 하다: The outing *was frozen out.* 소풍은 추위 때문에 중지되었다. ~ ***over*** 《*vi.*+뿌》 ① 전면에 얼음이 얼다. **—**《*vt.*+뿌》 ② 전면에 얼음이 얼게 하다. ~ a person***'s blood*** 아무의 간담을 서늘

케 하다.
—n. (sing.) **1** 결빙(기), 혹한기; 빙점하의 기상 상태. **2** (자산·물가·임금 따위의) 동결: a wage ~ =a ~ on wages 임금 동결.
fréeze-drý vt. (식품)을 동결 건조시키다.
fréeze-frame n. Ⓤ 〖영화〗 (움직이는 영상을 정지시키는) 스톱 모션; 〖TV〗 화면 정지. —vt. (영상)을 정지시키다.
◇**freez·er** [fríːzər] n. Ⓒ 냉동 장치〔실·기·차〕.
fréeze-ùp n. =FREEZE 1.
freez·ing [fríːziŋ] a. **1** 어는; 몹시 추운: a ~ rain 진눈깨비. **2** 〖부사적〗 얼 만큼: ~ cold 얼어 붙을 만큼 추운. **3** 냉담한; 등골이 오싹하는 (듯한). —n. Ⓤ 결빙, 냉동; (재산 따위의) 동결. ***below*** ~ 어는점 이하로.
㊕ **~·ly** ad. 얼어붙듯; 차갑게.
fréezing pòint **1** (종종 (the) ~) (물의) 어는점. ↔ *boiling point*. **2** (액체의) 빙점.
⁑**freight** [freit] n. Ⓤ **1 화물**, 선하(船荷). **2** 화물 운송: by air 〔sea〕 ~ 항공〔선박〕 화물운송으로/Please send the goods by ~. 물품은 화물편으로 보내주세요《★ 영국에서는 흔히 by를 생략함》. **3** 운송〔용선〕료: advanced ~운임 선불/~ forward 운임 선불로/paid 〔prepaid〕 ~ 운임 지급필〔선불〕/~ free 운임 무료로.
—vt. **1** 《~+목/+목+전+명》 …에 화물을 싣다; …에 싣다(***with*** (화물)을): ~ a ship *with* coal 배에 석탄을 싣다. **2** 《+목+전+명》 출하하다; 수송하다: ~ goods *to* New York 뉴욕으로 화물을 보내다. ㊕ **∠·age** [-idʒ] n. Ⓤ =FREIGHT.
fréight càr 《美》 화차(《英》 goods waggon).
fréight·er n. Ⓒ **1** 화물선, 수송기. **2** 화물 취급인; 운송업자.
fréight·lìner n. Ⓒ 《英》 컨테이너 열차.
fréight tràin 《美》 화물 열차(《英》 goods train).
⁑**French** [frentʃ] a. **프랑스의**; 프랑스인의; 프랑스풍의, 프랑스어의. —n. **1** Ⓤ **프랑스어**. **2** (the ~) 〖집합적; 복수취급〗 프랑스인〔국민〕.

> DIAL. ***Pardon my French.*** 《英》 《우스개》 쌍소리를 써서 미안.

Frénch béan 《英》 강낭콩(kidney bean).
Frénch bréad 바게트, 프랑스 빵《거죽이 딱딱하고 보통 가늘고 길》.
Frénch Canádian 프랑스계 캐나다인.
Frénch-Canádian a. 프랑스계 캐나다인의; 캐나다 프랑스어의. —n. Ⓒ 프랑스계 캐나다인.
Frénch chálk 활석 분필《재단용 초크》.
Frénch Commúnity (the ~) 프랑스 공동체《프랑스 본국을 중심으로 하여 해외의 구식민지를 포함한 연합체》.
Frénch cúff 셔츠의 꺾어 접는 커프스.
Frénch cúrve 운형(雲形)자.
Frénch dóor (보통 pl.) =FRENCH WINDOW.
Frénch dréssing 프렌치 드레싱《올리브유·식초·소금·향료 따위로 만든 샐러드용 소스》.
Frénch frìed potátoes =FRENCH FRIES.
Frénch fríes 《美》 감자 튀김《성냥개비처럼 썬》.
Frénch hórn 〖음악〗 프렌치 호른.
Frénch kíss 혀를 맞대고 깊숙이 하는 키스 (deep kiss).
Frénch léave 인사 없이 떠나기, 무단 결석: take ~ 살짝 자리를 뜨다.
Frénch létter 《英구어》 콘돔(condom).
Frénch lóaf =FRENCH BREAD.
*__French·man__ [fréntʃmən] (pl. ***-men*** [-mən]) n. Ⓒ **프랑스인**; 《특히》 프랑스 남자.
Frénch pólish 프랑스 니스, 셸락 니스칠《나무 부분을 광내는 데 씀》.
Frénch-pólish vt. …에 프랑스 니스를 칠하다.
Frénch Revolútion (the ~) 프랑스 혁명《1789–99》.
Frénch séam 통솔《천의 솔기를 뒤집어 기워서 천의 끝이 보이지 않게 한 바느질》.
Frénch tóast 프렌치 토스트《달걀과 우유를 섞은 것에 담가 살짝 구운 빵》.
Frénch vermóuth 프렌치 베르무트《맛이 쌉쌀함》.
Frénch wíndow (보통 pl.) 프랑스식 창《뜰·발코니로 통하는 좌우 여닫이의 유리창》.
◇**Frénch·wòman** (pl. ***-wòmen***) n. Ⓒ 프랑스 여자〔부인〕.
fre·net·ic [frinétik] a. 발광한; 열광적인.
㊕ **-i·cal·ly** ad.
fren·zied [frénzid] a. 열광한, 격앙한; 격노한: in a ~ rage 격노하여/become ~ 욱〔불끈〕하다. ㊕ **~·ly** ad.
◇**fren·zy** [frénzi] vt. (보통 pp.) 격앙시키다; 격노시키다: be *frenzied* with joy 기뻐 날뛰다.
—n. Ⓤ (또는 a ~) 격앙, 난심(亂心), 광포; 열광. ⓒⓕ fury, rage.¶drive a person to 〔into〕 ~ 아무를 격분시키다/in a ~ of the moment 일시적인 격분에 의하여/work oneself into a ~ 점차로 광란 상태가 되다.
Fre·on [fríːɑn/-ɔn] n. Ⓤ 프레온(가스)《냉장고·에어컨의 냉매나 스프레이의 분무제 등에 씀; 상표명》. ⓒⓕ chlorofluorocarbon.
⁑**fre·quen·cy** [fríːkwənsi] n. **1** Ⓤ **자주 일어남, 빈번**: with ~ 빈번하게. **2** Ⓒ (통계상의) 횟수, 도수, 빈도(수); 〖물리〗 진동수, 주파수, 도수: a high 〔low〕 ~ 고〔저〕주파.
fréquency distribùtion 〖통계〗 도수분포.
fréquency modulátion 〖통신〗 주파수 변조《생략: FM》. ⓒⓕ amplitude modulation.
⁑**fre·quent** [fríːkwənt] a. **1 자주 일어나는, 빈번한**, 횟수를 거듭하는, 여러 번의: ~ trips 자주 가는 여행/It's a ~ occurrence. 그것은 흔히 일어나는〔있는〕 일이다. **2** 상습적인, 언제나의: a ~ customer 단골 손님. **3** (맥박이) 빠른.
— [frikwént, fríːkwənt] vt. **1** (장소)를 **자주 방문하다**: Tourists ~ the district. 관광객들이 항상 그 지방을 찾는다. **2** …에 항상 모이다: Frogs ~ the pond. 그 못에는 개구리가 많다.
fre·quen·ta·tion [frìːkwəntéiʃən] n. Ⓤ 빈번한 방문〔출입〕.
fre·quen·ta·tive [friːkwéntətiv] a. 〖문법〗 반복(동사)의. —n. Ⓒ 반복동사.
frequent·er [frikwéntər] n. Ⓒ 자주 가는 사람; 단골 손님.
*__fre·quent·ly__ [fríːkwəntli] ad. **종종**, 때때로, 빈번히: Earthquakes occur ~ in Japan. 일본에는 지진이 자주 일어난다. SYN. ⇨OFTEN.
fres·co [fréskou] (pl. ~(***e***)***s***) n. **1** Ⓤ 프레스코 화법《갓 바른 회벽 위에 수채로 그리는 화법》: in ~ 프레스코 화법으로. **2** Ⓒ 프레스코 벽화.
—vt. (벽)에 프레스코화를 그리다.
†**fresh**[1] [freʃ] a. **1 새로운**; 갓 만들어진(***from*** …에서); (가지 등이) 갓 생긴, 싱싱한: ~ shoots 어린 싹/The pie is ~ *from* the oven. 그 파이는 오븐에서 금방 나왔다. SYN. ⇨NEW. **2 신선한**; (공기가) 맑은, (시원하고) 상쾌한; (빛깔이)

선명한; (기억이) 생생한; 갓 만든: ~ air 맑은 공기 / ~ paint 갓 칠한 페인트 / ~ bread 갓 구운 빵 / in the ~ air 집 밖에서. **3 생기 있는**, 기운찬, 건강한, 윤기 흐르는: She felt ~ after her walk. 그녀는 산책하고 나서 상쾌한 기분이었다 / Everything looked ~ after the rain. 비가 온 후 모든 것이 생기 있어 보였다 / a ~ complexion 생기 넘치는 안색. **4** Ⓐ 한 번 더의; 신규의: put on ~ makeup 화장을 고쳐 하다 / make a ~ start 처음부터 새로 하다. **5** 새로 가입된, 추가의: ~ supplies 신입하(新入荷). **6** (최근) 갓 나온 《*from, out of* …에서》: a girl ~ *from* the country 시골에서 갓 올라온 소녀 / a young man ~ *from* 〔*out of*〕 college 대학을 갓 나온 청년. **7** 경험 없는, 미숙한: a ~ hand 풋〔신출〕내기 / green and ~ 애송이의, 풋내기의. **8** Ⓐ 소금기 없는: ~ water 맹물, 담수 / ~ butter 소금기 없는 버터. **9** 《美》 (암소가 새끼를 낳아) 젖이 나오게 된. **10** 〖기상〗 (바람이) 꽤 센, 질풍의.

(*as*) ~ ***as paint*** 〔***a daisy***〕 원기 왕성한. ***break ~ ground*** 새 분야를 개척하다. ***Fresh paint!*** 《게시》 페인트칠 주의(Wet paint!).

—*ad*. 《주로 합성어로》 새로, 새로이: ~-picked 갓 딴 / ~-caught 갓 잡은. ~ ***out of*** 《美구어》 …이 동이 나서: ~ *out of* tomatoes 〔fund〕 토마토가 품절된〔자금이 동난〕 판에.

—*n*. **1** Ⓤ 초기《날·해·인생 등의》: in the ~ of the morning 이른 아침의 상쾌한 기분에. **2** = FRESHET.

fresh[2] *a*. Ⓟ 《구어》 건방진, 뻔뻔스러운, 버릇없는《*with* (이성)에 대하여》.

frésh bréeze 〖기상〗 흔들바람, 질풍《초속 9m 내외》.

fresh·en [fréʃən] *vt*. **1** 새롭게 하다(*up*): ~ *up* one's makeup 화장을 다시 하다. **2** 원기 왕성케 하다(*up*): My bath has ~*ed* me *up*. 목욕을 하니 상쾌한 기분이 되었다. **3** 《~ oneself》 (목욕 따위를 하여) 상쾌한 기분이 되다(*up*). **4** …을 신선하게 하다(*up*). —*vi*. **1** (목욕 따위를 하여) 상쾌해지다(*up*). **2** (바람이) 강해지다.

frésh·er *n*. 《英구어》 = FRESHMAN 1.

fresh·et [fréʃit] *n*. Ⓒ (큰비·눈 녹은 물로 인한) 큰물, 홍수; (바다로 흘러드는 민물의) 개천, 강.

frésh gále 〖기상〗 큰바람, 질강풍(疾強風) ⇨ WIND SCALE.

°**frésh·ly** *ad*. 《보통 과거분사 앞에 써서》 새로, 새롭게, 최근에: ~ picked fruit 금방 딴 과일.

fresh·man** [fréʃmən] (*pl*. ***-men [-mən]) *n*. Ⓒ **1** 1년생; 신입생《《美》에서는 대학·고교, 《英》에서는 대학만의》. cf. sophomore, junior, senior. **2** 《美》 **신입자**, 신입사원; 신출내기, 초심자. —*a*. Ⓐ 《美》 ~의: ~ courses 1년생의 교과 / This is my ~ year with the company. 회사에 취직하여 아직 1년이 안 됐다.

***fresh·ness** [fréʃnis] *n*. Ⓤ **새로움**, 신선함, 발랄; 상쾌; 생생함.

frésh·wàter *a*. Ⓐ **1** 민물의, 민물산(産)의: a ~ lake 담수호 / ~ fish 민물 고기. **2** (민물 항행에만 익숙하고) 바다에 익숙하지 못한; 신출내기의, 미숙한. **3** 《美》 시골의; 이름 없는: a ~ college 지방 대학.

fret**[1] [fret] (-tt-***) *vt*. **1 a 초조하게 하다, 안달나게 하다**, 괴롭히다: The noise ~*s* me. 소음으로 짜증이 난다 / His remarks ~*ted* her to irritation. 그의 말은 그녀를 초조하게 했다. **b** 《+목+전+명》 《~ oneself》 초조해 하다, 괴로워하다 《*about, over* …으로》: You need not ~ yourself *about* that. 그걸 가지고 끙끙 앓을 필요 없다. **c** 《+목+부》 (평생 등)을 안달복달하며 살다 (*away; out*): Don't ~ *away* your life. 안달복달하며 살아서는 안 된다. **2** (바람이 수면)에 물결〔파장〕을 일으키다. **3** (바람·비가) 침식하다, (녹 따위가) 부식하다.

—*vi*. **1** 《~/+전+명》 **초조하다, 안달이 나다**, 괴로워하다《*about, over* …으로》: Since her husband's death she has continually *been ~ting*. 남편의 사망 후 그녀는 줄곧 슬퍼했다 / ~ *about* one's mistakes 자기 잘못을 괴로워하다. **2** 《+부》 부식하다, 침식하다(*away*): Limestone slowly ~*s away*. 석회석은 서서히 침식된다. **3** (수면에) 물결이 일다.

—*n*. (a ~) 안달, 초조, 불쾌; 번민: ~ of mind 마음의 초조 / the ~ and fume of life 인생의 고뇌 / in a 〔on the〕 ~ 안달〔짜증〕이 나서.

fret[2] 〖건축〗 *n*. Ⓒ 번개무늬, 뇌문(雷紋)(Greek ~); 격자〔창살〕 모양. —(***-tt-***) *vt*. 번개무늬로 장식하다; 격자로〔창살 모양으로〕 하다.

fret[3] *n*. Ⓒ 〖음악〗 프렛《현악기의 지판을 구획하는 금속제의 돌기》.

°**fret·ful** [frétfəl] *a*. 초조한; 까다로운, 성마른, 불평이 많은. ㊞ **~·ly** *ad*. **~·ness** *n*.

frét sàw 실톱.

frét·wòrk *n*. **1** Ⓤ 번개무늬 장식〔세공〕; (실톱 따위로) 도려내는 세공《완자무늬 따위를》. **2** Ⓒ (보통 *sing*.) 격자 모양의 것.

Freud [frɔid] *n*. **Sigmund ~** 프로이트《오스트리아의 정신분석학자·의학자; 1856–1939》.

Freud·i·an [frɔ́idiən] *a*. 프로이트의; 프로이트 학설의; 《구어》 (말과 행동이) 무의식층에 잠재하는 성에 관한〔에 의한〕. —*n*. Ⓒ 프로이트 학설 신봉자.

Fréudian slìp 프로이트적(的) 실언(失言)《얼결에 본심을 나타낸 실언》.

FRG Federal Republic of Germany. **Fri.** Friday.

frì·a·bíl·i·ty *n*. Ⓤ 부서지기 쉬움, 무름, 파쇄성(破碎性)(friableness).

fri·a·ble [fráiəbəl] *a*. 부서지기〔깨지기〕 쉬운, 무른, 약한.

fri·ar [fráiər] *n*. Ⓒ 〖가톨릭〗 탁발 수사. ㊞ **~·ly** *a*.

fric·as·see [fríkəsiː, ⌐-⌐] 《F.》 *n*. Ⓒ (요리는 Ⓤ) 프리카세《닭이나 송아지 고기를 잘게 썰어 삶은 것에 그 국물을 친 요리》. —*vt*. 프리카세로 하다〔만들다〕.

fric·a·tive [fríkətiv] 〖음성〗 *a*. 마찰로 생기는, 마찰음의. —*n*. Ⓒ 마찰음(~ consonant)《[f, ʃ, θ, ʒ] 따위》.

***fric·tion** [fríkʃən] *n*. Ⓤ **1** (두 물체의) **마찰**. **2** 알력(軋轢), 불화.

fríc·tion·al [-əl] *a*. 마찰의, 마찰로 움직이는, 마찰로 생기는: ~ electricity 마찰전기. ㊞ **~·ly** *ad*.

fríction màtch 딱성냥.

fríction tàpe 절연용 점착 테이프.

†**Fri·day** [fráidei, -di] *n*. 《원칙적으로는 관사 없이 Ⓤ; 단, 의미에 따라 관사를 붙여 Ⓒ가 됨》 **금요일**《생략: Fri.》: next 〔last〕 ~ = on ~ next 〔last〕 다음〔지난〕 금요일에 / on ~ 금요일에 / on ~*s* 금요일마다 / on a ~ (과거·미래의) 어느 금요일에 / on ~ afternoon 금요일 오후에 /

⇨GOOD FRIDAY.

DIAL. ***Thank God it's Friday.*** 야, 오늘이 금요일이군《내일부터는 주말 휴일이구나》.

—*ad.*《美》금요일에(on Friday): See you ~. 그럼 금요일에 (또 만나세).

Fri·days [fráideiz, -diz] *ad.*《구어》금요일마다〔에는 언제나〕(on Fridays).

fri(d)ge [fridʒ] *n.* Ⓒ《구어》=REFRIGERATOR.

frídge-fréezer *n.* Ⓒ《英》냉동냉장고.

fried [fraid] FRY¹ 의 과거·과거분사.

—*a.* (기름으로) 튀긴, 프라이 요리의.

fríed·càke *n.* Ⓤ (낱개는 Ⓒ)《美》튀김과자; 도넛.

†**friend** [frend] *n.* Ⓒ **1 벗**, 친구: We are great 〔good〕 ~*s.* 우리는 좋은 친구다/He is a ~ of mine 〔my father's〕. 그는 나의〔아버지〕 친구다/A ~ in need is a ~ indeed.《속담》어려울 때의 친구야말로 참친구다.

SYN. **friend** 본래는 서로 알며 친근한 사이인 사람인데 때로는 약간 안면 있는 사람에게도 쓰임. **comrade** 학우·전우와 같이 개인적인 선택에 의하지 않는 '친구'이며 companion보다는 친밀함이 강함. **companion** 항상 남과 동행하는 사람을 가리키나 우정은 내포되어 있지 않음. **pal**은 a pen pal처럼 '친구'의 속어. **associate** 일로 서로 맺어진 '벗'.

2 자기편; 지지자, 후원자《***to, of*** …의》: a ~ *of* the poor 가난한 사람들의 편/He is no ~ *to* 〔*of*〕 peace. 그는 평화의 지지자가 아니다.

3 한패, 동료; 인간의 친구로서의 동물; 의지할 수 있는 것, 도움이 되는 것: Books are her best ~*s.* 그녀에게는 책이 가장 유용한 것이다.

4 (F-) 퀘이커교도.

be 〔***make***〕 **~*s with*** …와 친하다〔친해지다〕. ***the Society of Friends*** 프렌드 교회, 퀘이커파 (Quakers)《1668년 창립; 프로테스탄트의 일파》. ***What's ... between ~s?*** 친구 사이인데 …은 아무것도 아니야〔아무래도 좋다〕.

fríend·less *a.* 벗〔자기편〕이 없는, 친지가 없는. ㊕ **~·ness** *n.*

friend·li·ness [fréndlinis] *n.* Ⓤ 우정, 친절, 호의, 친밀.

‡**friend·ly** [fréndli] *a.* **1 친한**《***with*** …와》; 우호적인《***to*** …에 대하여》: a ~ nation 우호 국민, 우방/a ~ game 〔match〕 친선 경기/be on ~ terms *with* a person 아무와 친한 사이다/She's ~ *to* everyone she meets. 그녀는 만나는 사람 누구에게나 우호적이다. SYN. ⇨FAMILIAR. **2** 친절한, 상냥한, 붙임성 있는: in a ~ way 호의적으로. **3** 지지하는, 편드는《***to*** …을》: He was not ~ *to* my proposal. 그는 내 제안에 찬성하지 않았다. **4 도움이 되는**, 안성맞춤의, 쓸모 있는: ~ showers 단비. **5** (전투에서) 실수로 자기편을 공격하는: ~ fire 아군에 대한 오발.

—*ad.* 친구처럼, 친절하게. —*n.* Ⓒ《英》친선경기.

-friend·ly [fréndli] *suf.* 「…하기에 쉬운」, 「…에 친절한」, 「…에게 사용하기 쉬운」의 뜻: environment-~ 환경 친화적인/user-~ 사용자가 사용하기에 쉬운.

Fríendly Socíety《英》공제 조합, 상호 부조회(benefit society).

‡**friend·ship** [fréndʃip] *n.* Ⓤ (구체적으로는 Ⓒ) **1 친구로서의 사귐**, 우호; 교우 관계. **2 우정**, 우애; 호의.

frier ⇨FRYER.

Frie·sian [fríːʒən] *n.*《英》=HOLSTEIN.

frieze¹ [friːz] *n.* Ⓒ 〖건축〗 프리즈, 소벽(小壁)《처마 복공과 평방(平枋) 사이의》; 띠 모양의 장식(을 한 부분).

frieze² *n.* Ⓤ 두껍고 거친 외투용 모직물《보통 한 쪽에만 털〔괴깔〕이 있음》.

frig¹ [frig] (**-gg-**)《비어》*vi.* 성교하다(copulate)《***with*** …와》; =MASTURBATE. —*vt.* **1** …와 성교하다. **2** 〖~ oneself〗 자위행위를 하다.

~ *around* 〔***about***〕 목적 없이 배회하다; 빈둥빈둥 시간을 보내다. **~ *off*** 가버리다.

frig², **frige** [frig], [fridʒ] *n.* Ⓒ《英구어》냉장고.

frig·ate [frígit] *n.* Ⓒ 프리깃함(艦)《1750–1850년경의 상중(上中) 두 갑판에 포를 장비한 목조 쾌속 범선》;《英·Can.》대잠(對潛)용 해상 호위함;《美》5,000–9,000톤급의 군함.

frígate bìrd 군함새《열대산의 큰 바다새》.

frig·ging [frígiŋ, -giŋ] *a., ad.*《비어》=FUCKING, DAMNED.

***fright** [frait] *n.* **1** Ⓤ (또는 a ~) (심한) **공포**, 경악: in a ~ 간담이 서늘하여, 깜짝 놀라/take ~ at …에 겁을 먹고 있다, …에 흠칫하다/give a person a ~ 사람을 몹시 놀라게 하다/have 〔get〕 a ~ 두려워하다. SYN. ⇨FEAR. **2** (a ~)《구어》기이하게 생긴 물건〔사람, 얼굴, 모양〕: She is a perfect ~. 그 여자는 꼭 도깨비 같다.

get 〔***have***〕 ***the ~ of*** **one's *life*** 몹시 놀라다, 혼비백산하다.

‡**fright·en** [fráitn] *vt.* 《~+목/+목+전+명/+목+부》 **두려워하게 하다**, 흠칫 놀라게 하다; 을러서 내쫓다(*away; out; off*)《***out of*** …에서》; 을러서 …시키다《***into*** …하게; ***out of*** …하지 못하게》: Don't ~ me. 놀라게 하지 마라/~ a person *into* submission 아무를 을러서 굴복시키다/~ a person *out of* a room 아무를 을러서 방에서 쫓아내다/He ~*ed* his son *out of* drinking. 그는 아들을 야단쳐 술을 끊게 했다/~ a cat *away* 고양이를 놀래어 쫓아 버리다.

‡**fright·ened** *a.* **1 깜짝 놀란**, 겁이 난《***by, at*** …에/***to*** do/***that***》: a ~ child 놀란 아이/She was ~ *at* the sight of it 〔*to* see it〕. 그녀는 그 광경에〔그것을 보고〕 놀랐다/She was ~ *that* there might be a ghost in the dark. 그녀는 어둠 속에 유령이 있을 것 같아 겁이 났다. **2** Ⓟ (습관적으로) 무서워하다《***of*** …을》: She is ~ *of* snakes. 그녀는 뱀을 무서워한다. SYN. ⇨AFRAID.

fríght·en·er *n.* Ⓒ《구어》공갈꾼. put the ~*s* on a person《英속어》아무를 협박하다.

fríght·en·ing *a.* 무서운, 굉장한, 놀라운. ㊕ **~·ly** *ad.*

°**fright·ful** [fráitfəl] *a.* **1** 무서운, 소름끼치는: a ~ sight 무서운 광경. **2** 굉장한, 대단한; 기괴한: a ~ bore 몹시 따분한 녀석. **3**《구어》불쾌한; 대단한, 지독한: have a ~ time 정말 불쾌하다/a ~ mess 대혼란. ㊕ **~·ly** *ad.* 무섭게, 몹시. **~·ness** *n.*

°**frig·id** [frídʒid] *a.* **1** 추운, 극한의, 혹한의. cf. temperate, torrid. **2** 냉담한, 쌀쌀한, 냉랭한: a ~ manner 냉정한 태도. **3** (여성이) 불감증인. ㊕ **~·ly** *ad.* **~·ness** *n.*

fri·gid·i·ty [fridʒídəti] *n.* Ⓤ 한랭; 냉담; 무기력, 활기 없음; (여성의) 불감증.

Frígid Zòne (the ~) 한대(寒帶).

fri·jol, fri·jo·le [fríːhoul, -∠], [friːhóuli] (*pl.*

fri·jo·les [-liːz, -leis]) *n.* [C] (보통 *pl.*) 《美남서부》 강낭콩의 일종《멕시코 요리에 쓰는》.

◇**frill** [fril] *n.* **1** [C] 주름 달린 가두리 장식; 주름 장식. **2** [C] (새 · 짐승의) 목털. **3** [C] 싸구려 장식품; 겉치레, 허식. **4** (*pl.*) 젠체함: put on (one's) *~s* 잘난 체하다. —*vt.* …에 가두리 장식을 달다; …의 가장자리에 장식을 달다. [파] **~ed** *a.* ~이 달린.

frill·ing [fríliŋ] *n.* [U] 주름 장식; 주름 장식 재료.

frilly [fríli] (***frill·i·er; frill·i·est***) *a.* 주름 장식이 달린. —*n.* (*pl.*) (부인용) 주름장식이 달린 속옷 〔란제리〕. [파] **fríll·i·ness** *n.*

*__fringe__ [frindʒ] *n.* [C] **1 술**; (스카프 · 숄 따위의) 술 장식. **2 가장자리**, 가, 외변: a park with a ~ of trees 주변에 나무가 있는 공원 / a ~ of beard on one's chin 턱 주변에 돋아난 수염. **3 a** 《英》 (여성의) 이마에 드린 앞머리(《美》 bangs). **b** (동식물의) 터부룩한 털. **4** (학문 등의) 초보적인 지식; 이차적인 것: a mere ~ of philosophy 철학의 초보적인 지식. **5** 〖집합적〗 (경제 · 사회 · 정치 등의) 과격파 그룹, 주류 일탈파(主流逸脫派): ⇨ LUNATIC FRINGE. **6** 《美》 = FRINGE BENEFIT.

—*vt.* …에 술을 달다; 테를 두르다(***with, by*** …으로): Flowers ~ the path. 작은 길 양쪽에는 꽃이 늘어서 있다 / The road was *~d with* 〔*by*〕 flowering azaleas. 길 양측에는 꽃이 핀 진달래가 심어져 있었다.

frínge àrea (도시) 주변 지역; 프린지 에어리어 《라디오 · 텔레비전의 시청 불량 지역》.

frínge bènefit (흔히 *pl.*) 부가 급부(給付)《본급 외의 유급 휴가 · 건강 보험 · 연금 따위》.

frínge gròup 비주류파(非主流派).

frip·pery [frípəri] *n.* **1** [U] 야한〔요란한〕 장식. **2** [C] (보통 *pl.*) 값싸고 번지르르한 옷〔장식품, 물건〕. **3** [U] (문장의) 허식; 겉치레, 점잔빼. —*a.* 값싼, 시시한, 하찮은.

Fris·bee [frízbiː] *n.* [C] (원반던지기 놀이의) 플라스틱 원반《상표명》.

Fris·co [frískou] *n.* 《구어》 = SAN FRANCISCO.

frisk [frisk] *vi.* 껑충껑충 뛰어 돌아다니다, 뛰놀다; 장난치다, 까불어 대다. —*vt.* **1** 가볍게 흔들다. **2** (경관 등이 아무)의 옷을 더듬어 소지품 검사를 하다: The policeman *~ed* him for hidden weapons. 경찰관은 그가 무기를 숨기고 있지나 않은지 몸을 수색했다.

—*n.* **1** (a ~) 뛰어 돌아다님; 까불. **2** [C] 《구어》 (옷을 더듬는) 몸수색.

frisky [fríski] (***frisk·i·er; -i·est***) *a.* 뛰어 돌아다니는; 장난치는, 까부는.

[파] **frísk·i·ly** *ad.* **frísk·i·ness** *n.*

fris·son [friːsɔ́ːŋ] (*pl.* **~s** [-z]) *n.* 《F.》 [C] (흥분 · 기쁨 따위에 의한) 전율, 스릴.

frith [friθ] *n.* [C] 좁은 내포(內浦); 강어귀(firth).

frit·ter[1] [frítər] *vt.* (시간 · 정력 등)을 조금씩 허비하다, 찔끔찔끔 낭비하다(*away*)(《***on*** …에》): ~ *away* one's time (*on* golf) (골프에) 시간을 낭비하다.

frit·ter[2] *n.* [C] 〖흔히 복합어〗 〖요리〗 살코기 · 과일 등을 넣은 일종의 튀김: apple *~s* 사과 튀김 / oyster *~s* 굴 튀김.

fritz [frits] *n.* 〖다음의 관용구로〗 ***on the*** ~ 《美속어》 고장이 나서.

friv·ol [frívəl] (***-l-,*** 《英》 ***-ll-***) 《구어》 *vt.* (돈)을 헛되게 쓰다, 낭비하다(*away*). —*vi.* 부질없이 지내다, 허송세월하다; 쓸데없는 짓을 하다.

◇**fri·vol·i·ty** [friválǝti/-vɔ́l-] *n.* **1** [U] 천박, 경솔. **2** [C] (보통 *pl.*) 쓸데없는 일; 부질없는 행위〔생각〕.

*__friv·o·lous__ [frívələs] *a.* **경솔한**, 들뜬; 하찮은, 보잘것없는, 시시한; 바보 같은.

[파] **~·ly** *ad.* **~·ness** *n.*

frizz, friz [friz] (*pl.* ***fríz·(z)es***) 《구어》 *n.* [U] (또는 a ~) 곱슬곱슬한 것〔털〕, 고수머리. —*vt.* 곱슬곱슬하게 하다, (머리)를 지지다(*up; out*).

friz·zle[1] [frízl] *n.* (a ~) 고수머리, 지진 머리, 곱슬곱슬한 털, 컬. —*vt.* (머리)를 지지다, 곱슬곱슬하게 하다(*up*). —*vi.* 곱슬곱슬해지다(*up*).

friz·zle[2] *vt.* (고기 등)을 지글지글 소리내며 기름에 튀기다〔굽다〕, (베이컨 등)을 바삭바삭하도록 튀기다〔볶다〕. —*vi.* (고기 · 베이컨 등이) 지글지글 소리내며 튀겨지다.

friz·zly, friz·zy [frízli], [frízi] *a.* 곱슬곱슬한 (털의); 곱슬머리의.

fro *ad.* 〖다음의 관용구로〗 ***to and*** ~ 이리저리 (로), 앞뒤로.

◇**frock** [frɑk/frɔk] *n.* [C] **1** 여성복《상하가 붙은 원피스》, 드레스; (실내용) 아동복. **2** 성직자의 옷; (the ~) 성직. **3** (농부 · 노동자 등의) **일복**, 작업복. **4** 프록 코트.

fróck còat 프록 코트《남자용 예복》.

*__frog__ [frɔːg, frɑg/frɔg] *n.* [C] **1** 〖동물〗 **개구리**: an edible ~ 식용 개구리. **2** (F-) 《구어 · 경멸적》 프랑스인《개구리를 식용으로 함을 경멸하여》. **3** 〖철도〗 (교차점의) 철차(轍叉)《발가락을 벌린 개구리의 뒷발을 닮았음》. **4** (상의의) 장식 단추, 프로그. **5** (꽃꽂이의) 침봉(針峰). **6** 《美속어》 (컴퓨터 프로그램 등에 대해) 흠이 있는 것, 산뜻하지 못한 것. ***have a ~ in the*** 〔***one's***〕 ***throat*** 《구어》 (일시적으로) 목이 쉬다, 소리가 안 나오다.

fróg kìck 〖수영〗 개구리차기.

fróg·man [-mæ̀n, -mən] (*pl.* ***-men*** [-mèn, -mən]) *n.* [C] 잠수부, 잠수 공작원〔병〕.

fróg-màrch, fróg's- *vt.* 《英》 (저항하는 포로 · 죄수 등)을 엎어놓고 네 사람이 팔다리를 붙들고 나르다; 뒤로 결박하고 걷게 하다.

fróg spàwn 개구리 알.

frol·ic [frálik/frɔ́l-] (***-ck-***) *vi.* 장난치다(*about*); 들떠서 떠들다, 야단법석 떨다. —*n.* **1** [C] 유희, 장난. **2** [U] 들뜸. **3** [C] 야단법석; 유쾌한 모임.

[파] **~·some** [-səm] *a.* 장난치는, 들뜬 기분의, 신바람난.

†**from** [frʌm, frɑm, 약 frəm/frɔm, 약 frəm] *prep.* …**에서**, …**으로부터**; …으로. **1** 〖기점〗 **a** 〖출발 · 행동 · 이동의〗: jump down ~ a wall 담(장)에서 뛰어내리다 / travel ~ Seoul to New York 서울에서 뉴욕까지 여행하다 / Bees fly ~ flower to flower. 꿀벌은 꽃에서 꽃으로 날아다닌다《to의 앞뒤가 같은 명사 또는 밀접히 관련된 명사일 때에는, 보통 관사를 안 붙임. 같은 예: *from time to time, from person to person, from head to foot*》. **b** 〖변화 · 추이의〗: translate ~ English *to* Korean 영어에서 한국어로 번역하다 / He changed ~ a shy person into quite a politician. 그는 수줍은 인간에서 어엿한 정치가로 변신했다 / Things are going ~ bad to worse. 사태는 점점 악화되어 가고 있다 / *From* (*being*) boys they became men. 그들은 소년에서 어른으로 변했다. **c** 〖때 · 시간 · 공간의〗: ~ childhood 〔a child〕 어릴 적부터 / ~ Monday to Saturday 월요일부터 토요일까지(《美》에서는 종종 from을 생략하고 Monday through Saturday라고 함) / We stayed there ~ May to 〔till,

until〕 July. 우리는 5월부터 7월까지 그곳에 머물렀다 / I'll be on holiday ~ August 1 (onward). 8월 1일부터 휴가입니다 / The shop will be open ~ 9 o'clock. 그 가게는 아홉 시에 개점한다(start, begin, commence 따위 '시작'의 뜻인 동사에서는 from은 쓸 수 없음: School begins at 〔×from〕 9 o'clock. 수업은 9시에〔부터〕 시작된다) / The Rocky Mountains extend ~ the United States into Canada. 로키산맥은 미 합중국에서 캐나다까지 뻗쳐 있다 / How far is it ~ here to the station? 여기서 정거장까지 얼마나 됩니까.
2 〖떨어져 있음 · 없음 · 쉼〗: rest ~ work 일손을 쉬다 / live apart ~ one's family 가족과 별거하다 / He is away ~ home. 그는 집에 없다 / The town is ten miles (away) ~ the coast. 그 시는 해안에서 10마일 떨어져〔되는 곳에〕 있다 / The house is back ~ the road. 집은 길에서 들어간 곳에 있다 / I am far ~ blaming you. 자네를 비난할 마음 따위는 추호도 없네.
3 〖분리 · 제거 · 방어 · 방지 · 제지〗: expel an invader ~ a country 침입자를 국외로 쫓아버리다 / be free ~ care 걱정이 없다 / save a child ~ drowning 아이가 물에 빠진 것을 구하다 / take the knife (away) ~ the boy 소년에게서 칼을 빼앗다 / keep a secret ~ others 비밀을 남에게 말하지 않다 / If you take 〔subtract〕 3 ~ 10, 7 remains. =3 ~ 10 is 〔leaves〕 7. 10에서 3을 빼면 7(이 남는다).
4 〖격리 · 해방 · 면제〗: release a person ~ prison 아무를 교도소에서 석방하다 / We are safe ~ the rain here. 여기면 비에 젖지 않는다 / be excused ~ jury duty 배심원의 의무가 면제되다.
5 〖제한 · 억제〗 〖*doing*을 수반하여〗: I can't refrain 〔keep (myself)〕 ~ laugh*ing*. 웃지 않을 수 없다 / What hindered 〔prevented, stopped〕 you ~ com*ing*? (무엇에 걸려 못 왔는가 →) 무엇 때문에 못 왔는가.
6 〖수량 · 가격 · 종류〗: Count ~ 1 to 10. 1에서 10까지 세시오 / We have cheese(s) ~ $3 per pound. 당점(當店)에서는 치즈는 파운드당 3달러인 것부터 있습니다 / There were ~ 50 to 60 present. 50명에서 60명 가량이 참석해 있었다 / The journey should take us ~ two to three hours. 여행은 2-3시간 걸릴 게다《이처럼 from ... to — 전체가 하나의 수사처럼 취급되어 명사를 수식할 때가 있음》.
7 〖보내〔오〕는 사람 · 발송인〗: a letter ~ Bill to his wife 빌로부터 아내 앞으로 보낸 편지 / We had a visit ~ our aunt yesterday. 어제 숙모의 방문이 있었다.
8 〖출처 · 기원 · 유래〗: light ~ the sun 태양광선 / passages (quoted) ~ Shakespeare 셰익스피어로부터의 인용구 / draw a conclusion ~ the facts 사실로부터 결론을 끌어내다 / They obtained rock samples ~ the moon. 암석 표본을 달에서 채집해 왔다 / Where are you ~ ?— I'm ~ Gwangju. 어디 출신입니까—광주 출신입니다 / Where do you come ~ ? 어디 출신입니까《비교: Where did you come ~ ? '어디서 왔는가'의 뜻》 / These grapes come 〔are〕 ~ France. 이 포도는 프랑스산이다.
9 〖모범 · 본뜸〗: Did you paint the picture ~ nature? 이 그림은 사생(寫生)한 것입니까 / The portrait has been painted ~ life. 초상화는 실물을 모델로 해서 그려졌다.
10 〖관점 · 근거〗: ~ the political point of view

정치적(인) 견지에서 (보아) / speak ~ experience 〔memory〕 경험에 의해서〔기억을 더듬어〕 이야기하다 / *From* 〔Judging ~〕 the evidence, he must be guilty. 그 증거로 보아 그는 유죄임에 틀림없다 / *From* what I heard, he is to blame. 들어 보니 그가 나쁘다.
11 〖원인 · 이유 · 동기〗: shiver ~ cold 추위로 떨다 / suffer ~ gout 통풍을 앓다 / act ~ a sense of duty 의무감에서 행동하다 / die ~ a wound 부상으로 죽다 / I did that ~ necessity. 필요해서 그걸 했다.
12 〖구별 · 차이〗: know 〔tell〕 right ~ wrong 옳고 그름을 판별하다 / be of an opinion different ~ one's father's 부친의 의견과 다르다 / Taste differs 〔varies〕 ~ person to person. 취미〔기호(嗜好)〕는 각인각양.
13 〖원료 · 재료〗: make chemical fibers ~ petroleum 석유에서 화학섬유를 만들다 / Wine is made ~ grapes. 포도주는 포도로 만들어진다.

> NOTE **be made from**과 **be made of** (1) 전자는 원료가 그 형태나 질이 바뀌어 제품으로 된 것이지만, 후자에선 재료가 그대로의 형태로 제품 중에 쓰인 것일 때: That bridge is made *of* steel. 저 다리는 강철로 돼 있다. (2) 일부의 재료는 **with**로 나타낼 때도 있음: You make a cake *with* eggs. 달걀로 케이크를 만든다.

14 〖부사(구)의 앞에서〗: ~ below 아래쪽에서 / ~ within 내부로부터 / ~ far and near 원근 각처에서 / ~ thence 〔hence〕 《시어》 거기〔여기〕 서부터 / come ~ beyond the mountains 산을 넘어서 오다 / speak ~ under the bedclothes 잠자리에서 이야기하다 / message ~ over the sea 해외로부터의 통신 / ~ above 〔below, afar〕 위〔아래, 멀리〕로부터 / ~ behind the door 문 뒤에서 / Choose a book ~ among these. 이 중에서 책 한 권을 골라라.
as **~** ⇨AS. **~ *out* (*of*)** …으로부터《out of의 강조형》. ***... week*(*s*) 〔*month*(*s*), *year*(*s*)〕 ~ *today*** 〔***tomorrow,*** etc.〕 오늘〔내일 (등)〕부터 …주간〔개월, 해〕 지난 때에; …주일〔개월, 년〕 후의 오늘〔내일 (등)〕: I'll see you three *weeks* 〔*months*〕 ~ *tomorrow*. 3주일〔3개월〕 후의 내일 만나뵙지요 / He'll be a Father 5 *years* ~ now. 그는 5년 뒤에나 신부(神父)가 될 것이다.

frond [frɑnd/frɔnd] *n.* Ⓒ (양치(羊齒) · 해초 등의) 잎; 〖식물〗 엽상체(葉狀體).

†**front** [frʌnt] *n.* **1** Ⓒ (보통 the ~) **앞, 정면,** 앞면; 맨 앞자리; (신문의) 제1면; (건물의) 앞쪽, …쪽 면: the west ~ of a building 건물의 서쪽 면 / sit in 〔at〕 the ~ of the class 클래스의 맨 앞자리에 앉다. **2** (the ~) 《英》 (바닷가 · 호숫가의) 산책길, 해안 도로: a hotel on the (sea) ~ 바다를 향해 있는 호텔. **3** Ⓒ 앞 부분에 붙인 것; 옷의 앞 부분, (와이셔츠의) 가슴판. **4** (a ~) **a** 〖보통 수식어와 함께〗 태도: a cool ~ 침착한 태도 / show 〔present, put on〕 a bold ~ on …에 대담한 태도를 보이다. **b** 겉치레; 뒤넘스러움; 풍채, 모양새: put on a ~ 겉치레하다 / keep up a ~ 체면을 유지하다. **5** Ⓒ **a** (단체 · 회사 따위의) 표면상의 간판, 명목상의 인물. **b** (보통 *sing.*) 《구어》 (불법 행위를 감추기 위한) 속임 수단《***for*** …의》: The restaurant is a ~ *for* a gambling operation. 그 음식점은 도박행위의 속임수단이다. **6 a** (the ~; 종종 F-) 〖군사〗 **전선**(前線)(부

대); 전선(戰線), 싸움터: go to the ~ 전선에 나가다, 출정하다. **b** Ⓒ (보통 *sing.*) (정치·사회 운동 따위의) 전선, 협력, 제휴: the labor ~ 노동 전선/form a united ~ against …에 대해 공동 전선을 펴다. **c** (the ~) 활동의 장(場); 〔집합적〕 활동의 장에 있는 사람들: progress on the educational ~ 교육면에서의 진보. **7** Ⓒ 〖음성〗 전설면(前舌面). **8** Ⓒ 〖기상〗 전선(前線): a cold ~ 한랭 전선.

at the* ~** 정면에; 맨 앞자리에; 싸움터에 나가, 출정 중에; (문제 따위가) 표면에 나타나서. ***come to the* ~** 정면에 나타나다, 뚜렷해지다: New issues have *come to the* ~. 새로운 문제가 대두했다. **~ *of 《美구어》 =in ~ of. ***get in* ~ *of oneself*** 《美구어》 서두르다, 허둥대다. ***in* ~** 전방에; (옷 따위의) 앞 부분에; 앞 자리에, 맨 앞 줄에: Sit down, you *in* ~! 앞쪽에 있는 친구, 앉아. ***in* ~ *of*** ① …의 앞에. ↔ *at the* BACK *of*.¶ She stood just *in* ~ *of* me. 그녀는 나의 바로 앞에 섰다. ② …의 면전에서. ***out* ~** ① 청중〔관객〕 중에. ② (다른 경쟁자에) 앞서. ③ 집 앞에, 현관 앞에. ④ 《구어》 솔직히, 정직하게. ***up* ~** 《구어》 미리, 《특히》 선금으로; 솔직히; 〖경기〗 전위(前衛)에서; 상대방 코트에.

—*a.* Ⓐ **1 정면의**, 전면의: a ~ wheel 앞바퀴/the ~ hall 《美》 현관의 홀, (호텔의) 프런트. **2** 《구어》 속임수의, 표면상의 간판이 되는. **3** 〖음성〗 전설(前舌)(음)의. ★ 비교급은 때로 fronter.

—*ad.* 정면에〔으로〕. **~ *and rear*** 앞뒤를, 앞뒤 양면에서.

—*vi.* **1** 《+전+명/+부》 면하다; 〖군사〗 정면으로 향하다: The house ~*s on* the sea. 집은 바다 쪽으로 향해 있다/*Front round* and stand still. 돌아서서 정면을 바라보고 움직이지 마라. **2** 《+전+명》 《속어》 속임 수단이 되다《*for* …의》: The laundry ~*s for* a drug ring. 그 세탁소는 마약 조직의 속임 수단이다.

—*vt.* **1** …에 면하다, 향하다: The villa ~*s* the lake. 별장은 호수 쪽을 향하고 있다. **2** 《+목+전+명》 …의 앞면에 붙이다〔대다〕《*with* …을》: ~ a building *with* marble 건물 전면에 대리석을 붙이다.

front·age [frʌ́ntidʒ] *n.* Ⓒ **1** (집의) 정면, 전면. **2** (길·하천 등에 면한) 공지; 집 앞의 빈터, 정면공지(正面空地)《길·하천 따위와 집의 앞면 사이의 땅》.

frόntage ròad 《美》 측면 도로(service road) 《고속 도로 등과 평행하게 만든 연락 도로》.

fron·tal [frʌ́ntəl] *a.* Ⓐ 앞(쪽)의, 정면의; 〖해부〗 이마의, 앞이마 부분의; 〖기상〗 전선(前線)의: a ~ assault 〖군사〗 정면 공격.

—*n.* Ⓒ 제단 전면의 휘장; 〖건축〗 (집의) 정면.

frόnt bénch (the ~) 〔집합적〕 《英》 하원의 정면석《여당 및 제1야당 간부의 좌석》 의원들.

frόnt·béncher Ⓒ 《英》 front bench에 앉는 여당 또는 야당의 간부.

frόnt búrner (the ~) 레인지의 앞의 버너〔화구〕. ***on the* ~** 최우선 사항으로, 최대 관심사로.

frόnt dóor (집의) 정면 현관, 정면 출입구.

fron·tier [frʌntíər, frɑn-, ⌐-⌐/frʌ́ntiə] *n.* **1** Ⓒ **국경**, 국경 지방. SYN. ⇨BORDER. **2** (the ~) 《美》 **서부 변경**《개척지와 미개척지와의 경계 지방》. **3** Ⓒ (종종 *pl.*) (지식·학문 등의) 새 분야; 미개척 영역: the ~*s of* science 과학의 미개척 분야. **—***a.* Ⓐ 국경의, 변경의; 《美》 서부 변경의: ~ disputes 국경 분쟁/a ~ town 변경 도회.

fron·tiers·man [frʌntíərzmən, frɑn-/frʌ́ntiəz-] (*pl.* **-men** [-mən]) *n.* Ⓒ 국경 지방의 주민; 《美》 변경 개척자.

frontíer spírit 개척자 정신《미국 국민성의 한 특성》.

fron·tis·piece [frʌ́ntispìːs] *n.* Ⓒ **1** 권두(卷頭) 그림; (책의) 속표지. **2** 〖건축〗 정면; (문 따위의) 장식벽, 입구 상부의 합각(合閣) 머리.

frόnt·làsh *n.* Ⓒ 《美》 정치적 반동에 대한 반작용.

front·let [frʌ́ntlit] *n.* Ⓒ **1** (리본 따위의) 이마 장식, 머리띠. **2** (짐승의) 이마.

frόnt líne (the ~) (활동·투쟁 등의) 최전선(最前線); 〖군사〗 전선, 제일선.

frόnt-líne *a.* 〖군사〗 전선(용)의; 우수한, 제1선의.

frόnt màn 1 (부정 행위의) 앞잡이; 표면에 내세우는 인물. **2** =FRONTMAN 1.

frόnt·màn [-mæ̀n] (*pl.* **-men** [-mèn]) *n.* **1** 악단을 이끄는 가수〔연주가〕. **2** =FRONT MAN 1.

frόnt màtter 책의 본문 앞의 부분《속표지·머리말·차례 등》.

frόnt mòney 선금; 착수 자금.

frόnt òffice (회사 등의) 본부; 수뇌부.

frόnt páge (책의) 속표지; (신문의) 제1면.

frόnt-pàge *a.* Ⓐ (신문의) 제1면에 적합한, 중요한: a ~ story, 1면 기사/The story received ~ coverage. 그 기사는 제1면에 실렸다. **—***vt.* (뉴스)를 제1면에 싣다〔보도하다〕.

frόnt róom 건물의 앞 부분에 있는 방, 거실 (living room).

frόnt-rúnner *n.* Ⓒ **1** 선두를 달리는 선수〔말〕; 남을 앞선 사람〔말〕. **2** 가장 유력한 선수〔후보〕《*for* …의》.

frόnt vόwel 〖음성〗 전(설)모음《[i, e, ε, æ] 따위》.

frόnt-whèel *a.* (차 따위의) 앞바퀴의; 전륜 구동의: a ~ drive 전륜 구동.

frόnt yàrd (집의) 앞뜰.

‡frost [frɔːst/frɔst] *n.* **1** Ⓤ **서리**: Jack *Frost* 서리의 요정; 〔의인적〕 혹한, 동장군(冬將軍)/The ground is covered with ~. 지면은 서리로 덮여 있다. **2** Ⓒ 강상(降霜): a hard 〔sharp〕 ~ 혹한; 모진 서리/There was a heavy ~. 된서리가 내렸다. **3** Ⓤ 서리가 내릴 정도의 추위; 조락기(凋落期); 〔...degrees of frost로〕 《英》 빙점하의 온도: two *degrees of* ~ 영하 2도. **4** Ⓤ 냉담; 음산. **5** Ⓒ 《구어》 (출판물·행사·연극 등의) 실패: The party turned out a ~. 파티는 실패로 끝났다.

—*vt.* **1** 서리로 덮다. **2** (식물)을 서리로 해치다, 서리로 얼리다. **3** 《美》 (케이크)에 희게 설탕을 입히다. **4** (유리·금속의) 광택을 지우다, 서리처럼 희게 하다. **—***vi.* **1** 〔it을 주어로 하여〕 서리가 앉다〔내리다〕, 얼다: *It* ~*s*. 서리가 내리다. **2** 《~/+부》 (밭 따위가) 서리로 덮이다(*over*).

frόst·bìte *n.* Ⓤ 동상(凍傷).

frόst·bìtten *a.* 동상에 걸린; 서리 피해를 입은.

frόst·bòund *a.* (땅이) 동결(凍結)한.

frόst·ed [-id] *a.* **1** 서리로 (뒤)덮인, 서리가 내린; 상해(霜害)를 입은. **2** (머리가) 희어진; 설탕을 입힌〔뿌린〕; 광택을 지운: ~ glass 젖빛 유리.

frόst hèave 땅이 얼어 지면을 밀어올리는 것, 동상(凍上).

frόst·ing *n.* Ⓤ **1** 《美》 (과자의) 당의(糖衣). **2** (유리의) 광택을 지움.

fróst·wòrk *n.* Ⓤ (유리창 따위에 생기는) 서리의 꽃, 성에; 성에무늬 장식.

°**frosty** [frɔ́:sti/frɔ́sti] (***frost·i·er; -i·est***) *a.* **1** 서리가 내리는; 혹한의; 서리로 (뒤)덮인; 서리처럼 흰; (머리가) 반백인: a ~ head 반백의 머리. **2** 냉담한, 쌀쌀한: a ~ smile 쌀쌀한 미소, 냉소. ㉫ **fróst·i·ly** *ad.* **-i·ness** *n.*

°**froth** [frɔ:θ/frɔθ] *n.* **1** Ⓤ (또는 a ~) (맥주 등의) 거품. **2** Ⓤ 시시함, 하찮음; 객담(客談).
—*vt.* …에 거품을 일으키다; …을 거품투성이로 하다(*up*). —*vi.* 거품이 일다, 거품을 뿜다: ~ at the mouth 입에서 거품을 뿜다; 입가에 게거품을 내다.

frothy [frɔ́:θi/frɔ́θi] (***froth·i·er; -i·est***) *a.* 거품투성이의; 거품 같은; 공허한, 천박한.
㉫ **fróth·i·ly** *ad.* **-i·ness** *n.*

frou·frou [frú:frù:] *n.* Ⓒ (비단이 스치는) 버스럭 소리; (드레스 · 스커트 따위에 붙이는) 정교한 장식《리본 · 프릴 따위》.

frown** [fraun] *vi.* **1** 《~/+전+명》 **눈살을 찌푸리다**, 얼굴을 찡그리다《at*** …에》. ↔ *smile*.¶ She *~ed* in the bright sunlight. 눈부신 햇빛을 받아 그녀는 얼굴을 찌푸렸다 / He *~ed at* me for laughing at him. 내가 그를 보고 웃었기 때문에 그는 불쾌한 얼굴을 했다. **2** 《+전+명》 난색을 표시하다, 불찬성의 뜻을 나타내다《***on, upon*** …에》: He *~s on* my smoking. 그는 내가 담배를 피우면 난색을 표한다 / ~ *upon* a scheme 계획에 난색을 표시하다. **3** 《~/+부/+전+명》 (사물이) 위압적인 형세를 보이다(*down*): The castle *~ed down upon* the field. 성(城)이 들판을 위압하듯 내려다보고 있었다.
—*vt.* **1** 눈살을 찌푸려 …의 감정을 나타내다. **2** 《+목+부》 눈살을 찌푸려 (아무)를 위압하다(*off; away; down*): ~ a person *down* 무서운 얼굴을 하여 아무를 침묵시키다 / ~ a person *away* 〔*off*〕 언짢은 얼굴을 하여 아무를 좇아버리다.
—*n.* Ⓒ **1** (언짢음 · 불찬성을 나타내어) 눈살을 찌푸림, **찡그린 얼굴**. **2** 불쾌함〔불찬성〕의 표정.

frówn·ing *a.* 언짢은, 찌푸린 얼굴의; 위압하는 듯한. ㉫ **~·ly** *ad.*

frowst [fraust] 《英구어》 *n.* (a ~) (실내의) 퀴퀴한 공기, 후텁지근함. —*vi.* 후텁지근한 곳에 있다. ㉫ **∠·y** *a.* 퀴퀴한, 숨막히는《실내 따위》.

frow·zy, frow·sy [fráuzi] (***-zi·er; -zi·est***) *a.* 곰팡이가 슨, 곰팡내나는; 숨막히는; 더러운; (의복 · 사람이) 추레한, 흩게 늦은.

froze [frouz] FREEZE의 과거.

‡**fro·zen** [fróuzən] FREEZE의 과거분사.
—*a.* **1** 언, 곱은; 동상에 걸린: a ~ lake 얼어붙은 호수. **2** 결빙한, 냉동한: ~ meat 냉동한 고기. **3** 극한의: the ~ zones 한대. **4** **차가운**, 냉혹한, 냉담한: a ~ glance 차가운 일별. **5** 움츠린《***with*** (공포 · 놀라움 따위)로》: The girl was ~ *with* terror. 소녀는 두려워서 위축되었다. **6** 〖경제〗 (자금 따위가) 동결(凍結)된; (물가 따위가) 고정된: ~ assets 동결 자산 / ~ loans 〔credit〕 회수 불능 대금(貸金). ㉫ **~·ly** *ad.*

> **DIAL.** ***I'm frozen*** 〔***stiff***〕. 되게 춥네, 얼어 죽겠다.

FRS 《美》 Federal Reserve System. **frs.** francs. **F.R.S.** Fellow of the Royal Society. **frt.** freight.

fruc·ti·fi·ca·tion [frʌ̀ktəfikéiʃən] *n.* Ⓤ 결실(結實); (식물의) 과실(果實).

fruc·ti·fy [frʌ́ktəfài] *vt.* (식물)에 열매를 맺게 하다; 성공하게 하다. —*vi.* 결실을 맺다; (노력이) 성공하다.

fruc·tose [frʌ́ktous] *n.* Ⓤ 〖화학〗 과당(果糖).

fru·gal** [frú:gəl] *a.* **1** **검약한**, 소박〔질박〕한. **2** Ⓟ 절약하는, 조리차하는《with, of*** …을》. ⓒⓕ thrifty.¶be ~ *of* 〔*with*〕 one's money 돈을 절약하다. ㉫ **~·ly** *ad.*

fru·gal·i·ty [fru:gǽləti] *n.* **1** Ⓤ 검약, 질소(質素): with ~ 검약하게 / live in ~ 검소하게 지내다. **2** Ⓒ (보통 *pl.*) 검약〔질소〕한 것.

†**fruit** [fru:t] *n.* **1 a** Ⓤ (종류는 Ⓒ) 〖집합적〗 **과일**, 실과: *Fruit* is good for the health. 과일은 건강에 좋다 / Do you like 〔eat much〕 ~ ? 과일을 좋아하십니까〔많이 잡수십니까〕 / An apple is a ~ with firm juicy flesh. 사과는 단단하며 즙이 많은 과육을 가진 과일이다 / Apples and oranges are familiar *~s*. 사과와 귤은 흔한 과일이다.

> **NOTE** 보통 단수 무관사로 집합적인 뜻을 가지고 있으며, 불(不)가산적으로 쓰임《처음 두 가지 보기》. 가산적 용법은 주로 종류를 나타내는 경우에 한정됨《나중의 두 가지 보기》.

b Ⓒ (〖집합적〗으로는 Ⓤ) (식물의) 열매: the ~ of a rose tree 장미 나무의 열매 / This tree bears an edible ~. 이 나무는 먹을 수 있는 열매가 열린다 / a tree in ~ 열매가 열려 있는 나무.
2 (*pl.*) (농작의) 수확(물), 소출: the *~s* of the earth 〔ground〕 지상의 농작물.
3 Ⓒ (흔히 *pl.*) 산물, 소산; **성과**, 효과, 결과; 수익; 보수: *~s of* industry 근면의 성과, 노력의 결정 / the *~s of* one's labors 〔hard work〕 고생〔근면〕의 결과〔소산〕. SYN. ⇨ RESULT.
4 Ⓒ 《美속어》 동성 연애하는 남자.
bear 〔***produce***〕 ~ 열매를 맺다; 효과를 낳다.
—*vi.* 열매를 맺다: Our cherry trees don't ~ well. 우리 벚나무는 열매가 잘 열리지 않는다.

frúit·age [-idʒ] *n.* Ⓤ **1** 결실; 〖집합적〗 과일. **2** 성과.

frúit bàt 〖동물〗 큰박쥐(flying fox).

frúit·càke *n.* Ⓤ (낱개는 Ⓒ) 프루트케이크. (***as***) ***nutty as a*** ~ 미친, 바보 천치의.

frúit cùp 프루트컵《컵에 넣은 프루트 펀치류》.

fruit·er·er [frú:tərər] (*fem.* ***frúit·er·ess***) *n.* Ⓒ 《英》 과일 장수, 과일상.

frúit flỳ 〖곤충〗 과실파리《과실 · 채소의 해충》.

***fruit·ful** [frú:tfəl] *a.* **1** **열매가 많이 열리는**, 열매를 잘 맺는; 다산의, 비옥한; 풍작을 가져오는: ~ soil 비옥한 땅 / a ~ vine 자식이 많은 여인《시편 CXXVIII: 3》 / ~ showers 자우(慈雨), 단비. **2** 《비유적》 **결실이 풍부한**, 효과적인; 수익이 많은: a ~ occupation 실수입이 많은 직업.
㉫ **~·ly** *ad.* **~·ness** *n.*

fru·i·tion [fru:íʃən] *n.* Ⓤ 결실; 성취, 실현, 성과: come 〔be brought〕 to ~ (계획 등이) 열매를 맺다.

frúit knìfe 과도.

***fruit·less** [frú:tlis] *a.* **열매를 맺지 않는**, 열매가 없는; 자식 없는; 효과 없는, **무익한**: All my efforts were ~. 나의 모든 노력은 효과가 없었다. ㉫ **~·ly** *ad.* **~·ness** *n.*

frúit machìne 《英》 슬롯 머신《도박 · 게임용》.

frúit sàlad 프루트〔과일〕 샐러드; 《군대속어》 군복 위에 줄지어 단 장식끈과 훈장.

frúit sùgar 〖화학〗 과당(fructose).

frúit trèe 과수.

fruity [frúːti] (***fruit·i·er; -i·est***) *a.* **1** 과일의, 과일 같은; 과일 맛이 나는, (포도주가) 포도의 풍미(風味)가 있는: ~ wine 포도맛이 강한 포도주. **2** (음성 따위가) 풍부한, 낭랑한. **3** 《구어》 흥미진진한, 재미있는《이야기 따위》. **4** 《美속어》 (남자) 동성애의. [파] **frúit·i·ness** *n.*

frump [frʌmp] *n.* [C] 추레한 여자; 초라한 구식 복장을 한 사람. [파] **∸·ish** [-iʃ] *a.*

frumpy [frʌ́mpi] (***frump·i·er; -i·est***) *a.* 초라한; 시대에 뒤진.

frus·trate** [frʌ́streit] *vt.* **1** (적 따위)를 **쳐부수다**, 꺾다. **2** (계획 따위)를 헛되게 하다, 실패〔좌절〕시키다: ~ a plan 계획을 좌절시키다 / The police ~*d* their attempt to rob the bank. 경찰이 은행을 털려던 그들의 계획을 좌절시켰다 / The plan was ~*d* by the opposition of a majority of the board. 그 계획은 위원회 과반수의 반대에 부딪쳐서 좌절되었다. **3** 《+[목]+[전]+[명]》 〖종종 수동태〗 방해하다, 실망시키다《in*** …을》: He *was* ~*d* by the gloomy prospects. 그는 암담한 전망에 실망하였다 / *be* ~*d in* one's ambition 야망이 꺾이다. **4** 〖심리〗 …에 좌절감〔욕구 불만〕을 일으키게 하다.

frús·trat·ing *a.* 좌절감을 갖게 하는, 안달이 나는. [파] **~·ly** *ad.*

frus·trá·tion *n.* [U] (구체적으로는 [C]) 좌절, 차질, 실패; 실망; 〖심리〗 욕구 불만, 좌절감.

frus·tum [frʌ́stəm] (*pl.* ***~s, -ta*** [-tə]) *n.* [C] 〖수학〗 절두체(截頭體)《원뿔〔각뿔〕의 상부를 밑면에 평행으로 잘라낸 나머지; 두 개의 평면으로 잘라낸 부분》, 원뿔〔각뿔〕대; 〖건축〗 기둥몸.

****fry**[1] [frai] (*p., pp.* ***fried; frý·ing***) *vt.* **1** (기름으로) **튀기다, 프라이로 하다**; (기름으로) 볶(아 조리하)다: *fried* eggs 에그 프라이. **2** 《美속어》 전기의자로 처형하다. **—***vi.* **1** 기름으로 튀기다, 프라이가 되다. **2** 《구어》 몹시 덥다, 볕에 타다. **3** 《美속어》 전기의자로 처형되다.

~ ***up*** 《*vt.*+[부]》 (음식)을 프라이팬으로 데우다. ***other fish to*** ~ ⇨FISH.

—(*pl.* ***fries***) *n.* [C] **1** 프라이, 튀김(요리). **2** 《美》 (야외에서 하는) 프라이 회식.

fry[2] (*pl.* ~) *n.* [C] (막 부화된) 치어(稚魚); 연어의 2년생; 〖집합적〗 작은 것《아이들 · 작은 동물》.

frý·er, frí·er *n.* [C] 프라이 요리인; 프라이팬; 프라이용 재료《닭고기 따위》.

frý(ing) pàn 프라이팬. ***leap*** 〔***jump***〕 ***out of the frying pan into the fire*** 작은 난을 피하여 큰 재난에 빠지다; 갈수록 태산.

frý-ùp *n.* [C] 《英구어》 (먹다 남은 것으로 만드는 즉석에서) 볶은 음식.

FSK 〖컴퓨터〗 frequency shift keying. **FSLIC** 《美》 Federal Savings and Loan Insurance Corporation (연방 저축 대부 보험 공사). **ft.** feet; foot; fort; fortification. **FTC, F.T.C.** 《美》 Federal Trade Commission (연방 무역 위원회). **ft-lb** foot-pound(s).

fuch·sia [fjúːʃə] *n.* [C] 〖식물〗 퓨셔《바늘꽃과의 관상용 관목》.

°**fuck** [fʌk] 《비어》 *vt., vi.* (…와) 성교하다.

~ ***around*** 〔***about***〕 《*vi.*+[부]》 《속어 · 비어》 ① 바보 같은 짓을 하다. ② 난교(亂交)하다. ~ ***off*** 《*vi.*+[부]》 《속어 · 비어》 〖보통 명령형〗 ① 꺼져; 방해하지 마. ② 꾀병을 부리다. ~ ***up*** 《*vt.*+[부]》 《속어 · 비어》 ① …을 파괴하다, 망치다: He ~*ed* *up* our plan. 그 녀석이 우리 계획을 망가뜨려 놓았다. **—**《*vi.*+[부]》 ② 실수하다.

—*n.* **1** [C] (보통 *sing.*) 성교. **2** [C] 성교의 상대; 얼간이. **3** (the ~) 도대체《hell 따위 대신에 쓰는 강조어》: What the ~ is it? 도대체 그게 뭐냐. **4** 〖감탄사적; 흔히 ~ you로 혐오 · 곤혹을 나타내어〗 빌어먹을, 젠장맞을, 지긋지긋해.

~ ***all*** 《英속어 · 비어》 아무것도 …않다. ***not care*** 〔***give***〕 ***a*** (***flying***) ~ 전연 상관없다, 알 바 아니다. [파] **∸·er** 《비어》 *n.* [C] 성교하는 사람; 《경멸적》 바보자식, 멍청이.

fúck·ing *a.* [A], *ad.* 《비어》 우라질, 젠장칠; 지독한〔하게〕《강조어》.

fúck·ùp [C] 《속어 · 비어》 *n.* 바보짓을 하는 사람; 실패, 헛됨, 망침.

fud·dle [fʌ́dl] *vt.* 취하게 하다, (술로) 혼미하게 만들다. **—***n.* (a ~) 몽롱한 상태, 혼미.

fud·dy-dud·dy [fʌ́didʌ̀di] [C] 《구어》 *n.* 시대에 뒤진〔완고한〕 사람. **—***a.* 시대에 뒤진, 진부한; 까다로운.

fudge[1] [fʌdʒ] *n.* **1** [U] (낱개는 [C]) (초콜릿 · 버터 · 밀크 · 설탕 따위로 만든) 연한〔무른〕 캔디. **2** [C] 꾸며낸 이야기; 허튼소리; 〖감탄사적〗 당치 않은, 무슨 소릴.

fudge[2] *vi.* **1** 속임수를 쓰다, 부정을 하다《***on*** …에》: ~ *on* an examination 시험에서 부정행위를 하다. **2** (꼬투리를 잡히지 않도록) 애매한 태도를 취하다, 얼버무리다《***on*** …에》. **—***vt.* **1** (문제 · 의론 등)을 어름거려 넘기다, 피하다: ~ a question 질문을 피하다. **2** 임시변통으로 늘어놓다; (비밀 등)을 날조하다(*up*): ~ *up* evidence 증거를 날조하다.

****fu·el** [fjúːəl] *n.* **1** [U] (종류는 [C]) **연료**; 신탄(薪炭), 장작: ~ capacity 연료 적재력〔저장량〕 / nuclear ~ 핵연료 / run out of ~ 연료가 떨어지다 / Coal is used for 〔as〕 ~. 석탄은 연료로 쓰인다. **2** [U] 불러일으키는〔부추기는〕 것《***to*** (감정 따위)를》: The boy's excuse was ~ *to* his father's rage. 소년의 핑계가 더욱더 아버지의 노여움을 부채질했다.

add ~ ***to the fire*** 〔***flames***〕 불에 기름을 붓다; 격정을 부추기다: His attempts to appease her only *added* ~ *to the flames*. 그는 그녀를 달래려 했으나 더욱더 불에 기름을 붓는 결과가 되고 말았다.

—(***-l-,*** 《英》 ***-ll-***) *vt.* …에 연료를 공급〔보급〕하다, 장작을 지피다; (감정 따위)를 자극하다. **—** *vi.* (배 · 비행기 따위가) 연료를 적재하다〔보급받다〕(*up*).

fúel cèll 〖화학〗 연료 전지.

fúel òil 연료유; 중유.

fug [fʌg] *n.* (a ~) 《英구어》 (실내에) 공기가 퀴퀴하게 갇혀 있는 상태.

fug·gy [fʌ́gi] (***-gi·er; -gi·est***) *a.* 《英구어》 (방 안의 공기가) 후덥지근한, 숨이 막힐 듯한, 답답한, 탁한.

°**fu·gi·tive** [fjúːdʒətiv] *a.* 도망치는; 탈주한; 망명의; 고정되지 않은, 변하기 쉬운; 일시적인, 덧없는; 그 때뿐인; 즉흥적인《수필 따위》: a ~ soldier 탈주병 / a ~ color 바래기 쉬운 색.

—*n.* [C] 도망자, 탈주자; 망명자《***from*** …에서의》: a ~ *from* justice 도망친 범인.

fugue [fjuːg] *n.* 《F.》 [C] 〖음악〗 푸가, 둔주곡.

-ful *suf.* **1** [fəl] 명사에 붙어서 '…의 성질을 가진, …을 내포하는, …이 많은'이란 뜻의 형용사를 만듦: beauti*ful*, care*ful*. **2** [fəl] 동사 · 형용사에 붙어서 '…하기 쉬운'이란 뜻의 형용사를 만

듦: forget*ful*, dire*ful*. **3** [fùl] 명사에 붙어서 '…에 가득(찬 양)'이란 뜻의 명사를 만듦: cup*ful*, hand*ful*, mouth*ful*.

ful·crum [fúlkrəm, fʌ́l-] (*pl.* **~s, -cra** [-krə]) *n.* Ⓒ **1** 〖기계〗 지레의 받침점, 받침대. **2** 행동 능력을 부여해 주는 사람; 지주(支柱)가 되는 것.

ful·fill, 《英》 **-fil** [fulfíl] (**-ll-**) *vt.* **1** (약속·의무 따위)를 **이행하다, 다하다,** 완수하다: ~ one's promises 약속을 이행하다, 지키다 / ~ one's duties 〔obligations〕 임무〔의무〕를 완수하다. **2** (일)을 완료하다, 성취하다. **3** (기한)을 만료하다, 마치다. **4** (조건)에 적합하다, 맞다. **5** (희망·기대 따위)를 충족시키다; (예언·기원)을 실현시키다: ~ a person's expectations 아무의 기대를 충족시키다. **6** 〖~ oneself〗 (자기 자신의) 힘을 완전히 발휘하다: He was not able to ~ him*self* in business, so he became a writer. 그는 사업에서 자기 소질을 충분히 발휘할 수 없어서 작가가 되었다.

ful·fíll·ment *n.* Ⓤ (구체적으로는 Ⓒ) 이행, 수행; 완료, 성취; 달성; 실현: achieve (the) ~ of one's dreams 자기 꿈을 실현시키다.

full[1] [ful] *a.* **1 a 찬, 가득한;** 가득 채워진, 충만한《***of*** …으로》: a glass ~ *of* water 물이 가득 담긴 컵 / fill one's glass ~ 글라스를 가득 채우다 / speak with one's mouth ~ 음식을 입에 가득 물고 말하다. **b** (장소·탈것 따위가) 만원인, 혼잡한《***of*** …으로》: a ~ train 만원 열차 / The hall was ~ *of* people. 홀은 사람들로 꽉 차 있었다. **c** 《구어》 배부른; 가슴이 벅찬: on a ~ stomach 배가 잔뜩 불러 / I'm ~. 배부르다 / My heart is too ~ for words. 나는 가슴이 너무 벅차 말을 못하겠다. **d** 머릿속이 꽉 찬, 열중한《***of*** …으로; …에》: She is ~ *of* her own affairs. 그녀는 자신의 일에 몰두하고 있다 / a man ~ *of* himself 자기 일만 생각하는 사람.

2 a 충분한, 완전한, 결여됨이 없는; 만(滿) …의: a ~ supply 충분한 공급 / a ~ hour 꼬박 한 시간 / a ~ mark 만점 / ~ size 실물 크기 / a ~ member 정회원 / a ~ harvest 풍작 / in ~ view 환히 다 보이는 곳에, 전체가 보이는. SYN. ⇨ COMPLETE. **b** 많은, 풍부한《***of*** …이》: a river ~ *of* fish 고기가 많은 강.

3 Ⓐ (자격 따위가) 정식의, 정규의: a ~ member 정회원 / a ~ professor 《美》 정교수.

4 한도껏, 최고의, 최대한의; 한창의; 본격적인: in ~ activity 〔swing〕 최고조로, 한창으로 / at ~ speed 전속력으로 / ~ bloom 만발 / ~ summer 한여름.

5 (풍부하게) 충실한; (성량이) 풍부한; (맛이) 짙은; (빛 따위가) 강렬한; (빛깔이) 짙은: a ~ man (정신적으로) 충실한 사람.

6 여유 있는; (옷이) 낙낙한; 통통한, 불룩한《***in*** …이》: ~ lips 〔breasts〕 포동포동한 입술〔풍만한 젖가슴〕 / be ~ *in* the hips 엉덩이가 크다 / a ~ skirt 낙낙한 스커트 / a ~ figure 통통한 몸집.

7 같은 부모의: a ~ brother 같은 부모의 형〔아우〕 / a ~ sister 같은 부모의 언니〔동생〕.

8 〖야구〗 풀카운트의; 만루의: a ~ base 만루.

~ of years and honors 천수(天壽)를 다하고 공명도 떨쳐. ***~ up*** ① 가득하여: The bathtub is ~ *up*. 목욕통에 물이 가득했다. ② 만원으로; 꽉 차《***with*** …으로》: The train is ~ *up*. 기차는 만원이다 / The box was ~ *up with* toys. 상자에는 장난감이 꽉 차 있었다. ③ 《구어》 배가 불러: I'm ~ *up*. 배가 부르다.

—*n.* Ⓤ **1** 전부: I cannot tell you the ~ of it. 나는 너에게 전부 이야기할 수는 없다. **2** 한창 때, 절정, 《특히》 만월: The moon is past the ~. 달은 만월을 지났다.

at the ~ 한창 때에, 절정에: The moon is *at the* ~. 만월이다. ***in ~*** (성명 등을) 생략하지 않고, 자세히; (지급 등의) 전부, 전액: a receipt *in* ~ 전액 수령증 / payment *in* ~ 전액 지급. ***to the ~*** 철저하게, 마음껏.

—*ad.* **1 충분히,** 완전히, 꼬박 …《★ 현재에는 fully를 사용》: ~ two hours 꼬박 2시간. **2 꼭,** 정면으로: hit him ~ on the nose 코를 정통으로 치다 / look a person ~ in the face 아무의 얼굴을 정면으로 바라보다. **3** 대단히, 아주《주로 시문에》: ~ soon 즉시 / ~ many a ... 대단히 많은 …, 갖가지의 … / ~ well 충분히 잘.

—*vt.* (옷 따위)를 낙낙하게 하다.

—*vi.* (달이) 차다.

full[2] *vt.* (천)을 축융(縮絨)하다; (빨거나 삶아서) 천의 올을 배게 하다.

fùll ádder 〖컴퓨터〗 전가산기《2진수를 덧셈하기 위해 사용되는 논리 회로》.

fúll áge 성년.

fúll·bàck *n.* Ⓒ (수비 위치는 Ⓤ) 〖축구〗 풀백, 후위.

fúll blòod 순혈종; 순혈종의 사람〔동물〕.

fúll-blóoded [-id] *a.* Ⓐ **1** 순종의; 순수한. **2** 다혈질의; 원기왕성한. ㊞ **~·ness** *n.*

fúll-blówn *a.* (꽃이) 만발한; 완전히 성숙한; 완전〔충분〕히 발달한; 전부 갖춘.

fúll-bód·ied [-bádid/-bɔ́did] *a.* (술 따위가) 깊은 맛이 있는, 향기 있고 맛좋은, 짙은.

fúll-crèam *a.* 《英》 (탈지하지 않은) 전유(全乳)의, 전유제의.

fúll dréss 정장, 예장.

fúll-drèss *a.* Ⓐ 정장〔예장〕의; 정식의, 본격적인: a ~ rehearsal 본무대 연습 / a ~ uniform (군복의) 정장, 예장 / a ~ debate (의회의) 본회의; 철저한 토론.

full·er [fúlər] *n.* Ⓒ 축융업자(縮絨業者); 마전장이, 빨랫집.

fúller's èarth 백토(白土), 표토(漂土).

fúll-fáced [-t] *a.* 둥근 얼굴의, 동실동실한 (얼굴의); 정면을 향한: a ~ photograph 정면을 향한 사진.

fúll-fáshioned *a.* 《美》 풀패션의《스웨터·스타킹 등을 몸·발에 꼭 맞도록 짠》.

fúll-flédged *a.* (새가) 깃털이 다 난; 제몫을 하게 된, 자격이 충분한; 어엿한, 훌륭한. ↔ *unfledged.* ¶ a ~ physician 자격이 충분한 의사.

fúll fróntal 《구어》 (성기가) 그대로 드러난《누드 사진》; 《비유적》 세세하게 전부 드러난.

fúll-grówn *a.* 충분히 성장〔발육〕한, 성숙한.

fúll hánd 〖카드놀이〗 같은 점수의 패 3장과 2장의 갖추기.

fúll-héarted [-id] *a.* 정성들인, 성의 있는.

fúll-héarted·ly *ad.* 정성들여, 진심으로.

fúll hóuse (의회·극장 등의) 만원; 〖카드놀이〗 = FULL HAND.

fúll-léngth *a.* Ⓐ 등신(等身)의, 전신대(全身大)의; 생략이 없는, 원작 그대로의《소설 따위》; (치수를 짧게 하지 않은) 표준형의: a ~ portrait 전신상(像). **—***ad.* 몸을 쭉 펴고《눕다》(cf. at full LENGTH).

fúll móon 1 (the ~, a ~) 만월, 보름달. **2** 만월시(時): at ~ 만월시에.

fúll nélson 〚레슬링〛 풀넬슨《목조르기의 일종》.

full·ness, ful- [fúlnis] *n.* Ⓤ (가득) 참, 충만; 풍부, 충분; 비만; 때가 됨〔참〕: in its ~ 충분〔완전〕히 / in the ~ of one's heart 기쁜 나머지, 감격하여 / in the ~ of time 때가 되어〔차서〕, 예정한 때에.

fúll-pàge *a.* Ⓐ 전면의, 페이지 전체의.

fúll póint =FULL STOP.

fúll-rígged *a.* 〚항해〛 의장(艤裝)이 완전한; (돛배 따위가) 완전 장비의.

fúll-scále *a.* **1** 실물 크기의: a ~ model 실물 크기의 모형. **2** Ⓐ 전면적인; 본격적인: a ~ attack 총공격 / (a) ~ war 전면전(戰).

fúll scóre 〚음악〛 총보(總譜)《전성부(全聲部), 전악기의 part 보를 기록한 악보》.

fúll scréen 〚컴퓨터〛 전체 화면《모니터 화면에 꽉 차도록 가장 큰 크기의 창으로 프로그램이 표시된 전체 화면 상태》.

fúll-scréen mòde 〚컴퓨터〛 전화면 방식〔모드〕《화면 전체를 사용하는 형태로 application 이 실행되는 방식》.

fúll-sérvice *a.* 포괄적 업무를 제공하는(=**fúll-sérve**).

fúll-sìze, -sìzed *a.* 보통〔표준〕 사이즈의; (침대가) 풀사이즈인《54×75인치》(ⓒⓕ king-size): a ~ car 대형차 / ~ sheet 더블 베드용 시트.

fúll stóp 마침표, 종지부(period). ***come to a ~*** 완전히 끝나다. ***put a ~ to*** …에 종지부를 찍다: I'm going to *put a ~ to* this nonsense. 나는 이 어리석은 짓을 그만둘 생각이다.

fúll-térm *a.* **1** 산월(産月)의; (아기가) 달 수를 채우고 태어난. **2** 임기 만료까지 근무하는.

fúll tíme (노동 · 근무 따위의) 전시간, (일정 기간 내의) 기준 노동 시간; 〚축구〛 풀타임《경기 종료시》.

fúll-tíme *a.* 전시간(제)의; 전임의. ⓒⓕ half-time, part-time. ¶a ~ teacher 전임 교사.

fúll-tímer *n.* Ⓒ 상근자(常勤者).

⁑**ful·ly** [fúli] *ad.* **1 충분히**, 완전히; 전혀: eat ~ 충분히 먹다 / I was ~ aware of the fact. 나는 그 일을 충분히 알고 있었다. **2**〚수사 앞에서〛 꼬박…: for ~ three days 꼬박 3일 동안.

fúlly fáshioned =FULL-FASHIONED.

fúlly flédged 《英》 =FULL-FLEDGED.

ful·mar [fúlmər] *n.* Ⓒ 〚조류〛 섬샛과(科) 물새의 일종.

ful·mi·nate [fʌ́lmənèit, fúl-] *vt.* 폭발시키다; 호통치다, (비난 따위)를 맹렬히 퍼붓다. **—***vi.* **1** 폭음을 내다, 큰 소리를 내며 폭발하다. **2** 호통치다, 맹렬히 비난하다《***against*** …을》: ~ *against* a person 아무를 비난하다.

fùl·mi·ná·tion *n.* Ⓤ (구체적으로는 Ⓒ) **1** 폭발. **2** 맹렬한 비난.

fulness ⇨ FULLNESS.

ful·some [fúlsəm, fʌ́l-] *a.* 억척스런, 신물 나는, 집요한; 아첨이 철철 넘치는. ㊕ **~·ly** *ad.*

Ful·ton [fúltn] *n.* **Robert ~** 풀턴《미국의 기계 기사 · 증기선 발명자; 1765–1815》.

fu·ma·role [fjúːməròul] *n.* Ⓒ (화산의) 분기공.

°**fum·ble** [fʌ́mbəl] *vi.* **1** 더듬(어 찾)다(*about; around*)《***for, at*** …을》; 만지작거리다, 주무르다《***at, with*** …을》: ~ *for* a key 열쇠를 더듬어 찾다 / He ~*d about* trying to find his lighter in the dark. 그는 어둠 속에서 라이터를 찾으려고 더듬거렸다 / The drunken fellow was *fumbling at* the keyhole. 그 술 취한 사람은 열쇠 구멍을 더듬거리며 찾고 있었다 / The girl blushed and ~*d with* her handkerchief. 소녀는 얼굴을 붉히며 손수건을 만지작거렸다. **2** 서투르게 다루다; 실수하다. **—***vt.* …을 서투르게 다루다; …에 실수하다. **—***n.* Ⓒ 〚구기〛 펌블, (공을) 헛잡음. ㊕ **-bler** *n.*

°**fume** [fjuːm] *n.* **1** (*pl.*) 증기, 가스, 연무; (자극성의) 발연(發煙); (술 따위의) 독기: the ~*s* of wine 〔spirit〕 술의 독기. **2** (a ~) (발작적인) 노여움, 흥분, 발끈함: be in a ~ 노발대발하고 있다, 성나서 씩씩거리다. **—***vt.* 그을리다; 불김을 쐬다. **—***vi.* **1** 연기가 나다, 그을다; 증발하다 (*away*). **2** 노발대발하다, 씨근거리다《***at, about*** …에》: He ~*d* because she did not appear. 그는 그녀가 나타나지 않아서 노발대발했다 / I sometimes ~ *at* the waiter. 나는 가끔 그 웨이터가 못마땅할 때가 있다.

fu·mi·gate [fjúːməgèit] *vt.* 그을리다, 그슬리다, 불김에 쐬다; 훈증 소독하다.
㊕ **fù·mi·gá·tion** *n.* Ⓤ 훈증, 훈증 소독(법).

fumy [fjúːmi] (***fum·i·er; -i·est***) *a.* 연기〔가스 · 증기 · 연무〕가 많은〔로 가득 찬〕; 연무 모양의.

†**fun** [fʌn] *n.* Ⓤ **1 즐거움**, 재미, 우스움: We had a lot of ~ at the picnic. 피크닉은 대단히 재미있었다〔즐거웠다〕 / Boating was great ~. 보트 놀이는 대단히 재미있었다 / I can't see the ~ of it. 왜 재미있는지 알 수 없다. **2 장난**, 놀이: It was for ~ that they did it. 그들은 장난으로 그것을 하였다. **3** 《구어》 재미있는 것〔사람〕《★ 형용사가 붙어도 부정관사는 쓰지 않음》: What ~! 정말 재미있다 / He is great ~. 그는 아주 재미있는 사람이다.

for* 〔*in*〕 *~ 농담으로, 반장난으로: Try it just *for* ~. 장난삼아 그것을 해보아라 / Don't take offense, I said it *in* ~. 화내지 말아주세요. 반농담으로 말한 것이니까요. ***for the ~ of it* 〔*the thing*〕** 그것이 재미있어서, 반장난으로. ***~ and games*** 장난; 기분전환, 즐거움. ***like ~*** ① 《英구어》 기운차게; 한창, 크게《팔리는 따위》. ② 《속어》〚부정을 강조하거나, 의문을 나타내어〛 결코 …않다, 조금도 …이 아니다(by no means): You'll go, won't you?—*Like* ~ I will. 갈거니?—가긴 왜 가. ***make ~ of*** =***poke ~ at*** …을 놀려대다: You're always *making ~ of* 〔*poking ~ at*〕 me! 자네는 항상 나를 놀리는군.
—*a.* Ⓐ 《美》 유쾌한, 재미있는: a ~ party 즐거운 파티.

⁑**func·tion** [fʌ́ŋkʃən] *n.* Ⓒ **1 기능**, 구실, 작용, 효용: the ~ *of* the heart 〔kidneys〕 심장〔신장〕의 기능. **2 직무**, 임무; 직능; 역할: the ~ *of* the university 대학의 임무. **3 의식**, 행사; 제전, 축전; 《구어》 (대규모의) 사회적 회합, 연회. **4 a** 다른 것과 연관하여 변하는 것《성질 · 사실 따위》, 상관관계: Success is a ~ *of* opportunity and drive. 성공은 운과 하고자 하는 의지 여하에 달려 있다. **b** 〚수학〛 함수: trigonometric ~ 삼각함수. **5** 〚문법〛 기능; 〚컴퓨터〛 기능《컴퓨터의 기본적 조작(操作)〔명령〕》.
—*vi.* **1** 작용하다, 구실을 하다; (기계가) 움직이다: The engine failed to ~. 엔진은 작동하지 않았다 / My new typewriter doesn't ~ very well. 새 타자기는 상태가 그다지 좋지 않다. **2** 《+ *as* 보》 역할〔직분〕을 다하다: He ~*ed as* boss. 그는 두목 노릇을 했다.

func·tion·al [fʌ́ŋkʃənəl] *a.* **1** 기능의, 작용의; 직무(상)의; 기능〔작용〕을 가진. ↔ *organic*. ¶a

~ disease 기능적 질환. **2** 기능〔실용〕 본위의: ~ furniture (실제로 써서) 편리한 가구. **3** 『수학』 함수의. [파] **~·ly** *ad.*

fúnctional fòod 기능성 식품《식물(食物) 섬유·철분 따위의 건강 증진 작용〔성분〕을 강화하는 일종의 건강 식품》.

fúnc·tion·al·ìsm *n.* [U] (건축 따위의) 기능주의; 실용 제일주의. [파] **-ist** *n.*

func·tion·ary [fʌ́ŋkʃənèri] *n.* [C] 직원, 《특히》 공무원, 관리: a public ~ 공무원.

fúnction kèy 『컴퓨터』 기능 키《어떤 특정 기능을 갖는 키보드상의 키》.

fúnction wòrd 『문법』 기능어《관사·대명사·전치사·접속사·조동사·관계사 따위》.

⁑**fund** [fʌnd] *n.* **1** [C] **자금**, 기금, 기본금: a reserve ~ 적립금/a scholarship ~ 장학 기금. **2** (*pl.*) 재원; (수중의) 자금: public ~*s* 공금/in 〔out of〕 ~*s* 자금을 갖고〔이 떨어져서〕. **3** (the ~s) 《英》 공채, 국채. **4** (a ~) (지식·재능 따위의) **축적**, 온축(蘊蓄): a ~ *of* knowledge 지식의 축적.
—*vt.* **1** (연구·기획 따위)에 자금을 공급하다. **2** (단기 차입금)을 장기 공채로 바꾸어서 빌리다. **3** 자금으로 돌려 넣다, 적립하다. **4** 《英》 (돈)을 공채에 투자하다.

***fun·da·men·tal** [fʌ̀ndəméntl] *a.* **1** 기초의, 기본의, 근본적인; 중요〔주요〕한: ~ human rights 기본적 인권/a ~ law 근본 법칙, 기본법/~ colors 원색/a ~ factor of one's success 성공의 최대 요인. **2** [P] 없어서는 안 되는, 필수의《*to* …에》: Moderate exercise is ~ *to* good health. 알맞은 운동은 건강에 절대 필요하다. **3** 『음악』 바탕음의: ~ chords 주요 삼화음.
—*n.* [C] **1** (보통 *pl.*) 원리, 원칙; 근본, 기본, 기초. **2** 『음악』 바탕음(~ tone), 밑음(=∠ **nóte**).

fun·da·men·tal·ism [fʌ̀ndəméntəlìzəm] *n.* [U] **1** 원리주의. **2** (종종 F-) 근본주의, 정통파 기독교 (운동)《성경을 그대로 믿어 진화론 따위를 배격》. [cf.] modernism. [파] **-ist** *n.*, *a.*

◇**fun·da·men·tal·ly** [fʌ̀ndəméntəli] *ad.* 본질적〔근본적〕으로.

fund·ie, fun·dy [fʌ́ndi] *n.* [C] 원리주의자; 과격한 환경보호주의자.

fúnd-ràiser *n.* [C] 기금 조성자.

fúnd-ràising *n.* [U] 모금.

⁑**fu·ner·al** [fjúːnərəl] *n.* **1** [C] **장례식**, 장례: attend a ~ 장례식에 참석하다/a public 〔state, national〕 ~ 공장(公葬)〔국장〕. **2** [C] (보통 *sing.*) 장례 행렬. **3** 〔It's 〔That's〕 one's ~〕 《구어》 …에게만 관계되는 (싫은) 일: none of my 〔your〕 ~ 내〔네〕 알 바 아니다.

> [DIAL] ***It's your funeral.*** 그건 네 책임〔문제〕이다《내가 알 바 아니다》.

—*a.* [A] 장례식의; 장례식용의: a ~ ceremony 〔service〕 장례식/a ~ oration 조사(弔辭)/a ~ march 장송 행진곡/a ~ procession 〔train〕 장의 행렬/a ~ pile 〔pyre〕 화장용 장작더미.

fúneral dirèctor 장의사.

fúneral hòme 〔**pàrlor**〕 장례 회관《유체 안치장·방부 처리장·화장장·장의장 등을 갖춘》.

fu·ner·ary [fjúːnərèri] *a.* [A] 장례식의: a ~ urn 납골 단지.

fu·ne·re·al [fjuːníəriəl] *a.* 장송의; 장례식에 어울리는; 슬픈, 음울한(gloomy). [파] **~·ly** *ad.*

fún fàir 《英》 유원지(amusement park).

fun·gi [fʌ́ndʒai, fʌ́ŋgai] FUNGUS의 복수.

fun·gi·cide [fʌ́ndʒəsàid] *n.* [U] (낱개는 [C]) 살균제, 곰팡이 방지제.

fun·go [fʌ́ŋgou] (*pl.* **~es**) *n.* [C] 『야구』 연습 플라이《외야수의 수비 연습을 위한》; 녹배트, 연습 배트(=∠ **bàt** 〔**stìck**〕).

fun·goid [fʌ́ŋgɔid] *a.* 균류(菌類) 비슷한; 균성의.

fun·gous [fʌ́ŋgəs] *a.* 버섯의; 버섯 비슷한; 균에 의하여 생긴; 갑자기 생기는, 일시적인.

◇**fun·gus** [fʌ́ŋgəs] (*pl.* **-gi** [fʌ́ndʒai, fʌ́ŋgai], **~·es**) *n.* 《L.》 [U] (낱개는 [C]) 균류(菌類)《mushroom, toadstool 따위》.

fún hòuse 《美》 (유원지의) 유령의 집《도깨비집, 일그러진 거울, 괴상한 조명 장치 따위가 있어 익살스럽게 관람객을 놀라게 함》.

fu·nic·u·lar [fjuːníkjələr] *n.* [C] 강삭(鋼索)철도, 케이블 철도(=∠ **ráilway**).

funk[1] [fʌŋk] *n.* **1** (a ~) 《구어》 움츠림, 두려움, 겁, 공포, 공황. **2** [C] 겁쟁이. ***in a ~ of*** …을 두려워하여. —*vi.* 움츠리다, 겁내(어 떨)다. —*vt.* 겁내(어 떨)게 하다; 두려워하게 하다; 겁나 회피하다《do*ing*》.

funk[2] *n.* [U] **1** 《美속어》 (퀴퀴한) 악취. **2** 펑크《비트가 강하고 소박하고 야성미 있는 재즈나 록》.

funky[1] [fʌ́ŋki] (***funk·i·er; -i·est***) *a.* 《구어》 움츠리는, 겁많은; 우울한.

funky[2] *a.* **1** 《美》 퀴퀴한, 악취 나는, 코를 찌르는. **2** 『재즈』 소박한 블루스풍의, 펑키한. **3** 《美속어》 파격적인, 멋진.

fun·nel [fʌ́nl] *n.* [C] 깔때기; (깔때기 모양의) 통풍통(通風筒), 채광 구멍; (기선·기관차의) 굴뚝.
—(***-l-***, 《英》 ***-ll-***) *vt.* **1** 깔때기 모양이 되게 하다; 깔때기를 통하여 붓다《***into*** …에》: ~ oil *into* a can 기름을 양철통에 깔때기를 사용해서 넣다. **2** (정력 따위)를 집중하다〔시키다〕, 쏟다《***into*** …에》: ~ all one's energy *into* one's job 온 정력을 일에 집중하다. **3** (돈·정보 따위)를 보내주다《***to, into*** …에》: The parent company ~*ed* money *into* its subsidiaries. 모(母)회사는 자(子)회사에 자금을 보내주었다. —*vi.* (군중 따위가) 좁은 통로를 통과하다.

fun·ni·ly [fʌ́nili] *ad.* 재미있게, 우습게, 익살스럽게. ~ ***enough*** 매우 기묘한 일이지만: *Funnily enough*, he was not elected mayor. 매우 묘한 일이지만 그는 시장에 당선되지 못했다.

†**fun·ny** [fʌ́ni] (***-ni·er; -ni·est***) *a.* **1 익살맞은**, 우스운, 재미있는: What's (so) ~? 무엇이 (그렇게) 우습니. [SYN.] ⇨INTERESTING. **2** 《구어》 기묘한, 괴상한, 별스러운, 진기(珍奇)한, 묘한: a ~ fellow 별스러운 놈/It's ~ that he should say so. 그가 그런 말을 하다니 이상하다. **3** 수상한, 의심스러운: There's something ~ about his offer 그의 제안에는 무언가 수상쩍은 부분이 있다/That's ~. 이건 이상한데; 묘하군《2,3의 양쪽에 걸침》. **4** [P] 《구어》 기분 나쁜, 몸 상태가 안 좋은; 어색한, 서먹서먹한; 조금 머리가 돈〔미친〕: feel a little ~ 조금 기분이 나쁘다/I felt a little ~ accepting the gift. 그 선물을 받고 조금 계면쩍었다/She's a bit ~ in the head. 그녀는 머리가 좀 이상하다. **5** [A] 《美》 만화(란)의: a ~ page (신문의) 만화란/a ~ book 만화책.
—*n.* **1** (*pl.*) 연재 만화(comic strips); =FUNNY PAPER. **2** [C] 우스운 말, 농담: make a ~ 농담하다.

fúnny bòne (팔꿈치의) 척골(尺骨)의 끝《치면

쩌렛함》.

fúnny bùsiness 《구어》 우스운 행동, 어리석은 행동; 수상한 행동, 협잡.

fúnny fàrm 《속어》 정신 병원.

fun·ny-ha-ha [fʌ́nihɑ̀:hɑ́:] *a.* 《구어》 재미있는, 우스운, 익살스런.

fúnny mòney 가짜 돈; (인플레 따위에 의한) 무가치한 돈.

fúnny pàper 신문의 만화란.

fúnny-pecúliar *a.* [P] 《구어》 기묘한, 이상한; 기분 나쁜, 정신이 돈.

fún rùn 아마추어 마라톤 대회《기록보다는 참가에 뜻을 두거나, 자선 기금을 모금하기 위한》.

fún·wàre *n.* [U] 〖컴퓨터〗 펀웨어《비디오 게임용 firmware》.

‡fur [fə:r] *n.* **1 a** [U] **모피**. **b** [C] (보통 *pl.*) 모피 제품《옷·목도리 따위》: a lady in ~*s* 모피 코트를 입은 숙녀. **2** [U] 〔집합적〕 모피 동물: ~ and feather 수류(獸類)와 조류/hunt ~ 산토끼 사냥을 하다. **3** [U] 물때; 백태(白苔); (포도주 표면에 생기는) 골마지. ◇ furry *a.*

make the ~ fly 큰 소동을 일으키다. ***The ~ starts*** 〔***begins***〕 ***to fly.*** 대소동〔의론〕이 시작되다.

— (**-rr-**) *vt.* **1** …에 모피를 달다; 모피 안〔가두리 장식〕을 대다. **2** …에 물때가 끼게 하다; (혀)에 백태가 끼게 하다. **—** *vi.* 《~/+[부]》 물때〔백태〕가 끼다(*up*).

— *a.* [A] 모피(제)의: a ~ coat 모피 코트.

fur·be·low [fə́:rbəlòu] *n.* [C] (보통 *pl.*) (여자 옷의) 옷단 장식; 현란〔화려〕한 장식.

— *vt.* …에 ~을 달다; 화려하게 꾸미다.

fur·bish [fə́:rbiʃ] *vt.* 문지르다, 갈다, 닦다(*up*); (지식 따위)를 새롭게 하다, 연마하다(*up*): ~ *up* old furniture 헌 가구를 닦다/You need to ~ *up* your French before you go to France. 프랑스에 가기 전에 너는 프랑스어를 다시 할 필요가 있다.

fur·cate [fə́:rkit, -keit] *a.* 포크형으로 된, 분기(分岐)된, (끝이) 갈라진. **—** [-keit] *vi.* 포크형으로 갈라지다, 분기하다.

Fu·ries [fjúəriz] *n. pl.* (the ~) 〖그리스·로마 신화〗 복수의 여신들《Alecto, Megaera, Tisiphone의 세 자매》. [cf.] fury.

fu·ri·ous** [fjúəriəs] *a.* **1 성난**, 격노한, 화가 치민《with*** (아무)에게; ***at*** (사물)에》: ~ anger 격노/He was ~ *with* her 〔*at* what she had done〕. 그는 그녀에게〔그녀가 저지른 일에〕 몹시 화를 냈다. **2** (바람·폭풍우 따위가) **사납게 몰아치는**, 거친: a ~ sea 거친 바다. **3 맹렬한**, 격렬한: at a ~ speed 맹렬한 속력으로. ◇ fury *n.*

[파] **~·ness** *n.*

fú·ri·ous·ly *ad.* **1** 격노하여; 미친 듯이 날뛰며. **2** 맹렬하게, 격심하게, 세차게.

furl [fə:rl] *vt.* (돛·기 따위)를 감아〔말아〕 걷다; 개키다, (우산 따위)를 접다. **—** *vi.* 감겨 오르다, 접히다. **—** *n.* (a ~) 감아서〔말아서〕 걷음, 개킴, 접음.

fur·long [fə́:rlɔ(:)ŋ, -lɑŋ] *n.* [C] 펄롱《길이의 단위; 1마일의 1/8, 약 201.17m; 생략: fur.》.

fur·lough [fə́:rlou] *n.* [U] (구체적으로는 [C]) (군인 등의) 휴가: two weeks' ~ 2주간의 휴가/have a ~ every five years 5년마다 휴가를 받다/be on ~ 휴가중이다/go home on ~ 휴가차 귀국하다.

°fur·nace [fə́:rnis] *n.* [C] **1** 노(爐); 아궁이, 화덕. **2** 《美》 난방로. **3** 용광로. **4** 혹서(酷暑)의 땅. **5** 혹독한 시련: be tried in the ~ 혹독한 시련을 겪다.

‡fur·nish [fə́:rniʃ] *vt.* **1** 《~+[목]/+[목]+[전]+[명]/+[목]+[목]》 (필요한 물건)을 **공급하다**, 제공하다《***to*** …에게》; …에 공급하다《***with*** (물건)을》: The sun ~*es* heat. 태양은 열을 제공한다/He ~*ed* the hungry *with* food. =He ~*ed* food *to* the hungry. 그는 굶주린 사람에게 먹을 것을 주었다/I ~*ed* him food. 나는 그에게 먹을 것을 주었다.

2 《~+[목]/+[목]+[전]+[명]》 (집·방 따위)에 **비치하다**《***with*** (가구 따위)를》; …에 가구(따위)를 비치〔설비〕하다: ~ a house *with* furniture 집에 가구를 비치하다/This house is well ~*ed*. 이 집은 가구가 잘 갖추어져 있다/~ a room *with* an air conditioner 방에 냉난방 장치를 설치하다.

fúr·nished [-t] *a.* 가구가 있는(↔ *unfurnished*): a ~ apartment 가구가 딸린 아파트.

fúr·nish·er *n.* [C] 공급자; 가구상.

fúr·nish·ings *n. pl.* 비품, 가구; 《美》 복식품(服飾品): men's ~ 남자용 복식품.

‡fur·ni·ture [fə́:rnitʃər] *n.* [U] 〔집합적〕 **가구**, 비품, 세간: a set of ~ 가구 한 벌/all the ~ of the room 방안의 가구 전부.

> [NOTE] 집합명사이며 단수 취급. 셀 때는 a piece 〔an article〕 of ~ '가구 한 점', a few sticks of ~ '가구 몇 점' 처럼 하며, 또 양적으로 취급하여 some ~, much ~, a lot of ~ 따위로 함.

fu·ror [fjúrɔ:r, fjúrər] *n.* (a ~) 《美》 벅찬 감격〔흥분〕; 열광적인 유행〔칭찬〕, …열; 대소동; 노여움, 격노: make 〔create〕 a ~ 열광적인 칭찬을 받다/get into a ~ 화내다, 발끈하다.

fu·rore [fjúrɔ:r/fjuərɔ́:ri] *n.* 《英》 =FUROR.

furred [fə:rd] *a.* 부드러운 털로 덮인; 모피제의, 모피 안〔장식〕을 댄; 물때가 앉은〔낀〕; 백태가 낀.

fur·ri·er [fə́:riər/fʌ́riər] *n.* [C] 모피상; 모피공.

fur·ri·ery [fə́:riəri/fʌ́r-] *n.* [U] 〔집합적〕 모피업.

°fur·row [fə́:rou/fʌ́rou] *n.* [C] **1** 밭고랑; 보습자리. **2** 바퀴자국; 항적(航跡). **3** (얼굴의) 깊은 주름. ***plow a lonely ~*** 묵묵히 혼자 일해 가다; 독자적인 길을 걷다.

— *vt.* **1** 갈다, 경작하다; (밭)에 고랑을 만들다, 이랑을 짓다. **2** (얼굴)에 주름살을 짓다: a face ~*ed* with 〔by〕 age 늙어 깊이 주름진 얼굴/He ~*ed* his brow in thought. 그는 이마를 찌푸리고 생각에 잠겼다.

— *vi.* 주름이 지다: His brow ~*ed* as he read his bank statement. 그는 은행 월례보고서를 읽으면서 이마를 찌푸렸다.

fur·ry [fə́:ri] (***-ri·er; -ri·est***) *a.* 모피(제)의; 모피로 덮인; 모피와 비슷한; 모피 안〔깃〕을 댄; 물때가 앉은; 설태(舌苔)가 낀. ◇ fur *n.*

fúr sèal 〖동물〗 물개.

‡fur·ther [fə́:rðər] *ad.* 〖far의 비교급〗 **1 그 위에, 게다가, 더욱이**, 더 나아가서: inquire ~ into the problem 더 깊이 문제의 조사를 진행시키다/I'll give you ten dollars, but I cannot go any ~. 10달러 줄게, 그렇지만 그 이상은 안돼/until you hear ~ from me 추후 알려드릴 때까지는. **2 더욱 멀리**〔앞으로〕: I can walk no ~. 이젠 한 발짝도 더 못 걷겠다/A mile ~, and we shall be at our journey's end. 앞으로 1마일만 가면 우리 여행은 끝난다. **~ *to ...*** 《英》 〔상용문에서〕 …에 더 추가하면, …에 부언하면.

—*a*. Ⓐ **1 그 위의**, 그 이상의: ~ news 후보, 뒷소식, 속보/till ~ notice 추후 알려줄〔소식·통지가 있을〕 때까지/for ~ details 〔particulars〕 그 이상 상세한 것은/Give it no ~ thought. 그것은 더이상 생각지 않는게 좋아/We walked on without ~ conversation. 우리는 그 이상 더 말을 나누지 않고 걸었다. **2** (거리적으로) 더 먼, 더 앞의: on the ~ side (of the road) (길) 저쪽에.

> **NOTE** farther 의 철자는 오늘날엔 거리의 뜻을 포함하는 경우에만 쓰이며, '더욱이'라는 뜻으로는 further 가 사용됨. 그러나 이 구별도 점차 흐려져 further 의 어형만이 남는 경향임.
>
> **DIAL.** ***Nothing is further from my mind!*** 그런 건 생각지도 못했네(← 내 마음에서 그보다 더 먼 것은 없다)《흔히 상대방에게 정곡을 찔렸을 때 씀》.

—*vt*. 진전시키다, 조장〔촉진〕하다: ~ one's own interests 자기의 이익을 도모하다.
㊕ **~·ance** [-ðərəns] *n*. Ⓤ 조장, 촉진, 증진.

fúrther educátion 《英》 성인 교육《의무 교육을 마친 대학생이 아닌 사람들을 대상으로 하는》.

***fur·ther·more** [fə́ːrðərmɔ̀ːr] *ad*. **더군다나, 그 위에**, 더구나, 다시금.

fúrther·mòst *a*. **1** Ⓐ 가장〔제일〕 먼(곳의). **2** Ⓟ 가장 멀리 떨어진《***from*** …에서》: He sat in the chair ~ *from* the TV set. 그는 TV에서 가장 멀리 떨어져 있는 의자에 앉았다.

◇**fur·thest** [fə́ːrðist] *a*. 〖far 의 최상급〗 가장 먼〔멀리 떨어진〕. **—*ad*.** 가장 멀리; 《美》 가장.
at **~** 아무리 늦어도〔멀어도〕; 고작.

fur·tive [fə́ːrtiv] *a*. 은밀한, 내밀한, 남몰래 하는; 교활한, 수상한《***in*** (태도 따위)가》: a ~ glance 슬쩍 엿봄/a ~ look 몰래 살피는 표정/He's ~ *in* his manner. 그는 태도가 수상쩍다. ㊕ **~·ly** *ad*. **~·ness** *n*.

fu·ry** [fjúəri] *n*. **1 a** Ⓤ **격노**, 격분: be filled with ~ 몹시 화가 나 있다. **b** (a ~) 격노한 상태: fly into a ~ 격노하다/in a ~ 열화처럼 노하여, 분노에 이끌리어. SYN. ⇨ANGER. **2 a** Ⓤ (병·날씨·전쟁 따위의) **격심함**, 맹렬함: in the ~ *of* battle 전쟁이 한창인 때에/burn with great ~ 맹렬하게 타다. **b** (a ~) 몹시 흥분된 상태: He's in a ~ *of* excitement. 그는 몹시 흥분하고 있다. **3** Ⓒ (F-) (보통 *pl*.) 〖그리스·로마신화〗 복수의 여신. **4** Ⓒ 난폭한 사람; 《특히》 한부(悍婦), 표독한 여자. ◇furious *a*. ***like **~** 《구어》 맹렬히; 재빨리: run *like* ~ 무서운 기세로 달리다.

furze [fəːrz] *n*. Ⓤ 〖식물〗 바늘금작화(金雀花).
㊕ **fúrzy** [-i] *a*. 바늘금작화의〔같은〕; 바늘금작화가 무성한.

***fuse**[1] [fjuːz] *n*. Ⓒ **1** (폭뢰·포탄 따위의) **신관**(信管), (폭파 따위에 쓰는) 도화선. **2** 〖전기〗 **퓨즈**; (a ~) 퓨즈가 끊어져 전기가 나가는 일.
blow a **~** 퓨즈를 튀게 하나; 《구어》 몹시 화내다.
—*vt*. 1 …에 신관〔퓨즈·도화선〕을 달다. **2** …의 퓨즈를 튀게 하다. **—*vi*.** (전등이) 퓨즈가 끊어져 꺼지다.

***fuse**[2] *vt*. **1** (금속 따위)를 **녹이다**, 용해하다; (핵)을 융합시키다: Copper and zinc are ~*d* to make brass. 놋쇠를 만들려고 구리와 아연을 용해시킨다. **2** 《+목+부》 연합〔합동〕시키다(*together*). **—*vi*. 1** 녹다, 용해하다; 융합하다. **2** 《+부》 연합하다(*together*).

fúse bòx 〖전기〗 퓨즈 상자(=**fúse càbinet**).

fu·see [fjuːzíː] *n*. Ⓒ 내풍(耐風) 성냥의 일종; (폭약 따위의) 도화선; 《美》 (철도 따위에서 사용하는) (적색) 섬광 신호.

fu·se·lage [fjúːsəlɑ̀ːʒ, -lidʒ, -zə-, -zilɑ̀ːʒ] *n*. Ⓒ (비행기의) 동체(胴體), 기체(機體).

fúse wìre 도화선.

fu·si·ble [fjúːzəbəl] *a*. 녹기 쉬운, 가용성의.

fu·sil·lade [fjúːsəlèid, -lɑ̀ːd, -zə-] *n*. 《F.》 Ⓒ 〖군사〗 일제〔연속〕 사격, 맹사(猛射); (질문 등의)공세, 연발. **—*vt*.** …에게 일제 사격하다.

◇**fu·sion** [fjúːʒən] *n*. **1** Ⓤ 용해, 융해; Ⓒ 용해〔융해〕물. **2** Ⓤ (구체적으로는 Ⓒ) (정당 등의) 합동, 연합, 합병; Ⓒ 연합체: a ~ administration 《美》 연립 내각(《英》 coalition cabinet). **3** Ⓤ 〖물리〗 핵융합. cf. fission. ◇fuse[2] *v*.

fúsion bòmb 핵융합 폭탄, 《특히》 =HYDROGEN BOMB.

fú·sion·ìsm *n*. Ⓤ (정당의) 합동〔연합〕주의.

fú·sion·ist *n*. Ⓒ 합병론자.

***fuss** [fʌs] *n*. **1** Ⓤ (또는 a ~) **공연한 소란**; 안달(함): What's all this ~ about? 대체 무슨 일로 이리 소란하냐/kick up a ~ =make a ~ 크게 떠들어대다/make a great ~ over a person 아무를 떠들썩하게 칭찬하다. **2** (a ~) (사소한 일로) 안달〔흥분〕함; 싸움; 말다툼: have a ~ with colleagues 동료들과 옥신각신하다/get into a ~ 안달복달하다.
—*vi*. 《~/+부/+전+명》 안달(복달)하다; 떠들어대다《***about, over*** …일로》; 안달하여 돌아다니다(*about; around*): Stop ~*ing about*. 안달하여 돌아다니지 마라/~ *about* 〔*over*〕 a person's trifling mistakes 아무의 사소한 잘못을 크게 떠들어대다. **—*vt*.** (하찮은 일로) …을 소란케 하다, 괴롭히다; 안달나게 하다: Stop ~*ing* me, I'm busy. 나에게 안달복달하지 마라. 바쁘니까. ◇fussy *a*.
not be ~ed about 《英구어》 …에 대하여는 상관않다, 개의치 않다: I'm *not ~ed about* the price. 가격 같은 것은 개의치 않습니다.

fúss·bùdget *n*. Ⓒ 《구어》 하찮은 일에 떠들어대는 사람, 공연히 떠드는 사람.

fúss·pòt *n*. 《구어》 =FUSSBUDGET.

◇**fussy** [fʌ́si] (***fuss·i·er; -i·est***) *a*. **1** 떠들기 좋아하는; 신경질적인, 까다로운《***about, over*** …에》: a ~ old lady 잔소리 많은 할머니/He's very ~ *about* his food. 그는 음식에는 몹시 까다롭다. **2** Ⓟ 〖보통 부정·의문문〗 마음에 두는, 신경을 쓰는《***about*** …을》《★ *wh*.절을 수반; 종종 전치사를 생략》: Which do you prefer, tea or coffee?—I'm *not* ~. 차를 드시겠습니까, 커피를 드시겠습니까—아무거라도 상관없습니다/Are you ~ (*about*) what you wear? 복장에 신경을 쓰십니까. **3** 장식이 많은; 공(들여 만)든; 세밀한, 손〔노력〕이 많이 드는. ㊕ **fúss·i·ly** *ad*. **-i·ness** *n*.

fus·tian [fʌ́stʃən] *n*. Ⓤ 퍼스티언 천《중세의 복지로 능직 무명의 일종; 지금의 코르덴·벨벳 종류》. **—*a*.** Ⓐ **1** 퍼스티언 천의. **2** 야단스러운, 풍을 치는, 과장된; 시시한, 쓸모없는.

fus·ty [fʌ́sti] (***-ti·er; -ti·est***) *a*. 곰팡내 나는(musty); 진부한, 낡아빠진; 완미(頑迷)한, 시대에 뒤진. ㊕ **-ti·ly** *ad*. **-ti·ness** *n*.

fut. future.

◇**fu·tile** [fjúːtl, -tail] *a*. **1** 쓸데없는, 무익한: ~ talk 쓸데없는 이야기/It's ~ trying to convince him. 그를 납득시키려 해도 소용없다. SYN. ⇨VAIN. **2** 변변찮은, 무능한.

㊞ ~·ly [-li] *ad*. ~·ness *n*.

fu·til·i·ty [fju:tíləti] *n*. Ⓤ 쓸데없음, 무익, 무용; Ⓒ (흔히 *pl*.) 무익한 언동.

⁑**fu·ture** [fjú:tʃər] *n*. **1** Ⓤ (보통 the ~) 미래, 장래, 장차: the youth of the ~ 장래[미래]의 청년/for the ~ =in (the) ~ 장래, 미래에, 금후(는)/in the distant [far] ~ 먼 장래에/in the near [in no distant] ~ 머지 않아, 가까운 장래에. **2 a** Ⓒ (유망한) 장래성, 전도, 앞날: have a bright [brilliant] ~ (before one) 빛나는 앞날이 있다/have no ~ 장래성이 없다. **b** Ⓤ 〖보통 부정 · 의문문〗《구어》 성공 가망성《*in* …에》: There's *no* ~ *in* this business. 이것은 장래성 없는 사업이다. **3** Ⓤ (보통 the ~) 〖문법〗 미래(형). **4** Ⓒ (보통 *pl*.) 〖상업〗 선물(先物), 선물 계약: deal in ~*s* 선물(先物) 매매를 하다.
—*a*. Ⓐ **1** 미래[장래]의: ~ generations 후대 사람들/for ~ use 장차 쓰기 위해. **2** 내세의: the [a] ~ life 내세. **3** 〖문법〗 미래(시제)의: the ~ perfect 미래 완료(시제)/the ~ tense 미래 시제.

fúture·less *a*. 장래성이 없는, 미래가 없는; 가망이 없는.

fúture shòck 미래 쇼크《눈부신 사회 변화 · 기술 혁신이 초래하는 쇼크; 미국의 Alvin Toffler의 조어》.

fu·tur·ism [fjú:tʃərìzəm] *n*. (종종 F-) Ⓤ 미래파《인습을 타파하고 새로운 국면을 개척하려고 1910년경 이탈리아에서 일어난 미술 · 음악 · 문학의 유파》. ㊞ **-ist** *n*. Ⓒ 미래파 화가[예술가].

fù·tur·ís·tic [-rístik] *a*. 미래(파)의; 《구어》 미래파적인, 기발한. **-ti·cal·ly** *ad*.

fu·tu·ri·ty [fju:tjúərəti, -tʃúr-/-tjúəri-] *n*. **1** Ⓤ 미래, 장래, 후세; 장래성; 내세(來世). **2** Ⓒ (종종 *pl*.) 장래에 일어날 일[존재].

fu·tu·rol·o·gy [fjù:tʃərálədʒi/-rɔ́l-] *n*. Ⓤ 미래학(未來學).

fuze [fju:z] *n*. Ⓒ **1** =FUSE[1]. **2** (지뢰 · 폭탄 따위의) 기폭(起爆) 장치, 뇌관.

fu·zee [fju:zí:] *n*. =FUSEE.

fuzz[1] [fʌz] *n*. Ⓤ 괴깔; 미모(微毛), 잔털, 솜털.
—*vt*. 보풀을 일으키다(*up*); 애매하게[희미하게] 하다(*up*). —*vi*. 보풀이 일다(*up*); 희미해지다(*up*).

fuzz[2] *n*. Ⓤ (보통 the ~) 〖집합적; 단 · 복수취급〗《속어》 경찰; Ⓒ 경찰관, 형사.

fuzzy [fʌ́zi] (*fuzz·i·er; -i·est*) *a*. **1** 보풀 같은, 솜털 모양의; 보풀이 인, 솜털로 덮인. **2** (머리카락이) 곱슬곱슬한. **3** (윤곽 · 사고 등이) 희미한, 분명치 않은.
㊞ **fúzz·i·ly** *ad*. **-i·ness** *n*.

fúzzy lógic 애매모호한 논리.

fúzzy mátching 〖컴퓨터〗 퍼지 매칭《두 가지 것을 비교하여 맞추어 볼 때 엄밀히 동일한지가 아니고 비슷한지 어떤지로 판단하는 수법》.

FWD, f.w.d. four-wheel drive; front-wheel drive. **fwd.** forward.

FX foreign exchange.

-fy [fài] *suf*. '…으로 하다, …화하다, …이 되다'란 뜻을 가진 동사를 만듦: magni*fy*.

FY, f.y. 《美》 fiscal year. **FYI** for your information (참고로). ★ 메모 따위에서 씀.

G

G, g [dʒiː] (*pl.* **G's, *Gs,* g's, *gs*** [-z]) *n.* **1** [U] (구체적으로는 [C]) 지《영어 알파벳의 일곱째 글자》. **2** [U] 〖음악〗 사음(音)《고정 도창법의 '솔'》, 사조(調): G major 〔minor〕 사장조〔단조〕. **3** [C] G자 모양의 것. **4** [U] 《美속어》 천 달러(grand): ten G, 1만 달러. **5** [U] (연속된 것의) 7번째의 것. **6** [C] 〖물리〗 중력 가속도; 〖항공〗 G (=gravity)《가속도의 단위; 중력의 가속도를 1G로 함》. **7** [U] 로마 숫자의 400.
G 《美》 general (일반 영화); guilder.
g gram. **G.** German(y); Gulf. **g.** game; gauge; gender; genitive; gold; good; grain; gram(s); gravity (=dyne); guinea(s). **Ga** 〖화학〗 gallium. **Ga.** Georgia. **ga.** gauge. **GA, G.A.** General Agent; General American; General Assembly. **G.A., G/A, g.a.** general average.
gab [gæb] 《구어》 *n.* [U] 수다, 잡담: Stop your ~. 닥쳐. ***the gift of (the)*** ~ 말재주; 다변(多辯), 수다스러움. **—(-*bb*-)** *vi.* 쓸데없는 말을 하다; 수다 떨다《***about, on*** …에 대하여》.
◇**gab·ar·dine** [gǽbərdìːn, ⌐-⌐] *n.* [U] 능직(綾織)의 방수복지, 개버딘; [C] 개버딘으로 만든 옷.
gab·ble [gǽbəl] *vi.* 빠른 말로 지껄이다, 재잘〔종알〕거리다(chatter) (*away; on*); (거위 따위가) 꽥꽥 울다. **—***vt.* 빠르게 말하다, (잘 알아듣지 못할 정도로) 빠른 말로 지껄여 대다(*out*): ~ one's prayers 기도의 말을 빠른 어조로 외다 / You ~ me crazy. 수다스러워 미칠 것 같다.
—*n.* (*sing.*) (종종 the ~) 빨리 지껄여 알아듣기 어려운 말. ㉺ **-bler** *n.* [C] 수다쟁이(chatterer).
gab·by [gǽbi] (***-bi·er; -bi·est***) *a.* 《구어》 수다스러운(talkative).
◇**gab·er·dine** *n.* =GABARDINE.
gab·fest [gǽbfèst] *n.* [C] 《美구어》 긴 사설〔잡담〕; 그런 모임.
ga·ble [géibəl] *n.* [C] 〖건축〗 박공(牔栱), 박풍(牔風); 박공벽. ㉺ **~d** *a.* 박공 있는, 박풍을 낸.
gáble ènd 〖건축〗 박공벽.
gáble ròof 〖건축〗 맞배지붕.
Ga·bon [gæbɔ́ːŋ] *n.* 가봉《아프리카 중서부의 공화국; 수도 Libreville》.
Gab·o·nese [gæ̀bəníːz, -s] *a.* 가봉(사람)의. **—**(*pl.* ~) *n.* [C] 가봉 사람.
Ga·bri·el [géibriəl] *n.* **1** 남자 이름. **2** 〖성서〗 천사 가브리엘《처녀 마리아에게 그리스도의 강탄(降誕)을 예고한》.
gad[1] [gæd] (***-dd-***) *vi.* 어슬렁거리다, 돌아다니다 (*about; around*): The girl ~s *about* at her pleasure. 그 소녀는 마음내키는 대로 돌아다닌다. **—***n.* 〔다음 관용구로〕 ***on*** 〔***upon***〕 ***the*** ~ 어정거리고.
gad[2] *n.* [C] (가축을 모는) 찌름 막대기(goad); 끌, 정《석공이나 광산에서 쓰는》.
Gad, gad[3] *int.* 아이고!, 당치 않은!《가벼운 저주·놀람 따위를 나타냄》. ***by Gad*** =by GOD. [◂God]
gád·abòut *n.* [C] 《구어》 (일 없이) 어정거리는 사람, 놀러다니는 사람.
gád·flỳ *n.* [C] 〖곤충〗 (가축에 꾀는) 등에, 쇠파리; 귀찮은 사람.
◇**gad·get** [gǽdʒit] *n.* [C] 《구어》 (기계의) 간단한 장치; 도구, 부속품: kitchen ~*s* 재치있는 부엌용 소품 / electronic ~ 전자 장치 / ~ commercial 〖TV〗 (인형이나 로봇을 써서 말하게 하는) 상업 광고.
㉺ **gad·ge·teer** [gæ̀dʒitíər] *n.* [C] 기계 만지기를 좋아하는 사람. **gad·get·ry** [gǽdʒətri] *n.* [U] 〔집합적〕 《구어》 (가정용) 소도구〔기계〕류.
gad·o·lin·i·um [gæ̀dəlíniəm] *n.* [U] 〖화학〗 가돌리늄《희토류 원소; 기호 Gd; 번호 64》.
Gaea [dʒíːə] *n.* 〖그리스신화〗 가이아, 게《대지의 여신》.
Gael [geil] *n.* [C] 게일인(人)《스코틀랜드 고지의 주민; 아일랜드의 켈트인》.
Gael·ic [géilik] *n.* [U], *a.* 게일어(語)(의); 게일족의.
gaff[1] [gæf] *n.* [C] 작살; 갈고리《물고기를 물에서 끌어올리는》; 〖항해〗 개프, 사형(斜桁)《종범(縱帆)의 위 끝에 댄 활대》. **—***vt.* (물고기)를 작살로 잡다; 갈고리로 끌어올리다.
gaff[2] *n.* [U] 《美구어》 심한 처사, 가혹한 비판: stand the ~ 심한 처사〔비평〕에 견디다.
gaff[3] *n.* 〔다음 관용구로〕 ***blow the*** ~ 《英속어》 비밀을 누설하다, 밀고하다《***to*** …에》.
gaffe [gæf] *n.* 《F.》 [C] 과실, 실수, 실언《특히 자기도 모르게 상대를 불쾌하게 하는 사교·외교상의》: make a bad ~ 큰 실수를 하다; 엉뚱한 실언을 하다.
gaf·fer [gǽfər] *n.* [C] **1** 시골 영감《이름 앞에 붙여서도 씀: *Gaffer* Johnson 존슨 영감. **2** 《英구어》 (노동자의) 십장, 감독(foreman). **3** 《구어》 〖영화·TV〗 전기〔조명(照明)〕 주임. **4** 《美속어》 아버지.
gag[1] [gæg] *n.* [C] **1** 하무, 재갈. **2** 발언 금지; 언론 탄압: put a ~ on the media 보도 기관에 언론 탄압을 가하다.
—(-*gg*-) *vt.* **1** …에 재갈을 물리다《***with*** …으로》. **2** 입다물게 하다; …의 언론〔발표〕의 자유를 억압하다. **—***vi.* 《美》 웩웩거리다, 속이 메슥거리다《***on*** …으로》.
gag[2] *n.* [C] 《구어》 개그《배우가 임기응변으로 넣는 대사나 익살, 우스운 몸짓》; 농담: for a ~ 농담으로. [SYN.] ⇨JOKE. **—***vi.* 개그〔즉흥 대사〕를 넣다.
ga·ga [gáːgàː] *a.* 《구어》 어리석은, 얼빠진, 무분별한, 망령들린; 열광한(crazy)《***about, over*** …에》: She's ~ *about* jazz. 그녀는 재즈에 열광적이다 / go ~ 망령들다.
◇**gage**[1] [geidʒ] *n.* [C] 도전의 표시《중세 싸움에서 기사가 던진 장갑·모자 따위》.
gage[2] ⇨GAUGE.
gag·gle [gǽgəl] *vi.* 꽥꽥 울다; 잘 지껄이다〔웃다〕. **—***n.* (a ~) 거위 떼; (시끄럽게 떠드는) 패

거리, 일단: a ~ *of* tourists 시끄러운 여행객들.

gág·màn [-mæ̀n] (*pl.* ***-mèn*** [-mèn]) *n.* [C] 개그 작가; 개그맨, 개그에 능한 희극 배우.

gág òrder 〖법률〗 (법정에서 심리 중인 사안에 관한) 보도〔공표〕 금지령, 함구령.

gag·ster [gǽgstər] *n.* =GAGMAN.

***gai·e·ty, gay·e·ty** [géiəti] *n.* **1** [U] **유쾌**, 쾌활, 명랑: the ~ of nations 대중의 즐거움, 명랑한 풍조〔분위기〕. **2** [U] (또는 *pl.*) 환락, 법석. **3** [U] (복장 등의) 화려함.

***gai·ly, gay·ly** [géili] *ad.* **1** 쾌활〔유쾌〕하게: sing ~ 쾌활하게 노래하다. **2** 화려하게, 호사스럽게: a ~ dressed girl 화려하게 차려입은 소녀.

†**gain** [gein] *vt.* **1** (노력하여) **얻다, 획득하다,** (상·승리 등)을 쟁취하다: ~ information 정보를 입수하다 / ~ one's end(s) 목적을 달성하다 / ~ a reputation 명성을 얻다 / ~ (the) first prize, 1등상을 타다 / ~ a victory over an opponent 상대를 꺾고 승리를 거두다.

2 《+[목]+[목]/+[목]+[전]+[명]》 (노력·착한 행위 등이) 가져다 주다, 얻게 하다《***for*** …에게》: His kindness ~*ed* him popularity. =His kindness ~*ed* popularity *for* him. 그는 친절하였기 때문에 인망을 얻었다.

3 (생계)를 꾸리다, 벌다(earn). ↔ *lose.* ¶ ~ one's living 생활비를 벌다 / ~ a lot by a deal 거래에서 크게 벌다.

4 (무게·속도 등)을 늘리다: I've ~*ed* three pounds. 몸무게가 3파운드 늘었다 / ~ strength (병후) 힘이 늘다, 건강해지다 / The train ~*ed* speed. 열차는 속력을 냈다.

5 (시계가) **더 가다.** ↔ *lose.* ¶The clock ~*s* five minutes a day. 그 시계는 하루에 5분 더 간다.

6 (노력의 결과) …에 **도달하다:** ~ the other side 맞은편에 이르다 / ~ the summit 정상에 다다르다.

7 《+[목]+[부]》 설득하여 자기 편으로 붙이다(*over*): ~ a person *over* =~ *over* a person 아무를 자기 편으로 끌어들이다.

—*vi.* **1 a** 《+[전]+[명]》 **증대하다,** 늘다, 향상되다 《***in*** (건강·체중·인기 따위)가》: ~ *in* health 건강이 좋아지다 / ~ *in* popularity 인기가 오르다. **b** 체중이 불어나다; (환자가) 회복되어 가다: The patient ~*ed* daily. 환자의 건강은 날이 갈수록 좋아졌다.

2 《~/+[전]+[명]》 **이익을 얻다,** 득을 보다《***by, from*** …으로》: ~ *by* an enterprise 사업으로 이익을 얻다 / ~ *from* an experience 경험에 의하여 배우다.

3 시계가 더 가다(↔ *lose*).

4 《+[전]+[명]》 **a** 다가가다, 따라잡다《***on, upon*** …에》: The squad car was ~*ing on* us. 순찰차가 우리를 쫓아오고 있었다. **b** 떼어놓다, 떨어뜨리다《***on, upon*** (추격자·경쟁자)를》: ~ *on* a competitor 경쟁 상대를 떼어놓다.

~ *one's* 〔*a*〕 ***point*** 자기의 의견을 관철하다.

—*n.* **1 a** [U] **이익**; 벌이. ↔ *loss.* ¶without ~ or loss 득실 없이 / personal ~ 사리 / blinded by the love of ~ 이익에 눈이 멀어. **b** (*pl.*) 수익, 수익금; 보수; 득점: Ill-gotten ~*s* seldom prosper. 부정 이득은 오래가지 않는다 / No ~*s* without pains. 《속담》 수고 없이 소득 없다.

2 [C] **증가**, 증대(increase), 증진《***in, of*** (양·가치·힘·건강 따위)의》: a ~ *in* weight 체중 증가 / a ~ *in* efficiency 능률의 증진.

gáin·er *n.* [C] **1** 획득자; 이득자; 승자. ↔ *loser.* **2** 뒤로 재주넘기《다이빙의 일종》: do a ~ 앞으로 뛰어 뒤로 재주넘기를 하다.

gain·ful [géinfəl] *a.* 이익이 있는, 유급의, 수지맞는(paying): ~ employment 유급직(職).
[파] **~·ly** *ad.* **~·ness** *n.*

gáin·ings *n. pl.* 소득(액), 수익.

gain·say [gèinséi] (*p., pp.* ***-said*** [-séid, -séd], ***-sayed*** [-séid]) *vt.* 《문어》 부정하다, 반박(反駁)〔반대〕하다(contradict): There is no ~*ing* his honesty. 그가 정직함은 부인할 수 없다. [파] **~·er** *n.*

(')gainst [genst/geinst] *prep.* 《시어》 = AGAINST.

◇**gait** [geit] *n.* (*sing.*) 걷는 모양, 걸음걸이; (말의) 보조: with a slow ~ 느린 걸음으로 / go one's (own) ~ 자기 방식대로 하다.

gáit·ed [-id] *a.* 〖보통 합성어〗 …한 걸음걸이의: heavy-~ 무거운 발걸음의.

gai·ter [géitər] *n.* [C] 〖보통 a pair of ~s〗 게트르, 각반(脚絆); 《美》 장화《고무줄이 든 천을 양쪽에 댄》.

gal [gæl] *n.* [C] 《구어》 =GIRL.

gal. gallon(s).

ga·la [géilə, gǽlə/gáːlə] *n.* [C] 축제(祝祭), 제례; 《英》 (운동의) 경기회, 대회. **—***a.* 축제의, 축제 기분의, 유쾌한(festive): a ~ day 축일, 축제일.

ga·lac·tic [gəlǽktik] *a.* [A] 젖의, 젖 분비를 촉진하는; 〖천문〗 은하계의; 성운의.

ga·lac·tose [gəlǽktous] *n.* [U] 〖화학〗 갈락토오스《젖당(糖)의 성분》.

ga·la·go [gəléigou, -láː-] *n.* [C] 〖동물〗 갈라고 《아프리카산의 여우 원숭이와 비슷한 원숭이》.

Gal·a·had [gǽləhæ̀d] *n.* **1** (Sir ~) 아서 왕(King Arthur)의 원탁기사의 한 사람. **2** [C] 고결한 사람.

gála nìght (극장의) 특별 흥행의 밤.

gal·an·tine [gǽləntìːn] *n.* [U] 〖요리〗 갤런틴 《송아지·닭 등의 뼈바른 고기로 만든 냉육 요리》.

Ga·lá·pa·gos Íslands [gəláːpəgəs-, -lǽp-] (the ~) 갈라파고스 제도《에콰도르 서쪽 동태평양 적도 직하의 화산성 제도; 진귀한 동물의 보고(寶庫)》.

Ga·la·tia [gəléiʃə, -ʃiə] *n.* 갈라티아《옛 소아시아의 왕국》.

Ga·la·tian [gəléiʃən, -ʃiən] *a.* 갈라티아(사람)의. **—***n.* **1** [C] 갈라티아 사람. **2** (the ~s) 〖단수 취급〗 〖성서〗 갈라디아서(書)《신약성서 중의 한 편; 생략: Gal.》.

gal·axy [gǽləksi] *n.* **1** (the G–) 〖천문〗 은하수(the Milky Way); 은하계(Milky Way galaxy 〔system〕). **2** [C] (은하계 밖의) 은하, 성운(星雲), 소(小)우주. **3** [C] (귀인·고관·미인·재자(才子) 등의) 화려한 모임〔무리〕, 기라성: a ~ *of* film stars 기라성 같은 영화 스타들.

Gal·braith [gǽlbreiθ] *n.* **John Kenneth** ~ 갤브레이스《캐나다 태생의 미국의 경제학자·외교관; 1908– 》.

gale** [geil] *n.* [C] **1 질풍**, 강풍; 〖기상〗 초속 13.9–28.4m의 바람: a moderate ~ 센바람 / a fresh ~ 큰바람 / a strong ~ 큰센바람 / a whole ~ 노대바람. [SYN] ⇨STORM, WIND. **2** (흔히 *pl.*) 폭발《of*** (감정·웃음 따위)의》: go into ~*s of* laughter 와락 웃음을 터뜨리다.

gál Fríday 여비서. [cf] girl Friday.

Gal·i·le·an [gæ̀ləlíːən] *a.* Galilee (사람)의.

G

—*n*. Ⓒ 갈릴리 사람; 기독교도; (the ~) 예수 그리스도.

Gal·i·lee [gǽləlìː] *n*. 갈릴리《Palestine 북부의 옛 로마의 주》. ***the Sea of ~*** 갈릴리 호수.

Gal·i·leo [gæ̀ləlíːou, -léiou] *n*. ~ **Galilei** 갈릴레오《이탈리아의 천문학자(天文學者)·물리학자; 1564–1642》.

◇**gall**[1] [gɔːl] *n*. Ⓤ **1** (동물의) 담즙, 쓸개즙《'인간의 담즙'을 말할 때는 bile을 씀》. **2** 불쾌, 지겨움; 증오. **3** (the ~) 뻔뻔스러움, 철면피, 무례함, 강심장《***to*** do》: He had the ~ *to* say it was my fault. 그는 뻔뻔스럽게도 내 잘못이라고 말했다.

gall[2] *vt*. (피부)를 스쳐서 벗어지게 하다; (사람)을 애〔속〕태우다, 초조하게 하다; …의 감정을 상하게 하다: His rude remarks *~ed* her. 그의 거친 말이 그녀의 감정을 상하게 했다. —*n*. Ⓒ **1** (피부의) 찰과상; (특히 말의) 까진 상처《마구·안장 등에 의한》. **2** 근심, 고민(거리).

gall[3] *n*. Ⓒ 충영(蟲癭), (식물의) 혹, 오배자(五倍子), 몰식자(沒食子)(gallnut)《잎·줄기·뿌리에 생기는 이상 생장 부분》.

gall. gallon(s).

◇**gal·lant** [gǽlənt] *a*. **1** 씩씩한, 용감한: a ~ soldier 용감한 병사. **2** (배·말 따위) 당당한, 훌륭한, 아름답게 꾸민: a ~ ship 훌륭한 배. **3** [gəlǽnt, gǽlənt] (특히 여성에게) 친절한, 정중한. — [gǽlənt, gəlǽnt] *n*. Ⓒ 여성에게 친절한 남자; 정부(情夫)(lover). ㊞ **~·ly** *ad*. **~·ness** *n*.

◇**gal·lant·ry** [gǽləntri] *n*. **1** Ⓤ 용감, 용기, 의협; Ⓒ 용감한 행위, 무공. **2** Ⓤ 부녀자에게 친절함; Ⓒ 정중한 말〔행위〕.

gáll·blàdder *n*. Ⓒ 〖해부〗 쓸개, 담낭(=**gáll blàdder**).

gal·le·on [gǽliən] *n*. Ⓒ 15–18세기 초의 스페인·지중해의 큰 돛배《3〔4〕층 갑판의 군함·상선》.

gal·le·ria [gæ̀ləríːə] *n*. Ⓒ (보통 유리지붕으로 된) 대형 쇼핑 센터.

*__gal·lery__ [gǽləri] *n*. **1** Ⓒ **화랑, 미술관**(picture ~); 미술품 전시실; 〘집합적〙 전시 미술품: the National *Gallery* (런던의) 국립 미술관. **2** Ⓒ 회랑, 주랑(柱廊), 복도. **3** Ⓒ (기둥으로 떠받친) 발코니; 《美》 베란다(verandah). **4** Ⓒ (교회·홀 등의 벽면에서 쑥 내민) 게랑(階廊), 특별석; (국회·법정 등의) 방청석: the Stranger's *Gallery* 《英》 (의회의) 방청석. **5 a** Ⓒ 맨 위층 관람석《극장의 가장 싼 자리》. **b** Ⓤ (the ~) 〘집합적; 단·복수취급〙 맨 위층 관람석 손님. **6** Ⓒ 조붓하고 길쭉한 방; 사진 촬영소; 사격 연습장: a shooting ~ 실내 사격 연습장. **7** Ⓒ 〘집합적〙 (테니스·골프 경기 등의) 관객. **8** Ⓒ (두더지 따위의) 지하 통로; 〖광산〗 갱도.

play to the ~ 일반 관중이 좋아하게 연기하다, 속된 취미에 영합하다, 스탠드 플레이를 하다.

◇**gal·ley** [gǽli] *n*. Ⓒ **1** 갤리선《옛날 노예나 죄수들에게 젓게 한 돛배》; (옛 그리스·로마의) 군함. **2** 배〔항공기〕 안의 주방(kitchen). **3** 〖인쇄〗 = GALLEY PROOF.

gálley pròof 〖인쇄〗 교정쇄.

gáll·flỳ *n*. Ⓒ 〖곤충〗 몰식자(沒食子)벌.

Gal·lic [gǽlik] *a*. 골(Gaul)의; 골 사람의; 프랑스(사람)의: ~ wit 프랑스인 특유의 기지.

Gal·li·cism [gǽləsìzəm] *n*. Ⓒ (또는 g-) 프랑스 어법《표현 등의》; 관용(慣用) 프랑스말; 프랑스풍의 습관〔사고 방식, 기질〕.

gáll·ing *a*. 짜증나게 하는, 괴롭히는.

㊞ **~·ly** *ad*.

gal·li·um [gǽliəm] *n*. Ⓤ 〖화학〗 갈륨《희금속 원소; 기호 Ga; 번호 31》.

gal·li·vant [gǽləvæ̀nt/ˌ--ˊ] *vi*. 이성의 꽁무니를 따라다니다; 놀며 다니다(*about; around*): go *~ing (around)* 놀며 다니다.

*__gal·lon__ [gǽlən] *n*. Ⓒ **1 갤런**《액량의 단위로 4 quarts; 생략: gal., gall.》: imperial ~ 영국 갤런《4.546*l*》/ wine ~ 미국 갤런《3.7853*l*》. **2** 건량(乾量)의 단위; =1/8 bushel.

*__gal·lop__ [gǽləp] *n*. **1** (a ~) **갤럽**《말 따위의 최대 속도의 구보》. ★walk, amble, trot, pace, rack, canter, gallop의 차례로 빨라짐. **2** Ⓒ 갤럽으로 말을 몰기, 질구(疾驅): have a ~ across the field 말을 타고 들판을 질주하다.

(***at***) ***full ~*** =***at a ~*** 구보로, 전속력으로.

—*vi*. **1** 《~/+전+명/+부》 (말을 타고) 갤럽〔전속력〕으로 달리다, 질주하다: He *~ed across* the field. 그는 말을 달려 들판을 가로질렀다 / They *~ed off* to meet their friends. 그들은 친구를 맞으려고 말을 달렸다. **2** (병세·시간 등이) 급속히 진행하다, 급히 가다〔지나가다, 나아가다〕.

—*vt*. (말)을 갤럽으로 달리게 하다.

gál·lop·ing *a*. Ⓐ (병세·인플레·부패 등의) 급속 진행성의: ~ consumption 급성〔분마성(奔馬性)〕 폐결핵.

◇**gal·lows** [gǽlouz] (*pl*. **~·es** [-ziz], ~) *n*. **1** Ⓒ 교수대《2개의 기둥에 지름대를 건넨 것》, 교수대 모양의 것. **2** (the ~) 교수형: come to 〔die on, go to, be sent to〕 the ~ 교수형을 당하다.

gállows bìrd 《구어》 교수형에 처해 마땅한 악인, 극악인(極惡人).

gállows hùmor 위험을 눈앞에 두고 하는 풍자의 유머; 블랙 유머.

gáll·stòne *n*. Ⓒ 〖의학〗 담석(膽石).

Gál·lup pòll [gǽləp-] 《美》 갤럽 (여론) 조사 《G.H. Gallup이 창설》.

gal·lus·es [gǽləsiz] *n. pl*. 《美》 바지 멜빵.

gal·op [gǽləp] *n*. 《F.》 Ⓒ 갤럽《2/4 박자의 경쾌한 춤》; Ⓤ 그 곡.

ga·lore [gəlɔ́ːr] *a*. 〘명사 뒤에 와서〙 풍부〔푸짐〕한: beef and ale ~ 성찬, 주지육림.

ga·losh [gəlɑ́ʃ/-lɔ́ʃ] *n*. Ⓒ (보통 *pl*.) 오버슈즈(overshoes), 고무 덧신.

Gals·wor·thy [gɔ́ːlzwə̀ːrði, gǽlz-] *n*. **John** ~ 골즈워디《영국의 소설가·극작가; 노벨 문학상 수상(1932); 1867–1933》.

ga·lumph [gəlʌ́mf] *vi*. 《구어》 의기양양하게 걷다, 신이 나서 달리다.

Gal·va·ni [gælvɑ́ːni, gɑːl-] *n*. **Luigi** ~ 갈바니《이탈리아의 물리학자·생리학자; 1737–98》.

gal·van·ic [gælvǽnik] *a*. **1** 갈바니 전기의, 동(動)〔직류〕 전기의: ~ current 갈바니 전류(direct current) / a ~ belt (의료용) 전기 띠. **2** 《비유적》 경련적인《웃음 따위》, 발작적인; 충격적인: ~ effect 충격적인 효과. ㊞ **-i·cal·ly** *ad*. 동전기에 의해; 경련적으로.

gal·va·nism [gǽlvənìzəm] *n*. Ⓤ 동〔직류〕 전기《화학 반응으로 일어나는 전기》; 동전기학(學).

gàl·va·ni·zá·tion *n*. Ⓤ 직류 전기를 통함; 〖의학〗 직류 전기 치료; 아연 도금.

gal·va·nize [gǽlvənàiz] *vt*. **1** …에 직류 전기를 통하다. **2** (전기라도 통한 듯이) 갑자기 활기를 띠게 하다; …에 충격을 주어 시키다《***into*** …하

게》: The shot ~*d* them *into* action. 그들은 총성을 듣고 곧 행동에 들어갔다. **3** 아연 도금을 하다: ~*d* iron 아연 철판《생철 따위》.

gal·va·nom·e·ter [gæ̀lvənámitər/-nɔ́m-] *n.* [C] 〖전기〗 검류계(檢流計).

gam [gæm] *n.* [C] 《속어》 다리《특히 여성의 날씬한》.

Ga·ma [gǽmə, gɑ́:mə] *n.* **Vasco da** ~ 가마《포르투갈의 항해가; 1498년 희망봉 항로 발견; 1469?-1524》.

Gam·bia [gǽmbiə] *n.* (the ~) 감비아《서아프리카의 공화국; 수도 Banjul [bǽndʒu:l/bændʒú:l]》.

Gam·bi·an [gǽmbiən] *a.* 감비아(사람)의. **—***n.* [C] 감비아 사람.

gam·bit [gǽmbit] *n.* [C] 〖체스〗 (졸 따위를 희생하고 두는) 첫 수; (행동·거래 등에서 앞일을 계산해서 하는) 시작; (얘기의) 실마리; (유리한 입장에 서기 위한) 책략, (선수 치는) 작전.

***gam·ble** [gǽmbəl] *vi.* **1** 《~/+[전]+[명]》 **도박을 하다**, 내기를 하다《*at, on* …에》; 투기하다《*on, in* …에》; 모험하다《*with* …을 걸고》: ~ *at* cards 내기 카드놀이를 하다 / ~ *on* (*at*) horse races 경마에 돈을 걸다 / ~ *in* steel stocks 철강주에 투기하다 / Don't ~ *with* your future. 장래를 거는 모험은 하지 마라. **2** 《+[전]+[명]》 의지하다, 믿다, 기대하다《*on* …을》: ~ *on* one's intuition 직관을 믿다 / You shouldn't ~ *on* the bus being on time. 버스가 제때 오리라고 기대하지 마라.
—*vt.* 《+[목]+[부]/+[목]+[전]+[명]/+*that* [절]》 도박해서 잃다(*away*); 내기하다, 걸다《*on* …에》: He ~*d away* his savings. 그는 도박으로 저금한 돈을 잃었다 / ~ one's savings *on* the stock market 주식에 저금한 돈을 걸다 / I'm *gambling that* our new store will be a success. 틀림없이 새로 연 가게는 성공할 것이다.
—*n.* **1** [C] 도박, 노름. **2** (a ~) 투기; 모험: take a ~ (on it). (그것을) 운에 맡기고 해 보다 / It's a bit of a ~. 그것은 다소 모험이다.
[파] °~**r** *n.* [C] 도박꾼, 노름꾼; 투기꾼.

gám·bling *n.* [U] 도박, 내기.

gam·boge [gæmbóudʒ, -bú:ʒ] *n.* [U] **1** 갬부지, 자황(雌黃)《동남 아시아산 식물의 나무진; 노랑 그림물감·하제(下劑)로 씀》. **2** 치자색, 자황색(雌黃色)(= ∠ yèllow).

gam·bol [gǽmbəl] *n.* [C] 뛰놀기, (새끼 양·어린이 등의) 장난. **—**(**-l-**, 《英》 **-ll-**) *vi.* 뛰놀다, 장난하다(*about*).

gam·brel [gǽmbrəl] *n.* [C] (말 뒷다리의) 복사뼈 관절(hock).

gámbrel ròof 〖건축〗 물매가 2단으로 된 맞배지붕.

†**game**[1] [geim] *n.* **1** [C] **놀이**(sport), 유희, 오락, 장난: children's ~*s* 어린이들의 놀이 / a ~ of tag 술래잡기 / play a ~ 놀이를 하다.
[SYN.] **game** 지능을 쓰는, 흔히 상대가 있거나 또는 상대를 예상하고 하는 놀이. **sport** 행동하다; 장난하다 → 자기의 이익 추구를 떠나 즐기기 위해서 (주로 몸을 움직여) 놀기: be the *sport* of circumstances 환경의 변화에 번롱당하다. **play** 지능적 놀이에도 신체적 놀이에도 쓰임. 무책임한 자유로움이 암시됨: the *play* of fancy 공상하기. game에 비해 표면에 나타난 동작·기술에 초점이 있음. 따라서 '연극'은 game이 아니고 play임. **amusement** 시간의 따분함을 덜어 주는 것. **pastime** 시간을 보내기 위해 심심풀이로 하는 것.
2 [C] **경기**, 시합, 승부《《美》에서는 보통 baseball, football 따위 -ball이 붙는 각종 스포츠 경기에 씀; [cf.] match[2]》; (한) **경기**, (한) 게임: a baseball ~ 야구 경기 / a ~ of tennis (cards) 테니스 경기(카드놀이) / a drawn ~ 무승부 / a rubber of three ~*s*, 3판 승부 / a ~ of chance 운에 맡기는 게임(승부) / win two ~*s* in the first set 제1세트에서 두 게임 이기다 / a called ~ 중단 경기 / a close ~ 팽팽한 승부, 접전 / win (lose) a ~ 경기에 이기다(지다).
3 a ((the) …G-s) 〖단·복수취급〗 (국제적) 경기(스포츠)대회: the Olympic *Games*. **b** 〖복수꼴로 단수취급〗 (학교 교과의) 체육, 운동 경기.
4 [C] (승리에 필요한) 승점(勝點): Five points is (are) the ~. 5점이면 이긴다.
5 a [C] 승부의 형세; (경기의 중간) 득점: How goes the ~? 형세는 어떤가 / The ~ is 4 all. 득점은 각각 4대4다. **b** (the ~) 이길 가망, 승리: have the ~ in one's hands 승패의 열쇠를 쥐고 있다 / The ~ is yours. 너의 승리다.
6 [C] 〖보통 수식어와 함께〗 경기 태도(방식); 게임 운영; 행위, 수단: play a fair ~ 정정당당히 싸우다 / Play a losing (winning) ~ 승산 없는 (있는) 승부를 하다; 손해(이익)되는 일을 하다 / play a dangerous ~ 위험한 수작을 부리다 / That's not the ~! 그건 정당한 수법이 아니다.
7 [C] 속임수, 수법; (정치·외교에 있어서의) 정략, 책략, 계략(trick); 도모: the same old ~ 예의 그 수법 / the ~ of politics 정치 술책, 정략 / None of your little ~*s*! 그런 수에는 안 넘어갈 걸 / I wish I knew what his ~ is. 그의 속셈 좀 알았으면 싶다.
8 [C] 놀이(게임) 도구, 장난감.
9 [C] 농(담), 놀림(joke, fun). ↔ *earnest*. ¶ Here's a ~. 농담하고 있네 / in ~ 농담으로.
10 [U] **a** 〖집합적〗 **사냥감**, 사냥해서 잡은 것《짐승·새 따위》: forbidden ~ 금렵조(禁獵鳥), 금렵수. **b** 사냥한 짐승의 고기. **c** 〖보통 fair (easy) ~으로〗 (공격·비웃음 따위의) 물렁한 대상, 봉.
11 (the ~) 〖보통 수식어와 함께〗 《美구어》 (위험·경쟁이 뒤따르는) 일, 직업: He's in the insurance ~. 그는 보험회사에서 일한다.
ahead of the ~ 《美구어》 이기고 있는, 유리한 입장에 있는; (너무) 이른. ***anyone's*** ~ 누가 이길지 모르는 게임, 예측 못할 경기(시합). ***beat*** a person ***at*** his ***own*** ~ (아무의 능한 수로) 되레 그를 해치우다. ***be on*** (***off***) one***'s*** ~ (경기자·말 따위의) 컨디션이 좋다(나쁘다). ~ ***all*** =~ ***and*** ~ 〖테니스〗 득점 1대1. ~ ***and*** (***set***) 〖테니스〗 게임 종료. **~, *set and match*** ① 〖테니스〗 게임 세트, 경기 종료. ② 완승, 압승《***to*** …의》. ***give the*** ~ ***away*** 비밀을 누설하다, 속셈을 보이다. ***make*** (***a***) ~ ***of*** …을 놀리다(조롱하다). ***on the*** ~ 《英속어》 매음을 하여; 도둑질을 해서. ***play*** ~***s with*** …을 갖고 놀다; …을 속이다. ***play*** a person***'s*** ~ =***play the*** ~ ***of*** a person 부지중에 남의 이익이 되는 짓을 하다. ***play the*** ~ 공명정대한 경기를 하다; 훌륭히 행동하다. ***That's your*** (***his***) ***little*** ~. 그것이 자네(그의) 수법(속셈)이군. ***Two can play at that*** ~. =***That's a*** ~ ***two people can play.*** ⇨ TWO ([DIAL.]).

[DIAL.] ***It's all part of the game.*** 그것은 다 계산에 들어 있는 일이다(그러니 놀랄 것 없다). ***The game's up*** (***over***). 이제(만사) 다 틀렸다

G

(← 게임은 끝났다).
What's a person***'s game?*** (아무)가 노린 것은 무엇일까.
What's the game? 대체 무슨 일인가, 무슨 일이 일어났을까.

—*a*. **1** 사냥〔수렵〕의, 엽조〔엽수〕의; 낚시(용)의. **2** 용감한, 투지가 왕성한: a ~ fighter 용맹스런 전사. **3** 기꺼이 하는, 할 마음이 있는《***for*** …을/ ***to*** do》: Are you ~ *for* a swim? 수영하고 싶지 않니?/He was ~ *to* do anything. 그에게는 무엇이든 잘 해내려는 의지가 있었다.
die ~ 끝까지 싸우다가 죽다, 장렬하게 죽다.
—*vi*. 승부를 겨루다, 내기〔도박〕하다: ~ deep 큰 승부를 하다.

game² *a*. Ⓐ (팔 · 다리 따위가) 불구인(lame).

gáme bìrd (합법적으로 잡을 수 있는) 엽조(獵鳥)《주로 꿩과의 조류》.

gáme·còck *n*. Ⓒ 투계, 싸움닭.

gáme fish 낚싯고기《낚시의 대상이 되는》.

gáme·kèeper *n*. Ⓒ 《英》 사냥터지기.

gam·e·lan [gǽməlæ̀n] *n*. Ⓒ 가믈란《인도네시아의 실로폰 비슷한 악기》.

gáme·ly *ad*. 용감하게, 당당하게.

gáme plàn 《美》 (시합 등의) 작전; 전략; (정치 · 사업 따위 면밀하게 계획된) 행동 방침, 작전.

gáme pòint (테니스 따위) 결승점.

gáme presèrve 금렵구, 엽조수 보호 구역.

gáme resèrve ＝GAME PRESERVE.

gámes·man·shìp [-ʃìp] *n*. Ⓤ (반칙은 아니나) 더러운 수법.

game·some [géimsəm] *a*. 장난치는; 놀기〔장난치기〕 좋아하는(playful). ㊞ **~·ly** *ad*.

game·ster [géimstər] *n*. Ⓒ 도박꾼, 노름꾼(gambler).

ga·mete [gǽmiːt, gəmíːt] *n*. Ⓒ 〖생물〗 배우자(配偶子), 생식체《특히 고등동물의 정자와 난자의 총칭》.

gáme thèory (the ~) 게임 이론《경쟁자의 이익이 서로 대립되는 국면에서, 자기 득점을 최대로 하고 실점을 최소로 할 수단을 결정하기 위한 수학 이론; 경제 · 군사 · 외교 등의 분석에 응용》.

gáme wàrden 《英》 수렵구(區) 관리자.

gam·ey [géimi] *a*. ＝GAMY.

gam·in [gǽmin] *n*. 《F.》 Ⓒ 부랑아; 장난꾸러기.

gam·ine [gǽmiːn, -⌐] *n*. 《F.》 Ⓒ 말괄량이, 매력적인 장난꾸러기 계집애.

gam·ing [géimiŋ] *n*. Ⓤ 도박, 내기(gambling).

gam·ma [gǽmə] *n*. Ⓤ (구체적으로는 Ⓒ) **1** 그리스어 알파벳의 셋째 글자《Γ, γ; 로마자의 G, g에 해당》. **2** 세 번째(의 것); 제 3 급: ~ plus 〔minus〕 《英》 (학업 성적의) C⁺ 〔C⁻〕.

gámma glóbulin 〖생화학〗 감마글로불린《혈장 단백질의 한 성분으로 항체(抗體)가 많음》.

gámma rày (보통 *pl.*) 〖물리〗 감마선.

gam·mon *n*. Ⓤ 돼지의 넓적다리 고기, 베이컨용 돼지 옆구리 밑쪽의 고기; 훈제(燻製) 햄.

gam·my [gǽmi] *a*. 《英구어》 ＝GAME².

gamp [gæmp] *n*. Ⓒ 《英구어》 볼품없이 큰 박쥐우산《Dickens 의 작중 인물 Mrs. Sarah Gamp 의 우산에서》.

gam·ut [gǽmət] *n*. **1** (*sing.*; 보통 the ~) 〖음악〗 전음계; 장음계; (목소리 · 악기의) 전음역. **2** 《비유적》 전범위, 전영역, 전반: the whole ~ of crime 온갖 범죄. ***run the*** (***whole***) ~ ***of*** (expressions) 갖은 (표현)을 다하다.

gamy [géimi] (***gam·i·er; -i·est***) *a*. **1** (엽수〔엽조〕의 고기가) 냄새가 나는《약간 썩기 시작하여 맛이 좋을 때》. **2** 《美》 (얘기 따위가) 아슬아슬한, 외설적인. **3** 기운 좋은, 다부진(plucky), 용감한.

-ga·my [gəmi] '결혼, 결합, 번식, 재생' 의 뜻의 결합사: bi*gamy*, exo*gamy*, allo*gamy*.

gan·der [gǽndər] *n*. **1** Ⓒ 거위 · 기러기의 수컷. ↔ *goose*. **2** Ⓒ 얼간망둥이, 어리보기(simpleton). **3** (a ~) 《속어》 일별(look)《***at*** …에의》: take 〔have〕 a ~ (*at*) (…을) 슬쩍〔흘끗〕 보다.

Gan·dhi [gáːndi, gǽn-] *n*. **Mohandas Karamchand** ~ 간디《인도 민족 해방 운동의 지도자; 1869-1948》.

⁑**gang** [gæŋ] *n*. Ⓒ **1** 〖집합적; 단 · 복수취급〗 **a** 일단, 한 떼; (노동자 · 죄수 등의) 한 무리: a road ~ 도로 공사 인부의 한 무리. **b** (악한 · 범죄자 등의) 일당, 폭력단, 갱단《한 사람의 갱은 a gangster》: a ~ of thieves 도둑의 일당. **c** 패거리; 《美》 (배타적인 청소년 · 어린이의) 놀이 동무; 비행 소년 그룹: a motorcycle ~ 폭주족. **2** 한 벌〔세트〕《***of*** (같이 움직이는 도구)의》: a ~ *of* oars 〔saws〕 한 벌의 노〔톱〕.
—*vi*. 《구어》 《+부/+전+명》 **1** 집단을 이루다, 단결하다(*together; up*)《***with*** …와》: They ~*ed together*. 그들은 일치단결했다/We ~*ed up with* them. 우리들은 그들과 한데 뭉쳤다.
2 단결하여 대항하다(*up*)《***against*** …에》; 집단적으로 습격하다(*up*)《***on*** …을》: The bigger boys ~*ed up on* the smaller ones in the schoolyard. 큰 아이들이 학교 운동장에서 작은 아이들에게 덤볐다.

gáng·bàng 《속어》 *n*. Ⓒ 윤간(＝**gáng bàng**).
—*vi.*, *vt*. 윤간(輪姦)하다.

gáng·bòard *n*. Ⓒ (배와 부두를 연결하는) 배다리, 트랩(gangplank).

gáng·bùster *n*. Ⓒ 《구어》 **1** 갱〔폭력단〕을 단속하는 경찰관. **2** 박력있는 사람〔것〕. **3** (*pl.*) 대성공을 거둔 상태〔입장〕. ***come on like*** **~s** 《美속어》 요란스럽게〔화려하게〕 들어오다〔시작하다〕.
go **~s** 크게 히트하다, 큰 성공을 거두다.

gang·er [gǽŋər] *n*. Ⓒ 《英》 (노동자의) 두목, 십장.

Gan·ges [gǽndʒiːz] *n*. (the ~) 갠지스 강.

gáng·lànd *n*. Ⓤ 암흑가, 범죄자의 세계.

gan·gle [gǽŋgəl] *vi*. 어색하게 움직이다〔걷다〕.

gan·glia [gǽŋgliə] GANGLION의 복수.

gan·gling [gǽŋgliŋ] *a*. 호리호리한, 홀쭉한(lanky).

gan·gli·on [gǽŋgliən] (*pl.* ***-glia*** [-gliə], **~s**) *n*. Ⓒ **1** 〖해부〗 신경절(節), 신경구(球); 〖의학〗 갱글리언, 건초류(腱鞘瘤), 결절종(結節腫). **2** 중심, 중추《***of*** (지적 · 산업적 활동)의》.

gan·gly [gǽŋgli] *a*. ＝GANGLING.

gáng·plànk *n*. ＝GANGBOARD.

gan·grene [gǽŋgriːn, -⌐] *n*. Ⓤ 〖의학〗 괴저(壞疽), 탈저(脫疽).

gan·gre·nous [gǽŋgrənəs] *a*. 〖의학〗 괴저〔탈저〕의.

°**gang·ster** [gǽŋstər] *n*. Ⓒ 《구어》 갱(의 한 사람), 폭력배, 악한: a ~ film 갱 영화.

°**gáng·wày** *n*. Ⓒ 출입구; 《英》 (극장 · 식당 · 버스 등 좌석 사이의) 통로; (배의) 트랩(gangplank); 현문(舷門); (건축 현장 등의) 임시 통로《자재 위에 걸친 판자 따위》. **—***int*. 비켜라 비켜(Clear the way!).

[DIAL.] *Gangway!* 자 비켜라.

gan·net [gǽnit] *n.* [C] (*pl.* **~s, ~**) 〖조류〗 북양가마우지.

gant·let[1,2] [gɔ́:ntlit, gǽnt-] *n.* =GAUNTLET[1,2].

gant·let[3] *n.* [C] 〖철도〗 곤틀릿 궤도《터널이나 교량에서 복선 선로가 서로 교차하여 단선처럼 된 부분》.

gan·try [gǽntri] *n.* [C] (이동 기중기의) 받침대;〖철도〗 신호교(信號橋)《신호기 설치용의 과선교(跨線橋)》; 〖우주〗 로켓의 이동식 발사 정비탑(=∠ **scáffold**); (저장소의) 통받침.

GAO 《美》 General Accounting Office (회계감사원(院)).

◇**gaol** [dʒeil] *n.*, *vt.* 《英》 =JAIL. 㖹 **∠·er** *n.* 《英》 =JAILER.

gáol·bìrd *n.* 《英구어》 =JAILBIRD.

⁑**gap** [gæp] *n.* [C] **1** 금, 갈라진 틈《*in* (담 · 벽 따위의)》: a ~ *in* a hedge 산울타리의 갈라진 틈. **2** 틈, 틈새, 짬, 간격《*of* (시간 · 공간)의》: a long ~ *of* time 오랜 기간의 간격. **3** 공백, 단락《*in, between* (연속된 것)의》: There're some ~*s in* the record. 그 기록에는 공백 부분이 몇 군데 있다. **4** 차이, 격차《*in, between* (의견 · 나이 따위)의》: There is a considerable ~ *in* their age. 두 사람의 나이에 상당한 차이가 있다 / the ~ *between* theory and practice 이론과 실제와의 격차. **5** 《美》 골짜기, 협곡; 산간 도로, 고갯길.
***bridge* 〔*fill, stop, supply*〕 *a* 〔*the*〕 ~** 부족을 채우다; 임시변통을 하다; 간격을 메우다. ***close a* ~** 간격을〔격차, 차를〕 줄이다, 따라붙다.

gape [geip, gæp] *n.* **1** [C] 입을 크게 벌림; 하품(yawn); 입을 딱 벌리고 멍하니 봄; 벌어진〔갈라진〕 틈(새). **2** (the ~s) 〖단수취급〗 (주로 가금(家禽)의) 부리를 헤벌리는 병.
—*vi.* **1** (놀라거나 감동하여) 입을 크게 벌리다; 하품을 하다(yawn). **2** (상처 · 틈 · 조개 따위가) 크게 벌어지다, 갈라지다; (지면 따위가) 갈라져 있다: a *gaping* wound 〔chasm〕 짝 갈라진 상처〔틈〕 / All the drawers ~*d* open. 서랍이 전부 열려 있었다. **3** 멍청히 입을 벌리고 바라보다《*at* …을》: They ~*d at* the huge kite. 그들은 멍청히 입을 벌리고 큰 연을 바라보았다.

gap·ing·ly [géipiŋli, gǽp-] *ad.* 입을 딱 벌리고, 멍하니.

gáp·tòothed [-t] *a.* (빠진 이로) 이 사이가 벌어진.

gar [gɑ:*r*] (*pl.* **~s,** 〖집합적〗 **~**) *n.* =GARFISH.

⁑**ga·rage** [gərá:ʒ, -rá:dʒ/gǽrɑ:dʒ, -ridʒ] *n.* [C] (자동차) **차고**, 주차장, 자동차 수리소〔정비 공장〕. **—***vt.* 차고〔정비 공장, 격납고〕에 넣다.

garáge·màn [-mæ̀n] (*pl.* **-mèn** [-mèn]) *n.* [C] 자동차 수리공.

garáge sàle 《美》 (이사할 때나 보통 자기집 차고에서 하는) 파치〔중고품 · 정리품〕 염가 판매.

garb [gɑ:*r*b] *n.* [U] 복장《국가나 직업에 따라 특징이 있는 것》; 옷차림; 외관: in the ~ of a soldier 군인 복장을 하고. **—***vt.* 〖수동태 또는 ~ oneself〗 입다《*in* …을》, 복장을 하다《*as* …의》: The priest *was* ~*ed in* black. 성직자는 검은 옷을 입고 있었다 / He ~*ed* him*self as* a sailor. 그는 선원 복장을 하고 있었다.

***gar·bage** [gá:*r*bidʒ] *n.* [U] **1** 《美》 (부엌의) **쓰레기**, 음식 찌꺼기, 잔반(殘飯); 쓰레기, 폐기물(《英》 rubbish). **2** 〖집합적〗 **a** 잡동사니; 너절한 것; 너절한 말〔생각〕: literary ~ 시시한 읽을거리 / Stop talking ~. 쓸데없는 소리 그만해. **b** 〖컴퓨터〗 가비지《기억 장치 속에 있는 불필요하게 된 데이터; 일명 휴지통》.

gárbage càn 《美》 (부엌의) 쓰레기통(《英》 dustbin).

gárbage collèction 〖컴퓨터〗 가비지 수집《기억 장치 속의 빈 부분을 모아 정리된 스페이스를 만드는 기술》.

gárbage collèctor =GARBAGE MAN.

gár·bage màn [-mən] (*pl.* **-men** [-mən]) *n.* 《美》 쓰레기 수거인(《英》 dustman).

gar·bage·ol·o·gy [gɑ̀:*r*bidʒɑ́lədʒi/-dʒɔ́l-] *n.* [U] (쓰레기 분석으로 행하는) 폐기물 문화〔사회〕학.

gárbage trùck 〔**wàgon**〕 《美》 쓰레기 수거차, 청소차(《英》 dust cart).

gar·ble [gá:*r*bəl] *vt.* (고의적으로 사실 따위)를 왜곡하다; (기사)를 멋대로 고치다; (인용문 · 사실 따위)를 깜박 혼동하다.

gár·bled *a.* (보도 · 기사 등) 사실을 왜곡한; (설명 따위) 불명확한, 종잡을 수 없는.

gar·bol·o·gy [gɑ:*r*bɑ́lədʒi/-bɔ́l-] *n.* =GARBAGEOLOGY.

gar·çon [gɑ:*r*sɔ̃́:, ∠-] *n.* 《F.》 [C] (호텔의) 보이, 사환, 급사(waiter).

†**gar·den** [gá:*r*dn] *n.* **1** [C] **뜰**, **마당**, **정원** : a back ~ 뒤뜰/a rock ~ 암석〔석가산〕 정원.

[SYN.] **garden** 집 주변에 있어 꽃 등이 가꾸어진 뜰. **yard** 집 주위 또는 건물에 에둘린 공지로서 때로는 포장되어 있기도 한 뜰. **court** 건물에 에둘린 안뜰로서 포장되어 있는 것이 많음.

2 [C] **a** (흔히 *pl.*) **공원**, 유원지(park): botanical 〔zoological〕 ~*s* 식물〔동물〕원. **b** 옥외(屋外) 시설, 야외 간이 음식점: =BEER GARDEN. **3** [C] 화원; 채마밭; 과수원: a kitchen ~ (가정용) 채마밭. **4** (G-s) 《英》 …가(街), …광장: Sussex *Gardens* / Abbey *Gardens* 애비로(路).
lead* a person *up* 〔*down*〕 *the* ~ (*path*)** 《구어》 아무를 속이다, 오도(誤導)하다. ***the Garden of Eden 에덴 동산. ***the Garden of England*** 잉글랜드 비옥 지대《Kent, Worcestershire, the Isle of Wight 따위》.
—*a.* [A] **1** 뜰의; 정원용의; 재배의: a ~ trowel 모종삽 / a ~ plant 원예 식물. **2** =GARDEN-VARIETY.
—*vi.* 뜰을 가꾸다; 원예를 하다.

gárden apártment 《美》 뜰이 있는 낮은 층의 아파트.

gárden cènter 원예용품점, 종묘점(種苗店).

gárden cíty 전원 도시.

***gar·den·er** [gá:*r*dnə*r*] *n.* [C] **정원사**, 원정(園丁); **원예가**; 채소 재배자.

gar·de·nia [gɑ:*r*dí:niə, -njə] *n.* [C] 〖식물〗 치자나무(의 꽃).

gár·den·ing *n.* [U] 조원(造園)(술), 원예.

gárden pàrty 가든 파티, 원유회.

gárden súburb 《英》 전원 (교외) 주택지.

gárden-varìety *a.* [A] 《美》 흔해 빠진, 보통(종류)의.

Gar·field [gá:*r*fi:ld] n. **James Abram ~** 가필드《미국 제20대 대통령; 취임 후 4개월 만에 암살됨; 1831–81》.

gar·fish [gá:*r*fiʃ] (*pl.* **~·es, ~**) *n.* [C] 〖어류〗 동갈치(needlefish)《북 · 중앙 아메리카산의 담수어; 날카로운 이로 다른 물고기를 먹어치움》.

gar·gan·tu·an [gɑ:*r*gǽntʃuən] *a.* (또는 G-)

거대한, 굉장히 큰; 원대한, 엄청난: a ~ appetite 엄청난 식욕 / a ~ development project 원대한 개발 계획.

gar·gle [gáːrgəl] *vi.* 양치질하다《*with* …으로》; 오지그릇 깨지는 소리로 말하다: ~ *with* salt water 소금물로 양치질하다. **—***n.* **1** (a ~) 양치질. **2** Ⓤ (종류 · 낱개는 Ⓒ) 양치질 약.

gar·goyle [gáːrgɔil] *n.* Ⓒ 〖건축〗 석누조(石漏槽), 이무기돌《고딕 건축 따위에서 낙숫물받이로 만든 괴물 형상의》.

gar·i·bal·di [gæ̀rəbɔ́ːldi] *n.* Ⓒ **1** (여성 · 어린이용의) 헐거운 블라우스《이탈리아의 애국자 Garibaldi (1807-82)의 병사들의 빨간 셔츠에서》. **2** 《英》 건포도를 넣은 비스킷(= ∠ **bìscuit**).

gar·ish [gɛ́əriʃ] *a.* 번쩍번쩍하는; (불쾌할 정도로) 야한; 화려한. ㊞ **~·ly** *ad.* **~·ness** *n.*

°**gar·land** [gáːrlənd] *n.* Ⓒ **1** 화환, 화관(花冠)《명예 · 승리의 표시로 머리 · 목에 거는》. **2** 명구집(名句集), 시가선(詩歌選). **3** 영관(榮冠), 영예(의 표시): gain 〔carry away, win〕 the ~ 승리의 영관을 얻다. **—***vt.* 화환으로 장식하다.

°**gar·lic** [gáːrlik] *n.* Ⓤ 〖식물〗 마늘; (조미료로서의) 마늘: ~ salt 마늘이 든 식염《조미료》/ a clove of ~ 마늘 한 쪽. ㊞ **-licky** [-i] *a.* 마늘 같은〔냄새 나는〕.

*__gar·ment__ [gáːrmənt] *n.* **1** Ⓒ **의복 한 벌.** **2** (*pl.*) 의복, 의류《특히 긴 웃옷 · 외투 등》: This store sells ladies ~*s*. 이 가게는 여성 의류를 판다. **3** Ⓒ 외관, 옷차림. ㊀ attire, raiment. **—***vt.* 〖보통 수동태〗 …에게 옷을 입히다.

gárment bàg 양복을 휴대할 수 있도록 접어넣게 된 여행용 백.

gar·ner [gáːrnər] 《시어 · 문어》 *n.* Ⓒ 곡창(穀倉)(granary); 저축, (지혜 · 사상 따위의) 축적.
—*vt.* (곡물 따위)를 모아 비축하다(*up*); (노력하여) 획득하다: ~ (*up*) a crop 작물을 수확하여 저장하다 / ~ a good reviews 호평을 받다.

gar·net [gáːrnit] *n.* **1** Ⓤ (낱개는 Ⓒ) 석류석(石榴石), 가닛《1월의 탄생석》. **2** Ⓤ 심홍색(deep red).

°**gar·nish** [gáːrniʃ] *n.* Ⓒ **1** 장식물; 문식(文飾), 미사여구. **2** 식품의 배합, 요리에 곁들이는 것, 고명. **—***vt.* **1** 장식하다《*with* …으로》; 문식하다: ~ a room *with* flowers 방을 꽃으로 꾸미다. **2** (야채 · 해초 따위)를 곁들이다; (요리)의 고명을 하다《*with* (야채 따위)로》: use parsley to ~ a salad 샐러드에 파슬리를 곁들이다 / The roast chicken was ~*ed with* slices of lemon. 튀김 닭에 레몬 조각이 곁들여졌다.

gar·nish·ee [gàːrniʃíː] *vt.* 〖법률〗 (채권 · 봉급 따위)를 압류하다; …에게 압류를 통고하다.

gár·nish·ment *n.* Ⓒ 〖법률〗 채권 압류 통고(서).

gar·ni·ture [gáːrnitʃər] *n.* Ⓤ 꾸밈, 장식; Ⓒ 부속품, 장식물, 장구(裝具).

garotte ⇨ GARROTE.

°**gar·ret** [gǽrət] *n.* Ⓒ 다락방《보통 어둡고 초라한》. ㊀ attic.

°**gar·ri·son** [gǽrəsən] *n.* Ⓒ **1** 〖집합적; 단 · 복수취급〗 수비대, 주둔군〔병〕. **2** (수비대가 지키는) 요새, 주둔지: ~ artillery 요새 포병.
—*vt.* …에 수비대를 두다; 수비하다; (부대)를 주둔시키다.

gárrison tówn 수비대 주둔 도시.

gar·rote, -rotte, ga·rotte [gərát, -róut / -rɔ́t] *n.* **1 a** (the ~) 스페인의 교수형《기둥에 달린 쇠고리에 목을 끼워 넣고 나사로 졸라 죽임》. **b** Ⓒ (그 교수형에 쓰는) 쇠고리. **2** Ⓤ (구체적으로는 Ⓒ) 교살 강도《사람 뒤에서 줄 따위로 목을 조르는》. **—***vt.* 교수형에 처하다; (길 따위에서 사람)의 목을 조르고 금품을 빼앗다.

gar·ru·li·ty [gərúːləti] *n.* Ⓤ 수다, 다변.

gar·ru·lous [gǽrjələs] *a.* 수다스러운, 말많은 (talkative); 용장(冗長)한. ㊞ **~·ly** *ad.* 재잘재잘, 중얼중얼. **~·ness** *n.*

°**gar·ter** [gáːrtər] *n.* **1** Ⓒ (보통 *pl.*) 양말 대님; (와이셔츠 소매를 올리는) 가터. **2** (the G-) 《英》 가터 훈위(勳位)(the Order of the Garter)《영국의 Knight 최고 훈위》; 가터 훈장: a Knight of the Garter 가터 훈작사(勳爵士)《생략: K.G.》/ *Garter* King of Arms 《英》 (문장원(紋章院)의) 가터 문장관(紋章官).

gárter bèlt 《美》 (여성용) 양말 대님(《英》 suspender belt).

gárter snàke (미국산의 독 없는) 줄무늬뱀.

gárter stìtch 〖편물〗 가터 뜨개질《전체를 안뜨기한 대바늘뜨기의 일종》.

‡**gas** [gæs] (*pl.* **∠·es,** 《美》 **∠·ses** [gǽsiz]) *n.* **1** Ⓤ (종류는 Ⓒ) **기체**: Oxygen is a colorless ~. 산소는 무색의 기체이다. **2** Ⓤ (연료 · 난방 · 취사용) 가스; (마취용) 소기(笑氣)(laughing ~); 최루가스(tear ~); 〖군사〗 독가스(poison ~); 《美》 방귀(《英》 wind): liquid 〔natural〕 ~ 액체〔천연〕 가스 / fuel 〔propane〕 ~ 연료〔프로판〕 가스 / turn on 〔off〕 the ~ 가스를 나오게 하다〔잠그다〕. **3** Ⓤ 《美구어》 가솔린(gasoline): be out of ~ 가솔린이 떨어지다. **4** Ⓤ 《속어》 허튼소리, 허풍. **5** (a ~) 《속어》 매우 재미있는〔유쾌한〕 사람〔것〕: It's a real ~. 정말 재미있다.
step 〔***tread***〕 ***on the ~*** 《美구어》 액셀러레이터를 밟다; 속력을 내다, 서두르다(hurry up).
— (**-ss-**) *vi.* **1** 독가스로 공격하다. **2** 《속어》 허튼소리하다, 허풍 떨다. **3** 자동차에 급유하다.
—*vt.* **1** …에 가스를 공급하다. **2** 독가스로 공격〔살상〕하다; 가스로 중독시키다. **3** 《속어》 매우 유쾌하게 해주다.

gás·bàg *n.* Ⓒ 가스 주머니《비행선, 경기구(輕氣球) 따위의》; 《속어》 허풍선이(boaster), 수다쟁이, 떠버리.

gás bùrner 가스 버너; 가스 스토브〔레인지〕.

gás chàmber (처형 · 도살용의) 가스실.

gás-cooled reáctor 〖원자력〗 가스 냉각로.

°**gas·e·ous** [gǽsiəs, -sjəs] *a.* **1** 가스의; 가스질의, 가스 모양의, 기체의. **2** 《구어》 실속이 없는, 믿을 수 없는, 공허한.

gás fire 《英》 가스 난로.

gás-fired *a.* 가스를 연료로 사용한: a ~ boiler 가스 보일러.

gás fitter 가스공(工); 가스 기구 설치업자.

gás-gùzzler *n.* Ⓒ 《美 · Can.》 연료 소비가 많은 대형차, 고연비차(高燃費車).

gás-gùzzling *a.* 《美구어》 연료를 많이 소비하는.

°**gash** [gæʃ] *n.* Ⓒ 깊이 베인 상처; (지면의) 갈라진 틈. **—***vt.* …에게 깊은 상처를 입히다; …을 깊이 베다.

gás·hòlder *n.* Ⓒ 가스 탱크.

gas·i·fi·ca·tion [gæ̀səfikéiʃən] *n.* Ⓤ 가스화, 기체화, 기화(氣化).

gas·i·fy [gǽsəfài] *vt., vi.* 가스가 되(게 하)다, 기화하다.

gas·ket [gǽskit] *n.* Ⓒ 〖선박〗 돛 묶는 밧줄;

G

〖기계〗 개스킷, 〖일반적〗 틈막이, 패킹(packing).

gás làmp 가스등.

gás·lìght *n.* Ⓤ 가스불; Ⓒ 가스등.

gás lìghter 가스 점화 기구; (담배용의) 가스 라이터.

gás·màn [-mæ̀n] (*pl.* ***-mèn*** [-mèn]) *n.* Ⓒ 가스업자; 가스공(工); 가스 검침원; 가스 요금 수금원.

gás màsk 방독면(防毒面).

gás mèter 가스 미터.

gas·o·gene [gǽsədʒìːn] *n.* Ⓒ 가스 발생 장치; 휴대용 탄산(소다)수 제조기.

gas·o·hol [gǽsəhɔ̀ːl] *n.* Ⓤ 가소홀《가솔린과 에틸알코올의 혼합 연료》.

gás òil 경유(輕油).

⁑**gas·o·line, -lene** [gæ̀səlíːn, ⌐⌐] *n.* Ⓤ **가솔린**, 휘발유(《英》 petrol). ㊔ **gàs·o·lín·ic** [-lí(ː)nik] *a.*

gas·om·e·ter [gæsɑ́mitər/-ɔ́m-] *n.* Ⓒ 가스 계량기; (특히 가스 회사의) 가스 탱크.

gasp** [gæsp, gɑːsp] *vi.* 《~/+전+명》 **1 헐떡거리다, 숨이 차다**《**for** (공기 따위)를 얻기 위하여》; 숨이 막히다《with, in*** (놀람 · 공포 따위)로》: ~ *for* breath 숨이 차 헐떡이다 / I *~ed with* rage. 나는 심한 분노로 숨도 못 쉴 정도였다 / ~ *in* amazement 놀라 숨도 못 쉬다. **2** 열망[갈망]하다《***after, for*** …을》: They ~ *after* liberty. 그들은 자유를 열망하고 있다. **—***vt.* 《+목+부》 헐떡이며 말하다(*away; forth; out*): He *~ed out* a few words. 그는 헐떡이며 몇 마디 했다.

—*n.* Ⓒ (충격 · 놀람 따위로 순간) 숨이 멎음, 숨을 죽임; 헐떡거림; 숨막힘: give a ~ of surprise 놀라 숨을 죽이다 / breathe in short *~s* 숨을 헉헉거리다. ***at** one's* [***the***] ***last*** ~ 숨을 거두려 하고, 임종시에; 마지막 순간에; 녹초가 되어. ***to the last*** ~ 숨을 거둘 때까지.

㊔ **gás·per** *n.* Ⓒ 헐떡거리는 사람; 《英속어》 싸구려 궐련. **⌐·ing** *a.* **⌐·ing·ly** *ad.* 헐떡거리며.

gás rìng 가스 풍로.

gas·ser [gǽsər] *n.* Ⓒ **1** 《구어》 허풍쟁이. **2** 《속어》 월등히 훌륭한[재미있는] 것[사람].

gás stàtion 《美》 주유소(filling station).

gas·sy [gǽsi] (***-si·er; -si·est***) *a.* 가스의; 가스 모양[질]의(gaseous); 가스를 함유한; 가스가 찬; 《구어》 수다 떠는, 허풍 떠는, 제자랑하는. ㊔ **-si·ness** *n.*

gas·trec·to·my [gæstréktəmi] *n.* Ⓒ 〖의학〗 위절제(胃切除)(수술).

gas·tric [gǽstrik] *a.* Ⓐ 위(胃)의: ~ fever 위열(胃熱) / ~ juice 위액 / ~ cancer 위암 / a ~ ulcer 위궤양.

gas·tri·tis [gæstráitis] *n.* Ⓤ 〖의학〗 위염(胃炎).

gas·tro- [gǽstrou, -trə], **gastr-** [gæstr] '위(胃)'의 뜻의 결합사. ★ 모음 앞에서는 gastr-.

gàstro·cámera *n.* Ⓒ 〖의학〗 위(胃) 카메라.

gástro·enterítis *n.* Ⓤ 〖의학〗 위장염.

gas·tro·en·ter·ol·o·gy [gæ̀strouèntərɑ́lədʒi/-ɔ́l-] *n.* Ⓤ 위장병학. ㊔ **-gist** *n.* Ⓒ 소화기[위장병] 전문의.

gàstro·intéstinal *a.* 〖해부〗 위장의: a ~ disorder 위장병.

gas·tro·nom·ic, -i·cal [gæ̀strənɑ́mik/-nɔ́m-], [-əl] *a.* 요리법의; 미식법[식도락]의.

gas·tron·o·my [gæstrɑ́nəmi/-trɔ́n-] *n.* Ⓤ 미식학; (어느 지방의 독특한) 요리법.

gas·tro·pod [gǽstrəpɑ̀d/-pɔ̀d] *n.* Ⓒ 복족류(腹足類)의 동물《달팽이 따위》. **—***a.* 복족류의[와 같은].

gas·tro·scope [gǽstrəskòup] *n.* Ⓒ 〖의학〗 위내시경.

gás tùrbine 가스 터빈.

gás·wòrks (*pl.* ~) *n.* Ⓒ 가스 공장.

gat [gæt] *n.* Ⓒ 《속어》 (자동)총, 권총.

⁑**gate** [geit] *n.* Ⓒ **1** 문, 통용문, 출입구; 성문(cf. door); 문구조의 건조물: the main ~ of [to] a stadium 경기장의 정문 / go [pass] through a ~ 문을 통과하다.

2 a (일반적) 게이트, 입구, 통로. **b** (다리 · 유료도로의) 요금 징수소; (도로 · 건널목의) 차단기. **c** (공항의) 탑승구, 게이트. **d** (경마의) 게이트. **e** 수문, 갑문; (파이프 등의) 밸브. **f** 개찰구.

3 《비유적》 길, 방법《**to** …에 이르는》: a ~ *to* success 성공에 이르는 길.

4 〖스키〗 기문(旗門).

5 (경기회 · 연주회 따위의) 입장자수; 입장료의 총액: a record ~ 기록적인 입장자수 / a ~ of $5,000, 5,000달러의 입장료 총수입.

6 〖컴퓨터〗 게이트《하나의 논리 기능》.

get the ~ 《美》 내쫓기다, 해고당하다, (이성 등에게) 채이다. ***give*** a person ***the*** ~ 《美》 아무를 내쫓다, 해고하다; (애인)을 차버리다(jilt).

—*vt.* **1** …에 문을 달다. **2** 《英》 (학생)에게 금족(禁足)을 명하다.

ga·teau, gâ- [gɑtóu, gǽtou] (*pl.* ***~s, -teaux*** [-z]) *n.* 《F.》 Ⓤ (종류 · 낱개는 Ⓒ) 팬시 케이크(fancy cake); 데커레이션 케이크.

gáte-cràsh *vi., vt.* 《구어》 (…에) 초대받지 않고 가다; 무료 입장하다. ㊔ **~·er** *n.* Ⓒ 《구어》 불청객; 무료 입장객.

gát·ed [-id] *a.* (도로가) 문이 있는, 게이트가 있는.

gáte·fòld *n.* = FOLDOUT.

gáte·hòuse *n.* Ⓒ 수위실; (성문의) 누다락.

gáte·kèeper *n.* Ⓒ 문지기, 수위; 건널목지기.

gáte-leg(ged) táble 접 테이블.

gáte mòney 입장[관람]료 수입 총액(gate).

gáte·pòst *n.* Ⓒ 문기둥. ***between you, me, and the*** ~ ⇨BETWEEN.

***gate·way** [géitwèi] *n.* **1** Ⓒ (담 · 울타리 등의) 문, 출입구. **2** (the ~) 수단《**to** …에 이르는》: the ~ *to* success 성공에 이르는 길. **3** Ⓒ 〖통신〗 게이트웨이, 상호접속장치《서로 다른 컴퓨터 네트워크나 데이터 통신 네트워크 따위를 접속하기 위한 장치》.

⁑**gath·er** [gǽðər] *vt.* **1** 《~+목/+목+부/+목+전+명》 **그러모으다**(*together; up; in*), 모으다《***around, round, about*** …의 주위에》, 거두어들이다. ↔ *scatter*. ¶ ~ statistics for a sales report 판매 보고서의 통계를 모으다 / The child *~ed* his toys *together*. 그 아이는 자기 장난감을 한데 모았다 / The street performer *~ed* a crowd *around* [*about*] him. 거리 연예인은 자기 주위에 군중을 모았다.

SYN. **gather, collect** 서로 바꿔 쓸 수 있는 말이나 collect가 보다 더 선택의 의도를 암시함. 예를 들면 *gather* flowers는 막연히 꽃을 따는 것, *collect* flowers는 어떤 방침에 따라 모으다 → 꽃을 수집하다가 됨. **assemble** 평소 흩어져 있던 것이 모이다[을 모으다]. 따라서 모이는 것의 수는 미리 예측되고 있음: They were *assembled* immediately after the election.

그들은 선거 직후에 모였다. → (부품을) 조립하다. **congregate** 모여서 군중·집단이 됨을 암시: People *congregated* to watch the procession. 행렬을 보려고 사람들이 모여들었다.
2 《~+목/+목+목/+목+전+명/+목+부》 (열매·꽃 등)을 따다, 채집하다; (곡물 따위)를 거두어 들이다, 수확하다(*in*): ~ shells 〔chestnuts〕 조개껍질〔밤〕을 주워모으다/Would you ~ me some flowers 〔some flowers *for* me〕? 나한테 꽃을 따다 주지 않겠느냐/The farmers *~ed* (*in*) their crops. 농부들은 곡식을 거둬들였다.
3 (사실·정보 등)을 얻다, 수집〔입수〕하다: ~ facts 〔information〕 about UFOs 유에프오에 관한 사실을〔정보를〕 수집하다.
4 《~+목/+목+부》 (정력·노력 등)을 집중하다; (마음)을 가라앉히다; (용기 따위)를 불러일으키다(*up*): ~ one's energies 전력을 다하다/~ one's senses 〔wits〕 마음을 가라앉히다.
5 (속력 따위)를 **점차 늘리다**, (먼지·이끼·부힘 따위)를 축적하다, 증가〔증대〕시키다, (경험·지식 등)을 쌓다: ~ flesh 살찌다/~ strength 기운을 더하다, 우세하게 되다/~ speed 속도를 올리다/A rolling stone *~s* no moss. 《속담》 구르는 돌에 이끼는 안 낀다; 직업을 자주 바꾸면 이롭지 못하다.
6 a 《+목+전+명/+*that* 절》 **헤아리다**, 추측하다 《***from*** (정보·징조 따위)에서》: What did you ~ *from* his statement? 그의 말을 자네는 어떻게 받아들였나/I ~ *that* he'll be leaving. 그분은 곧 떠날 모양입니다. **b** 〖I ~로, 흔히 삽입구로 써서〗 생각하다; 알다, 얻다《***from*** …에서》: You're still hungry, *I* ~. 아직도 배가 고프겠구나/We didn't ~ much *from* his statement. 그의 진술에서 알 수 있는 것은 많지 않았다.
7 (숨)을 들이쉬다; (스커트 따위)의 주름을 잡다; (눈살)을 찌푸리다: ~ breath/a *~ed* skirt 주름치마/~ one's 〔the〕 brows 눈살을 찌푸리다.
8 《+목+전+명》 **a** (사람)을 끌어안다《***into*** …에》; 〖~ oneself〗 몸을 움츠리다: ~ a person *into* one's arms 아무를 두 팔로 껴안다/He *~ed* him*self* for a leap. 그는 뛰려고 몸을 움츠렸다. **b** (옷 따위)를 바싹 끌어당기다《***around, round, about*** …의 주위에》: ~ one's overcoat *around* one 외투로 바싹 몸을 감싸다.
— *vi.* **1** 《~/+전+명/+부》 **모이다**, 모여들다, 집결하다: ~ *around* a campfire 캠프파이어 둘레에 모이다/~ *together* 모이다/*Gather round!* 전원 집합!/A crowd *~ed* at the scene. 그 곳에 군중이 모였다.
2 《~/+전+명/+부》 부풀어 커지다, 점차로 증대하다〔늘다〕, 점점 더해지다; 쌓이다, 괴다: The storm *~ed* rapidly. 폭풍의 기세는 갑자기 심해졌다/Tears *~ed in* her eyes. 눈물이 그녀의 눈에 괴었다/Evening dusk is *~ing on*. 어둠이 점점 짙어간다.
3 (이마에) 주름이 잡히다, 눈실을 찌푸리다.
4 (종기가) 곪다.
be ~ed to one***'s fathers*** 조상 곁으로 가다; 죽다. ~ one***self up*** 〔***together***〕 전력을 집중하다; 용기를 내다.
— *n.* Ⓒ (보통 *pl.*) 〖양재〗 주름, 개더.

***gath·er·ing** [gǽðəriŋ] *n.* Ⓒ **1** **모임**, 회합, 집회: a social ~ 친목회/a large ~ of people 많은 사람들의 모임. **2** 부스럼, 종기.

Gát·ling (**gùn**) [gǽtliŋ(-)] 개틀링 기관총《여러 개의 총신을 가진 초기의 기관총》.

GATT, Gatt [gæt] General Agreement on Tariffs and Trade (관세·무역에 관한 일반 협정). cf. WTO.

Gát·wick Àirport [gǽtwik-] 개트윅 공항 《영국 London 남쪽에 있는 국제 공항; 코드명: LGW》.

gauche [gouʃ] *a.* 《F.》 솜씨가 서투른(awkward); 세련되지 못한, 눈치 없는.

gau·che·rie [gòuʃəríː, ⌐-⌐] *n.* 《F.》 Ⓤ 솜씨가 서투름; 세련되지 않음, 눈치 없음; Ⓒ 서투른 행동〔말〕.

gau·cho [gáutʃou] (*pl.* **~s**) *n.* Ⓒ 가우초《남아메리카 카우보이; 스페인 사람과 인디언의 튀기》.

gaud [gɔːd] *n.* Ⓒ 외양만 번지르르한 값싼 물건, 값싼 장식품; (*pl.*) 요란한〔화려한〕 의식.

gaudy [gɔ́ːdi] (***gaud·i·er; -i·est***) *a.* 번쩍번쩍 빛나는, 번지르르한, 야한《복장 따위》. **—** *n.* Ⓒ 《英》 (매년 개최되는) 대학 기념제〔축제〕.
㊕ **gáud·i·ly** [-li] *ad.* **-i·ness** *n.*

◇**gauge,** 《美》 〖특히 전문어로서〗 **gage** [geidʒ] *n.* Ⓒ **1** 표준 치수, 규격; (총포의) 구경(口徑); (철판의) 표준 두께, (철사의) 굵기: a 12-~ shotgun, 12구경 엽총. **2** 계(량)기《우량계·풍속계·압력계 따위》; 자; 줄치는 기구: an oil-pressure ~ 유압계. **3** 판단의 척도, 표준, 규격: Popularity is seldom a true ~ of one's ability. 인기가 사람 능력의 참다운 평가 기준이 되는 경우는 드물다. **4** 〖철도〗 게이지, 표준 궤간(軌間); (자동차 따위의) 두 바퀴 사이의 거리: ⇨ BROAD 〔NARROW, STANDARD〕 GAUGE.
take the ~ of …을 재다; …을 평가하다.
— (*p., pp.* **~d; gáug·ing**) *vt.* 재다, …을 정확히 측정하다《***with*** …으로/***wh.***》; 평가〔판단〕하다; 표준 규격에 맞추다: a *gauging* rule 〔ruler, stick〕 계산척, 셈자/~ rainfall *with* a rain ~ 우량계로 우량을 측정하다/A wind sock helps to ~ *how* strong the wind is. 풍향 기드림은 바람의 세기를 판단하는데 도움이 된다.

Gau·guin [gougǽŋ] *n.* **Paul** ~ 고갱《프랑스의 화가; 1848–1903》.

Gaul [gɔːl] *n.* **1** 갈리아, 골《고대 캘트족의 땅; 이탈리아 북부·프랑스·벨기에·네덜란드·스위스·독일을 포함한 옛 로마의 속령(屬領)》. **2** Ⓒ 갈리아〔골〕 사람; 프랑스 사람.

◇**gaunt** [gɔːnt] *a.* **1** 수척한, 몹시 여윈; 눈이 퀭한. **2** 황량한, 쓸쓸한; 무시무시한, 기분이 섬뜩한: the ~ moors 황량한 들.
㊕ **∠·ly** *ad.* **∠·ness** *n.*

gaunt·let[1] [gɔ́ːntlit, gáːnt-] *n.* Ⓒ (중세 갑옷의) 손가리개; (승마·펜싱 등에 쓰는 쇠 혹은 가죽으로 만든) 긴 장갑. ***take*** 〔***pick***〕 ***up the ~*** 도전에 응하다. ***throw*** 〔***fling***〕 ***down the ~*** 도전하다.

gaunt·let[2] *n.* (the ~) 태형《예전에, 두 줄로 늘어선 사람들 사이를 죄인이 달려가게 하고 여럿이 양쪽에서 매질하는 형벌》.

gauss [gáus] (*pl.* **~, ∠·es**) *n.* Ⓒ 〖물리〗 가우스《전자(電磁) 단위; 기호 G》.

◇**gauze** [gɔːz] *n.* Ⓤ 성기고 얇은 천, 사(紗); 거즈; (가는 철사로 뜬) 철망(wire ~); 엷은 안개(thin mist).

gauzy [gɔ́ːzi] (***gauz·i·er; -i·est***) *a.* 사(紗)와 같은; 얇고 가벼운〔투명한〕: a ~ mist 엷은 안개.

gave [geiv] GIVE의 과거.

gav·el [gǽvəl] *n.* Ⓒ (의장·경매인 등의) 망치,

의사봉, 사회봉.

gável-to-gável *a.* [A] 개회에서 폐회까지의.

ga·vi·al [géiviəl] *n.* [C] 인도산의 턱이 긴 악어.

ga·vot(te) [gəvát/-vɔ́t] *n.* [C] 가보트《프랑스의 활발한 4/4 박자의 춤》; 그 곡.

gawk [gɔːk] *n.* [C] 멍청이, 얼뜨기, 빙충맞이. **—** *vi.* 바보[멍청한] 짓을 하다; 《구어》 멍하니 (넋을 잃고) 바라보다《**at** …을》.

gawky [gɔ́ːki] (**gawk·i·er; -i·est**) *a.* 멍청한, 얼빠진, 얼뜨기의; 데퉁스러운. [파] **gáwk·i·ly** *ad.* 얼빠져서. **-i·ness** *n.*

gawp [gɔːp] *vi.* 《英구어》 빤히 바라보다(stare); 멍청히 입을 벌리고 바라보다(gape)《**at** …을》.

****gay** [gei] (**∠·er; ∠·est**) *a.* **1 명랑한**(merry), 즐거운, 쾌활한. ↔ *grave*. ¶the ~ voices of children 아이들의 명랑한 목소리 / ~ music 쾌활한 음악. [cf] lively.

[SYN] **gay** 화려하고 들뜬 기분: a *gay* company 쾌활한 동아리. **merry** 떠들썩하게 말하거나 노래 따위를 명랑하게 부르는 쾌활한 기분: a *merry* voice 쾌활한 목소리.

2 화미(華美)한, 화려한(bright): ~ colors 화려한 색채 / a ~ dress 화려한 드레스. **3** 방탕한, 음탕한; 들뜬: a ~ lady 바람난 여자 / the ~ quarters 홍등가, 화류계 / follow a ~ trade 물장사를 하다 / lead a ~ life 방탕한 생활을 하다. **4** 동성애(자)의, 게이의, 호모의; 동성애자가 모이는: a ~ boy / a ~ bar 게이바. **5** 《美속어》 건방진, 뻔뻔스러운: Don't get ~ with me. 건방진 소리 마라, 버릇없이 굴지 마라. ◇gaiety *n.* **—** *n.* [C] 동성애자, 게이. [파] **∠·ly** ⇨GAILY. **∠·ness** *n.* = GAIETY.

gayety ⇨GAIETY.

G

Gáza Stríp [gáːzə-] (the ~) 가자 지구《이스라엘 남서부에 인접한 항만 지역》.

***gaze** [geiz] *n.* (*sing.*) **응시**, 주시, 눈여겨 봄: She turned her ~ off the boy to the dog. 그녀는 시선을 소년에게서 개로 옮겼다 / fix one's ~ on …을 응시하다 / stand at ~ 응시하고 있다. **—** *vi.* 《~/+[부]/+[전]+[명]》 (흥미·기쁨 따위로) **지켜보다**, 응시하다, 황홀히 쳐다보다《**at, into, on, upon** …을》: She ~*d on* me in bewilderment. 그녀는 당황하여 나를 쳐다보았다 / He ~*d into* her face. 그는 그녀의 얼굴을 빤히 쳐다보았다 / ~ *up at* the stars 별을 지그시 쳐다보다 / ~ (*a*)*round* (놀라) 둘러보다. ★ 호기심·놀람·경멸 따위의 표정으로 응시할 때는 stare 를 쓸 때가 많음. [SYN] ⇨SEE.

ga·ze·bo [gəzíːbou, -zéi-] (*pl.* **~(e)s**) *n.* [C] (옥상·정원 따위의) 전망대, 노대(露臺), 정자(亭子).

ga·zelle [gəzél] (*pl.* **~(s)**) *n.* [C] 〖동물〗 가젤《아프리카 영양의 일종》.

gaz·er [géizər] *n.* [C] 눈여겨보는[응시하는] 사람; 《속어》 경관, 마약 단속관.

ga·zette [gəzét] *n.* [C] **1** 신문, (시사 문제 등의) 정기 간행물; (G-) …신문《명칭》. **2** (the G-) 《英》 관보, 공보(official ~); (Oxford 대학 등의) 학보(學報).

— *vt.* 《英》〖보통 수동태〗 관보에 싣다; …에 임명된 것을 관보에 공시(公示)하다: He *was* ~*d* major. 그가 육군 소령으로 임명되었다고 관보에 공시되었다.

gaz·et·teer [gæ̀zətíər] *n.* [C] 지명(地名) 사전; 지명 색인.

gaz·pa·cho [gəzpáːtʃou, gəs-] *n.* 《Sp.》 [U] 가스파초《잘게 썬 토마토·오이·양파·파[마늘]·올리브기름·식초 등으로 만드는 진한 수프로 차게 해서 먹음》.

ga·zump [gəzʌ́mp] *vt., vi.* 《英구어》 속이다; (집 살 사람)에게 구두로 약속한 이상의 값을 요구하다.

ga·zun·der [gəzʌ́ndər] *vt.* 《英구어》 (매매계약 직전에, 팔 사람)에게 가격 인하를 요구하다.

G.B. Great Britain. **G.B.H., GBH** 《英》 grievous bodily harm. **G.B.S.** George Bernard Shaw. **G.C.** George Cross. **GCA, G.C.A.** 〖항공〗 ground control(led) approach (지상 유도 착륙(방식)). **G.C.D., g.c.d.** greatest common divisor. **GCE, G.C.E.** 《英》 General Certificate of Education.

G clèf 〖음악〗 사 음자리표.

GCSE General Certificate of Secondary Education. **Gd** 〖화학〗 gadolinium. **GDI** 〖컴퓨터〗 Graphical Device Interface 《Graphical User Interface(GUI)의 중심에 위치하는 소프트웨어에서, GUI를 생성하는 함수군(群)》. **Gdns.** Gardens. **GDP** gross domestic product (국내 총생산). **gds.** goods. **Ge** 〖화학〗 germanium.

****gear** [giər] *n.* **1 a** [C] 〖기계〗 **전동 장치**(傳動裝置); **기어**, 톱니바퀴 장치; (자동차의) 변속 기어: a car with automatic ~*s* 자동 변속기가 달린 자동차. **b** [U] 변속 기어[전동 장치]가 맞물린 위치[상태]: reverse ~ 후진 기어 / ⇨HIGH [LOW, TOP, BOTTOM] GEAR / change into third ~ 기어를 3단으로 바꾸다 / He put the car in ~ and drove away. 그는 차에 기어를 넣고 달렸다 / The car is not in [is out of] ~. 차는 기어가 넣어져 있지 않다. **2** [U] (비행기·선박 등을 조종할 때 특정 역할을 하는) 장치: the landing ~ of an airplane 비행기의 착륙 장치. **3** [U] 〖집합적〗 (특별한 용도의) 의복, 복장: hunting ~ 수렵복 / rain ~ 우비 / police in riot ~ 전투 복장을 한 경찰대 / teenage ~ 《구어》 10 대의 (유행)옷. **4** [U] 〖집합적〗 기구, 도구, 장비; 가재도구; 일용품; 마구(馬具) (harness); 장구(裝具); 선구(船具)(rigging): fishing ~ 낚시 도구 / medical ~ 의료 기구 / sports ~ 스포츠 용구.

change* ~*s ① 변속하다. ② 문제를 다루는 방법을 바꾸다. ***get* [*go, move*] *into* ~** 순조롭게 움직이기 시작하다, 궤도에 오르다. ***get* [*go, move*] *into high* ~** 최대의 활동을 시작하다. ***in* ~** ① 기어가 걸려《⇨1 b》. ② 준비가 갖추어져, 순조롭게 진행되어: Everything is *in* ~. 만사 순조롭다. ***in high* [*top*] ~** 최고 속도로; 최고조에. ***out of* ~** ① 기어가 풀려《⇨1 b》. ② 원활치 못하여. ***shift* [*switch*] ~*s*** 《美》 = change ~s.

— *vt.* **1** 《~+[목]/+[목]+[전]+[명]》 …에 기어를 넣다; …을 연동시키다《**to** …에》: ~ the machine 기계에 기어를 넣다 / ~ a motor *to* the wheels 모터를 바퀴에 연동시키다. **2** 《+[목]+[전]+[명]》 맞게 하다, 조정하다《**to** (계획·필요 따위)에》: ~ production *to* (an) increased demand 생산을 수요 증대에 따라 조정하다 / The steel industry was ~*ed to* the needs of war. 철강 산업은 전쟁 물자 생산에 돌려졌다.

— *vi.* 《~/+[전]+[명]》 (톱니바퀴가) 맞물리다; 적합하다; 잘 일치하다《**with** …와》.

~ *down* 《*vi.*+[부]》 ① 기어를 저속으로 넣다. **—** 《*vt.*+[부]》 ② (활동·생산 따위)를 억제하다, 감소하다. ③ (양·정도 따위)를 낮추다《**to** …까지》:

~ *down* a course *to* the beginners' level 교과 과정의 정도를 초심자 수준까지 낮추다. ~ **up** 《*vi.*+[부]》 ① 기어를 고속으로 넣다. ② 준비를 갖추다《**for** …에 대하여》: Britain was not ~*ed up for* war then. 당시 영국은 전쟁 준비가 되어 있지 않았다. ― 《*vt.*+[부]》 ③ (산업 따위)를 확대하다. ④ 준비시키다《**for** …에 대비하여/**to** do》: They are ~*ed up for* the start 〔*to* start〕. 그들은 막 출발하려던 참이었다.

géar·bòx [C] 『기계』 **1** 『기계』 기어상자. **2** (자동차의) 변속기.

gear·ing [gíəriŋ] *n.* [U] 《집합적》 전동〔톱니바퀴〕 장치: in 〔out of〕 ~ 전동하고〔하지 않고〕.

géar lèver 〔**stìck**〕 《英》 =GEARSHIFT.

géar·shìft *n.* [C] 《美》 변속 레버, 기어 변환 장치.

géar·whèel *n.* [C] (큰) 톱니바퀴(cogwheel).

gecko [gékou] (*pl.* **~s, ~es**) *n.* [C] 『동물』 도마뱀붙이.

gee[1]**, gee-gee** [dʒiː], [dʒíːdʒìː] *n.* [C] 《英속어·소아어》 말(horse), 《특히》 경주마.

gee[2] *int.* 어디여, 우(右)로; 이러《마소를 부릴 때 하는 소리》. [cf.] haw[2]. ~ **up** 《*vt.*+[부]》 ① 격려〔독려〕하다. ― 《*vi.*+[부]》 ② 《명령형으로》 이러《마소를 재촉하는 소리》.

gee[3] *int.* 《美구어》 아이고, 깜짝이야, 놀라워라. ***Gee whiz*(*z*)*!*** 깜짝이야. [◂ Jesus]

gee[4] *n.* [C] (보통 *pl.*) 《美속어》 1,000 달러; 돈.

geese [giːs] GOOSE 의 복수.

gee-whiz [dʒíːhwíz] *a.* 《美구어》 경탄할 만한; 훌륭한: ~ technology 경탄할 만한 기술. [◂ Gee whiz(z)!] ― *int.* =GEE[3].

gee·zer [gíːzər] *n.* [C] 《속어》 괴짜 노인〔노파〕, 노틀.

Ge·hen·na [gihénə] *n.* 『성서』 힌놈(Hinnom)의 골짜기《Jerusalem 근처에 있는 쓰레기터, 페스트 예방을 위하여 끊임없이 불을 태웠음; 예레미야 VII:31》; [U] 『신약』 지옥(Hell); [C] 《일반적》 고난의 땅.

Géi·ger(-Mǘl·ler) còunter [gáigər(mjúː-lər)-] 『물리』 가이거(뮐러) 계수관(計數管)《방사능 측정기》.

gel [dʒel] *n.* [U] (구체적으로는 [C]) 겔《colloid 용액이 젤리 모양으로 응고한 상태; 한천(寒天), 젤라틴 등》. ― (**-ll-**) *vi.* 겔이 되다, 교질화하다; 《英》 (생각·계획이) 굳어지다, 구체화하다.

◇**gel·a·tin, -tine** [dʒélətən], [dʒélətən/dʒèlətíːn] *n.* [U] 젤라틴, 정제한 아교: explosive 〔blasting〕 ~ 폭발성의 니트로글리세린 화합물/vegetable ~ 한천(寒天), 우무.

ge·lat·i·nous [dʒəlǽtənəs] *a.* 젤라틴 모양의 〔에 관한〕, 아교질의.

geld [geld] (*p., pp.* **~·ed** [géldid], ***gelt*** [gelt]) *vt.* (말 따위)를 거세하다, 불까다; …의 힘을 빼앗다, 골자를 없애다.

géld·ing *n.* [C] 불깐 짐승《특히 말》.

gel·id [dʒélid] *a.* 얼음 같은, 어는 듯한, 극한의(icy), 냉담한(frigid).

gel·ig·nite [dʒélignàit] *n.* [U] 젤리그나이트 《니트로글리세린을 함유한 강력 폭약의 일종》.

gelt [gelt] GELD 의 과거·과거분사.

***gem** [dʒem] *n.* [C] **1 보석**, 보옥; 주옥(珠玉). [cf.] jewel. ¶~ cutting 보석 연마(술). [SYN.] ⇨PRECIOUS STONE. **2** 귀중품; 일품(逸品); 보석과 같은 것〔사람〕: the ~ of one's 〔a〕 collection 수집품 중 일품/a ~ of a boy 옥동자.

― (**-mm-**) *vt.* …을 보석으로 장식하다; …에 보석을 박다.

gem·i·nate [dʒémənit, -nèit] *a.* (잎·꽃 따위가) 쌍생의, 짝을 이룬. ― [-nèit] *vt., vi.* 2 배로〔2 중으로〕 하다〔되다〕; 겹치다, 겹쳐지다.

Gem·i·ni [dʒémənài, -ni] *n.* **1** 『천문』 쌍둥이자리; 『점성』 쌍자궁(雙子宮)(the Twins). **2** [C] 쌍둥이자리 태생인 사람.

gem·ma [dʒémə] (*pl.* **-mae** [-miː]) *n.* [C] 『생물』 무성 생식체; 무성아(無性芽).

gem·(m)ol·o·gy [dʒemálədʒi/-mɔ́l-] *n.* [U] 보석학. [파] **-gist** *n.* [C] 보석학자〔감정인〕.

gém·stòne *n.* [C] 보석용 원석(原石), 귀석(貴石); 준보석.

gen [dʒen] 《英구어》 *n.* (the ~) (정확하고 완전한 일반) 정보《**on** …에 관한》. ― (**-nn-**) *vt., vi.* 《다음 관용구로》 ~ **up** 《*vi.*+[부]》 ① 정보를 얻다, 알다《**on** …에 관해서》. ― 《*vt.*+[부]》 ② …에게 정보를 주다, 알려주다《**on** …에 관해서》: He ~*ned* me *up on* the subject. 그는 나에게 그 문제에 관한 정보를 알려 주었다. [◂ *gen*eral information]

Gen. 『군사』 General; 『성서』 Genesis. **gen.** gender; general(ly); genitive; genus.

-gen, -gene [dʒən, dʒèn] '…을 생기게 하는 것, …에서 생긴 것' 의 뜻의 결합사: hydro*gen*.

gen·co [dʒénkou] *n.* [C] 《英》 전력 회사.

gen·darme [ʒáːndaːrm] (*pl.* **~s**) *n.* 《F.》 [C] (프랑스 등의) 헌병; (무장) 경관.

gen·der [dʒéndər] *n.* [U] (구체적으로는 [C]) 『문법』 성(性), 성칭(性稱); 《구어》 (사람의) 성, 성별(sex): common 〔feminine, masculine, neuter〕 ~ 통〔여, 남, 중〕성/German has three ~*s*. 독일어는 세 가지 성이 있다.

génder-bènder *n.* [C] 《구어》 이성(異性)의 복장을 한 사람.

génder gàp (the ~) 사회 여론이 남녀의 성별로 갈리는 일.

Gene [dʒiːn] *n.* 진《남자 이름; Eugene 의 애칭》.

gene *n.* [C] 『생물』 유전자, 유전 인자, 겐: a recessive ~ 열성 유전자.

ge·ne·a·log·i·cal [dʒìːniəládʒikəl, dʒèn-/-lɔ́dʒ-] *a.* 계도〔족보〕의; 가계의; 계통을 표시하는: a ~ table 〔chart〕 족보/a ~ tree 계통수(樹). [파] **~·ly** [-ikəli] *ad.*

ge·ne·al·o·gy [dʒìːniǽlədʒi, -ál-, dʒèn-] *n.* **1** [C] 가계, 혈통; 계도; (동식물·언어의) 계통. **2** [U] 계보학, 계통학; (동식물 따위의) 계통 연구. [파] **-gist** *n.* [C] 계보학자; 계도가.

géne amplificàtion 『생물』 유전자 증폭《어떤 특정 유전자가 생물의 라이프 사이클에서 다수 복제되는 것; 유전자 공학에서 응용되고 있음》.

géne màp 유전자 지도(genetic map)《염색체 상의 유전자 위치를 표시》.

géne pòol 유전자 공급원; 유전자 풀《유성 생식을 하는 생물 집단이 지닌 유전자 전체》.

gen·e·ra [dʒénərə] GENUS 의 복수.

‡**gen·er·al** [dʒénərəl] *a.* **1** (특수하지 않은) **일반의**, 일반적인; 특정〔전문〕이 아닌, 한 부분에 국한되지 않은; 잡다한. ↔ *special.* ¶the ~ public 일반 대중/~ culture 일반 교양/~ affairs 총무, 서무/a ~ clerk 서무계(係)/a ~ dealer 《英》 잡화상(인)/a ~ reader (전문가가 아닌) 일반 독자/in a ~ way 일반적으로, 대체로. [SYN.] ⇨COMMON, UNIVERSAL.

2 대체적인, 총괄적인, 개략의; 막연한(vague).

G

↔ *specific, definite*.¶in ~ terms 개괄적인 말로/a ~ impression 대체적인 인상/a ~ concept 〔idea, notion〕 『논리』 일반 관념〔개념〕/~ principles 통칙, 일반 원칙/a ~ outline 개요, 개관; 총칙/~ resemblance 대동소이/~ rules 총칙.

3 전반에 걸치는, 전체적〔총체적〕인, 보편적인. ↔ *particular*.¶a ~ agency 총대리점/~ cleaning 대청소/a ~ attack 총공격/a ~ examination 전과목 시험/a ~ meeting 〔council〕 총회/a ~ war 전면 전쟁/~ provisions 『법률』 총칙, 통칙.

4 사회 전체에 공통되는, 세간에 널리 퍼진, 보통의: in a ~ sense 보통의 뜻으로/a word in ~ use 세상에서 널리 쓰이는 말/There is a ~ interest in sports. 스포츠는 일반이 모두 흥미를 갖고 있다/a ~ opinion 여론.

5 《관직명 뒤에서》 총…, 장관의; (신분 · 권한이) 최상위의(chief): a governor ~ 총독/attorney ~ 법무 장관.

6 Ⓐ (군의) 장관〔장성〕급의: a ~ officer (육군 · 공군 · 해병대의) 장군.

as a ~ rule 《문장 전체를 수식》 대개는, 대체로, 일반적으로: *As a ~ rule*, the artist is not a propagandist. 대체로 예술가는 선전이 서투르다. ***in a ~ way*** 보통, 대체로; 대강, 대충.

—*n*. Ⓒ **1 육군〔공군〕 대장**(full ~); **장관**(將官), 장군, 장성《준장 brigadier ~, 소장 major ~, 중장 lieutenant ~, 대장 full ~》: *General* of the Army 〔the Air Force〕 《美》 육군〔공군〕 원수.

> **NOTE** 미국에서는 장성의 계급을 별의 수로 나타내므로, 통속적으로 준장 · 소장 · 중장 · 대장 · 원수의 5계급을 각각 a one-star 〔two-star, three-star, four-star, five-star〕 general 〔admiral〕이라고 부름.

2 병법가, 전략〔전술〕가; 『종교』 수도회(修道會)의 총회장; (구세군의) 대장: a good 〔bad〕 ~ 뛰어난〔서투른〕 전략가/He's no ~. 그는 전략가로서는 틀렸다.

in ~ ① 《문 전체를 수식》 일반적으로, 대체로, 보통: *In ~*, she is an early riser. 그녀는 대체로 일찍 일어난다. ② 《명사 뒤에 와서》 일반의, 대개의: Young people *in ~*, and boys in particular, like it. 대개의 젊은이, 특히 남자 애는 그걸 좋아한다. ***in the ~*** 대체로, 개괄〔일반〕적으로: state the fact *in the ~* 사실을 개괄적으로 진술하다.

géneral ágent 총대리인〔점〕《생략: GA》.

Géneral Agréement on Táriffs and Tráde (the ~) 관세 및 무역에 관한 일반 협정《1994년 우루과이 라운드의 타결로 발전적 해소(解消); 생략: GATT》. cf. WTO.

Géneral Américan 일반 미국 영어《New England 및 남부를 제외한 미국 대부분의 지방에서 일상 쓰이는 영어(의 발음)》.

Géneral Assémbly (the ~) 《美》 주의회; 국제 연합 총회《생략: G.A.》; (the g- a-) (장로교회 따위의) 총회, 대회.

Géneral Certíficate of Educátion (the ~) 《英》 교육 수료 일반 시험〔증명서〕《대학 등의 입학 자격을 얻는 공통 시험; 현재 A level, A/S level, S level이 있음; 생략: GCE.》.

Géneral Certíficate of Sécondary Educátion (the ~) 《英》 중등 교육 수료 일반 시험《GCE의 O level의 시험; 생략: GCSE》.

géneral delívery 《美 · Can.》 유치(留置) 우편, 또 그 담당 부서.

géneral éditor 편집장, 편집 주간(chief editor).

géneral educátion (또는 a ~) (전문 교육에 대하여) 일반〔보통〕 교육.

géneral eléction 총선거.

Géneral Eléction Dày 《美》 총선거일(Election Day)(4년마다 11월의 첫째 월요일 다음 날).

géneral héadquarters 《단 · 복수취급》 총사령부《생략: G.H.Q., GHQ》.

gen·ér·al·ist *n*. Ⓒ (전문의에 대하여) 일반〔종합〕 의사; 갖가지 지식〔기능〕이 있는 사람, 만능인, 만능 선수. ↔ *specialist*.

°**gen·er·al·i·ty** [dʒènərǽləti] *n*. **1** Ⓒ (흔히 *pl*.) 일반론, 개론, 개괄적 진술; 통칙: come down from *generalities* to particulars 개론에서 각론으로 들어가다. **2** (the ~) 《복수취급》 다수, 과반수, 대부분(majority): The ~ *of* people work hard. 대부분의 사람들은 근면하다. **3** Ⓤ 일반적임, 일반성, 보편성: a rule of great ~ 지극히 일반적인 규칙/in the ~ of cases 대개의 〔일반적인〕 경우에.

gèn·er·al·i·zá·tion *n*. **1** Ⓤ 일반화, 보편화; 개괄, 종합. **2** Ⓒ 귀납적 결과; 개념, 통칙; 일반론: make a hasty ~ 속단〔지레짐작〕하다.

***gen·er·al·ize** [dʒénərəlàiz] *vt*. **1 일반화〔보편화〕하다**; (일반에게 지식 · 사용법 따위)를 보급시키다. **2** 《~+목/+목+전+명》 (일반 법칙 · 결론 따위)를 끌어내다, 도출하다《*from* …에서》.

—*vi*. **1** 《~/+전+명》 (막연히) **개괄적으로 논하다**, 일반론을 말하다《*about* …에 관하여》: It's dangerous to ~ *about* people. 사람에 관해서 일반론을 말하는 것은 위험하다. **2** 《+전+명》 개괄하다, 개괄적으로 결론〔일반 법칙〕을 끌어내다〔도출하다〕《*from* …에서》.

⁑**gen·er·al·ly** [dʒénərəli] *ad*. **1 일반적으로**, 널리(widely); 많은 사람에게: a man ~ esteemed 많은 사람에게 신망을 얻고 있는 인물/The theory is ~ accepted. 그 이론은 일반적으로 인정받고 있다. **2 보통**, 대개: He ~ comes at noon. 그는 대개 정오에 온다. **3 전반에 걸쳐**, 여러 면으로: She helps ~ in the house. 그녀가 집안 살림을 여러 모로 도와 준다. **4 대체로**: His account is ~ accurate. 그의 설명은 대체로 정확하다/*Generally*, it rains a lot in summer. 대체로 여름에 비가 많이 온다.

~ speaking =***speaking ~*** =***to speak ~*** 일반적으로 (말하면)《독립구》: *Generally speaking*, the Germans are taller than the French. 대체로 독일 사람이 프랑스 사람보다 키가 크다.

géneral póst òffice (the ~) 《美》 (도시의) 중앙 우체국; (the G- P- O-) (영국의) 런던 중앙 우체국《생략: GPO, G.P.O.》.

géneral práctice 일반 진료.

géneral practítioner 일반 진료의(醫); (내 · 외과의) 일반 개업의《★《구어》에서는 family doctor라고도 함; 생략: GP》. cf. specialist.

géneral-púrpose *a*. Ⓐ 다목적의, 다용도의; 만능의(all-round): a ~ car 다용도 차/a ~ tool 만능 공구.

géneral púrpose ínterface bùs 『컴퓨터 · 전자』 범용(汎用) 인터페이스 버스《생략: GPIB》.

géneral semántics 『언어』 일반 의미론.

géneral sérvant 《英》 허드렛일꾼〔하녀〕.

> [NOTE] 영국에서 하인은 chambermaid, butler, cook 등 각 직종이 있으며, 한 집에 여럿이 있는 것이 보통이지만, 하나만 두고 여러 가지 일을 시키는 경우는 general servant 라고 부름.

gen·er·al·ship [dʒénərəlʃip] *n*. **1** [C] general의 지위〔신분〕. **2** [U] 장군으로서의 재능〔기량(器量)〕; 용병 · 전략의 솜씨〔수완〕; 지휘 능력, 통솔력.

géneral stáff (때로 G– S–) (the ~) 〖집합적; 단 · 복수취급〗 (사단 · 군단 따위의) 참모(부)《생략: G.S.》: the *General Staff* Office 참모본부.

géneral stóre 《美》 (시골의) 잡화점, 만물상.

géneral stríke 총파업.

Géneral Wínter 동장군《의인화》.

*__gen·er·ate__ [dʒénərèit] *vt*. **1** 〖물리 · 화학〗 (전기 · 열 등)을 **발생시키다**, 일으키다: ~ electricity by nuclear power 원자력으로 발전하다 / Friction ~*s* heat. 마찰하면 열이 생긴다. **2** (결과 · 상태 · 행동 · 감정 등)을 야기〔초래〕하다, 가져오다, 생기게 하다: His actions ~*d* a good deal of suspicion. 그의 행동은 많은 의혹을 초래했다. **3** 〖수학〗 (점 · 선 · 면이 움직여 선 · 면 · 입체)를 이루다, 형성하다; 그리다; 〖언어〗 (규칙의 적용에 의해 문(文))을 생성하다; 〖생물〗 (새 개체)를 낳다.

‡**gen·er·a·tion** [dʒènəréiʃən] *n*. **1** [C] **세대**, 대(代)《대개 부모 나이와 자식 나이의 차에 상당하는 기간; 약 30년》: three ~*s*, 3대 / All that happened a ~ ago. 한 세대나 전의 이야기다 / for ~*s* 여러 대에 걸쳐서 / from ~ to ~ = ~ after ~ 대대로 계속해서. **2** [C] 〖집합적; 단 · 복수취급〗 한 세대〔시대〕의 사람들; …족(族), …세대: the younger 〔rising〕 ~ 젊은 세대, 젊은이들 / the present ~ 현대의 사람들 / the future ~ 후세(사람들) / ⇨ BEAT GENERATION. **3** [C] (종래의 형(型)을 발전시킨) 형, 세대《기계 · 상품 따위의》: ⇨ FIFTH GENERATION COMPUTER / the new ~ of supersonic airliners 신형〔신세대〕 초음속 여객기. **4** [U] (감정 · 결과 따위의) **유발**, **초래**: the ~ *of* ill feeling 악감정의 유발. **5** [U] **a** 〖물리 · 화학〗 (전기 · 열 따위의) **발생**: the ~ *of* electricity by nuclear power 원자력에 의한 발전. **b** 〖수학〗 (도형의) 생성; 〖언어〗 (문(文)의) 생성; 〖생물〗 발생.

generátion gàp (the ~) 세대차, 세대간의 단절: bridge the ~ 세대간의 단절을 메우다.

gen·er·a·tive [dʒénərèitiv, -rətiv] *a*. 생식의〔하는〕; 발생의〔하는〕; 생식력〔생성력〕 있는; 〖언어〗 생성적인; 글을 생성하는: the ~ organ 생식기 / a ~ cell 〖생물〗 생식 세포《특히 배우자》/ ~ force 〔power〕 생식력.

génerative grámmar 〖언어〗 생성 문법.

°**gen·er·a·tor** [dʒénərèitər] *n*. [C] **1** 발전기(dynamo); (가스 · 증기 따위의) 발생기〔장치〕. **2** 발생시키는 사람〔것〕; 발생인(因). **3** 〖컴퓨터〗 생성기, 생성 프로그램.

géne recombinátion 유전자 재조합.

ge·ner·ic [dʒənérik] *a*. **1** 〖생물〗 속(genus)의; 속(屬)이 공통으로 갖는: a ~ name 〔term〕 속명. **2 a** 일반적인, 포괄적인(general); 〖문법〗 총칭적인: the ~ singular 총칭 단수《이를테면 The *cow* is an animal.》/ the ~ person 총칭적 인칭《we, you, they, one 따위》. **b** 상표등록이 되어 있지 않은《상품, 약》. [파] **-i·cal·ly** *ad*.

‡**gen·er·os·i·ty** [dʒènərásəti/-rɔ́s-] *n*. **1** [U] **활수**(滑手), 협협함. **2** [U] **관대**, 아량; 관용: treat the captives with ~ 포로를 관대히 다루다. **3** [C] (보통 *pl*.) 관대한〔활수한〕 행위. ◇generous *a*. [SYN.] ⇨ TOLERANCE.

‡**gen·er·ous** [dʒénərəs] *a*. **1 활수한**, 협협한, 후한《*with, in* …에 / *to* do》: be ~ *with* one's money 돈을 잘 쓰다 / He was ~ *in giving* help. 그는 아낌없이 도왔다 / It's ~ *of* you *to* pay for us. = You're ~ *to* pay for us. 한턱 쓰다니 너는 인심이 후하구나. **2** 푸짐한, 풍부한(plentiful): ~ fare 푸진 성찬 / a ~ bosom 풍만한 가슴. **3 관대한**, 아량 있는《*to, in* …에 / *to* do》: ~ remarks 관대한 말 / Try to be more ~ *in* your judgment of others. 남을 평가할 때에는 관대하게 하도록 애쓰시오 / It's most ~ *of* you *to* help us. = You're most ~ *to* help us. 우리를 도와주다니 당신은 정말 관대하십니다. **4** (땅 따위가) 건, 비옥한(fertile); (빛 따위가) 진한, 짙은(deep); (술 따위가) 진한, 독한. ◇generosity *n*. [파] °**~·ly** *ad*. 활수하게, 푸짐하게; 관대하게. **~·ness** *n*.

°**gen·e·sis** [dʒénəsis] (*pl*. **-ses** [-sìːz]) *n*. **1** [C] (보통 the ~) 기원(origin), 내력, 발단: the ~ of civilization 문명의 기원. **2** (the G–) 〖성서〗 창세기《구약 성서의 제1권》.

géne-splìcing *n*. [U] 〖생물〗 유전자 접합, 유전자의 재조합.

géne thèrapy 유전자 요법《이상 유전자를 정상 유전자로 바꾸는 치료법》.

ge·net·ic, -i·cal [dʒənétik], [-əl] *a*. 발생〔유전, 기원〕의; 발생〔유전학〕적인: a ~ disorder 유전병. [파] **-i·cal·ly** *ad*.

genétic códe (the ~) 〖생화학〗 유전 암호〔코드, 정보〕.

genétic engineéring 유전자 공학. [파] **genétic engineéer**

genétic fíngerprinting DNA〔유전자〕 지문(감정)법(DNA fingerprinting).

ge·net·i·cist [dʒinétəsist] *n*. [C] 유전학자.

genétic máp 유전자 지도.

genétic márker 유전 표지(標識)《유전학적 해석(解釋)에서 표지로 쓰이는 유전자〔형질〕》.

genétic mutátion 유전자 돌연변이, 유전 변종.

ge·net·ics [dʒinétiks] *n*. [U] 유전학(遺傳學).

géne transplantàtion 유전자 이식.

Ge·ne·va [dʒəníːvə] *n*. 제네바《스위스의 도시; 국제 적십자사 · ILO · WHO 등의 본부가 있는 곳》. ★ '주네브'는 프랑스어식 읽기《Genève》.

Genéva bánds (스위스의 Calvin파 목사가 사용한 것과 같은) 목 앞에 늘어뜨리는 한랭사(寒冷紗) 장식.

Genéva Convéntions (the ~) 제네바 협정《1864–65년 체결한 적십자 조약; 야전 병원의 중립 및 상병병(傷病兵) · 포로의 취급을 결정함》.

Gen·ghis Khan [dʒéŋgis-káːn, dʒén-] 칭기즈칸《몽골 제국의 시조; 1162–1227》.

°**gen·ial** [dʒíːnjəl, -niəl] *a*. **1** (기후 · 풍토 따위가) 온화한, 기분 좋은, 쾌적한: a ~ climate 온화한 풍토. **2** 다정한, 친절한, 상냥한, 온정 있는: a ~ disposition 상냥한 성질 / a ~ welcome 따뜻한 환영. [파] **~·ly** *ad*. **~·ness** *n*.

ge·ni·al·i·ty [dʒìːniǽləti, -njǽl-] *n*. [U] 온화, 쾌적; 친절, 싹싹함; [C] 친절한 행위〔말〕.

G

gen·ic [dʒénik] *a.* 〖생물〗 유전자의.
ge·nie [dʒíːni] (*pl.* **~s,** 보통 ***ge·nii*** [-niài]) *n.* Ⓒ (아라비안 나이트의) 마귀, 귀신.
ge·nii [dʒíːniài] GENIE, GENIUS의 복수.
ge·nis·ta [dʒənístə] *n.* Ⓒ 〖식물〗 금작화속(金雀花屬)의 일종.
gen·i·tal [dʒénətəl] *a.* 생식(기)의: the ~ gland 〔organs〕 생식선(腺)〔생식기〕. **—*n.*** (*pl.*) = GENITALIA. ㊇ **~·ly** *ad.*
gen·i·ta·lia [dʒènətéiliə] *n. pl.* 〖해부〗 (외부) 생식기; 성기(genitals).
gen·i·tive [dʒénətiv] 〖문법〗 *a.* 소유격의, 속격(屬格)의: the ~ case 소유격, 속격. **—*n.*** (the ~) 소유격, 속격.
***gen·ius** [dʒíːnjəs, -niəs] (*pl.* **~·es;** ⇨5) *n.* **1** Ⓤ **천재**, 비범한 재능: a man of ~ 천재.
SYN. **genius** 천부적인 재능으로서 특히 예술·과학과 같은 창조적·독창적인 고급의 재능을 가리킴: artistic 〔mechanical〕 *genius* 예술적〔기계적〕 재능. **gift** 신에게서 주어진 특수한 재능.
2 (a ~) **특수한 재능**, 재주《***for*** …의》: have a ~ *for* music 〔poetry〕 음악〔시〕에 천재적인 재능이 있다. SYN. ⇨TALENT. **3** Ⓒ 천재《사람》; 귀재《***in*** …의》: a ~ *in* language 어학의 천재/an infant ~ 신동. **4** (*sing.*; the ~) (시대·사회·국민 등의) **특질**, 정신, 경향, 풍조; (인종·언어·법률·제도 등의) 특성, 특징; (어떤 장소의) 분위기, 기풍: the ~ *of* modern civilization 현대 문명의 특징/be influenced by the ~ *of* a place 고장의 기풍에 감화되다. **5** Ⓒ (*pl.* ***ge·nii*** [dʒíː-niài]) (사람·토지·고장·시설의) 수호신, 터주; (사람의 일생 동안 붙어다니는) 신: one's evil 〔good〕 ~ 몸에 붙어다니는 악귀〔수호신〕; 나쁜〔좋은〕 감화를 주는 사람.
ge·ni·us lo·ci [dʒíːniəs-lóusai] 《L.》 (=genius of the place) (*sing.*; 보통 the ~) (그 고장의) 기풍, 분위기.
Gen·oa [dʒénouə] *n.* 제노바《이탈리아의 북서부에 있는 상항(商港); 원명 Genova》.
gen·o·cide [dʒénəsàid] *n.* Ⓤ (민족·국민 따위에 대한) 계획적 대량 학살, 민족〔종족〕 근절. ㊇ **gèn·o·cí·dal** *a.*
Gen·o·ese [dʒènouíːz] *a.* 제노바(사람)의. **—** (*pl.* ~) *n.* Ⓒ 제노바 사람.
ge·nome, -nom [dʒíːnoum], [-nɑm] *n.* Ⓒ 〖유전〗 게놈. ㊇ **ge·nó·mic** *a.*
gen·o·type [dʒénoutàip, dʒíːnə-] *n.* Ⓒ 〖생물〗 유전자형, 인자형(因子型). ↔ *phenotype*.
gen·re [ʒɑ́ːnrə] *n.* 《F.》 Ⓒ (작품의) 유형(類型), 양식, 장르; 〖미술〗 풍속화(=∠ **páinting**).
gent [dʒent] *n.* **1** Ⓒ 《구어》 신사; 《우스개》 사이비 신사(fellow): Let's have a drink, *~s!* 한잔들 합시다. **2** ⇨GENTS. [◂ *gent*leman]
***gen·teel** [dʒentíːl] *a.* **1 품위 있는**; 고상한, 점잖은, 우아한. **2** 유행을 따르는, 멋진; 점잖은 체하는, 신사연하는: affect ~ ignorance 젠체하며 모르는 척하다. **3** 《종종 비꼬움으로》 상류 계급의〔에 어울리는〕. ㊇ **~·ism** *n.* Ⓒ 고상한 말, 점잖은 말투. **~·ly** *ad.* **~·ness** *n.*
gen·tian [dʒénʃiən] *n.* Ⓤ (낱개는 Ⓒ) 〖식물〗 용담속(屬)의 식물《뿌리에서 건위제를 채취함》.
géntian bítter 용담즙(汁)《건위제》.
gen·tile [dʒéntail] (종종 G–) *n.* Ⓒ 〖성서〗 (유대인 입장에서 본) 이방인, 《특히》 기독교도. **—*a.*** 유대인이 아닌, 이방인의; 《특히》 기독교도의. ◇ gentility *n.* ㊇ **~·dom** [-dəm] *n.*
gen·til·i·ty [dʒentíləti] *n.* Ⓤ **1** 고상한 체함, 점잖은 체함: shabby ~ 구차스러운 체면 유지. **2** 〔집합적〕 상류 계급 사람들. ◇ gentle *a.*
⁑**gen·tle** [dʒéntl] (**-tler; -tlest**) *a.* **1** (기질·성격·음성이) **온화한**(moderate), 점잖은, 상냥한(mild); 친절한《***with, to*** …에 대하여》; (언동 따위가) 예의바른, 품위있는: a ~ disposition 온화한 성질/say in a ~ voice 상냥한 목소리로 말하다/The nurse was ~ *with* the sick. 간호사는 환자에게 친절했다.
SYN. **gentle** '고상한, 점잖은' 정도의 뜻인데, soft의 고상한 말투로서도 쓰임: a *gentle* manner 점잖은 태도. *gentle* heat 괄지 않은 불. **meek** 유순한, 때로는 굴종적인 마음을 나타냄: as *meek* as a lamb 양같이 순한. **mild** gentle과 서로 바꿔 쓸 수 있는 경우가 많은데, 격렬함·독함·모짊 따위가 없음을 보임: *mild* punishment 가벼운 벌. a *mild* cigarette 순한 담배.
2 온순한, 유순한: as ~ as a lamb 양처럼 순한. **3** 부드러운; (비·바람 등이) 평온한, 조용한; (지배·처벌·비판 등이) 관대한, 엄하지 않은; (약 등이) 독하지 않은, 순한(mild): a ~ wind 부드러운 바람/a ~ reproach 조용한 꾸지람/by ~ means 평화적 수단으로. **4** (경사 등이) 완만한, 점진적인: a ~ slope 완만한〔가파르지 않은〕 비탈. **5** 가문이〔지체가〕 좋은, 양가의, 본데 있는(well-born): of ~ birth 〔blood〕 집안〔태생〕이 좋은, 양가의.
—*n.* Ⓒ (낚싯밥용의) 구더기, 금파리구더기.
—*vt.* (사람)을 부드럽게 다루다; (말 따위)를 길들이다.
géntle bréeze 〖기상〗 산들바람.
géntle·fòlk *n.* 〔집합적; 복수취급〕 《문어》 양가(良家)의〔신분이 높은〕 사람들. ★ 이 말에는 gentlefolks란 형태도 있음.
†**gen·tle·man** [dʒéntlmən] (*pl.* **-men** [-mən]) *n.* **1** Ⓒ **신사**《명예와 예의를 존중할 줄 아는 남성; ↔ *lady*.》; 〖일반적〗 군자, 점잖은 사람. **2** (*pl.*) 《호칭》 여러분, 제군; 근계(謹啓)《회사 앞으로 보내는 편지의 허두》: Ladies and *Gentlemen!* **3** Ⓒ 남자분《남성에 대한 정중한 말》: This ~ wishes to see the manager. 이 분이 지배인을 만나고자 한다. **4** 〖(the) Gentlemen('s)로서 게시용; 단수취급〗 《英》 남자용 (공중) 화장실(《美》 men's room). **5** Ⓒ 《英》 (왕·귀인 따위의) 시종(侍從), 종복: the King's ~ 왕의 측근자/a ~ in waiting 시종. **6** (the ~) (미국 상·하원의) 의원《***from*** …출신의》: the ~ *from* Alabama 앨라배마주 출신 의원.
géntleman-at-árms (*pl.* **-men-**) *n.* Ⓒ (영국 국왕의) 의장(儀仗) 호위관(護衛官), 위사(衛士).
géntleman-fármer (*pl.* **-men-fármers**) *n.* Ⓒ 호농(豪農); 대지주; (따로 수입이 있어) 취미로 농경에 종사하는 사람(↔ *dirt farmer*).
gén·tle·man·ly *a.* 신사다운, 신사적인, 예의바른. **—*ad.*** 신사답게.
géntleman's 〔géntlemen's〕 agréement 신사 협정〔협약〕.
***gen·tle·ness** [dʒéntlnis] *n.* Ⓤ **온순**, 친절, 관대〔얌전, 고상〕함, 우아.
géntle·pèrson *n.* **1** Ⓒ gentlemen의 성구별이 없는 말. **2** (G–s) 근계(謹啓)《회사로 보내는

편지의 허두》.

*__gen·tly__ [dʒéntli] *ad.* **1** **온화하게**, 상냥하게, 친절히: Speak ~ to the children. 애들에게 다정하게 얘기하세요. **2** 조용히, 서서히: The road slopes ~ to the sea. 길은 바다를 향해 완만하게 경사져 있다. **3** 점잖게, 우아하게. **4** 지체 높게: ~ born (bred) 좋은 집안 태생의. ◇ gentle *a.*

[DIAL] ***Gently!*** 《英》 살살, 살며시.
Gently does it. 살살 다뤄 주세요, 천천히 해요.

gen·tri·fy [dʒéntrəfài] *vt.* (슬럼화한 주택가)를 고급 주택(지)화하다. [파] **gèn·tri·fi·cá·tion** *n.* [U] (하급 주택가의) 고급 주택화.

°**gen·try** [dʒéntri] *n.* (보통 the ~) 《집합적; 복수취급》 신사계급(상류 사회, 명문의) 사람들《영국에서는 귀족과 향사(鄕士) 사이의 계급》; (특정 지역·직업 따위에 속하는) 사람들, 무리, 패거리: the landed ~ 지주 계급/the local ~ 지방의 유지/these ~ 이런 무리(들)/the newspaper ~ 신문인(쟁이).

Gents [dʒents] (*pl.* ~) *n.* [C] (보통 the ~) 《英구어》 남자 화장실.

gen·u·flect [dʒénjuflèkt] *vi.* (예배를 위해) 한 쪽 무릎을 구부리다(꿇다); (비굴하게) 추종하다. [파] **gén·u·flèc·tion,** 《英》 **-flèx·ion** [-ʃən] *n.* [U] (구체적으로는 [C]) 무릎 꿇음; 비굴한 추종.

⁑**gen·u·ine** [dʒénjuin] *a.* **1** **진짜의**, 참된: a ~ pearl 진짜 진주/a ~ conservative 철저한 보수주의자/This signature is ~. 이 서명은 진짜다. [SYN.] ⇨REAL. **2** (원고·서명 등이) 저자 친필의: a ~ writing 친필. **3** 진심에서 우러난, 성실한 (sincere, real); 거짓없는: ~ respect 충심으로부터의 존경. **4** 순종의(purebred), 순수한: the ~ breed of bulldog 순종 불독. [파] **~·ly** *ad.* **~·ness** *n.*

°**ge·nus** [dʒíːnəs] (*pl.* ***gen·e·ra*** [dʒénərə], **~·es**) *n.* [C] 종류, 부류, 유(類); 『생물』 속(屬) 《과(family)와 종(種)(species)의 중간》: the ~ Homo 사람속(屬); 인류.

geo- [dʒíːou, dʒíːə] '지구, 토지'란 뜻의 결합사.

ge·o·cen·tric [dʒìːouséntrik] *a.* **1** 지구 중심의: the ~ theory 천동설(天動說). **2** 『천문』 지구 중심에서 본(측량한), 지심(地心)의. ↔ *heliocentric.* ¶the ~ place 지심 위치. [파] **-tri·cal·ly** *ad.* 지구를 중심으로.

gèo·chémistry *n.* [U] 지구 화학. [파] **-chém·ist** *n.*

gèo·chronólogy *n.* [U] 지질 연대학(年代學).

ge·o·des·ic [dʒìːoudésik, -díːs-] *a.* 측지학의, 측량의; 『수학』 측지선(線)의. **—** *n.* [C] 『수학』 측지선(= ∠ **líne**).

geodésic dóme 『건축』 지오데식(측지선) 돔 《다각형 격자를 짜맞춘》.

ge·od·e·sy [dʒiːádəsi/-ɔ́d-] *n.* [U] 측지학: geometrical ~ 기하 측지학.

Geoff [dʒef] *n.* 재프《남자 이름; Geoffrey 의 애칭》.

Geof·frey [dʒéfri] *n.* 제프리《남자 이름(Jeffrey); 애칭: Geoff》.

geog. geographic(al); geography.

°**ge·og·ra·pher** [dʒiːágrəfər/dʒiɔ́g-] *n.* [C] 지리학자.

°**ge·o·graph·ic, -i·cal** [dʒìːəgrǽfik/dʒiə-], [-əl] *a.* 지리학(상)의; 지리적인: *geographical* distribution 지리적 분포/*geographical* features 지세(地勢). ◇ geography *n.* [파] **-i·cal·ly** *ad.* 지리적으로; 지리학상.

geográphical míle 지리 마일《≒nautical (sea, air) mile; 1,852 m》.

⁑**ge·og·ra·phy** [dʒiːágrəfi dʒiɔ́g-] *n.* **1** [U] **지리학**: human (physical, historical, economic) ~ 인문(자연, 역사, 경제) 지리학. **2** (the ~) (어느 지역의) 지리, 지세, 지형; 《英구어》 방 위치, 《완곡어》 화장실 위치: the ~ of the neighborhood 인근의 지리/Will you show me the ~ (of the house)? 화장실은 어딥니까. ◇ geographic *a.*

geol. geologic(al); geology.

°**ge·o·log·ic, -i·cal** [dʒìːəládʒik/dʒiəlɔ́dʒ-], [-əl] *a.* 지질학(상)의; 지질의: a *geological* epoch 지질 연대. ◇ geology *n.* [파] **-i·cal·ly** *ad.*

°**ge·ol·o·gist** [dʒiːálədʒist/dʒiɔ́l-] *n.* [C] 지질학자.

*__ge·ol·o·gy__ [dʒiːálədʒi/dʒiɔ́l-] *n.* **1** [U] **지질학**: economic ~ 경제 지질학/historical ~ 지사학(地史學)/structural ~ 구조 지질학. **2** (the ~) (어느 지역의) 지질: the ~ *of* Mars 화성의 지질 (구조).

geom. geometric(al); geometry.

gèo·magnétic *a.* 지자기의.

gèo·mágnetìsm *n.* [U] 지자기(地磁氣)(학).

ge·om·e·ter [dʒiːámitər/dʒiɔ́m-] *n.* [C] 기하학자; 『곤충』 자벌레.

ge·o·met·ric, -ri·cal [dʒìːəmétrik], [-əl] *a.* 기하학(상)의; 기하학적 도형의: *geometric* mean 기하평균/a *geometric* design 기하학적 도형. ◇ geometry *n.* [파] **-ri·cal·ly** *ad.*

ge·om·e·tri·cian [dʒiàmətríʃən/dʒìoumə-] *n.* [C] 기하학자(geometer).

geomètric progréssion 『수학』 등비수열. [cf.] arithmetic progression.

*__ge·om·e·try__ [dʒiːámətri/dʒiɔ́m-] *n.* [U] **기하학**: plane (solid, spherical) ~ 평면(입체, 구면) 기하학. ◇ geometric *a.*

gèo·morphólogy *n.* [U] 지형학.

gèo·phýsical *a.* 지구 물리학(상)의: International *Geophysical* Year 국제 지구 관측년(觀測年).

gèo·phýsicist *n.* [C] 지구 물리학자.

gèo·phýsics *n.* [U] 지구 물리학.

gèo·pólitic, -polítical *a.* 지정학의.

gèo·pólitics *n.* [U] 지정학.

George [dʒɔːrdʒ] *n.* **1** 조지《남자 이름》. **2** 영국왕(王)의 이름《조지 1세부터 6세까지》. **3** **St.** ~ 성(聖) 조지《England의 수호 성인》. **4** 《英속어》 (항공기의) 자동 조종 장치. ***by*** ~ 정말(참), 참말《가벼운 맹세 또는 감탄》. ***let*** ~ ***do it*** 《구어》 남에게 맡기다. ***St.*** ~***'s cross*** 성 조지 십자.

Géorge Cróss (Médal) (the ~) 《英》 조지 십자 훈장《생략: G.C. (G.M.)》.

geor·gette [dʒɔːrdʒét] *n.* [U] 소셋(= ∠ **crépe**) 《얇은 본견(本絹) 크레이프; 본디 상표명》.

Geor·gia [dʒɔ́ːrdʒə] *n.* **1** 조지아《미국 남부의 주; 생략: Ga; 주도 Atlanta》. **2** 그루지야(공화국)《옛 소련의 한 공화국; 1991년 독립; 수도 Tbilisi》.

Geor·gian [dʒɔ́ːrdʒən] *a.* **1** 『英역사』 조지 왕조《George 1-4세 시대(1714-1830)》의; 이 시대 예술양식의; 조지 5-6세 시대(1910-52)의, 《특히》 조지 5세 시대(1910-20)의《문학》. **2** Georgia 1, 2의. **—** *n.* **1** [C] 조지 왕조 시대의 사

G

람. **2** [C] (미국) Georgia 주 사람; 그루지야(Georgia) 사람; [U] 그루지야 말.

gèo·scíence *n.* [U] 지구 과학, 지학.

gèo·státionary *a.* 〖우주〗 지구 정지(靜止) 궤도상에 있는: a ~ satellite 정지 위성.

gèo·thérmal, -mic *a.* 지열(地熱)의: a *geothermal* power 〔generating〕 plant 지열발전소.

Ger. German(ic); Germany. **ger.** gerund.

Ger·ald [dʒérəld] *n.* 제럴드《남자 이름; 애칭 Jerry》.

Ger·al·dine [dʒérəldìːn] *n.* 제럴딘《여자 이름; 애칭 Jerry》.

◇**ge·ra·ni·um** [dʒəréiniəm] *n.* [C] 〖식물〗 제라늄, 양아욱; (G-) 이질풀속(屬).

ger·bera [gə́ːrbərə, dʒə́ːr-] *n.* [C] 〖식물〗 솜나물.

ger·bil(le) [dʒə́ːrbəl] *n.* [C] 〖동물〗 게르빌루스 쥐《실험용·애완용》.

ger·i·at·ric [dʒèriǽtrik] *a.* [A] 노인병(학)의: ~ medicine 노인 의학/a ~ hospital 〔ward〕 노인병 전문 병원〔병동〕. **—***n.* [C] 노인; 노인병 환자; 《구어》 진부한 것〔사람〕.

ger·i·a·tri·cian, -i·at·rist [dʒèriətríʃən], [-iǽtrist] *n.* [C] 노인병학자, 노인병 전문 의사.

gèr·i·át·rics *n.* [U] 노인병학. [cf] gerontology.

germ** [dʒəːrm] *n.* **1** [C] 미생물, **병원균**, 세균, 병균: a ~ disease 세균병/a ~ carrier 보균자. **2** (the ~) (사물의) 싹틈, 조짐; **기원**, 근원: the ~ *of* an idea 어떤 생각의 싹틈. **3** [C] 〖생물〗 유아(幼芽), 배종(胚種); 생식 세포(~ cell). ***be in ~ 싹트는 중이다; 아직 발달을 못 보고 있다.

****Ger·man** [dʒə́ːrmən] *a.* **1 독일의**; 독일풍〔식〕의; 독일 사람의; 독일어의. **2** 게르만 민족의; 게르만어의. **—**(*pl.* **~s**) *n.* **1** [C] **독일 사람**. **2** [U] 독일어. [cf] High 〔Low〕 German.

ger·man [dʒə́ːrmən] *a.* 부모〔조부모〕가 같은: a brother-〔sister-〕~ 친형제〔자매〕/a cousin-~ 사촌(firstcousin).

ger·mane [dʒəːrméin] *a.* [P] 밀접한 관계가 있는; 적절한《*to* …에》: The fact is not ~ *to* the issue. 그 사실은 그 문제와 관계가 없다.

Ger·man·ic [dʒəːrmǽnik] *a.* **1** 독일(사람)의; 독일식의: the ~ Empire 독일 제국. **2** 튜턴〔게르만〕 민족의; 튜턴〔게르만〕어의: the ~ people 게르만 민족《영국인·독일인·네덜란드인·덴마크인 등》. **—** *n.* [U] 게르만〔튜턴〕어.

ger·ma·ni·um [dʒəːrméiniəm] *n.* [U] 〖화학〗 게르마늄《희금속 원소; 기호 Ge; 번호 32》.

Gérman méasles 풍진(風疹)(rubella).

Gérman shépherd (**dòg**) (독일종) 셰퍼드《경찰견, 군용견, 맹도견》.

Gérman sílver 양은《니켈·아연·구리의 합금》.

****Ger·ma·ny** [dʒə́ːrməni] *n.* **독일**《1990 년 10 월 3 일 0 시를 기해, 45 년간의 동서 분단 끝에 재통일을 이룩함: 공식 명칭 the Federal Republic of Germany (독일 연방 공화국); 수도 Berlin》. [cf] West Germany.

gérm cèll 〖생물〗 생식 세포, 배종(胚種) 세포.

ger·mi·cid·al [dʒə̀ːrməsáidl] *a.* 살균(성)의, 살균력이 있는.

ger·mi·cide [dʒə́ːrməsàid] *n.* [U] (종류·낱개는 [C]) 살균제.

ger·mi·nal [dʒə́ːrmənəl] *a.* 새싹의, 배종(胚種)의, 씨방의; 원시〔근원〕의, 초기의.

ger·mi·nate [dʒə́ːrmənèit] *vi.* 싹트다, 발아하다; (생각·감정 등이) 생겨나다. **—***vt.* 싹트게 하다; (생각 따위)를 생기게 하다. [파] **gèr·mi·ná·tion** *n.* [U] 발아, 맹아(萌芽); 발생.

gérm plàsm 〔**plàsma**〕 〖생물〗 생식질(生殖質).

gérm wárfare 세균전.

ger·on·toc·ra·cy [dʒèrəntákrəsi/-tɔ́k-] *n.* [U] 노인〔장로〕 정치; [C] 노인〔장로〕 정부.

ger·on·tol·o·gy [dʒèrəntálədʒi/-tɔ́l-] *n.* [U] 노인학, 노년학《노화 현상 연구》. [cf] geriatrics. [파] **-gist** *n.* **-to·log·ic, -i·cal** [-təládʒik/-lɔ́dʒ-], [-əl] *a.*

Ger·ry [géri] *n.* 게리《남자〔여자〕 이름》.

ger·ry·man·der [dʒérimæ̀ndər, gér-] *vt.* 《美》 (선거구)를 자기 당에 유리하게 고치다; 부정(不正)을 하다, 속이다. **—***vi.* 선거구를 마음대로 고치다. **—***n.* [C] (당리당략을 위한) 선거구 개편, 게리맨더.

Gersh·win [gə́ːrʃwin] *n.* 거슈윈. **1 George** ~《미국의 작곡가(1898–1937)》. **2 Ira** ~《미국의 작사가, 1의 형(1896–1983)》.

Ger·trude [gə́ːrtruːd] *n.* 거트루드《여자 이름》.

***ger·und** [dʒérənd] *n.* [C] 〖문법〗 **동명사**《명사적 성질을 띤 동사 변화형의 일종: *Seeing* is *believing*.》.

ge·stalt [gəʃtáːlt] (*pl.* **-stal·ten** [-tən], **~s**) *n.* 《G.》 (때로 G-) [C] 〖심리〗 게슈탈트, 형태《지각(知覺)의 대상을 형성하는 통일적 구조》.

Gestált psychólogy 게슈탈트〔형태〕 심리학.

Ge·sta·po [gəstáːpou, ge-] *n.* 《G.》 [U] (보통 the ~) 〖집합적; 단·복수취급〗 게슈타포《나치스 독일의 국가 비밀 경찰》; 비밀 경찰.

ges·tate [dʒésteit] *vt.* 임신하다; (계획 등)을 창안하다. [파] **ges·ta·tion** [dʒestéiʃən] *n.* **1** [U] 임신; (*sing.*) 임신 기간(= ∠ **pèriod**). **2** [U] (계획 등의) 창안.

ges·tic·u·late [dʒestíkjəlèit] *vi., vt.* 손짓〔몸짓〕으로 이야기〔표시〕하다; 빈번히 제스처를 섞다. [파] **gestíc·u·la·tò·ry** [-tɔ̀ːri] *a.* 몸짓〔손짓〕의 〔이 많은〕.

ges·tìc·u·lá·tion *n.* [U] (구체적으로는 [C]) (흥분한 듯한) 몸짓, 손짓; 몸짓〔손짓〕으로 말하기.

***ges·ture** [dʒéstʃər] *n.* **1** [U] (구체적으로는 [C]) **몸짓**, 손짓; (연극·연설 등에서) 동작, 제스처: make a ~ of assent 〔dissent〕 찬성〔불찬성〕의 몸짓을 하다/express impatience by ~ 초조함을 몸짓으로 나타내다. **2** [C] **a** (의사표시로서의) 행위; (의미있는 듯한) 언동, (속과 다른 형식상의) 거동: As a ~ of apology he bought some flowers for her. 사과의 표시로 그는 그녀에게 꽃을 사주었다/His refusal was a mere ~. 그의 거절은 제스처에 불과했다.

—*vi.* 《~/+[전] +[명]/+[전]+[명]+*to* do》 손짓〔몸짓〕을 하다; 손짓〔몸짓〕으로 신호하다《***to*** …에게; ***for*** …을 구하여》: He *~d* (*to* the waiter) *for* another drink. 그는 (웨이터에게) 한 잔 더 달라고 손짓으로 알렸다/The chairman *~d to* 〔*for*〕 me *to* be quiet. 의장은 나에게 조용하라고 몸짓했다. **—***vt.* …을 손짓〔몸짓〕으로 나타내다: ~ one's approval 몸짓으로 찬성을 나타내다.

gésture lánguage 몸짓〔동작〕 언어.

†**get**[1] [get] (**got** [gat/gɔt], 《고어》 **gat** [gæt]; ***got, got·ten*** [gátn/gɔ́tn]; ***gét·ting***) *vt.* **1 a** 얻다, 입수하다, 획득하다(obtain); 사다; 받다, 타다(gain, win); 벌다(earn); (신문·잡지 등)을 정기 구독하다: John will ~ the prize. 존은 상을

탈 것이다/Where can I ~ information about it? 어디를 가면 그것에 관한 정보〔자료〕를 얻을 수 있을까/You can ~ it at a modest price. 그것은 싸게 살 수 있다. **b** 〔동작 명사를 목적어로 하여〕 …하다, …당하다: ~ some sleep 좀 자다/Go and ~ a haircut. 가서 이발해라/He *got* a scolding for being late. 그는 늦어서 야단맞았다. **c** 《+목+목/+목+전+명》 (물건)을 사서〔손에 넣어〕 주다《***for*** …에게》: She *got* me a camera. =She *got* a camera *for* me.

SYN. **get** '손에 넣다'의 일반적인 말로 입수하려는 의욕이나 노력의 유무에 관계없음. **obtain** 바라던 것을 노력하여 손에 넣는 경우. **acquire** 지력 · 재능 따위를 작용시키거나 또는 부단한 노력에 의하여 서서히 손에 넣는 경우. **secure** 얻기 어려운 것을 경쟁 따위로 확실히 손에 넣는 경우. **earn** 노력해 손에 넣는 경우.

2 《~+목/+목+전+명》 (선물 · 편지 · 돈 · 허가 등)을 **받다**(receive); (성질 · 생각 따위)를 갖게 되다《***from, out of*** …에게서, …로부터》: ~ permission 허가를 얻다/~ a letter *from* …로부터 편지를 받다/Where did you ~ that idea (*from*)? 어디에서 그런 생각을 하게 되었느냐.

3 (물고기 · 사람 등)을 잡다, 붙들다; (열차 · 버스 등)의 시간에 대다: I chased him until I *got* him. 그를 붙잡을 때까지 쫓아갔다/I just *got* the train. 겨우 그 열차에 대어갔다.

4 《구어》 (병 · 고통 따위가 사람)을 압도하다; 해치우다, (논쟁 등에서) 이기다; 보복〔복수〕하다; (작물 따위)를 망치다; 〖야구〗 아웃시키다: Now I've *got* you. 어때 손들었지/Frost *got* our crop. 서리에 작물이 결단났다.

5 《~+목/+목+목/+목+전+명》 (방송국 · 채널 따위)를 수신하다《***on*** (라디오 · TV)로》; …와 연락하다, 연결하다《***on*** (전화)로》: We can ~ 7 TV channels. TV로 7개 채널을 수상할 수 있다/~ London *on* the radio 라디오로 런던 방송을 듣다/*Get* me room 365, please. 365호실로 연결해 주십시오/I'll ~ him *on* the phone. 그에게 전화로 연락을 할게.

6 a (타격 · 패배 · 위해 등)을 입다; …을 벌로서 받다, …의 형에 처해지다: ~ a blow 얻어 맞다/I *got* a broken arm. 나는 팔이 부러졌다/~ twenty years in jail. 20년 금고형을 받다. **b** (병)에 걸리다; (사상 따위)에 빠지다: The children *got* the measles. 아이들이 홍역에 걸렸다/get socialism 사회주의에 물들다.

7 《~+목/+목+전+명》《구어》 …을 (탄환으로) 맞히다; (타격 · 탄환 따위가) 맞다《***in, on*** …에》, 미치다: I *got* the bird first shot. 한 방으로 새를 맞혔다《★ first shot은 at the first shot이란 뜻》/The blow *got* him *in* the mouth. 그는 입을 강타당했다.

8 《구어》 **a 곤란하게 하다**, 두 손 들게 하다(puzzle), 괴롭히다, 성나게 하다; (습관 따위가) …에 붙다: This problem really *got* me. 이 문제에는 정말 손들었다/What's *~ting* you? 무얼 안달하고 있나/The cigarette habit has *got* me. 담배 피우는 습관이 몸에 뱄다. **b** 감동시키다, 흥분시키다, 매혹하다: Her pleas *got* me. 그녀의 호소에 마음이 움직였다.

9 a 《구어》 알아듣다; 이해하다(understand); 익히다, 배우다; (버릇)을 들이다; 《美속어》 …을 깨닫다: I can't ~ you. 무슨 말씀인지 잘 모르겠습니다/Don't ~ me wrong. 나를 오해하지 마시오/Have you *got* your grammar lesson perfectly? 문법은 완전히 익혔느냐. **b** (그림 · 노래 등으로) …을 잘 재현하다; …을 주목하다: You haven't *got* the shading quite right. 명암이 잘 그려지지 않았군/*Get* the look on his face! 그의 얼굴을 주목해 보게.

10 (식사)를 준비하다(prepare); 《구어》 (식사 등)을 먹다: I'll help you (to) ~ dinner. 식사 준비를 돕겠습니다/We will ~ lunch at the inn. 그 여인숙에서 점심을 먹도록 하자.

11 《~+목/+목+전+명/+목+목》 **가져오다**, 가져다주다, 집어주다: I'll ~ my hat. 모자를 가져오겠다/Would you ~ a bottle of beer *from* a refrigerator for me? 냉장고에서 맥주 한 병 갖다 주시겠어요/*Get* me that book. 저 책 좀 집어 다오/I'll ~ you a highball. 하이볼을 가져오도록 하겠네.

12 《+목+전+명/+목+부》 (어떤 장소 · 위치로) 가져가다, 나르다, 데리고 가다: ~ a dog *out of* a room 개를 방에서 데리고 나가다/~ a picture *down* 그림을 내리다/This car will ~ me anywhere I want to go. 이 차라면 가고 싶은 곳은 어디에나 갈 수 있을 것이다.

13 《+목+-*ing*/+목+보》 …의 **상태로 하다**: We *got* the clock *going*. 우리는 시계를 가게 했다/~ everything ready 만반의 준비를 갖추다/~ one's hands dirty 손을 더럽히다.

14 《+목+*to* do》 …**시키다**〔하게 하다〕(cause), …하도록 설득하다(persuade); 권하여 …하게 하다(induce): I *got* him *to* prepare for our journey. 그에게 우리의 여행 준비를 시켰다/I can't ~ this door *to* shut properly. 이 문은 잘 닫히지 않는다.

15 《+목+*done*》 **a** …**시키다**, …하게 하다: Where can I ~ it *repaired*? 어디서 수리할 수 있을까/I must ~ my hair *cut*. 이발을 해야겠다. **b** …당하다: We *got* our roof *blown* off in the gale. 강풍에 지붕이 날아갔다. **c** 《주로 美》 …해치우다, 마치다: I'll ~ the work *finished* by noon. 정오까지 일을 해치울 작정이다.

16 a 〔have got〕 ⇨HAVE *aux. v.* (관용구). **b** 〔You 〔We〕 ~으로〕《구어》 …이 있다: *You* ~ a lot of action in American movies. 미국 영화에는 액션 장면이 많이 있다.

— *vi.* **1** 《+(*to be*) 보/+*done*》 …**이 되다**《변화 · 추이》; …되다《수동》: He is *~ting* old. 그는 늙어가고 있다/I *got* anxious. 걱정이 되었다/He's *~ting to be* a pest. 그는 골칫거리가 되고 있다《★ 《英》에서는 to be를 생략하고 명사를 보어로 취하기도 함》/We *got married* over thirty years ago. 결혼한 지 30년이 넘는다/I *got caught* in the rain. 비를 만났다/They *got* hurt. 그들은 부상당했다. SYN. ⇨BECOME.

NOTE (1) 'get+과거분사'의 구문은 동작의 결과에 중점을 둔 수동태로서 'be+과거분사'의 대용임. 따라서 get은 조동사적 성격을 가짐.
(2) 이 구문은 행위자가 분명한 경우에 많이 쓰며, 'by+행위자'는 특정한 경우 이외에는 쓰지 않음.

2 《+*to* do》 …하게 되다; 겨우 …할 수 있다, 그럭저럭 …하다(manage): I *got to* know her. 그녀를 알게 되었다/He *got to* be popular with the family. 그는 가족들의 인기를 모으게 되었다/I *got to* come. 겨우 오게 되었다.

3 a 《+-*ing*》《구어》 …**하기 시작하다**: Let's ~ *going* 〔*moving*〕. 슬슬 가 보자/The business

G

got paying. 사업의 수지가 맞기 시작했다. **b** 〔~ started로〕 출발하다, 시작하다: Let's ~ *started*. 출발하자, 시작하자.

4 《+전+명/+부》 (어떤 장소·지위·상태에) **이르다〔닿다〕**, 도착하다, 오다, 가다: ~ home late 집에 늦게 도착하다/~ *to* work on time 정각에 직장에 도착하다/~ *within* range of …의 사정내에 들다/The train ~*s in* at noon. 기차는 정오에 도착한다/How do *I* ~ *to* the police station? 경찰서에 어떻게 가면 됩니까? ★ 이 용법은 많은 숙어적 연어(連語)를 만듦.

5 《구어》〔종종 [git]로 발음〕 지체없이 가버리다: He drew his gun and told us to ~. 총을 빼들고 썩 꺼지라고 했다/You, ~! 썩 나가라.

~ **about** 《vi.+부》 ① 돌아다니다, 여행하다, 여기저기 전전하다: He ~*s about* a good deal. 그는 여행을 많이 한다/A car makes it easier to ~ *about*. 차가 있으면 돌아다니기가 편하다. ② (병자 등이) 기동할 수 있게 되다: He is ~*ting about* again. 그는 병이 나아서 일상 생활로 돌아갔다. ③ 퍼지다, 유행하다: How did the story of her marriage ~ *about?* 어떻게 그녀의 결혼 소문이 퍼지게 되었는가. —《vi.+전》 ④ …을 돌아다니다. ~ **above** one**self** 우쭐하다, 자만하다. ~ **abreast of** …와 어깨를 나란히 하다. ~ **across** 《vi.+전》 ① (강·길 등)을 건너다, (국경)을 넘다. ② 《英구어》 (사람)을 짜증나게 하다, 골나게 하다, 괴롭히다. —《vi.+부》 ③ 건너다, 가로지르다《**to** …에》. ④ (말·의미·생각 등이) 통하다, 이해되다; (연극 등이) 성공하다: Her new song has failed to ~ *across*. 그녀의 신곡은 성공하지 못했다. —《vt.+전》 ⑤ …을 건네다, …의 저편으로 나르다: ~ an army *across* a river 군대가 강을 건너가게 하다. —《vt.+부》 ⑥ …을 건네주다. ⑦ (발언·농담)을 이해시키다, 알게 하다《**to** …에게》; (연극)을 성공시키다: ~ a play *across*. ~ **after** …을 쫓다, 추적하다; …을 꾸짖다, 나무라다; 졸라대다《**to** do》: She's ~*ting after* me *to* buy her a new dress. 그녀는 나에게 새 드레스를 사 달라고 졸라댄다. ~ **ahead** 《vi.+부》 ① 진보하다. ② 추월하다《**of** …을》. ③ 출세〔성공〕하다《**in** …에서》. ~ **along** 《vi.+부》 ① 살아가다, 해 나가다: We can't ~ *along* without money. 돈이 없이는 살아갈 수 없다. ② 진척하다, 진행시키다《**with** (일)을》: How are you ~*ting along with* your French? 프랑스어 공부는 잘 되어 가고 있나. ③ 사이좋게 해 나가다, 좋은 관계에 있다《**with** …와》: How is he ~*ting along with* his wife? 그는 부인과의 사이가 어떤가. ④ (때가) 지나다, 늦어지다; 노경에 다가서다: He's ~*ting along* (in years). ⑤ 《구어》 가다, 떠나다: It's time for me to be ~*ting along*. 이젠 가 봐야겠습니다. ⑥ 앞서 나아가다. —《vt.+부》 ⑦ …을 먼저 가게 하다; (물건)을 보내다, 가져〔데려〕 가다〔오다〕《**to** …에》. ~ **along well** 〔**badly**〕 협조하다〔하지 않다〕, 마음이 맞다〔맞지 않다〕. ***Get along*** 〔***away***〕 (***with you***)***!*** 《구어》 가 버려, 꺼져; 허튼소리 하지 마라; 설마. ~ **anywhere** ⇨ANYWHERE. ~ **around** 《vi.+부》 ① =~ about ①-③. ② (장애물을 피하여) 우회하다. —《vi.+전》 ③ =~ about ④. ④ (장애·곤란 등)을 잘 피하다, 헤쳐나가다, (법·책임 등)을 용케 피하다. ⑤ …을 설복시켜 하게 하다《**to** do》, …에게 잘 빌붙다. —《vt.+부》 ⑥ (아무)를 여기저기 돌게 하다; (아무)를 (방문하기 위해) 집으로 데리고 가다〔오다〕, …을 보내다《**to** …에》. ~ **around to** (뒤늦었지만) …할 기회〔여유〕가 생기다: I finally *got around to* reading his novel. 마침내 그의 소설을 읽을 여유가 생겼다. ~ **at** ① (어느 지점)에 닿다, 도달하다. ② …에 미치다, …을 붙잡다, …을 손에 넣다: stretch in order to ~ *at* a top shelf 맨 윗선반에 닿도록 손을 뻗다. ③ …을 알아내다〔파악하다〕; 이해하다; 알다: ~ *at* the root of a problem 문제의 핵심을 파악하다. ④ 〔보통 진행형〕 …을 암시하다, 뜻하다(imply): What is he ~*ting at?* 그는 무얼 말하고 싶은 건가. ⑤ 《구어》 〔종종 수동태〕 …을 매수하다: One of the jury had *been got at*. 배심원의 한 사람이 매수돼 있었다. ⑥ 《구어》 …을 비난하다, …에게 불평하다, …을 놀리다. ⑦ (일 따위)에 정진하다, 착수하다. ~ **away** 《vi.+부》 ① 떠나다, 떨어지다; (여행 따위에) 출발하다 《**from** …에서》: ~ *away* (*from* work) at five. 5시에 (회사를) 나오다/One of the prisoners *got away*. 죄수 하나가 달아났다. ② 〔보통 부정문〕 피하다; 인정하지 않다《**from** …을》: ~ *away from* the noise of the city 도시의 소음에서 벗어나다/You cannot ~ *away from* that fact. 너는 그 사실을 인정하지 않을 수 없다. ③ (경주에서) 스타트하다. —《vt.+부》 ④ 떼어내다, (불필요한 것)을 제거하다《**from** …에서》; 보내다, 데리고〔날아〕 가다: You can't ~ it *away* because it's nailed. 못질이 돼 있어 떼어 낼 수가 없다/~ a person *away* to the country 아무를 시골로 내려보내다. ~ **away from it all** 《구어》 도시 생활의 혼잡을 피하여 휴가를 얻다. ~ **away with** ① …을 가지고 달아나다. ② …을 잘 해내다; 벌받지 않고 해내다; (가벼운 벌)로 때우다: You can't cheat him and ~ *away with* it. 그 녀석을 속여 낸다는 것은 무리야/~ *away with* a fine 벌금만으로 때우다. ~ **back** 《vi.+ 부》 ① 돌아오〔가〕다; 되돌아가다《**to** …으로》: ~ *back to* the original question 처음 문제로 돌아가다. ② 〔종종 명령문〕 뒤로 물러나다. ③ 나중에 연락하다《**to** …에》: I'll ~ *back* to you on that. 그 일에 관해서는 또 연락〔전화〕하겠다. ④ (정당 따위가) 정권을 되찾다. —《vt.+부》 ⑤ 되돌리다, 돌려보내다; 되찾다: ~ a person *back* home 아무를 집으로 데려다 주다/I didn't ~ the money *back*. 그 돈은 되받지 못했다. ~ **back at** 〔**on**〕 …에 대갚음을 하다, 보복하다. ~ **behind** 《vi.+부》 ① (남보다) 뒤지다; 늦어지다《**with, in** (일·지급 따위)가》: During my illness I *got behind in* my school work. 병을 앓고 있는 동안에 학교 공부가 뒤졌다. —《vi.+전》 ② 《美》 …을 지지〔후원〕하다: If we all ~ *behind* him, he will win the election. 만일 우리 모두가 그를 지지하면 그는 선거에 이길 것이다. ③ …의 뒤로 돌다. ~ **by** 《vi.+부》 ① (곁을) 지나가다, 빠져나가다: Please let me ~ *by*. 좀 통과시켜 주세요. ② 《구어》 그럭저럭〔어떻게〕 헤어나다〔빠져나가다〕 《**on, with** …으로》: I can't ~ *by on* 〔*with*〕 such a small salary. 이런 적은 월급으로는 도무지 꾸려갈 수 없다. ③ (일 등이) 그럭저럭 인정되다, 받아들여지다; 용케 속이다, 눈속임하다. —《vi.+전》 ④ …을 빠져나가다. ⑤ …의 눈을 피하다: He doesn't let a thing ~ *by* him. 그는 어떤 일도 놓치지 않는다. —《vt.+부》 ⑥ (사람)을 통과시키다. —《vt.+ 전》 ⑦ (아무)에게 …을 지나가게〔통과하게〕 하다: ~ a person *by* a policeman 아무가 경관 옆을 (들키지 않고) 통과하게 하다. ~ **done with** 《구어》 …을 마치다,

G

끝내다, 해버리다: Let's do it now and ~ *done with* it. 지금 달려들어 해버리자. **~ down** 《*vi.*+[부]》 ① 내리다《**from, off** (나무·열차·말·버스 따위)에서》; (아이가 식후에) 식탁에서 물러나다. ② 몸을 굽히다: ~ *down* on one's knees 무릎꿇(고 빌)다. ③ 풀이 죽다. —《*vi.*+[전]》 ④ …에서 내리다: ~ *down* a ladder 사다리에서 내려오다. —《*vt.*+[부]》 ⑤ 내리다《**from** …에서》: ~ the box *down from* the shelf 선반에서 상자를 내리다. ⑥ (비율)을 낮추다: ~ unemployment *down* 실업률을 낮추다. ⑦ (겨우) 삼키다. ⑧ 베껴쓰다. ⑨ 낙심〔실망〕시키다: The news will ~ him *down*. 이 뉴스는 그를 실망시킬 것이다. —《*vt.*+[전]》 ⑩ …을 …에서 내리다《**to** …에》: *Get* the trunk *down* the stairs *to* the door. 그 트렁크를 층계에서 문간까지 내려주시오. **~ down to** …에 내리다; 차분히 …에 착수하다; …까지 파고들다: ~ *down to* the ground 땅에 내리다/Now, let's ~ *down to* work. 자, 일에 착수하자/when you ~ *down to* it 곰곰히 생각해 보면. **~ even with** ⇨EVEN. **~ far** ① 멀리까지 가다; 진보하다, 성공하다: ~ *far* in life 출세하다. ② 진행하다《**with** …을》: He hasn't *got far with* his research yet. 그는 연구를 아직 진척시키지 못했다. **~ in** 《*vi.*+[부]》 ① 들어가다; 새어들다: The burglar *got in* through the window. 강도가 창문으로 침입했다. ② (탈것에) 타다. ③ (열차·배·비행기 등이) 들어오다, 도착하다; (집·회사에) 당도하다: When does our bus ~ *in?* 우리 버스는 언제 도착합니까. ④ 선출되다, 당선되다: He *got in* for Chester. 그는 체스터구(區) 선출 의원에 당선되었다. ⑤ (시험에 붙어) 입학하다, 입회하다. ⑥ 친해지다《**with** …와》: ~ *in with* a bad crowd 나쁜 사람들과 어울리다. ⑦ 참여하다《**on** (활동·여행 등)에》: ~ *in on* a discussion 토론에 참가하다. —《*vi.*+[전]》 ⑧ …(의 안)으로 들어가다: ~ *in* a car 차 안으로 들어가다. —《*vt.*+[부]》 ⑨ …에 넣다, (차에) 태우다, 가지고 들어가다. ⑩ (세탁물·작물)을 거둬들이다; (자금·기부금·대출금·세금)을 거두다. ⑪ (말)을 끼워넣다: May I ~ a word *in?* 한 말씀해도 좋겠습니까. ⑫ (팔 상품)을 사들이다. ⑬ (의사·수리공 등)을 부르다: ~ a doctor *in* 의사를 부르다. ⑭ (씨)를 뿌리다; (묘목)을 심다. ⑮ …을 당선시키다; 입학〔입회〕시키다: Those exam results should ~ him *in*. 그 시험 성적이면 입학할 것이다. —《*vt.*+[전]》 ⑯ …에 넣다: He *got* a splinter *in* his foot. 그는 발을 가시에 찔렸다. **~ into** 《*vi.*+[전]》 ① …에 들어가다, …을 타다: ~ *into* a bus 버스를 타다. ② (배·열차 등이) …에 도착하다. ③ (학교·모임 따위)에 들어가다; (일)에 종사하다; 당선되어 (의회)에 들어가다: ~ *into* a good company 좋은 회사에 입사하다/~ *into* a new trade 새 장사를 시작하다. ④ 〖보통 완료형〗 …의 마음을 사로잡다《★ 종종 what을 주어로 괴상한 행동에 대해 씀》: What's *got into* you all of a sudden? 대체 갑자기 왜 그러는 거야. ⑤ (옷)을 입다, (신)을 신다: ~ *into* one's dress 드레스를 입다. ⑥ …의 상태로 되다, (나쁜 버릇)이 붙다; …에 말려들다: ~ *into* a rage 성을 내다/~ *into* bad habits 나쁜 버릇에 물들다. ⑦ …의 진상을 알다. ⑧ (방법·기술 등)을 습득하다, 익히다, …에 익숙해지다, …에 흥미를 갖다. —《*vt.*+[전]》 ⑨ …에 넣다, …에 태우다: He *got* me *into* the movie for free. 그는 나를 공짜로 영화관에 들여보냈다. ⑩ …에 도착시키다: The bus *got* us *into* London

at noon. 그 버스는 정오에 런던에 도착했다. ⑪ (억지로) …에게 옷을 입게 하다: ~ one's child *into* a new suit 아이에게 새 옷을 입히다. ⑫ (나쁜 상태)에 빠뜨리다: ~ oneself *into* trouble 곤란한 입장이 되다. **~ it** ① 손에 넣다, 받다: I('ve) *got it*. 받았다/You('ve) *got it!* 옜소《물건을 건넬 때》. ② 《구어》 벌을 받다, 꾸지람듣다: He'll ~ *it* now. 이번에 그는 혼날 것이다. ③ 이해하다, 알다; 답을 내다: Now I ~ *it*. 이제 알겠다/*Got it?* 알았느냐/I've *got it!* (답 따위를) 알았다/You've *got it!* 명답이야. ④ (걸려온 전화 따위를) 받다: I'll ~ *it*. 내가 받겠다. **~ it (all) together** 건전하고 착실한 생활 태도를 취하다; (압력하에서) 냉정을 유지하다. **~ near (to)** (…에) 가까워지다: We are ~*ting near* Christmas. 크리스마스가 다가오고 있다. **~ nowhere** =**not ~ anywhere** 효과〔성과, 진보〕가 없다, 아무 것도 안 되다, 잘 안 되다: The idea *got* us *nowhere*. 그 생각은 우리에게 쓸모가 없었다. **~ off** 《*vi.*+[부]》 ① 떠나다, 출발하다: We *got off* before daybreak. 우리는 날이 새기 전에 떠났다/~ *off* on one's journey 여행을 떠나다/~ *off* to a good start 좋은〔순조로운〕 출발을 하다. ② (차 따위에서) 내리다, 하차하다: *Get off* at the next station. 다음 정거장에 내리시오. ③ (편지 따위가) 보내어지다. ④ 일에서 해방되다; 쉬다; 퇴사하다; 조퇴하다. ⑤ 《구어》 형벌〔불행〕을 면하다《**with** (가벼운 벌 따위)로》: He ~ *off with* a fine. 그는 벌금을 내고 방면되었다. ⑥ 잠들다: The baby at last *got off* (to sleep). 마침내 애는 잠들었다. ⑦ 《구어》 마약에 취하다; 오르가슴을 경험하다; 열중하다, 흥분하다《**on** …에》: ~ *off on* golf 골프에 열중하다. ⑧ 《英구어》 갑자기 친해지다(*together*)《**with** (이성)과》. —《*vi.*+[전]》 ⑨ (탈것)에서 내리다, (지붕·사다리)에서 내려오다: What station did you ~ *off* the subway at? 어느 역에서 지하철을 내렸습니까. ⑩ …에서 떨어지다, …에 들어가지 않다: *Get off* the grass. 잔디밭에 들어가지 마시오. ⑪ (화제 따위)에서 벗어나다, 빗나가다, …을 그만두다: Let's ~ *off* that topic. 그 이야기는 그만둡시다. ⑫ (일)에서 떠나다: ~ *off* work early 일찍이 회사를 그만두다. —《*vt.*+[부]》 ⑬ …을 떠나보내다《**to** …으로》: ~ one's children *off to* school 아이들을 학교로 떠나보내다. ⑭ (편지 따위)를 부치다: ~ a letter *off* by express 편지를 속달로 부치다. ⑮ 떼어놓다; (옷·반지)를 벗다, 빼다: ~ one's overcoat 〔ring〕 *off* 외투를 벗다〔반지를 빼다〕. ⑯ (얼룩 등)을 제거하다. ⑰ …에게 형벌을 면하게 하다〔경감시키다〕《**with** (가벼운 벌 따위)로》: His counsel *got* him *off* (*with* a fine). 그는 변호사의 수고로(벌금만으로) 방면되었다. ⑱ …을 잠들게 하다: ~ a baby *off* (to sleep) 애를 재우다. ⑲ (농담 따위)를 하다. —《*vt.*+[전]》 ⑳ …에서 떼내다; …에서 내리다: *Get* your hands *off* me. 내게서 손을 떼시오. ㉑ (승객 등)을 …에서 내리게 하다: ~ passengers *off* a bus 버스에서 승객을 하차시키다. ㉒ (아무)에게 …을 면하게 하다. ㉓ 《구어》 …에서 입수하다: I *got* this ticket *off* Bill. 이 표를 빌에게서 입수했다. **~ off on** 《美속어》 …에 열중하다, …에 흥분하다: He ~*s off on* golf. 그는 골프에 열중해 있다/He ~*s off on* teasing women. 그는 여자를 희롱하는 데 쾌감을 느끼고 있다. **~ on** 《*vi.*+[부]》 ① (탈것에) 타다: ~ *on* at Seoul 서울에서 타다.

G

> **NOTE** **get on**과 **get in** 〔**into**〕: 큰 것(배·여객기·열차·전차·버스 따위)에는 *get on*, 몸을 굽히고 올라타야 할 승용차 따위에는 *get in* 〔*into*〕을 쓰는 경향이 있음.

② (일 따위가) 진행되다, 진척하다; 척척 진행시키다, (종종 중단 후에) 계속하다《***with*** (일 따위)를》: How is your work *~ting on?* 너의 일은 어떻게 진행되고 있느냐/He's *~ting on with* his studies. 그의 연구는 척척 진행되고 있다. ③ 서두르다: *Get on* with it! 서둘러라, 빨리빨리. ④ 성공하다《***in*** …에》: ~ *on in* business 〔the world, life〕 사업이 번창하다〔출세하다〕. ⑤ (어떻게) 살다, 지내다: How are you *~ting on?* 어떻게 지내십니까. ⑥ 사이좋게 지내다, 마음이 맞다《***with*** …와》: The man is hard to ~ *on with*. 그 사람은 사귀기 힘들다. ⑦ 〖진행형〗 (시간이) 가다; 늦어지다; (사람이) 나이먹다: He *is ~ting on* in years. 그는 이제 지긋한 나이가 되었다/It's *~ting on* for 〔to, toward〕 midnight. 한밤중이 되어 간다. ―《*vi.*+전》 ⑧ …(의 위)에 올라가다〔오르다〕: ~ *on* a roof 지붕에 올라가다. ⑨ (버스·열차·자전거)에 타다: ~ *on* the subway at the same station 같은 역에서 지하철을 타다. ―《*vt.*+부》 ⑩ (버스·열차 따위에) 태우다. ⑪ (옷 따위)를 몸에 걸치다, 입다, (신)을 신다, (뚜껑 따위)를 씌우다: ~ one's boots *on* 부츠를 신다/~ a lid *on* 뚜껑을 닫다. ⑫ (장작)을 지피다; (불)을 켜다. ⑬ 《英》 (학생)을 향상시키다. ⑭ (아무)에게 전화를 받게 하다: *Get* her *on*. (전화에서) 그녀 좀 바꿔주세요. ―《*vt.*+전》 ⑮ …에 태우다. **~ on to** 《英구어》 (전화로) …에게 연락하다; …을 알다, 이해하다. **~ onto** 《*vi.*+전》 ① …(의 위)에 올라가다〔오르다〕; (자전거·버스·열차 등)에 타다〔태우다〕: Where did you ~ *onto* this bus? 이 버스를 어디서 탔느냐. ② …(의 부정)을 찾아내다, 감지하다: ~ *onto* the track 〔trail, scent〕 of …을 추적해 내다. ③ …에게 요구하다, 잔소리하다《***to*** do》: ~ *onto* a person *to* clean his nails 아무에게 손톱을 깨끗이 하라고 잔소리하다. ④ (화제·행동·일 따위)에 착수하다, …로 나아가다. ⑤ …에 당선〔임명〕되다, …의 일원이 되다. ―《*vt.*+전》 ⑥ …에 태우다, 싣다. ⑦ …에 착수하게 하다: We *got* him *onto* the subject of golf. 우리는 그에게 골프 이야기를 하게 했다. ***Get on*** (***with you***)***!*** 《구어》 꺼져 버려; 말도 안 돼. **~ out** 《*vi.*+부》 ① 나가다; 도망치다, 가 버리다. ② (탈것에서) 내리다. ③ (비밀 따위가) 새다; 들통나다: The secret *got out* at last. 그 비밀은 끝내 새어 버렸다. ―《*vi.*+전》 ④ (문·창문)에서 나가다. ―《*vt.*+부》 ⑤ 꺼내다; (가시·이·얼룩 등)을 빼내다: *Get out* your books. 책을 꺼내라. ⑥ (말 등)을 하다, 입 밖에 내다: He managed to ~ *out* a few words of thanks. 겨우 두서너 마디 사례의 말을 했다. ⑦ …을 구해내다, 구하여 도망시키다. ⑧ (도서관 등에서 책)을 빌리다; (예금 따위)를 찾다; (책 따위)를 출판〔발행〕하다. ⑨ 생산하다. ―《*vt.*+전》 ⑩ (문·창문)에서 내보내다. **~ out of** 《*vi.*+전》 ① …에서 나오다; (탈것)에서 내리다: *Get out of* here! 썩 나가/~ *out of* the bed on the wrong side 잠자리에서 일어난 기분이 개운치 않다〔언짢다〕/~ *out of* a car 차에서 내리다. ★ 버스인 경우는 get off가 일반적임. ② (옷)을 벗다: *Get out of* those wet clothes. 젖은 옷을 벗어라. ③ …이 미치지 않는 곳으로 가다: Don't ~ *out of* your depth. 키를 넘는 깊은 곳으로 가지 마라. ④ (나쁜 습관 따위)에서 벗어나다, …을 버리다: ~ *out of* a bad habit 악습을 버리다. ⑤ (해야 할 일)을 피하다; (일 따위)에서 손을 떼다: He wanted to ~ *out of* his homework 〔attend*ing* the meeting〕. 그는 숙제를 안 하고〔모임에 안 나가고〕 넘기고 싶었다. ―《*vt.*+전》 ⑥ …로부터 끌어내다〔제거하다〕: I can't ~ it *out of* my mind. 그것을 잊을 수 없다/*Get* me *out of* here. 나를 여기에서 끌어내주게. ⑦ …에서 면하게 하다; (습관 등)에서 벗어나게 하다: Apologizing won't ~ you *out of* your punishment. 변명했다고 벌을 면할 수는 없다. ⑧ …에서 (이익 등)을 얻다, …에서 손에 넣다: How much did you ~ *out of* the deal? 그 거래에서 얼마나 이득을 봤나. ⑨ (비밀·고백·진상·돈 따위)를 …로부터 끌어내다〔듣다〕: The police *got* a confession *out of* him. 경찰은 그를 자백시켰다. **~ outside** 《*vi.*+부》 《英속어》 먹다; 마시다. **~ over** 《*vi.*+전》 ① 넘다; 지나가다; 건너다: The soldiers *got over* the fence. 군인들은 담을 뛰어넘었다. ② (장애·곤란 따위)를 이겨내다: ~ *over* a difficulty 곤란을 극복하다. ③ (슬픔·쓰라린 경험 따위)를 잊다; (병 따위)에서 회복하다: She never *got over* her son's death. 그녀는 아들의 죽음이 잊혀지지 않았다/~ *over* a flu 독감을 이겨내다. ④ 〖I 〔we〕 can't ~ over 로〗 《구어》 …에 놀라고 있다: I just *can't ~ over* Jane's cheek. 제인의 뻔뻔스러움에는 정말 놀랐다. ⑤ 〖보통 부정문에서〗 (사실 등)을 부정하다: We can*not ~ over* the fact. 우리는 그 사실을 부정할 수 없다. ⑥ (어느 거리(距離))를 가다, 달리다: The horse *got over* the distance in ten seconds. 말은 그 거리를 10 초에 달렸다. ―《*vi.*+부》 ⑦ 건너다; 뛰어넘다, (찾아뵈러) 가다《***to*** …에》: ~ *over to* the other side 저쪽으로 건너가다/I'll ~ *over* to see you sometime next week. 내주에 자네를 찾아가겠네. ⑧ 《구어》 (생각 따위가) 이해되다, 전해지다《***to*** …에게》. ―《*vt.*+전》 ⑨ (울타리 따위)를 넘게 하다, 건너게 하다: She *got* the child *over* the fence. 그녀는 그 아이가 울타리를 넘게 했다. ―《*vt.*+부》 ⑩ (사람·동물)을 넘게 하다, 건네다. ⑪ (생각 등)을 이해시키다《***to*** …에게》: I couldn't ~ the importance of the matter *over to* him. 그에게 일의 중대함을 이해시킬 수 없었다. ⑫ (싫은 일)을 해치우다, 끝내다: Let's ~ the job *over* quickly. 일을 빨리 해치워 버리자. **~ ... over** (**and done**) **with** 《구어》 (귀찮은 일)을 끝내버리다, 처리하다; …을 잘 하다: Let's ~ the work *over with* now. 이제 그 일을 해버리자. **~ round** =~ around (관용구). ***Get set!*** (경주에서) 준비. **~ *somewhere*** 효과가 있다, 잘 되어가다, 성공하다《***with*** …가》: I hope he will ~ *somewhere with* his plans. 나는 그의 계획이 어떻게 좀 잘 되기를 바란다/Discussion may ~ us *somewhere*. 의논해 보면 뭐가 좀 될지도 모른다. **~ *there*** 《구어》 목적을 달하다, 성공하다; 납득이 가다. **~ *through*** 《*vi.*+전》 ① …을 빠져나가다; …을 지나 이르다《***to*** (목적지)에》. ② (의안이 의회)를 통과하다; (시험)에 합격하다: ~ *through* a driving test 운전 시험에 합격하다. ③ 마치다; 종료하다, 완수하다: ~ *through* college 대학을 나오다. ④ (돈 따위)를 다 써버리다, (음식)을 다 먹어치우다. ⑤ (어려운 때)를 벗어나다; (시간)을 보내다. ―《*vi.*

+副》 ⑥ 빠져나가다. ⑦ (곤란·병 따위를) 이겨내다. ⑧ (시험에) 합격하다; (의안이) 통과하다: I failed but Tom *got through*. 나는 낙제했으나 톰은 합격했다. ⑨ (사람·전갈·보급품 등이) 닿다, 도달하다《*to* (목적지)에》. ⑩ (전화·의사가) 통하다; 연락이 닿다, 말을 이해시키다《*to* …에게》: He could not ~ *through to* his father. 그는 부친에게 연락을 취하지 못했다〔말을 이해받지 못하였다〕. ⑪ 완수하다, 마치다《*with* (일 따위)를》. —《*vt.*+前》 ⑫ …을 밀고 나가게 하다; (시험)에 합격시키다; (의안)을 …에 통과〔승인〕시키다: ~ wine *through* customs 세관에서 포도주를 통관시키다. —《*vt.*+副》 ⑬ …을 빠져나가게 하다, (구멍에) 통하게 하다. ⑭ 합격시키다, (의안)을 통과시키다. ⑮ 도착시키다, 보내주다《*to* (목적지)에》. ⑯ (전화로) 연결시키다《*to* …에》; 이해시키다《*to* …에게》: Please ~ me *through to* Seoul. 서울 좀 연결해 주세요/I can't ~ (it) *through to* him that ... …라는 것을 그에게 납득시킬 수 없다《★ it은 생략하기도 함》. ~ ***to*** ① …에 닿다, …에 이르다(arrive at); (어떤 결과)가 되다: Where can it have *got to*? 그건 대체 어떻게 되었을까. ② (일)에 착수하다, (식사 따위)를 시작하다: ~ *to* words 논쟁을 시작하다/I *got to* remember*ing* those good old days. 그리운 그 옛날을 추억하기 시작했다. ③《구어》 …와 (잘) 연락이 되다; …에게 영향〔감명〕을 주다: Can I ~ *to* you by phone? 전화로 너와 연락할 수 있느냐?/The tragedy *got to* me. 그 비극은 나에게 감명을 주었다. ④《美구어》 (매수·협박 등의 목적으로) …에게 다가가다, …을 (매수〔협박〕하여) 움직이다. ⑤ …에게 이해되다. ~ ***together*** 《*vi.*+副》 ① 모이다, 만나다: When will we ~ *together*? 언제 모일까. ②《구어》 의논을 종합하다, (의견이) 일치하다《***on, over*** …에 관하여》. ③ 단결하다, 협력하다《***on, over*** …일로》. —《*vt.*+副》 ④ 모으다. ⑤ (생각·일)을 잘 정리하다. ⑥ 〚~ oneself together로〛《구어》 자제하다; 감정을 억제하다. ~ ***under*** 《*vi.*+前》 ① …의 밑에 들다〔을 지나다〕. —《*vi.*+副》 ② 밑에 들다〔숨다〕. —《*vt.*+前》 ③ …의 밑에 들이다. —《*vt.*+副》 ④ …을 밑에 들이다; (화재·소동 등)을 진압하다(subdue), 끄다: The fire was soon *got under*. 화재는 곧 진화되었다. ~ ***up*** 《*vi.*+副》 ① 일어나다, 기상하다, (병후에) 자리에서 일어나다; 일어서다《***from, out of*** (땅·자리 따위)에서》: What time do you ~ *up*? 몇 시에 일어나십니까/He *got up from* the seat. 그는 자리에서 일어섰다. ② 올라가다; 타다《***on, onto*** …에》: ~ *up on* the roof 지붕에 오르다/She *got up* behind me. 그녀는 내 뒤에 탔다. ③ (불·바람·바다 따위가) 격해지다, 거칠어지다. ④〚명령형〛(말에게) 나아가라! —《*vi.*+前》 ⑤ (계단·사다리)를 오르다, (나무·산)에 오르다: ~ *up* the ladder 사다리를 오르다. —《*vt.*+副》 ⑥ …을 기상시키다; (병후) 자리에서 일어나게 하다, 일어서게 하다. ⑦ …에게 오르게 하다; …을 들어올리다; (말 따위에) 태우다. ⑧ (회의 따위)를 준비하다; 설립〔조직〕하다; 계획하다, 짜다: ~ *up* a picnic 소풍을 계획하다. ⑨《구어》 (아무)의 옷차림을〔머리(따위)를〕 매만지다, 꾸미다; 〚~ oneself up으로〛 성장하다, 치장하다《*in* …으로》; 분장하다《*as* …으로서》: She *got herself up in* her best dress. 그녀는 나들이옷을 입고 치장했다/He was *got up as* a sailor. 그는 선원으로 분장했다. ⑩ (책)을 장정하다. ⑪ (감정·동요 따위)를 일으키다. ⑫《英》 (학과 등)을 공부하다. ⑬ (건강·속력)을 증진시키다. —《*vt.*+前》 ⑭ …에게 (계단 등)을 오르게 하다. ~ ***up against*** ① …의 곁에 (다가)서다. ② …와 대립하다, 충돌하다. ③ (가구 등)을 (벽 따위)에 붙이다〔붙여 두다〕. ~ ***up and go*** 《구어》 ① 척척 움직이기〔분발하기〕 시작하다(cf. get-up-and-go). ② 서두르다. ~ ***up to ...*** ① …에 이르다, …에 가까이 가다: We *got up to* page 10 last lesson. 지난 수업에는 10 페이지까지 했다. ② …을 뒤따라잡다, 따라붙다: We soon *got up to* others. 우리는 앞선 사람들을 이내 따라잡았다. ③ (장난 따위)를 하다, 꾸미다: What are the boys ~*ting up to*? 소년들이 무슨 일을 꾸미고 있느냐? ~ ***with it*** 《구어》 유행에 뒤지지 않도록 하다, 유행을 타다, 현대적으로 되다; 일〔공부〕에 정신을 쏟다. ***Get you*** 〔***him, her, them***〕***!*** 《속어》 같잖군《자랑 이야기 등에 대한 경멸적 응답》. ***have got it bad***(***ly***) 《속어》 열중해 있다《***over*** …에》. ***tell*** a person ***where*** he ~***s*** 〔***where to*** ~〕 ***off*** ⇨ TELL.

> **DIAL.** ***You got it!*** (옳지) 바로 그거야!

get² *n.* Ⓒ **1** 동물 새끼. **2** (테니스 등에서) 절묘하게 받아친 공. **3**《英속어》 바보.

get·a·ble [gétəbəl] *a.* =GETTABLE.

get·at·a·ble [getǽtəbəl] *a.* 《구어》 도달할 수 있는; (사람이) 접근하기 쉬운; (책 등이) 입수하기 쉬운.

gét·awày *n.* (*sing.*) 《구어》 (특히 범인의) 도망, 도주(escape); (연극·경주의) 개시, 출발: make a 〔one's〕 ~ (범인 따위가) 도주하다. —*a.* Ⓐ 도주(용)의.

Geth·sem·a·ne [geθséməni] *n.* **1** 겟세마네《예수가 Judas의 배반으로 붙잡힌 Jerusalem 부근의 동산; 마태복음 XXVI:36》. **2** (g-) Ⓒ 고난의 장소〔때〕.

gét·òut *n.* Ⓤ 도피〔탈출〕 수단; 핑계. ***as*** 〔***like, for***〕 (***all***) ~ 《구어》 극단으로, 몹시: It was *as* cold (*as*) *all* ~. 대단한 추위였다.

gét-rìch-quíck *a.* 일확천금의〔을 노리는〕: ~ fever 졸부(猝富)가 되고 싶은 열기; 한탕주의.

get·ta·ble [gétəbəl] *a.* 얻을〔손에 넣을〕 수 있는.

gét-togèther *n.* Ⓒ 《구어》 회의, 회합; (비공식) 모임, 친목회(=∠ **mèeting**).

Get·tys·burg [gétizbəːrg] *n.* 게티즈버그《미국 Pennsylvania 주 남부의 도시; 남북 전쟁 최후의 결전장(1863년); 국립묘지가 있음》.

Géttysburg Addréss (the ~) 1863년 11월 19일 Abraham Lincoln이 Gettysburg에서 한 민주주의 정신에 관한 유명한 연설.

gét·ùp *n.* Ⓒ 《구어》 (이상한) 꾸밈새, 몸차림, 복장; 외관, 체재.

gét-up-and-gó [-ənd-] *n.* Ⓤ 《구어》 패기, 열의; 주도〔적극〕성: He has a lot of ~. 그는 열의가 대단하다.

gey·ser [gáizər, -sər] *n.* Ⓒ **1** 간헐천. **2** [gíːzər] 《英》 (욕실 등의) 자동〔순간〕 온수 장치.

Gha·na [gáːnə] *n.* 가나《아프리카 서부의 공화국; 수도 Accra》. ㊞ **Gha·na·ian, Gha·ni·an** [gáːniən, gǽ-] *a.*, *n.* Ⓒ 가나의, 가나 사람(의).

ghast·ly** [gǽstli, gáːst-] (-li·er; -li·est***) *a.* **1** Ⓟ (사람·안색 따위가) **핼쑥한**, 파리한; 유령 같은: He looked ~. 그는 핼쑥해 보였다. **2 무서운**(horrible), 소름 끼치는, 무시무시한: a ~ sight 소름 끼치는 광경. **3**《구어》 정말로 불쾌한; 지독

한, 싫은: a ~ mistake 커다란 실수/I feel ~ about it. 그것은 생각만 해도 불쾌하다. —*ad.* 송장 같이; 핼쑥하여; 무섭게. [파] **-li·ness** *n.*

gher·kin [gə́:rkin] *n.* [C] (식초 절임용) 작은 오이; (열대 아메리카산) 오이의 일종.

ghet·to [gétou] (*pl.* ~(*e*)*s*) *n.* [C] 유대인 강제 거주 구역; (특정 사회 집단의) 거주지; 《美》 (흑인 등 소수 민족) 빈민굴; 슬럼(slum)가.

ghost [goust] *n.* [C] **1 유령**, 망령(亡靈), 사령(死靈), 원령(怨靈), 요괴: lay 〔raise〕 a ~ 유령을 물리치다〔나타나게 하다〕. **2** 《고어》 혼, 영혼: ⇨ HOLY GHOST. **3** 파리한 사람; 핼쑥한 사람: (as) pale 〔white〕 as a ~ (얼굴이) 파랗게 질려서. **4** 〖광학·TV〗 고스트, 제2영상(= ∠ **ìmage**); 〖인쇄〗 색 얼룩. **5** 《구어》 (문학 작품의) 대작자(代作者)(~writer): play ~ to …의 대작(代作)을 하다. ◇ ghastly, ghostly *a.*
a* 〔《英》 *the*〕 ~ *of* (*a*) ...** 아주 적은, 아주 희미한: not have 〔without〕 *a* 〔*the*〕 ~ *of a* chance 〔doubt〕 조금도 가망이〔의심의 여지가〕 없는〔없고〕. ***give up the ~ 죽다; (물건이) 부서지다, 움직이지 못하게 되다.

> [DIAL.] ***You look like you have seen a ghost.*** 마치 유령이라도 본 사람 얼굴 같구나.

—*vi.*, *vt.* ⇨GHOSTWRITE.

ghost·li·ness [góustlinis] *n.* [U] 유령 같음, 요괴성(性).

ghost·ly [góustli] (**-li·er; -li·est**) *a.* 유령의〔같은〕; 그림자 같은, 희미한: a ~ figure 유령 같은 것.

ghóst stòry 괴담(怪談), 유령 이야기.

ghóst tòwn 《美》 유령 도시〔마을〕《전쟁·기근·폐광·천연자원의 고갈 등으로 주민이 떠난 황폐한 도시〔마을〕》.

ghóst·wrìte (**-wròte; -wrìt·ten**) *vi.*, *vt.* (연설·문학 작품의) 대작(代作)을 하다. [파] **-wrìter** *n.* [C] 대작자.

ghoul [gu:l] *n.* [C] 송장 먹는 귀신《무덤을 파헤쳐 시체를 먹는다고 함》; 잔인한 사람.

ghoul·ish [gú:liʃ] *a.* 송장 먹는 귀신 같은; 잔인한. [파] **~·ly** *ad.* **~·ness** *n.*

GHQ, G.H.Q. 〖군사〗 General Headquarters.

GHz gigahertz.

GI, G.I. [dʒí:ái] (*pl.* ***GIs, GI's, G.I.'s, G.I.s***) *n.* [C] 미군 부사관병, 미군, 《특히》 징집병: a *GI* Joe 미국 병사/a *GI* Jane 〔Jill, Joan〕 미국 여군. —*a.* [A] (미군 당국의) 관급의, 미군 규격의: *GI* shoes 군화/a *GI* haircut 군대식 머리〔이발〕.

gi·ant [dʒáiənt] *n.* [C] **1** (신화·전설 등에 나오는) 거인; 큰 사나이, 힘센 사람; 거대한 것: a corporate ~ 거대 기업. **2** (비범한 재능·지력·권력 등을 지닌) 거인, 거장, 대가, 위인: an intellectual ~ 걸출한 지성의 소유자/an economic ~ 경제 대국. —*a.* [A] 거대한, 위대한, 특대의. ↔ *dwarf.* ¶a man of ~ strength 힘이 장사인 남자/~ size 특대 사이즈.

gi·ant·ess [dʒáiəntis] *n.* [C] 여자 거인.

gí·ant·ìsm *n.* [U] 〖의학〗 거인증《특히 골격의》; 거대.

gíant kìller (스포츠 따위에서) 강자를 이기는 사람〔팀〕.

gíant pánda 〖동물〗 자이언트 판다, 판다곰.

gíant sequóia 〖식물〗 세쿼이아 삼(杉)나무(《美》 big tree)《미국 캘리포니아산(產)의 거대한 침엽수》.

gíant stár 〖천문〗 거성(巨星)《직경·광도·질량 따위가 대단히 큰 항성》.

giaour [dʒauər] *n.* [C] 이단자, 불신자(不信者)《이슬람 교도가 특히 기독교도를 경멸하는 말》.

Gib. Gibraltar.

gib·ber [dʒíbər, gíbər] *vi.* (놀람·무서움으로) 알아들을 수 없는 말을 지껄이다; 빨리 지껄이다; (원숭이 따위가) 깩깩거리다.

gib·ber·ish [dʒíbəriʃ, gíb-] *n.* [U] 뭐가 뭔지 알 수 없는 말, 횡설수설.

gib·bet [dʒíbit] *n.* [C] (사형수의) 효시대(梟示臺); 교수대. —*vt.* 효시대에 매달다; 효시하나; 공공연히 욕보이다.

gib·bon [gíbən] *n.* [C] 〖동물〗 긴팔원숭이《동남아시아산(產)》.

gib·bous [gíbəs] *a.* (달·행성 따위) 반원보다 볼록한 상태의, 볼록한 원의: the ~ moon 〖천문〗 철월(凸月)《반달보다 크고 보름달보다 작은 달》. [파] **~·ly** *ad.* **~·ness** *n.*

gibe, jibe [dʒaib] *vi.* 헐뜯다, 비웃다《***at*** …을; ***for*** …때문에》: They ~*d at* me *for* my ignorance. 그들은 나의 무지를 비웃었다. —*vt.* …을 헐뜯다, 비웃다. —*n.* [C] 우롱, 조소《***at, about*** …에 대한》: make ~*s at* 〔*about*〕 …을 비웃다.

gib·lets [dʒíblits] *n. pl.* (닭·거위 등의) 내장.

Gi·bral·tar [dʒibrɔ́:ltər] *n.* 지브롤터《스페인 남단(南端)의 항구 도시로 영국의 직할 식민지; 생략: Gib(r).》. ***the Strait of*** ~ 지브롤터 해협.

gid·dy [gídi] (**-di·er; -di·est**) *a.* **1 현기증나는;** 어지러운, 아찔한; 눈이 핑핑 도는《***from, with*** …으로》. [cf.] dizzy. ¶feel 〔turn〕 ~ 어지럽다/a ~ height 아찔하게 높은 곳/I felt ~ *from* the unaccustomed exercise. 익숙지 않은 운동을 하여 현기증이 느껴졌다/They were ~ *with* success. 그들은 성공에 도취해 있었다. **2** [A] 경솔한, 들뜬: a ~ young girl 얌전치 못한 아가씨. [파] **gíd·di·ly** *ad.* **-di·ness** *n.*

Gide [ʒi:d] *n.* **André** (**Paul Guillaume**) ~ 지드《프랑스의 소설가·비평가; 노벨 문학상 수상(1947); 1869–1951》.

gie [gi:] (**~d; ~d, gien** [gi:n]) *v.* 《Sc. 방언》 = GIVE.

GIF [dʒif, gif] 〖컴퓨터〗 Graphics Interexchange Format (그래픽 교환 형식).

gift [gift] *n.* **1** [C] **선물**, 선사품; 은혜《***of, from*** …의》: birthday ~*s* 생일 선물/a ~ *from* the gods 행운/the ~*s of* civilization 문명의 혜택. ★ gift는 present 보다 형식을 차린 말. **2** [U] 증여, 선사; 증여권(權): The post is in 〔within〕 his ~. 그 직을〔지위를〕 줄 권한은 그에게 있다. **3** [C] (타고난) **재능**, 적성(talent)《***of, for*** …에 대한》: the ~ *of* tongues 어학의 재능/have a ~ *for* music 음악에 재능이 있다. [SYN.] ⇨TALENT. **4** [C] (보통 *sing.*) 《구어》 싸게 산 물건; 썩 간단한 일: It's a ~. 거저나 다름없구나; 그런 건 간단하지. ***as a*** ~ 거저라도《싫다 따위》: I would not have 〔take〕 it *as a* ~. 거저 줘도 싫다.
—*vt.* 《+[목]+[전]+[명]》 **1** …을 증여하다《***to*** …에게》; …에게 증여하다《***with*** …을》: ~ a thing *to* a person = ~ a person *with* a thing 아무에게 물건을 주다. **2** 〖보통 수동태〗 …에게 부여하다《***with*** (재능·성격 따위)를》: We *are* all ~*ed with* conscience. 우리에게는 모두 타고난 양심이 있다.

gíft certìficate 《美》 상품권(《英》 gift token).

gíft còupon 《英》 경품(교환)권.

***gift·ed** [gíftid] *a.* **타고난〔천부의〕 재능이 있는** (talented)《*in, with* …에》; 유능한; 머리가 매우 좋은: a ~ child 천재아 / He's ~ *in* music. 그는 음악에 재능이 있다 / She's ~ *with* a good memory. 그녀는 훌륭한 기억력을 지니고 있다.

gíft hòrse 선물로 주는 말. ***look a ~ in the mouth*** 선물받은 물건을 흠잡다 《말은 이로 나이를 알 수 있는 데서》.

gíft shòp 선물 전문점.

gíft tòken 〔vòucher〕 《英》 =GIFT CERTIFICATE.

gíft-wràp (*-pp-*) *vt.* (리본 따위를 써서) 예쁘게 포장하다.

gig[1] [gig] *n.* Ⓒ **1** 말 한 필이 끄는 2륜 마차. **2** (배에 실은 선장용의) 소형 보트.

gig[2] *n.* Ⓒ 작살. **—** (*-gg-*) *vi., vt.* 작살로 (물고기를) 잡다.

gig[3] *n.* Ⓒ 《구어》 (특히 하루만의) 재즈〔록 따위〕 연주 계약〔일〕; 《일반적》 (할당된) 일. **—** (*-gg-*) *vi.* 《구어》 (재즈 연주가로서) 일을 하다.

gig·a- [gígə, dʒígə] '10억, 무수(無數)'란 뜻의 결합사.

gíga·bìt *n.* Ⓒ 【컴퓨터】 기가비트《10억 비트》.

gíga·bỳte *n.* Ⓒ 【컴퓨터】 기가바이트《10억 바이트 상당의 정보 단위》.

gíga·hèrtz (*pl.* ~) *n.* Ⓒ 기가헤르츠, 10억 헤르츠《생략: GHz》.

***gi·gan·tic** [dʒaigǽntik] *a.* **거인 같은**, 거대한; 아주 큰; 엄청나게 큰: a ~ tanker 매머드 탱커 / a man of ~ build 〔strength〕 거인 같은 큰 남자〔힘의 소유자〕. ◇ giant *n.*

SYN. **gigantic** '거인처럼 거대한'. **titanic** gigantic보다 뜻이 강하며 격식차린 말.

㊞ **-ti·cal·ly** [-əli] *ad.*

°**gig·gle** [gígəl] *vi.* 킥킥 웃다《*at* …을 보고〔듣고〕》: She *~d at* everything. 그녀는 아무거나 보고 킥킥 웃었다. **—***n.* Ⓒ 킥킥 웃음; 웃기는 것〔사람〕, 농담: give a ~ 킥킥 웃다 / have (a fit of) the ~s (엉겁결에) 웃기 시작하다. SYN. ⇨ LAUGH. ***for a ~*** 장난 삼아, 농담으로.

gig·gly [gígli] *a.* 킥킥 웃는 (버릇이 있는).

GIGO [gáigou, gí:-] 【컴퓨터】 기고《믿을 수 없는 데이터의 결과는 믿을 수 없다는 원칙》. [◂ *g*arbage *i*n, *g*arbage *o*ut]

gig·o·lo [dʒígəlòu, ʒíg-] (*pl.* **~s**) *n.* Ⓒ (창녀 등의) 기둥서방, 난봉꾼, 색마; (돈많은 여성에게 고용되는) 남자 직업 댄서; (연상 여인의) 젊은 정부〔애인〕.

Gí·la (mónster) [hí:lə(-)] 【동물】 아메리카독도마뱀《미국 남서부의 사막 지방산(産)》.

Gil·bert [gílbərt] *n.* 길버트. **1** 남자 이름. **2** Sir **William Schwenck** ~ 영국의 희극 작가·시인(1836-1911).

gild**[1] [gild] (*p., pp.* **~·ed** [gíldid], ***gilt) *vt.* **1** …에 **금〔금박〕을 입히다**, …을 금도금하다; 금빛으로 칠하다: The setting sun *~ed* the sky. 석양이 하늘을 황금빛으로 빛냈다. **2** 《~+목/+목+전+명》 보기좋게 꾸미다, 겉치레하다, 치장하다《*with* …으로》: The dusk was *~ed with* fireflies. 황혼녘에 개똥벌레들이 아름답게 빛을 발하고 있었다.

~ the lily 〔refined gold〕 《비유적》 지나친 장식으로 본래의 미를 손상시키다; 과장되게 칭찬하다.

gild[2] ⇨GUILD.

gíld·ed [-id] *a.* 금박을 입힌, 금도금한; 금빛나는; 부자의; 부유한: ~ cage 호화롭지만 답답한 환경 / ~ vices 부호의 도락(道樂) / a ~ youth 돈 많은 젊은 신사, 귀공자.

Gílded Áge (the ~) 미국에서 경제 확장과 금권 정치가 횡행하던 1870-98년의 시대《Mark Twain의 풍자 소설 제목》.

gíld·ing *n.* Ⓤ **1** 도금(술), 금박 입히기: chemical 〔electric〕 ~ 전기 도금. **2** 도금 재료, 금박, 금가루《따위》. **3** 겉치레, 허식.

gill[1] [gil] *n.* Ⓒ (보통 *pl.*) **1** (물고기의) 아가미. **2** 턱과 귀 밑의 군살《★ 보통 다음 관용구로 씀》. ***green 〔blue, fishy, pale, white, yellow〕 about 〔around〕 the ~s*** (병·공포 따위로) 안색〔혈색〕이 나쁜. ***to the ~s*** 한껏; 몹시, 매우: The bus was packed *to the ~s*. 그 버스는 대만원이었다.

gill[2] [dʒil] *n.* Ⓒ 질《액량의 단위; =1/4pint; 《美》 0.118*l*, 《英》 0.142*l*》.

gill[3], **jill** [dʒil] *n.* (또는 G-, J-) Ⓒ 처녀, 소녀; 애인 (sweetheart). cf. Jack. ¶Jack and *Gill* 젊은 남녀 / Every Jack has his *Gill*. 《속담》 짚은 남자에게는 누구나 애인이 있다, 헌 짚신도 짝이 있다.

gil·lie, gil·ly, ghil·lie [gíli] *n.* Ⓒ 《Sc.》 (스코틀랜드 고지(高地)에서 사냥꾼·낚시꾼을 안내하는) 안내인.

gíll nèt [gíl-] 자망(刺網)《물 속에 수직으로 침》.

gil·ly·flow·er [dʒíliflàuər] *n.* Ⓒ 【식물】 스톡(stock), 비단향꽃무.

gilt**[1] [gilt] GILD[1]의 과거·과거분사. **—a.* =GILDED. **—***n.* Ⓤ 금박, 금가루, 금니(金泥). ***take the ~ off the gingerbread*** 《英구어》 허식〔가면〕을 벗기다; 실망시키다.

gilt[2] *n.* Ⓒ (새끼를 낳은 일이 없는) 어린 암돼지.

gílt-èdge(d) *a.* (종이·책 따위가) 금테의; 일류의, 우량의《증권 따위》(cf. bluechip): ~ securities 〔stocks〕 우량 증권〔주식, 국채〕.

gim·crack [dʒímkræ̀k] *a.* Ⓐ 굴퉁이의, 허울만 좋은. **—***n.* Ⓒ 겉만 번지르르한 물건, 굴퉁이.

gim·crack·ery [dʒímkræ̀kəri] *n.* Ⓤ 〖집합적〗 겉만 번지르르한 물건.

gim·let[1] [gímlit] *n.* Ⓒ, *vt.* 도래송곳(으로 구멍을 뚫다).

gim·let[2] *n.* Ⓤ (낱개는 Ⓒ) 김렛《진과 라임(lime) 과즙의 칵테일》.

gímlet-èyed *a.* 눈이 날카로운.

gim·me [gími] 〖발음철자〗 《비표준》 give me: *Gimme* some bread. 빵 좀 다오. **—***n.* (the ~s 〔gimmies〕) 《속어》 탐욕, 물욕.

gim·mick [gímik] *n.* Ⓒ 《구어》 (요술쟁이·눈속임 도구 등의) 비밀 장치, 트릭(trick); (광고 따위에서 사람의 눈을 끌기 위한) 장치, 고안; 새 고안물. ㊞ **gím·micky** 《구어》 *a.* 속임수가 있는; 겉만 번드르르한.

gim·mick·ry [gímikri] *n.* Ⓤ 《구어》 **1** 〖집합적〗 갖가지 눈속임〔눈을 끌기 위한〕 장치. **2** 장치의 사용.

gimp 《속어》 *n.* Ⓒ 절름발이. **—***vi.* 절뚝거리다.

°**gin**[1] [dʒin] *n.* Ⓤ (낱개는 Ⓒ) 진《두송실(杜松實)(juniper berries)로 향기를 들인 증류주》.

gin[2] *n.* Ⓒ 기계 장치, 《특히》 (수렵용) 덫; (솜 타는) 씨아(cotton ~). **—** (*-nn-*) *vt.* 씨아로 목화씨를 빼다, 조면(繰綿)하다; 덫으로 잡다.

gín fizz [dʒín-] 진 피즈《진에 레몬·탄산수를 탄 음료》.

***gin·ger** [dʒíndʒər] *n.* Ⓤ **1** 【식물】 **생강**; 그 뿌

리《약용 · 조미료 · 과자에 쓰이는》. **2** 《구어》 정력, 원기, 기력: Put some ~ into your work. 좀 더 힘내 일해라. **3** 황〔적〕갈색; 《英》 (머리털의) 적색. **—***a*. 생강맛이 나는; 생강빛의; (머리가) 붉은. **—***vt*. 《~+[목]/+[목]+[부]》 생강 맛을 내다; 기운을 돋우다, 격려하다(*up*): ~ *up* a fund-raising campaign 모금 운동을 활발히 하다.

gínger ále 진저 에일《생강맛을 곁들인 비(非)알코올성 탄산 청량음료의 일종》.

gínger bèer 진저 비어《진저 에일보다 생강 냄새가 더 강한 탄산성 음료》.

◇**gínger·brèad** *n*. **1** [U] (낱개는 [C]) 생강이 든 빵. **2** [U] (가구 · 건물 따위의) 야한 싸구려 장식.
take the gilt off the ~ ⇨GILT¹.

gínger gròup 〖집합적; 단 · 복수취급〗 《英》 조직 내의 소수 혁신파, 급진파.

◇**gín·ger·ly** *ad*. 극히 조심스레, 주의 깊게, 신중히. **—***a*. 매우 조심스러운, 신중한: in a ~ manner 매우 신중히.

gínger póp 《英구어》 =GINGER ALE.

gínger·snàp *n*. [C] (요리는 [U]) 생강이 든 쿠키.

gin·gery [dʒíndʒəri] *a*. 생강 같은; 매운, 얼얼한(pungent); 황갈색의; 《英》 (머리가) 붉은(red); (특히 말이) 혈기 왕성한.

ging·ham [gíŋəm] *n*. [U] 깅엄《줄무늬 또는 바둑판 무늬의 무명》.

gin·gi·li [dʒíndʒəli] *n*. [U] 참깨; 참기름.

gin·gi·vi·tis [dʒìndʒəváitis] *n*. [U] 〖의학〗 치은염(齒齦炎).

gink·go, ging·ko [gíŋkgou, dʒíŋkou] (*pl*. **~s, ~es**) *n*. [C] 〖식물〗 은행나무.

gínkgo nùt 은행.

gín mìll [dʒín-] 《美속어》 (싸구려) 술집.

gi·nor·mous [ginɔ́ːrməs, dʒi-] *a*. 《英속어》 턱없이 큰.

gin·seng [dʒínseŋ] *n*. **1** [C] 〖식물〗 인삼; 그 뿌리. **2** [U] 인삼으로 만든 약.

Gio·con·da [dʒoukándə/-kɔ́n-] *n*. 《It.》 ***La ~*** 모나리자(Mona Lisa)의 초상화.

Giot·to [dʒátou/dʒɔ́-] *n*. **~ di Bondone** 조토《이탈리아의 화가 · 건축가; 1266?-1337》.

gíp·py túmmy [dʒípi-] 《英구어》 열대지방 여행자가 걸리는 설사.

*****Gipsy*** ⇨GYPSY.

gi·raffe [dʒəræ̃f, -ráːf] (*pl*. **~s,** ~) *n*. [C] 〖동물〗 기린, 지라프; (the G-) 〖천문〗 기린자리.

gir·an·dole [dʒírəndòul] *n*. 《F.》 [C] 가지 달린 장식 촛대; 회전 꽃불; 회전 분수; 큰 보석 주위에 작은 보석을 박은 펜던트 · 귀걸이(따위).

◇**gird** [gəːrd] (*p*., *pp*. **~·ed** [gə́ːrdid], ***girt*** [gəːrt]) *vt*. **1 a** 졸라매다, 매다, 띠다(***with*** (허리띠 따위)로, ***round, around*** (허리 따위)에)): ~ the waist *with* a sash =~ a sash *round* 〔*around*〕 the waist 장식띠로 허리를 졸라매다. **b** 〖~ oneself〗 몸〔허리〕에 매다, 띠다(***with*** …을)): He ~*ed* him*self with* a rope. 그는 허리에 로프를 맸다. **2 a** 허리에 차다(***on*** (칼 따위)를)): ~ *on* a sword. **b** (의복 따위)를 허리띠로 매다 (*up*). **3** 〖~ oneself〗 차리다, 채비를 하다, 긴장하다(***for*** …에 대비하여 / ***to*** do)): ~ *oneself for* the trial 시련에 대처하다 / ~ *oneself to* attack the enemy 적을 공격할 준비를 하다. **4** (성 따위)를 둘러싸다, 에워싸다(***with*** …으로)): ~ a village 마을을 에워싸다 / ~ a castle *with* a moat 성에 해자를 두르다. ◇ girdle *n*. **~ (*up*) one's *loins*** ⇨LOIN.

gírd·er *n*. [C] 〖건축〗 도리; 대들보.

gírder brìdge 형교(桁橋).

◇**gir·dle** [gə́ːrdl] *n*. [C] **1** 띠, 허리띠. **2** 띠 모양으로 두르는 것: a ~ of trees around a pond 못을 둘러싼 나무숲 / within the ~ of the sea 바다에 둘러싸여. **3** 거들《코르셋의 일종; 고무가 든 짧은 것》. **—***vt*. …에 띠를 두르다, 띠 모양으로 에두르다(*about; in; round*); 둘러싸다, 포위하다(★ 종종 수동태로 쓰며, 전치사는 *with, by*)): a satellite *girdling* the moon 달 주위를 도는 위성 / a pond ~*d with* the grass 잔디로 둘러싸인 못 / The city *is* ~*d about with* gently rolling hills. 그 도시는 기복이 완만한 구릉에 둘러싸여 있다.

†**girl** [gəːrl] *n*. **1** [C] **계집아이**, 소녀. ↔ *boy*. ¶ a ~*s'* school 여학교. **2** [C] 《구어》 젊은 여자, 미혼 여성, 처녀. **3** (the ~s) (나이 · 기혼 · 미혼을 불문하고) 한 집안의 딸들〔여자들〕; 여자들; 서로 아는 여자들: gossipy old ~*s* 수다쟁이 할머니들. **4** [C] 여점원(sales ~); 여사무원(office ~); 여자 종업원, 여성 근로자; 하녀(maidservant). **5** [C] (보통 one's ~) 《구어》 (여자) 애인, 연인 (sweetheart, best ~), 약혼녀(fiancée). **6** [C] (종종 one's ~) 딸(daughter): This is my little ~. 이 애가 제 딸입니다.
—*a*. [A] 여자의, 소녀의: a ~ cousin 사촌자매 / a ~ student 여학생.

gírl Fríday (종종 G-) (일 잘하여 여러 일을 맡은) 여비서〔여사무원〕.

gírl·frìend *n*. [C] **1** 여자 친구〔애인〕. [cf] boyfriend. **2** (여자가 사귀는) 여자 친구.

Gírl Gúides (the ~) 《英》 소녀단《단원은 7.5-21세로 a girl guide라고 하며, Brownies (7.5-11세), Guides (11-16세), Rangers (16-19세)의 3부로 나뉘며 위로 Cadets라는 지도부가 있음》. [cf] Girl Scouts.

girl·hood [gə́ːrlhùd] *n*. [U] 소녀〔처녀〕임, 소녀〔처녀〕 시절; 〖집합적〗 소녀들. ↔ boyhood. ¶ in one's ~ (days) 소녀 시절에 / the nation's ~ 나라의 소녀들.

girl·ie, girly [gə́ːrli] *n*. 《속어》 [C] 《경멸적》 소녀, 아가씨. **—***a*. [A] 젊은 여성의 누드를 특색으로 하(여 인기를 끄)는《잡지 · 쇼》; 여성이 서비스하는《바》: a ~ magazine 누드 잡지.

◇**girl·ish** [gə́ːrliʃ] *a*. 소녀의, 소녀다운; 순진한; (사내아이가) 계집애 같은; 소녀를 위한. [파] **~·ly** *ad*. **~·ness** *n*.

Gírl Scòuts (the ~) 《美》 걸스카우트《단원은 7-17세로 a girl scout라 하며, Brownie Scouts (7-9세), Intermediate Girl Scouts (10-13세), Senior Girl Scouts (14-17세)의 3부로 나뉨》. [cf] Girl Guides.

Gi·ro, gi·ro [dʒáirou, ʒíə-] *n*. [U] (유럽의) 지로제(制), 은행〔우편〕 대체(對替) 제도.

◇**girt** [gəːrt] GIRD의 과거 · 과거분사.

girth [gəːrθ] *n*. **1** [C] (짐이나 안장을 묶는) 끈, 띠, 허리띠, (말 따위의) 배띠. **2** [U] (구체적으로는 [C]) 몸통 둘레(의 치수); (원기둥 모양의 물건의) 둘레의 치수: a man of large ~ 허리가 굵은 사람 / The trunk is 10 yards in ~. 그 나무 줄기는 둘레가 10야드이다.

gis·mo [gízmou] *n*. =GIZMO.

gist [dʒist] *n*. (the ~) (논문 · 일 따위의) 요점, 요지, 골자: Tell me the ~ *of* what the chairman said. 의장이 한 말의 요점을 말해 주시오.

git [git] *n*. [C] 《英속어》 쓸모없는 놈, 바보 자식.

gite [ʒiːt] *n.* Ⓒ (프랑스의) 임대 별장.

†**give** [giv] (**gave** [geiv]; **giv·en** [gívən]) *vt.* **1** 《~+목/+목+목/+목+전+명》 **주다**, 거저 주다, 드리다, 증여하다: He *gave* me a book. =He *gave* a book *to* me. 그는 나에게 책을 주었다/I *gave* it (*to*) her. 그것을 그녀에게 주었다. ★ it 따위의 직접 목적어로서의 인칭대명사 뒤에서 to를 생략함은 《英》에서 많음. 이하는 수동태: He 〔The boy〕 *was given* a book. A book *was given* (*to*) him. A book *was given* (*to*) the boy.

SYN. **give** '주다'의 가장 보편적인 말. **bestow** 대범한 기분과 태도로 남에게 무상으로 주는 경우의 말. **confer** 명예가 되는 것을 주다. 주는 쪽의 우월은 표시되어 있지 않은 정중한 말: *confer* an honorary degree 명예 학위를 수여하다. **grant** 청한 것에 대하여 (정식으로) 주다: *grant* a license 면허를 교부하다. **present** 의식 따위를 행하여 정식으로 주는 경우에 씀: *present* a retiring person *with* a watch 퇴직자에게 시계를 선사하다. **offer** '자진해서 주다'의 뜻. 흔히 손아랫사람이 손윗사람에게 주는 것: *offer* help 도와주겠다고 나서다. **provide, supply** 없으면 곤란한 것, 불편한 것을 주다: *provide* a car for 〔to〕 a friend 친구에게 차를 마련해 주다.

2 《~+목/+목+목/+목+전+명》 (지위 · 명예 · 신뢰 따위)를 주다, 수여〔부여〕하다; (축복 · 장려 · 인사 따위)를 주다, 하다, 보내다: ~ a title 직함을 주다/He was *given* an important post. 그에게 중요한 지위가 부여됐다/God, ~ me patience! 하느님 저에게 인내력을 주소서/*Give* my love *to* Mr. Brown. 브라운씨에게 안부를 전해 주오.

3 《+목+목》 (시간 · 기회 · 유예 · 허가 따위)를 주다: *Give* me a chance once more. 다시 한 번만 기회를 주십시오/They *gave* me a week to make up my mind. 그들은 나에게 1주일 동안 생각할 여유를 주었다.

4 《~+목/+목+목》 (이익 · 손해 · 고통 · 벌 따위)를 주다, 가하다: ~ hard blows 몹시 때리다/~ a person a lot of trouble 아무에게 많은 고통을 주다/She *gave* the door a hard kick. 그녀는 문을 힘껏 걷어찼다.

5 《~+목/+목+목》 (슬픔 · 걱정 · 인상 · 감상 · 기쁨 · 희망 따위)를 주다, 느끼게 하다, 일으키다: Try to ~ her a good impression. 그녀에게 좋은 인상을 주도록 힘써라/It ~*s* me great pleasure to meet you again. 다시 만나뵈어 참으로 기쁩니다.

6 《+목+목/+목+전+명》 (성질 · 형태 · 형식)을 부여하다《*to* …에》: The furniture *gave* the room a modern look. 그 가구 때문에 방이 현대적인 느낌이 났다/Theory ~*s* shape *to* ideas. 이론에 의해서 착상이 체계화된다〔형태를 갖추게 된다〕.

7 《~+목/+목+목/+목+전+명/+목+목+보》 건네다, 넘겨주다, 인도하다; (음식물)을 내다; (약 · 치료 등)을 (해)주다: The enemy *gave* ground. 적은 물러갔다/Please ~ me the salt. 소금 좀 집어 주시오/*Give* this book *to* your brother from me. 이 책을 내가 주더라고 네 형에게 전해 주어라/She *gave* us our coffee black. 그녀는 우리에게 블랙커피를 주었다.

8 《+목+목/+목+전+명》 (손)을 내밀다; 제공하다; 위탁하다, 맡기다《*into* …의 관리에》; 〖~ oneself〗 (여자가) 몸을 허락하다: *Give* me your hand. 자 악수합시다/~ a thing *into* the hands of 물건을 …의 손에 맡기다/She *gave* her*self* *to* him. 그녀는 그에게 몸을 허락하였다.

9 《~+목/+목+전+명》 주다, 팔다; 내다, 지불하다《*to* …에게; *for* …의 보상으로/*to* do》: What 〔How much〕 will you ~ *for* my old car? 내 중고차를 얼마에 사겠소/I *gave* it *to* him *for* $5. 그것을 그에게 5달러에 팔았다/I would ~ anything 〔the world〕 *to* have my health restored. 건강을 회복하기 위해서라면 무엇이든지 하겠다.

10 《+목+목/+목+전+명》 (병)을 옮기다《*to* …에게》: Keep off that I might not ~ you my cold. 내 감기가 옮지 않도록 가까이 오지 마시오.

11 (증거 · 예증 · 이유 등)을 **보이다**, 들다, 지적하다, 제시하다; 제출하다: The author ~*s* an instance of the tragedies induced by war. 저자는 전쟁이 가져온 비극 중의 한 예를 들고 있다.

12 a 《+목+목/+목+전+명》 (장소 · 과제 · 역 따위)를 할당하다: ~ an actress a good role =~ a good role *to* an actress 여배우에게 좋은 역을 주다/~ homework *to* a class 학급에 숙제를 내다. **b** 《+목+목》 (시일)을 지시하다, 지정하다: They *gave* us the date of interview. 그들은 회견 날짜를 지정해 왔다.

13 (온도 · 기압 · 무게 따위)를 보이다, 가리키다: The thermometer ~*s* 75°. 온도계는 75°를 나타내고 있다.

14 《~+목/+목+목》 (겉으로) 보이다, 나타내다, …의 징후이다: High temperature ~*s* a sign of illness. 열이 높은 건 병의 징후이다/Don't ~ me a wry face. 찡그린 얼굴일랑 보이지 말게.

15 a 《~+목/+목+목》 (판결 · 선고 따위)를 내리다, 언도하다; (어떤 기간)의 형에 처하다: The judgment was *given* for 〔against〕 us. 우리에게 유리한〔불리한〕 판결이 내려졌다/The judge *gave* him two years (in prison). 재판관은 그를 (징역) 2년형에 처했다. **b** 《+목+보》 《英》 (크리켓 따위에서 심판이) 선고하다: The umpire *gave* him out. 심판은 그에게 아웃을 선언했다.

16 (인쇄물이) 수록하고 있다: The dictionary doesn't ~ this word. 사전에는 이 말이 수록돼 있지 않다.

17 《~+목/+목+목/+목+전+명》 (의견 · 이유 · 회답 · 조언 · 지식 · 정보 따위)를 **말하다**, 전하다, 표명하다《*to* …에게》: ~ advice 조언하다/He *gave* us a brief account of the event. 그는 그 사건의 경위를 간단히 설명해 주었다/Please ~ me the reason why you did not come. 못 온 이유를 말하시오/*Give* my regards *to* your mother. 네 어머니께 안부 전해라.

18 a 《+목+목/+목+전+명》 (노력 · 주의 · 편의 · 원조 따위)를 놀리다, 쏟나, 바치다(devote)《*to* …에》; 제공하다: She *gave* it her special attention. 그녀는 그것에 특히 주의했다/~ all the glory *to* God 모든 영광을 신에게 돌리다/*Give* your mind *to* your trade. 자기 직업에 전념하시오/He *gave* his life *to* charities. 그는 일생을 자선 사업에 바쳤다. **b** 《+목+전+명》 〖~ oneself〗 몰두하다《*to* …에》: He *gave* him*self* *to* his work. 그는 자기 일에 몰두했다.

19 《~+목/+목+목》 〖동작을 나타냄, 주로 단음절의 명사를 목적어로 하여〗 …**하다**: ~ a push 누르다/~ a kick at the dog 개를 차다/She *gave* a cry seeing the rat. 그녀는 쥐를 보고 비명을 질렀다 / *Give* it a tug 〔pull〕, and it will open. 힘껏 당기면 열린다 / *Give* me a lift in your car. 차에 태워 주시오.

20 《~+목/+목+전+명/+목+목》 **a** (여흥 따위)를 제공하다; (파티 · 모임)을 열다, 개최하다《***for*** …을 위하여》: They *gave* a show in aid of charity. 그들은 자선쇼를 열었다 / She *gave* a dinner *for* twenty guests. 그녀는 손님 20 명을 초대하여 만찬회를 열었다 / We *gave* him a farewell banquet. 우리들은 그의 송별회를 열었다. SYN. ⇨HOLD. **b** (극 따위)를 상연하다, (강의 따위)를 하다, 낭독〔암송〕하다, 노래하다《***for*** …을 위하여》: ~ a play 극을 상연하다 / *Give* us a song. 한 곡 불러주세요 / He *gave* a lecture on the international situation. 그는 국제 정세에 관하여 강연을 했다.

21 《+목+목》 (사회자가) 소개하다: Ladies and gentlemen, I ~ you the Governor of New York. 여러분, 뉴욕 주지사를 소개합니다.

22 《~+목/+목+목》 **a** (동식물 등이) 공급하다, 산출하다, 나(오)다; (결과 따위)를 내다(produce, supply): ~ good results 좋은 결과를 낳다〔내다〕 / Land ~*s* crops. 대지는 농작물을 산출한다 / Cows ~ us milk. 소에서 우유를 얻는다 / Five into ten ~*s* two. 10 나누기 5는 2. **b** (아이)를 낳다, 갖다: She *gave* him two sons. 그녀는 그와의 사이에 두 아들을 낳았다.

23 (빛 · 소리 · 목소리)를 발하다, 내다: The floor ~*s* creaks when you walk on it. 그 마루는 걸을 때 삐걱거린다 / The sun ~*s* light and warmth. 태양은 빛과 열을 발한다.

24 《+목+목》 …을 인정하다: He's a good worker, I ~ you that, but…. 그는 훌륭한 일꾼이지, 그 점은 인정한다, 그러나 … / These facts *being given*, the argument makes sense. 이 사실들을 인정하면 그 의론은 납득이 간다.

25 《+목+목》〖give me의 형식으로〗〖전화〗 …에 연결하다: ⇨*Give me* the police, please. 경찰에 연결해 주세요.

26 《+목+목》 (축배할 때) …을 위한 건배를 제안하다: Now I ~ you United Nations. 자 유엔을 위해 축배를 들고자 합니다만.

27 《+목+*to* do》〖종종 수동태〗 …에게 …하게 하다: He *gave* me *to* believe that he would help us. 그의 말에서 우리를 도와주리라는 것을 알았다 / I'*m given to* understand that…. 나는 …라고 듣고〔알고〕 있다.

28 《+목+전+명》〖보통 목적어로 a damn 〔hang〕 따위를 취하며, 부정문으로〗 가치를 인정하다, 관심을 갖다《***for, about*** …에 관하여》: I don't ~ *a damn* 〔*hang*〕 (*for*) what you think. 네 생각에는 전혀 관심이 없다《★ 전치사는 종종 생략함》.

— *vi.* **1** 《~/+전+명》 주다, 베풀다; 기부를 하다《***to*** …에》: ~ *to* the Red Cross 적십자에 기부를 하다 / He ~*s* generously (*to* charity). 그는 아낌없이 (자선에) 돈을 내놓는다.

2 (힘을 받아) 우그러〔찌그러〕지다; 휘다, 굽다; 무너〔허물어〕지다; 탄력이 있다: The branch *gave* but did not break. 가지는 휘었으나 꺾어지지는 않았다 / The floor *gave* under the weight of the piano. 마룻바닥이 피아노 무게로 휘었다 / This mattress ~*s* too much. 이 매트는 너무 탄력이 있다.

3 a (추위 따위가) 누그러지다; (얼음 · 서리 따위가) 녹다; (색이) 바래다: Ice is beginning to ~. 얼음이 녹기 시작한다. **b** (용기 따위가) 꺾이다.

4 《+전+명》 (창이) 향하다, 면하다《***on, upon, onto*** …으로》; (복도가) 통하다《***into, onto*** …으로》: The window ~*s on* the street. 창이 가로에 면(面)해 있다.

5 〖명령형〗《구어》 (비밀을) 털어놓다, 말하게 하다: Okay now, ~! What happened? 자 말해 봐, 무슨 일이 있었나.

6 순응하다, 양보하다.

~ *and take* 서로 양보하다, 공평하게 주고받다; 의견을 교환하다. cf. give-and-take. **~ *as good as* one *gets*** 교묘히 응수하다, 지지 않고 되쏘아붙이다. **~ *away*** 《*vt.*+부》 ① 남에게 주다, 기부하다: He has *given away* all his money. 그는 돈을 전부 주어버렸다. ② (기회)를 놓치다: You've *given away* a good chance of success. 자네는 성공의 기회를 눈앞에서 놓쳐 버렸네. ③ (고의 또는 우연히) 폭로하다, 누설하다, …에게 정체를 드러내게 하다: ~ oneself *away* 정체를〔마각을〕 드러내다 / Don't ~ *away* my secret. 내 비밀을 폭로치 말게. ④ 나누어주다: The mayor came to the ceremony and *gave away* the prizes. 시장은 식전에 나와 상을 나누어 주었다. ⑤ (결혼식에서 신부)를 신랑에게 인도하다: Mary was *given away* by her father. 메리는 아버지에 의해 (신랑에게) 인도되었다. ⑥ 배신하다; 밀고하다《***to*** …에게》. **—**《*vi.*+부》 ⑦ (다리 따위가) 무너지다. **~ *back*** 《*vt.*+부》 돌려주다, 되돌리다《***to*** (주인)에게》; …에게 (자유 · 능력)을 회복시키다; 되갚음하다, 말대답하다, 응수하다《insult *for* insult》; (소리 · 빛)을 반향〔반사〕하다: *Give* her *back* the book. = Give the book *back to* her. 그 책을 그녀에게 돌려주어라 / The hill *gave back* echoes. 산은 메아리쳤다 / He *gave back* my reproaches. 그는 나의 비난에 항변했다. **~ *forth*** ① (소리 · 냄새 따위)를 발하다, 내다: The fields ~ *forth* an odor of spring. 들판은 봄의 냄새를 풍긴다. ② (작품 따위)를 발표하다. ③ (소문 따위)를 퍼뜨리다. **~ *in*** 《*vt.*+부》 ① (보고서 따위)를 제출하다, 건네다《***to*** …에》: Names of competitors must be *given in* by tomorrow. 내일까지 경기자 명단을 제출할 것 / Now boys, ~ *in* your examination papers *to* me. 자 학생들, 답안지를 내도록 해요. ② (후보자 따위로서 이름)을 신고하다《***to*** …에》. **—**《*vi.*+부》 ③ 굴복하다; 항복하다; 싸움을〔논의를〕 그만두다; 덤으로 첨부하다: The strikers *gave in*. 파업자들은 꺾여 굴복했다. ④ 따르다, 지다《***to*** (사람 · 희망 · 감정 등)에》: ~ *in to* passion 정열에 몸을 맡기다 / He has *given in to* my views. 그는 내 의견에 따랐다. **~ *it*** (***to***) a person (***hot***) 《구어》 아무를 (호되게) 꾸짖다, 때리다, 벌주다: I'll ~ *it to* him. 그를 혼내 주겠다. ***Give me…*** ① 내게는 차라리 …을 다오(I prefer): *Give me* the good old times. 그리운 옛날이여 다시 또 한 번 / As for me, ~ *me* liberty or ~ *me* death. 나에게는 자유를 달라, 아니면 죽음을 택하겠노라. ② 〖전화〗 …에 연결하다 (⇨*vt.* 25). **~ *of*** …을 아낌없이 주다: ~ *of* one's best 최선을 다하다. **~ *off*** 《*vt.*+부》 (냄새 · 빛 따위)를 내다, 방출하다; (가지)를 내다: Cheap oil ~*s off* bad odor. 싼 기름은 악취를 발한다. **~ *of* one*self*** 자신을 헌신적으로 바치다. **~ *on*** ⇨*vi.* 5. **~ *or take*** 《구어》 (약간의 넘고 처짐은) 있다고 치고: He's 60 years old, ~ *or take* a year. 그는 60세에서 한 살 더하거나 덜할 정도이

다. ~ ***out*** 《*vt*.+副》 ① 배포하다, 할당하다《***to*** …에》: The teacher *gave out* the examination papers. 선생은 시험지를 나누어 주었다. ② 공표〔공개〕하다, 발표하다: The secret was *given out* after his death. 그의 사후 그 비밀은 공개되었다/He was *given out* to be 〔as, for〕 dead. =It was *given out* that he was dead. 그는 죽었다고 발표되었다. ③ (소리·빛 따위)를 발하다, 내다: This oil stove ~s *out* a good heat. 이 석유 난로는 따뜻하다. ④ 〖크리켓·야구〗 (타자)를 아웃이라고 판정하다. ―《*vi*.+副》 ⑤ (공급·힘이) 다하다, 부족하다, (엔진 따위가) 작동을 멈추다; (사람이) 지쳐버리다: The fuel *gave out*. 연료가 다 떨어졌다/The engine has *given out*. 엔진이 멈춰버렸다. ⑥ 《美구어》 기분을 나타내다《***with*** (소리·웃음 따위)로》: ~ *out with* a scream 새된 소리를 지르다. ~ ***over*** 《*vt*.+副》 ① 넘겨주다, 양도(讓渡)하다, 맡기다 《***to*** …에》; (범인 따위)를 넘기다《***to*** (경찰 따위)에》: They *gave over* the criminal *to* law. 그들은 범죄자를 법의 손에 넘겼다/*Give* it *over to* me. 그것을 나에게 넘기〔맡기〕시오. ② (장소·시간 따위)를 할당〔충당〕하다《***to*** (어떤 용도)에》: The whole area is *given over to* factories. 그 지역 전체가 공장 용지로 되어 있다. ③ (생애 따위)를 바치다《***to*** …에》. ④ 〖~ oneself over 로〗 빠지다, 몰두하다《***to*** (음주 따위)에》: ~ one*self over to* drink 음주에 빠지다. ⑤ (습관 따위)를 버리다, 끊다; 《英구어》 그만두다: ~ *over* an attempt 〔a habit, a mode of life〕 기도(企圖)를〔습관을, 생활 양식을〕 포기하다. ―《*vi*.+副》 ⑥ 《英구어》 〖종종 명령형〗 그만두다, 조용히 하다: Do ~ *over!* 그만해. ~ a person ***something to cry for*** 〔***about***〕 (대단한 일도 아닌데) 아무를 혼내주다. ~ ***the world for*** …을 위해 어떠한 것도 희생하다, …이 탐나 못 견디다. ~ ***up*** 《*vt*.+副》 ① (환자 등)을 단념〔포기〕하다《***as, for*** …으로》; (연인·친구)와 손을〔관계를〕 끊다: They *gave* her *up for* 〔*as*〕 dead. 그들은 그녀를 죽은 것으로 포기했다/He hated to ~ *up* his friends. 그는 친구들과 교제를 끊기 싫었다. ② (신앙·희망 따위)를 버리다, (술·놀이 따위)를 그만두다, 끊다, (직업 따위)를 그만두다; (시도(試圖))를 포기하다《do*ing*》: Don't ~ *up* hope. 희망을 버리지 마라/The enemy *gave up* the fort. 적은 요새를 포기했다/He *gave up* (try*ing* to solve) the problem. 그는 그 문제를 (풀어보려다) 포기했다. ③ (자리 등)을 양보하다, (영토 등)을 내주다, (죄인 따위)를 넘겨주다《***to*** …에》: ~ *up* one's seat *to* an old man 노인에게 자리를 양보하다/We *gave* the thief *up to* the police. 우리는 도둑을 경찰에 넘겨주었다. ④ 〖~ oneself up 으로〗 전심〔몰두〕하다《***to*** …에》; 몸을 맡기다 《***to*** (감정 따위)에》: He *gave* him*self up to* melancholy. 그는 우수에 잠겼다. ⑤ (생애)를 바치다; (시간 따위)를 배당하다《***to*** …에》. ⑥ (비밀 등)을 밝히다; (공범자의 이름)을 자백하다《***to*** …에》; 〖~ oneself up 으로〗 (경찰에) 자수하다. ⑦ 〖야구〗 (투수가 히트·주자 등)을 허용하다: ~ *up* two walks (사구로) 타자 두 명을 출루시키다. ―《*vi*.+副》 ⑧ 그만두다, 포기하다, 단념하다: I ~ *up*. What's the answer? 모르겠는데. 정답이 무엇이지. ~ ***up on …*** 《구어》 (글렀다고) …을 단념하다: I won't ~ *up on* (try*ing* to solve) the problem. 그 문제는 포기하지 않겠다. ~ ***way*** ⇨WAY[1]. ~ a person ***what for*** 아무를 책(責)하다〔벌하다〕.

DIAL. ***Don't give that.*** 그런 말도 안 되는 소리 마라, 바보 같은 소리 마라.
I'll give you that. 그 점은 틀림없이 그렇다.
What I wouldn't give for a car! 자동차가 있으면 얼마나 좋을까《차를 몹시 갖고 싶다》.
What gives? 어찌된 일이냐, 웬 일이냐.

―*n*. Ⓤ **1** (압력에 의한) 휨, 꺼짐; 유연성, 탄력성(elasticity). **2** (정신·성격 따위의) 탄력〔협조, 순응〕성: There is a lot of ~ in young people. 젊은이에게는 순응성이 많다.

gíve-and-táke [-ən-] *n*. Ⓤ 대등〔공평〕한 교환〔타협, 협조〕; 의견의 교환, 대화〔농담, 재치〕의 주고받음, 응수; 쌍방의 양보, 호양(互讓).

gíve·awày 《구어》 *n*. **1** (a ~) (비밀 등의) 누설, 폭로; 명백한 증거: His fingerprints were a dead ~. 그의 지문이 결정적인 증거였다. **2** Ⓒ 《美》 (손님을 끌기 위한) 서비스품, 경품; 무료 샘플(free sample); 〖방송〗 현상이 붙은 프로.
―*a*. Ⓐ 헐값의: at ~ prices 거저나 다름없는 값으로.

*g**iv·en** [gívən] GIVE 의 과거분사.
―*a*. **1 주어진**, 정해진, 소정(所定)의; 일정한: at a ~ rate 일정한 비율로/within a ~ period 일정한 기간 내에/at a ~ time and place 정해진〔약속된〕 시간과 장소에서. **2** 〖수학〗 주어진; 가설(假說)의, 기지(旣知)의. **3 경향을 띠는**《***to*** …의》; **탐닉하는, 빠지는**《***to*** …에》: I am not ~ that way. 나는 그런 경향〔취미, 버릇〕은 없다/He is ~ *to* read*ing*. 그는 독서를 좋아한다/He is ~ *to* music 〔ly*ing*〕. 음악을 좋아한다〔거짓말을 잘한다〕. **4** 〖전치사적 또는 접속사적〗 …이 주어지면, …라고 가정하면《★ 종종 that 절을 수반함》: *Given* time, it can be done. 시간만 있으면 될 수 있는 일이다/*Given* ((*that*) one is in) good health, one can achieve anything. 건강하다면 무엇이든 성취할 수 있다. **5** (몇 월 며칠) 작성〔발행〕된(dated)《공문서 따위를 말함》: *Given* under my hand and seal this lst of July. 금(今) 7월 1일 자필 서명 날인하여 작성함.
―*n*. Ⓒ 이미 알려진 것〔사실〕.

gíven náme 《美》 (성에 대한) 이름(Christian name). ㊀ name.

◇**gív·er** *n*. Ⓒ 주는 사람, 증여〔기증〕자.

Gi·za, Gi·zeh [gí:zə] *n*. 기자, 기제《이집트 Cairo 근교의 도시; 피라미드와 스핑크스로 유명함》.

giz·mo [gízmou] *n*. Ⓒ 《美구어》 장치(gadget, gimmick); 거시기, 뭐라던가 하는 것《이름을 잊거나 모를 때》.

giz·zard [gízərd] *n*. Ⓒ 모래주머니《특히 닭의》. ***stick in*** one***'s*** ~ 숨이 막히다; 마음에 차지〔들지〕 않다, 부아가 나다.

Gk., Gk Greek.

gla·brous [gléibrəs] *a*. 〖생물〗 털이 없는(hairless).

gla·cé [glæséi] *a*. 《F.》 반드럽고 윤이 나는《옷감·가죽 등》; 설탕을 입힌, 설탕을 바른《과자 따위》; 《美》 냉동의《과일 따위》.

gla·cial [gléiʃəl] *a*. **1** 얼음의〔같은〕; 빙하의; 빙하 시대의; 얼음〔빙하〕의 작용에 의한; 극한(極寒)의; 냉담한: a ~ wind 얼음처럼 찬 바람/a ~ look 〔manner〕 차가운 표정〔태도〕. **2** (빙하처럼) 느린, 지지부진한《진보 따위》: a ~ change 아주 느린 변화. ㊞ **~·ly** *ad*.

glácial èpoch 〔**pèriod**〕 (the ~) 〖지질〗 빙기(氷期)《지질학적으로는 홍적세(洪積世)에 해당함》; 〘일반적〙 빙하기(期).

gla·ci·ate [gléiʃièit, -si-] *vt.* 얼리다; 얼음으로〔빙하로〕 덮다; 〖지질〗 (골짜기)에 빙하 작용을 미치다: a *~d* valley 빙하 작용으로 생긴 계곡.

glà·ci·á·tion *n.* [U] 빙결; 빙하 작용.

*__gla·cier__ [gléiʃər, glǽsjər] *n.* [C] **빙하.**

gla·ci·ol·o·gy [glèiʃiálədʒi/glèisiɔ́l-] *n.* [U] 빙하학.

glad[1] [glæd] (*~·der; ~·dest*) *a.* **1** [P] **기쁜,** 반가운, 유쾌한(pleased)《*about, of, at* …을/*to* do/*that*》. ↔ *sorry.* ¶I was ~ *at* the news. 그 소식을 듣고 기뻤다/I am ~ *of* 〔*about*〕 that. 그거 잘됐군/I am very ~ *to* see you. 만나뵈서 반갑습니다, 잘 오셨습니다/I am ~ (*that*) you have come. 와 주셔서 기쁩니다.

2 [P] 기꺼이 (…하다)《*to* do》: I will be ~ *to* help you. 기꺼이 도와드리지요/I should be ~ *to* know why. 〘반어적〙 까닭을 듣고 싶군.

3 [A] (표정·목소리 따위가) 기뻐하는; (사건·소식 따위가) 기쁜, 좋은: ~ news 〔tidings〕 기쁜 소식/give a ~ shout 환성을 지르다/a ~ occasion 경사(慶事).

4 [A] (자연 따위가) 찬란한, 아름다운: a ~ autumn morning 맑고 상쾌한 가을 아침.

glad[2] *n.* [C] 《구어》 글라디올러스(gladiolus).

◇**glad·den** [glǽdn] *vt.* 기쁘게 하다.

glade [gleid] *n.* [C] 숲속의 빈터.

glád èye (the ~) 《구어》 추파: give a person the ~ 아무에게 다정한 눈길을 주다, 추파를 던지다.

glád hànd (the ~) 환영(의 손); 따뜻한 환영: give a person the ~ 아무를 대대적으로〔따뜻하게〕 환영하다.

glád-hánd *vt.* (아무)를 환영〔접대〕하다.

glad·i·a·tor [glǽdièitər] *n.* [C] (고대 로마의) 검투사; 논쟁자, (자기 편의) 논객(論客).

glad·i·o·lus [glæ̀dióuləs] (*pl.* ***-li*** [-lai], ~(***·es***)) *n.* [C] 〖식물〗 글라디올러스.

*__glad·ly__ [glǽdli] *ad.* **즐거이, 기꺼이:** I'll ~ go. 기꺼이 가겠습니다.

◇**glád·ness** *n.* [U] 기쁨, 즐거움.

glád ràgs 《구어》 나들이옷, 가장 좋은 옷(best clothes), 《특히》 야회복.

Glad·stone [glǽdstoun, -stən] *n.* **1 William Ewart ~** 글래드스턴《영국 자유당의 정치가, 수상; 1809-98》. **2** [C] (가운데서 양쪽으로 열게 된) 여행 가방(= **~ bàg**).

glam [glæm] 《구어》 *n.* =GLAMOUR. **—***a.* = GLAMOROUS.

glamor 《美》 ⇨GLAMOUR.

glam·or·ize, -our- [glǽməràiz] *vt.* **1** …에 매력을 더하다, …을 매혹적으로 만들다; 돋보이게 하다. **2** (사물)을 낭만적으로 다루다, 미화(美化)하다. [파] **glàm·or·i·zá·tion** *n.*

◇**glam·or·ous, -our-** [glǽmərəs] *a.* 매력에 찬, 매혹적인: a ~ blonde 매력적인 금발 여인/a ~ life 매력 있는 생활. [파] **~·ly** *ad.*

*__glam·our, -or__ [glǽmər] *n.* [U] (마음을 홀릴 정도의) (여성의 성적(性的)) **매력,** 매혹, 황홀하게 만드는 매력; (시 따위의) 신비적인 아름다움: an actress of great ~ 성적 매력이 넘치는 여배우/full of ~ 매력에 찬/the magic ~ of the moon 달의 요염한 아름다움.

*__glance__ [glæns, glɑːns] *n.* [C] **1 흘긋 봄, 일별,** 한번 봄, 일견(swift look)《*at, into, over* …을, …의》. [cf.] glimpse. ¶take a ~ *into* the mirror 거울을 흘긋 들여다보다/give 〔take, cast, shoot, throw〕 a ~ *at* …을 흘긋 보다/steal a ~ *at* …을 슬쩍 보다. **2** 섬광, 번득임; 반사광. **3** (탄알·칼·볼 따위의) 스침, 빗나감.

at a ~ =***at first ~*** 첫눈에, 일견하여, 잠깐 보아서: I recognized him *at a* ~. 첫 눈에 그임을 알았다.

—*vi.* **1** 《+[부]/+[전]+[명]》 **흘긋〔언뜻〕 보다,** 일별하다; 대강 훑어보다: ~ *about* 주위를 흘긋 보다/~ *up* 〔*down*〕 흘긋 쳐다보다〔내려다보다〕/~ *at* the morning headlines 조간의 표제를 훑어보다/He *~d over* 〔*through*〕 the papers. 그는 서류를 훑어보았다. **2** 《+[전]+[명]》 잠깐 언급하다《*at, over* …에》; (이야기가) 옆길로 새다《*off, from* …에서》: He only *~d at* the topic. 그는 그 화제에 잠시 언급했을 뿐이다/~ *off* 〔*from*〕 the subject 그 화제에서 벗어나다. **3** 빛나다, 번쩍이다, 빛을 반사하다: The moon *~d* brightly on the lake. 달이 호수면에 빛나고 있었다.

—*vt.* **1** 《[목]+[전]+[명]》 〘~ one's eye로〙 쭉 훑어보다; (눈 따위)를 흘긋 돌리다: He *~d* his *eye down* 〔*over, through*〕 the list of the books. 그는 그 책들의 일람표를 대강 훑어보았다. **2** (칼·탄알 따위가) …에 맞고 빗나가다, …을 스치다: The arrow *~d* his armor. 화살은 그의 갑옷을 스치고 지나갔다.

~ *off* 《*vi.*+[부]》 ① (칼·탄알 따위가) 빗맞고 지나가다, 스치다: The bullet *~d off.* 탄알이 스치고 지나갔다. **—**《*vt.*+[전]》 ② (칼·탄알 따위가) …을 빗맞고 지나가다, …을 스치다: The bullet *~d off* his helmet. 탄알이 그의 철모를 스치고 지나갔다. ③ (잔소리·비꼼 따위가) …에 통하지 않다: Reproaches ~ *off* him. 수차 나무랐으나 그에게는 소용이 없다. **~ *on*** 〔***upon***〕 스치며 빗나가다.

glánc·ing *a.* [A] (타격·탄환 따위가) 빗나가는; (언급 따위가) 넌지시 비추는, 간접적인. [파] **~·ly** *ad.* 부수적으로.

◇**gland** [glænd] *n.* [C] 〖해부〗 선(腺): a ductless 〔lymphatic〕 ~ 내분비〔임파〕선.

glan·du·lar, -lous [glǽndʒələr], [-ləs] *a.* 〖해부〗 선(腺)〔샘〕의; 선 모양의; 선이 있는: ~ extract 선 엑스.

glans [glænz] (*pl.* ***glan·des*** [glǽndìːz]) *n.* [C] 〖해부〗 (성기의) 귀두(龜頭): ~ clitoris 음핵(陰核) 귀두/~ penis 음경(陰莖) 귀두.

*__glare__[1] [glɛər] *n.* (*sing.*) **1** (보통 the ~) **번쩍이는 빛,** 눈부신 빛; 섬광: the ~ of the footlights 눈부신 각광. **2** (보통 the ~) **현란함,** 야함, 눈에 띔: in the full ~ of publicity 세상의 평판이 자자하여. **3 날카로운 눈매,** 노려봄, 눈초리: He looked at me with a ~. 그는 나를 노려보았다/a ~ of hatred 증오에 찬 눈초리.

—*vi.* **1** 《+[부]/+[전]+[명]》 **번쩍번쩍 빛나다,** 눈부시게 빛나다; 눈에 띄다: The sun *~d down on* them. 뙤약볕이 그들을 내리쬐었다. **2** 《+[전]+[명]》 노려보다《*at* …을》: The lion *~d at* its prey. 사자는 사냥감을 노려보았다.

—*vt.* 《~+[목]/+[목]+[전]+[명]》 (증오·반항 따위)를 눈에 나타내다: He *~d* hate *at* me. 그는 증오의 눈으로 나를 보았다/~ defiance *at* a person 아무를 반항적인 눈으로 노려보다.

glare[2] *n.* [C] (얼음 따위의) 반지르르 빛나는 표면.

glar·ing [glɛ́əriŋ] *a.* **1** 번쩍번쩍 빛나는, 눈부

신: bright ~ sunlight 번쩍번쩍 눈부시게 빛나는 햇빛. **2** 노려보는 듯한; 눈을 부라리는. **3** 지나치게 현란한; 눈에 띄는. **4** 틀림없는, 명백한, 빤한; 심한, 지독한(flagrant): a ~ error (아무나 알 수 있는) 역력한 실책/a ~ lie 새빨간 거짓말. ㊈ **~·ly** *ad.* **~·ness** *n.*

glary [glέəri] (***glar·i·er; -i·est***) *a.* 번쩍번쩍 빛나는, 눈부신.

Glas·gow [glǽsgou, -kou] *n.* 글래스고《스코틀랜드의 항구 도시》. ◇ Glaswegian *a.*

glas·nost [glɑ́:snəst] *n.* 《Russ.》 (=publicity) Ⓤ 글라스노스트, 정보 공개《Gorbachev 가 취한 개방 정책》.

†**glass** [glæs, glɑ:s] *n.* **1** Ⓤ **유리**; 유리 모양〔질〕의 물건; 판(板)유리: as clear as ~ 유리처럼 투명하여, 극히 분명하여/hardened 〔strengthened〕 ~ 강화 유리/five panes of ~ 창유리 5장. **2** Ⓤ 〘집합적〙 유리 제품(glassware). ⓒⓕ china. ¶table ~ 식탁용 유리 그릇.
3 Ⓒ **컵, 글라스**《★ glass는 보통 찬 음료를, cup은 뜨거운 음료를 넣음》; 한 컵의 양; (글라스 한 잔의) 술(drink): two cocktail *~es* 칵테일 잔 2개/two *~es* of cocktail 칵테일 두 잔/drink a ~ of water 물을 한 컵 마시다/have a ~ together 함께 한잔하다/enjoy one's 〔a〕 ~ now and then 가끔 한잔하다/raise a 〔one's〕 ~ 건배하다《***to*** …을 위하여》.
4 (*pl.*) **안경**(spectacles), 쌍안경(binoculars); 망원경(telescope), 현미경(microscope); 돋보기: Where are my *~es?* 내 안경이 어디 있나?/a pair of *~es* 안경 하나/a ship's *~es* 쌍안경.
5 Ⓒ 거울(looking ~): look in the ~ 거울을 들여다보다.
6 Ⓒ 모래시계; 온도계; (보통 the ~) 청우계(晴雨計)(weatherglass): The ~ is rising. 온도가 높아진다/The ~ is falling. 일기가 나빠지고 있다.
7 Ⓤ 온실: tomatoes grown under ~ 온실 재배의 토마토.
have had a ~ too much (과음하여) 취했다.
—*a.* Ⓐ 유리제의; 유리를 끼운, 유리로 덮은: a ~ bottle 유리병/a ~ door 유리문.
—*vt.* 《~+목/+목+부》 …에 유리를 끼우다; …을 유리로 덮다〔두르다〕 (*in*): ~ a window 창에 유리를 끼우다/~ *in* a veranda 베란다를 유리로 두르다.

gláss·blòwer *n.* Ⓒ 유리 부는 직공.

gláss·blòwing *n.* Ⓤ 유리를 불어서 만드는 제법.

gláss·clòth *n.* Ⓤ 유리 섬유 천; 유리그릇 행주.

gláss cùtter 유리 절단공; 유리칼.

gláss éye 유리제의 의안(義眼), 사기눈.

gláss fiber 글라스 파이버, 유리 섬유.

glass·ful [glǽsfùl, glɑ́:s-] *n.* Ⓒ 유리컵 한 잔의 분량: a ~ *of* water 한 잔의 물.

gláss·hòuse *n.* **1** Ⓒ 온실(greenhouse). **2** Ⓒ 유리 공장. **3** (the ~) 《속어》 군(軍) 형무소, 영창.

glass·ine [glæsí:n] *n.* Ⓤ 글라신《얇고 반투명인 종이; 포장·책 커버 등에 쓰임》.

gláss jáw (특히 권투 선수의) 약한 턱.

gláss·wàre *n.* Ⓤ 〘집합적〙 유리 제품; 《특히》 유리 그릇류.

gláss wóol 글라스 울, 유리솜.

gláss·wòrk *n.* Ⓤ **1** 유리 제조(업). **2** 〘집합적〙 유리 제품, 유리 세공. ㊈ **~·er** *n.* Ⓒ 유리 제조〔세공〕인.

gláss·wòrks *n. pl.* Ⓒ 유리 공장.

glassy [glǽsi, glɑ́:si] (***glass·i·er; -i·est***) *a.* 유리질의, 유리 모양의; (수면 따위가) 거울처럼 반반한; 생기 없는, 흐리멍덩한《눈 따위》: the moonlit ~ lake 달빛어린 잔잔한 호수/~ eyes. ㊈ **gláss·i·ly** [-ili] *ad.* **-i·ness** *n.*

Glas·we·gian [glæswí:dʒiən] *a., n.* Ⓒ Glasgow의 (사람).

glau·co·ma [glɔ:kóumə, glau-] *n.* Ⓤ 〘의학〙 녹내장(綠內障).

glau·cous [glɔ́:kəs] *a.* 연한 황록색의; (과일·잎 따위가) 흰 가루가 덮인.

◇**glaze** [gleiz] *vt.* **1** (창 따위)에 판유리를 끼우다; (건물)에 유리창을 달다: ~ a window 창에 유리를 끼우다/~ a porch in 현관을 유리로 두르다. **2** …에 유약(釉藥)을 바르다, …에 반수(礬水)를 입히다, …에 윤을 내다. **3** 〘요리〙 (겉에) 설탕 시럽 따위를 입히다. **4** 〘회화〙 …에 겉칠을 하다. —*vi.* 유리 모양이 되다; (눈이) 흐려지다, (표정이) 생기가 없어지다(*over*): His eyes *~d over* with boredom. 지루해서 그의 눈이 흐리멍덩해졌다.
—*n.* Ⓤ (종류는 Ⓒ) **1** 유약, 잿물; (종이 따위의) 광택제; (그림에 바르는) 겉칠 도료; 〘요리〙 음식에 입히는 투명질의 재료《특히, 설탕 시럽·젤라틴 따위》. **2** 반들반들한 표면, (표면의) 윤. **3** 《美》 박빙(薄氷): a ~ on a road 도로에 얇게 얼어붙은 얼음. **4** (눈에 생기는) 박막(薄膜).

glazed [gleizd] *a.* 유약을 바른, 겉칠을 한, 광을 낸; 유리를 낀; (눈이) 흐리멍덩한, 생기가 없는: ~ brick 오지 벽돌/~ paper 광택지/a double-~ window 이중유리를 낀 창.

gla·zier [gléiʒər/-zjər] *n.* Ⓒ 유리 장수; (도자기류의) 잿물 바르는 직공: Is your father a ~? 《우스개》 (자네 몸이 유리는 아닐 테고) 앞을 가리고 서면 안 보여.

glaz·ing [gléiziŋ] *n.* **1** Ⓤ 유리 끼우기; 유리 세공; 그 직업. **2** Ⓤ 〘집합적〙 유리창, 판유리. **3** Ⓤ 잿물 바르기; Ⓒ 잿물, 유약.

***gleam** [gli:m] *n.* Ⓒ **1 어렴풋한 빛,** (새벽 따위의) 미광(微光); 섬광(beam, flash): the ~ of dawn 새벽의 미광/the first ~(*s*) of the sun (솟는) 해의 첫 광선, 서광(曙光)/the ~ of a new car 새 차의 번쩍이는 빛. **2** (감정·희망·기지 등의) 번득임: a ~ *of* hope 한가닥 희망/a ~ *of* intelligence 지성의 번득임.
—*vi.* **1** 번쩍이다, 빛나다; 미광을 발하다; 잠깐 보이다〔나타나다〕: The light of a beacon *~ed* in the distance. 신호탑의 불빛이 멀리서 번쩍 빛났다. **2** 《~/+전+명》 (생각·희망 등이) 번득이다, 어렴풋이 나타나다《***in*** (눈)에》. ⓒⓕ glimmer, glint, glitter. ¶Amusement *~ed in* his eyes. 그의 눈에 유쾌한 표정이 떠올랐다.

◇**glean** [gli:n] *vt.* **1** (이삭)을 줍다. **2** (사실·정보 등)을 애써 조금씩 수집하다《***from*** …에서》: ~ information *from* various periodicals 갖가지 잡지에서 정보를 주워 모으다. —*vi.* 이삭줍기를 하다. ㊈ **∠·er** *n.* Ⓒ 이삭 줍는 사람; 수집가.

gléan·ing *n.* **1** Ⓤ (수확 후의) 이삭 줍기. **2** (*pl.*) (주워 모은) 이삭; 수집물; 단편적 집록(集錄), 낙수집(落穗集), 선집.

glebe [gli:b] *n.* Ⓒ 교회 부속지, 교회 영지(領地)(=∠ lànd).

◇**glee** [gli:] *n.* **1** Ⓤ 기쁨, 즐거움, 환희(joy); 환락, 명랑하게 왜자김: in high ~ =full of ~ 대단히 기뻐서, 매우 들떠서/dance with ~ 기뻐서 껑충껑충 뛰다. **2** Ⓒ 〘음악〙 무반주 합창곡《3 성

(聲) 이상의 주로 남성 합창곡》.

glée clùb 《美》 (남성(男聲)) 합창단.

glee·ful [glí:fəl] *a.* 매우 기뻐하는; 즐거운, 기분좋은. ㊕ **~·ly** *ad.* **~·ness** *n.*

glen [glen] *n.* Ⓒ (스코틀랜드 등의) 골짜기, 좁은 계곡, 협곡.

glen·gar·ry [glengǽri] *n.* Ⓒ (스코틀랜드 고지 사람의) 챙 없는 모자(= **∠ bònnet** 〔**càp**〕).

glib [glib] (**-bb-**) *a.* 지절거리는, 입심 좋은; 유창한; 그럴듯한: a ~ salesman 〔politician〕 입심 좋은 세일즈맨〔정치가〕/a ~ answer 그럴 듯한 대답. ㊕ **∠·ly** *ad.* 줄줄, 유창하게; 그럴싸하게. **∠·ness** *n.*

*__glide__ [glaid] *n.* Ⓒ **1 활주**, 미끄러지기; 〖항공〗 활공. **2** 〖음악〗 활창(滑唱), 활주(滑奏)(slur); 〖음성〗 경과음《한 음에서 딴 음으로 옮길 때 자연히 나는 이음소리》. **3** 미끄럼틀, 활주대, 진수대(slide).

— *vi.* **1** 《+전+명/+부》 **미끄러지(듯 나아가)다,** 활주하다; 〖항공〗 활공하다(volplane); 글라이더로 날다. SYN. ⇨SLIDE. ¶The swan *~d across* the lake. 백조는 호수를 미끄러지듯 헤엄쳐 갔다/He *~d out* (*of* the room). 그는 (방에서) 빠져나갔다. **2** 〖음악〗 음을 끊지 않고 잇다. **3** 《+부》 (시간 따위가) 흘러가다, 어느덧 지나가다 (*by, past, on, along*): The years *~d by*. 세월이 어느덧 지나갔다. **—** *vt.* 《+목+전+명》 미끄러지게 하다, (배)를 미끄러지듯 나아가게 하다; (비행기)를 활주〔활공〕시키다.

glíde pàth 〔**slòpe**〕 〖항공〗 《특히》 계기 비행 때 무선 신호에 의한 활강 진로.

*__glid·er__ [gláidər] *n.* Ⓒ 미끄러지(듯 움직이)는 사람〔물건〕; 〖항공〗 **글라이더,** 활공기; 《美》 (베란다 등에 그네처럼 매달은) 흔들의자.

glíd·ing *a.* 미끄러지는 (듯한); 활공〔활주〕의. **—** *n.* Ⓤ 글라이더로 날기.

◇**glim·mer** [glímər] *n.* Ⓒ **1** 희미한 빛, 가물거리는 빛: a ~ of light at the end of the tunnel 터널 끝에 보이는 희미한 빛. **2 a** 극히 조금, 기미: a ~ *of* hope 한 가닥의 희망/without a ~ *of* truth 진실성이 조금도 없는. **b** 어렴풋한 이해: I didn't have a ~ *of* what he meant. 그가 무엇을 말하려는지 전혀 몰랐다.

— *vi.* **1** 희미하게 빛나다; 깜빡이다, 명멸하다 (flicker): The candle *~ed* and went out. 촛불이 깜빡이다가 꺼졌다. **2** 어렴풋이 나타나다. cf. gleam.

glím·mer·ing [-riŋ] *n.* Ⓒ 희미한 빛, 미광; 극히 조금, 기미: A few *~s of* hope appeared. 희미하나마 희망이 좀 보였다. **—** *a.* 깜박깜박〔희미하게〕 빛나는. ㊕ **~·ly** *ad.*

*__glimpse__ [glimps] *n.* Ⓒ **1 흘끗 봄〔보임〕, 일별**: by *~s* 흘끗흘끗/catch 〔get, have〕 a ~ *of* …을 흘끗 보다. **2** 희미한 감지(感知): I had a ~ *of* his true intention. 그의 진의를 어렴풋이 알았다. **—** *vt.* 얼핏 보다, 흘끗 보다: I *~d* him in the crowd. 그를 군중 속에서 얼핏 보았다.

— *vi.* 《~/+전+명》 흘끗 보다, 얼핏 보다《***at*** …을》. cf. glance.

◇**glint** [glint] *vi.* 반짝이다, 빛나다; 번쩍번쩍 반사하다: The windows *~ed* in the sun. 창들이 햇빛을 받아 반짝였다. **—** *vt.* 반짝이게 하다, 빛나게 하다; 반사시키다: A mirror *~s* back light. 거울은 빛을 반사한다. **—** *n.* Ⓒ 반짝임, 번득임; 광택; 어렴풋이 나타남, 기미: He turned to me with a malicious ~ in his eye. 그는 악의에 찬 눈초리로 내쪽을 보았다.

glis·sade [glisá:d, -séid] *n.* 《F.》 Ⓒ 〖등산〗 글리사드, 제동 활강(制動滑降)《피켈로 균형을 잡으며 눈 쌓인 골짜기를 미끄러져 내려옴》; 글리사드《댄스에서 미끄러지듯 발을 옮기는 스텝》.

— *vi.* (등산에서) 글리사드로 내려가다; 글리사드로 춤추다.

glis·san·do [glisá:ndou/-sǽn-] (*pl.* **-di** [-di:]) *n.* Ⓒ 〖음악〗 글리산도, 활주(滑奏)법《손가락을 미끄러지듯 빨리 놀리는 연주법》; 활주부(部).

— *ad., a.* 글리산도로 (연주되는).

*__glis·ten__ [glísn] *vi.* 《~/+전+명》 **반짝이다**(sparkle), 빛나다《***in, on*** …에; ***with*** …으로》: The dewdrops are *~ing*. 이슬 방울이 반짝인다/Tears *~ed in* her eyes. =Her eyes *~ed with* tears. 그녀의 눈이 눈물로 빛났다. **—** *n.* Ⓒ 반짝임, 빛남, 섬광.

glitch [glitʃ] *n.* Ⓒ **1** (기계 · 계획 등의) 결함, 상태가 나쁨. **2** 〖컴퓨터〗 글리치《순간적으로 나타나는 잡음 펄스》. **3** 글리치《전자 회로 전압의 순간적인〔돌연한〕 급증(surge)》.

*__glit·ter__ [glítər] *n.* **1** (*sing.*; 보통 the ~) **반짝임,** 빛남, 빛: the ~ of diamonds 다이아몬드의 광채. **2** Ⓤ 화려〔찬란〕함. **3** Ⓤ 《집합적》 번쩍이는 작은 장식품《모조 다이아몬드 따위》. **—** *vi.* **1** 《~/+전+명》 **번쩍번쩍하다,** (보석 · 별 등이) 빛나다《***in, on*** …에; ***with*** …으로》: A myriad of stars *~ed in* the sky. =The sky *~ed with* a myriad of stars. 하늘에서 무수한 별이 빛났다/All is not gold that *~s*. =All that *~s* is not gold. 《속담》 번쩍이는 것이 다 금은 아니다. **2** 《+전+명》 (복장이) 야하다, 화려하다, 눈에 뜨이다《***with*** …으로》: a lady *~ing with* jewels 보석으로 화려하게 꾸민 귀부인.

glit·te·ra·ti [glìtərá:ti] *n. pl.* (보통 the ~) 사교계의 사람들(beautiful people).

glít·ter·ing *a.* Ⓐ 번쩍이는, 빛나는; 화려〔찬란〕한; 겉만 번지르르한: a ~ starry night 별이 빛나는 밤/A ~ future awaits him. 밝은 미래가 그를 기다리고 있다.

glit·tery [glítəri] *a.* =GLITTERING.

glitz [glits] *n.* Ⓤ 《속어》 화려함, 현란함.

glitzy [glítsi] *a.* 《속어》 화려한, 현란한 (showy), 번지르르한. ㊕ **glítz·i·ly** *ad.*

glóam·ing [glóumiŋ] *n.* (the ~) 《시어》 땅거미, 황혼, 박명(薄明) (dusk).

◇**gloat** [glout] *vi.* 흡족한〔기분 좋은, 고소한〕 듯이 바라보다《***on, over*** …을》: The old miser *~ed over* his gold. 그 늙은 수전노는 자기 금을 흡족한 듯이 바라보았다/He *~ed over* the misfortune of others. 그는 남의 불행을 보고 좋아했다. **—** *n.* (a ~) 만족해함, 고소해함.

㊕ **∠·ing·ly** *ad.* 만족한 듯이, 혼자 흡족해하며.

glob [glɑb/glɔb] *n.* Ⓒ (액체의) 작은 방울, (진흙 따위의) 덩어리.

glob·al [glóubəl] *a.* **1** 공 모양의, 구형(球形)의. **2** 지구의, 전세계의, 세계적인(worldwide); 전체적인, 포괄적인, 총체의(entire); 〖컴퓨터〗 전역의: a ~ flight 세계일주 비행/a ~ war 세계〔전면〕 전쟁/a ~ problem 세계적〔포괄적〕 문제/take a ~ view of …을 전체적〔포괄적〕으로 바라보다〔고찰하다〕. ㊕ **~·ly** *ad.*

glób·al·ìsm *n.* Ⓤ 세계적 관여주의〔정책〕; 세계적 규모화(化). ㊕ **-ist** *n.*

glób·al·ìze *vt.* 세계적으로 확대하다, 세계화하다. ㊕ **glòb·al·i·zá·tion** *n.* Ⓤ (금융 · 기업 등

의) 국제화, 세계적 규모화.

glóbal séarch 〖컴퓨터〗 전체〔전부〕 검색.

glóbal víllage (the ~) 지구촌《통신의 발달로 일체화한 세계》.

glóbal wárming 지구 온난화.

glo·bate [glóubeit] *a.* 공 모양의(globular).

***globe** [gloub] *n.* **1** Ⓒ **구**(球), **공**, 구체(球體). SYN. ⇨BALL. **2** (the ~) **지구**(the earth), 세계. **3** Ⓒ 천체《태양·행성 등》. **4** Ⓒ 지구의(儀), 천체의(儀). **5** Ⓒ 공 모양의 물건《램프의 등피, 전구 등》; 〖해부〗 눈알(eyeball). ◇ globular *a.*

glóbe·fish (*pl.* **~es,** 《집합적》 ~) *n.* **1** Ⓒ 〖어류〗 복어(puffer), 개복치. **2** Ⓤ 복어의 살.

glóbe-tròtter *n.* Ⓒ 세계 (관광) 여행자.

glóbe-tròtting *n.* Ⓤ 세계 (관광) 여행.

glo·bin [glóubin] *n.* Ⓤ 〖생화학〗 글로빈《헤모글로빈 속의 단백질 성분》.

glo·bose [glóubous, -́] *a.* 공 모양의, 구형의 (globular).

glob·u·lar [glábjələr/glɔ́b-] *a.* (작은) 공 모양의(globate); 구형의, 구상(球狀)의; 세계적인.

glóbular clúster 〖천문〗 구상 성단(球狀星團).

glob·ule [glábju:l/glɔ́b-] *n.* Ⓒ (특히 액체의) 소구체, 작은 방울; 혈구; 환약(pill): ~s of sweat 땀방울.

glob·u·lin [glábjəlin/glɔ́b-] *n.* Ⓤ 〖생화학〗 글로불린《물에 녹지 않는 단백질군(群)》, 혈구소(素).

glock·en·spiel [glákənspì:l, -ʃpì:l/glɔ́k-] *n.* Ⓒ 〖음악〗 철금(鐵琴).

glom [glam/glɔm] (**-mm-**) 《美속어》 *vt.* **1** 훔치다; 붙잡다, 거머〔움켜〕잡다. **2** 보다, 구경하다. **—***vi.* 붙잡히다《**onto** …을》.

***gloom** [glu:m] *n.* **1** Ⓤ **어두어둑함**, 어둠, 암흑 (darkness). **2** Ⓤ (또는 a ~) **우울**(melancholy), 침울; 암영(暗影): be deep in ~ 울적해 있다 / cast a ~ over … …에 어두운 그림자를〔암영을〕 던지다 / chase one's ~ away 우울한 기분을 없애다. SYN. ⇨SORROW.

—*vi.* **1** 《it을 주어로》 어둑어둑해지다; (하늘이) 흐리다. **2** 우울〔침울〕해지다; 상을 찡그리다, 어두운 표정을 짓다《**at, on** …에게》. **—***vt.* 어둡게 하다(obscure); 우울하게 하다.

***gloomy** [glú:mi] (**gloom·i·er; -i·est**) *a.* **1** 어둑어둑한, 어두운, 암흑의. SYN. ⇨DARK. **2** 음침(陰沈)한, 음울한(dark): a ~ winter day 찌푸린 겨울날. **3 울적한**, 침울한(depressed); **우울한** (melancholy): in a ~ mood 우울한 기분으로. **4** 비관적인(pessimistic); 마음을 어둡게 하는; 암담한: take a ~ view 비관적인 생각을 갖다. ㊞ **glóom·i·ly** *ad.* **-i·ness** *n.*

glop [glap/glɔp] *n.* Ⓤ 《美속어》 **1** 맛없는〔질척한〕 음식. **2** 감상적임.

Glo·ria [glɔ́:riə] *n.* (the ~) (기도서 중의) 영광의 찬가, 영광송(榮光頌).

glo·ri·fi·ca·tion [glɔ̀:rəfikéiʃən] *n.* Ⓤ (구체적으로는 Ⓒ) **1** (신의) 영광을 기림; 칭송, 찬미; 칭찬하기〔받기〕. **2** 미화(美化). ◇ glorify *v.*

***glo·ri·fy** [glɔ́:rəfài] *vt.* **1** (신)을 **찬미하다**, 찬송하다: ~ the Creator 신의 영광을 찬송하다. **2** (행동·사람 등)을 칭찬하다: ~ a hero 영웅을 찬양하다. **3** …에 영광을 더하다; …에 명예를 주다: Their deeds *glorified* their school. 그들의 행위는 학교의 이름을 드높였다. **4** 《~+목/+목+전+명》 《구어》 (실제보다) 아름답게 보이게 하다, 미화(美化)하다《**with** …으로》: This novel *glorifies* war. 이 소설은 전쟁을 미화하고 있다. ◇ glorification *n.*

***glo·ri·ous** [glɔ́:riəs] *a.* **1 영광스러운**, 명예〔영예〕로운, 빛나는: a ~ victory 〔achievement〕 빛나는 승리〔업적〕 / a ~ death 명예로운 죽음. **2 장려한**, 찬연한; 화려한: a ~ sunset 찬연한 일몰 / a ~ day 영광스러운 날; 활짝 갠 날. **3** 《구어》 멋진, 훌륭한; 유쾌한; 《반어적》 대단한, 지독한: ~ fun 통쾌 / have a ~ time 유쾌한 시간을 보내다 / a ~ muddle 〔row〕 대혼란, 뒤범벅. ◇ glory *n.* ㊞ **~·ly** *ad.* **~·ness** *n.*

Glórious Revolútion (the ~) 〖英역사〗 명예 혁명《1688–89 년의》.

‡**glo·ry** [glɔ́:ri] *n.* **1 a** Ⓤ **영광**, 명예, 영예; 칭찬: win ~ 명예를 얻다 / be covered in 〔crowned with〕 ~ 영광에 빛나다. **b** Ⓒ (흔히 *pl.*) 영광스러운 것〔사람〕: the *glories* of Rome 로마(제국)의 위업 / He's a ~ to his profession. 그는 동업자들간에 자랑거리다. **2** Ⓤ (신의) 영광; (신에 대한) 찬미, 송영(頌榮): *Glory* be to God. 신에게 영광 있으라. **3** Ⓤ (하늘 나라의) 영광; 천국: go to (one's) ~ 《구어》 죽다 / send a person to ~ 《속어》 사람을 죽이다. **4** Ⓤ **a** 영화, 번영, 전성: the country in its greatest ~ 전성기의 나라. **b** 득의양양, 큰 기쁨: in one's ~ 득의에 찬. **6** Ⓤ 훌륭함, 장관, 미관(美觀), 화려함: the ~ of the sunrise 해돋이의 장관. ◇ glorious *a.*

> DIAL. ***Glory*** **(be)!** 이거 참 놀라운데, 고마워라《Glory be to God. 이 줄어서 된 말》.

—*vi.* 《+전+명》 **기뻐하다**; 자랑으로 여기다《**in, at** …을》: ~ *in* 〔*at*〕 one's fame 명성을 자랑하다.

glóry hòle 《英구어》 잡살뱅이를 넣어 두는 서랍〔방〕.

Glos. Gloucestershire.

gloss[1] [glɔ:s, glas/glɔs] *n.* Ⓤ (또는 a ~) **1** 윤, 광택(luster): the ~ of silk 비단의 광택 / a lovely ~ on her hair 그녀 머리의 아름다운 윤기 / put 〔set〕 a ~ on …에 광택〔윤〕이 나게 하다. **2** 허식, 겉치레, 허영: a ~ *of* good manners 겉치레뿐인 고상함.

—*vt.* **1** …에 윤〔광택〕을 내다《**with** …으로》: ~ the furniture (*with* wax) (왁스로) 닦아서 가구에 광을 내다. **2** …의 겉치레를 하다.

~ over 《*vt.*+부》 용케 숨기다〔둘러대다〕, 속이다, (좋지 않은 점)의 겉을 꾸미다: ~ *over* one's errors 실패를 그럴싸하게 얼버무리다.

gloss[2] *n.* Ⓒ **1** (책의 여백·행간의) 주석, 주해; 해석, 해설《**on, to** …에 대한》: the premier's ~ *on* the results of the election 선거 결과에 대한 수상의 견해. **2** = GLOSSARY. **—***vt.* 주석을 달다; 해석하다.

glos·sa·ry [glásəri, glɔ́(:)s-] *n.* Ⓒ (권말(卷末) 따위의) 용어풀이, 어휘; (술어 또는 특수어·어려운 말·사무리·페이에 관한) 소사전; 〖컴퓨터〗 상용구《자주 사용하는 단어나 복잡한 선택 과정을 거쳐 입력해야 하는 특수 문자 등을 등록해 두었다가 필요할 때 간단히 선택하거나 약어만으로 전체 문장을 입력하는 기능》.

glóss pàint (니스를 섞은) 마무리용 광택 도료.

glossy [glɔ́(:)si, glási] (**glóss·i·er; -i·est**) *a.* **1** 광택 있는, 번쩍번쩍하는, 번들번들한. **2** 그럴듯한 (plausible), 모양새 좋은. **—***n.* Ⓒ 광택 사진; = GLOSSY MAGAZINE. ㊞ **glóss·i·ly** *ad.* **-i·ness** *n.*

glóssy magazíne 광택지의 잡지(slick)《복식(服飾) 디자인 잡지 따위》.

glot·tal [glɑ́tl/glɔ́tl] *a.* 【해부】 성문(聲門)(glottis)의.

glóttal stóp 〔**cátch, plósive**〕 【음성】 성문(聲門) 폐쇄음.

glot·tis [glɑ́tis/glɔ́t-] (*pl.* **~·es, -tides** [-tidì:z]) *n.* Ⓒ 【해부】 성문(聲門).

Glouces·ter·shire [-ʃìər, -ʃər] *n.* 영국 남서부의 주《생략: Glos.》.

⁑**glove** [glʌv] *n.* Ⓒ **1** (보통 *pl.*) (손가락이 갈라진) **장갑.** ㊀ mitten. ¶a pair of *~s* 장갑 한 벌/Where are my *~s?* 내 장갑이 어디 있나/put on 〔take off〕 one's *~s* 장갑을 끼다〔벗다〕/with one's *~s* on 장갑을 낀 채로. **2** (야구·권투용) 글러브.
fit like a ~ 꼭 맞다〔끼다〕: The jacket *fits* (me) *like a ~.* 그 웃옷은 (나한테) 꼭 맞는다. ***hand and*** 〔***in***〕 ***~*** ⇨HAND. ***handle*** 〔***treat***〕 ***with*** (***kid***) ***~s*** 상냥하게 다루다, 신중하게 대처하다: We must *handle* the situation *with kid ~s.* 우리는 사태에 신중히 대처해야 한다. ***take up the ~*** 도전에 응하다. ***throw down the ~*** 도전하다. ***with ~s off*** 가차 없이; 감연(敢然)히.
—*vt.* …에 장갑을 끼다.

glóve bòx 1 글로브 박스《방사선 물질 등을 다루기 위한 밀폐 투명 용기; 밖에서 부속 장갑으로 조작함》. **2** =GLOVE COMPARTMENT.

glóve compàrtment 자동차 앞좌석의 잡물통, 글러브 박스(glove box).

glóve dòll 〔**pùppet**〕 손가락 인형(hand puppet).

⁑**glow** [glou] *vi.* **1** (불꽃 없이) 타다, 빨갛게 타다, 백열〔작열〕하다, 백열광을 발하다. ㊀ blaze[1]. **2** 《~/+보》 (등불·개똥벌레 등이) **빛을 내다,** 빛나다; (저녁놀 등이) 빨갛게 빛나다; (장소가) 타듯이 빛나다《***with*** (빛깔)로》: The maple leaves *~ed* red in the sun. 단풍잎이 햇빛을 받아 붉게 타는 듯했다/The western sky *~ed with* crimson. 서쪽 하늘이 타는 듯이 붉게 물들었다. **3** 《+전+명》 (눈 따위가) 빛나다, 반짝이다: His face *~ed at* the idea. 그 생각이 나자 그의 얼굴은 반짝 빛났다. **4** (운동 따위를 하여) 몸이 달아오르다, 화끈해지다; (얼굴·볼 따위가) 붉어지다, (눈 따위가) 빛나다《***with*** (격정 따위)로》: Her face *~ed with* joy. 그녀의 얼굴은 기쁨으로 홍조를 띠었다/His eyes *~ed with* anger. 그의 눈은 분노로 이글거리고 있었다/He *~ed with* pride. 그는 득의양양해 있었다.
—*n.* (*sing.*) **1 백열**(광), 적열(광); (붉은) 빛: a charcoal ~ 숯불의 빛/the ~ of sunset 저녁놀. **2** (몸·얼굴의) **달아오름,** (볼의) 홍조; 환한 기색: a pleasant ~ after a hot bath 목욕 뒤의 기분 좋은 훈훈함/a ruddy ~ of health on her cheeks 건강해 보이는 그녀 볼의 불그레한 빛깔. **3** 만족감, 행복감: feel a ~ *of* love 사랑의 행복감을 느끼다. **4** (감정의) 격앙, 고조: in a ~ *of* anger 〔enthusiasm〕 몹시 성이 나〔열광하여〕.
all of a ~ =***in a ~*** 빨갛게 달아올라서.

glów dischàrge 【전기】 글로 방전(放電)《저압 가스 속에서의 소리 없는 발광 방전》.

glow·er [gláuər] *vi.* 노려보다; 무서운〔언짢은〕 얼굴을 하고 보다《***at*** …을》: They *~ed at* each other. 그들은 서로 노려보았다. **—***n.* Ⓒ 노려봄; 무서운 얼굴, 언짢은 얼굴. ㊞ **~·ing** *a.* **~·ing·ly** *ad.* 언짢은 얼굴을 하고서.

glów·ing *a.* 백열의, 작열하는; 새빨갛게 달아오른(red-hot); (하늘 따위가) 빨갛게 타오르는; 홍조를 띤; 선명한, 강렬한《색깔 따위》; 열심인, 열렬한(enthusiastic): ~ hot coals 이글거리는 뜨거운 숯불/~ praise 열렬한 찬사. ㊞ **~·ly** *ad.*

glów·wòrm *n.* Ⓒ 【곤충】 개똥벌레의 유충.

glox·in·ia [glɑksíniə/glɔks-] *n.* Ⓒ 【식물】 글록시니아《브라질산(産)》.

gloze [glouz] *vt.* …에 그럴듯한 설명을 붙이다, 말을 꾸며대다, 둘러대다(gloss) (*over*): ~ *over* a mistake 잘못을 얼버무려 그럴듯하게 말하다.

glu·cose [glú:kous, -kouz] *n.* Ⓤ 【화학】 포도당, 글루코오스.

⁑**glue** [glu:] *n.* Ⓤ (종류·낱개는 Ⓒ) **아교;** 접착제, 풀: stick like ~ to a person 아무에게 끈덕지게 달라붙다/instant ~ 순간 접착제.
— (***glú*(*e*)·*ing***) *vt.* 《~+목+부/+목+전+명》 **1 아교〔접착제〕로 붙이다,** 교착시키다; 고착〔접착〕시키다, 꼭 붙이다 (*together*)《***to, onto, into*** …에》: ~ a broken cup *together* 깨진 컵을 접착제로 붙이다/He *~d* the wings *onto* the model airplane. 그는 모형 비행기에 날개를 붙였다. **2 a** 붙어 떨어지지 않게 하다; (시선 따위)를 고정시키고 떼지 않다《***to*** …에》: His daughter always remains *~d to* him. 그의 딸은 항상 그에게 붙어 있다/He sat with his eyes *~d to* the TV screen. 그는 TV 화면에서 눈을 떼지 않고 앉아 있었다. **b** 〖~ oneself〗 집중하다, 열중하다《***to*** …에》: He has *~d himself to* his books. 그는 책에 몰두하고 있다.
—*vi.* 밀착하다; 아교〔접착제〕로 붙다: The wood *~s* well. 목재는 아교로 잘 붙는다.

glúe pòt 아교 냄비《아교를 끓이는 이중 냄비》; 진창인 땅.

glúe snìffing 본드〔시너〕 냄새맡기. ㊞ **glúe sniffer**

gluey [glú:i] (***glú·i·er; -i·est***) *a.* 아교를 바른; 아교질의; 끈적끈적한.

glum [glʌm] (***glúm·mer; -mest***) *a.* 무뚝뚝한, 뚱한, 음울한(sullen): in a ~ mood 우울한 기분으로. ㊞ **∠·ly** *ad.* **∠·ness** *n.*

glut [glʌt] *n.* Ⓒ (보통 *sing.*) 차고 넘침, 과다; (상품 따위의) 공급 과잉, 재고 과다: a ~ *of* fruit 과일의 범람/a ~ in the market 시장의 재고 과잉. **—** (**-*tt*-**) *vt.* **1** 배불리 먹이다, 포식시키다《***with, on*** …을》; 물리게 하다; 실컷 …하게 하다; (욕망)을 채우다: ~ one's appetite 식욕을 충분히 만족시키다/~ one's appetite for exoticism 이국 정서에 대한 동경을 만끽케 하다/~ oneself *with* 〔*on*〕 …을 배불리 먹다. **2** 〖종종 수동태〗 (시장)에 과잉 공급하다《***with*** (상품)을》: The market *was ~ted with* wheat. 시장은 밀이 과잉 공급되었다.

glu·tám·ic ácid [glu:tǽmik-] 【화학】 글루타민산(酸).

glu·ta·mine [glú:təmì:n] *n.* Ⓤ 【화학】 글루타민《아미노산의 일종》.

glu·ten [glú:tən] *n.* Ⓤ 【화학】 글루텐, 부질(麩質). ㊞ **glu·te·nous** [glú:tənəs] *a.* 글루텐 모양의; 글루텐을 많이 함유한.

°**glut·ton** [glʌ́tn] *n.* Ⓒ **1** 대식가(大食家), 폭식가. **2** 《구어》 지칠 줄 모르는 정력가, 끈덕진 사나이《***for, of*** …에》: a ~ *for* work 지독히 일하는 사람/a ~ *of* books 맹렬한 독서가/a ~ *for* punishment 맷집 좋은 권투선수; 곤란한〔불쾌한, 남이 싫어하는〕 일을 자학적이라고 할 정도로 열심히 하는 사람.

glut·ton·ous [glʌ́tənəs] *a.* 많이 먹는, 게걸들린(greedy); 식도락의; 탐하는《*of* …을》. ㊞ **~·ly** *ad.* 탐욕〔게걸〕스럽게. **~·ness** *n.*

glut·tony [glʌ́təni] *n.* Ⓤ 대식, 폭음폭식.

glyc·er·in, -ine [glísərin], [-rin, -rìːn] *n.* Ⓤ 【화학】 글리세린.

gly·co·gen [gláikədʒən, -dʒèn] *n.* Ⓤ 【화학】 글리코겐, 당원(糖原).

glyph [glif] *n.* Ⓒ 도안식 표지《화장실·비상구 따위의》; 그림 문자, 상형 문자.

GM General Motors; General Manager; guided missile. **gm.** gram(s); 《英》 gramme(s).

G-man [dʒíːmæ̀n] (*pl.* **-men** [-mèn]) *n.* Ⓒ 《美구어》 연방 수사국(FBI)의 수사관. [◂Government *man*] ★ 여성은 G-woman.

Gmc. Germanic. **GMT, G.M.T., G.m.t.** Greenwich Mean Time.

gnarl [nɑːrl] *n.* Ⓒ (나무의) 마디, 혹.

gnarled, gnárly (*gnarl·i·er; -i·est*) *a.* (나무·가지 따위가) 마디〔혹〕투성이의; (손·손가락 따위가) 울퉁불퉁한.

gnash [næʃ] *vi.* (분노·고통 따위로) 이를 갈다. **—***vt.* (이)를 갈다; (이)를 악물다: ~ one's teeth (분노·유감 따위로) 이를 갈다.

gnat [næt] *n.* Ⓒ 피를 빨아먹는 작은 곤충, 【곤충】 각다귀, 《英》 모기(mosquito). ***strain at a ~*** (***and swallow a camel***) (큰 일을 소홀히 하고) 작은 일에 구애되다《마태복음 XXIII: 24》.

gnaw [nɔː] (*~ed; ~ed, ~n* [-n]) *vt.* **1 a** 쏠다, 갉다: a dog *~ing* a bone 뼈를 갉작거리고 있는 개. **b** 물어 끊다(*away; off*): ~ something *away* 〔*off*〕 무엇을 물어뜯다. **c** 갉아 (길·구멍 따위)를 내다〔뚫다〕《***through*** …을》: Rats *~ed* a hole *through* a board. 쥐가 판자를 갉아 구멍을 냈다. **d** 〖~ one's way 로〗 갉아〔쏠아〕 침입하다《***into, through*** …에》: Mice *~ed* their *way into* the box. 쥐가 상자를 쏠아 안으로 들어갔다. **2** (근심·질병 따위가) 괴롭히다(torment): Worry *~ed* her mind. =Her mind was *~ed* by worry. 걱정 때문에 그녀의 마음은 괴로웠다. **—***vi.* **1** 갉다, 쏠다(*away*)《***at, on*** …을》; 갉아〔쏠아〕 구멍을 내다《***into*** …을》: ~ *at* 〔*on*〕 an apple 사과를 베어먹다 / ~ *into* a wall (쥐 따위가) 갉아서 벽에 구멍을 내다. **2** (끊임없이) 괴롭히다, 좀먹다, 들볶다(*away*)《***at, on*** …을》: anxiety *~ing at* his heart 그의 마음을 좀먹는 불안.

gnáw·ing *n.* (*pl.*) 부단한 고통; 가책. **—***a.* Ⓐ 에는 듯한, 괴롭히는. ㊞ **~·ly** *ad.*

gneiss [nais] *n.* Ⓤ 【암석】 편마암.

gnoc·chi [nɑ́ki/nɔ́ki] *n. pl.* 【요리】 뇨키《(강판 따위로) 간 치즈를 뿌려서 먹는 경단의 일종》.

gnome[1] [noum] *n.* **1** Ⓒ 땅 신령《땅속의 보물을 지킨다는 늙은 난쟁이》; (정원 따위를 꾸미는) 그 상(像). **2** (the ~s) 《구어》 (국제 금융 시장에서 활약하는) 투기적 금융업자《흔히 the ~s of Zurich 라는 표현으로 쓰임》.

gnome[2] (*pl.* **~s, gnó·mae** [-miː]) *n.* Ⓒ 격언, 금언(金言).

gno·mic, -mi·cal [nóumik, nɑ́m-/nɔ́m-], [-mikəl] *a.* 격언〔금언〕의; 격언적인《시 등》: gnomic poetry 격언시.

gno·sis [nóusis] *n.* Ⓤ 영적 인식〔지식〕, 영지(靈知).

GNP gross national product (국민 총생산).

gnu [njuː] (*pl.* **~s,** 〖집합적〗 ~) *n.* Ⓒ 【동물】 누《암소 비슷한 일종의 영양; 남아프리카산(産)》.

†**go** [gou] (***went*** [went]; ***gone*** [gɔ(ː)n, gɑn]; ***go·ing*** [góuiŋ]) *vi.* **1 a** 《+전+명》 (어떤 장소·방향으로) **가다**, 향하다, 떠나다: *go* abroad 외국으로〔해외로〕 가다 / We sometimes *go to* the sea. 우리는 가끔 바다에 간다.
b 《+전+명/+*to* do/+*-ing*》 (어떤 목적으로) 가다, 떠나다: *go on* a journey 〔hike, walk, visit〕 여행〔하이킹, 산책, 방문〕하러 (나)가다 / *go for* a walk 〔drive, swim〕 산책〔드라이브, 수영〕하러 가다 / *go to* drink 마시러 가다 / go shop*ping* 〔fishing, hunting〕 장보러〔낚시하러, 사냥하러〕 가다.

> **NOTE** (1) go에 out 등 부사를 수반할 경우가 있음: *go out* shopp*ing* 물건 사러 가다.
> (2) 《美구어》에서는 현재시제의 경우 to 없이 원형이 오는 일이 있음: *go* (*to*) visit 방문하러 가다 / I'll *go* wake them in a minute. 곧 그들을 깨우러 가겠습니다 / 《美구어》 〖강조적으로〗 *Go* try again. 다시 한 번 해봐.

c 〖go to+관사 없는 명사〗 …에 (특수한 목적으로) 가다: *go to* bed 잠자리에 들다, 자다 / *go to* school 〔church, market〕 학교〔교회, 시장〕에 가다.

> **NOTE** 단순히 학교 따위의 시설이 있는 곳으로 가는 것이 아니라 각기 수업을 받으러, 예배 보러, 매매를 위해 갈 때는 위에서처럼 뒤에 오는 명사는 무관사.

d 〖명령형으로〗 《美구어》 《★ go는 뜻이 없고, 강조적으로 씀》: *Go* try again. 한 번 더 해봐라.
2 《+전+명》 (상·재산·명예 등이) 주어지다, 넘겨지다《***to*** …에게》; 보내어지다: The prize *went to* his rival. 상은 경쟁자에게 돌아갔다 / Victory does not necessarily *go to* the strong. 승리는 항상 강자에게만 돌아가는 것은 아니다 / *To* whom did the property *go* when he died? 그가 죽은 후 재산은 누구에게로 넘어갔는가 / The message *went* by fax. 그 전갈은 팩스로 보내어졌다.
3 《+전+명/+부》 (어떤 장소에) 놓이다, 들어가다, 안치되다, 넣어지다(be placed): This book *goes on* the top shelf. 이 책은 맨 위 책꽂이에 꽂힌다 / *Where* does the piano *go*, sir? 피아노를 어디에 놓을까요 / The coat won't *go round* him. 이 코트는 작아서 그는 입지 못할 것이다 / This letter won't *go into* the envelope. 이 편지는 봉투에 들어가지 않는다.
4 《+전+명》 (수량이) 해당〔상당〕하다《***to, into*** …에》; (내용으로서) 포함되다, 들어가다; 나뉘다《***into, in*** …에》: How many pence *go to* the pound? 1파운드는 몇 펜스에 해당되는가 / All that will *go into* a very few words. 그것은 불과 몇 마디 말로 다할 수 있다 / Seven *into* fifteen *goes* twice and one over. 15 나누기 7은 2가 되고 1이 남는다.
5 《+*to* do》 도움〔힘〕이 되다, 이바지하다, 소용되다《***to, toward*** …에》: Anything *goes*. 아무 것이라도 좋다 / What qualities *go to* the making of a statesman? 어떤 자질이 있어야 정치가가 되는가 / That will *go to* prove his point. 그것은 그의 주장을 증명하는 데 소용된다 / the items which *go to* make up the total 전체의 명세 항목.
6 《~/+전+명》 (돈·시간 따위가) 사용되다, 소비되다《***in, on, for, toward*** …에 / ***to*** do》: My

money *goes for* 〔on〕 food and rent. 돈은 식비와 방세로 들어간다 / Most of his time *goes in* watching TV. 그는 대부분의 시간을 TV를 보며 보낸다 / This money will *go to* build a new school. 이 돈은 새 학교를 짓는 데 쓸 것이다.
7 《+[부]/+[전]+[명]》 (노력 · 노고 · 수단 또는 정도에 대해서) …하기까지 하다, …하기에 이르다, 일부러 …까지 하다; 의지하다《***to*** …에》: He *went* so *far* as to say I was a coward. 그는 (심지어) 나를 겁쟁이라고까지 했다 / He'll *go* (*up*) *to* 〔as high as〕 500 dollars for it. 그는 그것에 500달러까지 낼 거다 / He *went to* great trouble to make me comfortable. 그는 나를 편하게 해주려고 무척 애를 썼다 / Never *go to* violence. 결코 폭력에 의지하지 마라.
8 《~/+[부]/+[전]+[명]》 (목적 · 목표에 특히 관계없이) **나아가다**, 진행하다, 이동하다, 여행하다; (열차 · 버스 등이) 운행하다, 다니다: The train *goes at* 70 miles an hour. 이 열차는 시속 70 마일로 달린다 / *go by* train 〔ship, air, car, sea〕 열차〔배, 공로, 자동차, 해로〕로 가다《★ 교통수단을 나타내는 by 다음의 명사는 관사 없이 씀》/ Let's talk as we *go*. 걸으며 이야기합시다 / *Go back to* your seat. 당신 자리로 돌아가시오 / The train *goes between* Seoul and Busan. 이 기차는 서울과 부산 사이를 운행하고 있다. [SYN.] ⇨ ADVANCE.
9 나가다, 진발(進發)〔출발, 발진〕하다; (활동을) 개시하다, 시작하다: One, two, three, *go!* 하나, 둘, 셋, 시작! / *Go* warily if you want to discuss with him. 그와 논쟁을 벌이려면 단단히 조심하고 시작해야 한다.
10 (기계 등이) 작동하다, 움직이다; (종 따위가) 울리다; (심장이) 고동치다: Is your watch *going?* 자네 시계는 가고 있는가 / The machine *goes* by electricity. 이 기계는 전기로 움직인다 / A buzzer *went* on the table. 탁상의 버저가 울렸다 / The pulse *goes* quickly. 맥박이 빠르다.
11 a (사람이) 행동하다, 동작을 하다; 일을 진행시키다: While speaking, he *went* like this (with his hand). 그는 말하면서 이렇게 (손짓을) 했다 / He *went* according to the rules. 그는 규칙대로 행동했다. **b** 《+*-ing*》《구어》〖종종 비난 · 경멸의 뜻으로 부정 · 의문문에〗 …같은 일을 하다: Don't *go* break*ing* any more things. 더 이상 물건을 망가뜨리는 일 따위는 그만 하게.
12 《~/+[전]+[명]》 (일이 …하게) 진행되다; 《구어》 잘되다, 성공하다: How *goes* it? =How is it 〔are things〕 *going?* 형편은 어떻습니까 / Everything *went* well 〔badly〕 (*with* him). (그는) 만사가 잘되었다〔안되었다〕 / The new manager will make things *go*. 이번의 새 경영자는 일을 잘 해나갈 것이다 / The election *went for* 〔*against*〕 him. 선거는 그에게 유리〔불리〕하게 끝났다 / Promotion *goes by* seniority. 승진은 연공 서열에 따른다.
13 《~/+[부]/+[전]+[명]》 **뻗다**, 뻗치다; 달하다: How *far* 〔*Where*〕 does this road *go?* 이 도로는 어디까지〔어디로〕 통합니까 / This highway *goes to* New York. 이 고속도로는 뉴욕으로 통한다.
14 《~/+[전]+[명]/+*that* [절]》 **유포되고 있다**; 통용하다; 통하다《***by, under*** (…라는 이름)으로》; (주장 따위로) 사람들에게 먹혀들다, 중시되다: Dollars *go* anywhere. 달러는 어디서나 통용된다 / He *went by* the name of Bluebeard. 그는 '푸른 수염' 이란 이름으로 통했다 / What he says *goes*. 그의 말에는 무게가 있다 / The story *goes that* …. …라는〔하다는〕 이야기다〔평판이다〕.
15 (어느 기간) 지속〔지탱〕하다, 견디다: Ten dollars will be enough to *go* another week. 10달러면 충분히 1주일은 더 견딜 수 있을 거야.
16 a (이야기 · 글 · 시 · 책 따위가) …라는 구절〔말〕로 되어 있다, …라고 말하고 있다(run): as the saying *goes* 속담에도 있듯이 / Thus *goes* the Bible. 성서에는 그렇게 씌어 있다 / The tune *goes* like this. 그 곡은 다음과 같이 되어 있다. **b** 〖as가 이끄는 절에서〗 일반적으로 …이듯이, 보통의 …와 비교하면《★ 주어는 보통 [U]인 명사나 복수명사》: *as* the world *goes* 세상사가 보통 그렇듯이 / He's young *as* statesmen *go* nowadays. 그는 오늘날의 정치가로서는 젊은 편이다.
17 《+[보]/+[전]+[명]》 **a** (대체로 바람직하지 못한 상태로) 되다(become, grow): *go* blind 소경이 되다 / *go* flat 납작해지다 / *go* bad 나빠지다, 썩다 / *go* free 자유의 몸이 되다 / *go out of* print 절판이 되다 / The plan *went to* pieces. 그 계획은 엉망이 되었다 / *go* asleep 잠들다 / *go to* war 전쟁이 시작되다 / *go into* debt 빚을 지다. **b** (어떤 상태에) 있다: *go* hungry 〔thirsty, naked, armed〕 굶주려〔목말라, 나체로, 무장하고〕 있다 / *go with* child 임신하다 / *go in* rags 넝마를 두르고 있다 / Her complaints *went* unnoticed. 그녀의 불평은 무시되어 버렸다 / They always *go* naked 〔hatless〕. 그들은 항상 나체로〔모자를 쓰지 않고〕 지낸다《★ always, often, used to 따위를 쓰면 습관적인 것을 나타냄》.
18 〖come의 반대 개념으로서〗 **떠나다**, 가다, 나가다; (시간 등이) 지나다: People were coming and *going*. 사람들이 오가고 있었다 / Don't *go*, please! 가지 마십시오(Stay here, please.); 스위치를 끄지〔채널을 딴 데로 돌리지〕 마십시오《TV아나운서의 말》/ The train has just *gone*. 열차는 이제 막 떠났다 / Be *gone!* 없어져, 꺼져라 / The whole day *went* pleasantly. 꼬박 하루가 즐겁게 지나갔다 / Winter has *gone* and spring is here. 겨울이 가고 봄이 왔다.
19 a 소멸하다, 없어지다(disappear); 〖흔히 must, can 따위와 함께〗 제거되다: The pain has *gone* now. 통증은 이제 가셨다 / This car *must go*. 이 차는 처분해야겠다 / He *has to go*. 그는 모가지다《I'll fire him.의 완곡 표현》. **b** 쇠하다; 죽다; 무너지다, 짜부라지다, 꺾이다; 손들다, 끽소리 못 하게 되다: His sight is *going*. 그는 시력을 잃어가고 있다 / The roof *went*. 지붕이 내려앉았다 / The scaffolding *went*. 발판이 무너졌다 / Poor Tom is *gone*. 불쌍한 톰은 죽었다 / I thought the branch would *go* every minute. 가지가 금세라도 부러지는 줄 알았다.
20 《+[전]+[명]/+[보]》 팔리다《***for, at*** (얼마)에》: They *go for* 〔*at*〕 $4 a dozen. 한 다스에 4달러로 팔린다 / The house *went* cheap. 집은 헐값에 팔렸다 / There were good shoes *going at* 5 dollars. 좋은 신이 겨우 5달러로 팔리고 있었다.
21 《구어》 화장실에 가다, 똥〔오줌〕 누다.
22 (특정 일에) 종사하다: *go* to sea 선원이 되다 / *go* to the bar 변호사가 되다.
— *vt.* **1** 《~+[목]/+[목]+[목]/+[목]+[전]+[명]》《구어》 (돈 등)을 걸다(bet): I'll *go* two dollars *on* number seven. 7번에 2달러 걸겠다 / I'll *go* you a shilling *on* it. 너를 상대로 그것에 1실링 걸겠다.

2 《구어》〖보통 부정형〗 …에 견디다, …을 참다: I can't *go* his preaching. 그의 설교엔 참을 수가 없다.
3 〖~ one's way로〗 …을 가다, 나가다.
4 (길)을 가다; (거리)를 나아가다: *go* Route 32, 32번 국도를 가다/*go* ten miles, 10마일을 나아가다.
5 (어떤 산출량)을 내다(yield); 무게가 … 나가다(weigh).
6 …라고 말하다: His wife ~*es*, "My husband is a big fan of you." 그의 아내는 "내 남편은 당신의 열렬한 팬입니다"라고 말한다.
as* 〔*so*〕 *far as ... go …에 관한 한: He was all right *as far as* money *went*. 돈에 관한 한 그는 문제가 없었다. ***be going to*** do ① 〖의지〗 …할 예정〔작정〕이다: I'*m going to* have my own way. 나 좋아하는 대로 할 작정이다(I will ...)/You *are going to* sleep here. 넌 여기서 자야 해(You shall ...). ② 〖가능성·전망〗 있을〔…할〕 것 같다(be likely to): *Is* there *going to* be a business depression this year? 올해에 불경기가 올 것 같은가. ③ 〖가까운 미래〗 바야흐로 …하려 하고 있다(be about to): Do you think it's *going to* rain? 비가 올 것 같은가/I *was* (just) *going to* open the door, when there was a knock on it. 막 문을 열려고 하는데, 노크 소리가 났다. ★ 발음 [góuiŋtu, -tə]는 종종 [góuənə, gɔ́ːnə]로 됨. ***go about*** 《*vi.*+부》 ① 돌아다니다, 외출하다. ② 교제하다《***with*** …와》. ③ (소문·병 등이) 퍼지다: A story is *going about* that .... …라는 얘기가 돌고 있다. ④ 〖해사〗 뱃머리를 돌리다, 침로를 바꾸다. ——《*vi.* +전》 ⑤ 열심히 (일 따위)를 하다, (일·문제 따위)에 달라붙다; 힘쓰다《***to*** do》; 끊임없이 …하다《do***ing***》: *Go about* your business! 네 일이나 해라; 남의 일에 참견 마라. ⑥ …에 착수하다《do***ing***》: He *went about* repairing the car. 그는 자동차 수리를 시작했다. ***go across*** 《*vi.*+전》 ① …을 가로지르다. ——《*vi.*+부》 ② 가로질러 가다《***to*** …에》: ~ *across to* a bank 건너편 은행에 가다. ③ (이야기 따위가) 전해지다, 통하다: The joke didn't *go across*. 그 농담은 통하지 않았다. ***go after*** 《구어》 …의 획득에 노력하다; (여자 등)의 뒤를 쫓아다니다; …을 추구하다, …에 열을 올리다. ***go against*** ① …에 반항〔항거〕하다, …에 거스르다: Telling a lie *goes against* my conscience. 거짓말을 하는 것은 내 양심에 거리낀다. ② (사업·경쟁 따위가) …에게 불리해지다: If the war *goes against* them, ... 만일 그들이 전쟁에 패(敗)하면 …. ***go ahead*** ⇨ AHEAD. ***go*** (***all***) ***out*** 전력을 다하다《***for*** …을 위해/***to*** do》. ***go along*** 《*vi.*+부》 ① 나아가다; (일을) 해나가다: I check as I *go along*. (나중에 하지 않고) 해가면서 확인하다. ② 동행하다《***with*** …와》; (물건이) 부수하다《***with*** …에》: I *went along with* him to the party. 나는 파티에 그와 함께 갔다. ③ 찬성〔동조〕하다《***with*** (사람·안건 따위)에》: I can't *go along with* you on that idea. 자네의 생각에는 찬성할 수 없네. ***go a long*** 〔***a good, a great***〕 ***way*** ＝~ far. ***go a long way toward***(***s***) 〔***to***〕 〖종종 미래시제로〗 …에 큰 도움이 되다: Your contribution will *go a long way toward* helping the refugees. 당신의 기부금은 난민들을 돕는 데 크게 도움이 될 것입니다. ***go a long way with*** a person 아무에게 큰 효과가 있다, 크게 영향을 미치다: His word *goes a long way with* me. 그의 말은 나에게 큰 영향을 준다.

Go along (***with you***)***!*** 계속해라; 《구어》 저리 가, 어리석은 짓〔소리〕 그만둬. ***go and*** do ① …하러 가다(go to do): *Go and* see what he's doing. 그가 무엇을 하는지 가보고 오너라. ★《美구어》에서는 Go to see 〔take, *etc.*〕 ... 을 Go see 〔take, *etc.*〕 ... 로 하는 일이 많음. ② 《구어》 〖움직이는 뜻이 아닌 단순한 강조〗: 놀랍게도〔어리석게도, 운 나쁘게도, 멋대로〕 …하다: What a fool to *go and* do such a thing! 그런 짓을 하다니 정말 어리석군/*Go and* be miserable! 실컷 고생 좀 해 봐라. ***go around*** 《*vi.*+부》 ① 돌다, 돌아가다; 돌아보다: The minute hand *goes around* once an hour. 분침은 한 시간에 한 바퀴 돈다. ② 머리가 핑 돌다; 빙빙 도는 듯이 보이다. ③ 걸어 돌아다니다; (여기저기) 여행하다; 방문하다: *go around* to see a friend 친구를 잠깐 방문하다. ④ 나들이하다; 교제하다《***with*** …와》. ⑤ (말·병 따위가) …에 퍼지다: There's a story *going around* that .... …라는 소문이 퍼지고 있다. ⑥ 모두에게 고루 돌아가다, 골고루 차례가 갈 만큼 있다: We didn't have enough food to *go around*. 골고루 돌아갈 만큼 충분한 음식이 없었다. ——《*vi.*+전》 ⑦ …을 돌다, …을 돌아서 가다: The moon *goes around* the earth. 달은 지구 주위를 돈다. ⑧ (건물 따위)를 돌아보다; 참관하다. ⑨ (말·생각이 머리 속)을 맴돌다. ⑩ (말·병 따위가) …에 퍼지다. ⑪ 한 바퀴 돌 만한 길이가 있다: The belt won't *go around* my waist. 그 혁대는 내 허리 둘레에 못 미칠 것이다. ***go as*** 〔***so***〕 ***far as to*** do …할 정도까지 하다, …까지 하다: He *went so far as to* say that .... 그는 …라고까지 말했다. ***go at*** …에 덤치다, 덤벼들다(attack); …의 값으로 팔리다; 열심히 …에 착수하다(undertake vigorously). ***go away*** 《*vi.*+부》 ① 가다, 떠나가다《***for, on*** (휴가·여행 등)을》: *go away for* the summer 피서를 떠나다. ② 달아나다《***with*** …을 가지고, …와 함께》: Somebody *went away with* my umbrella. 누군가 내 우산을 가지고 갔다. ③ 사라지다. ***Go away*** (***with you***)***!*** 《구어》 저리 가라, 바보 같은 짓〔소리〕 그만둬. ***go back*** 《*vi.*+부》 ① 되돌아오다《***to*** (본디 장소·화제 따위)로》: *Go back to* your seat. 자리로 돌아가라. ② 되돌아보다, 회고하다《***to*** …을》; 거슬러 올라가다《***to*** …에》: His family *goes back to* the Pilgrim Fathers. 그의 가문은 필그림 파더스 시대까지 거슬러 올라간다. ③ 한창때를 지나다(deteriorate): These old trees are *going back*. 이 노목(老木)들은 점점 늙어 간다. ***go back on*** 〔***upon***〕 (약속 등)을 취소〔철회〕하다(revoke, break); (아무)를 배반〔배신〕하다: *go back on* one's word 〔promise〕 약속을 깨다. ***go before*** 《*vi.*+전》 ① …에 앞서다, 선행하다: those who have *gone before* us 선인(先人)들. ② …앞에 출두하다, (문제 따위가) …에 제출되다. ——《*vi.*+부》 ③ 앞서다. ***go between*** …사이를 지나가다; …사이에 끼어들다; (두 사람) 사이를 중재하다. ***go beyond*** …을 넘어서 나아가다, …을 넘다; …보다 낫다, …을 능가하다(exceed): *go beyond* the law 법을 어기다/*go beyond* one's duty 직무〔권한〕 밖의 일을 하다. ***go by*** 《*vi.*+부》 ① (옆을) 지나다. ② (날·때가) 경과하다: in times *gone by* 지나간 옛날에. ③ (기회·잘못 따위가) 간과되다: Don't let this chance *go by*. 이 기회를 놓치지 마라. ——《*vi.*+전》 ④ …을 통과하다. ⑤ …에 따

라 행동하다〔행해지다〕, …에 의하다; …으로 판단하다, …에 의거하다: *go by* the rules 규칙대로 하다/Promotion *goes by* merit. 승진은 공로에 따라서 한다/The report is nothing to *go by*. 그 보고는 신빙성이 없다. ⑥ …라는 이름으로 통하다(⇨*vi*. 14). ***go down*** 《*vi*.+副》 ① 내려가다, 내리다, 넘어지다, 떨어지다《***to*** …으로》; (길이) 내리받이가 되다 《***to*** …까지》; (물건값·계기의 수치 따위가) 떨어지다: He *went down* and opened the door. 그는 내려가서 문을 열었다/Prices are *going down*. 물가가 떨어지고 있다. ② (비행기가) 추락하다, (배가) 가라앉다, (천체가) 지다; (약 따위가) 삼켜지다: The pill won't *go down*. 약이 잘 넘어가질 않는다. ③ (건물·사람이) 쓰러지다; 굴복〔항복〕하다; 지다《***before, to*** …에》: *go down* on one's knees 무릎을 꿇다/England *went down to* Spain 2-1. (축구에서) 잉글랜드가 스페인에게 2대1로 졌다. ④ (책·기사 따위가) 언급하다《***to*** (어떤 점)까지》: This chronology *goes down to* 1990. 이 연표는 1990년까지 다루고 있다. ⑤ 기록되다, 남다《***in*** (역사 따위)에》: He *went down in* history as a hero. 그는 영웅으로서 역사에 남았다. ⑥ 전해지다《***to*** (후세)에》. ⑦ (물결·바람 따위가) 자다, 잔잔해지다. ⑧ 《英구어》 (대학에서) 퇴학하다, 졸업하다; (도시에서) 귀향하다《***to*** …으로》. ⑨ (언동·제안 따위가) 납득되다, (연극 따위가) 받아들여지다《***with*** …에게》: The play *went down* very well *with* the audience. 연극은 관객의 인기를 끌었다/Nonsense *goes down* as truth *with* many people. 부질없는 일이 많은 사람들간에 진실로 통하고 있다. ⑩ (부푼 종기 따위가) 작아지다, (타이어 따위가) 바람이 새다: The swelling in my foot has *gone down* a bit. 발의 종기가 좀 가라앉았다. ⑪ 《英》 걸리다《***with*** (병)에》. ⑫ 《구어》 옥살이하다. ⑬ 《美속어》 (컴퓨터의 작동이) 멎다. —《*vi*.+前》 ⑭ …을 내려가다: *go down* the stairs 계단을 내려가다. ***go far*** 〔***a long way***〕 ① 멀리 가다. ② 성공하다: He will *go far*. 그는 성공할 것이다. ③ (음식·돈 따위가) 충분하다: £5 doesn't *go far* nowadays. 요즘 5파운드로는 아무것도 살 수 없다. ***go far toward***(**s**) 〔***to***〕 =go a long way toward(s) 〔to〕. ***go for*** ① …을 가지러〔부르러〕 가다. ② (산책·드라이브·수영 등)을 하러 가다(⇨*vi*. 1 b). ③ …을 노리다, …을 얻으려고 애쓰다. ④ …의 보탬이 되다: Giving lies will *go for* little. 거짓말해야 이로울 것도 없다. ⑤ (돈·시간 따위가) …에 사용되다(⇨*vi*. 6): All the money *went for* the new house. 돈은 모두 새 집을 짓는 데 들었다. ⑥ 〖종종 부정문〗 …에게 끌리다, …을 좋아하다; 선택하다, …을 지지하다, …에게 찬성하다: I do*n't go for* men of his type. 그런 형의 남성은 싫다/~ *for* the Democrats 민주당을 지지하다. ⑦ …값으로 팔리다(⇨*vi*. 20). ⑧ …으로 통하다, …으로 생각되다: material that *goes for* silk 비단의 대용품. ⑨ …을 맹렬히 공격하다, 질책하다. ⑩ …에 들어맞다; …에게 유리하다: What I said about music *goes for* painting, too. 내가 음악에 관해서 말한 것은 회화에도 들어맞는다. ***go in*** 《*vi*.+副》 ① (집 따위의) 안에 들어가다; (해·달이) 구름에 가리다. ② (마개·열쇠 따위가) 꼭 맞다. ③ (경기 따위에) 참가하다: *Go in* and win! 잘해라《경기·시험 등의 참가자에 대한 격려의 말》. ④ 〖군사〗 공격하다. ⑤ (일이) 이해되다, 머리에 들어가다. —《*vi*.+前》 ⑥ (방)에 들어가다. ⑦ …에 꼭 맞다. ⑧ (시간·돈 등이) …에 쓰이다(⇨*vi*. 6). ***go in and out*** 들락날락하다《***of*** …을》; (빛 등이) 점멸하다. ***go in for*** ① (경기 따위)에 참가하다, (시험)을 치르다: Are you *going in for* the Civil Service Examination? 공무원 시험을 칠 생각인가. ② (취미 등으로) …을 (하려고) 하다, 즐기다, 좋아하다, …에 열중하다; (직업 등으로) …(하려고) 뜻하다, …에 종사하다; (대학 등에서) …을 전공하다. ③ …을 얻으려고 하다, 구하다. ④ …하려고 마음먹다, …을 특히 좋아하다. ***go into*** ① …에 들어가다, (문 따위가) …으로 통하다: The door *goes into* the garden. 이 문은 뜰로 통해 있다. ② …에 관해 자세히 언급하다; …을 조사〔연구〕하다: *go into* the murder case 그 살인 사건을 철저히 조사하다. ③ …의 일원이 되다, …에 참가〔종사〕하다: *go into* a war 참전하다. ④ (어떤 기분·상태)로 되다, 빠지다: *go into* hypochondria 우울증이 발작하다. ⑤ (직업)에 발을 들여놓다: *go into* business 사업에 발을 내딛다. ⑥ …에 부딪치다: His car *went into* the wall. 그의 차는 벽에 부딪쳤다. ⑦ (물건이) …의 장소에 들어가다〔넣어지다〕(⇨*vi*. 3). ⑧ (서랍 등)의 속에 손을 넣다, 뒤지다: Don't *go into* my desk. 책상을 뒤지지 마라. ⑨ (옷)을 …으로 갈아입다, (신)을 갈아신다. ***go in with ...*** …에 참가하다; 협력하다. ***go it alone*** ⇨ALONE. ***go off*** 《*vi*.+副》 ① 〖종종 well, badly 따위의 양태부사를 수반하여〗 (일이) 행해지다, (일이) 되어 가다, 돼나가다: Everything *went off* well 〔fine〕. 만사가 잘 되어갔다/How did your recital *go off?* 너의 독창회는 어땠느냐? ② (말없이) 떠나다, 사라지다; (배우가) 퇴장하다. ③ (남녀가) 눈맞아 달아나다《***with*** …와》; 가지고 도망치다《***with*** …을》. ④ (가스·수도 따위가) 끊기다, 못쓰게 되다: Every night at ten the heater *goes off*. 매일 밤 10시에 히터가 끊긴다. ⑤ (음식이) 상하다, 쉬다; (질 따위가) 나빠지다, 쇠하다. ⑥ 잠들다; 실신(失神)하다; 죽다: The baby has *gone off* (to sleep). 애가 잠들었다. ⑦ (총포가) 발사되다, (폭탄 등이) 터지다, 폭발하다; (경보 등이) 울리다. ⑧ (사람이) 갑자기 …되다《***into*** …상태로》; 갑자기 …하기 시작하다《***into*** …을》: *go off into* hysteries 〔a fit of laughter〕 갑자기 히스테리를 일으키다〔웃음을 터뜨리다〕. ⑨ (고통·흥분이) 가라앉다. ⑩ 운반되다; 보내어지다《***to*** …에》: This parcel must *go off* by today's mail. 이 소포는 오늘 우편으로 보내야만 한다. —《*vi*.+前》 ⑪ …에서 사라지다, …에서 퇴장하다. ⑫ …에 흥미를 잃다, …이 싫어지다: *go off* coffee 〔music〕 커피가〔음악이〕 싫어지다. ⑬ …을 쓰지 않게 되다, …을 그만두다: *go off* one's diet 다이어트를 그만두다. ***go on*** 《*vi*.+副》 ① (다시) 나가다《***to*** …에》; 옮겨가다《***to*** (다음 화제·항목)으로》: *go on to* college 다시 대학에 나가다. ② (사태가) 계속되다: The concert *went on* for two hours. 콘서트는 2시간 동안 계속되었다. ③ (지금까지 한 대로) 계속 …하다《do*ing*》; 계속하다《***with, in*** …을》: *go on* speak*ing* 계속 말하다/Prices *go on* ris*ing*. 물가가 계속 오르고 있다/I *went on with* my reading. 나는 독서를 계속했다. ④ 다시 계속해서〔다음에는〕 …하다《***to*** do》: The doctor *went on to* examine my chest. 의사는 다시 계속해서 내 가슴을 진찰했다. ⑤ (보통 좋지 못한) 태도를 계속 취하다, 행동하다: Don't *go on* like that. 그런 태도는 그만 버려라. ⑥ 계속 잔소

리하다《**about** …에 관해서; **at** …에게》: She *went on at* him for being late. 그녀는 그에게 늦었다고 계속 잔소리를 했다. ⑦ 〔보통 진행형〕 (일이) 일어나다, (어떤 모임이) 행해지다; (시간이) 지나다: What's *going on* over there? 저기엔 대체 무슨 일이냐. ⑧ 무대에 나타나다; 교체하다. ⑨ (불이) 켜지다, (수도 따위가) 나오다. ⑩ (옷·신 따위가) 입을〔신을〕 수 있다, 맞다: These gloves won't *go on*. 이 장갑은 안 맞는다. ―《*vi.*+전》 ⑪ …하러 가다(⇨*vi.* 1 b). ⑫ (유원지 따위에서 말·탈것 등)을 타다. ⑬ (시간·돈이) …에 쓰이다(⇨*vi.* 6). ⑭ …에 놓이다; (신발 등이) …에 맞다(⇨*vi.* 3). ⑮ (말·증거 등)에 의거하다: have no evidence to *go on* 내세울 증거가 없다. ⑯ …을 사용하기 시작하다: *go on* the pill 피임약을 쓰기 시작하다. ⑰ 거의 …이 되다; (시간·연령 등)에 가까워지다: It's *going on* five o'clock. 5시가 돼 간다. ⑱ …의 구조를 받다, 보살핌을 받다: *go on* the parish (극빈자가) 구빈구(救貧區)의 도움을 받다. **go on** (**for**) 〔보통 진행형〕《英》 (나이·시각 따위)에 가까워지다〔다가서다〕: It's *going on for* teatime. 슬슬 차 마실 시간이다 / She's *going on* (*for*) sixty. 그녀는 60이 다 돼 간다. **Go on** (**with you**)**!** 《구어》 말도 안 돼, 설마. **go out** 《*vi.*+부》 ① 외출하다, 나가다《**to, into** …에; **for** (오락·사교 따위)를 위하여》: He *went out into* the street. 그는 거리로 나갔다 / We're *going out for* dinner tonight. 오늘 밤에 외식하러 나갈 예정이다. ② 사교계에 나가다. ③ 〔종종 진행형〕 나다니다, 교제하다 (*together*)《**with** (이성)과》. ④ (노동자가) 파업을 하다: They *went out* (on strike) for higher wages. 그들은 임금 인상을 요구하며 파업에 들어갔다. ⑤ (정부·정당이) 권좌를 물러나다. ⑥ (불이) 꺼지다, (열의가) 없어지다; 의식을 잃다, 기절하다, 잠들다. ⑦ (세월이) 지나가다; (유행이) 사라지다; 유행하지 않게 되다. ⑧ (조수가) 써다. ⑨ 《美》 (엔진 따위가) 멎다. ⑩ 발송되다《**to** (관계자)에게》; 출판되다, 방송되다: *go out* live (프로그램이) 생방송되다. ⑪ (마음이) 향하다, (애정·동정 따위가) 쏟아지다《**to** …에》: My heart *went out to* those refugees. 난민들이 측은해졌다. ⑫ 《美》 (댐 따위가) 무너지다. ⑬ 〖크리켓〗 (1회의 승부가 끝나) 타자가 물러나다; 〖골프〗 18홀의 코스에서 첫 9홀을 하다, 아웃을 플레이 하다. ―《*vi.*+전》 ⑭ 《美》 (문·창문 따위)에서 나가다. **go out for** 《구어》 …을 얻으려고 노력하다; 《美》 (팀 따위)에 가입을 목표로 하다: *go out for* football 축구팀 가입을 지원하다. **go out of ...** ① …에서 나가다: *go out of* a room 방을 나가다. ② (열기·긴장·화 따위가) …에서 사라지다: The heat *went out of* the debate. 토론에는 열기가 없었다. ③ …에서 벗어나다, …하지 않게 되다: The book *went out of* print. 이 책은 절판이 되었다 / It *went out of* fashion. 그것은 한물갔다, 유행이 지났다. **go over** 《*vi.*+전》 ① …을 건너다, 넘다; (경비가) …을 넘다; …을 감싸다; …에 퍼지다; …에 겹치다. ② (공장 등)을 시찰하다, 밑조사를 하다; (하물·범인·목록·장부 등)을 잘 조사하다, (재)검토하다; (방·차 등)을 깨끗이 하다, 점검하다: *go over* the floor with a mop 걸레로 마루를 훔치다 / The prospective buyer *went over* the house very carefully. 집 사러 온 사람은 그 집을 신중하게 조사했다. ③ 고치다; 되풀이하다, …을 복습하다; 다시 읽다〔쓰다〕: *go over* the notes before the exam 시험 전에 노트를 다시 보다. ―《*vi.*+부》 ④ (거리·강·바다 등을) 건너가다《**to** (건너편)으로》; 방문하다《**to** (집 따위)를》. ⑤ (이야기·공연 등이) 인기를 끌다, 호평을 받다《**with** …에게》: *go over* big 히트치다. ⑥ 전향하다, 옮다《**from** (다른 정당·종파 따위)에서; **to** …으로》. ⑦ 바꾸다《**to** (다른 방식 따위)로》: Let's *go over to* New York to hear .... (방송에서) 뉴욕으로 바꿔 …을 듣자. ⑧ (차 따위가) 뒤집히다, (나무 따위가) 넘어지다. **go round** =go around. **go slow** 서서히 가다; 《英》 농땡이 부리다. **go so far as to** do =go as far as to do. **go** one's **own way** 자기 길을 가다, 자기 생각대로 하다. **go through** 《*vi.*+전》 ① …을 지나다, 빠져나가다, 통과하다. ② (병·소문 등이) …에 퍼지다: A shiver *went through* me. 온몸이 떨렸다. ③ (고난)을 경험하다; …을 견디어내다: *go through* hardship 고난을 겪다 / *go through* an operation 수술을 받다. ④ (방·주머니·짐 등)을 조사하다, 수색하다: He *went through* every drawer of his desk. 그는 책상 서랍을 모두 조사했다. ⑤ (서류·문제 등)을 잘 조사하다; …을 되짚어보다, 복습하다: *go through* a report in detail 보고서를 자세히 보다. ⑥ (의식)을 거행하다, …에 참가하다; (전과정)을 마치다: *go through* the legal formalities 법적 절차를 거치다 / *go through* college 대학을 졸업하다. ⑦ (법안)이 통과하다, 승인되다. ⑧ 《구어》 (저축·식료품·돈 등)을 다 써버리다, 탕진하다: *go through* a large fortune in one's lifetime 생전에 큰 재산을 탕진하다. ⑨ (책이 판)을 거듭하다. ―《*vi.*+부》 ⑩ 통과하다《**to** …까지》. ⑪ (전화 따위가) 통하다. ⑫ (법안·신청 따위가) 통과하다, 승인되다: The bill *went through* with a big majority. 그 법안은 절대다수로 승인되었다. ⑬ (거래가) 완료되다, 잘되다: After long hours of negotiations, the deal *went through*. 장시간의 교섭 끝에, 거래는 잘 마무리되었다. ⑭ 끊어지다《**at** (어디)에서》. **go through with** …을 끝까지 해내다(complete), (계획 따위)를 실행하다: He is determined to *go through with* the undertaking. 그는 맡은 일을 해낼 결심이다. **go together** 동행하다, 공존하다; 어울리다, 조화되다; 《구어》 (남녀가) 교제하다, 사랑하는 사이다: Do this tie and my jacket *go* well *together?* 이 넥타이와 내 재킷이 잘 어울리느냐 / They have been *going together* for three years. 그들은 3년 동안 교제해 오고 있다. **go too far** 지나치다, 극단에 흐르다: He *went too far* in his joking. 그는 농담이 지나쳤다. **go under** 《*vi.*+부》 ① 가라앉다, 빠지다. ② 밑을 가다; (사람·회사가) 망하다, 실패하다, 파산하다. ③ (…에) 굴복하다, 지다. ④ 의식을 잃다. ―《*vi.*+전》 ⑤ …밑에 들어가다. ⑥ …라는 이름으로 통하다 (⇨*vi.* 14). **go up** 《*vi.*+부》 ① 오르다, 올리기다; 이르다, 미치다《**to** …에》: *go up* to bed 위층에 자러 가다. ② (온도·물가 따위가) 오르다, 늘다: Prices always seem to be *going up*. 물가는 항상 오르고 있는 것 같다. ③ (가치·질 등이) 향상되다, 오르다. ④ (건물·게시 등이) 세워지다, 서다. ⑤ (폭탄 등이) 폭발〔파열〕하다, 불타오르다. ⑥ 《美구어》 파산〔파멸〕하다; 전패하다. ⑦ (외침소리가) 들려오다, 솟다. ⑧ (대도시로〔북방으로〕) 가다; 《英》 대학에 들어가다. ⑨ 《英》 지원하다《**for** (시험 따위)에》. ―《*vi.*+전》 ⑩ (산·벽·사다리·계단 등)을 올라가다〔오르다〕.

go up in flames 〔*smoke*〕 타오르다; (희망·계획 따위가) 무너지다. ***go upon*** ① …을 꾀하다; …에 착수하다. ② …에 의거하여 판단〔행동〕하다. ***go up to*** …에 가다, 접근하다. ***go with*** ① …와 동행하다; …에 동의하다, …에 따르다: *go with* the times 시세에 따르다/I *go with* you there 〔on that〕. 그 점에서는 너와 동감이다. ② 《구어》 (이성)과 교제〔데이트〕하다. ③ …에 부속되다〔딸리다〕: the land which *goes with* the house 집에 딸린 토지. ④ …와 어울리다, …와 조화되다(match): The suit *goes* well *with* the tie. 양복이 넥타이와 잘 어울린다. ⑤ (일이) …에게 (어떤 형편으로) 진전되다(⇨ *vi*. 12). ***go without*** 《*vi*.+전》 ① …이 없다, …을 갖지 않다; …없이 때우다〔지내다〕: *go without* a hat 모자 없이 지내다. ―《*vi*.+부》 ② 없이 때우다〔지내다〕: When there was no food, we *went without*. 음식이 없을 때에는 없이 지냈다. ***go without saying*** 물론이다, 말할 것도 없다: It *goes without saying* that …. …(임)은 말할 것도 없다. ***so far as ... go*** =as far as ... go. ***to go*** ① 〔보통 수사(가 붙은 명사) 뒤에서〕 (시간·거리 따위가) 남아 있는, 아직(도) … 있는: We have three days *to go*. 아직 사흘이 있다.

> NOTE to go의 go는 *vt*.이기도 하고 *vi*.로도 됨. There are two holidays still *to go*.의 go는 pass, continue(경과〔계속〕하다)의 뜻이 되며 *vi*., We have one more test *to go*.의 go는 undergo(견디다, 시련을 겪다)의 뜻으로 *vt*.

② 〔명사 뒤에 위치하여〕 《美》 (식당의 음식에 대해) 갖고 갈 것으로; 휴대용의: a TV *to go* 휴대용 TV/order two sandwiches *to go* 샌드위치 두 개를 싸 달라다. ***to go*** 〔《英》 ***be going***〕 ***on with*** 〔something, enough 등의 뒤에서〕 임시방편으로 (때우는): Here's two pounds *to be going on with*. 자, 우선 2파운드 드리겠습니다. ***What goes?*** 《美속어》 무슨 일이(일어났느)냐. ***Who goes there?*** 누구야《보초의 수하》.

> DIAL. ***(I've) got to go!*** 이제 가봐야겠다.
> ***Go to it!*** 《美》 잘 해봐, 힘내라《격려의 말》.
> ***There you go!*** 잘 한다, 그래 그렇지, 그렇게 만 해.

―(*pl*. **goes** [gouz]) *n*. **1** Ⓤ 감, 진행: the come and *go* of the tide 조수의 간만.
2 Ⓤ 《구어》 생기, 정력, 기력(energy, spirit): a man with a lot of *go* 원기 왕성한 사람.
3 Ⓒ 《구어》 해봄, 시도《***at*** …을》: I read the book at one *go*. 그 책을 단번에 읽었다/have a *go at* …을 해보다.
4 Ⓒ (보통 *sing*.) (게임 따위에서) 차례: It's your *go* next. 다음은 네 차례다.
5 Ⓒ (보통 *sing*.) 《英구어》 사태, 난처한 일: Here's 〔What〕 a *go!* 이거 곤란한데/Here's a pretty *go!* 난감하게 되었군/It's a queer 〔run, jolly〕 *go*. 묘한〔난처한〕 일이군.
6 Ⓒ 《구어》 잘되어 감, 성공: make a *go* of the business 사업을 성공시키다/It's a sure *go*. 틀림없이 성공이다/It's no *go*. 잘 안된다, 틀렸다.
7 Ⓒ 《구어》 결정: It's a *go*. 결정됐다.
8 Ⓒ 《英구어》 (술 따위의) 한 잔; (음식의) 한 입: a *go* of brandy 브랜디 한 잔.
all 〔***quite***〕 ***the go*** 《구어》 대인기, 대유행. ***a near go*** 《英구어》 구사일생, 아슬아슬한 고비(a close shave). ***from the word go*** 《구어》 처음부터(from the start). ***give it a go*** 《구어》 잘 되게 노력하다. ***it's all go*** 지극히 바쁘다: *It's all go* in Seoul. 서울은 매우 바쁜 곳이다. ***on the go*** 《구어》 끊임없이 활동하여, 계속 일하여; 여행 중에: He is always *on the go*. 그는 항상 바쁘게 활동한다.
―*a*. Ⓟ 《구어》 **1** 준비가 되어(ready). **2** 잘 되어〔돼나가〕, 순조롭게 작용〔작동〕하여: All systems (are) *go*. (로켓 발사 따위에서) 전장치(全裝置) 이상 없음, 준비 끝.

goad [goud] *n*. Ⓒ (가축의) 몰이 막대기; (정신적인) 자극, 격려. ―*vt*. **1** 뾰족한 막대기로 찌르다(*on*). **2** 격려〔자극, 선동〕하다(*on*); 부추겨 …하게 하다《***to, into*** …상태에 이르게/***to*** do》: ~ a person *into* doing 아무를 선동하여 …하게 하다/~ a person *to* madness 아무의 부아를 돋우다/~ a person *on* 아무를 선동하다/~ a person *to* steal 아무를 부추겨 도둑질시키다. SYN. ⇨URGE.

gó-ahèad 《구어》 *a*. Ⓐ 전진하는; 적극적인, 진취적인(enterprising), 활동적인: a ~ signal 전진 신호. ―*n*. **1** (*sing*.; 보통 the ~) (일 등에 대한) 허가, 인가; 전진 허가, 청(靑)신호: get 〔give〕 the ~ 허가를 받다〔하다〕. **2** Ⓤ 《美》 원기, 기력, 정력; Ⓒ 적극적인 사람, 정력가.

‡**goal** [goul] *n*. Ⓒ **1** 골, 결승점〔선〕: keep ~ 골키퍼 노릇을 하다《★ 관사 없이》. **2** 골《공을 넣어 얻은 점》, 득점: get 〔kick, make, score〕 a ~ 득점하다/drop a ~ 〖럭비〗 (드롭킥으로) 득점하다. **3** 목적〔행선〕(지); 목표, 목적《***to*** do》: obtain 〔reach〕 one's ~ 목적을 달성하다/That's a difficult ~ *to* achieve. 그것은 달성하기 어려운 목표다. 파 **∠·less** *a*.

góal àverage (보통 *sing*.) 〖축구〗 득점률.

góal-dríven *a*. 〖컴퓨터〗 (프로그램이) 귀납적(歸納的)인.

goal·ie, -ee [góuli] *n*. 《구어》 =GOALKEEPER.

góal·kèeper *n*. Ⓒ 〖축구·하키〗 골키퍼, 문지기.

góal kìck 〖축구·럭비〗 골킥.

góal lìne 〖축구·육상 등〗 골 라인. cf. touchline. ¶~ defense 〔offense〕 골 라인 수비〔공격〕.

góal mòuth 〖축구·하키〗 골 앞; 골문의 기둥과 기둥 사이.

góal·pòst *n*. Ⓒ (보통 *pl*.) 골대.

gó-as-you-pléase *a*. 되는〔마음 내키는〕 대로의; 규칙에 얽매이지 않는, 자유로운.

‡**goat** [gout] *n*. **1 a** Ⓒ 〖동물〗 **염소**. cf. kid. ¶a billy ~ =a he-~ 숫염소/a nanny ~ =a she-~ 암염소. **b** Ⓤ 염소 가죽. **2** (the G-) 〖천문〗 염소자리. **3** Ⓒ 호색한, 색골; 《구어》 바보. **4** = SCAPEGOAT.
act 〔***play***〕 ***the*** (***giddy***) **~** 바보짓을 하다, 까불다, 실없이 굴다. ***get*** a person***'s* ~** 《구어》 아무를 골나게 하다, 약올리다.

goat·ee [goutí:] *n*. Ⓒ (사람의 턱에 난) 염소수염.

góat·hèrd *n*. Ⓒ 염소지기.

góat·skìn *n*. Ⓤ 염소 가죽; Ⓒ 염소 가죽 제품《옷·술부대 따위》.

gob[1] [gɑb/gɔb] *n*. **1** Ⓒ (점토·크림 따위의) 덩어리(lump, mass): a ~ *of* whipped cream 휩트 크림 덩어리. **2** (*pl*.) 《美구어》 많음: ~*s of* money 많은 돈.

gob[2] *n*. Ⓒ 《속어》 (특히 미국의) 수병(水兵).

gob[3] *n.* Ⓒ 《英속어》 입: Shut your ~ ! 입 닥쳐.
gob·bet [gábit/gɔ́b-] *n.* Ⓒ (날고기 따위의) 한 덩어리.
gob·ble[1] [gábəl/gɔ́bəl] *vt.* 게걸스레 먹다; 꿀떡 삼키다(*up*): They ~*d* (*up*) hot dogs. 그들은 핫도그를 게걸스럽게 먹었다. —*vi.* 게걸스럽게 먹다.
gob·ble[2] *vi.* (칠면조의 수컷이) 골골 울다. —*n.* Ⓒ 칠면조 울음소리.
gob·ble·de·gook, -dy- [gábəldigùk/gɔ́b-] *n.* Ⓤ 《구어》 (공문서 따위의) 딱딱하고 알기 어려운 표현〔말투〕.
gob·bler *n.* Ⓒ 칠면조의 수컷.
Gob·e·lin [gábəlin, góub-] *a.* 고블랭직(織)의 〔같은〕: (a) ~ tapestry 고블랭직 벽걸이 양탄자 / ~ blue 짙은 청록색. —*n.* Ⓒ 고블랭직 (벽걸이 양탄자).
gó-betwèen *n.* Ⓒ 매개자, 주선인, 중매인 (middleman).
◇**gob·let** [gáblit/gɔ́b-] *n.* Ⓒ 받침 달린 잔《금속 또는 유리제》.
◇**gob·lin** [gáblin/gɔ́b-] *n.* Ⓒ 악귀, 도깨비《추한 모습에 교활한 꼬마 유령》.
go·by [góubi] (*pl.* **-bies,** 〖집합적〗 ~) *n.* Ⓒ 〖어류〗 문절망둑.
gó-bỳ *n.* (the ~) 《구어》 보고도 못 본 체함.
get the ~ 외면당하다, 무시당하다. ***give*** a person ***the ~*** 아무를 무시〔외면〕하다, 아무를 못 본 체하다.
gó-càrt *n.* Ⓒ 《美》 (유아의) 보행기(步行器)(《英》 baby walker); 손수레(hand cart); = GO-KART.
†**god** [gad/gɔd] *n.* **1** (G-) Ⓤ (일신교, 특히 기독교의) **신**, 하느님, 조물주, 천주(天主)(the Creator, the Almighty). ⓒⓕ Trinity. ¶ *God* the Father, *God* the Son, *God* the Holy Ghost 〖기독교〗 성부와 성자와 성신《성삼위를 말함》/ *God* helps those who help themselves. 《속담》 하늘은 스스로 돕는 자를 돕는다 / a house of *God* 교회당 / a man of *God* 목사. **2** Ⓒ (다신교의) 신; (신화에 나오는) 남신(男神)(ⓒⓕ goddess): the ~ of day 태양신(Phoebus) / the ~ of fire 불의 신(Vulcan) / the ~ of heaven 하늘의 신 (Jupiter) / the ~ of hell 지옥의 신 (Pluto) / the ~ of love =the blind ~ 사랑의 신(Cupid) / the ~ of the sea 바다의 신(Neptune) / the ~ of this world 악마(Satan) / the ~ of war 전쟁의 신(Mars) / the ~ of wine 주신(酒神)(Bacchus). **3** Ⓒ 신상(神像); 우상; 신으로〔신처럼〕 떠받들리는 것〔사람〕; 숭배의 대상: make a ~ of …을 숭배 대상으로 하다, 지나치게 존중하다 / Money is his ~. 돈이 그의 우상이다. **4** (the ~s) (극장의 맨위층의) 싼 관람석; 〖집합적; 단·복수취급〗 그곳의 관객들.
be with God 신과 함께 있다; (죽어서) 천국에 있다. ***by God*** 맹세코, 꼭, 반드시. ***God*** (***above***)***!*** 이서 야난났는데, 괘씸하군. ***God bless me*** 〔***my life, my soul***〕***!*** 아이구 큰일이다. ***God damn you!*** 이 빌어먹을 자식아, 뒈져 버려라. ***God grant …!*** 신이여〔하느님이시어〕 …하게 해주옵소서. ***God help*** 〔***save***〕 (her)! 하느님, (그녀를) 구해 주옵소서, 가엾어라. ***God knows*** ① 〖+that 명사절〗 하늘이 알고 계시다, 맹세코 (그렇다). ② 〖의문의 명사절〗 하느님만이 아신다, 아무도 모른다. ***God's willing*** 신의 뜻이 그렇다면, 사정이 허락한다면. ***little*** (***tin***) ~ 사람들이 두려워하는 졸때기 관리. ***please God*** ⇨PLEASE. ***So help me God!*** ⇨HELP.

> **DIAL.** ***God almighty!*** 놀랍군, 놀라운 일이군.
> ***God bless you!*** 행복〔건강〕해라; 아 큰일이군; 조심 조심《재채기한 사람에게》.
> ***God help me!*** 아뿔싸.
> ***God help you!*** 가엾어라.
> ***God Save the Queen*** 〔***King***〕***!*** 여왕〔국왕〕폐하 만세《영국 국가》.
> ***Good*** 〔***My, Dear, Oh***〕 ***God!*** 아 큰일〔야단〕났군.
> ***Ye gods*** (***and little fishes***)***!*** (장난으로) 뭐라고, 저런, 큰일이구나.

Gód-áwful *a.* (종종 g-) 《구어》 굉장한, 심한, 지독한: What ~ weather! 정말 지독한 날씨군.
gód·chìld (*pl.* **-chìldren**) *n.* Ⓒ 대자녀(代子女).
god·dam(**n**) [gádǽm/gɔ́d-] 《구어》 (종종 G-) *n., v.* =DAMN. —*a., ad.* =DAMNED.
gód·dàughter *n.* Ⓒ 대녀(代女).
⁑**god·dess** [gádis/gɔ́d-] *n.* Ⓒ **여신**(↔ *god*); (절세) 미인; 숭배〔동경〕하는 여성: the ~ of liberty 자유의 여신 / the ~ of corn 오곡의 여신 (Ceres) / the ~ of heaven 하늘의 여신(Juno) / the ~ of hell 지옥의 여신(Proserpina) / the ~ of love 사랑의 여신(Venus) / the ~ of the moon 달의 여신(Diana) / the ~ of war 전쟁의 여신 (Bellona).
go·de·tia [goudíːʃiə] *n.* Ⓒ 〖식물〗 고데치아《달맞이꽃과 비슷한 관상용 1년초》.
gó-dèvil *n.* Ⓒ 《美》 급유관 청소기; 목재〔석재〕 운반용 썰매.
◇**gód·fàther** *n.* Ⓒ **1** 〖가톨릭〗 대부(代父), 〖성공회〗 교부(敎父). **2** (사람·사업의) 후원 육성자. **3** (종종 G-) 《美구어》 (마피아 등의) 영수, 두목.
Gód-fèar·ing [-fìəriŋ] *a.* (또는 g-) 신을 두려워하는, 독실한, 경건한.
gód·forsàken *a.* (또는 G-) **1** 하느님께 버림받은, 타락한, 비참한. **2** 황폐한, 아주 외진, 쓸쓸한: a ~ dump 〔hole〕 매우 외진 곳.
God·frey [gádfri/gɔ́d-] *n.* 남자 이름.
gód·hèad *n.* **1** (또는 G-) Ⓤ 신(神)임, 신성, 신격(divinity). **2** (the G-) 하느님, 신.
gód·hòod [-hùd] *n.* Ⓤ (또는 G-) 신(神)임, 신격, 신성(神性).
Go·di·va [goudáivə] *n.* 〖英전설〗 (Lady ~) 고다이버 부인《11세기의 영국 Coventry의 영주의 아내; 알몸으로 백마를 타고 거리를 지나가면 주민에게 부과한 무거운 세금을 철회하겠다는 남편의 약속을 받고 이를 실행하였다고 함》.
gód·less *a.* 신이 없는; 신을 믿지 않는〔부정하는〕; 믿음이 없는, 불경한, 사악한. ㊕ **~·ly** *ad.* **~·ness** *n.*
◇**gód·lìke** *a.* (또는 G-) 신과 같은, 거룩한.
god·ly [gádli/gɔ́d-] (**-li·er; -li·est**) *a.* 신을 공경하는, 독실한(pious), 경건한. ㊕ **gód·li·ness** [-linis] *n.*
gód·mòther *n.* Ⓒ 대모(代母). ⓒⓕ godfather.
gód·pàrent [gádpɛ̀ərənt/gɔ́d-] *n.* Ⓒ 대부〔모〕(代父〔母〕).
Gód's ácre 묘지, 《특히》 교회 부속 묘지.
Gód's Bóok 성서(the Bible).
gód·sènd *n.* Ⓒ 하늘〔하느님〕의 선물; 뜻하지 않은 행운: She was a ~. 그녀가 뜻밖에 와주어 다행이었다.
gód·sòn *n.* Ⓒ 대자(代子). ⓒⓕ godchild.
Gód's (**ówn**) **cóuntry** 이상적인 땅〔나라〕, 낙원; 《美》 자기 나라《미국》.

Gód·spéed *n.* Ⓤ 성공; 성공〔여행길의 안전〕의 기원: bid 〔wish〕 a person ~ 아무의 성공〔여행길의 안전〕을 빌다.

go·er [góuər] *n.* Ⓒ **1** 가는 사람〔것〕; 《합성어》 …에 가는〔다니는〕 사람: comers and ~s 오가는 사람들/a movie-~ 영화 팬. **2** 《구어》 활기 있는 사람; 음란한 사람.

Goe·the [gə́:tə] *n.* **Johann Wolfgang von ~** 괴테《독일의 문호; 1749–1832》.

go·fer [góufər] *n.* Ⓒ 《美속어》 잔심부름꾼.

gó-gétter *n.* Ⓒ 《구어》 (사업 따위의) 수완가, 활동가, 민완가.

gog·gle [gágəl/gɔ́gəl] *vi.* (눈알이) 희번덕거리다; 눈을 부릅뜨고 보다《*at* …을》. **—***n.* **1** Ⓤ (또는 a ~) 눈알을 희번덕거림. **2** (*pl.*) 방진용 보안경, (용접공 등의) 보호 안경, 잠수용 보안경; 《구어》 (둥근 렌즈의) 안경.

góggle-bòx *n.* (the ~) 《英구어》 텔레비전.

góggle-èyed *a.* 눈을 희번덕거리는, (놀라서) 눈이 휘둥그레진.

Gogh [gɔx, gou, gɔk] *n.* **Vincent van ~** 고흐《네덜란드의 화가; 1853–90》.

gó-gò *a.* Ⓐ **1** 《구어》 정력적〔활동적〕인. **2** 고고의《디스코〔나이트〕 클럽 음악〔댄스〕에 대하여》. **—***n.* Ⓤ 고고(춤).

⁑go·ing [góuiŋ] GO의 현재분사.
—*n.* Ⓤ **1** 가기, 보행: *Going* was easier than getting back. 가기는 돌아오기보다 쉬웠다. **2** (one's ~) 여행길에 오름, 출발; 사망. **3** (도로·경주로 등의) 상태: The ~ is bad. 길이 나쁘다. **4** (일·계획 따위의) 진전; 진행 상태〔상황〕; 진행 속도: heavy 〔hard〕 ~ 곤란한〔힘든〕 진행〔진척〕/Persuading him will be very hard ~. 그를 설득하기는 대단히 어려울 것이다/Seventy miles an hour is pretty good ~. 시속 70마일은 상당한 속도다. ***while the ~ is good*** 상황이 불리해지기 전에, 상황이 아직 유리할 때에.

DIAL. ***Nice going!*** 잘 됐다《비꼬는 투로》.

—*a.* **1** Ⓐ **진행 중인**; 운전 중의; 활동 중의; 성업 중인; 잘 돼가고 있는, 수지맞는: in ~ order 운전〔사용〕할 수 있는 상태인, 이상이 없는 상태인/a ~ business 〔concern〕 성업 중인〔수지가 맞는〕 사업〔회사〕. **2** 현재의, 지금 있는, 손에 들어오는; 현행의: There is beefsteak ~. 비프스테이크 요리가 있습니다/the finest crime novelist ~ 현재 가장 뛰어난 범죄〔추리〕 소설가.
~ and coming =***coming and ~*** 도망하지 못하는, 도망칠 길이 없는: They've got him ~ *and coming.* 그들은 그를 궁지에 몰아넣었다. ***have … ~ for*** one 《구어》 (…이) 유리한 입장에 있다, 아무에게 유리하게 작용하다, (일이) 잘 되어가다: He *has* a lot 〔something, nothing〕 ~ *for* him. 그는 크게 유리한〔상당히 유리한, 불리한〕 입장에 있다.

góing-óver (*pl.* **góings-**) *n.* Ⓒ 《구어》 철저한 조사〔시험〕, 점검, 체크; 《속어》 통렬한 비난〔질책〕, 심한 매질: The accounts were given a thorough ~. 철저한 회계 감사가 행해졌다.

góings-ón *n. pl.* 《구어》 〔보통 나쁜 뜻으로〕 (비난 받을) 행위, 소행, 행실.

goi·ter, 《英》 **-tre** [gɔ́itər] *n.* Ⓤ 【의학】 갑상선종(甲狀腺腫)(struma).

goi·trous [gɔ́itrəs] *a.* 【의학】 갑상선종(성(性))의.

go-kart [góukà:rt] *n.* =KART.

†gold [gould] *n.* **1** Ⓤ **금**《금속 원소; 기호 Au; 번호 79》, 황금: strike ~ 금(광)을 발견하다. **2** Ⓤ 〔집합적〕 금제품; **금화**: pay in ~ 금화로 치르다. **3** Ⓤ 부(富), 돈(wealth, money); 재보(treasure); 금본위제: greed for ~ 금전욕. **4** Ⓤ (황금처럼) 귀중〔고귀〕한 것; 친절: a heart of ~ 아름다운〔고결한〕 마음(의 사람)/the age of ~ 황금시대/a voice of ~ 아름다운 목소리. **5** Ⓤ 금빛, 황금색: the red and ~ of autumn leaves 빨갛고 노란 가을 잎. **6** Ⓤ 금도금; 금가루; 금실; 금박; 금빛 그림물감. **7** Ⓒ =GOLD MEDAL.
(***as***) ***good as ~*** (아이·짐승 등이) 얌전한, 예절 바른. ***worth*** one***'s weight in ~*** 천금의 가치가 있는, 매우 귀중〔유용〕한: He's *worth* his *weight in ~*. 그는 참으로 귀중한 인물〔없어서는 안 될 사람〕이다.
—*a.* 금의, 금으로 만든, 금빛의: a ~ coin 금화/a ~ watch 금시계.
SYN. **gold** '금으로 만든'의 뜻. **golden** '금빛의, 금처럼 귀중한'의 뜻.

góld·bèater *n.* Ⓒ 금박장(金箔匠)〔기술자〕.

góld·brìck *n.* Ⓒ **1** 가짜 금괴; 가짜, 모조품. **2** 《美》 건달, 게으름뱅이(loafer); 농땡이 병사.
—*vi.* 《美》 게으름피우다, 농땡이 치다.

Góld Còast (the ~) **1** 황금 해안《Ghana 공화국의 일부》. **2** (특히 해안의) 고급 주택지(구).

góld dìgger 금갱(金坑)을 파는 사람, 금광을 찾아 헤매는 사람; 《속어》 남자를 홀려 돈을 우려내는 여자.

góld dùst 사금; 금분(金粉).

⁑gold·en [góuldən] *a.* **1 금빛의, 황금빛의**; 황금처럼 빛나는: ~ hair 금발/a ~ sunset 황금처럼 빛나는 일몰. **2** 금의, 금으로 만든, 금을 함유하는: a ~ crown 금관. **3** Ⓐ **귀중한**, (기회 따위가) 절호의; 전성의; 성공이 틀림없는, 전도유망한; 인기 있는: a ~ opportunity 절호의 기회/one's ~ days 전성시대/~ hours (라디오·TV의) 골든 아워/~ remedy 묘약/a ~ saying 금언. **4** Ⓐ 50년째의: ~ anniversary 50주년 기념일. SYN. ⇨ GOLD.

gólden áge (the ~) 황금 시대, 최성기; (종종 the G- A-) 【그리스·로마신화】 황금 시대《태고 때의 인류 지복(至福)의 시대》; (지혜·만족·여가가 있는) 중년 이후의 인생: The ~ was never the present age. 《격언》 현시대가 황금 시대였던 적은 결코 없었다.

gólden-áger *n.* Ⓒ 《美》 (65세 이상인) 초로의 사람, 노인.

gólden bálls 전당포 간판《금빛 공이 세 개임》.

gólden bóy 인기 있는 사람, 성공한 사람.

gólden cálf (the ~) 금송아지《이스라엘 사람의 우상》; (숭배의 대상이 되는) 부(富), 돈.

Gólden Delícious 골든 딜리셔스《미국 원산 딜리셔스계 노란 사과의 품종》.

gólden dísc 골든 디스크《백만 장 또는 백만 달러 이상 팔린 히트 레코드; 이 레코드 가수에게 상으로 주는 금제 레코드》.

gólden éagle 【조류】 검둥수리《머리·목덜미가 황금색; 예전의 독일 국장(國章)》.

Gólden Fléece (the ~) 【그리스신화】 금(金)양털《Jason이 Argonauts를 이끌고 원정하여 훔쳐왔다는》.

Gólden Gáte (the ~) 금문 해협(金門海峽)《San Francisco만을 태평양과 잇는 해협; 여기 유명한 Golden Gate Bridge가 있음》.

gólden gírl 인기 있는 여자.

gólden hándshake (a ~) 《구어》 (고액의) 퇴

직금《회사 중역 등에게 지급되는》.
gólden júbilee 50주년 축전. cf. jubilee.
gólden méan (보통 the ~) 중용(中庸), 중도.
gólden óldie 〔**óldy**〕 《구어》 그리운 옛 노래〔스포츠, 농담, 영화〕.
gólden párachute 〖경영〗 회사가 매입·합병될 때, 경영자는 다액의 퇴직금을 받을 수 있게 하는 고용 계약.
gólden retríever 골든 리트리버《누런 털을 가진 영국 원산의 순한 조류 사냥개》.
gólden·ròd *n.* Ⓤ 〖식물〗 메역취.
gólden rúle (*sing.*; 보통 the ~) 〖성서〗 황금률《마태복음 VII: 12, 누가복음 VI: 31의 교훈; 'Do (to others) as you would be done by.'로 요약됨》; 〖일반적〗 지도 원리, 금과옥조.
Gólden Státe (the ~) California 주의 별칭.
gólden sýrup 《英》 골든 시럽《당밀로 만드는 조리용·식탁용 정제 시럽》.
gólden wédding 금혼식《결혼 50주년 기념》.
gólden yèars 노후《흔히 65세 이후》.
góld·fìeld *n.* Ⓒ 채금지(採金地), 금광지.
góld-fílled *a.* 〖보석〗 금을 씌운〔입힌〕.
góld·fìnch *n.* Ⓒ 〖조류〗 검은방울새의 일종.
◇**góld·fìsh** *n.* Ⓒ 금붕어.
góldfish bòwl 금붕어용 어항; 《비유적》 프라이버시를 가질 수 없는 상태〔장소〕.
góld fòil 금박《gold leaf 보다 두꺼움; 치과용》.
góld lèaf 금박. cf. gold foil.
góld médal (우승자에게 주는) 금메달.
góld mìne **1** 금갱, 금광; 보고(寶庫): a ~ *of* information 지식의 보고. **2** 큰 돈벌이가 되는 것, 달러박스《***for, to*** …의》: The new product became a ~ *for* the company. 신제품은 그 회사의 달러박스가 되었다.
góld pláte 금으로 된 식기류; 금도금.
góld-pláte *vt.* …에 금을 입히다, 금도금하다. ㊞ **-plát·ed** [-id] *a.*
góld rùsh 골드 러시, 새 금광지로의 쇄도《미국에서는 1849년 California의 금광열이 크게 번짐》; 일확천금을 노린 광분(狂奔).
◇**góld·smìth** *n.* Ⓒ 금 세공인, 은장이.
góld stàndard (the ~) 〖경제〗 금본위제.
⁑golf [gɑlf, gɔ(ː)lf] *n.* Ⓤ **골프**. **—***vi.* 골프를 하다(play ~): go ~*ing* 골프치러 가다.
gólf bàll 골프 공.
gólf càrt 골프 카트《골프 백을 나르는 손수레, 또는 골퍼와 그의 소지품을 나르는 자동차》.
gólf clùb 골프채; 골프 클럽《조직 또는 건물·부지》.
gólf còurse 골프장, 골프 코스(golf links).
gólf·er *n.* Ⓒ 골퍼, 골프 치는 사람.
gólf lìnks = GOLF COURSE.
Gol·go·tha [gálgəθə/gɔ́l-] *n.* **1** 〖성서〗 골고다《예수가 십자가에 못박힌 Jerusalem의 언덕》. **2** (g-) Ⓒ 수난의 땅; 묘지, 납골당.
Go·li·ath [gəláiəθ] *n.* **1** 〖성서〗 골리앗《양치는 David에게 살해된 Philistine족의 거인》. **2** (보통 g-) Ⓒ 거인, 장사.
gol·li·wog(g) [gáliwàg/gɔ́liwɔ̀g] *n.* Ⓒ 얼굴이 검고 괴상한 인형.
gol·ly[1] [gáli/gɔ́li] *int.* 《구어》 저런, 어머나, 아이고《놀람·감탄 따위를 나타냄》.
***By* 〔*My*〕 ~!** 저런, 어머나.
gol·ly[2] *n.* 《구어》 = GOLLIWOG(G).
go·losh [gəláʃ/-lɔ́ʃ] *n.* = GALOSH.
Go·mor·rah, -rha [gəmɔ́ːrə, -márə/-mɔ́rə] *n.* **1** 〖성서〗 고모라《Sodom과 함께 악덕·부패 때문에 하느님에 의해 멸망된 도시》. **2** Ⓒ 악덕과 타락의 악명 높은 장소.

-gon [gàn, gən/gən, gɔ̀n] *suf.* '…각형(角形)' 이란 뜻의 명사를 만듦: hexa*gon*; penta*gon*; n-*gon* (n각형).
go·nad [góunæd, gán-/gɔ́n-] *n.* Ⓒ 〖해부〗 생식선(生殖腺).
◇**gon·do·la** [gándələ, gandóulə/gɔ́ndələ] *n.* Ⓒ **1** (Venice의) 곤돌라《평저 유람선》. **2** 《美》 대형 무개 화차(= ∠ **càr**). **3** (비행선·기구(氣球) 따위의) 조선(吊船), 조롱(吊籠), 곤돌라. **4** 곤돌라 상품 진열대《슈퍼마켓 등에서 상품을 사방에서 자유롭게 꺼낼 수 있도록 되어 있는 진열대》.
gon·do·lier [gàndəlíər/gɔ̀ndə-] *n.* Ⓒ 곤돌라 사공.
†**gone** [gɔːn, gan/gɔn] GO의 과거분사.
—*a.* **1 지나간, 사라진; 없어진**; 가버린: memories of ~ summer 지난 여름의 추억들 / I'll not be ~ long. 곧 돌아오겠네. **2** Ⓟ 죽은, 세상을 떠난(dead): They're all dead and ~. 그들은 모두 죽고 없다. **3** Ⓐ 가망 없는(hopeless), 절망적인: a ~ case 절망적인 상태; 가망 없는 환자. **4** Ⓐ 쇠약한(faint); 정신이 아뜩한: a ~ feeling 〔sensation〕 아뜩해지는〔까무러질 것 같은〕 느낌, 쇠약감. **5** Ⓟ **a** 〖종종 far ~로〗 깊이 빠져든《***in*** …에》: He's *far* ~ *in* crime. 그는 범죄의 수렁에 깊이 빠졌다. **b** 《구어》 홀딱 반한〔빠진〕《***on*** (이성)에》: He's ~ *on* her. 그는 그녀에게 홀딱 빠졌다. **6** 《구어》 임신한: She's six months ~. 그녀는 임신 6개월이다. **7** 《英구어》 (시간·나이가) …을 넘은〔지난〕, …이상의: a man ~ ninety years of age 나이 90을 넘은 사람 / It's ~ three years since we met last. 지난번 만난 이래 3년이 지났다 / past and ~ (이미) 과거의, 지나가 버린, 기왕의.

DIAL. ***Don't be gone* (*too*) *long.*** 빨리 돌아와라《너무 오래 가서 있지 마라》.

góne góose 〔**gósling**〕 《구어》 어찌할 도리 없는 사람, 가망 없는 사람; 절망적인 일〔상태〕.
gon·er [gɔ́(ː)nər, gán-] *n.* Ⓒ 《구어》 영락한 사람, 가망 없는 사람〔일, 것〕.
gon·fa·lon [gánfələn, -làn/gɔ́nfələn] *n.* Ⓒ (횡목에 매는 끝이 여러 가닥으로 갈라진) 기(旗)《중세 이탈리아의 도시 국가 따위에서 사용한》.
◇**gong** [gɔːŋ, gaŋ/gɔŋ] *n.* Ⓒ 징; 공《접시 모양의 종》(= ∠ **bèll**), 접시 모양의 벨; 《英속어》 훈장(medal): ring 〔sound〕 a ~ 공을 울리다.
gon·na [góunə, gɔ́ːnə, ㉻ gənə] 《속어》 …할 예정인(going to): Are ya ~ go? = Are you going to go?
gó-nó-gò *a.* 계속하느냐 중지하느냐의 결정(시기)에 관한: a ~ decision.
gon·or·rhea, 《英》 **-rhoea** [gànəríːə/gɔ̀n-] *n.* Ⓤ 〖의학〗 임질(clap).
gon·zo [gánzou/gɔ́n-] *a.* 《속어》 머리가 돈, 미친; 극단적으로 주관적인, 치우친.
goo [guː] *n.* Ⓤ 《구어》 찐득거리는 것; 감상(sentimentality).
†**good** [gud] (***bet·ter*** [bétər]; ***best*** [best]) *a.* **1 a 좋은**, 우량한; 훌륭한; 질이 좋은, 고급의: a ~ saying 금언(金言), 명구 / ~ health 좋은 건강 상태 / a ~ family 좋은 집안 / speak 〔write〕 ~ English 훌륭한 영어를 말하다〔쓰다〕 / Bad money drives out ~ (money). 악화는 양화를

구축한다《Gresham 의 법칙》. **b** (학생의 성적 5 단계 평가에서) 우(憂)의, B 의: get a ~ result in an exam 시험 성적 B를 받다.

2 a (도덕적으로) 선량한(virtuous), 착한, 성실한(dutiful): a ~ wife 착한 아내/a ~ deed 선행(善行)/lead a ~ life 착하게 살다. **b** (the ~) 〖명사적; 집합적; 복수취급〗 선량한 사람들: The ~ die young. 《속담》 선인은 일찍 죽는다, 가인박명(佳人薄命).

3 a 친절한, 인정 있는(benevolent); 너그러운 《***to*** …에게/***to*** do》: ~ nature 선량한〔고운〕 마음씨/do a ~ turn to 〔for〕 …에게 친절을 베풀다, …의 시중을 들다/He was ~ enough to show me the way. 그는 친절하게도 나에게 길 안내를 해주었다/He's ~ *to* us. 그는 우리에게 친절하게 대해 준다/It's ~ *of* you *to* invite me. =You're ~ *to* invite me. 초대해 주셔서 감사합니다/How ~ *of* you! 친절도 해라《★ to do 부분이 생략된 말》. SYN. ⇨KIND. **b** 사이 좋은, 친한, 친밀한: a ~ friend.

4 (어린애가) 얌전한, 품행이 좋은; 머리 좋은, 이해가 빠른: Be a ~ boy. 얌전하게 굴어라.

5 유능한; 익숙한, 잘하는, 재간 있는《***at, in*** (기술적인 것)에; ***on*** (특정한 일)에; ***with*** (취급하는 것)에》: a ~ artist 뛰어난 화가; 그림 솜씨가 좋은 사람《아마추어이긴 하나》/~ *at* all sports 스포츠에 만능인/She's ~ *on* the piano. 그녀는 피아노를 잘 친다/She's ~ *with* children. 그녀는 아이들을 잘 다룬다.

6 a 적임의, 자격이 있는《***for*** (지위 따위)에》: He's a man *for* the position. 그는 그 자리의 적임자이다. **b** 적합한, 바람직한《***for*** (목적 따위)에/***to*** do》: a ~ answer 적절한 답/It's a ~ day *for* a walk. 산책하기 좋은 날이다/Green apples aren't ~ *to* eat. 덜 익은 사과는 먹기에 적당치 않다/It's ~ *for* you *to* be out in the sun. 밖에서 햇볕을 쬐는 것이 좋다. **c** 유효한 《***for*** …동안》; (약 따위가) 효험이 있는《***for*** …에》: This ticket is ~ *for* one week. 이 표는 1 주일 동안 유효하다/This medicine is ~ *for* cold. 이 약은 감기에 좋다. **d** 쓸 수 있는, 쓸모 있는; 견딜 수 있는, 오래 가는《***for*** …동안》: This house is ~ *for* another fifty years. 이 집은 50년 더 쓸 수 있다. **e** 가치가 있는; 자력이 있는 《***for*** (얼마)의》: ~ *for* ten dollars, 10달러 가치가 있는/I'm ~ *for* 100 dollars. 100달러는 낼 수 있다.

7 (상업적으로) 신용할 수 있는, 확실한, 안전한: a ~ debt 회수 가능한 빚/~ securities 우량 증권.

8 (음식이) 맛있는; 신선한, 먹을 수 있는: ~ sandwiches 맛있는 샌드위치/This fish won't keep ~ overnight. 이 고기는 밤새 상하겠다.

9 즐거운; 행복한; 유쾌한(happy, enjoyable): It's ~ to be home again. 집에 다시 돌아오니 즐겁다/Have a ~ time! 즐겁게 보내게.

10 Ⓐ 〖강의적〗 **a** 〖보통 a ~〗 (수·양적으로) **충분한**(thorough, satisfying); 꽤 많은, 상당한: two ~ hours 족히 2시간/*a* ~ half 절반 이상/have *a* ~ cry 실컷 울다/go *a* ~ distance 상당한 거리를 가다. **b** 〖형용사 앞에서 부사적으로〗 《구어》 꽤, 상당히: a ~ long time 꽤 오랜 시간/It's a ~ hard work. 상당히 힘든 일이다.

11 Ⓐ 〖종종 호칭·경칭에 쓰여서〗 친애하는, 귀여운: my ~ friend 자네/How's your ~ man? 남편께서는 어떠신지요.

as ~ as ① …에 못하지 않은; (사실상) …나 매한가지인: It's *as* ~ *as* finished. 이제 끝난 거나 다름없다. ② 같은 분량만큼: give *as* ~ *as* one gets 받은 것만큼 갚다. (***as***) ***~ as gold*** ⇨GOLD. ***~ and*** [gúdn] 《美구어》 매우, 아주: ~ *and* happy 아주 행복한/I'm ~ *and* ready. 완전히 준비하고 있다. ***Good heavens!*** =***Gracious*** (***me***)***!*** =(***My***) ***Gracious!*** 어럽쇼, 아이구, 어마《놀람 따위를 나타냄》. ***hold ~*** 효력이 있다; 적용되다: This rule *holds* ~ in any case. 이 규칙은 어떤 경우에도 해당된다. ***in ~ time*** 때맞춰, 마침, 제때〔제시간〕에. ***make a ~ thing out of*** …을 이용〔활용〕하다. ***make ~*** ① (손해 따위)를 보상〔변제〕하다; (부족 따위)를 보충하다: The damage was *made* ~. 그 손해는 보상되었다. ② (목적)을 달성하다; (약속)을 이행하다: *make* ~ a promise. ③ 실증〔입증〕하다: *make* ~ a boast 자랑한 것이 옳음을 증명하다. ④ (입장·지위)를 유지〔확보〕하다; 《주로 英》 회복〔수복〕하다. ⑤ (특히 장사에) 성공하다: He *made* ~ in business 〔as a businessman〕. 그는 사업에〔사업가로서〕 성공했다.

> DIAL. ***All in good time.*** 모든 게 다 때가 있는 법이다《잠자코 기다려라》.
> ***Good enough.*** 좋다, 됐다.
> ***Good for you!*** =***Good man!*** 잘 했다, 잘 됐다: Mum, I came top in this morning's math test.—*Good for you*. 엄마, 오늘 아침 수학 시험에서 1등 했어요—잘 했구나.
> ***Not so good!*** 그렇게 좋지는 않군요.
> ***That's good!*** 바로 그거다, 그거 됐다.
> ***That's a good one.*** 설마 그럴 리가 있나, 농담〔거짓말〕 마.
> ***You can't keep a good man*** 〔***woman***〕 ***down!*** 훌륭한 사람은 어떤 고난에도 꺾이지 않지.
> ***Very good.*** ① 아주 좋다, 아주 맛있다. ② 예 알았습니다, 예 그러지요《점원 등이 쓰는 말》.

—*n.* Ⓤ **1** 선(善); 미덕; 장점; 《美》 양(良)《고기, 특히 쇠고기의 등급》; 우(優)의《학생 성적 5단계 평가에서》(⇨GRADE *n.* 4). ↔ *evil.*¶ the highest ~ 지고선(至高善)/know ~ from evil 선악을 분별하다/There is some ~ in everybody. 누구에게나 장점은 있다. **2** 좋은 일〔것, 결과〕: for ~ or evil 좋든 나쁘든. **3** 이익, 이(利)(advantage); 소용, 효용, 가치: public ~ 공익(公益)/What ~ is that? =What is the ~ of that? 그게 무슨 소용이 있는가/It's no ~ talking to him. 그에게 아무리 말해도 소용없다. **4** 행복: the greatest ~ of the greatest number 최대 다수의 최대 행복《Bentham의 공리주의의 원칙》. **5** (*pl.*) ⇨GOODS.

be up to no ~ =***be after no ~*** ① 나쁜〔못된〕 일을 꾸미고 있다. ② 《美》 아무 쓸모없다. ***come to ~*** 좋은 열매를 맺다, 좋은 결과가 되다. ***come to no ~*** 좋은 결과를 못 보다, 시원치 않게 되다. ***do ~*** ① 좋은 일을 하다, 친절을 다하다. ② 쓸모 있다, 소용이 되다: Do you think it will *do* any ~? 그것이 무슨 소용이라도 있을 것 같으냐. ***do*** a person ***~*** 아무에게 도움이 되다, 이롭다; 아무의 건강에 좋다: Smoking won't *do* you any ~. 흡연은 몸에 좋지 않을 겁니다. ***for ~*** (***and all***) 영구히; 이를 마지막으로: I don't mind how it is expressed, but I do need to know that violence is ended *for* ~. 그것이 어떻게 표현되었는지는 개의치 않는다. 다만, 폭력이 영구히 사라졌는지를 알고 싶은 것이다. ***for***

the ~ *of* …(의 이익)을 위해서. *in* ~ *with* 《美구어》 …의 마음에 들어, …에게 호감을 사서: He's *in* ~ *with* the boss. 그는 상사의 마음에 들어 있다. *to the* ~ ① 이익이 되어: It's all *to the* ~. 잘 됐어. ② 〖상업〗 대변(貸邊)에, 순(이)익으로; 더 이기어: We are 400 dollars *to the* ~. 우리는 400달러 벌었다 / Our team is now five points *to the* ~. 지금 우리 팀이 5점 더 이기고 있다.

—*ad.* 《美구어》 훌륭히, 잘: She did it real ~. 그녀는 참으로 잘 했다 / I don't see too ~. 눈이 잘 보이지 않는다.

—*int.* 〖찬성 · 만족의 뜻을 나타내어〗 좋아, 잘 했어, 그렇지, 옳지.

> DIAL. *They say you can rent skis there.* — *Oh, good!* 거기서 스키를 빌릴 수 있다는데 — 오, 잘됐구나.

gòod afternóon 〖오후 인사〗 안녕하십니까; 안녕히 계〔가〕십시오.

Góod Bóok (the ~) 성서(Bible).

†**good-by, -bye** [gùdbái] *int.* **안녕**; 안녕히 가〔계〕십시오: I must say ~ now. 이제 작별해야겠군 / *Good-by* for now. 이제 그만 안녕. —(*pl.* ~*s*) *n.* Ⓒ 고별, 작별(인사)《God be with ye. 의 간약형》: We said our ~*s* and went home. 우리는 작별을 고하고 집으로 갔다 / ⇨KISS ~. ★ 종종 goodby(e)라고 하이픈 없이도 씀.

gòod dáy 〖낮 인사〗 안녕하십니까; 안녕히 계〔가〕십시오. ★ 예스러운 말로, 지금은 쓰지 않음.

góod égg 《구어》 명랑한〔신뢰할 수 있는〕 사람, 좋은 사람; 〖감탄사적〗 이건 참말로《기쁜 놀라움을 나타냄》.

gòod évening 〖저녁 인사〗 안녕하십니까; 안녕히 계〔가〕십시오.

góod fáith 성실, 성의(誠意), 정직: in ~ 성의 있게, 성실하게.

góod féllow 착한 사람, (교제 상대로) 명랑하고 다정한 사람.

gòod-féllowship *n.* Ⓤ 친구간의 정의(情誼); 친목, 우정.

góod-for-nòthing *a.*, *n.* Ⓒ 쓸모 없는 (사람), 변변치 못한 (인간).

Góod Fríday 성(聖)금요일, 예수의 수난일 《Easter 전(前) 금요일》.

góod-héarted [-id] *a.* 친절한(kind), 호의 있는, 마음씨가 고운, 관대한, 선의의.
㊕ ~**·ly** *ad.* 친절히. ~**·ness** *n.*

Gòod Hópe = the CAPE (of Good Hope).

góod-húmored *a.* 기분 좋은, 명랑한; 상냥〔싹싹〕한. ㊕ ~**·ly** *ad.* ~**·ness** *n.*

good·ie [gúdi] *n.* Ⓒ (영화 따위의) (정직하고 용감한) 좋은 사람, 선인. ↔ baddie.
—*int.* = GOODY.

good·ish [gúdiʃ] *a.* Ⓐ 나쁘지 않은, 대체로 좋은 편인; 〖a ~으로〗 적지 않은; 상당한《크기 · 수량 · 거리 따위》: a ~ wine 그런대로 마실 만한 술 / You can walk from here to the park, but it's *a* ~ distance. 여기서 공원까지 걸어갈 수는 있으나 꽤 먼 거리다.

góod-lóoker *n.* Ⓒ 미인, 잘생긴 사람〔동물〕.

◇**góod-lóoking** *a.* 잘생긴, 미모의, 핸섬〔스마트〕한; 잘 어울리는《의복 따위》: a ~ man 〔girl, car〕 / ~ legs 보기 좋은 미끈한 다리. SYN. ⇨ BEAUTIFUL.

góod lóoks 매력적인 용모, 《특히》 미모.

◇**góod·ly** (*-li·er; -li·est*) *a.* Ⓐ 훌륭한, 고급의, 멋진; 미모의, 잘생긴; 〖a ~ …으로〗 꽤 많은, 상당한《크기 · 수량 따위》: *a* ~ sight 매우 멋진 광경 / *a* ~ heritage 꽤 많은 유산 / *a* ~ sum of money 상당한 금액.

gòod mórning 〖오전 중의 인사〗 (밤새) 안녕하십니까; 안녕히 가〔계〕십시오.

***good-na·tured** [gúdnéitʃərd] *a.* (마음씨가) **착한**, 고운, 온후한, 친절한.
㊕ ~**·ly** *ad.* 온화하게; 친절히. ~**·ness** *n.*

góod-néighbor *a.* Ⓐ (정책 따위가) 선린의, (국제 관계가) 우호적인: a ~ policy 선린 정책.

Góod Néighbor Pòlicy 〖美역사〗 선린(善隣)정책《1933년 미국의 Roosevelt 대통령이 채택한》.

⁑**good·ness** [gúdnis] *n.* Ⓤ **1 선량**, 미덕. **2** (the ~) **친절**, 우애, 자애《*to* do》: Have the ~ *to* listen! 경청해 주십시오 / He had the ~ *to* accompany me. 그는 친절하게도 나와 동행해 주었다. **3** (the ~) **미점**, 장점; 정수(精髓); (음식물의) 자양분. **4** 《구어》 〖감탄사적으로 God의 대용어(語)로서〗 이키나, 어이구, 저런.

Thank ~***!*** 고마워라, (잘)됐다. ***wish*** 〔***hope***〕 ***to*** ~ (***that***) ***...*** 《구어》 부디 …이길 바라다: I *wish to* ~ you had told me that before. 당신이 내게 미리 얘길 해 주었더라면 좋았을 걸.

> DIAL. ***Goodness*** (***only***) ***knows.*** 아무도 몰라; 신에 맹세코, 확실해.
> ***My goodness!*** = ***Goodness me!*** = ***Oh goodness!*** = ***Goodness gracious*** (***me***)***!*** 저런, 어렵쇼《놀라움 · 분노를 나타냄》: *My goodness!* He did it again! 저런 그가 또 저질렀군.

gòod níght 〖밤의 작별 · 취침시의 인사〗 안녕히 주무십시오; 안녕히 가〔계〕십시오.

say ~ ***to...*** 《속어》 …에게 작별 인사하다; …은 없는 것으로 체념하다.

góod óffices 알선, 소개.

†**goods** [gudz] *n. pl.* **1 물건**, 물품, 상품(wares), 물자: canned ~ 통조림류 / war ~ 전쟁 물자 / convenience ~ 일용품〔잡화〕. **2 재산**, 재화(財貨); 〖경제〗 재(財); (현금 · 증권 이외의) 동산(movables), 가재 도구; 소유물: household ~ 가재 (도구) / consumer 〔producer〕 ~ 소비〔생산〕재. **3** 〖때로 단수취급〗 《美》 천, 피륙: dry ~ 옷감. **4** 《英》 (철도) 화물(《美》 freight): a ~ agent 운송업자 / a ~ station 화물역(《美》 freight depot) / a ~ train 화물 열차. **5** 《구어》 **a** (the ~) 〖때로 단수취급〗 바로 구하고 있는 것, 적임인 사람, 진짜: It's the ~. 그것은 안성맞춤이다. **b** (the ~) 범죄의 증거, 《특히》 장물(贓物): catch a person with the ~ 아무를 현행범으로 잡다: get 〔have〕 the ~ on a person 아무의 범행 확증을 잡다〔손에 넣고 있다〕.

deliver 〔***produce***〕 ***the*** ~ 《구어》 약속을 신행하다, 바라는 만큼 주다.

góod Samáritan ⇨SAMARITAN.

góods and cháttels 〖법률〗 인적 재산《유체(有體) 동산과 부동산적 동산을 합한 것》.

góod sénse 양식(良識), (직관적인) 분별.

góod-sízed *a.* 꽤 큰〔넓은〕.

gòod spéed 행운, 성공《여행을 떠나는 사람에 대한 작별 인사》.

góod-témpered *a.* 마음씨 고운, 상냥한, 얌전한. ㊕ ~**·ly** *ad.* ~**·ness** *n.*

góod thìng (a ~) 《구어》 바람직한〔잘된〕 일;

좋은 것: Free trade is a ~. 자유무역은 바람직하다/He's really on to a ~. 그는 정말로 좋은 일〔것〕을 얻게 되었다.

It is a ~ (that) .... 《구어》 …은 행운이다, …해서 참 잘됐다: *It's a* ~ you are here. 자네가 와 주어서 잘됐네. ***too much of a ~*** 좋지만 도가 지나쳐서 귀찮은 것.

◇**good·will** [gúdwíl], **góod wíll** *n.* Ⓤ **1** 호의, 친절, 후의; 친선: international ~ 국제 친선/a ~ visit to Korea 한국 친선 방문. **2** (상업·상점의) 신용, 성가(聲價); 영업권: buy a business with its ~ 회사의 성가와 함께 사업을 매수하다.

◇**goody** *n.* Ⓒ 《구어》 **1** (보통 *pl.*) 맛있는 것, 봉봉; 엿, 사탕. **2** (보통 *pl.*) 특별히 매력 있는〔탐낼 정도로 좋은〕 것《음식물·의복·작품 따위》. **3** = GOODIE. **—***int.* 《소아어》 신난다, 근사하다.

góody-góody *a.* 착한〔선량한〕 체하는. **—***n.* Ⓒ 선량한 체하는 사람.

goo·ey [gúːi] (***goo·i·er; -i·est***) 《구어》 *a.* (과자 따위가) 달고 끈적끈적한; 꽤나 감상적인.

goof [guːf] (*pl.* **~s**) *n.* Ⓒ 바보, 멍청이; 실수: make a ~ 실수하다. **—***vt.* 실수하여 잡쳐 버리다(*up*). **—***vi.* 실수〔실패〕하다; 게으름 피우다; 시간을 허비하다, 빈둥거리다(*off; around*): ~ *off* on the job 일을 사보타주하다.

góof·bàll, góof bàll *n.* Ⓒ 《속어》 **1** 신경 안정제〔수면제〕가 든 정제. **2** 묘한 녀석, 바보.

gó-òff *n.* (*sing.*) 《英구어》 출발; 출발 시간; 착수: at one ~ 한꺼번에, 단숨에/succeed at the first ~ 단번에 성공하다.

góof-òff *n.* Ⓒ 《美구어》 책임을 회피하는 남자, 게으름뱅이.

góof-ùp *n.* Ⓒ 《구어》 실수, 실패.

goofy [gúːfi] (***goof·i·er; -i·est***) *a.* 《구어》 얼빠진(foolish), 어리석은.

㊕ **góof·i·ly** *ad.* **-i·ness** *n.*

goo·goo [gúːgùː] *a.* 《美속어》 (눈매가) 요염한: make ~ eyes 추파를 던지다.

gook [guk, guːk] *n.* 《美속어》 **1** Ⓤ 먼지, 진흙; 끈적끈적 달라붙은 것; 짙은 화장. **2** Ⓒ 《경멸적》 황색인종, 동양인.

goon [guːn] *n.* Ⓒ 《美》 고용된 폭력 단원; 《속어》 얼간이.

⁑**goose** [guːs] (*pl.* ***geese*** [giːs]) *n.* **1 a** Ⓒ 거위: All his *geese* are swans. 《속담》 그는 자기 자랑만 늘어놓는다. **b** Ⓤ 거위 고기. **2** Ⓒ 《구어》 바보, 얼간이(simpleton). **3** (*pl.* ***góos·es***) Ⓒ 《속어》 (장난으로) 궁둥이를 손(가락)으로 뒤에서 찌름.

can 〔***will***〕 ***not say boo to a ~*** ⇨BOO. ***cook*** a person***'s ~*** 《구어》 아무의 계획〔평판, 희망〕을 망치다. ***kill the ~ that lays the golden eggs*** 눈앞의 이익에 눈이 어두워 장래의 큰 이익을 희생하다.

—*vt.* 《속어》 (아무)의 궁둥이를 손(가락)으로 뒤에서 찌르다《놀라게 하려고》.

◇**goose·ber·ry** [gúːsbèri, -bəri, gúːz-] *n.* Ⓒ 〖식물〗 구즈베리(의 열매).

play ~ 《英구어》 (단 둘이 있고 싶어하는 연인들의) 훼방꾼이 되다.

góoseberry búsh 구즈베리나무: I found him 〔her〕 under a ~. 《英우스개》 아기는 구즈베리나무 밑에서 주웠다《아기는 어디서 났느냐고 아이들이 물을 때의 대답》.

góose bùmps 《주로 美》 = GOOSEFLESH.

góose ègg **1** 《美》 영점, 제로(《英》 duck's egg)《시험·경기 등에서》. **2** 《美구어》 (맞아서 생긴) 머리의 혹. **3** 거위의 알.

góose·flèsh *n.* Ⓤ (추위·공포 따위에 의한) 소름, 소름 돋은 피부: be ~ all over (오싹하여) 온몸에 소름이 끼치다.

góose·fòot (*pl.* **~s**) *n.* Ⓒ 〖식물〗 명아주.

góose·nèck *n.* Ⓒ 거위 목처럼 휜〔휘는〕 것; S자형 관(管): a ~ lamp 거위목 스탠드《목이 자유롭게 굽는 전기 스탠드》.

góose stèp (*sing.*; 보통 the ~) 무릎을 굽히지 않고 발을 높이 들어 행진하는 보조.

góose-stèp (**-pp-**) *vi.* goose step식 보조로 행진하다.

G.O.P., GOP 《美》 Grand Old Party (공화당).

go·pher [góufər] *n.* Ⓒ 〖동물〗 뒤쥐《굴을 파고 땅속에서 삶; 북아메리카산(產)》.

Gor·ba·chev [gɔ̀ːrbətʃɔ́ːf/-tʃɔ́f] *n.* **Mikhail Sergeyevich ~** 고르바초프(1931–)《옛 소련 공산당 서기장(1985–91), 대통령(1990–91)》.

Gór·di·an knót [gɔ́ːrdiən-] (the ~) Phrygia 국왕 Gordius 의 매듭《Alexander 대왕이 칼로 끊어버렸음》. ***cut the ~*** 비상 수단으로 어려운 일을 해결하다.

gore[1] [gɔːr] *n.* Ⓤ 《문어》 (상처에서 나온) 피, 엉긴 피, 핏덩이.

gore[2] *n.* Ⓒ 삼각형의 헝겊; (옷의) 깃, 섶. **—***vt.* …에 옷깃을 달다.

gore[3] *vt.* (뿔·엄니 따위로) 찌르다, 받다.

gorge [gɔːrdʒ] *vt.* 게걸스레 먹다; 〖~ oneself〗 배를 채우다(***on, with*** …으로): ~ beer 맥주를 벌컥벌컥 마시다/~ one*self with* cake 과자를 배불리 먹다. **—***vi.* 포식하다, 걸신들린 듯 먹다(***on*** …을): ~ *on* good dinners 좋은 음식을 실컷 먹다.

—*n.* Ⓒ **1** 골짜기(ravine). **2** 식도(食道)(gullet), 목구멍. **3** 《美》 (시냇물·통로 등을) 막는 집적물: An ice ~ has blocked the shipping lane. 얼음 덩어리가 항로를 막았다.

cast 〔***heave, vomit***〕 one***'s ~ at*** …을 보고 구역질하다; …을 몹시 싫어하다. ***make*** a person***'s ~ rise*** …에게 구역질이 나게 하다, 혐오〔분노〕를 느끼게 하다. one***'s ~ rises at ...*** …을 보고 속이 메스꺼워지다.

***gor·geous** [gɔ́ːrdʒəs] *a.* **1** 호화로운, (문장 따위가) 찬란한, 눈부신, 화려한: a ~ sunset 찬란한 일몰/The garden is ~ with the azaleas in bloom. 정원은 진달래가 활짝 피어 화려하다. **2** 《구어》 멋진, 훌륭한: a ~ meal 훌륭한 음식/a ~ actress 매력적인〔멋진〕 여배우.

㊕ **~·ly** *ad.* **~·ness** *n.*

gor·get [gɔ́ːrdʒit] *n.* Ⓒ (갑옷의) 목가리개.

Gor·gon [gɔ́ːrgən] *n.* Ⓒ **1** 〖그리스신화〗 고르곤《머리가 뱀이며, 보는 사람을 돌로 변화시켰다는 세 자매의 괴물》. **2** (g–) 무서운 여자, 추녀; 무서운 사물.

Gor·gon·zo·la [gɔ̀ːrgənzóulə] *n.* Ⓤ (낱개는 Ⓒ) 치즈의 일종(= ∠ **chéese**)《이탈리아 Gorgonzola산(產)》.

◇**go·ril·la** [gərílə] *n.* Ⓒ 〖동물〗 고릴라; 《구어》 (고릴라같이) 힘이 세고 포학한 남자; 악한, 폭력배(ruffian, thug), 갱(gang).

gork [gɔːrk] *n.* Ⓒ 《美속어》 식물 인간.

Gor·ki, -ky [gɔ́ːrki] *n.* **Maxim ~** 고리키《러시아의 극작가·소설가; 1868–1936》.

gor·man·dize [gɔ́ːrməndàiz] *vt., vi.* 많이

먹다, 폭식하다, 게걸스럽게 먹다(gorge).

gorm·less [gɔ́ːrmlis] *a.* 《英구어》 얼뜬, 아둔한. ㊉ ~·**ly** *ad.*

gorse [gɔːrs] *n.* Ⓤ 【식물】 가시금작화(의 숲, 덤불).

gory [gɔ́ːri] (**gor·i·er; -i·est**) *a.* 피투성이의(bloody); 유혈이 낭자한, 잔학한, 처참한《전쟁 · 소설 등》: a ~ battle 혈전(血戰) / a ~ film 잔혹 영화.

gosh [gɑʃ/gɔʃ] *int.* 아이쿠, 큰일 났군, 기필코(by ~!)《놀람 · 맹세를 나타냄》. [◂ God]

gos·hawk [gáshɔ̀ːk/gɔ́s-] *n.* Ⓒ 【조류】 새매류.

gos·ling [gázliŋ/gɔ́z-] *n.* Ⓒ 새끼 거위; 풋내기.

gó-slów *n.* Ⓒ 《英》 (동맹) 태업(《美》 slowdown).

◇**gos·pel** [gáspəl/gɔ́s-] *n.* **1** (the ~) (예수가 가르친) 복음; 예수 및 사도들의 가르침; 기독교의 교의(敎義): preach the ~ 예수의 가르침을 설교하다. **2** (G-) Ⓒ 복음서《Matthew, Mark, Luke, John 의 4권》; 복음 성경《미사 때 낭독하는 복음서의 일부》. **3** Ⓤ (절대의) 진리, 진실: take… as (for) ~ …을 진실이라고 굳게 믿다 / What he says is ~. 그의 말은 진실이다. **4** Ⓒ (행동 지침으로서의) 주의(主義), 신조: the ~ of efficiency (laissez-faire, soap and water) 능률(방임, 청결)주의. **5** = GOSPEL MUSIC.
—*a.* Ⓐ 복음의; 복음서에 의한.

gós·pel·er, 《英》 **-pel·ler** *n.* Ⓒ 미사 때에 복음서를 낭독하는 사람; 복음 전도사: a hot ~ 열렬한 선전가; 열광적인 전도사.

góspel mùsic 복음 음악《흑인의 종교 음악》.

góspel sòng 복음 성가; 고스펠 송《흑인 영가 비슷한 성가》.

góspel trúth (the ~) 절대적인 진리(사실).

gos·sa·mer [gásəmər/gɔ́s-] *n.* Ⓤ **1** (공중에 떠 있거나, 풀 같은 데 걸려 있는) 잔 거미집(줄). **2** 가볍고 약한 것, 섬세한(가냘픈, 덧없는) 것: the ~ of youth's dreams 청춘의 덧없는 꿈. **3** 얇은 천, 얇은 사(紗)(가제).
—*a.* 가볍고 얇은; 섬세한.

***gos·sip** [gásip/gɔ́s-] *n.* **1 a** Ⓤ (구체적으로는 Ⓒ) **잡담**(chatter), **한담**, 세상 이야기: have a friendly ~ with a neighbor 이웃과 세상 이야기를 정답게 하다. **b** Ⓤ (신문의) 가십, 만필(漫筆): a ~ writer 가십 기자. **2** Ⓒ 남의 소문을 퍼뜨리는 사람, 수다쟁이, 떠버리《특히 여자》. ◇ gossipy *a.* —*vi.* 《~/+전+명》 잡담(한담)하다《**with** …와; **about** …에 관하여》; 가십 기사를 쓰다《**about** …에 관하여》: She's always *~ing with* her friends *about* her neighbors. 그녀는 늘 친구들과 이웃 사람들에 대한 소문을 이야기하고 있다.

góssip còlumn (신문 · 잡지의) 가십난.

góssip·mònger *n.* Ⓒ 수다쟁이, 소문을 퍼뜨리는 사람.

gos·sipy [gásipi/gɔ́s-] *a.* 수다스러운, 말하기 좋아하는; (신문 · 잡지 따위가) 가십 기사가 많이 실려 있는.

†**got** [gɑt/gɔt] GET의 과거 · 과거분사.

got·cha [gátʃə/gɔ́-] *int.* 《美속어》 **1** 알았다. **2** 으악, 잡았다《상대방에게 살짝 다가가 놀라게 할 때 따위에 씀》. **3** 몰랐지, 속았지《상대방이 자기 농담이나 장난에 넘어갔을 때 따위에 씀》. **4** 그럴리가, 거짓말 마《거짓말을 간파했을 때 따위에 씀》. [◂ (I've) got you]

Goth [gɑθ/gɔθ] *n.* **1** (the ~s) 고트족(族)《3-5세기경에 로마 제국을 침략한 튜턴계의 한 민족》; Ⓒ 고트 사람. **2** Ⓒ 야만인(barbarian), 무법자.

Goth·am *n.* **1** [gátəm, góut-/gɔ́t-] 고텀 읍(邑)《옛날에 주민이 모두 바보였다고 전해오는 잉글랜드의 한 읍》; 잉글랜드 Newcastle 시의 속칭. **2** [gáθəm, góuθ-/gɔ́θ-] 미국 뉴욕 시의 속칭.
a wise man of ~ 고텀 읍의 현인《바보》.

***Goth·ic** [gáθik/gɔ́θ-] *a.* **1 a** 【건축 · 미술】 **고딕 양식의**《(1) 12-16세기 서유럽에서 널리 행해진 건축 양식. (2) 13-15세기에 특히 북유럽에서 행해진 회화 · 조각 · 가구 등의 양식》. **b** 【문예】 고딕풍의《괴기 · 공포 · 음산 등의 중세기적 분위기》: a ~ novel 괴기 소설. **2** 【인쇄】 고딕체의. ⓒf roman, italic. ¶in ~ script 고딕체 글자로. **3** 고트인의(같은); 고트어의. —*n.* Ⓤ **1** 《英》 【인쇄】 고딕(자(字)체); 《美》 = SANS SERIF. **2** 【건축 · 미술】 고딕 양식.

Góthic árchitecture 고딕 (양식의) 건축.

gó-to-méeting *a.* Ⓐ 교회 갈 때의, 나들이용의《옷 · 모자 따위》.

got·ta [gátə] 〖발음 철자〗 《구어》 got a, got to.

got·ten [gátn/gɔ́tn] 《美》 GET의 과거분사. ★ 영국서는 ill-*gotten* 따위 합성어 이외에는 잘 안 쓰며, 미국서는 *got*와 병용함.

gouache [gwɑːʃ, guáːʃ] *n.* 《F.》 **1** Ⓤ 구아슈《아라비아 고무 따위로 만든 불투명한 수채화 채료》; 구아슈 화법. **2** Ⓒ 구아슈 수채화.

Góu·da (**chéese**) [gáudə(-), gúː-] *n.* Ⓤ (낱개는 Ⓒ) 치즈의 일종《네덜란드 원산》.

gouge [gaudʒ] *n.* Ⓒ **1** 둥근 정, 둥근 끌. **2** 《美》 금품의 강요, 부당 착취. —*vt.* **1** (둥근 끌로) 파다, 새기다(*out*): ~ *out* one's initials on a tree 나무에 자기 이름의 머릿글자를 새기다. **2** (형벌로서 눈알)을 도려내다, (아무)의 눈알을 도려내다(*out*). **3** 《美》 갈취하다, (돈)을 사취하다.

gou·lash [gúːlɑːʃ, -læʃ] *n.* Ⓒ (요리는 Ⓤ) 맵게 한 쇠고기와 야채의 스튜 요리.

Gou·nod [gúːnou] *n.* **Charles François** ~ 구노《프랑스의 작곡가; 1818-93》.

gourd [guərd, gɔːrd] *n.* Ⓒ 【식물】 호리병박《열매 또는 그 식물》; 조롱박; 호리병박으로 만든 용기: the bottle ~ 호리병박 / the dishcloth (sponge, towel) ~ 수세미외 / the white ~ 동아.

gour·mand [gúərmənd] *n.* 《F.》 Ⓒ 대식가(大食家)(glutton); 미식가(美食家), 식도락가.

gour·met [gúərmei, ⌐] *n.* 《F.》 Ⓒ 요리나 술의 맛에 감식력이 있는 사람, 식통(食通); 미식가: ~ food 고급 식료품.

gout [gaut] *n.* Ⓤ 【의학】 통풍(痛風)《팔 · 다리 따위에 염증을 일으켜 아픔》; Ⓒ (특히 피의) 방울(drop), 응혈(凝血)(clot).

gouty [gáuti] (**gout·i·er; -i·est**) *a.* 통풍(痛風)의; 통풍에 걸린(의한); 통풍과 같은.

Gov., gov. government; governor.

⁑**gov·ern** [gʌ́vərn] *vt.* **1** (국가 · 국민 등)을 **통치하다, 다스리다**(rule): He *~ed* his country wisely. 그는 나라를 슬기롭게 다스렸다 / the *~ed* 피치자(被治者).

SYN. **govern** 질서 유지 · 복지 증진이라는 좋은 의미에서 국사 · 국민을 지휘 통치함. **reign** 주권을 잡고 통치함. 이른바 '군림하다'의 뜻. **rule** 독재적으로 통치함.

2 (공공 기관 따위)를 지배하다, 운영하다, 관리하다(control): ~ a public enterprise 공공 기업

을 운영하다. 3 〖종종 수동태〗 (결의·행동 따위)를 **좌우하다**(sway); (운명 따위)를 결정하다(determine): Never let your passions ~ you. 결코 감정에 지배받지 마라/Prices *are ~ed by* supply and demand. 물가는 수요와 공급의 관계로 좌우된다. 4 a (격정 따위)를 **억제하다**, 누르다(restrain): He couldn't ~ his temper. 그는 치밀어오르는 노여움을 누를 수 없었다. b 〖~ oneself〗 자제하다. 5 (법률이) …에 적용되다. 6 〖문법〗 (동사·전치사가 격·목적어)를 지배하다. —*vi.* 통치하다; 정무(政務)를 보다; 지배하다, 관리하다: The king reigns but does not ~. 왕은 군림하되 통치하지 않는다.

gòv·ern·a·bíl·i·ty *n.* Ⓤ 통치할 수 있는 상태, 순종.

gov·ern·a·ble [gʌ́vərnəbəl] *a.* 통치〔지배·관리〕할 수 있는; 억제할 수 있는.

gov·ern·ance [gʌ́vərnəns] *n.* Ⓤ 통치, 통할; 관리, 지배.

gov·ern·ess [gʌ́vərnis] *n.* Ⓒ (특히, 입주하는) 여자 가정교사. ⓒⓕ tutor. ¶a daily 〔resident〕 ~ 통근〔입주〕 여가정교사.

góv·ern·ing *a.* Ⓐ 통치하는; 지배하는; 통제하는: the ~ body (병원·학교 따위의) 관리부, 이사회/the ~ classes 지배 계급.

†**gov·ern·ment** [gʌ́vərnmənt] *n.* 1 (보통 G-) 《英》 〖집합적; 단·복수취급〗 **정부**, 내각(《美》 Administration): *Government* circles 관변(官邊)/form a ~ 《英》 조각(組閣)하다/The *Government* has 〔have〕 approved the budget. 정부는 예산안을 승인했다. 2 Ⓤ **통치**(권), 행정(권), 지배(권); 정치; 정체, 통치 형태: ~ of the people, by the people, for the people 국민의, 국민에 의한, 국민을 위한 정치/We prefer democratic ~. 우리는 민주정체를 선택한다/Strong ~ is needed. 강력한 통치가 필요하다. 3 Ⓤ 〖문법〗 지배.

°**gov·ern·men·tal** [gʌ̀vərnméntl] *a.* Ⓐ 정치의, 통치상의; 정부의; 관립〔관영〕의: He's in ~ employment. 그는 관리 노릇을 하고 있다.

góvernment íssue (또는 G- I-) 《美》 관급품(官給品)《생략: G.I.》.

góvernment páper 〔**secúrities**〕 (정부 발행) 국채 증서.

góvernment súrplus 정부 불하품.

‡**gov·er·nor** [gʌ́vərnər] *n.* Ⓒ 1 **통치자**, 지배자 (ruler). 2 a (때로 G-) (미국의) **주지사**. b (영국 식민지의) **총독**; 《英》 (관서, 협회, 은행 따위의) 장관, 총재, 이사장; 원장; (요새·수비대 따위의) 사령관: a civil ~ 민정 장관/the ~ of the Bank of England 잉글랜드 은행 총재/the ~ of the prison 교도소 소장/the board of *~s* 간사회. 3 《英구어》 두목, 두령, 대장; 아버지. 4 〖기계〗 거버너, 조속기(調速機); (가스·증기·물 따위의) 조정기: an electric ~ 전기 조속기.

góvernor-géneral (*pl.* ***governors-general,*** ***~s***) *n.* Ⓒ 《英》 (영 연방내의 독립국, 옛 식민지 따위의) 총독; 지사, 장관.

gov·er·nor·ship [gʌ́vərnərʃìp] *n.* Ⓤ 지사·장관·총재의 직〔임기, 지위〕.

Govt., Gov't., govt. government.

gowk [gauk, gouk] 《Sc.》 *n.* Ⓒ 바보, 멍청이: give a person the ~ 아무를 업신여기다.

***gown** [gaun] *n.* 1 Ⓒ (여성의) 야회용 드레스, 로브(evening ~); (여성의) 잠옷, 실내복; (외과 의사의) 수술복; (판사·변호사·성직자·대학 교수·졸업식 때 대학생 등이 입는) 가운: a judge's ~ 판사복/in cap and ~ (모자까지 포함해서) 대학의 예복으로《★ 관사 없이》/in wig and ~ (가발까지 포함해서) 법관의 정장으로《★ 관사 없이》. 2 Ⓤ 〖집합적〗 법관, 성직자; 대학 사람들, 대학인《교수·학생들》: town and ~ (대학 도시에서의) 시민과 대학 관계자.

gówns·man [-mən] (*pl.* ***-men*** [-mən]) *n.* Ⓒ (직업·지위를 나타내는) 가운을 입는 사람《법관·변호사·성직자 따위》.

goy [gɔi] (*pl.* ***~·im*** [gɔ́iim], ***~s***) *n.* Ⓒ (유대인의 견지에서 본) 이방인, 이교도(gentile).

Go·ya [gɔ́iə, gɔ́:jɑ:] *n.* **Francisco José de ~** 고야《스페인의 화가; 1746-1828》.

GP, G.P. general practitioner; *Grand Prix* 《F.》. **GPA** 《美》 grade point average. **GPIB** 〖컴퓨터·전자〗 general purpose interface bus. **GPO, G.P.O.** General Post Office. **Gr.** Grecian; Greece; Greek. **gr.** grade; grain(s); gram(s); grammar; grand; great; gross; group.

***grab** [græb] (**-bb-**) *vt.* 1 《~+목/+목+전+명》 **움켜잡다**; 잡아채다; 붙잡다; (기회 따위)를 놓치지 않고 잡다: ~ a purse 지갑을 낚아채다/~ a robber 도둑을 붙잡다/He *~bed* her purse *from* her hand. 그는 그녀 손에서 지갑을 잡아챘다/~ power 〔a chance〕 권력을〔기회를〕 잡다/He *~bed* me *by* the arm. 그는 내 팔을 붙잡았다. ⓈⓎⓃ ⇨TAKE. 2 《~+목/+목+전+명》 횡령하다, 가로채다, 빼앗다: ~ public land 공유지를 횡령하다/~ the property *from* a person 아무에게서 재산을 횡령하다. 3 《속어》 (강한) 인상을 주다, (남)의 마음을 사로잡다: ~ an audience 관중을 매료하다/How does that ~ you? 그것에 대한 인상은 어떠했지; 마음에 들었느냐. 4 《구어》 서둘러서 잡다〔이용하다〕: ~ a taxi 〔shower〕 급히 택시를 잡다〔샤워를 급히 하다〕.
—*vi.* 《+전+명》 **잡다**, 잡아채다《***at, for*** …을》: ~ *at* a chance 기회를 잡다. —*n.* Ⓒ 1 움켜쥐기; 잡아〔가로〕채기; 횡령; 약탈: a policy of ~ 약탈 정책/make a ~ at 〔for〕 …을 잡아채다, …을 가로채다. 2 〖기계〗 그랩 버킷《준설용의》, 집(어 올리)는 기계.
up for ~s 《구어》 (경매품·상·지위 따위를) 쉽게 손에 넣을 수 있는.

gráb bàg 《美》 보물 뽑기 주머니, 복주머니(《英》 lucky bag); 《구어》 잡다한 것.

gráb·ber *n.* Ⓒ 욕심쟁이; 강탈자; 움켜잡는 사람; 흥미를 끄는 것: We need a ~ to lead off our first issue. 우리는 창간호를 장식할 흥미거리 기사가 필요하다.

grab·by [grǽbi] *a.* 《구어》 욕심 많은, 탐욕스러운.

Grace [greis] *n.* 그레이스《여자 이름》.

‡**grace** [greis] *n.* 1 Ⓤ **우미**, 우아(優雅); 얌전함, 품위(delicacy, dignity, elegance): dance with ~ 우아하게 춤추다. 2 Ⓒ 미점, 매력, 장점: have all the social *~s* 사교상의 매력을 골고루 다 갖추고 있다. 3 a Ⓤ 호의, 두둔: an act of ~ 은전(恩典)/by special ~ 특별한 조처로. b (the ~) 친절, 아량《***to*** do》: She had the ~ *to* apologize. 그녀는 선뜻 사과하였다. 4 Ⓤ (신의) **은총**; 은혜, 자비(clemency, mercy): There, but for the ~ of God, go I. 《속담》 하느님의 은혜가 없었더라면 나도 그렇게 되어 있을지 모른다. 5 Ⓤ (구체적으로는 Ⓒ) (식전·식후의) 감사 기도: say

(*a*) ~ (before 〔after〕 meal) (식전〔식후〕의) 기도를 하다. **6** Ⓤ (지급 따위의) 유예 (기간): with the ~ of three years, 3년의 유예로/give 〔grant〕 a person a week's ~ 아무에게 1주일의 유예를 주다. **7** (G-) Ⓒ 각하, 각하 부인《His, Her, Your 등을 붙여, duke, duchess, archbishop에 대한 경칭》. ⓒⓕ majesty. **8** (the (three) G-s) 〖그리스신화〗 미(美)의 3여신의 하나: the (three) *Graces* 미의 3여신《아름다움 · 우아 · 기쁨을 상징하는 3자매의 여신, 즉 Aglaia, Euphrosyne, Thalia》.

airs and ~s ⇨AIR. ***by (the) ~ of*** …의 도움〔힘, 덕택〕으로: *by the ~ of* God 신의 은총에 의해서《공문서 따위에서 왕의 이름 뒤에 붙임》. ***fall* 〔*lapse*〕 *from ~*** 신의 은총을 잃다, 타락하다; (당치 않은 일을 저질러) 유력자의 후원〔호감〕을 잃다. ***fall out of ~ with*** a person 아무의 호의를 잃다. ***in*** a person***'s good* 〔*bad*〕 *~s*** 아무의 총애를〔미움을〕 받아서, …의 마음에 들어서 〔안 들어서〕. ***with (a) bad ~*** =***with (an) ill ~*** 싫은 것을 억지로, 마지못하여. ***with (a) good ~*** 쾌히, 선뜻(willingly).

— *vt.* 《~+목/+목+전+명》 우미〔우아〕하게 하다, 아름답게 꾸미다; 영광을 주다《*with, by* …으로》: Some beautiful pictures ~ his study. 그의 서재는 몇 점의 아름다운 그림으로 꾸며져 있다/~ a meeting *with* one's presence 참석하여 모임을 빛내어 주다/~ a person *with* a title 아무에게 작위를 수여하다.

*__grace·ful__ [gréisfəl] *a.* **1 우미한**, 우아한; 단아한, 품위 있는: a ~ dancer 우아한 무희/(as) ~ as a swan 대단히 우미한. SYN. ⇨ELEGANT. **2** (난처한 상황에서) 정중한, 친절한, 적절한; 솔직한: a ~ apology 솔직한 사죄. ㊕ **~·ly** *ad.* **~·ness** *n.*

gráce·less *a.* 버릇없는; 염치없는, 야비한, 품위 없는; 사악한. ㊕ **~·ly** *ad.* **~·ness** *n.*

gráce nòte 〖음악〗 꾸밈음, 장식음.

gráce pèriod 유예 기간: a ten-day ~, 10일간의 유예 기간.

*__gra·cious__ [gréiʃəs] *a.* **1** (아랫사람에게) **호의적인, 친절한**, 정중한: a ~ hostess 친절한 여주인. **2** Ⓐ 자비로우신; 인자하신《국왕 · 여왕 등에 대하여 일컬음》: Her *Gracious* Majesty Queen Elizabeth 자비로우신 엘리자베스 여왕 폐하. **3** Ⓐ (생활 따위가) 품위 있는, 우아한: ~ living 우아한 생활. **4** (신께서) 은혜가 넘쳐흐르는, 자비심이 많은: a ~ rain 자우(慈雨). **—** *int.* (놀라움을 나타내어) 이키, 이런, 야단났군: Good(ness) ~! =My ~! =*Gracious* goodness! 이키나, 이런, 큰일났군《놀라움 · 노여움을 나타냄》.
㊕ ◇**~·ly** *ad.* **~·ness** *n.*

grad [græd] 《美구어》 *n.* Ⓒ, *a.* Ⓐ (특히 대학의) 졸업생(의). [◂graduate]

gra·date [gréideit/grədéit] *vi., vt.* **1** 단계적으로 변하(게 하)다; (색이) 자차 나른 색으로 변히(게 하)다: 옮어지(게 하)다. **2** …에 단계를〔등급을〕 매기다. ◇ gradation *n.*

◇**gra·dá·tion** *n.* **1** Ⓤ 단계〔점차〕적 변화, 점차적 이행(移行); 〖미술〗 (색채 · 색조의) 바림, 농담법(濃淡法): change by ~ 서서히 변화하다. **2** Ⓤ 계층〔등급〕 매기기, 순서 정하기. **3** Ⓒ (흔히 *pl.*) (이행(移行) · 변화) 단계; 순서, 등급, 계급《*of, in* …의》: the ~*s* 〔*in*〕 color in the rainbow 무지개의 각 단계의 색/~*s of* decay 부패의 단계.

‡**grade** [greid] *n.* **1** Ⓒ **등급**, 계급, 품등; (숙달 · 지능 따위의) 정도(step, degree); 〖집합적〗 동일 등급〔계급, 정도〕에 속하는 것: persons of every ~ of society 사회의 온갖 계층의 사람들/*Grade* A milk, A등급 우유/a high ~ *of* intelligence 고도의 지성. SYN. ⇨RANK.
2 《美》 **a** Ⓒ (초 · 중 · 고등학교의) …**학년**, 연급(年級)(《英》 form): the first ~ 《美》 초등학교의 1학년. **b** (the ~) 〖집합적; 단 · 복수취급〗 같은 학년의 모든 학생: The first ~ was allowed to leave school early. 1학년생은 일찍 귀가 조치되었다.
3 (the ~s) 《美》 =GRADE SCHOOL.
4 Ⓒ 《美》 (시험 따위의) **성적**, 평점(mark): Tom always gets good ~*s* in math. 톰은 항상 수학에서 좋은 성적을 받는다.

> **NOTE** 학생의 성적 평가는 보통 다음 5단계로 나눔. A (Excellent 수), B (Good 우), C (Fair, Average, Satisfactory 양), D (Passing 가), F (Failure 불가). D 이상은 합격, F는 불합격임.

5 Ⓒ 《美》 (도로 · 철도 따위의) 물매, 경사도(《英》 gradient); 사면(斜面), 비탈길: easy ~*s* 완만한 경사/a steep ~ 가파른 비탈길.

at ~ 《美》 같은 수평면에서. ***make the ~*** 《구어》 목적을 이루다, 성공〔급제〕하다《'가파른 비탈을 오르다'에서》; 표준에 달하다. ***on the down* 〔*up*〕 *~*** 내리받이〔치받이〕에, 내리막〔오르막〕에; 쇠퇴〔번영〕하여: Business is *on the up* ~. 경기가 나아지고 있다.

— *vt.* **1** …에 **등급〔격〕을 매기다**, (등급으로) …을 유별하다: Apples are ~*d* according to size and quality. 사과는 크기와 품질에 따라 등급이 매겨진다. **2** 《~+목/+목+보》 《美》 (답안)을 채점하다; 평점을 매기다(《英》 mark): ~ the papers 답안을 채점하다/His paper was ~*d* A. 그의 논문은 A급이었다. **3** …의 물매〔경사〕를 완만하게 하다. **—** *vi.* **1** 《+보》 …등급이다, …으로 평가되다: This pen ~*s* B. 이 펜은 B급품이다. **2** 《+전+명》 점차 변화하다, 단계적으로 이행하다《*into* …으로》.

***~ down* 〔*up*〕** 《*vt.*+부》 등급〔계급〕을 내리다〔올리다〕《*to* …으로》.

gráde cròssing 《美》 건널목, (도로 · 철도 따위의) 평면 교차(《英》 level crossing): a ~ keeper 건널목지기.

gráde pòint àverage 《美》 성적 평균값《보통 A=4, B=3, C=2, D=1, F=0으로 구함; 생략: GPA》.

grad·er [gréidər] *n.* Ⓒ 등급을 매기는 사람; 《美》 채점〔평점〕자; 그레이더《땅 고르는 기계》; 《美》 (초등학교 · 중학교의) …(학)년생: a fifth ~, 5학년생.

gráde 〔**gráded**〕 **schòol** 《美》 초등학교(《英》 primary school)《6년제 또는 8년제》.

gra·di·ent [gréidiənt] *n.* 《英》 = GRADE 5.

*__grad·u·al__ [grǽdʒuəl] *a.* **1 단계적인, 점차적인**, 점진적인, 순차적인: a ~ decline in strength 체력의 점진적인 감퇴/The improvement has been ~. 개혁은 단계적으로 이루어졌다. **2** (경사가) 완만한: The road takes a ~ rise. 그 길은 완만한 오르막이다. ㊕ **~·ness** *n.*

grad·u·al·ism [grǽdʒuəlìzəm] *n.* Ⓤ 점진주의〔정책〕.

*__grad·u·al·ly__ [grǽdʒuəli] *ad.* **차차로**, 서서히.

‡**grad·u·ate** [grǽdʒuèit, -it] *vi.* **1** 《~/+전

+[명]) 졸업하다《**in** (학과)를; **from, at** (학교)를》: ~ with honors 우등으로 졸업하다 / He ~*d from* Yale in 1960. 그는 1960년에 예일 대학을 졸업했다 / He ~*d in* medicine *from* 〔*at*〕 Edinburgh. 그는 에든버러 대학의 의학부를 졸업하였다.

> [NOTE] 《英》에서는 학위를 취득하는 대학 졸업인 경우에만 쓰이나, 《美》에서는 대학 이외의 각종 학교에도 쓰임: ~ *from* a school of cookery 요리 학교를 졸업하다 (《英》에서는 이런 경우 leave school, finish 〔complete〕 the course (of ...)의 형식으로 표현함).

2 《+[전]+[명]》 (한 단계 더) 나아가다《**from** …에서; **to** …으로》; 점차로 변하다《**into** …으로》: The children will soon ~ *from* comics *to* novels. 아이들은 곧 만화에서 탈피하여 소설을 읽게 될 것이다 / The dawn ~*d into* day. 날이 점점 밝아왔다.

— *vt.* **1** 《~+[목]/+[목]+[전]+[명]》《美》 …에게 **학위를 주다**, …을 졸업시키다, 배출하다《**from** …에서》: The university ~*s* 1000 students every year. 그 대학은 매년 1천명의 졸업생을 배출한다 / He was ~*d from* Harvard. 그는 하버드를 졸업했다. ★ 현재는 보통 자동사 용법. **2** …에 등급을 매기다, …을 단계별로 하다; (과세 따위)를 누진적으로 하다: The income tax is ~*d*. 소득세는 누진적이다. **3** 《+[목]+[전]+[명]》 …에 눈금을 매기다《**in** …의》: This ruler is ~*d in* centimeters. 이 자는 센티미터 눈금이 매겨져 있다.

— [grǽdʒuit, -dʒuèit] *n.* [C] **(대학) 졸업자**; 대학원 학생(~ student)《★ 미국에서는 대학 이외의 졸업생에게도 씀》: high school ~*s* 《美》 고등학교 졸업생 / a ~ in economics 경제학부 졸업생 / a ~ of 〔from〕 London University 런던 대학 졸업생.

— *a.* [A] 졸업생의; 학사 학위를 받은; (대학의) 졸업생을 위한, 대학원의: ~ courses 대학원 과정 / a ~ school 대학원 / ~ students 대학원생.

grád·u·àt·ed [-id] *a.* **1** 등급이 있는, 등급별로〔단계적으로〕 배열한; 눈금을 표시한: a ~ ruler 눈금 박은 자 / a ~ cup 미터 글라스. **2** (세금이) 누진적인, 점증(漸增)하는: ~ taxation 누진 과세.

gráduated detérrence (전략 핵무기 사용의) 단계적 억지 전략.

gráduated pénsion 《英》 누진 연금.

⁑**grad·u·a·tion** [grӕdʒuéiʃən] *n.* **1** [U] **졸업**《★ 《美》에서는 각종 학교, 《英》에서는 대학을 졸업할 경우에 씀》: He went to college after ~ from high school. 그는 고등학교 졸업 후 대학에 진학했다. **2** [C] 《美》 졸업식; 《英》 대학 졸업식. [cf.] commencement. ¶ ~ exercises 《美》 졸업식 / hold the ~ 졸업식을 거행하다. **3** [U] 눈금 매기기; [C] 눈금. ◇ graduate *v.*

graf·fi·ti [grəfíːtiː] (*sing.* **-fi·to** [-tou]) *n. pl.* (벽 따위의) 낙서.

graft [grӕft, grɑːft] *n.* **1** [C] 접수(椄穗), 접가지; 〖의학〗 이식편(移植片), 이식(移植) 조직. **2** [U] 《美》 (공무원 등의) 독직, 수회(收賄)(jobbery, corruption); 부정 이득.

— *vt.* 접목하다(insert, attach), 접(椄)붙이다 (*together*)《**on, onto** …에》; 〖의학〗 (피부 따위)를 이식하다(*on, in*)《**into, onto** …에》; 결합시키다, 융합시키다《**on, onto** …와》: ~ two varieties *together* 두 변종을 접붙이다 / ~ (*on*) a new skin 새로운 피부를 이식하다 / Skin from his back was ~*ed onto* his face. 그의 등의 피부가 얼굴에 이식되었다 / ~ new customs *on* 〔*onto*〕 old traditions 새 풍습을 옛 전통과 융합하다. — *vi.* **1** 접목되다《**on** …에》: Roses ~ well *on* brier roots. 장미는 찔레꽃 뿌리에 잘 접목된다. **2** 《美》 독직〔수회〕하다.

[파] **~·er** *n.* [C] **1** 접붙이는 사람. **2** 《美》 수회자, 부정 공무원.

Gra·ham [gréiəm, grӕm] *n.* 그레이엄《남자 이름》.

gra·ham *a.* 《美》 정맥제(精麥製)가 아닌, 기울이 든, 전맥(全麥)의: ~ bread 전맥(全麥)빵《미국의 목사 S. Graham (1794-1851)의 식이요법(食餌療法)》.

Grail [greil] *n.* = HOLY GRAIL.

⁑**grain** [grein] *n.* **1 a** [U] 〘집합적〙 **곡물**, 곡류 (《英》 corn), 알곡. **b** [C] **낟알**: a ~ of rice 쌀 한 알. **2** [C] (모래 · 소금 · 설탕 · 포도 따위의) 한 알: a ~ of sand 모래 한 알. **3** [C] 〘주로 부정〙 **극히 조금**, 미량(微量): *without* a ~ *of* love 티끌만큼도 애정이 없이 / He has *not* a ~ *of* common sense. 그는 상식이라고는 털끝만큼도 없다. **4** [U] 조직(texture), (직물의) 발, 살결, 나뭇결, 돌결; = GRAIN SIDE: marble of fine ~ 결이 고운 대리석. **5** [U] 기질, 성미, 성질. **6** [C] 그레인《형량(衡量)의 최저 단위, 0.0648g; 원래 밀 한 알의 무게에서 유래》; 진주〔(《때로》 다이아몬드〕 무게의 단위《50mg 또는 1/4 캐럿》.

against the 〔*one's*〕 **~** 성질에 맞지 않게, 비위에 거슬리어: It goes *against the* ~ with me. 그것은 내 성미에 맞지 않는다. ***in* ~** 본질적으로, 철저한, 타고난: a rogue *in* ~ 타고난 악한.

gráin èlevator 《美》 대형 곡물 창고(elevator).

gráin·field *n.* [C] 곡식밭.

gráin sìde (짐승 가죽의) 털 있는 쪽. ↔ *flesh side.*

⁑**gram,** 《英》 **gramme** [grӕm] *n.* [C] **그램**《생략: g, gm》.

-gram [grӕm] '기록, 그림, 문서'란 뜻의 결합사: epi*gram*; tele*gram*.

grá·ma (gràss) [grɑ́ːmə(-)] 〖식물〗 목초의 일종(=**blúe** ∸)《미국 서남부에 많음》.

⁑**gram·mar** [grǽmər] *n.* **1 a** [U] **문법**; 문법론〔학〕: comparative ~ 비교 문법 / general 〔philosophical, universal〕 ~ 일반 문법학 / transformation(al) ~ 변형 문법. **b** [C] 문법책, 문전(文典). **2** [U] (문법에 맞는) 어법: bad ~ 틀린 어법. ◇ grammatical *a.*

gram·mar·i·an [grəmέəriən] *n.* [C] 문법가, 문법 학자.

grámmar schòol 1 《美》 초급 중학교《primary school과 high school의 중간》. **2** 《英》 고전문법 학교《라틴문법을 주요 학과로 삼았던》; 공립 중학교《대학 진학자를 위한 public school과 같은 과정》.

***gram·mat·i·cal** [grəmǽtikəl] *a.* **문법의,** 문법상의; 문법에 맞는: ~ error 〔sense〕 문법상의 오류〔의미〕 / ~ gender (자연의 성별이 아닌) 문법상의 성(性). ◇ grammar *n.*

[파] **~·ly** *ad.* **~·ness** *n.*

gram·mat·i·cal·i·ty [grəmӕtikǽləti] *n.* [U] 〖언어〗 문법에 맞음, 문법성.

gramme ⇨ GRAM.

gràm-molécular *a.* 〖화학〗 그램 분자의.

grám mòlecule, grám-molécular wéight 〖화학〗 그램 분자.

Gram·my [grǽmi] (*pl.* **~s, -mies**) *n.* Ⓒ 《美》 그래미 상《레코드 대상(大賞)》.

gram·o·phone [grǽməfòun] *n.* Ⓒ 《英》 축음기(《美》 phonograph). ★ 현재는 record player가 일반적임.

gram·pus [grǽmpəs] *n.* Ⓒ 〖동물〗 돌고랫과의 일종; 범고래; 《구어》 숨결이 거친 사람. ***breathe* 〔*wheeze*〕 *like a* ~** 거친 숨을 쉬다.

gran [græn] *n.* Ⓒ 《英구어 · 소아어》 할머니.

Gra·na·da [grənɑ́ːdə] *n.* 그라나다《스페인 남부의 주 및 그 주도; 옛 서사라센 왕국의 수도》.

◇**gra·na·ry** [grǽnəri, gréi-] *n.* Ⓒ 곡창, 곡물 창고; 곡창 지대; 《널리》 풍부한 공급원(源).

⁑**grand** [grænd] *a.* **1 웅대한**, 광대한, 장대한(magnificent): a ~ mountain 웅대한 산/on a ~ scale 대규모로〔의〕.
2 호화로운, 장려한, 성대한: a ~ dinner 성대한 만찬회/a ~ house 호화로운 집/live in ~ style 호화로운 생활을 하다.
3 당당한(majestic), 위엄 있는, 기품 있는; 저명한, 주된: a lot of ~ people 많은 저명한 사람들/a ~ air 당당한 풍채.
4 (사상 · 구상 · 양식 따위가) 원대한, 숭고한, 장중한: a ~ design 〔plan〕 원대한 구상〔계획〕.
SYN. **grand** 규모 · 위엄 · 균형미의 점에서 사람에게 강한 인상을 주는 경우에 쓰임: a *grand* mansion 〔palace〕 웅대한 저택〔궁전〕. **stately** 위엄 · 기품이 있으며 강하고 인상적인 경우에 쓰임: a *stately* style (문학 · 미술의) 장중한 작품. **magnificent** 웅대하고 화려한 뜻으로 쓰임: a *magnificent* cathedral 장엄한 성당. **majestic** 위엄 · 기품 · 위대함 등의 인상이 짙은 경우에 쓰임.
5 거만한, 오만한(haughty), 젠체하는(pretentious): with ~ gestures 오만한 몸짓으로/give oneself ~ airs 잘난체하다.
6 Ⓐ **a** 높은, (최)고위의: a ~ man 큰 인물, 거물/a ~ master (체스 따위의) 명인. **b** (건물 내에서) 주요한, 주된(principal, main): the ~ staircase 〔entrance〕 (대저택 따위의) 정면 대계단〔대현관〕.
7 《구어》 **굉장한**, 멋진(very satisfactory): have a ~ time 아주 유쾌한 시간을 보내다/We had ~ weather for our trip. 여행하기에는 더할 나위 없는 날씨였다/It will be ~ if you can come. 당신이 오시게 되면 멋지겠습니다.
8 (사건 · 사물 따위가) 아주 중대한: The ~ day of our wedding came at last. 마침내 우리의 중대한 결혼식날이 왔다.
9 Ⓐ **총괄적인**, 전체의; 규모가 큰, 대(大)…; 〖음악〗 대편성의, 대합주용의: a ~ orchestra 대관현악단/the ~ total 총합계/a ~ imposture 대사기 사건. ◇ grandeur *n.*
—*n.* Ⓒ **1** 《구어》 =GRAND PIANO. **2** (*pl.* ~) 《속어》 1,000달러〔파운드〕: seven ~ 7천 달러〔파운드〕.
㊖ **∠·ness** *n.* Ⓤ 웅대, 장대; 당당함, 위대함.

grand- [grænd] '일촌(一寸)의 차이가 있는' 이란 뜻의 결합사: *grand*father, *grand*son.

gran·dad [grǽndæ̀d] *n.* 《구어》 =GRANDDAD.

gránd·àunt *n.* Ⓒ 대고모, 조부모의 자매.

Gránd Bánk(s) (the ~) Newfoundland 동남 앞바다의 큰 여울《대어장(大漁場)》.

Gránd Cányon (the ~) 그랜드 캐니언《Arizona주 Colorado강의 대계곡; 이 계곡에 있는 국립공원》.

***grand·child** [grǽndtʃàild] (*pl.* **-chìldren**) *n.* Ⓒ **손자, 손녀**: a great ~ 증손/a great great ~ 현손(玄孫).

gránd·dàd, gránd·dàddy *n.* Ⓒ 《구어 · 소아어》 할아버지.

⁑**grand·daugh·ter** [grǽnddɔ̀ːtər] *n.* Ⓒ **손녀**.

gránd dúchess 대공비(大公妃); 여자 대공.

gránd dúchy (종종 G– D–) 대공국(大公國).

gránd dúke 대공(大公).

grand·ee [grændíː] *n.* Ⓒ 대공(大公)《스페인 · 포르투갈의 최고 귀족》; 귀족; 고관.

***gran·deur** [grǽndʒər, -dʒuər] *n.* Ⓤ **1 웅대**, 장엄; 화려, 장려(壯麗): the ~ of the Alps 알프스의 웅대함. **2 위대**, 숭고; 위엄, 위풍: the ~ of his nature 고결한 그의 본성. ◇ grand *a.*

†**grand·fa·ther** [grǽndfɑ̀ːðər] *n.* Ⓒ **할아버지**, 조부; (보통 *pl.*) 조상《남성》: a great ~ 증조부.
㊖ **~·ly** *a.* 할아버지 같은, 인자한, 자비스러운.

grándfather('s) clóck 대형 괘종시계《진자식(振子式)》.

gran·dil·o·quent [grændíləkwənt] *a.* 과장의, 과대한; 호언장담하는. ㊖ **~·ly** *ad.* **-quence** [-kwəns] *n.* Ⓤ 호언장담, 과장된 말.

gran·di·ose [grǽndiòus] *a.* 웅장〔웅대〕한, 숭고〔장엄〕한, 당당한; 과장한, 과대한.
㊖ **gran·di·os·i·ty** [grӕndiɑ́səti/-ɔ́s-] *n.* Ⓤ 웅장〔웅대〕함; 과장〔과대〕함.

gránd júror 대배심원.

gránd júry 〖美법률〗 대배심《23인 이하로 구성》.

Gránd Láma (the ~) =DALAI LAMA.

gránd·ly *ad.* 웅대하게; 당당하게; 성대하게; 거만하게.

***grand·ma, -ma(m)·ma, -mam·my** [grǽndmɑ̀ː], [-mɑ̀ːmə, -məmɑ́ː], [-mæ̀mi] *n.* Ⓒ 《구어 · 소아어》 **할머니**.

†**grand·moth·er** [grǽndmʌ̀ðər] *n.* Ⓒ **할머니**, 조모; (보통 *pl.*) 조상《여성》.
㊖ **~·ly** *a.* 할머니 같은; 지나치게 친절한〔걱정하는, 참견하는〕.

grándmother('s) clóck GRANDFATHER CLOCK보다 소형의 괘종시계.

Gránd Nátional (the ~) 《英》 Liverpool에서 매년 행하는 대(大)장애물 경마.

gránd·nèphew *n.* Ⓒ 조카(딸)의 아들, 형제〔자매〕의 손자.

gránd·nìece *n.* Ⓒ 조카(딸)의 딸, 형제〔자매〕의 손녀.

gránd òld mán 1 원로(元老), 장로(長老). **2** (the G– O– M–) (정계 · 예술계 등의) 원로《특히, W. E. Gladstone이나 W. Churchill 또는 W. G. Grace를 가리킴; 생략: G.O.M.》.

Gránd Òld Párty (the ~) 《美》 공화당《1880년 이래의 애칭; 생략: G.O.P.》.

gránd ópera 대가극, 그랜드 오페라.

***grand·pa, grand·pa·pa** [grǽndpɑ̀ː, grǽmpə], [-pɑ̀ːpə/-pəpɑ́ː]) *n.* Ⓒ 《구어 · 소아어》 **할아버지**.

gránd·pàrent *n.* Ⓒ 조부, 조모; (*pl.*) 조부모.

gránd piáno 그랜드 피아노.

grand prix [grɑ́ːpríː] (*pl.* ***grand(s) prix*** [-príː(z)]) 《F.》 그랑프리, 대상(大賞); (G– P–) (세계 각지에서 행해지는) 국제 장거리 자동차 경주.

gránd slám 〚카드놀이〛 (bridge에서의) 대승, 압승; 〚야구〛 만루 홈런(=**gránd-slám hóme rún**); 〚골프·테니스〛 그랜드 슬램《주요한 대회를 모두 제패함》: hit a ~ 만루 홈런을 치다.

⁑**grand·son** [grǽndsʌ̀n] *n.* Ⓒ **손자.**

gránd·stànd *n.* Ⓒ (경마장·경기장 등의 지붕이 있는) 정면〔특별〕 관람석(의 관객들). —(*p., pp.* ~·*ed* [-id]) *vi.* 《美구어》 인기를 노리는 경기〔연기〕를 하다.

gránd·stànder *n.* Ⓒ 《美구어》 인기를 노리는 경기자.

grándstand finish 〚경기〛 대접전의 결승.

grándstand plày 《美구어》 즉흥적인 경기〔연기〕, 연극적인 제스처.

gránd tóur (보통 the ~) 대여행《전에 영국의 귀족 자제가 교육의 마무리로서 하던 유럽 여행》; 《구어》 (견학·연수를 위한) 순회 여행.

gránd·ùncle *n.* Ⓒ 조부모의 형제, 종조부 (great-uncle).

grange [greindʒ] *n.* Ⓒ (여러 건물을 포함한) 농장; 대농(大農)의 저택.

grang·er [gréindʒər] *n.* Ⓒ 《美북서부》 농부 (farmer), 농장 노동자.

◇**gran·ite** [grǽnit] *n.* Ⓤ 화강암, 쑥돌.

gránite·wàre *n.* Ⓤ 쑥돌 무늬의 오지 그릇〔법랑 철기〕.

gran·ny, -nie [grǽni] (*pl.* **-nies**) *n.* Ⓒ **1** 《구어》 할머니; 공연히 남의 걱정을 하는 사람, 수다스러운 사람. **2** 세로 매듭, (옭매듭의) 거꾸로 매기(=**gránny's bènd** 〔**knòt**〕).

gránny ánnex 〔**flát**〕 《英》 (본채에 딸린) 노인들이 독립해서 생활하는 딴채.

gra·no·la [grənóulə] *n.* Ⓤ 납작 귀리에 건포도나 누런 설탕을 섞은 아침 식사용 건강 식품.

Grant [grænt, grɑːnt] *n.* **Ulysses Simpson** ~ 그랜트《미국 남북전쟁 때의 북군 총사령관, 제 18대 대통령(1822-85)》.

⁑**grant** [grænt, grɑːnt] *vt.* **1** 《~+목/+목+목/+목+전+명》 **주다, 수여하다,** 부여하다(bestow); (면허 등)을 교부하다《*to* …에게》: ~ a respite 유예를 주다/They ~*ed* him a scholarship. = They ~*ed* a scholarship *to* him. 그들은 그에게 장학금을 수여했다/She was ~*ed* a pension. 그녀는 연금을 받게 되었다/~ a right *to* him 그에게 권리를 부여하다. SYN. ⇨GIVE. **2** 《~+목/+목+목/+목+전+명/+*that* 절/+목+*to* do》 **승낙하다,** 허가하다(allow)《*to* …에게》: ~ a person's request 아무의 요구를 들어주다/~ a person a favor 아무의 부탁을 들어주다/The university ~*ed* (her) her request. =The university ~*ed* her request *to* her. 대학은 그녀의 요청을 들어주었다/The king ~*ed that* the prisoner should be freed. 왕은 죄수의 석방을 윤허하였다/They ~*ed* him *to* take it with him. 그들은 그에게 그것을 휴대하게 허락했다. **3** 《~+목/+목+*to be* 보/+(*that*) 절》 **인정하다;** (의론·주장·진실성 등)을 승인하다, 시인하다(admit): ~ the first proposition 제1명제를 가정하다/~ it *to be* true 그것을 사실로 인정하다/I ~ you are right. 나는 네가 옳다고 인정한다.

~ed 〔*~ing*〕 *that…* …이라고 하더라도: *Granted that* you are right, we still can't approve of you. 네 말이 옳다 쳐도 우리는 아직 너에게 찬성할 수는 없다. ***granting this*** =***this ~ed…*** 그렇다 치고〔치더라도〕…. ***take*** a thing ***for ~ed*** 무엇을 승인된 것으로 여기다, 의심의 여지가 없다고〔당연하다고〕 생각하다: He *took* it *for ~ed* that the invitation included his wife. 그는 그 초대를 당연히 아내와 함께 오라는 것으로 여겼다.

> DIAL. ***Granted.*** 맞다, 그렇다《상대방의 말을 일단 인정하는 말; 보통 뒤에 But…이 이어짐》: *Granted*. But do you still believe him? 그렇다. 하지만 아직도 그를 믿느냐.

—*n.* **1** Ⓤ 허가; 인가; 수여, 교부, 하사. **2** Ⓒ 하사금; (특정 목적을 위한) **보조금,** 조성금《연구 장학금 등》; 《美》 구교부지(舊交付地)《Vermont, Maine, New Hampshire 3주의》.

gran·tee [græntíː, grɑːn-] *n.* Ⓒ 피수여자, (보조금·장학금 등의) 수령자.

gránt-in-áid (*pl.* **gránts-**) *n.* Ⓒ 보조금, 교부금(subsidy).

gran·tor [grǽntər, græntɔ́ːr, grɑːntɔ́ːr] *n.* Ⓒ 보조금 수여자.

gránts·man [-mən] (*pl.* **-men** [-mən]) *n.* Ⓒ (대학 교수 등) 연구비 따위를 잘 타내는〔이용하는〕 사람.

grántsman·shìp [-ʃìp] *n.* Ⓤ (연구비 등의) 조성금〔보조금〕 획득술《재단 등으로부터의》.

gràn tu·rís·mo [grӕn-tuːríːzmou] (종종 G- T-) GT카《레이싱 카(racing car) 제조 기술을 도입한, 주로 2인승의 고성능 승용차》.

gran·u·lar [grǽnjələr] *a.* 알갱이로 이루어진; 과립상(顆粒狀)의; (표면이) 깔깔한: ~ eyelids 여포성 결막염(濾胞性結膜炎)/~ snow 싸라기눈. ㊞ **gràn·u·lár·i·ty** [-lǽrəti] *n.* Ⓤ 입상(粒狀), 입도(粒度).

◇**gran·u·late** [grǽnjəlèit] *vt., vi.* (작은) 알갱이로 만들다〔되다〕; 깔깔하게 하다, 깔깔해지다.

gránulated súger 그래뉴당(糖).

gràn·u·lá·tion *n.* Ⓤ 알갱이로 만듦〔를 이룸〕; 깔깔함.

gran·ule [grǽnjuːl] *n.* Ⓒ 작은 알갱이, 고운 알; 과립(顆粒).

gran·u·lo·cyte [grǽnjəlousàit] *n.* Ⓒ 〚해부〛 과립성(性) 백혈구, 과립구(顆粒球).

⁑**grape** [greip] *n.* **1** Ⓒ (식품은 Ⓤ) **포도:** a bunch of ~*s* 포도 한 송이/⇨SOUR GRAPES. **2** Ⓒ 포도나무.

grápe·frùit (*pl.* ~(**s**)) *n.* Ⓒ (식품은 Ⓤ) 그레이프프루트, 자몽《귤 비슷한 과실, 껍질은 엷은 노랑; 미국산(産)》; Ⓒ 그 나무.

grápe·shòt *n.* Ⓤ 포도탄《옛날 대포에 쓰인 한 발이 9개의 작은 탄알로 이루어진 탄환》.

grápe sùgar 〚생화학〛 포도당(dextrose).

grápe·vìne *n.* **1** Ⓒ 포도덩굴, 포도나무. **2** (the ~) 소문〔정보〕의 비밀 경로: I heard it through 〔on〕 the ~. 그것은 소문으로 들었다.

***graph** [græf, grɑːf] *n.* Ⓒ **그래프,** 도식(圖式), 도표: a bar 〔circle, line〕 ~ 막대〔원, 선〕 그래프/make a ~ of …을 그래프로 만들다. —*vt.* 그래프〔도표〕로 나타내다.

-graph [grӕf, grɑ̀ːf] '쓴〔기록한〕 것, 쓰는 도구'란 뜻의 결합사: auto*graph*.

◇**graph·ic** [grǽfik] *a.* Ⓐ **1** 그림〔회화·조각·식각(蝕刻)〕의; 그래픽 아트의: ~ design 그래픽 디자인/a ~ designer 그래픽 디자이너/a ~ artist 그래픽 아트의 전문가. **2** 그려 놓은 듯한, 사실적인, 생생한《묘사 따위》: a ~ story of the disaster 현상을 보는 듯한 생생한 조난 이야기/a ~ writer 묘사 기자, 사실적인 작가. **3** 도표로

표시된, 도표의, 도해의, 그래프식의: a ~ curve 표시 곡선/a ~ method 도식법, 그래프법/a ~ formula 〖화학〗 구조식. **4** 필사(筆寫)의; 문자의, 기호의: a ~ symbol 서기(書記) 기호《문자 · 그림문자 따위》.
—*n.* Ⓒ 그래픽 아트의 작품; 설명도, 삽화; 〖컴퓨터〗 (화면의) 그림, 문자, 숫자, 도해, 도표.

graph·i·cal [grǽfikəl] *a.* =GRAPHIC.
㊞ **~·ly** *ad.* 사실적으로, 여실히; 도표로, 그래프식으로; 문자로.

gráphic árts (the ~) 그래픽 아트《평면적인 시각 예술 · 인쇄 미술》.

gráphic dìsplay 〖컴퓨터〗 그래픽 표시 장치《컴퓨터에서 문자뿐만 아니라 그림을 표시할 수 있는 화면 표시 장치》.

graph·i·cist [grǽfisist] *n.* Ⓒ 컴퓨터 그래픽 전문 프로그래머.

gráph·ics *n.* **1** Ⓤ 제도법, 도학(圖學); 그래프 산법(算法), 도식 계산학; 〖컴퓨터〗 그래픽스《CRT 따위에 도형 표시 및 이를 위한 연산 처리나 조작》. **2** 〖복수취급〗 =GRAPHIC ARTS.

gráphics tàblet 〖컴퓨터〗 그래픽 태블릿《그래픽 데이터의 입력용 데이터 태블릿》.

graph·ite [grǽfait] *n.* Ⓤ 〖광물〗 흑연, 석묵(石墨)(black lead).

gra·phol·o·gy [græfɑ́lədʒi/-fɔ́l-] *n.* Ⓤ 필적학, 필상학(筆相學). ㊞ **-gist** *n.*

graph·o·scope [grǽfəskòup] *n.* Ⓒ 〖컴퓨터〗 화면에 나타난 데이터를 light pen 등으로 수정할 수 있는 수상 장치.

gráph pàper 모눈종이, 그래프 용지.

gráph plòtter 〖컴퓨터〗 그래프 플로터.

-graphy [grəfi] *suf.* **1** '서법(書法), 사법(寫法), 기록법' 이란 뜻: photo*graphy*. **2** '…지(誌), …기(記), 기술(記述)학' 이란 뜻: biblio*graphy*.

grap·nel [grǽpnəl] *n.* Ⓒ (네 갈고리의) 소형 닻(~ anchor); (닻 모양의) 걸어잡는 갈고리.

◇grap·ple [grǽpəl] *vi.* **1** (갈고리로) 걸어 꼼짝 못하게 하다. **2** 격투하다, 맞붙어 싸우다(*together*)《*with* …와》: The two wrestlers *~d together* 〔*with* each other〕. 두 레슬러가 서로 맞붙었다. **3** 완수하려고 애쓰다, 해결〔극복〕하려고 고심하다《*with* (곤란 따위)를》: They *~d with* the new problem. 그들은 그 새로운 문제와 씨름했다. **—*n.*** **1** Ⓒ 붙잡기; 드잡이, 격투; 접전. **2** = GRAPNEL.

grápplìng hòok 〔**ìron**〕 (적의 배 따위를 걸어잡는) 갈고랑쇠(grapnel).

GRAS [græs] 《美》 generally recognized as safe《식품 첨가물에 대한 FDA 의 합격증》.

⁑grasp [græsp, grɑːsp] *vt.* **1** 《~+목/+목+전+명》 **붙잡다**(grip), 움켜쥐다; 끌어안다. SYN. ⇨TAKE. ¶*Grasp* all, lose all. 《속담》 욕심 부리면 다 잃는다/She *~ed* both my hands. 그녀는 내 두 손을 잡았다/He *~ed* me *by* the arm. 그는 내 팔을 움켜잡았다. **2** **납득하다**, 이해〔파악〕하다: ~ the meaning 뜻을 이해〔파악〕하다.
—*vi.* 《+전+명》 **1** 붙잡다, 거머쥐다《*at* (기회 따위)를》. **2** 붙잡으려고 하다〔덮치다〕《*at, for* …을》: ~ *at* a dangling rope 대롱거리는 밧줄을 잡으려 하다/He tried to ~ *for* any support. 그는 어떠한 지원에라도 매달리려 하였다.
—*n.* (*sing.*) **1** **붙잡음**, 꽉 쥠, 끌어안음: have 〔get〕 a firm ~ on …을 꽉 잡고 있다〔잡다〕. **2** 통제, 지배; 점유: in the ~ of …의 수중〔지배하〕에/fall into the enemy's ~ 적의 수중에 들어가다. **3** 이해력(mental ~); 파악력: have a good ~ of …을 잘 이해하고 있다/a mind of wide ~ 이해심이 넓은 마음.
beyond 〔***within***〕 one***'s*** **~** 손〔힘〕이 미치지 않는〔미치는〕 곳에; 이해할 수 없는〔있는〕: a problem *beyond* our ~ 우리가 이해할 수 없는 문제/bring victory *within* one's ~ 승리를 획득하다. ***take a ~ on*** one***self*** 자기 감정을 억제하다.
㊞ **∠·ing** *a.* 붙잡는; 구두쇠의, 욕심 많은.

†grass [græs, grɑːs] *n.* **1** Ⓤ (종류는 Ⓒ) 〖집합적〗 (가축이 먹는) **풀**, 목초: a leaf 〔blade〕 of ~ 풀잎 하나/Cattle feed on ~. 소는 풀을 먹는다/Clover and milkworts are *~es*. 클로버와 애기풀은 목초이다. **2** Ⓤ **잔디**(lawn); 풀밭, 초원; 목초지: Keep off the ~. 《게시》 잔디밭에 들어가지 마시오/lay down (a land) in ~ (땅에) 잔디를 심다/lie down on the ~ 풀밭에 드러눕다. **3** Ⓒ 〖식물〗 볏과(科)의 식물《곡류 · 사탕수수 등》. **4** Ⓤ 《속어》 아스파라거스. **5** Ⓤ 《속어》 마리화나(marijuana): smoke ~ 마리화나를 피우다. **6** Ⓒ 《英속어》 (경찰에의) 밀고자, 정보 제공자.
Go to ~! 《美속어》 허튼 소리 마라; 뒈져라. ***go to ~*** (아무가) 일을 쉬다〔그만 두다〕. ***let the ~ grow under*** one***'s feet*** 〖보통 부정문〗 꾸물거리다가 기회를 놓치다. ***put*** a person ***out to ~*** (노령으로) 아무를 해고하다.
—*vt.* **1** 《~/+목+부》 …에 풀이 나게 하다, 풀로 덮다(*over*). **2** 《美》 (가축)을 방목하다. **—*vi.*** 《~/+전+명》 풀이〔잔디가〕 자라다; 《英속어》 밀고하다《*on* (무엇)을》.

gráss cóurt 잔디를 심은 테니스코트.

***grass·hop·per** [grǽshɑ̀pər/grɑ́ːshɔ̀pər] *n.* Ⓒ 〖곤충〗 **메뚜기**, 황충, 여치.
knee-high to a ~ ⇨KNEE-HIGH.

gráss·lànd *n.* Ⓤ (흔히 *pl.*) 목초지, 초지, 초원.

gráss ròots (보통 the ~) **1** (여론 따위의 주요 요소로서의) 일반 대중, 민중: democracy at the ~ 일반 대중에서 피어난 민주주의. **2** (사상 따위의) 기반, 기초, 근본: get 〔go〕 back to (the) ~ 원점으로 되돌아가다.

gráss-ròot(s) *a.* Ⓐ (지도자층에 대한) 일반 대중의; 민중의: a ~ movement 민중 운동.

gráss wídow 〔**wídower**〕 별거 중인 아내〔남편〕; 이혼한 여자〔남자〕.

◇grassy [grǽsi, grɑ́ːsi] (***grass·i·er; -i·est***) *a.* 풀이 무성한; 풀 같은; 녹색의; 풀 냄새 나는.

grate[1] [greit] *n.* Ⓒ (난로 따위의) 쇠살대, 화상(火床); 벽난로(fireplace).

◇grate[2] *vt.* **1** 비비다, 갈다, 문지르다; 삐걱거리게 하다: ~ one's teeth 이를 갈다. **2** 비벼 부스러뜨리다, 뭉개다; (강판에) 갈다. **—*vi.*** **1** 비비다; (문이) 삐걱거리다; 스쳐 삐걱 소리를 내다《*against, on* …와》: The wheel *~d on* 〔*against*〕 the rusty axle. 바퀴가 녹슨 굴대와 스쳐서 삐걱거렸다. **2** 불쾌감을 주다, 거슬리다《*on* (신경 · 귀 따위)에》: ~ *on* the ears 귀에 거슬리다.

G-ràted [-id] *a.* 《美》 (관객 제한 기호로서) 모든 연령층이 관람할 수 있는: a ~ film 일반용 영화. [◂General]

⁑grate·ful [gréitfəl] *a.* **1** **감사하고 있는**, 고마워하는《*to* (아무)에게; *for* (행위 따위)를/*to* do/*that*》: I am ~ *to* you *for* your help. 도와주셔서 감사합니다/He'll be very ~ *to* know that. 그것을 알면 그는 무척 고마워할 것이다/I was ~ *that* it was nothing serious. 중대한 일이 아니

어서 다행이라고 생각했다. **2** Ⓐ 감사를 나타내는, 감사의: a ~ letter 감사의 편지.

SYN. **grateful** 남의 호의에 감사하는 경우. **thankful** 행운에 대하여 신 등에게 감사하는 경우에 쓰임.

3 기분 좋은, 쾌적한(pleasant): the ~ shade 상쾌한 그늘/a ~ breeze 기분 좋은 산들바람.
㊞ ◇**~·ly** *ad.* 감사하여, 기꺼이. **~·ness** *n.*

grat·er [gréitər] *n.* Ⓒ 강판: a cheese ~ 치즈 가루 내는 기구.

◇**grat·i·fi·ca·tion** [grӕtəfikéiʃən] *n.* **1** Ⓤ 만족(시킴), 희열, 욕구 충족; 만족감: It gives me much ~ to know that. 그것을 알게 되어서 나는 대만족이다/the ~ *of* one's wishes 욕구의 충족. **2** Ⓒ 만족시키는〔기쁨을 주는〕 것: His success is a great ~ to me. 그의 성공이 내게는 커다란 기쁨이다. ◇ gratify *v.*

***grat·i·fy** [grǽtəfài] *vt.* 《~+목/+목+전+명》 기쁘게 하다, 만족시키다; (욕망 따위)를 채우다 《*with* …으로》: Beauty *gratifies* the eye. 아름다움은 눈을 즐겁게 한다/~ one's thirst *with* a cold glass of beer 찬 맥주 한 잔으로 갈증을 풀다/It *gratifies* me to learn that …. …라는 것을 알게 되어서 기쁘다/I was *gratified* to hear the news. 그 소식을 듣고 만족했다. SYN. ⇨SATISFY. ㊞ **grát·i·fied** *a.*

grát·i·fỳ·ing *a.* 즐거운, 만족시키는, 유쾌한: ~ results 좋은 성적. ㊞ **~·ly** *ad.* 기쁘게, 만족하여.

grat·in [grǽtn, grɑ́ː-] *n.* 《F.》 Ⓒ (요리는 Ⓤ) 그라탱《고기 · 감자 따위에 빵가루 · 치즈를 입혀 oven 에 구운 요리》.

grat·ing[1] [gréitiŋ] *n.* Ⓒ 격자(格子), 창살; 창살문; (배의 승강구 등의) 격자 모양의 뚜껑.

grat·ing[2] *a.* 삐걱거리는, 삐걱 소리를 내는; 귀에 거슬리는; (태도 · 말이) 신경을 건드리는, 짜증나게 하는. ㊞ **~·ly** *ad.*

gra·tis [gréitis, grǽt-] *ad.* 무료로, 공짜로(for nothing): The sample is sent ~. 견본은 무료로 보내드립니다. **—** *a.* Ⓟ 무료의: Entrance is ~. 입장 무료. ★ 종종 free ~로 뜻을 강조함.

***grat·i·tude** [grǽtətjùːd] *n.* Ⓤ **감사**, 보은의 마음《*to* (아무)에 대한》; 사의(謝意)《*to* (아무에) 대한; *for* (행위 따위)에 대한》: express one's ~ *to* a person 아무에게 사의를 표하다/in ~ *for* …을 감사하여/out of ~ 은혜의 보답으로/with ~ 감사하여.

gra·tu·i·tous [grətjúːətəs] *a.* **1** 무료〔무상, 무보수〕의; 호의의: a ~ contract 무상 계약(無償契約). **2** 이유〔근거〕 없는: a ~ liar 쓸데없이 거짓말하는 사람. ㊞ **~·ly** *ad.* **~·ness** *n.*

gra·tu·i·ty [grətjúːəti] *n.* Ⓒ 선물(gift); 팁(tip); 축의(祝儀); 《英》 하사금, (제대할 때에 받는) 급여금(bounty), 퇴직금: No *gratuities* accepted. 《게시》 축의금 사절.

****grave**[1] [greiv] *n.* **1** Ⓒ **무덤**, 분묘, 묘혈: dig one's own ~ 스스로 묘혈을 파다, 파멸을 자초하다/find one's ~ in a foreign country 외국에서 죽다/in one's ~ 죽어서/rise from one's ~ 소생(蘇生)하다/sink into the ~ 죽다/Someone 〔A ghost〕 is walking 〔has just walked〕 on 〔across, over〕 my ~. 누군지 내 무덤 위를 걷고 있다〔걸어갔다〕《까닭 없이 몸이 오싹할 때 하는 말》.

SYN. **grave** 묘혈과 묘표(墓標)를 포함한 무덤. **tomb** 묘석(墓石) · 묘표를 뜻하는 무덤으로, grave 에 대한 아어(雅語)임.

2 (the ~) 죽음, 종말, 파멸; 사지(死地): fear 〔dread〕 the ~ 죽음을 두려워하다/to the ~ 죽을 때까지.

(*as*) ***secret*** 〔***silent, quiet***〕 ***as the ~*** 절대 비밀의〔쥐죽은 듯 고요한〕. ***have one foot in the ~*** 여명(餘命)이 얼마 남지 않았다, 노쇠해 있다, 죽음이 가까워져 있다. ***make*** a person ***turn*** (***over***) ***in*** his ~ 아무로 하여금 죽어서도 눈을 못 감게 하다, 지하에서 편안히 잠 못 들게 하다. ***turn*** (***over***) ***in*** one***'s ~*** (고인이) 무덤 속에서 탄식하다: That misquotation is enough to make Shakespeare *turn* (*over*) *in* his ~. 그 인용의 오류에는 셰익스피어도 지하에서 탄식하겠다.

***grave**[2] *a.* **1 드레진**, (표정이) **엄한**, 근엄한, 진지한: a ~ ceremony 엄숙한 식전/fall ~ 근엄한 표정이〔태도가〕 되다.

SYN. **grave, solemn** 둘 다 엄숙하고 진지함을 나타내나, grave는 관심과 책임감이, solemn은 외면적인 인상이 강조됨: *grave* responsibilities 중대한 책임/a *solemn* fool 짐짓 위엄을 부리는 바보. **sober** 술취하지 않은, 맑은 정신의. **serious** 진심인, 진지한, 침착한: a *serious* young man 착실한 젊은이.

2 (문제 · 사태 등이) **중대한**, 예사롭지〔심상치〕 않은, 위기를 안고 있는, 수월치 않은; (병이) 위독한: ~ news 중대 뉴스/The situation poses a ~ threat to peace. 정세는 평화에 중대한 위협을 제기하고 있다. SYN. ⇨IMPORTANT. **3** Ⓐ 〖음성〗 저(低)악센트〔억음(抑音)〕(기호)의: a ~ accent 저악센트. ◇ gravity *n.*
㊞ ◇**~·ly** *ad.* **~·ness** *n.*

grave[3] (**~*d*; *grav·en*** [gréivən], **~*d***) *vt.* 새기다, 조각하다, 아로새기다, 명심하다《*on, in* …에》: ~ an image 상(像)을 새기다/~ an inscription *on* marble 대리석에 명(銘)을 새기다/His words are *graven on* my memory 〔heart〕. 그의 말은 내 기억〔마음〕에 아로새겨져 있다.

gráve·dìgger *n.* Ⓒ 무덤 파는 사람.

***grav·el** [grǽvəl] *n.* Ⓤ **1** 〔집합적〕 **자갈**, 밸러스트. cf. pebble.¶a ~ road 〔walk〕 (공원 · 정원 등의) 자갈길. **2** 〖의학〗 신사(腎砂), 요사(尿砂), 결사(結砂).

— (*-l-*, 《英》 *-ll-*) *vt.* **1** …에 자갈을 깔다, 자갈로 덮다: a *~ed* path 자갈길/~ a road 길에 자갈을 깔다. **2** 곤란케 하다, 괴롭히다(puzzle, perplex); 당황하게 하다; 신경질〔짜증〕 나게 하다(irritate).

◇**gráv·el·ly** *a.* 자갈이 많은; 자갈을 깐; 자갈로 된; 〖의학〗 요사성(尿砂性)의; (목소리가) 굵고 쉰, 귀에 거슬리는.

grav·en [gréivən] GRAVE[3]의 과거분사. **—** *a.* 새긴, 조각한; 명기(銘記)된, 감명을 받은.

gráven ímage 우상(偶像).

grav·er [gréivər] *n.* Ⓒ (동판용) 조각칼.

gráve·stòne *n.* Ⓒ 묘석, 비석.

gráve·yàrd *n.* Ⓒ 묘지.

gráveyard shìft (보통 the ~) (3교대 근무제의 밤 12시부터 다음날 아침 8시까지의) 심야 작업(원).

grav·id [grǽvid] *a.* 《문어》 임신한.

gra·vim·e·ter [grəvímitər] *n.* Ⓒ 〖화학〗 비중계; 〖물리〗 중력〔인력〕계.

grav·i·tate [grǽvətèit] *vi.* 중력〔인력〕에 끌리다《***toward, to*** …(쪽)에》; (사람 · 관심 따위가) 저절로 끌리다《***toward, to*** …(쪽)에》: The earth

~*s toward* the sun. 지구는 인력에 의해 태양에 끌린다/Industry ~*s toward* 〔*to*〕 town. 공업은 도회지로 집중된다.

◇**grav·i·ta·tion** [grӕvətéiʃən] *n*. Ⓤ 〖물리〗 인력 (작용), 중력; 경향, 추세(tendency)《***from*** …에서; ***to, toward*** …로 향하는》: terrestrial 〔universal〕 ~ 지구〔만유〕 인력/the law of ~ 인력의 법칙/the ~ of the population *from* the country *to* the cities 인구가 시골에서 도시로 집중되는 경향.
㊥ **~·al** [-ʃənəl] *a*. 중력의. **~·al·ly** *ad*.

***grav·i·ty** [grǽvəti] *n*. Ⓤ **1 진지함**, 근엄; 엄숙, 장중: with ~ 진지하게/keep one's ~ 웃지 않다, 웃음을 참다. **2 중대함**; 심상치 않음; (죄·병 따위의) 위독함, 무거움: the ~ of the situation 정세의 중대성/an offense of great ~ 중죄. **3 a** 〖물리〗 **중력**, 지구 인력, 인력《생략: g》; 중력 가속도《생략: g》: specific ~ 비중. **b** 중량, 무게: the center of ~ 중심(重心). ◇grave[2] *a*.

gra·vure [grəvjúər, grei-] *n*. **1** Ⓤ 그라비어 인쇄, 사진 요판(술). **2** Ⓒ 그라비어 인쇄물〔사진〕. [◀photo*gravure*]

◇**gra·vy** [gréivi] *n*. Ⓤ **1** (요리할 때의) 고깃국물; 고깃국물 소스. **2** 《속어》 부정하게〔쉽게〕 번 돈; (정치상의 묵인에 의한) 불법 소득; 뜻하지 않은 수입: in the ~ 돈 있는, 부자의, 아쉬운 것 없는.

grávy bòat (배 모양의) 고깃국물 그릇.

grávy tràin (the ~) 《속어》 부정 이득이 생기는 괜찮은 자리〔지위, 일, 정세〕: get on 〔ride, board〕 the ~ 쉽게 큰 돈을 버는 일을 만나다, 괜찮은 벌이를 만나다.

Gray [grei] *n*. **Thomas** ~ 그레이《영국의 시인; 1716–71》.

⁑**gray**[1], 《英》 **grey** [grei] *a*. **1 회색의**, 잿빛의; (안색이) 창백한: He looked ~ with fatigue. 그는 피로해서 창백해 보인다. **2** 흐린; (일·전망 따위가) 어두운; 음산한; 어스레한, 어두컴컴한(dim): a ~ sky 흐린 하늘/It's ~ outside. 밖은 흐리다. **3 백발이 성성한**, 희끗희끗한: He 〔His hair〕 is going 〔turning〕 ~. 그는 백발이 성성해지고 있다. **4** 노년의; 노련〔원숙〕한: ~ experience 노련. **—*n***. **1** Ⓤ (종류는 Ⓒ) **회색**, 쥐색, 잿빛. **2** Ⓤ 회색 그림물감; 회색 옷(감); (종종 G-) 《美》 (남북 전쟁 때의) 남군. ⓒⓕ blue. ¶be dressed in ~ 회색 옷을 입고 있다. **3** (the ~) 어스름, 어스레한 빛, 황혼: in the ~ of the morning 어슴새벽에. **—*vt***., *vi*. 회색으로 하다〔이 되다〕; 백발이 되(게 하)다: Worry ~*ed* his hair. 그는 근심 때문에 머리가 세었다. ㊥ **∠·ness** *n*.

gray[2] *n*. Ⓒ 〖물리〗 그레이《전리 방사선 흡수선량(量)의 SI 단위; 생략: Gy》. ⓒⓕ rad[1].

gráy área (양극간의) 중간 영역, 어느 쪽이라 말할 수 없는 곳, 애매한 부분〔상황〕: in the ~ between public and personal affairs 공무와 사삿일의 분간이 불분명한 영역에.

gráy·bèard *n*. Ⓒ (수염이 희끗희끗한) 노인; 노련한 사람, 현인(賢人).

Gráy còde 〖컴퓨터〗 그레이 코드《연속하는 두 숫자 코드는 이진수(二進數) 표현에서 한 자리만 다루도록 한 코드》.

gráy éminence =ÉMINENCE GRISE.

Gráy Fríar 프란체스코회의 수사(修士).

gráy-háired, -héaded [-id] *a*. **1** 백발의, 늙은, 노년의. **2** 노련한.

gray·ish [gréiiʃ] *a*. 회색빛 도는, 우중충한.

gráy·màil *n*. Ⓤ (소추(訴追) 중인 피의자가) 정부 기밀을 폭로하겠다는 협박.

gráy màtter 〖해부〗 (뇌수·척수의) 회백질; 《구어》 지력(知力), 두뇌. ⓒⓕ white matter.

gráy squírrel 회색의 큰 다람쥐《미국산(産)》.

***graze**[1] [greiz] *vi*. **1** (가축이) **풀을 뜯어 먹다**; 가축을 방목하다: Cows were *grazing* in the pasture. 소가 목장에서 풀을 뜯어 먹고 있었다. **2** 《구어》 가벼운 식사를 하다, 간식을 먹다.
—*vt*. **1** (가축)에게 **풀을 뜯어 먹게 하다**; (가축)을 방목하다. **2** (풀밭)을 목장으로 쓰다.

graze[2] *vt*. …에 스치다, …을 지나가며 스치다; (살갗)을 스쳐 벗기다: The bullet ~*d* my shoulder. 탄환이 내 어깨를 스쳐 지나갔다/He ~*d* his knee on the chair. 그는 무릎이 의자에 스쳐 까졌다. **—*vi***. 스치고 지나가다, 스치다《***along, by, past, through*** …을》: He ~*d past* me in the alley. 그는 골목에서 내 몸을 스치고 지나갔다. **—*n***. **1** Ⓤ 스침, 찰과(擦過). **2** Ⓒ (보통 *sing*.) 찰과상.

gra·zier [gréiʒər] *n*. Ⓒ 목축업자.

graz·ing [gréiziŋ] *n*. Ⓤ **1** 방목; 목초(지). **2** 《구어》 (몇 개의 프로그램을 보기 위하여) TV의 채널을 이리저리 돌리는 일.

Gr. Br(it). Great Britain.

grease** [gri:s] *n*. Ⓤ **1 그리스**; 수지(獸脂), 기름기, 지방(fat); 유지(油脂); 윤활유. **2** 《美구어》 뇌물. **—** [gri:z, gri:s] *vt*. **1** …에 기름을〔그리스를〕 바르다〔치다〕: ~ a car 차에 그리스를 치다. **2 a** 《美구어》 …에게 뇌물을 주다. **b** (일)을 원활하게 하다, 촉진시키다. ~ a person*'s* ***hand 〔***fist***〕 아무에게 뇌물을 (쥐어) 주다.

gréase gùn 윤활유 주입기(注入器).

gréase mònkey 《속어》 기계공; 비행기〔자동차〕 수리공, 정비공.

gréase pàint 도란《배우가 화장할 때 사용함》; 메이크업.

gréase·pròof *a*. Ⓐ 기름이 배지 않는: ~ paper 납지(蠟紙).

greas·er [grí:sər] *n*. Ⓒ (자동차의) 정비공; 《英》 (기선의) 기관사; 《美속어》 오토바이 폭주족.

◇**greasy** [grí:si, -zi] (***greas·i·er; -i·est***) *a*. **1** 기름에 전, 기름투성이의, 기름에 더러워진; (음식이) 기름기 많은: I got my hands ~. 기름으로 손이 더러워졌다/a very ~ piece of meat 기름기가 많은 고기. **2** 기름기가 도는; (도로 따위가) 매끄러운. **3** 아첨하는. ◇grease *n*.
㊥ **gréas·i·ly** *ad*. **-i·ness** *n*.

gréasy spóon 《속어》 (지저분한) 대중 식당.

†**great** [greit] *a*. **1** Ⓐ **큰**, 거대한, 광대한. ↔ *little*. ¶a ~ fire 큰 불/a ~ city 대도시/a ~ famine 대기근. SYN. ⇨BIG. **2** Ⓐ **중대한**, 중요한; 중심이 되는; 주된; 성대한: ~ issues 중요한 문제/a ~ occasion 성대한 행사, 축제일. **3** Ⓐ 대단한, 심한: a ~ pain 격심한 고통/a ~ success 대성공/~ sorrow 큰 슬픔. **4 고도의**, 극도의: ~ friends 아주 친한 사이/in ~ detail 지극히 상세하게. **5** Ⓐ (수·양 등이) 많은, 큰, 최대의; 오래된, 장기(長期)의: in ~ multitude 큰 무리를 이루어/at a ~ distance 먼 곳에/the ~*est* happiness of the ~*est* number 최대 다수의 최대 행복(ⓒⓕ utilitarianism)/a ~ while ago 오래 전에. **6 위대한**, 탁월한; (사상 등이) 심오한, 숭고한: a ~ soldier 위대한 병사/a ~ little man 몸은 작으나 마음이 큰 사람/a ~ truth 심오한 진리. **7** 지위가 높은; 지체 높은, 고명한; (the G-) 〖역사적 인물의 칭호〗 …대왕(大王): a ~

lady 귀부인/Alexander the *Great* 알렉산더 대왕. **8** 《구어》 **a** 굉장한, 멋진, 근사한: have a ~ time 멋지게 지내다. **b** 《반어적》 지독한, 곤란한: Well isn't that just ~. We've missed the last bus. 야 그거 곤란한데. 우리는 마지막 버스를 놓쳤군. **9** Ⓟ 《구어》 잘하는《*at* …을》; 능숙한《*on* …에》; 열중하는《*on* …에》; 무척 좋아하는《*for* …을》: He is ~ *at* tennis. 그는 테니스를 잘한다/He is ~ *on* science fiction. 그는 공상 과학 소설에 열중하고 있다/He's a ~ one *for* tea. 그는 차를 무척 좋아한다. **10** 증(曾)…《증조부, 증조모, 증손 등》.

the ~er* 〔*~est*〕 *part of …의 대부분〔태반〕: He spent *the ~er part of* the day reading. 그는 그날 대부분을 독서하며 지냈다.

> **DIAL.** ***You look great.—Thank you. You do too.*** 멋진데.—고마워. 너도 멋진데.
> ***That's great!*** 그거 멋진데: I've just become a father!—Hey, *that's great!* Congratulations. 난 이제 아버지가 됐단다—오, 장하다. 축하해.

—*ad.* 《구어》 잘, 훌륭하게(well): He's getting on ~. 아주 잘해 가고 있다.

—*n.* **1** Ⓒ 위대한 사람〔것〕. **2** (the ~s) 〖집합적; 복수취급〗 훌륭한〔고귀한, 유명한〕 사람들: the scientific ~(s) 과학계의 명사들. **3** (the ~est) 《구어》 최고의〔특출하게 훌륭한〕 사람〔물건〕: He's the *~est*. 그가 최고다.

~ and small 빈부귀천의 (구별 없이) 모든 사람들.

great- [gréit] *pref.* 일대(一代)가 먼 촌수를 나타냄: *great*-aunt.

gréat ápe 유인원(類人猿)《침팬지 · 고릴라》.

gréat-àunt *n.* Ⓒ 조부모의 자매, 대고모(grandaunt).

Gréat Bárrier Rèef (the ~) 그레이트 배리어 리프《오스트레일리아 Queensland주 동쪽 해안에 해안과 나란히 위치한 세계 최대의 산호초; 길이 약 2,000km》.

Gréat Béar (the ~) 〖천문〗 큰곰자리.

⁑**Grèat Brítain** **1** 대브리튼(섬)《England, Wales, Scotland를 포함함》. **2** 《속용》 영국.

gréat cálorie 대칼로리《물 1kg을 1°C 높이는 데 필요한 열량》.

Gréat Chárter (the ~) 〖英역사〗 대헌장, 마그나 카르타.

gréat círcle (구면(球面)의) 대원(大圓), (특히 지구의) 대권(大圈).

gréat·còat *n.* Ⓒ (군인의 두꺼운) 외투(topcoat);방한 외투.

Gréat Dáne 덴마크종(種)의 큰 개.

Gréat Depréssion (the ~) 세계 대공황《1929년 미국에서 시작된》.

Gréat Divíde (the ~) 미대륙 분수계(the Rockies); (the g- d-) 대분수계; 《비유적》 생사의 갈림길, 일대 위기: cross the great divide 유명(幽明)을 달리하다.

Gréat Dóg (the ~) 〖천문〗 큰개자리.

Gréat·er *a.* 〖도시와 주변 지역을 포함한 지명 앞에 써서〗 대(大)… 《도시가 교외까지 포함한》: ⇨GREATER NEW YORK.

Gréater Lóndon 대런던《1965년 구 London에 구 Middlesex주와 구 Essex, Kent, Hertfordshire, Surrey 각 주의 일부를 합병시킨 행정 구역으로, 지금의 London과 같음》.

Gréater Nèw Yórk 대뉴욕《종래의 뉴욕에 the Bronx, Brooklyn, Queens, Richmond를 추가한 New York City와 같은 말》.

Gréat Fíre (the ~) (1666년의) 런던 대화재.

grèat-gránd·chìld (*pl.* **-children**) *n.* Ⓒ 증손.

grèat-gránd·dàughter *n.* Ⓒ 증손녀.

grèat-gránd·fàther *n.* Ⓒ 증조부.

grèat-gránd·mòther *n.* Ⓒ 증조모.

grèat-gránd·pàrent *n.* Ⓒ 증조부.

grèat-gránd·sòn *n.* Ⓒ 증손.

gréat-héarted [-id] *a.* 고결한, 마음이 넓은; 용감한, 대담한. ㊞ **~·ly** *ad.* **~·ness** *n.*

Gréat Lákes (the ~) 미국의 5대호(大湖)《동쪽에서부터 Ontario, Erie, Huron, Michigan, Superior》.

⁑**great·ly** [gréitli] *ad.* 〖보통 동사 · 과거분사 · 비교급 형용사를 강조하여〗 **크게**, 대단히, 매우, 훨씬: ~ appreciate his favor 그의 호의에 대단히 고맙게 여기다/I was ~ amused. 나는 크게 기뻤다/It's ~ superior. 그 쪽이 훨씬 뛰어나다.

gréat-nèphew *n.* =GRANDNEPHEW.

***great·ness** [gréitnis] *n.* Ⓤ **큼**, 거대; **위대**(함); 탁월, 저명; 고귀; 중대함.

gréat-nìece *n.* =GRANDNIECE.

Gréat Pláins (the ~) 대초원《Rocky 산맥 동부의 캐나다와 미국에 걸친 건조 지대》.

Gréat Sàlt Láke 그레이트솔트 호《미국 Utah 주에 있는 얕은 함수호(鹹水湖)》.

gréat séal (the ~) 나라〔주〕의 인장; (흔히 the G- S-) 《英》 국새.

gréat tóe 엄지발가락(big toe).

gréat-ùncle *n.* Ⓒ 종조부(granduncle)《조부모의 형제》.

Gréat Wáll (of Chína) (the ~) (중국의) 만리장성.

Gréat Wár (the ~) =WORLD WAR I.

greave [gri:v] *n.* Ⓒ (보통 *pl.*) (갑옷의) 정강이 받이.

grebe [gri:b] (*pl.* **~, ~s**) *n.* Ⓒ 〖조류〗 논병아리.

◇**Gre·cian** [gri:ʃən] *a.* 그리스의, 그리스식(式)의. ★보통 '용모, 자세, 머리형, 건축, 미술품' 따위를 말하는 이외는 Greek를 씀.

Grécian nóse 그리스 코《콧등의 선이 이마와 일직선을 이룸》.

Grèco-Róman *a.* 그리스 · 로마(식)의. **—***n.* Ⓤ 그레코로만식 레슬링(~ wrestling).

***Greece** [gri:s] *n.* **그리스**《수도 Athens》.
◇Greek, Grecian *a.*

***greed** [gri:d] *n.* Ⓤ **탐욕**, 욕심《*for* …에 대한》: ~ *for* money 돈에 대한 욕심.

⁑**greedy** [grí:di] (***greed·i·er; -i·est***) *a.* **1 욕심 많은**, 탐욕스러운《*for, of* …에 대해》: a man ~ *of* money 돈밖에 모르는 남자/a ~ eater 먹보, 걸신들린 사람. **2** 갈망하는, 간절히 바라는《*of, for* …을》: ~ *for* money 돈을 탐내는/~ *of* praise 무척 칭찬을 바라고 있는. **3** 몹시 …하고자 하는《*to* do》: He is ~ *to* gain power. 그는 권력을 잡으려고 혈안이다. ㊞ **-i·ness** *n.*

Greek** [gri:k] *a.* **그리스(사람)의**; 그리스어의, 그리스식의: the ~ philosophers 그리스의 철학자들. **—n.* **1** Ⓒ **그리스 사람**: When ~ meets ~, then comes the tug of war. 《속담》 두 영웅이 만나면 싸움은 불가피하다. **2** Ⓤ **그리스어**; 《구어》 무슨 소린지 알아들을 수 없는 말(gibberish): It's 〔It sounds〕 all ~ 〔quite a ~〕 to me. 도무지 무슨 말인지 모르겠다.

Gréek Cátholic 그리스 정교 신자《로마 교회 교리를 믿으면서 그리스 정교회의 의식·예식을 따르는 그리스인》.

Gréek Chúrch = GREEK ORTHODOX CHURCH.

Gréek cróss 그리스 십자가《가로 세로의 길이가 똑같은》.

Gréek frét 〔**kéy**〕 = FRET².

Gréek gíft 남을 해치려고 보내는〔위험한〕 선물《Troy의 목마의 고사에서》.

Gréek gód 그리스 신; 남성미의 전형.

Gréek-letter fratérnity 〔**sorórity**〕《美》 남자〔여자〕 그리스 문자 클럽《사교·학술 진흥을 목적으로 하는 전국적 규모의 대학생 클럽》.

Gréek Órthodox Chúrch (the ~) 그리스 정교회.

†**green** [griːn] *a.* **1** **녹색의**, 초록의, 싱싱하게 푸른(verdant); 푸른 잎으로 덮인: ~ meadows 〔fields〕 푸른 목장〔들〕. **2** **야채〔푸성귀〕의**: ~ crop 덜 여물었을 때 먹는 작물, 청과물 / a ~ salad 야채 샐러드. **3** 젊음이 넘치는, 기운이 넘치는: a ~ old age 정정한 노년 / young and ~ at heart 마음이 젊고 기운찬. **4** (기억에) 생생한, 신선한: keep a memory ~ 언제까지나 기억에 남기다. **5** (과일이) 익지 않은; 생(生)《담배·목재 등》; 아직 조리〔건조, 저장, 무두질〕하지 않은; 미가공(未加工)의: a ~ fruit 풋과실 / a ~ stone 아직 떠낸 채로 다듬지 않은 돌 / ~ hides 생피(生皮). **6** 《비유적》 준비 부족의; 미숙한, 익숙지 않은, 무경험의(raw): a ~ hand 풋내기 / He's ~ at his job. 그는 일에는 아직 풋내기이다. **7** 속아 넘어가기 쉬운(credulous); 단순한. **8** (얼굴빛이) 핼쑥한, 핏기가 가신: ~ with fear 공포로 얼굴이 창백한. **9** 질투에 불타는(jealous): a ~ eye 질투의 눈. **10** (겨울·크리스마스가) 눈이 안 오는; 따뜻한(mild): ~ winter 푸근한 겨울 / ~ Christmas 눈 없는 따스한 크리스마스. **11** (때때로 G-) 환경 보호주의의: ~ politics 환경 보호주의 정치.

(as) ~ as grass 《구어》 세상 물정 모르고, 풋내기로서.

—*n.* **1** Ⓤ (종류는 Ⓒ) **녹색**, 초록색: a variety of ~*s* 갖가지 녹색. **2** Ⓒ 초원, 풀밭; (공공·공유의) 잔디밭. **3** Ⓤ 녹색 안료〔그림물감, 도료, 염료〕; 녹색 옷(감): a girl dressed in ~ 녹색 옷을 입은 소녀. **4** (*pl.*) 푸성귀, 야채(요리): salad ~*s* 샐러드용 엽채류. **5** (*pl.*) 《美》 푸른 잎〔가지〕《장식용》: Christmas ~*s* 전나무·호랑가시나무의 푸른 가지 장식. **6** Ⓤ (종종 the ~) 《속어》 돈. **7** Ⓒ 〖골프〗 그린(putting ~); 골프 코스. **8** Ⓤ 《속어》 질이 나쁜 마리화나. **9** (*pl.*) 《英속어》 성교.

see ~ in **a person*'s eye*** 아무를 얕보다, 만만하게 보다: Do you *see* 〔Is there〕 any ~ *in my eye?* 내가 그렇게 숙맥으로 보이는가.

—*vt.* **1** 녹색〔초록〕으로 하다〔칠하다, 물들이다〕. **2** 《속어》 놀리다, 속이다(cheat). **—***vi.* 녹색이 되다.

㊕ **∠·ly** *ad.* **∠·ness** *n.*

gréen álga 〖식물〗 (담수의) 녹조(綠藻).

gréen·bàck *n.* Ⓒ 《美구어》 달러 지폐《★ 뒷면이 녹색인 데서》.

gréen·bèlt *n.* Ⓒ (도시 주변의) 녹지대(綠地帶), 그린벨트.

Gréen Berét 《구어》 그린베레《미군의 대(對)게릴라 특수 부대》; (g- b-) 그린베레 모자.

gréen cárd 《美》 외국인 미국내 노동 허가증; 《英》 해외 자동차 상해 보험증.

gréen còrn 《美》 덜 여문 옥수수《요리용》.

Greene [griːn] *n.* **Graham** ~ 그린《영국의 작가; 1904–91》.

green·ery [gríːnəri] *n.* Ⓤ 〖집합적〗 푸른 잎, 푸른 나무; (장식용) 푸른 나뭇가지; Ⓒ 온실(greenhouse).

gréen-èyed *a.* 녹색 눈의; 질투가 심한, 샘이 많은: the ~ monster 녹색눈의 괴물《질투; Shakespeare 작 *Othello* 에서》.

gréen fát 바다거북의 비계(살)《진미로 침》.

gréen·finch *n.* Ⓒ 방울새《유럽산》.

gréen fíngers 《英》 = GREEN THUMB.

gréen flỳ 진디의 일종《초록색의》.

gréen·gàge *n.* Ⓒ 양자두의 일종.

gréen·gròcer *n.* Ⓒ 청과물 상인, 야채 장수.

gréen·gròcery *n.* **1** Ⓒ 청과물상《가게》. **2** Ⓤ 〖집합적〗 푸성귀, 청과류.

gréen·hòrn *n.* Ⓒ 《구어》 풋내기, 초심자; 얼간이(simpleton), 물정 모르는 사람; 《美》 새로 온 이민.

*__green·house__ [gríːnhàus] *n.* Ⓒ **온실**.

gréenhouse effèct (종종 the ~) 〖기상〗 온실 효과.

gréenhouse gàs 온실 효과 기체〔가스〕《지구 온난화의 원인이 되는 이산화탄소, 메탄, 이산화 질소, CFM 따위》.

green·ish [gríːniʃ] *a.* 녹색을 띤.

gréen·kèeper *n.* Ⓒ 골프장 관리인.

Green·land [gríːnlənd] *n.* 그린란드《북아메리카 동북에 있는 큰 섬; 덴마크령》.

gréen líght **1** 파란 불, 청신호《교통 신호》(cf. red light). **2** (the ~) 《구어》 (정식) 허가: get 〔give〕 the ~ 공식 허가를 얻다〔주다〕.

gréen manúre 녹비, 풋거름; 덜 뜬 두엄.

gréen páper (종종 G- P-) 《英》 녹서(綠書)《국회에 내는 정부 시안(試案) 설명서》.

Gréen Pàrty (the ~) 녹색당《독일의 정당; 반핵, 환경 보호, 독일의 비무장 중립을 주장》.

Gréen·pèace *n.* 그린피스《핵무기 반대·야생 동물 보호 등 환경 보호를 주장하는 국제적인 단체; 1969 년 결성》.

gréen pépper 〖식물〗 피망, 양고추.

gréen·ròom *n.* Ⓒ (옛 극장의) 배우 휴게실; 분장실. ***talk ~*** 내막을 이야기하다.

gréen stúff (the ~) 《美속어》 돈; (달러) 지폐(greenback).

gréen·stùff *n.* Ⓤ 푸성귀, 야채류.

gréen·swàrd *n.* Ⓤ 푸른 잔디.

gréen téa 녹차(綠茶). cf. black tea.

gréen thúmb (a ~) 《美》 원예의 재능(《英》 green fingers): have a ~ 원예의 솜씨가 있다; 꽃이나 식물을 잘 기른다.

gréen túrtle 〖동물〗 푸른 거북.

Green·wich [grínidʒ, grén-, -itʃ] *n.* 그리니치《런던 동남부 교외; 본초 자오선의 기점인 천문대가 있던 곳》.

Gréenwich (**Méan** 〔**Cívil**〕) **Tìme** 그리니치 표준시《생략: GMT》.

Gréenwich Víllage (미국 New York시의) 예술가·작가·학생 중심의 거주 지구.

gréen·wòod *n.* (the ~) 푸른 숲, 녹림(綠林).

greeny [gríːni] *a.* = GREENISH.

⁑**greet** [griːt] *vt.* **1** …에게 **인사하다**; …에게 인사장을 보내다. **2** 《+목+전+명》 맞이하다, 환영〔영접〕하다《***with, by*** (인사·비웃음·증오 따위)로》: ~ a person *with* 〔*by*〕 cheers 〔a smile〕

아무를 환호〔미소〕로 맞이하다. [SYN.] ⇨RECEIVE. **3** 보이다, 들리다, (아무)의 눈〔귀 따위〕에 들어오다: ~ the ear 귀에 들리다/~ a person's eyes 아무의 눈에 띄다/A delicious odor 〔terrible sight〕 *~ed* me when I opened the door. 문을 열었을 때 달콤한 냄새가 코에〔무서운 광경이 눈에〕 들어왔다. [파] **∠·er** *n.*

greet·ing [gríːtiŋ] *n.* **1** [C] 인사: a few words of ~ 간단한 환영사/give a friendly ~ 친절하게 인사하다. **2** (*pl.*) (계절에 따른) 인사말; 인사장: Christmas 〔Birthday〕 *~s* 크리스마스〔생일〕 축하 인사/Send my *~s* to your family. 가족에게 안부 전해 주시오. **3** [C] 《美》 편지 서두의 인사(《英》 salutation)《Dear Mr. ... 따위》.
Season's Greetings! 성탄을 축하합니다《크리스마스 카드의 인사말》.

gréeting(s) càrd 축하장, 인사장.

gre·gar·i·ous [grigέəriəs] *a.* **1** 【동물】 군거(群居)하는, 군생하는; 【식물】 족생(簇生)하는: ~ instinct 군거〔집단〕 본능. **2** (사람이) 사교적인, 집단을 좋아하는: sociable and ~ 사교적이고 교제를 좋아하는. [파] **~·ly** *ad.* 군거하여, 떼지어. **~·ness** *n.*

Gre·go·ri·an [grigɔ́ːriən] *a.* 로마 교황 Gregory의; 그레고리력(曆)〔그레고리오 성가〕의: the ~ style 신력(新曆).

Gregórian cálendar (the ~) 그레고리력《1582년 Gregory 13세가 Julius력을 개정한 현행 태양력》.

Gregórian chánt 그레고리오 성가(聖歌)《가톨릭 교회에서 부름》.

Greg·o·ry [grégəri] *n.* 그레고리. **1** 남자 이름. **2** 역대 로마 교황의 이름.

grem·lin [grémlin] *n.* [C] 《英공군속어》 작은 악마《비행기에 고장을 낸다는》; 《美속어》 풋내기, 신출내기.

Gre·na·da [grənéidə] *n.* 그레나다《서인도 제도의 Windward 제도 최남단에 있는 입헌 군주국; 영연방의 일원; 수도 St. George's》.

gre·nade [grənéid] *n.* [C] 수류탄(hand ~); 최루탄; 소화탄(消火彈).

gren·a·dier [grènədíər] *n.* [C] **1** (종종 G-) 《英》 Grenadier Guards의 병사. **2** (예전의) 척탄병(擲彈兵).

Grénadier Guárds (the ~) 《英》 근위 보병 제1연대《1685년 발족》.

gren·a·dine [grènədíːn, ∠-∠] *n.* [U] 석류로 만든 시럽《칵테일 따위에 씀》.

Gresh·am [gréʃəm] *n.* Sir **Thomas** ~ 그레셤《영국의 금융가; 1519?-79》.

Grésham's láw 〔**théorem**〕 【경제】 그레셤의 법칙《'악화가 양화를 구축한다'는》.

grew [gruː] GROW의 과거.

grey, etc. ⇨GRAY, etc.

grey·hound, 《美》 **gray-** [gréihàund] *n.* **1** [C] 그레이하운드《몸이 길고 날쌘 사냥개》. **2** (G-) **a** 그레이하운드《미국의 최대 장거리 버스 회사; 상표명》. **b** [C] 그레이하운드 버스.

grid [grid] *n.* **1** [C] **a** 격자(格子), 쇠창살; 석쇠(gridiron); (차 지붕 따위에 붙이는) 격자로 된 짐대. **b** 【전자·컴퓨터】 (전자관의) 그리드, 격자. **c** 【측량】 그리드《특정 지역의 표준선의 기본계(系)》; (지도의) 모눈, 그리드; (가로의) 바둑판눈. **2** (the ~) (전기·수도·가스 따위의) 부설망, 송전망, 배관망; (라디오·TV의) 방송망, 네트워크.

grid·dle [grídl] *n.* [C] 과자 굽는 번철(girdle).

gríddle·càke *n.* [C] (요리는 [U]) 번철에 구운 과자《핫케이크 따위》.

gríd·ìron *n.* [C] **1** 석쇠, 적철. **2** 《美》 미식 축구(경기)장.

gríd·lòck *n.* [C] (자동차의) 전교통망 정체; (정상 활동의) 정체.

grief [griːf] *n.* **1** [U] (깊은) **슬픔**, 비탄, 비통: be overwhelmed with ~ 슬픔〔비탄〕에 젖다/suffer 〔feel〕 ~ at the sad news 슬픈 소식을 듣고 슬픔에 젖다. [SYN.] ⇨SORROW. **2** [C] 슬픔의 씨앗, 비탄〔고뇌〕의 원인, 통탄지사: His son is a ~ to him. 그에게는 아들이 근심거리다. ◇ grieve *v.*
come to **~** 재난〔불행〕을 당하다; 다치다; (계획이) 실패하다.

> [DIAL.] ***Good*** 〔***Great***〕 ***grief!*** 아이고, 야단났구나《맥이 풀리거나 놀랐을 때의 말》.

gríef-strìcken *a.* 슬픔에 젖은, 비탄에 잠긴.

griev·ance [gríːvəns] *n.* [C] 불만, 불평의 (원인): Sam has 〔nurses, harbors〕 a ~ against his employer. 샘은 고용주에게 불만이 있다〔불평을 품고 있다〕.

grieve [griːv] *vt.* **슬프게 하다**, 비탄에 젖게 하다, …의 마음을 아프게 하다: It *~d* me to see her unhappy. 그녀가 불행한 것을 보고 마음아팠다. **—** *vi.* 《~/+[전]+[명]/+*to* do/+*that* [절]》 **몹시 슬퍼하다**, 마음 아파하다《***at, about, for, over*** …을》: ~ *over* the things that can't be undone 돌이킬 수 없는 일을 슬퍼하다/I ~ *to* say. 슬픈 일이다/I *~d that* he should take offense. 그가 화를 내어 정말 유감이었다. ◇grief *n.*

griev·ous [gríːvəs] *a.* [A] **1** 슬픈, 통탄할, 비통한; 괴로운, 고통스러운, 쓰라린: a ~ moan 비탄의 신음소리. **2** 중대한; 심한; 가혹한; 극악한: a ~ fault 중대한 과실/~ pain 심한 고통. **3** 무거운, 견디기 어려운; 부담이 되는(oppressive): a ~ loss 견디기 어려운 손실.
[파] **~·ly** *ad.* **~·ness** *n.*

grievous bódily hárm 《英》 【법률】 (고의에 의한) 중대한 신체 상해, 중상해《생략: GBH》.

grif·fin [grífin] *n.* [C] 【그리스신화】 독수리의 머리·날개에 사자 몸을 한 괴수(怪獸)《숨은 보물을 지킨다 함》.

grif·fon [grífən] *n.* [C] =GRIFFIN; 코가 치켜올라간 소형 개《포인터의 개량종》.

grift [grift] 《美속어》 *n.* [U] (돈 따위의) 사취(詐取); 사기친 돈. **—** *vt.*, *vi.* (금전 따위를) 사취하다.

gríft·er *n.* [C] 《美속어》 사기꾼, 사기 도박꾼(trickster).

grig [grig] *n.* [C] **1** 《英》 귀뚜라미, 여치; 작은 뱀장어. **2** 《美》 쾌활한 사람: a ~ of a girl 쾌활한 소녀. **(*as*) *merry*** 〔***lively***〕 ***as a*** **~** 아주 기분 좋은〔명랑한〕.

grill [gril] *n.* [C] **석쇠**, 적철(gridiron); 불고기, 생선 구이; =GRILLROOM.
— *vt.* 석쇠에 **굽다**; 불에 굽다(broil); (햇볕 등) 뜨거운 열로 괴롭히다; 《구어》 (경찰 등이) 엄하게 신문하다: The scorching sun *~ed* us. 작열하는 태양에 몸이 탈 지경이었다. **—** *vi.* 구워지다, 쬐어지다; 뜨거운 열에 쬐어지다.

grille [gril] *n.* [C] 격자, 쇠창살; (매표구·교도소 따위의) 창살문; (자동차의) 라디에이터 그릴(=**radiator grill**).

gríll·ròom *n.* [C] 그릴《호텔·클럽 안의 일품 요리점》; 고기 굽는 곳.

gríll·wòrk *n.* Ⓒ 격자 모양으로 만든 것.

grilse [grils] (*pl.* ~, ***gríls·es***) *n.* Ⓒ 〖어류〗 새끼 연어《바다에서 강으로 처음 올라와 싱싱한》.

***grim** [grim] (*∠·mer; ∠·mest*) *a.* **1** 엄(격)한, 모진(severe, stern). **2** (사실 따위가) **냉혹한**, 무자비한(cruel): a ~ reality 냉혹한 현실. **3** 굳센, 불요불굴의. **4** (얼굴이) **험상스러운**; 소름끼치는; 무서운, 지겨운《일 따위》; 완강한; 엄연한: a ~ face 험상궂은 얼굴/a ~ smile 소름끼치는 웃음/~ determination 확고한 결심.
hold* 〔*hang, cling,* etc.〕 *on like ~ death ⇨ DEATH. ◇ grimace *n.*
㊞ °*∠·ly ad.* *∠·ness n.*

°**gri·mace** [gríməs, griméis/griméis] *n.* Ⓒ 얼굴을 찡그림, 찡그린 얼굴: make ~*s* 얼굴을 찌푸리다. **—***vi.* 얼굴을 찡그리다《***with*** …으로; ***at*** …에》: ~ *with* pain 고통스러워 얼굴을 찡그리다/She ~*d at* his rudeness. 그녀는 그의 무례함에 얼굴을 찡그렸다.

gri·mal·kin [grimǽlkin, -mɔ́ːlkin] *n.* Ⓒ 고양이; 《특히》 늙은 암고양이; 심술궂은 할망구.

grime [graim] *n.* Ⓤ 때, 먼지, 검댕. **—***vt.* 더럽히다《***with*** (때 · 먼지)로》.

Grimm [grim] *n.* 그림. **1 Jakob Ludwig Karl** ~ 독일의 언어학자(1785–1863). **2 Wilhelm Karl** ~ 독일의 동화 작가, 1의 동생(1786–1859).

grimy [gráimi] (***grim·i·er; -i·est***) *a.* 때 묻은, 더러워진. ㊞ **grím·i·ly** *ad.* **-i·ness** *n.*

***grin** [grin] *n.* Ⓒ **1** 씩〔싱긋〕 **웃음**: a happy 〔silly〕 ~ 기쁨의〔바보 같은〕 웃음. **2** (고통 · 노여움 · 경멸 따위로) 이빨을 드러냄, 이를 윽묾.
— (**-nn-**) *vi.* 《~/+전+명》 **1** (이를 드러내고) **씩 웃다**; 싱글거리다《***with*** (기쁨 · 만족 따위)로; ***at*** …에게》: ~ *with* delight 싱글거리며 기뻐하다/~ *at* a person 아무를 보고 씩 웃다. **2** 이를 악물다《***with*** (고통 따위)로》; (노여움 · 경멸의 표시로) 이를 드러내 보이다《***at*** …에게》: The dog ~*ned at* the stranger. 개는 낯선 사람을 보고 이를 드러내고 으르렁거렸다. **—***vt.* 씩〔씽긋〕 웃으며〔이를 드러내고〕 …(의 감정)을 표시하다: ~ defiance 이를 윽물고 반항의 뜻을 나타내다.
~ and bear it 억지로 웃으며 참다. ***~ from ear to ear*** (like an ape) (바보처럼) 입이 째지게 웃다. ***~ like a Cheshire cat*** ⇨ CHESHIRE CAT.

grind** [graind] (*p.*, *pp.* ***ground [graund]) *vt.* **1** 《~+목/+목+부/+목+전+명》 (맷돌로) **타다**, **갈다**; (돌 따위)를 잘게 부수다(*down, up*); …을 갈아서 만들다《***into, to*** …으로》: ~ flour 가루로 빻다/~ (*down*) rocks 돌을 잘게 부수다/~ (*up*) wheat *into* flour 밀을 갈아 밀가루를 만들다/~ something *to* powder 무엇을 가루로 빻다. **2** (맷돌 따위)를 돌리다; (손풍금 따위)를 돌려서 소리를 내다. **3** (연장이나 렌즈 따위)를 **갈다**(whet); 닦다(polish); 갈아서 닳게 하다: ~ a lens 렌즈를 갈다/~ an ax on a grindstone 도끼를 숫돌에 갈다/~ a knife to a sharp edge 칼을 갈아 날을 세우다. **4** 《~+목/+목+부》 〖흔히 수동태〗 (착취하여) 학대하다, 혹사하다, 괴롭히다(*down*): *be ground* (*down*) by tyranny 학정에 시달리다/They *were ground* by heavy taxation. 그들은 중과세로 고통을 받았다. **5** 《+목+전+명》 《구어》 (학문 따위)를 마구 주입시키다(cram)《***into*** (아무)에게》; …에게 애써 가르치다《***in*** (학문 따위)를》: ~ Latin *into* a student = ~ a student *in* Latin 학생에게 라틴어를 주입시키다. **6** 《~+목/+목+부/+목+전+명》 (이 따위)를 갈다(*together*): ~ one's teeth (*together*) while sleeping 자며 이를 갈다. **7** 《+목+전+명》 …을 짓밟다《***under*** (발) 밑에》: ~ a cigarette *into* the earth with one's heel 뒤꿈치로 담배를 땅에 비벼 끄다.
—*vi.* **1** 빻음질을 하다, 맷돌질을 하다. **2** 《+부/+전+명》 가루가 되다; 빻아지다(*down*)《***to*** …로》: This wheat ~*s* well. 이 밀은 잘 갈린다/The wheat *ground* (*down*) *to* a fine flour. 밀은 고운 가루로 빻아졌다. **3** 갈리다, 닦이다. **4** 《~/+전+명》 (맷돌이) 돌다; 바드득〔삐걱〕거리다, 서로 스치다《***on, against*** …에》: The ship *ground on* the rock. 배는 바위에 삐걱거리며 스쳤다. **5** 《~/+부/+전+명/*to* do》 《구어》 부지런히 힘쓰다〔공부하다〕 (*away*)《***at*** …에, …을; ***for*** …을 위하여》: ~ *away at* one's English 영어를 힘써 공부하다/~ (*away*) *for* an exam 시험을 위해 열심히 공부하다/~ *away to* support one's family 가족을 부양하기 위해 힘써 일하다. **6** 허리를 틀어 굼틀거리다《쇼의 춤 등에서》. **7** 《美속어》 (컴퓨터가 가감승제 등) 단순한 연산을 되풀이하다.
~ in 《*vt.*+부》 (지식 등)을 주입하다: I told you so.—Don't ~ it *in*. 내가 그리 말했지—(알았으니까) 다그치지 마. ***~ out*** 《*vt.*+부》 ① 맷돌로 갈아 만들다. ② (손풍금 따위로) 연주하다. ③ 이를 갈며 말하다: ~ *out* an oath 이를 갈면서 욕설을 퍼붓다. ④ (담배 따위)를 비벼 끄다: ~ *out* a cigarette butt 담배 꽁초를 비벼 끄다. ⑤ (작품 · 작곡 등)을 연이어 (기계적으로) 만들어내다. ***~ the faces of the poor*** 〖성서〗 가난한 자에게 중과세하다, 빈민을 학대하다《이사야 III: 15》.
—*n.* **1 a** Ⓤ (맷돌로) 타기, 갈기, 빻기. **b** Ⓒ (가루의) 간 상태: coffee of a fine ~ 뭉글게 간 커피. **2** Ⓤ (날붙이 따위를) 갈기; 깎기; 그 소리. **3** (*sing.*) 《구어》 힘드는 일〔공부〕; 따분한 일〔공부〕; Ⓒ 《美구어》 공부벌레. **4** Ⓒ 《속어》 (스트립쇼의 춤에서) 허리 돌리기.

grínd·er *n.* **1** Ⓒ (맷돌을) 가는 사람; (칼 따위를) 가는 사람. **2** Ⓒ 분쇄기; 연마기; 숫돌: a coffee ~ 커피 가는 기계. **3** Ⓒ 어금니. **4** (*pl.*) 《속어》 이빨.

grínd·ing *a.* (맷돌로) 타는; 가는; 삐걱거리는; (일이) 힘드는, 지루한; 괴롭히는, 압제의, 폭정의; 매우 아픈〔쑤시는〕: come to a ~ halt 〔stop〕 (차 따위가) 끼익 하고 서다/~ toil 힘든 일/a ~ tax 중세(重稅)/a ~ pain 욱신거리는 통증.
—*n.* Ⓤ **제분**, 타기, 갈기, 연마, 연삭, 분쇄; (맷돌 따위를) 돌리기; 삐걱거림, 마찰; 《구어》 주입식 교수〔공부〕.

°**grínd·stòne** *n.* Ⓒ 회전 숫돌; 회전 연마기.
hold* 〔*have, keep, put*〕 *a person's* 〔*one's*〕 *nose to the ~ 아무를 쉴새없이 부려먹다〔혹사시키다〕: She *kept* her *nose to the ~* all year and got the exam results she wanted. 그녀는 일년 내내 열심히 공부하여 바라던 시험 결과를 얻었다.

grin·go [gríŋgou] (*pl.* ~***s***) *n.* Ⓒ 《구어 · 경멸적》 (라틴아메리카에서) 외국인, 《특히》 영미(英美) 사람.

‡**grip**[1] [grip] *n.* **1** Ⓒ (보통 *sing.*) **꽉 쥠**〔**잡음**〕(grasp, clutch); (배트 따위의) 잡는〔쥐는〕 법; 악력(握力), 쥐는 힘: have a strong ~ 악력이 세다/let go one's ~ on …을 놓다/take a ~ *on* …을 잡다/shorten 〔lengthen〕 one's ~ (배트 따위를) 짧게〔길게〕 잡다. **2** Ⓒ (기물 따위의)

자루, 손잡이, 결손(handle); (기계·장치 따위의) 그립: a hair ~ 《英》 머리 핀(《美》 bobby pin). **3** (*sing.*) **파악력**, 이해력, 터득(mastery) 《***of, on*** …에 대한》: have a good ~ *of* a situation 상황을 잘 파악〔이해〕하고 있다/lose one's ~ *on* reality 현실에 대한 인식을 잃다. **4** (*sing.*) **지배〔통제〕력**《***on*** …에 대한》; 주의를 끄는 힘 《***on*** …의》: take 〔get〕 a ~ *on* oneself 자제하다, 마음을 가라앉히다/have a good ~ *on* an audience 청중(의 마음)을 사로잡다. **5** 여행용 손가방(gripsack).

at* ~*s 완전히 파악하여《***with*** (문제·정세 따위)를》. ***come* 〔*get*〕 *to* ~*s*** (레슬러가) 서로 맞붙다, 드잡이하다《***with*** …와》; 몰두하다《***with*** (문제 따위)에》. ***in the* ~ *of*** …에게 사로잡혀〔속박되어〕: be *in the* ~ *of* a fixed idea 고정관념에 사로잡히다.

—(*p., pp.* ~***ped;*** ~·***ping***) *vt.* **1** 꽉 쥐다, 꼭 잡다(grasp, clutch); (기계 따위가) …을 죄다. **2** (마음·주의·관심 따위)를 끌다; (아무)의 마음을 사로잡다: The play ~*ped* (the attention of) the audience. 그 연극은 관중(의 관심)을 사로잡았다. **—***vi.* 《~/+전+명》 꼭 잡다《***on*** …을》: These tires don't ~ *on* wet roads. 이 타이어는 젖은 도로에서는 제동이 안 된다.

grip² *n.* (the ~) =GRIPPE.

gripe [graip] *n.* **1** (the ~s) 갑작스런 복통: get the ~*s* 갑자기 복통을 일으키다. **2** 《구어》 불평, 불만.

—*vt.* **1** (배를) 몹시 아프게 하다. **2** 《美》 초조하게〔화나게〕 하다.

—*vi.* (배가) 쥐어짜듯 뒤틀리다; 《구어》 불평(불만)을 하다, 투덜대다《***at*** …에게; ***about*** …에 관해서》: He's always *griping at* me *about* the food. 그는 음식에 관해서 늘 나한테 불평을 한다.

grippe [grip] *n.* 《F.》 (the ~) 《고어》 유행성 감기, 인플루엔자, 독감.

grip·ping [grípiŋ] *a.* (책·이야기 등이) 주의〔흥미〕를 끄는. ㊞ **~·ly** *ad.*

gris·ly [grízli] (***gris·li·er; -li·est***) *a.* 섬뜩한, 소름끼치는《괴물·시체 등》; 어쩐지 기분 나쁜; 음산한(dismal): a ~ murder 섬뜩한 살인.

grist [grist] *n.* Ⓤ 제분용 곡물: All is ~ that comes to his mill. 《속담》 그는 무엇이든 이용한다, 넘어져도 그냥은 안 일어난다.

bring* ~ *to* 〔*for*〕 *the mill 이익이〔벌이가〕 되다.

gris·tle [grísl] *n.* Ⓤ (식용 고기의) 연골, 물렁뼈. ㊞ **grís·tly** [-i] *a.* 연골의〔같은〕.

gríst·mìll *n.* Ⓒ 방앗간, 제분소.

grit [grit] *n.* Ⓤ **1** 〖집합적〗 (기계 따위에 끼이는) 잔모래, 왕모래: a bit of ~ 모래알. **2** 《구어》 (끈질긴) 근성, 용기, 담력: He has plenty of ~. 그는 대담하다.

—(***-tt-***) *vi.* 삐걱거리다.

—*vt.* 모래로 덮다; 연마사로 갈다〔닦다〕; 삐걱거리게 하다: ~ one's teeth 이를 갈다; 이를 악물다.

grits [grits] *n. pl.* 〖단·복수취급〗 거칠게 탄 메귀리(오트밀); 《美남부》 탄 옥수수 (가루).

grit·ty [gríti] (***grit·ti·er; -ti·est***) *a.* **1** 자갈이 섞인, 모래투성이의; 모래 같은. **2** 《구어》 용기 있는, 굳센, 불굴의.

griz·zle *vi.* 《英구어》 투덜거리다《***about*** …에 관해서》; (어린아이가) 보채다, 떼를 쓰다. **—***vt.* 투덜거리다《***that***》.

gríz·zled *a.* 회색의; 백발이 섞인, 반백의.

griz·zly [grízli] (***-zli·er; -zli·est***) *a.* =GRIZZLED.

—*n.* Ⓒ 〖동물〗 회색의 큰곰(= ~ **bèar**)《북아메리카 서부산》.

groan** [groun] *vi.* **1** 《~/+전+명》 **신음하다**, 신음소리를 내다《with, in*** (고통·슬픔 따위)로》: ~ *with* pain 〔*in* agony〕 아픔으로〔고뇌로〕 신음하다.

SYN. **groan** 고통이나 불만에서 일어나는 짧은 발작적인 신음. **moan** 슬픔이나 고통에서 일어나는 길고 낮은 신음.

2 《~/+전+명》 신음하며〔몹시〕 괴로워하다 《***under, beneath*** (…의 압박)하에》: ~ *beneath* one's toil 중노동에 신음하다/~ *under* tyranny 압제에 시달리다. **3** 《+전+명》 (식탁·선반 따위가) 삐걱거릴 정도로 꽉 차다《***with*** …으로》: the shelf ~*ing with* book 책이 잔뜩 얹힌 선반. **4** 《~/+전+명》 신음소리로 청하다《***for*** …을》; 투덜거리다, 불만의 신음소리를 내다《***at*** …에》: The wounded ~*ed for* medicine. 부상자들이 신음소리를 내며 약을 청했다/They ~*ed at* his dirty joke. 그들은 그의 상스런 농담에 투덜거렸다.

—*vt.* 《~+목/+목+부》 (신음하듯) 말하다(*out*); 으르렁대어 침묵시키다(*down*): The invalid ~*ed out* a request. 환자는 괴로운 숨을 쉬면서 부탁을 했다/~ *down* a speaker 불만의 야유를 외쳐 연사를 침묵시키다.

~ ***inwardly*** 남몰래 괴로워하다.

—*n.* Ⓒ **신음(소리)**; (연사(演士)에 대한) 불평〔불만, 불찬성〕의 소리; 삐걱거리는 소리: give a ~ of despair 절망하여 신음하다.

㊞ ~·**er** *n.*

groats [grouts] *n. pl.* 〖단·복수취급〗 탄〔간〕 귀리〔밀〕.

****gro·cer** [gróusər] *n.* Ⓒ **식료품 상인**, 식료 잡화상《영국에서는 밀가루·설탕·차·커피·버터·비누·양초 등을, 미국에서는 육류·과일·야채도 팖》: a ~'s (shop) 식품점, 반찬 가게.

***gro·cery** [gróusəri] *n.* **1** (*pl.*) **식료품류**, 잡화류. **2** Ⓒ **식품점**.

grócery stòre =GROCERY 2.

grody [gróudi] (***grod·i·er; -i·est***) *a.* 《美속어》 지독한, 너절한, 징그러운(gross).

grog [grɑg/grɔg] *n.* Ⓤ (낱개는 Ⓒ) 그로그술《물탄 술; 예전엔 물탄 럼주(rum); 독주; 본디 뱃사람 말》.

grog·gy [grɑ́gi/grɔ́gi] (***grog·gi·er; -gi·est***) *a.* (강타·피로 등으로) 비틀거리는, 휘청거리는; 그로기의: feel ~ 다리가 휘청거리다/become ~ (권투 선수가) 그로기 상태로 되다. ㊞ **-gi·ly** *ad.* **-gi·ness** *n.*

groin [grɔin] *n.* **1** Ⓒ 〖해부〗 서혜부; 〖일반적〗 샅; 고간(股間); 《완곡어》 남성 성기. **2** 〖건축〗 궁륭(穹窿)《2개의 vault의 교차선》. **3** 방파제.

grom·met [grɑ́mit/grɔ́m-] *n.* Ⓒ 밧줄 고리; (구멍 가장자리의) 덧테쇠.

groom [gru(:)m] *n.* Ⓒ 말구종; 신랑(bridegroom); 《英》 궁내관(官): the bride and ~ 신랑 신부.

—*vt.* **1** (말)을 손질하다, 돌보다. **2** 〖보통 과거분사꼴로〗 몸가축하다: a man well 〔badly〕 ~*ed* 차림새가 단정한〔지저분한〕 남자/~ oneself before going out 외출 전에 몸가축하다. **3** 가르치다, 기르다, 훈련하다《***for*** (직업 따위)에 알맞게; ***as*** …으로서/***to*** do》: He ~*ed* his son *for* political office. 그는 아들을 정계의 요직에 알맞도록 가르쳤다/The party ~*ed* him *as* a presidential candidate. 당이 그를 대통령 후보로 키웠다 / ~ a person *to* take over one's job 일을 떠맡아 줄 사람을 훈련시키다.

gróoms·man [-mən] (*pl.* **-men** [-mən]) *n.* Ⓒ 신랑의 들러리. ㉻ bridesmaid. ★ 들러리가 여럿일 때 주(主)들러리를 best man이라고 함.

◇**groove** [gruːv] *n.* Ⓒ **1** 홈《문지방·레코드 판 따위의》; 바퀴 자국. **2** 상례, 관례, 상도(常道): get 〔fall, drop〕 into a ~ 판에 박히다, 버릇이 되다. **3** 《속어》 즐거운 때〔경험〕. ***in the*** ~ 《속어》 쾌조(快調)로; 유행하여, 당세풍으로.

—*vt.* …에 홈을 파다〔내다〕.

—*vi.* 《속어》 즐기다, 멋진 일을 하다; (마음이 맞아) 잘 지내다《***with*** …와》.

groov·er [grúːvər] *n.* Ⓒ 《속어》 멋있는 놈.

groovy [grúːvi] (***groov·i·er; -i·est***) *a.* **1** 홈의, 홈 같은. **2** 멋있는, 근사한: ~ clothes 멋있는 옷.

grope** [group] *vi.* 《~/+㉯/(+㉯)+㉶+㉱》 **손으로 더듬다**; 더듬어찾다(*about; around*)《for*** …을》; (암중)모색하다, 찾다《***after, for*** …을》: I ~*d* in my pocket *for* the key. 나는 주머니를 더듬어 열쇠를 찾았다 / ~ (*about*) *for* information 정보를 탐색하다 / ~ *for* the knob in the dark 어둠 속에서 손잡이를 찾다 / ~ *after* the truth 진리를 탐구하다. —*vt.* **1** 《+㉮+㉯/+㉮+㉶+㉱》 〖~ one's way〗 더듬어 나아가다: I ~*d* my *way in* 〔*out, toward* the door〕. 더듬어 들어갔다〔나갔다, 문쪽으로 나아갔다〕. **2** 《속어》 (여자)의 몸을 만지작거리다《성희롱》.

—*n.* Ⓒ 더듬음; 《속어》 여자 몸을 만지작거림.

grop·ing [gróupiŋ] *a.* 손으로 더듬는; 모색하는. ㊐ **~·ly** *ad.*

***gross**[1] [grous] *a.* **1 뚱뚱한**, 큰(big, thick): a ~ body 뚱뚱한 몸집. **2** Ⓐ (잘못·부정 따위가) **큰**, 엄청난, 심한: a ~ mistake 큰 잘못 / a ~ lie 엉뚱한 거짓말. **3 막돼먹은**, 거친(coarse, crass); (취미 등이) 천한, 상스러운; (말씨 따위가) 추잡한(obscene); (감각이) 둔한(dull): a ~ feeder 조식가(粗食家) / a ~ diet 조식 / a ~ word 야비한 말 / a ~ palate 둔한 미각. **4** Ⓐ **총체의**, 전체의, 총계의(total); (무게가) 포장까지 친. ㉻ net[2]. ¶the ~ amount 총계 / ~ proceeds 매상 총액 / ~ profits 총이익 / the ~ area 총면적. **5** 개략의, 전반적인: ~ judgments 전반적인 판단 / a ~ outline 개략. **6** (식물이) 무성한, 우거진; (공기·액체 등이) 짙은(dense). **7** 《美속어》 (태도·음식 등이) 기분 나쁜, 별나게 고약한.

—*n.* (the ~) 총체, 총계, 총액.

in (***the***) ~ 총체로, 대체로; 대량으로.

—*vt.* (경비 포함) …의 총수익을 올리다: We ~*ed* $100,000 last year. 우리는 작년에 10만 달러의 총이익을 올렸다.

~ ***out*** 《*vt.*+㉯》 《美속어》 화나게〔오싹하게, 진력나게〕 하다, 기막히게 하다. ~ ***up*** 《*vt.*+㉯》 (순익)을 공제 전의 액수까지 늘리다.

㊐ **∠·ly** *ad.* **∠·ness** *n.*

gross[2] (*pl.* ~) *n.* Ⓒ 그로스《12 다스, 144 개; 생략: gr.》: a great ~, 12 그로스《1728 개》 / a small ~, 10 다스《120 개》 / a ~ 〔ten ~〕 of buttons 단추 1〔10〕그로스. ***by the*** ~ 12 그로스에 얼마로; 전체〔모개〕로, 통틀어; 도매로.

gróss doméstic próduct 〖경제〗 국내 총생산《생략: GDP》.

gróss nátional próduct 〖경제〗 국민 총생산《생략: GNP》.

gróss tón 영(英)톤(long ton)《2,240 파운드》.

grot [grɑt/grɔt] *n.* 《시어》 = GROTTO.

***gro·tesque** [groutésk] *a.* **그로테스크풍**〔양식〕 **무늬의**; 기괴한; **이상한, 괴상한**, 그로테스크한; 우스꽝스런; 어리석은. —*n.* **1** (the ~) 〖미술〗 그로테스크《인간이나 동물을 풀이나 꽃에 환상적으로 결합시킨 장식예술의 양식》, 괴기주의; 〖문예〗 희극·비극이 복잡하게 얽힌 양식, 그로테스크풍. **2** Ⓒ 〖미술〗 그로테스크풍의 장식〔무늬, 조각, 회화〕; 괴기한 것. ㊐ **~·ly** *ad.* **~·ness** *n.*

grot·to [grɑ́tou/grɔ́t-] (*pl.* ~(***e***)***s***) *n.* Ⓒ 작은 동굴, 석굴; 동굴 모양으로 꾸민 방《피서용》.

grot·ty [grɑ́ti/grɔ́ti] (***grot·ti·er; -ti·est***) *a.* 《英속어》 불쾌한, 더러운, 초라한, 보기 흉한.

grouch [grautʃ] 《구어》 *n.* Ⓒ 꾀까다로운 사람, 불평가; (보통 *sing.*) 불평, 불만, 푸념. —*vt.* 불평을 하다《***about*** …에 관해서》.

grouchy [gráutʃi] *a.* 《美구어》 까다로운, 토라진, 투덜대는. ㊐ **gróuch·i·ly** *ad.* **-i·ness** *n.*

†**ground**[1] [graund] *n.* **1 a** (the ~) **지면**, 지표: lie on the ~ 지면에 드러눕다. **b** Ⓤ **땅**(soil), 토지(earth, land): fertile ~ 비옥한 땅. SYN. ⇨ LAND.

2 Ⓒ (흔히 *pl.*) 〖보통 복합어〗 **운동장**, (특수 목적을 위한) 장소, 용지; …장: baseball ~*s* 야구장 / a fishing ~ 어장 / a classic ~ 사적, 고적 / picnic ~*s* 유원지.

3 (*pl.*) (건물에 딸린) 뜰, 마당, 구내: the school ~*s* 학교 구내.

4 Ⓤ (종종 *pl.*) **기초, 근거**; 이유《***for*** …의 / ***that***》: on good ~*s* 상당한 이유로 / on the ~ 〔(the) ~*s*〕 of …이유로 / I have good ~*s for* anxiety. 걱정할 이유가 충분히 있다 / He was fired on the ~(*s*) *that* he was often absent. 그는 결근이 잦다는 이유로 해고당했다.

5 Ⓤ **입장**; 의견《***that***》: on delicated ~ 미묘한 입장에서 / on firm 〔solid〕 ~ 확고한 입장〔상황〕에서 / He took the ~ (*that*) it was not right to support such a government. 그는 그러한 정부를 지지하는 것은 옳지 않다는 의견을 갖고 있었다.

6 Ⓤ 〖보통 관사 없이〗 (연구의) 분야; 화제, 문제: forbidden ~ 금제(禁制)된 화제.

7 Ⓤ 바다〔물〕 밑, 해저.

8 Ⓒ (밑)바탕; (회화(繪畫)의) 애벌칠; (직물의) 바탕색; (돋을새김의) 판면(板面).

9 (*pl.*) 침전물, 앙금, (커피 따위의) 찌꺼기.

10 Ⓤ 《美》 〖전기〗 접지(接地), 어스(《英》 earth).

11 〖형용사적〗 지상의; 지표에 가까운; 뭍에 사는《새 따위》; 땅 위를 기는《식물》; 해저에 사는《고기》: ~ forces 〔troops〕 지상군 / ~ flares 〖항공〗 지상 조명등.

break ~ (흙)을 파다, 갈다; 착수〔기공〕하다: *break* ~ for a new school 새 학교를 짓기 위해 공사를 시작하다. ***bread new*** 〔***fresh***〕 ~ 처녀지를 갈다; 신천지〔신분야〕를 개척하다. ***burn to the*** ~ 전소하다, 잿더미가 되다. ***cover*** (***the, much, less***) ~ ① (얼마의) 거리를 가다〔답파하다〕: They *covered* a lot of ~ that day. 그들은 그날 상당히 멀리까지 갔다. ② (강연·보고 등이) (어느) 범위에 걸치다〔미치다〕: a study *covering much* ~ 광범위에 걸친 연구. ***cut the*** ~ (***out***) ***from under*** a person***'s feet*** 아무의 계획에 의표〔허〕를 찌르다. ***down to the*** ~ 《英구어》 철저히, 완전히. ***fall to the*** ~ (계획 따위가) 실패로 끝나다; (희망 따위가) 없어지다. ***from the*** ~ ***up*** 처음부터 다시; 철저하게, 완전히. ***gain*** 〔***gather***〕

~ ① 전진하다. ② 지지〔인기〕를 얻다; 확고한 지반을 쌓다, 보급하다, 널리 퍼지다. ③ 바싹 다가가다《on …에》. **get off the** ~ 이륙하다; 《구어》(계획 따위가) 궤도에 오르다. **give** 〔**yield**〕 ~ ① 퇴각하다; 양보하다. ② 쇠퇴하다; 지다. **go to** ~ (여우가) 굴로 도망치다; 은신처에 잠적하다. **hold** 〔**stand, keep, maintain**〕 one**'s** ~ 자기 입장을 굽히지 않다, 소신을 고수하다. **lose** ~ (밀려서) 퇴각〔후퇴, 패배〕하다; 양보하다《**in** (논의 따위)에서》. **make** (**up**) ~ =gain ~. **on** one**'s own** ~ 자신에게 유리한 상황〔장소〕에서, 자신이 선택한〔잘 아는〕 분야에서. **work** a person **into the** ~ 아무에게 지칠 때까지 일을 시키다. **work** 〔**run**〕 one**self into the** ~ 지칠 때까지 일하다.

—*vt*. **1** 《+[목]+[전]+[명]》 (논의·주장 따위)의 기초〔근거〕를 두다《**on, in** …에》: I always ~ my arguments *on* fact. 나는 항상 사실에 근거를 두고 논의한다/morals and ethics *~ed on* religion 신앙에 의거한 도덕과 윤리.

2 《+[목]+[전]+[명]》 《흔히 수동태》 …에게 초보〔기초〕를 가르치다《**in** …의》: The girl *is* well *~ed in* French. 그 소녀는 프랑스어의 기초를 잘 배웠다.

3 (무기 따위)를 땅위에 놓다〔내던지다〕《항복 표시로》: ~ one's arms.

4 (배)를 좌초시키다.

5 〖항공〗 (고장·짙은 안개 따위가) …의 비행〔이륙〕을 불가능하게 하다: The plane was *~ed* because of the fog. 비행기는 안개 때문에 이륙하지 못했다.

6 〖전기〗 접지〔어스〕하다(《英》 earth).

7 《구어》 (아이)를 외출 금지시키다《벌로서》.

—*vi*. **1** 착륙하다; 지면에 닿다〔떨어지다〕.

2 《+[전]+[명]》 〖해사〗 좌초하다《**on** …에》: The boat *~ed on* a sand bank. 배가 사구(砂丘)에 좌초했다.

3 《~/+[전]+[명]/+[부]》 〖야구〗 땅볼을 치다《**to** …으로》; 땅볼로 아웃되다(*out*).

ground² [graund] GRIND의 과거·과거분사.

—*a*. (가루로) 빻은; 연마한, 간; 문지른: ~ beef 간 쇠고기/a finely ~ edge 예리하게 간 칼날.

gróund bàit 〖낚시〗 (물고기를 모으는) 밑밥.

gróund báll 〖야구·크리켓〗 땅볼(grounder).

gróund clòth 무대를 덮는 캔버스 천; =GROUNDSHEET.

gróund contròl 〖항공〗 지상 관제〔유도〕.

gróund-control(led) appròach (레이더에 의한) 착륙 유도 관제, 지상 유도 착륙, 지상 제어 진입 장치《생략: GCA》.

gróund còver 〖생태·임업〗 《집합적》 지피(地被) 식물《나지(裸地)를 덮은 왜소한 식물들》.

gróund crèw 《美》 《집합적; 단·복수취급》 (비행장의) 지상근무원(《英》 ground staff).

gróund·er *n*. [C] 〖야구·크리켓〗 땅볼, 포구(匍球).

ground flóor 《英》 1층(《美》 first floor).

get 〔**come, be let**〕 **in on the** ~ 발기인과 같은 자격·권리로 주식을 취득하다; 유리한 지위를 차지하다.

gróund fròst 지표의 서리.

gróund glàss 젖빛 유리; (연마용) 유리 가루.

gróund·hòg *n*. [C] 〖동물〗 =WOODCHUCK.

Gróund-hog('s) Dày 《美》 성촉절(聖燭節)(Candlemas)《2월 2일; 곳에 따라 14일》.

gróund·ing *n*. (a ~) 기초 훈련〔교수〕; 기초 지식《**in** …의》: a good ~ *in* English 충분한 영어 기초.

gróund·kèeper *n*. [C] 운동장〔경기장·공원·묘지〕 관리인(groundskeeper).

gróund·less *a*. 근거 없는, 사실무근한; 기초가 없는: ~ fears 〔rumors〕 이유 없는 공포〔사실무근한 소문〕. [파] ~**·ly** *ad*. ~**·ness** *n*.

ground·ling [gráundliŋ] *n*. [C] **1** 물 밑에 사는 물고기《미꾸라지·문절망둑 따위》; 포복(匍匐) 동물〔식물〕. **2** 저급한 관객〔독자〕. **3** (기내 근무자에 대하여) 지상 근무자.

gróund·nùt *n*. [C] 《英》 땅콩.

gróund·òut *n*. [C] 〖야구〗 내야 땅볼에 의한 아웃.

gróund plàn (건축물의) 평면도; 기초안〔계획〕.

gróund rènt 땅세, 지대(地代).

gróund rùle (흔히 *pl*.) 행동 원칙, 기본 원리; 〖경기〗 (특정 운동장이나 코트의 조건에 따라 정한) 특별 규정.

ground·sel [gráundsəl] *n*. [U] 〖식물〗 개쑥갓.

gróund·shèet *n*. [C] 그라운드시트, (천막 안〔침낭 밑〕에 까는) 방수 깔개(ground cloth).

gróunds·kèeper *n*. =GROUNDKEEPER.

gróunds·man [-mən] (*pl*. **-men** [-mən]) *n*. [C] 《英》 =GROUNDKEEPER.

gróund spèed (비행기의) 대지(對地) 속도《생략: GS》. [cf.] airspeed.

gróund squìrrel 〖동물〗 구멍을 파는 다람쥐.

gróund stàff 《英》 **1** =GROUND CREW. **2** 《집합적》 (경기장의) 관리인들《때로는 선수를 겸함》.

gróund·swèll *n*. **1** [U] (또는 a ~) (먼 곳의 폭풍·지진 등에 의한) 큰 놀, 여파. **2** [C] (보통 *sing*.) (여론의) 고조(高潮), 비등.

gróund-to-áir *a*. 〖군사〗 지대공(地對空)의: ~ missiles 지대공 미사일.

gróund-to-gróund *a*. 〖군사〗 지대지(地對地)의: ~ missiles 지대지 미사일.

gróund·wàter *n*. [U] 지하수; 갱내수(坑內水).

gróund wìre 《美》 〖전기〗 접지선, 어스선(《英》 =**éarth wìre**).

gróund·wòrk *n*. [U] (보통 the ~) 토대, 기초; 기초 준비〔작업, 연구〕《**for** …의》: lay the ~ *for* diplomatic talks 외교 교섭의 기초를 닦다.

gróund zéro 〖군사〗 (폭탄의) 낙하점; (원폭의) 폭심지(爆心地).

†**group** [gru:p] *n*. [C] **1** 《집합적; 단·복수취급》 **a** 떼; **그룹**, 집단(集團), 단체: a ~ *of* girls 일단의 소녀/in a ~ 무리지어/in *~s* 무리를 이루어, 삼삼오오. **b** 《英》 (기업체 간의) 연합, 그룹. **c** (정당·교회 등의) 분파, 당파. **d** (팝 음악·재즈 따위의) 연주가 그룹: a rock ~ 록 그룹. **e** (주의·취미가 같은 사람들의) 회합, 동호회(同好會): a dance ~ 춤동호회/a research ~ 연구회. **2** 무리; 형(型): a blood ~ 혈액형. **3** 〖수학〗 군(群); 〖컴퓨터〗 집단, 그룹; 〖화학〗 기(基), 원자단, (주기율표의) 족(族); 〖언어〗 (어족(語族) 아래의) 언어군(言語群).

—*vi*. 《~/+[부]/+[전]+[명]》 떼를 짓다, 모이다(*together*)《**around** …의 둘레에》: The family *~ed* (*together*) *around* the table. 가족은 식탁 둘레에 모였다.

—*vt*. **1** 《~+[목]/+[목]+[부]/+[목]+[전]+[명]》 한 떼로 만들다, 모으다(*together*)《**around** …의 둘레에》: The teacher *~ed* all the pupils (*together*) in the hall. 선생님은 모든 학생들을 강당에 모았다/The family were *~ed* 〔*~ed* themselves〕 *around* the fireplace. 가족들은 난로가

에 모였다. **2** ⟪+목+부/+목+전+명⟫ (체계적으로) 분류하다(*together*)⟪*by, under* (…의 항목)별로; *into* …으로⟫: *Group* all the books (*together*) *by* author. 모든 책을 저자별로 분류해라 / ~ flowers *into* several types 꽃을 몇 개의 종류로 분류하다 / ~ crystalline forms *into* geometrical systems 결정형(形)을 기하학적 체계로 분류하다.

gróup càptain 〖英공군〗 비행대장⟪대령⟫.

gróup·er[1] (*pl.* ~, ~*s*) *n.* Ⓒ 〖어류〗 농어 비슷한 열대산(產) 식용 물고기.

gróup·er[2] *n.* Ⓒ **1** 여행 그룹의 일원. **2** ⟪구어⟫ 공동으로 별장 따위를 빌리는 청년 그룹의 일원.

group·ie [grúːpi] *n.* Ⓒ ⟪속어⟫ 예능인을 좇아 다니는 소녀 팬.

gróup·ing *n.* Ⓒ (보통 *sing.*) 그룹으로 나눔, 무리를 이룸.

gróup insùrance 단체 보험.

gróup práctice (여러 과의 전문의들이 서로 협력하여 하는) 집단 진료.

gróup thérapy 〔**psychothérapy**〕 〖정신의학〗 집단 (심리)요법.

gróup-thìnk *n.* Ⓤ 집단 사고(思考)⟪집단 구성원의 토의에 의한 문제 해결법⟫.

°**grouse**[1] [graus] (*pl.* ~) *n.* Ⓒ 뇌조(雷鳥); Ⓤ 뇌조 고기.

grouse[2] ⟪구어⟫ *n.* Ⓒ (보통 *sing.*) 불평. **—***vi.* 불평하다, 투덜대다⟪*about* …에 관해서⟫. ㊞ **gróus·er** *n.*

grout [graut] *n.* Ⓤ 회삼물(灰三物)⟪암석의 틈새기 따위에 부어 넣는 묽은 모르타르 또는 시멘트⟫, 그라우트, 시멘트풀, 회반죽. **—***vt.* …에 ~을 붓다; …을 ~로 마무리하다.

grove** [grouv] *n.* Ⓒ (산책에 적합한) **작은 숲**; (감귤류) 과수원. ***the* ~** 〔~*s*〕 ***of Academe 대학〔학원〕의 분위기〔세계〕.

°**grov·el** [grávəl, grʌ́vəl/grɔ́vəl] (*-l-*, ⟪英⟫ *-ll-*) *vi.* 기다; 넙죽 엎드리다⟪*at* (발밑)에⟫; 굴복하다, 비굴한 태도를 취하다⟪*before, to* …앞에⟫: ~ around 〔about〕 기어 돌아다니다 / ~ *before* the King 국왕 앞에 넙죽 엎드리다, ~ *to* authority 권위에 굴복하다. ㊞ **gróv·el·(l)er** *n.* Ⓒ 아첨꾼, 비굴한 사람.

†**grow** [grou] (***grew*** [gruː]; ***grown*** [groun]) *vi.* **1** ⟪~/+전+명⟫ **성장하다**, 자라다⟪*to, into* …으로⟫; (식물이) 무성해지다; 나다; 싹트다⟪*from* …에서⟫: Rice ~*s* in warm countries. 벼는 따뜻한 지방에서 자란다 / He has *grown into* a robust young man. 그는 씩씩한 젊은이로 성장했다 / Plants ~ *from* seeds. 식물은 씨에서 싹튼다.

2 (감정·사건 등이) 생기다, 일어나다, 발생하다.

3 ⟪~/+전+명⟫ (크기·수량·길이 따위가) **증대하다**, 커지다; 늘어〔불어〕나다⟪*in* …이⟫; 발전하다⟪*into* …으로⟫: The city is ~*ing* every year. 그 도시는 매년 발전하고 있다 / He has *grown in* experience. 그는 경험이 풍부해졌다 / ~ *in* fame 명성이 높아지다 / The skirmish *grew into* a major battle. 작은 충돌이 큰 전투로 번졌다.

4 ⟪+보/+전+명/+*to* do⟫ 차차 **…이 되다**, …으로 변하다(turn): ~ tall 키가 자라다 / ~ rich 부자가 되다 / ~ faint 아찔해지다 / ~ pale 창백해지다 / ~ less 줄다 / The sound *grew to* a shriek. 소리가 점차 비명으로 변했다 / He is ~*ing to* like me. 그는 나를 점차 좋아하고 있다. SYN. ⇨ BECOME.

—*vt.* **1** **키우다**, 성장시키다; 재배하다(cultivate): ~ apples 사과를 재배하다.

2 ⟪~+목/+목+보⟫ (머리·뿔 따위)를 기르다, 나게 하다: ~ a mustache 콧수염을 기르다 / He has *grown* his hair long. 그는 머리를 길게 길렀다.

SYN. **grow** 식물·농작물을 가꾸다; 수염 등을 기르다: *grow* corn 곡식을 가꾸다. **raise** 주로 동물·아이를 기르다: *raise* chickens 닭을 치다. **rear** 공들여 훌륭하게 키운다는 어감을 풍김. **breed** 낳아서 키우다 → 번식시키다: *breed* racers 경주말을 사육하다. **cultivate** 가꾸어 키우다 → 재배하다, 양식(養殖)하다: *cultivate* oysters 굴을 양식하다.

3 〖수동태〗 (장소가) 덮여 있다⟪*with* …으로⟫: *be grown* (*over* 〔*up*〕) *with* ivy 담쟁이덩굴로 덮여 있다. ◇ growth *n.*

~ *away from*... (부모·친구 등)과 소원해지다, 멀어져가다: Chris has *grown away from* her parents. 크리스는 부모와 소원해졌다. **~ *into*** ① …으로 성장하다(⇨*vi.* 1). ② …으로 발전하다(⇨*vi.* 3). ③ 자라서 (옷)이 입을 수 있게 되다. ④ 익숙해지다. **~ *on*** 〔***upon***〕 ① (불안·나쁜 버릇 등이) (아무)에게 점점 더해가다〔몸에 배다〕: An uneasy feeling *grew upon* him. 그는 불안한 마음이 점점 더해 갔다. ② 아무의 마음에 점점 들게 되다: The village ~*s on* me. 그 마을이 점점 마음에 끌린다. **~ *out of*** ① 자라서 (습관 따위)를 버리다〔탈피하다〕: A man will ~ *out of* his youthful follies. 젊은 때의 난봉은 고칠 수 있다. ② (커서) …을 못 입게 되다: He has *grown out of* all his clothes. 자라서 아무 옷도 입을 수 없게 되었다. ③ …에서 생기다〔기인하다〕: His illness *grew out of* his bad habits. 그의 병은 여러 악습이 원인이다. ***grow together*** ⟪*vi.*+부⟫ 하나가 되다, 결합〔융합〕하다. **~ *up*** ⟪*vi.*+부⟫ ① 성인이 되다; 어른처럼 행동하다: Children ~ *up* so quickly. 애들은 아주 빨리 자란다. ② (습관·감정 따위가) 발생하다: A warm friendship *grew up* between us. 우리들 사이에 뜨거운 우정이 생겼다. ③ 〖명령법〗 어린애 같은 짓〔말〕하지 마라.

㊞ **∠·a·ble** *a.* 재배 가능한.

°**grów·er** *n.* Ⓒ 재배자; 사육자; 자라는 식물: a quick 〔slow〕 ~ 조생〔만생〕 식물 / a tomato ~ 토마토 재배자.

grów·ing *a.* **1** 성장하는, 자라는; 차차 커지는; 증대하는: ~ discontent 점점 커지는 불만. **2** 발육기의; 성장에 따르는: a ~ boy 발육기의 소년. **3** 성장을 촉진하는: the ~ season 식물의 생육기.

grówing pàins (급격한 성장에 기인하는) 어린이의 사지 신경통; ⟪비유적⟫ (새로운 계획·발전에 따르는) 초기 장애, 해산의 고통; (청춘기의) 정서적 불안정.

growl** [graul] *n.* Ⓒ (개 등의) **으르렁거리는 소리**; 불복〔불만〕의 소리; 고함 소리; (천둥 따위의) 우르르하는 소리. **—vi.* ⟪~/+전+명⟫ **으르렁거리다**; 투덜거리다⟪*at* …에게⟫; (우레·대포 등이) 우르르 울리다: The dog ~*ed at* the stranger. 개는 그 낯선 사람에게 으르렁거렸다. **—***vt.* ⟪~+목/+목+부⟫ 호통치다, 성나서 말하다(*out*): He ~*ed* (*out*) a refusal. 그는 싫다고 소리질렀다. ㊞ **∠·ing** *a.* 으르렁거리는; 딱딱거리는; 우르르하는. **∠·ing·ly** *ad.*

grówl·er *n.* Ⓒ **1** 으르렁거리는 사람〔짐승〕, 딱

딱거리는 사람, 잔소리꾼. **2** 작은 빙산(氷山).

grown [groun] GROW의 과거분사.
—*a*. **1** Ⓐ 성장한, 자라난, 성숙한; 무성한: a ~ man 성인, 어른. **2** 〖합성어〗 …으로 덮인; 재배한, …산(産)의: weed-~ 잡초로 뒤덮인/home-~ 가정 재배의, 자가(自家) 생산의.

⁑**grown-up** [gróunʌ̀p] *a*. **성장한**, 성숙한; 성인의, 어른다운; 어른을 위한: a ~ daughter 성인이 된 딸/~ manners 어른스러운 예절/a ~ fiction 성인용 소설. **—***n*. Ⓒ 《구어》 **성인**, 어른(adult).

⁑**growth** [grouθ] *n*. **1** Ⓤ **성장**, 발육; 생성, 발전, 발달(development): industrial ~ 산업의 발달/full ~ 완전 성장(시의 크기). **2** Ⓤ (또는 a ~) **증대**, 증가, 증진, 신장: a large ~ in population 인구의 큰 증가. **3** Ⓤ 재배, 배양(cultivation): apples of foreign 〔home〕 ~ 외국산〔국산〕 사과. **4** Ⓒ 생장물《초목·수풀·수염·손톱 등》; 〖의학〗 종양(腫瘍): There was a thick ~ *of* weeds in the garden. 정원에는 잡초가 잔뜩 나 있었다/a malignant ~ 악성 종양. ◇grow *v*.

grówth hòrmone 〖생화학〗 성장 호르몬.

grówth ìndustry 〖경제〗 성장 산업.

grówth stòck (보통 *pl*.) 〖경제〗 성장주.

groyne [grɔin] *n*. =GROIN 3.

grub [grʌb] (***-bb-***) *vt*. **1** (땅)을 파다, 개간하다; (땅)을 파 뿌리를 파내다(*up; out*); 땅을 파 (뿌리)를 제거하다(*up; out*): a newly *~bed* ground 신개간지/~ *up* a tree 나무를 뿌리째 뽑다. **2** (데이터·기록 등)을 힘들여 찾아내다〔얻다〕(*out; up*): a task of *~bing out* new data 새 데이터를 꾸준히 찾는 일. **3** 《속어》 …에게 먹을 것을 주다. **—***vi*. **1** 파다; 파헤쳐 찾다; 열심히 찾아 헤매다(*about; around*) 《***for*** …을》: ~ *about* in the public library *for* material 공공 도서관에서 자료를 찾아 뒤지다. **2** 부지런히 일〔공부〕하다(*along; away; on*): ~ *along* from day to day 매일 열심히 일하며 살다.
—*n*. **1** Ⓒ (풍뎅이나 딱정벌레 따위의) 유충(=**grúb·wòrm**), 굼벵이, 구더기. **2** Ⓤ 《구어》 음식물: No work, no ~. 일하지 않으면 먹지 말라.

grub·by [grʌ́bi] (***-bi·er; -bi·est***) *a*. 구더기〔굼벵이〕 따위가 뒤끓는; 더러운(dirty), 지저분한. ㊕ **-bi·ly** *ad*. **-bi·ness** *n*.

grúb·stàke 《美구어》 *n*. Ⓤ (신규 사업자 따위에게 빌려주는) 자금, 밑천. **—***vt*. …에게 자금(밑천)을 대주다.

Grúb Strèet 〖집합적〗 삼류 작가들《가난한 작가들이 많이 살던 런던 Milton street의 옛 이름에서》.

◇**grudge** [grʌdʒ] *vt*. **1** …을 주기 싫어하다, …을 아까워하다, …에게 인색하게 굴다 …하기를 꺼리다〔싫어하다〕《do*ing*》: ~ no effort 노력을 아끼지 않다/I ~ you nothing. 너에겐 무엇을 주어도 아깝지 않다/I ~ his go*ing*. 그를 보내고 싶지 않다. **2** 부러워하다; 시기하다: She ~s me my success. 그녀는 나의 성공을 시샘하고 있다. **—***n*. Ⓒ 악의, 적의, 원한, 유감《***against*** (아무)에 대한》: pay off an old ~ 여러 해 쌓인 원한을 풀다/~ fight 개인적인 원한 싸움/bear 〔owe〕 a person a ~ =bear 〔have, 《美》 hold, nurse〕 a ~ *against* a person 아무에게 원한을 품다.

grudg·ing [grʌ́dʒiŋ] *a*. 인색한, 단작스러운; 마지못해 하는, 싫어하는《***in*** …을》: a ~ allowance 인색한 용돈/He was ~ *in* his praises. 그는 마지못해 칭찬했다. ㊕ **~·ly** *ad*. 억지로. **~·ness** *n*.

gru·el [grúːəl] *n*. Ⓤ (환자·노인 등에게 주는) 묽은 죽, (우유·물로 요리한) 오트밀.

grú·el·ing, 《英》 **-el·ling** *a*. 녹초로 만드는; 심한, 격렬한: have a ~ time 혼나다/undergo ~ training 몹시 힘든 훈련을 받다. ㊕ **~·ly** *ad*.

grue·some [grúːsəm] *a*. 무시무시한, 소름끼치는, 섬뜩한: a ~ tale 소름끼치는 이야기. ㊕ **~·ly** *ad*. **~·ness** *n*.

◇**gruff** [grʌf] *a*. 우락부락한, 난폭한; 무뚝뚝한, 퉁명스러운; (소리·목소리가) 굵고 탁한, 쉰, 몹시 거친. ⓒⓕ coarse, harsh, rude. ¶a ~ manner 거친 태도/in a ~ voice 쉰 목소리로. ㊕ **∠·ly** *ad*. **∠·ness** *n*.

grum·ble** [grʌ́mbəl] *vi*. **1** 《~/+전+명》 **불평하다**, 툴툴대다, 푸념하다, 투덜대다, 중얼거리다《at, to*** (아무)에게; ***about, at, over*** …에 관해서》: Don't ~! 투덜대지 마라/My boss *~d at* me *about* my work. 상사는 내 일을 가지고 투덜댔다/He's always *grumbling at* his low salary. 그는 항상 임금이 낮다고 툴툴거린다. **2** (멀리서 우레 따위가) 우르르 울리다: The thunder *~d* in the distance. 먼 곳에서 천둥이 우르르 울렸다. **—***vt*. 《~+목/+목+부》 …을 **불평스레 말하다** (*out*): ~ *out* a protest 투덜거리며 항의하다/“It's all your fault,” he *~d*. “모두 네 잘못이야”라고 그는 불만스럽게 말했다.
—*n*. Ⓒ 투덜대는 소리, 불만, 불평, 푸념; (*sing*.; 보통 the ~) (멀리서 들려오는 뇌성 따위의) 울림, 우르르하는 소리. ㊕ **-bler** *n*.

grum·bling [grʌ́mbliŋ] *a*. 불평하는; (맹장 따위가) 계속해서 아픈. ㊕ **~·ly** *ad*.

grump [grʌmp] *n*. 《구어》 **1** Ⓒ 불평만 하는 사람, 불평가. **2** (the ~s) 저기압, 울적한 기분: have the ~s 기분이 나쁘다.

grumpy [grʌ́mpi] (***grump·i·er; -i·est***) *a*. 까다로운, 기분이 언짢은, 심술궂은. ㊕ **grúmp·i·ly** *ad*. **-i·ness** *n*.

Grun·dy [grʌ́ndi] *n*. **Mrs**. ~ 세상 평판《Thomas Morton의 희극 중의 인물로부터》: What will Mrs. ~ say? 세상에서는 뭐라고들 할까. ㊕ **~·ism** *n*. Ⓤ 인습에 얽매임, 남의 소문에 신경 씀, 체면차리기.

grun·gy [grʌ́ndʒi] *a*. 《美속어》 꼴사나운, 허술한; 더러운, 지저분한.

◇**grunt** [grʌnt] *vi*. (돼지 따위가) 꿀꿀거리다; (사람이) 투덜투덜 불평하다, 푸념하다: ~ in discontent 불만으로 투덜대다. **—***vt*. 으르렁〔끙끙〕거리며 말하다(*out*): ~ (*out*) an answer 투덜거리며〔불만스럽게〕 대답하다. **—***n*. Ⓒ (돼지 따위의) 꿀꿀거리는 소리; 불평 소리: give a ~ of discontent 투덜투덜 불평하다. ㊕ **∠·er** *n*.

Gru·yère [gruːjέər, gri-] *n*. Ⓤ (낱개는 Ⓒ) 스위스산(産) 치즈의 일종(=**∠ chèese**).

gryph·on [grífən] *n*. =GRIFFIN.

G.S. general staff.

G-7 [dʒiːsévn] Group of Seven《미국·일본·독일·영국·프랑스·캐나다·이탈리아의 7개국》.

Ǵ-strìng *n*. Ⓒ **1** 〖음악〗 G선(線). **2** (스트리퍼의) 버터플라이.

Ǵ-sùit *n*. Ⓒ 〖항공·우주〗 (가속도가 붙었을 때의 충격을 방지하는) 내가속도복(耐加速度服).

GT 〖군사〗 Gran Turismo. **Gt. Br., Gt. Brit.** Great Britain.

Guam [gwaːm] *n*. 괌 섬《남태평양 북서부 마리아나 군도의 섬; 미국령》.

gua·na·co [gwənáːkou] (*pl*. **~s**) *n*. Ⓒ 〖동물〗 과나코《남아메리카 Andes 산맥에 야생하는 야마(llama)류》.

gua·no [gwáːnou] (*pl*. **~s**) *n*. Ⓤ 구아노, 조분석(鳥糞石)《Peru 부근의 섬에서 나며, 비료로 사용됨》; 인조 질소 비료.

guar·an·tee** [gæ̀rəntíː] *n*. Ⓒ **1** **보증**(security), 약속《for, on*** (품질 · 물건)의; ***against*** (위험 · 손해 따위)에 대한 / ***to*** do / ***that***》; 보증서《상품의 내용 연수(耐用年數) 따위의》: a ~ *on* a camera 카메라의 보증서 / This TV is still under ~. 이 TV는 아직 보증 기간 중이다 / The clock carries a two-year ~. 그 시계는 2년간 보증된다 / a ~ *to* provide a job 일자리를 주겠다는 약속 / You (may) have my ~ *that* we'll be on time. 우리는 시간을 엄수할 것을 약속한다. **2** 담보(물): put up one's house as a ~ 가옥을 담보로 넣다. **3** 개런티《최저 보증 출연료》. **4** 보증인, 인수인. **5** 〖법률〗 피보증인. ↔ *guarantor*. **6** 보증이 되는 것: Wealth is no ~ *of* happiness. 부(富)가 행복의 보증은 아니다.

on a* 〔*under the*〕 ~ *of …의 보증 아래, …의 보증을 하여.

— (*p*., *pp*. **~d; ~·ing**) *vt*. **1** 《~+목/+목+목/+목+전+명/+목+*to* do/+*to* do/+*that* 절》 **보증하다**, 보증인이 되다《***against, from*** (손해 · 위험 따위)에 대하여》:~ a person's debts 아무의 빚보증을 서다 / He ~*d* us possession of the house by June. 그는 그 집이 6월까지 우리 것이 될 것임을 보증하였다 / ~ a person *against* 〔*from*〕 loss 아무에게 손해를 끼치지 않을 것을 보증하다 / ~ a watch *to* keep perfect time 시계가 시간이 절대로 틀리지 않을 것을 보증하다 / I ~ *to* prove the truth of my words. 내 말이 진실임을 보증합니다 / ~ *that* the contract shall be carried out 계약이 이행될 것을 보증하다. **2** 《~+목/+목+목/+목+전+명/+*to* do/(*that*) 절》 …을 확실히 하다, 보장하다, 약속〔확언〕하다《***to*** (아무)에게》: He thought a good education would ~ success. 그는 훌륭한 교육이 성공을 보장한다고 생각했다 / Will you ~ us regular employment? =Will you ~ regular employment *to* us? 우리에게 정규 고용을 약속해 주겠습니까? / I ~ *to* be there. 꼭 출석하겠다 / I ~ (*that*) he will come. 그가 올 것임은 내가 장담하지.

guar·an·tor [gæ̀rəntɔ̀ːr, -tər] *n*. Ⓒ 〖법률〗 보증인, 담보인. ↔ *guarantee*.

guar·an·ty [gǽrənti] *n*. Ⓒ 〖법률〗 (특히 지불) 보증 (계약); 보증서; 보증물, 담보.

— *vt*. =GUARANTEE.

****guard** [gaːrd] *n*. **1** Ⓤ **경계**, 망보기, 감시; 조심; 보호: on ~ 경계하여; 보초를 서서 / keep ~ on 〔over〕 …을 경계〔감시〕하다 / be under close ~ 엄중히 감시당하고 있다. **2** Ⓒ 〔집합적으로도 쓰여〕 **경호인**; 수위, 문지기; (교도소의) 간수; 보초, 파수꾼; 위병; 호위병; (포로 따위의) 호송병〔대〕; 《英》 근위병〔대〕; 수비대; (the G-s) 《英》 근위 사단: a coast ~ 연안 경비대 / the Changing (of) the *Guard* 《英》 근위병 교대 / There was a ~ 〔were ~*s*〕 around the president. 대통령 주위에는 몇 명의 경호인이 배치되어 있었다. **3** Ⓒ 《英》 차장, 승무원(《美》 conductor). **4** Ⓒ **방호물**; 위험 방지기, 안전 장치; 예방약, 방지제《***against*** …에 대한》: a ~ *against* infection 〔tooth decay〕 전염병 방지제〔충치 예방약〕. **5** Ⓒ (칼의) 날밑; (총의) 방아쇠울; 난로의 울(fender); (차의) 흙받기; 난간. **6** Ⓤ (농구 · 미식 축구의) 가드. **7** Ⓤ (권투 · 펜싱 등의) 방어 자세.

mount* 〔*stand*〕 (*the*) ~** 보초를 서다; 망을 보다《at, over*** …의》. ***off* (one's) ~** 경계를 소홀히 하여, 방심하여: catch a person *off* his ~ 아무의 소홀한 틈을 타다 / throw 〔put〕 a person *off* his ~ 아무를 방심시키다. ***on* (one's) ~** 보초를 서서; 경계〔주의〕하여: put 〔set〕 a person *on* his ~ 아무에게 경계시키다, 조심시키다 / Be *on* your ~ *against* pickpockets. 소매치기 조심하시오. ***stand* ~** 감시하다, 지키다; 호위하다《***over*** …을》.

— *vt*. **1** 《~+목/+목+전+명》 **지키다**, 보호하다, 호위하다, 방호하다《***from, against*** (공격 · 위험 따위)로부터》: ~ the palace 궁전을 호위하다 / ~ a person *against* 〔*from*〕 temptations 아무를 유혹으로부터 보호하다.

SYN. **guard** 외부와의 격리(隔離)에 중점을 둠. 따라서 protect와 뜻이 같을 때와, …이 달아나지〔없어지지〕 않도록 감시하는 뜻의 두 가지 경우가 있음: *guard* a prisoner 죄수를 감시하다. *guard* a secret 비밀을 지키다. **defend** 외적 따위에 저항하여, 물리쳐서 지키다: *defend* one's country 나라를 지키다. **protect** 외부의 힘 · 타격 따위로부터 보호하다. **preserve** 본래 상태를 유지하기 위해 지키다: *preserve* game 조수(鳥獸)를 보호하다.

2 **망보다**, 감시하다, 경계〔주의〕하다: The prisoner was ~*ed* night and day. 포로는 밤낮으로 감시를 받았다. **3** (기계 따위)에 위험 방지 장치〔조처〕를 하다. **4** 〖스포츠〗 (나오는 상대)를 막다, 가드하다. **—** *vi*. 《+전+명》 **경계하다**, 조심하다《***against*** …을》: ~ *against* accidents 사고가 일어나지 않도록 조심하다.

guárd·ed [-id] *a*. 방위〔보호〕되어 있는; 감시받고 있는; 조심성 있는; 신중한: ~ language 조심스러운 말투. ㊕ **~·ly** *ad*. **~·ness** *n*.

guárd·hòuse *n*. Ⓒ 위병소; 영창, 유치장.

***guard·i·an** [gáːrdiən] *n*. Ⓒ **감시인**, 수호자, **보호자**; 보관소; 〖법률〗 (미성년자의) 후견인.

guárdian ángel (개인 · 사회 · 지방의) 수호천사(守護天使); 타인의 복지(福祉)를 주선하는 사람.

guard·i·an·ship [gáːrdiənʃìp] *n*. Ⓤ 후견인의 임무〔지위〕; 보호, 수호: under the ~ of … 의 보호하에.

guárd·ràil *n*. Ⓒ (도로의) 가드레일; 난간; 〖철도〗 (탈선 방지용) 보조 레일.

guárd·ròom *n*. Ⓒ 위병소, 수위실.

guárds·man [-mən] (*pl*. **-men** [-mən]) *n*. Ⓒ 《英》 근위병; 《美》 주병(州兵).

guárd's ván 《英》 =CABOOSE.

Gua·te·ma·la [gwɑ̀ːtəmáːlə, -te-] *n*. 과테말라《중앙 아메리카의 공화국》.

gua·va [gwáːvə] *n*. **1** Ⓒ 〖식물〗 물레나물과의 관목《아메리카 열대 지방산》. **2** Ⓤ (낱개는 Ⓒ) 그 과실《젤리 · 잼의 원료》.

gu·ber·na·to·ri·al [gjùːbərnətɔ́ːriəl] *a*. Ⓐ 《美》 (주)지사(知事)(governor)의: a ~ election 주지사 선거.

gudg·eon [gʌ́dʒən] *n*. Ⓒ **1** 〖어류〗 모샘치《잉어과; 쉽게 잡히므로 낚싯밥으로 쓰임》. **2** 잘 속는 사람, 봉.

guél·der ròse [géldər-] 〖식물〗 불두화나무(snowball).

Guern·sey [gə́ːrnzi] *n*. 건지. **1** 영국 해협 내

의 섬; Ⓒ 이 섬 원산의 젖소. **2** (g-) Ⓒ 털실로 짠 셔츠 또는 스웨터《뱃사람·어린이용》.

guer·ril·la, gue·ril·la [gərílə] *n.* Ⓒ 게릴라, 비정규병. **—***a.* Ⓐ ~의: ~ war 〔warfare〕 게릴라전.

⁑guess [ges] *vt.* **1** 《~+目/+目+전+명/+*that* 절/+目+*to be* 보/+目+*to* do/+*wh. to* do/+*wh.* 절》 **추측하다**, 추정하다, 미루어 헤아리다《*at* …이라고》; (어림)짐작으로 말하다: ~ (the distance) by the eye (거리를) 목측하다/~ the woman's age *at* 25 그 여자의 나이를 25세로 추정하다/I ~ *that* he is about 40. =I ~ him *to be* about 40. 그는 40세 정도 되는 것으로 생각한다/I ~ this library *to* contain 50,000 books. 나의 추정으로는 이 도서실에 책이 5만 권은 있다/I cannot ~ *what to* do next. 다음에 무엇을 해야 될지 짐작이 가지 않는다/Can you ~ *who* that man is? 저 사람이 누군지 아는가. **2** 알아맞히다, 옳게 추측하다; (수수께끼 등)을 풀어 맞히다: ~ a riddle 수수께끼를 풀다. **3** 《+*that* 절》《구어》 **…라고 생각하다**(suppose, think): I ~ (*that*) I can get there in time. 시간에 맞춰 거기 도착할 수 있을 겁니다/I ~ I'll go to bed. 그럼, 잘까/You're pretty tired, I ~. 꽤 피곤한 것 같구나.

—*vi.* **1** 《~/+전+명》 **추측하다**, 미루어서 살피다; 추정해 보다《*at* …을》: I can't even ~ *at* what you mean. 네가 무슨 뜻으로 그러는지 도무지 모르겠다/I ~ so 〔not〕. 《美》 그렇다고 생각한다〔그렇지 않을 거다〕. **2** 옳게 추측하다, 알아맞히다: ~ right 〔amiss, wrong〕 알아맞히다〔못 알아맞히다〕.

keep* a person *~ing 아무를 마음 졸이게 하다.

> **DIAL.** ***Guess what!*** 어찌 생각해, 알겠어《놀라운 일을 알려주고 덧붙이는 말》.

—*n.* Ⓒ **추측**, 추정; 억측: Right! First ~. 맞았습니다, 단번에 척 맞히셨군요/give 〔make〕 a ~ 추측〔억측〕하다/miss one's ~ 잘못 추측하다, 잘못 생각하다.

anybody's 〔***anyone's***〕 **~** 《구어》 불확실한 것, 아무도 모르는 것: It's *anybody's* ~. 그 일은 아무도 모른다. ***at a* ~ =*by* ~** (***and by god***) 추측으로, 어림(짐작)으로: She was, *at a* ~, thirty. 그녀는 대충 보기에 30세 정도였다.

> **DIAL.** ***Your guess is as good as mine.*** 나도 모르겠는데(←내 추측은 네 추측과 마찬가지다, 너와 마찬가지로 나도 모른다).

guess·ti·mate [géstəmèit] 《구어》 *vt.* 억측하다; 어림짐작하다. **—** [-mit] *n.* Ⓒ 억측; 어림짐작. [◂*guess*+*estimate*]

guéss·wòrk *n.* Ⓤ 억측, 어림짐작: by ~ 어림으로.

⁑guest [gest] *n.* Ⓒ **1** 손(님), 객, 내빈, 빈객(賓客); (방송 등의) 특별 출연자, 게스트(=**∠ àrtist, ∠ stàr**). cf. host¹. ¶a ~ of honor (만찬회 따위의) 주빈/a ~ of distinction 귀빈. SYN. ⇨VISITOR. **2** 객원(客員), 임시 회원. **3** (여관 등의) 숙박인, 하숙인: a paying ~ (개인집의) 하숙인. **4** 기생 동물〔식물〕.

> **DIAL.** ***Be my guest.*** (간단한 청을 받고) 예, 그러세요, 좋으실 대로: May I use your phone? —*Be my guest.* 전화 좀 쓸까요—예, 쓰세요.

***You are my* ~** (today). (식당 따위에서 누구를 대접할 때) (오늘) 계산은 제가 하도록 해 주세요.

—*a.* Ⓐ 손님의, 객원의; 손님용의; 초대〔초빙〕받은: a ~ member 객원(客員), 임시 회원/~ conductor 〔professor〕 초빙〔객원〕 지휘자〔교수〕/a ~ book 숙박부/a ~ towel 손님용 타월.

—*vt.* 손님으로서 대접하다. **—***vi.* 《+전+명》 〖방송〗 게스트로 출연하다《***on*** (라디오·TV 따위) 에》.

guést·hòuse *n.* Ⓒ 여관, 고급 하숙; 영빈관.

guést nìght (대학·클럽 따위에서) 내빈 접대의 밤.

guést ròom 손님용 침실.

guff, goff [gʌf], [gɔːf] *n.* Ⓤ 《속어》 허황된 〔실없는〕 이야기, 허튼소리.

guf·faw [gʌfɔ́ː, gə-] *n.* Ⓒ 갑작스런 너털웃음, (천한) 큰 웃음. **—***vi.* 실없이 크게 웃다.

⁑guid·ance [gáidns] *n.* Ⓤ **1 안내**, 인도: under a person's ~ 아무의 안내〔지도〕로. **2** (학생의 학습·생활·직업 따위에 관한) **지도**, 가이던스, 보도(輔導): vocational ~ 직업 보도. **3** (우주선·미사일 따위의) 유도(誘導). ◇guide *v.*

⁑guide [gaid] *n.* Ⓒ **1 안내자**, 가이드: employ 〔hire〕 a ~ 안내인을 고용하다. **2** 지도자, 선구자. **3** 규준, 지침; 입문서; **길잡이**, 도표(道標); 안내서, 편람, 여행 안내(서)《***to*** …에 관한》: a ~ *to* mathematics 수학 입문서/a ~ *to* Paris 파리 여행 안내서. **4** (보통 G-) 《英》 소녀 가이드 단원. **5** 〖기계〗 유도 장치, 도자(導子): a ~ paper (인쇄기·타이프라이터 등의) 용지 유도 장치.

> **DIAL.** ***Will we have a local guide?—No, but a tour guide from Korea will take you around.*** 현지 가이드가 있습니까—아니요, 하지만 한국에서 가는 여행 가이드가 안내할 겁니다.

—*vt.* **1** 《~+目/+目+전+명/+目+부》 **안내하다**, 인도하다: The usher ~*d* us *in* 〔*to* our seats〕. 안내인은 우리를 안으로〔자리로〕 안내했다/A light in the distance ~*d* him *to* the village. 멀리 보이는 불빛에 인도되어 그는 그 마을에 다다랐다/The stars ~*d* us back. 우리는 별을 지침으로 삼아 돌아왔다.

SYN. **guide** 실제의 지식·경험 등을 가진 사람이 (옆에 붙어서) 이끌다: *guide* a traveler 여행자를 안내하다. **conduct** 한 가지 길을〔도리를〕 어떤 곳까지 안내하다. **lead** 앞장서서 이끌다, 선도하다. **direct** 길을 가리키다. 자신은 같이 가지〔하지〕 않는 경우가 많음: Can you *direct* me to the station? 정거장 가는 길을 가르쳐 주겠나.

2 《+目+전+명》 **지도하다**《***in*** (학습·방침 따위)의 면에서》: ~ students *in* their studies 학생들의 공부를 지도하다. **3** 〖보통 수동태〗 (사상·감정 따위가) 지배하다, 좌우하다(control): *be ~d* by one's passion 〔feelings〕 정열〔감정〕이 내키는 대로 하다. **4** (국가)를 통치하다; (장관으로서) 다스리다: ~ a country through its difficulties 나라를 이끌고 어려움을 극복하다. **5** 《+目+전+명》 (차·배·미사일 등)을 어느 방향으로 나아가게 하다, 유도하다: He skillfully ~*d* his car *through* the heavy traffic. 그는 엄청난 차량의 물결 속을 교묘히 헤치며 차를 몰았다.

guíde·bòok *n.* Ⓒ 여행 안내(서), 가이드북.

guíded míssile 〖군사〗 유도탄.

guíde dòg 맹도견(盲導犬).

guíded tóur 안내인이 딸린 여행.

guíde·lìne *n.* [C] **1** (동굴 따위에서의) 인도(引導) 밧줄. **2** (흔히 *pl.*) (장래 정책 등을 위한) 지침, 〖경제〗 유도 지표, 가이드라인.
guíde·pòst *n.* [C] 이정표, 길잡이, 도로 표지.
guíde wòrd (사전 따위의 페이지 윗부분에 인쇄한) 난외 표제어, 색인어(catchword).
◇**guild, gild** [gild] *n.* [C] **1** (중세 유럽의) 장인(匠人)·상인의 동업 조합, 길드. **2** 동업 조합. **3** (상호 부조·자선 등을 위한) 조합, 협회; 단체, 회.
guíl·der *n.* [C] 길더《네덜란드의 화폐 단위; 기호 G, Gld》; 길더 은화.
guíld·hàll *n.* **1** [C] (보통 *sing.*) 집회소; 《英》 시청, 읍사무소(town hall); 시회의장. **2** (the G–) 런던 시청사(市廳舍).
guílds·man [-mən] (*pl.* **-men** [-mən]) *n.* [C] 길드 조합원; guild socialism 신봉자.
guíld sócialism 길드 사회주의《20세기초에 영국에서 발달하여, 산업 국유화와 길드에 의한 산업 경영을 주장함》.
◇**guile** [gail] *n.* [U] 교활, 간지(奸智); 간계(奸計), 기만: by ~ 간계를 부려서.
guile·ful [gáilfəl] *a.* 교활한, 음험한.
㊞ **~·ly** [-fəli] *ad.* **~·ness** *n.*
guíle·less *a.* 간특하지 않은, 악의 없는, 정직한, 순진한(frank). ㊞ **~·ly** *ad.* **~·ness** *n.*
guil·le·mot [gíləmɑ̀t/-mɔ̀t] *n.* [C] 〖조류〗 바다오리류(類).
◇**guil·lo·tine** [gílətiːn, gíːjə-] *n.* **1** (the ~) 단두대, 기요틴: go to the ~ 단두대에 오르다, 참수형을 당하다. **2** [C] (종이 등의) 재단기; (편도선 등의) 절제기(切除器). **3** (the ~) 〖英의회〗 (의사 방해를 막기 위한) 토론 종결. **—*vt.*** 단두대로 목을 자르다, …의 목을 베다; 〖英의회〗 (토론)을 종결하다.
⁑**guilt** [gilt] *n.* [U] **1** (윤리적·법적인) **죄**(sin), **유죄**; 죄를 범하고 있음, 죄가 있음: establish a person's ~ 아무의 유죄를 입증하다. **2** 죄〔과실〕의 책임: The ~ lies with him. 그 죄의 책임은 그에게 있다. **3** 죄의식, 죄악감, 죄책감.
◇**guílt·less** *a.* 죄가 없는, 무죄의, 결백한(innocent); 알지 못하는: a ~ man 결백한 사람/I am ~ *of* any intend to offend him. 그의 감정을 해치려고 한 기억은 없다. ㊞ **~·ly** *ad.* **~·ness** *n.*
⁑**guilty** [gílti] (**guilt·i·er; -i·est**) *a.* **1 유죄의, 죄를 범한**(criminal). ↔ *innocent*. ¶a ~ man 죄가 있는 사람/a ~ deed 범행/a ~ mind 〔intent〕 범의(犯意)/be found ~ 유죄 판결을 받다/He's ~ *of* the crime 〔*of* theft〕. 그는 죄〔절도죄〕를 범하고 있다. **2 떳떳하지 못한**, 죄를 느끼고 있는 《***about, over, for*** …에 대해서》: a ~ conscience 죄책감(感), 뒤가 켕기는 마음/a ~ look 뒤가 구린 듯한 얼굴/He felt ~ *about* it. 그는 그 일을 떳떳지 못하게 생각했다.
Guilty. 유죄《배심원의 평결·재판장의 언도》. ***Not ~.*** 무죄《배심원의 평결에서》. ***plead ~*** 〔***not ~***〕 죄를 인정하다〔무죄를 주장하다〕《***to*** …에 대해서》: He *pleaded* ~ *to* the charge. 그는 그 죄상을 인정했다.
㊞ **guílt·i·ly** *ad.* **-i·ness** *n.* [U] 죄가 있음, 유죄.
Guin·ea [gíni] *n.* 기니《아프리카 서부의 공화국; 수도 Conakry》.
guin·ea [gíni] *n.* [C] 기니《영국의 옛 금화로 이전의 21실링에 해당함; 현재는 계산상의 화폐 단위로, 상금·사례금 등의 표시에만 사용》.
Guin·ea-Bis·sau [gíniːbisáu] *n.* 기니비사우 공화국《서아프리카의 구(舊) Portuguese Guinea; 수도 Bissau》.
guínea fòwl 〖조류〗 뿔닭.
guínea hèn 〖조류〗 뿔닭의 암컷.
guínea pìg 〖동물〗 기니피그(cavy)《속칭 모르모트》; 실험 재료, 실험 대상: use a person as a ~ 아무를 실험 대상으로 쓰다.
Guin·ness [gínəs] *n.* [U] (아일랜드산(産)) 흑맥주《상표명》. ***the ~ Book of Records*** 기네스북《영국의 맥주 회사인 Guinness가 매년 발행하는 세계 기록집》.
◇**guise** [gaiz] *n.* [C] (보통 *sing.*) 외관, 외양(appearance); 겉치레, 겉보기; (옷)차림, 모습(aspect); 변장, 가장; (…하는) 체함; 구실: in the ~ *of* a lady 귀부인의 모습〔옷차림〕으로/under the ~ *of* friendship 우정을 가장하여.
⁑**gui·tar** [gitɑ́ːr] *n.* [C] **기타**: an electric ~ 전기기타/play the ~ 기타를 치다.
㊞ **~·ist** [-rist] *n.*
gulch [gʌltʃ] *n.* [C] 《美》 협곡《양쪽이 깎아지른 듯한》.
gul·den [gúːldən] (*pl.* **~, ~s**) *n.* =GUILDER.
⁑**gulf** [gʌlf] (*pl.* **~s**) *n.* [C] **1 만**《보통 bay보다 크며 폭에 비해 안 길이가 길다》: the *Gulf* of Mexico 멕시코만/the (Persian) *Gulf* 페르시아만. [cf.] bay[1]. **2** (지표(地表)의) 깊이 갈라진 틈; 《시어》 **심연**(深淵)(abyss), 심해(深海). **3** (의견 따위의) 큰 간격, 현격《***between*** …간의》: the ~ *between* rich and poor 〔theory and practice〕 빈부〔이론과 실제〕의 차.
Gúlf Stàtes (the ~) **1** 《美》 멕시코만 연안의 다섯 주《Texas, Louisiana, Mississippi, Alabama 및 Florida》. **2** 페르시아만 연안 제국(諸國)《산유국》.
Gúlf Strèam (the ~) 멕시코 만류《멕시코만에서 미국 동연안을 따라 북상하여 북대서양 해류로 이행하는 난류》.
gúlf·wèed *n.* [C] 〖식물〗 모자반류의 해초《멕시코 만류 따위에서 볼 수 있는》.
◇**gull**[1] [gʌl] *n.* [C] 〖조류〗 갈매기(sea mew).
gull[2] *n.* [C] 쉽게 속는 사람, 숙맥. **—*vt.*** 〖보통 수동태〗 **1** (아무)를 속여서 빼앗다《***out of*** …을》: He *was ~ed out of* his money. 그는 속아서 돈을 빼앗겼다. **2** (아무)를 속여서 시키다《***into*** …하게》: He *was ~ed into* buy*ing* rubbish. 그는 속아서 하찮은 것을 샀다.
Gul·lah [gʌ́lə] (*pl.* **~(s)**) *n.* **1** (the ~(s)) 갈라족(族)《미국 동남부의 해안 및 섬에 노예로서 정주한 흑인》; [C] 갈라족 사람. **2** [U] 갈라족의 사투리 영어.
gul·let [gʌ́lit] *n.* [C] 식도; 목(throat).
gùl·li·bíl·i·ty *n.* [U] 속기 쉬움, 멍청함.
gul·li·ble [gʌ́ləbəl] *a.* 속기 쉬운. ㊞ **-bly** *ad.*
gúll-wìng *a.* 〖자동차〗 위로 젖혀서 여는 식의 《문짝》.
gul·ly, gul·ley [gʌ́li] *n.* [C] (보통 물이 마른) 골짜기, 소협곡; (인공의) 도랑, 배수구(溝). **—*vt.*** …에 도랑을 만들다; (물이) 침식하여 소협곡을 만들다.
◇**gulp** [gʌlp] *vt.* **1** 꿀떡꿀떡〔꿀꺽꿀꺽〕 마시다; 삼켜버리다(*down*): ~ *down* water 물을 벌컥벌컥 마시다. **2** (이야기 등)을 그대로 받아들이다; 맹신하다. **3** (눈물·슬픔 따위)를 억제하다, 참다(*back; down*): ~ *down* 〔*back*〕 one's tears 〔anger〕 울음〔노여움〕을 꾹 참다. **—*vi.*** 꿀떡꿀떡〔꿀꺽꿀꺽〕 마시다; (놀라) 숨을 죽이다.

—n. [C] 꿀떡꿀떡 마심, 그 소리; 한입에 마시는 양; 『컴퓨터』 몇 바이트로 이루어진 2진 숫자의 그룹: at a 〔one〕 ~ =in one ~ 한입에, 단숨에.

⁑**gum**[1] [gʌm] *n.* **1** [U] **고무질**(質), 점성(粘性) 고무《수피(樹皮)에서 분비하는 액체로 점성이 강하며 말려서 고체화함; resin(수지)과 달라서 알코올에는 녹지 않으나 물에는 녹음》; (광의(廣義)로 resin, gum resin을 포함하여) 수지, 수액; 진 ([cf.] rubber). **2** [C] 고무나무(~ tree). **3** [U] 껌 (chewing ~); 《英》 =GUMDROP. **4** [U] 고무풀, 아라비아풀; (우표에 바른) 풀. **5** [U] 눈곱.

— (**-mm-**) *vt.* 《(+[목]+[부])》 **1** 고무로 붙이다〔굳히다〕(*down; together; up*): ~ a stamp *down* 우표를 (아라비아풀로) 붙이다. **2** 《구어》 (계획 · 일 등)을 망쳐놓다, 틀어지게 하다(*up*). **—***vi.* **1** 고무〔수지〕를 분비하다. **2** 찐득찐득해지다(*up*).

gum[2] *n.* [C] (보통 *pl.*) 잇몸, 치은(齒齦).

gum[3] *n.* [U] 《구어》 God(신)의 변형《저주 · 맹세에 사용함》. ***By*** 〔***My***〕 ***~!*** 맹세코!, 틀림없이!, 이런!, 저런!

gúm árabic 〔**acácia**〕 아라비아고무.

gum·bo, 《美》 **gom-** [gʌ́mbou] *n.* 《美》 **1** (*pl.* **~s**) [C] 『식물』 오크라(okra). **2** [C] (요리는 [U]) 오크라를 넣은 진한 수프.

gúm·bòil *n.* [C] 『치과』 잇몸 궤양.

gúm bòot (보통 *pl.*) 고무 장화; 《美속어》 순경, 형사.

gúm·dròp *n.* [C] 《美》 드롭스의 일종(《英》 gum) 《젤리 모양의 캔디》.

gum·ma [gʌ́mə] (*pl.* **~·ta** [-tə], **~s**) *n.* 《L.》 [C] 『의학』 (제3기 매독의) 고무종(腫).

gum·my[1] [gʌ́mi] (**-mi·er; -mi·est**) *a.* 고무질의, 점착성의; 고무액을〔수지를〕 분비하는; 고무상 물질을 바른, 끈적끈적한. [파] **gúm·mi·ness** *n.* [U] 고무질, 점착성.

gum·my[2] *a.* 이〔치아〕가 없는〔빠진〕.

gump·tion [gʌ́mpʃən] *n.* [U] 《구어》 적극성, 진취적인 기상; 《英》 재치, 지혜; 상식.

gúm rèsin 고무 수지.

gúm·shòe 《美》 *n.* [C] **1** (보통 *pl.*) 오버슈즈 (galoshes). **2** 《속어》 탐정, 형사, 순경(=**gúm-shòer, gúm shòeman**). **—***vi.* 《속어》 탐정〔형사〕 노릇을 하다.

gúm trèe 고무질을 분비하는 나무《rubber tree와는 다름; 유칼리나무(eucalyptus) 따위》.

up a ~ 《英구어》 진퇴양난에 빠져.

†**gun** [gʌn] *n.* [C] **1 a 대포**; 화기; **총**, 소총; 엽총(shotgun); …총《air gun 따위》;권총, 연발 권총(revolver). **b** 『스포츠』 출발 신호용 총. **2** (살충제 · 도료 따위의) 분무기; (그리스 따위의) 주입기. **3** 대포의 발사《예포 · 축포 · 조포 등》: a salute of six ~*s* 예포 6발; 《구어》 (엔진의) 스로틀(throttle); 『전자』 전자총(electron ~); 《비어》 음경. **4 a** (보통 *pl.*) 《英》 총렵(銃獵)대원: a party of six ~*s* 총렵대원 6명. **b** 《美》 권총잡이, 살인 청부업자: the fastest ~ in the world 세상에서 가장 빠른 총잡이 / a hired ~ 고용된 살인 청부업자.

a big ~ ⇨BIG GUN. ***bring out*** 〔***up***〕 ***the*** 〔***one's***〕 ***big ~s*** ⇨BIG GUN(관용구). ***go great ~s*** 《구어》 데꺽데꺽 해치우다; (일이) 순조롭게 진척되다. ***jump the ~*** 《구어》 조급히 굴다, 성급한 짓을 하다; 『스포츠』 스타트를 그르치다, 출발 신호 전에 뛰어나가다. ***spike*** a person***'s ~s*** 아무를 무력하게 하다, 패배시키다. ***stick to*** one***'s ~***(***s***) =***stand to*** 〔***by***〕 one***'s ~***(***s***) 입장〔자기의 설〕을 고수〔고집〕하다, 굴복하지 않다, 물러서지 않다.

— (**-nn-**) *vi.* 총을 쏘다; 사냥하러 가다; 사냥을 하다: go ~*ning* 총 사냥 가다. **—***vt.* **1** 《~+[목]/+[목]+[부]》 총으로 쏘다(*down*): The guards ~*ned down* the fleeing convict. 간수가 도망치는 죄수를 사살했다. **2** 《구어》 (엔진)을 고속회전시키다.

~ for ① 총으로 …을 사냥하다〔…을 죽이려 하다〕. ② (온힘을 들여) …을 얻으려고 노력하다〔찾다〕. ③ (함정에 빠뜨리려고) …의 빈틈을 노리다.

gún·bòat *n.* [C] 포함(砲艦)《소형의 연안 경비정》.

gúnboat diplómacy 포함 외교《약소국에 대한 무력 외교》.

gún càrriage 『군사』 포차(砲車), 포가(砲架).

gún contròl 총포 규제〔단속〕.

gún·còtton *n.* [U] 면(綿)화약.

gún·dòg *n.* [C] 사냥개.

gún·fight *n.* [C] 《美》 총격전; 권총 결투. [파] **~·er** *n.* [C] 총잡이; 《美》 (서부의) 무법자.

gún·fire *n.* [U] 발포; 포격, 포화, 총격.

gunge [gʌndʒ] *n.* [U] 《英구어》 들러붙는〔딱딱해지는, 끈적끈적한〕 것(gunk).

gung-ho [gʌ́ŋhóu] *a.* 《구어》 아주 열심인, 열혈적인. **—***ad.* 열심히.

gunk [gʌŋk] *n.* [U] 《속어》 미끈미끈〔끈적끈적, 걸쭉걸쭉〕한 것〔액체, 오물〕.

gún·man [-mən] (*pl.* **-men** [-mən]) *n.* [C] 총잡이, 총기를 가진 악한〔갱〕; 건맨, 사격의 명수.

gún·mètal *n.* [U] 『야금』 포금(砲金), 청동(靑銅); 암회색(=~ **gràу**).

gún mòll 《속어》 (권총을 가진) 여자 범인; 권총 강도의 정부(情婦).

gun·nel [gʌ́nl] *n.* [C] 『어류』 베도라치의 일종.

gun·ner [gʌ́nər] *n.* [C] **1** 포수(砲手), 사수(射手); 『해군』 장포장(掌砲長)《준사관》. **2** 총사냥꾼.

gun·nery [gʌ́nəri] *n.* [U] 포술; 총포 제조; 『집합적』 포, 총포(guns): a ~ lieutenant 〔《속어》 jack〕 『英해군』 포술장(砲術長).

gun·ny [gʌ́ni] *n.* [U] 올이 굵은 삼베, 즈크; [C] 즈크 자루, 마대(=~ **bàg** 〔**sàck**〕).

gún·plày *n.* [U] 《美》 (권총의) 맞총질, 권총 소동.

gún·pòint *n.* [C] 권총의 총부리.

at ~ 권총을 들이대고.

***gun·pow·der** [gʌ́npàudər] *n.* [U] (흑색) 화약; white 〔smokeless〕 ~ 백색〔무연〕 화약.

Gúnpowder Plòt (the ~) 『英역사』 화약 음모 사건《1605년 11월 5일 의회 지하에 화약을 장치하고 폭파하려던 구교도의 음모》.

gún ròom **1** 《英》 (대저택의) 수렵용 총기 진열실. **2** 『英해군』 하급 장교실.

gún·rùnner *n.* [C] 총포 화약 밀수입자.

gún·rùnning *n.* [U] 총포 화약 밀수입.

gun·sel [gʌ́nsəl] *n.* [C] 《美속어》 =GUNMAN; (남색의) 상대자, 면.

gún·shìp *n.* [C] (기총 소사용의) 무장 헬리콥터, 건십.

gún·shòt *n.* **1** [C] 사격, 포격, 발포(소리). **2** [U] 착탄 거리, 사정(射程). **3** [C] 발사된 탄알: within 〔out of, beyond〕 ~ 착탄 거리 내〔외〕에.

gún-shỳ *a.* (사냥개나 말 따위가) 총소리에 놀라는〔총소리를 무서워하는〕.

gún sìte 포격 진지.

gún·slìnger *n.* 《美속어》 =GUNFIGHTER.

gún·smìth *n.* [C] 총공(銃工), 총기 제작자.

gún·stòck *n.* [C] 총상(銃床), 개머리판.

gun·wale [gʌ́nl] *n.* [C] 『선박』 뱃전의 위 끝, 거널뱃전.

gup·py [gʌ́pi] *n.* [C] 『어류』 거피《서인도 제도산의 관상용 열대어》.

◇**gur·gle** [gə́ːrgəl] *vi.* (물 따위가) 꼴딱꼴딱〔콸콸〕 흐르다《*out of* …에서》; 콸콸〔꾸르륵〕거리다; (어린애가) 목구멍으로 꼴록꼴록 소리를 내다《기쁠 때》: The wine *~d out of* the bottle. 포도주가 병에서 콸콸 흘러나왔다.
—*n.* (*sing.*; 보통 the ~) 꼴깍꼴깍〔꼴록꼴록〕하는 소리.

Gur·kha [gə́ːrkəː, gúər-] (*pl.* **~, ~s**) *n.* [C] 구르카인(人)《Nepal에 살며 호전적이고 힌두교를 믿음》; (인도 · 영국군 소속의) 구르카병(兵).

gu·ru [gúːruː, gurúː] *n.* [C] 힌두교의 도사(導師); (정신적) 지도자.

◇**gush** [gʌʃ] *n.* (*sing.*) **1** 용솟음쳐 나옴, 내뿜음, 분출《*of* (액체 따위)가》: a ~ *of* oil 분출하는 기름. **2** 복받침《*of* (감정 따위)가》. **—***vi.* **1** 세차게 흘러나오다, 분출하다; (눈물 · 피 등을) 많이〔갑자기〕 흘리다(*out; forth*)《*from, out of* …에서》: a hot spring *~ing up* in a copious stream 그치지 않고 솟아오르는 온천/Blood *~ed* (*out*) *from* the wound. 상처에서 피가 뿜어져 나왔다/Words of apology *~ed out of* his mouth. 그는 계속해서 미안하다고 말했다. **2** 잘난 척하며 떠벌리다《*about, over* …을》: She *~ed* on and on *about* 〔*over*〕 her son. 그 여자는 아들 이야기를 신이 나서 계속 떠벌렸다.

gúsh·er *n.* [C] 용솟음쳐 나오는 것; 분출 유정(噴出油井); 과장된 감정적 표현을 하는 사람.

gúsh·ing *a.* **1** [A] 용솟음쳐〔쏟아져〕 나오는, 분출하는: a ~ spring 물이 솟아 나는 샘. **2** 과장해서 감정 표현을 하는, 지나치게 감상적인: ~ remarks 감상적인 말. [파] **~·ly** *ad.* **~·ness** *n.*

gushy [gʌ́ʃi] *a.* =GUSHING 2.

gus·set [gʌ́sit] *n.* [C] (의복 · 장갑 따위의) 보강용(補強用) 삼각천, 바대, 무; 『건축』 거싯《보강용 덧붙임판(板)》.

gus·sy, gus·sie [gʌ́si] *vt., vi.* 《구어》 화려하게 꾸미다(*up*); 성장(盛裝)하다(*up*).

◇**gust** [gʌst] *n.* [C] **1** 돌풍, 일진의 바람, 질풍: a violent ~ of wind 맹렬한 일진의 돌풍. [SYN.] ⇨WIND. **2** 확 타오르는 불길〔연기〕. **3** 격정, (감정의) 폭발(outburst). **—***vi.* (바람이) 갑자기 강하게 불다.

gus·ta·tion [gʌstéiʃən] *n.* [U] 맛보기; 미각.

gus·ta·to·ry [gʌ́stətɔ̀ːri/-təri] *a.* 『해부 · 생리』 맛의; 미각의: ~ bud 미뢰(味蕾)《혀에 있는 미각 기관》/~ nerve 미각 신경.

gus·to [gʌ́stou] *n.* [U] 썩 좋은 맛; 큰 기쁨〔즐거움〕: with great ~ 아주 맛있게〔즐겁게〕.

gusty [gʌ́sti] (***gust·i·er; -i·est***) *a.* 돌풍의; 폭풍우가 휘몰아치는; (비바람 등이) 세찬, 거센; (소리 · 웃음 등이) 돌발적인: a ~ wind 돌풍.

◇**gut** [gʌt] *n.* **1 a** [C] (집합적으로는 [U]) 창자, 장; 소화관: the large 〔small〕 ~ 대〔소〕장/the blind ~ 맹장. **b** (*pl.*) 내장. **2** (*pl.*) 《구어》 (극 · 책 등의) 내용; 실질(contents); (문제 따위의) 본질, 핵심; (기계의) 중심부: the *~s* of a problem 문제의 핵심/His paper has no *~s* in it. 그의 논문은 알맹이가 없다. **3** [U] **a** 장선(腸線)(catgut); (바이올린 · 라켓의 현, 외과용 봉합사로 쓰는) 거트; (낚싯줄용의) 천잠사(天蠶絲). **b** (물고기의) 배알. **4** (좁은) 수로; 해협; 도랑; 좁은 길. **5** (*pl.*) 《구어》 기운, 용기, 배짱, 끈기, 지구력, 결단력: He has (a lot of) *~s*. 그는 (두둑한) 배짱이 있다. **6** [U] 《구어》 감정, 본능, 직감: appeal to the ~ rather than the mind 이성보다 오히려 감정에 호소하다.
hate* a person*'s* ~*s 《구어》 아무를 몹시 미워하다. ***spill* one*'s* ~*s*** 《속어》 모조리 털어놓다. ***sweat* 〔*work, slog, slave*〕 one*'s* ~*s out*** 《구어》 고생을 마다하지 않고 (열심히) 일하다.
—(***-tt-***) *vt.* **1** (죽은 짐승)의 내장을 빼내다. **2** (집 · 도시 등)을 모조리 약탈하다; (책 · 논문 등의) 요소를〔요점을〕 발췌하다. **3** 『종종 수동태』 (특히 화재로 건물 등)의 내부를 파괴하다; 깡그리 파괴하다: The building *was ~ted* by fire. 화재로 그 건물 내부가 전소되었다/Inflation *~ted* the economy. 인플레이션으로 경제가 파탄되었다.
—*a.* [A] 《구어》 **1** 마음 속으로 느끼는, 감정적인; 본능적인: ~ feeling 직감, 본능적인 느낌. **2** 근본적인, 중대한《문제 따위》: a ~ issue 근본〔기본〕문제.

gút cóurse 《美구어》 학점 따기 쉬운 과목.

gút·less *a.* 《구어》 패기〔활기〕 없는; 겁 많은. [파] **~·ness** *n.*

gutsy [gʌ́tsi] (***guts·i·er; -i·est***) *a.* 《구어》 기운찬, 용감한; 《英구어》 걸신〔게걸〕들린.

gut·ta-per·cha [gʌ̀təpə́ːrtʃə] *n.* [U] 구타페르카《열대수(樹)의 수지를 말린 고무 비슷한 물질; 치과 충전 · 전기 절연용》.

◇**gut·ter** [gʌ́tər] *n.* **1** [C] (처마의) 낙수홈통《물받이》. **2** [C] (광산 등의) 배수구; (길가의) 하수도, 도랑; (흐르는 물 · 녹은 초가) 흐른 자국. **3** (the ~) 빈민굴: take 〔raise〕 a child out of the ~ 어린이를 빈민굴에서 구해내다/a child of the ~ 부랑아. **4** [C] 『볼링』 거터《레인 양쪽의 홈》.
—*vt.* …에 도랑을 만들다; 홈통을 달다. **—***vi.* 촛농이 흘러내리다; (촛불이) 꺼질 듯이 깜박거리다; 도랑〔흐른 자국〕이 생기다; 도랑을 이루며 흐르다.

gútter préss (the ~) 선정적인 저속한 신문.

gútter·snìpe *n.* [C] 빈민굴의 어린이; 떠돌이, 부랑아.

gut·tur·al [gʌ́tərəl] *a.* 목구멍의, 인후의; 목구멍에서 나오는; 『음성』 후음(喉音)의.
—*n.* [C] 후음《[g, k]등; 현재는 velar라 부름》; 연구개음(軟口蓋音)《[k, g, x] 따위》.

gut·ty [gʌ́ti] *a.* = GUTSY.

***guy**[1] [gai] *n.* [C] **1** 《구어》 사내, 녀석(fellow), 친구; (*pl.*) 『성별 불문』 사람들, 패거리들: a queer 〔nice〕 ~ 이상한〔좋은〕 녀석/you *~s* 너희들. **2** 《英》 기이한 옷차림을 한 사람. **3** (종종 G-) (Gunpowder Plot의 주모자의 한 사람인) Guy Fawkes의 상(像), 익살스런 인형상.
—(*p., pp.* ***~ed***) *vt.* …을 웃음가마리가 되게 하다, 조롱하다.

guy[2] *n.* [C] 받침〔버팀〕 밧줄《기중기에 달린 짐을 안정시키는 밧줄》; (전주 · 텐트 · 굴뚝 따위의) 버팀줄. **—***vt.* 버팀줄로 정착〔안정〕시키다, …에 ~를 팽팽히 치다.

Guy·ana [gaiǽnə, -áːnə] *n.* 가이아나《남아메리카 동북부 기아나 지방에 있는 공화국; 수도는 조지타운(Georgetown)》.

Guy·a·nese [gàiəníːz, -s] *a.*, (*pl.* ~) *n.* [C] 가이아나(사람)(의).

Gúy Fáwkes Dày 《英》 (Gunpowder Plot의 주모자 중 하나인) Guy Fawkes 체포 기념일《11월 5일》.

gúy rópe = GUY².
guz·zle [gʌ́zəl] *vi.* 폭음[폭식]하다(*away*). **—***vt.* 꿀꺽꿀꺽 마시다; 게걸스레 먹다.
gúz·zler *n.* Ⓒ **1** 술고래; 대식가. **2** 연료 소비가 많은 차: a gas ~ 가솔린을 많이 먹는 차.
Gwent [gwent] *n.* 그웬트《영국 웨일스 남동부의 주; 1974년 신설》.
Gwy·nedd [gwíneð] *n.* 귀네드《영국 웨일스 북서부의 주; 1974년 신설》.
Gy 【물리】 gray².
⁑**gym** [dʒim] *n.* 《구어》 Ⓒ **체육관**(gymnasium); Ⓤ (학과로서의) 체조, 체육.
gym·kha·na [dʒimkɑ́:nə] *n.* Ⓒ (운동·마술) 경기회; 자동차 장애물 경주.
°**gym·na·si·um** [dʒimnéiziəm] (*pl.* **~s, -sia** [-ziə]) *n.* Ⓒ **1** 체육관, 실내 체육장. **2** (유럽의) 김나지움《대학 진학 과정의 9[7] 년제 중고등학교》.
gym·nast [dʒímnæst] *n.* Ⓒ 체조 선수, 체육 교사, 체육 전문가.
°**gym·nas·tic** [dʒimnǽstik] *a.* Ⓐ 체조[체육]의: ~ exercises 체조 / ~ apparatus 체조 기구. ㊞ **-ti·cal** [-tikəl] *a.* **-ti·cal·ly** *ad.* 체육상.
°**gym·nas·tics** [dʒimnǽstiks] *n.* **1** 〖단·복수 취급〗 체조, 체육: practice ~ 체조를 하다 / apparatus ~ 기계 체조. **2** Ⓤ (학과로서의) 체육, 체조.
gym·no·sperm [dʒímnəspə̀:*r*m] *n.* Ⓒ 【식물】 겉씨식물, 나자(裸子) 식물.
㊞ **gym·no·sper·mous** [dʒìmnəspə́:*r*məs] *a.* 겉씨식물의.
gým shòe (보통 *pl.*) 운동화(sneaker).
gým·slìp *n.* Ⓒ 《英》 (소매가 없고 무릎까지 내려오는) 소녀용 교복.
gy·ne·co·log·ic, -i·cal [gàinikəlɑ́dʒik, dʒìn-, dʒài-/-lɔ́dʒ-], [-əl] *a.* 부인과(科)의 학의.
gy·ne·col·o·gist [gàinikɑ́lədʒist, dʒìn-, dʒài-/-kɔ́l-] *n.* Ⓒ 부인과 의사.
gy·ne·col·o·gy [gàinikɑ́lədʒi, dʒìn-, dʒài-/-kɔ́l-] *n.* Ⓤ 부인과 의학.
gyp¹, gip, jip 《속어》 *n.* Ⓒ 협잡꾼, 사기꾼(swindler); 사기, 야바위(swindle). **—***a.* 가짜의. **—**(**-pp-**) *vt.* 사기치다, 속이다; (아무)를 속여 뺏다《***out of*** …을》: ~ a person *out of* his money 아무를 속여 돈을 빼앗다.
gyp², gip Ⓤ 《英구어》 고통《★ 다음 관용구로》. ***give*** a person ~ 아무를 혼내주다; (상처 따위가) 아무에게 고통을 주다.
gyp·soph·i·la [dʒipsɑ́filə/-sɔ́f-] *n.* Ⓒ 【식물】 안개꽃.
gyp·sum [dʒípsəm] *n.* Ⓤ 【광물】 석고; 깁스.
*__Gyp·sy,__ 《주로 英》 **Gip-** [dʒípsi] *n.* **1** Ⓒ 집시. **2** Ⓤ 집시어(Romany). **3** (g-) Ⓒ 집시 같은 사람; 《특히》 방랑자; 살갗이 거뭇한 여자. **—***a.* (g-) Ⓐ 집시의[같은]: a ~ fortuneteller 집시 점쟁이.
gýpsy mòth 【곤충】 매미나방《해충》.
gy·rate [dʒáiəreit] *a.* 나선상(狀)의.
— [dʒáiəreit, -́-] *vi.* 선회[회전]하다, 빙빙 돌다.
gy·ra·tion [dʒaiəréiʃən] *n.* **1** Ⓤ 선회, 회전. **2** Ⓒ (흔히 *pl.*) 선회 동작, 회전 운동.
gy·ra·to·ry [dʒáiərətɔ̀:ri/-təri] *a.* 선회하는: ~ system 회전식, 순환식; 로터리 교차.
gýro·còmpass *n.* Ⓒ 자이로컴퍼스, 회전 나침반.
gy·ro·scope [dʒáiərəskòup] *n.* Ⓒ 자이로스코프, 회전의(回轉儀).
gy·ro·scop·ic [dʒàiərəskɑ́pik/-kɔ́p-] *a.* 회전의(回轉儀)의, 회전 운동의.
gỳro·stábilizer *n.* Ⓒ 자이로스태빌라이저《배나 비행기의 동요를[옆질을] 막는 장치》.

H

H, h [eitʃ] (*pl.* **H's, *Hs,* h's, *hs*** [éitʃiz]) *n.* **1** Ⓤ (구체적으로는 Ⓒ) 에이치《영어 알파벳의 여덟째 글자》. **2** Ⓤ (연속된 것의) 여덟 번째(의 것). **3** Ⓒ H자 모양의 것. **4** Ⓤ 《속어》 헤로인.
drop** one's **h's 〔***aitches***〕 h음을 빼고 발음하다 《ham을 'am, hair를 air로 하는 런던 사투리; 보통 교양이 없음을 나타냄》. **4-*H club*** = FOUR-H CLUB.

H 〖연필〗 hard《연필의 강도를 나타냄; H, HH, HHH 순으로 강도가 세어짐; ⓒⓕ B》; 〖전기〗 henry(s); 〖화학〗 hydrogen. **H., h.** harbor; hardness; height; high; 〖야구〗 hit(s); hour(s); hundred.

ha [hɑː] *int.* 허어, 어머《놀람 · 기쁨 · 의심 · 주저 · 뽐냄 · 불만 등을 나타내는 발성》; 하하《웃음소리》.

Ha 〖화학〗 hahnium. **ha., ha** hectare(s). **HA** 〖컴퓨터〗 Home Automation. **Hab.** Habakkuk.

Ha·bak·kuk [həbǽkək, hǽbəkʌ̀k, -kùk] *n.* 〖성서〗 히브리의 예언자; (구약성서의) 하박국서(書).

ha·ba·ne·ra [*h*ɑ̀ːbənέərə] *n.* 《Sp.》 Ⓒ 하바네라《쿠바에서 비롯된 느린 2박자의 춤》; 그 곡.

ha·be·as cor·pus [héibiəs-kɔ́ːrpəs] 《L.》 **1** 〖법률〗 인신 보호 영장, 출정 영장《구속 적부 심사를 위해 피(被)구속자를 법정에 출두시키는 영장》. **2** 인신 보호 영장 청구권.

hab·er·dash [hǽbərdæ̀ʃ] *vt.* (양복)을 짓다, 만들다; (양복)에 장식(적인 디자인)을 하다.

háb·er·dàsh·er *n.* Ⓒ 《美》 신사용 양품 장수 《셔츠 · 모자 · 넥타이 등을 팖》; 《英》 방물장수 《바늘 · 실 · 단추 등을 팖》.

háb·er·dàsh·ery [-ri] *n.* **1** Ⓤ 《美》〖집합적〗 신사용 장신구류; Ⓒ 그 가게. **2** Ⓤ 《英》〖집합적〗 방물류; Ⓒ 그 가게.

ha·bil·i·ment [həbíləmənt] *n.* (보통 *pl.*) (특정 직업 따위의) 옷, 복장; 평상복.

⁑hab·it [hǽbit] *n.* **1** Ⓤ (구체적으로는 Ⓒ) **습관, 버릇**, 습성: by ~ 습관적으로 / fall into a bad ~ 악습에 물들다 / break a person of a ~ 아무의 버릇을 고치다 / break off a ~ 습관을 깨뜨리다 / grow into 〔out of〕 a ~ 어떤 버릇이 생기다〔없어지다〕 / make a ~ of doing = make it a ~ to do …하는 것을 습관으로 하다, 습관적으로 …하다 / He's in the habit of staying up late. = It's his ~ to stay up late. 그에게는 밤 늦게까지 자지 않는 버릇이 있다 / It is a ~ with 〔for〕 him to get up early. 일찍 일어나는 것이 그의 습관이다 / *Habit* is (a) second nature. 《속담》 습관은 제2의 천성.

ⓈⓎⓃ **habit** 개인적인 습관, 버릇: the alcohol *habit* 음주벽. **custom** 단체 · 지역 사회의 습관《관습 · 개인적인 버릇이 습관으로 된 것도 포함됨》: He took a walk in the morning, as was his *custom*. 언제나처럼 아침 산책을 하였다. **convention** 지역 사회 구성원이 무언중에 인정하고 있는 관습. **usage** 사회에서 오랫동안 인정되어 온 것이 공식으로 인정받게 됨을 이름. **manner** 넓은 뜻의 개인이나 사회의 관습.

2 Ⓒ (동식물의) 습성《어떤 종 · 개체군의 습관적 행동 양식》; 곧잘 생기는 상태, 경향: the rat's feeding ~*s* 쥐의 식성 / My car has a ~ of stalling. 내 차는 곧잘 엔진이 꺼지는 경향이 있다. **3 a** 〖보통 ~ of mind로〗 기질, 성질: a cheerful ~ *of mind* 쾌활한 성질. **b** Ⓤ 체질: a man of corpulent ~ 비만성 체질의 사람. **4** Ⓒ (특수 사회 · 계급의) 옷, 복장(garment); 〖종교〗 제의(祭衣): a monk's 〔nun's〕 ~ 수도복. **5** Ⓒ 승마복(riding ~). **6** (the ~) 《구어》 (코카인 · 마약 따위의) 상습, 중독(addiction).

> **DIAL.** ***Why break the habit of a lifetime?*** 《英 · 우스개》 죽을 때까지 그러지 왜 그만둬(← 왜 평생 습관을 깨느냐)《좋지 않은 오랜 습관을 버리겠다고 하는 사람에게》.

hàb·it·a·bíl·i·ty *n.* Ⓤ 거주 적합성, 살기에 적합함.

°hab·it·a·ble [hǽbətəbəl] *a.* 거주할 수 있는, 거주〔살기〕에 적당한: the ~ part of the building 그 건물의 거주 가능 부분. ㊕ **-bly** *ad.* **~·ness** *n.*

hab·it·ant [hǽbətənt] *n.* Ⓒ 사는 사람, 주민, 거주자.

hab·i·tat [hǽbətæ̀t] *n.* Ⓒ **1** 〖생태〗 (생물의) 서식 장소〔환경〕; (특히 동식물의) 서식지, 생육지: ~ segregation 서식지 분할. **2** 거주지, 거처.

°hab·i·ta·tion [hæ̀bətéiʃən] *n.* Ⓒ 주소; 주택, 주거; Ⓤ 거주.

hábit-fòrming *a.* (약재 · 마약 따위가) 습관성인, 상습성의.

***ha·bit·u·al** [həbítʃuəl] *a.* **1** Ⓐ **습관적인**(customary), 습성적인; 버릇의〔이 된〕: a ~ reader 독서의 습관이 들어 있는 사람. **2** 상습적인: a ~ criminal 상습범《사람》. **3 평소의**, 여느 때와 같은, 예(例)의: one's ~ place 늘 앉는 자리. ㊕ **°~·ly** *ad.* **~·ness** *n.*

ha·bit·u·ate [həbítʃuèit] *vt.* **1** 익숙하게 하다; 습관들이다《*to* …에》: Wealth ~*d* him *to* luxury. 그는 부자가 되더니 사치 습관이 들었다. **2** 〖~ oneself〗 익숙해지다; 길들다《*to* …에》: ~ one*self to* hardship 〔get*ting* up early〕 고난〔일찍 일어나는 일〕에 익숙해지다 / They're ~*d to* hard work. 그들은 힘든 일에 익숙해 있다. ㊕ **ha·bit·u·á·tion** *n.*

hab·i·tude [hǽbət*j*ùːd] *n.* **1** Ⓤ 체질, 기질. **2** Ⓤ (구체적으로는 Ⓒ) 습성, 버릇(custom).

ha·bit·ué [həbítʃuèi] (*fem.* ***-uée*** [—]) *n.* 《F.》 Ⓒ 단골손님: a ~ *of* the pub 그 술집의 단골손님.

ha·ci·en·da [*h*ɑ̀ːsiéndə/hæs-] *n.* 《Sp.》 Ⓒ **1** (브라질을 제외한 라틴 아메리카의) 대농장(plantation); 대목장(ranch). **2** (농원 · 목장주의) 저택, 주거.

◇**hack**¹ [hæk] *vt.* **1** (자귀나 칼 따위로) 거칠게 자르다, 난도질하다(*down; off; away*)《***to*** …으로》: ~ a tree *down* (난폭하게) 나무를 잘라 넘기다 / ~ branch *off* = ~ *off* 〔*away*〕 a branch 가지를 치다 / ~ something *to* pieces 무엇을 토막내다. SYN. ⇨CUT. **2** 잘게 썰다, 짓이기다(chop); 베다, 칼자국을 내다(notch); 땅을 갈다, 일구다(cultivate)(*in*): ~ meat (fine) 고기를 (곱게) 다지다 / ~ *in* wheat 땅을 갈아 밀을 파종하다. **3** 〖럭비〗 (상대)의 정강이를 까다《반칙》; 〖농구〗 (상대방)의 팔을 치다《반칙》. **4 a** 〘~ one's way로〙 (초목을 베어) 길을 트다: ~ *one's way* through a jungle 밀림을 베어 길을 내다. **b** 잘라서 (제품)을 만들다《***out of*** (재료)를》: ~ a figure *out of* a rock 바위를 쪼아서 상을 만들다. **5** 〘흔히 ~ it로; 종종 부정문에서〙《속어》 (사업·계획 등)을 잘 다루다〔해내다〕: I can't ~ *it* alone. 혼자서는 도저히 해낼 수 없다. **6** 〖컴퓨터〗《구어》 **a** (컴퓨터 시스템·데이터 따위)에 불법 침입하다〔침입하여 도용하다〕. **b** (프로그래밍)에 몰두하다. **—***vi.* **1** 마구 자르다, 잘게 베다(*away*)《***at*** …을》. **2** 〖럭비〗 정강이를 까다. **3** 마른 기침을 몹시 하다. **4** 〖컴퓨터〗 **a** 프로그래밍에 몰두하다. **b** 시스템 속에 침입하다; 해킹하다.
—*n.* Ⓒ **1** 마구 자르기, 난도질. **2** 벤 자국, 벤 상처; 〖럭비〗 정강이까기; 정강이를 깐 상처. **3** 《美》 밭은 기침.

hack² *n.* Ⓒ **1** 《美》 전세 마차; 택시(taxi). **2** 늙은 말, 못쓸 말(jade). **3** 삯말; (경주말·사냥말·군마와 구별하여) 승용말. **4** 고되게 일하는 사람(drudge); (저술가 밑에서) 일을 거드는 사람: a literary ~ 필경(筆耕)(사), 엉치기 문사(文士).
—*a.* **1** Ⓐ 돈으로 고용된, 밑에서 거드는. **2** 써서 낡은, 진부한(hackneyed).
—*vi.* 삯말을 타다; 말타고 멀리 가다; 《美》 택시를 몰다. **—***vt.* (승마용으로 말)을 빌려주다; …을 혹사하다.

háck·bèrry *n.* 《美》 **1** Ⓒ 〖식물〗 (미국산) 팽나무의 일종; 그 열매《식용》. **2** Ⓤ 그 재목.

háck·er *n.* Ⓒ **1** 자르는 사람〔것〕. **2** 《구어》 〖컴퓨터〗 해커, 아마추어 컴퓨터 프로그래머, 시스템 불법 침입자.

hack·ie [hǽki] *n.* Ⓒ 《美구어》 택시 운전사.

hácking cóugh 밭은 마른 기침.

hácking jàcket 〔**còat**〕 스포츠용 재킷〔상의〕《주로 승마용》.

hack·le¹ [hǽkəl] *n.* (*pl.*) (개나 수탉이 화났을 때 곧추세우는) 목 둘레의 털, 닭 목의 깃털.
get one's **~*s up*** 발끈하다, 화를 내다. ***make*** a person's **~*s rise*** = ***raise the ~s of*** a person 아무를 화나게 하다. ***with*** one's **~*s up*** 〔***rising***〕 (개·닭이) 싸우려는 자세로; (사람이) 화가 나서.

hack·le² *vt.* 잘게 저미다〔베다〕, 토막 내다.

háck·man [-mən] (*pl.* ***-men*** [-mən]) *n.* Ⓒ 《美》 (전세 마차의) 마부; 택시 운전사.

hack·ney [hǽkni] *n.* Ⓒ 승용마(馬); (H-) 해크니말《영국산 밤색털의 승용마》; 《美》 택시.

háckney còach 〔**càb, càrriage**〕 (옛날의) 전세 마차; 택시.

háck·neyed *a.* (말 따위가) 낡아〔흔해〕 빠진, 진부한: a ~ phrase 판에 박힌 말.

háck·sàw *n.* Ⓒ 〖기계〗 쇠톱, 핵소《금속 절단용》.

háck·wòrk *n.* Ⓤ (문필업 따위의) 재미없는 고된 일; 매문(賣文); 하청 맡은 일.

†**had** [hæd, 약 həd, əd, d] *v.* HAVE의 과거·과거분사. **1 a** 〘과거〙 ⇨HAVE. **b** 〘가정법과거〙 I wish I ~ time enough. 시간이 있으면 좋겠는데. **2** 〘과거분사〙 **a** 〘완료형으로 쓰이어〙 I *have* ~ a real good time. 참으로 즐거운 시간을 보냈습니다. **b** 〘수동태로 쓰이어〙 Good meat could not *be* ~ at all during the food shortage. 식량 부족의 기간엔 좋은 고기는 입수할 수 없었다.
—*aux. v.* **1** 〘과거완료로 쓰이어〙: The train ~ start*ed* when I got to the station. 내가 역에 이르렀을 때에는 기차는 떠나 버렸었다. **2** 〘가정법 과거완료에 쓰이어〙: If Cleopatra's nose ~ *been* a little shorter, the history of the world might have changed. 클레오파트라의 코가 조금만 더 낮았더라면 세계 역사는 달라졌을지도 모른다.
~ ***as good*** 〔***well***〕 do (…라면) …해도 좋겠다, …하는 편이 (오히려) 좋다. ~ ***as soon*** do ***as*** … 하는 편이 좋다. ~ ***better*** 〔***best***〕 do ⇨BETTER, BEST(관용구). ~ ***better have*** done …한 편이 나았었다. ~ ***sooner*** do ***than ...*** ⇨SOON.

had·dock [hǽdək] (*pl.* **~s,** 〘집합적〙 ~) *n.* Ⓒ 〖어류〗 대구의 일종《북대서양산》; Ⓤ 그 살.

Ha·des [héidi:z] *n.* 〖그리스신화〗 하데스, 황천《죽은 사람의 혼이 있는 곳》; 그 지배자(Pluto, Dis); (종종 h-) Ⓤ 지옥.

hadj, hadji ⇨HAJJ, HAJJI.

†**had·n't** [hǽdnt] had not의 간약형.

Há·dri·an's Wáll [héidriənz-] *n.* 하드리아누스의 방벽《England 북부 Solway 만에서 Tyne 하구까지 로마 황제 하드리아누스가 북방 민족의 침입에 대비하여 쌓은 방벽》.

hadst [hædst, 약 *h*ədst] 《고어》 HAVE의 제2인칭 단수·과거《주어가 thou일 때》.

haem·a·tite [hí:mətait] *n.* 《英》 =HEMATITE.

hae·mo- [hí:mou, hém-, -mə] 《英》 =HEMO-.

hae·mo·glo·bin, etc. ⇨HEMOGLOBIN, etc.

haf·ni·um [hǽfniəm] *n.* Ⓤ 〖화학〗 하프늄《금속 원소; 기호 Hf; 번호 72》.

haft [hæft, hɑ:ft] *n.* Ⓒ (나이프·단도 따위의) 자루, 손잡이.

hag [hæg] *n.* Ⓒ 간악한〔심술궂은〕 노파; 마녀(witch).

Hag. 〖성서〗 Haggai.

Hag·gai [hǽgeiài, -gai] *n.* 〖성서〗 학개《헤브라이의 예언자》; 학개서《구약성서 중의 한 편》.

Hag·gard [hǽgərd/-gəd] Sir **Henry Rider** ~ 해거드《영국의 소설가; 1856–1925》.

◇**hag·gard** [hǽgərd] *a.* 야윈, 수척한, 초췌한; 말라빠진(gaunt); (매가) 길들지 않은, 야생의.
—*n.* Ⓒ 길들지 않은 매. ㊕ **~·ly** *ad.*

hag·gis [hǽgis] *n.* 《Sc.》 Ⓒ (요리는 Ⓤ) 하기스《양의 내장을 다져 오트밀 따위와 함께 그 위 속에 넣어서 삶은 요리》.

hag·gish [hǽgiʃ] *a.* 마귀할멈 같은; 추악한.

hag·gle [hǽgəl] *vi.* 옥신각신〔입씨름〕하다, 짓궂게 값을 깎다《***about, over*** (조건·값 등)에 대해》: ~ *about* 〔*over*〕 the terms of a contract 계약 조건에 대해 입씨름하다. **—***n.* Ⓒ 값깎기; 말다툼, 입씨름. ㊕ **hág·gler** *n.*

hag·i·og·ra·phy [hæ̀giɑ́grəfi, hèidʒ-/hæ̀gi-ɔ́g-] *n.* **1** Ⓤ 성인전(聖人傳), 성인 연구. **2** Ⓒ 성인 전기《책》; 주인공을 성인 취급〔이상화〕한 전기《책》.

hag·i·ol·o·gy [hæ̀giɑ́lədʒi, hèidʒ-/hæ̀giɔ́l-] *n.* Ⓒ 성인전; 성인 열전, 성인록; Ⓤ 성인전 문학

〔연구〕.

hág·rìdden *a.* 악몽에 시달린, 가위 눌린.

Hague [heig] *n.* (The ~) 헤이그《네덜란드의 행정상의 수도》. ★ The 는 글 중에서도 대문자.

hah [hɑː] *int.* =HA. [imit.]

ha-ha[1], **ha·ha** [hɑ́ːhɑ́ː, ⌐⌐] *int.* 하하《즐거움·비웃음을 나타냄》. —*n.* [C] 웃음소리.

ha-ha[2] [hɑ́ːhɑ̀ː] *n.* [C] 은장(隱墻)《전망을 방해하지 않기 위해 도랑 속에 만든 담》.

hahn·i·um [hɑ́ːniəm] *n.* [U] 〖화학〗 하늄《인공 방사성 원소; 기호 Ha; 번호 105》.

***hail**[1] [heil] *n.* **1** [U] 〘집합적〙 **싸락눈, 우박. 2** (a ~) (우박처럼) 쏟아지는 것: a ~ *of* bullets 빗발치듯 쏟아지는 총알.

—*vi.* 〘it을 주어로 하여〙 **우박〔싸락눈〕이 내리다.** —*vt.* 《+[목]+[전]+[명]》 (강타·욕설)을 퍼붓다《*on, upon* …에게》: He ~*ed* blows *on* me. 그는 내게 주먹세례를 퍼부었다. ~ ***down on*** …에 비오듯 쏟아지다: Bullets ~*ed down on* the troops from a fighter plane. 총알이 전투기에서 그 부대 위로 비오듯 쏟아졌다.

***hail**[2] *vt.* **1 큰 소리로 부르다**; (택시 따위)를 부르다. **2 환호하여 맞이하다**(welcome), …에게 인사하다(greet), 축하하다(congratulate): The crowd ~*ed* the winner. 군중은 승자를 환호하며 맞이했다. **3** 《+[목]+(*as*) [보]》 …이라고 부르다, …이라고 부르며 맞이하다; (훌륭한 것으로) 인정하다: ~ her (*as*) queen 그녀를 여왕이라고 부르며 맞아들이다 / The critics ~*ed* his work *as* a masterpiece. 비평가들은 그의 작품을 걸작이라고 인정했다. —*vi.* 《[전]+[명]》 **1** 소리쳐 부르다, 소리지르다《*to* (사람·배 따위)에》: She ~*ed to* him from across the busy street. 그 여자는 번잡한 길 건너에서 그에게 소리쳐 불렀다. **2** (배가) 오다《*from* …에서》; (사람이) 출신이다《*from* …의》: The ship ~*s from* Boston. 보스턴에서 온 배다 / Where does he ~ *from?* 그는 어디 출신인가.

—*n.* [C] **1** 부르는 소리(shout), 큰 소리로 부름. **2** 인사(salutation); 환영; 환호(cheer). ***out of*** 〔***within***〕 ~ 소리가 미치지 않는〔미치는〕 곳에.

—*int.* 《문어》 어서 오십쇼, 안녕, 만세.

All ~! =Hail to you! 만세.

Háil Colúmbia 미국 국가《1798 년 Joseph Hopkinson 작》.

Hail·ey [héili] *n.* **Arthur** ~ 헤일리《영국 태생의 캐나다 소설가; 1920– 》.

háil-féllow(-wéll-mét) *n.* [C] 친구.

— [⌐-(⌐⌐)] *a.* 아주 친한, 매우 다정한 (사이의)《*with* …와》.

Háil Máry =AVE MARIA.

háil·stòne *n.* [C] 싸락눈, 우박《낱개》.

háil·stòrm *n.* [C] 싸락눈〔우박〕을 동반한 폭풍.

†**hair** [hɛər] *n.* **1** [U] 〘집합적〙 **털, 머리카락,** 머리털; 몸의 털; [C] 한 오라기의 털: dress one's ~ 조발(調髮)하다 / a clot of ~ 빠진 털의 엉킨 뭉치 / three white ~*s* 흰 머리털 세 개. **2** [C] 털 모양의 것; 털 모양의 철사; (시계 따위의) 유사. **3** [C] (집합적으로는 [U]) (잎·줄기 따위의) 털. **4** (a ~) 털끝만한 양(量)〔차이, 거리〕; 〘부사적〙 약간: be not worth a ~ 한 푼의 가치도 없다 / lose a race by a ~ 근소한 차로 경주에 지다 / He hasn't changed a ~ in the last ten years. 그는 지난 10 년간 조금도 변하지 않았다.

a 〔***the***〕 ***~ of the*** (***same***) ***dog*** (***that bit*** one) 《구어》 (숙취를 푸는) 해장술. ***by*** (***the turn of***) ***a ~*** 간신히, 겨우, 아슬아슬하게. ***get*** 〔***have*** (***got***)〕 a person ***by the short ~s*** 《구어》 아무를 완전히 설복〔지배〕하다. ***get in*** 〔***into***〕 a person***'s ~*** 《구어》 아무를 괴롭히다〔방해하다〕. ***hang by a ~*** 풍전등화이다, 위기일발이다. ***harm a ~ on*** a person***'s head*** 아무에게 해를 끼치다. ***keep*** one***'s ~ on*** 《英구어》 태연하다. ***let*** one***'s*** (***back***) ***~ down*** 《구어》 편안하게 쉬다〔지내다〕; 속을 털어놓다. ***make*** a person***'s ~ stand on end*** =***make*** a person***'s ~ curl*** 머리를 쭈뼛하게 하다, 등골이 오싹하게 하다. ***not turn a ~*** 《구어》 태연하다; 피로의〔괴로운〕 기색도 안 보이다. ***split ~s*** 쓸데없이 세세한 구별을 하다, 사소한 것에 구애되다(⇨HAIRSPLITTING). ***tear*** one***'s ~*** (***out***) (슬프거나 화가 나서) 머리털을 쥐어뜯다; 몹시 분해〔슬퍼〕하다. ***to*** (***the turn of***) ***a ~*** 조금도 틀리지 않고, 정밀하게.

háir·bàll *n.* [C] 모구(毛球)《고양이 따위가 삼킨 털이 위 속에서 엉긴 덩어리》.

háir·brèadth *n.* (a ~) 털끝만한 폭〔간격〕(hair's-breadth). ***by a ~*** 위기일발로. ***within a ~*** 하마터면, 자칫했더라면. —*a.* [A] 털끝만한 틈의, 간발의, 아슬아슬한, 구사일생의: have a ~ escape 간신히 피하다, 구사일생으로 살아나다. [파] **~·like** *a.*

***hair·brush** [hɛ́ərbrʌ̀ʃ] *n.* [C] **머리솔.**

háir·clòth *n.* [U] (특히 말·낙타 털로 짠) 모직 천, 마미단(馬尾緞); = HAIR SHIRT.

háir cràck (금속의) 실금.

***hair·cut** [hɛ́ərkʌ̀t] *n.* [C] **이발;** (여자 머리의) 커트; **머리형,** 헤어스타일: get 〔have〕 a ~ 이발하다.

háir·dò (*pl.* **-dos**) *n.* [C] (여자의) 머리 치장법, 머리형; 결발(結髮).

***hair·dress·er** [hɛ́ərdrèsər] *n.* [C] **미용사;** 미용원, 미장원; 《英》 이발사, 조발사.

háir·drèssing *n.* [U] (특히 여자의) 조발, 이발, 결발(結髮): a ~ saloon 미장원; 《英》 이발소.

háir drìer 〔**drỳer**〕 헤어드라이어.

haired *a.* 〘보통 합성어〙 머리카락〔털〕이 …한: fair-~ 금발의.

háir grìp 《英》 =BOBBY PIN.

háir·less *a.* 털〔머리털〕이 없는.

háir·lìke *a.* (머리)털 같은, 가느다란.

háir·lìne *n.* [C] **1** (이마의) 머리털이 난 금, 머리선. **2** 매우 가는 선; (망원경 등의) 조준선.

—*a.* [A] 아주 가는; 근소한 차의; 몹시 좁은.

háir·nèt *n.* [C] 헤어네트.

háir·pìece *n.* [C] 헤어피스, 가발.

háir·pìn *n.* [C] (U 자형의 가는) 머리핀. —*a.* [A] (도로 따위가) U 자 모양의: a ~ turn 〔bend〕, U 자형 커브.

háir-ràising *a.* 소름이 끼치는, 머리끝이 쭈뼛해지는: a ~ adventure 〔story〕 몸이 오싹하는 모험〔이야기〕.

háir-restòrer *n.* [U] (종류·낱개는 [C]) 양모제, 생모제.

háirs·brèadth, háir's-brèadth *n.*, *a.* = HAIRBREADTH.

háir shìrt (고행자가 걸치는) 거친 모직 셔츠.

háir slìde 《英》 헤어 클립.

háir·splìtting *n.* [U] 사소한 일에 구애됨〔신경을 씀〕. [파] **háir·splìtter** *n.* [C] 사소한 일에 까다로운 사람.

háir sprày 헤어 스프레이.

háir·sprìng *n.* [C] (시계의) 유사(遊絲)(=**bál-ance sprìng**).

[H]

háir·stỳle *n.* Ⓒ (개인의) 머리 스타일.

háir trìgger (총의) 촉발 방아쇠.

háir-trìgger *a.* Ⓐ 반응이 빠른, 즉각의, 위험한, 일촉즉발의: ~ temper 곧 불끈하는 성질.

◇**hairy** [hέəri] (*hair·i·er; -i·est*) *a.* **1** 털 많은, 털투성이의. **2** 털의〔같은〕. **3** 《구어》 곤란한, 위험이 많은, 무서운; 어려운: a ~ exam 어려운 시험. ㊕ **háir·i·ness** *n.* Ⓤ 털이 많음.

Hai·ti [héiti] *n.* 아이티 섬; 아이티《서인도 제도(諸島)에 있는 공화국; 수도 Port-au-Prince》.

Hai·tian [héiʃən, héitiən] *a.* Haiti (사람)의. **—***n.* Ⓒ Haiti 사람; Ⓤ Haiti 말.

haj(j), hadj [hædʒ] *n.* Ⓒ 〖이슬람〗 메카(Mecca) 참배.

haj(j)i, hadji [hǽdʒi] *n.* 《Ar.》 Ⓒ (종종 H-) Mecca 순례를 마친 이슬람교도(의 칭호).

hake (*pl.* **~s,** 〖집합적〗 **~**) *n.* Ⓒ 〖어류〗 대구류; Ⓤ 그 살.

Ha·ken·kreuz [há:kənkrɔ̀its] *n.* 《G.》 Ⓒ 갈고리 십자(장(章))《나치스의 문장(紋章): 卐》.

Hal [hæl] *n.* 할《남자 이름; Henry, Harold 의 애칭》.

ha·la·tion [heiléiʃən, hæ-/hə-] *n.* Ⓤ 〖사진〗 헐레이션《강한 빛이 닿은 부분의 하얗게 번진 것》.

hal·berd, -bert [hǽlbərd, hɔ́:l-], [-bərt] *n.* Ⓒ 〖역사〗 도끼창(槍)《15–16 세기의 창과 도끼를 겸한 무기》.

hal·cy·on [hǽlsiən] *n.* Ⓒ **1** 〖그리스신화〗 할키온《동지 무렵 바다에 둥지를 띄워 알을 까며 파도를 가라앉히는 마력을 가졌다고 하는 전설상의 새》. **2** 〖조류〗 물총새(kingfisher). **—***a.* Ⓐ 물총새의〔같은〕; 고요한, 평화로운: a ~ era 황금시대.

hálcyon dáys 1 (the ~) 동지 전후의 고요한 14 일간. **2** (이전의) 평온하고 행복한 시대.

hale [heil] *a.* (노인이) 건장한, 정정한; 꿋꿋한. ~ ***and hearty*** (노인·병후의 사람이) 원기왕성한, 정정한, 근력이 좋은.

H

†**half** [hæf, ha:f] (*pl.* **halves** [hævz, ha:vz]) *n.* **1** Ⓒ (때로 Ⓤ) **반**; 2 분의 1; 절반(의 것〔사람〕): two miles and a ~, 2 마일 반/the longer ~ *of* a piece of string 끈의 긴 쪽의 절반/*Half of* twelve is six. 12 의 절반은 6 이다/He ate (a good) ~ *of* the pie. 그는 그 파이의 절반 (이상)을 먹었다.

> NOTE (1) half of … 의 경우 수식어가 없으면 부정관사를 붙이지 않음: He ate (a good) ~ *of* the pie. 그가 파이의 반(이상)을 먹었다.
> (2) half 가 주어인 경우 of 다음의 명사 또는 falf 의 내용의 수가 단수이면 동사는 단수형으로 받고 복수이면 복수형으로 받음): *Half of* the apple *is* rotten. 그 사과의 절반이 썩었다/*Half of* the apples *are* rotten. 그 사과 중 반수가 썩었다.

2 Ⓤ **반 시간**, 30 분: at ~ past five, 5 시 반에/It's ~ past three. 세시 반이다. **3** (*pl.* **~s, *halves***) Ⓒ 《英구어》 반 파인트; 《英》 (아이들의) 반액표; 《美》 50 센트; 《英》 반 페니: Two and a ~ to Oxford, please. 옥스포드까지 어른표 2 장, 어린이표〔반액표〕 1 장(주세요). **4** Ⓒ 《英》 반학년, (한 학년 2 학기 제도에서) 후반 학기. **5** Ⓒ 〖경기〗 경기의 전〔후〕반; 〖축구·하키 따위〗 = HALFBACK. **6** 〖야구〗 …초, …말: the first 〔second〕 ~ of the seventh inning 7 회 초〔말〕.

... and a ~ 《구어》 특별한, 훌륭한: a job *and a* ~ 대단히 큰〔중요한, 어려운〕 일/It was a game *and a* ~. 훌륭한 경기였다. ***by ~*** ① 반쯤; 반만큼. ② 〖too … by ~로〗 (아무를 불쾌하게 할 정도로) 너무 …한, 너무나, 매우: You're *too* clever *by* ~. 자넨 너무 영리하군 그래. ***by halves*** 절반만, 불완전하게: do things *by halves* 일을 아무렇게나 하다, 정성을 안 들이다. ***go halves*** (***with*** a person ***in*** 〔***on***〕 a thing) (아무와 물건·이익 등을) 절반씩 나누다; (아무와 비용 등을) 평등하게 부담하다. ***in ~*** =***into halves*** 반으로: Break it *in* ~. 반으로 쪼개라. ***the ~ of it*** 〖부정문에서〗 극히 일부, (일부이지만) 보다 중요한 부분: You don't know *the* ~ *of it*. 네가 아는 것은 일부에 지나지 않다.

—*a.* **1 절반의**, 2 분의 1 의: a ~ share 절반의 몫/a ~ hour 반 시간/these four and a ~ years 요 4 년 반/~ a century ago 반세기 전에/in ~ an hour's time 반 시간 안에/live ~ one's life in the cold war 냉전 시대에 반평생을 살다.

> NOTE (1) half 는 일반적으로는 관사나 one's 가 붙은 명사 앞에 옴. 'half a 〔an〕+명사' 가 보통이며 'a half+명사' 는 딱딱한 표현.
> (2) 주어일 때 half 뒤의 명사가 단수이면 동사는 단수형으로 받고 복수이면 복수형으로 받음: *Half* a loaf *is* better than no bread. 《속담》 반이라도 아주 없느니보다는 낫다/*Half* the oranges *are* bad. 오렌지 중 반수가 상했다.

2 일부분의; 중동무이의, 불충분한, 불완전한(imperfect): a ~ conviction 불확실한 확신/~ knowledge 불완전한 지식.

—*ad.* **1 절반**, 반쯤: ~ past two 두 시 반. **2** 불완전하게, 어중간하게, 적당히, 되는 대로: ~ cooked 반쯤〔설〕 익힌. **3** 《구어》 얼마쯤, 어느 정도; 거의. **4** 《英구어》 (시간이) 30 분이 지나서: ~ 5, 5 시반.

~ and ~ =HALF-AND-HALF. ***~ as many*** 〔***much***〕 ***again as*** …의 1 배 반. ***~ as many*** 〔***much***〕 ***as*** …의 절반: He only has ~ *as much* (money) *as* me 〔I have〕. 그는 나의 절반밖에 (돈을) 가지고 있지 않다. ***not ~*** ① 아무래도 …않다: It's *not* ~ long enough. 아무래도 길이가 충분치 않다. ② 〖보통 not ~ bad 로〗 조금도 …하지 않다: It's *not* ~ *bad*. 조금도 나쁘지 않다, 아주 좋다. ③ 《英구어; 반어적》 몹시; 지독히, 굉장히: It's *not* ~ fine, today. 오늘은 정말 날씨가 좋구나/She did*n't* ~ scream. 하여간 굉장한 비명을 질렀다《큰 소동이었다》/Do you like beer? — *Not ~!* 《英》 맥주 좋아해? — 좋아하고 말고. ***not ~ so*** 〔***as, such***〕 ***... as*** …의 절반도〔…만큼〕 …아니다: I do*n't* get ~ *as* much pay *as* he. 나는 그의 급료의 절반도 못 받는다.

hálf-a-crówn, hálf a crówn *n.* =HALF CROWN.

hálf-and-hálf [-ənd-] *a.* **1** 반반의, 등분의. **2** 이도저도 아닌, 얼치기의. **—***ad.* 등분으로, 같은 양으로. **—***n.* Ⓤ (낱개는 Ⓒ) 반반씩 섞은 혼합물; 《美》 우유와 크림을 혼합한 음료; 《英》 흑맥주와 에일의 혼합주.

hálf-ássed *a.* 《美속어》 저능한, 무능한; 불충분한; 엉터리의. **—***ad.* 엉터리로.

hálf·bàck *n.* Ⓒ (수비위치는 Ⓤ) (축구 따위의) 하프백, 중위(中衛)(의 위치)《forward 의 후방》.

hálf-báked *a.* **1** (빵 등이) 설구운, 반쯤 구운. **2** 미완성의, 불완전한: a ~ theory. **3** (생각이)

미숙한, 어설픈; 지식·경험이 부족한; 저능한.

háIf báth 세면 시설·변기만 있는 화장실; (욕조 없는) 샤워실(室).

háIf bìnding 〖제본〗 반 가죽 장정(half leather) 《등과 모만 가죽》.

háIf blòod 1 배〔아비〕 다른 형제〔자매〕(관계). 2 튀기, 혼혈아(half-breed).

háIf-blòoded [-(id)] *a.* 배〔아비〕다른; 혼혈의, 잡종의.

háIf bòard 《英》 (하숙·호텔 등에서) 1박 2식제.

háIf bòot (보통 *pl.*) 반장화, 편상화.

háIf-brèd *a.* =HALF-BLOODED.

háIf-brèed *n.* Ⓒ 1 《경멸적》 혼혈아. 2 잡종. **—***a.* 혼혈의; 잡종의.

háIf bròther 배다른〔의붓〕 형제.

háIf-càste *n.* Ⓒ, *a.* 《경멸적》 혼혈아(의)《특히 백인과 힌두교도 또는 회교도와의》.

háIf cóck (총의) 반 안전 장치. ***go off at*** ~ (총이) 빨리 격발하다; 《비유적》 빨라지다; (행사 등이) 준비 불충분한 가운데 시작되다; (계획이) 유산되다.

háIf-cócked [-t] *a.* 반 안전 장치를 한; 준비 부족의; 미완성의; 우둔한. ***go off*** ~ =go off at HALF COCK.

háIf crówn, háIf-crówn *n.* 《英》 2실링 6펜스 은화《1946년 이후 백동화; 1971년에 폐지》; 그 금액(half-a-crown).

háIf-dóllar *n.* Ⓒ 《美·Can.》 반 달러 경화〔은화〕(four bits).

háIf gàiner 〖다이빙〗 하프 게이너《앞으로 뛰어 거꾸로 돌아 입수(入水)하기》. ⓒⓕ gainer.

háIf-hárdy *a.* 〖원예〗 반내한성의《식물이 겨울철에 얼지 않도록 장치가 필요》.

háIf·héarted [-id] *a.* 마음이 내키지 않는, 할 마음이〔열의가〕 없는, 냉담한: a ~ attempt 내키지 않는 시도. ㊕ ~·**ly** *ad.* ~·**ness** *n.*

háIf-holidày *n.* Ⓒ 《英》 반 휴일, 반공일.

háIf hóur 반 시간, 30분(간); (the ~) (매시의) 30분의 시점: (every hour) on the ~ 매시 30분에.

háIf-hóur *a.* Ⓐ 30분간의; 30분마다의: at ~ intervals 30분마다의 간격으로.

háIf-hóurly *a.*, *ad.* half hour(마다)의〔에〕.

háIf lánding (계단 도중의 구부러진 곳의) 층계참.

háIf-lèngth *n.* Ⓒ 《특히》 반신상(像), 반신 초상화. **—***a.* 반신(상)〔초상화〕의; 상반신의.

háIf lìfe, háIf-life (pèriod) *n.* Ⓒ 〖물리〗 반감기(半減期)《방사성 물질의 원자의 반수가 붕괴하는 데 필요한 시간》.

háIf-lìght *n.* Ⓤ 어스름.

háIf-mást *n.* Ⓤ 돛대의 중간; (조의(弔意)를 표시하는) 반기(半旗)의 위치. **(*at*)** ~ (기를) 반기의 위치에 놓고: fly 〔hang〕 a flag *at* ~ 반기〔조기〕를 게양하다. **—***ad.* 돛대의 중간쯤에; 반기의 위치에. **—***vt.* (기)를 반기의 위치로 달다.

háIf méasure (흔히 *pl.*) 미봉책, 불만족스런 타협, 부적절한 조치; 임시변통.

háIf-móon *n.* Ⓒ 반달; 반달 모양(의 것).

háIf mòurning 반상복(半喪服)(을 입는 기간).

háIf nélson 〖레슬링〗 목누르기: get a ~ on 《비유적》 …을 완전히 누르다.

háIf nòte 《美》 〖음악〗 2분음표.

half-pence [héipəns] *n. pl.* 1 HALFPENNY 2의 복수. 2 〖보통 a few ~로〗 잔돈.

°**half·penny** [héipəni] (*pl.* ***-pence*** [héipəns], ***-pen·nies*** [héipəniz]) *n.* Ⓒ 《英》 1 (*pl.* ***-pennies***) 반 페니 동전: three *halfpennies* 반 페니 동전 세 닢. 2 (*pl.* ***-pence***) 반 페니(의 가치): three *halfpence*, 1페니 반《생략: 1 1/2 d.》. ***not have two halfpennies to rub together*** 아주 가난하다. ***not worth a*** ~ 《英》 전혀 값어치가 없는, 하잘것없는: His opinion is *not worth a* ~. 그의 의견은 하잘것없다.

—*a.* 반 페니의; 싸구려의, 하찮은: ~ lick 《속어》 (거리의) 싸구려 아이스크림.

hálfpenny·wòrth *n.* (a ~) 반 페니어치(의 물건〔분량〕). ★ 종종 ha'p'orth [héipəθ]로 생략.

háIf-pínt *n.* Ⓒ 반 파인트《1/4 quart; 건량(乾量)·액량(液量)의 단위》; 《美구어》 키 작은 사람 《특히 여자》, 꼬마.

háIf-plàte *n.* Ⓒ 하프 사이즈의 건판〔필름〕, 하프 사이즈의 사진《16.5×10.8 cm》.

háIf-seas-óver *a.* 《英구어》 얼근히 취한.

háIf sìster 배다른〔의붓〕 자매.

háIf-slìp *n.* Ⓒ 하프 슬립《허리 아래쪽만 있는 슬립》.

háIf sòle (구두의) 앞창.

háIf-sòle *vt.* (구두)에 앞창을 대다.

háIf-stáff *n.* 《美》 =HALF-MAST.

háIf stèp 〖음악〗 반음; 〖美군대〗 반보《보통 걸음으로 15인치, 구보로 18인치》.

háIf-térm *n.* Ⓒ 《英》 (학기 중의) 며칠간의 휴가, 중간 휴가: at ~ 중간 휴가에《★ 관사 없이》.

háIf-tímber(ed) *a.* 〖건축〗 뼈대를 목조로 한.

háIf·tìme *n.* Ⓤ 〖경기〗 중간 휴식, 하프타임.

háIf·tòne *n.* Ⓒ 〖인쇄·사진〗 망판(網版)(화); 〖미술〗 (명암의) 반색조; 《美》 〖음악〗 반음.

háIf-tràck *n.* Ⓒ (뒷바퀴가 무한 궤도인) 군용 트럭.

háIf-trùth *n.* Ⓤ (구체적으로는 Ⓒ) (속이거나 비난의 회피를 위한) 일부만의 진실된 말.

háIf vòlley 〖구기〗 하프발리《공이 지면에서 튀어오르는 순간에 치기》.

háIf-vòlley *vt.*, *vi.* 하프발리〔쇼트 바운드〕로 치다.

half·way** [hǽfwéi, hà:f-] *a.* Ⓐ 1 도중의, 중간의. 2 중동무이의, 불충분한: ~ measures 철저하지 못한 수단. **—ad.* 1 도중에〔까지〕: The ivy had climbed ~ up the brick wall. 담쟁이 덩굴이 벽돌벽의 중간까지 올라갔다. 2 《美》 거지반, 거의; 얼마쯤은, 약간은: ~ surrender to a demand 요구에 거의 굴복하다.

go ~ ***to meet*** ... =***meet*** ... ~ ① (아무)를 도중까지 나가 맞다. ② (아무)에게 양보하다, 타협하다《***on*** …에서》. ***meet trouble*** ~ 쓸데없는 걱정을 하다.

hálfway hòuse 두 읍의 중간쯤에 있는 여인숙; (사회 복귀를 위한) 중간 시설《출감자·정신장애자 등을 위한》.

háIf-wìt *n.* Ⓒ 반편, 얼뜨기; 정신박약자.

háIf-wítted [-id] *a.* 아둔한, 얼빠진; 정신적 결함이 있는. ㊕ ~·**ly** *ad.*

háIf-yéarly *ad.*, *a.* 반년마다(의).

hal·i·but [hǽləbət, hɑ́l-] (*pl.* **~s**, 〖집합적〗 ~) *n.* Ⓒ 〖어류〗 핼리벗《북방 해양산의 큰 넙치》; Ⓤ 그 고기.

hal·ide, -id [hǽlaid, héil-], [-lid] *n.* Ⓒ 〖화학〗 할로겐 화합물. **—***a.* 할로겐(화합물)의.

Hal·i·fax [hǽləfæ̀ks] *n.* 핼리팩스《캐나다 Nova Scotia 주의 주도》.

hal·ite [hǽlait, héi-] *n.* Ⓤ 〖광물〗 암염(岩塩)(rock salt).

hal·i·to·sis [hæ̀lətóusis] *n.* Ⓤ 〖의학〗 구취(口臭), 불쾌한 입냄새.

⁑**hall** [hɔːl] *n.* **1** Ⓒ **홀**, (음악회 · 강연회용의) 집회장; (*pl.*) 《英》 연예장: appear on *~s* 연예장에 출연하다. **2** Ⓒ **현관**(의 넓은 공간); 《美》 복도. **3** (종종 H-) Ⓒ **공회당**, 회관; (조합 · 협회 등의) 본부, 사무실: a city ~ 시청, 시의회 의사당. **4** (종종 H-) Ⓒ **a** 《美》 (대학의) 특별 회관, 강당. **b** 기숙사: live in ~ 기숙사 생활을 하다《★ in ~은 관사 없이》. **c** (대학의) 학부, 학과. **5** Ⓒ 《英》 (대학의) 대식당: dine in ~ (대학의) 대식당에서 회식하다, 회식에 참석하다. **6** Ⓒ 《英》 (왕후가 있는 대저택의) 큰 방. **7** (the H-) 《英》 지주의 저택; (중세의) 장원 영주의 저택. ***Hall of Fame*** 《美》 영예의 전당《위인 · 유공자의 액자나 흉상을 진열》.

hal·le·lu·jah, -iah [hæ̀ləlúːjə] *int., n.* Ⓒ 《Heb.》 할렐루야《'하느님을 찬송하라' 의 뜻》; 주를 찬미하는 노래.

Hál·ley's cómet [hǽliz-] (종종 H- C-) 〖천문〗 핼리 혜성《76 년 주기; 최근 출현은 1986 년》.

halliard ⇨HALYARD.

háll·màrk *n.* Ⓒ **1** (금은의 순도를 나타내는) 검증 각인(刻印). **2** 〖일반적〗 품질 증명; 감정서, 보증: a work bearing the ~ *of* (a) genius 천재임이 증명되는 작품. **—***vt.* …에 검증 각인을 찍다〔붙이다〕; …을 보증하다.

⁑**hal·lo(a), -loo** [həlóu, hæ-], [-lúː] *int.* **1 여보세요**, 여보, 이봐, 야《인사나 남의 주의를 끄는 소리》; 《英》 엇《놀라움을 나타내는 소리》. **2** 쉿, 덤벼《사냥개를 추기는 소리》. **—**(*pl.* ***-lo(e)s; -loas; -loos***) *n.* Ⓒ **1** hallo 란 소리. **2** 사냥개를 추기는 소리. **—***vt., vi.* **1** (아무에게) 큰 소리로 외치다〔부르다〕. **2** (사냥개를) 큰 소리로 부추기다: Do not ~ till you are out of the wood. 《속담》 위기를 벗어날 때까지는 안심하지 마라. [imit.]

hal·low [hǽlou] *vt.* …을 신성하게 하다; 신성한 것으로 숭상하다: *Hallowed* be thy name. 이름을 거룩하게 하옵소서《마태복음 VI: 9》. ㉺ **~·er** *n.*

hál·lowed [(기도 때는 종종) -ouid] *a.* 신성화(神聖化)된, 신성한. ㉺ **~·ly** *ad.* **~·ness** *n.*

°**Hal·low·een, -e'en** [hæ̀ləwíːn, hæ̀louíːn, hɑ̀l-] *n.* 《美 · Sc.》 모든 성인(聖人)의 날 전야제(前夜祭)《10 월 31 일 저녁》.

háll pòrter 《英》 (호텔의) 짐 운반인.

háll·stànd *n.* Ⓒ 홀스탠드《거울 · 코트걸이 · 우산꽂이 등이 달린 가리개》.

háll trèe 《美》 (현관 따위의) 모자〔외투〕걸이.

hal·lu·ci·nate [həlúːsənèit] *vt.* 환각을 일으키게 하다. **—***vi.* 환각을 일으키다.

hal·lù·ci·ná·tion *n.* **1** Ⓤ (구체적으로는 Ⓒ) 환각. **2** Ⓒ 환상, 망상.

hal·lu·ci·na·to·ry [həlúːsənətɔ̀ːri/-təri] *a.* 환각의〔적인〕; 환각을 일으키게 하는.

hal·lu·ci·no·gen [həlúːsənədʒən] *n.* Ⓒ 환각제. ㉺ **hal·lù·ci·no·gén·ic** [-noudʒénik] *a.* 환각을 일으키는.

***háll·wày** *n.* Ⓒ **복도**(corridor); 현관.

°**ha·lo** [héilou] (*pl.* **~(e)s**) *n.* Ⓒ **1** 〖기상〗 (해 · 달의) 무리; 후광《그림에서 성인의 머리 위쪽에 나타내는 광륜(光輪)》. **2** (전설 · 역사에서 유명한 사람 · 사건에 붙어 다니는) 영광. **—***vt.* 후광으로 두르다.

hal·o·gen [hǽlədʒən, -dʒèn, héi-] *n.* Ⓒ 〖화학〗 할로겐: ~ acid 할로겐산(酸).

halt**[1] [hɔːlt] *vi.* **멈춰서다**, 정지〔휴지〕하다: Company ~! 《구령》 중대 서 / a *~ing* place 휴식처, 주둔지. SYN. ⇨STOP. **—vt.* 멈추게 하다, 정지〔휴지〕시키다: The accident *~ed* traffic on the highway. 그 사고로 고속도로의 교통이 정지되었다. **—***n.* **1** (a ~) (멈추어) **섬**, 정지; 휴지(休止); 〖컴퓨터〗 멈춤: come to 〔make〕 a ~ 정지하다, 멈추다, 서다 / bring one's car to a ~ 차를 세우다 / call a ~ to …에게 정지를 명하다. **2** Ⓒ 《英》 (건물이 없는) 작은 정거장.

halt[2] *vi.* 주저하다, 망설이다; 머뭇거리며 말하다〔걷다〕; (논지(論旨) · 운율 따위가) 불완전하다. **—***a.* **1** 다리가 부자유스런, 다리를 저는. **2** (the ~) 〖명사적; 집합적; 복수취급〗 다리가 부자유스런 사람들.

hal·ter [hɔ́ːltər] *n.* Ⓒ (말의) 고삐; 목조르는 밧줄; 교수(형); 홀터《어깨에 끈이 달리고 잔등과 팔이 노출된 여자의 운동복 · 야회복》.

hálter·nèck *a.* (드레스 따위) 홀터넥의《뒤에 끈을 매어 팔과 등을 노출시킨 스타일》.

hált·ing *a.* **1** (시 형식 따위가) 불완전한. **2** 유창〔원활〕하지 못한, 떠듬거리는: He said in ~ English. 그는 떠듬거리는 영어로 말하였다. ㉺ **~·ly** *ad.*

°**halve** [hæv, hɑːv] *vt.* **1** 2등분하다; 반씩 나누다《***with*** …와; ***between*** …간에》: I'll ~ (the) expenses *with* you. 비용을 당신과 같이 냅시다 / He *~d* the apple *between* the two children. 그는 사과를 쪼개어 두 아이에게 나누어 주었다. **2** 반감하다: They're going to ~ my salary. 그들이 내 봉급을 반감할 작정이다. **3** 〖골프〗 (타수가) 동점이 되다《***with*** …와》: ~ a hole *with* a person 아무와 같은 타수로 홀에 달하다.

halves [hævz, hɑːvz] HALF 의 복수형.

hal·yard, hal·liard, haul·yard [hǽljərd] *n.* Ⓒ 〖선박〗 마룻줄《돛 · 기 따위를 올리고 내림》.

Ham [hæm] *n.* **1** 햄《남자 이름》. **2** 〖성서〗 함《노아의 차남; 창세기 X: 1》. ***son of ~*** 비난받는〔고발된〕 사람; 흑인.

⁑**ham**[1] [hæm] *n.* **1** Ⓤ (낱개는 Ⓒ) **햄**: a slice of ~ 햄 한 조각 / ~ and eggs 햄과 계란프라이. **2** Ⓒ (돼지의) 넓적다리; Ⓤ 넓적다리 살. **3** Ⓒ (흔히 *pl.*) 넓적다리와 궁둥이.

ham[2] *n.* Ⓒ **1** 《속어》 (연기를 과장하는) 엉터리〔서투른〕 배우. **2** 《구어》 아마추어 무선기사, 햄. **—**(***-mm-***) *vi., vt.* 《속어》 연기가 지나치다, 과장되게 연기하다. **~** (***it*** 〔***the*** (***whole***) ***thing, part,*** etc.〕) ***up*** 과장된 연기를 하다.

ham·a·dry·ad [hæ̀mədráiəd, -æd] (*pl.* **~s, *-a·des*** [-ədìːz]) *n.* Ⓒ 〖그리스 · 로마신화〗 하마드리아스《나무의 요정》; 〖동물〗 인도산 독사의 일종(king cobra).

hàm·a·drý·as babóon [hæ̀mədráiəs-] 〖동물〗 망토비비《에티오피아산》.

Ham·burg [hǽmbəːrg] *n.* **1** 함부르크《독일 북부의 항도》. **2** (흔히 h-) 《美》 =HAMBURGER.

⁑**ham·burg·er** [hǽmbə̀ːrgər] *n.* Ⓒ (요리는 Ⓤ) **1** =HAMBURG STEAK. **2 햄버거(샌드위치)**.

Hámburg stèak (종종 h-) 햄버그스테이크.

hám-hánded, 《英》 **-físted** [-id] *a.* 《구어》 솜씨 없는, 서투른, 데퉁스러운.

H

Ham·il·ton [hǽməltən] *n.* 해밀턴《남자 이름》.
Ham·ite [hǽmait] *n.* [C] (Noah의 둘째 아들) Ham의 자손; 함족(族)《아프리카 북동부에 사는 원주민족》.
Ham·it·ic [hæmítik, hə-] *a.* 함족(族)의; 함어족(語族)의. **—***n.* [U] 함어(語).
Ham·let [hǽmlit] *n.* 햄릿《Shakespeare 작의 4대 비극의 하나; 그 주인공》.
ham·let *n.* [C] 작은 마을, 부락.
‡**ham·mer** [hǽmər] *n.* [C] **1 해머**, (쇠)망치: a knight of the ~ 대장장이. **2** 해머 모양의 물건; 《특히》 (피아노의) 해머; (의장·경매자용의) 나무망치; (총의) 공이치기, 격철(擊鐵); (종을 울리는) 공이. 〖해부〗 (중이(中耳)의) 추골(槌骨). **3** (투해머의) 해머.
~ *and tongs* 《구어》 맹렬히, 격렬하게: be 〔go〕 at it ~ *and tongs* (두 사람이) 격렬하게 싸움〔토론〕하다. ***under the* ~** 경매에 부쳐져서: come 〔go, be〕 *under the* ~ 경매되다 / bring ... *under the* ~ …을 경매하다.
—*vt.* **1** 《~+[목]/+[목]+[부]/+[목]+[보]/+[목]+[전]+[명]》 **망치로 치다**, 탕탕 두들기다, (못 따위)를 쳐서 박다; 못을 박아 만들다(*together*); (금속)을 두들겨 펴다〔만들다〕(*out*): ~ a horseshoe 말굽쇠를 쳐서 박다 / ~ a box *together* 못을 박아 상자를 만들다 / ~ a stake *in* 망치로 말뚝을 쳐서 박다 / ~ a piece of tin thin 주석을 두드려 얇게 하다 / ~ nails *into* the wall 못을 벽에 두들겨 박다. **2** 《구어》 (주먹으로) 마구 때리다; 맹렬히 포격하다; 여지없이 이기다, 해치우다. **3** 《+[목]+[전]+[명]/+[목]+[부]》 (사상 따위)를 (억지로) 주입시키다 《***into*** …에》; 명기(銘記)시키다(*in, home*): ~ an idea *into* a person 어떤 사상을 아무에게 주입시키다 / ~ *in* 〔*home*〕 the difficulty of the present situation 현상태의 어려움을 명기시키다. **4** 〖英증권〗 (망치를 세 번 쳐서) (회원)의 거래 정지를 발표하다《채무 불이행 때문에》.
—*vi.* 《+[부]/+[전]+[명]》 **1** 망치로 치다: 탕탕 두드리다(*away*)《***at, on*** …을》: Somebody was ~*ing* (*away*) *at* 〔*on*〕 the door. 누군가 문을 탕탕 두드리고 있었다. **2** 꾸준히 하다〔공부하다〕(*away*)《***at*** …을》: ~ (*away*) *at* one's studies 공부를 꾸준히 하다.
~ (*away*) *at* …을 꾸준히〔반복하여〕 두드리다(⇨*vi.* 1); 지멸있게 계속하다; 반복하여 강조하다(⇨*vi.* 2). **~ *down*** 못질하다; 《CB속어》 액셀러레이터를 밟다, 가속하다. **~ a thing *into shape*** 망치로 때려 모양을 내다. **~ *out*** 《*vt.*+[부]》 ① (금속 등)을 두드려서 펴다〔만들다〕(⇨*vt.* 1). ② (문제)를 해결하다. ③ …을 안출하다, 애써 만들어내다. ④ (곡)을 피아노로 치다.
[파] **~·er** [-rər] *n.*
hámmer·hèad *n.* [C] **1** 〖어류〗 귀상어. **2** 《美》 바보, 멍청이.
hámmer·lòck *n.* [C] 〖레슬링〗 해머록《팔을 등 뒤로 비틀어 꺾기》.
hámmer thròw (the ~) 〖경기〗 투해머, 해머 던지기. [파] **hámmer thròwer**
Ham·mett [hǽmit] *n.* ***Dashiel*** **~** 해미트《미국의 추리소설 작가; 1894–1961》.
hámming còde 〖컴퓨터〗 해밍 부호《회로망 위나 기억 영역 안에서의 오류를 검출하여 자동 수정하는 데 쓰는 코드》.
hámming dìstance 〖컴퓨터〗 해밍 거리《같은 비트수를 갖는 2진 코드 사이에 대응되는 비트 값이 일치하지 않는 것의 개수》.
°**ham·mock** [hǽmək] *n.* [C] 해먹: sling 〔lash, put up〕 a ~ 해먹을 달다〔거두다〕.
Hám·mond órgan [hǽmənd-] 해먼드 오르간《2단 건반의 전기 오르간; 상표명》.
Ham·mu·ra·bi [hà:murá:bi, hæ̀mu-] *n.* 함무라비《BC 18세기경의 바빌로니아 왕; 법전 제정자》: ~'s code 함무라비 법전.
°**ham·per**[1] [hǽmpər] *vt.* 방해하다, 훼방하다, 곤란하게 하다. [cf.] hinder[1], obstruct.
ham·per[2] *n.* [C] **1** (식료품 따위를 담는) 바구니, (보통 뚜껑 달린) 바스켓. **2** (세탁물을 담는) 세탁물 바구니《흔히 욕실에 둠》.
Hamp·shire [hǽmpʃiər] *n.* 햄프셔《영국 남해안의 주; 별칭 Hants》; Hampshire 산의 양〔돼지〕의 일종(=**∠ Dówn**).
Hamp·stead [hǽmpstid, -sted] *n.* 햄스테드《런던의 북서구; 예술가·문인의 거주지》.
Hámpton Cóurt [hǽmptən-] 햄프턴코트《London 서쪽 변두리 Thames 강변의 옛 왕궁》.
ham·ster [hǽmstər] *n.* [C] 〖동물〗 햄스터《일종의 큰 쥐; 동유럽·아시아산》.
ham·string [hǽmstrìŋ] *n.* [C] **1** 〖해부〗 슬와근(膝窩筋), 오금. **2** (네발짐승의) 뒷다리 무릎 뒤의 힘줄. **—**(*p., pp.* **-strung** [-strʌ̀ŋ]) *vt.* (사람·말 등의) 오금을 잘라 절름발이를 만들다; 《비유적》 불구를 만들다, 좌절시키다, 못 쓰게 만들다, 무력하게 만들다.
Han [ha:n] *n.* (중국의) 한(漢)나라; (the ~) 한수이(漢水) 강.
†**hand** [hænd] *n.* **1** [C] **손**《★ palm, thumb, fingers를 포함하는 부분으로 wrist(손목)는 포함하지 않고 팔은 arm》; (원숭이 따위의) 앞발; (붙드는 기능이 있는 동물의) 손〔발〕, 《특히》 뒷발, 하지(下肢); (매 따위의) 발; (게의) 집게발: The back of the ~ 손등 / clap one's ~*s* 박수치다 / rub one's ~*s* 손을 비비다.
2 [C] 손 모양의 것, 손의 기능을 가진 것; 《특히》 (시계) **바늘**; (바나나) 송이; 손가락표(☞); (담뱃잎의) 한 다발.
3 [C] (보통 *pl.*) **소유**, 점유; **관리**; **지배**; 돌봄, 보호: put the matter in the ~*s of* the police 그 사건을 경찰에 맡기다 / leave a child in her ~*s* 그녀에게 아이를 돌보게 맡기다.
4 [C] **a 일손**, 고용인; 노동자, 인부; 직공; 승무원: farm ~*s* 농장 노동자, 머슴 / factory ~*s* 공원, 직공 / all ~*s on* board 〖해사〗 승무원 전원. **b** 〖보통 good, poor, old 따위의 형용사와 함께〗 (잘〔못〕하는) 기능의 소유자; 전문가《***at*** …의》: He's a good 〔poor〕 ~ *at* baseball. 그는 야구를 잘〔못〕한다.
5 (a ~) 원조의 손길, 조력: lend 〔give〕 a (helping) ~ 조력하다.
6 [U] (또는 a 〔one's〕 ~) 영향력; 지배력; 관리권: strengthen one's ~ 지배력을 강화하다.
7 (a ~) 참가, 관여; 관계: have 〔take〕 *a* ~ in a plot 음모에 관여하고 있다.
8 (a ~) 방법, 수법: a dirty ~ 더러운 수.
9 [C] 기량, 솜씨, 재주《***for, in*** …의》: a ~ *for* bread 빵 만드는 솜씨.
10 (a ~) 〖수식어와 함께〗 **필적**; 서법, 서체; (one's ~) 서명; 〖a big 〔good〕 ~로〗 박수갈채: write in a clear ~ 분명한 글씨를 쓰다 / under one's ~ and seal 서명날인하여 / get *a good* 〔*big*〕 ~ 큰 갈채를 받다.
11 (a ~) 〖수식어와 함께〗 (천·가죽 따위의) 감촉.

H

12 Ⓒ (오른쪽·왼쪽 등의) 쪽, 측, 편, 방향; 방면: on the right 〔left〕 ~ of …의 오른〔왼〕쪽에.
13 Ⓒ 악수; (*sing.*) (보통 one's ~) 약혼; 확약, 서약: shake ~*s* with a person =shake a person's ~ 아무와 악수하다/He won her ~. 그는 그녀의 결혼 승낙을 얻었다.
14 Ⓒ 〖카드놀이〗 가진 패; 경기자; 한 판 (승부).
15 Ⓒ (보통 *pl.*) 〖축구〗 핸들링《반칙》.
16 Ⓒ (말의 높이를 재는 척도로서) 핸드《손의 폭 길이; 4인치, 약 10cm》.
All ~s on deck! =***All ~s to the pump*(*s*)*!*** ⇨PUMP[1]. ***at first ~*** ⇨FIRST. ***at ~*** 바로 가까이에; 가까운 장래에, 곧: Christmas is (near 〔close〕) *at* ~. 크리스마스가 가까워졌다. ***at second ~*** 간접으로; 남의 손을〔한 다리〕 거쳐서; 중고로. ***at*** a person***'s ~*(*s*)** =***at the ~*(*s*) *of*** 아무의 손에서, 아무의 손으로, …에 의해. ***bear a ~*** 관여하다《*in* …에》; 손을 빌려주다《*in* …에》. ***by ~*** 손으로, 손으로 만든〔만들어서〕; (우편이 아니라) 사람을 보내어; 자필로; 손수 돌보아서: made *by* ~ 손으로 만든/deliver *by* ~ (우송하지 않고) 손수 전하다, 사람을 보내어 건네주다. ***change ~s*** 임자가 바뀌다. ***clean*** one***'s ~s of*** …와 관계를 끊다, …에서 손을 떼다: He *cleaned* his ~*s of* the whole affair. 그는 사건 전체에서 손을 뗐다. ***come to ~*** 손에 들어오다; 발견되다, 나타나다. ***eat*** 〔***feed***〕 ***out of*** a person***'s ~*** (기르는 개처럼) 아무의 따르다, 아무에게 순종하다: She soon had him *eating out of her* ~. 그 여자는 곧 그를 하라는 대로 하도록 만들었다. ***force*** a person***'s ~*** 〖카드놀이〗 아무에게 손에 가진 패를 내게 만들다; 어떤 행동을 취하게 하다, 무리한 일을 시키다. ***from ~ to ~*** 이 손에서 저 손으로, 여러 사람의 손을 거쳐. ***get out of ~*** 과도해지다; 건잡을 수 없이 되다. ***get ... out of ~*** …을 마치다. ***get*** one***'s ~ in*** …에 익숙해지다. ***get*** one***'s ~s on*** …을 손에 넣다; (위해를 가하기 위해) …을 붙잡다, …에 접근하다. ***get*** 〔***gain, have***〕 ***the upper ~ of*** ⇨ UPPER HAND. ***give*** a person ***a free ~*** 아무의 자유재량에 맡기다. ***give*** a person ***the glad ~*** 《구어》 (종종 표면상으로) 아무를 대환영하다, (아무)에게 정중하게 인사하다. ***~ and foot*** 손도 발도, 완전히《사람을 묶다 따위》; 손발이 되어, 충실히, 정성껏《아무를 섬기다》. ***~ and glove*** =***~ in glove*** 극히 친밀한〔하여〕; 한통속이 되어, 결탁하여《*with* …와》. ***~ in ~*** 손을 맞잡고; 제휴하여, 협력하여: Hygiene and health go ~ *in* ~. 청결과 건강은 서로 따라다닌다. ***~ over fist*** 《구어》 죽죽, 부쩍부쩍: make money ~ *over fist* 부쩍부쩍 돈을 벌다. ***~ over ~*** (밧줄 따위를) 번갈아 잡아당겨: climb a rope ~ *over* ~ 밧줄을 잡아당기며 오르다. ***~s down*** ① 쉽게: win ~*s down* 쉽게 이기다. ② 분명히. ***~ to ~*** 상접하여《전투 따위에서》 접전으로: fight ~ *to* ~ 백병전을 하다. ***have*** 〔***take***〕 ***a ~ in*** 〔***at***〕 …에 관여〔관계〕하다, …에 손을 대다. ***have*** one***'s ~s free*** ⇨FREE. ***have*** one***'s ~s full*** (바빠서) 손이 안 돌아가다〔꼼짝 못하다〕, 매우 바쁘다. ***have*** one***'s ~s tied*** 아무것도 마음대로 하지 못하다. ***hold ~s*** 서로 손을 맞잡다; (남녀가) 정답게 굴다. ***hold*** one***'s ~*** 《英》 (처벌의) 손을 늦추다. ***hold*** a person***'s ~*** 아무의 손을 잡다; 아무를 돕다, 격려〔지지〕하다. ***Hold up your ~s!*** =Hands up!(⇨ DIAL.). ***in ~*** 손에 넣고; 수중에; 제어하고; 지배〔보호〕하에; 착수〔준비〕하고, 진행 중에: I have no cash *in* ~. 수중에 현금이 없다/Everything is *in* ~. 모든 것을 장악하고 있다. ***join ~s*** 서로 손을 잡다; 결혼하다; 제휴하다《*with* …와》. ***keep*** one***'s ~ clean*** 부정에 관계하지 않고 있다. ***keep*** one***'s ~ in*** …을 늘 연습하고 있다. ***keep*** one***'s ~s off*** …에 손을 대지 않다, 훔치지 않다; …에 간섭치 않다. ***lay ~s on*** …에 손을 대다; (손을 얹고) …을 축복하다; 그러쥐다, 잡다; …을 습격하다, (여자)에게 손을 대다, 폭행하다. ***lay*** one***'s ~s on*** …을 손에 넣다; …을 붙잡다. ***lift*** 〔***raise***〕 one***'s ~ to*** 〔***against***〕 〖보통 부정문에서〗 (때릴 것같이) 손을 들어올리다; 공격〔위협〕하다. ***live from ~ to mouth*** 하루 벌어 하루 살다. ***not do a ~'s turn*** 《英구어》 아무런 노력도 하려 들지 않다. ***off ~*** 준비 없이, 즉석에서. ***off*** a person***'s ~s*** 아무의 손을 떠나서, 아무의 임무가 끝나서. ***oil*** a person***'s ~*** 〔***fist, palm***〕 아무에게 뇌물을 주다. ***on all ~s*** =***on every ~*** ① 사방에(서). ② 모든 사람으로부터, 널리《찬성을 얻다, 요청되다 따위》. ***on ~*** ① 마침 갖고 있는. ② 손 가까이에; 마침 동석해서, 출석하여; 가까이 (임박하여): Be *on* ~ during the meeting, please. 회의 중에는 자리를 뜨지 마십시오. ***on*** a person***'s ~s*** ① 아무의 책임〔부담〕으로. ② 힘에 겨워서, 거추장스러워서. ***on*** (one***'s***) ***~s and knees*** 넙죽 기어서. ***on*** (***the***) ***one ~*** 한편으로〔에서〕는. ***on the other ~*** 또 (다른) 한편으로는, 이와 반대로. ***out of ~*** 힘에 겨워; 끝나서; 즉시, 즉석에서. ***out of*** a person***'s ~s*** (문제·일 따위가) 아무의 관리를〔책임을〕 떠나서. ***overplay*** one***'s ~*** 자기 능력 이상의 일을 약속하다〔하려고 하다〕. ***play into*** a person***'s ~s*** ⇨PLAY. ***put in ~*** 일을 시작하다. ***put*** 〔***dip***〕 one***'s ~ in*** one***'s pocket*** ⇨POCKET. ***put*** one***'s ~s on*** =lay one's ~*s* on. ***put*** one***'s ~ to*** …에 착수하다, …에 종사하다. ***ready to*** (one***'s***) ***~*** 손 닿는 곳에; 소유하고. ***set*** one***'s ~ to*** (서류)에 서명하다; …에 착수하다. ***show*** one***'s ~*** ① (카드놀이에서) 손에 든 패를 보이다. ② 생각을〔의도를〕 무심코 알리다, 속셈을 밝히다. ***sit on*** one***'s ~s*** 팔짱을 끼고 (보고) 있다, 수수방관하다; 갈채하지 않다, 찬성을〔열의를〕 보이지 않다. ***soil*** 〔***dirty***〕 one***'s ~s*** 손을 더럽히다《*with* …으로》. ***stay*** a person***'s ~*** 《문어》 아무의 행동을 막다. ***take a ~ in*** 〔***at***〕 =have a ~ in. ***take ... in ~*** ① …에 착수하다. ② …을 처리하다. ③ …을 보살피다, 돌보다. ④ …에게 예의범절을 가르치다, …을 단련하다, 지도하다. ***take*** one***'s courage in both ~s*** ⇨COURAGE. ***take*** one***'s life in*** one***'s*** (***own***) ***~s*** ⇨LIFE. ***throw in*** one***'s ~*** =***throw*** one***'s ~ in*** (계획·게임)을 가망 없는 것으로 단념하다, 포기하다, 내던지다. ***throw up*** one***'s ~s*** 〔***arms***〕 두 손 들다; 단념하다. ***tip*** one***'s ~*** 《美》 =show one's ~. ***to ~*** 손 닿는 곳에; 입수되어, 소유하여. ***try*** one***'s ~*** (처음으로 시험삼아) 해 보다《*at* …을》; 솜씨를 시험해 보다. ***turn*** one***'s*** 〔***a***〕 ***~ to*** =put one's ~ to. ***under ~*** 비밀히. ***under*** 〔***ready to***〕 one***'s ~*** 손 가까이에 있는, 수중에 있는; 곧 소용이 닿는. ***wash*** one***'s ~s*** 《완곡어》 변소에 가다; 손을 떼다, 관계를 끊다《*of* …에서, …와》: I *wash my* ~*s of* you 〔the matter〕. 자네에게서〔그 일에서〕 손을 떼네. ***win ~s down*** ⇨~s down. ***with a free ~*** 활수하게, 아낌없이. ***with a heavy*** 〔***an iron***〕 ***~*** 강압적으로, 가혹하게; 서투르게, 꼴사납게. ***with a high ~*** 오만하게, 고압적으로; 멋대로.

DIAL. ***All hands on the deck!*** 모두 힘내라(← 전원 갑판 위로 나가라).
Hands off! ①《게시·명령》 손 대지 마시오, 접근 금지. ② (스스럼없이) 상관 마, 손 떼.
Hands up! ① 손 들어, 항복해. ② (찬성의 표시로) 손을 드세요.
I've only got one pair of hands. 너무 바빠 손이 나지 않는다(← 손이 둘밖에 없다).
The left hand doesn't know what the right hand is doing. (조직의) 의사소통이 되지 않고 있다.

— *vt.* **1** 《+目+目/+目+전+명》 **건네〔넘겨〕주다**, 수교하다, 주다; (식사 때에 음식 따위)를 집어주다《*to* …에게》: Please ~ me the salt. = Please ~ the salt *to* me. 소금 좀 집어 주십시오. **2** 《+目+전+명》 손을 잡아 인도하다〔돕다〕《*into, to* …으로; *out of* …에서》: ~ a lady *into* 〔*out of*〕 a car 부인의 손을 잡고 차에 태워주다〔차에서 내려주다〕.
~ ***back*** 《*vt.*+부》 되돌려 주다《*to* (주인)에게》. ~ ***down*** 《*vt.*+부》 ① …을 내려서 건네주다; 거들어서 내려주다. ② …을 유산으로 남기다; (관습·전통 따위)를 전하다《*to* (후세)에》: This clock was *~ed down to* father from my great-grandfather. 이 시계는 증조부가 아버지에게 물려준 것이다. ③ 《美》 (판결 따위)를 언도하다. ~ ***in*** 《*vt.*+부》 ① 내다, 제출하다: ~ *in* one's resignation 사표를 제출하다. ② …을 수교하다. ~ ***it to*** a person 아무의 장점〔위대함〕을 인정하다, 아무에게 경의를 표하다. ~ ***off*** 《*vt.*+부》 〖미식축구〗 (공)을 가까운 자기 팀 선수에게 넘기다; 〖럭비〗 (태클러)를 손으로 밀어젖히다. ~ ***on*** 《*vt.*+부》 전하다(~ down); 다음으로 건네다, 양도하다. ~ ***out*** 《*vt.*+부》 ① (유인물 따위)를 나눠주다. ② (충고 따위)를 계속해서 하다: The medical profession keeps *~ing out* warnings about smoking. 의료계에서는 흡연에 대한 경고를 계속하고 있다. — 《*vi.*+부》 ③ 돈을 내다〔쓰다〕. ~ ***over*** 《*vt.*+부》 …을 넘겨주다, 건네주다; 양도하다《*to* …에게》. ~ ***round*** 〔***around***〕 《*vt.*+부》 차례로 돌리다, 도르다.

***hand·bag** [hǽndbæ̀g] *n.* Ⓒ **핸드백**, 손가방. — *vt.* 《英》 (여성 정치가가 사람·생각 등)을 가차없이 다루다.

hánd·bàll *n.* **1** Ⓤ 벽에서 튀는 공을 상대방이 받게 하는 구기(球技); Ⓒ 그 공. **2** Ⓤ 〖경기〗 핸드볼, 송구(送球)(team ~); Ⓒ 그 공.

hánd·bàrrow *n.* Ⓒ **1** (들것식의) 운반기. **2** (2 바퀴) 손수레.

hánd·bèll *n.* Ⓒ 작은 종, 요령(搖鈴); 핸드벨《음악 연주용》.

hánd·bìll *n.* Ⓒ 전단(傳單), 광고지.

hánd·bòok *n.* Ⓒ **1 편람**; 참고서: a ~ *of* radio 라디오 편람. **2** 안내서; 여행 안내서《*to, of* …의》.

hánd bràke 수동(手動) 브레이크.

hánd·brèadth *n.* Ⓒ 한 손 폭《약 10 cm》.

hánd·càr *n.* Ⓒ 〖美철도〗 핸드카, (선로 보수용의 소형) 수동차(手動車).

hánd·càrt *n.* Ⓒ 손수레.

hánd·clàp *n.* Ⓒ 박수, 손뼉.

hánd·clàsp *n.* Ⓒ (굳은) 악수.

hánd·cràft *n.* = HANDICRAFT. — [⌐⌐] *vt.* 수세공으로 만들다.

hand cream 핸드 크림.

hánd·cùff *n.* Ⓒ (보통 *pl.*) 〖a pair of ~*s* 로〗 수갑, 쇠고랑: put ~*s* on a person 아무에게 수갑을 채우다. — *vt.* …에게 수갑을 채우다; …을 구속하다; 무력하게 하다.

(-)hánd·ed [-id] *a.* …의 손을 가진; …의 인원수로 하는《놀이 따위》; 〖기계〗 (나사 따위가) …(쪽)으로 도는〔돌리는〕: left-~ 왼손잡이의/heavy-~ 서투른; 강압적인/right-~ propeller 우회전 프로펠러.

Han·del [hǽndl] *n.* **George Frederic(k)** ~ 헨델《영국에 귀화한 독일 태생 작곡가; 1685-1759》.

***hand·ful** [hǽndfùl] (*pl.* **~s, hánds·ful** [-*dz*-]) *n.* Ⓒ **1 한 움큼**, 손에 그득, 한 줌(의 양): a ~ *of* sand 모래 한 줌. **2** (보통 a ~) 소량, 소수: a ~ *of* men 적은 인원. **3** 《구어》 다루기 힘든 사람〔물건, 일〕; 귀찮은 존재: That boy is a ~. 저 애는 다루기 힘들다.

hánd glàss 손거울; 자루가 달린 돋보기, 확대경.

hánd grenàde 수류탄.

hánd·grìp *n.* Ⓒ **1** 굳은 악수. **2** (라켓·골프채의) 손잡이, 자루; (자전거 등의) 핸들. **3** (*pl.*) 드잡이, 격투: come to ~*s* 드잡이하다.

hánd·gùn *n.* Ⓒ 권총.

hánd·hòld *n.* Ⓒ **1** 손으로 쥠, 파악. **2** (등반 때의) 손잡을 곳, (붙)잡을 데.

***hand·i·cap** [hǽndikæ̀p] *n.* Ⓒ **1** 〖경기〗 **핸디캡**; 핸디캡이 붙은 경기〔경마〕. **2** 불이익, 불리한 조건; 신체장애; 어려움. — **(-*pp*-)** *vt.* **1** …에 핸디캡을 붙이다. **2 불리한 입장에 두다**: Illness *~ped* him. 병으로 그는 불리했다.

hánd·i·càpped [-t] *a.* **1** 신체〔정신〕적 장애가 있는, 불구의; (경기에서) 핸디캡이 붙은. **2** (the ~) 〖명사적; 복수취급〗 신체〔정신〕 장애자: a physically ~ person 신체 장애자.

°**hand·i·craft** [hǽndikræ̀ft, -krɑ̀ːft] *n.* **1** Ⓒ (흔히 *pl.*) 수세공(手細工), 수공예, 손일, 수공업. **2** Ⓤ 손끝의 숙련, 솜씨.

hándicràfts·man [-mən] (*pl.* **-men** [-mən]) *n.* Ⓒ 수세공인, 장색, 수공업자.

hand·i·ly [hǽndili] *ad.* 능숙하게, 솜씨 좋게; 알맞게, 편리하게; 쉽게, 어렵지 않게. cf. handy.

hand·i·work [hǽndiwə̀ːrk] *n.* **1** Ⓤ 손일, 수세공; Ⓒ 수공품, 세공품. **2** Ⓤ (특정인의 특징이 나타난) 제작물, 작품; 소행, 짓《*of* (특정인)의》.

****hand·ker·chief** [hǽŋkərtʃif, -tʃìːf] (*pl.* **~s** [-tʃifs, -tʃìːfs], **-chieves** [-tʃìːvz]) *n.* Ⓒ **손수건**(pocket ~).

hánd-knít(ted) [-(id)] *a.* 손으로 짠.

****han·dle** [hǽndl] *n.* Ⓒ **1 손잡이**, 핸들, 자루. ★ 자동차의 핸들은 steering wheel, 자전거의 핸들은 handlebars. **2** 실마리, 수단, 틈탈〔편승할〕 기회, 구실. **3** 《우스개》 (Sir 따위의) 경칭, 직함《*to* …에의》; 《속어》 이름《특히 given name》: a ~ *to* one's name 직함, 경칭《Dr., Rev. 따위》. **4** (직물의) 감촉. **5** 〖컴퓨터〗 핸들.
fly off the ~ 《구어》 욱하다, 냉정을 잃다《*at* …에》. ***have*** 〔***get***〕 ***a ~ on*** 《구어》 …을 확실히 파악〔이해〕하다.
— *vt.* **1** …에 **손을 대다**, …을 만지다; (손으로) **다루다**, 사용하다, 조종하다. **2 취급하다**, 처리하다; (문제)를 논하다. **3** (아무)를 **대우하다**; (군대 따위)를 지휘하다; 통어(統御)하다: ~ troops 부대를 지휘하다. **4** (상품)을 다루다, …의 장사를 하다: ~ food products 식료품 장사를 하다. —

H

vi. 《well 따위의 양태부사와 함께》 취급〔조종〕되다, 다루기가 …하다: This machine ~*s* easily. 이 기계의 조작은 간단하다.
hándle·bàr *n.* Ⓒ (보통 *pl.*) (자전거의) 핸들(바).
hándlebar mustáche 《구어》 카이저 수염.
hán·dler *n.* Ⓒ 다루는 사람《**of** …을》; 〖권투〗 트레이너, 세컨드; 매니저; (말 · 경찰견 따위의) 조련사.
hán·dling *n.* Ⓤ 취급; 처리, 조종; (상품의) 출하; 〖축구〗 핸들링《반칙》: ~ charges 화물 취급료, (은행의) 어음 매입 수수료.
hánd·lòom *n.* Ⓒ 베틀.
hánd lùggage 《英》 수화물(《美》 hand baggage).
hánd·màde *a.* 손으로 만든, 수세공(手細工)의. ↔ *machine-made.*
hánd-me-dòwn *n.* Ⓒ (보통 *pl.*) 후물림(옷); 헌 옷(《英》 reach-me-down). **—*a.*** Ⓐ 후물림의, 중고의.
hánd-òff *n.* Ⓒ 〖미식축구〗 (자기 팀 선수끼리 공을) 주고받기.
hánd òrgan 손으로 핸들을 돌려 타는 풍금.
***hand·out** [hǽndàut] *n.* Ⓒ **1** 접는식 광고물, 상품 안내〔견본〕. **2** (교실 · 회의 등에서 주는) 유인물, 인쇄물. **3** (가난한 사람에게) 베풀어 주는 물건《돈 · 음식 · 옷 따위》.
hánd·òver *n.* Ⓤ (책임 · 경영권 등의) 이양(移讓).
hánd·píck *vt.* (과일 등)을 손으로 따다; 정선하다. ㊞ **hánd·picked** [-t] *a.*
hánd·ràil *n.* Ⓒ 난간; 《美》 (탈것의) 손잡이(난간).
hánd·sàw *n.* Ⓒ (한 손으로 켜는) 톱.
hánds-dówn *a.* **1** 쉬운, 용이한: a ~ victory 낙승. **2** 확실한, 틀림없는.
hand·sel [hǽnsəl] *n.* Ⓒ 새해 선물; (개업 따위를 축하하는) 선물; 마수걸이(의 돈); 첫 시험; 시식(試食).
hánd·sèt *n.* Ⓒ (주로 무선기의) 송수화기. ★ 전화기는 receiver.
hánds·frèe *a.* 손을 대지 않고 조작할 수 있는.
***hand·shake** [hǽndʃèik] *n.* Ⓒ **악수**; =GOLDEN HANDSHAKE.
hánds-óff *a.* Ⓐ 불간섭(주의)의: a ~ policy 불간섭 정책.
****hand·some** [hǽnsəm] (*-som·er; -som·est, more ~; most ~*) *a.* **1 a** (남자가) **풍채 좋은**, (얼굴이) 잘생긴, (균형이 잡혀) **단정한**; 남자답고 늠름한, 핸섬한: a ~ youngman 미남자. SYN. ⇨BEAUTIFUL. **b** (여자가) 몸집이 크고 매력적인, 당당한.

> **NOTE** 보통 남성에 쓰이고, 여성에게는 pretty, beautiful을 사용하나, 여성에게도 handsome을 쓸 경우가 있음: a ~ woman 늠름하고 기품 있는 여자.

2 (건물 따위가) 훌륭한, 당당한; 《美구어》 재주 있는, 능란한: a ~ building 훌륭한 건물/a ~ speech 훌륭한 연설/*Handsome* is that 〔as〕 ~ does. 《속담》 행위가 훌륭하면 인품도 돋뵌다, '거죽보다 마음'. **3** 꽤 큰, 상당한《금액 · 재산 따위》: a ~ sum 상당한 금액/a ~ fortune 큰 재산. **4** 활수한, 손이 큰, 후한《**to** do》: a ~ gift 푸짐한 선물/It's ~ *of* him *to* give me a present. 그는 나에게 선물을 줄 만큼 마음이 후하다〔손이 크다〕. **5** 《美》 교묘한, 능숙한.
㊞ **~·ly** *ad.* **~·ness** *n.*
hánds-ón *a.* Ⓐ 《美》 (보기만 하지 않고) 실제로 참가하는〔조작해 보는〕, 실지의: receive ~ training 실제 훈련을 받다.
hánd·spìke *n.* Ⓒ (나무) 지레.
hánd·sprìng *n.* Ⓒ (땅에 손을 집고 하는) 재주넘기: do a ~ 재주넘다.
hánd·stànd *n.* Ⓒ 물구나무서기.
hánd-to-hánd *a.* Ⓐ 드잡이의; 백병전의: ~ combat 백병전.
hánd-to-móuth *a.* Ⓐ 그날그날 살아가는; 생활에 여유가 없는; 일시 모면의: lead a ~ existence 하루살이 생활을 하다.
hánd·wòrk *n.* Ⓤ 수공, 수제(手製), 손으로 하는 일. ㊞ **-wòrked** [-t] *a.* 손으로 만든.
hánd·wóven *a.* 손으로 짠, 수직(手織)의.
***hand·writ·ing** [hǽndràitiŋ] *n.* Ⓤ **손으로 씀**, 육필; **필적**.
hánd·wrìtten *a.* 손으로 쓴.
****handy** [hǽndi] (*hand·i·er; -i·est*) *a.* **1** 알맞은; (배 · 연장 따위가) 다루기 쉬운. **2 편리한**, 간편한; 쓸모있는. **3 능숙한**, 솜씨 좋은(dexterous), 재빠른《**at, with, about** …에》: be ~ *at* repair*ing* watches 시계 수리에 솜씨가 있다/He's ~ *with* a computer. 그는 컴퓨터를 다루는 솜씨가 능숙하다. **4** Ⓟ **가까이 있는**, 곧 이용할 수 있는; 가까워 편한《**for** …하기에》: The post office is ~ from there. 우체국은 거기에서 가깝다/His house is ~ *for* shopp*ing*. 그의 집은 쇼핑하기 편하다. ***come in* ~** 편리하다, 곧 쓸 수 있다.
㊞ **hánd·i·ness** *n.*
hándy·màn [-mæ̀n] (*pl.* ***-mèn*** [-mèn]) *n.* Ⓒ 잡역부.
****hang** [hæŋ] (*p., pp.* ***hung*** [hʌŋ], ***hanged***) *vt.* **1** 《~+목/+목+부/+목+전+명》 **매달다, 걸다**, 늘어뜨리다, 내리다《**on** …에; **from** …에서》: ~ *up* a hat 모자를 걸다/~ curtains *on* a window 창문에 커튼을 치다/~ a chandelier *from* the ceiling 천정에 샹들리에를 매달다/*Hang* the washing on the clothesline, will you?—All right. 빨래를 (빨래줄에) 널어 주시겠어요—네, 그러죠.
2 (*p., pp.* ***hanged***) **a 목매달다**, 교수형에 처하다; 〖~ oneself〗 목매달아 죽다: be ~*ed* for murder 살인으로 교수형을 당하다/~ one*self* 목매달아 자살하다. **b** 〖욕설 · 강조적으로〗 저주하다: I'll be 〔I'm〕 ~*ed* if I obey him. 누가 그가 하라는 대로 한대/*Hang* you! =Be ~*ed!* 이 오라질 녀석.
3 (고개 · 얼굴)을 숙이다: He *hung* his head in shame. 그는 부끄러워서 고개를 숙였다.
4 a 《+목+전+명》 (방 · 벽 따위)를 꾸미다《**with** …으로》; …에 늘어뜨리다《**with** …을》: ~ a new picture *on* the wall 벽에 새로운 그림을 걸다/~ a room *with* pictures 그림을 걸어 방을 꾸미다/Let's ~ the windows *with* blue curtains. 창에 푸른 커튼을 치자. **b** (벽지 따위)를 벽에 바르다.
5 《~+목/+목+전+명》 (문 따위)를 달다, (손잡이 따위)를 끼우다《**on, to** …에》: ~ a door (*on* its hinges) 문을 (경첩에) 달다/~ an ax *to* its helve 도끼에 자루를 끼우다.
6 (그림)을 전시하다: I'll ~ the pictures in a prominent place. 그 그림을 눈에 띄는 곳에 걸겠다.

H

7 (먹기에 알맞을 때까지 고기)를 매달아두다.
—*vi.* **1** 《(+[부]/+[전]+[명]/+[보]》 **매달리다**, 늘어지다, 걸리다: pictures ~*ing above* 머리 위에 걸려 있는 그림/a chandelier ~*ing from* the ceiling 천장에 매달린 샹들리에/The leaves *hung* lifeless. 잎이 생기 없이 달려 있었다.
2 《+[전]+[명]》 **허공에 뜨다**, 공중에 떠돌다; (연기·안개 따위가) 자욱이 끼다, 드리우다《*over* …위에》; (냄새 따위가) 주위에 감돌다〔자욱하다〕, 뜨다《*in* …에》: Fog *hung over* the city. 안개가 도시 상공에 자욱이 끼어 있었다/The smell of sulfur *hung in* the air. 주변에는 유황 냄새가 자욱했다/The bird seemed to ~ *in* the air. 그 새는 하늘에 가만히 떠 있는 것처럼 보였다.
3 《+[전]+[명]》 (바위 따위가) 삐죽이 내밀다《*over* …위에》; 몸을 내밀다《*out of* …에서》; (위험 등이) 다가오다《*over, on* …에》: a huge rock ~*ing over* the stream 시내 위로 돌출한 큰 바위/A danger is ~*ing over* him. 그에게 위험이 닥치고 있다.
4 (*p.*, *pp.* **hanged**) 교살당하다; 교수형에 처해지다.
5 《+[전]+[명]》 (문짝이) 자유로이 움직이다《*on* (경첩)으로》: a door ~*ing on* its hinges 경첩으로 자유로이 움직이는 문.
6 《+[전]+[명]》 달려〔걸려〕 있다《*on, upon* …에》: Passage of the bill ~*s on* 〔*upon*〕 one vote. 그 법안 통과는 한 표에 달려 있다.
7 《+[전]+[명]》 달라붙다, 매달리다, 달라붙어 떨어지지 않다《*on, on to, about* …에》: ~ *on* a person's arm 아무의 팔에 꼭 매달리다.
8 《+[전]+[명]/+[부]》 어슬렁거리다; 서성대다《*about, around* …주변에》.
9 《+[전]+[명]》 망설이다, 주저하다: ~ *between* stay*ing* and go*ing* 갈까말까 망설이다.
10 (고기 따위가 먹기에 알맞을 때까지) 매달려 있다.
11 《+[전]+[명]》 귀담아 듣다; 물끄러미 지켜보다《*on, upon* …을》: I *hung on* her every word 〔her words, her lips〕. 나는 그녀의 말을 한 마디도 놓치지 않으려고 귀를 기울였다.
12 〖야구〗 (커브가) 휘다, 빗나가다.
13 〖컴퓨터〗 행업(hang-up) 하다《사용자의 지시를 받아들이지 않게 되다》.
be* 〔*get*〕 *hung up on* 〔*about*〕** 《구어》 …이 마음에 걸리다〔걸려 있다〕; …이 마음에서 떠나지 않다; …에 열중해 있다〔열중하다〕. ***go* ~** ① 교수형이 되다; *Go* ~ yourself! 뒈져라, 꺼져라. ② 〖보통 let … go로〗 《구어》 …을 내버려두다, 무시하다. **~ *around* 〔*about*〕** 《*vi.*+[부]》 ① (정처없이) 어슬렁거리다(⇨*vi.* 8). ② 어물어물하다. ③ 기다리다《*for* …을》. **~ *a left* 〔*right*〕** 《美속》 (자동차로) 좌〔우〕회전하다. **~ *back 《*vi.*+[부]》 주춤거리다, 꽁무니빼다. **~ *behind*** 《*vi.*+[부]》 뒤지다, 처지다. **~ *by a* (*single*) *hair* 〔*a thread*〕** 풍전등화〔위기일발〕이다. **~ *fire*** ⇨ FIRE. **~ *five* 〔*ten*〕** (서핑에서) 한쪽〔양쪽〕 발가락을 서프보드의 앞끝에 걸고 타다. **~ *heavy* 〔*heavily*〕 *on*** a person 〔a person***'s hand***〕 ⇨ HEAVY. **~ *in the balance* 〔*air, wind, doubt*〕** 미지수이다, 어떻게 결말이 날지 확실치 않다. **~ *in* (*there*)** 《美구어》 곤란을 견디다, 버티다, 견뎌내다. ***Hang it* (*all*)!** 제기랄, 빌어먹을. **~ *it up*** 《美구어》 그만두다, 포기하다. **~ *loose*** (팽팽하던 것이) 축 처지다; 《美속어》 느슨〔느긋〕해지다. **~ *off*** 놓아 주다; =hang back. **~ *on*** 《*vi.*+[부]》 ① 꼭 붙잡다, 서핑에서 매달리다, 붙잡고 늘어지다. ② 일을 계속해 나가다, 버텨나가다. ③ 전화를 끊지 않고 두다, 잠시 기다리다. **~ *one on*** 《美속어》 《*vi.*+[부]》 ① 억병으로 취하다: Every payday he ~*s one on*. 그는 월급날에는 언제나 억병으로 취한다. **—**《*vt.*+[전]》 ② (아무)에게 일격을 가하다: He *hung one on* the bully and knocked him down. 그는 그 깡패에게 일격을 가해 넘어뜨렸다. **~ *on the lips of*** =**~ *on*** a person***'s lips*** ⇨ LIP. **~ *out*** 《*vi.*+[부]》 ① 몸을 밖으로 내밀다《*of* …에서》: ~ *out of* the window 창 밖으로 몸을 내밀다. ② 《속어》 살다《*at, in* …에서》: the house where he ~*s out* 그가 살고 있는 집. ③ 《구어》 자주 출입하다, 늘 얼씬대다《*at, in* …에》: ~ *out in* bars 술집에 자주 출입하다. ④ 《英》 완강히 계속 요구하다《*for* (임금 인상 따위)를》: ~ *out for* higher wages 임금 인상을 끈질기게 요구하다. **—**《*vt.*+[부]》 ⑤ (간판·기 따위)를 밖으로 내다 걸다; (세탁물 따위)를 밖에서 말리다, 내다 널다. **~ *over*** 《*vi.*+[부]》 ① (결정·안건 따위가) 보류되다, 미결인 채로 있다. ② (관습 따위가) 계속되다, 잔존하다《*from* …에서》. **~ *ten*** ⇨ hang five. **~ *together*** 《*vi.*+[부]》 ① 단결하다. ② (말 따위가) 앞뒤가 맞다, 조리가 서다: His alibi ~*s together*. 그의 알리바이는 합당하다. **~ *tough*** 《美속어》 결심을 바꾸지 않다, 양보하지 않다, 버티다: ~ *tough* and won't change one's mind 단호히 자신의 생각을 바꾸려 하지 않다. **~ *up*** 《*vt.*+[부]》 ① (물건)을 걸다, 매달다. ② 〖종종 수동태〗 …을 지체시키다, …의 진행을 방해하다; (계획)을 중지하다, 연기하다: The signing of the contract *was hung up* over a minor disagreement. 사소한 의견의 대립으로 계약의 조인이 늦어졌다. ③ (전화)의 수화기를 놓다, 전화를 끊다: I'm going to ~ up. —OK. See you tomorrow. 전화 끊을게—그래, 내일 봐. **—**《*vi.*+[부]》 ④ 갑자기 전화를 끊다《*on* …의》: She *hung up* (*on* me). 그녀는 일방적으로 (나의) 전화를 끊었다. ***let it all* ~ *out*** 《구어》 ① 숨기지〔감추지〕 않다, 솔직하게 (모든 것을) 말하다. ② 자기가 좋아하는 짓을 하다.
—*n.* **1** [U] (보통 the ~) 걸림새, 늘어진 모양. **2** (the ~) 《구어》 (바른) 취급법, 사용법, 요령, 하는 법: get 〔have〕 the ~ *of* a tool 도구의 사용법을 알다/lose 〔get out of〕 the ~ *of* speak*ing* English 영어로 이야기하는 요령을 잊다〔모르게 되다〕. **3** (the ~) 《구어》 (문제·의론 따위의) 의미, 취지: get 〔have, see〕 the ~ *of* subject 주제의 의미를 파악하다.
***not give* 〔*care*〕 *a* ~** 《구어》 걱정을 안 하다, 개의하지 않다: I do*n't give a* ~ (about his wealth 〔whether he is rich or not〕). (그의 재산은〔그가 부자인지 아닌지는〕) 나와는 전혀 상관이 없다.

hang·ar [hǽŋər] *n.* [C] (비행기의) 격납고; 곳집; 차고: a ~ deck (항공 모함의) 격납고 갑판. [파] **~·age** [-ridʒ] *n.*

háng·dòg *a.* [A] 살금거리는, 비굴한, 비열한: a ~ look 비굴한 표정.

háng·er *n.* [C] **1** 매다는〔거는〕 사람. **2** (물건을) 매다는〔거는〕 것; 양복걸이(coat hanger); 달아매는 (밧)줄.

hánger-ón (*pl.* **háng·ers-** [-ərz-]) *n.* [C] 식객; 부하, 언제나 따라다니는 사람, 추종자.

háng-glìde *vi.* 행글라이더로 날다.

háng glìder 행글라이더(활공기).

H

háng glìding 행글라이딩.

°**háng·ing** *n.* **1** Ⓤ 걸기, 매달려 늘어짐; 현수(懸垂) (상태). **2** Ⓤ (구체적으로는 Ⓒ) 교살; 교수형. **3** Ⓒ (보통 *pl.*) 벽걸이 천; 커튼; 벽지. **—***a.* Ⓐ **1** 교수형에 합당한. **2** 드리워진; (바위 따위가) 돌출한.

Hánging Gárdens of Bábylon (the ~) (고대) 바빌론의 가공원(架空園)《Nebuchadnezzar왕이 왕비를 위해 만든 정원》.

háng·man [-mən] (*pl.* **-men** [-mən]) *n.* Ⓒ 교수형 집행인. ⓒⓕ hanger.

háng·nàil *n.* Ⓒ 손거스러미.

háng·òut *n.* Ⓒ 《구어》 (악한 등의) 소굴, 연락 장소, 집.

háng·òver *n.* Ⓒ 잔존물, 유물《**from** …으로부터의》; 《속어》 숙취(宿醉): I have a ~ this morning. 오늘 아침에는 숙취다/The policy is a ~ *from* the last administration. 그 정책은 이전 정권의 유물이다.

Han·gul [háːŋgul] *n.* Ⓒ 한글.

háng-ùp *n.* Ⓒ 《속어》 **1** (심리적) 걸림돌, 구애; 저항, 콤플렉스; 고민(거리): She has a ~ about her weight. 그 여자는 체중에 대한 고민이 있다. **2** (정신적) 장애. **3** 〖컴퓨터〗 단절.

hank [hæŋk] *n.* Ⓒ 다발, 묶음, (실 등의) 타래; 실 한 타래; 한 테실《면사 840야드, 모사 560야드》: a ~ *of* hair 한 묶음의 머리카락.

han·ker [hǽŋkər] *vi.* 《구어》 **1** 동경하다, 갈망하다《**after, for** (손이 닿지 않는 것)을》: ~ *after* 〔*for*〕 a new car 새 차를 갈망하다. **2** (…하고자) 열망하다《**to** do》.

han·ker·ing [hǽŋkəriŋ] *n.* Ⓒ (보통 a ~) 《구어》 **1** 동경, 갈망《**after, for** (손이 닿지 않는 것)에 대한》: have a ~ *for* 〔*after*〕 power 권력을 갈망하다. **2** (…하고자 하는) 열망《**to** do》: He has a ~ *to* have a car. 그는 몹시 자동차를 갖고 싶어한다.

han·k(e)y-pan·k(e)y [hǽŋkipǽŋki] *n.* Ⓤ 《구어》 협잡; 사기; 부정 거래; (성적으로) 좋지 않은 행위.

han·ky, han·key, han·kie [hǽŋki] *n.* Ⓒ 《구어》 손수건(handkerchief).

Han·ni·bal [hǽnəbəl] *n.* 한니발《카르타고의 장군; 247–183 B.C.》.

Ha·noi [hænɔ́i, hə-] *n.* 하노이《베트남의 수도》.

Han·o·ver [hǽnouvər] *n.* Ⓒ (영국의) 하노버 왕가의 사람. ***the House of*** ~ 영국의 하노버 왕가《George 1세부터 Victoria 여왕까지》.

Han·o·ve·ri·an [hæ̀nouvíəriən] *a. n.* Ⓒ Hanover 왕가의 (지지자).

Hans [hæns, hænz] *n.* 한스《남자 이름》.

Han·sard [hǽnsərd] *n.* Ⓤ 영국 국회 의사록《최초의 의사록 출판자의 이름에서》.

Hánseatic Léague [hǽnsiǽtik-] (the ~) 한자 동맹《14–15세기 북부독일 도시의 상업 및 정치적 동맹》.

Hán·sen's disèase [hǽnsənz-, háːn-] 〖의학〗 한센병, 문둥병(leprosy).

han·som [hǽnsəm] *n.* Ⓒ 한층 높은 마부석이 뒤에 있고 말 한 필이 끄는 2인승 2륜 마차.

Hants [hænts] *n.* =HAMPSHIRE.

Ha·nuk·kah, -nu·kah [háːnəkə] *n.* 〖유대교〗 하누카《신전 정화·성전 헌당 기념일》.

°**hap·haz·ard** [hæ̀phǽzərd] *n.* Ⓤ 우연: at 〔by〕 ~ 우연히. **—** [⸗⸗] *a.* 우연한; 되는 대로의: Don't be ~ about your reading. 독서를 아무 계획도 없이 하지 마라. SYN. ⇨RANDOM. **—***ad.* 우연히; 함부로. ㊞ **~·ly** *ad.* **~·ness** *n.*

háp·less *a.* 불운한, 운 나쁜, 불행한.

hap'orth, ha'porth, ha'p'orth [héipərθ] *n.* 《英구어》 =HALFPENNYWORTH.

†**hap·pen** [hǽpən] *vi.* **1** 《~/+전+명》 일어나다, 생기다《**to** …에》: Tell me what *~ed*. 무슨 일이 일어났는지 말해 다오/What (has) *~ed to* him 〔my pen〕? 그는〔내 만년필은〕 어떻게 되었나.

SYN. **happen** 가장 일반적으로 쓰이는 말. 우연히 또는 계획적으로 어떤 일이 일어남. **chance** 아주 우연히 일이 일어남을 가리킴. **occur** 약간 격식차린 말. 특정한 일이 특정한 시기에 일어남을 말함. **take place** 대개 구어적으로 쓰이며 예정된 일이나 예기한 일이 일어남을 말함.

2 《+*to* do》 **마침〔공교롭게〕 …하다**, 우연히〔이따금〕 …하다: I *~ed to* be out 〔*to* hear it〕. 공교롭게도 내가 외출 중이었다〔그것을 들었다〕/I ~ *to* be his uncle. 실은〔마침〕 내가 그의 삼촌이다/*It* (so) *~s that* I have no money with me. 공교롭게도 나는 가진 돈이 없다.

3 《~/+부/+전+명》 (우연히) 나타나다〔만나다, 생각나다, 발견하다〕《**on, upon** …을》; 우연히 가다〔오다, 들르다〕: I *~ed on* 〔*upon*〕 the very book I wanted. 원했던 바로 그 책을 발견했다/My friend *~ed along* 〔*by, in*〕. 내 친구가 우연히 다가왔다〔지나갔다, 들렀다〕/He *~ed at* the party. 그는 마침 그 파티에 참석했었다.

as it ~s 공교롭게도: *As it ~s*, I have left the watch at home. 공교롭게도 나는 시계를 집에 두고 왔다. **~ *what may*** 〔***will***〕 =***whatever may*** ~ 어떤 일이 있더라도.

DIAL. ***What's happening?*** ① 도대체 무슨 일이냐. ② 《美》 요즘 어떻게 지내느냐, 별고 없느냐《친한 사이의 인사》.

hap·pen·ing** [hǽpəniŋ] *n.* Ⓒ **1** (흔히 *pl.*) 사건, 사고. **2** 《美》 (종종 관객도 참가하는) 즉흥극〔연기〕, 해프닝. **—a.* 《속어》 현대적인, 최신식의.

háppen·sò, háppen·stànce [-stæ̀ns] *n.* Ⓒ 《美》 우연한〔뜻하지 않은〕 일; 우발사태.

‡**hap·pi·ly** [hǽpili] *ad.* **1 행복하게, 즐겁게**: They lived ~ together ever after. 그 후 죽 그들은 함께 행복하게 살았다/He did not die ~. 그는 행복하게 죽지 못했다. **2** 〖문장 전체를 수식하여〗 **운좋게**, 다행히: *Happily*, he did not die. 다행히도 그는 목숨을 잃지 않았다. ★ 위치에 주의. 1의 예문과 비교.

‡**hap·pi·ness** [hǽpinis] *n.* Ⓤ **1 행복**; 행운: I wish you ~. 행복하시기를 빕니다; 결혼을 축하합니다《신혼 여성에 대하여》. **2** 만족, 유쾌. **3** (평(評)·용어 등의) 적절, 교묘.

†**hap·py** [hǽpi] (**-pi·er; -pi·est**) *a.* **1** Ⓐ **행운의**, 운좋은, 경사스러운: a ~ man 운좋은 사람/a ~ event 경사(스러운 일)/I met him by a ~ chance. 운좋게 그를 만났다. SYN. ⇨LUCKY.
2 행복한, 기쁜, 즐거운《**at** …에/**to** do/**that**》: live a ~ life 행복하게 살다/a book with a ~ ending 해피엔드로 끝나는 책/She was obviously ~ (*at*) hearing that. 그녀는 그것을 듣고 분명 기뻐했다/I shall be ~ *to* accept your invitation. 기꺼이 초대를 받아들이겠습니다/I'm so ~ *that* you have come to our party.

우리 파티에 참석해 주셔서 대단히 기쁩니다.
3 만족한《*with, about* …에》: He's ~ *with* his new job. 그는 새 일자리에 만족해 한다.
4 희색이 도는, 즐거운 듯한. ↔ *sad*. ¶a ~ look 희색이 도는 안색/a ~ smile 즐거운 미소.
5 아주 어울리는, 적절한: a ~ phrase 명문구/a ~ choice of words 낱말의 적절한 선택.
6 Ⓐ (축복의 말로) 축하하는: (A) *Happy* New Year. 새해를 축하합니다/*Happy* birthday (to you). 생일을 축하합니다.
7 《구어》 Ⓟ 거나한, 한잔 한 기분인, 휘청거리는: come home a bit ~ 거나하게 취해서 귀가하다.
8 〖합성어의 제2요소로〗《구어》 좋아하는, 열중한, 매료된: gadget-~ Americans 기계를 좋아하는 미국인/trigger-~ soldier 툭하면 발포하고 싶어하는 군인/sailor-~ girls 수병에게 열을 올리는 처녀들.
as ~ as ~ can be 더할 나위 없이 행복한, 행복할 대로 행복한. ***(as) ~ as the day is long*** = ***(as) ~ as a king*** 〔***lark***〕 매우 행복스러운, 참으로 마음 편한.

> **DIAL.** ***Won't you come and see me next week?—Certainly, I'd be happy to.*** 다음 주에 우리 집에 오지 않겠느냐—좋아, 가고 말고.

háppy-go-lúcky *a.* 마음 편한, 낙천적인; 되는 대로의, 운에 내맡기는.
háppy hóur 《美구어》 (술집 등에서의) 서비스 타임《할인 또는 무료 제공되는》.
háppy húnting gròund **1** (the ~) (아메리카 인디언들의) 극락, 천국. **2** Ⓒ 만물이 풍성한 곳; 절호의 활동 장소《*for, of* …의》: a ~ *for* antique collectors 골동품 수집가가 진품을 얻기에 가장 좋은 장소.
háppy médium (보통 *sing.*) (양극단의) 중간, 중용(中庸)(golden mean), 중도(中道): strike 〔hit〕 a ~ 중용을 취하다.
◇**ha·rangue** [həræ̃ŋ] *n.* Ⓒ 열변; 장황한 이야기, 장광설(長廣舌). **—***vi., vt.* (…에게) 열변을 토하다; 긴 설교를 하다.
◇**har·ass** [hǽrəs, həræ̃s] *vt.* 괴롭히다, 애먹이다《*with* …으로; ★ 흔히 수동태로 쓰며, 전치사는 *by, with*》; (적)을 쉴새없이 공격하여 괴롭히다: ~ a person *with* questions 아무를 질문 공세로 괴롭히다/*be ~ed by* 〔*with*〕 debt(s) 빚에 시달리다. ㊄ **~ed** [-t] *a.* 매우 지친; 불안〔걱정〕스러운, (고민 따위로) 몹시 시달린; (표정 따위가) 초조한, 성가신 듯한.
har·áss·ment *n.* Ⓤ 괴로움, 괴롭히기; 애먹음; 괴로움; Ⓒ 골칫거리.
har·bin·ger [hɑ́ːrbindʒər] *n.* Ⓒ 선구자; 전조(前兆).
⁑**har·bor,** 《英》 **-bour** [hɑ́ːrbər] *n.* Ⓒ (때로 Ⓤ) **1** 항구, 배가 닿는 곳《harbor는 주로 항구의 수면을, port는 도시를 중시하는 구별》: a ~ of refuge 피난항/be in ~ 입항〔정박〕 중에 있다. **2** 피난처, 잠복처, 은신처: give ~ to a convict 죄인을 숨겨 주다/Homes are a ~ from the world. 가정은 세상으로부터의 피난처이다.
—*vt.* 피난〔은신〕처를 제공하다; 감추다, (죄인 등)을 숨기다; (생각·감정)을 품다. **—***vi.* 항구에 피난〔정박〕하다. ㊄ **~·er** *n.*
har·bor·age [hɑ́ːrbəridʒ] *n.* Ⓒ 정박소; 피난처, 은신처; Ⓤ 피난, 보호.
hárbor màster 항무관(港務官).
hárbor sèal 〖동물〗 (점박이) 바다표범.

harbour ⇨HARBOR.
†**hard** [hɑːrd] *a.* **1 a** 굳은, 단단한, 견고한, 딱딱한; 경질의(↔ *soft*); (몸이) 튼튼한, 튼실한; (책이) 딱딱한 표지의: get 〔become〕 ~ 단단해지다/~ rubber 경질 고무/~ money 《美》 경화(硬貨)/These nuts are too ~ to crack. 이 호두는 너무 딱딱해 깰 수 없다/a ~ constitution 튼튼한 체격. SYN. ⇨FIRM. **b** 〖군사〗 (군비가) 견고한; (핵무기·기지가) 지하에 설치된.
2 a 곤란한, 하기 힘든, 어려운《*for* (아무)에게는; *to* do》. ↔ *easy*. ¶I find it ~ to believe this. 이것은 믿기 어렵다/This math problem is too ~ *for* me. 이 수학 문제는 내게 너무 어렵다/That fence is ~ *to* climb over. 저 울타리는 넘기가 어렵다. **b** 이해〔설명〕하기 어려운; 노력을 요하는, 힘드는; 성가신: ~ work 힘드는 일.
SYN. **hard** 육체적·정신적으로 노력을 필요로 하는 어려움. **difficult** 육체적인 노력보다는 오히려 특별한 지식·기술·판단력을 필요로 하는 어려움.
3 a 격렬한, 맹렬한; 과도의: a ~ blow 강타/a ~ fight 악전고투. **b** (기질·성격·행위 등) 엄한, 무정한, 혹독한; 냉혹한《*on* (아무)에게》: ~ dealing 학대/a ~ look 지엄한 표정〔눈초리〕/He's ~ *on* his little girl. 그는 어린 딸에게 냉정하다. **c** 쓰라린, 견디기 힘든《*on* (아무)에게》: ~ times 불경기 시기/a ~ life 쓰라린 생활/His parents' divorce was ~ *on* him. 그는 부모의 이혼으로 몹시 괴로웠다.
4 정력적〔열심〕인, 근면한《*at* …에》: a ~ worker 근면한 사람, 노력가/try 〔do〕 one's ~*est* 힘껏 노력하다/be ~ *at* one's studies 공부를 열심히 하다.
5 Ⓐ **a** (사실·증거 따위가) 엄연한, 확실한, 믿을 수 있는, 구체성이 있는: ~ facts 〔evidence〕 움직일 수 없는 사실〔증거〕. **b** 냉정한, 현실적인: ~ thinking 냉정한 사고/a ~ view of life 현실적인 인생관. **c** (관찰 등이) 예리한, 면밀한: take a ~ look at (계획 따위를) 면밀하게 검토하다. **d** (분별 따위가) 건전한, 확고한: ~ common sense 건전한 상식.
6 〖상업〗 (시장이) 건실한 상태의, (시가 등이) 오름세의.
7 (날씨 따위가) 거친, 험악한, 사나운: a ~ winter 엄동/a ~ forest 된서리/a ~ rain 억수로 퍼붓는 비.
8 (소리 등이) 귀에 거슬리는, 금속성인; 〖음성〗 경음(硬音)인; (색·윤곽 등이) 지나치게 선명한; 몹시 강렬한.
9 (물이) 센물의, 염분을 포함하는, 경수(硬水)의 (↔ *soft*).
10 (술이) 알코올분이 많은, 강한《22.6% 이상의 알코올분을 함유한》: ~ liquor 〔drink〕 독한 술《위스키 따위》.
11 a (마약 따위) 해롭고 습관성이 있는: a ~ drug 중독성 환각제. **b** (포르노 등) 성묘사가 노골적인(↔ *soft*).
12 《속어》 (남자의 성기가) 발기한.
as ~ as brick 〔***(a) stone***〕 매우 단단한〔굳은〕. ***be ~ on*** 〔***upon***〕 …에게 심하게〔모질게〕 굴다; (구두·옷 따위)를 빨리 닳게〔낡아버리게〕하다. ***~ of hearing*** 귀가 어두운. ***play ~ to get*** 《구어》 (남의 권유, 이성의 접근 등에 대해) 일부러 관심이 없는 체하다. ***the ~ way*** ① 고생하면서; 견실〔착실〕하게. ② (쓰라린) 경험에 의하여.

—ad. 〖hardly와 공통점도 있으나, 주요한 용법에서는 매우 다름〗 **1 열심히**; 애써서, 간신히, 겨우: work ~ 열심히 일〔공부〕하다/think ~ 깊은 생각에 잠기다/He tried ~ to learn the annals by heart. 그는 연대표를 외려고 몹시 애썼다/breathe ~ 괴롭게〔거칠게〕 숨을 쉬다/~-earned 고생해서 번.
2 a 몹시, 심하게, 지나치게: It blows ~. 바람이 몹시 분다/It rained ~. 비가 몹시 왔다. **b** 긴장하여; 비판적으로: look ~ at a person 아무를 뚫어지게 보다.
3 굳게, 단단히: hold on ~ 단단히 붙들고 놓지 않다/It will freeze ~. 꽁꽁 얼어붙을 것이다.
4 가까이; 접근하여: His car followed ~ after mine. 그의 차는 내 차를 바싹 뒤쫓아왔다/follow ~ after a person 아무의 뒤를 바짝 따라가다/~ on a person's heels 사람 뒤에 바짝 붙어서.
be ~ pressed ① 몹시 바쁘다, 심히 몰리다〔쫓기다〕; 쪼들리다《***for*** …에》: I'm ~ *pressed for* time 〔money〕. 시간〔돈〕에 쪼들리고 있다. ② 〖be ~ pressed (to it)으로〗 =be ~ put (to it) ②. ***be ~ put* (*to it*)** ① 진퇴양난〔곤경〕에 빠지다. ② (…하느라고) 곤란을 당하다《***to*** do》: He *was* ~ *put* (*to it*) *to* raise the moeny. 그는 돈을 변통하느라고 매우 곤란을 당했다. ***be ~ up*** 곤경에 빠져 있다, 돈이 궁색하다; 없어서 곤란하다《***for*** …이》: He's ~ *up for* ideas. 좋은 생각이 없어 쩔쩔매고 있다. ***come ~*** 하기 어렵다, 어려워〔곤란해〕지다. ***die ~*** ⇨DIE[1]. ***feel ~ done by*** 화가 나다, 기분이 나쁘다. ***go ~ with*** 〔***for***〕 (일이) …에게 고통을 주다, (아무)를 궁지에 빠뜨리다: It will *go ~ with* him if we leave him alone. 내버려 두면 그는 혼날 것이다. ***~ and fast*** 굳게, 단단히, 견고하게: The boat was tied up ~ *and fast*. 보트는 단단히 매여져 있었다. ***take it ~*** 몹시 괴로워〔슬퍼〕하다, 충격을 받다: When his wife died he *took it* very hard. 그는 아내가 죽자 몹시 충격을 받았다.

H

hárd-and-fást [-ən] *a.* Ⓐ (규칙 따위가) 매우 엄격한, 명확한, 엄밀한《구별 따위》: ~ rules 엄격한 규칙/draw a ~ line 엄격히 선을 긋다; 확고한 결의를 하다.
hárd·bàck *n.*, *a.* =HARDCOVER.
hárd·bàll *n.* Ⓤ 경식 야구; Ⓒ (야구의) 경구(硬球). ***play ~*** 《美·Can. 속어》 엄격한 조치를 취하다; 적극적인 태도를 취하다. —*a.* 엄격한, 냉혹한; 어려운.
hárd-bítten *a.* **1** 만만치 않은, 다루기 힘든, 억센, 완고한. **2** (태도 등이) 엄격한. **3** 쓰라린 경험을 쌓은; 산전수전 다 겪은.
hárd·bòard *n.* Ⓤ 〖건축〗 (목재 대용의) 하드보드.
hárd-bóiled *a.* **1** (달걀 따위를) 단단하게 삶은. **2** 무정한, 냉철한, 현실적인; 비정(非情)한《작품 등》: novels of the ~ school 비정파의 소설.
hárd·bóund *a.* (책이) 두꺼운 표지의, 특제의.
hárd cásh 1 경화(硬貨). **2** 현금《수표·어음·증권 등에 대해》.
hárd cóal 무연탄(anthracite). ⓒⓕ soft coal.
hárd-códe *vt.* 〖컴퓨터〗 (프로그램 속에서 데이터 따위를) 변경하지 못하게 코드하다〔짜다〕.
hárd cópy 〖컴퓨터〗 하드 카피《종이에 복사한》.
hárd córe 1 〖토목〗 하드코어《돌멩이·벽돌 조각 등으로 다진 지반이나 노반》. **2** (the ~) 〖집합적; 단·복수취급〗 (정당 따위의) 핵심파.
hárd-córe *a.* Ⓐ **1** 철저한. **2** (포르노 영화 등에서) 성묘사가 노골적인. **3** 치료 불능의. **4** (실업·빈곤 등이) 장기에 걸친, 만성적인: ~ inflation 만성적 인플레.
hárd cóurt 하드코트《아스팔트나 콘크리트 등으로 굳힌 테니스 코트》.
hárd·cóver *a.*, *n.* Ⓒ 두꺼운 표지의 (책); Ⓤ 하드커버판(版)(의).
hárd cúrrency 〖경제〗 경화《금 또는 달러와 교환할 수 있는 화폐》. ⓒⓕ soft currency.
hárd dísk 〖컴퓨터〗 하드 디스크.
hárd dísk drìve 〖컴퓨터〗 hard disk 장치.
*__hard·en__ [há:rdn] *vt.* **1 굳히다, 딱딱〔단단〕하게 하다**; (금속)을 경화(硬化)하다(↔ *soften*): ~ steel (담금질해서) 쇠를 단단하게 하다. **2** (몸)을 **강하게 하다**, 단련하다: ~ the body 몸을 단련하다. **3** 《~+목/+목+전+명》 (마음)을 **무정〔냉혹〕하게 하다**《***against, toward*** …에 대해》; 무감각하게 하다《***to*** …에 대해》: be ~*ed to* poverty 가난에 둔감해지다〔익숙해지다〕/~ one's heart *against* 〔*toward*〕 ... …에 대해 마음을 독하게 먹다. **4** (물)을 경질(硬質)이 되게 하다. —*vi.* **1 딱딱해지다**, 굳다; (얼굴 표정이) 굳어지다; 긴장하다. **2** 강해지다. **3** 무정해지다; 잔혹해지다; 무감각하게 되다. **4** (물이) 경질(硬質)이 되다.
hárd·ened *a.* **1** 단단해진, 경화된, 굳어진. **2** 비정한, 냉담한; 철면피의; 무감각한, 둔감한《***to*** …에》: He had been ~ *to* all shame. 그는 온갖 치욕에 무감각한 사람이 되어 있었다. **3** 상습적인, 딱지가 붙은: a ~ criminal 상습범. **4** 단련된: a ~ soldier 잘 단련된 병사.
hárd·en·ing *n.* Ⓤ (시멘트·기름 따위의) 경화; 경화제; 〖의학〗 경화증: ~ of the arteries 동맥 경화(arteriosclerosis).
hárd-físted [-id] *a.* **1** (노동자 등이) 거친 손을 가진, 손이 딱딱한. **2** 구두쇠의, 인색한.
hárd hàt 1 (작업원의) 헬멧, 안전모; 《美》 (안전모를 쓴) 건설 노동자. **2** 《구어》 노동자 계급의 보수주의자.
hárd·héaded [-id] *a.* 실제적인, 현실적인; 완고한; 돌대가리의.
hárd·héarted [-id] *a.* 몰인정한, 무자비한, 냉혹한(merciless). ⓜ **~·ly** *ad.* **~·ness** *n.*
hárd-hít *a.* (불행·슬픔·재해 따위로) 심한 타격을 입은.
hárd-hítting *a.* 활기 있는, 적극적인, 강력한.
har·di·hood [há:rdihùd] *n.* **1** Ⓤ 대담; 어기참; 철면피, 뻔뻔스러움. **2** (the ~) 대담하게도 (…하는) 것《***to*** do》: He had the ~ *to* defend his rights. 그는 대담하게도 자기 권리를 옹호했다.
har·di·ly [há:rdili] *ad.* 대담하게; 뻔뻔스레.
Har·ding [há:rdiŋ] *n.* **Warren G.** ~ 하딩《미국의 제29대 대통령; 1865-1923》.
hárd lábor (형벌로서의) 중노동.
hárd líne (정치적) 강경 노선: take a ~ 강경 노선을 취하다.
hárd-líne *a.* Ⓐ 강경론〔노선〕의: a ~ policy 강경 정책. ⓜ **-líner** *n.* Ⓒ 강경론자; 강경 노선의 사람.
hárd línes 《英구어》 불행, 불운; 〖감탄사적〗 딱하군, 안됐군(hard cheese).
hárd lúck 불행, 불운: a ~ story 《구어》 (동정을 끌기 위한) 신세타령, 하소연.
hard·ly [há:rdli] *ad.* (*more ~; most ~***) **1** 거의 …아니다〔않다〕: I ~ know her. 그녀와는 거

의 안면이 없다 /I can ~ hear him. 그가 하는 말을 거의 들을 수 없다《I cannot hardly...은 비표준어임》/I can ~ believe it. 거의 믿을 수가 없다 /I gained ~ anything. 거의 아무것도 얻지 못했다 /*Hardly* any money was left. 돈은 거의 남아 있지 않았다 /Did many people come? —No, ~ anybody. 많이들 왔습니까—아뇨, 거의 아무도 (안 왔습니다) /She answered with ~ a smile. 그녀는 별로 웃지도 않고 대답했다《이 구문에서는 항상 hardly+a+명사. without ~ a smile 은 비표준어임》.

> [NOTE] (1) hard *ad.*와 혼동하지 않도록 주의.
> (2) hardly는 여유가 전혀 없는 것을 말하며 거의 부정에 가까움. scarcely도 대개 같은 뜻이나 보통 hardly를 보다 많이 씀. barely는 위의 두 낱말보다 부정의 뜻이 약함.

2 조금도〔전혀〕 …아니다〔않다〕; 도저히 …않다: This is ~ the time for going out. 지금 외출할 시간은 아니다 /I can ~ wait any more. 이제 더 이상은 도저히 기다릴 수 없다 /That report is ~ surprising. 그 보고서는 전혀 놀랄 것이 없다.
~ 〔*scarcely*〕 *any* 거의 …없다. **~ *ever*** 좀처럼 …없다(≒seldom, rarely; practically never): He ~ *ever* goes to bed before midnight. 그가 자정 전에 잠자리에 드는 일이란 좀처럼 없다. **~ *... when* 〔*before*〕** …하기가 무섭게, …하자마자: The man *had* ~ seen 〔*Hardly had* the man seen〕 the policeman *before* 〔*when*〕 he ran away. 그 남자는 경관을 보자마자 도망쳤다《hardly는 준부정어이므로 문두에 오면 주어와 동사가 도치되며 문어적 표현임》.

> [NOTE] **hardly의 위치**는 일반적으로 수식하는 말 앞에 오지만, 조동사가 (몇 개) 있을 때에는 보통 그 (첫 조동사의) 뒤가 된다.
> (1) 형용사의 앞: That is *hardly* true. 그것은 거의 사실이 아니다 /I had *hardly* any time. 거의 시간이 없었다.
> (2) 대명사의 앞: *Hardly* anybody noticed it. 거의 아무도 그것을 깨달은 사람은 없었다.
> (3) 부사의 앞: He *hardly* ever reads books now. 그는 지금은 좀체 책을 읽지 않는다.
> (4) 동사의 앞: I *hardly* know how to explain it. 그것을 어떻게 설명해야 할지 모를 정도다.
> (5) 조동사의 뒤: You would *hardly* have recognized him. 너는 그를 거의 알아보지 못했을 거다.

***hárd·ness** [há:*r*dnis] *n.* **1** [U] **견고함; 굳기. 2** [U] (금속·광물·물의) **경도**(硬度). **3** [U] 곤란, 가혹; 난해. **4** [U] (구체적으로는 [C]) 차가움, 무정, 냉담: There was a ~ in her eyes. 그녀의 눈빛은 차가웠다.

hárd-nóse(d) *a.* 《구어》 **1** 불굴의, 고집센, 콧대 센. **2** 빈틈없는, 실제적인.

hárd nút 《英속어》 고집센 사람.

hárd-òn (*pl.* **~s**) *n.* [C] 《속어》 (남자 성기의) 발기.

hárd pálate (the ~) 경구개(硬口蓋). ↔ *soft palate*.

hárd·pàn *n.* [C] 경질지층(硬質地層); (광산의) 기반(基盤)층.

hárd-préssed [-t] *a.* 돈〔시간〕에 쪼들리는〔쫓기는〕, 곤궁한.

hárd róck 〖음악〗 하드록.

hárd scíence (물리학·화학·생물학·천문학 등) 자연 과학.

hárd·scràbble *a.* 《美》 일한 만큼의 보답을 못 받는, 열심히 일해야 겨우 먹고 살 수 있는.

hárd séll (*sing.*; 종종 the ~) 적극적인〔끈질긴〕 판매〔광고〕. ↔ *soft sell*.

hárd-sét *a.* 곤경에 빠진; 굳어진; 결심이 굳은; 완고한.

hárd-shéll(ed) *a.* **1** 껍질이 딱딱한. **2** 《구어》 비타협적인, 완고한.

***hard·ship** [há:*r*dʃip] *n.* [U] (구체적으로는 [C]) **고난, 고초, 신고**(辛苦), **곤란, 곤궁**: bear 〔suffer〕 ~ 고난에 견디다 /the ~*s* of poverty 가난에서 오는 생활고. [SYN.] ⇨SUFFERING.

hárd shóulder 《英》 (고속도로의) 단단한 길섶〔갓길〕《긴급 대피용》.

hárd·stànd(ing) *n.* [C] (중량차나 항공기용의) 포장된 주차〔주기(駐機)〕장.

hárd·tàck *n.* [U] (선박·군용의) 딱딱한 비스킷, 건빵.

hárd·tòp *n.* [C] 하드톱(∽ **convértible**)《지붕이 금속이고 창 중간에 기둥이 없는 승용차》.

***hard·ware** [há:*r*dwɛ̀ə*r*] *n.* [U] 〔집합적〕 **1 철물**, 금속 제품, 철기류: a ~ store 〔《英》 shop〕 철물점. **2** (군용의) 병기〔기재(機材)〕류《전차·총포·항공기·미사일 등》([cf.] software). **3** (컴퓨터·어학실습실·우주 로켓 등의) **하드웨어**《전자기기의 총칭》. [cf.] software.

hárd·wéaring *a.* 《英》 (천 따위가) 오래 가는, 질긴(《美》 longwearing).

hárd whéat 경질(硬質) 밀《마카로니·스파게티·빵용》.

hárd·wíred *a.* 〖컴퓨터〗 (프로그램에 의하지 않고) 배선(配線)에 의한.

hárd·wòod *n.* **1** [U] 단단한 나무《떡갈나무·벚나무·마호가니 등 보통 가구재》; 단단한 재목. **2** [C] 활엽수(闊葉樹): tropical ~*s* 열대 활엽수.

hárd·wòrking *a.* 근면한, 열심히 일〔공부〕하는.

Har·dy [há:*r*di] *n.* **Thomas ~** 하디《영국의 소설가·시인; 1840–1928》.

‡**har·dy** [há:*r*di] (**-di·er; -di·est**) *a.* **1 내구력이 있는**, 고통〔간난〕에 견디는, 강건한, 튼튼한. **2** 〖원예〗 내한성의, 노천에서 월동할 수 있는: ⇨HALF-HARDY. **3** 지구력을 요하는: ~ sports 격심한 운동. **4** 대담한, 배짱 좋은, 용감한; 무모한.
[파] **hár·di·ness** *n.*

hárdy ànnual 1 〖식물〗 내한성(耐寒性) 1년생 식물. **2** 《우스개》 매년 출제되는 문제.

***hare** [hɛə*r*] *n.* [C] **1 산토끼**, 야토: a buck 〔doe〕 ~ 수〔암〕토끼 /First catch your ~ (then cook him). 《속담》 떡 줄 놈은 생각도 않는데 김칫국부터 마신다; 먼저 사실을 확인해라 /He who runs after two ~*s* will catch neither. 《속담》 두 마리 토끼를 쫓는 자는 한 마리도 잡지 못한다.

> [SYN.] **hare** 보통은 들에 살며 rabbit 보다도 귀가 큰 산토끼. **rabbit**는 hare보다 몸집이 작고 들에서도 구멍 따위를 파고 사는 습성을 지닌 (집)토끼.

2 《구어》 겁쟁이; 바보. **3** 《英속어》 무임 승차객.
(*as*) *mad as a* (*March*) ~ (3월 교미기의 토끼같이) 미쳐 날뛰는, 변덕스러운, 난폭한. **~ *and tortoise*** 토끼와 거북이(의 경주). **(*rabbit,*) ~ *and hounds*** 산지(散紙)놀이《토끼가 된 아이가 종잇조각을 뿌리며 달아나는 것을 사냥개가 된 아이가 쫓아감》. ***run with the ~ and hunt with***

H

the hounds =***hold with the ~ and run with the hounds*** 어느 편에나 좋게 굴다; 이쪽에 붙었다 저쪽에 붙었다 하다. ***start a ~*** (논의 따위에서) 주제를 벗어나다, 관계없는 문제를 꺼내다.
—*vi.* (토끼처럼) 재빨리 달리다, 질주하다.

háre·bèll *n.* [C] 〖식물〗 초롱꽃류(bluebell); 무릇류.

háre·bràined *a.* 경솔한, 변덕스러운; 지각없는, 무모한.

Há·re Kríshna [há:ri-] **1** 하레 크리슈나《힌두교의 Krishna 신에게 바쳐진 성가(聖歌)의 제명》. **2** [C] (하레) 크리슈나 교도《1960 년대에 미국에서 시작된 Krishna 신앙의 일파》.

háre·lìp *n.* [U] (또는 a ~) 언청이(cleft lip). [파] **-lìpped** *a.* 언청이의.

har·em [hέərəm/há:ri:m] *n.* [C] **1** (회교국의) 후궁; 〖집합적〗 후궁의 처첩들. **2** 〖집합적〗 〖동물〗 (바다표범 · 물개 등, 수컷 하나를 둘러싼) 암컷의 무리.

har·i·cot [hǽrikòu] *n.* 《F.》 [C] 강낭콩(kidney bean) (=∠ **bèan**).

Har·in·gey [hǽriŋgèi] *n.* 해링게이《London 자치구의 하나》.

°**hark** [hɑ:rk] *vi.* 《문어》 귀를 기울이다《주로 명령문에서》《***at*** …(의 말)을》: Just ~ *at* him! 〖반어적〗《英구어》 저 말하는 것 좀 들어봐(기가 막혀 말이 안 나오군); 경청(傾聽) 경청!.
~ ***back*** 《*vi.*+[부]》 ① (사냥개가) 잃은 자귀〔냄새〕를 찾기 위해 온 길을 되돌아가다. ② (말 · 이야기 따위에서) 되돌아가다《***to*** (과거의 일)로》: ~ *back to* one's childhood 어린 시절의 이야기로 되돌아가다.

hark·en [há:rkən] *vi.* =HEARKEN.

Har·lem [há:rləm] *n.* 할렘《New York 시 Manhattan 섬 북동부의 흑인 거주 지구》.

har·le·quin [há:rlikwin, -kin] *n.* [C] **1** (종종 H-) 할리퀸《무언극이나 발레 따위에 나오는 어릿광대; 가면을 쓰고, 얼룩빼기 옷을 입고, 나무칼을 가짐》. **2** 어릿광대, 익살꾼(buffoon).

har·le·quin·ade [hà:rlikwinéid, -kin-] *n.* [C] (무언극에서) harlequin이 활약하는 장면; 익살.

Hárley Strèet 일류 의사가 많은 런던의 시가(市街) 이름.

har·lot [há:rlət] *n.* [C] 《문어》 매춘부, 창부.

⁑**harm** [hɑ:rm] *n.* [U] **1** (정신적 · 물질적인) 해(害), 위해, 상해: do a person ~ =do ~ to a person 아무에게 해를 입히다, …의 해가 되다, …을 해치다/do more ~ than good 유해무익하다/*Harm* set, ~ get. =*Harm* watch, ~ catch. 《속담》 남잡이가 제잡이《남을 해치려는 자는 자신이 그 해를 입는다는 뜻》/without suffering any great ~ 과히 큰 손해를 입지 않고. [SYN.] ⇨ INJURY. **2** 지장, 나쁜 것《***in*** …에》: There is no ~ *in* doing so. 그렇게 해도 지장은 없다/What is the ~ *in* accepting the proposal? 그 제안을 받아들이면 뭐가 나쁘냐.
come to ~ 〖보통 부정문〗 다치다, 불행〔고생〕을 겪다. ***out of ~'s way*** 안전한 곳에, 무사히.

> [DIAL.] ***No harm done.*** 이상〔피해〕 없음《걱정 안 해도 좋다》.
> ***Where's the harm in that?*** 상관없지 않느냐, (그렇게 해서) 나쁠 것 없지 않느냐(← 그것에는 어디에 해가 있느냐).

—*vt.* 해치다, 손상하다, 상처를 입히다: Most animals won't ~ you unless they are frightened. 대개의 동물은 위협받지 않는 한 (사람에게) 위해를 가하지 않는다.

⁑**harm·ful** [há:rmfəl] *a.* **해로운**, 해가 되는《***to*** …에》: a ~ insect 해충/Too much drinking is ~ *to* your health. 과음은 건강에 해롭다. [파] **~·ly** *ad.* 해롭게. **~·ness** *n.*

harm·less** [há:rmlis] *a.* **해가 없는**, 무해한《to*** …에》: a ~ insect 〔snake〕 해가 없는 곤충〔뱀〕/This drug is ~ *to* pets and people. 이 약은 애완동물이나 사람에게 무해하다. [파] **~·ly** *ad.* **~·ness** *n.*

har·mon·ic [hɑ:rmánik/-mɔ́n-] *a.* 조화된; 〖음악〗 화성의: a ~ tone 〖음악〗 배음(倍音). **—** *n.* [C] 〖물리 · 음악〗 배음. ◇ harmony *n.* [파] **-i·cal** *a.* **-i·cal·ly** [-ikəli] *ad.*

°**har·mon·i·ca** [hɑ:rmánikə/-mɔ́n-] *n.* [C] 하모니카.

har·món·ics *n.* [U] 〖음악〗 화성학.

***har·mo·ni·ous** [hɑ:rmóuniəs] *a.* **1 조화된**, 균형 잡힌. **2** 화목한, 사이 좋은, 정다운. **3** 〖음악〗 가락이 맞는, 화성의. ◇ harmony *n.* [파] **~·ly** *ad.* **~·ness** *n.*

har·mo·ni·um [hɑ:rmóuniəm] *n.* [C] 소형 오르간, 페달식 오르간.

°**har·mo·nize** [há:rmənàiz] *vt.* **1** 조화시키다, 화합시키다, 일치시키다《***with*** …와》: ~ two different opinions 두 개의 다른 의견을 조화시키다/~ one's ideas *with* reality 이상을 현실과 일치시키다. **2** 〖음악〗 …에 조화음을 가하다: ~ a melody 가락에 (저음의) 화성을 가하다. **—***vi.* **1** 조화〔화합〕하다, (배색(配色) 등이) 잘 어울리다《***with*** …와》: The building ~*s with* its surroundings. 그 건물은 주변 경관과 잘 어울린다. **2** 〖음악〗 해조(諧調)로 되다, 가락이 맞다. ◇ harmony *n.* [파] **hàr·mo·ni·zá·tion** *n.* [U] 조화, 일치, 화합.

⁑**har·mo·ny** [há:rməni] *n.* **1** [U] (때로 a ~) **조화**, 화합, 일치: The natives live in ~ with nature. 원주민들은 자연과 조화되어 살고 있다. **2** [U] (구체적으로는 [C]) 〖음악〗 화성, 화음, 하모니. [cf.] discord. ***the ~ of the spheres*** 천체의 음악《천체의 운행에 의해 생기는 인간에게는 안 들리는 미묘한 음악》.

har·ness** [há:rnis] *n.* [C] (보통 *sing.*; 집합적으로는 [U]) **1** (마차용) **마구**(馬具). **2** 마구와 비슷한 것《낙하산의 멜빵 · 전화선 가설공의 안전 벨트 따위》. ***in double ~ 협력하여; 결혼하여; 맞벌이로: work 〔run〕 *in double* ~ 협력하여 일하다; 맞벌이하다. ***in ~*** 평소의 업무에 종사하여. ***out of ~*** 일에 종사하지 않고, 취업을 하지 않고.
—*vt.* **1** 《~+[목]/+[목]+[부]/+[목]+[전]+[명]》 (말)에 **마구를 채우다**(*up*)《***to*** (마차 따위)에》: ~ (*up*) a horse *to* a wagon 말을 견인줄로 마차에 매다. **2** (자연력)을 **동력화하다**, 이용하다: ~ the sun's rays as a source of energy 태양광선을 동력원으로 이용하다.

Har·old [hǽrəld] *n.* 해롤드《남자의 이름; 애칭: Hal》.

harp** [hɑ:rp] *n.* [C] 〖음악〗 **하프**; (the H-) 〖천문〗 거문고 자리(Lyra). **—vi.* 하프를 타다.
~ ***on*** 《*vi.*+[전]》 ① …의 괴로움〔슬픔〕을 되풀이하여 호소하다. **—**《*vi.*+[부]》 ② 장황〔지루〕하게 말하다《***about*** …에 관해》: Stop ~*ing on* like that. 그렇게 장황하게 늘어놓지 마라. [파] **∠·er, ∠·ist** *n.* [C] 하프 연주자.

har·poon [hɑːrpúːn] *n.* Ⓒ (고래잡이용) 작살; 《속어》 피하 주사기. **—** *vt.* …에 작살을 쳐박다, 작살로 잡다〔죽이다〕. ㊈ **~·er** *n.*
harp·si·chord [hɑ́ːrpsikɔ̀ːrd] *n.* Ⓒ 하프시코드《16-18세기에 쓰인 피아노의 전신》.
Har·py [hɑ́ːrpi] *n.* **1** 〖그리스신화〗 하피《얼굴과 상반신은 추녀로, 날개·꼬리·발톱은 새; 죽은 사람의 영혼을 나름》. **2** Ⓒ (h-) 잔인하고 탐욕스런 사람; 성을 잘 내는 여자.
har·que·bus [hɑ́ːrkwibəs, -kə-] *n.* Ⓒ 〖역사〗 화승총(火繩銃)《1400년경부터 사용》.
har·ri·dan [hǽrədən] *n.* =HAG.
har·ri·er[1] [hǽriər] *n.* Ⓒ 해리어《토끼·여우 사냥에 쓰이는 사냥개의 일종》; cross-country 경주 주자(走者).
har·ri·er[2] *n.* Ⓒ 약탈자, 침략자; 괴롭히는 사람.
Har·ri·et, Har·ri·ot [hǽriət] *n.* 해리엇《여자 이름; 애칭 Hatty》.
Har·ris·burg [hǽrisbəːrg/-bəːg] *n.* 해리스버그《미국 Pennsylvania 주의 주도》.
Har·ri·son [hǽrəsən] *n.* 해리슨. **1** 남자 이름. **2 Benjamin** ~ 미국의 제23대 대통령(1833-1901).
Har·ro·vi·an [həróuviən] *a., n.* Ⓒ 영국 Harrow 학교의 (출신자, 재학생).
Har·row [hǽrou] *n.* 영국 London 근교(近郊)의 Harrow-on-the-Hill에 있는 public school 《1571년 창립》.
har·row [hǽrou] *n.* Ⓒ 써레, 쇄토기(碎土機). **—** *vt.* 써레질하다; (정신적으로) 괴롭히다《★ 흔히 수동태로 쓰며, 전치사는 *with*》: He *was ~ed with* guilt. 그는 죄의식에 시달렸다. **—** *vi.* 써레질되다: This ground *~s* well. 이 땅은 써레질이 잘 된다.
hár·row·ing *a.* 마음 아픈, 비참한.
Har·ry [hǽri] *n.* 해리《남자 이름; Henry의 애칭》.
°**har·ry** [hǽri] (*p., pp.* ***har·ried; har·ry·ing***) *vt.* **1 a** (사람)을 성가시게 괴롭히다. **b** (아무)에게 귀찮게 요구〔독촉〕하다《***for*** …을》. **2** (적 등)을 집요하게 공격하다; 침략하다, 짓밟다: Guerrillas *harried* our rear. 게릴라가 우리 후방을 끈질기게 공격해 왔다.
harsh** [hɑːrʃ] *a.* **1** 거친, 껄껄한《to*** …에》. ↔ *smooth.* ¶a ~ cloth 꺼칠꺼칠한 천/~ *to* the touch 감촉이 나쁜. **2** (소리·음이) **사나운**, 귀에 거슬리는; (빛깔 따위가) 눈에 거슬리는, 야한, 난한. **3 호된**, 모진, 가혹한《***with, to*** …에게》: a ~ punishment 엄벌/She was ~ *with* 〔*to*〕 her maid. 그녀는 하녀에게 엄했다. SYN. ⇨SEVERE. ㊈ °**∠·ly** *ad.* **∠·ness** *n.*
hart [hɑːrt] (*pl.* **~s,** 〖집합적〗 ~) *n.* Ⓒ 《英》 수사슴, (다섯 살 이상 된) 붉은 수사슴. cf. stag.
har·te·beest [hɑ́ːrtəbiːst] (*pl.* **~s,** ~) *n.* Ⓒ 〖동물〗 큰영양《남아프리카산》.
Hart·ford [hɑ́ːrtfərd] *n.* 하트포드《미국 Connecticut 주의 주도》.
har·um-scar·um [hɛ́ərəmskɛ́ərəm] 《구어》 *a.* 덤벙대는, 경솔한; 무모한, 엉망인. **—** *ad.* 경솔히; 무모하게. **—** *n.* Ⓒ 덤벙대는 사람〔행위〕.
Har·vard [hɑ́ːrvərd] *n.* 하버드 대학(=∠ **Univérsity**)《미국에서 가장 오랜 대학, Massachusetts 주 Cambridge에 있음; 1636년에 창립; 생략: Harv.》.
‡**har·vest** [hɑ́ːrvist] *n.* **1** Ⓤ (구체적으로는 Ⓒ) **a 수확**, 추수; 채취. SYN. ⇨CROP. **b 수확기**. **2** Ⓒ 수확물; 작물, 산물; 수확고〔량〕: reap a ~ 작물을 거둬들이다/an abundant 〔a bad〕 ~ 풍작〔흉작〕. **3** (*sing.*) 보수, 결과: the ~ of one's mistakes 실수의 대가/The research yielded 〔produced〕 a rich ~. 그 연구는 풍부한 성과를 초래했다. **—** *vt., vi.* 수확하다; 거두어들이다.
hár·vest·er *n.* Ⓒ 수확자〔기(機)〕.
hárvest féstival 〔**féast**〕 수확제, 《英》 추수 감사절.
hárvest hóme 수확의 완료; 수확제; 수확 축하의 노래.
hárvest·man [-mən] (*pl.* ***-men*** [-men]) *n.* Ⓒ **1** (수확 때) 거둬들이는 인부. **2** 〖동물〗 장님거미.
hárvest móon (보통 the ~) 중추 명월.
Har·vey [hɑ́ːrvi] *n.* 하비. **1** 남자 이름. **2 William** ~ 혈액 순환을 발견한 영국 의사(1578-1657).
†**has** [hæz, 약 həz, əz, z] HAVE의 3인칭·단수·직설법·현재.
hás-bèen *n.* Ⓒ 《구어》 한창 때를 지난〔인기가 없어진〕 사람〔것〕, 과거의 사람〔것〕.
°**hash**[1] [hæʃ] *n.* **1** Ⓤ (낱개는 Ⓒ) 해시〔잘게 썬 고기〕 요리. **2** Ⓒ (아는 사실의) 재탕; 다시 굽기, 고쳐 만들기. **3** Ⓤ (또는 a ~) 끌어모으기; 뒤범벅; 〖컴퓨터〗 해시《불필요한 데이터》.
make* (*a*) ~ *of 《구어》 …을 망쳐 놓다, …을 요절내다. ***settle*** 〔***fix***〕 ***a person's*** ~ 《구어》 아무를 끽소리 못 하게 만들다.
— *vt.* (고기·야채)를 잘게 썰다(*up*); 엉망으로 만들다(*up*); (어려운 문제 따위)를 철저히 논의하다(*out; over*).
hash[2] [hæʃ, hɑːʃ, heiʃ] *n.* Ⓤ 《구어》 =HASHISH.
háshed bròwn potátoes 해시 브라운스(=**hásh·bròwns, háshed-bròwns**)《삶은 감자를 썰어 프라이팬에 넣어 양면을 알맞게 구운 미국 요리》.
hásh hòuse 《美속어》 (음식값이 싼) 대중식당.
hash·ish, -eesh [hǽʃiːʃ] *n.* Ⓤ 해쉬쉬《인도 대마초의 꽃봉오리로 만든 마약》.
hásh màrk 《美군대속어》 연공 수장(年功袖章).
hásh tòtal 〖컴퓨터〗 해시 토털《특정 field의 합으로 그 자체는 별 뜻이 없으나 제어나 체크의 목적에 쓰이는 것》.
†**has·n't** [hǽznt] has not의 간약형.
hasp [hæsp, hɑːsp] *n.* Ⓒ (문·가방 따위의) 걸쇠, 잠그는 고리〔쇠〕. **—** *vt.* 걸쇠〔고리〕로 잠그다.
has·sel, has·sle [hǽsl] *n.* 《구어》 **1** Ⓒ 격론, 말다툼. **2** (*sing.*) 곤란한 입장, 난처한 일. **—** *vi.* 싸우다, 말다툼하다《***with*** …와》; 곤란한 입장에 빠지다. **—** *vt.* 《구어》 (아무)를 들볶다, 괴롭히다, 귀찮게 하다.
has·sock [hǽsək] *n.* Ⓒ (발을 올려놓는) 걸상식의 방석; (꿇어앉아 기도 드릴 때의) 무릎 깔개〔방석〕; 풀숲.
hast [hæst, 약 həst, əst, st] *v.* 《고어》 HAVE의 2인칭·단수·직설법·현재《주어가 thou일 때》.
‡**haste** [heist] *n.* Ⓤ **1 급함**, 급속, 신속: in hot 〔great〕 ~ 몹시 서둘러. **2** 성급, 서두름, 허둥댐; 경솔: *Haste* makes waste. 《격언》 급히 먹는 밥에 목이 멘다/More ~, less 〔worse〕 speed. =Make ~ slowly. 《격언》 급할수록 천천히.
SYN. **haste** 목적 달성을 위해 성급하게 덤비는 뜻이 포함됨: act without *haste* 덤비지 않고 행동하다. **hurry** haste와 거의 같은 뜻이지만

한층 더 혼란하고 허둥대는 뜻이 덧붙여짐: Everything was *hurry* and confusion. 뒤죽박죽의 대소동이었다. **speed** 속도에 중점을 둠. **dispatch, expedition** 재깍재깍 처리하는 솜씨, 능률.

in (***great***) **~** ① 바삐, 서둘러, 안달하여《***to*** do》: be *in* ~ *to* get ahead in the world 출세하려고 안달이 나다. ② 총총(悤悤)《편지의 맺음말》: *In* ~, Smith.

***has·ten** [héisn] *vt.* 《~+목/+목+부/+목+전+명》 **서두르게 하다**, 죄어치다, 재촉하다; **빠르게 하다**, 촉진하다: ~ one's departure 출발을 앞당기다/~ a child *off to* bed 애를 재촉하여 잠자리에 들게 하다/~ a person *from* a room 아무를 서둘러 방에서 나가게 하다. **—** *vi.* 《~/+부/+*to* do/+전+명》 **서둘러 가다; 서두르다**: ~ *out of* a house 서둘러 집을 나서다/~ upstairs 급히 2층에 올라가다/~ *away* 서둘러 떠나다/I ~ *to* let you know the good news. 급히 이 기쁜 소식을 알려드립니다/ The policeman ~*ed to* the spot. 경관은 현장에 급행했다. cf. hurry.

***hast·i·ly** [héistili] *ad.* **1 바삐**, 급히. **2** 덤벙〔허둥〕대어; 성급히, 조급히; 경솔하게.

Has·tings [héistiŋz] *n.* 영국 East Sussex 주의 항구 도시.

hasty** [héisti] (hast·i·er; -i·est***) *a.* **1 급한**, 바삐 서두는, 황급한: have a ~ breakfast 서둘러 아침 식사를 하다. **2 조급한**, 경솔한: come to 〔draw〕 a ~ conclusion 속단〔지레짐작〕하다. **3 성마른**: a ~ temper 성마른 기질.

hásty púdding 《美》 옥수수 죽; 《英》 속성 푸딩《밀가루를 끓는 우유에 넣고 휘저어 익힘》.

†**hat** [hæt] *n.* Ⓒ (테가 있는) **모자**. cf. bonnet, cap.

> **NOTE** (1) cap은 테가 없고, 야구모처럼 앞에만 챙이 있는 모자; hat는 부인의 모자일 때는 테가 있건 없건 상관없음. (2) 여성에게는 장식품의 하나로 실내·식사시에도 벗지 않음. 남성의 경우에는 실내에서는 반드시 벗으며, 실외에서도 여성 앞에서는 벗는 것이 예의임.

at the drop of a **~** ⇨DROP. ***hang up*** **one's ~** (***in a house***) ① 편히 하다. ② 오래 있다, 머무르다. ③ 은퇴〔퇴직〕하다. ***hang up*** **one's ~** ***in another's house*** 남의 집에 오래 머무르다. **~** ***in hand*** 모자를 손에 들고; 공손한 태도로, 굽실거리며. ***have*** 〔***throw, toss***〕 **one's** 〔***a***〕 **~** ***in the ring*** (경기 등에) 참가할 뜻을 알리다, (선거 따위에) 출마하다. ***Hold*** 〔***hang***〕 ***on to your*** **~!** 《구어》 놀라지 마십시오. ***I'll eat my*** **~** ***if ...*** 《구어》 만일 …한다면 손에 장을 지지겠다, …한 일은 절대로 안 하겠다〔없다〕. ***lift*** 〔***tip***〕 **one's ~** 모자를 살짝 들어 인사하다《***to*** …에게》. ***My*** **~!** 《속어》 어머, 이런. ***old*** **~** ⇨OLD HAT. ***out of a*** **~** 요술을 부리듯이; 마음대로, 되는 대로: pull crises 〔excuses〕 *out of a* ~ 멋대로 위기를 만들다〔핑계를 조작하다〕. ***pass*** 〔***send***〕 ***the*** **~** ***around*** 〔《英》 ***round***〕 =***go round with the*** **~** (모자를 돌려) 기부금〔희사금〕을 걷다. ***raise*** 〔***take off, touch***〕 **one's** 〔***the***〕 **~** 모자를 들어〔를 벗고, 에 손을 대고〕 인사하다《***to*** …에게》. ***talk through*** **one's ~** 《구어》 큰〔흰〕소리하다, 허튼〔무책임한〕 소리를 하다. ***under*** **one's ~** = ***for the*** 〔**one's**〕 **~** 《구어》 비밀리에, 남몰래: Keep it *under* your ~. 그것은 비밀로 해다오. ***wear two*** 〔***several***〕 **~*s*** 《구어》 일인이역을 하다〔한 사람이 몇 가지를 하다〕; 동시에 두〔몇〕 가지 일을 하다.

— (***-tt-***) *vt.* …에게 모자를 씌우다.

> **DIAL.** ***Hats off to*** A. =***Take your hat off to*** A. A씨께 모자를 벗고 인사드려라.

hát·bànd *n.* Ⓒ 모자의 리본.

hát·bòx *n.* Ⓒ 모자 상자.

◇**hatch**[1] [hætʃ] *vt.* **1** (알·병아리)를 까다, 부화하다. **2** (음모 따위)를 꾸미다, 꾀하다, (계획)을 (비밀리에) 세우다, 가다듬다(*up*): ~ a conspiracy 음모를 꾸미다. **—** *vi.* (알·병아리가) 깨다(*out*): The chicks ~*ed out* yesterday.

— *n.* Ⓒ 부화; 한배의 병아리(따위).

hatch[2] *n.* Ⓒ **1** (갑판의) 승강구, 창구(艙口); 승강구〔창구〕의 뚜껑, 해치. **2** (마루·천장·지붕 등에 만든 출입구의) 뚜껑, 반문(半門)《상하 2단으로 된 문의 아래짝》, 쪽문. **3** (비행기의) 도어해치, (우주선의) 출입문. **4** 수문(水門). **5** (부엌과 식당 사이의) 요리 나오는 곳. ***under*** **~*es*** ① 갑판 밑에, 비번이어서. ② 감금되어. ③ 《英》 굴종(屈從)하여, 낙심하여. ④ 죽어서.

> **DIAL.** ***Down the hatches!*** 건배《여기서 hatch는 술의 통로로서의 목구멍을 가리킴》.

hatch[3] *vt.* (조각·제도·그림)에 가는 평행선을 긋다, 음영(陰影)을 넣다. **—** *n.* Ⓒ 【제도·조각】 가는 평행선, 음영.

hátch·bàck *n.* Ⓒ 해치백《뒷부분에 위로 열리게 되어 있는 문을 가진 차; 또 그 부분》.

hát·chèck *a.* Ⓐ 휴대품 보관(용)의: a ~ girl 휴대품 보관소 여직원/a ~ room 휴대품 보관소.

hatch·ery [hǽtʃəri] *n.* Ⓒ (물고기·병아리의) 부화장.

◇**hatch·et** [hǽtʃit] *n.* Ⓒ 자귀; (북아메리카 원주민의) 전부(戰斧). ***bury the*** **~** 《구어》 무기를 거두어들이다, 전투를 중단하다, 화해하다.

hátchet fàce 마르고 뾰족한 얼굴(의 사람).

hátchet-fáced [-t] *a.* 마르고 뾰족한 얼굴의.

hátchet jòb 《구어》 욕, 중상, 혹평: do a ~ on …에게 욕을 하다, …을 혹평하다.

hátchet màn 《구어》 살인 청부업자, 자객; (의뢰받아) 중상 기사를 쓰는 기자(따위).

hátch·ing *n.* Ⓤ 【제도】 **1** 〖집합적〗 (조각·제도·그림 따위의) 평행선의 음영, 선영(線影). **2** 음영 넣기.

hátch·ment *n.* Ⓒ 【문장(紋章)】 상중(喪中)임을 알리는 문표(紋標)《죽은 자의 무덤이나 문앞 따위에 걺》.

hátch·wày *n.* Ⓒ (배 갑판의) 승강구.

⁑**hate** [heit] *vt.* **1 미워하다**, 증오하다: We ~ injustice. 우리들은 부정을 증오한다/He ~*s* me for it. 그는 그 일 때문에 나를 미워한다. ★ hate는 진행형을 취하지 않음. **2** 《+*to* do/+*-ing*》 유감으로 여기다(regret): I ~ *to* trouble 〔troubling〕 you. 폐를 끼쳐서 죄송합니다. **3** 《+*to* do/+*-ing*/ +목+*to* do/+목+*-ing*/+*that* 절》 **싫어하다**; …하고 싶지 않다: I ~ *to* do it. 그런 것은 하고 싶지 않다/I ~*d* tell*ing* a lie, but I couldn't help it. 거짓말을 하고 싶지 않았으나, 어쩔 수 없었다/I ~ my daughter liv*ing* 〔*to* live〕 alone. 딸이 혼자 사는 건 곤란해/I ~ *that* you should talk about it. 네가 그 이야기를 안 했으면 싶다. ◇hatred *n.*

SYN. **hate** 일반적인 말. 상대방에게 적의나 혐오의 감정을 품는 것. **detest** 강한 혐오나 경멸감으로써 상대를 싫어함을 이름. **dislike** 문어적인 말. hate 보다는 적의·혐오의 감정이 열은 기분을 나타냄.

—*n.* [U] 혐오, 증오(hatred); [C] 《구어》 아주 싫어하는 것〔사람〕: love and ~ 사랑과 미움, 애증/a person's pet ~ 《구어》 아무가 아주 싫어하는 것〔사람〕. [파] **hát·er** *n.* [C] 몹시 싫어〔미워〕하는 사람.

‡**hate·ful** [héitfəl] *a.* **1** 미운, 지겨운, 싫은. **2** 증오에 찬. [파] **~·ly** *ad.* **~·ness** *n.*

hath [hæθ, 약 həθ] 《고어》 HAVE 의 3 인칭·단수·직설법·현재.

hát·less *a.* 모자를 안 쓴, 모자가 없는.

hát·pìn *n.* [C] (여성 모자의) 고정핀.

hát·ràck *n.* [C] 모자걸이.

‡**ha·tred** [héitrid] *n.* [U] (때로 a ~) 증오, 원한; 혐오《**of, for, towards** …에 대한》: have a ~ *of* 〔*for*〕 =feel (a deep) ~ *for* 〔*towards*〕 …을 미워하다, …을 싫어하다/in ~ *of* …을 증오〔혐오〕하여. ◇hate *v.*

hát·ter *n.* [C] 모자 제조인; 모자상(商). **(as) mad as a ~** 아주 미쳐서; 몹시 성이 나서.

hát trèe (가지가 있는) 모자걸이.

hát trìck 해트 트릭. **1** 〖크리켓〗《투수가 세 타자를 연속 아웃시킴》. **2** 〖축구·하키〗 혼자 3골 획득.

Hat·ty [hǽti] *n.* 해티《여자 이름; Harriet 의 애칭》.

hau·berk [hɔ́ːbəːrk] *n.* [C] (중세의) 미늘 갑옷.

***haugh·ty** [hɔ́ːti] (**-ti·er; -ti·est**) *a.* 오만한, 거만한, 건방진, 도도한, 불손한. [파] **háugh·ti·ly** *ad.* **-ti·ness** *n.*

***haul** [hɔːl] *vt.* **1** 《~+[목]/+[목]+[부]/+[목]+[전]+[명]》 (세게) 잡아 끌다; 끌어당기다: ~ *up* an anchor 닻을 감아올리다/~ a turtle (*up*) *on* the shore 바다거북을 바닷가로 끌어올리다. [SYN.] ⇨PULL. **2** 《~+[목]/+[목]+[전]+[명]》 (배·기차·트럭 따위로) 운반하다: ~ timber *to* a sawmill 재목을 제재소로 나르다. **3** 《+[목]+[전]+[명]》 〖항해〗 (배의) 방향을 돌리다《특히 바람이 불어오는 쪽으로》: ~ a ship *on* a wind.

—*vi.* **1** 《~/+[전]+[명]》 잡아당기다《**at, on, upon** …을》: ~ *at* 〔*on, upon*〕 a rope 로프를 끌어당기다. **2** 화물을 차〔화차〕로 나르다: charge for *~ing* 운송료. **3** 《+[전]+[명]》 〖항해〗 (배가) 침로를 바꾸다, 항행〔범주〕하다; (바람이) 맞바람으로 바뀌다: The sailboat *~ed round* 〔*into* the wind〕. 그 범선은 빙 돌아〔바람 불어오는 쪽으로〕 침로를 바꾸었다.

~ down one's **flag** 〔**colors**〕 기(旗)를 내리다〔감다〕; 굴복〔항복〕하다(surrender). **~ in** 《美속어》 잡아〔끌어〕당기다. **~** a person **in** 《속어》 체포하다, 연행하다, 강제로 끌고 가다. **~ in with** 〖해사〗 …에 가까이 가도록 배를 돌리다. **~ it** 《속어》 도망가다. **~ off** 《*vi.*+[부]》 ① 물러나다, 떠나가다. ② 《美속어》 (사람을 치기 위해) 팔을 뒤로 빼다, (공격·방어의) 자세를 갖추다. **~** a person **over the coals** 아무의 흠을 들추어내다; 몹시 꾸짖다. **~ up** 《*vi.*+[부]》 ① 〖해사〗 (배가) 이물을 바람 불어오는 쪽으로 돌리다; 침로를 바꾸다. ② (차 따위가) 멈추다, 정지하다. **—**《*vt.*+[부]》 ③ …을 끌어올리다(⇨*vt.* 1). ④ 《구어》 (아무)를 (법정 등에) 소환하다: be *~ed up* before the judge 재판관 앞에 출두를 명받다.

—*n.* **1** (a ~) 세게 끌기, 견인. **2** (a ~) 〖수식어와 함께〗 운반(거리); 거리: It's a long 〔short〕 ~ to Chicago. 시카고까지는 먼〔짧은〕 거리다. **3** [C] (보통 *sing.*) 〖어업〗 한 그물의 어획(량); (특히 장물 따위의) 획득물, 벌이(액수): get 〔make〕 a fine 〔good, big〕 ~ 많은 고기를 잡다.

haul·age [hɔ́ːlidʒ] *n.* [U] 당기기, 끌기; 운반(업); 운반료, 운임.

hául·er *n.* [C] 끄는 사람; 운반인; 《특히》 운송업자〔회사〕.

haul·i·er [hɔ́ːljər] *n.* 《英》 =HAULER.

haulm [hɔːm] *n.* [C] (집합적으로는 [U]) (곡물 따위를 베고 난 후의) 줄기, 짚《가축의 깔깃·지붕 이엉에 쓰임》.

◇**haunch** [hɔːntʃ, hɑːntʃ] *n.* [C] **1** (보통 *pl.*) 궁둥이, 둔부: squat 〔sit〕 on one's *~es* 웅크리고 앉다. **2** (식용으로서의) 동물의 다리와 엉덩이 부위.

***haunt** [hɔːnt, hɑːnt] *vt.* **1** …을 종종 방문하다, …에 빈번히 들르다. [cf.] frequent, resort. ¶He *~s* bars. 그는 술집에 자주 간다. **2** (유령 등이) …에 출몰하다, …에 나오다: Is this castle *~ed?* 이 성에는 유령이 나오느냐. **3** 〖수동태로〗 (생각 따위가) …에 늘 붙어 따라다니다, 따라다니며 괴롭히다: I *am ~ed* by the thought that …. …라는 생각이 머리에서 떠나지 않는다.

—*n.* [C] (흔히 *pl.*) **1** 자주 드나드는 곳, 늘 왕래하는 곳: holiday *~s* 휴일의 행락지. **2** (동물이) 출몰하는 곳, 서식지; (범인 등의) 소굴: a favorite ~ *of* crickets 귀뚜라미가 꾀는 곳.

◇**háunt·ed** [-id] *a.* 도깨비가〔유령이〕 나오는〔출몰하는〕; (사람·얼굴·눈 따위가) 귀신 들린 듯한; 고뇌에 시달린: a ~ house 유령 나오는 집.

háunt·ing *a.* 자주 마음속에 떠오르는, 뇌리를 떠나지 않는: a ~ tune 잊혀지지 않는 선율. [파] **~·ly** *ad.* 잊지 못할 만큼, 잊지 못해.

haute cou·ture [òutkuːtúər] 《F.》 **1** 의류 제작〔디자인〕. **2** 〖집합적〗 일류 의류점〔디자이너〕; 고급 패션계(界).

haute cui·sine [òutkwizíːn] 《F.》 고급 (프랑스) 요리(법).

haut·eur [houtə́ːr; *F.* otœːr] *n.* 《F.》 [U] 건방짐, 건방진 태도, 오만함.

Ha·vana [həvǽnə] *n.* **1** 아바나《Cuba 의 수도》. **2** [C] 아바나 여송연(= **∠ cigár**).

†**have** [hæv, 약 həv, əv; "to" 앞에서 흔히 hæf] (*p.*, *pp.* ***had*** [hæd, 약 həd, əd]; 현재분사 ***hav·ing*** [hǽviŋ]; 직설법 현재 3 인칭 단수 ***has*** [hæz, 약 həz, əz]; have not 의 간약형 ***haven't*** [hǽvənt]; has not 의 간약형 ***hasn't*** [hǽznt]; had not 의 간약형 ***hadn't*** [hǽdnt]) *vt.*

> [NOTE] 의문·부정에는 일반적으로 《美》에서는 Do you have …?, I do not have 〔don't have〕 … 와 같이 조동사 do 를 사용하며, 특히 《英》에서는 Have you … ?, I have not 〔haven't〕 … (또는 Have you got … ?, I haven't got …)와 같이 do 를 쓰지 않음.

A 《소유하다》《보통 수동태·진행형 불가; 《美》에서는 일반동사, 《英》에서는 변칙동사 취급》.

1 a 《~+[목]/+[목]+[전]+[명]》 …을 가지고 있다, 소유하다; …이 있다: He *has* a large fortune. 그는 재산가이다/We don't ~ (=《英》 We *~n't*) a house of our own. 우리는 집이 없다/She *has* a book *under* her arm. 그녀는 책을 옆구리에 끼고 있다/The store *has* antique furniture *for* sale. 그 가게에서는 골동 가구를 팔고 있다/He *has* a large room *to* himself. 그는 큰 방

H

을 독차지하고 있다. **b** 《+목+전+명》 …을 **지니고 있다**, 휴대하고 있다《***about, on, with, around*** (몸)에》. cf have on (관용구). ¶Do you ~ (=《英》 *Have* you) any money *with* [*on*] you? 돈 가지신 것 있습니까/She *had* a scarf *around* her neck. 그녀는 목에 스카프를 두르고 있었다. **c** 〔종종 목적어에 형용사 용법의 to부정사를 수반〕 (…할[볼] 일·시간 따위)가 **있다, 주어져 있다**: I ~ a letter *to* write. 편지 쓸 일이 있다/Do you ~ (=《英》 *Have* you) anything *to* declare? (세관에서) 무언가 신고할 것이 있습니까/We ~ a long way *to* go. 갈 길이 멀다/He *did*n't ~ (=《英》 *had*n't) time *to* see her. 그녀를 만나 볼 시간이 없었다.

2 (어떤 관계를 나타내어) **가지고 있다**. **a** (육친·친구 등)이 **있다**, (사용인 따위)를 두고 있다: He *has* many brothers. 그는 형제가 많다/She *has* a nephew in the navy. 그녀는 해군에 있는 조카가 있다/The college *has* a faculty staff of ninety. 그 대학에는 90명의 교수진이 있다. **b** (애완용으로 동물)을 **기르다**: I want to ~ [keep] a dog. 개를 기르고 싶다.

3 〔부분·속성으로〕 **갖고 있다**. **a** (신체 부분·신체 특징·능력 따위)를 **가지고 있다**; (…에게는—)**이 있다**: She *has* a sweet voice. 그녀는 아름다운 목소리를 갖고 있다[목소리가 아름답다]/Does she ~ (=《英》 *Has* she) brown eyes or blue eyes? 그 여자의 눈은 갈색인가 푸른가/I ~ a bad memory for names. 나는 사람들 이름을 잘 기억하지 못한다. **b** (사물이 부분·부속물·특징 따위)를 **갖고 있다**; (…에는—)이 있다; …을 포함하고 있다: This coat *has* no pockets. 이 상의에는 호주머니가 없다/This room *has* five windows. 이 방에는 창이 다섯 개(가) 있다(=There are five windows in this room.)/How many days does May ~ (=《英》 *has* May)? 5월에는 며칠이 있는가/The book *had* a chapter on Korean cooking. 그 책에는 한국 요리에 관한 장(章)이 있었다.

4 a (감정·생각 따위)를 **갖다, 품고 있다**: Do you ~ (=《英》 *Have* you) any questions? 무언가 질문이 있으십니까/I*'ve* no idea what she means. 그녀의 말뜻을 알 수가 없다(=I don't know what she means.)/He *has* no fear of death. 그는 죽음을 조금도 두려워하지 않는다. **b** 《+목+전+명》 (원한 따위)를 **품다**《***against*** …에 대해》: She *has* a grudge *against* him. 그녀는 그에게 원한이 있다/I don't know what she *has against* me. 그 여잔 내게 무슨 원한이 있는지 모르겠다. **c** 《+목+전+명》 (태도 등으로 감정 따위)를 **나타내다**《***on, for*** …에 대해》: ~ pity *on* him 그에게 동정하다(=pity him)/*Have* some consideration *for* others. 다른 사람에 대한 배려를 해라. **d** 〔목적어로 'the+추상명사+*to* do'를 수반〕 (…할 친절·용기 등)**이 있다**; …하게도 —하다: She *had the* impudence [《美구어》 gall] *to* refuse my invitation. 그녀는 건방지게도 내 초대를 거절했다/*Have the* kindness *to* help me. 부탁이니 좀 도와 주세요《상대가 마음에 안 들 때의 정중한 명령 표현》/You should ~ *the* patience *to* wait. 참고 기다려야 한다.

5 (병 따위)에 **걸리다**, 걸려 있다; 시달리다: ~ a headache [(a) toothache] 두통[치통]이 있다/~ a heart attack 심장 발작을 일으키다/~ diabetes [gout] 당뇨병[통풍]을 앓고 있다/I ~ [I*'ve* got] a cold now. 나는 지금 감기에 걸려 있다《습관성일 때는 have got은 쓰지 않음》.

> **NOTE** (1) 습관적인 때에는 영국에서도 일반동사 취급: Do you *have* (=《英》 *Have* you) time to do it now? 지금 그것을 할 시간이 있는가《특정한 경우》/(《美》·《英》 공통) Do you *have* enough time for reading? 독서할 시간이 충분히 있습니까《습관적》. 그러나 습관적이 아니더라도 지금 영국에서는 have를 일반동사 취급하는 경향이 있고, 특히 과거의 의문에서는 Had you ...? 보다도 Did you have ...?를 많이 씀.
> (2) 구어에서는 have 대신 흔히 (특히 영국에서) have got을 씀. ⇨*aux.v.* ~ got (관용구).

SYN. **have** 경험·사고(思考)·그 밖의 소유를 나타내는 가장 일반적인 말: *have* a problem 문제를 안고 있다. **hold** have와 서로 바꾸어 쓸 수 있을 때가 많으나 have보다 소유의 의지가 강함을 암시함: have an opinion→*hold* an opinion; have control→*hold* control을 비교할 때 모두 후자가 적극적 행위를 보임. **own** 제것으로서 소유하다. 법적인 권리가 따를 때가 많음: *own* much land. **possess** own과 의미가 거의 같으나 법적 근거를 따지지는 않으며, *possess* wisdom 처럼 have와 같이 쓰이기도 함.

B 《손에 넣다》《진행형 불가; 1에 한하여 수동태 가능; 《美》《英》 모두 의문·부정문에 조동사 do를 씀》.

1 …을 **얻다, 받다**; 〔흔히 can be had〕 (사물이) 입수 가능하다: ~ English lessons 영어 수업을 받다/~ a holiday 휴가를 얻다/I'll let you ~ the camera for twenty dollars. 그 카메라를 20달러에 넘겨주지/It can [may] *be had* [You can [may] ~ it] for the asking. 달라고만 하면 (거저) 준다/We don't ~ classes on Saturday afternoons. 토요일 오후에는 수업이 없다/You ~ my sympathy. 당신에게 동정합니다/*Have* [《英》 Take] a seat. 앉으십시오.

2 《+목+전+명》 …을 **얻다, 받다**《***from*** …에게서》: He *had* a letter [a telephone call] *from* his mother. 그는 어머니로부터 편지[전화]를 받았다/We *had* no news of him. 우리는 그에 관한 소식을 접하지 못했다.

3 …을 **택하다**: I'll ~ that white dress. 저 흰색 드레스로 하겠습니다/Do you ~ butter on your toast? 토스트에 버터를 바르시겠습니까.

4 (정보 따위)를 **입수하다**, 입수하고 있다, 들어서 알(고 있)다: May I ~ your name, please? 존함을 무어라고 하시는지요/We must ~ the whole story; don't hold anything back. 이야기를 전부 들어야겠다, 숨김없이 말해라.

C 《하다》

1 a (식사 따위)를 **하다, 들다**, (음식)을 **먹다, 마시다**; (잠)을 **자다**; (담배)를 **피우다**《★ 진행형·수동태 가능》: We ~ supper at 6. 여섯 시에 저녁을 먹는다/Breakfast can be *had* at seven. 아침 식사는 7시에 드실 수 있습니다/I didn't ~ enough sleep last night. 간밤에는 잘 자지(를) 못했다/What did you ~ for supper? 저녁 식사로 무엇을 드셨나요/*Have* a cigarette. (담배) 한 대 피우시죠. **b** 《+목+보》 (…하게 음식)을 먹다: How will you ~ your steak?—I'll ~ it rare. 스테이크는 어떻게 잡수십니까—살짝 익혀 주시오.

2 a **경험하다, 겪다**; (사고 따위)를 당하다, 만나

다《★ 진행형 있음; 수동태 불가능》: ~ a shock 충격을 받다 / ~ an adventure 모험을 하다 / I'm *having* trouble with the computer. 난 컴퓨터에 애를 먹고 있다 / I'm *having* an operation next week. 내주에 수술을 받는다 / Do they ~ much snow in Boston in winter? 보스턴에는 겨울에 눈이 많이 옵니까 / *Have* a nice trip. 즐거운 여행을 하고 오십시오. **b** (때 · 시간 따위)를 **보내다,** 지내다《★ 진행형 · 수동태 가능》: ~ a good 〔bad〕 time 즐거운 시간을 보내다〔혼이 나다〕 / We are *having* a good time. 우리는 즐겁게 지내고 있다 / A good time *was had* by all. 모두 즐겁게 지냈다.
3 (모임 따위)를 **열다, 개최하다,** 갖다《★ 진행형 있음》: ~ a party 〔a conference〕 파티〔회의〕를 열다 / ~ a game 경기를 하다 / We are *having* a picnic tomorrow. 내일 소풍을 갑니다.
4 〔보통 a+동작 명사를 목적어로〕《구어》 …**하다,** …을 **행하다**《★ (1) 진행형 있음; (2) 동사를 단독으로 쓸 때보다 평이한 표현; (3) have got은 쓰지 않음》: ~ a try 해보다(=try) / ~ a rest 쉬다(=rest) / ~ a bath 목욕하다(=bathe) / ~ a walk 산책하다 / I want to ~ a talk with him. 그와 이야기 좀 하고 싶다 / Let me ~ 〔take〕 a look at it. 잠깐 보여 주시오 / Go and ~ a lie-down. 가서 누우시오. ★ give, make에도 비슷한 용법이 있음.
5 《~+목/+목+부/+목+전+명》 (아무)를 **대접하다; 초대하다**《***for, to*** …에》《★ 진행형은 가까운 장래의 일만을 나타냄; 수동태 불가능》: We *had* Evelyn and Everett (*over* 〔*round*〕) *for* 〔*to*〕 dinner. 우리는 이블린과 에베렛을 저녁 식사에 초대했다.
6 (아이 · 새끼)를 **낳다**《★ 진행형은 가까운 미래를 나타냄; 수동태 불가능》: When did she ~ her new baby? 그녀는 이번 아기를 언제 낳았느냐 / He *had* two sons by that woman. 그는 그녀와의 사이에 두 아들을 두었다 / My dog *had* pups. 우리 집 개가 새끼를 낳았다.
7 …을 붙잡아 두다, 잡다《★ 진행형 · 수동태 불가능》: Now I ~ you. 자 (이제) 붙잡았다.
8 《+목+목》 〔~ oneself〕《美구어》 …을 즐기다: ~ one*self* a time 〔steak〕 시간을 즐겁게 보내다〔스테이크를 즐기다〕.
9 a 〔보통 과거형 · 현재완료형으로〕《속어》 …와 성교하다《★ 진행형 있고 수동태 불가능》. **b** 《+목+전+명》 〔~ sex로〕 성교하다《***with*** (아무)와》.
10 (언어 · 과목 등)을 알고 있다《★ 진행형 · 수동태 불가능》: I don't ~ any French. 프랑스어는 모른다.
D 《…하게 하다 · 시키다》《수동태 불가능》
1 a 《+목+부/+목+전+명》 (…상태 · 위치에) …을 **두다**: He *had* the sun *at* his back. 그는 등에 햇살을 받고 있었다 / He *had* his arm *around* her shoulders. 그는 그녀의 이깨에 펄을 두르고 있었다 / They *had* their heads *out of* the window. 그들은 창밖으로 머리를 내밀고 있었다. **b** 《+목+보》 …을(—하게) **하다**: *Have* your nails clean. 손톱을 깨끗이 해 두어라 / I'll ~ him a good teacher in future. 그를 장차 훌륭한 선생님이 되도록 하겠다 / We can't afford to ~ them idle. 그들을 빈둥거리게 내버려둘 수는 없다. **c** 《+목+-*ing*》 …을(—하게) **해 두다;** (아무에게 …하도록) **하다;** She *has* the water run*ning* in the bathtub. 그녀는 욕조에 물을 틀어 놓은 채로 있다 / He *had* us all laugh*ing*. 그는 우리

모두를 웃겼다 / I ~ several problems troub*ling* me. 몇 가지 문제로 골치를 앓고 있다.
2 《+목+*done*》 **a** …을(—하게) **하다,** …을—**시키다**: I *had* a new suit *made* last month. 지난달 새 양복을 맞췄다 / When *did* you last ~ your hair *cut*? 지난번 머리를 깎은 것이 언제입니까 / I *had* a letter *written* for me. 편지 한 통을 대필케 했다. ★ 옷을 맞추거나 이발할 때처럼 남에게 무엇을 시켜서 할 때 쓰는 표현임. **b** …을 —**당하다**: He *had* his wallet *stolen*. 그는 돈지갑을 소매치기당했다 / I *had* my hat *blown* off. 바람에 모자를 날려 버렸다. **c** …을—**해버리다**《완료를 나타내며, 《美》 구어에서 많이 사용됨》: She *had* little money *left* in her purse. 그녀의 지갑에는 돈이 조금밖엔 남아 있지 않았다 / *Have* your work *done* by noon. 정오까지는 일을 다 끝내 주시오. ★ 이때 have 대신 get을 쓸 수 있는데, have보다 한층 구어적임.
3 《+목+*do*》 **a** (아무에게 …) **하게 하다,** (…)시키다《make보다 약한 사역을 나타냄》: *Have* him *come* early. 그가 일찍 오도록 하게 하여라 / I won't ~ you *feel* miserable. 자네로 하여금 비참한 감이 들지 않게 하겠네. **b** 〔will, would와 함께〕 …에게—해주기를 바라다: What *would* you ~ me *do*? 내게 무엇을 시키고 싶으냐.
4 〔흔히 won't 〔can't〕 ~로〕 **a** 《~+목/+목+-*ing*/+목+*done*/+목+*do*》 용납하다, 참다: I *won't* ~ such a conduct. 이런 행위는 용서할 수 없다 / We'*ll* ~ no more of that. 그런 일은 이제 더 이상 용납할 수 없다 / I *can't* ~ you play*ing* outside with a bad cold! 독감에 걸려 있으면서 밖에서 노는 것은 안 된다《can't를 사용하면 '상대에게 좋지 않으므로 그렇게 할 수 없다'의 뜻》/ We *won't* ~ him *bullied*. 그가 괴롭힘을 당하는 것은 용납 않겠다 / I *won't* ~ her *talk* to me like that. 그녀가 나에게 저렇게 말하는 것을 용납할 수는 없다. **b** 〔be not having으로〕 (…하는 것)을 용납하다, 참다: I *am not having* singing here. 여기서 노래하는 것을 용납할 수는 없다.
E 《기타》
1 《+목/+목+전+명》 **a** (경기 · 언쟁 · 시비 등에서 상대)를 꺾다, 지게 하다; 윽박지르다, 해내다, 이기다《★ 진행형 · 수동태 불가능》: I *had* him *in* that discussion. 그 토론에서 그 사람을 끽소리 못하게 했다 / You ~ me there. 졌다, 맞았어《당신 말대로야》; 그건 (몰라서) 대답할 수 없다. **b** 《구어》 〔보통 수동태〕 …을 속이다; (뇌물로) 매수하다: I'm afraid you've *been had*. 아무래도 속으신〔당하신〕 것 같군요 / He has *been had* over the bargain. 그는 그 거래에서 속았다.
2 《구어》 …에게 대갚음〔보복, 복수〕하다(take revenge on)《★ 진행형 불가능》.
~ *at* ... …을 공격하다; …에 착수하다. **~ ... *back*** 《*vt*.+부》《★ 수동태 불가능》 ① (빌려 준 것)을 돌려받다, 되찾다: I want to ~ my book *back* earlier. 책을 더 일찍 돌려받고 싶다. ② (헤어진 남편 · 아내 · 애인 · 동료 등)을 다시 맞아들이다. ③ (아무)를 답례로 초대하다. **~ a person *down*** 《*vt*.+부》《★ 수동태 불가능》 아무를 (시골 · 별장 따위에) 초청하다, …에 오게 하다《down은 '도시에서 시골로' 등의 뜻을 나타냄》. cf. have up. **~ *had it*** 《구어》 ① 《美》 넌더리나다, 질리다《***with*** …에》: I'*ve had it with* her. 그녀라면 이제 지겹다. ② 이제 틀렸다〔글렀다〕; 끝장이다: This old coat *has had it*. 이 낡은 코

트는 이제 입을 수가 없다/If he's caught, he's *had it*. 잡히면 이제 끝장이다. ③ 한창〔제〕 때를 지나다, 쓸모없게 되다, 시대에 뒤떨어지게 되다. ④ 죽음을 당하다; 지다. **~ in** 《★ 수동태 불가능》 ① (장색·의사 등)을 (집·방에) 들이다, 부르다; (집에) 잠깐 청해 오게 하다: We ~ a housekeeper *in* once in a week. 한 주일에 한 번 가정부를 오게 한다. ② …을 (집·가게 따위에) 저장해 두다, 들여놓다: ~ enough coal *in* for winter 겨울에 대비해 충분한 석탄을 저장해 두다. **~ it** ① 이기다, 유리하다: The ayes ~ *it*. 찬성자가 다수다. ② 〖I를 주어로〗 (답 따위를) 알다: *I* ~ 〔*I've got*〕 *it!* 알았다, 그렇지. ③ 들어서 알(고 있)다《**from** …에게》: I ~ *it from* Bill. 빌에게서 들었다. ④ (…라고) 표현하다, 말하다, 주장하다《**that**》: Rumor has *it that*.... …라는 풍문〔소문〕이다/She will ~ *it that* the conditions are unfair. 그녀는 (끝까지) 조건이 불공평하다고 주장할 거다. ⑤ (어떤 식으로) 일을 하다: You can't ~ *it* both ways. 《구어》 양다리 걸치지는 못한다. ⑥ 〖will, would와 함께; 부정문에서〗 인정하다, 받아들이다: I tried to excuse but he *would not* ~ *it*. 나는 변명하려 했으나 그는 도무지 받아들이려 하지 않았다. ⑦ (운명 등이) 지배하다: ⇨as LUCK would have it (관용구). **~ it all over** =~ it over. **~ it away** 《英속어》 성교하다《**with** …와》. **~ it coming** (**to** one) 《구어》 …해 마땅하다《it 대신 구체적인 명사도 사용됨》; 당연한 응보다: He *has it coming to* him. 자승자박이다. **~ it in for** a person 《구어》 아무에게 (원)한을 품고 있다, 아무를 싫어〔미워〕하고 있다. **~ it in** one (**to** do) 《구어》 (…할) 소질이〔능력이, 용기가〕 있다: He doesn't ~ *it in* him *to* be mean. 비열한 짓을 하는 것은 그의 성격이 아니다. **~ it made** 《구어》 성공은 틀림없다. **~ it off** 〔**away**〕 《英속어》 〖흔히 be having으로〗 성교하다《**with** (아무)와》. **~ it on** =~ it over. **~ it out** 거리낌없이 논쟁하다; 시비를〔싸움을〕 하여 결말을 맺다〔짓다〕《**with** (아무)와》. **~ it over** (상대보다) 유리하다, 뛰어나다 《**in** …에서》. **~ it** (**so**) **good** 《구어》 〖주로 부정문〗 (이렇게) 물질적으로 혜택을 받고 있다, 좋은 처지에 있다; 즐겁게 지내다: He's *never had it so good*. 그는 결코 이렇게 혜택받고 산 적이 없었다. **~ off** 《*vt*.+副》 《★ 수동태 불가능》 ① (요일 따위)를 쉬다: I ~ every Monday *off*. 매주 월요일은 쉰다. ② 《英》 …을 벗(기)다, 떼다: ~ one's hat *off* 모자를 벗다. ③ 《英》 (손가락 따위)를 절단하다, 자르다. ④ …을 외(우)고〔암기하고〕 있다: I ~ the poem *off* (by heart) already. 그 시(詩)를 이미 외우고 있다. ⑤ …을 보내다: I'll ~ the book *off* in the next mail. 다음 편(便)에 그 책을 보내 드리지요. **~ on** 《★ ⑤외엔 수동태 불가능》 《*vt*.+副》 ① 입고 있다, 쓰고〔신고〕 있다, 몸에 걸치고 있다: She *had* a new dress *on*. 그녀는 새 드레스를 입고 있었다 ② (…에게는 약속·해야 할 일 등)이 있다, (모임 따위)의 예정이 있다: I ~ nothing *on* (for) tomorrow. 내일은 아무 예정도 없다/This afternoon I ~ 〔*I've* got〕 a lecture *on*. 오늘 오후엔 강의가 있다. ③ (등불·라디오 따위)를 켜고 있다. ④ 〖종종 be having on으로〗 《英구어》 (아무)를 속이다, 놀리다(=《美》 put on). **—**《*vt*.+前》 ⑤ …을 갖고 있다, 몸에 지니고 있다. ⑥ (아무)에게 (불리한 것)을 쥐고 있다: ~ something *on* (아무)에게 불리한 것〔약점〕을 쥐고 있다. **~ only to** do ⇨ONLY *ad*. **~ out** 《*vt*.+副》 《★ 수동태 불가능》 ① …을 밖으로 내(놓)다〔내놓고 있다〕. ② (이빨·편도선 따위)를 제거케 하다: ~ one's tooth *out* 이를 뽑게 하다. ③ (불·조명 따위)를 꺼 두다. ④ 〖흔히 ~ it out의 형태〗 (서로 이야기·싸움 따위를 해서) 문제에 결말을 내다《**with** …와》: I must ~ *it out with* her. 그 건에 관해서 그녀와 결말을 지어야 한다. ⑤ 《英》 (수면 따위)를 끝까지 계속하다, 중단받지 않다: Let her ~ her sleep *out*. (깰 때까지) 그녀를 푹 자게 해라. **~ over** 《★ 수동태 불가능》 《*vt*.+副》 ① (집에) …을 손님으로 맞다. ② …을 마치다. **—**《*vt*.+前》 ③ …보다 (어떤 점)에서 우위(優位)에 있다: What does he ~ *over* me? 그가 어떤 점에서 나보다 나은가. **~ round** =~ over ①. **~ something** 〔**nothing, little,** etc.〕 **to do with...** ⇨DO[1]. **~ to** do 《★ 보통 have to는 [hǽftu, -tə《자음앞》, hǽftu《모음앞》]; has to는 [hǽstu, -tə《자음앞》, hǽstu《모음앞》]; had to는 [hǽttu, -tə《자음앞》, hǽttu《모음앞》]으로 발음함》 ① …해야 하다(cf. must): I always ~ *to* work hard. 언제나 열심히 일해야 한다/Do you ~ *to* go? =《英》 *Have* you (got) *to* go? 꼭 가야 합니까/He *had to* 〔will ~ *to*〕 buy some new shoes. 그는 새 구두를 사지 않으면 안 되었다〔될 것이다〕. ② 〖부정문에서〗 …할 필요가 없다: You do*n't* ~ 〔《英》 *haven't* (got)〕 *to* work so hard. 그렇게 열심히 일할 것 없네/We did*n't* 〔wo*n't*〕 ~ *to* wait long. 오래 기다릴 필요가 없었다〔없을 것이다〕. ③ 〖~ to be, ~ to have been으로〗 《구어》 …임에 틀림없다, 반드시 …일 것이다: This *has to be* the best novel of this year. 이것이 올해 가장 뛰어난 소설임에 틀림없다/Judging by the noise, there *has to have been* an explosion. 소리로 판단하건대 반드시 폭발 사고가 있었을 거야. **~ to do with** ⇨DO[1]. **~ up** 《*vt*.+副》 ① (시골로부터) (아무)의 방문을 받다, (위층에서 아래층 사람)을 부르다. cf. have down (관용구). ② 〖흔히 수동태〗 《英구어》 (아무)를 법정에 불러내다; (아무)를 고소하다《**for** …으로》: I'll ~ him *up for* slander. 그를 명예 훼손으로 고소하겠다/He *was had up for* speeding. 그는 속도위반으로 기소되었다. ③ …을 올리다; (천막 따위)를 치다. **~ yet to** do ⇨YET. **Let** (him) **~ it!** (그를) 혼내 주어라. **not having** 〔**taking**〕 **any** 《구어》 받아들이지 않는, 관심을 보이지 않는, 거부〔무시〕하는. **to ~ and to hold** 〖명사 뒤에 써서〗 보유하고 있는: property *to* ~ *and to hold* 보유하고 있는 재산. **You ~ me there.** 손들었어. **You shouldn't ~!** 뭐 이렇게까지《선물 받을 때의 인사말》.

> DIAL. ***Let me have it!*** =***Let's have it!*** 가르쳐다오, 말해다오.

—*aux*. *v*. **1** 〖현재완료: have+과거분사〗 《★ 현재까지의 '완료·결과·경험·계속' 따위를 나타냄》. **a** 〖완료〗 …를 하였다: I ~ *written* it. 그것을 다 썼다/I ~ just *read* the book through. 이제 막 그 책을 다 읽었다《현재 끝내고 있음》/The clock *has* just *struck* ten. 시계가 이제 막 열 시를 쳤다(=The clock struck ten just now.). ★ 완료를 나타내는 현재완료에는 just, now, already, lately, recently, (의문·부정문에서) yet 따위의 부사(구)가 따를 때가 많음. **b** 〖결과〗 …해 버렸다: I ~ *lost* my purse somewhere. 어디에선가 돈지갑을 잃어버렸다《빠뜨려

현재 갖고 있지 않음》/The taxi *has arrived*. 택시가 도착했다《(그 결과) The taxi is here. 라는 뜻을 포함》/She *has gone* to Paris. 그녀는 파리로 가 버렸다《She is not here. 의 뜻을 포함》. **c**〖경험〗…한 일〔적〕이 있다: *Have* you (ever) *been* to Canada?—Yes, I ~. 캐나다에 가 본 적이 있습니까—네, 있습니다/I ~ never *had* a cold lately. 나는 요즈음 감기에 걸린 적이 없다. ★ 경험을 나타내게 되는 현재완료에는, ever, never, before, once 〔twice, etc.〕와 같은 부사(구)가 따를 때가 많음. **d**〖상태의 계속〗…**해 왔다,** …**하고 있다**: I'*ve been* very busy lately. 최근 무척 바쁘다/He *has lived* in Seoul for three years. 그는 3년 동안 서울에 살고 있다. ★ 계속을 나타내는 현재완료에는 기간을 나타내는 부사(구)가 따르며, 동작을 나타내는 동사일 때는 현재완료진행형을 씀. **e**〖미래완료 대용〗《when 〔if〕 절 따위에서》: *When* you ~ *written* your name, write the date. 이름을 쓰고 나서 날짜를 써라.

2〖과거완료: had+과거분사〗《과거의 일정 시점까지의 '완료·결과·경험·계속' 따위를 나타냄》. **a**〖완료·결과〗…했었다, …해 있었다: By that time I *had finished* my work. 그때까지 나는 일을 다 마치고 있었다/When I got to the station, the train *had left* already. 내가 정거장에 도착했을 때에는 열차는 이미 떠나고 없었다. **b**〖경험〗…한 일〔적〕이 있었다: I *hadn't seen* a lion before I was ten years old. 열 살이 될 때까지 사자를 본 적이 없었다/He claimed (that) he *had seen* a ghost. 그는 유령을 본 적이 있다고 주장했다. **c**〖동작·상태의 계속〗…하고 있었다: He *had stayed* in his father's company till his father died. 그는 자기 아버지가 돌아가실 때까지 아버지 회사에 있었다. **d**《과거의 일정한 때보다 이전에 일어난 일을 나타냄》: He lost the watch his uncle *had given* him as a birthday present. 그는 삼촌이 생일 선물로 준 시계를 잃어버렸다. **e**〖가정법〗(그때) …했(었)더라면〔이었다면〕: If she *had helped* me, I would have succeeded. 그녀가 도와 주었더라면 나는 성공했을 텐데/*Had* I *known* it… (=If I had known it …) 만일 내가 알고 있었더라면…. **f**〖hope, expect, mean, think, intend, suppose, want 따위 동사가 실현되지 않은 희망·의도 따위를 나타내어〗: I *had hoped* that I would succeed. 성공할 수 있을 것으로 생각했는데(=I hoped to have succeed., I hoped to succeed but failed.)/I *had intended* to make a cake, but I ran out of time. 케이크를 만들 작정이었는데, 시간이 없었다. ★ when, after, before 따위 때를 나타내는 접속사에 이끌리는 부사절에서는 과거완료 대신 단순 과거를 써도 무방함: After I *got* (=had got) to the house, I opened the box.

3〖미래완료: will 〔shall〕 have+과거분사〗《미래의 일정시까지의 '완료·결과·경험·계속'을 나타냄》. **a**〖완료·결과〗(어느 때까지엔) …해(버리고) 있을 거다, 끝내고 있을 거다: I *shall* ~ *recovered* when you return from America. 네가 미국에서 돌아올 때쯤 나의 건강은 회복돼 있을 거다/By next Sunday, I'*ll* ~ *moved* into the new house. 내주 일요일까지는 새집에 이사해 있을 거다. **b**〖경험〗《빈도(頻度)를 나타내는 부사와 함께》…한 셈이 될 거다, …하는 셈이 된다: I *shall* ~ *taken* the examination three times if I take it again. 또 한 번 시험을 치르면 세 번 보는 셈이 된다. **c**〖동작·상태의 계속〗…하고 있는 셈이 될 거다, …하는 셈이 된다: By the end of next month she *will* ~ *been* here for five months. 내달 말이면 그녀는 이곳에 다섯 달 동안 있는 셈이 된다.

4〖완료부정사〗**a**《주절의 동사보다 앞의 시제를 나타내어》: He seems 〔seemed〕 *to* ~ *been* ill. 그는 근래 아팠던 것 같다〔아팠던 것 같았다〕(=It seems 〔seemed〕 that he was 〔had been〕 ill.) **b**《조동사와 함께 써서 과거·완료를 말하여》: He *should* 〔*ought to*〕 ~ *helped* her. 그는 그 여자를 도와 주었어야 했다(그런데 도와주지 않았다)/He *may* ~ *left* last Monday. 그는 지난 월요일에 출발했는지도 모른다/It's six o'clock; they *will* 〔*should*〕 ~ *arrived* home by now. 6시다, 그들은 지금쯤 집에 도착했을 것이다《★ 이 때 will은 미래가 아닌 추측의 뜻》. **c**《희망·의도·예정을 나타내는 동사의 과거형 다음에 써서 「실현되지 못한 일」을 나타냄》: I should *like to* ~ *seen* it. 그것을 보고 싶었는데 (못 보았다). **d**《claim, expect, hope, promise 등의 뒤에서 미래에 완료될 일을 나타내어》: He *expects* 〔*hopes*〕 *to* ~ *finished* by May. 그는 5월까지 끝낼 작정이다〔끝내기를 바라고 있다〕(=He expects 〔hopes〕 that he will ~ finished by May.).

5〖완료분사; 보통 분사구문에서〗…하고서, …하였으므로: *Having written* the letter, he went out. 편지를 쓰고나서 그는 나갔다(=After 〔When〕 he had written the letter, he went out.).

6〖완료동명사〗…한 일: I regret *having been* so careless. 그렇게 부주의했던 것을 후회한다.

~ been to ⇨BE. ***~ got*** 《★ 구어에서는 have got은 have의, 또 have got to는 have to의 대용이 됨; 일반적으로 have got (to)는 have (to)보다 강조적》 ① 갖고 있다(have): I'*ve got* 20 dollars. 20달러를 갖고 있다/Mary *hasn't got* blue eyes. 메리는 눈이 푸르지 않다/*Have* you *got* a newspaper?—Yes, I *have* 〔《美》 Yes, I *do*.〕. 신문 있습니까—네, 있습니다. ② 《+*to* do》 …해야 한다(have to): I'*ve got to* write a letter. 편지를 써야(만) 한다/You'*ve got to* eat more vegetables. 야채를 더 먹어야 한다. ③ 〖부정문으로〗《+*to* do》 (…)할 필요가 없다(need not): We *haven't got to* work this afternoon. 오늘 오후엔 일을 안 해도 된다. ④ 《+*to* be 〔do〕》 《美》…에 틀림없다, 틀림없이 …일 것이다(must): It's *got to be* the postman. 집배원임에 틀림없다/You'*ve got to be* kidding. 농담하시는 거겠죠.

NOTE (1) have got은 다음과 같은 경우를 제외하고 조동사 뒤에서 또는 부정사〔분사·동명사〕형으로는 보통 사용되지 않음; 또 명령문에서도 쓰이지 않음: He may ~ *got* 〔seems to ~ *got*〕 a key to the car. 그는 차의 키를 갖고 있을지도 모른다〔갖고 있는 것 같다〕.
(2) 특히 《美》에서는 have를 생략하고 got을 단독으로 쓰기도 함(cf. gotta): I (*have*) *got* an idea. 나에게 한가지 생각이 있다.
(3) 《美》에서는 과거형 had (to) 대신 had got (to)를 쓰는 일은 드묾. 또, 《英》에서는 got 대신 gotten을 사용하지 않지만, 《美》에서는 종종 씀: He *hasn't got* a ticket. 그는 표를 갖고 있지 않다《비교: He *hasn't gotten* a ticket. 표를 입수하지 못하고 있다》.

— [hæv] *n.* **1** (*pl.*; 흔히 the ~s) 가진 자[나라]; 유산자: the ~*s* and the have-nots 유산자와 무산자/the nuclear ~*s* 핵(核) 보유국. **2** Ⓒ《英속어》 사기, 협잡(swindle): What a ~! 이거 무슨 협잡이야.

ha·ven [héivən] *n.* Ⓒ **1** 항구, 정박소. **2** 안식처, 피난처.

háve-nòt 《구어》 *n.* Ⓒ (보통 the ~s) 갖지 못한 자, 무산자; 갖지 못한 나라.

†**haven't** [hǽvənt] have not의 간약형.

ha·ver [héivər] *vi.* 객쩍은 소리를 하다, 실떡거리다; 우물거리다, 머뭇거리다.

háver·sàck *n.* Ⓒ (군인·여행자의) 잡낭(雜囊).

hav·ing [hǽviŋ] *v.* 〖have의 현재분사·동명사〗 **1** 〖be+~〗 …하고 있다: He *is* ~ lunch. 그는 점심 식사 중이다. ★ 보통 '가지고 있다'의 뜻으로는 진행형을 쓰지 않음. **2** 〖분사구문〗 …을 갖고 있으므로, …을 갖고 있으면: *Having* a lot of money, he can do it. 돈이 많으므로 그는 그것을 할 수 있다. — *aux. v.* 〖분사구문〗 …해버리고, …을 마치고[끝내고]: *Having done* it, I went out. 그것을 마치고 나는 외출했다.

◇**hav·oc** [hǽvək] *n.* Ⓤ 대황폐; 대파괴, 대혼란. ***cry*** ~ (닥친 위험 따위에 대하여) 경고하다, 위급을 알리다. ***play*** [***work, create***] ~ ***with*** [***among***] =***wreak*** ~ ***on*** [***in, with***] =***make*** ~ ***of*** …을 혼란시키다, 엉망으로 만들다; …을 파괴하다, 파멸시키다.

haw[1] [hɔː] *n.* Ⓒ 산사나무(hawthorn); 그 열매.

haw[2] *int.* 저라《소·말을 왼쪽으로 돌릴 때 지르는 소리》. cf. gee[2].

haw[3] Ⓒ (말을 더듬을 때) 에에[어어] 하는 소리. — *vi.* 에에[어어] 하다, 말이 막히다.

***Ha·waii** [həwáiiː, -wáː-, -wáːjə, hɑːwáːiː] *n.* 하와이《1959년 미국의 50번째 주로 승격; 주도는 Honolulu》; 하와이 섬《하와이 제도 중 최대의 섬》.

Hawáii-Aléutian (Stándard) Tìme 《美》 하와이 알류샨 표준시《GMT보다 10시간 늦음》.

Ha·wai·i·an [həwáiən, -wáːjən] *a.* 하와이의; 하와이 사람[말]의. — *n.* Ⓒ 하와이 사람; Ⓤ 하와이 말.

Hawáiian guitár 하와이안 기타.

Hawáiian Íslands (the ~) 하와이 제도.

haw-haw [hɔ́ːhɔ̀ː] *int., n.* =HA-HA[1].

***hawk**[1] [hɔːk] *n.* Ⓒ **1** 〖조류〗 **매**. **2** 남을 등쳐먹는 사람, 탐욕가, 사기꾼. **3** 강경론자, 매파(派); 주전론자(主戰論者). cf. dove.

hawk[2] *vi.* 기침하다. — *vt.* (기침하여 가래)를 내뱉다(*up*).

hawk[3] *vt.* 행상하다, 외치고 다니며 팔다; (소식 따위)를 알리며 다니다(*about*): ~ news *about* 소식을 퍼뜨리고 다니다.

háwk·er[1] *n.* Ⓒ 매사냥꾼, 매부리.

háwk·er[2] *n.* Ⓒ 도붓장수, 행상인: a street ~ 길에서 외치며 파는 장사치.

háwk-èyed *a.* **1** 매 같은 눈초리의, 눈이 날카로운. **2** 방심 않는.

Haw·king [hɔ́ːkiŋ] *n.* **Stephen William** ~ 호킹《영국의 물리학자; 1942–》.

hawk·ish [hɔ́ːkiʃ] *a.* 매 같은; 매파적인, 강경론자의. ㊞ **~·ness** *n.*

haw·ser [hɔ́ːzər] *n.* Ⓒ 〖해사〗 (정박·예인용의) 호저, 동아줄.

***haw·thorn** [hɔ́ːθɔːrn] *n.* Ⓒ 〖식물〗 **산사나무**, 서양산사나무.

Haw·thorne [hɔ́ːθɔ̀ːrn] *n.* **Nathaniel** ~ 호손《미국의 소설가; 1804–64》.

‡**hay** [hei] *n.* Ⓤ **건초**, 마초. ***hit the*** ~ 《구어》 (잠)자다. ***make*** ~ 건초를 만들다; 기회를 살리다: *Make* ~ while the sun shines. 《속담》 해 있을 때 풀을 말려라; 호기를 놓치지 마라. ***make*** ~ (***out***) ***of*** …을 혼란시키다, 엉망으로 만들다.

háy·còck *n.* Ⓒ (원뿔형의) 건초 더미.

Hay·dn [háidn] *n.* **Franz Joseph** ~ 하이든《오스트리아의 작곡가; 1732–1809》.

Hayes [heiz] *n.* **Rutherford Birchard** ~ 헤이즈《미국 제19대 대통령; 1822–93》.

Háyes-compàtible [héiz-] *a., n.* Ⓒ 〖컴퓨터〗 헤이즈 호환의 (모뎀)《개인용 컴퓨터를 위한 모뎀이 헤이즈사의 헤이즈 스마트 모뎀과 호환성이 있는 것》.

háy fèver 〖의학〗 꽃가룻병, 건초열《꽃가루로 인한 알레르기성 염증》.

háy·field *n.* Ⓒ 건초밭, (건초용) 풀밭.

háy·fòrk *n.* Ⓒ 건초용 쇠스랑; 자동식 건초 하역 기계《쌓거나 부리는》.

háy·lòft *n.* Ⓒ 건초간, 건초 보관장.

háy·màker *n.* Ⓒ **1** 건초 만드는 사람; 건초기. **2** 《구어》 녹아웃 펀치, 강타.

háy·màking *n.* Ⓤ (흔히 the ~) 건초 만들기.

háy·mòw *n.* Ⓒ (헛간 속의) 건초 더미; 건초 시렁.

háy·ràck, -rìg *n.* Ⓒ 꼴[건초] 시렁; (건초 나를 때 짐수레에 두르는) 꼴틀, 꼴틀 달린 짐수레.

háy·rìck *n.* =HAYSTACK.

háy·rìde *n.* Ⓒ 《美》 건초를 깐 마차를[썰매를, 트럭을] 타고 가는 소풍《보통 밤의 원거리 소풍》.

háy·sèed *n.* **1** Ⓒ (집합적으로는 Ⓤ) (흘린) 건초의 씨. **2** Ⓤ 건초 부스러기, 검부러기. **3** Ⓒ 《美구어》 촌뜨기.

háy·stàck *n.* Ⓒ 건초 가리. ***look for a needle in a*** ~ ⇨NEEDLE.

háy·wìre *n.* Ⓤ 《美》 건초를 동여매는 철사. — *a.* Ⓟ 《구어》 복잡한, 엉클어진, 틀린; 미친, 머리가 돈, 흥분한. ***go*** ~ 《구어》 흥분하다, 발광하다; 엉클어지다, 혼란해지다, 고장나다.

◇**haz·ard** [hǽzərd] *n.* **1 a** Ⓒ 위험, 모험; 위험 요소《*to* …에 대한》: a ~ *to* health 건강에 유해한 요인/That rock is a ~ *to* ships. 저 바위는 배에 대한 위험물이다. **b** Ⓤ 우연, 운; 운에 맡기기. SYN. ⇨DANGER. **2** Ⓒ 〖골프〗 장애 구역 《bunker 따위》. **3** Ⓒ 〖당구〗 포켓게임의 득점 치기. ◇ hazardous *a.* ***at all*** **~s** 만난을 무릅쓰고, 꼭. ***at*** [***by***] ~ 운에 맡기고, 아무렇게나. ***in*** [***at***] ~ 위험해져서, 위험에 노출되어: He put his life *in* [*at*] ~ in order to save me. 그는 나를 구하기 위하여 자기 목숨을 위태롭게 했다.

— *vt.* (생명·재산 따위)의 위험을 무릅쓰다, …을 걸다; 운에 맡기고 해보다, 모험하다: ~ a guess 어림짐작을 말해보다/~ life for a friend 친구를 위해 목숨을 걸다.

haz·ard·ous [hǽzərdəs] *a.* 위험한; 모험적인; 운에 맡기는: a ~ journey [operation] 위험한 여행[수술]/~ waste 유해 폐기물. ㊞ **~·ly** *ad.* **~·ness** *n.*

***haze**[1] [heiz] *n.* **1** Ⓤ (또는 a ~) **아지랑이**, 안개, 이내. cf. fog. SYN. ⇨MIST. **2** (a ~) (시력·정신의) 흐림, 몽롱함. — *vt.* 《~+목/+목+부》 안개로 둘러싸다; 아련하게 만들다(*over*). — *vi.* 《~/+부》 안개에 둘러싸이다, 아련해지다(*over*):

At evening the lake ~*d over*. 석양에 호수가 안개로 자욱했다.

haze[2] *vt.* 《美》 (신입생 등을) '신고식' 하게 하다, 지분거리다(《英》 rag); 괴롭히다, 혹사시키다.

ha·zel [héizəl] *n.* **1** [C] 〖식물〗 개암(나무); [U] 그 재목. **2** [U] 담갈색. **—*a.*** 개암나무의; 담갈색의.

hazel grouse 〖조류〗 들꿩.

házel·nùt *n.* [C] 개암.

◇**ha·zy** [héizi] (**-*zi·er; -zi·est***) *a.* **1** 안개낀, 안개 짙은: ~ weather 안개 낀(더운) 날씨. **2** 또렷하지 않은, 막연한; 잘 모르는(《***about*** …에 대하여/***wh.***》): The economic outlook is ~. 경제 전망이 불투명하다/He was ~ *about what* action to take. 그는 어떤 행동을 해야 할지 잘 몰랐다. [파] **há·zi·ly** *ad.* **-zi·ness** *n.*

HB 〖연필〗 hard black. **Hb** 〖생화학〗 hemoglobin. **H.B.M.** His (Her) Britannic Majesty.

H́-bòmb *n.* [C] 수소 폭탄, 수폭(hydrogen bomb).

H.C. House of Commons. **H.C.F., h.c.f.** 〖수학〗 highest common factor (최대 공약수). **Hd., hd.** hand; head. **hdbk.** handbook. **HDD** 〖컴퓨터〗 hard disk drive. **hdqrs.** headquarters. **HDTV** 〖전자〗 high-definition television (고(高)선명 텔레비전). **hdw., hdwe.** hardware.

†**he**[1] [《보통》 hiː; 약 iː, hi, i] (*pl.* ***they***) *pron.* 《인칭 대명사의 3인칭·남성·단수·주격; 목적격은 him, 소유격은 his》 **1 그가**(는), 그 사람이(은): 'Where's your father now?' — 'He's in London.' '부친께서는 지금 어디 계시니' '런던에 계셔'. **2** 〖남녀 공통으로〗 그 사람: Go and see who is there and what *he* wants. 누가 무슨 일로 왔는지, 가서 알아보아라. **3** 《남자 어린 아이에 대한 친밀한 호칭》 아가: Did *he* bump his little head? 아가야 머리를 부딪쳤니. **4** 〖관계대명사의 선행사로서〗 《문어》 누구든 …하는 사람은: *He who* carries nothing loses nothing. 《속담》 갖지 않은 자는 잃을 것도 없다. **5** 《구어》 (차·비행기를 가리켜) 저것: Which way is *he* going? 저것이(저 차가) 어느 쪽으로 갈까요.

— [hiː] (*pl.* ***hes, he's*** [hiːz]) *n.* [C] 남자, 남성; 수컷: Is it a *he* or a she? 남자냐 여자냐. **—*a.*** 〖주로 복합어〗 수컷의(male); 남성적인: a ~-dog 수캐.

he[2] [hiː] *int.* 히이, 히히이(《종종 he! he!로 반복함; 우스움·조소를 나타냄》).

He 〖화학〗 helium. **H.E.** His Eminence; His (Her) Excellency.

†**head** [hed] *n.* **1 a** [C] **머리, 두부**(頭部)(《목 위의 부분 또는 눈 위의 부분》): strike a person on the ~ 아무의 머리를 때리다/bow one's ~ in shame 부끄러워서 머리를 숙이다/Better be the ~ of a dog than the tail of a lion. 《속담》 쇠꼬리보다 닭대가리가 낫다. **b** (a ~) 머리(하나)의 길이: win by a ~ 머리 하나의(근소한) 차이로 이기다/He's a ~ taller than me (I am). 그는 나보다 머리 하나가 더 크다.

2 a [C] (지성·사고력 따위의 근원인) **두뇌, 머리,** 머리의 움직임; 지력, 이지(理知), 지혜, 추리력, 상상력: use one's ~ 머리를 쓰다/have a good ~ 두뇌가 명석하다/put something into a person's ~ 어떤 일을 아무에게 생각나게 하다/Two ~*s* are better than one. 《속담》 두 사람의 지혜가 한 사람 것보다 낫다. **b** (*sing.*) 타고난 재능, 재주, 능력(《***for*** …에 대한》): He has a (good) ~ *for* math. 그는 수학에 재능이 있다: I have no (a bad) ~ *for* languages. 외국어에 대한 재능이 없다. **c** (*sing.*) 침착, 냉정함, 자제력: keep a cool ~ 냉정하다.

3 a [C] (권력·통괄의) **우두머리, 장**(長), 수령, 지배자, 지휘자; 장관, 총재, 회장, 사장: the ~ *of* state 원수(元首)/The pope is the ~ *of* the Roman Catholic Church. 교황은 로마 가톨릭 교회의 장이다. **b** (the H-) 《英구어》 교장.

4 (*sing.*; 보통 the ~) **수위**(首位), **수석**; 상위, 상석, 상좌, 좌상석; 선두(《***of*** (행렬·춤 등)의》): She's (stands) at the ~ *of* her class. 그녀는 학급에서 수석이다/march at the ~ 선두에 서서 행진하다/sit at the ~ *of* the table (연회에서) 상석에 앉다.

5 [C] **a** (보통 *pl.*) 〖단수취급〗 두부를 본뜬 것; 주화의 겉쪽(앞면)(《왕의 두상이 있는 면》). ↔ *tail*. ¶*Heads* I win, tails I lose. (던져올린 동전이) 앞면이면 내가 이기고 뒷면이면 네가 이긴다. **b** (조각 따위의) 머리 부분, 두상(頭像).

6 a [C] (*pl.* ~) (동물의) 마리 수, 수: thirty ~ of cattle 소 30마리. **b** (a ~) 한 사람, 한 사람당: 3$ a ~, 1인당 3달러.

7 (*sing.*; 보통 the ~) **a** (물건의 발(foot) 부분에 대하여) 윗부분, 상단, 상부; 정상, 꼭대기: the ~ *of* ladder (stairs) 사다리(계단)의 꼭대기/The title should be written at the ~ *of* the page. 제목은 페이지의 맨 윗부분에 써야 한다. **b** (강·호수·샘 등의) 근원, 수원: the ~ *of* a lake (강물이 흘러드는) 호수의 물목/the ~ *of* the Nile 나일강의 수원(水源). **c** (만(灣)·동굴 등의) 깊숙한 곳. **d** 앞쪽의 끝, 선단(先端); 코앞, 벼랑끝; (H-) (지명에 쓰이는) 곶, 갑(岬): the ~ *of* a pier 방파제의 앞쪽 끝/Diamond *Head* 다이아몬드 헤드(《Hawaii주 Oahu섬 남쪽에 있는 곶》). **e** 〖해사〗 (배의) 이물, 돛의 상단; 《속어》 (배의) 화장실. **f** (다리의 한쪽) 끝: the ~*s of* a bridge 다리의 양쪽끝.

8 [C] (망치·못·핀 따위의) 대가리; (골프 클럽의) 헤드(《공을 치는 부분》); (통의) 뚜껑; (북의) 가죽(을 댄 부분); (포탄의) 탄두.

9 [U] (또는 [C]) **a** 거품(《***on*** (맥주 따위)의》): There's too much ~ *on* this beer. 이 맥주는 거품이 너무 많이 난다. **b** 《英》 (우유의) 상부 크림.

10 [C] **a** (나무의) 우듬지. **b** (푸나무의) 위쪽(의 꽃(잎)), 이삭(끝), (양배추 따위의) 결구(結球): three ~*s of* lettuce (cabbage) 양상추(양배추) 세 개.

11 [C] (부스럼의) 꼭지, 곪은 부분.

12 (*sing.*; 보통 the ~) (페이지·편지지 등의) 상부, 모두(冒頭); (문제의) 제목, 항목.

13 [C] (글의 장·절에 붙인) 소제목, 소표제; (신문의) 큰 표제.

14 [C] (테이프 리코더·비디오의) 헤드: a magnetic ~ 자기 헤드.

15 a [C] (물레방아·발전소 등을 위한) 수원지. **b** (*sing.*) (물·수증기 등의) 수압.

16 [C] (보통 *sing.*) 《구어》 (숙취로 인한) 두통: have a (morning) ~ 숙취로 머리가 아프다.

17 [C] 《속어》 마약(LSD) 상용자, 마약중독; 〖보통 복합어로〗 …열광(열중)자, 팬: a punk-rock ~ 펑크록 팬.

18 [C] 〖건축〗 받침돌, 문지방 돌.

19 = HEADWORD 2.

above* a person's ~** = ***above the* ~*s of a

person 아무에게는 너무 어려운, 이해할 수 없는. ***bang*** [***beat, hit, knock***] one***'s*** ~ ***against a brick*** [***stone***] ***wall*** 《구어》 불가능한[무리한] 일을 시도하다. ***beat*** a person***'s*** ~ ***off*** 아무를 완전히 패배시키다. ***bite*** a person***'s*** ~ ***off*** ⇨BITE. ***bring ... to a*** ~ (사태)를 위기로 몰아넣다: His action has *brought* matters *to a* ~. 그의 행동이 사태를 위기로 몰아넣었다. ***bury*** [***hide, have, put***] one***'s*** ~ ***in the sand*** 현실을 회피하다[모르는 체하다]. ***come*** [***draw, gather***] ***to a*** ~ (종기가) 곪아 터질 지경이 되다; 때가 무르익다; 위기에 처하다; 막바지에 이르다. ***count*** ~***s*** (출석자·찬부 따위의) 머릿수[인원수]를 세다. ***eat*** one***'s*** ~ ***off*** 《구어》 대식(大食)하다, 걸신들린 듯이 먹다. ***enter*** [***come into***] one***'s*** ~ (생각 따위가) 떠오르다. ***from*** ~ ***to foot*** [***heel***] 머리끝에서 발끝까지, 전신에; 온통, 완전히. ***get*** (a thing) ***into*** one***'s*** ~ (어떤 일이) 머리에 떠오르다, 생각해 내다. ***get it into*** a person***'s*** ~ ***that ...*** 《구어》 아무에게 …을 잘 이해시키다. ***get it into*** one***'s*** ~ ***that ...*** 《구어》 …라는 것을 이해하다; …라고 믿다[생각하다]. ***get*** one***'s*** ~ ***down*** 《구어》 ① 하던 일로 되돌아가다. ② (자기 위해) 눕다. ***get*** one***'s*** ~ ***together*** 《구어》 자제(自制)하다, 분별을 지니다. ***get ... through*** a person***'s*** ~ 《美》 …을 아무에게 이해시키다. ***get ... through*** one***'s*** ~ 《美》 (…을) 이해하다. ***give*** a person ~ 《속어》 펠라티오를 하다. ***give*** a person ***his*** [***her***] ~ 아무의 자유에 맡기다, 제 마음대로 하게 하다. ***go over*** a person***'s*** ~ 절차를 밟지 않고 상사에게 직소하다. ***go to*** a person***'s*** ~ 술이 아무를 취하게 하다; 흥분시키다; 자만케 하다. ***hang*** [***hide***] (***down***) one***'s*** ~ 부끄러워 고개를 숙이다; 절망하다, 기가 죽다. ***have a*** (***good***) ~ ***on*** one***'s shoulders*** 분별이 있다, 냉정하다; 현명하다, 실무의 재능이 있다. ***have an old*** ~ ***on young shoulders*** 젊은이 같지 않게 지혜가[분별력이] 있다. ***have ... hanging over*** one***'s*** ~ (당장이라도) 무언가 좋지 않은 일이 일어날 것 같다. ***have*** one***'s*** ~ ***in the clouds*** 비현실적이다, 공상에 잠겨 있다. ***have*** one***'s*** ~ ***screwed on the right way*** ⇨SCREW. ~ ***and shoulders above*** …보다 훨씬 뛰어난. ~ ***first*** [***foremost***] 곤두박이로; 무모하게, 경솔하게: He threw himself ~ *first* into the fight. 그는 무모하게 그 싸움에 뛰어들었다. ~ ***of hair*** (a ~) 〖수식어와 함께〗 (탐스런) 머리털, 두발. ~ ***on*** 머리[뱃머리, 차의 앞 부분(따위)를] 앞으로 하고; 정면으로. ~ ***over ears in*** …에 전념하여, 깊이[푹] 빠져. ~ ***over heels*** =***heels over*** ~ 곤두박이로; 깊이 빠져들어《***in*** …에》; 충동적으로: be ~ *over heels in* love 홀딱 반하다. ~(***s***) ***or tail***(***s***) 앞이냐 뒤냐《동전을 던져 어느 쪽이 나오는가 맞힐 때》. ***Heads will roll.*** 《구어》 (잘못이 있어) 벌받을 것이다; 무사하지 못할 것이다《목이 잘릴 것이다》. ~ ***to*** ~ =~ on. ***hold*** one***'s*** ~ ***high*** 거만한 태도를 취하다. ***hold*** one***'s*** ~ ***up*** (의연하게) 머리를 쳐들고 있다; 위엄을 유지하다. ***keep*** one***'s*** ~ ***above water*** (물에) 빠지지 않고 있다; (빚 안 지고) 자기 수입으로 생활하다; 대과 없이 지내다. ***keep*** one***'s*** ~ ***down*** (머리를 숙이고) 숨어 있다; 자중하다. ***knock their*** ~***s together*** 《구어》 힘으로 싸움을 말리다; 도리를 깨닫게 하다. ***laugh*** one***'s*** ~ ***off*** 큰 소리로 웃다. ***lose*** one***'s*** ~ 허둥대다; 자제력을 잃다, 몹시 흥분하다; 열중하다《***over*** …에》: *lose one's* ~ *over* a girl 소녀에게 반하다. ***make*** ~ 전진하다, 나아가다. ***make*** ~ ***against*** …을 거슬러 나아가다; …을 저지하다, …에 대항하다[맞서다]. ***make*** ~(***s***) ***or tail***(***s***) ***of ...*** 〖부정문·의문문에서〗 …을 이해하다: I could *not make* ~ *or tail of* what he said. 그가 말한 것을 도무지 이해할 수 없었다. ***make*** a person***'s*** ~ ***spin*** [***go around***] (사물이) 아무의 머리를 혼란하게[어질어질하게] 하다. ***make*** (***the***) ~***s roll*** 많은 종업원을 해임[해고]하다. ***need to*** [***ought to, should***] ***have*** one***'s*** ~ ***examined*** 《구어》 머리가 이상하다, 제정신이 아니다. ***off*** [***out of***] one***'s*** ~ 《구어》 미쳐서; 열중하여. ***on*** [***upon***] one***'s*** ~ ① 물구나무서서: stand *on one's* ~ 물구나무서다. ② 쉽게, 어려움 없이: I can do it *on my* ~. 그런 일은 쉽게 할 수 있다. ***on*** one***'s*** (***own***) ~ 자기의 책임으로, 자신에게 떨어져[닥쳐서]: Be it *on your* (*own*) ~. 그것은 네 책임이다. ***over*** ~ ***and ears in*** =~ over ears in. ***over*** a person***'s*** ~ = ***over the*** ~ ***of*** a person. ① 아무에게 이해되지 않는. ② 아무를 제쳐놓고, 앞질러: He was promoted *over the* ~*s of* his colleagues. 그는 동료들보다 먼저 승진했다. ***put a*** ~ ***on*** 《美속어》 …에게 해대다. ***put*** a thing ***into*** [***out of***] a person***'s*** ~ 아무에게 무엇이 생각나게[잊게] 하다. ***put*** [***lay***] one***'s*** ~***s together*** 이마를 맞대고 의논[밀의]하다. ***shout*** [***scream***] one***'s*** ~ ***off*** 《구어》 (길게) 목이 터져라 소리지르다, 목청껏 소리지르다. ***snap*** a person***'s*** ~ ***off*** ⇨SNAP. ***take it into*** one***'s*** ~ 《구어》 …을 믿게 되다, …이라고 생각하다《***that***》; 급히 정하다, 결심하다《***to*** do》: He *took it into his* ~ *that* everybody was persecuting him. 그는 누구나 다 자기에게 박해를 가하고 있다고 생각했다/He has *taken it into his* ~ *to* go abroad. 그는 외국에 가기로 결심했다. ***talk*** one***'s*** ~ ***off*** 《구어》 마구 지껄이다. ***talk*** a person***'s*** ~ ***off*** 장황한 이야기로 아무를 지루하게 만들다. ***turn*** a person***'s*** ~ (성공 따위가) 아무를 우쭐하게 만들다; (미모 등이) …을 혼란시키다. ***with*** one***'s*** ~ ***in the clouds*** 공상에 빠져서.

> **DIAL.** ***Heads up!*** 위험해, 조심해.
> ***Use your head!*** 머리 좀 써라, 잘 생각해 봐.

—*a.* Ⓐ **1** 우두머리의, 장(長)인; 수위의, 수석의: the ~ waiter 웨이터장(長)/a ~ coach 수석 코치/a ~ clerk 수석 서기. **2** 주된, 주요한: a ~ office 본사, 본점.

—*vt.* **1** …의 **맨 앞에 있다**, …의 처음에 (…을) 두다[싣다]: His name ~*s* the list. 그의 이름이 명단 맨 앞에 있다.

2 …의 **선두에 서다**; …을 **지휘하다**, **이끌다**: The expedition [institute] is ~*ed* by Mr. X. 탐험대 대장[연구소 소장]은 X씨다.

3 《+목+부/+목+전+명》 (배·자동차 등)을 **향하게 하다**, 나아가게 하다《***for*** …(쪽)으로》: be ~*ed for ...* …로 향하다[향해 나아가다]/He ~*ed* the boat north. 그는 보트를 북쪽으로 나아가게 했다/The captain ~*ed* the ship *for* the channel. 선장은 배를 해협으로 향하게 했다.

4 가로막아 서다, 빗나가게 하다.

5 …에 대항하다.

6 《~+목/+목+보/+목+전+명》 …에 표제를[제목, 편지의 주소·성명·날짜를] 붙이다[쓰다]: He ~*ed* the article "Politics." 그는 그 기사에 '정치'라는 표제를 붙였다/Don't forget to ~

your letter *with* the date 〔address〕. 편지에 날짜〔주소〕 쓰는 것을 잊지 마라.
7 《~+목/+목+전+명》 〖축구〗 머리로 (공)을 받다, 헤딩하다: He *~ed* the ball *into* 〔*toward*〕 the goal. 그는 헤딩으로 공을 골에 넣었다.
—*vi.* **1** 《+전+명/+부》 진행하다, 향하다《*for* …(쪽)으로》: ~ *for* one's destination 목적지를 향해 나아가다/~ south 남쪽을 향해 나아가다. **2** 《+전+명》 (강이) 발원(發源)하다《*from, in* …에서》: These rivers ~ *in* the Tibetan steppes. 이 강들은 티벳의 초원 지대에서 발원한다. **3** 《~/+부》 (식물이) 결구(結球)하다(*out*).
~ *back* 《*vt.*+부》 ① 침로(針路)를 바꾸다. **—** 《*vi.*+부》 ② 되돌아오다〔가다〕. **~ *off*** 《*vt.*+부》 ① …을 저지하다; 피하다, 막다: ~ *off* a crises 위기를 피하다. ② …의 침로를 바꾸다. **—**《*vi.*+부》 ③ 나아가다, 향하다: She *~ed off toward* town. 그녀는 도시를 향해 갔다. ④ 출발하다: It's about time we *~ed off*. 이제 슬슬 출발할 시간이다.

‡**head·ache** [hédèik] *n.* Ⓒ **1 두통**: have a ~ 머리가 아프다/suffer from *~s* 두통으로 고생하다. **2** 《구어》 두통〔골칫, 걱정〕거리, 고민; 귀찮은〔성가신〕 사람: The entrance examination is a big ~. 입학 시험이 큰 걱정거리다.

> **DIAL.** ***I have a splitting headache.—Have you caught a cold?*** 머리가 빠개질 듯 아픕니다—감기 걸렸느냐.

héad·àchy [-èiki] *a.* **1** 머리가 아픈, 두통 증세가 있는. **2** 두통을 일으키는: a ~ liquor 두통을 일으키는 술.
héad·bànd *n.* Ⓒ 헤어밴드, 머리띠.
héad-bànger *n.* Ⓒ 《속어》 **1** 머리가 이상한 사람, 괴짜. **2** 헤비메탈의 팬.
héad·bòard *n.* Ⓒ (침대의) 머리판, 헤드보드 《침대 위쪽 끝에 수직으로 된 부분》.
héad bùtt 〖레슬링〗 박치기.
héad·chèese *n.* Ⓒ (요리는 Ⓤ) 《美》 헤드치즈(《英》 brawn)《돼지·송아지의 머리나 발을 잘게 썰어서 양념을 넣고 삶아 젤리로 굳힌 요리》.
héad còld 코감기.
héad còunt 인원수, 머릿수.
héad·drèss *n.* Ⓒ 머리에 쓰는 것; 머리 장식.
héad·ed [-id] *a.* 〔합성어를 이루어〕 '…머리의, …머리를 한, 머리가 …인' 의 뜻: two-~ 쌍두(雙頭)의/clear-~ 두뇌가 명석한.
héad·er *n.* Ⓒ **1** 《구어》 거꾸로 뛰어듦, 곤두박이 침: He stumbled and took a ~ into the ditch. 그는 넘어져서 시궁창에 곤두박질쳤다/try a ~ off a diving board 도약대에서 거꾸로 뛰어들기를 해보다. **2** 〖축구〗 헤딩슛〔패스〕. **3** 대가리를〔끝을〕 자르는 사람〔기계〕; 이삭 끝을 베는 기계. **4** 〖컴퓨터〗 헤더《각 데이터의 머리 표제 정보》.
héader làbel 〖컴퓨터〗 헤더 레이블《파일(file) 또는 데이터 세트의 레이블로서, 하나의 기억 매체(storage medium)상의 레코드에 선행하는 것; title label 이라고도 함》.
héader rècord 〖컴퓨터〗 헤더 레코드《뒤에 이어지는 일군의 레코드에 공통 정보, 고정 정보, 또는 식별용 정보를 포함하는 레코드》.
héader tànk 《英》 (수도의) 압력 조정 탱크.
héad·fírst, -fóremost *ad.* =HEAD first 〔foremost〕.
héad gàte 수문.
héad·gèar *n.* Ⓤ 쓸것, 모자《모자류의 총칭》; 머리 장식.
héad·hùnt *vt.* (다른 회사의 간부 요원으로 사람)을 빼돌리다.
héad·hùnter *n.* Ⓒ **1** 사람 사냥하는 야만인. **2** (기업의) 인재 스카우트 담당자. **3** 인재 공급회사.
héad·hùnting *n.* Ⓤ (야만인의) 사람 사냥; (타사에서의) 간부급 인재 스카우트.
head·ing [hédiŋ] *n.* **1** Ⓒ 표제, 제목, 항목; 제자(題字); (편지의) 주소와 일부(日附): under the ~ of… …의 표제(表題)로〔의 밑에〕. **2** Ⓒ (뱃머리 따위의) 방향, 진로; (비행기의) 비행 방향. **3** Ⓤ (구체적으로는 Ⓒ) 〖축구〗 헤딩《공을 머리로 패스 또는 슛하는 것》.
héad làmp =HEADLIGHT.
héad·land [-lənd] *n.* Ⓒ **1** 갑(岬), 삐죽 나온 육지. **2** [-lænd] 밭 구석의 갈지 않은 곳, 두렁길.
héad·less *a.* **1** 머리가〔목이〕 없는: a ~ body 목이 없는 시체. **2** 지도자가〔수령이〕 없는. **3** 분별〔양식〕없는, 어리석은, 무지한.
◇**héad·lìght** *n.* Ⓒ (흔히 *pl.*) 헤드라이트, 전조등.
head·line** [hédlàin] *n.* **1** Ⓒ (신문기사 따위의) **표제**; (*pl.*) 〖방송〗 (뉴스 방송의 처음에 나오는) 주요 제목 (총괄). **2** Ⓒ 책〔신문〕의 윗 난《제목·페이지 수 따위를 기입함》. ***go into ~s =***hit*** 〔***make***〕 ***the ~s*** 신문에 크게 취급되다; 유명해지다, (이름이) 알려지다.
—*vt.* …에 표제를 붙이다; …을 대대적으로 선전하다; 《美》 (쇼 따위)의 주역을 맡다.
héad·lìner *n.* Ⓒ 《美》 (간판) 스타, 주역.
héad·lòck *n.* Ⓒ 〖레슬링〗 헤드록《상대의 머리를 팔로 감아 누르는 기술》.
head·long** [hédlɔ̀ːŋ/-lɔ̀ŋ] *ad.* **1 곤두박이로**, 거꾸로: He threw himself ~ into the water. 그는 곤두박이로 물속에 뛰어들었다. **2 앞뒤를 가리지 않고**, 무모하게; 황급히, 허둥지둥: He plunged ~ into the fray. 그는 앞뒤 가리지 않고 싸움에 뛰어들었다. **—a.* **1** 곤두박이의. **2** 앞뒤를 가리지 않는, 경솔한; 매우 서두는: a ~ decision 경솔한 결정.
héad·man [-mən, -mæ̀n] (*pl.* ***-men*** [-mən, -mèn]) *n.* Ⓒ (미개 부족 따위의) 족장, 추장.
***head·mas·ter** [hédmǽstər, -máːs-] *n.* Ⓒ 《英》 (초등학교·중학교) **교장**; 《美》 (사립학교) 교장.
héad·místress *n.* Ⓒ headmaster 의 여성형.
héad·mòst *a.* 맨 앞의, 맨 먼저의, 선두의(foremost).
héad-ón *a.* 정면의: a ~ collision 정면 충돌. **—***ad.* 정면으로〔에서〕, 정통으로: meet a problem ~ 정면으로 문제에 대처하다.
héad·phòne *n.* Ⓒ (보통 *pl.*) 헤드폰.
héad·pìece *n.* Ⓒ **1** 투구; 보자. **2** 〖인쇄〗 책의 권두·장두(章頭)의 꽃장식; 두주(頭註).
héad·pìn *n.* Ⓒ 〖볼링〗 제일 첫머리의 핀, 헤드핀.
‡**head·quar·ters** [hédkwɔ̀ːrtərz] *n. pl.* 〔흔히 단수취급〕 **본부**, 사령부; 본사, 본국, 본서: general ~ 총사령부/a ~ company (대대 이상의) 본부 중대/the ~' staff 사령부 요원.
héad·rèst *n.* Ⓒ (이발소·치과의 의자·자동차 좌석 따위의) 머리 받침.
héad·ròom *n.* Ⓤ (터널·출입구 등의) 머리 위 공간〔거리〕.

héad scàrf 《英》 (모자 대용의) 머리 스카프.
héad·sèt *n.* Ⓒ =HEADPHONE.
héad·shìp [-ʃip] *n.* Ⓒ 수령〔교장〕의 직〔권위〕; 지도적 지위.
héad·shrìnker *n.* Ⓒ **1** 자른 머리를 수축 가공하여 보존하는 야만인 종족. **2** 《속어》 정신과 의사(psychiatrist).
héads·man [-mən] (*pl.* **-men** [-mən]) *n.* Ⓒ 목 베는 사람, 사형 집행인.
héad·stàll *n.* Ⓒ (말의) 굴레 장식띠.
héad·stànd *n.* Ⓒ (머리를 바닥에 대는) 물구나무서기.
héad stárt (a ~) **1** (경주 따위에서) 남보다 유리한 스타트. **2** 유리한〔한발 앞선〕 출발《**over, on** …보다》: He has lived in America for a year, so he has a ~ *on* 〔*over*〕 the other students in English. 그는 미국에 1 년간 살았으므로 영어를 배우는 데 다른 학생들보다 유리하다.
héad·stòne *n.* Ⓒ 묘석(墓石).
héad·strèam *n.* Ⓒ (하천의) 원류(源流).
◇**héad·stròng** *a.* 완고한, 고집 센, 억지 센; 방자스러운.
héad-to-héad *a.* Ⓐ 《美》 대접전(大接戰)의, 접근전의.
héad-trìp *n.* Ⓒ 《속어》 **1** 헤드트립《지성 · 상상력이 확대될 듯이 느껴지는 체험》. **2** =EGO TRIP.
héad vòice 〖음악〗 두성(頭聲). ⓒⓕ chest voice.
héad·wáiter *n.* Ⓒ (식당의) 급사장(長).
héad·wàters *n. pl.* 원류, 상류.
héad·wày *n.* Ⓤ **1** 전진, 진행, 진보: gain ~ 전진하다: make ~ 〖항해〗 (배가) 진항하다; (일이) 진척되다. **2** (발차 · 출항 시간의) 간격.
héad wìnd 역풍, 맞바람.
héad·wòrd *n.* Ⓒ **1** (사전 등의) 표제어. **2** 〖문법〗 (복합어 · 연어의 중심이 되는) 주요어.
héad·wòrk *n.* Ⓤ 정신〔두뇌〕 노동, 머리쓰는 일; 사고(思考).
heady [hédi] (**head·i·er; -i·est**) *a.* **1** 완고한; 무모한, 분별없는. **2** (사상 · 행동 따위가) 성급한, 조급한. **3** (술이) 빨리 취하는. **4** 들뜨게 하는; 들떠 있는《**with** …으로》: He's ~ *with* success. 그는 성공으로 들떠 있다. ⓜ **héad·i·ly** *ad.* **héad·i·ness** *n.*
***heal** [hiːl] *vt.* **1 a** (병 · 상처 · 마음의 아픔 등)을 **고치다**, 낫게 하다: ~ disease 병을 고치다/Time ~*s* all sorrows. 세월은 모든 슬픔을 잊게 한다. **b** 《+목+전+명》 (아무)에게 치료해주다《**of** (병)을》: He was miraculously ~*ed of* cancer. 그는 기적적으로 암이 치유되었다. SYN. ⇨CURE. **2** (불화 따위)를 화해시키다, 무마하다: ~ dissensions 분쟁을 화해시키다/They tried to ~ the rift between them. 그들은 그들 사이의 감정적인 거리를〔틈을〕 메워 화해하려고 했다. ── *vi.* 《~/+부》 **고쳐지다, 낫다** (*up; over*).
héal-àll *n.* Ⓒ 만병 통치약; 민간 요법에 쓰이는 식물.
héal·er *n.* Ⓒ 약; 의사, 《특히》 신앙 요법을 행하는 사람: Time is a great ~. 《속담》 시간이 약이다.
‡**health** [helθ] *n.* **1** Ⓤ **건강** (상태), 건전; 신체 상태: be in bad 〔poor〕 ~ 건강이 좋지 않다/be in good ~ 건강하다/lose one's ~ 건강을 잃다/be out of ~ 건강이 좋지 않다/the value of good ~ 건강의 값어치〔고마움〕/He enjoys good ~. 그는 매우 건강하다/*Health* is better than wealth. 《속담》 건강이 부(富)보다 낫다. **2** Ⓤ 위생, 보건, 건강법: the board of ~ 위생국(局)/the Ministry of *Health* 《英》 보건부/mental ~ 정신 위생/public ~ 공중 위생. **3** Ⓤ (구체적으로는 Ⓒ) (건강을 비는) 축배: drink (to) a person's ~ =drink (to) the ~ of a person 아무의 건강을 축복하여 축배를 들다.

> DIAL. ***Your*** 〔***To your***〕 (***good***) ***health!*** (당신의) 건강을 위해 건배《축배의 말로, your 대신에 our 등 다른 대명사나 명사의 소유격도 쓸 수 있음》.

héalth·càre *n.* Ⓤ (구체적으로는 Ⓒ) 건강 관리.
héalth cèntre 《英》 보건소.
héalth certìficate 건강 증명서.
héalth fàrm 건강 시설《식이 · 운동에 의해 감량이나 건강 증진을 꾀하는 교외시설》.
héalth fòod 건강 식품《자연식품 등》.
◇**health·ful** [hélθfəl] *a.* 건강에 좋은, 위생적인; (정신적으로) 유익한. ⓒⓕ healthy. ¶ ~ exercise 건강에 좋은 운동. ⓜ **~·ly** *ad.* **~·ness** *n.*
héalth sèrvice (종종 H- S-) 〖집합적〗 공공 의료 (시설).
héalth vìsitor 《英》 (여성) 순회 보건관〔원〕.
‡**healthy** [hélθi] (**health·i·er; -i·est**) *a.* **1 건강한**, 건장한, 튼튼한: perfectly ~ 완전히 건강한 《특히 신생아에 쓰임》/a ~ mind 〔idea〕 건전한 정신〔생각〕.

SYN. **healthy** 심신의 건강을 나타내는 일반적인 말. 적극적 의미('튼튼한')와 소극적 의미('앓지 않는')가 있음: keep one's children *healthy* during the winter 겨울 동안 애들을 병에 안 걸리도록 하다. **wholesome** (물건 · 음식이) 심신의 건강에 좋은, 건전한. 사람에게 쓰일 때는 정신의 건강이 강조됨: *wholesome* air 맑은 공기. **sound** 심신에 고장이 없는: *sound* in mind and body 심신이 건전한. **well** 튼튼한, 건강이 좋은, 구어적이며 보통은 보어로 쓰이지만, 미국에서는 원형에 한해 명사 앞에서도 씀: look *well* 건강이 좋아 보이다. a *well* man 건강한 사람.

2 (얼굴 · 식욕 따위가) 건강해 보이는; 왕성한, 기운찬: a ~ appetite 왕성한 식욕/look ~ 건강해 보이다. **3 건강상 좋은**, 위생적인: a ~ climate 건강에 좋은 기후/a ~ diet 건강에 좋은 식사. **4** 《美》 대량의, 막대한: a ~ number of books 수많은 책.
ⓜ **héalth·i·ly** *ad.* **-i·ness** *n.*
‡**heap** [hiːp] *n.* Ⓒ **1 쌓아올린 것**, 퇴적, 더미, 덩어리: a sand ~ =a ~ of sand 모래산/in a ~ 〔~*s*〕 산더미를 이루어. **2** 《구어》 〖보통 a ~ of; ~s of로〗 **많음**, 다수, 다량: have *a* ~ *of* work to do 할 일이 산더미처럼 많다/~*s of* people 많은 사람들/~*s of* time 많은 시간, 여가/~*s of* times 여러 번, 몇 번이나. **3** (~s) 〖부사적〗 매우: The patient is ~s better. 환자는 훨씬 좋아졌다. **4** 《구어》 털털거리는 자동차; 황폐한 건물.
all of a **~** 《구어》 갑자기, 느닷없이; 털썩: be struck 〔knocked〕 *all of a* ~ 완전히 압도당하다; 털썩 넘어지다; 깜짝 놀라다, 질겁하다.
── *vt.* **1** 《~+목/+목+부》 **쌓아올리다**; 축적하다 (*up*): ~ (*up*) stones 돌을 쌓아올리다/~ *up* riches 부(富)를 축적하다. **2** 《+목+전+명》 (모욕 · 찬사 따위)를 자꾸 주다《**on, upon** (아무)에게》: ~ favors *upon* a person 아무에게 갖가지 은혜를 베풀다. **3** 《+목+전+명》 수북이 담다

《**with** …을; **on, upon** (접시 따위)에》: ~ a plate *with* cherries = ~ cherries *on* a plate 버찌를 접시에 수북이 담다. **—***vi.* 《~/+副》 (쌓여) 산더미가 되다, (산더미처럼) 쌓이다(*up*): The snow ~ed *up against* the walls. 눈이 담쪽에 산더미처럼 쌓였다.

†**hear** [hiər] (*p., pp.* **heard** [həːrd]) *vt.* **1** 《~+目/+目+*do*/+目+*-ing*/+目+*done*》 …을 듣다, …이 들리다: ~ a voice 말소리가 들리다/Did you ~ your name *called*? 네 이름을 부르는 것을 들었니/I *heard* him *laugh* 〔laugh*ing*〕. 그가 웃는 것을 들었다/He was *heard* to laugh 〔laugh*ing*〕. 그가 웃는 것이 들렸다《★ 수동형에서는 부정사에 to를 씀》.
2 …을 잘 듣다; 주의하여 듣다, 경청하다, …에 귀를 기울이다(listen to); (강연 · 연주 따위)를 들으러 가다; (강의)를 방청〔청강〕하다: ~ a lecture 강의를 듣다/I don't ~ you. 말이 안 들립니다/I went to the concert to ~ Beethoven. 베토벤의 작품〔곡〕을 들으러 음악회에 갔다.
3 (소원 · 기도 따위)를 받아들이다, 들어주다, 청허(聽許)하다: *Hear* my prayer. 나의 소원을 들어주십시오.
4 《~+目/+*that* 節》 들어서 알다, 듣고 있다, 소문으로 듣다, 전하여 듣다: ~ the truth 사실을 들어서 알다/Nothing has been *heard* of him since. (그 후로) 전혀 그에 관한 소식을 들은 적이 없다/I ~ (*that*) he was married. 그는 결혼했다고 한다/He was engaged, I ~. 그는 약혼했다더라.
5 〖법률〗 …의 진술을 듣다; (사건 따위)를 심리하다, 신문하다: ~ the defendant 피고의 증언을 듣다/~ a witness 증인을 신문하다/~ a case 소송을 심리하다.
—*vi.* **1** 듣다, (귀에) 들리다: Can you ~? 들리나/He doesn't ~ well. 그는 귀가 어둡다《비교: He doesn't listen well. 그는 남의 말을 잘 안 듣는다》.
2 《~/+前+名》 **a 소식을 듣다**, 편지를〔연락을〕 받다《**from** …에게서》《★ 수동태 가능》: Have you *heard from* him of late? 최근 그에게서 소식이 있었나. **b 들어서 알고 있다**《**of** (…의 존재〔사실〕)을》《★ 수동태 가능》: I've *heard of* him, but I haven't met him. 그에 관해서는 들어서 알고 있지만, 만난 적은 없다/I've never *heard of* such a thing. 그런 일은 지금까지 들어본 일이 없다.
3 《+前+名》 **소문을 듣다**《**of** …의; **about** …에 관한》: He was never *heard of* since. 그 후 그의 소문은 딱 끊어졌다/Have you *heard about* him? 그에 관한 이야기를 들었습니까.
4 〖명령법〗《英》 들어라, 근청하라.
~ a person **out** 아무의 말을 끝까지 듣다. ~ **tell** 〔《英》 **say**〕 소문을 듣다《**of** …에 대한/**that**》: I've *heard tell* 〔*say*〕 *that* …라는 소문을 듣고 있다. **make oneself heard** (소음 때문에 큰 소리로 말하여) 자기 목소리가 상대에게 들리게 하다; 자기의 의견〔주장〕을 들려주다. **won't** 〔**wouldn't**〕 ~ **of** …을 들으려 하지 않는다〔않았다〕, …을 승낙하지 않다〔않았다〕: My father *won't* ~ *of* it. 아버지가 그것을 승낙하지 않을 것이다.

> DIAL. **(*Do*) *you hear* (*me*)?** 알았나: Be quiet, *you hear me?* 조용히 해, 알았어.
> ***Hear, hear!*** 《주로 英》 찬성이요 찬성《종종 반어적으로 씀》.

> ***I hear you*** 〔***what you're saying***〕. ① 바로 그렇다. ② 그럴까요《불찬성의 뜻》.
> ***I've heard so much about you.*** 소문은 익히 들었습니다.

heard [həːrd] HEAR의 과거 · 과거분사.

*__hear·er__ [híərər] *n.* Ⓒ **듣는 사람**; 방청인, 청중.

*__hear·ing__ [híəriŋ] *n.* **1** Ⓤ **청각**, 청력, 듣기: She's hard 〔quick〕 of ~. 그녀는 귀가 잘 안들린다〔잘 들린다〕. **2** Ⓤ (구체적으로는 Ⓒ) (외국어 따위의) 청취: at first ~ 처음 들을 때에는. **3** Ⓒ **들어줌, 들려줌**, 발언의〔들려줄〕 기회: gain 〔get〕 a ~ 들려주다, 발언할 기회를 얻다/give a person a (fair) ~ 아무의 할 말을 (공평히) 들어주다. **4** Ⓤ **들리는 거리**〔**범위**〕: in a person's ~ 아무가 듣는 곳에/out of 〔within〕 ~ 들리지 않는〔들리는〕 곳에. **5** Ⓒ 〖법률〗 신문, 심리, 공판; (위원회 등의) 청문회: a public ~ 공청회/a preliminary ~ 예심.

héaring àid 보청기《특히 휴대용》.

héaring(-éar) dòg 청각 장애자 안내견.

héaring-impáired *a.* 난청의, 청각 장애의.

◇**heark·en** [háːrkən] *vi.* 《문어》 귀를 기울이다, 경청하다《**to** …에》: ~ *to* a distant sound 먼뎃소리에 귀를 기울이다.

héar·sày *n.* Ⓤ 소문, 풍문: have it by 〔from, on〕 ~ 그것을 소문으로 듣고 있다.

héarsay èvidence 〖법률〗 전문(傳聞) 증거.

hearse [həːrs] *n.* Ⓒ 영구〔장의〕차.

†**heart** [haːrt] *n.* **1** Ⓒ **심장**: He has a weak ~. 그는 심장이 약하다〔나쁘다〕/My ~ leaps up. 가슴〔심장〕이 뛴다〔두근거린다〕/A ~ fails 〔stops〕. 심장이 멎다.
2 Ⓒ 가슴, 흉부: clasp to one's ~ (가슴에) 끌어안다/She put her hand on her ~. 그녀는 가슴에 손을 얹었다.
3 Ⓒ (지식 · 의지와 구별하여) **마음**, 심정, 감정, 기분, 마음씨: speak out of one's ~ 본심을 말하다/pity a person from one's ~ 마음으로부터 아무를 동정하다/touch a person's ~ 아무의 마음을 움직이다, 감동을 주다/What the ~ thinks, the mouth speaks. 《속담》 마음먹은 생각은 입으로 나오는 법이다. SYN. ⇨MIND.
4 Ⓤ **애정**, 동정심: a man without ~ 무정한 사람/an affair of the ~ 정사(情事), 연애.
5 Ⓒ 사랑하는 사람: a sweet ~ 애인/Dear ~! 그대, 사랑하는 사람《아내 · 연인 · 자식의 애칭》.
6 Ⓤ 용기, 기운, 기력; 냉혹, 무정함《**to** do》: I did not have the ~ *to* say that. 감히 그 일을 말할 용기가 없었다.
7 Ⓒ 용기 있는 자, 우수한 사람: true English ~*s* 참다운 영국 용사들/a noble ~ 고귀한 사람.
8 Ⓤ **열의**, 관심, 흥미: My ~ is not in the work. 나는 그 일에 별로 관심이 없다.
9 Ⓒ (문제 따위의) **중심**, 핵심, 본질, 급소: go to the ~ *of* the matter 사건의 핵심을 잡다.
10 Ⓒ (장소 따위의) 중심부: the ~ *of* the city 도심/the ~ *of* Africa 아프리카 내륙.
11 Ⓒ (과일 · 야채 따위의) 속: the ~ *of* a cabbage.
12 Ⓒ 하트 모양의 것; 〖카드놀이〗 하트(의 패).
after one***'s*** (***own***) ~ 마음에 드는, 생각대로의: She is a woman *after* my *own* ~. 그녀는 내가 좋아하는 타입의 여자다. ***at*** ~ 마음속은, 내심은; 실제로는; 마음에 두고: He isn't a bad man *at*

~. 바탕이 나쁜 사람은 아니다/have the matter *at* ~ 그 일을 깊이 마음에 두고 있다. ***break*** a person***'s*** ~ 아무를 비탄케 하다, 몹시 실망시키다. ***by*** ~ 외워서, 암기하여: He knew [had] the song *by* ~. 그 노래를 외고 있었다. ***change of*** ~ 회심(回心), 개종(改宗); 기분[마음]의 변화. ***close*** [***dear***] ***to*** a person***'s*** ~ =near a person's ~. ***cry*** one***'s*** ~ ***out*** 가슴이 미어지게 울다, 몹시[하염없이] 울다. ***do the*** [a person***'s***] ~ ***good*** (아무)를 대단히 기쁘게 하다: It *does* my ~ *good* to see you. 만나뵙게 되어 매우 기쁩니다. ***eat*** one***'s*** ~ ***out*** 슬퍼서 끙끙 앓다, 비탄에 잠기다《***for, over*** …일로》. ***find it in*** one***'s*** ~ ***to*** do ⇨FIND. ***give*** one***'s*** ~ ***to*** …을 연모하다, …에 마음을 빼앗기다. ***go to*** a person***'s*** [***the***] ~ 아무의 마음에 울리다[찔리다], 마음을 아프게 하다: It *goes to the* ~ to see such kindness. 그런 친절함을 대하면 가슴이 찡하고 울린다. ***have*** one***'s*** ~ ***in*** one***'s boots*** [***mouth***] 《구어》 실망[낙담]하고 있다, 벌벌 떨고 있다, 조바심하다, 두려워[걱정]하고 있다. ***have*** one***'s*** [***the***] ~ ***in the right place*** (외모와는 달리) 인정미가 있다, 부드러운[착한] 마음을 가지고 있다. ~ ***and hand*** [***soul***] 몸과 마음을 바쳐, 열심히. ~ ***to*** ~ 숨김없이, 털어놓고. ***in*** one***'s*** ~ (***of*** ~***s***) 마음속에서(는), 몰래; 실제로는. ***lay ... to*** ~ = take ... to ~. ***lift*** (***up***) one***'s*** ~ 기운을 내다, 희망을 가지다. ***lose*** one***'s*** ~ ***to*** …에게 마음을 주다, 사랑하다. ***near*** [***nearest, next***] (***to***) a person***'s*** ~ 중요한[가장 중요한]; (가장) 친애하는: This work is *near to* my ~. 이 일은 나에게는 아주 중요하다. ***open*** one***'s*** ~ ***to*** (아무)에게 흉금을 터놓다. ***put*** one***'s*** ~ (***and soul***) ***into*** …에 열중[몰두]하다. ***set*** a person***'s*** ~ ***at rest*** 아무의 불안을 없애다, 아무를 안심시키다. ***set*** one***'s*** ~ ***on*** do***ing*** …에 희망을 걸다; …을 탐내다; …하기로 마음을 정하다: I've *set my* ~ *on* go*ing* abroad. 외국에 가기로 마음을 정했다. one***'s*** ~ ***goes out to ...*** …에 대하여 애착[동정, 연민]을 느끼다. one***'s*** ~ ***leaps*** [***comes***] ***into*** one***'s mouth*** 깜짝 놀라다; 조마조마[아슬아슬]하다. one***'s*** ~ ***sinks*** (***low within*** him) =one***'s*** ~ ***sinks in*** [***into***] his ***boots*** [***heels***] 몹시 기가 죽다, 낙담하다, 의기소침하다. ***take ... to*** ~ …을 마음에 새기다, 진지하게 생각하다, 통감하다; 마음에 두다, 걱정하다: Don't *take* the failure *to* ~. 실패를 괴로워하지 마라. ***take ... to*** one***'s*** ~ …을 기꺼이 받아들이다, 환영하다: She *took* my advice *to* ~ 그녀는 내 충고를 기꺼이 받아들였다. ***to*** one***'s*** ~***'s content*** 마음껏, 만족할 때까지. ***wear*** [***pin***] one***'s*** ~ ***on*** [***upon***] one***'s sleeve*** 생각하는 바를 기탄없이 말하다, 감정[연모의 정]을 노골적으로 나타내다. ***with all*** one***'s*** ~ (***and soul***) =***with*** one***'s whole*** ~ 진심을 다하여; 충심으로, 기꺼이.

> **DIAL.** ***My heart bleeds.*** 마음이 아프다《***for*** …에》; 《반어적》 그것 참 안됐군.

héart·àche *n.* Ⓤ 마음의 아픔, 비탄, 번민.
héart attàck =HEART FAILURE; 심장 발작.
héart·bèat *n.* Ⓤ (낱개는 Ⓒ) 심장의 고동, 심장 박동.
héart·brèak *n.* Ⓤ 비통, 비탄, 애끊는 마음《주로 실연(失戀)의》.
héart·brèaker *n.* Ⓒ 애끊는 생각을 하게 하는 것[사람].
◇**héart·brèaking** *a.* 가슴이 터질[찢어질] 듯한, 애끊는; 《구어》 질력나는, 따분한: ~ work [labor] 지루하고 힘드는 일[노동]. ⊕ ~**·ly** *ad.*
héart·bròken *a.* 비탄에 잠긴, 비통한 생각의, 안타까운. ⊕ ~**·ly** *ad.*
héart·bùrn *n.* Ⓤ **1** 가슴앓이. **2** 질투, 시기.
héart·bùrning *n.* Ⓤ 질투, 시기, 원한(grudge); 불만, 짜증.
héart disèase 심장병.
héart·ed [-id] *a.* 〖보통 합성어로〗 …의 마음을 지닌, 마음이 …한: good-~ 친절한, 마음씨 좋은/warm-~ 마음이 따뜻한/faint-~ 마음이 약한.
◇**heart·en** [háːrtn] *vt.* …의 원기[용기]를 북돋우다, …을 격려하다, 고무하다(*up*): The manager tried to ~ (*up*) the players. 감독은 선수들을 격려하려고 했다. ⊕ ~**·ing** *a.* 격려가 되는, 믿음직한. ~**·ing·ly** *ad.*
héart fàilure 심장 마비; 〖의학〗 심부전(心不全).
héart·fèlt *a.* (말·행위 따위가) 마음으로부터의, 진심에서 우러나오는; 정성어린.
***hearth** [haːrθ] *n.* Ⓒ **1** 노(爐), 난로; 노변. **2** 노상(爐床), 노의 바닥돌. **3** 가정: ~ and home 따뜻한 가정(의 단란함).
héarth·rùg *n.* Ⓒ 난로 앞[난롯가]에 까는 깔개.
héarth·sìde *n.* Ⓤ (보통 the ~) 난롯가; 가정.
héarth·stòne *n.* Ⓒ 노[용광로]의 바닥돌; 난롯가; 가정.
***heart·i·ly** [háːrtili] *ad.* **1 마음으로부터**, 열의를 갖고, 진심으로; 기운차게: I ~ thank you. =I thank you ~. 진심으로 감사드립니다. **2** 많이, 배불리; 마음껏, 철저히; 완전히: eat ~ 배불리[실컷] 먹다/laugh ~ 실컷 웃다/I'm ~ tired of it. 그것에 완전히 싫증났다.
héart·i·ness *n.* Ⓤ **1** 성실, 열의; 친절. **2** 원기.
héart·lànd *n.* Ⓒ 심장부, 중핵(中核) 지역.
◇**héart·less** *a.* 무정한, 박정한, 냉혹한《***to*** do》: a ~ killer 냉혹한 살인자/It was ~ *of* you [You were ~] *to* leave without saying good-bye. 작별 인사 한마디 없이 떠나다니 너는 정말 매정했다. ⊕ ~**·ly** *ad.* ~**·ness** *n.*
héart-lúng machìne 인공 심폐(心肺).
héart·rènding *a.* 가슴이 터질[찢어질] 듯한, 비통한. ⊕ ~**·ly** *ad.*
héart's blòod 심장내의 혈액, 심혈(心血); 생명.
héart-sèarching *n.* Ⓤ 반성, 자성.
héarts·èase, héart's-èase *n.* Ⓤ **1** 마음의 평온. **2** 야생의 팬지, 꼬까오랑캐꽃.
héart·sìck *a.* 비탄에 잠긴, 의기소침한. ⊕ ~**·ness** *n.*
héart·sòre *a.* =HEARTSICK.
héart·strìngs *n. pl.* 심금(心琴), 깊은 정감[애정]: tug [pull] at a person's ~ 아무의 심금을 울리다[감정을 흔들어 놓다].
héart·thròb *n.* Ⓒ **1** 심장의 고동. **2** 《구어》 정열, 감상(感傷). **3** 《구어》 연인, 멋진 사람[남성], 동경의 대상《특히 영화 스타·가수》.
héart-to-héart *a.* Ⓐ 숨김없는, 솔직한, 흉금을 터놓는: a ~ talk 털어놓고 하는 얘기. ―*n.* Ⓒ 솔직한 이야기.
héart·wàrming *a.* 마음이 푸근해지는, 친절한, 기쁜.
héart·wòod *n.* Ⓤ (목재의) 심재(心材), 적목질(赤木質).

hearty** [hɑ́ːrti] (heart·i·er; -i·est***) *a.* **1** 마음으로부터의, 친절한, 애정어린; (지원 따위가) 따뜻한: a ~ welcome 마음에서 우러나는 환영. SYN. ⇨SINCERE. **2 기운찬**, 건강한, 튼튼한: be in ~ good health 아주 건강하다. **3** (식사 따위가) 많은, 풍부한; (식욕이) 왕성한: take [have] a ~ meal 배불리[실컷] 먹다/a ~ eater 대식가. **4** 《英구어》 (우호적인 것처럼 보이려고) 매우 신명나서 떠드는. ***hale and ~*** ⇨ HALE.

†heat [hiːt] *n.* **1** Ⓤ **열, 더위**, 더운 기운; 열기; 따뜻함; 온도; 『물리』 열; (the ~) 난방(비): the ~ of the sun 태양의 열/the ~ of blood 혈액의 온도/increase [lower] the ~ 온도를 올리[낮추]다/suffer from the ~ 더위에 시달리다. **2** Ⓤ **열심**, 열렬; 흥분; 격노: speak with much ~ 열을 올려서 말하다. **3** (the ~) 한창인 때; (토론·투쟁 등의) 최고조: in the ~ *of* an argument 토론이 한창일 때에. **4** Ⓤ (후추 등의) 매운 맛. **5 a** (a ~) 1회의 노력[동작]. **b** 『경기』 Ⓒ 예선(의 1회); (경기 등의) 1라운드[이닝, 회]: preliminary [trial] ~*s* 예선/the final ~ 결승전. **6** Ⓤ 《속어》 (경찰의) 추적, 심문; 비난; 위압; 경찰. **7** Ⓤ 위압, 고문. **8** Ⓤ (짐승 암컷의) 발정, 교미기: be in [《英》 on] ~ (암컷이) 암내가 나 있다. **9** Ⓒ 《속어》 총, 화기.
in the ~ of the moment 발끈 화를 내는 바람에. ***put*** [***turn***] ***the ~ on ...*** 《구어》 (아무)에게 강한 압박을 가하다, 집중 공격[비판]을 하다.

> **DIAL.** ***The heat is on.*** 사태는 심각하다[어렵다].

— *vt.* 《~+목/+목+부》 **1 가열하다**, 따뜻이 하다; (찬 음식)을 데우다(*up*): ~ a room 방을 따뜻이 하다/~ *up* cold meat 식은 고기를 데우다. **2** 흥분시키다, 격하게 하다(*up*). **—** *vi.* 《~/+부》 뜨거워지다, 더워지다; 흥분하다; 격해지다; (행위 따위가) 한층 더 열기를 띠다(*up*): The engine ~*s up* quickly. 엔진은 빨리 뜨거워진다[가열된다]/Business competition will ~ *up* toward the end of the year. 기업간 경쟁은 연말경에는 더욱 격렬해질 것이다. 파 **∠·less** *a.*

héat bàrrier = THERMAL BARRIER.
héat capàcity 『물리』 열용량.
héat dèath 『물리』 열역학적 죽음《entropy가 최대가 되는 열평형(平衡) 상태》.
◇héat·ed [-id] *a.* **1** 가열한, 뜨거워진: the ~ term 《美》 여름철. **2** 격앙한, 흥분한: a ~ discussion 격론. 파 **~·ly** *ad.*
héat èngine 열기관(熱機關).
***heat·er** [híːtər] *n.* Ⓒ 전열기, 가열기, 히터, 난방 장치; 《속어》 권총.
héat exchànge 『기계』 열 교환.
héat exchànger 『기계』 열 교환기.
héat exhàustion 『의학』 열피로, 열탈진.
◇heath [hiːθ] *n.* **1** Ⓤ 『식물』 히스《황야에 번성하는 관목》. **2** Ⓒ 《英》 히스가 무성한 황야; 황야.
◇hea·then [híːðən] (*pl.* **~s**, 《집합적》 ~) *n.* **1** Ⓒ 이교도《기독교·유대교·회교 신자들에게 각기 다른 교도》; 불신앙자; 미개인. **2** Ⓒ 『성서』 이방인《유대인 이외의 자》. **3** (the ~) 《집합적; 복수취급》 이교도들. **—** *a.* Ⓐ 이교(도)의; 신앙심 없는: ~ days 이교(異敎) 시대/~ gods 이교의 신(神)들. 파 **~·dom** [-dəm] *n.* Ⓤ 이교, 이단; 이교의 세계; 《집합적》 이교도들.
hea·then·ish [híːðəniʃ] *a.* 이교(도)의; 비기독교적인; 야만의, 미개한. 파 **~·ly** *ad.*
héa·then·ìsm *n.* Ⓤ **1** 이교, 이단, 우상 숭배. **2** 야만; 만풍(蠻風)(barbarism).
◇heath·er [héðər] *n.* Ⓤ 히스(heath)속(屬)의 식물《보라 또는 분홍색의 꽃이 핌》.
héather mìxture 《英》 혼색 모직물의 일종.
heath·ery [héðəri] *a.* =HEATHY.
Héath Róbinson 《英》 (기계 따위가) 너무 정교하여 실용적이 못되는.
Héath·row Àirport [híːθrou-] 히스로 공항《통칭 London Airport; London의 국제 공항》.
heathy [híːθi] (***heath·i·er; -i·est***) *a.* 히스의; 히스 비슷한; 히스가 무성한.
heat·ing [híːtiŋ] *a.* 가열하는, 따뜻하게 하는, 난방용의: a ~ apparatus [system] 난방 장치[설비]. **—** *n.* Ⓤ 가열; 난방 (장치): steam ~ 증기 난방/⇨CENTRAL HEATING.
héat lìghtning (여름밤의) 소리 없는 번개.
héat·pròof *a.* 내열(耐熱)의.
héat pùmp 열 펌프《열을 옮기는 장치》; (빌딩 따위의) 냉난방 장치.
héat ràsh 땀띠.
héat-resístant *a.* =HEATPROOF.
héat-seeking míssile 열선[적외선] 추적 미사일.
héat shìeld (우주선의) 열차폐(熱遮蔽), 히트실드.
héat·stròke *n.* Ⓤ 일사[열사] 병(sunstroke).
héat wàve **1** (장기간에 걸친) 혹서. **2** 『기상』 열파(hot wave). ↔ *cold wave.*
heave** [hiːv] (*p.*, *pp.* **~d,** 『항해』 ***hove [houv]) *vt.* **1** 《~+목/+목+부/+목+전+명》 **a** (무거운 것)을 (**들어**)**올리다**(lift): ~ a heavy ax 무거운 도끼를 치켜 올리다/~ a heavy box *up* (*onto* the bank) (둑 위로) 무거운 상자를 끌어올리다. **b** 《~ oneself》 몸을 일으키다: He ~*d* him*self* *out of* the armchair. 그는 안락의자에서 (무겁게) 몸을 일으켰다. **2** (가슴)을 울렁이게 하다; 부풀리다: ~ one's chest 가슴을 울렁이게 하다, (숨을 들이켜) 가슴을 부풀리다. **3** 《~+목/+목+부》 **a** (신음 소리)를 내다, 발하다; (한숨)을 쉬다(*out*): ~ a groan 끙끙 앓다. **b** 게우다(vomit)(*up*): ~ one's breakfast 아침 먹은 것을 토하다. **4** 《~+목/+목+부/+목+전+명》 《구어》 던지다(throw): ~ an anchor overboard 닻을 바다에 내리다/He ~*d* a stone *out of* the window. 그는 창 밖으로 돌을 던졌다. **5** 『항해』 (밧줄로) …을 끌어올리다; (밧줄)을 끌어당기다: ~ the anchor 닻을 감아올리다.
— *vi.* **1** 올라가다, 높아지다(rise), 들리다; 부풀어 오르다. **2** (물결·바다가) 넘실거리다, 물결치다; (가슴이) 울렁이다. **3** 《+부》 속이 느글거리다, 게우다(*up*): ~ *up* violently 심하게 토하다. **4** 허덕이다(pant). **5** 《+전+명》 (힘껏) 끌다; 잡아당기다(***at, on*** …을): ~ *at* [*on*] a rope 밧줄을 잡아당기나. **6** 『항해』 밧줄 따위를 손으로[고패로] 감다.
Heave away [***ho***]***!*** 이영차《닻줄을 감거나 무거운 것을 들어올릴 때 내는 소리》. **~ *in sight*** [***view***] 《구어》 (배가 수평선 위로) 보이기 시작하다. **~ *to*** 《*vt.*+부》 ① 이물을 바람 불어오는 쪽으로 돌려 (배)를 멈추다. **—**《*vi.*+부》 ② (배가) 서다, 멈추다: The ship *hove to*. 배가 멈췄다.
— *n.* **1** Ⓒ 들어올리는 것; (무거운 것을) 던지는 것: He gave the discus a tremendous ~. 그는 원반을 굉장히 멀리까지 던졌다. **2** (*sing.*) 융기; 기복. **3** Ⓒ 『지질』 (단층·지층의) 수평 전위.

héave-hò (*pl.* **~s**) *n.* Ⓒ《美구어》 해고, 내쫓음, 거절: get 〔give a person〕 the ~ 해고당하다〔아무를 해고하다〕.

‡heav·en [hévən] *n.* **1** Ⓤ (또는 the ~s) **하늘**, 천공(天空)(sky): the starry ~*s* 별이 반짝이는 하늘/the eye of ~ 태양. **2** (H-) Ⓤ **신**, 하느님: for *Heaven's* sake 제발, 아무쪼록/*Heaven's* vengeance is slow but sure. 《속담》 천벌은 늦지만 반드시 온다/Inscrutable are the ways of *Heaven*. 하느님 뜻은 헤아릴 길 없다. **3** Ⓤ **천국**; 극락; 〖집합적〗 신들, 천인(天人): be in ~ 천국에 계시다/go to ~ 승천하다, 죽다. **4** Ⓤ 매우 행복한 상태; Ⓒ 낙원: I am in ~. 나는 매우 행복하다/This is a ~ on earth. 이곳은 지상의 낙원이다.

By Heaven*(s)!** 맹세코, 꼭. ***Heaven be praised! =***Thank Heaven*(s)!** 고마워라. ***Heaven knows.*** ① 신만이 안다, 아무도 모른다. ② 하느님은 아실 거다, 맹세코. ***in* (*the*) *~'s name*** ⇨NAME. ***move ~ and earth*** ⇨MOVE. ***in seventh ~*** 더없는 행복 속에; 미칠 듯이 기뻐하여.

> DIAL. ***Good heavens!*** =(***My***) ***heavens!*** = ***Heavens alive!*** 저런, 이런, 어머나, 어처구니없군《놀람·당혹을 나타냄》.

***heav·en·ly** [hévənli] (**-li·er; -li·est**) *a.* **1** Ⓐ 하늘의, 천공(天空)의. ↔ *earthly*. ¶the ~ bodies 천체. **2** Ⓐ **천국과 같은**, 신성한(holy), 거룩한(divine); 천래의, 절묘한. ↔ *earthly*, *earthy*. ¶~ beauty 성스러운 미(美)/a ~ voice 절묘한 목소리. **3** 《구어》 멋진, 훌륭한: What a ~ day! 참 멋진 날이야. ㊎ **-li·ness** *n.*

héaven-sènt *a.* 천부의; 시의(時宜)를 얻은, 절호의: a ~ opportunity 절호의 기회.

heav·en·ward [hévənwərd] *ad.*, *a.* 하늘쪽으로(의), 하늘을 향해〔향한〕. ㊎ **~·ly** *ad.* **~·ness** *n.*

heav·en·wards [-wərdz] *ad.* =HEAVENWARD.

***heav·i·ly** [hévili] *ad.* **1 무겁게**, 묵직하게, 육중하게: a ~ loaded truck 무거운 짐을 실은 트럭. **2** 무거운 듯이, 느릿느릿 힘들게, 시름겹게, 침울하게: walk ~ 무거운 발걸음으로 걷다. **3** 짙게; 빽빽이, 울창하게: a ~ populated district 인구 밀도가 높은 지구. **4** 몹시, 크게, 심하게; 다량으로: ~ guarded 엄중히 경계된/drink ~ 통음하다/be ~ powdered 〔made up〕 짙은 화장을 하고 있다/It rained ~ on. 억수 같은 비가 계속 내렸다/Past experience will weigh ~ in the selection process. 선발 과정에서는 과거의 경험이 대단히 중요시된다.

◇heav·i·ness [hévinis] *n.* Ⓤ (구체적으로는 Ⓒ) **1** 무거움, 무게. **2** 짓눌려 답답함. **3** 끈덕짐, 집요함. **4** 우울, 찌무룩함.

†heavy [hévi] (**heav·i·er; -i·est**) *a.* **1 a 무거운**, 중량이 있는(weighty). ↔ *light*. ¶a ~ load 무거운 짐/This suitcase is too ~ for me to lift. 이 가방은 너무 무거워서 못 들겠다. **b** 체중이 무거운, 뚱뚱한: a ~ person 뚱뚱한 사람. **c** 무게가 실린; 가득 찬《**with** …으로》: a tree ~ *with* fruit 과일이 많이 열린 나무/The air was ~ *with* cigarette smoke. 담배 연기가 자욱이 끼어 있었다.

2 a (양·정도가) **격심한**, 맹렬한: ~ fighting 격렬한 전투/a ~ frost 혹독한 서리/~ traffic 혼잡한 교통/a ~ rain 폭우, 호우. **b** 대량으로 …하는《사람》: a ~ smoker 〔drinker〕 골초〔술고래〕/a ~ investor 대량 투자자. **c** (잠·침묵 따위가) 깊은, 강도 높은: a ~ sleep 깊은 잠/a ~ silence (답답하게) 무거운 침묵. **d** (크림이) 진한: ~ cream 진한 크림《유지방이 많은》. **e** 《구어》 (성적인 관계가) 아주 진한: ~ petting 아주 진한 애무.

3 a 대량의, 다량의: a ~ vote 대량 투표/~ shopping 대량 사재기. **b** 대량으로 쓰는〔먹는〕《**on** …을》: This car is ~ *on* oil. 이 차는 휘발유를 꽤나 먹는다/Don't go so ~ *on* the butter. 버터를 그렇게 많이 바르면 안 됩니다.

4 a 힘이 드는; 견디기 어려운, 괴로운: a ~ tax 중과세. **b** (시일·스케줄 따위) 힘든 일〔중노동〕이 많은, 고된: a ~ schedule (일거리가) 꽉 차 있는 스케줄/a ~ day 일이 많아 고된 하루. **c** 짓누르는 듯한; 지루한, 재미없는; 읽기 힘드는, 난해한: a ~ style 답답한 문체/a ~ book on philosophy 철학에 관한 지루한〔난해한〕 서적. **d** 엄격한《**on** …에게》: Our teacher is ~ *on* us. 선생님은 우리에게 엄격하게 대하신다.

5 a (음식이) 느끼한《산뜻하지 못한》, (위에) 트릿한: a ~ cake 소화가 잘 안 되는 케이크. **b** (빵이) 설구워진.

6 a (지면·흙이) 끈적한; 경작하기 어려운; (도로가 달라붙을 듯하여) 걷기 어려운, 진창인. **b** (향기가) 쉬이 빠지지 않는, 느끼한.

7 a 울적한, 슬픈, 의기소침한: ~ news 슬픈 소식/with a ~ heart 침울하여, 풀이 죽어. **b** 께느른한, 노곤한, 활기 없는: feel ~ 기분이 무겁다.

8 (하늘이) 음산한, 잔뜩 찌푸린; (바다가) 거친, 사나운: a ~ sky 잔뜩 흐린 하늘/~ seas 거친 바다, 큰 파도.

9 재주가 무딘; 둔한; (걸음이) 무거운: with a ~ step 무거운 발걸음으로/have a ~ hand 손재주가 없다/a ~ fellow 느림보.

10 중대한, 중요한: a ~ matter 〔problem〕 중요 문제/a ~ offense 중죄.

11 《속어》 **a** 훌륭한, 멋진: ~ music 훌륭한 음악. **b** 곤란한, 무서운.

12 (산업이) 제철·기계·조선 등을 다루는, 중(重)…; 대형(大型)의: a ~ truck 대형 트럭.

13 〖연극〗 진지한 (역의), 장중한, 비극적인: a ~ part 악역(惡役).

14 〖군사〗 중장비의: a ~ tank 중전차.

15 〖화학〗 중…《동위체가 보다 많은 원자량을 가짐을 말함》: ~ hydrogen 중수소.

16 〖음성〗 강음의.

~ with child 임신한. ***~ with young*** (동물이) 새끼를 밴. ***make ~ weather of*** ⇨WEATHER. ***with a ~ hand*** ⇨HAND.

—*n.* Ⓒ **1** 무거운 물건. **2** (보통 *pl.*) 〖연극〗 진지한 역; 《특히》 악역(惡役); 그 배우. **3** 중량차, 중폭격기, 중(重)전차. **4** 《구어》 (권투·레슬링 등의) 중량급 선수; (럭비 등의) 몸집이 큰 중량 선수. **5** 《英구어》 딱딱한 신문. **6** 폭력을 휘두르는 몸집 큰 사나이.

—*ad.* 무겁게, 묵직하게: lie 〔sit, weigh〕 ~ on 〔upon〕 …을 짓누르다.

héavy artíllery 〖집합적; 단·복수취급〗 중포(重砲); 중포병대.

héavy bómber 중폭격기.

héavy-dúty *a.* Ⓐ **1** (기계·의복 따위가) 혹사에 견뎌낼 수 있는, 매우 튼튼한. **2** 《美구어》 매우 중요한, 중대한, 장중한.

héavy-fóoted [-id] *a.* 발걸음이 무거운; 따

분한; (동작이) 둔한, 둔중한.

héavy-hánded [-id] *a.* **1** 솜씨 없는, 서툰. **2** 고압적인, 압제적인; 비정한. [파] ~·**ly** *ad.* ~·**ness** *n.*

héavy-héarted [-id] *a.* 마음이 무거운, 침울한, 우울한. [파] ~·**ly** *ad.* ~·**ness** *n.*

héavy índustries 중공업.

héavy-láden *a.* **1** 무거운 짐을 실은[짊어진]. **2** 걱정거리가 많은.

héavy métal **1** 【화학】 중금속《비중 5.0 이상》. **2** 【음악】 헤비메탈(록)《묵직한 비트와 전자 장치에 의한 금속음을 특징으로 하는 록》.

héavy-métal *a.* 【음악】 헤비메탈록의.

héavy óil 중유(重油).

héavy-sét *a.* 체격이 큰, 실팍한, 튼튼한.

héavy wáter 【화학】 중수(重水).

héavy·wèight *n.* [C] **1** 평균 몸무게 이상의 사람《특히 경마 기수 등》; (권투 · 레슬링 등의) 헤비급 선수. **2** 《구어》 (학계 · 정계 따위의) 유력자. **—***a.* 헤비급의; 평균 체중 이상의; 유력한, 신분이 높은; 중요한.

Heb., Hebr. 【성서】 Hebrew(s).

heb·dom·a·dal [hebdámədl/-dɔ́m-] *a.* 매주의, 7일째마다의: a ~ journal 주간 잡지. [파] ~·**ly** *ad.*

He·be [híːbiː] *n.* 【그리스신화】 헤베《청춘의 여신》.

He·bra·ic [hibréiik] *a.* 헤브라이 사람[말, 문화]의. [파] **-i·cal·ly** *ad.*

He·bra·ism [híːbreiìzəm, -bri-] *n.* [C] 헤브라이어풍[어법]; [U] 헤브라이 문화[사상, 주의]; 유대교. [파] **-ist** *n.* [C] 헤브라이어 학자; 유대교도.

He·bra·is·tic [hìːbreiístik, -bri-] *a.* 헤브라이(어)풍의; 헤브라이어 학자의. [파] **-ti·cal·ly** *ad.*

◇**He·brew** [híːbruː] *n.* **1** [C] 헤브라이 사람, 유대인. **2** [U] (고대의) 헤브라이어, (현대의) 이스라엘어. **3** [U] 《구어》 이해 못할 말: It's ~ to me. 그건 무슨 소리인지 모르겠다. **4** (*pl.*) 〖단수취급〗 【성서】 헤브라이 사람에게 보내는 편지. (***the Epistle to the***) ~**s** 【성서】 히브리서《신약》. **—***a.* 헤브라이 사람의, 유대인의; 헤브라이말의.

Heb·ri·de·an, -di·an [hèbrədíːən] *a.* 헤브리디스 제도(諸島)(주민)의. **—***n.* [C] 헤브리디스 제도의 주민.

Heb·ri·des [hébrədìːz] *n. pl.* (the ~) 헤브리디스 제도《스코틀랜드 북서쪽의 열도(列島)》.

Hec·a·te [hékətiː] *n.* 【그리스신화】 헤카테《천지 및 하계를 다스리는 여신; 마법을 맡음》.

hec·a·tomb [hékətòum, -tùːm] *n.* [C] **1** (고대 그리스의) 황소 백 마리의 제물. **2** 다수의 희생, 대학살.

heck [hek] *n.* [U] (보통 the ~) 《구어》 (노여움의 발성 · 강조어로서) 대관절, 도대체. ***a ~ of a ...*** 《구어》 대단한, 엄청난: I had *a* ~ *of a* time. 나는 아주 혼이 났다.

> [DIAL.] ***What the heck! =The heck with it!*** 상관없다, 괜찮다: It's rather expensive, but *what the heck.* 좀 비싸지만 상관없다.

—*int.* 《구어》 염병할, 빌어먹을.

heck·le [hékəl] *vt.* (연설자 등)에게 질문 공세를 퍼붓다, (선거 후보자 등)을 조롱[야유]하다; 힐문하다. **—***vi.* 야유하다. [파] **héck·ler** *n.*

hec·tare [héktɛər, -tɑːr] *n.* 《F.》 [C] 헥타르《미터법에서 면적의 단위; 1만 m^2, 100아르; 생략: ha》.

◇**hec·tic** [héktik] *a.* **1** (폐결핵 따위로) 얼굴에 홍조를 띤(flushed); 열이 있는; 소모열의: a ~ fever 소모열 / a ~ flush 소모성 홍조. **2** 흥분한, 열광적인; 매우 바쁜: a ~ day 눈코 뜰새 없는 하루. [파] **héc·ti·cal·ly** *ad.*

hec·to- [héktou, -tə], **hect-** [hekt] '백, 다수' 란 뜻의 결합사.

hec·to·gram, 《英》 **-gramme** [héktəgræ̀m] *n.* [C] 헥토그램《100 그램》.

hec·to·li·ter, 《英》 **-tre** [-lìːtər] *n.* [C] 헥토리터《100 리터》.

hec·to·me·ter, 《英》 **-tre** [-mìːtər] *n.* [C] 헥토미터《100 미터》.

hec·to·pas·cal [héktəpæskæ̀l] *n.* [C] 【물리】 헥토파스칼《기압의 단위; 100 pascal; 1 millibar와 같음; 생략 hpa.》.

hec·tor [héktər] *vt.* (아무)에게 호통치다, (아무)를 괴롭히다, 못살게 굴다. **—***vi.* 허세부리다. **—***n.* **1** [C] 허세부리는[호통치는] 사람; 약자를 괴롭히는 사람. **2** (H-) 헥토르《Homer의 *Iliad*에 나오는 용사》.

⁑**he'd** [hiːd] he had, he would 의 간약형.

⁑**hedge** [hedʒ] *n.* [C] **1** **산울타리**(hedgerow), 울: a dead ~ 바자울 / a quick set ~ 산울타리 / a ~ *of* stones 돌담. **2** **장벽**, 장애(barrier): a ~ *of* convention 인습의 장벽. **3** 방지책《***against*** (손실 · 위험 등)에 대한》; 【상업】 헤지, 연계 매매: as a ~ *against* inflation 인플레에 대한 방지책으로서.

—(*p., pp.* ***hedged; hédg·ing***) *vt.* **1** 《~+[목]/+[목]+[부]/+[목]+[전]+[명]》 …을 산울타리로 두르다, …에 울을 치다(*in; about; around*)《***with*** …으로》: ~ a garden (*with* privet) 정원을 (쥐똥나무의) 산울타리로 두르다. **2** 《+[목]+[부]/+[목]+[전]+[명]》 (아무)를 둘러[에워]싸다(encircle), 꼼짝 못하게 하다, 방해[속박]하다; 제한하다(restrict)(*in; about; around*)《***with*** (규칙 따위)로》: be ~*d about with* many special conditions 많은 특별한 조건의 제약을 받다 / ~ students *in with* rules 학생들을 여러 가지 규칙으로 속박하다. **3** …에 방호 조치를 취하다, (내기 · 투자 등)을 양쪽에 걸어 손해를 막다: ~ one's bets 내기에 거는 돈을 양쪽에 걸다.

—*vi.* **1** 산울타리를 만들다[깎아 손질하다]. **2** (손해를 막기 위하여) 양쪽에 걸다. **3** 《~/+[전]+[명]》 변명할[빠져나갈] 여지를 남겨 두다; 애매한 대답을 하다《***on, about*** …에 대해》: ~ *about* a decision 결심을 하지 못하고 우물쭈물하다 / Stop *hedging* and give me a straight answer. 애매한 말을 늘어놓지 말고 분명한 답을 하라.

◇**hédge·hòg** *n.* [C] 【동물】 고슴도치; 호저(豪猪).

hédge·hòp (*-pp-*) *vi.* 저공 비행을 하다《기총 소사 · 살충제 실포를 위해》. [파] ~·**per** *n.* [C] 저공 비행을 하는 비행기 (조종사).

hédge·ròw *n.* [C] (산울타리의) 죽 늘어선 관목.

hédge spàrrow 【조류】 바위종다리의 일종.

he·don·ism [híːdənìzəm] *n.* [U] 【철학 · 윤리】 쾌락설, 쾌락주의.

hé·don·ist *n.* [C] 쾌락[향락]주의자.

he·do·nis·tic [hìːdənístik] *a.* 쾌락주의(자)의.

hee·bie-jee·bies, hee·by- [híːbidʒíːbiz] *n. pl.* (the ~) 《구어》 (긴장 · 근심 따위에서 오는) 안절부절못하는[초조해하는] 기분, 신경과민:

The way she sings give me the ~. 그녀의 노래하는 식은 나에게 강한 혐오감을 준다.

°**heed** [hiːd] *vt.* …을 마음에 두다, …에 주의〔조심〕하다: ~ traffic regulations 교통 규칙을 지키다. **—***vi.* 주의하다.
—*n.* Ⓤ **주의**(attention), 유의(regard); 조심. ***give* 〔*pay*〕 ~ *to*** …에 주의〔유의〕하다. ***take* ~ *of*** …에 조심〔유념〕하다: *Take* ~ *of* my advice. 나의 충고에 유념하여라.

heed·ful [híːdfəl] *a.* 주의 깊은(attentive), 조심성이 많은《***of*** …에》: be ~ *of* a person's warning 아무의 경고에 귀를 기울이다. ㊔ **~·ly** *ad.* **~·ness** *n.*

°**héed·less** *a.* 부주의한, 무관심한; 경솔한; 무분별한, 잊고 있는《***of, about*** …에 대하여》: He is ~ *of* expenses. 그는 비용 따위에는 관심이 없다. ㊔ **~·ly** *ad.* **~·ness** *n.*

hee·haw [híːhɔ̀ː] *n.* (a ~) 나귀의 울음소리; 헤헤〔히히〕 웃음, 바보웃음. **—***vi.* (나귀가) 울다; 바보같이 웃다.

*__heel__[1] [hiːl] *n.* Ⓒ **1 뒤꿈치**; (동물의) 발; (말 따위의) (뒷)굽; (*pl.*) (동물의) 뒷발. **2** (신발·양말의) 뒤축. **3** 뒤꿈치 모양의 것〔부분〕; 《특히》 식빵의 딱딱한 가장자리. **4** 말미(末尾), 말단; 말기: the ~ *of* one's palm 손바닥의 손목에 가까운 부분. **5** 《구어》 비열한 녀석, 상놈, 병신, 싫은 놈. **6** (럭비에서) 힐《스크럼 때 공을 뒤꿈치로 차기》. **7** 〖골프〗 힐《골프채의 공치는 만곡부》.
at* ~** 바로 뒤에서, 뒤를 따라; (사람이) 지배되어. ***at the* ~*s of =on the ~s of. ***bring … to* ~** …의 뒤를 따라오게 하다; …을 복종시키다. ***come* 〔*keep*〕 *to* ~** (규칙·명령 등에) 충실히 따르다, 복종하다; (개가) 뒤에서 따라오다. ***cool* 〔*kick*〕 one*'s* ~*s*** (면회·면담 등을 하려고) 오래 기다려야 하다〔기다리다〕; 기다리다 못해 지치다. ***dig* one*'s* ~*s* 〔*feet, toes*〕 *in*** 자기의 입장〔의견〕을 고수하다, 완강(頑強)하게 버티다. ***down at* (*the*) ~(*s*)** (신발이) 뒤축이 닳은; 뒤축이 닳은 신을 신은; 초라한 차림새로(shabby). ***drag* one*'s* ~*s*** ⇨DRAG. ***kick up* one*'s* ~*s*** (자유롭게 되자) 들떠서 날뛰다, (일한 뒤에) 자유롭게 쉬다. ***on the* ~*s of*** …의 뒤를 바싹 따라서, …에 잇따라서: One disaster followed close 〔hard〕 *on the* ~*s of* another. 참사에 이어 또다른 참사가 겹쳐 일어났다. ***set* 〔*knock, rock*〕 a person *back on* his ~*s*** 아무를 당황하게 하다, 놀라게 하다. ***show* one*'s* ~*s*** =***show a clean pair of* ~*s*** =***take to* one*'s* ~*s*** 부리나케 달아나다, 줄행랑치다. ***tread on* a person*'s* ~*s*** =***tread on the* ~*s of*** (사람이) …의 바로 뒤에 따라가다〔오다〕; (사람·사건 따위가) …에 잇따라 다가오다. ***turn on* one*'s* ~(*s*)** 홱 돌아서다, 갑자기 떠나다. ***under* ~** 굴복하여: The country was brought *under* ~. 그 나라는 유린당했다. ***under the* ~ *of*** =***under* a person*'s* ~** …에게 짓밟혀〔학대받아〕.
—*vt.* **1** (신발 따위)에 뒤축을 대다. **2** …의 바로 뒤에서 따라가다. **3** 〖골프〗 (공)을 힐로 치다. **4** (춤)을 뒤꿈치로 추다. **5** 《~+목/+목+부》 〖럭비〗 (스크럼 때 공)을 뒤꿈치로 차서 뒤로 밀어내다 (*out*). **—***vi.* 뒤축으로 춤추다; 〖종종 명령법〗 (개가) 뒤따라오다: *Heel!* (개에게) 따라와.

heel[2] *vi.* (배가) 기울다(*over*). **—***vt.* (배)를 기울이다. **—***n.* Ⓒ (배의) 기울기, 경사.

héel-and-tóe [-ən-] *a.* 〖경기〗 뒷발의 발끝이 땅에서 떨어지기 전에 앞발의 뒤꿈치가 땅에 붙는 걸음걸이의: a ~ walking 경보(競步).

héel·bàll *n.* Ⓤ (낱개는 Ⓒ) (구두닦기·탁본 뜨기에 쓰이는) 검은 먹의 일종.

héeled *a.* **1** 뒤축이 있는, 뒷굽이 …모양의: high-~ 굽이 높은. **2** 《구어》 자금이 마련된; 유복한. ㉠ well-heeled. **3** 《美속어》 (권총 따위) 무기를 갖고 있는.

héel·tàp *n.* Ⓒ **1** 신발 뒤축의 가죽(lift). **2** 잔 바닥의 마시다 남은 술.

heft [heft] *n.* Ⓤ 《美》 중량, 무게; 중요성, 세력, 중요한 지위: He carries a lot of ~. 그는 굉장한 세력가이다. **—***vt.* …을 들어서 무게를 달다; 들어올리다(lift).

hefty [héfti] (***heft·i·er; -i·est***) *a.* **1** 무거운, 중량 있는. **2** 크고 건장한, 힘있는, 억센. **3** 많은, 상당한: ~ increase in salary 두둑한 승급. ㊔ **héft·i·ly** *ad.*

He·gel [héigəl] *n.* **Georg Wilhelm Friedrich ~** 헤겔《독일의 철학자; 1770–1831》.

He·ge·li·an [heigéiliən, hidʒíː-] *a.* 헤겔(철학)의. **—***n.* Ⓒ 헤겔파 철학자.

he·gem·o·ny [hidʒéməni, hédʒəmòuni] *n.* Ⓤ 패권, 주도권, 헤게모니《***over*** …에 대한》: hold ~ *over* …에 대하여 주도권을 장악하다.

Heg·i·ra, -ji- [hidʒáirə, hédʒərə] *n.* **1** (the ~) 헤지라《Mecca에서 Medina로의 Mohammed의 도피; 622년》; (the ~) (622년부터 시작되는) 회교 기원. **2** (h-) Ⓒ 도피(행), 도주(flight), 《특히》 집단적 이주; 망명.

hé-góat *n.* Ⓒ 숫염소. ㉠ she-goat.

Hei·deg·ger [háidegər, -di-] *n.* **Martin ~** 하이데거《독일의 철학자; 1889–1976》.

Hei·del·berg [háidəlbə̀ːrg] *n.* 하이델베르크《독일 서남부의 도시; 대학과 옛 성으로 유명》.

heif·er [héfər] *n.* Ⓒ (새끼를 낳지 않은 3살 미만의) 어린 암소; 《구어》 (예쁜) 여자 (아이).

heigh [hei, hai] *int.* 《英》 여보, 어어, 야아《주의·격려·기쁨·놀람 따위의 뜻을 나타냄》.

héigh-hò *int.* 음, 아아《놀람·낙담·권태·피로 따위를 나타냄》.

*__height__ [hait] *n.* **1** Ⓤ **높음**. **2 a** Ⓤ (구체적으로는 Ⓒ) **높이**, **키**: He is six feet in ~. 그의 키는 6피트이다. **b** Ⓒ **고도**, 해발, 표고: at a ~ of 3,000 meters, 3,000m의 고도로/the ~ above (the) sea level 해발.
SYN. **height** 밑에서 위까지의 높이. 또 비유적 최고도를 나타내는 일이 있음. **altitude** 지표에서 어떤 각도를 갖고 측정되는 거리. **stature** 곧게 선 사람의 키.
3 Ⓒ (흔히 *pl.*) **고지**, 산, 언덕, 높은 장소〔위치〕: a castle on the ~s 언덕 위에 있는 성. **4** (the 〔its〕 ~) **절정**, 극치, 한창인 때, 최고조: the ~ *of* folly 더없는 어리석음/in the ~ *of* summer 한여름에/She was dressed in the ~ *of* fashion. 그녀는 유행의 첨단의 옷을 입고 있었다/He was then at the ~ *of* his popularity. 그는 당시 인기 절정이었다/The season was at its ~. 시즌은 최고조에 달해 있었다.

*__height·en__ [háitn] *vt.* **1 높게 하다**, 높이다; 고상하게 하다. ↔ *lower*. **2** (효과·속도·인기 따위)를 더하다, 강화시키다, 증대〔증가〕시키다: ~ a person's anxiety 아무의 불안을 고조시키다. **—***vi.* 높아지다; 강해지다; 증대하다.

héight·ism *n.* Ⓤ 키에 의한 차별.

Hei·ne [háinə] *n.* **Heinrich ~** 하이네《독일의 시인; 1797–1856》.

hei·nous [héinəs] *a*. 가증스런(hateful), 악질의, 극악(흉악)한. ㊞ **~·ly** *ad*. **~·ness** *n*.

heir** [ɛər] (*fem*. ***heir·ess [ɛ́əris]) *n*. Ⓒ **1** 상속인, 법정 상속인《***to*** …의》: an ~ *to* property (a house) 유산(가독(家督)) 상속인/He is ~ *to* a large estate. 그는 막대한 재산을 상속받게 되어 있다. **2** 후계자, 계승자《***to, of*** (특질 · 전통 따위)의》: an ~ *to* the throne 왕위의 계승자/Englishmen are the ~*s* of liberty. 영국인은 자유의 계승자이다. ***fall* ~ *to*** (a property) (재산)을 상속받다.

héir appárent (피상속인이 사망할 경우) 법정 추정 상속인; 계승할 것이 확실한 사람《***to, of*** (지위 · 역할 등)을》.

héir-at-láw *n*. Ⓒ 법정 상속인.

heir·ess [ɛ́əris] *n*. Ⓒ HEIR의 여성형, 《특히》 상당한 재산을 상속받는 여성.

héir·less *a*. 상속인이 없는.

héir·lòom *n*. Ⓒ 〖법률〗 (부동산에 부대하여 승계되는) 법정 상속 동산(動産); 조상 전래의 가재(家財)(가보).

héir presúmptive 〖법률〗 추정 상속인.

heir·ship [ɛ́ərʃip] *n*. Ⓤ 상속권, 상속인으로서의 자격.

heist [haist] 《美속어》 *n*. Ⓒ 강도, 노상강도. **—***vt*. 강도질하다, 훔치다.

Hejira ⇨HEGIRA.

held [held] HOLD의 과거 · 과거분사.

Hel·en [hélən/-lin] *n*. **1** 헬렌《여자 이름; 애칭 Nell, Nellie, Nelly; 이형 Ellen》. **2** 〖그리스신화〗 헬렌(=**~ of Tróy**)《Sparta왕 Menelaus의 왕비; Paris에게 납치되어 Troy 전쟁의 발단이 됨》.

Hel·e·na [hélənə, helí:-] *n*. 헬레나. **1** 여자 이름. **2** [hélənə] Montana주의 주도.

he·li-[1], **he·li·o-** [hí:li], [-liou, -liə] '태양, 태양 광선(에너지)'(이)란 뜻의 결합사《모음 앞에서는 heli-》.

he·li-[2] [héli, hí:li/héli] '헬리콥터(helicopter)'란 뜻의 결합사.

héli·bòrne *a*. 헬리콥터로 수송한, 헬리콥터 수송의(에 의하는). cf. airborne.

hel·i·cal [hélikəl] *a*. 나선형의. ㊞ **~·ly** *ad*.

Hel·i·con [héləkàn, -kən/-kɔ̀n] *n*. **1** 〖그리스신화〗 헬리콘 산(山)《Apollo와 Muses가 살았다는 그리스 남부의 산》. **2** (h-) Ⓒ 〖음악〗 대형 취주악기의 일종.

hel·i·cop·ter** [hélikὰptər, hí:l-/-kɔ̀p-] *n*. Ⓒ **헬리콥터**. **—vi*. 헬리콥터로 가다. **—***vt*. 헬리콥터로 나르다.

he·li·o·cen·tric [hì:liouséntrik] *a*. 태양 중심의. ↔ *geocentric*. ¶the ~ theory (system) (코페르니쿠스의) 태양 중심설.

he·li·o·graph [hí:liougræ̀f, -grὰ:f] *n*. Ⓒ 일광 반사 신호기; 태양 촬영기; 일조계(日照計); 회광(回光) 통신기.

He·li·os [hí:liὰs/-ɔ̀s] *n*. 〖그리스신화〗 헬리오스《태양의 신으로 Hyperion의 아들; 로마신화의 Sol에 해당》.

he·li·o·trope [hí:liətròup/héljə-] *n*. **1** Ⓒ 〖식물〗 굴광성(屈光性) 식물. **2** Ⓒ 〖식물〗 헬리오트로프《지칫과에 속하는 다년생 풀; 페루 원산》; Ⓤ 연보랏빛.

he·li·o·trop·ic [hì:liətrάpik/-trɔ́p-] *a*. 〖식물〗 향일성(向日性)의.

he·li·ot·ro·pism [hì:liάtrəpìzəm/-ɔ́t-] *n*. Ⓤ 〖식물〗 향일성: positive (negative) ~ 향일성(배일성(背日性)).

héli·pàd *n*. =HELIPORT.

héli·pòrt *n*. Ⓒ 헬리콥터 발착장.

he·li·um [hí:liəm] *n*. Ⓤ 〖화학〗 헬륨《비활성 기체 원소의 하나; 기호 He; 번호 2》.

he·lix [hí:liks] (*pl*. ***hel·i·ces*** [hélisì:z], **~·*es***) *n*. Ⓒ 나선(螺旋); 나선형의 것; 〖건축〗 소용돌이 장식《이오니아식 · 코린트식 기둥머리의》.

‡**hell** [hel] *n*. **1** Ⓤ **지옥**, 저승. ↔ *heaven*. ¶the torture of ~ 지옥의 괴로움. **2** Ⓒ (지옥 같은) 고통의 장소(상태), 생지옥, 수라장: For him, life was ~. 그에게는 인생이 생지옥이었다. **3** Ⓤ 《속어》 **a** 《불신 · 놀램 · 저주의 말》 젠장, 제기랄, 염병할, 빌어먹을: (Oh,) *Hell*! 빌어먹을/To (The) ~ with ... ! …따위 뒈져버려라, …따위 볼일 없어. **b** 〖강조적〗 단연코: *Hell* no, I'm not going. 단연코 싫다, 나는 안 갈거야. **c** (the ~, in (the) ~) 〖강조적〗 도대체: What the (in the) ~ have I done with my keys? 도대체 열쇠를 어찌했지/Why the (in the) ~ don't you shut up? 도대체 왜 너는 입을 다물지 못하니. **4** (the ~) 〖상대의 말에 강한 부정을 나타내어, 부사적으로〗 《속어》 절대로 …않다: He says he will win. —The ~ he will. 그는 자기가 이긴다고 하는데. —천만에, 어림도 없지.

a* (*the*) ~ *of a ... 《구어》 대단한, 굉장한; 심한, 지독한: (*a*) ~ *of a* life 지옥 같은 생활/*a* ~ *of a* trip 고생스러운 여행/have *a* ~ *of a* time 아주 혼이 나다/*a* ~ *of a* good time 아주 유쾌한 한 때/*a* ~ *of a* (good) book 굉장히 좋은 책. ***a* ~ *of a lot*** 《구어》 매우, 대단히: I like you *a* ~ *of a lot*. 나는 너를 매우 좋아한다. ***catch* (*get*) ~** 《구어》 꾸지람을 듣다, 벌을 받다. ***come* ~ *and* (*or*) *high water*** 《구어》 어떤 장애가 일어나더라도, 어떤 일이 있어도. ***give*** a person **~** =***give* ~ *to*** a person 《구어》 아무를 혼내주다. **~ *for leather*** 《구어》 전속력으로. **~ *to pay*** 《구어》 매우 성가신 일, 후환, 뒤탈: There will be ~ *to pay*. 몹시 성가신 일이 될 것 같다. (***just***) ***for the* ~ *of it*** 《구어》 장난 삼아서. ***like* ~** 《구어》 마구, 맹렬히, 필사적으로; 천만에; 절대로(전혀) …아니다: run *like* ~ 마구(필사적으로) 달리다/Did you go? —*Like* ~ (I did). 갔었니? —가긴 왜 가. ***play* (*merry*) ~ *with ...*** 《구어》 …을 엉망으로 만들다, 잡쳐 놓다. ***raise* ~** 《속어》 ① 야단법석을 치다. ② 화가 나서 큰 소동을 벌이다. ***till* ~ *freezes over*** 영원히.

> **DIAL** ***Go to hell!*** 꺼져, 뒈져라, 빌어먹을.
> ***What the hell!*** 그따위 아무래도 좋아, 그까짓 것 문제 아니야.
> ***Hell's bells*** (《英》 ***teeth***)***!*** 제기랄, 빌어먹을, 뭐라고《놀라움 · 노여움을 나타내는 말》.
> (***To***) ***hell with that!*** (이제) 지겹다, 제발 그만둬.

‡**he'll** [hi:l] he will, he shall의 간약형.

Hell·as [héləs] *n*. 《시어》 Greece의 별칭.

héll·bènt *a*. **1** 맹렬한, 필사적인《***on*** …에》; 굳게 결심한, 단호한《***to*** do》: He was ~ *on* going in spite of the heavy rain. 그는 호우에도 불구하고 꼭 가기로 했다/He was ~ *to* ski down Mt. Everest. 그는 어떻게 해서든지 에베레스트 산을 활강하겠다고 결심하였다. **2** 맹렬한 속도로 질주하는; 무모한: a ~ car 맹렬한 속도로 질주하는 차. **—***ad*. 맹렬하게; 맹렬한 속도로.

héll·càt *n.* Ⓒ 마녀; 못된 계집; 굴러먹은〔닳고 닳은〕 여자.

Hel·lene [héliːn] *n.* Ⓒ (특히, 고대의) 그리스 사람.

Hel·le·nic [helíːnik, -lén-] *a.* (특히, 고대의) 그리스의, 그리스 말〔사람〕의.

Hel·le·nism [hélənìzəm] *n.* **1** Ⓤ 그리스 문화〔정신, 주의〕, 헬레니즘《고대 그리스인의 자유로운 지적 정신을 중심으로 하는 인생관; Hebraism 과 함께 서구 문명의 원류를 이룸》. **2** Ⓒ 그리스 어법.

Hél·le·nist *n.* Ⓒ (고대) 그리스어 학자, 그리스 학자.

Hel·le·nis·tic, -ti·cal [hèlənístik], [-əl] *a.* Hellenism 〔Hellenist〕에 관한.

héll·er *n.* Ⓒ 《美구어》 난폭자; 못된 녀석.

héll·fire *n.* Ⓤ 지옥의 불; 지옥의 형벌〔고통〕; 심한 고통.

héll-for-léather *a.* Ⓐ, *ad.* 전속력의〔으로〕, 무모한〔하게〕.

héll·hòle *n.* Ⓒ 지옥 같은 집〔곳〕; 더러운〔난잡한〕 곳.

hel·lion [héljən] *n.* Ⓒ 《美구어》 난폭자; 《특히》 장난꾸러기.

hell·ish [héliʃ] *a.* 지옥의, 지옥과 같은; 흉악한; 《구어》 섬뜩한, 징그러운, 매우 불쾌한: ~ fires 지옥과 같은 무시무시한 큰 화재/have a ~ time 매우 지긋지긋하게 혼이 나다. **—*ad.*** 《英구어》 몹시, 굉장히: a ~ difficult problem 굉장히 어려운 문제. ㊞ **~·ly** *ad.* **~·ness** *n.*

†**hel·lo** [helóu, hə-, hélou] *int.* **1** (멀리 있는 사람의 주의를 끌기 위하여) **이봐, 여보. 2** (인사로) 야, 안녕하시오: *Hello*, Tom. 야, 톰 잘 있었나. **3** 〖전화〗 여보세요: *Hello*, this is (Tom) Brown speaking. 여보세요, (톰) 브라운입니다. **4** 《英》《놀라움을 나타내어》 이런, 어머.
—(*pl.* **~s**) *n.* Ⓒ ~라고 말하는 것: The girl gave me a cheerful ~. 소녀는 나에게 ~라고 명랑하게 인사했다/My family send(s) a ~. 가족들이 안부를 전한답니다. ***say ~ to ...*** 〖보통 명령법으로〗 …에게 안부를 전하다: *Say* ~ *to* Mary (for me). 메리에게 안부 전해 주시오.
—*vi.* ~하고 부르다〔말하다〕.

héll-ràiser *n.* Ⓒ 말썽꾸러기, 무모한 사람.

hell·u·va [héləvə] 《속어》 *a.*, *ad.* =a 〔the〕 HELL of a (관용구).

°**helm** [helm] *n.* **1** Ⓒ 〖선박〗 키(자루), 타륜; 조타 장치, 타기(舵機); 키의 움직임; 배의 방향: ease the ~ 키를 중앙 위치로 되돌리다/Starboard (the) ~! 우현으로 (키돌려). **2** (the ~) 지배(권), 지도: take 〔assume〕 the ~ of state (affairs) 정권을 잡다. ***be at the ~*** 키를 잡다; 실권을 쥐다, 주재(主宰)하다.

***hel·met** [hélmit] *n.* Ⓒ **1 헬멧**《소방수·노동자·운동 선수 등의》. **2** (군인의) 철모; 헬멧. **3** (중세의) 투구; 투구 모양의 것. ㊞ **~·ed** [-id] *a.* 헬멧을 쓴.

hélms·man [-mən] (*pl.* **-men** [-mən]) *n.* Ⓒ 타수(舵手), 키잡이.

Hel·ot [hélət, híːl-] *n.* Ⓒ 고대 스파르타의 노예; (h-) 〖일반적〗 노예, 농노(serf), 천민.

†**help** [help] *vt.* **1** 《~+목/+(*to*) do/+목+(*to*) do/+목+전+명》 **돕다,** 조력(助力)〔원조〕하다, 거들다《*in, with* …에서, …을》: May I ~ you, sir 〔madam〕? (점원이 손님에게) 무얼 찾으시죠/Heaven ~*s* those who ~ themselves. 《속담》 하늘은 스스로 돕는 자를 돕는다《★ 뒤의 help oneself는 '남에게 의지하지 않고 자력으로 해나가다'의 뜻》/Go and ~ (*to*) wash up at the sink. 싱크대에서 접시 씻는 것을 도우세요/~ a person (*to*) stand on his own feet 아무가 자립할 수 있도록 원조하다/I ~*ed* him (*to*) find his things. 나는 그가 물건을 찾는 데 거들었다/They agreed to ~ me *in* the business. 그들은 내 사업에 협력하겠다고 동의했다/She ~*ed* her mother *with* the work in the kitchen. 그녀는 어머니의 부엌일을 도왔다.
2 《+목+부/+목+전+명》 〖down, in, out, over, into, out of, through, up 따위의 부사(구)·전치사(구)를 사용하여〗 거들어 …하게 하다, 도와서 …시키다: *Help* me *in*. 들어가게 좀 도와 주시오/*Help* me *out of* the difficulty. 곤경에서 저를 구해 주시오/*Help* me *on* 〔*off*〕 *with* my overcoat, please. 외투를 좀 입혀〔벗겨〕 주시오/He ~*ed* the old man *to* his feet. 그는 노인을 부축해 일으켜 세워 드렸다/Can you ~ me *up with* this case please? 이 상자 들어올리는 것 좀 도와 주시겠습니까.

SYN. **help** 일반적으로 쓰이는 말. 남이 필요로 하는 도움을 주는 것을 이름. **aid** 개인이나 단체의 노력에 대하여 협력적인 태도로 나오는 것을 이름. **assist** help보다 뜻이 약함. 좀 소극적으로 남에게 힘을 빌려준다는 뜻임. **save** 사람의 목숨 따위를 위험에서 지키어 구출함을 말함. **rescue** 위급한 상황에서 구출함을 이름.

3 《~+목/+목+(*to*) do/+(*to*) do》 **조장하다, 촉진하다,** 효과가 있게 하다, 도움이 되게 하다: ~ one's ruin 멸망을 재촉하다/The new treaty ~*ed* the achievement of peace. 새 조약은 평화 달성에 기여하였다/Your advice ~*ed* me very much. 당신의 충고는 나에게 큰 도움이 되었습니다/His recommendation ~*ed* me (*to*) get the job. 그의 추천(장)이 취직에 도움이 되었다/The language lab will ~ (*to*) improve your understanding of spoken English. 어학 실습실은 구어 영어의 이해력 향상에 도움이 된다.
4 (고통·병 따위)를 **완화하다,** 덜다; (결함 따위)를 보충하다, 구제하다: Honey will ~ your cough. 꿀은 기침을 완화한다/Some flowers will ~ an otherwise dull interior. 꽃을 좀 놓으면 단조로운 방 안이 돋보일 것이다.
5 a 《~+목/+목+전+명》 (아무)에게 **집어 주다, 권하다**《*to* (음식 따위)를》; 〖~ oneself로〗 자유롭게 들〔먹〕다《*to* (음식 따위)를》: May I ~ you *to* some more meat? 고기를 좀 더 드릴까요/Will you ~ her *to* some cake? 그녀에게 과자를 좀 집어 주시지 않겠습니까/Please ~ your*self to* a cigar. 시가를 마음대로 피우시오. **b** 《구어》 (요리)를 도르다; (음식)을 담다: Use this spoon to ~ the gravy. 이 스푼으로 고깃국물을 뜨시오.
6 a 〖can(not) ~로〗 …을 **삼가다,** 그만두게 하다, 피하다; …하는 것은 어쩔 수 없다: I *can't* ~ it 〔my*self*〕. =It *cannot* be ~*ed*. (⇨ DIAL.)/He did it because he *couldn't* ~ it. 그는 별도리가 없었기 때문에 그것을 했다. **b** 〖not ... if one can ~ it으로〗 될 수 있으면(…하지 않다): I won't stay so late, *if* I *can* ~ *it*. 될 수 있는 대로 그렇게 늦게까지 있지 않도록 하겠습니다. **c** 〖not ... more than one can ~로〗 안 해도 될 것 이외의 일은 (…않다): Don't spend *more than* you *can* ~. 될 수 있는 대로 그 이상 돈을

쓰지 마시오. **d** 〔~ oneself〕 자제할 수 있다, 참을 수 있다.

—*vi.* 《~/+전+명/+*to* do》 거들다, 돕다《*with* …을》; 도움이 되다: Crying doesn't 〔won't〕 ~. 울어 봐야 아무 소용이 없다/We all *~ed with* the harvest. 우리 모두는 수확을 거들었다/An agreeable person *~s to* persuade. 사근사근한 사람은 설득하는 데에 도움이 된다/Every little bit *~s*. 《속담》 하찮은 것도 제각기 쓸모가 있다.

> **NOTE** **help+목적어+부정사**: 《美》에서는 다음에 'to 없는 부정사(bare infinitive)'가 흔히 쓰이며, 《英구어》에서도 일반화됨: He *~ed* us *peel* the onions. 그는 우리가 양파 까는 것을 거들어 주었다. 그러나 help를 수동태로 쓸 경우에는 We were *~ed to* get out.와 같이 반드시 to가 따름.
> **help+부정사**: 《美》에서는 흔히 help 다음의 목적어가 생략됨. 이런 경우 부정사에는 'to부정사'와 'to없는 부정사'의 양쪽 형식이 있음: She had to ~ *support* her brother and sisters. 그 여자는 동생들의 부양에 조력해야 했다/I ~ *to support* the establishment. 나는 그 시설의 유지에 힘이 되어 주고 있다. 이들 문장에서는 help 다음에 목적어 them, people이 생략되었다고 생각해도 좋음.

cannot ~ but do =***cannot ~*** do***ing*** …하지 않을 수 없다, …하는 것을 피할 수 없다: I *cannot ~ but* laugh. =I *cannot ~* laugh*ing*. 웃지 않을 수 없다. ***God*** 〔***Heaven***〕 ***~ you*** 〔***him***, etc.〕! 가엾어라; 불쌍한 녀석. ***~ off with*** ① …을 도와서 …을 벗기다: *Help* the child *off with* his coat. 거들어서 그애의 웃옷을 벗겨 주시오. ② …을 제거하는〔없애는, 처치하는〕 것을 돕다: His son's success *~ed* him *off with* his worries. 아들의 성공으로 그는 근심을 없앨 수 있었다. ***~ on*** ① …을 도와서 입혀 주다《*with* …을》: I *~ed* her *on with* her coat. 나는 그녀를 도와 웃옷을 입게 했다. ② …을 도와 태워 주다: I *~ed* him *on* his horse. 나는 그를 도와서 말에 태웠다. ③ …을 도와서 진척케 하다. ***~ out*** 《*vt.*+부》 ① (어려운 때) 도와주다, 거들다《*with* (일 따위)를》: ~ a person *out with* his work 아무의 일을 도와 주다. ② …을 도와서 나오게 하다. **—**《*vi.*+부》 ③ …을 돕다, 조력하다: He *~ed out* when she became ill. 그는 그녀가 아플 때 도왔다. ***~ oneself to*** ① …을 마음대로 집어먹다〔마시다〕: *Help yourself to* the fruit. 과일을 마음대로 드십시오. ② …을 착복(着服)하다; …을 마음대로 취하다, 훔치다: He *~ed himself to* the money. 그는 돈을 착복했다.

> **DIAL.** ***I can't help it.*** 하는 수 없어: Worrying won't do any good.—I know, but *I can't help it*. 걱정해 봐야 소용없어—알고 있긴 하지만 어쩔 수 없어.
> ***It can't be helped.*** 하는 수 없어요; 어쩔 수 없어요.
> ***so help me*** (***God***) (하늘에) 맹세코 정말이야《스스럼없는 말》; (하나님께) 맹세코, 진실하게《선서에서; 정식 선서에는 반드시 이 말을 씀》.

—*n.* **1** Ⓤ **도움**, 원조, 구조; 조력, 거듦: give some 〔one's〕 ~ 돕다, 도와 주다/by ~ of favorable circumstances 순조로운 환경 덕분에. **2** Ⓒ 소용되는 사람〔것〕, 도움이 되는 사람〔것〕《*to* (아무)에게》: It was a great ~ *to* me. 그것은 내게 큰 도움이 되었다. **3 a** Ⓒ 거들어 주는 사람, 조수; 하인; 고용인; 《특히》 보모: a mother's ~ (가벼운 가사나 애를 돌보는) 가정 보모/a part-time ~ 시간제 고용인. **b** Ⓤ 〔집합적; 복수취급〕 《美》 종업원(들): *Help* Wanted. 종업원 구함《구인 광고; 비교: Situation Wanted 일자리를 구함》. **c** Ⓤ 〔집합적; 복수취급〕 가정부; 육체 노동자, 일꾼: The ~ have walked out. 일꾼들이 파업에 들어갔다. **4** Ⓤ 〔부정문〕 (병 등의) 치료법, 구제〔방지〕 수단; 도피구《*for* …에 대한》: There was *no ~ for* it but to wait. 기다리는 것 외에는 방법이 없다.

be beyond ~ (환자 따위가) 살아날〔회복할〕 가망이 없다. ***be of ~*** 유용하다, 도움이 되다《*to* (아무)에게》: I hope I can *be of* some ~ *to* you. 조금이라도 당신에게 도움이 되었으면 합니다. ***by the ~ of*** …의 도움으로. ***cry for ~*** 구해달라고 외치다, 도움을 요청하다.

파 **∠·a·ble** *a.*

*__help·er__ [hélpər] *n.* Ⓒ **조력자**, 원조자; 조수(assistant), 집안 일꾼; 구조자; 위안자.

‡**help·ful** [hélpfəl] *a.* **도움이 되는**, 쓸모있는, 유익한《*to* (아무)에게; *in* …에》: ~ advice 유익한 충고/This will be ~ *to* you when you're grown up. 이것은 네가 어른이 되었을 때 쓸모가 있을 것이다/She was very ~ *in* preparing my manuscript. 그녀는 내가 원고 준비하는 데에 큰 도움이 되었다. 파 **~·ly** [-fəli] *ad.* 도움이 되도록, 유용하게. **~·ness** *n.*

*__help·ing__ [hélpiŋ] *n.* **1** Ⓤ **도움**, 조력. **2** Ⓒ (음식물의) 한 그릇; 1인분: a second ~ 두 그릇째/He ate 〔had〕 three *~s of* pie. 그는 파이를 3인분 먹었다.

hélping hánd (a ~) 원조의 손길, 도움, 조력, 지지: lend 〔give〕 a person a ~ 아무에게 일손을 빌려주다.

‡**help·less** [hélplis] *a.* **1 스스로 어떻게도 할 수 없는**, 무력한; 도움이 없는; 의지할 데 없는; 난감한《표정 등》: a ~ orphan 의지가지 없는 고아/a ~ invalid 〔baby〕 무력한 병자〔아기〕/I was left ~ with pain and fever. 나는 통증과 고열로 어찌할 수가 없었다. **2** 도움이 되지 않는, 쓸모없는《*to* do》; 무능한《*at* …에》: I was ~ *to* comfort them. 그들을 위로하는 데에 아무런 도움이 되지 못했다/I'm ~ *at* math(s). 수학에 전혀 깜깜이야. 파 **~·ness** *n.* Ⓤ 어찌할 수 없는 상태, 무력.

°**hélp·less·ly** *ad.* 어찌할 수 없이, 쓸모없이, 무력하게: This telephone directory is ~ out of date. 이 전화번호부는 오래 되어서 쓸모가 없다.

help·line *n.* Ⓒ 고민거리 상담 전화.

hélp·màte, 《드물게》 **-mèet** *n.* Ⓒ **1** 협조자, 동료. **2** 내조사, 배우자, 《특히》 아내: a model ~ 양처.

Hel·sin·ki [hélsiŋki, -∠-] *n.* 헬싱키(Swed. ***Hel·sing·fors*** [hélsiŋfɔ̀ːrz])《핀란드의 수도·항구》.

hel·ter-skel·ter [héltərskéltər] *n.* **1** Ⓤ (구체적으로는 Ⓒ) 당황하여 어쩔 줄 모름, 당황, 혼란. **2** Ⓒ 《英》 (유원지의) 나선식 미끄럼틀. **—***a.* 당황한; 난잡한, 무질서한, 변덕스런: Everything in the room was ~. 방안의 모든 것이 난잡하게 널려 있었다. **—***ad.* 허둥지둥, 난잡하게; 엉터리로.

helve [helv] *n.* Ⓒ (도끼 등의) 자루. ***throw the ~ after the hatchet*** 손해를 거듭 보다, 엎친 데 덮치기.

Hel·ve·tia [həlvíːʃə] *n.* 헬베티아《(1) 스위스에 있던 옛 로마의 알프스 지방. (2)《시어》 스위스의 라틴어 이름》.

◇**hem**[1] [hem] *n.* Ⓒ (천 · 모자 등의) 가두리, 가; 헴《특히 풀어지지 않게 감친 가두리》, 가선; 감침질. **—** (*-mm-*) *vt.* **1** …의 가장자리를 감치다, …에 가선을 대다. **2** (사람 · 물건 · 장소를) 에워싸다, 둘러싸다; 가두다(*in, around, about*): be *~med in* by enemies 적에게 포위되다/He faces the problems that ~ him *about.* 그는 그를 에워싸고 있는 문제들에 직면해 있다.

hem[2] [mm, hm] *int.* 〖망설임 · 주의 따위를 나타내어〗 헴, 에헴《헛기침 소리》. **—** [hem] *n.* Ⓒ 에헴 하는 소리; 가벼운 헛기침; (주저하며) 에에〔어어〕 하는 소리, 떠듬거림; His sermon was full of ~*s* and haws. 그의 설교는 끊임없이 떠듬거려 '에에' 또는 '어어' 하기 일쑤였다. **—** [hem] (*-mm-*) *vi.* 에헴하다, 헛기침하다; 말을 머뭇거리다.

hé·màn [-mæ̀n] (*pl.* ***-mèn*** [-mèn]) *n.* Ⓒ 《구어》 사내다운 사내.

hem·a·tite [hémətàit, híːm-] *n.* Ⓤ 〖광물〗 적철광. ㊕ **hèm·a·tít·ic** [-títik] *a.*

hem·i- [hémi] *pref.* '반(half)'의 뜻. ⓒⓕ demi-, semi-.

Hem·ing·way [hémiŋwèi] *n.* **Ernest ~** 헤밍웨이《미국의 소설가; Nobel 문학상 수상(1954); 1899–1961》. ㊕ **~·esque** [`---ésk] *a.* 헤밍웨이의(작품 · 문체) 같은《간결함이 특징》.

***hem·i·sphere** [hémisfìər] *n.* Ⓒ **1** (종종 H-) (지구 · 천체의) **반구**; 반구의 주민〔국가〕: in the Northern 〔Southern, Eastern, Western〕 ~ 북〔남, 동, 서〕반구에서. **2** 〖해부〗 (대뇌 · 소뇌의) 반구: a cerebral ~ 대뇌반구. **3** 반구체(半球體).

hem·i·spher·ic, -i·cal [hèmisférik], [-əl] *a.* 반구의; (–ical) 반구체의. ㊕ **-i·cal·ly** *ad.*

hem·line [hémlàin] *n.* Ⓒ (스커트 · 드레스의) 옷단의 공그른 선: raise 〔lower〕 the ~ (치마) 자락을 들어올리다〔내리다〕.

hem·lock [hémlɑk/-lɔk] *n.* 〖식물〗 **1** Ⓒ 《美》 북아메리카산 솔송나무(= ∠ **fír** 〔**sprúce**〕); Ⓤ 그 재목. **2** Ⓒ 《英》 독당근; Ⓤ 그 열매에서 채취한 독약《강한 진정제》.

he·mo- [híːmou, hém-, -mə] '피'의 뜻의 결합사《모음 앞에서는 hem-》.

hè·mo·gló·bin [-glóubin] *n.* Ⓤ 〖생화학〗 헤모글로빈, 혈색소《적혈구에 들어 있는 색소; 생략: Hb》.

he·mo·phil·ia [hìːməfíliə, hèm-] *n.* Ⓤ 〖의학〗 혈우병(血友病). ㊕ **-i·ac** [-iæ̀k] *n.* Ⓒ, *a.* 혈우병 환자(bleeder); 혈우병의.

hem·or·rhage, haem- [héməridʒ] *n.* Ⓤ (구체적으로는 Ⓒ) **1** 출혈: cerebral ~ 뇌출혈/internal ~ 체내 출혈. **2** (자산 · 두뇌 따위의) 유출, 손실: a ~ of scientific brains 과학자의 두뇌 유출. **—** *vi.* (다량으로) 출혈하다; (거액의) 자산을 잃다, 큰 적자를 내다. **—** *vt.* (자산)을 크게 손해보다.

hem·or·rhoids [hémərɔ̀idz] *n. pl.* 〖의학〗 치질, 치핵(痔核). ㊕ **hem·or·rhoi·dal** [hèmərɔ́idəl] *a.*

he·mo·stat [híːməstæ̀t, hém-] *n.* Ⓒ **1** 지혈겸자(止血鉗子). **2** 지혈제.

hèmo·státic *a.* (약 따위가) 지혈의, 지혈 작용이 있는. **—** *n.* Ⓒ 지혈제.

◇**hemp** [hemp] *n.* Ⓤ **1** 〖식물〗 삼, 대마. ⓒⓕ flax. **2** 삼의 섬유. **3** (the ~) 인도 대마로 만든 마약《hashish, marijuana 따위》, 《특히》 마리화나 담배.

hemp·en [hémpən] *a.* 대마의〔로 만든〕.

hém·stìtch *n.* Ⓤ (뜨개질의) 휘갑장식. **—** *vt.* …에 휘갑장식을 하다.

‡**hen** [hen] *n.* Ⓒ **1 암탉** (ⓒⓕ cock[1]); (*pl.*) 닭: a ~'s egg 달걀. **2** 〖일반적〗 암새; (물고기 · 갑각류의) 암컷: a turkey ~ 칠면조의 암컷/a ~ lobster 새우의 암컷〔암게〕. **3** 《속어》 여자, (특히 중년의) 수다스러운 여자.

(***as***) ***scarce as ~'s teeth*** 아주 적은; 아주 불충분한. ***like a ~ with one chicken*** 작은〔하찮은〕 일에만 신경을 쓰는, 곰상스럽게 잔소리하는. ***sell*** one***'s ~s on a rainy day*** 물건을 잘못〔손해보고〕 팔다.

hén·bàne *n.* Ⓒ 〖식물〗 사리풀《가짓과(科)의 약용 식물》; Ⓤ 거기서 뽑은 독.

◇**hence** [hens] *ad.* **1** 그러므로; 이 사실에서 … 이 유래하다《★ 종종 come 따위 동사를 생략함; so, that, consequently, therefore 보다 딱딱한 표현》: He was ~ unable to agree. 그러므로 그는 찬성할 수 없었다/*Hence* (comes) the name Cape of Good Hope. 여기에서 희망봉이란 이름이 나왔다. **2** 지금부터, 금후: fifty years ~ 지금부터 50년 후.

go 〔***depart, pass***〕 ***~*** 죽다. ***Hence with*** him 〔it〕! 그를 쫓아버려라, 그를〔그것을〕 데려가라〔가져가거라〕.

◇**hènce·fórth, -fórward** *ad.* 〖약속 · 결의 따위를 표현하는 데 쓰여〗 이제부터는, 금후, 이후.

hench·man [héntʃmən] (*pl.* ***-men*** [-mən]) *n.* Ⓒ 충실한〔믿을 수 있는〕 부하〔심복, 측근〕; 《보통 비어》 (갱단의) 부하, 똘마니; (정치상의) 후원자.

hén·còop *n.* Ⓒ 닭장, 《특히》 병아리 집.

hen·di·a·dys [hendáiədis] *n.* Ⓤ 〖수사〗 중언법(重言法)《두 개의 명사나 형용사를 and로 이어 '형용사+명사' 또는 '부사+형용사'의 뜻을 나타내는 법: buttered bread를 bread and butter, nicely warm을 nice and warm으로 하는 따위》.

hén·hòuse *n.* Ⓒ 닭장.

hen·na [hénə] *n.* Ⓤ **1** 〖식물〗 헤너《부처꽃과(科)에 속하는 관목》. **2** 헤너 물감《머리를 적갈색으로 물들이는》. **—** *vt.* 헤너 물감으로 물들이다. ㊕ **~ed** *a.* 헤너 물감으로 물들인.

hen·nery [hénəri] *n.* Ⓒ 양계장; 닭장.

hén pàrty 《구어》 여자들만의 회합. ↔ *stag party*.

hén·pèck *vt.* (남편을) 깔고 뭉개다. ㊕ **~ed** [-t] *a.* 여편네 손에 쥐인, 내주장〔공처가〕의: a *~ed* husband 아내에게 쥐여사는 남편.

Hen·ri·et·ta *n.* 헨리에타《여자 이름》.

Hen·ry [hénri] *n.* **1** 헨리《남자 이름》. **2 O. ~** 오 헨리《미국의 단편 작가; 본명 William Sidney Porter; 1862–1910》.

hen·ry (*pl.* ***~s, -ries***) *n.* Ⓒ 〖전기〗 헨리《자기 유도 계수의 실용 단위; 기호 H》.

hep [hep] 《속어》 *a.* =HIP[3].

he·pat·ic [hipǽtik] *a.* 간장의; 간장에 좋은; 간장색의, 암갈색의.

he·pat·i·ca [hipǽtikə] (*pl.* ***~s, -cae*** [-siː])

n. Ⓒ 〖식물〗 노루귀속(屬)의 식물; 설앵초.

hep·a·ti·tis [hèpətáitis] (*pl.* **-tit·i·des** [-títədi:z] *n.* Ⓤ 〖의학〗 간염: ~ A〔B, C〕 A형〔B형, C형〕 간염.

Hep·burn [hépbə:rn] *n.* **James C(urtis)** ~ 헵번《미국인 선교사 · 의사 · 어학자; 헵번식 로마자 철자의 창시자; 1815–1911》.

hep·ta- [héptə] '7'의 뜻의 결합사. ★ 모음 앞에서는 **hept-**.

hep·ta·gon [héptəgàn/-gən] *n.* Ⓒ 〖수학〗 7각형, 7변형. ㊕ **hep·tag·o·nal** [heptǽgənəl] *a.*

hep·tam·e·ter [heptǽmitər] *n.* Ⓒ 〖시학〗 칠보격(七步格)(의 시행): an iambic ~ 약강 칠보격. ㊕ **hep·ta·met·ri·cal** [hèptəmétrikəl] *a.*

hep·tar·chy [héptɑ:rki] *n.* **1** Ⓒ 7두 정치, 7국 연합. **2** (the H–) 〖英역사〗 7왕국《5–9세기경까지의 Kent, Sussex, Wessex, Essex, Northumbria, East Anglia, Mercia》. ㊕ **hep·tar·chic** [heptɑ́:rkik], **-chi·cal** [-kikəl] *a.*

†**her** [hə:r, 약 ər, hər] *pron.* **1** 《she의 목적격》 **a** 〖직접목적어〗 **그 여자를**: They both love ~. 그들은 둘 다 그 여자를 사랑한다. **b** 〖간접목적어〗 **그 여자에게**: I gave ~ a book. 나는 그 여자에게 책을 주었다. **c** 〖전치사의 목적어〗 그 여자에게: Give this book *to* ~. 이 책을 그 여자에게 주시오. **2** 《she의 소유격》 **그 여자의**: ~ mother 그녀의 어머니. **3 a** 《be동사의 보어》 《구어》 =she: It's ~, sure enough. 확실히 그 여자다. **b** 〖as, than, but의 뒤에서 주어로〗 《구어》 =she: I can run faster *than* ~. 그 여자보다 나는 더 빨리 달릴 수 있다.

He·ra [hírə, hérə] *n.* 〖그리스신화〗 헤라《Zeus 신의 아내; 로마 신화에서 Juno》.

Her·a·cles, -kles [hérəklì:z] *n.* =HERCULES.

°**her·ald** [hérəld] *n.* **1** Ⓒ 선구자, 예고(자): This balmy weather is a 〔the〕 ~ *of* spring. 이 온화한 날씨는 봄의 예고(자)다. **2 a** Ⓒ 고지자, 보도자, 포고자, 통보자. **b** (H–) 《신문 이름에 종종 쓰임》: the New York *Herald* 뉴욕헤럴드지(紙). **3** Ⓒ 군사(軍使); (중세기 무술 시합의) 호출역(役), 진행계; (의식 · 행렬 따위의) 의전관; 전령관(傳令官). **4** Ⓒ 《英》 문장관(紋章官). ―*vt.* **1** 알리다, 포고하다, 전달하다. **2** 예고하다, 미리 알리다.

he·ral·dic [herǽldik] *a.* 문장(紋章)(학)의; 전령(관)의; 의전(관)의. ㊕ **-di·cal·ly** *ad.*

her·ald·ry [hérəldri] *n.* Ⓤ 문장학(紋章學); 문장관의 임무; 〖집합적〗 문장(blazonry).

*__herb__ [hə:rb] *n.* **1** Ⓒ (뿌리와 구별하여) **풀잎**. **2** Ⓒ 풀, 초본. **3** Ⓒ 식용〔약용, 향료〕 식물《basil, thyme 따위》: the ~ of grace 운향과의 식물《남유럽 원산의 약초》. **4** (흔히 the ~) 《美속어》 마리화나(marijuana).

her·ba·ceous [hə:rbéiʃəs] *a.* 초본〔풀〕의, 풀 비슷한. ㊕ **~·ly** *ad.*

herbáceous bórder (나년생 화초를 심어서 만든) 화단의 테두리.

herb·age [hə́:rbidʒ] *n.* Ⓤ 〖집합적〗 초본, 풀, 목초, 약초(류); 초본류.

herb·al [hə́:rbəl] *a.* 초본의, 풀의; 약초의〔에서 만들어낸〕: a(n) ~ medicine 한방약.

hérb·al·ist *n.* Ⓒ 본초학자(本草學者); (예전의) 식물학자〔채집자〕; 약초상; =HERB DOCTOR.

her·bar·i·um [hə:rbέəriəm] (*pl.* **~s, -ia** [-iə]) *n.* Ⓒ (건조) 식물 표본집; 식물 표본 상자〔실, 관〕.

hérb dòctor 한의사, 약초의(藥草醫).

Her·bert [hə́:rbərt] *n.* 허버트《남자 이름; 애칭 Bert, Bertie, Herb》.

herb·i·cide [hə́:rbəsàid] *n.* Ⓤ (종류 · 낱개는 Ⓒ) 제초제. ㊕ **hèr·bi·cí·dal** *a.* **-cíd·al·ly** *ad.*

her·bi·vore [hə́rbəvɔ̀:r] *n.* Ⓒ 초식 동물, 《특히》 유제류(有蹄類).

her·biv·o·rous [hə:rbívərəs] *a.* (동물이) 초식(성)의. cf. carnivorous, omnivorous. ㊕ **~·ly** *ad.*

hérb tèa 〔**wàter**〕 탕약(湯藥), 침제(浸劑).

herby [hə́:rbi] (**herb·i·er, -i·est**) *a.* **1** 풀의; 풀과 같은; 초본성(草本性)의. **2** 풀이 많은.

Her·cu·le·an [hə̀:rkjəlíən, hə:rkjú:liən] *a.* **1** Hercules의〔와 같은〕. **2** (때로 h–) 괴력이 있는; 거대한; 큰 힘을 요하는, 초인적인, 매우 곤란한: ~ efforts 대단한 노력/Digging the tunnel was a ~ task. 그 터널을 파기란 아주 어려운 일이었다.

Her·cu·les [hə́:rkjəlì:z] *n.* **1** 〖그리스신화〗 헤라클레스《Zeus의 아들로, 그리스 신화 최대의 영웅》. **2** (또는 h–) Ⓒ 장사. **3** ((the) ~) 〖천문〗 헤르쿨레스자리. **~' *choice*** 안일을 버리고 고생을 택함. ***the Pillars of*** ~ ⇨PILLAR.

*__herd__ [hə:rd] *n.* **1** Ⓒ (같은 종류로 함께 서식하는〔사육되는〕) 가축〔짐승〕의 **떼**, 《특히》 소의 떼. cf. flock. ¶ a ~ *of* cattle 〔elephant(s), whale(s)〕 소〔코끼리, 고래〕 떼. **2** Ⓒ 군중; 많은 사람. **3** (the ~) 《경멸적》 대중, 하층민: the common 〔vulgar〕 ~ 하층민.

ride ~ on 《美구어》 말을 타고 가축을 감시하다; 망보다, 감독하다.

―*vt.* (사람)을 모으다; (소 · 양 따위)를 무리를 짓게 하다, 모으다: ~ the cattle into the corral 소떼를 우리에 몰아넣다. ―*vi.* 《~/+副/+전+명》 (떼지어) 모이다〔이동하다〕, 떼짓다(*together*)《***with*** …와》.

hérd·er *n.* Ⓒ 《美》 목부(牧夫), 목자(牧者), 목동, 목양자.

hérd ìnstinct (the ~) 〖심리〗 군거(群居)〔집단〕 본능.

hérds·man [-mən] (*pl.* **-men** [-mən]) *n.* **1** Ⓒ 목자, 목부(牧夫), 목동, 가축지기; 소떼의 주인. **2** (the H–) 〖천문〗 목자자리(Boötes).

†**here** [hiər] *ad.* **1 a** 〖장소 · 방향〗 **여기에**(서) (↔ *there*): Put your bag ~. 여기에 가방을 놓으세요/She lives ~ in Seoul. 그 여자는 여기 서울에 산다/He will be ~ in a minute. 그는 곧 여기에 올 것이다. **b** 〖종종 방향의 부사와 함께〗 여기로: Come (over) ~. 이리로 오세요. **c** 〖타동사 · 전치사의 목적어로; 명사적〗 여기; 이 점: from ~ 여기에서/near ~ 이 근방에/up to ~ 여기까지/I leave ~ next week. 다음 주에 여기를 떠난다.

2 〖문두에 쓰여〗 **a** 《주의를 끌기 위하여》 **자 여기에**〔**로**〕: *Here* is a book that might interest you. 자 여기에 자네 흥미를 끌지도 모를 책이 있네/*Here* comes John. 존이 여기로 오고 있다/*Here* is the ticket for you. 자 (차)표 여기 있습니다/*Here*'s the postman. 자 우체부가 왔어요. **b** 《목적지 도착; 찾는 것 · 바라는 것을 내어줄 때》 자 다 왔다; 자 여기 있어요: *Here*'s your keys. 자 당신 열쇠입니다《★ 구어에서는 복수명사도 Here's를 씀》.

3 〖문두에 쓰여〗 **a 이점에서**, 여기에서: *Here* he

paused and looked around. 여기에서 그는 (말을) 멈추고 주위를 돌아보았다 / *Here* he is wrong. 이 점에서 그는 잘못되었다. **b** 이때에, 지금: *Here* it's December and Christmas is coming. 지금은 12 월이고 크리스마스가 가까워 온다. **4** 《명사 뒤에 쓰여》 여기에 있는, 이: The boy ~ saw the accident. 여기 이 소년이 그 사고를 목격했습니다.
5 이 세상에서, 현세에서: ~ below 이 세상에서. **6** 네《출석 부를 때 대답》. ★ 윗 사람에게는 sir! 를 덧붙임.
~ *and now* 지금 바로, 곧. **~ *and there*** 여기저기에: Some birds are flying ~ *and there*. 몇 마리의 새들이 여기저기 날고 있다. ***Here I am.*** ① 네 (여기 있습니다). ② 다녀왔습니다; 자 이제야 왔다. ***Here's* (*a health*) *to you* 〔*us*〕*!*** = ***Here's luck to you* 〔*us*〕*!*** = ***Here's how!*** 《구어》 (건배하여) 건강을 축원합니다. ***Here's at you.*** 옳지, 올커니, 네 말이 맞다. ***Here's where*** …인 것은 이 점이다, 이것이 …인 점이다: *Here's where* he's wrong. 그가 틀린 것은 이 점이다. ***~, there, and everywhere*** 어디든지, 도처에. ***~ today, gone tomorrow*** (어떤 곳에) 잠깐 동안(만) 머무를 뿐(이다), 일시적일 뿐(이다). ***neither ~ nor there*** 문제가 되지 않는; 관계없는; 대수롭지 않은, 하찮은: Whether or not he realized the fact was *neither ~ nor there*. 그가 그 사실을 깨달았는지의 여부는 문제가 되지 않았다. ***the ~ and now*** 바로 지금, 현재, 현시점. ***this ~* 〔*'ere*〕 *man*** = ***this man ~*** 《속어》 여기 있는 이 사람《'ere는 here의 h가 빠진 것》.

> [DIAL.] ***Here!*** 여기까지; 이쯤에서 그만두세요: *Here!* That's enough! 자, 그 정도로 해 두세요.
> ***Here it is.*** 자, 여기 있습니다《남에게 물건을 건넬 때》: Do you have Essence English-Korean dictionary?—Yes, *here it is*. 엣센스 영한 사전 있습니까—네, 여기 있습니다.
> ***Here's something for you.*** 이걸 드리겠습니다.
> ***Here's to A!* / *Here's to A's health* 〔*luck*〕*!*** A를 위하여 건배; A의 건강〔행운〕을 위하여 축배: *Here's to* the new couple! 새 부부를 위하여 축배《결혼 피로연에서》/ *Here's to* you! 당신의 건강을 위해 건배.
> ***Here we are!*** ① (우리가 좋아하는 물건이) 여기 있군요. ② 자, 도착했습니다《가보고 싶은 곳에 도착했을 때》: *Here we are* at Mokpo. 자, 목포에 도착했습니다.
> ***Here we go!*** = ***Here goes!*** 자, 갑시다; 자, 해볼까요.
> ***Here we go again!*** 또야; 싫은걸《「다시 똑같은 일을 되풀이하는 건 지긋지긋해」라는 뜻》.
> ***Here you are.*** 자, 여기 있습니다(=Here it is): Where are my chopsticks?—*Here you are*. 내 젓가락이 어디 있지요—자, 여기 있습니다 / *Here you are*.—Thank you. 자, 여기 있습니다—고맙습니다《물건을 사고 대금을 건넬 때》/ May I see that tie?—Just a moment … *Here you are*. 저 넥타이 좀 봐도 될까요—잠깐만요… 자, 여기 있습니다《손님에게 상품을 보여줄 때》.
> ***Here you go.*** 옛다《무엇을 줄 때》.

◇**hére·abòut(s)** [híər-] *ad*. 이 부근〔근처〕에: somewhere ~ 어딘가 이 근처에(서).

*__here·af·ter__ [hìərǽftər, -ɑ́ːf-] *ad*. **1** 지금부터는, 금후(로는), 장차는. **2** 내세에서(는). **—*n*.** (the ~, a ~) **1** 장래, 미래. **2** 내세, 저 세상: in the ~ 저 세상에서.

hère·bý *ad*. 이에 의하여, 이 문서〔서면〕에 의하여, 이 결과(로써): I ~ pronounce you man and wife. 이로써 두 사람이 부부가 된 것을 선언합니다.

he·rèd·i·ta·bíl·i·ty *n*. = HERITABILITY.

he·red·i·ta·ble [hərédətəbəl] *a*. = HERITABLE.

her·e·dit·a·ment [hèrədítəmənt] *n*. [C] 〖법률〗 상속 (가능) 재산《유형·무형의》; 《특히》 부동산.

he·red·i·tar·i·ly [hərédətèrəli, hərèditɛ́əli] *ad*. 세습적으로; 유전적으로.

◇**he·red·i·tary** [hərédətèri/-təri] *a*. **1** 세습의; 부모한테 물려받은, 대대의; 상속에 관한: a ~ peer 세습 귀족 / ~ property 상속 재산. **2** 유전(성)의, 유전적인(↔ *acquired*): a ~ disease 유전병. [파] **-tàr·iness** *n*.

he·red·i·ty [hərédəti] *n*. [U] 유전; 형질 유전; 세습; 상속.

Her·e·ford *n*. **1** [hérəfərd] **a** 헤리퍼드《잉글랜드 서부 Hereford and Worcester 주의 도시》. **b** = HEREFORDSHIRE. **2** [hérəfərd, hə́ːr-/hə́ː-fəd] [C] **a** 헤리퍼드종(種)(의 소)《낯이 희고 털이 붉음; 식용》. **b** 헤리퍼드종(의 돼지).

Héreford and Wórcester 헤리퍼드 우스터《잉글랜드 남서부의 주; 1974 년 신설; 주도 Worcester》.

Her·e·ford·shire [hérəfərdʃìər, -ʃər] *n*. 헤리퍼드셔《잉글랜드 서부의 옛 주; 1974 년 Hereford and Worcester 주의 일부가 됨》.

hère·ín *ad*. **1** 《문어》 이 속에, 여기에. **2** 《드물게》 이 점에서, 이 사실〔사정〕에〔(으)로〕, 이에 비추어 보아.

hère·in·áfter *ad*. 《문어》 (서류 등에서) 아래에(서는), 이하에.

hère·in·befóre *ad*. 《문어》 (서류 등에서) 위에, 윗글에, 전조에.

hère·óf *ad*. **1** 《문어》 이것의, 이 문서의: upon the receipt ~ 이것을 수령하시면〔수령하는 대로〕. **2** 이에 관하여.

hère·ón *ad*. = HEREUPON.

⁑**here's** [hiərz] here is 의 간약형.

◇**her·e·sy** [hérəsi] *n*. [U] (구체적으로는 [C]) 이교, 이단; (통설·전통 학설에 반하는) 이론(異論), 이설.

◇**her·e·tic** [hérətik] *n*. [C] 이교도, 이단자; 반대론자. [cf.] heathen.

he·ret·i·cal [hərétikəl] *a*. 이교의, 이단의; 반대론자의. [파] **~·ly** *ad*. **~·ness** *n*.

hère·tó *ad*. **1** 여기까지. **2** 《문어》 이 문서에, 여기〔이것〕에: attached ~ 여기에 첨부된. **3** 이 점에 관하여.

hère·to·fóre *ad*. 《문어》 지금〔현재, 여기〕까지(에는)(hitherto), 이전에(는).

hère·únder *ad*. **1** 아래에, 이하에. **2** 이에 의하여, 이에 의거하여.

hère·upón *ad*. **1** 《문어》 여기에 있어서(upon this); 여기에 잇따라; 이 결과로서; 이에 관하여. **2** 이 시점에서; 이 직후에, 즉시로.

here·with [hìərwíð, -wíθ] *ad*. **1** 이것과 함께《특히, 상용문에 씀》: enclosed ~ 이에 동봉하여. **2** 이 기회에; 이것으로, 이에 의해(hereby).

hèr·i·ta·bíl·i·ty *n.* Ⓤ 상속〔유전〕 가능성.

her·i·ta·ble [héritəbəl] *a.* (재산 따위) 물려줄 수 있는; 상속할 수 있는; (병 등이) 유전하는, 유전성의. ㊕ **-bly** *ad.* 상속(권)에 의하여.

*__her·i·tage__ [héritidʒ] *n.* Ⓤ (또는 a ~) **1 상속 재산**; 세습 재산. **2** (대대로) 물려받은 것; 유산; (문화적) 전통: a rich cultural ~ 풍부한 문화 유산. **3** (미래에 남길) 자연환경 유산.

herk·y-jerky [hə́ːrkidʒə́ːrki] *a.* 《美》 (동작이) 돌연한, 불규칙적인, 발작적으로 움찔하는.

her·maph·ro·dite [həːrmǽfrədàit] *n.* Ⓒ 어지자지, 남녀추니; 〖생물〗 양성체(兩性體), 양성 동물; 〖식물〗 양성화, 자웅 동주; 쌍돛배의 일종(=∠ **brìg**). **—***a.* 자웅 동체〔동주〕의. ㊕ **her·màph·ro·dít·ic, -i·cal** [-dítik], [-əl] *a.* 양성(兩性)의, 남녀추니의, 자웅 동체의. **her·máph·ro·dit·ìsm** [-daitìzəm] *n.* Ⓤ 자웅 동체성(性).

Her·mes [hə́ːrmiːz] *n.* 헤르메스《(1) 〖그리스 신화〗 신들의 사자(使者)로 과학·상업·변론의 신; 로마 신화의 Mercury에 해당. (2) 〖천문〗 지구에 가장 가까운 소행성》.

her·met·ic, -i·cal [həːrmétik], [-əl] *a.* **1** 밀봉〔밀폐〕한(airtight): a ~ seal (유리용기 등의) 용접 밀폐. **2** (종종 H-) 연금술의; 비전(秘傳)의, 난해한: the ~ art 〔philosophy, science〕 연금술. ㊕ **-i·cal·ly** *ad.* 밀봉하여.

°**her·mit** [hə́ːrmit] *n.* Ⓒ **1** (초기 기독교의) 수행자(修行者), 신선, 도사; 은자(anchorite), 속세를 버린 사람(recluse); 독거성의 동물; 〖조류〗 벌새; =HERMIT CRAB. **2** 향료를 넣은 당밀 쿠키.

her·mit·age [hə́ːrmitidʒ] *n.* Ⓒ 암자, 은자의 집; 외딴집.

hérmit cràb 〖동물〗 소라게(soldier crab).

her·nia [hə́ːrniə] (*pl.* **~s, -ni·ae** [-niìː]) *n.* 《L.》 Ⓤ (구체적으로는 Ⓒ) 〖의학〗 헤르니아, 탈장. ㊕ **-ni·al** [-l] *a.*

her·ni·ate [hə́ːrnièit] *vi.* 〖의학〗 헤르니아가 되다, 탈장(脫腸)하다.

⁑**he·ro** [híːrou, híər-] (*pl.* **~es**) *n.* Ⓒ **1 영웅**; 위인, 용사, 이상적인 인물: one of my ~*es* 내가 심취하는 인물의 하나/make a ~ of a person 아무를 영웅화하다, 아무를 떠받들다/No man is a ~ to his valet. 《격언》 영웅도 그 하인에게는 평범한 사람. **2** 〖신화〗 반신적(半神的)인 용사, 신인(神人). **3** (남자) **주인공**《극·소설 따위의》. cf. heroine. **4** (중대한 사건 등의) 중심인물.
㊕ **~·lìke** *a.*

Her·od [hérəd] *n.* 〖성서〗 헤롯 왕《그리스도 탄생 당시의 유대 왕; 잔학하기로 유명함; 73?–4 B.C.》. cf. out-Herod.

He·ro·di·as [hiróudiəs] *n.* 〖성서〗 헤로디아《Herod Antipas의 후처로 Salome의 어머니; 남편에게 세례 요한을 죽이도록 획책했음; 14 B.C.?–?40 A.D.》.

He·rod·o·tus [hirádətəs/-rɔ́d-] *n.* 헤로도토스《그리스의 역사가; 484?–?425 B.C.》.

*__he·ro·ic__ [hiróuik] *a.* **1 영웅적인**, 씩씩한, 용감한; 대담한, 모험적인, 과감한: ~ conduct 영웅적인〔용감한〕 행위/~ measures 과감한 수단. **2** 영웅의, 용사의. **3** 〖운율〗 (시가) 영웅을 찬미한; (문체 따위가) 웅대한(grand); 과장한(high-flown), 흰소리 치는(magniloquent): ~ words 호언장담. **4** 〖미술〗 실물보다 큰《조각 따위》: a ~ statue 실물보다 큰 상.
—*n.* **1** Ⓒ 영웅시; (*pl.*) 영웅시격, 사시(史詩)격(heroic verse). **2** (*pl.*) **a** 과장된 표현〔태도, 행위, 감정〕: go into ~*s* 감정을 과장하여 표현하다. **b** 영웅적 행위, 용기 있는 행동. ㊕ **-i·cal** [-əl] *a.* =heroic. **-i·cal·ly** *ad.*

heróic cóuplet 〖운율〗 압운(押韻)된 약강(弱強) 5 보각(步脚)의 대구(對句).

heróic vérse 〖운율〗 영웅시격, 사시(史詩)격(=**heróic líne** 〔**méter**〕)《영시에서는 약강 오음보격(五音步格)》; 〖시학〗 영웅시, 사시(史詩); 영웅시체.

her·o·in [hérouin] *n.* Ⓤ 헤로인《모르핀제; 진정제·마약》; (H-) 그 상표 이름.

⁑**her·o·ine** [hérouin] *n.* Ⓒ **1 여걸**, 여장부. **2** (극·소설 등의) **여주인공**: the ~ of a novel.

°**her·o·ism** [hérouìzəm] *n.* Ⓤ 영웅적 자질, 장렬, 의열(義烈); 영웅적 행위.

°**her·on** [hérən] (*pl.* **~s,** 〔집합적〕 **~**) *n.* Ⓒ 〖조류〗 **왜가리**, 〔일반적〕 백로과 새의 총칭.
㊕ **~·ry** [-ri] *n.* Ⓒ 왜가리〔백로〕가 떼지어 보금자리를 치는 곳, 왜가리 번식지; 왜가리〔백로〕 떼.

héro sándwich 《美》 롤빵 따위를 쓴 속이 푸짐한 대형 샌드위치.

héro wòrship 영웅 숭배.

her·pes [hə́ːrpiːz] *n.* Ⓤ 〖의학〗 포진(疱疹), 헤르페스.

her·pe·tol·o·gy [hə̀ːrpətáləd͡ʒi/-tɔ́l-] *n.* Ⓤ 파충류학. ㊕ **-gist** *n.* Ⓒ 파충류학자. **hèr·pe·to·lóg·ic, -lóg·i·cal** *a.*

Herr [hɛər] (*pl.* ***Her·ren*** [hérən]) *n.* 《G.》 **1** 님, 군(君), 선생, 씨(氏)《영어의 Mr.에 해당하는 경칭》. **2** Ⓒ 독일 신사.

Her·rik [hérik] *n.* **Robert ~** 헤릭《영국의 시인; 1591–1674》.

°**her·ring** [hériŋ] (*pl.* **~s,** 〔집합적〕 **~**) *n.* **1** Ⓒ 〖어류〗 청어. **2** Ⓤ 청어의 살: kippered ~ 훈제한 청어.

hérring·bòne *n.* Ⓒ **1** 청어 뼈. **2** 오늬 무늬(로 짠 천), 헤링본; 〖건축〗 (벽돌 따위의) 오늬 무늬 쌓기, 헤링본. **—** *a.* Ⓐ 오늬 (무늬) 모양의.

hérring gùll 〖조류〗 재갈매기.

†**hers** [həːrz] *pron.* **1** 〔she의 소유대명사〕 **그녀의 것**《★ 가리키는 내용에 따라 단·복수취급》: This is ~, not mine. 이것은 그녀의 것이고 내 것은 아니다/His hair is darker than ~. 그의 머리는 그녀의 머리보다 검다/*Hers* are the red ones. 그녀의 것은 빨간 것들이다. **2** 〔of ~〕 그녀의《★ her는 a, an, this, that, no 등과 나란히 명사 앞에 쓰지 못하므로 of hers《이중 소유》로 하여 명사 뒤에 씀》: a friend *of* ~ 그녀의 친구/that book *of* ~ 그녀의 저 책.

†**her·self** [həːrsélf, hər-] (*pl.* ***them·selves***) *pron.* 3인칭 단수 여성의 재귀대명사. **1** 〔재귀적〕 **그녀 자신을**〔**에게**〕: She killed ~. 그 여자는 자살했다《재귀동사의 목적어》/She gave ~ a facial massage. 그 여자는 자신의 얼굴 마사지를 했다《일반동사의 목적어》/He urged Jane to take good care of ~. 그는 제인에게 몸조심하라고 신신 당부했다《전치사의 목적어》. **2** 〔강조적〕 **그녀 자신**. **a** 〔동격적으로〕: She ~ came to see me. 그녀 자신이 나를 만나러 왔다. **b** 〔she, her 대용으로〕: Her sister and ~ were invited to the party. 그녀 언니와 그녀가 파티에 초대되었다/No one can do it better than ~. 그녀보다도 그것을 더 잘 할 수 있는 사람은 없다《★ as, like, than 뒤에서 she, her 대용》. **c** 〔독립구문의 주격 관계를 특히 나타내기 위하여〕: *Herself*

poor, she understood the situation. 그 여자는 자신이 가난했으므로 사정을 이해했다. **3** 평상시〔본래〕의 그녀《★ 보통 be의 보어로 씀》: She is not ~ today. 오늘은 평상시의 그녀와는 다르다. ***beside*** ~ ⇨ONESELF. ***by*** ~ ⇨ONESELF. ***for*** ~ ⇨ONESELF. ***to*** ~ ⇨ONESELF.

her·story [hə́ːrstəri] *n.* (*pl.* **-ries**) Ⓒ 《속어》 여성의 관점에서 본 역사; 여성사.

Hert·ford·shire [hɑ́ːrtfərdʃìər, -ʃər] *n.* 하트퍼드셔《잉글랜드 동남부의 주; 생략: Herts.》.

Herts. Hertfordshire.

hertz (*pl.* ~, ~**·es**) *n.* Ⓒ 〚전기〛 헤르츠《진동수·주파수의 단위; 기호 Hz》.

hértz·i·an wáves [hə́ːrtsiən-, hɛ́ərts-] (때로 H-) 〚전기〛 헤르츠파(波)《electromagnetic wave(전자파)의 구칭》.

he's [hiːz; 약 hiz, iz] he is; he has의 간약형.

hes·i·tance, -tan·cy [hézətəns], [-i] *n.* Ⓤ 머뭇거림, 주저, 망설임; 우유부단; 의심.

hes·i·tant [hézətənt] *a.* 머뭇거리는, 주춤거리는; (태도가) 분명치 않은; 주저하는《***about, over*** …에 / ***to*** do》: She is very shy and ~ in company. 그 여자는 사람 앞에서 수줍어하여 주춤거린다 / He was ~ *about* tell*ing* her the secret. 그는 그녀에게 그 비밀을 말하기를 주저했다 / I'm rather ~ (whether) *to* employ him. 그를 채용하는 것이 좀 머뭇거려진다. ㊞ ~**·ly** *ad.* 주저하면서; 말을 더듬으며.

hes·i·tate [hézətèit] *vi.* **1** 《~/+*to* do/+전+명/+*wh.* *to* do》 **주저하다**, 망설이다, 결단을 못 내리다《***about, at, in, over*** …에》: I ~*d to* take the offer. 제의를 받아들이기를 망설였다 / He who ~*s* is lost. 《속담》 주저하면 기회는 두 번 다시 오지 않는다 / They ~ *about* tak*ing* such a dangerous step. 그들은 그 같은 위험한 방책을 쓰기를 주저하고 있다 / Don't ~ *in* ask*ing* for help. 도움을 청하는 데 주저하지 마십시오 / ~ (*about*) *what to* buy. 무엇을 살 것인지 망설이다. **2** 《+*to* do》 …할 마음이 나지〔내키지〕 않다: I ~ *to* affirm. 단언하고 싶지 않다. **3** (도중에서) 제자리 걸음하다, 멈춰 서다; 말이 막히다, 말을 더듬다. ㊞ **-tàt·er, -tà·tor** *n.* **-tàt·ing** *a.* **-tàt·ing·ly** *ad.*

hes·i·ta·tion [hèzətéiʃən] *n.* Ⓤ (구체적으로는 Ⓒ) **1 주저함**, 망설임《***in*** …에》: without a moment's ~ 조금도 주저하지 않고, 곧, 단호히 / She had 〔felt〕 no ~ *in* accept*ing* the offer. 그녀는 그 제안을 망설이지 않고 수락했다. **2** 말이 막힘, 말을 더듬음.

Hes·pe·ri·an [hespíəriən] *a.* 서쪽 (나라)의. ─*n.* Ⓒ 서쪽 나라 사람.

Hes·per·i·des [hespérədìːz] *n. pl.* (the ~) 〚그리스신화〛 **1** 헤스페리데스《황금 사과밭을 지킨 네 자매의 요정》. **2** 〘단수취급〙 황금 사과밭.

Hes·per·us [héspərəs] *n.* 태백성(太白星), 개밥바라기, 금성(Vesper).

Hes·se [hésə] *n.* **Hermann** ~ 헤세《독일의 시인·소설가; 노벨 문학상 수상(1946); 1877-1962》.

hes·sian [héʃən] *n.* Ⓤ 거칠고 튼튼한 삼베의 일종《포장용》(=∠ **clóth**).

Héssian bóots *pl.* 앞쪽에 술이 달린 군용 장화《19세기 영국에서 유행》.

Hes·ter [héstər] *n.* 헤스터《여자 이름; Esther의 별칭》.

Hes·tia [héstiə] *n.* 〚그리스신화〛 헤스티아《화로·아궁이의 여신; 로마 신화의 Vesta에 해당》.

het [het] 《고어·방언》 HEAT의 과거·과거분사. (***all***) ~ ***up*** 《구어》 격앙〔분개〕하여, 흥분하여, 마음을 졸이어, 안달하여《***about*** …에》.

het·er(·o)- [hétərou, -rə] '딴, 다른'의 뜻의 결합사(↔ *homo-, iso-*). ★ 모음 앞에서는 **heter-**.

het·er·o·dox [hétərədɑ̀ks/-dɔ̀ks] *a.* 이교(異敎)의; 이설의, 이단의. ↔ *orthodox.* ㊞ ~**y** *n.* Ⓤ 이교; 이단, 이설(異說).

het·er·o·ge·ne·i·ty [hètəroudʒəníːəti] *n.* Ⓤ 이종(異種); 이질; 이성분(異成分).

het·er·o·ge·ne·ous [hètərədʒíːniəs, -njəs] *a.* 이종(異種)의; 이질의; 이(異)성분으로 된. ↔ *homogeneous.* ㊞ ~**·ly** *ad.* ~**·ness** *n.*

het·er·o·nym [hétərənìm] *n.* Ⓒ 철자는 같으나 음과 뜻이 다른 말《tear[1] [tiər] (눈물)와 tear[2] [tɛər] (찢다) 따위》. ⓒⓕ homonym, synonym, homograph. ㊞ **hèt·er·ón·y·mous** [-rɑ́nəməs/-rɔ́n-] *a.*

hètero·séxism *n.* Ⓤ (이성애자의) 동성애자에 대한 편견〔차별〕. ㊞ **-séxist** *a.*, *n.*

hètero·séxual *a.* 이성애(異性愛)의. ⓒⓕ homosexual. ─*n.* Ⓒ 이성을 사랑하는 사람. ㊞ ~**·ly** *ad.*

hètero·sexuálity *n.* Ⓤ 이성애(異性愛).

heu·ris·tic [hjuərístik] *a.* 학습을 돕는, 관심을 높이는; 학생 스스로 발견케 하는, 발견적인《학습법 따위》. ─*n.* (*pl.*) 〘단수취급〙 발견적 지도법. ㊞ **-ti·cal·ly** *ad.*

heurístic appróach 〚컴퓨터〛 경험적 방법《복잡한 문제를 푸는 데 있어 시행착오를 반복 평가하여 문제를 해결하는 방법》.

heurístic prógram 〚컴퓨터〛 경험적 프로그램.

hew [hjuː] (~***ed***; ***hewn*** [hjuːn], ~***ed***) *vt.* **1** (도끼·칼 따위로) 자르다(cut), 마구 베다; (나무 따위)를 베어 넘기다(*down*): a rock freshly *hewn* 이제 막 잘라낸 돌 / ~ branches from the tree 나무에서 가지를 잘라내다 / ~ *down* a tree 나무를 베어 넘기다. **2 a** (돌 따위)를 자르다; 새기다; (길 따위)를 베어서 뚫다〔내다〕: ~ a path *through* the forest 삼림을 베어 길을 내다 / a statue *hewn out of* 〔*from*〕 marble 대리석에 새겨진 입상. **b** 〘~ one's way〙 자르며 나아가다; 진로를 열어 나가다. **3** (지위 따위)를 노력하여 얻다; 고생하여 개척하다(*out*): ~ *out* a career for oneself 혼자 힘으로 노력하여 출세하다. ─*vi.* **1** (도끼 따위로) 자르다; (도끼 따위를) 휘둘러치다《***at*** (나무 따위)에》: He ~*ed at* the tree. 그는 나무에 도끼를 휘둘러쳤다. **2** 《美》 지키다, 준수하다《***to*** (법·규칙 따위)를》: ~ *to* the party line 당의 방침을 지키다.

héw·er *n.* Ⓒ (나무·돌을) 자르는 사람; 채탄부. ~***s of wood and drawers of water*** 〚성서〛 장작을 패고 물을 긷는 사람, 천한 노동을 하는 사람, 하층 계급《여호수아서 IX: 21》.

hewn [hjuːn] HEW의 과거분사.

hex [heks] *vt.* 홀리게 하다, 마법에 걸다. ─*n.* Ⓒ 마녀(witch); 주술, 저주; 징크스(jinx)《***on*** …에 대한》.

hex. hexadecimal; hexagon; hexagonal.

hex·a- [héksə] '육(六)'의 뜻의 결합사. ★ 모음 앞에서는 **hex-**.

hex·a·gon [héksəgɑ̀n/-gən] *n.* Ⓒ 육각형, 육변형.

hex·a·gram [héksəgræ̀m] *n.* Ⓒ 〚수학〛 육선

형(六線形); 육망 성형(六芒星形), 육각〔육선〕 성형《✡》.
hex·a·hed·ron [hèksəhíːdrən] (*pl.* **~s, -ra** [-rə]) *n.* Ⓒ 육면체.
hex·am·e·ter [heksǽmitər] 〖운율〗 *n.* Ⓒ 육보격(六步格); 육보격의 시. **—***a.* 육보격의.
㊋ **hex·a·met·ric** [hèksəmétrik] *a.*
hex·a·pod [héksəpɑ̀d/-pɔ̀d] *n.* Ⓒ 곤충, 육각류(六脚類)(의 동물). **—***a.* 육각류의, 곤충의.
⁑**hey** [hei] *int.* 이봐, 어이《호칭》; 어《놀람》; 야아《기쁨》: *Hey*, taxi! 어이, 택시.
Hey for…! 《英》 …잘한다. ***Hey presto!*** 《英》 ① (요술쟁이 기합 소리로) 얏, 어, 이상해라. ② 갑자기, 급히.
héy·dày *n.* (*sing.*; 보통 the 〔one's〕 ~) 전성기, 한창 때: in the ~ of youth 혈기왕성한 때에.
Hf 〖화학〗 hafnium. **hf** half. **H.F., HF, h.f., hf** high frequency. **Hg** 〖화학〗 *hydrargyrum* 《L.》(=mercury). **hg.** hectogram(s); heliogram. **H.G.** High German; His 〔Her〕 Grace. **hgt.** height. **HGV** 《英》 heavy goods vehicle (중량 적재물 차량). **hgwy** highway. **HH** 〖연필〗 double hard. **H.H.** His 〔Her〕 Highness; His Holiness《교황에 대한 존칭》. **HHC** 〖컴퓨터〗 handheld computer. **hhd** hogshead. **HHH** 〖연필〗 treble hard. **HHS** 《美》 Department of Health and Human Services (보건 복지부).
hi [hai] *int.* 《구어》 야아; 어어《인사 또는 주의를 끄는 말; hello 보다 스스럼 없는 표현으로 특히 《美》에서 많이 쓰임》.
HI 〖美우편〗 Hawaii. **H.I.** Hawaiian Islands.
hi·a·tus [haiéitəs] (*pl.* **~·es,** ~) *n.* Ⓒ (보통 *sing.*) **1** 틈, 벌어진 틈(gap); (연속된 것의) 중단; 탈락, 탈문(脫文), 탈자(脫字). **2** 〖의학〗 열공(裂孔); 〖해부〗 음문(陰門)(vulva); 〖음성〗 모음접속.
hi·ber·nal [haibə́ːrnl] *a.* 겨울의; 한랭한.
hi·ber·nate [háibərnèit] *vi.* (동물이 들어박혀) 겨울을 지내다, 동면하다(↔ *aestivate*); (사람이) 피한(避寒)하다. ㊋ **-nà·tor** [-ər] *n.* **hi·ber·ná·tion** *n.* Ⓤ 동면.
Hi·ber·nia [haibə́ːrniə] *n.* 《시어》 Ireland의 라틴 이름.
Hi·ber·ni·an [haibə́ːrniən] *a.* 아일랜드(사람)의. **—***n.* Ⓒ 아일랜드 사람.
hi·bis·cus [hibískəs, hai-] *n.* Ⓒ 〖식물〗 히비스커스《목부용속(屬)의 식물; 무궁화·목부용 따위; Hawaii 주의 주화》.
hic·cough [híkʌp] *n.*, *vi.* =HICCUP.
hic·cup [híkʌp] *n.* Ⓒ (흔히 *pl.*) 딸꾹질(소리): have 〔get〕 (the) *~s* 딸꾹질이 나오다. **—** (**-pp-**) *vi.* 딸꾹질하다, 딸꾹질하며 말하다.
hic ja·cet [hík-dʒéisit] 《L.》 여기(에) 잠들다 《비명(碑銘)의 문구; 생략: H.J.》; 비명(epitaph).
hick [hik] 《美구어》 *n.* Ⓒ 시골뜨기, 촌사람. **—***a.* Ⓐ 시골뜨기의, 촌스러운: a ~ town 시골 읍.
hick·ey, hick·ie [híki] *n.* Ⓒ 《美》 **1** (이름 모르는) 기계, 장치. **2** 《속어》 여드름; 부스럼, 뾰루지; 키스마크.
hick·o·ry [híkəri] *n.* **1** Ⓒ 〖식물〗 히코리《북아메리카산 호두나뭇과(科) 식물》; 그 열매(=∠ **nùt**). **2** Ⓤ 히코리 목재; Ⓒ 히코리나무 지팡이〔가구, 도구〕.
hid [hid] HIDE[1]의 과거·과거분사.
hid·den [hídn] HIDE[1]의 과거분사. **—***a.* 숨은, 숨겨진, 숨긴, 비밀의: a ~ tax 간접세/~ assets 은닉 자산/one's ~ trouble 남 모르는 괴로움.

hídden agénda (성명·정책 등의) 숨겨진 의도〔계획·동기〕, 속뜻.
hídden fíle 〖컴퓨터〗 은폐 파일《보조 기억 장치에 저장된 파일 중 일반적인 방법으로는 볼 수 없는 파일》.
⁑**hide**[1] [haid] (***hid*** [hid]; ***hid·den*** [hídn], ***hid***) *vt.* **1** 《~+목/+목+전+명》 **a** 숨기다, 보이지 않게 하다: ~ one's head 〔face〕 머리를〔얼굴을〕 숨기다《두려움·수치 때문에 남의 눈을 피하다》/~ money *in* a cupboard 돈을 찬장에 숨기다. **b** 〖~ oneself〗 숨다: The moon hid it*self behind* the clouds. 달은 구름 뒤로 숨어 버렸다. **2** 《+목+전+명》 덮어 가리다, 눈에 띄지 않게 하다《***from*** …으로부터》: ~ a person *from* the police 경찰 눈에 띄지 않게 아무를 숨겨 주다. **3** 《~+목/+목+전+명》 (감정·의도 따위)를 드러내지 않다, 비밀로 하다《***from*** (아무)에게》: ~ one's feeling 감정을 드러내지 않다/~ one's intentions 의중을 드러내지 않다/~ the fact *from* a person 사실을 아무에게 비밀로 하다.

SYN. **hide, conceal** 거의 같은 뜻이지만 hide에는 숨길 의도가 없는 경우도 포함됨: *hidden* from the eye 사람 눈에 띄지 않는. **cover** 남의 눈을 속이기 위해서 덮어 감추다: a show of arrogance to *cover* one's inferiority complex 열등감을 감추기 위한 거만한 태도. **secrete** 비밀로 하려고 세심한 주의를 기울여 숨기다.

—*vi.* 《~/+전+명/+부》 숨다, 잠복하다: Where is Tom *hiding?*—He's *hiding* behind the curtain. 톰이 어디 숨었지—커튼 뒤에 숨었어/He must be *hiding behind* the door. 그는 문 뒤에 숨었음에 틀림없다/Are you *hiding from* the police? 너는 경찰의 눈을 피해 다니고 있느냐.
~ away 《*vi.*+부》 ① =~ out. **—**《*vt.*+부》 ② …을 숨기다《***from*** …의 눈에 띄지 않도록》: She *hid* the cookies *away from* the children. 그 여자는 아이들의 눈에 띄지 않도록 쿠키를 감추었다. ***~ behind bushes*** 《속어》 도망쳐 숨다, 비겁하게 굴다. ***~ out*** 〔《英》 ***up***〕 《*vi.*+부》 잠복하다, 도피하다, 지하에 숨다. ~ one***'s light under a bushel*** ⇨BUSHEL (관용구).
—*n.* Ⓒ 《英》 (야생 동물을 포획·촬영하기 위한) 잠복〔은폐〕 장소.
hide[2] *n.* **1** Ⓤ (낱개는 Ⓒ) (특히 큰) 짐승의 가죽: raw 〔green〕 ~ 생가죽. SYN. ⇨SKIN. **2** Ⓒ 《구어》 사람의 피부: have a thick ~ 둔감하다.
~ or 〔***nor***〕 ***hair*** =***neither ~ nor hair*** 《구어》 〖보통 부정문〗 (실종된 사람·분실물 등의) 자취, 종적: *Nobody* ever saw ~ *or hair* of him again. 아무도 다시는 그를 보지 못했다.
—*vt.* **1** …의 가죽을 벗기다. **2** 《구어》 심하게 매질하다, 때리다.
híde-and-séek, 《美》 **híde-and-go-séek** [-ən-] *n.* Ⓤ 숨바꼭질: play ~ with …와 숨바꼭질 하다. ★ 술래는 it.
híde·awày *n.* Ⓒ 《구어》 숨은 곳, 은신처; 잠복 장소; 사람 눈에 띄지 않는 곳. **—***a.* Ⓐ 숨은, 사람 눈에 띄지 않는.
híde·bòund *a.* **1** (사람·생각이) 편협한, 도량이 좁은(narrow-minded), 완고한; 극히 보수적인. **2** (가축이 영양 불량 때문에) 말라빠진, 피골이 상접한.

◇**hid·e·ous** [hídiəs] *a.* **1** 무시무시한, 소름끼치는, 섬뜩한(frightful). SYN. ⇨UGLY. ¶a ~ monster 무시무시한 괴물. **2** 가증한, 끔찍한(revolting): a ~ crime 끔찍한 범죄. ㊞ **~·ly** *ad.* **~·ness** *n.*

híde·òut *n.* Ⓒ 《구어》 (범죄자 등의) 은신처.

hid·ing[1] [háidiŋ] *n.* **1** Ⓤ 숨김, 은폐, 숨음(concealment): be in ~ 남의 눈을 피해 살다/come 〔be brought〕 out of ~ 나타나다〔세상에 드러나게 되다〕/go into ~ 몸을 숨기다, 지하로 숨다. **2** Ⓒ 숨은 장소, 은신처.

hid·ing[2] *n.* Ⓒ 《구어》 채찍질, 매질(flogging), 후려갈기기: give a person a good ~ 아무를 호되게 때리다. ***be on a ~ to nothing*** 성공의 가능성은 전혀 없다.

◇**hie** [hai] (*p., pp.* **~d;** **∠·ing, hý·ing**) *vi., vt.* 《고어·시어》 서두르다, 급히 가다《**to** …으로, …에》; 서두르게 하다〖종종 인칭대명사와 함께 ~ oneself〗: *Hie* thee! 빨리/He ~*d* him(*self*). 그는 부리나케 갔다.

hi·er·arch [háiərɑ̀ːrk] *n.* Ⓒ 교주, 고위 성직자; 권력자; 고관, 요인. ㊞ **hi·er·ár·chal** [-kəl] *a.*

hi·er·ar·chic, -chi·cal [hàiərɑ́ːrkik], [-əl] *a.* **1** 성직 계급제의; 성직 정치의. **2** 계급 조직의; 계층적: rigidly ~ social structures 엄격히 신분 계층제가 확립된 사회 구조. ㊞ **-chi·cal·ly** *ad.*

híerarchical dátabase 〖컴퓨터〗 계층적 데이터베이스《데이터가 계층적 구성 형태를 갖는》.

hi·er·ar·chy [háiərɑ̀ːrki] *n.* **1 a** Ⓤ (구체적으로는 Ⓒ) (관청 따위의 피라미드형) 계급 조직, 계층 제도: fit into a ~ (사람이) 계급 제도에 순응하다/the inflexible ~ of company 회사의 바꾸기 어려운 계층 제도. **b** Ⓒ 계층: a ~ of values 〔priorities〕 가치〔서열〕 계층. **c** (the ~) 〖집합적; 단·복수취급〗 전(全)계급 조직원; 전(全)성직자단(團). **2 a** Ⓤ (구체적으로는 Ⓒ) 성직자 계급 제도. **b** Ⓤ 성직자 정치. **3** Ⓒ 〖생물〗 (분류) 체계《강·목·과·속·종 따위》. **4** 〖신학〗 **a** Ⓒ 천사의 계급의 하나《★ 천사의 9계급은 위로부터 seraphim, cherubim, thrones, dominations, virtues, powers, principalities, archangels, angels》. **b** (the ~) 〖집합적; 단·복수취급〗 천사들〔군(群)〕.

hi·er·o·glyph [háiərəglìf] *n.* Ⓒ (고대 이집트 등의) 상형문자, 그림문자.

hi·er·o·glyph·ic [hàiərəglífik] *a.* 상형문자의, 그림문자의; 상형문자로 쓴. **—***n.* (*pl.*) 상형문자; 그림문자; 상형문자로 된 문서.

hi-fi [háifái] (*pl.* **~s**) *n.* **1** Ⓤ 하이파이(high fidelity). **2** Ⓒ 하이파이 장치《레코드 플레이어·스테레오 따위》. **—***a.* Ⓐ 하이파이의.

hig·gle(-hag·gle) [hígəl(hǽgəl)] *vi.* 값을 깎다(chaffer), 흥정하다《**with** …와》.

hig·gle·dy-pig·gle·dy [hígəldipígəldi] *a., ad.* 엉망진창인〔으로〕, 뒤죽박죽인〔으로〕, 몹시 혼란한〔하게〕, 왁자지껄한〔하게〕.

†**high** [hái] *a.* **1 a 높은**(lofty, tall)《★ 보통 사람·동물에게는 쓰지 않음》. ↔ *low*. ¶a ~ fense 높은 울타리/a ~ mountain 높은 산/~ heels 뾰족구두. **b 높은 곳에 있는**, 고지(지방)의; 고위도의: a ~ ceiling 높은 천정/in ~ latitudes 고위도 지방에. **c 높은 곳으로의〔으로부터의〕**, 고공의: a ~ dive (수영의) 하이 다이빙/a ~ flight 고공 비행. **d** 〖수사와 함께〗 **높이가 …인〔되는〕**: It is 50feet ~. 50피트 높이다/a wall six feet ~ 6피트 높이의 벽.

SYN. **high** '높은'을 나타내는 일반적인 말. 특히 수목·산·물건의 값·목소리 등의 경우. **tall** 사람·식물·굴뚝 등의 폭이 없고 가늘고 긴 것의 높이를 말할 때 씀. **lofty** tall에 가깝지만 더욱 당당하게 우뚝 솟아 있는 것에 쓰임. 비유적으로 고상한 것, 거만한 마음도 나타냄: *lofty* aims 고매한 목적.

2 a (신분·지위 따위가) **높은, 고귀한**: a ~ official 고관/a man of ~ birth 명문 출신의 사람. **b 품격 높은**, 고상한, 고결한(noble); 숭고한(sublime): a ~ idea 숭고한 이상/a ~ character 고결한 인격. **c** (품질 등이) **고급의**(superior), 상등의(excellent): (a) ~ quality 고급의 품질/(a) ~ class 고급. **d** (학문·문화 정도가) **고도로 발달한, 고등의**: ~ animals 고등 동물/~*er* education 고등 교육.

3 a (값·물가·요금 등이) **비싼, 고가의**(costly): a ~ rent 비싼 집세/pay a ~ price for ... …에 비싼 값을 치루다. **b** 사치스런: ~ living 호화로운 생활. **c** (가치·평가 따위가) 높은: have a ~ opinion of …을 높이 평가하다/Your reputation is ~. 자네 평판은 높네.

4 a (강도·속도·압력 따위) **고도의**; 세찬, 강한: at a ~ speed 고속으로/a ~ wind 강풍/~ (atmospheric) pressure 고기압. **b** (의견·감정 따위) 강렬한, 극도의: in ~ anxiety 대단히 걱정하여/He is in ~ favor with the manager. 그는 극도로 지배인의 마음에 들었다. **c** (정도·비율·확률 따위가) 높은, 고율의: a ~ percentage 고율/have 〔get〕 ~ marks in a test 시험에서 높은 점수를 따다. **d** Ⓟ 함유량이 많은《**in** …의》: a food ~ *in* protein 고단백 식품.

5 a (소리가) 높은, 날카로운: in a ~ voice 새된 소리로. **b** (색·안색이) 짙은, 붉은: have a ~ color 〔complexion〕 얼굴빛이 붉은, 혈색이 좋은.

6 (의기) 양양한, 원기 왕성한; (환락 따위에) 취한; (모험 따위) 아슬아슬한, 가슴 설레는: be in ~ spirits 아주 원기 왕성하다/a ~ adventure in the wilds of Africa 아프리카 미개지에서의 아슬아슬한 모험.

7 흥분된, 오만한; 화가 난, 격앙된: a ~ manner 오만한 태도/~ words 격론.

8 Ⓐ (시절이) 충분히 진행한, 한창인; 최고조의, 클라이맥스의: ~ noon 정오/~ summer 한여름/the ~ point of a play 연극의 최고 절정.

9 Ⓐ 주된, 주요한; 중대한: ~ treason 대역죄.

10 (사냥감이나 고기가) 약간 상한, 상한 냄새가 나는; 삭아서 먹기 알맞은: Pheasant should be a little ~ before you eat it. 꿩고기는 (요리해) 먹기 전에 약간 상한 편이 좋다.

11 Ⓟ 《구어》 한 잔한 기분인; 취한《**on** (술·마약)에》: be 〔get, become〕 ~ *on* marijuana 마약을 피우고 황홀해져 있다〔해지다〕.

12 (H-) 고(高)교회파의: ⇨HIGH CHURCH.

13 〖카드놀이〗 (패의) 끗수가 높은, 고위의: a ~ card 끗수 높은 패.

14 〖음성〗 (모음이) 혀의 위치가 높은: ~ vowels 고설 모음《[i, u] 따위》. ◇height, highness *n.*

~ *and dry* ① (배가) 모래 위에 얹혀. ② (사람이) 시류에서 밀려나, 버림받아, 고립되어: be left ~ *and dry* 모두에게 버림받다. **~ *and low*** 상하 귀천의 (모든 사람들). **~ *and mighty*** 《구어》 거만한, 건방진. **~ *old time*** 《구어》 매우 즐거운 한때: We had a ~ *old time*. 우리는 즐거운 한때를 보냈다. **~ *up*** ① 훨씬 높은 곳에〔으로〕: The airplane is ~ *up* in the sky. 비행기가 하늘 높

이 날고 있다. ② (지위 따위) 높은 데에서, 상위에: The book is ~ *up* on the best seller list. 그 책은 베스트 셀러의 맨 위에 있다. ***in ~ places*** (정부 따위의) 유력한 줄에, 고관 중에.
—*n*. **1** [U] 높은 것; 높은 곳, 하늘; 고지. **2** [C] 〖기상〗 고기압(권). **3** [U] 《美》 (자동차의) 하이 기어, 톱: shift from second into ~ 기어를 2단에서 톱으로 바꿔 넣다. **4** [C] 《美》 높은 수준; 고액의 숫자; 〖증권〗 높은 시세; 최고 기록 : a new ~ 새로 오른 시세; 신기록. **5** 《美구어》 =HIGH SCHOOL. **6** (the H-) 《英구어》 (특히 옥스퍼드의) 큰 거리(High Street). **7** [C] 《속어》 (마약 · 술로) 기분 좋은 상태, 도취경, 황홀감; 최고의 기분: Getting promoted was a big ~ for me. 승진하여 기분이 최고였다. ***on ~*** 높은 곳에; 천국에〔으로〕: from *on* ~ 높은 곳으로부터; 천국으로부터.
—*ad*. **1 높이, 높게**; 상위로: climb ~ on the ladder 사다리를 높이 오르다 / stand ~ in one's class (성적이) 반에서 상위를 점하다. **2** (정도가) 높게, 세게, 몹시(intensely); 크게: The wind blows ~. 바람이 세차게 분다. **3** 고가로, 비싸게; 사치〔호화〕스럽게: bid ~ 비싸게 부르다 / live ~ 호화롭게 살다. **4** 높은 가락으로: sing ~. ***fly ~*** 희망에 가슴이 부풀어 있다, 의기양양하다. ***~ and low*** 높게 낮게; 모든 곳을〔에, 에서〕, 도처에; 샅샅이: look for it ~ *and low* 샅샅이 찾다. ***~, wide and handsome*** 《구어》 유유히, 멋지게. ***run ~*** ① 파도가 높고 물살이 세다. ② (감정 · 말 따위가) 격해지다: Feelings *ran* ~ during the game. 시합 중에 감정이 격앙되었다. ③ (시세 따위가) 오르다, 높아지다: Speculation *ran* ~ as to the result. 결과에 대해 추측이 무성해졌다.
-high '…높이의' 라는 뜻의 결합사: knee-*high*, sky-*high*.
hígh áltar (교회의) 주제단(主祭壇).
hígh-and-míghty [-ənd-] *a*. 《구어》 거만한, 건방진.
hígh·bàll *n*. 《美》 **1** [U] (낱개는 [C]) 하이볼《보통 위스키 따위에 소다수 따위를 섞은 음료》. ★ 요즈음에는 whiskey and water, Scotch 〔bourbon〕 and soda 따위로 말하는 것이 일반적임. **2** [C] 〖철도〗 신호기의 전속 진행 신호. —*vi*. 《속어》 (열차가) 최대 속도로 달리다. —*vt*. 《속어》 (열차 운전사)에게 진행 신호를 하다.
hígh béam (보통 the ~s) (자동차 헤드라이트의) 상향등, 하이빔《멀리까지 밝게 비추도록 한》.
hígh·bòrn *a*. 명문 출신의, 집안이 좋은.
hígh·bòy *n*. [C] 《美》 (높은 발이 달린) 옷장(《英》 tallboy). [cf.] lowboy.
hígh·bréd *a*. 상류 가정에서 자라난; 교양과 기품을 갖춘; 예절 바른. [cf.] lowbred.
hígh·bròw 《구어》 *n*. [C] 교양인, 지식인(intellectual). ↔ *lowbrow*. —*a*. 지식인용〔상대〕의, 학자 티를 내는. [파] **~ed** *a*. **1** 이마가 (높고) 넓은. **2** 교양이 높은; 인텔리인 체하는. **~·ism** *n*.
hígh cámp 예술적으로 속된 것을 의도적으로 사용하는 일. [cf.] low camp.
hígh chàir (식당의) 어린이용 높은 의자.
Hígh Chúrch (the ~) 고교회파《교회의 권위 · 지배 · 의식을 중시하는 영국국교회의 한 파》.
Hígh Chúrchman 고교회파 사람.
hígh-cláss *a*. 고급의; 일류의; 사회적 지위가 높은: a ~ hotel 일류 호텔 / ~ whiskey 고급 위스키.
hígh commánd (the ~) **1** 〖군사〗 최고 사령

부〔지휘권〕. **2** 수뇌부.
hígh commíssioner (종종 H- C-) 고등 판무관(辦務官).
hígh cóurt 고등 법원.
Hígh Cóurt (of Jústice) (the ~) 《英》 고등 법원.
hígh dày 축(제)일.
hígh-definítion télevision 고선명 텔레비전《주사선(走査線)을 1125로 하고 음성도 PCM 변조를 사용한 고품위 텔레비전; 생략: HDTV》.
⁑**high·er** [háiər] *a*. 〖high의 비교급〗 **더 높은; 고등의**: on a ~ plane (생활 정도 · 사상이) 더 높은 수준에 (있는).
hígher-úp [-rʌ́p] *n*. [C] (보통 *pl*.) 《구어》 상관, 상사, 고관, 수뇌, 상부. [cf.] high-up.
⁑**high·est** [háiist] *a*. 〖high의 최상급〗 **가장 높은**. ***at the ~*** 최고의 위치에; 아무리 높아도(기껏). ***in the ~*** ① 〖성서〗 천상에. ② 최고도로: praise *in the* ~ 극구 칭찬하다.
hígh explósive 고성능 폭약.
high·fa·lu·tin, -ting [háifəlú:tin], [-tiŋ] *a*. 《구어》 젠체하는, 거드름 피우는.
hígh fáshion (상류 사회의) 유행 스타일, (의복의) 최신〔하이〕 패션(high style); =HAUTE COUTURE.
hígh fidélity 〖전자〗 (수신기 · 재생기 따위의) 고충실도, 하이파이《원음에 대해 고도로 충실한 음의 재생》. [cf.] hi-fi.
hígh-fidélity *a*. [A] (레코드 플레이어 · 스테레오가) 충실도가 높은, 하이파이의(hi-fi).
hígh fínance 거대하고 복잡한 금융 거래, 대형〔고액〕 융자.
hígh-fíve 《속어》 *n*. [C] 하이파이브《우정 · 승리의 기쁨 등을 나누기 위해 손을 들어 상대의 손바닥을 마주치는 행동》. —*vi*., *vt*. (아무와) 하이파이브(로 인사)하다, 손을 들어 상대의 손바닥을 마주치다.
hígh·flìer, -flỳ- *n*. [C] **1** 높이 나는 것〔사람, 새, 경기구〕. **2** 포부가 큰 사람, 야심가.
hígh-flówn *a*. **1** (언어 · 표현 따위가) 과장된. **2** 야심적인; 공상적인.
hígh·flỳing *a*. **1** 고공 비행의, 높이 나는. **2** 대망을 품은, 포부가 큰, 야심이 있는. **3** 값어치 있는, 고가의.
hígh fréquency 〖전기〗 고주파; 〖통신〗 단파《3-30 메가헤르츠; 생략: H.F.》.
hígh géar 《美》 〖자동차〗 고속 기어(《英》 top gear); 최고 속도, 최고의 활동 상태, 최고조: move 〔go〕 into ~ 기세〔피치〕가 오르다.
Hígh Gérman 고지 독일어(High Dutch); 표준 독일어.
hígh-gráde *a*. 고급의, 우수한, 양질의; (원광이) 순도가 높은.
hígh-hánded [-id] *a*. 고사세의, 고압적인; 횡포한. [파] **~·ly** *ad*. **~·ness** *n*.
hígh hát 실크해트.
hígh-hát 《美구어》 *n*. [C] 뻐기는 사람, 젠체하는 사람. —*a*. 멋진; 거드름부리는, 뻐기는.
—(**-tt-**) *vt*. (아무)를 업신여기다, 멸시〔냉대〕하다.
—*vi*. 태깔부리다, 젠체하다, 뻐기다.
[파] **~·ted** [-id] *a*. 뻐기는; 자만에 젖은.
hígh hórse 〖one's ~〗 거만한 태도.
be on 〔***get on, mount, ride***〕 ***one's ~*** 뻐기다; 화를 내다, 기분을 상하다. ***come*** 〔***get***〕 (***down***) ***off*** ***one's ~*** 겸손하다; 기분을 고치다.

highjack ⇨HIJACK.
hígh jìnks 〔**jìnx**〕《구어》 야단법석.
hígh jùmp (the ~) **1** 〖경기〗 높이뛰기. **2** 《英구어》 엄한 처벌: be for the ~ 엄한 처벌을 받다.
hígh-kéyed *a.* **1** 〖사진〗 전체적으로 화면이 밝은; 〖음악〗 가락이 높은. **2** 몹시 흥분〔긴장〕한, 신경질적인.
hígh kíck 〖무용〗 하이킥《공중 높이 발로 차는 동작》.
◇**hígh·land** [-lənd] *n.* **1** Ⓒ (흔히 *pl.*) 고지, 산지, 고원. **2** (the H-s) 스코틀랜드 북부의 고지. **—***a.* **1** Ⓐ 고지의. **2** (H-) 스코틀랜드 고지(특유)의.
hígh·lander *n.* Ⓒ **1** 고지에 사는 사람. **2** (H-) 스코틀랜드 북부 고지 사람.
Híghland flíng 스코틀랜드 고지의 활발한 민속춤.
hígh-lével *a.* Ⓐ **1** 고공(高空)으로부터의: a ~ bombing. **2** 상부의, 상급 간부의〔에 의한〕; 수뇌급의: ~ personnel 《집합적》 고관/a ~ conference 수뇌회담. **3** 〖원자〗 (방사성 폐기물 따위가) 고방사능의: ~ waste 고방사성 폐기물.
hígh-lèvel lánguage 〖컴퓨터〗 고급 언어《용어 · 문법 따위가 일상어에 가장 가까운 프로그램 언어》.
hígh·lìght *n.* Ⓒ (흔히 *pl.*) **1** 〖사진 · 회화〗 가장 밝은 부분. **2** (이야기 · 사건 · 프로에서) 가장 중요한〔흥미 있는〕 부분, (뉴스 중의) 주요 사건〔장면〕, 인기물, 하이라이트; 현저한 특징.
—*vt.* **1** …에 흥미를 집중시키다; …을 강조하다, 눈에 띄게 하다, 두드러지게 하다: The incident ~*s* the need for reform. 그 사건은 개혁의 필요성을 강조한다. **2** 〖사진 · 회화〗 (화면의 일부)를 특히 밝게 하다.
hígh·lìghter *n.* Ⓒ **1** 하이라이트 (화장품)《얼굴에 입체감을 냄》. **2** 하이라이트 마커《text 등을 강조하는 데 사용하는 형광성 칼라펜》.
⁑**high·ly** [háili] *ad.* **1** 높이, 고도로, 세게; 《강조어로서》 대단히: I value it ~. 그것을 높이 평가한다/The stone is ~ valuable. 그 보석은 매우 값어치가 있다/~ amusing 아주 재미있는. **2** 격찬하여, 칭송하여: speak ~ of a person 아무를 칭송하다/think ~ of …을 존중하다. **3** 고위에, 고귀하게: be ~ connected 귀한 집과 인척이다. **4** (가격 등이) 비싸게, 고가로; 고액(봉급)으로: be ~ paid 고액 봉급을 받다.
híghly-strúng *a.* =HIGH-STRUNG.
Hígh Máss 〖가톨릭〗 대미사, 창(唱)미사.
hígh-mínded [-id] *a.* 고상한, 고결한. ㊕ **~·ly** *ad.* **~·ness** *n.*
hígh-nécked [-t] *a.* 깃을 깊이 파지 않은《여성복 따위》. ↔ *low-necked.*
◇**hígh·ness** *n.* **1** Ⓤ 높음, 높이; 고위; 고도; 고율; 고가: the ~ of prices 물가고. **2** (H-) 전하(殿下)《왕족 등에 대한 경칭; His 〔Her, Your〕 (Imperial, Royal) *Highness* 의 꼴로 쓰임》.
hígh-óctane *a.* (가솔린 따위) 옥탄가가 높은; (알코올이) 순도 높은.
hígh-pítched [-t] *a.* **1** 가락이〔감도 · 긴장도가〕 높은, (소리가) 새된: a ~ voice 새된 목소리. **2** (토론 · 선거운동 등이 감정적으로) 격심한, 격렬한. **3** (목적 · 이상 등이) 높고 원대한. **4** (지붕의) 물매가 급한, 급경사의.
hígh pólymer 〖화학〗 고〔거대〕분자 화합물.
hígh-pówer(ed) *a.* 정력적인, 강력한; (기계가) 고성능의; (광학 기기가) 배율 높은.
hígh-préssure *a.* **1** 고압의; 고기압의. **2** 고압적인; 강제의; 강요하는, 끈질긴: ~ salesmanship 강매. **3** (일 따위가) 고도의 긴장이 필요한. ↔ *low-pressure.* **—***vt.* 《美》 …에게 고압적으로 나오다, 강요〔강제〕하다〔하여 …시키다〕《***into*** do*ing* …하게》: ~ a person *into* buy*ing* something 아무로 하여금 강제로 무엇을 사게 하다.
hígh-príced [-t] *a.* 비싼, 고가의.
hígh príest (유대교의) 대제사장; (주의 · 운동의) 주창자(主唱者), 지도자.
hígh prófile 고자세; 《비유적》 명확한 태도〔정책〕, 선명한 입장. ㉿ low profile. ¶maintain a ~ in politics 정치적으로 명확한 태도를 유지하다.
hígh-prófile *a.* Ⓐ 태도가 뚜렷한〔명확한〕.
hígh-ránking *a.* Ⓐ 높은 계급의, 고위 관리의: ~ government officials 정부 고관.
hígh ríse 고층 건물; 핸들이 높은 자전거.
hígh-ríse *a.* Ⓐ (건물이) 고층의; 핸들이 높은 《자전거》; (신이) 굽 높은; 고층 건물의〔이 많은〕.
hígh-rísk *a.* Ⓐ 위험성이 높은.
hígh·ròad *n.* Ⓒ **1** 《英》 큰길, 간선 도로. **2** 가장 쉬운〔좋은〕 길, 순탄한 길《***to*** …에로의》: the ~ *to* success 출세 가도.
⁑**hígh schòol** 고등학교, 《美》 중등학교(《英》 grammar school): a junior ~ 중학교/a senior ~《美》 고등학교/go to ~ 고등학교에 다니다. ㊕ **high-school** *a.*
hígh séa 높은 파도; (the ~s) 공해, 외양.
hígh séason (보통 the ~) **1** (행락의) 최성기; (장사 · 일 따위의) 가장 바쁠 때; 대목 때. **2** 값이 가장 비쌀 때.
hígh shériff 《英》 주장관(州長官).
hígh sìgn 《美구어》 (경보 · 정보 따위의) 비밀 신호.
hígh-sóunding *a.* (말이) 어마어마한; 보란 듯한: a ~ title 굉장한〔어마어마한〕 직함.
hígh-spéed *a.* Ⓐ 고속(도)의; 고속도 사진〔촬영〕의: ~ driving 고속 운전/~ film 고감도 필름.
hígh spírit 진취적 기상; (*pl.*) 씽씽함, 기분좋음.
hígh-spírited [-id] *a.* (사람 특히 부녀자 · 행동이) 기운찬, 기개 있는; (말이) 괄괄한. ㊕ **~·ly** *ad.* **~·ness** *n.*
hígh spót 《구어》 두드러진 특징, 가장 중요한 점, 하이라이트, 재미있는 곳.
hígh-stépper *n.* Ⓒ 발을 높이 쳐들고 걷는 말; 위세 좋은 사람.
hígh-stépping *a.* (말이) 발을 높이 올리며 걷는; 쾌락에 빠지는, 방종한 생활을 하는.
Hígh Strèet (the ~) 《英》 중심〔번화〕가. ㉿ Main Street.
hígh-strúng *a.* 신경질적인, 흥분하기 쉬운, 극도로 긴장한; 줄을 팽팽하게 한《기타》; 예민한.
hígh stýle 최신 (유행의) 고급 패션〔디자인〕.
hígh táble **1** 주빈 식탁. **2** 《英》 (대학 식당에서) 학장 · 교수 · 내빈 등의 식탁.
hígh·tàil *vi.* 《美속어》 급히 도망하다; 남의 차 바로 뒤에 바싹 붙어 운전하다, 추적하다. **~ *it*** 급히 가다.
hígh téa 《英》 오후 4-5시경의 고기 요리가 따르는 가벼운 저녁식사.
hígh téch 첨단〔고도 과학〕 기술, 하이테크《공업 디자인〔재료 · 제품〕을 응용한 가정용품의 디자인이나 실내 장식의 양식》.
hígh-téch *a.* Ⓐ 하이테크의; 첨단 기술의.

hígh technólogy 첨단〔고도 과학〕 기술.
hígh-technólogy *a.* Ⓐ 첨단 (공업) 기술의〔에 관한〕: a ~ industry 고도 기술 산업.
hígh ténsion 고전압(high voltage)《생략: H.T.》
hígh-ténsion *a.* 〖전기〗 고압의; 고압전류용의: ~ currents 고압전류 / ~ wire 고압선.
hígh tíde 1 만조(때), 고조(선)(高潮(線)): at ~ 만조 때. **2** 절정, 최고조: This period marked the ~ *of* Romanticism. 이 시기는 낭만주의가 최고조에 달한 때였다.
hígh-tóne(d) *a.* 가락이 높은; 고상한, 고결한; 상품의; 〖반어적〗 젠체하는, 멋부리는.
hígh-úp *a.*, *n.* Ⓒ 《구어》 높은 양반(의); 상급자(의).
hígh wáter 1 만조; (강 · 호수 등의) 최고 수위. **2** 절정, 최고조. ***come hell and*** 〔***or***〕 ~ ⇨ HELL(관용구).
hígh-wáter màrk (강 · 호수 등의) 최고 수위선〔점〕; (해안의) 고조선(高潮線); (일의) 최고점, 정점, 절정.
⁑**high·way** [háiwèi] *n.* **1** Ⓒ **공도**(公道), 간선도로, 큰길, 한길, 하이웨이. ⓒⓕ byway. ¶ the king's ~ 천하의 공도. **2** (the ~) **대도**, 탄탄대로 《*to* (성공 · 실패 따위)의》: a ~ *to* success 출세가도. **3** Ⓒ 공수로(公水路), (수륙의) 교통로. ***take*** (***to***) 〔***go on***〕 ***the*** ~ 노상강도가 되다.
híghway·man [-mən] (*pl.* ***-men*** [-mən]) *n.* Ⓒ (옛날의 말 탄) 노상강도.
híghway ròbbery 노상강도, (여행자에 대한) 약탈; 《구어》 상거래에 의한 터무니없는 이익, 폭리.
hígh wíre (the ~) (특히 서커스에서) 높이 친 줄타기 줄(tightrope).
hígh-wìre *a.* 줄타기식의, 위험이 큰; 대담한.
H.I.H. His 〔Her〕 Imperial Highness.
hi·jack, high·jack** [háidʒæ̀k] *vt.* (수송 중인 화물, 특히 금제품)을 **강탈하다**; (배 · 비행기)를 약탈하다, 공중〔해상〕 납치하다; (트럭 따위)의 화물을 강탈하다; (사람)에게서 강탈하다; (물건)을 빼앗다, 훔치다. **—*n. Ⓒ 하이잭, 공중〔해상〕 납치. ⓟ °**~·er** *n.* Ⓒ 하이잭 범인. **~·ing** *n.*
hike** [haik] 《구어》 *vi.* **하이킹하다**, 도보 여행하다: go *hiking* (in the country) (시골로) 하이킹을 가다. **—*vt. 《~+목/+목+부》 《美》 (무리하게) 움직이다, 휙 잡아당기다〔끌어올리다〕; (집세 · 물가)를 갑자기 올리다, 인상하다: *Hike up* your socks. 양말을 올려 신어라 / ~ *up* the price of meat 고기값을 올리다.
—*n.* Ⓒ **1** 하이킹; 도보 여행: go on a ~ 도보 여행을 하다. **2** 《美》 (임금 · 물가 따위의) 인상: a pay ~ 노임 인상.

DIAL ***Take a hike.*** 저리 가《싫은 걸 쫓을 때》.

ⓟ **hík·er** *n.* Ⓒ 도보 여행자, 하이커.
***hik·ing** [háikiŋ] *n.* Ⓤ **하이킹**, 도보 여행.
hi·lar·i·ous [hilέəriəs, hai-] *a.* 들뜬, 명랑한, 즐거운; 들떠서 떠드는; 웃음을 자아내는, 재미있는. ⓟ **~·ly** *ad.* **~·ness** *n.*
hi·lar·i·ty [hilǽrəti, hai-] *n.* Ⓤ 환희, 유쾌한 기분; 신명 나서 떠들어댐.
Hil·a·ry [híləri] *n.* 힐러리《여자〔또는 남자〕 이름》.
Hil·da [híldə] *n.* 힐다《여자 이름》.
†**hill** [hil] *n.* Ⓒ **1 언덕**, 작은 산, 구릉《보통 초목이 있는 험하지 않은 산으로, 영국에서는 2000ft. 이하의 것》; (the ~s) (오지의) 구릉 지대. **2** 고개, 고갯길, 흙더미, 가산(假山): an ant-~ 개미탑. **3** 《美》 (농작물의 밑동의) 돋운 흙, 두덩: a ~ of potatoes 감자의 흙 돋운 두덩. **4** (the H–) 《美》 국회의사당(Capitol H–).
a ~ of beans 〖부정문에서〗 《美구어》 아주 조금: *not* worth *a ~ of beans* 조금도 가치가 없는 / I don't care *a ~ of beans*. 조금도 개의치 않는다. (***as***) ***old as the ~s*** 지극히 낡은. ***over the ~*** ① (질병 등이) 위기를 벗어나서; 회복기에 접어들어. ② 절정기를 지나서, 나이 먹어: As a poet he was *over the ~* at twenty. 시인으로서 그는 20세에 전성기를 지났다. ***take to*** 〔***head for***〕 ***the ~s*** 모습을 감추다, 잠적하다. ***up ~ and down dale*** 언덕을 오르고 골짜기를 내려가; 도처에, 샅샅이.
hill·bil·ly [hílbìli] *n.* Ⓒ 《美구어》 (특히 미국 남부의) 산골〔두메〕의 주민, 산사람, 시골 사람.
híllbilly mùsic hillbilly의 음악, 컨트리 뮤직.
hill·ock [hílək] *n.* Ⓒ 작은 언덕, 조금 높은 곳; 무덤.
°**híll·sìde** *n.* Ⓒ 언덕의 중턱〔사면(斜面)〕, 산허리: on the ~.
híll·tòp *n.* Ⓒ 언덕〔야산〕 꼭대기.
°**hilly** [híli] (***hill·i·er; -i·est***) *a.* 산이 많은, 구릉성의, 기복이 있는; 작은 산 같은, 조금 높은; 험한.
°**hilt** [hilt] *n.* Ⓒ (칼 · 도구 따위의) 자루, 손잡이. ***~ to ~*** 일대일로. (***up***) ***to the ~*** 자루 밑까지 (푹하고); 완전히, 철저하게.
Hil·ton [híltn] *n.* **James ~** 힐튼《영국의 소설가; 1900–54》.
†**him** [him, 약 im] *pron.* **1** 〖he의 목적격〗 **a** 〖직접목적어〗 **그를**: I know ~. 나는 그를 알고 있다. **b** 〖간접목적어〗 **그에게**: They gave ~ a book. 그들은 그에게 책 한 권을 주었다. **c** 〖전치사의 목적어〗: I went *with* ~. 나는 그와 함께 갔다. **2 a** 〖be의 보어로〗 《구어》 =HE[1]: That's ~. 바로 그다 / It can't be ~. 그 사람일 리가 없다. **b** 〖as, than, but 다음에 쓰이어 주어로〗 =HE[1]: I'm as old *as* ~. 나는 그와 동갑이다 / You are worse *than* ~. 너는 그보다 더 나쁘다. **c** 〖감탄사적으로 독립하여〗: *Him* and his promises! 그의 약속이야 뻔하지. **3** 〖동명사의 의미상 주어〗 =HIS: I cannot imagine ~ refus*ing* my proposal. 그가 내 제의를 거절하리라곤 상상할 수도 없다.
HIM, H.I.M. His 〔Her〕 Imperial Majesty.
Him·a·lá·ya Móuntains [hìməléiə-, himáːləjə-] (the ~) =HIMALAYAS.
Him·a·la·yan [hìməléiən, himáːləjən] *a.* 히말라야(산맥)의.
Himaláyan cédar 〖식물〗 히말라야 삼목(杉木) (deodar).
Hìm·a·lá·yas *n. pl.* (the ~) 히말라야 산맥.
†**him·self** [*h*imsélf] (*pl.* ***them·sélves***) *pron.* 3인칭 단수 · 남성의 재귀대명사. **1** 〖재귀적〗 **그 자신을**〔**에게**〕. **2 a** 〖재귀동사의 목적어로 쓰이어〗 He killed ~. 그는 자살했다 / He dressed ~. 그는 옷을 갈아입었다. **b** 〖일반동사의 목적어로 쓰이어〗 He bought ~ a camera. 그는 (자신이 쓰려고) 카메라를 샀다. **c** 〖전치사의 목적어로 쓰이어〗 He is honest *with* ~. 그는 자기 자신에게 정직하다. **3** 〖강조적〗 **그 자신**(**이**). **a** 〖동격적으로〗: He ~ says so. =He says so ~. 그 자신이 그렇게 말한다《후자쪽이 구어적》/ He did it ~. 그 스스로 그것을 했다. **b** 〖he, him 대신 쓰

이어; and ~로; as, like, than 뒤에서》: His father *and* ~ were invited to the party. 그와 그의 아버지는 그 파티에 초대받았다 / No one can do it better *than* ~. 그(자신)보다 그 일을 더 잘할 수 있는 사람은 없다. **c** 〖특히 독립구문의 주격관계를 나타내기 위해〗: *Himself* diligent, he did not understand his son's idleness. 자기가 부지런했으므로, 그는 아들의 게으름을 이해할 수 없었다. **4** 평상시〔본래〕의 그《보통 주격 보어 또는 come to ~로서》: He is not ~ today. 오늘은 평상시의 그와는 다르다.
beside ~ ⇨ONESELF. ***by*** ~ ⇨ONESELF. ***for*** ~ ⇨ONESELF. ***to*** ~ ⇨ONESELF. cf. oneself.

Hi·na·ya·na [hìːnəjáːnə] *n.* 《Sans.》 Ⓤ 〖불교〗 소승(小乘). cf. Mahayana. ¶ ~ Buddhism 소승 불교. ㊞ **-yá·nist** *n.* **-ya·nís·tic** [-jaːnístik] *a.*

◇**hind**[1] [haind] (*∠·er; ∠·(er·)mòst*) *a.* Ⓐ 뒤의, 후부의, 후방의. ↔ *fore.* ¶the ~ legs (짐승의) 뒷다리 / ~ wheels 뒷바퀴. SYN. ⇨BACK.
on one***'s*** ~ ***legs*** 분연히 일어나; 《우스개》 일어서서: get up *on* one's ~ *legs* 일어서다, (사람 앞에서) 일어서서 지껄이다.

hind[2] (*pl.* **~, ~s**) *n.* Ⓒ 암사슴《특히 세 살 이상의 고라니》(cf. hart, stag); 〖어류〗 (남대서양의) 농어과 능성어류의 바닷물고기.

hin·der**[1] [híndər] *vt.* 《~+목/+-*ing* / +목+전+명》 **1 방해하다**, 훼방하다《*in* …에 있어서》: The mud *~ed* the advance of the troops. 진창길이 군대의 전진을 방해했다 / My heavy pack *~ed* my mov*ing* swiftly. 짐이 무거워서 빨리 움직일 수가 없었다 / Nothing *~ed* me *in* my progress. 아무것도 나의 진행을 방해하지 않았다. **2** …시키지 않다; 지체케 하다, 늦게 하다《from*** do*ing* …하는 것을》《★ prevent 쪽이 일반적》: I was *~ed from* finish*ing* my work by illness. 병으로 일을 마칠 수가 없었다. ◇hindrance *n.*

hin·der[2] [háindər] *a.* Ⓐ 뒤쪽의, 후방의: the ~ part 후부.

Hin·di [híndiː] *a.* 북인도의, 힌디 말의. **—** *n.* Ⓤ 힌디 말《북인도 말로, 인도의 공용어》.

hínd·mòst *a.* 〖HIND[1]의 최상급〗 가장 뒤쪽의, 최후부의.

Hin·doo [híndu:] (*pl.* **~s**) *n., a.* =HINDU.

hínd·quàrter *n.* **1** Ⓒ (네발 짐승의) 뒤 4반부 고기. **2** (*pl.*) (네발짐승의) 궁둥이, 둔부.

***hin·drance** [híndrəns] *n.* **1** Ⓤ **방해**, 장애 《*to* …에의》: without ~ 지장 없이. **2** Ⓒ 장애물, 방해자, 고장《*to* …에의》: The heavy suitcase was a great ~ *to* me. 무거운 가방이 내게는 큰 방해물이었다. ◇hinder[1] *v.*

hínd·sìght *n.* **1** Ⓒ (총의) 가늠자. **2** Ⓤ (일이 끝난 뒤에 나오는) 지혜, 통찰력: with ~ 어리석은 자의 사후(事後) 지혜; 나중에 생각해 보니. ↔ *foresight.*

***Hin·du** [híndu:] (*pl.* **~s**) *n.* Ⓒ **힌두 사람**《아리아 인종에 속하는 인도 사람으로 힌두교를 믿는》; 힌두교도; 인도 사람. **—** *a.* 힌두(사람)의; 힌두교(도)의.

Hín·du·ìsm *n.* Ⓤ 힌두교.

Hin·du·stan, -do- [hìndustǽn, -stáːn] *n.* 힌두스탄《⑴ 인도의 페르시아명. ⑵ 인도 중앙부의 평원 지방》.

Hin·du·sta·ni, -do- [hìndustǽni, -stáːni] *a.* 힌두스탄(사람)의; 힌두스탄어의. **—** *n.* Ⓤ 힌두스타니《Hindi 말의 한 방언》.

hinge** [hindʒ] *n.* Ⓒ **1 돌쩌귀, 경첩**; 쌍각류(雙殼類) 껍질의 이음매; 관절(ginglymus). **2** 요체(要諦), 요점, 중심점. ***off the ~s 돌쩌귀가 빠져서; (정신 · 신체 따위에) 탈이 나서.
— *vt.* **1** …에 돌쩌귀를 달다. **2** 《+목+전+명》 기인케 하다, 정하다《***on*** …에(의해)》: I will ~ the gift *on* your good behavior. 선물은 네가 얌전히 구는 조건으로 준다. **—** *vi.* **1** 돌쩌귀로 움직이다. **2** 《+전+명》 달려 있다, 정해지다《***on, upon*** …에(따라)》: Everything *~s on* his decision. 만사는 그의 결단에 달려 있다. ㊞ **~d** *a.* 돌쩌귀가 있는.

hin·ny [híni] *n.* Ⓒ 수말과 암나귀의 잡종, 버새.

⁑**hint** [hint] *n.* **1** Ⓒ **힌트**, 암시, 넌지시 알림《***on, about, as to*** …에 대한〔관한〕/ ***that / wh.***》: a broad ~ 명백한 힌트 / drop 〔give, let, fall〕 a ~ 넌지시 알리다, 암시를 주다 / I gave him a ~ *that* I might resign. 그에게 내가 사직할지도 모른다고 넌지시 알렸다 / Will you give me a ~ (*as to*) *what* I ought to do? 내가 어떻게 해야 되는건지 힌트를 주시겠습니까. **2** Ⓒ (흔히 *pl.*) 유익한 조언, 알아둘 일《***on*** …에 대한; ***for*** …을 위한》: *~s on* housekeeping 〔*for* housewives〕 가사에 대하여〔가정 주부가〕 알아둘 일. **3** (a ~) 미약한 징후, 낌새, 기색; 미량: a ~ *of* garlic 약간의 마늘 맛 / There was a ~ *of* spring in the air. 공기 중에 희미한 봄기운이 느껴졌다. ***by ~s*** 넌지시. ***take a*** ~ 깨닫다, 알아차리다.
— *vt.* 《~+목/+목+전+명/+*that* 절》 넌지시 말하다, 암시하다《***to*** (아무)에게》: ~ one's disapproval (*to* them) (그들에게) 불찬성임을 넌지시 알리다 / He *~ed that* he might be late. 늦을지도 모른다고 넌지시 말했다. SYN. ⇨SUGGEST.
— *vi.* 《~/+전+명》 암시하다, 넌지시 비추다《***at*** …을》: He *~ed at* his intention. 그는 자신의 의향을 넌지시 비추었다.

hin·ter·land [híntərlæ̀nd] *n.* 《G.》 (the ~) **1** (해안 · 하안 등의) 배후지(背後地)(↔ *foreland*). **2** (흔히 *pl.*) 오지(奧地), 시골.

⁑**hip**[1] [hip] *n.* Ⓒ **1 엉덩이**, 허리《골반부》, 히프, 히프 둘레(치수). cf. waist. ¶have broad *~s* 허리폭이 넓다; 엉덩이가 크다 / with one's hands on one's *~s* 두 손을 허리에 대고. **2** 〖건축〗 추녀마루, 귀마루. **3** =HIPJOINT. ***fall on*** one***'s ~s*** 엉덩방아를 찧다. ***have*** 〔***catch, get, take***〕 a person ***on the*** ~ 아무를 (마음대로) 억누르다; 지배하다; 아무에게 이기다. ***shoot from the*** ~ ⇨SHOOT.

hip[2] *n.* Ⓒ (보통 *pl.*) 찔레의 열매(rose ~)《익으면 빨개짐》.

hip[3] (*∠·per; ∠·pest*) *a.* 《속어》 (최신 유행의) 사정에 밝은, 정통한, 정보통의; (잘) 알고 있는 《*to* …을》: get 〔be〕 ~ *to* movies 영화에 정통하다. ~ ***to the jive*** 《속어》 (현실을) 잘 알고 있는.

hip[4] *int.* 응원 등의 선창하는 소리, 갈채 소리: *Hip*, ~, hurrah! 힙, 힙, 후레이.

híp bàth 뒷물, 좌욕(座浴)(sitz bath).

híp·bòne *n.* Ⓒ 좌골, 무명골(innominate bone); (가축의) 요각(腰角).

híp bòot (보통 *pl.*) 《美》 허리까지 오는 (고무) 장화《어부용》.

híp flàsk 포켓 위스키병《바지 뒷주머니에 넣는》.

hip-hop [híphɑ̀p/-hɔ̀p] *n.* Ⓤ 《속어》 힙합 《1980년대 미국에서 유행하기 시작한 새로운 감각의 춤과 음악; 음반의 같은 곡조를 반복 · 역회전시키거나 브레이크 댄싱 등을 종합한 것》.

híp-hùgger 《美》 *a.* [A] 허리에 꼭 맞는, 허리의 선이 낮은《바지·스커트》. **—***n.* (*pl.*) 허리선이 낮은 꼭 끼는 바지〔스커트〕.

híp·jòint *n.* [C] 〖해부〗 고관절(股關節).

hipped[1] [-t] *a.* **1** 〘보통 합성어로〙 둔부가 …한: broad-~ 둔부가 펑퍼짐한. **2** 〖건축〗 (지붕이) 추녀마루가 있는: a ~ roof 우진각 지붕, 모임 지붕.

hipped[2] *a.* [P] 《美구어》 열중한《*on* …에》: He's ~ *on* jazz. 그는 재즈에 열중해 있다.

hip·pie, -py [hípi] *n.* [C] 히피(족)《1960년대 후반 미국에 나타난 반체제적 젊은이들; 장발에 색다른 복장을 함》.

㊀ **~·ism** *n.* **~·hòod** *n.*

hip·po [hípou] (*pl.* **~s**) *n.* [C] 《구어》 하마(河馬). [◂*hippo*potamus]

híp·pòcket *n.* [C] (바지·스커트의) 뒷주머니.

Hip·poc·ra·tes [hipákrətìːz/-pɔ́k-] *n.* 히포크라테스《그리스의 의사; 460?-377? B.C.; Father of Medicine이라 불림》. ㊀ **Hip·po·crat·ic** [hipoukrǽtik] *a.*

Hippocrátic óath 히포크라테스 선서《의사 윤리 강령의》.

Hip·po·crene [hípəkrìːn, hìpəkríːniː] *n.* 〖그리스신화〗 Helicon 산의 영천(靈泉)《시신(詩神) Muses에게 봉헌됨》; [U] 시적 영감.

hip·po·drome [hípədròum] *n.* [C] (고대 그리스·로마의 말·전차(戰車) 따위의) 경주장; 곡마장, 마술(馬術) 연기장.

hip·po·pot·a·mus [hìpəpátəməs/-pɔ́t-] (*pl.* **~·es, -mi** [-mài]) *n.* [C] 〖동물〗 하마.

hippy ⇨HIPPIE.

híp ròof 〖건축〗 우진각 지붕(hipped roof).

hip·ster[1] [hípstər] *n.* [C] 《美속어》 최신 유행에 민감한 사람, (남보다 먼저) 새로운 지식을 받아들이는 사람, 정통한 (체하는) 사람, 소식통.

hip·ster[2] *a.*, *n.* 《英》 =HIP-HUGGER.

‡hire [haiər] *vt.* **1 고용하다**: He ~*d* a workman to repair the fence. 그는 담을 수리하기 위해 일꾼을 고용했다. [SYN.] ⇨EMPLOY. **2** (세를 내고) **빌려오다**, 세내다《★《美》에서는 rent가 일반적임》: ~ a car by the hour 시간당으로 차를 빌리다.

~ a person ***away from…*** 아무를 …에서 빼돌려 고용하다. ~ ***on*** (***as***) (…으로서) 고용되다. ~ ***out*** 《*vi.*+[부]》 ① 《美》 고용되어 일하다, 고용되다 《***as*** (하인·노동자)로》: She ~*d out as* a maid. 하녀로 고용되었다. **—**《*vt.*+[부]》 ② …을 임대하다, (요금을 받고) 빌려주다: ~ *out* chairs for parties 의자를 파티용으로 임대하다. ③ 〘~ oneself out로〙 고용되다《***as*** …으로》: She ~*d herself out as* a babysitter. 그녀는 애 봐 주는 사람으로 고용되었다.

—*n.* [U] **1** 고용; 임차. **2** 세, 사용료, 임대료. **3** 보수, 급료, 임금(wages). ***for*** 〔***on***〕 ~ 임대하여〔의〕; 고용되어: a boat *on* ~ 임대 보트. ***let out on*** ~ 세놓다.

㊀ **hír(e)·a·ble** *a.* **híred** *a.* 고용된; 임대의; 세낸 물건의.

híre càr 《英》 렌터카, 임대차.

hire·ling [háiərliŋ] *a.* [A] 《경멸적》 고용되어 일하는; 돈이면 무슨 일이든지 하는. **—***n.* [C] 고용인; 돈을 위해 일하는 사람; 타산적인 남자; 삯말; 세낸〔빌려온〕 물건.

híre-púrchase (**sỳstem**) 《英》 분할불 구입 (방식), 할부 (방식)(《英》 never-never system; 《美》 installment plan)《생략: H. P., h. p.》: by 〔on〕 ~ 할부로.

hir·er [háirər] *n.* [C] 고용주; (동산) 임차인.

hir·sute [hə́ːrsuːt, -ˊ] *a.* 털 많은; 텁수룩한; 털〔모질(毛質)〕의.

†his [hiz, 약 iz] *pron.* **1** 〘he의 소유격〙 **그의.** [cf.] my. ¶ ~ hat 그의 모자. **2** 〘he의 소유대명사〙 **그의 것**; 그의 가족. [cf.] mine[1]. ¶ Your dog is bigger than ~. 네 개는 그의 개보다 크다 / *His* is a nice house. 그의 집은 좋은 집이다 / he and ~ (family) 그와 그의 가족. ★ 정식으로는 ~ or her를 써야 할 경우 공문서 이외에는 보통 his를, 구어로는 their를 대표적으로 씀. **3** 〘of ~로〙 그의: a friend *of* ~ 그의 친구 / that pride *of* ~ 녀석의 그 자존심. ★ his는 a, an, this, that, no 따위와 함께 명사 앞에 올 수 없기 때문에 his를 of his로 하여 명사 뒤에 오게 함.

His·pa·nia [hispéiniə, -njə] *n.* 히스파니아《이베리아 반도의 라틴명》.

His·pan·ic [hispǽnik] *a.* =SPANISH; LATIN-AMERICAN. **—***n.* [C] 스페인 사람〔계 주민〕; 《美》 (미국 안의 스페인 말을 쓰는) 라틴 아메리카 사람〔계 주민〕.

His·pan·io·la [hìspənjóulə] *n.* 히스파니올라 섬《Haiti와 Dominica를 포함함》.

hiss** [his] *vi.* **1** (뱀·증기 따위가) **쉿 소리를 내다.** **2** 《+[전]+[명]》 (경멸·비난의 뜻으로) **우우 소리를 내다**《at*** …에게》: The spectators ~*ed at* the umpire. 관중은 심판에게 불만의 표시로 우우 하고 야유하였다.

—*vt.* **1** 《~+[목]/+[목]+[전]+[명]》 우우하고 야유하다; (불만·비난의 뜻으로) 우우 소리를 내다《***at*** …에게》: ~ a lecturer 우우하고 강연자를 야유하다 / ~ disdain (*at* a person) (아무에게) 우우 소리를 내어 경멸의 뜻을 나타내다. **2** 《~+[목]/+[목]+[부]》 쉿하고 꾸짖다〔제지하다〕; 쉿 소리를 내어 …시키다: ~ a speaker *away* 〔*down*〕 우우하여 연사를 쫓아버리다〔야유하다〕 / They ~*ed* the actor *off* the stage. 그들은 배우를 우우 야유하여 무대에서 물러나게 했다.

—*n.* **1** [U] (구체적으로는 [C]) 쉿 소리를 냄《제지·불만·경멸·분노의 발성》. **2** [C] 쉿하는 소리〔음성〕; 〖전자〗 고음역의 잡음. **3** 〖음성〗 =HISSING SOUND.

híssing sòund 〖음성〗 치찰음(齒擦音)《[s, z]》.

hist. histology; historian; historic; historical; history.

his·ta·mine [hístəmìːn, -min] *n.* [U] 〖생화학〗 히스타민《단백질이 분해하여 생기는 아미노산(酸)의 일종; 몸안에 고이면 알레르기를 일으킴》. ㊀ **his·ta·min·ic** [hìstəmínik] *a.*

his·tol·o·gy [histálədʒi/-tɔ́l-] *n.* [U] 〖생물〗 조직학《생물 조직이 구조·발생·분화 따위의 연구》. ㊀ **-gist** *n.* [C] 조직학자. **hìs·to·lóg·i·cal, -ic** [-kəl], [-ik] *a.* 조직학의. **-i·cal·ly** *ad.*

***his·to·ri·an** [histɔ́ːriən] *n.* [C] **역사가**, 사학자, 사학 전공자; 연대기 편자.

***his·tor·ic** [histɔ́(ː)rik, -tár-] *a.* **1 역사적으로 유명한〔중요한〕**, 역사에 남는; 내력 있는: the ~ scenes 사적, 유적. **2** 역사(상)의, 역사적인(historical); 역사에 기록되어 있는: ~ time 역사상의 시대 / a ~ event 역사적 사건.

‡his·tor·i·cal [histɔ́(ː)rikəl, -tár-] *a.* **1 역사(상)의**, 사학의: ~ times 역사상의 시대 / ~

occasions 역사상 중요한 일. **2** 역사[사실(史實)]에 기인하는; 역사상에 실재(實在)하는: a ~ novel [play] 역사 소설[사극]/~ evidence 사실(史實). **3** 역사적인; (역)사학적 방법의: the ~ method 역사적 연구법/~ geography 역사 지리학/~ materialism 사적 유물론. ◇ history *n.*
[파] **~·ly** *ad.* **~·ness** *n.*

históric(al) présent (the ~) 〖문법〗 사적 현재《과거의 일을 생생히 묘사하기 위한 현재 시제》.

his·to·ri·og·ra·pher [histɔ̀:riágrəfər/-ɔ́g-] *n.* [C] 수사가(修史家); 사료 편찬 위원.

his·to·ri·og·ra·phy [histɔ̀:riágrəfi/-ɔ́g-] *n.* [U] 사료 편집, 역사 편찬, 수사(修史)(론); 〖집합적〗 정사(正史), 사서.

†**his·to·ry** [hístəri] *n.* **1** [U] **역사**; 사실(史實): ancient ~ 고대사/French ~ 프랑스 역사/local ~ 향토사/know the inner ~ of the affair 사건의 이면사를 알고 있다/*History* repeats itself. 《속담》 역사는 되풀이된다. **2** [U] (역)사학; [C] 사서: study ~ 역사를 공부하다/a ~ of Italy (어느) 이탈리아 역사(책). **3** [C] **경력**, 이력, 병력(病歷); **유래**; 연혁: his personal ~ 그의 이력서/the ~ of this temple 이 절의 연혁. **4** [U] (또는 a ~) (학문·언어 등의) 발달사, 변천: the ~ of the English language 영어발달사. **5** [C] 기구한 운명: a woman with a ~ 파란 많은 생애를 지내온 여자, 과거가 있는 여자. **6** [C] 사극(historical play): Shakespeare's *histories*. **7** [U] (자연계의) 조직적 기술: ⇨ NATURAL HISTORY. **8** [U] 과거(의 일), 옛일: That is all ~. 그것은 모두 옛날 일이다/pass into ~ 과거사가 되다. ◇ historic, historical *a.*

***become* ~ =*go down in* [*to*] ~** 역사에 남다. ***make* ~** 역사에 남을 만한 일을 하다; 후세에 이름을 남기다: The landing of Apollo 11 on the moon's surface *made* ~. 아폴로 11호의 달 표면 착륙은 역사에 남을 일이었다.

> [DIAL.] ***... and the rest is history*** … 그리고 다음은 여러분이 아시는 바와 같습니다.
> ***That's past* [*ancient*] *history.*** 그건 옛날 일이야; 벌써 다 끝난 일이야.

his·tri·on·ic [hìstriánik/-ɔ́n-] *a.* 배우의; 연극(상)의; 연극 같은, 일부러 꾸민 듯한.
[파] **-i·cal·ly** [-kəli] *ad.*

hìs·tri·ón·ics *n.* **1** [U] 연극, 연예; 연기. **2** 〖복수취급〗 연극 같은 행위[짓거리].

†**hit** [hit] (*p.*, *pp.* **hit; hít·ting**) *vt.* **1** 《~+[목]/+[목]+[전]+[명]》 (공 따위)를 **치다**, 때리다《*with* …으로》; 〖야구〗 (안타 따위)를 치다, …루타를 치다: ~ a ball *with* a bat 배트로 공을 치다/~ a single [double] 안타[2루타]를 치다. [SYN.] ⇨ BEAT.
2 a 《~+[목]/+[목]+[전]+[명]/+[목]+[목]》 (사람)을 **때리다**, (타격)을 가하다《*in, on* (몸의 일부)에》: ~ a blow *on* the head [*in* the face] 머리를[얼굴을] 한 대 때리다/I ~ him a blow. 그를 한 대 먹였다. **b** (폭풍우·지진·홍수 따위가) **덮치다**; 습격하다, 강도질을 하다: A heavy earthquake ~ the city. 대지진이 도시를 엄습했다/The village was ~ by floods. 홍수가 그 마을을 덮쳤다/~ a bank 은행 강도질을 하다.
3 《~+[목]/+[목]+[전]+[명]》 **a 맞히다**, 명중하다: hit the mark 표적을 맞히다/Did the bullet ~ him? 탄알은 그에게 명중했습니까/The ball ~ him *in* the eye [*on* the nose]. 공이 눈[코]에 맞았다《★ 몸 부분에 관한 명사 앞에 the가 옴》. **b** …와 충돌하다; …을 **부딪다**《*against, on* …에》: His car ~ a telephone pole. 그의 차가 전신주와 충돌했다/He ~ his forehead *against* the shelf [*on* the door]. 그는 이마를 선반[문]에 부딪쳤다.
4 …와 마주치다, 조우하다; …을 (우연히·용케) 찾아내다; (목적·취향)에 맞다; (정답)을 알아맞히다: ~ a snag 뜻밖의 장애에 부딪히다/~ the right path 바른 길을 찾아내다/It ~ her fancy. 그녀의 취향에 딱 들어맞았다/~ the right answer 정답을 알아맞히다/You've ~ it. 맞았어요《정답이》.
5 a 《구어》 …에 이르다, 도달하다; (길)을 가다: ~ the top of the mountain 산정에 도착하다/~ the road 길[여행]을 떠나다/The landing troops ~ the beach. 상륙 부대는 해안에 닿았다. **b** (물고기가 미끼)를 덥석 물다.
6 (생각이) …**에게 떠오르다**: An idea ~ me. 생각이 내게 떠올랐다: It suddenly ~ me that the shops would be closed. 가게가 문을 닫았을 거라는 생각이 문득 났다.
7 (진상)을 정확히 표현하다; 본떠서 감쪽같이 만들다[그리다]: ~ a likeness 실물과 똑같게 그리다.
8 …에 작용하다; …에게 인상을 주다: How did the scene ~ you? 그 정경에 어떤 감명을 받았습니까.
9 …에 **타격을 주다**, 상처를 주다, …을 (비꼬아) 감정 상하게 하다; 혹평하다, 비난하다: We were ~ by the depression. 우리는 불경기로 타격을 받았다/What he said ~ me hard. 그가 한 말이 몹시 언짢았다/His new novel was ~ by the reviewers. 그의 신작 소설은 비평가들에게 혹평을 받았다.
10 《+[목]+[전]+[명]》 …에게 부탁[청]하다, 요구하다《*for* (일·돈 융통 따위)를》: ~ a person *for* a loan 아무에게 돈 차용을 부탁하다.
11 《구어》 (치거나 건드리어) 움직이게 하다; (브레이크)를 걸다: ~ the brake 급브레이크를 걸다/~ the accelerator 액셀을 밟다/~ a light 불을 켜다.
12 《美속어》 …에게 마약을 주사하다; …을 죽이다.
— *vi.* **1** 《~/+[전]+[명]》 치다《*at* …을》; 〖야구〗 안타를 때리다: ~ *at* a mark 표적을 겨누어 치다. **2** 《+[전]+[명]》 부딪치다, 충돌하다《*against, on* …에》: ~ *against* a wall 벽에 부딪치다. **3** 《+[전]+[명]》 우연히 발견하다; 문득 생각나다《*on, upon* …을, …이》: ~ *upon* a good idea 좋은 생각이 떠오르다. **4** 《+[전]+[명]》 《속어》 끈질기게 구애하다《*on* (이성)에게》.

go in and* ~** 경기의 진행을 빨리하다. **~ *and run ① (차가 사람을) 치이고 뺑소니치다. ② 〖야구〗 히트앤드런을 하다. **~ *back*** 《*vt.*+[부]》 ① …을 되받아치다. **—** 《*vi.*+[부]》 ② 반격[대갚음]하다, 반박하다《*at* …에》. **~ *a person for six*** 《英구어》 (토론에서) 아무에게 이기다. **~ *home*** = **~ *where it hurts*** (아무의 말 따위가) 적중하다; (상대방의) 급소를[아픈 곳을] 찌르다: His criticism ~ *home*. 그의 비판은 급소를 찔렀다. **~ *it off*** 《구어》 사이 좋게 지내다, 뜻이 잘 맞다(*together*)《*with* …와》. **~ *off*** 《*vt.*+[부]》 ① …을 정확히(짧게) 표현하다. ② 〖보통 풍자적으로〗 …을 모방하다, 흉내내다: The actor ~ *off* the

Prime Minister's voice perfectly. 그 배우는 수상의 목소리를 완벽하게 흉내냈다. ~ **on** ① …을 문득 생각해내다. ② 《속어》 …을 끈질기게 따라다니다[구애하다]; 괴롭히다. ~ **or miss** 〖부사적〗 성패간에, 운에 맡기고: He answered the exam questions ~ *or miss*. 그는 시험 문제에 적당히 답을 썼다. ~ **out** (*vi.*+[부]) ① (주먹으로) 맹렬히 가격[반격]하다《**at** …을》. ② 맹렬히 비난[공격]하다《**at, against** …을》. ~ **the** [one's] **books** 《속어》 맹렬히 공부하다. ~ **the bottle** ⇨BOTTLE. ~ **the hay** ⇨ HAY[1]. ~ **the headlines** ⇨HEADLINE. ~ **up** (*vt.*+[부]) ① 〖크리켓〗 연달아 (득점)을 벌다. ② 《美속어》 (아무)에게 요구하다, 부탁하다《**for** (빚 따위)를》: He ~ me *up for* $1,000. 그는 내게 1000달러 빌려 달라고 했다. —(*vi.*+[부]) ③ 《美속어》 마약 주사를 놓다.

—*n.* [C] **1** 타격; 충돌. **2 적중**, 명중, 명중탄. **3** 들어맞음, **성공**, 히트; 《구어》 히트 작품[곡]. **4** 핵심을 찌르는 말, 급소를 찌르는 비꼼[야유]; 적절한 평(評)《**at** …에》: That's a ~ *at* you. 그건 너를 비꼬는 말이다 / His answer was a clever ~. 매우 적절한 대답이었다. **5** 〖야구〗 안타(safe ~): a clean ~ 깨끗한 안타 / a sacrifice ~ 희생타. **6** 《속어》 마약[헤로인] 주사, 헤로인이 든 담배, 마약[각성제] 1 회분, 마리화나 한 대. **7** 《속어》 (범죄 조직에 의한) 살인. **8** 〖컴퓨터〗 적중《두 개의 데이터의 비교·조회가 바르게 행해짐》.

make a ~ 《속어》 죽이다, 살해하다; 훔치다 (steal). ***make*** [***be***] ***a*** ~ (***with …***) 《구어》 (…에게) 크게 호평받다; (…의) 마음에 들다: He *made* [*was*] *a* ~ *with* everyone at the party. 그는 파티에서 모든 사람들의 인기를 끌었다.

[파] **∠·less** *a.* **hít·ta·ble** *a.*

hít-and-míss [-ən-] *a.* 상태가 고르지 못한; 마구잡이의(hit-or-miss): in a ~ fashion 무계획하게, 엉터리로.

hít and rún 〖야구〗 히트앤드런; 사람을 치고 뺑소니치기; 공격 후에 즉시 후퇴하기.

hít-and-rún [-ən-] *a.* 〖야구〗 히트앤드런의; 대성공의; (자동차 따위가) 치어 놓고 뺑소니치는; 전격적인, 기습의, 게릴라전[유격전]의: a ~ driver [accident] 뺑소니 운전사[사고] / ~ investigation 뺑소니차 수사 / a ~ raid 게릴라 습격.

^◇^**hitch** [hitʃ] *vt.* **1** (말·소 따위)를 매다: He ~*ed* his horse *to* a tree. 그는 말을 나무에 매었다. **2** (갈고리·밧줄·고리 따위)를 걸다: I ~*ed* the rope *round* a bough of the tree. 그 밧줄을 나뭇가지에 걸었다 / Her dress got ~*ed on* a nail. 그녀의 드레스가 못에 걸렸다. **3** 와락 잡아당기다[끌어당기다, 움직이다]: He ~*ed* his chair *nearer* the fire. 의자를 불 옆으로 끌어당겼다. **4** 《구어》 **a** (히치하이크로) 편승하다: ~ a ride [lift] 차에 편승하다. **b** 〖~ one's way〗 히치하이크로 가다[여행하다].

—*vi.* **1** 얽히다, 걸리다《**on** …에》: My sleeves ~*ed on* a nail. 못에 소맷자락이 걸렸다. **2** 왈칵 움직이다[나아가다]; 당겨지다. **3** 《美》 한쪽 다리를 절다. **4** 《구어》 =HITCHHIKE.

be [***get***] ~***ed*** 《구어》 결혼하다. ~ ***up*** (*vt.*+[부]) ① …을 휙 끌어올리다: ~ *up* one's trousers (구겨지지 않도록) 바지의 무릎 부분을 치켜올리다. ② (말 따위)를 매다《**to** (수레)에》.

—*n.* [C] **1** 달아맴; 얽힘, 연결(부). **2** 급격히 잡아당김[움직임]; 급정지: He gave his trousers a ~. 그는 바지를 (단정하게) 끌어올렸다. **3** 지장, 장애; 틀림: It went off without a ~. 그것은 순조롭게[척척] 진행되었다. **4** 한쪽 다리를 젊; 《구어》 =HITCHHIKE. **5** 〖항해〗 결삭(結索). **6** 《美속어》 병역 기간, 복무[복역] 기간. [파] **∠·er** *n.* [C] hitch하는 사람; 《구어》 =HITCHHIKER.

Hitch·cock [hítʃkɑk/-kɔk] *n.* Sir **Alfred** ~ 히치콕《영국 태생의 미국의 영화 감독; 1899–1980》. [파] **Hitch·cóck·ian** *a.* 히치콕(풍)의.

^*^**hitch·hike** [hítʃhàik] *n.* [C] **히치하이크**《지나가는 자동차에 편승하면서 하는 도보 여행》. —*vi.* 《~/+[전]+[명]》 지나가는 차에 거저 편승하여 여행하다, 히치하이크를 하다(thumb up). [cf.] lorryhop. ¶ ~ *to* the next town 다음 도시까지 히치하이크하다.

hítch·hìk·er *n.* [C] 자동차 편승 여행자.

hi-tech [háiték] *a.* =HIGH-TECH.

^◇^**hith·er** [híðər] 《문어》 *ad.* 여기에, 이쪽으로 (here). ↔ *thither*. ~ ***and thither*** 여기저기에.

—*a.* 이쪽의. ***on the*** ~ ***side*** (***of …***) (…보다) 이쪽 편의; (…보다) 젊은: *on the* ~ *side of* sixty, 60세보다 젊은.

híther·mòst *a.* 가장 가까운(쪽의).

^◇^**hìther·tó** *ad.* 지금까지(는), 지금까지로 봐서는 (아직).

Hit·ler [hítlər] *n.* **Adolf** ~ 히틀러《나치당의 영수로 독일의 총통; 1889–1945》. [파] **~·ism** [-rìzəm] *n.* [U] 히틀러주의《독일 국가사회주의》. **Hit·le·ri·an** [hitlíəriən] *a.*

hít lìst 《속어》 살해[감원, 공격] 대상자 명단; 정리 대상의 기획[프로 등] 일람표.

hít màn 《속어》 청부 살인자; 난폭한 선수; = HATCHET MAN.

hít-or-míss *a.* [A] 걷날리는, 되는대로의, 소홀한: a ~ way of doing things 일을 걷날리기로 하는 방식.

hít paràde (보통 the ~) 히트 퍼레이드《히트곡·[베스트 셀러] 등의 인기 순위(표)》.

hít·ter *n.* [C] 치는 사람, 〖야구·크리켓〗 타자(打者). [cf.] batter[1]. ¶ a hard ~ (야구 따위에서) 강타자.

Hit·tite [hítait] *n.* **1 a** (the ~s) 히타이트족(族)《소아시아의 옛 민족》. **b** [C] 히타이트족 사람. **2** [U] 히타이트 말. —*a.* 히타이트족[말, 문화]의.

HIV human immunodeficiency virus (인체 면역 결핍 바이러스; AIDS 바이러스).

^*^**hive** [haiv] *n.* [C] **1 꿀벌통**(beehive); 그와 같은 모양의 것. **2** 〖집합적; 단·복수취급〗 한 꿀벌통의 꿀벌떼. **3** 와글와글하는 군중[장소], 바쁜 사람들이 붐비는 곳, 중심지: a ~ *of* industry 산업의 중심지.

—(*p.*, *pp.* **hived; hív·ing**) *vt.* **1** (꿀벌)을 벌집에 모으다[살게 하다]; (사람)을 조촐하게 모여 살게 하다. **2** (꿀)을 벌집에 저장하다; (장래를 위해) 간직하다, 축적하다.

—*vi.* (꿀벌이) 벌집에 살다; 군거(群居)하다.

~ ***off*** (*vi.*+[부]) ① 분봉(分封)하다. ② 갈라지다《**from** (한 그룹)에서; **into** …으로》. ③ 《英구어》 없어지다, (예고 없이) 사라지다, 떠나다. —(*vt.*+[부]) ④ …을 분리[독립]시키다《**from** …에서》.

hives *n. pl.* 〖단·복수취급〗 발진, 피진(皮疹), 《특히》 두드러기《의학 전문 용어는 urticaria》.

H.J.(S.) *hic jacet* (*sepultus* [*sepulta*]) 《L.》 (=here lies (buried)). **hl(.)** hectoliter(s). **H.L.** House of Lords.

h'm, hmm [hm, m̩m] *int.* =HEM[2], HUM[1]. ★ 심사(深思)·주저·의심·당혹을 나타냄.

hm(.) hectometer(s). **H.M.** His [Her] Majesty. **H.M.S.** His [Her] Majesty's Service [Ship]. **H.M.S.O.** Her [His] Majesty's Stationary Office (영국의 조달청).

ho, hoa [hou] *int.* 호, 야, 저런《주의를 끌거나 부를 때 또는 놀람·만족·득의·냉소·칭찬 따위를 나타내는 소리》: *Ho* there! 어이, 야 이봐/Land *ho!* 어이 육지다《★ 주의를 끄는 경우는 뒤에 오게 됨》.

Ho! ho! (***ho!***) 허허《냉소》. ***Westward ~!*** 【해사】 서쪽으로 향해. ***What ~!*** 어이, 야《인사·부르는 소리》.

Ho 【화학】 holmium. **Ho, H.O.** Head Office; 《英》 Home Office.

hoar [hɔːr] *a.* 《문어》 =HOARY.

◇**hoard** [hɔːrd] *n.* Ⓒ **1** 저장물, 축적; (식료품 따위의) 사재기; (재물의) 비장(秘藏), 쓰지 않고 둠, 사장(死藏), 축재. **2** (지식 따위의) 조예, 보고(寶庫); (학술 자료 따위의) 수집: a ~ of folk tales 민화(民話)의 수집. **—***vt.* (재화·식료품 따위)를 저장하다, 축적하다(*up*): ~ *up* gold 금을 저장하다/A squirrel ~*s* nuts for the winter. 다람쥐는 겨울을 위해 나무 열매를 저장한다. **—***vi.* (몰래) 저장하다, 사장[비장]하다.

㊕ ⁓**·er** *n.*

hóard·ing[1] *n.* **1** Ⓤ 축적, 사재기; 비장; 사장: ~ capital 【경제】 퇴장 자본. **2** (*pl.*) 저장[축적]물.

hóard·ing[2] *n.* Ⓒ 《英》 (공사장·공터 등의) 판장(板牆); 게시판, 광고판(《美》 billboard).

hóar·fròst *n.* Ⓤ (흰)서리 (white frost).

hoar·i·ness [hɔ́ːrinis] *n.* Ⓤ 머리가 흼; 노령; 고색 창연; 엄숙함.

◇**hoarse** [hɔːrs] *a.* 목쉰; 쉰 목소리의; 귀에 거슬리는: ~ from a cold 감기로 목이 쉬어/shout oneself ~ 목이 쉬도록 외치다. ㊕ ⁓**·ly** *ad.* ⁓**·ness** *n.*

◇**hoary** [hɔ́ːri] *a.* **1** (나이들어 머리가) 하얗게 센, 백발의; 늙은. **2** (건물 따위가) 고색이 창연한 (ancient); (오래 되어) 케케묵은; 진부한: a ~ excuse 진부한 변명. ㊕ **hóar·i·ly** *ad.*

hoax [houks] *vt.* **1** 감쪽같이 속이다, 골탕먹이다. **2** 속여서 …시키다《*into* do*ing* …하도록》: They ~*ed* me *into* believ*ing* it. 그들은 나를 속여 그것을 믿게 했다. **—***n.* Ⓒ 사람을 속이기, 짖궂은 장난; 날조. ㊕ ⁓**·er** *n.*

hob[1] [hɑb/hɔb] *n.* Ⓒ 벽난로(fireplace) 내부 양쪽의 시렁《물주전자 등을 얹음》; (고리던지기 놀이의) 표적 기둥; =HOBNAIL.

hob[2] *n.* Ⓒ 요괴(妖怪); (H-) 장난꾸러기 작은 요정(punk).

play [***raise***] ***~ with ...*** 《美》 …에 피해를 주다, …을 망치다, 어지럽히다. ***raise ~*** 《美》 난폭하게 굴다, 설치다.

Hobbes [hɑbz/hɔbz] *n.* **Thomas ~** 홉스《영국의 철학자; *Leviathan*의 저자; 1588-1679》. ㊕ ⁓**·i·an** [-iən] *a.*, *n.*

hob·ble [hɑ́bəl/hɔ́bəl] *vi.* 절뚝거리며 걷다, 비슬비슬 걷다, 한쪽 발을 끌며 걷다(*along*); 더듬거리며 말하다: ~ *along* on a cane 지팡이에 의지하여 비틀비틀 걷다. **—***vt.* **1** (말 따위)의 두 다리를 한데 묶다. **2** 방해하다; 난처하게 하다: ~ a plan 계획을 방해하다. **—***n.* Ⓒ 절뚝거림; 한쪽 발을 끌며 걷기.

hob·ble·de·hoy [hɑ́bldihɔ̀i/hɔ́b-] *n.* Ⓒ 덩치만 크고 눈치 없는 청년.

hóbble skìrt 호블 스커트《무릎 아래를 좁혀 보행하기 힘든 긴 스커트》.

*__*hob·by__ [hɑ́bi/hɔ́bi] *n.* Ⓒ **취미**, 도락; 장기《★ 스포츠의 취미에는 쓰지 않음》: make a ~ of … 을 도락으로 삼다/Fishing is my ~ [a ~ of mine]. 낚시가 내 취미다. ㊕ **~·ist** *n.* Ⓒ 취미[도락]에 열중하는 사람.

hóbby compùter 취미용 컴퓨터.

hóbby·hòrse *n.* Ⓒ **1** (회전 목마의) 목마; 흔들 목마(rocking horse); 죽마《끝에 말머리가 있는 장난감》. **2** 장기(長技)(의 이야깃거리): ride [get on] one's ~ 장기를 부리다.

hób·by·ist [hɑ́biist/hɔ́b-] *n.* Ⓒ 취미에 열중하는 사람.

hób·gòblin *n.* Ⓒ 요귀(妖鬼), 장난꾸러기 꼬마 도깨비; 개구쟁이.

hób·nàil *n.* Ⓒ (대가리가 큰) 징; 징 박은 구두를 신은 사람. ㊕ **~ed** *a.* (구두 창에) 징을 박은; 징 박은 신을 신은.

hob·nob [hɑ́bnɑ̀b/hɔ́bnɔ̀b] (**-bb-**) *vi.* 친하게 [허물없이] 사귀다(*together*); 매우 친밀하다《***with*** (아무)와》: ~ *with* the rich and famous 부자 유명인과 친하게 되다. ㊕ **hób·nòb·ber** *n.*

ho·bo [hóubou] (*pl.* **~(e)s**) 《美》 *n.* Ⓒ 뜨내기 노동자; 부랑자, 룸펜.

Hób·son's chóice [hɑ́bsnz-/hɔ́bsnz-] 주어진 것을 갖느냐 안 갖느냐의 선택, 골라잡을 수 없는 선택《17세기에 영국의 Hobson이라는 삯말 업자가 손님에게 말의 선택을 허락하지 않은 데서》.

Ho Chi Minh [hóutʃíːmín] 호치민, 호지명《월맹 대통령; 1890-1969》: ~ Trail 호치민 루트.

Hó Chì Mính Cíty 호치민시《베트남 남부의 도시; 구칭은 Saigon》.

hock[1] [hɑk/hɔk] *n.* Ⓒ (네발짐승의 뒷다리의) 무릎, 복사뼈 마디; 닭의 무릎; (돼지 따위의) 족(足)의 살.

hock[2] *n.* Ⓤ 《美구어》 전당(잡힘); 빚: in ~ (물건을) 전당 잡혀서, (사람이) 빚지어/out of ~ 전당품을 찾아서, (사람이) 빚이 없어져서. **—***vt.* …을 전당잡히다.

hock[3] *n.* Ⓤ (종종 H-) 《英》 독일 라인 지방산(產) 백포도주(《美》 Rhine wine); 【일반적】 쌉쌀한 백포도주.

◇**hock·ey** [hɑ́ki/hɔ́ki] *n.* **1** Ⓤ 하키(《美》에서는 보통 ice hockey, 《英》에서는 field hockey를 가리킴). **2** =HOCKEY STICK. ㊕ **~·ist** *n.* Ⓒ 하키 선수.

hóckey stìck 하키용 스틱.

hóck·shòp *n.* Ⓒ 《美구어》 전당포(pawnshop).

ho·cus-po·cus [hòukəspóukəs] *n.* Ⓤ **1** 요술, 기술(奇術); 요술쟁이의 라틴어 투의 주문. **2** 속임수, 야바위: Don't believe that ~. 저런 속임수를 믿지 마라.

hod [hɑd/hɔd] *n.* Ⓒ 호드《벽돌·회반죽 따위를 담아 나르는 긴 자루가 달린 V자형의 나무통》; 석탄통(coal scuttle).

hód càrrier (벽돌·회반죽 등을) hod로 나르는 인부; 벽돌공의 조수(《英》 hodman).

Hodge [hɑdʒ/hɔdʒ] *n.* **1** 호지《남자 이름; Roger의 애칭》. **2** (h-) Ⓒ 《英》 (전형적인) 머슴, 시골뜨기.

hodge·podge [hɑ́dʒpɑ̀dʒ/hɔ́dʒpɔ̀dʒ] *n.* (a ~) 《美》 뒤범벅(《英》 hotchpotch): His theory is a ~ *of* borrowed ideas. 그의 이론은 남의 이론의 뒤범벅이다.

hód·man [-mən] (*pl.* **-men** [-mən]) *n.* [C] 《英》 =HOD CARRIER; 〖일반적〗 남의 일을 거드는 사람, 뒤뿔치는 사람(hack).

◇**hoe** [hou] *n.* [C] (자루가 긴) 괭이《흙을 파거나 제초할 때 쓰는 농기구》. [cf.] spade[1].
—*vt.* (땅)을 괭이로 파다〔갈다〕; (잡초 따위)를 파내다(*up*): ~ *in* …을 괭이로 파 메우다/~ *up* the potato roots 〔weeds〕 괭이로 감자를 파내다〔제초하다〕. **—***vi.* 괭이를 쓰다. ㊕ **hó·er** *n.* [C] 괭이질하는 사람; 제초하는 사람, 제초기.

hóe·dòwn *n.* [C] 《美》 (hillbilly 조의) 활발하고 경쾌한 춤, 《특히》 스퀘어댄스; 그 곡〔파티〕.

***hog** [hɔːg, hag] *n.* [C] **1 돼지**《특히 거세한 수퇘지 또는 다 자란 식용 돼지》: behave like a ~ 돼지처럼 버릇없이 굴다. [SYN.] ⇨PIG. **2** 《구어》 (돼지같이) 잘 먹는〔주접스러운〕 녀석, 욕심꾸러기; 이기적인 사람, 상스러운 사람; 불결한 사람: You ~! 이 돼지 같은 놈. **3** 《美속어》 대형 오토바이 《특히 Harley-Davidson》, 대형 자동차《특히 Cadilac》.
a ~ in armor 좋은 옷을 입고도 맵시가 나지 않는 사람. ***a ~ on ice*** 《美구어》 미덥지 못한 사람. ***bring*** one***'s ~s to a bad market*** 계획이 어긋나다, 예상이 빗나가다. ***go*** (***the***) ***whole ~*** 《속어》 철저히 하다; 그대로〔통째로〕 받아들이다. ***live*** 〔***eat***〕 ***high off*** 〔***on***〕 ***the ~*** 〔***~'s back***〕 《구어》 호화롭게〔떵떵거리며〕 살다.
— (**-gg-**) *vt.* 《구어》 **1** 혼자서 다 차지하려고 하다. **2** 《~+[목]/+[목]+[부]》 걸근대다, 게걸스레 먹다(*down*): I hate the way he ~*s down* his food. 그가 음식을 게걸스레 먹는 투가 싫다. **3** (등 따위)를 둥글게 구부리다. **—***vi.* **1** 머리를 숙이고 등을 둥글게 하다; (가운데가) 돼지 등처럼 구부러지다. **2** 탐하다, 독차지하다; 무모한〔버릇없는〕 짓을 하다. ~ ***the whole show*** 좌지우지하다, 독단적으로 처리하다.

Ho·garth [hóugaːrθ] *n.* **William ~** 호가스《영국의 풍자 화가; 1697–1764》.

hog·gish [hɔ́ːgiʃ, hág-] *a.* 돼지 같은; 이기적인, 욕심 많은; 더러운, 불결한; 상스러운.
㊕ **~·ly** *ad.* **~·ness** *n.*

hógs·hèad *n.* [C] **1** 큰통《영국 100–140 갤런들이; 미국 63–140 갤런들이》. **2** 액량(液量)의 단위《미국 63 갤런; 영국 52.5 갤런》. ★ hhd. 로 생략함.

hóg·tìe *vt.* 《美》 (동물)의 네 발을 묶다; …을 방해하다, 저해하다.

hóg·wàsh *n.* [U] 돼지 먹이《먹다 남은 음식 찌꺼기에 물을 섞은 것》; 맛없는 음식〔음료〕; 《속어》 데데한 것〔이야기〕, 졸작(拙作), 엉터리, 허풍.

hóg-wìld *a.* 《구어》 몹시 흥분한, 난폭한, 억제할 수 없는, 절도 없는: go ~ 몹시 흥분하다, 난폭해지다.

ho-hum [hóuhʌ́m] *int.* 하아《권태 · 피로 · 지루함 · 하품 등의 소리》. **—***a.* 《속어》 흥미 없는, 시시한, 진력나는.

hoick, hoik [hɔik] *vt., vi.* 《英구어》 번쩍 들다; 홱 잡아당기다. **—***n.* [C] 세게 당김.

hoi pol·loi [hɔ́ipəlɔ́i] 《Gr.》 (종종 the ~) 《경멸적》 민중, 대중, 서민(the masses), 오합지졸.

hoist** [hɔist] *vt.* **1** 《~+[목]/+[목]+[부]》 (기 따위)를 **내걸다; 올리다,** (무거운 것)을 천천히 감아올리다, 들어올리다; 낚아올리다(*up*): ~ sails 돛을 올리다/~ a person shoulder-high 아무를 헹가래치다. **2** 〖~ oneself〗 일어서다(*up*): ~ one*self* (*up*) from a chair (팔걸이를 밀듯이 하며) 의자에서 일어서다. ~ ***down 끌어내리다. ~ ***with*** 〔***by***〕 one***'s own petard*** 자승자박이 되어, '남잡이가 제잡이' 꼴이 되어.
—*n.* [C] **1** 끌어〔감아, 달아, 낚아〕올리기; 게양: give a person a ~ (up) 아무를 밑에서 밀어올리다. **2** 감아올리는 기계〔장치〕, 호이스트(hoister); 《英》 (화물용) 승강기. ㊕ **~·er** *n.*

hoi·ty-toi·ty [hɔ́itìtɔ́iti] *a.* 거만한, 젠체하는; 까다로운; 들뜬, 성마른. **—***int.* 거참, 질렸어《놀라움 · 경멸 등의 탄성》.

hoke [houk] *vt.* 《美구어》 겉만 번지르하게 꾸미다, 그럴듯하게 만들어내다(*up*).

ho·key [hóuki] 《美구어》 *a.* 가짜의, 부자연한; 유난히 감상적인, 진부한; (빤히 보이게) 날조한.

ho·k(e)y-po·k(e)y [hóukipóuki] *n.* [U] 요술; 속임수(hocus-pocus).

ho·kum [hóukəm] *n.* [U] 《美》 (극 · 소설 따위의) 인기를 노리는 감상적〔낯간지러운〕 대목, 저속한 수법; 익살; 어이없는 일, 엉터리.

Hol·born [hóulbərn] *n.* 홀번《London 중심부의 지역》.

†**hold**[1] [hould] (**held** [held]; **held**) *vt.* **1** 《~+[목]/+[목]+[전]+[명]》 (손에) **갖고 있다; 붙들다,** 잡다, 쥐다; 받치다, 지탱하다, 안다: ~ a pen firmly 펜을 꼭 쥐다/He *held* me *by* the arm. 그는 내 팔을 붙잡았다/He held his head *in* his hands. 그는 두 손으로 머리를 받쳤다/The girl was ~*ing* a doll *in* her hand 〔some packages *in* her arms〕. 소녀는 손에 인형을 쥐고 있었다〔팔로 몇 개의 꾸러미를 안고 있었다〕/The man was ~*ing* a pipe *between* his teeth. 그 남자는 파이프를 (이로) 물고 있었다.
2 《~+[목]/+[목]+[전]+[명]》 (요새 · 진지 등)을 점유하다; 방어하다, 지키다《***against*** …에게서》: ~ a castle 성을 점유하다/~ the trenches *against* the enemy 적에게서 참호를 지키다.
3 (지위 · 직책 등)을 차지하다; (돈 · 땅 따위)를 소유하다, 보관하다; (학위)를 소지하다: ~ shares 주주이다/He *held* office for eight years. 그는 8년간 공직에 있었다/~ an MD 의학박사 학위를 갖고 있다. [SYN.] ⇨HAVE.
4 《~+[목]/+[목]+[전]+[명]》 **a** (신념 · 의견 등)을 간직하다, (학설 등)을 신봉하다; (마음에) 품다(cherish); 남기다《***in*** (기억 따위)에》: ~ a firm belief 굳은 신념을 갖다/~ the event *in* memory 그 사건을 기억하고 있다. **b** 가치 있다고 여기다《***in*** (존경 따위)의》: Many people *held* him *in* respect. 많은 사람들이 그를 존경했다.
5 《~+[목]/+*that* [절]/+[목]+(*to be*) [보]/+[목]+[보]》 여기다, **생각하다**; 평가하다; 판정하다; 〖법률〗 판결하다: He ~*s* my opinion lightly. 그는 내 의견을 경시한다/Plato *held that* the soul is immortal. 플라톤은 영혼은 불멸이라고 여겼다/I ~ him (*to be*) responsible. 나는 그에게 책임이 있다고 생각한다/~ a person dear 아무를 귀엽게 여기다/~ a person best of all the applicants 아무를 응모자 중에서 가장 낫다고 판단하다.
6 계속 유지하다, 지속하다, (대화 따위)를 계속하다, 주고받다: ~ silence 계속 침묵을 지키다/~ the cource (배 · 비행기 따위가) 항로를 유지해 나아가다/*Hold* the line. (전화에서) 끊지 말아〔말고 기다려〕 주십시오.
7 멈추게 하다, 제지하다, (억)누르다; (말 · 소리)를 내지 않게 하다: ~ a horse 날뛰는 말을 제지하다/~ one's breath 숨을 죽이다/~ one's tem-

per 화를 참다; 자제하다/*Hold* your tongue. 떠들지 마라, 잠자코 있어.
8 (모임 등)을 **열다**, 개최하다; (식)을 올리다, 거행하다《★ 종종 수동태》: The meeting *was held* yesterday. 회의는 어제 열렸다/Court is to *be held* tomorrow. 내일 개정될 예정이다.

SYN. **hold** 의식 따위를 개최함. 약간 딱딱한 뜻을 지님. **give** 모임 따위를 개최함을 말하는 구어적인 표현임. **open** 사물을 공개하거나 가게나 모임 따위를 여는 뜻. '열다'의 가장 일반적인 말.

9 《~+목/+목+전+명》 구류〔유치〕하다《**in** …에》: He was *held* (*in* jail) overnight. 그는 (구치소에) 하룻밤 구류되었다.
10 붙들어 놓다, 끌어당기다, 놓지 않다; (애정·주의 따위)를 끌어 두다: ~ the audience 청중의 주의를 끌다/He couldn't ~ her affection any longer. 그녀의 사랑을 더 이상 받을 수가 없었다.
11 《+목+전+명》 (아무)에게 지키게 하다《**to** (약속·의무 따위)를》: I'll ~ him *to* his promise. 그에게 약속을 지키게 할 작정이다.
12 a 《+목+보》 (어떤 상태·위치)**로 유지하다**, …(으)로 해두다; 〘~ oneself〙 (어떤 자세)를 취하다: ~ the door open (for someone) (아무를 위해) 문을 열어둔 채로 두다/~ a person in suspense 아무를 불안한 상태로 내버려두다/~ the head straight 고개를 바로 들고 있다/~ one*self* ready to start 스타트할 자세를 취하다. **b** 《+목+전+명》 (물건)을 갖다 대다, 고정시키다《**to, on** …에》: He was *~ing* an ice pack *to* his head. 그는 머리에 얼음주머니를 대고 있었다/~ a pair of binoculars *to* one's eyes 쌍안경을 눈에다 대다.
13 (무게 따위)를 버티다, 지탱하다《★ 종종 수동태》; (술에) 취하지 않다: The building *is held* by concrete underpinning. 그 건물은 콘크리트 토대로 지탱되어 있다/~ one's liquor 〔drink〕 술을 마시고도 자세가 흐트러지지 않다.
14 (그릇이 액체 따위)를 담다, 들이다; (건물·탈것 등이) …의 수용력이 있다: This bottle *~s* a pint. 이 병은 한 파인트 들어간다/This room can ~ eighty people. 이 방에는 80명이 들어갈 수 있다. SYN. ⇨CONTAIN.
15 《~+목/+목+전+명》 포함하다; 마련〔예정〕하고 있다《**for** …을 위해》: His tone *held* reproach 〔accusation〕 (in it). 그의 어조에는 비난이 깃들어 있었다/Who knows what tomorrow *~s*. 내일의 운명을 누가 알리/This contest *~s* a scholarship *for* the winner. 이 경연 대회에서는 우승자에게 줄 장학금이 마련되어 있다.
16 (탈것의 출발 시간)을 지연시키다: They *held* the plane for him. 그를 태우기 위해 그들은 비행기의 출발 시간을 지연시켰다.
17 《美속어》〘보통 명령형〙 (식당 주문에서) 치지 말고 주시오, 빼고 주시오: One burger… ~ the pickle. 햄버거 하나—피클 빼고.
—*vi*. **1** 《+전+명》 **붙들고**〔**쥐고**〕 **있다**, 매달려 있다《**to, onto** …을, …에》: ~ *to* a party 당을 떠나지 않다/~ *onto* a rope 로프를 붙잡다.
2 (밧줄·닻 등이) 지탱하다, 견디다: The dike *held* during the flood. 그 제방은 홍수를 잘 견디어냈다.
3 《~/+보》 (법률 따위가) **효력이 있다**, 타당성이 있다, 적용되다: The rule *~s* in all cases. 이 규칙은 모든 경우에 적용된다/My promise still *~s* good. 내 약속은 여전히 유효하다.
4 《~/+보/+부》 (날씨 등이) **계속되다**(last), (…의 상태로) 지속되다; 전진을 계속하다: How long will this fine weather ~ (*up*)? 이 좋은 날씨가 언제까지 계속될까/The weather *held* warm. 날씨는 줄곧 따뜻했다/The ship *held* on its course. 그 배는 진로를 바꾸지 않고 계속 나아갔다.
5 《+전+명》 〘보통 부정문〙 동의〔찬성〕하다《**by, with** …에》: He does *not* ~ *with* the new method. 그는 새 방법에 동의하지 않는다/I do*n't* ~ *with* 〔*by*〕 the proposal. 그 제안에 찬성하지 않는다.
6 《+전+명》 굳게 지키다, 고수하다《**by, to** (신조·결의 따위)를》: ~ fast *to* one's creed 자기의 신조를 고수하다/*Hold to* your resolution. 결의를 굳게 지키시오.
be left ~ing the baby 〔《美》 ***the bag***〕 (한 사람에게) 책임이 지워지다. **~ *… against*** a person …을 이유로 아무를 비난하다, …의 이유로 아무를 원망하다: She still *~s* it *against* him that he criticized her once. 그녀는 그가 그녀를 한 번 비난한 것을 아직도 원망하고 있다. **~ *back*** 《*vt*.+부》 ① …을 억제하다; 말리다, 삼가다. ② …을 억누르다; 숨겨 두다, 비밀에 부치다《**from** …으로부터》: ~ *back* goods *from* market 상품을 시장에 출하하지 않고 두다. ③ (감정)을 억제하다. **—**《*vi*.+부》 ④ 말하지 않고 두다; 자제하다《**from** …을》. ⑤ 주저하다, 망설이다. **~ *down*** 《*vt*.+부》 ① …을 누르다: *Hold down* the flaps while I tape the box. 상자에 테이프를 붙이는 동안 뚜껑을 누르고 있으시오. ② (물가 등)을 낮게 유지하다, 억제하다: They failed to ~ costs *down*. 그들은 비용을 줄이는 데 실패했다. ③ …의 자유를 억압하다; …을 종속시키다. ④ 《구어》 (지위·일)을 유지하다, 보존하다: ~ a 〔the〕 job *down* 같은 일자리에 머무르다. **~ *forth*** 《*vt*.+부》 ① (의견 따위)를 공표〔제시〕하다. ② 가두어 두다, 나오지 않게 하다. **—**《*vi*.+부》 ③ 《경멸적》 장황하게 지껄이다《**on** …을》. **~ *in*** 《*vt*.+부》 ① (감정 따위)를 억제하다: ~ *in* one's temper 화를 참다. ② 〘~ oneself in으로〙 자제하다. **—**《*vi*.+부》 ③ 자제하다, 잠자코 있다. **~ (*in*)** one***'s breath*** 숨을 죽이다. **~ *off*** 《*vt*.+부》 ① (적 따위)를 접근시키지 않다, 저지하다: I'll ~ *off* the bill collectors until pay day. 월급날까지는 수금원들이 못 오게 하겠다. ② (결단·행동 따위)를 미루다, 연기하다. **—**《*vi*.+부》 ③ 떨어져 있다, 가까이하지 않다《**from** …에서, …에》: The ship *held off from* the coast until the storm died down. 그 배는 폭풍이 가라앉을 때까지 해안에 접근하지 않았다/John tends to ~ *off from* people. 존은 사람을 피하는 경향이 있다. ④ 늦어지다, 꾸물거리다: *Hold off* for a minute. 잠깐 기다려. ⑤ (비 따위가) 좀처럼 오지 않다, 안 오고 있다. **~ *on*** 《*vi*.+부》 ① 계속〔지속〕하다. ② 붙잡고 있다. ③ (어려움에 꺾이지 않고) 버티어 나가다, 견디다: Can you ~ *on* a little longer? 조금만 더 버틸 수 있습니까. ④ 〘보통 명령형〙 (전화)를 끊지 않고 기다리다; (잠깐) 기다리다: *Hold on*, please. (전화를 끊지 말고) 기다려 주십시오. **—**《*vt*.+부》 ⑤ (물건)을 고정해 두다. **~ *on to*** 〔***onto***〕 《*vt*.+부》 ① …에 매달리다, 달라붙다: The child *held onto* 〔*on to*〕 his coat. 아이는 그의 옷을 붙잡고 매달렸다. ② …을 손을 떼지 않고 두다, 맡아 두다: Shall I ~ *onto* your purse for you? 핸드백을 맡아 줄까

요. ~ *out* 《*vt.*+副》 ① (손 따위)를 내밀다; 뻗치다: She *held* a sandwich *out* to him. 그 여자는 그에게 샌드위치를 내밀었다. ② …을 제공〔약속〕하다, (희망 따위)를 품게 하다: The company ~*s out* the promise of promotion to hard-working young people. 그 회사는 열심히 일하는 젊은이들에게 승진을 약속하고 있다. ③ 《구어》 (당연히 내놓아야 하는 것)을 보류해 두다, 내어주지 않다. —《*vi.*+副》 ④ (재고품 따위가) 오래가다. ⑤ 마지막까지 견디다〔버티다〕, 계속 저항하다《*against* …에》: They *held out against* the enemy attacks for a month. 그들은 한 달 동안 적의 공격에 저항했다. ~ ***out for ...*** 《구어》 …을 끝까지 지지〔주장, 요구〕하다: The strikers *held out for* higher wages. 파업자들은 끈질기게 임금 인상을 요구했다. ~ ***out on ...*** 《구어》 ① (아무)에게 비밀을 밝히지 않다: Stop ~*ing out on* me. 나에게 숨기는 일은 그만두세요. ② (아무)의 요구를 거부하다〔받아들이지 않다〕. ~ ***over*** 《*vt.*+副》 ① (모임 따위)를 미루다, 연기하다《★ 종종 수동태》. ② (연극 · 쇼 · 영화 따위)를 (예정보다 오래) 계속 상연〔상영〕하다《★ 종종 수동태》. ~ a thing ***over*** a person 아무를 무엇으로 위협하다: They *held* the threat of a salary cut *over* us. 그들은 월급을 깎겠다고 우리를 위협했다. ~ one***'s own*** ⇨ OWN. ~ ***together*** 《*vt.*+副》 ① …을 한데〔하나로〕 모으다, 같이 놓아 두다. ② …을 (흐트러지지 않게) 붙이다: It's *held together* with glue. 그것은 접착제로 붙여 두었다. ③ …을 단결〔결합〕시키다: Their mutual danger *held* them *together*. 공통의 위험이 그들을 단결시켰다. —《*vi.*+副》 ④ (물건이) 서로 붙어 있다; 흐트러져 있지 않다, 형체를 유지하다. ⑤ 단결하다〔해 나가다〕. ~ ***up*** 《*vt.*+副》 ① …을 비추어 보다, 높이 올리다《***to*** …에》: The cashier *held up* the $100 bill *to* the light. 출납원은 그 백 달러 지폐를 불에 비추어 보았다. ② …을 내세우다, 만들다《***to*** (웃음거리 따위)로》: ~ a person *up to* ridicule 아무를 웃음거리로 만들다. ③ …을 들다, 보이다《***as*** (모범 · 예)로서》: She *held* him *up as* a model of efficiency (to the other workers). 그녀는 (다른 종업원들에게) 능률적인 일꾼의 모범으로서 그를 들었다. ④ (손 따위)를 쳐들다, 들어올리다. ⑤ 〖종종 수동태〗 …의 진행을 가로막다〔지연시키다〕, …을 방해하다; 멈춰 세우다: Traffic *was held up* by an accident. 교통이 사고로 정체되었다. ⑥ (권총 등을 들이대고) …에 정지를 명하다, (아무)를 세워 놓고 강탈하다; (강도가 가게)를 털다: ~ *up* a gas station 주유소를 털다. —《*vi.*+副》 ⑦ (굽히지 않고) 버티다, 지탱하다: She *held up* under the pressure. 그녀는 그 압력에 굴하지 않고 버티어 냈다. ⑧ 보조를 늦추지 않다. ⑨ (좋은 날씨가) 계속되다, 《美》 비가 멎다. ⑩ (보통 말이 비틀거릴 때 하는 말로) '바로 서!'.

> **DIAL.** ***Can you hold on a minute, please?*** — ***Sure.*** 〔***O.K.***〕. (전화를 끊지 말고) 잠깐 기다려 주시겠어요 — 네, 그러죠.
> ***Hold it*** 〔***everything***〕***!*** ① 잠깐만 기다려요. ② 움직이지 마, 가만 있어.

—*n.* **1** Ⓤ (구체적으로는 Ⓒ) (손으로) 잡는〔움켜쥐는〕 것: Don't let go your ~ (on the rope). (밧줄에서) 손을 떼지 마라, (밧줄을) 꼭 잡아라. **2** Ⓒ 〖레슬링〗 홀드《상대를 꽉 누르는 것》. **3** Ⓤ (또는 a ~) **a** 장악, 지배력, 위력, 영향력《***on, over*** …에 대한》: lose one's 〔its〕 ~ *on* … (사람 · 물건이) …에 대한 영향력을 잃다, …의 마음을 사로잡지 못하게 되다. **b** 파악력, 이해력《***on, upon, of*** …에 대한》. **4** Ⓒ 《특히 등산할 때의》 잡을 데, 발붙일 데, 받침. **5** Ⓒ (착수 · 집행 따위의) 일시 연기, 지연 통고: announce a ~ on all takeoffs 모든 이륙의 연기를 통고하다. **6** Ⓒ (미사일 발사 등에서의) 초읽기 정지〔지연〕; 〖항공〗 대기 명령〔지령〕.

catch ~ of 〔***on***〕 …을 거머쥐다, 잡다, 붙들다: *catch ~ of* a monkey by the tail 원숭이의 꼬리를 붙잡다. ***get ~ of*** ① =catch ~ of. ② …을 손에 넣다, 입수하다. ③ …을 이해하다. ④ (아무)에게 연락을 취하다, (아무)를 찾아내다. ***get ~ on*** one***self*** 〖보통 명령형〗 (당황하지 않고) 침착하다. ***have a ~ on*** 〔***over***〕 …에 대해 지배력〔권력〕을 갖다; …의 급소를〔약점을〕 쥐고 있다. ***keep ~ on*** …을 꼭 붙들고 있다; …을 붙잡고 놓지 않다. ***lay ~ of*** 〔***on, upon***〕 ① …을 붙잡다, 쥐다: *Lay ~ of* it firmly. 그것을 꽉 붙잡아라. ② …을 체포하다: They *laid ~ of* him and threw him in prison. 그들은 그를 체포하여 투옥했다. ③ …을 발견하다, 손에 넣다. ***let go*** one***'s ~*** 손을 놓다〔늦추다〕. ***lose ~ of*** 〔***on, over***〕 …을 놓치다, …의 손잡을 데를 잃다: I *lost ~ of* the rail and fell into the sea. 붙잡은 난간을 놓쳐 바다로 떨어졌다. ***on ~*** ① 《美》 (통화에서) 상대를 기다려, 전화를 끊지 않고: I'll put you *on ~* while I check that for you. 그것을 확인할 테니 전화를 끊지 말아 주세요. ② (일 · 계획 등이) 보류 상태로, 일시 중단되어; 연기되어. ***take ~*** (사물이) 정착하다; 확립하다, 뿌리를 내리다: Grass-roots democracy has not *taken ~* in this country. 이 나라에는 풀뿌리 민주주의가 뿌리내리지 못하였다. ***take ~ of*** 〔***on***〕 ① (유형 · 무형의 것)을 잡다, 붙잡다. ② (사람의 마음)을 사로잡다, 지배하다: Fear *took ~ of* him 〔his heart〕. 공포가 그를〔그의 마음을〕 사로잡았다. ③ (마약 등)을 상습하게 되다. ***with no ~s barred*** 모든 수단이 허용되어, 제한 없이, 제멋대로.

hold[2] *n.* Ⓒ 〖선박〗 선창(船倉), 화물창(艙)《배 밑의》; 〖항공〗 (비행기의) 화물실(室): break out 〔stow〕 the ~ 뱃짐을 풀기〔쌓기〕 시작하다.

hóld·àll *n.* Ⓒ 《英》 대형 여행 가방; 잡낭; =POTPOURRI.

hóld·bàck *n.* Ⓒ 저지(하는 것); 보류(되는 것).

hóld-dòwn *n.* Ⓒ 죔쇠, 물림쇠; (가격의) 억제 《***on*** …에 대한》.

hold·er [hóuldər] *n.* Ⓒ 〖흔히 합성어로〗 **1** (권리 · 관직 · 토지 · 기록 등의) **소유〔보유〕자**; (어음 따위의) 소지인: ⇨LEASEHOLDER, OFFICEHOLDER, STOCKHOLDER, RECORD HOLDER. **2** 버티는 물건; 그릇; 손잡이: ⇨PENHOLDER, CIGARETTE HOLDER.

hóld·fàst *n.* **1** Ⓤ 꼭 잡음〔달라붙음〕. **2** Ⓒ 고정시키는 철물《못 · 죔쇠 · 꺾쇠 · 거멀장 따위》.

hóld·ing *n.* **1** Ⓤ 보유, 장악. **2** Ⓤ 토지 보유 (조건), 점유, 소유(권). **3** (*pl.*) 소유물, 보유지; (도서관의) 소유 장서; 《특히》 지주(持株). **4** Ⓤ 〖권투〗 껴안기《반칙》; 〖배구〗 공을 잠시 받치고 있기《반칙》; 〖농구 · 축구〗 방해 행위《팔이나 손으로 상대방 선수에게 가하는 반칙》.

hólding còmpany (타사 지배를 위한) 지주 회사; 모회사.

hóld·òut *n.* Ⓒ **1** (완강한) 인내, 저항. **2** (집단 활동 · 교섭 따위에서) 협조〔타협〕하지 않는 사람.

hóld·òver *n.* Ⓒ 《美구어》 **1** 자취, 흔적; 유물 《***from*** …으로부터의》. **2** 잔류〔유임〕자《***from*** …으로부터의》: He's a ~ *from* the last administration. 그는 전 내각으로부터의 유임자이다.

hóld·ùp *n.* Ⓒ **1** (열차 · 차 또는 그 승객에 대한) 불법 억류; 무장 강도, 노상강도(robbery)《행위》. **2** (교통 등의) 정체, 지연, 정지.

†**hole** [houl] *n.* Ⓒ **1 구멍**; 틈; (양말 따위의) 터진〔째진〕 구멍; (도로 등의) 패인 곳, 구덩이(pit): a ~ in one's sock 양말의 뚫어진 구멍 / dig 〔fill〕 a ~ in the ground 지면에 구덩이를 파다〔메우다〕. **2** (토끼 · 여우 따위의) 굴; (the ~) 독방, 지하 감옥. **3** 《구어》 누추한 집〔숙소, 동네, 장소〕: that wretched ~ of a house 저 비참한 움속 같은 집. **4** 함정; 《구어》 궁지, 《특히》 경제적 곤경(fix): be in a ~ 궁지에 빠지다; 돈 때문에 고통받다. **5** 결함, 결점, 흠, 오류《***in*** (이론 · 논리)의》: I can't find any *~s in* his theory. 그의 이론상의 어떤 결함도 찾아낼 수 없다. **6** 〖골프〗 (공을 쳐서 넣는) 구멍, 홀; 티(tee)에서 그린(green)까지의 구역.

a ~ in the 〔one's〕 ***head*** 《美속어》 방심, 멍청함, 어리석음: get *a ~ in the head* 방심하다, 멍청해지다. ***a ~ in the wall*** 비좁은〔누추한〕 장소. ***burn a ~ in*** one***'s pocket*** (돈이) 몸에 붙지 않다. ***every ~ and corner*** 구석구석까지, 샅샅이: They searched *every ~ and corner* for the suspect. 그들은 피의자를 샅샅이 찾았다. ***in a*** 〔***the***〕 ***~*** 《美구어》 돈에 궁하여, 적자가 나서: I'm fifty dollars *in the ~* this month. 이 달은 50달러가 적자다. ***in ~s*** (양말 따위가) 구멍이 나도록 닳아빠져서: be *in ~s* 구멍투성이다. ***make a ~ in*** ① …에 구멍을 뚫다. ② …을 많이 축내다: The installment payments *make* quite *a ~ in* my monthly income. 월부금 지불로 내 월수입이 상당히 줄어들어 있다. ***need ... like*** (one ***needs***) ***a ~ in the head*** …은 전혀 필요없다. ***out of the ~*** 《구어》 빚이 없어져서, 흑자가 나서. ***pick*** 〔***knock***〕 ***a ~*** 〔***~s***〕 ***in*** …의 흠을 찾다.

—*vt.* **1** …에 구멍을 뚫다; …에 구멍을 파다: ~ a wall. **2** 《+목+전+명》 (터널 · 통로 따위)를 뚫다《***through*** …에》: They *~d* a tunnel *through* the hill. 그들은 그 언덕을 뚫어 터널을 냈다. **3** (토끼 따위)를 구멍으로 몰다; 〖골프〗 (공)을 구멍에 쳐 넣다. **—***vi.* **1** 구멍을 파다〔뚫다〕; 구멍으로 기어들어가다. **2** 《~/+부》 〖골프〗 공을 hole에 쳐 넣다(*out*): ~ in one 홀인원을 치다 / ~ *out* at par 파로 끝내다.

~ ***in*** 《*vi.*+부》 《美구어》 숨다, 몸을 숨기다. ~ ***up*** 《*vi.* +부》 ① (동물이) 구멍으로 들어가다; 동면하다. ② (범죄자가 경찰을 피해서) 숨다, 몸을 숨기다《***in*** …에》. ㊀ **∠·a·ble** *a.* hole할 수 있는; 〖골프〗 hole할 수 있는《퍼트(putt)》.

hóle-and-córner [-ənd-], **hóle-in-córner** *a.* Ⓐ 비밀의; 은밀한, 눈에 안 띄는.

hóle in óne 〖골프〗 홀인원; 첫번째 시도로 성공함.

hóle in the héart 〖의학〗 심실〔심방(心房)〕 중격 결손(中隔缺損).

holey [hóuli] *a.* 구멍이 있는; 구멍투성이인.

†**hol·i·day** [hálədèi/hɔ́l-] *n.* Ⓒ **1 휴일**, 축(제)일(holy day); 정기 휴일: a legal ~ 법정 공휴일 / a national ~ 국경일, 대축제일 / a three-day ~, 3일간의 연휴.

SYN. **holiday** 본래 종교적인 휴일, 혹은 사건이나 인물 따위를 기념하는 날. **vacation** 어느 일정 기간, 일이나 의무 따위에서 해방되어 쉬는 휴일.

2 (흔히 *pl.*) **휴가**; 긴 휴가, 휴가철; 휴가 여행《★《美》에서는 vacation이 일반적》: take a (week's) ~ (일주일간의) 휴가를 얻다 / be away on (a) ~ 휴가를 얻어 쉬고 있다 / be home for the ~(*s*) 휴가로 귀향 중이다 / the summer ~(*s*) 여름 휴가 / I went on (《美》 a) 〔for a〕 ~ to 〔in〕 France last year.작년에 프랑스로 휴가 여행을 했다. ***make a ~ of it*** 휴식을 취하며 즐기다. ***make ~*** 《英》 (휴식을 위해) 일을 쉬다. ***on ~*** =***on*** one***'s ~s*** 《英》 휴가를 얻어, 휴가 중으로(《美》 on vacation).

—*a.* Ⓐ **1** 휴일의, 휴가의: a ~ task 《英》 (학교의) 휴가 중 숙제. **2** 휴일〔축제일〕다운, 즐거운: a ~ mood 휴일 기분. **3** 나들이의; 격식 차린: ~ clothes 나들이옷 / ~ English 격식 차린 영어.

—*vi.* 《英》 휴일을 보내다〔즐기다〕, 휴가로 여행하다(《美》 vacation): He's gone *~ing* in the Mediterranean. 그는 지중해로 휴가 여행을 떠났다. ㊀ **~·er** *n.* Ⓒ 《英》 휴가를 보내는〔즐기는〕 사람, 휴가 중인 사람; 행락객.

hóliday càmp 《英》 (해변의) 행락지, 휴가촌 《오락 시설이 있는》.

hóliday cènter 행락지.

hóliday·màker *n.* Ⓒ 《英》 휴가 중인 사람(holidayer), 휴가로 일을 쉬는 사람; 행락객(《美》 vacationer).

hóliday·màking *n.* Ⓤ 휴일의 행락.

hól·i·dàys *ad.* 휴일에(는), 휴일마다.

ho·li·er-than-thou [hóuliərðənðáu] *a.* Ⓐ 독선적인; 경건한 체하는, 남을 업신여기는, 젠체하는: I don't like his ~ attitude. 그의 젠체하는 태도가 마음에 안 든다.

ho·li·ness [hóulinis] *n.* **1** Ⓤ 신성; 청렴결백. **2** 〖가톨릭〗 (H–) 성하(聖下)《로마 교황의 존칭; His 〔Your〕 Holiness 처럼 쓰임》.

ho·lism [hóulizəm] *n.* Ⓤ 〖철학〗 전체론; 전체론적 (관점에 입각한) 연구〔방법〕. ㊀ **ho·lis·tic** [houlístik] *a.* 전체론적인, 전신용의. **-ti·cal·ly** *ad.*

***Hol·land** [hálənd/hɔ́l-] *n.* **1** 네덜란드《공식 명칭은 the Netherlands》. cf. Dutch. **2** (h–) Ⓤ 삼베의 일종《제본용》.

Hól·land·er *n.* Ⓒ 네덜란드 사람(Dutchman); 네덜란드 배〔선박〕.

hol·ler [hálər/hɔ́l-] *vi.* **1** 외치다, 고함치다, 소리지르다, 큰 소리로 말하다; 꾸짖다《***at*** …에, …을》: I got *~ed at* for not doing my homework. 숙제를 하지 않았다고 꾸중들었다. **2** 투덜대다, 불평하다《***about*** …에 대해》. **—***vt.* 큰 소리로 외치다〔말하다〕《***at, to*** (아무)에게 / ***that***》: "Leave me alone!" he *~ed*. '내버려둬!' 라고 그는 외쳤다 / He *~ed* (*that*) a train was coming. 그는 열차가 온다고 외쳤다. **—***n.* Ⓒ 외침, 외치는 소리; 고함, 아우성: let out a ~ 큰 소리로 외치다.

Hol·ler·ith [háləriθ/hɔ́l-] *n.* Ⓤ 〖컴퓨터〗 펀치 카드를 사용하는 영어 숫자 코드(= ∠ **códe**).

hol·lo, hol·loa [hálou, həlóu/hɔ́lou] *int.* 어이, 이봐《주의 · 응답하는 소리》. **—**(*pl.* ~*s*) *n.* Ⓒ (특히 사냥에서) 어이 하고 외치는 소리. **—***vi.* 어이 하고 외치다. **—***vt.* …에게 어이 하고 외치다; (사냥개)를 부추기다.

****hol·low** [hálou/hɔ́l-] *a.* **1 속이 빈**, 공동(空洞)의(↔ *solid*): a ~ tree 〔tube〕 속이 빈 나무〔관〕. **2** (목소리 따위가) 공허한, 힘 없는. **3** 내실

이 없는, 무의미한, 빈(empty); 불성실한, 허울만의(false): ~ words 빈말/a ~ victory 〔race〕 싱거운 승리〔경쟁〕/~ compliments 겉치레말/~ pretence 뻔한 핑계. **4** 공복의: feel ~ 배가 고프다. **5** (신체의 일부가) **우묵한**, 움푹 꺼진(sunk): ~ cheeks 야윈 볼/~ eyes 우묵한 눈.

—*n*. Ⓒ 우묵한 곳; 계곡, 분지; 구멍(hole); 도랑; (통나무·바위의) 공동(空洞): the ~ of the hand 손바닥. ***in the ~ of** a person's **hand*** 아무에게 완전히 예속되어.

—*vt*. **1** 《~+목/+목+부》 속이 비게 하다; 도려내다, 에다; (동굴)을 파다(*out*): ~ a cave 굴을 파다/river banks *~ed out* by water 물에 파인 강둑. **2** 《+부+목(+전+명)》 파내〔도려내〕 …을 만들다(*out*)(***from*** …을): ~ *out* a dugout (*from* a log) (통나무 속을 파내) 마상이를 만들다.

—*ad*. 텅 비게; 《구어》 철저하게, 완전히: ring ~ 공허하게 울리다. ***beat** a person (**all**) ~* ⇨ BEAT.

㊉ **~·ly** *ad*. **~·ness** *n*.

hol·lo·ware [hálouwὲər/hɔ́l-] *n*. =HOLLOWWARE.

hóllow-èyed *a*. 눈이 우묵한.

hóllow-héarted [-id] *a*. 성의 없는, 거짓의.

hóllow·wàre *n*. Ⓤ 〖집합적〗 속이 깊은 그릇《bowl, cup, kettle 따위》. ⓒⓕ flatware.

◇**hol·ly** [háli/hɔ́li] *n*. **1** Ⓒ 〖식물〗 호랑가시나무《북아메리카산》. **2** Ⓤ (크리스마스 장식용의) 호랑가시나무 가지.

hólly·hòck *n*. Ⓒ 〖식물〗 접시꽃.

hólly òak =HOLM OAK.

Hol·ly·wood [háliwùd/hɔ́l-] *n*. **1** 할리우드《Los Angeles 시의 한 지구; 영화 제작의 중심지》. **2** Ⓤ 미국 영화계〔산업〕.

hol·mi·um [hóulmiəm] *n*. Ⓤ 〖화학〗 홀뮴《희토류 원소; 기호 Ho; 번호 67》. ㊉ **hol·mic** [hálmik/hɔ́l-] *a*.

hólm òak 〖식물〗 너도밤나무류.

hol·o·caust [háləkɔ̀:st, hóu-] *n*. Ⓒ (유대교의) 전번제(全燔祭)《짐승을 통째 구워 신 앞에 바침》; (사람·동물을) 전부 태워 죽임; 대학살; 대파괴, 파국, 큰불; (the H-) 나치스의 유대인 대학살. ㊉ **hòl·o·cáus·tal, hòl·o·cáus·tic** *a*.

Hol·o·cene [hálǝsì:n, hóu-] *n*. (the ~), *a*. 〖지질〗 충적세(沖積世)(의)(Recent).

hol·o·gram [hálǝgræ̀m, hóu-] *n*. Ⓒ 〖광학〗 홀로그램《holography 에 의해 기록된 간섭(干涉) 도형》.

hol·o·graph [hálǝgræ̀f, -grὰ:f, hóu-] *n*. Ⓒ 자필 문서〔증서〕. **—***a*. Ⓐ 자필의(holographic).

ho·log·ra·phy [hǝlágrǝfi, hou-/-lɔ́g-] *n*. Ⓤ 〖광학〗 입체 영상, 레이저 사진술. ㊉ **hò·lo·gráph·ic, -i·cal** *a*. **-i·cal·ly** *ad*.

hols [halz/hɔlz] *n. pl*. 《英구어》 휴가. ⓒⓕ holiday.

Hol·stein [hóulstain, -sti:n] *n*. Ⓒ 《美》 홀스타인(=**Hólstein-Fríesian**)《네덜란드 원산의 흑백얼룩이 젖소》.

hol·ster [hóulstǝr] *n*. Ⓒ (허리나 어깨에 차는) 권총용 가죽 케이스.

ho·lus-bo·lus [hóulǝsbóulǝs] *ad*. 단번에, 한꺼번에, (통째) 한 모금에.

⁑**ho·ly** [hóuli] (***-li·er; -li·est***) *a*. **1** **신성한**, 성스러운; 신에게 바치는: a ~ place 성소, 성지/~ bread 〔loaf〕 성찬식〔미사〕용 빵/a ~ war 성전(聖戰)《십자군의》.

SYN. **holy** 종교적으로 숭배할 만한 것을 가리킬 뿐만 아니라 정신적으로 순결한 것을 말함. **sacred** 종교적으로 숭배되는 것에 바쳐지는 것에 쓰임.

2 **성자 같은, 경건한**, 덕이 높은; 신앙심이 두터운: a ~ man 성자/a ~ life 신앙 생활. **3** 《구어》 대단한, 심한: a ~ terror 귀찮은 존재, 애물단지; 심한 장난꾸러기. ***Holy cats** 〔**cow, mackerel, Moses, smoke**(**s**)〕**!*** 《구어》 에그머니나, 정말, 저런, 설마, 어쩌면, 대단해, 이거 참《놀람·분노·기쁨 등을 표시함》.

—*n*. **1** Ⓒ 신성한 장소〔것〕. **2** (the H-) 지성자(至聖者)《그리스도·하느님의 존칭》. ***the ~ of holies*** 가장 신성한 장소; (유대 신전의) 지성소; 〖일반적〗 신성불가침의 곳〔물건, 사람〕.

Hóly Bíble (the ~) 성서, 성경.

Hóly Cíty (the ~) **1** 성도(聖都)《Jerusalem, Rome, Mecca, Benares 따위》. **2** 천국.

Hóly Commúnion 〖가톨릭〗 영성체, 성체 성사, 성체 배령(Lord's Supper, Eucharist); (개신교의) 성찬식.

hóly dày 종교상의 축제일《일요일 이외의 축일·단식일 등》. ***~ of obligation*** 〖가톨릭〗 의무적 축일《미사에 참여하고 노동을 하지 않음》.

Hóly Fáther (the ~) 로마 교황《존칭》.

Hóly Ghóst (the ~) =HOLY SPIRIT.

Hóly Gráil (the ~) (예수가 최후의 만찬 때 사용하였다고 하는) 성배(聖杯).

Hóly Jóe 《속어》 군목, (종군) 목사〔신부〕; 《널리》 성직자; 독신자(篤信者); 경건한 사람.

Hóly Lànd (the ~) 성지《Palestine 을 칭함》; (비(非)기독교권의) 성지.

Hóly Móther 성모 (마리아).

hóly órder (종종 H- O-) 대품(大品)(major order); (*pl*.) 서품식(ordination); (*pl*.) 〖가톨릭〗 성품; 〖영국국교〗 주교와 사제와 집사: take ~*s* 성직자〔목사〕가 되다.

Hóly Róller 《경멸적》 예배·전도 집회 등에서 열광하는 종파〔《특히》 오순절파〕의 신자. ㊉ **Hóly Róllerism** 열광적 신앙.

Hóly Róman Émpire (the ~) 신성 로마 제국《962-1806》.

Hóly Sáturday 성(聖)토요일《부활절 전주(前週)의 토요일》.

Hóly Scrípture (the ~) =the BIBLE.

Hóly Sée (the ~) (교황의) 성좌; 교황청.

Hóly Sépulcher (the ~) (예수가 부활할 때까지 묻혀 있던) 성묘(聖墓).

Hóly Spírit (the ~) 성령(Holy Ghost)《삼위일체의 제3위; 예수를 통해 인간에게 작용하는 신령》.

Hóly Thúrsday 예수 승천 축일(Ascension Day); 성목요일《부활절 전주(前週)의 목요일》.

hóly wàter (가톨릭교의) 성수(聖水); (불교의) 정화수.

Hóly Wèek (the ~) 성(聖)주간《부활절 전의 1주간》.

Hóly Wrít (the ~) 성서(the Bible); 절대적 권위가 있는 서적〔발언〕.

◇**hom·age** [hámidʒ/hɔ́m-] *n*. Ⓤ **1** 존경, 경의: pay 〔do〕 ~ to …에게 경의를 표하다. **2** (봉건 시대의) 충성(의 맹세), 신하로서의 예〔봉사 행위〕. ***do** 〔**render**〕 **~ to*** 신하의 예를 다하다.

hom·bre [ɔ́mbrei] *n*. Ⓒ 《美서부·Sp.》 사나이, 녀석(fellow); 《美속어》 늠름한 사나이(heman)《특히 서부의 카우보이 등》.

hom·burg [hʌ́mbəːrg/hɔ́m-] *n.* Ⓒ (종종 H-) 챙이 좁은 중절모자의 일종(=∠ **hàt**).

†**home** [houm] *n.* **1 a** Ⓤ (생활 장소로서의) 집; 내 집, **자택**: There is no place like ~. 내 집보다 나은 곳은 없다 / make one's ~ 가정을 꾸미다 / leave ~ 집을 떠나다. **b** Ⓒ 가정; Ⓤ 가정 생활: a sweet ~ 행복한 가정 / the joys of ~ 단란한 가정 생활의 즐거움. **2** Ⓒ 가옥, 주택, 주거: the Smith ~ 스미스네 집 / He has two ~s. 그는 집이 두 채 있다. SYN. ⇨HOUSE. **3** Ⓤ 생가(生家); **고향; 본국**, 고국: the old ~ 정든 고향〔생가〕/ Where's your ~? 고향은 어디지요 / He left ~ for the United States. 그는 고국을 떠나서 미국으로 갔다. **4** (the ~) 원산지, 서식지(habitat); 본고장, 발상지: the ~ *of* tigers 호랑이의 서식지 / the ~ *of* parliamentary democracy 의회민주주의 발상지 / Paris is the ~ *of* fashions. 파리는 유행의 본고장이다. **5** Ⓒ (자기 집 같은) 안식처; 숙박소; 요양소, 시료소(施療所), 양육원, 고아원, 양로원《따위》; (극빈자 등의) 수용소《***for*** …을 위한》: a ~ *for* orphans 고아원 / a ~ *for* elderly people 양로원 / a sailors' ~ 선원 숙박소. **6** Ⓒ《구어》 정신 병원; 묘지; (탐험대의) 근거지, 기지; =HOME OFFICE, 본부. **7** Ⓤ 〖경기〗 골, 결승점; 〖야구〗 본루; (놀이에서) 진(陣); 홈 경기.

(***a***) ~ (***away***) ***from*** ~ 제 집과 같은 안식처《가정적인 하숙 따위》. ***at*** ~ ① 집에 있어; (자기) 집에서: be *at* ~ 집에 있다 / Do it *at* ~. 집에서 해라. ② 면회일로: I am *at* ~ on Wednesdays. 나는 수요일을 면회일로 삼고 있다. ③ 자기 나라에(서), 본국〔고향〕에(↔ *abroad*): inflation *at* ~ and abroad 국내외의 인플레이션. ④ 편히, 마음 편히: feel *at* ~ 마음 편하다 / Please make yourself *at* ~. (스스럼없이) 편히 하십시오. ⑤ 익숙하여, 정통하여, 숙달하여《***in, on, with*** …에》: He's *at* ~ *in* modern English poetry 〔*on* this subject〕. 그는 현대 영시〔이 문제〕에 정통하다. ⑥ 홈그라운드에서: Is the match 〔game〕 *at* ~ or away? 그 경기는 홈 경기입니까, 원정 경기입니까. ***from*** ~ ① 집〔본국〕으로부터(의). ② 외출 중으로, 부재 중으로; 집〔본국〕을 떠나: He's away *from* ~. 그는 부재 중입니다. ***go to*** one***'s last*** 〔***lasting***〕 ~ 영면(永眠)하다. ~, ***sweet*** ~ 그리운 내 집이여《오랫만에 귀가할 때 하는 말》.

> DIAL. ***What's that when it's at home?*** (스스럼없이) 대체 그게 뭔가.

— *a.* Ⓐ **1 가정(용)의**, 제 집〔자택〕의: ~ life 가정 생활 / ~ cooking 가정 요리 / one's ~ address 아무의 자택 주소《비교: office address 근무처의 주소》/ a ~ project 가정 실습《가정과 등의》. **2 고향의**, 본국의; 본고장(에서)의; 본거지의, 본부의, 주요한: one's ~ country 모국, 본국 / ⇨HOMELAND, HOMETOWN. **3 자국의**, 국산의; 국내의; 내정상(內政上)의(domestic)(↔ *foreign*); 본토의: the ~ market 국내 시장 / ~ products 국산품 / ~ consumption 국내 소비 / a ~ loan 내국채; 주택 대부. **4** 급소를 찌르는, 통렬한: a ~ question 급소를 찌르는 질문. **5** 〖경기〗 결승의; 〖야구〗 본루(생환)의: a ~ game 결승 경기 / ⇨HOME RUN. **6** (경기 따위가) 홈그라운드(에서)의(↔ *away*): the ~ team 홈팀.

— *ad.* **1 자기 집으로〔에〕**, 자택으로; 자국〔고국, 본국〕으로〔에〕: come 〔go〕 ~ 집〔본국〕으로 돌아가다; 《속어》 출소(出所)하다 / write ~ once a week 일주일에 한 번 집에 편지를 쓰다. **2** (자택 · 본국에) 돌아와서; 《美》 집에 있어(at ~)《★ be동사와 결합하는 경우에는 형용사로도 간주함》: Is he ~ yet? 그는 벌써 돌아와 있습니까 / He is ~. 돌아왔다; 귀성 중(歸省中)이다; 《美》 집에 있다 / I'm ~! 다녀왔습니다 / I'll be ~ at six today. 오늘은 여섯 시에 귀가하겠습니다 / I stayed 〔was〕 ~ all day. 나는 온종일 집에 있었다. **3 a** 푹 하고 급소에 닿도록; (못 따위가) 깊숙이, 충분히: drive a nail ~ 못을 단단히 박다 / thrust a dagger ~ 단도를 푹 찌르다. **b** 통렬하게, 가슴에 사무치게. **4** 〖야구〗 본루에: come 〔reach〕 ~ 홈인하다 / drive ~ (주자를) 홈으로 보내다.

be on one***'s*** 〔***the***〕 ***way*** ~ 집에 돌아오는 길이다; 귀국 중이다. ***bring …*** ~ (***to*** a person) (아무에게) …을 차근히 호소하다, 절실히 느끼게 하다, 확신케 하다: *bring* a crime ~ *to* a person 저지른 죄를 아무에게 깊이 깨닫게 하다. ***come*** ~ (***to*** a person) (아무의) 가슴에 와 닿다, (아무에게) 통렬히 느끼게 하다: The sad news *came* ~ *to* her. 그 슬픈 소식이 그녀의 가슴에 사무쳤다. ***drive …*** ~ (***to*** a person) (아무에게) …을 납득시키다, 잘 이해시키다; 강조하다: He gave a lot of examples to *drive* his point ~. 그는 자기 주장을 납득시키려고 많은 예를 들었다. ***get*** ~ ① 집에 도착하다. ② 적중하다: *get* ~ to a person 아무의 급소를 찌르다. ③ (골 따위에) 도달하다. ④ 충분히 이해되다《***to*** (아무)에게》. ***go*** ~ ① 귀가〔귀국〕하다; 《구어》 죽다. ② 깊이 찌르다; 적중하다: The prophecy 〔bullet〕 *went* ~. 예언〔탄환〕은 적중했다. ③ (충고 따위가) 뼈에 사무치다. ~ ***and dry*** 《주로 英구어》 =~ ***safe*** 《美구어》 (고전한 끝에) 목적을 달성하여, 성공리에 마쳐, 경기에 이겨. ~ ***free*** 성공할 것이 틀림없어서, 유유히. ***nothing to write*** ~ ***about*** ⇨WRITE. ***see*** a person ~ 아무를 집까지 바래다주다. ***strike*** ~ (총알 따위가) 적중하다; 급소를 찌르다; 뼈에 사무치다.

— *vi.* **1** 집으로〔근거지로, 보금자리로〕 돌아오다: be *homing* from abroad 귀국하는 도중이다. **2** 집 · 근거지를 마련하다〔갖다〕. **3** 《+부+전+명》 (미사일 · 항공기 따위가 자동 장치로) 향하다; (TV카메라가) 다가서다, 접근하다 (*in*)《***on, onto*** (목표 · 피사체)쪽으로》: The missile ~*d in on* the target. 미사일이 목표를 향해 날아갔다.

hóme báse 〖야구〗 본루, 홈 베이스(home plate); =HEADQUARTERS.

hóme·bìrd *n.* 《英》 =HOMEBODY.

hóme·bòdy *n.* Ⓒ 가정적인 사람, 잘 나다니지 않는 사람(stay-at-home).

hóme·bòund *a.* **1** 본국행의, 귀항(歸航)의; 귀가 중인: ~ commuters 귀가 중인 통근자. **2** 집에 틀어박혀 있는.

hóme bòy (*fem.* ***hóme gìrl,*** 〖집합적〗 ***hóme pèople***) 《美》 한고향 사람, 동향인; 《속어》 절친한 친구(close friend).

hóme·bréd *a.* 제 집〔나라, 고장〕에서 자란; 국산의: ~ cars 국산차 / ~ cooking 가정 요리.

hóme bréw 자가 양조의 술, 《특히》 자가제의 맥주.

hóme-bréwed *a.* 자가 양조의; 자가제(製)의: a ~ computer 〔program〕 자가제 컴퓨터〔프로그램〕/ a ~ idea 자기만의 착상.

hóme càre 자택 요양〔치료, 간호〕.
hóme-càre *a.* 자택 요양의.
hóme·còming *n.* Ⓒ **1** 귀향, 귀가, 귀국. **2** 《美》 (일년에 한 번 졸업생들을 불러 여는) 대학제(祭), 동창회.
hóme compúter 가정용 (소형) 컴퓨터.
Hóme Cóunties (the ~) 런던을 둘러싼 여러 주《특히 Surrey, Kent, Essex; 때로는 Hertford, Berkshire, Buckinghamshire, East Sussex, West Sussex를 포함》.
home directory 〖컴퓨터〗 홈 디렉토리《컨텐츠 파일이 저장된 서비스 루트 디렉토리》.
hóme económics 가정학; 가정과.
hóme fàrm 《英》 (예전의 지방 대지주 전용의) 자작 농장.
hóme frònt (the ~) (전쟁 때의) 국내 전선; 〘집합적〙 후방《사람들 및 그 활동》.
hóme gròund 〘one's ~〙 홈 그라운드《팀 소재지의 그라운드》; 잘 아는 분야〔화제〕.
hóme·grówn *a.* **1** (과일·야채 등이) 자기 집〔그 고장, 국내〕에서 산출된〔되는〕. **2** 그 고장 출신의; 토착의: a ~ musician 그 고장 음악가.
hóme guárd 《英》 **1** Ⓤ (the H- G-) 〘집합적; 단·복수취급〙 국토 방위군《1940년에 조직된 시민군》. **2** Ⓒ 지방 의용군 병사. ⓟ **hóme guárdsman** 《美》 지방 의용병.
hóme hèlp 《英》 병자·노인을 돌보기 위해 지방 당국에서 파견한 봉사자.
hóme·lànd *n.* Ⓒ **1** 고국, 모국, 조국. **2** 홈랜드《남아프리카의 인종 격리 정책에 의하여 설정되었던 흑인 주민의 자치구》.
◇**hóme·less** *a.* **1** 집 없는; (가축 따위의) 임자 없는. **2** (the ~) 〘명사적; 복수취급〙 집없는 사람들, 노숙자들. ⓟ **~·ness** *n.*
hóme·lìke *a.* 자기 집 같은; 마음 편한, 편안한, 아늑한. ⓟ **~·ness** *n.*
home·ly** [hóumli] (-li·er; -li·est***) *a.* **1** 《英》 **가정적인**, 자기 집 같은(homelike). **2 검소한**, 꾸밈없는; 《美》 (사람·얼굴이) 수수한(plain); 세련되지 않은: a ~ sort of person 수수하게 뵈는 사람. ⓟ **-li·ness** *n.*
◇**hóme·máde** *a.* **1** 자가제의, 집에서〔손으로〕 만든. **2** 국산의.
hóme·màker *n.* Ⓒ 살림꾼; 《특히》 주부.
hóme·màking *n.* Ⓤ 가사, 가정 만들기; 가정(家政)(과(科)). **—** *a.* 가정(家政)의.
ho·me·o, ho·moe·o- [hóumiou, -miə], **ho·moi·o-** [houmɔ́iou, -mɔ́iə] '유사(類似)한'의 뜻의 결합사.
Hóme Óffice (the ~) 《英》 내무부(內務部).
hóme óffice (보통 the ~) 본사, 본점. ⓒⓕ branch office.
ho·me·o·path, ho·me·op·a·thist [hóumiəpæ̀θ], [hòumiápəθist/-ɔ́p-] *n.* Ⓒ 〖의학〗 유사(類似)〔동종〕 요법 전문가〔의사〕; 그 지지자.
ho·me·o·path·ic [hòumiəpǽθik] *a.* 〖의학〗 유사〔동종〕 요법의. ⓟ **-i·cal·ly** *ad.*
ho·me·op·a·thy [hòumiápəθi/-ɔ́p-] *n.* Ⓤ 〖의학〗 유사(類似)〔동종(同種)〕 요법, 호메오파티. ↔ *allopathy.*
hóme·òwner *n.* Ⓒ 제 집 가진 사람, 자택 소유자.
hóme pàge 〖컴퓨터〗 홈 페이지《인터넷의 정보 제공자가 정보의 내용을 간단히 소개하기 위해 갖는 페이지; 문자·화상·음성 등을 넣음》.
hóme pláte 〘보통 관사 없이〙 〖야구〗 본루(home base); 본루 위치〔수비〕.
hóme pòrt 〖항해〗 모항(母港), (선박의) 소속항.
Ho·mer [hóumər] *n.* 호메로스, 호머《기원전 10세기경의 그리스의 시인; *Iliad* 및 *Odyssey*의 작자로 전해짐》: (Even) ~ sometimes nods. 《속담》 호메로스 같은 대시인도 때로는 실수를 한다; 원숭이도 나무에서 떨어진다.
hom·er [hóumər] *n.* Ⓒ 〖야구〗 본루타, 홈런; 전서(傳書) 비둘기(homing pigeon). **—** *vi.* 홈런을 치다.
hóme ránge 〖생태〗 (정주성(定住性) 동물의) 서식 범위, 행동권.
Ho·mer·ic [houmérik] *a.* Homer(풍(風))의; Homer 시대의; 규모가 웅대한, 당당한. ⓟ **-i·cal·ly** *ad.*
hóme·ròom *n.* 《美》 **1** Ⓒ 〖교육〗 홈룸《전원이 모이는 생활 지도 교실》; 〘집합적〙 홈룸 학생 전체. **2** Ⓤ 홈룸 시간〔수업〕.
hóme rúle 내정〔지방〕 자치; (H- R-) 《英》 (아일랜드의) 자치.
hóme rún 〖야구〗 홈런, 본루타; 홈런에 의한 득점: hit a ~ 홈런을 치다.
hóme schóoling 〖교육〗 자택 학습《유자격 교원이 행하는》.
Hóme Sécretary (the ~) 《英》 내무부 장관.
hóme sèrver 〖컴퓨터〗 홈 서버《인터넷상의 Gopher에서, Gopher 프로그램을 가동할 수 있는 상태로 할 때 최초로 표시되는 서버》.
◇**hóme·sìck** *a.* **1** 향수병의; 향수병에 걸린: be 〔get〕 ~ 홈시크에 걸리다. **2** Ⓟ 그리운《***for*** … 이》: be ~ *for* Korean food 한국 음식이 그립다. ⓟ **~·ness** *n.* Ⓤ 향수(nostalgia).
hóme sígnal 〖철도〗 장내(場內) 신호기《구내 진입 가부를 알리는》.
◇**hóme·spùn** *a.* **1** 홈스펀의, 손으로 짠. **2** 소박한, 서민적인, 세련되지 않은; 거친; 평범한. **—** *n.* Ⓤ 홈스펀《수직물 또는 그 비슷한 직물》.
hóme·stày *n.* Ⓒ 외국 유학생의 일반 가정(host family)에서의 체류(滯留).
hóme·stèad *n.* Ⓒ **1** (부속 건물·농장이 딸린) 농가(farmstead). **2** 《美·Can.》 (이민에게 이양되는) 자작 농장. **3** 가산(家產), 선조 대대의 가옥.
hóme·stèad·er *n.* Ⓒ **1** 《美》 Homestead Act에 의한 입주자. **2** homestead의 소유자.
Hómestead Áct (the ~) 《美》 홈스테드법《5년간 정주한 서부의 입주자에게 공유지 160에이커씩 불하할 것을 제정한 1862년의 연방 입법》.
hóme stráight 《英》 =HOMESTRETCH.
hóme·strétch *n.* Ⓒ **1** 〖경기·경마〗 결승점 앞의 직선 코스(ⓒⓕ backstretch). **2** 《美》 일〔여행〕의 마지막 부분〔최종 단계〕: on the ~ 막바지에.
hóme·stỳle *a.* Ⓐ 《美》 (음식이) 가정 요리식의; (사람이) 검소하여 뽐내지 않는; 가정적인.
hóme tèrminal 〖컴퓨터〗 가정용 단말기.
hóme·tòwn *n.* Ⓒ 고향 (도시), 출생지; 주된 거주지. ⓟ **~·er** *n.* Ⓒ 그 고장 출신자; 출생지 거주자.
hóme trúth (흔히 *pl.*) 아니꼽고 불쾌한 사실〔진실〕; 남에게 알리고 싶지 않은 자신만의 진실.
◇**home·ward** [hóumwərd] *a.* 귀로의, 집〔모국〕으로 향하는: the ~ journey 귀로 여행. **—** *ad.* 집〔모국〕을 향하여: start ~ 귀로에 오르다. ⓟ **~s** *ad.* =homeward.
hómeward-bóund *a.* 본국행의, 본국을 향

하는, 귀항(중)인. ↔ *outward-bound*. ¶ a ~ ship 귀항 중인 배.

home·work [hóumwə̀ːrk] *n.* Ⓤ **1 숙제**, 예습. **2** 가정에서 하는 일, 《특히》 내직(內職); (회의 등을 위한) 사전 준비: do one's ~ 사전 준비를 하다. **3** 《美학생속어》 = LOVEMAKING.

hom·ey, homy [hóumi] (*hom·i·er; -i·est*) *a.* 《美구어》 가정의〔다운〕; 마음 편한, 스스럼없는; 편안한, 아늑한: a restaurant with a ~ atmosphere 가정적인 분위기의 식당. **—***n.* 《美속어》 = HOME BOY.

hom·i·ci·dal [hàməsáidl/hɔ̀m-] *a.* 살인(범)의; 살인할 경향이 있는: a ~ maniac 살인광. ㊕ **~·ly** *ad.*

hom·i·cide [háməsàid/hɔ́m-] *n.* **1** Ⓤ 〖법률〗 살인《죄》: ~ in self-defense 정당방위 살인. **2** Ⓒ 살인 행위; 살인자, 살인범.

SYN. **homicide** 일반적으로 쓰이는 말. 정당방위나 범죄를 구성하는 경우의 살인을 말함. **murder** 중죄(重罪)를 구성하는 그러한 살의(殺意)를 지닌 범죄로서 물론 homicide의 하나임. **manslaughter** 살의 없이 사람을 죽이거나 과실 치사를 구성할 만한 범죄.

hom·i·let·ic, -i·cal [hàməlétik/hɔ̀m-], [-əl] *a.* 설교(술)의; 교훈적인.

hòm·i·lét·ics *n.* Ⓤ 설교술, 설교학.

hom·i·ly [háməli/hɔ́m-] *n.* Ⓒ 설교; 훈계, 장황한 꾸지람.

hom·ing [hóumiŋ] *a.* Ⓐ **1** 집에 돌아오〔가〕는; 귀소성(歸巢性)〔회귀성〕이 있는《비둘기 따위》: the ~ instinct 귀소〔회귀〕 본능. **2** (목표에의) 자동〔유도〕 추적의: a ~ guidance (유도탄 등의) 자동 유도(법) / ~ devices (유도탄 등의) 자동추적 장치. **—***n.* Ⓤ 귀래(歸來), 귀환, 회귀; 귀소 본능; (미사일 따위의) 자동 추적의.

hóming pìgeon 전서(傳書) 비둘기(carrier pigeon).

hom·i·nid [hámənid/hɔ́m-] *n.* Ⓒ 〖동물〗 사람과(科)(Hominidae)의 동물. ㊕ **ho·min·i·an** [houmíniən] *a.*, *n.*

hom·i·ny [hámәni/hɔ́m-] *n.* Ⓤ 《美》 묽게 탄 옥수수(죽).

Ho·mo [hóumou] *n.* 《L.》 Ⓤ 〖분류〗 사람《학명》: ⇨ HOMO SAPIENS.

ho·mo [hóumou] (*pl.* **~s**) *n.* Ⓒ 《속어》 동성애자, 호모.

ho·mo- '동일(the same)' 의 뜻의 연결형.

ho·mo·e·o·path, etc. = HOMEOPATH, etc.

ho·mo·ge·ne·i·ty [hòumədʒəníːəti, hàm-] *n.* Ⓤ 동종(성), 동질(성), 균질성〔도〕; 〖수학〗 동차성(同次性).

ho·mo·ge·ne·ous [hòumədʒíːniəs, hàm-] *a.* 동종〔동질, 균질〕의; 동원(同源)의, 순일(純一)의; 〖수학〗 동차(同次)의; 〖생물〗 (발생 · 구조가) 상동(相同)의. ↔ *heterogeneous*. ¶ a ~ equation 동차 방정식. ㊕ **~·ly** *ad.* **~·ness** *n.*

ho·mog·e·nize [həmádʒənàiz, houmá-/-mɔ́-] *vt.* 균질로 하다, 균질화하다: ~*d* milk 균질〔호모〕 우유. ㊕ **ho·mòg·e·ni·zá·tion** *n.* Ⓤ 균질화; 균질화된 상태〔성질〕. **-niz·er** *n.* Ⓒ ~하는 것〔사람〕; 〖기계〗 균질기(器).

hom·o·graph [háməgræ̀f, -grɑ̀ːf, hóumə-] *n.* Ⓒ 동형 이의어(同形異義語)《bark(짖다)와 bark(나무 껍질) 따위》. cf. heteronym, homonym.

㊕ **~·ic** [hàmougræ̀fik, hòumə-] *a.*

homolog ⇨ HOMOLOGUE.

ho·mol·o·gous [həmáləgəs, hou-/-mɔ́l-] *a.* **1** (위치 · 비율 · 가치 · 구조 등이) 상응〔대응〕하는, 일치하는. **2** 〖생물〗 상동(相同)(기관)의, 이체(異體)〔이종(異種)〕 동형의; 〖화학〗 동족의; 〖수학〗 상동의; 〖면역〗 동일원(源)의. cf. analogous.

homólogous chrómosomes 〖생물〗 상동(相同) 염색체.

hom·o·logue, -log [hóuməlɔ̀ːg, hámə-, -làg/-lɔ̀g] *n.* Ⓒ 상당하는 것, 서로 같은〔비슷한〕 것; 상동물(相同物); 〖생물〗 상동 기관; 〖화학〗 동족체.

ho·mol·o·gy [həmálədʒi, hou-] *n.* Ⓤ 상동(相同) 관계〔성〕, 상사, 이체 동형; 〖화학〗 동족(관계); 〖생물〗 (종류가 다른 기관의) 상동《포유동물의 앞다리와 조류의 날개처럼 그의 기원이 동일한 것》; 〖수학〗 상동, 위상 합동(位相合同).

hom·o·nym [hámənìm/hɔ́m-] *n.* Ⓒ **1** 동음이의어(同音異義語)《meet와 meat, fan(팬)과 fan(부채) 등》. cf. heteronym, synonym. **2** 이름이 같은 물건〔사람〕, 동명 이물〔이인〕. **3** = HOMOGRAPH. **4** = HOMOPHONE 1. ㊕ **hòm·o·ným·ic** [-ik] *a.* 동음 이의어의; 동명(同名)의.

ho·mon·y·mous [həmánəməs, hou-/-mɔ́n-] *a.* **1** 애매한(ambiguous); 같은 뜻의; 동음 이의어의; 이물 동명(異物同名)의. **2** 〖안과 · 광학〗 같은 쪽의. ㊕ **~·ly** *ad.*

ho·mo·pho·bia [hòuməfóubiə] *n.* Ⓤ 호모〔동성애〕 혐오. ㊕ **-phó·bic** *a.*

hom·o·phone [háməfòun, hóu-] *n.* Ⓒ **1** 동음 이자(異字)《c [s]와 s 따위》. **2** 동음 이형 이의어《meet와 meat, foul과 fowl 따위》. **3** = HOMONYM 1. ㊕ **ho·moph·o·nous** [həmáfənəs, hou-/-mɔ́-] *a.*

hom·o·phon·ic [hàməfánik, hòumə-/-fɔ́n-] *a.* **1** 동음의; (이철(異綴)) 동음 이의어(異義語)의. **2** 〖음악〗 단성(單聲)〔단선율(單旋律)〕의; 제창(齊唱)〔제주(齊奏)〕의. ㊕ **-i·cal·ly** *ad.*

ho·moph·o·ny [həmáfəni, hou-/-mɔ́f-] *n.* Ⓤ 동음(성); 동음 이의; 〖음악〗 단음악(單音樂); 제창(齊唱), 제주(齊奏); 〖언어〗 (어원이 다른 말의) 동음화.

Hómo sá·pi·ens [-séipiənz] 《L.》 호모사피엔스《사람의 학명》; 인류.

hòmo·séxual *a.* 동성애의; 동성의. cf. gay, lesbian. **—***n.* Ⓒ 동성애하는 사람. ㊕ **~·ist** *n.* = HOMOSEXUAL.

hòmo·sexuálity *n.* Ⓤ 동성애, 동성애적인 행위.

homy ⇨ HOMEY.

hon [hʌn] *n.* Ⓒ 《구어》 사랑스런 사람, 연인(honey).

Hon. Honorable; (종종 an ~) 《英》 Honorary.

hon. honor; honorable; honorably.

Hon·du·ras [handjúərəs/hɔn-] *n.* 온두라스《중앙 아메리카의 공화국; 수도는 Tegucigalpa; 생략: Hond.》. ㊕ **Hon·dú·ran** [-rən], **Hòn·du·rá·ne·an, -ni·an** [-réiniən] *a.*, *n.* Ⓒ 온두라스의 (사람).

hone [houn] *n.* Ⓒ 기름숫돌, 면도날 가는 숫돌. **—***vt.* **1** 숫돌에 갈다; 마무르다. **2** 《비유적》 (감각 · 기술 등)을 연마하다: ~ one's skills 솜씨를 갈고 닦다. ㊕ **hón·er** *n.*

hon·est [ánist/ɔ́n-] *a.* **1 정직한**, **성실한**, 공정(公正)한《**in, about** …에/**to** do》: an ~ servant

정직한 하인 / It was ~ *of* you *to* admit it. = You were ~ *to* admit it. 그것을 정직하게 인정해 주셨군요 / He was ~ *in* business. 그는 일에 성실했다 / She was ~ *about* it. 그녀는 그 일에 대해 정직하게 말했다. SYN. ⇨SINCERE, UPRIGHT. **2 a** (얼굴·행동 따위에) 정직〔성실〕함이 나타나는: He has an ~ face. 그의 얼굴은 정직하게 생겼다. **b** (보고 따위가) 거짓 없는, 진실한; 솔직한: an ~ opinion 솔직한 의견. **3** Ⓐ (이득 따위가) 정당한 수단으로 번, 정당한: ~ money 〔wealth〕 정당한 수단으로 번 돈〔재산〕/ an ~ price 정당한 가격. **4** (다른 것이 섞이지 않은) 진짜의(genuine), 순수한: ~ silk 본견.
be ~ with …에게 정직하게 말하다; …와 올바르게 교제하다. ***~ to God*** 〔***goodness***〕 정말로, 진실로. ***make an ~ woman of*** 《구어》 임신한 여자와 결혼하다, 임신한 여자를 정식처로 맞이하다. ***to be ~ with you*** 《문두에 써서》 정직하게 말하면. ***to be quite ~ about it*** (참으로) 정직하게 말해서.
— *ad.* 《구어》 정말로, 참으로, 틀림없이: I didn't do it. *Honest!* 나는 그걸 하지 않았어. 정말이야.

hónest Índjun 〔**Índian**〕 《구어》 반드시, 정말로, 참으로, 틀림없이: *Honest Injun* 〔*Indian*〕? 정말이냐.

hon·est·ly** [ánistli/ɔ́n-] *ad.* **1 정직하게**; 솔직하게, 거짓 없이: He spoke ~ about his involvement in the affair. 그는 그 사건에 끼어들었다는 것을 정직하게 말하였다. **2** 정직하게 일하여, 정당하게: I got the money ~. 그 돈은 정직하게 일해서 번 것이다. **3** 《문장 전체 수식; 보통 글 앞에서》 정직하게 말해서, 정말로: *Honestly*, I can't bear it. 참으로 못해 먹겠군요. ***come by ... ~ 《구어》 (성격 등)을 부모로부터 이어받다.

hónest-to-góodness 〔**-God**〕 *a.* Ⓐ 《구어》 순수한, 섞임질하지 않은, 진짜의.

⁑**hon·es·ty** [ánisti/ɔ́n-] *n.* Ⓤ **정직**, 성실, 실직(實直), 충실; 성의: in all ~ 정직하게 말해서, 실인즉 / ~ of purpose 성실 / *Honesty* is the best policy. 《격언》 정직은 최선의 방책 / *Honesty* pays. 《격언》 정직해서 손해 없다.

⁑**hon·ey** [hʌ́ni] *n.* **1** Ⓤ **벌꿀**, 꿀: (as) sweet as ~ 꿀처럼 단, 극히 상냥한. **2** Ⓤ 감미; 단맛, 단것: ~ of flattery 달콤한 발림말. **3** Ⓒ 사랑스런 사람《부부·애인끼리 또는 약혼자·아이에 대한 호칭으로》: My ~! 여보, 당신《아내·애인에 대한 호칭》/ my ~*s* 얘들아《어머니가 아이들을 부르는 말》. **4** Ⓒ 《美구어》 훌륭한 것, 일급품: a ~ of an idea 훌륭한 생각 / That car is a real ~. 저 차는 정말 고급차다.
— *a.* Ⓐ 꿀의; 꿀과 같은; 단 꿀이 나오는, 꿀을 먹는. ㊕ **~·less** *a.* **~·lìke** *a.*

hóney·bèe [-bìː] *n.* Ⓒ 《곤충》 꿀벌.

hóney·bùnch, -bùn *n.* Ⓒ 《구어》 애인, 연인, 사랑스런 사람(honey, darling, sweetheart).

◇**hóney·còmb** *n.* Ⓒ (꿀) 벌집; 벌집 모양의 물건; (반추 동물의) 벌집위(胃)(= **∠ stòmach**)《둘째 위》.

hóney·còmbed *a.* 벌집 모양의; 벌집 모양이 된, 구멍투성이가 된《***with*** …으로》: a city ~ *with* subways 지하철이 사방으로 통하는 도시.

hóney·dèw *n.* **1** Ⓤ (나무·잎·줄기에서 나오는) 단물; (진디 따위가 분비하는) 꿀. **2** Ⓤ 감로. **3** = HONEYDEW MELON.

hóneydew mèlon muskmelon의 일종《단 과육을 가짐》.

hón·eyed *a.* 꿀이 있는〔많은〕; 꿀로 달게 한; (말 따위가) 달콤한(sweet), 붙임성 있는; 간살이 넘치는.

◇**hóney·mòon** *n.* Ⓒ **1** 결혼 첫달, 밀월, 신혼여행 (기간), 허니문: go (off) on one's ~ 신혼여행을 떠나다. **2** 《비유적》 행복한 시기; 단기간의 협조적 관계. **—** *vi.* 신혼여행을 하다, 신혼기를 보내다《***at, in*** …에서》: They ~*ed in* Paris. 그들은 파리에서 신혼여행을 했다. ㊕ **~·er** *n.*

hóneymoon brídge 《카드놀이》 두 사람이 하는 각종 브리지.

hon·ey·suck·le [hʌ́nisʌ̀kəl] *n.* Ⓤ (낱개는 Ⓒ) 인동덩굴; 인동덩굴 비슷한 식물.

hóney-swéet *a.* (꿀처럼) 달콤한.

Hong Kong, Hong·kong [háŋkáŋ/hɔ́ŋkɔ́ŋ] *n.* 홍콩《영국의 직할 식민지였다가 1997년 7월 1일 중국에 반환됨》. ㊕ **Hóng Kóng·er, Hóng·kóng·ite** [-ait] *n.* Ⓒ 홍콩 주민.

hon·ied [hʌ́nid] *a.* = HONEYED.

honk [hɔːŋk, haŋk/hɔŋk] *n.* Ⓒ 기러기의 울음소리(와 같은 목소리〔소리〕); 자동차의 경적 소리 《따위》; 《감탄사적》 힝《코 푸는 소리》. **—** *vi.* (기러기가) 울다, 그러한 소리가 나다; 경적을 울리다. **—** *vt.* (경적)을 울리게 하다. ㊕ **∠·er** *n.* Ⓒ (자동차 경기에서) 특별히 빠른 차; 기러기 (wild goose).

hon·kie, -ky, -key [hɔ́ːŋki, háŋki/hɔ́ŋki] *n.* Ⓒ 《美흑인속어·경멸적》 백인, 흰둥이.

honk·y-tonk [hɔ́ːŋkitɔ̀ːŋk, háŋkitàŋk/hɔ́ŋkitɔ̀ŋk] *n.* 《구어》 **1** Ⓒ 떠들썩한 대폿집〔카바레, 나이트 클럽〕. **2** Ⓤ 홍키통크《싸구려 카바레 등에서 연주하는 래그타임(ragtime) 음악》. **—** *a.* 싸구려 술집의; 홍키통크 가락의《재즈》.

Hon·o·lu·lu [hànəlúːluː/hɔ̀n-] *n.* 호놀룰루 《Oahu섬에 있는 Hawaii주의 주도(州都)》. ㊕ **Hò·no·lú·lan** *n.*

⁑**hon·or,** 《英》 **-our** [ánər/ɔ́n-] *n.* **1 a** Ⓤ **명예**, 영예; 면목, 체면; 신용: win ~ 명예를 얻다 / die with ~ on the battlefield 명예 전사를 하다 / Keep the family ~ out of dirt. 가문의 명예를 더럽히지 마라 / uphold 〔stain〕 one's ~ 체면을 유지하다〔더럽히다〕. **b** (the ~) (높은 사람에게서 호의·교제를 받는) **영광**, 특권《***of*** …의; ***to*** do》: He did me the ~ *of* invit*ing* me to dinner. 영광스럽게도 그는 나를 만찬에 초대해주었다 / I have the ~ *to* inform you that …라고 알려드리게 되어 영광입니다.
2 Ⓤ **a 도의심**, 자존심, 염치: There's ~ among thieves. 《속담》 도둑에도 의리가 있다 / a man of ~ 신의를 존중하는 사람. **b** (여성의) 절개, 정조, 순결: defend 〔lose〕 one's ~ 정조를 지키다 〔잃다〕 / sell one's ~ 정절을 팔다.
3 Ⓤ **경의**, 존경: show 〔pay, give〕 ~ to a person 아무에게 경의를 표하다 / have 〔hold〕 a person in ~ 아무를 존경하다.
4 (an ~) 명예로운〔영광스러운〕 것〔사람〕《***to*** …에》: She is an ~ *to* the country 〔family, school〕. 그 여자는 나라〔집안, 학교〕의 명예이다 / I take your visit as a great ~. 방문해 주신 것을 큰 영광으로 생각합니다.
5 Ⓒ (보통 *pl.*) 명예장(章), 훈장; 명예의 표창; (*pl.*) 서훈(敍勳), 서위(敍位): win ~*s* 훈장을 타다.
6 (*pl.*) **a** 의례, 의식: the last 〔funeral〕 ~*s* 장례 / (full) military ~*s* 군장(軍葬)의 예; 귀인에 대한 군대의 예. **b** (주인역으로서의) 사교상의 의

례: do the ~*s* of the table 식탁의 주인 노릇을 하다.
7 (*pl.*) **a** (학교에서) 우등: graduate with ~*s* 우등으로 졸업하다. **b** 〖단수취급〗〖대학〗 우등 코스. **c** 〖英대학〗 우등 학위: pass with ~*s* (in ...) (…의) 우등 학위 시험에 합격하다.
8 (H-) (판사 · 시장 등에 대한 경칭으로) 각하: His 〔Your〕 *Honor* the Mayor 《美》 시장 각하.
9 (*pl.*) 〖카드놀이〗 최고의 패《whist 에서는 ace, king, queen, jack; bridge 에서는 ten 도 낌》.
10 (the ~) 〖골프〗 (tee 에서) 제일 먼저 공을 칠 권리.
be on one'***s*** ~ ***to*** do =***be bound in*** ~ ***to*** do =***be*** (***in***) ~ ***bound to*** do 명예를 걸고 …하여야 하다. ***do*** ~ ***to*** a person =***do*** a person ~ ① 아무에게 경의를 표하다, 아무를 예우하다. ② (선행 따위가) 아무의 명예가 되다, 아무에게 면목이 서게〔존경을 받게〕 하다. ***give*** a person one'***s*** (***word of***) ~ 명예를 걸고 아무에게 맹세〔약속〕하다. ~ ***bright*** 《英구어》 맹세코, 확실히《단언할 때》; 〖의문문에서〗 괜찮으냐. ***Honors*** (***are***) ***even*** 〔***easy***〕. ① 〖카드놀이〗 최고의 패가 골고루 분배되어 있다. ② (승부 · 형세 따위가) 엇비슷〔대등〕하다. ***in*** ~ 도의상. ***in*** ~ ***of*** …에게 경의를 표하여; …을 축하〔기념〕하여: hold a farewell party *in* ~ *of* the retiring professor 퇴임하는 교수를 위하여 송별회를 열다 / A bust has been erected *in* ~ *of* the great scientist. 그 위대한 과학자를 기리어 흉상이 세워졌다. ***on*** 〔***upon***〕 ***my*** ~ 맹세코, 명예를 걸고. ***pledge*** one'***s*** ~ 자신의 명예를 걸고 맹세하다. ***put*** a person ***on*** his ~ 아무를 명예를 걸고 맹세케 하다. ***the*** ~***s of war*** 항복한 적에게 베푸는 특전. ***to*** a person'***s*** ~ 아무의 명예가 되어, 아무에게 면목을 세워 주어: It was greatly *to* his ~ that he refused the reward. 그 보상을 거절하여 그의 면목을 크게 세워 주었다. ***with*** ~ 훌륭하게; 예로써.
—*vt.* **1 존경**〔존중〕**하다**(respect), …에게 경의를 표하다: an ~*ed* guest 빈객. **2** 《+[목]+[전]+[명]》 …에게 **명예를 주다**; 영광을 주다《***with, by*** …의》; …에게 수여하다《***with*** 〔상 · 훈장 · 관직 따위〕를》: Will you ~ me *with* a visit? 저희 집을 한 번 방문해 주시겠습니까 / Would you ~ us *by* sharing our dinner tonight? 오늘 밤 함께 만찬을 들고 싶습니다만 / Will you join us? — Why, I'd be ~*ed* to. 우리와 자리를 함께 하시겠습니까—네, 영광이고말고요 / ~ a person *with* a title 아무에게 칭호를 수여하다 / ~ a person *with* a medal 아무에게 훈장을 수여하다. **3** 승낙하다, 삼가 받다: ~ an invitation 경건히 초대를 받다. **4** 〖상업〗 (어음)을 인수하다, (기일에) 지급하다; (입장권 · 표 등)을 유효로 (간주)하다: ~ a check 수표를 인수하다 / The hotel ~*s* all major credit cards. 그 호텔에서는 주요 신용카드는 다 쓸 수 있다.
[파] **hón·ored** *a.* 명예의, 영예로〔영광〕으로 여기는. **~·er** *n.* [C] 영예를 주는 사람.

‡hon·or·a·ble [ánərəbəl/ɔ́n-] *a.* **1 a 명예 있는**, 명예로운; 명예를 손상치 않는: an ~ death 명예로운 죽음 / win ~ distinctions 명예의 훈공을 세우다. **b** 명예를 표창하는: ⇨ HONORABLE MENTION. **2 존경할 만한**, 훌륭한; 수치를 아는, 올바른(upright): an ~ leader 존경할 만한 지도자 / ~ conduct 훌륭한 행위 / His behavior is always ~. —That's why we can trust him. 그의 행동은 늘 존경할 만 해요—그래서 그분을 믿지요. **3** 고귀한, 고결한, 고위의, 이름 높은: an ~ duty 고귀한 직책 / an ~ family 명문. **4** (H-) 사람의 이름에 붙이는 경칭《생략: Hon.》.

> [NOTE] 이름 앞에 붙이는 Honorable이란 경칭은 미국에서는 양원 의원 · 주의원 등에게, 영국에서는 각료 · 고등 법원 판사 · 하원 의장; 식민지 행정관 · 궁녀 · 백작 이하의 귀족의 자제에게 붙인다: the *Honorable* Mr. Justice Smith 스미스 판사님.

the Most Honourable 《英》 후작(侯爵)〔Bath 훈위〕 소유자의 경칭《생략: Most Hon.》. ***the Right Honourable*** 《英》 백작 이하의 귀족 · 추밀 고문관 · 런던 시장에 대한 경칭《생략: Rt. Hon.》.
[파] **°-bly** *ad.* 존경받도록, 훌륭히; 올바르게, 정당하게: be ~ discharged (from ...) (…에서) 명예 퇴직〔제대〕하다.

hónorable díscharge 〖美군사〗 (무사고 · 만기의) 명예 제대 (증명서).

hónorable méntion (전시회의) 선외 가작(選外佳作).

hon·o·rar·i·um [ànərέəriəm/ɔ̀n-] (*pl.* **~s, -ia** [-iə]) *n.* [C] (명예직 등의) 보수; 사례(금)《특히 받는 쪽에서 청구하지 않음이 관례》.

hon·or·ary [ánərèri/ɔ́nərəri] *a.* **1** 명예(상)의, 명예직의, 직함만의《실권 · 직무 따위가 없는 것》: an ~ degree 명예 학위 / an ~ member 〔office〕 명예 회원〔직(職)〕. **2** (부채 따위가 법적이 아닌) 도의상의.

hónor bòx 《美》 (길모퉁이 등의) 무인 신문 판매대.

hon·or·if·ic [ànərífik/ɔ̀n-] *a.* 존경의, 경의를 표하는, 경칭〔존칭〕의. **—***n.* [C] **1** 경어. **2** 경칭.

hónor ròll 《美》 **1** 수상자 일람, (초등〔중〕학교의) 우등생 명부. **2** 전사자 명부, 재향 군인 명부.

hónor sỳstem (흔히 the ~) 무감독 시험 제도, (교도소의) 자주 관리 제도.

honour ⇨ HONOR.

hónours líst 《英》 (매년 1 월 1 일과 여왕 탄생일에 발표되는) 서작(敍爵)자〔서훈(敍勳)자〕 명단; 우등생 명단.

hooch [huːtʃ] *n.* [U] (낱개는 [C]) 《美속어》 술, 위스키; 《특히》 (밀조) 위스키.

hood**[1] [hud] *n.* [C] **1 두건**; (외투 따위의) 후드; 대학 예복의 등에 드리는 천. **2** 두건 모양의 물건; (사냥 매 · 말의) 머리씌우개; (타자기 등의) 덮개; 《美》 (자동차의) 엔진 뚜껑(《英》 bonnet); 《英》 (자동차의) 지붕; 굴뚝의 갓; 마차 따위의 포장; 포탑(砲塔)의 천개(天蓋); (승강구 · 천창 따위의) 덮개, 뚜껑; 〖사진〗 후드《렌즈용 테》; (코브라의) 둥글넓적한 목. **—vt.* **1** …에 후드를 달다, 후드로 덮다. **2** 《+[목]+[전]+[명]》 …을 덮어 가리다; …에 눈가리개를 하다《***with*** …으로》. [파] **∠·like** *a.*

hood[2] *n.* 《美속어》 =HOODLUM.

-hood [hùd] *suf.* '신분, 계급, 처지, 상태; …들, 집단' 등의 뜻: child*hood*, priest*hood*, likeli*hood*, man*hood*.

hóod·ed [-id] *a.* **1** 두건을 쓴; 두건 모양의; 포장〔덮개〕 달린. **2** (눈이) 반쯤 감긴. **3** 〖식물 · 동물〗 모자 모양의, 두건 모양의 도가머리가 있는.

hood·lum [húːdləm, húd-] *n.* [C] 불량 소년, 건달, 깡패, 폭력단원.

hoo·doo [húːduː] 《구어》 (*pl.* **~s**) *n.* [C] **1** 재수 없는 사람〔물건〕; 액병의 신; 불운. **2** =VOODOO. **—***vt.* …을 불길하게 하다; (아무)에게 불

운을 초래하다. ⓟ ~·ism *n*. =VOODOOISM.

hóod·wink *vt*. (남)의 눈을 속이다(blindfold); 현혹시키다. ⓟ ~·er *n*.

hoo·ey [hú:i] *n*. Ⓤ 《美구어》 허튼소리, 터무니없는 말; 되잖은 짓. —*int*. 바보 같은.

*__hoof__ [hu:f, huf] (*pl*. **~s, hooves** [hu:vz, huvz]) *n*. Ⓒ **1** (말 따위의) **발굽**; (굽 있는 동물의) 발. **2** 《우스개》 (사람의) 발(foot). ***on the*** ~ (가축이) 살아 있는; 생생한: buy cattle *on the* ~ 살아 있는 소를 사다. ***under the*** ~ 짓밟혀.
—*vi*. 《구어》 걷다; 《속어》 (특히 탭댄스를) 춤추다. —*vt*. 《구어》 굽으로 차다; 《英속어》 (아무)를 쫓아내다: be ~*ed* 채다; (지위 · 직에서) 쫓겨나다. ~ ***it*** 《속어》 ① 춤추다. ② 걷다, 도보 여행하다.

hóof·bèat *n*. Ⓒ 발굽 소리.

hoofed [-t] *a*. **1** 발굽 있는: a ~ animal 발굽 있는 동물. **2** 〖보통 합성어〗 (…의) 발굽 모양을 한: broad-*hoofed* 발굽이 넓은.

hóof·er *n*. Ⓒ 《美속어》 (직업) 탭댄서.

hoo-ha [hú:hà:] *n*. Ⓤ 《속어》 (쓸데없는 일에 의) 안달복달; 대소동. —*int*. 《구어》 와아《떠드는 소리》.

hook [huk] *n*. Ⓒ **1 a 갈고리, 훅**; 걸쇠; 'ㄱ'자 꼴의 것; (수화기를 거는) 걸이 부분: a clothes ~ 양복걸이. **b** 호크, 멈춤쇠; 경첩(의 고정부). **c** 낚싯바늘(fishhook); 올가미: a ~ and line 낚시 달린 낚싯줄. **2 a** 갈고리 모양의 것; 초승달 모양의 낫; 〖해사〗 《속어》 닻. **b** 〖동 · 식물〗 갈고리 모양의 기관〔돌기〕; (*pl*.) 《속어》 손(가락). **c** 갈고리 모양의 곶〔사주〕; (하천의) 굴곡부. **d** 인용부, 작은따옴표《' '》; 〖음악〗 음표 꼬리《♪의 꼬리 부분》. **3** 〖야구〗 커브; 〖골프〗 좌곡구(左曲球); 〖권투〗 훅; 〖아이스하키〗 =HOOK CHECK.
by ~ ***or*** (***by***) ***crook*** 기어코, 어떻게 하든: He's determined to succeed *by* ~ *or crook*. 그는 어떻게 해서든 성공하려고 결심했다. ***get*** one***'s*** ~***s into*** 〔***on***〕 ... 《구어》 (여자가 남자)의 마음을 끌다, …을 사로잡다. ***get the*** ~ 《美구어》 해고되다. ***give*** a person ***the*** ~ 《美구어》 아무를 해고하다. ~***, line, and sinker*** 《구어》 완전히, 감쪽같이: swallow a person's story ~, *line, and sinker* 아무의 말을 곧이곧대로 믿다. ***off the*** ~ 《구어》 책임〔위기, 곤란〕을 벗어나; (전화) 수화기가 제자리를 벗어나서: He let us *off the* ~. 그는 우리를 궁지에서 구해 주었다. ***off the*** ~***s*** 《英속어》 죽어서. ***on*** one***'s own*** ~ 《구어》 혼자 힘으로. ***on the*** ~ 《英속어》 《특히 도망갈 길 없이》 궁지에 빠져서. ***take*** 〔***sling***〕 one***'s*** ~ 《英속어》 도망치다.
—*vt*. **1** 《~+목/+목+전+명》 (갈고리처럼) 구부리다: ~ one's finger 손가락을 구부리다 / ~ one's arm *through* another's 팔을 구부려 다른 사람과 팔짱을 끼다. **2** 《~+목/+목+부》 (옷 따위)를 훅으로 채우다; (아무)의 옷을 훅으로 채우다(*up; on*): ~ (*up*) a skirt 스커트의 훅을 채우다 / Would you ~ me up? 훅을 좀 채워 주겠느냐. **3** 《+목+전+명》 갈고리로 걸다: ~ a dress *over* 〔*on*〕 a nail 옷을 못에 걸다. **4** 낚시로 낚다; 《비유적》 (아무)를 올가미로 호리다; (여자가 남자)를 용케 붙잡다, 걸려들게 하다: ~ a fish 물고기를 낚다 / ~ a rich husband 부자 남편을 호려 붙잡다. **5** 《속어》 슬쩍 후무리다, 훔치다. **6** 〖권투〗 …에게 훅을 넣다; 〖골프〗 (공)을 좌곡구(左曲球)로 치다; 〖야구〗 커브로 던지다.
—*vi*. **1** (갈고리처럼) 굽다. **2** 《~/+부》 (옷이) 훅으로 채워지다〔채우게 돼 있다〕(*up; on*): a dress that ~s (*up*) at the back 등 뒤를 훅으로 채우는 드레스. **3** 〖야구〗 커브로 던지다.
~ ***it*** 《속어》 도망치다. ~ ***up*** 《*vt*.+부》 ① (물건)을 갈고리로 걸다〔드리우다〕. ② (라디오 · 전화 따위)를 접속시키다《***to*** (전원 · 전화국)에》: ~ *up* a printer *to* a computer 프린터를 컴퓨터에 접속시키다. —《*vi*.+부》 ③ 훅으로 채워지다. ④ 《구어》 결합하다; 잇다《***with*** …와》.

hooka, hook·ah [húkə] *n*. Ⓒ 수연통(水煙筒)《물을 통하여 담배를 빨게 된 장치》.

hóok-and-ládder trùck [-ən-] 《美》 사다리 소방차(ladder truck).

hóok chèck 〖아이스하키〗 훅 체크《상대의 puck을 자기 스틱의 굽은 부분으로 눌러 뺏음》.

hooked [-t] *a*. **1** 갈고리 모양의〔으로 굽은〕: a ~ nose 매부리코. **2** 갈고리가〔훅이〕 달린. **3** Ⓟ 갈고리에 걸린, 걸린《***on*** …에》: Your coat has got ~ *on* a nail. 코트가 못에 걸렸다. **4** Ⓟ 《속어》 중독이 된, 빠진; 열중한《***on*** …에》: He's ~ *on* jazz. 그는 재즈에 빠져 있다 / Do you like video games?—Yes, I'm ~ *on* them. 비디오 게임 좋아합니까—네, 그것에 열중해 있어요. **5** 《속어》 결혼한, 기혼의.

hóoked schwá ⇨SCHWA.

hóok·er[1] [húkər] *n*. Ⓒ 〖해사〗 **1** 네덜란드의 두대박이 범선; 아일랜드 · 잉글랜드의 외대박이 어선. **2** 《속어》 구식〔고물〕 배.

hóok·er[2] *n*. Ⓒ **1** 갈고리로 걸어당기는 사람〔것〕. **2** 《속어》 매춘부; 사기꾼, 프로 도박사. **3** 《속어》 다량의 술. **4** 〖럭비〗 후킹하는 선수.

hook(·e)y[1] [húki] *n*. Ⓤ 〖다음 관용구로〗 ***play*** ~ 《美구어》 학교를 빼먹다, 농땡이 부리다.

hook(·e)y[2] *a*. **1** 갈고리가 많은; 갈고리 모양의. **2** 《속어》 매력적인; 《속어》 훔친.

hóok·nòse *n*. Ⓒ 매부리코; 《美속어 · 경멸적》 유대인. ⓟ **hóok-nòsed** *a*. 매부리코의.

hóok·ùp *n*. Ⓒ **1** (방송국 간의) 연결, 중계; 방송국 망(網): a nationwide ~ 전국 중계 방송. **2** 《구어》 (종종 대립한 국가 · 당파 간의) 제휴, 동맹, 협력, 친선. **3** (라디오 · 전화 등의) 조립, 접속; 접속도(圖); 접속 장치.

hóok·wòrm *n*. Ⓒ 십이지장충《장에 기생하는 선충》; Ⓤ 십이지장병.

hoo·li·gan [hú:ligən] *n*. Ⓒ **1** 무뢰한, 깡패, 불량 소년(hoodlum): a ~ gang 폭력단, 불량배. **2** 《英》 축구장 난동꾼: football ~*s*.
ⓟ ~·ism *n*. Ⓤ 난폭, 폭력; 깡패 기질.

°**hoop** [hu:p, hup] *n*. Ⓒ **1** (통 따위의) 테, 쇠고리, (장난감의) 굴렁쇠. **2** 테모양의 것; (농구의) 링; (서커스의 동물이 뛰어넘는) 테; 반지. **3** (옛날 여자의 스커트 폭을 벌어지게 하는 데 쓰인) 고래뼈 · 등나무 따위의 버팀테. **4** (보통 *pl*.) =HOOP SKIRT. **5** 〖크로켓〗 문《공을 통과시키는 역U자 모양의 작은 문》. ***go through the*** ~(***s***) 《구어》 시련을 겪다, 고생하다. ***jump through a*** ~ 《구어》 무엇이든 시키는 대로 하다. ***put*** a person ***through the*** ~ 《구어》 아무를 단련하다; 아무에게 본때를 보여 주다.
—*vt*. …에 테를 두르다; (테)를 둘러싸다.

hoop·la [hú:plɑ:] *n*. Ⓤ 《英》 고리던지기《놀이》; 《美구어》 대소동; 요란한 선전.

hoo·poe, -poo [hú:pu:] *n*. Ⓒ 〖조류〗 후투티《후투팃과의 유럽산 새》.

hóop skìrt 후프 스커트《버팀테로 버티어 펼친 스커트》.

hoo·ray [huréi] *int.*, *n.*, *vt.*, *vi.* =HURRAH.

hoos(e)·gow [hú:sgau] *n.* Ⓒ 《美속어》 교도소, 유치장.

Hoo·sier [hú:ʒər] *n.* Ⓒ 《美》 Indiana 주의 주민《별명》; (h-) 《속어》 변경의 주민, 시골뜨기.

hoot [hu:t] *vi.* **1** (올빼미가) 부엉부엉 울다. **2** (기적·자동차의 경적 등이) 울리다. **3** 야유하다, 야료하다《경멸·분노하여》《***at, to*** (아무)를》: ~ *at* 〔*to*〕 a person. **—***vt.* 야유하다; 야유하여 쫓아버리다 (*away; off; out; down*)《***off*** …에서》: ~ a person *away* 〔*out*〕 아무를 소리쳐서 쫓아버리다 / The audience ~*ed* the speaker *down* 〔*off* the platform〕. 청중은 연사를 야유하여 연단에서 몰아냈다.

—*n.* Ⓒ **1** 올빼미 울음소리, 부엉부엉; 뛰, 삐이《고동·경적 소리》: The ship gave two ~*s*. 배는 두 번 고동을 울렸다. **2** 야유 소리, 조소〔반대〕의 고함. **3** 《구어》 우스꽝스러운 것, 무척 재미있는 일〔것〕: The whole performance was a ~. 그 상연된 극은 전체적으로 매우 재미있는 것이었다. **4** 〖보통 부정문〗 《구어》 무가치한 것, 소량: I do*n't* give 〔care〕 a ~ 〔two ~*s*〕. 조금도 상관없다 / *not* matter 〔worth〕 a ~ 〔two ~*s*〕 문제도 안 되다〔한 푼의 가치도 없다〕.

hoot·en·an·ny [hú:tənæ̀ni] (*pl.* ***-nies***) *n.* Ⓒ 《美》 (댄스·포크송 등의) 격식을 차리지 않은 모임〔파티〕; (이름을 모를 때) '뭐더라'. ***not give a*** **~** 전혀 관계 않다.

hóot·er *n.* Ⓒ 기적, 경적; 《英속어》 코(nose).

hóot òwl 〖조류〗 (특히 울음소리가 큰 각종) 올빼미.

Hoo·ver [hú:vər] *n.* **Herbert Clark ~** 후버《미국 제31대 대통령; 1874–1964》.

Hoo·ver *n.* (H-) Ⓒ 후버 전기 청소기(《美》 vacuum cleaner)《상표명》. **—***vt.* (h-) 《英》 후버 청소기로 청소하다(*up*).

Hóo·ver Dám (the ~) 후버 댐《미국 Nevada, Arizona의 두 주에 걸친 Colorado강의 큰 댐; 1936년 완공》.

hooves HOOF의 복수.

ᵗhop[1] [hɑp/hɔp] (***-pp-***) *vi.* **1** 《~/+부/+전+명》 **뛰다**, 한 발로 뛰다, (새 따위가 발을 모으고) 깡충 뛰(어다니)다: ~ *about* 깡충깡충 뛰어다니다 / ~ *out of* bed 침대에서 깡충 뛰어내리다. SYN. ⇨JUMP. **2** 《+부/+전+명》 단기 여행을 하다; (비행기로) 가다: I'll ~ *down to* the city. 시내에 잠깐 다녀와야지. **3** 《+부》 《구어》 이륙하다(*off*): The jet plane is ready to ~ *off*. 제트기는 막 이륙하려는 참이다.

—*vt.* **1** (도랑·울타리 따위)를 뛰어넘다: ~ a fence 울타리를 뛰어넘다. **2** 《구어》 (기차 등)에 뛰어 오르다〔타다〕: ~ a train 기차에 뛰어오르다. **3** 《구어》 (비행기로) 날아넘다, 횡단하다.

> **DIAL.** ***Hop it!*** 《英》 나가라; 꺼져라.
> ***Hop to it!*** 《美》 빨랑빨랑 해라.

—*n.* Ⓒ **1** 한 발로 뛰기, 앙감질; (토끼·새 따위가) 깡충 뜀. **2** 《구어》 이륙; (장거리 비행의) 한 항정(航程)(stage); 비행; 《구어》 단거리 여행. **3** 《구어》 댄스 (파티). **4** (공의) 튐: catch a ball on the first ~ 원 바운드에 공을 잡다.

~, skip, and jump ① (a ~) 《美》 근거리, 바로 가까이: only a ~, *skip*, *and jump* from home. ② =~, step, and jump. ***~, step, and jump*** (the ~) 〖경기〗 세단뛰기(triple jump). ***on the*** **~** 《구어》 ① 《英》 현장을 불시에; 준비 없이, 방심하여: catch a person *on the* ~ 아무를 불시에 덮치다. ② 바쁘게 (돌아다니며); 떠들고〔뛰어〕 다니며: keep a person *on the* ~ 아무를 계속 바쁘게 하다.

°hop[2] *n.* Ⓒ 〖식물〗 홉; (*pl.*) 홉 열매; Ⓤ 《美속어》 마약《헤로인·아편》.

—(***-pp-***) *vt.* **1** …에 홉으로 풍미(風味)를 내다. **2** 《美속어》 …에게 마약을 먹이다, (경주마)에게 흥분제를 주다, 〖일반적〗 …을 자극〔격려〕하다 (*up*). **3** 《美속어》 (엔진 등의) 출력을 강화하다 (*up*).

†hope [houp] *n.* **1** Ⓤ (또는 *pl.*) **희망**, 소망. ↔ *despair*. ¶ Don't give up ~. 희망을 잃지 마라 / All ~ is gone. 모든 희망이 사라졌다 / Don't get your ~*s* up. 지나치게 낙관하지 마라; 기뻐하기에는 너무 이르다 / While there is life there is ~. 《속담》 목숨이 있고서야 희망도 있다. **2** Ⓤ (또는 *pl.*) 기대, 가망《***of*** …의; ***for*** …에 대한 / ***that***》: my ~ *of* winn*ing* the race 내가 경주에 이길 가망 / She has no ~*s for* her son. 그 여자는 자식에게 아무런 기대도 없다 / I have good ~ *that* she will soon be well again. 그녀가 곧 회복될 가망은 충분히 있다. **3** Ⓒ (흔히 *sing.*) 희망을 주는〔갖게 하는〕 사람〔물건〕, 희망의 대상: She's the ~ *of* her family. 그 여자는 그녀 일가의 희망이다 / He's my last ~. 그는 나의 마지막 희망이다.

be past 〔***beyond***〕 ***all*** **~** 전혀 가망이 없다. ***hold out*** **~** 희망을 품게 하다《***to*** (아무)에게》: The airline *held out* (*to* the relatives) the ~ *that* some passengers might have survived. 항공회사는 몇 명의 승객이 생존해 있을지도 모른다는 희망을 (친족들에게) 품게 했다. ***in*** **~(*s*)** ***of*** …에 대한 희망을 품고; …을 기대하고: I came here *in* ~(*s*) *of* catch*ing* a glimpse of the Queen. 여왕님의 모습을 한 번 보고 싶다는 기대감을 품고 여기 왔었습니다. ***in*** **(*the*)** **~** ***of*** …을 희망하여, 바라고: Very few people join in a conversatin *in the* ~ *of* learn*ing* anything new. 뭔가 새로운 것을 배우려고 회화에 참가하는 사람들은 극히 적다. ***in*** **(*the*)** **~** ***that*** …라는 것을 희망하여, 바라서: I enclose some books *in the* ~ *that* they will help you to pass the time in (《美》 the) hospital. 병원에서 소일거리에 도움이 될거라고 생각하여 책 몇권을 동봉합니다.

> **DIAL.** ***Not a hope!*** =***Some hope!*** =***What a hope!*** 전혀 가망이 없다: Will he pass the driving test? — *Some hope!* 그가 운전 시험에 합격할까요 — 아마도〔전혀〕 가망 없겠네.

—*vt.* **1** 《+(*that*) 절/+*to* do》 **바라다**, 기대하다; (…하고 싶다고〔…이라면 좋겠다고〕) 생각하다 / I ~ *to* see you again. 또 만나뵙기를 바랍니다 / I had ~*d* (*that*) I would 〔should〕 meet him. 그와 만나고 싶다고 생각했다. **2 a** 《+(*that*)》 〖I를 주어로 하여〗 (…이라고) 믿다, 생각하다: I ~ you'll be able to come. 와 주시리라고 믿습니다 / I ~ (*that*) you (will) like it. 마음에 드실 줄 믿습니다. **b** 〖I ~로 주문장에 병렬적 또는 삽입적으로 써서〗 …이겠지요: It will be fine today, I ~. 오늘은 날씨가 좋겠지요. ★ 나쁜 일에는 I fear나 I am afraid를 씀. SYN. ⇨EXPECT.

—*vi.* **1** **희망을 갖다**: We are still *hoping*. 우리는 아직 희망을 갖고 있다. **2** 《+전+명》 바라다, 기대하다《***for*** …을》: I'm *hoping for* a good crop this year. 금년에는 풍작을 기대한다 / That's something to be ~*d for*. 그것이 바로 바라는 바입니다.

~ *against* ~ 요행을 바라다; 헛바라다. **~ *for* (*the*) *best*** 낙관하다; 최후까지 희망을 잃지 않다: There's nothing we can do but ~ *for the best*. 잘 될 수 있기를 바라는 수밖에 없습니다. ***I ~ not.*** 그렇지 않기를 바란다: Won't it hurt him?—*I ~ not*. 그것으로 그가 기분 상하지 않을까—괜찮겠지.

hópe chèst 《美》 처녀의 혼수감(함)(《英》 bottom drawer).

⁑**hope·ful** [hóupfəl] *a*. **1** 희망이 있는, 전망이 밝은, 전도유망한: a ~ prospect of economic recovery 경기 회복의 밝은 전망. **2 a 희망에 차 있는**: ~ words 희망에 찬 말. **b** Ⓟ 희망을 품고 있는《***of, about*** …에》: I'm ~ *of* convincing him. 그를 납득시킬 수 있다고 생각하고 있다/He feels ~ *about* the future. 그는 장래를 낙관하고 있다. **c** Ⓟ (…라는 것을) 기대하는《***that***》: I am ~ *that* he will recover. 그가 회복하리라는 것을 기대한다. **3** Ⓟ 〖반어적〗《英구어》 설마: "Do you think there will be a pay rise this year?"—"You're ~!" 금년에 봉급이 오를 거라고 생각하십니까—설마.

—*n*. Ⓒ 전도유망한 사람; (당선) 유력한 후보; 우승을 노리는 선수〔팀〕: a young ~ 장래가 촉망되는 젊은이; 〖반어적〗 앞날이 걱정되는 젊은이. ㊕ **~·ness** *n*.

hópe·ful·ly *ad*. **1** 유망하게, 희망을 걸고. **2** 〖문장 전체를 수식하여〗 잘 되면; 아마: *Hopefully*, I shall finish my work by December. 잘 되면, 12월까지 일을 마칠겁니다.

⁑**hope·less** [hóuplis] *a*. **1 희망 없는**, 희망을 잃은; 절망한《***of*** …에》: have a ~ feeling about …에 절망감을 안고 있다/The laborers were ~ *of* getting jobs. 노동자들은 취업을 단념하고 있었다.

SYN. **hopeless** 구제할 도리가 없는, 주로 상황에 대해 씀: a *hopeless* situation 〔case of cancer〕 어찌해 볼 도리가 없는 정세〔나을 가망이 없는 암(환자)〕. **despairing, despondent** 사람·사람의 행위·표정 따위에 대해 씀. despairing은 이지적 판단에서 오는 절망. despondent는 정서적인 실망 상태: *despairing* of finding a remedy 치료 방법이 이젠 없을 거라고 절망적이 되어. a *despondent* look 낙심한 얼굴. **desperate** 사람 및 상황 양쪽에 씀. 아무래도 가망이 없으므로 자포자기가 되지 않을 수 없는: a *desperate* criminal 자포자기가 된 범인.

2 절망적인(desperate); 가망이 없는《***of*** …의》: a ~ case 회복의 가망이 없는 증상〔환자〕/Economic conditions in that country are quite ~. 그 나라의 경제 상태는 절망적이다/The situation seems ~ *of* improvement. 그 사태는 호전될 가망이 보이지 않는다.

3 《구어》 **a** 아무 쓸모없는, 어찌할 도리가 없는: a ~ fool 어쩔 도리가 없는 바보. **b** Ⓟ 무능한, 서투른《***at, with*** …이》: I'm ~ *at* foreign languages. 나는 외국어가 아주 서툴다.

㊕ °**~·ly** *ad*. 희망을 잃고, 절망하여, 절망적으로. **~·ness** *n*.

hóp·hèad *n*. Ⓒ 《美속어》 마약 중독자.

Ho·pi [hóupiː] (*pl*. **~, ~s**) *n*. **1** (the ~(s)) 호피족《미국 Arizona주 북부에 사는 Pueblo족》. **2** Ⓒ 호피족의 사람; Ⓤ 호피어(語).

Hop·kins [hápkinz/hɔ́p-] *n*. **Gerard Manley** ~ 홉킨스《영국의 시인; 1844–89》.

hop-o'-my-thumb [hápəmaiθʌ́m/hɔ́p-] *n*. Ⓒ 난쟁이(dwarf).

hóp·per[1] *n*. Ⓒ **1** 〖보통 합성어로〗 **a** 뛰는 사람, 한 발로 뛰는 사람, 앙감질하는 사람. **b** 뛰는 벌레《메뚜기·벼룩 등》; 뛰는 동물《캥거루 따위》: ⇨GRASSHOPPER. **c** (차례차례) 돌아다니는 사람. **2** 저탄기(貯炭器)·제분기(따위)의 깔때기 모양의 아가리, 호퍼. **3** (석탄·자갈 따위를 운반하는) 개저식(開底式) 배.

hóp·per[2] *n*. Ⓒ 홉을 따는 사람, 홉 즙을 내는 통.

hóp·pìcker *n*. Ⓒ 홉 따는 사람〔기계〕.

hóp·ping *a*. 깡충깡충 뛰는; 절름발이의; 바쁘게 움직이는; 여기저기 돌아다니는. **~ *mad*** (펄펄 뛸 정도로) 몹시 노한《***about, over, at*** …에》. ***keep*** a person **~** (아무)를 바쁘게 해 두다, 뛰어 돌아다니게 해 두다.

hop·scotch, hop·scot [hápskàtʃ/hɔ́pskɔ̀tʃ], [hápskàt/hɔ́pskɔ̀t] *n*. Ⓤ 돌차기 놀이.

ho·ra, ho·rah [hɔ́ːrə] *n*. Ⓒ 루마니아·이스라엘의 원무(圓舞)(곡).

Hor·ace [hɔ́ːrəs, hár-/hɔ́ːris, hɔ́-] *n*. **1** 호러스《남자 이름》. **2** 호라티우스《로마의 서정 시인; 65–8 B.C.》.

Ho·ra·tian [houréiʃən/hə-] *a*. 로마의 시인 Horace(풍)의: ~ ode, Horace풍의 시.

°**horde** [hɔːrd] *n*. **1** Ⓒ 유목민의 무리; 유랑민의 떼. **2** 〔a ~ of … 또는 ~s of로〕 대집단, 군중, 대군(大群); (동물의) 이동하는 무리: *a ~ of* wolves 이리 떼.

⁑**ho·ri·zon** [həráizən] *n*. Ⓒ **1 수평선**, 지평선: The sun rose above 〔sank below〕 the ~. 해는 지평선에서 위로 떠올랐다〔아래로 졌다〕. **2** (보통 *pl*.) 범위, 한계; 시계, 시야《***of, in*** (사고·지식 등)의》: beyond one's intellectual ~*s* 자기의 지적 한계를 넘어서/broaden one's ~*s* 시야를 넓히다. ***on the* ~** ① 수평선 위에. ② (사건 따위가) 임박한; 긴박한: There's trouble *on the* ~. 귀찮은 일이 벌어지려 하고 있다.

⁑**hor·i·zon·tal** [hɔ̀ːrəzántl/hɔ̀rəzɔ́n-] *a*. **1 수평의**, 평평한, 가로의. ⓒⓕ vertical. ¶a ~ line 〔plane〕 수평선〔면〕/Bottles of wine should be kept ~. 포도주병은 옆으로 뉘어 놓아야 한다. **2** 수평선〔지평선〕(상)의. **3** (기계 따위의) 수평동(水平動)의. **—***n*. Ⓒ (보통 the ~) 지평〔수평〕선; 수평 위치; 수평면. ㊕ **~·ly** *ad*. 지평으로; 수평으로, 가로로.

horizóntal bár (체조용) 철봉(high bar).

hor·mo·nal [hɔ́ːrmounl] *a*. 호르몬의 (영향을 받은). ㊕ **~·ly** *ad*.

hor·mone [hɔ́ːrmoun] *n*. Ⓒ 〖생리〗 호르몬. ㊕ **~·like** *a*.

hor·mon·ic [hɔːrmánik/-mɔ́n-] *a*. =HORMONAL.

⁑**horn** [hɔːrn] *n*. **1** Ⓒ (소·양·사슴 등의) **뿔**; (달팽이 등의) 신축성 있는 뿔, 촉각, 각상 기관〔돌기〕. **2 a** Ⓤ 각질(角質), 각질 모양의 물질; 각재. **b** Ⓒ 뿔 제품: a drinking ~ 뿔로 만든 잔/a shoe ~ 구둣주걱. **3** Ⓒ **a** 〖종종 복합어로〗 **뿔피리**; 〖음악〗 호른. **b** (자동차 따위의) 경음기, 경적: sound one's ~ 경적을 울리다. **4** Ⓒ 뿔모양의 물건; 나팔형 안테나; 초승달의 한쪽 끝; 모래톱〔곶 등〕의 선단. **5** (the H-) =CAPE HORN.

be on the ~s of a dilemma ⇨DILEMMA. ***blow*** one's (***own***) **~** 《美》 자랑을 늘어놓다, 자화자찬

(自畫自讚)하다. **draw** 〔**haul, pull**〕 **in** one**'s** ~**s** 슬금슬금 움츠리다, (기가 죽어) 수그러지다, 자숙(自肅)하다. **lock** ~**s** 의견을 달리하다, 다투다《**with** …와》. **show** one**'s** ~**s** 본성을 드러내다. **take the bull by the** ~**s** ⇨ BULL¹. **wear the** ~**s** (남편이) 부정한 아내를 갖다.

— *vt.* **1** 뿔로 받다. **2** …에 뿔이 나게 하다. **3** 뿔을 뽑다. — *vi.* 《구어》 중뿔나게 나서다, 간섭하다. ~ **in** 《*vi.*+뭐》《속어》 끼어들다, 간섭하다 《**on** …에》: ~ *in on* a local matter 지역 문제에 개입하다. ㊀ **∠·like** *a.*

hórn·bèam *n.* Ⓒ 〖식물〗 서나무속(屬)《자작나뭇과의 낙엽수》; Ⓤ 그 목재.

hórn·bìll *n.* Ⓒ 〖조류〗 코뿔새.

Horn·by [hɔ́ːnbi] *n.* **Albert S.** ~ 혼비《영국의 영어 교육가; 사전 편찬가; 1898–1978》.

horned [hɔːrnd, 《시어》 hɔ́ːrnid] *a.* **1** 〖종종 합성어로〗 뿔 있는: a large-~ deer 뿔이 큰 사슴. **2** 뿔 모양의: a ~ moon 초승달.

hórned ówl 〖조류〗 부엉이.

hor·net [hɔ́ːrnit] *n.* Ⓒ 〖곤충〗 말벌. **bring** 〔**raise**〕 **a** ~**s' nest about** one**'s ears** =**stir up a** ~**'s** 〔~**s'**〕 **nest** 《구어》 사방으로부터 맹공격〔비난〕을 초래하다, 말썽을 일으키다.

hórn·less *a.* 뿔 없는; 나팔 없는《축음기 등》.

hórn·pìpe *n.* Ⓒ **1** (양끝에 뿔이 달린) 나무피리. **2** (영국 선원 사이에 유행했던) 활발한 춤(곡).

hórn-rímmed *a.* (안경이) 대모〔뿔〕테의《금테, 무테 등에 대해》.

horny [hɔ́ːrni] (**horn·i·er; -i·est**) *a.* **1** 뿔의, 뿔 모양의; 각질의; 뿔로 만든; 뿔(모양의 돌기) 있는; 뿔처럼 단단〔딱딱〕한: ~ hands 거칠고 억센 손. **2** 《속어》 (남자가) 성적으로 흥분한, 발정한, 호색의.

hor·o·loge [hɔ̀ːrəlòudʒ, -lɑ̀dʒ, hɑ́r-] *n.* Ⓒ (옛날에) 시각을 쟀던 기기《특히 원시적 측시기》.

ho·rol·o·gy [hɔːrɑ́lədʒi, hɑr-] *n.* Ⓤ 시계학; 시계 제조술; 측시법(測時法).

hor·o·scope [hɔ́ːrəskòup, hɑ́r-] *n.* Ⓒ 점성; 점성용 천궁도(天宮圖), 12궁도(宮圖). **cast a** ~ 운세도를 만들다; 별점을 치다.

㊀ **hór·o·scòp·er** *n.* Ⓒ 점성가.

ho·ros·co·py [hɔːrɑ́skəpi, hou-] *n.* Ⓤ 점성술; 출생시의 별의 위치; 천궁도.

hor·ren·dous [hɔːréndəs, hɑr-] *a.* 무서운, 끔찍한, 무시무시한: ~ weather 끔찍한 날씨. ㊀ ~**·ly** *ad.*

***hor·ri·ble** [hɔ́ːrəbəl, hɑ́r-] *a.* **1** **무서운**, 끔찍한, 모골이 송연해지는: a ~ monster 무서운 괴물. **2** 《구어》 잔혹한, 오싹하도록 싫은, 실로 지독한: ~ weather 지독한 날씨/a ~ sight 무서운 광경.

SYN. **horrible** 무서워서 모골이 송연해지는 상태. **horrid** horrible보다는 뜻이 약하고 혐오감이 있음.

㊀ ~**·ness** *n.*

hor·ri·bly [hɔ́ːrəbli] *ad.* **1** 무섭게, 끔찍하게, 기분 나쁘게. **2** 《구어》 심하게, 지독하게: It was ~ expensive. 그것은 지독하게 비쌌다.

***hor·rid** [hɔ́ːrid, hɑ́r-] *a.* **1** **무서운**; 꺼림칙한; 불길한: a ~ look 무서운 표정/a ~ fate 불길한 운명. SYN. ⇨HORRIBLE. **2** 《구어》 **매우 불쾌한**, 지겨운: ~ weather 지긋지긋한 날씨. **3** Ⓟ 불친절한, 모질게 대하는《**to** …에게》: She was ~ *to* the children. 그 여자는 아이들에게 모질게 굴었다. ◇ horror *n.* ㊀ ~**·ly** *ad.* ~**·ness** *n.*

hor·rif·ic [hɔːrífik, hɑr-] *a.* 무서운, 끔찍한. ㊀ **-i·cal·ly** *ad.*

hor·ri·fi·ca·tion [hɔ̀ːrəfikéiʃən, hɑ̀r-] *n.* **1** Ⓤ 공포, 전율. **2** Ⓒ 무서운〔끔찍한〕 것.

°**hor·ri·fy** [hɔ́ːrəfài, hɑ́r-] *vt.* **1** 소름끼치게 하다, 무서워 떨게 하다, 오싹하게 하다《★ 종종 수동태로 쓰며, 전치사는 *at, by*》: All the children *were horrified at* the ghost story. 아이들은 모두 유령 이야기를 듣고 무서워 떨었다. **2** 《구어》 …에게 혐오를〔반감을〕 느끼게 하다; …을 어이없게〔진절머리나게〕 하다《★ 보통 수동태》: Bill *was horrified* to learn the truth. 빌은 진상을 알고 어이없었다. ◇ horror *n.*

㊀ ~**·ing** *a.* 소름끼치는; 《구어》 어이없는. ~**·ing·ly** *ad.*

***hor·ror** [hɔ́ːrər, hɑ́r-] *n.* **1** Ⓤ **공포**, 전율: shrink back in ~ 기겁을 하여 물러서다/be filled with ~ at …에 전율하다/to one's ~ 두렵게도. **2** Ⓒ 오싹하게 하는 것〔사람〕; 참사, 잔혹(행위): Snakes are his ~ 〔a ~ to him〕. 그는 뱀이라면 질색한다/the ~*s* of war 전쟁의 참사. **3** (a ~) **혐오**, 몹시 싫음《**of** …에 대한》: He has an absolute ~ *of* meet*ing* strangers. 그는 모르는 사람을 만나는 것을 몹시 싫어한다. **4** Ⓒ 《구어》 **a** 정말 지독한 것: His clothing was a ~. 그의 옷차림은 꼴불견이었다. **b** 어찌할 도리가 없는 사람, 개구쟁이. **5** (the ~s) 《구어》 공포, 우울, (알코올 중독에 의한) 떨리는 발작. ◇ horrible, horrid *a.*

the Chamber of Horrors 공포의 방《본디 런던 Madame Tussaud의 흉악범의 납인형 진열실》. **throw up** one**'s hands in** ~ 두려움〔충격〕으로 망연자실하다.

— *a.* Ⓐ 공포를 느끼게 하는; 전율적인: a ~ fiction 공포 소설/a ~ film 〔comic〕 공포 영화〔만화〕.

hórror-strùck, -strìcken *a.* 공포에 질린; 오싹하는《**at** …에》: I was ~ *at* the sight. 그 광경을 보고 오싹했다.

hors de com·bat [ɔːrdəkɔ̃mbɑː] 《F.》 (부상하여) 전투력을 잃은.

hors d'oeu·vre [ɔːrdə́ːrvr] 《F.》 전채(前菜), 오르되브르《수프 전에 나오는 가벼운 요리》.

†**horse** [hɔːrs] (*pl.* **hórs·es** [-iz], 〖집합적〗 ~) *n.* **1** Ⓒ **말**; (성장한) 수말; 말과의 짐승《얼룩말, 당나귀 따위》. cf. colt(수망아지), filly(암망아지), foal(한 살 미만의 망아지), gelding(불깐 말), mare(암말), pony(작은 말), stallion(씨말), steed(군마(軍馬)). ¶ an entire ~ 씨말/Don't change ~*s* in the midstream. 《속담》 강(江) 가운데에서 말을 바꿔 타지 마라, 변절하지 마라, 일의 도중에서 사람〔계획〕을 바꾸지 마라/Hungry ~*s* make a clean manger. 《속담》 시장이 반찬/You can lead a ~ to water, but you cannot make him 〔it〕 drink. 《속담》 말을 물가에 데려갈 수는 있지만 억지로 물을 먹일 수는 없다《스스로 할 뜻이 없는 사람은 아무리 지도해도 소용이 없다》. **2** Ⓤ 〖집합적〗 기병, 기병대(cavalry): light ~ 경기병/a thousand ~ 기병 1,000기. **3** Ⓒ **a** 목마; 〖체조〗 안마. **b** 〖흔히 복합어로〗 접사다리, 톱질모탕, 빨래거는 틀(clotheshorse), 횃대, (가죽의) 무두질대. **4** Ⓒ (보통 *pl.*) 《구어》 마력(horsepower). **5** Ⓤ 《속어》 헤로인, 《널리》 마약. **6** Ⓒ 《美속어》 자습서(crib).

a ~ **of another** 〔**a different**〕 **color** 전혀 별개의

사항. ***a rocking*** ~ 흔들목마《어린이용》. ***back*** 〔***bet on***〕 ***the wrong*** ~ 《구어》 (경마에서) 질 말에 걸다; (모르고) 약한 쪽을 지지하다. ***beat*** 〔***flog***〕 ***a dead*** ~ 끝난 문제를 논의하다; 누구도 흥미를 못 느끼는 이야기를 계속하다; 헛수고하다. ***eat like a*** ~ 대식하다, 많이 먹다. ***from the*** ~***'s mouth*** 《구어》 가장 확실한 계통에서 들은, 직접 본인에게서. ***hold*** one***'s*** ~***s*** 《구어》 참다, (들뜬 마음을) 가라앉히다. ~ ***and foot*** = ~, ***foot and dragoons*** ① 보병과 기병, 전군. ② 전력을 다하여. ***look a gift*** ~ ***in the mouth*** ⇨ GIFT HORSE. ***on*** one***'s high*** ~ 뽐내어, 거만하게. ***play the*** ~***s*** 경마에 돈을 걸다, 경마를 하다. ***put*** 〔***set***〕 ***the cart before the*** ~ 본말을 전도하다; 순서를 거꾸로 하다. ***run before*** one***'s*** ~ ***to market*** 너구리 굴 보고 피물 돈 내 쓰다. ***To*** ~***!*** 《구령》 승마. ***work like a*** ~ 힘차게〔충실히〕 일하다.

> DIAL. ***Hold your horses!*** 허둥대지 마시오. ***I could eat a horse.*** 몹시 배고프다《말이라도 잡아먹겠다》.

—*a*. Ⓐ 말의; 말에 쓰는; 말 이용의; 기마의. —*vt*. **1** (마차)에 말을 매다. **2** 말에 태우다; 말로 나르다; (아무)에게 말을 준비하다. **3** (물건)을 있는 힘을 다하여 나르다. —*vi*. **1** 말에 타다; 말을 타고 가다. **2** 《+副》 《구어》 희롱거리다, 법석떨다(*around; about*).

hórse-and-búggy [-ən-] *a*. Ⓐ 《美》 마차 시대의; 낡은, 구식의.

horse·back** [hɔ́ːrsbæ̀k] *n*. Ⓤ **말 등**. 〖다음 관용구로만 사용〗. ***a man on ~ 강력한〔야심적인〕 지도자, 군사독재자. (***go***) ***on*** ~ 말 타고 (가다). —*ad*. **말을 타고**: ride 〔go〕 ~ 말을 타고 가다.

hórseback rìding 《美》 승마.

hórse blòck 승마용 발판.

hórse·bòx *n*. Ⓒ 《英》 (경마용) 마필 운송차.

hórse·brèaker *n*. Ⓒ 조마사(調馬師).

hórse·càr *n*. Ⓒ 《美》 (객차를 말이 끄는) 철도마차; 마필 운반차.

hórse chèstnut 〖식물〗 마로니에; 그 열매.

hórse·clòth *n*. Ⓒ 말에 입히는 옷.

hórse dòctor 마의(馬醫), 말 전문 수의사; 편자공(工).

hórse-dráwn *a*. 말에 끌린, 말이 끄는.

hórse·fèathers 《美속어》 *n*. Ⓤ 난센스, 엉터리. —*int*. 엉터리!

hórse·flèsh *n*. Ⓤ 말고기; 〖집합적〗 말.

hórse·flỳ *n*. Ⓒ 〖곤충〗 말파리, 쇠등에.

Hórse Guàrds 《英》 **1** (the ~) 근위기병 여단《3개 연대》. **2** (the ~) 〖단수취급〗 (런던 Whitehall에 있는) 영국 육군 총사령부《본래 근위기병여단 사령부》.

hórse·hàir *n*. Ⓤ **1** 말총《갈기털·꼬리털》. **2** 마미단(馬尾緞) (haircloth)《의자 방석 따위에 넣음》.

hórse·hìde *n*. **1** Ⓤ (무두질한) 말가죽; 말의 생가죽. **2** Ⓒ 《속어》 (경식) 야구공.

hórse látitudes (the ~) (북위〔남위〕 30도 부근의) 아열대 무풍대(無風帶).

hórse·làugh *n*. Ⓒ 홍소(哄笑)(guffaw).

hórse màckerel 〖어류〗 전갱이; 다랑어(tunny).

horse·man** [hɔ́ːrsmən] (*pl*. ***-men [-mən]) *n*. Ⓒ **승마자**, 기수; 마술가; 말 키우는 사람. ㊊ ~**·shìp** *n*. Ⓤ 마술(馬術).

hórse mùshroom 〖식물〗 식용 버섯의 일종.

hórse òpera 《美구어》 (텔레비전·영화의) 서부극; 《美속어》 서커스.

hórse·plày *n*. Ⓤ 야단법석, 난폭한 장난.

hórse·pònd *n*. Ⓒ 말에 물을 먹이거나 씻기는 작은 연못.

***horse·pow·er** [hɔ́ːrspàuər] (*pl*. ~) *n*. Ⓒ 〖기계〗 **마력**《1초에 75kg을 1m 높이로 올리는 작업률의 단위; 생략: HP, H.P., hp, h.p.》.

***hórse ràce** (1회의) **경마**.

hórse ràcing 경마(horse races).

hórse·ràdish *n*. **1** Ⓒ (음식은 Ⓤ) 〖식물〗 양고추냉이. **2** Ⓤ 양고추냉이 뿌리로 만든 소스.

hórse sènse 《구어》 (일반적) 상식, 생활의 지혜.

hórse·shìt 《美속어》 *n*. Ⓤ 실없는 소리, 허풍; 하찮은 것. —*int*. 바보같이, 같잖아.

°**horse·shoe** [hɔ́ːrsʃùː, hɔ́ːrʃʃùː] *n*. Ⓒ **1** 편자, U자형의 물건: a ~ magnet 말굽자석. **2** (*pl*.) 〖단수취급〗 편자던지기《유희》. —*vt*. (말)에 편자를 박다; (아치 등)을 편자꼴로 하다. ㊊ **hórse·shó·er** *n*. 편자공.

hórseshoe árch 〖건축〗 편자형의 아치.

hórseshoe cráb 〖동물〗 참게(king crab).

hórse's néck 《속어》 호스넥《진저에일에 술을 탄 음료》.

hórse sòldier 기병(騎兵).

hórse·tàil *n*. Ⓒ **1** 말꼬리. **2** 《구어》 소녀의 (뒤로) 드리운 머리, 포니테일(ponytail). **3** 〖식물〗 속새.

hórse tràde 마시(馬市); 《美구어》 빈틈없는 거래, 정치적 흥정.

hórse tràder (거래에) 빈틈없는 사람, 흥정 잘하는 사람; 말 매매인.

hórse tràding 빈틈없는 흥정, 교활한 거래; 《美》 말의 매매.

hórse·whìp *n*. Ⓒ 말채찍. —*vt*. (말)을 채찍질하다; …에게 심한 벌을 주다.

hórse·wòman (*pl*. ***-wòmen***) *n*. Ⓒ 여자 기수, 여자 승마자.

hors·ey, horsy [hɔ́ːrsi] (***hors·i·er; -i·est***) *a*. 말의; 말과 같은; 말을 좋아하는; 경마의; 기수연하는. ㊊ **hórs·i·ness** *n*.

hor·ta·tion [hɔːrtéiʃən] *n*. Ⓤ 권고, 장려, 격려.

hor·ta·tive, -to·ry [hɔ́ːrtətiv], [hɔ́ːrtətɔ̀ːri/-təri] *a*. 권고의, 장려의, 격려의: ~ remarks 격려의 말.

hor·ti·cul·tur·al [hɔ̀ːrtəkʌ́ltʃərəl] *a*. 원예(학)의, 원예 농업의.

hor·ti·cul·ture [hɔ́ːrtəkʌ̀ltʃər] *n*. Ⓤ 원예 농업; 원예술〔학〕.

hor·ti·cul·tur·ist [hɔ̀ːrtəkʌ́ltʃərist] *n*. Ⓒ 원예가.

Hos. 〖성서〗 Hosea.

ho·san·na, -nah [houzǽnə] *int*. 호산나《신을 찬미하는 말; 마태복음 XXI: 9, 15 따위》.

°**hose** [houz] *n*. **1 a** 〖집합적; 복수취급〗 긴 양말, 스타킹(stockings): six pairs of ~ 긴 양말 6켤레/half ~ 짧은 양말, 속스. **b** (*pl*. ~) Ⓒ 《고어》 반바지, (doublet과 함께 착용한) 타이츠. SYN. ⇨SOCKS. **2** (*pl*. ~(***s***)) Ⓤ (낱개는 Ⓒ) 호스: a fire ~ 소방용 호스. —*vt*. 호스로 물을 뿌려 씻다(*down; out*): ~ *down* the car 호스로 물을 뿌려 세차하다.

Ho·sea [houzíːə, -zéiə] *n*. 〖성서〗 호세아《헤브라이의 예언자》; 호세아서(書)《구약성서의

한 편》.

hóse·pìpe *n.* Ⓒ 호스(hose).

ho·sier [hóuʒər] *n.* Ⓒ 《英》 남자용 양품장수 《양말〔《英》 메리야스〕 등을 팖》.

ho·siery [hóuʒəri] *n.* Ⓤ 〔집합적〕 양말류, 《英》 메리야스류.

hosp. hospital.

hos·pice [háspis/hɔ́s-] *n.* Ⓒ **1** (종교 단체 등의) 여행자 숙박〔접대〕소; 《英》 (빈민 · 병자 등의) 수용소(home). **2** 호스피스《말기 환자(와 가족)의 고통을 덜기 위한 시설〔병원〕》.

*__hos·pi·ta·ble__ [háspitəbəl, -ˊ-- / hɔ́s-, -ˊ--] *a.* **1 붙임성 있는,** 후히 대접하는; (대접이) 극진한, 융숭한《*to* do》: a ~ reception 환대 / He is always ~ to me. 그는 언제나 나를 환대해 준다 / It was very ~ *of* you 〔You were very ~〕 *to* have us stay. 우리를 머물게 해주셔서 정말 고맙습니다. **2** (환경 따위) 쾌적한, 살기 좋은《*to* …에게》: a ~ environment for wild birds 들새들이 살기좋은 환경 / a climate ~ *to* wild life 야생동물에게 쾌적한 기후. **3** Ⓟ 호의로써〔기꺼이〕 받아들이는《*to* …을》: a mind ~ *to* new ideas 새 사상을 자진해서 받아들이는 정신. ㊞ **-bly** *ad.*

†**hos·pi·tal** [háspitl/hɔ́s-] *n.* Ⓒ **1 병원**: an isolation ~ 격리〔피(避)〕병원 / be in 〔out of〕 (the) ~입원〔퇴원〕해 있다 / go into 〔enter〕 (the) ~ 입원하다 / leave (the) ~ 퇴원하다. ★ 입〔퇴〕원의 뜻으로 쓰일 경우, 《英》에서는 보통 the를 생략. **2** 자선 시설《양육원 · 수용소 따위》.

—*a.* Ⓐ 병원의, 병원 근무의: a ~ nurse 병원 간호사 / a ~ ward 병동(病棟).

*__hos·pi·tal·i·ty__ [hàspitǽləti/hɔ̀spi-] *n.* Ⓤ **1 환대,** 후한 대접: He showed boundless ~ to me. 그는 나를 극진히 환대하였다. **2** 호의적인 수락: Afford me the ~ *of* your columns. 귀지(貴紙)에 실어 주십시오《기고가(寄稿家)의 용어》. ◇ hospitable *a.*

hòs·pi·tal·i·zá·tion *n.* Ⓤ (구체적으로는 Ⓒ) 입원 (가료); 입원 기간.

hos·pi·tal·ize [háspitəlàiz/hɔ́s-] *vt.* 입원시키다, 병원 치료를 하다《★ 종종 수동태》: He *was* ~*d* for diagnosis and treatment. 그는 진단과 치료를 위해 입원했다.

hóspital òrderly 〖군사〗 위생병, 간호병.

hóspital shìp (전시 등의) 병원선.

Host [houst] *n.* (the ~) 〖가톨릭〗 성체(聖體), 성병(聖餠)《성체 성사 · 미사의 빵》.

‡**host**[1] [houst] (*fem.* **~·ess** [hóustis]) *n.* Ⓒ **1** (연회 등의) **주인** (노릇); (대회 등의) 주최자〔국〕, 당번 역할; 호스트; (여관 따위의) 주인 (landlord); 〖라디오 · TV〗 사회자. ⓒⓕ guest. ¶ act as (the) ~ at a party 파티에서 주인 노릇을 하다 / play 〔be〕 ~ to …의 주인〔호스트〕역을 맡다, …의 주최자가 되다《★ ~ to의 경우는 관사 없이》/ the ~ country for the Olympic Games 올림픽 경기 주최국 / He's the ~ for a TV talk show. 그는 텔레비전 토크쇼의 사회자를 맡고 있다. **2** 〖생물〗 (기생 동식물의) 숙주(宿主)(↔ *parasite*). **3** 〖컴퓨터〗 =HOST COMPUTER.

reckon 〔***count***〕 ***without*** one'***s*** **~** 중요한 점을 빠뜨리고 결론을 내리다〔계획을 세우다〕.

—*vt.* **1** …을 접대하다, (파티 등)의 주인역을 하다; …의 사회를 하다: ~ a dinner 만찬회의 주인〔접대〕역을 맡다. **2** (국제회의 등)의 주최국을 맡다: ~ the Olympics 올림픽 개최국을 맡다.

㊞ **ˊ·ly** *a.* **ˊ·shìp** *n.*

*__host__[2] *n.* 〖a ~ of; ~s of〗 **많은 사람, 많은 떼,** 다수: a ~ *of* friends 많은 친구들 / ~*s of* troubles 많은 말썽 / the heavenly ~ =~(s) *of* heaven 천사의 무리; 일월성신(日月星辰). ***a* ~ *in*** one***self*** 일기당천의 용사.

◇**hos·tage** [hástidʒ/hɔ́s-] *n.* Ⓒ 볼모(의 처지), 인질: be held in ~ 볼모〔인질〕로 잡히다 / They freed the ~*s*. 그들은 인질을 풀어 주었다. **~*s to fortune*** 운명의 인질《언제 잃을지 모르는 처자 · 재산 등》. ***take*** 〔***hold***〕 a person **~** 아무를 인질로 잡다.

hóst compùter 〖컴퓨터〗 호스트 컴퓨터《대형 컴퓨터의 주연산 장치인 CPU가 있는 부분》.

hos·tel [hástəl/hɔ́s-] *n.* Ⓒ **1** 호스텔, 숙박소 (youth ~)《도보 · 자전거 여행의 청년 남녀용》. **2** 《英》 대학 기숙사.

hos·tel·(l)er [hástələr/hɔ́s-] *n.* Ⓒ 여관 주인; (youth) hostel 이용자〔경영자〕.

hos·tel·ry [hástəlri/hɔ́s-] *n.* Ⓒ 《고어 · 문어》 여관(inn).

‡**host·ess** [hóustis] *n.* Ⓒ **1** (연회 등의) **여주인** (역). **2** 여관의 안주인. **3** (여객기 · 열차의) 스튜어디스(air ~). ⓒⓕ stewardess. **4** (술집 · 카바레 · 댄스 홀 등의) 호스티스.

*__hos·tile__ [hástil/hɔ́stail] *a.* **1 a 적의 있는,** 적개심에 불타는: ~ criticism 적의 있는 비평. **b** 적대하는, 반대하는《*to* …에》: He was ~ *to* the plan. 그는 그 계획에 반대하였다. **2 a** 불리한, 냉담한, 탐탁하지 않은: the ~ environment of space 우주의 냉엄한 환경. **b** (기후 · 환경 따위가) 적합치 않은《*to* …에》: The Antarctic climate is ~ *to* most forms of life. 남극의 기후는 대부분의 생명체에 적합치 않다. **3 적의,** 적국의: a ~ army 〔country〕 적군〔국〕. ㊞ **~·ly** *ad.* **~·ness** *n.*

◇**hos·til·i·ty** [hastíləti/hɔs-] *n.* **1** Ⓤ 적의(敵意), 적개심《***to, toward, against*** …에 대한》: display 〔feel, have〕 one's ~ *to* 〔*against, toward*〕 …에게 적의를 나타내다〔품다〕. **2** Ⓤ 적대 (행위): an act of ~ 적대 행위. **3** (*pl.*) 전쟁 행위, 교전 (상태): long-term *hostilities* 장기 항전 / open 〔suspend〕 *hostilities* 전쟁을 시작하다〔휴전하다〕.

hos·tler [háslər/ɔ́s-] *n.* Ⓒ 《美》 **1** (탈것 · 기계 따위의) 정비원. **2** (여관의) 마부(《英》 ostler).

†**hot** [hat/hɔt] (***hót·ter; -test***) *a.* **1 a** (온도상) **뜨거운,** 고온의, 열간(熱間)의: ~ water 뜨거운 물 / ~ coffee / Strike the iron while it is ~. 《속담》 쇠뿔도 단김에 빼라《호기를 놓치지 마라》. **b** (기온상) 더운: a ~ day / It's ~ today. 오늘은 덥다. **c** (몸이) 달아오르는; 열이 있는: I'm ~ with fever. 몸에 열이 있다 / I felt ~ with shame. 나는 부끄러워 얼굴이 후끈거리는 느낌이었다. **d** (요리 따위가) 뜨겁게 한, (음식이) 갓 나온, 뜨거울 때 먹는: a cup of ~ coffee =a ~ cup of coffee 뜨거운 커피 한 잔 / Please eat while it's ~. (음식이) 뜨거울 때 드시오.

2 a 《구어》 **최신의,** 막 나온: ~ news 최신 뉴스, 핫 뉴스 / This book is ~ off 〔from〕 the press. 이 책은 이제 막 출판된 것이다. **b** 《구어》 (상품 따위가) 인기 있는, 유행 중의: a ~ item 인기 상품 / ~ sellers 불티나게 팔리는 상품. **c** 《英구어》 (지폐가) 갓 찍어낸.

3 (추적 · 추구 등에서) 바싹 따라온, 가까운: be ~ on the track 〔trail〕 바싹 뒤쫓고 있다 / ~ on the heels of …의 바로 뒤에 / You are getting

~. (정답에) 가까워요, 조금만 더.
4 (후추·카레 등이) 얼얼한, 몹시 매운: This curry is too ~. 이 카레는 너무 맵다.
5 a (동작·말이) 격심한, 격렬한: a ~ contest 격심한 경쟁/have a ~ argument 격렬한 언쟁을 하다. **b** (감정·기질이) 격하기 쉬운, 흥분한, 화난《**with** …으로》: get ~ 흥분하다, 화내다/be ~ *with* anger 화가 나서 발끈해 있다.
6 a 열렬한: a ~ baseball fan 열렬한 야구 팬. **b** 열심인, 열중한《**on, for** …에》: He is ~ *on* tennis. 그는 테니스에 열중하고 있다. **c** [P] 몹시 …하고 싶어하는《**to** do》: He is ~ *to* win the game. 그는 시합에 이기고 싶어한다.
7 《속어》 **a** (사람이) 성적으로 흥분한, 호색인, 발정한. **b** (책 따위가) 외설의, 흥분시키는: a ~ magazine 외설 잡지.
8 a 〖재즈〗 열광적인, 빠르고 강렬하고 즉흥적인. **b** (색이) 강렬한, 칙칙한.
9 《구어》 **a** (연기자·선수 따위가) 잘 하는, 훌륭한. **b** 정통한, 잘 알고 있는《**on, in** …에, …을》: He is ~ *on* 〔*in*〕 science. 그는 과학에 정통하다. **c** 믿을 수 있는: a ~ tip (주식·경마 따위의) 믿을 수 있는 정보.
10 《속어》 **a** 막 훔쳐낸, 부정하게 입수한: a ~ diamond necklace 막 훔쳐낸 다이아몬드 목걸이/a ~ car 도난차. **b** (범인 따위가) 지명 수배 중인.
11 〖사냥〗 (사냥감의 냄새 흔적이) 강한, 생생한. [cf.] cold, cool, warm.
12 《구어》 방사능이 있는; (연구소 따위가) 방사성 물질을 다루는.
13 《속어》 **a** 어리석은, 터무니없는. **b** 대단히 운이 좋은.
get into ~ water 《속어》 고생하다. ***get too ~ for*** a person 아무를 더 이상 배겨내지 못하게 하다. ***go ~ and cold*** (공포로) 뜨거워졌다 추워졌다 하다, 식은 땀을 흘리다. ***~ and bothered*** 《구어》 안달복달 걱정하여. ***~ and heavy*** 〔***strong***〕 호되게; 맹렬히. ***~ and ~*** 갓 요리된, 금방 만들어 따끈따끈한. ***make it*** 〔***a place, things,*** etc.〕 ***(too) ~ for*** 〔***to hold***〕 a person 《구어》 (구박 등으로) 아무를 붙어 있을 수 없게 만들다, (약점을 기화로) 호되게 몰아치다.

> [DIAL] ***Not so hot.*** (몸 상태 따위가) 별로 좋지 않다.

—*ad.* **1** 뜨겁게; 열심히: The sun shone ~ in my face. 해가 뜨겁게 내 얼굴을 내리쬐었다. **2** 《英》 심하게, 호되게: get 〔catch〕 it ~ 호되게 야단맞다/give it (to) a person ~ 아무를 몹시 꾸짖다/have it ~ 호되게 야단맞다.
blow ~ and cold ⇨BLOW¹. ***~ and strong*** 《구어》 ① 호되게, 맹렬하게: give it (to) a person ~ *and strong* 아무를 호되게 야단치다. ② 지독히 맵게: I like curry ~ *and strong*. 카레는 지독하게 매운 것이 좋다.
—(**-*tt*-**) 《英구어》 *vt.* **1** 《+[목]+[부]》 (찬 음식)을 데우다, 뜨겁게 하다(*up*); (양념을 쳐서) 맵게 하다: Can you ~ *up* this soup? 이 수프를 데워 주시겠습니까. **2** (일)에 활기를 불어넣다. **—***vi.* 《+[부]》 **1** 따뜻해지다: The room will soon ~ *up*. 방이 곧 따뜻해질 것이다. **2** 활발해지다, 격심해지다: The labor dispute is *~ting up*. 노동쟁의가 격심해지고 있다.
—*n.* (the ~s) 《속어》 강한 성욕; 강한 성적 매력 《**for** …에 대한》: have the *~s for* a person 아무에게 성적으로 강하게 끌리다. [파] **∠·ness** *n.*

hót áir 열기; (난방용) 열풍; 《속어》 허풍, 자기자랑.
hót-áir *a.* (난방 장치에서 나오는) 열기〔열풍〕의: ~ heating 온풍 난방/~ drying 열풍 건조.
hót-áir ballòon 열기구(熱氣球).
hót·bèd *n.* [C] 〖원예〗 온상; (악습 등의) 온상: a ~ *of* crime 범죄의 온상.
hót blást 〖야금〗 용광로에 불어 넣는 열풍.
hót-blóoded [-id] *a.* **1** 혈기찬; 욱하는, 성마른. **2** 정열적인, 색정이 강한: a ~ young man 정열적인 젊은이.
hót bùtton 1(소비자·유권자 등의 태도를 좌우하는) 사회적 논의의 중심 문제, 사회적 관심사, 중요한 쟁점. **2** (중요한 문제에 관해 유권자의 지지를 얻기 위한) 간결하고 멋진 말〔슬로건〕. **3** 영리상의 매력, 《특히》 히트할 만한 상품, 매력적인 투자처.
hót-bútton *a.* 열정이 담긴, 감정적인, 흥분시키는: ~ issue 〔topic〕 격론을 일으키는 (정치) 문제.
hót càke 핫케이크: sell 〔go〕 (off) like *~s* 날개 돋친 듯이 팔리다.
hotch·potch [hátʃpàtʃ/hɔ́tʃpɔ̀tʃ] *n.* [C] (요리는 [U]) **1** (고기·야채 따위의) 잡탕찜. **2** 《英》 뒤범벅, 잡동사니.
hót cròss bún =CROSS BUN.
hót dòg 1 핫도그《롤빵을 두쪽으로 짜개 그 사이에 프랑크푸르트 소시지(frankfurter) 따위를 넣은 샌드위치의 일종》. **2** 《美속어》 (서핑·스키·스케이트 등에서) 뛰어난 묘기를 부리는 선수; 묘기를 자랑스럽게 해보이는 사람. **—***int.* 《美속어》 〔찬성·만족을 나타내어〕 기막히군, 근사하다.
†**ho·tel** [houtél] *n.* [C] **호텔**, 여관: a temperance ~ 금주(禁酒) 여관/run a ~ 호텔을 경영하다/put up 〔stay〕 at a ~ 호텔에 숙박하다〔머물러 있다〕.
[SYN] **hotel** 가장 널리 쓰이는 말. **house** 명사의 저택 따위가 뒤에 숙박 시설로 전용되거나 하는 경우에 쓰임. **inn** 구식의 여관을 말함. 규모가 큰 것은 적고 시골에 있는 경우가 많음. **tavern** 목로 주점이 숙박 시설을 갖는 경우에 쓰임.
ho·tel·ier [hòutəljéi, houtéljər] *n.* 《F.》 [C] =HOTELKEEPER.
hotél·kèeper *n.* [C] 호텔 경영자〔지배인〕.
hót flásh 〔《英》 **flúsh**〕 〖생리〗 (폐경기의) 일과성〔전신〕 열감(熱感); 안면 홍조.
hót·fòot (*pl.* **~s**) *vt.* 〖~ it 의 꼴로〗 급히 서둘러 가다: He *~ed it* out of town. 그는 서둘러 시가지를 빠져 나갔다. **—***ad.* 급히 서둘러서, 허겁지겁.
hót·hèad *n.* [C] 성미 급한 사람, 화 잘내는 사람.
hót·héaded [-id] *a.* 성미 급한, 격하기 쉬운, 화 잘내는: Don't be so ~. 그렇게 화내지 마라. [파] **~·ly** *ad.*
hót·hòuse *n.* [C] **1** 온실; 온상. **2** 도자기 건조실. **—***a.* [A] 온실에서 자란 (것처럼 저항력이 약한); 온실 재배의, 연약한. **—***vt.* 온실에서 기르다〔재배하다〕; (아이)를 조기에 교육하다.
hót lìne 핫라인《정부 수뇌간 등의 긴급 직통 전화》; 〖일반적〗 긴급 직통 전화; 직결 전화선; (익명의) 전화 신상 상담 서비스.
hót lìnk *n.* 〖컴퓨터〗 핫 링크《두개의 application 중의 한 쪽의 변화가 즉시 다른 쪽에도 작동

하도록 연결시키는 일》.

◇**hot·ly** *ad.* **1** 뜨겁게; 덥게. **2** 맹렬히; 열심히; 흥분하여, 매우 성을 내어.

hót móney 〖경제〗 금리 · 환율 변동을 노리고 이동하는 국제 금융 시장의 부동(浮動) 자금, 투기적 국제 단기 금융 자금.

hót pànts (여성용) 핫팬츠.

hót pépper 〖식물〗 고추; 아주 매운 고추.

hót plàte 요리용 철판; (요리용) 전기〔가스〕 히터; 음식용 보온기; 전열기(電熱器).

hót pòt 쇠고기〔양고기〕와 감자를 냄비에 넣고 찐 요리.

hót potáto 껍질채 구운 감자(=**báked potáto**); 《구어》 난〔성가신〕 문제, '뜨거운 감자'.

hót ròd 엔진을 고속용으로 갈아 낀 (중고) 자동차.

hót ródder 고속용 개조 자동차 운전〔제작〕자; 폭주족(暴走族).

hót sáw 열 톱《열에 달군 강철판을 자르는 톱》.

hót sèat (the ~) 《속어》 **1** (사형용) 전기 의자 (electric chair). **2** 무거운 책임이 있는 입장.

hót·shòt 《美속어》 *a.* Ⓐ **1** 적극적이며 유능한, 능수꾼인. **2** 화려한 솜씨를 보이는: a ~ ballplayer 멋진 플레이를 하는 야구 선수. **3** 쉼없이 움직이는〔나가는〕, 직행의, 급행의. **—***n.* Ⓒ **1** 유능한 (체하는) 사람, 훌륭한 (체하는) 사람; 수완가. **2** (스포츠의) 명수(《***at*** …의》): He's a ~ *at* archery. 그는 궁술의 명인이다. **3** 급행 화물 열차.

hót spòt **1** 분쟁(의 위험이 도사린) 지대, 전지(戰地). **2** 《구어》 나이트클럽, 환락가, 매춘 여관. **3** 곤경, 궁지. **4** 〖컴퓨터〗 핫 스팟《마우스를 클릭했을 때 영향을 미치는 곳, 즉 마우스 조작에 의해 영향을 받는 정확한 화면상의 위치를 마크하는 점》.

hót spríng (보통 *pl.*) 온천.

hót·spùr *n.* Ⓒ 성급한〔성마른〕 사람; 무모한 사람.

hót stúff 《속어》 **1** (능력이) 뛰어난 사람; (품질이) 월등한 물건: Don't underestimate him. He's really ~. 그를 얕잡아보지 마라. 정말 뛰어난 사람이야. **2** 외설적인 것《책 · 필름 따위》. **3** 정력가, 호색가; 섹시한 여자; 〖감탄사적〗 야아 멋쟁이다《남, 녀》.

hót-témpered *a.* 성 잘 내는, 신경질적인.

Hot·ten·tot [hátntàt/hɔ́tntɔ̀t] *n.* **1** (the ~s) (남아프리카의) 호텐토트족(族). **2** Ⓒ 호텐토트족 사람; Ⓤ 호텐토트 말. **—***a.* ~의.

hot·tie, hot·ty [háti/hɔ́ti] *n.* Ⓒ 《英》 탕파(hot-water bottle).

hót wár (종종 H- W-) 열전; (무력에 의한) 본격적 전쟁. ↔ *cold war*.

hót wáter 더운물; 《구어》 곤란, 고생.

hót-wáter bàg 〔《英》 **bòttle**〕 탕파《보통 고무 제품》.

hót-wáter hèater 《美》 (부엌 · 욕실 따위에 부착한) 자동〔순간〕 온수 장치(《英》 geyser).

hót-wáter héating 온수 난방.

hót wèll **1** 온천. **2** (증기 기관의) 물 탱크.

hót-wìre *vt.* 《속어》 (점화 장치를 단락(短絡)시켜 차 · 비행기)의 엔진을 걸다.

hót zóne 〖컴퓨터〗 워드프로세서에서 사용자가 지정한 오른쪽 마진으로부터 7자 정도 왼쪽까지의 영역.

hound** [haund] *n.* Ⓒ **1** 〖보통 합성어로〗 **사냥개**《말 머리에 blood-, deer-, fox-를 붙이는 일이 많음》. **2** 《구어》 싫은 녀석, 비열한 사람. **3** 〖종종 복합어로〗 《구어》 열중하는 사람, …광: an autograph ~ 싸인광. **4** 〖유희〗 (산지(散紙)놀이 (hare and hounds)의 '개'가 된) 술래. ***follow the **~*s*** **=*ride to*** **~*s*** (여우 사냥에서) 말 타고 사냥개를 앞세워 사냥을 가다.

—*vt.* **1** 사냥개로 사냥하다. **2** 《~+목/+목+전+명》 추적하다; 쫓아다니다; 끈질기게 괴롭히다: ~ a person *to* death 아무를 괴롭혀 죽이다. **3** 《+목+전+명》 (사냥개)를 부추겨 달려들게 하다 《***at*** (사냥감)에》: ~ a dog *at* a hare 개를 부추겨 토끼를 쫓게 하다. **4** 《~+목/+목+부》 (아무)를 부추기다, 선동하다(*on*).

hóund's·tòoth *n.* Ⓤ (또는 a ~) 하운드 투스 (무늬)(=**hóund'stòoth chéck**)《각종 직물의 개 엄니 모양의 격자 무늬》.

****hour** [áuər] *n.* **1 a** Ⓒ **한 시간**《60분간》. cf. minute, second. ¶half an ~ 반시간, 30분《★ 《美》에서는 a half ~ 라고도 함》/a quarter of an ~ 15분/the ~ between 2 and 3 p.m. 오후 2시에서 3시 사이의 한 시간/work eight ~*s* a day 하루에 8시간 일하다/study for ~*s* (and ~*s*) 〔for ~*s* together〕 몇 시간이나 계속해서 공부하다. **b** (the ~) 정시《「…시 00분」을 가리킴》: This clock strikes the ~*s*. 이 시계는 정시마다 종을 친다/He arrived at nine on the ~. 그는 9시에 정확히 도착했다.

2 Ⓒ **a** (시계로 표시되는) **시각**: the early ~*s* of the morning 아침 이른 시각/ask the ~ 시각을 묻다. **b** (보통 *pl.*) (24시간을 나타내는) 시각《★ 보통 4개의 숫자로 표시하며 앞의 두자리 수는 「시」, 뒤의 두 자리수는 「분」을 나타냄》: at 1800 ~*s*, 18시에; 오후 6시에《eighteen hundred hours로 읽음》/at 1142 ~*s* 오전 11시 42분에 《eleven-forty-two hours로 읽음》. SYN. ⇨ TIME.

3 a (the ~) 현재, 지금: the question of the ~ 현재의 문제/books of the ~ 지금 화제가 되고 있는 책들. **b** (the ~; one's ~) 중대한 시기, 결단의 때; 임종 때: The ~ has come. 결단의 때가 왔다/His ~ has come. 그의 임종의 때가 왔다.

4 Ⓒ (특정한) **때**, 시기, 계제; (…인) 시절, 시대: the golden ~s 절호의 시기/He deserted me in my ~ of need. 그는 내가 곤궁할 때 나를 저버렸다/Now is the ~ when we should be united. 지금은 우리가 단결할 때이다/my boyhood's ~*s* 소년 시절.

5 a (*pl.*) 근무〔집무, 수업〕 시간: office 〔business〕 ~*s* 집무〔영업〕 시간/school ~*s* 수업 시간/The doctor's ~*s* are from 10 to 4. 진료 시간은 10시부터 4시까지입니다. **b** Ⓒ (취침 · 기상 · 식사 따위의) 정해진 시간: lunch ~ 점심 시간/his usual ~ for bed 그의 정해진 취침 시간.

6 Ⓒ (종종 H-s) 〖가톨릭〗 1일 7회의 과업《정시의 기도》: a book of ~*s* 성무(聖務) 일과표.

after **~*s*** 정규 업무 시간 후에, 폐점 후에, 방과 후에. ***at all*** **~*s*** 언제든지. ***at the eleventh*** **~** 막판에, 아슬아슬한 때에. (***every*** **~**) ***on the half*** **~** 정각 30분마다. (***every*** **~**) ***on the*** **~** (매)정시에: These trains leave *on the* ~. 이 열차들은 매 정시에 출발한다. **~ *after*** **~** 매시간; 언제든지. **~ *by*** **~** 시시각각으로. ***improve each*** 〔***the***〕 ***shining*** **~** 시간을 최대한으로 활용하다. ***in a good*** 〔***a happy***〕 **~** 운 좋게, 다행히도. ***in an evil*** 〔***an ill***〕 **~** 불행히도. ***keep early*** **~*s*** 일찍 일어나다〔자다〕, 일찍 자고 일찍 일어나다.

keep late ~*s* 밤늦도록 안 자고 있다, 밤샘하다, 늦게 귀가하다. *keep regular* ~*s* 규칙적인 생활을 하다; 일찍 자고 일찍 일어나다. *out of* ~*s* 근무〔수업〕 시간 외에: *Out of* ~*s*, telephone 03-3288-7711. (근무)시간 외에는 03-3288-7711 로 전화하시오. *till* 〔*to*〕 *all* ~*s* 밤늦게까지. *to an* 〔*the*〕 ~ 꼭, 바로 정각에, (시간대로) 정확히: He returned three days later *to the* ~. 그는 정확히 3일 후에 돌아왔다.

hóur·glàss *n.* Ⓒ (특히 1시간용의) 모래〔물〕 시계.

hóur hànd (시계의) 단침, 시침. cf. minute hand.

hou·ri [húəri, háuri] *n.* Ⓒ 〖이슬람〗 극락의 천녀; 매혹적인〔요염한〕 미인.

hóur-lòng *a.* 한 시간의, 한 시간 계속되는. — *ad.* 한 시간 동안.

◇**hóur·ly** *a.* **1** 한 시간마다의, (임금 따위) 시간제의: at ~ intervals 한 시간 걸러서/There are ~ buses to the airport. 한 시간마다 공항으로 출발하는 버스가 있다/an ~ wage 시간제 임금. **2** 매시의; 빈번한. —*ad.* **1** 매시간마다. **2** 빈번히; 끊임없이: expect a person ~ 이제일까 저제일까 아무를 기다리다.

†**house** [haus] (*pl.* **hous·es** [háuziz]) *n.* **1** Ⓒ **a** 집, 가옥, 주택, 저택: a wooden ~ 목조 가옥/He lives in this ~. 그는 이 집에 살고 있다/An Englishman's ~ is his castle. 《속담》 영국 사람의 집은 성(城)이다《사생활에 남의 간섭을 용납 안 함》. **b** 〖집합적; 단·복수취급〗 집 안에 사는 사람: The whole ~ gathered in the living room. 집안의 모든 사람이 거실에 모였다.

SYN. **house** '집'의 건물을 가리켜 말하는 경우에 쓰임. **home** 가정의 뜻. 그러나 미국에서는 home을 house와 같은 뜻으로 쓰는 사람도 있음. **residence** 주택으로서의 '집' 뿐만 아니라 그 존재 장소도 포함함. **dwelling** 살림집, 주로 시어(詩語).

2 Ⓒ **a** 가정, 가족, 세대: set 〔break〕 up ~ 살림을 차리다〔깨다〕. **b** 〖이름 앞에서는 H-〗 가계, 혈통: the *House* of Windsor 윈저가《현(現) 영국 왕실》/the Imperial 〔Royal〕 *House* 왕실.

3 a Ⓒ 의사당; 의회: the *House* of Parliament 《英》 영국 국회 의사당/⇨UPPER 〔LOWER〕 HOUSE. **b** Ⓒ (보통 the ~) 〖집합적; 단·복수취급〗 의원(議員)들. **c** (the H-) 하〔상〕원: the *House* of Commons 〔Lords〕 영국의 하원〔상원〕/⇨the *House* of Representatives. **d** Ⓤ (the H-) 〖집합적; 단·복수취급〗 하원: be elected to the *House* (하원) 의원으로 선출되다.

4 Ⓒ **a** 회장, 극장, 연예회장, 회관: a movie ~ 영화관/⇨OPERA HOUSE. **b** (보통 *sing.*) 흥행: The second ~ was sold out. 2회분 흥행표는 매진되었다. **c** 〖집합적·단수취급〗 구경꾼, 관객, 청중: a full ~ 대만원/a poor ~ 한산한 관객.

5 Ⓒ 〖보통 합성어로〗 **a** 곳간, 창고, 차고, (가축 등의) 우리, (동물의) 집. **b** (특정한 목적을 위한) 건물: ⇨COURTHOUSE, CUSTOMHOUSE, STOREHOUSE. **c** 여인숙, 여관, 레스토랑, 술집: a public ~ 술집. **d** 오락장; 도박장.

6 Ⓒ **a** 상사(商社), 상점: a publishing ~ 출판사/a stock and bond ~ 증권회사. **b** 〖형용사적〗 회사내(의): a ~ magazine 사내지; 사내보.

7 Ⓒ **a** (전원 기숙사에 들어가는 학교의) 기숙사(의 하나). **b** 〖집합적; 단·복수취급〗 기숙생. **c** (대학의) 기숙사. **d** 《英》 (교내 경기를 위한) 조, 그룹.

8 Ⓒ 〖점성〗 궁(宮), 숙(宿), …자리: the *House* of the Goat 염소 자리.

9 〖음악〗 하우스(뮤직)《리듬을 중시하는 템포가 빠른 디스코 음악》.

10 (the H-) 《英구어》 런던 증권거래소.

a ~ *of call* 단골집; (주문 받으러 가는) 단골처; 여인숙, 술집. *a* ~ *of cards* 어린이가 카드로 지은 집; 위태로운 계획. *a* ~ *of God* =*a* ~ *of worship* 교회(당). *a* ~ *of ill fame* 〔*repute*〕 매음〔매춘〕굴. *as safe as* ~*s* 〔*a* ~〕 ⇨SAFE. *bring down the* ~ =*bring the* ~ *down* 《구어》 (연극·연기가) 만장의 갈채를 받다. *clean* ~ 집을 정리하다; 숙청하다, (악조건을) 일소하다. *drive* a person *out of* ~ *and home* (집세를 안 내) 아무를 집에서 몰아내다. *eat* a person *out of* ~ *and home* 《구어·우스개》 아무의 재산을 까불리다. *from* ~ *to* ~ 집집마다. *get on like a* ~ *on fire* 간단히〔쉽게〕 친해지다. ~ *and home* 〖강조적〗 가정. *keep* ~ 살림을 하다; 살림을 꾸려나가다: My sister *keeps* ~ for me. 여동생이 가사를 돌봐준다. *keep* 〔*have*〕 *open* ~ ⇨OPEN HOUSE. *keep* (*to*) *the* 〔one'*s*〕 ~ 〔*room*〕 집〔방〕에 틀어박히다. *on the* ~ (비용 따위) 회사 부담으로; 무료의: They had a drink *on the* ~. 그들은 술 대접을 받았다. *play* (*at*) ~(*s*) 소꿉장난하다. *put* 〔*set*〕 one'*s* ~ *in order* (신변을) 정리하다; 자기 행실을 바로잡다. *round the* ~*s* 《英》 (정보를 얻으려고) 여기저기에. *set up* ~ (독립하여) 가정을 갖다, 살림을 차리다. *the House of Representatives* (미국·오스트레일리아 등의) 하원. cf. Senate.

DIAL. *My* 〔*Our*〕 *house is your house.* 내집처럼 편히 하세요《손님에게》.

—*a.* Ⓐ **1** 집의; 집에서 기르는: a ~ cat 집고양이. **2** 종업원용의, 사원용의: a ~ phone 구내전화. **3** 병원에 사는《수련의(修練醫) 등》. **4** (식당에서) 식당 자체 상표의.

— [hauz] (*p.*, *pp.* **housed; hóus·ing**) *vt.* **1** (임시 또는 장기적으로) …에게 **거처할 곳을 주다**; …을 집에 받아들이다; 집에 재우다, 숙박시키다: ~ a friend for the night 친구를 하룻밤 재워주다/~ and feed one's family 가족을 먹여 살리다. **2** 《~+목/+목+전+명》 간수〔저장〕하다; 넣어두다《*in* …에》: a library *housing* tens of thousands of books 수만 권의 책을 수장하고 있는 도서관/~ one's books *in* an attic 책을 다락에 집어넣어 두다. —*vi.* 《~/+부》 묵다, 살다(*up*).

hóuse àgent 《英》 가옥〔부동산〕 중개업자〔관리인〕.

hóuse arrèst 자택 감금, 연금(軟禁): be under ~ 연금되어 있다.

hóuse·bòat *n.* Ⓒ (살림하는) 집배; (숙박 설비가 된) 요트.

hóuse·bòund *a.* (악천후·병 따위로) 집에 틀어박혀 있는.

hóuse·bòy *n.* Ⓒ (집·호텔 등의) 잡일꾼(houseman).

hóuse·brèaker *n.* Ⓒ **1** 가택 침입자; (백주의) 강도. cf. burglar. **2** 《英》 가옥 철거업자, 해체업자.

hóuse·brèaking *n.* Ⓤ **1** 가택 침입, 침입 강도질. **2** 《英》 가옥 철거〔해체〕.

hóuse·bròken *a.* **1** (개 · 고양이 등) 집 안에서 길들인. **2** 《구어》 (사람이) 예절을 배운, 얌전한.
hóuse càll 왕진; (외판원 등의) 가정 방문: make a ~ 왕진[가정 방문]하다.
hóuse·clèan *vt.*, *vi.* (집의) 대청소를 하다; (회사 등의) 인원 정리를 하다; (정적을) 숙청하다. [파] **~·ing** *n.* [U] (또는 a ~) 대청소; 숙청, 일소.
hóuse·còat *n.* [C] 실내복《여성이 집에서 입는 길고 헐렁한 원피스》.
hóuse·cràft *n.* [U] 《英》 살림을 꾸려 나가는 솜씨; 가정학.
hóuse detèctive [**dìck**] (호텔 · 백화점 등의) 경비[감시]원.
hóuse dòctor =HOUSE PHYSICIAN.
hóuse·drèss *n.* [C] (여성용) 가정복, 실내복; 홈드레스.
hóuse·fàther *n.* [C] (유스호스텔 · 어린이집 따위의) 사감(舍監).
hóuse·flỳ *n.* [C] 〖곤충〗 집파리.
house·ful [háusfùl] *n.* [C] 집에 가득함《***of*** … 의》: a ~ *of* guests 집에 꽉 찬 손님.
hóuse·guèst *n.* [C] (하룻밤 이상 묵는) 손님, 숙박객.
⁑**house·hold** [háushòuld/-hòuld] *n.* **1** [C] 〖집합적; 단 · 복수취급〗 **가족, 세대**; 한 집안《고용인 포함》: two ~*s*, 2가구/a large ~ 대가족. **2** (the H-) 《英》 왕실: the Imperial [Royal] *Household* 왕실《소속 직원 포함》. **—***a.* [A] **1** 가족의, 한 세대의, 가사의; 《英》 왕실의: ~ affairs 가사, 가정(家政)/~ economy 가정 경제/~ goods 가정용품/the ~ troops 근위대. **2** 친근한, 귀[눈, 입]에 익은: a ~ name [word] 누구라도 잘 아는 이름[말].
Hóusehold Cávalry (the ~) 〖집합적; 단 · 복수취급〗 《英》 근위[의장] 기병대.
hóuse·hòlder *n.* [C] 가장, 세대주, 가구주, 호주; 자기 집을 가진 사람.
hóuse-hùnting *n.* [U] 셋집 구하기, 주택 물색.
hóuse·hùsband *n.* [C] 가사를 맡은 남편.
hóuse·kèep *vi.* 《구어》 가정을 갖다, 집안일에 힘쓰다, 살림을 꾸려 나가다.
⁑**house·keep·er** [háuskì:pər] *n.* [C] **1** **주부**: a good ~ 살림 잘하는 주부. **2** **가정부**, 우두머리 하녀; (호텔 · 병원 등의) 청소원. **3** 가옥[사무소] 관리인.
°**hóuse·kèeping** *n.* [U] **1** 가사, 가정(家政), 살림, 가계: set up ~ 살림을 차리다. **2** 〖컴퓨터〗 하우스키핑《문제 해결에 직접 관계하지 않는 시스템의 운용에 관한 루틴》.
hóuse·less *a.* 집 없는, 묵을 곳 없는; (장소가) 집 한 채 보이지 않는.
hóuse·lìghts *n. pl.* (극장 따위의) 객석 조명《막이 열리면 꺼짐》.
hóuse·màid *n.* [C] 가정부, 식모.
hóusemaid's knée 〖의학〗 무릎 피하의 염증, 전슬개골 활액낭염(前膝蓋骨滑液囊炎).
hóuse·man [-mən, -mæ̀n] (*pl.* ***-men*** [-mən, -mèn]) *n.* [C] (가정 · 호텔 등의) 잡일꾼; (백화점 · 호텔 등의) 경비원; (댄스 홀 · 도박장 등의) 경호원; 《英》 (병원의) 인턴(《美》 intern).
hóuse màrtin 〖조류〗 흰털발제비《유럽산》.
hóuse·màster *n.* [C] 집주인; (영국 public school 따위의) 사감.
hóuse·mòther *n.* [C] 기숙사 여사감.
hóuse·mùsic *n.* [U] 하우스뮤직《신시사이저 등의 전자악기나 sampling을 많이 사용하는 단조로운 리듬이 특징인 댄스 뮤직》.
hóuse pàrty 별장 따위에 손님을 초대하여 여는 연회; 그 초대객.
hóuse physícian **1** (병원 따위의) 입주 (내과) 의사, 병원 거주 의사. [cf] house surgeon, resident. **2** (호텔 따위의) 거주[전속] 내과의.
hóuse·plànt *n.* [C] 실내에 놓은 화분 식물.
hóuse-pròud *a.* (주부가) 집[살림] 자랑하는, 집의 정리 · 미화에 열심인.
hóuse-ràising *n.* [C] 《美》 (시골에서 집 지을 때 동네 사람이 다 모여서 하는) 상량(上樑).
hóuse·ròom *n.* [U] 집의 수용력; 물건 두는 장소: I would not give it ~. (장소를 차지하기 때문에) 그런 것은 원치 않는다.
hóuse-sìt *vi.* 《美》 (집 주인 대신) 집을 봐주다. [파] **hóuse(-)sìt·ter** *n.* [C] 《美》 이웃집 봐주는 사람. **hóuse-sìtting** *n.*
hóuse spàrrow 〖조류〗 참새의 일종(English sparrow).
hóuse stýle (각 출판사 · 인쇄소의) 용자(用字) 용어, 독자적 스타일.
hóuse sùrgeon (병원 등의) 입주 외과 의사.
hóuse-to-hóuse [-tə-] *a.* [A] 집집마다의, 호별(방문)의(door-to-door): ~ selling 호별 방문 판매/make a ~ visit 호별 방문을 하다.
hóuse·tòp *n.* [C] 지붕(roof), 지붕 꼭대기. ***shout*** [***proclaim, cry, preach***] ***... from the ~s*** [***rooftops***] …을 세상에 퍼뜨리다[선전하다].
hóuse tràiler 《美》 (자동차로 끄는 바퀴 달린) 간이 이동 주택(trailer coach).
hóuse-tràined *a.* 《英》 =HOUSEBROKEN.
hóuse·wàres *n. pl.* 가정용품《특히 주방용품》.
hóuse·wàrming *n.* [C] 새 집[살림] 축하 잔치, 집들이.
⁑**house·wife** *n.* [C] **1** [háuswàif] (*pl.* ***-wives*** [-wàivz]) (전업)**주부**(主婦): a good ~ 살림솜씨가 뛰어난 주부. **2** (*pl.* **~*s, -wives*** [hʌ́zivz]) 반짇고리. [파] **~·ly** [háuswàifli] *a.* 주부다운; 알뜰한. **-wif·ery** [háuswàifəri] *n.* [U] 가사.
housewife tìme (방송의) 주부 시간《시청자가 거의 주부인 늦은 오전의 방송 시간》.
°**hóuse·wòrk** *n.* [U] 집안일, 가사(家事).
hóuse·wrècker *n.* [C] 주택 철거업자.
°**hous·ing**[1] [háuziŋ] *n.* **1** [U] 주택 공급, 주택 건설: the ~ problem 주택 문제. **2** [U] 〖집합적〗 주택, 주거: a ~ shortage 주택난. **3** [C] 〖기계〗 (공작 기계의) 틀, 샤프트의 덮개, 하우징.
hous·ing[2] *n.* **1** [C] (흔히 *pl.*) 마의(馬衣)(horse-cloth). **2** (*pl.*) 말의 장식.
hóusing associàtion 공동 주택[아파트] 건설[구입] 조합.
hóusing devèlopment [《英》 **estàte**] (공영) 주택 단지.
hóusing pròject 《美》 (공영) 주택[아파트] 단지《저소득층을 위한》.
Hous·man [háusmən] *n.* **A**(**lfred**) **E**(**dward**) ~ 하우스만《영국의 시인: 1859–1936》.
Hous·ton [hjú:stən] *n.* 휴스턴《미국 Texas 주의 공업 도시; NASA의 우주선 비행 관제 센터 소재지》.
Hou·yhn·hnm [hu:ínəm, hwínəm/húi-hnəm, huínəm] *n.* [C] 휘넘《*Gulliver's Travels* 중에 나오는 인간의 이성을 갖춘 말》.
hove [houv] HEAVE의 과거 · 과거분사.

hov·el [hʌ́vəl, hɑ́v-] *n.* Ⓒ **1** (지붕만 있고 울타리가 없는) 광, 헛간; 가축의 우리. **2** 누옥(陋屋), 오두막집.

°**hov·er** [hʌ́vər, hɑ́v-] *vi.* **1** (곤충·새·헬리콥터 따위가) 멈춰 떠 있다; (미소 따위가) 감돌다 《***over, on*** …에》: Clouds of smoke *~ed over* the building. 구름 같은 연기가 빌딩 상공에 멈춰 떠 있었다/A smile *~ed on* her lips. 미소가 그녀의 입술에 떠올랐다. **2** 맴돌다; 헤매다《***about, around*** …의 주위를》: His thoughts *~ed about* his mother. 그의 생각은 어머니 곁을 떠날 수가 없었다. **3** 주저하다, 망설이다《***between*** …사이에서》: *~ between* life and death 생사의 갈림길에서 옴쭉달싹 못하다.

Hóver·cràft (*pl.* ~) *n.* Ⓒ 호버크라프트《고압 공기를 아래쪽으로 분사하여 기체를 지상〔수상〕에 띄워서 나는 탈것; 상표명》.

hóver·tràin *n.* Ⓒ 호버트레인《자력을 이용하여 궤도 위를 달리는 고속 열차》.

†**how** [hau] *ad.* **1** 〘방법·수단〙 **어떻게**, 어찌, 어떤 방법〔식〕으로. **a** 〘보통의 의문문에서〙: *How* do I go there?—(You can go there) by bus. 거기엔 어떻게 가면 됩니까(=How can I get there?)—버스로 가실 수가 있습니다/*How* did you do it?—*How* do you think (I did it)? 어떻게 했는가—어떻게 하였다고 생각하나/ *How* can I ever thank you? 무어라고 감사의 말을 해야 할지. **b** 〘to 부정사와 함께, 또는 종속절을 이끌어서〙: He knows ~ to write. 그는 쓰는 법을 알고 있다/Tell me ~ she did it. 그녀가 어떻게 그것을 했는지 말해 주게나/I can't imagine ~ the thief got in. 도둑이 어떻게 들어왔는지 상상도 할 수 없다.

2 〘정도〙 **a 얼마만큼, 얼마나.** 《바로 뒤에 형용사·부사가 와서》: *How* long did he live? 그는 얼마나 오래 살았는가(비교: *How* did he live long? 그는 어떻게 해서 오래 살았는가)/*How* many students are there in your school? 너희 학교의 학생수는 몇 명이나 되지/*How* much did it cost you? 얼마 들었지《how much 대신 what를 쓰는 것은《구어》》/*How* much longer will it take? 시간이 얼마만큼이나 더 걸리겠는가《비교급의 앞에는 much가 삽입됨》. **b** 〘종속절을 이끌어〙: I wonder ~ old he is. 그는 몇 살이나 될까/*How* tall do you think I am? 내 키는 얼마나 된다고 생각하는가.

3 〘상태·형편〙 **어떤 상태로〔형편에〕** 《★건강·날씨·감각 따위의 일시적 상태를 묻는 의문부사로서 보어로 쓰임》: *How* is your mother? 어머니는 어떠십니까/*How* do I look in this dress? 이 드레스는 내게 어떻습니까.

4 〘이유〙 **어찌하여,** 어떤〔무슨〕 이유로; **왜**: *How* can you say such a rude thing? 어찌 그리 실례되는 말을 하는가/*How* is 〔comes〕 it (that) you have taken my notebook? 내 노트를 가져간 건 무슨 이유인가《접속사 that은 종종 생략》. ★ How…?는 반어적으로도 쓰임: *How* do 〔should〕 I know? 내가 어찌 안단 말인가〔알고 있을 리가 없다〕.

5 〘상대의 의도·의견을 물어〙 **어떻게, 어떤 뜻으로**〔의미로〕; 어찌할 셈으로: *How?* 《美》 어떻게(요); 뭐(라고요)《되물을 때》/*How* do you mean that? 무슨 뜻〔말씀〕이죠, 무슨 말(씀)을 하려는 겁니까(=What do you mean by that?)/*How* will your father take it? 자네 아버지는 그것을 어떻게 받아들이시겠는가/*How* would it be to start the day after tomorrow? 모레 떠나는 것이 어떨까.

6 《드물게》 어떠한〔무슨〕 이름으로(what): *How* is she called? 그녀는 무슨 이름으로 불립니까.

7 〘감탄문〙 **a 얼마나** …(할〔일〕까), **정말(이지)** …(하기도 하여라): *How* beautiful a picture (it is)! 정말 아름다운 그림이구나(=What a beautiful picture (it is)!)/*How* seldom I go there! 거기에 간다는 건 있을 수 없어/*How* I wish I had been there! (거기 가기를 얼마나 바랐던 것이랴 →) 거기 안 간 것이 유감이다/*How* kind of you (to do so)! (그렇게 해주셔서) 정말 고맙습니다《비교: It is kind of you to do so.》. **b** 〘절을 이끌어〙 **얼마나**: I saw ~ sad he was. 그 사람이 얼마나 슬퍼하고 있는지를 알았다/You cannot imagine ~ wonderfully he sang. 그가 얼마나 멋지게 노래를 불렀는지 자네는 상상도 못할 거네.

any old **~** ⇨ANY. ***as*** **~** 〘접속사적으로〙 《방언》 ① …하다는〔이라는〕 것(that): He said *as* ~ he would be late. 그는 늦겠다고 했다. ② …인〔한〕지 어떤지(if, whether). ***Here's*** **~!** ⇨HERE. ***How about …?*** ⇨ABOUT. ***How comes it that …?*** ⇨COME[1]. ***How come you to*** **do …?** 어째서 그렇게 하는가: *How come you to* say that? 무슨 이유로 그런 말을 하지. ***How do you like …?*** ⇨LIKE[1]. ***How ever*** 〔***in the world, on earth, the devil,*** etc.〕 ***…?*** (도)대체 어떻게 …: *How ever* did he repair it? 대체 그 사람은 어떻게 해서 그것을 고쳤는가. ***How far*** **(…)*?*** ① 〘거리를 물어〙 얼마나 되는(거리인)가: *How far* is it from here to your school? 여기서 너의 학교까지는 얼마나 되는가. ② 〘정도를 물어〙 어느 정도, 얼마(쯤): I don't know ~ *far* we can trust him. 얼마나 그를 믿을 수 있는지 모르겠다. ***How is it that …?*** 어째서, 왜(⇨4). ***How is that for …?*** ① 《구어》 〘형용사 또는 명사를 수반하여, 반어적으로〙 정말 …하지 않은가: *How is that for* impudent? 이건 정말 뻔뻔스럽지 않은가. ② …은 어떤가: *How's that for* color 〔size〕? 색상은〔사이즈는〕 어떻습니까? ***How long*** **(…)*?*** (길이·시일·시간이) 얼마나, 어느 정도, 언제부터, 언제까지: *How long* would 〔will〕 it take (me) to go there by bus? 그곳에 버스로 가면 (시간이) 얼마나 걸릴까요. ***How many*** **(…)*?*** 얼마, 몇(개): *How many* apples are there in the box? 상자 안에는 몇 개의 사과가 있습니까. ***How much?*** (값은) 얼마입니까; 《우스개》 뭐라고요(=What?, How?). ***How often*** **(…)*?*** 몇 번(…)인가: *How often* are there buses to Busan? 부산행(行) 버스는 몇 번이나 있습니까. ***How soon*** **(…)*?*** 얼마나 빨리: *How soon* can I expect you? 얼마나 빨리 와 주시겠습니까. ***How then?*** 이게 어찌된 거나; 그럼〔달리〕 어떤가; (만일 그렇다면) 어떻다는 건가〔뭐가 나쁜가〕.

DIAL. ***And how!*** 《美》 (질문에 답하여) 물론, 그렇고 말고: Did you enjoy your first flight?—*And how!* 첫 항공 여행은 즐거웠느냐—물론이지.
How about that! 그것 재미있는데, 그건 놀라운데(=Isn't that surprising?).
How are you? ① (아는 사람을 만나) 안녕하십니까. ② (상대방의 건강 상태를 물어) 건강하시지요, 요즘은 어떠세요: *How are you*, Mr.

Smith?—Fine, thank you, and *how are you*? 스미스씨, 건강하시지요—예, 고맙습니다. 당신은 어떠세요. ③ 처음 뵙겠습니다(⇨ How do you do?).
***How are you doing* 〔*getting on*〕?** 어떻게 지내세요, 건강하시지요《★How are you?와 거의 같은 뜻의 인사》.
How come...? 어째서…, 왜…(=Why is that ...?): *How come* you were late for the meeting? 왜 모임에 늦었느냐《★How come 뒤에는 보통의 문장이 옴에 주의》/I hate milk. —*How come?* 나는 우유가 싫다—어째서.
How do you do? (첫 대면 인사로서) 처음 뵙겠습니다《★How are you?를 대신 쓰기도 함》: *How do you do*, Mr. Han?—*How do you do*, Mr. Smith? I'm glad to meet 〔see〕 you. 처음 뵙겠습니다, 한 선생님—처음 뵙겠습니다, 스미스씨, 만나 뵈어 반갑습니다《★대답에는 It's nice to know you. 같은 말도 씀; 격식을 갖추지 않은 경우에는 I'm 이나 It's를 생략하기도 함》.
How do you mean? 무슨 뜻〔의도〕입니까(설명해 주세요)(=I don't understand, so please explain.).
How goes it? 어떻게 지내십니까, 경기는 어떻습니까.
How* (*have*) *you been? 그 동안 잘 지내셨습니까《오래간만에 만나거나 했을 때》.
How's by you? 건강하시지요《★How are you?와 거의 같은 뜻의 인사》.
How's it going? =How are you doing?
How's* (*it*) *with you? =How are you doing?
How so? 어째서요, 왜요(=Why is that?): I'm tired out.—*How so?* 몹시 피곤합니다—어째서요.
How's that? ① (납득하기 어려워) 그건 무슨 말씀〔까닭〕입니까. ② 뭐라고 하셨습니까: What? *How's that* again? 뭐라고요, 다시 말씀해 주세요.

—*conj*. **1** 〖명사절을 이끌어〗 **a** …**한 경위**〔**사정, 모양**〕, …하는 방법〔방식, 정도, 과정〕《★the way how는 잘 쓰지 않고 how나 the way를 씀; 관계사라고도 함》: That is ~ it happened. 이같이 해서 일은 일어났던 것이다/This is ~ I want you to do it. 이런 식으로 그것을 해주기 바란다. **b** 〖that 대신에 쓰여〗《구어》 …**이라는**〔**하다는**〕 **것**《흔히 동사는 say, talk, tell, remember 따위임》: She told him ~ God was almighty. 그녀는 그에게 신이 전능하다는 것을 가르쳐 주었다. ★ that 대신 how를 쓰면 복잡하게 얽힌 사정을 이야기하는 투가 됨.
2 〖부사절을 이끌어〗 어떻게든 (…하도록): Do it ~ you can. 어떻게든 해 보아라/You can travel ~ you please. 좋을 대로 여행을 하고 와도 된다.
—*n*. (the ~) 방법: the ~ and the why of it 그 방법과 이유/consider all the ~*s* and wherefores 온갖 방법과 이유를 생각하다.

How·ard [háuərd] *n*. 하워드《남자 이름》.

how·dah [háudə] *n*. Ⓒ 상교(象轎)《코끼리·낙타의 등에 얹은 닫집이 있는 가마》.

how-do-you-do, how-d'ye-do [hàudəjədúː], [hàudidúː] *n*. 〖a fine 〔pretty, nice〕 ~로〗《구어》 곤란한〔어려운〕 처지, 괴로운 입장 (dilemma): Here's *a pretty* 〔*nice*〕 ~. 이것 참 곤란한 걸.

how·dy [háudi] *int*. 《美구어》 야!《인사말; how do ye 〔you〕 do의 간약형》.

how·e'er [hauɛ́ər] however의 간약형.

‡how·ev·er [hauévər] *ad*. **1** 〖접속부사로서〗 **그러나, 그렇지만**; 하지만(still; nevertheless)《★문장 앞이나 뒤에도 오나 보통은 문장 도중에 오며 but보다 뜻이 약한 형식적인 말》: Later, ~, he made up his mind to marry the farmer's daughter. 그러나 나중에 그는 그 농부의 딸과 결혼을 하기로 결심했다/I hate concerts. I will go to this one, ~. 나는 음악회는 싫어하지만 그러나 이번 것은 가겠다/*However*, I will do it in my own way. 하지만 나는 나대로의 방식으로 하겠다. **2** 〖양보절을 이끌어〗 **a** 〖정도〗 **아무리 … 할지라도**〔**해도**〕《(1) 양보절에서는 흔히 may를 사용하지만 《구어》에서는 생략할 때가 많음. (2) 《구어》에서는 no matter how가 보통임》: *However* late you are 〔may be〕, be sure to phone me. 아무리 늦더라도 꼭 전화를 하도록 하여라/*However* carefully I (may) write, I sometimes make mistakes. 아무리 주의해 써도 나는 틀릴 때가 있다/*However* great the pitfalls (are), we must do our best to succeed. 위험이 아무리 클지라도, 우리는 성공을 위해 최선을 다해야 한다《however가 수식하는 형용사가, be동사의 보어이고, 그 주어가 추상적인 명사일 때, be동사는 생략될 때가 있음》. **b** 〖방식〗 **어떤** (**방**)**식으로 …하더라도**, 아무리 …해도: *However* we do it, the result will be the same. 어떤 식으로 하더라도 결과는 마찬가지 일 것이다/*However* we (may) go, we must get there by six. 어떤 방법으로 가든, 6시까지는 거기에 도착해야 한다.
3 〖의문사 how의 강조형으로 쓰이어〗 도대체〔대관절〕 어떻게(해서)《how ever와 같이 두 단어로 쓰는 것이 정식》: *However* did you manage it? 대체 어떻게 해서 처리했지《놀라움》/*However* did you find us? 대관절 어떻게 우리를 발견했나요《놀라움》/*However* did you go yourself? 대체 자넨 어떻게 스스로 갈 수 있었나《감탄》.

> **NOTE** (1) 형용사·부사는 however 바로 다음에 오는 점에 주의할 것《2의 예문 참조》.
> (2) 양보절을 이끌 때에는 how*ever* =*no matter* how와 같이, ever를 no matter로 바꿔 쓸 수가 있음. 이 점은 whenever, wherever 《이상 셋을 '복합 관계부사(complex relative adverb)'라고 함) 및 whatever, whoever 〔whomever〕, whichever와 공통적임.

—*conj*. (…하는) 어떠한 방식으로라도: You may act ~ you like. 좋을 대로 행동해도 좋다.

how·itz·er [háuitsər] *n*. Ⓒ 〖군사〗 곡사포.

***howl** [haul] *vi*. **1** (개·이리 따위가) **짖다**, 멀리서 울다. **2** 《+전+명》 (바람 따위가) **윙윙거리다**: The wind ~*ed through* the woods 〔*down* the valley〕. 바람이 윙윙거리며 숲속을 빠져나갔다 〔골짜기를 불어 내려갔다〕. **3** 《~/+전+명》 (사람이) 울부짖다, 악쓰다, 크게 웃다《*with* …으로》: ~ *with* laughter 배를 움켜쥐고 웃다/The boy ~*ed with* pain. 소년은 아파서 울부짖었다. **—** *vt*. **1** 《~+목/+목+부》 악을 쓰며 말하다(*out*): ~ (*out*) obscenities 음탕한 이야기를 큰 소리로 말하다. **2** 《+목+부/+목+전+명》 호통쳐서 침묵케 하다(*down*); 호통쳐서〔껄껄 웃어서〕 …하게

하다《*off* …에서 떠나도록》: ~ *down* a speaker 호통쳐서 연사가 말을 못하게 하다/They ~*ed* him *off* the platform. 그들은 야유하여 그를 연단에서 물러나게 했다.
—*n.* [C] **1** (개·늑대의) **짖는 소리**; (사람의) 신음 소리, 아우성 소리, 큰 웃음: give a ~ of rage 화가 나서 악을 쓰다. **2** 〖무선〗 하울링《음향의 이상 귀환(歸還) 따위로 증폭기 속에서 일어나는 잡음》.

hówl·er *n.* [C] **1** 짖는 짐승; 목놓아 우는 사람; 곡꾼《장례식에 고용되어 우는》. **2** 〖동물〗 =HOWLER MONKEY. **3** 《속어》 (남의 비웃음을 살 만한) 큰 실수, 대실패: come a ~ 대실패를 하다.

hówler mònkey 〖동물〗 짖는 원숭이.

hówl·ing *a.* [A] 짖는; 울부짖는; 《구어》 엄청난, 터무니없는, 대단한: a ~ success 대성공/a ~ wilderness 짐승이 짖는 광야《신명기(申命記) XXXII: 10》.

hòw·so·éver *ad.* 《문어》 =HOWEVER. ★ however의 강조형(形)으로 how… soever로 끊어서도 쓰임.

hów-tó *a.* [A] (책 따위가) 실용 기술을 가르치는, 입문적인, 초보의: a ~ book on golf 골프 입문서.

hoy·den [hɔ́idn] *n.* [C] 말괄량이, 왈가닥 처녀. [파] ~·**ish** [-iʃ] *a.*

Hoyle [hɔil] *n.* [C] (또는 h-) 카드놀이법(의 책). ***according to*** ~ 규칙대로; 공정하게.

HP, H.P., hp., h.p. high pressure; horsepower. **H.P.** hire-purchase. **h.p.** half pay; hot-press. **hpa.** hectopascal. **H.Q., HQ., hq, h.q.** Headquarters. **Hr.** *Herr.* **hr.** hour. **h.r., hr.** 〖야구〗 home run(s). **H.R.** Home Rule; House of Representatives; Human Relations. **H.R.H.** His (Her) Royal Highness. **hrs.** hours. **HRSI** high-temperature reusable surface insulation ((우주선의) 고온용(用) 내열 타일). **h.s.** high school. **H.S.H.** His (Her) Serene Highness. **HST** hypersonic transport (극초음속 수송기); high speed train ((영국 국철의) 고속 열차). **H.T., HT** 〖전기〗 high tension (고압). **ht.** heat; height. **HTML** 〖컴퓨터〗 Hypertext Markup Language《www에서 웹페이지를 작성하기 위해 사용되는 언어의 이름》. **HTTP** 〖컴퓨터〗 Hypertext Transfer Protocol《인터넷에서 하이퍼 텍스트 문서를 교환하기 위하여 사용하는 통신 규약》.

hub [hʌb] *n.* **1** [C] (차륜의) 바퀴통; (선풍기·프로펠러 등의 원통형) 중심축. **2** [C] 중심, 중추: a ~ *of* industry (commerce) 산업(상업)의 중심지. **3** (the H-) 미국 Massachusetts주 Boston시의 이명(異名). **4** [C] 〖컴퓨터〗 허브《몇 개의 장치가 접속된 장치》.

húb àirport 허브 공항《국제(장거리)선과 국내(단거리)선 갈아타기를 할 수 있는 어떤 나라(지역)의 거점(據點) 공항》.

húb-and-spóke [-ənd-] *a.* 〖항공〗 (항공 노선의) 대도시 터미널 집중 방식의.

hub·ble-bub·ble [hʌ́bəlbʌ̀bəl] *n.* [C] 수연통(水煙筒)의 일종; 지글지글, 부글부글《소리》; 와글와글; 큰 소동. [imit.]

hub·bub, hub·ba·boo, hub·bu·boo [hʌ́bʌb], [hʌ́bəbùː] *n.* [C] (보통 a ~) 왁자지껄, 소음; 함성; 대소동, 소란.

hub·by [hʌ́bi] *n.* [C] 《구어》 남편, 바깥주인.

húb·càp *n.* [C] (자동차의) 휠캡; 《속어》 시건방진 놈, 젠체하는 녀석.

Hu·bert [hjúːbərt/-bət] *n.* 휴버트《남자 이름》.

hu·bris [hjúːbris] *n.* [U] 과도한 자부(자만), 자신 과잉; 오만, 불손.

huck·a·back, huck [hʌ́kəbæ̀k], [hʌk] *n.* [U] 허커백 천《삼베나 무명; 타월감》.

húckle·bèrry *n.* [hʌ́klbèri] [C] 〖식물〗 월귤나무《미국산》; 그 열매.

huck·ster [hʌ́kstər] (*fem.* **-stress** [-stris]) *n.* [C] **1** 소상인(小商人); 도붓장수, (야채 따위의) 행상인(《英》 costermonger). **2** 《美구어》 광고업자, 선전원, (특히 라디오·TV의) 커머셜 제작업자, 카피라이터.

HUD 〖항공〗 head-up display《조종사가 전방을 향한 채 필요한 데이터를 읽을 수 있는 장치》; 《美》 (Department of) Housing and Urban Development (주택 도시 개발부).

°**hud·dle** [hʌ́dl] *vt.* **1** (물건)을 뒤죽박죽 주워 모으다(쌓아 올리다); 되는 대로 쑤셔 넣다(*together; up*)《*into* …에》: ~ papers *into* a box 상자에 서류를 쑤셔 넣다/be ~*d together* in a flock 모여서 떼를 이루다. **2** 〖~ oneself〗 (웅크리 듯) 몸을 옴츠리다(*up*): He lay ~*d* (*up*) in a corner. 그는 구석에 웅크리듯 누워 있다. **3** (옷)을 급히 입다, 걸치다(*on*): ~ *on* one's clothes.
—*vi.* **1** 붐비다, 왁시글거리다, (떼지어) 몰리다(*together*): They ~*d together around* the fire. 그들은 모닥불 주위에 모여들었다. **2** 〖미식축구〗 (선수들이) 스크럼선 뒤로 집합하다. **3** 몸을 옴츠리다(*up*). **4** 모여서 의논하다, 모의하다《*with* …와》: ~ *with* a person to make hour-to-hour decisions 아무와 의논하여 시시각각 결정을 짓다.
—*n.* [C] **1** 혼잡, 붐빔; 난잡; 군중: all in a ~ 매우 난잡하게. **2** 〖미식축구〗 작전 회의, 선수들의 집합《다음 작전을 결정하기 위한》. **3** 《美구어》 (비밀) 회담, 상담, 밀담: go into a ~ (with a person) (아무와) 은밀히 이야기하다, 밀담하다.
~ ***upon*** ~ 한 덩어리가 되어.

Hud·son [hʌ́dsən] *n.* 허드슨. **1 Henry** ~ 영국의 항해가·탐험가(?-1611). **2** ~ **(River)** (the ~) 미국의 New York주 동부의 강.

Húdson Báy 허드슨 만《캐나다 북동부의 만》.

hue**[1] [hjuː] *n.* **1** [U] (구체적으로는 [C]) **색조**; 빛깔; 색상; 색(色): a garment of a violent ~ 현란한 색조의 옷/a blackish (faint, rich) ~ 거무스름한(연한, 풍부한) 색조/a cold (warm) ~ 찬(따뜻한) 색/the ~*s* of the rainbow 무지개의 일곱 가지 빛깔. [SYN.] ⇨COLOR. **2** [C] (의견·태도 등의) 경향, 특색: His speech has an aggresive ~. 그의 이야기투는 공격적인 데가 있다. ***put a different ~ ***on matters*** (사물이) 사태의 양상을 바꾸다.

hue[2] *n.* 〖나음 관용구에만 쓰임〗 ***a*** ~ ***and cry*** (추적·경계·반대의) 고함소리; 심한 비난《***against*** …에 대한》: raise *a* ~ *and cry* (*against* ...) (…에 대하여) 비난의 소리를 높이다.

hued *a.* 〖보통 합성어〗 …한 색조의: golden-~ 황금색의/many-~ 다채로운.

huff [hʌf] *vt.* 화나게 하다; 호통치다; 을러서 …시키다《*into* …하게》: ~ a person *into* silence 아무를 을러대어 침묵시키다. —*vi.* **1** 골내다; 분개하여 말하다. **2** (등산 때) 격하게 숨쉬다.
~ ***and puff*** ① 숨을 헐떡이며 견디다. ② 떠들어대다, 소란피우다. ③ 갈피를 못 잡게 되다, 혼란

하다. ~*ing and puffing* 속이 뻔한 공갈, 허세: Stop ~*ing and puffing* and tell me exactly what happened. 동닿지 않는 소리 그만하고 무슨 일이 있었는지 똑똑히 말해라.

—*n*. (a ~) 분개, 골냄: in a ~ 불끈하여 / take ~ =get 〔go〕 into a ~ 불끈 성내다.

huff·i·ly [hʌ́fili] *ad*. 불쾌하게; 거만하게.

huff·ish [hʌ́fiʃ] *a*. 찌무룩한; 거만한, 뽐내는.

huffy [hʌ́fi] (***huff·i·er; -i·est***) *a*. =HUFFISH.

hug** [hʌg] (-gg-***) *vt*. **1** 《~+목/+목+부/+목+전+명》 (애정을 가지고) **꼭 껴안다**; (곰이) 앞발로 끌어 안다《***against; to*** …쪽으로》: He ~*ged* her tightly. 그는 그녀를 꽉 껴안았다 / A bear ~*ged* the hunter to death. 곰이 앞발로 사냥꾼을 눌러 죽였다 / He ~*ged* the box *to* him. 그는 상자를 팔에 껴안았다. **2** (편견 등)을 **품다**, 고수하다: ~ the party line 정당 노선을 고수하다. **3** 《+목+전+명》〖~ oneself〗 크게 기뻐하다, (스스로) 행운이라고 여기다, 혼자서 은근히 기뻐하다《***on, for, over*** …에 대해, …때문에》: ~ one*self on* finding a job 직장을 얻어 기뻐하다 / There he sat, ~*ging* him*self over* my failure. 그는 내 실패에 대해 고소해 하며 거기 앉아 있었다. **4** (길이 하천 등)을 따라 나 있다; (보행자 · 차가) 접근해서 나아가다; 〖항해〗 (해안) 가까이를 항해하다: ~ the shore 해안을 끼고 가다 / During the fog, we had to ~ the side of the road. 안개가 끼어 있는 동안, 우리는 길가에 바짝 붙어 가야만 했다. —*vi*. 서로 껴안다; 바싹 붙다. —*n*. Ⓒ **1** 꼭 껴안음, 포옹: She gave her son a ~. 그녀는 아들을 껴안아 주었다. **2** 〖레슬링〗 껴안기.

⁑**huge** [hjuːdʒ, juːdʒ] *a*. **1 거대한**; 막대한: a ~ rock 〔building〕 거대한 바위〔빌딩〕.

SYN. **huge** 부피 · 모양 · 양 · 정도 따위가 매우 큰. **enormous** 일반적인 표준보다 상당히 큰: an *enormous* watermelon 굉장히 큰 수박. **immense** 계산하고 재어 보면 굉장한 것이 될 것이라는 넓이를 암시함: an *immense* land 광대한 토지. **tremendous** 놀라움 · 공포감을 줄 만큼 큰. **vast** 너비 · 범위 · 양 따위가 큰.

2 (범위 · 정도 따위가) 한계가 없는, 한량없는, 무한한(limitless): a ~ undertaking (한계 없는) 대사업 / a ~ victory 〔success〕 대승리〔성공〕 / the ~ genius of Mozart 모차르트의 한량없는 재능. ㊕ **∠·ly** *ad*. 《구어》 크게, 아주, 대단히. **∠·ness** *n*.

hug·ger-mug·ger [hʌ́gərmʌ̀gər] *a*., *ad*. 비밀의〔히〕; 난잡한〔하게〕. —*n*. Ⓤ 난잡, 혼란; 비밀.

Hugh [hjuː] *n*. 휴이《남자 이름》.

Hu·go [hjúːgou] *n*. **Victor** ~ 위고《프랑스의 작가 · 시인; 1802–85》.

Hu·gue·not [hjúːgənɑ̀t/-nɔ̀t] *n*. Ⓒ 위그노(교도)《16–17세기 프랑스 신교도》. ㊕ **~·ism** *n*. Ⓤ 위그노 교리.

◇**huh** [hʌ] *int*. 하, 정말; 흥, 그런가《놀람 · 의문 따위를 나타냄》. [imit.]

hu·la(-hu·la) [húːlə(húːlə)] *n*. Ⓒ (하와이의) 훌라춤(곡): dance 〔do〕 the ~ 훌라춤을 추다.

hulk [hʌlk] *n*. Ⓒ 노후한 배, 폐선《창고 대신으로 쓰임》; 《비유적》 뚱보, 거한(巨漢); 부피 큰 물건: a ~ *of* a man 엄청난 덩치의 남자.

húlk·ing, hulky [hʌ́lki] *a*. Ⓐ 부피가〔몸집이〕 큰; 볼꼴 사나운: a great, ~ idiot 덩치만 크고 쓸모없는 사람.

◇**hull**[1] [hʌl] *n*. Ⓒ **1** 껍질, 껍데기, 외피, (콩)깍지; (딸기 따위의) 꼭지. **2** 덮개. —*vt*. 껍질을〔껍데기를, 외피를〕 벗기다, 꼬투리를 까다: ~*ed* rice 현미.

hull[2] *n*. Ⓒ 〖선박〗 선체《원재(圓材) · 삭구(索具) 따위를 제외한》; 〖항공〗 (비행정의) 정체(艇體), (비행선의) 선체; (로켓 · 유도탄의) 외각(外殼); (탱크의) 차체: ~ insurance 선체 해상 보험.

hul·la·ba·loo [hʌ́ləbəlùː] (*pl*. **~s**) *n*. Ⓒ (보통 a ~) 왁자지껄, 떠들썩함, 큰 소란: There was a ~ about it. 그 일로 큰 소란이 벌어졌다 / kick up 〔make, raise〕 a ~ 야단법석을 떨다, 소동을 일으키다.

hul·lo, hul·loa [həlóu, hʌ́lou, hʌlóu] *int*., *n*. 《英》 =HELLO.

hum**[1] [hʌm] (-mm-***) *vi*. **1** 《~/+부》 (벌 · 팽이 · 선풍기 따위가) **윙윙거리다**: My head ~*s*. 머리가 띵하다 / The radio set often ~*s*. 그 라디오는 자주 윙윙하고 잡음을 낸다 / ~ *through* (탄알 따위가) 쌩하고 날다. **2 콧노래를**〔**허밍으로**〕 **부르다**: The old man was ~*ming* to himself. 그 노인은 혼자서 콧노래를 부르고 있었다. **3** 《~/+전+명》 (공장 · 사업 따위가) 바쁘게〔경기 좋게〕 움직이다《***with*** …으로》: The office was ~*-ming with* activity. 회사는 활기에 차 있었다.

—*vt*. **1** 《~+목/+목+부》 (노래의 가락 따위)를 허밍하다, 콧노래로 부르다: ~ *forth* one's satisfaction 콧노래로 만족감을 표시하다 / He ~*med* a song to himself. 그는 혼자 콧노래를 불렀다. **2** 《+목+전+명》 콧노래를 불러주어 …시키다《***to*** …하게》: ~ a baby *to* sleep 콧노래를 불러 아기를 재우다. **~ *along*** 《*vi*.+부》 ① (자동차 따위가) 쌩쌩 달리다; (사업 등이) 잘 되어 가다. ② 음악에 맞추어 콧노래를 부르다. **~ *and haw*** 〔***ha*(*h*)**〕 《英》 말을 더듬다; 망설이다.

—*n*. **1** (*sing*.) 윙윙 (소리); 멀리서의 잡음, 와글와글: the ~ of bees 벌의 윙윙거리는 소리 / a ~ of voices 와글거리는 사람 소리. **2** Ⓒ 《英》 (주저 · 불만 따위를 나타내는) 흥, 흠흠: give an answer after some ~*s* and ha's 〔haws〕 몇 번이나 흠흠한 다음 대답하다.

hum[2] *int*. 《英》〖의심 · 놀람 · 불찬성〗 흥, 음(《美》 hem). [imit].

⁑**hu·man** [*h*júːmən] *a*. **1 인간의**, 사람의(↔ *divine*). cf. animal. ¶~ affairs 인간사 / ~ frailty 인간의 연약함 / ~ knowledge 인지(人智) / ~ resources 인적 자원 / ~ milk 모유 / a ~ sacrifice 인신 공양 / a ~ satellite 인간 위성《우주 유영인》 / a ~ touch 인간〔인정〕미. **2** 인간적인, 인간다운, 인간에게 흔히 있는: ~ errors 사람에게 따르기 마련인 과실 / more 〔less〕 than ~ 보통 인간 이상〔이하〕인 / To err is ~, to forgive divine. ⇨ERR.

—*n*. Ⓒ 인간(=∠ **bèing**); (the ~) 인류.

㊕ **~·ness** *n*. Ⓤ 인간성, 인간미; 인간의 자격.

human being (동물 · 요정 · 신 · 유령 따위와 대비하여) 인간, 사람.

húman cháin 인간 띠《반핵 평화 운동 그룹의 시위 행동의 한 형태》.

***hu·mane** [*h*juːméin] *a*. **1 자비로운**, 인도적인, 인정 있는, 친절한, 자애로운. ↔ *inhuman*. ¶~ feelings 자비심 / ~ killer (동물의) 무통 도살기(無痛屠殺機). **2** 고아한, 우아한. **3** 교양적인, 인문(학)적인: ~ learning 고전 문학 / ~ studies 인문 과학 / ~ education 인격 교육.

㊕ **~·ly** *ad*. 자비롭게, 인도적으로. **~·ness** *n*.

percent 백 퍼센트로, 완전히, 유감없이: Do you trust me?—*A* ~ *percent*. 저를 믿습니까—100 퍼센트요(완전히 믿어요). ***by ~s*** = ***by the ~(s)*** 몇 백이나; 많이. ***~s and thousands*** 몇 백 몇 천; (케이크 장식에 뿌리는) 굵은 설탕.

hún·dred·fòld *a.*, *ad.* 100배의(로); 100겹의(으로). —*n.* (a ~) 100배(겹).

hún·dred-percént *a.* (a ~) 100 퍼센트의, 전면적인, 철저한, 완전한: I can't give you a ~ answer. 100 퍼센트 만족스러운 대답은 할 수 없다. —*ad.* 완전히, 전적으로: You are *a* ~ wrong. 자네는 완전히 틀렸네. [파] **~·er** *n.* [C] 《美》 극단론자, 과격한 애국자; 철저한 국수(國粹)주의자.

‡**hun·dredth** [hʌ́ndrədθ] *a.* **1** (보통 the ~) 100번째의. **2** 100분의 1의. —*n.* **1** [U] (보통 the ~) (서수의) 100번째《생략: 100th》. **2** [C] 100분의 1. **3** (the ~) 100번째의 사람(것).

hún·dred·wèight (*pl.* ***~s,*** 〖수사 다음에서는〗 ~) *n.* [C] 무게의 단위《《英》 112 파운드(50.8kg); 《美》 100파운드(45.36kg); (미터법으로) 50kg; 생략: cwt.》.

Húndred Yéars' (**Yéars**) **Wár** (the ~) 백년 전쟁《1337–1453년의 영국과 프랑스 전쟁》.

hung [hʌŋ] HANG의 과거·과거분사.
—*a.* 《美속어》 페니스가 큰: be ~ like a bull. ***be ~ over*** 숙취하다. ~ ***up*** 《속어》 ① 주저앉게 되어. ② (곤란한 일로) 저지당하여, 방해되어. ③ 마음이 안정되지 않아서, 정서불안정으로. ~ ***up on...*** ① …에 심리적으로 얽매어서. ② …에 열중하여.

Hung. Hungarian; Hungary.

Hun·gar·i·an [hʌŋgɛ́əriən] *a.* 헝가리(사람·말)의. —*n.* [C] 헝가리 사람; [U] 헝가리 말.

Hun·ga·ry [hʌ́ŋgəri] *n.* 헝가리《수도는 Budapest》.

‡**hun·ger** [hʌ́ŋgər] *n.* **1** [U] **공복**, 배고픔; 굶주림, 기아; 기근: ~ export (외화 획득을 위한) 기아 수출/die of ~ 굶어 죽다/satisfy one's ~ 공복을 채우다/*Hunger* is the best sauce. 《속담》 시장이 반찬, 기갈이 감식. **2** (a ~) 《비유적》 **갈망**, 열망《***for, after*** …에 대한》: a ~ *for* (*after*) fame (learning) 명예(지식)욕. ◇hungry *a.*
—*vi.* **1** 배가 고프다, 굶주리다; 시장하다. **2** 《+[전]+[명]》 갈망하다(long)《***for, after*** …을》: ~ *for* (*after*) affection 애정을 갈망하다.

húnger màrch 기아 행진《실업자 등의 시위》.

húnger strìke 단식 투쟁: go (be) on a ~ 단식 투쟁을 하다(하고 있다).

húnger strìker 단식 투쟁자.

húng júry 〖집합적; 단·복수취급〗 《美》 불일치 배심, 의견이 엇갈려 판결을 못 내리는 배심.

húng·òver *a.* 숙취한; (기분이) 언짢은, 비참한.

húng párliament 《英》 여당이 과반수의 의석을 차지하지 못하는 의회.

†**hun·gry** [hʌ́ŋgri] (***-gri·er; -est***) *a.* **1** **배고픈**, 굶주린: I am ~. 시장하다/a ~ look 허기진 표정/as ~ as a hunter (hawk) 몹시 시장하여/feel ~ 시장기를 느끼다/go ~ 굶고 있다/Nothing comes wrong to a ~ man. 《속담》 수염이 석자라도 먹어야 양반. **2** **갈망하는**, 몹시 원하는《***for, after*** …을》; 무척 …하고 싶어하는《***to*** do》: be ~ *for* (*after*) knowledge 지식을 갈망하다/be ~ *to* get on in the company 회사에서 무척 출세하고 싶어하다.

[SYN] **hungry** 공복의. 비유적으로 '…을 몹시 원하는': *hungry* for (after) information 소식을(정보를) 몹시 얻고 싶어서. **starved** hungry의 강한 뜻: be *starved* to death 굶어 죽다. **famished** starved와 같은 뜻이지만 장기간에 걸친 굶주림이나 빈곤을 암시함. 그러나 구어에서는 starved, famished 모두 '허기진'의 뜻으로 hungry와 같은 뜻으로 쓰임: I was simply *famished* (*starved*) after the hike. 하이킹 뒤에 몹시 시장했다.

3 불모의, 메마른(barren): ~ land 메마른 땅/~ ore 빈광(貧鑛). **4** 식욕을 돋우는: ~ work 배가 쉬 고파지는 일. ◇hunger *n.* [파] **-gri·ly** *ad.* 배고파서, 허기져서, 걸신들린 듯; 탐내어, 갈망하여: go at (to) it ~ 맹렬히 …하기 시작하다. **-gri·ness** *n.*

hunk [hʌŋk] *n.* [C] **1** 《구어》 (고기·빵 따위의) 두꺼운 조각, 큰 덩어리; 군살(hunch), 고깃 덩어리. **2** 《구어》 체격이 좋은(큰) 남자; 《美속어》 멋진(섹시한) 남자. ***a ~ of beefcake*** 《美속어》 육체미가 좋은 남자, 늠름한 사나이.

hun·ker [hʌ́ŋkər] *vi.* 쭈그리고 앉다; 몸을 옹송그리다(down). —*n.* (*pl.*) 궁둥이. 〖다음 관용구로〗 ***on*** one***'s ~s*** 쭈그리고 앉아서.

húnky-dó·ry [-dɔ́:ri] *a.* 《美속어》 안심할 수 있는, 멋있는, 훌륭한.

Hunt [hʌnt] *n.* (**William**) **Holman** ~ 헌트《영국의 화가; 1827–1910》.

‡**hunt** [hʌnt] *vt.* **1** **사냥하다**: ~ big game 큰 짐승을 사냥하다《사자 따위의》/~ ivory (상아를 얻기 위해) 코끼리 사냥을 하다/~ heads 사람 사냥을 하다. **2** (어느 지역)을 사냥하다: ~ the woods 숲속에서 사냥하다. **3** (말·개 따위)를 사냥에 쓰다. **4** 《+[목]+[부]/+[목]+[전]+[명]》 쫓아내다, 쫓아버리다: They ~*ed* cats *away*. 고양이를 쫓아버렸다/He was ~*ed from* (*out of*) the village. 그는 마을에서 추방되었다. **5** 《~+[목]/+[목]+[전]+[명]》 **찾다**, 추구하다, 추적하다; (장소)를 수색하다, 뒤지다《***for*** …찾기 위해》: ~ a job 일자리를 찾다/He's being ~*ed* by the police. 그는 경찰에 쫓기고 있다/~ the house *for* the gun 총을 찾아 온 집안을 뒤지다. —*vi.* **1 a** **사냥하다**: go (out) ~*ing* 사냥을 떠나다(가다). **b** 《英》 여우 사냥을 하다. **2** 《+[전]+[명]》 **찾다**, 추구(탐구)하다《***after, for*** …을》: ~ *for* bargains 값싼 물건을 찾으러 다니다/~ *after* knowledge 지식을 탐구하다. **3** 《+[전]+[명]》 (구석구석까지) 뒤지다, 수색하다《***in, through*** …속을》: I ~*ed in* my pocket *for* the ticket. 표를 찾으려고 호주머니를 뒤졌다/She ~*ed through* the drawers to find the ring. 반지를 찾으려고 서랍 속을 뒤졌다.

~ ***down*** 《*vt.*+[부]》 바싹 추적하다, 추적해서 잡다: The police ~*ed down* the murderer. 경찰은 살인범을 추적하여 잡았다. ~ ***out*** 《*vt.*+[부]》 ① =~ down. ② =~ up. ③ (사냥감이 없어질 때까지 장소)를 샅샅이 사냥하다. ~ ***up*** 《*vt.*+[부]》 (숨어 있는 것 따위)를 찾다, 찾아내다, (찾아서) 발견하다: ~ *up* old records 옛 기록을 찾아내다/~ *up* words in a dictionary 사전에서 단어를 찾다.

—*n.* [C] **1** 〖종종 합성어로〗 사냥, 수렵: a bear-~ 곰 사냥/have a ~ 사냥을 하다/go on a ~ 사냥 가다. **2** 《英》 **a** 여우 사냥. **b** 〖단·복수취급〗 (여우 사냥의) 수렵대. **c** (여우 사냥의) 수렵지(구). **3** 추적, 수색, 탐색(search); 탐구《***for*** …의》: have a (be on the) ~ *for* …을 수색하다.

hunt·er** [hʌ́ntər] (*fem.* ***hunt·ress) *n.* [C] **1**

사냥꾼(huntsman); 수렵가, 사냥하는 짐승. **2** 사냥개, 사냥말《특히 헌터종(種)의 말》. **3** 찾아 헤매는〔추구하는〕 사람《***for, after*** …을》: a fortune ~ 재산을 노리는 구혼자/a ~ *after* fame 명예욕이 강한 사람. **4** (사냥꾼용의) 뚜껑이 앞뒤에 달린 회중시계(hunting watch).

húnter's móon (보통 the ~) 사냥달《harvest moon 다음의 만월》.

hunt·ing** [hʌ́ntiŋ] *n*. Ⓤ **1** 사냥; 《英》 여우 사냥(fox ~); 《美》 총사냥(《英》 shooting). **2** 추구, 수색; 탐구: job ~ 직장 찾기/house ~ 셋집 찾기. **—a*. 사냥을 좋아하는, 사냥용의: a ~ dog 사냥개.

húnting bòx 《英》 사냥꾼의 산막.

húnting càp 헌팅캡, 사냥 모자.

húnting cròp 수렵용 승마 채찍.

húnting gròund 사냥터; 찾아 뒤지는 곳. ***a happy*** ~ 《北美인디언》 극락, 천국. ***go to the happy*** ~***(s)*** 저승으로 가다, 죽다.

húnting hòrn 수렵용 나팔.

húnting pìnk 여우 사냥꾼이 입는 붉은색 상의(上衣)(의 옷감); 짙은 다홍색(의).

Hún·ting·ton's chorèa 〔**disèase**〕 [hʌ́ntiŋtənz-] 〖의학〗 헌팅턴〔만성 유전성〕 무도병(舞蹈病)《30 대에 많이 발병하는 희귀한 유전병》.

hunt·ress [hʌ́ntris] *n*. Ⓒ 여자 사냥꾼; 수렵용의 암말.

húnts·man [-mən] (*pl*. ***-men*** [-mən]) *n*. Ⓒ 사냥꾼; 《英》 (여우 사냥의) 사냥개 담당자. ㊕ ~**·shìp** *n*. Ⓤ 사냥술, 사냥 솜씨.

◇**hur·dle** [hə́ːrdl] *n*. **1** Ⓒ 《英》 바자(울)《나뭇가지로 엮은》. **2** 〖경주 · 경마〗 **a** Ⓒ 장애물, 허들. **b** (the ~s) 〖단수취급〗 장애물 경주, 허들 경주: the high 〔low〕 ~*s* 고〔저〕장애물 경주/run the ~*s* 장애물 경주를 하다. **3** Ⓒ 장애, 곤란: clear a ~ 어려움을 극복하다/There're numerous ~*s* on the road to success. 성공으로 가는 길목에는 수많은 난관이 있다.

—*vt*. **1** …에 바자로 울타리를 두르다(*off*). **2** (허들)을 뛰어넘다. **3** (장애 · 곤란 따위)를 극복하다(overcome). **—***vi*. 허들 경주에 나가다. ㊕ **húr·dler** *n*. Ⓒ 허들 선수; 바자 엮는 사람.

hur·dy-gur·dy [hə́ːrdigə̀ːrdi] *n*. Ⓒ **1** (옛날의) 현악기의 일종《송진을 바른 바퀴를 돌려 현을 마찰시켜서 소리를 냄》. **2** 《구어》 손잡이를 돌리는 오르간(barrel organ)의 일종.

hurl** [həːrl] *vt*. 《+목+전+명》 **1 a** 집어던지다, 세게 던지다: The hunter ~*ed* his spear *at* his prey. 사냥꾼은 사냥감을 향해 창을 힘껏 내던졌다. **b** 〖~ oneself〗 세차게〔힘껏〕 맞닥뜨리다, 덤벼들다: ~ one*self at* 〔*upon, against*〕 one's enemy 적에게 덤벼들다. SYN. ⇨THROW. **2** (욕설 등)을 퍼붓다(at*** …에게): She ~*ed* abuse *at* me. 그녀는 나에게 욕설을 퍼부었다. **—***n*. Ⓒ 세게 집어던짐. ㊕ **húrl·er** *n*. Ⓒ 던지는 사람; 〖야구〗 투수(投手).

húrl·ing *n*. Ⓤ 던지기; 헐링《아일랜드식 하키; 규칙은 하키, soccer와 거의 같음》.

hur·ly-bur·ly [hə́ːrlibə̀ːrli] *n*. Ⓤ (흔히 the ~) 혼란, 큰 소동(uproar).

Hu·ron [hjúərən] *n*. **Lake** ~ 휴런 호《북아메리카 5 대호 중 두 번째로 큰 호수》.

⁑**hur·rah, hur·ray** [hərɔ́ː, -rɑ́ː], [huréi] *int*. 만세, 후레이: *Hurrah for* the King 〔Queen〕! 국왕〔여왕〕 만세. **—***n*. Ⓒ 만세 소리, 환성. **—***vi*. 만세를 부르다, 환성을 지르다.

***hur·ri·cane** [hə́ːrəkèin, hʌ́ri-/hʌ́rikən] *n*. Ⓒ **1** 〖기상〗 **허리케인, 싹쓸바람**《특히 서인도제도 부근의 초속 32.7m 이상의 폭풍》. SYN. ⇨STORM. **2** (감정 따위의) 격앙, 폭발: a ~ *of* applause 우레와 같은 박수 갈채.

húrricane làmp 〔**làntern**〕 내풍(耐風) 램프《등유를 씀》.

***hur·ried** [hə́ːrid, hʌ́rid] *a*. **매우 급한**《식사 따위》; 재촉받은, 다그치는; 허둥대는: with ~ steps 급한 발걸음으로/a ~ letter 황급히 쓴 편지/snatch a ~ lunch 급히 서둘러 점심을 들다. ㊕ ~**·ness** *n*.

◇**húr·ried·ly** *ad*. 서둘러, 다급하게, 허둥지둥: put on one's clothes ~ 서둘러 옷을 입다《★ 보통 「…하시오」라는 긍정 명령문에는 쓰이지 않음; 이 경우 Eat ~! 라고 하지 않고 Eat *quickly!* 라고 함》.

⁑**hur·ry** [hə́ːri, hʌ́ri] *n*. Ⓤ **1 매우 급함**, 허둥지둥 서두름: Everything was ~ and excitement. 모든 게 야단법석이었다. SYN. ⇨HASTE. **2** 서둘러서 …하는 것(***to*** do): In my ~ *to* leave for the office, I forgot my wallet. 출근을 너무 서두른 나머지 지갑을 두고 왔다. **3** 〖부정 · 의문문에서〗 **서두를 필요**(***for, about*** …을): Is there any ~? 뭐 서두를 필요라도 있나/There's *no* ~ *about* 〔*for*〕 it. 서두를 필요 없어.

~ ***and bustle*** 〔***confusion***〕 허둥댐, 법석이는 소동. ***in a*** ~ ① 급히, 서둘러: I am *in a* ~ *to* go. 급히 가야 한다; 빨리 가고 싶다/Don't be *in a* ~. 덤비지 마라. ② 초조하여, 안달하여: He's *in* (too much of) *a* ~ *to* succeed. 그는 성공하려고 (너무) 안달한다. ③ 〖보통 부정문〗 《구어》 쉽게, 곧: They would*n't* forget it *in a* ~. 그들은 그걸 쉽사리 잊지 않을 겁니다. ④ 〖보통 부정문〗 《구어》 기꺼이, 자진하여: I sha*n't* come again *in a* ~. 이제 두 번 다시 안 올께. ***in no*** ~ ① 서두르지 않고: I am *in no* ~ *for* it. 별로 그걸 서두르지 않고있다. ② 좀처럼〔쉽사리〕 …하려 하지 않고: He was *in no* ~ *to* leave. 그는 쉽사리 돌아가지 않았다. ③ …할 생각이 없어서: I am *in no* ~ *to* help him. 그를 도와 줄 생각이 없다.

—(*p*., *pp*. ***hur·ried;*** ~**·*ing***) *vt*. **1** (사람 · 동작)을 **서두르게 하다**, 재촉하다, 죄치다: Don't ~ the work. 일을 급하게 하지 마라/I *hurried* my steps. 나는 발걸음을 재촉했다. **2** 《+목+전+명》 (사람)을 급히 가게 하다, (물건)을 재촉하여 보내다(***to*** …에): They *hurried* the injured *to* the hospital. 그들은 부상자들을 급히 병원으로 옮겼다. **3** 《+목+부/+목+전+명》 재촉하여〔다그쳐서〕 …시키다: ~ *up* one's homework 숙제를 급히 끝내다/They were *hurried into* decision. 그들은 재촉을 받아 결정을 내렸다/~ him into marriage 그를 재촉하여 결혼시키다.

—*vi*. **1** 《~/+부/+전+명》 **서두르다**, 조급하게 굴다, 덤비다: Don't ~. 덤비지 마라/I picked up my hat and *hurried away* 〔*off*〕. 나는 모자를 손에 들자 서둘러 자리를 떴다/He *hurried back to* his seat. 그는 서둘러 제자리로 돌아갔다/He *hurried through* his work. 그는 일을 제꺽 해치웠다/~ *along* 〔*on*〕 급히 가다/He *hurried over* the difficult passages. 그는 이해하기 어려운 데는 대충대충 읽고 넘어갔다. **2** …하려고 서두르다, 서둘러서〔허겁지겁〕 …하다(***to*** do): ~ *to* catch a bus 버스를 타려고 서두르다/Hearing that war had broken out, he *hurried to* get home. 전쟁이 발발했다는 소식을 듣

고, 그는 서둘러 귀국했다.
~ **up** 《vi.+副》 ① 〖주로 명령형〗《구어》 서두르다: *Hurry up*, or you'll be late for school. 서둘러라, 그렇지 않으면 학교에 늦는다. —《vt.+副》 ② (사람·동작)을 서두르게 하다. ③ (일 따위)를 서둘러 하다.

> **DIAL.** ***There's no hurry.*** 서두를 필요 없다: Walk a little more slowly; *there's no hurry*. 좀더 천천히 걸어라, 서두를 필요 없으니까.
> ***What's*** (***all***) ***the hurry?*** =***Why*** (***all***) ***the hurry?*** 왜 그렇게 서두르는 거지.

húrry·ing·ly *ad*. 급히, 서둘러, 허둥지둥.
húrry-scúrry, -skúrry *ad*. 허둥지둥, 허겁지겁. —*a*. 허겁지겁하는. —*n*. Ⓤ (또는 a ~) 허겁지겁함; 혼란, 법석.
‡hurt [həːrt] (*p*., *pp*. ~) *vt*. **1 a** …에 **상처내다**, …을 다치게 하다(wound): get ~ 다치다, 상처를 입다 / be badly 〔seriously〕 ~ 중상을 입다. **b** 〖~ oneself〗 다치다, 상처를 입다: He ~ him*self* in a fight. 그는 싸움에서 상처를 입었다. **2** …에 아픔을 느끼게 하다〔주다〕; (물건 따위)에 손해를 입히다: My head ~*s* me. 머리가 아프다 / It ~*s* me to cough. 기침을 하면 아프다 / Is that tight shoe ~*ing* you 〔your foot〕? 신이 꼭 끼어서 (발이) 아프냐. **3** (감정)을 상하게 하다(offend); (아무)를 불쾌하게 하다《★ 흔히 수동태로 쓰며, 전치사는 *at*, *by*》: I *was* very (much) ~ *at* 〔*by*〕 what was said. 그 말에 몹시 기분이 나빴다 / She *was* 〔felt〕 ~ to find that nobody took any notice of her. 아무도 자기를 알아 주지 않는다는 것을 알고 그녀는 기분이 상했다. **4** 《비유적》 (명예 따위)를 손상시키다, 해치다: ~ one's reputation 명성을 손상시키다. **5** 〖부정문〗《구어》 (아무)에게 지장을 주다: Another glass wo*n't* ~ you. 한 잔 더해도 괜찮겠지요.

> **SYN.** **hurt** 신체·마음에 상처를 입히다. **injure** 건강·명예·감정 따위의 '손상'에 역점이 있음. **damage** 손해에 의한 가치의 소멸을 강조함. **impair** 효력·질·가치 따위를 낮춤: Bad weather often *impairs* scenic beauty. 궂은 날씨는 흔히 풍경미를 해친다.

—*vi*. **1 아프다**: My finger still ~*s*. 손가락이 아직 아프다 / Where does it ~ (most)? 어디가 (가장) 아프십니까. **2** 기분을 상하게 하다: Her remarks really ~ 〔~ a lot〕. 그녀의 말이 정말로〔몹시〕 비위에 거슬린다. **3** 〖부정문〗《구어》 지장이 있다, 곤란해지다: It wo*n't* ~ to wait for a while. 좀 기다려도 괜찮겠지, 좀 기다리는게 좋겠다.
cry 〔***holler***〕 ***before*** one ***is*** ~ 〖흔히 부정문〗《구어》 까닭없이 트집잡다〔두려워하다〕. ***It*** ~***s***. 《구어》 아파. ***This will*** ~ ***me more than it*** ~***s you.*** 이건 너보다 내 쪽이 괴롭다《남을 벌할 때 하는 말》.

> **DIAL.** ***It doesn't hurt to ask.*** =***It never hurts to ask.*** (밑져봤자 본전이니까) 일단 물어보았을 뿐이야(← 물어봐서 손해될 건 없다).
> ***It won't*** 〔***wouldn't***〕 ***hurt*** A ***to*** do …하더라도 A에게 손해볼 건 없을 텐데《에둘러서 하는 충고》: *It won't hurt* you *to* be more punctual. 좀더 시간을 지킨다고 해서 손해볼 건 없잖아요.
> ***One more won't hurt.*** 한 잔 더 해도〔한 개 더 먹어도〕 괜찮겠지요.

—*n*. **1** Ⓤ (구체적으로는 Ⓒ) 아픔, 부상, 상처(wound): a slight 〔serious〕 ~ 경상〔중상〕/ a ~ from a blow 타박상. **2** Ⓤ 손실, 손해(damage): do ~ to … …을 손상시키다; …을 해치다. **3** Ⓤ (구체적으로는 Ⓒ) (정신적) 고통(pain): intend no ~ to a person's feelings 아무의 감정을 해칠 생각은 없다 / It was a great ~ to his pride. 그것은 그의 자존심을 상하게 했다.
—*a*. **1** 다친, 상처입은; 《美》 (물건이) 파손된: a ~ book 파본 / a ~ look 〔expression〕 화난 듯한 표정. **2** (the ~) 〖명사적; 복수취급〗 다친 사람들.
hurt·ful [hə́ːrtfəl] *a*. **1** (육체적·정신적으로) 고통을 주는; 상처를 입히는: a ~ sight 고통스런 광경 / a ~ remark 기분 나쁜 말. **2** 해로운, 유해한(injurious)《*to* (건강 따위)에》. 파 **~·ly** *ad*. **~·ness** *n*.
hur·tle [hə́ːrtl] *vi*. (돌·화살·차 등이) 돌진하다, 고속으로 움직이다; 요란스레 격돌〔돌진〕하다; (소리 따위가) 와르르 울려퍼지다: The boomerang ~*d through* the air. 부메랑이 빠르게 허공을 날았다 / We saw rocks and stones *hurtling down* the mountain. 산에서 암석이 와르르 무너져 내리는 것을 보았다. —*vt*. 홱 내던지다; 돌진케 하다: Without gravity we would be ~*d* (*off*) *into* space. 인력이 없다면 우리는 우주 공간에 내동댕이쳐질 것이다.
húrt·less *a*. 무해한; 상처를 입지 않은. 파 **~·ly** *ad*. **~·ness** *n*.
Hus [hʌs] *n*. =HUSS.
†hus·band [hʌ́zbənd] *n*. Ⓒ **남편**: ~ and wife 부부《★ 관사 없이》/ A good ~ makes a good wife. 훌륭한 남편이 훌륭한 아내를 만든다. **~'s *tea*** 《우스개》 밍밍하고 식은 차.
—*vt*. 절약하다(economize), 절약하여 쓰다; 소중하게 쓰다: ~ one's resources 자금을 아껴 쓰다.
hus·band·ry [hʌ́zbəndri] *n*. Ⓤ **1** (낙농·양계 등을 포함하는) 농업, 경작. **2** 절약(thrift): good 〔bad〕 ~ 알뜰한〔짜임새 없는〕 살림살이.
***hush** [hʌʃ] *int*. [ʃː] **쉿**《조용히 하라는 신호》.
—*n*. Ⓤ (또는 a ~) **침묵**, 조용함(stillness): in the ~ of night 밤의 정적 속에 / A ~ fell over the village. 마을에 정적이 감돌았다.
—*vt*. **1** 《~+목/+목+전+명》 조용하게 하다, 침묵시키다; 달래어 …시키다《*to* …하게》: The news ~*ed* us. 그 소식을 듣고 우리는 입을 다물었다 / She ~*ed* the crying child *to* sleep. 그녀는 우는 아이를 달래어 재웠다. **2** (노염·불안 따위)를 달래다(soothe); 진정시키다: ~ a person's fears 아무의 두려움을 진정시키다.
—*vi*. 조용해지다, 입다물다; '쉿'이라고 말하다.
~ ***up*** 《vt.+副》 (비밀 따위)를 남에게 알려지지 않도록 하다; …에 대하여 입을 다물다; (악평 등)을 쉬쉬하여 감추다: ~ *up* the truth 사실을 은폐하다 / The suicide was ~*ed up*. 그 자살 사건을 쉬쉬하여 감췄다.
파 **∠·ful** *a*. 침묵한, 조용한. **hushed** *a*.
hush·a·by(e) [hʌ́ʃəbài] *int*. 자장자장《아기를 재울 때의 말》.
húsh-hùsh *a*. 《구어》 극비의, 내밀한(secret, confidential): ~ experiments 극비 실험.
húsh·ing sòund 〖음성〗 치찰음(齒擦音) 중의 [ʃ, ʒ]의 소리. cf. hissing sound.
húsh mòney (스캔들의) 입막음 돈, 입씻이.

◇**husk** [hʌsk] *n.* Ⓒ **1** (곡물의) 꼬투리, 껍데기, 겉껍질; 《美》 옥수수 껍데기. **2** 찌끼, 폐물(廢物); 껍질뿐인 것. ―*vt.* (곡물)의 껍질을 벗기다, 꼬투리〔깍지〕를 까다; 《속어》 옷을 벗기다.
㊕ **∠·er** *n.* Ⓒ 탈곡기(機); 탈곡하는 사람.

húsk·ing 《美》 *n.* **1** Ⓤ 옥수수 껍데기 벗기기. **2** = HUSKING BEE.

húsking bèe 《美》 옥수수 껍데기 벗기기 모임 (cornhusking)《친구나 이웃이 와서 돕는데, 일이 끝나면 보통 댄스 등을 즐김》.

◇**husky**[1] [hʌ́ski] (**husk·i·er; -i·est**) *a.* **1** 껍데기〔껍질〕의〔와 같은〕; 껍질이 많은; 껍데기처럼 바싹 마른(dry). **2** 목쉰(hoarse); (가수의 목소리가) 허스키보이스인, 허스키한. ㊕ **húsk·i·ly** *ad.* 쉰 목소리로.

husky[2] 《구어》 *a.* (사람이) 튼튼한, 억센, 체격이 좋은: a ~ farmer 다부진 농부. ―*n.* Ⓒ 건장한 사람, 체격이 큰 남자. ㊕ **húsk·i·ness** *n.*

husky[3] (*pl.* **husk·ies**) *n.* Ⓒ 허스키 개《북극 지방의 털이 많은 에스키모 개》.

Huss [hʌs] *n.* **John** ~ 후스《보헤미아의 종교 개혁가; 1372?-1415》.

hus·sar [huzɑ́ːr] *n.* Ⓒ 경(輕)기병.

hus·sy [hʌ́si, hʌ́zi] *n.* Ⓒ 말괄량이; 왈패; 바람둥이 처녀: a brazen 〔shameless〕 ~ 뻔뻔스런〔부끄러움을 모르는〕 닳고 닳은 여자.

hus·tings [hʌ́stiŋz] *n. pl.* (the ~) 《단·복수 취급》 **1** (국회의원) 선거 절차; 선거 운동〔연설, 유세〕: on the ~ 선거 운동 중에. **2** 선거 연설의 연단〔회장〕.

◇**hus·tle** [hʌ́səl] *vt.* **1 a** (사람 등)을 거칠게 밀치다(jostle), 떠밀다; 밀어넣다〔내다〕: ~ unwelcome visitors *out of* one's house 귀찮은 방문객을 집밖으로 밀어내다/The police ~*d* him *into* the patrol car. 경찰은 그를 억지로 경찰차에 밀어넣었다. **b** 《~ one's way 로》 헤치고〔밀치고〕 나아가다: ~ *one's way through* a crowded street 붐비는 거리를 헤치고 나아가다. **2** 무리하게 …시키다《***into*** …하게》: ~ a person *into* a decision 아무에게 결심을 강요하다/She tried to ~ me *into* buy*ing* it. 그녀는 나에게 그것을 억지로 사게 했다. **3** 《美》 강매하다. **4** (사람·일 따위)를 재촉하다, 서두르다: ~ a person *off to* the office 아무를 서둘러 사무실에 보내다.
―*vi.* **1** 세게 밀다; 밀치락달치락하다《***against*** …와》: The shoppers ~*d against* one another. 손님들이 서로 밀치락달치락했다. **2** 밀치고 나아가다《***through*** …을》: He ~*d through* the crowd. 그는 군중을 헤치고 나아갔다. **3** 서두르다: ~ *off* 서둘러 나가다. **4** 정력적으로 일하다, 분발하다; 맹렬히 활동하다. **5** 《속어》 부정하게 돈을 벌다; (매춘부가) 손님을 끌어들이다, 몸을 팔다.
―*n.* Ⓤ **1** 몹시 서두름, 밀치락달치락함(jostling); 소동: ~ and bustle 혼잡, 북적댐. **2** 정력적 활동, 분발, 원기왕성. **3** 《속어》 부정한 돈벌이, 사취(詐取).

hús·tler *n.* Ⓒ **1** 활동가, 민완가. **2** 《속어》 사기꾼, 노름꾼; 매춘부.

⁑**hut** [hʌt] *n.* Ⓒ **1 오두막**, 오막살이집, 산막: an Alpine ~ 등산객을 위한 산막.
SYN. **hut** 작은 집일 뿐 아니라 초라한 오두막의 뜻. **cottage** 보통 1층인 시골의 작은 집. **cabin** 작을 뿐 아니라 허술한 집. **lodge** 어느 기간만 사는 오두막집.
2 『군사』 임시 막사: ⇨QUONSET HUT.

hutch [hʌtʃ] *n.* Ⓒ **1** 저장 상자《한 쪽에 철망을 댄》; (작은 동물·가금용의) 우릿간, 우리(pen): a rabbit ~ 토끼장. **2** 오두막집.

hút·ment *n.* Ⓤ 『군사』 (조립식의) 임시 막사에 숙박하기.

Hux·ley [hʌ́ksli] *n.* **Aldous** (**Leonard**) ~ 헉슬리《영국의 소설가·평론가; 1894-1963》.

Hwang Hai [hwɑ́ːŋhái] (the ~) 황해(the Yellow Sea).

Hwang Ho [hwɑ́ːŋhóu] (the ~) 황허(黃河) (the Yellow River).

hwy. highway.

◇**hy·a·cinth** [háiəsìnθ] *n.* **1** Ⓒ 『식물』 히아신스. **2** Ⓤ 짙은 보라색. ㊕ **hy·a·cin·thine** [hàiəsínθin, -θain] *a.*

◇**hyaena** ⇨HYENA.

hy·al- [háiəl], **hy·al·o-** [haiǽlou, -lə] '유리(모양)의, 투명한' 이란 뜻의 결합사.

hy·a·line [háiəlin, -làin, -liːn] *a.* 유리의; 유리질〔모양〕의(glassy), 수정 같은, 투명한.

hy·a·lite [háiəlàit] *n.* Ⓤ (낱개는 Ⓒ) 『광물』 옥적석(玉滴石)《opal 의 일종; 무색 투명함》.

hy·a·loid [háiəlɔ̀id] 『해부』 *a.* 유리 모양의 (glassy), 투명한. ―*n.* Ⓒ (눈알의) 유리체(體)의 막(= ∠ **mèmbrane**).

◇**hy·brid** [háibrid] *n.* Ⓒ (동식물의) 잡종, 튀기, 혼혈아; 혼성물; 『언어』 혼성어《보기: bother*a-tion*, odd*ments*》; = HYBRID COMPUTER. ―*a.* **1** 잡종의, 혼혈의(crossbred) (↔ *full-blooded*): a ~ animal 〔rose〕 잡종 동물〔장미〕. **2** 혼성의 (heterogeneous): a ~ word 혼성어. **3** 『전자』 하이브리드의, 혼성의: ⇨ HYBRID COMPUTER.

hýbrid compúter 혼성 컴퓨터《analogue 와 digital 양쪽의 하드웨어를 갖는 컴퓨터》.

hý·brid·ìsm *n.* Ⓤ 잡종성, 잡종 교배; 『언어』 혼종(混種). ㊕ **-ist** *n.* Ⓒ 잡종 육성자.

hỳ·brid·i·zá·tion *n.* Ⓤ 교잡, 이종 교배, 잡종 번식; 혼성.

hy·brid·ize [háibridàiz] *vt.* …을 이종 교배시키다(cross); …의 잡종을 만들어내다. ―*vi.* 잡종이 생기다.

Hyde [haid] *n.* **Mr.** ~ ⇨JEKYLL.

Hýde Párk 하이드 파크《(1) 런던의 유명한 공원》: a ~ orator 하이드파크 가두 연설자. (2) 미국 New York 주(州)의 마을; F.D. Roosevelt 의 무덤이 있음》.

hydr- [haidr] = HYDRO-《모음 또는 h 로 시작되는 말 앞에 쓰임》.

hy·dra [háidrə] (*pl.* **~s, ~e** [-driː]) *n.* **1** (H-) 『그리스신화』 히드라《Hercules 가 퇴치한 머리가 아홉인 뱀; 머리 하나를 자르면 머리 둘이 돋아남》. **2** Ⓒ 근절키 어려운 해악, 보통 방법으로는 풀기 어려운 난문. **3** Ⓒ (h-) 『동물』 히드라《일종의 강장 동물》; 바다 뱀. **4** (H-) 『천문』 바다뱀자리(the Water Monster 〔Snake〕).

hy·dran·gea [haidréindʒiə] *n.* Ⓒ 『식물』 수국.

hy·drant [háidrənt] *n.* Ⓒ 급수〔수도(水道)〕전(栓); (보통 노상의) 소화전(消火栓).

hy·drate [háidreit] 『화학』 *n.* Ⓤ (구체적으로는 Ⓒ) 수화물(水和物), 수화물(水化物), 수산화물. ―*vt.*, *vi.* 수화시키다〔하다〕; 수산화시키다〔하다〕. ㊕ **-drat·ed** [-id] *a.* 수화(水和)한, 함수(含水)의.

◇**hy·drau·lic** [haidrɔ́ːlik] *a.* **1** 수력〔수압, 유압〕의〔으로 작동시키는〕: ~ pressure 〔power〕

수압〔수력〕/a ~ crane 수압〔유압〕 크레인/a ~ valve 물을 조절하는 밸브. **2** 수력학의, 수력공학의. **3** 물 속에서 경화되는: ~ mortar 〔cement〕 수경(水硬) 모르타르〔시멘트〕. ㊕ **-li·cal·ly** *ad.* 수력〔수압〕으로.

hy·dráu·lics *n.* Ⓤ 수리학(水理學), 수력학.

hy·dra·zine [háidrəzìːn, -zin] *n.* Ⓤ 〖화학〗 히드라진《질소와 수소의 화합물; 환원제·로켓 연료용》.

hy·dric [háidrik] *a.* 〖화학〗 수소의, 수소를 함유한; 〖생태〗 습윤한 (환경에 알맞은), 수생(水生)의.

hy·dro [háidrou] (*pl.* **~s**) *n.* 《구어》 **1** Ⓤ 수력 전기. **2** Ⓒ 수력 발전소; 수상 비행기(hydroairplane); 《英》 수치료원(水治療院)(hydropathic).

hy·dro- [háidrou, -drə] '물의, 수소의'란 뜻의 결합사.

hỳdro·áirplane, 《英》 **-áero-** *n.* Ⓒ 수상 비행기.

hỳdro·cárbon *n.* Ⓒ 〖화학〗 탄화수소. ㊕ **-carbonáceous** *a.*

hy·dro·ceph·a·lus [hàidrousέfələs] *n.* Ⓤ 〖의학〗 뇌수종(腦水腫). ㊕ **-lous** [-ləs] *a.*

hỳdro·chlóric *a.* 〖화학〗 염화수소의: ~ acid 염(화수소)산.

hỳdro·cyánic *a.* 〖화학〗 시안화수소의.

hydrocyánic ácid 청산(青酸), 시안화수소《무색·유독한 기체; 시안화수소(HCN)의 수용액》.

hỳdro·dynámic *a.* 유체 역학의; 수력〔수압〕의, 동수(動水) 역학의. ㊕ **-i·cal·ly** *ad.*

hỳdro·dynámics *n.* Ⓤ 유체 역학, 수력학(hydromechanics), 동수(動水) 역학. ㊕ **-dynámicist** *n.* Ⓒ 유체 역학자.

hỳdro·eléctric *a.* 수력 전기〔발전〕의: a ~ power plant 수력 발전소. ㊕ **hỳdro·electrícity** *n.* Ⓤ 수력 전기.

hýdro·fòil *n.* Ⓒ 수중익; 수중익선(水中翼船): by ~ 수중익선으로《★ 관사 없이》.

***hy·dro·gen** [háidrədʒən] *n.* Ⓤ 〖화학〗 수소《기호 H; 번호 1》: ~ fluoride 플루오르화수소/~ iodide 요오드화수소/~ (mon)oxide 산화수소《물》.

hýdrogen bòmb 수소 폭탄(H-bomb).

hýdrogen bònd 〖화학〗 수소 결합.

hýdrogen ìon 〖화학〗 수소 이온.

hy·drog·e·nous [haidrádʒənəs/-drɔ́dʒ-] *a.* 수소의〔에 관한〕; 수소를 함유한.

hýdrogen peróxide 〔**dióxide**〕 과산화수소.

hýdrogen súlfide 황화수소.

hýdro·gràph *n.* Ⓒ 자기 수위계(自記水位計); 수위도(水位圖); 유량(流量) 곡선; 〖전기〗 유량도(流量圖).

hy·drog·ra·phy [haidrágrəfi/-drɔ́g-] *n.* Ⓤ 수로학; 수로 측량술; 수계(水界) 지리학. ㊕ **-pher** [-fər] *n.* Ⓒ 수로학자, 수로 측량가. **hydro·graph·ic, -i·cal** [hàidrougrǽfik], [-ikəl] *a.* **-·cal·ly** [-kəli] *ad.*

hỳdro·mechánics *n.* Ⓤ 유체〔액체〕 역학. ㊕ **-mechánical** *a.*

hy·drom·e·ter [haidrámitər/-drɔ́-] *n.* Ⓒ 액체 비중계, 부칭(浮秤); 유속계(流速計).

hy·dro·met·ric, -ri·cal [hàidroumétrik], [-əl] *a.* 액체 비중계의; (액체) 비중 측정의.

hy·drom·e·try [haidrámitri/-drɔ́m-] *n.* Ⓤ (액체) 비중 측정(법); 유속(流速) 측정(법); 유량(流量) 측정.

hy·dro·path·ic [hàidroupǽθik] *a.* 수치료법(水治療法)의: ~ treatment 수치료법. ―*n.* Ⓒ 《英》 수치료원(院), 수치 여관; 수치 요양지.

hy·drop·a·thy [haidrápəθi/-drɔ́p-] *n.* Ⓤ 〖의학〗 수(水)치료법《온천이나 약수터에서의》. ㊕ **-thist** *n.* Ⓒ 수치료법 의사.

hỳdro·phóbia *n.* Ⓤ 〖의학〗 공수병, 광견병 (rabies); 물에 대한 공포심.

hy·dro·pho·bic [hàidroufóubik] *a.* 〖화학〗 소수성(疎水性)의; 공수병의. ㊕ **-pho·bic·i·ty** [-foubísəti] *n.* Ⓒ 소수성.

hýdro·plàne *n.* Ⓒ 수상 비행기; 수상 활주정(滑走艇); 하이드로플레인《수중익을 가진 고속의 모터 보트》; (잠수함의) 수평타(水平舵). ―*vi.* 물위를 (스칠 듯이) 활주하다; 수중익선으로〔수상기로〕 가다; (자동차 등이) hydroplaning을 일으키다.

hýdro·plàning *n.* Ⓤ 하이드로플레이닝《물기 있는 길을 고속으로 달리는 차가 핸들이 안 들어서 옆으로 미끄러지는 현상》.

hy·dro·pon·ics [hàidrəpániks/-pɔ́n-] *n.* Ⓤ 〖농업〗 수경법(水耕法), 물가꾸기, 청정 재배. ㊕ **hỳ·dro·pón·ic** *a.*

hýdro·scòpe *n.* Ⓒ 수중(水中) 투시경; (옛날의) 물시계.

hỳdro·státic, -ical [hàidrəstǽtik], [-əl] *a.* 정수(靜水)(학)의, 액체〔유체〕 정력학(靜力學)의: a *hydrostatic* pressure 정수압(壓). ㊕ **-ically** *ad.*

hỳdro·státics *n.* Ⓤ 정수 역학(靜水力學), 액체〔유체〕 정력학.

hỳdro·thérapy *n.* Ⓤ 〖의학〗 (물·광천에 환부를 담그는) 수치료법(水治療法)(hydropathy).

hy·dro·trop·ic [hàidrətrápik/-trɔ́p-] *a.* 굴수성(屈水性)의.

hy·drot·ro·pism [haidrátrəpìzəm/-drɔ́t-] *n.* Ⓤ 〖식물〗 굴수성(屈水性). ***positive*** 〔***negative***〕 ~ 향수(向水)〔배수(背水)〕성(性).

Hy·dro·zoa [hàidrəzóuə] *n. pl.* 히드로충류(蟲類). ㊕ **hỳ·dro·zó·an** *a.* ~의. ―*n.* Ⓒ ~의 벌레.

hy·e·na, -ae·na [haiíːnə] *n.* Ⓒ **1** 〖동물〗 하이에나《아시아·아프리카산으로 썩은 고기를 먹음》. **2** 《비유적》 잔인한 사람; 욕심꾸러기; 배신자.

Hy·ge·ia [haidʒíːə] *n.* 〖그리스신화〗 히기에이아《건강의 여신》.

***hy·giene** [háidʒiːn] *n.* Ⓤ **1** 위생학(hygienics). **2** 위생 상태; 위생〔건강〕법: public ~ 공중위생/mental ~ 정신 위생.

hy·gi·en·ic, -i·cal [hàidʒiénik, haidʒíːn-], [-əl] *a.* 위생(상)의, 보건상의; 위생학의, 위생에 좋은: ~ storage 〔packing〕 위생적인 저장〔포장〕. ㊕ **-i·cal·ly** *ad.* 위생적으로.

hỳ·gi·én·ics *n.* Ⓤ 위생학; 위생 관리.

hy·gien·ist [haidʒíːnist, háidʒen-, háidʒiːn-] *n.* Ⓒ 위생학자; 위생사〔기사〕.

hy·gro- [háigrou, -grə] '습기, 액체'란 뜻의 결합사《모음 앞에서 **hygr-**》: *hygro*graph.

hy·grom·e·ter [haigrámitər/-grɔ́m-] *n.* Ⓒ 습도계. ㊕ **hy·gro·met·ric** [hàigroumétrik] *a.* **hy·gróm·e·try** [-tri] *n.* Ⓤ 습도 측정(법).

hy·gro·scop·ic [hàigrəskápik, -skɔ́p-] *a.* 축축해지기 쉬운, 습기를 빨아들이는, 흡습성의.

㉺ **-i·cal·ly** *ad.* **-sco·pic·i·ty** [-skoupísəti] *n.* [U] 흡습성(력).

◇**hy·ing** [háiiŋ] HIE 의 현재분사.

Hy·men [háimən] *n.* **1** 〖그리스·로마신화〗 휘멘《혼인의 신》. **2** (h–) [C] 〖해부〗 처녀막(maidenhead).

hy·me·ne·al [hàiməníːəl] *a.* [A] 혼인의, 결혼의(nuptial): ~ rites 결혼식.

*__hymn__ [him] *n.* [C] **찬송가**, 성가; 《일반적》 찬가: a national ~ 국가. —*vt.* 찬송가로 찬미〔표현〕하다. —*vi.* 찬송가를 부르다.

hym·nal [hímnəl] *n.* [C] 찬송가집(hymnbook). —*a.* 찬송가의, 성가의.

hýmn·bòok *n.* [C] 찬송가〔성가〕집.

hyp- =HYPO-.

hype[1] [haip] 《속어》 *n.* [C] 피하 주사침(針); 마약 중독자〔판매인〕.

hype[2] *n.* **1** [C] 사기(詐欺). **2** [U] 과장된 선전〔광고〕. —*vt.* **1** (아무)를 속이다; (아무)에게 거스름돈을 속이다. **2** 과대 선전〔광고〕하다.

hýped-ùp [-t-] *a.* [P] 《속어》 흥분한, 흥분해서 들뜬: He's ~ on drugs. 그는 마약을 복용하여 흥분해 있다.

hýp·er *a.* 《구어》 흥분 잘 하는; 매우 흥분〔긴장〕한; =HYPERACTIVE.

hy·per- [háipər] '위쪽, 초과, 과도, 비상한, 3 차원을 넘은 (공간의)' 란 뜻의 결합사.

hỳper·ácid *a.* 위산 과다의. ㉺ **-acídity** *n.* [U] 〖의학〗 위산 과다(증).

hỳper·áctive *a.* 지극히 활동적인; 활동이 과다한: ~ children 활동이 과단한 아이들. ㉺ **-activity** *n.* [U] 활동 항진(亢進)(상태), 활동 과다.

hy·per·bo·la [haipə́ːrbələ] *n.* (*pl.* **~s, -lae** [-liː]) [C] 〖수학〗 쌍곡선.

hy·per·bo·le [haipə́ːrbəliː] *n.* **1** [U] 〖수사학〗 과장(법)《예: They died laughing. '그들은 죽도록 웃어댔다' 등》. **2** [C] 과장.

hy·per·bol·ic, -i·cal [hàipəːrbálik/-bɔ́l-], [-əl] *a.* 〖수사학〗 과장법의; 과장된, 과대한; 〖수학〗 쌍곡선의.

hỳper·crític *n.* [C] 혹평가. ㉺ **-ical** *a.* 혹평하는. **-ically** *ad.*

hỳper·inflátion *n.* [U] 초(超)인플레이션.

Hy·pe·ri·on [haipíəriən] *n.* 〖그리스신화〗 히페리온《Uranus 와 Gaea 의 아들로 Helios, Selene, Eos 의 아버지; 종종 Apollo 와 혼동됨》.

hy·per·lip·id·e·mia [hàipəlipədíːmiə] *n.* [U] 〖의학〗 지방 과잉혈(血)(증), 고지혈(高脂血)(증).

hỳper·márket *n.* [C] 《英》 (변두리의) 대형 슈퍼마켓.

hy·per·o·pia [háipəróupiə] *n.* [U] 〖의학〗 원시(遠視). ↔ *myopia.* ㉺ **-óp·ic** [-ápik/-ɔ́p-] *a.*

hỳper·sénsitive *a.* **1** 〖의학〗 감각 과민(성)의, (약·알레르기원(源) 등에 대해) 과민증의. **2** [P] 지나치게 민감한, 지나치게 신경을 쓰는《*to, about* …에》: He is ~ *to* what people say about him. 그는 자기에 관하여 사람들이 말하는 것에 지나치게 신경을 쓴다. ㉺ **-sensitívity** *n.* [U] (감각) 과민(성), 과민증《*to, about* …에 대한》.

hỳper·sónic *a.* 극초음속의《음속의 5 배 이상》; 〖통신〗 극초음파의《500 MHz를 넘는》. [cf.] supersonic.

hypersónic áirliner 〖항공〗 극초음속 여객기《마하 4–6》.

hypersónic tránsport 극초음속 수송기《생략: HST》.

hýper·tènsion *n.* [U] 〖의학〗 고혈압(증); 긴장 항진(증).

hỳper·ténsive *a.* 〖의학〗 고혈압(성)의. —*n.* [C] 고혈압 환자.

hýper·tèxt *n.* [U] 〖컴퓨터〗 하이퍼텍스트《단순한 1차원의 문장 구조에 머물지 않고 관련된 텍스트 정보를 짜맞추어 표시하도록 한 컴퓨터 텍스트》. ㉺ **-tèxtual** *a.* **-tèxtually** *ad.*

hy·per·tro·phy [haipə́ːrtrəfi] *n.* [U] 〖생물〗 비대《영양 과다 등에 의한》; 이상 발달. ↔ *atrophy.* ¶ cardiac ~ 심장 비대. —*vi.* 비대해지다.

*__hy·phen__ [háifən] *n.* [C] **하이픈**, 연자 부호(連字符號)《-》; 음절간의 짧은 휴지(休止). —*vt.* 하이픈으로 연결하다.

hy·phen·ate [háifənèit] *vt.* =HYPHEN.

hý·phen·àt·ed [-id] *a.* **1** 하이픈을 넣은, 하이픈으로 연결한: a ~ word 하이픈으로 연결한 말. **2** 《美》 (시민이) 외국계의: ~ Americans 외국계 미국인. ★ French-Americans, Spanish-Americans 처럼 하이픈을 넣어서 쓰므로 이렇게 부름.

hỳ·phen·á·tion *n.* [U] 하이픈으로 연결하기.

Hyp·nos [hípnɑs/-nɔs] *n.* 〖그리스신화〗 히프노스《잠의 신; 꿈의 신 Morpheus 의 아버지; 로마신의 Somnus 에 해당》.

hyp·no·sis [hipnóusis] (*pl.* **-ses** [-siːz]) *n.* [U] 최면 (상태), 최면술: put a person under ~ 아무를 최면술에 걸다.

hỳpno·thérapy *n.* [U] 최면(술) 요법.

hyp·not·ic [hipnátik/-nɔ́t-] *a.* (약이) 최면(성)의; 최면술의; 최면술에 걸리기 쉬운: (a) ~ suggestion 최면 암시. —*n.* [C] 수면제(soporific); 최면 상태에 있는 사람; 최면술에 걸리기 쉬운 사람. ㉺ **-i·cal·ly** [-ikəli] *ad.* 최면(술)적으로.

hyp·no·tism [hípnətìzəm] *n.* [U] 최면술; 최면 상태(hypnosis). ㉺ **-tist** *n.* [C] 최면술사(師).

hyp·no·tize, 《英》 **-tise** [hípnətàiz] *vt.* **1** …에게 최면술을 걸다; (최면술을 건 것처럼) …을 꼼짝 못하게 하다. **2** 《구어》 매혹시키다: We were ~*d* by her beauty. 우리는 그녀의 아름다움에 넋을 잃었다. ㉺ **-tiz·er** *n.* [C] 최면술사(師). **hýp·no·tìz·a·ble** *a.* 잠재울 수 있는, 최면술에 걸리는.

hy·po[1] [háipou] (*pl.* **~s**) *n.* [U] 〖사진〗 하이포《정착액용(定着液用) 티오(thio) 황산나트륨》. [◂ *hypo*sulfite]

hy·po[2] (*pl.* **~s**) *n.* 《구어》 =HYPODERMIC.

hy·po- [háipou, -pə], **hyp-** [hip, haip] '밑에, 이하, 가볍게; 〖화학〗 하이포아(亞)' 란 뜻의 결합사.

hýpo·cènter *n.* [C] (핵폭발의) 폭심(爆心)(지(地))(ground zero); (지진의) 진원지.

hy·po·chon·dria [hàipəkándriə/-kɔ́n-] *n.* [U] 〖의학〗 히포콘드리, 우울〔심기(心氣)〕증.

hy·po·chon·dri·ac [hàipəkándriæ̀k/-kɔ́n-] *a., n.* [C] 히포콘드리의 (환자); 스스로 병에 걸렸다고 생각하고 끙끙거리는 (사람).

hy·po·chon·dri·a·cal [hàipoukəndráiəkəl] *a.* 히포콘드리〔우울증〕의. ㉺ **~·ly** *ad.*

◇**hy·poc·ri·sy** [hipákrəsi/-pɔ́k-] *n.* [U] 위선; [C] 위선(적인) 행위: *Hypocrisy* is a homage that vice pays to virtue. 《속담》 위선이라는 것은 악이 선에게 바치는 경의다.

*__hyp·o·crite__ [hípəkrìt] *n.* [C] **위선자**; 야비다리 치는 사람: play the ~ 위선적인 태도를 취

하다.

◇**hyp·o·crit·i·cal** [hìpəkrítikəl] *a.* 위선의; 위선(자)적인. [파] **~·ly** *ad.*

hy·po·der·mic [hàipədə́:rmik] *a.* 〖의학〗 피하(주사용)의: a ~ injection 피하 주사/a ~ needle 〔syringe〕 피하 주사바늘〔기〕. —*n.* [C] 피하 주사; 피하 주사기〔침〕; [U] 피하 주사약. [파] **-mi·cal·ly** [-əli] *ad.* 피하에.

hy·po·gly·ce·mia [hàipəglaisí:miə] *n.* [U] 〖의학〗 저(低)혈당(증).

hy·pos·ta·sis [haipástəsis/-pɔ́s-] (*pl.* **-ses** [-sì:z]) *n.* [C] **1** 〖철학〗 근본 원리, 원질, 본질, 실체(substance). **2** 〖신학〗 (그리스도의) 인성(人性); 삼위일체의 하나. **3** 〖의학〗 침하성 충혈(沈下性充血); 혈액침체(沈滯).

hy·pos·ta·tize [haipástətàiz/-pɔ́s-] *vt.* 〖철학〗 (관념 따위)를 실체화〔시〕하다; 〖종교〗 인성화(人性化)하다.

hỳpo·súlfite, 《英》 **-phite** *n.* [U] 〖화학〗 하이포아(亞)황산염(黃酸塩); 하이포아황산나트륨《사진 정착제》.

hy·po·tax·is [hàipətǽksis] *n.* [U] 〖문법〗 종속(從屬)(구문). ↔ *parataxis.*

hỳpo·ténsion *n.* [U] 〖의학〗 저혈압(증). [파] **-ténsive** *a.*, *n.* [C] 〖의학〗 저혈압의 (사람); 혈압 강하성의, 강압(降壓)의《약》.

hy·pot·e·nuse [haipátənjù:s/-pɔ́tənjù:s] *n.* [C] 〖수학〗 (직각삼각형의) 빗변.

hy·po·ther·mia [hàipəθə́:rmiə] *n.* [U] 〖의학〗 저(低)체온(증); 체온 저하(법)《심장 수술을 쉽게 하기 위한》. [파] **-thér·mic** *a.* 저체온(법)의.

***hy·poth·e·sis** [haipáθəsis/-pɔ́θ-] (*pl.* **-ses** [-sì:z]) *n.* [C] **가설**(假說), 가정(假定); 전제: a working ~ 작업(作業) 가설. [SYN.] ⇨ THEORY. [파] **-sist** *n.*

hy·poth·e·size [haipáθəsàiz/-pɔ́θ-] *vi.* 가설을 세우다. —*vt.* 가정하다《***that***》: We will ~ *that*... …라고 가정합시다.

◇**hy·po·thet·ic, -i·cal** [hàipəθétik], [-əl] *a.* **1** 가설의, 가정의, 억설의. [cf.] categorical. **2** 가설을 좋아하는. [파] **-i·cal·ly** *ad.* 가정하여.

hy·son [háisən] *n.* [U] 희춘차(熙春茶)《중국산 녹차의 하나》.

hys·sop [hísəp] *n.* [U] 〖식물〗 히솝풀《옛날 약으로 썼던 향기로운 꿀풀과(科)의 식물》.

hys·ter·ec·to·my [hìstəréktəmi] *n.* [U] (구체적으로는 [C]) 〖의학〗 자궁 절제(술).

***hys·te·ria** [histíəriə] *n.* [U] 〖의학〗 히스테리; 〖일반적〗 **병적 흥분.**

hys·ter·ic [histérik] *a.* =HYSTERICAL. —*n.* [C] 히스테리 환자; 히스테리 기질의 사람.

◇**hys·ter·i·cal** [histérikəl] *a.* **1** 히스테리(성)의, 히스테리에 걸린: a ~ temperament 히스테리 기질. **2** 병적으로 흥분한; 《구어》 아주 우스꽝스러운: ~ laughter 히스테리성 웃음/a ~ play 〔movie〕 아주 우스꽝스런 연극〔영화〕. [파] **~·ly** *ad.*

***hys·tér·ics** *n. pl.* 〖단·복수취급〗 **1** 히스테리 발작; **히스테리:** go (off) into ~ =fall into ~ =have ~ 히스테리를 일으키다. **2** 《구어》 멈출 수 없는 웃음: have 〔get into〕 ~ =be in ~ (우스워서) 배꼽을 쥐다.

Hz, hz 〖전기〗 hertz.

I

I, i [ai] (*pl.* **I's, Is, i's, is** [-z]) *n.* **1** Ⓤ (낱개는 Ⓒ) 아이《영어 알파벳의 아홉째 글자》. **2** Ⓤ (연속된 것의) 아홉번째(의 것). **3** Ⓤ 로마 숫자의 I: III (iii) =3 / IX (ix) =9. **4** Ⓒ I자 모양의 물건. ***dot the* (one's) *i's*** [aiz] ***and cross the* (one's) *t's*** [ti:z] 어디까지나(더욱 더) 신중을 기하다; 상세하게 기록(설명)하다《★ 「i를 쓸 때 점을 찍고, t를 쓸 때 횡선을 긋다」의 뜻에서》.

†**I** [ai] *pron.* **내가, 나는**《인칭 대명사 · 제1인칭 · 단수 · 주격; 소유격은 my, 목적격은 me, 소유 대명사는 mine; 복합 인칭 대명사는 myself; 복수는 we》: Am *I* not right? =《구어》 Aren't *I* right?《★ 《구어》에서는 《美》《英》 모두 Aren't *I*?가 흔히 쓰임; Ain't는 비표준》/ It is *I*. 《문어》 =《구어》 It's me.

> **NOTE** (1) 인칭이 다른 단수형의 인칭 대명사, 또는 명사를 병렬(竝列)할 때는 2인칭, 3인칭, 1인칭의 순서가 관례: You (He, She, My wife) and *I* are ....《★ 인칭 대명사 중 I만은 문장 중간에서도 대문자로 표기함》.
> (2) between you and *I*나 He will invite you and *I*. 따위는 문법적으로 틀리지만 쓰이는 일이 있음.

— (*pl.* ***I's***) *n.* Ⓒ **1** (소설 따위에서) I(나)라고 하는 말: He uses too many *I's* in his writing. 그는 글을 쓸 때 「나」라는 말을 지나치게 많이 쓴다. **2** 【철학】 자아(自我), 나: the *I* 나 / another *I* 제2의 나.

I 【화학】 iodine. **I.** Idaho; Independent; Island(s). **i.** interest; 【문법】 intransitive; island(s). **IA** 【美우편】 Iowa. **Ia.** Iowa. **IAEA** International Atomic Energy Agency (국제 원자력 기구).

Ia·go [iɑ́:gou] *n.* 이아고《Shakespeare 작 *Othello*에 나오는 음흉하고 간악한 인물》.

-i·al [iəl, jəl] *suf.* =-AL: ceremon*ial*, colloqu*ial*.

iamb [áiæm*b*] *n.* 【운율】 *n.* Ⓒ 약강격《×⏑́》; 단장격《⏑ –》.

iam·bic [aiǽmbik] 【운율】 *a.* (영시에서) 약강격(弱強格)의; 단장격(短長格)의: Sonnets are written in ~ pentameter. 소네트는 약강 5보격으로 씌어진다. **—** *n.* Ⓒ (보통 *pl.*) (영시의) 약강격 시(행).

iam·bus [aiǽmbəs] (*pl.* ***-bi*** [-bai], **~·es**) *n.* =IAMB.

Ian [i:ən] *n.* 이안《남자 이름; 스코틀랜드에서 John에 해당》.

-ian ⇨ -AN.

IATA, I.A.T.A [aiɑ́:tə, iɑ́:-] International Air Transport Association (국제 민간 항공 수송 협회).

iat·ro·gen·ic [aiætroudʒénik] *a.* (병이 의사의) 치료로 인하여 생기는, 의원성(醫原性)의: an ~ disease 의원병(醫原病).

ib. *ibidem.*

I-bèam *n.* Ⓒ I형강(型鋼).

Ibe·ria [aibí:riə] *n.* =IBERIAN PENINSULA.

Ibe·ri·an [aibí:riən] *a.* **1** 이베리아 반도의; 스페인 · 포르투갈의. **2** 고대 이베리아인(어)의. **—** *n.* **1** Ⓒ 이베리아 반도에 사는 사람, 이베리아인; 고대 이베리아인. **2** Ⓤ 고대 이베리아어.

Ibérian Península (the ~) 이베리아 반도《스페인 · 포르투갈을 포함한》.

ibex [áibeks] (*pl.* **~·es** [-iz], ***ib·i·ces*** [íbisì:z, áibi-], 《집합적》 ~) *n.* Ⓒ 【동물】 (알프스 · 아펜니노 · 피레네 산맥 등지의) 야생 염소.

°**ibid.** [íbid] *ibidem.*

ibi·dem [íbidèm, ibáidəm] *ad.* 《L.》(=in the same place) 같은 장소에, 같은 책(페이지, 구, 장)에《생략: ib. 또는 ibid; 인용문 · 각주 등에 쓰임》.

ibis [áibis] (*pl.* **~·es** [-iz], 《집합적》 ~) *n.* Ⓒ 【조류】 따오기.

-i·ble [əbl] *suf.* '…할(될) 수 있는' 이란 뜻의 형용사를 만듦《★ -able과 동일한 의미》: permiss*ible*.

Ibo [i:bou/-bəu] (*pl.* **~, ~s**) *n.* **1** (the ~(s)) 이보족《나이지리아 남동부의 민족》. **2** Ⓒ 이보족 사람; Ⓤ 이보어(語).

IBRD, I.B.R.D. International Bank for Reconstruction and Development (유엔 산하) 국제 부흥 개발 은행)《★ 속칭: 세계 은행》.

Ib·sen [íbsən] *n.* **Henrik** ~ 입센《노르웨이의 극작가 · 시인; 1828–1906》. ㊞ **~·ism** *n.* Ⓤ 입센주의《사회의 인습적 편견을 고발》.

-ic [ik] *suf.* **1** '…의, …의 성질의, …같은, …에 속하는, …으로 된' 의 뜻의 형용사를 만듦: hero*ic*, rust*ic*, magnet*ic*. **2** 명사《특히 기술 · 학술명 따위》를 만듦: crit*ic*, mus*ic*, rhetor*ic*. ⓒⓕ –ics.

IC 【전자】 integrated circuit (집적 회로).

-i·cal [ikəl] *suf.* =-IC 1: poet*ical* =poet*ic*. ★ 대체로 -ic, -ical은 서로 바꾸어 쓸 수 있으나 뜻이 다른 경우도 있음.

-i·cal·ly [ikəli] *suf.* -ic, -ical로 끝나는 형용사의 부사 어미: crit*ically*.

ICAO International Civil Aviation Organization (국제 민간 항공 기구).

Ica·rus [íkərəs, ái-] *n.* 【그리스신화】 이카로스《날개를 밀랍으로 몸에 붙이고 날다가 너무 높이 올라 태양열에 밀랍이 녹아서 바다에 떨어졌다는 인물》.

ICBM, I.C.B.M. 【군사】 Intercontinental Ballistic Missile (대륙간 탄도탄). **ICC, I.C.C.** 《美》 Interstate Commerce Commission (국내 통상 위원회).

ÍC càrd 【컴퓨터】 integrated circuit card《휴대용 카드의 하나로 마이크로프로세서, 기억 장치, 집적 회로를 가지고 있는 집적 회로 카드》.

†**ice** [ais] *n.* **1** Ⓤ **얼음**; 얼음처럼 찬 것: a piece (cube) of ~ 얼음 한 조각. **2** (the ~) (넓게 얼어붙은) 얼음, 빙판: break through the ~ 얼음이

깨어져 (사람이) 빠지다, (망치 따위로) 얼음을 깨고 나아가다. **3** Ⓒ 《英》 **아이스크림**(~ cream); 《美》 얼음과자: two ~*s* 아이스크림 2개. **4** Ⓤ 냉담; 차가운 태도. **5** Ⓤ (과자의) 당의(糖衣). **6** Ⓒ (집합적으로는 Ⓤ) 《속어》 다이아몬드, 〖일반적〗 보석. **7** Ⓤ 《美속어》 (부정 업자가 경찰에 내는) 뇌물.

***be* (*skate, walk on thin*) ~** (살얼음을 밟듯이) 위험한 처지다〔일을 하다〕: I'm always *walking on thin* ~ to make a living. 나는 생계를 꾸려 가려고 항상 살얼음 밟듯이 산다. ***break* (《美》 *crack*) *the* ~** ① (해결의) 실마리를 찾다, 돌파구를 열다. ② (분위기를 부드럽게 하려고) 이야기를 꺼내다, 긴장을 풀다: Rosa tried to *break the* ~ by offering them a cocktail. 로자는 그들에게 칵테일을 대접하여 긴장된 분위기를 풀려고 했다. ***cut no* (*not much*) ~ (*with* a person)** 《구어》 (아무에 대해) 효과가〔영향이〕 없다; 인상을 주지 않다: What others say *cuts no* ~ *with* him. 남이 무어라고 해도 그에게는 마이동풍이다. ***on* ~** ① 빙상의, 스케이터에 의한《쇼 따위》. ② (음식물이) 얼음으로 차게 한, 냉장고에 들어가: have no beer *on* ~ 차게 얼린 맥주가 없다《냉장고에》. ③ 《구어》 (장래에 대비하여) 준비되어, 보류되어, 맡겨두어: Let's put this topic *on* ~ until tomorrow. 이 논제를 내일까지 보류해 두자. ④ 《구어》 (성공·승리가) 확실한.

—*vt.* **1** 얼리다(freeze), 냉장하다; 얼음으로 식히다. **2** 《+목+부》 얼음으로 덮다(*over, up*): ~ *up* fish 생선을 얼음에 채우다. **3** (과자 따위)에 당의를 입히다. cf. iced. **4** 《美속어》 죽이다. **5** 《美구어》 (성공·승리 등)을 확실히 하다. **—***vi.* 《+부》 (못·길 따위가) 얼다, 얼음으로 덮이다 (*over, up*): The windshield has ~*d up*. 방풍유리가 얼어붙었다.

~ *the decision* (*game*) 《美속어》 승리를 결정적으로 만들다. **~ *the puck*** 〖아이스하키〗 아이싱하다《퍽을 쳐서 상대편의 골라인을 넘다》.

㊞ **∠·less** *a.* **∠·like** *a.*

-ice [is] *suf.* '성질'을 나타내는 명사 어미를 만듦: just*ice*, serv*ice*.

íce àge 〖지질〗 빙하 시대(glacial epoch); (the I- A-) 갱신세(更新世) 빙하 시대.

íce àx(e) (얼음을 깨서 발판을 만드는 등산용) 피켈, (얼음 깨는) 도끼.

íce bàg 얼음주머니.

◇ice·berg [áisbəːrg] *n.* Ⓒ 빙산.

***the tip of the* (*an*) ~** 《비유적》 빙산의 일각.

íce·bòat *n.* Ⓒ 빙상 요트; 쇄빙선(碎氷船).

íce·bòund *a.* 얼음에 갇힌, 얼음이 꽉 얼어붙은: an ~ harbor 동결항.

íce·bòx *n.* Ⓒ 아이스박스; 《美》 냉장고《전기용에도 씀》; 《英》 (냉장고의) 냉동실.

íce·brèaker *n.* Ⓒ **1** 쇄빙선; 쇄빙기. **2** 서먹서먹함을〔긴장을〕 푸는 것《파티의 게임·춤 등》.

íce·càp *n.* Ⓒ (높은 산마루·극지 따위의) 만년설〔빙〕.

íce-cóld *a.* 얼음처럼 차가운; (감정·태도 따위가) 냉담한, 무감동한: an ~ personality 냉담한 성격.

íce crèam 아이스크림: soft ~/Please give me two ~*s*. 아이스크림 두 개 주세요.

íce-crèam còne 아이스크림 콘《원뿔형의 웨이퍼; 거기에 담은 아이스크림》.

íce-crèam sóda 《美》 아이스크림이 든 소다수.

íce cùbe (전기 냉장고로 만드는) 각빙(角氷): an ~ tray (냉장고의 제빙용(製氷用)) 각빙 접시.

◇iced [aist] *a.* **1** 얼음으로 차게 한; 얼음으로 뒤덮인: ~ water 냉수/~ coffee (tea) 냉커피〔아이스티〕. **2** 당의를 입힌: an ~ cake.

íce·fàll *n.* Ⓒ 얼어붙은 폭포; 빙하의 붕락(崩落).

íce field (극(極)지방의 해상) 부(浮)빙원; (육상의) 만년 빙원.

íce flòe **1** (해상의) (부(浮))빙원(氷原), 유빙(流氷)《ice field보다 작음》. **2** (보통 *pl.*) (판자 모양의) 성엣장.

íce-frée *a.* 얼지 않는, 부동(不凍)의: ~ waters 얼지 않는 해역/an ~ port 부동항(不凍港).

íce hòckey 〖경기〗 아이스하키.

íce·hòuse *n.* Ⓒ 빙고(氷庫); 제빙실; (에스키모의) 얼음집. cf. igloo.

Ice·land [áislənd] *n.* 아이슬란드《북대서양에 있는 공화국; 수도 Reykjavik》. ㊞ **~·er** [áislændər, -ləndər] *n.* Ⓒ 아이슬란드 사람.

Ice·lan·dic [aislǽndik] *a.* 아이슬란드 사람〔말〕의. **—***n.* Ⓤ 아이슬란드 말.

íce-lólly *n.* Ⓒ 《英》 (가는 막대기에 얼린) 아이스캔디. cf. Popsicle.

íce·màn [-mæ̀n, -mən] (*pl.* **-men** [-mèn, -mən]) *n.* Ⓒ 《美》 얼음 장수〔배달인〕.

íce pàck (대형) 유빙군(流氷群); 얼음주머니.

íce pàil 얼음통《포도주 따위를 차게 하는》.

íce pìck 얼음 깨는 송곳.

íce rìnk (실내) 스케이트장.

íce shèet 빙상(氷床), 대륙빙, 대빙원《남극 대륙이나 Greenland에서 흔히 볼 수 있음》.

íce shòw 아이스 쇼《빙상 연기》.

íce skàte (빙상) 스케이트 구두〔날〕.

íce-skàte *vi.* 스케이트를 타다.

íce-skàter *n.* Ⓒ 스케이트 타는 사람.

íce skàting 빙상 스케이트.

íce stàtion (남극의) 극지 관측소〔기지〕.

íce tòngs 〔보통 a pair of ~로〕 얼음 집게.

íce trày (냉장고용) 제빙 그릇.

íce wàter 《美》 얼음이 녹은 찬 물; 얼음으로 차게 한 물(《英》 iced water).

ich·neu·mon [iknjúːmən] *n.* Ⓒ 〖동물〗 몽구스의 일종《악어의 알을 먹는다고 함》; 〖곤충〗 맵시벌(=∠ flỳ).

ich·thy·ol·o·gy [ikθiɑ́lədʒi/-ɔ́l-] *n.* Ⓤ 어류학(魚類學).

-i·cian [íʃən] *suf.* -ic(s)로 끝나는 낱말 끝에 붙어, '연구가, 전문가'란 뜻을 나타냄: mag*ician*, mathemat*ician*, mus*ician*, techn*ician*.

◇ici·cle [áisikəl] *n.* Ⓒ 고드름, 빙주(氷柱): *Icicles* hung from the eaves. 처마끝에 고드름이 매달려 있다.

ici·ly [áisəli] *ad.* 얼음처럼, 쌀쌀하게.

ici·ness [áisinis] *n.* Ⓤ 쌀쌀함, 냉담함.

ic·ing [áisiŋ] *n.* Ⓤ **1** (과자에 입히는) 당의(frosting). **2** 〖항공〗 (비행기 날개에 생기는) 착빙(着氷). **3** 〖아이스하키〗 아이싱《퍽이 센터라인 앞에서 상대측 골라인을 넘어 흐름; 반칙》. **(*the*) ~ *on the cake*** 《구어》 사람의 눈을 끌 뿐인 쓸모없는 꾸밈; 금상첨화.

ícing sùgar 《英》 가루설탕.

ICJ International Court of Justice (국제 사법 재판소).

icky [íki] (***ick·i·er; -i·est***) *a.* 《구어》 **1** 끈적끈적한; 불쾌한, 싫은. **2** (재즈 등이) 너무 감상적인, 달콤한. **3** (사람이) 세련되지 못한, 시대에

뒤진.

icon, ikon [áikɑn/-kɔn] (*pl.* **~s, ~·es** [-ìːz]) *n.* Ⓒ **1** (회화·조각의) 상, 초상; 우상. **2** 〖그리스정교〗 (예수·성모·성인 등의) 성화상, 성상(聖像). **3** 〖철학·언어〗 (아)이콘, 유사(적) 기호; 〖컴퓨터〗 아이콘《컴퓨터의 각종 기능·메시지를 알기 쉽게 나타낸 그림 문자》.

icon·ic [aikɑ́nik/-kɔ́n-] *a.* **1** (초)상의; 우상의; 성(화)상의. **2** 〖미술〗 (성상이 비잔틴의) 전통적 형식에 따른; 인습적인. **3** 〖철학·언어〗 (아)이콘〔유사기호〕적인.

icon·o·clasm [aikɑ́nəklæ̀zəm/-kɔ́n-] *n.* Ⓤ 〖기독교〗 성상〔우상〕 파괴(주의); 인습 타파.

icon·o·clast [aikɑ́nəklæ̀st/-kɔ́n-] *n.* Ⓒ **1** 성상〔우상〕 파괴(주의)자《8-9세기 동유럽의 가톨릭교회에서 일어난 성인상 예배 관습을 타파하려 한 사람》. **2** 인습 타파주의자. ㊞ **icòn·o·clás·tic** *a.* 성상〔우상〕 파괴(자)의; 인습 타파의.

ico·nog·ra·phy [àikənɑ́grəfi/-nɔ́g-] *n.* **1** Ⓤ 성상학(聖像學), 도상(圖像)학《화상·조상(彫像) 등에 의한 주제의 상징적 제시법》. **2** Ⓤ (구체적으로는 Ⓒ) 도해(圖解)(법); 도해서(書).

ico·nol·o·gy [àikənɑ́lədʒi/-nɔ́l-] *n.* Ⓤ 도상(圖像)(해석)학; 도상에 의한 상징.

ICPO International Criminal Police Organization (=Interpol).

-ics [iks] *suf.* '…학, …술, …론'의 뜻의 명사를 만듦: economics, ethics, linguistics, phonetics, mathematics.

> **NOTE** 복수어형이지만 (1) 보통 '학술·기술명'으로서는 단수 취급: linguistics, optics, economics. (2) 구체적인 '활동·현상·특성·규칙' 따위를 가리킬 때는 복수 취급: athletics, gymnastics, ethics. (3) 개중에는 단·복수 취급되는 것도 있음: hysterics.

ic·tus [íktəs] (*pl.* **~, ~·es**) *n.* Ⓒ **1** 〖운율〗 강음(強音), 양음(揚音). **2** 〖의학〗 급발(急發) 증상, 발작: ~ solis [-sóulis] 일사병.

ICU 〖의학〗 intensive care unit (집중 치료실).

***icy** [áisi] (*ic·i·er; -i·est*) *a.* **1 얼음의**, 얼음 같은; 얼음으로 덮인; 몹시 차가운: ~ waters / the ~ North. **2 쌀쌀한**, 냉담한: an ~ welcome 냉담한 환영.

ID 〖美우편〗 Idaho.

id [id] *n.* (the ~) 〖정신분석〗 이드《개인의 본능적 충동의 원천》.

-id [id] *suf.* 라틴어 어원의 동사·명사에서 상태를 나타내는 형용사를 만듦: horrid, solid.

⁑**I'd** [aid] I would, I should, I had의 간약형.

id. *idem.* **Id., Ida.** Idaho.

Ida [áidə] *n.* 아이다《여자 이름》.

Ida·ho [áidəhòu] *n.* 아이다호《미국 북서부의 주; 생략: Id., Ida.; 속칭: the Gem State》.

Ida·ho·an [áidəhòuən, ⌐-⌐] *n.* Ⓒ 아이다호 주의 사람. **—***a.* 아이다호 주의.

ÌD càrd 《美》 신분증(identity card).

†**idea** [aidíːə] *n.* **1** Ⓒ **a 생각**(이 떠오름), **착상**, 아이디어《*of, for, on, about* …에 관한》: a man of ~s 착상이 풍부한 사람 / That's a good ~. 그거 좋은 생각이다 / He's full of (original) ~s. 그는 (독창적) 아이디어가 풍부하다 / She had to give up the ~ *of* visit*ing* the place. 그녀는 그 곳을 방문할 생각을 단념해야만 했다 / I have an ~ *for* it 〔doing it〕. 그것에 관하여〔그 일을 하는데〕 한 가지 생각이 있다. **b 사고방식, 사상**: the ~s of the young 젊은이들의 사고방식 / Eastern ~s 동양사상. **c 의견**, 견해, 생각《*of* …에 대한 / *that*》: I believe in the ~ *that* time is money. 시간은 돈이라는 견해는 옳다고 믿는다 / I feel shocked at the bare 〔mere〕 ~ *of* his death. 그가 죽었다는 생각만해도 충격적이다.

> SYN. **idea** 가장 일반적으로 쓰이는 말. 사고·상상·추리 따위에 의하여 마음에 생기는 관념을 말함. **concept** 흔히 이미 존재하고 있는 것에 관한 개념, 규정: a *concept* of "family" 가족이란 개념. **conception** concept와 유사하지만 개념의 내용 그 자체보다도, 개념을 머리 속에 그리는 행위가 강조됨. 따라서 have a clear 〔vague〕 *conception* of… (…에 관해 명확한〔막연한〕 개념을 품다), a *conception* of Nature as animate (살아 있는 것으로서의 자연의 개념)처럼 형용사 clear나 as 따위가 들어갈 여지가 생김. **notion** 막연한 개념, 개인적 견해. 편견일 수 있는 가능성도 인정함: my *notion* of man 인류에 관한 나의 견해. **thought** 사고를 거쳐 얻어진 생각, 판단: All his *thought* went into his book. 그의 사상 전부가 그의 저서 속에 기록되었다.

2 Ⓤ (구체적으로는 Ⓒ) **a** 〖보통 부정문으로〗 이해, 인식《*of* …에 대한 / *wh.*》《★ have no idea로 「모른다」의 뜻이 됨; 또한 《구어》에서는 of가 생략됨》: You do*n't* have the slightest 〔least〕 ~ (*of*) *how* much she has missed you. 그녀가 너를 얼마나 그리워했는지 너는 조금도 모른다 / He had *no* 〔*little*〕 ~ *what* these words meant. 그는 이 단어들이 무엇을 의미하는지 전혀〔거의〕 몰랐다. **b** 지식, 짐작, 어림《*of, about* …에 대한》: The book will give you a very good ~ *of* life in London. 그 책을 읽으면 런던 생활에 관한 많은 지식을 얻게 될 것이다 / I think you will get some ~ *of* it. 그것에 대해 어느 정도 짐작이 가리라고 생각한다.

3 Ⓒ (막연한) 느낌, 직관, 예감《*that*》: I had no ~ *that* you were coming. 네가 오리라고는 전혀 생각지 못했다 / I have an ~ *that* he's still living somewhere. 그가 아직 어딘가에 살아 있으리라는 느낌이 든다.

4 Ⓒ 공상, 환상, 상상, 망상《*that*》: put ~s into a person's head 아무의 머리에 (실현될 것 같지 않은) 환상들을 불어넣다 / have the ~ *that*… =get the ~ into one's head *that* …이라는 망상을 품다.

5 (one's ~) 〖보통 부정문으로〗 이상으로 삼는 것, 전형(典型): Watching TV is *not* my ~ *of* fun. 내가 즐거움〔이상〕으로 삼는 건 텔레비전을 시청하는 것이 아니다.

6 Ⓤ (구체적으로는 Ⓒ) 〖철학〗 관념, 이데아.

7 Ⓒ 〖심리〗 표상(表象), 관념.

get the ~ that …라고 (종종 잘못하여) 믿게 되다. ***give*** a person ***an ~ of*** 아무에게 …을 알게 하다: The essay will *give* you *an* ~ *of* what Oxford is like. 그 에세이가 옥스포드란 어떤 곳인지를 알려 줄 것이다.

> **DIAL.** ***It'd be a good idea to*** do (…하는 것이) 좋다고 생각한다: *It'd be a good idea to* have some rest. 좀 쉬는게 좋겠어.
> ***The idea*** (***of it***)***!*** (그런 생각을 하다니) 너무하군, 어이없군, 거 무슨 소리야(=What an idea!): She called me a liar.—*The idea* (*of it*)! 그녀가 나를 거짓말쟁이라고 했어—(그

거) 너무 했군.
That's an idea. 그거 좋은 생각이다; 좋은 걸 생각해냈군《남의 제안을 받아들여》.
That's the idea. 그래그래, 그렇게 하는거야; 그래, 그거 좋군《남이 하는 일을 칭찬하여》.
What an idea! 무슨 바보 같은 생각이야; 참 어이없군《놀라움 · 불만을 나타내어》.
What's the (big) idea? (그런 짓을 하다니) 도대체 어쩔 셈이야.
Where did you get that idea? 어째서 그런 식으로 생각하는 거야.
You have no idea. 너는 상상할 수 없을 만큼 (몹시)《좋은 일 · 나쁜 일 양쪽 다 씀; 문장의 시작 · 끝에 둠》: *You have no idea* how worried I was. 얼마나 걱정했는지 모를 거다.

‡ide·al [aidíːəl] *n.* Ⓒ **1 이상**, 극치: a man of ~*s* 이상가〔주의자〕. **2** 이상적인 것〔사람〕; 전형, 규범: He's the ~ *of* the aggresive salesman. 그는 적극적인 세일즈맨의 전형이다. **3** 숭고한 목표〔이념〕.
—*a.* **1 이상의**; 이상적인, 더할 나위 없는(perfect)《***for*** …에》: an ~ companion 이상적인 벗/This weather is ~ *for* a picnic. 소풍에 더할 나위 없는 날씨다. **2** 관념적인, 상상의, 가공의. ↔ *real.* ¶A utopia is an ~ society. 유토피아는 상상의 사회이다. **3** 〖철학〗 관념에 관한, 관념론적인, 유심론의.

◇ide·al·ism [aidíːəlìzəm] *n.* Ⓤ **1** 이상주의. ↔ *realism.* **2** 〖철학〗 관념〔유심〕론. ↔ *materialism.* **3** 〖예술〗 관념주의《형태나 사실보다도 관념 · 사상을 존중하는 주의》. ↔ *formalism.*

idé·al·ist *n.* Ⓒ **1** 이상가, 이상주의자; 공상가, 몽상가. ↔ *realist.* **2** 〖철학〗 관념론〔유심론〕자; 〖예술〗 관념주의자. **—***a.* =IDEALISTIC.

ide·al·is·tic [aidìːəlístik] *a.* 이상주의적인; 공상적〔비현실적〕인; 관념〔유심〕론적인. ㊕ **-ti·cal·ly** [-tikəli] *ad.*

idé·al·ìze *vt.* 이상화하다, 이상적이라고 생각하다: He ~*s* the woman he loves. 그는 사랑하는 여성을 이상화한다. **—***vi.* 이상을 그리다, 이상에 쏠리다. ㊕ **-ìz·er** *n.* Ⓒ 이상화하는 사람, 이상가. **idè·al·i·zá·tion** *n.* Ⓤ 이상화.

idé·al·ly *ad.* **1** 이상적으로, 더할 나위 없이; 〖문장 전체를 수식하여〗 이상적으로 말하면: He's ~ suited to his occupation. 그는 그의 직업에 더할 나위 없이 딱 들어맞는다/*Ideally*, there should be one teacher for every 10 students. 이상적으로는, 학생 10 명당 교사 1 명이 배정되어야 한다. **2** 관념적으로; 〖문장 전체를 수식하여〗 관념적으로 말하면.

ide·ate [áidièit/aidíːeit] *vt., vi.* 상상하다, 마음에 그리다, 생각하다; 관념화하다.

ìde·á·tion *n.* Ⓤ 〖철학〗 관념 작용, 관념화(하는 힘).

idée fixe [iːdéifíːks] (*pl.* ***idées fixes*** [—]) 《F.》 (=fixed idea) 고정관념, 강박관념《병적으로 집착되어 떠나지 않는 관념》.

idem [áidem] *pron., a.* 《L.》 (=the same) **1** 같은 저자(의); 앞서 말한 바와 같음〔같은〕. **2** 같은 말(의), 같은 서적(의), 같은 전거(典據)(의)《생략: id.》.

iden·tic [aidéntik, i-] *a.* (외교 문서가) 동문(同文)의, 동일 형태의: an ~ note (외교상의) 동문 통첩.

iden·ti·cal** [aidéntikəl, i-] *a.* **1** (보통 the ~) Ⓐ **완전히 같은**(the very same), 동일한: the ~ person 동일 인물/This is the ~ umbrella that I have lost. 이것은 내가 잃어버린 우산과 같은 것이다《바로 그것》. SYN. ⇨SAME. **2** (상이한 것에 대하여) 같은, 일치하는, **빼쏜**《with, to*** …와, …을》: replace the broken dish *with* an ~ one 깨진 접시와 꼭 같은 접시로 대체하다. **3** (쌍둥이가) 일란성의: ~ twins 일란성 쌍둥이. cf. fraternal twin. **4** 〖수학〗 동일한, 항등(恒等)의: an ~ equation 〖수학〗 항등식.

idén·ti·cal·ly *ad.* 〖종종 alike, the same 등을 강조하여〗 완전히 같게, 동일하게; 마찬가지로.

iden·ti·fi·a·ble [aidéntəfàiəbəl, i-] *a.* **1** 동일함을 증명할 수 있는; 신원을 확인할 수 있는: The body was ~ through dental records. 그 시체는 치과의 치료 기록을 통하여 신원을 확인할 수 있었다. **2** 동일시할 수 있는.

iden·ti·fi·ca·tion** [aidèntəfikéiʃən, i-] *n.* Ⓤ (구체적으로는 Ⓒ) **1** (사람 · 물건의) **신원 확인**〔인정〕; 동일하다는 증명〔확인, 감정〕, **신분증명**. **2** 〖정신분석〗 동일시〔화〕; 〖사회〗 동일화, 일체감《with*** …와의》《어느 사회 집단의 가치 · 이해를 자기 것으로 수용함》. **3** 신원을〔정체를〕 증명하는 것; 신분증명서: The traveler lost his ~ papers. 그 여행자는 신분증명서를 분실했다.

identificátion càrd 〔**pàpers**〕 신분증명서 (identity 〔ID〕 card).

identificátion paràde (범인 확인을 위해) 피의자 등을 줄지어 세움.

‡iden·ti·fy [aidéntəfài] *vt.* **1** 《~+목/+목+*as* 보》 (본인 · 동일물임)을 **확인하다**; 분별하다, (사람의 신원, 물건의 분류 따위)를 인지〔판정〕하다, 감정〔증명〕하다; 〖~ oneself〗 신원〔이름〕을 밝히다: ~ a body 〔corps〕 시체의 신원을 확인하다/~ handwriting 필적을 감정하다/She *identified* the fountain pen *as* hers. 그녀는 그 만년필이 자기 것이라고 판정하였다/He *identified* him*self as* a close friend of Jim's. 그는 짐의 친우라고 밝혔다. **2** 《+목+전+명》 **동일시하다**, 동일한 것으로 간주하다《***with*** …와》: The mayor *identified* the interests of the citizens *with* his own prosperity. 시장은 시민의 이익을 자신의 번영과 동일시했다. **3** 《+목+전+명》 〖~ oneself〗 행동을 함께 하다, 제휴시키다; 관계〔공감〕하다《***with*** (정당 따위)와, (정책 따위)에》: become *identified with* a policy 정책적으로 제휴하게 되다/~ one*self with* a movement 운동에 참가하다. SYN. ⇨ RECOGNIZE.
—*vi.* 《+전+명》 **1** 일체가 되다, 일체감을 갖다, 공감하다《***with*** …와, …에》. **2** 자기를 동일시하다《***with*** …와》: ~ *with* the hero of a novel 자신이 소설의 주인공이 된 듯한 기분이 되다. ◇ identification, identity *n.*
㊕ **-fi·er** [-fàiər] *n.* Ⓒ 확인자, 감정인.

Iden·ti·kit [aidéntəkit] *n.* Ⓒ **1** 몽타주식 얼굴 사진 합성 장치《상표명》. **2** (때로 i-) 몽타주 얼굴 사진.

***iden·ti·ty** [aidéntəti] *n.* **1** Ⓤ **동일함**, 일치, 동일성: We have an ~ of interest. 우리의 이해(利害)는 일치한다. **2** Ⓤ (구체적으로는 Ⓒ) **a** 동일인〔동일물〕임, 본인임; 정체, 신원: establish 〔prove〕 a person's ~ 아무의 신원 밝히다/conceal one's ~ 자신의 신원을 숨기다. **b** 독자성, 주체성, 본성; 귀속 의식: lose one's ~ 본성을 잃다/find one's own ~ through experience 경험을 통하여 자기의 독자성을 발견하다. **3** Ⓒ

I

【수학】 항등식(恒等式). ***mistaken* 〔*false*〕 ~** 사람을 잘못 봄.

idéntity càrd 신분증명서.

> [NOTE] 공공기관이 발행하는 신분증명서를 가리킴. passport나 credit card도 ID card로서 통용되지만 가장 신뢰할 수 있는 것은 운전 면허증(driver's license)이며, 미국에서는 주에 따라 독자적인 ID card를 발행하는 곳도 있음. 영국에서는 개인 존중의 방침에 따라 신분증명서 같은 것은 소지하지 않는 것이 보통이며, 운전 면허증에도 사진을 붙이지 아니함.

idéntity crìsis 자기 인식의 위기《사춘기 등에 자기의 실체에 의심을 품는 심리적 위기》.

idéntity paràde =IDENTIFICATION PARADE.

id·e·o·gram, -graph [ídiəgræ̀m, áid-], [-græ̀f, -grɑ̀ːf] *n.* [C] 표의(表意) 문자《한자 기타 상형 문자》. [cf] phonogram.

ide·o·log·i·cal [àidiəládʒikəl, ìd-/-lɔ́dʒ-] *a.* 관념학의; 공론의; 관념 형태의, 이데올로기의: an ~ dispute 이데올로기 논쟁. ㊕ **-i·cal·ly** *ad.*

ide·ol·o·gist [àidiálədʒist, ìd-/-ɔ́l-] *n.* [C] 관념학자, 관념론자; 공론가.

ide·o·logue [áidiəlɔ̀(ː)g, -làg, íd-] *n.* [C] 공상가, 몽상가(visionary); 이론가, (특정) 이데올로기 신봉자.

ide·ol·o·gy [àidiálədʒi, ìd-/-ɔ́l-] *n.* **1** [U] 관념학〔론〕; 공리, 공론. **2** [U] (구체적으로는 [C]) (사회상·정치상의) 이데올로기, 관념 형태.

ides [aidz] *n. pl.* (보통 the ~) 【고대로마】 (3월, 5월, 7월, 10월의) 15일; (그 밖의 달의) 13일. ***Beware the Ides of March.*** 3월 15일을 경계하라《이 날은 Caesar 암살의 날로 예언되어 있던 데서, 궂은 일의 경고로 쓰임》.

id est [id-ést] 《L.》 (=that is) 즉, 다시〔바꿔〕 말하면《생략: i.e. 또는 *i.e.*》.

id·i·o·cy [ídiəsi] *n.* [U] 백치; [C] 백치적 언동: What ~! 얼마나 바보 같은 짓인가.

*__id·i·om__ [ídiəm] *n.* **1** [C] 숙어, 관용구《2개 이상의 단어로 이루어진 구(句)의 의미가 그 말 자체의 의미를 떠나 전체로서 일정한 의미를 갖는 어구》. **2** [U] (구체적으로는 [C]) (어떤 민족·일개인의) 고유어, 통용어, 어법: the English 〔American〕 ~ 영어〔미어〕 어법/He speaks a peculiar ~. 그는 독특한 표현을 쓴다. **3** [U] (예술가 등의) 개성적 표현 방식, 작풍: the ~ of Chaucer 초서의 작풍.

id·i·o·mat·ic, -i·cal [ìdiəmǽtik], [-əl] *a.* 관용구적인, 관용어법의; (어떤 언어의) 특색을 나타내는; (예술 등에서) 독특한 작품의, 개성적인: an ~ phrase 관용구/He speaks ~ English. 그는 과연 영어다운 영어를 말한다/an ~ composer 독특한 스타일의 작곡가. ㊕ **-i·cal·ly** *ad.* 관용적으로; 관용구를 써서.

id·i·op·a·thy [ìdiápəθi/-ɔ́p-] *n.* [C] 【의학】 돌발성 질환, 원인 불명의 질환. ㊕ **idi·o·path·ic** [ìdiəpǽθik] *a.*

id·i·o·syn·cra·sy, -cy [ìdiəsíŋkrəsi] *n.* [C] **1** (어느 개인의) 특이성, 특이한 성격; 색다른 언행, 기행(奇行); (작가) 특유의 표현법. **2** 【의학】 특이 체질([cf] allergy).

id·i·o·syn·crat·ic [ìdiəsiŋkrǽtik] *a.* **1** (개개인에) 특유한; 색다른, 기이한: ~ behavior 기이한 행동. **2** 【의학】 특이 체질의. ㊕ **-i·cal·ly** *ad.*

°**id·i·ot** [ídiət] *n.* [C] **1** 천치, 바보. **2** 백치《I.Q. 20-25 이하로, 지능 정도가 2세 정도임》. ★ 지능이 가장 낮은 상태부터 차례로 idiot, imbecile, moron이라 함.

ídiot bòx (보통 the ~) 바보 상자《텔레비전의 속칭》.

ídiot càrd 〔**bòard**〕 대형 문자판《텔레비전 출연자에게 대사를 가르쳐 주기 위한》.

id·i·ot·ic [ìdiátik/-ɔ́t-] *a.* **1** 바보 같은, 얼빠진; 천치의《*to* do》: It was ~ *of* you *to* leave the safe open. =You were ~ *to* leave the safe open. 금고를 열린 채로 내버려두었다니 너도 얼빠졌군. **2** 백치의〔같은〕: He had an ~ expression on his face. 그는 얼간이 같은 표정을 지었다. ㊕ **-i·cal·ly** *ad.*

⁑**idle** [áidl] (*idl·er; idl·est*) *a.* **1** 게으름뱅이의, 태만한: Tom is an ~ student. 톰은 게으른 학생이다. **2** 한가한, 게으름 피우고 있는, 놀고 있는, 할 일이 없는: an ~ spectator 수수방관하는 사람/spend ~ hours 아무 것도 않고〔빈둥빈둥〕 시간을 보내다. **3** (기계·설비·돈 따위가) 쓰이고 있지 않는, 사용되지 않는: ~ machines/keep land ~ 땅을 놀려두다. **4** 무익한, 헛된, 쓸모없는(useless): an ~ talk 잡담/It is ~ to suggest anything to him. 그에게 무엇을 제안하든 헛된 일이다. **5** 근거 없는, 무의미한, 하찮은: ~ rumors 근거 없는 소문. **6** (시간이) 틈이 있는, 비어 있는: in an ~ moment 틈이 날 때/books for ~ hours 여가 시간을 위한 책. **7** 《美》 (선수·팀이) 경기가 없는: The team is ~ today. 그 팀은 오늘 시합이 없다.

> [SYN] **idle** 일을 쉬고 있는 것. 반드시 게으름 피우는 것에 한하지 않고 필요해서 쉬고 있는 것도 idle: *idle* machines 움직이고 있지 않는 기계. **indolent** 일이 느린〔굼뜬〕. 비난의 뜻도 있지만 일의 능력까지 부정하지는 않음. **lazy** 일에 대한 능력까지 부정하는 비난의 뜻이 있음: incurably *lazy* 어찌할 수 없을 정도로 게을러 빠진.

eat* ~ *bread 무위도식(無爲徒食)하다. ***have one's hands* ~** 손이 비어 있다.

—*vi.* **1** 《~/+[부]》 게으름 피우고〔놀고〕 있다, 빈둥거리고 있다(*about*): Don't ~ (*about*). 빈둥거리며 놀지 마라. **2** 【기계】 (엔진 따위가 느릿하게) 헛돌다. **—***vt.* **1** 《+[목]+[부]》 (시간)을 **빈둥거리며 보내다**(waste), 놀며 보내다(*away*): ~ *away* one's time 시간을 헛되이 보내다. **2** 【기계】 헛돌게〔겉돌게〕 하다. **3** 《美》 (노동자)를 놀게〔한가하게〕 하다《불경기 따위로》.

—*n.* [U] 무위(無爲); (엔진 따위의) 헛돎.

*__idle·ness__ [áidlnis] *n.* [U] **나태**; 무위(無爲), 안일: *Idleness* is the root of all vice. 《속담》 게으름은 백악(百惡)의 근원.

°**idler** [áidlər] *n.* [C] **1** 게으름뱅이; 빈둥거리는 사람. **2** 【기계】 =IDLE(R) WHEEL.

ídle(r) whèel 【기계】 유동 바퀴《두 톱니바퀴 사이의 중간 톱니바퀴》.

°**idly** [áidli] *ad.* **1** 빈둥거리며, 아무 일도 하지 않고: sit ~ by while others work 다른 사람들이 일하고 있는 동안 아무 것도 하지 않고 앉아 있다. **2** 멍하니: He was ~ leafing through a book. 그는 멍하니 책장을 넘기고 있었다. **3** 헛되이; 무익하게.

*__idol__ [áidl] *n.* [C] **1** 우상, 신상(神像); 사신상(邪神像). **2** 숭배〔우상시〕되는 사람〔것〕; 숭배물: a popular ~ 민중의 우상. **3** 【논리】 잘못된 인식, 그릇된 견해.

idol·a·ter [aidɑ́lətər/-dɔ́l-] (*fem*. ***idol·a·tress*** [-tris]) *n*. [C] 우상 숭배자; 〖일반적〗 (맹목적인) 숭배자, 심취자.

idol·a·trous [aidɑ́lətrəs/-dɔ́l-] *a*. 우상 숭배하는〔숭배적인〕; 맹목적으로 숭배〔심취〕하는. [파] **~·ly** *ad*.

◇**idol·a·try** [aidɑ́lətri/-dɔ́l-] *n*. [U] 우상 숭배, 사신(邪神) 숭배; 맹목적 숭배, 심취.

idol·ize [áidəlàiz] *vt*., *vi*. 우상화〔시〕하다; 우상을 숭배하다; 익애〔심취, 경모〕하다. [파] **-iz·er** *n*. [C] 우상 숭배자, 맹목적 심취자. **idol·i·zá·tion** *n*. [U] 우상화; 심취.

idyl(l) [áidl] *n*. [C] **1** 전원시, 목가. **2** (산문의) 전원 문학; 〖음악〗 전원곡. **3** 전원 풍경. **4** 일시적인 사랑, 정사.

idyl·lic [aidílik] *a*. **1** 전원시(풍)의; 목가적인, 한가로운. **2** 멋진, 아름다운. [파] **-li·cal·ly** *ad*.

i.e. [áiíː, ðǽtiz] 즉, 바꿔 말하면《참고서 등 이외는 보통 that is를 씀》. [◂ 라틴어 *id est*(=that is)에서]

-ie [i] *suf*. **1** 명사에 붙여서 '친애'의 의미를 나타내는 명사어미를 만듦: dogg*ie*, lass*ie*. **2** 형용사·동사에 붙여서 '…의 성질이 있는'이라는 뜻의 명사를 만듦: cut*ie*, mov*ie*.

IEA International Energy Agency.

-i·er [iər, jər] *suf*. '관계자, 취급자, 제작자'란 뜻의 명사를 만듦: glaz*ier*, hos*ier*, gondol*ier*, grenad*ier*.

†**if** [if] *conj*. **A** 《가정·조건》 **1** 만약 …이면〔하면〕; (만일) …라고 하면; …하면: **a** 〖현재·미래의 실상을 모르고 하는 가정〗: *If* you are tired, you should have a rest. 피곤하면 쉬는 게 좋다/*If* it rains tomorrow, I will stay at home. 만일 내일 비가 온다면 나는 집에 있겠다/I'll help you *if* you come. 네가 온다면 도와 주지《if-절이 뒤로 오면 only if의 뜻이 되어 '조건적'이지만, *If* you come, I'll ...과 같이 앞에 올 때에는 '권유적'》/Come *if* you like. 좋으시다면 오십시오/If you have finished reading the book, please return it to me. 그 책을 다 읽으시면 돌려 주십시요. ★미래의 가정에 있어서도 *if*-절에서는 현재(완료) 시제를 씀. 가정법 동사를 쓰는 것은《고어》. **b** 〖과거의 실상을 모르고 하는 가정〗: *If* he had fair warning, he has nothing to complain of. 이미 상당한 경고를 받았다면 불평을 할 건더기가 없다/*If* it was raining, I think he did not go out. 비가 오고 있었다면 그는 외출을 안 했을 것으로 생각한다.

> **NOTE** 다음과 같은 경우에는 *if*-절에 조동사 will을 씀.
> (1) *if*-절이 그 주어의 의지를 나타내는 경우: He can do it *if* he *will*. 그가 하고자 한다면 그것을 할 수 있다.
> (2) *if*-절이 미래의 가정·조건을 나타내더라도, 문장 전체가 현재의 사실에 관련된 경우: *If* it'*ll* suit you, I'll meet you at the lobby. 편하시다면 로비에서 만나뵙죠.
> (3) 상대의 의향을 정중히 묻는 경우 will을 would로 고치면 더욱 정중해짐: I should be grateful *if* you *will* 〔*would*〕 reply as soon as possible. 곧 회답해 주시면 고맙겠습니다.

2 a 〖현재·미래의 사실에 반(反)함을 알면서 하는 가정〗: *If* he *tried* harder, he would succeed. 더 열심히 하면 그는 성공할 수 있을 텐데/Would he come *if* we *asked* him to? 우리가 그에게 청하면 올까/I should 〔would〕 come *if* I *could*. 갈 수 있다면 가겠는데/*If* I *were* you, I should 〔would〕 not hesitate. 내가 당신이라면 망설이지 않겠는데요. ★ 오늘날 구어에서는 if I 〔he, she, it〕 were의 경우는 흔히 were 대신 was를 즐겨 씀. 다만, If I were you는 거의 하나의 관용구로 되어 버렸음. **b** 〖과거의 사실에 반(反)함을 알면서 하는 가정〗: *If* she *had been* awake, she would have heard the noise. 잠에서 깨어 있었더라면 그녀는 그 소리를 들었을 텐데《She didn't hear the noise, because she was not awake.의 뜻을 내포함》/He would be more successful now *if* he *had had* more time to study then. 그가 그때 좀더 공부할 시간이 있었다면 지금쯤 더 성공해 있을 텐데《귀결절은 현재 사실에, 조건절은 과거 사실에 반(反)하는 것을 나타냄》.

3 a 〖가능성이 적은 미래의 일〗《if ... should의 형식으로》: *If* it *should* rain tomorrow, I shall not come. 내일 만일 비가 오면 오지 못합니다/*If* anyone *should* call while I'm out, tell them 〔him〕 I'll be back soon. 내가 없는 동안 누가 날 찾으면 곧 돌아올 거라고 전해주오. **b** 〖가능성이 없는 미래의 일〗《if ... were to (do)의 형식으로》: What would you do *if* war *were to* break out? 만일 전쟁이 일어난다면 어떻게 하시겠습니까/*If* you *were to* be hanged tomorrow, what would you do? 가령 내일 교수형을 받게 된다면 어떻게 하겠나. ★ were to일 때 주절은 가정법 과거를 쓰며, should일 때는 가정법 과거·직설법 어느 쪽도 좋음.

> **NOTE** (1) *if*-절 중에서는 종종 생략 구문을 씀: Come *if* (it is) necessary 〔possible〕. 필요하면〔될 수 있으면〕 와 주시오/*If* (he is) still alive, he must be at least ninety years. 만약 그가 아직도 살아 있다면 적어도 90살은 되었을 것이다.
> (2) 가정법에서는 *if*-절과 주어의 술어 동사에 가정법 동사를 쓸 뿐, 그 안에 포함된 절 속에서는 직설법의 동사를 사용함: I would have seen you off at the airport *if* I had known when you *were* leaving 〔*would* leave〕. 네가 언제 떠나는지 알았더라면 내가 공항에 나가 배웅했을 텐데.
> (3) 이상 2, 3의 경우에는 if를 생략하고 주어와 동사가 도치될 경우가 있음: *If I were* you ⇨ *Were I* you; *If I had* much money ⇨ *Had I* much money; *If he had seen* me ⇨ *Had he seen* me; *If they should* leave me ⇨ *Should they* leave me; *If I were* to live in Paris ⇨ *Were I* to live in Paris. 또,《구어》에서는 도치되지 않고 if만 생략할 때가 있음: (*If*) you touch me again, I'll hit you. 또다시 내게 손을 대면 때릴 테다(=Touch me again, and I'll hit you.).

4 〖인과관계〗 …하면 (언제나), …한 때에는(when, whenever)《흔히 *if*-절엔 직설법 동사를 쓰며, 귀결절에는 will, would 등을 안 씀》: *If* you mix yellow and blue, you get green. 노랑과 파랑을 섞으면 초록이 된다(≒whenever)/*If* it was too cold, we stayed indoors. 너무 추울 때는 우리는 집 안에 있었다.

5 〖it is 〔was〕와 함께〗 …하는〔한〕 것은 …이기 때문이다〔때문이었다〕: *If* I punish him, *it is* because I truly love him 〔*it is* for his own

sake〕. 내가 그를 벌하는 것은 그를 진정으로 사랑하기 때문이다〔그 자신을 위해서다〕. ★If와 it is를 빼내도 뜻은 거의 같음《일종의 강조구문》.
6 〖양보〗 설사 〔비록〕 …라 하더라도〔일지라도〕; …이기는 하지만(≒though)《*if*-절에서는 가정법을 쓰지 않으나 《고어》에서는 씀》: *If* he is poor, he is a good chap. 그는 가난하기는 하지만 좋은 녀석이다/I am not surprised *if* it happens. 그런 일이 일어나더라도 별로 놀라울 게 없다/I'll go out even *if* it rains. 설사 비가 와도 외출하겠다/Don't blame him *if* he should fail. 그가 실패하더라도 비난하지 마라/It's worth seeing *if* only for curiosity. 그것은 단지 호기심을 위해서라도 볼 만한 가치는 있다/Most, *if* not all, of them are young. 그들은, 모두는 아니더라도, 대부분 젊다.
7 〖귀결을 생략한 감탄문〗 **a** 〖바람을 나타냄〗 (그저) …하기만 하면 (좋으련마는) 《★ if only의 형식을 취할 때가 많으며, 사실에 반대되느냐, 가능성이 있느냐에 따라서 가정법, 직설법을 가려서 쓰게 됨》: *If only* she arrives in time! 그 여자가 그저 제 시각에 와주기만 한다면《올 가능성이 남아 있음》/*If* I *only* knew! 알고 있기만 하더라도 좋을 텐데《알지 못하는 것이 유감임》. **b** 〖놀라움·곤혹·호소; if ... not으로〗《직설법에 한정됨》 …라니 놀랍다: Well, *if* it is*n't* Bill! 아니 이거 빌이 아닌가〔아냐〕/Well, *if* I have*n't* left my false teeth at home! 어렵쇼, 틀니를 집에 두고 나왔구먼.
B 《간접의문문을 이끎》 …인지 어떤지; …하건〔이건 아니건〕(whether): I wonder *if* he is at home. 그가 집에 있을까/He asked *if* I liked Chinese food. 그 사람은 나에게 중국 음식을 좋아하느냐고 물었다(=He said to me, "Do you like Chinese food?").

> **NOTE** **if**와 **whether** (1) if는 whether에 비해 구어 표현에 많이 쓰이며, ask, doubt, know, try, wonder, see, tell, be not sure 등 뒤에 계속되는 목적절을 흔히 이끎. (2) 주어절·보어절에는 보통 if를 쓰지 않고 whether를 씀. (3) whether 뒤에는 부정사가 올 수 있으나 if는 그렇지 못함: I don't know *whether to* go or stay. 가야 할지 머물러 있어야 할지 모르겠다. (4) whether절은 전치사의 목적어로 쓰이나 if절은 그렇지 못함: the question *of whether* I should go or not 내가 가야 할지 어떨지의 문제. (5) Send me a telegram *if* you are coming.에서는 의미가 A 1로도 B로도 해석할 수 있는데, B의 뜻일 때에는 whether를 사용하는 것이 좋음.

as if ⇨AS if. ***even if*** ⇨EVEN if. ***if a day*** 〔***a yard, an inch, an ounce, a man***〕 (나이·시간·거리·길이·중량·인원수 등에 대해) 확실히, 적어도《★ day는 나이, penny, cent, dime은 돈의 액수에, yard, inch는 길이, ounce는 무게에 대해서 쓰임》: He is seventy *if a day*. 그는 아무래도 70은 된다/The enemy is 3,000 strong, *if a man*. 적의 병력은 적어도 3천을 밑돌지는 않는다. ***if and only if*** 만약, 그리고, 그 경우에 한해《수학적인 기술에 쓰임; 생략: iff.》. ***if and when...*** 만일 …한 때에는. ***if any*** ⇨ANY. ***if anything*** ⇨ANYTHING. ***if anywhere*** 어느 쪽이냐 하면, 어쨌든: You can buy it there, *if anywhere*. 어쨌든, 그것은 거기서 살 수 있다. ***if at all*** ⇨at ALL(관용구). ***if I may ask*** 이렇게 여쭈면 실례가 될는지 모르겠지만: How old are you *if I may ask*? 실례지만 나이는요. ***if it had not been for ...*** 〖과거의 사실에 반대되는 가정을 나타낼 때〗 만일 …이 없었다면〔아니었다면〕: *If it had not been for* (=Had it not been for) her help, I would not be alive now. 그녀의 도움이 없었더라면 지금쯤 나는 살아있지 못할 것이다. ***if it were not for ...*** 만약 …없으면〔아니라면〕《(a) 현재 사실의 반대의 가정을 나타냄. (b) 《구어》에서는 were 대신 was도 가능》: *If it were not for* (=Were it not for) her help, I would never succeed. 그녀의 도움이 없으면 나는 결코 성공 못 할 게다. ***if necessary*** 〔***possible***〕 필요하면 〔될 수 있으면〕: Come tomorrow *if* (it is) *necessary*. 필요하다면 내일 오게나/Do so, *if possible*. 될 수 있으면 그렇게 해 주십쇼. ***if not*** ① …은 아니(더)라도: It is highly desirable, *if not* essential, to draw the distinction. 그 구별을 짓는 것은 절대 필요하다고는 할 수 없어도 극히 바람직한 일입니다. ② 만일 …이 아니라고 한다면: Where should I get stationery, *if not* at a department store? 백화점에서가 아니라면 어디서 문방구를 구할 수 있는 건가. ***if only*** ① …하기만 하면(⇨7 a). ② 그저〔단지〕 …만으로도: We must respect him *if only for* his honesty 〔*if only because* he is honest〕. 정직(함)만으로도 그를 존경해야 한다/I want to go *if only to* see his face. 그의 얼굴을 보는 것만으로도 좋으니 가고 싶다. ***if that*** 《구어》 〖앞의 말을 받아〗 그것조차도 아니다: She is about ten years old, *if that*. 그녀는 열 살쯤이다, 아니 열 살도 안 됐을 게다. ***if you will*** 〖삽입구로〗 그렇게 말하고 싶다면: He is stupid, *if you will*. 그렇게 말하고 싶다면, 그는 바보라고 할 수 있다. ***What if ...?*** ⇨ WHAT.
—*n*. Ⓒ 가정, 조건: There are too many *ifs* in his theory. 그의 이론에는 가정이 지나치게 많다. ***ifs, ands, or buts*** =《英》 ***ifs and*** 〔***or***〕 ***buts*** 《구어》 일을 앞으로 미루기 위한 이유〔구실, 변명〕《부정문에서는 ifs or buts로 될 때도 있음》: Do it now, and no *ifs and buts*! 이러니 저러니 하지 말고〔핑계를 대지 말고〕, 당장 그것을 해라.

IFC International Finance Corporation (국제 금융 공사).

íf-clàuse *n*. Ⓒ 〖문법〗 조건절《if 따위로 인도되는 절》.

iff [if] *conj*. 〖수학·논리〗 …의 경우에만《★ if and only if로 읽는 일이 많음》.

if·fy [ífi] *a*. 《구어》 if가 많은, 조건부의, 불확실한, 의문점이 많은, 모호한: an ~ question 모호한 문제.

-iform [-əfɔ̀ːrm/-əfɔ̀ːm] *suf*. ⇨-FORM.

Í formàtion 〖미식축구〗 I 포메이션《후위가 쿼터백 뒤에서 I자 꼴로 서는 공격 진형》.

-ify [-əfài] *suf*. ⇨-FY.

Ig·bo [ígbou] *n*. ⇨IBO.

ig·loo, ig·lu [íglu:] (*pl*. **~s**) *n*. Ⓒ 이글루《에스키모 이누이트족의 겨울용 집; 주로 눈덩이로 만듦; 지금은 거주용으로 거의 안 쓰임》.

ig·ne·ous [ígniəs] *a*. 불의, 불 같은; 〖지질〗 화성(火成)의: ~ rock 화성암.

ig·nis fat·u·us [ígnəs-fǽtʃuəs] (*pl*. ***ig·nes fat·ui*** [ígni:z-fǽtʃuài]) 《L.》 도깨비불; 헛된 기대, 현혹시키는 것.

ig·nite [ignáit] *vt*. **1** …에 불을 붙이다; …을

발화시키다. **2** (감정)을 돋우다; 흥분시키다. **3** 〖화학〗 극한까지〔세게〕 가열하다, 연소시키다. **—***vi.* 불이 댕기다, 발화하다; (달아서) 빛나기 시작하다. ㊞ **ig·nít·er, -ní·tor** [-ər] *n.* Ⓒ 점화기〔장치〕.

ig·ni·tion [igníʃən] *n.* **1** Ⓤ 점화, 발화, 인화(引火); 연소: an ~ point 발화점. **2** Ⓒ (내연 기관의) 점화 장치: an ~ switch 점화 스위치.

ignítion kèy 이그니션키《엔진 시동용 열쇠》.

◇**ig·no·ble** [ignóubəl] *a.* **1** 성품이 저열한, 비열한, 천한. **2** (태생 · 신분이) 비천한. ⇔ *noble*. ㊞ **-bly** *ad.* 천하게, 비열하게. **ig·no·bíl·i·ty** *n.*

ig·no·min·i·ous [ìgnəmíniəs] *a.* 수치스러운(shameful), 불명예스러운; 비열한. ㊞ **~·ly** *ad.* 불명예스럽게, 굴욕적으로.

ig·no·miny [ígnəmìni] *n.* **1** Ⓤ 치욕, 불명예(disgrace), 불면목. **2** Ⓒ 부끄러운 행위, 추행.

ig·no·ra·mus [ìgnəréiməs] *n.* 《L.》 Ⓒ 무식한 사람, 무지한 사람, 아는 체하는 바보.

*__ig·no·rance__ [ígnərəns] *n.* Ⓤ **1 무지**, 무학: *Ignorance* is bliss. 《속담》 모르는 것이 약 / make a mistake out of ~ 무지 때문에 잘못을 저지르다. **2** 알지 못함, 모름《**of** …을》: I was in complete ~ *of* his intentions. 그의 의도를 전혀 몰랐다.

*__ig·no·rant__ [ígnərənt] *a.* **1 무지한**, 무학의, 무식한《**in, about** …에 대하여》: an ~ person 무학자 / I'm ~ *in* classical music. 고전 음악에 대해서는 아는 것이 없다. **2** 예의를 모르는, 실례되는: ~ behavior 무례한 행위. **3** Ⓟ **모르는**, 알아차리지 못하는《**of, about** …에 대하여 / **wh.** / **that**》《★ 《英》에서는 *wh.*절 · 구 앞의 전치사 of, about 를 생략하기도 함》: I'm ~ (*of*) *how* it happened. 그 일이 어떻게 일어났는지 모른다 / He is ~ *of* his own defects 〔*that* he is wrong〕. 그는 자기의 결점〔잘못한 것〕을 알아채지 못하고 있다 / I am entirely ~ *about* these things. 나는 이 일에 대해서 전혀 모른다. ㊞ **~·ly** *ad.* 무식하게; 모르고.

⁑**ig·nore** [ignɔ́ːr] *vt.* **무시하다**, 묵살하다, 모른 체하다: He ~*d* my advice. 그는 내 조언을 묵살했다 / The driver ~*d* the stop light. 그 운전자는 정지 신호를 무시했다. SYN. ⇨NEGLECT.

igua·na [igwáːnə] *n.* Ⓒ 〖동물〗 이구아나《서인도 및 남아메리카의 수림 속에 사는 큰 도마뱀》.

IGY International Geophysical Year (국제 지구 관측년). **IH** induction heating. **IHS, I.H.S.** Jesus《그리스어의 예수(ΙΗΣΟΥΣ)의 처음의 3자 ΙΗΣ 를 로마자화한 것》.

Ike [aik] *n.* **1** 아이크《남자 이름》. **2** 아이크《미국 제34대 대통령 Dwight D. Eisenhower 의 애칭》.

ik·ky [íki] *a.* ⇨ICKY.

ikon ⇨ICON.

Il 〖美우편〗 Illinois.

il- [il] *pref.* =IN-[1, 2]《l 앞에 씀》: *il*lusion.

-ile [əl, il, ail/ail] *suf.* '…에 관한, …할 수 있는, …에 적합한' 이란 뜻의 형용사를 만듦: sen*ile*, agile

ilex [áileks] *n.* Ⓒ 〖식물〗 너도밤나뭇과의 일종(holm oak); 호랑가시나무류.

Il·i·ad [íliəd] *n.* **1** (The ~) 일리아드《Troy 전쟁을 읊은 서사시; Homer 작이라고 전해짐》. **2** Ⓒ 일리아드풍의 서사시; 겹쳐서 계속되는 재해〔불행〕: an ~ of woes 잇단 불행.

ilk [ilk] *n.* (*sing.*) 가족, 식구; 같은 종류《★ 현재는 보통 다음 관용구로》. ***of that ~*** 같은 이름

〔집안, 지방〕의; 같은 종류의: Guthrie *of that* ~ 거드리《지명》 태생의 거드리《가명(家名)》.

⁑**ill** [il] (**worse** [wəːrs]; **worst** [wəːrst]) *a.* **1** Ⓟ 병든《**with** …으로》; 몸 상태가〔기분이〕 나쁜; 《美》 속이 메스꺼운(↔ well): fall 〔be taken〕 ~ 병에 걸리다 / be ~ in bed 병으로 누워 있다 / The sight made me ~. 그 광경을 보니 기분이 나빠졌다 / He's critically ~ *with* pneumonia. 그는 폐렴으로 위독하다.

SYN. **ill, sick** 《英》에서는 sick 에 구토가 따른다고 하지만 《美》에서는 그런 뜻의 구별이 없고 다만 ill 보다 sick 가 더 일반적으로 쓰임. 그러나 《英》《美》 공통으로, (1) 명사 앞에서는 sick 만을 씀: a *sick* person '환자' 라 하며, an *ill* person 이라고는 아니 함. (2) 집합적으로 '환자들' 에는 the *sick* 만을 씀: a home for the *sick* 요양소〔원〕. (3) 숙어에서도 병용하지 않음: *sick* at heart 마음이 울적하여, 비관하여, 괴로워서《*ill* at heart 라고는 아니함》. **diseased** 병에 걸린, 치료를 요하는: the *diseased* part 환부. **indisposed** 비교적 가벼운, 일시적인 병. **ailing** 주로 오래 앓는 병.

2 Ⓐ 서툰, 좋지 않은, 결점이 있는, 부적절한(improper): ~ advice 부적절한 충고 / ~ manners 버릇없음 / The business folded due to ~ management. 그 사업은 잘못된 경영 탓에 망했다. **3** Ⓐ **나쁜**, 부덕한, 사악한: ~ deeds 악행 / a man of ~ fame 〔repute〕 악명높은 사나이 / ~ nature 심술궂은〔비뚤어진〕 성격. **4** Ⓐ 심사 고약한, 불친절한; 악의〔적의〕 있는: ~ words 심술궂은 말 / ~ treatment 학대 / bear a person ~ will 아무에게 악의〔적의〕를 품다. **5** Ⓐ 불운의; 불길한; 불행한, 형편이 좋지 않은: an ~ omen 흉조 / ~ fortune 〔luck〕 불행, 불운 / *Ill* news runs apace. 《속담》 악사천리(惡事千里). **6** Ⓐ 기분 나쁜; (성미가) 까다로운; (건강이) 나쁜: be in an ~ temper 〔humor〕 기분이 나쁘다 / be in ~ health 건강이 나쁘다. ***do** a person **an ~ turn*** 아무를 해치다, 아무에게 불친절한 짓을 하다.

—*n.* **1** Ⓤ 악, 사악; 해, 죄악: She has done him no ~. 그녀는 그에게 아무런 나쁜 짓도 하지 않았다. **2** Ⓒ (흔히 *pl.*) 불행, 재난, 고난; 괴롭히는 것, 성가심: the various ~*s of* life 인생의 갖가지 불행. ***for good or ~*** 좋든 나쁘든, 결과는 차치하고.

—(**worse; worst**) *ad.* **1 나쁘게**, 사악하게, 부정하게: speak 〔think〕 ~ of a person 아무를 나쁘게 말하다〔생각하다〕, 아무의 험담을 하다 / *Ill* got, ~ spent. 《속담》 부정하게 번 돈은 오래 가지 않는다. **2 여의치 않게**, 운 나쁘게. **3** 고약하게, 불친절하게, 가혹하게. **4** 불완전하게, 불충분하게; 부적당하게: ~ equipped 〔provided〕 장비〔공급〕 불충분으로. **5** 〖흔히 조동사 앞에서〗 어려워, 할 수 없어, 거의 …않아(scarcely): With this company we can ~ afford an error. 회사 여건상 실수는 감내할 수 없다. ***be ~ off*** 살림〔형편〕이 어렵다, 여의치 않다. ***~ at ease*** 침착성을 잃고, 안절부절 못하여. ***go ~ with….*** …에게 여의치 않게 되어가다, 형편이 나빠지다: It will *go ~ with* you if you tell him that. 그에게 그런 말을 했다가는 혼날 거야. ***use** a person **~*** 아무를 학대〔냉대〕하다.

⁑**I'll** [ail] I will, I shall의 간약형.

Ill. Illinois. **ill.** illumination; illustrated; illustration.

íll-advísed *a.* **1** 분별 없는, 사려 없는, 경솔한: You would be ~ to do that. 그런 짓을 하는 건 경솔하다. **2** (계획 따위가) 충분히 생각하지 않은. ⓒⓕ well-advised. ⓟ **~·ly** *ad.* 분별 없이.

íll-affécted [-id] *a.* Ⓟ 호감을 갖지 않은, 불만을 가진《***toward*** …에 대하여》.

íll-assórted [-id] *a.* 조화되지 않은, 어울리지 않는: an ~ pair 어울리지 않는 한쌍〔부부〕.

íll-beháved *a.* 예절 없는, 무례한.

íll blóod 악감정, 증오; 원한.

íll-bréd *a.* 버릇 없이 자란, 본데 없는(rude).

íll bréeding 버릇〔본데〕 없음.

íll-consídered *a.* 분별 없는, 부적당한, 현명치 못한.

íll-defíned *a.* (윤곽이) 분명치 않은.

íll-dispósed *a.* **1** 근성이 나쁜. **2** Ⓟ 비협조적인, 악의를 품은《***toward*** …에 대하여》.

***il·le·gal** [ilíːgəl] *a.* **불법〔위법〕의**(unlawful), 비합법적인. ↔ *legal*. ¶ ~ confinement 〔detention〕 불법 감금 / an ~ sale 밀매 / an ~ alien 불법 입국자 / It's ~ to sell alcohol to children. 아이들에게 술을 파는 것은 위법이다. ⓟ **~·ly** *ad.*

il·le·gal·i·ty [ìliːgǽləti] *n.* **1** Ⓤ 불법, 비합법, 위법. **2** Ⓒ 불법 행위, 부정.

illégal ímmigrant 불법 입국〔체재〕자.

il·leg·i·ble [ilédʒəbəl] *a.* (문자 등이) 읽기〔판독하기〕 어려운, 불명료한. ⓟ **-bly** *ad.* **il·lèg·i·bíl·i·ty** *n.*

il·le·git·i·ma·cy [ìlidʒítəməsi] *n.* Ⓤ **1** 불법, 위법. **2** 사생(私生), 서출(庶出). **3** 부조리, 불합리.

il·le·git·i·mate [ìlidʒítəmit] *a.* **1** (행위 등이) 불법의, 위법의: an ~ transaction 불법 거래. **2** (아이가) 사생(私生)의, 서출(庶出)의: an ~ child 사생아. **3** 〖논리〗 (결론 따위) 비논리적인, 추론을 그르친; (어구 등) 오용의. **4** 〖생물〗 (수정(受精) 따위) 변칙적인. **—***n.* Ⓒ 사생아, 서자(bastard). ↔ *legitimate*. ⓟ **~·ly** [-mətli] *ad.* 불법으로; 불합리하게; 사생아로서, 비논리적으로.

íll-equípped [-t] *a.* (군대 등이) 장비가 나쁜; 준비가 부실한.

I

íll-fámed *a.* 악명 높은, 평판이 나쁜.

íll-fáted [-id] *a.* 운이 나쁜, 불행한; 불길한, 불행을 가져오는: an ~ day 액일.

íll-fávored *a.* (용모가) 못생긴, 추한; 불쾌한, 싫은. SYN. ⇨UGLY.

íll-fóunded [-id] *a.* Ⓐ 정당한 근거〔이유〕 없는, 근거가 희박한: an ~ argument 근거가 희박한 논의.

íll-gótten *a.* 부정 수단으로 얻은: ~ gains 부정이득.

íll-húmored *a.* 기분이 언짢은, 찌무룩한; 걸핏하면 화내는. ⓟ **~·ly** *ad.*

il·lib·er·al [ilíbərəl] *a.* **1** 도량이 좁은; 편협한. **2** 다라운, 인색한. **3** 교양 없는, 상스러운, 비열한. ⇔ *liberal*. ⓟ **il·lib·er·al·i·ty** [ilìbərǽləti] *n.* Ⓤ 인색; 마음이 좁음, 편협, 상스러움, 비열함. **~·ly** *ad.*

il·lic·it [ilísit] *a.* 불법의, 부정한; 불의의; 금제(禁制)의: an ~ distiller 밀주 양조자 / ~ intercourse 간통, 밀통 / the ~ sale of opium 아편 밀매. ⓟ **~·ly** *ad.* **~·ness** *n.*

il·lim·it·a·ble [ilímitəbəl] *a.* 무한한, 광대한, 끝없는. ⓟ **-bly** *ad.* 무한히, 끝없이.

Il·li·nois [ìlənɔ́i, -nɔ́iz] *n.* 일리노이《미국 중서부의 주(州); 주도 Springfield; 생략: Ill., IL》. ⓟ **~·an** [-ən] *a.*, *n.* Ⓒ ~ 주의 (사람).

il·liq·uid [ilíkwid] *a.* 〖경제〗 (자산이 손쉽게) 현금화할 수 없는; 현금 부족의.

il·lit·er·a·cy [ilítərəsi] *n.* Ⓤ 문맹; 무학, 무식.

°**il·lit·er·ate** [ilítərit] *a.* **1** 무식한, 문맹의; 무학의; (언어 · 문학 등의) 교양이 없는. **2** (말 · 표현 등이) 관용에서 벗어난. **—***n.* Ⓒ 무식자; 문맹자.

íll-júdged *a.* 생각이 깊지 않은, 분별〔사려〕 없는.

íll-mánnered *a.* 버릇 없는, 실례의. ⓟ **~·ly** *ad.*

íll-nátured *a.* 심술궂은, 비뚤어진(bad-tempered); 찌무룩한, 지르퉁한. ⓟ **~·ly** *ad.*

⁑**ill·ness** [ílnis] *n.* Ⓤ (종류 · 개개는 Ⓒ) **병**; 발병: have a severe 〔slight〕 ~ 중병〔가벼운 병〕을 앓다 / Measles is a children's ~. 홍역은 아이들의 병이다 / He is liable to ~. 그는 병에 걸리기 쉽다 / We have had a great deal of ~ this winter. 올 겨울에는 병이 많이 돌았다.

SYN. **illness** 건강 상태가 나쁜, 병에 걸린 상태로서 '병'을 나타내는 가장 흔히 쓰이는 말. **disease** 사람의 병만이 아니라 동식물의 경우에도 쓰임. **sickness** illness와 별로 차이가 없지만, '메스꺼움' 등의 불쾌한 증상을 말함.

il·log·i·cal [iládʒikəl/-lɔ́dʒ-] *a.* 비논리적인, 불합리한, 이치가 닿지 않는: an ~ reply 엉뚱한 대답. ⓟ **~·ly** *ad.*

il·lòg·i·cál·i·ty [-kǽləti] *n.* **1** Ⓤ 비논리성, 불합리. **2** Ⓒ 불합리한〔바보 같은〕 것〔일〕: a book full of *illogicalities* 불합리한 것 투성이인 책.

íll-ómened *a.* 재수 없는, 불길한, 불운한: an ~ voyage 불운한 항해.

íll-stárred *a.* 운수〔팔자〕가 사나운, 불행〔불운〕한.

íll-súited *a.* [-id] 부적당한, 맞지 않는, 어울리지 않는.

íll-témpered *a.* 기분 나쁜, 성마른, 까다로운.

íll-tímed *a.* 시기를 놓친, 계제가 나쁜.

íll-tréat *vt.* 냉대〔학대〕하다《★ 종종 수동태》. ⓟ **~·ment** *n.* Ⓤ 냉대, 학대, 혹사.

il·lu·mi·nant [ilúːmənənt] *a.* 빛을 내는, 발광성(發光性)의. **—***n.* Ⓒ 광원(光源), 발광체.

il·lu·mi·nate** [ilúːmənèit] *vt.* **1** …을 **조명하다**, 밝게 하다, 비추다; …에 등불을 밝히다《종종 수동태로 쓰며, 전치사는 ***with, by》: *be* poorly ~*d* 조명이 나쁘다 / The sky *was* ~*d with* searchlights. 밤하늘은 서치라이트로 비추어졌다 / Her face *was* ~*d by* a smile. 《비유적》 그녀의 얼굴은 미소로 밝아졌다. **2** 《~+목/+목+전+명》 …에 네온사인(neon sign)을 달다; …을 장식하다 《***with*** (조명 따위)로》: ~ a shop window *with* Christmas lights. 크리스마스의 전등으로 진열창을 장식하다. **3** (문제 따위)를 설명〔해명〕하다: The book ~*d* our problem. 그 책은 우리의 문제를 해명해 주었다. **4 계발(啓發)하다**, 계몽하다: Missionary work has ~*d* the aborigines. 전도 사업이 원주민을 계몽했다. **5** (사본(寫本) 따위)를 채색 · 금자(金字) · 그림 따위로 장식하다 《★ 종종 과거분사로 형용사적으로 쓰임》: an ~*d* manuscript 채색된 사본. **6** …을 유명하게 하다, …에 광채를 더하다: Shakespeare ~*d* Elizabethan drama. 셰익스피어는 엘리자베스 시대의 극에 광채를 더해 주었다.

il·lú·mi·nàt·ed [-id] *a.* **1** 비추인; 네온사인을

단; (사본 등) 채색된: an ~ fountain 조명된 분수/an ~ car 꽃전차. **2** 계몽〔교화〕된.

il·lú·mi·nàt·ing *a.* **1** 조명하는, 비추는. **2** 분명히 하는, 밝히는, 해명적인, 계몽적인: an ~ remark 계몽적인 말. [파] **~·ly** *ad.*

◇**il·lù·mi·ná·tion** *n.* **1** [U] 조명(법), 조명된 상태, 〖물리〗 조명도(illuminance). **2** [U] 계몽, 계발, 해명. **3** [C] (흔히 *pl.*) 네온사인, 전광식(電光飾); (사본 따위의) 채식(彩飾) (무늬). [파] **~·al** *a.*

il·lu·mi·na·tive [ilúːmənèitiv] *a.* 밝게 하는; 분명히 하는〔밝히는〕; 계몽적인.

il·lu·mi·na·tor [ilúːmənèitər] *n.* [C] **1** 조명하는 사람〔것〕, 조명기(구), 반사경, 발광체. **2** 계몽가; 사본 채식사(彩飾師).

il·lu·mine [ilúːmin] *vt.* =ILLUMINATE. [파] **-mi·nism** *n.* [U] 계몽주의. **-mi·nist** *n.*

íll-úsage *n.* [U] 학대, 혹사.

íll-úse [-júːz] *vt.* 학대〔혹사〕하다(illtreat)《★ 종종 수동태》; 악용〔남용〕하다(abuse). ── [íljúːs] *n.* =ILL-USAGE.

⁑**il·lu·sion** [ilúːʒən] *n.* **1** [U] (구체적으로는 [C]) **환영**(幻影), 환각, 망상: Life is only (an) ~. 인생은 환영일 뿐이다. **2** [C] 착각; 환상; 오해, 잘못 생각함《*that*》: a vain ~ 헛된 환상/be under an ~ *that* …라고 잘못 생각하다/have no ~ about… …에 관해 전혀 잘못 생각하고 있지 않다/She cherishes the ~ *that* she's the smartest person in the office. 그녀는 직장에서 가장 머리가 좋다고 착각하고 있다. **3** [C] 〖심리〗 착각: an optical ~ 착시(錯視). [파] **~·al, ~·ary** [-ʒənəl], [-ʒənèri/-nəri] *a.* 곡두〔환영〕의; 환상의, 착각의.

il·lú·sion·ìsm *n.* [U] **1** 환상설, 미망설(迷妄說)《실재 세계는 하나의 환영이라는 설》. **2** 〖미술〗 눈속임 그림 기법.

il·lú·sion·ist *n.* [C] 미망론자, 환상가; 눈속임그림 화가; 요술쟁이.

il·lu·sive [ilúːsiv] *a.* =ILLUSORY. [파] **~·ly** *ad.*

il·lu·so·ry [ilúːsəri] *a.* **1** 환영의; 착각을 일으키게 하는; 사람 눈을 속이는; 혼동하기 쉬운. **2** 가공의, 비현실적인: an ~ hope. [파] **-ri·ly** *ad.* 혼미하게. **-ri·ness** *n.*

illus(t). illustrated; illustration; illustrator.

⁑**il·lus·trate** [íləstrèit, ilʌ́streit] *vt.* **1** 《~+[목]/+[목]+[전]+[명]/+*wh.* [절]》 (실례 · 도해 따위로) **설명하다**, 예증(例證)하다《*with, by* (실례 따위)로》; …의 예증이 되다: ~ a theory *with* 〔*by* giv*ing*〕 several examples. 이론을 몇 가지 예를 들어 설명하다/This diagram ~*s how* the blood circulates through the body. 이 도표는 혈액이 어떻게 체내를 순환하는지 설명하고 있다/The phenomenon is well ~*d* in history. 그 현상은 역사에 충분히 예증되어 있다. **2** 《+[목]+[전]+[명]》 …에 **넣다**, 삽입하다《*with* (삽화 · 설명도 따위)를》: ~ the book *with* some excellent pictures 책에 멋진 삽화를 좀 넣다.
──*vi.* 실례를 들어〔구체적으로〕 설명하다, 예증〔예시〕하다: Let me ~. 예를 들어 보겠다/To ~, …. 예를 들면…. ◇illustration *n.*

il·lus·trat·ed [íləstrèitid, ilʌ́streit-] *a.* 삽화가 든, 그림〔사진〕이 든: an ~ book.

*__il·lus·tra·tion__ [iləstréiʃən] *n.* **1** [C] **삽화**; **도해**. **2** [U] **예해**(例解)〔도해〕(하기); 예증. [SYN.] ⇨ INSTANCE. **3** [C] 실례, 예(例). ◇illustrate *v.* ***by way of*** **~** 실례로서. ***in*** **~** ***of*** …의 예증으로서. [파] **~·al** [-ʃənəl] *a.*

il·lus·tra·tive [íləstrèitiv, ilʌ́strə-] *a.* **1** 설명하는, 해설〔예증〕하는《*of* …을》: This is an example ~ *of* the problems we face. 이것은 우리가 직면한 문제점들을 설명하는 예이다. **2** 실례가 되는, 예증이 되는: an ~ sentence 예문. [파] **~·ly** *ad.*

il·lus·tra·tor [íləstrèitər, ilʌ́s-] *n.* [C] 삽화가; 도해(圖解)자, 설명자, 예증하는 사람.

◇**il·lus·tri·ous** [ilʌ́striəs] *a.* **1** 뛰어난, 이름난, 저명한. **2** (행위 따위가) 빛나는, 화려한《공적 등》. [파] **~·ly** *ad.* **~·ness** *n.*

íll wíll 악의, 반감, 증오, 원한. ↔ *good will.* ¶ bear a person ~ 〔no ~〕 아무에게 악의를 품다〔품지 않다〕.

íll-wísher *n.* [C] 남이 못되기를 비는 사람.

ILO, I.L.O. International Labor Organization (국제 노동 기구). **ILS** 〖항공〗 instrument landing system (계기 착륙 장치).

⁑**I'm** [aim] I am 의 간약형.

im- [im] *pref.* =IN-[1,2]《b, m, p 의 앞에 쓰임》: *im*bibe; *im*moral; *im*possible.

I.M. Isle of Man《Irish Sea 에 있는 섬》.

⁑**im·age** [ímidʒ] *n.* [C] **1** **상**(像), **모습**, 모양, 꼴: God created man in his own ~. 하느님은 자신의 모습대로 사람을 지어내셨다. **2** 화상(畫像), 초상; 조상(彫像), 성상(聖像), 우상: a marble ~ of the Virgin Mary 성모마리아의 대리석상/worship ~*s* 우상을 숭배하다. **3** **꼭 닮음**, 꼭 닮은〔빼쏜〕 사람, 아주 비슷한 것: He is the ~ *of* his father. 그는 제 아버지를 빼쏘았다. **4** (마음 속에 그리는) 심상(心像), 모습; (거울 · 렌즈에 의해 형성되는) 상, 영상(映像): an ~ imprinted on one's mind 마음에 아로새긴 모습/a real 〔virtual〕 ~ 실〔허〕상. **5** (개인이 품는) 이미지, 인상; (대중이 품는) 이미지, 관념: He has a good 〔bad〕 ~. 그는 세상의 평판이 좋다〔나쁘다〕. **6** 〖수사학〗 비유(적 표현), 말의 꾸민 표현《특히 직유 · 은유 등》: speak in ~*s* 비유로 말하다. **7** 상징, 전형, 화신(type); 구현: He's the ~ *of* the successful businessperson. 그는 성공한 실업가의 전형이다. **8** (사실적) 묘사, 표현: a vivid ~ of prison life 옥중 생활의 생생한 묘사.
──*vt.* **1** …의 상을 그리다〔만들다〕: ~ a saint in bronze 청동으로 성인상을 만들다. **2** 《+[목]+[전]+[명]》 …의 영상을 비추다: ~ a film *on* a screen 필름을 스크린에 비추다. **3** 살아 있는 것 같이〔생생하게〕 묘사하다: The hero is finely ~*d* in the poem. 그 시에 영웅의 모습이 생생하게 묘사되어 있다. **4** 마음에 그리다, 상상하다. **5** 상징하다.

ímage procèssing 〖컴퓨터〗 영상 처리.

im·age·ry [ímidʒəri] *n.* [U] 《집합적》 마음에 그리는 상(像), 심상; 〖문학〗 비유적 표현, 형상.

ímage scànner 이미지스캐너, 화상 판독 장치《그림 · 문자의 화상적 특징을 광학적으로 판독하여 디지털 신호로 바꾸는 장치》.

*__imag·in·a·ble__ [imǽdʒənəbəl] *a.* **상상할 수 있는**; 상상할 수 있는 한의《★ 보통 강조하기 위해 최상급 형용사 또는 all, every, no 따위와 함께 씀》: *every* method ~ =every ~ method 가능한 모든 방법/the *best* thing ~ 상상할 수 있는 최상의 것. [파] **-bly** *ad.* 상상할 수 있게, 당연히. **~·ness** *n.*

*__imag·i·nary__ [imǽdʒənèri/-nəri] *a.* **1** **상상의**, 가상의: an ~ enemy 가상적. **2** 〖수학〗 허

(수)(虛(數))의. ↔ *real*. ¶ an ~ circle 허원(虛圓)/an ~ number 허수(虛數)/an ~ root 허근(虛根)/an ~ straight line 허직선. ◇ imagine *v*. [파] **-i·ly** *ad*. 상상으로.

imag·i·na·tion [imæ̀dʒənéiʃən] *n*. **1** [U] (구체적으로는 [C]) **상상(력)**, [U] (작가의) 창작력, 구상력(構想力): a strong ~ 풍부한 상상력/exercise one's ~ 상상력을 발휘하다/by a stretch of (the) ~ 무리하게 상상하여. **2** [U] (또는 one's ~) 《구어》 상상〔공상〕의 산물; 공상, 망상: Her illness is a product of her ~. 그녀의 병은 상상의 병이다《실제로 병이 아님》. ◇ imagine *v*.

> [DIAL.] ***Just imagination!*** 생각하기 나름이다. ***Use your imagination!*** (그것쯤은) 생각해 보면 알거야(← 상상력 좀 발휘해).

◇**imag·i·na·tive** [imǽdʒənətiv, -nèitiv] *a*. **1** 상상의, 상상적인: the ~ faculty 상상력. **2** 상상력〔창작력, 구상력〕이 풍부한; 상상력으로 생긴《문학 등》; 상상에 골몰하는: an ~ thinker 상상력이 풍부한 사색가. ◇ imagine *v*. [파] **~·ly** *ad*.

imag·ine [imǽdʒin] *vt*. **1** 《~+[목]/+(*that*) [절]/+*wh*. [절]/+[목]+*-ing* /+[목]+*to* do /+[목]+(*to be*) [보]/+[목]+*as* [보]》 **상상하다**(conceive), 마음에 그리다; 가정하다: You can little ~ his great success. 그가 얼마나 큰 성공을 거두었는지 아마 상상도 못할 거다/At first sight I could easily ~ *that* the girl would become a good actress. 첫눈에 그 소녀는 훌륭한 여배우가 되리라고 상상할 수 있었다/Just ~ *how* angry I was! 내가 얼마나 화가 났는지 상상 좀 해 봐/Can you ~ them do*ing* such a thing? 당신은 그들이 그런 짓을 하리라고 상상할 수 있습니까/*Imagine* yourself *to* be on the top of Mt. Everest. 에베레스트 산꼭대기에 있다고 가정해 봐/He ~*d* himself (*to be*) a pilot. 그는 자기가 파일럿이라고 상상해 보았다/I always ~*d* him *as* a soldier. 그를 항상 군인으로서 생각하고 있었다. **2 a** 《+*wh*. [절]/+(*that*) [절]》 **추측하다**, 짐작하다(guess), (근거 없이) 생각하다: I cannot ~ *who* the man is. 그 사람이 누구인지 짐작이 안 간다/I ~ (*that*) I have met you before. 만나 뵌 적이 있는 것 같은데요. **b** 〖I ~으로 문장에 병렬적 또는 삽입적으로 써서〗 (…라고) 생각하다: He'll come back, *I* ~. 그는 돌아오리라고 생각되는데요. ―― *vi*. 상상하다; 짐작이 가다. ◇ imagination *n*. imaginative, imaginary *a*.

> [DIAL.] (***Just***) ***imagine!*** 생각 좀 해 봐, 터무니없는 소리《남의 제안에 대한 불찬성 · 비난을 나타냄》.

im·ag·ism [ímədʒìzəm] *n*. (때로 I-) [U] 〖문예〗 사상(寫像)주의《1912 년경에 낭만파에 대항하여 일어난 시의 풍조; 운율에 중요성을 두어 적확한 영상으로 표현의 명확을 꾀함》.

ím·ag·ist [-dʒist] *n*. [C] 사상(寫像)주의자. ―― *a*. 사상주의자의.

ima·go [iméigou] (*pl*. **~es**, **~s**, ***ima·gi·nes*** [-dʒinìːz]) *n*. [C] **1** 〖곤충〗 (나비 따위의) 성충(成蟲). **2** 〖정신의학〗 심상《어릴 적의 사랑의 대상이 이상화된 것》.

imam [imɑ́ːm] *n*. (종종 I-) [C] 이맘《(1) 모스크에서의 집단 예배의 지도자. (2) 이슬람교 사회에서의 지도자, 칼리프. (3) 이슬람교의 학식이 풍부한 학자의 존칭. (4) 시아파(Shi'a)의 최고 지도자》.

im·bal·ance [imbǽləns] *n*. [U] (구체적으로는 [C]) 불균형, 불안정, 언밸런스《★ unbalance 는 주로 정신적 불안정에 쓰임》: (an) economic 〔social〕 ~ 경제〔사회〕적 불균형.

im·bál·anced [-t] *a*. 불균형한, 《특히》 (종교적 · 인종적으로) 인구 비율의 불균형이 현저한: ~ schools.

◇**im·be·cile** [ímbəsil, -sàil/-sìːl] *a*. 저능한, 우둔한, 천치의(stupid). ―― *n*. [C] 저능자; 《구어》 바보, 천치. [파] **~·ly** *ad*. 어리석게.

im·be·cil·i·ty [ìmbəsíləti] *n*. **1** [U] 저능, 우둔. **2** [C] 바보 같은 언동.

im·bed [imbéd] (**-dd-**) *vt*. =EMBED.

im·bibe [imbáib] *vt*. **1** (술 따위)를 마시다; (공기 · 연기 등)을 빨아들이다, 흡입하다. **2** (습기 · 수분 등)을 흡수하다; (양분 따위)를 섭취하다. **3** (사상 등)을 받아들이다, 동화하다. ―― *vi*. 술을 마시다, 수분〔기체, 빛, 열 등〕을 흡수하다.

im·bro·glio, em- [imbróuljou], [em-] (*pl*. **~s**) *n*. 《It.》 [C] (일의) 뒤얽힘; (정치적) 분규, 뒤얽힌 오해; (극 · 소설 등의) 복잡한 줄거리.

im·brue, em- [imbrúː], [em-] *vt*. 《문어》 (손 · 칼)을 더럽히다, 물들이다《***with, in*** (피)로》: ~ one's sword *with* 〔*in*〕 blood 검을 피로 더럽히다.

im·bue, em- [imbjúː], [em-] *vt*. **1** …에게 감염〔감화〕시키다, 불어넣다《***with*** (감정 · 의견 등)을》: ~ a person's mind *with* new ideas 〔patriotism〕 아무의 마음에 새 사상〔애국심〕을 불어넣다/a mind ~*d with* liberalism 자유주의에 물든 사상. **2** …에 물들이다《***with*** (색)으로》: clothes ~*d with* black 검게 물든 옷.

I.M.F. IMF International Monetary Fund. (국제 통화 기금).

IMIS 〖컴퓨터〗 integrated management information system (집중〔종합〕 경영 정보 시스템).

im·i·ta·ble [ímitəbəl] *a*. 모방할 수 있는. [파] **ìm·i·ta·bíl·i·ty** *n*.

im·i·tate [ímitèit] *vt*. **1** …을 **모방하다**, 흉내내다; …을 따르다, 본받다: A parrot can ~ human speech. 앵무새는 사람의 목소리를 흉내낼 수 있다/Children often ~ their elders. 아이들은 흔히 어른들을 본받는다.

> [SYN.] **imitate** '모방하다, 진짜와는 다르다' 라는 경멸적인 뜻이 내포된 경우가 많음. **mimic, mock** 말 · 동작 · 표정 따위를 비웃는 태도로 흉내내다. **copy** 있는 그대로 똑같이 모방하다. **simulate** 겉모양을 모방하다.

2 모조〔위조〕하다. **3** 닮다, 비슷(하게)하다: This synthetic fabric ~*s* silk so well. 이 합성섬유는 실크와 아주 비슷하게 보인다.

im·i·ta·tion [ìmitéiʃən] *n*. **1** [U] **모방**, 흉내; **모조**, 모사(模寫); 모의. **2** [C] **모조품**; 가짜: a clever ~ of a picture by Rembrandt 렘브란트 그림의 교묘한 모조품. **3** 〖형용사적〗 모조의, 인조의: ~ pearls 모조 진주. ***give an ~ of*** …의 흉내를 내다, …을 흉내내어 보이다. ***in ~ of*** …을 흉내내어, …을 모방하여. [파] **~·al** [-ʃənəl] *a*.

im·i·ta·tive [ímətèitiv, -tətiv] *a*. **1** 흉내내기를 좋아하는, 흉내를 잘 내는. **2** 모방의, 모조의, 모사의, 모방적인, 흉내낸: ~ arts 모방 예술《그림이나 조각 따위》/~ instinct 모방 본능. **3** 의음(擬音)의, 의성(擬聲)의: ~ music 의성 음악/~ words 의성어. [파] **~·ly** *ad*. **~·ness** *n*.

im·i·ta·tor [ímitèitər] *n*. [C] 모방자, 모조〔위

조〕자.

im·mac·u·la·cy [imǽkjələsi] *n.* Ⓤ 오점〔흠, 결점, 과실〕이 없음, 순결, 무구(無垢), 결백.

im·mac·u·late [imǽkjəlit] *a.* **1** 더럼 안 탄, 오점 없는: He keeps his room so ~. 그는 방을 정말 청결하게 해 둔다. **2** 결백한, 청순한, 순결한: the ~ life of a saint 성자의 청렴한 생애. **3** 결점 없는, 완벽한, 완전한: an ~ writing style 완벽한 문체. ㊎ **~·ly** *ad.*

Immáculate Concéption (the ~) 〚가톨릭〛 (성모 마리아의) 원죄 없는 잉태《마리아는 그 회임의 순간부터 원죄를 면제받음; 축일 12월 8일》.

im·ma·nence, -nen·cy [ímənəns], [-si] *n.* Ⓤ 내재(성); 〚신학〛 (신의) 우주 내재론. ↔ *transcendence.*

im·ma·nent [ímənənt] *a.* **1** (성질이) 내재(內在)하는, 내재적인(inherent)《*in* …에》. **2** 〚신학〛 우주 내재의, 어디나 계시는. **3** 〚철학〛 마음 속에서만 일어나는, 주관적인. ㊎ **~·ly** *ad.*

Im·man·u·el [imǽnjuəl] *n.* 임마누엘. **1** 남자 이름. **2** 〚성서〛 구세주, 예수.

°**im·ma·te·ri·al** [ìmətíəriəl] *a.* **1** 실체 없는, 비물질적인, 무형의; 정신상의, 영적인(spiritual): ~ capital 〔property〕 무형 자본〔재산〕. **2** 중요하지 않은, 대수롭지 않은: That's ~ to me. 그건 나에게 대수롭지 않은 일이다.

im·ma·te·ri·al·i·ty [ìmətìəriǽləti] *n.* **1** Ⓤ 비물질성, 비실체성. **2** Ⓒ 비물질적인 것, 실체 없는 것. **3** Ⓤ 중요하지 않음.

°**im·ma·ture** [ìmətjúər] *a.* **1** 미숙한, 생경(生硬)한(crude); 미성년의, 미완성의: an ~ understanding of life 인생에 대한 유치한 이해. **2** 〚지질〛 침식이 초기인, 유년기의. ㊎ **~·ly** *ad.*

im·ma·tu·ri·ty [ìmətjú(ː)rəti] *n.* Ⓤ 미숙 (상태), 미완성.

°**im·meas·ur·a·ble** [iméʒərəbəl] *a.* 헤아릴〔측정할〕 수 없는; 광대무변의, 끝없는, 한없는; 광대한. ㊎ **-bly** *ad.* **~·ness** *n.* **-mèas·ur·a·bíl·i·ty** *n.*

im·me·di·a·cy [imíːdiəsi] *n.* Ⓤ 직접; 즉시(성).

*__im·me·di·ate__ [imíːdiit] *a.* **1** Ⓐ 《공간적》 **직접의**(direct), **바로 이웃의**, 인접한(next, nearest): the ~ neighborhood 바로 이웃/~ information 직접 보도. SYN. ⇨NEAR. **2** 《시간적》 **곧 일어나는, 즉석의**, 즉시의(instant); 가까운, 머지않은: an ~ reply 즉답/take ~ action 즉시 실행하다/have 〔produce〕 an ~ effect 즉효가 있다/in the ~ future 가까운 장래에. **3** Ⓐ 《관계》 직접의〔으로 얻은〕, 거리를 두지 않은: an ~ cause 직접 원인, 근인(近因)/the ~ family 육친. **4** Ⓐ 당면한, 목하의: an ~ plan 당면한 계획. **5** Ⓐ 〚상업〛 **즉시의**: ~ delivery 즉시 배달/~ payment 즉시불.

immédiate constítuent 〚문법〛 직접 구성(요)소《생략: IC》.

*__im·me·di·ate·ly__ [imíːdiitli] *ad.* **1 곧**, 바로, 즉시(at once): I wrote him an answer ~. 그에게 즉시 답장을 썼다. **2** 바로 가까이에: He sat in the seat ~ in front of me. 그는 바로 내 앞자리에 앉았다. **3** 직접: be ~ responsible to … 에 직접 책임을 지다.

SYN. **immediately** at once 만큼 뜻은 강하지 않으나 늦지 않고 '지금 곧'의 뜻을 나타냄. **directly** at once와 같은 뜻이지만 《美》에서는 '이윽고'의 뜻으로 쓰임. **instantly** '한시 빨리, 지체없이'라는 뜻을 나타냄. **at once** '곧'을 나타내는 가장 구어적인 표현임.

— *conj.* …하자마자(as soon as): *Immediately* he got home, he went to bed. 그는 귀가하자 곧 잠자리에 들었다.

im·med·i·ca·ble [imédikəbəl] *a.* 낫지 않는, 불치의; 돌이킬 수 없는.

*__im·me·mo·ri·al__ [ìmimɔ́ːriəl] *a.* **먼 옛적의, 태고의**, 먼 옛날의, 아주 오랜. ***from*** 〔***since***〕 ***time ~*** 아득한 옛날부터.

*__im·mense__ [iméns] *a.* **1 거대한, 막대한.** SYN. ⇨HUGE. ¶an enterprise of ~ size 거대한 규모의 사업/an ~ sum of money 엄청난 돈. **2** 헤아릴 수 없는, 광대한, 끝없는: an ~ territory 광대한 영토. **3** 《구어》 멋진, 훌륭한: The show was ~. 그 쇼는 훌륭했다.

im·ménse·ly *ad.* **1** 막대하게, 광대하게: an ~ large sum of money 엄청나게 많은 액수의 돈. **2** 《구어》 굉장히, 매우: He's ~ popular with his fellow workers. 그는 직장 동료들에게 굉장한 인기가 있다.

im·men·si·ty [iménsəti] *n.* **1** Ⓤ 광대(함); 무한(한 공간); 막대(함). **2** (*pl.*) 막대한 것〔양〕.

°**im·merse** [imə́ːrs] *vt.* **1** 잠그다, 가라앉히다; 〖~ oneself〗 담그다《*in* (액체 따위)에》: ~ the cloth *in* the boiling dye 천을 끓는 염료에 잠그다/~ *oneself in* a hot bath 뜨거운 목욕물에 몸을 담그다. **2** 〖~ oneself 또는 수동태〗 빠져들게 하다, 몰두하게 하다, 열중하게 하다《*in* …에》: *be ~d in* difficulties 어려운 일에 말려들다/~ *oneself in* study 연구에 몰두하다.

im·mérsed *a.* **1** (액체에) 담근. **2** Ⓟ 열중한, 몰두한《*in* …에》: I'm wholly ~ *in* this business at present. 요즘 온통 이 일에 몰두하고 있다.

im·mer·sion [imə́ːrʃən, -ʒən] *n.* **1** Ⓤ (액체에) 잠금, 담금. **2** Ⓤ (구체적으로는 Ⓒ) 〚기독교〛 침례《전신을 물에 담그는 세례 형식》: total ~ 전신 침례. **3** Ⓤ 열중, 몰두.

immérsion hèater 물 끓이는 투입식 전열기《코드 끝에 있는 방수 발열체를 직접 물에 담금》.

*__im·mi·grant__ [ímigrənt] *a.* Ⓐ (타국에서) 이주하는, 이주의; 이민자의(↔ *emigrant*): an ~ community. **—** *n.* Ⓒ **1** (타국에서의) **이주자, 이민. 2** 귀화 식물, 외래 동물.

im·mi·grate [íməgrèit] *vi.* (영주할 목적으로) 이주해오다《***from*** (외국)에서; ***into, to*** …으로》.

°**im·mi·gra·tion** [ìməgréiʃən] *n.* **1** Ⓤ (구체적으로는 Ⓒ) (입국) 이주, 이입, 입국. **2** Ⓤ (공항·항구 등에서의) (출)입국 관리, 입국 심사: pass 〔go〕 through ~ 입국 관리소를 통과하다. **3** Ⓒ (일정 기간 내의) 이민수. ㊎ **~·al** *a.*

im·mi·nence [ímənəns] *n.* **1** Ⓤ 급박, 긴박(성). **2** Ⓒ 절박한 위험〔사정〕.

im·mi·nen·cy [ímənənsi] *n.* Ⓤ 절박, 긴급, 위급(imminence).

°**im·mi·nent** [ímənənt] *a.* (위험 등이) 절박한, 급박한, 긴급한(impending): ~ danger 절박한 위험/A storm seems ~. 폭풍우가 곧 닥쳐올 것 같다. ㊎ **~·ly** *ad.*

im·mo·bile [imóubəl, -biːl] *a.* 움직일 수 없는, 고정된; 부동의, 정지한. ㊎ **im·mo·bil·i·ty** [ìmoubíləti] *n.* Ⓤ 부동(성), 고정; 정지.

im·mo·bi·lize [imóubəlàiz] *vt.* **1** 움직이지 않게 하다, 고정하다: Industry was ~*d* by a general strike. 산업은 총파업으로 정지되었다. **2** (화폐)의 유통을 막다; (유동 자본)을 고정 자본화 하다. **3** 【의학】 (깁스 · 부목 따위로 관절 · 환부)를 고정시키다. ㊕ **im·mò·bi·li·zá·tion** *n.*

im·mod·er·a·cy [imádərəsi/imɔ́d-] *n.* Ⓤ 무절제, 과도, 지나침.

im·mod·er·ate [imádərit/imɔ́d-] *a.* 무절제한, 절도 없는; 중용을 잃은, 과도한, 엄청난(extreme): make ~ demands 과도한 요구를 하다. ㊕ **~·ly** *ad.* **~·ness** *n.*

im·mod·est [imádist/imɔ́d-] *a.* **1** 조심성(삼감이) 없는, 무례한, 상스러운; 음란한. **2** 버릇없는, 뻔뻔스러운, 주제넘은. ㊕ **~·ly** *ad.* 삼가지 않고; 거리낌없이.

im·mód·es·ty *n.* **1** Ⓤ 불근신, 음란한 행위; 거리낌없음. **2** Ⓒ 조심성 없는 짓(말).

im·mo·late [íməlèit] *vt.* 제물로 바치기 위해 죽이다; 희생으로 바치다(sacrifice)《*to* (신)에게》. ㊕ **ìm·mo·lá·tion** *n.* Ⓤ 산 제물을 바침; Ⓒ 산 제물, 희생. **ím·mo·là·tor** [-ər] *n.* Ⓒ 산 제물을 바치는 사람.

°**im·mor·al** [imɔ́(ː)rəl, imár-] *a.* **1** 부도덕한; 행실 나쁜. **2** (책 · 그림 · 영화 따위가) 음란한, 외설한. ㊕ **~·ly** *ad.*

im·mo·ral·i·ty [ìmərǽləti] *n.* **1** Ⓤ 부도덕, 패덕; 불륜, 품행이 나쁨; 음란, 외설. **2** Ⓒ (보통 *pl.*) 부도덕 행위, 추행, 난행, 풍기 문란.

im·mor·tal** [imɔ́ːrtl] *a.* **1 죽지 않는**(undying), 불사(不死)의, 불멸의: an ~ work of art 불멸의 예술 작품. **2 불후**(不朽)의, 영원한: ~ fame 불후의 명성. **3** 영구히 계속되는, 부단의, 불변의. **—n.* **1** Ⓒ 불사신; 불후의 명성을 가진 사람. **2** (the ~s) 신화의 신들.

°**im·mor·tal·i·ty** [ìmɔːrtǽləti] *n.* Ⓤ 불사, 불멸, 불후성, 영속성; 영원한 생명; 불후의 명성.

im·mor·tal·ize [imɔ́ːrtəlàiz] *vt.* …을 불멸(불후)하게 하다; …에게 영원성(불후의 명성)을 주다: ~ a person (deed) in verse 아무(행위)를 시로 읊어 불후의 명성을 남기게 하다.

ìm·mór·tal·ly *ad.* 영원히, 무한히; 대단히: an ~ beautiful woman 절세의 미인.

im·mov·a·ble [imúːvəbəl] *a.* **1** 동요되지 않는, 움직이지 않는, 부동의, 고정된, 정지한: an ~ chair 붙박이 의자. **2** 확고한, 흔들리지 않는; 감동하지 않는, 냉정한: an ~ expression 굳은 표정/an ~ heart 냉정한 마음. **3** (축제 · 기념일이) 매년 같은 날짜의: an ~ feast 고정 축일《Christmas 따위》. **4** 【법률】 부동산의: ~ property 부동산. **—***n.* Ⓒ (보통 *pl.*) 【법률】 부동산. ㊕ **-bly** *ad.* 냉정하게; 확고하게. **~·ness** *n.* **im·mòv·a·bíl·i·ty** *n.*

im·mune [imjúːn] *a.* **1** 면역의, 면역된, 면역(성)이 있는《*to, from* (전염병 · 독 따위)에 대하여》: an ~ body 면역체, 항체/be ~ *to* (*from*) smallpox 천연두에 대하여 면역성이 있다. **2** Ⓟ 면한, 받을 염려가 없는《*from, to, against* (과세 · 공격 등)을》: be ~ *from* arrest 체포될 염려가 없다/be ~ *to* breakdown 고장날 우려가 없다. **3** Ⓟ 느끼지 않는, 마음이 움직이지 않는, 영향을 받지 않는《*to* …에》: He was ~ *to* all persuasion. 그는 아무리 설득해도 동요하지 않았다. **—***n.* Ⓒ 면역자; 면제자.

im·mu·ni·ty [imjúːnəti] *n.* Ⓤ **1** 면제《*from* (책임 · 의무)의》; 특전(特典): ~ *from* taxation 면세(免稅). **2** 면역(성), 면역질《*from* (전염병 등)에 대한》. **3** 특전: ⇨ DIPLOMATIC IMMUNITY.

im·mun·ize [ímjənàiz] *vt.* …을 면역이 되게 하다, …에 면역성을 주다《*against* (병)에 대하여》: Vaccination ~*s* people *against* smallpox. 백신을 맞으면 천연두에 면역된다. ㊕ **ìm·mu·ni·zá·tion** *n.* Ⓤ 면역성 부여《*against* (병)에 대한》.

im·mu·no- [ímjunou, -nə, imjúː-] '면역' 이란 뜻의 결합사.

ìmmuno·defíciency *n.* Ⓤ 【의학】 면역 부전(免疫不全)《면역 기구에 결함이 생긴 상태》: ~ disease 면역 부전증. ㊕ **-defícient** *a.*

im·mu·nol·o·gy [ìmjənálədʒi/-nɔ́l-] *n.* Ⓤ 면역학(免疫學)《생략: immunol.》. ㊕ **-gist** *n.* **ìm·mu·no·lóg·ic, -i·cal** *a.*

ìmmuno·suppréssion *n.* Ⓤ 면역 억제.

ìmmuno·suppréssive, -suppréssant *a.* 거부 반응 억제의. **—***n.* Ⓤ (종류 · 낱개는 Ⓒ) 면역 억제제(=**ìmmuno·suppréssor**).

im·mure [imjúər] *vt.* 감금하다, 가두다(imprison); 붙박아 넣다, 끼워 넣다《*in* (벽 따위)에》. ~ one*self in* …에 틀어박히다, 죽치다. ㊕ **~·ment** *n.* Ⓤ 감금, 유폐; 죽침.

im·mu·ta·ble [imjúːtəbəl] *a.* 변경할 수 없는, 불변의, 변치(바뀌지) 않는. ㊕ **-bly** *ad.* **~·ness** *n.* **im·mù·ta·bíl·i·ty** *n.* Ⓤ 불변(성).

imp [imp] *n.* Ⓒ 작은 악마; 개구쟁이.

imp. imperative; imperfect; imperial; impersonal; import; imported; importer.

im·pact** [ímpækt] *n.* **1** Ⓤ **충돌**(collision); 충격, 쇼크《*on, against* …에의》: on ~ 부딪친 순간에/the ~ of the car *against* the wall 자동차의 벽 충돌. **2** Ⓒ (보통 *sing.*) (강한) 영향(력), 효과, 감화《*on* …에 끼친》: the ~ of Hegel *on* modern philosophy 현대 철학에 끼친 헤겔의 영향/have an ~ *on* …에 영향을 주다. **—** [-́] *vt.* **1** 《~+목/+목+전+명》 꽉 채우다, 밀어넣다《*in, into* …에》: The bullet was ~*ed in* the wall. 탄환은 벽에 박혔다. **2** 《美》 …에 강한 영향을 주다: The ad campaign has ~*ed* sales favorably. 그 광고 활동은 매상에 좋은 영향을 주었다. **—vi.* 《美》 강한 충격(영향)을 주다《*on* …에》.

im·páct·ed [-id] *a.* **1** 꽉(빽빽하게) 찬, 빈틈이 없는; 【치과】 (새 이가 턱뼈 속에) 매복(埋伏)한《젖니 때문에》: an ~ tooth 매복치. **2** 《美》 인구가 조밀한; (인구 급증으로 공공 투자 따위의) 재정 부담에 시달리는《지역》.

°**im·pair** [impέər] *vt.* (힘 · 질 · 가치 따위)를 해치다, 손상하다, 감하다: ~ one's health 건강을 해치다. SYN. ⇨ HURT. ㊕ **~·ment** *n.* Ⓤ 손상, 해침; 감손; 【의학】 결함, 장애.

im·pa·la [impǽlə, impáːlə] (*pl.* **~, ~s**) *n.* Ⓒ (아프리카산(産)) 영양의 일종.

im·pale [impéil] *vt.* 꿰찌르다, 꿰다《*on* (뾰족한 것)으로》: The butterflies were ~*d on* pins. 나비들은 핀으로 꽂아 고정되어 있었다. ㊕ **~·ment** *n.*

im·pal·pa·ble [impǽlpəbəl] *a.* **1** 만져도 느낌이 없는; 감지할 수 없는. **2** 실체가 없는, 무형의: ~ shadows 실체가 없는 그림자. **3** 쉽게 이해가 안 되는, 이해하기 어려운; 영묘한: the ~ power of faith 신앙의 영묘한 힘. ㊕ **-bly** *ad.*

im·pan·el [impǽnəl] (**-l-,** 《英》 **-ll-**) *vt.* 【법률】 (이름)을 배심(陪審) 명부에 올리다; (배심원)을 명부에서 고르다. ㊕ **~·ment** *n.*

°**im·part** [impáːrt] *vt.* **1** 나누어 주다, 주다

(give); (흥취 · 성질 따위)를 부여하다, 덧붙이다 《**to** …에》: ~ comfort *to* …에게 위안을 주다/The new curtains *~ed* an air of luxury *to* her room. 새 커튼이 그녀의 방에 호화로운 느낌을 주었다. **2** (지식 · 비밀 따위)를 전하다(communicate), 알리다(tell)《**to** (아무)에게》: ~ news *to* a person 아무에게 소식을 전하다.

***im·par·tial** [impáːrʃəl] *a.* **공평한**, 편견 없는, 편벽되지 않은. ↔ *partial.* ¶an ~ critic 공평한 비평가. ㊞ **~·ly** *ad.* **im·par·ti·al·i·ty** [impàːrʃiǽləti/ìmpàːr-] *n.* Ⓤ 공평, 공명정대, 불편부당(不偏不黨).

im·pass·a·ble [impǽsəbəl, -páːs-] *a.* **1** 통행할 수 없는, 지나갈〔통과할〕 수 없는. **2** (곤란 등이) 극복할 수 없는, 빠져나갈 수 없는: ~ difficulties 빠져나갈 수 없는 곤경. ㊞ **-bly** *ad.* 지나갈〔통행할〕 수 없게. **~·ness** *n.* **im·pass·a·bil·i·ty** [impæ̀səbíləti, -pàːsə-] *n.* Ⓤ 통행〔통과〕 불능.

im·passe [ímpæs, -⌐] *n.* 《F.》 Ⓒ (보통 *sing.*) 막다름; 막다른 골목(blind alley); 난국, 곤경(deadlock): a political ~ 정치적 난국.

im·pas·sion [impǽʃən] *vt.* 깊이 감동〔감격〕하게 하다. ㊞ **~ed** *a.* (연설 따위가) 정열적인, 열렬한, 감동이 넘친.

im·pas·sive [impǽsiv] *a.* 감정을 나타내지 않는, 무표정의, 무감동의, 냉정한; 고통을 느끼지 않는, 무감각한: an ~ face 무표정한 얼굴. ㊞ **~·ly** *ad.* 태연히; 무감각하게. **~·ness** *n.* **ìm·pas·sív·i·ty** [-sívəti] *n.* Ⓤ 무표정, 무감동, 냉정; 무감각.

***im·pa·tience** [impéiʃəns] *n.* Ⓤ **1 성마름**; 성급함, 조급함, 짜증, 초조: wait with ~ 초조하게 기다리다. **2** 참을성 없음. **3** (하고 싶은) **안타까움**, 안달《**to** do》: His ~ *to* go home was visible. 집에 가고 싶어 좀이 쑤시는 것같이 보였다. ***restrain** one's* ~ 꾹 참다.

im·pa·tiens [impéiʃənz] (*pl.* ~) *n.* Ⓒ 〖식물〗 봉선화속의 초본(草本).

***im·pa·tient** [impéiʃənt] *a.* **1** Ⓟ **참을〔견딜〕 수 없는**《**of** …을》: He was ~ *of* interruption 〔delay〕. 방해받는〔지연되는〕 것을 참을 수 없었다. **2 성마른**, 조급한, 초조한, 성급한; 침착하지 못한, 가만히 있지 못하는《**with, at** …에》: an ~ gesture 조바심나는 듯한 몸짓/I was ~ *at* his delay in answering. 그의 회답이 늦어져서 초조했다. **3** Ⓟ **몹시 …하고파 하는**, …하고 싶어 애태우는《**for** …을/**to** do》: The children are ~ *for* Christmas (*to* come). 아이들은 크리스마스를〔가 돌아오기를〕 애태우며 기다리고 있다/He is ~ *to* go. 그는 (빨리) 가고 싶어 못 견뎌 한다. ㊞ ◇**~·ly** *ad.* 성급〔초조〕하게, 마음 졸이며.

im·peach [impíːtʃ] *vt.* **1** (공직자)를 탄핵하다《**for** …에 대하여》; 문책하다; 비난하다; 고발〔고소〕하다《**of, with** (죄)로》: ~ the judge *for* taking a bribe 판사를 수뢰 혐의로 탄핵하다/~ a person *of* crimes 아무를 범죄 혐의로 고발하다. **2** (명예 · 인격 따위)를 문제삼다, 의심하다: ~ a person's motives 아무의 동기를 의심하다. ㊞ **~·a·ble** *a.* 탄핵해야 할, 고발〔비난〕해야 할. **~·ment** *n.*

im·pèach·a·bíl·i·ty *n.* Ⓤ 비난; 탄핵; 고발; 이의 신청: ~ of a judge 법관의 소추.

im·pec·ca·ble [impékəbəl] *a.* **1** 죄를〔과실을〕 범하는 일이 없는. **2** 결함〔흠, 나무랄 데〕 없는; 완벽한: one's ~ manners 나무랄 데 없는 태도. ㊞ **im·pèc·ca·bíl·i·ty** *n.* Ⓤ 무죄, 무과실; 완전무결.

im·péc·ca·bly *ad.* (옷차림이) 더할 나위 없이, 완벽하게: She was ~ dressed in the latest fashion. 그녀는 최신 유행의 옷을 완벽하게 차려 입었다.

im·pe·cu·ni·ous [ìmpikjúːniəs] *a.* 돈이 없는, (언제나) 무일푼의, 가난한. ㊞ **~·ly** *ad.* **~·ness** *n.*

im·ped·ance [impíːdəns] *n.* Ⓤ (또는 an ~) 〖전기〗 임피던스《교류 회로에서의 전압과 전류의 비(比)》.

◇**im·pede** [impíːd] *vt.* …을 방해하다(hinder), …에 헤살을 놓다(obstruct): ~ progress 진보를 방해하다. ㊞ **im·péd·er** [-ər] *n.*

im·ped·i·ment [impédəmənt] *n.* Ⓒ **1** 방해(물), 장애《**to** …에 대한》: His poor academic background was the only ~ *to* his promotion. 그의 빈약한 학력이 그의 승진에 유일한 장애였다. **2** 신체 장애; 언어 장애, 말더듬기: have an ~ in one's speech 말을 더듬다. ◇ impede *v.*

im·ped·i·men·ta [impèdəméntə, ìmped-] *n. pl.* **1** (여행 따위의) 장애물, (주체스러운) 짐. **2** 〖군사〗 보급물, 병참《운반하는 식량 · 무기 · 탄약 따위》.

◇**im·pel** [impél] (*-ll-*) *vt.* **1** 재촉하다, 좨치다, 몰아대다, 강제(하여 …하게) 하다《**to** …에/**to** do》: Poverty *~led* him *to* crime. 그는 가난에 몰려 범죄를 저질렀다/Hunger *~led* him *to* steal. 굶주림이 그를 도둑질하게 했다. **2** 추진시키다, 앞으로 나아가게 하다(drive forward): an *~ling* force 추진력/The strong wind *~led* their boat *to* shore. 강풍이 그들의 보트를 해안 쪽으로 밀어붙였다. ◇ impulse *n.*

im·pel·lent [impélənt] *a.* 추진하는. **—***n.* Ⓒ 추진력.

im·pend [impénd] *vi.* (위험 · 사건 따위가) 절박하다, 바야흐로 일어나려〔닥쳐오려〕 하다.

◇**im·pénd·ing** *a.* (위험 등이) 절박한, 박두한 (imminent): an ~ disaster 임박한 재난/death ~ over us 닥쳐오는 죽음.

im·pèn·e·tra·bíl·i·ty *n.* Ⓤ 관통할 수 없음; 내다볼 수 없음; (마음을) 헤아릴 수 없음, 불가해(不可解); 무감각, 둔감.

◇**im·pen·e·tra·ble** [impénətrəbəl] *a.* **1** (꿰)뚫을 수 없는, 통과시키지 않는《**to, by** …으로, …을》; (삼림 등) 지날 수 없는, 발을 들여놓을 수 없는: ~ darkness 칠흑 같은 어둠〔밤〕/a dense forest ~ *to* sun light 햇빛도 미치지 않는 밀림/This tank is ~ *by* an ordinary shell. 이 전차는 보통 탄환으로는 뚫을 수 없다. **2** 앞을 내다볼 수 없는, (깊이를) 헤아릴 수 없는(inscrutable), 불가해한; 이해할 수 없는: We were crawling through an ~ fog. 우리는 앞을 내다볼 수 없는 짙은 안개 속에서 기어가듯 전진했다/Life itself is an ~ mystery. 삶 지체가 불가해한 신비이다. **3** 완고한(unyielding), 무감각한, 둔감한; 받아들이지 않는《**to, by** (사상 · 요구 등)을》: be ~ *to* all requests 모든 요구를 받아들이지 않다. ㊞ **-bly** *ad.* 꿰뚫을 수 없을 만큼; 헤아릴 수 없을 정도로; 무감각하게. **~·ness** *n.*

im·pen·i·tence, -ten·cy [impénətəns], [-i] *n.* Ⓤ 회개하지 않음, 완고, 고집.

im·pen·i·tent [impénətənt] *a.* 회개하지 않는, 완고한, 고집이 센: an ~ murderer 죄를 뉘우치지 않는 살인자. **—***n.* Ⓒ 회개하지 않는〔완

I

고한] 사람. [파] ~·ly *ad.*

imper., imperat. imperative.

◇**im·per·a·tive** [impérətiv] *a.* **1** 명령적인, 강제적인(pressing); 엄연한(peremptory), 권위 있는: in an ~ tone 명령적인 어조로 / an ~ manner 엄연한 태도. **2** 피할 수 없는, 절박한, 긴요한, 긴급한(urgent); 필수적인, 절대 필요한: an ~ conception 강박 관념 / an ~ duty 피할 수 없는 의무 / It is ~ that I should go at once. 아무래도 지금 곧 가지 않으면 안 된다. **3** 〖문법〗 명령법의: the ~ mood 명령법 / an ~ sentence 명령문.

—*n.* **1** [C] 명령(command); 불가피한 것〔임무〕; 의무, 책임: legal ~s 법령. **2** 〖문법〗 (the ~) 명령법; [C] 명령어〔형, 문〕. [파] ~·**ly** *ad.* 명령적으로; 위엄 있게.

◇**im·per·cep·ti·ble** [ìmpərséptəbəl] *a.* **1** 알아차릴 수 없을 만큼의, 눈에 띄지 않을 정도의; 지각〔감지〕할 수 없는, 알 수 없는《*to* …에게》: He gave me an almost ~ nod. 그는 거의 알아차릴 수 없을 만큼 고개를 끄덕여 보였다 / The difference is ~ *to* me. 그 차이를 나로서는 알 수 없다. **2** 미세한, 조금씩의, 근소한: an ~ difference 근소한 차이. [파] **-bly** *ad.* **ìm·per·cèp·ti·bíl·i·ty** *n.*

imperf. imperfect; imperforate.

***im·per·fect** [impə́ːrfikt] *a.* **1** 불완전한, 불충분한; 미완성의(incomplete), 결함〔결점〕이 있는: His preparations are ~ in many respects. 그의 준비는 여러모로 불충분했다 / He returned the coat because it was ~. 그 코트가 결함이 있어서 반품했다. **2** 〖문법〗 미완료(시제)의, 반과거의: the ~ tense 미완료 시제《★ 영어에서는 과거진행 시제, used to로 표현하는 시제가 여기에 해당; 예: He *was singing*.》. —*n.* (the ~) 〖문법〗 미완료 시제, 반과거. [파] ~·**ness** *n.*

◇**im·per·fec·tion** [ìmpərfékʃən] *n.* **1** [U] 불완전(성). **2** [C] 결함, 결점.

◇**im·pér·fect·ly** *ad.* 불완전하게, 불충분하게.

im·per·fo·rate, -rat·ed [impə́ːrfərit], [-id] *a.* 구멍이 뚫리어 있지 않은, 구멍이 없는; 절취선(切取線)이 없는《우표 등》.

***im·pe·ri·al** [impíəriəl] *a.* **1 제국(帝國)의**; (종종 I-) 영(英)제국의: the *Imperial* Conference 대영제국회의《본국과 자치령 수상의》. **2 황제**(皇帝)〔**황후**〕**의**; 황실의: an *Imperial* decree 〔edict〕 칙령, 칙명 / the ~ power 황제의 권력 / the ~ family 〔household〕 황실 / the *Imperial* Palace 황궁. **3** 최고의 권력을 갖는, 제위(帝位)의(sovereign), 지고(至高)한, 지상(至上)의(supreme). **4** 장엄한, 당당한(majestic); 오만한(imperious): the ~ city 장엄한 대도시. **5** (상품 따위가) 특대(特大)의; 극상〔상질〕의. **6** 영국 도량형법에 의한.

—*n.* **1** [C] (I-) 황제, 황후. **2** [C] 황제 수염《아랫입술 바로 밑에 약간 기른》. **3** [U] (양지(洋紙)의) 임페리얼판(判)《《美》 23×31인치; 《英》 22×30인치》. **4** [C] 특대품, 우수품. ***His* 〔*Her*〕 *Imperial Highness*** 전하《황족의 존칭》.

[파] ~·**ly** *ad.* 제왕처럼, 위엄 있게.

impérial gállon 영(英)갤런《4.546*l*; 생략 imp. gal》.

◇**im·pé·ri·al·ìsm** *n.* [U] 제국주의, 영토 확장주의; 제정(帝政).

im·pé·ri·al·ist *n.* [C] 제국〔영토 확장〕주의자; 제정주의자; 황제 지지자. —*a.* 제국주의(자)의, 제정주의(자)의.

im·pe·ri·al·is·tic [impìəriəlístik] *a.* 제국주의(자)의; 제정(주의)의. [파] **-ti·cal·ly** [-kəli] *ad.* 제국주의적으로.

◇**im·per·il** [impéril] (*-l-*, 《英》 *-ll-*) *vt.* (생명·재산 따위)를 위태롭게 하다, 위험하게 하다(endanger). [파] ~·**ment** *n.*

im·pe·ri·ous [impíəriəs] *a.* **1** 건방진, 오만한: an ~ manner 건방진 태도. **2** 절박한, 긴급한; 피할 수 없는, 필수의: an ~ need 절박한 필요성. [파] ~·**ly** *ad.* ~·**ness** *n.*

im·per·ish·a·bil·i·ty [impèriʃəbíləti] *n.* [U] **1** 불사(不死), 불멸성, 불후성. **2** (식품 따위) 무(無)부패성.

im·per·ish·a·ble [impériʃəbəl] *a.* **1** 불사의, 불멸의, 불후의(indestructible). **2** (식품 등이) 부패하지 않는. [파] **-bly** *ad.* 영구히.

im·per·ma·nent [impə́ːrmənənt] *a.* 오래가지〔영속하지〕 않는, 일시적인(temporary), 덧없는. [파] ~·**ly** *ad.* **-nence, -nen·cy** *n.*

im·per·me·a·ble [impə́ːrmiəbəl] *a.* 통과시키지 않는, 스며들지 못하게 하는《*to* (물·가스 따위)를》; 〖물리〗 불침투성〔불투과성〕의.

im·per·mis·si·ble [ìmpərmísəbəl] *a.* 허용되지 않는, 용인할 수 없는.

impers. impersonal.

◇**im·per·son·al** [impə́ːrsənəl] *a.* **1** (특정한) 개인에 관계가 없는, 비개인적인; 개인 감정을 섞지〔나타내지〕 아니한, 객관적인: His remarks were quite ~. 그의 말에는 개인적인 감정은 전혀 없었다. **2** 인격을 갖지 않은, 비인간적인: ~ forces 비인간적인 힘《자연력·운명 따위》. **3** 〖문법〗 비인칭의: an ~ verb 비인칭 동사 / the ~ 'it' 비인칭의 'it'《★ 시간·환경·거리 등의 비인칭 주어〔목적어〕를 나타내는 it》. [파] ~·**ly** *ad.* 비개인적〔비인격적〕으로; 〖문법〗 비인칭 동사〔대명사〕로서.

im·per·son·al·i·ty [impə̀ːrsənǽləti] *n.* **1** [U] 비인격〔비인간〕성, 개인에 관계치 않음. **2** [C] 특정 개인에 관계 없는 일; 비인간적인 것.

im·per·son·ate [impə́ːrsənèit] *vt.* **1** (배우가) …의 역을 맡아 하다, …으로 분장하다. **2** (남의 태도·모습·음성 등)을 흉내내다(mimic), 가장하다; …으로 행세하다: The man was accused of *impersonating* a policeman. 그 남자는 경찰관으로 행세했다는 이유로 고발되었다.

im·pèr·son·á·tion *n.* [U] (구체적으로는 [C]) **1** (역을) 맡아하기; 연기(演技). **2** 흉내, 성대모사(聲帶模寫): She did a good ~ of me. 그녀는 내 흉내를 잘냈다.

impér·son·à·tor [-tər] *n.* [C] (어떤 역으로 출연하는) 배우, 분장자; 성대모사자.

◇**im·per·ti·nence** [impə́ːrtənəns] *n.* **1** [U] **a** (특히 윗사람에 대한) 건방짐, 뻔뻔함; 무례, 버릇없음(impudence), 주제넘음: What ~! 무슨 무례냐. **b** (the ~) 무례하게도〔주제넘게도〕 …하기《*to* do》: He had the ~ *to* say the fault was mine. 그는 주제넘게도 잘못이 나에게 있다고 말했다. **2** [C] 무례한 행위〔말〕; 무례한〔주제넘은〕 사람. **3** [U] 부적절, 무관계; 당치 않음; [C] 부적절한 행동〔말〕.

◇**im·per·ti·nent** [impə́ːrtənənt] *a.* **1** 건방진, 무례한, 뻔뻔스러운; 버릇없는《*to* (윗 사람)에게 / *to* do》: Don't be ~ *to* your elders. 연장자에게 무례하게 굴지 마라 / It's ~ *of* him 〔He's ~〕 *to* break in when I'm talking. 내가 이야기하는

도중에 그가 끼어드는 것은 실례이다. **2** 적절하지 않은; 당치않은, 무관계한《**to** …에》: an ~ remark 부적절한 의견/a fact ~ *to* the matter 그 문제에 관계없는 사실. ㊕ **~·ly** *ad.*

ìm·per·tùrb·a·bíl·i·ty, im·per·tur·ba·tion [ìmpəːrtərbéiʃən] *n.* Ⓤ 침착, 냉정(calmness), 태연자약.

im·per·turb·a·ble [ìmpərtə́ːrbəbəl] *a.* 침착한, 냉정한, 동요하지 않는. ㊕ **-bly** *ad.*

im·per·vi·ous [impə́ːrviəs] *a.* Ⓟ **1** 통하지 않게 하는, 스며들게 하지 않는(impenetrable)《**to** (물·공기·빛 따위)를》: a fabric ~ *to* rain 비가 스미지 않는 천. **2** 영향받지 않는, 손상되지 않는, 견디는《**to** (비평)에》: a mind ~ *to* criticism 비평에 흔들리지 않는 마음. **3** 무감동한, 무감각한, 둔감한《**to** …에》: a mind ~ *to* reason 도리가 통하지 않는 마음. ㊕ **~·ly** *ad.* **~·ness** *n.*

im·pet·u·os·i·ty [impètʃuάsəti/-ɔ́s-] *n.* **1** Ⓤ 격렬, 맹렬, 열렬; 성급. **2** Ⓒ 성급한 행동〔언동〕.

°**im·pet·u·ous** [impétʃuəs] *a.* **1** (바람·속도 따위가) 격렬한, 맹렬한(violent): an ~ charge 〔gale〕 강습(強襲)〔열풍〕. SYN. ⇨WILD. **2** (기질·행동 따위가) 열렬한, 성급한, 충동적인(rash): an ~ child 성급한 아이. ㊕ **~·ly** *ad.*

im·pe·tus [ímpətəs] *n.* **1** Ⓤ (움직이고 있는 물체의) 힘, 추진력, 운동량, 관성(慣性). **2** Ⓤ (구체적으로는 Ⓒ) 기세, 추세, 자극: give 〔lend〕 ~ to …에 자극을 주다, …을 촉진하다. **3** Ⓤ 〖기계〗 운동량.

imp. gall. imperial gallon.

im·pi·e·ty [impáiəti] *n.* **1** Ⓤ 불신앙; 경건하지 않음; 불충실; 불손, 불효. **2** Ⓒ (흔히 *pl.*) 불경한 〔사악한〕 행위 〔말〕. ◇impious *a.*

im·pinge [impíndʒ] *vi.* **1** 부딪치다, 충돌하다《**on, upon, against** …에》: Angry waves ~ *against* the rocks. 성난 파도가 바위에 부딪친다. **2** 침범하다, 침해하다《**on, upon** …(권리·재산 등)을》: ~ *on* the fundamental human rights 기본적 인권을 침해하다. **3** 영향을 주다《**on, upon** …에》: ~ *on* a person's way of thinking 아무의 사고방식에 영향을 주다. ㊕ **~·ment** *n.*

°**im·pi·ous** [ímpiəs] *a.* 불신앙의, 경건치 않은, 불경한(profane), 사악한(wicked); 불효한(unfilial). ↔ *pious.* ◇impiety *n.* ㊕ **~·ly** *ad.* **~·ness** *n.*

imp·ish [ímpiʃ] *a.* 장난꾸러기〔개구쟁이〕의; 짓궂은: an ~ smile 짓궂은 미소. ㊕ **~·ly** *ad.* **~·ness** *n.*

im·plac·a·ble [implǽkəbəl, -pléik-] *a.* 달래기 어려운, 화해할 수 없는; 집념이 강한; 마음속 깊이 맺힌; 용서 없는, 무자비한(relentless). ㊕ **-bly** *ad.* **~·ness** *n.* **im·plàc·a·bíl·i·ty** *n.*

im·plant [implǽnt, -plάːnt] *vt.* **1** (사상 따위)를 심어 주다, 불어넣다, 주입(注入)시키다《**in, into** (사람·마음)에》: The stroy ~*ed* a strong fear *in* the child. 그 이야기는 그 어린이에게 강한 공포심을 심어 주었다/He ~*ed* these ideas *in* their minds. 그는 이런 사상들을 그들의 마음속에 심어 주었다. **2** 박아넣다, 끼워넣다, 끼우다(insert)《**in** …에》: ~ a fence post *in* the ground 울타리 기둥을 땅속에 박다. **3** 〖의학〗 (산 조직)을 이식하다. ― [implæ̀nt, -plὰːnt] *n.* Ⓒ 끼워진〔심어진〕 것; 〖의학〗 이식(移植) 조직. ㊕ **~·er** *n.*

im·plan·ta·tion [ìmplæntéiʃən] *n.* Ⓤ **1** 심음, 이식. **2** 〖의학〗 (체내)이식, (고형 약물의 피하) 주입. **3** 가르침; 주입, 고취.

im·plau·si·ble [implɔ́ːzəbəl] *a.* 받아들이기〔믿기〕 어려운; 정말 같지 않은: an ~ statement 사실 같지 않은 진술. ㊕ **-bly** *ad.* **~·ness** *n.* **im·plàu·si·bíl·i·ty** *n.*

°**im·ple·ment** [ímpləmənt] *n.* **1** Ⓒ 도구, 용구, 기구(tool); (*pl.*) 용구〔가구〕 한 벌: agricultural ~*s* 농기구/kitchen ~*s* 부엌세간. SYN. ⇨TOOL. **2** Ⓒ 수단, 방법(means). ― [ímpləmènt] *vt.* **1** …에 도구를〔수단을〕 주다. **2** (약속·계획 따위)를 이행〔실행〕하다(fulfill), (조건 등)을 충족하다, 채우다. ㊕ **im·ple·men·tal** [ìmpləméntl] *a.*

im·ple·men·ta·tion [ìmpləməntéiʃən] *n.* Ⓤ **1** 이행, 실행, 실시; 충족. **2** 〖컴퓨터〗 임플러먼테이션《어떤 컴퓨터 언어를 특정 기종의 컴퓨터에 적합하게 함》.

im·pli·cate [ímpləkèit] *vt.* 〖종종 수동태〗 관련시키다, 휩쓸려들게 하다, 연좌시키다《**in** (범죄 등)에》: He's ~*d in* the scandal. 그는 그 스캔들에 관계되어 있다.

°**ìm·pli·cá·tion** *n.* **1** Ⓤ (구체적으로는 Ⓒ) (뜻의) 내포, 함축, 암시: There's an ~ *of* 'in spite of difficulty' in the phrase 'manage to win.' 'manage to win'이라는 구에는 '곤란함에도 불구하고'라는 뜻이 함축되어 있다. **2** Ⓤ 연루, 연좌, 관계, 관련《**in** …에의, …와의》: the ~ of several major politicians *in* the scandal 몇몇 거물 정치인들의 추문에의 연루. **3** Ⓒ (흔히 *pl.*) 밀접한 관계, 영향; (예상되는) 결과《**for** …에 대한》: This incident has important ~*s for* the future of the company. 이 사건은 그 회사의 장래에 중대한 영향을 미칠 것이다. **by** ~ 넌지시, 암암리에. ㊕ **~·al** *a.*

***im·plic·it** [implísit] *a.* **1** 은연중의, 함축적인, 암묵의; 암시된《**in** …에》. ↔ *explicit.* ¶an ~ promise 묵계/This is ~ *in* our agreement. 이것은 우리의 협정에 암시적으로 내포되어 있다. **2** Ⓐ 무조건의(absolute), 절대적인, 맹목적인: ~ obedience 절대 복종/~ faith 맹신. **3** 내재〔잠재〕하는(potential)《**in** …에》. ◇implicate *v.* ㊕ **~·ly** *ad.* 암암리에, 넌지시; 절대적으로. **~·ness** *n.*

im·plied [impláid] *a.* 함축된, 암시적인; 언외의(↔ *express*): an ~ consent 암묵적인 승낙. ㊕ **im·pli·ed·ly** [impláiidli] *ad.* 암암리에, 넌지시.

im·plode [implóud] *vi.* **1** (진공관 따위가) 안쪽으로 파열하다, 내파(內破)하다. **2** 〖음성〗 (폐쇄음이) 내파하다. ―*vt.* 〖음성〗 (폐쇄음)을 내파시키다, (파열음)을 내파적으로 발음하다.

***im·plore** [implɔ́ːr] *vt.* 《~+목/+목+전+명/+목+*to* do》 애원〔탄원〕하다, 간청하다《**for** (원조 따위)를》: ~ forgiveness 용서해 주기를 애원하다/*Implore* God *for* mercy. 신에게 자비를 구하라/~ a person *to* go 아무에게 가주기를 간청하다. SYN. ⇨BEG.

im·plór·ing [-riŋ] *a.* 탄원의, 애원하는: an ~ glance 애원하는 눈초리. ㊕ **~·ly** *ad.*

im·plo·sion [implóuʒən] *n.* Ⓤ (구체적으로는 Ⓒ) (진공관의) 내파(內破); 〖음성〗 (폐쇄음의) 내파(cf. explosion).

im·plo·sive [implóusiv] *a.* 〖음성〗 내파의. ―*n.* Ⓒ 내파음. cf. explosive. ㊕ **~·ly** *ad.*

***im·ply** [implái] *vt.* **1** 《~+목/+*that* 절》 함축하

다, 넌지시 비추다, 암시하다(suggest): She said nothing, but her smile *implied* her consent. 그녀는 아무 말도 안 했지만, 그 미소는 승낙을 암시했다 / His manner *implied that* he agreed with me. 그의 태도에는 나와 동감임이 엿보였다. SYN. ⇨ SUGGEST. **2** **의미하다**(mean): Silence often *implies* consent. 침묵은 때때로 동의를 의미한다. **3** (필연적으로) 포함하다, 당연히 수반하다: Vegetation *implies* ample rainfall. 식물의 성장은 충분한 우량을 조건으로 한다. ◇ implication *n.* implicit *a.*

im·pol·der [impóuldər] *vt.* 《英》 간척하다, 매립(埋立)하다.

***im·po·lite** [ìmpəláit] *a.* **무례한**, 버릇없는, 실례되는(ill-mannered) 《**to** (아무)에게 / **to** do》: an ~ remark 무례한 발언 / Take care not to be ~ *to* the customers. 고객에게 실례하지 않도록 주의하시오 / It is ~ *of* you 〔You are ~〕 *to* interrupt the conversation of grown-ups. 어른들 이야기에 말참견하는 것은 실례이다. ㊞ **~·ly** *ad.* **~·ness** *n.*

im·pol·i·tic [impálitik/-pɔ́l-] *a.* (언동이) 득책이 아닌, 무분별한, 졸렬한. ㊞ **~·ly** *ad.*

im·pon·der·a·ble [impándərəbəl/-pɔ́n-] *a.* **1** 무겁지 않은, 극히 가벼운. **2** 평가〔계량〕할 수 없는; 헤아릴 수 없는. **—***n.* Ⓒ (보통 *pl.*) 〖물리〗 불가량물(不可量物) 《열·빛 따위》; 헤아릴 수 없는 것 《감정·여론 등》. ㊞ **-a·bly** *ad.*

‡**im·port** [impɔ́ːrt] *vt.* **1** 《~+목/+목+전+명》 **수입하다** 《**from** …에서; **to, into** …으로》. ↔ *export*. ¶ *~ed* goods 수입품 / ~ coffee *from* Brazil 브라질에서 커피를 수입하다. **2** 《+목+전+명》 (습관 등)을 가져오다; (감정 등)을 개입시키다 《**into** …에》: ~ one's feeling *into* discussion 토론에 감정을 개입시키다. **3** 《~+목/+*that* 절》 …의 **뜻을 내포하다**, …을 의미하다(mean), 나타내다(express): Honor *~s* justice. 명예는 정의를 의미한다 / His words *~ed that* he wanted to quit the job. 그의 말은 그가 직장을 그만두겠다는 의도를 나타낸 것이었다.

—*vi.* 중요하다(matter): What she wants *~s* very little. 그녀가 원하는 것은 아주 대단치 않은 것이다.

— [´-] *n.* **1 a** Ⓤ **수입**(↔ export). **b** Ⓒ (흔히 *pl.*) **수입품**, 수입(총)액. **c** 〖형용사적〗 수입(용)의: an ~ letter of credit 수입 신용장. **2** (*sing.*; 보통 the ~) **의미**, **취지**: the ~ *of* his remarks 그의 말의 취지. **3** Ⓤ 중요성〔함〕: a matter of great ~ 극히 중요한 사항.

㊞ **im·pórta·ble** *a.* 수입할 수 있는.

‡**im·por·tance** [impɔ́ːrtəns] *n.* Ⓤ **1** **중요성**, 중대함: be of ~ 중요하다 / a matter of great 〔no〕 ~ 중대한〔하찮은〕 일. **2** 중요한 지위, 관록(dignity); 유력: a man of ~ 중요 인물, 유력자. **3** 잘난 체함, 거드름 부림(pompousness). cf. self-importance. ¶ with an air of ~ 젠체하고, 거드름 부리며 / have an air of ~ 잘난체하는 태도를 취하다 / be full of one's own ~ (폄하며) 우쭐해하다, 자신(自信) 과잉이다. ***be conscious of*** 〔***have a good idea of, know***〕 ***one's own ~*** 자부〔젠체〕하고 있다, 우쭐해 있다. ***make much ~ of*** …을 존중〔존경〕하다.

†**im·por·tant** [impɔ́ːrtənt] *a.* **1 a** **중요한**, 중대한, 의의 있는(significant) 《**to, for** …에》: ~ decisions 중대한 결정 / ~ books 주목할 만한 책 / facts ~ *to* a fair decision 공평한 판결을 위해 중요한 사실 / His cooperation is very ~ *to* me 〔*for* the plan〕. 그의 협력이 내게는〔그 계획에는〕 아주 중요하다. **b** 〖more ~, most ~로 삽입구적으로 써서〗 (더욱〔가장〕) 중요한 것은: He said it, and (what is) *more* ~, he actually did it. 그가 그렇게 말했어, 게다가 더욱 중요한 것은, 그가 실제로 그렇게 했다는 거야.

SYN. **important** 가장 일반적인 말로 '중요한 결과를 초래하는, 중요함이 함축된'이라는 것이 원뜻. **material** 본질적인 부분을 구성하는, 실질적으로 빠뜨릴 수 없는: a point *material* to one's argument 논쟁에서의 중요점. **grave** 심상치 않은, 간단치 않은: a *grave* question 중대한 문제. **momentous** important와 거의 같은 뜻이나 '의의가 있는, 주목할 만한' 이라는 뜻을 내포함: a *momentous* day in history 역사에 기록될 날.

2 (사람·지위가) 유력한, 영향력 있는, (사회적으로) 중요한, 저명한: cultivate the ~ people 유력한 사람들과 교제를 돈독히 하다. **3** **젠체하는**, 거들먹거리는: assume an ~ air 젠체하다.

㊞ **~·ly** *ad.*

°**im·por·ta·tion** [ìmpɔːrtéiʃən] *n.* Ⓤ 수입; Ⓒ 수입품. ↔ *exportation*.

impórt dúties 수입 관세.

im·pórt·ed [-tid] *a.* 수입된: an ~ car 수입차.

im·pórt·er *n.* Ⓒ 수입자〔상〕, 수입업자; 수입국. ↔ *exporter*.

im·por·tu·nate [impɔ́ːrtʃənit] *a.* **1** (사람·요구 따위가) 끈질긴; 귀찮게 졸라대는 《**for** …을》: an ~ beggar 귀찮게 구걸하는 거지 / She was ~ *for* the return of her money. 그녀는 돈을 갚으라고 귀찮게 졸라댔다. **2** (사태가) 절박한, 긴급을 요하는. ㊞ **~·ly** *ad.*

im·por·tune [ìmpərtjúːn, impɔ́ːrtʃən] *vt.* …에게 끈덕지게〔성가시게〕 조르다, 귀찮게 부탁하다; …을 괴롭히다 《**for** …을 달라고; **with** …으로 / **to** do》: ~ one's parents *for* money 돈을 달라고 부모를 조르다 / ~ a person *with* demands 이것저것 요구하여 아무를 귀찮게 하다 / He *~d* me *to* grant his request. 그는 나에게 부탁을 들어달라고 성가시게 굴었다.

im·por·tu·ni·ty [ìmpɔːrtjúːnəti] *n.* **1** Ⓤ (또는 an ~) 끈질기게 조름. **2** Ⓒ 끈덕진 간청〔요구〕.

***im·pose** [impóuz] *vt.* **1** 《+목+전+명》 (의무·세금·벌 따위)를 **지우다**, 과(課)하다, 부과하다(inflict) 《**on, upon** …에》: ~ a tax *on* an article 물품에 과세하다 / ~ severe punishments *on* all the boys involved 가담한 소년들 전원에게 엄벌을 주다. **2** 《+목+전+명》 (의견 따위)를 **강요〔강제〕하다**(force) 《**on, upon** (아무)에게》: ~ one's opinion *upon* others 자기 의견을 타인에게 강요하다 / ~ silence *on* a person 아무를 침묵시키다. **3** 《+목+전+명》 (가짜 물건 등)을 떠맡기다, 속여 팔다 《**on, upon** (아무)에게》: ~ bad wine *on* customers 불량품 포도주를 고객에게 팔아먹다. **4** 〖~ oneself〗 참견하다; 쳐들어가다 《**on, upon** (남의 일〔집〕 등)에》: ~ one*self upon* others 남의 일에 참견하다.

—*vi.* 《+전+명》 〖수동태 가능〗 **1** **편승하다**, 기화로 삼다; 폐를 끼치다 《**on, upon** …에, …을》: ~ *upon* a person's kindness 아무의 친절을 기화로 삼다 / He has *~d on* your good nature. 그는 자네가 호인임을 이용했군. **2** 속이다, 기만하다 《**on, upon** (아무)를》: I will not be *~d upon*.

난 속아넘어가지 않아. **3** 주제넘게 나서다, 말참견하다《*on, upon* (남의 일)에》.

°**im·pós·ing** *a.* 위압하는, 당당한; 인상적인 (impressive): an ~ air 당당한 태도. ㊞ **~·ly** *ad.* **~·ness** *n.*

im·po·si·tion [ìmpəzíʃən] *n.* **1** Ⓤ (세금 · 벌 따위의) 부과, (의무 따위의) 부여《*on, upon* …에의》: Protest against the ~ of a consumption tax *on* the necessaries of life. 생활필수품에 소비세를 부과한 것에 항의하다. **2** Ⓒ 부과물, 세(금); 부담, 짐. **3** Ⓒ 속임, 사기. **4** Ⓒ《英》벌로서의 과제(課題)《흔히 impo, impot로 생략》. **5** Ⓒ 〖인쇄〗 조판. ◇ impose *v.*

°**im·pòs·si·bíl·i·ty** *n.* Ⓤ 불가능(성); Ⓒ 있을 수 없는 일, 불가능한 일〔것〕: perform *impossibilities* 불가능한 일을 해내다 / It's an ~ for you to do so. 네가 그렇게 하는 것은 불가능한 일이다. ◇ impossible *a.*

im·pos·si·ble [impásəbəl/-pɔ́s-] *a.* **1** 불가능한, …할 수 없는, …하기 어려운《*for, to* (아무)에게; *of* …이 / *to* do》: next to ~ 거의 불가능한 / Nothing is ~ *for* 〔*to*〕 him. 그에게는 불가능한 일이란 아무 것도 없다 / It is ~ *for* me *to* do that. 그것을 하기는 불가능하다 / The informant was ~ *to* trace. 그 정보 제공자는 찾을 수 없다 / be ~ *of* achievement 〔execution〕 성취〔실행〕할 수 없다. **2** (the ~) 〖명사적; 단수취급〗 불가능한 일: attempt the ~ 불가능한 일을 시도하다. **3** 믿기 어려운(unbelievable), 있을 수 없는: an ~ story 있을 수 없는 이야기 / It's ~ *for* him *to* trust her. 그가 그녀를 믿는다는 것은 있을 수 없다 / It's ~ that such a thing could happen. 이런 일이 일어난다는 것은 있을 수 없다. **4** 실현할 수 없는; 실제적이 아닌, 현실성이 없는: an ~ plan 실행 불가능한 계획. **5** 《구어》 견딜〔참을〕 수 없는(unendurable, unacceptable), 불쾌한, 몹시 싫은: an ~ situation 그냥 참고 넘길 수 없는 상황 / an ~ fellow 지겨운 녀석. **6** (물건이) 이상하게 생긴: an ~ hat 이상하게 생긴 모자.

> **NOTE** impossible에 계속되는 to 부정사에는 수동태를 쓸 수 없다. *The job was ~ to be done. 이는 It was ~ *to* do the job.이나 The job could not be done.으로 씀.

im·pos·si·bly [impásəbli/-pɔ́s-] *ad.* 〖보통 형용사를 수식하여〗 있을 것 같지 않게; 터무니없이; 지극히: an ~ difficult problem 어떻게 손을 쓸 수 없는 문제 / an ~ cold morning 말할 수 없이 추운 아침.

im·post [ímpoust] *n.* Ⓒ 부과금, 조세; 《특히》 수입세, 관세; 〖경마〗 부담 중량《레이스에서 핸디캡으로 출주마(出走馬)에 싣는 중량》.

im·pos·tor, -post·er [impástər/-pɔ́s-] *n.* Ⓒ 남의 이름을 사칭하는 자; 사기꾼, 협잡꾼.

im·pos·ture [impástʃər/-pɔ́s-] *n.* Ⓤ (구체적으로는 Ⓒ) 사기 (행위), 협잡.

im·po·tence, -ten·cy [ímpətəns], [-i] *n.* Ⓤ **1** 무력, 무기력, 허약. **2** 〖의학〗 음위(陰痿); (남성의) 성교 불능.

°**im·po·tent** [ímpətənt] *a.* **1** 무력한, 무기력한; 능력이 없는《*to* do》: an ~ feeling 무력감 / He's ~ *to* help her. 그는 그녀를 도울 능력이 없다. **2** 효과가 없는, 어찌할 수도 없는《*against* …에 대하여》: Medicine is largely ~ *against* the disease. 의학은 그 병에 대해서는 거의 효력을 발휘하지 못한다. **3** 체력이 없는, 허약한. **4** 〖의학〗 (남성이) 성교 불능의, 음위(陰痿)의(↔ *potent*). ㊞ **~·ly** *ad.*

im·pound [impáund] *vt.* **1** (가축)을 울 안에 넣다, 가두다. **2** 〖법률〗 (증거물 따위)를 압수〔몰수〕하다(confiscate), (일시적으로) 보관하다; (사람)을 구치〔감금〕하다: ~ contraband 밀수품을 압수하다. **3** (저수지에 물)을 채워두다: ~*ed* water 저수. ㊞ **~·ment** *n.*

im·pov·er·ish [impávəriʃ/-pɔ́v-] *vt.* 〖종종 수동태〗 **1** (사람 · 나라)를 가난하게 하다, 곤궁하게 하다: He *was* ~*ed* by his betting habits. 그는 도박벽으로 가난해졌다. **2** 〖보통 수동태〗 (땅 따위)를 메마르게 하다, 불모로 만들다: ~*ed* soil 토질이 쇠한 땅. ㊞ **~·ment** *n.*

im·pràc·ti·ca·bíl·i·ty *n.* Ⓤ 비실제성(非實際性), 실행 불능; Ⓒ 실행할 수 없는 일.

°**im·prac·ti·ca·ble** [impræ̀ktikəbəl] *a.* **1** (방법 · 계획 따위가) 실행〔실시〕 불가능한(unworkable): The plan proved to be ~ for lack of funds. 그 계획은 자금 부족으로 실현 불가능하다고 판명됐다. **2** (도로 따위가) 다닐〔통행할〕 수 없는(impassable). ㊞ **-bly** *ad.*

°**im·prac·ti·cal** [impræ̀ktikəl] *a.* **1** 실제적이 아닌, 비현실적인, 비실용적인. **2** (사람이) 현실에 어두운. **3** (계획 · 방법 따위가) 실행할 수 없는(impracticable). ㊞ **~·ly** *ad.*

im·pràc·ti·cál·i·ty [-kǽləti] *n.* Ⓤ 비(非)실제성, 실행 불능; Ⓒ 실제적이 아닌〔실행 불가능한〕 일.

im·pre·cate [ímprikèit] *vt.* (재난 따위가) 닥치기를 빌다, 방자하다《*upon* (아무)에게, (아무)를》: ~ a curse *upon* him 그에게 저주 있으라고 빌다 / ~ evil *upon* a person 아무에게 재앙이 내리기를 빌다. ㊞ **ìm·pre·cá·tion** *n.* Ⓤ 방자; Ⓒ 저주. **ím·precà·tor** *n.*

im·pre·cise [ìmprəsáis] *a.* 부정확한, 불명확한. ㊞ **~·ly** *ad.* **~·ness** *n.*

im·pre·ci·sion [ìmprəsíʒən] *n.* Ⓤ (구체적으로는 Ⓒ) 부정확, 불명확, 비정밀.

im·prèg·na·bíl·i·ty *n.* Ⓤ 난공불락(難攻不落); 견고.

im·preg·na·ble[1] [imprégnəbəl] *a.* **1** 난공불락의, 견고한; 움직일 수 없는: an ~ fortress 난공불락의 요새. **2** (신념 따위가) 확고부동한, 지지 않는. ㊞ **-bly** *ad.* **~·ness** *n.*

im·preg·na·ble[2] *a.* (알 · 동물 따위가) 수정〔수태〕 가능한.

im·preg·nate [imprégnèit, ímpreg-] *vt.* **1** …에게 임신〔수태〕시키다; 〖생물〗 수정(受精)시키다(fertilize): be ~*d* 임신해 있다. **2** …에 채우다(fill), 충만〔포화〕시키다, 스며들게〔침투하게〕 하다(saturate)《*with* …을》: The air was ~*d with* deadly gas. 공기는 독가스로 가득 찼다 / ~ handkerchief *with* perfume 손수건에 향수가 스며들게 하다. **3** …에게 불어넣다(inspire), 심다, 주입하다(imbue)《*with* (사상 · 감정 · 원리 따위)를》: ~ a person's mind *with* new ideas 아무에게 새로운 사상을 주입시키다.

— [imprégnit, -neit] *a.* **1** 임신한. **2** 포화한, 스며든; 주입된《*with* …이》.

ìm·preg·ná·tion *n.* Ⓤ **1** 임신; 수정, 수태. **2** 주입, 침투; 충만; 포화; 고취.

im·pre·sa·rio [ìmprəsá:riòu] (*pl.* **-ri·os**) *n.* 《It.》 Ⓒ (가극 · 음악회 등의) 흥행주(主), (가극단 · 악단 등의) 감독; 지휘자, 경영자.

I

*__im·press__[1] [imprés] (*p., pp.* **~ed,** 《고어》 ***imprést***) *vt.* **1** …에게 **감명을 주다,** …을 감동시키다《★ 흔히 수동태로 쓰며, 전치사는 *with, by, at*》: His firmness *~ed* me. 그의 굳은 결의에 감명을 받았다 / I was deeply *~d by* 〔*at, with*〕 his performance. 그의 연주에 깊이 감동받았다. **2** 《~+목/+목+*as* 보》 **인상지우다,** 인상을 주다: ~ a person favorably 아무에게 좋은 인상을 주다 / be favorably 〔unfavorably〕 *~ed* 좋은〔나쁜〕 인상을 받다 / He *~ed* me *as* honest 〔an honest person〕. 그는 나에게 정직하다는〔정직한 사람이라는〕 인상을 주었다. **3** 《+목+전+명》 …을 명기〔인식〕시키다《***on, upon*** (사람 · 마음)에》; (아무)에게 통감케 하다《***with*** …을》: That accident *~ed on* me the necessity of safety-belt regulations. 그 사고는 나에게 안전벨트 (착용) 법규의 필요성을 인식시켰다 / ~ a person *with* the value of education 아무에게 교육의 가치를 통감케 하다. **4** 《~+목/+목+전+명》 도장을 누르다, 날인하다, 각인하다《***on*** (…위)에; ***with*** …을》: ~ a seal 도장을 찍다 / He *~ed* a seal *on* the wax. 그는 왁스에 봉인을 했다 / ~ a surface *with* a mark 표면에 마크를 찍다. **5** 〖~ oneself〗 깊이 〔아로〕새기다《***on, upon*** (사람 · 마음)에》: His words *~ed* them*selves on* my memory. 그의 말이 나의 기억에 깊이 새겨졌다. **—** [ˊ-] *n.* Ⓒ **1** 날인, 압인, 각인. **2** 흔적, 특징. **3** 인상, 감명; 영향.

im·press[2] *vt.* 징발하다, 징용하다; (특히 육해군에) 강제 징모하다.

im·préss·i·ble *a.* 다감한, 감수성이 예민한. ㊞ **-bly** *ad.*

‡**im·pres·sion** [impréʃən] *n.* **1** Ⓒ **인상, 감명** 《***of*** …에 대한; ***on*** …에게의》: my first 〔immediate, initial〕 ~ *of* New York 뉴욕에 대한 나의 첫인상 / have a favorable 〔unfavorable〕 ~ *on* a person 아무에게 좋은〔나쁜〕 인상을 주다 / make an ~ *on*... …에 인상〔감명〕을 주다. **2** Ⓒ (보통 *sing.*) (막연한) **느낌,** 기분《***of*** …에 대한 / ***that***》: What is your ~ *of* her response to our offer? 우리의 제안에 대한 그녀의 반응에 당신은 어떤 느낌을 받았는가 / My ~ is *that* he is a good man. 그는 좋은 사람이라는 느낌이 든다. **3** Ⓤ 영향, 효과《***on, upon*** …에게의》: Punishment made little ~ *on* him. 그에게 벌을 주어도 아무런 효과가 없었다. **4 a** Ⓤ (구체적으로는 Ⓒ) 날인, 압인, 각인. **b** Ⓒ (눌러서 생긴) 자국, 흔적: leave an ~ 흔적을 남기다. **5** Ⓒ (흔히 *sing.*) 〖인쇄〗 쇄(刷)《개정 · 증보 등의 판(edition)에 대해 내용은 그대로임; 생략: imp.》: a first ~ of 3000, 초판 3000 부 / the second ~ *of* the first edition 초판 제2쇄. ◇ impress *v.* ㊞ **~·al** *a.* 인상의, 인상적인. **~·al·ly** *ad.*

im·prés·sion·a·ble *a.* 느끼기〔감동하기〕 쉬운, 영향받기 쉬운, 감수성이 예민한. ㊞ **im·près·sion·a·bíl·i·ty** *n.* Ⓤ 감수〔감동〕성, 민감.

im·prés·sion·ìsm *n.* Ⓤ (보통 I-) 〖예술〗 인상파〔주의〕《사물의 외형에 얽매이지 않고 인상 그대로를 표현하려고 하는》.

im·prés·sion·ist *n.* Ⓒ **1** (보통 I-) 인상파의 화가〔조각가, 작가, 작곡가〕. **2** 유명인의 흉내를 내는 예능인. **—***a.* = IMPRESSIONISTIC.

im·pres·sion·is·tic [imprèʃənístik] *a.* 인상파〔주의〕의; 인상적인. ㊞ **-ti·cal·ly** *ad.*

‡**im·pres·sive** [imprésiv] *a.* **인상에 남는,** 인상적인, 깊은 감동을 주는: an ~ ceremony 감명 깊은 의식 / an ~ picture 멋진 그림〔영화〕. ㊞ **~·ly** *ad.* **~·ness** *n.*

im·pri·ma·tur [ìmprimáːtər, -méi-, -prai-] *n.* Ⓒ **1** (보통 *sing.*) 〖가톨릭〗 (특히 가톨릭 교회가 주는) 출판〔인쇄〕 허가《생략: imp.》. **2** 허가, 인가, 승인, 면허.

im·print [imprínt] *vt.* **1** 누르다, 찍다《***on*** …에; ***with*** (도장 · 자국 따위)를》: ~ a postmark *on* a letter =~ a letter *with* a postmark 편지에 소인을 찍다 / ~ footsteps *on* the snow 눈 위에 발자국을 남기다. **2** 〖종종 수동태〗 강하게 인상지우다, 명기(銘記)시키다, 감명시키다《***on, upon, in*** (마음 · 기억)에》: The scene *was ~ed on* 〔*in*〕 my memory. 그 광경은 내 기억에 강하게 새겨졌다. **—** [ˊ-] *n.* Ⓒ **1** 날인; 자국: the ~ of a foot 발자국. **2** 인상; 모습, 흔적《***on*** …에의》: the ~ of anxiety *on* a person's face 아무의 얼굴에 나타난 걱정의 기색. **3** 〖인쇄〗 (책 따위의) 간기(刊記), 판권《출판사 이름 · 주소 · 발행 연월일 따위; 속표지 뒷면에 표시》.

im·prínt·ing *n.* Ⓤ 〖동물 · 심리〗 각인(刻印); (어렸을 때의) 인상 굳힘《생후의 주변 환경에 대한 학습 과정》.

*__im·pris·on__ [imprízən] *vt.* **투옥하다,** 수감하다, 감금하다; 구속하다.

im·prís·on·ment [-mənt] *n.* Ⓤ **1** 투옥, 수감, 구금, 금고(禁錮): life ~ 종신형 / ~ at hard labor 징역 / He was sentenced to three years' ~. 그는 징역 3 년형을 받았다. **2** 감금, 유폐, 속박.

im·prob·a·bil·i·ty [imprɑ̀bəbíləti/-prɔ̀b-] *n.* **1** Ⓤ 있을 법 하지 않음, 일어날 것 같지 않음; 참말 같지 않음: He emphasized the ~ of its recurrence. 그는 그것이 재발할 것 같지 않음을 강조했다. **2** Ⓒ 있을법 하지〔일어날 것 같지〕 않은 일; 참말 같지 않은 일.

*__im·prob·a·ble__ [imprɑ́bəbəl/-prɔ́b-] *a.* **있을 법 하지 않은,** 일어날 것 같지 않은; 참말 같지 않은: It is highly ~ that such a thing will happen again. 그런 일이 다시 생기리라고는 도저히 생각되지 않는다. ㊞ **-bly** *ad.* 있을 법 하지 않게, 참말 같지 않게. ★ 지금은 다음의 구로만 쓰임: not *improbably* 경우에 따라서는, 어쩌면.

im·promp·tu [imprɑ́mptjuː/-prɔ́m-] *ad.* 준비 없이, 즉석에서, 즉흥적으로: verses written ~ 즉흥시. **—***a.* 즉석의, 즉흥적인: an ~ address 즉흥 연설. **—**(*pl.* **~s**) *n.* Ⓒ 즉석 연설〔연주〕, 즉흥시; 〖음악〗 즉흥곡(improvisation).

*__im·prop·er__ [imprɑ́pər/-prɔ́p-] *a.* **1** (사실 · 규칙 등에) 맞지 않는, 타당치 않은, 그릇된: (an) ~ usage 잘못된 어법. **2** (장소 · 목적에) **부적당한,** 어울리지 않는: ~ storage of perishables 부패하기 쉬운 식품의 부적절한 저장 / an ~ attitude 어울리지 않는 태도 / ~ to the occasion 그 자리에 어울리지 않는. **3** 예의에 벗어난; 부도덕한, 음란한: ~ manners 무례한 태도 / ~ language 상스러운 말. ㊞ **~·ly** *ad.*

impróper fráction 〖수학〗 가(假)분수《분자가 분모보다 큰 분수》.

im·pro·pri·e·ty [imprəpráiəti] *n.* **1 a** Ⓤ 틀림, 부정, 잘못; 부적당, 부적절. **b** Ⓒ (말의) 오용. **2 a** Ⓤ 꼴사나움; 부도덕; 야비, 버릇없음. **b** Ⓒ 못된〔버릇없는, 음란한〕 행실〔말〕.

im·próv·a·ble *a.* 개량〔개선〕할 수 있는.

I

***im·prove** [imprúːv] *vt.* **1 a 개량하다**, 개선하다: ~ a method 방법을 개선하다 / ~ one's techniques 기술을 향상시키다 / ~ the design of the car 차의 디자인을 개량하다 / ~ a pony into racehorse 망아지를 경마말로 키우다. **b** 《+[목]+[전]+[명]》 〖~ oneself〗 향상〔진보〕되다《*in, at* …이》: She's anxious to ~ *herself in* 〔*at*〕 English. 그녀는 영어 실력이 더욱 향상되기를 바라고 있다. [SYN.] ⇨REFORM. **2** (기회 · 시간)을 **이용〔활용〕하다**, 보람 있게 하다: ~ the occasion 기회를 이용하다 / ~ one's time by studying 공부로 시간을 활용하다. **3** (토지 · 건물 따위)의 가치를〔생산성을〕 높이다: They ~*d* the land by planting trees. 나무를 심어서 그 토지의 가치를 높였다.

— *vi.* **1** 《~/+[전]+[명]》 **좋아지다**, 호전(好轉)하다, 진보하다, 증진하다《*in* …이》: His English is improving. =He's improving *in* English. 그는 영어가 향상되고 있다 / He has ~*d* much *in* health. 그는 건강이 많이 호전되었다. **2** 《+[전]+[명]》 〖수동태 가능〗 개량하다《*on, upon* …을》; 갱신하다, 보다 좋게 하다《*on, upon* (기록 등)을》: This can hardly *be* ~*d on* 〔*upon*〕. 이것은 거의 개량될 여지가 없다 / ~ *on* one's own record 자기 기록을 갱신하다. **3** (주가 · 시황 등이) 회복되다, 향상하다. **4** 《고어》 이용하다, 활용하다.

***im·prove·ment** [imprúːvmənt] *n.* **1** [U] **개량**, 개선. **2** [C] 개량〔개선〕점; 개량〔개선〕된 것 《*on, in, to* …의; *on, upon* …에 비하여》: make several ~*s on* 〔*in, to*〕 the house 집에 몇 군데 손을 보다 / My new car is a great ~ *on* my old one. 새 차는 먼저 차보다 훨씬 낫다. **3** [U] **향상**, 진보, 증진《*of, in* …의》: the ~ *of* 〔*in*〕 health 건강의 증진. **4** [U] (구체적으로는 [C]) 개량〔개수〕 공사.

im·prov·i·dence [imprɑ́vədəns/-prɔ́v-] *n.* [U] (장래에 대해) 생각이 없음, 선견지명이 없음, 무사무려, 경솔; 준비 없음, 낭비.

im·prov·i·dent [imprɑ́vədənt/-prɔ́v-] *a.* **1** 선견지명이 없는, 앞일을 생각하지 않는. **2** (경제적으로) 장래에 대비치 않는; 아낄 줄 모르는, 헤픈. [파] **~·ly** *ad.* 선견지명 없이.

im·prov·i·sa·tion [imprɑ̀vəzéiʃən, ìmprəvi-] *n.* **1** [U] 즉석에서 하기, 즉흥. **2** [C] 즉흥 연주, 즉석 작품《시 · 음악 따위》. [파] **~·al** *a.* **~·al·ly** *ad.*

◇im·pro·vise [ímprəvàiz] *vt., vi.* **1** (시 · 음악 · 축사 · 연설 따위)를 즉석에서 하다〔만들다〕; 즉흥 연주를 하다. **2** 임시변통으로 만들다: ~ a bandage out of a clean towel 깨끗한 수건으로 임시변통의 붕대를 만들다. [파] **~d** [-d] *a.* 즉흥적인〔적으로 만든〕. **-vìs·er** *n.*

im·pru·dence [imprúːdəns] *n.* [U] 경솔, 무분별; [C] 경솔한 언행.

◇im·pru·dent [imprúːdənt] *a.* 경솔한, 무분별한, 조심하지 않는《*to* do》. ↔ *prudent*. ¶ ~ behavior 경솔한 행동 / It was ~ *of* you *to* say so. =You were ~ *to* say so. 그런 말을 하다니 너는 경솔했다. [파] **~·ly** *ad.*

◇im·pu·dence [ímpjədəns] *n.* **1** [U] **a** 뻔뻔스러움, 후안(厚顔), 몰염치; 건방짐. **b** (the ~) 건방지게 …하기《*to* do》: He had the ~ *to* insult her. 그는 건방지게도 그녀를 모욕했다. **2** [C] 건방진 행위〔말〕. ***None of your ~!*** 건방진 수작 마라. ***Such ~!*** 정말 뻔뻔스럽구나!

***im·pu·dent** [ímpjədənt] *a.* **뻔뻔스러운**, 철면피의, 염치 없는; 건방진《*to* do》: an ~ person 뻔뻔스러운 사람 / an ~ beggar 건방진 놈 / It was ~ *of* him *to* say so. =He was ~ *to* say so. 그가 그렇게 말하다니 건방지구나. [파] **~·ly** *ad.* **~·ness** *n.*

im·pugn [ìmpjúːn] *vt.* 비난〔공격, 논란, 배격, 반박〕하다. [파] **im·púgn·a·ble** *a.* 비난〔공격, 반박〕의 여지가 있는. **im·púgn·ment** *n.* [U] 비난, 공격, 반박.

im·pu·is·sant [impjúːisnt] *a.* 무능한; 무기력한, 허약한.

im·pulse** [ímpʌls] *n.* **1** [C] **추진력**; (물리적) 충격; 자극: the ~ of a propeller 프로펠러의 추진력 / The incident gave a new ~ to the antigovernment movement. 그 사건은 반정부 운동에 새로운 자극을 주었다. **2** [U] (구체적으로는 [C]) (마음의) **충동**, 일시적 감정: a man of ~ 충동적인 사람 / act on (an) ~ 충동적으로 행동하다 / on the ~ of the moment 그 순간의 일시적 충동으로. **3** [C] 『전기』 충격 전파, 임펄스; 『역학』 격력(擊力); 충격량《힘과 시간의 곱》; 『생리』 충동; 욕구. ◇impel *v.* ***on **(*an*) ~** 충동적으로, 생각 없이: She often buys clothes *on* ~. 그녀는 종종 충동적으로 의복을 산다 / *On an* ~, he grasped her hand. 무의식 중에, 그는 그녀의 손을 잡았다.

ímpulse bùyer 충동 구매자.

ímpulse bùying (특히 소비재의) 충동 구매.

ímpulse pùrchase 〔**bùy**〕 충동 구매한 것.

im·pul·sion [impʌ́lʃən] *n.* [U] (구체적으로는 [C]) 충동, 충격, 자극, 원동력, 추진(력).

◇im·pul·sive [impʌ́lsiv] *a.* **1** (일시적) 감정에 끌린〔흐른〕, 충동적인: an ~ person 〔act〕 충동적인 사람〔행위〕. [SYN.] ⇨SPONTANEOUS. **2** 추진적인: an ~ force. **3** 『역학』 격력(擊力)의. [파] **~·ly** *ad.* 감정에 끌려. **~·ness** *n.*

im·pu·ni·ty [impjúːnəti] *n.* [U] 처벌되지 않음; 해〔손해〕를 받지 않음. 〖보통 다음 관용구로〗 ***with* ~** 무사히, 무난히: You cannot kill a man *with* ~ except in battle. 전투를 제외하고 사람을 죽여서는 무사할 수 없다.

im·pure [impjúər] *a.* **1** (물 · 공기 등이) 더렵혀진, 오염된, 불결한: ~ water 오염된 물 / ~ air 불결한 공기. **2** 순수하지 않은, 잡것이 섞인; (색이) 혼탁한; (문체 · 어법 등이) 혼합된, 관용적이 아닌. **3** (동기가) 불순한; 부도덕한, 외설한: ~ motives 불순한 동기 / an ~ desire 음란한 욕망. **4** (종교적으로) 신성하지 않은: In some religions pork is considered ~. 어떤 종교에서는 돼지고기를 신성하지 않은 것으로 여긴다. [파] **~·ly** *ad.* **~·ness** *n.*

◇im·pu·ri·ty [impjúərəti] *n.* **1** [U] 불순, 불결, [C] 불순물, 혼합물: contain 〔remove〕 *impurities* 불순물을 내포〔제거〕하다. **2** [U] 음란, 외설; [C] 불순〔부도덕〕한 행위.

im·put·a·ble [impjúːtəbəl] *a.* [P] (책임을) 지울〔돌릴〕 수 있는, 전가(轉嫁)할 수 있는《*to* …에》: sins ~ *to* weakness 성격상의 나약 때문이라고 생각되는 죄(罪) / No blame is ~ *to* him. 그에게는 아무 허물〔책임〕도 없다.

im·pu·ta·tion [ìmpjutéiʃən] *n.* **1** [U] (죄 · 책임 따위를) 씌우기, 전가하기《*to* (아무)에게》. **2** [C] 비난, 비방; 오명(汚名)《*that*》: cast an ~ on a person's good name =make an ~ against a person's good name 아무의 명성(名聲)을 손상

시키다 / The ~ *that* he's greedy is unfounded. 그가 욕심쟁이라는 비난은 근거가 없다.

im·pute [impjúːt] *vt.* (불명예 · 죄 따위)를 돌리다, 탓으로 하다(ascribe) 《*to* …에게, …의》: He ~*d* his fault *to* his wife. 그는 자기 잘못을 아내에게 뒤집어 씌웠다 / ~ the increase in business failures *to* the recession 기업 도산의 증가를 불경기 탓으로 돌리다.

†**in** [in; (*prep.* 로서는 때때로) 약 ən] *prep.* **1** 〖장소〗 **a** 〖위치〗 …**의 속에**〔**의**〕; …속〔안〕에서, …에 있어서, …에, …에서(⇨ AT 1 a NOTE): *in* Korea 한국에서 / *in* Chicago 시카고에서 / the characters *in* the novel 소설 속의 등장인물 / read it *in* the newspaper 그것을 신문에서 읽다 / *in* a speech 담화 속에(서) / have a stick *in* one's hand 손에 단장을 들고 있다 / There is some reason *in* what he says. 그 사람이 하는 말에는 일리가 있다. **b** 《구어》 〖운동 · 동작의 방향〗 …**속**〔**안**〕**에**〔**으로**〕; …**쪽에**〔**으로, 에서**〕(≒ into): *in* the east 동(東)쪽으로 / *in* that direction 그쪽 방향으로 / She went *in* 〔into〕 the house. 그녀는 집 안으로 들어갔다. **c** (탈것 따위)**에 타고**: *in* a car 차를 타고, 차에 / get *in* 〔《美》 on〕 a car 차를 타다. **d** 〖관사 없이 장소의 기능을 나타냄〗 …**에(서)**; …하고: *in* school 재학 중에; 교사 내에서 / *in* class 수업 중에 / *in* bed 잠자리에(서), 자고.

> **NOTE** **in** 과 **into** in은 '속에(서)'라는 위치를 나타내며, 흔히 운동의 방향을 보여 주지 않지만 그 자체가 운동 · 동작을 나타내는 dive, fall, jump, put, throw, thrust; break, cut, divide, fold 따위의 동사와 함께 쓰이면 into 대신 in이 사용될 때가 있음. 이 때에는 동작보다도 결과로서의 상태에 중점이 있음. 예컨대 jump *in* the river에서는 jump (*into* the river and be) in the river의 압축 표현으로 볼 수 있음.

2 a 〖상태〗 …**한 상태로**〔**에**〕, …하여: *in* ruins 폐허가 되어서 / *in* good health 건강하게 / *in* good order 정돈되어 / *in* debt 빚을 지고 / *in* liquor (술에) 취하여 / *in* a rage 성이 나서, 격노하여 / *in* haste 서둘러, 급히 / *in* confusion 혼란하여 / *in* full blossom (꽃이) 만발하여 / *in* excitement 흥분하여 / The horse is *in* foal. 그 말은 새끼를 배고 있다. **b** 〖환경〗 …**한 속에(서)**: *in* the dark 어둠 속에 / sit *in* the sun 양지에 앉다 / go out *in* the snow 〔rain〕 눈이〔비가〕 오는데 외출하다.

3 a 〖행위 · 활동 · 종사〗 …**하여**〔**하고**〕, …**에 종사하고**: *in* search of truth 진실을 찾아 / spend much time (*in*) reading 독서에 많은 시간을 소비하다 《구어에서는 in을 생략할 때가 많음》 / I was *in* conversation with a friend. 나는 친구와 이야기를 하고 있었다. **b** 〖소속 · 직업〗 …**에 소속하여**, …**(을) 하고**, …에 참가하여: *in* society 사교계에 / hold a seat *in* the cabinet 내각에 참여하다 / be *in* the navy 해군에 있다 / He is *in* computers. 그는 컴퓨터 관계의 일을 하고 있다 / He is *in* building 〔advertising〕. 그는 건설〔광고〕 관계의 일을 하고 있다.

4 〖착용 · 포장〗 …**을 입고**〔**몸에 걸치고**〕, …을 신고〔쓰고〕(wearing); …에 싸서: *in* uniform 제복을 입고 / a man *in* spectacles 〔an overcoat, a red tie〕 안경을 쓴 〔외투를 입은, 빨간 넥타이를 맨〕 남자 / be dressed *in* rags 〔red〕 누더기를〔빨간 옷을〕 입고 있다 / wrap this *in* 〔with〕 paper 이것을 종이로〔에〕 싸다 《with는 재료를 나타낼 뿐이지만, in은 싸(서) 덮는다는 느낌이 강함》.

5 〖때 · 시간〗 **a** 〖기간〗 …**동안**〔**중**〕**에**, …에, …때에(⇨ AT 2 NOTE): *in* the morning 〔afternoon, evening〕 오전〔오후, 저녁〕에 / *in* March, 3월에 / *in* (the) winter 겨울(철)에 / *in* one's life 〔time, lifetime〕 자기 생애에(서) / *in* those days 그 당시(에)는 / *in* the twentieth century, 20세기에. **b** 〖경과〗 (지금부터) …**후에**, …지나면, …지나서: *in* a week, 1주일이면〔지나서〕 《주로 미래에 쓰임; 《美구어》에서는 종종 within과 같은 뜻으로도 사용됨》(cf. ago): be back *in* a few days 며칠〔2, 3일〕이면 돌아온다 / I'll phone you *in* two hours, after the meeting. (지금부터) 두 시간 후, 회의가 끝난 뒤에 곧 전화하겠습니다. **c** 《주로 美》 **지난** …**동안**〔**간, 중**〕**(에)**: the coldest day *in* 30 years 지난 30년 동안에 가장 추운 날 / I have never seen him *in* 〔for〕 months. 그를 몇 달간 만나지 못했다 《영국에서는 for만 씀》.

6 a 〖전체와의 관계를 나타내어〗 …**중(에서)**: the highest mountain *in* the world 세계에서 가장 높은 산(山) / the tallest boy *in* the class 반에서 제일 키 큰 소년. **b** 〖비율 · 정도 · 단위〗 …**당**, …로, 매(每) …에 —로: be sold *in* dozen 다스(단위)로 팔리다 / packed *in* tens 열개씩 포장을 하여(서) / nine *in* ten 십중팔구(까지) / One *in* ten will pass. 열 사람 중 하나는 합격할 것이다.

7 〖제한 · 관련〗 **a** 〖범위〗 …**의 범위 내에**, …**안에**: *in* 〔out of〕 (one's) sight 시야 안〔밖〕에 / *in* one's power 세력 범위에; 능력이 미치는 한의 / *in* my experience 내 경험으론 / *in* the second chapter 제2장(章)에 / *in* my opinion 내 의견〔생각〕으로는. **b** 〖수량 · 성질 · 능력 · 분야의 한정〗 …**점에서는**, …**에 있어서**; …을〔이〕: ten feet *in* length 〔height, depth, width〕 길이〔높이, 깊이, 너비〕가 10피트 / seven *in* number 수(數)가 일곱 / equal *in* strength 힘이 같은 / vary *in* size 〔color〕 크기가〔색깔이〕 각기 다른 / be weak *in* 〔at〕 Latin 라틴어에 약하다 / rich *in* vitamin C 비타민 C가 풍부한. **c** 〖최상급 형용사를 한정하여〗 …**면에서**: the latest thing *in* cars 최신형의 자동차. **d** 〖특정 부위〗 …**의**, …**에 관해**: a wound *in* the head 머리의 부상 / blind *in* one eye 애꾸(눈), 외눈 / He looked me *in* the face. 그는 내 얼굴을 정면으로 쳐다보았다.

8 〖성격 · 능력 · 재능 · 자격 · 본질〗 …**에는**, …의 성격〔본질, 몸속〕에: as far as *in* me lies 내 힘이 미치는 한 / He has something of the artist *in* his nature. 그에겐 다소 예술가다운 데가 있다 / There is some good *in* him. 그에겐 다소 취할 점이 있다.

9 〖동격 관계〗 …**이라는**: *In* him I have a true friend. 나에게는 그이 같은 진정한 벗이 있다 / You have done us a great favor *in* encouraging us. 격려해 주심으로써 큰 힘이 되었습니다.

10 〖수단 · 재료 · 도구 따위〗 …**으로**, …**으로써**, …**으로 만든**: paint *in* oils 유화를 그리다 / speak *in* English 영어로 말하다 / a statue (done) *in* bronze 청동상 / It was done *in* wood. 그것은 나무로 만들어져 있었다.

11 〖방법 · 형식〗 …**(으)로**, …**하게**: *in* this way 이(런) 방법으로, 이와 같이 / *in* like manner 똑같

이/*in* secret 몰래, 가만히(secretly)/*in* a loud voice 큰 소리로.
12 〖배치·형상·순서 따위〗 **…을 이루어, …이 되어**: *in* rows 줄을 지어, 몇 줄이고/*in* alphabetical order 알파벳 순으로/*in* groups 무리를 지어/hair *in* curls 컬을 한 머리/sit *in* a circle 둥그렇게〔빙 둘러〕 앉다.
13 a 〖이유·동기〗 **…때문에**, …(이유)로: cry out *in* alarm 놀라서 소리 지르다/rejoice *in* one's recovery 회복을 기뻐하다. **b** 〖목적을 나타내어〗 **…을 목적으로**, …을 위해: *in* self-defense 자기 방어를 위해/say *in* conclusion 최후로 한마디 하다/shake hands *in* farewell 작별의 악수를 하다. **c** **…로서(의)**: *in* return for his present 그의 선물에 대한 답례로/She said nothing *in* reply. 그녀는 아무 대답도 안 했다. **d** 〖조건〗 **…이므로**, (만일) …한 경우에는: *in* the circumstances 그런 사정이므로/*in* this case (만일) 이런 경우에는.
14 〖in do*ing*의 형식으로〗 …한 점에서, …하므로, …하면서: The proposal is acceptable *in* be*ing* practicable. 그 제안은 실행이 가능한 점에서 수락할 수 있다/*in* so say*ing* 그렇게 말하며.
15 〖행위의 대상〗 …에 관해, …을: believe *in* God 하느님의 존재를 믿다/persist *in* one's belief 끝까지 자기 신념을 관철하다.
be in it (***up to the neck***) 《구어》 (아무가) 어려운 처지에 놓여 있다; 깊숙이 관여하고 있다, 관계하고 있다. ***be not in it*** 《구어》 (…에는) 못 당하다, (…에는) 비교도 안 되다, 훨씬 못하다, 승산(勝算)이 없다: He's got a fantastic car. A Benz *isn't in it!* 그는 훌륭한 차를 갖고 있다, 벤츠도 그만 못할 것 같다. ***in as much as*** = INASMUCH AS. ***in itself*** ⇨ITSELF. ***in so far as*** ⇨FAR. ***in so much that*** 〔***as***〕 ⇨INSOMUCH that 〔as〕. ***in that*** …이라는〔하다는〕 점에서, …한 이유로, …이므로(since, because): *In that* he disobeyed, he was a traitor. 복종하지 않았다는 점에서 그는 반역자였다. ***little*** 〔***not much, nothing***〕 ***in it*** 《구어》 별차이는 없는.
—*ad*. **1 a** 〖운동·방향〗 **안에, 안으로**, 속에, 속으로(↔ *out*): Get *in*. (차를) 타시오《Get *in* the car.의 목적어가 생략된 것》/Come (on) *in*. 들어오시오/a cup of tea with sugar *in* 설탕을 넣은 홍차/He put it *in*. 그것을 안에 넣었다. **b** (나중에) **넣어**: You can write *in* the page numbers later. 페이지(수)는 나중에 써 넣으면 된다.
2 집에 있어: stay *in* for a day 하루 종일 집에 있다/Is he *in*? 그는 집에 있나요/He will be *in* soon. 그는 곧 돌아올 겁니다.
3 a (탈것 따위가) **들어와, 도착하여**: The train is *in*. 열차가 들어온다/The train isn't *in* yet. 열차는 아직 안 들어온다. **b 제출되어**: The report must be *in* by Saturday. 리포트는 토요일까지 제출할 것. **c** (계절 따위가) (돌아)와; (수확 따위가) 거둬들여져: The summer is *in*. 여름이 왔다.
4 (과일·식품 따위가) 제철에, 한창인: Oysters are now *in*. 굴이 지금 한창이다.
5 (복장이) 유행하고: Short skirts are *in*. 짧은 스커트가 유행이다.
6 a (정당이) **정권을 잡고**〔맡고〕: The Liberals is *in* now. 자유당이 지금 여당〔집권당〕이다. **b** (정치가 등이) 당선되어, 재직하여: Kennedy is *in* again. 케네디가 재선되었다.

7 (기사 등이) (잡지에) 실리어, 게재되어: Is my article *in*? 내 논문은 실려 있습니까.
8 (불·등불이) 타고: keep the fire *in* 불을 타게 해두다/The fire is still *in*. 불은 아직도 타오르고 있다.
9 (조수가) 밀물에〔이 되어〕.
10 (야구·크리켓에서) 공격 중에; (테니스에서 공이) 라인 안에: Which side is *in*? 어느 팀이 공격 중입니까.
11 〖골프〗 (18홀 코스에서) 후반(9홀)을 끝내고.
be in at… ① …에 참여〔입회〕하고 있다, 참석해 있다. ② (때)마침 그자리에 있다. ***be in for…*** ① 《구어》 (어려움·악천후 따위)를 만날 것 같다, …을 당하게 되다: We *were in for* a surprise. 놀랄 만한 일이 우리를 기다리고 있었다. ② (경기 따위)에 참가하기로 되어 있다: I'm *in for* the 100 meters. 백미터 경기에 출전하기로 돼 있다. ***be in for it*** 《구어》 어쩔 도리 없게 되다, 벌은 면할 수 없게 되다. ***be*** 〔***get***〕 ***in on…*** 《구어》 (계획 따위)에 참여하다; (비밀 따위)에 관여〔관계〕하다: I *was in on* his plan. 나는 그의 계획에 참여했다. ***be*** 〔***keep, get***〕 (***well***) ***in with…*** 《구어》 …와 친(밀)하게 지내다. ***have it in for*** ⇨HAVE. ***in and out*** ① 나왔다 들어갔다《***of*** …을》: She is constantly *in and out of* hospital. 그녀는 입원 퇴원을 거듭하고 있다. ② 아주, 완전히, 철저히(completely): I know him *in and out*. 나는 그를 속속들이 알고 있다. ③ 보였다 안 보였다; 구불구불, 굽이쳐: The brook winds *in and out* among the bushes. 그 시냇물은 덤불숲 사이를 꾸불꾸불 흐르고 있다. ***In with…*** 〖명령문에서〗 …을 안에 넣어라〔들여보내라〕: *In with* you! 들어와라!
—*a*. **1** 내부의; 안의; 안에 있는: an *in* patient 입원 환자(an inpatient). **2** 들어오는: the *in* train 도착 열차. **3** 정권을 잡고 있는: the *in* party 여당. **4** 《구어》 유행의; 인기 있는: It is an *in* thing to do. 그건 지금 유행이다. **5** 《구어》 (농담 따위) 동료만이 아는. **6** 〖경기〗 공격(측)의: the *in* side 〔team〕 (구기의) 공격측.
—*n*. **1** (the ~s) 여당; (구기의) 타격측: the ~*s* and outs 여당과 야당. **2** 《美구어》 애고(愛顧), 연줄: have an *in* with the boss 상사의 총애를 받고 있다.
the ins and outs 상세; 자초지종.

in-[1] [in] *pref*. 전치사 또는 부사의 in, into, upon, on, against, toward(s) 따위의 뜻《종종 en으로 됨(보기: *in*quiry, *en*quiry); l 앞에서는 *il-*; b, m, p 앞에서는 *im-*; r 앞에서는 *ir-*로 됨》.

in-[2] [in] *pref*. '무(無), 불(不)' (not)의 뜻《il-, im-, ir-로도 됨》. cf in-[1].

In 〖화학〗 indium. **in.** inch(es); inlet. **IN** 〖美우편〗 Indiana.

°**in·a·bil·i·ty** [ìnəbíləti] *n*. U 무능(력), 무력; …할 수 없음《***to*** do》: his ~ *to* make decisions 결정을 내릴 능력이 없음. ◇ unable *a*.

in ab·sen·tia [in-æbsénʃiə] 《L.》 부재 중에.

ìn·ac·cès·si·bíl·i·ty *n*. U 가까이〔도달〕하기 어려움; 얻기 어려움.

in·ac·ces·si·ble [ìnəksésəbəl] *a*. **1** (장소가) 가까이하기〔접근하기, 도달하기〕 어려운; 물건이) 입수하기 어려운《***to*** (아무)에게는》: an ~ mountain 도저히 오를 수 없는 산/materials ~ *to* us 우리에게는 얻을 수 없는 자료. **2** (사람이)

가까이하기 힘든, 서먹서먹한: an ~ person. ⓟ -bly *ad*.

in·ac·cu·ra·cy [inǽkjərəsi] *n*. Ⓤ 부정확; Ⓒ (흔히 *pl*.) 잘못, 틀림.

◇**in·ac·cu·rate** [inǽkjərit] *a*. 부정확한, 정밀하지 않은; 틀린, 잘못된. ⓟ ~·ly *ad*.

in·ac·tion [inǽkʃən] *n*. Ⓤ 활동〔활발〕하지 않음, 무위(無爲); 게으름, 나태.

in·ac·ti·vate [inǽktəvèit] *vt*. **1** 활발치 않게 하다. **2** 〖물리·화학〗 비활성(非活性)〔불선광성(不旋光性)〕으로 만들다.

◇**in·ac·tive** [inǽktiv] *a*. **1** 활동치 않는, 활발하지 않은; (기계 따위가) 움직이지 않는, 사용되지 않는: an ~ volcano 휴화산(休火山). **2** 한가한, 게으른. **3** 〖물리·화학〗 방사능이 없는; 비활성의. **4** 현역이 아닌: an ~ member 명목뿐인 회원. ⓟ ~·ly *ad*. **ìn·ac·tív·i·ty** *n*.

in·ad·e·qua·cy [inǽdikwəsi] *n*. **1** Ⓤ 부적당, 불완전; 불충분, (역량 따위의) 부족. **2** Ⓒ (흔히 *pl*.) 부적당한 점.

***in·ad·e·quate** [inǽdikwit] *a*. **1 부적당한, 부적절한**《**to, for** …에》: He is ~ *to* 〔*for*〕 the present job. 그는 지금의 일에 적합하지 않다. **2 불충분한**《**for, to** …에》; 힘이 미치지 못하는《**to** do》: ~ preparation *for* an examination 시험 치르기에는 불충분한 준비 / an ~ income 불충분한 수입 / Production is wholly ~ *to* meet (the) demand. 생산이 전적으로 수요에 응하지 못한다. **3** (사회적으로) 적성이 결여된, 사회 부적격의. ⓟ ~·ly *ad*. ~·ness *n*.

ìn·ad·mìs·si·bíl·i·ty *n*. Ⓤ 허용〔용인, 시인〕할 수 없음.

in·ad·mis·si·ble [ìnədmísəbəl] *a*. **1** 허락하기 어려운, 승인할 수 없는. **2** 허가〔채용〕할 수 없는. ⓟ -bly *ad*.

in·ad·vert·ence, -en·cy [ìnədvə́:rtəns], [-si] *n*. Ⓤ 부주의, 태만, 소홀; Ⓒ (부주의에 의한) 실수, 잘못.

in·ad·vert·ent [ìnədvə́:rtənt] *a*. **1** 부주의한, 소홀한, 태만한, 멍청한: an ~ error 부주의로 인한 잘못. **2** (행동이) 무심코 저지른, 우연의, 고의가 아닌: an ~ insult 무심코 저지른 무례. ⓟ ~·ly *ad*.

ìn·ad·vìs·a·bíl·i·ty *n*. Ⓤ 권할 수 없음.

in·ad·vis·a·ble [ìnədváizəbəl] *a*. 권할 수 없는, 현명하지 않은, 어리석은. ⓟ -bly *ad*.

in·al·ien·a·ble [inéiljənəbəl] *a*. **1** (권리 등이) 양도할〔넘겨 줄〕 수 없는. **2** (아무에게서) 빼앗을 수 없는: the ~ rights of man 인간의 절대적 권리. ⓟ -bly *ad*. ~·ness *n*.

in·àl·ter·a·bíl·i·ty *n*. Ⓤ 불변성.

in·al·ter·a·ble [inɔ́:ltərəbəl] *a*. 변경할 수 없는, 불변의. ⓟ -bly *ad*.

in·ane [inéin] *a*. 공허한, 텅 빈; 어리석은(silly), 무의미한: an ~ remark 어리석은 말. ─*n*. (the ~) 공허, 무한한 공간. ⓟ ~·ly *ad*.

◇**in·an·i·mate** [inǽnəmit] *a*. **1** 생명 없는, 무생물의; 죽은: ~ matter 무생물 / ~ nature 비동물계(非動物界). **2** 활기〔생기〕 없는. ⓟ ~·ly *ad*. ~·ness *n*.

in·a·ni·tion [ìnəníʃən] *n*. Ⓤ **1** 공허, 텅 빔 (emptiness). **2** 〖의학〗 정신력 결핍; 무기력.

in·an·i·ty [inǽnəti] *n*. **1** Ⓤ 공허함. **2** Ⓒ 어리석음, 우둔. **3** Ⓒ (흔히 *pl*.) 어리석은〔무의미한〕 짓〔말, 일〕.

in·ap·pli·ca·ble [inǽplikəbəl] *a*. 적용〔응용〕할 수 없는; (딱) 들어맞지 않는, 부적당한《**to** …에》: The rule is ~ in this case. 그 규칙은 이 경우에는 들어맞지 않는다. ⓟ -bly *ad*. **in·àp·pli·ca·bíl·i·ty** *n*.

in·ap·po·site [inǽpəzit] *a*. 적절하지 않은, 부적당한《**to, for** …에》. ⓟ ~·ly *ad*. ~·ness *n*.

in·ap·pre·ci·a·ble [ìnəprí:ʃiəbəl] *a*. 느낄 수 없을 만큼의, 미미한. ⓟ -bly *ad*.

in·ap·pre·cia·tive [ìnəprí:ʃiətiv, -ʃièit-] *a*. **1** 평가할 능력이 없는, 감식력이 없는; 인식 부족의. **2** 높이〔정당하게〕 평가하지 않는《**of** …을》: He's ~ *of* her efforts. 그는 그녀의 노력을 정당하게 평가하지 않는다.

in·ap·proach·a·ble [ìnəpróutʃəbəl] *a*. 가까이할 수 없는; 도저히 당해낼 수 없는.

in·ap·pro·pri·ate [ìnəpróupriit] *a*. 부적당한, 온당치 않은, 어울리지 않는《**for, to** …에》: a remark ~ *to* the seriousness of the occasion 그 자리의 엄숙함에 어울리지 않는 한 마디 말. ⓟ ~·ly *ad*. ~·ness *n*.

in·apt [inǽpt] *a*. **1** 부적당한, 적절치 않은 (unsuitable), 어울리지 않는《**for** …에》. **2** Ⓟ 서툰; 졸렬한《**at, in** …에》: be ~ *at* dancing 춤에 서툴다. ⓟ ~·ly *ad*. ~·ness *n*.

in·apt·i·tude [inǽptətjù:d] *n*. Ⓤ **1** 부적당, 어울리지 않음, 부적절. **2** 서투름, 졸렬.

in·ar·tic·u·late [ìnɑ:rtíkjəlit] *a*. **1** (사람이) 똑똑히 말을 못하는, 발음이 분명치 않은: The old man said something in an ~ mumble. 노인은 무언가 알아들을 수 없는 소리를 중얼거렸다. **2** (흥분·고통 등으로) 입이 열리지 않는, 말을 못 하는: He becomes ~ when angry. 그는 성이 나면 (흥분되어) 말을 못한다. **3** 확실하게 의견〔주장〕을 말하지 못하는. **4** 〖해부·동물〗 관절이 없는. ⓟ ~·ly *ad*. 똑똑하지 못한 발음으로, 불명료하게. ~·ness *n*.

in·ar·tis·tic, -ti·cal [ìnɑ:rtístik], [-tikəl] *a*. **1** (예술 작품이) 예술적〔미술적〕이 아닌. **2** (사람이) 예술을 이해 못하는, 예술적 소양이 없는, 몰취미한. ⓟ -ti·cal·ly *ad*.

ìn·as·múch as [ìnəzmʌ́tʃ-] **1** …이므로, …하므로, …인 까닭에(because, since, seeing that ...). **2** …인 한은(insofar as). SYN. ⇨ BECAUSE.

in·at·ten·tion [ìnəténʃən] *n*. Ⓤ **1** 부주의, 방심, 태만: through ~ 부주의로 인하여 / with ~ 주의를 게을리하여, 경솔하게. **2** 배려하지 않음, 무심하게 대함《**to** (아무)를》.

in·at·ten·tive [ìnəténtiv] *a*. **1** 부주의한, 무관심한: an ~ pupil (수업 중에) 멍하니 있는 학생. **2** Ⓟ 신경 쓰지 않는, 배려하지 않는《**to** (아무)에게》: She's ~ *to* her guests. 그녀는 손님에게 신경 쓰지 않는다. ⓟ ~·ly *ad*. ~·ness *n*.

in·au·di·ble [inɔ́:dəbəl] *a*. 알아들을 수 없는, 들리지 않는. ⓟ **in·àu·di·bíl·i·ty** *n*. -bly *ad*. 들리지 않게, 들리지 않을 만큼.

in·au·gu·ral [inɔ́:gjərəl] *a*. Ⓐ 취임(식)의; 개시의, 개회의: an ~ address 취임 연설; 《美》 (대통령 등의) 취임 인사; 개회사 / an ~ ceremony 취임〔개회, 개관〕식 / an ~ meeting 창립총회. ─*n*. Ⓒ 《美》 (대통령 등의) 취임 연설; 취임식.

◇**in·au·gu·rate** [inɔ́:gjərèit] *vt*. **1** 〖종종 수동태〗 …의 취임식을 거행하다; …을 취임시키다: ~ a president 대통령〔총장〕 취임식을 거행하다 / *be* ~*d as* professor 교수에 취임하다. **2** …의

낙성〔제막, 개통, 개관〕식을 열다, …을 개관〔개통, 개강, 개업〕하다; (공공시설)을 사용하기 시작하다. **3** (새 시대)를 열다, 개시〔발족〕하다: Watt *~d* the age of steam. 와트는 증기 시대를 열었다. ◇ inauguration *n.*

◇**in·àu·gu·rá·tion** *n.* **1** Ⓤ (구체적으로는 Ⓒ) 취임. **2** Ⓒ 취임〔개업, 개관, 개통, 개강, 낙성, 제막, 발회〕식. **3** Ⓤ (구체적으로는 Ⓒ) **개시**; 개업; 발회(發會). ◇ inaugurate *v.*

Inaugurátion Dày (the ~) 《美》 대통령 취임식날《당선된 다음 해의 1월 20일》.

in·au·gu·ra·tor [inɔ́:gjərèitər] *n.* Ⓒ 서임자(敍任者), 취임시키는 사람; 개시〔창시〕자.

in·aus·pi·cious [ìnɔ:spíʃəs] *a.* 불길한, 상서롭지 않은, 재수 없는; 불행한, 불운한: an ~ beginning 불길한 발족〔시작, 발단〕. ㊞ **~·ly** *ad.* **~·ness** *n.*

ìn-betwéen *a.* Ⓐ 중간적인, 중간의: ~ weather 춥지도 덥지도 않은 날씨. **—***n.* Ⓒ 중간물; 중개자.

ín·bòard *a., ad.* **1** 〖항해·항공〗 배〔비행기〕안의〔에〕, 선내의〔에〕; 〖항공〗 동체(胴體) 중심 가까이의〔에〕. **2** (엔진이) 선내에 탑재된; (모터보트가) 선내에 엔진을 갖춘. ↔ *outboard.*

in·born [ínbɔ́:rn] *a.* 타고난, 천부의; 〖의학·생물〗 선천성의: ~ traits 타고난 특질.

in·bound [ínbáund] *a.* **1** 본국으로 돌아가는, 본국행의. ↔ *outbound.* **2** 도착하는, 시내로 들어가는: an ~ track 도착선(線)/catch an ~ bus 시내로 들어가는 버스를 타다.

ín-bòx *n.* Ⓒ 《美》 (책상 위에 비치된) 미결 서류함.

in·bred [ínbréd] *a.* **1** 타고난. **2** 동종(同種) 번식의, 근친 교배의.

in·breed [ínbrí:d] *vt.* (동물)을 동종 번식〔교배〕시키다; 근친 교배시키다. ㊞ **ín·brèeding** *n.* Ⓤ 동종 번식, 근친 교배.

ín-built *a.* =BUILT-IN.

inc. inclosure; including; inclusive; income; (종종 I-) 《美》 incorporated; increase.

In·ca [íŋkə] (*pl.* **~s,** ~) *n.* **1 a** (the ~(s)) 잉카족《페루 원주민 중 세력이 가장 컸던 종족》. **b** Ⓒ 잉카 사람. **2** (the I-) 잉카 국왕의 칭호; Ⓒ 잉카 왕족의 일원.

in·cal·cu·la·ble [inkǽlkjələbəl] *a.* **1** (수를) 헤아릴 수없는, 무수한, 막대한: an ~ loss 막대한 손실. **2** 예상할 수 없는, 어림할 수 없는. **3** (사람·인격이) 믿을〔기대할〕 수 없는. ㊞ **-bly** *ad.*

In·can [íŋkən] *a.* 잉카 사람〔왕국, 문화〕의. **—***n.* Ⓒ 잉카 사람.

in·can·des·cence, -cency [ìnkəndésəns], [-désənsi] *n.* Ⓤ 고온 발광(發光); (고온 발광에 의한) 백열광.

in·can·des·cent [ìnkəndésənt] *a.* **1** 백열의; 백열광을 내는: an ~ lamp 〔light〕 백열등. **2** 눈부신, 빛나는.

in·can·ta·tion [ìnkæntéiʃən] *n.* **1** Ⓤ (구체적으로는 Ⓒ) 주문(을 욈). **2** Ⓒ 마술, 마법.

in·cà·pa·bíl·i·ty *n.* Ⓤ 불능, 무능; 무자격; 부적임(不適任).

***in·ca·pa·ble** [inkéipəbəl] *a.* **1** Ⓟ **할 힘이 없는, 할 수 없는**《*of* …을》: I was momentarily ~ *of* speech. 나는 순간적으로 말문이 막혔다/be ~ *of* telli*ng* a lie 거짓말을 못 하다/He was ~ *of* realizi*ng* the situation. 그는 사태를 인식할 수가 없었다. SYN. ⇨UNABLE. **2** Ⓟ (법적으로) 자격이 없는《*of* …의》: Foreign lawyers are ~ *of* practici*ng* here. 외국인 변호사는 이곳에서 개업할 자격이 없다. **3** 무능〔무력〕한, 쓸모 없는: ~ workers. **4** Ⓟ (일이) 허용하지 않는, 받아들일 수 없는《*of* …을》: At this point our plans are ~ *of* alteration 〔bei*ng* altered〕. 이 시점에서 계획을 바꿀 수는 없다. ㊞ **-bly** *ad.* **~·ness** *n.*

in·ca·pac·i·tate [ìnkəpǽsətèit] *vt.* **1** 무능력하게 하다; 부적당하게 하다《*for* …에 대하여》: His illness *~d* him *for* work 〔worki*ng*〕. 그는 병으로 일할 수 없게 되었다. **2** 〖법률〗 (아무)에게서 자격을 빼앗다〔박탈하다〕《*from* …의》: Convicted criminals are *~d from* voti*ng*. 기결수는 투표 자격을 잃는다.

in·ca·pac·i·ty [ìnkəpǽsəti] *n.* **1** Ⓤ (또는 an ~) 무능, 무력, 부적당《*for* …에 대한/*to* do》: (an) ~ *for* work 〔worki*ng*〕 일할 능력이 없음/an ~ *to* lie 거짓말 할 수 없음. **2** Ⓤ 〖법률〗 무능력, 무자격, 실격.

in·car·cer·ate [inkɑ́:rsərèit] *vt.* 《문어》 투옥〔감금〕하다(imprison), 유폐하다. ㊞ **in·càr·cer·á·tion** *n.* Ⓤ 감금, 투옥; 유폐 (상태).

in·car·na·dine [inkɑ́:rnədàin, -din, -dì:n] 《시어》 *a.* 살〔핏〕빛의, 진홍〔담홍〕색의. **—***vt.* 붉게 물들이다(redden).

in·car·nate [inkɑ́:rneit] *vt.* **1** 〘보통 과거분사꼴로 형용사적〙 육체를〔모습을〕 갖게 하다, 화신(化身)시키다《*in* …의, …으로; *as* …으로서》: the devil *~d in* a black dog 검은 개의 모습을 한 악마/the devil *~d as* a serpent 뱀 모습을 한 악마. **2** 〘보통 수동태〙 (관념 따위)를 구체화하다, 실현시키다《*in* …으로》: His ideals *were ~d in* his poems. 그의 이상은 그의 시로 구체화되었다.

— [inkɑ́:rnit, -neit] *a.* 〘보통 명사 뒤에 두어〙 **1** 육신을 갖춘, 사람의 모습을 한, 화신한: the devil ~ 악마의 화신/beauty ~ 미(美)의 화신. **2** (관념·추상 따위를) 구체화 한, 구현한: Liberty ~ 자유의 권화(權化).

in·car·na·tion [ìnkɑ:rnéiʃən] *n.* **1** Ⓤ 육체를 갖추게 함, 인간화; 구체화, 실현. **2** (the ~) (관념·성질 따위의) 화신(化身), 권화(權化): the ~ *of* health 건강의 화신/He is the ~ *of* honesty. 그는 정직 바로 그 자체다. **3** Ⓒ 어떤 특정 시기〔단계〕(의 모습, 형태): a former ~ 전세(의 모습). **4** (the I-) 성육신(成肉身), 강생《신이 예수로서 지상에 태어남》.

in·case [inkéis] *vt.* 용기〔상자, 통, 칼집〕에 넣다; 싸다.

in·cau·tious [inkɔ́:ʃəs] *a.* 조심성이 없는, 무모한, 경솔한, 부주의한. ㊞ **~·ly** *ad.* **~·ness** *n.*

in·cen·di·a·rism [inséndiərìzəm] *n.* Ⓤ **1** 방화(放火). cf. arson. **2** 선동.

in·cen·di·ary [inséndièri] *a.* Ⓐ **1** 불나게 하는, 방화의: an ~ bomb 〔shell〕 소이탄. **2** (사람·언동이) 선동적인: ~ speeches 선동 연설. **—***n.* Ⓒ **1** 방화범; 선동자. **2** 소이탄.

◇**in·cense**[1] [ínsens] *n.* Ⓤ **1** 향(香); 향료: burn ~ 향을 피우다/a stick of ~ 선향(線香). **2** 향 냄새〔연기〕; 방향(芳香). **—***vt.* …에 향을 피우다, 분향하다.

in·cense[2] [inséns] *vt.* (몹시) 성나게 하다, 격앙시키다; 격노케 하다《★ 보통 수동태로 쓰며, 전치사는 행위에는 *at, by*를, 사람에게는 *with, against*를 씀》: She *was ~d by* his conduct 〔*at* his remarks〕. 그녀는 그의 행위에〔그의 말

을 듣고〕 격노했다 / He *was ~d against* the slanderer. 그는 중상을 한 자에 대해 몹시 화를 냈다 / He became *~d with* me. 그는 나에게 매우 화를 냈다.

íncense bùrner 향로(香爐).

◇**in·cen·tive** [inséntiv] *a.* 자극적인, 고무적인, 장려〔격려〕하는; 보상(용)의: an ~ speech 격려사 / ~ goods 〔articles〕 보상 물자 / ~ pay 장려〔보상〕금. **—*n.*** **1** Ⓤ (구체적으로는 Ⓒ) **a** 자극, 동기《***to*** (행동)에 대한》: an ~ *to* hard work 근면에 대한 자극〔동기〕. **b** 유인(誘引)《***to*** do》: an ~ *to* work harder 더욱 열심히 일하게 하는 유인. **2** Ⓒ 장려금; 보상물.

in·cep·tion [insépʃən] *n.* Ⓒ 처음, 시작, 개시, 발단: at 〔from〕 the (very) ~ of …의 처음에, 당초에, 시초부터.

in·cep·tive [inséptiv] *a.* **1** 처음의, 발단의. **2** 〖문법〗 동작의 시작을 나타내는, 기동(起動)(상(相))의. **—*n.*** Ⓒ 〖문법〗 기동상(相); 기동 동사 (=~ **vérb**)《begin (to do 〔doing〕) 같은 동사》.

in·cer·ti·tude [insə́ːrtətjùːd] *n.* Ⓤ 불확실; 불안정(不安定).

***in·ces·sant** [insésənt] *a.* 끊임없는, 그칠 새 없는, 간단 없는. cf. ceaseless. ¶an ~ noise 끊임없는 소음 / I'm tired of her ~ chatter. 그녀의 쉴새없이 지껄이는 것이 지긋지긋하다. SYN. ⇨CONTINUAL. ㊎ **~·ly** *ad.* 끊임없이. **~·ness** *n.*

in·cest [ínsest] *n.* Ⓤ 근친 상간, 상피(相避): commit ~ 근친 상간하다.

in·ces·tu·ous [inséstʃuəs] *a.* 근친 상간의 (죄를 저지른). ㊎ **~·ly** *ad.* **~·ness** *n.*

†**inch** [intʃ] *n.* **1** Ⓒ **인치**《길이의 단위; 12분의 1피트, 2.54 cm; 기호 ″; 생략: in.》: He is five feet six *~es* (tall). 그의 키는 5피트 6인치이다 / an ~ *of* rain 〔snow〕 1인치의 강우량〔적설량〕. **2** (an ~) **a** 조금, 소량, 소액: win by an ~ 근소한 차로 이기다. **b** 〔부사적으로〕 약간의 거리, 조금만: Move an ~ farther back, please. 조금만 더 물러서 주시오. **c** 〔부정문에서; 부사적으로〕 조금도 (…안 하다): Don't yield 〔give, budge〕 an ~. 조금도 양보하지 마라, 한 치도 물러서지 마라.

by ~es ① 하마터면, 겨우, 간신히: escape death *by ~es* 아슬아슬하게 죽음을 모면하다. ② 조금씩, 점차로, 서서히: die *by ~es* 서서히 죽다. ***every ~*** ① 〔부사적〕 완전히, 철두 철미: He is *every ~* a gentleman. 그는 어느 모로 보나 신사다. ② 구석구석까지: He knows *every ~* of this town. 그는 이 도시의 구석구석까지 환하다. **~ *by* ~** 조금씩(by ~es): The boat was crawling ~ *by* ~ against the wind. 보트는 역풍을 받으며 조금씩 나아갔다. ***to an ~*** 조금도 틀림없이, 정밀하게. ***within an ~ of*** …의 바로 곁에까지, …의 일보직전까지, 거의 …할 정도까지: flog a person *within an ~ of* his life 아무를 때려서 반쯤 죽이다.

—*vt.*, *vi.* 조금씩 움직이다: ~ (one's way) *across* 〔*along*, etc.〕 …을 가로질러〔따라〕 조금씩 전진하다.

inch·meal [íntʃmìːl] *ad.* 조금씩(gradually), 서서히(slowly). ***by ~*** =inchmeal.

in·cho·ate [inkóuit/ínkouèit] *a.* **1** (계획 따위가) 이제 막 시작한, 초기의. **2** 불완전한, 미완성의. ㊎ **~·ly** *ad.* **~·ness** *n.*

ínch·wòrm *n.* Ⓒ 〖곤충〗 자벌레(looper).

in·ci·dence [ínsədəns] *n.* **1** (*sing.*) (사건·영향 따위의) 범위, 발생(률), 빈도; (세 따위의) 부담 범위: a high ~ *of* disease 높은 이환율 / decrease the ~ *of* a disease 어떤 병의 발병율을 줄이다 / What is the ~ *of* the tax? 이 세금은 누가 부담하게 되느냐. **2** Ⓤ (구체적으로는 Ⓒ) 〖물리〗 (투사물(投射物)·빛 등의) 입사(入射), 투사: the angle of ~ 입사각.

⁑**in·ci·dent** [ínsədənt] *a.* **1** 일어나기 쉬운, 흔히 있는; 부수하는, 부대적인《***to*** …에》: a disease ~ *to* childhood 소아에 일어나기 쉬운 병. **2** 〖물리〗 투사〔입사〕의《***on, upon*** …에의》: the ~ angle 〔rays〕 입사각〔광선〕 / rays of light ~ *on* 〔*upon*〕 a mirror 거울에 투사되는 광선.

—*n.* Ⓒ **1** 사건; (큰 사건으로 번질 위험성이 있는) 부수 사건, 작은 사건: the ordinary *~s* of daily life 일상 생활에서 흔히 있는 사건 / without ~ 별일 없이, 무사히. SYN. ⇨ACCIDENT. **2** (전쟁·폭동 따위의) 사변, 분쟁: a border 〔religious〕 ~ 국경〔종교〕 분쟁 / an international ~ 국제적인 분쟁. **3** (극·소설 중의) 삽화(episode). **4** 〖법률〗 부수 조건, 재산에 부대하는 권리〔의무〕.

◇**in·ci·den·tal** [ìnsədéntl] *a.* **1** 부수적인, 일어나기 쉬운, 흔히 있는, 부수하여 일어나는《***to*** …에》: an ~ image 잔상(殘像) / dangers ~ *to* a soldier's life 군인 생활에 흔히 있는 위험 / That is ~ *to* my story. 그것은 여담입니다《*to* 이하를 생략할 때도 있음》. **2** 주요하지 않은, 지엽적인; 우연의, 우발(偶發)의: ~ expenses 임시비, 잡비 / an ~ remark 무심코 한 말. **—*n.*** **1** Ⓒ 부수적〔우발적〕인 일. **2** (*pl.*) 임시비, 잡비.

◇**ìn·ci·dén·tal·ly** *ad.* **1** 〔보통 문장 첫머리에서 전체를 수식〕 하는 김에, 덧붙여 말하면, 그런데: *Incidentally*, I saw Philip the other day. 그런데 말이야, 요전날 필립을 만났어. **2** 부수적〔우발적〕으로; 우연히.

in·cin·er·ate [insínərèit] *vt.* **1** (불필요한 것)을 소각하다, 태워 없애다. **2** (시체)를 화장하다. ㊎ **in·cìn·er·á·tion** *n.* Ⓤ 소각; 화장. **in·cín·er·à·tor** [-ər] *n.* Ⓒ (쓰레기의) 소각로(爐)〔장치〕; (시체의) 화장로.

in·cip·i·ence, -en·cy [insípiəns], [-si] *n.* Ⓤ 시초, 발단; 〖의학〗 (병 따위의) 초기.

in·cip·i·ent [insípiənt] *a.* **1** 시초의, 발단의: the ~ light of day 서광(曙光) / ~ madness 발광의 전조. **2** 〖의학〗 초기의: be at the ~ stage of pneumonia 〔a disease〕 폐렴〔병〕의 초기 단계. ㊎ **~·ly** *ad.*

in·cise [insáiz] *vt.* **1** 절개하다; 째다. **2** (표, 문자, 무늬)를 새기다, 조각하다.

in·ci·sion [insíʒən] *n.* **1** Ⓤ 칼〔벤〕자국을 내기, 칼집 내기, 베기; 새김; Ⓒ 칼〔벤〕자국. **2** Ⓤ (구체적으로는 Ⓒ) 〖의학〗 절개.

in·ci·sive [insáisiv] *a.* **1** (말 따위가) 날카로운, 통렬한, 가시돋친, 신랄한: ~ criticism 날카로운 비평 / have an ~ tongue 말투가 신랄하다. **2** (칼붙이가) 예리한, 잘 드는. **3** (지력(知力)이) 예민한; 기민한. ㊎ **~·ly** *ad.* **~·ness** *n.*

in·ci·sor [insáizər] *n.* Ⓒ 〖해부〗 앞니.

in·ci·ta·tion [ìnsaitéiʃən, -sit-] *n.* =INCITEMENT.

◇**in·cite** [insáit] *vt.* **1** 자극〔격려〕하다; 부추기다, 선동하다《***to*** …을 하게 / ***to*** do》: ~ a person *to* heroic deeds 용기 있는 행위를 하도록 아무를 격려하다 / ~ a person *to* work hard 아무를 격려하여 열심히 일하게 하다. **2** (분노·호기심 등)을 불러일으키다: Her remarks *~d* anger in him. 그녀의 말이 그의 분노를 불러일으켰다. [파] **in·cít·er** *n.*

in·cíte·ment *n.* **1** [U] 격려, 고무, 선동, 자극. **2** [C] 자극물, 동기《*to* …의》: an ~ *to* riot 폭동의 동기.

in·ci·vil·i·ty [ìnsivíləti] *n.* **1** [U] 버릇없음, 무례. **2** [C] 무례한 행위〔말〕.

incl. inclosure; including; inclusive(ly).

in·clem·en·cy [inklémənsi] *n.* [U] (날씨의) 험악; (성격의) 무자비, 가혹, 냉혹.

in·clem·ent [inklémənt] *a.* **1** (날씨가) 험악한, 거칠고 궂은, 혹독한, 한랭한(severe): an ~ climate. **2** (성격 따위가) 냉혹한, 무자비한.

*__in·cli·na·tion__ [ìnklənéiʃən] *n.* **1 a** (*sing.*) 기울기, 기욺; (고개를) 숙임, 끄덕임: with a slight ~ *of* one's head 약간 고개를 숙이고. **b** [U] 경사; [C] 사면(斜面), 비탈: have slight 〔great〕 ~ 조금〔많이〕 경사져 있다. **2** [U] (구체적으로는 [C]) (종종 *pl.*) **경향**, 성향, 성벽《***toward, for*** …의/***to*** do》: an ~ *for* stealing 〔*to* steal〕 도벽/have an ~ *for* hard work 〔*to* work hard〕 열심히 일하는 성격이다. **3** [C] (보통 *sing.*) 체질《***to*** …의/***to*** do》: an ~ *to* stoutness 비만성/She has an ~ *to* get headaches. 그녀는 두통을 앓는 체질이다. **4** [U] (구체적으로는 [C]) **좋아함**, 기호《***for, toward*** …을, …의》; 의향, 기분《***to*** do》: an ~ *for* study 공부를 좋아함/She felt no ~ *to* marry. 그녀는 결혼할 의향이 없었다.

*__in·cline__ [inkláin] *vt.* **1** (물건)을 **기울이다**, 경사지게 하다: ~ bicycles against the wall 자전거를 담벽에 비스듬히 세워 두다. **2** (몸)을 굽히다; (머리)를 숙이다; (귀)를 기울이다: ~ one's ear to …에 귀를 기울이다/She ~*d* her head in greeting. 그녀는 머리숙여 인사했다. **3** 《+[목]+*to* do/+[목]+[전]+[명]》 (마음)을 **내키게 하다**, 쏠리게 하다; (아무)에게 경향을 띠게 하다《***to, toward*** …으로, …의》: ~ a person's mind *to* do … 하도록 아무의 마음이 쏠리게 하다/The news ~*d* him *to* anger. 그 소식을 듣고 그는 화를 냈다.

—*vi.* **1** 《~/+[부]/+[전]+[명]》 기울다, **기울어지다**, 경사지다; 몸을 구부리다, 고개를 숙이다《***to, toward*** …쪽으로》: ~ *forward* 몸을 앞으로 구부리다/~ *to* one side 〔the left〕 한 쪽으로〔왼쪽으로〕 기울다/The road ~*s toward* the river. 그 길은 강쪽으로 경사져 있다. **2** 《+[전]+[명]》 가깝다《***to, toward*** …에》: ~ *toward* 〔*to*〕 purple 자줏빛에 가깝다. **3** 《+[전]+[명]/+*to* do》 **마음이 쏠리다**〔**내키다**〕, …하고 싶어하다, …하기 쉽다; 경향이 있다《***to, toward*** …으로, …의》: ~ *to* luxury 사치스런 경향이 있다/~ *to* believe 믿고 싶은 기분이다, 신용을 잘하다. ◇ inclination *n.*

— [ínklain] *n.* [C] **1** 경사(면), 물매(slope): a steep ~ 급경사. **2** 사면, 비탈.

*__in·clined__ [inkláind] *a.* **1** [P] **마음**〔**생각**〕**이 드는**《***for*** …을 하고 싶은/***to*** do》: I'm ~ *to* believe that he's innocent. 그가 결백하다는 믿음이 간다/He doesn't *feel* much ~*d to* work. 그는 별로 일하고 싶어 하지 않는다/She was ~ *for* a walk. 그녀는 산보할 생각이 들었다. **2** [P] (체질·성격적으로) 경향〔성향〕을 보이는《***to, toward, for*** …의》; (…하는) 체질〔기질〕의, (…하기) 쉬운《***to*** do》: The boy is mechanically ~. 그 소년은 기계를 좋아하는 편이다/He was ~ *to* corpulence. 그는 뚱뚱한 체질이다/He *is* ~ *to* be lazy. 그는 게으른 경향이 있다/She's ~ *to* get tired easily. 그녀는 쉽게 피로를 느끼는 체질이다. **3** 기울어진, 경사진: an ~ tower 기울어진 탑.

inclíned pláne 사면(斜面).

in·cli·nom·e·ter [ìnklənámitər/-klənɔ́mi-] *n.* [C] 복각계(伏角計); 경사계(clinometer).

in·close [inklóuz] *vt.* =ENCLOSE.

in·clo·sure [inklóuʒər] *n.* =ENCLOSURE.

__in·clude__ [inklúːd] *vt.* **1 포함하다: ~*d* angle 사잇각. [SYN.] ⇨CONTAIN. **2** 《~+[목]/+-*ing*/+[목]+[전]+[명]》 포함시키다, 넣다; 포함시켜 생각하다, 산입(算入)하다《***in, among*** …중에》. ↔ *exclude*. ¶Household duties ~ cooking and cleaning. 가사에는 요리와 청소도 포함된다/He ~*s* me *among* his enemies. 그는 나를 적의 한 사람으로 생각하고 있다/This price ~*s* service charges. 이 요금은 서비스 요금을 포함한 것이다. **3** 〖과거분사 형태로서 독립분사로 써서〗 …포함하여: price $5, postage ~*d* 우송료 포함하여 5달러. ◇ inclusion *n.*, inclusive *a.*

*__in·clud·ing__ [inklúːdiŋ] *prep.* …**을 포함하여**, …을 넣어서, …함께: There are seven of us ~ myself. 나까지 넣어 7명이다/All on the plane were lost, ~ the pilot. 탑승자는 조종사를 포함하여 모두 죽었다.

in·clu·sion [inklúːʒən] *n.* **1** [U] 포함, 포괄; 산입(算入)《***in*** …에의》. **2** [C] 함유물, 속에 포함된 것. ◇ include *v.*

*__in·clu·sive__ [inklúːsiv] *a.* **1** 〖수사 등의 뒤에 두어〗 **포함하여**, 넣어; 계산〔셈〕에 넣어《***of*** …을》: a party of 10 ~ *of* the tour guide 여행 안내자를 포함한 10명의 일행/from July 1 to 31 (both) ~, 7월 1일부터 31일까지《1일과 31일 둘 다 포함한다는 뜻》. **2** 일체를 포함한, 포괄적인. ↔ *exclusive*. ¶an ~ fee for a package tour 일체의 비용을 포함한 패키지 여행 요금. ◇ include *v.* [파] **~·ly** *ad.* 포함하여, 셈에 넣어서. **~·ness** *n.*

in·cog [inkág/-kɔ́g] *ad., n., a.* 《구어》 = INCOGNITO.

in·cog·ni·to [inkágnitòu/-kɔ́gni-] *a., ad.* 암행〔잠행, 미행(微行)〕의〔으로〕; 변명(變名)〔익명〕의〔으로〕; 알려지지 않은〔않고〕: travel ~ 신분을 숨기고 다니다/a king ~ 미행하는 왕/remain ~ 알려지지 않은 채로 있다. — (*pl.* **~s, -ti** [-tiː]) *n.* [C] 변명(자), 미행(자), 익명(자). ***drop*** one***'s*** **~** 신분을 밝히다.

in·co·her·ence, -en·cy [ìnkouhíərəns, -hér-], [-ənsi] *n.* [U] 앞뒤가 맞지 않음, 지리멸렬.

in·co·her·ent [ìnkouhíərənt, -hér-] *a.* (논리적으로) 일관되지 않는, 사리가 맞지 않는, 모순된, 지리멸렬한. [파] **~·ly** *ad.*

ìn·com·bùs·ti·bíl·i·ty *n.* [U] 불연성(不燃性).

in·com·bus·ti·ble [ìnkəmbʌ́stəbəl] *a.* 불연성의. [파] **-bly** *ad.*

__in·come__ [ínkʌm] *n.* [U] (구체적으로는 [C]) **수입《주로 정기적인》, 소득. ↔ *outgo*. ¶live beyond 〔within〕 one's ~ 수입 이상〔이내〕의 생활을 하다/earned 〔unearned〕 ~ 근로〔불로〕 소득/a gross 〔net〕 ~ 총〔실〕수입.

íncome gròup 〖사회〗 소득층《소득 세액이 같은 집단》.

íncome(s) pòlicy 〖경제〗 소득 정책《임금·물가 등의 억제에 의한 인플레이션 억제 정책》.

íncome suppòrt 《英》 소득 원조《생활 곤궁자·고령자·실업자에 대한 수당; 이전의 supplementary benefit 대신》.

ín·come tàx 소득세.

ín·còm·ing *n*. **1** Ⓤ (들어)옴, 도래: the ~ *of* the tide 밀물이 듦/the ~ *of* spring 봄의 도래. **2** (보통 *pl.*) 수입, 소득: ~s and outgoings 수입과 지출. ⇔ *outgoing*. **—***a*. Ⓐ **1** 들어오는; (이익 등이) 생기는: ~ profits 수익/an ~ line 〖전기〗 옥내 도입선/an ~ call 걸려온 전화. **2** 다음에 오는, 뒤를 잇는; 후임의: the ~ mayor 후임 시장.

in·com·men·su·ra·ble [ìnkəménʃərəbəl] *a*. **1** 같은 표준으로 잴 수 없는; 비교할 수 없는, 엄청나게 다른《*with* …와》: an explanation ~ *with* the facts 사실과 크게 동떨어진 설명. **2** 〖수학〗 약분할 수 없는, 무리(수)의. ㊕ **-bly** *ad*.

in·com·men·su·rate [ìnkəménʃərit] *a*. **1** Ⓟ 어울리지 않는, 맞지 않는(disproportionate) 《*with* …와》: His ability is ~ *to* his work. 그의 능력은 일에 맞지 않는다. **2** =INCOMMENSURABLE. ㊕ **~·ly** *ad*. **~·ness** *n*.

in·com·mode [ìnkəmóud] *vt*. 불편을 느끼게 하다, 폐를 끼치다; 방해하다.

in·com·mo·di·ous [ìnkəmóudiəs] *a*. (방 따위가) 비좁은, 옹색한; 불편한(inconvenient). ㊕ **~·ly** *ad*. **~·ness** *n*.

in·com·mu·ni·ca·ble [ìnkəmjú:nəkəbəl] *a*. **1** 전달〔말로 표현〕할 수 없는. **2** 입이 무거운, 말없는.

in·com·mu·ni·ca·do [ìnkəmjù:nəká:dou] *a*. Ⓟ, *ad*. 외부와 연락이 끊긴〔기어〕; 독방에 감금된〔되어〕: hold (a prisoner) ~.

in·com·mu·ni·ca·tive [ìnkəmjú:nəkèitiv, -nikətiv] *a*. 말하기 싫어하는, 입이 무거운, 과묵한. ㊕ **~·ly** *ad*. **~·ness** *n*.

in·com·mut·a·ble [ìnkəmjú:təbəl] *a*. 교환할〔바꿀〕 수 없는; 불변의. ㊕ **-bly** *ad*.

°**in·cóm·pa·ra·ble** *a*. 견줄〔비길〕 데 없는, 비교가 되지 않는《*with, to* …와》: one's ~ beauty 비길 데 없는 아름다움/His income is ~ *with* mine. 그의 수입은 내것과 비교가 되지 않는다〔않을 만큼 많다〕. ㊕ **-bly** *ad*. 비교가 안 될 정도로, 현저히. **in·còm·pa·ra·bíl·i·ty** *n*.

ìn·com·pat·i·bíl·i·ty *n*. Ⓤ (구체적으로는 Ⓒ) 양립하지 않음, 상반(相反), 성격의 불일치.

°**in·com·pat·i·ble** [ìnkəmpǽtəbəl] *a*. **1** (성미·생각이) 맞지 않는, 사이가 나쁜: She asked for a divorce because they were utterly ~. 서로 성격이 전혀 맞지 않는다고 그녀는 이혼을 요구했다. **2** Ⓟ 양립하지 않는; 모순된, 조화하지 않는《*with* …와》: Democracy and monarchy are essentially ~ *with* each other. 민주주의와 군주제는 본질적으로 양립할 수 없는 것이다. ㊕ **-bly** *ad*.

in·com·pe·tence, -ten·cy [inkámpətəns/ -kɔ́m-], [-tənsi] *n*. Ⓤ 무능력, 부적격; 무자격.

°**in·com·pe·tent** [inkámpətənt/-kɔ́m-] *a*. **1** 무능한, 쓸모없는; 부적당한《*for, at* …에》; …할 힘이 없는《*to* do》: He's ~ as manager of the hotel. 그는 그 호텔의 지배인으로서 무능하다/He is ~ *to* manage 〔*for* manag*ing*〕 the hotel. 호텔을 경영할 능력이 없다/He's ~ *to* do the job. 그는 그 일을 할 능력이 없다. **2** 〖법률〗 무능한, 무자격의. **—***n*. Ⓒ 무능력자, 부적격자; 〖법률〗 무자격자, 금치산자. ㊕ **~·ly** *ad*.

°**ìn·com·pléte** *a*. 불완전〔불충분〕한, 불비한; 미완성의: the ~ (intransitive 〔transitive〕) verb 〖문법〗 불완전 (자〔타〕)동사/an ~ flower 불완전화(花), 안갖춘꽃. ㊕ **~·ly** *ad*. **~·ness** *n*.

ìn·com·plé·tion *n*. Ⓤ 불완전, 미완성; 불충분, 불비.

in·com·pli·ant [ìnkəmpláiənt] *a*. 따르지 않는(unyielding); 고집이 센. ㊕ **~·ly** *ad*.

ìn·com·pre·hèn·si·bíl·i·ty *n*. Ⓤ 이해할 수 없음, 불가해(성)(不可解(性)).

°**in·com·pre·hen·si·ble** [ìnkɑmprihénsəbəl, inkɑ̀m-/inkɔ̀m-] *a*. 이해할 수 없는, 불가해한《*to* (아무)에게》: for some ~ reason 어떤 알 수 없는 이유로/His explanation was ~ *to* me. 그의 설명은 나에겐 이해가 되지 않았다.

ìn·com·pre·hén·si·bly *ad*. **1** 이해할 수 없게, 불가해하게. **2** 〖문장수식〗 무슨 까닭인지.

in·com·pre·hen·sion [inkɑ̀mprihénʃən/ -kɔ̀m-] *n*. Ⓤ 몰이해, 이해력이 없음.

in·com·press·i·ble [ìnkəmprésəbəl] *a*. 압축할 수 없는.

ìn·con·cèiv·a·bíl·i·ty *n*. Ⓤ 불가해(不可解), 상상도 할 수 없음.

°**ìn·con·céiv·a·ble** *a*. **1** 상상할 수 없는, 생각조차 못할《*to* (아무)에게》: an ~ occurrence 상상도 할 수 없는 일/A malfunction is ~ *to* us. 고장이 나리라곤 우리로서는 생각조차 못 할 일이다. **2** 《구어》 믿기 어려운, 놀랄 만한: It's ~ that she should do something like that. 그녀가 그런 짓을 하다니 믿어지지 않는다. ㊕ **-bly** *ad*.

in·con·clu·sive [ìnkənklú:siv] *a*. (의논 등이) 결정〔확정〕적이 아닌; 결론이 안 나는: ~ evidence 결정적이 아닌 증거. ㊕ **~·ly** *ad*. **~·ness** *n*.

in·con·gru·i·ty [ìnkəngrú:əti, -kəŋ-] *n*. **1** Ⓤ 안 어울림, 부조화, 부적합; 모순. **2** Ⓒ 부조화〔부적합, 불합리〕한 것.

°**in·con·gru·ous** [inkáŋgruəs/-kɔ́ŋ-] *a*. **1** 일치〔조화〕하지 않는: ~ colors 조화되지 않은 색깔. **2** 어울리지 않는, 부적합한, 모순된《*with* …와》: His private opinions were ~ *with* his public statements. 그의 개인적인 견해는 공적인 발언과 모순되었다. ㊕ **~·ly** *ad*. **~·ness** *n*.

in·con·se·quence [inkánsikwèns, -kwəns/ -kɔ́nsikwəns] *n*. Ⓤ 불합리; 모순; 적절하지 못함.

in·con·se·quent [inkánsikwènt, -kwənt/ -kɔ́nsikwənt] *a*. **1** 비논리적인, 이치〔조리〕가 닿지 않는. **2** 사리〔도리〕에 어긋난, 요점을 벗어난, 예상이 어긋난. **3** 하찮것없는, 사소한. ㊕ **~·ly** *ad*.

in·con·se·quen·tial [inkɑ̀nsikwénʃəl/ -kɔ̀n-] *a*. **1** 하잘것없는, 대수롭지 않은. **2** 사리〔조리〕가 닿지 않는. ㊕ **~·ly** *ad*.

ìn·con·síd·er·a·ble *a*. 적은; 중요치 않은, 하잘것없는: His contribution to the project was not ~. 그 기획에 대한 그의 공헌은 적지 않았다. ㊕ **-bly** *ad*.

in·con·sid·er·ate [ìnkənsídərit] *a*. **1** 헤아림이〔배려가, 인정이〕 없는《*of* (타인의 감정 따위)에 대하여/*to* do》: You are ~ *of* your mothers feelings. 너는 어머니의 기분을 헤아리지 못한다/It was ~ *of* you 〔You were ~〕 *to* wake him up. 그를 깨우다니 너도 인정이 없구나. **2** 분별이〔사려가〕 없는, 경솔한. ㊕ **~·ly** *ad*. **~·ness** *n*.

°**in·con·sist·en·cy, -ence** [ìnkənsístənsi], [-təns] *n*. **1** Ⓤ 불일치, 모순; 무정견(無定見).

2 Ⓒ 모순된 사물.

*in·con·sist·ent [ìnkənsístənt] a. 1 일치하지 않는, 조화되지 않는, 상반하는《with …와》: The results of the experiment were ~ with his theory. 그 실험 결과는 그의 이론과 일치하지 않았다. 2 앞뒤가 맞지 않는, 모순된; 일관성이 없는: an ~ argument 모순된 논의. 3 무정견한, 무절조한, 변덕스러운. ㊞ ~·ly ad.

in·con·sol·a·ble [ìnkənsóuləbəl] a. 위로할 길 없는, 슬픔에 잠긴: She was ~ for his death. 그의 죽음으로 그녀는 슬픔에 잠겨 있었다. ㊞ -bly ad.

°in·con·spic·u·ous [ìnkənspíkjuːəs] a. 두드러지지 않는; 눈을 끌지 않는. ㊞ ~·ly ad. ~·ness n.

in·cón·stan·cy n. 1 Ⓤ 변하기 쉬움, 불안정. 2 Ⓤ 변덕스러움; Ⓒ (보통 pl.) 바람기.

in·cón·stant a. 1 (사물이) 변하기 쉬운, 일정치 않은, 변화가 많은. 2 (사람이) 변덕스러운, 불실(불신)의: an ~ lover 바람기가 많은 연인. ㊞ ~·ly ad.

in·con·test·a·ble [ìnkəntéstəbəl] a. (사실·증거 등이) 논의의(다툼) 여지가 없는, 명백한. ㊞ -bly ad. 틀림없이, 명백하게, 물론. in·con·test·a·bíl·i·ty [-testəbíləti] n.

in·con·ti·nence, -nen·cy [inkántənəns/-kɔ́nt-], [-i] n. Ⓤ 자제심이 없음; 음란; 『의학』 (대소변의) 실금(失禁): nocturnal ~ 야뇨증/the ~ of speech (tongue) 다변(多辯)/the ~ of urine 요(尿)실금.

in·con·ti·nent [inkántənənt/-kɔ́nt-] a. 1 자제(억제)할 수 없는; 억누를 수 없는《of …을》: an ~ talker 쉴새없이 지껄이는 사람/be ~ of secrets (참지 못하고) 비밀을 누설하다. 2 무절제한; 음란한. 3 『의학』 실금(失禁)의. ㊞ ~·ly ad. 흘게 늦게; 음란하게; 경솔히.

in·con·trol·la·ble [ìnkəntróuləbəl] a. 억제(제어)할 수 없는(uncontrollable).

in·con·tro·vert·i·ble [ìnkantrəvə́ːrtəbəl, inkàn-/ìnkɔn-] a. 논쟁의 여지가 없는(indisputable), 명백한: ~ evildence 명백한 증거. ㊞ -bly ad.

*in·con·ven·ience [ìnkənvíːnjəns] n. 1 Ⓤ 불편, 부자유; 폐, 성가심: It is no ~ to me. 조금도 불편하지 않습니다/if it's no ~ to you 폐가 되지 않는다면. 2 Ⓒ 불편한 것, 폐가 되는 일: You know the ~s of driving to the office from the suburbs. 교외에서 차로 출퇴근하는 불편함을 아시겠지요. at ~ 불편을 참고; 만사를 제쳐놓고. cause (occasion) ~ to a person = put a person to ~ 아무에게 폐를 끼치다.
—vt. …에게 불편을 느끼게 하다; 폐를 끼치다(trouble): I hope I do not ~ you. 폐가 되지 않기를 바랍니다. Don't ~ yourself for my sake. 제 걱정은 마십시오.

*in·con·ven·ient [ìnkənvíːnjənt] a. 불편한, 부자유스러운; 형편(사정)이 나쁜, 폐가 되는《to, for (아무)에게》: if (it is) not ~ to (for) you 폐가 되지 않으신다면/Would four o'clock be ~? 4시면 형편이 어렵습니까. ㊞ ~·ly ad. 불편하게.

in·con·vert·i·ble [ìnkənvə́ːrtəbəl] a. 바꿀(상환할) 수 없는; (지폐가) 태환할 수 없는: an ~ note 불환 지폐. ㊞ -bly ad.

in·con·vin·ci·ble [ìnkənvínsəbəl] a. 납득시킬 수 없는; 벽창호의. ㊞ -bly ad.

°in·cor·po·rate¹ [inkɔ́ːrpərèit] vt. 1 합동(합체)시키다, 통합(합병, 편입)하다《with …와; in, into …에》: The colonies were ~d. 식민지는 합병됐다/~ one firm with another 한 회사를 다른 회사와 합병시키다/~ his suggestion in the plan 그의 제안을 계획에 반영시키다. 2 (사업)을 법인(조직)으로 만들다; 《美》 (유한 책임) 회사로 하다, 주식 회사로 하다. 3 (단체)의 일원으로 하다; …에 가입시키다: be ~d (as) a member of a society 회(會)의 일원이 되다. 4 (생각 따위)를 구체화하다; 짜 넣다《in, into …에》: They ~d the technology in their new products. 그들은 그 과학 기술을 신제품에 도입했다.
—vi. 1 통합(합동)하다; 결합하다《with …와》: Radical ideas tend to ~ with convention. 급진적인 사상은 인습과 융합되기 쉽다(일쑤다). 2 법인 조직으로 되다, 유한책임 회사(주식회사)로 되다; 지방 자치제로 되다. — [-rit] a. 통합(합동)된, 일체화된; 법인(회사)(조직)의.

in·cór·po·ràt·ed [-rèitid] a. 1 법인(회사) 조직의; 주식회사의, 《美》 유한 책임의: an ~ company 《美》 유한 책임 회사. ★ 영국에서는 a limited(-liability) company 라고 함. incorporated는 Inc. (《英》에서는 Ltd.)로 생략하여 회사명 뒤에 붙임: The U.S. Steel Co., Inc. 2 합동(합병, 편입)한.

in·còr·po·rá·tion n. 1 Ⓤ 결합, 합동, 합병, 편입. 2 Ⓒ 결사(結社), 법인 단체, 회사(corporation). 3 Ⓤ 『법률』 법인격 부여, 법인(회사) 설립.

in·cor·po·ra·tor [inkɔ́ːrpərèitər] n. Ⓒ 합동(결합)자; 《美》 법인(회사) 설립자.

in·cor·po·re·al [ìnkɔːrpɔ́ːriəl] a. 1 실체 없는, 비물질적인; 영적인. 2 『법률』 무체(無體)의 《특허권·저작권 따위》: ~ hereditaments 무체 유산. ㊞ ~·ly ad.

*in·cor·rect [ìnkərékt] a. 1 부정확한(inaccurate), 올바르지 않은, 틀린(faulty): ~ information 부정확한 정보/~ statement 틀린 진술. 2 적당하지 않은(improper); 어울리지 않는. ㊞ ~·ly ad. ~·ness n.

in·còr·ri·gi·bíl·i·ty n. Ⓤ 교정(矯正)할 수 없음; 끈질김, 완강함.

in·cor·ri·gi·ble [inkɔ́ːridʒəbəl] a. 1 (사람·행동이) 교정(矯正)(선도)할 수 없는, 구제할 수 없는. 2 (아이가) 손을 쓸 수 없는, 제멋대로의. 3 (습관이) 상습의, 뿌리 깊은. —n. Ⓒ 교정(구제)할 수(길) 없는 사람; 상습자. ㊞ -bly ad. in·cor·ri·gi·bíl·i·ty n.

in·cor·rupt [ìnkərʌ́pt] a. 타락(부패)하지 않은; 정직한; 청렴한, 매수할 수 없는. ㊞ ~·ed [-id] a. ~·ly ad. ~·ness n.

ìn·cor·rùpt·i·bíl·i·ty n. Ⓤ 부패(타락)하지 않음; 매수되지 않음, 청렴결백.

ìn·cor·rúpt·i·ble a. 부패(타락)하지 않는; 불후의, 매수되지 않는, 청렴한: an ~ public official 청렴한 공무원/The body is corruptible but the spirit ~. 육체는 썩지만 정신은 불멸이다. ㊞ -bly ad.

**in·crease [inkríːs, ⌐-] vt. 1 (수·양 따위)를 늘리다, 불리다, 증대하다. ↔ diminish.: The factory ~d the number of employees. 그 공장은 종업원 수를 늘렸다/The rate of interest on loans was ~d. 대출 이자율이 올랐다.

SYN. increase 서서히 증가하다(시키다). augment 이미 어느 정도로 커진 것이(것을) 더욱 증대하다(시키다). enlarge 넓이를 늘리다, 확대하다〔시키다〕: *enlarge* a house 집을 증축하다. **multiply** 배가하다. 자동사에는 생물이 번식하는 뜻이 있음.
2 (질 따위)를 강화시키다, 증진시키다: ~ one's efforts 더 한층 노력하다/~ one's pace 걸음을 빨리하다. **3** (영토 따위)를 확장하다.
—*vi*. **1** 《~/+전+명》 (수량 · 정도가) **늘다**, 증가하다, 증대〔증진〕하다; 붇다, 강해지다, 오르다《***in*** …이》: ~ two fold, 2배가 되다/~ *in* power 〔population〕 권력이 증대하다〔인구가 증가하다〕/My salary has ~*d* by five percent each year. 내 급료는 매년 5퍼센트씩 올랐다. **2** 번식하다, 증식하다: His family ~*d*. 가족이 늘었다. ⇔ *decrease*.
— [´-, -´] *n*. **1** Ⓤ (구체적으로는 Ⓒ) **증가**, 증대, 증진; 증식《***in, of*** …의》: put a stop to the ~ *in* price 가격의 상승을 막다〔저지하다〕/an ~ *in* population 〔production〕 인구〔생산〕의 증가. **2** Ⓒ 증가액〔량〕《***in, of*** …의》: a wage ~ *of* 50 cents an hour, 1시간에 50센트의 임금 증액. ***be on the*** **~** 증가〔증대〕하고 있다: The membership of the club *is on the* ~. 그 클럽 회원수가 증가하고 있다.

in·créas·ing *a*. 점점 증가〔증대〕하는: An ~ number of people are giving up smoking. 담배를 끊는 사람의 수가 점점 늘고있다. ***the law of*** **~** ***returns*** (경제의) 수확 체증(遞增)의 법칙.

*__in·créas·ing·ly__ *ad*. 점점, 더욱더; 한층 더: His criticisms have become ~ bold. 그의 비평이 점점 대담해졌다.

in·crèd·i·bíl·i·ty *n*. Ⓤ 믿을〔신용할〕 수 없음.

*__in·cred·i·ble__ [inkrédəbəl] *a*. **1 믿을〔신용할〕 수 없는**: an ~ story of adventure 믿어지지 않는 모험담/It's ~ to me that there should be an afterlife. 내세가 있다는 건 나로서는 믿을 수 없다. **2** 《구어》 놀라운, 믿을 수 없을 정도의, 엄청난: an ~ memory 놀라운 기억력/an ~ cost 엄청난 비용. ㊞ **~·ness** *n*.

ìn·créd·i·bly *ad*. **1** 믿을 수 없을 만큼. **2** 《구어》 매우, 대단히: She is ~ beautiful. 그녀는 매우 아름답다. **3** 〔문장 전체 수식〕 믿을 수 없는 일이지만.

in·cre·du·li·ty [ìnkridjú:ləti] *n*. Ⓤ 쉽사리 믿지 않음, 의심이 많음, 회의심.

◇**in·cred·u·lous** [inkrédʒələs] *a*. **1** (사람이) 쉽사리 믿지 않는, 의심하는《***of, about*** …을》: He remained ~ *of* the rumor. 그는 그 소문을 좀처럼 믿지 않았다. **2** 의심하는 듯한《눈치 따위》: an ~ smile 〔look〕 의심하는 듯한 웃음〔표정〕. ㊞ **~·ly** *ad*. **~·ness** *n*.

in·cre·ment [ínkrəmənt] *n*. **1** Ⓤ 증가, 증대, 증진, 증식; Ⓒ 증가량, 증액: annual salary ~*s* of $1,000, 연봉 1천 달러의 증액. **2** Ⓤ 이익, 이득: unearned ~ 〖경제〗 (땅값 등의) 자연 증액(增額). ㊞ **ìn·cre·mén·tal** [-méntl] *a*. 점점 증가하는.

in·crim·i·nate [inkrímənèit] *vt*. **1** …에게 죄를 씌우다〔돌리다〕. **2** (증언에 의하여) …을 유죄로 하다; 〔~ oneself〕 (반증을 인정하여) 스스로 죄에 빠지다. **3** 간주하다《***as*** …(의 원인)으로》: The liquid waste from the factory was ~*d as* the cause of pollution. 그 공장의 폐수가 오염의 원인으로 간주되었다.

in·crìm·i·ná·tion *n*. Ⓤ 죄를 씌움, 유죄로 함, 고소; 죄를 씀, 유죄가 됨.

in·crim·i·na·to·ry [inkrímənətɔ̀:ri/-təri] *a*. 죄를 씌우는, 유죄로 하는.

in·crust [inkrʌ́st] *vt*. …을 껍질로 덮다; …에 외피(外皮)를 형성하다; 겉장식을 하다; (보석 따위)를 박다. **—***vi*. 외피(外皮)를 생성하다.

in·crus·ta·tion [ìnkrʌstéiʃən] *n*. **1** Ⓤ 외피로 덮(이)기. **2** Ⓒ 외피, 껍질; (보일러 안에 생기는) 물때(scale). **3** Ⓤ 박아넣기〔덧바르기〕 세공, 상감(象嵌).

in·cu·bate [ínkjəbèit, íŋ-] *vt*. **1** (알)을 품다, 까다, 부화하다(hatch). **2** (세균 따위)를 배양하다. **3** (계획 따위)를 만들어내다, 생각해 내다. **4** (조산아 등)을 보육기에 넣어 기르다. **—***vi*. **1** 알을 품다, 둥우리에 들다; (알이) 부화되다. **2** 〖의학〗 (병균이) 잠복하다. **3** (기획 · 생각 따위가) 생각이 떠오르다, 구체화되다.

ìn·cu·bá·tion *n*. Ⓤ **1** 알을 품음, 부화(孵化): artificial ~ 인공 부화. **2** 〖의학〗 (병균의) 잠복; 잠복기(=~ **période**).

in·cu·ba·tive [ínkjəbèitiv, íŋ-] *a*. 부화의; 잠복(기)의.

in·cu·ba·tor [ínkjəbèitər, íŋ-] *n*. Ⓒ 부화기(器), 부란기; 세균 배양기; 조산아 보육기, 인큐베이터.

in·cu·bus [ínkjəbəs, íŋ-] (*pl*. **-bi** [-bài], **~·es**) *n*. Ⓒ **1** 몽마(夢魔)(nightmare)《잠자는 여인을 덮친다는》. ⓒⓕ succubus. **2** 악몽. **3** (마음의) 부담, 걱정스런 일《빚 · 시험 따위》.

in·cul·cate [inkʌ́lkeit, ´-´] *vt*. **1** (사상 · 지식 따위)를 되풀이하여 가르치다〔깨우치다〕; 가르쳐 주입시키다《***on, upon*** (아무의 마음)에; ***in, into*** (아무)에게》: ~ sound values *in* the young 〔*upon* young people's minds〕 건전한 가치관을 젊은이들에게〔젊은이들 마음에〕 심어주다. **2** (사람 · 마음)에 불어넣다, 고취하다, 심어주다《***with*** (사상 · 감정 등)을》: ~ young men *with* patriotism 청년들에게 애국심을 고취하다.

ìn·cul·cá·tion *n*. Ⓤ 자상히〔반복하여〕 가르침, 깨우침: the ~ *of* new ideas 새로운 사상의 고취.

in·cul·pa·ble [inkʌ́lpəbəl] *a*. 죄없는, 나무랄〔비난할〕 데 없는, 결백한. ㊞ **-bly** *ad*.

in·cul·pate [inkʌ́lpeit, ´-´] *vt*. (남)에게 죄를 씌우다, 연좌시키다; …을 비난하다, 책망하다.

in·cum·ben·cy [inkʌ́mbənsi] (*pl*. **-cies**) *n*. Ⓒ **1** (특히 목사의) 직무; 재직; 재직 기간, 임기. **2** 의무, 책무.

in·cum·bent [inkʌ́mbənt] *a*. **1** Ⓟ 의무로 지워지는《***on, upon*** (아무)에게》: It is ~ *on* 〔*upon*〕 you to do your best. 최선을 다하는 것이 너에게 주어진 의무이다. **2** Ⓐ 현직〔재직〕의: ~ governor 현지사. **—***n*. Ⓒ 성직록 소유자, (영국 국교회의) 교회를 가진 목사《rector, vicar 등》; 재직자, 현직자.

◇**in·cur** [inkə́:r] (**-rr-**) *vt*. (좋지 않은 일)에 빠지다, (위해)를 당하다, (빚)을 지다, (손해)를 입다; (분노 · 비난 · 위험)을 초래하다: ~ danger/~ a huge number of debts 산더미 같은 빚을 짊어지다/~ displeasure 비위를 건드리다, 눈밖에 나다. ◇ incurrence *n*.

in·cùr·a·bíl·i·ty *n*. Ⓤ 고쳐지지 않음, 불치, 교정 불능.

◇**in·cur·a·ble** [inkjúərəbəl] *a*. **1** 낫지 않는, 불치의: an ~ disease 불치병. **2** 교정할〔고칠〕 수 없는; 구제〔선도〕하기 어려운: an ~ fool 어쩔 수 없는 바보. **—***n*. Ⓒ 불치의 병자; 구제하기 어려운 사람. ㊞ **-bly** *ad*. 낫지 않을 만큼; 교정

할 수 없을 만큼.

in·cu·ri·ous [inkjúəriəs] *a.* 호기심이 없는, 무관심한《*about* …에》. ㊞ ~·**ly** *ad.*

in·cur·sion [inkə́ːrʒən, -ʃən] *n.* Ⓒ (돌연한) 침입, 침략; 습격《*on, upon, into* …에의》: make ~*s* into [on] …에 침입하다, …을 습격하다.

in·cur·sive [inkə́ːrsiv] *a.* 침입하는, 침략적인; 습격하는.

in·curve [ínkə̀ːrv] *n.* Ⓒ 안으로 굽음, 만곡; 〖야구〗 인커브(inshoot). ── [-́] *vt.* 안쪽으로 굽게 하다.

ìn·cúrved *a.* 안으로 굽은.

Ind. India(n); Indiana; Indies. **ind.** independent; index; indicated; indicative; indigo; indirect; industrial.

◇**in·débt·ed** [-id] *a.* **1** 부채가 있는, 빚이 있는《*to* (아무)에게; *for* (얼마)의》. **2** 덕을 본, 은혜를 입은《*to* (아무)에게; *for* …에 대하여》: I am ~ *to* you *for* the situation I hold now. 지금의 지위를 얻은 것은 당신의 덕택입니다. ***I should be greatly ~ if you would….*** …하여 주신다면 대단히 감사하겠습니다. ㊞ ~·**ness** *n.* Ⓤ 은의(恩義), 신세, 부채; 부채액.

◇**in·de·cen·cy** [indíːsnsi] *n.* Ⓤ 예절 없음, 상스러움; 외설; Ⓒ 추잡한 행위[말].

in·de·cent** [indíːsnt] *a.* **1** 버릇없는, 품위 없는; 외설[음란]한, 상스러운: an ~ joke [story] 상스러운 농담[이야기] / It's ~ to say that. 그런 말을 지껄이는 건 품위 없다. **2** 《구어》 (양 · 질 따위가) 부당한, 부적당한《★ 지나치게 적을 때 또는 지나치게 많을 때 쓰임》: ~ pay 부당한 급료《지나치게 적은》/ an ~ amount of work 부당한 양의 일《지나치게 많은》. **3** 꼴사나운, 볼품없는. 〔보통 다음 관용구로〕 ***with [***in***] **~ *haste*** 꼴사납게 허둥대어. ㊞ ~·**ly** *ad.* 버릇없이; 음란하게, 상스럽게.

indécent assáult 〖법률〗 강제 추행죄《강간을 제외한 성(性)범죄》.

indécent expósure 〖법률〗 공연(公然) 음란죄.

in·de·ci·pher·a·ble [ìndisáifərəbəl] *a.* 판독[해독]할 수 없는(illegible): ~ handwriting 판독할 수 없는 필적. ㊞ **-bly** *ad.*

in·de·ci·sion [ìndisíʒən] *n.* Ⓤ 우유부단, 주저.

in·de·ci·sive [ìndisáisiv] *a.* **1** 결단성이 없는, 우유부단한, 미적지근한: He is too ~ to be a good leader. 그는 우유부단해서 좋은 지도자가 되지 못한다. **2** 결정적이 아닌, 결말이 나지 않는; 모호한: an ~ answer 모호한 답변 / an ~ battle 결말이 나지 않는 전투. ㊞ ~·**ly** *ad.* 애매[모호]하게, 주저주저하며. ~·**ness** *n.*

in·de·clin·a·ble [ìndikláinəbəl] 〖문법〗 *a.* 어미[어형] 변화를 하지 않는. ── *n.* Ⓒ 불변화사(不變化詞)《격(格)변화를 하지 않는》.

in·dec·o·rous [indékərəs, ìndikɔ́ːrəs] *a.* 버릇없는, 예의 없는, 천격스러운. ㊞ ~·**ly** *ad.* ~·**ness** *n.*

in·de·co·rum [ìndikɔ́ːrəm] *n.* 《문어》 **1** Ⓤ 버릇없음, 무례. **2** Ⓒ 버릇없는 언동.

⁑**in·deed** [indíːd] *ad.* **1** 〖강조〗 **실로, 참으로**: I am ~ glad. = I am glad ~. 정말 기쁘다 / Very cold ~. 정말 몹시 춥군 / if ~ such a thing happens 만일 현실로 그렇게 된다면 / Are you thirsty? ─ Yes, ~. 목이 마르냐 ─ 예, 그렇고 말고요. **2** 〖양보; 종종 ~ ... but〗 **과연**, 정말이지 (…이지만): I may, ~, be wrong. 과연 내가 잘

못인지도 모른다 / *Indeed* he is young, *but* he is prudent. 그는 정말 어리기는 하지만 빈틈이 없다. **3 a** 〖앞말을 반복하여 동감을 표시하거나 때로 반어적으로 쓰여〗 정말로: Who is this Mr. Smith? ─ Who is he, ~! 이 스미스씨란 사람은 누굽니까 ─ 정말, 누굴까요!《동감》; 누구라니요, 참[원]!《반어적》/ What is that noise? ─ What is that, ~? 저건 무슨 소리지 ─ 정말로, 무슨 소리야. **b** 〖접속사적〗 그뿐 아니라, 게다가: He is a good fellow. *Indeed*, a trustworthy one. 그는 좋은 녀석이야, 게다가 믿을 수 있는 놈이지.

── *int.* 저런, 설마, 그래요《놀람 · 의심 · 빈정거림 등을 나타냄》: I have lived in New York. ─ *Indeed?* 뉴욕에 산 적이 있다 ─ 정말 / She has married a rich heir. ─ *Indeed!* 그녀는 부잣집 아들과 결혼했대 ─ 아 그래요.

indef. indefinite.

◇**in·de·fat·i·ga·ble** [ìndifǽtigəbəl] *a.* 지칠 줄 모르는, 끈질긴, 물리지 않는. ㊞ **-bly** *ad.* 지치지 않고, 끈기 있게.

in·de·fea·si·ble [ìndifíːzəbəl] *a.* 무효로 할 수 없는, 취소[파기]할 수 없는. ㊞ **-bly** *ad.*

in·de·fen·si·ble [ìndifénsəbəl] *a.* 지킬 수 없는; 변호[변명]할 여지가 없는, 옹호할 수 없는. ㊞ **-bly** *ad.*

in·de·fin·a·ble [ìndifáinəbəl] *a.* **1** 정의를 내릴 수 없는; (뭐라고) 말할 수 없는, 설명할 수 없는, 막연한(vague). **2** 한정할 수 없는: an ~ boundary 분명치 않은 경계. ㊞ **-bly** *ad.* 왠지, 어딘지 모르게.

***in·def·i·nite** [indéfənit] *a.* **1 불명확한**, 분명하지 않은, 막연한: an ~ answer 애매한 대답. **2** (일시 · 수량 따위가) **일정하지 않은**, 무기한의: for an ~ time 무기한으로, 언제까지나. **3** 〖문법〗 부정(不定)의: an ~ pronoun 부정 대명사《some (body), any (thing), none 따위》. ⇔ *definite*. ㊞ ~·**ness** *n.*

indéfinite árticle (the ~) 〖문법〗 부정 관사《a, an》. ㊌ definite article.

◇**in·déf·i·nite·ly** *ad.* **1** 막연히, 애매하게. **2** 무기한으로, 언제까지나: postpone a meeting ~ 회의를 무기 연기하다.

in·del·i·ble [indéləbəl] *a.* 지울 수 없는, 지워지지 않는《얼룩 등》; 씻을[잊을] 수 없는《치욕 등》. ㊞ **-bly** *ad.* 지워지지 않게, 영원히.

in·del·i·ca·cy [indélikəsi] *n.* Ⓤ 상스러움, 야비함, 무례함; 외설; Ⓒ 상스러운 언행.

in·del·i·cate [indélikit] *a.* **1** (행동이) 버릇없는, 야비한, 무무한. **2** (이야기 따위가) 외설한, 음란한, 상스러운. **3** 동정심이 없는; 솜씨가 나쁜. ㊞ ~·**ly** *ad.*

in·dem·ni·fi·ca·tion [indèmnəfikéiʃən] *n.* **1** Ⓤ 보상, 배상; 보장; 면책. **2** Ⓒ 보상[배상]금, 배상물.

in·dem·ni·fy [indémnəfài] *vt.* **1** …에게 배상[변상, 보상]하다《*for* (손해 따위)를》: ~ a person *for* loss 아무에게 손해를 배상하다. **2** …에게 (법률적으로) 보장하다, …을 보호하다《*from, against* (손해 · 피해)에 대하여》: ~ a person *against* [*from*] harm 아무를 피해를 입지 않도록 보호하다. **3** 〖법률〗 (아무)에게 (법적) 책임[형벌]을 면제하다, 면책의 보증을 하다《*for* (행위)에 대하여》: ~ a person *for* an action 아무의 행위를 벌하지 않겠다는 보증을 하다. ㊞ **-fi·er** *n.*

in·dem·ni·ty [indémnəti] *n.* **1** Ⓤ 손해 배상〔보상〕(compensation)《*against, for* …에 대한》: claim ~ for …에 대한 배상을 요구하다. **2** Ⓒ 보장되는 것; 배상금, 변상금《*for* …에 대한》. **3** Ⓤ (형벌의) 면책, 사면.

◇**in·dent** [indént] *vt.* **1** …에 톱니 모양의 자국을 내다, …을 톱니 모양으로 만들다. **2** (해안)을 만입(灣入)시키다, 움푹 들어가게 하다: The sea ~*s* the western coast of the island. 그 섬의 서쪽 해안은 바다가 들어가 후미져 있다. **3** 톱니꼴 절취선에 따라 떼다《정부(正副) 2통을 쓴 계약서 따위를》; (계약서 따위)를 정부 2통을 쓰다; 《英》 (두 장이 잇달린 주문서로) 정식으로 주문하다; 발주하다. **4** 〖인쇄〗 (패러그래프 첫 행의 시작 따위)를 약간 안으로 들이켜서 짜다: ~ the first line of a paragraph. **5** (도장 등)을 찍다. **—***vi.* **1** 톱니〔지그재그〕꼴이 되다. **2** 《英》 (부서(副書)는 떼어두고) 주문서를 보내다; 정식으로 주문하다《*on, upon* (사람 · 상점)에; *for* (상품)을》: ~ *upon* a person *for* an article 아무에게 어떤 상품을 (주문서를 보내어) 정식으로 주문하다. **3** (패러그래프 첫 행이) 한 자 들이켜서 시작되다.
— [ˊ-, ˊ-ˊ] *n.* Ⓒ **1** 톱니 모양의 결각(缺刻)〔자국〕. **2** (톱니선에 따라 부서에서 떼어낸) 계약서; 《英》 신청, 청구, 〖상업〗 주문서, (해외로부터의) 주문서, 매입 위탁서, 수탁 매입품. **3** 〖인쇄〗 (새 행을) 들이켜 짜기.

in·den·ta·tion [ìndentéiʃən] *n.* **1** Ⓤ 톱니 모양으로 만듦(notch). **2** Ⓒ 톱니 모양; (해안선 따위의) 만입(灣入). **3** ＝INDENTION 1. **4** Ⓤ 〖컴퓨터〗 들여쓰기.

in·den·tion [indénʃən] *n.* **1** 〖인쇄〗 Ⓤ (패러그래프의 첫 줄의) 한 자 들이킴; Ⓒ (들이켜서 생긴) 공간, 공백. **2** ＝INDENTATION 1, 2.

in·den·ture [indéntʃər] *n.* Ⓒ **1** (2통 작성하여 날인한) 계약서, 약정서; 증명서, 증서. **2** (흔히 *pl.*) 도제(徒弟)살이 계약서; (이민의) 노역 계약(서). **—***vt.* **1** (사람)의 고용을 계약서로 약정하다. **2** (사람)을 도제살이로 보내다.

⁑**in·de·pend·ence** [ìndipéndəns] *n.* Ⓤ 독립, 자립, 자주《*of, from* …으로부터의》: the ~ of India *from* Britain 영국으로부터 인도의 독립 / ~ *of* outside help 외부 원조로부터의 자립《원조를 받지 않음》/ declare 〔lose〕 one's ~ 독립을 선언하다〔상실하다〕.

Independénce Dày 《美》 독립 기념일《7월 4일; 법정 휴일; the Fourth of July라고도 함》.

Independénce Háll 《美》 독립 기념관《Philadelphia시에 있으며 자유의 종을 보존》.

in·de·pend·en·cy [ìndipéndənsi] *n.* **1** Ⓤ 독립, 독립심, 자주. **2** (I–) Ⓤ 〖기독교〗 독립 조합(組合) 교회제도〔주의〕. **3** Ⓒ 독립국.

⁑**in·de·pend·ent** [ìndipéndənt] *a.* **1** **독립한,** 자주의, 자치의, 자유의. ↔ *dependent.* ¶ an ~ state 〔country〕 독립국. **2** 독립 정신이 강한, 자존심이 강한: an ~ young man 자존심이 강한 청년. **3** 자력의, 독자적인: make ~ researches 독자적으로 연구하다 / ~ proofs 독자적 증거. **4** 자활할 수 있는, 자립의《*of* …으로부터》; 의존〔의지〕하지 않는《*of* (남)에게》: He has a job and is ~ *of* his parents. 그는 취직하여 부모의 신세를 지지 않는다. **5** (재산이) 일하지 않고도 살아갈 만큼의: an ~ income 편히 살 수 있는 수입 / a man of ~ means 일하지 않고 살 수 있는 자산가. **6** 〖정치〗 무소속의, 독립당의. **7** 〖문법〗 (절이) 독립한: an ~ clause 독립절. ⓒⓕ main clause. ~ *of* … 에서 독립한〔하여〕, …에 관계없이: Be ~ *of* the opinions of others. 다른 사람의 의견에 좌우되지 마라.
—*n.* Ⓒ **1** (사상 · 행동에 있어서) 독립한 사람. **2** (때로 I–) 〖정치〗 무소속 후보자〔의원〕.

◇**in·de·pénd·ent·ly** *ad.* **1** 독립하여, 자주적으로. **2** 관계없이, 별개로: He wrote it ~ *of* other men's help. 그는 다른 사람의 도움 없이 그 글을 썼다.

indepéndent schóol 《英》 독립 학교《공비(公費) 보조를 받지 않는 사립학교》.

ìn·dépth *a.* Ⓐ 면밀한, 상세한, 철저한: an ~ report 철저하게 취재한 기사 / an ~ study 면밀한 연구 / ~ data 상세한 자료.

◇**in·de·scrib·a·ble** [ìndiskráibəbəl] *a.* 형언할 수 없는; 막연한. ㊕ **-bly** *ad.*

ìn·de·strùct·i·bíl·i·ty *n.* Ⓤ 파괴할 수 없음, 불멸성.

in·de·struc·ti·ble [ìndistrʌ́ktəbəl] *a.* 파괴할 수 없는, 불멸의. ㊕ **-bly** *ad.*

in·de·ter·min·a·ble [ìnditə́ːrmənəbəl] *a.* 결정〔확정, 해결〕할 수 없는. ㊕ **-bly** *ad.*

in·de·ter·mi·nate [ìnditə́ːrmənit] *a.* **1** 불확실한, 불확정의. **2** 명확하지 않은, 막연한; 애매한: an ~ vowel 모호한 모음《ago의 a [ə] 따위》. **3** 미해결의, 미정의. ㊕ **~·ly** *ad.* **in·de·tèr·mi·ná·tion** *n.* Ⓤ 불확정; 우유부단.

⁑**in·dex** [índeks] (*pl.* **~·es, -di·ces** [-disìːz]) *n.* Ⓒ **1** (*pl.* **~·es**) (책 · 컴퓨터의) 색인, **찾아보기. 2 a** (계기 따위의) 눈금, (시계 따위의) 바늘; 집게손가락(~ finger); 〖인쇄〗 손가락표(fist) (☞). **b** 표시; 지침, 지표: Style is an ~ *of* the mind. 글은 마음의 거울이다. **3** (*pl.* **-di·ces**) 〖통계 · 수학〗 지수, (대수(對數)의) 지표; 율: refractive ~ 굴절률 / commodity 〔wholesale〕 price ~ (도매) 물가 지수 / uncomfortable 〔discomfort〕 ~ 〖기상〗 불쾌 지수.
—*vt.* (책)에 색인을 붙이다; …을 색인에 넣다.

índex càrd 색인 카드.

índex finger 집게손가락, 검지.

índex-lìnk *vt.* 《英》 〖경제〗 (연금 · 세금 등)을 물가(지수)에 슬라이드시키다.

índex nùmber 〖경제 · 수학 · 통계〗 지수(指數).

⁑**In·dia** [índiə] *n.* **인도**《영연방 소속의 아시아 남부의 공화국; 수도 New Delhi》.

Índia ínk 《美》 먹(Chinese ink).

⁑**In·di·an** [índiən] *a.* **1 인도의;** 인도 사람〔어〕의. **2** (아메리칸) **인디언**(어)의. **—***n.* Ⓒ **1 인도 사람;** (아메리칸) **인디언**《★ 인도인과 구별하여 아메리카에 사는 인디언은 정확히 American Indian이라고 하지만, 현재는 Native American이라는 말을 흔히 씀》. **2** Ⓤ 인도어; 여러 가지 아메리카 토어(土語).

In·di·ana [ìndiǽnə] *n.* 인디애나《미국 중서부의 주; 주도 Indianapolis; 생략: Ind.; 〖우편〗 IN; 속칭 the Hoosier》.

In·di·an·an [ìndiǽnən] *a., n.* Ⓒ Indiana주의 (사람).

In·di·an·ap·o·lis [ìndiənǽpəlis] *n.* 인디애나폴리스《Indiana주의 주도》.

Índian clùb (보통 *pl.*) 인디언클럽《체조용 곤봉; 짝으로 되어 팔의 근육 단련용》.

Índian córn 옥수수. ★ 미국 · 캐나다 · 오스트레일리아에서는 간단히 corn이라 하고, 영국에서는 maize라고도 함.

Índian élephant 〚동물〛 인도 코끼리.
Índian file (보행자 따위의) 1렬 종대.
Índian gìver 《美구어》 한번 준 것을 돌려받는 사람, 답례품을 목적으로 선물하는 사람.
Índian hémp 〚식물〛 **1** 인도삼; 인도삼으로 만든 마(취)약, 마리화나. **2** 북아메리카산의 협죽도(夾竹桃).
In·di·an·i·an [indiǽniən] *n.*, *a.* =INDIANAN.
Índian ínk 《英》 =INDIA INK.
Índian méal 옥수수 가루(cornmeal).
Índian Mútiny (the ~) 세포이(sepoy) 반란 《1857-59; 인도인 용병이 영국 지배에 반대하여 일으킨 반란》.
Índian Ócean (the ~) 인도양.
Índian súmmer 1 《美·Can.》 (늦가을의) 봄날 같은 화창한 날씨. **2** (인생의) 평온한 만년(晩年).
Índian Térritory (the ~) 〚美역사〛 인디언 특별 보호구《인디언 보호를 위해 특설한 준주(準州); 지금의 Oklahoma 동부 지방; 1907년에 전폐》.
Índia pàper 인도지(Bible paper)《얇고 질긴 인쇄용지》.
Índia rúbber (종종 i-) 탄성 고무; 지우개(eraser).
In·dic [índik] *a.* **1** 인도 (사람)의. **2** 〚언어〛 (인도 유럽어족의) 인도어파의. **—***n.* Ⓤ 〚언어〛 인도어파《인도 유럽어족에 속하는 Sanskrit, Hindi, Urdu, Bengali 등을 포함》.
‡in·di·cate [índikèit] *vt.* **1 가리키다**, 지시하다; **지적하다**: ~ the door (나가라고) 문을 가리키다/~ a chair (앉으라고) 의자를 가리키다/~ a place on a map 지도상의 어떤 지점을 가리키다/~ an error in a sentence 문장의 잘못된 곳을 지적하다. **2** 《~+목/+*that* 절/+*wh.* 절》 표시하다, 나타내다; 보이다: ~ assent by nodding 머리를 끄덕여 동의를 표시하다/This meter ~*s* water consumption. 이 계량기는 물의 소비량을 표시한다/Thunder ~*s that* a storm is near. 천둥이 폭풍우가 다가옴을 나타낸다/The arrow ~*s where* we are. 화살표가 우리가 현재 있는 지점을 보여 준다. **3** 《~+목/+*that* 절》 (몸짓 따위로) 암시하다; 간단히 말〔진술〕하다: ~ a willingness to negotiate 교섭의 뜻이 있음을 암시하다/He ~*d* with a nod of his head *that* she had arrived. 그는 고개를 끄덕여 그녀가 도착했음을 알렸다. **4** …의 징후〔징조〕이다: Fever ~*s* illness. 열은 질병의 징후이다. **5** 〚의학〛 〖종종 수동태〗 (징후 따위가 어떤 치료)의 필요를 암시하다; …을 필요로 하다, …이 바람직하다: An operation *is* ~*d*. 수술이 필요하다/Prompt action *is* ~*d* in a crisis. 위기에는 기민한 행동이 바람직하다.
◇in·di·cá·tion *n.* **1** Ⓤ (구체적으로는 Ⓒ) 지시, 지적; 표시: Faces are a good ~ *of* age. 얼굴을 보면 나이를 잘 알 수 있다/Could you give me some ~ *of* how to do this job? 이 일을 어떻게 하면 좋은지 지시해 주시겠습니까. **2** Ⓤ (구체적으로는 Ⓒ) 징조, 징후, 암시《*that*》: There're ~*s that* unemployment will decrease. 실업자가 감소할 징후가 보인다/Such an elementary mistake is an ~ *of* his ignorance. 그런 기본적인 잘못은 그의 무지를 암시하는 것이다. **3** Ⓒ (계기(計器)의) 시도(示度), 표시 도수.
in·dic·a·tive [indíkətiv] *a.* **1** Ⓟ 지시하는, 표시하는, 암시하는; 나타내는《*of* …을/*that*》: Her gesture was ~ *of* contempt. 그녀의 몸짓은 경멸을 나타냈다/His silence was ~ *that* he was displeased. 그의 침묵은 그가 언짢아하고 있음을 암시했다. **2** 〚문법〛 직설법의. ㊀ imperative, subjunctive. ¶the ~ mood 직설법. **—***n.* =INDICATIVE MOOD. ㊕ **~·ly** *ad.* 〚문법〛 직설법으로.
indícative mòod (the ~) 〚문법〛 직설법.
in·di·ca·tor [índikèitər] *n.* Ⓒ **1** 지시자. **2** 지시하는 것, (신호) 표시기(器), 표지; (철도·버스 등의) 발착 표시판. **3** (차 따위의) 방향 지시기. **4** 〚기계〛 인디케이터《계기·문자판·바늘 따위》; (내연 기관의) 내압(內壓) 표시기; 〚화학〛 지시약《리트머스 따위》.
◇in·di·ces [índisìːz] INDEX의 복수.
in·di·cia [indíʃiə] *n. pl.* (*sing.* **-cium** [-ʃiəm]) 《L.》 **1** 《美》 (요금 별납 우편물 따위의) 증인(證印). **2** 표시, 징후.
in·dict [indáit] *vt.* 〚법률〛 기소〔고발〕하다《*for* …이유로; *on* …죄로; *as* …으로서》: ~ a person *for* murder 〔*as* a murderer, *on* a charge of murder〕 아무를 살인죄〔자〕로 기소하다. ㊕ **in·dict·ee** [ìndaitíː, -ˊ-] *n.* Ⓒ 피기소자, 피고. **~·er, in·díc·tor** [-ər] *n.* Ⓒ 기소자.
in·díct·a·ble *a.* 기소〔고발〕되어야 할; (죄 등이) 기솟거리가 되는: an ~ offense 기소 범죄.
in·dict·ment [indáitmənt] *n.* Ⓤ 기소, 고발; Ⓒ 기소〔고발〕장: bring in an ~ against a person 아무를 기소하다.
in·die [índi] 《美구어》 *a.* Ⓐ (영화·텔레비전 따위의) 독립 프로의. **—***n.* Ⓒ (주요 네트워크 계열 외의) 독립 TV국, (소규모의) 독립 영화사, 독립 프로듀서, 독립 프로 예술가.
In·dies [índiz] *n. pl.* (the ~) **1** 〖단수취급〗 인도 제국(諸國)《인도·인도차이나·동인도 제도 전체의 구칭》. **2** 동인도 제도(the East ~); 서인도 제도(the West ~).
***in·dif·fer·ence, -en·cy** [indífərəns], [-i] *n.* Ⓤ **1 무관심**, 냉담《*to, toward* …에 대한》: show 〔display〕 ~ *to* …에 무관심하다/the ~ of the general public *toward* politics 정치에 대한 일반 대중의 무관심. **2** 중요하지 않음, 대수롭지 않음, 사소함: It's a matter of ~ to me. 그것은 나에게는 대수롭지 않은 일이다. **3** 무차별, 공정. **4** 평범.
in·dif·fer·ent** [indífərənt] *a.* **1** Ⓟ **무관심한**, 마음에 두지 않는, 냉담한《*to, toward* …에, 에 대하여》: ~ *to* 〔*toward*〕 politics 정치에 무관심한/She was ~ *to* him. 그녀는 그에게 무관심했다/How can you be so ~ *to* the sufferings of these children? 어찌하여 이 아이들의 고통에 그토록 냉담할 수가 있는가. **2** Ⓟ **대수롭지 않은**, 중요치 않은, 아무래도 좋은《*to* …에게》: Dangers are ~ *to* us. 위험 따위는 안중에 없다. **3** Ⓐ 평범한, 좋지도 나쁘지도 않은: ~ success 그저 그만한 성공/an ~ specimen 평범한 표본. **4** Ⓐ 〖종종 very ~〗 좋지 않은, 맛없는, (솜씨가) 서툰: an ~ meal 맛없는 식사/a *very* ~ player 몹시 서툰 선수〔연주자〕. **5** 치우치지 않는, 공평한, 중립의: an ~ decision/remain ~ in a dispute 논쟁에서 중립을 지키다. **6** 〚물리〛 중성의. **—n.* Ⓒ (특히 정치·종교에) 무관심한 사람, 중립자. ㊕ **~·ly** *ad.*
in·dif·fer·ent·ìsm *n.* Ⓤ 무관심주의; 〚종교〛 신앙 무차별론.
in·di·gence [índidʒəns] *n.* Ⓤ 가난, 빈곤.

in·dig·e·nous [indídʒənəs] *a.* **1** 토착의(native), 원산의; (동식물이) 자생하는, 고유한《*to* (그 고장·토지)에》(↔ exotic): ~ people 토착민/This plant is ~ *to* Mexico. 이 식물은 멕시코 원산이다. **2** 타고난, 선천적인《*to* …에》: Love and hate are emotions ~ *to* all humanity. 사랑과 미움은 모든 인간 고유의 감정이다. [파] ~·**ly** *ad.*

in·di·gent [índidʒənt] *a.* 가난한, 곤궁한.

in·di·gest·ed [ìndidʒéstid, -dai-] *a.* **1** 소화되지 않는. **2** (계획 따위가) 숙고되지 않은(illconsidered); 미숙한, 정리되지 않은, 엉성한.

ìn·di·gèst·i·bíl·i·ty *n.* [U] 소화 불량; 이해하지 못함.

in·di·gest·i·ble [ìndidʒéstəbəl, -dai-] *a.* **1** (음식물이) 소화되지 않는, 삭이기 어려운. **2** (학설 따위가) 이해하기 어려운, 받아들이기 어려운. [파] -**bly** *ad.*

in·di·ges·tion [ìndidʒéstʃən, -dai-] *n.* [U] 소화가 안 됨, 소화 불량, 위약(胃弱)(dyspepsia).

***in·dig·nant** [indígnənt] *a.* **분개한**, 성난, 화난《*at, about, over* (행위)에 대해; *with* (아무)에게; *for* …일로》: The man was hotly ~ *at* the insult. 그 사나이는 모욕을 당하자 몹시 분개했다/He was ~ *over* his rough treatment. 그는 난폭하게 다루어진 것에 분개했다/She was ~ *with* him *for* interrupting her. 그녀는 그가 일을 방해한 것에 화가 났다. [파] ~·**ly** *ad.* 분연히, 화가 나서.

***in·dig·na·tion** [ìndignéiʃən] *n.* [U] **분개**, 분노; 의분(義憤)《*with, against* (사람)에 대한; *at, about, over, for* (행위)에 대한》: righteous ~ *at* 〔*over*〕 an injustice 부당함에 대한 의분/I felt great ~ *with* him *over* 〔*at*〕 his questioning my motives 〔*for* questioning my motives〕. 그가 나의 동기에 대해 물은 것에 커다란 분노를 느꼈다.

◇**in·dig·ni·ty** [indígnəti] *n.* **1** [U] 모욕, 경멸. **2** [C] 모욕적인 언동〔대우〕: treat a person with ~ 아무를 모욕적으로 다루다, 모욕하다.

◇**in·di·go** [índigòu] *n.* [U] 쪽《물감》; 남색.

índigo blúe =INDIGO.

⁑**in·di·rect** [ìndirékt, -dai-] *a.* **1** 곧바르지 않은《길 따위》, 우회하는, 멀리 도는; 방계의: an ~ route. **2 간접적인**; 2차적인, 부차적인: an ~ effect 〔cause〕 간접적인 영향〔원인〕/~ taxation 〔an ~ tax〕 간접세/~ lighting 간접 조명. **3** (표현이) 우회적인, 에두른; 솔직하지 못한: an ~ allusion 우회적인 언급. **4** 〖문법〗 간접의: an ~ object 간접 목적어/~ narration 간접 화법. ⇔ *direct.* [파] ~·**ness** *n.*

índirect addréss 〖컴퓨터〗 간접 번지《기억 장치의 번지》.

in·di·rec·tion [ìndirékʃən, -dai-] *n.* [U] **1** 에두름; 간접적 수단〔표현〕. **2** 부정직, 사기; 술책, 부정 수단. **3** 무(無)목적.

◇**ìn·di·réct·ly** *ad.* 간접적으로, 에둘러서, 부차적으로.

in·dis·cern·i·ble [ìndisə́ːrnəbəl, -zə́ːrn-] *a.* (어둡거나 작아서) 식별〔분간〕하기 어려운, 눈에 띄지 않는. [파] -**bly** *ad.* ~·**ness** *n.*

in·dis·ci·pline [indísəplin] *n.* [U] 규율 없음, 무질서.

◇**in·dis·creet** [ìndiskríːt] *a.* (언동이) 무분별한, 지각없는, 경솔한(injudicious). ◇ indiscretion *n.* [파] ~·**ly** *ad.* ~·**ness** *n.*

in·dis·crete [ìndiskríːt] *a.* 따로따로 떨어져 있지 않은, 개별적이 아닌; 연속한, 밀착한(compact). [파] ~·**ly** *ad.* ~·**ness** *n.*

◇**in·dis·cre·tion** [ìndiskréʃən] *n.* **1 a** [U] 무분별, 철없음, 경솔; 무심코 비밀을 누설함. **b** (the ~) 무분별하게 …하는 것《*to* do》: He had the ~ *to* accept the money. 그는 무분별하게도 그 돈을 받았다. **2** [C] 경솔한 언동, 불성실한 행위: ~*s* of youth 젊은 혈기가 빚은 잘못.

in·dis·crim·i·nate [ìndiskrímənit] *a.* 무차별의, 닥치는 대로의, 분별없는; 난잡한(confused): an ~ reader 남독가(濫讀家)/~ in making friends 아무나 가리지 않고 친구를 삼다. [파] ~·**ly** *ad.* ~·**ness** *n.*

ìn·dis·pèn·sa·bíl·i·ty *n.* [U] 불가결함, 필수, 긴요(성).

***in·dis·pen·sa·ble** [ìndispénsəbəl] *a.* **1 불가결의**, 없어서는 안 될, 절대 필요한, 긴요한《*to* (사람·사물)에; *for* …을 하기 위해서》: The information is ~ *to* computer users. 그 정보는 컴퓨터 사용자에게 절대 필요한 것이다. [SYN.] ⇨NECESSARY. **2** (의무·약속 등을) 게을리〔기피〕할 수 없는: an ~ duty. —*n.* [C] 필요 불가결의 사람〔것〕. [파] -**bly** *ad.* 반드시, 꼭.

in·dis·pose [ìndispóuz] *vt.* **1** …할 마음을 잃게 하다《*to* do》; 싫은 생각이 나게 하다《*for, to, toward* …에 대하여》: Ill-treatment ~*d* him toward his boss. 그는 학대받아서 윗사람이 싫어졌다/Hot weather ~*s* anyone *to* work. 더우면 누구나 일하기가 싫어진다. **2** 부적당하게 하다; 불능케 하다《*for* …에 대하여》: Ill health ~*d* him *for* physical labor. 건강이 나빠져서 그는 육체 노동을 할 수 없었다. **3** 몸 상태를〔컨디션을〕 나쁘게 하다, 병에 걸리게 하다.

ìn·dis·pósed *a.* [P] **1** 기분이 언짢은, 몸이 찌뿌드드한; 걸린《*with* (병)에》: be ~ *with* a cold 감기에 걸리다. **2** 마음이 내키지 않는《*for, to, toward* …에/*to* do》: I'm ~ *for* office work. 직장 일을 하고 싶은 생각이 없었다/She was ~ *to* cooperate. 그녀는 협력할 마음이 나지 않았다.

in·dis·po·si·tion [ìndispəzíʃən] *n.* **1** [U] (구체적으로는 [C]) 기분이 언짢음, (몸이) 찌뿌드드함; 가벼운 병《두통·감기 따위》: She has fully recovered from her recent ~. 그녀는 최근의 (가벼운) 병에서 완전히 회복하였다. **2** [U] 마음이 내키지 않음(unwillingness)《*to, towards* …에/*to* do》: one's ~ *to* automobile 괜히 자동차를 싫어함/I felt a certain ~ *to* face reality. 나에게는 현실에 직면하고 싶지 않은 생각이 좀 있었다.

in·dis·pu·ta·ble [ìndispjúːtəbəl, indíspju-] *a.* 논의〔반박〕의 여지가 없는(unquestionable), 명백〔확실〕한: an ~ right 〔claim〕 명백한 권리〔요구〕/~ facts 명명백백한 사실. [파] -**bly** *ad.* **ìn·dis·pù·ta·bíl·i·ty** *n.* ~·**ness** *n.*

in·dis·sol·u·ble [ìndisáljəbəl/-sɔ́l-] *a.* **1** (물질이) 용해〔분해, 분리〕시킬 수 없는. **2** 확고한; 불변의, 영속적인: an ~ friendship 변함없는 우정. [파] -**bly** *ad.*

***in·dis·tinct** [ìndistíŋkt] *a.* (형체·소리·기억 따위가) **불분명한**, 희미한: ~ voices 분명치 않은 음성/an ~ image 희미한 영상. [파] ~·**ly** *ad.* ~·**ness** *n.*

in·dis·tinc·tive [ìndistíŋktiv] *a.* **1** 눈에 띄지 않는, 특색 없는. **2** 차별 없는, 구별할 수 없는. [파] ~·**ly** *ad.*

in·dis·tin·guish·a·ble [ìndistíŋgwiʃəbəl] *a.* 분간〔구별〕할 수 없는《*from* …와》: This three brothers are ~ (*from* one another). 이 삼형제는 (서로) 분간할 수 없다. ⓟ **-bly** *ad.* 분간〔구별〕할 수 없을 정도로.

in·di·um [índiəm] *n.* Ⓤ 〖화학〗 인듐《금속 원소; 기호 In; 번호 49》.

⁑**in·di·vid·u·al** [ìndəvídʒuəl] *a.* **1** Ⓐ **개개의,** 각개(各個)의: each ~ person 각 개인 / in the ~ case 개개의 경우에 있어서. **2** Ⓐ **일개인의,** 개인적인, 개인용의: ~ difference 개인차 / ~ variation 개체변이 / ~ instruction 개인 교수 / an ~ locker 개인용 로커. SYN. ⇨PRIVATE. **3 독특한,** 특유의, 개성을 발휘한: an ~ style 독특한 문체 / in one's ~ way 독자적인 방법으로.
—*n.* Ⓒ **1** (집단의 일원으로서) **개인**: a private ~ 한 사인(私人). **2** 〘수식어를 수반하여〙《구어》 사람: a strange ~ 이상한 사람 / He is a tiresome ~. 그는 귀찮은 사람이다. **3** 〖생물·철학〗 개체; (사물의) 한 단위.

ìn·di·víd·u·al·ìsm *n.* Ⓤ 개인주의; 이기주의.

ìn·di·víd·u·al·ist *n.* Ⓒ 개인주의자; 이기주의자. ⓟ **ìn·di·vìd·u·al·ís·tic** *a.* 개인〔이기〕주의(자)의. **-i·cal·ly** *ad*

°**in·di·vid·u·al·i·ty** [ìndəvìdʒuǽləti] *n.* **1** Ⓤ 개성, 개인적 성격; 개인성, 개체성: keep one's ~ 개성을 지키다 / a man of marked ~ 특이한 개성을 지닌 사람. SYN. ⇨CHARACTER. **2** Ⓒ 개체, 개인, 단일체. **3** (*pl.*) 개인적 특성, 특질.

ìn·di·vìd·u·al·i·zá·tion *n.* Ⓤ 개성〔개별〕화.

ìn·di·víd·u·al·ìze *vt.* **1** …에 개성을 부여하다〔발휘시키다〕, …을 개성화하다. **2** (특징 따위)를 개별적으로 다루다〔구별하다, 말하다, 고려하다〕. **3** 개인의 특수 사정에 맞추다: ~ teaching according to student ability 학생 개개인의 능력에 따라 교수법을 맞추다.

°**ìn·di·víd·u·al·ly** *ad.* 개별적으로; 하나하나; 낱낱이; 개인적으로: I spoke to them ~. 나는 그들 개개인에게 이야기했다.

in·di·vid·u·ate [ìndəvídʒuèit] *vt.* **1** 낱낱으로 구별하다, 개별〔개체〕화하다. **2** …에 개성을 부여하다, …을 개성화하다, 특징짓다.

ìn·di·vìs·i·bíl·i·ty *n.* Ⓤ **1** 불분할〔불가분〕성. **2** 〖수학〗 (나눗셈에서 우수리〔끝수〕 없이) 나눌 수 없음.

in·di·vis·i·ble [ìndivízəbəl] *a.* **1** 분할할 수 없는, 불가분의. **2** 〖수학〗 나누어지지 않는: Eleven is ~ by two. 11은 2로 나누어지지 않는다. —*n.* Ⓒ 분할할 수 없는 것; 극소량, 극미량. ⓟ **-bly** *ad.*

In·do- [índou, -də] '인도(사람)' 의 뜻의 결합사.

Índo·chína, Índo-Chína *n.* 인도차이나. ★ 넓은 뜻으로 Myanmar, Thailand, Malaya, Vietnam, Cambodia, Laos를 포함하는 경우와, 좁은 뜻으로 옛 프랑스령 인도차이나를 가리키는 경우도 있음.

Índo·chinése, Índo-Chinése *a.* 인도차이나의, 인도차이나 사람〔어〕의. —(*pl.* ~) *n.* 인도차이나 사람.

in·do·cile [indásəl/-dóusail] *a.* 말을 듣지 않는, 고분고분하지 않는; 가르치기〔훈련시키기, 다루기〕 어려운. ⓟ **in·do·cíl·i·ty** *n.*

in·doc·tri·nate [indáktrənèit/-dɔ́k-] *vt.* 〘종종 수동태〙 (아무)에게 주입하다, 불어넣다《*with, in* (사상·신념 따위)를》: ~ a person *in* dogmas 〔*with* an idea〕 아무에게 교의〔사상〕을 주입하다 / She has *been* ~*d in* the sect's beliefs. 그녀에게는 분파의 신조가 주입되었다. ⓟ **in·dòctri·ná·tion** *n.* Ⓤ (가르쳐) 주입시킴, 교화(敎化).

Índo-Européan *n.* Ⓤ, *a.* 인도 유럽어족(語族)(의)《인도·서아시아·유럽 각국에서 쓰이는 언어의 대부분을 포함; 영어도 그 중의 하나》.

in·do·lence [índələns] *n.* Ⓤ 나태, 게으름.

°**in·do·lent** [índələnt] *a.* **1** 나태한, 게으른. SYN. ⇨IDLE. **2** 〖의학〗 무통(성)의《종양·궤양》. ⓟ **~·ly** *ad.*

in·dom·i·ta·ble [indámətəbəl/-dɔ́m-] *a.* 굴하지 않는, 불굴의: an ~ warrior 불굴의 용사. ⓟ **-bly** *ad.* **in·dòm·i·ta·bíl·i·ty** *n.* Ⓤ 지지 않으려는〔불요 불굴의〕 정신.

In·do·ne·sia [ìndouníːʒə, -ʃə] *n.* 인도네시아; 인도네시아 공화국《수도 Jakarta》. ⓟ **-sian** [-n] *a.* 인도네시아〔사람, 말〕의. —*n.* Ⓒ 인도네시아 사람; Ⓤ 인도네시아어(語).

⁑**in·door** [índɔ̀ːr] *a.* Ⓐ **실내의,** 옥내의. ↔ *outdoor*. ¶ ~ sports 실내 스포츠 / ~ service 내근(內勤).

⁑**in·doors** [indɔ́ːrz] *ad.* **실내에〔에서, 로〕,** 옥내에〔에서, 로〕: stay 〔keep〕 ~ 외출하지 않다 / Let's go ~. 집 안으로 들어가자.

indorse, etc. ⇨ENDORSE, etc.

in·drawn [índrɔ̀ːn] *a.* **1** 마음을 터놓지 않는, 서먹서먹한(aloof); 내성적인(introspective). **2** 숨을 들이마시는.

in·du·bi·ta·ble [indjúːbətəbəl] *a.* (사실·증거 따위가) 의심의 여지가 없는, 확실〔명백〕한. ⓟ **-bly** *ad.*

*__in·duce__ [indjúːs] *vt.* **1** 《+목+*to* do》 **꾀다,** 권유하다, 설득〔권유〕하여 …하게 하다: Nothing will ~ me *to* go. 어떤 일이 있어도 난 안 간다 / What ~*d* you *to* do it? 어쩐 일로 그걸 하고 싶은 생각이 들었습니까. SYN. ⇨URGE. **2 야기하다,** 일으키다, 유발하다: His illness was ~*d* by exhaustion. 그는 과로로 병이 도졌다. **3** 〖의학〗 (약으로 진통)을 일으키다, 촉진하다; 《구어》 (인공적으로) 분만시키다. **4** 〖논리〗 귀납하다. ↔ *deduce*. **5** 〖전기·물리〗 유도하다: ~*d* charge current 유도 전하(電荷)〔전류〕.

°**in·dúce·ment** *n.* **1** Ⓤ 유인(誘引), 유도, 권유, 장려: on any ~ 어떤 권유가 있어도. **2** Ⓤ (구체적으로는 Ⓒ) 유도하는 것, 유인, 동기, 자극《*to* …으로, …에의》: an ~ *to* action 행동하게 하는 것〔동기〕. **3** Ⓤ (구체적으로는 Ⓒ) 마음이 내키게 하는 것, (행동을) 촉구하는 것《*to* do》: There was no 〔little〕 ~ *for* her *to* behave better. 그녀가 더 예의 바르게 행동하도록 마음먹게 하는 것이 아무 것도〔거의〕 없었다.

in·dúc·er *n.* Ⓒ 〖생화학〗 유도 물질.

in·duct [indʌ́kt] *vt.* **1** 〘종종 수동태〙 (정식으로) 취임시키다《*to, into* (지위·공직)에; *as* …로서》: *be* ~*ed into* the office of mayor 시장에 취임하다 / He *was* ~*ed as* chairman 그는 의장에 취임했다. **2** 《美》 복무시키다, 징병하다《*into* (군대)에》: be ~*ed into* the armed services 징병되다. **3** 〖전기〗 유도하다(induce).

in·duct·ance [indʌ́ktəns] *n.* Ⓤ (구체적으로는 Ⓒ) 〖전기〗 인덕턴스, 자기(自己)유도〔감응〕 계수.

in·duc·tee [indʌktíː] *n.* Ⓒ 신입 회원; 《美》 징모병.

in·dúc·tion *n.* **1** Ⓤ 유도, 도입. **2** Ⓤ (구체적

으로는 Ⓒ) 〖논리〗 귀납(법); Ⓒ 귀납적 결론〔추정〕. ↔ *deduction*. **3** Ⓤ 〖전기〗 유도; 감응, 유발. **4** Ⓤ (구체적으로는 Ⓒ) (약에 의한) 진통〔분만〕 유발. **5** Ⓤ (구체적으로는 Ⓒ) (특히 성직(聖職)의) 취임식; 《美》 입대식; 징병

indúction còil 〖전기〗 유도〔감응〕 코일.

indúction héating 〖전기〗 (전자 유도 작용에 의한) 유도 가열《생략: IH》.

in·duc·tive [indʌ́ktiv] *a*. **1** 〖논리〗 귀납적인. ↔ *deductive*. ¶ ~ reasoning 〔inference〕 귀납적 추리 / the ~ method 귀납법. **2** 〖전기〗 유도성의, 감응의. ⊞ **~·ly** *ad*. **ìn·duc·tív·i·ty** *n*. Ⓤ 유도성; 〖전기〗 유도율.

in·duc·tor [indʌ́ktər] *n*. Ⓒ **1** 직(職)을 수여하는 사람; 성직 수여자. **2** 〖전기〗 유도자(子), 유전체(誘電體); 〖화학〗 유도질, 감응 물질.

in·due [indjúː] *vt*. ＝ENDUE.

in·dulge** [indʌ́ldʒ] *vt*. **1** (욕망·정열 따위)를 **만족시키다**, 충족시키다: ~ one's desire 욕망을 만족시키다. **2** 《+목+전+명》 (아이)를 어하다, (떠받들어) 버릇을 잘못 들이다, 제멋대로 하게 두다: You ~ your children *with* too much pleasure. 당신은 애들에게 너무 어하여 버릇을 잘못 들입니다. **3** 《~+목/+목+전+명》 〖~ oneself〗 탐닉하다, 골몰하다《*in* (쾌락 등)에》: He often ~s him*self in* heavy drinking. 그는 자주 과음을 한다. **—vi*. **1** 《+전+명》 **빠지다**, 탐닉하다《*in* (취미·욕망 따위)에》; 즐기다, 마음껏 누리다《*in* …을》: ~ *in* pleasures 쾌락에 빠지다 / ~ *in* a glass of wine 포도주를 마시며 즐기다. **2** 《구어》 술을 마시다: Will you ~? 《속어》 한잔 하지 않겠어요 / He ~s too much. 그는 술을 과음한다.

◇in·dul·gence [indʌ́ldʒəns] *n*. **1** Ⓤ 응석을 받음, 멋대로 하게 둠, 방종; 너그러이 봐줌, 관대: treat a person with ~ 아무를 관대하게 다루다. **2** Ⓤ 빠짐, 탐닉함《*in* (악습)에》; Ⓒ 도락, 즐거움: His constant ~ *in* gambling brought about the collapse of his family. 끊임없는 도박에 대한 탐닉이 그의 가족을 파멸로 몰아넣었다 / Smoking is his only ~. 담배는 그의 유일한 도락이다. **3** Ⓤ 은혜, 특권. **4** Ⓤ 〖상업〗 지급 유예. **5** 〖가톨릭〗 Ⓤ 대사(大赦); Ⓒ 면죄부(免罪符). ***the Declaration of Indulgence*** 신교 자유 선언《1672년과 1678년에 발포》.

in·dul·gent** [indʌ́ldʒənt] *a*. **멋대로 하게 하는**, 어하는; 너그러이〔관대히〕 봐 주는《with, to, of*** …을》: an ~ mother 엄하지 않은 어머니 / They are ~ *with* 〔*to*〕 their children. 그들은 아이들에게 관대하다 / He's not ~ *of* fools. 그는 어리석은 자들을 너그러이 봐주지 않는다. ⊞ **~·ly** *ad*. 관대하게.

in·du·rate [índjurèit] *vt*., *vi*. **1** 굳히다; 굳어지다; 경화(硬化)시키다〔하다〕. **2** 무감각하게 하다〔되다〕; 완고하게 하다〔되다〕. **—** [índjurit] *a*. 굳어진; 무감각하게 된.

in·du·ra·tive [índjurèitiv] *a*. 굳어지는, 경화성의; 완고한.

In·dus [índəs] *n*. (the ~) 인더스강《인도 북서부의 강》.

‡in·dus·tri·al [indʌ́striəl] *a*. **1 공업(상)의**, 공업용의: an ~ nation 공업국 / ~ alcohol 공업용 알코올. **2 산업(상)의**, 산업용의: an ~ exhibition 산업 박람회 / an ~ spy 산업 스파이. **3** 공업〔산업〕에 종사하는; 공업〔산업〕 노동자의: ~ workers 공원(工員), 산업 노동자 / an ~ accident 산업 재해. ⊞ **~·ly** *ad*. 공업〔산업〕적으로; 공업〔산업〕상.

indústrial áction 《英》 (노동자의) 쟁의 행위《파업 등》.

indústrial archaeólogy 산업 고고학《산업 혁명 초기의 공장·기계·제품 등을 연구하는》.

indústrial árts 《美》 (교과로서의) 공작; 공예(기술).

indústrial desígn 공업 디자인(의 연구)《생략: ID》.

indústrial desígner 공업 디자이너.

indústrial diséase 직업병(occupational disease).

indústrial enginéering 산업〔경영〕 공학, 생산 관리 공학《생략: IE》.

indústrial estáte 《英》 ＝INDUSTRIAL PARK.

in·dús·tri·al·ìsm *n*. Ⓤ 산업주의, (대)공업주의; 산업열(熱), 산업 조직.

in·dús·tri·al·ist *n*. Ⓒ (대)생산 회사의 사주〔경영자〕, 실업가; 생산업자.

in·dùs·tri·al·i·zá·tion *n*. Ⓤ 산업화, 공업화.

in·dús·tri·al·ìze *vt*., *vi*. 산업〔공업〕화하다.

indústrial párk 《美·Can.》 공업 단지(《英》 industrial estate)《도시 교외에 공장을 유치하여 조성하는》.

indústrial psychólogy 산업 심리학.

indústrial relátions (기업의) 노사 관계; 노무 관리.

Indústrial Revolútion (the ~) 〖역사〗 산업혁명《18–19 세기에 영국을 중심으로 일어난 사회 조직상의 대변혁》.

indústrial róbot 산업용 로봇.

indústrial schóol 실업 학교; 직업 보도 학교《불량아 선도를 위한》.

indústrial únion (특정 산업 전종사자의) 산업별 노동조합(vertical union).

***in·dus·tri·ous** [indʌ́striəs] *a*. **근면한**, 부지런한; 열심인. ≠industrial. ⊞ **~·ly** *ad*. 부지런히, 열심히, 꾸준히. **~·ness** *n*.

‡in·dus·try [índəstri] *n*. **1** Ⓤ (제조) **공업**, **산업**. **2** Ⓒ 〖보통 수식어를 수반하여〗 …업(業): the steel ~ 제강업 / the manufacturing ~ 제조업, 공업 / the automobile ~ 자동차 산업 / the tourist ~ 관광 사업 / the broadcasting ~ 방송 사업 / the shipbuilding ~ 조선업. ◇ industrial *a*. **3** Ⓤ 〖집합적〗 (회사·공장 따위의) 경영자, 회사측: friction between labor and ~ 노사간의 알력〔마찰〕. **4** Ⓤ **근면**(diligence): ~ and thrift 근면절약 / Poverty is a stranger to ~. 《속담》 부지런하면 가난 없다.

in·dwell [indwél] (*p*., *pp*. ***-dwelt*** [-dwélt]) *vi*., *vt*. (정신·주의 등이) 내재(內在)하다; 깃들이다《*in* …에》. ⊞ **~·er** *n*. Ⓒ 내재자〔물〕.

-ine [iːn, ain, in] *suf*. **1** '…에 속하는, …성질의' 의 뜻: serpent*ine*. **2** 여성명사를 만듦: hero*ine*. **3** 추상적 의미를 나타냄: discipl*ine*, doctr*ine*. **4** 〖화학〗 염기(塩基) 및 원소 이름의 어미: anil*ine*, caffe*ine*, iod*ine*.

in·e·bri·ate [iníːbrièit] *vt*. 취하게 하다; 도취하게 하다. **—** [-briət] *a*., *n*. Ⓒ 술취한; 주정뱅이, 고주망태. ⊞ **in·è·bri·á·tion** *n*. Ⓤ 취하게 함, 명정(酩酊).

in·e·bri·e·ty [ìnibráiəti] *n*. Ⓤ 취함, 명정; (병적인) 음주벽.

in·ed·i·ble [inédəbəl] *a*. 식용에 적합치 않은, 못 먹는. ⊞ **in·èd·i·bíl·i·ty** *n*.

in·ed·u·ca·ble [inédʒukəbəl] *a.* (정신 박약 등으로) 교육 불가능한. ㊕ **-bly** *ad.* **ìn·ed·u·ca·bíl·i·ty** *n.*

in·ef·fa·ble [inéfəbəl] *a.* **1** 말로 나타낼 수 없는, 이루 말할 수 없는(unutterable): be of ~ beauty 이루 말할 수 없이 아름답다. **2** 입에 올리기에도 황송한, 너무나 신성한: the ~ name of Jehovah 여호와의 거룩한 이름. ㊕ **-bly** *ad.* ~**·ness** *n.*

in·ef·face·a·ble [ìniféisəbəl] *a.* 지울〔지워 없앨〕 수 없는; 지워지지 않는. ㊕ **-bly** *ad.*

◇**in·ef·fec·tive** [ìniféktiv] *a.* **1** 무효의, 효과〔효력〕 없는(ineffectual), 헛된: an ~ remedy 효과 없는 치료/~ efforts 헛수고. **2** 쓸모없는, 무력한, 무능한: an ~ minister 무능한 장관. ㊕ ~**·ly** *ad.* ~**·ness** *n.*

◇**in·ef·fec·tu·al** [ìniféktʃuəl] *a.* 효과적이 아닌, 만족스런〔결정적인〕 효과가 없는; 헛된; 무력한(futile), 무능한. SYN. ⇨VAIN. ㊕ ~**·ly** *ad.* **in·ef·fec·tu·al·i·ty** [ìnifèktʃuǽləti] *n.* Ⓤ 무효, 무익; 무능, 무력.

in·ef·fi·ca·cious [ìnefəkéiʃəs] *a.* (약·치료 등이) 효력〔효험〕 없는. ㊕ ~**·ly** *ad.*

in·ef·fi·ca·cy [inéfəkəsi] *n.* Ⓤ (약 따위의) 무효력, 효험〔효과, 효능〕 없음.

◇**in·ef·fi·cien·cy** [ìnifíʃənsi] *n.* Ⓤ 무능, 비효율, 비능률; 무능(력); Ⓒ 비능률적인 점〔것〕.

◇**in·ef·fi·cient** [ìnifíʃənt] *a.* **1** (사람이) 무능한, 쓸모없는. **2** (기계 따위) 능률이 오르지 않는, 기능 부족의. ㊕ ~**·ly** *ad.*

in·e·las·tic [ìnilǽstik] *a.* 탄력〔탄성〕이 없는; 신축성〔유연성〕이 없는; 적응성 없는, 융통성 없는: ~ demand 〔supply〕 비탄력적 수요〔공급〕. ㊕ **in·e·las·tic·i·ty** [ìnilæstísəti] *n.*

in·el·e·gance, -gan·cy [inéləgəns], [-i] *n.* **1** Ⓤ 우아하지〔세련되지〕 않음, 운치 없음, 무풍류. **2** Ⓒ 운치 없는 행위〔말·문체〕.

in·el·e·gant [inéləgənt] *a.* **1** 우아하지 않은, 멋없는. **2** 무무한, 촌스러운, 세련되지 않은(unrefined). ㊕ ~**·ly** *ad.*

in·èl·i·gi·bíl·i·ty *n.* Ⓤ 부적당, 부적격, 무자격.

in·el·i·gi·ble [inélidʒəbəl] *a.* **1** (법적으로) 선출될 자격이 없는; 부적임인, 비적격인《*for* …에/*to* do》: ~ *for* citizenship 시민권을 획득할 자격이 없는/A married woman is ~ *to* enter the contest. 기혼 여성은 그 경연에 참가할 자격이 없다. **2** (도덕적으로) 부적당한, 바람직스럽지 못한. —*n.* Ⓒ 선출될 자격이 없는 사람; 비적격자, 부적임자. ㊕ **-bly** *ad.*

in·e·luc·ta·ble [ìnilʌ́ktəbəl] *a.* 면할 길 없는, 불가피한, 불가항력의. ㊕ **-bly** *ad.* **ìn·e·lùc·ta·bíl·i·ty** *n.*

in·ept [inépt] *a.* **1** 부적당한; 부적절한; 부조리한. **2** 바보 같은, 어리석은: an ~ remark 바보같은 발언. **3** 서투른, 무능한《*at, in* …에》: He's totally ~. 그는 전적으로 무능하다/He's ~ *at* 〔*in*〕 ball games. 그는 구기에 서투르다. ㊕ ~**·ly** *ad.*

in·ept·i·tude [inéptətjùːd] *n.* **1** Ⓤ 부적당; 부조리, 어리석음. **2** Ⓒ 어리석은 언행(言行)(absurdity).

◇**in·e·qual·i·ty** [ìnikwάləti/-kwɔ́l-] *n.* **1** Ⓤ 같지 않음, 불평등, 불공평, 불균형; Ⓒ (보통 *pl.*) 불평등한 사항〔점〕: the ~ between the rich and the poor 빈부의 차. **2** Ⓤ (기후·온도의) 변동; (표면의) 거칢; (*pl.*) 기복, 우툴두툴함: the *inequalities* of the ground 지면의 울퉁불퉁함. **3** Ⓤ 부적임(不適任): one's ~ to a task 어떤 일에 대한 부적임. **4** Ⓤ (구체적으로는 Ⓒ) 〖수학〗 부등(식).

in·eq·ui·ta·ble [inékwətəbəl] *a.* 불공평한, 불공정한. SYN. ⇨UNJUST. ㊕ **-bly** *ad.*

in·eq·ui·ty [inékwəti] *n.* **1** Ⓤ 불공평, 불공정(unfairness). **2** Ⓒ 불공평한 사항〔행위〕.

in·e·rad·i·ca·ble [ìnirǽdikəbəl] *a.* 근절할 수 없는, 뿌리 깊은. ㊕ **-bly** *ad.*

in·er·rant [inérənt] *a.* 잘못〔틀림〕 없는.

in·ert [inə́ːrt] *a.* **1** (육체적·정신적으로) 활발하지 못한, 완만한, 생기가 없는, 둔한. **2** 〖물리〗 (물질이) 자력으로는 움직이지 못하는: ~ matter. **3** 〖화학〗 비활성의: ~ gases 비활성 기체. ㊕ ~**·ly** *ad.* ~**·ness** *n.*

◇**in·er·tia** [inə́ːrʃiə] *n.* Ⓤ **1** 불활동, 불활발; 지둔(遲鈍)(inactivity). **2** 〖물리〗 관성, 타성, 타력: moment of ~ 관성 능률/the force of ~ 관성, 타성/Newton's Law of Inertia 뉴턴의 관성의 법칙. **3** 〖의학〗 이완(弛緩), 무력증(無力症). ㊕ **-tial** *a.* **-tial·ly** *ad.*

inértia sèlling 《英》 강매《멋대로 상품을 보내고 반품하지 않는 경우에 대금을 청구하는 판매 방식》.

in·es·cap·a·ble [ìneskéipəbəl] *a.* 달아날〔피할〕 수 없는, 불가피한. ㊕ **-bly** *ad.*

in·es·sen·tial [ìnisénʃəl] *a.* 긴요〔중요〕하지 않은, 없어도 되는. —*n.* Ⓒ (흔히 *pl.*) 긴요〔필요〕하지 않은 것.

◇**in·es·ti·ma·ble** [inéstəməbl] *a.* 평가〔계산〕할 수 없는; 헤아릴 수 없는; 헤아릴 수 없을 만큼 큰〔존귀한〕; 더없이 귀중한: a thing of ~ value 더없이 귀중한 것. ㊕ **-bly** *ad.*

in·èv·i·ta·bíl·i·ty *n.* Ⓤ 피할 수 없음, 불가피, 불가항력, 필연(성): historical ~ 역사적 필연성.

⁑**in·ev·i·ta·ble** [inévitəbəl] *a.* **1** 피할 수 없는, 면할 수 없는; 부득이한: Death is ~. 죽음은 피할 수 없다/It's almost ~ that the two companies will merge. 그 두 회사의 합병은 피할 수 없을 것 같다. **2** (논리적으로 보아) 필연의, 당연한: an ~ conclusion 필연적인 귀결/an ~ result 당연한 결과. **3** Ⓐ 〖one's 〔the〕 ~〗《구어》 변함없는, 예(例)의: with his ~ camera 여전히 그 카메라를 메고. **4** (the ~) 〖명사적〗 피할 수 없는 일, 필연의 운명: accept the ~ with grace 어쩔 수 없는 것을 미련없이 받아들이다.

◇**in·év·i·ta·bly** *ad.* 불가피하게, 필연적으로; 부득이; 반드시, 당연히: Students who don't study hard ~ cannot go on to university. 열심히 공부하지 않는 학생들은 당연히 대학에 진학할 수 없다.

in·ex·act [ìnigzǽkt] *a.* 정확〔정밀〕하지 않은, 부정확한. ㊕ ~**·ly** *ad.* ~**·ness** *n.*

in·ex·act·i·tude [ìnigzǽktətjùːd] *n.* **1** Ⓤ 부정확, 부정밀. **2** Ⓒ 부정확한 것.

in·ex·cus·a·ble [ìnikskjúːzəbəl] *a.* 변명이 서지 않는; 용서할 수 없는: an ~ error 변명할 수 없는 잘못. ㊕ **-bly** *ad.*

◇**in·ex·haust·i·ble** [ìnigzɔ́ːstəbəl] *a.* **1** 다할 줄 모르는, 무진장한: Natural resources are not ~. 천연자원은 무진장한 것이 아니다. **2** 지칠 줄 모르는, 끈기 있는: an ~ worker 아무리 일해도 지치지 않는 사람. ㊕ **-bly** *ad.*

in·èx·o·ra·bíl·i·ty *n.* Ⓤ 용서 없음; 무정, 냉혹.

in·ex·o·ra·ble [inéksərəbəl] *a.* **1** 무정한, 냉

혹한; (아무의 간청을) 들어주지 않는. **2** 굽힐 수 없는, 움직일 수 없는. ㊞ **-bly** *ad.*

in·ex·pe·di·ence, -en·cy [ìnikspí:diəns], [-i] *n.* Ⓤ 불편; 부적당; 득책이 아님.

in·ex·pe·di·ent [ìnikspí:diənt] *a.* Ⓟ 불편한; 형편에 맞지 않는; 득책이 아닌.

◇**in·ex·pen·sive** [ìnikspénsiv] *a.* 비용이 들지 않는, 값싼; 값에 비하여 품질이 좋은. SYN. ⇨CHEAP. ㊞ **~·ly** *ad.* **~·ness** *n.*

*****in·ex·pe·ri·ence** [ìnikspíəriəns] *n.* Ⓤ 무경험, 미숙련, 미숙, 서투름, 물정을 모름.

*****ìn·ex·pé·ri·enced** *a.* **1** 경험이 없는: an ~ young man 세상물정 모르는 청년. **2** Ⓟ 숙련되지 않은, 미숙한(*in, at* …에): He's ~ *in* the business world. 그는 실업계에는 미숙하다 / He's ~ *at* driving. 그는 운전에 서툴다.

in·ex·pert [inékspəːrt, ìnikspə́ːrt] *a.* 미숙한, 서투른; 아마추어의. ㊞ **~·ly** *ad.* **~·ness** *n.*

in·ex·pi·a·ble [inékspiəbəl] *a.* **1** 속죄할 수 없는(죄악 따위), 죄 많은. **2** 달랠 수 없는, 누그러뜨릴 수 없는(감정 따위); 앙심을 품은. ㊞ **-bly** *ad.*

in·èx·pli·ca·bíl·i·ty *n.* Ⓤ 설명할 수 없음, 불가해(不可解)함.

◇**in·ex·pli·ca·ble** [inéksplikəbəl, ìniksplík-] *a.* 불가해한, 설명〔해석〕할 수 없는, 납득이 안 가는: an ~ phenomenon 불가해한 현상.

ìn·ex·plíc·a·bly *ad.* **1** 불가해하게. **2** 《문장 전체를 수식하여》 알 수 없는 일이지만, 어떤 이유인지: *Inexplicably*, Mary said she wouldn't go. 무슨 이유에선지, 메리는 가고싶지 않다고 했다.

◇**in·ex·press·i·ble** [ìnikspréṡəbəl] *a.* 말로 나타낼 수 없는, 이루 다 말〔형언〕할 수 없는. ㊞ **-bly** *ad.* **~·ness** *n.*

in·ex·pres·sive [ìnikspréṡiv] *a.* 표정이 없는, 무표정한; 말이 없는, 뚱한. ㊞ **~·ly** *ad.* **~·ness** *n.*

in·ex·tin·guish·a·ble [ìnikstíŋgwiʃəbəl] *a.* (불 등을) 끌 수 없는; (감정을) 억누를 수 없는.

in ex·tre·mis [in-ikstrí:mis] 《L.》 극한 상황에서; 죽음에 임하여, 임종에; 곤경에서.

in·ex·tri·ca·ble [inékstrikəbəl] *a.* **1** (장소·상태 등이) 탈출할〔헤어날〕 수 없는: an ~ situation 꼼짝할 수 없는 사태. **2** (상황 따위가) 풀 수 없는, 뒤엉킨; 해결할 수 없는: in ~ confusion 손댈 수 없을 정도로 혼란하여. ㊞ **-bly** *ad.*

INF intermediate-range nuclear forces (중거리 핵전력). **inf.** infantry; 〖문법〗 infinitive; information; infinity.

in·fal·li·bíl·i·ty [infæ̀ləbíləti] *n.* Ⓤ **1** 과오가 없음, 무과실성; 절대 확실. **2** 〖가톨릭〗 (교황·공회의의) 무류성(無謬性): papal ~ 교황의 무류성. ***His Infallibility*** 로마 교황의 존칭.

in·fal·li·ble [infǽləbəl] *a.* **1** 결코 잘못이 없는, 전혀 틀림이 없는: one's ~ judgment 절대로 올바른 판단. **2** (효능·방법 등이) 절대로 확실한: an ~ means 〔method〕 전적으로 확실한 수단〔방법〕/ an ~ remedy 확실히 효험 있는 약. **3** 〖가톨릭〗 (특히 교황이) 절대 무류(無謬)의. **—***n.* Ⓒ 절대로 확실한 사람〔물건〕. ㊞ **-bly** *ad.* 전혀 틀림없이, 아주 확실히; 《구어》 언제나 꼭.

◇**in·fa·mous** [ínfəməs] *a.* **1** 수치스러운, 불명예스러운, 부끄러워해야 할, 파렴치한: ~ behavior 수치스러운 행동. **2** 악명 높은, 평판이 나쁜: an ~ criminal 악명 높은 범죄자. ㊞ **~·ly** *ad.* 악명 높게; 불명예스럽게도.

◇**in·fa·my** [ínfəmi] *n.* **1** Ⓤ 악평, 오명(汚名), 악명; 불명예. **2** Ⓒ (흔히 *pl.*) 파렴치한 행위, 추행(醜行), 비행. ◇infamous *a.*

*****in·fan·cy** [ínfənsi] *n.* **1** Ⓤ (또는 an ~) **유소**(幼少), 어릴 때, 유년기: a happy ~ 행복한 유년 시절 / in one's ~ 어릴적에; 유년기에. **2** Ⓤ **초기**, 요람기, 미발달기: in the ~ of science 과학의 요람기에 / The technology is still in its ~. 그 과학 기술은 아직도 초기 단계에 있다. **3** Ⓤ 〖법률〗 미성년(minority).

*****in·fant** [ínfənt] *n.* Ⓒ **1** (7세 미만의) **유아**, 소아; 《英》 유치원생(5-7세). **2** 〖법률〗 미성년자 (《美》에서는 주에 따라 18에서 21세 미만, 《英》에서는 18세 미만). **—***a.* Ⓐ **1** **유아**(용)의: ~ mortality 유아 사망률 / ~ food 유아식. **2** 유치한, 유년(기)의. **3** **초기의**, 미발달의: ~ industries 초기 단계의 산업.

in·fan·ti·cide [infǽntəsàid] *n.* Ⓤ 유아〔영아〕 살해(범죄); Ⓒ 유아〔영아〕 살해 범인.

in·fan·tile [ínfəntàil, -til] *a.* 유아(기)의; 아이다운, 천진스러운: ~ behavior 어린애 같은 행동 / ~ diseases 소아병. ㊞ **ìn·fan·tíl·i·ty** [-tíləti] *n.* Ⓤ 유아성(性).

ínfantile parálysis 〖의학〗 소아마비.

in·fan·ti·lism [ínfəntailìzəm, infǽntə-] *n.* **1** Ⓤ (구체적으로는 Ⓒ) 〖의학〗 발육 부전(不全), 유치증(幼稚症)(체구·지능 등이 어른이 되어도 발달하지 않는 병). **2** 어린애 같은 언동.

in·fan·tine [ínfəntàin, -tì:n] =INFANTILE.

ínfant pròdigy 천재아, 신동(=**ínfantile pròdigy**).

◇**in·fan·try** [ínfəntri] *n.* Ⓤ 《집합적; 단·복수 취급》 보병, 보병대. cf. cavalry. ¶mounted ~ 기마 보병 / an ~ regiment, 1개 보병 연대.

ínfantry·man [-mən] (*pl.* ***-men*** [-mən]) *n.* Ⓒ (개개의) 보병(步兵).

ínfant(s') schòol 《英》 (5세에서 7세까지의) 유아 학교.

in·farct [infá:rkt] *n.* Ⓤ 〖의학〗 경색(부)(梗塞(部))(혈액 순환이 저지되어 괴사 상태에 있는 조직).

in·farc·tion [infá:rkʃən] *n.* Ⓤ (구체적으로는 Ⓒ) 〖의학〗 경색(梗塞) (형성): (a) cerebral ~ 뇌경색 / (a) cardiac ~ 심근 경색.

in·fat·u·ate [infǽtʃuèit] *vt.* …을 얼빠지게 만들다, …에 분별〔이성〕을 잃게 하다, …을 혹하게 하다; 열중케 하다. (***be***) **~*d with*** …에 열중하여 (있다), …에 혹하여 (있다).

in·fát·u·àt·ed [-id] *a.* **1** 멍한, 얼빠진. **2** 열중한, 혹한, 제정신이 아닌(*with* …에): He was ~ *with* gambling. 그는 도박에 빠져 있었다.

in·fàt·u·á·tion *n.* **1** Ⓤ 열중케 함; 열중함, 심취함(*for, with* …에): modern ~ *with* speed 현대의 스피드광 / Stamp collecting is his latest ~. 최근에 그는 우표 수집에 열중하고 있다. **2** Ⓒ 심취케 하는 것〔사람〕.

in·fea·si·ble [infí:zəbəl] *a.* 실행 불가능한, 수행할 수 없는. ㊞ **~·ness** *n.*

*****in·fect** [infékt] *vt.* **1** 《~+목/+목+전+명》 …에 **감염시키다**; 전염시키다(*with* (병·병균)을): His flu ~*ed* his wife. 그의 독감이 아내에게 옮았다 / ~ a person *with* the plague 아무에게 역병(疫病)을 감염시키다. **2** 《~+목/+목+전+명》 (병균이) …에 침입하다, (공기·물·지역 따위)에 병균을 퍼뜨리다, …을 오염시키다(*with* (병독(病毒) 따위)로): ~ a wound 상처에 병균이 침입하

다 / ~ water *with* cholera 콜레라균으로 물을 오염시키다. **3** 《~+목/+목+전+명》 물들게〔젖게〕 하다《***with*** (악풍(惡風))에》: ~ a person *with* a radical idea 아무에게 과격한 사상을 불어넣다. **4** 〖일반적〗 …에 **영향을 미치다**, …을 감화하다: His speech *~ed* the audience. 그의 연설은 청중에게 감화를 주었다. **5** 〖컴퓨터〗 (바이러스가 컴퓨터)를 오염시키다. ◇infection *n.* ㊕ **~·er, in·féctor** *n.*

***in·fec·tion** [infékʃən] *n.* **1** Ⓤ (병균의) **전염**, 감염《특히 공기 · 물에 의한 것을 말함》; (상처로의) 병원균의 침입. ⓒⓕ contagion. **2** Ⓒ **전염병**, 감염증. **3** Ⓤ 나쁜 감화〔영향〕.

***in·fec·tious** [infékʃəs] *a.* **1** (병이) **전염하는**; 감염〔전염〕성의; 전염병의: an ~ hospital 전염병 병원 / an ~ disease 전염병. **2** 《구어》 (영향이) 옮기 쉬운: ~ weeping 끌려서 같이 욺 / ~ laughter 함께 따라 웃는 웃음. ◇infect *v.* ㊕ **~·ly** *ad.* **~·ness** *n.* 전염성.

in·fec·tive [inféktiv] *a.* =INFECTIOUS.

in·fe·lic·i·tous [ìnfəlísitəs] *a.* **1** 불행한, 불운한. **2** (표현 · 행위 등이) 부적절한, 불완전한. ㊕ **~·ly** *ad.*

in·fe·lic·i·ty [ìnfəlísəti] *n.* **1** Ⓤ 불행, 불운; (말 따위의) 부적절. **2** Ⓒ 부적절한 것〔표현〕.

in·fer** [infə́ːr] (*-rr-*) *vt.* **1** 《~+목/+목+전+명/ +*that* 절》 **추리**〔추론, 추단(推斷)〕**하다**, 추측하다 《from*** …에서》: They *~red* his displeasure *from* his cool tone of voice. 냉랭한 어조에서 그가 불쾌해하고 있다고 판단했다 / I *~red from* what you said *that* he would make a good businessman. 당신이 한 말을 듣고 그가 훌륭한 사업가가 되리라고 추측했습니다 / What can you ~ *from* these facts? 이런 사실로부터 어떤 추론이 가능합니까. **2** (결론으로서) 나타내다, 의미〔암시〕하다: Your silence *~s* consent. 자네가 잠자코 있는 것은 동의의 표시겠지. ㊕ **~·a·ble** *a.* 추리〔추론〕할 수 있는.

°**in·fer·ence** [ínfərəns] *n.* Ⓤ **1** 추리, 추측, 추론; Ⓒ 추정, 결론: by ~ 추론에 의해, 추정론으로 / the deductive 〔inductive〕 ~ 연역〔귀납〕 추리 / make 〔draw〕 an ~ from …으로부터 추론하다, 단정하다. **2** 〖컴퓨터〗 추론. ◇infer *v.*

in·fer·en·tial [ìnfərénʃəl] *a.* 추리〔추론〕에 의한, 추리〔추론〕의; 추리〔추론〕상의, 추단한. ㊕ **~·ly** *ad.* 추론적으로, 추론에 의해.

in·fe·ri·or** [infíəriər] *a.* **1** (등위 · 등급 · 계급 등이) **아래쪽의**, 하위〔하급, 하층〕의, 낮은《to*** …보다》: the ~ classes 하층 계급 / an ~ officer 하급 장교〔공무원〕/ His position is ~ *to* mine. 그의 지위는 나보다 낮다. **2** (품질 · 정도 등이) **떨어지는**, 열등한, 하등의, 조악한《***to*** …보다》: goods of ~ quality 하등품 / This is ~ *to* that. 이것은 저것보다 떨어진다〔못하다〕. **3** 〖식물〗 (꽃받침 · 자방(子房)이) 하위〔하생〕의; 〖인쇄〗 밑에 붙는《H_2, D_n의 $_2$, $_n$ 등》. ⇔ *superior*. **—*n.*** Ⓒ **1** 〖보통 one's ~〗 손아랫사람, 하급자; 후배; 열등한 사람〔것〕. **2** 〖인쇄〗 밑에 붙는 숫자〔문자〕. ㊕ **~·ly** *ad.*

***in·fe·ri·or·i·ty** [infìəriɔ́(ː)rəti, -ár-] *n.* Ⓤ **1** 하위, 하급. **2 열등**, 열세: a sense of ~ 열등감. **3** 조악(粗惡). ⇔ *superiority*.

inferiórity còmplex (보통 *sing.*) **1** 〖심리〗 열등 콤플렉스, 열등감(↔ *superiority complex*): She has an ~ about 〔because of〕 her bad complexion. 그녀는 얼굴 피부가 거칠어 열등감을 갖고 있다. **2** 《구어》 자신감 상실, 비하(卑下).

°**in·fer·nal** [infə́ːrnl] *a.* **1** 지옥(inferno)의. ↔ *supernal*. ¶the ~ regions 지옥. **2** 악마 같은, 극악무도한. **3** Ⓐ 《구어》 지독한, 정말 싫은: an ~ bore 몹시 따분한 사람. ㊕ **~·ly** *ad.* 악마〔지옥〕같이; 《구어》 몹시, 지독하게.

in·fer·no [infə́ːrnou] (*pl.* **~s**) *n.* 《It.》 **1 a** (the ~) 지옥(hell). **b** Ⓒ 지옥 같은 장소〔광경〕; 고통〔고뇌〕의 장소〔상태〕. **2** Ⓒ 대화재, 큰 불: The oil well turned into a raging ~. 유전은 미친 듯이 타오르는 불바다로 변했다.

in·fer·tile [infə́ːrtəl/-tail] *a.* **1** (땅이) 비옥하지 않은; 불모의. **2** 생식력이 없는, 불임의; (알이) 무정(無精)인, 수정하지 않은: ~ eggs 무정란(卵). ㊕ **in·fer·til·i·ty** [ìnfə(ː)rtíləti] *n.* Ⓤ 불모, 불임(성).

°**in·fest** [infést] *vt.* **1** (병이) …에 만연하다; (해충이) …에 기생하다, 들끓다: a dog *~ed* by fleas 벼룩이 꾀어 있는 개. **2** (도둑 따위가) …에 출몰〔횡행, 창궐〕하다; 판치다《★ 종종 수동태로 쓰며, 전치사는 *by, with*》: *be ~ed with* pirates 해적이 횡행하다.

in·fes·ta·tion [ìnfestéiʃən] *n.* Ⓤ (구체적으로는 Ⓒ) 떼지어 엄습함; 횡행, 출몰: an ~ of locusts 메뚜기의 내습.

in·fi·del [ínfədl] *a.* 신을 믿지 않는, 이교도의, 이단의. **—*n.*** Ⓒ 믿음이 없는 자, 무신론자; 이교도, 이단자; 《특히》 비기독교도.

in·fi·del·i·ty [ìnfidéləti] *n.* **1** Ⓤ 신을 믿지 않음, 불신앙; 배신; 불의; (부부간의) 부정. **2** Ⓒ 부정한 행위, 간통, 바람피움.

ín·field *n.* **1** Ⓒ 농가 주위의 경지〔밭〕. **2** (the ~) 〖야구〗 내야(內野); Ⓒ 〖집합적; 단 · 복수취급〗 내야진. ↔ *outfield*. ㊕ **~·er** *n.* Ⓒ 내야수 (↔ *outfielder*).

ínfield flỳ 〖야구〗 내야 플라이.

ínfield hit 〖야구〗 내야 안타.

ín·fighting *n.* Ⓤ **1** 〖권투〗 인파이팅, 접근전. **2** 내부 알력, (정당 등의) 내분(內紛). **3** 혼전, 난투.

in·fil·trate [infíltreit, ⌐-⌐] *vt.* **1** (물질 · 사상 따위)를 스며들게 하다, 침투〔침윤〕시키다《***into, through*** …에》: Caves form when water *~s* limestone. 물이 석회암에 스며들면 동굴이 생긴다 / ~ terror *into* a person's mind 아무에게 공포심을 품게 하다. **2** …에 잠입〔침입〕하다; …을 침투시키다《***into*** (지역 · 조직 등)에》: The organization is *~d* by communists. 그 조직에는 공산주의자들이 잠입해 있다 / ~ a spy *into* the enemy camp 적진에 스파이를 침투시키다. **—** *vi.* 스며들다; 침투하다, 잠입하다《***into, through*** …에》. ㊕ **-trà·tor** *n.*

ìn·fil·trá·tion *n.* **1** Ⓤ 스며듦, 침입, 침투. **2** Ⓒ (보통 *sing.*) 잠입 (행위)《***into*** (조직 · 적진 등)에의》: ~ operations 침투 작전. **3** Ⓤ 〖의학〗 침윤(浸潤): ~ of the lungs 폐침윤.

infin. 〖문법〗 infinitive.

in·fi·nite** [ínfənit] *a.* **1 무한한**, 무수한, 한량없는: an ~ decimal 무한 소수 / an ~ geometrical series 〔sequence〕 무한 등비 급수〔수열〕/ an ~ sequence 무한 수열. **2** 막대한, 끝없는: possess ~ wealth 막대한 부(富)를 소유하다. **3** 〖문법〗 부정형(不定形)의《인칭 · 수 · 시제 등의 제한을 안 받는 꼴, 즉 infinitive, participle, gerund》. ⇔ *finite*. **—*n. **1** (the ~) 무한(한 공간〔시간〕); 무한대(大)〔량〕. **2** (the I–) 조물주,

신(God).

ín·fi·nite·ly *ad.* **1** 무한히, 끝없이. **2** 대단히, 극히: be ~ wealthy 대단히 부유하다. **3** 〖비교급 앞에 쓰여〗 훨씬: It's ~ *worse* than I thought. 생각했던 것보다 훨씬 더 못하다.

in·fin·i·tes·i·mal [infìnitésəməl] *a.* 극소의, 극미의; 〖수학〗 무한소의, 미분(微分)의. **—***n.* [C] 극소량, 극미량; 〖수학〗 무한소. ⓟ **~·ly** *ad.*

infinitésimal cálculus 〖수학〗 미적분학.

in·fin·i·ti·val [infinitáivəl] *a.* 〖문법〗 부정사(不定詞)의: an ~ construction 부정사 구문.

◇**in·fin·i·tive** [infínətiv] *n.* [C] 〖문법〗 부정사(不定詞)《I can go.나 I want to go.에서의 *go*, *to go*; *to*가 붙는 것을 to-~, *to*가 없는 것을 bare 〔root〕 ~라고 함; [cf.] split ~》. **—***a.* 〖문법〗 [A] 부정형의, 부정사의.

in·fin·i·tude [infínətjùːd] *n.* **1** [U] 무한, 무궁. **2** (an ~) 무한량, 무수《*of* …의》: an ~ *of* varieties 무수한 변화.

◇**in·fin·i·ty** [infínəti] *n.* **1** [U] 무한; 〖수학〗 무한대 《기호 ∞》; 〖형용사적〗 초고감도의: an ~ microphone 〔transmitter, bug〕 (스파이용의) 초고감도 마이크〔송화기, 도청기〕. **2** (an ~) 무수, 무량: an ~ *of* possibilities 무한한 가능성.

◇**in·firm** [infə́ːrm] (**~·er; ~·est**) *a.* **1** (신체적으로) 약한; 허약한; 쇠약한: ~ with age 노쇠한. **2** (성격 · 의지가) 우유부단한, 마음이 약한, 결단력이 없는: ~ *of* purpose 의지가 박약한. **3** (지주 · 구조 따위가) 견고하지 못한, 불안정한. [SYN.] ⇨WEAK. ⓟ **~·ly** *ad.* **~·ness** *n.*

in·fir·ma·ry [infə́ːrməri] *n.* [C] 병원; (학교 · 공장 따위의) 부속 진료소, 양호실.

◇**in·fir·mi·ty** [infə́ːrməti] *n.* **1** [U] 허약, 쇠약, 병약. **2** [C] 병, 질환: *infirmities* of (old) age 노쇠에서 오는 여러가지 병, 노환. **3** [C] (정신적인) 결점, 약점. ◇infirm *a.*

◇**in·flame** [infléim] *vt.* **1** …에 불을 붙이다, …을 불 태우다. **2** 붉게 물들이다, (얼굴 등)을 (새) 빨개지게 하다: The setting sun ~*s* the sky. 지는 해가 하늘을 붉게 물들인다. **3** (감정 따위)를 부추기다, 선동하다, 자극하다: His eloquence ~*d* the strikers. 그의 웅변이 파업 참가자들을 부추겼다. **4** (아무)를 흥분시키다, 성〔화〕나게 하다: ~*d* with anger 격노하여. **5** 〖의학〗 …에 염증을 일으키게 하다, (눈)을 충혈시키다. **—***vi.* **1** 불이 붙다, 타오르다. **2** 흥분하다, 성내다, (얼굴 등이) 빨개지다. **3** 〖의학〗 염증을 일으키다, 부어오르다. ⓟ **in·flám·er** *n.* [C] 불지르는 사람.

in·flámed *a.* **1** (몸의 일부가) 염증을 일으킨, 벌겋게 부은: an ~ eye 충혈된 눈. **2** [P] 흥분한 《*with* (감정 등)으로》: He's ~ *with* rage. 그는 격노하고 있다. **3** (얼굴이) 새빨개진《*with* (분노 등)으로》: His face was ~ *with* anger. 그는 분노로 얼굴이 새빨개졌다.

in·flàm·ma·bíl·i·ty *n.* [U] 가연성, 인화성; 흥분하기 쉬움, 흥분성.

in·flam·ma·ble [inflǽməbəl] *a.* **1** 타기 쉬운, 가연성의: Paper is ~. 종이는 타기 쉽다. **2** 격하기 쉬운, 흥분하기 쉬운: ~ temper 격〔흥분〕하기 쉬운 기질. **—***n.* [C] (보통 *pl.*) 가연물, 인화성 물질. ⓟ **-bly** *ad.*

in·flam·ma·tion [infləméiʃən] *n.* **1** [U] 점화, 발화, 연소. **2** [U] (감정 따위의) 흥분, 격노. **3** [U] (구체적으로는 [C]) 〖의학〗 염증: ~ of the lungs 폐렴.

in·flam·ma·to·ry [inflǽmətɔ̀ːri/-təri] *a.* **1** 열광〔격앙〕시키는, 선동적인: an ~ speech 선동적인 연설. **2** 〖의학〗 염증을 일으키는, 염증성의: an ~ fever 염증열. ⓟ **-tò·ri·ly** *ad.*

in·flát·a·ble *a.* (공기 등으로) 부풀릴 수 있는, (공기) 팽창식의.

in·flate [infléit] *vt.* **1** (공기 · 가스 따위로) 부풀리다: ~ a balloon 풍선을 부풀리다. **2** 〖종종 수동태〗 우쭐하게 하다, 자만심을 갖게 하다《*with* (만족감 · 자랑)으로》: ~ a person *with* pride 아무를 우쭐하게 하다 / She *is* ~*d with* her own idea. 그녀는 자신의 아이디어에 우쭐해져 있다. **3** 〖경제〗 (통화)를 팽창시키다 (↔ *deflate*); (물가)를 올리다: ~ the paper currency 지폐를 남발하다. **—***vi.* 팽창하다, 부풀다; 인플레가 생기다.

in·flát·ed [-id] *a.* **1** (공기 따위로) 부푼, 충만된, 팽창한. **2** (사람이) 우쭐해진, 자만하는; (문체 · 언어가) 과장된: ~ language 호언장담. **3** 〖경제〗 (인플레로 인해) 폭등한, (통화가) 현저하게 팽창된: ~ prices 폭등한 가격 / the ~ value of land 폭등한 땅값.

***in·fla·tion** [infléiʃən] *n.* **1** [U] 부풀림; 부풂, **팽창**. **2** [U] 자만심; 과장. **3** [U] (구체적으로는 [C]) 〖경제〗 통화 팽창, **인플레이션**; (물가 · 주가 등의) 폭등. ↔ *deflation*.

in·fla·tion·a·ry [infléiʃənèri/-əri] *a.* 인플레이션〔통화 팽창〕의; 인플레이션을 유발하는: an ~ tendency 인플레이션 경향 / ~ policies 인플레이션 정책.

in·flá·tion·ìsm *n.* [U] 인플레이션 정책, 통화 팽창론.

in·flect [inflékt] *vt.* **1** (보통, 안쪽으로) 구부리다, 굴곡시키다. **2** 〖음악〗 (음성)을 조절하다, 억양을 붙이다. **3** 〖문법〗 굴절시키다, 어형 변화시키다. **—***vi.* 〖문법〗 (낱말이) 굴절〔어형 변화〕하다.

***in·flec·tion,** 《英》 **-flex·ion** [inflékʃən] *n.* **1** [U] (구체적으로는 [C]) 굽음, **굴곡**, 만곡. **2** [U] (구체적으로는 [C]) 음조의 변화, 억양. **3** 〖문법〗 [U] 굴절, 활용, 어형 변화《동사의 활용, 명사 · 대명사 · 형용사의 격(格)변화》; [C] 변화형, 굴절형, 어형 변화에 쓰이는 어미.

in·flec·tion·al [inflékʃənəl] *a.* **1** 굴곡〔만곡〕하는. **2** 〖문법〗 굴절이〔어미 변화가〕 있는; 억양의: an ~ language 굴절(언)어.

in·flex·i·bil·i·ty [inflèksəbíləti] *n.* [U] **1** 구부러지지 않음, 불굴성. **2** 불요불굴(不撓不屈), 강직(剛直).

◇**in·flex·i·ble** [infléksəbəl] *a.* **1** 구부러지지〔굽지〕 않는. **2** (사람 · 결의가) 불굴의; 강직한, 완고한: an ~ will 불굴의 의지. **3** (규칙 등이) 불변의, 변경할 수 없는, 융통성 없는. ⓟ **-bly** *ad.*

inflexion ⇨INFLECTION.

◇**in·flict** [inflíkt] *vt.* **1** (타격 · 상처 · 고통 따위)를 주다, 입히다, 가하다《*on, upon* (아무)에게》: He ~*ed* a blow *on* 〔*upon*〕 me. 그가 나에게 일격을 가했다. **2** (형벌 따위)를 과하다《*on, upon* (아무)에게》: The judge ~*ed* the death penalty *on* the criminal. 판사는 범인에게 사형을 선고했다. **3** 〖~ oneself〗 폐를 끼치다, 번거롭게 하다《*on, upon* (아무)에게》: I won't ~ *myself on* you today. 오늘은 당신에게 폐를 끼치지 않겠습니다. ◇infliction *n.* ⓟ **~·er, -flíc·tor** *n.* [C] 가해자.

in·flíc·tion [inflíkʃən] *n.* **1** [U] 가(加)함, 과(課)함《*of* (고통 · 벌 따위)를; *on, upon* (아무)에

게》: the ~ *of* punishment *on* a person 아무에게 벌을 과함. **2** Ⓒ (가(加)〔과(課)〕해진) 처벌, 형벌; 고통; 괴로움, 폐: ~*s* from God 천벌.

in-flight *a.* 비행 중의, 기내의: ~ meals 기내식(機內食)/~ refueling 공중 급유.

in·flo·res·cence [ìnflɔːrésns] *n.* Ⓤ **1** 개화(開花); 〖집합적〗 꽃. **2** 〖식물〗 화서(花序), 꽃차례.

in·flo·res·cent [ìnflɔːrésnt] *a.* 꽃이 핀.

in·flow [ínflòu] *n.* **1** Ⓤ 유입(流入)《*into* …으로의》: the ~ of money *into* banks 은행으로의 돈의 유입. **2** Ⓒ 유입물; 유입량.

‡**in·flu·ence** [ínfluəns] *n.* **1** Ⓤ (또는 an ~) **영향(력)**, 작용; 감화(력)《*on, upon, over* …에 미치는》: the ~ *of* a good man 선인의 감화(력)/the ~ *of* the mind *on* 〔*upon*〕 the body 정신의 육체에 미치는 영향. **2** Ⓤ **세력**, 권세; 위세; 지배력《*over* …에 대한》; 연고, 연줄《*with* …와의》: a person of ~ 세력가/one's sphere of ~ 세력 범위/He has considerable ~ *with* the police. 그는 경찰에 상당한 연줄이 있다/He has used his ~ in the cause of world peace. 그는 세계 평화를 위하여 진력(盡力)하였다. **3** Ⓒ 영향력이 있는〔을 미치는〕 사람〔것〕, 세력가, 유력자: He is an ~ for good 〔evil〕. 그는 사람을 선〔악〕으로 이끄는 인물이다/an ~ in the political world 정계의 실력자. **4** Ⓤ 〖전기〗 유도, 감응. **5** Ⓤ 〖점성〗 감응력《천체로부터 발하는 영기가 사람의 성격·운명에 영향을 미친다고 하는》. ◇influential *a.* SYN. ⇨ POWER.

under the ~ 《구어》 술에 취하여(drunk): He was caught driving *under the* ~. 음주 운전으로 걸렸다. ***under the ~ of*** …의 영향을 받아, …에 좌우되어: He committed the crime *under the ~ of* a delusion. 그는 망상에 사로잡혀 범죄를 저질렀다. ***use one's ~ for*** …을 위해 진력(盡力)하다.

—*vt.* **1** …에게 **영향을 미치다**, …을 감화하다: ~ a person for good 아무에게 좋은 감화를 주다. **2** 좌우하다, 지배하다: Our decisions should not be ~*d* by our prejudices. 결정함에 있어 편견에 좌우되어서는 안 된다. **3** 《+목+*to* do》 (…하도록) 움직이다, 촉구하다; 강요하다: He was ~*d* by his father *to* accept it. 그는 부친의 의견에 따라 그것을 받아들였다.

*__in·flu·en·tial__ [ìnfluénʃəl] *a.* **1** Ⓟ **영향을 미치는**《*in* …에》: Those facts were ~ *in* gaining her support. 그런 사실들이 그녀의 지지를 얻는 데 영향을 미쳤다. **2** 세력 있는, 유력한: an ~ congressman 유력한 하원 의원. ㊕ **~·ly** *ad.*

*__in·flu·en·za__ [ìnfluénzə] *n.* Ⓤ 〖의학〗 **인플루엔자**, 유행성 감기, 독감《구어로는 flu》.

in·flux [ínflʌ̀ks] *n.* **1** Ⓤ (구체적으로는 Ⓒ) 유입(流入). ↔ *efflux*. **2** (an ~) (사람·사물의) 도래(到來), 쇄도: an ~ *of* visitors 내객의 쇄도. **3** Ⓒ (지류에서 본류에의) 합류점; 하구(河口)(estuary).

in·fo [ínfou] *n.* 《구어》 =INFORMATION.

in·fold [infóuld] *vt.* =ENFOLD.

‡**in·form** [infɔ́ːrm] *vt.* **1** 《+목+전+명/+목+*that* 절/+목+*wh.* 절/+목+*wh. to* do》 …에게 **알리다**, 보고〔통지〕하다《*of, about* …을》: I ~*ed* him *of* her success. =I ~*ed* him *that* she had been successful. 그에게 그녀의 성공을 알렸다/The letter ~*ed* me *when* the man was coming. 그 편지로 그 사람이 언제 도착하는지 알았다/Please ~ me *what to* do next. 다음엔 무엇을 해야 할지 가르쳐 주십시오. **2 a** …에 활기〔생기〕를 주다: His humanity ~*s* his writing. 그의 인간성이 그의 저작에 생기를 주고 있다. **b** 《~+목/+목+전+명》 …에게 불어넣다, 채우다 《*with* (감정·생기 따위)를》: ~ a person *with* new life 아무에게 새 생명을 불어넣다. **3** 《~+목/+목+전+명》 (어떤 특징·성격 따위가) 특징지우다: The social ideals ~ the culture. 사회 이념이 당해 문화를 특징짓는다.

—*vi.* **1** 정보를〔지식을〕 주다: It's the duty of a newspaper to ~. 정보를 전하는 것이 신문의 임무이다. **2** 《+전+명》 (경찰 등에) 밀고하다, 고발하다《*on, against* (아무)를》: One of the thieves ~*ed against* 〔*on*〕 the others. 도둑 하나가 다른 동료 도둑들을 밀고했다. ◇information *n.*

be well-~ed 정보에 환하다; 지식을 충분히 갖고 있다. ↔ *ill-informed*. ***I beg to ~ you that …*** …에 관하여 알려 드립니다.

‡**in·for·mal** [infɔ́ːrməl] *a.* **1** **비공식의**, 약식의 (↔ *formal*): ~ proceedings 약식 절차/an ~ visit 〔talk〕 비공식 방문〔회의〕. **2** **격식 차리지 않는**, 스스럼없는, 일상적인: an ~ party. **3** (말·문체 등이) 평이한, 일상 회화적인, 구어체의: an ~ style 구어〔회화〕체. **4** (의복 등) 평상(복)의: ~ clothes 평복. ㊕ **~·ly** *ad.* 비공식〔약식〕으로; 격식을 차리지 않고, 스스럼없이; 구어적으로; 털어놓고.

in·for·mal·i·ty [ìnfɔːrmǽləti] *n.* **1** Ⓤ 비공식, 약식. **2** Ⓒ 약식 방법〔조처〕.

in·form·ant [infɔ́ːrmənt] *n.* Ⓒ **1** 통지자; 정보 제공자, 밀고자. **2** 〖언어〗 (지역적 언어 조사의) 피(被)조사자, 자료 제공자.

in·for·mat·ics [ìnfərmǽtiks] *n.* Ⓤ 정보 과학(information science).

‡**in·for·ma·tion** [ìnfərméiʃən] *n.* Ⓤ **1** **정보**; (정보·지식의) **통지**, 전달《*about, on* …에 관한/*that*》: pick up useful ~ 유익한 정보를 얻다/He could not obtain any ~ *about* their secret activities. 그는 그들의 비밀 활동에 관한 아무런 정보도 얻을 수 없었다/I have ~ *that* the factory will soon close. 그 공장이 곧 폐쇄된다는 정보를 들어서 알고 있다. **2** **지식**; 학식: a man of wide 〔vast〕 ~ 박식가.

SYN. **information** 보고·전문(傳聞)·독서 등으로 얻은 지식의 바탕이 되는 정보. 정리되어 있지 않은 경우가 많음. **knowledge** 제것이 된 지식. 정리·체계화되어 있는 경우가 많음: a *knowledge* of chemistry 화학에 관한 지식. **acquaintance** 실물을 여러 번 보고 듣고 고찰하여 얻은 상세한 지식. familiarity에 가까움. **knowhow** 일을 실시함에 필요한 기술상의 지식이나 비결.

3 (역·호텔·전화 교환국의) **안내소**〔원〕, 접수(계): Call ~ and ask for her phone number. 안내계에 전화하여 그녀의 전화 번호를 물어라. **4** 〖컴퓨터〗 정보(량); (입출력 등의) 데이터. ***ask for ~*** 문의〔조회〕하다. ***lay*** 〔***lodge***〕 ***an ~ against*** …을 밀고〔고발〕하다.

> **DIAL.** ***for your information*** 참고로 말하면 《'물으니까 대답하는데' 란 뜻을 내포함》.

㊕ **~·al** [-ʃənəl] *a.* 정보의; 정보를 제공하는.

informátion dèsk 접수계〔처〕; 안내소: Ask at the ~. 접수계에 문의하시오.

informátion òffice 안내소: a tourist ~ 여행(관광) 안내소.

informátion pròcessing 〖컴퓨터〗 정보 처리.

informátion retrìeval 〖컴퓨터〗 정보 검색 《생략: IR》.

informátion scìence 정보 과학.

informátion superhíghway 초고속 정보 통신망《전자 · 디지털 통신 장비의 네트워크로서 고속의 데이터 전송이 가능한 텔레커뮤니케이션 인프라》.

informátion technòlogy 정보 공학(기술) 《생략: IT》.

informátion thèory 정보 이론.

in·form·a·tive [infɔ́:rmətiv] *a.* 정보의, 지식(정보, 소식)을 주는; 견문을 넓히는; 유익한, 교육적인. ㊎ **~·ly** *ad.*

in·fórmed *a.* **1** 정보(소식)통의, 소식에 밝은; 정보에 근거한: ~ sources 소식통/an ~ guess 자세한 정보에 근거한 추측/I will keep you ~. 계속 연락드리지요. **2** 학식(지식)이 있는, 지식(견문)이 넓은: an ~ mind 박식한 사람.

infórmed consént 〖의학〗 고지(告知)에 입각한 동의《수술이나 실험적 치료를 받게 될 경우, 그 자세한 내용을 설명받은 뒤에 환자가 내리는 승낙》.

in·fórm·er *n.* Ⓒ 통지자; (특히 범죄의) 밀고자, 고발인; (경찰에 정보를 파는) 직업적 정보 제공자.

in·fra [ínfrə] *ad.* 《L.》 아래에, 아래쪽에. ↔ *supra.* ¶See ~ p. 40. 다음 40 페이지를 보라.

in·fra- [ínfrə] *pref.* '밑에, 하부에'의 뜻: *infra*costal.

in·frac·tion [infrǽkʃən] *n.* Ⓤ 〖법률〗 위반; 침해; Ⓒ 위반 행위.

ínfra díg 《구어》 위엄을 손상하는, 체면에 관련된.

ìnfra·réd *a.* Ⓐ 〖물리〗 적외선의, 적외선 이용의. cf. ultraviolet. ¶~ rays 적외선/an ~ film 적외선 필름. **—** *n.* Ⓤ 적외선《생략: IR》.

ínfra·strùcture *n.* Ⓒ **1** (단체 등의) 하부 조직(구조), (경제) 기반; 기초 구조, 토대. **2** 〘집합적〙 (수도 · 전기 · 학교 · 도로 · 교통(통신)기관 등 사회의) 기간 시설, 산업 기반. **3** 〘집합적〙 〖군사〗 작전 수행에 필요한 영구 군사 시설《비행장 · 해군 기지 등》.

in·fre·quence, -quen·cy [infrí:kwəns], [-i] *n.* Ⓤ 드묾, 희유(稀有).

◇**in·fre·quent** [infrí:kwənt] *a.* 희귀한, 드문.

ìn·fré·quent·ly *ad.* 드물게, 희귀하게: not ~ 때때로, 종종.

in·fringe [infríndʒ] *vt.* (법규 따위)를 어기다, 범하다; (규정)에 위반하다; (권리)를 침해하다. **—** *vi.* 침해하다《*on, upon* …을》: ~ *on* (*upon*) a person's privacy 아무의 프라이버시를 침해하다. ㊎ **in·fríng·er** *n.* Ⓒ 침범(위반)자.

in·frínge·ment *n.* **1** Ⓤ (법규) 위반, 위배; (특허권 등의) 침해: copyright ~ 저작권 침해. **2** Ⓒ 위반(침해) 행위: an ~ of Korea's sovereignty 한국 주권에 대한 침해 행위.

in·fu·ri·ate [infjúərièit] *vt.* 격노케 하다: be ~*d* at …에 노발대발하다. SYN. ⇨ IRRITATE.
㊎ **in·fù·ri·á·tion** *n.*

in·fúr·i·àt·ing·ly *ad.* 격노하여; 화가 치밀 만큼.

in·fuse [infjú:z] *vt.* **1** (사상 · 활력 따위)를 주입하다, 불어넣다《*into* (사람 · 마음)에》; 가득 채우다《*with* (희망 따위)로》: How do you ~ such confidence *into* your men? 어떻게 부하들에게 그런 확신을 심어 주십니까/We were ~*d with* new hope. 우리는 새 희망에 가득 찼다. **2** (약 · 차 따위)를 우려내다; (액체)를 따르다, (차)에 더운 물을 붓다. **—** *vi.* (찻잎 등이) 우러나다.

in·fu·si·ble [infjú:zəbəl] *a.* 용해하지 않는, 불용해성의.

in·fu·sion [infjú:ʒən] *n.* **1** Ⓤ 주입, 불어넣음; 고취; (약 등을) 우려냄. **2** Ⓒ 주입물; 주입액; 우려낸(달여낸) 즙. **3** Ⓤ (구체적으로는 Ⓒ) 〖의학〗 (정맥에의) 점적(點滴). ◇ infuse *v.*

-ing *suf.* **1** [iŋ, in] 동사의 원형에 붙여 현재분사 · 동명사(gerund)를 만듦: go*ing*, wash*ing*. **2** [iŋ] 딴 말에 붙여 '동작, 결과, 재료' 따위의 뜻의 명사를 만듦: lobster*ing*, off*ing*.

in·gath·er [íngæ̀ðər, -ˊ-] *vt.* …을 거둬들이다, 모으다. ㊎ **~·ing** *n.* Ⓤ (구체적으로는 Ⓒ) 수납, 수확.

***in·ge·nious** [indʒí:njəs] *a.* **1** (발명품 · 장치 · 안 등이) **교묘한**, 독창적인, 정교한: an ~ clock (machine) 정교한 시계(기계)/an ~ theory 독창적인 이론. **2** 발명의 재능이 풍부한, 창의력이 풍부한; 영리한: an ~ designer 창의력이 풍부한 디자이너. SYN. ⇨ CLEVER.
㊎ **~·ly** *ad.* **~·ness** *n.* = INGENUITY.

in·gé·nue [ǽndʒənjù:] *n.* 《F.》 Ⓒ 순진한 소녀; 천진한 소녀역(을 맡은 여배우).

***in·ge·nu·i·ty** [ìndʒənjú:əti] *n.* Ⓤ **1 발명의 재주**, 창의력, 재간: a man of ~ 발명의 재능이 많은 사람. **2** 교묘(정교)함. ◇ ingenious *a.*

in·gen·u·ous [indʒénju:əs] *a.* **1** 솔직한, 성실한, 정직한. **2** 순진한, 천진난만한《*to* do》: It's ~ *of* you (You're ~) *to* believe what he says. 그가 하는 말을 믿다니 당신도 순진하군요. ㊎ **~·ly** *ad.* **~·ness** *n.*

in·gest [indʒést] *vt.* **1** (음식 · 약 등을) 섭취하다; (정보 등을) 수집하다; (사상 등을) 받아들이다. **2** 〖항공〗 (새 따위의 이물질을) 제트엔진의 흡입기에 빨아들이다.

in·ges·tion [indʒéstʃən] *n.* Ⓤ (음식물) 섭취.

in·gle·nook [íŋglnùk] *n.* Ⓒ 벽난로 구석(가).

in·glo·ri·ous [inglɔ́:riəs] *a.* 불명예스러운, 면목 없는, 창피스러운(dishonorable). ㊎ **~·ly** *ad.* **~·ness** *n.*

ín·gòing *a.* Ⓐ 들어오는, 취임의. ↔ *outgoing.* ¶an ~ tenant 새로 세드는 사람.

in·got [íŋgət] *n.* Ⓒ 〖야금〗 잉곳; (금속의) 주괴(鑄塊): a gold ~ 금 잉곳.

in·graft [ingrǽft, -grá:ft] *vt.* = ENGRAFT.

in·grain [ingrèin] *a.* **1** (천을) 짜기 전에 염색한, 원료 염색의. **2** (습관 따위가) 깊이 배어든, 뿌리 깊은: ~ vices 숙폐. **—** *n.* Ⓒ 짜기 전에 염색한 실(양탄자)《따위》. **—** [-ˊ] *vt.* 짜기 전에 염색하다; (털실 따위)를 미리 염색하다; (습관 등)을 깊이 뿌리박히게 하다. cf. engrain.

in·gráined *a.* **1** 깊이 배어든《사상 · 이론 따위》; (습관 따위가) 뿌리 깊은; 상습적인: an ~ liar 상습적인 거짓말쟁이/an ~ habit 몸에 밴 습관/~ morality 마음에 깊이 스민 도덕성. **2** 타고난, 본래부터의; 철저한: an ~ skeptic 본래 태생이 의심 많은 사람.

in·grate [íngreit] 《문어》 *n.* Ⓒ 은혜를 모르는 사람, 배은망덕자. **—** *a.* 은혜를 모르는, 배은망

덕한.

in·gra·ti·ate [ingréiʃièit] *vt.* 《~ oneself》 마음에 들도록 하다, 영합하다《**with** (아무)에게》: Bob tried to ~ him*self with* her by giving her presents. 보브는 그녀에게 선물을 주어 환심을 사려고 했다.

in·gra·ti·at·ing [ingréiʃièitiŋ] *a.* 알랑거리는; 애교〔매력〕 있는, 남에게 호감을 주는: an ~ smile 간살부리는 웃음. ⓟ **~·ly** *ad.*

◇**in·grat·i·tude** [ingrǽtətjù:d] *n.* Ⓤ 배은망덕, 은혜를 모름.

◇**in·gre·di·ent** [ingrí:diənt] *n.* Ⓒ **1** 성분, 합성분; 원료; 재료《**of, for** (혼합물 · 요리 따위)의》: the ~*s of* 〔*for*〕 (mak*ing*) a cake 케이크(를 만드는) 재료. SYN. ⇨ELEMENT. **2** 구성 요소, 요인: the ~*s of* political success 정치적 성공의 요인.

in·gress [íngres] *n.* 《문어》 Ⓤ **1** 들어섬〔감〕, 진입. **2** 입장(入場)의 자유, 입장권(入場權). ⇔ *egress*.

ín-gròup *n.* Ⓒ 〖사회〗 내집단(內集團)《동일 집단 내에서의 공통 이익으로 강하게 뭉친 집단》.

ín·gròwing *a.* Ⓐ 안쪽으로 성장하는; 살 속으로 파고드는《특히 손〔발〕톱이》.

ín·gròwn *a.* Ⓐ 안쪽으로 성장한; (발톱 따위가) 살로 파고든: an ~ toenail 살로 파고든 발톱.

*__in·hab·it__ [inhǽbit] *vt.* **1** …에 **살다**, 거주하다, 서식하다《★ live와는 달리 타동사로 쓰이며, 통상 개인에게는 쓰지 않고 집단에 씀》: This neighborhood is ~*ed* by rich people. 이 지구(地區)에는 부자들이 살고 있다 / The coelacanth ~*s* the deep sea. 실러캔스는 심해에 서식한다. **2** …에 존재하다, 깃들이다: Such strange ideas ~ her mind! 그녀가 마음 속에 그런 이상한 생각을 품다니. ⓟ **~·a·ble** *a.* 살기에 알맞은.

⁑**in·hab·it·ant** [inhǽbətənt] *n.* Ⓒ **1 주민**, 거주자: the ~*s of* this old capital city 이 고도(古都)의 주민들. **2** 서식 동물.

in·hal·ant [inhéilənt] *n.* Ⓒ 흡입제(劑); 흡입기〔장치〕. cf. inhaler. **—***a.* 빨아들이는, 흡입하는, 흡입용의.

in·ha·la·tion [ìnhəléiʃən] *n.* **1** Ⓤ 흡입; 숨을 들이마심(↔ exhalation): the ~ of oxygen 산소 흡입. **2** Ⓒ 흡입제.

in·ha·la·tor [ínhəlèitər] *n.* Ⓒ 흡입기(器), 흡입 장치.

◇**in·hale** [inhéil] *vt., vi.* **1** (공기 따위를) 빨아들이다, 흡입하다. **2** (담배 연기를) 빨다, 허파까지 들이마시다. ↔ *exhale*. ⓟ **in·hál·er** *n.* Ⓒ 흡입자; 흡입기.

in·har·mon·ic, -i·cal [ìnhɑ:rmánik/-mɔ́n-], [-əl] *a.* 부조화의, 불협화의.

in·har·mo·ni·ous [ìnhɑ:rmóuniəs] *a.* **1** (음 · 색 등이) 가락이 맞지 않는, 부조화의, 불협화의. **2** (관계 등이) 어울리지 않는, 불화한. ⓟ **~·ly** *ad.* **~·ness** *n.*

in·here [inhíər] *vi.* **1** (성질 따위가) 본래부터 타고나다〔존재하다〕, 내재하다《**in** …에》: Selfishness ~*s in* human nature. 이기심은 인간성에 내재하는 것이다. **2** (권리 따위가) 본래 부여되어 있다, 귀속되어 있다《**in** …에》: Power ~*s in* the office, not its holder. 권력은 그 직무에 부여된 것이지, 그 직위에 있는 사람에게 부여된 것이 아니다.

in·her·ence, -en·cy [inhíərəns], [-i] *n.* Ⓤ 고유, 타고남, 천부(天賦); 천성.

*__in·her·ent__ [inhíərənt] *a.* **본래부터 가지고 있는, 고유한**《**in** …에》; 타고난, 선천적인: an ~ right 생득권 / her ~ modesty 그녀의 천성적인 정숙함 / A love of music is ~ *in* human nature. 음악을 사랑하는 마음은 인간이 타고난 고유의 성품이다. ⓟ **~·ly** *ad.* 선천적으로; 본질적으로.

⁑**in·her·it** [inhérit] *vt.* 《~+목/+목+전+명》 **1** (재산 · 권리 따위)를 **상속하다**, 물려받다《**from** …으로부터》: ~ the family estate 대대로 전하는 재산을 상속하다 / I've ~*ed* 8,000 dollars *from* my uncle. 아저씨의 유산 8천 달러를 물려받았다 / My brother is ~*ing* the house. 형이 집을 상속받게 되어 있다《★ 진행 · 계속 중인 뜻의 진행형으로는 쓰이지 않음》. **2** (체격 · 성질 따위)를 **이어받다**, 유전하다《**from** …으로부터》: an ~*ed* characteristic 〔quality〕 〖생물〗 유전 형질〔특성〕 / I ~ a weak heart *from* my mother. 어머니로부터의 유전으로 나는 심장이 약하다. **—***vi.* 《+전+명》 재산을 상속하다; 성질〔직무 · 권한〕을 물려받다.

in·her·it·a·ble [inhéritəbəl] *a.* 상속할 수 있는; 상속할 자격이 있는; 유전하는: ~ blood 상속 혈통 / an ~ trait 유전하는 특성.

*__in·her·i·tance__ [inhéritəns] *n.* **1** Ⓤ 〖법률〗 **상속**, 계승: receive property by ~ 재산을 상속받다. **2** Ⓒ (보통 *sing.*) **상속 재산, 유산**; 계승물: an ~ of $50,000, 5만 달러의 유산. **3** Ⓒ 〖생물〗 유전 형질, 유전성.

inhéritance tàx 상속세《유산 상속인에게 과해지는》. cf. estate tax.

in·her·i·tor [inhéritər] (*fem.* **-tress** [-tris], **-trix** [-triks]) *n.* Ⓒ (유산) 상속인, 후계자.

in·hib·it [inhíbit] *vt.* **1** 방해〔방지〕하다, (충동 · 욕망)을 억제하다: ~ desires 〔impulses〕 욕망〔충동〕을 억제하다 / Her tight dress ~*ed* her movements. 그녀는 꽉 끼는 옷을 입고 있었기 때문에 마음대로 움직이지 못했다. **2** 금하다, 막다《**from** …을》: Low temperatures ~ bacteria *from* develop*ing*. 낮은 온도는 박테리아의 증식을 막는다. ⓟ **~·er, in·híb·i·tor** *n.* Ⓒ 억제자, 억제물; 〖화학〗 억제제(劑); 저해물질.

in·híb·it·ed [-id] *a.* (심리적으로) 억제된, 억압된; 내성적인: an ~ person 감정을 겉으로 나타내지 않는 사람, (병적으로) 내성적인 사람.

in·hi·bi·tion [ìnhəbíʃən] *n.* Ⓤ (구체적으로는 Ⓒ) 억제, 억압; 금지, 금제(禁制); 〖심리 · 생리〗 억제.

in·hib·i·tive, -to·ry [inhíbətiv], [-tɔ̀:ri/-təri] *a.* 금지의; 억제하는.

in·hos·pi·ta·ble [inhάspitəbəl, ⌐-⌐--/-hɔ́s-, ⌐-⌐--] *a.* **1** (사람 · 행위가) 대접이 나쁜, 무뚝뚝한, 불친절한. **2** (장소 따위가) 비바람을 피할 데가 없는, 황량한: an ~ environment 황량한 자연 환경. ⓟ **-bly** *ad.*

in·hos·pi·tal·i·ty [inhὰspitǽləti/inhɔ̀s-] *n.* Ⓤ 대우가 나쁨, 냉대, 쌀쌀함, 불친절.

ín-hòuse *a.* Ⓐ 사내의, 기업〔조직, 집단〕 내부의: ~ newsletters 사내보 / ~ training 사내〔기업내〕 훈련〔연수〕. **—***ad.* 조직내〔회사내〕에서.

◇**in·hu·man** [inhjú:mən] *a.* **1** 인정 없는, 잔인한; 냉혹한. **2** 비인간적인; 초인적인: Success was due to his ~ efforts. 성공은 그의 초인적인 노력 덕택이었다. ⓟ **~·ly** *ad.* **~·ness** *n.*

in·hu·mane [ìnhju:méin] *a.* 몰인정한; 박정한; 잔인한, 무자비한, 비인도적인: ~ treatment 몰인정한〔비인도적인〕 대우. ㊙ **~·ly** *ad*.

in·hu·man·i·ty [ìnhjuːmǽnəti] *n*. **1** Ⓤ 몰인정, 잔인. **2** Ⓒ (흔히 *pl*.) 잔학〔몰인정한〕 행위: man's ~ to man 인간의 인간에 대한 잔학 행위.

in·hume [inhjúːm] *vt*. 《문어》 …을 매장〔토장(土葬)〕하다.

in·im·i·cal [inímikəl] *a*. **1** 적의가 있는; 반목하는, 사이가 나쁜《*to* …와》: nations ~ *to* one another 서로 적대시하는 국가/an ~ gaze 적의 어린 눈길. **2** 형편이 나쁜, 불리한, 유해한《*to* …에》: circumstances ~ *to* success 성공에 불리한 상황. ㊙ **~·ly** *ad*.

in·im·i·ta·ble [inímitəbəl] *a*. 흉내낼 수 없는, 독특한; 비길 데 없는: a man of ~ eloquence 비길 데 없는 웅변가. ㊙ **-bly** *ad*.

in·iq·ui·tous [iníkwitəs] *a*. 부정한, 불법의; 간악한(wicked). ㊙ **~·ly** *ad*.

°**in·iq·ui·ty** [iníkwəti] *n*. **1** Ⓤ 부정, 불법, 사악. **2** Ⓒ 부정〔불법〕 행위.

init. initial.

‡in·i·tial [iníʃəl] *a*. Ⓐ **1 처음의,** 최초의, 시작의; 초기의: the ~ expenditure 창업비/the ~ stage 초기, 제1기(期)/~ velocity 초속(初速). **2** 어두(語頭)의; **머리글자의,** 어두에 있는: an ~ letter 머리글자/an ~ signature 머리글자만의 서명, 약식 서명. **—*n*.** Ⓒ **1 머리글자. 2** (보통 *pl*.) 고유명사의 머리글자《George Bernard Shaw의 G.B.S. 따위》.

— (*-l-*, 《英》 *-ll-*) *vt*. …에 머리글자로 서명하다; (외교문서)에 가조인하다.

㊙ **~·ly** *ad*. 처음〔최초〕에는.

in·i·tial·ize *vt*. 〖컴퓨터〗 (counter, address 등)을 초기화(初期化)하다, 초기값으로 설정하다.

inítial wòrd 〖언어〗 이니셜어(語), 두문자어(語) 《acronym과 달리 한 단어로 발음하지 않고, 각 문자를 하나하나 발음함; DDT, IBM 따위》.

°**in·i·ti·ate** [iníʃièit] *vt*. **1** 시작하다, 개시하다, 창시하다, 창설하다: ~ a reform 〔movement〕 개혁〔운동〕을 일으키다/~ a new business 새 사업을 시작하다. SYN. ⇨BEGIN. **2** …에게 초보를 가르치다《*into, in* …의》; …에게 전하다, 전수하다《*into* (비전·비법 따위)를》: ~ a person *into* a secret 아무에게 비전(秘傳)을 전수하다/~ pupils *in* 〔*into*〕 English grammar 학생들에게 영문법의 초보를 가르치다. **3** 가입〔입회〕시키다《*into* …에》: ~ a person *into* a club 아무를 클럽에 입회시키다.

— [⁺iníʃiit] *a*. **1** 초보를 배운; 비법을 전수받은. **2** 신입(회)의. **3** 시작된, 초기의, 초창기의.

— [⁺iníʃiit] *n*. Ⓒ 신입〔입문, 입회〕자; 전수자.

°**in·i·ti·a·tion** [inìʃiéiʃən] *n*. **1** Ⓤ 개시, 착수; 창설, 창시, 창업: the ~ of a new bus route 새 버스 노선의 개통. **2** Ⓤ 초보 교수; 비결〔비방〕 전수. **3** Ⓤ 가입, 입회, 입문; Ⓒ 입회식, 입문식: an ~ ceremony 입회식.

‡in·i·ti·a·tive [iníʃiətiv] *n*. **1** Ⓒ (보통 the ~, one's ~) 창시, 솔선: take the ~ (in do*ing*) (어떤 일을 하는 데) 솔선하다. **2** (the ~) 주도권; 의안 제출권, 발의권: have 〔seize〕 the ~ 발의〔주도〕권이 있다〔을 장악하다〕. **3** Ⓤ **창의, 진취적 기상,** 솔선하는 정신, 독창력, 기업심: He has 〔lacks〕 ~. 그는 독창력이 있다〔없다〕. ***on* one's *own* ~** 자발적으로, 자진하여: The suspect reported himself to the police *on* his *own* ~. 용의자는 자진하여 경찰에 출두했다.

—*a*. 처음의; 창시의.

in·i·ti·a·tor [iníʃièitər] *n*. Ⓒ 창시자, 수창자(首唱者); 발기인; 교도자; 전수자.

in·i·ti·a·to·ry [iníʃiətɔ̀ːri/-təri] *a*. **1** 시작의, 최초의; 초보의. **2** 입회〔입당, 입문〕의.

°**in·ject** [indʒékt] *vt*. **1** 주사하다, 주입하다 《*into* (혈관)에; *with* (약물)을》: ~ medicine *into* a vein =~ a vein *with* medicine 정맥에 약을 주사하다. **2** (의견·착상 등)을 삽입(挿入)하다, 끼우다, 짜넣다; 도입하다《*into* …에》: ~ humor *into* a serious speech 엄숙한 연설에 유머를 끼워 넣다. **3** 〖우주〗 (인공위성 따위)를 쏘아 올리다 《*into* (궤도)에》: The satellite has been ~*ed into* its orbit. 인공위성이 궤도에 쏘아 올려졌다. ◇ injection *n*.

***in·jec·tion** [indʒékʃən] *n*. **1 a** Ⓤ (구체적으로는 Ⓒ) **주입; 주사;** 관장(灌腸); 〖의학〗 충혈: a hypodermic ~ 피하주사/make 〔give〕 an ~ 주사하다/have 〔get〕 an ~ 주사를 맞다. **b** Ⓒ 주사액; 관장약. **2** Ⓤ 〖기계〗 분사(噴射): fuel ~ 연료 분사. **3** Ⓤ (구체적으로는 Ⓒ) 〖우주〗 투입, 인젝션《인공위성〔우주선〕을 탈출 속도로 궤도에 진입시키는 것》.

in·jec·tor [indʒéktər] *n*. Ⓒ 주사 놓는 사람; 주사기; 〖기계〗 분사 급수기(噴射給水機), (내연기관의) 연료 분사 장치, 인젝터: a fuel ~ 연료 분사 장치.

ín-jòke *n*. Ⓒ 특정 그룹에만 통용되는〔동료간의〕 조크.

in·ju·di·cious [ìndʒu(ː)díʃəs] *a*. 지각 없는, 분별 없는(unwise). ㊙ **~·ly** *ad*. **~·ness** *n*.

In·jun [índʒən] *n*. Ⓒ 《美구어》 《종종 경멸적》 아메리카 인디언.

in·junc·tion [indʒʌ́ŋkʃən] *n*. Ⓒ **1** 명령, 지령, 훈령《*to* do / *that*》: He ignored his father's ~ *to* be silent. =He ignored his father's ~ *that* he (should) be silent. 그는 조용히 하라는 아버지의 명령을 무시했다. **2** 〖법률〗 (법원의) 금지〔강제〕명령: lay an ~ upon a person to do 아무에게 …하도록 명하다.

‡in·jure [índʒər] *vt*. **1 a 상처를 입히다,** 다치게 하다《*in* …에서》: ~ one's eye 눈을 다치다/Two people were ~*d in* the accident. 그 사고로 두 사람이 다쳤다. **b** 〖~ oneself〗 상처를 입다, 다치다: He ~*d* him*self* in the leg. 다리에 부상을 입었다/He ~*d* him*self* while skiing. 그는 스키를 타다가 다쳤다. **2** (감정 등)을 해치다, 손상시키다; (명예 등)을 훼손하다: ~ a person's feelings 〔reputation〕 아무의 감정을〔명예를〕 해치다. SYN. ⇨HURT. ◇ injury *n*.

ín·jured *a*. **1** 상처 입은, 다친, 부상한: the ~ party 피해자. **2** 감정이〔명예가〕 손상된, 기분이 상한: an ~ look 〔air〕 감정이 상한 표정〔태도〕. **3** (the ~) 〖명사적; 복수취급〗 부상자들: the dead and (*the*) ~ (사고 따위의) 사상자.

°**in·ju·ri·ous** [indʒúəriəs] *a*. **1** 해가 되는, 유해한《*to* …에》: ~ defects 유해한 결함/Too much drink(ing) is ~ *to* (the) health. 과음은 건강에 해롭다. **2** 부당한, 부정한. **3** (말이) 중상적인, 모욕적인. ◇ injury *n*. ㊙ **~·ly** *ad*.

‡in·ju·ry [índʒəri] *n*. Ⓤ (구체적으로는 Ⓒ) **1** (사고 등에 의한) **상해,** 부상, 위해(危害)《*to* …의》: suffer *injuries to* one's head 머리에 부상을 입다/do a person an ~ 아무에게 위해를 가하다.

SYN. **injury** 사람·사물에 두루 쓰이는 일반적인 말로서 상해·손상·손실의 어느 쪽의 뜻으로도 쓸 수 있음. **hurt** injury만큼 격식을 차리지 않고, 육체적 · 정신적으로 상처를 입은 상태. **harm** 고통 · 고뇌가 크게 동반되는 상처. 보통 injury보다 뜻이 강함. **wound** 주로 육체적인 상처. **damage** 물건의 가치 · 신용 등 무생물에 주어지는 손상의 뜻으로 사람의 상처에는 쓰이지 않음.

2 피해, 손해: a cold ~ 한해(寒害). **3** 모욕, 무례, 명예훼손《*to* (감정 · 평판 따위)에 대한》: an ~ *to* my pride 나의 자존심을 해치는 행위. **4** 〖법률〗 위법 행위, 권리의 침해. ◇injure *v.*

ínjury tìme 《英》 (축구 · 럭비 · 농구 등에서 부상에 대한 치료 따위로 소비한 시간만큼의) 연장 시간.

in·jus·tice** [indʒʌ́stis] *n.* **1** Ⓤ **부정**, 불법, 불의, 불공평: remedy ~ 부정을 바로잡다/without ~ to anyone 어느 누구에게도 불공평하지 않게. **2** Ⓒ 부당한 처리; 부정〔불법〕행위, 비행. cf. unjust. ***do** a person **an ~ 아무에게 부정한 짓을 하다; 아무를 부당하게 다루다.

†**ink** [iŋk] *n.* Ⓤ (종류는 Ⓒ) **1** (필기용 · 인쇄용) **잉크**, 먹, 먹물: write with pen and ~ 펜으로 쓰다/China 〔Chinese, India, Indian〕 ~ 먹/write a letter in ~ 잉크로 편지를 쓰다. **2** (오징어 · 문어 따위의) 먹물.
—*vt.* **1** …을 잉크로 쓰다; …에 잉크를 칠하다. **2** 《+ 목+부》 잉크로 지우다(*out*): ~ *out* an error 잉크로 틀린 데를 지우다. **3** 《속어》 (계약서 따위)에 서명하다. ~ ***in*** 〔***over***〕 《*vt.*+부》 (연필로 그린 밑그림 따위)를 잉크로 칠하다: ~ *in* a penciled drawing.

ínk·blòt *n.* Ⓒ (심리 테스트용) 잉크 얼룩.

ínk bòttle 잉크병.

ínk·hòrn *n.* Ⓒ (옛날에 뿔로 만든) 잉크통.

ink·ling [íŋkliŋ] *n.* Ⓤ (또는 an ~) **1** 〖흔히 부정문〗 어렴풋이 눈치챔〔앎〕《***of*** …을》: I had an 〔no〕 ~ *of* what he intended to do. 그가 무엇을 하려는지 어렴풋이 알아챘다〔전혀 눈치채지 못했다〕. **2** 암시《***of*** …의/***that***》: give a person an ~ *of* one's displeasure =give a person an ~ *that* one is displeased 불만스럽다는 것을 아무에게 넌지시 알리다.

ínk·pàd *n.* Ⓒ 스탬프대(臺), 인주.

ínk·pòt *n.* Ⓒ 잉크병(inkwell).

ínk·stànd *n.* Ⓒ 잉크스탠드; =INKWELL.

ínk·wèll *n.* Ⓒ (탁상 구멍에 꽂는) 잉크병.

inky [íŋki] (***ink·i·er; -i·est***) *a.* 잉크의, 잉크 같은; 잉크로 더럽혀진; 새까만, 어두운: ~ hands 잉크로 더럽혀진 손/~ darkness 암흑.
㊥ **ínk·i·ness** *n.*

in·laid [ínlèid, ˊˋ] *a.* 아로새긴, 상감(象嵌)의; 상감으로 꾸민, 무늬를 박아 넣은: ~ work 상감 세공(細工).

***in·land** [ínlənd] *a.* Ⓐ **1 오지(奧地)의**, 내륙의, 해안〔국경〕에서 먼: ~ rivers 내륙 하천. **2** 《英》 **국내의**, 국내에서 영위되는(domestic): an ~ duty 내국세/~ mails 국내 우편(《美》 domestic mails)/~ commerce 〔trade〕 국내 거래〔교역〕. **3** 국내에 한정된, 국내에서 발행되어 지급되는: an ~ bill 내국환(domestic exchange). — [ínlæ̀nd, -lənd/inlǽnd, ˊˊ] *ad.* **1 오지로**, 내륙으로: Seabirds sometimes fly ~. 해조(海鳥)는 때때로 내륙으로 날아간다. **2** 국내에. — [ínlæ̀nd, -lənd] *n.* Ⓒ 오지, 내륙, 벽지, 국내.
㊥ **~·er** *n.* Ⓒ 내륙 지방〔오지〕 사람.

ínland révenue 《英》 내국세 수입(《美》 internal revenue); 《英》 (the I- R-) 내국세 세입청.

ínland séa 〖해양〗 내해(內海), 연해(緣海)《대륙붕 위쪽의 바다》.

ín-làw *n.* Ⓒ (보통 *pl.*) 《구어》 인척(姻戚)《son-*in-law*, cousin-*in-law* 따위의 총칭》.

ín·lày (*p.*, *pp.* ***-laid*** [ínlèid, ˊˋ]) *vt.* **1** (장식으로서) 박아 넣다, 아로새기다; 상감하다《***in, into*** …에; ***with*** …으로》: ~ ivory *into* wood 상아를 목재에 박아 넣다/a wooden box *inlaid with* silver 은상감으로 만든 나무 상자. **2** 〖원예〗 (접붙일 눈)을 대목(臺木)에 끼워 넣다.
— [ínlèi] *n.* **1** Ⓤ 상감(재료); 상감세공; Ⓒ 상감 무늬. **2** Ⓒ 〖치과〗 인레이《충치의 봉박는 합금 따위》; 〖원예〗 눈 접붙이기(=ˊ∽ **gràft**). ㊥ **~·er** *n.*

in·let [ínlèt] *n.* Ⓒ **1** 후미; (물을 끌어들이는) 주입구, 어귀. **2** 삽입물, 상감물; 끼워〔박아〕 넣기. —(**~; *-let·ting***) *vt.* …을 끼워〔박아〕 넣다.

in lo·co pa·ren·tis [in-lóukou-pəréntis] 《L.》 (=in the place of a parent) 어버이 대신에〔입장에서〕.

in·ly [ínli] *ad.* 내심으로, 마음속에; 충심으로, 친하게(intimately); 완전히.

ín·màte *n.* Ⓒ **1** (병원 · 교도소 따위의) 입원자, 재감자(在監者), 피수용자. **2** 동거인, 동숙인.

in me·mo·ri·am [in-mimɔ́:riəm, -riæ̀m] (비문 · 헌정사 등에 쓰이어) …을 기념하여, …을 애도하여.

◇**in·most** [ínmòust] *a.* Ⓐ **1** 맨 안쪽의, 가장 내부의. **2** 마음속에 품은, 내심의《감정 따위》: one's ~ desires 마음속 깊이 간직한 욕구.

‡**inn** [in] *n.* Ⓒ **1 여인숙**, 여관《보통 hotel 보다 작고 구식인 것》: a country ~ 시골의 여인숙. **2** (선)술집, 주막(tavern). **3** 《英고어》 (런던의 법학생용) 학생 숙사. ***the Inns of Court*** 〖英역사〗 (변호사 임면권을 가진 런던의) 법학원《the Inner Temple, the Middle Temple, Lincoln's Inn, Gray's Inn 의 4 법학원》.

in·nards [ínərdz] *n. pl.* 《구어》 내장(內臟); (물건의) 내부(inner parts); (복잡한 기계 · 기구의) 내부 (구조).

◇**in·nate** [inéit, ˊˋ] *a.* (성질 따위가) 타고난, 천부의, 선천적인; 내재적(內在的)인, 본질적인: an ~ instinct 〔characteristic〕 타고난 본능〔특성〕.
㊥ **~·ly** *ad.* **~·ness** *n.*

‡**in·ner** [ínər] *a.* Ⓐ **1 안의, 내부의.** ↔ *outer.* ¶the ~ parts of a country 내지(內地)/an ~ court 안뜰. SYN. ⇨INSIDE. **2** 내적〔영적〕인, 정신적인; 주관적인: one's ~ thoughts 마음속의 생각/the ~ life 내적〔정신〕 생활. **3** 보다 친한; (감정 · 의미가) 내밀〔비밀〕의: the ~ circle of one's friends 특별히 친밀한 친구들. **4** (조직이) 중추〔중심〕적인. —*n.* 《英》 Ⓒ 〖궁술〗 **1** 과녁의 내권(內圈)《과녁의 중심(bull's-eye)과 외권(外圈) 사이의 부분》. **2** 내권에 명중한 총알〔화살〕.
㊥ **~·ly** *ad.* **~·ness** *n.*

ínner círcle 〖집합적〗 (권력 중추부의) 측근 그룹.

ínner cíty 도심(부); 대도시 중심의 저소득층이 사는 과밀 지역; 구(舊)시내. ㊥ **ín·ner-cíty** *a.*

ínner-dirécted [-id] *a.* 〖심리〗 자기의 기준에 따르는, 내부 지향적인, 비순응형의《대체로 어린 시절에 형성됨》. ↔ *other-directed.*

ínner éar 〖해부〗 내이(內耳)(internal ear).

ínner mán 〔**wóman**〕 (the ~) **1** 마음, 영혼. **2** 《우스개》 위(胃), 식욕: refresh 〔satisfy, warm〕 the ~ 배를 채우다.

Ínner Mongólia 내몽고.

◇**ínner·mòst** *a.* =INMOST. **—***n.* (the ~) 가장 깊숙한 부분.

ínner·sòle *n.* =INSOLE.

ínner·sprìng *a.* 《美》 (매트리스 따위가) 용수철이 든(《英》 interior-sprung).

in·ning [íniŋ] *n.* **1 a** [C] 〖야구〗 이닝, 회(回): the top 〔bottom〕 of the fifth ~ 5회 초〔말〕. **b** (*pl.*) 〖단수취급〗 《英》 〖크리켓〗 (공을) 칠 차례. **2** (*pl.*) 〖단수취급〗 《英》 **a** (정당의) 정권 담당기(期); (개인의) 능력 발휘의 기회, 재임〔재직〕 기간, 활약기: The Democrats will have their ~*s*. 민주당이 정권을 잡겠지. **b** (사람의) 일생: He had a good ~*s* and died at 98. 그는 천수를 다하고 98세에 죽었다.

ínn·kèeper *n.* [C] 여인숙 주인.

***in·no·cence** [ínəsns] *n.* **1** [U] **무구**(無垢), 청정, 순결. **2** [U] **결백**, 무죄: prove one's ~ 무죄를 입증하다. **3** [U] (도덕적) 무해, 무독. **4** [U] 순진, 천진난만(simplicity): the ~ of childhood 어린 시절의 천진난만함. **5** [U] 무지, 단순; 숫됨; [C] 순진〔단순〕한 사람.

‡**in·no·cent** [ínəsnt] *a.* **1 무구한**, 청정한; 순결한. **2** (법률적으로) **결백한**, 무죄의; 범하지 않은《***of*** …을》: an ~ victim 억울한 누명으로 벌받은 사람/be found ~ *of* a crime 무죄 판결이 내리다. **3 순진한**, 천진난만한: an ~ child 천진한 아이. **4** 사람이 좋은; (성격이) 단순한; 무지(無知)한(ignorant); 알아채지 못하는(unaware): play ~ 짐짓 모르는 체하다/She is ~ in the ways of the world. 그녀는 정말 세상을 모른다. **5** (음식물 따위가) 무해한, 해롭지 않은; 악의가 없는: an ~ lie 악의 없는 거짓말. **6** [P] 《구어》 없는, 결여된《***of*** …이》: windows ~ *of* glass 유리 없는 창/an idea ~ *of* the least sense 최소한의 양식조차 결여된 생각.
—*n.* [C] **1** 죄 없는〔결백한〕 사람. **2** 순진한 사람; 아이. **3** 호인; 바보. ***the* (*Holy*) *Innocents' Day*** 무죄한 어린이들의 순교 축일《Herod 왕의 명령으로 Bethlehem의 아이들이 살해된 기념일; 12월 28일》. ***the Massacre of the ~s*** 무고한 어린이의 학살《Herod 왕의 명령으로 행해진 유아의 대학살; 마태복음에서》. [파] **~·ly** *ad.*

in·noc·u·ous [inákju:əs/inɔ́k-] *a.* **1** (뱀·약 따위가) 무해한, 독 없는: an ~ snake 독 없는 뱀/~ drugs 무해한 약제. **2** (언동 따위에) 악의가 없는, 화나게 할 의도가 없는. [파] **~·ly** *ad.* **~·ness** *n.*

in·no·vate [ínouvèit] *vi.* 쇄신하다, 혁신하다; 새로운 영역을 개척하다《***in, on*** …을, …에》: He ~*d on* past practices. 그는 과거의 관습을 쇄신했다. **—***vt.* (새로운 사물)을 받아들이다, 도입하다: He ~*d* a plan for increased efficiency. 그는 능률 증진의 (새로운) 방식을 도입했다. [파] **-và·tor** *n.* [C] 혁신자.

◇**ìn·no·vá·tion** *n.* **1** [U] 혁신, 일신, 쇄신: technological ~ 기술 혁신. **2** [C] 새로이 도입〔채택〕된 것, 혁신된 것; 신기축(新機軸); 신제도: make ~*s* 여러 가지 개혁을 하다.

in·no·va·tive [ínou*v*èitiv] *a.* 혁신적인.
[파] **~·ly** *ad.* **~·ness** *n.*

in·nu·en·do [ìnjuéndou] (*pl.* **~(e)s**) *n.* [U] (구체적으로는 [C]) 풍자, 비꼼, 빗대어 빈정거림: make ~*s* about …에 관해 (여러 가지로) 비꼬다.

In·(n)u·it [ínjuit, ínju:-] (*pl.* **~, ~s**) *n.* **1 a** (the ~(s)) 이뉴잇족(族)《북아메리카·그린란드의 에스키모; 캐나다에서의 에스키모족; ⇨ESKIMO》. **b** [C] 이뉴잇족 사람. **2** [U] 이뉴잇 언어.

***in·nu·mer·a·ble** [in*j*ú:mərəbəl] *a.* **셀 수 없는**, 헤아릴 수 없는, 무수한, 대단히 많은: ~ variations 무수한 변화〔변형〕. [SYN.] ⇨MANY.
[파] **-bly** *ad.* 셀 수 없을 정도로, 무수히.

in·nu·me·rate [in*j*ú:mərit] *a.*, *n.* [C] 수학〔과학〕의 기초 원리에 대한 이해가 전혀 없는 (사람), 수학〔계산〕을 모르는 (사람).

in·nu·tri·tion [ìn*j*u:tríʃən] *n.* [U] 영양(營養) 불량〔부족〕, 자양분 결핍.

in·ob·serv·ance [ìnəbzə́:*r*vəns] *n.* [U] 부주의, 태만; (습관·규칙의) 무시, 위반.

in·oc·u·late [inákjəlèit/-ɔ́k-] *vt.* **1** 접붙이다, 접목하다. **2** 〖의학〗 …에 접종하다, 예방 접종하다《***with*** (백신 등)을; ***against, for*** (병)에 대해》: ~ a person *for* 〔*against*〕 the smallpox 아무에게 우두를 놓다/~ a person *with* virus 아무에게 균을 예방 접종하다. **3** (세균 따위)를 이식하다《***into, onto*** (배양기)에》: ~ bacteria *into* 〔*onto*〕 a culture medium 배양기(基)에 박테리아를 이식하다. **4** (아무)에게 주입하다, 불어넣다《***with*** (사상 등)을》: ~ young people *with* radical ideas 젊은이들에게 과격한 사상을 주입하다.

in·òc·u·lá·tion *n.* [U] (구체적으로는 [C]) **1** 〖의학〗 (예방) 접종; 우두: protective ~ 예방 접종/vaccine ~ 종두. **2** (사상 등의) 주입, 불어넣기; 감화.

in·oc·u·la·tor [inákjəlèitə*r*/-ɔ́k-] *n.* [C] 접종하는 사람; (사상 등의) 고취자; 접목하는 사람.

in·of·fen·sive [ìnəfénsiv] *a.* 해가 되지 않는; (사람·행위가) 악의가 없는; (말 따위가) 거슬리지 않는, 불쾌감을 주지 않는, 싫지 않은.
[파] **~·ly** *ad.* **~·ness** *n.*

in·op·er·a·ble [inápərəbəl/-ɔ́p-] *a.* **1** 〖의학〗 수술 불가능한: (an) ~ cancer 수술 불가능한 암. **2** 〖일반적〗 실행할 수 없는: an ~ plan 실행할 수 없는 계획.

in·op·er·a·tive [inápərèitiv, -ətiv/-ɔ́pərətiv] *a.* **1** (기계 따위가) 작동하지 않는. **2** (법률 따위가) 효력이 없는, 효력을 나타내지 않는, 무효의.

in·op·por·tune [inàpə*r*t*j*ú:n/-ɔ́p-] *a.* 시기를 놓친, 시기가 나쁜(ill-timed), 부적당한, 형편이 나쁜: an ~ call 시기가 나쁜 때의 방문/at an ~ time 〔moment〕 계제(階梯) 사납게.
[파] **~·ly** *ad.* **~·ness** *n.*

in·or·di·nate [inɔ́:*r*dənət] *a.* **1** 과도한, 터무니없는, 엄청난: ~ demands 터무니없는 요구. **2** 무절제한, 불규칙한: keep ~ hours 불규칙한 생활을 하다. [파] **~·ly** *ad.* **~·ness** *n.*

in·or·gan·ic [ìnɔ:*r*gǽnik] *a.* **1** 생활 기능이 없는, 무생물의. **2** (사회·정치 따위가) 유기적 조직이〔체계가〕 없는; 인위적인. **3** 〖화학〗 무기(無機)의, 무기물의(↔ *organic*): ~ chemistry 무기화학/an ~ compounds 무기 화합물.
[파] **-i·cal·ly** [-ikəli] *ad.*

ín·pàtient *n.* [C] 입원 환자. [cf.] outpatient. ≠ impatient.

***in·put** [ínpùt] *n.* [U] (또는 an ~) **1** 〖경제〗 (자본의) **투입** (량). **2** 〖기계·전기〗 **입력**(入力), 수수량(收受量)《외부로부터의 에너지의》. **3** 〖컴퓨터〗 입력 (신호). ↔ *output*.
— (**-*tt-***) *vt.*, *vi.* 〖컴퓨터〗 (정보를) 입력하다.

ínput devìce 〖컴퓨터〗 입력 장치《키보드·마우스·트랙볼 등》.

ínput/óutput *n.* Ⓤ, *a.* 〖컴퓨터〗 입출력(의) 《생략: I/O》.

◇**in·quest** [ínkwest] *n.* Ⓒ 〖법률〗 **1** (배심원의) 심리, 사문(查問); (검시관의) 검시(檢屍)(coroner's ~): hold an ~ 검시를 하다. **2** 〔집합적; 단·복수취급〕 검시 배심원.

in·qui·e·tude [inkwáiətjùːd] *n.* Ⓤ 불안, 동요(restlessness).

⁑**in·quire** [inkwáiər] *vt.* 《~+목/+*wh.* 절/+목+전+명/+*wh. to* do》 **묻다**, 문의하다《*of* (아무)에게》: ~ a person's name 아무의 이름을 묻다/She ~*d when* the shop would open. 그녀는 언제 가게문을 여는지 물었다/~ weather conditions *of* the weather bureau 기상대에 날씨를 알아보다/He ~*d of* the policeman the best way to the station. 그는 경관에게 역으로 가는 가장 편리한 길을 물었다《★*of*-phrase가 목적어 앞에 오는 일이 많음》/I ~*d* (*of* him) *when* he would come. 그에게 언제 오는지 물었다/He ~*d how to* handle it. 그는 그것을 다루는 법을 물었다. SYN. ⇨ASK.
—*vi.* 《~/+전+명》 **1** 묻다, 질문하다《*of* (아무)에게; *about* …에 관하여》: ~ *of* a person *about* a matter 아무에게 어떤 일을 묻다. **2** 문의하다, 조회하다. ◇inquiry, inquisition *n.*
~ ***after*** …의 건강을〔안부를〕 묻다, …을 문병하다: She ~*d after* you. 그녀가 당신의 안부를 물었습니다. ~ ***for*** ① (물건의 유무)를 문의하다, (무엇)을 찾다, 구하다: I ~*d for* the book at a bookstore. 서점에 그 책이 있는지 물었다. ② …에게 면회를 청하다; …을 방문하다: Someone has been *inquiring for* you. 누군가가 당신에게 면회를 청해 왔습니다. ~ ***into*** (사건 따위)를 조사하다: The police ~*d into* the case. 경찰이 그 사건을 조사했다. ***Inquire within.*** 용무 있는 분은 안으로《안내소 등의 게시》.

in·quir·er [inkwáiərər] *n.* Ⓒ 묻는 사람, 심문자; 탐구자, 조사자.

◇**in·quir·ing** [inkwáiəriŋ] *a.* **1** 묻는 듯한; 의아하게 생각하는, 미심쩍은 듯한: an ~ look 미심쩍은 듯한 얼굴. **2** 탐구적인; 캐묻기 좋아하는: an ~ (turn of) mind 캐묻기 좋아하는 성질〔버릇〕. ㊕ **~·ly** *ad.*

***in·qui·ry** [inkwáiəri, ㅡ-, ínkwəri] *n.* Ⓤ (구체적으로는 Ⓒ) **1 질문, 문의**, 조회《*about, concerning* …에 관한》: a letter of ~ 조회서, 문의서/find out by ~ 문의하여 알다/I made *inquiries* (*about* it) at the desk. (그 일을) 접수계에 문의했다/She made an ~ *concerning what* had happened. 그녀는 무슨 일이 일어났는지 물었다. **2 조사**, 심리(審理)《*into* …의》: an ~ *into* the truth of a report 보고의 진위의 조사/make a searching ~ *into* …을 엄중히 조사하다. **3 연구**, 탐구《*into* …의》: scientific ~ 과학 연구/an ~ *into* the shape of the cosmos 우주 형상의 연구. ◇inquire *v.*

inquíry àgent 《英》 사립 탐정.

in·qui·si·tion [ìnkwəzíʃən] *n.* **1** Ⓤ (구체적으로는 Ⓒ) 《보통 경멸적》 (인권을 무시한 엄중한) 조사, 탐구, 탐색. **2** (the I–) 〖가톨릭〗 (옛날의 이단(異端) 심리의) 종교 재판소. ◇inquire *v.*

in·quis·i·tive [inkwízətiv] *a.* **1** (나쁜 의미에서) 호기심이 많은, 캐묻기를 좋아하는, 꼬치꼬치 캐어묻는: Don't be so ~. 그렇게 꼬치꼬치 캐묻지 마라. **2** 듣고〔알고〕 싶어하는《*about* …에 관하여》: be ~ *about* other people's affairs 남의 일을 몹시 듣고 싶어하다. ㊕ **~·ly** *ad.* **~·ness** *n.*

in·quis·i·tor [inkwízətər] *n.* Ⓒ **1** (엄중한) 심문자, 심리자. **2** (I–) 〖가톨릭〗 (옛날의) 종교 재판관. ***the Grand Inquisitor*** 종교 재판소장. ***the Inquisitor General*** 《특히》 스페인의 종교 재판소장.

in·quis·i·to·ri·al [inkwìzətɔ́ːriəl] *a.* 심문자〔종교 재판관〕의〔같은〕; 엄하게 심문하는; 캐묻기를 좋아하는, 꼬치꼬치 캐묻는. ㊕ **~·ly** *ad.*

in re [in-ríː, -rei] 《L.》 …에 관하여, …의 소건(訴件)으로.

in-résidence *a.* 《美》 〔보통 명사 뒤에 두어, 합성어로〕 (예술가·의사 등이 일시적으로) 대학·연구소 등에 재직하는: an artist-~ at the university 대학에 재직하는 예술가.

I.N.R.I., INRI *Iesus Nazarenus, Rex Iudaeorum* 《L.》(=Jesus of Nazareth, King of the Jews)《요한복음 XIX: 19》.

ín·ròad *n.* Ⓒ (흔히 *pl.*) 침입, 침략, 습격; 침해; 잠식《*on, upon, into* …의》: make ~*s into* 〔*on*〕 …에 침입하다; …을 잠식하다.

ín·rùsh *n.* Ⓒ 침입, 내습; 유입(流入), 쇄도: an ~ *of* tourists 관광객의 쇄도. ㊕ **~·ing** *a.* 침입〔쇄도〕하는.

INS, I.N.S. 《美》 Immigration and Naturalization Service (연방 이민국). **ins.** inches; inspector; insulated; insulation; insulator; insurance.

in·sa·lu·bri·ous [ìnsəlúːbriəs] *a.* (기후·장소·토지 따위가) 신체에 나쁜, 건강에 좋지 않은.

***in·sane** [inséin] (*in·san·er; -est*) *a.* **1 미친**, 발광한, 광기의: He went ~. 그는 미쳤다. SYN. ⇨CRAZY. **2** 정신 이상자를 위한: an ~ asylum 〔hospital〕 정신 병원. **3** 《구어》 어리석은, 비상식적인: an ~ scheme 비상식적인 계획. ⇔ *sane*. ◇insanity *n.* ㊕ **~·ly** *ad.*

in·san·i·ta·ry [insǽnətèri/-təri] *a.* 비위생적인, 건강에 나쁜(unhealthy).

◇**in·san·i·ty** [insǽnəti] *n.* **1** Ⓤ 광기, 발광, 정신 이상〔착란〕, 정신병: partial ~ 편집광(偏執狂). **2** Ⓤ (구체적으로는 Ⓒ) 미친 짓, 어리석은 행위: That's sheer ~. 그건 미친 짓이다. ◇insane *a.*

in·sa·tia·ble [inséiʃəbəl] *a.* **1** 만족을〔물릴 줄〕 모르는, 탐욕스러운: an ~ curiosity 만족을 모르는 호기심/an ~ appetite 탐욕스러운 식욕. **2** Ⓟ 덮어놓고 탐내는《*of* …을》: He is ~ *of* power. 그는 권력을 덮어놓고 탐낸다. ㊕ **-bly** *ad.* **~·ness** *n.*

in·sa·tia·te [inséiʃiət] *a.* =INSATIABLE.

◇**in·scribe** [inskráib] *vt.* **1** (문자·기호 따위)를 적다, 새기다, 파다《*on, in* …에; *with* …을》: ~ a name *on* a gravestone = ~ a gravestone *with* a name 묘비에 이름을 새기다. **2** (이름을 써서 책·사진 따위)를 헌정(獻呈)하다, 증정하다《*to, for* (아무)에게》: ~ a book *to* a friend 책을 친구에게 증정하다. **3** 〔종종 수동태로〕 아로새기다, 명심하다《*in, on* (마음·기억)에》: The scene *is* deeply ~*d in* 〔*on*〕 her memory. 그 광경은 그녀의 기억에 깊이 아로새겨져 있다. **4** 《英》 (주주·신청자의 이름)을 등록하다, 기입하다: an ~*d* stock 기명 주식. **5** 〖기하〗 (원 따위)를 내접시키다: an ~*d* circle 내접원. ◇inscription *n.*

***in·scrip·tion** [inskrípʃən] *n.* **1** Ⓤ 새김. **2** Ⓒ

명(銘), 비명(碑銘), 비문(碑文), (화폐 따위의) 명각(銘刻): the ~ on a gravestone 묘비명. **3** Ⓒ (책의) 제명(題銘); 서명(書名); 헌사(獻詞). **4** Ⓤ 《英》 (증권·공채의) 기명, 등록; (*pl.*) 기명〔등록〕 공채〔증권〕. ◇ inscribe *v.*

in·scru·ta·ble [inskrúːtəbəl] *a.* 측량할 수 없는, 불가사의한, 수수께끼 같은(mysterious): an ~ smile 뜻 모를 웃음 / the ~ ways of Providence 헤아릴 수 없는 신의 뜻. ㊞ **-bly** *ad.* **~·ness** *n.*

ín·sèam *n.* Ⓒ (바지의) 가랑이쪽 솔기; (구두·장갑의) 안쪽 솔기.

⁑**in·sect** [ínsekt] *n.* Ⓒ **1 곤충**; 《일반적》 벌레. **2** 벌레 같은 인간.

in·sec·ti·cid·al [insèktəsáidl] *a.* 살충(제)의.

in·sec·ti·cide [inséktəsàid] *n.* Ⓤ (제품·낱개는 Ⓒ) 살충제.

in·sec·ti·vore [inséktəvɔ̀ːr] *n.* Ⓒ 식충(食蟲) 동물〔식물〕.

in·sec·tiv·o·rous [ìnsektívərəs] *a.* 『생물』 (동물·식물이) 벌레류를 먹는, 식충(성)의.

◇**in·se·cure** [ìnsikjúər] (**-cur·er; -est**) *a.* **1** 불안정〔불안전〕한, 위험에 처한: an ~ footing 곧 무너질 듯한 발판. **2** 불안한, 자신이 없는; 기대할 수 없는, 불확실한: be 〔feel〕 ~ 불안하다. SYN. ⇨UNCERTAIN. ◇ insecurity *n.* ㊞ **~·ly** *ad.*

in·se·cur·i·ty [ìnsikjúəriti] *n.* **1** Ⓤ 불안전, 불안정, 위험성, 불확실; 불안, 근심: a sense of ~ 불안감. **2** Ⓒ 불안한 것.

in·sem·i·nate [insémənèit] *vt.* **1** (씨앗)을 뿌리다; 심다. **2** (암컷·여성)에 정액을 주입하다, (인공) 수정시키다.

in·sèm·i·ná·tion *n.* Ⓤ (구체적으로는 Ⓒ) **1** 파종. **2** 수태, 수정: artificial ~ 인공 수정.

in·sen·sate [insénseit] *a.* **1** 감각이 없는; 생명이 없는. **2** 비정의, 잔인한: ~ brutality 잔인무도. **3** 이성을 잃은; 무분별한, 어리석은: ~ anger. ㊞ **~·ly** *ad.*

in·sèn·si·bíl·i·ty *n.* **1** Ⓤ (또는 an ~) 무감각, 무신경, 둔감, 냉담《**to** …에 대한》: (an) ~ *to* pain 통증을 느끼지 못하는 것 / his ~ *to* the feelings of others 남의 감정에 대한 그의 무관심. **2** Ⓤ 마비, 무의식, 인사불성.

in·sen·si·ble [insénsəbəl] *a.* **1** 무감각한; 의식을 잃은, 인사불성의: fall down ~ 의식을 잃고 넘어지다 / be ~ from cold 추위로 감각을 잃고 있다. **2** 감각이 둔한, 느끼지 못하는, 무신경한, 무관심한《**of, to** …에 대해》: ~ *of* one's danger 위험을 느끼지 못하는 / ~ *to* shame 부끄러움을 모르는, 후안무치(厚顔無恥)한 / He is ~ *to* beauty. 그는 아름다움에 둔감하다. **3** (느끼지 못할〔눈에 띄지 않을〕 정도로) 적은: by ~ degrees 조금씩. ㊞ **-bly** *ad.* 느끼지 못할 만큼 (천천히), 조금씩.

◇**in·sen·si·tive** [insénsətiv] *a.* **감각이 둔한, 무감각한**, 감수성이 없는; 둔감한《**to** …에 대해》: an ~ heart 둔감한 마음 / be ~ *to* light 〔beauty〕 빛〔아름다움〕에 무감각하다. **2** 무신경한, 남의 기분을 모르는《**to** do》: It's ~ *of* you 〔You're ~〕 *to* mention that. 그런 것을 말하다니 너도 너무 지나치다. ㊞ **~·ly** *ad.*

in·sen·si·tiv·i·ty [insènsətívəti] *n.* Ⓤ 무감각, 둔감.

in·sen·ti·ent [insénʃiənt] *a.* 지각〔감각〕이 없는; 생명이〔생기가〕 없는; 비정(非情)한.

in·sèp·a·ra·bíl·i·ty *n.* Ⓤ 분리할 수 없음, 불가분성.

◇**in·sep·a·ra·ble** [insépərəbəl] *a.* 분리할 수 없는; 불가분의; 떨어질 수 없는《**from** …에서》: ~ friends 떨어질 수 없는 친구 / Rights are ~ *from* duties. 권리는 의무와 분리할 수가 없다 〔불가분의 관계에 있다〕. **—***n.* (*pl.*) 뗄 수 없는 사람〔것〕; 친구, 동지.

㊞ **-bly** *ad.* 밀접히, 불가분하게. **~·ness** *n.*

***in·sert** [insə́ːrt] *vt.* 《~+목/+목+전+명》 **1 끼워 넣다**, 끼우다, 삽입하다《**in, into** …에》: ~ a coin *into* the slot (자동 판매기 등의) 돈 구멍에 동전을 집어넣다. **2 적어〔써〕 넣다**《**in** …에; **between** …사이에》: ~ a clause *in* a sentence 문장에 한 구절 써 넣다. **3** 게재하다《**in** (신문 따위)에》: ~ an ad *in* a magazine 잡지에 광고를 싣다.

— [⌐-] *n.* **1** Ⓒ 삽입물; (신문·잡지 등의) 삽입 광고; 『영화·TV』 삽입 화면. **2** Ⓤ 『컴퓨터』 끼움, 끼우기.

◇**in·sér·tion** *n.* **1** Ⓤ 삽입, 끼워 넣기; 게재. **2** Ⓒ 삽입물, 삽입구, 적어 넣은 것; 삽입 광고. **3** Ⓒ (레이스·자수 따위의) 꿰매어 넣은 천. **4** 『우주』 = INJECTION 3. ◇ insert *v.*

in-sérvice *a.* Ⓐ 근무중인, 현직의: ~ training (현직 직원들의) 연수 교육 / ~ police officers 현직 경찰관.

in·set [insét] (*p.*, *pp.* **~, ~·ted; -tt-**) *vt.* 끼워 넣다, 삽입하다《**in, into** …에; **with** …을》.

— [ínsèt] *n.* Ⓒ 삽입물; (사진 따위의) 삽입된 페이지; 삽화, 삽입 광고〔도표, 사진〕; 『복식』 장식용 등으로 꿰매 붙인 천; 『인쇄』 간지(間紙).

ín·shóre *a.* Ⓐ 해안 가까이의, 근해의; 육지를 향한. ¶ ~ fishing 〔fishery〕 연안 어업〔어장〕 / ~ currents 해안으로 밀려오는 조류. **—***ad.* 해안 가까이; 육지 쪽으로. ⇔ *offshore*. **~ of** …보다 해안에 가깝게.

⁑**in·side** [ínsáid, ⌐⌐] *n.* **1** (*sing.*; 보통 the ~) **안쪽**, 내면, 내부, 안. ↔ *outside*. ¶ the ~ *of* a box 상자의 안쪽 / lock a door on the ~ 문을 안쪽에서 잠그다. **2** (the ~) (보도의) 건물쪽에 가까운〔차도에서 먼〕 부분; (경기장의) 내측 경주로: the ~ *of* a sidewalk 보도의 안쪽. **3** (the ~) **a** 내부 사정, 속사정; (사건 등의) 내막: a man on the ~ 내부의 세력자; 내부 소식통 / She's on the ~. 그녀는 내부 사정을 잘 안다; (내부에서) 신뢰받고 있다. **b** 내심, 속셈, 본성: know the ~ *of* a person 남의 본심〔속셈〕을 알다. **4** (*pl.*) 《구어》 배, 뱃속: something wrong with one's ~(*s*) 뭔가 뱃속이 좋지 않은. **~ out** 〔부사적〕 ① 뒤집어; 《비유적》 크게 혼란하여: turn a thing ~ *out* 물건을 뒤집다. ② 《구어》 구석구석까지, 샅샅이, 완전히: know a thing ~ *out* 일을 샅샅이 다 알다.

— [⌐⌐] *a.* Ⓐ **1 안쪽의**, 내면〔내부〕의: the ~ edge of a skate 스케이트의 안쪽 날.

SYN. **inside** '내부의'를 나타내는 일반적인 말. **inward** '안쪽의 방향'을 나타내는 뜻이 강함: *inward* correspondence 수신(受信). **inner** 물질 속의 '내부'를 나타내는 외에 추상 세계 속의 것을 말함.

2 내밀한, 비밀의; 내부 사정에 정통한: ~ information 〔knowledge〕 내부〔비밀〕 정보 / the ~ story 내막.

— [⌐⌐, ⌐⌐] *ad.* **1 내부에〔로〕**(within), 안쪽에〔으로〕, 내면에〔으로〕. **2** 옥내에서(indoors):

play ~ on rainy days 비오는 날에는 집안에서 놀다. **3 마음속으로**: know ~ that he is lying 그가 거짓말을 하고 있다는 것을 속으로는 알고 있다/*Inside*, he is very honest. 그는 근본이 매우 정직하다. ***get*** **~** 《*vi*.+[부]》 ① 집 안으로 들어가다. ② (조직 따위의) 내부로 들어가다. ③ 속사정을 환히 알다. **~ *of*** 《구어》 ① …의 속〔안〕에: ~ *of* a room 방 안에. ② …이내에: ~ *of* a week, 1주일 이내에.

— [ˊˋ, ˋˊ] *prep*. …의 **안쪽에**, 내부에; …**이내에**: ~ an hour 한 시간 내에/~ the tent 텐트 안쪽에.

íside jób 《구어》 내부 사람이 저지른 범행, 내부 범행: The robbery was an ~. 강도 사건은 내부 사람의 짓이었다.

ìn·síd·er *n*. [C] **1** 내부 사람, 회원, 부원. **2** 《구어》 내막을 아는 사람, 소식통, 내부자《공표 전에 회사의 내부 사정을 알 수 있는 사람》. ⇔ *outsider*.

insíder tràding 〔**dèaling**〕 〖주식〗 내부자 거래(去來) 《insider에 의한 불법 주식 매매》.

íside tráck 1 (경주의) 안쪽 트랙, 인코스. **2** 《구어》 (경쟁상) 유리한 입장〔지위〕. ***have*** 〔***get, be on***〕 ***the*** **~** 경주로 안쪽을 달리다; 유리한 지위에 있다, 우위를 점하다.

in·sid·i·ous [insídiəs] *a*. **1** 틈을 엿보는, 음험한, 교활한, 방심할 수 없는(treacherous): ~ wiles 교활한 음모. **2** (병 등이) 모르는 사이에 진행하는, 잠행성(潛行性)의: the ~ approach of age 모르는 사이에 드는 나이/an ~ disease 잠행성 질병. [파] **~·ly** *ad*. **~·ness** *n*.

in·sight** [ínsàit] *n*. [U] (구체적으로는 [C]) **통찰(력)**, 간파; 안목, 식견《into*** …에 대한》: a man of ~ 통찰력이 있는 사람/He gained 〔had〕 an ~ *into* human nature. 그는 인간성에 대한 통찰력을 가졌다.

in·sig·nia [insígniə] (*pl*. ~(**s**)) *n*. [C] 기장(記章)(badges), 훈장; 표지: an ~ of mourning 상장(喪章).

in·sig·nif·i·cance, -can·cy [ìnsignífikəns], [-i] *n*. [U] 대수롭지 않음, 하찮음(unimportance), 사소(한 일); 미천함; 무의미.

***in·sig·nif·i·cant** [ìnsignífikənt] *a*. **1 무의미한**(meaningless), **하찮은**, 사소한, 무가치한: an ~ talk 시시한 이야기/His influence is ~. 그의 영향력은 별로 대단치 않다. **2** (신분·인격 따위가) 천한: an ~ person (신분이) 미천한 사람. [파] **~·ly** *ad*.

in·sin·cere [ìnsinsíər] *a*. 불성실한, 성의가 없는, 언행 불일치의; 위선적인(hypocritical): an ~ compliment 말뿐인 찬사. [파] **~·ly** *ad*.

in·sin·cer·i·ty [ìnsinsérəti] *n*. **1** [U] 불성실, 무성의; 위선(hypocrisy). **2** [C] 불성실한 언행.

in·sin·u·ate [insínjuèit] *vt*. **1** (사상 등)을 은근히 심어주다, 서서히〔교묘히〕 주입시키다《***into*** (마음 따위)에》: ~ doubt *into* a person 아무의 마음에 의심을 심어주다. **2** 넌지시 비추다, 에둘러〔빗대어〕 말하다《***to*** (아무)에게/***that***》: He ~*s* (*to* me) *that* you are a liar. 그는 네가 거짓말쟁이라고 은근히 (나에게) 내비추고 있다. [SYN.] ⇨SUGGEST. **3** 〖~ oneself〗 교묘하게 환심을 사다; 서서히 들어가다《***into*** …에》: ~ *oneself into* a person's favor 교묘하게 아무의 환심을 사다/Slang ~*s* it*self into* a language. 속어는 모르는 새 언어 속으로 스며든다.

in·sín·u·àt·ing *a*. 교묘히 환심을 사는, 알랑거리는(ingratiating), 영합적인; 암시하는: in an

~ voice 간사스러운 목소리로/an ~ remark 넌지시 비추는 이야기. [파] **~·ly** *ad*. 에둘러; 알랑거리며, 영합적으로.

in·sìn·u·á·tion *n*. **1** [U] 슬며시 들어감〔스며듦〕 (instillment); 교묘하게 환심을 삼: by ~ 넌지시. **2** [C] 암시, 빗댐, 넌지시 비춤: make ~*s* about 〔against〕 a person's honesty 아무의 정직성에 관하여 빗대어 말하다.

in·sin·u·a·tive [insínjuèitiv] *a*. **1** 완곡한, 빗대는, 암시하는. **2** 교묘하게 환심을 사는, 알랑거리는. [파] **~·ly** *ad*.

in·sin·u·a·tor [insínjuèitər] *n*. [C] 빗대어 말하는 사람; 비위를 잘 맞추는 사람, 알랑쇠.

in·sip·id [insípid] *a*. **1** (음식물이) 싱거운, 담박한; 김빠진, 맛없는. **2** 활기 없는(lifeless), 무미건조한(dull), 재미없는(uninteresting): an ~ conversation 지루한 재미없는 대화. [파] **~·ly** *ad*. **~·ness** *n*.

in·si·pid·i·ty [ìnsipídəti] *n*. [U] 무미, 평범, 무미건조.

‡**in·sist** [insíst] *vi*. 《~/+[전]+[명]》 **1 우기다**(maintain), (끝까지) **주장하다**, 고집하다, 단언하다; 역설〔강조〕하다《***on, upon*** …을》: ~ *on* that point 그 점을 역설하다/He ~*ed on going*. 그는 꼭 간다고 우겼다. **2** 강요하다; 요구하다《***on, upon*** …을》: ~ *on* obedience 복종을 강요하다/He ~*ed on* his right to cross-examine the witness. 그는 증인을 반대심문할 권리를 강력히 요구했다.

— *vt*. 《+*that* [절]》 우기다, 강력히 주장하다: He ~*ed that* I was wrong. 그는 내가 잘못했다고 우겼다/She ~*ed that* he (should) be invited to the party. 그녀는 그를 파티에 초대해야 한다고 강력히 주장했다.

°**in·sist·ence, -en·cy** [insístəns], [-i] *n*. [U] **1** 주장, 강조《***on, upon*** …에 대한》: ~ *on* one's innocence 무죄 주장. **2** 강요, 고집《***on, upon*** …에 대한》: ~ *on* obedience 복종 강요/with ~ 집요하게.

°**in·sist·ent** [insístənt] *a*. **1** 끈덕진, 집요한, 강요하는: an ~ demand 집요한 요구. **2** 주장하는, 조르는, 고집을 세우는《***on, upon*** …을/***that***》: He was ~ *on going* out. 그는 나가겠다고 고집을 부렸다/He was ~ *that* he was innocent. 그는 무죄라고 주장하였다. **3** 주의를 끄는, 강렬한, 눈에 띄는, 뚜렷한《색·소리 등》. [파] **~·ly** *ad*. 끈덕지게, 끝까지.

in si·tu [in-sáitjuː] 《L.》 원위치에, 원장소에, 본래의 장소에.

in·so·bri·e·ty [ìnsəbráiəti] *n*. [U] 무절제; 과음, 폭음(intemperance).

ìn·so·fár as …하는 한〔범위, 정도〕에 있어서 《★ 《英》에서는 in so far as가 일반적》: He's innocent ~ I know. 내가 아는 한 그는 결백하다/I shall do what I can ~ I am able. 내가 할 수 있는 한의 일은 다 하겠다.

ìn·so·lá·tion *n*. [U] **1** 햇빛에 쬠, 볕에 말림; 일광욕. **2** 〖의학〗 일사병(sunstroke).

in·sole [ínsòul] *n*. [C] 구두의 안창〔깔창〕.

°**in·so·lence** [ínsələns] *n*. **1** [U] 오만, 무례. **2** (the ~) 무례하게도 …하는 것《***to*** do》: He had the ~ *to* tell me to leave the room. 그는 무례하게도 나에게 방을 나가 달라고 말했다. **3** [C] 오만한 말〔행동〕.

°**in·so·lent** [ínsələnt] *a*. 뻐기는, 거만한(arrogant), 무례한(impudent), 거드럭거리는《**to** (아무)에게》: an ~ young man 건방진 젊은이 / He's ~ *to* his customers. 그는 고객에게 무례하다. ㊥ **~·ly** *ad.*

in·sol·u·ble [insáljubəl/-sɔ́l-] *a.* **1** (물 따위에) 용해하지 않는, 불용해성의: ~ salts 불용성 염류(塩類). **2** (문제 등이) 설명〔해결〕할 수 없는: an ~ problem 해결할 수 없는 문제. ㊥ **-bly** *ad.*

in·solv·a·ble [insálvəbəl/-sɔ́l-] *a.* =INSOLUBLE.

in·sol·ven·cy [insálvənsi/-sɔ́l-] *n.* Ⓤ 〖법률〗 (빚의) 반제(返濟) 불능, 채무 초과, 파산(상태).

in·sol·vent [insálvənt/-sɔ́l-] *a.* 〖법률〗 지급 불능의, 파산한(bankrupt). **—***n.* Ⓒ 지급 불능자, 파산자.

in·som·nia [insámniə/-sɔ́m-] *n.* Ⓤ 〖의학〗 불면증: suffer (from) ~ 불면증에 시달리다. ㊥ **-ni·ac** [-niæ̀k] *a.*, *n.* Ⓒ 불면증의 (환자).

ìn·so·múch *ad.* (…할) 정도로, (…)만큼 《**that**》: The rain fell in torrents, ~ *that* we were ankle-deep in water. 비가 억수같이 퍼부었으므로 우리는 발목까지 물에 잠겼다. ~ **as** = INASMUCH AS.

***in·spect** [inspékt] *vt.* **1** (세밀히) **조사하다, 검사하다**, 감사〔점검〕하다: He ~*ed* the car for defects. 그는 무슨 결함이 없는가 하고 자동차를 자세히 조사했다. **2** 검열〔사열〕하다, 시찰〔견학〕하다: ~ troops 군대를 사열하다.

***in·spec·tion** [inspékʃən] *n.* Ⓤ (구체적으로는 Ⓒ) **1** (정밀) **검사, 조사**; 감사; 점검, (서류의) 열람: a medical ~ 검역(檢疫); 건강 진단 / aerial ~ 공중 사찰 / a close ~ 엄밀한 검사 / ~ free 열람 자유《게시》. **2** (공식·정식의) 시찰, 감찰; 검열, 사열: a tour of ~ =an ~ tour 시찰 여행 / They made an ~ of the plant. 그들은 공장을 시찰했다. ㊥ **~·al** *a.*

***in·spec·tor** [inspéktər] (*fem.* **-tress** [-tris]) *n.* Ⓒ **1 검사자**〔관〕, 조사자〔관〕, 시찰자. **2** 검열관, 감독자; 장학사(school ~). **3** 경감(police ~).

in·spec·tor·ate [inspéktərət] *n.* Ⓒ **1** inspector의 직〔지위, 임기, 관할 구역〕. **2** 〖집합적; 단·복수취급〗 검사관〔검열관〕 일행, 시찰단.

inspéctor·shìp [-ʃip] *n.* =INSPECTORATE 1.

***in·spi·ra·tion** [ìnspəréiʃən] *n.* **1 a** Ⓤ **인스피레이션, 영감**(靈感). **b** Ⓒ 영감에 의한 착상; (갑자기 떠오른) 신통한 생각, 명안: have a sudden ~ 갑자기 명안이 떠오르다. **2 a** Ⓤ 고취, 고무, 격려. **b** Ⓒ 격려가 되는〔고무시키는〕 것〔사람〕. **3** Ⓤ 암시, 시사; 감화: the ~ *of* a teacher 교사의 감화. **4** Ⓤ 〖기독교〗 신의 감화력, 신령감응: moral ~ 도덕적 신감(神感). **5** Ⓤ 숨을 들이쉼; 들숨. ↔ *expiration*.

in·spi·ra·tion·al [ìnspəréiʃənəl] *a.* 영감을 주는, 영감의; 고무하는.

⁑**in·spire** [inspáiər] *vt.* **1** 《~+목/+목+전+명/+목+*to* do》 (아무)를 **고무**(鼓舞)〔**격려**〕**하다**, 발분시키다; (아무)를 고무하여 …시키다《**to** …하게》: His bravery ~*d* us. 그의 용감한 행위는 우리를 고무했다 / The failure ~*d* him *to* greater efforts. 그 실패가 그를 더욱 분발하도록 하였다 / She was ~*d to* write a poem. 그녀는 시를 쓰고 싶은 생각이 들었다. **2** 《+목+전+명》 (아무)에게 **일어나게 하다**, 느끼게 하다《**with** (사상·감정 등)을》: ~ a person *with* respect 아무에게 존경심을 품게 하다 / His conduct ~*d* us *with* distrust. 그의 행동을 보고 우리는 불신감을 느꼈다. **3** 《+목+전+명》 (어떤 사상·감정 등)을 불어넣다, 고취하다《**in, into** (아무)에게》: He ~*d* self-confidence *in* 〔*into*〕 his pupils. 그는 학생들의 마음속에 자신감을 불어넣었다. **4** 〖종종 과거분사로 형용사적〗 (아무)에게 영감을 주다: writings ~*d* by God 신의 계시에 의해 쓰인 작품. **5** 시사하다; (소문 따위)를 퍼뜨리다: ~ false stories about a person 아무에 관한 헛소문을 퍼뜨리다. **6** (어떤 결과 등)을 낳게 하다, 생기게 하다, 초래하다: Honesty ~*s* respect. 정직은 존경심을 일으키게 한다. **7** 들이쉬다, 빨아들이다. **—***vi.* 영감을 주다; 숨을 들이쉬다(inhale).

in·spíred *a.* **1** 영감을 받은; 영감에 의한. **2** (발상 따위가) 참으로 멋진, 훌륭한: make an ~ guess 굉장한 추측을 하다. **3** (어떤 권력자·소식통의) 뜻을 받든, 남의 견해를 반영한《신문 기사 등》: an ~ article (신문의) 어용 기사(記事).

in·spir·ing [inspáiəriŋ] *a.* 분발케 하는; 고무하는, 감격시키는: awe-~ 두려움을 일으키는, 경외심(敬畏心)을 자아내는 / an ~ sight 가슴뛰게 하는 광경. ㊥ **~·ly** *ad.*

in·spir·it [inspírit] *vt.* 분발시키다, 원기를 북돋우다, 고무하다(encourage).

Inst. Institute; Institution. **inst.** instant (이 달의); instrument; instrumental.

in·sta·bil·i·ty [ìnstəbíləti] *n.* Ⓤ 불안정(성) (insecurity); (마음의) 불안정, 변하기 쉬움(inconstancy), 우유부단: political ~ 정정(政情) 불안정. ◇ unstable *a.*

⁑**in·stall** [instɔ́:l] *vt.* **1** 《+목+전+명》 **설치하다**, 비치하다, 가설하다, 설비하다, 장치하다《**in** …(장소)에》: ~ a heating system *in* a house 집에 난방장치를 설치하다. **2** 《+목+전+명》 (아무)를 앉히다, 자리잡게 하다《**in** (자리·장소 따위)에》: ~ a visitor *in* the best seat 손님을 제일 좋은 자리에 앉히다 / We ~*ed ourselves in* the easy chair. 우리는 안락의자에 앉았다. **3** 《~+목/+목+전+명/+목+*as* 보》 (정식으로) **취임시키다**, 임명하다《**in** (직위)에》: ~ a person *in* an office 아무를 (관)직에 임명하다 / ~ a person *as* chairman 아무를 의장에 취임시키다.

in·stal·la·tion [ìnstəléiʃən] *n.* **1 a** Ⓤ 취임, 임명, 임관. **b** Ⓒ 취임식, 임관식. **2 a** Ⓤ 설치, 가설. **b** Ⓒ (설치된) 장치, 설비(furnishings). **3** Ⓒ 군사 시설〔기지〕.

***in·stall·ment,** 《英》 **-stal-** [instɔ́:lmənt] *n.* Ⓒ **1 할부**(割賦), 월부; 납입금《월부 등의 1회분》: by 〔in〕 monthly 〔yearly〕 ~*s* 월〔연〕 할부로 / pay in monthly ~*s* of ten dollars 10달러의 월부로 지불하다. **2** (전집·연재물 따위의) 1회분, 한 책: the first ~ of goods ordered 주문품의 제1회분 / a serial in three ~*s*, 3회의 연재물.

—*a.* Ⓐ 할부 지급 방식의: ~ buying 〔selling〕 월부 구입〔판매〕.

instállment plàn (the ~) 《美》 할부 판매〔구입〕(방식) (《英》 hire-purchase system): buy on the ~ 월부〔연부(年賦)〕로 사다.

⁑**in·stance** [ínstəns] *n.* Ⓒ **1 실례**(example), 사례, 예증(illustration): an ~ of true patriotism 진정한 애국적 행위의 한 예.

SYN. **instance** 몇 개의 비슷한 예 중의 하나로 개별적인 사례·실례 등 언제나 사물을 가리킴: an *instance* of kind act 친절한 행위의 한 예. **example** 전형적인 예. 사람과 사물에 있어서 그보다 더 좋은 예가 드문 것을 나타냄: New York is an *example* of a busy seaport. 뉴욕은 번화한 항구의 좋은 예이다. **case** 실제로 존재하는〔존재한〕 구체적인 예: Take the *case* of Tom. 톰의 경우를 생각해 보게. a similar *case* 비슷한 예. **illustration** 이해를 돕기 위한 실례. **precedence** 전례: follow a *precedence* 전례에 따르다.

2 Ⓒ 사실, 경우(case); 단계: fresh ~*s* of oppression 새로운 박해의 사실/in this ~ 이 경우(에는). ***at the ~ of*** …의 의뢰로, …의 제의〔발기〕로. ***for ~*** 예를 들면. ***in the first ~*** ① 〖법률〗 제1심에서. ② 우선 첫째로.

—*vt.* **1** 예로 들다. **2** 예증하다(exemplify).

⁑**in·stant** [ínstənt] *a.* **1 즉시의**, 즉각의(immediate): ~ death 즉사/~ response 즉답/~ glue 순간 접착제. **2** Ⓐ 긴급한, 절박한(urgent): be in ~ need of help 긴급한 구조를 요하다. **3** Ⓐ 당장의, 즉석(요리용)의: ~ coffee 〔food〕 인스턴트 커피〔식품〕. **4** 〖상업〗 〖날짜 뒤에 쓰여〗 **이달의**《생략: inst.》: on the 15th *inst.* 이달 15일에. ⓒⓕ proximo, ultimo.

—*n.* **1 a** Ⓒ **순간**, (…할) 때, 찰나(moment): for an ~ 잠깐 동안, 순간/in an ~ 즉시, 순식간에. **b** (the 〔this, that〕 ~) (특정한) 시점, 때: at that very ~ 그 순간에. **2 a** (this 〔that〕 ~) 〖부사적〗 지금 당장, 바로 그때: Come this ~! 지금 당장 오너라/I went that ~. 바로 그때 나갔다. **b** (the ~) 〖접속사적〗 …한 순간에, …하자마자: Let me know the ~ she comes. 그녀가 오면 곧바로 내게 알려줘. ★ instant 뒤에 that 을 수반하는 일이 있음. **3** Ⓤ 인스턴트 식품〔음료〕, 《특히》 인스턴트 커피.

not for an ~ 잠시도 …않다; 조금도 …않다: *Not for an* ~ did I believe him. 나는 그를 조금도 믿지 않았다. ***on*** 〔***upon***〕 ***the ~*** 즉각, 즉시: He was killed *on the* ~. 그는 즉사했다.

in·stan·ta·ne·ous [ìnstəntéiniəs] *a.* 즉시〔즉석〕의, 순간의; 동시에 일어나는, 동시적인: an ~ death 즉사/an ~ photograph 즉석 사진/an ~ reaction 순간적 반응. ⓟ **~·ly** *ad.* **~·ness** *n.*

ínstant bóok 인스턴트 북《사건 발생 후 1주일－1개월 이내에 발행되는 속보성(速報性)이 중시되는 책》.

ínstant càmera 인스턴트 카메라《촬영 직후 카메라 안에서 인화되는》.

***in·stant·ly** [ínstəntli] *ad.* **1 당장에**, 즉각, 즉시(immediately): be killed ~ 즉사하다/I'll be ready ~. 곧 준비됩니다. SYN. ⇨IMMEDIATELY. **2** 〖접속사적〗 …하자마자(as soon as): I telegraphed ~ I arrived there. 도착하자마자 곧 타전하였다.

ínstant réplay 〖TV〗 (경기 장면을 슬로모션 등으로 재생하는) 비디오의 즉시 재생.

in·state [instéit] *vt.* 임명하다, 취임시키다《*in* (지위 따위)에》.

⁑**in·stead** [instéd] *ad.* **그 대신에**, 그보다도: Give me this ~. 그 대신에 이것을 주시오/He did not look annoyed at all. *Instead* he was very obliging. 그는 귀찮아하는 기색은커녕 오히려 대단히 친절히 해 주었다.

~ of 〖전치사적〗 …의 대신으로; …하지 않고, …하기는커녕: I gave him advice ~ *of* money. 돈 대신에 충고를 해 주었다/He thanked me ~ *of* getting angry. 그는 화를 내기는커녕 나에게 감사했다.

ín·stèp *n.* Ⓒ **1** 발등. ★ '손등'은 back of the hand. **2** (구두 · 양말 따위의) 발등에 해당하는 부분; 발등 모양의 물건.

in·sti·gate [ínstəgèit] *vt.* **1** 선동하다(incite); 선동하여 (폭동 · 반란을) 일으키다: ~ a rebellion 반란을 선동하다. **2** (아무)를 부추기어 …시키다《*to* (어떤 행동)을/*to* do》: They ~*d* him *to* the crime. 그들은 그를 부추기어 그 범죄를 저지르게 했다/~ workers *to* go on strike 노동자를 부추기어 파업을 일으키게 하다.

ⓟ **-gà·tor** [-ər] *n.* Ⓒ 선동자, 교사자.

ìn·sti·gá·tion *n.* **1** Ⓤ 부추김; 선동, 교사: at 〔by〕 the ~ of …에게서 부추김을 받아, …의 선동으로. **2** Ⓒ 자극(이 되는 것), 유인(誘因).

°**in·still,** 《英》 **in·stil** [instíl] *vt.* **1** (사상 따위)를 스며들게 하다, 주입시키다, 조금씩 가르치다《*in, into* (사람 · 마음)에》: ~ confidence *in* a person 아무에게 자신감을 심어주다/~ ideas *into* a person's mind 아무에게 사상을 서서히 주입시키다. **2** (액체)를 한 방울씩 떨어뜨리다, 점적(點滴)하다《*in, into* …에》.

ìn·stil·lá·tion *n.* Ⓤ (사상 따위를) 서서히 주입시킴〔가르침〕; (방울방울) 떨어뜨림, 적하(滴下).

***in·stinct**[1] [ínstiŋkt] *n.* Ⓤ (구체적으로는 Ⓒ) **1 본능**(natural impulse)《*of, for* …의/*to* do》: animal ~*s* 동물 본능/the ~ *of* self-preservation 자기 보존의 본능/an ~ *for* survival 생존본능/by 〔from〕 ~ 본능적으로; 직감적으로/act on ~ 본능대로 행동하다/an ~ *to* protect oneself 자기 방어 본능. **2** 직관, 육감, 직감《*for* …에 대한》: A camel has a sure ~ *for* finding water. 낙타에게는 물을 찾아내는 확실한 직감이 있다.

in·stinct[2] *a.* Ⓟ 차서 넘치는, 가득 찬, 스며든《*with* …으로, …이》: Her face was ~ *with* benevolence. 그녀의 얼굴은 자애로 가득 차 있었다.

***in·stinc·tive** [instíŋktiv] *a.* **본능적인**, 직감〔직관〕적인: Birds have an ~ ability to fly. 새는 본능적으로 나는 능력이 있다. SYN. ⇨SPONTANEOUS.

°**in·stínc·tive·ly** *ad.* 본능적으로, 직감적으로: *Instinctively*, he stepped on the brakes. 본능적으로 그는 브레이크를 밟았다.

in·stinc·tu·al [instíŋktʃuəl] *a.* ＝INSTINCTIVE.

⁑**in·sti·tute** [ínstət*j*ù:t] *vt.* **1** (제도 · 습관 등)을 **만들다, 설정하다**; (규칙 · 관례)를 제정하다; 실시하다(initiate): ~ a new course 새 강좌를 개설하다/~ laws 법률을 시행하다. **2** (조사)를 시작하다, (소송)을 제기하다: ~ a suit against a person 아무를 상대로 소송을 제기하다/~ a search of the house 가택 수색을 행하다. **3** 《~+目/+目+前+名》 임명하다, 취임시키다《*to, into* (직위 따위)에》: ~ a person *to* 〔*into*〕 a position 아무를 어떤 지위에 임명하다.

—*n.* Ⓒ **1** (학술 · 미술 등의) **회**(會), 협회, 학회, (대학 부속의) 연구소; 그 건물, 회관: a medical research ~ 의학 연구소. **2** (주로 이공계의) **대학**, 전문학교: Massachusetts *Institute* of Technology 매사추세츠 공과 대학《생략: M.I.T.》. **3** 《美》 (단기의) 강습회, 강좌: an adult ~ 성인 강좌/a teacher's 〔teaching〕 ~ 교원 강습〔연수〕회. **4** 원칙, 관례.

⁑**in·sti·tu·tion** [ìnstət*j*ú:ʃən] *n.* **1** Ⓒ (학술 · 사회적) **회**, 학회, 협회; (공공) **시설**, (공공) **기관**

(단체): an academic (a charitable) ~ 학술(자선) 단체/an educational ~ 교육 시설/an ~ for the aged 노인 시설. **2** Ⓒ (확립된) **제도, 관례**, 관습, 법령: the ~ of the family 가족 제도. **3** Ⓒ ((구어)) 명물, 평판 있는 사람(물건): He is quite an ~ around here. 그는 이곳에서 명물이다. **4** Ⓤ (학회 · 협회 따위의) 설립; (법률 따위의) 제정, 설정: the ~ of the gold standard 금본위제의 설정.

in·sti·tu·tion·al [ìnstətjú:ʃənəl] *a.* **1** 제도(상)의; 관습(상)의. **2** 공공(자선) 단체의(같은); 회(會)의, 협회의, 학회의. **3** ((美)) (판매 증가보다는) 기업 이미지를 좋게 하기 위한((광고)).

ìn·sti·tú·tion·al·ìze *vt.* **1** (관습 따위)를 제도화(관행화)하다: Class was *~d* in many sections of their society. 그들 사회의 많은 부문에서 계급이 제도화되었다. **2** (범죄자 · 정신 병자 등)을 공공 시설에 수용하다.

*****in·struct** [instrʌ́kt] *vt.* **1** ((~+目/+目+전+명)) **가르치다**, 교육(교수)하다(teach), 훈련하다((*in* (학과)를)): ~ the young 젊은이들을 가르치다/~ students *in* English 학생들에게 영어를 가르치다. SYN. ⇨TEACH. **2** ((+目+*to* do)) …에게 **지시하다**, 지령하다, 명령하다(direct): He *~ed* them *to* start at once. 그는 그들에게 곧 출발하도록 지시했다. **3** ((+目+*that* 절/+目+*wh.* 절/+目+*wh. to* do)) …에게 알리다, 통지(통고)하다(inform): I *~ed* him *that* he had passed the examination. 그에게 시험에 합격했음을 알렸다/I will ~ you *when* we are to start. =I will ~ you *when to* start. 언제 출발하는지 알려주겠다. ***be ~ed in*** …에 밝다(정통하다): He *is ~ed in* the matter. 그는 그 일에 정통하다.

‡**in·struc·tion** [instrʌ́kʃən] *n.* **1** Ⓤ **훈련, 교수**, 교육((*in* …의)): mail ~ 통신 교육/give (receive) ~ *in* French 프랑스어 교육을 하다(받다). **2** Ⓒ (흔히 *pl.*) **지시**, 지령, 훈령(directions), 명령((*to* do/*that*)); (보통 *pl.*) (제품 따위의) 사용법(취급법) 설명서: follow *~s* 지시를 따르다/be under *~s that* … …라는 명령을 받고 있다/give a person *~s to* do … …하도록 아무에게 명령하다/Show me the *~s* for this watch. 이 시계의 설명서를 보여 주십시오. **3** Ⓒ (흔히 *pl.*) 〖컴퓨터〗 명령(어). ㊔ **~·al** [-ʃənəl] *a.* 교육(상)의.

*****in·struc·tive** [instrʌ́ktiv] *a.* **교훈(교육)적인**, 본받을 점이 많은, 도움이 되는, 계발적인: an ~ book 유익한 책/an ~ discussion 유익한 토론/The hint was ~ to me. 그 힌트는 나에게 도움이 됐다. ㊔ **~·ly** *ad.*

*****in·struc·tor** [instrʌ́ktər] (*fem.* ***-tress*** [-tris]) *n.* Ⓒ **1** **교사**, 선생, 교관(teacher), 지도자. **2** ((美)) (대학의) 전임 강사((assistant professor 의 아래, tutor 의 위; 생략: instr.)): an ~ in history 역사 담당 강사.

‡**in·stru·ment** [ínstrəmənt] *n.* Ⓒ **1** (실험 · 정밀 작업용의) **기계**(器械), **기구**(器具), 도구: medical *~s* 의료 기구/drawing *~s* 제도 기구. SYN. ⇨TOOL. **2** (비행기 · 배 따위의) 계기(計器): nautical *~s* 항해 계기/fly on *~s* 계기 비행을 하다. **3** **악기**: a stringed (wind) ~ 현악(관악)기/musical *~s* 악기. **4** 수단, 방편(means); 동기(계기)가 되는 것(사람), 매개(자): an ~ *of* study 연구의 수단/ be the ~ *of* a person's death 아무를 죽음에 이르게 하다. **5** (남의) 앞잡이, 도구, 로봇: an ~ *of* the Mafia 마피아의 앞잡이. **6** 〖법률〗 법률 문서((계약서 · 증서 · 증권 등)): an ~ *of* ratification (조약의) 비준서.

*****in·stru·men·tal** [ìnstrəméntl] *a.* **1** **기계**(器械)**의**, 기계를 쓰는: ~ errors in measurement 측정상의 기계 오차/~ navigation 계기(計器) 비행(항행). **2** **유효한**, 수단이 되는, 쓸모 있는, 도움이 되는((*in* …에)): He was ~ *in* finding a job for his friend. 그는 친구의 취직에 힘이 됐다. **3** 〖음악〗 악기(용)의, 기악의. cf. vocal. ¶ ~ music 기악. ㊔ **~·ist** *n.* Ⓒ 기악가.

in·stru·men·tal·i·ty [ìnstrəmentǽləti] *n.* **1** Ⓤ 도움(helpfulness), 덕분, 알선: by (through) the ~ of …에 의해, …의 힘을 빌려, …의 도움으로. **2** Ⓒ 수단(이 되는 것), 방편; (정부 등의) 대행 기관.

ìn·stru·mén·tal·ly *ad.* **1** 기계(器械)로; 악기로. **2** 수단으로서; 간접으로.

in·stru·men·ta·tion [ìnstrəmentéiʃən] *n.* Ⓤ **1** 기계(器械)(기구) 사용(설치), 계측기의 고안(조립, 장비). **2** 〖집합적〗 (특정 목적의) 기계류, 기구류. **3** 〖음악〗 기악 편성(법), 악기(관현악)법.

ínstrument bòard (pànel) (자동차 · 비행기 따위의) 계기판.

ínstrument flỳing (flìght) 〖항공〗 계기 비행.

ínstrument lànding 〖항공〗 계기 착륙.

in·sub·or·di·nate [ìnsəbɔ́:rdənit] *a.* 고분고분(순종)하지 않는, 말을 듣지 않는, 반항하는. **—***n.* Ⓒ 순종하지 않는 사람, 반항자. ㊔ **~·ly** *ad.*

ìn·sub·òr·di·ná·tion *n.* Ⓤ 불순종, 반항.

in·sub·stan·tial [ìnsəbstǽnʃəl] *a.* **1** 실체가 없는, 공허한, 공상의: the ~ product of one's imagination 공허한 상상의 산물. **2** 실속이 없는; (의론 등이) 내용이 없는, 박약한: an ~ meal 실속 없는 식사.

in·suf·fer·a·ble [insʌ́fərəbəl] *a.* **1** (사람 · 사물이) 견딜 수 없는, 참을 수 없는(intolerable): an ~ grumbler 귀찮게 구는 불평가. **2** (참을 수 없을 만큼) 건방진, 울화가 치미는. ㊔ **-bly** *ad.*

in·suf·fi·cien·cy [ìnsəfíʃənsi] *n.* **1** Ⓤ (또는 an ~) 불충분, 부족(lack): an ~ *of* proof 증거 불충분. **2** Ⓤ 부적당, 부적임(inadequacy)((*of* (아무)의; *for* (어떤 직책)에 대한)): the ~ *of* a person *for* a job 아무가 어떤 일에 부적합한 것. **3** Ⓒ (흔히 *pl.*) 불충분한 점, 결점: He admitted to his *insufficiencies*. 그는 자신의 결점을 인정했다. **4** Ⓤ 〖의학〗 (심장 따위의) 기능 부전(不全).

°**in·suf·fi·cient** [ìnsəfíʃənt] *a.* **1** 불충분한, 부족한((*for, in* …에/*to* do)): an ~ supply of fuel 연료의 공급 부족/be ~ *in* quantity 양이 부족하다/The water supply is ~ *for* the city's needs. 그 급수량으로는 시의 수요를 충족하기에 불충분하다/My salary is ~ *to* support my family. 내 봉급은 가족을 부양하기에 부족하다. **2** 능력이 없는; 부적당한((*for* …에)): He's ~ *for* the job. 그는 그 일에 부적합하다. ㊔ **~·ly** *ad.*

in·su·lar [ínsələr, -sjə-] *a.* 섬의; 섬사람의; 섬 특유의; 섬나라 근성(根性)의, 편협한(narrow-minded): ~ prejudices 섬나라적 편견. ㊔ **~·ìsm** *n.* Ⓤ 섬나라 근성, 편협성. **ìn·su·lár·i·ty** *n.* Ⓤ 섬(나라)임; 섬나라 근성, 편협.

in·su·late [ínsəlèit, -sjə-] *vt.* **1** 격리(隔離)하다, 고립시키다(isolate)((*from* …에서)): ~ a patient 환자를 격리하다/Her family *~s* her *from* contact with the world. 그녀의 가족들은

그녀를 세상과 접촉을 못 하도록 격리하고 있다. **2** 〚전기 · 물리〛 절연〔단열, 방음〕하다; 차단하다 《*from, against* (열 · 음)으로부터》: ~ a studio *from* noise 스튜디오를 방음하다.

ínsulating tàpe 절연(絕緣) 테이프.

ìn·su·lá·tion *n.* Ⓤ **1** 격리; 고립. **2** (전기 · 열 · 소리 따위 전도의) 차단, 절연; 절연체, 절연물〔재(材)〕, 단열재, 애자(碍子).

in·su·la·tor [ínsəlèitər, -sjə-] *n.* Ⓒ **1** 격리하는 사람〔것〕. **2** 〚전기〛 절연물, 절연체, 애자(碍子), 뚱딴지; (건물 따위의) 단열〔차음(遮音), 방음〕재.

in·su·lin [ínsəlin, -sjə-] *n.* Ⓤ 〚의학〛 인슐린 《췌장에서 분비되는 단백질 호르몬; 당뇨병 치료제》.

in·sult** [ínsʌlt] *n.* **1 a** Ⓤ **모욕**, 무례: They treated him with cruelty and ~. 그들은 그를 잔혹하고 모욕적으로 처우했다. **b** Ⓒ 모욕 행위, 무례한 짓《*to* (아무)에 대한》: Stop all these ~*s*. 남을 모욕하는 짓거리들 그만둬라/It's an ~ *to* your dignity. 그건 당신의 품위를 깎아내리는 짓이다. **2** Ⓒ 〚의학〛 손상. ***add ~ to injury 혼내 주고 모욕까지 하다.

— [-ˊ] *vt.* …을 **모욕하다**, …에게 무례한 짓을 하다; …의 자존심을 상하게 하다: He ~*ed* her by refusing her offer of help. 그는 도와주겠다는 그녀의 제안을 거절하여 자존심을 상하게 했다. SYN. ⇨ OFFEND.

in·súlt·ing *a.* 모욕적인, 무례한: ~ remarks 모욕적인 말. ㊞ **~·ly** *ad.*

in·su·per·a·ble [insúːpərəbəl] *a.* (곤란 · 반대 등을) 이겨낼 수 없는, 극복할 수 없는. ㊞ **-bly** *ad.* **in·sù·per·a·bíl·i·ty** *n.* Ⓤ 이겨내기 어려움.

in·sup·port·a·ble [ìnsəpɔ́ːrtəbəl] *a.* **1** 참을 수 없는, 견딜〔지탱할〕 수 없는(unbearable): an ~ pain 견딜 수 없는 아픔. **2** 지지할 수 없는; (충분한) 근거없는. ㊞ **-bly** *ad.* 견딜 수 없을 정도로.

in·sur·a·ble [inʃúərəbəl] *a.* 보험을 걸 수 있는, 보험에 적합한, 보험의 대상이 되는: ~ interests 피보험 이익/~ property 피보험 재산/~ value 보험 가격.

‡**in·sur·ance** [inʃúərəns] *n.* **1** Ⓤ **보험**(계약); 보험업: accident ~ 상해 보험/automobile ~ 자동차 보험/aviation ~ 항공 보험/~ against traffic accidents 교통 상해 보험/life ~ 생명 보험/marine ~ 해상 보험/an ~ company 보험 회사/~ for life 종신 보험. **2** Ⓤ 보험금(액); 보험료(premium); =insurance policy: pay one's ~ 보험료를 내다. **3** Ⓤ (또는 an ~) 보증; 대비, 보호《***against*** (실패 · 손실)에 대한》: as (an) ~ *against* bad times 불황에 대비하여. ◇ insure *v.* ★ assurance는 《英》에서 많이 쓰이고, 《美》에서는 insurance가 쓰임.

insúrance àgent 《英》 보험 대리인; 보험 설계사.

insúrance pòlicy 보험 증권, 보험 증서.

in·sur·ant [inʃúərənt] *n.* Ⓒ 보험 계약자; 피보험자.

‡**in·sure** [inʃúər] *vt.* 《~+목/+목+전+명》 **1** (보험 회사가) …**의 보험을 계약하다**, …의 보험을 인수하다〔맡다〕《***against*** …에 대하여》: The insurance company will ~ your property *against* fire. 보험 회사는 당신의 재산에 대한 화재 보험을 인수합니다. **2** (보험 계약자가) …에 보험을 들다, 보험 계약을 하다《***for*** (얼마)의》: ~ oneself 〔one's life〕 *for* 10,000,000 won, 1000만원의 생명 보험에 들다. **3 보증하다**(guarantee), 책임맡다; 확실히 하다: His industry ~*s* his success in life. 그는 근면하기 때문에 꼭 출세한다. **4** 《美》 (아무)를 지키다, 안전하게 하다《***against*** (위험 등)에 대하여》: Care ~*s* us *against* errors. 조심하면 실수를 하지 않는 법.

in·súred *a.* **1** 보험에 들어 있는, 보험이 걸린. **2** (the ~) 〘명사적〙 피보험자, 보험 계약자, 보험금 수취인《★ 한 사람일 때에는 단수, 두 사람 이상일 때에는 복수취급》.

in·súr·er [-rər] *n.* Ⓒ 보험 회사, 보험업자 (underwriter).

in·sur·gence, -gen·cy [insə́ːrdʒəns], [-i] *n.* Ⓤ (구체적으로는 Ⓒ) 모반, 폭동.

in·sur·gent [insə́ːrdʒənt] *a.* Ⓐ **1** 모반하는, 폭동을 일으킨: ~ troops 반란군. **2** 밀려오는《파도 따위》. **—** *n.* Ⓒ (흔히 *pl.*) 폭도, 반란자; 《美》 (당내의) 반대 분자.

in·sur·mount·a·ble [insərmáuntəbəl] *a.* (장애 등이) 극복할 수 없는; 넘을 수 없는: ~ difficulties 피할 수 없는 난국. ㊞ **-bly** *ad.* **~·ness** *n.*

◇**in·sur·rec·tion** [ìnsərékʃən] *n.* Ⓤ (구체적으로는 Ⓒ) 반란, 폭동, 봉기. cf. rebellion. ㊞ **~·al** *a.* **~·ist** *n.* Ⓒ 폭도, 반도(叛徒).

in·sus·cep·ti·ble [ìnsəséptəbəl] *a.* **1** 무감각한, 무신경한; (감정이) 움직이지 않는《***to, of*** …에》: a heart ~ *of* 〔*to*〕 pity 동정을 모르는 마음〔사람〕. **2** 받아들이지 않는《***of*** (치료 따위)를》; 영향을 받지 않는《***to*** …에》: a serious disease ~ *of* medical treatment 치료 효과가 나지 않는 중환/a physique ~ *to* disease 병에 걸리지 않는 체격. ㊞ **ìn·sus·cep·ti·bíl·i·ty** *n.* Ⓤ 무감각, 감수성이 없음.

int. interest; interior; interjection; internal; international; intransitive.

in·tact [intǽkt] *a.* Ⓟ 본래대로의, 손대지 않은 (untouched), 완전한: keep 〔leave〕 a thing ~ 무엇을 손대지 않은 채로 두다, 그대로 두다/The castle has remained ~ over the centuries. 그 성은 몇 세기에 걸쳐 그대로 남아 있다. SYN. ⇨ COMPLETE.

in·tagl·io [intǽljou, -tɑ́ːl-] (*pl.* **~s**) *n.* **1** Ⓤ 음각, 요조(凹彫). ↔ *relief, relievo*. ¶carve a gem in ~ 보석에 무늬를 음각하다. **2** Ⓒ (무늬를) 음각한 보석; 새겨 넣은 무늬. cf. cameo. **3** Ⓤ 〚인쇄〛 요각(凹刻) 인쇄. **—** *vt.* (무늬)를 새겨 넣다; 음각하다.

ín·tàke *n.* **1** Ⓒ (물 · 공기 · 연료 따위를) 받아들이는 입구〔주둥이〕《취수구(取水口), 공기 흡입구 따위》. ↔ *outlet*. **2** (*sing.*) 흡입〔섭취〕량: What is your daily ~ *of* calorics 〔alcohol〕? 매일의 칼로리〔알코올〕 섭취량은 얼마나 됩니까. **3** Ⓒ (파이프 · 물 · 연료 등의) 취입구; (병 따위의) 잘록한 부분.

in·tàn·gi·bíl·i·ty *n.* Ⓤ 손으로 만질 수 없음, 만져서 알 수 없음; 파악할 수 없음, 불가해.

in·tan·gi·ble [intǽndʒəbəl] *a.* **1** 만질 수 없는, 만져서 알 수 없는(impalpable); 실체가 없는: The soul is ~. 영혼은 실체가 없다. **2** (자산 따위가) 무형의(insubstantial): ~ assets 무형자산《특허권 · 영업권 따위》. **3** (막연하여) 파악하기 어려운, 불가해한: an ~ awareness of danger 막연한 위험 의식. **—** *n.* Ⓒ 만질 수 없는 것;

무형의 것, 무형 재산; 파악하기 어려운 것. ㊞ -bly ad. 손으로 만질 수 없을 만큼; 파악하기 어렵게, 막연하여.

intángible próperty 무형 재산《특허권 · 저작권 · 상표권 따위》.

in·te·ger [íntidʒər] n. Ⓒ **1** 완전한 것, 완전체(complete entity). **2** 『수학』 정수(整數)(whole number). cf. fraction.

in·te·gral [íntigrəl] a. Ⓐ **1** 완전한(entire), 완전체의. **2** (전체를 구성하는 데) 빠뜨릴 수 없는, 필수의(essential): an ~ part 없어서는 안 될 부분. **3** 『수학』 정수(整數)의, 적분(積分)의. cf. differential. **—** n. Ⓒ **1** 전체. **2** 『수학』 적분.

íntegral cálculus 『수학』 적분학.

◇**in·te·grate** [íntəgrèit] vt. **1** (각 부분)을 통합〔통일〕하다(unify), 흡수하다《*into* (전체) 속에》: The theory ~s his research findings. 그 이론은 그의 연구결과를 집대성한 것이다 / He ~d the committee's suggestions *into* his plan. 그는 위원회의 제안을 통합하여 계획을 세웠다 / ~ former mental patients *into* society 이전의 정신병 환자들을 사회에 흡수하다. **2** 결합시키다, 융합〔조화〕시키다《*with* (다른 것)과》: Learning should be ~d *with* purpose. 학문은 목적과 결부시켜야 한다. **3** (면적 · 온도 따위)의 합계〔평균치〕를 나타내다; 『수학』 적분하다. **4** (학교 · 공공시설 등에서의) 인종〔종교〕적 차별을 폐지하다. cf. segregate. **—** vi. **1** 인종〔종교〕적 차별이 없어지다. **2** 통합되다, 융합하다.

— [-grit] a. 각 부분이 다 갖추어진, 완전한.

ín·te·gràt·ed [-id] a. **1** 통합〔합성〕된; 완전한: ~ data processing 집중 정보 처리. **2** 『심리』 (인격이) 통합〔융화〕된: an ~ personality (육체 · 정신 · 정서가 고루 균형잡힌) 통합〔융합〕된 인격. **3** 인종적〔종교적〕 차별을 하지 않는: an ~ school 인종 차별 없는 학교.

íntegrated círcuit 『전자』 집적 회로(集積回路)《생략: IC》.

ìn·te·grá·tion n. Ⓤ **1** 통합; 완성, 집성; 조정. **2** 『수학』 적분. cf. differentiation. **3** (군대 · 학교 등에서의) 인종 차별 폐지. cf. segregation. ㊞ **~·al** a.

ìn·te·grá·tion·ist n. Ⓒ 인종〔종교〕 차별 폐지론자.

***in·teg·ri·ty** [intégrəti] n. Ⓤ **1 성실**, 정직(honesty), 고결(uprightness), 청렴: a man of ~ 성실한 사람, 인격자. **2 완전 무결**(한 상태); 보전: territorial ~ 영토 보전 / relics in their ~ 완전한 모습의 유물.

in·teg·u·ment [intégjəmənt] n. Ⓒ 『해부 · 생물』 외피(外皮), 포피(包皮). ㊞ **in·tèg·u·mén·tal, in·tèg·u·mén·ta·ry** [-méntəri] a. 외피〔포피〕의, 《특히》 피부의.

***in·tel·lect** [íntəlèkt] n. **1** Ⓤ 지력(知力), **지성**, 이지, 지능: human ~ 인간의 지력 / a man of ~ 지성인. **2 a** Ⓒ 지식인, 식자. **b** (the ~(s)) 〖집합적〗 식자(識者)들, 지식인들, 인텔리들: the ~(*s*) of the age 당대의 식자들 / the whole ~(*s*) of the country 전국의 지식 계급〔지식층〕. ◇ intellectual a.

⁑**in·tel·lec·tu·al** [ìntəléktʃuəl] a. **1 지적인**, 지력의: the ~ faculties 〔powers〕 지적 능력. **2** 지능적인, (직업 따위가) 지능〔지력〕을 요하는, 두뇌를 쓰는: ~ occupations 〔pursuits〕 지능을 요하는 직업〔일〕. **3** 지력이 뛰어난, 이지적인: an ~ face 이지적인 얼굴 / the ~ class 지식 계급 / ~ culture 지육(智育). SYN. ⇨ INTELLIGENT. ◇ intellect n.

— n. Ⓒ **지식인**, 인텔리; (the ~s) 지식 계급.

ìn·tel·léc·tu·al·ìze vt. 지적으로 하다; 지성적으로 처리〔분석〕하다.

ìn·tel·léc·tu·al·ly ad. (이)지적으로, 지성에 관해서는.

intelléctual próperty (특허 · 상표 · 저작권 따위의) 지적 재산; 지적 재산권(= **intelléctual próperty rìght**).

⁑**in·tel·li·gence** [intélədʒəns] n. **1 a** Ⓤ **지성**; 이해력, 사고력, 지능; 총명: human ~ 인지(人智) / a man of much 〔ordinary〕 ~ 뛰어난〔보통의〕 지능을 가진 사람. **b** (the ~) 기지, 재치; 지혜, 현명함《*to* do》: have the ~ *to* do 머리를 써서 …하다 / He had the ~ *to* put the fire out with a fire extinguisher. 그는 재치있게 소화기로 불을 껐다. **2** Ⓤ **정보**, 보도, (특히 군사에 관한 기밀적인) 첩보; 첩보 기관, (비밀) 정보부: an ~ agent 첩보원, 스파이 / He is in 〔works for〕 ~. 그는 첩보 기관에 있다〔근무한다〕. ★ information 은 정보의 제공으로 인한 service의 뜻이 강하고, intelligence는 반드시 남에게 전하지 않아도 좋음. **3** (종종 I-) Ⓒ 지성적 존재, 영혼; 천사. ***the Supreme Intelligence*** 신(神).

intélligence bùreau 〔**depàrtment**〕 (특히 군의) 정보부, 정보국.

intélligence quòtient 『심리』 지능 지수《생략: IQ, I.Q.》.

intélligence tèst 『심리』 지능 검사.

⁑**in·tel·li·gent** [intélədʒənt] a. **1 지적인**, 지성을 갖춘, 지능이 있는, 이해력이 뛰어난: Is there ~ life on other planets? 다른 혹성에도 지능을 가진 생물이 있습니까. **2** 총명한, 눈치빠른, 영리한, 재치있는: an ~ child 총명한 아이 / an ~ reply 재치있는 대답 / Be a bit more ~! 좀더 영리하게 행동해라. SYN. ⇨ WISE.

SYN. **intelligent** 본디 머리가 좋은《동물에도 쓰임》: an *intelligent* young man 머리가 좋은 젊은이. an *intelligent* dog 영리한 개. **intellectual** 교육 · 독서 · 지적 훈련 따위로 (사람이) 이지적인: the *intellectual* class 지식 계급.

3 (기계가) 식별력〔판단력〕이 있는; 『컴퓨터』 지적인, 정보 처리 기능이 있는; (건물이) 컴퓨터로 집중 관리되는《난방 · 조명 등》: an ~ building. ㊞ ◇**~·ly** ad.

in·tel·li·gent·sia, -zia [intèlədʒéntsiə, -gén-] n. 《Russ.》 Ⓤ (보통 the ~) 〖집합적; 단 · 복수취급〗 지식 계급, 인텔리겐치아; 지식층.

intélligent términal 『컴퓨터』 지능형 단말기《데이터의 입출력 외에 편집 · 연산 · 제어 등의 처리 능력을 어느 정도 가지고 있는 것》.

in·tèl·li·gi·bíl·i·ty n. Ⓤ 알기 쉬움, 명료함; 가해성(可解性).

◇**in·tel·li·gi·ble** [intélədʒəbəl] a. **1** 이해할 수 있는, 명료한: an ~ explanation 명료한 설명. **2** Ⓟ 알기 쉬운《*to* (아무)에게》: The book is ~ *to* anyone. 그 책은 누구라도 다 이해할 수 있다. ***make*** one***self*** ~ 자기의 말〔생각〕을 이해시키다.

in·tél·li·gi·bly ad. 알기 쉽게, 명료하게: I was not able to answer the question ~. 질문에 알기 쉽게 답변할 수가 없었다.

In·tel·post [íntelpòust] n. Ⓒ 인텔포스트《Intelsat을 통한 국제 전자 우편》. [◂ *Interna*tional *El*ectronic *Post*]

In·tel·sat [íntelsæ̀t] n. 인텔샛, 국제 전기 통신

위성 기구; Ⓒ 인텔샛의 통신 위성. [◂ *In*ternational *Tel*ecommunications *Sat*ellite Organization]

in·tem·per·ance [intémpərəns] *n.* Ⓤ **1** 무절제, 방종; 과도(excess). **2** 폭주(暴酒), 폭음.

in·tem·per·ate [intémpərit] *a.* **1** (언행이) 무절제한, 과도한, 난폭한; (추위·더위 따위가) 매서운: an ~ language 난폭한[나쁜] 말씨, 폭언/~ weather 혹독한 날씨. **2** 폭음의, 술고래의: ~ habits 폭음하는 버릇. ㊕ **~·ly** *ad.*

⁑**in·tend** [inténd] *vt.* **1 의도하다,** 꾀하다: He seemed to ~ no harm. 그는 아무런 악의가 없는 것 같았다.

SYN. **intend** 마음속에 예정하다. mean 보다 강의적이고 계획적이며, 보다 중요한 사항을 의도할 때에 쓰임: No offence was *intended.* 아무런 범죄도 기도되지 않았다. **mean** intend의 구어적 표현이지만 '…할 작정이다, 진심으로 …하려고 생각하고 있다'는 주관의 표현에 역점이 있음: He *means* to go away. 참말로 가려고 생각하고 있다(이면에는 He is not pretending. '가는 체하고 있는 것이 아니다'를 시사하고 있음). **design** 어떤 결과를 의도하다. 특정한 목적이 강조됨: a scholarship *designed* for medical students 의학도를 위해서 마련된 장학금. **purpose** …하려고 마음먹다. 의도가 강조되고 실현이 곤란한 것에도 쓰임: *purpose* an interview with President 대통령과의 회견을 기도하다.

2 《~+목/+*to* do/+do*ing*/+목+*to* do/+*that* 절》 (…하려고) **생각하다,** (…할) **작정이다:** I ~ *to* go there. =I ~ *going* there. 거기에 갈 작정이다《★《+do*ing*》은 《+*to* do》와 거의 같은 뜻이지만 드문 표현으로 특히 하려는 행위를 강조할 때 씀》/I ~*ed to* have come. 오려고 하였다(실은 오지 못했다)/I ~ my daughter *to* take over the business. 그 사업을 딸에게 물려줄 생각이다/We ~ *that* the money (should) last a week. 우리는 그 돈으로 일주일을 지내려고 생각하고 있다. **3** 《흔히 수동태로》《+목+전+명/+목+*to be* 보/+목+*as* 보》 **쓰려고 하다, 예정하다**《*for* (특정 목적·용도)를 위해서》: This gift *is* ~*ed for* you. 너에게 줄 선물이다/The building *was* ~*ed to be* a library. 그 건물은 도서관으로 쓸 예정이었다/This *is* not ~*ed as* a joke. 이건 농담이 아니야. **4** 《+목+전+명》 …의 뜻으로 말하다, …을 의미하다(mean)《*by* …으로》: What do you ~ *by* these words? 무슨 뜻으로 그렇게 말하는가.

in·tend·ant [inténdənt] *n.* Ⓒ 감독관, 관리자.

in·ténd·ed [-id] *a.* **1** 기도[의도]된, 고의의; 예정된, 소기의: the ~ purpose 소기의 목적/His remark had the ~ effects. 그의 말은 의도했던 효과를 얻었다. **2** 약혼한, 약혼자의: my ~ wife 곧 아내가 될 사람. **—***n.* (one's ~) 《구어》 약혼자.

⁑**in·tense** [inténs] (**-*tens·er; -tens·est***) *a.* **1** (빛·온도 따위가) **격렬한, 심한,** 강렬한, 맹렬한: an ~ light 강렬한 빛/~ cold [heat] 혹한[혹서]. **2** (감정 따위가) 격앙된, 강렬한, 극단의: ~ anxiety 점점 심해진 불안/~ love 열애. **3** 일사불란한, 온 신경을 집중한, 진지한; 열심인, 열띤《*in, about* …에》: an ~ face 진지한 얼굴/~ study 열띤 연구/~ *in* one's studies 열심히 공부하여. **4** (성격이) 감정적인, 열정적인: an ~ person 열정적인 사람. ㊕ ◇**~·ly** *ad.* **~·ness** *n.*

in·ten·si·fi·ca·tion [intènsəfikéiʃən] *n.* Ⓤ 격화; 강화.

in·ten·si·fi·er [inténsəfàiər] *n.* Ⓒ **1** 격렬하게[세게] 하는 것, 증강[증배(增倍)] 장치. **2** 〖문법〗 강의어.

◇**in·ten·si·fy** [inténsəfài] *vt.* …을 격렬[강렬]하게 하다; 증강[증배]하다, …의 도를 더하다: ~ one's efforts 더 한층 노력하다. **—***vi.* 강렬[격렬]해지다.

in·ten·sion [inténʃən] *n.* Ⓤ **1** 세기, 강도; 강화, 증강. **2** (마음의) 긴장, (정신의) 집중, 노력. **3** 〖논리〗 내포(內包). ↔ *extension.* ㊕ **~·al** *a.* 내포적[내재적]인.

***in·ten·si·ty** [inténsəti] *n.* Ⓤ **1 강렬,** 격렬, 맹렬: gather ~ 격렬함을 더하다. **2 긴장,** 집중, 열심: with (great) ~ 열심히. **3** 강도; 농도: the degree of ~ 세기의 정도. ◇ intense *a.*

***in·ten·sive** [inténsiv] *a.* **1 강한,** 격렬한; **집중적인,** 철저한. ↔ *extensive.* ¶ ~ reading 정독/an ~ investigation 철저한 조사. **2** 세기의, 강도의. **3** 〖문법〗 강의(強意)의, 강조의. **4** 〖논리〗 내포적인. **5 a** 〖경제·농업〗 집약적인: ~ agriculture 집약 농업. **b** 《보통 명사 뒤에 두어 합성어로》 …집중[집약]적인: calorie-~ 칼로리 집중적인/labor-~ 노동 집약적인.

—*n.* Ⓒ 〖문법〗 강조어《very, awfully 따위》.

㊕ **~·ly** *ad.*

inténsive cáre 〖의학〗 (중증(重症) 환자에 대한) 집중 치료.

inténsive cáre ùnit 〖의학〗 집중 치료실[병동]《생략: ICU》.

in·tent[1] [intént] *n.* Ⓤ **1** 《보통 관사 없이》 의향, 목적, 의지, 의도, 기도, 계획《*to* do》: criminal ~ 〖법률〗 범의(犯意)/with evil [good] ~ 악의[선의]를 가지고/I had no ~ *to* deceive you. 너를 속일 의도는 없었다. SYN. ⇨ PURPOSE. **2** 함의(含意), 의의, 의미, 취지: What is the ~ *of* this? 이 의미는 무엇입니까.

to* [*for*] *all* ~*s and purposes 어느 점으로 보나, 사실상: Mr. Brown is *to all* ~*s and purposes* a good lawyer. 브라운씨는 어느 모로 보나 훌륭한 변호사이다.

***in·tént**[2] *a.* **1** (시선·주의 따위가) **집중된,** 진지한: an ~ look 응시하는 시선. **2** Ⓟ **전념하고 있는,** 여념이 없는, 열중해 있는《*on, upon* …에》: be ~ *on* one's job 일에 몰두해 있다/be ~ *on* beautiful scenery 아름다운 경치에 넋을 잃고 있다. **3** 열심인: an ~ person 열성가. ◇ intend *v.* ㊕ ◇**~·ly** *ad.* 열심히, 오로지. **~·ness** *n.*

⁑**in·ten·tion** [inténʃən] *n.* **1** Ⓤ **의향, 의도, 의지**《*of* do*ing* …하려는/*to* do》: by ~ 고의로/without ~ 무심코, 아무 생각 없이/I have no ~ *of* ignor*ing* your rights. 너의 권리를 무시할 의도는 없다/His ~ *to* close the deal was satisfactory to us. 거래를 매듭지으려는 그의 의향이 우리에게는 만족스러웠다. SYN. ⇨ PURPOSE. **2** Ⓒ 의도하는 것, 목적: Her ~ was to depart a week earlier. 그녀의 속셈은 일주일 빨리 출발하는 것이었다/What was your ~ in doing that? 무슨 의도로 그걸 했습니까. **3** (*pl.*) 《구어》 (교제 중인 여자에 대한 남자의) 결혼할 뜻: He has honorable ~*s.* 그는 정식으로 결혼할 생각을 갖고 있다.

***in·ten·tion·al** [inténʃənəl] *a.* **계획적인, 고의**

의, 일부러의: an ~ insult 의도적인 모욕. cf. accidental. 파 ~·ly ad. 계획적으로, 고의로.

in·tén·tioned a. 《종종 합성어로》 …할 작정인: a well-~ lie 선의의 거짓말.

in·ter [intə́ːr] (-rr-) vt. (시체)를 매장하다, 묻다(bury)《in (장소)에》.

in·ter- [íntər] pref. '간(間), 중(中), 상호'의 뜻: interlay; interact.

ìnter·áct vi. 상호 작용하다, 서로 영향을 주다《with …와》: Children learn by ~ing (with one another). 아이들은 서로 영향을 주면서 배운다.

ìnter·áction n. U (구체적으로는 C) 상호 작용(영향), 교호(交互) 작용《between …사이의; with …와의》: the ~ between man and his environment =the ~ of man with his environment 인간과 환경의 상호 작용.

ìnter·áctive a. 상호 작용하는, 서로 영향을 미치는; 【통신】 쌍방향의; 【컴퓨터】 대화식의: ~ CD-ROM video game 쌍방향의 CD롬 비디오게임. 파 ~·ly ad.

in·ter alia [ìntər-éiliə] 《L.》 (사물에 대해) 그 중에서도, 특히.

ìnter·bréed vt., vi. (동식물을) 이종 교배(異種交配)시키다; 잡종이 되다, 잡종 번식을 하다; 동계(근친) 교배하다.

in·ter·ca·lary [intə́ːrkəlèri, intərkǽləri] a. A 1 윤(閏)(일·달·년)의: an ~ day 윤일(閏日)《2월 29일》/an ~ month 윤달《2월》/ an ~ year 윤년. 2 사이에 삽입된(꽂은).

in·ter·ca·late [intə́ːrkəlèit] vt. 1 윤(閏)(일·달·년)을 넣다. 2 사이에 넣다, 삽입하다(insert).

in·ter·cede [ìntərsíːd] vi. 중재하다, 조정하다《with (아무)에게; on behalf of, for …의 일을》: ~ with the teacher for (on behalf of) A, A를 위해 선생님께 좋게 말해 주다.

ìnter·céllular a. 【생물】 세포 사이의(에 있는).

in·ter·cept [ìntərsépt] vt. 1 (사람·물건)을 도중에서 빼앗다(붙잡다), 가로채다. 2 (빛·열 따위)를 가로막다; 차단(저지)하다《from …으로부터》. 3 (통신)을 엿듣다. 4 【경기】 (패스한 볼)을 도중에 가로채다, 인터셉트하다. 5 【수학】 (면·선)을 2선(점) 사이에서 잘라내다. 6 【군사】 (적기·미사일)을 요격하다: missiles that ~ missiles 미사일 요격 미사일.

— [⌐-⌐] n. C 1 가로채기; 차단, 방해(interception). 2 【경기】 인터셉트.

ìn·ter·cép·tion n. U (구체적으로는 C) 1 도중에서 빼앗음(붙잡음); 가로막음, 차단; 방해. 2 【군사】 요격, 저지; 【통신】 방수(傍受); 【경기】 인터셉션《인터셉트함, 또 인터셉트당한 포워드 패스》.

in·ter·cep·tive [ìntərséptiv] a. 가로막는, 방해하는.

in·ter·cep·tor, -cept·er [ìntərséptər] n. C 가로채는(저지하는, 가로막는) 사람(것); 【군사】 요격기.

in·ter·ces·sion [ìntərséʃən] n. 1 U 중재, 조정, 알선; 주선《with …와의; in …에서의》: one's ~ (with the authorities) in an affair 어느 사건에서 (당국자와의) 중재. 2 U (구체적으로는 C) 【기독교】 아무를 위한 기도. 파 ~·al a.

in·ter·ces·sor [ìntərsésər, ⌐-⌐-] n. C 중재자, 조정자, 알선자. 파 -ces·so·ry [-sésəri] a. 중재(조정)의.

***in·ter·change** [ìntərtʃéindʒ] vt. 1 (두 가지 것)을 교환하다, 주고받다: ~ opinions freely 서로 자유로이 의견을 나누다/~ gifts (letters) 선물을(편지를) 주고받다. 2 교체(대체)시키다; 번갈아 일어나게 하다《with …와》: Sad moments were ~d with hours of merriment. 비탄의 순간과 환락의 때가 번갈아 교차했다. 3 (두 개의 물건)을 바꿔놓다(넣다). SYN. ⇨EXCHANGE.

— vi. 1 교체하다. 2 번갈아 일어나다.

— [⌐-⌐] n. 1 U (구체적으로는 C) 상호 교환, 주고받기; 교체: an ~ of insults 서로 욕설을 주고받음. 2 C (고속도로의) 입체 교차(交叉)(점), 인터체인지.

ìnter·changeabílity n. U 교환(교체) 가능성, 호환성.

ìnter·chángeable a. 교환할 수 있는, 바꿀 수 있는; 교체할 수 있는《with …와》: That car's engine parts are ~ with those of this one. 저 차의 엔진 부품은 이 차의 것과 바꿔 끼울 수 있다. 파 -bly ad.

in·ter·city [ìntərsíti] a. A (교통 등이) 도시 사이의(를 연결하는): ~ traffic 도시간(연락) 교통.

ìnter·collégiate a. 대학간의, 대학 연합(대항)의: an ~ football game 대학 대항 축구 시합. ★ 중·고교의 경우에는 interscholastic이라고 말함.

in·ter·com [íntərkɑ̀m/-kɔ̀m] n. C 《구어》 =INTERCOMMUNICATION SYSTEM.

ìnter·commúnicate vi. 1 서로 왕래(연락)하다《with …와》. 2 (방 등이) 서로 통하다《with …와》: The dining room ~s with the kitchen. 주방과 식당은 연결되어 있다.

ìnter·communicátion n. U 상호의 교통, 교제, 연락《between …사이의; with …와의》.

intercommunicátion sỳstem (배·비행기·사무실 따위의) 인터폰, 인터콤(intercom).

ìnter·commúnion n. U 상호의 교제(연락).

ìnter·connéct vt., vi. 서로 연락(연결)시키다(하다); (여러 대의 전화를) 한 선에 연결하다.

ìnter·continéntal a. 대륙간의, 대륙을 잇는.

intercontinéntal ballístic míssile 【군사】 대륙간 탄도탄《생략: ICBM》.

ìnter·cóstal a. 【해부】 늑간(肋間)의; 【선박】 늑재간(肋材間)의. 파 ~·ly ad.

◇**in·ter·course** [íntərkɔ̀ːrs] n. U 1 (인간의) 교제, 교섭, 교류: social ~ 사교/friendly ~ 친교. 2 (국가간의) 교통, 거래: commercial ~ 통상(관계)/diplomatic ~ 외교. 3 (신과 사람의) 영적 교통: have direct ~ with God (영매 없이) 신과 직접 교신하다. 4 성교(sexual ~), 육체관계: illicit ~ 간통. ★ 현대에는 흔히 '성교'를 암시하므로 사용에 주의.

ìnter·cúltural a. 이(종)(異(種))문화간의. 파 ~·ly ad.

ìnter·denominátional a. 각 종파간의.

ìnter·depénd vi. 상호 의존하다.

ìnter·depéndence, -ency n. U 상호 의존(성)《of …의; between …사이의》: the ~ of labor and capital 노자(勞資)의 상호 의존/~ between different countries 국가간의 상호 의존.

ìnter·depéndent a. 서로 의존하는, 서로 돕는. 파 ~·ly ad.

in·ter·dict [ìntərdíkt] vt. 1 (명령으로) 금지하다, 제지하다. cf. forbid. ¶ ~ trade with belligerents 교전국과의 통상을 금하다. **2** (폭격·포격 따위로 적의 보급로·진격 등)을 막다, 차단하다, 저지하다: Constant air attacks *~ed* the enemy's advance. 계속적인 공습으로 적의 진격을 저지했다. — [ˊ-ˋ] *n.* Ⓒ **1** 금지, 금령(禁令), 금제. **2** 〖가톨릭〗 성직 금지; 파문(破門).

in·ter·díc·tion *n.* Ⓤ 금지, 금제(禁制), 정지 명령; 저지.

ìnter·dísciplinary *a.* (연구 등이) 둘(이상)의 학문 분야에 걸치는, 이분야(異分野) 제휴의: ~ research (다른 분야간의) 협동적 연구/an ~ conference 협동 연구회의.

†**in·ter·est** [íntərist] *n.* **1** Ⓤ (구체적으로는 Ⓒ) **관심, 흥미**《*in* …에 대한》: take (an) ~ *in* …에 흥미를〔관심을〕 갖다/have little ~ *in* politics 정치에 그다지 흥미가 없다/lose ~ *in* one's work 일에 흥미를 잃다/He has no ~ *in* art. 그는 예술에 아무런 관심도 없다. **2** Ⓒ **관심사**, 흥미의 대상, 취미: His greatest ~ in life is music. 그의 인생 최대의 관심사는 음악이다/a person with wide *~s* 취미가 다양한 사람. **3** Ⓤ 감흥, 재미, 흥취《*to* …에게 주는》: a subject of general ~ *to* farmers 농업 경영자들에게 일반적으로 흥미를 끄는 문제/place of ~ 명소/It's of no ~ *to* me. 그건 나에게 아무런 재미도 없다. **4** Ⓤ **중요성**, (결과 등의) 중대함《*to* …에게 있어서의》: It's a matter of no little ~ (*to* us). 그것은 (우리들에게는) 중대한 일이다. **5 a** Ⓒ (흔히 *pl.*) **이익**; 이해 관계: public *~s* 공익(公益)/We have an ~ in that firm. 우리는 저 회사에 이해관계가 있다/look after one's own *~s* 자신의 이익을 꾀하다. **b** Ⓤ 사리(私利), 사심(私心). **6** Ⓒ (법률상의) 권리, 이권, 권익《*in* …에서의》: French *~s in* Algeria 알제리에 있어서의 프랑스의 권익. **7** Ⓒ 소유권; 주(株)《*in* …의》: have an ~ *in* an estate 토지의 소유권을 갖다/buy an ~ *in* …의 주를 사다, 주주가 되다. **8** Ⓒ (보통 the ~(s)) 〖집합적〗 …사업 관계자; (같은 주장의) …파, …측: the shipping ~ 해운업자/the banking ~ 은행업자/the conservative ~ 보수파/the brewing ~ 양조업자/the landed ~ 지주측/the business *~s* 대사업가들. **9** Ⓤ **이자**, 이율, 금리; 《비유적》 덤, 나머지: at 5% ~, 5푼 이자로/annual 〔daily〕 ~ 연리〔일변(日邊)〕/simple 〔compound〕 ~ 단리〔복리〕/at high 〔low〕 ~ 고리〔저리〕로.

in the ~(s) of …을 위하여: *in the ~(s) of* the country 나라를 위하여. ***with ~*** ① 흥미를 가지고. ② 《구어》 이자를〔덤을〕 붙여서: return a blow *with ~* 덤을 붙여서 되때리다.

> DIAL. ***(just) out of interest*** =***as a matter of interest*** 단순히 호기심에서 묻는 거지만: *Just out of interest* 〔*As a matter of interest*〕, how did you meet her? 단순히 호기심에서 묻는 거지만, 어떻게 해서 그녀를 만났지.

— [íntərèst] *vt.* **1** 《~+목/+목+전+명》 **a** …에게 **흥미를 일으키게 하다**, …의 **관심을 끌다**《*in* …에》: You ~ me. 아하, 그러면 어디 말씀을 들어 봅시다《상대방이 꺼낸 화제가 자기에게 중요하다고 여겨졌을 때》/~ boys *in* science 소년들에게 과학에 대한 흥미를 갖게 하다. **b** 〖~ oneself〗 흥미를 갖다《*in* …에》: I began to ~ my*self in* politics. 정치에 흥미를 갖기 시작했다. **2** 《+목+전+명》 **a** 관계〔관여〕시키다; 끌어넣다, 말려들게 하다《*in* (사건·사업 따위)에》: Every member is *~ed in* this regulation. 모든 회원은 이 규정의 적용을 받는다/Can I ~ you *in* a chess? 장기 한 판 어떻습니까. **b** 〖~ oneself〗 관계하다, 가입하다《*in* …에》: I *~ed* my*self in* the enterprise. 나는 그 사업에 관계했다.

> DIAL. ***Could*** 〔***Can***〕 ***I interest you in*** A? A(음식물)는 어떻습니까《손님 접대시에》; A(상품)는 어떻습니까《점원이 손님에게》: *Could I interest you in* a drink? 음료수라도 드시는 게 어때요/*Can I interest you in* this video game? 이 비디오 게임은 어떻습니까.
> ***It may interest you to know ....*** 들으면 깜짝 놀라겠지만 …이다.

‡**in·ter·est·ed** [íntəristid, -trəst-, -tərèst-] *a.* **1 흥미를 가지고 있는**, 흥겨워하는, 호기심이 생기게 된《*in* …에》; 흥미 깊은, (…)하고 싶은, 관심있는《*to* do, *that*》: ~ spectators 매우 흥겨워하는 구경꾼/an ~ look 흥미를 가진 표정/I'm very (much) ~ *in* music. 음악에 많은 흥미를 가지고 있습니다/I'm ~ *to* learn French. 프랑스어를 배우고 싶다/He's ~ *that* she plays golf. 그녀가 골프를 치는 것에 그는 관심을 갖고 있다. SYN. ⇨INTERESTING. **2** (이해) 관계가 있는, 관여하고 있는《*in* …에》: ~ parties 이해 관계자, 당사자들/the person ~ 관계자/He's ~ *in* the enterprise. 그는 그 사업에 관여하고 있다. **3** Ⓐ 사심(私心)에 쏠린, 불순한, 편견이 있는; 타산적인: ~ marriage 정략 결혼/~ motives 불순한 동기. ㊞ **~·ly** *ad.* 흥미를 갖고; 사심(私心)을 갖고.

ínterest gròup 이익 공동체〔집단〕, 압력 단체.

‡**in·ter·est·ing** [íntəristiŋ, -trəst-, -tərèst-] *a.* **흥미있는, 재미있는**, (아무에게) 흥미를 일으키게 하는: an ~ book 재미있는 책/I found the study ~. 그 연구 논문은 재미있었다.

SYN. **interesting** 상대의 관심 등을 불러일으키는 성질을 지님. **interested** 어떤 것에 관심이나 동정 등을 자아내게 된. **amusing** 상대방을 웃길 정도로 재미있고 흥미 있는. **funny** 웃음을 자아내게 할 만큼 우스운.

> DIAL. ***How interesting!*** 흐음, 그렇습니까《상대방의 얘기를 듣고 흥미를 느껴》.

ín·ter·est·ing·ly *ad.* **1** 재미있게, 흥미 깊게. **2** 〖문장 전체를 수식하여〗 재미있는〔흥미 있는〕 것으로는: *Interestingly* (enough), he was only seven when he composed the sonata. 재미있는 것은, 그가 그 소나타를 작곡했을 때 겨우 일곱 살이었다.

ínter·fàce *n.* Ⓒ **1** 경계면, 접점(接點)《*between* …간의》: the ~ *between* the scientist and society 과학자와 사회의 접점. **2** 〖컴퓨터〗 사이틀, 인터페이스《CPU와 단말 장치와의 연결 부분을 이루는 회로》. —*vt.*, *vi.* 〖컴퓨터〗 사이틀〔인터페이스〕로 접속하다《*with* …와》.

ínter·fàcing *n.* Ⓤ 〖복식〗 (옷깃의 접는 부분의) 심.

ìnter·fáith *a.* Ⓐ 이교파간〔종파간, 교도간〕의.

‡**in·ter·fere** [ìntərfíər] *vi.* **1** 《~/+전+명》 **간섭하다**, 말참견하다《*in, with* …에》: ~ *with* a person *in* his affairs 아무의 일에 간섭하다/Don't ~ *with* 〔*in*〕 what does not concern you. 너에게 관계없는 일에 참견 마라. **2** 《~/+전+명》 훼방놓다, 방해하다; 저촉하다《*with* …을, …에》: You may go if nothing *~s*. 지장 없

으면 가도 좋다 / Don't ~ *with* other people's pleasures. 다른 사람들이 즐기는 것을 방해하지 마라. **3** 손대다, 해를 끼치다《**with** …을》: Someone has ~*d with* the clock. 누군가가 시계에 손을 댔다 / ~ *with* health 건강을 해치다. **4** 〖경기〗 (불법으로 상대선수)를 방해하다. **5** 《~/+[전]+[명]》 중재〔조정〕하다《**in** …을》: He can't ~ *in* our labor strife. 그는 우리의 노동 쟁의를 조정할 수 없다.

***in·ter·fer·ence** [ìntərfíərəns] *n.* [U] **1 방해**, 훼방; 간섭, 참견《**in, with** …에 대한; **between** …간의》: ~ *in* internal affairs 내정 간섭 / He hates ~ *with* his work. 그는 일에 방해받는 것을 싫어한다. **2** 〖물리〗 (광파·음파·전파 따위의) 간섭, 상쇄. **3** 〖무전〗 혼신. **4** 〖경기〗 불법 방해.

in·ter·fe·ron [ìntərfíərən] *n.* [U] (종류·낱개는 [C]) 〖생화학〗 인터페론《바이러스 증식 억제 물질》.

in·ter·fuse [ìntərfjú:z] *vt.* …을 혼입시키다, 혼합하다《**with** …와》; …에 침투시키다, 배어들게 하다《**with** …을》. **—*vi.*** 섞이다, 혼합하다.
[파] **-fú·sion** [-ʒən] *n.* [U] 혼입; 혼합; 침투.

ìnter·glácial *a.* 〖지질〗 (두)빙하 시대 중간의, 간빙기(間氷期)의.

ìnter·governméntal *a.* 정부간의: an ~ agreement 정부간 협정.

in·ter·im [íntərim] *a.* [A] 중간의; 임시의, 가(假), 잠정의: an ~ report 중간 보고 / an ~ certificate 가(假)증서 / an ~ government 임시 정부 / an ~ policy 잠정적인 정책.
—*n.* (the ~) 한동안, 잠시: in the ~ 당분간, 그동안.

****in·te·ri·or** [intíəriər] *a.* [A] **1 안의, 안쪽의**, 내부의, 속의. ↔ *exterior*. ¶ ~ dimensions 안쪽 치수 / ~ repairs 내부 수리. **2 오지(奧地)의**, 내륙의, 해안〔국경〕에서 먼. **3** 내국의, 국내의. ↔ *foreign*. **4** 내적인, 정신적인; 내밀한, 비밀의; 개인적인: one's ~ life 내면〔숨겨진, 드러나지 않은〕 생활.
—*n.* **1** (the ~) **안쪽**, 내부, 내면: the ~ *of* a Korean house 한옥의 내부. **2** (the ~) **오지**, 내륙. **3** (the ~) 내정, 내무: the Department 〔Secretary〕 *of* the Interior 《美》 내무부〔장관〕. **4 a** (the ~) 옥내, 실내. **b** [C] 실내도〔사진〕; 실내 장면〔세트〕. **5** (the ~) 내심, 본성.
[파] **~·ly** *ad.*

intérior decorátion 〔**desígn**〕 [U] 실내 장식, 실내 설계.

intérior décorator 〔**desígner**〕 실내 설계가〔장식가〕, 인테리어 디자이너.

intérior mónologue 〖문학〗 내적 독백《'의식의 흐름'의 수법에 씀》.

intérior-sprùng *a.* 《英》 (속에) 스프링을 넣은(《美》 inner-spring): an ~ mattress.

interj. interjection.

in·ter·ject [ìntərdʒékt] *vt., vi.* (말 따위를) 불쑥 끼워 넣다, 던져 넣다, 사이에 끼우다.

°**in·ter·jéc·tion** *n.* **1 a** [U] (말·외침 따위를) 불쑥〔느닷없이〕 끼워 넣음. **b** [C] 불의에 외치는 소리〔말〕, 감탄. **2** [C] 〖문법〗 간투사, 감탄사《ah!, eh!, lo!, Heavens!, Wonderful! 따위》.

in·ter·jec·tion·al [ìntərdʒékʃənəl] *a.* 삽입적인, 외치는 소리의; 〖문법〗 간투사〔감탄사〕의.
[파] **~·ly** *ad.*

in·ter·jec·to·ry [ìntərdʒéktəri] *a.* 감탄사적인; 갑자기 삽입한.

ìnter·láce *vt.* (실·손가락·가지 따위)를 섞어 짜다, 짜맞추다; 얽히게 하다《**with** …와》: ~ flowers *with* sprigs 꽃과 잔가지를 얽다.
—*vi.* 섞어 짜다, 섞이다, 얽히다.

in·ter·lard [ìntərlá:rd] *vt.* (이야기·문장 등)에 섞다《**with** …을》: ~ one's speech *with* foreign phrases 〔words〕 외국어를 섞어 가며 이야기하다.

ínter·lèaf (*pl.* **-lèaves**) *n.* [C] (책 따위의) 삽입 (백)지, 간지(間紙), 속장. **—*vt.*** =INTERLEAVE.

ìnter·léave *vt.* **1** (책 따위)의 사이에 간지(間紙)를 끼우다. **2** …에 끼워 넣다《**with** …을》: She ~*d* the weeks of hard work *with* short vacations. 그녀는 몇 주간의 힘든 일 사이에 짧은 휴가를 끼워 넣었다.

ìnter·líbrary lóan 도서관 상호 대출 (제도).

ìnter·líne[1] *vt.* 행간에 써 넣다〔인쇄하다〕《**with** (글)을》; (글자·어구 등)을 적어 넣다《**on** (행간)에》: ~ notes *on* pages 페이지 행간에 주를 써넣다.

ìnter·líne[2] *vt.* 심(心)을 넣다《옷의 거죽과 안 사이에》: ~ a coat 코트에 심을 넣다.

ìnter·línear *a.* 행간의; 행간에 쓴〔인쇄한〕: an ~ gloss 행간 주석.

ìnter·línk *vt.* (두 개 이상의 것)을 이어 붙이다; 연결하다《**with** …와》: We have ~*ed* our operations *with* theirs. 우리 사업과 그들의 사업을 제휴시켰다.

ìnter·lóck *vt.* 〖보통 수동태〗 맞물리게 하다, 연결하다. **—*vi.*** **1** 연결하다, 결합하다, 맞물리다. **2** 〖철도〗 (신호기 등이) 연동 장치로 움직이다: an ~*ing* device 연동 장치 / an ~*ing* signal 연동 신호(기), 연쇄 신호. **—** [´-`] *n.* **1** [U] 연결, 연동. **2** [C] (안전을 위한) 연동 장치.

in·ter·lo·cu·tion [ìntərləkjú:ʃən] *n.* [U] (구체적으로는 [C]) 대화, 문답(dialogue).

in·ter·loc·u·tor [ìntərlákjətər/-lɔ́k-] (*fem.* **-tress** [-tris], **-trice** [-tris], **-trix** [-triks]) *n.* [C] 대화〔대담〕자.

in·ter·loc·u·to·ry [ìntərlákjətɔ̀:ri/-lɔ́kjətəri] *a.* 대화(체)의, 문답체의: ~ wit 대화 중에 삽입하는 기지(機智).

in·ter·lope [ìntərlóup] *vi.* **1** 남의 일에 간섭하다, 중뿔나게 나서다. **2** (불법으로) 침입하다.
[파] **ín·ter·lòp·er** *n.* [C] (불법) 침입자; 간섭〔참견〕하는 사람.

°**in·ter·lude** [íntərlù:d] *n.* [C] **1** 동안, 중간참; (두 사건) 중간에 생긴 일: brief ~*s* of fair weather during the rainy season 장마철의 여우볕. **2** 막간의 주악, 간주곡. **3** 막간, 쉬는 참(interval); 막간 희극〔촌극〕.

ìnter·márriage *n.* [U] **1** 다른 종족·계급·종교인 사이의 결혼《특히 백인과 흑인, 기독교인과 비기독교인 사이의》. **2** 근친〔혈족〕 결혼.

ìnter·márry *vi.* (이종족·이교도 사이에) 결혼하다; 근친〔혈족〕 결혼하다《**with** (아무)와》.

ìnter·méddle *vi.* 간섭〔참견〕하다, 주제넘게〔중뿔나게〕 나서다《**in, with** …에》.

in·ter·me·di·ary [ìntərmí:dièri] *a.* 중간의; 중개의, 매개의: an ~ stage 중간 단계 / ~ business 중개업. **—*n.*** [C] 〖일반적〗 매개, 수단; 중개자, 조정자; 매개물: through the ~ of …을 중개로 하여.

****in·ter·me·di·ate** [ìntərmí:diit] *a.* **중간의**: the ~ examination 〖英대학〗 중간 시험 / an ~

range ballistic missile 중거리 탄도탄《생략: IRBM》. —*n.* Ⓒ **중간물; 중개[매개]자**; 조정자; 《美》 중형차. — [intərmí:dièit] *vi.* 중개하다, 조정하다《*between* …사이에》. ㊞ **~·ly** *ad.*

in·ter·ment [intə́:rmənt] *n.* Ⓤ (구체적으로는 Ⓒ) 매장, 토장(土葬)(burial).

in·ter·mez·zo [ìntərmétsou, -médzou] (*pl.* **~s, -mez·zi** [-tsi:, -dzi:]) *n.* Ⓒ (극 · 가극 따위의) 막간 연예, 막간극; 『음악』 간주곡.

in·ter·mi·na·ble [intə́:rmənəbəl] *a.* 끝없는; 지루하게 긴《설교 등》. ㊞ **-bly** *ad.*

ìnter·míngle *vi.* 혼합하다, 섞이다《*with* …와》: They soon ~*d with* the crowd. 그들은 이내 군중 속에 섞였다. —*vt.* 혼합시키다, 섞다《*with* …와》: ~ A *with* B, A와 B를 섞다.

in·ter·mis·sion [ìntərmíʃən] *n.* **1** Ⓤ (구체적으로는 Ⓒ) 휴지(休止); 중지, 중단; 두절: work with a short ~ at noon 정오에 잠깐 쉬고 일하다 / without ~ 쉬지 않고, 끊임없이. **2** Ⓒ (수업 간의) 휴식 시간(break); (연극 따위의) 막간.

in·ter·mit [ìntərmít] (**-tt-**) *vi., vt.* **1** 일시 멈추다, 중단[중절]되다[시키다](suspend). **2** 『의학』 (신열 따위가) 단속(斷續)하다; (맥박이) 결체(結滯)하다.

in·ter·mit·tence, -ten·cy [ìntərmítəns], [-tənsi] *n.* Ⓤ 간헐(성), 중절, 단속(斷續).

in·ter·mit·tent [ìntərmítənt] *a.* 때때로 중단되는, 단속적인, 간헐적인: an ~ pulse 간헐적으로 멎는 맥박, 부정맥 / an ~ spring 간헐천(泉) / cloudy with ~ rain 흐리고 때때로 비. ㊞ **~·ly** *ad.*

intermíttent féver 『의학』 (말라리아 따위의) 간헐열(熱).

ìnter·míx *vt., vi.* 혼합하다, 섞(이)다《*with* …와》: smiles ~*ed with* tears 울음 섞인 웃음. ㊞ **~·ture** *n.* Ⓤ 혼합; Ⓒ 혼합물.

in·tern[1] [intə́:rn] *vt.* (일정 구역[항구] 내에) 억류[구금]하다《교전국의 포로 · 선박 · 국민 등을》; (위험 인물 등)을 강제 수용[격리]하다: ~ an alien 외국인을 억류하다. — [´-] *n.* Ⓒ 피억류자(internee).

in·tern[2] [íntə:rn] 《美》 *n.* Ⓒ **1** 수련의(醫), 인턴(interne)(《英》 houseman). **2** 교육 실습생, 교생(敎生). —*vi.* 인턴으로 근무하다.

in·ter·nal [intə́:rnl] *a.* **1 내부의**, 안의(↔ *external*): ~ regulations 내부 규율 / ~ troubles 내분 / an ~ line 내선 전화. **2** 『해부』 체내의; 『약학』 내복용의, 경구(經口)의: ~ organs 내장 / ~ medicine 내과학 / ~ bleeding 내출혈 / medicines for ~ use 내복약. **3** 내면적인, 정신적인, 본질적인: ~ evidence 내재적 증거 / ~ malaise 정신적 불안. **4 국내의**, 내국의: an ~ debt [loan] 내국채(債) / ~ trade 국내 교역. —*n.* **1** Ⓒ (사물의) 본질, 실질. **2** (*pl.*) 내장, 창자. ㊞ ⁰**~·ly** *ad.* 내부에, 내면적으로, 국내에서.

intérnal-combústion èngine 『기계』 내연 기관.

in·ter·nal·ize [intə́:rnəlàiz] *vt.* **1** 내면화[주관화]하다. **2** 《특히》 (다른 집단의 가치관 · 사상 따위)를 받아들여 자기의 것으로 하다, 흡수하다, 습득하다. ㊞ **in·tèr·nal·i·zá·tion** *n.*

intérnal révenue (the ~) 《美》 내국세 수입.

Intérnal Révenue Sèrvice (the ~) 《美》 국세청《생략: IRS》.

intérnal stórage 『컴퓨터』 내부 기억 장치.

in·ter·na·tion·al [ìntərnǽʃənəl] *a.* **국제(상)의, 국제적인**, 만국의: an ~ conference 국제회의 / an ~ exhibition 만국 박람회 / ~ affairs 국제 문제 / ~ trade 국제 무역 / an ~ driver's [driving] license 국제 운전 면허증 / an ~ call 국제 통화[전화] / an ~ official record 『경기』 공인 세계 기록 / ~ public [private] law 국제 공법[사법].
— *n.* Ⓒ **1** 국제 경기 출전자; 국제 경기. **2** (종종 I-) 국제 노동 운동 기관, (I-) 국제 노동자 동맹, 인터내셔널(International Workingmen's Association).
the First International 제1인터내셔널《Marx를 중심으로 런던에서 조직; 1864-76》. ***the Second International*** 제2인터내셔널《파리에서 조직; 1889-1914》. ***the Third International*** 제3인터내셔널(Communist International)《모스크바에서 조직; 1919-43》.
㊞ **~·ly** *ad.* 국제간에, 국제적으로.

Internátional Atómic Énergy Àgency (the ~) 국제 원자력 기구《생략: IAEA》.

Internátional Cívil Aviátion Organizàtion (the ~) (유엔의) 국제 민간 항공 기구《생략: ICAO》.

Internátional Cóurt of Jústice (the ~) 국제 사법 재판소《생략: ICJ》.

internátional dáte lìne (the ~) (국제) 날짜 변경선(date line)《생략: IDL》.

In·ter·na·tio·nale [ìntərnæ̀ʃənǽl, -ná:l] *n.* 《F.》 (the ~) 인터내셔널의 노래《공산주의자 · 노동자들이 부르는 혁명가》.

ìn·ter·ná·tion·al·ìsm *n.* Ⓤ 국제(협조)주의; 국제성; (I-) 국제 공산[사회]주의. ㊞ **-ist** *n.* Ⓒ 국제주의자; 국제법 학자; (I-) 국제 공산[사회]주의자.

ìn·ter·ná·tion·al·ìze *vt.* 국제화하다; 국제 관리 아래에 두다. ㊞ **in·ter·nà·tion·al·i·zá·tion** *n.* Ⓤ 국제화; 국제 관리화.

Internátional Lábor Organizàtion (the ~) (유엔의) 국제 노동 기구《생략: ILO》.

internátional láw 국제(공)법.

Internátional Mónetary Fùnd (the ~) 국제 통화 기금《생략: IMF》.

Internátional Olýmpic Commìttee (the ~) 국제 올림픽 위원회《생략: IOC》.

Internátional Réd Cróss (the ~) 국제 적십자(사)《생략: IRC》.

internátional relátions 국제 관계; 《단수 취급》 국제 관계론.

Internátional Stándard Bóok Nùmber 국제 표준 도서 번호《생략: ISBN》.

Internátional Sýstem of Ùnits 국제 단위계《생략: SI》.

in·terne [íntə:rn] *n.* =INTERN[2].

in·ter·ne·cine [ìntərní:sin, -sain] *a.* 서로 죽이는, 다수의 사상자를 내는; 치명적인, 살인적인: an ~ war 대(大)격전.

in·tern·ee [ìntərní:] *n.* Ⓒ 피억류자, 피수용자.

ínter·nèt *n.* (the ~) 인터넷《전자 정보망을 중심으로 한 국제적 컴퓨터 네트워크》.

Ínternet àddress 인터넷 주소[어드레스]《인터넷 상에서 개개의 사이트를 정하는 주소》.

in·tern·ist [intə́:rnist, íntə:rn-] *n.* Ⓒ 내과의사; 《美》 일반 개업의(開業醫).

in·térn·ment *n.* Ⓤ (구체적으로는 Ⓒ) 유치, 억류, 수용: an ~ camp (정치범 · 포로의) 수용소.

íntern·shìp [-ʃip] *n.* [C] intern²의 신분〔지위, 기간〕.

ìnter·núclear *a.* 〖생물·물리〗 핵간의; 원자핵간의.

ìnter·óffice *a.* (같은 회사나 조직에서) 부서간의, 사내의: an ~ phone 〔memo〕 사내 전화〔메모〕.

in·ter·pel·late [ìntərpéleit, intə́:rpəlèit] *vt.* (의원이 장관)에게 질의〔질문〕하다《의사 일정을 방해할 목적으로》, 질문하여 일정을 방해하다. [파] **in·ter·pel·la·tion** [ìntərpəléiʃən, intə̀:rpə-] *n.*

ìnter·pénetrate *vt., vi.* (…에) (완전히) 스며들다, 침투하다. [파] **-penetrátion** *n.*

ìnter·pérsonal *a.* 사람과 사람 사이의, 개인간의; 대인 관계의: ~ relations 대인 관계.

◇**ínter·phòne** *n.* 《美》 (배·비행기·건물내 따위의) 내부〔구내〕 전화, 인터폰《원래 상표명》.

ìnter·plánetary *a.* 〖천문〗 행성(과 태양)간의; 태양계 내의: an ~ probe 행성간 탐측기(機) / ~ space 행성간 (우주) 공간.

ínter·plày *n.* [U] 상호 작용; 작용과 반작용: the ~ *of* light and shadow 빛과 그림자의 교차.

In·ter·pol [íntərpɔ̀(:)l, -pàl] *n.* 인터폴, 국제경찰. [cf] ICPO. [◂ *Inter*national *Pol*ice]

in·ter·po·late [intə́:rpəlèit] *vt.* **1** (책·사진)에 개찬(改竄)하다; 〖일반적〗 새 어구(語句)를 삽입하다, (수정어구 등)을 써 넣다. **2** 〖수학〗 (중간항)을 보간(補間)〔삽입〕하다. **—***vi.* 삽입하다, 써넣다; 〖통계〗 내삽(內揷)하다, 보간하다. [파] **in·tèr·po·lá·tion** *n.* **1** [U] 개찬, 써 넣음; [C] 써 넣은 어구. **2** [U] (구체적으로는 [C]) 〖통계·수학〗 보간(법), 내삽법(內揷法).

in·ter·pose [ìntərpóuz] *vt.* **1** 넣다, 끼우다, 삽입하다《***between*** …사이에》: ~ oneself 막아서다 / ~ an opaque body *between* a light and the eye 빛과 눈 사이에 반(半)투명체를 넣다. **2** (이의 등)을 제기하다; (남의 얘기 도중에 말·의견)을 끼워넣다. **—***vi.* **1** 중재를 하다《***between*** …사이에; ***in*** …에》. [cf] interfere, intervene. ¶ ~ *in* a dispute 분쟁을 중재하다. **2** 간섭하다, 참견하다.

in·ter·po·si·tion [ìntərpəzíʃən] *n.* **1** [U] 개재(의 위치); 삽입; 중재, 개입; 간섭; 방해. **2** [C] 삽입물.

‡**in·ter·pret** [intə́:rprit] *vt.* **1 해석하다**, 해명하다, 설명하다; 해몽하다: How do you ~ this sentence? 이 문장을 어떻게 해석하시렵니까 / He ~*ed* those symbols for me. 그는 그 부호를 나에게 풀이해 주었다. **2** 《+[목]+*as* [보]》 (…의 뜻으로) 이해하다, 간주하다: ~ a person's remark *as* a mere threat 아무의 말을 단순한 위협이라고 판단하다 / They ~*ed* her silence *as* concession. 그들은 그녀의 침묵을 양보의 뜻으로 받아들였다. **3** (외국어)를 **통역하다**. **4** 〖연극·음악〗 (자기의 해석에 따라) 연출〔연주〕하다; (맡은 역)을 연기하다. **—***vi.* 《~/+[전]+[명]》 **통역하다**: ~ *between* two persons 두 사람 사이의 통역을 하다 / The boy kindly ~*ed for* me. 그 소년은 친절하게 나에게 통역을 해 주었다.

***in·ter·pre·ta·tion** [intə̀:rprətéiʃən] *n.* [U] (구체적으로는 [C]) **1 해석**, 설명: put one's own ~ on …을 자기류로 해석하다. **2** (꿈·수수께끼 따위의) 판단. **3 통역**. **4** 〖예술〗 (자기 해석에 따른) 연출; 연기; 연주. ◇ interpret *v.*

in·ter·pre·ta·tive [intə́:rprətèitiv/-tətiv] *a.* 설명을 위한, 해석(용)의; 통역의. [파] **~·ly** *ad.*

in·ter·pret·er** [intə́:rprətər] (*fem.* ***-pre·tress [-prətris]) *n.* [C] **1 해석자**, 설명〔판단〕자. **2 통역(자)**. **3** 〖컴퓨터〗 해석기, 해석 프로그램《지시를 기계 언어로 해석하는》.

in·ter·pre·tive [intə́:rprətiv] *a.* = INTERPRETATIVE. [파] **~·ly** *ad.*

ìnter·rácial *a.* 다른 인종간의; 인종 혼합의.

in·ter·reg·num [ìntərrégnəm] (*pl.* **~*s, -na*** [-nə]) *n.* [C] **1** 공위(空位) 기간《제왕의 붕어(崩御)·폐위 따위에 의한》; (내각 경질 때 따위의) 정치 공백 기간. **2** 〖일반적〗 휴지〔중절(中絕)〕 기간.

ìnter·reláte *vt.* (사물)을 서로 관계시키다: ~ the functions of government offices 행정 관청들의 기능을 연계시키다. **—***vi.* 서로 관계를 가지다《***with*** …와》: His research project ~*s with* mine. 그의 연구 과제는 나의 연구 과제와 서로 관련되어 있다.

ìnter·reláted [-id] *a.* 서로 (밀접한) 관계가 있는, 상관의.

ìnter·relátion *n.* [U] (구체적으로는 [C]) 상호 관계《***between*** …사이의》: the ~(*s*) *between* law and custom 법률과 관습 간의 상호 관계. [파] **~·shìp** *n.* [U] (구체적으로는 [C]) 상호 관계(성).

interrog. interrogation; interrogative(ly).

◇**in·ter·ro·gate** [intérəgèit] *vt.* (조리 있게) 질문하다; 심문〔문초〕하다《***about*** …에 관하여》: The policeman ~*d* him *about* the purpose of his journey. 경관은 그의 여행 목적에 대해 심문했다.

◇**in·tèr·ro·gá·tion** *n.* [U] (구체적으로는 [C]) 질문, 심문, 조사; 의문: undergo (an) ~ 심문을〔조사를〕 받다.

interrogátion màrk 〔**pòint**〕 〖문법〗 물음표(question mark)《?》.

in·ter·rog·a·tive [ìntərágətiv/-rɔ́g-] *a.* **1** 질문의, 미심쩍은 듯한, 무엇을 묻고 싶어하는 듯한: an ~ tone of voice 무언가 묻고 싶은 듯한 어조. **2** 〖문법〗 의문(형)의: ⇨ INTERROGATIVE ADVERB 〔PRONOUN〕. **—***n.* [C] 〖문법〗 의문사; 《특히》 의문 대명사; 의문문; 의문부. [파] **~·ly** *ad.*

interrógative ádverb 〖문법〗 의문 부사《when?, why?, how? 따위》.

interrógative prónoun 〖문법〗 의문 대명사《what?, who?, which? 따위》.

in·ter·ro·ga·tor [intérəgèitər] *n.* [C] 심문〔질문〕자.

in·ter·rog·a·to·ry [ìntərágətɔ̀:ri/ìntərɔ́gətəri] *a.* 의문〔질문, 심문〕의, 의문을 나타내는: ~ method 문답식. **—***n.* [C] 의문, (공식) 질문, 심문; 《특히》 〖법률〗 (피고·증인에 대한) 질문서, 심문 조서.

‡**in·ter·rupt** [ìntərʌ́pt] *vt.* **1** 《~+[목]/+[목]+[전]+[명]》 **가로막다, 저지하다**, 중단시키다《***in, during*** (이야기 따위)의 도중에》: A strange sound ~*ed* his speech. 이상한 소리 때문에 그의 이야기가 중단되었다 / May I ~ you a while? 이야기하시는 데 잠깐 실례해도 괜찮겠습니까 / Don't ~ me *in* (the middle of) 〔*during*〕 my speech. 내 이야기를 가로막지 마라. **2** (교통 따위)를 방해하다, 차단하다, 불통하게 하다: The traffic was ~*ed* by the flood. 홍수 때문에 교통이 두절됐다. **—***vi.* 방해하다, 중단하다: Please don't ~. 방해하지 마십시오. ◇ interruption *n.*

ìn·ter·rúpt·er, -rúp·tor *n.* Ⓒ **1** 차단물〔인〕. **2** 〖전기〗 (전류) 단속기.

*__in·ter·rup·tion__ [ìntərʌ́pʃən] *n.* Ⓤ (구체적으로는 Ⓒ) 가로막음, 차단; **방해; 중지**, 중절; (교통의) 불통: ~ of electric service 정전/without ~ 그침없이, 잇따라. ◇ interrupt *v.*

ìnter·scholástic *a.* Ⓐ (중등) 학교간의, 학교 대항의: an ~ tournament 학교 대항 경기.

◇**in·ter·sect** [ìntərsékt] *vt.* …을 가로지르다, …와 교차하다. **—***vi.* (선 · 면 등이) 엇갈리다, 교차하다.

ìn·ter·séc·tion *n.* **1** Ⓤ 가로지름, 교차, 횡단. **2** Ⓒ (도로의) 교차점; 〖수학〗 교점(交點), 교선(交線).

ínter·spàce *n.* Ⓤ (두 개) 사이의 공간〔시간〕, 중간, 틈《장소와 시간에 두루 쓰임》. **—** [⌐-⌐] *vt.* …의 사이를 비우다, …의 사이에 공간〔시간〕을 두다〔남기다〕; …의 사이를 차지하다〔메우다〕.

in·ter·sperse [ìntərspə́ːrs] *vt.* **1** 《종종 수동태》 흩뿌리다, 산재시키다《***among, throughout, in*** …에》: Lilies *were* ~*d among* the grass. 백합꽃이 풀 속에 점점이 피어 있었다. **2** …에 점재(點在)시키다, 군데군데 두다《***with*** …을》; …을 점점이 장식하다《***with*** …으로》: ~ the text *with* explanatory diagrams 본문에 해설용 도표를 군데군데 싣다/The meadow *was* ~*d with* stands of trees. 목초지에는 나무들이 군데군데 서 있었다. ㊕ **-spér·sion** [-spə́ːrʒən/-ʃən] *n.* Ⓤ 군데군데 둠, 점재(點在), 살포, 산재.

ínter·stàte *a.*, *ad.* (미국 따위의) 주(州) 사이의〔에서〕; 각 주 연합의: an ~ highway 주간(州間) 간선도로/~ extradition 주 사이의 인도(引渡)《다른 주에서 도망해 온 범인의》. **—***n.* Ⓒ (종종 I-) 《美》 주간(州間) 고속도로.

Ínterstate Cómmerce Commìssion (the ~) 《美》 주간(州間) 통상 위원회《생략: ICC》.

ìnter·stéllar *a.* Ⓐ 별과 별 사이의, 항성(恒星) 간의: ~ space 태양계 우주 공간, 성간(星間) 공간/~ gas 〔dust〕 성간 가스〔먼지〕.

in·ter·stice [intə́ːrstis] *n.* Ⓒ (보통 *pl.*) 간극(間隙); 틈새기, 갈라진 틈(crevice)《***of, between, in*** …의》: in the ~*s between* boards 판자 사이의 틈새.

ìnter·tídal *a.* 만조와 간조 사이의, 간조(間潮)의: ~ marsh 조간(潮間) 소택지.

ìnter·tríbal *a.* Ⓐ (다른) 종족간의: an ~ dispute 종족간의 분쟁.

ìnter·twíne *vt.* …을 뒤얽히게 하다, 한데 꼬이게 하다〔엮다〕, 얽어 짜다(interlace)《***with*** …와》: be ~*d with* each other 서로 뒤얽히다. **—***vi.* 뒤얽히다, 한데 꼬이다.

ìnter·twíst *vt.* 비비〔한데〕 꼬다, 틀어 꼬다, 뒤얽히게 하다《***with*** …와》. **—***vi.* 비비 꼬이다, 뒤얽히다.

ìnter·úrban *a.* Ⓐ 도시 사이의: ~ railways 〔highways〕 도시간 철도〔간선도로〕.

‡**in·ter·val** [íntərvəl] *n.* Ⓒ **1** (장소적인) **간격**, 거리; (시간적인) **간격**, 사이: after an ~ *of* five years, 5년의 간격을 두고/at ~*s of* fifty feet 50피트의 사이를 두고. **2** (물건 사이의) **틈**; 《英》 (연극 · 음악회 등의) 막간, 휴게 시간(《美》 intermission). **3** 〖음악〗 음정. ***at* ~*s*** ① 때때로, 이따금. ② 군데군데에, 여기저기에. ***at long*** 〔***short***〕 **~*s*** 간혹〔자주〕: Visitors came *at long* 〔*short*〕 ~*s* 방문객은 간혹〔자주〕 왔다. ***in the* ~*s*** 그 사이사이에: I read through a novel *in the* ~*s*. 틈틈이 소설 한 권을 읽었다.

◇**in·ter·vene** [ìntərvíːn] *vi.* **1** (시일 · 사건 등이) 끼다, 일어나다; (장소 등이) 개재하다《***between, in*** …사이에》: A week ~*s between* Christmas and New Year's (Day). 크리스마스와 새해 사이에는 일주일이 끼어 있다/an *intervening* river 그 사이를 흐르는 강. **2** (사이에 들어) 방해하다《***in*** …을》: Something usually ~*d in* my study. 늘 뭔가가 내 공부를 방해했다/We'll arrive on Friday if nothing ~*s*. 아무런 지장이 생기지 않는다면 우리는 금요일에 도착할 것입니다. **3** 조정〔중재〕하다《***between, in*** …을》; 개입하다, 간섭하다《***in*** …에》: ~ *between* (two) quarreling parties 싸우고 있는 쌍방을 중재하다/The U.N. ~*d in* the civil war. 유엔이 그 내전에 개입했다.

◇**in·ter·ven·tion** [ìntərvénʃən] *n.* Ⓤ (구체적으로는 Ⓒ) **1** 사이에 듦; 개재; 조정, 중재《***in*** …의》. **2** 간섭《***in*** …에의》: armed ~ =~ by arms 무력 간섭/~ *in* another country 타국에의 (내정) 간섭. ㊕ **~·ìsm** *n.* Ⓤ 간섭주의〔정책〕. **~·ist** *n.* Ⓒ (내정) 간섭론자〔주의자〕.

‡**in·ter·view** [íntərvjùː] *n.* Ⓒ **1 회견**; 회담, 대담; (입사 따위의) **면접**, 면회《***for*** …을 위한; ***with*** …와의》: a job ~ =an ~ *for* a job 구직자의 면접/ask for an ~ with …와의 회견을 요청하다/have 〔hold〕 an ~ with …와 회견하다. **2** (기자 따위의) 인터뷰, 방문, 회견; 회견〔방문, 탐방〕기(記): give an ~ to a person 아무에게 회견을 허락하다.
—*vt.* …와 회견〔면접〕하다, (기자가) 인터뷰하다: ~ job candidates 구직 신청자를 면접하다.
—*vi.* 면접하다, 인터뷰하다.

in·ter·view·ee [⌐-vju(ː)íː] *n.* Ⓒ 피회견자, 인터뷰를〔면접을〕 받는 사람.

ín·ter·vìew·er *n.* Ⓒ 회견자, 면회자, 면접자; 탐방 기자.

ìnter·wéave (***-wove, -weaved; -wov·en, -wove, -weaved***) *vt.* 섞어 짜다, 짜 넣다; 뒤섞다《***with*** …와》: ~ polyester *with* cotton 무명과 폴리에스테르를 섞어 짜다/~ joy *with* sorrow 환희와 비애를 뒤섞다.

in·tes·ta·cy [intéstəsi] *n.* Ⓤ 유언을 남기지 않고 죽음.

in·tes·tate [intésteit, -tit] *a.* (적법한) 유언(장)을 남기지 않은; (재산이) 유언에 의하여 처분되지 않은: die ~ 유언 없이 죽다/an ~ estate 무(無)유언의 재산. **—***n.* Ⓒ 유언 없는 사망자.

in·tes·ti·nal [intéstənəl] *a.* 〖해부〗 장(腸)〔창자〕의; 장내의, 장에 있는〔기생하는〕: the ~ canal 장관(腸管), 장/~ catarrh 장염(腸炎)/an ~ worm 회충.

◇**in·tes·tine** [intéstin] *a.* Ⓐ 내부의; 국내의: an ~ war 내란. **—***n.* Ⓒ (보통 *pl.*) 〖해부〗 장(腸): the large 〔small〕 ~ 대〔소〕장(腸).

in·ti·fa·da, -fa·deh [intifáːdə] *n.* 《Ar.》 Ⓒ (때로 I-) 인티파다〔데〕(uprising)《이스라엘 점령 아래의 가자 등지에서 일어난 팔레스타인 인들의 봉기》.

◇**in·ti·ma·cy** [íntəməsi] *n.* **1** Ⓤ 친밀함, 친교, 친우 관계《***with*** …와의》: form an ~ *with* …와 친밀한 사이가 되다/be on terms of ~ 친한 사이이다. **2** Ⓤ 정교(情交), (남녀가) 몰래 정을 통함. **3** Ⓒ (흔히 *pl.*) 친밀한 행위《키스 · 포옹 따위》. ◇ intimate *a.*

*__in·ti·mate__[1] [íntəmit] *a.* **1** **친밀한**, 친한, 절친한《*with* …와》: an ~ friendship 친교/become ~ *with* …와 친해지다. SYN. ⇨FAMILIAR. **2** (지식이) **깊은**, 자세한; 정통한: an ~ knowledge 정통한 지식/an ~ analysis 상세한 분석. **3** 심오한, 본질적인(intrinsic): the ~ structure of an organism 유기체의 본질적 구조. **4** 내심의, 마음 속의: ~ beliefs 마음 속의 확신. **5** 사사로운, 개인적인: one's ~ affairs 개인적인 일/the ~ details of one's life 사생활상의 사소한 일. **6** (남녀가) 정을 통하고 있는《*with* (아무)와》: be ~ *with* a woman 어떤 여자와 정을 통하다. **7** (방 따위가) 조용하고 편한〔아늑한〕. ◇intimacy *n.*
be on ~ terms with …와 절친한 사이이다; …와 정을 통하고 있다.
—*n.* Ⓒ 친구, 막역한〔절친한〕 벗: She's an ~ *of* mine. 그녀는 내 친구이다.
㊕ ◇~**·ly** *ad.* 친밀하게; 밀접하게; 내심으로; 상세하게. ~**·ness** *n.*

__in·ti·mate__[2] [íntəmèit] *vt.* 넌지시 비추다, 암시하다(hint)《*to* …에/*that*》: ~ one's wish (*to* a person) 자기 소망을 (아무에게) 넌지시 비추다/She ~*d* (*to* me) *that* she intended to marry him. 그녀는 그와 결혼할 생각임을 (나에게) 비추었다. SYN. ⇨SUGGEST.

in·ti·ma·tion [ìntəméiʃən] *n.* Ⓤ (구체적으로는 Ⓒ) 암시, 넌지시 비춤(hint); 시사(示唆)《*that*》.

in·tim·i·date [intímədèit] *vt.* **1** 으르다, 위협하다, 협박하다《*into* …하게》: ~ a person *into* do*ing* 아무를 협박하여 …하게 하다. **2** (재능 따위가 아무)를 위압〔압도〕하다: He was ~*d* her ability. 그는 그녀의 재능에 승복했다.
㊕ **in·tím·i·dà·tor** [-ər] *n.* Ⓒ 위협자, 협박자.

in·tìm·i·dá·tion *n.* Ⓤ 으름, 위협, 협박: surrender to ~ 협박에 굴복하다.

intl. international.

†**into** [íntu, 《주로 문장 끝》 íntu:, 《자음 앞》 íntə] *prep.* **1** 〖내부로의 운동·방향〗 **a** …**안으로**〔**에**〕, …로〔에〕(↔ *out of*): go ~ the house 집 안으로 들어가다/bite ~ an apple 사과를 깨물다/look ~ a box 상자를 들여다보다/Put the cake ~ the oven. 케이크를 오븐에 넣어라. **b** 〖시간의 추이〗 …**까지**: work far 〔late, well〕 ~ the night 밤 늦게까지 공부하다. **c** 《비유적》 (어떤 상태) **속으로**, …**로**〔**에**〕: run ~ debt 빚을 지다/go ~ business 사업에 들어가다〔투신하다〕/enter ~ a five-year contract, 5년 계약을 맺다/I got ~ difficulties. 나는 곤란에 빠졌다/inquire ~ the matter 그 사건을 조사하다/You need not go ~ details. 상술(詳述)할 필요는 없다.

> **NOTE** **into**와 **in** in은 '…안에, …속〔안〕에서'의 뜻으로 단순히 장소를 나타내며, 운동의 방향을 나타내지는 않는 것이 보통이지만, break, cast, dip, divide, fall, lay, part, put, split, throw, thrust 따위처럼 동사 자체에 운동의 뜻이 있을 때에는 into를 쓰지 않고 in을 쓸 때가 있음: put the letter *in* an envelope 편지를 봉투에 넣다. He threw the book *in* the fire. 그는 책을 불 속에 집어던졌다. break a cup *in* pieces 컵을 깨뜨리다. He fell *in* the water. 그는 물 속에 빠졌다.

2 〖변화·추이·결과〗 …**으로** (하다, 되다): burst ~ laughter 웃음을 터뜨리다/divide the cake ~ three pieces 케이크를 셋으로 나누다/turn water ~ ice 물을 얼음으로 만들다/The rain changed ~ snow. 비가 눈으로 변했다/translate English ~ Korean 영어를 한국어로 번역하다/He poked the fire ~ a blaze. 불을 쑤셔 불길을 일으켰다/Those words scared him ~ silence. 그 말에 그는 두려워서 입을 다물었다/I tried to argue him ~ going. 나는 그를 설득하여서 가게 하려고 했다.
3 〖충돌〗 …**에 부딪쳐**(against): run ~ a wall 벽에 부딪치다/She bumped ~ me. 그녀는 내게 꽝 부딪쳤다.
4 〖수학〗 …**을 나눠**(서): Dividing 3 ~ 9 goes 〔gives〕 3 times. 9÷3=3/Three ~ six is 〔goes〕 two. 6 나누기 3은 2(=Six divided by three is 〔goes〕 two.).
5 《구어》 (사물에) 열중〔몰두〕하고(keen on), 관심을 갖고: She's very much ~ jazz. 그녀는 재즈에 열중해 있다/What are you ~? 무엇에 흥미를 가지셨나요.
6 《美구어》 (아무)에게 빚을 지고: How much are you ~ him for? 그에게 얼마나 빚이 있나.

*__in·tol·er·a·ble__ [intálərəbəl/-tɔ́l-] *a.* **견딜**〔참을, 용납할〕 **수 없는**(unbearable); 《구어》 애타는: ~ heat 〔pain〕 견딜 수 없는 더위〔통증〕.
㊕ **-bly** *ad.*

in·tol·er·ance [intálərəns/-tɔ́l-] *n.* Ⓤ **1** 불관용(不寬容), 편협; (이설(異說)을 허용하는) 아량이 없음《특히 종교상의》. **2** 견딜 수 없음.

*__in·tol·er·ant__ [intálərənt/-tɔ́l-] *a.* **1** 아량이 없는; 편협한; **불관용의**: an ~ person 편협한 사람. **2** Ⓟ 받아들이지 않는, 인정하지 않는《*of* (이설(異說) 따위)를》: He's ~ *of* criticism. 그는 비판을 받아들이지 않는다. **3** Ⓟ 견딜〔참을〕 수 없는《*of* …을》: be ~ *of* bad manners 무례함을 참을 수 없다. ㊕ ~**·ly** *ad.*

in·to·nate [íntənèit] *vt.* =INTONE.

◇**in·to·na·tion** [ìntənéiʃən, -tou-] *n.* **1** Ⓤ (찬송가·기도문 등을) 읊음, 영창, 음창(吟唱). **2** Ⓤ (구체적으로는 Ⓒ) 〖음성〗 인토네이션, 억양; 음조, 어조. cf. stress. ¶a falling 〔rising〕 ~ 하강〔상승〕조. ㊕ ~**·al** *a.*

in·tone [intóun] *vt.* **1** (찬송가·기도문 따위)를 읊조리다, 영창하다. **2** …에 억양을 붙이다, 억양을 붙여 말하다. —*vi.* 영창하다.

in to·to [in-tóutou] 《L.》 (=on the whole) 전체로서, 전부, 몽땅: They accepted the plan ~. 그들은 그 계획을 전적으로 수락했다.

in·tox·i·cant [intáksikənt/-tɔ́ksi-] *n.* Ⓒ 취하게 하는 것《마취제, 알코올 음료 따위》.
—*a.* 취하게 하는. ㊕ ~**·ly** *ad.*

◇**in·tox·i·cate** [intáksikèit/-tɔ́ksi-] *vt.* **1** 취하게 하다《*with* (술 따위)로》: Too much drink ~*d* him. 너무 많이 마셔서 그는 취해 버렸다/He ~*d* them *with* wine. 그는 와인으로 그들을 취하게 했다. **2** 흥분〔도취〕시키다; 들뜨게 하다《★흔히 수동태로 쓰며, 전치사는 *with, by*》: He *is* ~*d with* victory 〔*by* success〕. 그는 승리〔성공〕에 취해 있다. ◇intoxication *n.*

in·tóx·i·càt·ing *a.* 취하게 하는; 도취〔열중, 몰두〕케 하는, 들뜨게 하는: ~ drinks 주류/an ~ charm 넋을 잃을 정도의 매력. ㊕ ~**·ly** *ad.*

in·tòx·i·cá·tion *n.* Ⓤ 취하게 함, 명정(酩酊); 흥분, 도취; 열중.

intr. 〖문법〗 intransitive.

in·tra- [íntrə] '안에, 내부에'의 뜻의 결합사.

in·va·lid[2] [invǽlid] *a.* **1** (논거 등이) 박약한, 근거〔설득력〕 없는. **2** 〖법률〗 무효의, 효력을 상실한: His passport was out of date and ~. 그의 여권은 기한이 만료되어 효력을 상실했다. ㊊ **~·ly** *ad.*

in·val·i·date [invǽlədèit] *vt.* 무효로 하다. ㊊ **in·vàl·i·dá·tion** *n.* Ⓤ 실효(失効).

in·va·lid·ism [ínvəlidìzəm/-lìːdizəm] *n.* Ⓤ **1** 숙환, 병약; 앓는 몸. **2** (인구 중의) 병약자의 비율.

in·va·lid·i·ty [ìnvəlídəti] *n.* Ⓤ 무효; 병약.

***in·val·u·a·ble** [invǽljuəbəl] *a.* **값을 헤아릴 수 없는,** 평가할 수 없는, 매우 귀중한(priceless): an ~ art collection 귀중한 미술 수집품. ⓒⓕ valueless. SYN. ⇨VALUABLE. ㊊ **-bly** *ad.*

in·var·i·a·ble [invέəriəbəl] *a.* 변화하지 않는, 불변의; 〖수학〗 일정한, 상수의: an ~ rule 불변의 법칙. **—***n.* Ⓒ 불변의 것; 〖수학〗 상수(常數), 불변량. ㊊ **in·vàr·i·a·bíl·i·ty** *n.* Ⓤ 불변(성).

◇**in·var·i·a·bly** [invέəriəbli] *ad.* 변함 없이, 일정 불변하게; 항상, 반드시: His intuition is ~ correct. 그의 직감은 항상 정확하다.

***in·va·sion** [invéiʒən] *n.* Ⓤ (구체적으로는 Ⓒ) **1 침입, 침략:** make an ~ *upon* …에 침입하다, …을 습격하다. **2** (권리 따위의) 침해, 침범: ~ *of* privacy 사생활의 침해. ◇invade *v.*

in·va·sive [invéisiv] *a.* 침입하는, 침략적인; (건강한 조직을) 범하는, 침습성(侵襲性)의《암세포》.

in·vec·tive [invéktiv] *n.* **1** Ⓒ (보통 *pl.*) 욕설, 악담. **2** Ⓤ (또는 an ~) 독설, 비난. **—***a.* 욕설하는, 비난의, 독설의.

in·veigh [invéi] *vi.* 통렬히 비난〔항의〕하다, 호되게 매도하다; 욕설을 퍼붓다《***against*** …에》.

in·vei·gle [invíːgəl, -véi-] *vt.* **1** 유혹〔유인〕하다, 꾀다; (아무)를 속여서〔감언으로〕 …시키다《***into*** …하게》: The salesman ~*d* the girl *into* buy*ing* the ring. 점원은 그 아가씨를 구슬려서 반지를 사게 했다. **2** 구슬려 …을 손에 넣다, 교묘하게 가로채다《***from, out of*** (아무)에게서》.

⁑**in·vent** [invént] *vt.* **1 발명하다,** 고안〔창안〕하다: ~ the steam engine 증기 기관을 발명하다.

SYN. **invent** 발명하다. 지금까지 없던 것을 만들어낸다는 뜻에서 '날조하다'라는 뜻도 생김: *invent* an excuse 핑계를 꾸며내다. **devise** 고안하다. 고안의 묘(妙)에 중점이 있으며, 흔히 좋은 뜻으로 쓰임. **contrive** 어떤 효과·결과를 노리고 연구하다. 나쁜 뜻으로는 '음모하다'가 됨.

2 (거짓말·변명 따위)를 **날조하다**, 조작하다, 꾸며내다: ~ an excuse for being late 지각한 핑계를 꾸며내다/He ~*ed* the story. 그는 그 이야기를 꾸며냈다.

⁑**in·ven·tion** [invénʃən] *n.* **1** Ⓤ **발명,** 안출, 고안; (예술적) 창작, 창조: the ~ of the printing press 인쇄기의 발명/Necessity is the mother of ~. 《속담》 필요는 발명의 어머니. **2** Ⓤ 발명〔연구〕의 재능, 안출력. **3** Ⓒ 발명품: an ingenious ~ 창의력이 뛰어난 발명품. **4** Ⓒ **꾸며낸 이야기,** 허구(虛構), 날조: a pure ~ of the newspaper 순전한 신문의 날조(기사).

in·ven·tive [invéntiv] *a.* 발명의; 발명〔창작〕의 재능이 있는; 창의력이 풍부한. ㊊ **~·ly** *ad.* **~·ness** *n.*

in·ven·tor, -vent·er** [invéntər] (*fem.* ***-tress [-tris]) *n.* Ⓒ **발명자,** 발명가; 고안자.

in·ven·to·ry [ínvəntɔ̀ːri/-təri] *n.* **1** Ⓒ 물품

명세서; (재산·상품 따위의) (재고) 목록. **2** Ⓤ 《美》 재고품(의 총가격); 재고품 조사. ***take* 〔*make*〕 (*an*) ~ *of* ...** ① …의 목록을 작성하다. ② (재고품 따위)를 조사하다. ③ (기능·성격 따위)를 평가하다.

—*vt.* **1** (재산·상품 따위)를 목록에 기입하다; 목록을 만들다. **2** 《美》 재고품 조사를 하다.

In·ver·ness [ìnvərnés] *n.* (또는 i-) Ⓒ 인버네스(=∠ [∠-∠] **càpe** 〔**clòak, còat**〕)《남자용의 소매 없는 외투》.

in·verse [invə́ːrs, ∠-] *a.* Ⓐ **1** (위치·관계 등이) 반대의, 역(逆)의, 도치의, 전도된; 도착(倒錯)의. **2** 〖수학〗 역(함)수(逆(函)數)의: ~ matrix 역행렬/~ number 역수/~ operation 역연산.

—*n.* **1** (the ~) 반대, 역(逆), 전도: The ~ *of* good is evil. 선의 반대는 악이다. **2** Ⓒ 역〔반대〕의 것; 〖수학〗 역함수. ㊊ **~·ly** *ad.* 반대로, 역으로, 역비례하여.

in·ver·sion [invə́ːrʒən, -ʃən] *n.* Ⓤ (구체적으로는 Ⓒ) **1** 전도(轉倒), 역(逆), 정반대. **2** 〖문법〗 (어순의) 전도, 도치(법). **3** 〖음악〗 자리바꿈; 〖음성〗 반전(反轉). **4** 〖정신의학〗 (성 대상의) 도착, 동성애.

in·vert [invə́ːrt] *vt.* **1** 거꾸로 하다, 반대로 하다; 전도시키다, 뒤집다. **2** 〖음악〗 전회(轉回)하다; 〖음성〗 (혀)를 반전하다; 〖화학〗 전화(轉化)하다. **—** [∠-] *n.* Ⓒ **1** 〖건축〗 역(逆)홍예, 역아치. **2** 〖정신의학〗 성욕 도착자; 동성애자. **3** 〖화학〗 전화; 〖컴퓨터〗 반전.

in·ver·te·brate [invə́ːrtəbrit, -brèit] *a.* **1** 〖동물〗 등뼈〔척추〕가 없는. **2** 《비유적》 기골이 없는, 약한, 우유부단한. **—***n.* Ⓒ 무척추 동물; 기골이 없는 사람.

in·vért·ed [-id] *a.* **1** 거꾸로 된, 역의; 반전한. **2** 〖음성〗 반전(反轉)〔도설(倒舌)〕의: an ~ consonant 〖음성〗 도설 자음《혀끝을 위 안쪽으로 말아 발음함; 미국 영어의 r-coloring 등》. **3** 〖정신의학〗 성욕 도착의.

invérted cómma **1** 〖인쇄〗 역(逆)콤마《'또는 "》. **2** (보통 *pl.*) 《英》 인용부(quotation marks).

◇**in·vest** [invést] *vt.* **1** 투자하다《***in*** …에》: ~*ed* capital 투입 자본/~ one's money *in* stocks 주식에 투자하다.

2 (돈)을 지출하다, 쓰다, 소비하다; (시간·노력 따위)를 바치다, 들이다《***in*** …에》: ~ large sums *in* books 책에 많은 돈을 쓰다/~ a lot of time *in* try*ing* to help the poor 가난한 사람들을 도우려고 많은 시간을 내다.

3 〖종종 수동태〗 …에게 주다, 수여하다; 부여하다; 맡기다, 위임하다《***with*** …을》: ~ a person *with* rank 아무에게 지위를 주다/I ~*ed* my lawyer *with* complete power to act for me. 변호사에게 나를 대행하는 전권을 위임했다/He *was* ~*ed with* an air of dignity. 그는 어딘지 위엄을 갖추고 있었다.

4 입히다; 덮다, 싸다: ~ oneself *in* 〔*with*〕 a coat 옷을 입다/Darkness ~*s* the earth at night. 밤에는 어둠이 땅 위를 뒤덮는다.

5 〖군사〗 포위(공격)하다: The enemy ~*ed* the city. 적이 도시를 포위했다.

—*vi.* **1** 투자하다《***in*** …에》: ~ *in* stocks 주식에 투자하다. **2** 《구어》 사다《***in*** …을》: ~ *in* a new car 신형차를 사다.

***in·ves·ti·gate** [invéstəgèit] *vt.* 《~+목/

+*wh*. 절》 **조사하다, 연구하다**, 수사하다: The police ~*d* the cause of the accident. 경찰은 사고 원인을 조사했다. **—***vi*. 조사〔수사, 연구, 심사〕하다.

‡**in·ves·ti·ga·tion** [invèstəgéiʃən] *n*. Ⓤ (구체적으로는 Ⓒ) **조사, 연구**, 수사《***into*** …의》. make an ~ *into* ... …을 조사〔연구〕하다/under ~ 조사 중의/upon ~ 조사해 보니.

in·ves·ti·ga·tive [invéstəgèitiv] *a*. 조사의; 연구의: an ~ new drug (임상 시험 중의) 치험약(治驗藥).

invéstigative repórting 〔**jóurnalism**〕 조사 보도《범죄·부정 등에 관한 매스컴의 독자적 조사에 의한 보도》.

◇**in·ves·ti·ga·tor** [invéstəgèitər] *n*. Ⓒ 연구자, 조사자, 수사관.

in·ves·ti·ture [invéstətʃər] *n*. **1** Ⓤ (성직·관직 등의) 수여; 서임, 임관; Ⓒ 수여식, 임관〔인증〕식. **2** Ⓤ 부여《***with*** (성질·자격 등)의》. **3** Ⓤ 착용(着用).

in·vest·ment** [invéstmənt] *n*. **1 a** Ⓤ (구체적으로는 Ⓒ) **투자, 출자**《in*** …에의》: make an ~ *in* …에 투자하다. **b** Ⓒ **투자액**, 투자 자본; 투자물, 투자의 대상: a safe ~ 안전한 투자 (대상)/Education is an ~. 교육은 (일종의) 투자이다. **2** Ⓒ (관직 등의) 서임(敍任), 임명; 입관. **3** Ⓒ 〖군사〗 포위, 봉쇄. **4** Ⓤ (의복의) 착용. ◇ invest *v*.

invéstment còmpany 〔**trùst**〕 투자 (신탁) 회사.

◇**in·ves·tor** [invéstər] *n*. Ⓒ **1** 투자자. **2** 수여〔서임〕자. **3** 포위자.

in·vet·er·a·cy [invétərəsi] *n*. Ⓤ (병·습관·감정의) 뿌리 깊음; 상습, 만성; 강한 집념.

in·vet·er·ate [invétərit] *a*. Ⓐ **1** (병·습관 등이) 만성의, 상습적인, 버릇이 된: an ~ disease 고질, 숙환/an ~ drinker 상습 음주자/an ~ habit 상습. **2** (감정 등이) 뿌리 깊은, 집념이 강한: an ~ dislike of foreign customs 외국 관습에 대한 뿌리 깊은 반감. ㊎ **~·ly** *ad*.

in·vid·i·ous [invídiəs] *a*. **1** (언동·태도가) 비위에 거슬리는, 불쾌한; 남의 시샘을 받기 쉬운《지위·명예 따위》: ~ remarks 비위에 거슬리는 말/an ~ honor 남의 시샘을 받을 만한 명예. **2** 부당하게 차별하는, 불공평한: an ~ distinction 부당한 구별. ㊎ **~·ly** *ad*. **~·ness** *n*.

in·vig·i·late [invídʒəlèit] *vi*. 《英》 시험 감독을 하다.

in·vig·or·ate [invígərèit] *vt*. 원기〔활기〕를 돋구다, 고무하다: His confidence ~*d* his workers. 그의 확신이 부하 근로자들의 힘을 북돋았다. ◇ invigoration *n*.

in·víg·or·àt·ing *a*. 기운을 돋구는, 격려하는; (공기 등이) 상쾌한: an ~ speech 격려의 연설/an ~ climate 상쾌한 기후. ㊎ **~·ly** *ad*.

in·vìn·ci·bíl·i·ty *n*. Ⓤ 무적, 불패.

◇**in·vin·ci·ble** [invínsəbəl] *a*. **1** 정복할 수 없는, 무적의: She is ~ at tennis. 테니스에서 그녀를 이길 자가 없다. **2** (장애 등이) 극복할 수 없는, 완강한: ~ ignorance 어떻게도 할 수 없는 무지. ◇ invincibility *n*. ㊎ **-bly** *ad*.

Invíncible Armáda (the ~) (스페인의) 무적 함대《1588 년 영국 해군에 격파됨》.

in·vi·o·la·bil·i·ty [invàiələbíləti] *n*. Ⓤ 신성함; 불가침(성), 불가침권.

in·vi·o·la·ble [inváiələbəl] *a*. 범할 수 없는, 불가침의; 신성한: ~ principles 깨뜨릴 수 없는 원칙. ㊎ **-bly** *ad*.

in·vi·o·late [inváiəlit] *a*. 범하여지지 않은, 손상되지 않은; 더럽혀지지 않은; 신성한: the ~ spirit of the law 법률의 신성한 정신. ㊎ **~·ly** *ad*. **~·ness** *n*.

‡**in·vis·i·ble** [invízəbəl] *a*. **1 눈에 보이지 않는**; 감추어진《***to*** …에》: Germs are ~ *to* the naked eye. 세균은 맨눈으로는 안 보인다. **2** 알아차릴 수 없는, 분간되지 않는; 확실하지 않은: ~ differences 알아차릴 수 없을 정도의 차이. **3** 얼굴을 보이지 않는, 모습을 드러내지 않는: He remains ~ when out of spirits. 그는 기분이 나쁠 때는 사람을 만나지 않는다. **4** (통계·목록 등에) 명시(明示)되어 있지 않은; (손익이) 장부에 기록되지 않은; 무역외의: an ~ asset 목록에 오르지 않은 재산.

—*n*. **1** Ⓒ 눈에 보이지 않는 것. **2** (the ~) 영계(靈界); (the I–) 신(God).

㊎ **-bly** *ad*. 눈에 보이지 않게〔않을 정도로〕. **~·ness** *n*. **in·vis·i·bil·i·ty** [invìzəbíləti] *n*.

invísible éxports 〖경제〗 무형 수출품, 무역외 수출《특허료·서비스 요금 따위》.

invísible ímports 〖경제〗 무형 수입품, 무역외 수입《특허료·서비스 요금 따위》.

‡**in·vi·ta·tion** [ìnvətéiʃən] *n*. **1** Ⓤ (구체적으로는 Ⓒ) **초대**, 안내, 권유《***to*** …에의/***to*** do》: an ~ *to* a dance 댄스 파티에 초대/admission by ~ only 입장은 초대객에 한함/at 〔on〕 the ~ of …의 초대에 의하여/decline 〔accept〕 an ~ *to* give a lecture 강연해 달라는 초대를 거절〔수락〕하다.

2 Ⓒ 초대〔안내, 권유〕장(an ~ card, a letter of ~)《***to*** …에의/***to*** do》: send out ~*s to* a party 파티 초대장을 보내다/send out an ~ *to* dine with one 함께 식사를 하자는 초대장을 내다.

3 Ⓒ **유인**, 꾐, 매력; 유혹, 유발《***to*** …에의/***to*** do》: an ~ *to* suicide 자살에의 유혹/Tyranny is often an ~ *to* rebel. 폭정은 흔히 반란을 유발한다. ㊎ **~·al** *a*. 초대자〔객〕만의.

invitátion càrd 〔**tìcket**〕 초대장〔권〕.

‡**in·vite** [inváit] *vt*. **1** 《~+목/목+전+명/+목+*to* do/+목+부》 **초청하다**, 초대하다, 불러오다: ~ a person *to* dinner =~ a person *to* have dinner/She is seldom ~*d out*. 그녀는 초대받아 밖에 나가는 일이 드물다/He ~*d* me *in* 〔*over*〕 for a drink. 그는 한 잔 하자고 나를 불렀다.

2 《+목+*to* do》 권유하다, 청하다: ~ a person *to* join the parade 아무에게 퍼레이드에 참가하도록 권유하다.

3 《~+목/+목+*to* do》 (주의·흥미 따위)를 이끌다, 끌다; 유인하다; 매혹〔유인〕하여 (…)시키다: The book ~*s* interest. 그 책은 흥미를 끈다/The cool water of the lake ~*d* us *to* swim. 호수의 물이 시원해서 우린 헤엄치고 싶어졌다.

4 (비난·위험 따위)를 초래하다, 야기하다: ~ criticism 비판을 초래하다/The bill ~*d* much discussion. 그 법안은 많은 논의를 일으켰다/~ laughter 웃음을 자아내다.

5 《~+목/+목+*to* do》 (의견·질문 등)을 (정중히) 청하다, 요청하다, 부탁하다: ~ a person's opinion 아무에게 의견을 구하다/~ a person *to* sing 아무에게 노래를 청하다/We ~ questions. 서슴지 말고 질문해 주십시오.

***in·vit·ing** [inváitiŋ] *a.* **유혹적인**, 마음을 끄는; 훌륭한, 좋은: an ~ smile 매력적인 미소/an ~ dish 먹음직스런 요리/an ~ offer 매력이 있는 제안. ㊥ **~·ly** *ad.*

in vi·tro [in-víːtrou] 《L.》 시험관〔유리관〕 내에, 생체 외의: ~ fertilization 시험관 내 수정, 체외 수정《생략: IVF》.

in vi·vo [in-víːvou] 《L.》 생체 (조건) 내에서(의).

in·vo·ca·tion [ìnvəkéiʃən] *n.* **1** Ⓤ 빎, 기원함《*to* (신)에게》. **2** Ⓒ (시의 첫머리의) 시신(詩神) Muse에게 작시의 영감을 기구하는 말; 악마를 불러내는 주문. **3** Ⓤ (구체적으로는 Ⓒ) (법의) 발동, 실시.

in·voice [ínvɔis] *n.* Ⓒ 〖상업〗 송장(送狀)《상품 발송의》, (송장에 적힌) 화물; 명세 기입 청구서: an ~ clerk 송장 담당원/an ~ price 매입가/an ~ book 송장 대장. **—***vt.* …의 송장을〔청구서를〕 작성〔제출〕하다; …에게 송장을 보내다.

◇**in·voke** [invóuk] *vt.* **1** (신에게 도움·가호 따위)를 기원하다, 빌다; 간원하다: ~ God's mercy 신의 자비를 빌다/~ the protection of …의 보호를 간원〔기원〕하다. **2** (법·권위 따위)에 호소하다, 의지하다: ~ the power of the law 법의 힘에 호소하다. **3** (법령)을 실시하다; (권리)를 행사〔발동〕하다: ~ martial law 계엄령을 발동하다/~ one's right to veto 거부권을 행사하다. **4** (악마 따위)를 주문으로 불러내다; 불러일으키다, 자극하다: Human error ~*d* the disaster. 인간의 실수가 그 참사를 불러일으켰다. ◇ invocation *n.*

◇**in·vol·un·tary** [inválәntèri/-vɔ́ləntəri] *a.* **1** 무심결의, 무의식적인, 모르는 사이의; 본의 아닌: an ~ movement (놀랐을 때의) 무의식적〔반사적〕 동작/~ manslaughter 〖법률〗 과실치사(죄). **2** 〖해부〗 불수의(不隨意)의: ~ muscles 불수의근(筋). SYN. ⇨ SPONTANEOUS. ㊥ ◇**-ri·ly** [-rili] *ad.* 모르는 사이에; 본의 아니게. **-ri·ness** *n.*

in·vo·lute [ínvəlùːt] *a.* **1** 뒤얽힌, 복잡한, 착잡한. **2** 〖식물〗 (잎이) 안으로 말린〔감긴〕; 〖동물〗 (조개껍질 등이) 소용돌이 모양의, 나사 모양의. **—***n.* Ⓒ 〖수학〗 신개선(伸開線).

ìn·vo·lú·tion *n.* **1** Ⓤ 말아넣음; 안으로 말림. **2** Ⓤ 복잡, 혼란; Ⓒ 복잡한 것, 뒤얽힌 것.

***in·volve** [inválv/-vɔ́lv] *vt.* **1 말아 넣다**, 싸다, 감싸다; 나사 모양으로 말다〔감다〕: Clouds ~*d* the mountain top. 구름이 산꼭대기를 감쌌다.

2 《+목+전+명》 연좌〔연루〕시키다; 관련〔관계〕시키다《*with* …와》, 말려들게 하다, 휩쓸리게 하다《*in* (사건 등)에》: His mistake ~*d* me *in* a great deal of trouble. 그의 잘못으로 나는 많은 곤란에 휘말렸다/get ~*d in* a trouble 분쟁에 말려들다/Your troubles are mostly ~*d with* your attitudes. 네가 처한 어려움은 너의 처신과 밀접하게 관련되어 있다/He's ~*d in* a conspiracy 그는 음모에 말려들어가 있다.

3 《~+목/+-*ing*》 (필연적으로) **수반하다**, 필요로 하다, 포함하다; 의미하다: An accurate analysis will ~ intensive tests. 정확한 분석은 철저한 검사를 필요로 한다/To accept the appointment would ~ liv*ing* in London. 이 임명을 수락하면 아무래도 런던에 살지 않으면 안 되게 된다.

4 《+목+전+명》 〔보통 수동태 또는 ~ oneself〕 **몰두시키다**, 열중시키다《*in, with* …에》: He's ~*d in* work*ing* out a puzzle. =He's ~*d with* a puzzle. 그는 수수께끼 푸는 데 열중하고 있다.

5 (일)을 복잡하게 하다: It would ~ matters. 그것은 일을 복잡하게 만들 것이다.

6 …에 영향을 미치다, …에 관계하다: The implications of the discovery ~ us all. 그 발견이 의미하는 것은 우리 모두에게 관련〔영향〕을 갖는다.

be ~d in = ***~ oneself in*** ① …에 몰두〔열중〕하다(⇨4). ② …으로 옴짝달싹 못하게 되다; …에 싸이다. ***get ~d with*** …에 휘감기다, …에 휘감겨 난처하다: get ~*d with* one's fishing line 낚싯줄이 휘감겨 난처하다.

in·vólved *a.* **1** 뒤얽힌, 복잡한; 혼란한; (문체 따위) 난해한: an ~ problem 복잡한 문제. **2** 관련된, 열중한, 말려든《*in* (사건·운동·주의 등)에》; 깊은 관계에 있는《*with* (특히 이성)과》.

in·vólve·ment *n.* **1** Ⓤ 말려듦, 휩쓸려듦《*in* …에》; 관련, 연루, 연좌《*with* …와의》: avoid ~ *in* an affair 사건에 말려드는 것을 피하다. **2** Ⓒ 괴로운〔귀찮은〕 일; 재정 곤란.

in·vul·ner·a·ble [inválnərəbəl] *a.* **1** 상처 입지 않는, 불사신의, 난공불락의. **2** (논의 따위가) 공격에 견디는, 반박할 수 없는: an ~ argument 논파할 수 없는 주장. ㊥ **-bly** *ad.* **in·vùl·ner·a·bíl·i·ty** *n.*

in·ward** [ínwərd] *a.* **1 안의, 안쪽의**, 내부의, 내부에의. ↔ *outward*. ¶ on the ~ side 안쪽에/an ~ curve 안쪽으로 굽은 커브/an ~ room 안방. SYN. ⇨ INSIDE. **2** 본질적인: the ~ nature of a thing 물건의 본질적인 성질. **3 내적인, 마음속의**, 영적인: ~ peace 마음의 평정. **4** 몸 내부의; (목소리 따위가) 낮은. **—ad.* **1 내부로**, 안으로: The door opens ~. 그 문은 안쪽으로 열린다. **2** 마음속에서, 내심. **—***n.* [ínərdz] (*pl.*) 《구어》 배; 내장. ★ in'ards로도 씀.

ín·ward·ly *ad.* **1** 안에, 안으로; 내부에서. **2** 마음속에서, 내심: laugh ~ 속으로 웃다. **3** 작은 목소리로: speak ~ 작은 목소리로 말하다.

ín·ward·ness *n.* Ⓤ **1** 본질, 참뜻. **2** 내적〔정신적〕인 것; 영성(靈性).

in·wards [ínwərdz] *ad.* =INWARD.

in·wrought [inrɔ́ːt] *a.* Ⓟ **1** 짜〔박아〕 넣은, 수놓은; 상감(象嵌)한《*in, on* (천 따위)에; *with* (무늬 따위)를》: arabesques ~ *on* silk 비단에 수놓인 당초무늬/silk ~ *with* arabesques 당초무늬를 수놓은〔짜 넣은〕 비단/silver ~ *with* gold filigree 가는 금선 세공을 한 은. **2** 뒤섞인, 혼합된《*with* …와》.

Io [áiou] *n.* 〖그리스신화〗 이오《Zeus의 사랑을 받은 여자로서 Hera의 질투로 흰 암소로 변신됨》.

Io 〖화학〗 ionium. **I/O** input/output (입출력). **IOC** International Olympic Committee.

io·din, io·dine [áiədin], [áiədàin, -dìːn] *n.* Ⓤ 〖화학〗 요오드, 옥소(沃素)《비금속 원소; 기호 I; 번호 53》: ~ preparation 요오드제(劑)/tincture of ~ 요오드팅크.

io·dize [áiədàiz] *vt.* 〖화학〗 요오드로 처리하다; 요오드를 함유시키다. ㊥ **io·di·za·tion** [àiədizéiʃən/-daiz-] *n.*

io·do·form [aióudəfɔ̀ːrm, -ád-/-ɔ́d-] *n.* Ⓤ 〖화학〗 요오드포름《주로 방부제·극약》.

I.O.M., I.o.M. Isle of Man.

ion [áiən, -an/-ɔn] *n.* Ⓒ 〖물리·화학〗 이온: a negative ~ 음이온(anion)/a positive ~ 양이

온(cation).

-ion [jən, ən] *suf.* 형용사·동사로 '상태·동작'을 나타내는 명사를 만들며, -ation, -sion, -tion, -xion의 꼴을 취함.

íon exchànge 〖화학〗 이온 교환(交換).

Io·nia [aióuniə] *n.* 이오니아《소아시아 서안 지방의 고대 그리스의 식민지》.

Io·ni·an [aióuniən] *a.* 이오니아(인)의; 〖건축〗 이오니아식의. **—***n.* Ⓒ 이오니아인.

Iónian Séa (the ~) 이오니아해《이탈리아 남동부와 그리스 사이의 지중해의 일부》.

Ion·ic [aiánik/-ɔ́n-] *a.* 이오니아(사람)의; 〖운율〗 이오니아 시각(詩脚)의; 〖건축〗 이오니아식의: the ~ order 〖건축〗 이오니아 양식.

io·ni·um [aióuniəm] *n.* Ⓤ 〖화학〗 이오늄《토륨의 방사성 동위 원소; 기호 Io》.

ion·i·za·tion [àiənizéiʃən] *n.* Ⓤ 〖화학〗 이온화, 전리(電離).

ion·ize [áiənàiz] *vt.* 이온화하다, 전리하다. ㊕ **-iz·er** *n.* Ⓒ 이온화〔전리〕 장치.

ion·o·sphere [aiánəsfìər/-ɔ́n-] *n.* (the ~) 〖물리〗 이온층, 전리층《성층권 상부; 무선 전파가 반사됨》. ㊕ **iòn·o·sphér·ic** *a.*

-i·or[1] [iər] *suf.* 라틴어계(系) 형용사의 비교급을 만듦: jun*ior*, sen*ior*, infer*ior*.

-i·or[2], 《英》 **-iour** [iər, jər] *suf.* 명사를 만듦; '…하는 사람'의 뜻: sav*ior*, pav*ior*.

io·ta [aióutə] *n.* **1** Ⓤ (구체적으로는 Ⓒ) 이오타《그리스어 알파벳의 아홉째 글자 I; 로마자(字)의 i에 해당함》. **2** (an ~) 미소(微少); 〔부정문에서〕 아주 조금(도 …없다), 티끌만큼(도 …없다): there is *not* an ~ of …이 조금도 없다.

IOU, I.O.U. [àioujúː] (*pl.* **~s, ~'s**) *n.* Ⓒ 약식 차용 증서. [◂I owe you.]

I.O.W. Isle of Wight.

Io·wa [áiəwə, -wei] *n.* 미국 중서부의 주(州)《생략: Ia., IA》. ㊕ **~n** [áiəwən] *a., n.* Ⓒ Iowa주의 (사람).

IPA International Phonetic Alphabet 〔Association〕.

ip·so fac·to [ípsou-fǽktou] 《L.》 (=by the fact itself) 바로 그 사실에 의하여, 사실상.

IQ, I.Q. intelligence quotient (지능 지수(指數)).

Ir 〖화학〗 iridium. **Ir.** Ireland; Irish.

ir- [i] *pref.* =IN-[1, 2]《r 앞에 쓰임》: *ir*rational.

I.R.A., IRA Irish Republican Army (아일랜드 공화국군; 반영(反英) 지하 조직).

Iran [irǽn, ai-, -ráːn] *n.* 이란《수도 Teheran; 옛 이름은 Persia》. ㊕ **Irán·ic** *a.* =IRANIAN.

Ira·ni·an [iréiniən] *a.* 이란(사람)의; 이란어계(語系)의. **—***n.* Ⓒ 이란 사람; Ⓤ 이란 말.

Iraq, Irak [iráːk] *n.* 이라크《수도는 Baghdad》. ㊕ **Iráq·i·an, Irák-** [-kiən] *n., a.*

Ira·qi, Ira·ki [iráːki] (*pl.* **~s**) *n.* Ⓒ 이라크 사람; Ⓤ 이라크 말. **—***a.* 이라크의; 이라크 사람〔말〕의.

iras·ci·ble [irǽsəbəl, air-] *a.* (사람·성질 등이) 성을 잘 내는, 성미가 급한, 성마른. ㊕ **-bly** *ad.* **iràs·ci·bíl·i·ty** *n.*

irate [áireit, ⌐] *a.* 《문어》 성난, 노한: an ~ citizen (부정에) 분노한 시민《신문 용어》. ㊕ **~·ly** *ad.*

IRBM intermediate range ballistic missile.

IRC International Red Cross (국제 적십자사); 〖컴퓨터〗 Internet Relay Chat《인터넷에서 실시간에 대화를 나눌 수 있는 대화방》.

ire [áiər] *n.* Ⓤ 《문어》 분노(anger).

Ire. Ireland.

ire·ful [áiərfəl] *a.* 《문어》 성난, 성을 잘 내는, 성마른. ㊕ **~·ly** *ad.* **~·ness** *n.*

***Ire·land** [áiərlənd] *n.* **1** 아일랜드(섬)《아일랜드 공화국과 북아일랜드》. **2** 아일랜드(공화국)《정식 명칭은 the Republic of ~; 전 이름은 Irish Free State (1922–37), Eire (1937–49); 수도 Dublin》.

Ire·ne [airíːn, ⌐/airíːni] *n.* **1** 아이린《여자 이름》. **2** [airíːni] 〖그리스신화〗 이레네《평화의 여신》.

ir·i·des [íridìːz, ái-] IRIS의 복수.

ir·i·des·cence [ìrədésəns] *n.* Ⓤ 무지개 빛깔, 진주빛《보는 각도에 따라 색이 변함》.

ir·i·des·cent [ìrədésənt] *a.* 무지개 빛깔의, 진주빛의. ㊕ **~·ly** *ad.*

irid·i·um [airídiəm, ir-] *n.* Ⓤ 〖화학〗 이리듐《금속 원소; 기호 Ir; 번호 77》.

Iris [áiris] *n.* **1** 아이리스《여자 이름》. **2** 〖그리스신화〗 이리스《무지개의 여신》.

iris (*pl.* **~·es, *ir·i·des*** [írədìːz, ái-]) *n.* Ⓒ **1** 〖식물〗 붓꽃속(屬)의 식물; 그 꽃. **2** 〖해부〗 (안구의) 홍채(虹彩).

Irish** [áiriʃ] *a.* **아일랜드의**; 아일랜드 사람〔말〕의. **—n.* **1** Ⓤ 아일랜드 말; 아일랜드 영어《생략: Ir.》. **2** (the ~) 〔집합적; 복수취급〕 아일랜드 국민〔군인〕.

Írish-Américan *a. n.* Ⓒ 아일랜드계 미국인(의).

Írish búll ⇨BULL[3].

Írish·ìsm *n.* **1** Ⓤ (구체적으로는 Ⓒ) 아일랜드풍〔기질〕; 아일랜드 사투리〔어법〕. **2** =IRISH BULL.

°**Írish·man** [-mən] (*pl.* **-men** [-mən]; *fem.* **-wòman,** *pl.* **-wòmen**) *n.* Ⓒ 아일랜드 사람.

Írish potáto 《美》 감자《sweet potato와 구별하여》.

Írish Renáissance (the ~) 아일랜드 문예부흥《19세기 말 Yeats, Synge 등이 중심》.

Írish Séa (the ~) 아일랜드 해《아일랜드와 잉글랜드 사이에 있음》.

Írish sétter 아이리시 세터《흑갈색의 사냥개의 일종》.

Írish stéw 〖요리〗 아이리시 스튜《양고기〔쇠고기〕·감자·홍당무·양파 등을 넣은 스튜》.

Írish térrier 아이리시 테리어《털이 붉고 곱슬곱슬한 작은 개》.

Írish whískey (보리의 맥아로 만드는) 위스키.

irk [əːrk] *vt.* 〔보통 it을 주어로 하여〕 지루하게 하다, 지겹게 하다: It ~s me to do …하는 것은 질색이다.

irk·some [ə́ːrksəm] *a.* 진력나는, 넌더리나는; 지루한. ㊕ **~·ly** *ad.* **~·ness** *n.*

†**iron** [áiərn] *n.* **1** Ⓤ 철《금속 원소; 기호 Fe; 번호 26》. ⓒⓕ pig iron, cast iron, wrought iron, steel. ¶Strike while the ~ is hot. 《속담》 쇠는 뜨거울 때 두드려라, '물실호기'. **2** Ⓒ 철제의 기구; 《특히》 **아이론**, 다리미, 인두(smoothing ~), 헤어아이론; 〖골프〗 쇠머리 달린 골프채, 아이언; 낙철(烙鐵); 낙인(烙印); (*pl.*) 차꼬, 수갑, 족쇄; (*pl.*) 등자(鐙子); (*pl.*) 기형 교정용 보족구(補足具); 《속어》 권총, 총; 작살. **3** Ⓤ 〖약학〗 철제(劑); Ⓤ 〖의학〗 (음식 중의) 철분. **4** Ⓤ (쇠처럼) 강함〔단단함〕; 엄하고 혹독함: a man of ~ 의지가 강한 사람, 냉혹한 사람/a will of ~

무쇠 같은 의지.

have* (*too*) *many* 〔*several, other*〕 *~s in the fire (너무) 많은〔몇 가지, 다른〕 사업에 손을 대다. **~ *in the fire*** 《구어》 관심의 대상; 해결해야 할 문제. ***pump* ~** 《속어》 바벨을 들다, 역도를 하다. ***rule* (...) *with a rod of* ~** 〔***with an* ~ *hand***〕 (사람 · 국가 따위를) 엄하게 관리〔지배〕하다.

—*a*. Ⓐ **1 철의**, 철제의: an ~ hat 철모/an ~ bar 철봉/an ~ ore 철광. **2** (철같이) **굳은**, 강한: an ~ will 철석 같은 마음. **3** 냉혹〔무정〕한.

—*vt*. 1 《~+목/+목+목/+목+전+명》 …에 **다림질하다**; 다림질하여 (주름)을 없애다《***from, out of*** (옷 따위)에서》: Won't you ~ me this suit? =Won't you ~ this suit *for* me? 이 옷을 다려 주지 않을래/He *~ed* the wrinkles *from* 〔*out of*〕 his trousers. 그는 다림질하여 바지의 주름을 폈다. **2** …에 차꼬를〔수갑을〕 채우다. **3** …에 철(판)을 붙이다〔대다, 씌우다, 입히다〕, 장갑하다. **—*vi*.** 다림질하다; 〔양태부사와 함께〕 (천 따위가) 다림질되다: This shirt *~s* easily. 이 셔츠는 다림질하기 쉽다.

~ *out* 《*vt*.+부》 ① 다림질하다; (주름)을 펴다: ~ *out* the wrinkles 〔creases〕 in a skirt 다림질하여 스커트의 주름을 펴다. ② (도로 따위)를 롤러로 고르다. ③ (곤란 · 문제 따위)를 해소하다, 조정하다; (일)을 원활하게 하다; (장애)를 제거하다: The plan has a few problems that need to be *~ed out*. 그 계획에는 몇 가지 해결해야 할 문제가 있다.

Íron Àge 1 (the ~) 〖고고학〗 철기 시대《Stone Age, Bronze Age에 이어지는 시대》. **2** (때때로 the i- a-) 〖그리스 · 로마신화〗 흑철(黑鐵) 시대《golden age, silver age, bronze age에 이어지는 세계의 최후이자 최악의 타락된 시대》; 〔일반적〕 말세.

íron-bóund *a*. **1** 쇠를 댄〔붙인〕. **2** 단단한, 굽힐 수 없는. **3** (해안 등이) 바위가 많은.

íron·clád *a*. **1** 철판을 입힌〔댄〕, 장갑의. **2** (규약 · 약속 등이) 깨뜨릴 수 없는, 엄격한. **—** [⌐⌐] *n*. Ⓒ (19세기 후반의) 철갑함(鐵甲艦): a fleet of *~s* 장갑 함대.

íron cúrtain (the ~, 때로는 the I- C-) 철의 장막: behind the ~ 철의 장막 뒤에서.

íron-gráy *n*. Ⓤ, *a*. 철회색(의)《약간 녹색을 띤 광택 있는 회색》.

°iron·ic, iron·i·cal [airánik/-rɔ́n-], [-əl] *a*. 반어의, 비꼬는, 풍자적인.

irón·i·cal·ly *ad*. **1** 빈정대어; 반어적(反語的)으로. **2** 〔문장 전체를 수식하여〕 얄궂게도: *Ironically* (enough), the murderer was killed with his own gun. 얄궂게도 살인자는 자신의 총으로 죽음을 당했다.

íron·ing *n*. **1** Ⓤ 다림질: do the ~ 다림질하다. **2** 〔집합적〕 다림질하는〔한〕 옷〔천〕.

íroning bòard 〔**tàble**〕 다림질판〔대〕.

íron lúng 철의 폐《소아마비 환자 등에 쓰이는 철제 호흡 보조기》.

íron mòld (천 따위에 묻은) 쇠녹 또는 잉크의 얼룩.

íron·mònger *n*. Ⓒ 《英》 철물상.

iron·mon·gery [áiərnmʌ̀ŋgəri] *n*. 《英》 **1** Ⓤ 〔집합적〕 철기류, 철물. **2** Ⓒ 철물상〔점〕.

íron-òn *a*. 아이론으로 붙여지는: ~ T-shirt transfer 아이론으로 프린트하는 T셔츠용 전사 도안.

íron óxide 〖화학〗 산화철.

íron ràtions 〖군사〗 비상 휴대 식량.

íron·sìdes *n*. *pl*. 〔보통 단수취급〕 용맹무쌍한 사람.

íron·stòne *n*. Ⓤ 철광석, 철광.

íron·wàre *n*. Ⓤ 〔집합적〕 철기, 철물.

íron·wòod *n*. **1** Ⓤ 경질목재(硬質木材). **2** Ⓒ 그 수목.

íron·wòrk *n*. **1** Ⓤ (구조물의) 철제 부분; 철제품; 철세공〔공작〕. **2** (*pl*.) 〔단 · 복수취급〕 철공소, 제철소. 파 **~·er** *n*. Ⓒ 제철 직공; 철골(鐵骨) 조립 직공.

***iro·ny**[1] [áirəni] *n*. **1 a** Ⓤ **풍자, 비꼬기**, 빈정댐, 빗댐. **b** Ⓒ 비꼬는 말, 빈정거리는 언동: a bitter ~ 신랄한 풍자.

SYN. **irony** 자기 생각과는 반대되는 것을 말함. **sarcasm** 상대에 대한 모욕을 반대되는 표현으로 말하는 일. **satire** 사회의 악덕 따위를 공격하고 비꼼.

2 Ⓤ 반어(反語); 〖수사학〗 반어법《사실과 반대되는 말을 쓰는 표현법; 예컨대 '아주 지독한 날씨다'란 뜻으로 "This is a nice, pleasant sort of weather."》. **3** Ⓒ (운명 등의) 얄궂은 결과: by a curious ~ of fate 기이한〔얄궂은〕 운명의 장난으로.

irony[2] [áiərni] *a*. 철의, 쇠 같은; 철을 함유하는.

Ir·o·quoi·an [ìrəkwɔ́iən] *a*. 이러쿼이 족(族)의; 이러쿼이 말의. **—*n*.** Ⓤ 이러쿼이 어족; Ⓒ 이러쿼이족의 사람.

Ir·o·quois [írəkwɔ̀i] (*pl*. ~ [-z]) *n*. **1** (the ~) 이러쿼이족《북아메리카 원주민; 여러 종족으로 나뉨》; Ⓒ 이뤄쿼이족의 사람. **2** Ⓤ 이뤄쿼이어(語).

ir·ra·di·ance, -an·cy [iréidiəns], [-i] *n*. Ⓤ 발광(發光); 지적 광명을 주는 것; 〖물리〗 (방사선의) 조사(照射).

ir·ra·di·ate [iréidièit] *vt*. **1** 비추다; 빛나게 하다. **2** (문제 · 정신)을 밝히다, 계발하다. **3** (미소로 얼굴 따위)를 밝게 하다, 생기가 나게 하다《★ 흔히 수동태로 쓰며, 전치사는 *with, by*》: a face *~d by* 〔*with*〕 a smile 미소로 빛난 얼굴. **4** …을 방사선으로 치료하다; …에 방사선을 조사(照射)하다.

ir·rà·di·á·tion *n*. Ⓤ **1** 발광, 광휘; (열선) 방사, 방열. **2** (방사선 따위의) 조사, 투사(投射); 방사선 치료(법). **3** 계발, 계몽.

***ir·ra·tion·al** [irǽʃənəl] *a*. **1 불합리한**, 도리에 어긋난; 이성〔분별〕이 없는. **2** 〖수학〗 무리(수)의, 부진(不盡)의. ⇔ *rational*. **—*n*.** Ⓒ 〖수학〗 무리수. 파 **~·ly** *ad*. **~·i·ty** *n*. **1** Ⓤ 이성이 없는 것; 불합리, 부조리. **2** Ⓒ 불합리한 생각〔언동〕.

ir·re·claim·a·ble [ìrikléiməbəl] *a*. **1** 돌이킬 수 없는; 교정〔회복〕할 수 없는. **2** 개간〔간척〕할 수 없는. 파 **-bly** *ad*.

ir·rec·on·cil·a·ble [irékənsàiləbəl] *a*. **1** 화해〔타협〕할 수 없는. **2** (사상 · 의견 등이) 조화되지 않는; 대립〔모순〕된《***with*** …와》: ~ opinions 상반된 의견/The theory is ~ *with* the facts. 그 이론은 사실과 일치하지 않는다. **—*n*.** Ⓒ 화해〔협조〕할 수 없는 사람; (*pl*.) 서로 용납될 수 없는 생각〔신념〕. 파 **-bly** *ad*. **ir·rèc·on·cìl·a·bíl·i·ty** *n*.

ir·re·cov·er·a·ble [ìrikʌ́vərəbəl] *a*. **1** (손해 따위가) 돌이킬 수 없는; (빚 따위가) 회수할 수 없는. **2** (병이) 회복할 수 없는, 불치의. 파 **-bly** *ad*.

ir·re·deem·a·ble [ìridíːməbəl] *a*. **1** 되살 수

없는; (국채 따위가) 상환되지 않는; (지폐 따위가) 태환(兌換)할 수 없는. **2** (사람이) 구제할 수 없는, 교정할 수 없는; (병 따위가) 회복할 수 없는, 불치의. ㊐ **-bly** *ad.*

ir·re·duc·i·ble [ìridjú:səbəl] *a.* **1** (일정 한도 이상으로는) 단순화〔축소〕할 수 없는; 돌릴〔바꿀〕 수 없는《**to** (어떤 형식 · 상태 따위)로》. **2** 덜〔삭감할〕 수 없는. **3** 〖수학〗 약분할 수 없는, 기약(旣約)의: the ~ minimum 최소한 / ~ polynomial 기약 다항식. ㊐ **-bly** *ad.*

ir·ref·u·ta·ble [iréfjutəbəl, ìrifjú:t-] *a.* 반박〔논파〕할 수 없는. ㊐ **-bly** *ad.*

‡**ir·reg·u·lar** [irégjələr] *a.* **1 불규칙한**, 변칙의; 비정상의; 부정기의: at ~ intervals 불규칙한 간격을 두고 / an ~ liner 부정기선.

SYN. **irregular** 불규칙한. '고르지 않음 · 층이 짐 · 일정하지 않음'을 나타내며 보통 비난의 뜻은 포함되지 않음: *irregular* breathing 불규칙적인 호흡. an *irregular* pattern 고르지 못한 무늬. **abnormal** 정상적이 아닌, 이상(異常)인. 비난의 뜻이 포함될 경우가 있음: *abnormal* lack of emotion 감정의 비정상적인 결여. **exceptional** 예외적인. 비난의 뜻은 없고 도리어 칭찬의 뜻이 포함될 경우가 있음: a man of *exceptional* talent 드물게 보는 재사(才士). 또 abnormal에 함축된 멸시감을 피하기 위해 쓸 경우도 있음: a school for *exceptional*(= abnormal) children 정신박약아 학교.

2 (행위 등이) 규칙〔규범〕을 따르지 않은, 칠칠치 못한, 흐트러진: ~ conduct 단정치 못한 품행 / lead an ~ life 칠칠치 못한 생활을 하다. **3** (절차 등이) 반칙의, 불법의; (법률상) 무효의; 《英》 (결혼 따위가) 은밀한, 비밀의: ~ procedure 불법적인 절차 / an ~ marriage 비밀 결혼. **4** (형태 · 배치 등이) 층이 지는, 고르지 않은; 울퉁불퉁한: an ~ group of trees 가지런하지 못한 나무숲 / ~ teeth 가지런하지 못한 치열 / an ~ road 울퉁불퉁한 길. **5** 〖군사〗 정규가 아닌: ~ troops 비정규군. **6** 〖문법〗 불규칙변화의: ~ verbs 불규칙동사. ⇔ *regular*.

—*n.* Ⓒ **1** (보통 *pl.*) 〖군사〗 비정규병. **2** (보통 *pl.*) 규격에 맞지 않는 상품, 흠 있는 물건. **3** 불규칙한 것. ㊐ **~·ly** *ad.* 불규칙하게; 부정기로.

◇**ir·reg·u·lar·i·ty** [irègjəlǽrəti] *n.* **1** Ⓤ 불규칙(성), 변칙. **2** Ⓤ 요철(凹凸); 가지런하지 않음. **3** Ⓒ 불규칙한 일〔것〕; 반칙, 불법. **4** (*pl.*) 불법〔부정〕 행위〔사건〕; 단정치 못한 품행. **5** (*pl.*) (길의) 울퉁불퉁함. **6** Ⓤ 《美》 변비.

ir·rel·e·vance, -van·cy [iréləvəns], [-si] *n.* **1** Ⓤ 부적절; 무관계. **2** Ⓒ 잘못 짚은 비평〔말〕, 빗나간 질문《따위》.

ir·rel·e·vant [iréləvənt] *a.* **1** 부적절한, 잘못 짚은, 당치 않은《**to** …에》; 무관한《**to** …와》: an ~ argument 의제에서 빗나간 논의 / His remarks are ~ *to* the subject under discussion. 그의 발언은 논의 중의 문제와 관계가 없다. **2** 중요하지 않은, 무의미한. ㊐ **~·ly** *ad.*

ir·re·li·gious [ìrilídʒəs] *a.* 무종교의; 반(反)종교적인; 신앙심이 없는, 경건하지 못한. ㊐ **~·ly** *ad.* **~·ness** *n.*

ir·re·me·di·a·ble [ìrimí:diəbəl] *a.* (병이) 불치의; 고칠 수 없는《악폐 따위》; 돌이킬 수 없는《실책 따위》. ㊐ **-bly** *ad.*

ir·re·mov·a·ble [ìrimú:vəbəl] *a.* **1** (물건 따위가) 옮길 수 없는; 움직일 수 없는; 제거할 수 없는. **2** 면직시킬 수 없는, 종신직의. ㊐ **-bly** *ad.* **-mòv·a·bíl·i·ty** *n.*

ir·rep·a·ra·ble [irépərəbəl] *a.* 고칠〔만회할, 돌이킬〕 수 없는; 불치의: ~ damage 돌이킬 수 없는 손해. ㊐ **-bly** *ad.*

ir·re·place·a·ble [ìripléisəbəl] *a.* (사람 · 물건이) 바꿔 놓을〔대체할〕 수 없는; 둘도 없는. ㊐ **-bly** *ad.*

ir·re·press·i·ble [ìriprésəbəl] *a.* (감정 따위가) 억누를〔억제할〕 수 없는. ㊐ **-bly** *ad.* **ìr·re·prèss·i·bíl·i·ty** *n.*

ir·re·proach·a·ble [ìripróutʃəbəl] *a.* (사람 · 행위가) 비난할 수 없는, 결점이 없는, 탓할〔흠잡을〕 데 없는(blameless). ㊐ **ìr·re·pròach·a·bíl·i·ty** *n.* **-bly** *ad.*

***ir·re·sist·i·ble** [ìrizístəbəl] *a.* **1** (힘 따위가) **저항할 수 없는**; 압도적인: an ~ force 불가항력. **2** (감정 따위가) 억누를 수 없는, 금할 수 없는: an ~ urge 억누를 수 없는 충동. **3** 매혹적인; 사랑스러운: (an) ~ charm 뇌쇄적인 매력. **4** (논점 · 의견 등이) 나무랄 데 없는, 흠잡을 곳 없는. ㊐ **-bly** *ad.*

ir·res·o·lute [irézəlù:t] *a.* 결단력이 없는, 우유부단한, 망설이는. ㊐ **~·ly** *ad.*

ir·res·o·lu·tion [irèzəlú:ʃən] *n.* Ⓤ 결단성 없음, 우유부단; 무정견(無定見).

ir·re·spec·tive [ìrispéktiv] *a.* 《다음 관용구로》 ~ **of** 《전치사적》 관계없이, 상관〔고려〕하지 않고: ~ *of* age 〔sex〕 연령〔성별〕에 관계없이 / ~ *of* whether you like it or not 당신이 좋아하든 싫어하든 상관없이 / It must be done, ~ *of* cost. 비용에 관계없이 그 일은 하지 않으면 안 된다.

***ir·re·spon·si·ble** [ìrispánsəbəl/-spɔ́n-] *a.* **책임이 없는**, 무책임한; 책임 능력이 없는《미성년자 따위》《**for** …에 대하여 / **to** do》: an ~ father 무책임한 아버지 / The mentally ill are ~ *for* their actions. 정신 병자는 행동에 대한 책임이 없다 / It was ~ *of* you not *to* lock the door. = You were ~ not *to* lock the door. 문을 잠그지 않다니 네가 무책임했다. —*n.* Ⓒ 책임(감)이 없는 사람. ㊐ **-bly** *ad.* **ìr·re·spòn·si·bíl·i·ty** *n.* Ⓤ 무책임.

ir·re·triev·a·ble [ìritrí:vəbəl] *a.* 돌이킬 수 없는, 회복〔만회〕할 수 없는: an ~ loss 돌이킬 수 없는 손실. ㊐ **-bly** *ad.*

ir·rev·er·ence [irévərəns] *n.* Ⓤ 불경; 비례(非禮); Ⓒ 불경〔불손〕한 언행.

ir·rev·er·ent [irévərənt] *a.* 불경한, 불손한; 비례(非禮)의. ㊐ **~·ly** *ad.*

ir·re·vers·i·ble [ìrivə́:rsəbəl] *a.* **1** 거꾸로 할 수 없는, 뒤집을 수 없는, 역행〔역전〕할 수 없는: an ~ change 역행할 수 없는 변화. **2** (결의 등이) 철회〔취소, 변경〕할 수 없는, 파기할 수 없는. ㊐ **-i·bly** *ad.*

ir·rev·o·ca·ble [irévəkəbəl] *a.* 돌이킬 수 없는; 취소〔변경, 폐지〕할 수 없는, 결정적인: an ~ loss 돌이킬 수 없는 손실. ㊐ **-bly** *ad.*

ir·ri·ga·ble [írigəbəl] *a.* (토지가) 물을 댈 수 있는, 관개할 수 있는.

ir·ri·gate [írəgèit] *vt.* **1** (토지)에 물을 대다; 관개하다(water). **2** 〖의학〗 (상처 등)을 관주(灌注)〔세척〕하다. —*vi.* 관개하다; 〖의학〗 세척하다. ◇ irrigation *n.*

ìr·ri·gá·tion *n.* Ⓤ **1** 물을 댐; 관개: an ~ canal 〔ditch〕 용수로. **2** 〖의학〗 (상처 등을) 씻음, 관주(灌注)(법). ◇ irrigate *v.*

ìr·ri·ta·bíl·i·ty *n.* Ⓤ 성미가 급함, 성마름; 초조함; 〖생리〗 자극 감〔반〕응성, 과민성.

◇**ir·ri·ta·ble** [írətəbəl] *a.* **1** 성미가 급한, 성마른(touchy); 애를 태우는(fretful): an ~ disposition 격하기 쉬운 기질/an ~ teacher 성을 잘 내는 선생/feel ~ 짜증스럽다. **2** (몸 · 기관 등이) 자극에 민감한, 신경과민의, 흥분하기 쉬운. ⊕ **-bly** *ad.*

ir·ri·tant [írətənt] *a.* Ⓐ 자극하는, 자극성의. —*n.* Ⓒ 자극물〔제〕.

***ir·ri·tate** [írətèit] *vt.* **1 초조하게 하다, 노하게 하다,** 안달나게 하다, 짜증나게 하다, 속타게 하다 《★ 흔히 수동태로 쓰며, 전치사는 *with, against, at, by*》: His foolish questions ~*d* the teacher. 그의 바보 같은 질문이 선생님을 짜증나게 했다/The mother *was* ~*d with* 〔*against*〕 her son. 어머니는 아들에 대하여 화가 치밀었다/He *was* ~*d by* my carelessness. 그는 내 부주의에 짜증이 났다.

SYN. **irritate** 화나게 하다, 초조하게 하다. 가벼운 단기간의 성냄. **exasperate** 자제심으로 억제할 수 없을 정도까지 irritate 함. 울화통이 터지게 하다. **infuriate** exasperate 와 비슷하나 성난 기분보다는 성낸 모양의 격렬한 데에 초점이 있음. 불같이 성나게 하다, 발끈하게 하다. **provoke** 도발적인 언동 · 자극 따위로 성나게 하다.

2 (기관)을 자극하다, …에 염증을 일으키게 하다.

ír·ri·tàt·ed [-id] *a.* 자극된, 염증을 일으킨, 따끔따끔한.

ír·ri·tàt·ing *a.* **1** 초조하게 하는, 약 올리는, 화나게 하는. **2** 귀찮은(vexing). **3** 자극하는, (피부 따위에) 염증을 일으키게 하는. ⊕ **~·ly** *ad.*

◇**ìr·ri·tá·tion** *n.* **1** Ⓤ 속타게〔성나게〕 함; 안달, 초조, 노여움: feel a rising ~ 점점 초조해지다. **2** Ⓤ 〖생물 · 의학〗 자극 (상태); 흥분, 염증. **3** Ⓒ 초조하게 하는 것, 자극물.

ir·ri·ta·tive [írətèitiv] *a.* 자극하는, 자극성의.

ir·rupt [irʌ́pt] *vi.* **1** 침입〔돌입〕하다《*into* …에》. **2** (집단으로) 난폭한 행동을 하다. **3** 〖생태〗 (개체수가) 급증하다, 대량 발생하다.

ir·rup·tion [irʌ́pʃən] *n.* Ⓤ (구체적으로는 Ⓒ) 돌입; 침입, 난입《*into* …에의》.

IRS, I.R.S. 《美》 Internal Revenue Service.

Ir·ving [ə́:rviŋ] *n.* 어빙. **1** 남자 이름. **2 Washington** ~《미국의 수필가 · 단편 작가; 1783–1859》.

Ir·win [ə́:rwin] *n.* 어윈《남자 이름》.

†**is** [iz, 약 (유성음의 다음) z, (무성음의 다음) s] BE의 3 인칭 · 단수 · 직설법 · 현재형.

Is. Isaiah; Island; Isle. **Isa.** 〖성서〗 Isaiah.

Isaac [áizək] *n.* **1** 아이작《남자 이름》. **2** 〖성서〗 이삭《Abraham 의 아들; Jacob 과 Esau 의 부친; 창세기 XVII: 19》.

Is·a·bel·la [ìzəbélə] *n.* 이사벨라《여자 이름; Elizabeth 의 이형; 애칭 Bell》.

Is·a·bel(le) [ízəbèl] *n.* 이사벨《여자 이름》.

Isai·ah [aizéiə/-záiə] *n.* 〖성서〗 이사야《헤브라이의 대(大)예언자; 기원전 720 년경의 사람》; 이사야서(書)《구약의 한 편》.

ISAM 〖컴퓨터〗 Indexed Sequential Access Method (색인 순차 접근 방식).

-isa·tion [-izéiʃən] *suf.* 《英》 = -IZATION.

ISBN International Standard Book Number.

Is·car·i·ot [iskǽriət] *n.* **1** 〖성서〗 이스가리옷《Judas의 성(姓)》. **2** 〘일반적〙 배반자.

ISDN 〖컴퓨터〗 Integrated Service Digital Network《음성 · 화상 · 데이터 등의 통신 서비스를 종합적으로 제공하는 디지털 통신망(의 규칙)》.

-ise [aiz] *suf.* **1** '상태, 성질' 따위를 나타내는 명사를 만듦: exerc*ise*. **2** 《英》 = -IZE.

-ish [iʃ] *suf.* **1** '…같은, …다운, …의, …의 기미를 띤, …스름한, …비슷한, 다소 …의' 의 뜻의 형용사를 만듦: brown*ish*, child*ish*, Turk*ish*. **2** 《구어》 수사(數詞)에 붙여서 '대략, …쯤, …경' 의 뜻: thirty*ish*. **3** 동사를 만듦: abol*ish*, aston*ish*, bland*ish*.

Ish·ma·el [íʃmiəl, -meiəl] *n.* **1** 〖성서〗 이스마엘《Abraham의 아들; 창세기 XVI: 11》. **2** Ⓒ 추방인, 뜨내기, 떠돌이; 사회의 적(outcast).

Ish·ma·el·ite [íʃmiəlàit, -meiəl-] *n.* Ⓒ **1** 〖성서〗 이스마엘의 자손. **2** 사회에서 버림받은 자, 세상에서 미움받는 자.

isin·glass [áiziŋglæ̀s, -glɑ̀:s] *n.* Ⓤ 부레풀, 젤라틴; 〖광물〗 운모(雲母)(mica).

Isis [áisis] *n.* 〖이집트신화〗 이시스《농사와 수태를 관장하는 풍요의 여신》.

isl. (*pl.* ***isls.***) (종종 Isl.) island; isle.

***Is·lam** [íslɑ:m, íz-, -læm] *n.* Ⓤ **1 이슬람〔마호메트〕교,** 회교. **2** 〘집합적〙 회교도; 회교국〔세계〕.

Is·la·ma·bad [islɑ́:məbɑ̀:d] *n.* 이슬라마바드《파키스탄의 수도》.

Is·lam·ic, Is·lam·it·ic [islǽmik, -lɑ́:mik, iz-], [ìsləmítik, ìz-] *a.* 이슬람〔마호메트〕교의, 회교의; 회교도의.

Is·lam·ism [ísləmìzəm, íz-] *n.* Ⓤ 이슬람교, 회교(Mohammedanism); 이슬람 문화. ⊕ **-ist** *n.* Ⓒ 이슬람 교도.

Is·lam·ite [ísləmàit, íz-] *n.* Ⓒ 회교도(Muslim).

†**is·land** [áilənd] *n.* Ⓒ **1** 섬《생략: Is.》: an uninhabited ~ 무인도/an ~ country 섬나라/live on 〔in〕 an ~ 섬에서 살다. **2** 섬 비슷한〔고립된〕 것〔장소, 집단〕; 《특히》 고립된 언덕. **3** (도로상의) 안전 지대 (safety ~).

—*vt.* **1** 섬으로〔같이〕 만들다. **2** …을 섬에 두다; …에 섬을 점재(點在)시키다; 섬같이 군데군데 두다《★ 흔히 수동태로 쓰며, 전치사는 *with*》: The sea *was* ~*ed with* the shadows of clouds. 바다에는 구름 그림자가 군데군데 떠 있었다. **3** 고립시키다, 격리하다.

⊕ **~·er** *n.* Ⓒ 섬 사람.

◇**isle** [ail] *n.* Ⓒ **1** 《시어》 섬, 작은 섬. **2** (I–) …섬《고유명사로서》: the *Isle* of Man 맨 섬/the British *Isles* 영국 제도/the *Isle* of Wight ⇨ WIGHT.

is·let [áilit] *n.* Ⓒ 아주 작은 섬; 작은 섬 비슷한 것, 동떨어진 장소.

isls Islands.

ism [izəm] *n.* Ⓒ 《구어》 주의, 학설, 이즘(doctrine).

-ism [izəm] *suf.* **1** '…의 행위 · 상태 · 작용' 의 뜻: hero*ism*, barbar*ism*. **2** '…주의, 설(說), …교(敎), …제(制), …풍' 의 뜻: social*ism*, Darwin*ism*, modern*ism*. **3** '…중독' 의 뜻: alcohol*ism*. **4** (언어 · 습관 등의) '특성, 특징' 의 뜻: American*ism*.

†**isn't** [íznt] is not 의 간약형.

ISO International Standardization Organization (국제 표준화 기구).

iso- [àisou, -sə] '같은, 유사한' 의 뜻의 결합사: *iso*tope.

iso·bar [áisəbɑ̀:r] *n.* [C] 〖기상〗 등압선; 〖물리·화학〗 동중원소(同重元素); 동중핵(核); 등압식.

*__iso·late__ [áisəlèit, ísə-] *vt.* **1** 《~+[목]/+[목]+[전]+[명]》 **고립시키다, 분리〔격리〕하다**《*from* …에서》: The people with cholera were ~*d* immediately. 콜레라에 감염된 사람들은 곧 격리되었다 / a community that had been ~*d from* civilization 문명으로부터 고립된 사회. **2** 〖화학〗 단리(單離)시키다; 〖전기〗 절연하다(insulate); (세균 따위)를 분리시키다. ◇ isolation *n.*

í̇so·làt·ed [-id] *a.* **1** 고립한; 격리된: an ~ house 외딴집 / feel ~ 고독감을 느끼다 / an ~ patient 격리 환자. **2** 〖전기〗 절연한; 〖화학〗 단리(單離)한.

◇**ìso·lá·tion** *n.* [U] **1** 고립(화), 고독; 격리, 분리: keep ... in ~ …을 분리〔격리〕시켜 두다. **2** 〖화학〗 단리(單離); 〖전기〗 절연. [파] **~·ism** *n.* [U] 고립주의, 쇄국주의. **~·ist** *n.* [C] 고립주의자.

isolátion hòspital 격리 병원.

isolátion wàrd 격리 병동.

iso·mer [áisəmər] *n.* [C] 〖화학〗 이성질체(異性質體). [파] **iso·mer·ic** [aisəmérik] *a.*

iso·met·ric, -ri·cal [àisəmétrik], [-əl] *a.* 크기〔길이, 면적, 체적, 각, 둘레〕가 같은, 등척성(等尺性)의.

isos·ce·les [aisɑ́səlì:z/-sɔ́s-] *a.* 〖수학〗 2등변의: an ~ triangle 이등변 삼각형.

iso·therm [áisəθə̀:rm] *n.* [C] 〖기상〗 등온선; 〖물리·화학〗 등온(곡)선《일정 온도에서의 압력과 체적의 관계를 나타냄》.

iso·ther·mal [àisəθə́:rməl] *a., n.* [C] 등온의; 등온선(의).

iso·tope [áisətòup] *n.* [C] 〖물리·화학〗 아이소토프, 동위 원소; 핵종(核種)(nuclide): a radioactive ~ 방사성 동위 원소 / ~ theraphy 아이소토프 요법.

iso·tron [áisətrɑ̀n/-trɔ̀n] *n.* [C] 〖물리〗 아이소트론《동위 원소 전자(電磁) 분리기의 일종》: an ~ separator 동위 원소 분리기.

iso·trop·ic [àisətrɑ́pik/-trɔ́p-] *a.* 〖물리〗 등방성(等方性)의, 균등성의.

◇**Is·ra·el** [ízriəl, -reiəl] *n.* **1** 이스라엘 공화국《1948년에 창건된 유대인의 나라; 수도 Jerusalem》. **2** 〖성서〗 이스라엘《Jacob의 별명; 창세기 XXXII: 28》. **3** 〖집합적; 복수취급〗 이스라엘의 자손, 이스라엘 사람, 유대인(Jew); 신의 선민, 기독교도. **4** 이스라엘 왕국《B.C. 10–8세기경 Palestine의 북부에 있었음》.

Is·rae·li [izréili] *a.* (현대의) 이스라엘(사람)의. **—**(*pl.* ~(**s**)) *n.* [C] (현대의) 이스라엘 사람.

Is·ra·el·ite [ízriəlàit, -reiə-] *n.* [C] 이스라엘〔야곱〕의 자손, 유대인(Jew); 신의 선민. **—***a.* (고대) 이스라엘의, 유대인의.

is·su·a·ble [íʃu:əbəl] *a.* **1** 발행〔발포(發布)〕할 수 있는; 발행이 인가된《통화·채권 등》. **2** 〖법률〗 (소송 등의) 쟁점이 될 수 있는.

is·su·ance [íʃu:əns] *n.* [U] 발행, 발포(發布); 발급, 급여. ◇ issue *v.*

‡**is·sue** [íʃu:/ísju:] *vt.* **1** 《~+[목]/+[목]+[전]+[명]》 (명령·법률 따위)를 **내다**, 발하다, 발포하다《*to* …에》: ~ an order *to* soldiers 병사에게 명령을 내리다. **2** 《~+[목]/+[목]+[전]+[명]》 (지폐·책·면허증 따위)를 **발행하다**《*to* …에》, 출판하다; 〖상업〗 (어음)을 발행하다: ~ stamps 우표를 발행하다 / ~ a magazine 잡지를 출판하다 / Cheap round trip tickets are ~*d to* all South Coast resorts. 남해안 모든 관광지에는 할인 왕복표가 발행되고 있다. **3** 《+[목]+[전]+[명]》 지급하다, 급여하다《*to* …에게; *with* (식량·의복 따위)를》: They ~*d* an extra blanket *to* each soldier. = They ~*d* each soldier *with* an extra blanket. 각 병사에게 여분의 모포를 한 장씩 지급했다. **4** (피)를 흘리다; (연기)를 내다: ~ smoke 연기를 내다.
—*vi.* **1** 《+[전]+[명]/+[부]》 **나오다**, 발하다, 유출하다, 분출하다(*forth; out*)《*from* …에서》: No words ~*d from* his lips. 그의 입에선 아무 말도 나오지 않았다 / Smoke ~*d* (*forth*) *from* the volcano. 화산에서 연기가 뿜어나왔다. **2** 《+[전]+[명]》 **유래하다, 생기다**, 일어나다; 〖주로 법률〗 태어나다《*from* …에서》: Problems ~*d from* the overuse of antibiotics. 항생제의 남용에서 문제들이 발생했다 / a reaction which ~*s from* the stimulus 자극으로부터 일어나는 반응 / ~ *from* a good family 좋은 가문의 태생이다.
—*n.* **1** [U] (또는 an ~) 나옴, 유출; [C] 유출〔배출〕물: an ~ *of* blood from the wound 상처로부터의 출혈. **2 a** [U] (서적·통화·수표 등의) **발행**; (명령·포고 등의) 발포; (면허증 등의) 교부: the ~ *of* commemorative stamps 기념우표의 발행. **b** [C] 발행물; 발행 부수; (신문·잡지 등의) …판(版); …호: the second ~ 제2판 / the May ~ *of* a magazine 잡지의 5월호. **3** [C] 출구; 배출구; 강어귀. **4** [C] **논쟁**, 중요한 점; 논쟁〔계쟁〕점; 문제(점): the real ~ in the strike 파업의 진정한 쟁점 / raise an ~ 문제를 제기하다, 논쟁을 일으키다 / The real ~ is how to call in the best brains. 참으로 중요한 점은 가장 우수한 인재를 어떻게 불러모으느냐는 것이다. [SYN.] ⇨ QUESTION. **5** [C] (보통 *sing.*) **결과**, 결말; 결과로서 생기는 것, 소산: the ~ *of* an argument 논의의 결과. [SYN.] ⇨ RESULT. **6** [U] 〖집합적〗 〖법률〗 자녀, 자손: have no ~ 자식이 없다 / die without ~ 후사(後嗣) 없이 죽다. **7** [C] (보통 *sing.*) 공급〔배급〕(물); 〖군사〗 지급(품): a daily ~ *of* bread and milk *to* schoolchildren 학교 아동들에게의 매일 빵과 우유 배급.
at **~** ① 논쟁〔계쟁〕중인〔의〕, 미해결의(=***in*** **~**): the point *at* ~ 쟁점, 문제점. ② 의견이 엇갈리어, 다투어《*with* …와》: They are *at* ~ *with* each other. 서로 의견이 맞지 않는다. ***take*** 〔***join***〕 **~** 논쟁하다, (의견이) 대립하다《*with* (아무)와》: I must *take* ~ *with* you *on* that point. 그 점에 관하여 당신에게 이의를 제기하지 않을 수 없다.

> [DIAL.] ***What's the big issue?*** 그게 뭐라는 거야, 별거 아니잖아.
> ***What's the issue?*** 뭐가 문제야《문제될 것 없지 않은가》.

[파] **ís·su·er** [-ər] *n.* [C] 발행인.

-ist [ist] *suf.* '…하는 사람, …주의자, …을 신봉하는 사람, …가(家)' 의 뜻의 명사를 만듦: ideal*ist*, novel*ist*, special*ist*. ★ -ism과 달라 영미 모두 악센트가 없음.

Is·tan·bul [ìstænbú:l, -tɑ:n-] *n.* 이스탄불《터키의 옛 수도; 구명 Constantinople》.

isth·mi·an [ísmiən] *a.* 지협의; (I–) 그리스 Corinth 지협의; (I–) Panama 지협의.

isth·mus [ísməs] (*pl.* **~·es, -mi** [-mai]) *n.*

Ⓒ **1** 지협. **2** 〖해부·식물·동물〗 협부(峽部).

ISV International Scientific Vocabulary (국제 과학 용어).

†**it**[1] [it] (소유격 ***its*** [its], 목적격 ***it***; *pl.* 주격 ***they,*** 소유격 ***their,*** 목적격 ***them;*** it is, it has 의 간약형 ***it's*** [its]; 복합 인칭대명사 ***itself***) *pron.* **1** 〖3인칭 단수 중성의 주격〗 **그것은〔이〕** 《일반적으로 앞서 말한 사물을 가리킴. 또 유아·동물과 같이 성별의 명시를 필요로 하지 않든가 그것이 불분명한 때의 생물 따위를 지칭함》: What's that book?—*It*'s a dictionary. 그 책은 무엇인가—(그것은) 사전입니다/The dog came wagging *its* 〔his〕 tail. 개가 꼬리를 치면서 왔다. ★ it은 특정한 것을 가리키는 명사 대신으로 쓰고, 아무 것이라도 상관없는 하나의 것을 가리키는 명사 대신으로는 one을 씀.

2 〖3인칭 단수 중성 목적어〗 **a** 〖직접목적어〗 **그것을**: I gave *it* (to) him. 그에게 그것을 주었다 《★I gave him a book. 이 보통 어순이지만, 간접목적어가 대명사일 때에는 I gave him it.로 되지 않고 그 어순이 거꾸로 되는데, 일반적으로는 I gave it to him.이 됨》. **b** 〖간접목적어〗 **그것에**: I gave *it* food. 나는 그것에 먹이를 주었다. **c** 〖전치사의 목적어〗: I gave food to *it*. 나는 그것에 먹이를 주었다.

3 〖비인칭의 it: 단수뿐임〗 《이 때의 it은 우리말로 새기지를 않음》 **a** 〖막연히 날씨·한란·명암을 가리켜〗: *It* is raining. 비가 내리고 있다/*It* looks like snow. 눈이 내릴 것 같다/*It* is getting hot. 점점 더워진다/*It* grew dark. 점차 어두워졌다. **b** 〖시간·시일을 막연히 가리키어〗: What time is *it*?—*It* is half past ten. 지금 몇 시죠—10시 반입니다/*It* was Sunday yesterday. 어제는 일요일이었다/*It* is (now) five years since he died. 그가 죽은 지 (벌써) 다섯 해가 된다/How long does *it* take from here to the post office? 여기서 우체국까지는 (시간이) 얼마나 걸립니까. **c** 〖거리를 막연히 나타내어〗: *It*'s eight miles from here to Seoul. 여기서 서울까지는 8마일이다/*It* is fifteen minutes' walk from here to the station. 여기서 정거장까지 걸어서 15분 거리다. **d** 〖막연히 사정·상황·부정(不定)의 것을 나타내어〗 《상투적인 말에 많음》: *It*'s your turn. 네 차례다/*It* is all over with him. 그는 볼장 다 보았다/*It*'s all finished between us.우리 둘 사이는 완전히 끝장이다/How goes *it* with you today? 오늘은 어떻습니까/Had *it* not been for you, what would I have done. 네가 없었더라면 나는 어떻게 했을까. **e** 〖seem 〔appear, happen, etc.〕 that …의 주어로〗 《that은 생략되기도 함》: *It seems* (*that*) he has failed. 그는 실패한 것 같다/*It happened* (*that*) he was not present. 때마침 그는 출석하지 않았다.

4 〖심중에 있거나 문제가 된 사람·사정·사물·행동 등을 가리켜〗: Go and see who *it* is. 누군지 가 보아라/*It* says in the papers *that* … …(하다)고 신문에 나 있다〔신문에서 말하고 있다〕/*It* says in the Bible *that* … 성경에 …라고 써〔나와〕 있다/*It* says "Keep to the left." '좌측통행' 이라고 써 있다/Who is there?—*It* is I. 누구요—접니다《문 밖에서의 노크·발소리 따위를 들었을 때》. ★ *It* is I.는 구어에서는 *It*'s me. 라고 하는 것이 보통이지만, he, she의 경우는 *It*'s he 〔she〕.이며 him 〔her〕라고는 안 씀. 또 *It*'s the boys. 따위 처럼 *It* is 다음에 복수 명사가 올 때도 있음.

5 《구어》 **a** 〖어떤 동사의 무의미한 형식상의 목적어로서〗 They fought *it* out. 그들은 끝까지 싸웠다/I gave *it* hot. 나는 호되게 몰아세웠다/Let's walk *it*. 걸어 가자/Damn *it* (all)! 빌어먹을/Give *it* (to) him! 놈을 혼내 주어라/go *it* 〖흔히 진행형으로〗 맹렬히 하다; 맹렬한 속도로 달리다/He will lord *it* over us. 그는 몹시 뽐낼 것이다. **b** 〖전치사의 무의미한 형식상의 목적어로서〗: have a hard time of *it* 몹시 혼나다/run for *it* 달아나다/There is no help for *it* but to do so. 그렇게 하는〔할〕 수밖에 없다/Let's make a night of *it*. 하룻밤 술로 지새우자. **c** 〖명사를 임시 동사로 한 뒤에 무의미한 형식상 목적어로서〗: bus 〔cab〕 *it* 버스〔택시〕로 가다/queen *it* 여왕처럼 행동하다/If we miss the bus, we'll have to foot *it*. 버스를 놓치면 걸을 수밖에 없다.

6 〖예비의 it; 형식주어 또는 형식목적어로서 뒤에 오는 단어·구·절을 대표〗 **a** 〖형식주어〗: *It* is wrong *to* tell a lie. 거짓말하는 것은 나쁘다/*It* is no use cry*ing* over spilt milk. 《속담》 엎지른 물《동명사》/*It* is easy *for* the baby *to* walk. 아기가 걷는다는 것은 간단하다/*It* was careless *of* him *to* do that. 그런 짓을 하다니 그 사람은 부주의했다(=He was careless to do that.)/*It*'s a pity (*that*) you can't come. 당신이 오실 수 없는 것은 유감입니다/Does *it* matter *when* we leave here? 우리들이 언제 여기를 떠나는가가 문제입니까/*It* is said *that* he is the richest man in the city. 그는 시에서 제일 가는 갑부라고들 한다(=He is said to be the richest …). **b** 〖형식 목적어〗 I thought *it* wrong *to* tell her. 그녀에게 이야기하는 것은 나쁘다고 나는 생각했다/Let's keep *it* secret *that* they got married. 그들이 결혼한 것은 비밀로 해두자/We must leave *it* to your conscience *to* decide what to choose. 무엇을 택해야 하는가를 정하는 것은 네 양심에 맡기지 않을 수 없다/See to *it that* this letter is handed to her. 이 편지가 그 여자의 손에 들어가게끔 해 주시오.

7 a 〖앞에 나온 말을 가리켜〗: I tried *to get up*, but found *it* impossible. 나는 일어나려고 애썼지만 일어날 수 없었다/*He is an honest man*; I know *it* quite well. 그는 정직한 사람이다. 나는 그것을 잘 알고 있다. **b** 〖뒤에 오는 말을 가리켜〗: *It*'s a nuisance, *this delay*. 짜증스럽군, 이렇게 늦다니/I did not know *it* at the time, but *she saved my son's life*. 그때는 몰랐지만, 그녀가 내 아들의 생명을 구해 주었던 것이다.

8 〖강조구문〗 《It is X that 〔wh-〕 … 의 구문에서 특정 부분 X를 강조; it 다음에 오는 be 동사의 시제는 clause 내의 동사의 시제와 일치하며, clause 안의 동사의 인칭은 바로 앞의 명사·대명사와 일치함》: *It was* he *who* 〔*that*〕 was to blame. 잘못한 것은 그였다/*It was* the vase *which* 〔*that*〕 he broke yesterday. 어제 그가 깨뜨린 것은 꽃병이었다/*It was* Mary (*that*) we saw. 우리가 본 것은 메리였다《종종 that 따위 관계사가 생략됨》/*It was* peace *that* they fought for. 그들이 싸운 것은 평화를 위해서였다/*It was* to Mary *that* George was married. 조지와 결혼한 사람은 메리였다/*It was* because of her illness 〔because she was ill〕 (*that*) we decided to return. 우리가 돌아가기로 정한 것은 그녀가 병이 났기 때문이었다 《because 대신 as, since는 쓸 수가 없음》.

be at it ① 싸움을〔장난 따위를〕 하고 있다: They *are at it* again. 또 하고 있다《부부 싸움 등을》. ② (일 따위에) 열중〔전념〕하다: He *is* hard *at it*. 열심히 하고 있다. ③ 술에 빠지다. ***It is not for*** a person ***to*** do …하는 것은 아무의 소임〔책임〕은 아니다. ***It may be that…*** …일지도 모른다.

> **DIAL.** ***It's you!*** 그것은 너에게 꼭 맞는다《옷 따위》.
> ***That's*** (***about***) ***it!*** ① 이것으로 끝〔마지막〕이다, 더 이상 아무 것도 없다. ② 그래 바로 그거야, 바로 맞았어: *That's it!* That's the correct answer. 그래 바로 그거야, 그게 정답이야.

—*n.* Ⓤ **1** (술래잡기에서) 술래. **2** 《구어》 **a** 이상(理想)(the ideal), 지상(至上), 극치, 바람직한〔필요한〕 수완〔능력〕, 바로 그것: In her new dress she really was *it*. 새 드레스를 입은 그 여자는 정말 멋이 있었다. **b** 중요 인물, 제일인자: Among physicists he is *it*. 물리학자 중에서 그는 제일인자다. ★ 보통 이탤릭으로 쓰고, 읽을 때 특히 강세를 둠. **3** 《구어》 성적 매력(sex appeal); (막연히 성교·성기를 가리켜) 그것: make *it* with …와 그걸 하다〔자다〕; …에게 호감을 주다〔인기가 있다〕.

have it 《구어》 ① 성적 매력이 있다. ② 재능이 있다, 유능하다. ③ 〖have it bad의 형태로〗 홀딱 반하다《***for*** …에》. ***This is it.*** 《구어》 드디어 온다, 올 것이 왔다, 이거다. ***with it*** ① 시대에 뒤지지 않는, 유행에 밝은, 현대적인. ② 이해가 빠른; 빈틈없는, 주의깊은.

it² [it] *n.* Ⓤ 《英구어》 (단맛이 나는) Italian vermouth: gin and *it* 진과 이탈리안 버무스의 칵테일.

IT 〖컴퓨터〗 information technology (정보기술).

It., Ital. Italian; Italy. **ital.** italic(s).

Ital·ian** [itǽljən] *a.* **1 이탈리아의; 이탈리아 사람의. 2** 이탈리아 말〔식〕의. **—n.* **1** Ⓒ **이탈리아 사람. 2** Ⓤ **이탈리아어(語).**

***ital·ic** [itǽlik] *a.* **1** 〖인쇄〗 **이탤릭체의,** 사체(斜體)의. **2** (I–) 옛 이탈리아(인·어)의, 〖언어〗 이탤릭 어파의.

—*n.* **1** (*pl.*) 이탤릭체 글자《어구의 강조·선명(船名)·출판물명·외래어 따위를 표시하는 데에 씀》. ⓒⓕ Roman. ¶in ~*s* 이탤릭체(글자)로. **2** Ⓤ 〖인쇄〗 이탤릭체: print in ~ 이탤릭체로 인쇄하다.

ital·i·cize [itǽləsàiz] *vt.* …을 이탤릭체로 인쇄하다; (이탤릭체를 표시하기 위해) …에 밑줄을 치다. **—***vi.* 이탤릭체를 쓰다.

***It·a·ly** [ítəli] *n.* **이탈리아** (공화국)《수도 Rome》.

ITC International Traders Club; 《美》 International Trade Commission (국제 무역 위원회); Independent Television Commission《영국의 상업 TV 방송을 규제·감독하는 위원회》.

◇**itch** [itʃ] *n.* **1** (an ~) 가려움; (the ~) 옴, 개선(疥癬): I have an ~ on my back. 등이 가렵다. **2** (*sing.*) 참을 수 없는 욕망, 갈망《***for*** …에 대한/***to*** do》: have an ~ *for* a good time 놀고 싶어 좀이 쑤시다/He had an ~ *to* get away for a vacation. 그는 휴가를 떠나고 싶어 견딜 수 없었다.

—*vi.* **1** 가렵다, 근질근질하다: My back ~*es*. 등이 가렵다. **2** 〖보통 진행형〗 하고 싶어서 좀이 쑤시다, 탐이 나서 못 견디다《***for*** …이/***to*** do》: He was ~*ing for* a chance to do it. 그는 그것을 할 기회를 초조히 기다리고 있었다/She was ~*ing to* know the secret. 그녀는 그 비밀을 알고 싶어 안달했다/She's ~*ing for* her boyfriend *to* come. 그녀는 남자 친구가 오기를 초조하게 기다리고 있다. ***have an ~ing palm*** 돈을 몹시 탐내다.

itchy [ítʃi] (***itch·i·er; -i·est***) *a.* **1** 옴이 오른; 가려운. **2** 탐이 나서〔하고 싶어〕 좀이 쑤시는; 안달하고 있는. ***have*** 〔***get***〕 ***~ feet*** 어딘가로 나가고 싶어 좀이 쑤시다. ㊔ **ítch·i·ness** *n.*

‡**it'd** [ítəd] it would, it had의 간약형.

-ite [ait] *suf.* **1** '…의 사람(의), …신봉자(의)'의 뜻: Israel*ite*. **2** '광물, 화석, 폭약, 염류(塩類), 제품' 등의 뜻: ammon*ite*, dynam*ite*, ebon*ite*.

‡**item** [áitəm, -tem] *n.* Ⓒ **1 항목,** 조목, 조항, **품목,** 세목: sixty ~*s* on the list 목록상의 60개 품목/~*s* of business 영업 종목. **2** (신문 따위의) 기사, 한 항목: local ~*s* 지방 기사. **3** 《美속어》 이야기〔소문〕거리.

~ by ~ 항목별로, 한 조목 한 조목씩.

ítem·ìze *vt.* 조목별로 쓰다, 항목별로 나누다, 세목별로 쓰다: an ~*d* account 〔bill〕 명세 계산서.

it·er·ate [ítərèit] *vt.* (몇 번이고) 되풀이하다 (repeat); 되풀이하여 말하다; 〖컴퓨터〗 반복하다. ㊔ **it·er·á·tion** *n.* Ⓤ 되풀이, 반복.

it·er·a·tive [ítərèitiv, -rət-] *a.* 반복의, 되뇌는; 〖문법〗 반복(상)의; 〖컴퓨터〗 (어떤 루프나 일련의 스텝 등을) 반복하는.

itin·er·ant [aitínərənt, itín-] *a.* Ⓐ 순회하는, 순력하는, 편력 중의; 지방 순회의: an ~ library/an ~ peddler 〔trader〕 행상인/an ~ showman 순회 흥행사. **—***n.* Ⓒ **1** 편력자; 순회 설교자〔판사〕. **2** 행상인, 방랑자, 순회 배우《따위》.

itin·er·ary [aitínərèri, itín-/-rəri] *n.* Ⓒ 여행 일정(표); 여행 계획(서); 여행 안내서; 여행(일)기. **—***a.* Ⓐ 여정의; 여행의.

itin·er·ate [aitínərèit, itín-] *vi.* 순회〔순력〕하다; 순회 설교를〔재판을〕 하다.

-i·tis [áitis] *suf.* **1** 〖의학〗 '염(증)'의 뜻: bronch*itis*. **2** '…열(熱), …광(狂)'의 뜻: golf*itis*.

-i·tive [itiv, ət-] *suf.* 형용사, 명사를 만듦: posit*ive*, infinit*ive*.

‡**it'll** [ítl] it will, it shall의 간약형.

ITN 《英》 Independent Television News《ITV 나 다른 민간 방송에 뉴스나 보도 프로를 공급하는 회사》.

†**its** [its] *pron.* 〖it의 소유격〗 **그것의, 그,** 저것의. ⓒⓕ it¹. ¶The child lost ~ way. 그 아이는 길을 잃었다.

‡**it's** [its] it is, it has의 간약형.

‡**it·self** [itsélf] (*pl.* ***them·selves***) *pron.* **1** 〖재귀용법〗 **그 자신을〔에게〕,** 그 자체를〔에〕. ⓒⓕ -self. **a** 〖재귀동사의 목적어〗: A good opportunity presented ~. 호기(好機)가 나타났다. **b** 〖일반 동사의 목적어〗: The hare hid ~. 산토끼는 숨었다. **c** 〖전치사의 목적어〗: The cell is reproductive *of* ~. 세포는 저절로 재생한다.

2 〖강조용법〗 **바로 그것**(마저), …조차: The well ~ was empty. 우물조차 말라 있었다/She's beauty ~. 그녀는 아름다움 그 자체이다《무척 아름답다》.

3 〖be 동사의 보어〗 (동물 따위의) 정상적인〔건강

한] 상태; 평소의 그것: The pussy was soon ~. 고양이는 곧 건강해졌다.
by ~ ① 그것만으로, 단독으로, 따로 떨어져서: The house stands *by* ~ on the hill. 언덕 위에 그 집 한 채만 있다. ② 저절로, 자연히: The machine works *by* ~. 그 기계는 자동적으로 움직인다. ***for*** ~ ① 혼자 힘으로, 단독으로. ② 그 자체를 위하여, 그 자체를: I value honesty *for* ~. 정직 그 자체를 높이 평가한다. ***in*** ~ 그 자체로, 본래는, 본질적으로(는): Advertising in modern times has become a business *in* ~. 현대의 광고는 그 자체로 하나의 사업이 되어 버렸다. ***of*** ~ =by itself (관용구) ②. ***to*** ~ 그 자체에게[의 것으로서]: The magazine got the market all *to* ~. 그 잡지는 시장을 독점했다.

it·ty-bit·ty, it·sy-bit·sy [ítibíti], [ítsibítsi] *a.* Ⓐ 《구어》 조그만, 하찮은; 《경멸적》 곰상스런.

ITU, I.T.U. International Telecommunication Union (국제 전기 통신 연합).

-i·tude [ətjùːd] *suf.* ⇨TUDE.

ITV 《英》 Independent Television《영국 민간 TV 방송망 중의 하나, Channel 3 라고도 함》.

-i·ty [əti] *suf.* '상태, 성질'을 나타내는 추상명사를 만듦: probi*ty*, pari*ty*.

IU(C)D, I.U.(C.)D. intrauterine (contraceptive) device (피임용 자궁내 링).

-i·um [iəm, jəm] *suf.* **1** 라틴어계(系) 명사를 만듦: med*ium*, prem*ium*. **2** 화학 원소명을 만듦: rad*ium*.

⁑**I've** [aiv] I have 의 간약형.

-ive [iv] *suf.* '…의 성질을 지닌, …하기 쉬운'의 뜻의 형용사를 만듦: act*ive*, attract*ive*.

IVF in vitro fertilization (체외 수정).

ivied [áivid] *a.* 담쟁이(ivy)로 덮인.

***ivo·ry** [áivəri] *n.* **1** Ⓤ **상아**, (코끼리·하마 따위의) 엄니. **2** Ⓒ (*pl.*) 상아 제품; 당구알[공]; 《속어》 피아노의 건반; 주사위; 상아 세공품. **3** Ⓤ 상아빛. **4** (*pl.*) 《속어》 이, 치아.
show one***'s ivories*** 《속어》 이빨을 드러내다.
wash one***'s ivories*** 《속어》 술을 마시다. **—*a.*** Ⓐ 상아제의, 상아 비슷한; 상아빛의; =IVORY-TOWERED.

Ívory Cóast (the ~) 코트디부아르(Côte d'Ivoire)의 구칭《1986 까지》.

ívory tówer 상아탑《실사회에서 떨어진 사색의 세계, 특히 대학》.

ívory-tówered *a.* 세속과 인연을 끊은, 상아탑에 사는; 인가에서 멀리 떨어진.

◇**ivy** [áivi] *n.* **1** Ⓤ 〖식물〗 담쟁이덩굴: ⇨POISON IVY. **2** (보통 I-) 《美구어》 =IVY LEAGUE.
—*a.* Ⓐ 명문교(식)의; (보통 I-) Ivy League (출신)의.

Ívy Léague (the ~) 《美》 아이비리그《Harvard, Yale, Princeton, Columbia, Pennsylvania, Brown, Cornell, Dartmouth 등 북동부 8개 명문 대학; 이 8개 대학으로 된 운동 경기 연맹》: an ~ college 《美》 아이비칼리지《북동부의 명문 대학》/an ~ suit 아이비리그 대학생 스타일의 옷.

Ívy Léaguer 《美》 Ivy League 학생[졸업생].

I.W., IW Isle of Wight. **IWA** International Whaling Agreement (국제 포경 협정). **IWC** International Whaling Commission (국제 포경 위원회). **I.W.W., IWW** Industrial Workers of the World (세계 산업 노동자 조합).

-i·za·tion [izéiʃən/aiz-] *suf.* -ize로 끝나는 동사의 명사를 만듦: civil*ization*, real*ization*.

-ize, -ise [aiz] *suf.* '…으로 하다, …화하게 하다; …이 되다, …화하다'의 뜻의 동사를 만듦: Anglic*ize*, crystall*ize*. ★ 《美》에서는 주로 -ize가 쓰이나, 《英》에서는 -ise도 쓰임. 다만, chastise, supervise 따위는 《美》·《英》에서 다 같이 -ise임.

Iz·ves·tia [izvéstiə] *n.* 《Russ.》 (=news) 이즈베스티야《옛 소련 정부 기관지; 현재는 독립》.

J

J¹, j [dʒei] (*pl*. **J's, Js, j's, js** [-z]) *n*. **1** Ⓤ (구체적으로는 Ⓒ) 제이《영어 알파벳의 열째 글자》. **2** Ⓤ 열 번째(의 것).

J² (*pl*. **J's, Js** [-z]) *n*. Ⓒ **1** J자 모양의 것; *J* pen, J자표가 있는 폭이 넓은 펜촉. **2** 《美속어》 마리화나 담배(joint).

J joule(s). **J.** Journal; Judge; Justice. **Ja.** January.

jab [dʒæb] (**-bb-**) *vt*. **1** 푹 찌르다《***with*** (날카로운 것)으로》; 들이대다〔밀다〕《***into*** …에》: ~ the steak *with* a fork 포크로 스테이크를 찌르다/He ~*bed* his gun *into* my neck. 그는 내 목에다 권총을 들이댔다. **2** (주먹으로) 잽싸게 지르다; 〖권투〗 잽을 먹이다: He ~*bed* me *in* the stomach. 그는 내 복부에 잽싸게 일격을 가했다. **—***vi*. **1** (팔꿈치 등으로) 지르다; (날카로운 것으로) 꿰찌르다《***at*** …을》: I ~*bed at* him with my left. 왼손으로 그를 내질렀다. **2** 〖권투〗 잽을 먹이다《***at*** (상대방)에게》.
—*n*. Ⓒ **1** 갑자기 찌르기; 〖권투〗 잽. **2** 《美속어》 (피하)주사; 접종(接種).

jab·ber [dʒǽbər] *vt*. (알아듣지 못할 말)을 재잘거리다(*out*): ~ French 프랑스말을 재빠르게 지껄이다/~ *out* one's prayers 기도를 중얼거리다. **—***vi*. 재빠르게〔알아듣기 어렵게〕 말하다, 재잘거리다(*away*): They were ~*ing away* in French. 그들은 프랑스말로 무언가를 알아듣기 어렵게 빠르게 지껄이고 있었다. **—***n*. Ⓤ (또는 a ~) (알아듣기 힘든) 재잘거림. ㊀ **~·er** *n*.

jab·ber·wock(y) [dʒǽbərwɑ̀k(i)/-wɔ̀k(i)] *n*. Ⓤ (구체적으로는 Ⓒ) 무의미한 말, 뜻모를 소리; 〚형용사적〛 종잡을 수 없는. ★ 흔히 형용사적으로 쓰임.

ja·bot [dʒæbóu, ʒǽbou] *n*. 《F.》 Ⓒ (여성복 따위의) 앞가슴 주름장식.

Jack [dʒæk] *n*. 잭《남자 이름; John, 때로 James, Jacob의 애칭》.

jack [dʒæk] *n*. **1** (보통 J-) Ⓒ (보통) 남자(man); 무례한 놈; 《구어》 녀석, 놈(fellow), 소년《★ 현재는 다음 표현으로 쓰임》: every man *Jack* =every *Jack* one (of them) 《경멸적》 누구나 다, 모두/*Jack* of all trades, and master of none. 《속담》 다예(多藝)는 무예(無藝)/Every *Jack* has 〔must have〕 his Gill. 《속담》 헌 짚신도 제 짝은 있다《누구나 자기에게 어울리는 여자는 있는 법》. **2** Ⓒ 밀어올리는 기계, 잭《나사잭·수압 잭 등》; 〖전기〗 잭, 플러그를 꽂는 구멍. **3** Ⓒ (카드의) 잭(knave); =JACKPOT; BLACKJACK. **4** Ⓒ 〖항해〗 (국적을 나타내는) 선수기(船首旗). **5** =JACKSTONE. **6** Ⓤ 《美속어》 돈, 금전. **7** (종종 J-) Ⓒ 《英속어》 순경, 형사.
on one's Jack (Jones) 《속어》 혼자서, 혼자 힘으로. ***I'm all right, Jack.*** 《구어》 난 걱정 없다《다른 사람의 일은 모르지만》. ***Jack and Gill (Jill)*** 젊은 남녀《영국 전승 동요에서는 산에 물길러 가는 사내아이와 계집아이》.
—*vt*. (잭으로) 밀어올리다; 들어올리다(*up*). ***~ in*** 《*vt*.+副》 《英속어》 (계획·사업 등)을 그만두다, 포기하다. ***~ off*** 《*vi*.+副》 《美속어》 자위하다. ***~ up*** 《*vt*.+副》 ① (잭으로) 밀어올리다(⇨ *vt*.). ② (일·계획 따위)를 포기하다. ③ (값·임금 등)을 올리다(raise). ④ 《美》 (남)을 격려하다; (비행·태만에 대해 남)을 꾸짖다, 문책하다.

jack·al [dʒǽkɔːl] *n*. Ⓒ 〖동물〗 자칼《개과의 육식동물》; 《비유적》 남의 앞잡이로 일하는 사람; 악인(惡人), 사기꾼.

jack·a·napes [dʒǽkənèips] (*pl*. ~) *n*. Ⓒ (보통 *sing*.) (원숭이처럼) 건방진 놈; 되게 잘난 체하는 사람; 되바라진 아이.

jáck·àss *n*. Ⓒ 수탕나귀; [흔히, -ɑ̀ːs] 바보, 멍청이, 촌놈.

jáck·bòot *n*. **1** Ⓒ (보통 *pl*.) (기병이나 나치 군인이 신던) 긴 장화. **2** (the ~) 《비유적》 강압적인 태도〔지배〕; 전횡(專橫).

jack·daw [dʒǽkdɔ̀ː] *n*. Ⓒ 〖조류〗 갈가마귀《울음소리가 야단스러움; 유럽산》; 수다쟁이.

‡jack·et [dʒǽkit] *n*. Ⓒ **1** (소매 달린 짧은) 웃옷, 재킷《남녀 구별 없이 씀》; 양복 저고리. **2** 상의 위에 덧입는 것: a life ~ 구명대. **3** (책의) 커버; (가(假)제본의) 표지. ★ 우리 나라에서 흔히 말하는 책의 '커버'는 jacket이며, 영어의 cover는 '표지'의 뜻임. **4** 《美》 (문서를 넣는) 봉하지 않은 봉투. **5** 《美》 (레코드의) 재킷(《英》 sleeve). **6** (총탄의) 금속 외피; (증기관(蒸氣罐) 등 열의 발산을 막는) 포피(재) (包被(材)). **7** 감자 따위의 껍질; (개·고양이 등 동물의) 모피, 외피: potatoes boiled in their ~*s* =~ potatoes 껍질째 삶은 감자. **—***vt*. …에게 재킷을 입히다; …을 피복으로 덮다; (책)에 커버를 씌우다.

Jáck Fróst 서리, 엄동, 동장군《의인화한 호칭》: before ~ comes 춥기 전에.

jáck·hàmmer *n*. Ⓒ 잭해머, 휴대용 소형 착암기.

jáck-in-a-bòx (*pl*. **~·es, jácks-**) *n*. =JACK-IN-THE-BOX.

jáck-in-òffice (*pl*. **jácks-**) *n*. (종종 J-) Ⓒ 거들먹거리는 하급 관리, 벼슬아치 티를 내는 사람.

jáck-in-the-bòx (*pl*. **~·es, jácks-**) *n*. (종종 J-) Ⓒ 도깨비 상자《장난감》.

jáck·knìfe *n*. Ⓒ 잭나이프, 〖수영〗 잭나이프(=**∠ dìve**)《새우 모양의 다이빙》. **—***vt*. 잭나이프로 베다〔찌르다〕. **—***vi*. (잭나이프처럼) 구부리다, 구부러지다, (트레일러 트럭 등이) 90° 이하의 각도로 꺾어 구부린 것처럼 되다; 〖수영〗 잭나이프 다이빙하다.

jàck-of-áll-trádes (*pl*. **jàcks-**) *n*. Ⓒ (종종 J-) 팔방미인, 무엇이든 대충은 아는〔하는〕 사람.

jáck-o'-làntern [dʒǽkə-] *n*. Ⓒ (종종 J-) 도깨비불; (속빈 호박(따위)에 눈·코·입을 낸) 호박등(燈).

jáck·pòt *n*. Ⓒ **1** (포커에서) 계속해서 태우는 돈《한 쌍 또는 그 이상의 jack 패가 나올 때까지 적립하는》. **2** 《구어》 (뜻밖의) 대성공, 히트치기. **3** (퀴즈 등에서 정답자가 없어) 적립된 많은 상금.

hit the ~ 장땡을 잡다, 대성공하다.

jáck·ràbbit *n.* [C] 【동물】 귀와 뒷다리가 특히 긴 북아메리카산 산토끼.

Jáck Róbinson 《다음 관용구뿐임》 ***before*** 〔***as quick as***〕 ***you*** 〔one〕 ***can*** 〔***could***〕 ***say*** ~ 《구어》 눈 깜짝할 사이에; 느닷없이, 갑자기.

jacks [dʒæks] *n.* [U] 잭스《고무공을 튀기면서 정해진 방식으로 jackstone을 치뜨렸다 받았다 하면서 노는 아이들의 놀이》.

jáck·scrèw *n.* [C] 【기계】 나사식 잭.

jáck·snìpe *n.* [C] 【조류】 꼬마도요.

Jack·son [dʒǽksən] *n.* **Andrew** ~ 잭슨《미국 제7대 대통령; 1767–1845》.

Jack·so·ni·an [dʒæksóuniən] *a.* A. Jackson (식 민주주의)의. **—*n.*** [C] 잭슨 지지자.

jáck·stòne *n.* **1** (*pl.*) 《단수취급》 =JACKS. **2** [C] jacks용의 작은 돌〔구슬〕.

jáck·stràws *n.* [U] 나무〔뼈, 상아〕 조각을 쌓아놓고 다른 조각은 움직이지 않게 한 개씩을 뽑아내는 유희.

jáck-tár, Jáck Tár *n.* [C] 《속어》 선원, 해군 병사.

jáck-up dríllìng rìg 갑판 승강식 해양 석유 굴착 장치.

Ja·cob [dʒéikəb] *n.* **1** 제이콥《남자 이름》. **2** 【성서】 야곱《이스라엘 사람의 조상》.

Jac·o·be·an [dʒækəbí(ː)ən] *a.* 【英역사】 James 1세 시대(1603–25)의. **—*n.*** [C] James 1세 시대의 정치가〔작가〕.

Jac·o·bin [dʒǽkəbin] *n.* [C] **1** 【역사】 자코뱅당원《프랑스 혁명 때의 과격 공화주의자》. **2** 《일반적》 과격 정치가, 과격 혁명가.

Jác·o·bin·ìsm *n.* [U] 자코뱅당의 주의; 과격 급진주의; 과격 정치.

Jac·o·bite [dʒǽkəbàit] *n.* [C], *a.* 【英역사】 James 2세파의 사람《퇴위한 James 2세를 옹립한》(의); Stuart 왕가 지지자(의).

Jácob's ládder **1** 【성서】 야곱의 사닥다리《야곱이 꿈에 본 하늘에 닿는 사닥다리; 창세기 XXVIII: 12》. **2** 【항해】 줄사닥다리.

Ja·cuz·zi [dʒəkúːzi] *n.* [C] 저쿠지《분류식 기포(噴流式氣泡) 목욕탕〔풀(pool)〕; 상표명》.

jade[1] [dʒeid] *n.* **1** [U] (낱개는 [C]) 비취, 옥(玉)《경옥(硬玉)·연옥을 합쳐 말함》. **2** [U] 녹색, 경옥색(=~ **gréen**). **—*a.*** **1** 비취로 만든. **2** 비취색의, 녹색의.

jade[2] *n.* [C] 쇠약한 말, 야윈 말; 여자 건달, 닳아빠진 계집.

jád·ed [-id] *a.* 몹시 지친; 넌더리난.

jae·ger [jéigər] *n.* [C] 《美》 【조류】 도둑갈매기.

jag[1] [dʒæg] *n.* [C] (톱니와 같이) 들쭉날쭉함; (암석 등의) 뾰족한 끝. **—(-*gg*-)** *vt.* 들쭉날쭉하게 만들다, (천 따위)를 오니 새기듯 에어내다, 들쭉날쭉하게 찢다.

jag[2] *n.* [C] 《속어》 주연, (요란한) 술잔치(spree); 법석; (활동의) 한바탕: go on a crying ~ 한바탕 울다.

jag·ged [dʒǽgid] *a.* (물건이) 깔쭉깔쭉한, 톱니 같은, 지그재그의: a ~ line 들쭉날쭉한 선. [파] **~·ly** *ad.* **~·ness** *n.*

jag·gy [dʒǽgi] (***-gi·er; -gi·est***) *a.* =JAGGED.

jag·uar [dʒǽgwɑːr, -gjuɑ̀ːr/-gjuər] *n.* [C] 【동물】 재규어, 아메리카 표범.

jai alai [háiəlài, hàiəlái] 《Sp.》 [U] 하이알라이《handball과 비슷한 공놀이》.

⁑**jail,** 《英》 **gaol** [dʒeil] *n.* **1** [C] **교도소**, 감옥; 구치소. **2** [U] 구치, 투옥, 형무소 생활: break (out of) 〔escape from〕 ~ 탈옥하다 / put a person in ~ 아무를 투옥하다 / be sent to ~ 구치소〔교도소〕에 보내지다. **—*vt.*** …을 **투옥하다**.

jáil·bàit *n.* [C] 《美속어》 관계할 경우 미성년 강간죄로 몰릴 만큼 나이 어린 소녀.

jáil·bìrd *n.* [C] 《구어》 죄수; 전과자, 상습범.

jáil·brèak *n.* [C] 탈옥.

jáil delìvery (폭력에 의한) 죄수 석방.

◇**jáil·er, -or,** 《英》 **gáol·er** *n.* [C] (교도소의) 교도관, 간수, 옥리(獄吏)(keeper).

Jain, Jai·na [dʒain], [dʒáinə] *a.* 자이나교(敎)의. **—*n.*** [C] 자이나교도.

Jáin·ism *n.* [U] 자이나교《불교와 힌두교의 공통 교의를 가진 인도의 한 종파》.

Ja·kar·ta, Dja- [dʒəkɑ́ːrtə] *n.* 자카르타《인도네시아 공화국의 수도; 옛 이름은 Batavia》.

jake [dʒeik] *a.* 《美속어》 좋은, 괜찮은, 만족한: It's ~ with me. 나는 괜찮다〔좋다〕.

ja·lop·(p)y, jal·lopy [dʒəlɑ́pi/-lɔ́pi] *n.* [C] 《구어》 고물 자동차〔비행기〕.

jal·ou·sie [dʒǽləsìː/ʒǽlu(ː)zìː] *n.* 《F.》 [C] 미늘살창문; 미늘 발, 베니션 블라인드.

⁑**jam**[1] [dʒæm] (***-mm-***) *vt.* **1** 《+[목]+[전]+[명]/+[목]+[부]》 **쑤셔넣다**, (꽉) 채워 넣다(*in*)《***into*** (좁은 곳)에》; 한꺼번에 밀어넣다(*together*): ~ a thing *into* a box 물건을 상자에 쑤셔넣다 / I was *jammed in* (at the back of the bus). (버스 뒤쪽으로) 밀려들어갔다. **2** 《+[목]+[전]+[명]》 (손가락 등)을 끼우다, 눌러 으깨다《***in*** …에》: get one's finger *~med in* the door 문에 손가락이 끼다. **3** 《+[목]+[부]/+[목]+[전]+[명]》 **밀어붙이다**; (브레이크 따위)를 세게 밟다(*on; down*); (모자 따위)를 단단히 눌러쓰다(*on*); (법안 등)을 억지로 통과시키다《***through*** …에서》: ~ *on* the brakes =~ the brakes *on* 브레이크를 세게 밟다 / ~ *down* the accelerator 액셀러레이터를 힘껏 밟다 / ~ a bill *through* Congress 법안을 억지로 의회에서 통과시키다 / ~ one's hat *on* 모자를 깊이 눌러 쓰다. **4** (장소)를 막다, 가득 메우다, (장소)에 몰려들다(*up*)《★ 종종 수동태로 쓰며, 전치사는 *by, with*》: The parade *~med* (*up*) traffic. 그 행렬이 교통을 마비시켰다 / Crowds *~med* the doors. 군중들이 문간에 몰려왔다 / The theater *was ~med with* people. 극장은 관객들로 꽉 찼었다. **5** 《~+[목]/+[목]+[부]》 **움직이지 않게 하다**《물건을 끼우거나 해서 기계의 일부를》(*up*): Some sticky substance has *~med* the machine. 어떤 끈적거리는 것이 달라붙어 기계가 움직이지 않게 되었다 / The copy machine is *~med up*. 그 복사기는 (용지가 끼여서) 움직이지 않는다. **6** **a** 【통신】 (방송·신호)를 방해하다. **b** 《보통 수동태》 (전화가 일시에 쇄도하여) 불통이 되게 하다. **7** 《+[목](+[부])+[전]+[명]》 (물건)을 …에 세게 놓다 (*down*)《***on*** …위에》: He *~med* the receiver *down on* the cradle. 수화기를 탕하고 받침대 위에 놓았다.

—*vi.* **1** 《+[전]+[명]》 **밀고〔강제로〕 들어가다**, 억지로 끼어들다《***into*** (좁은 곳)에》: ~ *into* a crowded bus 만원 버스에 밀고 들어가다. **2** 《+[부]》 몰려들다, 쑤셔넣어지다(*together*). **3** 《~/+[부]》 (막히어) **꼼짝 못하게 되다**; (기계 따위가) 움직이지 않게 되다《막히거나 걸려서》(*up*): The door ~s easily. 그 문은 걸핏하면 열리지 않는다 / His rifle has *~med*. 그의 소총이 (막혀) 고장났다. **4** 《속어》 재즈 연주 중 즉흥적으로 곡을 바꾸어 흥

J

을 돋우다.

—*n.* [C] **1 꽉 들어참, 혼잡**, 잡답: a traffic ~ 교통 혼잡, 교통 마비. **2** (기계의) 고장, 정지; 오(誤)동작, 잼; 전파 방해; 〖컴퓨터〗 엉킴, 잼. **3** 《구어》 곤란, 궁지: get into a ~ 곤경에 빠지다 / be in a ~ 궁지〔곤경〕에 처해 있다. **4** 〖재즈〗 = JAM SESSION.

⁑**jam**² *n.* **1** [U] **잼**: a ~ jar 〔pot〕 잼 단지, 잼병. **2** [C] 《英속어》 맛있는 것; 즐거운〔손쉬운〕 것. ***money for*** ~ ⇨MONEY.

Jam. Jamaica; 〖성서〗 James.

Ja·mai·ca [dʒəméikə] *n.* 자메이카《서인도 제도에 있는 영연방 내의 독립국; 수도 Kingston》.

Ja·mái·can [-n] *a.* 자메이카의. —*n.* [C] 자메이카 사람.

jamb(e) [dʒæm] *n.* [C] 〖건축〗 문설주; 버팀기둥, (대문 · 현관 따위의) 옆기둥; 벽난로의 양쪽 가의 석벽(石壁).

jam·bo·ree [dʒæ̀mbəríː] *n.* [C] **1** (전국적 또는 국제적인) 보이스카우트 대회, 잼버리; (정당 · 스포츠 연맹 따위의) 대회《때때로 여흥이 따름》. **2** 떠들썩한 연회〔모임〕.

James [dʒeimz] *n.* **1** 제임스《남자 이름; 애칭 Jim, Jimmy, Jimmie》. **2** 〖성서〗 야고보《그리스도의 제자 두 사람의 이름》; (신약성서의) 야고보서.

jám·jàr *n.* [C] (유리제) 잼 넣는 병.

jam·my [dʒǽmi] (***-mi·er; -mi·est***) *a.* **1** (잼처럼) 진득진득한. **2** 《英구어》 쉬운; 운이 썩 좋은(fortunate); 이가 남는, 벌이가 되는.

jám·pácked [-t] *a.* 《구어》 꽉〔빈틈없이〕 들어찬《***with*** …으로》: a bus ~ *with* commuters 통근자들로 초만원인 버스.

jám sèssion 《구어》 즉흥 재즈 연주회.

Jan. January.

Ja·ná·ček [jáːnətʃèk] *n.* **Leoš** ~ 야나체크《체코의 작곡가; 1854–1928》.

Jane [dʒein] *n.* **1** 제인《여자 이름; 애칭 Janet, Jenny》. **2** (j–) [C] 《속어》 계집애, 여자; 애인.

Jáne Dóe 〖법률〗 JOHN DOE의 여성형《소송에서 당사자 본명 불명일 때 쓰이는 여성의 가명》.

JANET [dʒǽnət] 〖컴퓨터〗 Joint Academic Network (공동 학습 네트워크).

jan·gle [dʒǽŋgəl] *n.* (*sing.*) **1** 귀에 거슬리는 소리, (종소리 등의) 난조(亂調). **2** [C] 싸움, 말다툼; 잡담. —*vt.* (종 따위)를 땡땡 울리다; (신경)을 괴롭히다: The noise ~*d* my nerves. 나는 그 소음으로 인해 신경이 날카로워졌다. —*vi.* 땡땡 울리다; 귀에 거슬리는 소리를 내다; 시끄럽게 다투다: ~ on a person's ears 아무의 귀에 거슬리다. [파] **-gler** *n.*

jan·i·tor [dʒǽnətər] (*fem.* ***-tress*** [-tris]) *n.* [C] **1** (아파트 · 사무소 · 학교 등의) 청소원; 관리인. **2** 《美》 (빌딩의) 수위, 문지기(doorkeeper).

†**Jan·u·ary** [dʒǽnjuèri/-əri] *n.* **1월**《생략: Jan., Ja.》: in ~ 1월에 / on ~ 5 =on 5 ~ = on the 5th of ~, 1월 5일에.

> [NOTE] 《美》에서는 January 5, 《英》에서는 5 January로 쓰는 순서가 일반적; January 5는 《美》에서는 January (the) fifth, January five, 《英》에서는 January (the) fifth라고 읽음. 5 January는 《美》에서는 five January, the fifth of January라고 읽고, 《英》에서는 the fifth of January라고 읽음.

[◂ the month dedicated to Janus]

Ja·nus [dʒéinəs] *n.* 〖로마신화〗 양면신(兩面神)《문 · 출입구의 수호신》.

Jánus-fàced [-t] *a.* **1** 대칭적인 두 면이 있는; 반대의 두 방향을 향한: a ~ foreign policy 양면 외교. **2** 《비유적》 표리 있는, 두 마음의, 남을 속이는(deceitful).

Jap [dʒæp] *a.*, *n.* 《속어 · 경멸적》 =JAPANESE.

†**Ja·pan** [dʒəpǽn] *n.* **일본**.

ja·pan [dʒəpǽn] *n.* [U] 옻칠(漆); 칠기. —*a.* 칠기의. —(***-nn-***) *vt.* …에 옻칠을 하다; 검은 칠을 하다, 검은 윤을 내다.

†**Jap·a·nese** [dʒæ̀pəníːz, -s] *a.* **일본의**; 일본인〔말〕의: the ~ language 일본어. —(*pl.* ~) *n.* **1** [C] **일본인**: a ~ (한 사람의) 일본인 / the ~ 일본인(전체)《★ 복수취급》. **2** [U] **일본말**.

jape [dʒeip] *n.* [C] 《문어》 농담; (짓궂은) 장난. —*vi.* 농담을 하다, 놀리다(jest); 장난 치다.

ja·pon·i·ca [dʒəpánikə/-pɔ́n-] *n.* [C] 〖식물〗 **1** 동백나무. **2** 모과나무류의 일종.

⁑**jar**¹ [dʒɑːr] *n.* [C] **1** (아가리가 넓은) **항아리, 단지, 병**. **2** 한 단지(의 양)《***of*** …의》: a ~ *of* jam 한 단지의 잼.

***jar**² *n.* (*sing.*) **1 귀〔신경〕에 거슬리는 소리**, 잡음. **2 충격**, 격렬한 진동, 격동. **3** (정신적인) 충격, 쇼크: The news gave me a ~. 그 뉴스를 듣고 충격을 받았다. **4** (의견 등의) 충돌; 불화, 다툼: be at (a) ~ 다투고 있다; 일치하지 않다.

—(***-rr-***) *vi.* **1** 《~/+[전]+[명]》 거슬리다《***on, upon*** (귀 · 신경 · 감정 따위)에》: The sound of the alarm ~*red*. 괘종 소리가 귀에 거슬렸다 / His loud laugh ~*red on* 〔*upon*〕 my ears 〔nerves〕. 그의 높은 웃음소리는 내 귀〔신경〕에 거슬렸다. **2** 거슬리는 소리를 내다, 삐걱거리다: The brakes ~*red*. 브레이크가 삐익하는 소리를 냈다. **3** (귀에 거슬리는 소리를 내면서) 부딪치다《***on, against*** …에》: The iron gate ~*red against* the wall. 그 철문이 끼익 소리를 내면서 벽에 부딪쳤다 / The nail ~*red against* the window. 못이 창에 부딪혀 딱딱 소리가 났다. **4** 덜컹덜컹 흔들리다, 대깍대깍 진동하다. **5** (의견 · 색 등이) 조화되지〔일치하지〕 않다《***with*** …와》: Your ideas ~ *with* mine. 네 생각은 내 생각과 맞지 않는다.

—*vt.* **1** 삐걱거리게 하다, (삐걱삐걱 · 덜컹덜컹) 흔들다: The earthquake ~*red* the house very hard. 지진으로 집이 몹시 삐걱삐걱 흔들렸다 / His heavy footsteps ~*red* the table. 그의 무거운 발걸음에 식탁이 덜컹덜컹 흔들렸다. **2** (타격 등으로) (아무)를 깜짝 놀라게 하다; (아무)에게 충격을〔쇼크를〕 주다: The news of the accident ~*red* me. 그 사고 소식에 나는 쇼크를 받았다 / Her shout ~*red* me out of daydream. 나는 그녀의 고함소리에 몽상에서 깨어났다.

jar³ *n.* 〖다음 관용구로〗 ***on the*** 〔***a***〕 ~ (문이) 조금 열리어(ajar).

jar·ful [dʒɑ́ːrfùl] *n.* [C] 항아리〔병, 단지〕에 가득한 양《***of*** …의》.

jar·gon [dʒɑ́ːrgən/-gɔn] *n.* [U] (구체적으로는 [C]) **1** 뜻을 알 수 없는 말〔이야기〕, 허튼소리. **2** 《종종 경멸적》 (동업자 · 동일 집단 내의) 특수 용어, 전문어, 통어(通語); 변말, 은어: critics' ~ 비평가 용어 / business 〔medical〕 ~ 상업〔의학〕 용어. **3** 허투루 쓰이게 된 구어(口語), 심한 사투리; (미개인 등의) 야만 언어. **4** 혼합 방언《pidgin English 따위》.

—*vi.* ~으로 말하다〔을 쓰다〕; 알 수 없는 소리

로 지껄이다.
jár·ring *a.* **1** 삐걱거리는, (소리가) 귀에 거슬리는. **2** [A] (색깔이) 조화되지 않는; (의견 따위가) 서로 엇갈리는, 알력 있는.
Jas. James.
jas·min(e), jes·sa·min(e) [dʒǽzmin, dʒǽs-], [dʒésə-] *n.* **1** [U] (낱개는 [C]) 【식물】 재스민《인도 원산의 상록 관목; 꽃에서 향수 채취》. **2** [U] 재스민 향수.
Ja·son [dʒéisən] *n.* **1** 제이슨《남자 이름》. **2** 【그리스신화】 이아손《금(金) 양털(the Golden Fleece)을 획득한 영웅》. [cf] Argonaut.
jas·per [dʒǽspər] *n.* [U] (낱개는 [C]) 【광물】 벽옥(碧玉), 재스퍼.
jaun·dice [dʒɔ́ːndis, dʒɑ́ːn-] *n.* [U] 【의학】 황달; 《비유적》 편견, 빙퉁그러짐. **—***vt.* 황달에 걸리게 하다; 〖보통 과거분사꼴로〗 (판단 · 견해 · 사람)에 편견을 가지게 하다.
jáun·diced [-t] *a.* **1** 《드물게》 황달에 걸린. **2** 시기심이〔질투가〕 심한, 편견을 가진: take a ~ view of …에 대하여 비뚤어진 견해를 가지다〔편견을 품다〕.
jaunt [dʒɔːnt, dʒɑːnt] *n.* [C] (근거리) 산책, 하이킹, 소풍: go on a weekend ~ 주말 소풍을 가다. **—***vi.* 산책〔하이킹〕하다, 소풍 가다. ***a ~ing car*** (아일랜드의 경쾌한) 2 륜마차.
jaun·ty [dʒɔ́ːnti, dʒɑ́ːn-] (***-ti·er; -ti·est***) *a.* **1** (사람 · 태도 따위가) 쾌활〔명랑〕한; 근심이 없는; 의기양양한, 뽐내는: his hat cocked at a ~ angle 건방지게 모자를 삐딱하게 쓰고. **2** (복장이) 스마트한, 멋부린. [파] **-ti·ly** *ad.* **-ti·ness** *n.*
Ja·va [dʒɑ́ːvə, dʒǽvə] *n.* **1** 자바《인도네시아 공화국의 중심이 되는 섬》. **2** [U] 자바산 커피; (종종 j-) 《美속어》 커피.
Jáva màn 【인류학】 자바인《원시인의 한 형(型); 1891 년 자바에서 화석(化石)을 발견; Pithecanthropus 의 하나》.
Jav·a·nese [dʒæ̀vəníːz, dʒæ̀v-] *a.* 자바의; 자바 사람의; 자바 말의. **—**(*pl.* ~) *n.* **1** [C] 자바 사람, 자바 섬 사람. **2** [U] 자바어(語).
Jáva Scrípt 【컴퓨터】 자바 스크립트《미국 넷스케이프 커뮤니케이션즈가 개발한 스크립트 언어로서 월드와이드 웹 브라우저에 의해 실행되는 스크립트를 만듦》.
jave·lin [dʒǽvəlin] *n.* **1** [C] 던지는 창(dart). **2** (the ~) 【경기】 창던지기(= ⌐ **thròw**).
*__jaw__ [dʒɔː] *n.* **1** [C] 턱, 《특히》 아래턱: the lower 〔upper〕 ~ 아래〔위〕턱 / a square ~ 각진 턱 / He dropped his ~ at that. 그는 그것을 보고〔듣고〕 (놀라) 입을 딱 벌렸다. **2** (*pl.*) (아래위 턱뼈 · 이를 포함한) 입 부분, 주둥이. **3** (*pl.*) (골짜기 · 해협 등의) 좁은 입구; (집게 따위의) 집는 부분. **4** (the ~s) 절박한 위기 상황. **5** [U] (구체적으로는 [C]) 《구어》 지껄이기; 잔소리, 긴 사설, 수다: We had a long ~. 우리는 오랫동안 수다를 떨었다. ***None of your ~!*** =***Cut the ~!*** 입닥쳐, 잠자코 있어. ***the ~s of death*** 사지(死地), 궁지: She was snatched from the ~s of death. 그녀는 사지(死地)에서 구출되었다.
—*vi.* 《속어》 《~/+[부]/+[전]+[명]》 장황하게 지껄이다, 지루하게 말하다(*away*)《*at* (아무)에게》.
—*vt.* 《속어》 턱을 움직여 (껌 따위)를 씹다; (아무)를 꾸짖다, (아무)에게 잔소리하다.
jáw·bòne *n.* [C] 턱뼈; 《특히》 아래턱뼈.
—*vt.* 《美구어》 (대중에게 호소하여) …에 설득 공작을 하다.
jáw·brèaker *n.* [C] **1** 《구어》 아주 발음하기 어려운 어구(tongue twister). **2** 《美》 딱딱한 캔디〔풍선껌〕.
jay[1] [dʒei] *n.* [C] **1** 【조류】 어치. **2** 《구어》 건방진 수다(꾼); 멋쟁이; 바보, 얼간이, 봉.
jay[2] *n.* [C] 《美속어》 마리화나 (담배)(joint).
jáy·bìrd *n.* =JAY[1] 1.
jay·vee [dʒéivíː] 《美구어》 *n.* =JUNIOR VARSITY; [C] (보통 *pl.*) 그 멤버. [◂ *j*unior+*v*arsity]
jáy·wàlk *vi.* 《구어》 교통규칙을〔신호를〕 무시하고 거리를 횡단하다. [파] **~·er** *n.*
*__jazz__ [dʒæz] *n.* [U] **1** 【음악】 **재즈**, 재즈 음악〔댄스〕. **2** 《속어》 **소란**, 흥분, 광소(狂騷), 활기. **3** 《美속어》 거창한 이야기, 허풍; 흔해빠진〔노상 하는〕 이야기: Don't give me that ~. 시시한 이야기는 그만둬, 거짓말 하지 마.
... and all that ~ =***... or some such ~*** 《속어》 …이라든가 하는 것, 기타 …라는 하찮은 것〔일〕, 번거로운 절차: He likes drinking, dancing, *and all that ~*. 그는 술을 마신다든가, 춤을 춘다든가 하는 것을 좋아한다.
—*a.* [A] 재즈의, (재즈식으로) 가락이 흐트러진, 시끄러운; 잡색의, 난(亂)한《색채 따위》: a ~ band 재즈 밴드 / a ~ singer 재즈 가수 / ~ music 재즈 음악.
—*vi.* **1** 재즈를 연주하다, 재즈 댄스를 추다. **2** 《속어》 기운차게 행동하다; 노닐다. **—***vt.* 《+[목]+[부]》 **1** (음악)을 재즈식으로 연주〔편곡〕하다. **2** 《속어》 기운차게〔요란스럽게〕 하다; (장식따위)를 야하게 하다(*up*): Let's ~ the party *up*, shall we? 파티를 조금 왁자지껄하게 하는 게 어때 / They *~ed up* the place for the party. 그들은 파티를 위해서 그곳을 야하게 꾸몄다.
Jázz Àge (the ~) 재즈 시대《재즈가 유행한 1920 년대》.
jaz·zer·cise [dʒǽzərsàiz] *n.* [U] 재즈 체조《미용 댄스의 일종》.
jázz·màn [-mæ̀n, -mən] (*pl.* ***-men*** [-mèn, -mən]) *n.* [C] 재즈 연주자.
jazzy [dʒǽzi] *a.* 재즈적인; 미친 듯이 떠들썩한, 활발한; 화려한, 야한. [파] **jázz·i·ly** *ad.* **-i·ness** *n.*
J.C. Jesus Christ; Julius Caesar. **JCL** 【컴퓨터】 job control language. **JCS** Joint Chiefs of Staff. **JD** juvenile delinquency; juvenile delinquent. **Je.** June.
*__jeal·ous__ [dʒéləs] *a.* **1** **질투심이 많은**, 투기가 심한: a ~ disposition 투기가 심한 기질 / a ~ lover 〔husband〕 질투심 많은 연인〔남편〕. **2** **시샘하는**, 선망하는(envious)《***of*** …을》: Are you ~ *of* his success? 너는 그의 성공을 시샘하고 있니 / I'm ~ *of* you for having such a good son. 좋은 자식을 둔 네가 부럽다. **3** (잃지〔손상치〕 않으려고) 방심하지 않는, 몹시 마음을 쓰는 《***of*** …에》: be ~ *of* one's right 권리를 지키기에 급급하다. ◇jealousy *n.*
[파] **~·ly** *ad.* 투기〔시샘〕하여; 방심하지 않고.
*__jeal·ousy__ [dʒéləsi] *n.* **1 a** [U] **질투**, 투기, 시샘: burning with ~ 질투에 불타서 / Don't show ~ of another's success. 남의 성공을 시기하지 마라. **b** [C] 시기〔시샘〕하는 행동〔말〕. **2** [U] 엄중한 경계, 방심하지 않는 주의, 경계심: the people's ~ of entrusting too much power to the State 국가에 너무 많은 권한을 위임하지나 않는가 하는 국민의 경계심. ◇jealous *a.*
Jean [dʒiːn] *n.* 진《여자 · 남자의 이름》.

***jean** [dʒiːn/dʒein] *n.* **1** Ⓤ **진**((올이 가늘고 질긴 능직(綾織) 무명의 일종)). ⓒⓕ denim. **2** (*pl.*) 진, 진으로 만든 의복류((바지·작업복 따위)): a pair of ~*s* 진 한 벌/She was in ~*s*. 그녀는 진을 입고 있었다.

Jeanne d'Arc [ʒɑːndárk] ((F.)) =JOAN OF ARC.

jeep [dʒiːp] *n.* Ⓒ 지프; (J-) 그 상표명: by ~ 지프를 타고, 지프로((★ 관사없이)).

jée·pers (créepers) [dʒíːpərz(-)] =GEE[3].

jeep·ney [dʒíːpni] *n.* Ⓒ 지프니((지프를 개조한 10인승 합승 버스)). [◂*jeep*+*jitney*]

°**jeer** [dʒiər] *n.* Ⓒ 조소, 조롱, 야유. —*vi.* **조소하다**, 야유〔조롱〕하다(taunt)((*at* …을)): ~ *at* a person's idea 아무의 생각을 우습게 여기다. —*vt.* …을 조소하다, 희롱하다, 놀리다, 야유하다: Don't ~ the losing team. 지고 있는 팀을 놀리지 마라/They ~*ed* me *out* 〔*off*〕. 그들은 나를 웃음가마리로 만들어 방에서 내쫓았다. SYN. ⇨ SCOFF[1].

jéer·ing·ly [-riŋli] *ad.* 희롱조로, 조롱〔야유〕하여.

jeez [dʒiːz] *int.* ((속어)) 저런, 어머나, 어렵쇼((가벼운 놀람·낙심)).

Jef·fer·son [dʒéfərsən] *n.* **Thomas** ~ 제퍼슨((미국 제3대 대통령; 1743-1826)).

Jef·fer·so·ni·an [dʒèfərsóuniən] *a.* T. Jefferson 식(민주주의)의. —*n.* Ⓒ Jefferson (식 민주주의)의 지지자.

jehad ⇨ JIHAD.

Je·ho·vah [dʒihóuvə] *n.* 〖성서〗 여호와((구약성서의 신)); 전능한 신(the Almighty).

Jehóvah's Wítnesses 여호와의 증인((그리스도교의 한 종파; 1872년 미국에서 창시)).

je·hu [dʒíːhjuː] *n.* Ⓒ **1** 스피드를 내는 운전수. **2** 마부.

je·june [dʒidʒúːn] *a.* **1** 빈약한; 영양가가 낮은; (토지가) 불모의(barren). **2** 무미건조한(dry), 흥미 없는. **3** 미숙한, 어린애 같은. ㊕ **~·ly** *ad.* **~·ness** *n.*

Je·kyll [dʒékəl, dʒíːkəl] *n.* 지킬 박사((R.L. Stevenson의 소설 중의 인물)). ***(Dr.) ~ and (Mr.) Hyde*** 이중 인격자: He's a real ~ and Hyde. 그는 정말 이중인격자다.

jell [dʒel] *vi.* **1** 젤리모양이 되다. **2** ((구어·비유적)) (계획·의견 따위가) 굳어지다, 정해지다: Wait till my plan ~ a bit. 계획이 조금 확고해질 때까지 기다려. —*vt.* **1** …을 젤리 모양으로 만들다. **2** (계획·의견 따위)를 굳히다, 확고히 하다.

jel·lied [dʒélid] *a.* 젤리 모양으로 된〔굳힌〕; 젤리를 바른.

Jell-O [dʒélou] *n.* Ⓤ 미국 General Food사 디저트 식품의 일종((상표명)).

jel·ly** [dʒéli] *n.* **1 a** Ⓒ (요리는 Ⓤ) ((英)) **젤리**(((1) 젤라틴에 과즙과 설탕을 넣고 익힌 후 식혀서 굳힌 것. (2) 젤라틴에 생선이나 고기를 곤 국물을 넣고 같은 방식으로 요리한 것)). **b** Ⓤ 젤리 잼. **2** Ⓤ (또는 a ~) 젤리 모양의 것. ***shake like a ~ ((구어)) (무서워) 벌벌 떨다; (뚱뚱한 사람이) 몸을 흔들며 웃다. —(**-lied**) *vi., vt.* 젤리 모양이 되다〔으로 만들다〕. ㊕ **∠·like** *a.*

jélly bàby ((英)) (아기 모양의) 젤리((과자)).

jélly·bèan *n.* Ⓒ 젤리빈((과자)).

°**jélly·fish** *n.* **1** Ⓒ 〖동물〗 해파리; Ⓤ (식품으로서의) 해파리. **2** Ⓒ ((구어)) 의지가 약한 사람.

jem·my [dʒémi] *n., vt.* ((英)) =JIMMY.

Jen·ghis 〔**Jen·ghiz**〕 **Khan** [dʒéngis 〔dʒéngiz〕 kɑ́ːn, dʒéŋgis-] =GENGHIS KHAN.

Jen·ner [dʒénər] *n.* **Edward** ~ 제너((영국의 의사; 종두법 발견자; 1749-1823)).

jen·net [dʒénit] *n.* Ⓒ 스페인종의 조랑말; 암탕나귀.

Jen·ni·fer [dʒénəfər] *n.* 제니퍼((여자 이름; 애칭 Jen, Jennie, Jenny)).

Jen·ny [dʒéni] *n.* 제니((여자 이름; Jane의 애칭)).

jen·ny [dʒéni] *n.* Ⓒ **1** 이동식 기중기. **2** 방적기(spinning ~).

°**jéop·ard·ize,** ((英)) **-dise** *vt.* 위태롭게 하다, 위험한 경지에 빠뜨리다: Reckless driving will ~ your life. 무모한 운전은 네 생명을 위태롭게 할 것이다.

°**jeop·ar·dy** [dʒépərdi] *n.* Ⓤ 위험(risk), 위기: be in ~ 위험에 빠져 있다.

Jer. Jeremiah; Jeremy; Jerome; Jersey.

jer·boa [dʒəːrbóuə] *n.* Ⓒ 〖동물〗 날쥐((아프리카산(産))).

jer·e·mi·ad [dʒèrəmáiəd, -æd] *n.* Ⓒ 비탄; 우는 소리, 하소연; 슬픈 이야기.

Jer·e·mi·ah, -as [dʒèrəmáiə], [-əs] *n.* **1** 〖성서〗 예레미야((헤브라이의 비관적 예언자)). **2** 〖성서〗 (구약성서의) 예레미야서(書)(**The Book of the Prophet ~**; 생략 Jer.). **3** Ⓒ 비관론자, 불길한 예언을 하는 사람.

Jer·e·my [dʒérəmi] *n.* 제레미((남자 이름; 애칭은 Jerry)).

Jer·i·cho [dʒérikòu] *n.* 〖성서〗 예리코((옛날 Palestine 지방에 있었던 도시)).

***jerk**[1] [dʒəːrk] *n.* **1** Ⓒ **급격한 움직임**, 갑자기 당기는〔미는, 찌르는, 비트는, 던지는〕 일: pull with a ~ 냅다 잡아당기다/give the rope a ~ 줄을 홱 잡아당기다/move with ~*s* (자동차 따위가) 갑자기〔홱〕 움직이다. **2 a** Ⓒ (근육·관절의) 반사운동, 경련. **b** (the ~s) (종교적 감동 따위에 의한) 안면·손발 등의 무의식적 경련, 약동. **3** (*pl.*) ((英구어)) 운동, 체조. **4** Ⓒ ((속어)) 물정에 어두운 사람, 바보, 얼간이, 멍청이. **5** Ⓤ 〖역도〗 용상(聳上).

—*vt.* **1** ((~+목/+목+부/+목+보/+목+전+명)) 홱 움직이게 하다, 급히 흔들다〔당기다, 밀다, 던지다((따위))〕: ~ reins 고삐를 홱 당기다/He ~*ed out* the file drawer. 그는 서류철 서랍을 홱 당기어 열었다/They ~*ed* him *up into* the boat. 그들은 그를 보트에 밀어〔끌어〕 올렸다/~ a window open 창문을 홱 밀어〔당기어〕 열다/He ~*ed* the carpet *from* under my feet. 그는 내 발 아래 융단을 홱 잡아당겼다/He ~*ed* her *by* the arm. 그는 그녀의 팔을 잡아끌었다. **2** ((美구어)) (소다수 가게에서 아이스크림 소다)를 만들어 내다.

—*vi.* **1 a** ((~/+부/+전+명)) 홱 움직이다; 덜커덩거리며 나아가다; 씰룩씰룩 움직이다; 경련을 일으키다: ~ *over* a stone (차가) 덜커덩하고 돌 위로 지나가다/The bus ~*ed along* 〔*to* a stop〕. 우리들이 탄 버스는 덜커덩덜커덩 흔들리며 갔다〔덜커덕 멎었다〕. **b** ((+보)) 덜컹하면서 (…한 상태로) 되다: The door ~*ed* open. 문이 덜컹 열렸다. **2** 소다수 가게에서 일하다.

~ off ((비어)) 용두질하다.

jerk[2] *n.* =JERKY[2]. —*vt.* (특히 쇠고기)를 가늘고 길게 저미어 햇볕에 말리다.

J

jer·kin [dʒə́ːrkin] *n.* Ⓒ 저킨((1) (16-17세기 경의) 소매 없는 짧은 남자용 상의; 주로 가죽. (2) 짧은 조끼; 여성용).

jérk·wàter *a.* Ⓐ ((美구어)) 시골의; 보잘것없는, 하찮은: a ~ college 지방 대학.

◇**jerky**[1] [dʒə́ːrki] (*jerk·i·er; -i·est*) *a.* **1** 갑자기 움직이는, 움찔하는, 실룩이는, 경련적인. **2** (이야기가) 더듬거리는; ((美속어)) 어리석은, (사람이) 덜된; 내용 없는((정책 등)). ㊞ **jérk·i·ly** *ad.* **-i·ness** *n.*

jerky[2] *n.* Ⓤ (종류·낱개는 Ⓒ) 포육(脯肉)(jerked meat), 육포.

Jer·ry [dʒéri] *n.* **1** 제리((남자 이름, Gerald, Gerard의 애칭; 여자 이름, Geraldin의 애칭)). **2** Ⓒ ((英구어)) 독일 병사, 독일 사람((별명)).

jer·ry [dʒéri] *n.* Ⓒ ((英속어)) 실내 변기(便器).

jérry-buìld *vt.* (집)을 날림으로 짓다; 아무렇게나 만들어 내다.

jérry·buìlder *n.* Ⓒ 날림집을 짓는〔솜씨가 서투른〕 목수; 날림집을 지어 파는 (투기적) 업자.

jérry-buìlt *a.* 날림으로 지은; 아무렇게나 만든.

Jer·sey [dʒə́ːrzi] *n.* 저지((영국 해협에 있는 섬 이름; Channel Islands 중 제일 큰 섬)).

jer·sey [dʒə́ːrzi] *n.* **1** (J-) Ⓒ 저지종(種)의 소((Jersey 섬 원산의 젖소)). **2 a** Ⓒ 모직의 운동 셔츠. **b** Ⓤ (여성용) 메리야스 속옷〔재킷〕. **3** Ⓤ 저지((모직 옷감의 일종)). **—***a.* Ⓐ Jersey 섬(산(產))의; 저지 털실의, 털로 짠.

◇**Je·ru·sa·lem** [dʒirúːsələm, -zə-] *n.* 예루살렘((Palestine의 옛 수도; 현재 신시가는 이스라엘의 수도; 유대인·기독교도·이슬람 교도의 순례 성지)).

Jerúsalem ártichoke 〖식물〗 뚱딴지.

Jes·per·sen [jéspərsən, dʒés-] *n.* **Otto ~** 예스페르센((덴마크의 언어·영어학자; 1860-1943)).

jéssamin(e) ⇨ JASMIN(E).

Jes·se [dʒési] *n.* 제시((남자 이름)).

*__jest__ [dʒest] *n.* Ⓒ **1** **농, 농담**(joke), 익살: a mere matter of ~ 농담에 불과한 것 / make 〔drop〕 a ~ 농담을 지껄이다. SYN. ⇨JOKE. **2** 조롱, 희롱, 놀림. **3** 조롱의 대상, 웃음거리: make a ~ of …을 희롱하다.

***be a standing* ~** 늘 웃음거리가 되다. ***in* ~** 농(담)으로, 장난으로: speak half *in* ~, half in earnest 농담 반 진담 반으로 말하다.

—*vi.* ((~/+전+명)) **1** 농담을 하다((***about*** …에 대해서; ***at*** …에게)): He often ~*s about* serious things. 그는 곧잘 진지한 문제를 농담으로 돌려 얼버무린다. **2** 조롱하다, 조소하다((***with*** …을)): Mr. Thomson is not a man to ~ *with*. 톰슨씨는 농담을 걸어 받아줄〔통할〕 사람이 아니다.

DIAL. ***I jest!*** 그저 농담일 뿐이야.

◇**jést·er** *n.* Ⓒ 농담을 하는 사람; 어릿광대(fool) ((중세 왕후·귀족들이 거느리던)).

jést·ing *a.* 농담의, 우스꽝스러운; 농담을 좋아하는: in a ~ manner 장난〔희롱〕으로.
㊞ **~·ly** *ad.*

Jes·u·it [dʒéʒuit, -zju-] *n.* Ⓒ **1** 〖가톨릭〗 제수이트〔예수회〕 수사((the Society of Jesus의 수사)). **2** (보통 j-) ((경멸적)) (음험한) 책략가, 음모가, 궤변자(詭辯者).

Jès·u·ít·ic, -i·cal [-ik], [-ikəl] *a.* **1** 예수회(교의(教義))의. **2** (보통 j-) ((경멸적)) 교활〔음험〕한; 궤변적인. ㊞ **-i·cal·ly** *ad.*

⁑**Je·sus** [dʒíːzəs, -z] *n.* **예수**, 예수 그리스도(= ∠ **Chríst**)(('구세주'의 뜻; Christ Jesus, Jesus of Nazareth 라고도 함. 생략: Jes.)). cf. Jesuit.

Jésus frèak ((구어)) 기독교의 열광적인 신자.

⁑**jet**[1] [dʒet] *n.* Ⓒ **1** (가스·증기·물 따위의) **분출**, 사출; 분사; =JET STREAM: ~ of water 〔gas〕 물〔가스〕의 분출. **2** 분출구, 내뿜는 구멍. **3** 제트기; =JET ENGINE: a passenger ~ 제트여객기 / by ~ 제트기로((★ 관사 없이)).

—*a.* Ⓐ **1** 분출하는: a ~ nozzle 분출구. **2** 제트식의. **3** 제트기〔엔진〕의: ~ exhaust 제트 엔진의 배기 가스 / a ~ pilot 제트기 조종사 / a ~ fighter 제트 전투기. **4** 제트기에 의한: a ~ trip.

— (*-tt-*) *vt.* ((~+목/+목+부)) 분출〔분사〕하다 (*out*). **—** *vi.* **1** ((+부)) 분출하다, 뿜어나오다 (*out*). **2** ((+부/+전+명)) 분사 추진으로 움직이다〔나아가다〕; 급속히 움직이다〔나아가다〕; 제트기로 여행하다: ~ *from* Seoul *to* New York 서울에서 뉴욕까지 제트기로 가다 / ~ *off to* Jamaica 자메이카까지 제트기로 가다 / ~ *in* 제트기로 도착하다 / ~ *about* 제트기로 돌아다니다.

◇**jet**[2] *n.* Ⓤ **1** 〖광물〗 흑석(黑石); 치밀한 검은 석탄. **2** 짙은 검은색, 칠흑. **—***a.* =JET-BLACK.

jét-bláck *a.* 칠흑의, 새까만.

jét éngine 〔**mótor**〕 제트 기관.

jét làg 시차증(時差症)(=**jét·làg**).

jét·lìner *n.* Ⓒ 제트 여객기.

jét pláne 제트기.

jét·pòrt *n.* Ⓒ 제트기 전용 공항.

jét-propélled *a.* 제트 추진식의; ((비유적)) 무섭게 빠른, 힘에 넘치는.

jét propúlsion (비행기·선박의) 제트 추진 ((생략: JP)).

jet·sam [dʒétsəm] *n.* Ⓤ **1** 〖항해보험〗 투하(投荷)((조난 때 배를 가볍게 하기 위하여 바다에 던진 짐)). cf. flotsam. **2** 〖집합적〗 부랑자, 깡패.

jét sèt (the ~) 〖집합적; 단·복수취급〗 제트족(族)((제트기로 유람다니는 부유층)).

jét-sètter *n.* Ⓒ ((구어)) 제트족의 한 사람.

jét strèam (the ~) **1** 〖기상〗 제트류(流). **2** 〖항공〗 로켓 엔진의 배기류(排氣流).

jet·ti·son [dʒétəsən, -zən] *n.* Ⓤ 〖항해보험〗 투하(投荷). **—***vt.* (긴급시에 중량을 줄이기 위해 배·항공기에서) 짐을 버리다; ((비유적)) (방해물·생각 등을) 버리다.

jet·ty[1] [dʒéti] *n.* Ⓒ 둑, 방파제(breakwater); 잔교(棧橋), 부두, 선창(pier); 〖건축〗 건물의 돌출부. **—***vi.* (건물의 일부가) 돌출하다.

jet·ty[2] *a.* 흑석질(黑石質)〔색(色)〕의, 흑석 같은; 칠흑의.

⁑**Jew** [dʒuː] (*fem.* ***Jew·ess*** [dʒúːis]) *n.* Ⓒ (이스라엘 조상으로부터 나온 세계 각지의) **유대인**, 이스라엘 사람. **—***a.* ((경멸적)) 유대인의(같은).

⁑**jew·el** [dʒúːəl] *n.* Ⓒ **1** (깎아 다듬은) **보석**, 보옥 (gem): cut and uncut ~*s* 다듬은 보석과 다듬지 않은 보석. SYN. ⇨PRECIOUS STONE. **2** 보석 박은 장신구: a ring set with a ~ 보석 반지. **3** 귀중품〔물〕; 소중한 사람, 지보(적인 사람): add another ~ to his crown of glory 그의 명예에 한층 광채를 더하다. **4** 보석 비슷한 것((별 따위)). **5** (시계·정밀기계의 베어링용) 보석: a watch of 17 ~*s*, 17석의 손목시계.

—*vt.* (*-l-*, ((英)) *-ll-*) 〖흔히 과거분사로〗 ((~+목/+목+전+명)) …을 보석으로 장식하다; …에 박아 넣다((***with*** (보석 따위)를)); (손목시계 등)에 보석을 끼워넣다: ~*ed* ring 보석 반지 / the sky ~*ed*

J

with stars 총총히 별들로 수놓은 하늘.

jéwel bòx 〔**càse**〕 보석 상자.

°**jéw·el·er,** 《英》 **-el·ler** *n.* Ⓒ 보석 세공인; 보석〔귀금속〕상.

°**jew·el·ry,** 《英》 **-el·lery** [dʒúːəlri] *n.* Ⓤ 〖집합적〗 보석류(jewels); (보석 박힌) 장신구류《반지 · 팔찌 등》.

Jew·ess [dʒúːis] *n.* Ⓒ 《종종 경멸적》 유대인 여자.

°**Jew·ish** [dʒúːiʃ] *a.* 유대인의; 유대인 같은, 유대인 특유의, 유대인풍〔식〕의; 유대교의. **—***n.* Ⓤ 《구어》 이디시어(語)(Yiddish).

Jew·ry [dʒúəri] *n.* Ⓤ 〖집합적〗 유대인 집단; 유대민족.

Jéw's 〔**Jéws'**〕 **hàrp** (종종 j–) 구금(口琴)《입에 물고 손가락으로 타는 악기》.

Jez·e·bel [dʒézəbèl, -bl] *n.* **1** 〖성서〗 이세벨《Israel왕 Ahab의 사악한 왕비》. **2** (종종 j–) Ⓒ 수치를 모르는 여자; 독부, 요부.

JFK, J.F.K. John Fitzgerald Kennedy.

jib[1] [dʒib] *n.* Ⓒ **1** 〖선박〗 뱃머리의 삼각돛《이물에 있는 제2사장(斜檣)의 버팀줄에 달아 올림》. **2** 〖기계〗 지브《기중기의 앞으로 내뻗친, 팔뚝 모양의 회전부》. **—** (**-bb-**) *vt.* 〖항해〗 (돛)을 한쪽 뱃전에서 다른 쪽 뱃전으로 돌리다. **—***vi.* (돛이) 삥 돌다.

jib[2] (**-bb-**) *vi.* **1** (말 · 차 따위가) 앞으로 나아가려 하지 않다(balk); (기계가) 딱 멈추다. **2** 주저하다, 망설이다《***at*** (제안 · 생각 따위)에》: He *~bed at* undertak*ing* the job. 그는 그 일을 맡기를 주저했다.

jíb bòom 〖선박〗 제2사장(斜檣)《이물에 있는 비낀 돛대》.

jibe[1] [dʒaib] ⇨ GIBE.

jibe[2] *vi.* 《美》 조화하다, 일치하다《***with*** …와》: Your testimony doesn't ~ *with* the facts. 너의 증언은 사실과 일치하지 않는다.

jif·fy, jiff [dʒífi], [dʒif] *n.* (a ~) 《구어》 잠시, 순간(moment): in a ~ 곧 / Wait (half) a ~. 잠깐만 기다려라.

Jíffy bàg 《英》 지피 백《(1) 부드러운 패킹으로 채운 우송용(郵送用) 종이 주머니; 상표. (2) 여행용 소형 가방》.

jig [dʒig] *n.* Ⓒ **1** 지그《보통 4분의 3박자의 빠르고 경쾌한 춤 또는 그 곡》. **2** 〖기계〗 지그《공작물의 고정 · 유도 장치》.

— (**-gg-**) *vt.* 급격히 상하로 움직이게 하다(*up; down*): He *~ged* his thumb *up* and *down*. 그는 엄지손가락을 위아래로 흔들었다. **—***vi.* **1** 지그춤을 추다; 뛰어 돌아다니다. **2** 급격하게 상하로 움직이다(*up; down*): He *~ged up* and *down* to warm himself. 그는 몸을 따뜻하게 하려고 깡총깡총 뛰었다. ~ ***about*** 《*vi.*+副》 안절부절못하다, 멈칫멈칫하다.

jig·ger[1] [dʒígər] *n.* Ⓒ **1** 〖항해〗 도르래 달린 작은 삭구(索具); 보조 돛; 소형 어선의 일종. **2** 낚싯봉 달린 낚시. **3** 〖골프〗 작은 쇠머리 달린 골프채. **4** 《美》 칵테일용 계량 컵《$1^1/_2$온스들이》.

jig·ger[2] *n.* Ⓒ 〖곤충〗 모래벼룩(chigoe); 《美》 진드기의 일종(chigger).

jíg·gered *a.* Ⓟ 《英구어》 'damned' 등의 완곡한 대용어: Well, I'm ~! 설마 / I'll be ~ if…. 천만에, …따위는 말도 안 된다.

jig·gery-pokery [dʒígəripóukəri] *n.* Ⓤ 《英구어》 속임수, 사기; 허튼소리(nonsense).

jig·gle [dʒígəl] *vt.* 가볍게 흔들다(*about*). **—***vi.* 가볍게 흔들리다(*about*). **—***n.* Ⓒ (가볍게) 흔듦.

jíg·sàw *n.* Ⓒ 실톱의 일종《곡선으로 켜는 데 씀》. **—***vt.* 실톱으로 켜다〔끊다〕.

jígsaw pùzzle 조각 그림 맞추기 장난감.

ji·had, je- [dʒihάːd] *n.* Ⓒ **1** (종종 J–) (회교 옹호의) 성전(聖戰). **2** (주의 · 정책 등의) 광신적 옹호〔반대〕 운동.

Jill, jill [dʒil] *n.* =GILL[3].

jil·lion [dʒíljən] *n.* Ⓒ 《구어》 방대한 수.

jilt [dʒilt] *vt.* 차(버리)다《특히 여자가 애인을》. **—***n.* Ⓒ 남자를 차버리는 여자.

Jim [dʒim] *n.* 짐《남자 이름; James의 애칭》.

Jím Crów 《美구어》 *n.* (종종 j– c–) **1** Ⓒ 《경멸적》 흑인(Negro). **2** Ⓤ (특히 흑인에 대한) 인종 차별《특히, 미국 남부의; Jim Crowism이 일반적》.

—*a.* Ⓐ 흑인을 차별하는; 흑인 전용의: a ~ car 〔school〕 흑인 전용차〔학교〕 / ~ laws 흑인 차별법.

Jím Crówism (또는 j– c–) 《美》 흑인 차별주의〔정책〕.

jím-dándy 《美구어》 *a.* 멋있는. **—***n.* Ⓒ 멋있는 것.

jím·jàms *n. pl.* (the ~) **1** 《속어》 =DELIRIUM TREMENS. **2** 《구어》 대단한 신경질, 불안(the jitters).

Jim·my, Jim·mie [dʒími] *n.* 지미《남자 이름; James의 애칭》.

jim·my [dʒími] 《美》 *n.* Ⓒ (도둑의) 짧은 쇠지레(《英》 jemmy). **—***vt.* 쇠지레로 비집어 열다: The thief *jimmied* the door (open). 도둑은 문을 쇠지레로 비집어 열었다.

°**jin·gle** [dʒíŋgəl] *n.* Ⓒ **1** 짤랑짤랑, 딸랑딸랑, 찌르릉《방울 · 동전 · 열쇠 등의 금속이 울리는 소리》; 그 소리를 내는 것. **2** 같은 음의 운율적 반복; 같은 음의 반복으로 어조가 잘 어울리는 시구(詩句): the ~ of a piano 피아노의 단조로운 음의 반복. **3** 라디오 · TV의 상업 광고에 쓰이는 경쾌한 짧은 노래《상품명, 회사명을 넣어 부름》.

—*vi.* **1** 딸랑딸랑〔짤랑짤랑, 찌르릉〕 소리나다: The bell ~*d*. 방울이 딸랑딸랑 울렸다. **2** 짤랑짤랑 울리면서 나아가다. **3** (시구의) 어조가 잘 어울려 들리다. **—***vt.* 딸랑딸랑〔짤랑짤랑, 찌르릉〕 울리다: She ~*d* her key. 그녀는 열쇠를 짤랑짤랑 소리냈다.

jíngle bèll 썰매의 방울; (가게 문에 달린) 내객을 알리는 종.

jin·gly [dʒíŋgli] *a.* 딸랑딸랑〔짤랑짤랑〕 울리는.

jin·go [dʒíŋgou] (*pl.* **~es**) *n.* Ⓒ 주전론자, 대외 강경론자; 맹목적 애국자(chauvinist). ***By*** (***the living***) **~!** 《구어》 절대로, 정말로《강조 · 놀람 · 긍정 등을 나타냄; jingo는 Jesus의 완곡어인 듯》. **—***a.* Ⓐ 대외 강경의, 주전론의; 저돌적인. ㊕ **~·ism** *n.* Ⓤ 강경 외교 정책, 주전론. **~·ist** *n.* Ⓒ 맹목적 애국주의자, 강경 외교론자. **jìn·goís·tic** *a.*

jinks *n. pl.* 장난, 법석.

jinn [dʒin], **jin·nee, jin·ni** [dʒiníː] (*pl.* ***jinn, jinns***) *n.* Ⓒ (이슬람교 신화의) 신령, 영마(靈魔)(genie)《인간이나 동물로 변신》.

jinx [dʒiŋks] *n.* Ⓒ 《美속어》 재수 없는〔불길한〕 물건〔사람〕(hoodoo); 불길, 불운, 징크스: put a ~ on …에게 불행을 가져오다 / break 〔smash〕 the ~ 징크스를 깨다; (경기에서) 연패 후에 승리하다. **—***vt.* …에게 불행을 가져오다;

J

…에 트집잡다〔시비하다〕.

jit·ney [dʒítni] *n.* Ⓒ 《美》 (단거리 수송용의) 요금이 싼 버스《본디 요금이 5센트》; 소형 합승 버스; 털털이 고물차.

jit·ter [dʒítər] 《구어》 *n.* (the ~s) 대단한 신경과민, 불안감: have the ~*s* 초조해하다, 안절부절 못하다 / give 〔set〕 the ~*s* 초조하게 하다, 안절부절 못하게 하다. **—***vi.* 신경질부리다, 안절부절못하다; (무서움·추위로) 덜덜 떨다.

jítter·bùg 《구어》 *n.* Ⓒ **1** 지르박《스윙에 맞추어 추는 댄스의 일종》; 재즈에 맞추어 열광적으로 춤추는 사람; 스윙(음악)광. **2** 신경질적인 사람. **—** (*-gg-*) *vi.* 지르박을 추다.

jit·tery [dʒítəri] *a.* 《구어》 신경과민의.

jive [dʒaiv] *n.* **1 a** Ⓤ 선정적인 재즈, 스윙곡. **b** Ⓒ 스윙곡에 맞추어 추는 춤《지르박 따위》. **2** Ⓤ 《美속어》 무책임한 말, 허풍, 간살; (특히, 흑인 재즈맨이 쓰는) 알 수 없는 은어, 최신 속어. **—***vt., vi.* 스윙을 연주하다; 지르박을 추다; 《美속어》 (신어·은어 등을 쓰거나 해서) 실없는〔뜻 모를〕 말을 하다; 《美속어》 속이다, 놀리다.

jnr. junior. **jnt** joint.

Jo [dʒou] *n.* 조《(1) 남자 이름; Joseph 의 애칭. (2) 여자 이름; Josephine 의 애칭》.

Jóan of Árc [dʒóunəvá:rk] 잔다르크(Jeanne d'Arc)《1412–31; 백년 전쟁 때 나라를 구한 프랑스의 애국자; 1920 년 성인으로 추대됨》.

Job [dʒoub] *n.* **1** 〖성서〗 욥《욥기(記)의 주인공》: (as) patient as ~ 참을성이 대단한. **2** (구약성서의) 욥기(記). ***the patience of* ~** (욥과 같은) 비상한 인내: You will need *the patience of* ~ to do it. 그것을 하는 데는 비상한 인내가 필요할 게다.

†**job** [dʒab/dʒɔb] *n.* **1** Ⓒ **일**; 품〔삯〕이 드는 일: get 〔be〕 on the ~ 일을 착수하다〔하고 있다〕 / He gave Tom the ~ of washing the car. 그는 톰에게 세차(洗車)를〔하는 일을〕 시켰다 / He gave his car a paint ~. 그는 차에 페인트 칠을 했다. SYN. ⇨ WORK.

2 a (*sing.*) 구실, 임무, 의무: It is your ~ to be on time. 시간을 좀 지킬 수 없겠나 / It's my ~ to lock up at night. 밤에 문단속을 하는 것은 나의 임무다. **b** (a ~) 《구어》 대단한 품이 드는 것〔일〕: It's quite a ~ to do that in a week. 그것을 일 주일 내에 해내기란 여간 벅찬 일이 아니다.

3 Ⓒ **직업**(employment), 일자리, 지위(post): get a ~ as a teacher 선생이 되다 / lose one's ~ 실직하다 / He got a part-time ~ as a waiter. 그는 웨이터 파트타임 일자리를 찾아냈다. SYN. ⇨ POSITION.

4 〖a good 〔bad〕 ~로〗 《英구어》 일(matter), 사건(affair), 운(luck): That's *a good* 〔*bad*〕 ~. 그것 잘했다〔곤란하다〕 / He didn't come, *and a good* ~, too. 그는 오지 않았는데 오히려 잘된 일이었다.

5 Ⓒ (보통 *sing.*) 《구어》 (만들어진) 제품《특히 우수한 기계, 탈것, 냉장고 등; 주로 직업 용어》: a nice little ~ 괜찮은 물건 / Look at that Italian ~ parked over there. 저기 주차해 있는 저 이탈리아 자동차를 보아라.

6 Ⓒ **a** (공직을 이용한) 부정행위, 독직, 《특히》 정실 인사(人事). **b** 《속어》 도둑질(theft), 나쁜 일: pull a ~ 《속어》 도둑질하다.

7 Ⓒ 〖컴퓨터〗 컴퓨터에 처리시키는 작업 단위.

a bad* ~** 채산이 안 맞는 일, 실패, 불운한〔잘못된, 어려운, 난처한〕 일(⇨4). ***a* (*bloody* 〔*jolly, very*〕) *good* ~** 좋은 일, 잘된 일(⇨4). ***by the* ~** 청부로; 일단위(의 계약으)로. ***do a* ~ *on 《속어》 …을 때려부수다; 의기를 꺾다; 속이다. ***have a* ~** 《구어》 ① (…하는 데) 큰 곤란을 겪다《*to* do / do*ing*》: He *had a* ~ find*ing* the house. 그 집을 찾는 데 애먹었다. ② 고생하다《*with* …으로》. **~*s for the boys*** 《英구어·경멸적》 〖단독으로는 it is 의 뒤에〗 (지지자나 동료에게 논공행상으로 주는) 좋은 일자리, (끼리끼리 나누어 가지는) 수입이 좋은 일거리〔지위〕. ***make a bad* ~ *of*** …을 망쳐 놓다. ***make a* (*good* 〔*clean, excellent, fine,* etc.〕) ~ *of it*** …을 훌륭히 해내다, 철저하게 하다. ***make the best of a bad* ~** 궂은 사태를 이렇저렇 헤쳐 나가다, 역경을 이겨내다. ***odd* ~*s*** 허드렛일. ***on the* ~** 《구어》 ① 일하는 중(에), (기계 따위) 작동 중인. ② 방심하지 않고. ③ 성교 중인. ***out of a* ~** 실직하여. **(*That's*) *just the* ~.** 《구어》 (그건) 바람직한〔안성맞춤의〕 일이다.

> **DIAL.** ***Good* 〔*Nice*〕 *job!*** 잘했어; 훌륭한걸《비꼬는 말로도 쓰임》.
> ***I'm only doing my job.*** (죄송하지만) 이렇게 하는 것이 나의 임무입니다《교통 위반을 엄하게 단속하는 경찰관 등이 불만에 찬 상대에게 하는 말》.

— (*-bb-*) *vi.* **1** 삯일하다, 품팔이하다; 청부맡아 일하다. **2** 《+전+명》 거간을 하다《*in* (주식·상품)의》. **3** 공직을 이용하여 사리를 꾀하다, 독직(瀆職)하다.

—*vt.* **1** 《+목+부/+목+전+명》 (일)을 (몇 사람에게 나누어) 하청 주다, 할당하다 (*out*): He ~*bed* (*out*) the work *to* a number of building contractors. 그는 그 공사를 몇 사람의 건축 청부인에게 하청주었다. **2** 《英》 (주식)을 매매하다; 거간하다; 도매하다. **3** 《+목+전+명》 《美속어》 (아무)를 속이다, (아무)에게서 우려먹다, 빼앗다《*of* …을》: He was ~*bed out of* his money. 사기를 당해 돈을 빼앗겼다. **4** 《+목+전+명》 (공직)을 이용해서 부정을 하다; 직권을 이용해서 (아무)를 앉히다《*into* …(지위)에》: He ~*bed* his friend *into* the post. 직권을 이용해서 친구를 그 자리에 앉혔다.

—*a.* Ⓐ 임대(용)의; 품팔이〔삯일〕의, 임시고용의; 자투리(일)의.

jób àction (노동자의) 태업; 준법투쟁.

jób bànk 《美》 취업 은행《정부기관에 의한 직업 알선 업무; 컴퓨터 처리에 의함》.

job·ber [dʒábər/dʒɔ́b-] *n.* Ⓒ **1** 《美》 도매상《싼 물건을 한목에 사서 소매상에게 파는》. **2** 청부업자, 삯일꾼; 《英》 =STOCKJOBBER. **3** 사욕을 채우는 관리, 탐관오리.

job·bery [dʒábəri/dʒɔ́b-] *n.* Ⓤ (공직을 이용한) 부정 이득, 독직; 이권 운동.

job·bing [dʒábiŋ] *a.* Ⓐ 《英》 임시고용〔품팔이〕 일을 하는: a ~ gardener 임시고용 정원사.

jób cènter 《英》 =JOB BANK.

jób·hòld·er *n.* Ⓒ 《美》 일정한 직업이 있는 사람; 공무원, 관리.

jób-hòp *vi.* (눈앞의 이익을 찾아) 직업을 전전하다. ㊁ **jób-hòp·per** *n.*

jób-hùnt *vi.* 《구어》 직업〔일〕을 찾다.

jób-hùnt·er *n.* Ⓒ 《구어》 구직자.

jób·less *a.* **1** 실업의(unemployed), 일이 없는; 실업자를 위한: ~ insurance 실업보험 / a ~

rate 실업률. 2 (the ~) 〖명사적; 복수취급〗 실업자. ⓕ ~·ness n.
jób lòt 한 무더기 얼마의 싼 물건; 잡다한 저질의 사람〔물건〕의 더미.
Jób's còmforter 〖성서〗 욥의 위안자《위로하는 체하면서 오히려 고통을 더 주는 사람; 욥기 XVI: 2》.
jób strèam 〖컴퓨터〗 작업의 흐름《순번으로 실행되는 일련의 작업》.
jób·wòrk n. Ⓒ 품팔이〔삯〕일, 도급일.
Jock [dʒɑk/dʒɔk] n. Ⓒ 《英속어》 스코틀랜드 사람.
jock[1] [dʒɑk/dʒɔk] n. Ⓒ 《구어》 경마의 기수 (jockey); ＝DISC JOCKEY.
jock[2] n. Ⓒ 《구어》 **1** 정력적인 활동〔탐구〕가: a computer ~ 컴퓨터광(狂). **2** 《美》 운동 선수.
jock·ette [dʒɑkét/dʒɔ-] n. 여성 (경마) 기수.
*__jock·ey__ [dʒɑ́ki/dʒɔ́ki] n. Ⓒ **경마의 기수**(騎手); 《美구어》 (탈것 · 기계 등의) 운전사, 조종자: a truck ~ 트럭 운전수 / a typewriter ~ 타이피스트 / a video ~ 비디오 자키.
—vt. **1** (말)을 기수로서 타다. **2** 《美구어》 (비행기)를 조종하다, (차)를 운전하다, (기계)를 조작하다, 재치있게 움직이다. **3** 《+목+부/+목+전+명》 (아무)를 속이다; 속여서 물리치다(*away*); 속여서〔설득해서〕 …시키다《**into** …하게》; (아무)를 속여서 빼앗다《**out of** …을》: He ~*ed* me *into* doing that. 그는 나를 속여서 그 일을 하게 했다 / He ~*ed* me *out of* a chance for the job. 그는 나를 속여서 그 일을 할 기회를 빼앗았다.
—vi. **1** 기수로서 일하다. **2** 《+전+명》 책략을 쓰다《**for** …을 얻으려고》: ~ *for* power 권력을 얻으려고 획책하다. **3** 속이다, 비열한 짓을 하다, 사기치다. ~ **for position** 〖경마〗 상대를 제치고 앞서다; 〖요트〗 교묘히 조종하여 앞지르다; 유리한 입장에 서려고 (획책)하다.
jóckey càp 기수모(帽).
jóckey clùb 경마 클럽.
jóck·stràp n. Ⓒ (남자 운동선수용의) 국부(局部) 보호구(具)《athletic supporter보다 구어적이고 일반적》.
jo·cose [dʒoukóus] a. 《문어》 (사람됨이) 우스꽝스런, 익살맞은(facetious).
ⓕ ~·ly ad. ~·ness n.
jo·cos·i·ty [dʒoukɑ́səti/-kɔ́s-] n. **1** Ⓤ 우스꽝스러움, 익살, 농(담). **2** Ⓒ 익살맞은 언행.
joc·u·lar [dʒɑ́kjələr/dʒɔ́k-] a. 익살맞은, 우스운, 농담의. ⓕ ~·ly ad.
joc·u·lar·i·ty [dʒɑ̀kjəlǽrəti/dʒɔ̀k-] n. **1** Ⓤ 익살, 농담. **2** Ⓒ 익살스러운 이야기〔짓〕.
°**joc·und** [dʒɑ́kənd, dʒóuk-/dʒɔ́k-] a. 《문어》 명랑〔쾌활〕한(cheerful), 즐거운. ⓕ ~·ly ad.
jo·cun·di·ty [dʒoukʌ́ndəti] n. Ⓤ 즐거움, 쾌활, 명랑(gaiety); Ⓒ 쾌활한 언행.
jodh·purs [dʒɑ́dpərz] n. pl. 승마(乘馬) 바지.
Joe [dʒou] n. **1** 조《남자 이름; Joseph의 애칭》. **2** 《구어》 여보게, 자네《이름을 모르는 상대를 부를 때》. **3** (종종 j-) Ⓒ 《美속어》 미국인, 미국 병사(ⓒf. GI); 《구어》 사내, 놈(guy): He's a good ~. 그는 좋은 놈이다. **4** 전형적인 미국 남자.
joe [dʒou] n. Ⓤ 《美구어》 커피.
Jo·el [dʒóuəl] n. 〖성서〗 요엘《헤브라이의 예언자》; (구약성서의) 요엘서(書).
*__jog__ [dʒɑg/dʒɔg] (-**gg**-) vt. **1** **살짝 밀다〔당기다〕**, (팔꿈치 따위로) 가만히 찌르다(nudge); (살짝 찔러서) 알려 주다: The rider ~*ged* the reins. 기수는 (말)고삐를 살짝 흔들었다 / I ~*ged* his elbows, but he still ignored me. 그의 팔꿈치를 찔렀는데도 그는 여전히 알아차리지 못했다.
2 (기억)을 불러일으키다(remind): ~ a person's memory 아무의 기억을 불러일으키다.
—vi. **1** 덜커덕 움직이다.
2 《+부/+전+명》 터벅터벅〔천천히〕 걷다; 덜커덩거리며 (타고) 가다: The cart ~*ged along*. 수레가 덜커덩거리며 지나갔다 / They ~*ged down to* town on horseback. 그들은 말등에 올라앉아 터벅터벅 읍으로 갔다.
3 a (운동을 위해) 천천히 달리다, 조깅하다: I ~ five miles a day. 나는 하루에 5마일 조깅한다. **b** 《+부》 그럭저럭 해나가다 (*on; along*): The project is ~*ging along*. 그 계획은 그럭저럭 진행〔진척〕되고 있다.
—n. Ⓒ **1** 슬쩍 밀기〔흔들기〕; 가볍게 찌르기. **2** (1회의) 조깅, 터벅터벅〔천천히〕 걷기: go for a ~ 조깅하러 가다. **3** (말 · 사람의) 완만한 속보.
jóg·ging n. Ⓤ 조깅《건강을 위해 천천히 달리는 운동》.
jog·gle [dʒɑ́gəl/dʒɔ́gəl] vt., vi. 흔들다; 흔들리다, 휘청거리다. —n. Ⓒ (가벼운) 흔들림.
jóg tròt (말의) 느릿느릿한 규칙적인 속보(速步); 《비유적》 단조로운 방식〔생활〕.
John [dʒɑn/dʒɔn] n. **1** 존《남자 이름; 애칭 Johnny, Jack》. **2** 〖성서〗 세례 요한(~ the Baptist); 사도 요한; (신약성서의) 요한 복음; (신약성서의) 요한 1서〔2서, 3서〕.
john [dʒɑn/dʒɔn] n. Ⓒ **1** 《美구어》 변소, 변기: Where's the ~? 화장실이 어딥니까. **2** 《美속어》 매춘부의 손님.
Jóhn Bárleycorn (의인적으로 쓰인) 맥주, 위스키.
Jóhn Búll (전형적) 영국(인).
Jóhn Dóe 1 Ⓤ (구체적으로는 Ⓒ) 〖법률〗 부동산 회복 소송 등에서 원고의 가상적 이름. ⓒf. Jane Doe. **2** Ⓒ 《美》 이름 없는〔평범한〕 사람; 모씨(某氏), 아무개.
Jóhn Dóry [-dɔ́:ri] 〖어류〗 달고기류(類).
Jóhn Hán·cock [-hǽnkɑk/-kɔk] 《美구어》 자필 서명, 사인: Put your ~ on this check. 이 수표에 서명해 주세요. ★ 미국 독립선언의 첫 서명자로 그 굵직한 서명에서.
John·ny, -nie [dʒɑ́ni/dʒɔ́ni] n. **1** 조니《남자 이름; John의 애칭》. **2** Ⓒ 《英구어》 놈, 녀석, 사나이. **3** (j-) Ⓒ 《美속어》 (남자용) (공중) 변소 (toilet).
jóhnny·càke n. Ⓤ (낱개는 Ⓒ) 《美》 옥수수빵.
jóhnny-còme-látely (pl. **-láte·lies, Jóhn·nies-**) n. Ⓒ 《구어》 신참자(新參者), 신출내기, 풋내기; 새 가입자; 벼락부자.
Jóhn o'Gróat's (Hòuse) [dʒɑ́nəgróuts(-)/dʒɔ́n-] 스코틀랜드의 최북단(最北端)에 위치한 땅〔곳〕. ⓒf. Land's End.
from John o'Groat's to Land's End 영국의 끝에서 끝까지, 영국 내.
Jóhn Pául II 요한 바오로 2세《폴란드 태생의 로마 교황(1978–); 1920– 》.
Jóhn Q. Públic 〔Cítizen〕 《美》《의인화》 전형적〔평균적〕 미국 시민.
John·son [dʒɑ́nsn/dʒɔ́n-] n. **1** **Lyndon Baines** ~ 존슨《미국의 제36대 대통령; 1908–73》. **2** **Samuel** ~ 존슨《영국의 문학가 · 사전 편찬가; 1709–84》.

Jóhnson cóunter 〖컴퓨터〗 존슨 계수기.

John·son·ese [dʒɑ̀nsəníːz/dʒɔ̀n-] *n.* Ⓤ Samuel Johnson 식의 문체.

John·so·ni·an [dʒɑnsóuniən/dʒɔn-] *a.* Samuel Johnson(식)의; 장중한《문체》. **—***n.* Ⓒ Samuel Johnson 연구가〔숭배자〕.

Jóhn the Báptist 〖성서〗 세례자 요한.

†**join** [dʒɔin] *vt.* **1** 《~+목/+목+전+명/+목+부》 **결합하다**(unite), 연결하다(connect), 접합하다(fasten) (*together; up*)《**to** (다른 것)에》: ~ two sheets of metal by soldering 두 장의 철판을 납땜으로 접합하다 / ~ one thing *to* the other 어떤 것을 다른 것에 연결시키다 / ~ two things *together* 두 물건을 하나로 잇다.

SYN. **join** 두 개의 것을 외면적으로 하나로 이음을 말하는 일반적인 말. **combine** 두 가지 것을 하나로 결합하여 그 결과 원래의 요소가 구분되기 어려울 만큼 융합되어 있음. **unite** 두 가지 이상의 것을 밀접히 결합하여 하나의 통합체를 만드는 일: be *united* by love. **connect** 어떤 매개물이 있어 두 개의 것을 결합시킴을 이름. **link** 외면적인 것뿐만 아니라 내면적으로도 강하게 결합함을 나타냄.

2 (강·길 따위가) …와 **합류하다**, 합치다; (기다리는 사람)과 **함께 되다**, 한곳에서 만나다: The stream ~*s* the Han River. 이 개울은 한강과 합류한다 / She will ~ me in Japan. 그녀는 일본에서 나와 만난다. **3** 《~+목/+목+전+명》 …에 **들다**, 가입하다, …의 회원이 되다; …에 가담하다《**in, for** (놀이·활동)에서》: ~ a society 회에 들다 / ~ a church 교회 신자가 되다 / Will you ~ us *for* 〔*in*〕 a game? 함께 게임을 안 하겠나. **4** (군)에 입대하다; (배)를 타다; (소속부대·배)로 (되)돌아오다: ~ the Navy 해군에 입대하다. **5** …에 인접하다, 잇닿다(adjoin): His land ~*s* mine. 그의 땅은 내 땅과 접해 있다 / Our field ~*s* John's on the west. 우리 밭은 서쪽에서 존의 밭과 접해 있다. **6** 《+목+전+명》 (아무)를 맺어 주다《**in** (결혼 따위)로》: The minister ~*ed* them *in* marriage. 목사는 두 사람을 결혼시켰다. **7** (전투·싸움)을 벌이다, 교전하다: The opposing armies ~*ed* battle in the valley. 서로 적대하는 두 군대는 골짜기에서 전투를 벌였다. **8** 《~+목/+목+전+명》 〖수학〗 (두 점)을 잇다; (한 점)을 연결하다《**to** (다른 점)에》: ~ two points on a graph 그래프상의 두 점을 잇다.

—*vi.* **1** 《~/+전+명》 **합하다**, 만나다, 연결〔접속〕되다: Where do those two rivers ~? 저 두 강은 어디에서 합류하는가 / The two roads ~ *at* this place. 두 도로는 이곳에서 합친다. **2 a** 《+부/+전+명》 참가하다(*in*)《**in** (전쟁·오락 따위)에》: I'll ~ *in* if you need another player. 한 사람 더 필요하면 내가 들어가겠다 / ~ *in* the election campaign 선거 운동에 참가하다. **b** 《+전+명》 행동을 함께 하다《**in** …에; **with** …와》: Tom ~*ed with* me *in* the undertaking. 톰은 나와 공동으로 그 일을 했다.

~ *forces with* ⇨FORCE. **~ *hands with*** …와 손을 맞잡다; …와 제휴하다. **~ *up*** 《*vi.*+부》 ① 동맹〔제휴〕하다《**with** …와》. ② 입대하다(enlist).

—*n.* Ⓒ 접합부〔선, 점, 면〕, 이음매.

jóin·er *n.* Ⓒ 결합자; 접합물; 《英》 소목장이, 가구장이(《美》 carpenter); 《구어》 많은 모임에 관계하고 있는 사람, 얼굴이 널리 알려진 사람.

jóin·ery [-əri] *n.* Ⓤ **1** 소목장이 일〔기술〕, 가구 제조업. **2** 〘집합적〙 가구류.

‡**joint** [dʒɔint] *n.* Ⓒ **1 a** **이음매**, 접합 부분〔점, 선, 면〕. **b** 〖목공〗 (목재를 잇기 위해) 장부를 낸 곳; 〖지질〗 절리(節理)《암석의 갈라진 틈》. **c** (푸주에서 잘라놓은) 큰 고깃덩어리, 뼈가 딸린 고기 《요리용》; 〖해부〗 (손가락 따위의) **관절**; (가지·잎의) 마디, 붙은 곳. **2** 《속어》 (원래 밀주를 판) 비밀 술집, 싸구려 레스토랑〔나이트클럽, 여인숙〕; 〘일반적〙 (사람이 모이는) 장소, 집, 건물, 감방(prison, jail). **3** 《속어》 마리화나 (담배); 《비어》 음경. ◇join *v.* ***out of* ~** ① (관절이) 접질리어, 탈구하여. ② 고장이 나서, 뒤죽박죽이 되어. ***put** a person**'s nose out of* ~** ⇨NOSE.

—*a.* Ⓐ **공동의**, 합동의, 공유의, 공통의; 〖법률〗 연대의: ~ communiqué 공동 코뮈니케 / ~ ownership 공유권 / a ~ responsibility 〔liability〕 연대 책임 / a ~ statement 공동 성명 / a ~ offense 공범. ***during their* ~ *lives*** 〖법률〗 두 사람이〔전부가〕 함께 생존해 있는 동안.

—*vt.* **1** 접합하다, 이어맞추다. **2** (고기)를 큰 덩어리로 베어 내다《관절 마디마다 끊어서》.

jóint (bank) accóunt (은행의) 공동 예금계좌《특히 부부의》.

Jóint Chìefs of Stáff (the ~) 《美》 합동 참모 본부〔회의〕《생략: JCS》.

jóint commíttee (의회의) 양원 합동 위원회.

jóint·ed [-id] *a.* **1** 마디〔이음매〕가 있는; 관절이 있는. **2** 〘합성어〙 접합이 …한: well-~ 잘 이어진.

jóint·less *a.* 이음매가 없는, 관절이 없는.

◇**jóint·ly** *ad.* 연합하여, 공동으로; 연대적으로.

jóint resolútion 《美》 (양원의) 공동〔합동〕 결의(決議).

jóint séssion 〔**méeting**〕 《美》 (양원) 합동 회의.

jóint stóck 〖경제〗 공동 자본〔출자〕.

jóint-stóck còmpany 《英》 주식회사(《美》 stock company).

join·ture [dʒɔ́intʃər] *n.* Ⓒ 〖법률〗 과부 급여 《남편 사후 아내의 소유가 되도록 정해진 토지 재산》; 과부 급여의 설정.

jóint vénture 합작 투자(업체), 합판(合辦)회사〔사업〕.

joist [dʒɔist] *n.* Ⓒ 〖건축〗 장선; 들보.

‡**joke** [dʒouk] *n.* Ⓒ **1** **농담**, 익살, 조크; 장난: have a ~ with …와 농담을 주고받다 / as a ~ 농담으로.

SYN. **joke** 상대방을 웃길 만한 농담이나 행위를 해 보임을 뜻하며, 가장 보통으로 쓰이는 말임. **jest** joke보다 격식을 차린 말로서 비아냥·조소가 가미된 농담을 이름. **gag** 극 따위에서 관객을 웃기기 위해 배우가 하는 즉흥적인 익살스런 말.

2 웃을 일; 하찮은 일; 쉬운 일: It is no ~ being broke. 돈 한푼 없는 것은 정말로 괴로운 일이다. **3** 웃음가마리: He is the ~ *of* the whole town. 그는 온 동네의 웃음거리다.

be* 〔*go, get*〕 *beyond a* ~** 웃을 일이 아니다, 중대한 일이다. ***crack* 〔*cut, make*〕 *a heavy* ~** 심한 농담을 하다. ***for a* ~** 농담삼아서: It was meant *for a* ~. 농담삼아 한 말이었다. ***in* ~** 농담으로. ***play a* ~ *on a person 아무를 조롱하다, 놀리다. ***see a* ~** 재담을 알아듣다. ***The* ~ *is on....*** (남에 대한 계략·몹쓸 장난이) 자기에게 돌아온다.

J

—*vi.* 《~/+전+명》 **농담을 하다; 희롱하다** 《***about*** …에 대하여》: I'm just *joking*. 그저 농담으로 한 말이야/~ *about* a person's mistake 아무의 과실을 놀리다.

—*vt.* 《~+목/+목+전+명》 조롱하다, 비웃다: He ~*d* me *on* my accent. 그는 나의 사투리를 비웃었다. ***joking apart*** 〔***aside***〕 농담은 그만하고.

> DIAL. ***You're joking!*** =***You must*** 〔***have*** (***got***) ***to***〕 ***be joking!*** 농담이겠지요: Surely, *You're joking*, Mr. Feynman! 설마 농담이겠지요, 페인맨씨.

jok·er [dʒóukər] *n.* Ⓒ **1** 농담하는 사람, 익살꾼. **2** 《구어》 놈, 녀석(fellow); 하잘것없는〔무능한〕 녀석. **3** 〖카드놀이〗 조커.

jok·ing·ly [dʒóukiŋli] *ad.* 농담으로.

joky [dʒóuki] (***jok·i·er; -i·est***) *a.* 농담을 좋아하는(jokey).

jol·li·fi·ca·tion [dʒɑ̀ləfikéiʃən/dʒɔ̀-] *n.* **1** Ⓒ (흔히 *pl.*) 즐거운 연회〔축하연〕. **2** Ⓤ 환락, 흥에 겨워 즐겁게 놀기(merrymaking).

jol·li·fy [dʒɑ́ləfài/dʒɔ́-] *vt.* (술마시며) 즐겁게 하다, 명랑하게 하다. **—***vi.* 즐기다, 유쾌해지다; 얼근한 기분이 되다.

jol·li·ty [dʒɑ́ləti/dʒɔ́-] *n.* **1** Ⓤ 명랑, 즐거움. **2** Ⓒ (보통 *pl.*) 환락, 술잔치.

jol·ly** [dʒɑ́li/dʒɔ́li] (-li·er; -li·est***) *a.* **1 명랑한, 즐거운**, 유쾌한: a ~ fellow 재미있는〔유쾌한〕 친구. **2** (술로) 거나한, 얼근한 기분의. **3** 《구어》 훌륭한; 엄청난, 굉장한; 〖반어적〗 이만저만이 아닌, 지독한: ~ weather 좋은 날씨/a ~ fool 지독한 바보/What a ~ mess I am in! 이거 큰일 났는데. ***the ~ god*** 술의 신(Bacchus).

—*n.* **1** (*pl.*) 《美구어》 흥분, 스릴. **2** 《英구어》 파티, 축하연.

—*ad.* 《英구어》 대단히(very), 엄청나게: I had a ~ good time with my friends. 친구들과 아주 즐거운 시간을 보냈다/She's ~ good at these sort of functions. 그녀는 이런 일에는 아주 뛰어났다. **~ *well*** 《英속어》 ① 아주 건강하게. ② 매우 잘: I know him ~ *well*. 그를 잘 알고 있다. ③ 틀림없이, 꼭, 반드시: You should ~ *well* help him. 반드시 그를 돕지 않으면 안 된다.

> DIAL. ***Jolly good!*** 바로 그거예요; 잘 말했어요 《바라던 말을 듣고 맞장구를 칠 때》.

J

—*vt.* 《구어》 **1 a** 《+목+부》 기쁘게 하다, 추어주다(*along; up*): I was *jollied along* and agreed to join in the work. 부추김을 받아 그 일에 가담하는 데 동의했다. **b** 《+목+전+명》 (아무)를 추어서〔치켜세워서〕 …시키다《***into*** …하게》: He *jollied* her *into* helping with the work. 그는 그녀를 추어서 그 일을 돕게 했다. **2** (악의 없이) 놀리다, 조롱하다(rally). **—***vi.* 치켜세우다.

jólly bòat 〖항해〗 (함선에 딸린) 작은 보트.

Jólly Róg·er [-rɑ́dʒər/-rɔ́dʒər] (the ~) 해적기《검은 바탕에 흰 두개골과 두 개의 대퇴골을 교차시켜 그린 기》. cf. black flag.

◇**jolt** [dʒoult] *vi.* 덜걱덜걱 흔들리면서 가다, 덜컹거리다: The car ~*ed along*. 차는 덜컹덜컹 흔들거리면서 갔다.

—*vt.* **1 심하게 흔들다**, 덜컹거리게 하다: A severe earthquake ~*ed* the villages. 격렬한 지진이 마을들을 뒤흔들어 놓았다/The bus ~*ed* its passengers over the rough road. 버스는 울퉁불퉁한 길을 덜컹거리면서 승객을 태우고 갔다. **2** (아무)에게 충격을〔쇼크를〕 주다; 쇼크를 주어 …하다《***into*** (…상태)로》; 쇼크를 주어 벗어나게 하다《***out of*** (상태)에서》: The mention of her name ~*ed* him awake. 그녀의 이름이 거명되자 그는 정신이 번쩍 들었다/The event ~*ed* them *into* action. 그 사건으로 그들은 갑자기 행동으로 들어갔다/The news ~*ed* him *out of* his reverie. 그는 그 소식을 알고는 즐거운 공상에 잠겨 있을 수 없었다.

—*n.* Ⓒ **1** 급격한 동요, (마차 따위의) 덜커덕거림(jerk). **2** (정신적) 충격, 놀라움. **3** 《속어》 (독한 술 따위의) 소량, 한 모금: have a ~ *of* whisky 위스키를 죽 한 잔 마시다.

jolty [dʒóulti] (***jolt·i·er; -i·est***) *a.* 덜커덕거리는, 동요가 심한.

Jo·nah [dʒóunə] *n.* **1** 조나《남자 이름》. **2** 〖성서〗 요나《헤브라이의 예언자》; (구약성서의) 요나서(書). **3** Ⓒ 불행·흉변을 가져오는 사람〔것〕.

Jon·a·than [dʒɑ́nəθən/dʒɔ́n-] *n.* **1** 조나단《남자 이름》. **2** 〖성서〗 요나단《Saul의 장자; David의 친구》.

Jones [dʒounz] *n.* **Daniel ~** 존스《영국의 음성학자; 1881–1967》.

Jones·es [dʒóunziz] *n. pl.* (the ~) 〖다음 관용구로만 사용〗 ***keep up with the ~*** 이웃 사람에게 지지 않으려고 허세를 부리다.

jon·quil [dʒɑ́ŋkwil, dʒɑ́n-/dʒɔ́ŋ-] *n.* Ⓒ 〖식물〗 노랑수선화.

Jon·son [dʒɑ́nsən/dʒɔ́n-] *n.* **Ben**(**jamin**) ~ 존슨《영국의 시인·극작가; 1572–1637》.

Jor·dan [dʒɔ́ːrdn] *n.* **1** 요르단《아라비아 반도에 있는 왕국; 수도 Amman》. **2** (the ~) 요단강《팔레스타인 지방의 강》.

Jo·seph [dʒóuzəf] *n.* **1** 조지프《남자 이름; 애칭 Jo, Joe》. **2 a** 〖성서〗 요셉《Jacob의 아들; 이집트의 고관》. **b** Ⓒ 품행이 단정한 남자, 여자를 싫어하는 남자. **3** (St. ~) 요셉《성모 마리아의 남편으로 나사렛의 목수》.

Jo·se·phine [dʒóuzəfìːn] *n.* **1** 조지핀《여자 이름; 애칭 Jo, Josie》. **2** Napoleon 1세의 최초의 왕비(1763–1814).

josh [dʒɑʃ/dʒɔʃ] 《美》 *n.* Ⓒ (악의 없는) 농담, 놀리기. **—***vt., vi.* 놀리다, 조롱하다(banter), 속이다(hoax).

Josh·ua [dʒɑ́ʃuə/dʒɔ́ʃuə] *n.* **1** 조수아《남자 이름; 애칭 Josh》. **2** 〖성서〗 여호수아《모세의 후계자》; (구약성서의) 여호수아기(記).

Jo·si·ah [dʒousáiə] *n.* 조사이아《남자 이름》.

Jo·sie [dʒóuzi] *n.* 조지《여자 이름; Josephine의 애칭》.

joss [dʒɑs, dʒɔːs/dʒɔs] *n.* Ⓒ (중국인이 섬기는) 우상, 신상(神像).

jos·ser [dʒɑ́sər/dʒɔ́sər] *n.* Ⓒ 《英속어》 사내, 녀석, 놈; 바보.

jóss hòuse (중국인의) 절, 영묘(靈廟).

jóss stick 선향(線香)《joss 앞에 피우는》.

◇**jos·tle** [dʒɑ́sl/dʒɔ́sl] *vt.* **1 a** (난폭하게) 떠밀다, 찌르다, 부딪치다, 팔꿈치로 밀다(elbow): Don't ~ me. 떠밀지 마라. **b** 밀어제치다(*away*) 《***from*** …에서》: He ~*d* me *away*. 그는 나를 밀어 제쳤다. **c** 〖~ one's way로〗 헤치고 나아가다: He ~*d* his way *out of* the bus. 그는 사람을 밀어 제치고 버스에서 내렸다. **2** …와 아주 가까이에 있다, 인접하다: The three families ~

each other in the small house. 세 가구가 좁은 집에서 복작거리며 살고 있다.

— *vi.* **1** 서로 밀다(crowd), 부딪치다《*against* …에》; 헤치고 나아가다《*through, into* …을》: He ~*d against* me as he passed. 그는 지나가면서 나에게 부딪쳤다/I ~*d through* the crowd. 군중을 헤치고 나아갔다. **2** 겨루다, 다투다; 겨루어 빼앗다《*with* (아무)와; *for* …을》: Ben and I ~*d* (*with* each other) *for* the position. 벤과 나는 (서로) 그 지위를 놓고 경쟁했다.

— *n.* [C] 서로 밀치기, 혼잡; 부딪침.

◇**jot** [dʒɑt/dʒɔt] *n.* (a ~) 〖보통 부정문〗 (극히) 조금, 약간, 미소(微小)《*of* …의》: I do*n't* care a ~ what she thinks. 그녀가 무슨 생각을 하든 나는 조금도 상관 없다/There is *not* a ~ *of* evidence. 증거가 전혀 없다.

— (**-tt-**) *vt.* 약기(略記)하다, 적어 두다, 메모하다(*down*): ~ *down* one's passport number 여권 번호를 적어 두다.

jót·ter *n.* [C] **1** 메모하는 사람. **2** 메모장, 비망록.

jót·ting *n.* [C] (보통 *pl.*) 메모, 약기.

joule [dʒu:l, dʒaul] *n.* [C] 〖물리〗 줄《에너지의 절대 단위; $=10^7$ 에르그; 기호 J; 영국의 물리학자 J. P. Joule(1818–89)의 이름에서》.

jounce [dʒauns] *vt.* 덜컹덜컹 흔들다, 동요시키다. **—** *vi.* 덜컹덜컹 흔들리다, 덜컹거리다, 동요하다. **—** *n.* [C] 덜커덩거림, 진동, 동요.

⁑**jour·nal** [dʒə́:rnəl] *n.* [C] **1 신문**, 일간 신문; (학술 단체 따위의) 기관지: a college ~ 대학 신문/a trade ~ 무역 신문. **2 잡지**(periodical); 정기 간행물《학회 간행물 따위》: a monthly ~ 월간 잡지/a home ~ 가정 잡지. **3** 일지, 일기(diary)《★ 보통 diary 보다 문학적인 것을 말함》: keep a ~ 일기를 쓰다. **4** (the J–s) 《英》 국회 의사록. **5** 〖항해〗 항해 일지(logbook). **6** 〖부기〗 분개장(分介帳); 거래 일기장(daybook).

jour·nal·ese [dʒə̀:rnəlí:z] *n.* [U] 《경멸적》 신문 용어, 신문 기사투; 신문 잡지 문체.

***jour·nal·ism** [dʒə́:rnəlìzəm] *n.* [U] **1 저널리즘**, 신문 잡지업(業); 신문 잡지 편집, 신문 잡지 기고 집필: enter ~ 신문 잡지 기자〔업자〕가 되다/follow ~ as a profession 직업으로서 저널리즘에 종사하다. **2 신문 잡지(업)계**. **3** 〖집합적〗 신문 잡지. **4** 신문 잡지식 문체.

⁑**jour·nal·ist** [dʒə́:rnəlist] *n.* [C] **저널리스트**, 신문 잡지 기자, 신문인; 신문 잡지업자, 신문 잡지 기고가.

jour·nal·is·tic [dʒə̀:rnəlístik] *a.* 신문 잡지(업)의; 신문 잡지 기자의; 신문 잡지 특유의; 기자 기질의. [파] **-ti·cal·ly** *ad.*

⁑**jour·ney** [dʒə́:rni] *n.* [C] **1** (보통 육상의) **여행**: a ~ around the world 세계 일주 여행/a ~ of three months =a three months' ~ =a three-month ~ 3개월간의 여행/a ~ into the country 시골로의 여행/break one's ~ 여행을 중단하다; 도중하차하다/start 〔set out〕 on a ~ 여행에 나서다/A pleasant ~ to you. I wish you a good 〔happy〕 ~. 여행 잘 다녀오시오/make 〔take, undertake〕 a ~ 여행하다/on a ~ 여행에 나서서, 여행 중에.

[SYN] **journey** voyage에 대하여 주로 육지에서의 긴 여행. 여러 곳의 역방(歷訪)이 암시되며, 귀로가 반드시 전제되지는 않음. 그렇기 때문에 많은 비유적 표현이 있음: a *journey* into higher mathematics 고등수학에의 여행. **travel** 탈것에 의한 여행. '일정한 속도로 이동하는 것'에 중점이 있음. **trip** '여행'을 나타내는 가장 흔히 쓰이는 구어. 보통 짧은 여행을 말함. **voyage** 긴 해상 여행.

2 여정(旅程), 행정(行程); (인생 등의) 행로, 편력: It is a two days' ~ from here. 여기에서 이틀길이다. one's ~'s end 여로의 끝; 인생행로의 종말.

— *vi.* 《~/+[전]+[명]》 여행하다.

jóurney·man [-mən] (*pl.* **-men** [-mən]) *n.* [C] (수습 기간을 마친) 제구실을 하는 장색; (일류는 아니지만) 확실한 솜씨를 가진 사람. [cf.] apprentice, master.

jour·no [dʒə́:rnou] *n.* 《英구어》 =JOURNALIST.

joust [dʒaust, dʒu:st] *n.* [C] (중세 기사의) 마상 창시합(槍試合). **—** *vi.* 마상 창시합을 하다, 시합〔경기〕에 나가다〔참가하다〕.

Jove [dʒouv] *n.* =JUPITER. ***By ~!*** 《英구어》 신을 두고, 맹세코; 천만에; 빌어먹을; 그렇고말고《놀람 · 찬동 등을 나타냄》.

jo·vi·al [dʒóuviəl] *a.* 쾌활한, 명랑한, 즐거운, 유쾌한(merry). [파] **~·ly** *ad.*

jo·vi·al·i·ty [dʒòuviǽləti] *n.* [U] 쾌활, 명랑; 즐거움.

Jo·vi·an [dʒóuviən] *a.* **1** 주피터의; (주피터처럼) 당당한. **2** 목성의.

jowl [dʒaul, dʒoul] *n.* [C] **1** (보통 *pl.*) 턱(jaw), 턱뼈; 뺨 (cheek). **2** (소 · 돼지 · 새 따위의) 목에 늘어진 살, 군턱, 육수(肉垂); 물고기의 대가리《요리용》. **3** (보통 *pl.*) (노인의) 뺨이나 목의 늘어진 살. ***cheek by ~*** 볼을 맞대고, 정답게.

jowly [dʒáuli] *a.* 2중턱의, 군턱의.

⁑**joy** [dʒɔi] *n.* **1** [U] **기쁨**, 즐거움, 환희(gladness): (both) in ~ and (in) sorrow 기쁠 때나 슬플 때나/dance 〔jump〕 for ~ 기뻐서 날뛰다/shout *with* ~ 기쁨의〔기뻐서〕 소리를 지르다/I give you ~! 축하합니다/I wish you ~. 경하드립니다, 축하합니다(I congratulate you.). [SYN] ⇨ PLEASURE. **2** [C] 기쁨을 주는 것, 기쁨거리: the ~*s* and sorrows of life 인생의 기쁨과 슬픔/She was a great ~ to her parents. 그녀는 부모님에게는 매우 큰 기쁨이었다/A thing of beauty is a ~ forever. 아름다운 것은 영원한 기쁨이다《Keats의 시 Endymion 에서》. **3** [U] 〖부정 · 의문문〗 《英구어》 잘 되어 감, 성공, 만족: I've asked lots of people to help, but I have*n't* had any ~ 〔I got *no* ~〕 yet. 많은 사람들에게 도움을 요청했었지만 아직도 아무런 도움을 얻지 못하고 있다.

to the ~ of …이 기쁘게도. ***wish*** a person ***joy of*** 〖종종 비꼬아서〗 …을 실컷 즐겨보라지: He's stolen my fiancée, and I *wish* him ~ *of* her. 내 약혼녀를 가로채서 만족스러워한다면, 어디 그렇게 해 보라지.

— *vi.* 《+[전]+[명]》 《시어》 기뻐하다《*in* …을》: He ~*ed in* my good luck. 그는 나의 행운을 기뻐했다.

Joyce [dʒɔis] *n.* 조이스. **1** 여자 · 남자 이름. **2 James ~** 《아일랜드의 소설가 · 시인(詩人); 1882–1941》.

***joy·ful** [dʒɔ́ifəl] *a.* **1 즐거운**(happy), 기쁜: a ~ heart 기쁨에 넘치는 마음. **2** (마음을) 기쁘게 하는: ~ news 기쁜 소식. **3** 기쁜 듯한: a ~ look 즐거운 듯한 표정. [파] **~·ly** *ad.* **~·ness** *n.*

jóy·less *a.* 즐겁지 않은, 쓸쓸한. [파] **~·ly** *ad.* **~·ness** *n.*

J

joy·ous [dʒɔ́iəs] *a.* =JOYFUL. [파] **~·ly** *ad.* **~·ness** *n.*

jóy·rìde *n.* 《구어》 [C] **1** 재미로 하는 드라이브 《특히 속도를 내며 난폭하게 운전하거나 남의 차를 양해도 없이 타고 돌아다니는 일》. **2** (비용이나 결과를 생각지 않는) 무모한 행동〔행위〕.
—*vi.* 재미로 자동차를 몰고 돌아다니다.
[파] **jóy·rìder** *n.*

jóy·stìck *n.* [C] 《구어》 **1** (비행기의) 조종간; 《비어》 음경(penis). **2** 〖일반적〗 (각종 기계 등의) (수동) 제어 장치; (비디오 게임의) 조이 스틱, 놀이손, 조작용 손잡이. **3** 〖컴퓨터〗 조이 스틱《컴퓨터 게임을 할 때 특히 도움이 되는 컴퓨터 입력 장치》.

jóy swìtch 〖컴퓨터〗 조이 스위치《joy stick 비슷한 컴퓨터의 입력 장치》.

J.P. Justice of the Peace. **Jpn.** Japan; Japanese. **Jr., jr., Jr, jr** junior.

ju·bi·lance, -lan·cy [dʒúːbələns], [-si] *n.* [U] 환희, 환호.

ju·bi·lant [dʒúːbələnt] *a.* (환성을 지르며) 기뻐하는, 환호하는; 기쁨에 찬. [파] **~·ly** *ad.*

jù·bi·lá·tion *n.* **1** [U] 환희, 환호(exultation); 기쁨. **2** [C] (보통 *pl.*) 축제.

◇**ju·bi·lee** [dʒúːbəlìː, ˌ-ˊ] *n.* **1** [C] 〖유대역사〗 희년(禧年), 요벨〔안식〕의 해; 〖가톨릭〗 성년(聖年), 대사(大赦)의 해. **2** [C] 50년제(祭); 25년제(祭): the silver 〔golden〕 ~, 25〔50〕년제. **3** [U] 환희.

Ju·daea [dʒuːdíːə] *n.* =JUDEA.

Ju·dah [dʒúːdə] *n.* **1** 주다《남자 이름》. **2** 〖성서〗 유다《Jacob의 넷째 아들; Judas와는 다름》; 유다로부터 나온 종족. **3** 팔레스타인의 고대 왕국.

Ju·da·ic, -i·cal [dʒuːdéiik], [-ikəl] *a.* 유대(교)의, 유대인〔민족, 문화〕의. [cf.] Jewish.
[파] **-i·cal·ly** *ad.*

Ju·da·ism [dʒúːdiìzəm, -dei-] *n.* [U] 유대교; 유대교 신봉; 유대주의; 유대식.

Jú·da·ist *n.* [C] 유대교도, 유대주의자.

Ju·da·ize [dʒúːdiàiz, -dei-, -də-] *vt.* 유대(인)식으로 하다, 유대교화〔주의화〕하다. —*vi.* (습관 따위가) 유대교화〔주의화〕하다; 유대(인)식이 되다.

Ju·das [dʒúːdəs] *n.* **1** 〖성서〗 유다《Judas Iscariot; 예수의 12제자 중 한 사람으로 예수를 배반했음; Judah와는 다름》. **2** [C] (우정을 가장한) 반역자, 배반자.

júdas hóle (독방의 문 따위의) 엿보는 구멍.

Júdas kíss 〖성서〗 유다의 키스; 《비유적》 겉치레만의 호의〔친절〕 배반 행위.

Júdas trèe 〖식물〗 박태기나무속(屬)의 일종.

jud·der [dʒʌ́dər] *n.* [C] (엔진·기계 따위의) 심한 (이상) 진동.
—*vi.* 《英》 **1** (기계 따위가) 심하게 진동하다〔삐걱거리다〕. **2** (소프라노 발성중) 성조(聲調)가 급격히 변화하다〔진동하다〕.

Jude [dʒuːd] *n.* **1** 주드《남자 이름》. **2** 〖성서〗 **a** 유다의 편지, 유다서《신약성서 중의 한 책》. **b** 유다《유다서의 저자》.

Ju·dea [dʒuːdíːə] *n.* 유대《팔레스타인 남부에 있었던 고대 로마령(領)》.

Ju·de·an [dʒuːdíːən] *a.* 고대 유대(인)의.
—*n.* [C] 고대 유대인(Jew).

Judg. 〖성서〗 Judges.

[J]

judge** [dʒʌdʒ] *n.* [C] **1** (종종 J-) **재판관**, 판사: a preliminary 〔an examining〕 ~ 예심 판사/a side ~ 배석 판사/the presiding ~ 재판장. **2** (토의·경기 따위의) **심판관**, 심사원: Mr. A was a ~ at the Cannes Film Festival. A씨는 칸느 영화제 심사원을 맡았다. **3** 감식력(鑑識力)이 있는 사람, **감정가**, 감식가(connoisseur): a ~ *of* horses 〔pictures〕 말〔그림〕 감정가/a good ~ *of* wine 〔swords〕 술〔도검〕 감정가/be a good 〔bad, poor〕 ~ of …의 감정(鑑定)이 능숙하다〔서투르다〕/I *am no* ~ *of* music. 나는 음악을 모른다. **4** 〖유대역사〗 사사(士師), 심판자; (J-s) 《단수취급》 〖성서〗 (구약성서의) 사사기(記). ***as grave 〔***sober***〕 ***as a*** ~ 자못 엄숙한; 아주 냉정한〔진지한〕.

> [DIAL.] ***I'll be the judge of that.*** =***Let me be the judge of that.*** 제가 결정하게 해 주세요.

—*vt.* **1** 《~+[목]/+[목]+[보]》 (사건·사람)을 **판가름하다**, 재판하다, …에 판결을 내리다: Only God can ~ him. 오직 하느님만이 그를 심판할 수 있다/The court ~*d* him guilty. 법정은 그에게 유죄 판결을 내렸다.
2 심리하다(try): ~ a murder case 살인 사건을 심리하다.
3 (아무)를 비판하다, 비난하다.
4 《~+[목]/+[목]+[보]》 심판하다, 심사하다; 감정〔판정〕하다: ~ horses 말의 (우열을) 감정하다/~ a race 경주의 심사원 노릇을 하다/She was ~*d* Miss America. 그녀가 미스 아메리카로 뽑혔다.
5 《~+[목]/+[목]+[전]+[명]/+[목]+(*to be*) [보]/+*that* [절]/+*wh.* [절]/+*wh. to* do》 **판단하다** 《***by, from*** …으로》; (…라고) 생각하다: ~ a person 〔the distance〕 인품을〔거리를〕 판단하다/~ a person *from* his accent 아무를 그의 말투로 판단하다/You must not ~ a man *by* his income. 사람을 그 수입의 다과로 판단해서는 안 된다/I ~ him (*to be*) an honest man. =I ~ *that* he is an honest man 나는 그를〔그는〕 정직한 사람이라고 생각한다/I ~*d* her (*to be*) about 40. 나는 그녀가 40세 가량이라고 예측했다/He ~*d* it better to put off the departure. 그는 출발을 늦추는 것이 좋다고 생각했다/I ~ (*that*) he was wrong. 그가 잘못이었다고 생각한다/I cannot ~ *whether* he is honest or not. 그가 정직한지 어떤지 판단할 수가 없다/It is difficult to ~ *what to* do in such circumstances. 이와 같은 경우에 무엇을 할 것인가를 판단하기란 어렵다.
6 《+[목]+[전]+[명]》 어림잡다, 견적(見積)하다《***at*** (어떤 수치)로》: We ~*d* the attitude of the helicopter *at* a hundred feet. 우리는 그 헬리콥터의 고도를 100피트로 어림잡았다.
—*vi.* **1** 재판하다, 판결을 내리다: *Judge* not, that ye be not ~*d*. 심판을 받지 않으려거든 남을 심판하지 마라《마태복음 VII: 1》.
2 《~/+[전]+[명]》 심판하다; 심사원이 되다《***at*** …을, …에서》: Mrs. White will ~ *at* the flower show. 화이트 부인이 꽃 전시회에서 심사원이 될 것이다.
3 《~/+[전]+[명]》 판정하다, 판단하다; 단정하다《***of*** …에 대하여》: as far as I can ~ 내가 판단할 수 있는 한/~ *of* its merits and faults 그 장단점을 판단하다.
4 《+[전]+[명]》 (판단에 의하여) 좋고 나쁨을 분별하다〔정하다〕《***between*** (두 가지) 중에서》: We must ~ *between* two applicants. 두 지원자 중에서 한 명을 뽑아야 한다.

judging from 〔*by*〕 …으로 미루어 보건대〔판단하건대〕: *Judging from* what we've heard, he will resign soon. 들은 바에 의하면 그는 머지않아 사임할 것이라고 한다.

[DIAL.] ***It's not for me to judge.*** 내가 할 말은 아닙니다; 제가 이러쿵저러쿵 말할 입장이 아닙니다(← 그것은 내가 판단할 일이 아니다).

júdge ádvocate 〖군사〗 법무관《생략: JA》.

jùdge ádvocate géneral (the ~) 〖군사〗 (미국 육·해·공군 및 영국 육·공군의) 법무참모, 법무감《생략: JAG》.

judg·ment, 《英》 **judge-** [dʒʌ́dʒmənt] *n.* **1** [U] (구체적으로는 [C]) **재판**, 심판; 판결: pass ~ on a person 〔case〕 아무〔사건〕에 판결을 내리다 / It's the ~ of this court that… 라는 것이 본 법정의 판결이다. **2** [U] (구체적으로는 [C]) **판단**, 심사, 판정; 감정, 평가: make a ~ 판단하다. **3** [U] 판단〔비판〕력, 견식, 사려분별, 양식: a man of good ~ 분별이 있는 사람. **4** [U] (구체적으로는 [C]) (판단에 따른) 의견, 견해《***that***》: in my ~ 나의 생각으로는 / form a ~ on 〔of〕 a question 문제에 대해 생각을〔견해를〕 정리〔통합〕하다 / They accepted his ~ *that* they had better put off their departure. 그들은 출발을 연기하는 것이 좋겠다는 그의 견해를 받아들였다. **5** ((the) (Last) J–) 〖종교〗 최후의 심판. **6** [C] (신의 판가름에 의한) 천벌, 재앙《***on, upon*** …에 내린; ***for*** …에 대한》: His misfortunes were ~ *upon* him *for* his wickedness. 그의 불행은 악행에 대한 천벌이었다.

against** one's **better ~ 본의 아니게, 마지못해. ***sit in*** ~ ① 재판하다《***on*** (아무)를》. ② (일방적으로) 판단을 내리다, 비판하다《***on, over*** (사람·행위)에, …을》. ***the Day of Judgment*** =JUDGMENT DAY.

Júdgment Dày (the ~) 〖종교〗 최후 심판의 날(doomsday).

ju·di·ca·to·ry [dʒúːdikətɔ̀ːri/-təri] *a.* 재판의, 사법의. **—***n.* [C] 재판소; [U] 사법(행정).

ju·di·ca·ture [dʒúːdikèitʃər] *n.* **1** [U] 사법〔재판〕(권); 사법 행정. **2** [U] 재판관의 권한〔직권〕. **3** (the ~) 〖집합적; 단·복수 취급〗 재판관(judges). ***the Supreme Court of Judicature*** 《英》 최고법원《the Court of Appeal과 the High Court of Justice로 구성됨》.

ju·di·cial [dʒuːdíʃəl] *a.* **1** 사법의, 재판상의; 재판소의, 재판관의; 재판관에 걸맞은: the ~ branch (of government) (정치의) 사법부 / a ~ district 재판 관할구 / ~ police 사법 경찰 / ~ power(s) 사법권 / a ~ precedent 판(결)례. **2** 재판관 같은〔에 어울리는〕; 공정〔공평〕한; 판단력〔비판력〕 있는: ~ mind 공평한 마음. **3** 천벌의: ~ blindness 천벌에 의한 실명(失明).

ju·dí·cial·ly *ad.* 사법상; 재판에 의하여; 재판관답게; 공정하게.

ju·di·ci·a·ry [dʒuːdíʃièri, -ʃəri] *a.* 사법의; 법원의; 재판관의: ~ proceedings 재판 절차.
—*n.* **1** (the ~) 사법부. **2** [C] (국가의) 사법 조직. **3** (the ~) 〖집합적; 단·복수 취급〗 재판관, 사법관.

ju·di·cious [dʒuːdíʃəs] *a.* 사려 분별이 있는, 현명한; 판단이 적절한, 명민한: a ~ decision 사려 깊은 결정. [SYN.] ⇨ WISE. [파] **~·ly** *ad.* **~·ness** *n.*

Ju·dith [dʒúːdiθ] *n.* 주디스《여자 이름; 애칭 Judy, Jody》.

ju·do [dʒúːdou] *n.* [U] 《Jap.》 유도: practice ~ 유도를 하다. [파] **~·ist** *n.* [C] 유도 선수.

Ju·dy [dʒúːdi] *n.* **1** 주디《여자 이름: Judith의 애칭》. **2** 주디《인형극 *Punch and Judy*의 Punch의 처》.

jug [dʒʌg] *n.* **1** [C] (주둥이가 넓은) **주전자**, (손잡이가 달린) 항아리; (맥주 등을 담는) 조끼; 《美》 (목이 가늘고 손잡이가 붙은) 도기〔금속, 유리〕제의 주전자. **2** [C] 한 jug의 양《***of*** …의》. **3** [U] (the ~) 《속어》 교도소: in (the) ~ 교도소에 들어가. **4** (*pl.*) 《美속어》 유방.
— (***-gg-***) *vt.* **1** 〖보통은 과거분사로 형용사적〗 (토끼고기 등)을 항아리에 넣고 삶다: *jugged* hare. **2** 《속어》 교도소에 처넣다.

jug·ful [dʒʌ́gfùl] *n.* [C] **1** 주전자〔조끼〕로 하나 가득(한 양)《***of*** …의》. **2** 많은 양.

Jug·ger·naut [dʒʌ́gərnɔ̀ːt] *n.* **1** (인도 신화의) Krishna신, Krishna신의 상(像)《이것을 실은 수레에 치여 죽으면 극락에 갈 수 있다고 믿었음》. **2** (종종 j–) [C] (맹목적인 헌신〔희생〕을 강요하는) 절대적인 힘〔주의, 제도〕; 불가항력. **3** (j–) [C] 《英구어》 (다른 차에 위협이 되는) 장거리 대형 트럭〔롤리 등〕.

jug·gle [dʒʌ́gəl] *vi.* **1** 저글링《공·접시·나이프 따위를 차례로 던져 올려 받는 곡예》을 하다《***with*** …으로》: ~ *with* three knives 세 개의 나이프를 가지고 저글링을 하다. **2** 〖종종 수동태〗 속이다(cheat); 조작하다《***with*** (장부의 숫자·사실 따위)를》: ~ *with* truth 진실을 속이다 / ~ *with* figures 숫자를 조작하다.
—*vt.* **1** (곡예 등에서) (공·접시 따위)를 가지고 저글링을 하다; …에 요술을 부리다; (두 가지 일 따위)를 기술적으로 잘 처리하다, 솜씨있게 해내다: ~ three apples and an orange 사과 세 개와 귤 하나로 저글링을 하다 / ~ a cigarette *away* 요술로 궐련 한 대를 없애다 / ~ a handkerchief *into* a pigeon 손수건을 비둘기로 변하게 하다 / She ~*d* the roles of business executive and mother. 그녀는 (회사의) 중역과 어머니의 역할을 솜씨있게 해냈다. **2** (숫자·계산 따위)를 조작하다, 거짓 꾸미다: ~ accounts 〔the facts〕 계산〔사실〕을 조작하다 / He ~*d* the figures to hide his embezzlement. 그는 착복〔횡령〕을 숨기려고 숫자를 조작했다. **3** 속이다; 속여서 빼앗다《***out of*** …을》: ~ a person *out of* his money 아무를 속여 돈을 빼앗다. **4** 〖야구〗 (공)을 저글하다, 떨어뜨릴 뻔하다 다시 잡다.
—*n.* [C] **1** (던지기) 곡예, 저글링. **2** 사기, 속임수. **3** 〖야구〗 저글.

jug·gler [dʒʌ́glər] *n.* [C] 요술쟁이, 저글링 곡예사; 사기꾼.

jug·glery [dʒʌ́gləri] *n.* [U] 요술, 마술; 사기.

Jugoslavia ⇨ YUGOSLAVIA.

jug·u·lar [dʒʌ́gjələr] 〖해부〗 *a.* 인후의, 목의, 경부(頸部)의; 경정맥(頸靜脈)의. **—***n.* **1** [C] 경정맥(= ∠ **vèin**). **2** (the ~) 《비유적》 (경쟁자의) 최대의 약점, 급소: have an instinct for the ~ 상대의 급소를 알다. ***go for the*** ~ (언쟁 등에서) 급소를 찌르다.

juice [dʒuːs] *n.* **1** [U] (종류는 [C]) (과일·채소·고기 따위의) **주스**, **즙**, 액: mixture of fruit ~*s* 여러 가지 과일의 액을 섞은 과즙 / extract ~ from lemons 레몬에서 즙을 짜내다 / a pear full of ~ 물기가 많은 배. **2** [U] 정수(精髓), 본질, 정(essence); 《구어》 정력, 활력: a man full of ~

정력적인 사람. **3** Ⓤ (종류는 Ⓒ) (보통 *pl.*) 분비액; 체액(體液): gastric [digestive] ~*s* 위액[소화액]. **4** Ⓤ《속어》가솔린, 경유《동력원이 되는 액체》; 전기, 전류; 술, 위스키. **5** Ⓤ《美구어》가십(gossip), 스캔들. **6** Ⓤ《속어》(불법적인) 고리(高利), 폭리. ◇juicy *a.* ***stew in one's own*** ~ ⇨STEW.

—*vt.* …의 즙액을 짜내다. ~ ***up***《*vt.*+副》《美구어》…에 활기를 띠게 하다; (모터 따위)의 동력을 올리다, …을 가속(加速)하다; …에 연료를 재(再)보급하다.

㊕ **juiced** [dʒuːst] *a.* **1**〖합성어를 이루어〗…즙을 함유한. **2**《美속어》술취한(juiced up).

júice·hèad *n.* Ⓒ《美속어》술고래, 모주꾼.

júice·less *a.* 즙이 없는.

juic·er [dʒúːsər] *n.* Ⓒ **1** 주서《과즙 짜는 기계》. **2**《美속어》술고래.

◇**juicy** [dʒúːsi] (*juic·i·er; -i·est*) *a.* **1** 즙이 많은, 수분이 많은: a ~ orange 수분이 많은 오렌지. **2**《구어》재미있는, 흥미 있는: ~ gossip 흥미진진한 세간의 이야기. **3**《구어》(거래 따위가) 벌이가 되는. ㊕ **júic·i·ly** *ad.* **júic·i·ness** *n.*

ju·ju [dʒúːdʒuː] *n.* **1** Ⓒ (서아프리카 원주민의) 주물(呪物)(fetish), 부적(amulet), 주문. **2** Ⓤ 마력; 금기(禁忌).

ju·jube [dʒúːdʒuːb] *n.* Ⓒ **1**〖식물〗대추나무; 대추. **2** 대추 젤리[캔디].

júke·bòx *n.* Ⓒ 자동 전축《요금을 넣고 희망하는 곡을 들을 수 있는》.

Jul. Jules; Julius; July.

ju·lep [dʒúːlip] *n.* Ⓒ《美》**1** 줄렙《위스키·브랜디에 설탕·박하 등을 넣고 얼음으로 차게 한 음료》. **2** =MINT JULEP.

Jul·ia [dʒúːljə] *n.* 줄리아《여자 이름; 애칭 Juliet》.

Jul·ian [dʒúːljən] *n.* 줄리언《남자 이름; Julius 의 별칭》. **—***a.* Julius Caesar 의; 율리우스력(曆)의.

Ju·li·ana [dʒùːliǽnə] *n.* 줄리애나《여자 이름》.

Júlian cálendar (the ~) 율리우스력(曆).

Ju·lie [dʒúːli] *n.* 줄리《여자 이름; Julia 의 별칭》.

ju·li·enne [dʒùːlién] *n.*《F.》Ⓤ 잘게 썬 야채(를 넣은 고기 수프). **—***a.* 잘게 썬, 채친: ~ potatoes [peaches].

Ju·liet [dʒúːljət, dʒùːliét, ⌐–⌐] *n.* 줄리엣. **1** 여자 이름. **2** Shakespeare 작의 *Romeo and Juliet* 의 여주인공.

Július Cáesar =CAESAR 1.

†**Ju·ly** [dʒuːlái] (*pl.* **~s**) *n.* **7월**《생략: Jul., Jy.》: in ~ 7 월에/on ~ 5 =on 5 ~ =on the 5th of ~ 7 월 5 일에/~ the Fourth =the Fourth of ~, 7 월 4 일《미국 독립 기념일》.

◇**jum·ble** *vt.* 뒤죽박죽을 만들다, 난잡하게 하다, 뒤범벅으로 해놓다(*up; together*): ~ *up* things in a box 상자 속의 물건을 뒤범벅으로 해놓다. **—***vi.* **1** 뒤범벅이 되다, 뒤섞이다: Memories tend to ~ together. 기억은 자칫하면 혼동된다. **2** 질서 없이 떼를 지어 나아가다: The children ~*d* out of the bus. 아이들이 버스에서 쏟아져 나왔다. **—***n.* **1** (a ~) 혼잡, 난잡; 뒤범벅: fall into a ~ 혼잡해지다. **2** Ⓤ〖집합적〗잡동사니, 주워모은 것.

júmble sàle《英》바자(bazaar) 등에서 하는 (중고) 잡화 특매(《美》rummage sale).

jum·bo [dʒʌ́mbou] (*pl.* **~s**) *n.* Ⓒ《구어》크고 볼품 없는 사람[동물, 물건];《구어》점보 제트(=⌐ **jét**); 코끼리. **—***a.* Ⓐ 엄청나게 큰, 거대한(huge); 특대의: a ~ size.

†**jump** [dʒʌmp] *vi.* **1 a**《~/+副/+前+名》**깡충 뛰다, 뛰어오르다**, 도약하다, 갑자기[재빨리] 일어서다: ~ *aside* 홱 비켜서다/~ *in* 뛰어들(어가)다/~ *down* 뛰어내리다/~ *into* a train 기차에 뛰어오르다/~ *on to* the stage 무대 위에 뛰어오르다/~ *on* [*off*] a bus 버스에[에서] 뛰어오르다[내리다]. **b** 낙하산으로 뛰어내리다.

SYN. **jump** 지상에서 뛰어오름을 말함. '뛰어오르다'의 가장 일반적인 말. **leap** 높은 곳에서 가볍게 뛰어내리는 것, 또는 어느 거리까지 뛰어오름을 이름. **spring** 갑자기 튀어오름을 말함: *spring* from the bed 침대에서 벌떡 일어나다. **bound** 공 따위가 가볍게 튀어오름을 나타냄: *bound* from the wall 벽에서 되튀어오다. **hop** 한 발로 껑충껑충 뜀을 이름. **skip** 어린아이 따위가 경쾌하게 깡충깡충 뜀을 이름: They are *skipping* rope. 그들은 줄넘기를 하고 있다.

2《+前+名》뛰어넘다《***over*** …을》; (체커에서) 상대방의 말을 뛰어넘어 잡다: ~ *over* the fence 울타리를 뛰어넘다.

3《~/+前+名》움찔[흠칫]하다; (가슴이) 섬뜩하다《***at*** …에》: The news made him ~. 그 소식을 듣고 그는 깜짝 놀랐다/My heart ~*ed at* the news. 그 소식을 듣고 가슴이 섬뜩하였다.

4《+前+名》성급하게 이르다, 비약하다《***at, to*** (결론 따위)에》: ~ *to* [*at*] conclusions 성급하게 결론을 내리다, 지레짐작하다.

5《+前+名》힘차게[갑자기] …하다; 뛰어들다《***into*** …에》: He ~*ed into* the discussion right away. 그는 곧 기세좋게 토의를 시작했다.

6《~/+前+名》(물가 따위가) 급등하다, 폭등하다《***to*** …까지》; (화제 따위가) 갑자기 바뀌다(*about*)《***from*** …에서; ***to*** …으로》: The price of oil has ~*ed to* $30 a barrel. 원유 가격이 1 배럴에 30 달러까지 치솟았다/The conversation ~*ed from* one topic *to* another. 대화의 화제가 잇따라 급속히 바뀌었다.

7《+前+名》달려들다; 기꺼이 응하다《***at*** (기회·제안 따위)에》; (직업 따위를) 전전하다《***from*** …에서; ***to*** …으로》: The dog ~*ed at* the man('s throat). 그 개는 그 사람[목]을 물려고 덤벼들었다/~ *from* job *to* job 직업을 전전하다/He ~*ed at* the offer of a free trip. 그는 초대 여행이란 제안에 (앞뒤 안가리고) 응했다.

8《+前+名》《구어》갑자기 덤벼들다, 습격하다; 심하게 비난[공격]하다, 호되게 꾸짖다《***on*** (결점·잘못 따위)를》: Miss Black ~*ed on* a nodding pupil. 블랙선생님은 꾸벅꾸벅 조는 학생을 호되게 꾸짖었다.

9《美속어》떠들며 흥청거리다; (장소가) 활기를 띠다.

10〖컴퓨터〗건너뛰다《프로그램의 어떤 일련의 명령에서 다른 것으로 건너뛰다》.

—*vt.* **1 뛰어넘다**: He ~*ed* the ditch. 그는 개울을 뛰어넘었다.

2《~+目/+目+前+名》(말 따위)에게 껑충 뛰게 하다, 뛰어넘게 하다《***over*** …을》: ~ a horse *over* a fence 말에게 울타리를 뛰어넘게 하다.

3 (물가)를 올리다: The store ~*ed* its prices. 그 상점은 갑자기 값을 올렸다.

4《~+目/+目+前+名》(중간 단계)를 뛰어 승진[진급]시키다《***into*** …으로》: ~ the third grade (in school), 3 학년을 걸러 뛰다/They ~*ed* him

J

6 (저울 · 계량 · 숫자 · 보고 등이) 정확한, 사실 그대로의: a ~ measure 정확한 측정. ◇justice *n*.
—*ad*. 1 **정확히**, 틀림없이, 바로, 꼭: ~ then =~ at that time 바로 그때/~ as you say 과연 말씀하신 대로/It's ~ 12 o'clock. 정각 12시다/This is ~ what I mean. 그것이 바로 내가 하고 싶은 말이다.
2 a 〖완료형 · 과거형과 함께〗 **이제 방금**, 막 (…하였다): He has ~ left. 그는 방금 떠났다/The letter ~ came 〔has ~ come〕. 편지는 지금 막 왔다. **b** 〖진행형과 함께〗 방금, 막(…하고): She *was* ~ phon*ing*. 그녀는 막 전화를 걸고 있었다. **c** 〖진행형 · 상태동사와 함께〗 …하기 시작하고: The train *is* ~ start*ing*. 기차가 막 출발하려 하고 있다/We *are* ~ off. 우리는 떠나려는 참이다.
3 〖종종 only와 함께〗 **겨우**, 간신히, 가까스로: I was (*only*) ~ in time for school. 간신히 학교 시간에 대어 갔다.
4 다만, 단지; 오로지: He is ~ an ordinary man. 그는 보통 사람에 지나지 않는다/I have come ~ *to* see you. 다만 자네 얼굴을 보러 왔을 뿐일세/How many are you?—*Just* one. 《손님에게》 몇 분이세요—혼자요.
5 〖명령형의 의미를 완곡하게 표현하여〗 좀, 조금, 제발: *Just* feel it. 좀 만져 보게나/ *Just* think 〔imagine〕, you'll be twenty tomorrow. 생각 좀 해봐라. 너도 내일이면 20살인데.
6 《구어》 아주, 정말로: *Just* awful! 아주 지독하다/I'm ~ starving. 정말 시장하다.
7 〖부정 · 의문형과 함께; 반어적〗 《英구어》 정말, 참으로: You remember?—Do*n't* I, ~! 기억하고 계십니까—기억하다뿐입니까/Did*n't* they beat us ~? 정발 참패했어.
8 아마: He ~ might pass the exam. 그는 아마 시험에 합격할거야.
9 〖의문사 앞에서〗 정확히 말하여: *Just what* 〔*who, how*〕 it is I don't know. 그것이 분명히 무엇인지〔누구인지, 어떻게 하는지〕 모른다.
*~ **about*** 《구어》 ① 그럭저럭, 겨우, 간신히(barely): *Just about* right! 그럭저럭 괜찮다; 아주 좋다/Are you finished?—Yes, ~ *about*. 끝났어—응, 그럭저럭/With my salary we can ~ *about* get through the month. 내 봉급으로 그럭저럭 매달 생활을 꾸려갈 수 있다. ② 〖힘줌말〗 정말로, 아주(quite): ~ *about* everything 몽땅, 모조리. *~ **a moment*** 〔***minute, second,*** 《구어》 ***sec***〕 ① 〖please를 뒤에 붙여〗 잠시 기다려라. ② 〖상대방의 말을 가로막아〗 잠깐만, 가만있어봐. ③ 〖놀라움을 나타내어〗 어머나, 저런. *~ **as it is*** 있는 그대로, 그대로. *~ **in case*** ⇨CASE¹. *~ **like*** 마치 …와 같이. *~ **now*** ① 〖상태를 나타내는 동사의 현재형과 함께〗 바로 지금: I am busy ~ *now*. 지금 바쁘다/Mother is not here ~ *now*. 어머니는 지금 여기〔집〕에 안 계신다. ② 〖주로 동작을 나타내는 동사의 과거형과 함께〗 이제 막, 방금: He came back ~ *now*. 그는 지금 막 돌아왔다. ③ 〖미래형과 함께〗 머지않이, 곧: I'm coming ~ *now*. 곧 갑니다. *~ **on...*** 《英구어》 대체로〔거의〕 …: It was ~ *on* 3 o'clock 거의 3시였다. *~ **so*** ① 바로 그대로(quite so) 《때로 감탄사적으로》: *Just so*. 정말 그대로다/Everything happened ~ *so*. 만사가 꼭 그대로 되었다. ② 깔끔히 치워져〔정리되어〕: She likes everything ~ *so*. 그녀는 무엇이든 깔끔하게 정리되어 있는 것을 좋아한다. *~ **yet*** 〖부정어와 함께〗 아무래도 아직 (…하지 않다): I ca*n't* leave the office ~ *yet*. 아무래도 아직 퇴근할 수가 없다.

⁑**jus·tice** [dʒʌ́stis] *n*. **1** [U] **정의**(righteousness), **공정**, 공평, 공명정대(fairness): social ~ 사회 정의/a sense of ~ 정의감. **2** [U] **정당**(성), 옳음, 타당(lawfulness), 온당; 조리, 당부(當否): with ~ 정당히, 당연히, 공평하게/inquire into the ~ *of* a claim 요구의 타당성 여부를 검토하다. **3** [U] (당연한) 응보; 처벌: providential ~ 천벌/⇨POETIC JUSTICE. **4** [U] **사법**, **재판**: the Minister of *Justice* 〖일반적〗 법무장관/the Department of *Justice* =the *Justice* Department 《美》 법무부《그 장관은 Attorney General》/give oneself up to ~ 자수하다/bring a person to ~ 아무를 재판하여 처벌하다. **5** [C] 사법관, 재판관; 치안판사; 《美》 (연방 및 몇몇 주의) 최고재판소 판사; 《英》 대법원 판사: Mr. Justice Marshall 〖호칭으로 써서〗 마샬 판사님/the Chief Justice 재판장. **6** (J–) 정의의 여신 《양손에 저울과 검을 들고 눈가리개를 하고 있음》. ◇just *a*.
do... ~ =do ~ to... ① (사람 · 물건)을 바르게 나타내다: The portrait does not *do* him ~. 그 초상화는 실물과 같지 않다〔실물보다 못하다〕. ② …을 정당〔공평〕하게 평가하다〔다루다〕: *do* ~ *to* a person's opinion 아무의 의견을 공정하게 평가하다/To *do* him ~, he is an able man. 공평하게 평가하면 그는 유능한 사내다. ③ (맛이 있어서) …을 배불리 먹다: He *did* ~ *to* the good dinner. 그는 성찬을 실컷 먹었다. ***do** one**self** ~* 자기의 진가를〔기량을〕 충분히 발휘하다. ***in ~ to*** …을 공정하게 평가하면, …에 공평하려면: *In* ~ *to* her, I must tell her the whole truth. 그녀에게 공평하려면 나는 모든 신실을 밀해야 한다.
*~ **of the peace*** 치안판사《경미한 사건을 다루고 중대사건의 예심도 맡는 재판관; 결혼 · 선서에 입회인이 되기도 함; 생략: J.P.》.
[파] **~·ship** [-ʃip] *n*. [U] 판사의 직〔자격, 지위〕.
°**jus·ti·fi·a·ble** [dʒʌ́stəfàiəbəl, ∸-∸--] *a*. 정당화할 수 있는, 변명할 수 있는, 타당한, 정당한.
[파] **-bly** *ad*. **jùs·ti·fi·a·bíl·i·ty** *n*. [U] 정당함, 이치에 맞음.
jústifiable hómicide 〖법률〗 정당살인《정당방위 따위에 의한 정당성이 인정되는 살인, 사형집행관의 사형집행 따위》.
°**jus·ti·fi·ca·tion** [dʒʌ̀stəfikéiʃən] *n*. [U] **1** 정당하다고 규정함, 정당성을 증명함, (행위의) 정당화; (정당한) 변명, 변호; (정당화의) 이유. **2** 〖신학〗 의롭다고 인정됨〔인정받음〕, 의인(義認). **3** 〖컴퓨터〗 조정. ***in ~ of*** …을 변명하기 위하여, …의 변호로서, …의 명분이 서도록.
jus·ti·fy** [dʒʌ́stəfài] *vt*. **1 a** (행위 · 주장 따위)를 **옳다고 하다**, 정당하다고 이유를 붙이다: ~ one's action 자기 행위를 변명하다. **b** 〖~ one-self〗 (자기 행위)를 옳다고 변명〔주장〕하다: She tried to ~ her*self* for her conduct. 그녀는 자기 행위에 대해 변명하려고 했다. **2** 《~+[목]/+[목]+[전]+[명]》 …의 정당성을 나타내 보이다《**to** (아무)에게》; (아무)를 **정당화하다**《in*** do*ing* …하는 데》: ~ one's conduct *to* others 타인에게 자기 행위가 옳다고 말하다/You are *justfied in* think*ing* so. 네가 그렇게 생각하는 것은 당연하다. **3** 《~+[목]/+*-ing*》 …의 정당한 이유가 되다; (사정이 행위)를 정당하게 하다: The fine quality *justifies* the high cost. 질이 좋기 때문에 값이 비싼 것은 당연하다/The end *justifies* the means. 《격언》 목적은 수단을 정당화한다/His rudness

J

does not ~ your hitting him. 그가 무례하다고 해서 네가 그를 때린 것은 정당한 이유가 되지 않는다. **4** 〖신학〗 (신이 죄인)을 죄 없다고 용서하다, 의인(義認)하다. **5** 〖인쇄〗 (행간(行間)·자간(字間))을 가지런히 하다; (문장·행 따위의 양끝)을 가지런히 하다. **6** 〖컴퓨터〗 자리 맞춤을 하다. **—***vi.* **1** 〖법률〗 (어떤 행위에 대하여) 충분한 근거를 제시하다, 면책 사유를 제시하다; 〖신학〗 (신이) 사람을 용서하고 받아들이다. **2** 〖인쇄〗 정판되다, (행이) 정돈되다. ◇just *a.*

Jus·tin·i·an [dʒʌstíniən] *n.* 유스티니아누스 《동로마 제국의 황제(483–565); 재위 527–565; 유니티니아누스 법전을 만듦》.

jus·tle [dʒʌ́sl] *vt.*, *vi.*, *n.* =JOSTLE.

◇**júst·ly** *ad.* **1** 바르게, 공정하게, 정당하게: deal ~ with a person 아무를 공정하게 다루다/He has been ~ rewarded. 그는 정당한 보수를 받고 있다. **2** 《문장 전체를 수식하여》 당연하게, 타당하게: She ~ said so. 그녀가 그렇게 이야기한 것은 당연하다.

júst·ness *n.* Ⓤ (올)바름, 공정, 정당; 타당; 정확.

◇**jut** [dʒʌt] (**-tt-**) *vi.* 돌출하다, 불룩 나오다(*out; forth*)《**from** …에서; **into** …으로》: His lower lip *~ted out* when he was thinking hard. 그는 골똘히 생각할 때 아랫입술을 내밀었다/a little peninsula *~ting into* the lake 호수로 돌출한 작은 반도/The pier *~ted out* (*from* the shore) *into* the sea. 제방이 물가에서 바다로 돌출해 있다. **—***n.* Ⓒ 돌출부, 불룩 내민 곳; 첨단.

Jute [dʒuːt] *n.* **1** Ⓒ 주트 사람. **2** (the ~s) 주트족《5–6세기에 영국에 침입한 게르만 민족》.

jute [dʒuːt] *n.* Ⓤ **1** 〖식물〗 황마(黃麻). **2** 그 섬유, 주트《마대·밧줄 따위의 재료》.

Jut·land [dʒʌ́tlənd] *n.* 유틀란트 반도《독일 북부의 반도; 덴마크가 그 대부분을 차지함》.

jút·ting *a.* Ⓐ 돌출한: a ~ chin 주걱턱.

ju·ve·nes·cence [dʒùːvənésns] *n.* Ⓤ (되)젊어짐; 젊음, 청춘; 청소년기.

ju·ve·nes·cent [dʒùːvənésnt] *a.* 소년〔청년〕기에 달한, 젊음이 넘치는; 다시 젊어지는.

◇**ju·ve·nile** [dʒúːvənəl, -nàil] *a.* **1** 젊은, 어린, 소년〔소녀〕의; 소년소녀를 위한: a ~ adult 나이 많은 소년/~ books 아동에게 적당한 책/~ literature 아동문학/a ~ part 〔role〕 어린이 역. **2** Ⓐ (청)소년(특유)의, (청)소년에게 흔히 있는. SYN. ⇨YOUNG. **—***n.* Ⓒ 소년, 소녀, 아동; 아동을 위한 읽을거리; 어린이 역《배우》.

júvenile córt 청소년 법원《보통 18세 미만, 《英》에서는 17세 미만의》.

júvenile delínquency 미성년 비행〔범죄〕, 소년 비행〔범죄〕.

júvenile delínquent 비행 소년.

ju·ve·nil·ia [dʒùːvəníliə] *n. pl.* 《때로 단수취급》 (어느 작가의) 초기〔젊었을 때〕의 작품(집); 소년소녀를 위한 읽을거리, 아동 도서.

ju·ve·nil·i·ty [dʒùːvənílәti] *n.* **1** Ⓤ 연소, 유년(幼年); 젊음. **2** (*pl.*) 어른답지 못한〔천박한, 유치한〕 생각〔행위〕.

jux·ta·pose [dʒʌ̀kstəpóuz, ⸗-⸗] *vt.* 나란히 놓다, 병렬하다.

jux·ta·po·si·tion [dʒʌ̀kstəpəzíʃən] *n.* Ⓤ 나란히 놓기, 병렬.

JV, J.V., j.v. joint venture; junior varsity.

Jy. July.

J

K

K[1]**, k** [kei] (*pl.* **K's, *K*s, k's, *k*s** [-z]) *n.* **1** Ⓤ (구체적으로는 Ⓒ) 케이《영어 알파벳의 열 한째 글자》. **2** Ⓤ 11번째(의 것)《J를 빼면 10번째》. **3** Ⓒ 〖컴퓨터〗 1,024바이트(=2^{10}bytes)《기억용량의 단위 2의 거듭제곱 중 1,000에 가장 가까운 수》.
K[2] (*pl.* **K's, Ks**) *n.* Ⓒ K자 모양(의 것).
K 〖화학〗 kalium(=potassium); 〖물리〗 Kelvin.
k kilo-. **K. k.,** king(s); knight; 〖음악〗 Köchel (number)《Mozart의 연대순 작품 번호》. **K., k.** 〖전기〗 capacity; karat(=carat); kilogram(s).
Kaa·ba, Ka'·ba, Caa- [ká:bə] *n.* (the ~) 카바 신전《아라비아의 Mecca의 Great Mosque에 있으며 이슬람교에서 가장 신성한 신전》.
ka·bob, ke·bab [kéibɑb/kəbɔ́b], [kəbɑ́b] *n.* Ⓒ (요리는 Ⓤ) 꼬챙이에 채소와 고기를 꿰어 구운 요리, 산적(散炙) 요리.
Ka·bul [ká:bul, kəbú:l] *n.* 카불《Afghanistan의 수도》.
Kaf·fir [kǽfər] (*pl.* **~s, ~**) *n.* (종종 k-) Ⓒ 《경멸적》 아프리카 흑인.
Kaf·ir [kǽfər] (*pl.* **~, ~s**) *n.* **1 a** (the ~(s)) 카피르족(族)《아프가니스탄 북동부에 삶》. **b** Ⓒ 카피르족 사람. **2** =KAFFIR.
Kaf·ka [ká:fkɑ:, -kə] *n.* **Franz ~** 카프카《오스트리아의 소설가; 1883-1924》.
kaftan ⇨CAFTAN.
kail ⇨KALE.
kai·ser [káizər] *n.* (종종 K-; the ~) **1** 황제, 카이저. **2** 독일 황제; 오스트리아 황제; 〖역사〗 신성 로마제국 황제. ⓒⓕ Caesar, czar.
KAL Korean Air Lines《Korean Air의 구칭》.
Ka·la·ha·ri [kà:ləhá:ri, kæ̀lə-] *n.* (the ~) 칼라하리《남아프리카 남서쪽의 대사막 지대》.
kale, kail [keil] *n.* **1** Ⓒ (음식은 Ⓤ) 〖식물〗 케일《무결구성(無結球性) 양배추의 일종》. **2** Ⓤ 《美속어》 돈, 현금.
ka·lei·do·scope [kəláidəskòup] *n.* Ⓒ **1** 만화경(萬華鏡). **2** (보통 *sing.*) 《비유적》 변화무쌍한 것: the ~ *of* life 인생 만화경.
ka·lei·do·scop·ic, -i·cal [kəlàidəskɑ́pik/-skɔ́p-], [-kəl] *a.* Ⓐ 만화경적인; 끊임없이 변화하는. ㊕ **-i·cal·ly** *ad.*
kalends ⇨CALENDS.
Kam·chat·ka [kæmtʃǽtkə] *n.* (the ~) 캄차카 반도《오호츠크해와 베링해 사이의》.
Kan., Kans. Kansas.
Ka·naka [kəná:kə, kǽnəkə] *n.* Ⓒ 카나카 사람《하와이 및 남양군도의 원주민》.
◇**kan·ga·roo** [kæ̀ŋgərú:] (*pl.* **~s** [-z], 〖집합적〗 ~) *n.* Ⓒ 〖동물〗 캥거루.
kángaroo clósure 《英》 캥거루식 토론 종결법《여러 수정안 중 일부만을 위원장이 골라 토론에 부치고 토론을 종결함》.
kángaroo cóurt 《구어》 사적(私的) 재판〔탄핵〕, 인민재판《재판의 진행이 캥거루의 보행(步行)처럼 불규칙하며 비약적인 데서》.
kangaróo ràt 〖동물〗 캥거루쥐《미국 서부·멕시코산》.
Kan·san [kǽnzən] *a., n.* Ⓒ 미국 Kansas주의(사람).
Kan·sas [kǽnzəs] *n.* 캔자스《미국 중부의 주; 생략: Kan. 또는 Kans, 〖우편〗 KS; 주도 Topeka; 속칭 the Sunflower State》.
Kant [kænt] *n.* **Immanuel ~** 칸트《독일의 철학자; 1724-1804》.
Kant·i·an [kǽntiən] *a.* 칸트(철학)의; 칸트 학파의. **—***n.* Ⓒ 칸트 학파의 사람.
Kánt·i·an·ìsm *n.* =KANTISM.
Kánt·ism *n.* Ⓤ 칸트 철학.
ka·o·lin(e) [kéiəlin] *n.* Ⓤ 〖광물〗 고령토, 도토(陶土); 〖화학〗 카올린《함수규산(含水珪酸) 알루미늄》.
ka·pok, ca- [kéipɑk/-pɔk] *n.* Ⓤ 〖식물〗 케이폭, 판야《kapok tree의 씨앗을 싼 솜; 베개·이불 속·구명대 등에 넣음》.
kápok trèe 〖식물〗 판야나무.
Ka·pó·si's sarcóma [kəpóusi:z-, kǽpə-] 〖의학〗 카포지 육종《특발성 다발성 출혈성 육종》.
kap·pa [kǽpə] *n.* Ⓤ (구체적으로는 Ⓒ) 그리스어 알파벳의 열째 글자《*Κ, κ*; 로마자의 K, k에 해당》.
ka·put(t) [kəpú:t] *a.* Ⓟ 《구어》 못쓰게 된, 아주 결딴난, 파손〔파멸〕된: The TV seems to have gone ~. 텔레비전이 다 된 것 같다.
Ka·ra·chi [kərá:tʃi] *n.* 카라치《파키스탄의 전 수도》.
Ka·ra·jan [kǽrəjən] *n.* **Herbert von ~** 카라얀《오스트리아의 지휘자; 1908-89》.
kar·at [kǽrət] *n.* Ⓒ 《美》 캐럿(《英》 carat)《순금 함유도의 단위; 순금은 24 karats; 생략: k., kt.》.
Kar·en [kǽrən, ká:r-] *n.* 카렌《여자 이름》.
kar·ma [ká:rmə] *n.* Ⓤ **1** 〖힌두교〗 갈마(羯磨), 업(業), 카머; 〖불교〗 인과응보, 업보(業報). **2** 숙명. **3** (사람·물건·장소에서 나오는) 분위기.
karst [kɑ:rst] *n.* Ⓒ 〖지리〗 카르스트 지형《침식된 석회암 대지》.
kart [kɑ:rt] *n.* Ⓒ 어린이용 놀이차(go-cart).
Kash·mir [kæʃmíər] *n.* **1** 카슈미르《인도 북서부의 지방》. **2** (k-) =CASHMERE.
Kate [keit] *n.* 케이트《여자 이름; Catherine, Katherine의 애칭》.
Kath·a·rine, Kath·e·rine [kǽθəri:n], **Kathryn** [kǽθrən] *n.* 캐서린《여자 이름》.
Kathy, Kath·ie [kǽθi] *n.* 캐시《여자 이름; Katherine, Katherina의 애칭》.
Kat·man·du, Kath- [kà:tmɑ:ndú:] *n.* 카트만두《Nepal의 수도》.
ka·ty·did [kéitidìd] *n.* Ⓒ 〖곤충〗 (녹색의) 철써기(류)《미국산 여칫과(科)의 곤충》.
kau·ri, -rie, -ry [káuri] *n.* Ⓒ 〖식물〗 카우리소나무《소나뭇과(科) 식물의 일종; 뉴질랜드산》.

kay·ak, kai·ak [káiæk] *n.* Ⓒ 카약《에스키모인이 사용하는 가죽배》; (그것을 본뜬) 카약《캔버스를 입힌 카누형 보트》.

kayo [kéióu] (*pl.* ***káy·ós***) *n.* Ⓒ 《美》 녹아웃. **—***vt.* 녹아웃시키다. ★ KO라고도 씀. [◂ *k*nock *o*ut]

Ka·zakh·stan [kɑ̀zɑːkstɑ́ːn] *n.* 카자흐스탄 공화국《Republic of ~; 중앙아시아의 독립국가연합 가맹국; 수도 Alma-Ata》.

ka·zoo [kəzúː] *n.* Ⓒ 커주《장난감 피리》.

kb, kbyte 〖컴퓨터〗 kilobyte. **kc, kc.** kilocycle(s). **K.C.** King's College; King's Counsel.

Keats [kiːts] *n.* **John** ~ 키츠《영국의 시인; 1795–1821》.

kebab ⇨KABOB.

keel** [kiːl] *n.* Ⓒ **1** (배나 비행선의) **용골(龍骨)**. **2** 《시어》 배. ***on an even ~ (배·비행기가 전후 좌우로) 수평〔평형〕을 유지하여; (사람·사태가) 안정되어, 원활히: keep the economy *on an even* ~ 경제를 안정시켜 놓다.

—*vt.* 《+[목]+[부]》 **1** (수선하기 위해 배)를 옆으로 눕히다; 뒤집어 엎다(*over*): A blast of wind ~*ed* the yacht *over*. 돌풍이 요트를 전복시켰다. **2** 넘어뜨리다, 졸도시키다(*over*): The excessive heat ~*ed* the boy *over*. 혹심한 더위 때문에 소년은 졸도하였다. **—***vi.* 《+[부]》 **1** (배가) 뒤집히다, 전복되다(*over*): ~ *over* with laughter 대굴대굴 구르며 웃다. **2** 기절하다, 졸도하다(*over*): She suddenly ~*ed over* in a faint. 그녀는 갑자기 기절해서 쓰러졌다.

kéel·hàul *vt.* **1** 〖해사〗 (사람)을 줄에 매어 배 밑을 통과하게 하다《징벌의 일종》. **2** 호되게 꾸짖다.

⁑**keen**¹ [kiːn] *a.* **1** (끝·날 있는 도구 따위가) **날카로운**, 예리한(sharp) (↔ *dull, blunt*): a ~ blade 잘 드는 날. SYN. ⇨SHARP. **2** (바람·추위 따위가) 몸을 에는 듯한(cutting); (말·의론 따위가) 신랄한, 통렬한(incisive): a ~ wind 살을 에는 듯한 바람/a ~ satire 신랄한 풍자. **3** (빛·음·목소리·냄새 등이) 강렬한, 강한, 선명한. **4** (경쟁·고통·식욕 따위가) 격렬한, 격심한: ~ pain 격통/~ competition 치열한 경쟁. **5** (지력·감각·감정 따위가) **예민한**, 명민한, 민감한: a ~ sense of hearing 예민한 청각/~ powers of observation 예리한 관찰력/a ~ brain 명민한 두뇌/Bears are ~ of scent. 곰은 후각이 예민하다. **6 열심인**, 열중하는《*on* …에》; 열망하는《*for* …을/*to* do/*that*》: She is ~ *on* tennis. 그녀는 테니스에 열심이다/He's ~ *on* Helen. 그는 헬렌에게 푹 빠져 있다/They're ~ *for* independence. 그들은 독립을 열망하고 있다/He's very ~ *to* go abroad. 그는 해외로 몹시 나가고 싶어한다/I'm ~ *for* my son *to* marry her. = I'm ~ *that* my son should marry her. 나는 아들이 그녀와 결혼하는 것을 간절히 바라고 있다. SYN. ⇨EAGER. **7** 《속어》 아주 좋은, 썩 훌륭한. **8** 《英》 (값이) 경쟁적인, 품질에 비해 값이 싼: a ~ price 품질에 비해 싼 가격. ***(as) ~ as mustard*** ⇨MUSTARD. ⊕ **∠·ness** *n.*

keen² 《Ir.》 *n.* Ⓒ (곡하며 부르는) 장례식 노래; (죽은 이에 대한) 슬픔의 울음소리, 곡(哭).

—*vi., vt.* 슬퍼하며 울다, 통곡하다, 울부짖다. ⊕ **∠·er** *n.* Ⓒ (장례식에 고용된) 곡꾼.

***keen·ly** [kíːnli] *ad.* **날카롭게**, 격심하게, 예민하게; 열심히, 빈틈없이.

†**keep** [kiːp] (*p., pp.* ***kept*** [kept]) *vt.* **1** (어떤 상태·동작)을 계속하다, 유지하다: ~ guard 파수보다/~ step 계속 걷다/~ silence 침묵을 지키다/~ watch 계속 감시하다/~ hold of …을 잡고 놓지 않다, 붙잡고 있다.

2 《+[목]+[보]/+[목]+[부]/+[목]+[전]+[명]/+[목]+*done*/+[목]+*-ing*》 (사람·물건을) …**한 상태로 간직하다**, …**으로 하여 두다**, 계속 …하게 하여 두다: ~ oneself warm 몸을 따뜻하게 유지하다/~ one's children *in* 아이들을 밖으로 내보내지 않다/*Keep* your hands clean. 손을 항상 깨끗이 해 두시오/Let's ~ it a secret. 이것을 비밀로 하자/*Keep* the door *shut*. 문을 닫아 두어라/*Keep* the fire burn*ing*. 불이 꺼지지 않도록 해라/I am sorry to have *kept* you wait*ing*. 기다리시게 해서 미안합니다/He *kept* his son *at* work. 그는 아들을 계속 일하게 하였다.

3 《~+[목]/+[목]+[목]/+[목]+[전]+[명]》 **간직하다, 간수하다**, 가지(고 있)다, 유지〔보유〕하다《*for* …을 위해서; *in* …에》: *Keep* the change. 거스름돈은 가지세요/I want to ~ this with me. 이것을 가지고 싶다/Will you ~ this book *for* me 〔~ me this book〕? I'll come later. 이 책을 갖고 있어 줄래, 나중에 올 테니까/I'll keep this *for* future use. 훗날 쓰게 이것을 간직해 두겠다/*Keep* that *in* mind. 그 일을 기억해 두시오〔잊지 마시오〕.

SYN. **keep** 가장 일반적인 말. '자기 것으로서 손가까이에 두다' 라는 뜻으로 쓰일 때가 많음: *Keep* it for yourself. 당신이 쓰도록 하시오《반납하지 않아도 좋습니다》. **retain** 잃어버릴〔빼앗길〕 염려가 있는 것을 계속 갖다: *retain* one's position among rivals 호적수들 사이에서 자기의 지위를 유지하다. **detain** 보류하다, 움직이려고 하는 것을 현재의 상태·위치에 붙들어 두다: *detain* prices 가격을 억제하다. **reserve** 장래를 위해서 남겨 두다: *reserve* one's energy for tomorrow 내일을 위해 정력을 아껴 두다. **preserve** 손상·위해·망각 따위를 막기 위해 보존하다. 식품을 가공 보존하는 뜻도 있음: *preserve* old customs 구습을 보존하다. *preserve* fish in salt 생선을 소금에 절여 두다.

4 《+[목]+[전]+[명]/+[목]+[보]》 (아무)를 가두어 놓다, 구류하다, 감금하다; 붙들어 두다: ~ a person *in* custody 아무를 구류하다/The snow *kept* them indoors. 눈 때문에 그들은 집에 갇혀 있었다/What *kept* you there so long? 왜 그렇게 오랫동안 거기에 있었나/I won't ~ you long. 오래 걸리지 않도록 하겠다/Where (have) you been ~*ing* yourself? 《구어》 어디에 가 있었나.

5 a 먹여 살리다, 부양하다; (하숙인)을 치다; (첩)을 두다: ~ oneself 생계를 이어나가다(make a living)/He ~*s* a large family. 그는 대가족을 부양하고 있다/I ~ a lodger in my house. 집에 하숙인을 한 사람 치고 있다/He cannot ~ his family on his income. 그의 수입으로는 가족을 부양할 수 없다. **b** 《~+[목]/+[목]+[부]》 (하인 등)을 두다, 고용하다(*on*).

6 《~+[목]/+[목]+[전]+[명]》 〖~ company로〗 사귀다, 교제를 하다《*with* …와》: She ~*s* very rough company. 그녀는 매우 거친 친구들과 사귀고 있다/Don't ~ company *with* him. =Don't ~ him company. 그와 교제하지 마라.

7 (동물)을 기르다, 사육하다: ~ a dog 〔cat〕 개〔고양이〕를 기르다/~ pigs 〔bees〕 돼지를〔벌을〕

K

치다 / ~ hens 닭을 치다.
8 (상품)을 **갖추어 놓다**, 팔다, 취급하다: That store ~*s* canned goods. 저 가게는 통조림류를 팔고 있다.
9 《~+목/+목+전+명》 (귀중품·돈·식품 따위)를 **보관**〔**보존**〕**하다**; 맡다; (자리 따위)를 잡아놓다《***for*** …을 위해서》: ~ old letters 낡은 편지들을 보관하다 / They *kept* some meat *for* the next day. 그들은 약간의 고기를 다음날을 위해 보관해 두었다 / ~ valuables under lock and key 귀중품을 자물쇠를 채워 보관하다 / Please ~ this seat *for* me. 이 좌석을 좀 잡아놓아 주십시오 / Meat can be *kept* by drying 〔smoking〕. 고기는 말려서〔훈제하여〕 보존할 수 있다.
10 《~+목/+목+전+명》 (남에게) 알리지 않다, 비밀로 해두다; …을 허락하지 않다, 시키지 않다; 방해〔제지〕하다, …에게 ─ 못하게 하다《***from*** ***doing*** …하는 것을》: I ~ nothing *from* you. 아무것도 숨긴 것이 없다 / Can you ~ a secret? 자네는 비밀을 지킬 수 있겠는가 / You had better ~ your own counsel. 자네 생각을 밝히지 않는 것이 좋겠네 / The heavy rain *kept* us *from* going out. 호우로 외출을 하지 못했다 / *Keep* the milk *from* boiling over. 우유가 끓어 넘치지 않게 하여라 / What is ~*ing* you *from* helping her? 왜 그녀를 돕지〔도와주지〕 못하고 있습니까 / She could not ~ herself *from* crying. 그녀는 울지 않을수가 없었다.
11 (일기·장부 따위)를 (계속해서) **적다**, 기입〔기장〕하다: ~ a diary 일기를 쓰다 / ~ books 치부하다 / ~ accounts 출납을 기입하다 / ~ records 기록해〔적어〕 두다.
12 (약속·규칙 따위)를 **지키다**; (시간)을 어기지 않다: ~ a promise 〔one's word〕 약속을 이행하다 / ~ an appointment 만날 약속을 지키다; 약속 시간에 늦지 않다 / ~ early hours (언제나) 아침 일찍 일어나다 / This watch ~*s* good time. 이 시계는 시간이 정확하다.
13 (의식·습관 따위)를 거행하다, 지키다; 축하〔경축〕하다(celebrate): ~ the Sabbath 안식일을 지키다 / ~ Christmas 〔one's birthday〕 크리스마스〔생일〕을 축하하다.
14 (상점·학교 따위)를 경영〔관리〕하다: Now his son ~*s* the shop 〔inn〕. 이제는 그의 아들이 상점〔여관〕을 경영하고 있다.
15 《~+목/+목+전+명》 …의 **파수를 보다**, …을 지키다, 보호하다《***from*** (위험)에서》: ~ a person *from* harm 아무가 해를 입는 것을 막다 / ~ one's ground 자기의 입장〔진지, 주장〕을 고수하다, 한 발도 물러서지 않다 / Henry ~*s* goal. 헨리는 골을 지킨다 / God ~ you! 신의 가호가 있기를.
16 보살피다, 손질을 하다: ~ a garden 정원을 손질하다 / This room is always well *kept*. 이 방은 언제나 잘 정리되어 있다.
17 (집회·법정·시장 따위)를 열다, 개최하다: ~ an assembly 모임을 열다.
18 a 떠나지 않다; (어떤 곳)에 머무르다, 틀어박히다: Please ~ your seats. 자리를 뜨지 말아 주세요. **b** 〖~ one's way로〗 (벗어나지 않고) 쭉 나아가다.
─*vi*. **1** 《+보/+*-ing*》 **쭉 …한 상태에 있다**; 계속해서 …하다, 늘 …하다: ~ quiet 조용히 있다 / *Keep* cool, boys! 자아, 진정해라 / He *kept* awake. 그는 쭉 깨어 있었다 / How are you ~*ing*?—I'm ~*ing* very well, thank you. 안녕하십니까 ― 아주 잘 있습니다, 감사합니다 / It *kept* raining for a week. 한 주일내 비가 계속 왔다 / The child *kept* crying. 그 아이는 계속해서 울었다 / He *kept* saying the same over and over again. 그는 몇 번이나 같은 말을 계속했다.

2 《+전+명》 〖보통 cannot ~으로〗; …하지 않고 있다, 삼가다《***from*** …을》: He ~*s from* talking about it. 그는 그것에 대해서 말하기를 피하고 있다 / I *couldn't* ~ *from* laughing. 웃지 않을 수 없었다 / Try to ~ *from* alcohol. 술을 삼가도록 해라.
3 (음식이) **견디다, 썩지 않다**: The sausage will ~ till tomorrow morning. 소시지는 내일 아침까지는 상하지 않을 것이다.
4 《+부/+전+명》 **a** (어떤 장소·위치에) 머무르다, 틀어박히다: ~ indoors 〔*at* home〕 집에 틀어박혀 있다 / ~ *out of* the way (방해가 되지 않도록) 떨어져 있다 / Where do you ~? 어디 머무르고 있는가. **b** 계속 나아가다〔움직이다〕: *Keep along* this road for two miles or so. 이 길을 2 마일가량 따라가세요 / *Keep on*, boys! (그 요령으로) 모두들 계속하여라 / *Keep* (*to* the) left. 좌측 통행 / *Keep* straight *on*. 이대로 똑바로 가거라 / The wind *kept to* the east all day. 바람은 온종일 동쪽으로 불고 있었다.
5 (말·일 따위가) 뒤로 미루어지다: The news will ~. 그 이야기는 뒤에 해도 좋다 / The matter will ~ till morning. 그 일은 아침에 처리해도 된다.
~ *after…* ① (범인의 뒤)를 계속해서 쫓다; (여자 따위)를 좇아다니다. ② (아무)에게 끈덕지게 말하다〔졸라대다, 꾸짖다〕《***about*** …에 대하여 / ***to*** do》: ~ *after* a person *to* clean his room 아무에게 방을 청소하라고 잔소리하다. **~ *ahead*** 앞서 있다; 앞서 가다《***of*** (상대·추격자) 보다》: He *kept* (one step) *ahead of* his rivals. 그는 경쟁자들보다 (한 발) 앞서 있었다. **~ *at*** 《*vt*.+전》 ① (아무)에게 …을 계속해서 하게 하다: I'm going to ~ them *at* their task. 그들에게 계속해서 일을 하게 할 생각이다. **─**《*vi*.+전》 ② …을 계속해서 하다, 열심히 하다: *Keep at* it. 꾸준히 노력하라, 포기하지 마라. ③ =~ on at. **~ *away*** 《*vt*.+부》 ① …을 가까이 못 하게 하다, 손대지 못하게 하다《***from*** …에》: ~ knives *away from* children 애들에게 칼을 못 만지게 하다 / *Keep* children *away from* the fire. 아이들을 불 가까이에 오지 못하게 해라 / What *kept* you *away* yesterday? 어제는 왜 못 왔느냐. **─**《*vi*.+부》 ② 가까이 가지 않다《***from*** …에》: *Keep away from* the base. 기지에 접근하지 마라. ③ 먹지 않다《***from*** (음식물)을》: *Keep away from* fatty foods. 기름기 있는 음식을 먹지 마라. **~ *back*** 《*vt*.+부》 ① (비밀·정보 등)을 감추다, 숨겨 두다《***from*** …에게》: I suspect he is ~*ing* something back *from* me. 그는 나에게 무엇인가를 숨기고 있다고 생각된다. ② (일부)를 간직해 두나《***for*** …을 위해》; (돈 따위)를 떼어 두다《***from*** …에서》: ~ *back* some tickets *for* a friend 친구를 위해 표를 미리 확보해 두다 / He always ~*s back* ten dollars *from* his wages. 그는 급료에서 항상 10달러를 떼어 둔다. ③ (재채기·웃음 따위)를 참다, 억누르다: ~ *back* a sneeze 〔a smile〕 재채기를〔웃음을〕 참다. ④ (군중·재해 따위)를 제압〔제지〕하다, 방지하다, 막다: The dikes *kept back* the floodwaters. 둑이 홍수를 막았다 / The police had to ~ the

crowd *back*. 경관은 군중을 제지하지 않으면 안 되었다. —《*vi*.+㈜》⑤ 틀어박히다, 뒤로 물러나 있다: Hey, boys! Why do you ~ *back?* Come up here! 어이, 얘들아, 왜 안에 틀어박혀 있느냐, 나와라/*Keep back* from the fire. 불에서 뒤로 물러나 있어라. ~ ***down*** 《*vt*.+㈜》① (감정 따위)를 억누르다; (목소리 · 소리)를 낮추다: Jane could not ~ *down* her anger. 제인은 노여움을 참을 수 없었다. ② (비용 · 가격 · 수량 따위)를 늘리지〔올리지〕 않다, 억제하다: We must ~ *down* expenses. 우리는 지출을 억제해야 한다. ③ (음식물 따위)를 받아들이다: He couldn't ~ his food *down*. 그는 먹은 것을 토해 버렸다. ④ (반란 · 폭도 따위)를 진압하다; (주민 · 국민)을 억압하다, (사람을) 억누르다: ~ *down* a mob 폭도를 진압하다/You can't ~ a good man *down*. 《속담》 유능한 사람은 두각을 나타내게 마련이다. —《*vi*.+㈜》⑤ 몸을 낮추다, 엎드리다. ⑥ (바람 따위가) 자다. ~ ***in*** 《*vt*.+㈜》① (감정 따위)를 억제하다: I couldn't just ~ my anger *in*. 아무래도 노염을 억누를 수가 없었다. ② (집안에 아무)를 가두다; (벌로서 학생)을 남아 있게 하다: We were *kept in* by the rain. 우린 비 때문에 외출을 못 했다/The boy was *kept in* after school. 소년은 방과 후 남게 되었다. ③ 《英》 (불)을 계속 지피다: *Keep* the fire *in*. 불을 계속 지펴라. —《*vi*.+㈜》④ (집에) 틀어박히다. ⑤ 《英》 (불이) 계속 타다: The fire *kept in* all night. 불은 밤새도록 꺼지지 않았다. ~ ***in with*** …와 사이좋게 지내다, …와 우호를 유지하다《보통 자기 편의를 위해》. ~ ***it up*** 《구어》 (어려움을 무릅쓰고) 계속하다, 꾸준히 버티어 나가다: *Keep it up!* 좋아, 그 상태로 계속하라. ~ ***off*** 《*vt*.+㈜》① (재해 · 적 따위)를 막다, 가까이 접근하지 못하게 하다: *Keep off* the dog. 그 개를 가까이 못 오게 해라/*Keep* your hands *off*. 손대지 마라/She *kept* her eyes *off*. 그녀는 시선을 돌렸다. —《*vt*.+㉑》② …을 …에서 떼어 놓다, …에 들어오지 못하게 하다: *Keep* your dirty hands *off* me. 더러운 손을 나에게 대지 마라. ③ (음식물 따위)를 …에게 입에 대지 못하게 하다: The doctor *kept* him *off* cigarettes. 의사는 그에게 금연토록 했다. —《*vi*.+㈜》④ 떨어져 있다, 접근하지 않다; (비 · 눈 따위가) 오지 않다, 그치다: If the rain ~*s off*… 만일 비가 오지 않으면…. —《*vi*.+㉑》⑤ …에서 멀리 떨어지다, …에 들어가지 않다: *Keep off* the grass. 《게시》 잔디밭에 들어가지 마시오. ⑥ (음식물)을 입에 대지 않다: ~ *off* drinks 술을 삼가다. ⑦ (화제 따위)에 언급하지 않다, …을 피하다: try to ~ *off* a ticklish question 까다로운 문제를 피하려 하다. ~ ***on*** 《*vt*.+ ㈜》① (옷 따위)를 몸에 걸친 채 있다: *Keep* your hat *on*. 모자를 쓴 채 있어도 괜찮다. ② 계속해 고용하다〔머무르게 하다〕《***at, in*** …에》: ~ one's son *on at* school 아들을 계속 재학시키다. ③ (집 · 차 따위)를 계속 소유〔차용〕하다. —《*vi*.+㈜》④ 계속 나아가다(⇨ 4b). ⑤ 계속 지껄이다, 계속 이야기하다《***about*** …을》: He *kept on about* his adventure. 그는 그의 모험에 관하여 계속 이야기하였다. ⑥ 계속 …하다《do*ing*》: He *kept on* smok*ing* all the time. 그는 줄(곧) 담배를 피웠다/She *kept on* mak*ing* the same mistake. 그녀는 똑같은 잘못을 계속 저질렀다. ★ keep doing은 동작이나 상태의 계속을 나타내는 데 반해, keep on doing은 집요하게 반복되는 동작 · 상태임을 암시함. ~ ***on at*** (아무)를 끈덕지게 졸라대다, …에게 심하게 잔소리하다《***to*** do》: His son *kept on at* him *to* buy a new car. 그의 아들은 그에게 새 차를 사달라고 끈덕지게 졸라댔다. ~ ***out*** 《*vt*.+㈜》① …을 안에 들이지 않다: Shut the windows and ~ *out* the cold. 창문을 닫고 방을 차게 하지 마라. —《*vi*.+㈜》② 안에 들어가지 않다, 밖에 있다: Danger! *Keep out!* 《게시》 위험, 출입금지/He *kept out* last night. 그는 어제 밤이 새도록 돌아오지 않았다. ~ ***out of...*** 《*vt*.+㉑》① …을 …안에 들이지 않다, …에서 밀어내다: The fence ~*s* dogs *out of* our garden. 울타리 덕분에 개가 정원으로 들어오지 못한다. ② (비 · 한기 · 빛 따위)를 …에 들이지 않다: The blinds ~ the sun *out of* the room. 블라인드로 햇빛이 방안에 들지 않는다. ③ (태양 · 위험 따위)에 …을 노출되지 않게 하다: *Keep* those plants *out of* the sun. 이 식물들을 햇볕에 쏘이지 않도록 해 주시오/He tried to ~ his name *out of* the papers. 그는 자기 이름이 신문에 나지 않도록 애썼다. ④ (싸움 · 귀찮은 일 · 전쟁 따위)에 …을 끼어들지〔관여하지〕 못하게 하다: She *kept* her child *out of* his way 〔group〕. 그녀는 자기 아이가 그의 방해가 되지 않도록〔그의 무리에 가담하지 않도록〕 했다. —《*vi*.+㉑》⑤ …의 밖에 있다, …에 들어가지 않다: ~ *out of* a private room 사실에 들어가지 않다. ⑥ (태양 · 위험 따위)에 몸을 드러내지 않다: ~ *out of* the sun 양지를 피하다. ⑦ (싸움 따위)에 끼어들지 않고 있다: Try to ~ *out of* his way. 그에게 방해가 되지 않도록 해라. ~ one***self to*** one***self*** 남과 교제하지 않다, 홀로 있다. ~ ***time*** ① (시계가) 똑딱거리다, 시간이 맞다. ② 시간을 기록하다. ③ 장단을〔박자를〕 맞추다《***with*** …와》. ~ ***to*** 《*vi*.+㉑》① (길 · 진로 등)에서 벗어나지 않다, …을 따라 나아가다: *Keep to* this road. 이 길을 따라 가시오. ② (본론 · 화제 등)에서 이탈하지 않다. ③ (계획 · 예정 · 약속)을 지키다; (규칙 · 신념 따위를) 고집하다, 고수하다. ④ (집 따위)에 틀어박히다: ~ *to* one's bed (병으로) 누워 있다. —《*vt*.+㉑》⑤ (장소 · 진로 따위)에서 …을 벗어나지 않게 하다. ⑥ …을 (어느 정도)로 유지하다〔지키다〕: ~ one's remarks *to* the minimum 발언을 최소한으로 억제하다. ⑦ …에게 (계획 · 약속 따위)를 지키게 하다: ~ a person *to* his word 〔promise〕 아무에게 약속을 지키게 하다. ~ ***together*** 《*vt*.+㈜》① (둘 이상의 것)을 한데 모으다; 협조〔단결〕시키다: ~ one's class *together* 학급을 단결시키다/~ Christmas cards *together* 크리스마스 카드를 한데 모아 두다. —《*vi*.+㈜》② (물건이) 서로 붙어 있다, (한데) 모여 있다. ③ 단결하다, 모아지다《***in, on*** …에서》: We must ~ *together in* our opposition. 우리는 단결해서 반대하여야 한다. ~ ***to*** one***self*** 《*vi*.+㉑》① 남과 교제하지 않다, 홀로 있다. —《*vt*.+㉑》② (정보 따위)를 남에게 누설하지 않다; 주지 않다: He often ~*s* his opinions *to* him*self*. 그는 자기 의견을 남에게 말하지 않는 경우가 가끔 있다/He *kept* the money *to* him*self*. 그는 그 돈을 혼자 차지했다. ~ ***under*** 《*vt*.+㈜》① (물건)을 밑에 두다. ② (아무)를 억제하다, 억누르다; 얌전하게 만들다, 복종시키다. ③ (불 따위)를 진압하다, (감정)을 억누르다: The fire was so big that the firemen could not ~ it *under*. 불길이 너무 세어 소방수들은 불을 끌 수가 없었다. ④ (아무)를 기절〔무의식, 진정〕 상

태에 놔 두다. —《vt.+전》 ⑤ (물건)을 …의 밑에 놔 두다〔해 두다〕; (감시·관찰)하에 …을 두다: ~ one's jewelry *under* lock and key 보석을 자물쇠를 잠그고 엄중히 보관하다 / ~ a person *under* observation 아무를 감시하에 두다. ~ ***up*** 《vi.+부》 ① (사람·물건이) 넘어지지〔가라앉지, 떨어지지〕 않고 있다; (자지 않고) 깨어〔일어나〕 있다: The shed *kept up* during the storm. 곳간은 폭풍 중에도 쓰러지지 않았다. ② (가격·품질 따위가) 떨어지지 않다; (기력·체력이) 쇠하지 않다; (활동·수업 따위가) 이어지다, 계속되다: Prices will ~ *up*. 물가는 내려가지〔떨어지지〕 않을 것이다. ③ (공부 따위에서) 뒤지지 않고 따라가다. ④ (날씨가) 계속되다; (소리가) 계속 울리다: If the weather will only ~ *up*, ... 날씨가 이 상태로 계속된다면…. —《vt.+부》 ⑤ (사람·물건)을 내려가지〔가라앉지〕 않도록 하다; (아무)를 잠들지 않도록 하다: ~ oneself *up* in the water 물 속으로 몸이 가라앉지 않게 하다 / The noise *kept* me *up* till late. 그 소음때문에 밤 늦도록 잠들지 못했다. ⑥ (물가·학력 따위)를 떨어지지 않도록 하다; (기운·체면·우정 따위)를 유지하다; (가정·차 따위)를 유지하다: ~ *up* one's English (꾸준히 공부해서) 영어실력이 떨어지지 않도록 하다 / ~ *up* a large house 큰 집을 유지하다 / *Keep up* your spirits. (최후까지) 기력을 잃지 마라. ⑦ (행위·일 따위)를 계속하다: ~ *up* the same pace 같은 보조를 유지하다 / ~ *up* an attack 공격을 계속하다 / Are you still ~*ing up* morning exercises? 아직 아침 운동을 계속하고 있느냐. ~ ***up on*** …에 대해 정보를 얻고 있다, 알고 있다: ~ *up on* current events 시사에 관해 잘 알고 있다. ~ ***up with*** ① …에 (뒤떨어)지지 않다: He could not ~ *up with* his class. 그는 학급의 다른 아이들을 따라가지 못했다 / It's rather difficult for an old man to ~ *up with* the time. 나이 든 사람이 시대에 뒤지지 않고 따라가기란 어려운 일이다. ② (아무)와 (서신왕래 따위로) 접촉을 유지하다, 교제를 계속하다. ~ ***up with the Joneses*** ⇨JONES. ***You can ~ ...*** ① …을 가져도 좋다; …을 너에게 주겠다. ② 《구어》 …은 필요〔흥미〕 없다.

—*n.* **1** Ⓤ 생활 필수품, 생활비, 식비: earn one's ~ 생활비를 벌다 / work for one's ~ 살기 위해서 일하다. **2** Ⓒ (중세 성(城)의) 본성, 성채(의 망루).

for ~s ① (아이들의 놀이 따위에서) 따면 돌려주지 않기로 하고, 진짜로: play *for ~s* 진짜 따먹기로 하다. ② 《구어》 언제까지나, 영구히: You may have this *for ~s*. 이것을 너에게 주겠다 《돌려주지 않아도 괜찮다》.

keep·er [kíːpər] *n.* Ⓒ **1 파수꾼, 간수, 수위; 시중드는 사람: Am I my brother's ~? 〖성서〗 내가 아우를 지키는 자니이까《창세기 IV: 9》. **2** 관리인, 보관자; (상점 따위의) 경영자. **3** (동물의) **사육자**, 임자; 《英》 사냥터지기. **4** 〖경기〗 수비자, 키퍼; =GOALKEEPER; WICKET-KEEPER. **5** (결혼 반지의) 보조 반지. **6** 저장에 견디어 내는 과일〔채소〕: a good 〔bad〕 ~ 오래도록 저장할 수 있는〔없는〕 과일〔채소〕. **7** 〖낚시〗 낚아 올릴 만한 크기의 물고기.

the Keeper of the Privy Seal 《英》 옥새관(玉璽官), 왕실 출납 장관.

kéep-fít *a.* 건강 유지의: Every morning he gives her ~ lessons. 매일 아침 그는 그녀에게 보건체조의 레슨을 하고 있다. —*n.* Ⓤ 건강 유지를 위한 운동.

kéep·ing *n.* Ⓤ **1** 유지; 보관; 보존, 저장(성): in good 〔safe〕 ~ 잘〔안전하게〕 보존〔보관〕되어 / The papers are in my ~. 서류는 내가 보관하고 있다 / have the ~ of …을 맡고〔보관하고〕 있다. **2** 관리; 경영. **3** 부양, 돌봄; 사육; 식량; 사료. **4** 일치, 조화, 상응(相應): in ~ with …와 일치〔조화〕되어 / What he did is *out of* ~ with his promise. 그가 한 행동은 약속과 틀리다. **5** (의식·규칙의) 준수, 축하, 의식을 행하기: the ~ of a birthday 생일 축하(행사).

◇**kéep·sàke** *n.* Ⓒ 유품(memento), 기념품.

keg [keg] *n.* Ⓒ 작은 나무통《보통 용량이 10갤런 이하의 것》; 못 무게의 단위《100파운드》: a ~ of beer 〔brandy〕 맥주〔브랜디〕 한 통.

kég bèer (금속제 통에 넣은) 생맥주.

keg·ler [kéglər] *n.* Ⓒ 《美구어》 볼링 경기자 (bowler).

Kel·ler [kélər] *n.* **Helen (Adams)** ~ 미국의 여류 저술가·사회 사업가《농맹아(聾盲啞)의 삼중고를 극복함; 1880–1968》.

ke·loid, che- [kíːlɔid] *n.* Ⓤ 〖의학〗 켈로이드. ㊕ **ke·lói·dal, che-** *a.* 켈로이드(모양)의.

kelp [kelp] *n.* Ⓤ 〖식물〗 켈프《해초의 일종; 대형의 갈조(褐藻)》; 켈프의 재《요오드의 원료》.

kel·vin *n.* Ⓒ 〖물리〗 켈빈《절대온도의 단위; 기호 K.; 영국의 물리학자 W.T. Kelvin (1824–1907)의 이름에서》.

Kélvin scàle (the ~) 〖물리〗 절대온도 눈금.

ken [ken] *n.* Ⓤ 시야, 시계; 이해; 지력(知力)의 범위: His friend's suicide was completely beyond 〔outside〕 his ~. 그의 친구의 자살은 그가 도저히 이해할 수 없는 일이었다.

Ken. Kentucky.

Ken·ne·dy [kénədi] *n.* **John Fitzgerald** ~ 케네디《미국의 제35대 대통령; 1917–63》.

~ ***(International) Airport*** 케네디 국제공항《New York시 Long Island에 있는 국제공항; 구명 Idlewild》.

Kénnedy Spáce Cènter (NASA의) 케네디 우주 센터《Florida주의 Cape Canaveral에 있는 로켓 발사 기지》.

◇**ken·nel** [kénəl] *n.* **1** Ⓒ 개집. **2** (*pl.*) 개의 사육〔훈련〕장. **3** Ⓒ (땅을 파고 지은) 오두막.

—(*-l-*, 《英》 *-ll-*) *vt.* 개집에 넣다〔에서 기르다〕.

—*vi.* 개집에 살다.

Ken·neth [kéniθ] *n.* 케네스《남자 이름》.

Kén·sing·ton Gárdens [kénziŋtən-] *n.* 〖보통 단수취급〗 켄징턴 공원《영국 London의 Hyde Park의 서쪽에 있는 큰 공원》.

Kent [kent] *n.* 켄트《잉글랜드 남동부의 주; 주도 Maidstone》.

Kent·ish [kéntiʃ] *a.* Kent주(사람)의.

Ken·tucky [kəntʌ́ki] *n.* 켄터키《미국 남부의 주; 생략: Ky., Ken.》. ㊕ **Ken·túck·i·an** [-ən] *a.*, *n.* Ⓒ ~ 주의 (주민); ~ 태생의 (사람).

Kentúcky Dérby (the ~) 켄터키 경마《Kentucky주 Louisville에서 매년 5월에 벌어지는》.

Ken·ya [kénjə, kíːn-] *n.* 케냐《동아프리카의 공화국; 수도 Nairobi》. ㊕ ~**n** *a.* 케냐(사람)의. —*n.* Ⓒ 케냐 사람.

kepi [képi] *n.* 《F.》 Ⓒ 케피 모자《프랑스의 군모》.

Kep·ler [képlər] *n.* **Johannes** ~ 케플러《독일의 천문학자(1571–1630); 행성 운동에 관한 Kepler's law를 발견》.

kept [kept] KEEP의 과거·과거분사.
—*a.* 금전상의 원조를 받고 있는: a ~ mistress 〔woman〕 첩.

ker·a·tin [kérətin] *n.* Ⓤ 〖화학〗 케라틴, 각질(角質), 각소(角素).

ke·ra·ti·nous [kərǽtənəs] *a.* 케라틴(질)의, 각질의.

kerb [kəːrb] *n.* 《英》 =CURB 3.

kérb dríll 《英》 (길을 횡단할 때의) 좌우 교통의 확인.

kérb·stòne *n.* 《英》 =CURBSTONE.

ker·chief [kə́ːrtʃif] *n.* Ⓒ (여성의) 머릿수건; 《시어》 손수건.

ker·fuf·fle [kəːrfʌ́fəl] *n.* Ⓤ (구체적으로는 Ⓒ) 《英구어》 소동(騷動), 법석, 말다툼《***about, over*** (하찮은 일)에 대한》.

◇**ker·nel** [kə́ːrnəl] *n.* **1** Ⓒ (과실의) 인(仁), 심(心); (쌀·보리 따위의) 낟알. **2** (the ~) (문제 따위의) 요점, 핵심, 중핵(中核), 심수(心髓): the ~ *of* a matter 〔question〕 사건〔문제〕의 핵심.

◇**ker·o·sine, -sene** [kérəsìːn, ⌐–⌐] *n.* Ⓤ 《美》 등유(《英》 paraffin).

ker·sey [kə́ːrzi] (*pl.* **~s, ker·sies**) *n.* **1** Ⓤ 커지 천《투박한 나사》. **2** (*pl.*) 커지제 바지.

kes·trel [késtrəl] *n.* Ⓒ 〖조류〗 황조롱이.

ketch [ketʃ] *n.* Ⓒ 〖선박〗 쌍돛 범선의 일종《연안 항해용》.

ketch·up [kétʃəp] *n.* Ⓤ (토마토 따위의) 케첩 (catchup, catsup).

ke·tone [kíːtoun] *n.* Ⓤ 〖화학〗 케톤.

⁑**ket·tle** [kétl] *n.* Ⓒ **1** 솥, 탕관; 주전자: put the ~ on 주전자를 불에 올려놓다《물을 끓이다》. **2** 〖지질〗 구혈(甌穴)(=∠**hòle**)《빙하 바닥의 출구가 없는 큰 구멍》. ***a different ~ of fish*** 《구어》 별개 사항, 별문제. ***a pretty*** 〔***nice, fine***〕 ***~ of fish*** 《구어》 골치 아픈〔난처한〕 사태, 분규《pretty, fine, nice는 반어적 표현》.

két·tle·drùm *n.* Ⓒ 〖음악〗 케틀드럼《솥 모양의 큰북》.

Kéw Gárdens 큐 국립 식물원《London 교외 마을 Kew에 있는》.

Kew·pie [kjúːpi] *n.* Ⓒ 《美》 큐피 인형《상표명》.

⁑**key** [kiː] (*pl.* **~s**) *n.* **1** Ⓒ **열쇠**《***to*** (문 따위)의》; 열쇠 모양의 것. ⓒⓕ lock. ¶a bunch of ~s 한 뭉치의 열쇠/This is the wrong ~ *to* this door. 이것은 이 문 열쇠가 아니다/turn the ~ on a prisoner 죄수를 옥에 가두고 문에 쇠를 채우다. **2** (the ~) 요소, 관문《***to*** …으로의》: Gibraltar is the ~ *to* the Mediterranean Sea. 지브롤터는 지중해의 관문이다. **3** Ⓒ **a** 해답; 해결의 열쇠〔실마리〕(clue)《***to*** (문제·사건 따위)의》; 비결《***to*** (성공 따위)의》. **b** 직역본《***to*** (외국책)의》; 해답서, 자습서《***to*** (연습〔시험〕문제 따위)의》. **c** 검색표《***to*** (동식물)의》; 기호〔약어〕표 《***to*** (지도·사서 따위)의》: the ~ *to* a mystery 〔riddle〕 신비〔수수께끼〕를 풀 열쇠/the ~ *to* (solv*ing*) a problem 문제를 해결할 열쇠/the ~ *to* good health 건강의 비결《the는 강조의 뜻》/ a ~ *to* a test 시험의 해답서. **4** Ⓒ (시계의) 태엽 감개; (타이프라이터·컴퓨터 등의) 키; 〖전기〗 전건(電鍵), 키; (오르간·피아노·취주악기의) 키. **5** Ⓒ (목소리의) 음조; 〖음악〗 (장단의) 조(調); 〖미술〗 (그림의) 색조; (사상·표현·색채 따위의) 기조(tone), 양식(mode); =KEY WORD: speak in a high 〔low〕 ~ 높은〔낮은〕 음조로 말하다/in a minor ~ 침울한〔슬픈〕 음조로/all in the same ~ 모두 동일한 가락으로, 단조로이/ the major 〔minor〕 ~ 장조〔단조〕. **6** Ⓒ 〖식물〗 시과(翅果)(~ fruit). ***in*** 〔***out of***〕 **~ *with*** …와 조화를 이루어〔이루지 못하고〕.
—*a.* Ⓐ 기본적인, 중요한, 기조(基調)의: a ~ color 기본색/a ~ position 〔issue〕 중요한 지위〔문제〕/the ~ industries of Korea 한국의 기간산업.
—*vt.* **1** 《+목+전+명》 (이야기·문장 따위)를 분위기에 맞추다《***to*** …의》: ~ one's speech *to* the occasion 그 자리의 분위기에 맞춰서 이야기하다. **2** 《~+목/+목+부》 …에 쇠를 채우다(*in; on*). **3** (문제집 따위)에 해답을 달다. **4** 〖음악〗 (악기)를 조율(調律)하다. **5** =KEYBOARD.
(***all***) **~*ed up*** 매우 흥분〔긴장〕하여《***about*** …에》: They are *all ~ed up about* an exam. 그들은 시험에 관한 일로 매우 긴장해 있다. **~ *up*** 《*vt.* +부》 ① …의 음조를 올리다: ~ a piano *up* to concert pitch 피아노를 합주조(合奏調)에 맞추어 음조를 올리다. ② …을 고무시키다, 긴장〔흥분〕 시키다: The coach *~ed up* the team for the game. 코치는 그 경기를 앞두고 팀의 사기를 북돋아 주었다. ③ (신청·요구)를 더욱 강소하다.

kéy assìgnment 〖컴퓨터〗 키 할당《키보드상의 각 키에 대한 기능의 할당》.

kéy·bòard *n.* Ⓒ **1** 건반《피아노·타자기 등의》, (컴퓨터의) 키보드, 자판: a ~ instrument 건반악기. **2** (팝 뮤직의) 건반악기, 키보드. **3** (호텔 접수처 등에서) 각 방의 열쇠를 걸어 두는 판.
—*vt.* (컴퓨터 등의) 키를 치다; (정보)를 키를 쳐서 입력하다. ⓜ **~·er** *n.*

kéy·bòard·ist *n.* Ⓒ 건반악기 연주자.

kéy chàin 열쇠고리.

kéy clùb (열쇠를 받은 회원만이 들어갈 수 있는) 회원제 (나이트) 클럽.

kéy cúrrency 기축(基軸)〔국제〕 통화.

kéy dìsk 〖컴퓨터〗 키디스크《프로그램 실행시에 필요한 특별한 디스크; 위법(違法) 카피 방지용으로 쓰임》.

keyed [kiːd] *a.* **1** 쇠가 걸린. **2** 유건(有鍵)의, 건(鍵)이 있는: a ~ instrument 건반악기《피아노·오르간 따위》. **3** 〖음악〗 조율 (調律)한. **4** (이야기·문장 등이) 분위기〔가락〕에 맞추어진《***to*** …의》: His speech was ~ *to* the situation. 그의 이야기는 그 분위기에 맞추어져 있었다.

kéy·hòle *n.* Ⓒ 열쇠 구멍: peek through 〔listen at〕 a ~ 열쇠 구멍으로 들여다보다〔엿듣다〕. **—***a.* (기사·보고 등이) 내막을 파헤친; (신문기자 등이) 내막을 파헤치고 싶어하는: a ~ report 내막 기사.

kéy mòney 《英》 (세 드는 사람이 내는) 권리금; 《美》 전세 보증금.

Keynes [keinz] *n.* **John Maynard ~** 1st Baron 케인스《영국의 경제학자; 1883–1946》.

Keynes·i·an [kéinziən] *a.* 케인스의; 케인스 학설의: ~ economics 케인스 경제학. **—***n.* Ⓒ 케인스 학파의 사람.

◇**kéy·nòte** *n.* Ⓒ **1** 〖음악〗 으뜸음, 바탕음. **2** (연설 등의) 요지, 주지(主旨), (행동·정책·성격 따위의) 기조, 기본 방침: give the ~ to …의 기본 방침을 정하다/strike 〔sound〕 the ~ *of* …의 본질에 언급하다〔을 살피다〕/The ~ *of* his speech was Christian love. 그의 연설의 요지는 기독교적인 사랑이었다.
—*vt.* 《구어》 (정당 대회 등에서) 기조 연설을 하다; (어떤 생각)을 강조하다.

K

kéynote addréss 〔**spéech**〕《美》(정당 · 회의 등의) 기조 연설.

kéy·pàd *n.* Ⓒ **1** 키패드《TV나 버튼식 전화기 따위의 키 조작 패널》. **2** 〖컴퓨터〗 키패드《키보드 상의 숫자키와 수학 기호 키가 배열된 부분》.

kéy pàl 《구어》 E메일을 서로 교환하는 친구.

kéy pùnch (컴퓨터 카드의) 천공기(穿孔機), 키펀치.

kéy·pùnch *vt.* (카드)에 키펀치로 구멍을 내다; (정보 따위)를 키펀치로 쳐 넣다《***onto, into*** (종이 테이프 따위)에》: ~ information (*onto* 〔into〕 a card) 정보를 키펀치로 (카드에) 쳐 넣다. ㉳ **~·er** *n.* Ⓒ 키펀처《천공원(員)》.

kéy rìng (많은 열쇠를 꿰는) 열쇠 고리.

kéy sìgnature 〖음악〗 조표, 조호(調號)《오선지 첫머리에 기입된 #(sharp), ♭(flat) 따위 기호》.

kéy·stòne *n.* Ⓒ (보통 *sing.*) **1** 〖건축〗 아치이맛돌, 종석(宗石), 쐐기돌. **2** (이야기의) 주지(主旨), 요지, 근본 원리.

Kéy Wést 키웨스트《(1) 미국 Florida주 Keys 서단(西端)에 있는 섬의 관광 도시. (2) 미국 최남단의 도시》.

kéy wòrd (암호 해독 등의) 실마리〔열쇠〕가 되는 말; (작품의 주제를 나타내는) 중요〔주요〕어, 키워드; (철자 · 발음 등의 설명에 쓰이는) 보기말; 〖컴퓨터〗 핵심어.

kg kilogram(s). **kg, kg.** keg(s); king. **K.G.** Knight of the Garter. **KGB, K.G.B.** 《Russ.》 *Komitét Gosudárstvennoi Bezopasnosti* (= Committee for State Security 국가보안 위원회《옛 소련의 국가경찰 · 정보기구(1954–91)》.

khaki [ká:ki, kǽki] *a.* 카키색의, 황갈색의. **—***n.* Ⓤ 카키색 (옷감); (흔히 *pl.*) 카키색 군복〔제복〕: in ~(*s*) 카키색 군복을 입고〔입은〕.

Khar·toum, -tum [kɑ:rtú:m] *n.* 하르툼《수단의 수도》.

Khmer [kəmέər] (*pl.* **~, ~s**) *n.* **1 a** (the ~(s)) 크메르족《캄보디아의 주요 민족》. **b** Ⓒ 크메르인. **2** Ⓤ 크메르어《캄보디아의 공용어》.

Khmer Rouge [kəmέərrú:ʒ] (the ~) 크메르 루주《캄보디아 내의 공산계 게릴라의 일파》.

kHz kilohertz. **K.I.A.** killed in action (전사자).

kib·butz [kibú:ts] (*pl.* ***-but·zim*** [-butsí:m]) *n.* Ⓒ 키부츠《이스라엘의 집단농장》.

kibe [kaib] *n.* Ⓒ 〖의학〗 추위에 손발이 트는 것, 동창(凍瘡).

kib·itz [kíbits] *vi.* 《구어》 주제넘게 참견하다; (노름판에서) 참견하다, 훈수하다. ㉳ **~·er** *n.*

ki·bosh, ky- [káibɑʃ/-bɔʃ] *n.* Ⓤ 《속어》 잠꼬대 같은 말, 무의미한 말《지금은 다음 관용구로만》. ***put the ~ on*** …에 결정타를 먹이다, 끝장을 내다.

⁑**kick** [kik] *vt.* **1 a** 《~+[목]/+[목]+[전]+[명]/+[목]+[부]》 차다, 걷어차다: ~ a ball 공을 차다/~ a person *back* 아무를 되받아 차다/~ *up* a stone 돌멩이를 걷어차다/~ a person *out of* a house 아무를 문 밖으로 내쫓다/~ a person *in* the stomach 아무의 배를 걷어차다/~ *off* one's shoes 신발을 차서 벗다. **b** 《+[목]+[보]》 (문 따위)를 차서 …한 상태가 되게 하다: He *~ed* the door open. =He *~ed* open the door. 그는 문을 차서 열었다. **2** 〖~ oneself〗 후회하다, 자책하다. **3** 〖축구〗 (골)에 공을 차 넣다. **4** 《속어》 (마약 · 담배의 습관성)을 끊다: ~ the habit of narcotic drugs 마약의 습관성을 끊다.

—*vi.* **1** 《~/+[전]+[명]》 차다《***at*** …을》: ~ and cry 발버둥치며 울다/I *~ed at* the ball. 공을 차려고 했다. **2** (말 따위가) 차는 버릇이 있다. **3** (총이 발사 때) 반동하다(recoil). **4** 《~/+[전]+[명]》《구어》 반대〔반항〕하다, 거스르다, 강하게 항의하다《***at, against*** …에》; 불평을 말하다《***about*** …에 대해》: ~ *about* poor service 서비스가 나쁘다고 불평하다/~ *against* 〔*at*〕 the rules 규칙에 (공공연히) 반대하다/The farmers *~ed at* 〔*against*〕 the government's measure. 농민들은 정부 조치에 강력히 항의했다.

~ *about* =~ around. **~ *against the pricks*** ⇨PRICK. **~ *a man when*** he***'s down*** ① 넘어진 사람을 차다. ② 아무의 약점을 이용하여 몹쓸 짓을 하다. **~ *around*** 《구어》《*vt.*+[부]》 ① …을 거칠게 다루다, 혹사하다; 괴롭히다. ② (문제 · 안 등)을 여러 각도에서 생각〔검토, 논의〕하다. **—**《*vi.*+[부]》 ③ 나태하게 지내다; 여기저기 돌아다니다: ~ *around* for a year after college 대학 졸업 후 1년간 하는 일 없이 세월을 보내다. ④ 〖보통 -ing꼴로〗 (사람 · 생각 따위가) 여전히 살아있다, 존재하다; (물건이) 방치되어 있다: The script has been *~ing around* for years. 그 원고는 여러 해 동안 방치되어 있다. **—**《*vi.*+[전]》 ⑤ (이리저리 돌아다니며) 여행하다, 방랑하다: He has been *~ing around* Europe. 그는 유럽을 전전하며 여행하고 있다. **~ *back*** 《*vi.*+[부]》 ① 되받아 차다; 반격〔앙갚음〕하다, 역습하다《***at*** …을》. **—**《*vt.*+[부]》 ② …을 되받아 차다; 역습하다. ③ 《구어》 (돈)을 수수료〔리베이트〕로서 갚다. **~ *in*** 《*vt.*+[부]》 ① (밖에서 문 따위)를 차 부수다; …을 차서 넣다: ~ a ball *in* 공을 차 넣다/~ the door *in* 〔*in* the door〕 문을 차 부수다. ② 《美속어》 (배당된 돈)을 내다; (돈)을 기부하다. **~** a person ***in the teeth*** 〔***pants***〕 《구어》 아무에게 예상 밖의 면박을 주다, 아무를 무조건 야단치다. **~ *off*** 《*vt.*+[부]》 ① 차서 …을 벗다(⇨1 a). ② …을 차서 쫓아버리다: ~ a dog *off* 개를 차서 쫓아버리다. ③ 《구어》 (회합 따위)를 시작하다: ~ *off* the party with a toast 건배를 하고 파티를 시작하다. **—**《*vi.*+[부]》 ④ 〖축구〗 킥오프하다; 킥오프로 시합을 시작〔개시〕하다. ⑤ 《구어》 (회합 따위가) 시작되다. ⑥ 《구어》 시작하다《***with*** (회합 따위)를》. ⑦ 《美속어》 (기계 따위가) 고장나다; 죽다. **~ *out*** 《*vt.*+[부]》 ① (아무)를 (차서) 쫓아내다; 해고〔해임〕하다《***of*** …에서》: Max was *~ed out of* school for his frequent misbehavior. 맥스는 잦은 비행으로 인해 학교에서 쫓겨났다. ② 〖컴퓨터〗 (정보 등)을 (검색을 위해) 분리하다. **—**《*vi.*+[부]》 ③ 〖축구〗 (시간을 벌기 위해) 공을 고의로 터치라인 밖으로 차내다. **~ *over*** 《*vi.*+[부]》 ① (엔진이) 점화하다, 시동하다. **—**《*vt.*+[부]》 ② 《美구어》 (돈)을 내다, 지불하다. ③ (사람 · 물건)을 차서 넘어뜨리다〔떨어뜨리다〕. **~ *up*** 《*vt.*+[부]》 ① 차 올리다. ② 《구어》 (먼지 등)을 일으키다; (소란)을 피우다: He *~ed up* a row 〔fuss, dust, ruckus, stink〕 over it. 그는 그 일로 큰 소동을 일으켰다. **~** a person ***upstairs*** 《구어》 아무를 한직으로 몰아내다, 승진시켜서〔작위를 주어서〕 퇴직시키다.

—*n.* **1** Ⓒ **차기**, 걷어차기: give a person 〔thing〕 a ~ 아무를〔사물을〕 걷어차다. **2** Ⓒ (총의) 반동. **3** Ⓒ 《구어》 반대, 반항, 거절; 항의, 불평. **4** (the ~) 《구어》 해고: get the ~ 해고 당하다/give a person the ~ 아무를 해고하다. **5** Ⓒ 〖축구〗 킥, 차기; 《英》 차는 사람. **6** Ⓤ (또는 a ~) 《구어》 (위스키 따위의) 톡 쏘는 맛, 자극성:

This vodka has a lot of ~ in it. 이 보드카는 아주 독하다. **7** Ⓒ 《구어》 (유쾌한) 흥분, 스릴; 통쾌함: (just) for ~ (단지) 자극〔스릴〕을 바라고/get a ~ from 〔out of〕 …에서 비상한 쾌감〔스릴〕을 얻다〔맛보다〕. **8** Ⓤ 《속어》 원기, 활력, 반발력.

a ~ in the pants 〔***teeth***〕 《구어》 (뜻밖의) 심한 처사, 모진 비난, 뜻밖의 거절.

kíck·bàck *n.* Ⓤ (구체적으로는 Ⓒ) 《구어》 **1** (격렬한) 반동, 반응. **2** (단골손님에의) 일부 환불, 리베이트(rebate), 중개료. **3** 임금의 일부를 떼어 내기〔가로채기〕; 삥땅.

kíck·dòwn *n.* Ⓒ (자동차의) 킥다운(장치)《자동 변속기가 달린 자동차에서, 액셀러레이터를 힘껏 밟고 저속으로 기어를 변속하기, 또는 그 장치》.

kíck·er *n.* Ⓒ **1** 차는 사람; (축구 따위의) 차는 사람; 차는 버릇이 있는 말. **2** 《美속어》 뜻밖의 장애〔함정〕; 뜻밖의 결말, 의외의 전개.

kíck·òff *n.* Ⓒ 〖축구〗 킥오프; 《구어》 시작, 개시: the election ~ 선거유세의 첫시작.

kíck plèat 걷기 좋게 좁은 스커트에 잡은 주름.

kíck·stànd *n.* Ⓒ (자전거 · 오토바이의) 뒷받침 살.

kíck-stàrt Ⓒ **1** (오토바이 따위의) 페달을 밟아서 조작하는 시동기. **2** 시동; 촉발.

kíck stàrt(er) (오토바이 따위의) 페달을 밟아서 조작하는 시동기.

kíck tùrn 〖스키〗 킥턴《정지했다가 행하는 180° 의 방향 전환법》.

⁑**kid**[1] [kid] *n.* **1** Ⓒ **새끼염소**; 새끼영양(羚羊). **2** Ⓤ 키드 가죽; 새끼염소의 고기. **3** (*pl.*) 키드 가죽 장갑〔구두〕. **4** Ⓒ 《구어》 **아이**(child); 젊은이: I have three ~*s*. 아이가 셋 있다.

—*a.* Ⓐ **1** 키드제(製)의. **2** 《美구어》 손아래의: one's ~ brother 동생.

kid[2] (*-dd-*) 《구어》 *vt.* **1** 조롱하다, 농담을 하다 (*on*): Don't ~ me. 농담 마라/You're ~*ding* me! 농담이겠지, 설마/She ~*ded* him *on* until he got serious about her. 그녀는 그가 그녀에 대해서 진심으로 생각할 때까지 장난삼아 사귀었다. **2** 〖~ oneself〗 (사실은 그렇지 않은데) 좋은 쪽을 취하려 하다, 헛짚고 기분 좋아하다. **3** (아무)를 (농담삼아) 속여서 …시키다《***into*** …하게》: He ~*ded* me *into* think*ing* it was true. 나는 그에게 속아 그것이 사실이라고 생각했다. **—***vi.* 조롱하다, 속이다.

> **DIAL.** ***I kid you not.*** 정말이야, 거짓말이 아니야.
> ***I'm just*** 〔***only***〕 ***kidding.*** 농담이야.
> ***I'm not kidding.*** 정말이야, 거짓말이 아니야.
> ***No kidding!*** ① (자기 말에 대해서) 정말이야, 거짓말이 아니야(=I kid you not). ② (상대의 말에 대해서) 농담이겠지, 설마; (비꼬아서) 이제와서 뭐라고.
> ***You're kidding.*** 농담이겠지, 설마.

㊕ **∠·der** *n.*

kid·die, kid·dy [kídi] (*pl.* ***-dies***) *n.* Ⓒ 《구어》 어린애.

kid·do [kídou] (*pl.* ~(***e***)***s***) *n.* Ⓒ 《구어》 (친한 사이의 호칭으로서) 자네, 너, 야. [< kid[1]]

kíd glóves 키드 가죽 장갑. ***handle*** 〔***treat***〕 ***... with ~*** 《구어》 …을 신중히 다루다.

◇**kid·nap** [kídnæ̀p] (***-p-, -pp-***) *vt.* (아이)를 채가다; 꾀어내다; (몸값을 받으려고) 유괴하다. ⓒⓕ abduct. ㊕ **kíd·nàp(p)er** *n.* Ⓒ 유괴자, 유괴범. **kíd·nàp·(p)ing** *n.* Ⓤ 유괴.

◇**kid·ney** [kídni] *n.* **1** Ⓒ 〖해부〗 신장(腎臟). **2** Ⓒ (식품은 Ⓤ) (양 · 소 따위의) 콩팥. **3** (*sing.*) 《문어》 성질, 기질, 종류, 형(型) (type): a man of that ~ 그런 기질의 사람/a man of the right ~ 성질이 좋은 사람. ◇ renal *a.*

kídney bèan 〖식물〗 강낭콩; 붉은꽃잠두.

kídney machìne 인공 신장.

kídney-shàped [-t] *a.* 신장〔콩팥〕 모양의, 강낭콩 모양의.

kídney stòne 〖해부〗 신장 결석(結石).

kíd·skìn *n.* Ⓤ 새끼염소의 가죽, 키드 가죽.

kíd·stùff *n.* Ⓤ 어린애 용품; 쉬운〔간단한〕 것.

Ki·ev [kíːef, -ev] *n.* 키예프《우크라이나 공화국의 수도》.

kike [kaik] *n.* Ⓒ 《美속어 · 경멸적》 유대인(Jew).

Kil·i·man·ja·ro [kìləməndʒáːrou] *n.* 킬리만자로《Tanzania에 있는 화산; 아프리카의 최고봉; 5895 m》.

†**kill** [kil] *vt.* **1 a 죽이다**, 살해하다: He was ~*ed* in a traffic accident. 그는 교통사고로 죽었다. **b** 〖~ oneself〗 자살하다.

2 도살하다; 쏘아 잡다; 말라 죽게 하다: The frost ~*ed* the buds. 서리로 싹이 말라죽었다.

> **SYN.** **kill** 일반적으로 쓰이는 말. 사람 또는 동 · 식물을 죽이거나 말라 죽게 하거나 함. **murder** 계획적으로 잔인한 살해를 함을 말함. **slay** 문어적인 느낌의 말로서 전쟁터 등에서 하는 살인이나 고의로 하는 잔인한 살인을 말하며, 신문용어로서도 쓰임. **assassinate** 정치상의 동기로 사람을 시켜 요인 등을 암살함을 말함.

3 (시간)을 (헛되이) **보내다**: ~ time 시간을 보내다/She ~*ed* five years on that study. 그녀는 그 연구에 5년이란 세월을 허송했다.

4 (효과)를 약하게 하다; (바람 · 병 등의) 기세를 꺾다, 가라앉히다; (용수철의) 탄력성을 없애다; (산 · 빛 따위)를 중화하다; (소리 · 냄새 따위)를 없애다; (엔진 따위)를 끄다; (전기)의 회로를 끊다: ~ the pain with a drug 약으로 통증을 가라앉히다/The scarlet curtain ~*ed* the room. 저 빨간색 커튼은 방 색깔의 효과를 죽였다/The trumpets ~ the strings. 트럼펫 소리 때문에 현악기 소리가 죽는다.

5 (감정 따위)를 억압하다; (애정 · 희망 따위)를 잃게 하다, (기회)를 놓치다, 잃다: ~ a person's hope 남의 희망을 꺾다/~ one's affection 애정이 시들게 하다.

6 (의안 따위)를 부결하다, 깔아뭉개다; 《美》 (신문 기사 따위)를 채택하지 않다.

7 《구어》 〖인쇄 · 편집〗 지우다, 삭제하다(delete).

8 《구어》 (복장 · 모습 · 눈초리 등이 아무)를 압도하다, 뇌쇄(惱殺)하다, 매료하다: ~ a person *with* a glance 흘끗 한 번 보아 아무를 뇌쇄하다.

9 녹초가 되게 하다, 몹시 지치게 하다; (술 · 노고 따위가) …의 수명을 줄이다; (병 따위가) …의 목숨을 빼앗다; …을 몹시 괴롭히다〔아프게 하다〕: My shoes are ~*ing* me. 구두가 너무 끼어서 죽을 지경이다/The long hike ~*ed* us. 오랜 도보 여행으로 녹초가 되었다.

10 《구어》 **a** (이야기 따위가) 몹시 재미있게〔즐겁게〕 하다. **b** 〖~ oneself〗 포복절도하다.

11 《구어》 (음식물)을 먹어치우다, (술병 따위)를 비우다: They ~*ed* a bottle of bourbon between them. 그들은 둘이서 버본위스키 한 병을 비웠다.

K

12 〖테니스〗 (공)을 받아치지 못하게 강타하다(smash); 〖미식축구〗 공을 딱 멈추다.
—*vi*. **1** 사람을 죽이다, 살생하다; 《구어》 사람을 뇌쇄〔압도〕하다: Thou shalt not ~. 살인하지 말라《〖성서〗 '출애굽기'에서》/She was dressed 〔got up〕 to ~. 그녀는 홀딱 반할 정도로 아름다운 옷차림을 하고 있었다.
2 (식물이) 말라 죽다.
3 〖well 따위의 양태부사와 함께〗 (가축이 도살되어) 살코기가 나오다: The ox *~ed* well 〔badly〕. 그 소는 고기가 많이 나왔다〔안 나왔다〕.
~ off 〔*out*〕 《*vt*.+副》 절멸시키다: Poachers have *~ed off* most of the elephants. 밀렵꾼들이 대부분의 코끼리를 죽여버리고 말았다. *~ two birds with one stone* 《구어》 일석이조의 성과를 거두다, 일거양득하다. ~ a person *with kindness* 친절이 지나쳐 도리어 화를 입히다.
—*n*. **1** (the ~) (특히 사냥에서 짐승을) 죽이기, 잡기. **2** (*sing*.) (사냥에서) 잡은 동물.
be in at the ~ 사냥감을 쏴죽일 때 (마침) 그 자리에 있다; 승리〔클라이맥스〕의 순간 그 자리에 있다; (사건 등의) 최후를 끝까지 지켜보다. *~ or cure* (치료가) 죽이기 아니면 살리기로.

*__kill·er__ [kílər] *n*. Ⓒ **1 죽이는 것**; 살인자, 살인청부업자; 살인귀. **2** 《구어》 경이적인 사람〔것〕, 대단한 녀석; 아주 어려운 일; 유쾌한 농담; 결정적인 타격, 통타(痛打). **—***a*. Ⓐ 엄한, 지독한: a ~ cold 혹한.

kíller ìnstinct 투쟁〔살인〕 본능; 잔인한 성질.

kíller whàle 〖동물〗 범고래.

kíll·ing *a*. **1** 죽이는, 치사(致死)의(fatal); 시들게 하는; 죽을 지경의; 무척 힘이 드는: I rode at a ~ pace. 죽을 힘을 다해서 말을 타고 달렸다/~ power 살상력/a ~ frost 식물을 고사(枯死)시키는 서리. **2** 《구어》 뇌쇄적인; 우스워 죽을 지경인: You are too ~. 자네는 정말 우습군/Jane looked ~ in gray. 회색 옷을 입은 제인은 정말로 매력적이었다.
—*n*. **1** Ⓤ 살해; 살인; 도살. **2** Ⓤ (수렵 따위에서) 잡은 것《전부》. **3** (a ~) 《구어》 큰 벌이, (주(株)·사업 등의) 대성공: make a ~ in stocks 주식에서 크게 한몫 보다.

kílling bòttle (곤충 채집용) 살충병.

kíll·ing·ly *ad*. 《구어》 못 견딜 정도로; 뇌쇄하듯이.

kíll-jòy *n*. Ⓒ (일부러) 흥을 깨는 사람〔것〕.

◇**kiln** [kiln] *n*. Ⓒ 가마, 노(爐): a brick ~ 벽돌 가마.

◇**kilo** [kí(ː)lou] (*pl*. **~s**) *n*. Ⓒ 킬로《kilogram, kilometer 등의 간약형》.

kil·o- [kílou, -lə] '천(千)'의 뜻의 결합사.

kílo·bìt *n*. Ⓒ 〖컴퓨터〗 킬로비트《1,000 bits》.

kílo·bỳte *n*. Ⓒ 〖컴퓨터〗 킬로바이트《1,000 bytes》.

kílo·càlorie *n*. Ⓒ 킬로칼로리《열량의 단위; 1,000 cal; 생략: kcal, Cal》.

kílo·cỳcle *n*. Ⓒ 〖물리〗 킬로사이클《주파수의 단위; 1,000 사이클; 생략: kc; 지금은 kilohertz 라고 함》.

◇**kílo·gràm,** 《英》 **-gramme** *n*. Ⓒ 킬로그램《1,000 g, 약 266.6 돈쭝; 생략: kg》.

kílo·hèrtz (*pl*. ~) *n*. Ⓒ 킬로헤르츠《주파수의 단위; 생략: kHz》.

kílo·lìter, 《英》 **-tre** *n*. Ⓒ 킬로리터《1,000 리터; 생략: kl》.

*__kil·o·me·ter,__ 《英》 **-tre** [kilámitər, kíləmìːtər/kilɔ́-] *n*. Ⓒ **킬로미터**《1,000 m; 생략: km》.

kílo·tòn *n*. Ⓒ 킬로톤《1,000 톤 또는 TNT 1,000 톤에 상당하는 폭파력; 생략: kt》.

◇**kílo·wàtt** *n*. Ⓒ 〖전기〗 킬로와트《전력의 단위; 1,000 와트; 생략: kW》.

kílowatt-hóur *n*. Ⓒ 킬로와트시(時)《1시간 1 킬로와트의 전력; 생략: kWh》.

kilt [kilt] *n*. Ⓒ 킬트《스코틀랜드 고지 지방에서 입는 남자의 짧은 스커트》; 킬트풍(風)의 스커트.
—*vt*. (스커트)의 자락을 걷어 올리다; …에 세로 주름을 잡다.

kílt·ed [-id] *a*. 킬트를 입은; 세로 주름을 잡은.

kil·ter [kíltər] *n*. Ⓤ 정상적인 상태, 양호한 상태, 호조, 순조, 조화《다음의 관용구로》. *in* 〔*out of*〕 ~ 좋은〔나쁜〕 상태에.

kim·chi, kim·chee [kímtʃiː] *n*. Ⓤ 김치.

kin [kin] *n*. Ⓤ 〖집합적〗 친족, 친척, 일가(relatives)《*to* …의》: be no ~ *to* …와 혈연〔친척〕 관계가 아니다/We are ~ *to* the President. 우리는 대통령과 일가이다. *near of ~* 근친인. *next of ~* ① 〖복수취급〗 근친자. ② (보통 the ~) 〖법률〗 최근친《유언 없이 사망시에 재산을 상속하는 혈연자》. *of ~* ① 친척인《*to* …와》. ② 같은 종류의《*to* …와》.
—*a*. Ⓟ 동족인, 친척 관계인; 동류인, 같은 종류인《*to* …와》: He is (not) ~ *to* me. 그는 나의 친척이다〔친척이 아니다〕.

-kin [kin] *suf*. '작은'의 뜻: lamb*kin*, prince*kin*.

⁑**kind**[1] [kaind] *n*. **1 a** Ⓒ **종류**(class, sort, variety): a new ~ *of* lighter 신식라이터/a ~ *of* apple 〔metal〕 사과〔금속〕의 일종/a book *of* the best ~ 가장 좋은 종류의 책/three *~s of* magazine(s) (성격이 다른) 3 종류의 잡지《≠ three magazines 잡지 3 권》/this 〔that〕 ~ *of* book =a book *of* this 〔that〕 ~ 이〔그〕것과 같은 종류의 책/This ~ *of* stamp is rare. = Stamps *of* this ~ are rare. =《구어》 These ~ *of* stamps are rare. 이런 종류의〔이와 같은〕 우표는 진귀하다/What ~ *of* (a) man is he? 그는 어떠한 사람입니까/We need a different ~ *of* test. 다른 종류의 검사가 필요하다. **b** (the ~) 〖관계사절 또는 *to* do와 함께〗 (…하는) 종류(의 사람): He's not the ~ *of* person *to* do 〔*who* does〕 things by halves. 그는 일을 도중에서 아무렇게나 할 그런 사람이 아니다.

SYN. **kind** '종류'를 나타내는 일반적인 말. **sort**는 kind와 거의 같은 뜻이지만, kind 보다도 막연한 느낌이 있음: He is kind in some *sort*. 그는 어딘가 친절한 데가 있다. **species** 일반적으로 '종류'의 뜻도 있으나, 특히 동·식물의 '종'을 가리킴: dogs of many *species*; many *species* of dogs 각종의 개.

2 Ⓒ 종족《동식물 따위의 유(類)·종(種)·족(族)·속(屬)》: the human ~ 인류. **3** Ⓤ (유별(類別)의 기소가 되는) **성질**, 본질. **4** Ⓒ 〖교회〗 성찬의 하나《빵 또는 포도주》.
a ~ of ① 일종의 …(⇨1 a). ② 대체로 …라고 할 수 있는, …에 가까운; …와 같은: He is *a ~ of* stockbroker. 주식 중매인 같은 일을 하고 있다. *all ~s of* 각종의, 모든〔온갖〕 종류의; 다량〔다수〕의: *all ~s of* money 많은 돈. *in a ~* 어느 정도, 얼마간; 말하자면. *in ~* ① (지급을 금전이 아닌) 물품으로: taxes paid *in* ~ 물납세(稅)/wage *in* ~ 현물 급여. ② 같은 것〔방법〕으

로: repay a person's insolence *in* ~ 무례에 무례로 응답하다. ③ 본래의 성질이, 본질적으로: differ in degree but not *in* ~ 정도는 다르지만 본질은 같다. **~ of** 〖형용사·동사 앞에서 부사적으로〗《구어》 얼마쯤, 그저, 좀, 오히려: The room was ~ *of* dark. 방은 조금 어두웠다 / It's ~ *of* good. 그저 괜찮은 편이다 / I ~ *of* expected it. 조금은 예기하고 있었다. ★《美》에서는 종종 사투리로 [káində]로 발음하고, kind o', Kind a', kinda, kinder로 씀. cf. SORT of. ***of a ~*** ① 같은 종류의, 동일종의: four *of a* ~ (포커에서) 포 카드《같은 패 4장의 수》. ②《경멸적》 일종의, 이름뿐인, 엉터리의: coffee *of a* ~ (커피라고 말할 수 없는) 이상한 커피 / a gentleman *of a* ~ 사이비 신사.

kind² *a.* **1 친절한**, 상냥〔다정〕한, 인정 있는, 동정심이 많은《***to*** …에게》: a ~ gentleman 친절한 신사 / ~ words 상냥한 말 / She was very ~ *to* us. 그녀는 우리에게 퍽 상냥하게 대해주었다 / *It* is very 〔so〕 ~ *of* you 〔You are very ~〕 *to* lend me the book. 친절하게도 책을 빌려 주시니 고맙습니다 / It's ~ *of* you *to* say so. 칭찬〔격려〕의 말씀 감사합니다.

SYN. **kind** 가장 일반적인 말. **good** 구어에서 kind 대신 쓰임: How *good* of you! 참 친절하십니다. **thoughtful, considerate** 딴 사람의 입장·기분 따위에 대해서 이해가 깊은: He is not *considerate*, only polite. 그는 별로 이해심이 있는 것은 아니고 예의가 바를 뿐이다. **obliging** 호의적으로 잘 돌보아 주는: He is very *obliging* and offered to do anything in his power. 그는 퍽 친절해서 자기 힘으로 할 수 있는 일이면 무엇이든 하겠다고 말했다. **benign, benignant** 주로 윗사람이 온정 있는: *a benign* ruler 자비로운 통치자.

2 (편지에서) 정성어린: with ~ regards 여불비례《편지의 끝맺음 말》/ Please give my ~ regards to your mother. 어머님께 안부 전해 주시오. ◇kindness *n.*

kinda, kind·er [káində], [káindər] *ad.* 《구어》〖발음철자〗 =KIND¹ of.

kin·der·gar·ten [kíndərgɑ̀:rtn] *n.* 《G.》 U (시설에는 C) (미국의) 유치원.

kín·der·gàr·ten·er, -gàrt·ner *n.* C (유치원의) 보모; 《美》 (유치원) 원아.

kind·heart·ed [káindhá:rtid] *a.* **마음이 상냥한**, 친절한, 인정 많은(compassionate). 파 **~·ly** *ad.* **~·ness** *n.*

kin·dle [kíndl] *vt.* **1** …에 불을 붙이다, …을 태우다《***with*** …으로》: ~ straw 짚에 불을 붙이다 / ~ a fire *with* a match 성냥으로 모닥불을 피우다. **2** 밝게〔환하게〕 하다, 빛내다: The rising sun ~*d* the distant peak. 아침해가 멀리 있는 산정을 환하게 빛냈다. **3** (정열 따위)를 타오르게 하다(inflame); 선동하다; 부추겨 …시키다《***to*** …하게 / ***to*** do》: That ~*d* him *to* courage. 그것으로 인해 그는 용기를 냈다〔얻었다〕/ The policy ~*d* them *to* revolt. 그 정책이 그들의 폭동을 유발하였다.

— *vi.* **1** 불이 붙다, 타오르다(*up*): The dry wood ~*d up* quickly. 마른 나무는 곧 불이 붙었다. **2** (얼굴 등이) 화끈 달다, 뜨거워지다; 빛나다(glow), 번쩍번쩍하다《***with*** …으로》: Her eyes ~*d with* curiosity. 그녀의 눈은 호기심으로 빛났다. **3** 흥분하다, 격하다(be excited)《***at*** …을 듣고》: He ~*d at* these remarks. 그는 이 말을 듣고 흥분했다. **4** 반응하다《***to*** …에》.

kind·li·ness [káindlinis] *n.* **1** U 친절, 온정; C 친절한 행위. **2** U (기후 따위의) 온화.

kin·dling [kíndliŋ] *n.* U 점화, 발화; 흥분; 선동.

kind·ly [káindli] (*-li·er; -li·est*) *a.* **1** A **상냥한, 이해심 많은**, 인정 많은: a ~ heart 친절한 마음씨 / a ~ smile 상냥한 미소 / He gave me some ~ advice. 그는 나에게 동정어린〔간곡한〕 충고를 해 주었다. **2** (기후 따위가) 온화한, 쾌적한, 상쾌한. **3** (땅 따위가) 알맞은《***for*** …에》.

— *ad.* **1 친절하게**(도), 상냥하게: Speak ~ to children. 아이들에게는 상냥하게 말하세요 / He treated me ~. 그는 나를 친절하게 대해 주었다 / She ~ helped me. 그녀는 친절하게도 나를 도와주었다. **2** 〖명령문 따위와 함께〗 **부디** (…해 주십시오)(please): *Kindly* give me your address. 주소를 알려 주십시오 / Will 〔Would〕 you ~ tell me ... ? …을 가르쳐 주시지 않겠습니까 / *Kindly* fill out 〔in〕 the form. 용지에 기입해 주세요. **3** 쾌히, 기꺼이(agreeably). **4** 진심으로: Thank you ~. 참으로 고맙습니다.

take ~ to 〖종종 부정문에서〗 (자연히) …이 좋아지다, …이 마음에 들다; …을 쾌히 받아들이다: He does*n't take* ~ *to* criticism. 그는 비판을 순순히 받아들이지 않는다.

kind·ness [káindnis] *n.* **1** U **친절**, 상냥함; 인정《***to*** do》: treat a person with ~ 아무를 친절하게 대하다 / Thank you for your ~. 친절에 감사드립니다 / Would you have 〔do me〕 the ~ *to* pull up the window? 미안하지만 창문 좀 올려 주시겠습니까. **2** C **친절한 행위**〔태도〕: He has done 〔shown〕 me many ~*es*. 그는 여러모로 나를 친절하게 돌보아 주었다 / Will you do me a ~? 부탁이 있는데요. ***out of ~*** 친절심〔호의〕에서.

kin·dred [kíndrid] *n.* U **1** 〖집합적; 복수취급〗 친족, 친척: All her ~ are living in the country. 그녀의 친척은 모두 시골에 살고 있다. **2** 혈연, 혈족 관계, 친척 관계(relationship)《***with*** …와의》: The swindler claimed ~ *with* royalty. 그 사기꾼은 왕실과 혈족 관계가 있다고 주장했다.

— *a.* A **1** 혈연의, 친척 관계의: ~ races 동족. **2** 같은 성질의; 같은 종류의, 동류의; (신념·태도·감정 등이) 일치한, 마음이 맞는: a ~ spirit 마음이 맞는〔취미가 같은〕 사람 / ~ thoughts 같은 생각.

kin·e·mat·ic, -i·cal [kìnəmǽtik/kài-], [-əl] *a.* 〖물리〗 운동학적인, 운동학(상)의.

kìn·e·mát·ics *n.* U 〖물리〗 운동학.

kin·e·scope [kínəskòup] *n.* C 《美》 키네스코프《브라운관의 일종》; 키네스코프 영화.

ki·ne·sics [kiní:siks, kai-, -ziks] *n.* U 동작학《몸짓·표정과 사상 전달의 연구》.

ki·net·ic [kinétik, kai-] *a.* **1** 〖물리〗 운동의, 운동에 의한; 동역학(kinetics)의. ↔ *static*. **2** 활동력이 있는, 활동적인: a man of ~ energy 활동적인 사람.

kinétic énergy 〖물리〗 운동 에너지.

ki·nét·ics *n.* U 〖물리〗 동역학. ↔ *statics*.

kín·fòlk *n.* 《美》 〖집합적; 복수취급〗 친척, 친족, 동족.

King [kiŋ] *n.* **Martin Luther ~, Jr.** 킹《미국의 종교가·흑인운동 지도자; Nobel 평화상(1964); 1929–68》.

king [kiŋ] *n.* **1** (종종 K-) Ⓒ **임금, 왕,** 국왕, 군주. ⓒⓕ queen. ¶ the *King* of Sweden 스웨덴 국왕 / *King* George VI, 국왕 조지 6세 《★ King George the sixth 라고 읽음》. **2** Ⓒ 〖카드놀이〗 킹; 〖체스〗 왕장 (王將): check the ~ 킹을 외통으로 몰다. **3** Ⓒ 《구어》 거물, 대세력가; 왕에 비길 수 있는 것; …왕: an oil ~ 석유왕 / a railroad ~ 철도왕 / the ~ *of* beasts 백수의 왕 《사자》 / the ~ *of* birds 조류의 왕 《수리》 / the ~ *of* day 태양 / the ~ *of* forest 숲의 왕 《떡갈나무》 / the ~ *of* jungle 밀림의 왕 《호랑이》 / the ~ *of* fish 어류의 왕 《연어》 / the *King of* Waters 강 중의 왕 《아마존 강》. **4** (the (Book of) K-s) 〔단수취급〕 〖성서〗 열왕기.
the King of Arms (영국의) 문장원(紋章院) 장관. ***the King of Heaven*** 신, 그리스도. ***the King of Kings*** 하느님, 신(Almighty God), 그리스도; 왕중의 왕, 황제 《옛날 페르시아 등 동방 여러 나라의 왕의 칭호》. ***the King of the Castle*** ① 서로 떨어뜨리며 높은 곳으로 올라가는 왕놀이 《아이들의 놀이》. ② ((the) k- of the c-) 조직〔그룹〕 중의 최중요〔중심〕 인물.
—*vt.* **1** 왕으로 모시다. **2** 《~+목/+목+전+명》 〔보통 ~ it 으로〕 군림하다, 왕자와 같이 행동하다; 뽐내다 《***over*** …에게》: ~ *it over* one's associates 동료들에게 왕처럼 군림하다.

kíng·bìrd *n.* Ⓒ 〖조류〗 딱새류 《북아메리카산》; 풍조(風鳥)의 일종.

Kìng Chárles spániel 〖동물〗 킹 찰스 스패니얼 《흑갈색의 작은 애완용 개》.

kíng cóbra 〖동물〗 킹코브라 《인도산 독사》.

kíng cráb 〖동물〗 참게(horseshoe crab).

kíng·cùp *n.* Ⓒ 〖식물〗 미나리아재비(buttercup); 《英》 눈동이나물속(屬)의 일종.

***king·dom** [kíŋdəm] *n.* **1** Ⓒ **왕국,** 왕토; 지배하고 있는 장소; 영역(province): the ~ of Norway 노르웨이 왕국 / The mind is the ~ of thought. 마음은 생각의 영역이다. **2** (the 〔thy〕 ~) 〖기독교〗 신정(神政); 신국: the ~ of God 천국 / Thy ~ come. 〖성서〗 나라이 임하옵소서 《마태복음 VI: 10》. **3** Ⓒ 〖생물〗 …계(界); (학문·예술 등의) 세계, 분야(分野)(realm): the animal 〔plant *or* vegetable, mineral〕 ~ 동물〔식물, 광물〕계.
come into one***'s*** **~** 권력〔세력〕을 잡다.

kíngdom cóme 《구어》 내세(來世), 천국: go to ~ 죽다 / blow 〔send〕 a person to ~ (폭탄 등으로) 죽이다. ***until*** 〔***till***〕 **~** 《구어》 이 세상 다할 때까지, 언제까지나.

kíng·fish *n.* Ⓒ **1** 북아메리카산의 큰〔맛이 좋은〕 물고기 《총칭》. **2** 《구어》 거물, 거두.

kíng·fisher *n.* Ⓒ 〖조류〗 물총새.

Kìng Jámes 〔Jámes's〕 Vérsion 〔Bíble〕 (the ~) 흠정(欽定) 영역 성서(the Authorized Version).

King Kong [kíŋkɔ́ːŋ, -káŋ] 킹콩 《영화 따위에 등장하는 거대한 고릴라》; 거한(巨漢).

Kíng Léar 리어 왕 《Shakespeare 작 4 대 비극의 하나; 그 주인공》.

king·let [kíŋlit] *n.* Ⓒ **1** 《종종 경멸적》 소왕(小王), 작은 나라의 왕. **2** 《美》 〖조류〗 상모솔새.

◇**kíng·ly** (***-li·er; -li·est***) *a.* 왕의, 왕자(王者)의; 왕다운; 왕자에 어울리는.

kíng·màker *n.* Ⓒ (정치상 요직에 후보자를 지명하는) 정계 실력자.

kíng·pìn *n.* Ⓒ **1** 〖볼링〗 중앙의 핀 《5번 핀 또는 headpin》. **2** (복잡한 조직의) 주요〔중추〕 인물; 중요한 것, 중요 요소.

kíng pòst 〔pìece〕 〖건축〗 왕대공, 쪼구미. ⓒⓕ queen post.

Kíng's Bénch (Divìsion) (the ~) 《英》 (고등법원(High Court)의) 왕좌부(王座部); 《본디》 왕좌 재판소.

Kíng's Cóunsel 《英》 칙선(勅選) 변호사 《생략: K.C.; 여왕일 때는 Queen's Counsel》.

Kíng's Énglish (the ~) 순정〔표준〕 영어 《교양인이 쓴다는 남부 잉글랜드의 표준 영어; 여왕 치세 때는 Queen's English》.

kíng's évil (the ~) 《고어》 연주창(scrofula) 《왕의 손이 닿으면 낫는다고 믿어진 데서》.

king·ship [kíŋʃip] *n.* Ⓤ 왕의 신분; 왕위, 왕권; 왕의 존엄.

kíng-sìze(d) *a.* Ⓐ 《구어》 **1** 특별히 긴〔큰〕, 대형의: a ~ cigarette. **2** (침대가) 특대형의 《76×80인치》. ⓒⓕ queen-size.

kíng's ránsom 왕이 포로가 되었을 때의 몸값; 엄청난 돈: worth a ~ 매우 가치가 큰.

kink [kiŋk] *n.* Ⓒ **1** 꼬임, 비틀림 《***in*** (밧줄·쇠사슬·실 따위)의》: a ~ *in* a rope 밧줄의 꼬임. **2** (목·등의 근육의) 경련. **3** 《구어》 (마음의) 비꼬임, 외고집; 괴팍; 변태. **4** (기계·계획 등의) 결함, 불비. **—***vi., vt.* 비꼬이(게 하)다, 비틀리(게 하)다.

kin·ka·jou [kíŋkədʒùː] *n.* Ⓒ 〖동물〗 미국너구리(raccoon)류의 작은 야행성 동물.

kinky [kíŋki] *a.* 비꼬인, 비틀린; 꼬이기 쉬운; 곱슬머리의; 《구어》 마음이 빙퉁그러진, 변덕스러운, 괴상야릇한, 괴팍한, 《특히》 성적으로 도착된, (약간) 변태적인.

-kins [kinz] ⇨ -KIN.

kíns·fòlk *n.* ＝KINFOLK.

kin·ship [kínʃip] *n.* **1** Ⓤ 친족〔혈족〕 관계 《***with*** …와의》. **2** Ⓤ (또는 a ~) (성질 따위의) 유사, 근사 《***with*** …와의; ***between*** …간의》.

kíns·man [-mən] (*pl.* ***-men*** [-mən]) *n.* Ⓒ **1** 동족〔동국〕인. **2** 혈족〔친척〕의 남자.

kíns·wòman (*pl.* ***-wòmen***) *n.* Ⓒ 혈족의 여자, 친척인 여자; 동족〔동국〕의 여자.

ki·osk, ki·osque [kíːɑsk, -ˊ/-ɔsk] *n.* Ⓒ 벽 없는 오두막, (터키 등의) 정자; (역·광장 등에 있는) 신문 매점·공중 전화실·광고탑·지하철도 입구 따위의 간이 건축물.

kip[1] [kip] *n.* **1** Ⓒ 어린〔작은〕 짐승의 가죽. **2** Ⓤ 무등질한 킵 가죽.

kip[2] 《英속어》 *n.* **1** Ⓒ 하숙; 여인숙; 잠자리. **2** Ⓤ (또는 a ~) 잠, 수면: have a ~ 한잠 자다. **—** (***-pp-***) *vi.* 잠자다 (*down*).

Kip·ling [kípliŋ] *n.* **(Joseph) Rudyard** ~ 키플링 《인도 태생의 영국의 시인·소설가; 1865–1936; Nobel 문학상(1907)》.

kip·per [kípər] *n.* **1** Ⓒ (요리는 Ⓤ) 청어〔연어〕를 훈제해 말린 것(ⓒⓕ bloater). **2** Ⓒ 산란기〔산란 후〕의 연어〔송어〕의 수컷. **—***vt.* 훈제〔건물(乾物)〕로 하다: a ~*ed* herring 훈제 청어.

Ki·ri·ba·ti [kìribáːti, kírəbæ̀s] *n.* 키리바시 《태평양 중부의 섬으로 이루어진 공화국; 수도 Tarawa》.

kirk [kəːrk] *n.* Ⓒ 《Sc.》 교회; (the K-) 스코틀랜드 장로교회(the Kirk of Scotland).

kirsch(·was·ser) [kiərʃ(vàːsər)] *n.* 《G.》 Ⓤ (종류·낱개는 Ⓒ) 버찌술.

kis·met [kízmet, kís-] *n.* Ⓤ 운명, 천명.

†**kiss** [kis] *n.* Ⓒ **1 키스,** 입맞춤: give a ~ to …

에게 키스하다 / blow a ~ to …에게 키스를 보내다 《먼데서 손시늉으로》 / She gave him a ~ on the lips 〔cheek〕. 그녀는 그의 입술〔볼〕에 키스했다. **2** 《시어》 (산들바람이 꽃·머리카락 등에) 가볍게 스침〔흔듦〕. **3** 〖당구〗 (공과 공의) 접촉, 키스. **4** 달걀 흰자와 설탕을 섞어 구운 과자.
the ~ of death 《구어》 죽음의 키스, 위험한 관계〔행위〕, 재앙의 근원. ***the ~ of life*** 《英》 (입으로 하는) 인공호흡(법); 《비유적》 기사회생책(起死回生策).
—*vt.* **1** 《~+목/+목+전+명》 …에 키스하다, 입맞추다 《***on*** …에》: ~ one's love 연인에게 키스하다 / ~ a person *on* the lips 〔cheek〕 = ~ a person's lips 〔cheek〕 아무의 입술〔볼〕에 키스(를) 하다. **2** 《+목+목》 키스로 나타내다: Father *~ed* us goodnight 〔good-by〕. 아버지가 우리에게 잘 자라고〔가라고〕 키스했다. **3** (미풍·파도가) …에 가볍게 스치다. **—***vi.* **1** 입맞추다, 키스하다. **2** 〖당구〗 (공과 공이) 가볍게 맞닿다.
~ ***away*** 《*vt.*+부》 (눈물·걱정 등)을 키스해서 사라지게 하다: She *~ed away* the child's tears. 그녀는 아이에게 키스하여 울음을 그치게 했다. ~ ***good-by*** ① 이별의 키스를 하다 《***to*** …에게》 (⇨*vt.* 2). ② 《구어》 (일·물건에 대한 미련 따위)를 버리다, 체념하다: ~ tradition *good-by* 전통을 버리다. ~ ***off*** 《*vt.*+부》 (입술 연지 등)을 키스로 지우다; 《속어》 …을 없어진 것으로 생각〔단념〕하다; 《속어》 …을 거절〔무시〕하다. ~ a person***'s ass*** 《속어》 아무에게 아첨하다〔알랑거리다〕. ~ ***the rod*** 〔***cross***〕 순순히 처벌을 받다.

kíss·a·ble *a.* 키스하고 싶어지는 《입·입술》: a ~ mouth.

kíss cùrl 《英》 (이마·관자놀이 따위에) 착 붙게 한 곱슬〔애교〕머리(=《美》 **spít cùrl**).

kiss·er [kísər] *n.* Ⓒ 키스하는 사람; 《속어》 얼굴; 입; 입술; 턱.

kíssing cóusin =KISSING KIN; 아주 유사한 것, 꼭 닮은 것.

Kiss·ing·er [kísəndʒər] *n.* **Henry Alfred ~** 키신저 《미국의 정치학자·정치가; 1923– 》.

kíssing kín 인사로 뺨에 키스를 나눌 정도의 먼 친척, 먼〔소원한〕 친척(kissing cousin).

***kit**[1] [kit] *n.* **1** Ⓒ **연장통**〔주머니〕; 도구 한 벌; 다 갖춰진 여행〔운동〕 용구; (조립) 재료〔부품〕 일습: a first-aid ~ 구급 상자 / a doctor ~ 의사 가방 / a golfing ~ 골프용품. **2** Ⓤ 《英》 〖군사〗 (무기 이외의) 장구; 배낭; (특별한 경우의) 장구, 복장: ~ inspection (군인의) 복장 검사.
the whole ~ (***and caboodle*** 〔***boodle, boiling***〕) 《구어》 이것저것〔너나없이〕 모두, 전부.
— (***-tt-***) *vt.* 《+목+부/+목+전+명》 《英》 …에게 장비를 갖추게 하다(*out; up*) 《***with*** …으로》.

kit[2] *n.* Ⓒ 새끼고양이 《kitten 의 간약형》.

kít bàg 〖군사〗 배낭; 여행용 가방.

†**kitch·en** [kítʃən] *n.* Ⓒ **1 부엌**, 조리장, 취사장, 주방. **2** (호텔 따위의) 조리부; 《집합적》 조리계. **3** 《속어》 (오케스트라의) 타악기 부문. **—***a.* Ⓐ 부엌(용)의: a ~ chair 〔table〕 부엌용 의자〔테이블〕 / a ~ knife 부엌칼 / a ~ stove 부엌〔조리〕용 레인지.

kítchen càbinet (종종 K- C-) (대통령·주지사 등의) 사설 고문단.

kitch·en·et(te) [kìtʃənét] *n.* Ⓒ (아파트 따위의) 간이 부엌, 작은 부엌.

kítchen gàrden (가정용) 채마밭.

kítchen·màid *n.* Ⓒ (요리사 밑에서 일하는) 가정부.

kítchen mìdden 〖고고학〗 패총, 조개무지.

kítchen polìce 〖美군사〗 취사(반) 근무 《종종 가벼운 벌로서 과해짐; 생략: K.P.》; 《집합적; 복수취급》 취사병.

kítchen sínk 부엌의 개수대. ***everything*** 〔***all***〕 ***but*** 〔***except***〕 ***the ~*** 《우스개》 (필요 이상으로) 많은 것, 무엇이나 다.

kítchen-sínk *a.* Ⓐ **1** 《英》 (생활상의 지저분한 면을 묘사하여) 극단적으로 리얼리스틱한 《그림·연극 등》. **2** 《美》 온갖 것을 동원한〔소재로 한〕: a ~ ad campaign 수단을 가리지 않는 광고전(戰).

kítchen·wàre *n.* Ⓤ 《집합적》 부엌 세간.

kite** [kait] *n.* Ⓒ **1 연**: draw in 〔let out〕 a ~ 연을 (끌어)내리다〔날리다〕. **2** 〖조류〗 **솔개**. **3** 《英속어》 비행기. **4** 《속어》 〖상업〗 융통 어음, 공어음. ***fly 〔***send up***〕 ***a ~*** ① 연을 날리다. ② 《구어》 의향〔여론〕을 살피다(cf. trial balloon).

> **DIAL.** ***Go fly a kite!*** 《美》 (시끄러워) 저리 꺼져 (← 가서 연이나 날려라).

—*vi.* 《구어》 솔개처럼 날다; 〖상업〗 융통 어음으로 돈을 마련하다. **—***vt.* 〖상업〗 (어음)을 공어음으로 쓰다.

kíte ballóon 연 모양의 계류 기구 《생략: K.B.》.

kíte·flỳing *n.* Ⓤ 연날리기; 여론의 반응을 보기.

Kíte·màrk *n.* (the ~) 카이트 마크 《영국 규격 협회(BSI)의 증명 표시》.

kith [kiθ] *n.* 〖다음 관용구로만 씀〗 ~ ***and kin*** 지기(知己)와 친척; 일가 친척, 일가붙이.

kitsch [kitʃ] *n.* 《G.》 Ⓤ 저속한 작품, 졸작.

kit·ten** [kítn] *n.* Ⓒ **새끼고양이**. ***have (***a litter of***) ~***s*** =***have a ~*** 《구어》 심히 걱정〔당황〕하다; 발끈하다, 몹시 흥분하다.

kít·ten·ish *a.* 새끼고양이 같은; 재롱부리는; 아양부리는.

kit·ti·wake [kítiwèik] *n.* Ⓒ 〖조류〗 갈매기의 일종.

Kit·ty [kíti] *n.* 키티 《여자 이름; Katherine 의 애칭》.

kit·ty[1] [kíti] *n.* Ⓒ **새끼고양이**(kitten); 《소아어》 야옹, 고양이.

kit·ty[2] *n.* Ⓒ 〖카드놀이〗 (딴 돈에서 자릿값·팁 등 으로 떼어놓는) 적립금; 승부에 거는 돈 총액; 《일반적》 공동 출자금〔적립금〕.

kítty-còrner(ed) *a., ad.* 비스듬히 향한〔향하여〕, 대각선상의〔으로〕.

Ki·wa·nis [kiwáːnis] *n.* 키와니스 클럽 《미국·캐나다의 실업가 사교 단체》.

ki·wi [kíːwiː] *n.* Ⓒ **1** 〖조류〗 키위, 무익조(無翼鳥)(apteryx). **2** (K–) 《구어》 뉴질랜드 사람. **3** =KIWI FRUIT.

kíwi frùit 〔**bèrry**〕 〖식물〗 양다래, 키위(프루트) 《뉴질랜드산 과일; 중국 원산》.

K.K.K., KKK Ku Klux Klan. **kl.** kiloliter(s).

Klan [klæn] *n.* (the ~) =Ku KLUX KLAN.

Klans·man [klǽnzmən] (*pl.* ***-men*** [-mən]) *n.* Ⓒ Ku Klux Klan 단원.

Klax·on [klǽksən] *n.* Ⓒ 전기 경적(警笛), 클랙슨 《옛날 자동차의 경적으로 씀》. ★ 지금의 자동차 경적은 horn.

Kleen·ex [klíːneks] *n.* Ⓤ 클리넥스 《tissue paper 의 일종; 상표명》.

klep·to·ma·nia [klèptəméiniə, -njə] *n.* Ⓤ (병적인) 도벽, 절도광.

K

klep·to·ma·ni·ac [-méiniæ̀k] *a.* 병적 절도자의, 도벽이 있는. **—***n.* [C] 병적 절도자.
Klon·dike [klɑ́ndaik/klɔ́n-] *n.* (the ~) 클론다이크《캐나다 Yukon강 유역; 골드러시(1897–98)의 중심적 금산지》.
klutz [klʌts] *n.* [C] 《美속어》 손재주 없는 사람, 얼간이. [파] **klútzy** *a.*
km. kilometer(s).
◇**knack** [næk] *n.* (*sing.*) 《구어》 숙련된 기술; 교묘한 솜씨〔기교〕; 요령《**of, for, in** …의》: a ~ *for* 〔the ~ *of*〕 teaching mathematics 수학을 가르치는 요령/acquire 〔catch, get, get into, learn〕 the ~ *of* …의 요령을 익히다/There's a ~ *in* doing it. 그것을 행하는 데는 요령이 있다.
knáck·er *n.* [C] 《英》 폐마(廢馬) 도살업자; 폐옥(廢屋)〔폐선(廢船)〕 매입 해체업자.
knáck·ered *a.* [P] 《英속어》 기진맥진한.
knap [næp] *n.* [C] 《英방언》 언덕, 작은 야산.
◇**knáp·sàck** *n.* [C] (여행자 등의) 냅색, 배낭, 바랑.
◇**knave** [neiv] *n.* [C] **1** 악한, 무뢰한, 악당. **2** 〖카드놀이〗 잭(jack).
knav·ery [néivəri] *n.* **1** [U] 속임수, 악당 근성. **2** [C] 부정 행위; 악행.
knav·ish [néiviʃ] *a.* 악한의, 악한 같은, 무뢰한의; 부정한. [파] **~·ly** *ad.*
◇**knead** [niːd] *vt.* **1** (가루·흙 따위)를 반죽하다; 개다; 주무르다, (근육)을 안마하다: *~ed* rubber 연(軟)고무/~ clay 점토를 개다〔반죽하다〕. **2** (빵·도자기 등)을 빚어 만들다. **3** (인격)을 닦다, 도야하다.
⁑**knee** [niː] *n.* [C] **1 무릎**, 무릎 관절; (의복의) 무릎 부분: up to the *~s* in water 무릎까지 물에 잠기어. **2** (특히 말·개의) 완골(腕骨); (새의) 경골(脛骨), 정강이뼈. **3** 무릎 모양의 것; 곡재(曲材); 완목(腕木); 〖건축〗 무릎같이 굽은 재목.
at *one's* ***mother's*** ~ 어머니 슬하에서, 어린 시절에. ***bend*** 〔***bow***〕 ***the*** ~ ***to*** 〔***before***〕 …에 무릎을 꿇고 탄원하다; …에 굴복하다. ***bring*** 〔***beat***〕 a person ***to*** his ***~s*** 아무를 굴복시키다. ***drop the*** ~ =***fall*** 〔***go*** (***down***)〕 ***on*** 〔***to***〕 one***'s ~s*** 무릎을 꿇다; 무릎 꿇고 탄원하다〔빌다〕. ***gone at the ~s*** 《구어》 (말·사람이) 늙어빠져서; (바지가) 무릎이 구겨져〔해어져〕. ~ ***to*** ~ 꼭 붙여서(~ by ~); 무릎을 맞대고. ***on bended*** ~(***s***) 무릎(을) 꿇고.
—(*~d*) *vt.* **1** …을 무릎으로 건드리다〔차다, 누르다〕. **2** 《구어》 (바지)의 무릎을 불룩하게 부풀리다.
knée-bènd [C] 무릎(굴신) 운동.
knée brèeches 짧은 바지, 반바지.
knée·càp *n.* [C] 〖해부〗 슬개골(patella), 종지뼈; 무릎받이《무릎 보호용》. **—***vt.* (보복·벌로서) …의 무릎을 쏘다.
knée-déep *a.* **1** 무릎 깊이의, 무릎까지 빠지는: stand ~ in water 무릎 깊이의 물에 서다. **2** (또한 **knée déep**) 깊이 빠져《*in* (곤란·빚 따위)에》: ~ *in* trouble 〔《속어》 shit〕 분규에 휘말리어.
knée-hígh *a.* 무릎 높이의. ~ ***to a grasshopper*** 〔***duck, frog, mosquito***〕 《구어》 (사람이) 꼬마인, 아주 작은.
knée·hòle *n.* [C] (책상 밑 따위의) 두 무릎을 넣는 빈 자리.
knée jèrk 〖의학〗 무릎〔슬개〕 반사.
knée-jèrk *a.* [A] 《구어》 자동적인, 예상대로의; 반사적으로〔예상대로〕 반응하는.
knée jòint 〖해부〗 무릎마디; 〖기계〗 토글 장치.
*****kneel** [niːl] (*p.*, *pp.* ***knelt*** [nelt], ***kneeled*** [niːld]) *vi.* 《~/+[부]》 **무릎을 꿇다**, 무릎을 구부리다(*down*): ~ (*down*) in prayer 무릎을 꿇고 기도하다/He *knelt* before the altar. 그는 제단 앞에 무릎을 꿇었다/She *knelt down* to pull a weed from the flowerbed. 그녀는 무릎을 꿇고 화단의 잡초를 뽑았다. [파] **∠·er** *n.*
knée-lèngth *a.* [A] (옷·부츠 등이) 무릎까지 오는: ~ socks.
knée·pàd *n.* [C] (옷의) 무릎에 덧대는 것.
knée·pàn *n.* [C] 〖해부〗 슬개골(kneecap).
*****knell** [nel] *n.* [C] **1 종소리**; 《특히》 조종(弔鐘). **2 불길한 징조**, 흉조. ***sound*** 〔***toll, ring***〕 ***the*** ~ ***of*** …의 조종을 울리다; …의 소멸을〔종말을〕 알리다. **—***vt.* (흉한 일)을 알리다. **—***vi.* (조종이) 울리다; 구슬픈 소리를 내다; 불길하게 들리다.
knelt [nelt] KNEEL의 과거·과거분사.
knew [njuː] KNOW의 과거.
Knick·er·bock·er [níkərbɑ̀kər/-bɔ̀k-] *n.* [C] **1** New Amsterdam (지금의 뉴욕)에 처음으로 이민 온 네덜란드인의 자손; 뉴욕 사람. **2** (**k-**) (*pl.*) 〖복식〗 니커보커(knickers)《무릎 아래에서 졸라매는 낙낙한 짧은 바지》.
knick·ers [níkərz] *n. pl.* 《美》 =KNICKERBOCKERS; 《英》 니커보커형의 여성용 블루머. ***get*** 〔***have***〕 one***'s*** ~ ***in a twist*** 《英속어》 당혹하다, 애태우다, 성내다. **—***int.* 《英속어》 제기랄, 바보같이《경멸·초조 등을 나타냄》.
knick·knack, nick·nack [níknæ̀k] *n.* [C] 《구어》 장식적인 작은 물건; 자질구레한 장신구, 패물, 장식용 골동품.
†**knife** [naif] (*pl.* ***knives*** [naivz]) *n.* **1** [C] **나이프, 찬칼; 식칼**(kitchen ~), 단도: Europeans eat with (a) ~ and fork. 유럽 사람들은 나이프와 포크로 먹는다. **2 a** [C] 수술용 칼, 메스. **b** (the ~) 외과 수술: have a horror of the ~ 수술을 무서워하다. **3** [C] 〖기계〗 (도구·기계 등의) 날: the *knives* of a band saw 띠톱의 날.
before one ***can*** 〔***could***〕 ***say*** ~ =***while*** one ***would say*** ~ 《구어》 순식간에; 돌연. ***be*** 〔***go***〕 ***under the*** ~ 수술을 받(고 있)다. ***get*** 〔***have***〕 one***'s*** ~ ***into*** 〔***in***〕 a person 《구어》 아무에 대해서 원한을 보이다〔적의를 품다〕. ***like a*** (***hot***) ~ ***through butter*** 재빨리, 아주 간단하게. ***you could cut it*** 〔***the air, the atmosphere***〕 ***with a*** ~ 매우 험악한 분위기이다.
—(*~d*) *vt.* **1** 《~+[목]/+[목]+[전]+[명]》 나이프로 베다; 단도로 찌르다〔찔러 죽이다〕: She *~d* him *in* the back. 그녀는 그의 등을 나이프로 찔렀다. **2** 《구어》 비겁한 수단으로 해치려고 하다. **—***vi.* 《+[부]/+[전]+[명]》 (칼로 베듯이) 헤치고 나아가다: A hot sun *~d down through* the haze. 따가운 햇빛이 안개를 뚫고 비쳤다.
knífe-èdge *n.* [C] 나이프의 날; 예리한 것. ***on a*** ~ (일의 성패가) 아슬아슬한 상태에; 몹시 불안하게 여겨《***about*** (일의 성패)를》.
knífe grìnder 칼 가는 사람〔기구〕.
knífe plèat 〖복식〗 스커트의 잔 주름.
knífe-pòint *n.* [C] 나이프의 끝. ***at*** ~ 나이프로 위협받아〔를 들이대고〕.
knífe rèst (식탁용) 칼 놓는 대.
*****knight** [nait] *n.* [C] **1** (중세의) **기사, 무사**《양가의 자제로서 국왕·제후를 섬기고 무용·의협을 중히 여기며 여성을 경애했음》. **2** (근세 영국의)

K

나이트작(爵), 훈작사(勳爵士)《Sir 칭호가 허용되며, baronet(준남작)의 아래에 자리하는 당대에 한한 작위》; (자선 단체 따위의) 회원. **3** 용사, 의협심 있는 사람; 《특히》 여성에게 헌신적인 사람. **4** 〖체스〗 나이트. ~ ***of the road*** 《구어》 트럭 운전사; 노상강도; 행상인, 세일즈맨; 방랑〔부랑〕자. ***the Knights of the Round Table*** 원탁(圓卓) 기사단.

—*vt.* …에게 나이트 작위를 수여하다. [cf] dub¹.

knight báchelor (*pl.* ***knights báchelor(s)***) 《英》 최하급의 훈작사(勳爵士).

knight-érrant (*pl.* ***knights-***) *n.* [C] (중세의) 무술 수련자; 협객(俠客); 돈키호테 같은 인물.

knight-érrantry *n.* [U] 무술 수련; 의협〔돈키호테〕적 행위.

knight·hood [náithùd] *n.* **1** [U] 기사〔무사〕의 신분; 기사도; 기사 기질. **2** [U] (구체적으로는 [C]) 나이트 작위, 훈작사(勳爵士)임. **3** (the ~) 〖집합적〗 기사단, 훈작사단.

knight·ly *a.* **1** 기사의; 기사다운; 의협적인. **2** 훈작사의.

knish [kniʃ] *n.* [C] (요리는 [U]) 크니슈《감자·쇠고기 등을 밀가루 반죽피(皮)로 싸서 튀기거나 구운 유대 요리》.

⁑knit [nit] (*p.*, *pp.* **~, ∠·ted** [nítid]; **∠·ting**) *vt.* **1** 《~+[목]/+[목]+[전]+[명]/+[목]+[목]》 **뜨다, 짜다** 《***out of, from*** …으로》; 짜서 만들다《***into*** …을》: ~ gloves 장갑을 짜다 / ~ a sweater *out of* wool = ~ wool *into* a sweater 털실로 스웨터를 짜다 / My mother ~*ted* me a sweater. 어머니는 내게 스웨터를 짜 주셨다. **2** 《~+[목]/+[목]+[부]》 밀착시키다, 접합하다(join); 짜맞추다(*together*): ~ bricks *together* 벽돌을 접착시키다 / Only time will ~ broken bones. 시간이 지나야 부러진 뼈가 접합된다. **3** 《~+[목]/+[목]+[부]》 (애정·서로의 이익 따위로) 굳게 결합시키다(*together*): The two families were ~*ted together* by marriage. 양가는 혼인으로 결합되었다. **4** (눈살·이맛살)을 **찌푸리다**: ~ one's brows 눈살을 찌푸리다.

—*vi.* **1** 뜨개질을 하다: I've been ~*ting* since morning. 아침부터 뜨개질을 하고 있다. **2** 《~/+[부]》 밀착〔접합, 결합〕하다(*together*): The broken bone should ~ (*together*) in a couple of weeks. 부러진 뼈는 2-3주면 아물 겁니다. **3** (눈살·이맛살 따위가) 찌푸려지다: Her brows ~ in thought. 그녀는 골똘히 생각할 때 눈썹이 찌푸려진다.

~ ***up*** 《*vt.*+[부]》 ① …을 짜다, 짜깁다. ② (토론 따위)를 종결하다. ③ …을 결합하다, 종합하다. **—**《*vi.*+[부]》 ④ 〖well 따위의 양태부사와 함께〗 (털실 따위가) 잘 짜지다: This wool ~*s up* well. 이 털실은 잘 짜진다.

K

knít·ted [-tid] *a.* [A] 짠, 뜬, 편물(編物)의; 메리야스의: a ~*ted* article 니트 제품 / ~*ted* work 편물.

knít·ter *n.* [C] **1** 뜨개질하는 사람, 메리야스공. **2** 편물 기계, 메리야스 기계.

knit·ting [nítiŋ] *n.* [U] **1** 뜨개질; 뜨개질 세공; 편물: do one's ~ 뜨개질을 하다. **2** 메리야스 천.

knítting machìne 편물 기계, 메리야스 기계.

knítting nèedle 〔**pin**〕 뜨개바늘.

knít·wèar *n.* [U] 뜨개질한 의류, 뜨갯것《총칭》.

knives [naivz] KNIFE의 복수.

°knob [nɑb/nɔb] *n.* [C] **1** (나무의) 혹, 마디; 원형의 덩이. **2** (문·서랍·전기기구 따위의) 손잡이, 쥐는 곳; (깃대 따위의) 둥근 장식: Turn the ~ to the right. 손잡이를 오른쪽으로 돌리시오. **3** (석탄·설탕 따위의) 작은 덩어리. **4** 《美》 (고립된) 작고 둥근 언덕.

(***And***) (***the***) ***same to you with*** (***brass***) **~*s on*** 《英구어》 자네야말로 (더욱이나)《빈정대는 말대꾸》. ***with*** (***brass***) **~*s on*** 《英속어》 게다가, 그뿐만 아니라《비꼬는 투의 뜻으로》; 두드러지게, 특별히.

—(**-*bb*-**) *vt.* …에 ~을 붙이다. **—***vi.* 혹이 생기다(*out*). [파] **∠bed** *a.* ~이 있는.

knob·b(l)y [nɑ́b(l)i/nɔ́b(l)i] *a.* 마디가 많은, 혹이 많은; 혹같이 둥글게 된; 작고 둥근 언덕이 많은.

†knock [nɑk/nɔk] *vi.* **1** 《~/+[전]+[명]》 **치다, 두드리다**《***at, on*** …을》: ~ *at* 〔*on*〕 the door 문을 두드리다, 노크하다《★ 방문의 신호; at은 행위의 대상을, on은 두드리는 장소를 강조함; 《美》에서는 보통 on》.

2 《+[전]+[명]》 부딪치다, 충돌하다(bump)《***against, into*** …에》; 우연히 만나다《***into*** (아무)를》: ~ *into* a table 테이블에 부딪치다 / I ~*ed into* him on the street. 거리에서 그를 우연히 만났다.

3 (내연 기관이) 노킹을 일으키다《기화 불량으로》.

4 《구어》 험담하다, 흠〔트집〕잡다.

—*vt.* **1 a** 《~+[목]/+[목]+[전]+[명]》 (세게) 치다, 때리다, 두드리다: ~ the door 문을 두드리다《*vi.* 1의 ~ *at* 〔*on*〕 the door로 함이 보통임》/ ~ a person *on* the head 아무의 머리를 때리다. [SYN.] ⇨ BEAT. **b** 《+[목]+[전]+[명]》 (못 따위)를 두드려 박다《***into*** …에》; (구멍)을 두드려서〔깨뜨려〕 만들다《***in*** (벽 따위)에》: ~ a nail *into* the wall 못을 벽에 두드려 박다 / ~ a hole *in* the wall 벽을 깨서 구멍을 만들다. **c** 《+[목]+[전]+[명]》 철저히 주입시키다〔가르치다〕《***into*** …에》: ~ English grammar *into* a person's head 아무에게 영문법을 철저히 가르치다.

2 《+[목]+[전]+[명]/+[목]+[보]》 세게 쳐서 …이 되게 하다: ~ something *to* pieces 무엇을 쳐서 산산조각이 나게 하다 / The boxer ~*ed* his opponent *to* the canvas. 그 권투 선수는 상대를 캔버스에 때려 눕혔다 / The blow ~*ed* him senseless. 그 일격으로 그는 기절했다 / ~ a person flat 아무를 때려서 쓰러뜨리다 / He ~*ed* the boy senseless. 그는 아이를 때려서 기절시켰다.

3 《+[목]+[전]+[명]》 부딪치다, 충돌시키다《***on, against*** …에》: ~ one's foot *on* a stone 발을 돌에 부딪치다 / ~ one's head *against* a brick wall 벽돌 담에 머리를 부딪치다.

4 《英속어》 깜짝 놀라게 하다, 감동시키다: That ~*s* me! 놀랐는데.

5 《구어》 깎아 내리다, 흠잡다(decry).

6 《英비어》 (여성)을 범하다, 임신시키다.

~ ***about*** 〔***around***〕 《*vt.*+[부]》 ① (아무)를 들볶다, 학대하다; …을 난폭하게 다루다: be badly ~*ed about* 심하게 들볶이다. **—**《*vi.*+[부]》 ② 정처없이 돌아다니다, 방랑하다: He ~*ed around* in India for a year. 그는 1년간 인도를 이곳저곳 여행하며 돌아다녔다. ③ 《속어》 교제하다; 바람을 피우다《***with*** …와》. ④ 〖진행형으로〗 (사람·물건이) 방치되어 있다. **—**《*vi.*+[전]》 ⑤ …을 방랑하다: ~ *about* Europe 유럽을 방랑하다. ⑥ 〖종종 진행형으로〗 …근처에 있다. ~ ***about together*** (둘이) 교제하고 있다; (남녀가) 바람을 피우고 있다. ~ ***back*** 《*vt.*+[부]》 《구어》 (술 따위)를 꿀꺽꿀꺽 마시다; 실컷 먹다; …을 당황케〔깜

짝 놀라게) 하다; (아무)에게 (큰돈)을 쓰게 하다 (cost): This TV set ~*ed* me *back* 500 dollars. 이 TV에 500 달러나 들었다 / The sight ~*ed* him *back*. 그 광경에 그는 깜짝 놀랐다. ~ a person ***cold*** 《구어》 ① 아무를 때려서 기절시키다; 〖권투〗 녹아웃시키다. ② 아무를 깜짝 놀라게 하다. ~ a person ***dead*** 《美구어》 아무를 크게 감동시키다, 뇌쇄하다. ~ ***down*** 《*vt*.+뷔》 ① (아무)를 때려눕히다; (차 따위가) 받아 넘어뜨리다: He was ~*ed down* by a bus. 그는 버스에 받쳐 넘어졌다. ② (집 따위)를 때려부수다. ③ (수송을 위해 기계 따위)를 분해〔해체〕하다. ④ (의론 따위)를 잘 처리하다, 결말짓다, 논파하다. ⑤ 〖경매〗 경락〔낙찰〕시키다《***to*** …에게; ***for*** …(얼마)에》: The picture was ~*ed down to* Mr. A *for* $150. 그 그림은 150 달러에 A씨에게 낙찰되었다. ⑥ 《구어》 (값)을 깎아내리다; (아무)에게 값을 내리게 하다: They have ~*ed down* the price. 그들은 가격을 낮추었다 / We ~*ed* him *down* 5 percent. 우리는 그에게 가격을 5% 깎도록 했다 / We ~*ed* him *down* to 300 dollars. 가격을 깎아서 그에게 300 달러까지 내리게 했다. ~ ***home*** 《*vt*.+뷔》 (못 따위)를 단단히 때려박다; (취지 따위)를 철저히 이해시키다. ~ ***in*** 《*vt*.+뷔》 (못 따위)를 두들겨 넣다, 처박(아 넣)다: ~ *in* a wedge 〔nail〕 쐐기〔못〕을 두드려 박다. ~ ***... into shape*** …을 정돈〔정리〕하다; (사람이 되게끔) 잘 가르치다. ***Knock it off!*** 《속어》 조용히 해!, 그만둬! ~ ***off*** 《*vt*.+뷔》 ① …을 두드려 떨어버리다〔떨어뜨리다〕: ~ the insect *off* one's coat 코트에서 벌레를 떨어버리다 / He accidently ~*ed* the vase *off*. 그는 실수로 꽃병을 떨어뜨렸다. ② 《구어》 (일·작품 따위)를 재빨리 마무리짓다; (일)을 그만두다. ③ 《속어》 (상대)를 격파하다, 이기다. ④ 《속어》 (물건)을 훔치다, 절취하다; (강도짓하러) …에 들어가다: plan to ~ *off* a bank 은행을 털려고 계획하다. ⑤ 《구어》 (금액)을 빼다, 할인하다《***from*** …에서》: ~ *off* two dollars *from* the price 2 달러를 에누리하다. ⑥ 《英속어》 임신시키다, (여자)를 범하다; 《속어》 (아무)를 죽이다. —《*vi*.+뷔》 ⑦ 일을 그만두다〔중단하다〕: We ~ *off* at 6. 일은 (매일) 6시에 끝난다. ~ a person ***on the head*** ① 아무의 머리를 때리다(⇨*vt*. 1). ② 《비유적》 (계획 따위)를 망치다. ~ ***out*** 《*vt*.+뷔》 ① 두들겨 내쫓다〔떨어뜨리다〕; 기절시키다, 의식을 잃게 하다. ② 〖권투〗 녹아웃시키다(cf. knockout); 〖야구〗 (투수)를 녹아웃시키다. ③ 《구어》 피곤케 하다, 지치게 하다; 〖~ oneself out〗 지치다: be ~*ed out* with excessive work 과로로 몹시 지치다. ④ (경기 따위에서) …에게 이기다; (팀 따위)를 탈락〔패퇴〕시키다. ⑤ 《구어》 …을 급조하다, 재빨리 마무리 짓다〔써내다〕: ~ *out* two poems a day 하루에 두 편의 시를 써내다. ⑥ (수면이) …을 잠들게 하다. ⑦ 《속어》 (아무)를 깜짝 놀라게 하다. ⑧ …을 파괴하다; 불통(不通)〔무능〕하게 하다. ~ ***over*** 《*vt*.+뷔》 ① 때려눕히다, 뒤집어엎다; (차 따위가) 치어 쓰러뜨리다. ② (아무)를 깜짝 놀라게 하다. ③ 《美속어》 …에서 강도질〔도둑질〕하다; (아무)에게서 강탈하다. ~ ***(the) spots out of*** 〔***off***〕 ⇨SPOT. ~ ***together*** 《*vi*.+뷔》 ① (두 개의 것이) 부딪치다, 접촉하다: Fear made her knees ~ *together*. 공포로 그녀의 무릎이 와들와들 떨리며 서로 부딪쳤다. —《*vt*.+뷔》 ② …을 서로 부딪치다. ③ (식사 따위)를 서둘러 만들다, …을 서둘러 조립하다: Those houses were ~*ed together* after the war. 이 집들은 전후에 임시로 (조립해) 세워진 것들이다. ~ ***under*** 《*vi*.+뷔》 항복하다《***to*** …에게》. ~ ***up*** 《*vt*.+뷔》 ① (공 따위)를 쳐올리다. ② 《英》 (문을 두드려) 깨우다: Please ~ me *up* at six tomorrow morning. 내일 아침 6시에 깨워주시오. ③ …을 서둘러 만들다: ~ *up* a meal for unexpected guests 예상치 않은 손님들을 위해 서둘러 식사를 만들다. ④ 《속어》 (아무)를 몹시 지치게 하다, 녹초가 되게 하다. ⑤ 《英구어》 (돈)을 벌다. ⑥ 《美속어》 (여자)를 임신시키다. ⑦ 《英구어》 〖크리켓〗 (점수)를 얻다. —《*vi*.+뷔》 ⑧ 《英구어》 (테니스 따위의 경기 전에) 워밍업하다.

—*n*. Ⓒ **1 노크**, 문을 두드림〔두드리는 소리〕: There is a ~ *at* 〔*on*〕 the door. 노크 소리가 들린다, 누군가 왔다. **2** 타격, 구타(blow). **3** 《구어》 〖크리켓〗 타격 차례(innings). **4** 노킹《엔진의》; 폭음: a ~ *in* the engine 엔진의 노킹 소리. **5** 《구어》 비난, 악평; 《구어》 (경제적·정신적) 타격, 불행, 재난: take the ~ 경제적 타격을 받다.

knóck·abòut *a*. Ⓐ **1** 소란스러운; 법석 떠는 《희극·배우 등》. **2** 《구어》 방랑(생활)의. **3** 막일할 때 입는, 튼튼한《의복 따위》. —*n*. **1** Ⓤ 법석 떠는 희극; Ⓒ 법석 떠는 희극 배우. **2** Ⓒ 《美》 소형 범선(帆船)의 일종.

knóck·dòwn *a*. **1** 압도적인: a ~ blow 큰 타격〔쇼크〕. **2** (현지) 조립식의, 분해할 수 있는《가구 따위》: a ~ table 조립〔접이〕식 테이블. **3** (경매 따위에서) 최저가격의: the ~ price (경매의) 최저가격. —*n*. Ⓒ 때려눕힘, (때려눕히는) 타격; 값 깎기, 에누리, 할인.

knóck-dòwn-(and-)drág-òut [-(ən)-] *a*. Ⓐ 가차 없는, 철저한.

°**knóck·er** *n*. Ⓒ **1** 두드리는 사람, 문을 두드리는 사람; 《英》 호별 방문 외판원. **2** (현관 문짝의) 노커, 문 두드리는 고리쇠. **3** 《美구어》 독설가, 험구가. **4** (보통 *pl*.) 《속어》 유방, 젖통이. ***on the*** ~ 《英구어》 호별 방문(판매)하여; 대금 후불로.

knócking-shòp *n*. Ⓒ 《英속어》 갈봇집(brothel).

knóck-knèe *n*. **1** Ⓤ 〖의학〗 외반슬(外反膝) 《양 무릎 아랫부분이 밖으로 굽은 기형》. **2** (*pl*.) 안짱다리, X각의 다리. cf. bowleg. 㐖 ~**d** *a*. 안짱다리의.

knóck·òff *n*. Ⓒ 오리지널 디자인을 모방한 싸구려 복제품《의류품 등》.

knóck-òn *n*. Ⓒ 〖럭비〗 녹온《반칙임》.

knóck-ón effèct 《英》 (한 가지 일이 차례로 파급되는) 도미노 효과, 연쇄반응.

°**knóck·òut** *a*. Ⓐ **1** 〖권투〗 녹아웃의, 통렬한《펀치》: a ~ blow. **2** 압도적인; 굉장한, 훌륭한: a ~ performance 깜짝 놀라게 하는 연주 / a ~ girl 굉장한 미인. —*n*. Ⓒ **1** 〖권투〗 녹아웃《생략: K.O., k.o.》: a technical ~ 테크니컬 녹아웃《생략: TKO, T.K.O.》. **2** 결정적인 대타격. **3** 《구어》 굉장한 것〔사람〕; 매력적인 미녀; 크게 히트한 영화〔상품〕: He has a ~ of a girlfriend. 그에게는 굉장한 미인인 걸프렌드가 있다.

knóckout competìtion 《英》 실격제 경기, 토너먼트.

knóckout dròps 몰래 음료 속에 넣는 마취제.

knóck·ùp *n*. Ⓒ 《英》 약식의〔가벼운〕 연습《경기 개시 전에 하는》.

knoll [noul] *n*. Ⓒ 작은 산, 둥그런 언덕, 야산.

‡**knot** [nɑt/nɔt] *n*. Ⓒ **1 매듭**, 고; (외과수술의 봉합사(縫合絲)의) 결절(結節): a ~ in a necktie

넥타이의 매듭/make 〔loosen〕 a ~ 매듭을 짓다〔풀다〕. **2** (장식용의) 매듭 끈; 나비〔꽃〕 매듭, (견장 등의) 장식 매듭. **3 무리,** 소수의 집단; 일파: a ~ *of* people 일단의 사람들/gather in ~s 삼삼오오 모이다. **4** (부부 등의) 인연, 연분, 유대 (bond): a nuptial ~ 부부의 유대/tie the ~ 결혼하다. **5 혹,** 군살, 사마귀; (초목의) 마디, 옹이; (판자·목재의) 옹이. **6** 난국, 난문(難問), 어려운 일. cf. Gordian knot. **7** 〖항해〗 **노트**《1 시간에 1 해리〔약 1,852 m〕를 달리는 속도》; 측정선(測程線)의 마디.

at the 〔***a*** (***great***)〕 ***rate of ~s*** 《英구어》 재빨리. ***tie*** a person (***up***) ***in*** 〔***into***〕 ***~s*** 아무를 곤경에 빠뜨리다.

— (**-tt-**) *vt.* **1 a** 《~+목/+목+부》 (끈 따위로) 매다, 묶다; …에 매듭을 짓다(*together*): ~ a parcel 소포를 싸서 묶다/~ two pieces of strings *together* 두 가닥의 끈을 잇다. **b** 《+목+부/+목+전+명》 싸서 묶다《*in* …에》; 묶어서 만들다《*into* …으로》: ~ laundry (*up*) *in* a sheet 〔*into* a bundle〕 세탁물을 시트에 싸서 묶다〔묶어서 꾸러미로 하다〕. **2** (눈살)을 찌푸리다(knit). **3** 얽히게 하다. **4** 엮어 술을 만들다. **5** …에 미디를 만들다.

— *vi.* **1** 《~/+부》 혹이〔마디가〕 생기다(*up*). **2** 매듭이 지어지다, 엉클어지다: My fishing line has *~ted.* 낚싯줄이 엉클어졌다.

knót·hòle *n.* Ⓒ (널판의) 옹잇구멍.

knot·ted [nátid/nɔ́t-] *a.* **1** 매듭이〔마디가〕 있는; (옹이가 많아) 울퉁불퉁한. **2** 얽힌; 어려운, 곤란한.

> **DIAL.** ***Get knotted!*** 《英》 (경멸·불신 등을 나타내어) 귀찮아!, 저리 꺼져!, 바보 같은 소리 마라.

knot·ty [náti/nɔ́ti] (**-ti·er; -ti·est**) *a.* 매듭이 있는; 마디가 많은, 혹투성이의; 얽힌, 엉클어진, 해결이 곤란한: ~ wood 마디가 많은 나무/a ~ problem 어려운 문제.

knót·wòrk *n.* Ⓤ 합사(合絲) 장식, 매듭 세공.

†**know** [nou] (**knew** [nju:/nju:]; **known** [noun]) *vt.* **1** 《~+목/+목+*as* 보/+목+*to be* 보/+(*that*) 절/+*wh. to* do/+*wh.* 절》 **알고 있다, 알다;** 이해하다〔하고 있다〕: Let me ~ the result. 결과를 알려 주시오/She is *known as* a pop singer. 그녀는 대중가요 가수로 알려져 있다/We *knew* (*that*) they were innocent. 그들이 무죄라는 것을 우리는 알고 있었다/I don't ~ *whether* he is here (or not). 그가 이 곳에 있는지 없는지 알 수 없다/I didn't ~ *which* way *to* turn. 나는 어느 쪽으로 방향을 바꿔야 할지 몰랐다/I ~ *how to* drive a car. 차의 운전법을 알고 있다/I ~ him *to be* honest. 그가 정직하다는 건 알고 있다.

SYN. **know** '알다'의 보통 쓰이는 말. 사실이 무엇인지를 규명하여 아는 것. **be aware of** 감각적인 의미가 강하며, 감각을 통하여 '알다'의 뜻을 나타냄.

2 …와 아는 사이이다, 면식이〔교제가〕 있다: I've *known* him since I was a child. 어릴 때부터 그를 알고 있다/How did you make yourself *known* to him? 어떻게 그와 가까워졌습니까/I ~ her by sight. 나는 그녀와 안면이 있다《이름은 잘 모르지만》/I ~ him by name 〔to speak to〕. 나는 그의 이름 정도는〔그를 만나면 인사할 정도로는〕 알고 있다/They ~ each other very well. 그들은 서로 잘 아는 사이이다.

3 …에 정통하다, …을 잘 알고 있다, 기억하고 있다: He ~s the law. 그는 법률에 정통하다/I ~ the value of time. 나는 시간이 중요함을 명심하고 있다/I ~ the place well. 그곳은 잘 알고 있다/The actor ~s his lines. 배우는 대사를 기억하고 있다.

4 《~+목/+목+전+명》 (양자)를 **식별할 수 있다,** 구별할 줄 알다《***from*** …와》; 보고 (그것인 줄) 알다《***by*** …에 의해》: I ~ a gentleman when I see him. 신사는 보면 안다/You'll ~ him *by* his red hair. 빨간 머리로 그임을 알 수 있을 게다/~ right *from* wrong 옳고 그른 것을〔정과 사(邪)를〕 구별할 수 있다/They are so alike that you hardly ~ one *from* the other. 두 사람은 아주 닮아서 거의 구별할 수가 없다.

5 a 《~+목/+*wh.* 절》 (행·불행)을 **겪다,** …의 경험이 있다, …을 체험하고 있다: She *knew* much sorrow in her early life. 그녀는 젊었을 때 여러 가지 슬픔을 겪었다/I have seldom *known* such foul weather. 이처럼 사나운 날씨는 거의 맞닥뜨려 본 적이 없다/We ~ *what* it is to be poor. 빈곤이 어떤 것이라는 것을 체험으로 알고 있다/The country has *known* no war for many centuries. 그 나라에는 수세기 동안 전쟁이 없었다. **b** 《+목+(*to*) do》 〖완료형 또는 과거형으로〗 (…하는 것을) 본〔들은〕 적이 있다《★ 원형은 《英》에서 흔히 씀》: I *have* never *known* him tell a lie. (내가 알고 있는 바로는) 그는 거짓말을 해 본 적이 없다/Did you ever ~ her (*to*) wear a T-shirt and jeans? 그녀가 티셔츠에 진 바지를 입은 것을 본 적이 있느냐.

6 〖무생물을 주어로 하여 보통 부정문〗 (한계·예외 등)을 알다: Ambition ~s *no* bounds. 야심에는 끝이 없다/Necessity ~s *no* law. 《속담》 필요 앞에서는 법이 없다.

— *vi.* 《~/+전+명》 알고 있다, 알다: as far as I ~ 내가 아는 한/How should I ~? 내가 어찌 알겠는가/Tomorrow's a holiday.—I ~. 내일은 휴일이야—알고 있어요/⇨~ about (관용구)/⇨~ of (관용구).

all one ***~s*** ① 할 수 있는 모든 것; 전력: I did *all* I *knew.* 나는 전력을 다했다. ② 〖부사적〗 될 수 있는 대로; 전력을 다해. ***and I don't ~ what*** 〔***who***〕 (***else***) 기타 많은〔여러 가지〕 것〔사람〕. ***before*** one ***~s where*** one ***is*** 《구어》 순식간에, 어느 새. ***for all I ~*** ⇨ ALL. ***God*** 〔***Heaven***〕 ***~s...*** ① (신이 알고 계시다 →) 맹세코, …이다; 틀림없이, 참으로《***that***》: *God* 〔*Heaven*〕 *~s that* it is true. 신에게 맹세코 정말입니다. ② (신만이 아신다 →)아무도 모르다, …인지 모르다: *God* 〔*Heaven*〕 *~s* where he's gone. 그가 어디로 갔는지 아무도 모른다/The man has gone *God ~s* where. 그는 어디론가 정처도 없이 떠나 버렸다/Where has he gone?—*Heaven* 〔*God*〕 *~s.* 그는 어디로 가버렸을까—모르겠는데. ***I knew it.*** 그런 것(쯤)은 알고 있었다. ***~ about*** …에 대해서 알고 있다《★ know a thing이 직접적(경험적) 지식인 데 반해서, know *about* 〔*of*〕 a thing은 간접적·관념적 지식》: I *knew about* that last week. 지난 주에 그 일을 전해 들었다/~ *about* misery 곤궁함에 대해서 알고 있다《비교: ~ misery 곤궁함을 경험하다》. ***~ a thing or two*** = ***~ how many beans make five*** = ***~ the ropes*** = ***~ what's what*** 사물을 잘 알고 있다, 상식이 있다. ***~ better*** 좀더 분별이〔사려가〕 있

다: You ought to ~ *better*. 너도 철이 없군《나잇값도 못하는군》. **~ *better than to*** do …할 정도로 어리석지는 않다: He ~*s better than to* do that. 그런 일을 할 만큼 어리석진〔예절이 없진〕 않다. **~ *no better*** 지혜가 그 정도밖에 안 된다, 고작 그 정도의 머리다. **~ *of*** (…이 있는 것)을 알고〔듣고〕 있다: I ~ *of* him, but I don't *know* him (personally). 그의 소문은 들어 (간접적으로 알고) 있지만 (개인적으로는) 모른다/I ~ *of* a shop where you can get things cheaper. 물건을 더 싸게 살 수 있는 가게를 알고 있다/This is the best method I ~ *of*. 이것이 내가 아는 최선의 방법이다. ***let*** a person **~** 아무에게 알리다: Please *let* me ~ when you'll start. 언제 출발하시는지 알려주십시오. ***make*** **(...)** ***known*** …을 알리다, 발표하다; 소개하다《***to*** …에게》: He *made* it *known* that he was going to marry Miss. Hill. 그는 힐양과 결혼할 것이라고 발표했다/She *made* herself *known to* the company. 그녀는 그곳에 있던 사람들에게 자기 소개를 했다. ***Not if I ~ it!*** 《英구어》 누가 그런 짓을 하겠느냐. **(*Well,*)** ***what do you ~*** **(*about that*)*?*** 《구어》 그건〔이건〕 금시 초문인데; 설마, 놀랐는데. ***who ~s*** **(*what* 〔*where,* etc.〕 *...*)*?*** (…은) 아무도 모르다: He was taken *who* 〔*nobody, God*〕 *~s where*. 그는 아무도 모르는 곳에 끌려갔다/*Who ~s*, this book may become a best seller? 뜻밖에도 이 책이 베스트셀러가 될지도 모르지. ***you ~*** 《구어》 ① 〖문장 앞 또는 뒤에서〗 …이지요, …이니까요《다짐을 두기 위하여》: He's angry, *you* ~. 그는 화가 나 있으니까요. ② 〖삽입구로〗 저어, 에—, 바로 그《다음 말의 확인 또는 이어질 말과의 연결을 위해》: She's a bit, *you* ~, crazy. 그녀는, 에—뭐랄까, 약간 머리가 이상해. ***You know something*** **〔*what*〕*?*** 물어볼 게 있는데, 좀 말할 게 있는데.

> **DIAL.** ***Don't I know it!*** (말 안해도) 그런 것쯤은 알고 있어.
> ***Don't you know it!*** 바로 네 말대로야《네가 그것을 모를 리가 있느냐란 반어적 표현》.
> ***Do you know what?*** =***You know what?*** = ***Know what?*** 거 있지 않아, 그런데 말이야《상대에게 말을 걸거나 화제를 바꿀 때》.
> **(*Do you*)** ***want to know something?*** = ***Know something?*** 거 있지 않아, 그런데 말이야《상대에게 말을 걸거나 화제를 바꿀 때》.
> ***How was I to know...!*** 내가 …을 알았으면 그럴 턱이 있나《몰랐기 때문에 어쩔 수 없다》.
> ***I don't know.*** ① [-ˋ ˊ] 잘 모르겠는데, 글쎄. ② [ˊ-ˊ] (놀라움 · 노여움을 나타내어) 뭐라고, 설마.
> ***I don't know about you.*** 네 의견은 모르겠으나 (나는 …다).
> ***I know.*** 알았다, 그렇다《동의 · 동정을 나타냄》.
> ***I know what.*** 좋은 생각이 있다, 이러면 어떨까.
> **(*I*)** ***wouldn't know.*** 모르겠는데, 난들 알겠나.
> ***Not that I know of.*** 내가 알기로는 그렇지 않다: Has he been ill or something?—*Not that I know of*. 그가 아프거나 한 것 아니야—내가 알기로는 그렇지 않아.
> ***What do you know.*** 정말이냐, 정말 놀랐다.
> ***What do you know*** **(*for sure*)*?*** 어떻게 지내느냐《특히 구체적인 대답을 기대하지 않는 인사말》.
> ***Who knows?*** 누가 알아, 아무도 모르지(만 혹시): Will he win?—*Who knows?* 그가 이길까—누가 그걸 알아 (혹시 모르지만).
> ***You know what I mean.*** (말할 필요도 없이) 알겠지.
> ***You never know.*** 앞일은 알 수 없다(만 글쎄 어떨는지); 사정에 따라서는.

—*n*. 〖주로 다음 관용구로〗 ***be in the ~*** 《구어》 사정을 잘 알고 있다, 내막에 밝다: He's *in the* ~. 그는 내막에 밝다.

knów·a·ble *a*. 알 수 있는, 인식할 수 있는; 알기 쉬운, 가까이하기 쉬운. —*n*. Ⓒ 알 수 있는 사물.

knów-àll *n*. 《英》 =KNOW-IT-ALL.

knów-hòw *n*. Ⓤ 《구어》 (방법에 대한) 실제적인 지식; 기술 지식〔정보〕, 노하우, 비결(knack): business ~ 장사의 요령/the ~ of space travel 우주여행(의) 기술. SYN. ⇨INFORMATION.

◇**knów·ing** *a*. **1** 알고 있는, 아는 것이 많은, 학식이 풍부한. **2** 기민한, 빈틈없는, 교활한; 아는 체하는, 뜻이 있는 듯한《눈짓 따위》: a ~ look 아는 체하는 모양/a ~ blade 빈틈없는 사람. **3** 숙련된. **4** 고의적인.

knów·ing·ly *ad*. 알고서; 아는 체하고; 고의로: She has never ~ hurt anybody. 그녀는 어느 누구의 감정도 고의로 상하게 한 적은 없다/~ kill 〖법률〗 고의로 죽이다.

knów-it-àll *n*. Ⓒ 《구어》 아는 체하는 사람.

⁑**knowl·edge** [nálidʒ/nɔ́l-] *n*. Ⓤ (또는 a ~) **1** 아는〔알고 있는〕 것, 인식《***of*** …에 대한/***that***》: the ~ *of* good and evil 선악의 분별/a ~ *of* the truth 사실의 이해/The matter came 〔was brought〕 to my ~ later. 나는 그 일을 나중에야 알았다/He did it in the ~ *that* he would be punished for it. 그런 일을 하면 벌받을 것이라는 것을 알면서도 그는 그것을 했다. **2 지식**, 정보; 숙지, 정통: That's now common ~. 그것은 지금은 누구나 알고 있는 사실이다《상식이다》/His general ~ is considerable. 그의 (각 과목에 걸친) 지식은 상당하다/She has a (good) ~ *of* 〔She has little ~ *of*〕 English. 그녀는 영어를 (잘) 알고 있다〔거의 모른다〕. **3 학식**, 견문, 학문(學問): beyond human ~ 인지(人知)가 미치지 않는/*Knowledge* is power. 《속담》 아는 게 힘/Literature is a branch of ~. 문학은 학문의 한 분야이다/A little ~ is a dangerous thing. =A little learning is a dangerous thing. 《속담》 선무당이 사람 잡는다. SYN. ⇨INFORMATION. ◇ know *v*.
come to a person***'s ~*** 아무에게 알려지다. ***of*** one***'s own ~*** (어디서 들어서가 아니고) 자기가 직접 알고 있는 바로서: *Of* your *own* ~, do you know who did it? 누가 그것을 했는지 (틀림없이) 당신은 알고 있겠지요. ***to*** **(*the best of*)** ***my ~*** 내가 아는 바로는; 확실히: *To my* ~, he is living alone. 내가 아는 바로는 그는 혼자 산다/I have never seen him *to my* ~. 나는 그를 본 적이 없다.

knówl·edg(e)·a·ble *a*. **1** 지식이 있는; 박식한; 잘 알고 있는《***about*** …에 대하여》: She's very ~ *about* music. 그녀는 음악에 대해서는 아주 정통하다. **2** 식견이 있는; 총명한.

knówl·edge·a·bly *ad*. 풍부한 지식을 가지고.

knówledge bàse 〖컴퓨터〗 지식 베이스《필요지식을 일정 format으로 정리 · 축적한 것》.

knówledge-based sýstem 〖컴퓨터〗 지

식 베이스 시스템《knowledge base에 의거하여 추론(推論)하는 시스템》.

knówledge mòdule 놀리지 모듈《Telelearning에서 전화기와 홈컴퓨터의 접속 장치》.

known [noun] KNOW의 과거분사.
—*a.* Ⓐ **알려진**; 이미 알고 있는: a ~ number 기지수/a ~ fact 기지〔주지〕의 사실.

knów-nòthing *n.* Ⓒ 아무것도 모르는 사람, 무식한 사람.

knuck·le [nʌ́kəl] *n.* **1 a** Ⓒ (특히 손가락 밑 부분의) 손가락 관절(마디). **b** (the ~s) 주먹. **2** Ⓒ (송아지 따위의) 무릎도가니. **3** Ⓒ 〖기계〗 수〔암〕 돌쩌귀. ***near the ~*** 《英구어》 자칫 상스러워질 듯한, 아슬아슬한. ***rap*** a person ***on*** 〔***over***〕 ***the ~s*** =***rap*** a person***'s ~s*** =give a RAP[1] on 〔over〕 the ~s.
—*vt.* 주먹으로 치다, 손가락 마디로 치다〔밀다, 비비다〕. ~ ***down*** 《*vi.*+㊊》 차분한 마음으로 착수하다《***to*** (일 따위)에》, 열심히 하다. ~ ***under*** 《*vi.*+㊊》 굴복〔항복〕하다《***to*** …에게》; 생각대로 되다《***to*** …의》.

knúckle·bòne *n.* Ⓒ 손가락 마디의 뼈; (네발 짐승의) 척골(蹠骨).

knúckle-dùster *n.* =BRASS KNUCKLES.

knúckle·hèad *n.* Ⓒ 《美구어》 바보.

knúckle sàndwich 《英속어》 주먹으로 상대방 입에 한방 먹임.

knurl [nəːrl] *n.* Ⓒ (나무의) 마디, 혹; 손잡이; (금속 표면의) 우툴두툴한 것; (주화 따위의) 깔쭉깔쭉한 것.

KO [kéióu] (*pl.* **~'s**) 《구어》 〖권투〗 *n.* Ⓒ 녹아웃. —(**~'d ~'ing**) *vt.* 녹아웃시키다. [◂ *k*nock-*o*ut]

K.O., k.o. knockout.

ko·a·la [kouáːlə] *n.* Ⓒ 〖동물〗 코알라(=**∠ béar**)《새끼를 업고 다니는 곰; 오스트레일리아산》.

Köch·el (**nùmber**) [kə́ːrʃəl-] 쾨헬 번호《Mozart의 작품에 붙인 번호; 생략: K.》.

Ko·dak [kóudæk] *n.* Ⓒ 코닥《미국 Eastman Kodak 회사제의 소형 사진기; 상표명》.

Koh·i·noor [kóuənùər] *n.* (the ~) 코이누르《1849년 이래 영국 왕실 소장의 유명한 106캐럿의 인도산 다이아몬드》.

kohl [koul] *n.* Ⓤ 화장 먹《아라비아 여성 등이 눈언저리를 검게 칠하는 데 쓰는 가루》.

kohl·ra·bi [kòulrǽbi, -ráːbi, kóulràːbi] (*pl.* **~es**) *n.* Ⓒ 〖식물〗 구경(球莖) 양배추《샐러드용》.

ko·la [kóulə] *n.* 〖식물〗 =COLA[1]; KOLA NUT.

kóla nùt 콜라 열매《청량 음료의 자극제》.

ko·lin·sky, -ski [koulínski] *n.* Ⓒ 〖동물〗 시베리아산의 담비; Ⓤ 그 모피.

kol·khoz, -khos, -koz [kαlkɔ́ːz/kɔlhɔ́ːz] *n.* 《Russ.》 Ⓒ 집단농장, 콜호스(collective farm).

koo·doo [kúːduː] (*pl.* **~s**) *n.* Ⓒ 〖동물〗 얼룩영양《남아프리카산(產)》.

kook [kuːk] *n.* Ⓒ 《美속어》 괴짜, 기인(奇人), 미치광이.

kook·a·bur·ra [kúkəbə̀ːrə/-bʌ̀rə] *n.* Ⓒ 〖조류〗 물총새의 일종(laughing jackass)《우는 소리가 웃음소리 같음; 오스트레일리아산》.

kook·ie, kooky [kúːki] *a.* 《속어》 기인(奇人)의, 괴짜의, 미친.

ko·pec(k), ko·pek, co·peck [kóupek] *n.* Ⓒ **1** 코페《러시아의 동화(銅貨), 또 금액의 단위(單位); 1/100 루블(ruble); 생략: K., kop.》. **2 1** 코페 동화(銅貨).

Kor. Korea; Korean.

Ko·ran [kouræ̃n, -ráːn, kɔːráːn] *n.* (the ~) 코란《회교 성전》. ㊞ **~·ic** [-ik/kɔ-] *a.*

Ko·rea [kəríːə, kouríːə] *n.* **한국**《공식명은 the Republic of Korea; 생략: ROK》.

Ko·re·an [kəríːən, kouríːən] *a.* 한국의; 한국인〔어〕의. —*n.* **1** Ⓒ **한국인**: a second-generation ~ 한국인 2세. **2** Ⓤ **한국말**.

Koréan Áir 대한항공. ⓒⓕ KAL.

Koréan gínseng 고려인삼.

Koréan Wár (the ~) 한국 전쟁《1950년 6월 25일–1953년 7월 27일》.

Koréa Stráit (the ~) 대한 해협.

ko·sher, ka·sher [kóuʃər], [kαːʃέər, káːʃər] *a.* 〖유대교〗 유대인의 율법에 맞는, 정결한《음식·식기·음식점 따위》; 《구어》 순수한, 진짜의; 정당한, 적당한. —*n.* **1** Ⓤ 정결한 식품〔요리〕. **2** Ⓒ 정결한 음식점.

kou·mis(s), kou·myss [kuːmís, ∠-] *n.* =KUMISS.

kow·tow [káutáu, kóu-] *n.* 《Chin.》 Ⓒ 고두(叩頭)《넙죽 엎드려 머리를 조아리는 절》. —*vi.* 고두하다《***to*** (아무)에게》; 아부하다, 빌붙다《***to*** (아무)에게》.

KP, K.P. kitchen police.

k.p.h. kilometer(s) per hour. **Kr** 〖화학〗 krypton. **kr.** krona; krone(n); kroner.

kraal [krαːl, krɔːl] *n.* Ⓒ 《남아》 (원주민의) 울타리를 친 부락; (울타리로 두른) 오두막(hut); (양·소의) 우리.

kráft (**pàper**) [krǽft-, kráːft-] 크라프트지《시멘트 부대용》.

krait [krait] *n.* Ⓒ 〖동물〗 우산뱀의 일종《Bengal산의 독사; 코브라와 동종》.

Krem·lin [krémlin] *n.* (the ~) (Moscow에 있는) 크렘린 궁전.

krill [kril] (*pl.* ~) *n.* Ⓒ 크릴《남극해산(產)의 새우 비슷한 갑각류》.

Krish·na [kríʃnə] *n.* 〖힌두교〗 크리슈나 신(神)《Vishnu의 제8화신(化身)》.

Kris(**s**) **Krin·gle** [krískriŋgəl] 《G.》 산타클로스.

kro·na [króunə] *n.* Ⓒ **1** (*pl.* ***-nor*** [-nɔːr]) 크로나《스웨덴의 화폐 단위; =100 öre; 기호 Kr》; 그 은화. **2** (*pl.* ***-nur*** [-nəːr]) 크로나《아이슬란드의 화폐 단위; =100 aurar; 기호 Kr》; 그 화폐.

kro·ne [króunə] (*pl.* ***-ner*** [-nər]) *n.* Ⓒ 크로네《덴마크·노르웨이의 화폐 단위; =100 öre; 기호 Kr》; 그 은화.

kru·ger·rand [krúːgərӕ̀nd] *n.* Ⓒ 크루거랜드《남아프리카 공화국의 1온스 금화》.

kryp·ton [kríptαn/-tɔn] *n.* Ⓤ 〖화학〗 크립톤《비활성 기체 원소; 기호 Kr; 번호 36》.

KS 〖美우편〗 Kansas. **Kt.** Knight. **kt** kiloton(s). **kt.** karat 〔carat〕; knight; knot(s).

K², K2 [kéitúː] *n.* K² 봉(峰)《Kashmir 지방의) Karakoram 산맥에 있는 세계 제2의 고봉; 8,611m》.

Kua·la Lum·pur [kwáːləlúmpuər] 콸라룸푸르《말레이시아의 수도》.

Ku·blai Khan [kúːblaikáːn] 쿠빌라이 칸《원(元)나라의 초대 황제; 1215–94》.

ku·chen [kúkən, -xən] (*pl.* ~) *n.* Ⓒ (요리

는 [U] (건포도를 넣은) 독일식 과자.
ku·dos [kjú:dɑs/kjú:dɔs] *n.* [U] 명성, 영광, 영예, 위신.
kúd·zu (**vìne**) [kúdzu:(-)] *n.* [U] 〖식물〗 칡.
Ku Klux (**Klan**) [kjú:klʌks(klǽn)] 3K 단(團), 큐클럭스클랜 《생략: K.K.K., KKK》.
ku·miss, ku·mis, ku·mys [kú:mis] *n.* [U] 젖술 《말 또는 낙타의 젖으로 만든 타타르 사람의 음료; 약용으로도 함》.
kum·quat, cum- [kʌ́mkwɑ̀t/-kwɔ̀t] *n.* [C] 〖식물〗 금귤(의 열매).
kung fu, kung-fu [kʌ́ŋfù:] *n.* 《Chin.》 [U] 쿵후(功夫) 《중국의 권법(拳法)》.
Kurd [kə:rd, kuərd] *n.* [C] 쿠르드 사람 《서아시아 Kurdistan에 사는 호전적인 유목민》.
[파] **~·ish** [ˊ-iʃ] *a.*
Kú·ril(**e**) **Íslands** [kú:ril-, kurí:l-] (the ~) 쿠릴 열도. ★ the Kuril(e)s 라고도 함.
Ku·wait, -weit [kuwéit] *n.* 쿠웨이트 《아라비아 북동부의 회교국; 그 수도》.
Ku·wai·ti [kuwéiti] *a.* 쿠웨이트(사람)의. ― *n.* [C] 쿠웨이트 사람.
kvass [kvɑ:s] *n.* [U] (러시아의) 호밀 맥주.
kvetch [kvetʃ] 《美속어》 *n.* [C] 불평, 푸념. ― *vi.* 늘 불평만 하다, 투덜거리다.
kw, kW, kw. kilowatt(s). **K.W.H., kWh, kwh**(**r**), **kw-hr** kilowatt-hour. **KY** 〖美우편〗 Kentucky. **Ky.** Kentucky.
Kyr·gyz·stan [kirgistá:n] *n.* 키르기스탄 《CIS 구성 공화국의 하나》.
ký·rie elé·i·son [kírèi eiléiisàn/kírii eiléiisɔ̀n] 《Gr.》 **1** (the ~; 종종 K- E-) 〖교회〗 자비송, 기도문 《'주여 불쌍히 여기소서'의 뜻; 가톨릭 및 그리스 정교회에서는 미사의 첫머리에 외며, 영국국교회에서는 십계(十誡)에 대한 응창(應唱)에 쓰임》. **2** [C] 그 문구에 붙인 음악.

K

L

L[1], **l** [el] (*pl.* **L's, *Ls*, l's, *ls*** [-z]) *n.* **1** Ⓤ (구체적으로는 Ⓒ) 엘《영어 알파벳의 열두째 글자》. **2** Ⓤ (연속된 것의) 12번째(의 것)《J를 제외하면 11번째》. **3** Ⓤ 로마 숫자의 50: *LX* =60.

L[2] *n.* **1** Ⓒ L자 모양(의 것); 〖기계〗 L자 관; 〖건축〗 (본채에 딸린) L자 모양의 곁채. **2** (the ~) 《美구어》 고가 철도(elevated railroad, el): an *L* station 고가 철도역.

L pound(s) (⇨ £); lira(s). **L.** Lady; Law; Left; Liberal; Licentiate; Lord; Low. **L., l.** lake; latitude; league; left; length; (*pl.* ***LL., ll.***) line; low. **l.** land; leaf; *libra* 《L.》 (= pound); lira(s); lire; liter(s). **£** *libra(e)* (= pound(s) sterling).

la [lɑ(ː)] *n.* Ⓤ (낱개는 Ⓒ) 〖음악〗 라《장음계의 여섯째 음》.

La 〖화학〗 lanthanum. **La.** Louisiana. **L.A.** Los Angeles.

lab [læb] *n.* Ⓒ 《구어》 연구〔실험〕실〔동(棟)〕: a language ~ 어학 실습실. [◂ *lab*oratory]

Lab. Labor; Laborite; Labrador.

⁑**la·bel** [léibəl] *n.* Ⓒ **1 라벨, 레테르,** 딱지, 쪽지, 꼬리표, 부전(附箋): put ~*s* on one's luggage 화물에 꼬리표를 달다. **2** (사람·단체·사상 등의 특색을 나타내는) 부호, 표호(標號). **3** 〖컴퓨터〗 이름표, 라벨《파일 식별용의 문자군(群)》.

— (***-l-***, 《英》 ***-ll-***) *vt.* **1** 《~+목/+목+보》 …에 **라벨을 바르다〔붙이다〕;** …에 **레테르〔딱지〕를 붙이다:** ~ a trunk for Hongkong 트렁크에 홍콩행 딱지를 붙이다/~ a bottle 'Danger' 병에 '위험'이라는 딱지를 붙이다. **2** 《+목+(*as*) 보》 《비유적》 …에 레테르를 붙이다, …에 명칭을 붙이다, 분류하다: The newspapers had unjustly ~*led* him (*as*) a coward. 신문들은 부당하게 그를 겁쟁이로 낙인찍었다.

la·bi·al [léibiəl] *a.* 〖해부·동물〗 입술(모양)의; 〖음성〗 순음(脣音)의. **—***n.* Ⓒ 〖음성〗 순음《[p, b, m] 따위》. ㏇ dental. ⓜ **~·ly** *ad.*

lábia ma·jó·ra [-mədʒɔ́ːrə] 《L.》 〖해부〗 대음순(大陰脣).

lábia mi·nó·ra [-mənɔ́ːrə] 《L.》 〖해부〗 소음순.

làbio·déntal 〖음성〗 *a.* 순치음(脣齒音)의. **—***n.* Ⓒ 순치음《[f, v] 따위》.

⁑**la·bor,** 《英》 **-bour** [léibər] *n.* **1** Ⓤ **노동,** 근로: division of ~ 분업(分業)/hard ~ (형벌의) 고역, 중노동/mental 〔physical〕 ~ 정신〔육체〕 노동. **2** Ⓤ 〖집합적; 단·복수취급〗 노동자, 《특히》 육체 노동자; 노동〔근로〕 계급. ㏇ capital. ¶ the costs of ~ 노임/~ and management 〔capital〕 노동자와 경영자〔자본가〕, 노사〔노자〕/cheap ~ 저렴한 노동력. **3** Ⓤ **애씀,** 노력, 고심, 노고: with ~ 애써서. **4** Ⓒ (힘드는) 일, 고역; (*pl.*) 세상사, 속세의 일: a ~ of love (무보수로) 좋아서 하는 일, 사랑의 수고《데살로니가 前 I: 3》/His ~*s* are over. 그의 이 세상의 일〔일생〕은 끝났다. **5** (L-) 《英》 = LABOUR PARTY; LABOUR EXCHANGE. **6** Ⓤ (또는 a ~) 산고, 진통; 출산: be in ~ 분만〔진통〕 중이다; 산고를 겪고 있다. ◇ laborious *a.*

— *vi.* **1** 《~/+전+명/+*to* do》 (부지런히) **일하다,** 노동하다; 애쓰다, 고심하다, 노력하다《***for*** …을 위해서; ***after*** …을 구하여; ***at, over*** (일 따위)에》: ~ in the fields 들에서 일하다/~ *for* peace 평화를 위해 노력하다/~ *after* wealth 부를 얻기 위해 노력하다/~ *at* a task 일을 애써 하다/~ *over* the wording of a sentence 문장의 단어 선정에 고심하다/He ~*ed to* complete the task. 그는 그 일을 완성시키려고 노력하였다. **2** 《+전+명》 고민하다, 괴로워하다(suffer)《***under*** (병 따위)로》: ~ *under* a persistent headache 고질적인 두통에 시달리다/~ *under* the illusion that …이라는 환상〔오해〕에 사로잡혀 있다. **3** 《+부/+전+명》 애써서 나아가다; (배 따위가) 어렵게 나아가다: He ~*ed up* (the hill). 그는 애써 (언덕을) 올라갔다/The ship ~*ed in* 〔*through*〕 (the) heavy seas. 배는 거친 바다에서 난항을 거듭했다. **4** 《+전+명》 산고를 겪다: She is ~*ing with* child. 진통을 일으키고 있다.

— *vt.* **1** 상세히 논하다: ~ the point 그 점에 관해 (지루할 정도로) 상세히 논하다. **2** 《+목+전+명》 …에게 쓸데없는 부담을 지우다, 괴롭히다: ~ the reader *with* unnecessary detail 쓸데없이 상술(詳述)하여 독자로 하여금 싫증나게 하다. **3** 《~+목/+목+부》 〖~ one's way〗 곤란을 무릅쓰고 나아가다.

— *a.* Ⓐ 노동의, 노동자의; 출산의; (L-) 노동당의: a ~ dispute 노동 쟁의/~ pains 산고.

⁑**lab·o·ra·to·ry** [lǽbərətɔ̀ːri/ləbɔ́rətəri] *n.* Ⓒ **1 실험실,** 시험실; 연구소〔실〕: a chemical ~ 화학 실험실〔연구소〕/a hygienic ~ 위생 시험소. **2** 실험 (시간)《교과 과정으로서의》: a course with two lectures and one ~ 강의 2, 실험 1의 과목. **—***a.* Ⓐ 실험실(용)의: ~ animals 실험용 동물.

lábor càmp **1** 강제 노동 수용소. **2** 계절 농업 노동자 숙박소.

Lábor Dày 《美》 노동절《9월의 첫째 월요일로 유럽의 May Day에 해당》.

lá·bored *a.* **1** 힘드는, 곤란한. ↔ *easy.* **2** 애쓴, 공들인, 고심한 흔적이 보이는. **3** 부자연한, 억지의: a ~ style 어색한 문체/a ~ speech 부자연스런 연설.

⁑**la·bor·er** [léibərər] *n.* Ⓒ **근로〔노동〕자,** 인부: a day ~ 날품팔이 노동자.

lábor fòrce 노동력; 노동 인구.

lábor-intènsive *a.* 노동 집약형의: ~ industry 노동 집약형 산업.

***la·bo·ri·ous** [ləbɔ́ːriəs] *a.* **힘드는,** 고된, 곤란한; 일 잘하는, 부지런한(industrious); 고심한, 애쓴, 공들인《문체 등》. ◇ labor *n.* ⓜ °**~·ly** *ad.* 애써서, 고생하여. **~·ness** *n.*

lábor màrket 노동 시장.

lábor·sàving *a.* 노력(勞力) 절약의, 생력화(省

L

力化)의.
lábor ùnion 《美》 노동조합.
labour, etc. ⇨LABOR, etc.
Lábour Exchànge (종종 l- e-) 《英》 직업 안정국.
La·bour·ite [léibəràit] *n.* [C] 《英》 노동당원, 노동당 의원.
Lábour Pàrty (the ~) 《英》 노동당.
Lab·ra·dor [lǽbrədɔ̀ːr] *n.* 래브라도《북아메리카 북동부의 Hudson만과 대서양 사이의 반도》.
Lábrador retríever 〔**dóg**〕 래브라도 리트리버《캐나다 원산의 새 사냥개 · 경찰견 · 맹도견(盲導犬)》.
la·bur·num [ləbə́ːrnəm] *n.* [U] (낱개는 [C]) 〖식물〗 (유럽 원산의) 콩과의 낙엽 교목의 하나.
◇**lab·y·rinth** [lǽbərìnθ] *n.* **1** [C] (진로 · 출구 등이 알 수 없는) 미궁(迷宮); 미로(maze). **2** [C] 뒤얽혀 복잡한 것: a ~ *of* narrow streets 복잡하게 얽힌 좁은 도로. **3** [C] 복잡한 관계, 뒤얽힘: a ~ *of* relationships 복잡한 관계. **4** (the ~) 〖해부〗 내이(內耳). **5** (the L-) 〖그리스신화〗 라비린토스《Crete 섬의 Minos 왕이 Minotaur를 감금하기 위하여 Daedalus에게 만들게 한 미궁》.
[파] **làb·y·rín·thi·an, làb·y·rín·thic, làb·y·rín·thine** [-θiən], [-θik], [-θi(ː)n/-θain] *a.* 미궁의〔같은〕; 복잡한, 엉클어진.
lac [læk] *n.* [U] 랙《랙깍지진디의 분비물; 니스 · 붉은 도료 따위를 만듦》.
***lace** [leis] *n.* **1** [C] (구두 · 각반 · 코르셋 등의) **끈**, 꼰 끈: shoe ~*s* 구두끈. **2** [U] **레이스**: a piece of ~ 레이스 한 조각 / a ~ shawl 레이스 숄. **3** [U] (금 · 은(銀)의) 몰; 가장자리 장식: gold 〔silver〕 ~ 금〔은〕 몰.
—*vt.* **1** 《~+[목]/+[목]+[부]》 **끈으로 묶다**(*up*); (코르셋 끈으로) 졸라매다(*in*): ~ *up* one's shoes 구두끈을 매다 / ~ one's waist *in* 코르셋으로 허리를 조르다 / ~ the ends of the cord 끈의 양단을 묶다. **2** 《+[목]+[부]/+[목]+[전]+[명]》 …에 끈을 꿰다: ~ a cord *through* (a hole) (구멍에) 끈을 꿰다. **3** 《+[목]+[전]+[명]》 **a** 〖종종 수동태〗 섞어 짜다, 짜 넣다, 자수(刺繡)하다《*with* …으로》: a handkerchief ~*d with* green thread 초록색 실로 수를 놓은 손수건. **b** 엇걸다, 짜맞추다《*in* …에》: He ~*d* her fingers *in* his. 그는 그녀와 손을 깍지 끼었다. **4** 《+[목]+[전]+[명]》 레이스〔몰〕로 장식하다: cloth ~*d with* gold 금몰로 장식된 천. **5** …에 줄무늬를 달다. **6** 《+[목]+[전]+[명]》 (음료)에 가미하다《*with* …을》: ~ coffee *with* spirits 커피에 알코올 성분을 타다. **7** 《구어》 (채찍 따위로) 치다, 매질하다.
—*vi.* **1** 끈으로 매다〔매어지다〕, 끈이 달려 있다: These shoes ~ easily. 이 구두끈은 매기 쉽다. **2** 《~/+[부]》 (코르셋으로) 허리를 졸라매다(*up*): This corset ~*s* (*up*) at the side. 이 코르셋은 옆에서 졸라매게 되어 있다. **3** 《+[전]+[명]》 《구어》 (말 · 매질 따위로) 공격하다, 비난하다, 혈뜯다《*into* (사람 · 작품 따위)를》: ~ *into* a person 아무를 공격하다〔헐뜯다〕.
[파] **~d** [-t] *a.* 끈이 달린, 레이스로 장식한; 알코올을 탄.
lac·er·ate [lǽsərèit] *vt.* (얼굴 · 팔 따위)를 (손톱이나 유리 조각 따위로) 찢다, 째다; (마음 따위)를 상하게 하다, 괴롭히다: His bitter criticism ~*d* my heart. 그의 지독한 비판은 나의 마음을 갈가리 찢어 놓았다.
— [ˊ-ˏ, -rit] *a.* 찢긴, 갈가리 째진; 〖식물〗 (잎 따위가) 깔쭉깔쭉한: a ~ wound 열상(裂傷).
[파] **làc·er·á·tion** *n.* [U] 찢음, 갈가리 찜; [C] 열상, 찢어진 상처.
láce-ùp *n.* [C] (보통 *pl.*) 편상화, 부츠.
láce·wòrk *n.* [U] 레이스 (세공), 레이스 모양의 성긴 뜨개질.
Lach·e·sis [lǽkəsis] *n.* 〖그리스 · 로마신화〗 운명의 3 여신(Fates) 중의 하나.
lach·ry·mal, lac·ri- [lǽkrəməl] *a.* 눈물의; 눈물을 흘리는: a ~ bone 누골(淚骨) / ~ glands 누선(淚腺) / a ~ vase 눈물 단지(lachrymatory) / a ~ duct 〔sac〕 누관(淚管)〔누낭(淚囊)〕.
lach·ry·ma·tor [lǽkrəmèitər] *n.* [U] 최루 물질, 최루 가스(tear gas).
lach·ry·ma·to·ry [lǽkrəmətɔ̀ːri, -tòuri] *n.* [C] 눈물 단지《옛 로마에서 애도자의 눈물을 받아 담았다는》. **—***a.* 눈물의, 눈물을 자아내는: ~ gas 최루 가스 / a ~ shell 최루탄.
lach·ry·mose [lǽkrəmòus] *a.* 눈물 잘 흘리는; 눈물을 자아내는. [파] **~·ly** *ad.*
lac·ing [léisiŋ] *n.* **1** [U] 레이스 달기; 수놓음, 자수(刺繡). **2** [U] 끈; 옷 가장자리 장식, 선두름, 레이스; 금〔은〕 몰. **3** (a ~) 《구어》 매질, 벌(罰).
⁑**lack** [læk] *n.* **1** [U] (또는 a ~) **부족**(want), 결핍; 결여, 없음: ~ *of* confidence 불신임 / ~ *of* sleep 〔exercise〕 수면〔운동〕 부족 / *Lack of* rest made her tired. 쉬지 못해 그녀는 지쳤다. **2** [C] 부족한 것: supply the ~ 부족한 것을 보충하다 / Money is the chief ~. 무엇보다도 돈이 모자란다. ***for*** 〔***by, from, through***〕 **~ *of*** …의 결핍〔부족〕 때문에: be acquitted *for* ~ *of* evidence 증거 불충분으로 석방되다.
—*vi.* 《~/+[전]+[명]》 **결핍하다, 모자라다**《***for*** …이》: ~ *for* nothing 부족한 것이 없다 / She did not ~ *for* love. 그녀는 애정에 굶주리지는 않았다. [cf.] lacking. **—***vt.* **1** …**이 결핍**〔**부족**〕**되다**, …이 없다: A desert ~*s* water. 사막엔 물이 없다 / ~ courage 용기가 부족하다. **2** 《+[목]+[전]+[명]》 모자라다《***of*** …에》: The vote ~*ed* three *of* (be*ing*) a majority. 투표는 과반수에 세 표가 모자랐다.

[SYN.] **lack** 희망하는 것이나 당연히 있어야 할 것이 없거나 존재하지 않음을 말함. **need** 꼭 있어야 할 것이 없어서 그것이 필요함을 나타냄. **want** need보다 뜻은 약하나 필요한 것이 없기 때문에, 그것을 원한다는 뜻.

lack·a·dai·si·cal [lækədéizikəl] *a.* 활기 없는, 열의 없는; 늘쩍지근한(languid): a ~ attempt 열의 없는〔형식적인〕 시도 / in a ~ manner 무기력하게. [파] **~·ly** *ad.* **~·ness** *n.*
lack·ey, lac·quey [lǽki] *n.* [C] (제복을 입은) 종복(從僕)(footman); 아첨꾼, 빌붙는 사람(toady).
lack·ing** [lǽkiŋ] *a.* [P] **부족한**; 모자라는《for*** …에는; ***in*** …이》: Money is ~ *for* the plan. 그 계획에는 자금이 부족하다 / She's 〔I found her〕 ~ *in* common sense. 그녀는 상식이 모자란다.
láck·lùster *a.* 빛이〔윤기가〕 없는, (눈 따위가) 열기〔생기〕가 없는, 거슴츠레한, 흐리멍텅한; 활기 없는(dull, dim): a ~ color 윤기 없는 색깔 / a ~ stare 생기 없는〔거슴츠레한〕 시선.
la·con·ic, -i·cal [ləkánik/-kɔ́n-], [-əl] *a.* 간결한《어구 따위》, 간명한; 말수 적은《사람》.
[파] **-i·cal·ly** *ad.* 간결하게. **-i·cìsm** [-nisìzəm] *n.* =LACONISM.
lac·o·nism [lǽkənìzəm] *n.* [U] (어구의) 간결

L

함; Ⓒ 간결한 어구〔문장〕, 경구(警句).

◇**lac·quer** [lǽkər] *n.* **1** Ⓤ (종류는 Ⓒ) 래커《도료의 일종》; 칠(漆), 옻(Japanese ~); 헤어스프레이. **2** Ⓤ 〖집합적〗 칠기(漆器) (= **∠·wàre**). **—***vt.* …에 래커를〔옻을〕 칠하다; 헤어스프레이를 뿌리다.

lacrimal, lacry- ⇨LACHRYMAL.

lac·ri·ma·tor, lac·ry- *n.* =LACHRYMATOR.

la·crosse [ləkrɔ́(:)s, -krás] *n.* Ⓤ 라크로스《하키 비슷한 구기의 일종; 캐나다의 국기(國技)》.

lac·tate [lǽkteit] *vi.* 젖을 내다, 젖을 빨리다. ㊞ **lac·tá·tion** *n.* Ⓤ 젖 분비; 수유(授乳), 포유; 수유기(期).

lac·te·al [lǽktiəl] *a.* 젖의, 젖으로 된, 젖 같은(milky); 〖해부〗 유미(乳糜)를 보내는〔넣는〕: a ~ gland 〖해부〗 젖샘.

lac·tic [lǽktik] *a.* Ⓐ 젖의; 젖에서 얻는: ~ acid 젖산.

lac·tom·e·ter [læktámitər/-tɔ́m-] *n.* Ⓒ 검유기(檢乳器)《비중이나 농도를 조사함》.

lac·tose [lǽktous] *n.* Ⓤ 〖화학〗 락토오스, 젖당.

la·cu·na [ləkjú:nə] (*pl.* **-nae** [-ni:], **~s**) *n.* Ⓒ **1 a** 탈락 (부분)《*in* (원고·책 따위)의》, 탈문; 원문의 생략 부분《*in* (인용문)에서의》. **b** 틈, 공백《*in* (지식 따위)의》. **2** 〖해부〗 열공(裂孔), 소와(小窩).

la·cus·trine [ləkʌ́strin] *a.* 호수의; 호상의; 호상(湖上) 생활의: the ~ age 〔period〕 호상 생활 시대 / ~ dwellings 호상 가옥.

lacy [léisi] (**lac·i·er; -i·est**) *a.* 끈의; 레이스(모양)의, 레이스제(製)의: a ~ blouse 레이스 블라우스.

◇**lad** [læd] *n.* Ⓒ **1** 젊은이, 청년(youth), 소년(boy)《미국어로는 문학적 표현》. ↔ *lass*. **2** 《구어》 〖일반적〗 사나이, 남자; 〖친하게〗 녀석, 《호칭》 친구(chap): My ~! 야 친구. **3** 《英구어》 건장〔대담〕한 남자: a bit of a ~ 상당히 건장〔대담〕한 남자.

⁑**lad·der** [lǽdər] *n.* Ⓒ **1** 사닥다리. ㊂ rung[1]. ¶ a rung of a ~ 사닥다리의 한 단(분의 가로대) / climb (up) a ~ 사닥다리를 올라가다. **2** 《비유적》 출세의 발판〔수단, 방편〕; 사회적 지위: be high on the social ~*s* 사회적 지위가 높다 / move up the social 〔corporate〕 ~ 사회〔회사〕의 출세 계단을 올라가다. **3** 사닥다리 모양의 물건; (편물의) 세로 올의 풀림; 《英》 (양말의) 올풀림(《美》 run).

begin from 〔***start at***〕 ***the bottom of the*** ~ (인생의) 밑바닥에서부터 입신(立身) 출세하다. ***kick down*** 〔***away***〕 ***the*** ~ 출세의 발판이 되었던 친구를〔직업을〕 버리다.

—*vt.* 《英》 (양말)을 올이 풀리게 하다(《美》 run). **—***vi.* 《英》 (양말의) 올이 풀리다.

lad·die, lad·dy [lǽdi] *n.* Ⓒ 《주로 Scot.》 젊은이, 소년.

lade [leid] (**lád·ed** [-id]; **lád·en** [-n]) *vt.* **1** (화물)을 싣다(load), 적재하다《*on* (차·배 따위)에》; (차·배 따위)에 싣다《*with* (화물)을》. **2** (국자 따위로) 떠넣다, 퍼내다(ladle). **—***vi.* 짐을 싣다; (국자 따위로) 물을 푸다.

lad·en [léidn] LADE의 과거분사. **—***a.* **1 a** 짐〔화물〕을 실은: a ~ ship 짐을 실은 배. **b** 실은, 적재한《*with* (화물)을》; 많이 실린〔붙은, 달린〕《*with* …이》: trees ~ *with* fruit 열매가 많이 열린 나무. **2** 고민하는, 괴로워하는《*with* …으로》: ~ *with* sin 죄의식으로 괴로워하는.

la-di-da [lá:didá:] 《구어》 *n.* Ⓒ 젠체하는 사람; 으스대는 태도〔행동, 이야기〕. **—***a.* 젠체하는, 고상한 체하는.

La·dies(') [léidiz] (*pl.* ~) *n.* Ⓒ (보통 the ~) 《英》 여자 화장실. ㊂ Gents.

ladies' fingers 《英》 =LADY'S FINGERS.

ládies' 〔**lády's**〕 **màn** 여자에게 인기 있는 바람둥이.

ládies' ròom (때로 L- r-) 여성용 화장실.

lad·ing [léidiŋ] *n.* Ⓤ 짐 싣기, 적재, 선적; 선하(船荷), 화물. ***a bill of*** ~ ⇨BILL[1].

◇**la·dle** [léidl] *n.* Ⓒ 국자, 구기. **—***vt.* 국자로 퍼서 옮기다《***out of*** …에서; ***into*** …에》; 국자로 퍼〔떠〕내다(*out*); 《구어》 (돈·선물 따위)를 가리지 않고〔마구〕 주다(*out*): ~ water *out* 물을 퍼내다 / ~ soup *into* a plate 접시에 수프를 담다 / ~ *out* praise 마구 칭찬하다. ㊞ **~·ful** [-fùl] *n.* Ⓒ 한 국자(분). **~r** *n.*

†**la·dy** [léidi] (*pl.* **lá·dies**) *n.* **1** Ⓒ **a** 《woman에 대한 정중한 말》 **여자분, 여성**; (*pl.*) 《호칭》 여성분, (숙녀) 여러분: *Ladies* (and Gentlemen) (신사) 숙녀 여러분, 여러분. **b** 현인(ladylove); 아내, 부인; 여주인; 《호칭》 마님, 아씨; 아주머님, 아가씨《다음과 같은 경우 외에는 madam 쪽이 보통임》: my 〔his〕 young ~ 나의〔그의〕 약혼녀 / my dear 〔good〕 ~ 《호칭》 당신 / your good ~ 영부인 / the ~ of the house 주부, 여주인 / the ~ of the manor 여영주(女領主) / my ~ 마님, 아씨《특히 귀부인에 대한 하인의 말》 / young ~ 《구어》 아씨. **c** 《속어》 애인, 연인. **d** 〖형용사적〗 여류…, …부인: a ~ aviator 여류 비행사《이 용법으로는 woman도 좋음》 / a ~ dog 《우스개》 암캐.

2 a Ⓒ **귀부인, 숙녀**; (기사도에서 사랑의 대상으로서의) 귀부인: She is not (quite) a ~. 그녀는 도저히 숙녀라고 할 수 없다〔숙녀와는 거리가 멀다〕 / You've become quite a young ~. 어엿한 숙녀가 되었구나. **b** (L-) 《英》 레이디: our Sovereign *Lady* 《시어》 여왕.

> **NOTE** 영국에서는 다음의 경우 여성에 대한 경칭으로 씀. ⑴ 여성의 후·백·자·남작. ⑵ Lord (후·백·자·남작)와 Sir (baronet 또는 knight)의 부인. ⑶ 공·후·백작의 영애. 영애인 경우에는 first name에 붙임.

c (L-) 〖의인화〗: *Lady* Luck.

3 ⇨LADIES(').

Our Lady 성모 마리아. ***the first ~ of the land*** 《美》 대통령 부인.

> **DIAL.** ***Ladies first.*** 레이디 퍼스트《문 있는 데서 여자를 먼저 통과시킬 때 하는 말》.

lády·bìrd, -bùg *n.* Ⓒ 〖곤충〗 무당벌레.

Lády Chàpel 성모 경당, 성마리아 예배당(堂)《큰 교회당에 부속됨》.

Lády Dày 성모 영보 대축일《3월 25일; 천사 Gabriel이 그리스도의 잉태를 성모 마리아에게 고한 기념일》; (영국에서) quarter day의 하나.

lády·finger *n.* Ⓒ (손가락 모양의) 카스텔라식 과자.

lády-in-wáiting (*pl.* **ládies-**) *n.* Ⓒ 시녀, 궁녀.

lády-kìller *n.* Ⓒ 《구어》 색한, 멋진 호남자.

lády·lìke *a.* 귀부인다운, 고상한, 정숙한; 여자 같은《남자》; 유약한.

lády's fingers 〖식물〗 오크라(okra).

L

lady·ship [léidiʃìp] *n.* [C] **1** 숙녀〔귀부인〕의 신분. **2** (종종 L-) 영부인, 영양(令孃)《Lady의 존칭을 가진 부인에 대한 경칭》: your 〔her〕 *Ladyship* 《호칭》 영부인.

lády's màid 몸종, 시녀.

lag**[1] [læg] **(-gg-)** *vi.* **1** 《~/+[부]/+[전]+[명]》 처지다, **뒤떨어지다**(behind) 《behind*** …보다》: ~ *behind* in production 생산이 뒤지다 / One runner was ~*ging behind* the others. 주자 한 사람이 다른 사람들보다 뒤지고 있었다. **2** 천천히 걷다, 꾸물거리다(linger); (경기 따위가) 침체하다. **3** (흥미 · 관심 등이) 점점 줄다. **—***vt.* …보다 늦다〔뒤처지다〕. **—***n.* [C] 지연; 〖물리〗 (흐름 · 운동 등의) 지체(량(量)): ~ of the tide 지조(遲潮)(시간) / time ~ 시간의 지체.

lag[2] **(-gg-)** *vt.* (보일러 따위)를 싸다《***with*** (피복재 따위)로》.

lag[3] **(-gg-)** *vt.* 투옥하다; 체포하다(arrest). **—***n.* [C] 죄수, 전과자; 복역 기간.

la·ger [lá:gər] *n.* [U] 라거비어, 저장 맥주(= **∠ béer**)《저온에서 6주 내지 6개월 저장한 것; ale 보다 약함》. [cf] beer.

láger lòut 《英구어》 언제나 술에 취해 칠칠찮게 노는 건달.

lag·gard [lǽgərd] *n.* [C] 꾸물거리는 사람〔것〕, 느림보. **—***a.* 느린, 꾸물거리는《***in, about*** …에서》. [파] **~·ly** *ad.* **~·ness** *n.*

lag·ging *n.* [U] (보일러 등의) 보온 피복(被覆); 보온재, 피복재.

la·gniappe, -gnappe [lænjǽp, ∠-] *n.* [C] (물건을 산 고객에게 주는) 경품, 덤; 팁.

la·goon, la·gune [ləgú:n] *n.* [C] 개펄, 석호(潟湖); 초호(礁湖)《환초로 둘러싸인 해면》; 《美》 (강 · 호수로 통하는) 늪, 못.

la·ic, -i·cal [léiik], [léiikəl] *n.* [C] (성직자에 대하여) 평신도, 속인(俗人)(layman). **—***a.* 평신도의; 속인의; 세속의. [cf] clerical.

la·i·cize [léiəsàiz] *vt.* 환속〔속화〕시키다; 속인에게 맡기다; 속인에게 개방하다.

laid [leid] LAY[1] 의 과거 · 과거분사.

láid-báck *a.* 《구어》 한가로운, 느긋한, 유유한.

lain [lein] LIE[1] 의 과거분사.

lair [lɛər] *n.* [C] 야수의 잠자리〔굴〕(den); 숨어 사는 집, 은둔처.

lais·sez-faire, lais·ser- [lèiseifɛ́ər] *n.* 《F.》 [U] 무간섭〔방임〕주의(noninterference). **—***a.* 무간섭주의의, 자유방임의.

la·i·ty [léiəti] *n.* (the ~) 〖집합적; 복수취급〗 평신도들《성직자 계급에 대하여》; 문외한들《전문가에 대하여》.

†**lake**[1] [leik] *n.* [C] **1 호수. 2** (공원 따위의) 인공 못, 연못.

lake[2] *n.* [U] 레이크《짙은 다홍색 안료(顔料)》; 진홍색.

Láke Dìstrict 〔**Còuntry**〕 (the ~) 호수 지방《잉글랜드 북서부》.

láke·frònt *n.* [C] 호안(湖岸)(에 연한 땅).

lake·let [léiklit] *n.* [C] 작은 호수.

Láke Pòets (the ~) 호반 시인《Lake District 에 산 Wordsworth, Coleridge, Southey 등》.

láke·shòre *n.* = LAKEFRONT.

láke·sìde *n.* (the ~) 호반.

la(l)·la·pa·loo·za [lɑ̀ləpəlú:zə], **lol·la·pa·loo·sa, lol·la·pa·loo·za** [lɑ̀ləpəlú:zə/lɔ̀l-] *n.* [C] 《美속어》 뛰어나게 우수한〔기발한〕 것〔사람, 사건〕; 모범으로 삼을 만한 걸작.

lal·ly·gag [lǽligæ̀g] **(-gg-)** *vi.* 《美구어》 **1** 빈둥거리다. **2** (사람 앞에서) 껴안고 애무하다.

lam[1] [læm] **(-mm-)** 《속어》 *vt.* 치다, 때리다(thrash)《***on*** (머리 따위)를》: ~ a person *on* the head 아무의 머리를 때리다. **—***vi.* 때리다, 혼내 주다《***into*** (아무)를》: ~ *into* a person 아무를 격렬히 치다〔때리다〕.

lam[2] **(-mm-)** 《美속어》 *vi.* 내빼다, 달아나다. **—***n.* (the ~) 도망《다음 관용구로》. ***on the*** ~ 달아나고; 몸을 숨기고. ***take it on the*** ~ 급히 내빼다.

Lam. 〖성서〗 Lamentations (of Jeremiah).

la·ma [lá:mə] *n.* [C] 라마승(僧): Dalai Lama 달라이 라마.

La·ma·ism [lá:məìzəm] *n.* [U] 라마교.

La·ma·ist, La·ma·ite [lá:məist], [-ait] *n.* [C] 라마교도.

La·marck [ləmá:rk] *n.* **Jean de** ~ 라마르크《프랑스의 생물학자 · 진화론자; 1744–1829》.

la·ma·sery [lá:məsèri/-səri] *n.* [C] 라마 사원.

La·máze mèthod [ləméiz-] 〖의학〗 라마스법《Pavlov 의 조건 반사를 응용한, 자연 무통 분만법》.

Lamb [læm] *n.* **Charles** ~ 램《영국의 수필가 · 비평가; 필명은 Elia; 1775–1834》.

****lamb** *n.* **1** [C] **어린 양. 2** [U] 새끼 양의 고기〔가죽〕. **3** [C] 유순한 사람, 천진한 사람; 친애하는 사람: my ~ 아가야. ***in two shakes of a*** **~*'s tail*** ⇨SHAKE. ***like a*** ~ (***to the slaughter***) (닥칠 위험도 모르는) 어린 양과 같이 순한. ***the Lamb*** (***of God***) 예수.
—*vi.* (양이) 새끼를 낳다.

lam·ba·da [læmbá:də] *n.* [C] 람바다《남녀가 밀착하여 관능적인 자세로 추는 빠른 템포의 춤; 또 그 춤곡》.

lam·bast, -baste [læmbéist] *vt.* 《구어》 후려치다(beat); 몹시 꾸짖다.

lamb·da [lǽmdə] *n.* [U] (구체적으로는 [C]) 람다《그리스어 알파벳의 열한째 자; Λ, λ; 로마자의 L, l 에 해당》.

lam·ben·cy [lǽmbənsi] *n.* [U] 희미한〔부드러운〕 빛; (재치 따위의) 경묘(輕妙)함, 번득임.

lam·bent [lǽmbənt] *a.* (불꽃 · 빛 따위가) 가볍게 흔들리는, 부드럽게 빛나는; (재치 따위가) 경묘한, 번득이는. [파] **~·ly** *ad.*

lamb·kin, -ling [lǽmkin], [-liŋ] *n.* [C] 새끼 양; 《애칭》 귀여운 아기.

lámb·lìke *a.* 새끼양 같은; 온순한; 순진한.

lámb·skìn *n.* [C] 새끼양 모피《장식용》; [U] 무두질한 새끼양 가죽.

lame** [leim] *a.* **1 절름발이의**, 절룩거리는《in*** …가, …을》: go 〔walk〕 ~ 절룩거리다 / He's ~ *in* one leg. 그는 한 쪽 다리를 절고 있다. **2** (설명 · 변명 따위가) 불충분한(imperfect); 동닿지 않는, 어설픈, 서투른: a ~ excuse 서투른 변명. **3** (운율 · 시가 따위가) 불완전한, 가락이 맞지 않는: a ~ meter 다듬어지지 않은 운율.
—*vt., vi.* **1** 절름발이〔불구〕로 만들다〔가 되다〕. **2** 불완전〔불충분〕하게 하다〔되다〕. **3** 좌절시키다〔하다〕. [파] **∠·ly** *ad.* **∠·ness** *n.*

la·mé [læméi] *n.* 《F.》 [U] 금란(金襴)《금은 실을 섞어 짠 천》: a gold ~ dress 금실 드레스.

láme·bràin *n.* [C] 《美구어》 어리석은 자, 얼간이.

láme dúck 1 쓸모 없는〔없게 된〕 사람〔것〕, 무능자; 폐물. **2** (채무 불이행에 의해) 제명된 증권

L

거래원; 파산자. 3 《美》 재선거에 낙선하고 남은 임기를 채우고 있는 의원〔지사, 대통령 등〕: a ~ bill 〔amendment, law〕 ~에 의해 제출된 법안〔수정 조항, 법률〕《성립〔실시〕될 가망이 적은》.
[파] **láme-dúck** *a.*

la·mel·la [ləmélə] (*pl.* **~s, -lae** [-liː]) *n.* [C] (세포 등의) 얇은 판, 박막(薄膜), 얇은 층〔조각〕; 〖식물〗 (버섯의) 주름. [파] **la·mél·lar, lam·el·late** [-lər], [lǽməlèit, -lìt] *a.*

la·ment** [ləmént] *vt.* 《~+[목]/+doing》 슬퍼하다, 비탄하다; 애도하다, 애석해 하다: the late ~*ed* 고인/~ (mak*ing*) an error 과오를 (범한 것을) 애석해 하다. **—vi.* 《~/+[전]+[명]》 슬퍼〔한탄〕하다 《*for, over* …을》. ↔ *rejoice*. ¶ ~ *for* 〔*over*〕 the death of a friend 친구의 죽음을 슬퍼하다. ◇ lamentation *n.* **—***n.* [C] **1 비탄**, 한탄; 애도 《*for, over* …에 대한》. **2** 비가(悲歌), 애가(elegy), 만가(輓歌).

◇**lam·en·ta·ble** [lǽməntəbəl, ləmént-] *a.* 슬퍼할, 통탄할; 가엾은: a ~ result 통탄할 결과.
[파] **-bly** *ad.* **~·ness** *n.*

***lam·en·ta·tion** [læ̀məntéiʃən, -men-] *n.* **1** [U] **비탄**; 애도. **2** [C] 비탄의 소리; 애가(哀歌). **3** (the L-s) 〖단수취급〗 〖성서〗 (Jeremiah의) 애가(哀歌) 《구약성서 중의 한 편》. ◇ lament *v.*

lam·i·na [lǽmənə] (*pl.* **-nae** [-nìː], **~s**) *n.* [C] 얇은 판자〔조각〕, 박막(薄膜), 얇은 층.

lam·i·nate [lǽmənèit] *vt.* 얇은 판자로〔조각으로〕 만들다, (금속)을 박(箔)으로 하다; …에 박판(薄板)을 씌우다; 적층판(積層板)으로 만들다 《합판·전자석 따위》. **—***vi.* 얇은 판자가〔조각이〕 되다. **—** [-nit] *a.* 얇은 판자〔조각〕 모양의. **—** [-nit] *n.* [U] (낱개는 [C]) 박판 제품, 합판 제품. [파] **-nàt·ed** [-id] *a.* 얇은 조각〔판〕으로 된.

làm·i·ná·tion *n.* **1** [U] 얇은 판자로〔조각으로〕 만들기; 적층(積層); 얇은 판자〔조각〕 모양. **2** [C] 적층물(物), 적층 구조물.

Lam·mas [lǽməs] *n.* 《英》 수확제(收穫祭) (= **~ Dày**) 《옛날 8월 초하루에 행하여졌음》. [cf.] calends. ***latter* ~** 결코 오지 않는 날.

***lamp** [læmp] *n.* [C] **1 등불, 램프, 남포**: an electric 〔a gas〕 ~ 전등〔가스등(燈)〕/an oil 〔《美》 a kerosene〕 ~ 석유 램프/a spirit ~ 알코올 램프/a desk 〔a floor〕 ~ 데스크〔마루〕 스탠드. **2** (정신적) 광명, 지식의 샘. **3** 《시어》 횃불; 태양, 달, 별: the ~*s* of heaven 천체; 별. **4** 〖one's ~s〗 《美속어》 눈(eyes). ***smell of the* ~** (문장이) 밤새워 고심해서 쓴 흔적이 엿보이다.

lámp·blàck *n.* [U] 매연, 철매, 검댕, 그을음; (철매로 만든) 흑색 안료.

lámp chìmney 램프의 등피.

lámp·lìght *n.* [U] 등불, 램프 빛. [파] **~·er** *n.* [C] (가로등의) 점등부(夫); 《美》 점등 용구: like a ~*er* 서둘러, 빨리, 급히.

lam·poon [læmpúːn] *n.* [C] 풍자문〔시〕, 비아냥거리는 글귀. **—***vt.* …을 시·글로 풍자하다.
[파] **~·er, ~·ist** *n.*

lámp·pòst *n.* [C] 가등주(街燈柱).

lam·prey [lǽmpri] *n.* [C] 〖어류〗 칠성장어.

lámp·shàde *n.* [C] 램프갓, 조명 기구의 갓.

LAN local area network (근거리〔울안〕 통신망).

Lan·ca·shire [lǽŋkəʃiər, -ʃər] *n.* 랭커셔《잉글랜드 북서부의 주; 주도 Preston》.

Lan·cas·ter [lǽŋkəstər] *n.* 랭커스터《(1) 영국 Lancaster 왕가(1399–1461). (2) Lancashire 의 옛 주도(州都)》.

Lan·cas·tri·an [læŋkǽstriən] *a., n.* [C] 〖英역사〗 Lancaster 왕가의 (사람), 홍장미당(黨)의 (당원)《장미전쟁(Wars of the Roses) 중 Lancaster 왕가(王家)를 지지한》; Lancashire 의 (주민). [cf.] Yorkist.

◇**lance** [læns, lɑːns] *n.* [C] **1** 창. **2** 작살. **3** 창기병(槍騎兵). **4** 〖의학〗 =LANCET. ***break a ~ with*** …와 경쟁〔논쟁〕하다.
—*vt.* **1** 창으로 찌르다. **2** 〖의학〗 랜싯(lancet)으로 절개하다.

lánce còrporal 〔《속어》 **jàck**〕 〖英육군〗 하사 근무 병장.

lanc·er [lǽnsər, lɑ́ːns-] *n.* [C] 창수(槍手); 창기병(槍騎兵).

lánce sèrgeant 〖英육군〗 최하위 중사; (원래) 중사 근무 하사.

lan·cet [lǽnsit, lɑ́ːn-] *n.* [C] 〖의학〗 랜싯, 바소; 작은 창(槍).

láncet àrch 〖건축〗 뾰족한 아치.

láncet wíndow 〖건축〗 바소 모양의 창(窓).

Lancs(.) [læŋks] Lancashire.

***land** [lænd] *n.* **1** [U] **뭍, 육지**. ↔ *sea, water*. ¶ travel by ~ 육로로 가다/come to ~ 육지〔항구〕에 도착하다/*Land* was sighted from the crow's nest. 마스트 위에서 육지가 보였다/About one-third of the earth's surface is ~. 지구 표면의 약 3분의 1은 육지이다.
2 [U] **땅, 토지**, 지면: buy ~ 땅을 사다/arable 〔barren〕 ~ 경작지〔불모지(不毛地)〕/forest ~ 산림 지대/waste ~ 거친 땅, 황무지/He found good ~ for growing plants. 그는 식물을 재배하기에 좋은 토지를 발견했다.

[SYN.] **land** sea에 대응하는 말. 인간의 사용·생활의 대상으로 생각할 경우(arable *land* 경작지)와, 그렇지 않을 경우(go by *land* 육로로 가다)가 있음. 태어난 land, 즉 고국은 one's native *land*로 표현됨. **ground** 인간의 생활·활동 따위가 행해지는 지면: till the *ground* 땅을 갈다. a hunting *ground* 사냥터. picnic *grounds* 소풍지. **soil** 흙, 토양, 표토(表土). 비유적으로는 '국토'. **earth** '천체'에 대응하는 말. 따라서 지구 자체일 때도 있고, 지구를 구성하는 주성분인 흙을 가리킬 때도 있음. 또 land, ground 등과는 달리 소유권의 문제는 생각할 수 없음. 즉, He owns a lot of *land*. It is his *ground*. 라고는 할 수 있지만 이것들을 earth로 바꿔놓을 수는 없음.

3 [U] (흔히 *pl.*) 소유지: private 〔public〕 ~ 사유지〔공유지〕/houses and ~*s* 토지와 가옥/He owes ~(*s*) 그는 지주이다.
4 a [C] **국토, 나라**, 국가: one's native ~ 모국, 고국/from all ~*s* 각국에서. **b** 〖집합적〗 (특정 지역의) 주민; 국민: The whole ~ mourned the passing of the king. 모든 국민은 왕의 서거를 슬퍼했다.
5 (the ~) 영역, …의 세계: the ~ *of* dreams 꿈나라; 이상향/in the ~ *of* the living 현세〔이승〕에 있어, 살아서.
6 (the ~) (도회에 대한) 지방, 시골; 전원: Back to the ~! 전원으로 돌아가라.
see* 〔*find out*〕 *how the ~ lies 사태를 미리 조사하다; 형세를 보다, 사정을 살피다. ***the ~ of Nod*** 〖성서〗 ① 가인이 살던 땅《창세기 IV: 16》. ② 잠(의 나라). ***the Land of Promise*** = PROMISED LAND.
—*vt.* **1 a** 《~+[목]/+[목]+[전]+[명]》 **상륙시키다**, 양

L

륙〔육태질〕하다; (항공기 등)을 착륙〔착수, 착함〕시키다; 탈것에서 내려놓다, 하차〔하선〕시키다: ~ troops *in* France 군대를 프랑스에 상륙시키다 / ~ an airplane safely 안전하게 비행기를 착륙시키다 / ~ goods *from* a vessel 배에서 짐을 부리다 / ~ a man *on* the moon 달에 인간을 착륙시키다. **b** (낚시에 걸린 물고기)를 끌어〔낚아〕올리다; 《구어》 (애쓴 결과) 손에 넣다: ~ a trout 송어를 낚아올리다 / ~ a job 일자리를 얻다.
2 a 《~+목/+목+전+명》 (아무)를 빠지게 하다 《*in* (나쁜 상태 따위)에》: be nicely 〔properly〕 *~ed* 〖반어적〗 곤경에 빠져 있다 / That *~ed* me *in* great difficulties. 난 그것으로 곤란한 처지에 빠지게 되었다. **b** 《+목+전+명》 〖~ oneself〗 빠지다, 처하다 《*in* …에》: He *~ed* him*self* *in* jail for that. 그는 그것 때문에 교도소에 갈 처지가 되었다.
3 《+목+전+명/+목+목+전+명》 《구어》 (타격 등)을 먹이다 《*on, in* …에》: ~ a punch *on* a person's head 아무의 머리에 일격을 가하다 / ~ a person a blow *in* the face 아무의 얼굴에 한 대 먹이다.
—*vi*. **1** 《~/+전+명》 **상륙하다**; 착륙〔착수, 착함〕하다 《*at, in, on* …에》; 하선〔하차〕하다 《*from* …에서》: ~ *on* the moon 달에 착륙하다 / ~ *from* a train 열차에서 내리다.
2 《+전+명》 뛰어내리다; 떨어지다, 닿다 《*on* …에》: The cap *~ed on* the grass. 모자가 풀밭에 떨어졌다.
3 《(+부)+전+명》 빠지다 《*in* (어떤 상태)에》; 도착하다 (*up*) 《*at, in* …에》: ~ *up in* prison 〔debt〕 교도소에 들어가다〔빚더미에 빠지다〕 / We *~ed up at* a motel in the middle of nowhere. 우리는 마을에서 떨어진 한 모텔에 도착했다.

lánd àgent 토지 매매 거간(꾼), 토지 브로커; 《英》 토지 관리인.

lan·dau [lǽndau, -dɔː] *n*. Ⓒ 앞뒤 포장을 따로따로 개폐할 수 있는 4륜 마차의 일종; 동형의 구식 자동차.

lánd bànk 토지 (담보 대부) 은행.

lánd brèeze 육풍(陸風)《해안 부근에서 밤에 뭍에서 바다로 부는 미풍》. cf. sea breeze.

lánd brìdge 〖지리〗 육교(陸橋)《육지와 육지, 또는 육지와 섬을 잇는 띠 모양의 육지》; 지협(地峽).

lánd cràb 참게《번식할 때만 물에 들어감》.

lánd·ed [-id] *a*. Ⓐ **1** 토지를 소유하는, 땅을 가진: a ~ proprietor 토지 소유자, 지주 / the ~ interest 지주측(側) / the ~ classes 지주 계급. **2** 땅의, 땅으로 된: ~ property 〔estate〕 부동산, 토지, 소유지.

lánd·er *n*. Ⓒ (달 표면 등에의) 착륙선.

lánd·fàll *n*. Ⓒ (항해 중) 최초의 육지 발견, (바다로부터의) 육지 도착; (보인 또는 도착한) 육지; 상륙: make a good 〔bad〕 ~ 예상대로 육지를 발견하다〔발견하지 못하다〕.

lánd·fill *n*. **1** Ⓒ 쓰레기 매립지(=∠ **site**). **2** Ⓤ 쓰레기 매립 처리(법).

lánd fòrces 지상 부대, 지상군.

lánd·fòrm *n*. Ⓒ 지형, 지세(地勢).

lánd grànt 《美》 무상 토지 공여(供與)《대학·철도 등을 위해 정부가 시행하는》; 그 땅.

lánd·hòlder *n*. Ⓒ 지주; 차지인(借地人)(tenant).

lánd·hòlding *n*. Ⓤ, *a*. 토지 소유(의).

⁑**land·ing** [lǽndiŋ] *n*. **1** Ⓤ (구체적으로는 Ⓒ) **상륙**, 양륙; (비행기의) **착륙**, 착수: make 〔effect〕 a ~ 상륙〔착륙〕하다 / ⇨BELLY LANDING / a forced ~ 불시착 / a soft ~ 연착륙. **2** Ⓒ 상륙장; 화물 양륙장, 선창, 부두. **3** Ⓒ 〖건축〗 (계단의) 층계참.
Happy ~s! 《구어》 ① 안녕, 행운을 빈다《비행사끼리의 용어》. ② 건배.

lánding cràft 〖군사〗 상륙용 주정(舟艇).

lánding field 〔**gròund**〕 비행장.

lánding gèar 〖집합적〗 〖항공〗 착륙〔착수(着水)〕 장치.

lánding nèt 사내끼《낚은 고기를 떠올리는 그물》.

lánding stàge 부잔교(浮棧橋).

lánding strìp 〖항공〗 가설(假設) 활주로.

***land·la·dy** [lǽndlèidi] *n*. Ⓒ **1** (여관·하숙의) **여주인**, 안주인. cf. landlord. **2** 여자 집주인; 여지주(地主).

lánd làw (보통 *pl*.) 토지(소유)법.

lánd·less *a*. **1 a** 토지가 없는, 땅〔부동산〕을 소유하지 않은. **b** (the ~) 〖명사적; 복수취급〗 토지가 없는 사람들. **2** 육지가 없는.

lánd·lòcked [-t] *a*. **1** 육지로 둘러싸인: a ~ bay 내해(內海). **2** (물고기 따위가) 육봉(陸封)된 《바다와 단절되어》.

***land·lord** [lǽndlɔ̀ːrd] *n*. Ⓒ **1 지주, 집주인. 2** (하숙·여관의) 주인. cf. landlady. ㊞ **~·ism** *n*. Ⓤ 지주임; 지주 제도 (지지(支持)).

lánd·lùbber *n*. Ⓒ 〖해사〗 풋내기 뱃사람; 물에 익숙하지 못한 사람. ㊞ **~·ly** *a*.

°**lánd·màrk** *n*. Ⓒ **1** 경계표. **2** 육상 지표(地表)《항해자 등의 길잡이가 되는》. **3** 획기적인 사건: the *~s* of history 역사상의 획기적 사건.

lánd·màss *n*. Ⓒ 광대한 토지; 대륙.

lánd mìne 〖군사〗 지뢰; (낙하산에 매단) 투하 폭탄.

lánd òffice 《美》 국유지 관리국.

lánd-òffice búsiness 《美구어》 인기 있는 〔급성장하는〕 장사.

°**lánd·òwner** *n*. Ⓒ 땅 임자, 지주.

lánd-pòor *a*. 《美》 토지가 많으면서도 현금에 궁색한《높은 세금 등으로》.

lánd refòrm 토지 개혁.

lánd ròver (종종 L- R-) 랜드로버《지프 비슷한 영국제 사륜 구동 자동차; 상표명》.

Land·sat [lǽndsæ̀t] *n*. 랜드샛《미국의 지구 자원 탐사 위성》. [◂ *Land sat*ellite]

⁑**land·scape** [lǽndskèip] *n*. **1** Ⓒ **풍경**, 경치; 조망, 전망. cf. seascape. **2** Ⓒ 풍경화; Ⓤ 풍경화법. **—*vt*.** …에 조경 공사를 하다; …을 녹화(綠化)하다.

lándscape àrchitect 조경 설계사, 정원 설계사.

lándscape àrchitecture 조경술〔법〕, 풍치 도시 계획법.

lándscape gàrdener 정원사, 조경 설계사.

lándscape gàrdening 조경술〔법〕.

lándscape pàinter 풍경화가.

Lánd's Ènd (the ~) 영국 Cornwall 주의 남서쪽 끝의 갑(岬)《영국의 서쪽 끝》.

lánd·slìde *n*. Ⓒ **1** 사태, 산사태. **2** (선거 따위에서의) 압도적 승리: a ~ victory 압도적인 대승리.

lánd·slìp *n*. Ⓒ 《英》 사태(landslide).

lánds·man [-mən] (*pl*. **-men** [-mən]) *n*. Ⓒ **1** 육상 생활자. ↔ *seaman*. **2** 풋내기 선원.

lánd-to-lánd *a*. Ⓐ (미사일이) 지대지(地對

L

地)의.

lánd·ward *a., ad.* 육지쪽의(으로); 육지에 가까운.

lánd·wards [-wərdz] *ad.* =LANDWARD.

***lane** [lein] *n.* Ⓒ **1** (산울타리·벽 사이 따위의) **좁은 길**, 작은 길; 골목; 뒷골목, 좁은 시골길: It is a long ~ that has no turning. 《속담》 구부러지지 않은 길이란 없다; 쥐구멍에도 볕들 날이 있다. SYN. ⇨ROAD. **2** (배·비행기 등의) 규정 항로. **3** (도로의) **차선**: a 4-~ highway, 4 차선 도로. **4** 〖경기〗 (단거리 경주·경영(競泳)·볼링 등의) 레인.

†**lan·guage** [lǽŋgwidʒ] *n.* **1** Ⓤ **언어**, 말: *Language* is an exclusive possession of man. 언어는 인간 고유의 것이다.

SYN. **language** 말의 사회적 제도면을 강조함. speech를 하기 위해 사용되는 기호·음성 따위의 체계 언어: the English *language* 영어. **speech** 말의 개인적 행위면을 강조함. language를 사용한 감정·의지·사상의 표현·전달 행위《특히 입으로의 언어 행위》: He couldn't understand the *speech* of the natives because it was in a foreign *language*. 그는 원주민의 말이 외국이이므로 알 수가 없었다.

2 Ⓒ (어떤 국가·민족의) 국어, …어(語): He speaks five ~*s*. 그는 5개 국어를 한다 / the French ~ 프랑스 말《★ 단지 French라고 하기보다 딱딱한 표현》/ a dead 〔living〕 ~ 사어(死語)〔현용어(現用語)〕.

3 Ⓤ **a** 어법, 어투, 말씨; 문체; 언어 능력: fine ~ 아름답게 꾸민 말〔표현〕, 화려한 문체 / in the ~ of …의 말을 빌려 말하자면. **b** 천한 말, 욕: bad ~ 상스러운 말 / strong ~ 격한 말투.

4 Ⓤ 술어, 전문어, 용어: scientific ~ 과학 용어.

5 Ⓤ (새·짐승 등의) 울음소리; (넓은 뜻으로) 언어 이외의 '말'《꽃말 따위》, (비(非)언어적인) 전달 (수단): sign 〔gesture〕 ~ 몸짓말 / the ~ of flowers 꽃말 / the ~ of the eyes 눈짓말.

6 Ⓤ 어학; 언어학.

7 Ⓤ 〖컴퓨터〗 언어《정보를 전달하기 위한 일련의 표현·약속·규칙》: artificial ~ 인공 언어 / machine ~ 기계 언어 / object 〔target〕 ~ 목적 언어 / ~ processing program 언어처리 프로그램 / a ~ translator 언어 번역기.

speak 〔***talk***〕 **a person's** 〔***the same***〕 **~** 아무와 생각이나 태도〔취미〕가 같다.

lánguage làb =LANGUAGE LABORATORY.

lánguage làboratory 〔**màster**〕 어학 실습실〔교사〕.

langue [lɑ̃ːg] *n.* 《F.》 Ⓤ 〖언어〗 (체계로서의) 언어. cf. parole 2.

◇**lan·guid** [lǽŋgwid] *a.* **1** 께느른한, 늘쩍지근한; 무감동한, 흥미 없는: a ~ attempt 마음 내키지 않는 시도. **2** 활기〔기력〕 없는. ◇languish *v.* ㊕ **~·ly** *ad.* **~·ness** *n.*

lan·guish** [lǽŋgwiʃ] *vi.* **1 쇠약해지다**, 녹초가 되다; (식물이) 시들다, 퇴색하다. **2** (활동·장사 등이) **활기를 잃다**: The economy is ~*ing*. 경제가 침체되고 있다. **3** 《+전+명》 **참혹히 살다**, 괴로운 생활을 하다《under, in*** (역경 따위)에서》: ~*ing in* a foreign jail 〔*in* bed〕 외국 감옥에서〔병상에서〕 괴롭게 살고 있다. **4** 《+전+명/+*to* do》 연모하다, 그리워하다《***for*** …을》; 소원하다: ~ *for* home 고향을 그리워하다 / ~ *to* return 몹시 돌아가고 싶어하다. ◇languor *n.*

㊕ **~·ing** *a.* **1** 점점 쇠약해져 가는; 번민하는; 그리워하는: a ~*ing* look 수심에 잠긴 표정. **2** 꾸물대는, 오래 끄는: a ~*ing* illness 오래 끄는 병.

lan·guor [lǽŋgər] *n.* **1** Ⓤ 께느른함, 권태, 피로; 무기력, 침체; 시름; 울적함. **2** Ⓒ (흔히 *pl.*) 번민, 근심, 감상. ◇languid *a.*

lan·guor·ous [lǽŋgərəs] *a.* 께느른한, 늘쩍지근한, 나른한, 지친; 권태로운; 울적한. ㊕ **~·ly** *ad.* **~·ness** *n.*

lan·gur [lʌŋgúər] *n.* Ⓒ 〖동물〗 긴꼬리원숭이의 일종《남아시아산》.

La Niña [lɑːníːnjɑː] 〖기상〗 라니냐, 반엘리뇨 현상.

◇**lank** [læŋk] *a.* 여윈, 홀쭉한; (머리카락·풀 따위가) 길고 부드러운, 곱슬곱슬하지 않은. ㊕ **⌐·ly** *ad.* **⌐·ness** *n.*

lanky [lǽŋki] (***lank·i·er; -i·est***) *a.* (손발·사람이) 홀쭉〔호리호리〕한; 멀대 같은. ㊕ **lánk·i·ly** *a.* **-i·ness** *n.*

lan·o·lin(e) [lǽnəlin, -liːn] *n.* Ⓤ 라놀린《정제 양모지(羊毛脂); 연고·화장품 재료》.

Lan·sing [lǽnsiŋ] *n.* 랜싱《Michigan 주의 주도·공업 도시》.

***lan·tern** [lǽntərn] *n.* Ⓒ **1 랜턴**, 호롱등, 제등, 등롱(Chinese ~): a paper ~ 등롱 / a dark ~ 앞쪽만 비치게 된 초롱 / a ~ parade 〔procession〕 제등 행렬. **2** 환등(기) (magic ~). **3** (등대의) 등(화)실(燈(火)室). **4** 〖건축〗 꼭대기탑; 채광창.

lántern-jàwed *a.* 턱이 홀쭉하고 긴, 여윈 얼굴의.

lan·tha·num [lǽnθənəm] *n.* Ⓤ 〖화학〗 란탄《희토류 원소; 기호 La; 번호 57》.

lan·yard [lǽnjərd] *n.* Ⓒ **1** 〖해사〗 죔줄. **2** 〖군사〗 (대포 발사용의) 방아끈.

La·oc·o·ön, -on [leiǽkouɑ̀n/-ɔ́kouɔ̀n] *n.* 〖그리스신화〗 라오콘《Troy의 Apollo 신전의 사제(司祭); 여신 Athena의 노여움을 사 아들과 함께 바다뱀에 감겨 죽었음》.

La·os [lɑ́ːous, léiɑs] *n.* 라오스《인도차이나 서북부의 나라; 수도 Vientiane》. ㊕ **La·o·tian** [leióuʃən, láuʃiən] *a.* 라오스의. **—*n.*** Ⓒ 라오스 사람; Ⓤ 라오스 말.

Lao-tse, -tzu [láudzʌ́/lɑ́ːoutséi] *n.* 노자(老子)《604? – 531 B.C.》.

‡**lap**[1] [læp] *n.* Ⓒ **1 무릎**《앉아서 허리에서 무릎까지의 부분》. cf. knee. **2** (스커트·의복의) 무릎(닿는) 부분. **3 a** (어린애를 안는) 어머니의 무릎, 품어 기르는 곳: in Fortune's ~ =in the ~ *of* Fortune 운수가 좋아서 / in the ~ *of* luxury 온갖 사치를 다하여. **b** 관리, 보호: in 〔on〕 one's ~ 아무의 보호 아래 / Everything fell into his ~. 모든 게 그의 뜻대로 되었다. **4** 산골짜기; 산의 우묵한 곳: the ~ of valley 골짜기의 깊은 곳. **5** (의복·안장 따위의) 처진 것, 자락. **6** (두 가지 것의) 겹침(부분〔길이〕). **7** (실 따위의) 한 번 감기. **8** 〖경기〗 랩, (주로(走路)의) 한 바퀴, (경영로(競泳路)의) 한 왕복: on the last ~ 마지막 한 바퀴에 / a ~ of honor (승자가) 경기장을 한 바퀴 돌기.

DIAL. ***Make a lap.*** 《속어》 앉으세요.

— (***-pp-***) *vt.* **1** 《+목+부/+목+전+명》 **싸다**, 입히다, 두르다, 감다, 휘감다, 걸치다(*around, round, over*)《***around, round, over*** …에》: She ~*ped* the bandage *around* and pinned it. 그녀는 붕대를 감고 핀으로 고정시켰다 / ~ a bandage *around* the leg 다리에 붕대를 감다. **2** ⟪(+목+전+명)⟫ 겹치다⟪***on, over*** …에⟫: ~ a slate *on* [*over*] another 슬레이트를 다른 슬레이트 위에 겹치다. **3** ⟪(+목+전+명)⟫ (어린애 따위)를 감싸다⟪***in*** …에⟫: She *~ped* her baby *in* the blanket. 그녀는 애를 모포에 감쌌다/The old man *~ped* himself [was *~ped*] *in* a warm blanket. 노인은 따뜻한 모포에 몸을 감쌌다[몸이 감싸여 있었다]. **4** 둘러싸다⟪★ 보통 수동태로 쓰며, 전치사는 *in*⟫: a house *~ped in* woods 숲에 둘러싸인 집/be *~ped in* luxury 사치에 빠지다. **5** (경마 · 자동차 레이스에서) 한 바퀴 (이상) 앞서다. **—***vi*. **1** ⟪~/+부⟫ 접혀 겹치다; 겹쳐지다, 걷어 올려지다(*over*): The shingles ~ *over* elegantly. 지붕널이 우아하게 겹쳐져 있다. **2** ⟪+부(+전+명)⟫ (경계를 넘어서) 퍼지다, 미치다; (회의 따위가) (정시를 넘어서) 연장되다(*over*)⟪***into*** …으로⟫: It's effects *~ped over into* the next administration. 그 영향은 차기 정권에까지 미쳤다. **3** 〖경기〗 일주하다, 한 번 왕복하다.

***lap**[2] [læp] *n*. **1** Ⓒ **핥아먹음**: take a ~ 한 번 핥다. **2** (the ~) (뱃전 · 기슭을 치는) 파도소리. **3** Ⓤ (개의) 유동식(流動食). **4** Ⓤ 약한 술, 싱거운 음료.

—(*-pp-*) *vt*. **1** ⟪~+목/+목+부⟫ **핥다**, 핥아[게걸스레] 먹다(*up; down*): The dog *~ped up* the milk. 개가 우유를 말끔히 핥아먹었다. **2** (파도가) …을 철썩철썩 치다[씻다]. **—***vi*. ⟪~/+전+명⟫ (파도가) **철썩철썩 밀려오다**[소리를 내다]; (물 따위가) 철철 넘치다: ~ *against* the shore (파도가) 해안에서 물결치다/The water *~ped over* the edge of the fountain. 분수 물이 가장자리를 철철 넘쳐 흘렀다.

~ **up** ⟪*vt*.+부⟫ ① 핥다(⇨*vt*. 1). ② (발림말 따위)를 정말로 받아들이다, (정보 따위)를 그냥 받아들이다.

láp·bòard *n*. Ⓒ 무릎 위에 올려놓는 책상 대용의 평판(平板).

láp·dòg *n*. Ⓒ 애완용의 작은 개.

la·pel [ləpél] *n*. Ⓒ (양복의) 접은 옷깃.

lap·ful [lǽpfùl] *n*. Ⓒ 무릎 위에 가득 안은[앞치마 그득한] 분량.

lap·i·da·ry [lǽpədèri] *n*. **1** Ⓒ 보석 세공인; 보석상; 보석 감식가. **2** Ⓤ 보석 세공술. **—***a*. Ⓐ 돌[보석]의; 돌[보석] 세공의; 돌에 새긴; 비명(碑銘)의, 비명에 알맞은: ~ work 보석 세공/a ~ style 〖수사학〗 비명체(體).

lap·is laz·u·li [lǽpis-lǽzjulài] ⟪L.⟫ **1** Ⓤ (낱개는 Ⓒ) 〖광물〗 청금석(青金石); 유리. **2** Ⓤ 청색; 야청빛.

Lap·land [lǽplæ̀nd] *n*. 라플란드⟪유럽 최북부 지역⟫. ㊕ **~·er** *n*. Ⓒ ~ 사람.

Lapp [læp] *n*. **1** Ⓒ Lapland 사람. **2** Ⓤ Lapland 어. **—***a*. Lapland 사람[말]의.

lap·pet [lǽpit] *n*. Ⓒ (의복 따위의) 늘어져 달린 부분; (모자의) 귀덮개; 접은 옷깃; (칠면조 따위의) 처진 살; 귓불(lobe).

láp ròbe ⟪美⟫ (썰매를 타거나 경기를 관람할 때 따위에 쓰는) 무릎가리개.

lapse** [læps] *n*. Ⓒ **1 a** (시간의) **경과**, 흐름, 추이: after a ~ *of* several years 수년이 지난 후에/with the ~ *of* time 시간이 흐름에 따라. **b** (과거의 짧은) 기간, 시간. **2** (우연한) **착오; 실책**, 실수, (기억 · 말 따위의) 잘못: a ~ *of* the pen [tongue] 잘못 씀[말함]/a ~ *of* memory 기억 착오. **3** 정도(正道)에서 벗어남; 죄에 빠짐, 타락; 배교(背教): a ~ *from* virtue 배덕(背德)/a ~ *into* crime 죄를 범함. **4** 쇠퇴, 폐지, 상실⟪of, from*** (습관 · 자신 따위)의⟫: a momentary ~ *from* one's customary attentiveness 늘 주의 깊으면서 잠시 깜박함/a ~ *of* conscience 양심의 상실. **5** 〖법률〗 (권리 · 특권의) 소멸, 실효.

—*vi*. **1** ⟪~/+부⟫ (시간이) 경과하다, 모르는 사이에 지나다(*away*): The days *~d away*. 모르는 사이에 시일이 지났다. **2** ⟪~/+전+명⟫ 조금씩 변천하다⟪***into*** (어떤 상태)로⟫; 모르는 사이에 빠지다⟪***into*** (죄 따위)에⟫; 퇴보하다, 일탈하다⟪***from*** (정도)에서⟫: ~ *into* silence 침묵하다/~ *from* good ways *into* bad 행실이 점점 나빠지다/~ *into* idleness 게으름 피우는 버릇이 붙다. **3** ⟪~/+전+명⟫ 〖법률〗 (권리 · 재산 따위가) 소멸하다, 무효로 되다; 넘어가다⟪***to*** (남의 손)으로⟫: let a person's contract ~ 아무의 계약을 실효케 하다/Your insurance policy will ~ after 30 days. 당신의 보험 증권은 30일 후면 무효입니다.

lapsed [-t] *a*. Ⓐ 타락한, 신앙을 잃은; (습관 따위가) 없어진; 〖법률〗 (권리 · 재산 따위가) 실효된, 남의 손에 넘어간.

lápse ràte 〖기후〗 기온 저하율⟪고도에 비례하여 기온이 내려가는⟫.

láp tìme 〖경기〗 랩타임, 도중 계시(途中計時).

láp·tòp *n*. Ⓒ 〖컴퓨터〗 랩톱⟪무릎에 얹어 놓을 만한 크기의 휴대용 퍼스널 컴퓨터⟫.

La·pu·ta [ləpjú:tə] *n*. 라퓨터⟪Swift 작 *Gulliver's Travels* 에 나오는 부도(浮島); 주민은 터무니없는 일만 꿈꿈⟫.

La·pu·tan [ləpjú:tən] *n*. Ⓒ Laputa 섬 사람; 공상가. **—***a*. 공상적인, 터무니없는(absurd).

láp·wìng *n*. Ⓒ 〖조류〗 댕기물떼새.

lar·ce·ner, -ce·nist [lá:rsənər], [-nist] *n*. Ⓒ 절도범, 도둑⟪사람⟫.

lar·ce·nous [lá:rsənəs] *a*. 절도의, 도둑질을 하는, 손버릇이 나쁜: a ~ act 절도 행위. ㊕ **~·ly** *ad*.

lar·ce·ny [lá:rsəni] *n*. **1** Ⓤ (구체적으로는 Ⓒ) 절도, 도둑질. **2** Ⓤ 〖법률〗 절도죄[범] (⟪英⟫ theft): petty [grand] ~ 경[중]절도죄.

larch [la:rtʃ] *n*. Ⓒ 〖식물〗 낙엽송; Ⓤ 그 재목.

◇**lard** [la:rd] *n*. Ⓤ 라드⟪돼지비계를 정제한 반고체의 기름⟫, 돼지기름. **—***vt*. **1** …에 라드를 바르다. **2** (맛을 돋구기 위해) 베이컨 조각을 집어넣다, 라딩하다. **3** (문장 · 담화 등)을 꾸미다, 윤색[수식]하다⟪***with*** (비유 · 군말 따위)로⟫: ~ one's conversation *with* quotations 얘기를 인용으로 꾸미다.

lárd·er *n*. Ⓒ 고기 저장소, 식료품실; 저장 식품.

lardy [lá:rdi] (***lard·i·er, -i·est***) *a*. 라드의; 라드가 많은; 지방이 많은, 살찐.

†**large** [la:rdʒ] *a*. **1** (공간적으로) **큰**, 넓은(spacious): a ~ tree 큰 나무/a ~ room 넓은 방/be ~ of limb 손발이 크다/(as) ~ as LIFE. SYN. ⇨BROAD.

2 a (정도 · 규모 · 범위 등이) 큰, 넓은, 광범위한; (상대적으로) 큰 쪽[종류]의, 대…. ↔ *small*. ¶a ~ family 대가족/a ~ crowd 대군중/~ powers 광범위한 권한/~ farmers 대농/in ~ part 크게(largely)/a man of ~ experience 경험이 풍부한 사람/~ insight 탁견. SYN. ⇨BIG. **b** 과장된, 허풍이 섞인: ~ talk 허풍, 제자랑 소리. **c** (작풍(作風) 따위가) 호방한.

L

3 (수량적으로) 상당한(considerable); 다수의(numerous); 다량의: a ~ sum of money 거액 / How ~ is the population of Seoul? 서울의 인구는 얼마나 되느냐?.
4 〖해사〗 (바람이) 호조인, 순풍의(favorable).
—*n*. 〘관용구로만 쓰임〙 ***at*** **~** ① 마음대로, 자유로이; 붙잡히지 않고: The culprit is still *at* ~. 범인이 아직도 체포되지 않고 있다. ② 상세히, 자세히, 충분히: talk 〔write〕 *at* ~ 상세히 말하다〔쓰다〕/ go into the question *at* ~ 문제를 자세히 검토하다. ③ 전체로서; 널리, 일반적으로: people *at* ~ 일반 국민. ④ 《美》 전주(全州)〔전군(全郡)〕에서 선출되는: a congressman *at* ~ 전주 선출 의원. ***in*** **(*the*)** **~** 대규모로(↔ *in little*); 일반적으로: look at affairs *in the* ~ 사태를〔상황을〕 대국적 견지에서 보다.
—*ad*. 크게; 상세히; 과대(誇大)하여, 뻐기어: print ~ 큰 활자체로 쓰다 / talk ~ 흰소리치다, 호언장담하다. ***by and*** **~** ⇨BY[1] *ad*.

lárge-héarted [-id] *a*. 마음이 큰, 도량이 넓은, 너그러운; 인정 많은, 박애의.

lárge intéstine (the ~) 〖해부〗 대장(大腸).

***large·ly** [lɑ́:rdʒli] *ad*. **1 크게**, 충분히(much). **2** 대부분, 주로(mainly): His success was ~ due to luck. 그의 성공은 주로 행운에 의한 것이었다. **3** 대규모로, 광범위하게. **4** 풍부하게, 활수(滑手)하게, 아낌없이(generously).

lárge-mínded [-id] *a*. =LARGE-HEARTED.

lárge·ness *n*. [U] 큼, 거대, 다대; 광대; 과장.

lárger-than-lífe *a*. 실물보다 큰; 과장된; 영웅적인: a ~ politician 영웅적인 정치가.

lárge-scále *a*. 대규모의, 대대적인; 대축척(大縮尺)의《지도 등》: a ~ business 〔disaster〕 대사업〔대재해〕.

lárge-scale integrátion 〖전자〗 고밀도〔대규모〕 집적 회로《생략: LSI》.

lar·gess(e) [lɑ:rdʒés, lɑ́:rdʒis] *n*. [U] (많은) 증여《사업 후원자의》, (아낌없이 주어진) 선물, 과분한 부조.

lar·ghet·to [lɑ:rgétou] 《It.》 〖음악〗 *a*., *ad*. 조금 느린; 조금 느리게《largo 보다 빠름》.
—(*pl*. **~s**) *n*. [C] 조금 느린 곡, 라르게토.

larg·ish [lɑ́:rdʒiʃ] *a*. 약간 큰〔넓은〕.

lar·go [lɑ́:rgou] 〖음악〗 *a*., *ad*. 《It.》 장엄한〔하게〕 그리고 느린〔느리게〕. —(*pl*. **~s**) *n*. [C] (템포가) 느린 곡, 라르고 악장(樂章).

lar·i·at [lǽriət] *n*. [C] (마소를) 잡아 매는 밧줄.

***lark**[1] [lɑ:rk] *n*. [C] 〖조류〗 **종다리**(skylark): If the sky fall, we shall catch ~*s*. 《속담》 하늘이 무너지면 종달새를 잡겠지《수고 없이 소득을 기대하지 마라》.
(*as*) ***happy as a*** **~** 무척 행복한. ***be up*** 〔***rise***〕 ***with the*** **~** 아침 일찍 일어나다.

lark[2] 《구어》 *n*. [C] 희롱거림, 장난, 농담; 유쾌: It was such a ~. 퍽 재미있었다 / for a ~ 장난삼아, 농담으로, 실없이 / have a ~ with …을 조롱하다, …에 장난치다 / up to one's ~*s* 장난에 팔려 / What a ~! 거 참 재미있군.
—*vi*. 희롱거리다, 장난치다, (마음이) 들뜨다 (*about, around*): Children are ~*ing about* on the street. 아이들이 길에서 장난치고 있다.

lárk·spùr *n*. [C] 〖식물〗 참제비고깔(속(屬)의 식물).

larn [lɑ:rn] 《구어·우스개》 *vt*. (아무)에게 깨닫게 하다, 알게 하다. —*vi*. =LEARN.

°**lar·va** [lɑ́:rvə] (*pl*. **-vae** [-vi:]) *n*. [C] 〖곤충〗 애벌레, 유충; 변태 동물의 유생(幼生)《올챙이 따위》. [파] **-val** [-vəl] *a*. 유충의; 미숙한.

la·ryn·ge·al [lərínd3iəl, lærənd3í:əl] *a*. 〖해부〗 후두(喉頭)의; 후두 치료용의.

lar·yn·gi·tis [lærənd3áitis] *n*. [U] 〖의학〗 후두염.

lar·ynx [lǽriŋks] (*pl*. **~·es, la·ryn·ges** [lərínd3i:z]) *n*. [C] 〖해부〗 후두.

la·sa·gna, -gne [ləzɑ́:njə] *n*. [U] (낱개는 [C]) 치즈·토마토 소스·국수·저민 고기 따위로 만든 이탈리아 요리.

las·civ·i·ous [ləsíviəs] *a*. 음탕한, 호색의, 외설적인. [파] **~·ly** *ad*. **~·ness** *n*.

lase [leiz] *vi*. 레이저 광선을 발하다.

la·ser [léizər] *n*. [C] 〖물리〗 레이저《분자〔원자〕의 고유 진동을 이용하여 전자파를 방출하는 장치》: a ~ beam 레이저 광선. [◂ *l*ight *a*mplification by *s*timulated *e*mission of *r*adiation]

láser càrd 〖컴퓨터〗 레이저 카드《레이저 광선에 의해 데이터를 기록·재생할 수 있는 카드》.

láser dìsk 〖컴퓨터·TV〗 레이저 디스크《optical disk 의 상표명》.

láser-drìven *a*. 〖컴퓨터〗 레이저 구동(驅動)의《레이저 광선으로 작동되는》.

láser mèmory 〖컴퓨터〗 레이저 기억 장치.

láser prìnter 〖컴퓨터〗 레이저 프린터.

láser vìsion 〖컴퓨터〗 레이저 비전《레이저 광선으로써 화상이나 음성을 정밀하게 재생하는 시스템》.

°**lash**[1] [læʃ] *n*. **1 a** [C] 챗열, 채찍의 휘는 부분. **b** [C] 채찍질; 채찍질의 한 대: receive 50 ~*es* 매 50 대를 맞다. **c** (the ~) 태형(笞刑). **2** (the ~) (비·바람·파도 따위의) 몹시 몰아침: the ~ of waves against the rock 바위에 부딪치는 파도. **3** [C] (보통 *pl*.) 속눈썹(eyelash).
—*vt*. **1 a** 채찍질〔매질〕하다, 때려눕다. **b** (파도·바람이) 세차게 부딪치다, 내리치다: The waves ~*ed* the shore. 파도가 해안에 세차게 몰아쳤다. **2** 몹시 꾸짖다〔비난하다〕, 욕하다, 빈정대다《***with*** …으로》: He ~*ed* the students *with* harsh criticism. 그는 학생들에게 심한 꾸중을 퍼부었다. **3** (꼬리·발·부채 따위)를 획〔세차게〕 움직이다〔흔들다〕: The crocodile ~*ed* its tail. 악어가 꼬리를 세차게 흔들었다. **4 a** 자극하여 빠지게 하다《***into*** …상태에》; ~ a person *into* a fury 아무를 격노케 하다. **b** 〘~ oneself〙 불끈해서 빠지다《***into*** …상태에》: ~ one*self into* a fury 격노하다.
—*vi*. **1** 채찍질〔매질〕하다《***at, against*** …을》; (바람·파도가) 세차게 부딪다《***at, against*** …에》. **2** (비·눈물 따위가) 쏟아지다(*down*). **3** 세차게〔획〕 움직이다〔뒹굴다〕(*about; around*). **4** 달려들다《***at*** …에》: The cobra ~*ed at* its prey. 코브라는 먹이를 덮쳤다.
~ *out* 《*vi*.+[부]》 ① 강타하다; 달려들어 때리다《***at*** …을》. ② 폭언을 퍼붓다《***at, against*** (아무)에게》: He ~*ed at* me with a sharp retort. 그는 나에게 되쏘아 붙였다. ③ 《英구어》 거금을 들이다《***on*** (사치품 따위)에》. —《*vt*.+[부]》 ④ (돈 따위)를 활수하게 쓰다《***on*** …에》; (사치품 따위)에 거금을 치르다.

lash[2] *vt*. (밧줄·새끼줄 따위로) 묶다, 매다(*together; down; on*): ~ a thing *down* 무엇을 단단히 동여매다 / ~ things *together* 한데 동여매다 / ~ one stick *to* another 하나의 막대기를 다른 막대기에 붙들어 매다.

했다 / Has he been here ~? 최근 그분이 여기에 왔습니까 / She was here *only* ~ 〔*as* ~ *as* last Sunday〕. 그녀는 바로 최근에〔지난 일요일에〕 이곳에 왔었다. ★ 보통 부정문·의문문의 완료 시제에 쓰이며, only와 함께 또는 as ~ as의 꼴로 씀. ***till*** **~** 최근까지.

SYN. **lately**는 현재완료형에 쓰이는 일이 가장 많고, 과거·현재형에도 쓰이나 그런 예는 흔치 않음. **of late**는 lately와 거의 같게 쓰임. **recently**는 현재완료형과 과거형에 쓰임.

la·ten·cy [léitənsi] *n.* Ⓤ 숨음, 안 보임; 잠복, 잠재.

látency pèriod 잠복 기간, 잠재기(期).

látency tìme 〖컴퓨터〗 대기 시간.

◇**la·tent** [léitənt] *a.* 숨어 있는, 보이지 않는; 잠재하는《*in* …에》; 〖의학〗 잠복성〔기〕의: ~ power 잠재(능)력 / a ~ gift 숨은 재능 / the ~ period (병의) 잠복기 / Grave dangers were ~ *in* the situation. 그 상황 속에 중대한 위험이 잠재해 있었다.

SYN. **latent** 존재하고는 있으나 표면으로는 보이지 않고 숨어 있는 것을 말함. **potential** 현재는 아직 충분하지 않지만 장차 발전할 가능성을 갖고 있는 것을 말함.

㊕ **~·ly** *ad.*

⁑**lat·er** [léitər] 〖late의 비교급〗 *a.* **더 늦은**, 더 뒤〔나중〕의. ↔ *earlier.* ¶ in one's ~ life 만년(晩年)에 / in ~ years 후년에.

—*ad.* **뒤에**, 나중에: You can do it ~. 뒤에라도 할 수 있다; 뒤로 돌려도 좋다 / three hours ~, 3시간 후에. **~ *on*** 뒤〔나중〕에, 후에: I'll tell it to you ~ *on.* 나중에 얘기하지요. ***sooner or* ~** ⇨SOON.

> **DIAL.** (***Good-bye***) ***till*** 〔***until***〕 ***later.*** (안녕) 또 만나자《★ 헤어질 때의 인사》.
> ***See you later.*** 그럼 다음에 또 만나자, 안녕.

◇**lat·er·al** [lǽtərəl] *a.* 옆의〔으로의〕, 측면의〔에서의, 으로의〕, 바깥쪽의; 〖생물〗 측생(側生)의; 〖음성〗 측음의: a ~ branch (친족의) 방계《형제 자매의 자손》; 옆 가지 / a ~ consonant 측음《[l]음과 같이 혀 양쪽으로부터 숨이 빠지는 음》/ ~ root 측근(側根).

—*n.* Ⓒ 옆쪽, 측면부(部); 측면에서 생기는 것; 〖식물〗 측생아(芽)〔지(枝)〕; 〖음성〗 측음.

㊕ **~·ly** *ad.*

láteral líne 〖어류〗 측선(側線).

láteral thínking 수평사고(水平思考)《상식·기성 개념에 구애되지 않는 여러 각도로부터의 문제 고찰법》.

⁑**lat·est** [léitist] 〖late의 최상급〗 *a.* (보통 the 〔one's〕 ~) **1** Ⓐ **최신의**, 최근의: the ~ fashion 〔news〕 최신 유행〔뉴스〕/ the ~ thing 최신 발명품, 신기한 것. **2** 맨 뒤의, 가장 늦은, 최후의: the ~ arrival 마지막 도착자. SYN. ⇨LAST[1].

—*n.* (the ~) 최신의 것; 최신 뉴스〔유행품〕. ***at*** (***the***) **~** 늦어도: Come here by ten *at the* ~. 늦어도 10시까지는 여기 오너라.

—*ad.* 가장 늦게: He arrived ~ (of them). (그들 중) 그가 가장 늦게 도착했다.

la·tex [léiteks] *n.* Ⓤ (고무나무 따위의) 유액(乳液), 라텍스.

lath [læθ, lɑːθ] (*pl.* **~s** [læðz, -θs, lɑːθs, -ðz]) *n.* **1** Ⓒ (집합적으로는 Ⓤ) 외(椳), 욋가지; 오리목. **2** Ⓒ 여윈 사람; 홀쭉한 물건. (***as***) ***thin as a*** **~** 말라빠진.

—*vt.* …에 욋가지를 엮다.

lathe [leið] *n.* Ⓒ 선반(旋盤)(turning ~); 도공용(陶工用) 녹로(轆轤). **—*vt.*** 선반으로 깎다〔가공하다〕.

lath·er [lǽðər, lɑ́ːð-] *n.* Ⓤ (또는 a ~) 비누〔세제〕의 거품; (말 등의) 거품 같은 땀. (***all***) ***in a*** **~** 땀투성이가 되어; 《구어》 (아무가) 초조〔흥분〕하여, 노하여.

—*vt.* **1** (면도질하기 위하여) 비누 거품을 칠하다 (*up*): ~ one's face 얼굴에 비누 거품을 칠하다. **2** 《구어》 때리다, (채찍·막대기로) 후려치다. **3** 흥분〔동요〕시키다(*up*): He's all *~ed up* about something. 그는 무엇엔가 몹시 흥분해 있다.

—*vi.* (비누가) 거품이 일다; (말이) 땀투성이가 되다.

***Lat·in** [lǽtin] *a.* **1 라틴의**; 라틴계〔민족〕의: the ~ peoples 〔races〕 라틴계 민족《프랑스·이탈리아·스페인·포르투갈·루마니아 등의 라틴계 말을 하는 민족》. **2** 라틴어의. **3** Latium 의.

—*n.* **1** Ⓤ **라틴어**: classical ~ 고전 라틴어《75 B.C.–175 A.D.》/ late ~ 후기 라틴어《175–600년》/ low ~ 비(非)고전 라틴어《후기·중세·속(속어) 라틴어를 포함》/ medieval 〔middle〕 ~ 중세 라틴어《600–1500년》/ modern 〔new〕 ~ 근대 라틴어《1500년 이후》/ monks' 〔dog〕 ~ 중세의 변칙 라틴어 / pig ~ 피그 라틴어《어린이들이 놀이에 쓰는 일종의 은어》. **2** Ⓒ 라틴계 사람; 라틴 사람, 옛 로마 사람, Latium 사람. **3** Ⓒ 로마 가톨릭교도.

㊕ **~·less** *a.* 라틴어를 모르는.

Látin América 라틴 아메리카《라틴계 언어인 스페인어·포르투갈어를 쓰는 멕시코, 중앙·남아메리카, 서인도 제도의 총칭》.

Látin Américan 라틴 아메리카 사람.

Látin-Américan *a.* 라틴아메리카(사람)의.

Látin Chúrch (the ~) 라틴 교회, 로마 가톨릭 교회.

Látin cróss 세로대의 밑 부분이 긴 보통의 십자가.

Lat·in·ism [lǽtənìzəm] *n.* Ⓤ (구체적으로는 Ⓒ) 라틴어풍(風)〔어법(語法)〕.

Lát·in·ist *n.* Ⓒ 라틴어학자; 라틴 문화 연구가.

lat·in·ize [lǽtənàiz] (종종 L-) *vt.* 라틴어로 번역하다; 라틴어풍(風)으로 하다, 라틴(어)화하다; 라틴 문자로 바꿔 쓰다; 고대 로마풍으로 하다; 로마 가톨릭풍으로 하다. **—*vi.*** 라틴어법을 사용하다. ㊕ **làt·in·i·zá·tion** *n.*

la·ti·no [lætíːnou, lə-] (*pl.* **~s**) *n.* (종종 L-) Ⓒ (미국에 사는) 라틴 아메리카 사람.

Látin Quàrter (the ~) (파리의) 라틴구(區)《학생·예술가가 많이 삶》.

lat·ish [léitiʃ] *a.* 좀 늦은, 늦은 듯싶은. **—*ad.*** 좀 늦게, 느지막하게.

***lat·i·tude** [lǽtətjùːd] *n.* **1** Ⓤ **위도**(緯度)《생략: lat.》, 위선(緯線), 씨줄. ↔ *longitude.* ¶ the north 〔south〕 ~ 북〔남〕위 / at 〔in〕 ~ 40°N 북위 40°에 / The ship is at ~ thirty-five degrees thirty minutes 〔35° 30′〕 north 〔north ~ 35° 30′〕, and longitude thirty degrees ten minutes 〔30° 10′〕 west 〔west longitude 30° 10′〕. 배는 북위 35도 30분, 서경 30도 10분의 위치에 있다. **2** Ⓒ (보통 *pl.*) (위도상으로 본) 지방, 지대: the high *~s* 고위도〔극지〕 지방 / the low *~s* 저위도〔적도〕 지방 / the cold 〔calm〕 *~s* 한대〔무풍대(無風帶)〕 지방. **3** Ⓤ (견해·사상·행동 등의) **폭**, (허용) 범위, 자유《허용된》; (사진 노출의) 관용도(寬容度): comparative sexual ~

L

상당한 성적 자유/There is much ~ of choice. 선택의 범위가 매우 넓다/We were given wide ~ in our application of the rule. 그 규칙의 적용 폭이 넓게 허용되었다. **4** [U] 『천문』 황위(黃緯). [파] **làt·i·tú·di·nal** [-inəl] *a.* 위도(緯度)〔위선〕의, 위도 방향의. **làt·i·tú·di·nal·ly** *ad.* 위도 방향에서 보아.

lat·i·tu·di·nar·i·an [lætitjùːdənέəriən] *a.* (신앙·사상 등에 관한) 자유〔관용〕주의의; 『종교』 교의(敎義)·형식에 얽매이지 않는; (종종 L-) (영국 국교회 안의) 광교회(廣敎會)파의. **—*n.*** [C] 자유주의자; (종종 L-) 광교회파의 사람.

La·ti·um [léiʃiəm] *n.* 지금의 로마 동남쪽에 있던 나라.

la·trine [lətríːn] *n.* [C] (땅을 파고 만든) 변소 《특히 막사·공장 등의》.

‡lat·ter [lǽtər] 《late의 비교급》 [cf.] later. *a.* [A] **1** (the 〔this, these〕 ~) **a 뒤쪽〔나중쪽〕의,** 뒤〔나중〕의, 후반의, 끝의, 말(末)의: the ~ half 후반(부)/the ~ part of the week 주(週)의 후반(부)/the ~ end 〔10 days〕 of April, 4 월 하순/the ~ crop 그루갈이. **b 요즈음의,** 근래의, 작금의(recent): in these ~ days 근래는, 요즈음은. **2** (the ~) (둘 중의) **후자(의)**(↔ *the former*) 《★ 종종 대명사적으로도 쓰며, 단수 명사를 받을 때는 단수 취급, 복수 명사를 받을 때는 복수 취급》: I prefer the ~ proposition. (둘 중) 나중 제안이 좋다/Of the two, the former is better than the ~. 둘 중 전자가 후자보다 좋다.
[파] **~·ly** *ad.* 최근, 요즈음(lately); 후기〔말기〕에, 뒤에.

látter-dáy *a.* [A] 요즈음의, 근년의, 근대의, 현대의; 뒤의, 차기(次期)의, 다음 대의.

Látter-day Sáint 말일 성도(末日聖徒)《모르몬 교도의 자칭》.

°lat·tice [lǽtis] *n.* **1** [C] 격자(格子), 래티스; 격자 모양으로 만든 것. **2** =LATTICEWORK.
—*vt.* …에 격자를 붙이다; …을 격자 구조〔무늬〕로 하다. [파] **~d** [-t] *a.* 격자로 만든, 격자를 단.

láttice·wìndow *n.* [C] 격자창.

láttice·wòrk *n.* [U] **1** 격자 세공〔무늬〕. **2** 『집합적』 격자.

Lat·via [lǽtviə] *n.* 라트비아(공화국)《1940 년 옛소련에 병합되었다가 1991 년 독립; 수도 Riga》.
[파] **-vi·an** [-n] *a.* 라트비아(사람〔말〕)의. **—*n.*** [C] 라트비아 사람; [U] 라트비아 말.

lau·an [lúːɑːn, -´, lauáːn] *n.* [U] 나왕《건축·가구용 목재》.

laud [lɔːd] *vt.* 기리다, 찬미〔찬양, 칭찬〕하다.

laud·a·ble [lɔ́ːdəbəl] *a.* 상찬〔칭찬〕할 만한, 장한, 기특한. [파] **-bly** *ad.* **~·ness** *n.*

lau·da·num [lɔ́ːdənəm] *n.* [U] 아편 팅크《이전의 진통제》.

lau·da·tion [lɔːdéiʃən] *n.* [U] 《문어》 상찬, 찬미.

laud·a·to·ry [lɔ́ːdətɔ̀ːri/-təri] *a.* 찬미〔상찬〕의.

†laugh [læf, lɑːf] *vi.* **1** (소리를 내어) **웃다,** 홍소하다: burst out *~ing* 폭소하다/~ silently to oneself 혼자 몰래 (마음 속으로) 웃다/He ~s best who ~s last. =He who ~s last ~s longest. 《격언》 최후에 웃는 자가 진짜 웃는 자이다, 지레〔성급히〕 기뻐하지 마라/Laugh and grow 〔be〕 fat. 《속담》 소문만복래(笑門萬福來).

[SYN.] **laugh** '웃다'의 일반적인 말. 소리내어 유쾌히 웃음. **smile** 소리를 내지 않고 웃음: an ironical *smile* 비꼬는 웃음. **chuckle** 부드럽게 낮은 소리로 웃음: *chuckle* over a story 그 이야기를 생각하고 웃다. **giggle** 억지로 참는 듯한 웃음이나, 당혹하거나 어쭙잖음에 대한 웃음. **sneer** 비꼼이나 경멸의 뜻을 품은 웃음.

2 《+[전]+[명]》 보고〔듣고〕 웃다, 재미있어 하다《*at* …을》: He *~ed at* my joke 〔the cartoon〕. 그는 내 농담을 듣고〔만화를 보고〕 웃었다.
3 《비유적》 (물 따위가) 웃음소리처럼 소리 내다; (초목·자연물이) 미소짓다, 생생하다: a *~ing* brook 졸졸 흐르는 시내/The blue sky *~s* above. 머리 위에 푸른 하늘이 미소짓고 있다.
4 『진행형으로』 《구어》 웃고 있는 감을 주다, 만족〔행복〕한 상태이다: His eyes were *~ing*. 그는 눈웃음을 치고 있었다.
—*vt.* **1** 『동족목적어와 함께』 …한 웃음을 웃다: ~ a bitter laugh 쓴웃음을 짓다.
2 《~+[목]/+[목]+[부]》 웃으며 표현하다: ~ a reply 웃으며 대답하다/~ one's approval 웃으며 동의하다/~ *out* a loud applause 큰 소리로 웃어 갈채하다.
3 《+[목]+[전]+[명]/+[목]+[보]》 **a** 웃어서 (아무)에게 …시키다《*into* …하게; ***from, out of*** …하지 않게》: ~ the child *into* silence 그 아이를 웃어서 조용하게 만들다/~ a person *out of* his resolution 아무를 웃어서 결심을 바꾸게 하다. **b** 『~ oneself』 웃어서 …되다《***to, into*** …상태로》: ~ one*self* helpless 너무 웃어 어쩔줄 모르게 되다/He *~ed* him*self to* death. 그는 숨이 끊어질 정도로 웃었다.
~ about …에 관해서 웃다: It's nothing to ~ *about*. 그것은 웃을 일이 아니다. ***~ at*** ① …을 듣고〔보고〕 웃다(⇨*vi.* 2). ② …을 비웃다; …을 일소에 부치다, 무시하다: He *~ed at* me 〔my proposal〕. 그는 나를 비웃었다〔내 제안을 일소에 부쳤다〕. ★ 수동태 가능: I *was ~ed at*. 나는 비웃음을 당했다. ***~ away*** 《*vt.*+[부]》 ① (슬픔·걱정 따위)를 웃어 풀어 버리다; (문제 따위)를 일소에 부치다: He *~ed* my doubts *away*. 그는 내 의심을 일소에 부쳤다. **—**《*vi.*+[부]》 ② 계속해서 웃다. ***~ down*** 《*vt.*+[부]》 웃어서 중지〔침묵〕시키다: ~ a speaker *down* 웃어서 연사를 침묵시켰다. ***~ in*** a person***'s face*** 아무를 맞대놓고 비웃다. ***~ like a drain*** 크게 웃다. ***~ off*** 《*vt.*+[부]》 웃어서 넘기다〔피하다〕, 일소에 부치다: ~ *off* a threat 위협을 일소에 부치다. ***~ out of court*** 웃어 버려 문제로 삼지 않다, 일소에 부치다. ***~ over*** …을 생각하고〔읽으면서〕 웃다; 웃으며 …을 논하다.

[DIAL.] ***Don't make me laugh.*** 웃기지 마.
You have to laugh. (웃을 일은 아니나) 웃어 넘겨, 이제 끙끙거려 봤자 소용없어.
You'll be laughing out of the other side of your mouth. =《英》 ***You'll be laughing on the other side of your face.*** (지금은 잘 되어 가지만) 곧 울게 될 걸.
You make me laugh. 웃기는군.
You're 〔***You'll be***〕 ***laughing!*** (걱정하지 마) 잘 될 거야.

—*n.* [C] **1 웃음;** 웃음소리; 웃는 투; (a ~) 《구어》 웃음거리: give a ~ 웃음소리를 내다/raise a ~ 웃음을 자아내다, 웃기다/burst 〔break〕 into a ~ 웃음을 터뜨리다/have a good 〔hearty〕 ~ at 〔about, over〕 …에 크게〔실컷〕 웃다/That's a ~. 그것은 웃음거리다. **2** (*pl.*) 기분 전환〔풀이〕, 장난: for ~*s* 농담으로.

L

have the last ~ 최후에 웃다, (불리를 극복하고) 최후의 승리를 거두다. **have** 〔**get**〕 **the** ~ **of** 〔**on**〕 ① …을 웃다. ② …을 되웃어 주다. ***The*** ~ ***is on ...*** …가 웃을 차례다: *The* ~ *is on* us this time. 이번에는 우리가 웃을 차례다.
[파] ~·**er** *n*. [C] 웃는 사람; 《구어》 완전히 일방적인 경기.

láugh·a·ble *a*. 우스운, 재미있는, 우스꽝스러운. [파] **-bly** *ad*. ~·**ness** *n*.

◇**láugh·ing** *a*. 웃는, 웃고 있는 (듯한); 기쁜 듯한; 우스운: in a ~ mood 쾌활한 기분으로/It is no 〔not a〕 ~ matter. 웃을 일이 아니다. **—***n*. [U] 웃기, 웃음: hold one's ~ 웃음을 참다. [파] ◇~·**ly** *ad*. 웃으며; 비웃듯이.

láughing gàs 【화학】 웃음 가스, 소기(笑氣) (nitrous oxide)《아산화질소, 일산화이질소》.

láughing hyéna 【동물】 얼룩하이에나《짖는 소리가 악마의 웃음소리에 비유됨》.

láughing jáckass 【조류】 웃음물총새《오스트레일리아산》.

láughing·stòck *n*. [C] 웃음거리〔감〕: make a ~ of oneself 웃음거리가 되다.

⁑**laugh·ter** [lǽftər, lɑ́ːf-] *n*. [U] **웃음; 웃음소리**: roar with ~ 크게 한바탕 웃다/burst 〔break out〕 into (a fit of) ~ 웃음보를 터뜨리다/*Laughter* is the best medicine. 웃음이 영약. ★ laugh보다 오래 계속되며 웃는 행위와 소리에 중점을 두는 말.

*__launch__[1] [lɔːntʃ, lɑːntʃ] *vt*. **1** (새로 만든 배)를 **진수시키다**: ~ a new passenger liner 새 정기 여객선을 진수시키다.
2 발진(發進)시키다; (보트)를 물 위에 띄우다; (비행기)를 날리다; (로켓·수뢰 등)을 **발사하다**; (글라이더)를 활공〔이륙〕시키다; (화살)을 쏘다, (창)을 던지다: ~ an artificial (a communications) satellite 인공〔통신〕 위성을 발사하다.
3 a 《+[목](+[부])+[전]+[명]》 **내보내다**, 진출시키다 (*out*)《***into*** (세상 따위)에》: He ~*ed* his son *into* politics. 그는 아들을 정계에 내보냈다. **b** 《+[목]+[전]+[명]》 〖~ oneself〗 손을 대다, 나서다, 착수하다《***on, upon*** (사업 따위)에》《★ 종종 수동태》: He ~*ed* him*self on* a business career. 그는 실업계에 진출했다/He *is* ~*ed on* a new enterprise. 그는 새로운 기업에 착수하고 있다. **c** 《~+[목]/+[목]+[부]》 (새 제품)을 발매하다(*out*).
4 《~+[목]/+[목]+[전]+[명]》 (비난 등)을 퍼붓다; (타격)을 가하다《***against, at, on*** …에》: ~ threats *against* a person 아무를 협박하다.
5 (공격 따위)를 개시하다: ~ an attack 〔inquiry〕 공격을〔조사를〕 시작하다.
—*vi*. 《+[부]/+[전]+[명]》 나서다, (기세좋게) 착수하다(*out*)《***on, into*** (사업 따위)에》: ~ (*out*) *into* a new business 새 사업을 시작하다/~ *on* 〔*into*〕 an attack against the guerrillas 게릴라에게 공격을 개시하다.
—*n*. (*sing*.; 보통 the ~) 진수; 발진, 발사.

launch[2] *n*. [C] 대형 함재정(艦載艇); 론치, 기정(汽艇), 소(小)증기선: by ~ 론치로《★ 관사 없이》.

láunch·er *n*. [C] 【군사】 발사통, 척탄통(擲彈筒)(=**grenáde** ~); 발사기; 캐터펄트; 로켓 발사 장치(rocket ~).

láunch(ing) pàd (로켓·미사일 따위의) 발사대.

láunching sìte 발사 기지; 발사장(場).

láunch véhicle (우주선·인공위성 등의) 발사용 로켓.

láunch wìndow (로켓·우주선 따위의) 발사 가능 시간대(帶).

laun·der [lɔ́ːndər, lɑ́ːn-] *vt*. **1** 세탁하다, 세탁하여 다리미질하다: have one's clothes ~*ed* 옷을 세탁시키다. **2** 《구어》 (정당한 것처럼) 위장하다《부정 금품 등을》, 돈세탁하다. **—***vi*. 세탁이 잘 되다; 세탁하다: This fabric ~*s* well. 이 직물은 세탁이 잘 된다. [파] ~·**er** [-rər] *n*. [C] 세탁소; 세탁자.

laun·der·ette [lɔ̀ːndərét, lɑ̀ːn-] *n*. [C] (동전 투입식 자동 세탁기·건조기 등을 설치한) 셀프 서비스식 임대 세탁소, 빨래방.

laun·dress [lɔ́ːndris, lɑ́ːn-] *n*. [C] 세탁부(婦).

Laun·dro·mat [lɔ́ːndrəmæ̀t, lɑ́ːn-] *n*. [C] 《美》 동전을 넣어 작동시키는 전기 세탁기의 일종《상표명》.

*__laun·dry__ [lɔ́ːndri, lɑ́ːn-] *n*. **1** [U] 〖집합적〗 **세탁물**: a bundle of ~ 세탁물 한 보따리. **2** [C] **세탁소**; 세탁실〔장〕.

láundry bàsket 빨래 바구니《뚜껑이 달린 큰 바구니》.

láundry lìst 기다란 표〔리스트〕.

láundry·man [-mən] (*pl*. **-men** [-mən]) *n*. [C] 세탁인.

láundry ròom 세탁실.

láundry·wòman (*pl*. **-wòmen**) *n*. [C] 세탁부(婦)(laundress).

Lau·ra [lɔ́ːrə] *n*. 로라《여자 이름》.

lau·re·ate [lɔ́ːriit] *a*. 월계관을 쓴〔받은〕; 월계수로 만든; 영예로운: a ~ crown 월계관. **—***n*. [C] 계관 시인(poet ~); 수상자: a Nobel prize ~ 노벨상 수상자. [파] ~·**ship** *n*. [U] 계관 시인의 지위〔직〕.

*__lau·rel__ [lɔ́ːrəl, lɑ́ːr-] *n*. **1** [U] (낱개는 [C]) 【식물】 **월계수**(bay, bay laurel 〔tree〕); 월계수와 비슷한 관목(灌木). **2** (*pl*.) (승리의 표시로서) 월계수의 잎〔가지〕; **월계관**; 승리, 명예, 영관(榮冠): win 〔gain, reap〕 ~*s* 명예를〔명성을〕 얻다. ***look to*** one***'s*** ~***s*** 영관을〔명예를〕 잃지 않도록 조심하다. ***rest on*** one***'s*** ~***s*** 이미 얻은 명예〔성공〕에 만족하다.
— (**-l-**, 《英》 **-ll-**) *vt*. …에게 월계관을〔영예를〕 주다.

Lau·rence [lɔ́ːrəns, lɑ́r-] *n*. 로렌스《남자 이름》.

lav [læ(ː)v] *n*. [C] 《英구어》 변소(lavatory).

◇**la·va** [lɑ́ːvə, lǽvə] *n*. [U] 용암, 화산암; 용암층 (~ bed): a ~ field 용암원(原).

lav·a·to·ri·al [læ̀vətɔ́ːriəl] *a*. 화장실의, 공중변소 같은; (유머 등이) 상스러운, 외설스러운.

*__lav·a·to·ry__ [lǽvətɔ̀ːri/-təri] *n*. [C] **세면소**, 화장실; (수세식) 변기; 《美》 (벽에 붙인) 세면대.

lávatory páper =TOILET PAPER.

lave [leiv] *vt*. 《문어》 씻다; (흐르는 물이 기슭)을 씻어 내리다.

◇**lav·en·der** [lǽvəndər] *n*. [U] 【식물】 라벤더《방향 있는 꿀풀과(科)의 식물》; 라벤더의 말린 꽃〔줄기〕《의복의 방충용》; 엷은 자주색. **—***a*. 엷은 자주색의.

lávender wàter 라벤더 향수(香水).

lav·er [léivər] *n*. [U] 【식물】 김, 청태《따위》.

*__lav·ish__ [lǽviʃ] *a*. **1 아낌없는**, 활수한, 헙헙한 《***in*** …에》; 아낌없이 주는〔쓰는〕《***of, with*** …을》: ~ *in* kindness 친절을 아끼지 않는/She's ~ *of* 〔*with*〕 money. 그녀는 돈을 잘 쓴다/He's never very ~ *with* his praises. 그는 결코 선선히 칭

찬을 해 주는 사람이 아니다. **2** 남아도는, 지나치게 많은, 풍부한; (소비 따위가) 분별 없는: ~ chestnut hair 풍부한 밤색 머리카락/~ expenditure 낭비. **3** 낭비 버릇이 있는, 사치스러운: give a ~ party 호화스런 파티를 열다.
— *vt.* 《~+[목]/+[목]+[전]+[명]》 (돈·애정 따위)를 **아낌없이 주다**, 아끼지 않다; 낭비하다《*on, upon* …에》: ~ money *on* a person 아무에게 아낌없이 돈을 주다/~ affection *on* a child 아이에게 한없는 애정을 쏟다/~ one's money *upon* (*on*) one's pleasure 유흥에 돈을 물쓰듯 하다.
[파] **~·ly** *ad.* **~·ness** *n.*

†**law** [lɔː] *n.* **1 a** [U] (총칭적으로) 법, 법률: by ~ 법에 의해, 법률적으로/enforce the ~ 법을 집행하다/keep (break) the ~ 법을 지키다(어기다)/a man of (at) ~ 법률가/His word is ~. 그의 말이 곧 법률이다《절대 복종을 요구하는 말》. **b** [C] (개개의) 법률, 법규: The divorce ~*s* are strict in some states. 어떤 주에서는 이혼 법규가 엄격하다/A bill becomes a ~ when it passes the National Assembly. 법안은 국회를 통과하면 법률이 된다. **c** (the ~) 국법: the ~ of the land 국법/Everybody is equal before the ~. 법 앞에서는 만인이 평등하다.
[SYN] **law** 가장 일반적인 말로, 법률·규칙의 뜻. **statute** 성문율(written law)로, 법령·법규의 뜻. **ordinance** 《美》에서는 시·읍·면의 조례(local law), 《英》에서는 Act of Parliament가 아닌 법규.
2 [U] 법학, 법률학: read (study) ~ 법률(학)을 공부하다.
3 [U] (보통 the ~) 법률업, 법조계, 변호사업: be learned (versed) in the ~ 법률에 정통해 있다/follow the ~ 법을 업으로 삼고 있다, 변호사 노릇을 하고 있다/practice (the) ~ 변호사를 개업하고 있다.
4 [U] 법률적 수단, 소송, 기소: be at ~ 소송 중이다/contend at ~ 법정에서 다투다/go to ~ with (against) ... =have (take) the ~ on … 을 기소(고소)하다.
5 [C] (집합적으로는 [U]) **a** (종교상의) 계율, 율법: the new (old) ~ 신(구)약/the *Law* (of Moses) 모세의 율법. **b** (도덕·관습상의) 관례, 풍습: moral ~ 도덕률. **c** (과학·기술·예술·철학·수학상의) 법칙, 원칙, 정률: the ~*s* of motion (뉴턴의) 운동 3 법칙/the ~ of supply and demand 수요와 공급의 법칙/the ~ of mortality 생자필멸의 법칙/the ~ of self-preservation 자기 보존의 본능/the ~ of painting (perspective) 화(畵)(원근)법. [SYN] ⇨THEORY. **d** (경기의) 규칙, 규정, 룰(rules): the ~*s* of tennis 테니스의 룰.
6 [U] (the ~) 〖집합적〗《구어》 법의 집행자, 경찰(관): the ~ in uniform 제복 입은 경찰관/(It's) the ~! 경찰이다《범인이 쓰는 말》.
be a ~ unto (to) oneself 자기 마음대로 하다, 관례를 무시하다. ***lay down the ~*** 독단적인 말을 하다, 명령적으로 말하다. ***take the ~ into one's own hands*** (법률에 의하지 않고) 제멋대로 제재(制裁)를 가하다, 린치를 가하다.

láw-abìding *a.* 법률을 지키는, 준법의: ~ citizens 법률을 준수하는 시민. [파] **~·ness** *n.*

láw·brèaker *n.* [C] 법률 위반자, 범죄자.

láw·brèaking *n.* [U], *a.* 법률 위반(의).

láw céntre 《英》 (무료) 법률 상담소.

láw còurt 법정.

***law·ful** [lɔ́ːfəl] *a.* **1** 합법의, 적법의. ↔ *illegal, illegitimate.* ¶a ~ transaction 합법적인 거래.
[SYN] **lawful** 일반적인 말로, '법률 또는 법칙에 관한'의 뜻: a *lawful* husband 법률이 인정하는 남편. **legal** '법률에 관한, 법률에 위반되지 않는'이라는 소극적인 뜻을 나타냄: A *legal* act is not always a right one. 합법적 행위가 반드시 옳은 행위는 아니다. **legitimate** 법률상뿐만 아니라 관습상·도덕상 인정되는 정통의 뜻.
2 정당한, 타당한. **3** 법정의, 법률이 인정하는, 법률상 유효한: ~ age 법정 연령, 성년/~ money 법정 화폐, 법화/a ~ child 적출자(嫡出子). **4** 법률에 따라 행동하는, 준법의.
[파] **~·ly** *ad.* **~·ness** *n.*

láw·gìver *n.* [C] 입법자, 법률 제정자.

láw·less *a.* 법(률)이 없는, 법(률)이 시행되지 않는; 무법의; 불법적인, 멋대로 구는, 제어할 수 없는; 비합법의: a ~ man 무법자. [파] **~·ly** *ad.* **~·ness** *n.*

láw·màker *n.* [C] 입법자, (국회)의원.

láw·màking *n.* [U], *a.* 입법(의).

láw·màn [-mæ̀n] (*pl.* ***-mèn*** [-mèn]) *n.* [C] 《美》 법의 집행관, 경찰관, 보안관.

***lawn**[1] [lɔːn] *n.* [C] **잔디**(밭): Keep off the ~. 잔디밭에 들어가지 말 것.

lawn[2] *n.* [U] 한랭사류(寒冷紗類), 론《영국 국교회에서 주교의 법의 소매에 씀》.

láwn bòwling 잔디밭에서 하는 볼링.

láwn mòwer 잔디 깎는 기계.

láwn tènnis 잔디밭에서 하는 테니스; 〖일반적〗 테니스.

Law·rence [lɔ́ːrəns, lɑ́r-/lɔ́r-] *n.* 로렌스. **1** 남자 이름. **2 D**(avid) **H**(erbert) ~ 《영국의 작가·시인; 1885–1930》.

law·ren·ci·um [lɔːrénsiəm] *n.* [U] 〖화학〗 로렌슘《인공 방사성 원소의 하나; 기호 Lr; 번호 103 번》.

°**láw·sùit** *n.* [C] 소송, 고소: bring in (enter) a ~ against a person 아무를 상대로 하여 소송을 제기하다.

láw tèrm **1** 법률 용어. **2** 재판 개정기(期).

***law·yer** [lɔ́ːjər] *n.* [C] **법률가**; 변호사: He's a good (a poor, no) ~. 그는 법률에 밝다(어둡다). ★ '변호사'의 뜻으로는 lawyer, counselor, barrister, solicitor, attorney, advocate 등이 있음.

°**lax** [læks] *a.* **1** (줄 등이) 느슨한, 느스러진. ↔ *tense*[1]. **2** 해이한, 흘게늦은, 단정치 못한, 방종한《*in* (정신·덕성 등)이, …에》: He is ~ *in* discipline. 그는 가정교육이 되어 있지 않다. **3** (생각 따위가) 애매한, 흐린. **4** (조치·방책 등이) 미지근한, 엄하지 않은. **5** (창자가) 늘어진, 설사하는 (loose). **6** 〖음성〗 느스러진, 이완된. ↔ *tense*[1].
[파] **∠·ly** *ad.* **∠·ness** *n.*

lax·a·tive [lǽksətiv] *a.* 대변을(설사를) 나오게 하는. — *n.* [C] 하제(下劑), 완하제.

lax·i·ty [lǽksəti] *n.* [U] (구체적으로는 [C]) 느슨함, 이완; 흘게늦음, 방종; (이야기·문체 등의) 애매, 부정확.

‡**lay**[1] [lei] (*p.*, *pp.* ***laid*** [leid]) *vt.* **1 a** 《~+[목]/+[목]+[전]+[명]》 **누이다**, 가로눕히다: ~ a child *to* sleep 아이를 재우다. **b** 《+[목]+[부]/+[목]+[전]+[명]》 〖~ oneself〗 가로눕다: ~ one*self down on* the ground 땅에 (가로)눕다.
2 《+[목]+[전]+[명]/+[목]+[부]》 (누이듯이) **두다, 놓다**: ~ one's head *on* a pillow 베개를 베다/~ a

L

book *on* a shelf 책을 선반에 두다/She *laid* the doll *down* carefully. 그녀는 인형을 조심스럽게 누였다/She *laid* her hand *on* her son's shoulder. 그녀는 아들의 어깨 위에 손을 얹었다. SYN. ⇨PUT.
3 《~+목/+목+전+명》 깔다, 부설〔건조〕하다, 놓다: ~ a corridor *with* a carpet =~ a carpet *on* a corridor 복도에 융단을 깔다/~ a pipeline 도관(導管)을 부설하다.
4 (벽돌 따위)를 쌓다, 쌓아올리다; (기초 따위)를 만들다: ~ bricks 벽돌을 쌓다/~ the foundation(s) of a building 건물의 기초를 쌓다〔만들다〕.
5 (알)을 **낳다**《새가 땅바닥에 알을 낳는 데서》: This hen ~*s* an egg every day. 이 닭은 매일 알을 낳는다.
6 (올가미·함정·덫)을 놓다, 장치하다; (복병)을 배치하다: ~ a trap 〔snare〕 for …을 잡고자 함정을 마련하다, 함정에 빠뜨리려고 하다.
7 (계획 따위)를 마련하다, 안출하다, 궁리하다, 짜내다; (음모)를 꾸미다: ~ a scheme 〔plan〕 계획을 세우다/~ a conspiracy 음모를 꾸미다.
8 《~+목/+목+보/+목+전+명》 **옆으로 넘어뜨리다**, 때려눕히다, 쓰러뜨리다: The storm *laid* all the crops flat. 그 폭풍우 때문에 모든 농작물이 쓰러졌다/A single blow *laid* him *on* the floor. 단 한 방에 그는 마루에 쓰러졌다.
9 누르다, 가라앉히다, 진정〔진압〕시키다: ~ the dust 먼지를 가라앉히다/~ a ghost 망령을 물리치다/~ a person's fears to rest 아무의 걱정을 진정시키다.
10 《~+목/+목+전+명》 …을 덮다, 바르다, 칠하다《**on** …위에》; …에 **입히다**, 씌우다, 흐트러뜨리다《**with** …을》: ~ paint *on* a floor 〔a floor *with* paint〕 마루에 페인트 칠을 하다/The wind *laid* the garden *with* leaves. 바람이 뜰에 나뭇잎을 흐트러뜨렸다.
11 (식탁·식사 자리 따위)를 준비하다; (식탁)에 보(褓)를 씌우다; (보)를 식탁에 깔다: ~ the table =~ the cloth 식탁〔식사〕 준비를 하다.
12 《+목+전+명》 (신뢰·강세 따위)를 두다, (짐·의무·벌 등)을 **과하다, 지우다**《**on, upon** …에》: ~ emphasis *on* good manners 예의범절을 강조하다/~ one's hopes *on* a person 아무에게 희망을 걸다/~ a burden 〔duty〕 *on* a person 아무에게 무거운 짐을〔의무를〕 지우다/~ a heavy tax *on* income 소득에 중과세하다.
13 《+목+전+명》 (비난·고발)을 하다; (죄·과실 따위)를 돌리다, 넘겨씌우다《**on, upon, to** …에》: ~ a charge 비난〔고발〕을 하다/~ a crime *to* his charge 죄를 그의 책임으로 돌리다/~ blame *on* a person 허물을 아무에게 뒤집어씌우다.
14 《~+목/+목+전+명》 **제출하다**, 세시〔게시〕하다, 주장〔개진〕하다: ~ a case *before* a commission 문제를 위원회에 제출하다/~ claim *to* an estate 재산 소유권을 주장하다/He laid his troubles *before* me. 그는 나에게 고민을 털어놓았다.
15 《~+목/+목+전+명/(+목)+목+*that* 절》 (도박)을 하다; (돈 따위)를 걸다, 태우다(bet)《**on** …에》, (…라고) 단언하다: ~ a bet 〔wager〕 내기를 하다/I ~ five dollars *on* it. 그것에 5달러 건다/I'll ~ (you) ten dollars *that* he won't come. 그가 오지 않는다는 쪽에 10달러 걸겠다.
16 《+목+전+명》〖보통 수동태〗 (극·소설의 장면)을 설정하다《**in** …으로》: The scenes of the story *is laid in* the Far East. 그 이야기의 장면은 극동으로 설정되었다.
17 《+목+보/+목+전+명》 (…한 상태에) 두다, (…상태로) **되게 하다**; 매장하다(bury): ~ one's chest bare 가슴을 드러내다/~ the land fallow 땅을 놀리다/~ a person *in* a churchyard 아무를 묘지에 묻다/The war *laid* the country waste. 전쟁으로 나라는 황폐해졌다/~ one's ethical sense 윤리 관념을 묻어 버리다.
18 《속어》 (남자가) …와 자다〔성교하다〕.
—*vi.* **1** **알을 낳다**: This hen ~*s* well. 이 암탉은 알을 잘 낳는다. **2** 내기하다, 걸다.
get a person ***laid*** 《속어》 아무와 성교하다, 자다. **~ *about*** 《英》 ① 〖~ about one 으로〗 전후좌우로 마구 휘둘러치다《**with** (막대 따위)로》. ② (아무)를 맹렬히 공격〔비난〕하다《**with** …으로》: He *laid about* them *with* his hands. 그는 그들에게 맨손으로 덤벼들었다. **~ *aside*** 《*vt.*+부》 ① 비켜〔치워〕 두다: ~ a book *aside* 책을 치우다. ② 떼어 두다, 저축하다: We have a little money *laid aside* for a rainy day. 우리는 만일의 경우를 위해 돈을 조금 저축해 두고 있다. ③ 버리다, 내버려두고 돌보지 않다. **~ ... *at a* person's *door*** …을 아무의 탓으로 하다. **~ *away*** 《*vt.*+부》 ① 떼어〔간직해〕 두다; 저축〔비축〕하다. ② 〖보통 수동태〗 매장하다, (파)묻다. **~ *back*** 《*vi.*+부》 《美속어》 한가로이 지내다, 긴장을 풀다. **~ *by*** =~ aside ②. **~ *down*** 《*vt.*+부》 ① 밑에〔내려〕 놓다; (펜 따위)를 놓다. ② (포도주 따위)를 저장하다. ③ (철도·도로 따위)를 놓다, 부설하다; (군함)을 건조하다: ~ *down* a cable 케이블〔해저전선〕을 부설하다. ④ (계획)을 입안(立案)하다, 세우다. ⑤ 〖종종 수동태〗 (강력히) 주장하다, 진술〔말〕하다《**that**》; (원칙 따위)를 규정하다; (규정)을 정하다: ~ *down* rules 규칙을 정하다/~ it *down* as an axiom *that* ... …이라는 것은 자명한 이치라고 주장하다/The Act ~*s* it *down that* ... =It is *laid down* in the Act *that* ... 그 조례에 …라고 규정되어 있다. ⑥ (일 따위)를 그만두다, 사직하다; (무기·목숨 따위)를 (내)버리다: ~ *down* one's arms 무기를 버리다, 항복하다/~ *down* an office 사직하다/~ *down* one's life 목숨을 내던지다. ⑦ (작물)을 심다; (밭)에 심다《**in, to, under, with** (작물)을》: ~ *down* cucumbers 오이를 심다/~ *down* the land *in* 〔*to, under, with*〕 grass 땅에 목초를 심다, 땅을 목초지로 만들다. ⑧ (팝 음악)을 녹음하다. **~ *for*** 《美구어》 …을 숨어 기다리다. **~ *in*** 《*vt.*+부》 사들이다; 모아서 저장〔저축〕하다. **~ *into*** 《구어》 …을 때리다, 꾸짖다, 호되게 비난하다. **~ *it on thick*** 《구어》 과장하다, 지나치게 칭찬하다, 몹시 발림말을 하다. **~ *low*** ⇨LOW[1] (관용구). **~ *off*** 《*vt.*+부》 ① (종업원)을 일시 해고하다, 귀휴(歸休)시키다, (조업)을 일시 정지하다. ② 《美》 (외투 따위)를 벗다. ③ (땅)을 구분하다, 구획하다. **—**《*vt.*+전》 ④ (종업원)을 일시 해고하다: One hundred people were *laid off* work. 100명이 일시 해고되었다. **—**《*vi.*+부》 ⑤ 《구어》 그만두다, 중지하다. ⑥ 일을 쉬다, 휴양하다. **—**《*vi.*+전》 ⑦ 《구어》 (술·담배 따위)를 끊다, 그만두다: ~ *off* alcohol 술을 끊다/*Lay off* teasing. 그만 놀려라. ⑧ 《구어》 〖명령형으로〗 (아무에게) 상관〔간섭〕하지 마라, 놔두어라: *Lay off* me. 혼자 있게 놔두어 달라. **~ *on*** 《*vt.*+부》 ① (타격)을 가하다, (채찍으로) 치다. ② (그림물

감·페인트 등)을 칠하다. ③《英》(가스·수도 등)을 끌어들이다, 부설하다. ④ (모임·식사·차 따위)를 준비하다, 제공하다: They *laid on* a concert for the guests. 그들은 손님을 위해 음악회를 준비했다. ⑤ (세금·벌 따위)를 (부)과하다. ⑥ (명령 따위)를 내리다. ~ ***on the table*** (심의)를 무기 연기하다. ~ ***out***《*vt.*+副》①《구어》(돈·힘 따위)를 쓰다, 내다《***for, on, in*** …에》: ~ *out* one's savings *on* a new house 저축한 돈을 새 집에 쓰다. ② (세밀하게) 계획〔설계, 기획〕하다; (정확히) 배열〔배치〕하다, …의 지면을 구획하다. ③ (옷 따위)를 펼치다; 진열하다: ~ *out* one's clothes 옷을 꺼내다. ④ (광경 따위)를 전개하다: A glorious sight was *laid out* before my eyes. 장려한 광경이 내 눈 앞에 전개되었다. ⑤ 입관(入棺)할 준비를 하다. ⑥《美속어》꾸짖다. ⑦ 기절시키다, 때려눕히다. ~ ***over***《*vt.*+副》① …에 칠하다, 바르다《***with*** …을》. ②《美》연기하다. ―《*vi.*+副》③《美》(비행기 따위로 갈아타기 위해) 들르다, 도중하차하다《***in, at*** …에》: We *laid over* for a night *in* Chicago. 우리는 하룻밤 시카고에 들렀다. ~ one***self out for***〔***to*** do〕《구어》…에 애쓰다; …의 준비를 하다, …할 각오로 있다. ~ ***to***《*vi.*+副》①〖해사〗(이물을 바람 불어오는 쪽으로 향하고) 정선(停船)하다. ―《*vi.*+전》② …에 기세 좋게 착수하다: The crew *laid to* their oars. 선원들은 기세 좋게 노를 잡았다. ~ ***together***《*vt.*+副》…을 (한곳에) 모으다: We *laid* our heads *together* to come up with an advertising slogan. 우리는 머리를 모아 광고의 표어를 생각해 냈다. ~ ***to rest***〔***sleep***〕쉬게 하다, 잠들게 하다; 묻다. ~ ***up***《*vt.*+副》① 저축〔저장〕하다; 쓰지 않고 두다. ②〖보통 수동태〗(병·상처가 아무)를 일하지 못하게 하다, 죽치게 하다, 몸져 눕게 하다: *be laid up* with a cold 감기로 누워 있다. ③〖해사〗계선(繫船)하다.

―*n.* **1** Ⓤ (종종 the ~) 지형, 지세; 형세, 상태; 위치, 방향: the ~ of the land 지세; 정세, 형세, 사태. **2** Ⓒ《속어》(정사(情事)의 상대로서의) 여자; 성교.

in ~ (닭이) 산란하여, 산란기에 들어.

lay[2] [lei] *a.* Ⓐ **1** 속인(俗人)의, 평신도의《성직자에 대하여》. ↔ *clerical*. ¶⇨LAY READER / a ~ brother〔sister〕평수사〔수녀〕《일만 하는》. **2** (특히, 법률·의학에 대해) 전문가가 아닌, 풋내기의, 문외한의: a ~ opinion 비전문가의 의견.

lay[3] [lei] *n.* Ⓒ 노래, 시《짧은 이야기체의 시(詩)·서정시》.

lay[4] LIE[1]의 과거.

láy·abòut *n.* Ⓒ 부랑자, 게으름뱅이.

láy·away plán (the ~) 예약 할부제.

láy-bỳ *n.* Ⓒ《英》철도의 대피선; (도로에서 딴 차의 통과를 기다리는) 대피소.

lay·er** [léiər] *n.* Ⓒ **1** 층(層), 켜;〖지질〗단층. **2** 놓는〔쌓는, 까는〕사람. **3** 알 낳는 닭. **4**〖원예〗휘묻이. ―*vt.* **1** 층으로 하다; 층상(層狀)으로 쌓아올리다. **2** (옷)을 껴입다《over*** …위에》: ~ a vest *over* a blouse 블라우스 위에 조끼를 껴입다. **3** 휘묻이하다. ―*vi.* 층을 이루다, 층으로 이루어지다; (가지에서) 뿌리가 내리다.

láyer càke 레이어 케이크《켜 사이에 잼·크림 등을 넣은 카스텔라》.

lay·ette [leiét] *n.*《F.》Ⓒ 갓난아기 용품 일습《배내옷·침구 따위》.

láy figure 모델 인형《미술가나 양장점에서 쓰는 관절이 있는》;《비유적》장식적〔허수아비 같은〕사람〔물건〕, 개성 없는 사람.

°**láy·man** [-mən] (*pl.* ***-men*** [-mən]) *n.* Ⓒ **1** 속인, 평신도《성직자에 대해》. ↔ *priest, clergyman.* **2** 아마추어, 문외한《법률·의학의 전문가에 대해》《***in*** …에서의》. ↔ *expert.* ¶He's a ~ *in* politics. 그는 정치에는 문외한이다.

láy·òff *n.* Ⓒ (조업 단축에 따른) 일시 해고 (기간), 일시 귀휴.

°**láy·òut** *n.* **1** Ⓒ (지면·공장 따위의) 구획, **배치, 설계**(disposing, arrangement); 배치〔구획〕도: an expert in ~ 설계〔기획〕의 전문가. **2** Ⓤ (구체적으로는 Ⓒ) (신문·잡지 등의 편집상의) 페이지 배정, 레이아웃;〖컴퓨터〗판짜기, 레이아웃. **3** Ⓒ《美》공들여 늘어놓은 것(spread); 진열; 훌륭한 요리: The dinner was a fine ~. 식사는 훌륭했다. **4** Ⓒ《美구어》(설비가 잘 된) 곳〔저택, 회사 등〕.

láy·òver *n.* Ⓒ《美》(여행·행동 따위의 잠시) 중단, 도중하차〔정거〕.

láy rèader〖영국국교회·가톨릭〗평신도 독서자(讀書者)《약간의 종교 의식 집행이 허용됨》.

laze [leiz] *vi.* 빈둥빈둥 지내다, 게으름 피우다(*about, around*): She ~*s about* all day. 그녀는 하루 종일 빈둥거린다. ―*vt.* (시간·인생 등)을 빈둥빈둥 지내다(*away*): ~ *away* the afternoon 오후를 빈둥거리며 지내다.

―*n.* (a ~) 숨돌림; 빈둥대며 보내는 시간.

⁑**la·zy** [léizi] (***-zi·er; -zi·est***) *a.* **1 게으른,** 나태한, 게으름쟁이의: a ~ correspondent 글〔편지〕쓰기를 싫어하는 사람. SYN. ⇨IDLE. **2** 졸음이 오는, 나른한: a ~ day 졸음이 오는〔께느른한〕날. **3** 느린, 굼뜬. ↔ *industrious.* ¶a ~ stream 천천히 흐르는 시내. ㊞ °**lá·zi·ly** *ad.* **lá·zi·ness** *n.*

lázy·bònes (*pl.* ~) *n.* Ⓒ〖일반적으로 단수취급〗《구어》게으름뱅이.

lázy Súsan (종종 l- s-)《美》회전식 쟁반(《英》dumbwaiter)《식탁용》.

lázy tòngs (먼뎃것을 집는) 집게.

lb., lb [paund] (*pl.* ***lb., lbs.***) *libra*《L.》(=pound). **LBO** leveraged buyout. **lbs.** *librae*《L.》(=pounds). **lbw**〖크리켓〗leg before wicket. **LC, L.C.**《美》landing craft;《美》Library of Congress;《英》Lord Chamberlain;《英》Lord Chancellor. **L/C, l/c**〖상업〗letter of credit. **L.C.C., LCC** London County Council. **LCD**〖전자〗liquid crystal display〔diode〕(액정표시(기), 액정 소자(素子)). **L.C.D., l.c.d., LCD, lcd**〖수학〗lowest〔least〕common denominator. **L.C.J.** Lord Chief Justice. **L.C.M., l.c.m., LCM, lcm**〖수학〗lowest〔least〕common multiple. **Ld.** Lord. **L'd.** limited. **ldg** landing; loading.

Ĺ-dríver *n.* Ⓒ《英》가면허 운전자《L은 learner》.

-le [l] *suf.* **1** '작은 것'의 뜻: icic*le*, knuck*le*. **2** '동작하는 사람'의 뜻: bead*le*. **3** '도구'의 뜻: gird*le*, lad*le*. **4** '반복'의 뜻: dazz*le*, spark*le*.

lea [liː] *n.* Ⓒ《시어》풀밭, 초원; 목장.

L.E.A., LEA《英》Local Education Authority.

leach [liːtʃ] *vt.* 거르다; 걸러내다, (가용물(可溶物))을 밭다; 물에 담가 우리다(*out; away*)《***from*** …에서》. ―*vi.* 걸러지다; 녹다, 용해하다(*out; away*). ―*n.* **1** Ⓤ 거르기; 거른 액체, 잿물. **2** Ⓒ 여과기; 거름 잿물통.

†**lead**[1] [liːd] (*p., pp.* ***led*** [led]) *vt.* **1**《~+목/

L

+목+전+명/+목+부》 **이끌다, 인도[안내]하다,** 데리고 가다: ~ a person *to* a place / ~ a person *in* [*out*] 아무를 안[밖]으로 안내하다 / ~ a person *on* a tour of 아무를 안내하여 …에 돌아다니다. SYN. ⇨GUIDE.

2 《+목+전+명》 **a** 데리고 가다, 이끌다《*by* …을》: ~ a blind man *by* the hand 장님의 손을 이끌어 주다. **b** (고삐로) 끌다《말 따위를》: He *led* the horses *into* the yard. 그는 말을 끌고 마당으로 들어갔다.

3 《~+목/+목+전+명》 **인솔하다, 거느리다,** 지휘하다; (행렬·사람들)의 선두에 서다; …의 첫째[톱(top)]이다, 리드하다: ~ a search party 탐색대를 지휘하다 / Iowa ~*s* the nation in corn production. 아이오와 주는 미국 제일의 옥수수 산지다 / A baton twirler *led* the parade. 배턴걸이 퍼레이드의 선두에 서서 갔다 / She ~*s* the class *in* spelling. 철자법에서는 그녀가 학급의 톱이다.

4 《+목+*to* do》 …의 **마음을 꾀다,** 꼬드겨[꾀어] …한 마음이 일어나게 하다: What *led* you *to* think so? 어떻게 그런 생각을 하게 되었는가 / Fear *led* him *to* tell lies. 그 남자는 무서워서 거짓말을 했다.

5 《~+목/+목+전+명》 (줄·물 등)을 끌다, 통하게 하다; 옮기다: ~ water *through* a pipe 파이프로 물을 끌어대다 / ~ a rope *through* a pulley 고패에 로프를 끼워달다.

6 《+목+부/+목+전+명》 **a** …을 (어느 장소에) 이르게 하다: This road will ~ you *to* the station. 이 길을 따라가면 정거장이 나타날 겁니다 / The road ~*s* traffic *away from* the center of town. 그 길로 가면 도심에서 멀어진다. **b** 유도하다, 이끌다《*to, into* (상태·결과)로》: Poverty *led* him *to* destruction. 가난 때문에 그는 몸을 망쳤다 / Unwise investments *led* the firm *into* bankruptcy. 어리석은 투자 때문에 회사가 파산하게 되었다 / She *led* him *into* believing it. 그녀는 그에게 그것을 믿게 만들었다.

7 《~+목/+목+목》 (생활)을 **보내다,** 지내다; (생활)을 보내게 하다: ~ a happy life 행복하게 살다 / ~ a person a dog's life 아무에게 비참한 생활을 하게 하다 / That *led* him a miserable life. 그것 때문에 그는 비참하게 살았다.

8 〖카드놀이〗 (특정한 패)를 맨 처음의 패로 내다.

—*vi.* **1 a** 앞장서서 가다, **안내하다,** 선도하다: The green car is ~*ing*. 녹색차가 선두를 달리고 있다. **b** 지휘하다.

2 《~/+전+명》 **남을 앞지르다,** 리드하다; 수위를 점하다《*in* (경기 따위)에서》: The home team ~*s* six to four. 홈 팀이 6 대 4로 리드하고 있다 / I ~ *in* French. 프랑스어는 내가 일등이다.

3 《+전+명》 (길·문 따위가) …**에 이르다,** 통하다: All roads ~ *to* Rome. 《속담》 모든 길은 로마로 통한다 / This door ~*s into* my room. 이 문은 내 방으로 통한다.

4 《+전+명》 **이끌다,** 결국 되다《*to* …으로》: Idleness ~*s to* no good. 빈둥거리고만 있으면 결국 변변한 것이 못 된다 / The incident *led to* civil war. 그 사건 때문에 결국 내전이 일어났다.

5 〖카드놀이〗 맨 먼저 패를 내다.

~ a person ***a jolly*** [***pretty***] ***chase*** 추적자를 몹시 뛰게 하다; 수고하게 하다. ~ ***anywhere*** 〖부정문으로〗 =~ nowhere. ~ a person ***a*** (***pretty*** [***jolly, merry***]) ***dance*** ⇨DANCE. ~ ***astray*** 《*vt.*+부》 ① …을 잘못된 방향으로 이끌다, 길을 잃게 하다. ② …을 미혹시키다, 타락시키다. ~ a person ***by the nose*** ⇨NOSE (관용구). ~ ***nowhere*** (결국은) 아무것도 안 되다, 헛일로 끝나다: This work may ~ *nowhere*. = This work may *not* ~ *anywhere*. 이 일은 헛일이 될지도 모른다. ~ ***off*** 《*vt.*+부》 ① …을 데리고 가다, 연행하다. ② …을 시작하다, …의 도화선이 되다《***with*** …으로》: ~ *off* a meeting *with* a prayer 모임을 기도로 시작하다. ③ 〖야구〗 (회(回))의 선두타자가 되다. **—**《*vi.*+부》 ④ 시작하다, 개시하다《***by, with*** …으로》: He *led off by* announc*ing* his intentions. 그는 그의 의도를 분명히 밝히고 나서 이야기를 시작했다. ~ ***on*** 《*vt.*+부》 ① (계속해서) 안내하다. ② 《구어》 속이다; 속여서 …시키다《***into*** …하게 / ***to*** do》: I was *led on into* buy*ing* rubbish. 속아서 쓸모없는 물건을 사고 말았다 / She *led* me *on to* believe it. 그녀는 나를 속여서 그것을 믿게 했다. **—**《*vi.*+부》 ③ (계속해서) 앞장서서 가다[안내하다]. ~ a person ***up*** [***down***] ***the garden path*** ⇨GARDEN. ~ ***up to*** 점차 …으로 유도하다; 이야기를 …로 이끌어 가다; 결국은 …라는 것이 되다: What's he ~*ing up to*? 그의 속셈은 뭐냐 / The events that *led up to* her present fame are quite dramatic. 그녀가 지금의 명성을 얻게 된 경위는 아주 극적이다.

—*n.* **1** (*sing.*) 선두, **선도(先導), 지도;** 솔선; 지휘, 지도자적 지위, 지시, 통솔(력): He's in the ~. 그는 선두에 서 있다 / We followed his ~. 우리는 그의 뒤를 따랐다.

2 Ⓒ 본, 전례; 모범: give a person a ~ 아무에게 모범을 보이다.

3 (the ~) (경기 따위에서) 리드, 앞섬, 우세; (a ~) 앞선 거리[시간 따위]: gain [have] the ~ in a race 경주에서 1등을 차지하다[차지하고 있다] / Our team has a ~ (of two points) over yours. 우리 팀은 너희 팀보다 (2 점) 앞서 있다.

4 Ⓒ 《구어》 실마리, 단서.

5 (the ~) 〖연극〗 주연; 주연 배우: play the ~ 주역을 맡아 하다, 주연(主演)하다.

6 Ⓒ 개(끄는)줄: have [keep] a dog on a ~ 개를 끈으로 매놓다.

7 (*sing.*; 보통 the ~) 〖카드놀이〗 맨 먼저 내는 패, 선수(先手)(의 권리): Whose ~ is it? 누가 선수인가.

8 Ⓒ (신문 기사의) 첫머리, 허두; 톱기사, 〖방송〗 톱뉴스.

9 Ⓒ 〖전기〗 도선(導線), 리드선(a ~ wire); 안테나의 도입선.

take the ~ 앞장서다, 솔선하다, 주도권을 잡다: He *took the* ~ in (carrying out) the project. 그는 솔선해서 그 계획(수행)을 떠맡았다.

—*a.* Ⓐ **1** 선도하는: the ~ car 선도차. **2** (신문·방송의) 주요 기사의, 톱뉴스의: a ~ editorial 사설(社說), 논설.

lead**[2] [led] *n.* **1** Ⓤ 〖화학〗 납, 연《금속 원소; 기호 Pb; 번호 82》: (as) dull as ~ 납같이 희미한 빛깔의; 《구어》 매우 얼빠진 / (as) heavy as ~ 매우 무거운. **2** Ⓒ 측연(測鉛)(plummet)《수심을 잼》; 낚싯봉: cast [heave] the ~ 수심을 재다. **3** (*pl.*) 《英》 지붕 이는 연판(鉛板), 연판 지붕; 창유리의 납 테두리. **4** Ⓒ 〖인쇄〗 인테르《활자의 행간에 삽입하는 납》. **5** Ⓤ (종류는 Ⓒ) 연필심: a soft [hard] ~ 연한[강한] 연필심. **6** Ⓤ 〖집합적〗 (납으로 된) 탄알: a hail of ~ 빗발치는 듯한 탄환. ***get [***shake***] ***the*** ~ ***out*** (***of*** one***'s pants***)

《美구어》 서두르다. ***swing the*** ~ 《英속어》 꾀병을 부리다, 게으름피우다.

—*a.* Ⓐ 납으로 만든. —*vt.* 납으로 씌우다; …에 납을 채워 메우다; …에 납(화합물)을 혼입(混入)시키다〔처리하다〕; 〖인쇄〗 (활자 조판시 행간)에 인테르를 끼우다.

㊕ ~**·ed** [-id] *a.* (가솔린이) 유연(有鉛)의, 가연(加鉛)한.

°**lead·en** [lédn] *a.* **1** 납의, 납으로 만든; 납빛의. **2** 무거운; 답답한, 께느른한; 활기 없는, 무기력한: a ~ heart 침울한 마음/sleep's ~ scepter 참을 수 없는 수마(睡魔). **3** 짐이 되는, 귀찮은: a ~ rule. ㊕ ~**·ly** *ad.* ~**·ness** *n.*

‡lead·er [líːdər] *n.* Ⓒ **1 선도자, 지도자,** 리더; 수령, 주장, 대장; 지휘관; 《英》 (정당의) 당수. **2** 〖음악〗 《美》 (악단의) 지휘자; 《英》 제1바이올린〔코넷〕 수석 연주자. **3** 《英》 수석 변호인. **4** (마차의) 선두 말; 선두함(艦). **5** 《英》 (신문의) 논설, 사설. **6** 리더《필름이나 녹음 테이프의 양쪽 선단부; 화면 대신에 넣는 설명 자막》. **7** (수도 · 스팀의) 도관(導管), 수도관; 도화선. **8** 〖기계〗 으뜸굴대, 주축, 주동부(部). **9** 〖식물〗 애가지. **10** 《美》 (낚시의) 목줄. **11** (*pl.*) 〖인쇄〗 점선(《…》) 또는 대시선(《—》). **12** (손님을 끌기 위한) 특매품, 특가품.

㊕ ~**·less** *a.* 지도자가 없는.

Léader of the Hóuse (**of Cómmons** 〔**Lórds**〕) 〖英의회〗 (하원〔상원〕) 원내 총무.

léader of the opposítion 〖英의회〗 야당 원내 총무.

‡lead·er·ship [líːdərʃìp] *n.* **1** Ⓤ **지도,** 지휘, 지도력; 통솔력, 리더십: under the ~ of …의 지도 아래/Poor ~ led the troops to defeat. 지도력 부족으로 군대가 패배했다. **2** Ⓤ 지휘자의 지위〔임무〕. **3** Ⓒ 〖집합적; 단 · 복수취급〗 지도자들, 지도부, 수뇌부: The ~ of the union is 〔are〕 divided. 조합 지도부는 의견이 갈려 있다.

léad-frèe [léd-] *a.* 무연(無鉛)의(unleaded): ~ gasoline 〔《英》 petrol〕 무연 가솔린.

léad-ìn [líːd-] *n.* Ⓒ 〖전기〗 (안테나 등의) 도입선; (독자 · 청중의 주의를 끌기 위한) 도입부, 전주(前奏); 〖TV · 라디오〗 (CM의) 도입부.

***lead·ing**[1] [líːdiŋ] *n.* Ⓤ **1 지도,** 선도, 지휘, 통솔. **2** 통솔력(leadership); 지도적 수완: a man of light and ~ 계몽가, 지도자. —*a.* Ⓐ **1 이끄는,** 선도하는, 지도〔지휘〕하는, 지도적인: the ~ car 선도차. **2** 수위〔일류〕의, 탁월한: a ~ painter 일류 화가. **3 주요한,** 주된(chief); 주역(主役)의: a ~ cause of an accident 사고의 주요 원인/play the ~ part 주연을 하다. SYN. ⇨ CHIEF. **4** 유력한: a ~ figure in economic circles 경제계의 중진.

°**lead·ing**[2] [lédiŋ] *n.* Ⓤ 납 씌움〔입힘〕; 납 테두리; 〖집합적〗 (지붕 이는) 연판.

léading árticle [líːdiŋ-] 《美》 주요 기사; 《英》 사설(editorial); 《英》 =LOSS LEADER.

léading édge [líːdiŋ-] (날개 · 프로펠러의) 앞쪽 가장자리; (기술 · 어떤 분야 등에서) 최첨단: the ~ of technology 과학 기술의 최첨단.

léading-édge *a.* Ⓐ 최첨단의, 최신식의: ~ technology 최첨단 기술.

léading líght [líːdiŋ-] **1** 〖해사〗 도등(導燈), (항구 · 운하 등의) 길잡이등(燈). **2** 지도적 회원; 태두(泰斗), 대가(大家)《***of, at*** …의》.

léading quéstion [líːdiŋ-] 유도 신문.

léading stríngs 〔**rèins**〕 [líːdiŋ-] 끄는 줄《어린애가 걸음마 익힐 때 씀》; 엄한 지도〔가르침〕; 감독, 속박: be in ~ 자립할 수 없다/keep a person in ~ 아무를 엄히 가르치고 있다.

léad-òff *a.* 〖야구〗 선두의; 첫번째의: the ~ batter 〔man〕 (야구의) 선두〔1번〕타자/the ~ item on the agenda 의사(議事)의 제1항목.

léad péncil [léd-] (보통의) 연필.

léad-pìpe (**cínch**) [léd-] (a ~) 《美속어》 아주 쉬운〔확실한〕 것: It's a ~ they'll be there. 그들이 거기 가리라는 것은 확실하다.

léad pòisoning [léd-] 〖의학〗 납중독.

léad tìme [líːd-] 리드 타임《제품의 고안〔계획, 설계〕에서 완성 · 사용까지의 시간》.

†leaf [liːf] (*pl.* ***leaves*** [liːvz]) *n.* **1 a** Ⓒ **잎,** 나뭇잎, 풀잎; (상품으로서의 담배 · 차의) 잎: the fall of the ~ 낙엽이 질 때, 가을/Virginia ~ 버지니아산 담뱃잎. **b** Ⓤ 〖집합적〗 군엽(群葉)(foliage): come into ~ 잎이 나오다〔돋다〕. **2** Ⓒ 꽃잎(petal). **3** Ⓒ (책종이의) 한 장《2 페이지》: turn over a ~ 책장을 넘기다. **4** Ⓤ (금은 따위의) 박(箔): a ~ gold =gold ~ 금박(金箔). **5** Ⓒ (접어 여는 문의) 한쪽 문짝; 테이블의 자재판(自在板); 도개교(跳開橋)의 젖힘판: a folding screen with 6 *leaves* 여섯 폭짜리 병풍.

in ~ 잎이 돋아, 잎이 푸르러. ***take a*** ~ ***from*** 〔***out of***〕 a person***'s book*** 아무의 예를 따르다, 아무를 본뜨다. ***turn over a new*** ~ (올바르게) 마음을 고쳐 먹다, 재출발하다, 새 생활을 시작하다.

—*vi.* **1** 《~/+뷔》 잎이 나다(*out*). **2** 《+전+명》 훌훌 넘기다《***through*** (책장 따위)를》: ~ *through* (the pages of) a book 책장을 넘기며 훑어보다.

—*vt.* (책 · 책장)을 넘기다.

leaf·age [líːfidʒ] *n.* Ⓤ 〖집합적〗 잎, 나뭇잎(leaves, foliage).

léaf bùd 〖식물〗 잎눈.

leafed [-t] *a.* 잎이 있는; 잎이 …인(leaved): a four-~ clover 네 잎 클로버.

léaf·less *a.* 잎이 없는. ㊕ ~**·ness** *n.*

°**leaf·let** [líːflit] *n.* Ⓒ **1** 작은 잎; 〖식물〗 작은 잎 사귀《겹잎의 한 조각》; 어린 잎. **2** 전단 광고; (신문 따위 속에 끼어 넣는) 간단한 인쇄물, 리플릿: pass out ~s 전단을 돌리다.

—*vt.* …에 전단을 돌리다.

léaf mòld 부엽토(腐葉土), 부식토(腐植土)(=**léaf sòil**).

léaf·stàlk *n.* Ⓒ 〖식물〗 잎꼭지, 잎자루.

leafy [líːfi] (***leaf·i·er; -i·est***) *a.* **1** 잎이 우거진; 잎이 많은. **2** 잎에서 나는, 잎이 만드는: in the ~ shade of a tree 나무 그늘에서. **3** 넓은 잎의: ~ vegetables 잎 채소, 엽채(葉菜). **4** 잎 모양의. ㊕ **léaf·i·ness** *n.*

***league**[1] [liːg] *n.* Ⓒ **1 연맹,** 동맹, 리그; 맹약; 경기 연맹: ~ match 리그전/a baseball ~ 야구 리그. **2** 〖집합적〗 연맹 참가자〔단체, 국가〕(leaguers). **3** 《구어》 (동질의) 그룹, 한패, 부류: He's not in the same ~ with 〔as〕 her. 그는 (기량이) 그녀와 비교가 안 된다.

in ~ 동맹〔연합, 결탁〕하여《***with*** …와》. ***the League*** (***of Nations***) 국제 연맹(1920–46). cf. United Nations.

—*vt.* 《~+목/+목+전+명/+목+뷔》 〖흔히 수동태〗 동맹〔연맹, 맹약〕시키다; 단결〔연합〕시키다(*together*)《***with*** …와》: *be ~d with* each other 서로 동맹을 맺고 있다/We three *were ~d together*. 우리 셋은 동맹을 맺고 있었다. —*vi.* 《~/+뷔》 동맹〔연맹〕하다, 단결하다(*together*).

league[2] Ⓒ 《고어》 리그《거리의 단위; 영국 · 미

국에서는 약 3마일》.

lea·guer [líːgər] *n.* Ⓒ《美》 가맹자, 가맹단체〔국〕; 동맹국; 〖야구〗 리그에 속하는 선수.

leak** [liːk] *n.* **1** Ⓒ **a** 샘, 누출, 새어들어옴; (물·공기·빛 따위의) 새는 곳〔구멍〕, 누출구: I can smell a gas ~. 가스 새는 냄새가 난다/a ~ in a boiler 보일러의 누수/stop 〔plug〕 a ~ 새는 구멍을 막다. **b** 새는 물, 새는 가스〔증기〕; (보통 *sing.*) 누출량. **2** Ⓒ (비밀 따위의) 누설: a politically inspired news ~s 정치적인 의도로 행해진 정보의 누설. **3** Ⓒ 〖전기〗 누전(되는 곳), 리크. **4** (a ~) 《속어》 방뇨: do 〔have, take〕 a ~ 오줌 누다. ***spring 〔***start***〕 ***a*** ~ (배가) 새는 곳이 생기다, 새기 시작하다.

— *vi.* 《~/+[전]+[명]/+[부]》 (지붕 따위가) **새다**; (물·가스·빛 따위가) 새나오다(*out*), 새들어오다(*in*); (비밀 등이) 누설되다(*out*); 《속어》 소변을 보다: The roof ~*s*. 지붕이 샌다/Light is ~*ing out*. 빛이 새나오고 있다/The rain began to ~ *in*. 빗물이 새기 시작했다/water ~*ing from* a pipe 파이프에서 새는 물/The secret ~*ed out*. 비밀이 누설되었다. **—** *vt.* **1** 새게 하다: This camera ~*s* light. 이 카메라는 빛이 샌다. **2** 《+[목]+[부]/+[목]+[전]+[명]》 (비밀 따위)를 누설하다(*out*)《*to* …에게》: Someone ~*ed* the secret *to* the enemy. 누군가 적에게 비밀을 누설했다.

Ⓜ **∠·er** *n.* **∠·less** *a.*

leak·age [líːkidʒ] *n.* **1** Ⓤ 샘, 누출; (비밀 따위의) 누설, 드러남: radioactive ~ 방사능 누출. **2** Ⓒ 누출물; 누출량; 〖상업〗 누손(漏損).

leaky [líːki] (***leak·i·er; -i·est***) *a.* 새기 쉬운; 새는 구멍이 있는; 비밀을 잘 누설하는, 비밀이 새기 쉬운: a ~ vessel 입이 가벼운 사람/~ memory 잊기 쉬운 기억. Ⓜ **léak·i·ly** *ad.* **léak·i·ness** *n.*

****lean**[1] [liːn] (*p.*, *pp.* ***leaned*** [liːnd/lent, liːnd], 《英》 ***leant*** [lent]) *vi.* **1** 《+[전]+[명]》 **a** **기대다**《***on, against*** …에》: ~ *on* a person's arm 아무의 팔에 기대다/~ *against* a wall 벽에 기대다. **b** 의지하다, 기대다《***on, upon*** …에》: ~ *on* others for help 남의 도움에 매달리다.

2 《~/+[전]+[명]》 기울다, 구부러지다, 경사지다《***to, toward*** …쪽으로》: The tower ~*s to* the south. 탑이 남쪽으로 기울어져 있다.

3 《+[전]+[명]/+[부]》 상체를 굽히다, 뒤로 젖히다; 몸을 내밀다: ~ *back* in one's chair 상체를 뒤로 젖히면서 의자에 앉다/~ *over* 〔*forward*〕 to catch every word 한 마디도 놓치지 않도록 상체를 앞으로 쑥 내밀다/She ~*ed out* (*of* the window). 그녀는 (창에서) 몸을 내밀었다.

4 《+[전]+[명]》 (사상·감정이) 기울다, 쏠리다, 향하는 경향이 있다《***toward, to*** …으로》: He ~*s to* 〔*toward*〕 socialism. 그는 사회주의에 기울어 있다.

— *vt.* **1** 《+[목]+[전]+[명]》 기대도록 하다, 의지하게 하다《***against, on*** …에》: ~ one's stick *against* a wall 지팡이를 벽에 세우다/She ~*ed* her cheek *on* her hand. 그녀는 손으로 턱을 괴었다. **2** 《+[목]+[부]/+[목]+[전]+[명]》 기울이다, 구부리다: He ~*ed* his head *forward* 〔*to* the side〕. 그는 머리를 앞〔옆〕으로 숙였다.

~ ***forward*** (in walking) 앞으로 구부리고 (걷다). ~ ***on...*** ① …에 기대다, 의지하다(⇨*vi.* 1). ② …을 위협하다, 협박〔공갈〕하다. ~ ***over backward(s)*** ⇨BACKWARD.

— *n.* (a ~) 기울기, 경사(slope); 치우침, 구부러짐(bend): on the ~ 기울어져/a ~ of 30°, 30°의 경사/a tower with a slight ~ 좀 기울어

진 탑.

***lean**[2] *a.* **1** 야윈, 깡마른(thin). ↔ *fat.* ¶ ~ as a rake 뼈와 가죽뿐인. SYN. ⇨THIN. **2** 기름기가 적은, (고기가) 살코기의: ~ meat 살코기. **3** 내용이 하찮은, 빈약한; 영양분이 적은: a ~ diet 조식(粗食). **4** (땅이) 메마른, 수확이 적은; 흉작의: ~ crops 흉작/a ~ year 흉년/~ years 식량이 부족한〔배고픈〕 시절. **5** (점토·광석·석탄·연료가스 따위가) 저품질의, 저품위의.

— *n.* Ⓤ (종종 the ~) 기름기가 없는 고기, 살코기. ↔ *fat.*

léan·ing *n.* Ⓒ **1** 경사. **2** 경향, 성향, 성벽(性癖); 기호, 편애(偏愛)《***to, toward*** …에 대한》: a youth with literary ~*s* 문학 취미의 청년/have 〔show〕 a ~ *toward* 〔*to*〕 protectionism 보호무역주의에 기울어져 있다.

Léaning Tówer of Písa (the ~) 피사의 사탑(斜塔).

leant [lent] 《英》 LEAN[1]의 과거·과거분사.

léan-tò (*pl.* **~s**) *n.* Ⓒ 달개지붕〔집〕. **—** *a.* Ⓐ 달개의: a ~ roof 달개지붕.

leap** [liːp] (*p.*, *pp.* ***leaped, leapt [liːpt, lept]) *vi.* **1** **a** 《~/+[전]+[명]/+[부]》 **껑충 뛰다, 뛰다**, 도약하다, 뛰어오르다. ★ 현재는 보통 jump를 씀. ¶ ~ *down* 뛰어내리다/~ *aside* 뛰어서 비키다/~ *for* 〔*with*〕 joy 너무 기뻐 껑충껑충 뛰다/~ *into* the air 공중으로 뛰어오르다/Look before you ~. 《속담》 실행하기 전에 잘 생각하라; 유비무환. SYN. ⇨JUMP. **b** (가슴이) 설레다, 두근거리다: My heart *leapt* at the sound of her voice. 그녀의 목소리를 듣고 가슴이 설레었다.

2 《+[전]+[명]》 **a** (화제·상태 따위가) 비약하다, 갑자기 바뀌다《***into, to*** …으로》: ~ *into* 〔*to*〕 fame 갑자기 유명해지다. **b** 날듯이 가다〔행동하다〕; 휙 달리다〔일어나다〕: ~ home 날듯이 귀가하다/~ *to* a conclusion 속단하다/A good idea ~*ed into* my mind. 좋은 생각이 퍼뜩 떠올랐다.

3 달려들다, 응하다《***at*** (기회·제안 따위)에》: He ~*ed at* the chance 〔offer〕. 그는 즉각 그 기회를 잡았다〔그 제안에 응했다〕.

— *vt.* **1** **뛰어넘다**: ~ a ditch 도랑을 뛰어넘다. **2** 《~+[목]/+[목]+[전]+[명]》 뛰어넘게 하다《말을 뛰어넘게 할 때에는 종종 [lep]로 발음》《***over, across*** …을》: ~ a horse *across* a ditch 말에게 도랑을 뛰어넘게 하다.

~ ***out*** 《*vi.*+[부]》 (기사·이름 따위가) 눈에 띄다《***at*** (아무)의》. ~ ***to the eye*** 곧 눈에 띄다.

— *n.* Ⓒ **1** **뜀**, 도약(jump); 한 번 뛰는 거리〔높이〕: give a ~ 뛰어오르다/with a ~ 껑충 뛰어, 별안간/take a sudden ~ 갑자기 뛰어오르다. **2** 비약, 급변《***in*** …에서의》: There has been a big ~ *in* sales. 매상이 비약적으로 신장했다.

a ~ ***in the dark*** 무모한 짓, 모험, 폭거. ***by*** 〔***in***〕 **~*s and bounds*** 일사천리로; 급속하게.

léap dày 윤일《2월 29일》.

léap·er *n.* Ⓒ 뛰는 사람〔말〕.

léap·fròg *n.* Ⓤ 등넘기놀이《사람의 등을 뛰어넘는 놀이》: play ~ 등넘기놀이를 하다.

— (**-gg-**) *vi.* 등넘기놀이를 하다. **—** *vt.* 뛰어넘다; (장애물)을 피하다, 달아나다.

leapt [liːpt, lept] LEAP의 과거·과거분사.

léap yèar 〖천문〗 윤년. cf. common year. ¶ a ~ proposal 여성으로부터의 청혼《윤년에 한해서 허용됨》.

Lear [liər] *n.* =KING LEAR.

L

†**learn** [ləːrn] (*p., pp.* **~ed** [-d, -t/-t, -d], **~t** [-t]) *vt.* **1** 《~+목/+(*wh.*) *to* do》 …을 **배우다**, 익히다, 가르침을 받다; 공부하다, 연습하다: ~ French 프랑스어를 배우다/~ (*how*) *to* swim 수영을 배우다/He has *~ed to* drive a car. 그는 자동차 운전을 배웠다〔배워 익혔다〕.

SYN. **learn** 경험 · 학습으로 지식을 얻다: *learn* English 영어를 이해하고 사용할 수 있게 되다. **study** learn보다 노력을 요하며 전문적 또는 특수한 것을 배우다: *study* English 영어의 문법 · 단어 등을 공부하다.

2 외다, 암기하다, 기억하다: ~ a poem (by heart) 시를 외다.
3 《~+목/+목+전+명/+*that* 절/+*wh.* 절》 **듣다**, (들어서) **알다**《*from* …으로부터》: ~ the truth 진실을 알다/I *~ed* (*from* the newspaper) *that* … …이라는〔하다는〕 것을 (신문에서) 알았다/We have yet to ~ *whether* he arrived safely. 그가 무사히 도착했는지 어떤지 우리는 아직 모른다/~ a thing *from* 〔*of*〕 a person 아무로부터 사정을 듣다.
4 겪어 알다, 체득하다: ~ patience 인내심을 체득하다/~ the importance of good manners 예절의 중요성을 깨닫다.
5 《+*to* do》 …**할 수 있게 되다**: ~ *to* be more tolerant 보다 너그럽게 행동할 수 있게 되다.
—*vi.* **1** 《~/+전+명》 **배우다**, **익히다**; 가르침을 받다, 깨닫다《*by* …에 의해서; *from* …에서》: He *~s* very fast. 그는 배우는 것이 빠르다/~ *by* watch*ing* 보고 배우다/~ *from* one's failures 실패로부터 깨닫다. **2** 《+전+명》 **듣다**, (들어서) 알다《*of, about* …에 관해서; *from* …에게서》: ~ *of* an accident 사고가 있었다는 사실을 듣다/He *~ed of* her marriage *from* a friend. 그는 그녀가 결혼한 것을 친구에게서 듣고 알았다.
~ one's lesson ① 학과를 공부하다. ② (경험으로) 교훈을 얻다.

‡**learn·ed** *a.* **1** [lə́ːrnid] **a 학문〔학식〕이 있는**, 박학〔박식〕한: a ~ man 학자/the ~ 학자들/my ~ friend 《英》 박식한 친구, 귀하《하원의원 · 변호사끼리의 경칭》. **b** Ⓟ 통달한, 조예가 깊은《*in* …에》: He's ~ *in* the law. 그는 법률에 밝다. **2** Ⓐ 학문상의, 학구적인, 학문〔학자〕의: a ~ book 학술서적/a ~ society 학회. **3** [ləːrnd, -t] 학습에 의해 터득한, 후천적인《기능 · 반응 등》. ㊎ **~·ly** [-nid-] *ad.* **~·ness** [-nid-] *n.*

***learn·er** [lə́ːrnər] *n.* Ⓒ **학습자**, 생도, 제자; 초학자, 초심자(初心者): an English ~/a ~'s dictionary 학습 사전/a quick 〔slow〕 ~ 빠른〔더딘〕 학습자.

léarner-drìver *n.* Ⓒ 《英》 가면허 운전자(L-driver).

***learn·ing** [lə́ːrniŋ] *n.* **1** Ⓤ (또는 a ~) **학문**, 학식(學識) (knowledge), 지식; 박식(scholarship): a man of ~ 학자/A little ~ is a dangerous thing. =A little knowledge is a dangerous thing. 《속담》 선무당이 사람 잡는다.

SYN. **learning** 연구 · 공부로써 얻은 지식. **erudition** 박식. 주로 문과 계통의 지식에 쓰임. **lore** 어떤 특수한 분야에 대한 전문적 지식: gipsy *lore* 집시에 대한 지식. **scholarship** (대학 따위에 있어서 자격과 결부된) 전문가가 되기 위한 지식.

2 Ⓤ 배움, 학습.

léarning cùrve 〖심리 · 교육〗 (일정 시간에 대한 숙달도를 나타내는) 숙달〔학습〕 곡선.

léarning disabílity 〖정신의학〗 학습 장애〔불능〕(증).

léarning-disábled *a.* 〖정신의학〗 학습 불능(증)의.

learnt [ləːrnt] LEARN의 과거 · 과거분사.

◇**lease** [liːs] *n.* Ⓒ (토지 · 건물 따위의) 차용 계약, 차용 증서; 임대차 (계약); 임차권; 차용〔임대차〕 기간: by 〔on〕 ~ 임대〔임차〕로/put (out) to ~ 임대하다.
hold 〔***take***〕 ***on*** 〔***by***〕 **~** 임차(賃借)하다. ***take*** 〔***get, have***〕 ***a new*** 〔***fresh***〕 **~** ***on*** 〔***of***〕 ***life*** (병 · 걱정 따위의) 고비를 넘기고 의욕을〔활기를〕 되찾다, (사람 · 물건이) 수명을 연장하다.
—*vt.* 빌리다, 임대〔임차〕하다: a *~d* territory 조차지(租借地).

léase·bàck [líːs-] *n.* Ⓤ (구체적으로는 Ⓒ) 부동산의 매도인이 매수인으로부터 그 부동산을 임차하는 일.

léase·hòld [líːs-] *a.* 임차한, 조차(租借)의.
—*n.* Ⓤ (구체적으로는 Ⓒ) 차지(借地)(권); 정기 임차권. ㊎ **~·er** *n.* Ⓒ 차지인(人).

◇**leash** [liːʃ] *n.* **1** Ⓒ (개 따위를 매는) 가죽끈, 사슬: on a ~ 가죽끈에 매이어. **2** Ⓤ 속박. **3** (a ~) (끈으로 묶인 개 따위의) 세 마리 한 조(組).
hold 〔***have, keep***〕 ***… in*** **~** (개)를 가죽끈으로 매어두다; 〖일반적〗 속박〔제어, 지배〕하다. ***strain at the*** **~** (사냥개가) 뛰쳐나가려고 가죽끈을 잡아당기다; 자유를 갈망〔얻고자〕하다.
—*vt.* 가죽끈으로 매다; 억제〔속박〕하다.

‡**least** [liːst] 〖little의 최상급〗 *a.* (보통 the ~) **1 가장 작은**; 가장 적은. ↔ *most.* ¶the ~ sum 최소액/without the ~ shame 조금도 부끄러워하지 않고/Tom has the ~ money of us all. 우리 모두 중에서 톰이 돈을 제일 조금 갖고 있다. **2** 《美속어》 하찮은, 시시한: argue over the ~ thing 아주 하찮은 일로 다투다.
not the **~** ① 최소의 …도 없는〔않는〕 (no … at all): I haven't got *the* ~ appetite today. 오늘은 조금도 식욕이 없다. ② 적지 않은《'not'을 강하게 발음》: There is *not the* ~ danger. 적지 않이 위험하다.
—*ad.* (때로 the ~) **가장 적게**〔작게〕: the ~ important … 중요성(性)이 가장 적은 …/(The) ~ said, (the) soonest mended. 《속담》 말수는 적을수록 좋다(The less said the better.).
~ *of all* 가장 …이 아니다, 특히〔그 중에서도〕 … 아니다: *Least of all* do I want to hurt you. 너를 해치고 싶은 생각은 조금도 없다/I like that ~ *of all*. 나는 그것이 가장 싫다. ***not*** **~** 특히, 그 중에서도: He excels in sports, *not* ~ in swimming. 그는 스포츠, 특히 수영에 뛰어나다. ***not the*** **~** 조금도 …하지 않다(not in the ~): I am *not the* ~ afraid to die. 나는 조금도 죽음을 두려워하지 않는다.
—*n.* (보통 the ~) 〖단수취급〗 **최소**, 최소량〔액〕: The ~ you can do is to write to your parents. 적어도 네 부모님께 편지 정도는 해야 한다/Not the ~ of our problems is lack of funds. 우리 문제점 중 결코 경시할 수 없는 것이 자금 부족이다.
at (***the***) **~** =***at the*** (***very***) **~** ① 〖보통 수사 앞에 쓰이어〗 적어도, 하다못해, 그런대로: The repairs will cost *at* ~ $100. 수리비는 적어도 100달러는 들거다. ② 〖at least로〗 어쨌든, 어떻든, 좌우간: You must *at* ~ try. 어쨌든 해 봐야 한다. ***not in the*** **~** 조금도 …하지 않은〔없

는), 조금도 …이 아닌: I am *not in the* ~ afraid of dogs. 개는 조금도 무섭지 않다. ***to say the*** ~ (***of it***) 줄잡아 말하더라도.

> **DIAL.** ***Thank you very much.*—*Not at all. It was the least I could do*** (***to help***). 대단히 고맙습니다.—천만에요. 뭐 그런 (사소한) 걸 가지고《고맙다는 인사에 대한 정중한 대답》.

léast signíficant bít 〖컴퓨터〗 최하위 비트《생략: LSB》.

least·wise [líːstwàiz] *ad.* 《구어》 적어도, 적으나마, 하여튼(at least).

⁑**leath·er** [léðər] *n.* **1** Ⓤ **무두질한 가죽**, 가죽: a ~ dresser 피혁공 / ⇨PATENT LEATHER. SYN. ⇨SKIN. **2** Ⓒ 가죽 제품; 가죽끈, 등자(鐙子) 가죽; (야구 · 크리켓 · 축구 따위의) 공. **3** (*pl.*) 가죽제 짧은 바지, 가죽 각반; (오토바이 타는 사람의) 가죽옷.

—*vt.* **1** 무두질하다. **2** …에 가죽을 대다. **3** 《~+목/+목+전+명》 《구어》 치다, 때리다《***with*** (가죽끈 따위)로》.

—*a.* Ⓐ **1** 가죽의, 가죽제의. **2** 《美속어》 가죽옷을 입은《남자다움의 상징 또는 동성애의 표시》; (술집 따위가) 가죽옷을 입은 사람을 위한.

léather-bòund *a.* (책이) 가죽 장정(제본)의.

leath·er·ette [lèðərét] *n.* Ⓤ 모조 가죽《제본 · 가구용》.

léather·nèck *n.* Ⓒ 《美구어》 해병대원.

leath·ery [léðəri] *a.* 가죽 비슷한, 피질(皮質)의; (고기 따위가) 가죽처럼 질긴.

†**leave**[1] [liːv] (*p.*, *pp.* ***left*** [left]) *vt.* **1 a** 《~+목/+목+보/+목+전+명/+목+목》 (뒤에) **남기다, 남기고**〔**두고**〕 **가다**, 놓아 두다: ~ a puppy alone 강아지를 홀로 남겨 두다 / Two from seven ~*s* five. 7 빼기 2는 5 / She *left* a note *for* her husband. 그녀는 남편에게 메모를 남겨 두었다 / The payment of his debts *left* him nothing to live *on*. 그는 빚을 갚고 나니 먹고 살아갈 수가 없게 됐다. **b** 《+목+전+명》 (우편 집배원이) 배달하다: The postman *left* a letter *for* him. 집배원이 그에게 편지를 가져왔다. **c 둔 채 잊다**: Be careful not to ~ your umbrella. 우산을 잊고 놔둔 채 오지 않도록 조심해라. **d** 《~+목/+목+부/+목+보》 (처자 · 명성 · 기록 따위)를 (뒤에) 남기다, 남기고 죽다: He died, *leaving* three sons (*behind*). 그는 세 아들을 남기고 죽었다 / The family was *left* badly off. 그 집안은 (주인을 여의고) 생활이 어렵게 되었다 / He was *left* orphan at the age of five. 그는 다섯 살 때 고아가 되었다. **e** 《+목+목/+목+전+명》 (유산 따위)를 남기다: The businessman *left* his wife $10,000 〔$10,000 *to* his wife〕. 그 사업가는 부인에게 1만 달러를 남겼다. **f** (상처 · 감정 · 의문 따위)를 남기다: The wound left a scar. 부상으로 상처가 남았다 / His explanation still ~*s* many doubts. 그의 설명은 여전히 많은 의문점이 남는다.

2 a 《~+목/+목+전+명》 **떠나다**, 출발하다《***for*** …을 향하여》; 헤어지다: We ~ here tomorrow. 우리는 내일 여기를 떠난다 / I ~ home *for* school at eight. 나는 여덟시에 집에서 학교로 출발한다 / He *left* New York *for* London. 그는 뉴욕을 떠나 런던으로 향했다 / I *left* him *at* the hotel door. 나는 그와 호텔 현관에서 헤어졌다. **b** 지나가다, 통과하다: ~ the building on the right 건물을 오른쪽으로 보며 지나가다.

3 a (업무 따위)를 그만두다, 탈회〔탈퇴〕하다; 퇴학하다; 《英》 졸업하다; (고용주)에게서 떠나다《사직하다》: ~ one's job 일을 그만두다, 사직(辭職)하다 / The boy had to ~ school. 소년은 학교를 그만둬야 했다 / The cook threatened to ~ him. 요리사는 일을 그만두겠다고 그를 위협했다. **b** 《+-*ing* /+목+*to* do》 **그치다**, 중지하다: He *left* drink*ing* for nearly two years. 그는 술을 끊은 지 거의 2년이 된다 / He *left* law *to* study music. 그는 법률을 그만두고 음악을 (공부)했다.

4 《+목+보/+목+*as* 보/+목+-*ing* /+목+*done*》 …한 **채로 놔두다**, 방치하다, …인 채로 남겨 두다, (결과로서) …상태로 되게 하다: Who *left* the door open? 누가 문을 열어 놓았느냐 / The insult *left* me speechless. 그 모욕에 나는 어안이 벙벙할 뿐이었다 / *Leave* nothing *undone*. 무엇이든 끝까지 해내라 / *Leave* things *as* they are. 현상태로 놔두시오 / Somebody has *left* the water runn*ing*. 누군가 물을 틀어 놓은 채로 두었다 / You must ~ your room *locked*. 방은 언제나 잠가 두어야 한다.

5 a 《+목+전+명/+목+*to* do》 **맡기다**, 위탁하다《***with*** …에게》; 일임하다, 위임하다《***to*** …에게》: I *left* my trunks *with* a porter. 트렁크를 짐꾼에게 맡겼다 / I'll ~ the decision (*up*) *to* him 〔~ him *to* decide〕. 결정은 그에게 맡기겠다〔맡겨서 결정케 하겠다〕 / Much has been *left to* guesswork. 추측에 맡긴 부분이 많다. **b** 《+목+*to* do /+목+전+명》 **자유로 …하게 하다**, **…할 것을 허용하다**: *Leave* her *to* do as she likes. 그녀가 좋아하는 대로 하게 내버려 두시오 / Please ~ me *to* my reflections. 생각 좀 하게 내버려 두시오. **c** 《+목+do》 《구어》 (아무)에게 …시키다 (let): *Leave* us go. 보내 주십시오 / *Leave* him be. 가만 놔두시오.

> **NOTE** **leave**와 **let**의 차이: 형태상으로 let는 to 없는 부정사가 따름: I *let* him go. 이에 대해서 leave 의 뒤에는 to 있는 부정사가 오는 것이 보통임. 다만, 미국에서는 to 없는 부정사가 올 때도 있음: I *left* him (to) have it. 그로 하여금 마음대로 갖게 내버려 두었다.

—*vi.* **1** 《~/+전+명》 **떠나다, 출발하다**(depart)《***for*** …을 향하여》, 뜨다, 물러가다(go away): The train ~*s* at six. 기차는 6시에 떠난다 / I am *leaving for* Europe tomorrow. 내일 유럽으로 떠납니다 / It is time for us to ~. 이제 물러가야〔하직해야〕 할 시간이다. ★ *leave* Seoul 〖타동사〗 서울을 출발하다 ≠*leave for* Seoul 〖자동사〗 서울로 (향해서) 떠나다. **2** 일을 그만두다, 퇴직하다; 퇴학하다; 《英》 졸업하다.

get left 《구어》 버림받다, 뒤지다, 지다. ~ ***about*** 〔***around***〕 《*vt.*+부》 무엇을 치우지 않고 …에 내버려두다, 방치하다. ~ ***... alone*** ⇨ALONE. ~ ***behind*** 《*vt.*+부》 ① 놔둔 채 잊다, 내버려 두고 가다: I found that the parcel had been *left behind*. 그 꾸러미는 누군가가 놔둔 채 잊고 간 것이었다. ② (처자 · 명성 따위)를 뒤에 남기다 (⇨*vt.* 1 d). —《*vt.*+전》 ③ (명성 · 기록 · 피해 따위)를 …뒤에 남기다: He *left* a great name *behind* him. 그는 크나큰 명성을 남기고 세상을 떴다. ~ a person ***cold*** 〔***cool***〕 아무를 흥분〔감동〕시키지 않다: The news *left* me *cold*. 그 소식을 듣고도 나는 조금도 흥분하지 않았다〔태연했다〕. ~ ***go*** 〔***hold***〕 (***of***) (…을) 놓다, 놓아 주다,

(…에서) 손을 놓다: Don't ~ *go* (*of* it) until I tell you. 내가 말할 때까지 손을 놓지 마라. ~ ***in*** 《*vt.*+副》 넣은 채〔그대로〕 놔두다. ~ ***in the air*** 미정인 상태로 두다. ***Leave it at that.*** 《구어》 (비평·행위 등을) 그쯤 해둬. ~ ***off*** 《*vt.*+副》 ① (옷)을 더 이상 안 입다, 벗은 채로 있다: You had better ~ *off* your coat now. 더 이상 외투는 안 입는〔벗는〕 것이 좋을 게다. —《*vi.*+副》 ② 그만두다: Where did we ~ *off* last time? 전번에 어디서 그만두었지. —《*vi.*+前》 ③ …을 그만두다: He has *left off* work. 그는 일자리를 그만두었다 / *Leave off* biting your nails. 손톱을 씹지 마라. ~ ***on*** 《*vt.*+副》 입은〔둔, 건, 켠〕 채로 두다: *Leave* the light *on*. 전등을 켠 채 두어라. ~ ***out*** 《*vt.*+副》 ① 나간〔나온〕 채 내버려 두다. ② 빠뜨리다, 빼다: ~ *out* a letter 한 자 빠뜨리다. ③ 생각지 않다, 고려치 않다, 잊다, 무시하다: ~ *out* a possibility 어떤 가능성을 생각지 않다. ~ ***... out of*** …을 …에서 제외하다〔빼다〕: ~ his name *out of* the list 명단에서 그의 이름을 빼다 / ~ ... *out of* account …을 무시하다. ~ ***over*** 《*vt.*+副》 ① 남기다: Nothing was *left over*. (음식 따위가) 아무것도 남지 않았다. ② 드티다, 미루다, 연기하다: They *left* the matter *over* till the next meeting. 그들은 그 건을 다음 회의까지 연기하기로 했다. ~ a person ***to*** *him****self*** 〔***to*** his ***own devices***〕 아무를 멋대로 하게 내버려 두다, 방임하다: The children were *left* very much *to* them*selves* during the holidays. 아이들은 휴가 기간 동안 매우 자유롭게 방치되어 있었다. ~ ***well*** (***enough***) ***alone*** ⇨ALONE. ***Take it, or ~ it.*** (승낙하든 안 하든) 마음대로 해라. ***what is left of*** …이 남긴 것: I was thinking about *what was left of* him in the room. 나는 방에 있는 그의 시신〔유품〕을 생각하고 있었다.

***leave²** *n.* **1** Ⓤ 허가, 허락(permission)《*to* do》: by 〔with〕 your ~ 미안하지만, 실례지만 / without ~ 무단으로 / Give me ~ *to* go. 나를 가게 해 주세요 / You have my ~ *to* act as you like. 허락할 테니 좋을 대로 하세요 / beg 〔ask〕 ~ *to* do …할 허락을 청하다. **2 a** Ⓤ (특히 공무원·군인이 받는) **휴가의 허가**: ask for ~ 휴가를 신청하다 / on ~ 휴가로 / have 〔get〕 ~ 휴가를 얻다. **b** Ⓤ (구체적으로는 Ⓒ) **휴가**(기간): take (a) three months' ~ =take (a) ~ of absence for three months, 3개월간의 휴가를 받다 / We have two ~*s* a year. 우리는 휴가가 1년에 두 번 있다.

I beg ~ to do 삼가 …합니다《편지의 문투》. ***neither with your ~ nor by your ~*** 네 맘에 들든 안 들든. ***take ~ of*** one***'s senses*** 《구어》 제정신을 잃다, 미치다. ***take ~ to*** do 외람되이 …하다. ***take*** one***'s ~*** (***of ...***) (…에게) 작별(인사)하고 떠나가다: She *took* her ~ *of* me at the door. 그녀는 문간에서 내게 작별 인사를 했다.

leave³ *vi.* (식물이) 싹을 틔우다, 잎이 나오다 (leaf) (*out*).

leaved *a.* **1** 잎이 달린. **2** 〔보통 합성어〕 …의 잎이 있는, 잎이 …개의; (문 등이) …짝으로 된: a broad-~ tree 활엽수 / a four-~ clover 네잎 클로버 / a two-~ door 두짝 문.

◇**leav·en** [lévən] *n.* **1** Ⓤ 효모(酵母); 발효시킨 밀반죽; 팽창제(劑)《베이킹 파우더 등》. **2** Ⓤ (구체적으로는 Ⓒ) 감화·영향을 주는 것, 잠재력: the ~ of reform 개혁의 기운. —*vt.* 발효시키다, 부풀리다; 영향〔잠재력〕을 미치다.

leaves [li:vz] LEAF 의 복수.

léave-tàking *n.* Ⓤ (구체적으로는 Ⓒ) 작별, 고별(farewell).

léav·ings *n. pl.* 나머지, 지스러기, 찌꺼기. cf. residue.

Leb. Lebanese; Lebanon.

Leb·a·nese [lèbəní:z] *a.* 레바논(사람)의. —(*pl.* ~) *n.* Ⓒ 레바논 사람.

Leb·a·non [lébənən] *n.* 레바논《지중해 동부의 공화국; 수도 Beirut》.

Lébanon cédar 〖식물〗 레바논 삼목(cedar of Lebanon)《히말라야 삼목의 일종》.

lech [letʃ] 《구어》 *vi.* 호색(好色)하다, 색정을 느끼다; 갈망하다《***after, for*** …을》. —*n.* Ⓒ **1** (보통 *sing.*) 갈망(craving), 《특히》 색욕. **2** 호색가, 색골.

léch·er *n.* Ⓒ 호색가, 음탕한 남자.

lech·er·ous [létʃərəs] *a.* (주로 남자가) 호색적인, 음란한; 색욕을 자극하는, 도발적인. ㊕ ~·**ly** *ad.* ~·**ness** *n.*

lech·ery [létʃəri] *n.* Ⓤ 호색, 음란; 색욕(lust); Ⓒ 음란한 행위.

lec·i·thin [lésəθin] *n.* Ⓤ 〖생화학〗 레시틴《신경 세포·노른자위에 들어 있는 인지질(燐脂質)》.

lec·tern [léktərn] *n.* Ⓒ (교회의) 강대(講臺); 연사(演士)용 탁자.

****lec·ture** [léktʃər] *n.* Ⓒ **1** 강의, 강연: give 〔deliver〕 a ~ on 〔about〕 literature 문학 강의를 하다. SYN. ⇨SPEECH. **2** 설유, 훈계, 잔소리: have 〔get〕 a ~ from …에게서 잔소리를 듣다 / read 〔give〕 a person a ~ 아무에게 설교하다, 잔소리하다.

—*vt.* **1** 《~+目/+目+前+名》 (아무)에게 강의〔강연〕하다《***on, about*** …에 관하여》: The professor ~*d* his students *on* 〔*about*〕 Korean fine arts. 교수는 학생들에게 한국 미술에 관해 강의했다. **2** 《~+目/+目+前+名》 훈계하다, …에게 잔소리하다《***for*** …일로》: I was ~*d for* being late. 지각해서 야단맞았다. —*vi.* 《~/+前+名》 강의〔강연〕하다《***to*** …에게; ***on, about*** …에 관하여》: ~ *to* a class *on* chemistry 〔*about* halogens〕 어떤 학급에 화학〔할로겐〕 강의를 하다.

lécture háll 강당.

◇**lec·tur·er** [léktʃərər] *n.* Ⓒ **1** 강연자; 《英》 (대학의) 강사《***in*** …의》: a ~ *in* English at ... University …대학 영어 강사. **2** 훈계자.

lécture·shìp [-ʃip] *n.* Ⓒ 강사(lecturer)의 직〔지위〕.

lécture thèater 계단식 강의실〔교실〕.

led [led] LEAD¹ 의 과거·과거분사.

LED 〖전자〗 light-emitting diode (발광(發光) 다이오드).

◇**ledge** [ledʒ] *n.* Ⓒ **1** (벽에서 돌출한) 선반; (해중·수중의) 암붕(岩棚). ㊕ ~**d** *a.* 선반이 있는.

ledg·er [lédʒər] *n.* Ⓒ **1** 〖부기〗 원부(原簿), 원장, 대장: a ~ balance 원장 잔고. **2** 〖건축〗 비계 여장, (비계 따위에) 가로로 댄 장나무(~ board). **3** =LEDGER LINE. **4** (묘의) 대석(臺石).

—*vi.* 〖낚시〗 ledger tackle 로 낚다.

lédger lìne 〖음악〗 (오선보의) 덧줄.

Lee [li:] *n.* 리《남자 이름》.

◇**lee** [li:] *n.* (the ~) 〖해사〗 바람이 불어가는 쪽; (바람 따위를) 피할 곳, 가려진 곳; 보호, 비호: under 〔on, in〕 the ~ 바람 불어가는 쪽에, 바람이 미치지 않는 곳에 / under the ~ of the forest 숲속에 숨어서〔피하여〕.

have the ~ of …의 바람 불어가는 쪽에 있다;

…보다 못하다〔불리하다〕.

—*a.* Ⓐ 바람 불어가는 쪽의(leeward): the ~ side 바람이 불어가는 쪽. ◇ alee *ad.*

leech [liːtʃ] *n.* Ⓒ **1** 〖동물〗 거머리《특히 의료용의》. **2** 남의 돈을 빨아먹는 자, 흡혈귀, 고리대금업자; 《구어》 측근자, 추종자. ***stick*** 〔***cling***〕 ***like a*** ~ 들러붙어 떨어지지 않다《***to*** …에》.

—*vt.* 거머리를 붙여 피를 빨아내다; (사람 · 재산)을 들러붙어 착취하다. **—***vi.* 들러붙어 떨어지지 않다《***onto*** (사람 · 재산)에》.

leek [liːk] *n.* Ⓒ 〖식물〗 리크, 서양부추파《Wales의 국장(國章)》.

leer [liər] *n.* Ⓒ 곁눈질, 추파; 짓궂은 눈초리.

—*vi.* 곁눈질하다, 추파를 던지다; 짓궂게 노려보다《***at*** …을》.

leer·ing [líəriŋ] *a.* Ⓐ 곁눈질하는; 심술궂은 눈초리의. ㊞ **~·ly** *ad.*

leery [líəri] (***leer·i·er; -i·est***) *a.* 《구어》 의심 많은, 신중한; 조심〔경계〕하는《***of*** …을》: He's ~ *of* our proposal. 그는 우리 제안을 경계하고 있다. ★ leary 로도 씀.

lees [liːz] *n. pl.* (보통 the ~) (포도주 등의) 재강(dregs); 찌꺼기(refuse).

◇**lee·ward** [líːwərd; 《해사》 lúːərd] 〖해사〗 *a.* 바람 불어가는 쪽의〔에 있는〕. ↔ *windward.*

—*ad.* 바람 불어가는 쪽으로〔에〕.

—*n.* Ⓤ 바람 불어가는 쪽: on the ~ of …의 바람 불어가는 쪽에〔으로〕/ to ~ 바람 불어가는 쪽을 향하여.

lée·wày *n.* Ⓤ (또는 a ~) **1** (시간 · 공간 · 활동 · 지출 등의) 여유, 여지; (자유로운) 행동의 여지, 행동의 자유: We have an hour's ~ to catch the express. 그 급행을 타는 데는 1 시간의 여유가 있다 / He's given me enough ~ *to* express myself. 그는 내 의견을 말할 수 있는 자유를 주었다. **2** 〖해사〗 풍압 편위(偏位)《강풍으로 인해 배의 결질 이동》; 〖항공〗 편류(偏流)《항공기가 옆바람으로 흘러가는 진로의 빗김》; (배의) 풍압각; (항공기의) 편류각.

have ~ 바람 불어가는 쪽이 넓다; (배가) 바람 부는 쪽으로 흘러가다; 활동(따위)의 여지가 있다. ***make up*** (***for***) one***'s*** ~ 뒤떨어진 것을 만회하다; 곤경을 벗어나려고 하다.

†**left**[1] [left] *a.* **1** Ⓐ **왼쪽의**, 왼편의, 좌측의: the 〔one's〕 ~ hand 왼손; 왼편 / the ~ bank of a river 강(江)의 좌안《하류를 향해서》/ to 〔on〕 the ~ hand of …의 왼쪽〔좌측〕에 / at 〔on〕 one's ~ hand 왼쪽에. **2** (보통 L-) (정치적 · 사상적으로) 좌파의, 혁신적인. ⇔ *right*[2]. ***have two ~ feet*** (매우) 서투르다, 꼴사납다(very clumsy).

—*ad.* **왼쪽에**〔**으로**〕, 좌편〔좌측〕에: move 〔turn〕 ~ 왼쪽으로 움직이다〔향하다〕. ***Left turn*** 〔***face***〕**!** 좌향좌. ***Left wheel!*** 좌향앞으로 가.

—*n.* **1** (the ~, one's ~) **왼쪽**〔**편**〕, 좌측: turn to the ~ 왼쪽으로 돌다 / sit on a person's ~ 아무의 왼편에 앉다 / to the ~ of …의 왼편으로〔에서〕/ on 〔from〕 the ~ of …의 왼쪽〔좌측〕에〔에서〕/ Keep to the ~. 좌측 통행 / You will find the house on your ~. 집은 왼쪽에 있습니다.

2 Ⓤ (보통 the L-) 〘집합적; 단 · 복수취급〙 〖정치〗 의장석 좌측의 의원들; 좌파(세력), 혁신파, 급진당: sit on the *Left* 좌파〔혁신파〕 의원이다.

3 a Ⓤ 〖야구〗 좌익, 레프트; Ⓒ 좌익수. **b** Ⓒ 〖권투〗 왼손(에 의한 타격).

left[2] LEAVE[1] 의 과거 · 과거분사.

léft fíeld 〖야구〗 레프트 필드, 좌익. ㊞ **~·er** *n.* Ⓒ 〖야구〗 좌익수.

léft-hánd *a.* Ⓐ 왼손의; 왼쪽〔왼편〕의, 좌측의; 왼쪽으로 감는; 왼손으로 하는: ~ traffic 좌측 통행 / (a) ~ drive 왼쪽 핸들(의 차).

***léft-hánded** [-hǽndid] *a.* Ⓐ **1 왼손잡이의**; 왼손(잡이)용의: a ~ batter 좌완타자 / a ~ baseball glove 왼손잡이용 야구 장갑. **2** 서투른, 솜씨 없는. **3** 의심스러운(dubious), 애매한, 성의가 없는(insincere), 음험한: a ~ compliment 겉치레의 찬사. **4** (나사 등이) 왼쪽으로 감는(counterclockwise); (로프 따위가) 왼쪽으로 꼰.

—*ad.* 왼손으로; 왼손에: He writes ~. 그는 왼손으로 쓴다. ㊞ **~·ly** *ad.* **~·ness** *n.*

léft-hánder *n.* Ⓒ 왼손잡이; 레프트펀치; 〖야구〗 좌완 투수.

léft-hand rúle (the ~) 〖물리〗 (플레밍의) 왼손 법칙.

left·ie [léfti] *n.* =LEFTY.

left·ish [léftiʃ] *a.* 좌파의, 좌익적인 경향의.

léft·ism *n.* Ⓤ 좌익〔급진〕주의.

léft·ist *n.* (종종 L-) Ⓒ 좌파〔좌익〕의 사람; 급진파의 사람, 과격주의자(↔ *rightist*).

—*a.* 좌파〔급진파〕의.

léft-lúggage òffice 《英》 수화물〔휴대품〕 임시 보관소(《美》 checkroom)《Left Luggage 로 표지(標識)함》.

léft·mòst *a.* 맨 왼쪽의, 극좌의.

léft-of-cénter *a.* 중도좌파의.

léft·òver *n.* (*pl.*) 나머지, 잔존물; 남은 밥.

—*a.* Ⓐ 나머지의; 먹다〔쓰다, 팔다〕 남은 것의.

léft·ward [-wərd] *a.* 왼쪽의, 좌측의.

—*ad.* 왼쪽에〔으로〕, 왼손에〔으로〕.

léft·wards [-wərdz] *ad.* =LEFTWARD.

léft wíng (the ~) **1** 〘집합적; 단 · 복수취급〙 좌익, 좌파. **2** 〖스포츠〗 좌익(左翼), 레프트 윙. ⇔ *right wing.*

léft-wíng *a.* 좌익(左翼)의, 좌파의. ↔ *right-wing.* ㊞ **~·er** *n.* Ⓒ 좌파 사람.

lefty [léfti] *n.* Ⓒ 《구어》 왼손잡이; 좌완 투수(southpaw); 좌익《사람》.

†**leg** [leg] *n.* **1 a** Ⓒ **다리**《특히 발목에서 윗부분 또는 무릎까지, 넓은 뜻으로는 foot 도 포함》: cross one's ~s 다리를 꼬다. **b** Ⓒ (식용 동물의) 다리, 발; Ⓤ 다리살.

2 Ⓒ (책상 · 의자 · 컴퍼스 따위의) 다리; (기계 따위의) 다리, 버팀대; 〖수학〗 (삼각형의) 변《밑변 제외》.

3 Ⓒ (옷의) 다리 부분, 자락.

4 Ⓒ 의족(義足): a wooden ~ 나무 의족.

5 Ⓤ (때로 the ~) 〖크리켓〗 타자의 왼쪽 뒤편의 필드.

6 Ⓒ (경기 · 여행 따위의 전행정(全行程) 중의) 한 구간; (장거리 비행의) 한 노정(路程)〔행정〕: the last ~ of a trip 여행의 마지막 행정 / I ran the first ~ of the relay. 나는 계주의 제 1 구간을 달렸다.

as fast as one***'s ~s could*** 〔***can***〕 ***carry*** one 전속력으로. ***be all ~s*** (***and wings***) 지나치게 성장하다, 키만 멀쑥하다. ***fall on*** one***'s ~s*** 〔***feet***〕 ① (고양이가) 높은 데서 떨어지며 용케 몸을 가누다. ② 용케 헤어나다, 용케 벗어나다, 일이 잘 되다. ***feel*** 〔***find***〕 one***'s ~s*** ⇨FOOT. ***get*** 〔***be***〕 ***on*** one***'s ~s*** ① (장시간) 서 있다, 돌아다니다. ② (건강이 회복되어) 거닐 수 있게 되다. ***give*** a person ***a ~ up*** 아무를 거들어 말〔탈것〕에 태우다;

아무를 지원하여 어려움을 극복시키다. ***have no* ~s** 《구어》 (골프공 · 기획 따위가) 목표에 도달할 만한 힘이 없다. ***keep* one's ~s** (쓰러지지 않고) 내처 서 있다〔걷다〕, 쓰러지지 않다. ***not have a* 〔*have no*〕 ~ *to stand on*** (의론 · 주장의) 정당한 근거가 없다. ***on* one's (*hind*) ~s** (연설하기 위해) 일어서; 걸어다닐 만큼 건강하여. ***on* one's 〔*its*〕 *last* ~s** 다 죽어가, 기진하여; 더 이상 쓸 수 없는 상태에: Our car is *on its last ~s*. 우리 차는 고물이나 다름없다. ***pull* 〔*draw*〕 a person's ~** 《구어》 아무를 속이다, 놀리다: He's *pulling* our *~s*. 그는 우리를 조롱하고 있다. ***stretch* one's ~s** 다리를 뻗다; (오래 앉아 있다가) 잠시 다리를 풀다〔산책하다〕. ***take to* one's ~s** 도망치다(run away).

> [DIAL.] ***Break a leg!*** 행운을 빈다(Good luck!); 잘 해, 힘 내《연기자가 무대에 나갈 때 성원하던 말에서 유래》.
> ***Shake a leg!*** 빨리빨리, 서둘러.
> ***Show a leg!*** 《英》 (잠자리에서) 일어나라.

— (**-gg-**) *vt*. 〖~ it으로〗 《구어》 걷다, 달리다, 도망치다: We *~ged it* for 5 miles. 우리는 5마일을 걸었다〔달렸다〕.

leg. legal; legislative; legislature.

◇**leg·a·cy** [légəsi] *n*. [C] 유산; 유증(遺贈)(재산); 이어〔물려〕받은 것: inherit 〔come into〕 a ~ 유산을 상속하다 / a ~ of hatred 〔ill will〕 조상 때부터 내려오는 원한.

⁑**le·gal** [líːgəl] *a*. **1** [A] **법률(상)의**, 법률에 관한: the ~ profession 변호사업 / a ~ advisor 법률고문 / a ~ person 〔man〕 법인(法人) / ~ medicine 법의학 / ~ blood 준(準)혈족. [SYN.] ⇨ LAWFUL. **2** [A] **법정(法定)의**, 법률이 요구〔지정〕하는: ~ interest 법정 이자 / the ~ limit 법정 제한 속도 / a ~ reserve 법정 준비금 / the ~ age for marriage 결혼 법정 연령. **3 합법의**, 적법한, 정당한. [cf.] legitimate. ↔ *illegal*. ¶ It's his ~ right to appeal. 상소하는 것은 그의 정당한 권리이다. **4** [A] (형평법(equity)에 대하여) 보통법(common law)의. [cf.] equitable.
[파] **~·ly** *ad*. 법률적〔합법적〕으로, 법률상.

légal áid (비용을 부담할 수 없는 극빈자를 위한) 법률 구조(救助).

légal hóliday 《美》 법정 휴일(《英》 bank holiday).

> [NOTE] 미국의 법정 휴일: New Year's Day (설날), Martin Luther King Day (킹 목사 기념일), Washington's Birth Day (워싱턴 탄생 기념일), Memorial Day (전몰 장병 기념일), Independence Day (독립 기념일), Labor Day (근로자의 날), Columbus Day (콜럼버스 기념일), Veteran's Day (재향 군인의 날), Thanksgiving Day (감사절), Christmas Day (성탄절).

le·gal·ism [líːgəlìzəm] *n*. [U] 법률의 글자 뜻에 구애받는 일; 관료적 형식주의. [파] **-ist** *n*. [C] 법률 존중주의자, 형식주의자. **lè·gal·ís·tic** *a*. 법률을 존중하는.

le·gal·i·ty [liːgǽləti] *n*. [U] 적법, 합법, 정당함.

lè·ga·li·zá·tion *n*. [U] 법률화, 적법화, 합법화; 공인.

le·gal·ize [líːgəlàiz] *vt*. 법률상 정당하다고 인정하다, 공인하다; 적법화〔합법화〕하다.

légal procéedings 소송 절차.

légal-sìze *a*. 《美》 (종이가) 법률 문서 크기의 《22×36 cm》.

leg·ate [légət] *n*. [C] 로마 교황 사절, 교황 특사; 공식 사절《대사 · 공사 등》.

leg·a·tee [lègətíː] *n*. [C] 〖법률〗 유산 수령인: a universal ~ 전유산 수령인.

le·ga·tion [ligéiʃən] *n*. **1** [U] 공사〔사절〕의 파견. **2** [C] 공사관. **3** [C] 〖집합적; 단 · 복수 취급〗 공사관 직원.

le·ga·to [ligáːtou, lə-] *a*., *ad*. 《It.》 〖음악〗 레가토, 부드러운, 부드럽게, 음을 끊지 않는〔않고〕 《생략: leg.》. ↔ *staccato*.

leg·end** [lédʒənd] *n*. **1** [C] **전설**, 전해 오는 이야기; 전설적인 인물〔사물〕《that***》: the ~s of King Arthur and his knights 아서왕과 그 기사들의 전설 / There's a ~ that ... …이라는 전설이 있다.

> [SYN.] **legend** 입으로 전해진 이야기로 역사적인 근거가 있기도 하고 없기도 함. **myth** 신에 관한 이야기. **anecdote** 유명인의 숨은 일면을 나타내는 행위나 사건을 말한 짧은 이야기.

2 [U] 〖집합적〗 (민족 따위에 관한) 설화, 전설: famous in ~ 전설상 유명한. **3** [C] (메달 · 화폐 · 비문 따위의) 명(銘)(inscription); (사진 · 삽화 · 풍자 만화 따위의) 설명(문) (caption); (지도 · 도표 따위의) 범례.

◇**leg·end·ary** [lédʒəndèri/-dəri] *a*. 전설(상)의; 전설적인; 믿기 어려운, 터무니없는. —*n*. [C] 전설집, 《특히》 성인전; 그 작자〔편집자〕.

leg·er·de·main [lèdʒərdəméin] *n*. [U] 요술; 눈속임, 속임수(deception); 궤변, 억지.

léger lìne [lédʒər-] 〖음악〗 덧줄.

(-)leg·ged [légid] *a*. **1** 다리가 있는. **2** 〖보통 합성어〗 다리가 …한: long-~ 다리가 긴 / four-~ 다리가 넷인.

leg·ging, leg·gin [légiŋ], [légin] *n*. [C] (보통 *pl.*) 정강이받이, 각반(脚絆), 행전; (소아용) 레깅스《보온용 바지》. [cf.] gaiter.

lég guàrd (보통 *pl.*) 〖구기〗 정강이받이.

leg·gy [légi] (**-gi·er; -gi·est**) *a*. (사내아이 · 망아지 · 강아지 따위가) 다리가 긴〔껑충한〕; (여자가) 다리가 미끈한; 〖식물〗 줄기가 긴: a ~ model 다리가 미끈한 모델. [파] **lég·gi·ness** *n*.

leg·horn [légərn, léghɔ̀ːrn] *n*. [C] (때로 L-) 레그혼《닭》.

leg·i·ble [lédʒəbəl] *a*. (필적 · 인쇄가) 읽기 쉬운(easily read). [파] **-bly** *ad*. **~·ness** *n*. **lèg·i·bíl·i·ty** *n*. [U] (필적 따위가) 읽기 쉬움.

◇**le·gion** [líːdʒən] *n*. **1** [C] (고대 로마의) 군단 《300-700명의 기병을 포함하여 3,000-6,000명의 보병으로 구성》. **2** [C] 군단, 군대. **3** (a ~ 또는 *pl.*) 다수, 많음(multitude): a ~ *of* people 많은 군중. **4** [C] 재향 군인회(전국 연맹): the American 〔British〕 *Legion* 미국〔영국〕 재향 군인회. —*a*. [P] 많은, 무수한: Legends about him are ~. 그에 관한 전설은 아주 많다.

le·gion·ary [líːdʒənèri/-nəri] *a*. (고대 로마) 군단의; 군단으로 이루어진. —*n*. [C] (고대 로마의) 군단병.

leg·is·late [lédʒislèit] *vi*. 법률을 제정하다 《***for*** …을 찬성하는; ***against*** …을 금지하는》; (법적으로) 금지하다, 억제하다《***against*** …을》: ~ *for* the preservation of nature 자연 보호에 관한 법률을 제정하다 / ~ *against* monopolistic business practices 법률로 독점적 상거래 관행을 금지하다 / Higher medical costs ~ *against* an improvement in public health. 의료비의 인상으로 공중위생이 개선되기 어렵다.

‡**leg·is·la·tion** [lèdʒisléiʃən] *n.* Ⓤ **1 입법**, 법률 제정. **2** 〖집합적〗 법률, 법령. ◇ legislate *v.*

◊**leg·is·la·tive** [lédʒislèitiv, -lət-] *a.* Ⓐ 입법(상)의, 입법권이 있는; 입법〔법률〕에 의한; 입법부의: the ~ body 〔branch〕 입법부 / a ~ bill 법률안 / a ~ remedy 새 법 제정에 의한 개선.
—*n.* Ⓒ 입법부. ㊀ legislature.
㊂ ~·**ly** *ad.* 입법상.

◊**leg·is·la·tor** [lédʒislèitər] (*fem.* **-tress** [-tris], **-trix** [-triks]) *n.* Ⓒ 입법자, 법률 제정자; 입법부〔국회〕 의원.

◊**leg·is·la·ture** [lédʒislèitʃər] *n.* Ⓒ 입법부, 입법 기관; 《美》《특히》 주(州)의회: a two-house 〔bicameral〕 ~ (상하) 양원제 입법부.

le·git [lidʒít] *a.* 《구어》 = LEGITIMATE.

le·git·i·ma·cy [lidʒítəməsi] *n.* Ⓤ **1** 합법성, 적법; 정당(성). **2** 정통, 정계(正系), 적출. ↔ *bastardy.*

◊**le·git·i·mate** [lidʒítəmit] *a.* **1** 합법의, 적법의; 옳은, 정당한. ↔ *illegitimate.* ¶ a ~ claim 정당한 요구. SYN. ⇨LAWFUL. **2** 정계(正系)의; 적출의: a ~ child 적출자, 본처 소생(所生). **3** 합리적인(reasonable), 이론적〔논리적〕인《귀결 따위》; 이치에 닿는. **4** 〖연극〗 본격적인, 정통한; 무대극의. ◇ legitimacy *n.*
—[-mèit] *vt.* 합법으로 인정하다, 정당화하다; 정통으로 보다; (서자)를 적출로 인정하다.
㊂ ~·**ly** *ad.* 합법적으로, 정당하게.

le·git·i·ma·tize [lidʒítəmətàiz] *vt.* = LEGITIMATE.

lég·less *a.* **1** 다리 없는. **2** Ⓟ 《英속어》 몹시 취한.

lég·man [-mən] (*pl.* **-men** [-mən]) *n.* Ⓒ 《美》 〖신문〗 취재〔탐방〕 기자《기사는 쓰지 않음》; 취재원, (조사를 위한) 정보 수집자.

lég-of-mútton, -o'- *a.* Ⓐ 양(羊) 다리꼴의, 삼각형의《돛 · 소매 따위》.

lég-pùll *n.* Ⓒ 《구어》 못된 장난, 속여 넘기기.

lég-rèst *n.* Ⓒ (앉아 있는 환자용) 발받침.

lég·ròom *n.* Ⓤ (극장 · 자동차 등의 좌석 앞의) 다리를 뻗는 공간: I have no ~. (좁아서) 다리를 뻗을 수 없다.

lég shòw 각선미 따위를 보이는 쇼〔레뷰〕.

leg·ume, le·gu·men [légju:m, ligjú:m], [ligjú:mən, le-] (*pl.* **~s, -mi·na** [-minə]) *n.* Ⓒ 콩과(科)의 식물, 콩류《식료로서》.

le·gu·mi·nous [ligjú:minəs, le-] *a.* 콩이 열리는; 〖식물〗 콩과(科)의.

lég wàrmer (보통 *pl.*) 발목에서 넓적다리까지를 가리는 니트의 여성용 방한구.

lég·wòrk *n.* Ⓤ 《구어》 (취재 · 조사 따위를 위해) 돌아다님, 뛰어다님; 탐방; (형사의) 탐문 수사.

le·hua [leihú:ɑ:] *n.* Ⓒ 《Haw.》 〖식물〗 레후아《다홍색 꽃이 피는 참나무; 태평양 제도산(産); 꽃은 하와이주의 주화(州花)》.

lei [lei, léii:/léii:] (*pl.* **le·is**) *n.* Ⓒ 《Haw.》 레이, 화환《사람을 영송할 때 그 목에다 걺》.

Leices·ter [léstər] *n.* **1** 레스터《Leicestershire 의 주도(州都)》. **2** Ⓒ 레스터종의 양.

Leices·ter·shire [léstərʃiər, -ʃər] *n.* 잉글랜드 중부의 주(州)《생략: Leics.》.

Leics. Leicestershire.

Leigh [li:] *n.* 리《남자 이름; Lee 의 이형》.

‡**lei·sure** [lí:ʒər, léʒ-/léʒ-] *n.* Ⓤ **1 틈, 여가** 《*for* …을 위한 / *to* do》: have no ~ *for* reading 〔*to* read〕 느긋하게 독서할 틈이 없다. **2** 한가한 시간, 자유(로운) 시간, 형편이 좋은 때: a lady 〔woman〕 of ~ 유한부인 / a life of ~ 한가한 생활.
at **~** ① 틈이 있어서, 일손이 비어. ② 천천히, 한가하게. ***at*** one***'s*** **~** 한가한 때에, 편리한 때에: Do it *at* your ~. 한가한 때에 해라. ***wait*** one***'s*** **~** 틈이 날〔형편이 닿을〕 때까지 기다리다.
—*a.* Ⓐ 한가한, 볼일이 없는; 유한(有閑)의; 여가의; 한가할 때 입기에 알맞은《옷》: ~ time 〔hours〕 여가 / the ~ class 유한계급 / ~ industries 레저〔여가〕 산업.
㊂ **~d** *a.* 틈〔짬〕이 있는, 한가한; 느긋한(leisurely): (the) ~*d* class(es) 유한계급. ~·**less** *a.* 여가가〔짬이〕 없는, 분주한.

◊**léi·sure·ly** *a.* 느긋한, 유유한, 여유 있는: He drove at a ~ pace. 그는 천천히 차를 몰았다.
—*ad.* 천천히, 유유히. ㊂ **-li·ness** *n.*

leit·mo·tif, -tiv [láitmoutì:f] *n.* 《G.》 Ⓒ **1** 〖음악〗 (악극의) 시도(示導) 동기; 주악상. **2** (행위 따위에 일관된) 주목적; 중심 사상.

LEM, Lem [lem] *n.* Ⓒ 달 착륙〔탐사〕선. [◂ *l*unar *e*xcursion *m*odule]

lem·me [lémi] 《구어》 〖발음 철자〗 let me.

lem·ming [lémiŋ] *n.* 《Norw.》 Ⓒ 〖동물〗 나그네쥐《북유럽산(産)》.

‡**lem·on** [lémən] *n.* **1** Ⓒ **레몬**《과실》; 〖식물〗 레몬나무(= ∠ **trèe**). **2** Ⓤ 레몬의 풍미〔향료〕; 레몬 음료; 레몬빛, 담황색(= ∠ **yéllow**). **3** Ⓒ 《구어》 불쾌한 것〔일 · 사람〕; 불량품《결함 있는 차(車) 따위》. **4** Ⓒ 《英속어》 매력 없는 사람〔여자〕; 바보, 얼간이. —*a.* Ⓐ 레몬의, 레몬이 든; 레몬 빛깔의, 담황색의.

◊**lem·on·ade** [lèmənéid] *n.* Ⓤ (낱개는 Ⓒ) **1** 《美》 레몬수《레몬 주스에 설탕과 물을 첨가한 찬 음료》. **2** 《英》 레몬 소다(《美》 lemon soda)《소다수에 레몬 즙을 가미한 것》. **3** 레모네이드《달면서 쓴맛이 도는 투명한 탄산음료》.

lémon chèese 〔**cùrd**〕 레몬에 설탕 · 달걀 등을 넣어 가열하여 잼 모양으로 만든 식품《빵에 바르거나 파이에 넣음》.

lémon làw 《美》 불량품법《불량품의 교환 · 환불 청구 권리를 정한 주법(州法)》.

lémon lìme 《美》 레몬 라임《무색 · 투명한 탄산음료》.

lémon sòda 《美》 레몬 소다《레몬 맛이 나는 탄산음료》.

lémon sòle 〖어류〗 가자미의 일종《유럽산》.

lémon squásh 《英》 레몬 스쿼시.

lémon squèezer 레몬을 짜는 기구.

lem·ony [léməni] *a.* 레몬 맛이〔향기가〕 나는.

le·mur [lí:mər] *n.* Ⓒ 〖동물〗 여우원숭이.

†**lend** [lend] (*p.*, *pp.* **lent** [lent]) *vt.* **1** 《~+목/+목+목/+목+전+명》 **빌리다**, 빌려주다, (이자를 받고) 빚을 주다, 대부〔대출〕하다《*to* (아무)에게》; 임대(賃貸)하다. ↔ *borrow.* ¶ ~ an umbrella 우산을 빌려주다 / ~ a person money at five-percent interest = ~ money *to* a person at five-percent interest 5부 이자로 아무에게 돈을 빌려주다 / I can't ~ it *to* you. 그것을 너에게 빌려줄 수 없다.
2 《+목+목/+목+전+명》 (도움 따위)를 **주다**, 제공하다; (위엄 · 아름다움 따위)를 더하다, 부여(賦與)하다《*to* …에》: ~ assistance 힘을 빌리다, 도와주다, 원조하다 / ~ enchantment 〔dignity〕

to …에 매력〔기품〕을 더하다 / Could you ~ me a hand with these parcels? 짐꾸리는〔푸는〕데 도와주시겠습니까 / ~ one's aid *to* a cause 어떤 주의〔목적〕에 가세하다 / This fact ~s probability *to* the story. 이 사실로 보면 그 이야기는 있을 법하다.
3 《+목+전+명》 〖~ oneself〗 힘을 쏟다, 적극적으로 나서다; 도움이 되다, 적합하다《***to*** …에》: You should not ~ your*self to* such a transaction. 그런 거래에 끼어들어서는 안 된다 / The incident seemed to ~ it*self to* dramatization. 그 사건은 극화하는 데 적합한 것같이 여겨졌다.
—*vi.* (돈을) 빌려 주다, 대부를 하다: She neither ~s nor borrows. 그녀는 빌려 주지도 않고 꾸지도 않는다.
㊍ **∠·er** *n.* Ⓒ 빌려 주는 측〔사람〕; 대금(貸金)업자, 고리대금업자.

lénding lìbrary 《美》 = RENTAL LIBRARY; 《英》 (관외 대출을 하는) 공공 도서관.

‡**length** [leŋ*k*θ] *n.* **1 a** Ⓤ (끝에서 끝까지의) 길이; 세로; 기장. cf. breadth, thickness. ¶ 2 meters in ~ 길이 2미터 / the ~ *of* a pool 풀의 길이. **b** Ⓒ (치수의) 길이: The bridge has a ~ *of* 200 meters. 그 다리의 길이는 200m이다. **c** Ⓤ (담화 · 기술 따위의) 길이: a story of some ~ 상당히 긴 이야기. **d** (the ~) (물건의) 끝에서 끝까지의 부분: The fresco runs the ~ *of* the wall. 그 프레스코 벽화는 벽 끝에서 끝까지 그려져 있다.
2 Ⓤ (구체적으로는 Ⓒ) **a** (시간적) 길이, 기간: the ~ *of* vacation 휴가 기간. **b** 〖음성 · 음악〗 (음의) 길이; 음량.
3 Ⓤ (시간 · 거리 따위의) 긺, 긴 상태: The ~ *of* the meeting tired me. 모임이 길어 피곤했다.
4 Ⓒ **a** (도로 따위의) 특정한 부분, 구간: A ~ *of* the highway is under repair. 간선 도로의 일부가 공사 중이다. **b** (물건의) 특정〔표준〕 길이: two ~s *of* pipe 파이프 두 개 / a skirt ~ *of* silk 스커트 한 감의 비단.
5 Ⓒ (보트의) 1정신(艇身); 〖경마〗 1마신(馬身): win by a ~ 1정신(艇身)〔마신(馬身)〕의 차로 이기다. ◇ long *a.*
at arm's ~ ① 팔 뻗친 거리에. ② 멀리하여: keep a person *at arm's* ~ 아무를 가까이하지 않다, 경원하다. ***at full*** ~ ① 충분히, 상세히. ② 온몸을 쭉 펴고《눕다》. ③ 줄이지 않고, 상세히. ***at great*** ~ 길게, 장황하게; 상세히. ***at*** ~ ① 드디어, 마침내. cf. at last[1]. ② 기다랗게; 오랫동안, 장황하게; 충분히. ***at some*** ~ 상당히 자세하게〔길게〕. ***go the*** ~ ***of*** doing …까지도 하다, …할 정도로 극단에 흐르다(go so far as to do): I will not *go the* ~ *of* saying such things. 그런 것까지 얘기하고 싶지 않다. ***go the whole*** ~ ***of*** ① 마음껏 …하다. ② 남김 없이 말하다. ***go all*** 〔***any, great***〕 ~***s*** = ***go to any*** ~(***s***) 〔***great*** ~***s***〕 철저하게 하다, 어떠한 짓도 서슴지 않다. ***measure*** one***'s*** (***own***) ~ (***on the ground***) (땅바닥에) 큰대자로 자빠지다. ***over*** 〔***through***〕 ***the*** ~ ***and breadth of*** …의 전체에 걸쳐, …을 남김 없이.

*__length·en__ [léŋ*k*θən] *vt.* 《~+목/+목+부》 길게 하다, 늘이다(*out*): ~ (*out*) one's speech 연설을 길게 늘이다 / I want to have this coat ~*ed*. 이 코트의 기장을 늘리고 싶다.
—*vi.* **1** 《~/+전+명》 길어지다, 늘어나다《***across, over*** …에》: The day ~ in spring. 봄에는 낮이 길어진다 / The shadows ~*ed over* the lawn. 그림자가 잔디에 길게 드리워졌다. SYN. ⇨ EXTEND.
2 《(+부)+전+명》 늘어나 …되다, 변천하다(*out*) 《***into*** …으로》: Summer ~*s* (*out*) *into* autumn. 여름이 가고 가을이 된다.

length·ways, -wise [léŋ*k*θwèiz], [-wàiz] *ad.* 세로로; 길게: Measure it ~. 세로로 재라. —*a.* 세로의, 긴.

◇**lengthy** [léŋ*k*θi] (***length·i·er; -i·est***) *a.* 긴, 기다란; 말이 많은, 장황한. ㊍ **léngth·i·ly** *ad.* **-i·ness** *n.*

le·ni·ence, -en·cy [lí:niəns, -njəns], [-i] *n.* Ⓤ 너그러움, 관대함; 연민, 자비, 인자.

◇**le·ni·ent** [lí:niənt, -njənt] *a.* **1** 관대한; 인정 많은, 자비로운《***with, to, toward*** …에》: He's ~ *with* his pupils. 그는 학생들에게 관대하다. **2** (법률 따위가) 무른; (벌 따위가) 가벼운.

Len·in [lénin] *n.* **Nikolai** ~ 레닌《러시아의 혁명가; 1870–1924》.

Len·in·grad [léningræ̀d, -grὰ:d] *n.* 레닌그라드《Petersburg의 옛 소련 시절의 이름》.

Lén·in·ìsm *n.* Ⓤ 레닌주의.

Lén·in·ist *n.* Ⓒ, *a.* 레닌주의자(의).

len·i·tive [lénətiv] *a.* 진통(성)의(soothing), 완화하는. —*n.* Ⓒ 〖의학〗 진통제, 완화제.

len·i·ty [lénəti] *n.* Ⓤ 자비; 관대; Ⓒ 관대한 조치〔행위〕.

‡**lens** [lenz] (*pl.* **~·*es*** [lénziz]) *n.* Ⓒ **렌즈**; 렌즈꼴의 물건; 〖해부〗 (눈알의) 수정체.

◇**Lent** [lent] *n.* 〖기독교〗 사순절(四旬節)《Ash Wednesday부터 Easter Eve까지의 40일간; 단식과 참회를 행함》.

lent [lent] LEND의 과거 · 과거분사.

Lent·en [léntən] *a.* 사순절(四旬節)의; 고기 없는; 검소한; 궁상스러운: ~ fare 고기 없는 요리, 소식(素食) / the ~ fast 사순절의 단식.

len·til [lént*i*l] *n.* Ⓒ 〖식물〗 렌즈콩, 편두(扁豆).

len·to [léntou] *a.*, *ad.* 《It.》 〖음악〗 느린; 느리게, 렌토로〔의〕.

Lént tèrm (보통 the ~) 〖英대학〗 봄 학기《크리스마스 휴가 후부터 부활절 무렵까지》.

Leo [lí:ou] *n.* **1** 리오《남자 이름》. **2** 〖천문〗 사자자리《성좌》(the Lion); 〖점성〗 (12궁의) 사자궁(宮). **3** Ⓒ 사자자리에 태어난 사람.

Leon·ard [lénə*r*d] *n.* 레너드《남자 이름》.

Le·o·nar·do da Vin·ci [lì:ənά:*r*doudəvíntʃi] ⇨ DA VINCI.

Le·o·nids, Le·on·i·des [lí:ənidz], [liάnədì:z/liɔ́n-] *n. pl.* (the ~) 〖천문〗 사자자리 유성군(流星群)(=**Léonids mèteors**)《11월 15일경에 나타남》.

le·o·nine [lí:ənàin] *a.* 사자의; 사자와 같은; 당당한, 용맹한.

Le·o·no·ra [lì:ənɔ́:rə] *n.* 리어노라《여자 이름》.

◇**leop·ard** [lépə*r*d] *n.* Ⓒ 〖동물〗 표범(panther). ***Can the*** ~ ***change his spots?*** 표범이 그 반점을 바꿀 수 있느뇨《성격은 좀처럼 못 고치는 것; 예레미야서 XIII: 23》.

Le·o·pold [lí:əpòuld] *n.* 레오폴드《남자 이름》.

le·o·tard [lí:ətὰ:*r*d] *n.* Ⓒ (《美》에서는 종종 *pl.*) 레오타드《체조 · 곡예 · 발레 연습 등에 입는 위아래가 붙은 스포츠 웨어의 일종》.

◇**lep·er** [lépə*r*] *n.* Ⓒ **1** 나(병)환자, 문둥이: a ~ village 나병 환자 마을. **2** 세상으로부터 배척당하는 사람.

lep·i·dop·ter·al, -ter·ous [lèpədάptərəl/

-dɔ́p-], [-tərəs] *a.* 〖곤충〗 인시류(鱗翅類)의.

lep·re·chaun [léprəkɔ̀:n, -kɑ̀n] *n.* [C] 〖Ir. 전설〗 (붙잡으면 보물이 있는 곳을 알려 준다는, 장난을 좋아하는) 작은 요정(妖精).

lep·ro·sy [léprəsi] *n.* [U] **1** 〖의학〗 나병, 한센병. **2** (사상 · 도덕적인) 부패: moral ~ (감염되기 쉬운) 도덕적인 부패, 타락.

lep·rous [léprəs] *a.* 나병의, 나병에 걸린.

les·bi·an [lézbiən] *a.* (여성간의) 동성애의: ~ love 여성간의 동성애. **—***n.* [C] 동성애하는 여자. [파] **~·ism** *n.* [U] (여성간의) 동성애.

lése 〔**léze**〕 **májesty** [lí:z-] **1** 〖법률〗 불경죄, 대역죄(high treason). **2** 《구어》 불경 행위; (전통적 습관 · 신앙 등에 대한) 모독.

le·sion [lí:ʒən] *n.* [C] 외상, 손상(injury); 정신적 상해; 〖의학〗 (조직 · 기능의) 장애; 병변.

Le·so·tho [ləsú:tu:, -sóutou] *n.* 레소토《아프리카 남부의 왕국; 수도는 Maseru》.

†**less** [les] *a.* 《little의 비교급》 **1 더 적은,** 보다 적은《양(量) 또는 수에 있어서》. ↔ *more.* ¶Eat ~ meat but more vegetable. 고기를 줄이고 채소를 더 많이 잡수십시오 / *Less* noise, please! 좀더 조용히 해 주십시오 / spend ~ time at work *than* at play 일보다도 노는 데 더 많은 시간을 보내다 / *Less* people go to church *than* to the theater. 극장보다 교회에 가는 사람이 적다.

> [NOTE] 수에 있어서는 fewer를 쓰는 것이 원칙이나, 종종 less도 씀《특히 수사(數詞)를 수반할 때》: *Fewer* Koreans learn Chinese than English. 중국어를 배우는 한국인은 영어를 배우는 사람보다 적다 / I have two *less* children than you. 나는 너보다 어린애가 둘 적다.

2 한층 작은, 보다 작은, (…보다) 못한《크기 · 무게 · 가치 따위에 있어서》. ↔ *greater.* ¶ of ~ magnitude 크기에 있어서 미치지 못하는.

—*ad.* 《little의 비교급》 **1** 《형용사 · 명사 · 부사를 수식》 **보다**〔**더**〕 **적게,** (…만) 못하여: Try to be ~ exact. 그렇게 엄하게 하지 않도록 하십시오 / He was ~ a fool *than* I had expected. 그는 생각했던 것만큼 어리석지 않았다 / We go to Paris ~ frequently now. 지금은 파리에 그리 자주 가지 않는다.

2 《동사를 수식》 (보다) 적게: He was ~ scared *than* surprised. 무서웠다기보다는 오히려 놀랐다 / The ~ said the better. 말수는 적을수록 좋다.

~ and ~ 점점 더 적게: do ~ *and* ~ work 일을 점점 하지 않게 되다. ***~ than*** 결코 …아니다 (not at all)(↔ *more than*): She is ~ *than* pleased. 그녀는 조금도 기뻐하지 않는다 / be ~ *than* honest 정직하다고는 할 수 없다. ***no ~*** ① …보다 적지 않은 (것), 그 정도의 (것): We expected *no* ~. 그 정도는 각오하고 있었다 / It's *no* ~ good. 그것도 못지않게 좋다. ② 《부가적; 종종 반어적》 바로, 확실히: He gave me $100. And in cash, *no* ~. 그는 나에게 100달러나 주었다. 그것도 정확하게 현금으로. ***no ~ a person than*** 다른 사람 아닌 바로: He was *no* ~ *a person than* the King. 그 사람은 다른 사람 아닌 바로 임금이었다. ***no ~ than*** ① …와 같은〔마찬가지의〕, …나 다름없는: It is *no* ~ *than* a fraud. 그것은 사기 행위나 다름없다. ② (수 · 양이) …(만큼)이나(as many 〔much〕 as): He has *no* ~ *than* 10 children. 그는 어린애가 10명이나 있다. ***no ~... than*** …못지않게, …와 같이〔마찬가지로〕 …: He is *no* ~ clever *than* his elder brother. 그는 형만큼 영리하다. ***none the ~*** =***not the ~*** 그래도 (역시), 그럼에도 불구하고: He had some faults, but was loved *none the* ~ 〔was *not* loved *the* ~〕. 그에게는 결점이 있었지만, 그래도 역시 사랑을 받았다. ***nothing ~ than*** ① 아주 …, 참으로 …: *nothing* ~ *than* monstrous 참으로 기괴한. ② 적어도 …이상, 꼭 …만은: We expected *nothing* ~ *than* a revolution. 우리는 적어도 혁명쯤은 예기했었다. ③ …에 지나지 않다, …에 불과하다, 바로 …이다: He is *nothing* ~ *than* an impostor. 그는 순전한 사기꾼이다. ***not ~ than*** …이상; 적어도 …은, …보다 더하면 더했지 못하지 않은(as ... as): He has *not* ~ *than* 10 children. 어린애가 적어도 10명은 있다. ***still*** 〔***much, even, far***〕 ***~*** 《부정적 어구 뒤에서》 하물며〔더욱더〕 …이 아니다. [cf.] still 〔much〕 more. ¶I do*n't* ever suggest that he is negligent, *still* ~ that he is dishonest. 나는 그가 태만하다고 말하는 것이 아니며, 정직하지 않다는 것은 더욱더 아니다.

—*n.* [U] 보다 적은 양〔수, 액〕(↔ *more*); (the ~) 작은 편의 것, 보다 못한 사람: I shall see you *in* ~ *than* a week. 1주일 이내에 뵙겠습니다 / *Less than* ten meters is not enough. 10미터 이하로는 모자란다 / He is ~ *of* a fool *than* he looks. 그는 겉보기와 같이 그렇게 어리석지는 않다 / Some had more, others ~. 더 많이 갖고 있는 사람이 있는가 하면, 더 적게 갖고 있는 사람도 있었다. ***Less of ...*** …은 (좀) 작작해라: *Less of* your nonsense! 같잖은 소리 작작해라.

—*prep.* …만큼 감한(minus), …만큼 모자라는; …을 제외하여(excluding): two months ~ three days 두 달에 3일이 모자라는 일수 / Ten ~ three is seven. 10−3=7 / He received full wages ~ the withholding tax. 그는 임금에서 원천 과세분을 공제하고 받았다.

-less [lis, lès] *suf.* **1** 명사에 붙여서 '…이 없는, …을 모면한' 또는 '무한한, 무수의'의 뜻의 형용사를 만듦: child*less*, home*less*, number*less*, price*less*. **2** 동사에 붙여서 '…할 수 없는, …않는'의 뜻의 형용사를 만듦: tire*less*, count*less*. **3** '…없이'의 뜻으로 드물게 부사를 만듦: doubt*less*.

les·see [lesí:] *n.* [C] 〖법률〗 (토지 · 가옥의) 임차인(賃借人), 차지인(借地人), 세든 사람, 차주(借主). ↔ *lessor.*

less·en** [lésn] *vt.* **작게**〔**적게**〕 **하다,** 줄이다, 감하다(diminish): ~ the tension 긴장을 풀다 / He ~*ed* the speed of his car. 그는 차 속도를 줄였다. **—vi.* 작아지다; 적어지다, 줄다. ◇ less *a.*

°**léss·er** *a.* 《little의 이중 비교급》 [A] 작은〔적은〕 편의, 소(小)…; 못한〔떨어지는〕 편의; (the ~) 적은〔못한〕 편. ↔ *greater.* ¶~ powers 〔nations〕 약소 국가 / ~ poets 군소(群小) 시인 / It's the ~ of his two novels. 그것은 그의 두 소설 중 못한 편에 든다. ★ less가 수 · 양의 적음을 나타냄에 대하여, lesser는 가치 · 중요성의 덜함을 나타낼 때가 많음. **—***ad.* 《보통 합성어》 보다 적게: ~-known 그다지 유명하지 않은.

lésser pánda 〖동물〗 레서 판다(bear cat, cat bear)《히말라야 · 중국 · 미얀마산(產)》.

†**les·son** [lésn] *n.* [C] **1** (개개의) **학과,** 과업, **수업,** 연습: Shall we begin our ~? 수업을 시작해 볼까요 / Each ~ lasts 50 minutes. 수업시간은 50분이다.

2 (교과서 중의) 과(課): *Lesson* 5, 제5과.
3 (*pl.*) (일련의 계통이 서 있는) 교수, 과정《**in** …의》: give 〔teach〕 ~*s in* music 〔piano〕 음악을〔피아노를〕 가르치다.
4 **교훈**, 훈계, 질책; 본때: valuable ~*s* of the past 과거의 귀중한 교훈/read a person a ~ 아무에게 훈계를 하다/It served as a ~ to him. 그것은 그에게 교훈이 되었다.
5 『기독교』 일과(日課)《조석으로 읽는 성서 중의 한 부분》: the first ~ 제1일과《구약에서 읽는 것》/the second ~ 제2일과《신약에서 읽는 것》.

les·sor [lésɔr, -ˊ] *n.* Ⓒ 『법률』 (토지·가옥의) 임대인(賃貸人). ↔ *lessee*.

*__lest__ [lest] *conj.* **1 …하지 않도록**, …하면 안 되므로(for fear that…): Be careful ~ you (*should*) fall from the tree. 나무에서 떨어지지 않도록 조심해라. **2** 〖fear, afraid 등의 뒤에서〗 …은 아닐까 하고, …하지나 않을까 하여: I fear ~ he (*should*) die. 그가 죽지나 않을까 걱정이다/There was danger ~ the secret (*should*) leak out. 비밀이 누설될 위험성이 있었다.

> **NOTE** lest로 이끌리는 절 중에서는, 주절의 시제에 불구하고 《美》에서는 종종 가정법 현재를, 《英》에서는 should를 쓰나, might, would를 쓸 때도 있음. 주절이 현재시제일 때 lest의 뒤에 shall을 쓰는 것은 옛날 문체임. 《美》에서는 lest ... should의 should가 가끔 생략됨.

⁑let[1] [let] (*p.*, *pp.* **~; lét·ting**) *vt.* **1** 《+목+*do*》 **a** …**시키다**, …하게 허락하다(allow to): He won't ~ anyone enter the house. 그는 아무도 그 집에 들여보내지 않을 것이다/She wanted to go out, but her father wouldn't ~ her (go out). 그녀는 외출하려고 했으나 아버지가 허락하지 않았다/Please ~ me know what to do. 무엇을 해야 할지 가르쳐 주시오. **b** 〖명령형을 써서 권유·명령·허가 등을 나타냄〗 …**하게 해다오**: *Let* me go. 가게 해 주세요; 놓아 주세요/*Let's* 〔*Let* us〕 start at once, shall we? 곧 떠납시다《권유》/Don't ~'s start yet! 아직 출발하지는 말아줘요《Let's의 부정》/*Let* her come at once. 그녀를 곧 보내 주세요/*Let* there be light. 『성서』 빛이 있으라. **c** 〖명령형으로, 3인칭 목적어를 취하여 경고·위협·체념 등을 나타냄〗 …해보라지, …할 테면 하라고 해: Just ~ him try to stop me! (그에게) 나를 막아볼 테면 막아 보라지. **d** 〖명령형으로, 3인칭 목적어를 취하여 가정·양보를 나타냄〗 가령 …하다고 하자; 설령 …하다고 해도: *Let* the two lines be parallel. 두 선이 평행하다고 하자/*Let* him say what he likes. I don't care. 그가 뭐라고 해도 난 상관없어.

> **NOTE** (1) 본래 let 다음에는 to가 없는 원형 부정사가 오고, 수동태에서는 to부정사가 왔으나, 현재는 없는 쪽이 보통임: I was *let* (to) see him. 그러나, 이런 때에는 오히려 be allowed to (do)가 쓰임.
> (2) **Let's**와 **Let us**: '…합시다'의 뜻일 때 Let us는 일반적으로 문어적이며, 구어에서는 다음과 같이 뜻이 갈릴 때가 많음: *Let's* go. 자 가자. *Let us* go. 저희들을 가게 해 주세요.

SYN. **let** 허용을 나타냄: *Let* him go. (가고 싶다고 하면) 그를 가게 하세요. **make** 강제를 나타냄: *Make* him work. (싫어해도) 그를 일하게 하세요. **have** 《美》 권유를 나타냄: *Have* him go. 그에게 가 달라고 하세요. **get** 《英》 권유를 나타냄: *Get* him to go. 그에게 가 달라고 하세요. **force** 《문어》 강한 강제를 나타냄: *Force* him to come. (무리를 해서라도) 그를 오게 하세요. cf. oblige. **compel** 좋든 싫든 어떤 행위를 하게 하거나 어떤 상태가 되도록 하는 일.

2 《+목+전+명/+목+부》 가게 하다, 오게 하다, 통과시키다, 움직이게 하다: He ~ me *into* his study. 그는 나를 서재로 안내했다/They ~ the car *out*. 그들은 차를 내어보냈다/I ~ myself *into* the house with my key. 나는 열쇠로 열고 집에 들어갔다. ★ let 다음에 go, come 따위 동사가 생략된 것.
3 《~+목/+목+부/+목+전+명》 **빌리다**, 세주다 (*out*)《**to** (아무)에게》: This house is to be ~. 이 집을 세놓습니다/a house to ~ 셋집/~ *out* a car by the day 하루 단위로 차를 세주다/Rooms 〔House〕 to ~. 《게시》 셋방〔셋집〕 있음《To Lent. 라고 쓰기도 함》/They ~ the upstairs room *to* a student. 2층방을 학생에게 세주었다.
4 《~+목/+목+부/+목+전+명》 (액체·목소리 따위)를 쏟다, 내다, 새(나)게 하다(*out*)《**from, out of** …에서》: ~ a sigh 탄성을 발하다/~ blood *from* a person 아무에게서 피를 뽑다.
5 《~+목/+목+전+명》 (일)을 주다, 떠맡게〔도급맡게〕 하다《특히 입찰에 의해》, 계약하게 하다《**to** (아무)에게》: ~ a contract 도급일을 맡기다/~ work *to* a carpenter 목수에게 일을 맡기다.
6 《+목+보》 (어떤 상태로) 되게 하다, …해 두다: *Let* me alone. 나 좀 내버려둬라/You shouldn't ~ your dog loose. 개를 풀어놓지 마라.
—*vi.* 《+전+명》 세놓아 지다, 빌려쓸〔빌릴〕 사람이 있다(be rented); 낙찰되다: The apartment ~*s for* $100 per week. 이 아파트는 세가 일주일에 백 달러씩이다/The house ~*s* well. 이 집은 세가 잘 나간다.

~ ***alone*** ⇨ALONE. ~ ***by*** 《*vt.*+부》 ① …에게 (곁)을 통과시키다: *Let* me *by*, please. 미안하지만 가게 해 주십시오. ② (잘못 따위)를 알고도 눈감아 주다, 못 보다: He doesn't ~ errors *by* unnoticed. 그는 틀린 것을 놓치지 않고 본다. ~ ***down*** 《*vt.*+부》 ① 밑으로 내리다. ② (단을 풀어서 옷)의 길이를 늘이다. ③ (타이어 따위)의 바람을 빼다. ④ (착륙하려고) 고도를 낮추다. ⑤ (아무)를 실망〔낙담〕시키다《★ 종종 수동태로 쓰임》: He has *been* (badly) ~ *down*. (아무도 상대해 주는 사람이 없어) 그는 어려운 지경에 놓여 있다. **—**《*vi.*+부》 ⑥ (항공기가) 고도를 낮추다. ⑦ 《美구어》 노력의 강도를 늦추다. ~ a person ***down easily*** 〔***easy, gently***〕 (무안을 주지 않고) 아무를 온화하게 깨우치다. ~ ***drive at*** ⇨DRIVE. ~ ***drop*** 〔***fall***〕 ① 떨어뜨리다《**on, upon, to** …에》: ~ a cup *fall on* the floor 컵을 마루에 떨어뜨리다. ② (무심코) 입밖에 내다, 비추다, 누설하다: She ~ *drop* a hint. 그녀는 암시를 주었다. ③ 그치다, 끝내다: Shall we ~ the matter *drop*? 이 일은 이쯤 끝내기로 할까요. ~ ***fly*** ⇨FLY[1]. ~ ***go*** ① 해방〔석방〕하다; 눈감아 주다, 너그러이 봐주다. ② (갖고 있는 것)을 손에서 놓다: He ~ *go* (his hold). 그는 잡고 있는 것을 놓았다. ③ 해고하다. ~ ***go of*** (잡고 있는 것)을 놓다: *Let go of* my hand. 내 손 좀 놓아라/He ~ *go of* the rope. 그는 밧줄을 놓았다. ~ a person ***have it*** (아무)를 호되게 혼내다〔호통치다〕. ~ ***in*** 《*vt.*+부》

① …을 들이다(admit): *Let* him *in*. 그를 안에 들여보내라. ② (빛·물·공기 따위)를 통하다: These shoes ~ (*in*) water. 이 구두는 물이 스며든다. —《*vt.*+전》 ③ 안에 들이다: *Let* the dog *in* the house. 개를 집안으로 들여라. ~ a person ***in for*** 아무를 (곤경·손실 따위)에 빠뜨리다. ~ a person ***in on…*** (비밀 따위)를 아무에게 누설하다〔알려 주다〕; (계획 따위)에 아무를 참가시키다. ~***… into*** ① …에 들이다〔넣다〕, …에 입회시키다(⇨*vt.* 2). ② …에 끌어들이다, …에게 (비밀 등)을 알리다: She has been ~ *into* the secret. 그녀에게는 비밀이 알려져 있다. ③ …에 끼우다, 삽입하다: ~ a plaque *into* a wall 벽에 장식판을 끼워 넣다. ~ ***it go at that*** 그쯤 해 두다, 그 이상 추궁〔언급〕하지 않다: I don't agree with all you say but we'll ~ *it go at that*. 자네 말을 모두 찬성하는 것은 아니네만 그쯤 해 두겠네. ~ ***loose*** ⇨LOOSE *a*. ~ ***(…) off*** 《*vt.*+부》 ① …에게 면제하다《***from*** (일·형벌 따위)를》: ~ a person *off from* working overtime 아무에게 초과 근무를 면제해 주다. ② (탈것에서) 내리게 하다, 내려놓다: Please ~ me *off* at the next stop. 다음 정거장에서 내려 주시오. ③ (총·포 따위)를 쏘다, 발사하다; (농담 따위)를 늘어놓다, 함부로 하다: Who ~ *off* that gun? 누가 발포했나. ④ 석방〔방면〕하다, 용서해 주다《***with*** (가벼운 처벌)로》; (일시적으로) 해고하다: He was ~ *off with* a fine. 그는 벌금만 물고 석방되었다. ⑤ (액체·증기 따위)를 방출하다, 흘려 보내다: ~ *off* steam 여분의 증기를 빼다. —《*vt.*+전》 ⑥ (탈것)에서 내려놓다. ⑦ (일·처벌 따위)에서 놓아주다〔면제하다〕: I ~ him *off* washing the dishes. 나는 그에게 접시 닦는 일을 면제해 주었다. ~ ***on*** 《*vi.*+부》 ① 입밖에 내다, 고자질하다, 비밀을 알리다〔누설하다〕《***about*** …에 관해서/***that***/***wh.***》: He knew the news but he didn't ~ *on*. 그는 그 소식을 알고 있었으나 아무에게도 알리지 않았다/Don't ~ *on about* that. 그 일에 관해 말하지 마라/I didn't ~ *on that* he had been seeing her. 나는 그가 그녀를 만나고 있었다는 것을 발설하지 않았다/Don't ~ *on who* did it. 그것을 누가 했는지 말하지 마라. —《*vt.*+부》 ② (차)에 태우다. ~ ***out*** 《*vt.*+ 부》 ① 유출시키다, 엎지르다; (공기 따위)를 빼다《***of*** …에서》: He ~ the air *out of* the tires. 그는 타이어의 바람을 뺐다. ② (소리)를 지르다; 입밖에 내다《***that***/***wh.***》: ~ *out* a secret 〔scream〕 비밀을 누설하다〔고함을 지르다〕/He ~ *out that* he was going to be married. 그는 결혼할 것이라고 털어놓았다. ③ 해방〔방면, 면제〕하다《***of*** …에서》. ④ (옷 따위)를 크게 하다, 늘리다: My trousers need to be ~ *out* round the waist. 바지 허리를 늘일 필요가 있다. ⑤ 《英》 (말 따위)를 세놓다, 임대하다. —《*vi.*+부》 ⑥ 맹렬히 치고 덤비다, 욕을 퍼붓다《***at*** …에게, …을》: Be careful! That horse has a habit of ~*ting out at* people. 조심해라, 그 말은 사람을 차는 버릇이 있다. ⑦ (학교·모임·연습 따위가) 끝나다, 해산하다, 마치다: School ~*s out* at 3 p.m. 학교는 오후 3시에 끝난다. ~ ***pass*** 관대히 봐주다, 불문에 부치다: He could not ~ *pass* his daughter's misconduct. 그는 딸의 비행을 봐줄 수가 없었다. ~ one***self in*** 들어가다: I ~ my*self in* with a latchkey. 열쇠로 자물쇠를 열고 옥내〔실내〕로 들어갔다. ~ one***self in for*** ① …일을 당하다. ② …에 버물리다〔연루되다, 말려들다〕, …에 빠지다. ~ ***through*** 《*vt.*+부》 ① (사람·물건 등)을 통과시키다. ② (잘못 따위)를 묵과하다. —《*vt.*+전》 ③ (장소)를 통과하게 하다. ~ ***up*** 《*vi.*+부》 ① (비·바람 등이) 그치다, 잠잠해지다: Will the rain never ~ *up?* 비는 전혀 안 그칠 것인가. ② 그만두다: work without ~*ting up* 한 번도 쉬지 않고 일하다. ~ ***up on*** 《구어》 ① …을 눈감아〔봐〕주다. ② (노력 따위)를 늦추다. ~ ***well*** (***enough***) ***alone*** ⇨ALONE. ***To Let.*** 《英》 셋집〔셋방〕 있음(《美》 For Rent.).

> **DIAL.** ***Let me see.*** =***Let's see.*** (생각하면서) 그런데, 뭐랄까; (의심을 품고) 글쎄: *Let me see*—where did I leave my ball-point pen? 그런데 내 볼펜을 어디에 두었지.

—*n*. Ⓒ 빌려줌, 임대(lease); 셋집, 셋방; 《구어》 세들 사람: I cannot find a ~ for the room. 방에 세들 사람을 구하지 못하고 있다.

let[2] *n*. Ⓒ 【구기】 레트《테니스 등에서, 네트를 스치고 들어간 서브 공》. ***without ~ or hindrance*** 〔***injury***〕 【법률】 아무 장애〔이상〕 없이.

-let [lit] *suf*. '작은 것, 몸에 착용하는 것'의 뜻: stream*let*, ring*let*, wrist*let*.

letch [letʃ] *vi*. =LECH.

lét·dòwn *n*. Ⓒ 후퇴, 감소, 이완; 부진; 실망, 낙담; 실속(失速); 【항공】 (착륙을 위한) 고도 낮추기: a ~ in sales 매상(賣上)의 감소.

le·thal [líːθəl] *a*. 죽음을 가져오는, 치사의, 치명적인: ~ ash 죽음의 재/a ~ weapon 흉기/a ~ dose 치사량. ㊎ **~·ly** *ad*.

le·thar·gic, -gi·cal [leθáːrdʒik], [-əl] *a*. **1** 혼수(상태)의, 기면(嗜眠)성〔증, 상태〕의: a ~ stupor 기민성 혼미(昏迷). **2** 노곤한, 무기력한 (상태의); 활발치 못한, 둔감한: The hot weather made me feel ~. 날씨가 더워 노곤해졌다. ㊎ **-gi·cal·ly** *ad*.

leth·ar·gy [léθərdʒi] *n*. Ⓤ 혼수 (상태), 기면(嗜眠); 무기력, 활발치 못함.

Le·the [líːθi(ː)] *n*. **1** 【그리스신화】 레테《그 물을 마시면 일체의 과거를 잊는다고 하는 망각의 강; Hades에 있다는 저승의 강》. **2** Ⓤ 망각. ㊎ **Le·the·an** *a*.

lét·òut *n*. Ⓒ 《英구어》 (곤란·의무 따위로부터) 빠져 나갈 구멍.

†**let's** [lets] let us의 간약형《권유하는 경우》.

> **DIAL.** ***Shall we sit here?—All right*** 〔***Yes***〕, ***let's*** (***sit here***). / ***No, let's not.*** 여기에 앉을까—그래, (여기에) 앉자/아니, 앉지 말자.

†**let·ter** [létər] *n*. **1** Ⓒ **글자**, 문자. ⓒⓕ character. ¶a capital 〔small〕 ~ 대〔소〕문자.
2 【인쇄】 **a** Ⓒ 활자: a roman ~ 로마자체 활자. **b** Ⓤ 자체, 서체: in Italic ~ 이탤릭체로.
3 Ⓒ **편지**, 서한; 근황(近況) 보고, …통신: by ~ 편지로, 서면으로《★ 관사 없이》/an open ~ 공개 서한/mail 〔《英》 post〕 a ~ 편지를 부치다.
4 Ⓒ 《美》 학교의 약자(略字) 마크《우수 선수에 주며 운동복에 붙임》.
5 (the ~) (내용에 대해) 글자 자체의 뜻, 자의(字義), 자구(字句): keep to 〔follow〕 the ~ of the law 〔an agreement〕 (참뜻·정신을 무시하고) 법문〔계약〕 조건을 글자의 뜻대로 이행하다.
6 (*pl*.) **문학**; 학문; 학식; 교양; 문필업: art and ~*s* 문예/a doctor of ~*s* 문학 박사/a man of ~*s* 문학가, 저술가, 학자/the profession of ~*s* 저술업/the world of ~*s* 문학계, 문단.

7 Ⓒ (종종 *pl.*) 증서, 감찰(鑑札), 면허증[장], …증(證), …장(狀): a ~ of credit 『상업』 (은행의) 신용장《생략: L/C, l/c》/ ~(*s*) of credence (대사[공사]에게 주는) 신임장.

to the ~ 문자(그)대로, 엄밀히: carry out [follow] instructions *to the* ~ 지시를 엄수[충실히 실행]하다.

— *vt.* **1** 《~+목/+목+전+명》 …에 글자를 넣다[박다, 찍다]; …에 표제를 넣다: ~ a poster 포스터에 글자를 넣다/He ~*ed* his name *on* the blank page. 그는 공백의 페이지에 자기 이름을 써 넣었다. **2** …을 인쇄체로 쓰다.

létter bòmb 우편 폭탄《폭탄을 장치한 우편물》.

létter bòx 《英》 (개인용의) 우편함; 우체통(《美》 mail box).

létter·càrd *n.* Ⓒ 《英》 봉함엽서.

létter càrrier 우편 집배원(postman, 《美》 mail carrier).

lét·tered *a.* 학식[교육]이 있는(educated); 문학 소양이 있는; 글자를 넣은.

létter·hèad *n.* Ⓒ 편지지 윗 부분의 인쇄 문구《회사명 · 소재지 따위》; Ⓤ 그것이 인쇄된 편지 용지.

lét·ter·ing [-riŋ] *n.* Ⓤ **1** 글자 쓰기, 글자 찍기, 글자 새기기[도안]. **2** 《집합적》 쓴[새긴] 글자, 명(銘); (쓰거나 새긴) 문자의 배열[체재], 자체.

lét·ter·less *a.* 무식한, 무교육의, 문맹의.

létter pàper 편지지.

SYN. **letter paper** 대형《약 20cm×25cm》의 편지지《보통 실무용》. **notepaper** 소형《약 12cm×17cm》의 편지지《보통 사신(私信)용》. writing paper 라고도 함.

létter-pérfect *a.* 《美》 **1** 자기 대사(臺辭)[학과]를 완전히 외고 있는. **2** (문서 · 교정지 따위가) 완전한, 정확한.

létter·prèss *n.* Ⓤ **1** 철판 인쇄 (방식); 철판 인쇄물. **2** 《英》 본문《삽화에 대해》.

létter-sìze *a.* 《美》 (종이가) 편지지 크기《22 cm ×28 cm》의.

létters pátent 《英》 전매 특허장.

◇**let·tuce** [létis] *n.* **1** Ⓒ (식용은 Ⓤ) 『식물』 상추, 양상추. **2** Ⓤ 《속어》 지폐.

lét·ùp *n.* Ⓤ (구체적으로는 Ⓒ) 《구어》 감소, 감속(減速); 정지, 휴지. ***without a*** ~ 끊임없이.

leu·ke·mia, -kae- [luːkíːmiə] *n.* Ⓤ 『의학』 백혈병. ㊞ **-mic** *a.*

leu·ko·cyte, -co- [lúːkəsàit] *n.* Ⓒ 백혈구.

Lev. Leviticus.

Le·vant [livǽnt] *n.* **1** (the ~) 레반트《동부 지중해 연안 제국; 시리아 · 레바논 · 이스라엘 등》. **2** (l-) Ⓤ 염소 가죽제 모로코 피혁《제본용》(= ∠ **morócco**).

le·vant *vi.* 《英》 (빚 · 내깃돈 등을 갚지 않고) 도망하다.

Lev·an·tine [lévəntàin, -tìːn, livǽntin] *a.* 레반트의. — *n.* Ⓒ 레반트 사람.

lev·ee[1] [lévi, ləvíː] *n.* Ⓒ 《英》 군주의 접견《이른 오후 남자에 한하는》; 《美》 대통령의 접견(회).

lev·ee[2] [lévi] *n.* Ⓒ 《美》 충적토(沖積土)로 쌓인 둑; 하천의 제방, 둑; (강의) 부두(quay).

⁑**lev·el** [lévəl] *n.* **1** Ⓤ (구체적으로는 Ⓒ) **수평**; 수평선[면], 평면(plane): out of the ~ 평탄하지 않은, 기복이 있는/bring the tilted surface to a ~ 경사진 면을 수평으로 하다.

2 Ⓒ 평지, 평원(plain): a dead ~ 전혀 높낮이가 없는 평지.

3 Ⓤ (구체적으로는 Ⓒ) (수평면의) 높이(height): at the ~ of one's eyes 눈 높이로/at the ~ of the sea 해면 높이에.

4 a Ⓒ (지위 · 능력 · 품질 따위의) 단계, 수준, 정도: the ~ *of* living 생활 수준/on an international ~ 국제 수준으로/various ~*s of* culture 문화의 여러 수준. **b** Ⓤ 동등한 지위[수준]: talks at cabinet ~ 각료급 회담/students at college ~ (수준이) 대학 정도의 학생.

5 Ⓒ 수준기(器), 수평기《측량용》: take a ~ (두 지점의) 고도차를 재다.

6 Ⓒ 농도: atmospheric ~*s* of ozone 대기 중의 오존 농도.

find one***'s*** (***own***) ~ 분수에 맞는 지위를 얻다; (액체가) 수평면의 곳에 자리잡다: Water *finds* its ~. 물은 낮은 곳으로 흐른다. ***on a*** ~ ***with*** … 와 같은 수준으로[높이로]; …와 동격으로. ***on the*** ~ 《구어》 공평하게[한], 정직하게[한]; 솔직히[한]: *On the* ~ , I don't like him. 솔직히 말해서, 그를 좋아하지 않는다.

— *a.* **1 수평의**(horizontal); 평평한, 평탄한(even): The road is not ~. 길이 평탄치 않다/a ~ line 수평선/a ~ cup of flour 평미레질한 밀가루 한 컵.

2 같은 수준[높이, 정도]의(***with*** …와); 호각(互角)의, 대등한: a ~ race 백중한 경주/draw ~ *with* …와 동점(同點)이 되다.

3 (소리 · 색 따위가) 한결같은, 균형 잡힌(balanced), 고른.

4 (어조 따위가) 침착한, (판단 따위가) 냉정한: answer in a ~ tone 침착한 어조로 대답을 하다/keep [have] a ~ head (위기에 직면해서도) 냉정을 유지하다, 분별이 있다.

do one***'s*** ~ ***best*** 《구어》 전력을 다하다: He *did* his ~ *best* to please his father. 그는 아버지를 기쁘게 해드리려고 최선을 다했다.

— (***-l-***, 《英》 ***-ll-***) *vt.* **1** 《~+목/+목+부》 **수평이 되게 하다**, 평평하게 하다, 고르다; 평등[동등]하게 하다, (차별)을 없애다(*out, off*): ~ (*off*) a plot for a house 택지를 고르다/~ *out* all social distinctions 모든 사회적 차별을 없애다/Death ~*s* all men. 죽음 앞에 만인이 평등하다.

2 《~+목/+목+부/+목+전+명》 같은 높이[표준]으로 하다(*up, down*)(***with, to*** …와): ~ a road *down* [*up*] before building 건축하기 전에 노면을 평평하게 깎다[돋우다]/~ a picture *with* a bookcase 그림 높이를 책장과 같게 하다/~ income *up* [*down*] 소득을 높여[깎아] 균일하게 하다.

3 《~+목/+목+전+명》 수평이 되게 놓다; (시선 따위)를 돌리다; (총)을 겨누다(***at*** …에); (풍자나 비난 따위)를 퍼붓다(***at, against*** …에)《★ 종종 수동태로 쓰임》: ~ a gun *at* a lion 사자에게 총을 겨누다/His criticism *was* ~*ed against* society as a whole. 그의 비판은 사회 전반에 걸친 것이었다.

4 《~+목/+목+전+명》 (사람 · 건물 따위)를 쓰러뜨리다, 무너뜨리다(***to, with*** (지면)에): He ~*ed* his opponent with one blow. 일격에 상대방을 때려눕혔다/a building *to* [*with*] the ground 건물을 무너뜨리다.

— *vi.* **1** 《~/+부》 **a** 수평이 되다, 평평해지다(*out; off*). **b** (물가 따위가) 보합[안정] 상태로 되다(*off; up*): Prices are ~*ing off*. 물가가 보합

상태를 유지하고 있다.
2 ((+[전]+[명])) 조준하다, 겨누다((*at* …을)).
3 ((+[전]+[명])) ((구어)) 사실 그대로〔터놓고〕 말하다 ((*with* …와)): Let me ~ *with* you. 정직히〔사실대로〕 말할게.
4 ((~/+[부])) 〖항공〗 (착륙 직전에) 수평〔저공〕 비행 태세로 들어가다(*out; off*).
[파] **~·ly** *ad.* **~·ness** *n.*

lével cróssing ((英)) (철도·도로 등의) 평면교차, 건널목(((美)) grade crossing).

lév·el·er, ((英)) **-el·ler** *n.* [C] **1** 수평이 되게 하는 사람〔기구〕, 땅을 고르는 기계. **2** 평등주의자, 계급 타파 운동자.

lével-héaded [-id] *a.* 온건한, 분별 있는. [파] **~·ly** *ad.* **~·ness** *n.*

lév·el·ing, ((英)) **-el·ling** *n.* [U] 평평하게 하기, 땅 고르기, 정지(整地); (사회의) 평등화〔계급 타파〕 운동.

lével pégging 동점, 백중지세.

***lev·er** [lévər, líːvər] *n.* [C] 〖기계〗 **지레**, 레버; 조작봉(棒); (목적 달성의) 수단, 방편: a control ~ 〖항공〗 조종간/a gearshift ~ (자동차 따위의) 변속 레버.
—*vt.* ((~+[목]/+[목]+[부]/+[목]+[보])) **지레로 움직이다**; 지레로 움직여 …상태로 하다: ~ *up* a manhole lid 맨홀의 뚜껑을 비집어 열다/~ a stone *out* 지레로 돌을 제거하다/~ open a door 문을 지레로 열다. **—***vi.* 지레를 쓰다.

lev·er·age [lévəridʒ, líːv-] *n.* [U] **1** 지레의 작용〔힘〕; 지레 장치. **2** (목적을 이루기 위한) 효력, 영향력. **3** ((美)) 차입 자본 이용. **—***vt.* …에 영향력을 행사하다; ((美)) 차입 자본으로 …에 투기를 하다.

léveraged búyout 주로 차입금에 의한 회사 매수((생략: LBO)).

lev·er·et [lévərit] *n.* [C] (그 해에 낳은) 새끼 토끼.

le·vi·a·than [liváiəθən] *n.* **1** (흔히 L-) 〖성서〗 거대한 해수(海獸). **2** [C] 거대한 것; ((특히)) 고래; 거선(巨船).

Le·vi's [líːvaiz, -viz] *n.* 리바이스((솔기를 리베트로 보강한 청색 데님(denim)의 작업복 바지; 상표명)).

lev·i·tate [lévətèit] *vt., vi.* 공중에 뜨게 하다〔뜨다〕((초능력으로)). [파] **lèv·i·tá·tion** *n.*

Le·vit·i·cus [livítikəs] *n.* 〖성서〗 레위기(記) ((구약 성서 중의 한 편)).

lev·i·ty [lévəti] *n.* **1** [U] 경솔, 경박, 촐싹거림. **2** [C] 경솔한 행위, 경거망동.

°**levy** [lévi] *vt.* **1** (세금 따위)를 부과〔징수〕하다 ((*on, upon* …에, …에게)): ~ a large fine 많은 벌금을 부과하다/~ taxes *on* a person 아무에게 세금을 부과하다. **2** (군대)를 소집〔징집〕하다; 징발하다. **3** (전쟁 등)을 시작하다((*upon, against* …에 대하여)): ~ war *upon* 〔*against*〕 …에 대하여 전쟁을 시작하다, …와 전쟁하다. **—***vi.* 〖법률〗 압수〔압류〕하다((*on* …을)).
—*n.* [C] 징세, 부과; 징수(액); 소집, 징집; 징발; 징모병수(數), 소집 인원: a ~ in mass 〔en masse〕 국민군 소집; 국가 총동원.

°**lewd** [luːd] *a.* 추잡한, 음란한; 외설한. [파] **∠·ly** *ad.* **∠·ness** *n.*

Lew·is [lúːis] *n.* **Sinclair** ~ 루이스(1885–1951)((미국 작가, Nobel상 수상(1930))).

lex·i·cal [léksikəl] *a.* 사전(편집)의, 사전적인; 어휘의, 어구의. [cf.] grammatical.

lex·i·cog·ra·pher, -phist [lèksəkágrəfər/-kɔ́g-], [-fist] *n.* [C] 사전 편찬자.

lex·i·co·graph·ic, -i·cal [lèksəkougrǽfik], [-əl] *a.* 사전 편집(상)의. [파] **-i·cal·ly** *ad.*

lex·i·cog·ra·phy [lèksəkágrəfi/-kɔ́g-] *n.* [U] 사전 편집(법).

lex·i·col·o·gy [lèksəkálədʒi/-kɔ́l-] *n.* [U] 어의학(語義學).

lex·i·con [léksəkən] *n.* [C] **1** 사전((특히 그리스어·헤브라이어·라틴어의)); (특정한 작가·작품의) 어휘; 어휘집. **2** 〖언어〗 어휘 목록.
[SYN.] **lexicon** 그리스어·라틴어·헤브라이어 등의 옛 언어의 사전, 때로는 외국어 사전. **dictionary** 보통의 사전.

lex·is [léksis] (*pl.* ***lex·es*** [-siːz]) *n.* [C] (특정의 언어·작가 등의) 어휘; [U] 어휘론.

ley [lei] *n.* =LEA.

lez(z) [lez] (*pl.* ***léz·zes*** [-ziz]) *n.* ((속어·경멸적)) 동성애하는 여자(=**léz·zie**).

LF, L.F., lf, l.f. left field(er); left forward; 〖전기〗 low frequency (낮은 주파). **LG, L.G.** Life Guards. **LH, L.H., lh, l.h.** 〖음악〗 left hand (왼손(쓰기)). **L.H.C.** ((英)) Lord High Chancellor. **Li** 〖화학〗 lithium. **L.I.** Light Infantry; Long Island.

°**li·a·bil·i·ty** [làiəbíləti] *n.* **1** [U] (또는 a ~) 경향이 있음((*to* …의)); 빠지기〔걸리기〕 쉬움((*to* …에)): one's ~ *to* error 잘못을 저지르기 쉬움. **2** [U] (의무로서의) 책임이 있음; 책임, 의무((*for* …에 대한/*to* do)): ~ *for* a debt 채무/~ *for* military service 병역의 의무/~ *to* pay taxes 납세의 의무. **3 a** [C] (특히 법률에 의한) 책임이 있음: A child is the parents' ~. 어린애는 부모가 책임을 지고 있다. **b** (*pl.*) 부채, 채무(↔ *assets*). **4** [C] ((구어)) 불리한 일〔조항, 사람〕: Poor handwriting is a ~ in getting a job. 악필은 취직하는 데 불리하다. ◇ liable *a.*

***li·a·ble** [láiəbəl] *a.* **1 책임을 져야 할**, 책임이 있는((*for* …에 대하여/*to* do)): You are ~ *for* the damage. 손해 배상의 책임은 당신에게 있소/You're ~ *to* pay your debts. 너는 빚을 갚을 책임이 있다. **2** (법률상) 복종해야 할((*to* …에)): All citizens are ~ *to* jury duty. 모든 시민은 배심의 의무에 따라야 한다/He's ~ *to* a fine. 그는 벌금을 물어야 한다. **3 자칫하면 …하는**, (까딱하면) …하기 쉬운; ((美)) …할 것 같은(likely)((*to* do)): All men are ~ *to* make mistakes. 무릇 인간은 잘못을 저지르기 쉽다/It's ~ *to* rain. 비가 올 것 같다. [SYN.] ⇨APT. ★ 주로 나쁜〔달갑지 않은〕 일이 일어나기 쉬울 때 씀. **4** 걸리기 쉬운((*to* (병 따위)에)): ~ *to* rheumatism 류머티즘에 걸리기 쉬운.

li·aise [liéiz] *vi.* 연락 장교의 역할을 맡다; 연락을 취하다((*with* …와)).

li·ai·son [líːəzàn, liːéizan/liːéizɔːŋ] *n.* ((F.)) **1** [U] (또는 a ~) 〖군사〗 연락, 접촉; 〖일반적〗 섭외, 연락 (사무)((*between* …간의; *with* …와의)); [C] 연락원〔관〕((*between* …간의)): act as (a) ~ *between* A and B, A와 B사이에서 연락관 노릇을 하다. **2** [C] 간통, 밀통((*between* …간의; *with* …와의)). **3** [C] 〖음성〗 연결음, 연성(連聲)((특히 프랑스어에서 어미의 묵음인 자음이 다음에 오는 말의 모음과 연결되어 발음되는 것)).

líaison òfficer 연락 장교.

***li·ar** [láiər] *n.* [C] **거짓말쟁이**: You're a ~. 넌 거짓말쟁이야((강한 비난을 나타내는 모욕적

인 말》.

lib [lib] *n.* Ⓤ 《구어》 권리 확장〔해방〕 운동: ⇨ WOMEN'S LIB.

Lib. Liberal; Liberia(n). **lib.** librarian; library; *liber* 《L.》 (=book).

li·ba·tion [laibéiʃən] *n.* Ⓒ 헌주(獻酒)《술을 마시거나 땅 위에 부어서 신(神)에게 올림》; 신주(神酒); 《우스개》 술; 음주.

lib·ber [líbər] *n.* Ⓒ 《구어》 해방 운동 지지자; 《특히》 여성 해방 운동가.

°**li·bel** [láibəl] *n.* **1** Ⓤ 〖법률〗 (문서에 의한) 명예 훼손(죄); Ⓒ 명예 훼손문, 비방〔중상〕하는 글: sue a person for ~ 문서에 의한 명예 훼손으로 아무를 고소하다. **2** Ⓒ 《구어》 모욕이〔불명예가〕 되는 것, 모욕《**on** …에 대한》: This photograph is a ~ *on* him. 이 사진은 그에게 불명예스러운 것이다. —(**-l-,** 《英》 **-ll-**) *vt.* 중상〔비방〕하다; (아무)의 명예를 훼손하다; 〖법률〗 (아무)의 명예를 훼손하는 글을 공개하다; 《구어》 (사람의 품성 · 용모 따위)를 매우 부정확하게 말하다.
㉺ **lí·bel·(l)er, -(l)ist** *n.* **lí·bel·(l)ous** [-ləs] *a.* 명예 훼손의, 중상적인; 중상하기를 좋아하는.

***lib·er·al** [líbərəl] *a.* **1** 〖정치〗 **a 자유주의의**; 진보적인. ↔ *conservative.* ¶ ~ democracy 자유 민주주의. **b** (L–) 《英 · Can.》 자유당의.
SYN. **liberal** 인습에 묶이지 않는, 새로운 것에 대해 편견에 사로잡히지 않고 자유로운 사고(思考)를 한다는 점에서 진보적. **progressive** 항상 전진 · 개선을 지향해 침체 · 복고를 나쁘게 생각하는 점에서 진보적. **advanced** 어느 누구〔무엇〕보다 앞선: He believes himself to be very *advanced* in his views. 그는 자기의 생각이 대단히 진보적이라고 믿고 있다. **radical** 급진적인, 과격한, 현존하는 여러 제도 · 관습을 인정치 않고 revolutionary(혁명적)에 꽤 가까움.
2 a 관대한(tolerant), 도량이 넓은(broadminded), 개방적인, 편견이 없는《**in** …에》. ↔ *illiberal.* ¶ He's ~ *in* his views. 그의 견해에는 편견이 없다. **b** (해석 따위가) 자유로운, 자의(字義)에 구애되지 않는: a ~ translation 의역, 자유역.
3 a 대범한, 인색하지 않은(generous), 활수(滑手)한《**with, of** …에》. ↔ *illiberal.* ¶ ~ *of* 〔*with*〕 one's money 돈을 잘 쓰는 / ~ *in* giving 활수한, 손이 큰. **b** 풍부한, 많은: a ~ table 푸짐한 성찬 / a ~ supply 풍부한 공급.
4 교양〔생각〕을 넓히기 위한, 일반 교양의; 신사에 어울리는. cf. professional, technical. ¶ the ~ arts (대학의) 교양 과목 / ~ education 일반 교양 교육《전문 교육에 대하여, 인격 교육에 중점을 둠》.
—*n.* Ⓒ 편견 없는 사람; **자유주의자**, 진보주의자; (L–) 《英 · Can.》 자유당원.

líb·er·al·ìsm *n.* Ⓤ 자유〔진보〕주의.

líb·er·al·ist *n.* Ⓒ 자유〔진보〕주의자. ㉺ **lìb·er·al·ís·tic** [-tik] *a.*

°**lib·er·al·i·ty** [lìbərǽləti] *n.* **1** Ⓤ 너그러움, 관대, 관후; 활수함, 인색하지 않음; 공평무사. **2** Ⓒ (흔히 *pl.*) 베푼 것, 선물. SYN. ⇨ TOLERANCE.

lib·er·al·ize [líbərəlàiz] *vt.* …의 제약을 풀다; 관대하게 하다; 자유(주의)화하다. —*vi.* liberal 하게 되다, 개방적이 되다, 관대해지다. ㉺ **lìb·er·al·i·zá·tion** *n.* Ⓤ 자유화(自由化).

°**líb·er·al·ly** *ad.* **1** 자유로이; 활수하게, 후하게; 관대하게. **2** 교양 목적으로: a ~ educated man 교양 교육을 받은 사람.

Líberal Párty (the ~) 《英》 자유당.

***lib·er·ate** [líbərèit] *vt.* **1** 《~+목/+목+전+명》 **해방하다**, 자유롭게 하다; 방면〔석방〕하다; 벗어나게 하다《**from** …에서》. ↔ *enslave.* ¶ ~ a slave 노예를 해방하다 / The new government has ~*d* all political prisoners. 새 정부는 모든 정치범을 석방하였다 / He felt ~*d from* long gloom. 그는 오랜 우울에서 해방된 기분이었다. **2** 〖화학〗 (가스 따위)를 유리(遊離)시키다; 〖물리〗 (힘)을 작용시키다. ㉺ **líb·er·àt·ed** [-id] *a.* 해방된, 자유로운; 통념에 사로잡히지 않는, 진보적인.

°**lìb·er·á·tion** *n.* Ⓤ 해방(운동); 석방, 방면; 〖화학〗 유리(遊離). ㉺ **~·ìsm** *n.* Ⓤ 해방주의. **~·ist** *n.* Ⓒ 해방론자.

liberátion theòlogy 해방 신학.

lib·er·a·tor [líbərèitər] *n.* Ⓒ 해방자, 석방자.

Li·be·ria [laibíəriə] *n.* 라이베리아《아프리카 서부의 공화국; 수도 Monrovia》. ㉺ **-ri·an** *a.*, *n.* Ⓒ 라이베리아의 (사람).

lib·er·tine [líbərtiːn] *n.* Ⓒ 방탕자, 난봉꾼. —*a.* 방탕한; 《경멸적》 자유 사상의. ㉺ **-tin·ism** [-tinìzəm] *n.* Ⓤ 방탕, 난봉; (종교상의) 자유 사상.

⁑**lib·er·ty** [líbərti] *n.* **1** Ⓤ **자유**(freedom), 권리《**to** do》: religious ~ 신앙의 자유 / ~ of action 〔choice〕 행동〔선택〕의 자유 / grant a person ~ *to* go out 아무에게 외출할 자유를 허락하다. ★ 엄밀하게는 freedom과는 달리, 과거에 있어서 제한 · 억압 따위가 있었던 것을 암시함. **2** Ⓤ 해방, 석방, 방면. cf. slavery. **3** (*sing.*) **멋대로 함**, 방자, 도를 넘은 자유《**to** do》: take a ~ 멋대로 행동하다 / What a ~! 무슨 실례야 / Who gave you the ~ *of* leaving your class? 누가 너에게 교실을 마음대로 떠나도 된다고 했느냐 / I take the ~ *to* tell you this. 실례지만 당신께 이 말씀을 드립니다. **4** (*pl.*) (칙허 · 시효로 얻은) 특권(privileges)《자치권 · 선거권 · 참정권 따위》.
at ~ ① 속박당하지 않고; 자유로: set a person *at* ~ 아무를 자유롭게 해주다, 아무를 방면하다. ② 자유로 …해도 좋은《**to** do》: You are *at* ~ *to* use it. 마음대로 그것을 써도 좋다. ③ (아무가) 일이 없어서, 한가하여: I'm *at* ~ for a few hours. 나는 두세 시간 한가하다. ***be guilty of a*** ~ 마음대로〔버릇없이〕 행동하다. ***take liberties with*** ① …와 무람없이 굴다, …에게 무례한 짓을 하다: You shouldn't *take liberties with* your women employees. 여자 종업원에게 무람없이 굴어서는 안 된다. ② (규칙 따위)를 멋대로 변경하다: She was told not to *take liberties with* the script. 그녀는 대본을 마음대로 바꾸지 말라는 말을 들었다.

Líberty Bèll (the ~) 《美》 자유의 종(鐘) 《Philadelphia에 있는 미국 독립 선언 때 친 종》.

líberty càp 자유의 모자(cap of liberty)《고대 로마에서 해방된 노예에게 준 삼각 두건; 지금은 자유의 표상》.

Líberty Ìsland 자유의 여신상이 있는 뉴욕 항 입구의 작은 섬.

li·bid·i·nal [libídənəl] *a.* libido의.

li·bid·i·nous [libídənəs] *a.* 호색의, 육욕적인(lustful), 선정적인; libido의. ㉺ **~·ly** *ad.* **~·ness** *n.*

li·bi·do [libíːdou, -bái-] (*pl.* **~s**) *n.* Ⓤ (구체적으로는 Ⓒ) 애욕, 성적 충동; 〖정신의학〗 리비도《성본능의 에너지》.

li·bra [láibrə] (*pl.* **-brae** [-briː]) *n.* **1** Ⓒ (무게

의) 파운드《생략: lb., lb》. 2 Ⓒ (영국 통화의) 파운드《생략: £》. 3 (L-) 〖천문·점성〗 저울자리, 천칭궁(宮).

*__li·brar·i·an__ [laibréəriən] *n.* Ⓒ **도서관 직원**; 사서(司書). ㊕ **~·ship** *n.* Ⓤ ~의 직〔지위〕.

†__li·bra·ry__ [láibrèri, -brəri/-brəri] *n.* Ⓒ **1 도서관**, 도서실. **2** (개인 소유의) **장서**; 문고, 서고; 서재. **3** (출판사의) …총서(叢書), …문고, 시리즈. **4** 대본집(rental library); 순회 도서관(circulating ~). **5** (레코드·테이프 등의) 라이브러리《수집물 또는 시설》; 〖컴퓨터〗 (프로그램·서브루틴 등의) 도서관, 라이브러리; (신문사 등의) 자료실(morgue). ***the Library of Congress*** 《美》 국회도서관.

líbrary edìtion (도서관용) 특제판; (같은 장정·판형인 동일 저자의) 전집판.

líbrary scíence 도서관학.

li·bret·tist [librétist] *n.* Ⓒ (가극의) 가사(歌詞)〔대본〕 작자.

li·bret·to [librétou] (*pl.* **~s, -bret·ti** [-bréti]) *n.* 《It.》 Ⓒ (가극 따위의) 가사, 대본.

Lib·ya [líbiə] *n.* 리비아《북아프리카의 공화국; 수도 Tripoli》.

Lib·y·an [líbiən] *a.* 리비아(사람)의. **—***n.* Ⓒ 리비아 사람.

Líbyan Désert (the ~) 리비아 사막.

lice [lais] LOUSE 의 복수.

⁑**li·cense, -cence** [láisəns] 〖*v.*는 《英》《美》 모두 license, *n.*은 《英》에서 -cence 가 보통〗 *n.* **1** Ⓤ (구체적으로는 Ⓒ) **면허**, 인가《**to** do》: ~ *to* practice medicine 의사 개업 면허/under ~ 면허〔인가〕를 받고. **2** Ⓒ **허가증**, 인가〔면허〕증, 감찰(鑑札)《**to** do》: a driver's ~ 운전 면허증/a dog ~ 개표(標)/a ~ for the sale of alcoholic drinks 주류 판매 인가서/a ~ *to* hunt 수렵 면허장. **3** Ⓤ (문예·음악·미술 등의) 파격(破格). ⓒⓕ poetic license. **4** Ⓤ **멋대로 함**, 방자, 방종; (행동의) 자유《**to** do》: Freedom of the press must not be turned into ~. 출판의 자유는 남용되어서는 안 된다/He has ~ *to* do as he pleases. 그에게는 자기 좋을 대로 할 자유가 있다.

—*vt.* 《~+목/+목+*to* do》 인가〔허가〕하다: The office ~*d* me *to* sell tobacco. 관청은 내게 담배 판매를 허가했다.

lí·censed [-t] *a.* 면허를 얻은, 허가〔인가〕된; 세상이 인정하는: ~ quarters 유곽/a ~ house 주류 판매 허가점《음식점·여관 따위》; 유곽/a ~ satirist 천하 공인의 풍자〔독설〕가.

li·cen·see [làisənsíː] *n.* Ⓒ 면허〔인가〕를 받은 사람, 감찰이 있는 사람; 공인 주류 판매인.

lícense plàte 《美》 (자동차 따위의) 번호판 (《英》 number plate).

li·cen·ti·ate [laisénʃiit, -ʃièit] *n.* Ⓒ 면허장 소유사, 개업 유사격사《**in** …의》: a ~ *in* medicine 의사 개업 유자격자.

li·cen·tious [laisénʃəs] *a.* 방종〔방자〕한; 방탕한; 음탕한. ㊕ **~·ly** *ad.* **~·ness** *n.*

li·chen [láikən, -kin] *n.* Ⓤ 〖식물〗 지의류(地衣類)의 식물; 이끼; 〖의학〗 태선(苔癬).
㊕ **~ed** *a.* 이끼가 낀, 지의〔이끼〕로 덮인.
~·ous [-nəs] *a.* 지의의, 지의〔이끼〕 같은.

lích gàte [litʃ-] 지붕 있는 묘지문.

lích hòuse 시체 임시 안치소, 영안실.

lic·it [lísit] *a.* 합법의, 적법(適法)한(lawful), 정당한. ↔ *illicit.*

*__lick__ [lik] *vt.* **1** 《~+목/+목+전+명/+목+부/+목+보》 **핥다**; 핥아서 (어떤 상태로) 하다: The dog ~*ed* its paws. 개는 발을 핥았다/~ the honey *off* 〔*from*〕 one's lips 입에 묻은 꿀을 핥아먹다/The dog ~*ed up* the spilt milk. 개는 엎질러진 우유를 다 핥아먹었다/The cat ~*ed* the plate clean. 고양이가 접시를 깨끗이 핥아 버렸다. **2** 《~+목/+목+부》 (물결이) 스치다, 넘실거리다, (불길이) 널름거리다: The flames ~*ed up* everything. 화염이 모든 것을 삼켜 버렸다. **3** 《~+목/+목+전+명》 《구어》 때리다, 때려서 (결점 따위)를 고치다《**out of** (아무)의》: be well ~*ed* 호되게 매맞다/I cannot ~ the fault *out of* him. 아무리 때려도 나는 그의 결점을 고칠 수 없다. **4** 《구어》 해내다, …에게 이기다(overcome); …보다 낫다. **5** 《구어》 …에게는 이해가 되지 않다: This ~*s* me. 이것은 전혀 모르겠다.

—*vi.* **1** 《~/+전+명》 (물결·불길 따위가) 너울거리다, 출렁이다, 널름거리다《**up, over** …을》: Flames ~*ed up* the wall. 불길이 벽을 타고 널름거렸다. **2** 《구어》 속력을 내다, 서두르다(hasten): as hard as one can ~ 전속력으로.

~ *into shape* 《구어》 제구실을 하게 하다, 어엿번듯이 만들다, 형상을 만들다. **~ one*'s lips*** 〔***chops***〕 ⇨CHOP². **~ a person*'s shoes*** 〔***boots***〕 아무에게 아첨〔굴복〕하다. **~ one*'s wound*(*s*)** 상처를 치료하다; 패배로부터 다시 일어서다.

—*n.* **1** Ⓒ 핥기, 한 번 핥기: have a ~ at …을 핥(아 보)다. **2 a** Ⓒ 한 번 닦기〔쓸기, 칠하기〕: give the wall a ~ *of* paint 벽을 한 번 칠하다/give the room a quick ~ 방을 한 번 휙 쓸다. **b** (a ~) 조금: I don't care a ~ about her. 나는 그녀에게는 조금도 관심이 없다. **3** Ⓒ 함염지(含塩地)(salt ~)《동물이 소금을 핥으러 감》. **4** Ⓒ 《구어》 강타, 일격: give (a person) a ~ on the ear (아무의) 옆얼굴에 일격을 가하다. **5** Ⓤ (또는 a ~) 《구어》 빠르기, 속력: at a great ~ 굉장한 스피드로/(at) full ~ 전속력으로. ***give ... a ~ and a promise*** 《구어》 (일 따위)를 날림으로 하다; (얼굴)을 후다닥 씻다.

líck·e·ty-splít [líkəti-], **líckety-cút** *ad.* 《구어》 전속력으로.

líck·ing *n.* Ⓒ **1** 핥음; 한 번 핥기. **2** 《구어》 매질, 때림: give 〔get〕 a person a good ~ 아무를 호되게 때리다〔얻어맞다〕. **3** 《구어》 짐, 패배: get 〔take〕 a ~ 지다.

líck·spìttle, -spìt *n.* Ⓒ 아첨꾼, 알랑쇠.

lic·o·rice [líkərəs] *n.* **1** Ⓤ 감초(甘草); 감초(뿌리) 엑스《약용·향미료》. **2** Ⓤ (낱개는 Ⓒ) 감초를 넣어 만든 사탕과자.

⁑**lid** [lid] *n.* **1** Ⓒ **뚜껑**; 눈꺼풀(eyelid); 《속어》 모자. **2** (*sing.*) 《구어》 규제, 억제, 단속《**on** …에 대한》: put 〔clamp, clap〕 a 〔the〕 ~ *on* …을 규제〔금지〕하다.

blow 〔***lift, take***〕 ***the ~ off*** 《구어》 (추문·좋지 않은 내막 따위)를 여러 사람 앞에 드러내다, 폭로하다. ***flip*** one***'s ~*** 《속어》 분노를 폭발시키다. ***put the*** (***tin***) ***~ on*** ① 《英구어》 (계획·행동 따위)를 끝나게 하다, 망쳐 놓다. ② 《美구어》 (되살아나지 못하게) 숨통을 끊다.

> **DIAL.** ***Put a lid on it!*** 《美》 입 닥쳐, 시끄러워, 조용해.

㊕ **∠·less** *a.* 뚜껑이 없는; 눈꺼풀이 없는; 《고어·시어》 한잠도 자지 않는, 경계를 게을리하지 않는(vigilant).

li·do [líːdou] *n.* Ⓤ 《英》 해변 휴양지; 옥외 수

영 풀.

†**lie**[1] [lai] (**lay** [lei]; **lain** [lein]; **ly·ing** [láiiŋ]) *vi.* **1** 《+전+명/+부》 (사람 · 동물 따위가) **눕다**, 드러[가로]눕다, 누워 있다; 엎드리다: ~ *on* the bed 침대에 눕다/He *lay down on* the grass. 그는 잔디 위에 누웠다/*Lie down*, Rover! 로버, 엎드려《개에 대한 명령》.

2 《+전+명》 기대다(recline), 의지하다《*against* …에》: a ladder *lying against* the wall 벽에 세워져 있는 사닥다리.

3 《+전+명》 (시체 따위가) 묻혀 있다, (지하에) 잠들고 있다: His ancestors ~ *in* the cemetery. 그의 조상은 공동 묘지에 묻혀 있다.

4 《+전+명》 (물건이) 가로놓이다, 놓여 있다: the book *lying on* the table 테이블 위에 있는 책/Snow *lay on* the ground. 눈이 지면에 쌓여 있었다.

5 《+전+명》 (경치 따위가) 펼쳐져[전개되어] 있다; (길이) 뻗어 있다, 통(通)해 있다(lead): The valley ~*s at* our feet. 발 아래 골짜기가 펼쳐져 있다/The path ~*s along* a stream [*through* the woods]. 길은 시내를 따라[숲을 지나] 뻗어 있다.

6 《~/+전+명》 (…에) **있다**, 위치하다: Where does the park ~? 공원은 어느 쪽에 있습니까/Ireland ~*s to* the west of England. 아일랜드는 영국 서쪽에 있다/The land ~*s* high. 그 지방은 높은 곳에 있다.

SYN. **lie** 나라 · 도시 · 바다 · 평야 따위 평평한 것이 '있다'. **stand** 집이나 나무 따위 입체적인 것이 '있다'. **be situated** 지리적 뜻을 포함하여 나라 · 도시 · 집 등의 소재를 나타냄. **be located** be situated의 뜻으로 《美》에서 사용함.

7 《~/+전+명》 (원인 · 이유 · 이익 · 곤란 · 본질 · 힘 따위가) …에 있다, 존재하다, 찾을 수 있다: The real reason ~*s* deeper. 진짜 이유는 더 깊은 곳에 있다/There ~*s* the difficulty. 거기에 어려움이 있다/The choice ~*s between* death and dishonor. 죽음과 치욕 둘 중 하나를 선택해야 한다/The remedy ~*s in* education. 그것을 구제하는 길은 교육에 있다.

8 《+전+명/+보》 (물건이) 방치되어 있다, 잠자고[놀고] 있다: money *lying at* [*in*] the bank 은행에서 잠자고 있는 돈/~ fallow (밭 따위가) 묵고 있다/~ still 꼼짝 않고 있다/~ idle (일꾼 · 자본 따위가) 놀고 있다.

9 《+보/+전+명/+*done*/+*-ing*》 …**상태에 있다** (remain): ~ waste 황폐되어 있다/~ *in* prison 감옥살이를 하고 있다/~ *under* a charge 고발당하고 있다; 비난받고있다/He left his papers *lying about*. 그는 서류(書類)를 흩어진 채로 두었다/~ hid [hidden] 숨어 있다/~ watch*ing* television 드러누워 텔레비전을 보고 있다.

10 《+보/+전+명》 (사물이) …을 내리누르다, 압력을 가하다; (음식이) 부담이 되다《*on, upon* (위)에》; (사물이) 책임[의무, 죄]이다《*with* (아무)의》: The problem *lay* heavily *upon* me. 그 문제는 나를 무겁게 내리눌렀다/The oily food *lay* heavy *on* my stomach. 기름기 있는 음식이 위에 부담을 주었다/It ~*s with* us to decide the matter. 그 일은 우리가 결정해야 한다.

11 〖법률〗 (소송 따위가) 제기되어 있다; (주장 등이) 성립하다, 인정되다: Objection will not ~. 이의(異議)는 성립되지 않을 거야.

as far as in me* ~*s =***as far as* ~*s in me*** 내 힘이 미치는[닿는] 한: I'll do it *as far as in me* ~*s*. 힘 닿는 데까지 해보겠다. ~ ***about*** 《*vi.*+부》 아무렇게나[여기저기] 방치해 두다; (사람이) 게을러 빠져 있다. ~ ***ahead*** (***of…***) [***before…***] (…의) 앞[전도(前途)]에 가로놓여[대기하고] 있다: Great difficulties still ~ *ahead*. 커다란 어려움이 여전히 앞에 가로놓여 있다/Life ~*s before* you. 여러분의 인생은 이제부터다. ~ ***around*** =~ about. ~ ***at*** a person***'s door*** (책임 · 과오가) 아무에게 있다. ~ ***back*** 《*vi.*+부》 드러눕다; 기대다《***against*** …에》: He *lay back* in bed [*against* his pillows]. 그는 침대에 드러누웠다[베개에 기대고 앉아 있었다]. ~ ***by*** 《*vi.*+부》 ① 쓰이지 않고 있다. ② 쉬다, 물러나 있다. ~ ***down*** 《*vi.* +부》 ① 눕다(⇨*vi.* 1). ② 굴복하다. ~ ***down under*** (모욕 따위)를 감수하다: ~ *down under* a defeat 패배를 감수하다. ~ ***in*** 《*vi.*+부》 ① 산욕(産褥)에 들다, 산원에 들어가다: The time had come for her to ~ *in*. 해산 때가 되었다. ② …에 있다(consist in): All their hopes ~ *in* him. 그들의 모든 희망이 그에게 집중되어 있다. ③ 《英구어》 평소보다 늦게까지 누워 있다. ~ ***in state*** ⇨STATE *n.* (관용구). ~ ***low*** ⇨LOW[1]. ~ ***off*** 《*vi.*+부》 ① 〖해사〗 해안[딴 배]에서 좀 떨어져 있다. ② 잠시 일을 쉬다, 휴식하다. ~ ***over*** 《*vi.*+부》 연기되다, 보류되다. ~ ***to*** 《*vi.*+부》 〖해사〗 (이물을 바람 부는 쪽으로 돌리고) 정선(停船)하고 있다. ~ ***up*** 《*vi.*+부》 ① 몸져 눕다. ② 《英》 은퇴하다, 활동을 그치다, 물러나다. ③ 〖해사〗 (배가) 독(dock)에 들어가다, 선거(船渠)에 매여 있다.

—*n.* **1** Ⓤ (흔히 the ~) 《英》 위치, 방향, 향(向); 상태, 형세: the ~ of the land 지세(地勢); 《비유적》 형세, 사태. **2** Ⓒ (동물의) 집, 굴, 보금자리. **3** Ⓒ 〖골프〗 라이《(1) 공의 위치. (2) 클럽헤드의 샤프트에 붙은 각도》.

*‡***lie**[2] [lai] *n.* Ⓒ **1** (고의적인) **거짓말**, 허언: tell a ~ 거짓말을 하다/act a ~ (행위로) 속이다/a white ~ 악의 없는 거짓말. **2** 속이는 행위, 사기 (imposture).

give the (***direct***) ~ ***to*** ① …의 말이 거짓말이라고 책망[비난]하다; …와 모순되다. ② …이 거짓[잘못]임을 입증하다: This fact *gives the* ~ *to* your contention. 이 사실은 너의 주장이 잘못임을 입증한다. ***live a*** ~ 바르지 못한 생활을 보내다. ***nail a* ~ *to the counter*** 거짓말을 (밝혀) 폭로하다.

DIAL. ***No lie?*** 거짓말 마, 정말이야?

—(*p.*, *pp.* ***lied*** [laid]; ***ly·ing*** [láiiŋ]) *vi.* **1 거짓말을 하다**: ~ to a person 아무에게 거짓말하다/He ~*d* about his age. 그는 나이를 속였다.

NOTE lie는 언제나 의도적 기만의 함축성을 가짐. 따라서 You are *lying*. 이라든가 You are a *liar!* 따위의 표현은 다소 과장한다면 '새빨간 거짓말이다' 라든지 '이 사기꾼아' 따위의 기분을 풍기며, 상대의 성의를 정면으로 의심하는 도발적인 말로 보아야 할 때가 많음. a white (little) *lie* '악의 없는 (사소한) 거짓말'과 같은 표현이 엄연히 있는 것이 이를 뒷받침함.

2 속이다, 눈을 속이다, 현혹시키다: Mirages ~. 신기루는 사람 눈을 속인다.

—*vt.* 《+목+전+명》 **1** 거짓말을 하여 …하게 하다《***into*** …을》; 거짓말을 하여 빼앗다《***out of*** …

을》: ~ a person *into* sign*ing* a document 아무에게 거짓말을 하여 서류에 서명하게 하다 / ~ a person *out of* his rights 아무에게 거짓말을 하여 권리를 빼앗다. **2** 《~ oneself 또는 ~ one's way로》 거짓말을 하여 벗어나다《***out of*** …에서》: He ~d him*self* 〔his *way*〕 *out of* the accusation. 그는 거짓말을 해서 비난을 모면했다.
~ ***in*** one***'s teeth*** 〔***throat***〕 지독한〔새빨간〕 거짓말을 하다.

Liech·ten·stein [líktənstàin] *n.* 리히텐슈타인《오스트리아와 스위스 사이에 있는 입헌 군주국; 수도 Vaduz》.

lied [li:d] (*pl.* ~**·er** [lí:dər]) *n.* 《G.》 Ⓒ 리트, 가곡(歌曲).

líe detèctor 《구어》 거짓말 탐지기: give a person a ~ test 아무를 거짓말 탐지기로 조사하다.

líe-dòwn *n.* Ⓒ 《英구어》 겉잠.

lief [li:f] (*∠·er; ∠·est*) *ad.* 《고어》 기꺼이, 쾌히(willingly)《주로 다음 관용구로만 쓰임》.
would 〔《문어》 ***had***〕 ***as ~...***(***as*** __), (—보다는) …하는 것이 좋다; (—하느니 차라리) …(하는 편)이 낫다: I *would as* ~ go there *as* anywhere else. 어디 딴 곳에 가느니 차라리 그곳으로 가는 편이 좋다. ***would*** 〔***had***〕 ***~er... than*** __ —하느니 차라리 …하는 편이 낫다: I *would* ~*er* die *than* do it. 그런 짓을 하느니 차라리 죽는 편이 낫다.

liege [li:dʒ] *n.* Ⓒ 군주, 왕후; 가신: His Majesty's ~*s* 폐하의 신하 / My ~! 전하, 상감마마《호칭》. **—***a.* Ⓐ 군주의; 신하(로서)의; 군신 관계의: a ~ lord 〔subject〕 군주〔신하〕 / ~ homage 신하로서의 예.

líe-ìn *n.* Ⓒ 《구어》 농성, 스트라이크; 《英구어》 아침잠, 늦잠.

lien [li:n, lí:ən] *n.* Ⓒ 【법률】 선취특권, 유치권(留置權)《***on*** …에 대한》.

lieu [lu:] *n.* Ⓤ 《다음 관용구로만 쓰임》 ***in ~ of*** …의 대신으로(instead of).

Lieut. (Col.) Lieutenant (Colonel).

***lieu·ten·ant** [lu:ténənt/《육군》 leftén-, 《해군》 lətén-] *n.* Ⓒ 《생략: lieut., 복합어일 때는 Lt.》 **1** 【美육군·공군·해병】 **중위**(first ~), **소위**(second ~); 【英육군】 중위. **2** 【美英해군】 **대위**: ~ junior grade 《美》 해군 중위 / sub~ 《英》 해군 중위. **3** 상관 대리, 부관(deputy). **4** 《美》 (경찰·소방서의) 지서 차석, 서장 보좌.

lieutènant cólonel 육군〔공군〕 중령.

lieutènant commánder 해군 소령.

lieutènant géneral 육군〔공군〕 중장.

lieutènant góvernor 《美》 (주(州)의) 부지사; 《英》 (식민지의) 부총독, 총독(總督) 대리.

†**life** [laif] (*pl.* ***lives*** [laivz]) *n.* **1** Ⓤ **생명**; 인명, 생(生): the origin of ~ 생명의 기원 / the struggle for ~ 생존 경쟁 / human ~ 인명 / at the sacrifice of ~ 인명을 희생으로 하여 / a matter of ~ and death 생사에 관한 중대한 문제, 사활 문제.
2 Ⓒ (개인의) **수명**, 목숨; (생명을 가진) 사람: lose one's ~ 목숨을 잃다 / take one's (own) ~ 자살하다 / take a person's ~ 아무를 죽이다 / How many *lives* were saved? 몇 사람이 구출되었나.
3 a Ⓒ (어떤 시기 또는 죽을 때까지의) 생애, 일생, 평생: all one's ~ =in one's life 일생 동안 / in early ~ 젊은 시절에, 초년에. **b** Ⓒ (기계 따위의) 수명, 내구〔내용〕 기간: the ~ of a machine 〔battery〕 기계〔전지〕의 수명 / the ~ of a popular novel 인기 소설의 수명. **c** Ⓤ 《구어》 종신형(~ sentence): get ~ 종신형을 받다.
4 Ⓤ 《집합적》 생물: animal 〔vegetable〕 ~ 동〔식〕물 / The waters swarm with ~. 바다와 강에는 생물이 많이 살고 있다 / There seems (to be) no ~ *on* the moon. 달에는 생물이 존재하는 것 같지 않다.
5 a Ⓤ **생활**(상태): married 〔single〕 ~ 결혼〔독신〕 생활 / city 〔country〕 ~ 도시〔전원〕 생활. **b** Ⓒ (구체적인) 생활, 사는 방식: live a happy ~ 행복하게 살다 / lead a dismal 〔comfortable〕 ~ 쓸쓸한〔안락한〕 생활을 하다 / lead an exemplary ~ 모범적인 생활을 하다. **c** Ⓤ (보통 one's ~) 생활비: earn 〔make〕 one's ~ 생활비를 벌다《★ living을 쓰는 것이 일반적》.
6 Ⓤ **인생**, 인사; (이) 세상: this ~ 현세 / get on in ~ 출세하다 / *Life* is but an empty dream. 인생은 헛된 꿈에 지나지 않는다.
7 Ⓒ **전기**, 일대기, 언행록: Boswell's *'Life* of Johnson' 보즈웰의 '존슨전(傳)'.
8 Ⓤ **실물**, 진짜; 실물 크기(의 모양): a picture sketched from (the) ~ 사생화 / larger than ~ 실물보다 큰, 과대(誇大)의; 특출한, 유별난.
9 a Ⓤ **활기**, 기운; 활력, 생기: full of ~ 활기에 찬 / with ~ 기운차게 / The child is all ~. 어린 아이는 생기에 차 있다. **b** (the ~) 활기〔생기〕를 주는 것, 중심 인물: She is the ~ of this project. 그녀가 이 사업의 중심 인물이다. **c** (one's ~) 사는 보람: Traveling is his ~. 여행은 그가 사는 보람으로 여기는 것이다.
as I have ~ 확실히, 틀림없이. ***as large*** 〔***big***〕 ***as ~*** ① 실물 크기의, 등신대(等身大)의. ② 다른 사람 아닌, 정말로, 어김없이, 몸소, 자신이: There he stood, *as large as* ~. 그는 실제로 거기에 서 있었다 / Here he is, *as large as* ~. 자 여기 본인이 나타났다. ***bring... to ~*** ① …을 소생시키다, …의 의식을 회복시키다. ② 활기 띠게 하다. ③ 실물처럼 꾸미다, 생생하게 살리다. ***come to ~*** ① 소생하다, 의식을 회복하다, 제정신이 들다. ② 활기 띠다. ③ 실물처럼 되다. ***for ~*** 종신(의), 무기(의), 일생(의): imprisonment *for* ~ 종신 징역. ***for*** one***'s ~*** =***for dear*** 〔***very***〕 ***~*** ⇨DEAR. ***for the ~ of*** one 《보통 부정문에서》 아무리 해도 (…않다): I could *not* understand it *for the* ~ *of* me. 아무리 해도 그것을 이해할 수 없었다. ***in ~*** ① 살아 있는 동안에는, 생전에, 이승에서(는): late *in* ~ 만년에. ② 《all, no 등을 강조하여》 아주, 전혀: with *all* the pleasure *in* ~ 아주 크게 기뻐하며 / I own *nothing in* ~. 재산은 전무(全無)다. ***~ and limb*** 생명과 신체: safe in ~ *and limb* 신체·생명에 별 이상 없이 / escape with ~ *and limb* 이렇다 할 부상〔손해〕 없이 도망치다. ***on your ~*** 반드시, 꼭(by all means). ***take*** one***'s ~ in*** one***'s hands*** 그런 줄 알면서 죽음의 위험을 무릅쓰다. ***to save*** one***'s ~*** 아무리 해도《할 수 없다》. ***upon*** 〔***'pon***〕 one***'s ~*** 목숨을 내걸고; 맹세코, 반드시. ***What a ~!*** 이게 뭐람, 아이고 맙소사.

> **DIAL** ***Get a life!*** 시끄러워, 너나 잘 해(← 남의 일에 이러쿵저러쿵 말참견하지 말고 자기 인생을 가져라).
> ***How's life*** (***treating you***)***?*** 어떻게 지내는가, 안녕하신가.

> ***Life is* (*just*) *a bowl of cherries.*** 인생이 최고지, 개똥밭에 굴러도 이승이 좋다《삶에 지쳤을 때에도 반어적으로 씀》.
> ***Not on your life!*** 당치도 않아, 천만에《물음에 확실히 하지 않을 거라는 답변으로》.
> ***Life's too short.*** 인생이 참으로 짧구나.
> ***That's life.*** =***Such is life.*** 그게 인생이야, 인생이란 어차피 그런 거야.
> ***There's life in the old dog yet.*** 나이는 먹어도 살 가치는 있다.
> ***This is the life.*** 이것도 인생이다《유유자적하며 하는 말》.

—*a.* Ⓐ **1** 긴급 구조를 위한《재정 조치 따위》, 구급(救急) 우선의; 생명 보험의: ~ insurance (《英》 assurance) 생명 보험 / a ~ office 생명 보험 회사. **2** 일생의, 생애의, 종신의: a ~ member 종신회원 / ~ imprisonment 종신형.

lífe-and-déath [-ən-] *a.* Ⓐ 사활에 관계되는, 극히 중대한.

lífe bèlt 구명띠〔대〕; 안전 벨트(safety belt).

lífe·blòod *n.* Ⓤ 생혈(生血); 활력〔생기〕의 근원〔원천〕: They are the ~ of the company. 그들은 회사의 원동력이다.

lífe·bòat *n.* Ⓒ 구명정, 구조선.

lífe bùoy 구명 부대(浮袋).

lífe cỳcle 〖생물〗 라이프 사이클, 생활환(環), 〖컴퓨터〗 수명.

lífe expèctancy 기대 수명, 평균 예상 여명(餘命)(expectation of life).

lífe-gìving *a.* 생명〔활력〕을 주는, 활기를〔기운을〕 북돋우는.

lífe·guàrd *n.* Ⓒ **1** (수영장 따위의) 감시원, 구조원. **2** 호위(병), 경호원, 친위대.

Lífe Guàrds (the ~) 《英》 근위병 연대.

lífe hístory 〖생물〗 생활사(史)《발생에서 죽음에 이르기까지의 생활 과정 · 변화》; =LIFE CYCLE; (어떤 개인의) 일대기, 전기(傳記).

lífe jàcket 구명 재킷(life vest).

°**life·less** [láiflis] *a.* **1** 생명이 없는; 생물이 살지 않는: a ~ planet 생명체가 없는 행성 / ~ matter 무생물. **2** 생명을 잃은, 죽은. **3** 기절한: fall ~ 기절하다. **4** 활기〔생기〕가 없는; 기력이 없는; (이야기 따위가) 김빠진(dull), 시시한: a ~ story. ㊞ **~·ly** *ad.* **~·ness** *n.*

lífe·lìke *a.* 살아 있는 것 같은; (초상화 따위가) 실물과 똑같은, 실물 그대로의, 생생한.

lífe·lìne *n.* Ⓒ **1** 구명삭(索). **2** (우주 유영자 · 잠수부의) 생명줄. **3** (보통 L-) 〖수상(手相)〗 생명선.

***life·long** [láiflɔ̀(ː)ŋ, -lɑ̀ŋ] *a.* Ⓐ 일생〔평생〕의, 생애의: ~ education 평생 교육 / a ~ friend 평생 친구.

lífe nèt (소방용) 구명망(網).

lífe péer 《英》 일대(一代) 귀족.

lífe preserver 구명구(具)《구명 재킷 따위》; 호신용 단장《끝에 납을 박음》.

lif·er [láifər] *n.* Ⓒ 《구어》 무기 징역수(囚); 《美》 직업 군인; 그 일에 평생을 바친 사람.

lífe ràft (고무로 만든) 구명 보트.

lífe-sàver *n.* Ⓒ 인명 구조자; 《구어》 곤경에서 건져주는 사람〔물건〕; 구명구(具).

lífe·sàving *a.* Ⓐ 구명의; 《美》 수난〔해난〕 구조의: a ~ station 수난 구조소.

lífe scìence (흔히 ~s) 생명 과학《physical science 에 대하여 생물학 · 생화학 · 의학 · 심리학 등》.

lífe sèntence 〖법률〗 종신형; 무기 징역.

lífe-síze(d) *a.* 실물〔등신〕대(大)의.

lífe spàn (생물체 · 물건의) 수명.

lífe·stỳle *n.* Ⓒ (개인 · 집단 특유의) 생활 양식.

lífe-suppòrt *a.* Ⓐ 생명 유지를 위한, 생명을 유지하는: a ~ system 〔machine〕 생명 유지 장치〔기계〕.

‡**life·time** [láiftàim] *n.* Ⓒ **일생**, 생애, 평생; (물건의) 수명, 존속 기간: the chance of a ~ 생애에 다시 없는 기회 / (It's) all in a 〔one's〕 ~. 그것도 팔자 소관이다〔팔자니 어쩔 수 없다〕.
—*a.* Ⓐ 생애의, 평생〔일생〕의: ~ employment 평생 고용.

lífe vèst =LIFE JACKET.

lífe·wòrk *n.* Ⓤ 일생〔필생〕의 사업.

lífe zòne 생물 분포대(帶), 생활대, 생물 지리대.

LIFO [láifou] *n.* Ⓤ 〖회계 · 컴퓨터〗 후입 선출(後入先出). [◂ *last in first out*]

‡**lift** [lift] *vt.* **1** 《~+목/+목+부/+목+전+명》 **들어올리다**, 안아〔치켜〕올리다(*up*); 들어내리다(*down*): ~ a barbell 바벨을 들어올리다 / ~ a baby *out of* its bed 아이를 침대에서 안아올리다 / ~ the basket *up to* the shelf 바구니를 선반에 들어올리다 / ~ a trunk *down to* the floor (선반 따위에서) 트렁크를 마루에 내려놓다. SYN. ⇨RAISE.
2 《~+목/+목+부/+목+전+명》 (손 따위)를 위로〔쳐들어〕 올리다; (눈 · 얼굴 따위)를 쳐들다; (목소리)를 높이다; (기운)을 돋우다(*up*): ~ (*up*) one's heart 〔spirits〕 기운을 내다 / ~ (*up*) one's eyes 올려다보다 / ~ one's head *from* the morning paper 조간지에서 머리를 쳐들다 / ~ (*up*) one's voice in song 노랫소리를 높이다.
3 《+목+부/+목+전+명》 **a** **향상시키다**, 고상하게 하다; …의 지위를 높이다: ~ a person (*up*) *from* obscurity 무명인(無名人)을 출세시키다. **b** 〔~ oneself〕 (신분)을 높이다, 향상하다: ~ one*self* (*up*) *out of* poverty 가난에서 입신(立身)하다.
4 (바리케이드 · 천막 따위)를 **치우다**, 제거하다; (포위 · 봉쇄 따위)를 풀다: ~ a siege 포위를 풀다 / ~ a tariff 관세를 폐지하다.
5 《美》 (부채)를 갚다; (잡힌 물건 · 화물 등)을 찾(아내)다: ~ a mortgage 잡힌 것을 찾다.
6 《~+목/+목+전+명》 훔치다; (남의 문장)을 따다, 표절하다《*from* …에서》: She had her purse *~ed.* 그녀는 지갑을 도둑맞았다 / ~ a passage *from* Milton 밀턴의 한 구절을 표절하다.
7 〖농업〗 파내다: ~ potatoes 감자를 캐내다.
8 (성형 수술로 얼굴)의 주름살을 없애다: She had her face *~ed.* 그녀는 얼굴의 주름살을 제거했다.
9 《+목+전+명》 공수(空輸)하다, 수송하다; (승객)을 태우고 가다《*to* …으로》: ~ tourists *to* Chicago 관광객을 시카고로 수송하다.
—*vi.* **1** **들리다**: This lid won't ~. 이 뚜껑은 잘 열리지 않는다.
2 (구름 · 안개가) 걷히다, 없어지다(disperse); (비 따위가) 그치다, 멈추다, 개다; (표정이) 밝아지다: The fog *~ed.* 안개가 걷혔다.
3 《~/+부》 (비행기 · 우주선 등이) 이륙하다; 발진하다(*off*): The space shuttle *~ed off* without a hitch. 스페이스 셔틀은 순조롭게 발진했다.
~ *a finger* 〔***hand***〕 〔보통 부정문〕 약간의 수고를 하다《*to* do》: He did*n't* ~ *a finger to* help me. 그는 나를 도우려는 아무런 노력도 하지 않았다.

—n. 1 Ⓒ **(들어)올리기, 끌어올림**; 한 번에 들어올리는 양〔무게〕; 올려지는 거리〔정도〕, 상승 거리: give a stone a ~ 돌을 들어올리다/There was so much ~ *of* sea. 파도가 굉장히 높았다.
2 (a ~) (정신의) 앙양〔고양〕, (감정의) 고조(高潮): Those words gave me quite a ~. 이 말들로 크게 기운을 얻었다.
3 Ⓒ 승진, 승급, 출세(rise)《*in* (지위·신분)의》; 상승《*in* (물가·경기 따위)의》: a ~ *in* one's career 출세/a ~ *in* prices 물가의 상승.
4 Ⓒ (목·머리 따위의) 높이 치켜든 자세, 오만한 태도: the proud ~ *of* her head 머리를 높이 치켜세운 그녀의 오만한 태도.
5 Ⓒ (보통 *sing.*) 조력, 도움; (보행자를) 차에 태우기: give a person a ~ 아무에게 도움을 주다, 아무를 동승시키다.
6 Ⓒ《英》**승강기**(《美》 elevator); 기중기; (스키장의) 리프트: take the ~ to the top floor 승강기로 맨 위층에 가다/a ski ~.
7 Ⓒ 공수; 수송.
8 Ⓤ 〖항공〗 상승력(力), 양력(揚力).

DIAL. ***Will you give me a lift to the station?*** —***Sure, hop in.*** 역까지 태워 주시겠습니까? —예, 타시죠.

líft·bòy *n.* Ⓒ《英》=LIFTMAN.
líft·er *n.* Ⓒ 들어올리는 사람〔물건〕;《속어》도둑놈, 들치기, 후무리는 사람.
líft·màn [-mæ̀n] (*pl.* **-mèn** [-mèn]) *n.* Ⓒ《英》승강기 운전사(《美》 elevator operator).
líft-òff *n.* Ⓒ (헬리콥터·로켓 따위의) 이륙 (순간·시점); 발사, 발진(發進).
lig·a·ment [lígəmənt] *n.* Ⓒ 줄, 끈, 띠; 〖해부〗 인대(靭帶).
lig·a·ture [lígətʃùər, -tʃər] *n.* **1** Ⓤ 묶음, 동임. **2** Ⓒ 끈, 줄, 띠; 굴레; 〖의학〗 결찰사(結紮絲). **3** Ⓒ 〖인쇄〗 합자(合字)《æ, fi 등》, 연자(連字) 기호. **4** Ⓒ 〖음악〗 이음줄, 슬러(slur).
—*vt.* 동이다, 묶다.
†**light**¹ [lait] *n.* **1** Ⓤ **a 빛**, 광선: a ray 〔beam〕 of ~ 광선/in ~ 빛을 받아. **b** (보통 the ~) **햇빛**; 낮, 대낮: the ~ of day 대낮의 빛/before the ~ fails 해지기 전에. **c** 새벽: before ~ 날이 밝기 전에/He left home at first ~. 그는 동이 틀 무렵에 집을 나섰다.
2 Ⓤ (또는 a ~) 밝음, 광명, 광휘, 빛남(↔ *darkness*); 밝은 곳; 얼굴의 밝음, 눈의 빛남: in the ~ 밝은 곳에/The ~ of his eyes died. 눈의 빛이 사라졌다, 활기(活氣)가 없어졌다.
3 a Ⓒ **발광체**, 광원; 태양, 천체; 등대. **b** Ⓒ〖종종 집합적〗 등불, 불빛; (신호의) 빛, 교통 신호등; 〖컴퓨터〗 표시 램프: put out the ~ 불을 끄다/wait for the ~ to change (교통) 신호가 바뀌기를 기다리다/jump the ~ (교통) 신호를 무시하다/go through the red ~ 빨강 신호를 무시하고 통과하다. **c** (*pl.*) (무대의) 각광: before the ~*s* 각광을 받고, 무대에 나가, 출연하여. **d** Ⓒ 채광창(採光窓), 창구, 창.
4 Ⓤ 〖법률〗 채광권, 일조권.
5 Ⓒ (발화를 돕는) **불꽃**, 점화물, 불쏘시개; (담배의) 불: a box of ~*s* 한 통의 성냥/get a ~ 불을 빌리다〔얻다〕/strike a ~ (성냥 따위로) 불을 켜다/Will you give me a ~? (담배)불 좀 빌려주시겠습니까.
6 Ⓤ (세상에) 드러남; 주지(周知): come to ~ 드러나다, 탄로나다/Other pages were never opened to the ~. 다른 페이지는 전혀 공개되지 않았다.
7 a Ⓤ (또는 a ~) (문제의 해명에) 도움이 되는 사실〔발견〕: give 〔shed〕 ~ on 〔upon〕 …을 밝히다/We need more ~ on this subject. 우리는 이 문제에 대해서 좀더 알 필요가 있다. **b** Ⓤ 지성, 지혜.
8 Ⓒ 견해, 사고방식; 양상(aspect): He saw it in a favorable ~. 그는 그것을 유리하게 해석했다〔호의적으로 보았다〕.
9 Ⓒ 지도적인 인물, 선각자, 현인, 대가(大家), 권위자: the ~*s* of antiquity 옛 성현(聖賢)/shining ~*s* 명성이 높은 대가〔권위자〕들.
10 Ⓒ (보통 *sing.*) 〖회화〗 밝은 부분. ↔ shade.
11 Ⓤ 〖종교〗 영광(靈光), 빛; 〖성서〗 영광(榮光), 복지(福祉).
according to **one's** 〔**a person's**〕 **~*s*** 자기〔아무〕의 견해〔능력〕에 따라서, 자기〔아무의〕 나름대로. ***be in*** **a person's ~** =stand in a person's ~. ***by the ~ of nature*** 직감으로, 자연히. ***hide*** **one's ~ *under a bushel*** 〖성서〗 등불을 켜서 그것을 말 아래 두다《마태복음 V:15》; 자기의 선행〔재능〕을 감추다, 겸손하게 처신하다. ***in the ~ of*** …에 비추어, …을 고려하면, …의 관점〔견지〕에서: *in the ~ of* a new situation 새로운 사태에 비추어 볼 때. ***out like a ~*** 깊이 잠들어; 갑자기 의식을 잃고: go *out like a ~* 깊이 잠들다; 의식을 잃다. ***place*** 〔***put***〕 ***in a good*** 〔***bad***〕 **~** ① 잘 보이는〔보이지 않는〕 곳에 두다. ② 좋은〔나쁜〕 면을 보이게 하다, 유리〔불리〕하게 보이게 하다. ***see the ~*** ① 햇빛을 보다, 세상에 나오다, 출판되다(see the ~ of day). ② 이해하다, 납득하다: Now I *see the ~*. 이제야 이해가 됩니다. ③ 태어나다. ④《美》 기독교에 귀의하다; 개종하다. ***see the ~ of the end of the tunnel*** (오랜 고난 끝에) 앞날에 광명이 보이다, 앞날을 가늠할 수 있게 되다. ***stand*** 〔***get***〕 ***in*** **a person's ~** ① 빛을 가리어 (아무의) 앞을 어둡게 하다. ② (아무의) 호기를 방해하다. ***stand in*** **one's *own* ~** (분별없는 행위로) 스스로 불리를 자초하다. ***the ~ of*** **a person's *countenance*** (아무의) 애고(愛顧), 총애, 호의. ***the ~ of God's countenance*** 신의 은총. ***the ~ of*** **one's *eyes*** 〔***life***〕《우스개》 가장 마음에 드는〔사랑하는〕 사람; 소중한 물건.
—*a.* **1 밝은**(bright). ↔ *dark.*¶a ~ room 밝은 방. **2** (색이) **엷은**, 연한: ~ blue 담청색.
— (*p.*, *pp.* **lit** [lit], **~·ed** [láitid]; 《英》에서는 과거형으로 lit, 과거분사·형용사로는 lighted, 《美》에서는 과거형으로도 lighted를 쓸 때가 많음) *vt.* **1 a** 《~+목/+목+부》…에 **불을 켜다**〔**밝히다**〕, …에 **점화하다**, 불을 붙이다(*up*): ~ (*up*) a candle 〔cigarette〕 초〔담배〕에 불을 붙이다/a ~*ed* oven 점화된 오븐. **b** (불)을 붙이다, 지피다: We *lit* a fire in the fireplace. 우리는 난로에 불을 지폈다.
2 《~+목/+목+부》 **밝게 하다**, 비추다, 조명하다(*up*): Gas lamps *lit* the street. 가스 램프가 거리를 밝히고 있었다/The hall was brightly *lit up*. 홀은 휘황하게 불이 켜져 있었다.
3 《~+목/+목+부》 (얼굴 따위)를 빛내다, 밝게 하다(*up*): Her face was *lit up* by a smile. 그녀의 얼굴은 미소로 밝아졌다.
4 불을 밝혀 안내하다: ~ a person upstairs 불을 밝혀 아무를 위층으로 안내하다/He ~*ed* the way for me with a flashlight. 그는 손전등으로 내 길 안내를 했다.

—*vi.* 《~/+副》 **1** 불이 켜지다(*up*): The streetlights began to ~ *up*. 가로등이 켜지기 시작했다.

2 밝아지다, 빛나다(*up*): The sky ~*s up* at sunset. 하늘은 해가 질 녘이면 밝아진다.

3 (얼굴 등이) 환해〔명랑해〕지다(*up*): Her face *lit up* when she saw me. 나를 보자 그녀의 얼굴이 밝아졌다.

4 a 불이 붙다, 타다: These matches ~ easily. 이 성냥은 불이 쉽게 붙는다. **b** 《구어》 담배〔파이프〕의 불을 붙이다: He took out a pipe and *lit up*. 그는 파이프를 꺼내어 불을 붙였다.

⁑light² *a.* **1 가벼운**, 경량의. ↔ *heavy*.¶a ~ overcoat 가벼운 외투.

2 경쾌한, 민첩한, 재빠른《***of, on*** (발·발걸음)이》: with a ~ step 발걸음도 가볍게/be ~ *of* foot 발걸음이 가볍다.

3 경장(비)의; 가벼운 화물용의, 적재량이 적은, 경편(輕便)한: a ~ truck 경량 트럭/a ~ cruiser 경순양함/~ cavalry 경기병(輕騎兵)/~ infantry 경보병.

4 짐〔부담〕이 되지 않는, 손쉬운, 쉬이 될 수 있는, 수월한: a ~ task 편한 일.

5 경미한, 약한, (양·정도가) 적은, 소량의; (잠이) 깨기 쉬운: a ~ rain 가랑비/a ~ sleep 옅은 잠, 선잠/a ~ loss 경미한 손해/a ~ eater 소식가(小食家)/The traffic is ~ today. 오늘은 교통이 혼잡하지 않다.

6 (식사가) 잘 내리는, 담박한; (술 따위가) 약한; 칼로리가 적은; 지방〔콜레스테롤〕 수치가 낮은; (빵이) 푸하게 부푼: a ~ meal 가벼운 식사/~ beer 순한 맥주/~ bread 가볍고 푸한 빵.

7 힘들지 않은; 부드러운: a ~ blow 가벼운 타격/a ~ touch 가볍게 손댐; 가벼운 필치.

8 (비중·밀도·농도 따위가) 낮은; (화폐·분동(分銅) 따위가) 법정 무게에 미치지 못하는: a ~ metal 경금속/a ~ coin 중량이 모자라는 동전/give ~ weight 무게를 속이다.

9 (벌 따위가) 가벼운, 엄하지 않은, 관대한: a ~ punishment 가벼운 벌/~ expense 가벼운 지출.

10 걱정〔슬픔 등〕이 없는; 밝은; 쾌활한《***of*** (마음)이》: a ~ laugh 구김살없는 웃음/a ~ conscience 거리낌없는 양심/be ~ *of* heart 걱정이 없다, 쾌활하다.

11 딱딱하지 않은, 오락 본위의: ~ reading 가벼운 읽을거리/~ music 경음악.

12 방정맞은, 경망한, 경솔한, 변덕스러운; (여자가) 몸가짐이 헤픈(wanton), 행실이 좋지 않은(unchaste).

13 (자태 따위가) 육중하지 않은, 늘씬한, 선드러진, 아름다운; (무늬·모양이) 섬세하고 우아한; (익살 따위가) 경묘(輕妙)한.

14 (흙 따위가) 무른, 푸석푸석한: ~ soil 흐슬부슬한 흙.

15 현기증이 나는, 어지러운(giddy): feel ~ in the head 현기증이 나다; 기분이 이상하다/I get ~ on one martini. 마티니 한 잔에 핑 돈다.

16 〖음성〗 강세〔악센트〕가 없는, 약음의.

(***as***) ***~ as air*** 〔***a feather***〕 무척 가벼운. ***have a ~ hand*** 〔***touch***〕 손끝이 야무지다, 손재간이 있다; 수완이 있다. ***~ on*** 《구어》 …이 부족하여, 불충분하여. ***make ~ of*** …을 경시〔무시〕하다.

—*ad.* **1** 가볍게, 경쾌하게.

2 경장으로, 짐없이: travel ~ 가뿐한 차림으로〔홀가분하게〕 여행하다.

3 수월하게, 쉽게, 간단히: *Light* come, ~ go. 《속담》 쉬이 얻은 것은 쉬이 없어진다; 부정한 돈은 남아나지 않는다.

get off ~ 《구어》 벌받지 않고 면하다.

light³ (*p., pp.* ***~·ed, lit*** [lit]) *vi.* **1** 《고어》 **a** 내리다(*down*)《***from*** (말 따위)에서》. **b** (새가) 앉다(alight)《***on, upon*** …에》. **2** 우연히 만나다〔발견하다〕; 우연히 입수하다《***on, upon*** …을》: ~ *on* a clue 우연히 실마리를 찾다/My eyes ~*ed on* 〔*upon*〕 a beautiful shell. 아름다운 조개가 눈에 띄었다. **3** (재앙·행운 따위가) 불시에 닥쳐오다《***on, upon*** …에》.

~ into 《구어》 …을 공격하다; …을 꾸짖다. ***~ on one's feet*** 〔***legs***〕 (떨어졌을 때) 오뚝 서다; 《비유적》 행운이다, 성공하다. ***~ out*** 《*vi.*+副》 《구어》 전속력으로 달리다; 급히 떠나다《***for*** …을 향하여》.

líght áir 〖기상〗 실바람(⇨WIND SCALE).

líght áirplane 〔**áircraft**〕 《특히 자가용의》 경비행기(light-plane).

líght bréeze 〖기상〗 남실바람《풍속 4–7 마일》.

líght bùlb 백열 전구.

***light·en¹** [láitn] *vt.* **1 밝게 하다**, 비추다(illuminate): The white wallpaper ~*ed* the room. 하얀 벽지로 인해 방이 밝아졌다. **2** (얼굴 따위)를 명랑하게 하다, (눈)을 빛내다. **3** …의 빛깔을 여리게 하다, 그림자를 희미하게 하다.

—*vi.* **1** (눈·얼굴 등이) 밝아지다, 빛나다. **2** 〖it을 주어로〗 번개가 번쩍하다(flash): *It* ~*ed*. 번개가 번쩍했다. **3** (하늘 따위가) 밝아지다, 개다.

light·en²** *vt.* **1** 《~+目/+目+전+명》 **a** (짐)을 **가볍게 하다**; (배 따위)의 짐을 덜다: ~ a ship 배의 짐을 가볍게 하다. **b** 가볍게 해 주다《of*** (짐 따위)를 덜어》: ~ a ship *of* her cargo 실은 짐을 내려 배를 가볍게 하다. **2** 완화〔경감〕하다, 누그러뜨리다: Computers have ~*ed* our workload a lot. 컴퓨터는 우리 일의 양을 많이 경감해 주었다. **3** 기운을 북돋우다, 위로하다, 기쁘게 하다. **—*vi.*** **1** (짐이) **가벼워지다**. **2** (마음이) 가벼워지다, 편해지다. ***~ up*** 《*vi.*+副》 마음을 가볍게 하다〔누그러뜨리다〕: It was a joke, Jack—~ *up!* 잭, 농담이었어—심각해질 것 없어.

light·er¹ [láitər] *n.* Ⓒ **1** 불을 켜는 사람, 점등부(點燈夫). **2** 라이터, 점등〔점화〕기: snap on a ~라이터 불을 켜다.

light·er² *n.* Ⓒ 거룻배.

light·er·age [láitəridʒ] *n.* Ⓤ 거룻배 삯; 거룻배 운반.

líghter-than-áir *a.* **1** 공기보다도 가벼운《기구·비행선 따위》. **2** 경(輕)항공기의; a ~ craft 경항공기.

líght·fàce *n.* Ⓤ 〖인쇄〗 가는 활자. ↔ *boldface*. 파 **~d** [-t] *a.*

líght-fíngered *a.* (손끝이) 잰《악기 연주》; 《구어》 손버릇이 나쁜: a ~ gentleman 소매치기.

líght flýweight 라이트 플라이급의 권투 선수《아마추어의 48 kg 이하》.

líght-fóoted [-id] *a.* 발이 빠른, 민첩한(nimble), 발걸음이 가벼운. 파 **~·ly** *ad.* 민첩하게. **~·ness** *n.*

líght-hánded [-id] *a.* 손재주 있는, 솜씨 좋은; 일손이 모자라는(short-handed).

líght-héaded [-id] *a.* **1** (술·높은 열 등으로) 머리가 어찔어찔한, 몽롱해진. **2** 사려 없는, 경솔한. 파 **~·ly** *ad.* 경솔하게, 가볍게. **~·ness** *n.*

líght·héarted [-id] *a.* 마음 편한, 낙천적인;

쾌활한, 명랑한. ⓟ ~·ly ad. ~·ness n.

light héavyweight 라이트 헤비급의 권투〔레슬링〕 선수(=**light héavy**).

light-hòrseman [-mən] (pl. **-men** [-mən]) n. Ⓒ 경기병(輕騎兵).

*__light·house__ [láithàus] n. Ⓒ 등대: a ~ keeper 등대지기.

light industry (또는 pl.) 경공업. ⓒⓕ heavy industries.

◇**light·ing** n. Ⓤ **1** 채광(採光); 조명(법): direct 〔indirect〕 ~ 직접〔간접〕 조명. **2 a** 조명 장치. **b** 〖집합적〗 무대 조명. **3** 점화, 점등. **4** (회화 따위에서) 빛의 배치, 명암.

lighting-ùp time 점등 시각〔시간〕, (특히 차량의) 법정 점등 시각.

*__light·ly__ [láitli] ad. **1 가볍게**, 가만히: push ~ 가볍게 밀다. **2 부드럽게**, 온화하게: speak ~ 부드럽게 말하다. **3** 사뿐히, 경쾌하게, **민첩하게**. **4** 젠체하지〔빼지〕 않고: talk ~ 가볍게 이야기하다. **5** 경솔하게; 경시하여; 가벼이: an offer not to be refused ~ 가벼이 거절할 수 없는 제의(提議) / think ~ of …을 경시하다. **6** 명랑하게, 쾌활하게; 태연하게: He accepted the loss ~. 그는 그 손실을 태연스레 받아들였다. **7** 손쉽게, 수월하게: *Lightly* come, ~ go. 《속담》 쉬이 얻은 것은 쉬이 없어진다; 부정한 돈은 남아나지 않는다. **8** 살짝, **조금**: a ~ fried fish 살짝 기름에 튀긴 생선. ***get off*** ~ =get off LIGHT².

light mèter 광도계; 〖사진〗 노출계(exposure meter).

light míddleweight 라이트 미들급의 권투 선수《아마추어의 67 kg을 초과하고 71 kg 이하》.

light-mínded [-id] a. 경솔〔경박〕한; 무책임한. ⓟ ~·ly ad. ~·ness n.

◇**light·ness**¹ n. Ⓤ 밝음; 밝기; (빛깔이) 엷음〔열음, 연함〕.

◇**light·ness**² n. Ⓤ **1** 가벼움. **2** 민첩, 기민. **3** 능란함, 교묘. **4** 경솔; 불성실; 몸가짐이 헤픔. **5** 명랑, 경쾌.

⁑**light·ning** [láitniŋ] n. Ⓤ **번개**, 전광: a flash of ~ 번개 / *Lightning* never strikes in the same place twice. 《속담》 번개는 같은 장소에 두 번 치지 않는다; 같은 불행이 한 사람에게 두 번 오지 않는다. ***like*** (***greased***) 〔***like a streak of***〕 ~ 번개같이, 순식간에.
—a. Ⓐ 번개의; 재빠른, 전광석화의; 전격적인: a ~ strike 〔operation〕 전격적 파업〔작전〕 / at 〔with〕 ~ speed 순식간에.

lightning arrèster 피뢰기.

lightning bèetle 〔**bùg**〕 《美》 빈딧불이.

lightning condùctor 피뢰침(의 도선).

lightning ròd 피뢰침.

light-o'-love, light-of-love [láitəlʌ́v] n. Ⓒ 바람난 여자, 매춘부; 정부《님너》.

light pèn 〖컴퓨터〗 **1** 광전펜(=**light pèncil**)《표시 스크린에 신호를 그려 입력하는 펜 모양의 입력 장치》. **2** 바코드 판독기.

light pollùtion (천체 관측 등에 지장을 주는, 도시 인공 빛의) 빛 공해.

light·pròof a. 빛을 통과시키지 않는.

lights [laits] n. pl. (양·돼지 등의) 폐장《개·고양이 먹이》.

light·shìp n. Ⓒ 등대선(船)《항해 위험지역에 계류시킴》.

light shòw 슬라이드나 다채로운 빛 따위를 사용한 전위 예술 표현.

light·some¹ [láitsəm] a. 쾌활〔명랑〕한; 경쾌한, 민활한; 고상한, 우미한《자태 따위》; 경박한(frivolous): in a ~ mood 명랑한 기분으로. ⓟ ~·ly ad. ~·ness n.

light·some² a. 빛나는, 번쩍이는; 조명이 잘 된, 밝은. ⓟ ~·ly ad. ~·ness n.

lights-óut n. Ⓤ 〖군사〗 소등 신호〔나팔〕; 소등 시간.

◇**light·wèight** n. Ⓒ **1** 표준 무게 이하의 사람〔물건〕. **2** 〖권투·레슬링〗 라이트급 선수. **3** 《구어》 하찮은 사람. —a. 라이트급의, 경량의; 하찮은; 진지하지 못한.

light wíne 라이트 와인《알코올분·당분·칼로리를 낮춘 식탁용 와인》.

light-ỳear n. **1** Ⓒ 〖천문〗 광년《빛이 1년간에 나아가는 거리; 9.46×10^{15}m; 생략: lt-yr》: ten ~s away 〔distant〕, 10광년 떨어진. **2** (pl.) 아주 긴 시간: ~s ago 아주 옛날에.

lig·ne·ous [lígniəs] a. (풀이) 나무 같은, 목질의(woody).

lig·ni·fy [lígnəfài] vt., vi. 〖식물〗 (고등 식물이) 목질화하다.

lig·nite [lígnait] n. Ⓤ 아탄(亞炭), 갈탄(brown coal).

lik·a·ble, like- [láikəbəl] a. 마음에 드는; 호감이 가는: a ~ person 호감이 가는 사람.

†**like**¹ [laik] vt. **1** 《~+목/+목+(to be) 보/+목+done》 **좋아하다**, 마음에 들다(be fond of): I ~ green tea. 녹차(綠茶)를 좋아한다 / I ~ my coffee hot. 커피는 따끈한 것이 좋다 / I'd ~ the money *returned* soon. 돈을 곧 돌려받고 싶다 / I ~ your impudence. 〖반어적〗 자네 건방진 게 마음에 드네 / (Well,) I ~ that! 《구어》 〖반어적〗 야 놀랍군, 기가 막혀.

> NOTE (1) like를 수식하는 부사는 보통 very much, better, best, more, most이며, 특히 능동태에서 well을 쓰는 경우는 드묾: Which do you *like better*, tea or coffee? 차와 커피 중 어느 것이 좋으냐?
> (2) 동작주가 특정한 사람인 경우에는 보통 수동태로 쓰지 않으나 불특정 다수인 경우에는 수동태로도 씀: You're well *liked* by everybody. 너는 모두들 좋아한다.(Baseball is *liked* by me. 는 잘못.)

SYN. **like** 가장 일반적인 말로 뜻도 약함. **love** 가장 강한 말로 구어체임: I *love* sports. 나는 스포츠를 가장 좋아한다〔사랑한다〕. **be fond of** like보다 뜻이 강하며, 구어에서 잘 쓰임. **care for** 흔히 부정 또는 의문문으로 쓰임: Do you *care for* sweets? 과자는 좋아합니까. **prefer to** 뜻이 약하고, 잘 쓰이지 않음.

2 《+*to* do /+목+*to* do /+*-ing* /+목+*-ing*》 …하기가〔하는 것이〕 좋다: I ~ *to* play 〔play*ing*〕 tennis. 테니스하기를 좋아한다〔하고 싶다〕 / I don't ~ women *to* smoke. 여자가 담배를 피우는 것은 못마땅하다 / I ~ *to* enjoy Saturday evenings, but I don't ~ stay*ing* up late. 토요일 밤을 즐기는 것은 좋아하지만 늦게까지 노는 것은 싫다 / I don't ~ him behav*ing* like that. 그가 그렇게 행동하는 것이 마음에 안 든다.

3 《~+목/+*to* do /+목+*to* do》 〖should 〔would〕 ~〗 **바라다**; …하고 싶다《★ 정중한 표현》: *Would* you ~ coffee? 커피를 드시겠습니까 / I *should* 〔*would*〕 ~ *to* go. 가고 싶군 / He *would* have ~*d to* (have) come alone. 그는 (될 수 있으면) 혼

자 오고 싶었다/*Would* you ~ us *to* help? 우리가 도와 주었으면 싶으냐.

> **NOTE** (1) should 〔would〕 like 구문에서는 목적어로 do*ing*을 쓰지 않음.
> (2) 구어에서는 종종 I'd like...가 됨.
> (3) to만 남기고 동사가 생략될 때도 있음: Yes, *I'd like to*. 예, 그렇게 하고 싶습니다.

— *vi*. 마음에 들다〔맞다〕, 마음이 내키다(be pleased): Come whenever you ~. 언제든 좋은 때 오너라.

How do you ~...? ① …은 어떤가, 좋은가 싫은가. ② …을 어떻게 할까요: *How do you* ~ your tea?—I ~ my tea iced. 차는 어떻게 할까요—얼음을 채워 주시오. ③〘뜻밖의 결과에 놀람 등을 나타내어〙《구어》 …에 놀라다〔감복하다, 화가 나다〕: (Well,) *how do you* ~ that! 아니 이것 참. ***if you ~*** ① 좋다면, 그렇게 하고 싶으면: You will come, *if you* ~. 괜찮으시다면 오십시오. ② 그렇게 말하고 싶다면 (그럴 수도 있겠지): I am shy *if you* ~. 〘shy에 강세가 있으면〙 내가 소심하다고 말하고 싶다면 그래도 좋아. 〘I에 강세가 오면〙 나라면 소심하다는 말을 들어도 좋지만 (그렇지 않은 사람도 있다). ***~ it or not*** 《구어》 좋아하든 안 하든, 가부간에: *Like it or not*, we've entered a new era. 좋아하든 안 하든 우리는 새로운 시대에 들어섰다.

> **DIAL.** ***Where would you like to sit?—In front.*** 어디 앉고 싶으세요—앞쪽에요.
> ***Care to join us, John?—Yes, I'd like to.*** 존, 우리하고 같이 할래—그래, 그러고 싶다.
> ***Would you like me to carry that bag?—Yes, please*** 〔***thank you***〕. 저 가방을 들어 드릴까요—예, 고맙습니다.

— *n*. (*pl*.) 취미, 기호: one's ~*s* and dislikes 좋은 것과 싫은 것.

‡**like**[2] [laik] (***more ~, most ~;*** 《주로 시어》 ***lík·er; lík·est***) *a*. 〘종종 목적어를 수반, 전치사로 볼 때도 있음〙 **1** …와 닮은(resembling): The brothers are as ~ as two peas. 형제는 꼭 닮았다.

2 똑같은(equal), 비슷한(similar): stars ~ diamonds 다이아몬드 같은 별/in ~ manner 똑같이, 마찬가지로/I cannot cite a ~ instance. 비슷한 예가 생각나지 않는다/a ~ sum 같은 금액/~ figures 〖수학〗 닮은꼴/~ quantities 〖수학〗 등량(等量)/*Like* father, ~ son. 《속담》 그 아비에 그 아들, 부전자전/*Like* master, ~ man. 《속담》 주인도 주인이려니와 부하도 부하; 그 주인에 그 부하.

3 …**의 특징을 나타내는**, …**다운**, …에 어울리는: It was just ~ him to take the biggest one. 가장 큰 것을 집은 것은 과연 그답다.

4 …**하게 될 것 같은**, 〘~ do*ing*의 형태로〙 …할〔일〕 것 같은: It looks ~ rain. 비가 올 것 같다/The rain looks ~ last*ing*. 장마가 될 것 같다.

5 (이를테면) …와 같은: fruits, ~ apples and pears 이를테면 사과와 배 같은 과일.

anything ~... 〘보통 부정문에서〙 …따위는 도저히, 아무리 해도, 결코: I do*n't* want *anything* ~ a fuss over it. 그 일로 속썩이는 일이란 딱 질색이다. ***feel ~ doing*** …하고 싶은 마음이(들)다: I *feel* ~ *going* to bed. 슬슬 자고 싶군. ***just ~ that*** 아무 주저〔말〕 없이, (그처럼) 간단히; 어이없이: He was standing right next to me, and *just* ~ *that* he was gone. 그는 바로 내 옆에 서 있었는데 홀연 사라졌다. ***~ anything*** 〔***blazes, crazy, mad, the devil***〕 《구어》 맹렬히, 세차게, 몹시; 극히: He praised me ~ *anything*. 그는 나를 극구 칭찬했다. ***~ nothing on earth*** 매우 드문, 뛰어난. ***nothing*** 〔***none***〕 ***~*** ① …을 따를 것이 없는; …만한 것이 없는: There is *nothing* ~ doing so. 그렇게 하는 게 제일 좋다. ② 조금도 …답지 않은, 전혀 다른: The place was *nothing* ~ home. 조금도 가정다운 데가 없었다. ***something ~*** ① 어느 정도 …같은 (것), 좀 …와 비슷한 (것): This feels *something* ~ silk. 이것은 마치 비단 같은 촉감이 든다. ② 대략, 약: It cost *something* ~ 10 pounds. 10파운드쯤 들었다. ③ 《구어》 〘like에 강세를 두어〙 굉장한 것, 훌륭한〔멋진〕 (것): This is *something* ~ a present. 이건 굉장한 선물이다/This is *something* ~. 이거 굉장하군. ***That's more ~ it!*** 《구어》 그 쪽이 더 낫다. ***What is*** (he) ***~?*** (그 사람)은 인품이 어떻습니까. ***What*** does he ***look ~?*** 어떤 용모의 사람입니까.

— *prep*. (외모·성질 따위가) …**와 같이**〔**처럼**〕, …와 마찬가지로, …답게: a child ~ an angel 천사 같은 아이/Ann is very much ~ her mother. 앤은 자기 어머니를 꼭 닮았다/Do it ~ this. 이렇게 해라/He works ~ a beaver. 비버처럼 〔고되게〕 일한다.

— *ad*. **1** 《구어》 〘수사 앞에서〙 대략, 거의, 얼추: The actual interest rate is more ~ 18 percent. 실제 이율은 18%에 가깝다/"What time is it?" "*Like* two o'clock." '몇 시지?' '2시 되었을까'.

> SYN. **like** 유사를 나타냄: He speaks *like* an American. 그는 미국인처럼 말한다. **as** 동일성을 나타냄: He speaks English *as* an American. 그는 영어를 미국인 못지않게 한다.

2 〘~ enough, 때로 very ~로〙 《구어》 아마, 필시: *Like enough* he'll come with us. 필시 그는 우리와 함께 올 것이다. **3 a** 〘어구의 끝에 붙여〙 《英구어》 마치(as it were), 어쩐지(somehow): He looked angry ~. 어쩐지 화난 것 같았다. **b** 〘거의 무의미한 연결어로서〙 《구어》 어머, 왠지, …같애: It's ~ cold.

(***as***) ***~ as not*** 《구어》 아마, 십중팔구(十中八九), 필시. ***~ so many*** 마치 …과 같이. ***very ~*** =***~ enough*** 〘삽입적〙 아마.

— *conj*. …하(는) 듯이(as); 《구어》 마치 …처럼(as if): I cannot do it ~ you do. 너처럼은 못하겠다/It was just ~ you said. 꼭 네 말대로였다/He acted ~ he felt sick. 기분이 나쁜 듯이 행동했다. ★ 특히 미국 남부에서 널리 쓰이고 있음.

— *n*. **1** (the 〔one's〕 ~) 〘보통 의문·부정문에서〙 비슷한 사람〔것〕; 같은 사람〔것〕; 같은 종류 《***of*** …와》: Did you ever hear 〔see〕 the ~ *of* it? 자네는 그와 같은 것을 들은〔본〕 적이 있는가/We shall *not* see his ~ again. 그와 같은 사람은 다시 없을 것이다/*Like* cures ~. 《속담》 독으로 독을 다스리다./*Like* for ~. 《속담》 은혜는 은혜로, 원한은 원한으로. **2** Ⓒ (보통 the ~s) 같은 종류의 것〔사람〕; 같은 사람들 《***of*** …와》: I've never seen the ~*s* (*of* it). 그와 같은 것은 본 적이 없다/the ~*s of* me 나 같은(미천한) 것들/the ~*s of* you 당신 같은 (높은) 양반들.

... and the ~ 그 밖의 같은 것, …따위 《etc. 보다 격식차린 말씨》: Wheat, oats and the ~

are cereals. 밀, 귀리 따위는 곡류이다. ***... or the ~*** 또는 그 종류의 다른 것; … 따위.

-like [làik] *suf.* 명사에 붙여서 '…와 같은'의 뜻: child*like*.

likeable ⇨LIKABLE.

◇**like·li·hood** [láiklihùd] *n.* Ⓤ (또는 a ~) 있음 직한 일(probability), 정말 같음; 가능성(《*of* …할/*that*》): There is no ~ *of* his succeeding. 그가 성공할 가능성은 전혀 없다/There's a strong ~ *that* the matter will soon be settled. 사태가 곧 해결될 가능성이 많다. ***in all ~*** 다분히, 십중팔구는.

like·li·ness [láiklinis] *n.* =LIKELIHOOD.

⁑**like·ly** [láikli] (***like·li·er, more ~; like·li·est, most ~***) *a.* **1 있음 직한**, 가능하다고 생각되는; 정말 같은: a ~ result 있음 직한 결과/the least ~ possibility 있을 법도 하지 않은 일.

SYN. **likely** '있음 직한' 일상 흔히 쓰는 말로서 가장 뜻이 강함. be likely to처럼 to를 수반할 수가 있음. **possible** '가능한' 가장 뜻이 약함. **probable** '있음 직한' possible보다도 가능성이 강함. possible과 함께 to를 수반하지 않음. 그러나 It is *likely* 〔*possible*, *probable*〕 that 의 형태를 취할 수 있는 점에서는 일치함.

2 Ⓟ **…할 것 같은**, …듯한(《***to*** do》): He is ~ *to* come. =It is ~ (that) he will come. 그는 아마 올 것입니다/It is ~ *to* rain. 비가 올 것 같다/a thing not ~ *to* happen 일어날 것 같지도 않은 일. SYN. ⇨APT. **3** 〔반어적〕 설마: A ~ story! 설마 (그런 일이). **4 유망한**, 믿음 직한: a ~ young man 믿음 직한 젊은이. **5** 적당한, 안성맞춤의(《***for*** …에/***to*** do》): He looked a ~ man *for* the job. 그는 그 일에 적합한 사람 같았다/a ~ place *to* fish 〔build on〕 낚시질〔집짓는 데〕에는 안성맞춤인 곳.

—*ad.* 〔보통 very, quite, most와 함께〕 아마, 십중팔구: He has *most* ~ lost his way. 그는 아마도 길을 잃어버린 것 같다.

(as) ~ as not 아마도, 혹시 …일지도 모르는.

DIAL. ***Not likely!*** 설마, 터무니없다, 어림없다, 천만의 말씀(← 그런 일은 있을 것 같지 않다).

líke-mínded [-id] *a.* 한 마음의, 동지의; 같은 취미〔의견〕의, 같은 의견을〔취미를〕 지닌(《***with*** …와》): He is ~ *with* Tom. 그는 톰과 한마음이다/We're ~ on that. 그 점에서 우리는 같은 의견이다. ㊕ **~·ly** *ad.* **~·ness** *n.*

◇**lik·en** [láikən] *vt.* 비유하다, 견주다(《***to*** …에》): ~ virtue *to* gold 덕(德)을 황금에 비유하다. ◇like[2] *a.*

*__like·ness__ [láiknis] *n.* **1** Ⓤ **비슷함**, 닮음, 유사함(《***to*** …와의; ***between*** …간의》): There's some ~ *between* him and his cousin. 그와 그의 사촌은 솜 닮은 점이 있다. **2** Ⓒ **닮은 얼굴**, **화상**, 초상, 사진; 아주 닮은 사람, 흡사한 것: take a person's ~ 아무의 초상을 그리다/She's the living ~ of Madonna. 그녀는 마돈나를 빼닮았다. **3** Ⓒ 비슷한 것; 유사점. **4** 〔in the ~ of로〕 **겉보기**, 외관; 모습: an enemy *in the ~ of* a friend 아군을 가장한 적.

*__like·wise__ [láikwàiz] *ad.* **1 똑같이**, 마찬가지로: He hated her, and she hated him ~. 그도 그녀를 싫어했고 그녀도 마찬가지로 그를 싫어했다/*Likewise* (for me). (나도) 동감이야. **2** 또한, 게다가 또(moreover, also, too): Tom is tall and ~ strong. 톰은 키가 크고 게다가 힘도 세다.

DIAL. ***Likewise*** (***, I'm sure***). 나도 그래: I'm happy to meet you.—*Likewise*. 너를 만나 기쁘다—나도 그래.

◇like[2] *a.*

*__lik·ing__ [láikiŋ] *n.* **1** (a ~) **좋아함**, 애호(fondness) (《***for, to*** …에 대한》): have a ~ *for* …을 좋아하다/take a ~ *to*… =conceive 〔develop〕 a ~ *for* …이 마음에 들다, …이 좋아지다. **2** (one's ~) 기호, 취미: (not) to one's ~ 마음에 들어〔들지 않아〕, 취미에 맞는〔맞지 않는〕/Is it to your ~? 마음에 드셨습니까.

*__li·lac__ [láilək] *n.* **1 a** Ⓒ 〖식물〗 **라일락**, 자정향(紫丁香). **b** Ⓤ 〔집합적〕 라일락 꽃. **2** Ⓤ 연보라색. **—***a.* 라일락색의, 연보라색의.

Lil·li·put [lílipʌ̀t] *n.* 소인국(《J. Swift 작 *Gulliver's Travels* 중의 상상의 나라》).

Lil·li·pu·tian [lìlipjúːʃən] *a.* **1** 소인국(小人國)(Lilliput)(사람)의. **2** (때로 l-) 아주 작은; 편협한. **—***n.* Ⓒ Lilliput 사람; (때로 l-) 소인.

Li·lo [láilou] (*pl.* **~s**) *n.* Ⓒ 《英》 라일로(《해수욕 등에 쓰이는 플라스틱〔고무〕 에어매트; 상표명》).

LILO last in, last out (후입(後入) 후출(後出)법).

lilt [lilt] *vi., vt.* 쾌활한 가락으로 노래하다; 쾌활하게 연주〔말〕하다; 경쾌하게 움직이다. **—***n.* **1** Ⓒ 명랑하고 쾌활한 노래. **2** (a ~) 경쾌한 가락〔동작〕. ㊕ **~·ing** *a.*

⁑**lily** [líli] *n.* Ⓒ **1** 〖식물〗 **나리**, **백합**; 백합꽃; 백합과 비슷한 꽃(《수련 등》). **2** (백합꽃처럼) 순결한 사람; 새하얀〔순백의〕 물건. **3** (보통 *pl.*) (프랑스 왕가의) 백합 문장(fleur-de-lis).

gild 〔***paint***〕 ***the ~*** 완벽한 것에 군손질을 하다(《Shakespeare의 「존 왕」에서》).

—*a.* Ⓐ 백합 같은, 백합같이 흰; 우아한, 청순한.

líly-lívered *a.* 겁 많은(cowardly).

lily of the valley (*pl.* ***lilies of the valley***) 〖식물〗 은방울 꽃.

líly-whíte *a.* **1** 백합처럼 흰, 새하얀. **2** 흠〔결점〕 없는, 순백의, 결백한(innocent). **3** 《美구어》 흑인의 참정(參政)에 반대하는, 인종 차별 지지의. **—***n.* Ⓒ 《美》 흑인 참정 반대〔배척〕 운동 조직의 일원.

Li·ma [líːmə] *n.* 리마(페루의 수도).

lí·ma (**bèan**) [láimə(-)] Ⓒ 〖식물〗 리마콩(《강낭콩의 일종》); 그 열매.

⁑**limb**[1] [lim] *n.* Ⓒ **1** (사람 · 동물의) 사지의 하나, 팔, 다리; (새의) 날개; (물고기의) 지느러미. **2** 큰 가지. **3** 갈라진 가지〔부분〕, (물건의) 돌출부: a ~ *of* river 지류/a ~ *of* the sea 후미, 바닷가의 만곡부. **4** 《구어》 개구쟁이, 선머슴. **5** (남의) 부하, 앞잡이.

out on a ~ 몹시 위태로운〔불리한〕 입장에; 궁지에 몰린. ***tear … ~ from ~*** (동물 따위)를 갈기갈기 찢다.

limb[2] *n.* Ⓒ **1** 〖천문〗 (해 · 달의) 가장자리. **2** 〖식물〗 잎가장자리; (꽃잎의) 퍼진 부분.

-limbed [limd] *a.* 〔보통 합성어〕 (…한) 사지〔가지〕가 있는: crooked~ 가지가 굽은.

lim·ber[1] [límbər] *a.* 유연한; 재빠른, 경쾌한.

—*vt.* **1** (운동 전에 근육)을 유연하게 하다(*up*). **2** 〔~ oneself〕 (전신을 움직여서) 근육을 풀다, 유연체조를 하다(*up*): *Limber yourself up* before swimming. 수영에 앞서 유연〔준비〕체조

를 하십시오. —*vi.* 유연하게 되다(*up*). [파] ~·ly *ad.* ~·ness *n.*

lim·ber² *n.* [C] 〖군사〗 (포가(砲架)의, 좌석을 겸한 탄약 상자가 있는) 앞차. —*vt.* (포가)에 앞차를 연결하다. —*vi.* 포가와 앞차를 연결하다.

lim·bic [límbik] *a.* **1** 가장자리의, 주변의. **2** 〖해부〗 (대뇌) 변연계(邊緣系)의: the ~ system 대뇌 변연계《자율신경 기능·정서 등을 맡은 부분》.

límb·less *a.* 손발이〔날개·가지가〕 없는.

lim·bo¹ [límbou] *n.* [U] **1** (종종 L-) 림보, 지옥의 변방(邊方)《지옥과 천국 사이에 있으며, 기독교를 믿을 기회를 얻지 못했던 착한 사람 또는 세례를 받지 못한 어린아이 등의 영혼이 머무는 곳》. **2** 망각; 무시된 상태.

lim·bo² (*pl.* **~s**) *n.* [C] 림보 춤《몸을 젖혀 횡목 밑을 빠져나가는 서인도제도의 춤》.

***lime¹** [laim] *n.* [U] **1 석회**(石灰), 《특히》 생석회 (burnt 〔caustic〕 ~, quicklime): slaked ~ 소석회. **2** 새 잡는 끈끈이, 감탕(birdlime).
—*vt.* **1** 석회로 소독하다, …에 석회를 뿌리다; 석회수에 담그다. **2** …에 끈끈이를 바르다; (새)를 끈끈이로 잡다.

lime² *n.* 〖식물〗 =LINDEN.

lime³ *n.* [C] 〖식물〗 라임(운향과의 관목); 라임과(果)《레몬 비슷하며 작고 맛이 심》.

lime·ade [làiméid, ⌐⌐] *n.* [U] 라임수(水); [C] 라임수 한 잔.

líme jùice 라임 과즙(果汁)《청량 음료》.

líme·kìln *n.* [C] 석회 굽는 가마.

líme·lìght *n.* **1** [U] **a** 석회광(光)《석회를 산수소(酸水素) 불꽃에 대었을 때 생기는 강렬한 백광》. **b** 라임라이트《무대 조명용》. **2** (the ~) 주목의 대상, 남의 눈에 띄는 입장: in the ~ 각광을 받아, 이목을 끌어, 주목의 대상이 되어.

lim·er·ick [límərik] *n.* [C] 오행 속요(五行俗謠)《약약강격(弱弱強格)의 5행 희시(戲詩)》.

líme·stòne *n.* [U] 석회석, 석회암: a ~ cave 〔cavern〕 종유(鍾乳)굴.

líme trèe =LINDEN.

líme·wàter *n.* [U] 석회수.

lim·ey [láimi] *n.* [C] (종종 L-) 《美속어》 영국 수병, 영국인; 영국 배.

⁑lim·it [límit] *n.* **1** [C] **한계**(선), 한도, 극한: to the ~ 극단적으로, 한도까지/go to any ~ 무슨 일이든 하다/to the utmost ~ 극한까지/out of all ~*s* 터무니없이/set a ~ to …을 제한하다/know 〔have〕 no ~*s* 끝이 없다. **2 a** [C] (흔히 *pl.*) 경계(boundary). **b** (*pl.*) 범위, 구역, 제한: within the ~*s* of …의 범위 안에서. **3** (the ~) 《구어》 (인내의) 한도, 극한(을 넘은 것〔사람〕): That's the ~. 더는 못 참겠다/That guy is really the ~. 저 녀석에게는 도저히 못참겠다.
The sky is the* ~.** 《속어》 무제한이다, 기회는 얼마든지 있다, (내기에) 얼마든지 걸겠다. ***within* ~*s 적당히, 조심스럽게. ***without* ~** 무제한으로, 한없이.

> [DIAL.] ***There are limits!*** 웬만큼 해 두면 좋으련만, 정말 어처구니없군(← 무엇이든 한도가 있다).

—*vt.* 《~+[목]/+[목]+[전]+[명]》 **제한〔한정〕하다**《*to* …으로》: I was told to ~ the expense *to* $20. 비용을 20달러 이내로 제한당했다/*Limit* your answer *to* yes or no. 예, 아니오라고만 답하시오.

***lim·i·ta·tion** [lìmətéiʃən] *n.* **1** [U] **제한, 한정;** [C] (흔히 *pl.*) 제한하는 것: without ~ 무제한으로/~*s* on imports 수입 제한/armament ~*s* 군축. **2** [C] (흔히 *pl.*) (지력·능력 따위의) **한계,** 한도, 취약점: know one's ~*s* 자기 능력의 한계를 알다. **3** [U] (구체적으로는 [C]) 〖법률〗 제한적 조건, (출소권(出訴權)·법률 효력 등의) 기한; 시효.
◇ limit *v.*

***lim·it·ed** [límitid] *a.* **1 한정된,** 유한의: a ~ edition 한정판/a ~ war 국지전. **2** 좁은, 얼마 안 되는: ~ ideas 편협한 생각. **3** 《美》 (열차 등이) 승객수·정차역을 제한한, 특별 급행의: a ~ express 〔train〕 특급 (열차). **4** 《英》 유한책임(회사)의《생략: Ltd.》(cf. 《美》 incorporated): ~ (-liability) company 유한(책임) 회사.
—*n.* [C] 《美》 특별 열차〔버스〕. [파] ~·ly *ad.* ~·ness *n.*

lím·it·ing *a.* 제한하는; 〖문법〗 한정적인.

°lím·it·less *a.* 무한의; 무제한의; 무기한의; 광대한: have ~ possibilites 무한한 가능성을 갖다. [파] ~·ly *ad.*

lim·nol·o·gy [limnálədʒi/-nɔ́l-] *n.* [U] 육수학(陸水學), 호소학(湖沼學).

limo [límou] (*pl.* **~s**) *n.* 《美구어》 =LIMOUSINE.

li·mo·nite [láimənàit] *n.* [U] 〖광물〗 갈(褐)철광.

°lim·ou·sine [líməzìːn, ⌐⌐⌐] *n.* [C] 리무진《운전석과 객석 사이에 유리 칸막이가 있는 대형 자동차》; 여객 송영용 공항 버스.

***limp¹** [limp] *vi.* **1** 《~/+[부]》 **절뚝거리다;** (배·비행기가) 느릿느릿 가다《고장으로》(*along*): ~ *along* on the injured foot 다친 발을 절뚝거리며 걸어가다/~ back to port 고장으로 항구에 되돌아가다/The old car ~*ed along*. 고물차는 느릿느릿 나아갔다. **2** 《+[부]》 (작업·경기 등이) 지지부진하다(*along*). **3** (시가(詩歌)의) 운율이 고르지 않다, 억양이 맞지 않다. —*n.* (a ~) 발을 절기, 발의 부자유함: have a bad ~ 발을 몹시 절다.

°limp² *a.* **1** (몸 따위가) 나긋나긋한(flexible), 흐느적거리는. ↔ *stiff*. **2** (성격 따위가) 야무지지 못한, 무기력한. **3** 생기 없는, 휘주근한(spiritless); 지친; 《美속어》 술취한. [파] ⌐·ly *ad.* ⌐·ness *n.*

lim·pet [límpit] *n.* [C] **1** 〖패류〗 꽃양산조개. **2** 《우스개》 (지위에 집착하여) 눌어붙어 있는 관리(따위). ***hold on* 〔*hang on, cling, stick*〕 *like a* ~ (*to*)** (…에) 들러붙다, (…을) 물고 늘어지다.

lim·pid [límpid] *a.* 맑은, 투명한(clear); 깨끗한; (문체가) 명쾌한. [파] ~·ly *ad.* ~·ness *n.*
lim·píd·i·ty [-əti] *n.* [U] 맑음, 투명; 명쾌.

límp wríst 《美속어》 암사내, 호모.

límp-wríst(ed) [-(id)] *a.* 《美속어》 암띤; 연약한; 동성애의.

limy [láimi] (***lim·i·er; -i·est***) *a.* **1** 석회를 함유한, 석회질의. **2** 끈끈이를 바른; 끈적끈적한.

lin·age, line·age [láinidʒ] *n.* [U] (인쇄물의) 행수(行數); (원고료의) 행수에 따른 지급.

linch·pin, lynch- [líntʃpìn] *n.* [C] 바퀴 멈추개; 바퀴의 비녀장; 《비유적》 요점, 요체(要諦).

Lin·coln [líŋkən] *n.* **Abraham ~** 링컨《미국의 제16대 대통령; 1809–65》.

Líncoln's Bírthday 링컨 탄생 기념일《2월 12일; 미국의 다수 주에서 법정 휴일; 2월의 제1월요일로 정한 주도 있음》.

Lin·coln·shire [líŋkənʃiər, -ʃər] *n.* 링컨셔《잉글랜드 중동부의 주; 생략: Lincs.》.

Lincs. [liŋks] Lincolnshire.

linc·tus [líŋktəs] *n.* Ⓤ 〖약학〗 빨아먹는 기침약.

Lin·da [líndə] *n.* 린다《여자 이름》.

Lind·bergh [líndbə:rg] *n.* **Charles Augustus ~** 린드버그《1927년 최초로 대서양 무착륙 횡단에 성공한 미국인 비행사; 1902-74》.

lin·den [líndən] *n.* Ⓒ 〖식물〗 린덴《참피나무속(屬)의 식물; 참피나무·보리수 따위》.

†**line**[1] [lain] *n.* **1** Ⓒ **a 선**, 줄; 〖수학〗 선《점과 점을 잇는》, 직선; (TV의) 주사선(走査線); 〖물리〗 (스펙트럼의) 선; 〖음악〗 (오선지의) 선; (그림의) 선 긋기, 윤곽선: (as) straight as a ~ 일직선으로/the ~ of beauty 미의 선《S자 모양의 곡선》/the ~ of flow 유선(流線)/the ~ of force 역선(力線), 자력선(線). **b** (자연물에 나타난) **줄**, 금; (인체의) 줄, 금, 주름, 《특히》 손금; (인공물의) 선, 줄, 줄무늬; (바느질의) 솔기: the ~*s* of the palm 손금/~ of fortune 운명선/~ of life 생명선/She has deep ~*s* in her face. 얼굴에 깊은 주름이 있다.

2 a (the ~, 종종 L-) 적도: under the ~ 적도 직하에/cross the ~ 적도를 통과하다. **b** Ⓒ 경계선; 경계(border); 한계: cross the ~ into Mexico 국경을 넘어 멕시코로 들어가다.

3 Ⓒ **a** (흔히 *pl.*) 윤곽(outline), 외형; (유행 여성복 등의) 형, 라인: He has good ~*s* in his face. 얼굴 윤곽이 번듯하다/a dress cut on the princess ~ 프린세스 라인의 드레스. **b** (보통 *pl.*) (계획 따위의) 개략.

4 a Ⓒ (글자의) **행**; **몇 자**[**줄**], 단신(短信); 〖컴퓨터〗 (프로그램의) 행(行): drop [send] a person a ~ [a few ~*s*] 아무에게 몇 줄 써 보내다. **b** Ⓒ 《구어》 정보《**on** …에 관한》: get [have] a ~ *on* …에 관한 정보를 얻다/give a ~ *on* …에 관한 정보를 주다. **c** Ⓒ (시의)한 행[줄], 시구(詩句); (*pl.*) 단시(短詩)《*upon* a subject; *to* a person》. **d** (*pl.*) 벌과(罰課)《벌로서 학생에게 베끼게 하는 고전시》. **e** (*pl.*) (연극의) 대사. **f** Ⓒ 《구어》 거짓말, 허풍: He gave me a ~ about what a success he was. 그는 크게 성공한 것처럼 나에게 허풍을 쳤다. **g** (*pl.*) 《英구어》 결혼 증명서.

5 Ⓒ **a** 핏줄, 혈통, 종족, 가계(家系); 계열, 역대(歷代): come of a good ~ 가문이 좋다/in a [the] direct ~ 직계의[로서]/the male [female] ~ 남계[여계]. **b** (동물의) 혈통, 종족. **c** (명령 따위의) 계통: the ~ of command 명령 계통.

6 Ⓒ **a 열**, 줄, 행렬; 《美》 (순번을 기다리는) 사람의 줄(《英》 queue); 〖군사〗 (전후의 2열) 횡대. ⓒⓕ column. ¶a ~ of trees 한 줄로 늘어선 나무들/the bread ~ 《美》 빵 배급의 행렬/form into ~ 정렬하다《★ 관사 없이》/form ~ 횡대로 정렬하다《★ 관사 없이》. **b** (전투의)전선(戰線·前線); (흔히 *pl.*) 진형; 포진: go into the front ~(*s*) 전선으로 나가다/go up the ~ 기지에서 전선으로 나가다. **c** 《英》 야영 텐트의 열; (*pl.*) 《英》 야영 (구역). **d** 유동 작업(열): ⇨ ASSEMBLY LINE. **e** 〖미식축구〗 스크리미지라인(line of scrimmage).

7 Ⓒ **a 밧줄**, 끈; 낚싯줄; 빨랫줄: a hemp ~ 참바/fish with rod and ~ 낚시를 하다/wet one's ~ 낚싯줄을 드리우다/hang the clothes on the ~ 빨랫줄에 옷을 널다. **b** 측량 줄; **철사**; **전선**; **전화선**, **전화**: *Line*('s) busy. 《美》 (전화에서) 통화 중입니다(《英》 Number's engaged.)/The ~*s* are crossed. 전화가 혼선이다/Hold the ~, please. (전화를) 끊지 말고 기다리세요.

8 Ⓒ **a** (종종 the ~) (진행하고 있는 것의) **방향**, 도정(道程), **진로**, 길(course, route); 선로, 궤도; (운수 기관의) 노선; 〖보통 복합어〗 (정기) 항로, 항공로; 〖보통 L-s 로; 단수취급〗 운수[항공]회사: a main ~ 본선/the up [down] ~ 상행[하행]선/the ocean ~ 대양항로/You'll find a bus stop across the ~. 선로 저쪽에 버스 정류소가 있습니다. **b** 《美》 파이프라인, 도관(導管).

9 Ⓒ **a** (흔히 *pl.*) **방침**, 주의; 경향, 방향: on economical ~*s* 경제적인 수단으로/go on the wrong ~*s* 방침을 그르치다/take a strong ~ 강경 방침[수단]을 취하다/take [keep to] one's own ~ 자기의 길을 가다, 자기 방침을 고수하다. **b** 방면, 분야; 장사, 직업(trade, profession): in the banking ~ 은행가로서/What ~ (of business) are you in? 무슨 일을 하고 계십니까. **c** 〖종종 one's ~〗 기호, 취미; 전문: It is not in my ~ to interfere. 간섭하는 것은 나에게 맞지 않는다. **d** 〖상업〗 품종, 종류; 재고품, 구입(품)《*in*, *of* (상품)의》: a cheap ~ *in* hats 값싼 모자/a full ~ *of* winter wear 겨울옷 일습.

10 (*pl.*) 《英》 운명, 처지: hard ~*s* 불행, 고난.

11 (the ~) 〖英육군〗 보병, 정규병《근위병과 포병 이외의》; 〖美육군〗 전투 부대.

12 Ⓒ 라인《길이의 단위, 1/12 인치》.

all (***the way***) ***along the*** **~** 전선(全線)에 걸친《승리 등》; 도처에, 모조리: His judgement has been right *all along the* ~. 그의 판단은 시종 옳았다. ***bring* ... *into*** **~** …을 정렬시키다, 한 줄로 하다; 협력[일치]시키다《***with*** …와》. ***come into*** **~**한 줄로 서다; 동의[협력]하다《***with*** …와》. ***down the*** **~** 《美구어》 완전히, 전폭적으로; 장차에는. ***draw the*** [***a***] **~** ① 선을 긋다. ② 구별하다. ③ 한계를 짓다《***at*** …에》; 선을 넘지 않다, 하지 않다《***at*** …까지는》: One must *draw the* ~ somewhere. 일에는[참는 데는] 한도가 있다/I *draw the* ~ *at* murder. 살인까지는 하지 않을 것이다. ***give*** a person **~ *enough*** 아무를 한동안 멋대로 하게[하는 대로] 내버려두다. ***hit the*** **~** 〖미식축구〗 공을 가지고 상대 팀의 라인을 돌파하려고 하다. ***hold the*** **~** ① 현상을 유지하다, 꽉 버티다. ② 전화를 끊지 않고 기다리다(⇨7 b). ③ 물러 서지 않다, 고수하다. ④ 〖미식축구〗 상대 팀의 (공의) 전진을 막다. ***in*** **~** ① 한 줄로. ② 줄지어; 횡대를 이루어《***for*** …을 구하기 위해》: wait *in* ~ *for* tickets 표를 구하기 위해 줄지어 기다리다. ③ 조화[일치]하여《***with*** …와》; 따라서《***with*** …에》: fall *in* ~ (*with*) (…와) 일치하다. ④ 억제[제어]하여: keep one's feelings *in* ~ 감정을 억제하다. ⑤ 얻을 승산이 있어《***for*** (지위 따위)를》: He's *in* ~ *for* the presidency. 그는 다음에 사장이 될 차례다. ***in*** (***the***) **~ *of duty*** 직무로[중]: die *in* ~ *of duty* 순직하다. ***jump the*** **~** 《美》 새치기하다; 차례를 기다리지 않고 손에 넣으려 하다. ***lay*** [***put, place***] ***... on the*** **~** ① (돈)을 전액 맞돈으로 치르다. ② 〖종종 it을 목적어로 하여〗 남김없이 나타내다[보이다], 털어놓고[분명히] 이야기하다: I'm going to *lay it on the* ~ for you, Tom. 톰, 너를 위해 솔직히 다 말하겠다. ③ (생명·지위·명성 등)을 걸다: *lay* one's life *on the* ~ *for* [*to* do] …을 [하기] 위해 목숨을 걸다. **~ *of fire*** 포격[사격]에 노출된 곳. **~**(***s***) ***of communication***(***s***) 〖군사〗 (기지와 후방과의) 연락선, 병참선; 통신 (수단). ***off*** **~** ① 일관 작업에서 벗어나. ② (기계가) 작동하지 않고. ③ 〖컴퓨터〗 오프라인으로. ***on a*** **~** 평균하여, 같은 높이[평면]에; 대등하게. ***on*** **~** ①

일관 작업으로. ② (기계가) 작동하여: go *on* ~ 작동을 시작하다. ③ 〖컴퓨터〗 온라인으로. ***on the*** ~ ① (그림 따위가) 눈 높이만한 곳〔제일 좋은 위치〕에. ② 애매하여. ③ (명예·생명·지위 등을) 걸고. ④ 당장에: pay cash *on the* ~ 맞돈으로 치르다. ⑤ 전화를 받고: come *on the* ~ 전화를 받다. ***on the ~s of*** …와 같은, …와 비슷한; …에 따라서. ***out of*** ~ 일렬이 아닌, 열을 흩뜨리어; 일치〔조화〕되지 않은; 관례〔사회 통념〕에 안 맞는; 주제넘은, 말을 안 듣는. ***reach the end of the*** ~ (실패의) 마지막 단계에 달하다, 끝장나다. ***step out of*** ~ (집단·정당 따위의) 방침에 반대되는 행동을 하다; 예의에 어긋나는〔버릇없는〕 행동을 하다. ***toe the*** ~ ① (경주에서) 스타트라인에 발끝을 대고 서다. ② 통제〔명령·당규(黨規)〕에 따르다, 습관〔규칙 등〕을 지키다.

> **DIAL.** ***Which line should I take for Boston?*** —***The New Haven Line.*** 보스턴에 가려면 무슨 노선을 타야 됩니까—뉴헤이븐선을 타세요.

—*vt.* **1** …에 **선을 긋다**; …을 선으로 그리다: ~ paper 종이에 줄을 치다. **2 a** 《~+목/+목+부/+목+전+명》 …을 **일렬로 (늘어)세우다**, 정렬시키다: The general ~*d up* his troops. 장군은 부대를 정렬시켰다 / *Line* the boxes *up along* the wall. 벽을 따라 상자를 일렬로 세워라. **b** 《+목+전+명》 …에 나란히 세우다《*with* …을》: ~ a road *with* houses 길을 따라 나란히 집을 짓다. **c** …에 나란히 서다: Trees ~*d* the street. 나무들이 도로에 줄지어 있었다. **3** 《+목+전+명》 (얼굴)에 **주름살을 짓다**《★ 종종 과거분사로 형용사적으로 쓰며, 전치사는 *by, with*》: a face ~*d with* age 〔pain〕 노령〔고통〕으로 주름진 얼굴.

—*vi.* **1** 《+부》 늘어서다, 정렬하다(*up*): The soldiers ~*d up* for inspection. 병사들은 열병을 받기 위해 일렬로 정렬했다. **2** 〖야구〗 라이너를 치다: ~ to right (field) 라이트로 라이너를 치다. ~ ***out*** 《*vt.*+부》 ① (설계도·그림 등)의 대략을 그리다. ② …에 선을 그어 말소하다. ③ 《구어》 (노래)를 부르다; …의 역을 맡아 하다. —《*vi.*+부》 ④ 〖야구〗 라이너를 쳐서 아웃이 되다. ~ ***up*** 《*vt.*+부》 ① 일렬로 세우다, 정렬시키다(⇨ *vt.* 2a). ② (행사 따위)를 준비하다; (출연자 등)을 확보하다. —《*vi.*+부》 ③ 정렬하다(⇨ *vi.* 1). ~ ***up against*** …에 반대하여 결속하다. ~ ***up behind*** …을 결속하여 지원하다: ~ *up behind* a new leader 단결하여 새 지도자를 지원하다.

***line**[2] [lain] *vt.* 《~+목/+목+전+명》 (의복 따위)에 **안을 대다**; (상자 따위)에 안을 바르다《*with* …의》; 《비유적》 (주머니·배 등을) 꽉 채우다《*with* …으로》: ~ a garment *with* fur 의복에 털가죽 안을 대다 / ~ one's pocket(s) 〔purse〕 *with* bribes 뇌물로 사복을 채우다.

◇**lin·e·age**[1] [líniidʒ] *n.* Ⓤ (또는 a ~) (보통 명문가의) 혈통, 계통; 계보: a man of good ~ 가문이 좋은 사람.

lineage[2] ⇨ LINAGE.

lin·e·al [líniəl] *a.* **1** 직계의, 정통의(ⓒⓕ collateral); 선조로부터의; 동족(同族)의: a ~ ascendant 〔descendant〕 직계 존속〔비속〕 / ~ promotion (관리의) 선임순(先任順) 승진. **2** 선(모양)의 (linear). ⓐ ~**·ly** *ad.*

lin·e·a·ment [líniəmənt] *n.* Ⓒ (each, every 에 수반될 때 이외는 *pl.*) **1** 용모, 얼굴 생김새, 인상(人相); 외형, 윤곽: fine ~*s* 단정한 용모. **2** 특징: the ~*s* of the time 세태(世態).

lin·e·ar [líniər] *a.* **1** 선의, 직선의; 선 모양의, 선과 같은: ~ expansion 선(線)팽창. **2** 〖수학〗 1차의. **3** 길이의〔에 관한〕. **4** 〖식물·동물〗 실 모양의, 길쭉한. **5** 〖컴퓨터〗 선형(線形)의, 리니어의.

línear méasure 척도, 길이의 단위.

línear mótor 〖전기〗 리니어〔선형〕모터《유도 전동기를 일직선으로 늘려 회전 운동을 직선 운동으로 바꾸는 모터》.

línear prógramming 〖수학·컴퓨터〗 선형 계획법.

líne·bàcker *n.* Ⓒ 〖미식축구〗 라인배커《수비의 2 열째에 위치하는 선수; 생략: LB》.

lined[1] *a.* 줄〔괘선〕을 친: ~ paper 괘지(罫紙).

lined[2] *a.* 안(감)을 댄.

líne dràwing 선화(線畫)《펜화·연필화 등》.

líne dríve 〖야구〗 라이너, 라인드라이브(liner[1]).

líne·man [-mən] (*pl.* ***-men*** [-mən]) *n.* Ⓒ (전신·전화의) 가설공; 〖측량〗 측선수(測線手); 〖미식축구〗 전위.

lin·en** [línin] *n.* Ⓤ **1 아마포**(布), **리넨, 린네르**; 아마사(絲). **2** 《집합적》 (흔히 *pl.*) 린네르류(類) 〔제품〕; (특히, 흰색의) 내의류: change one's ~ 내의를 갈아입다. ***wash one***'s dirty*** ~ ***at home*** 〔***in public***〕 집안의 수치를 감추다〔외부에 드러내다〕. —*a.* Ⓐ 아마의, 리넨〔린네르〕제의, 리넨 같은: a ~ handkerchief.

línen bàsket 더러워진 리넨류를 담는 세탁물 바구니.

línen dràper 《英》 리넨〔린네르〕상(商), 셔츠류 판매상.

líne-òut *n.* Ⓒ 〖럭비〗 라인아웃《터치라인 밖으로 나간 공을 스로인하기》.

líne prìnter 〖컴퓨터〗 라인 인쇄기.

líne prìnting 〖컴퓨터〗 행 인쇄.

***lin·er**[1] [láinər] *n.* Ⓒ **1 정기선**《특히 대양 항해의 대형 쾌속선》(ⓒⓕ tramp); **정기 항공기**(airliner). **2** 선을 긋는 도구; 아이라이너. **3** 〖야구〗 라이너(line drive).

lin·er[2] *n.* Ⓒ 안을 대는 사람; 안에 대는 것; 〖기계〗 (마멸 방지용) 입힘쇠, 덧쇠; (코트 안에 분리할 수 있게 댄) 라이너; (레코드의) 라이너 노트(= ∠ **nòte(s)**); 해설이 인쇄된 재킷.

líner tràin (컨테이너 수송용) 쾌속 화물 열차.

línes·man [-mən] (*pl.* ***-men*** [-mən]) *n.* Ⓒ **1** 《英》 (철도의) 보선공(lineman). **2** 〖구기〗 선심(線審).

líne-ùp, líne·ùp *n.* Ⓒ (보통 *sing.*) **1** 사람〔물건〕의 열(列); 라인업, (선수의) 진용(표). **2** 《일반적》 구성, 진용: the ~ of a new cabinet 새 내각의 진용. **3** 《美》 (범인의 인상 확인을 위해 줄세운) 용의자의 열(《英》 identification parade). **4** 〖구기〗 (시합 개시 전의) 정렬(整列).

ling[1] [liŋ] *n.* Ⓒ 〖어류〗 대구 비슷한 식용어.

ling[2] *n.* Ⓤ 〖식물〗 히스(heather)의 일종.

-ling [liŋ] *suf.* 《종종 경멸적》 **1** 명사에 붙여 지소사(指小辭)를 만듦: duck*ling*, prince*ling*. **2** 명사·형용사·부사·동사에 붙여 '…에 속하는 〔관계 있는〕 사람·물건'의 뜻의 명사를 만듦: dar*ling*, nurs(e)*ling*, young*ling*.

***lin·ger** [líŋgər] *vi.* **1** 《~/+부/+전+명》 (우물쭈물) **오래 머무르다**, 떠나지 못하다(*on*); 어슬렁거리다(*around; about*): We ~*ed* (*about*) *in* the hall after the party was over. 우리는 파티가 끝난 후에도 홀에 남아 있었다 / Students ~*ed around* the coffee shop. 학생들은 다방에 별다

른 이유 없이 오래도록 머물러 있었다. **2** 《~/+[부]》 (겨울·의심·추억 따위가) 좀처럼 사라지지〔떠나지, 가시지〕 않다; (습관이) 남다, 좀처럼 없어지지 않다; (병·전쟁이) 질질 (오래) 끌다; (환자가) 간신히 연명하다(*on*): Doubt ~*s*. 의심이 아무리 해도 가시지 않는다/Her misery ~*ed on* for hours. 그녀의 고통은 여러 시간 계속되었다. **3** 《(+[전]+[명])》 (꾸물거려) 시간이 걸리다《***over, on, upon*** (일·식사 따위)에서》: She ~*ed over* her decision. 좀처럼 결심이 서지 않았다.
— *vt*. 《+[목]+[부]》 (시간)을 우물쭈물〔어정버정〕 보내다(*out*): He ~*ed out* his final years alone. 그는 만년을 고독 속에서 지냈다.

lin·ge·rie [lɑ̀:ndʒəréi, lǽnʒəri:] *n*. 《F.》 [U] 란제리, 여성의 속옷류.

lín·ger·ing [-riŋ] *a*. **1** 오래〔질질〕 끄는, 우물쭈물하는: a ~ illness 오래 끄는 병/~ heat 늦더위. **2** 미련이 있는 듯 싶은, 망설이는. [파] **~·ly** *ad*.

lin·go [líŋgou] (*pl*. **~(e)s**) *n*. [C] 외국어; 술어, 전문어(jargon).

lin·gua fran·ca [líŋgwə frǽŋkə] 《It.》 (종종 L- F-) 프랑크 말《이탈리아 말·프랑스 말·그리스 말·스페인 말의 혼합어로 Levant 지방에서 쓰임》; 〖일반적〗 (상용어(常用語)에 쓰이는) 국제 (혼성) 공통어; 의사 전달의 매개가 되는 것.

lin·gual [líŋgwəl] *a*. 혀(모양)의; 〖음성〗 설음(舌音)의; 말〔언어〕의. **—***n*. [C] 설음; 설음자(字)《t, d, th, s, n, l, r 등》. [파] **~·ly** *ad*.

lin·guist [líŋgwist] *n*. [C] 어학자, 언어학자; 여러 외국어에 능한 사람.

lin·guis·tic, -ti·cal [liŋgwístik], [-əl] *a*. 어학(상)의, 언어의; 언어학의. [파] **-ti·cal·ly** *ad*.

linguístic átlas 〖언어〗 언어 지도(dialect atlas).

linguístic geógraphy 언어 지리학.

lin·guis·tics [liŋgwístiks] *n*. [U] 어학; 언어학: comparative 〔general, descriptive, historical〕 ~ 비교〔일반, 기술, 역사〕 언어학.

lin·i·ment [línəmənt] *n*. [U] (종류·낱개는 [C]) 〖의학〗 (통증·결림에) 바르는 약.

ˀ**lin·ing** [láiniŋ] *n*. **1** [U] 안대기; (옷 따위의) 안(받치기). **2 a** [C] (옷 따위의) 안: Every cloud has a silver ~. ⇨CLOUD. **b** [U] 안에 대는 재료, 안감. **3** [C] (지갑·위 따위의) 알맹이, 내용.

‡**link**[1] [liŋk] *n*. [C] **1 사슬의 고리**, 고리: a ~ in a chain. **2** 고리 모양의 것: a ~ of hair. **3** (뜨개질의) 코. **4** (연결된 소시지 따위의) 한 토막; (보통 *pl*.) 커프스 버튼(cuff ~). **5** 연결하는 사람〔물건〕; 유대(bond), 연결부, 관련《***with*** …와의; ***between*** …간의》: the ~ *between* smoking and lung cancer 흡연과 폐암의 관련. **6** 〖기계〗 링크; 연동 장치. **7** 〖컴퓨터〗 연결, 연결로.
—*vt*. 《~+[목]/+[목]+[부]/+[목]+[전]+[명]》 **잇다, 연접하다**; 관련짓다, 결부하다〔하여 생각하다〕 (*up; together*)《***to*** …에; ***with*** …와》: two towns ~*ed* by a canal 운하로 연결된 두 도시/~ two theories *together* 두 이론을 결합하다/~ smoking *to* lung cancer 흡연과 폐암을 연관짓다. [SYN.] ⇨JOIN. **—***vi*. 《~/+[부]/+[전]+[명]》 이어지다, 연결되다, 연합〔동맹, 제휴〕하다 (*up; together*)《***with*** …와》: We've ~*ed up with* an American company. 우리 회사는 미국 회사와 제휴했다.

link[2] *n*. [C] 횃불(torch)《옛날 밤길에 들고 다니던》.

link·age [líŋkidʒ] *n*. [U] (구체적으로는 [C]) 연합; 연쇄; 결합; 〖정치〗 연관(聯關)외교; 〖컴퓨터〗 연계《몇 개의 program, routine을 연결하여 하나의 프로그램으로 함》.

línkage èditor 〖컴퓨터〗 연계(連繫) 편집 프로그램《여러 개의 프로그램들을 결합시켜 한 완전한 프로그램으로 편집하는 일》.

línked líst 〖컴퓨터〗 연결 리스트《각 항목이 데이터와 그 인접 항목의 포인터를 갖고 있는 리스트》.

línk·er *n*. [C] 연결하는 사람〔물건〕; 〖컴퓨터〗 링커, 연계기.

línking vèrb 〖문법〗 연결 동사(copula)《be, appear, seem, become 등》.

línk·man [-mən] (*pl*. **-men** [-mən]) *n*. [C] 《英》 (라디오·텔레비전 좌담회의) 종합 사회자(moderator)《남성》.

links [liŋks] *n*. *pl*. 〖단·복수취급〗 골프장.

línk·ùp *n*. [C] 연결, 결합; 연결〔결합〕점.

línk·wòman (*pl*. **-wòmen**) *n*. [C] 《英》 (라디오·텔레비전 좌담회의) 종합 사회자《여성》.

lin·net [línit] *n*. [C] 〖조류〗 홍방울새.

li·no [láinou] *n*. 《英구어》 =LINOLEUM.

líno·cùt *n*. [U] (구체적으로는 [C]) 리놀륨 인각(印刻)화(畵).

ˀ**li·no·le·um** [linóuliəm] *n*. [U] 리놀륨《마루의 깔개》. [파] **~ed** *a*.

Lin·o·type [láinoutàip] *n*. 〖인쇄〗 **1** [C] 자동 주조 식자기, 라이노타이프《상표명》. **2** [U] 라이노타이프에 의한 인쇄(법). [◂*line of type*]

lin·seed [línsi:d] *n*. [C] (집합적으로는 [U]) 아마인(亞麻仁)《아마(flax)의 씨》.

línseed òil 아마인유(油).

lint [lint] *n*. [U] 린트 천《붕대용의 부드러운 베의 일종》; 실보무라지, 보풀; 조면(繰綿).

lin·tel [líntl] *n*. [C] 〖건축〗 상인방(上引枋)《창·입구 등 위에 댄 가로대》; 상인방돌. [파] **-teled, -telled** *a*. 상인방(돌)이 있는.

lin·ter [líntər] *n*. [C] 실보무라지 제거기; (*pl*.) 실보무라지.

‡**li·on** [láiən] *n*. **1** [C] **사자**, 라이온: the British *Lion* 영국, 영국민/the ~ and unicorn 사자와 일각수《영국 왕실의 문장을 받드는 짐승》. ★ 사자는 영국 왕실의 문장(紋章)으로 Great Britain 의 상징. [cf] lioness(암사자), cub(새끼사자). **2** [C] 용맹한 사람. **3** [C] 유명한〔인기 있는〕 사람, 명물, 명사; 인기 문인: the ~ of the day 당대의 명사; 시대의 총아(寵兒)/make a ~ of a person 아무를 치켜세우다. **4** (the L-) 〖천문〗 사자자리; 사자궁(Leo). **5** [C] 〖문장(紋章)〗 사자 무늬. ***beard the ~ in his den*** ⇨BEARD. ***the ~'s share*** 가장 좋은〔큰〕 부분, 단물.

ˀ**li·on·ess** [láiənis] *n*. [C] 암사자.

líon·hèart *n*. **1** [C] 용맹〔담대〕한 사람. **2** (L-) 사자왕《영국왕 Richard 1세의 별명》. [파] **~·ed** [-id] *a*. 용맹한. **~·ed·ness** *n*.

li·on·ize [láiənàiz] *vt*. 치켜세우다, 떠받들다, 명사 취급하다. [파] **li·on·i·zá·tion** *n*.

‡**lip** [lip] *n*. **1** [C] **a 입술**: the upper 〔lower, under〕 ~ 윗〔아랫〕입술/curl one's ~(*s*) (경멸하여) 입술〔입〕을 비죽거리다/lick one's ~*s* (맛이 있어서) 입술을 핥다/smack one's ~*s* (맛이 있어서) 입맛을 다시다/put 〔lay〕 one's fingers to one's ~*s* (입 다물라고) 입술에 손가락을 대다. **b** 입술 주변; 《특히》 코 밑(주변): Beads of sweat formed on her upper ~. 그녀의 코 밑에

땀방울이 맺혔다. **c** (*pl.*) 입《말하는 기관으로서의》: open one's ~*s* 입을 열다, 말하다. **d** Ⓤ《구어》 건방진〔주제넘은〕 말: None of your ~! 건방진 소리 마라. **2** Ⓒ 입술 모양의 것; (식기·단지·우묵한 데·상처·포구 등의) 가장자리; (식기 따위의) 따르는 부리, 귀때; 〚음악〛 (관악기의) 입을 대는 부분.
button* (*up*) *one's* ~(*s*)** 《속어》 입을 다물고 있다, (비밀 등을) 누설하지 않다. ***carry* 〔*keep, have*〕 *a stiff upper* ~** (어려움 따위에) 끄떡 않다, 겁내지 않다, 지그시 참다; 꿋꿋하다. ***hang on the* ~*s of =***hang on*** a person's ~***s*** 아무의 말을 귀담아 듣다, 아무의 구변에 매료되다. ***pass one's* ~*s*** (말이) 입에서 새다, 무심코 지껄이다; 음식물이 입에 들어가다.

> DIAL. ***My lips are sealed.*** (이 일은) 아무에게도 말하지 않겠다(← 내 입술은 봉인되어 있다). ***Zip* (*up*) *your lip!*** 입 닥쳐, 조용히 해.

— (**-*pp*-**) *vt.* **1** …에 입술을 대다. **2** …을 속삭이다. **3** 〚골프〛 공을 쳐서 cup 변두리를 맞히다.
— *a.* Ⓐ **1** 입술의; 입술용의; 말뿐인: ~ devotion 말뿐인 신앙심 / ~ ointment 입술용 연고. **2** 〚음성〛 순음(脣音)의: a ~ consonant 순자음(脣子音).

li·pase [láipeis] *n.* Ⓒ 〚생화학〛 리파아제《지방 분해효소(酵素)로 에스테라아제의 하나》.

líp-glóss *n.* Ⓤ (낱개는 Ⓒ) 립글로스《입술에 윤기를 주는 화장품》.

lip·id, li·pide [lípid, lái-], [lípaid, -id, láipàid, -pid] *n.* Ⓒ 〚생화학〛 지질(脂質).

lip·o·suc·tion [lípousʌ́kʃən/-pəu-] *n.* Ⓤ (구체적으로는 Ⓒ) 지방 흡인술《미용 외과법》.

lipped [lipt] *a.* 입술이〔귀때가〕 있는; …한 입술의: a ~ jug 귀때 항아리 / red-~ 입술이 빨간.

lip·py [lípi] (**-*pi·er*; -*pi·est***) *a.* 《구어》 건방진 (말씨의); 수다스러운.

líp-rèad [-rìːd] (*p.*, *pp.* **-*read*** [-rèd]) *vt.*, *vi.* 시화(視話)하다, 독순술(讀脣術)로 이해하다.

líp rèading (청각 장애인의) 독순술, 시화(視話).

LIPS, Lips, lips [lips] *n.* 〚컴퓨터〛 립스《1초당 추론 연산 회수》. [◂ *l*ogical *i*nferences *p*er *s*econd]

líp·sàlve *n.* **1** Ⓤ (종류·낱개는 Ⓒ) 입술에 바르는 연고. **2** Ⓤ 아첨.

líp sèrvice 입에 발린 말; 말뿐인 호의〔찬의, 경의〕: pay 〔give〕 ~ (to ...) (…에) 입발린 말을 하다, 말로만 동의하다.

***lip·stick** [lípstìk] *n.* Ⓤ (종류·낱개는 Ⓒ) 입술 연지, 립스틱.

líp-sýnc(h) *vt.*, *vi.*, *n.* Ⓤ 〚TV·영화〛 녹음〔녹화〕에 맞추어 말〔노래〕하다〔하기〕.

liq. liquid; liquor.

liq·ue·fac·tion [lìkwifǽkʃən] *n.* Ⓤ 액화; 용해: ~ of coal 석탄 액화.

líquefied nátural gás 액화 천연 가스《생략: LNG》.

líquefied petróleum gàs 액화 석유 가스《생략: LPG》.

liq·ue·fy [líkwifài] *vt.*, *vi.* 녹이다, 용해시키다; 액화시키다; 녹다, 용해하다; 액화하다.

li·ques·cence, -cen·cy [likwésəns], [-si] *n.* Ⓤ 액화 (상태).

li·ques·cent [likwésənt] *a.* 액화하기 쉬운, 액화성의.

li·queur [likə́ːr/-kjúər] *n.* 《F.》 Ⓤ (종류·낱개는 Ⓒ) 리큐어《달고 향기 있는 독한 술》.

‡**liq·uid** [líkwid] *a.* **1 액체의**, 액상의, 유동체의. ⓒⓕ fluid, gaseous, solid. ¶ ~ food 〔diet〕 유동식(食) / ~ air 액화 공기 / ~ medicine 물약 / ~ fuel (로켓의) 액체 연료. **2** (소리·시 따위가) 흐르는 듯한, (동작이) 유연한, 유창한(fluent). **3** 《비유적》 (하늘 따위가) 맑은, 투명한(transparent); (눈이) 맑은, 시원스러운: ~ eyes 시원스러운 눈. **4** 유동적인, 움직이기 쉬운, 불안정한(unstable): ~ principles 흔들리는 원칙. **5** 〚경제〛 현금으로 바꾸기 쉬운: ~ assets 〔capital〕 유동 자산〔자금〕. **6** 〚음성〛 유음(流音)의《[l, r] 등》. ◇ liquidity *n.* liquidize *v.*
— *n.* **1** Ⓤ (종류는 Ⓒ) **액체**, 유동체. ⓒⓕ gas, solid.

> SYN. **liquid** '액체'라는 뜻의 가장 일반적인 말. **fluid** '유동체·액체'라는 과학적인 말. **liquor** 액·알코올 음료의 뜻으로 쓰임.

2 Ⓒ 〚음성〛 유음《[l, r]; 때로 [m, n, ŋ] 포함》.
㊕ **~·ly** *ad.* **~·ness** *n.*

liq·ui·date [líkwidèit] *vt.* (빚)을 청산하다, 갚다, 변제하다; (회사 따위)를 정리〔해산〕하다; (바람직하지 않은 것)을 일소하다, 폐지하다; (증권 따위)를 현금으로 바꾸다: ~ assets 자산을 정리하다 / ~ one's stocks 가진 주식을 현금으로 바꾸다. **—** *vi.* 청산하다; 정리하다; (회사 따위가 부채로) 파산하다.
㊕ **-dà·tor** [-tər] *n.* Ⓒ 〚법률〛 청산인.

lìq·ui·dá·tion *n.* Ⓤ (빚의) 청산, 상환; (파산자의) 정리; 폐지, 일소, 타파; 숙청, 살해: go into ~ (회사가) 청산〔파산〕하다.

líquid crýstal 액정(液晶).

líquid crýstal displáy 〚컴퓨터〛 액정 표시 장치《생략: LCD》.

li·quid·i·ty [likwídəti] *n.* **1** Ⓤ 유동성. **2** Ⓤ (유동 자산의) 환금 능력; (*pl.*) 유동 자산.

liq·uid·ize [líkwidàiz] *vt.* 액화(液化)하다; (과일·채소)를 주스로 만들다.

liq·uid·iz·er [líkwidàizər] *n.* Ⓒ 《英》 (요리용(用)) 믹서(《美》 blender).

líquid méasure 액량(단위)《gill, pint, quart, gallon 등》. ⓒⓕ dry measure.

líquid óxygen 〚화학〛 액체 산소.

***liq·uor** [líkər] *n.* **1** Ⓤ (종류는 Ⓒ) 독한 증류주《맥주·포도주에 대하여 brandy, whisky 따위》; 〚일반적〛 알코올 음료, 술: the ~ traffic 주류 판매 / ⇨ MALT LIQUOR / intoxicating ~ 〚일반적〛 술 / spirituous ~(*s*) 증류주(酒), 화주(火酒) / vinous ~ 포도주 / be in ~ 술에 취해 있다 / hold one's ~ well 술을 마셔도 흐트러지지 않다. **2** Ⓤ 고아낸〔다린〕 물, 육즙(肉汁): meat ~ 육수(肉水). **3** [英+láikwɔːr] Ⓤ (약물의) 용액; 물약.
— *vt.* 《~+목/+목+부》《美구어》 …에게 독한 술을 먹이다〔권하다〕, 취하게 만들다 (*up*): be ~*ed up* 술에 취해 있다. **—** *vi.* 《~/+부》《美구어》 독주를 많이 마시다, 취하다 (*up*).

liq·uo·rice [líkəris] *n.* 《英》 =LICORICE.

li·ra [líːrə] (*pl.* ***li·re*** [lí(ː)rei], **~*s***) *n.* Ⓒ 리라《이탈리아의 화폐 단위; 그 은화; 기호 L., Lit.》.

Li·sa [líːsə, -zə, láizə] *n.* 리자《여자 이름; Elizabeth의 애칭》.

Lis·bon [lízbən] *n.* 리스본《Portugal의 수도》.

lisle [lail] *n.* Ⓤ 라일 실(=~ **thrèad**)《외올의 무명실》; 그 직물.

LISP [lisp] *n.* Ⓤ 〚컴퓨터〛 리스프《리스트 처리 루틴》. [◂ *lis*t *p*rocessor 〔*p*rocessing〕]

lisp [lisp] *vi.* 불완전하게 발음하다《어린애가 [s, z]를 [θ, ð]로 발음하는 따위》. **—***vt.* 혀가 잘 돌지 않는 소리로 말하다(*out*).
—*n.* (a ~) 혀가 잘 돌지 않는 소리, 혀짤배기 소리: speak with a ~ 혀꼬부라진 소리로 말하다. ㊞ **∠·ing** *n., a.* **∠·ing·ly** *ad.*

lis·som(e) [lísəm] *a.* 유연한, 부드러운; 민첩한(agile). ㊞ **~·ly** *ad.* **~·ness** *n.*

list[1] [list] *n.* Ⓒ **1 목록,** 표, 일람표, 명세서, 리스트. **2 명부;** 가격표; =LIST PRICE / a ~ of members 회원 명부(名簿) / the free ~ 《英》 무료입장〔우대자〕 명부; 《美》 면세품 목록 / an active 〔a reserve, a retired〕 ~ 현역〔예비역, 퇴역〕 군인 명부 / close the ~ 모집을 마감하다 / on 〔in〕 the ~ 명부〔표〕에 올라 / draw up 〔make〕 a ~ 목록〔표〕를 작성하다 / lead 〔head〕 (up) a ~ 수위를 차지하다. **3** 〖컴퓨터〗 목록, 죽보(이)기.
—*vt.* **1** 목록으로〔일람표로〕 만들다. **2** 목록〔표〕에 싣다; 명부에 올리다; 기록하다; (증권)을 상장하다. **—***vi.* 《+전+명》 (상품이) 카탈로그에 실리다《***at, for*** (얼마의 가격)으로》: This radio *~s at* 〔*for*〕 $25. 이 라디오는 카탈로그에 25 달러로 나와 있다.

list[2] *n.* **1 a** Ⓒ (천의) 가장자리, 변폭(邊幅), 식서(飾緖). **b** Ⓤ 조붓한 헝겊. **2** Ⓒ 《美》 (밭)두둑, 이랑. **3** (the ~s) **a** (중세 창 시합 경기장 둘레에 친) 울. **b** 경기장; 논쟁〔경쟁〕의 장(場).
enter the ~s 도전하다; 도전에 응하다.

list[3] *n.* (a ~) (선박·건물 따위의) 기울기, 경사. **—***vi.* (짐이 무너지거나 침수로 배 따위가) 기울다(tilt). **—***vt.* 기울게 하다.

list[4] (3인칭 단수 현재 **~, ∠*-eth*;** 과거 **~, ∠*-ed***) 《고어》 *vt.* **1** …의 마음에 들다: I did as him ~. 그의 마음에 들도록 했다. **2** …을 바라다, …하고 싶어하다《***to*** do》. **—***vi.* 바라다, 하고 싶어하다, 탐내다: The wind bloweth where it *~eth*. 〖성서〗 바람은 임의로 분다《요한복음 III:8》.

lis·ten [lísən] *vi.* **1** 《~/+전+명》 (의식적으로) 듣다, 경청하다《***to*** …(의 말)을》: ~ *to* the music 〔radio〕 음악을〔라디오를〕 듣다 / *Listen to* me. 내 말을 들으시오. ★ 원형 부정사 또는 현재분사를 뒤에 붙일 수 있음: I *~ed to* her sing 〔singing〕. 그 여자가 노래하는 것을 들었다.
SYN. **listen** 주의해서 (이해하려고) 듣는 경우에 쓰임. **hear** 귀에 들어와 듣다.
2 《+전+명》 (귀여겨) **듣다, 따르다**(yield)《***to*** …을》: ~ *to* reason 사리에 따르다. **3** 《+전+명》 들으려고 귀를 기울이다《***for*** …을》: We *~ed* closely *for* his footsteps. 우리는 귀를 곤두세우고 그의 발소리가 들리기를 기다렸다. **4** 《+보》 《美속어》 (…처럼) 들리다(sound): Your story *~s* reasonable. 너의 이야기는 그럴 듯하게 들린다. **5** 〔상대의 주의를 촉구하여 감탄사처럼 써서〕 자 들어보세요, 저.
~ *in* 《*vi.*+부》 ① 청취하다《***to*** (라디오)를》. ② 도청하다, 엿듣다《***on, to*** (남의 말·전화)를》. **~ *out*** 《*vi.*+부》 〔보통 명령형으로〕 주의해서 잘 듣다《***for*** …을》: *Listen out for* your name to be called. 당신 이름이 호명되는 것을 잘 듣도록 하시오. **~ *up*** 《美구어》 =~ out.
—*n.* (a ~) 들음: have a ~ 듣다, 경청하다.
㊞ **~·a·ble** *a.* 듣기 쉬운, 듣기 좋은.

lis·ten·er [lísnər] *n.* **1** Ⓒ 듣는 사람, 경청자: a good ~ 잘〔열심히〕 듣는 사람. **2** (*pl.*) (라디오의) 청취자: Good morning, *~s.* 청취자 여러분, 안녕하십니까.

líst·er[1] *n.* Ⓒ **1** 리스트〔카탈로그〕 작성자. **2** 《美》 세액(稅額) 사정자(査定者).

líst·er[2] *n.* Ⓒ 《美》 배토(培土)〔이랑 파는〕 농구(= ∠ **plòw**).

líst·ing *n.* **1** Ⓤ 표에 올림; 표의 작성; 표의 기재; 〖컴퓨터〗 목록 작성. **2** Ⓒ 일람표, 명단: make a ~ of …의 일람표를 만들다.

líst·less *a.* 열의 없는, 무관심한, 냉담한; 께느른한, 늘쩍지근한: feel ~ (몸이) 느른하다.
㊞ **~·ly** *ad.* **~·ness** *n.*

líst príce (카탈로그 따위에 기재된) 표시 가격《실제 가격에 대하여》, 정가(定價).

líst procéssing 〖컴퓨터〗 리스트 처리.

líst procéssor 〖컴퓨터〗 리스트 프로세서《리스트 처리를 위해 설계된 시스템》.

LISTSERV [lístsə̀ːrv] 〖컴퓨터〗 리스트서브《mailing list manager의 하나》.

Liszt [list] *n.* **Franz von ~** 리스트《헝가리의 작곡가; 1811-86》.

lit [lit] LIGHT[1,3]의 과거·과거분사.

lit. literal(ly); literary; literature; liter(s).

lit·a·ny [lítəni] *n.* **1** Ⓒ 〖가톨릭〗 호칭(呼稱)기도《일련의 탄원 기도로, 사제·성가대 등이 선창하고 신자들이 응답하는 형태》. **2** (the L-) 〖영국국교회〗 탄원《성공회 기도서에 규정된 연도 형식의 기원》. **3** Ⓒ 장황〔지루〕한 이야기〔설명〕.

li·tchi [líːtʃiː] *n.* Ⓒ 〖식물〗 여지; 그 열매.

li·ter, 《英》 **-tre** [líːtər] *n.* Ⓒ 리터《1,000cc; 생략: l., lit.》.

lit·er·a·cy [lítərəsi] *n.* Ⓤ 읽고 쓰는 능력. ↔ *illiteracy*.

lit·er·al [lítərəl] *a.* **1** 문자(상)의; 문자로 표현된: a ~ error 오자(誤字), 오식(誤植) / a ~ coefficient 〖수학〗 문자 계수. **2** 글자 그대로의, 어구에 충실한. ↔ *free*. ¶a ~ translation 축어역, 직역 / in the ~ sense 〔meaning〕 of the word 그 낱말의 글자 그대로의 뜻으로. **3** (사람·성질 따위가) 자구〔글뜻〕에 구애되는, 상상력〔융통성〕이 없는, 멋없는. **4** (문자·말 그대로) 사실에 충실한, 과장〔꾸밈〕이 없는; 엄밀한, 정확한: the ~ truth 틀림없는 사실 / a ~ flood of books 문자 그대로 책의 홍수. **—***n.* Ⓒ 〖인쇄〗 오자, 오식; 〖컴퓨터〗 리터럴, 상수. ㊞ **~·ist** *n.* Ⓒ 직역주의자. **~·ness** *n.*

lít·er·al·ìsm *n.* Ⓤ **1** 자구에 구애받음; 직역(주의). **2** 〖미술·문학〗 (극단적) 사실주의.

lít·er·al·ìze *vt.* literal로 하다; (비유 따위)를 글자 뜻대로 해석하다.

lit·er·al·ly [lítərəli] *ad.* **1 글자 뜻 그대로;** 축어적으로; 글자에 구애되어: translate ~ 직역하다. **2** 정말로, 사실상; (과장 없이) 완전히: The city was ~ destroyed. 그 도시는 글자 그대로 궤멸해 버렸다.

lit·er·ary [lítərèri/-rəri] *a.* **1 문학의,** 문학적인, 문필의, 문예의; 학문의: the ~ column 문예란 / ~ works 〔writings〕 문학 작품 / ~ property 저작권 / ~ criticism 문학 평론. **2** Ⓐ 문학에 통달한〔훤한〕; 문학 취미의: a ~ man 문학자; 학자. **3** 문학에 종사하는, 문필을 업으로 하는: ~ pursuit(s) 문필업 / ~ society 문학계〔회〕. **4** (구어에 대해) 문어의, 문어적인. cf. colloquial. ¶~ style 문어체. ㊞ **lít·er·àr·i·ly** *ad.* 문학상(으로). **-i·ness** *n.*

lit·er·ate [lítərit] *a.* 읽고 쓸 수 있는(↔ *illiterate*); 학식〔교양〕이 있는; 박학〔박식〕한.
—*n.* Ⓒ 교육받은 사람, 학자. ㊞ **~·ly** *ad.*

lit·e·ra·ti [lìtərɑ́ːti, -réitai] *n. pl.* 《L.》 문학자들; 학자들; 지식 계급.

lit·e·ra·tim [lìtəréitim, -rɑ́ː-] *ad.* 《L.》 한자 한자, 글자 그대로; 본문 그대로.

‡lit·er·a·ture [lítərətʃər, -tʃùər] *n.* Ⓤ **1 문학,** 문예: English ~ 영문학/popular ~ 통속〔대중〕 문학/polite ~ 순(純)문학/study (Korean) ~ (한국) 문학을 연구하다. **2** 문학 연구; 작가 생활, 저술, 문필업: take to ~ 문학에 투신하다/follow ~ 문필을 생업으로 하다. **3** (또는 a ~) 문헌《***on*** …에 관한》: the ~ *on* sports 스포츠에 관한 문헌/the ~ of chemistry 화학 문헌〔논문〕/professional ~ 전문 (학술) 문헌/There's an extensive ~ *on* the subject. 그 주제에 관한 광범위한 문헌이 있다. **4** 〖집합적〗 (광고 · 선전 따위의) 인쇄물: campaign ~ 선거 운동 인쇄물.

lithe [laið] *a.* 나긋나긋〔낭창낭창〕한, 유연한. ㊕ **∠·ly** *ad.* **∠·ness** *n.* **∠·some** [-səm] *a.*

lith·ia [líθiə] *n.* Ⓤ 〖화학〗 산화리튬.

lith·i·um [líθiəm] *n.* Ⓤ 〖화학〗 리튬《가장 가벼운 금속 원소; 기호 Li; 번호 3》; 리튬염《조울병(躁鬱病)약》.

litho(g). lithograph; lithographic; lithography.

lith·o·graph [líθəgræ̀f, -grɑ̀ːf] *n.* Ⓒ 석판(화). **—** *vt.* 석판으로 인쇄하다. ㊕ **li·thog·ra·pher** [liθɑ́grəfər/-θɔ́g-] *n.* Ⓒ 석판공(工); 석판화가.

li·thog·ra·phy [liθɑ́grəfi/-θɔ́g-] *n.* Ⓤ 리소그래피, 석판 인쇄(술).
㊕ **lith·o·graph·ic, -i·cal** [lìθəgrǽfik], [-əl] *a.* **-i·cal·ly** *ad.*

Lith·u·a·nia [lìθjuéiniə] *n.* 리투아니아《유럽 동북부, 발트해 연안의 공화국의 하나; 수도 Vilnius》.

Lith·u·a·ni·an [lìθjuéiniən] *a.* 리투아니아의; 리투아니아 사람〔말〕의. **—** *n.* Ⓒ 리투아니아 사람; Ⓤ 리투아니아 말.

lit·i·gant [lítigənt] *a.* 소송하고 있는, 소송의; 소송에 관계가 있는: the ~ parties 소송 당사자. **—** *n.* Ⓒ 〖법률〗 소송 당사자《원고 또는 피고》.

lit·i·gate [lítigèit] *vt., vi.* 제소하다, 법정에서 다투다, 소송하다. ㊕ **lìt·i·gá·tion** *n.* Ⓤ 소송, 기소.

li·ti·gious [litídʒəs] *a.* 소송하기 좋아하는; 소송해야 할; 소송(상)의. ㊕ **~·ly** *ad.* **~·ness** *n.*

lit·mus [lítməs] *n.* Ⓤ 〖화학〗 리트머스《자줏빛 색소》.

lítmus pàper 〖화학〗 리트머스 시험지.

lítmus tèst 〖화학〗 리트머스 시험; 시금석《***for*** …의》.

li·to·tes [láitətìːz, -tou-, lít-, laitóu-] *n.* Ⓤ 〖수사학〗 곡언법(曲言法)《보기: very good 대신에 not bad 라고 하는 따위》.

litre ⇨LITER.

Litt. D. *Litterarum Doctor* 《L.》 (=Doctor of Letters 〔Literature〕) (문학 박사).

***lit·ter** [lítər] *n.* **1** Ⓒ 들것; 들것 모양의 것, 침상 가마. **2** Ⓤ 마구간이나 식물 밑동에 까는 **깔짚,** 깃; 마구간 두엄. **3 a** Ⓤ 〖집합적〗 어수선하게 흩어진 물건, 잡동사니; 쓰레기: No ~, please. 쓰레기 버리지 말 것《게시》. **b** (a ~) 난잡, 혼란: The room was in a (state of) ~. 방은 어질러져 있었다. **4** Ⓒ 〖집합적; 단 · 복수취급〗 (동물의) 한 배 새끼: at a ~ 한 배에《몇 마리 낳다 등》/a ~ of puppies 한 배 새끼의 강아지.
— *vt.* **1** 《~+목/+목+부》 (마구간 따위)에 짚을 깔다; (짐승 · 식물)에 깔짚〔깃〕을 깔아 주다 (*down*): ~ *down* a horse 말에 깃을 깔아 주다. **2 a** 《~+목/+목+전+명/+목+부》 (방 따위)를 어지르다, 어수선하게 하다(*up*)《***with*** …으로》: Bits of paper ~*ed* the floor. 종이쪽들이 마루에 흩어져 있었다/~ the place *with* bottles and cans 빈병과 깡통을 버려 장소를 어질러 놓다/Dirty clothes ~*ed up* the room. 더러운 옷들이 방에 흩어져 있었다. **b** 《+목+부/+목+전+명》 …을 흩뜨리다: ~ papers *about* (a room) (방 안에) 서류를 흩뜨려 놓다. **3** (개 · 돼지 따위가 새끼)를 낳다. **—** *vi.* (가축 등이) 새끼를 낳다.

lit·té·ra·teur [lìtərətə́ːr] *n.* 《F.》 Ⓒ 문학자, 문인, 학자.

lítter·bàg *n.* Ⓒ 《美》 (자동차 안에서 쓰는) 쓰레기 주머니.

lítter·bàsket, -bìn *n.* Ⓒ 《美》 (공원 따위의) 쓰레기통(《美》 trash can).

lítter·bùg *n.* Ⓒ 《美》 길거리 · 공공 장소에 함부로 쓰레기를 버리는 사람: Don't be a ~. 쓰레기를 버리지 마시오.

lítter·lòut *n.* 《英》 =LITTERBUG.

†lit·tle [lítl] (***less*** [les], ***less·er*** [lésər]; ***least*** [liːst]. 다만, 1, 2에서는 보통 smaller, smallest를 대용) *a.* **1** Ⓐ 〖셀 수 있는 명사 · 집합 명사를 수식하여〗 **a** (모양 · 규모가) **작은;** (사람 · 동식물이) 키가 작은, 몸집이 작은. ↔ *big, large.* ¶ a ~ woman 몸집이 작은 여자/a ~ box 작은 상자/a ~ village 작은 마을/a ~ farm 작은 농장/⇨LITTLE PEOPLE/LITTLE FINGER. **b** (비교 없음) **어린,** 연소한(young): the ~ Joneses 존스 집안의 아이들/one's ~ brother 〔sister〕 아우〔누이동생〕/a ~ family 어린아이들이 있는 가정/He is too ~ to go to school. 그는 학교에 갈 나이가 되지 않았다. SYN. ⇨SMALL. ★ 서술적 용법에서는 small이 보통: He is smaller (《드물게》 littler) than anyone else in the family. 그는 가족의 누구보다도 작다.
2 〖셀 수 있는 명사와 더불어〗 **a 시시한, 사소한,** 대수롭지 않은; 하찮은, 어린애 같은; 인색한, 비열한. ↔ *great.* ¶ a ~ man with a ~ mind 소견이 좁은 남자/We know his ~ ways. 그의 유치한 수법을 알고 있다/Don't worry about such a ~ thing. 그런 사소한 일에 끙끙 앓을 것은 없다. **b** (the ~) 〖명사적으로; 복수취급〗 하찮은〔권력 없는〕 사람들.
3 Ⓐ (시간 · 거리 따위가) **짧은,** 잠시의: our ~ life 우리들의 짧은 인생/He will be back in a ~ while. 그는 곧 돌아올 것이다/Won't you come a ~ way with us? 우리와 함께 조금 가지 않으시겠습니까.
4 Ⓐ 〖셀 수 없는 명사를 수식하여〗 《비교 변화는 ***less; least***》 〖a를 붙이지 않고 부정적으로〗 **조금〔소량〕밖에 없는, 거의 없는.** ↔ *much.* cf. ⇨FEW. ¶ I have but ~ money. 돈이 조금밖에 없다/There is ~ hope of his recovery. 그가 회복할 가망은 거의 없다/He takes very ~ pains with his work. 그는 일에 조금도 힘을 안 쓴다《★ little은 양을 나타내며, 다음에 셀 수 없는 명사가 오는 것이 보통이나, little pains처럼 형태적으로 복수형 명사가 올 때가 있음》.
5 Ⓐ 〖a를 붙여 긍정적으로〗 **조금은 (있는);** 소량(의), 조금(의), 얼마쯤(의). ↔ *much, no, none.* ¶ I have only *a* ~ [×few] money left. 돈은 조금밖에 남아 있지 않다《only 대신 but은 쓸 수가

없음》/I had *a* ~ difficulty (in) getting a taxi. 택시를 잡는 데 좀 애먹었다/Please wait *a* ~ while. 잠깐만 기다려 주십시오/I can speak *a* ~ French. 프랑스말을 조금은 한다.

> **NOTE** (1) a little과 little에서 전자는 '있음', 후자는 '없음'의 관념을 강조하나 그 차이는 다분히 주관적임. cf. few.
> (2) 때로는 의례적인 말로 some 대신 a litte을 씀: Let me give you a litte mutton. 양고기를 좀 드리지요/May I have a litte money? 돈 좀 주실 수 없을까요.

6 〖the ~ (that) 또는 what ~로〗 있을까말까 한, 적지만 전부의: I gave him *the* ~ money (*that*) I had. =I gave him *what* ~ money I had. 얼마 안 되지만 있는 돈을 전부 그에게 주었다/*The* 〔*What*〕 ~ money he has will hardly keep him in food. 그는 돈이 거의 없고 그것으론 먹고 살아가기가 어려울 게다.
7 (목소리·소리·동작 따위가) 약한, 힘이 없는: a ~ cry 작게 외치는 소리/give a ~ push 좀 누르다.
8 (아무가) 세력이 작은, 지위가 낮은.
9 〖긍정적〗 귀여운, 가련한, 사랑스러운《앞에 오는 형용사 또는 뒤에 오는 명사에 오는 호감의 느낌을 더함》: (my) ~ man 악아《흔히 어머니가 쓰는 호칭》/my 〔our〕 ~ ones 나의〔우리〕 아이들/my dear ~ mother 사랑하는 어머니/the 〔my〕 ~ woman 집사람, 아내/Bless your ~ heart! 《구어》 어머, 이거 참《감사·위로 등의 표시》.
~ ..., *if any* = **~ *or no*** …있다손치더라도 극히 조금, 거의 없는: I have ~ hope, *if any*. =I have ~ *or no* hope. 가망은 거의 없다. ***not a ~*** = ***no ~*** 적지 않은, 많은(very much)(≒much): We have *not a* ~ snow here in winter. 이곳은 겨울에 많은 눈이 온다. ***quite a ~*** 《美구어》 많은, 상당한: He saved *quite a* ~ pile (of money). 그는 (돈을) 많이 모았다. ***some ~*** 상당한 양의, 다소의: There was *some* ~ cash left. 현금이 상당히 남아 있었다. ***what ~...*** = ***the ~...*** (***that***) ⇨ *a*. 6.
— (***less; least***) *ad*. **1** 〖a 없이 부정적으로〗 **a** **거의 …않다**; 좀처럼 …않다《흔히 very가 따름》. ↔ *much*.¶I slept *very* ~ last night. 간〔지난〕 밤엔 거의 잠을 못 잤다/~ known writers 무명의 작가들/We come here *very* ~ now. 지금은 좀체 여기 오지 않습니다. **b** 〖동사 앞에 와서〗 **전혀 …않다**; 조금도 …않다(not at all)《believe, care, dream, expect, guess, imagine, know, question, realize, suppose, suspect, think, understand, be aware of 따위와 함께 쓰임》: He ~ *knows* what awaits him. 무엇이 자신을 기다리고 있는지 전혀 모른다/*Little* did I *dream* of ever seeing you here. 여기에서 만나볼 줄은 꿈에도 생각 못했네.
2 〖a를 붙여 긍정적으로〗《종종 비교급의 형용사·부사와 함께》 **조금**(은), 다소는, 좀(《구어》 a ~ bit): I am *a* ~ tired. 나는 좀 피곤하다/He is *a* ~ over forty. 그는 40세를 조금 넘었다/This hat is *a* ~ too large for me. 이 모자는 내게 좀 크다/*A* ~ less noise, please! 조금만 조용히 해 주세요.
~ *better than...* …나 마찬가지의, …나 별다름 없는: He was ~ *better than* a beggar. 그는 거지나 마찬가지였다. **~ *less than...*** …와 거의 같은 정도의(nearly): She saved ~ *less than* 1,000 dollars. 그녀는 거의 천 달러나 돈을 모았다. **~ *more than*** (a pound) (1파운드) 내외〔정도〕. ***not a ~*** 적지 않게; 매우: She was *not a* ~ disappointed at the news. 그녀는 그 소식을 듣고 적지 않이 실망했다《비교: not at all; not a bit; not in the least 전연 …않다》.
— *n*., *pron*. (***less; least***) **1** 〖a를 붙이지 않고 부정적으로〗 **조금**(밖에(…)않다). ↔ *much*.¶*Little* remains to be said. (빠뜨리고) 안 한 말은 거의 없다/Knowledge has ~ to do with wisdom. 지식은 슬기와는 그다지 관계가 없다.

> **NOTE** 본래 형용사이기 때문에 대명사 용법에서도 very, rather, so, as, too, but, how 따위 부사에 수식될 수 있음(few에 관해서도 같음): He experienced *but* ~ of life. 그는 인생 경험이 조금밖에 없다/I've seen *very* ~ of her lately. 요즘 그녀와는 거의 만나지 않았다.

2 〖a를 붙여 긍정적으로〗 **a** **조금**(은), 얼마쯤〔간〕(≒some): I understood only *a* ~ of his speech. 그의 말은 아주 조금밖에 알 수 없었다/Will you give me *a* ~ of that wine? 그 포도주를 조금 주시지 않겠습니까. **b** (시간·거리의) **조금; 짧은 동안, 잠시**《부사적으로도 쓰임》: for *a* ~ 〔a while〕 잠시 동안/Can't you move *a* ~ to the right? 조금 오른쪽으로 다가가 주시겠습니까.
3 〖the ~ (that) 또는 what ~로〗 얼마 안 되는 것: He did *the* ~ *that* 〔*what* (~)〕 he could. 그는 미력이나마 전력을 다했다.
in ~ 소규모로〔의〕; 정밀화(畫)로 그린〔그리어〕; 축사(縮寫)〔축소〕하여; 축사〔축소〕한. cf. in (the) LARGE (관용구). **~ *by ~*** = 《英》 **~ *by ~ and ~*** 조금씩; 점차로; 서서히(gradually). **~ *if anything*** = **~ *or nothing*** (있다 하더라도) 거의 아무 것도 없다, 있을까말까 하다. ***make ~ of...*** …을 얕〔깔〕보다, 경시(輕視)하다; …을 거의 이해 못하다: I could *make* ~ *of* what he said. 그가 한 말은 거의 이해할 수 없었다. ***not a ~*** 적잖은 양〔물건, 일〕, 상당한 양(의 것): He lost *not a* ~ on the race. 그는 경마에서 적잖은 돈을 날렸다. ***quite a ~*** 《美구어》 다량, 많이, 풍부: He knew *quite a* ~ about it. 그는 그것에 관해서 꽤 많이 알고 있었다. ***think ~ of...*** …을 경시하다, 주저하지 않다. ***what ~*** = ***the ~*** (***that***) ⇨ *n*. 3.

Líttle América 리틀아메리카《남극에 있는 미국의 탐험 기지》.
Líttle Béar (the ~) 〖천문〗 작은곰자리(Ursa Minor).
Líttle Dípper (the ~) 《美》 〖천문〗 소(小)북두성《작은곰자리의 일곱 별》. cf. Dipper.
Líttle Dóg (the ~) 〖천문〗 작은개자리(Canis Minor).
líttle fínger 새끼손가락.
Líttle Lèague (the ~) 《美》 (8-12세의) 소년 야구 리그.
líttle magazíne 동인 잡지.
líttle pèople (the ~) (작은) 요정(妖精)들; 아이들; 일반 서민.
Líttle Rússia 소러시아《우크라이나를 중심으로 한 옛 소련의 남서 지구》.
líttle théater 《美》 소극장; 소극장용 연극.
líttle tóe 새끼발가락.
líttle wóman (the ~) 《구어·때로 경멸적》 우

처(愚妻), 아내, 마누라.

lit·to·ral [lítərəl] *a.* 바닷가의, 해안의, 연해의; 〖생태〗 해안에 사는, 조간대(潮間帶)의. **—***n.* Ⓒ 연해 지방; 〖생태〗 연안대(帶).

li·tur·gic, -gi·cal [litə́ːrdʒik], [-əl] *a.* 전례(典禮)의; 전례 규정에 준거한; 전례를 좋아하는. ㊞ **-gi·cal·ly** *ad.*

lit·ur·gy [lítərdʒi] *n.* **1** Ⓒ 전례(典禮); 전례식문. **2** (the ~, 종종 the L-) 성찬식, 《특히》 (그리스 정교의) 성체 예식.

liv·a·ble, live- [lívəbəl] *a.* **1** 살기에 알맞은, 살기 좋은. **2** (아무가) 함께 생활할 수 있는《**with** (아무)와》; (불쾌한 행위 등이) 참을 수 있는《**with** (아무)에게》. **3** (인생이) 사는 보람이 있는.

†**live**[1] [liv] *vi.* **1** 《~/+전+명/+*to* do》 **살다**, 살아 있다, 생존하다; 오래 살다: Plants cannot ~ without moisture. 식물은 수분 없이 살아갈 수 없다/~ *to* a 〔the〕 ripe old age (of ninety) 《구어》 (90세의) 고령까지 오래 살다/He ~*d to* see his grandchildren. 그는 오래 살아서 손자를 봤다/Long ~ the Queen! 여왕 폐하 만세/Live and let ~. 《속담》 나도 살고 남도 살게 하자, 공존공영.

2 《~/+전+명》 **살다**, 거주하다《**at, in** …에》; 동거〔기숙〕하다《**with** …와, …에》: ~ *at* 3 A Road, A로드 3번지에 살다/~ *in* Seoul 서울에서 살다/~ *with* the Smiths 스미스 가족과 함께 살다.

> **NOTE** live는 상태를 나타내는 동사이므로 일반적으로는 진행형을 쓰지 않으나, 일시적 주소를 말할 때, 주관적 감정을 나타낼 때, 계속의 뜻을 강조할 때에는 진행형을 씀: I *am living* in Seoul. (이전에는 다른 데 살았으나 지금은) 서울에 살고 있다/I'*m* now *living* in a very pleasant flat. 지금은 정말 쾌적한 아파트에 살고 있다.

SYN. **live** '살다'란 뜻의 가장 일반적인 말. **reside** 장기간 생활의 근거지를 두다, 거주하다: He *resides* in Boston. 그는 보스턴에 살고 있다. **stay** 일시적으로 체재하다: Now we *stay* in my parents' house. 현재 일시적으로 부모님댁에 머무르고 있다. **dwell** 살고 있는 상태나, 가옥이 의식되어 있음: *dwell* in happiness 행복에 싸여 살고 있다. He *dwells* in a very modern house. 그는 아주 현대적인 집에 살고 있다.

3 《~/+전+명》 …하게 살다; **생활하다**, 생계를 세우다, 지내다《**on, off, by** …으로, …에 의존하여》: ~ honestly 정직하게 살다/~ well 유복하게 살다, 바르게 살다/~ *on* a modest income 약간의 수입으로 살아가다/~ *on* 〔*off*〕 one's wife('s earnings) 아내의 벌이로 살다/Most people ~ *by* working. 대부분의 사람들은 일을 해서 생활하고 있다.

4 인생을 즐기다, 재미있게 지내다: Let us ~ while we may. 살아 있는 동안은 즐겁게 지내자.

5 《~/+보》 (무생물이 원래대로) 남다, **존속하다**, (사람의 기억〔기록〕에) 남아 있다; (소설 속의 인물이) 생생하다; (배 따위가) 망그러지지 않고 있다: His memory ~*s*. 그의 명성은 지금도 안 잊혀지고 있다/The characters ~ in this novel. 이 소설 속의 인물은 생생하게 묘사되어 있다/No boat could ~ afloat. 침몰을 면한 배는 한 척도 없었다.

6 《+전+명》 상식(常食)으로 하다《**on** …을》: Carnivores ~ *on* meat. 육식 동물은 고기를 먹고 산다.

7 《+보》 …한 생활을 하다, …로서 살다: ~ free from care 걱정 없이 살다/~ single 독신 생활을 하다/He ~*d* a saint. 그는 성자로서 살았다.

—*vt.* **1** 〖동족목적어를 수반하여〗 …한 생활을 하다(pass): ~ a peaceful life 평화로운 생활을 하다/~ a double life 이중 생활을 하다.

2 실생활로 실현하다: ~ a lie 허위의 생활을 하다/What other people preached he ~*d*. 딴 사람이 설교한 것을 그는 실천했다.

As I ~ and breathe! 《구어》 이거 오래간만이군; 〖강조〗 절대로, 결단코. (***as sure***) ***as I ~*** 아주 확실히. ***~ and let ~*** 자기도 살고 남도 살리다, 서로 용인하다(⇨*vi.* 1). ***~ by one's wits*** ⇨ WIT[1]. ***~ down*** 《*vt.*+부》 〖보통 부정문〗 (과거의 불명예·죄과 따위)를 씻다; (슬픔 따위)를 시간이 지남에 따라서 잊어버리다. ***~ for*** …을 주요 목적으로 하여 살다, 사는 보람으로 삼다: ~ *for* nothing but pleasure 오직 쾌락을 위해 살다. ***~ from hand to mouth*** 그날 벌어 그날 먹다, 간신히 지내다〔살다〕. ***~ in*** 《*vi.*+부》 (주인집에 들어가서) 숙식하며 일하다, (학생이) 기숙사에 살다 (↔ *live out*). ***~ in the past*** 과거 속에 살다. ***~ it up*** 《구어》 즐거이〔사치스럽게〕 놀며 지내다. ***~ off*** ① …으로〔…에 의존하여〕 살다: ~ *off* the land (농사꾼이) 땅에서 난 것으로〔농작물로〕 생활을 하다; (전선의 군대가) 현지 조달한 식량에 의존하다/He ~*s off* his earnings as an artist. 그는 예술가로서의 벌이로 생활하고 있다. ② …으로 생계를 세우다(⇨*vi.* 3). ***~ off the tit*** 호화롭게〔과보호로〕 살다. ***~ on*** 《*vi.*+전》 ① …으로 생활하다(⇨*vi.* 3). ② …을 먹고 살다, …을 상식으로 하다(⇨*vi.* 6). **—**《*vi.*+부》 ③ 계속해 살다. ***~ on air*** 《비유적》 '공기'를 먹고 살다, 아무것도 안 먹고 있다. ***~ out*** 《*vi.*+부》 ① 집에서 다니며 근무하다, (학생이) 기숙사에 있지 않다(↔ *live in*). **—**《*vt.*+부》 ② (평생)을 살아가다; (환자가 어떤 고비)를 잘 넘기다: ~ *out* one's natural life 천수를 다하다/~ *out* the night 그 밤을 무사히 잘 넘기다. ***~ out of a suitcase*** 〔***trunk, box,*** etc.〕 여행 가방 속의 일상 용품으로 생활하다; 거처를 정하지 않고 살아가다. ***~ over again*** 《*vt.*+부》 (인생)을 다시 살다, 반복하다, (과거지사를 상기하여) 다시 한번 경험하다. ***~ through*** …을 헤쳐 나가다, 목숨을 부지하다. ***~ together*** 《*vi.*+부》 동거하다. ***~ up to*** …에 부끄럽지 않은 생활을 하다, (이상·표준)에 따라 생활〔행동〕하다; (기대·책임 등)을 지키다, 부응하다: ~ *up to* a person's expectation 아무의 기대에 부응하다. ***~ with*** ① …와 함께 살다〔동거하다〕; …의 집에 기숙〔기식〕하다(⇨*vi.* 2). ② (현상(現狀) 따위)를 받아들이다, 참다, …에 견디다.

> **DIAL.** ***Live and learn.*** = ***You*** 〔***We***〕 ***live and learn.*** (살다 보니) 별일 다 있네〔보겠네〕, 원 세상에 그런 일이《놀라운 새로운 사실을 듣거나 알았을 때》.
> ***They lived happily ever after.*** 그 후 그들은 행복하게 살았단다《이야기 끝에 하는 말》.
> ***You haven't lived.*** 꼭 (한 번) 해봐《강력히 권하는 말》.

‡**live**[2] [laiv] *a.* **1** Ⓐ **a** **살아 있는**(↔ *dead*); 산 (채로의): a ~ fence 산울타리/a ~ bait (낚시용의)산 미끼/a ~ animal weight (동물의) 생체 중량. **b** 〖real ~로〗 《구어》 진짜의: a *real* ~

burglar 진짜 강도.

> [NOTE] live는 한정적으로만 쓰여 명사 앞에 놓이고, alive는 서술적으로 쓰임: a *live* fish 활어(活魚)/The fish is still *alive*. 물고기는 아직 살아 있다.

2 **생생한**, 팔팔한, 발랄한, 활기 있는; 빈틈없는; (사람이) 활동적인: a ~ person 활동가.
3 (불·숯 따위가) 불타고 있는; 불이 일고 있는, 현재 활동 중인《화산》(active): a ~ coal 타고 있는 석탄/a ~ volcano 활화산.
4 더러워지지 않은, 신선한《공기》; (색이) 선명한, 생생한: ~ air/~ color.
5 아직 폭발하지 않은《폭탄》, 아직 긋지 않은《성냥》; (광물이) 아직 파내지 않은, 미채굴의; 땅에 솟은《바위 따위》: a ~ match 아직 켜지 않은 성냥/a ~ shell 실포탄; 불발탄/a ~ cartridge 실탄.
6 (물이) 흐르고 있는.
7 (기계가) 돌고 있는, 운전 중인, 동력〔운동〕을 전하는: a ~ machine 움직이고 있는 기계/a ~ axle 활축(活軸).
8 (전기줄 등이) 전류가 통하고 있는. ↔ *dead*.
9 〖스포츠〗 경기 중인, 플레이 속행 중인《공》.
10 〖방송〗 녹음이 아닌, 생방송의, 현장 중계의; 실연(實演)의, 영화가 아닌; 실제의, 목전의《관중·청중》: a ~ broadcast 생방송/a ~ program 생방송 프로/~ coverage 생중계.
11 [A] (문제 따위가) 한창 논의 중인; 당면한, 목하의: a ~ question 〔issue〕 당면한 문제.
—*ad*. 〖방송〗 생중계로, 실황으로: be broadcast ~ 생방송되다. [파] ∠·**ness** *n*.

liveable ⇨LIVABLE.

-lived [láivd, lívd/lívd] '수명이 …한' 뜻의 형용사를 만드는 결합사: long-~ 오래 사는, 명이 긴; 영속〔지속〕하는.

líve-ìn [lív-] *a*. [A] (주인집에서) 숙식하며 일하는([cf] live-out); 동거하고 있는《애인》: a ~ maid 숙식하는 가정부.

***live·li·hood** [láivlihùd] *n*. [C] (보통 *sing*.) **생계**, 살림: earn 〔gain, get, make〕 a ~ by writing 문필로 생계를 세우다/pick up 〔eke out〕 a scanty ~ 가난〔구차〕한 생활을 하다.

líve·lòng [lív-] *a*. [A] 《시어》〖때를 나타내는 말에 붙여서〗 온〔꼬박〕…, …내내: (all) the ~ day 하루 종일/the ~ night 꼬박 하룻밤.

⁑**live·ly** [láivli] (*-li·er; -li·est*) *a*. **1** **생기〔활기〕에 넘친**, 활발한, 활기찬《*with* …으로》, (곡 따위가) 밝고 명랑한: a ~ child 씩씩한 어린이/~ music 활기찬 음악/The streets were ~ *with* shoppers. 거리는 쇼핑 나온 사람들로 활기에 차 있었다. **2** (감정 등이) 강한, 격렬한: ~ interest 강렬한 흥미/~ imagination 왕성한 상상력. **3** (묘사가) 생생한, 박력 있는; (색채가) 선명한, 밝은. **4** 《우스개》 아슬아슬한, 손에 땀을 쥐게 하는, 위태로운: have a ~ time (of it) 아슬아슬〔조마조마〕한 경험을 하다/make it 〔things〕 ~ for a person 아무를 애먹이다. **5** (미풍·공기가) 상쾌한, 신선한. **6** (공이) 잘 튀는: a ~ ball 〖야구〗 치면 잘 나가는 공. ***Look ~!*** 《구어》 빨리 해라〔일해라〕, 꾸물대지 마라.
—*ad*. 기운차게, 활발하게.
[파] **-li·ly** *ad*. **-li·ness** *n*.

liv·en [láivən] 《구어》 *vt*. 명랑〔쾌활〕하게 하다, 활기를 띠게 하다(*up*). **—***vi*. 활기띠다, 들뜨다(*up*).

líve-òut [lív-] *a*. 통근하는《가정부》. [cf] live-in. ¶ ~ system 통근제.

***liv·er**[1] [lívər] *n*. **1** **a** [C] 〖해부〗 **간장(肝臟)**. **b** [U] 간(肝)《음식으로서의》. **2** [U] 적〔다〕갈색(=∠ **bròwn** 〔**còlor, maròon**〕). **3** [C] 《고어》 (감정의 근원으로 생각한) 간: a hot 〔cold〕 ~ 열정〔냉담〕/white 〔lily〕 ~ 겁 많음.

liv·er[2] *n*. [C] 거주자; 〖보통 수식어와 함께〗 (…한) 생활을 하는 사람: a ~ in a town 도시 생활자/a fast 〔loose〕 ~ 방탕자/a good ~ 덕 있는 사람; 미식가/a hearty ~ 대식가.

liv·er·ied [lívərid] *a*. 제복을 입은《사환 등》.

liv·er·ish [lívəriʃ] *a*. 간장병의; 성미가 까다로운, 화를 잘 내는.

Liv·er·pool [lívərpùːl] *n*. 리버풀《잉글랜드 중서부 Merseyside 주의 주도(州都); 항구 도시》.

Liv·er·pud·li·an [lìvərpʌ́dliən] *a*., *n*. [C] Liverpool 의 (시민).

líver sàusage =LIVERWURST.

líver·wòrt *n*. [C] 〖식물〗 우산이끼.

liv·er·wurst [lívərwə̀ːrst] *n*. [U] (낱개는 [C]) 《美》 간(肝)소시지(liver sausage).

◇**liv·ery**[1] [lívəri] *n*. **1** **a** [U] (낱개는 [C]) 일정한 옷《하인·고용인 등에게 해 입힌》; (조합원 등의) 제복: in ~ 제복 차림인/out of ~ (고용인이) 평복차림의. **b** [U] 《시어》 (특수한) 옷차림: the green ~ *of* summer 여름의 (나무들의) 푸른 치장/the ~ *of* grief 〔woe〕 상복(喪服). **2** [C] (London 의) 동업 조합(livery company); 〖집합적〗 동업 조합원; 동업 조합원의 자격: take up one's ~ 동업 조합원이 되다. **3** [U] **a** 말〔마차〕 대여업. **b** =LIVERY STABLE. **4** [U] 《美》 보트〔자전거(따위)〕 대여업.

liv·ery[2] *a*. =LIVERISH.

lívery còmpany (London의) 동업 조합.

lívery·man [-mən] (*pl*. **-men** [-mən]) *n*. [C] 《英》 (London 의) 동업 조합원; 말〔마차 (따위)〕 대여업자.

lívery stàble 《美》 말〔마차〕 대여소; 말 보관소.

lives [laivz] LIFE의 복수.

líve·stòck [láiv-] *n*. [U] 〖집합적; 복수취급〗 가축류. [cf] dead stock. ¶ ~ farming 〔raising〕 목축(업), 축산.

líve wíre [láiv-] 송전선; 《구어》 활동가, 정력가.

liv·id [lívid] *a*. 납빛〔흙빛〕의, 검푸른, 창백한; 멍이 든; 《구어》 격노한. [파] **~·ly** *ad*. **~·ness** *n*.

⁑**liv·ing** [líviŋ] *a*. **1** **살아 있는**, 생명 있는(↔ *dead*); 생명의 특징을 갖춘, 생체의: all ~ things 모든 생물/a ~ model 산 모범.

> [SYN] **living** be 동사와 함께, 또는 '사람이나 물건을 나타내는' 명사 앞에 쓰임. **alive** be 동사와 함께 쓰며, 또 명사의 뒤에 오는 수도 있음: the greatest writer *alive* 살아 있는 최고의 작가.

2 (the ~) 〖명사적; 복수취급〗 산 사람, 현존자: in the land of the ~ (이 세상에) 살아 있는, 생존한.
3 현대의, 현존한; (동식물이) 현생하고 있는: a ~ language 현대어(語)(↔ *a dead language*)/~ English 현대 영어.
4 **팔팔한**, 활기 있는, 힘찬; (감정·신앙 따위가) 강렬한, 강한; 생명을〔활기를〕 주는: a ~ interest 강한 관심/~ faith 열렬한 신앙.
5 (물이) 흘러 그치지 않는; (석탄 등이) 불타고 있는; (암석 등이) 자연 그대로의; (광물 등) 미채굴

의(live).
6 (초상화 등이) 빼쏜, 생생한.
7 **생활에 관한**, 생활의, 생계의: ~ conditions 생활 상태 / ~ quarters 거소(居所), 거주 지구.
—*n*. 1 Ⓤ 생존, **생활**, 살아가기: plain ~ and high thinking 검소한 생활과 고원한 사색 / a high 〔low〕 standard of ~ 높은〔낮은〕 생활수준.
2 (a ~, one's ~) **생계**, 생활비: earn 〔gain, get, make, obtain〕 a ~ as an artist 화가로서 생계를 꾸려 나가다 / *Living* is expensive here. 여긴 생활비가 많이 든다 / What does he do for a ~? 그의 생업은 무엇인가.
3 Ⓒ 〖영국국교회〗 성직자의 녹(祿).

líving déath (a ~) 생지옥, 비참한 생활.

líving fóssil 살아 있는 화석, 화석 동물《실러캔스 등》.

líving ròom 거실, 거처방(sitting room, parlor).

líving spàce 생활권(圈), 생활 공간.

Liv·ing·stone [líviŋstən] *n*. **David ~** 리빙스턴《영국인 아프리카 탐험가; 1813–73》.

líving wáge (a ~) 최저 생활 임금.

líving wíll 《美》 생전(生前) 유서《불치의 병에 걸렸을 경우 등에 생명 유지 장치 등으로 연명(延命) 처치를 강구하지 않도록 의사나 관계자들에게 통고하는 문서》.

Liz, Li·za [liz], [láizə] *n*. 리즈, 라이자《여자 이름; Elizabeth 의 애칭》.

liz·ard [lízərd] *n*. Ⓒ 〖동물〗 도마뱀; Ⓤ 도마뱀 가죽.

Liz·zie, -zy [lízi] *n*. 리지《여자 이름; Elizabeth 의 애칭》. cf. Liza.

＊'ll [l] will, shall의 간약형(形)《보기: I'*ll*》.

ll. leaves; lines.

lla·ma, la·ma [lá:mə] *n*. Ⓒ 〖동물〗 야마, 아메리카 낙타; Ⓤ 야마의 털.

lla·no [lá:nou] (*pl*. **~s**) *n*. Ⓒ (남아메리카의) 대초원.

LL. D. *Legum Doctor* 《L.》 (=Doctor of Laws).

Lloyd [lɔid] *n*. 로이드《남자 이름》.

Lloyd's [lɔidz] *n*. (런던의) 로이드 해상 보험 협회.

Llóyd's Régister 로이드 선급(船級) 협회(the ~ of Shipping); 로이드 선박 등록부.

lm 〖광학〗 lumen(s). **LNG** liquefied natural gas (액화 천연가스).

◇lo [lou] *int*. 《고어》 보라, 자. ***Lo and behold!*** 이건 또 어찌된 일인가, 이상하기도 하여라.

loach [loutʃ] *n*. Ⓒ 〖어류〗 미꾸라지.

＊load [loud] *n*. 1 Ⓒ 적하(積荷), (특히 무거운) **짐**: a heavy 〔light〕 ~ 무거운〔가벼운〕 짐 / bear a ~ 짐을 지다. SYN. ⇨BURDEN.
2 Ⓒ 《비유적》 (정신적인) **무거운 짐**, 심로; 근심, 걱정: a ~ of responsibility 책임의 부담 / a ~ of care 심로(心勞) / have a ~ on one's mind 〔conscience〕 마음〔양심〕에 걸리는 일이 있다 / take a ~ off one's mind 마음의 무거운 짐을 벗다.
3 Ⓒ 〘보통 합성어〙 (차 따위의) 적재량, 한 차, 한 짐, 한 바리: two truck-~*s of* vegetables 두 트럭분의 채소.
4 Ⓒ (사람·기계에 할당된) 일의 양, 분담량: a teaching ~ 책임 수업 시간수.
5 Ⓒ 〖물리·기계·전기〗 부하(負荷), 하중(荷重): moving 〔rolling〕 ~ 이동 하중 / static ~ 정(靜)하중 / working ~ 사용 하중.
6 Ⓒ (화약·필름 등의) 장전; 장탄.
7 〘~s of ... 또는 a ~ of로〙 《구어》 많은 양, 잔뜩, 흠씬: ~s 〔a ~〕 *of* people 많은 사람 / He has ~s *of* money. 그는 많은 돈을 가지고 있다.
8 (a ~) 《美속어》 취할 정도의 주량; 취기: have a ~ on 취해 있다.
(***What***) ***a ~ of*** (***old***) ***cobblers*** 〔***cock***〕***!*** 《美속어》 너절하군, 허튼소리 그만해.

DIAL. ***Get a load of that!*** 저것 좀 봐라 (멋지지 않으냐).

—*vt*. 1 a 《~+목/+목+전+명》 (짐)을 **싣다**, (사람)을 **태우다**《***into, onto*** (차·배 따위)에》: ~ the freight 〔children〕 *into* the car 화차에 짐을 싣다〔차에 아이들을 태우다〕 / The tanker is ~*ing* oil. 탱커가 기름을 싣고 있다. b 《~+목/+목+부/+목+전+명》 (차·배 따위)에 짐을 싣다, 승객을 태우다(*down; up*)《***with*** (짐·승객)을》: ~ a train 기차에 짐을 싣다〔손님을 태우다〕 / ~ a ship *with* coal 배에 석탄을 싣다 / ~ a plane (*up*) *with* passengers 비행기에 승객을 태우다.
2 《+목+전+명》 …에 많이 올려놓다; …에 마구 채워 넣다《***with*** …을》: a table ~*ed with* food 음식이 잔뜩 차려진 식탁 / air ~*ed with* oxygen 산소를 다량으로 함유한 공기.
3 〖야구〗 (누)를 만루로 하다: His hit ~*ed* the bases. 그의 안타로 만루가 되었다.
4 a 《+목+전+명》 …에게 마구 주다《***with*** (찬사·모욕 따위)를》; (일 따위)를 지우다《***on*** (아무)에게》: ~ a person *with* compliments 아무에게 찬사를 늘어놓다 / ~ more work *on* her 그녀에게 더 많은 일을 하게 하다. b 《+목+부/+목+전+명》 …을 괴롭히다(*down*)《***with*** (고뇌·책임 따위)로》: a man ~*ed* (*down*) *with* cares 걱정으로 괴로워하는 사람.
5 a (총)에 **탄환을 재다**(charge); (아무)의 총에 탄환을 재다; (카메라)에 필름을 넣다, (필름)을 카메라에 넣다. b 《+목+전+명》 (카메라)에 넣다《***with*** (필름)을》; (필름)을 넣다《***in*** (카메라)에》.
6 《+목+전+명》 (프로그램 따위)를 주기억 장치에 로드〔적재〕하다《***from*** (플로피디스크 따위)에서》; (프로그램 따위)를 로드〔적재〕하다《***into*** (주기억 장치)에》.
7 (주사위·스틱 등)에 납 따위를 메우다; 증량제(增量劑)를 가하다.
—*vi*. 1 짐을 싣다; 사람을 태우다; 연료를 채우다: The bus ~*s* at the right door. 버스는 오른쪽 문으로 사람을 태운다.
2 《+전+명》 타다《***into*** …에》: They ~*ed into* the bus. 그들은 버스에 탔다.
3 《+전+명》 가득 차다《***with*** (짐 따위)로》: The ship ~*ed with* people only in 15 minutes. 배는 단 15분 만에 만원이 됐다.
4 총에 장전하다, (총이) 장전되다.

lóad·ed [-id] *a*. 1 짐을 실은; 만원인; 〖야구〗 만루인; 탄약을 잰, 장전한《총·카메라·필름 등》: a ~ bus 만원 버스 / two out, bases ~, 2 아웃 만루. 2 Ⓟ 《속어》 돈이 듬뿍 있는; 취한; 《美》 마약에 취한: get ~ 만취하다. 3 (납 따위를) 박아넣은; (술 따위를) 섞음질을 한, 위스키를 섞은; 《비유적》 (진술·논의 등) 한 쪽으로 치우친; (질문 등이) 숨은 의도가〔함축성이〕 있는: a ~ cane 꼭대기에 납을 박은 지팡이《무기》 / ~ dice 협잡 주사위《어느 수가 나오게 납을 박아 넣은》.

lóad fàctor (여객기의) 좌석 이용률.

lóad·ing *n.* Ⓤ **1** 짐싣기, 선적(船積), 하역; 짐, 뱃짐; 장전(裝塡), 장약(裝藥); 충전. **2** 〖전기〗 장하(裝荷); 〖컴퓨터〗 로딩. **3** 부가 보험료.

lóading prògram 〔**ròutine**〕 〖컴퓨터〗 적재 프로그램〔루틴〕.

lóad lìne 〔**wàterline**〕 〖해사〗 만재 흘수선.

lóad shédding 전력(電力) 평균 분배(법).

lóad·stàr *n.* =LODESTAR.

lóad·stòne, lóde·stòne *n.* **1** Ⓤ (낱개는 Ⓒ) 천연 자석. **2** Ⓒ 사람을 끄는 것.

⁑**loaf**[1] [louf] (*pl.* ***loaves*** [louvz]) *n.* **1** Ⓒ (일정한 모양으로 구워 낸 빵의) **덩어리**, 빵 한 덩어리. ㊀ slice, roll. ¶a brown ~ 흑빵 한 덩어리/two *loaves* of bread 두 덩어리의 빵/Half a ~ is better than no bread 〔none〕. 《속담》 반이라도 없는 것보다 낫다. **2** Ⓒ (요리는 Ⓤ) 로프《다진 고기 따위에 빵가루·달걀 따위를 섞어 식빵 모양으로 만들어 구운 것》. **3** Ⓒ 《英속어》 머리, 두뇌: use one's ~ (of bread) 머리를 쓰다, 생각하다.

> DIAL. ***Use your loaf!*** 《英》 머리 좀 써라, 생각해 봐라.

loaf[2] *vi.* **1** 놀고 지내다, 빈둥거리다; 빈들빈들 돌아다니다: ~ *through* life 빈둥거리며 일생을 지내다/She works while he ~*s around* at home. 그가 집에서 빈둥거리는 동안, 그녀는 일을 한다. **2** 느릿느릿 하다《***on*** (일)을》: He was fired for ~*ing on* the job. 그는 일을 게을리해서 파면되었다. **—***vt.* (시간)을 빈둥거리며 보내다, 빈둥거리며 지내다(*away*): ~ one's life *away* 일생을 놀고 지내다.

lóaf·er *n.* Ⓒ **1** 부랑자; 게으름뱅이. **2** (L−; 보통 *pl.*) 발에 걸쳐 신는 얕은 구두.

lóaf súgar 원뿔꼴 설탕.

loam [loum] *n.* Ⓤ 옥토(沃土); 《일반적》 비옥한 흑토; 롬《모래·점토·짚 따위의 혼합물로서 거푸집·회반죽 따위를 만듦》. ㊕ **loamy** [lóumi] *a.* 롬(질(質))의. **loám·i·ness** *n.*

*****loan** [loun] *n.* **1** Ⓤ **대부**, 대여(貸與)《돈·물건의》: I asked them for the ~ of the money. 나는 그들에게 돈의 대부를 부탁했다/May I have the ~ of your word processor? 당신의 워드 프로세서를 빌릴 수 있을까요. **2** Ⓒ 대부금; 공채, 차관(借款): domestic 〔foreign〕 ~*s* 내국〔외국〕채/public 〔government〕 ~*s* 공〔국〕채/issue a ~ 공채를 발행하다/raise a ~ 공채를 모집하다. **3** Ⓒ 대차물. **4** Ⓤ (회사의) 파견 근무. **5** Ⓒ 외래의 풍습《따위》; 〖언어〗 차용어.

—《美》 *vt.* 《+목+목/+목+전+명》 **빌려 주다**, 대부하다《***to*** (아무)에게》: I ~*ed* him 10 dollars. =I ~*ed* 10 dollars *to* him. 나는 그에게 10달러를 빌려 주었다. **—***vi.* 빌려 주다. ★ '절차를 밟아 장기간 대출하다' 등의 뜻 이외에서는 《英》에서는 lend를 씀이 보통.

lóan collèction (그림 따위를 빌려 모아서 여는) 전람회.

lóan hòlder 채권자, 저당권자.

lóan shàrk 《구어》 고리 대금업자(usurer).

lóan translàtion 〖언어〗 차용(借用) 번역 어구.

lóan·wòrd *n.* Ⓒ 외래어, 차용어.

°**loath** [louθ] *a.* Ⓟ 싫어하는, (…하는 것이) 마음에 내키지 않는《***to*** do》: My wife is ~ *for* our daughter *to* marry him. 아내는 딸이 그와 결혼하는 것을 싫어하고 있다. ***nothing*** ~ 싫어하기는커녕, 기꺼이.

*****loathe** [louð] *vt.* 《~+목/+-ing》 **몹시 싫어하다**; 《구어》 (지겨워서) 구역질이 나다; 질색하다: I ~ snakes. 뱀은 질색이다/I ~ wash*ing* dishes. 나는 설거지하기가 정말 싫다. ★ dislike, hate, abhor 보다도 뜻이 강한 말.

loath·ing [lóuðiŋ] *n.* Ⓤ 몹시 싫어함, 혐오, 지겨움: be filled with ~ 진절머리나다.

loath·some [lóuðsəm] *a.* 싫은, 지긋지긋한; 불쾌한(disgusting); 역겨운(sickening). ㊕ **~·ly** *ad.* **~·ness** *n.*

loaves [louvz] LOAF[1]의 복수.

lob [lab/lɔb] *n.* Ⓒ 로브《(1) 〖테니스〗 높고 완만한 공. (2) 〖크리켓〗 언더핸드의 슬로볼》.

— (***-bb-***) *vt.* (공)을 로브로 보내다〔치다〕, 높이 원을 그리듯 던지다〔쏘다〕. **—***vi.* (테니스 따위에서) 공을 로브로 보내다.

lo·bar [lóubər] *a.* 〖해부〗 (폐장의) 엽(葉)의; 〖식물〗 (잎의) 열편(裂片)의.

⁑**lob·by** [lábi/lɔ́bi] *n.* Ⓒ **1** (호텔·극장의) **로비**, (입구의) 넓은 방《대기실·휴게실·응접실 등에 사용》. **2 a** 원내(院內)의 대기실, 로비《의원의 원외자와의 회견용》; 〖英의회〗 투표자 대기 복도. **b** 《집합적; 단·복수취급》 로비에서 청원〔진정〕 운동을 하는 사람들, 로비스트, 원외단(團), 압력단체.

— *vt.* 《~+목/+목+전+명》 (의회 로비에서 의원)에게 압력을 가하다, 로비 운동하다; (의안)을 억지로 통과시키다〔시키려 하다〕: ~ a bill *through* Congress 압력을 가하여 의회에서 법안을 통과시키다. **—***vi.* **1** 《+전+명》 (의회의 로비에서) 로비 활동을 하다, 의안 통과 운동을 하다, (의안에 대하여) 운동을 하다《***for*** 찬성의; ***against*** 반대의》: ~ *for* 〔*against*〕 a bill 의안에 대하여 찬성〔반대〕 운동을 하다. **2** 이면 공작을 하다.

㊕ **~·ing, ~·ìsm** *n.* Ⓤ (원외로부터의) 의안 통과〔부결〕 운동, 진정 운동. **~·ist** *n.* Ⓒ 원외 활동원, 로비스트.

lobe [loub] *n.* Ⓒ 둥근 돌출부; 귓불; 〖식물〗 (떡갈나무 잎처럼 째어져 갈라진) 둥근 돌출부; 〖해부〗 엽(葉)《폐엽(肺葉)·간엽(肝葉) 따위》: the ~s of the lungs 폐엽. ㊕ **∠·less** *a.* **∠d** *a.*

lo·be·lia [loubíːljə] *n.* Ⓒ 〖식물〗 로벨리아《숫잔대속(屬)》.

lo·bot·o·my [loubátəmi, lə-/-bɔ́t-] *n.* Ⓤ (구체적으로는 Ⓒ) 〖의학〗 뇌전두엽(腦前頭葉) 절제술(leucotomy).

°**lob·ster** [lábstər/lɔ́b-] (*pl.* **~, ~s**) *n.* **1** Ⓒ 〖동물〗 바닷가재《큰 식용 새우》, 대하(大蝦)(spiny ~). **2** Ⓤ 로브스터의 살.

lóbster pòt 〔**tràp**〕 새우잡이 통발.

lob·u·lar [lábjələr/lɔ́b-] *a.* 소열편(小裂片)의; 작은 잎 모양의.

lob·ule [lábjuːl/lɔ́b-] *n.* Ⓒ 〖식물〗 소열편(小裂片); 〖해부〗 소엽(小葉); 귓불.

⁑**lo·cal** [lóukəl] *a.* **1 공간의**, 장소의: ~ situation 공간적 위치/a ~ adverb 〖문법〗 장소의 부사. **2** (특정한) **지방의**, 고장의, 지구의; 한 지방 특유의: a ~ paper 지방 신문/a ~ custom 지방의 풍습. **3 a** 좁은 지역에 한정되는; 〖의학〗 국소의, 국부의: a ~ pain 국부적인 아픔/a ~ disease 국부 질환. **b** (전화가) 근거리의, 시내의. **c** 《英》 동일 구내의, '시내 배달'《겉봉에 쓰는 주의서》. **d** 〖컴퓨터〗 울안의《통신 회선을 통하지 않고 직접 채널을 통하여 컴퓨터와 접속된 상태》. **4** (버스·열차 따위가) **역마다 정거하는**, 보통〔완행〕의: a ~ train 〔bus, etc.〕 (정거장마다 서는) 보통 열차〔버스 따위〕/a ~ express 《美》 준(準)급

행 (열차).

NOTE local은 '전역 · 전국'에 대한 '특정 지역의, 지방적'의 뜻이고, 수도에 대한 '지방의, 시골의'의 뜻인 provincial과 다름.

—n. **1** Ⓒ 보통〔완행〕 열차〔버스〕. **2** Ⓒ (흔히 *pl.*) (특정) 지방 사람, 그 고장 사람. **3** Ⓒ (신문의) 시내 잡보, 지방 기사; 〖라디오 · TV〗 (전국 방송이 아닌) 지방 프로그램. **4** Ⓒ 《美》 (노동조합 따위의) 지부. **5** Ⓒ (보통 *pl.*) 그 고장 구단〔팀〕. **6** (the ~, one's ~) 《英구어》 근처의 술집〔영화관〕. **7** Ⓒ 〖의학〗 국부 마취약. ㊕ **~·ness** *n.*

lócal área nètwork 〖컴퓨터〗 근거리 통신망 《생략: LAN》.

lócal área wíreless nètwork 〖컴퓨터〗 근거리 무선 통신망.

lócal authórity 《英》 지방 자치 단체.

lócal bús 〖컴퓨터〗 로컬버스《범용(汎用) 버스를 통하지 않고 CPU와 직결된 고속 데이터 선로》.

lócal cólor 지방색, 향토색.

lo·cale [loukǽl, -kɑ́ːl] *n.* 《F.》 Ⓒ (사건 · 환경 등에 관련된 특정의) 현장, 장소; (극 · 영화 등의) 무대, 배경, 장면.

Lócal Educátion Authòrity (종종 l- e- a-) 《英》 지방 교육국《생략: LEA》.

lócal góvernment 지방 자치; 《美》 지방 자치체.

lo·cal·ism [lóukəlìzəm] *n.* **1** Ⓒ 지방 사투리, 방언. **2** Ⓤ 향토 편애, 지방 제일주의; 지방 근성, 지방적 편협.

*__lo·cal·i·ty__ [loukǽləti] *n.* **1** Ⓒ (사건 따위의) 현장 (주변): the ~ of a murder 살인 사건의 현장. **2** Ⓤ 위치 관계; 장소 감각: have a good sense [《구어》 bump] of ~ 장소 감각이 좋다.

lo·cal·ize [lóukəlàiz] *vt.* **1** 한 지방에 그치게 하다; (병 따위)를 국한하다: ~ a war 전쟁을 국지(局地)에서 그치게 하다. **2** …에 지방적 특색을 띠게 하다; …을 지방화하다, 지방에 분산시키다. ㊕ **lò·ca·li·zá·tion** *n.*

◇**ló·cal·ly** *ad.* 장소로 보아, 위치적으로; 가까이에, 이 근방에; 지방적〔국부적〕으로; 특정한 장소에서; 향토에서.

lócal óption 《美》 지방 선택권《주류 판매 등에 관해 지방 주민이 투표로 결정하는 권리》.

lócal préacher 《英》 지방 설교사《특정 지역에서의 설교가 허용된 평신도》.

lócal tíme 지방시(時), 현지 시간.

⁑**lo·cate** [lóukeit, -ˊ] *vt.* **1** 《~+목/+목+전+명》 …의 **위치를 정하다,** (점포 · 사무소 등)을 …에 두다(establish): ~ our European office *in* Paris 유럽 사무소를 파리에 두다 / Where is Cincinnati *~d?* 신시내티는 어디에 있느냐 / ~ oneself *behind* the curtain 커튼 그늘에 몸을 숨기다. SYN. ⇨LIE[1]. **2** …의 **위치〔장소〕를 알아내다, 찾아내다:** ~ a leak in a pipe 파이프의 새는 곳을 발견하다. **3** …의 위치〔장소〕를 가리키다〔확인하다〕, …의 위치를 결정〔지정〕하다: ~ a decimal point 소수점의 위치를 정하다. **—***vi.* 《+전+명》 《美》 거주〔정주〕하다 《*in* …에》. ◇ location *n.*

*__lo·ca·tion__ [loukéiʃən] *n.* **1** Ⓒ **장소, 위치,** 소재지, 있는 곳: a good ~ for a new school 신설 학교에 알맞은 장소 / a house in a fine ~ 자리가 좋은 집. **2** Ⓤ 위치 선정〔설정〕. **3** 〖영화〗 **a** Ⓒ 야외 촬영지. **b** Ⓤ **로케이션,** 야외 촬영: on ~ 야외 촬영 중이다 / shoot ~ scenes 야외 촬영 장면을 찍다. **4** Ⓒ 〖컴퓨터〗 (기억) 자리.

loc. cit. [lɑ́k-sít/lɔ́k-] 《L.》 =LOCO CITATO.

loch [lɑk, lɑx/lɔk, lɔx] *n.* 《Sc.》 Ⓒ 호수; 후미, 내포(內浦), 협호(峽湖).

lo·ci [lóusai] LOCUS의 복수.

⁑**lock**[1] [lɑk/lɔk] *n.* **1** Ⓒ **자물쇠.** cf. key. ¶ open a ~ with a key 자물쇠를 열쇠로 열다.

2 Ⓒ (차의) 제륜(制輪) 장치; (총의) 안전 장치; 〖기계〗 기갑(氣閘) (air ~).

3 Ⓒ (운하 따위의) 수문, 갑문(閘門).

4 Ⓒ **a** 《美》 뒤얽힘; (교통 따위의) 꼼짝 못할 상태, 정체, 혼잡. **b** 〖레슬링〗 로크, 굳히기. **c** 지배, 통어; 독점《*on* …에 대한》: We have a ~ *on* the suspect's movements. 우리는 용의자의 움직임을 봉쇄하고 있다 / They have a ~ *on* laptop sales. 그들은 랩톱 컴퓨터 판매를 독점하고 있다.

5 Ⓤ (구체적으로는 Ⓒ) (자동차 핸들을 끝에서 끝까지 돌릴 경우의) 최대 회전수.

6 Ⓒ =LOCK FORWARD.

~, stock, and barrel (총의 각 부분 모두 →) 완전히, 모조리, 전부. ***on*** 〔***off***〕 ***the ~*** 자물쇠를 잠그고〔잠그지 않고〕. ***under ~ and key*** 자물쇠를 채우고, 안전하게; 투옥되어; 엄중히 보관하여.

—*vt.* **1** 《~+목/+목+부》 …에 **자물쇠를 채우다;** (자물쇠로) …을 잠그다, 닫다(*up*): ~ the door 문에 자물쇠를 채우다 / I *~ed up* the shop and went home. 나는 가게 문을 닫고 집에 갔다 / It is too late to ~ the stable door after the horse has bolted 〔been stolen〕. 《속담》 소 잃고 외양간 고친다, 사후 약방문.

2 《~+목/+목+부/+목+전+명》 **a** 거두어〔챙기어〕 넣다(*away; up*)《*in, into* …에》: ~ *up* 〔*away*〕 the documents *in* the safe 서류를 금고에 챙기어 넣다. **b** **가두다,** 감금하다; 못 움직이게 하다 《*in, at* …에》; 〔~ oneself〕 틀어박히다(*up*)《*in, into* …에》: ~ *up* a prisoner *in* a cell 죄수를 독방에 가두다 / The ship was *~ed in* ice. 배는 얼음에 갇히었다 / Traffic was *~ed up at* the intersection. 교차로에서 교통이 정체되어 있었다 / He usually *~s* him*self* (*up*) *in* his study. 그는 대체로 혼자 서재에 틀어박혀 있다.

3 《~+목/+목+부/+목+전+명》 짜맞추다(*together*); …에 맞붙다; 붙잡다; 끌어안다《*in, about* …에》: ~ one's fingers *together* 깍지를 끼다 / ~ a child *in* one's arms 어린애를 꼭 껴안다.

4 《+목+부》 **a** (자본)을 고정시키다: *~ed-up* capital 고정 자본. **b** 《美구어》 …의 성공을〔승리를〕 확실히 하다: We have the election *~ed up.* 선거는 우리의 승리가 확실하다.

5 《~+목/+목+부》 (운하 따위)에 수문을 설치하다; (배)를 수문으로 통과시키다(*up; down*).

—*vi.* **1** (문 따위가) **자물쇠가 걸리다,** 잠기다, 닫히다: The door *~s* automatically. 이 문은 자동으로 잠긴다. **2** (기어 따위가) 맞물리다. **3** (배가) 수문을 통과하다.

~ horns ⇨HORN. ***~ on to…*** (레이더 · 미사일 등이) 목표물을 자동적으로 추적하다〔시키다〕. ***~ out*** 《*vt.*+부》 (고의로〔깜박〕 자물쇠를 잠그어) 내쫓다, 안에 들이지 않다《*of* …에서》; (공장)을 폐쇄하다; (노무자)의 노무 제공을 일시적으로 거부하다: He *~ed* himself *out* (*of* the house). (열쇠를 잊은 채 잠가 버려서) (집에) 못 들어가게 되었다.

lock[2] *n.* Ⓒ **1** (머리의) 타래, 타래진 머리털; (양털 등의) 타래. **2** (*pl.*) 두발.

Locke [lɑk/lɔk] *n.* **John ~** 로크《영국의 철학자; 1632–1704》.

*****lock·er** [lákər/lɔ́k-] *n.* Ⓒ **1 로커**, (자물쇠가 달린) 장. **2**〖해사〗(선원 각자의 옷·무기 따위를 넣는) 장, 함; 격납용 칸. **3** 자물쇠를 채우는 사람〔것〕, 세관의 창고지기. ***go to* 〔*be in*〕 *Davy Jones's ~*** 바다에서 익사하다.

lócker ròom (특히 체육관·클럽의) 로커룸《옷 따위를 넣음》.

lócker-ròom *a.* (경의실(更衣室)에서 주고받는) 추잡스런《말·농담》.

lock·et [lákit/lɔ́k-] *n.* Ⓒ 로켓《사진·머리털·기념품 등을 넣어 목걸이 등에 다는 작은 금합(金盒)》.

lóck fórward〖럭비〗록포워드《스크램의 두 번째 열의 선수》.

lóck gáte 수문, 갑문(閘門).

lóck·jàw *n.* Ⓤ〖의학〗(파상풍(tetanus) 초기의) 개구(開口) 장애, 아관 강직(牙關強直)(trismus);《널리》파상풍.

lóck·kèeper *n.* Ⓒ 갑문지기(=**lóck-màster**).

lóck nùt 로크 너트《(1) 다른 너트에 겹치는 보조 너트. (2) 세게 죄면 스스로 작동하여 느슨해지는 것을 방지하는 구조의 너트》.

lóck·òut *n.* Ⓒ 공장 폐쇄, 로크아웃;〖일반적〗내어쫓음;〖컴퓨터〗잠금(dead-lock).

lóck·smìth *n.* Ⓒ 자물쇠 제조공〔장수〕.

lóck stìtch 재봉틀 박음질, 겹박음질.

lóck·ùp *n.* **1** Ⓒ 구치소;《구어》교도소. **2** Ⓒ (야간에 열쇠로 잠그는) 임대 점포〔차고, 창고〕. **3** Ⓤ 일시 감금. **—***a.* Ⓐ 자물쇠가 걸리는.

lo·co [lóukou] (*pl.* **~s, ~es**) *n.*〖식물〗= LOCOWEED. **—***a.* (가축이) 로코병에 걸린;《속어》미친(crazy).

lo·co ci·ta·to [lóukou-sitéitou, -sai-]《L.》위의 인용문 중《생략: loc. cit. 또는 l.c.》.

lóco disèase〖수의〗로코병(locoism)《독초 중독으로 인한 가축의 신경병》.

lo·co·mo·tion [lòukəmóuʃən] *n.* Ⓤ 운동력; 이동(력); 운전(력).

◇**lo·co·mo·tive** [lòukəmóutiv] *n.* Ⓒ **1** 기관차(=**∠ èngine**): a steam ~ 증기 기관차. **2**《美》(천천히 약하게 시작하여 점차 빠르고 세어지는) 기관차식 응원법.

—*a.* 이동〔운동〕하는; 운전의; 운동〔이동〕성의, 이동력이 있는: a ~ tender 탄수차(炭水車)/~ faculty 〔power〕 이동력/~ organs 이동 기관(器官)《다리 등》.

lo·co·weed [lóukouwìːd] *n.* Ⓒ〖식물〗로코초(草)(crazyweed)《미국 남서부 평원에 많은 콩과의 식물; 가축에 유독(有毒)함》.

lo·cum [lóukəm] *n.* =LOCUM TENENS.

lócum-ténency [-tínənsi, -tén-] *n.*《L.》대리로서의 지위, 대리 자격.

lócum té·nens [-tíːnenz, -téninz] (*pl.* ***lócum te·nén·tes*** [-tənéntiːz])《L.》임시 대리 의사〔목사〕.

lo·cus [lóukəs] (*pl.* ***lo·ci*** [lóusai], ***-ca*** [-kə]) *n.*《L.》Ⓒ 현장, 장소, 위치;〖수학〗궤적;〖유전〗(염색체 중에서 어느 유전자가 점하는) 자리.

locus clas·si·cus [∠klǽsikəs] (*pl.* ***lo·ci clas·si·ci*** [lóusai-klǽsəsài])《L.》표준구(句), 전거가 있는 구.

lo·cust [lóukəst] *n.* Ⓒ **1**〖곤충〗메뚜기, 누리《때로 큰 무리를 지어 농작물에 피해를 줌》;《美》〖곤충〗매미. **2**〖식물〗**a** =LOCUST BEAN. **b** 쥐엄나무 비슷한 상록 교목(=**∠ trèe**)《콩과》.

lócust bèan〖식물〗carob의 꼬투리.

lo·cu·tion [loukjúːʃən] *n.* **1** Ⓤ 말투, 말씨; 어법, 표현. **2** Ⓒ (특정 지방·집단 따위의) 특유 어법.

lode [loud] *n.* Ⓒ 광맥; 풍부한 원천(源泉).

lóde·stàr *n.* **1 a** Ⓒ 길잡이가 되는 별. **b** (the ~) 북극성. **2** Ⓒ 지도 원리, 지침; 지표, 목표. ★ loadstar로도 씀.

lodestone ⇨LOADSTONE.

*****lodge** [lɑdʒ/lɔdʒ] *n.* Ⓒ **1** (일시적인 숙박을 위한) **오두막집**, 로지;《美》(유원지 따위의) 여관, (관광) 호텔. **2** (대저택·공원·대학·공장 따위의) 문지기집, 수위실; (북아메리카 원주민의) 천막집. **3** 지방 지부(支部) 또는 집회소《공제 조합·비밀 결사 따위의》;〖집합적; 단·복수취급〗지부 회원들. **4**《英》Cambridge 대학 등의 학부장 저택〔관사〕. **5** 해리(海狸)〔수달〕의 굴.

—*vi.* 《+전+명》 **1** (일시적으로) **숙박〔투숙〕하다**, 묵다;《英》하숙하다: ~ *at* a hotel 호텔에 묵다/~ *at* a person's 〔*with* a person's family〕 아무 집에 하숙하다. **2** (화살·창·탄알 등이) 꽂히다; 박히다《*in* (몸)에》: The bullet has ~*d in* his left leg. 탄알이 그의 왼쪽 다리에 박혔다.

—*vt.* **1 숙박〔투숙〕시키다**, 묵게 하다; 하숙시키다: Can you ~ us overnight? 하룻 밤 묵게 해 주겠습니까/Can you board and ~ me? 하숙시켜 주겠습니까. **2**〖well, ill 따위와 함께 과거분사꼴로〗(숙박·하숙 따위) 설비가 좋다〔나쁘다(따위)〕: The hotel is well ~*d*. 그 호텔은 설비가 좋다. **3** 수용하다, …의 그릇이〔용기가〕 되다, …을 넣다;〖수동형〗들어 있다《*in* …에》. **4** 숨기다, 보호하다. **5** 《+목+전+명》 (탄알 등)을 쏘아 박다; (화살 등)을 꽂다: ~ a bullet *in* a tree 나무에 탄알을 쏘아 박다. **6** 《+목+전+명》 **a** (돈 따위)를 맡기다《*in* (은행 따위)에; ***with*** (사람 따위)에》: ~ money *in* a bank 〔*with* a person〕 돈을 은행에〔아무에게〕 맡기다. **b** (권능 따위)를 위임〔일임〕하다《***in, with*** …에》: ~ power *in* 〔*with*, *in* the hands of〕 a person 아무에게〔의 손에〕 권한을 맡기다. **7** 《+목+전+명》 (고소장·반론·고충 따위)를 제기〔제출〕하다, 신고하다《***with*** …에》: ~ a complaint against a person *with* the police 아무의 일로 경찰에 신고하다. **8** (비바람 따위가 농작물)을 쓰러뜨리다.

lodgement ⇨LODGMENT.

lodg·er [ládʒər/lɔ́dʒər] *n.* Ⓒ 숙박인, 하숙인, 동거인, 세들어 있는 사람: take in ~*s* 하숙을 치다.

*****lodg·ing** [ládʒiŋ/lɔ́dʒ-] *n.* **1** Ⓤ **하숙**, 셋방듦; 숙박, 투숙: board and ~ 식사 제공의 하숙/dry ~ 잠만 자는 하숙/ask for a night's ~ 하룻밤 묵기를 청하다. **2** Ⓒ **숙소**, (임시의) 주소; (*pl.*) 셋방, 하숙방: live in ~*s* 하숙하고 있다/take (up) 〔make〕 one's ~*s* 숙소를 정하다, 하숙하다. **3** (*pl.*)《英》Oxford 대학 학부장 저택.

> **NOTE** '하숙방·셋방'인 경우에는 방 하나라도 보통 복수형을 씀. 단, 하숙의 설비·숙박의 행위 따위는 복수로 안 함.

lódging hòuse 하숙집(《美》rooming house): a common ~ (식사 없는) 숙박만의 하숙집.

SYN. **lodging house** 통상 주(週) 얼마씩으로 방을 빌려 주는 곳. 미국에서는 별로 쓰이지 않음. **boarding house** 방을 빌려 줄 뿐만 아니라 식사도 제공하는 곳.

lodg·ment, 《英》 **lodge-** [lɑ́dʒmənt/lɔ́dʒ-] *n*. **1** Ⓤ 숙박; Ⓒ 숙소, 하숙집. **2** Ⓒ 〖군사〗 점령, 점거; 거점, 발판: effect (find, make) a ~ 거점을 마련하다. **3** Ⓒ (토사 따위의) 퇴적물, 침전물. **4** Ⓤ (항의 따위의) 제기, 호소: the ~ of a complaint 고충 제기.

lo·ess [lóues, les, lʌs] *n*. Ⓤ 〖지질〗 뢰스, 황토《바람에 날려온 loam 질의 퇴적토》.

◇**loft** [lɔːft/lɔft] *n*. Ⓒ **1** (물건을 두는) 고미다락, 더그매; (헛간 · 마구간의) 다락《건초 따위를 저장하는》; (교회 · 강당 따위의) 위층, 위층의 관람석(gallery); 《美》 (상관(商館) · 창고 따위) 맨 위층. **2** 비둘기장. **3** 〖골프〗 골프채 두부의 경사; (공을) 올려치기.
—*vt*. **1** 더그매에 저장하다. **2** 〖골프 · 야구 크리켓〗 (공)을 높이 쳐올리다. **3** (로켓 등)을 높이 쏘아올리다. —*vi*. **1** 공을 높이 쳐올리다. **2** (공같이) 높이 날다.

lóft·er *n*. Ⓒ 〖골프〗 로프터(=**lófting ìron**)《쳐올리는 데 쓰는 머리가 쇠로 된 골프채》.

lofty** [lɔ́ːfti/lɔ́fti] (loft·i·er; -i·est***) *a*. **1** 《문어》 (산 등이) **높은**, 치솟은: a ~ peak 고봉(高峰). SYN. ⇨ HIGH. **2** 지위가 높은, 고위의. **3** (목적 등이) **고상한**, 고결한. **4** (태도 등이) 거만한, 거드름부리는: ~ contempt (disdain) 고고(孤高)(오만)한 태도. ㊖ **lóft·i·ly** *ad*. **-i·ness** [-inis] *n*.

⁑**log** [lɔ(ː)g, lɑg] *n*. Ⓒ **1 통나무**, (제재용의) 원목; 땔나무: in the ~ 통나무 그대로 / (as) easy as rolling off a ~ (통나무를 굴리듯이) 아주 쉬운. **2** 〖해사〗 측정기(測程器)《항해의 속도 · 거리를 재는》: heave (throw) the ~ 측정기로 배의 속력을 재다. **3** 항해(항공) 일지; 여행 일기; (실험 · 업무 따위의) 기록; 〖기계〗 (엔진 · 보일러 등의) 운전 기록; 〖컴퓨터〗 경과 기록《컴퓨터 시스템 사용이나 데이터 변경 등의》; 〖통신〗 교신 기록장. ***sleep like a*** ~ 깊이 잠들다.
—(**-gg-**) *vt*. **1** 통나무로 자르다; 나무를 베어 넘기다; (삼림 따위(의 나무))를 벌채하다: ~ a forest 숲의 나무를 벌채하다. **2** (배 · 비행기가) …의 속도를 내다; (거리 · 속도 등)의 기록을 달성하다. **3** 〖항공 · 항해〗 (어느 시간 · 거리의) 항해를 (비행을) 일지에 기록하다.
~ ***in*** (***on***) 《*vi*.+(副)》 〖컴퓨터〗 로그 인(온)하다《소정의 절차를 밟아 컴퓨터의 사용을 개시하다》. ~ ***off*** (***out***) 《*vi*.+(副)》 〖컴퓨터〗 로그 오프(아웃)하다《소정의 절차를 밟아 컴퓨터의 사용을 끝내다》.

log., log logarithm; logarithmic; logic; logistic.

-log ⇨-LOGUE.

lo·gan·ber·ry [lóugənbèri/-bəri] *n*. Ⓒ 〖식물〗 로건베리(의 열매)《raspberry 와 blackberry 와의 잡종》.

Lógan Internátional Áirport 로건 국제공항《Boston 에 있는 공항》.

log·a·rithm [lɔ́ːgərìðəm, lɑ́g-, -θəm/lɔ́g-] *n*. Ⓒ 〖수학〗 로가리듬, 로그, 대수(對數): common (natural) ~*s* 상용(자연) 로그(대수) / the table of ~*s* 로그표, 대수표.

log·a·rith·mic, -mi·cal [lɔ̀ːgəríðmik, lɑ̀g-, -ríθ-/lɔ̀g-], [-əl] *a*. 대수(對數)의. ㊖ **-mi·cal·ly** *ad*.

lóg·bòok *n*. 항해(항공) 일지(log).

loge [louʒ] *n*. 《F.》 Ⓒ (극장의) 우대석, 특별 관람석.

log·ger [lɔ́ːgər, lɑ́g-/lɔ́g-] *n*. Ⓒ 벌목꾼; 통나무 운반 트랙터; 〖컴퓨터〗 log 하는 장치.

lógger·hèad *n*. Ⓒ 〖동물〗 붉은거북(=~ **tùrtle**)《대서양산》. ***at*** ~***s*** 논쟁하여, 다투어, 싸워《***with*** …와; ***over, on*** …일로》.

log·gia [lɑ́dʒə, lóudʒiə/lɔ́dʒ-] (*pl*. ~***s, -gie*** [-dʒe]) *n*. 《It.》 Ⓒ 〖건축〗 로지아《한쪽에 벽이 없는 복도 모양의 방》.

log·ging [lɔ́ːgiŋ, lɑ́g-/lɔ́g-] *n*. Ⓤ 벌목(량); 벌채 반출(업).

⁑**log·ic** [lɑ́dʒik/lɔ́dʒ-] *n*. Ⓤ **1** (또는 a ~) **논리**, 논법: (an) indisputable ~ 다툴 여지가 없는 논리. **2** 조리, 올바른 논리, 도리: That's not ~. 조리에 닿지 않는다. **3 논리학**: deductive (inductive) ~ 연역(귀납) 논리학 / symbolic ~ 기호 논리학. **4** 이치로 따지기, 설득력; 딴소리 못하게 하는 힘, 위력(威力): the irresistible ~ of facts 사실이 지니는 불가항력. **5** 〖컴퓨터〗 논리《계산용 회로 접속 따위의 기본 원칙, 회로 소자의 배열》.

***log·i·cal** [lɑ́dʒikəl/lɔ́dʒ-] *a*. **논리적인**; (논리상) 필연의, 불가피한; 논리(학)상의; 조리에 닿는; 〖컴퓨터〗 논리(적): a ~ person 논리적인 사람 / have a ~ sense 논리적으로 생각할 수가 있다 / the ~ result 필연적 결과 / ~ actuality 논리적 현실(실재). ㊖ **~·ly** *ad*. 논리상, 논리적으로; 필연적으로. **~·ness** *n*.

lógical dríve 〖컴퓨터〗 논리 드라이브《하드 디스크 따위를 몇 개의 독립된 드라이브로 사용하는 경우의 각 드라이브》.

lógical operátion 〖컴퓨터〗 논리 연산.

lógic arrày 〖컴퓨터 · 전자〗 논리 배열《고객의 특별 요구 사항에 쉽게 대응하기 위하여, 대량 생산된 칩 위에 전자 회로를 구성한 것》.

lógic bòmb 〖컴퓨터〗 논리 폭탄(logic time bomb)《일정한 조건이 충족되었을 때에 실행되도록 몰래 장치된, 보통 컴퓨터 시스템에 파괴적인 결과를 초래케 하는 명령군》.

lógic círcuit 〖컴퓨터〗 논리 회로.

lógic gàte 〖전자〗 논리 게이트.

lo·gi·cian [loudʒíʃən] *n*. Ⓒ 논리학자, 논법가.

lógic lèvel 〖전자〗 논리 레벨《전자 논리 회로에서 0 또는 1 을 나타내는 전압의 레벨》.

lógic prògramming 〖컴퓨터〗 논리 프로그래밍.

lóg-ìn *n*. Ⓤ 〖컴퓨터〗 로그인(log-on)《log in 하기》.

-lo·gist [lədʒist] *suf*. -logy(…학(學))에서 '…학자, …연구자'의 뜻의 명사를 만듦: geo*logist*, philo*logist*.

lo·gis·tic[1], **-ti·cal** [loudʒístik], [-tikəl] *a*. 병참학(술)의: a ~ command 병참 사령부.

lo·gis·tic[2] *n*. Ⓤ 기호 논리학.

lo·gís·tics *n*. Ⓤ 〖군사〗 병참술(학)《수송 · 양식 따위에 관한 군사학의 한 부문》.

lóg·jàm *n*. Ⓒ 강으로 떠내려가서 한곳에 몰린 통나무; 《美》 정체(停滯), 막힘.

LO·GO, Lo·go [lɔ́ːgou, lɑ́g-/lɔ́g-] *n*. Ⓤ 〖컴퓨터〗 로고《프로그래밍 언어》.

lo·go [lɔ́ːgou, lɑ́g-/lɔ́g-] (*pl*. ~***s***) *n*. Ⓒ (상표명 · 회사명(名)의) 의장(意匠) 문자, 로고(logotype).

lóg-òff *n*. Ⓤ 〖컴퓨터〗 로그오프(log-out).

lóg-òn *n*. Ⓤ 〖컴퓨터〗 로그온(log-in).

lo·gos [lóugɑs/lɔ́gɔs] (*pl*. ***lo·goi*** [-gɔi]) *n*. Ⓤ **1** (종종 L-) 〖철학〗 로고스, (우주의) 이법(理法), 이성. **2** (L-) 〖신화〗 삼위일체의 제 2 위, 예

수; 하느님의 말씀(the Word).
lògo scréen 〖컴퓨터〗 로고 화면《컴퓨터의 운영 체제나 응용 프로그램 등의 프로그램을 처음 실행하면 나오는 화면》.
lógo·tỳpe *n.* Ⓒ **1** 〖인쇄〗 연자 활자《the, and 따위 한 단어 또는 한 음절을 하나의 활자로 주조한 것》. ⓒⓕ ligature. **2** =LOGO. ㊋ **-tỳpy** *n.*
lóg-òut *n.* Ⓤ 〖컴퓨터〗 로그아웃(log-off)《log out 하기》.
lóg·ròll 《美》 *vt.* (의안)을 협력하여 통과시키다. **—***vi.* 서로 칭찬하다; 서로 돕다.
㊋ **~·ing** *n.* Ⓤ (협력해서 하는) 통나무 굴리기; 《美》 (정치적인) 결탁, 협력; (동료 작가끼리) 서로 칭찬하기.
-logue, -log [lɔ̀ːg, lɑ̀g/lɔ̀g] '담화'의 뜻의 결합사: mono*logue*.
lóg·wòod *n.* Ⓒ 〖식물〗 로그우드《서인도 제도산(産) 콩과의 작은 교목; 염료를 얻기 위해 재배함》.
lo·gy [lóugi] (*-gi·er; -gi·est*) *a.* 《美》 굼뜬, 동작이 느린, 활력 없는.
-lo·gy [lədʒi] *suf.* **1** '…학, …론(論)' 따위의 뜻의 명사를 만듦: ethno*logy*. **2** '말, 담화'의 뜻의 명사를 만듦: eu*logy*.
◇**loin** [lɔin] *n.* **1** (*pl.*) 허리, 요부(腰部): a fruit (child) of one's *~s* 자기 자식/come (spring, be sprung) from a person's *~s* 아무의 자식으로 태어나다. **2** Ⓤ (소 따위의) 허리고기.
gird (up) one's ~s (특히 싸움에 대비하여) 마음을 단단히 다잡다; (마음을 다잡고) 기다리다; 시련에 대처할 각오를 하다.
lóin·clòth *n.* Ⓒ (미개인 등의) 허리에 두르는 간단한 옷.
***loi·ter** [lɔ́itər] *vi.* **1** (어떤 곳에서) **빈둥거리다**, 지체하다, 늑장부리다: ~ on one's way 도중에서 지정거리다. **2** 《+부/+전+명》 어슬렁어슬렁 걷다, 느릿느릿 움직이다, 쉬엄쉬엄 여행하다(가다): ~ *along* 건들건들 가다/They were *~ing around* the park. 그들은 공원에서 어슬렁거리고 있었다. **3** 《+전+명》 빈둥거리며 보내다, 빈들빈들 지내다(loaf); 늑장부리며 일하다: Don't ~ *on* the job. 일을 늑장부리며 하지 마라.
—*vt.* 《+목+부》 (시간)을 **빈둥거리며 보내다** (*away*): They *~ed away* the afternoon. 그들은 그날 오후에 빈둥거리며 보냈다. ***~ with intent*** 범행 목적으로 어슬렁거리다.
㊋ **~·er** [-rər] *n.* Ⓒ 어슬렁(빈둥)거리는 사람.
loll [lɑl/lɔl] *vi.* 축 늘어져 기대다(*in* …에); (혀가) 축 늘어지다(*out*); 야무지지 못하게 행동하다(움직이다), 빈둥거리다(*about*): She was *~ing in* a chair, with her arms hanging over the sides. 그녀는 두 팔을 옆으로 드리운 채 의자에 축 늘어져 있었다/The dog's tongue was *~ing out*. 개의 혀가 축 늘어져 있었다.
—*vt.* (혀 따위)를 축 늘어뜨리다(*out*): The dog *~ed* its tongue *out*.
lollapalooza, -sa ⇨LA(L)LAPALOOZA.
lol·li·pop, -ly- [lɑ́lipɑ̀p/lɔ́lipɔ̀p] *n.* Ⓒ 롤리폽《막대기 끝에 붙인 사탕(sweetmeat)》; 《英구어》 아동(兒童) 교통 정리원이 갖는 교통 지시판.
lóllipop màn 《英구어》 아동 교통 정리원.
lóllipop wòman 《英구어》 주부 교통 정리원.
lol·lop [lɑ́ləp/lɔ́l-] *vi.* 《구어》 터벅터벅 걷다 (*along*).
lol·ly [lɑ́li/lɔ́li] *n.* **1** 《英구어》 =LOLLIPOP. **2** Ⓤ 《英속어》 돈.
Lom·bard [lɑ́mbərd, lʌ́m-, -bɑːrd/lɔ́m-]

n. Ⓒ 롬바르드 사람《6세기에 이탈리아를 정복한 게르만 민족》; (이탈리아의) Lombardy 사람; 금융업자, 은행가, 돈놀이하는 사람(ⓒⓕ Lombard Street). **—***a.* Lombardy (사람)의.
Lómbard Strèet 롬바르드가(街)《은행이 많기로 유명한 런던의 거리》; 런던의 금융계; 〖일반적〗 금융계(시장). ⓒⓕ Wall Street.
lon. longitude. **Lond.** London.
‡**Lon·don** [lʌ́ndən] *n.* **런던**《England 남동부의 항구 도시; 영연방의 수도(首都)》.
Greater ~, the City of ~, the County of ~, Middlesex 및 Essex, Kent, Surrey, Hertfordshire 따위 각 주(州)의 일부를 포함한 지역.
㊋ **~·er** *n.* Ⓒ 런던 사람.
Lóndon Brídge Thames강 북쪽의 the City of London과 남쪽의 Southwark를 잇는 다리.
Lon·don·der·ry [lʌ́ndəndèri] *n.* 북아일랜드의 주; 그 주도.
◇**lone** [loun] *a.* Ⓐ **1** 혼자의, 외톨의, 외로운: a ~ traveler 외로운 나그네/a ~ flight 단독 비행. **2** 고립돼 있는, 인적이 드문, 외진, 외딴: a ~ pine 홀로 서 있는 소나무/a ~ house 외딴집. **3** 단 하나의, 유일한: the ~ survivor of an accident 사고의 유일한 생존자. ★ lonely 보다도 한층 시적인 말.
play a ~ hand ① 〖카드놀이〗 (자기 편(partner)이 떨어져 나간 뒤) 혼자서 승부를 계속하다. ② 단독으로 행동하다, 혼자서 (일을) 하다.
㊋ **∠·ness** *n.*
lóne hánd 〖카드놀이〗 자기편의 도움 없이 이길 수 있는 유리한 패(를 가진 사람); 단독 행동(을 하는 사람).
‡**lone·ly** [lóunli] (*-li·er; -li·est*) *a.* **1 외로운**, 고독한, 외톨의, 짝이 없는: a ~ man 고독한 사람/make a ~ trip 혼자서 여행하다. SYN. ⇨ALONE. **2** 외진, 호젓한: a ~ road 인적이 없는 길. **3** (사람 또는 상황이) **쓸쓸한**: feel ~ 쓸쓸함을 느끼다/a ~ life 외로운 생활. ㊋ ◇**-li·ness** *n.* Ⓤ 쓸쓸함, 적막; 외로움, 고립, 고독.
lónely héarts 친구(배우자)를 구하는 고독한 (중년의) 사람들(의).
lon·er [lóunər] *n.* Ⓒ 《구어》 단독 행동(생활)하는 사람.
***lone·some** [lóunsəm] *a.* 《문어》 **쓸쓸한**, 인적이 드문; 외로운, 고독한: a ~ road 쓸쓸한 길. ★ lonely 보다 뜻이 강함. SYN. ⇨ALONE.
—*n.* 〖다음 관용구로〗 ***(all) on (by) one's ~*** 《구어》 혼자서, 외톨이로.
㊋ **~·ly** *ad.* **~·ness** *n.*
lóne wólf 《구어》 혼자 행동하는 사람, 외톨이; 독신자; 단독범; 프리랜서의 기자; 독립 사업가.
†**long**[1] [lɔːŋ/lɔŋ] (*~·er* [lɔ́ːŋgər/lɔ́ŋg-]; *~·est* [-ŋgist]) *a.* **1** (공간적으로) **긴**, 길이가 긴. ↔ *short*. ¶a ~ distance 장거리/a ~ hit 〖야구〗 장타/draw a ~ line on the paper 종이에 긴 선을 긋다/take the ~ way home 먼 쪽의 길을 걸어(택하여) 집에 돌아오다. ◇length *n.*
2 〖보통 수량을 나타내는 명사와 함께〗 **길이가 …인, …길이의**: It's five feet ~. 길이가 5피트이다/The play is five acts ~. 그 극은 5막이다.
3 (너비·가로 따위에 대하여) 길이(세로)의; (길이가) 긴 쪽의; (모양이) 길쭉한, 가늘고 긴; 《구어》〖이름 앞에 붙여서〗 키 큰, 키다리인: *Long* Smith 키다리 스미스.
4 (시간적으로) **긴, 오랜, 오래 계속되는**; (시간·

행위 따위가) 길게 느껴지는, 지루한; 꾸물거리는, 오래 걸리는《**about, over** …에; **in** …하는 데》: The days are getting ~*er*. 해가 길어져 간다 / a ~ story 긴〔복잡한〕 얘기 / a ~, boring speech 길게 끄는 지루한 연설 / Spring is ~ (*in*) com*ing* this year. 올해는 봄이 오는 게 더디다 / Don't be ~! 꾸물거리지 마라 / He's ~ *about* his work. 그는 일이 굼뜨다.

5 (시간적으로) **좋이 …한**〔**나 되는**〕, **능준한**; 〖일반적〗 **다량의**, 다수의, 큰: two ~ hours 장장〔좋이〕 두 시간 / a ~ figure 〔price〕《속어》 다액(多額), 고가(高價) / a ~ family (아이가 많은) 대가족.

6 Ⓟ 《구어》 충분히 갖고 있는《**on** …을》: He's ~ *on* common sense. 그는 상식이 풍부하다.

7 (시간적·공간적으로) 멀리까지 미치는; (기억이) 오래전의 일까지 상기하는: a ~ hit 〖야구〗 장타 / take ~ views 〔a ~ view〕 (of life) 먼 장래 일을 생각하다 / a ~ memory 좋은 기억력.

8 〖음성〗 장음의; 〖운율〗 강음의: a ~ vowel 장모음.

9 〖상업〗 (앞으로의 가격 등귀가 예상되는) 강세의(bullish): The market is ~. 시장은 강세이다.

10 판돈의 차가 큰; 판돈이 큰 쪽의; 가능성이 적은, 위험한: take a ~ chance 위험을 알면서〔흥하든 망하든〕 해보다.

11 《구어》 속이 깊은 컵에 따른: a ~ cold drink 속이 깊은 컵에 따른 찬 음료.

at* (*the*) *~est (시간적으로) 길어도, 겨우. ***in the ~ run*** ⇨RUN.

―*ad*. **1 a** **오래, 오랫동안.**: He has been ~ dead. 그가 죽은 지 오래다. **b** 《때를 나타내는 부사나 접속사 앞에 써서》 (어느 때보다) 훨씬 (전에 또는 후에): I visited Paris ~ ago 〔since〕. 나는 훨씬 이전에 파리를 방문했다 / a novel published ~ after the author's death 저자의 사망 후 오래 있다 출판된 소설.

2 《기간을 나타내는 명사에 all을 수반하여》 **온 …동안**, 쭉, 내내: *all* day ~ 온종일 / *all* one's life ~ 한평생.

any ~er 《의문·부정·조건절에서》 이젠, 이 이상. ***as*** 〔***so***〕 ***~ as ...*** ① …동안은: Stay here *as* ~ *as* you want to. 여기에 있고 싶은 동안은 계십시오. ② …하는 한; …하기만 하다면: I don't care *as* ~ *as* you are happy. 네가 행복하기만 하면 난 상관없다. ***no... ~er*** **=*not... any ~er*** 이젠 …아니다: I ca*n't* trust him *any* ~*er*. =I can *no* ~*er* trust him. 나는 이제 그를 믿을 수 없다.

> **DIAL.** ***So long!*** 《주로 美》 그럼 안녕, 잘가《작별 인사; 윗사람에게는 쓰지 않음》: *So long*, Tom! Enjoy your long weekend.—Thanks. You too, Jack. 그럼 안녕, 톰. 긴 주말을 재미있게 지내라.—고맙다. 너도 재미있게 지내, 잭.

―*n*. **1** Ⓤ **오랫동안**, 장시간: It will not take ~. 오래 걸리지 않을 것이다. **2** Ⓒ 〖음성〗 장모음, 장음절; 〖운율〗 약음(절).

before ~ 머지〔오래지〕 않아 곧, 이내: We shall know the truth *before* ~. 머지 않아 진상을 알게 될 것이다. ***for ~*** 《의문·부정·조건절에서》 오랫동안: Did you stay in Seoul *for* ~? 서울에 오래 머물러 있었느냐. ***The ~ and*** (***the***) ***short of it is that ....*** 요컨대〔결국〕 …이다.

***long**² *vi*. 《+전+명/+전+명+*to* do/+*to* do》 간절히 바라다, 열망하다《**for** …을》: ~ *for* peace 평화를 갈망하다 / I ~*ed for* him *to* say something. 그가 무언가 말해 주기를 간절히 바랐었다 / I ~ *to* go home. 집에 몹시 가고 싶다.

long. longitude.

lóng-agó *a*. 옛날의: in ~ days 옛날에.

Lóng Bèach 롱비치《California 주 로스앤젤레스시 근처의 도시·해수욕장》.

lóng·bòat *n*. Ⓒ (범선에 적재하는) 대형 보트.

lóng·bòw [-bòu] *n*. Ⓒ 큰〔긴〕 활.

lóng-dàted [-id] *a*. 〖상업〗 장기의《어음·채권 따위》.

lóng dístance 장거리 전화《통화》: by ~ 장거리 전화로.

lóng-dístance *a*. Ⓐ 먼 곳의, 장거리(전화)의; 《英》 장기에 걸친《일기 예보 등》: a ~ (telephone) call 장거리 전화(《英》 a trunk call) / a ~ flight 장거리 비행 / a ~ cruise 원양 항해. ―*ad*. 장거리 전화로: talk ~ with …와 장거리 전화로 이야기하다.

lóng dózen (a ~) 13개.

lóng-dráwn, -dráwn-óut *a*. 길게 늘인, 잡아늘인; 오래 계속되는〔끄는〕.

lóng-éared *a*. 긴 귀를 가진; 우둔한(stupid).

lon·gev·i·ty [landʒévəti/lɔn-] *n*. Ⓤ 장수; 수명; 장기 근속.

lóng fáce 긴 얼굴; 우울한〔침울한〕 얼굴: pull 〔make, wear, have〕 a ~ 우울〔침울〕한 얼굴을 하다〔하고 있다〕.

lóng-fáced [-t] *a*. 얼굴이 긴; 슬픈 듯한, 우울한.

Long·fel·low [lɔ́:ŋfèlou/lɔ́ŋ-] *n*. **Henry Wadsworth ~** 롱펠로《미국의 시인; 1807–82》.

lóng·hàir *n*. Ⓒ 지식인; 장발족; 머리를 길게 기른 예술가, 《특히》 남자 히피; 고전 음악의 작곡〔연주, 애호〕가. ―*a*. 장발의; 고전 음악을 사랑하는; 지식 계급의, 인텔리의; 젊고 반사회적인, 히피적인. ㊞ **~ed** *a*. =longhair.

lóng·hànd *n*. Ⓤ (속기(速記)에 대하여) 보통의 쓰기. ㊀ shorthand.

lóng hául (a ~) 장기간; (화물의) 장거리 수송; 장기에 걸친 곤란〔일〕.

lóng-hàul *a*. 장거리(수송)의.

lóng·héaded [-id] *a*. **1** 〖해부〗 장두(長頭)의. **2** 머리가 좋은, 선견지명이 있는. ㊞ **~·ness** *n*.

lóng·hòrn *n*. Ⓒ 롱혼《19세기에 멕시코·미국 남서부에 많았던 스페인 원산의 뿔이 긴 소》.

lóng húndredweight 《英》 112파운드.

***long·ing** [lɔ́(:)ŋiŋ, láŋ-] *n*. Ⓤ (구체적으로는 Ⓒ) **동경, 갈망, 그리워함**《**for** …에 대한 / **to** do》: She has a great ~ *for* home. 그녀는 고향을 무척 그리워한다 / have secret ~ *to* possess a mink coat 밍크코트를 은근히 갖고 싶어한다. ―*a*. Ⓐ 간절히 바라는, 동경하는. ㊞ **~·ly** *ad*. 간절히 원하여, 열망〔동경〕하여.

long·ish [lɔ́(:)ŋiʃ, láŋ-] *a*. 좀 긴, 기름한.

Lòng Ísland 롱아일랜드《미국 New York 주 동남부의 섬》.

***lon·gi·tude** [lándʒətjù:d/lɔ́n-] *n*. Ⓤ **1** 〖지리〗 **경도**(經度), 경선《생략: lon(g).》. ㊀ latitude. ¶ ten degrees fifteen minutes of east ~ 동경 10도 15분. **2** 〖천문〗 황경(黃經)(celestial ~).

lon·gi·tu·di·nal [làndʒətjú:dinəl/lɔ̀n-] *a*.

경도(經度)의, 경선(經線)의, 날줄의, 세로의. ㊥ ~·ly ad.
longitúdinal redúndancy chèck chár-acter 〖컴퓨터〗 세로 중복도 검사 문자.
lóng jòhns (손목·발목까지 덮는) 긴 속옷.
lóng jùmp (the ~) 도움닫기, 넓이뛰기.
lóng-lásting a. 장기에 걸친, 오래 지속되는.
lóng-légged a. 다리가 긴; (발이) 빠른.
lóng-life a. (우유·전지 따위가) 오래 가는, 수명이 긴.
lóng-líved [-láivd, -lívd] a. 장수의; 영속하는.
lóng méasure =LINEAR MEASURE.
lóng pláy 엘피판(레코드)《생략: LP》.
lóng-pláying a. 엘피판의: a ~ record 엘피판.
lóng-ránge a. Ⓐ 장거리에 달하는; 장기에 걸친; 원대한: a ~ gun 장거리포(砲)/a ~ plan 장기 계획.
lóng-rún a. 장기간의〔에 걸친〕(long-term); 장기 흥행의.
lóng·shòre a. 연안의, 연안에서 일하는: ~ fishery 연해(沿海) 어업.
lóngshòre·man [-mən] (*pl.* **-men** [-mən]) n. Ⓒ 《美》 항만 노동자(docker), 부두 인부.
lóng shòt **1** 〖영화〗 원경(遠景) 촬영(↔ *close shot*). **2** 《구어》 대담한〔가망 없는, 어려운〕 기도; (경마 따위에서) 승산 없는 도박. ***not ... by a ~*** 전혀 …않은.
lóng-síghted [-id] a. 원시(遠視)의; 선견지명〔탁견(卓見)〕이 있는.
lóng-sléeved a. 긴소매의.
lóng·stánding a. 오래 계속되는〔된〕, 오랜, 여러 해의.
lóng stòp 〖크리켓〗 wicketkeeper의 바로 후방의 야수; 《英》 최후의 수단.
lóng-súffering a. 인내성이 강한. **—**n. Ⓤ 인고(忍苦), 참을성 많음. ㊥ ~·ly ad.
lóng súit **1** 〖카드놀이〗 그림이 같은 짝을 4장 이상 맞춰 쥐고 있을 때의 그 가진 패. **2** (one's ~) 《구어》 장점, 전문, 장기.
lóng-tèrm a. 장기의(↔ *short-term*): a ~ contract 장기 계약/a ~ loan 장기 대부.
lóng·tìme a. Ⓐ 오랜, 오랫동안의: a ~ customer 오래된 고객.
lóng tón 롱톤, 영국톤《=2,240 파운드; 생략: L/T, l.t.》.
lóng úndeṛwear 〔집합적〕 《美》 긴 속옷.
lóng vác 《구어》 =LONG VACATION.
lóng vacátion 《英》 (대학·법정 따위의) 여름 휴가.
lóng wáist (의복의) 낮은 웨이스트(라인).
lóng-wáisted a. [-id] (의복이) 웨이스트라인을 낮게 한.
lóng wáve 〖통신〗 장파. ↔ *short wave*.
long·ways [lɔ́:ŋwèiz/lɔ́ŋ-] ad. 길게; 종(從)으로.
lóng·wéaring a. 《美》 =HARDWEARING.
lóng·wínded [-id] a. 오래 지속되는; 《비유적》 지루하게 장황한. ㊥ ~·ly ad. ~·ness n.
long·wise [lɔ́:ŋwàiz/lɔ́ŋ-] ad. =LENGTHWISE.
loo [lu:] (*pl.* **~s** [-z]) n. Ⓒ 《英구어》 화장실 (toilet).
loo·fa(h) [lú:fə/-fɑ:] n. Ⓒ 〖식물〗 수세미외.
†**look** [luk] vi. **1 a** 《~/+副/+前+名》 **보다, 바라보다**, 주시하다《***at*** …을》: ~ *off* 눈을 돌리다/*Look at* the man 〔me〕! 저 사람〔나(의 얼굴)〕을 봐라/~ *through* the papers 서류를 훑어보다; 서류 속을 뒤지다〔찾다〕/I ~*ed* everywhere, but couldn't find it. 여기저기 찾아보았지만 그것을 발견할 수 없었다. SYN. ⇨SEE¹. **b** (L-) 〖감탄사적으로〗 (상대방의 주의를 촉구하여) 자, 봐라, 이봐: *Look!* Here comes the Queen. 이봐, 여왕이 오신다.

> NOTE look at은 현재분사(때로는 원형 부정사)를 수반할 수 있음: They *looked at* him *swimming* 〔*swim*〕. 그들은 그가 수영하는 것을 보았다.

2 a 《+(*to be*) 補/+前+名》 **…하게 보이다**, …인〔한〕 것처럼 보이다〔생각되다〕, …한 모습〔표정〕을 하고 있다. cf. appear. ¶He ~*s* pale. 그는 얼굴이 창백하다/He came in, ~*ing* anxious. 그는 근심스러운 얼굴로 들어왔다/They ~ (*to be*) happy. 그들은 행복해 보인다《to be를 쓰는 것은 주로 《美》》/He ~*s* (*like*) a good man. 그는 호인일 것 같다《like를 넣는 것은 주로 《美》》. SYN. ⇨SEEM. **b** 〖~ oneself 로〗 (모습·용태 따위가) 여느때와 다를 바 없다: You're not ~*ing* quite your*self*. 아무래도 여느 때의 자네같지 않군 (몸이 불편한 것 아냐). **c** 〖~ as if 〔though〕로〗 (마치 …인 것처럼) 보이다: He ~*ed as if* he hadn't heard. 그는 듣지 못한 것같이 보였다/He ~*ed as though* he knew it. 그는 마치 그것을 알고 있는 것처럼 보였다. **d** 〖it을 주어로 한 as if를 써서〗 …인 것 같다, …으로 여겨지다: *It* ~*s as if* everyone is still sleeping. 모두 아직 자고 있는 것 같다《★ as if 〔though〕절의 동사는 보통 가정법을 쓰나 It seems that ...에 가까운 뜻일 때는 보통 직설법을 씀》.
3 《~/+前+名》 (집 등이) …에 향(向)해〔면해〕 있다: Which way does the house ~? 그 집은 어느 쪽으로 향해 있느냐/My house ~*s* (*to* the) east. 내 집은 동향(東向)입니다/The window ~*s on* the river. 창은 강쪽으로 나 있다.
—vt. **1** (감정·의지 따위)를 눈으로 나타내다〔알리다〕: He ~*ed* his thanks. 그는 눈으로 감사의 뜻을 나타냈다/He ~*ed* a query at me. 그는 묻고 싶은 듯한 눈으로 나를 보았다.
2 《+目+前+名》 응시하다, 주시하다, 살피다《***in*** …을》: He ~*ed* me full *in* the face 〔straight *in* the eyes〕. 그는 정면(正面)으로 내 얼굴〔눈〕을 쏘아보았다.
3 《+目+前+名》 응시〔주시〕함으로써〔쏘아봄으로써〕 …시키다《***to, into*** …하게》: He ~*ed* her *into* silence. 그는 그녀를 노려보아 침묵시켰다.
4 …에 어울리게 보이다: ~ one's age 나이에 걸맞게 보이다.
5 《+*to* do》 기대하다; 기도하다, 꾀하다: I ~ *to* hear from you again. 또 편지를 기다리겠습니다/America is ~*ing to* decrease its military budget. 미국은 국방 예산 삭감을 꾀하고 있다.
6 《+*wh.* 節/+*that* 節》 확인하다, 주의하다, 조사해 보다: *Look what* time it is. 몇 시인가 보아라/I'll ~ *what* time the train arrives. 몇 시에 열차가 도착하는지 알아보겠다/*Look that* the work is done properly. 일이 올바르게 되도록 주의해 주십시오.
~ ***about*** 《*vi.*+副》 ① (주위를) 둘러보다: He ~*ed* all *about* to see what had happened. 그는 무슨 일이 일어났나 하고 주위를 둘러보았다. **—**《*vi.*+前》 ② …의 주변을 둘러보다. ③ …의 신변을 주의하다. ④ …을 신중히 생각하다. ~

about for …을 여기저기 둘러보며 찾다: I *~ed about for* a phone box. 나는 전화박스를 찾기 위해 둘러보았다. **~ after** ① …을 보살피다, 돌보다; …을 감독하다: ~ *after* young people 젊은이의 뒤를 돌보다/*Look after* yourself. ⟪구어⟫ 잘 있어요⟪헤어질 때 따위에⟫. ② …에 주의를 기울이다, 관심을 갖다: ~ *after* one's own interests 자기 이익에 집착하다. ③ …을 배웅하다. **~ ahead** ⟪*vi.*+㊤⟫ 앞〔진행 방향〕을 보다; 앞일을 생각하다; 장래에 대비하다: ~ *ahead* ten years, 10년 앞 일을 생각하다. **~ alive** 활발히 움직이다, 빨리하다, 서둘다: *Look alive!* ⟪구어⟫ 꾸물거리지 말고 빨리 해. **~ around** =~ round. **~ at** ① …을 보다, 바라보다(⇨ *vi.* 1): She *~ed at* the rain coming down. 그녀는 비가 오는 것을 바라보았다. ② 〘To ~ at으로〙 …의 상태로〔모양으로〕 미루어 판단하면: *To ~ at* him, you'd never think he is a millionaire. 겉보기만으로는 그가 백만장자라고 결코 여겨지지 않을 게다. ③ (의사·기사 등이) …을 검사하다: The doctor *~ed at* his throat. 의사는 그의 목을 살폈다. ④ …을 고찰하다: ~ *at* a problem from all sides 모든 면에서 문제를 고찰하다. ⑤ 〘will not, won't, wouldn't와 함께〙 …을 거들떠보려고도 않다, 상대하지 않다: He *wouldn't ~ at* my proposal. 그는 나의 제안을 거들떠보려고 하지 않았다. ⑥ 〘명령형으로〙 …을 보고 교훈으로 삼아라: *Look at* John. He worked himself to death. 존을 보아라, 그는 과로로 죽었어. **~ away** 눈길〔얼굴〕을 돌리다⟪**from** …에서⟫. **~ back** ⟪*vi.*+㊤⟫ ① 뒤돌아〔돌아다〕 보다. ② 회고하다⟪**on, upon, to, at** …을⟫: He *~ed back* fondly *on* his school days. 그는 학창시절을 그리워하면서 회고했다. ③ 〘종종 never, not와 함께〙 주저하다; 순조롭지 못하게 되다, 후퇴하다: You must *not ~ back* at this stage. 이 단계까지와서 물러서서는 안 된다. **~ daggers at** ⇨DAGGER. **~ down** ⟪*vi.*+㊤⟫ ① 아래를 보다; 내려다보다⟪**at** …을⟫: She *~ed down* in embarrassment. 그녀는 당황한 나머지 고개를 떨구었다/He *~ed down at* his shoes. 그는 신발을 내려다 보았다. ━⟪*vi.*+㊥⟫ ② …을 내려다보다: ~ *down* a well 우물을 내려다보다. **~ down on** 〔**upon**〕 ① …을 내려다 보다: From there we can ~ *down on* the village. 우리는 거기서 마을을 내려다 볼 수 있었다. ② …을 경멸하다, …을 업신여기다. ↔ *look up to*. **~ down** one**'s nose** 내려다보다, 뽐내다; 깔〔얕〕보다⟪**at** …을⟫. **~ for** ① …을 찾다; …을 얻으려고 찾다: ~ *for* a job 일자리를 찾다. ② 〘보통 진행형으로〙 ⟪구어⟫ (골치아픈 일)을 자초하게 될 것 같다: You'*re ~ing for* trouble if you drive that fast. 그렇게 차를 빨리 몰다가는 골치 아픈 일이 생길 거야. ③ …을 기대하다: We're *~ing for* a good harvest. 우리는 풍성한 수확을 기대하고 있다. **~ forward to** a thing 〔do*ing*〕 …을 기대하다, …을 (즐거움으로) 기다리다: I'm *~ing forward to* the trip 〔see*ing* you〕. 나는 여행하기를〔너 만나기를〕 고대하고 있다. **~ in** ⟪*vi.*+㊤⟫ ① 속〔안〕을 살짝 들여다보다. ② 잠깐 들르다⟪**at** (장소)에⟫; 잠깐 방문하다, 보려고 들르다⟪**on, upon** (사람)을⟫: Please ~ *in on* me *at* my office tomorrow. 내일 사무실로 나를 찾아 주십시오. ━⟪*vi.*+㊥⟫ ③ …의 속을 들여다보다: He *~ed in* the shopwindow. 그는 가게 윈도를 살짝 들여다보았다. ④ (책 따위)를 쭉 훑어보다〔살펴보다〕. **~ into** ① …을 들여다보다. ② …을 조사〔연구〕하다: The police are *~ing into* the case. 경찰이 사건을 조사하고 있다. ③ =~ in ④. **~ like** …와 (모양이) 비슷하다; …인 것같이 보이다〔여겨지다〕, …할 것 같다: What does it ~ *like?* 어떤 모양의 것이냐/It *~s like* rain(*ing*). 비가 올 것 같다/*Looks like* you are wrong. ⟪구어⟫ 아무래도 네가 잘못한 것같이 보인단 말야⟪it이 생략된 구문⟫. **~ on** 〔**upon**〕 ⟪*vi.*+㊤⟫ ① 방관하다, 구경하다. ② (책 따위)를 함께 보다⟪**with** …와⟫: You can ~ *on with* me. 나하고 같이 보아도 좋아. ━⟪*vi.*+㊥⟫ ③ …에 면하고 있다(⇨*vi.* 3). ④ …을 (바라)보다: He always *~s on* the bright 〔sunny〕 side of things. 그는 언제나 사물의 밝은 면을 본다. ⑤ 간주하다, 여기다, 생각하다⟪**as** …으로⟫: We ~ *on* him *as* an impostor. 우리는 그를 사기꾼으로 생각하고 있다. ⑥ 바라보다⟪**with** (어떤 감정)으로⟫: She *~ed on* me *with* apprehension. 그녀는 나를 근심스럽게 바라보고 있었다. **~ onto** …에 면하다: The study *~s onto* the garden. 서재는 정원에 면해 있다. **~ out** ⟪*vi.*+㊤⟫ ① 밖을 보다. ② 내다보다⟪**at** …을⟫: I was *~ing out at* the view. 경치를 내다보고 있었다. ③ 〘보통 명령형으로〙 주의〔조심〕해라⟪**that**⟫: *Look out!* The tree is falling. 조심해라, 나무가 쓰러진다/*Look out that* you don't catch cold. 감기 걸리지 않도록 조심하세요. ④ (건물 따위가) 면〔향〕하고 있다⟪**on, upon, over** …에⟫: The room *~s out on* the sea. 그 방은 바다에 면하고 있다. ━⟪*vt.*+㊤⟫ ⑤ ⟪英⟫ …을 살펴서 고르다: She *~ed out* some old clothes for the bazaar. 그녀는 바자회를 위해 몇 벌의 헌 옷들을 골랐다. **~ out for** …을 조심하다, …에 주의하다; …을 찾다: I *~ed out for* you at the station. 나는 역에서 너를 찾았다. **~ out (of)** …에서 내다보다⟪★ of를 생략하는 것은 ⟪美⟫⟫: ~ *out* (*of*) the window 창에서 내다보다. **~ over** ⟪*vi.*+㊤⟫ ① 멀리 바라보다, 전망하다. ━⟪*vi.*+㊥⟫ ② …을 (대충) 훑어보다, …을 조사하다; (장소)를 시찰하다. ③ …너머로 보다: ~ *over* a person's 〔one's〕 shoulder 아무의 어깨너머로〔고개를 돌려〕 보다. ━⟪*vt.*+㊤⟫ ④ …을 (자세히) 조사〔점검〕하다: Please ~ *over* the papers before you submit them. 제출하기에 앞서 서류를 점검하십시오. **~ round** ⟪*vi.*+㊤⟫ ① 둘러보다. ② (보려고) 뒤돌아보다. ③ (쇼핑 따위를 하기에 앞서) 잘 조사하다, 보고〔살피고〕 다니다. ④ 구경하고 다니다, 방문하다: Would you like to ~ *round?* 구경해 보시렵니까. ━⟪*vi.*+㊥⟫ ⑤ …의 주위를 보다. ⑥ …을 보고 다니다, 조사하다. **~ round for** =~ about for. **~ sharp** 〔**smart**〕 조심하다; 〘명령형으로〙 정신차려, 빨리해. **~ through** ⟪*vi.*+㊥⟫ ① …을 통하여 보다: ~ *through* a telescope 망원경으로 보다. ② …을 대강〔얼추〕 조사하다〔살피다〕, 다시 조사하다: ~ *through* a book 책을 대강 살피다. ③ (아무)를 보고도 못 본 척하다: She *~ed* right *through* me. 그녀는 나를 보고도 전혀 모르는 체했다. ④ …을 꿰뚫어보다. ━⟪*vt.*+㊤⟫ ⑤ 충분히 조사하다〔살피다〕, 자세히 점검하다: ~ a person *through* and *through* 아무(의 성격, 소질 따위)를 철저히 조사하다. **~ to** ① …에〔을〕 조심〔주의〕하다; …을 지켜보다: *Look to* your valuables. 귀중품을 조심하여라. ② 〘~ to it that으로〙 (…하도록) 주의하다: *Look to it that* you don't make that mistake again. 그 잘못을 두 번 다시 되풀이하지 않게 주의하여라. ③ …에게 의지하다, 기대다《**for** …을》; (…해 주기를) 기대하다, 바라다《**to** do》: I ~ *to* him *for* help. 그의 도움을 기대하고 있다 / We were *~ing to* you *to* make the keynote speech. 기조연설을 해 주실 것으로 기대하고 있었습니다. ④ (건물 따위가) …쪽을 면하다. **~ toward(s)** ① …쪽을 보다. ② …쪽으로 향해 있다. ③ …으로 기울다, …을 지향하다. **~ up** 《*vi*.+부》 ① 올려다보다, 쳐다보다《**at** …을》: ~ *up at* the stars 별을 쳐다보다. ② (경기 따위가) 좋아지다, 상승 기세를 타다. ③ 기운을〔원기를〕 내다: *Look up!* The future is bright. 기운 내라, 앞날은 밝다. ―《*vt*.+부》 ④ (낱말)을 찾다《**in** (사전 따위)에서》: *Look up* the word *in* your dictionary. 그 낱말을 사전에서 찾아 보아라. ⑤ 탐방하다, 방문하다. **~ up and down** 《*vt*.+부》 ① …을 자세히〔뚫어지게〕 보다: She *~ed* me *up and down*. 그녀는 나를 뚫어지게 보았다. ―《*vi*.+부》 ② 샅샅이 찾다《**for** …을》. **~ up to** …을 올려다보다; …을 우러러보다〔존경하다〕《**as** …으로》: We all *~ed up to* him *as* our leader. 우리는 그를 지도자로 추앙했다. ↔ *look down on*.

> **DIAL.** ***I'm just looking.*** 좀 보고 있습니다《점원이 무엇을 찾느냐고 묻는다든지 할 때 쓰는 말》.
> ***Look here.*** 이봐, 어이《상대방의 주의를 촉구하는 말》.
> ***Look who is here!*** 이게 누구야《뜻밖의 사람을 만났을 때 하는 말》.
> ***How does he look?*—*He looks very well* 〔*sad*〕.** 그는 어때 보이더가?—아주 좋아〔안 되〕 보이더군.

―*n*. **1** Ⓒ (보통 *sing*.) **봄**, 얼핏 봄《**at** …을》: get a good ~ 찬찬히 보다 / have a ~ *for* …을 찾다 / have 〔give, get, cast, throw, shoot, steal, take〕 a ~ *at* …을 얼핏 보다, …을 훑어보다.
2 Ⓒ (보통 *sing*.) **눈 (표정)**, **얼굴 (표정)**, 안색: a vacant ~ 멍한 눈 / a black 〔dirty〕 ~ 악의에 찬 눈초리, 험상궂은 얼굴.
3 (*pl*.) 용모, (얼굴)생김새: good *~s* 미모 / lose one's *~s* 용색(容色)이 가시다.
4 Ⓒ (보통 *sing*.) **외관**, **모양**: the ~ *of* the sky 날씨 / Things are taking on an ugly ~. 사태는 험악한 상태로 돼가고 있다.
5 Ⓒ (유행 따위의) 형; 의장(意匠): a new ~ in women's fashions 여성 패션의 새로운 형.
by the ~(s) of it 〔*him, her*〕 그것〔그, 그녀〕의 생김새로 판단하건대: We are going to have snow, *by the ~ of it*. 아무리 보아도 눈이 내릴 것 같다.

lóok-alìke *a*., *n*. Ⓒ 꼭 닮은 (사람, 것): my ~ 나와 꼭 닮은 사람.

lóok·er *n*. Ⓒ **1** 풍채가 …한 사람: a good ~ 미인. **2** 《구어》 잘생긴 사람, 《특히》 미녀.

lóoker-ón [-rán/-rɔ́n] (*pl*. ***lóokers-***) *n*. Ⓒ 구경꾼, 방관자(onlooker, spectator): *Lookers-on* see most of the game. 《속담》 구경꾼이 더 잘 본다.

lóok-ìn *n*. (a ~) **1** 잠깐 (들여다)봄: have a ~ 한 번 들여다보다. **2** 짧은 방문, 잠깐 들름: make a ~ *on* a person 〔*at* a person's home〕. **3** 《英구어》 (남에게 지지 않고) 참가하기〔할 기회〕, 승리할 가망성, 승산: I don't have a ~ with those

all rivals. 저렇게 경쟁자가 많으니 이길 가망이 없다.

(-)lóok·ing *a*. 〖합성어〗 …하게 보이는: angry-~ 화난 듯한 얼굴의 / good-~ 잘생긴.

lóoking glàss 거울, 체경(mirror); 거울 유리.

***look·out** [lúkàut] *n*. **1** (*sing*.) **감시**, **망보기**, **경계**, 조심《**for** …에 대한》: on the ~ *for* …에 눈을 번뜩이며, …을 찾으면서 / keep a ~ *for* …을 감시〔경계〕하다. **2** Ⓒ 망보는 사람, 간수; 망보는 곳, 망루: You two be the *~s*. 너희 둘이 망을 봐라. **3** (a ~) **a** 조망, 전망. **b** 《英》 **가망**, **전도**: It's a poor 〔bad〕 ~ for us. 우리 전도는 밝지 않다. **4** (one's ~) 《구어》 임무, 자기의 일〔관심사〕: That's not my (own) ~. 내가 알 바 아니다.

> **DIAL.** ***It's your*** 〔***their***〕 ***own lookout.*** 《英》 그것은 네〔그들〕 책임이다, 그것은 네가〔그들이〕 잘못했다.

lóok-òver *n*. (a ~) 음미(吟味), 조사, 점검: give it a ~ 그것을 훑어보다.

lóok-sèe *n*. (a ~) 《구어》 대충 전망함; 검사, 시찰: have a ~ at …을 슬쩍 보다.

◇**loom**[1] [luːm] *n*. Ⓒ 베틀, 직기(織機): a power ~ 동력 직기.

◇**loom**[2] *vi*. **1** 어렴풋이 보이다, 아련히 나타나다〔떠오르다〕 (*up*): Through the fog a ship *~ed* (*up*). 안개 속에서 배 한 척이 아련히 나타났다 / A ferry *~ed up* out of the fog. 나룻배가 안개 속에서 아련히 나타났다. **2** (위험·걱정 따위가) 기분 나쁘게 느껴지다〔닥치다〕: War is *~ing* ahead. 전쟁 위협이 다가와 있다 / That worry *~ed* large in our minds. 우리는 마음속으로 그것이 큰 걱정이었다. ―*n*. (a ~) 아련히 나타남.

loon[1] [luːn] *n*. Ⓒ 게으름뱅이, 불량배; 미친 사람; 바보, 얼간이.

loon[2] *n*. Ⓒ 〖조류〗 아비(阿比)《아비속 물새의 총칭》.

loony, loo·ney, lu·ny [lúːni] 《구어》 *a*. 미친, 미치광이의, 머리가 돈(crazy); 바보 같은, 어리석은. ―*n*. Ⓒ 《구어》 미친 사람(lunatic).

lóony bìn 《구어·우스개》 정신 병원, 정신병 병동.

***loop** [luːp] *n*. Ⓒ **1 a** (끈·실·철사 등의) **고리**; 고리 장식; (깃대를 꿰는) 고리; (피륙의) 변폭; (제복의) 고리 모양의 장식; (밧줄 등을 꿰는) 고리; 고리 모양의 손잡이〔멈춤쇠〕; (the ~) 피임링 (IUD). **b** 〖철도·전신〗 환상선(環狀線), 루프선《본선에서 갈라졌다가 다시 본선과 합치는》; 〖전자〗 폐〔환상〕회로; 루프《양끝을 이어 환상으로 만든 반복 영사용 필름〔재생용 테이프〕》. **2** (도로·강 따위의) 만곡(부); 〖스케이드〗 쿠프《한쪽 스케이트로 그린 곡선》; 〖항공〗 공중제비 (비행); 〖테니스〗 루프《top spin이 걸린 타구》. **3** (the L-) Chicago시의 중심 상업지구. **4** (the ~) 《美》 (권력 중추에 있는) 측근: be in 〔out of〕 the ~ on a decision 어떤 결정을 하는 측근의 일원이다〔아니다〕. **5** 〖컴퓨터〗 루프, 순환《프로그램 중의 반복 사용되는 일련의 명령; 그 명령의 반복 사용》.
knock 〔***throw***〕 a person ***for a ~*** 《美구어》 (아무)를 당황케 하다, 놀라게 하다.
―*vt*. **1** (철사·끈 등)을 고리로 만들다. **2** 《+목+전+명》 동이다, 둘러 감다《**with** …으로; **around, round** (둘레)에》: *Loop* the tree *with* the rope. =*Loop* the rope *around* the tree. 그 나무에

밧줄을 동여라. **3** 《+목+부》 (고리로) 죄다, 동이다 (*up; back*); 고리로 매다 (*together*): ~ *up* draperies 피륙을 둥글게 감다 / ~ letters *together* 편지를 끈따위로 묶다. **4** (비행기)를 공중제비시키다. **—***vi*. 고리를 이루다, 고리 모양이 되다; 〖항공〗 공중제비하다.

looped [-t] *a*. **1** 고리로 된, 고리 달린. **2** 《美속어》 술취한(drunk); 머리가 돈, 미친; 열중해 있는《*on* …에》: He's ~ *on* video games. 그는 비디오 게임에 열중하고 있다.

lóop·er *n*. Ⓒ 고리를 짓는 사람〔기구〕; 〖곤충〗 자벌레(inchworm).

lóop·hòle *n*. Ⓒ (성벽 등의) 총구멍, 총안(銃眼); (벽 따위에 낸) 구멍《통풍·채광 따위를 위한》; 허점《*in* (법률 따위의)》: a ~ *in* the tax laws 세법의 허점 / Every law has a ~. 《속담》 어떤 법이든 빠져나갈 구멍은 있다.

lóop lìne 〖철도·통신〗 환상선, 루프선.

loopy [lúːpi] (*loop·i·er; -i·est*) *a*. 고리가 많은; 《구어》 머리가 돈, 미친; 혼란에 빠진, 멍한.

†**loose** [luːs] *a*. **1 매지〔묶지〕 않은, 풀린**, 흐트러진, 떨어진, 벗어진. ↔ *fast*[1]. ¶ a ~ dog 묶어놓지 않은 개 / shake oneself ~ 내둘러〔흔들어〕 풀다 / The screw has come ~. 나사가 풀렸다.

2 포장하지 않은, 병〔통〕조림이 아닌; 낱개인: ~ coffee (병에 담지 않고) 달아서 파는 커피 / sell chocolates ~ 초콜릿을 낱개로 팔다 / ~ coins 〔cash〕 푼돈, 잔돈.

3 고정돼 있지〔붙박이지〕 않은, 흔들리는: ~ teeth 흔들리는 이.

4 (의복 따위가) **헐거운**, 거북하지 않은, 낙낙한. ↔ *tight*. ¶ This dress is a bit ~ on me. 이 드레스는 내게는 좀 크다.

5 (직물 등이) 올이 성긴; (흙 따위가) 푸석푸석한; (대형 따위가) 산개된: a ~ weave 올이 성긴 직물 / in ~ order 〖군사〗 산개 대형으로.

6 (표현·말·생각 따위가) **치밀하지 못한**, 엉성한, 산만〔조잡〕한, 허술한, 부정확한: a ~ thinker 생각이 치밀하지 못한 사람 / a ~ tongue 수다꾼 / a ~ translation 산만한 번역.

7 (사람·성격이) 느슨한, 야무지지 못한, 흐리터분한; 신뢰할 수 없는.

8 몸가짐이〔행실이〕 나쁜: lead a ~ life 방탕한 생활을 하다.

9 설사의, 설사기가 있는《*in* (장)이》: (have) ~ bowels 설사(를 하다) / I'm ~ *in* the bowels. 나는 설사를 한다.

10 (근육이) 물렁한; (골격이) 단단하지 못한: a ~ frame 단단하지 못한 체격.

11 자유로운, 해방된, 풀려난《*of, from* (속박·구속)에서》: set a bird ~ 새를 놓아주다 / I'm finally ~ *of* her. 마침내 나는 그녀에게서 해방되었다.

12 〖화학〗 유리(遊離)된. ★ 발음을 lose [luːz]와 혼동 말 것.

at a* ~ *end = ***at* ~ *ends*** ⇨LOOSE END. ***break* ~** 탈출하다《*from* …에서》; 속박에서 벗어나다: *break* ~ *from* prison 탈옥하다 / The dog broke ~. 매어둔 개가 도망쳤다. ***cast* ~** ⇨CAST. ***cut* ~** ⇨CUT. ***let* ~** ① 놓아〔풀어〕 주다, 해방하다. ② (분노·웃음 따위)를 터뜨리다; 마음대로 하게 하다: *let* ~ one's anger 분노를 터뜨리다 / *let* oneself ~ 《구어》 거리낌없이 말하다, 마음대로 하다. ③ 《구어》 마음대로 말〔행동〕하다. ④ 《구어》 (하늘이) 비를 내리다. ***set* ~** 놓아 주다, 해방하다. ***sit* ~** ① 무관심하다, 구애되지 않다《*to* …에》. ② 영향을 끼치지 않다《*on, upon* (아무)에게》: Patriotism *sat* ~ *on* them. 애국심 같은 것은 그들에게 아무 상관이 없었다. ***turn* ~** 놓아주다, 해방하다; 발포하다; 공격하다; 거침 없이 말하다.

> **DIAL.** ***Hang loose!*** 《美》 침착해라《예스러운 말》.

—*ad*. 〖흔히 복합어로〗 느슨하게(loosely): work ~ (나사 따위가) 느슨해지다 / ⇨LOOSE-FITTING. ***play fast and* ~** ⇨FAST[1].

—*n*. 〖다음 관용구로〗 ***be on the* ~** ① 자유롭다, 속박되지 않고 있다; (죄수 따위가) 도망치다. ② 흥겨워 떠들어 대다; 행실이 나쁘다. ***give* (*a*) ~ *to*** 《英》 (감정 따위)를 쏠리는 대로 내맡기다, (상상 따위)를 자유로 구사하다.

—*vt*. **1** 풀다, 끄르다; 늦추다, 떼다: ~ one's hold (of 〔on〕) (…에서) 손을 떼다.

2 《+목+전+명》 놓아〔풀어〕 주다, 자유롭게 하다: ~ a boat *from* its moorings 배를 계류(繫留)에서 풀어놓다.

3 《+목+전+명/+목+부》 (총·활)을 쏘다, 놓다 (*off*): ~ an arrow *at* an enemy 적에게 활을 쏘다 / ~ *off* a pistol 권총을 발사하다.

파 **∠·ness** *n*.

lóose-bòx *n*. Ⓒ 《英》 사각형으로 넓게 칸막이 한 말 우리.

lóose cóver 《英》 (의자 따위의) 씌우개, 커버 (《美》 slipcover).

lóose énd (보통 *pl*.) **1** (끈·깔개 따위의) 묶지 〔고정되지〕 않은 끝〔가〕: cut the ~ of a package string 소포를 묶은 끈의 여분을 잘라내다. **2** 하다 남은 일, (문제 따위의) 미해결 부분: tie 〔clear〕 up (the) ~*s* 매듭〔결말〕을 짓다, 마무리하다. ***at a* ~** = 《美》 ***at* ~*s*** 미해결인 채; (직업 없이) 빈들빈들하여, 아무 하는 일 없이, 따분하여.

lóose-fítting *a*. (옷 따위가) 낙낙한, 헐거운. ↔ *close-fitting*.

lóose-jóinted [-id] *a*. **1** 관절〔이은 곳〕이 헐거운; 자유로이 움직이는. **2** 근골이 가냘픈.

lóose-lèaf *a*. 가제식(加除式)의, 루스리프식의 《장부 따위의 페이지를 마음대로 뺐다 끼웠다 할 수 있는》: a ~ notebook 루스리프식 노트.

lóose-límbed *a*. (운동 선수의) 팔다리가 유연한, 운동을 잘 하는.

°**lóose·ly** *ad*. 느슨하게, 헐겁게; 헐렁하게, 느즈러지게; 엉성하게, 부정확하게; 단정치 못하게, 방탕하게: live ~ 방종한 생활을 하다.

***loos·en** [lúːsən] *vt*. **1 풀다**, 끄르다, 떼어놓다, 놓아주다; 분해〔해체〕하다, 흩뜨리다. **2 늦추다**, 느즈러뜨리다, 느슨하게 하다: ~ one's girdle 〔bodice〕 띠〔보디스〕를 늦추다. **3** …의 손을 늦추다; (규제 따위)를 완화하다: ~ a person's tongue 아무로 하여금 마음대로 입을 놀리게〔지껄이게〕 하다. **4** (기침)을 누그러뜨리다; (장(腸))에 변(便)이 통하게 하다.

—*vi*. **1** 뿔뿔이 흩어지다, 풀리다, 분해〔해체〕되다. **2** 늦추어지다, 느슨해지다, 느즈러지다. ↔ *tighten*.

~ *up* 《구어》 《*vi*.+부》 ① (경기 따위를 하기에 앞서) 근육을 풀다. ② 편안히 쉬다, 마음 편히 갖다. ③ 《美》 인색하게 굴지 않고 돈을 내다. ④ 《美》 흉금을 터놓고 이야기하다. **—**《*vt*.+부》 ⑤ (규칙 따위)를 완화하다, 느슨하게 풀다. ⑥ 〖~ oneself up 으로〗 (운동 따위를 하기에 앞서) 몸을 풀다.

lóose-tóngued *a*. 입이 가벼운, 수다스러운.

loot [luːt] *n*. Ⓤ **1 a** 〖집합적〗 약탈물, 전리품. **b**

약탈 (행위). **2** (공무원 따위의) 부정 이득. **3** 《속어》 돈. **—***vt.*, *vi.* 약탈하다; 횡령하다, 부정 취득하다. ㊕ **∠·er** *n.*

lop[1] [lɑp/lɔp] (*-pp-*) *vt.* (가지 따위)를 치다; (목·손발 따위)를 베다, 자르다; (여분으로서) …을 깎다, 삭감하다(*off; away*)《***off*** …에서》: ~ the branches *off* (a tree) (나무에서) 가지를 치다/~ *off* a page 한 페이지를 줄이다.
—*n.* Ⓒ 잘라낸 가지.

lop[2] (*-pp-*) *vi.* 휘늘어지다, 매달리다(*down*); 빈둥거리다(*about; around; round*).
—*n.* Ⓒ 귀가 처진 토끼.

lope [loup] *vi.* (말 따위가) 성큼성큼 달리다.
—*n.* (a ~) 성큼성큼 달리기.

lóp-éared *a.* (토끼 따위의) 귀가 늘어진.

lóp·síded [-id] *a.* 한쪽으로 기운, 비뚤어진; 균형이 안 잡힌, 치우친: ~ trade 편(片)무역. ㊕ **~·ly** *ad.* **~·ness** *n.*

lo·qua·cious [loukwéiʃəs] *a.* 말 많은, 수다스러운; (새·물 소리 따위가) 떠들썩한, 시끄러운. ㊕ **~·ly** *ad.* **~·ness** *n.*

lo·quac·i·ty [loukwǽsəti] *n.* Ⓤ 다변(多辯), 수다.

lo·quat [lóukwɑt, -kwæt/-kwɔt] *n.* Ⓒ 〖식물〗 비파나무(의 열매).

lor, lor' [lɔːr] *int.* 《英속어》 아이구, 이런《놀람·당황을 나타냄》: O *Lor!* [◂ *lord*]

lo·ran [lɔ́ːræn] *n.* Ⓤ 로란《장거리 항법에 사용하는 자기 위치 측정 장치; 두 개의 무선국에서 오는 전파의 도착 시차를 이용함》. cf. shoran. [◂ *lo*ng-*ra*nge *n*avigation]

*****lord** [lɔːrd] *n.* **1** Ⓒ **지배자, 군주;** 〖역사〗 영주; 주인. **2** 《英》 **a** Ⓒ 귀족; 상원 의원《미국에서는 senator》. **b** (L-) 경(卿)《영국의 후·백·자·남작과 공·후작의 장남 및 archbishop, bishop 등의 존칭》(⇨관용구 중의 my Lord). **c** (the L-s) 상원. **3** Ⓤ (보통 the L-) **하느님;** (보통 our L-) 주, 그리스도: *Lord* knows who.... 누구인가는 하느님만이 안다. **4** Ⓒ 대가, 왕자. cf. king. ¶a cotton 〔steel〕 ~ 면업〔강철〕왕.
(as) drunk as a ~ ⇨DRUNK. ***live like a ~*** 왕후처럼〔사치스럽게〕 지내다. ***~ and master*** 《시어·우스개》 남편, 가장. ***my Lord*** [milɔ́ːrd] 각하(閣下), 예하(猊下)《후작 이하의 귀족, bishop, Lord Mayor 및 고등법원 판사에 대하여 부르는 경칭; 발음에 주의》. ***the Lord of Lords*** 그리스도. ***the Lord President of the Council*** 《英》 추밀원(樞密院) 의장.

> DIAL. ***Good Lord!*** =***(Oh) Lord!*** 아아, 오오《놀라움을 나타내는 감탄사》.
> ***Lord knows.*** =***God knows*** 하느님만이 아신다; 맹세코.
> ***Lord willing.*** 소원 성취 되기를.

—*vi.* 거만하게 굴다, 잘난 체하다; 주인 행세하다, 뽐내다. **—***vt.* 《~+목/+목+전+명》 〖~ it 으로〗 마구 뽐내다, 건방을 떨다; 주인 행세하다 《***over*** …에게》: He *~s it over* his household. 그는 횃대 밑 사내 구실밖에 못한다. ★ 수동태에서는 it이 없어짐: I will not *be ~ed over.* 내게 건방을 떠는 것은 못 참아.

Lòrd Chámberlain (the ~ (of the Household)) 《英》 궁내부 장관《생략: LC》.

Lórd Chìef Jústice (the ~ (of England)) 《英》 수석 재판관《생략: L.C.J.》.

Lòrd (Hígh) Cháncellor (the ~) 《英》 대법관《생략: L.H.C., L.C.》.

lord·ling [lɔ́ːrdliŋ] *n.* Ⓒ 소군주, 소공자, 소귀족.

◇**lórd·ly** (*-li·er; -li·est*) *a.* 군주〔귀족〕다운, 당당한; 숭고한, 위엄이 있는; 오만한. ㊕ **-li·ness** *n.*

Lòrd Máyor (the ~) 《英》 (런던 등 대도시의) 시장《부인은 Lady Mayoress》: the ~'s Show 런던 시장 취임 피로 행렬.

Lòrd Prívy Séal (the ~) 《英》 옥새 상서.

Lórd Protéctor (the ~) 〖英역사〗 호민관《공화정 시대의 Oliver Cromwell과 그의 아들 Richard의 칭호》.

Lords [lɔːrdz] *n.* Lord's Cricket Ground(런던의 크리켓 경기장)의 약칭.

Lórd's dày (the ~) 주일《일요일》.

◇**lord·ship** [lɔ́ːrdʃip] *n.* **1** Ⓤ 귀족〔군주〕임, 군림. **2** Ⓤ 주권; 영주의 권력; 지배《***over*** …에 대한》; 영유; Ⓒ 영지. **3** (보통 L-) Ⓒ 《英》 《호칭》 각하: your 〔his〕 ~ 각하《귀족 및 재판관, 또는 우스개로 보통 사람·동물 등에 대해 놓으로도 쓰임》.

Lòrd spíritual 《英》 성직 관계의 상원 의원. cf. Lord temporal.

Lórd's Práyer [lɔ́ːrdzprέər] (the ~) 〖성서〗 주기도문《마태복음 VI:9-13》.

Lórd's Súpper (the ~) 성찬식《신교》, 영성체《가톨릭》; 주(主)〔최후〕의 만찬.

Lòrd témporal 《英》 귀족 상원 의원《Lord spiritual 이외의 의원》.

◇**lore** [lɔːr] *n.* Ⓤ 〖집합적〗 (특정 사항에 관한 전승적·일화적) 지식, 학문; 전설(집), 구비(口碑), 민간 전승. cf. folklore. ¶the ~ of herbs 약초에 관한 지식/doctor's ~ 전승 의학/ghost ~ 요괴전, 괴담집.

Lo·re·lei [lɔ́ːrəlài] *n.* 《G.》 로렐라이《라인 강에 다니는 뱃사람을 노래로 유혹하여 파선시켰다고 하는 마녀》.

lor·gnette [lɔːrnjét] *n.* 《F.》 Ⓒ 손잡이 달린 안경; (손잡이 달린) 오페라 글라스.

lorn [lɔːrn] *a.* 《시어》 버려진(abandoned), 고독한, 의지할 데 없는(forlorn). ㊕ **∠·ness** *n.*

⁑**lor·ry** [lɔ́(ː)ri, lɑ́ri] *n.* Ⓒ **1** 《英》 **화물 자동차,** 트럭(《美》 truck[1]). SYN. ⇨WAGON. **2** 무개(無蓋) 화차. **3** (광산·철도의) 광차: a coal-~ 석탄 광차. **4** 4륜 짐마차. ***fall off the back of a ~*** 《英구어》 도둑 맞다.

Los An·ge·les [lɔ(ː)sǽndʒələs, -liːz, lɑ-/-liːz] 로스앤젤레스《미국 California주 남서부의 대도시; 생략: L.A.》.

†**lose** [luːz] (*p.*, *pp.* ***lost***) *vt.* **1 잃다,** 상실하다; 두고 잊어버리다: ~ one's life 생명을 잃다/~ one's balance 평형을 잃다/~ heart 낙담하다/~ weight 마르다/He has *lost* his keys. 그는 열쇠를 잃어버렸다.
2 《~+목/+목+전+명》 (시간·노력 따위)를 낭비하다(waste), 손해 보다, 빼앗기다《***in*** …에》: There's not a moment to ~ 〔to be *lost*〕. 잠시도 여유가 없다/I *lost* no time (*in*) tell*ing* him. 나는 즉시 그에게 말했다.
3 (시계가 …이나) **늦다, 느리다.** ↔ *gain.* ¶My watch *~s* two minutes a day. 내 시계는 하루에 2분 덜 간다.
4 (사냥감 따위)를 **못 잡다;** (기회)를 놓치다; 못 보고〔듣고〕 놓치다: ~ a sale 팔 시기를 놓치다/The last words of his speech were *lost* in the applause. 그의 연설의 마지막 말을 박수소

리 때문에 못 들었다.
5 (상품 따위)를 못 타다; (싸움·경기)에서 지다 (↔ *win*): ~ a game 승부〔경기〕에 지다.
6 …의 기억을 잃다, 잊어버리다: I've just *lost* his name. 그의 이름을 깜박 잊었다.
7 (공포 따위의 감정)을 벗어나다: ~ one's fear 무섭지 않게 되다.
8 《+목+전+명》 〖~ oneself; 수동태〗 몰두〔열중〕하다, 자기자신을 잊다《*in* …에》: ~ one*self in* a book 책에 몰두하다/*be lost in* conjectures 억측〔상상〕에 빠지다.
9 a (길)을 잃다, (길)에서 헤매다: He *lost* his way in the mountains. 그는 산에서 길을 잃었다. **b** 〖~ oneself〗 길을 잃다; 보이지 않게 되다《*in* …속에서》; 자취를 감추다《*in* …속으로》: ~ one*self in* the woods 숲속에서 길을 잃다/Soon the moon *lost* its*elf in* the clouds. 이윽고 달은 구름 속으로 자취를 감췄다.
10 《+목+전+명/+목+목》 (승리·직업 따위)를 잃게 하다: The delay *lost* the battle *for* them. 그 늦은 것 때문에 그들은 전투에 졌다/That mistake *lost* him his job. 그 실수로 그는 직장을 잃었다.
11 〖보통 수동태〗 죽이다, 멸망시키다, 파괴하다: The ship and its crew *were lost* at sea. 배도 승무원도 다 침몰하였다.
—*vi*. **1** 《~/+전+명》 **줄다, 감소하다**, 쇠하다, 감퇴하다《*in* …이》: The invalid is *losing*. 환자는 쇠약해지고 있다/~ *in* value 〔speed〕 가치〔속도〕가 떨어지다. **2** 《~/+전+명》 **손해 보다**, 손해 입다《*by, on* …으로》: ~ heavily 크게 손해 보다/I have not *lost by* it. 그것으로 별로 손해 본 것은 없다. **3** 《~/+전+명》 **지다**, 뒤지다《*to* …에》: I *lost* (*to* him). 나는 (그에게) 졌다. **4** (시계가) 늦다(↔ *gain*): This watch ~*s* by twenty seconds a day. 이 시계는 하루 20초 늦는다.
~ ***it*** 평정을 잃다, 화를 내다. **~ *out*** 《*vi*.+부》 《구어》 ① (애석하게도) 지다, 뒤지다《*to* (아무)에게》: I *lost out to* her for the job. 나는 취직 싸움에서 그녀에게 졌다. ② 큰 손해를 보다《*on* (거래 따위)로》; 놓치다《*on* (기회 따위)를》: ~ *out on* the chance of a lifetime 평생에 다시없는 기회를 놓치다.

◇**los·er** [lúːzər] *n*. Ⓒ 손실(損失)자; 분실자; 실패자; 패자(↔ *gainer*); 〖경마〗 진 말: a good 〔bad〕 ~ 지고도 태연한〔투덜거리는〕 사람/You shall not be the ~ by it. 그 일로 네게 손해를 끼치진 않겠다/*Losers* are always in the wrong. 《속담》 이기면 충신, 지면 역적.

los·ing [lúːziŋ] *a*. Ⓐ 손해 보는, 지는, 실패하는: a ~ pitcher 패전 투수/a ~ game 이길 가망이 없는 승부〔경기〕.

⁑**loss** [lɔ(ː)s, lɑs] *n*. **1** Ⓤ (구체적으로는 Ⓒ) **잃음, 분실**, 상실: ~ *of* face 체면을 잃음/the ~ *of* health 〔opportunities〕 건강〔기회〕의 상실/~ *of* memory =memory ~ 기억 상실/the ~ *of* sight 실명(失明).
2 Ⓒ **손실**, 손해《*to* …에게의》; 손실물〔액, 량〕. ↔ *gain*.¶The ~ *to* me was minimal 〔great〕. 나의 손해는 아주 적었다〔많았다〕/a total ~ 완전한 손실/That is my ~. 손해 보는 것은 나다.
3 Ⓤ (또는 a ~) 감소, 감손(減損), 줆; 낭비, 소모: ~ in weight =weight ~ 감량(減量)/~ *of* time 시간의 낭비.
4 Ⓤ 얻지 못함; **실패, 패배**: the ~ *of* an election 〔a battle〕 낙선〔패배〕.
5 (*pl*.) 〖군사〗 사상(자수), 손실: suffer great ~*es* 큰 손실을 입다.
6 Ⓒ 〖보험〗 (보험금을 지급하게 되는) 사망, 상해, 손해; (그에 의거하여 지급하는) 보험금액. ◇ lose *v*.
at a* ~** ① 곤란하여《for*** …으로》: I was *at a* ~ *for* an answer. 나는 뭐라 대답하기 곤란했다. ② 난처하여, 쩔쩔매어, 어쩔 줄 몰라서《***about, as to*** …에 관하여/***to*** do/***wh. to*** do》: I'm *at a* ~ *to* make sense of it. 나는 도무지 그 영문을 모르겠다/I was *at a* ~ (*as to* 〔*about*〕) *what to* do. 나는 어쩔 줄 몰랐다. ③ 밑지고, 손해를 보고: sell *at a* ~ 손해를 보고 팔다. ***be a dead* ~** 《구어》 깡그리 손해다; 전혀 가치〔쓸모〕가 없다. ***cut* one's *~es*** 손해를 보기 전에 부실 기업〔거래〕에서 손을 떼다.

lóss lèader 〖상업〗 손님을 끌기 위한 특매품, (손해를 보며 싸게 파는) 특가품.

†**lost** [lɔ(ː)st, lɑst] LOSE의 과거·과거분사.
—*a*. **1 잃은, 잃어버린**, 분실한; 행방불명된; 없어진, 사라진《***to*** …에서》: ~ territory 실지(失地)/The ship was ~ *to* sight. 배가 시야에서 사라졌다/Hope was ~ *to* him. 희망이 그에게서 사라졌다.
2 진《싸움 따위》; 빼앗긴, 놓쳐버린《상품 따위》: a ~ game 진 경기.
3 낭비된, 허비된《시간 따위》: ~ labor 헛수고.
4 Ⓟ 효력〔효과〕 없는《***on, upon*** (아무)에게》: The advice was ~ *on* him. 그 충고는 그에게 효과가 없었다.
5 길을 잃은; 타락한: a ~ child 길〔집〕 잃은 아이, 미아/~ sheep 길 잃은 양《죄인》/get ~ 길을 잃다.
6 당혹한, 어찌 할 바를 모르는(bewildered).
7 Ⓟ 몰두한, 열중한, 마음이 팔린(absorbed)《***in*** …에》: be ~ *in* thought 생각에 잠기다.
8 Ⓟ 영향을 받지 않는, 느끼지 않는《***to*** …의, …을》: He *is* ~ to all sense of duty 〔shame〕. 그는 책임감〔수치심〕이 전혀 없다.
9 죽은, 파멸〔사멸〕된: ~ souls 지옥에 떨어진 영혼.
Get ~! 《속어》 냉큼 꺼져버려〔나가라〕. ***the ~ and found*** 《美》 유실물 취급소.

lóst cáuse 실패한〔실패할 것이 뻔한〕 주의〔주장, 목표, 운동〕.

lóst clúster 〖컴퓨터〗 파손 클러스터《하드 디스크나 플로피 디스크 등의 저장 장치에서 디스크에 데이터를 저장해 두는 부분인 클러스터가 외부에서 가한 충격으로 인해서 손상된 것》.

Lóst Generátion 1 (때로 l- g-; the ~) 잃어버린 세대《1차 대전 후의 불안정한 사회에서 살 의욕을 잃은 세대》. **2** 〖집합적; 단·복수취급〗 잃어버린 세대의 사람들: You're all a ~. 여러분은 모두 잃어버린 세대의 사람입니다.

lóst próperty 〖집합적〗 유실물(遺失物): a ~ office 《英》 유실물 취급소.

⁑**lot** [lɑt/lɔt] *n*. **1** Ⓒ **제비**: cast 〔draw〕 ~*s* 제비를 뽑아서 결정하다/The ~ fell on 〔to〕 him. 그 제비뽑기에서 그가 당첨되었다.
2 Ⓤ 제비뽑기, 추첨: by ~ 추첨으로.
3 Ⓒ 몫(share): receive one's ~ of money 자기 몫의 돈을 받다.
4 Ⓒ **a** 《美》 한 구획의 토지; 땅, 부지: a vacant ~ 빈 터, 공지/one's house and ~ 《美》 가옥과 대지/a building ~ 건축 부지/a parking ~ 주차장. **b** 영화 촬영소, 스튜디오.

5 Ⓒ (상품 · 경매품 따위의) 품목 번호: *Lot* 20 fetched $100. 품목 번호 20이 100달러로 낙찰되었습니다.
6 Ⓒ 운, 운명(destiny): It falls to one's ~ *to* do ... =It's one's ~ *to* do ... =The ~ falls to 〔on〕 one *to* do ... 아무가 …할 운명으로 되어 있다. SYN. ⇨FORTUNE.
7 Ⓒ 《구어》 놈, 자식: a bad ~ 나쁜 녀석.
8 (a ~; 흔히 *pl.*) 《구어》 **많음**, 듬뿍《★ 수와 양에 두루 쓰며, 보통 의문문 · 부정문에는 lot 대신 many, much를 씀》: I have ~*s* 〔a ~〕 to do. 할 일이 많다/There're ~*s* 〔a ~〕 *of* nice parks in the country. 그 나라에는 훌륭한 공원이 많이 있다/ We have a ~ *of* rain in June. 7월에는 비가 많이 온다.
9 (the ~) 《구어》 전부: the whole 〔all the〕 ~ of you 너희 모두/That's the ~. 그게 전부다/ eat the (whole) ~ 전부 먹어버리다.
10 Ⓒ (상품 따위의) 한 무더기, 한 벌〔품목〕; (사람 따위의) 무리, 떼: a tough ~ of people 불굴의 정신을 가진 사람들.
a fat* ~** ⇨FAT *a.* (관용구). ***cast* 〔*throw*〕 *in* one's ~ *with …와 운명을 같이하다.
— (**-*tt-***) *vt.* 《~+목/+목+부》 **1** (상품 등)을 나누다, 분류하다(*out*): ~ *out* apples by the basketful 사과를 한 바구니씩 나누다. **2** (토지 따위)를 구분하다, 가르다(*out*).
— *ad.* (a ~, ~s) 《구어》 대단히, 크게: a ~ more 〔better〕 아주 많은〔좋은〕/I care ~*s* about my family. 가족들의 일이 매우 염려된다/ Thanks a ~. 대단히 감사합니다.

loth [louθ] *a.* =LOATH.

lo·tion [lóuʃən] *n.* Ⓤ (종류 · 낱개는 Ⓒ) 바르는 물약; 세제; 화장수, 로션: ⇨EYE LOTION/(a) skin ~ 스킨 로션.

◇**lot·tery** [látəri/lɔ́t-] *n.* **1** Ⓒ 제비뽑기, 복권(뽑기); 추첨: a ~ ticket 복권. **2** (a ~) 운, 재수: Marriage is a ~. 《속담》 결혼은 팔자소관.

> DIAL. ***I hear Judy won 20 million dollars in the lottery.—You don't say!*** 주디가 2천만 달러 복권에 당첨됐대.—설마!

Lot·tie, Lot·ty [láti/lɔ́ti] *n.* 로티《여자 이름; Charlotte의 애칭》.

lo·tus [lóutəs] *n.* **1** Ⓤ 〖그리스신화〗 로터스, 망우수(忘憂樹)《그 열매를 먹으면 황홀경에 들어가 속세의 시름을 잊는다고 함》; 그 열매. **2** Ⓒ 〖식물〗 연(꽃); 별노랑이속(屬)의 식물.

lótus-èater *n.* Ⓒ 〖그리스신화〗 lotus의 열매를 먹고 괴로움을 잊었다는 사람; 〖일반적〗 안일을 일삼는 사람, 쾌락주의자.

lótus position 〔**pósture**〕 〖요가〗 연화좌(蓮花座).

⁑loud [laud] *a.* **1** (소리 · 목소리가) **큰**(clamorous); 목소리가 큰; 소리가 큰; 시끄러운, 떠들썩한: in a ~ voice 큰 목소리로/with a ~ noise 시끄러운 소리를 내며/a ~ party 떠들썩한 파티.
SYN. **loud** 큰 소리로 청각에 자극을 주는. **aloud** 들리도록 소리 내어: read *aloud* 소리 내어 읽다.
2 요란스러운; 열심인《***in*** …에》: ~ cheers 요란스런 응원/be ~ *in* praises 크게 칭찬하다/be ~ *in* demands 귀찮게 요구하다.
3 (태도 따위가) 뻔뻔스러운; 야비한: a ~ lie 새빨간 거짓말.
4 (빛깔 · 의복이) 야한(showy), 화려한, 야단스러운: ~ clothes 화려한 옷.

5 《美》 (냄새가) 지독한, 강한.
— *ad.* **큰 소리로**(↔ *low*): Don't talk so ~. 그렇게 큰 소리를 내지 마라/*Louder!* (청중이 연사에게) 좀더 큰 소리로 하시오, 안 들려요.
~ and clear 분명하게, 명료하게. ***out ~*** (분명하게) 소리를 내어: read *out* ~ 소리 내어 읽다/ think *out* ~ 생각을 말하다.
파 **∠·ness** *n.*

lóud-háiler *n.* Ⓒ 고성능 확성기(《美》 bullhorn).

*__loud·ly__ [láudli] *ad.* **큰 소리로**; 소리 높게, 떠들썩하게; 야단스레, 화려하게: sing ~ 큰 소리로 노래하다/be ~ dressed 야하게 옷차림을 하다.

lóud-mòuth [-màuθ] (*pl.* **~s** [-màuðz]) *n.* Ⓒ 수다쟁이.

lóud-móuthed [-máuðd, -máuθt] *a.* 큰 목소리의, 시끄러운.

◇**lóud·spèaker** *n.* Ⓒ 확성기.

Lou·is [lú:is] *n.* 루이스《남자 이름》.

Lou·i·sa, Lou·ise [lu:í:zə], [lu:í:z] *n.* 루이자, 루이즈《여자 이름》.

Lou·i·si·ana [lù:əziǽnə, lu:ì:zi-] *n.* 루이지애나《미국 남부의 주; 생략: La.》.

*__lounge__ [laundʒ] *vi.* **1** 《+부》 **빈둥거리다**, 어정버정 지내다(*about; around*): There were some men and women *lounging about* (on the front steps). (현관으로 가는 계단에서) 몇몇 남녀가 빈둥거리고 있었다. **2** 《+전+명》 어슬렁어슬렁 걷다《***about, around*** …을》: ~ *about* a park 공원을 거닐다. **3** 《+전+명》 척 눕다〔기대다〕《***against, over, in*** …에》: ~ *in* an armchair 안락의자에 느긋이 기대다. **—** *vt.* 《+목+부》 (시간)을 하는 일 없이 보내다(*away*): We ~*d away* the afternoon at the seashore. 우리는 해변에서 오후 시간을 빈둥빈둥 지냈다.
— *n.* **1** (a ~) 어슬렁어슬렁 거닒. **2** Ⓒ (호텔 따위의) 로비, 사교실, 휴게실; (공항 따위의) 대합실; 《英》 거실. **3** =COCKTAIL LOUNGE.

lóunge bàr 《英》 (퍼브(pub)〔호텔〕 내의) 고급 바.

lóunge lìzard 《구어》 (돈 있는 여자를 찾아 어슬렁거리는) 건달, 제비족.

loung·er [láundʒər] *n.* Ⓒ 어슬렁어슬렁 걷는 사람; 게으름뱅이(idler).

lóunge sùit 《英》 신사복(《美》 business suit).

lour [lauər] *vi., n.* =LOWER².

lour·ing [láuriŋ, láuər-] *a.* =LOWERING.

◇**louse** [laus] *n.* Ⓒ **1** (*pl.* ***lice*** [lais]) 〖곤충〗 이; (새 · 물고기 · 식물 등의) 기생충. **2** (*pl.* ***lóus·es***) 《구어》 비열한 놈, 인간 쓰레기.
— *vt.* **1** …에서 이를 없애다. **2** 《속어》 …을 엉망하게 하다, 못 쓰게 만들다(*up*).

lousy [láuzi] (***lous·i·er; -i·est***) *a.* **1** 이투성이의. **2** 《구어》 **a** 더러운, 불결한. **b** 천한, 치사한. **c** 나쁜, 심한, 변변치 않은: She's a ~ writer. 그녀는 삼류 문사(文士)이다. **3** Ⓟ 《구어》 득시글거리는; 듬뿍 있는《***with*** …이》: He's ~ *with* money. 그는 돈이 아주 많다.

lout [laut] *n.* Ⓒ 메부수수한 사람, 시골뜨기.

lout·ish [láutiʃ] *a.* 버릇없는, 촌뜨기 같은.

lou·ver, -vre [lú:vər] *n.* Ⓒ 〖건축〗 지붕창, (통풍용의) 옥상(屋上)의 창; (통풍용의) 미늘창; (*pl.*) 미늘살, 루버(=∠ **bòards**). 파 **lóu·vered** *a.*

Lou·vre [lú:vrə, -vər] *n.* (the ~) 루브르 박물

관《파리의》.

°**lov·a·ble** [lʌ́vəbəl] *a.* 사랑스러운, 애교 있는, 매력적인. [파] **-bly** *ad.* **~·ness** *n.*

†**love** [lʌv] *n.* **1** [U] **a** **사랑**, 애정(affection), 호의(好意)《***for, of, to toward*** …에 대한》: ~ *for* one's children 자식에 대한 사랑/~ *of* truth 진리애/~ *of* (one's) country 애국심. **b** (보통 one's ~) (인사로서의) 안부: Give 〔Send〕 my ~ to him. 그에게 안부 전해 다오.

2 a [U] **연애**, 사랑《***of, for, to, toward*** (이성)에 대한》: free ~ 자유 연애/*Love* is blind. 사랑은 맹목. **b** [U] 성욕, 색정; 성교; [C] 정사.

3 [U] (신의) 자애; (신에 대한) 경모(敬慕): the ~ *of* God =God's ~ 신의 사랑/~ *of* God 신에 대한 사랑.

4 a [C] 애인, 연인《흔히 여성》. [cf.] sweetheart, lover. **b** 〘my ~로 부부 사이의 호칭에 써서〙 여보, 당신. **c** 〘여자끼리 또는 여자·어린이의 호칭에 써서〙 당신, 너, 얘야.

5 a (L-) 연애〔사랑〕의 신, 큐피드(Cupid). **b** (~, L-) [C] 큐피드의 그림〔상〕. [cf.] Eros.

6 a [U] (또는 a ~) **좋아함**, 애호, 취미, 기호《***of, for*** …에 대한》: have a ~ *of* nature 자연을 사랑하다. **b** [C] 좋아하는 것〔일〕: Tennis is one of his great ~*s*. 테니스는 그가 아주 좋아하는 것 중의 하나다.

7 [C] 《英구어》 유쾌한 사람, 예쁜〔귀여운〕 것〔사람〕: What ~*s of* tea cups! 찻잔들이 참 예쁘기도 해라.

8 [U] 〘테니스〙 러브, 영점, 무득점: ~ all 러브 올《0대 0》/at ~ 러브 게임으로.

be in ~ with …을 사랑하고 있다. ***fall in ~ with*** …와 사랑에 빠지다, …에게 반하다. ***for ~*** 좋아서, 호의로; 거저, 무료로; (내기를) 걸지 않고. ***for ~ or*** 〔***nor***〕 ***money*** 《구어》〘부정을 수반하여〙 아무리 해도 (…않다): You can *not* get it *for ~ or money*. 어떤 방법을 다 써도 그것은 입수 못합니다. ***for the ~ of*** …때문에, …까닭에. ***for the ~ of Heaven*** 〔***God, your children,*** etc.〕 제발. ***make ~*** 애정 행위를 하다; 자다, 성교하다; 애무하다《***to, with*** …와》; 《고어》 구애하다《***to*** …에》. ***out of ~*** 사랑하는 마음에서; 좋아하는 까닭에. ***out of ~ with*** …이 싫어서, …에 대한 사랑이 식어서. ***There is no ~ lost between them.*** 《구어》 두 사람 사이가 나쁘다.

— *vt.* **1 사랑하다**; 사모하다, …에 반해 있다, 귀여워하다: They ~*d* each other. 그들은 서로 사랑했다/Love me, ~ my dog. 《속담》 아내가 귀여우면 처갓집 말뚝 보고도 절한다.

2 《~+[목]/+-*ing*/+*to* do/+[목]+*to* do》 **애호하다**, (매우) 좋아하다: ~ music 음악을 좋아하다/~ play*ing* bridge 브릿지놀이를 좋아하다/She ~*s* *to* go dancing. 그녀는 춤추러 가기를 좋아한다/I'd ~ (for) you *to* come with me. 너도 함께 와 주었으면 좋겠다《★ for를 쓰면 《美구어》》. [SYN.] ⇨LIKE[1].

3 (동식물이) …을 좋아하다, 필요로 하다: Some plants ~ shade. 식물 중에는 그늘을 좋아하는 것도 있다.

— *vi.* 연애하다, 사랑하다: *Love* little and ~ long. 《속담》 애정은 가늘고 길게.

Lord ~ you! 맙소사《남의 잘못 따위에 대해서》.

> **DIAL.** ***I love it.*** 그것은 무척 좋다, 그건 훌륭하다.
> ***I must*** 〔***I'll***〕 ***love you and leave you.*** (더 있고 싶지만) 이제 가봐야겠는데《장난스럽게 하는 작별 인사》.
> ***Love me little, love me long.*** 조금이라도 좋으니 오래오래 사랑해 주세요.

[파] **~·a·ble** *a.* =LOVABLE.

lóve affàir 연애 사건, 정사(情事); 열광, 열중《***with*** …에 대한》: have a ~ *with* tennis 테니스에 열중하고 있다.

lóve·bìrd *n.* **1** [C] 〘조류〙 모란잉꼬. **2** (*pl.*) 《구어》 몹시 정다운 부부〔연인들〕.

lóve chìld 사생아.

lóve gàme 〘테니스〙 영패, 러브게임.

lóve-hàte *a.* 애증(愛憎)의: ~ relations 애증관계.

lóve knòt 사랑 매듭《사랑 표시로 리본을 매는 법》.

lóve·less *a.* 사랑 없는; 귀염성 없는: a ~ marriage 사랑 없는 결혼. [파] **~·ly** *ad.* **~·ness** *n.*

lóve lètter 연애 편지, 러브레터.

lóve·lòck *n.* [C] **1** (여성의 이마에 늘어뜨린) 애교머리. **2** 옛날 상류 사회의 남성이 목·어깨에 늘어뜨린 머리.

lóve·lòrn *a.* 실연(失戀)한; 사랑에 번민하는.

‡**love·ly** [lʌ́vli] (***-li·er; -li·est***) *a.* **1 사랑스러운**, 귀여운, 아름다운, 굉장히 예쁜. [SYN.] ⇨BEAUTIFUL. **2** 《구어》 **멋진**, **즐거운**, **유쾌한**(delightful): have a ~ time 즐겁게 시간을 보내다.

— (*pl.* ***-lies***) *n.* [C] 《구어》 미녀; 아름다운 것.

[파] **-li·ness** *n.*

lóve·màking *n.* [U] 성행위; 《고어》 구애.

lóve màtch 연애 결혼.

lóve pòtion 미약(媚藥).

‡**lov·er** [lʌ́vər] *n.* [C] **1 연인**, 사랑하는 사람《단수일 때에는 보통 남성》. **2** (여성 쪽에서 보아 남편 이외의) 애인, 정부(情夫); (때로) 정부(情婦). **3** (*pl.*) 연인 사이《종종 육체 관계가 있는》: a pair of ~*s* =two ~*s* 사랑하는 한 쌍. **4 애호자**, 찬미자: a ~ *of* music =a music ~ 음악 애호가.

lóve sèat 2인용 의자〔소파〕, 러브시트.

lóve sèt 〘테니스〙 한 게임도 따지 못한 세트.

lóve·sìck *a.* 상사병의, 사랑에 번민하는.

[파] **~·ness** *n.* [U] 상사병.

lóve sòng 사랑의 노래, 연가.

lóve stòry 연애 소설〔이야기〕.

lov·ey [lʌ́vi] *n.* [C] 《英구어》 사랑하는〔귀여운〕 사람; 여보, 당신.

lóvey-dóv·ey [-dʌ́vi] *a.* 《구어》 (맹목적으로) 사랑한, 홀딱 반한; 지나치게 감상적인, 매우 달콤한.

‡**lov·ing** [lʌ́viŋ] *a.* **1 애정을 품고 있는**, 애정이 나타내는, 애정이 깃들인: ~ glances 애정 어린 눈빛/Your ~ friend 당신의 친구로부터《편지의 맺음말》. **2** 〘종종 합성어로〙 (…을) 사랑하는: a peace-~ people 평화를 사랑하는 국민.

lóving cùp 친목의 잔《연회 따위에서 돌려가며 마시는 큰 은술잔》; 우승배(杯).

lóving-kíndness *n.* [U] 친애, 정, 《특히 신의》 자애, 인자.

lóv·ing·ly *ad.* 애정을 기울여, 다정하게: Yours ~. 사랑하는 아들〔딸〕 올림《부모에게 보내는 편지의 맺음말》.

†**low**[1] [lou] *a.* **1 낮은**《키·고도·온도·위도·평가 따위》. ↔ *high*. ¶a ~ hill 낮은 산/a ~ ceiling 낮은 천정/~ latitudes 낮은 위도/~ temperature 저온/~ marks 낮은 점수〔성적〕/~

atmospheric pressure 저기압 / the ~ income bracket 저소득층.
2 (신분 · 태생이) 낮은(humble), 비천한, 하층의: a man of ~ birth 태생이 비천한 사람.
3 저급의, 상스러운; 추잡〔외설〕한: a ~ talk 야비한 이야기.
4 (생물 따위가) 하등인, 미개한, 미발달의: ~ organisms 하등 생물.
5 (가격이) 싼; (수량 · 힘 · 함유량 등이) 적은, 근소한; 바닥난, 결핍한《*on, in* …이》: ~ prices 싼 물가 / run ~ 결핍하다 / Our fuel oil is getting ~. 연료가 떨어지고 있다 / He's ~ *on* wit. 그는 재치가 없다 / He's ~ *in* pocket. 그는 주머니 사정이 나쁘다.
6 [P] (기분이) **침울한**(depressed), **기운이 없는**〔**꺾인**〕: be in ~ spirits =feel ~ 풀이〔기가〕 죽다.
7 (머리를 깊이 숙이는) 공손한《인사》, 부복(俯伏)한.
8 (물 등이) 얕은; 조수가 삔, 썰물의: ⇨LOW TIDE.
9 (조각 새김이) 얕은.
10 (옷의) 깃이 깊이 팬: a ~ dress.
11 (음식이) 나쁜, 영양가가 낮은: a ~ diet 조식(粗食).
12 a 저음의. ↔ *loud*. **b** (속력이) 느린; (차 따위) (최)저속의, 로《기어》.
13 〖음성〗 혀의 위치가 낮은(broad).
14 (보통 L–) 〖교회〗 저(低)교회파의. [cf] Low Church.
15 《주로 비교급》 근년의, 최근의, 후기의: of a ~*er* date 더 근년(近年)의.
bring ~ ① (부(富) · 건강 · 위치 따위)를 감소시키다, 쇠하게 하다, 영락케 하다: His greed *brought* him ~. 욕심이 많은 탓에 그는 몰락했다. ② (아무)를 욕보이다. ***fall*** ~ 타락하다. ***lay*** ~ ① …을 멸망시키다; 죽이다. ② …을 때려 눕히다. 타도하다. ③ …을 욕보이다. ***lie*** ~ ① 웅크리다; 쓰러져 있다; 죽어 있다. ② 부끄러워하다. ③ (사건이 조용해질 때까지) 몸을 숨기다. ④ 눈에 띄지 않게 하다, 조용히 있다. ⑤ 때를 기다리다〔노리다〕.
—*ad*. 1 낮게: crouch ~ 낮게 웅크리다 / fly ~ 저공 비행하다.
2 저음으로; 낮은 소리로(↔ *loud*): talk ~ 목소리를 죽이어 이야기하다.
3 기운 없이, 의기소침하여.
4 천하게, 야비〔비열〕하게.
5 싸게; 싼값으로: buy ~ and sell high 싸게 사서 비싸게 팔다.
6 적은 노름돈으로: play ~ 푼돈으로 내기를 하다.
~ ***down*** 훨씬 아래에; 냉대하여.
—*n*. 1 [U] (자동차의) 저속〔로〕 기어: go into ~ 저속 기어로 바꾸다. **2** [C] 〖기상〗 저기압, 저압부. **3** [C] 최저 기록〔수준, 숫자〕, 최저 가격: at a new 〔an all-time〕 ~ 최저 기록이〔으로〕.
[파] ∠·ness *n*.

low² *vi*., *vt*. (소가) 음매 울다(moo); 울부짖듯이 말하다(*forth*). **—*n*.** [C] 소 우는 소리.

lów béam (자동차 헤드라이트의) 하향 근거리용 광선, 로 빔. [cf] high beam.

lów·bórn *a*. 태생〔출신〕이 미천한.

lów·bòy *n*. [C] 《美》 다리가 짧은 옷장. [cf] highboy.

lów·bréd *a*. 본데〔버릇〕없이 자란, 뱀뱀이가〔버릇이〕 없는. ↔ *highbred*.

lów·bròw *a*. [A], *n*. [C] 《구어》 교양〔지성〕이 낮은 (사람). ↔ *highbrow*.

lów-càl [-kæl] *a*. 《美구어》 저칼로리의《식사》.

lów cámp 예술적으로 진부한 소재를 무의식적으로 그냥 사용하는 일.

Lów Chúrch (the ~) 저(低)교회파《영국 국교 중 의식을 비교적 경시하고 복음을 강조함》. ↔ *High Church*.

Lów Chúrchman 저교회파의 사람.

lów-cláss *a*. =LOWER-CLASS.

lów cómedy 저속한 코미디〔희극〕.

Lów Cóuntries (the ~) 지금의 베네룩스(Benelux)의 총칭.

lów-cút *a*. (옷의) 목둘레를 깊이 판.

lów-dówn *a*. [A] 《구어》 용렬〔비열〕한; 천한.
— [∠∠] *n*. (the ~) 《속어》 실정, 진상, 내막(dope). ***get*** 〔***give*** a person〕 ***the ~ on*** …의 내막을 알다〔아무에게 알리다〕.

***low·er¹** [lóuər] *vt*. **1 낮추다**, 낮게 하다(↔ *heighten*); (보트 따위)를 내리다; (눈)을 떨구다: ~ one's voice 목소리를 낮추다 / ~ prices 값을 내리다 / ~ one's eyes 눈을 떨구다 / ~ infant mortality 유아의 사망률을 낮추다. **2 a** (힘 · 체력 따위)를 줄이다, 약하게 하다: A poor diet has ~*ed* his vitality. 빈약한 식사 때문에 그의 활력이 약해졌다. **b** 〖음악〗 …의 가락을 낮추다. **3 a** (품위 따위)를 떨어뜨리다(degrade); 억누르다, 꺾다, 납작하게 하다(humble): ~ one's dignity 품위를 떨어뜨리다. **b** 《~ oneself; 보통 부정문에서》 아집〔고집〕을 꺾다, 몸을 굽히다, 굴복하다: He would*n't* ~ him*self* to apologize. 그는 고집을 꺾고 사과하려 하지 않았다.
—*vi*. 내려가다, 낮아지다; 하향하다; 줄다; (물가 따위가) 싸지다, 하락하다: The prices ~*ed*. 값이 내렸다.
~ ***away*** 《*vi*.+[부]》 〖해사〗 보트를〔돛을〕 내리다.
—《low¹의 비교급》 *a*. [A] **1 a 낮은〔아래〕 쪽의**; 하부의: the ~ lip 아랫입술. **b** 지하의: ⇨LOWER WORLD. **2 a** 《美》 남부의: a city in ~ Missouri 미주리주 남부의 어느 도시. **b** 하류의, 하구(河口)에 가까운; 보다 현재에 가까운: the ~ reaches of a river 강 하류 지역. **3 a** 하급의, 하등의, 열등한; 하원의. ↔ *higher, upper*. ¶ the ~ classes 〔orders〕 하층 계급 / a ~ boy 《英》 (public school의) 하급생 / ~ animals 하등 동물. **b** (값이) 보다 싼. **4** (L–) 〖지질〗 전기(前期)의(↔ *Upper*): the *Lower* Devonian 전기 데번기.

low·er², lour [láuər] *vi*. **1** 얼굴을 찌푸리다, 못마땅한 얼굴을 하다《*at, on, upon* …에게》: He ~*s at* people when he is annoyed. 그는 짜증이 날 때에 사람들에게 못마땅한 얼굴을 해 보인다. **2** (날씨가) 나빠지다, 찌푸리다; (뇌우 따위가) 쏟아질 것 같다. **—*n*. 1** [C] 찡그린〔못마땅한〕 얼굴(scowl). **2** [U] 찌푸린 날씨.

lówer cáse 〖인쇄〗 소문자용 케이스(↔ *upper case*): in ~ 소문자로.

lówer·càse [lóuər-] *vt*. 소문자로 인쇄하다; 〖교정〗 (대문자)를 소문자로 바꾸다《생략: lc, l.c.》. **—*a*.** 〖인쇄〗 소문자의, 소문자로 인쇄한. **—*n*.** [U] 소문자.

Lówer Chámber (the ~) =LOWER HOUSE.

lówer cláss (the ~(es)) 《집합적; 단 · 복수취급》 하층 사회(의 사람들).

lówer-cláss [lóuər-] *a*. 하층 계급의.

lówer·clássman [-mən] (*pl*. ***-men*** [-mən]) *n*. [C] 《美》 4년제 학교의 1, 2학년생(underclassman).

lówer déck **1** [C] 하갑판. **2** (the ~) [U] 《英》

〖집합적; 단·복수취급〗 수병.

Lówer Hóuse (the ~) 양원제의 하원(下院). ↔ *Upper House*.

low·er·ing [láuəriŋ] *a.* 기분이 좋지 않은, 음울한; 날씨가 찌푸린. ㊎ **~·ly** *ad.*

lówer·mòst [lóuər-] *a.* 최하의, 최저의, 맨 밑바닥의.

lówer wórld 〔**région**〕 (the ~) 하계(下界); 현세(現世), 이승; 지옥, 저승.

lów·est 〖low[1]의 최상급〗 *a.* 최하의, 최저의; 가장 싼. ***at* (*the*) ~** 적어도.

lów-fát *a.* (식품·요리법이) 저(低)지방의: ~ milk 저지방 우유.

lów fréquency 〖통신〗 장파(長波), 저주파(低周波)《30–300 kHz.; 생략: L.F.》.

lów géar 저속〔로〕 기어: put the car in ~ 차에 저속 기어를 넣다.

Lów Gérman 저지(低地) 독일어《북부 독일어의 방언》. ⓒⓕ High German.

lów-kéy, -kéyed *a.* 저음의; 삼가는 투의, 저자세의.

low·land [lóulæ̀nd, -lənd] *n.* **1** Ⓒ (흔히 *pl.*) 저지(↔ *highland*). **2** (the L-s) 스코틀랜드 남동부의 저지 지방. **—***a.* 저지의; (L-) 스코틀랜드 저지(방언)의. ㊎ **~·er** *n.* Ⓒ 저지인; (L-er) 스코틀랜드 저지(低地) 지방인.

lów-lével *a.* 하급의, 하층의, 하부의; 저공의: a ~ officer 하급 직원/~ bombing 저공 폭격.

lów-lével lánguage 〖컴퓨터〗 저급 언어《인간의 언어보다 기계 언어에 가까운 프로그램 언어》.

lów·lìfe (*pl.* **-lifes**) *n.* Ⓒ 저속한 사람; 범죄자; 하층 계급. ㊎ **lów-lìfe** *a.*

◇**lów·ly** (**-li·er; -li·est**) *a.* **1** 낮은《신분·지위 따위》; 비천한(humble); 야비한. **2** 겸손한(modest); 평범한. **—***ad.* 천하게; 겸손하게; 낮은 소리로. ㊎ **lów·li·ness** *n.*

lów-lýing *a.* 낮은, 저지의; (구름이) 낮게 낀.

Lów Máss 〖가톨릭〗 (합창·음악을 수반하지 않는) 평(平)미사. ⓒⓕ High Mass.

lów-mínded [-id] *a.* 비열한, 야비한.

lów-néck(ed) [-(t)] *a.* (여성복이) 목부분이 깊이 패인.

lów-pítched [-t] *a.* 저음역(低音域)의; 저조(低調)의; (지붕 따위가) 물매〔경사〕가 뜬.

lów-préssure *a.* Ⓐ 저압의; 만사태평한, 유장(悠長)한. ↔ *high-pressure*.

lów prófile 겸손한〔눈에 띄지 않는〕 태도; 저자세: keep 〔maintain〕 a ~ 저자세이다.

lów relíef 얕은 돋을새김.

lów·rìder *n.* Ⓒ 차대(車臺)를 낮게 개조한 차; 그 차를 타는 사람.

lów-ríse *a.* Ⓐ 층수가 적은, 저층의: ~ apartment house 저층 아파트.

lów séason (보통 the ~) 《英》 (행락 따위의) 비수기. ↔ *high season*.

lów-spírited [-id] *a.* 의기소침한, 기운 없는, 우울한. ㊎ **~·ly** *ad.* **~·ness** *n.*

Lów Súnday 부활절(Easter) 다음의 최초의 일요일.

lów-téch *a.* =LOW-TECHNOLOGY.

lów-technólogy *a.* (일용품 생산에 이용되는 정도의) 수준이 낮은 공업 기술의. ⓒⓕ high-technology.

lów tíde 썰물 (때); 최저점: at ~ 썰물 때에.

lów wáter (하천·호수의) 썰물〔간조〕 때(↔ *high water*); 《비유적》 궁핍 상태: at ~ 썰물 때에/in (dead) ~ 돈에 궁하여.

lów-wáter màrk 간조표(干潮標); 《비유적》 최저 (상태).

lox [lɑks/lɔks] *n.* Ⓤ 〖화학〗 액체 산소. [◂ *l*iquid *ox*ygen]

‡**loy·al** [lɔ́iəl] *a.* **1** (사람이) **충성스러운**; 의리있는, 충실한《*to* …에》: a ~ subject 충신/a ~ friend 성실한 친구/He's ~ *to* his country. 그는 국가에 충성스럽다. ⓈⓎⓃ ⇨SINCERE. **2** (행위가) 성실한. ㊎ **~·ly** *ad.*

loy·al·ist [lɔ́iəlist] *n.* Ⓒ 충성스러운 사람, 충신; (동란 같은 때의) 정부〔체제〕 지지자.

‡**loy·al·ty** [lɔ́iəlti] *n.* **1** Ⓤ **충의**, 충절, **충성**, 성실, 충실. **2** Ⓒ (보통 *pl.*) (종종 상반되는) 충성심, 의리.

loz·enge [lɑ́zindʒ/lɔ́z-] *n.* Ⓒ **1** 마름모 (모양의 것); 마름모꼴 무늬; 마름모꼴 창유리; 보석의 마름모꼴 면(面). **2** 〖의학〗 정제(錠劑)《본래 마름모꼴이었음》. **3** 일종의 마름모꼴 과자.

*__LP__ [élpíː] (*pl.* **Lps, Lp's**) *n.* Ⓒ (레코드의) **엘피판**《상표명》. [◂ *L*ong *P*laying]

L.P. Labor Party. **LPG** liquefied petroleum gas.

LP gàs 액화 석유 가스, LP가스, LPG.

L-plàte *n.* Ⓒ 《英》 (임시 면허 운전자의 차에 표시하는) L자(字) 표지판. [◂ *L*earner *plate*]

LPM, lpm 〖컴퓨터〗 lines per minute 행/분. **LPN, L.P.N.** licensed practical nurse. **Lr.** 〖화학〗 lawrencium. **LRC** 〖컴퓨터〗 longitudinal redundancy check character. **LSB** 〖컴퓨터〗 least significant bit (최하위 비트).

LSD [èlèsdíː] *n.* Ⓤ 〖약학〗 엘 에스 디(=~ 25 [twéntifáiv])《정신 분열 같은 증상을 일으키는 환각제》. [◂ *l*y*s*ergic acid *d*iethylamide]

L.S.D., l.s.d. =£.s.d.

£.s.d [élèsdíː] *n.* Ⓤ **1** (영국 구통화 제도의) 파운드·실링·펜스《보통 구두점은 £5 6s. 5d.》. **2** 《英구어》 금전, 돈, 부(富): a matter of ~ 금전 문제, 돈만 있으면 되는 일/a worshiper of ~ 금전의 노예. [《L.》 *librae*, *solidi*, *denarii* (= pounds, shillings, pence)]

LSI large-scale integration (고밀도 집적 회로). **LT** letter telegram. **Lt.** Lieutenant. **Ltd., ltd.** [límitid] limited. **Lu** 〖화학〗 lutetium.

Lu·an·da [luǽndə] *n.* 루안다《앙골라의 수도·항구 도시》.

lu·au [luːáu] *n.* Ⓒ 하와이식 연회(宴會).

lub·ber [lʌ́bər] *n.* Ⓒ (덩치 큰) 뒤퉁바리, 투미한 사람; 〖해사〗 풋내기 선원. ㊎ **~·ly** *a.*, *ad.* 되통스러운, 메떨어진; 어설프게, 볼품없게.

lube [luːb] *n.* Ⓤ 《美구어》 윤활유(=∠ **òil**). [◂ *lub*ricating oil]

lu·bri·cant [lúːbrikənt] *a.* 미끄럽게 하는. **—***n.* **1** Ⓒ (사물을) 미끄럽게 하는 것. **2** Ⓤ (종류·낱개는 Ⓒ) 윤활유, 윤활제.

lu·bri·cate [lúːbrikèit] *vt.* (기계 따위)에 기름을 바르다, 기름을 치다; (피부 따위)를 미끄럽게 하다; (사물)을 원활하게 하다. **—***vi.* 윤활제로서 소용되다.

lù·bri·cá·tion *n.* Ⓤ 미끄럽게 함, 윤활; 주유(注油), 급유.

lu·bri·ca·tive [lúːbrikèitiv] *a.* 미끄럽게 하는, 윤활성의.

lu·bri·ca·tor [lúːbrikèitər] *n.* Ⓒ 미끄럽게 하는 것〔사람〕; 윤활 장치; 주유기.

lu·bri·cious [luːbríʃəs] *a.* 음탕한, 외설스러

운, 호색의.
lu·bric·i·ty [luːbrísəti] *n.* [U] 음탕, 외설, 호색(lewdness).
lu·cent [lúːsənt] *a.* 빛나는(luminous), 번쩍이는; 투명한.
lu·cern(e) [luːsə́ːrn] *n.* [U] 《英》 【식물】 자주개자리(《美》 alfalfa).
lu·ces [lúːsiːz] LUX 의 복수.
◇**lu·cid** [lúːsid] *a.* **1** 맑은, 투명한. **2** 명료한, 알기 쉬운; 투철한; 두뇌가 명석한. **3** 【의학】 (정신병 환자가) 본〔제〕 정신의, 의식이 명료한: a few ~ moments 제정신의 순간. **4** 《시어》 빛나는, 밝은. ⓟ **~·ly** *ad.* **~·ness** *n.*
lu·cid·i·ty [luːsídəti] *n.* [U] **1** 맑음, 투명. **2** 명백, 선명; 명석; 광명, 광휘. **3** (정신병 환자의) 본〔제〕정신, 평정(平靜): periods of ~ 평정기.
Lu·ci·fer [lúːsəfər] *n.* **1** 《시어》 샛별, 금성(Venus). **2** 마왕, 사탄(Satan), 악마. **3** (l-) [C] 황린(黃燐) 성냥(=**lúcifer màtch**).
⁑**luck** [lʌk] *n.* [U] **1** 운(chance), 운수: good 〔bad, ill, hard〕 ~ 행운〔불운〕/by good ~ 다행히도/You never know your ~. 운이란 모르는 거야《지금이라도 운이 트일지 모른다》/I leave everything to ~. 만사 운에 맡기겠다. [SYN.] ⇨ FORTUNE.
2 행운, 요행《*to* do》: in 〔off, out of〕 ~ 운이 좋아〔나빠〕/have no ~ 운이 나쁘다/wish a person ~ 아무의 행운을 빌다/I had the ~ *to* see her there. 나는 다행히 그녀를 거기서 만났다.
as ~ would have it ① 운 좋게, 요행〔다행〕히도. ② 공교롭게, 운수 나쁘게《★ 뜻에 따라 good, ill을 luck의 앞에 붙여 구별할 수도 있음》. ***down on*** one***'s ~*** 운이 기울어, 불행하여. ***for ~*** 재수 있기를 빌며, 운이 좋도록: I kept it *for* ~. 나는 재수 있으라고 그것을 지니고 있었다. ***push*** 〔***press, crowd***〕 one***'s ~*** 《구어》 운을 과신하다, 계속 순조로우리라 믿다. ***try*** one***'s ~*** 운을 시험해 보다; 되든 안 되든 해보다《***at*** …을》. ***with ~*** 운이 좋으면. ***worse ~*** 〖삽입구로서〗 《구어》 공교롭게, 재수없게도.

> [DIAL.] ***Any*** 〔***No***〕 ***luck?*** 잘 됐느냐, 어떻게 되었지《***with*** …은》.
> ***Bad*** 〔***Hard, Tough, Rotten***〕 ***luck!*** 유감이군, 운이 없었어《실패한 사람을 위로하는 말》.
> ***Better luck next time!*** ① 다음에는 잘 될 거야, 또 기회는 있어《실패했거나 승부에 진 사람을 위로하는 말》. ② (비꼬는 투로) 다음에는 잘 도 되겠군.
> ***Good luck!*** =***Best of luck!*** 힘 내, 잘 해봐: *Best of luck*, Tom.—Thanks. See you next year. 잘 해봐, 톰.—고맙다. 내년에 보자.
> ***Just my luck!*** 제기랄 또 글렀군, 또 실패군《일이 잘 안 될 때》.
> ***Lots of luck!*** 행운을 기대해야지 뭐《큰 행운이 따르지 않으면 어려울 거라는 말》.
> ***No such*** 〔***good***〕 ***luck!*** (유감이지만) 엿장수 마음대로는 안 되지.
> ***Some people have all the luck!*** (세상에는) 억세게 재수 좋은 사람도 있군.

—*vi.* 《~+[부]/+[전]+[명]》 《美구어》 운 좋게 잘되다〔성공하다〕(*out*); 운 좋게 성공하다〔찾아내다〕(*out*)《***on, onto, into*** …에, …을》: ~ *out on* an examination 운 좋게 시험에 합격하다.
***luck·i·ly** [lʌ́kili] *ad.* **1** 운 좋게. **2** 〖문장 또는 절을 수식하여〗 요행히(도): *Luckily* she was at

home. 요행히도 그녀는 집에 있었다/I had time enough for reading, ~. 운 좋게 나는 독서할 시간은 충분히 있었다.
◇**lúck·less** *a.* 불운의, 불행한; 혜택이 없는. ⓟ **~·ly** *ad.* **~·ness** *n.*
⁑**lucky** [lʌ́ki] (***luck·i·er; -i·est***) *a.* **1** 행운의, 운 좋은《***in*** …에/***to*** do/***that***》: He is ~ at cards. 그는 카드놀이에 운이 좋다/a ~ dog 〔beggar〕 행운아/one's ~ day 운 좋은 날, 길일(吉日)/a ~ guess 〔hit, shot〕 요행수/That was ~ of you. 그것은 행운이었다/You're ~ *in* whatever you undertake. 너는 무엇을 하든 운이 좋다/I was ~ *to* get a seat. 나는 운 좋게 자리를 차지했다/You're ~ (*that*) you met him there. 네가 거기서 그를 만난 것은 운이 좋았다.
[SYN.] **lucky** 구어적인 표현. 그때의 우연한 행운을 나타내며 lucky 하지 않은 경우의 확률이 퍽 컸음을 시사함: By a *lucky* chance I escaped death. 요행히도 구사일생했다. **fortunate** 약간 딱딱한 표현. 그때의 행운 외에도 주위 사정이 유리했음을 나타냄: I was *fortunate* enough to pass the examination. 시험에 합격하여 운이 좋았다고 생각합니다. **happy** 그 행운에 의해서 초래된 행복한, 또는 유리한 결과에 초점을 둠: a *happy* choice of members 행운의 멤버 선택《그 때문에 좋은 결과를 얻었음을 나타냄》.
2 행운을 가져오는; 재수 좋은, 상서로운: a ~ penny (구멍을 뚫어 시계줄 따위에 다는) 행운의 동전/~ charm 행운의 부적.

> [DIAL.] ***Lucky you!*** (너) 재수 좋구나; 수지맞았구나: He even gave me some money.—*Lucky you!* 그가 나한테 돈까지 주었어—재수가 좋았구나.
> ***You'll be lucky!*** =***You should be so lucky!*** 요행수도 있지《상대방이 기대한 대로 될 리가 없을 때 비꼬는 투로 하는 말》.

ⓟ **lúck·i·ness** *n.*
lúcky bág 〔《英》 **díp**〕 (손을 넣어서 물건을 집어내는) 복주머니(grab bag)《통은 lucky tub》.
lu·cra·tive [lúːkrətiv] *a.* 유리한, 수지맞는, 돈이 벌리는〔되는〕(profitable): a ~ business 유리한 사업. ⓟ **~·ly** *ad.* **~·ness** *n.*
lu·cre [lúːkər] *n.* [U] 이익, 이득(profit); 《경멸적》 금전: filthy ~ 부정 이득.
Lu·cy [lúːsi] *n.* 루시《여자 이름》.
◇**lu·di·crous** [lúːdəkrəs] *a.* 익살맞은, 우스운; 바보 같은. ⓟ **~·ly** *ad.* **~·ness** *n.*
luff [lʌf] 【해사】 *n.* [C] 세로돛의 앞깃; 《英》 이물의 만곡부(彎曲部): spring the 〔her〕 ~ 키를 느슨하게 풀고 배를 바람쪽으로 나아가게 하다.
—*vi.* 이물을 바람 불어오는 쪽으로 돌리다(*up*).
—*vt.* 【요트경주】 (상대편의) 바람 불어오는 쪽으로 나아가다.
lug[1] [lʌg] *n.* **1** [C] (보통 *sing.*) 세게 끌기〔당기기〕. **2** (*pl.*) 《美》 젠체하는 태도, 뽐냄: put on ~*s* 뽐내다. **3** [C] 《美속어》 (정치) 헌금의 요구.
—**(-gg-)** *vt.* **1** 힘껏 끌다, 질질 끌다; 무리하게 끌고 가다(*about; along*)《***into*** …안으로; ***out of*** …밖으로》: He ~*ged* his suitcases *along*. 그는 여행 가방을 힘껏 끌고 갔다/He ~*ged* the box *into* 〔*out of*〕 the room. 그는 상자를 방으로 끌고 들어갔다〔방 밖으로 끌어냈다〕. **2** 《구어》 (관계없는 이야기 등)을 느닷없이〔무리하게〕 들고

나오다, 꺼내다 (*in*) 《*into* …에》: He ~*ged* the subject *into* his speech. 그는 그 화제를 무리하게 연설 중에 꺼냈다. **—***vi.* 힘껏 끌다 《*at* …을》.

lug² *n.* Ⓒ **1** 《英구어》 귀, 귓불. **2** 자루, 손잡이. **3** 돌기, 돌출부; 불쑥 나온 끝. **4** 《美속어》《특히》(덩치 큰) 얼간이, 촌놈.

lug³ *n.* =LUGWORM.

lug⁴ *n.* =LUGSAIL.

luge [luːʒ] *n.* 《F.》 Ⓒ 루지 《스위스식의 1인 또는 2인용의 경주용 썰매; 1964년 동계 올림픽 종목으로 채택》.

⁑lug·gage [lʌ́gidʒ] *n.* Ⓤ 〖집합적〗 소형 여행 가방, 수화물(baggage).

lúggage ràck 《英》 (열차 등의) 선반, 그물선반.

lúggage vàn 《英》 =BAGGAGE CAR.

lug·ger [lʌ́gər] *n.* Ⓒ 『해사』 (lugsail을 단) 작은 범선.

lúg·hòle *n.* Ⓒ 《英속어》 귓구멍.

lug·sail [lʌ́gsèil, 《해사》 -sl] *n.* Ⓒ 『해사』 러그세일 《상단보다 하단이 긴 네모꼴 세로돛》.

lu·gu·bri·ous [luːgjúːbriəs] *a.* 애처로운, 가엾은(sad); 슬퍼하는; 우울한. ⊕ **~·ly** *ad.* **~·ness** *n.*

lúg·wòrm *n.* Ⓒ 『동물』 갯지렁이 《낚싯밥》.

Luke [luːk] *n.* **1** 루크 《남자 이름》. **2** 『성서』 성 누가(St. ~) 《사도 Paul의 친구였던 의사》. **3** 누가 복음 《신약성서 중의 한 편》.

◇luke·warm [lúːkwɔ̀ːrm] *a.* **1** (물이) 미적지근한, 미온의: ~ water. **2** (수단이) 미온적인; 열의가 없는, 냉담한, 마음이 내키지 않는(halfhearted): a ~ support 열의 없는 지지. ⊕ **~·ly** *ad.* **~·ness** *n.*

◇lull [lʌl] *n.* (a ~) 진정, 잠잠함, 뜸함 《*in* (비·바람 따위)의》: a ~ *in* the storm 폭풍우의 일시적인 그침/a ~ *in* the wind 바람이 멎음.
—*vt.* **1** (어린아이)를 달래다, 어르다, 재우다. **2** 〖보통 수동태〗 (폭풍우)를 가라앉히다: The wind *was* ~*ed*. 바람이 잠잠해졌다. **3** (고통 따위)를 진정시키다, 누그러뜨리다; (의혹 따위)를 없애다: ~ a person's fears 아무의 두려움을 없애다. **4** 달래어〔속이어〕 …되게 하다 《*to, into* (상태)로》: ~ a person *into* contentment 아무를 달래어 만족시키다/~ a baby *to* sleep 어린아이를 얼러서 재우다. **—***vi.* 가라앉다, 자다: The wind suddenly ~*ed*. 바람이 갑자기 잠잠해졌다.

◇lull·a·by [lʌ́ləbài] *n.* Ⓒ 자장가(cradlesong). **—***vt.* 자장가를 불러 재우다; 달래다.

lu·lu [lúːlu] *n.* Ⓒ 《속어》 뛰어난 사람〔물건〕.

lum·ba·go [lʌmbéigou] *n.* Ⓤ 『의학』 요통(腰痛).

lum·bar [lʌ́mbər] *a.* Ⓐ 『해부』 허리(부분)의: the ~ vertebra 요추(腰椎).

lum·ber**¹ [lʌ́mbər] *n.* Ⓤ **1** 《美·Can.》 재목, 제재목(《英》 timber) 《통나무·들보·판자 등》. **2** 《英》 잡동사니, (헛간에 넣어둔) 불용품 《가구 따위》. **—vt.* **1** 《美》 …의 재목을 베어내다. **2** 《+목+부》 어수선하게 쌓아올리다 (*together*). **3** 《+목+부/+목+전+명》 (장소)를 채우다, 방해하다 (*up*) 《*with* (쓰지 않는 가구 따위)로》: Don't ~ *up* my shelf *with* your rubbish. 잡동사니로 내 선반의 자리를 차지하지 말게. **4** 《英구어》 (아무)에게 떠맡기다, 폐를 끼치다 《*with* (책임 따위)를, …으로》. **—***vi.* 《美》 재목을 베어내다, 제재하다. ⊕ **~·er** [-rər] *n.* Ⓒ 《美·Can.》 벌목꾼.

lum·ber² *vi.* 쿵쿵 걷다; 무겁게 움직이다(*along; by; past*): The locamotive ~*ed along* 〔*by, past*〕. 기관차가 요란하게 지나갔다.

lúm·ber·ing¹ [-riŋ] *n.* Ⓤ 벌목업, 제재업.

lúm·ber·ing² *a.* Ⓐ 쿵쿵거리며〔무거운 듯이〕 나아가는〔움직이는〕: a ~ gait 무거운 발걸음. ⊕ **~·ly** *ad.*

lúmber·jàck *n.* 《美》 =LUMBERMAN.

lúmber·man [-mən] (*pl.* **-men** [-mən]) *n.* Ⓒ 《美·Can》 벌목꾼; 제재업자.

lúmber·mìll *n.* Ⓒ 《美》 제재소(sawmill).

lúmber ròom 《英》 광, 헛간.

lúmber·yàrd *n.* Ⓒ 《美·Can.》 재목 쌓아 두는 곳, 목재 저장소.

lu·men [lúːmən] (*pl.* **-mi·na** [-mənə], **~s**) *n.* Ⓒ 『광학』 루멘 《광속(光束)의 단위; 생략: lm》.

lu·mi·na·ry [lúːmənèri/-nəri] *n.* Ⓒ **1** 《문어》 발광체 《특히, 태양·달 따위》. **2** 선각자, 지도자, 유명인.

lu·mi·nes·cence [lùːmənésns] *n.* Ⓤ 발광, 『물리』 (열을 수반하지 않는) 루미네슨스, 냉광(冷光).

lu·mi·nes·cent [lùːmənésnt] *a.* 발광(성)의; 루미네슨스의: ~ creatures 발광 생물.

lu·mi·nif·er·ous [lùːmənífərəs] *a.* 빛을 내는; 발광(성)의.

lu·mi·nos·i·ty [lùːmənɑ́səti/-nɔ́s-] *n.* Ⓤ 광명, 광휘; (천체의) 광도(光度); Ⓒ 발광체〔물〕.

◇lu·mi·nous [lúːmənəs] *a.* **1** 빛을 내는, 빛나는; (방 따위가) 밝은: a ~ body 〔organ〕 발광체〔기관(器官)〕/~ paint 발광 페인트/a ~ watch 야광시계/~ intensity 광도. **2** 명료한, 총명한, 명석한. ⊕ **~·ly** *ad.* **~·ness** *n.*

lum·mox [lʌ́məks] *n.* Ⓒ 《美구어》 뒤틈바리(lump), 얼뜨기, 얼간이.

⁑lump¹ [lʌmp] *n.* **1** Ⓒ 덩어리, 한 조각; 각사탕 1개: a ~ *of* sugar 각사탕 (1개)/a ~ *of* clay 한 덩어리의 찰흙/How many ~*s* in your coffee, Tom? 톰, 커피에 설탕 몇 개 넣을까/He's a ~ *of* selfishness. 그는 이기심 덩어리〔이기적〕이다/The articles were piled in a great ~. 물건은 산더미처럼 쌓여 있었다. **2** Ⓒ 혹, 종기, 부스럼, 응어리(swelling): I got a ~ on my head. 머리에 혹이 났다. **3** (a ~) 《속어》 무더기, 많음, 다량: a ~ *of* money 많은 돈. **4** Ⓒ 《구어》 땅딸보; 멍청이, 바보, 얼간이. **5** (*pl.*) 《美구어》 비판; 벌: get 〔take〕 one's ~*s* 심한 비판〔벌〕을 받다/give one's ~*s* 호되게 혼내 주다. **6** (the ~) 《英구어》〖집합적〗 (일괄해 맞돈을 받는) 임시 노동자 집단.

all of a **~** ① 한 덩어리가 되어, 통틀어. ② 온통 부어 올라. ***by*** 〔***in***〕 ***the*** **~** 통틀어서, 전부. ***feel*** 〔***have***〕 ***a*** **~** ***in*** ***one's*** 〔***the***〕 ***throat*** (감동하여) 목이 메다, 가슴이 뿌듯해지다: I *had* 〔*felt*〕 *a* ~ *in* my *throat* at the sight. 그 광경을 보고 (감동하여) 목이 메었다. ***in a*** 〔***one***〕 **~** 일괄해서, 동시에.

—*a.* Ⓐ 한 덩어리〔묶음〕의, 총괄의: ~ sugar 각사탕/~ work 일괄적인 도급일.

—*vt.* **1** 한 묶음으로 하다; 덩어리로 만들다. **2 a** 《~+목/+목+부》 일괄〔총괄〕하다 (*together*): Let us ~ all the expenses. 비용은 모두 하나로 합칩시다/The expenses ought to be ~*ed together*. 경비는 일괄 계산되어야 한다. **b** 《~+목+전+명》 (차이를 무시하고) 함께 취급하다 《*with* …와; *under* …하에》: They ~*ed* the old thing *with* the new. 그들은 헌것과 새것을 함께 합쳤다/~ several things *under* one name 여러 것

을 한 명목하에 통합하다.

—*vi*. **1** 한 덩어리〔한 떼〕가 되다. **2** 《~+副》 무거운 걸음으로 가다(*along*); 털썩 주저앉다(*down*).

lump[2] *vt*. 〖~ it으로〗《구어》 참다, 인내하다: If you don't like it, you may 〔can〕 ~ *it*. 설사 싫더라도 참으시오.

> DIAL. ***Like it or lump it!*** 좋든 싫든 잠자코 있어라(← 그것을 좋아하거나 아니면 참아라).

lump·ish [lʌ́mpiʃ] *a*. 덩어리 같은, 작달막하고 무거운; (우)둔한, 바보 같은. ㊞ **~·ly** *ad*. **~·ness** *n*.

lúmp súm 일시불 (금액): pay in a ~ 일시불로 지급하다.

lúmp-súm *a*. 일시불의: ~ return (보험금·소득세의) 일괄 환불.

lumpy [lʌ́mpi] (***lump·i·er; -i·est***) *a*. 덩어리(투성이)의; 바람으로 파도가 이는《바다 등》; 땅딸막하고 굼뜬. ㊞ **lúmp·i·ly** *ad*. **-i·ness** *n*.

Lu·na [lú:nə] *n*. 〖로마신화〗 달의 여신; 달. cf. Diana, Artemis.

lu·na·cy [lú:nəsi] *n*. **1** Ⓤ 정신 이상, 광기(狂氣). **2** Ⓤ (구체적으로는 Ⓒ) 미친 지랄, 바보짓.

◇**lu·nar** [lú:nər] *a*. **1** 달의, 태음(太陰)의(cf. solar); 달의 작용에 의한《조수의 간만 등》: ~ overshoes 월면화(月面靴)/a ~ rocket 달 로켓. **2** 달 비슷한; 초승달 모양의.

lúnar cálendar (태)음력.

lúnar dáy 태음일《약 24시간 50분》.

lúnar eclípse 〖천문〗 월식.

lúnar mónth 태음월(太陰月), 음력 한 달《29일 12시간 44분; 통속적으로는 4주간》.

lúnar yéar 태음년《lunar month에 의한 12개월; 약 354일 8시간》.

lu·nate [lú:neit] *a*. (초승)달 모양의.

◇**lu·na·tic, -i·cal** [lú:nətik], [-əl] *a*. **1** 미친, 발광한, 정신 이상의(insane). **2** (행동 따위가) 미치광이 같은, 어이없는(frantic, mad). **3** 정신 병자를 위한. **—***n*. Ⓒ 미치광이, 정신 이상자; 괴짜, 어리석은 사람. ㊞ **lu·nát·i·cal·ly** *ad*.

lúnatic asỳlum 정신 병원《지금은 보통 mental hospital 〔home, institution〕이라 함》.

lúnatic frínge (보통 the ~) 〖집합적; 단·복수취급〗 (정치 운동 따위의) 소수 과격파〔열광적인 지지자들〕.

†**lunch** [lʌntʃ] *n*. **1** Ⓤ (종류는 Ⓒ) **점심**, 주식(晝食): a light ~ 가벼운 점심/have 〔eat〕 ~ 점심을 먹다.

> SYN. **lunch** 보통의 점심, 가벼운 식사. **luncheon** 점심으로서 특별히 격식을 차린 오찬을 뜻하며 lunch 보다 기품 있는 말.

2 Ⓒ 경(輕)식사(《美》 시간에 관계없이, 《英》 주식(dinner)과 조반 중간에 먹는》.

3 Ⓒ 도시락: a picnic ~ 피크닉 도시락/take (a) ~ with one 도시락을 지참하다.

out to ~ 《구어》 머리가 돈.

> DIAL. ***There's no such thing as a free lunch.*** 세상에 공짜가 어디 있어(← 공짜 점심이란 것은 없다).

—*vi*. 《~/+副/+前+名》 런치를〔점심을〕 먹다: ~ *out* 〔*in, at* home〕 밖에서〔집에서〕 점심을 먹다/~ *on* soup and sandwiches 점심으로 수프와 샌드위치를 먹다. **—***vt*. …에게 점심을〔런치를〕 내다. ㊞ **∠·er** *n*.

lúnch bòx 도시락(통).

lúnch còunter 《美》 (음식점의) 런치용 식탁; 간이식당.

***lunch·eon** [lʌ́ntʃən] *n*. Ⓤ (종류는 Ⓒ) 점심, 주식(晝食) (lunch), (특히 회합에서의 정식의) 오찬(회): a ~ party 오찬회. SYN. ⇨LUNCH.

—*vi*. 점심을 먹다.

lúncheon bàr 《英》 =SNACK BAR.

lunch·eon·ette [lʌ̀ntʃənét] *n*. Ⓒ 경〔간이〕식당; (학교·공장 따위의) 식당.

lúncheon mèat 고기와 곡류 따위를 갈아 섞어 조리한 (통조림) 식품.

lúncheon vòucher 《英》 점심 식권.

lúnch hòur =LUNCHTIME.

lúnch·ròom *n*. Ⓒ 《美》 경(輕)〔간이〕식당, (학교의) 구내식당.

lúnch·tìme *n*. Ⓤ 점심시간: at ~ 점심시간에.

⁑**lung** [lʌŋ] *n*. Ⓒ **폐**, 허파: a ~ attack 〔disease, trouble〕 폐병/have good ~*s* 목소리가 크다, 성량이 있다.

lunge [lʌndʒ] *n*. Ⓒ (특히 펜싱 따위의) 찌르기 (thrust); 돌입, 돌진.

—*vi*. (칼 따위로) 찌르다《***at*** …을》; 돌진하다 (*out*)《***at, against*** …을 향하여》: He ~*d* (*out*) *at* his adversary. 그는 적을 향하여 돌진했다.

—*vt*. (무기)를 쑥 내밀다.

lúng·fish *n*. Ⓒ 〖어류〗 폐어(肺魚).

lúng-pòwer *n*. Ⓤ 발성력, 성량(聲量); (발성력으로 본) 폐의 힘.

lúng·wòrt *n*. Ⓒ 〖식물〗 지칫과의 식물.

lunk·head [lʌ́ŋkhèd] *n*. Ⓒ 《美속어》 멍텅구리(blockhead), 바보.

lu·pin, lu·pine[1] [lú:pin] *n*. Ⓒ 〖식물〗 루핀 《콩과에 속하는 다년초》.

lu·pine[2] [lú:pain] *a*. 이리의, 이리처럼 잔인한 (wolfish); 맹렬한; 탐식(貪食)하는.

lurch[1] [lə:rtʃ] *n*. 〖다음 관용구로〗 ***leave*** a person ***in the ~*** 아무를 궁지에 내버려두다.

◇**lurch**[2] *n*. Ⓒ (배·차 등의) 갑작스런 기울어짐; 비틀거림(stagger): The bus gave a ~. 버스가 갑자기 기울었다. **—***vi*. 급히 한쪽으로 기울다; 비틀거리다, 비틀거리며 나아가다(*about; along*): The boxer ~*ed* to his feet. (쓰러진) 권투 선수는 비틀거리며 일어섰다/The boat ~*ed about* in the storm. 작은 배는 폭풍을 만나 마구 흔들렸다.

◇**lure** [luər] *n*. **1** (*sing*.) 매혹, 매력, 사람의 마음을 끄는 것: the ~ *of* adventure 모험의 매력. **2** Ⓒ 가짜 미끼; 후림새(decoy)《매잡이가 매를 불러들이는 데 쓰는 새 모양의 것》.

—*vt*. **1** 유혹하다(*on*); 유인해 들이다《***into, to*** …으로》; 꾀어내다(*away*)《***from, out of*** …에서》: Money ~*d* him *on*. 그는 돈의 유혹을 받았다/The desire for quick profits ~*d* them *into* questionable dealings. 그들은 손쉽게 이익을 올리려는 데 눈이 멀어 수상쩍은 거래에 손을 댔다/Don't ~ him *away from* his studies. 공부하는 그를 꾀어내지 마라. **2** (매)를 후림새로 불러들이다. cf. bait, decoy.

> SYN. **lure** 원래는 짐승을 꾀어들이는 뜻이었으나, 전하여 욕망을 부추기어 남을 나쁜 일에 꾀는 것을 말함. **allure** 사람을 쾌락이나 이익으로 유혹하는 뜻으로서 반드시 유해하고 위험한 것만은 아님.

◇**lu·rid** [lú:rid] *a*. **1** 소름 끼치는, 무서운: a ~ story 소름 끼치는 이야기/cast 〔throw〕 a ~

light on the facts (a person's character) 사실(아무의 성격)을 비극적으로(무시무시하게) 보이게 하다. **2** 색이 너무 진한; 현란한. **3** (하늘·번개·구름 등이) 빛나는, 번쩍번쩍하는, 타듯이 붉은: a ~ sunset 붉게 물든 저녁놀. ㊥ **~·ly** *ad.* **~·ness** *n.*

◇**lurk** [ləːrk] *vi.* **1** 숨다, 잠복하다; 숨어 기다리다 《*in* …에》: a *~ing* place 잠복처 / ~ *in* the mountains 산 속에 잠복하다. **2** 남몰래 가다, 잠행하다, 살금살금 걷다; (시선 등이) 살며시 움직이다: His eyes *~ed* toward his daughter. 그의 눈은 딸 쪽으로 슬며시 옮겨갔다. **3** 잠재하다 《*in* (가슴 속)에》: a *~ing* sympathy 가슴 속 깊이 품은 연민의 정 / Some suspicion *~ed in* his mind. 어떤 의심이 그의 심중에 도사리고 있었다. ㊥ **∠·er** *n.*

lus·cious [lʌ́ʃəs] *a.* 감미로운《맛·향기 따위》; 《구어》 (여자가) 관능적인, 육감적인; 쾌적한; (매우) 달콤한. ㊥ **~·ly** *ad.* **~·ness** *n.*

lush[1] [lʌʃ] *a.* 푸르게 우거진; 푸른 풀이 많은, 무성한; 싱싱한; 호화로운; 풍부한(abundant).

lush[2] 《美속어》 *n.* Ⓤ 술; Ⓒ 모주꾼, 주정뱅이. **—** *vi., vt.* (술을) 마시다.

◇**lust** [lʌst] *n.* Ⓤ (구체적으로는 Ⓒ) **1** (강한) 욕망, 갈망《*for, of* …에 대한》: a ~ *for* power 권력욕 / the ~ *of* conquest 정복욕. **2** (흔히 *pl.*) 육욕, 색욕(色慾): the *~s* of the flesh 육욕.

— *vi.* **1** 갈망〔열망〕하다《*after, for* …을》: ~ *after* (*for*) *gold* 금을 갈망하다. **2** 색정을 일으키다〔품다〕《*after, for* …에》.

***lus·ter,** 《英》 **-tre** [lʌ́stər] *n.* Ⓤ **1** (또는 a ~) **광택, 윤**; 광채. **2 영광**, 영예, 명예: add ~ to … 에 빛〔영광〕을 더하다 / shed (throw) ~ on …에 광채를 비추다. **3** (광을 내는) 유약, 잿물.

lust·ful [lʌ́stfəl] *a.* 호색의, 음탕한(lewd). ㊥ **~·ly** *ad.* **~·ness** *n.*

lus·trous [lʌ́strəs] *a.* 광택 있는, 번쩍이는, 빛나는. ㊥ **~·ly** *ad.* **~·ness** *n.*

◇**lusty** [lʌ́sti] (***lust·i·er; -i·est***) *a.* 튼튼한; 원기 왕성한, 활발한; (소리 따위가) 힘찬; 호색인, 색욕이 왕성한. ㊥ **lúst·i·ly** *ad.* **lúst·i·ness** *n.*

lu·ta·nist, lu·te·nist [lúːtənist] *n.* Ⓒ 류트(lute) 주자(奏者).

◇**lute** [luːt] *n.* Ⓒ 류트《14–17세기의 기타 비슷한 현악기》.

lu·te·ti·um [luːtíːʃiəm] *n.* Ⓤ 【화학】 루테튬《희토류(稀土類) 원소; 기호 Lu; 번호 71》.

Lu·ther [lúːθər] *n.* **Martin** ~ 루터《독일의 신학자·종교 개혁자; 1483–1546》.

Lu·ther·an [lúːθərən] *a., n.* Ⓒ Martin Luther의; 루터 교회의 (신자). ㊥ **~·ism, Lú·ther·ìsm** [-rənìzəm], [-θərìzəm] *n.* Ⓤ 루터주의.

luv [lʌv] *n.* 《발음철자》 《구어》 =LOVE.

lux [lʌks] (*pl.* **~·es** [lʌ́ksiz], ***lu·ces*** [lúːsiːz]) *n.* Ⓒ 【광학】 럭스《조명도의 국제 단위; 생략: lx》.

luxe [luks, lʌks] *n.* Ⓤ, *a.* 《F.》 화려(한); 호화(스러운), 사치(스런). ⓒⓕ deluxe.

Lux·em·b(o)urg [lʌ́ksəmbə̀ːrg] *n.* 룩셈부르크《독일·프랑스·벨기에에 둘러싸인 대공국(大公國)》; 그 수도.

lux·u·ri·ance [lʌgʒúəriəns, lʌkʃúər-] *n.* Ⓤ 번성, 무성; 풍부; (문체의) 화려.

◇**lux·u·ri·ant** [lʌgʒúəriənt, lʌkʃúər-] *a.* **1** 번성한, 울창한. **2** 풍부한《상상력 따위》. **3** 화려한, 현란한《의장·장식·문체 따위》: ~ prose 문식(文飾)이〔비유가〕 풍부한 문체. ㊥ **~·ly** *ad.*

lux·u·ri·ate [lʌgʒúərièit, lʌkʃúər-] *vi.* **1** (식물이) 번성하다, 무성하다. **2** 탐닉하다; 유유히 즐기다《*in* …에, …을》: ~ *in* a warm bath 한가로이 온수 목욕을 즐기다.

***lux·u·ri·ous** [lʌgʒúəriəs, lʌkʃúər-] *a.* **1 사치스러운**, 호사스러운(luxuriant). **2** 상쾌한, 쾌적한. **3** (관능적인) 쾌락을 추구하는. ◇ luxury *n.* ㊥ **~·ly** *ad.* **~·ness** *n.*

‡**lux·u·ry** [lʌ́kʃəri] *n.* **1** Ⓤ **사치, 호사**: live in ~ 호사스럽게 지내다. **2** Ⓒ **사치품**, 고급품; 사치스러운 것: Taking a taxi is a ~ for me. 택시를 타는 것은 내겐 사치다. ◇ luxurious, luxuriant *a.*

— *a.* Ⓐ 사치〔호화〕스러운; 고급의: ~ tax 사치세 / ~ foods 고급 식품 / a ~ hotel 호화 호텔 / a ~ liner (car) 호화선〔고급차〕.

Lu·zon [luːzán/-zɔ́n] *n.* 루손 섬《필리핀 군도의 주도(主島)》.

lx 【광학】 lux.

-ly[1] [li] *suf.* 형용사·명사에 붙여서 부사를 만듦: bold*ly*, month*ly*.

-ly[2] *suf.* **1** 명사에 붙여서 '…와 같은, …다운'의 뜻의 형용사를 만듦: friend*ly*, man*ly*. **2** 《드물게》 형용사에 붙여서 '…의 경향이 있는'이란 뜻의 형용사를 만듦: kind*ly*, sick*ly*.

ly·cée [liːséi/∠-] *n.* 《F.》 Ⓒ 리세《프랑스의 국립 고등 학교 또는 대학 예비교》.

ly·ce·um [laisíːəm] *n.* 《L.》 **1** Ⓒ 학원; 강당; 문화회관. **2** =LYCÉE. **3** (the L–) (아리스토텔레스가 철학을 가르쳤던) 아테네의 학원; 아리스토텔레스학파. ⓒⓕ academy.

ly·chee [láitʃiː] *n.* =LITCHI.

lých gàte =LICH GATE.

lye [lai] *n.* Ⓤ 잿물; (세탁용) 알칼리액.

ly·ing[1] [láiiŋ] LIE[1]의 현재분사. **—** *a.* 드러누워 있는: low-~ land 저지(低地).

— *n.* Ⓤ 드러누움.

ly·ing[2] LIE[2]의 현재분사. **—** *a.* 거짓말을 하는; 거짓의, 허위의: a ~ rumor 근거 없는 소문.

— *n.* Ⓤ 거짓말하기; 허위.

lýing-ín (*pl.* **lýings-, ~s**) *n.* Ⓒ (보통 *sing.*) 해산 자리에 눕기; 분만, 해산. **—** *a.* Ⓐ 산부인과의: a ~ chamber (hospital) 산실〔산부인과 병원〕.

Lýme disèase 라임병《발진·발열·관절통·만성 피로감·국부 마비 등을 보이는 감염 질환; 전엔 Lyme arthritis라고 했음》.

lymph [limf] *n.* Ⓤ 【생리】 림프(액); (상처 따위에서 나오는) 진물; 【의학】 두묘(痘苗)(vaccine ~): a ~ gland 림프샘.

lym·phat·ic [limfǽtik] *a.* **1** 【생리】 림프(액)의; 림프를 통〔분비〕하는: a ~ gland (vessel) 림프샘〔관〕. **2** (사람이) 림프질(質)〔체질〕의《선병질(腺病質)로 피부가 창백한》: a ~ temperament 림프질. **3** 둔중한, 지둔(遲鈍)한(sluggish), 무기력한. **—** *n.* Ⓒ 【해부】 림프관(管).

lýmph nòde (glànd) 【해부】 림프절〔샘〕.

lýmpho·cỳte *n.* Ⓒ 【해부】 림프구(球).

lymph·oid [límfɔid] *a.* 림프(구(球))의.

◇**lynch** [lintʃ] *vt.* …에게 린치를 가하다.

lýnch làw 사형(私刑), 린치《미국 Virginia 주의 치안판사 Captain William Lynch가 형벌을 함부로 가한 데서》.

lynchpin ⇨LINCHPIN.

lynx [liŋks] (*pl.* **~·es,** 《집합적》 ~) *n.* **1** Ⓒ 【동물】 스라소니; Ⓤ 스라소니의 모피(毛皮). **2**

(the L–) 〖천문〗 살쾡이자리.
lýnx-èyed *a.* 눈이 날카로운.
Ly·ra [láiərə] *n.* 〖천문〗 거문고자리(the Lyre).
lyre [láiər] *n.* Ⓒ (고대 그리스의) 수금(竪琴), 칠현금(七絃琴); (the L–) 〖천문〗 =LYRA.
lýre·bìrd *n.* Ⓒ 〖조류〗 금조(琴鳥)《오스트레일리아산(產); 수컷 꼬리가 lyre 모양임》.
lyr·ic [lírik] *n.* **1** Ⓒ 서정시(=∠ **pòem**). ⓒⓕ epic. **2** (*pl.*) 서정시체(抒情詩體)〔운문(韻文)〕. **3** (*pl.*) (유행가 따위의) 가사(歌詞).
—*a.* **1** 서정시의, 서정적인; 음악적인, 오페라풍의: a ~ poet 서정 시인/~ poetry 서정시/~ drama 가극. **2** =LYRICAL.
lyr·i·cal [líri*k*əl] *a.* 서정시조(調)의, 서정미가 있는(lyric); 감정이 풍부한, 감상적인; 열광적인, 몹시 감격한《***over, about*** …에》. ㊂ **~·ly** *ad.* 서정적으로; 열광적으로. **~·ness** *n.*
lyr·i·cism [lírəsìzəm] *n.* Ⓤ 서정미; 서정시풍(抒情詩風); (용어 · 표현의) 과장, 고조된 감정.
lýr·i·cist *n.* Ⓒ 서정 시인; (노래 · 가극 따위의) 작사가.
lyr·ist [láirist, lír-] *n.* **1** Ⓒ lyre 탄주자(彈奏者). **2** [lírist] =LYRICIST.
ly·sin [láisn] *n.* Ⓒ 〖생화학〗 리신, 세포 용해소(溶解素)《적혈구나 세균을 용해하는 항체》.
-ly·sis [ləsis] '분해, 해체, 파괴, 마비' 따위의 뜻의 결합사: ana*lysis*, para*lysis*.
-lyze [làiz] *suf.* -lysis에 대응하는 타동사를 만듦: ana*lyze*. ★ -lyse로도 씀.
L.Z., LZ landing zone (착륙장).

M

M[1], **m** [em] (*pl.* **M's, *Ms*, m's, *ms*** [-z]) **1** [U] (구체적으로는 [C]) 엠《영어 알파벳의 열 셋째 글자》. **2** [U] 13 번째(의 것)《J를 빼면 12 번째》. **3** [U] (로마 숫자의) 1,000: *MCMLXXXIX* = 1989.

M[2] (*pl.* **M's, Ms** [-z]) *n.* [C] M 자 모양(의 것).

M., M Majesty; Mark(s); Marquis; Marshal; Master; Member; Monday; Monsieur; 《英》 motorway. **m, m.** male; mark(s); married; masculine; 〖물리〗 mass; medium; meridian; meter(s); midnight; mile(s); million(s); minute(s); month(s).

M'- ⇨MAC- 《보기: *M'*Donald》.

‡**'m 1** [m] =AM. **2** [əm] =MA'AM: Yes'*m*. 예 부인〔선생님〕/ No'*m*. 아니오 마님.

ma [mɑː, mɔː] *n.* 《구어》 엄마; 아줌마.

MA 〖美우편〗 Massachusetts. **M.A.** *Magister Artium* 《L.》(=Master of Arts); 〖심리〗 Mental Age; Military Academy.

***ma'am** [məm, m] *n.* **1** 《美구어》 **마님, 아주머니**《하녀가 여주인에게, 점원이 여자 손님에게 대한 호칭》; 선생님《여자 교사에 대한 호칭》: Is Jack present?—Yes, ~ [jésm]. 잭 있습니까.—예 있습니다, 선생님. **2** [mæ(ː)m, mɑːm] 《英》 여왕〔공주〕에 대한 존칭. [◂*madam*]

má-and-pá [-ən-] *a.* =MOM-AND-POP.

Máastricht Trèaty 마스트리히트 조약《1991년 Maastricht에서 개최되어 EC에서 이듬해 조인된 통화 · 정치 · 경제적 통합을 내용으로 한 조약》.

Ma·bel [méibəl] *n.* 메이벌《여자 이름; 애칭은 Mab》.

Mac[1] [mæk] *n.* 《美구어》 야, 이봐, 자네《이름을 모르는 남자를 부르는 말》.

Mac[2] *n.* 맥. **1** 남자 이름. **2** 《英》 스코틀랜드 사람.

mac [mæk] *n.* 《英구어》 =MAC(K)INTOSH 2.

Mac- [mək, mæk], **M'-, Mc-, M**[c]**-** *pref.* '…의 아들' 이란 뜻《[k, g]의 앞에서는 [mə, mæ]》. ★ 스코틀랜드 · 아일랜드계 사람의 성에 붙음: *Mac*Arthur, *Mac*Donald, *Mc*Kinley. [cf] Fitz-, O'.

ma·ca·bre, -ber [məkɑ́ːbrə, -bər], [-bər] *a.* 섬뜩한, 기분 나쁜; 죽음을 주제로 하는.

mac·ad·am [məkǽdəm] *n.* **1** [U] 〖토목〗 (롤러로 굳히는 도로용) 쇄석(碎石), 밤자갈. **2** [C] 머캐덤 도로(=∠ **ròad**)《쇄석을 아스팔트나 피치로 굳힌》.

mac·a·da·mia [mæ̀kədéimiə] *n.* [C] 마카다미아 나무〔열매〕《Australia 산(產)》.

mac·ád·am·ìze *vt.* (도로)를 머캐덤 공법으로 포장(鋪裝)하다.

Ma·cao [məkáu] *n.* 마카오《중국 남동 해안의 도시; 포르투갈 영토로 있다가 1999 년 중국으로 반환됨》.

***mac·a·ro·ni, mac·ca-** [mæ̀kəróuni] *n.* [U] **마카로니**, 이탈리아 국수. [cf] spaghetti.

mac·a·roon [mæ̀kərúːn] *n.* [C] 마카롱《달걀 흰자 · 아몬드 · 설탕으로 만든 작은 과자》.

Mac·Ar·thur [məkɑ́ːrθər] *n.* **Douglas** ~ 맥아더《미국 육군 원수; 1880–1964》.

Ma·cau·lay [məkɔ́ːli] *n.* **Thomas Babington** ~ 매콜리《영국의 역사 · 평론 · 정치가; 1800–59》.

ma·caw [məkɔ́ː] *n.* [C] 〖조류〗 마코앵무새《라틴아메리카산》.

Mac·beth [məkbéθ] *n.* 맥베스《Shakespeare 작 4 대 비극의 하나; 그 주인공》.

Mace [meis] *n.* [U] 최루 신경 가스《상표명》. —*vt.* (보통 m-) (폭도 따위)를 ~로 공격〔진압〕하다.

mace[1] [meis] *n.* [C] **1** 갈고리 달린 철퇴《중세의 갑옷을 부수는 무기》. **2** 권표(權標), 직장(職杖)《영국의 시장 · 대학총장 등의 직권의 상징》; (the M-) 영국 하원 의장의 직장.

mace[2] *n.* [U] 육두구 껍질을 말린 향료.

máce-bèarer *n.* [C] 권표봉지자(權標捧持者).

Mac·e·do·nia [mæ̀sədóuniə, -njə] *n.* 마케도니아《옛 그리스의 북부지방》; 마케도니아(공화국)《수도: Skopje》.

Mac·e·dó·nian [-n] *a.* 마케도니아(사람, 말)의. —*n.* **1** [C] 마케도니아 사람. **2** [U] 마케도니아어(語).

mac·er·ate [mǽsərèit] *vt.* (식물 따위)를 액체에 담가서 부드럽게 하다, 붇게 하다. —*vi.* (단식 · 걱정 따위로) 야위다, 쇠약해지다; 부드러워지다, 붇다. [파] **màc·er·á·tion** *n.* [U]

Mach [mɑːk, mæk] *n.* [U] 〖물리〗 마하《유체 중의 물체의 속도와 음속과의 비; Mach one 〔1〕은 음속과 같은 속도; 생략: M》.

ma·chete [məʃéti, -tʃé-] *n.* [C] (라틴 아메리카 원주민의) 날이 넓은 큰 칼《주로 사탕수수를 자르거나 가지치기용으로 씀》.

Mach·i·a·vel·li [mæ̀kiəvéli] *n.* **Niccolò** ~ 마키아벨리《이탈리아의 정치가; 1469–1527》.

Mach·i·a·vel·li·an [mæ̀kiəvéliən] *a.* 마키아벨리(류)의; 권모술수의; 음험한, 교활한. —*n.* [C] 권모술수가, 책모가.

Mach·i·a·vel·lism [mæ̀kiəvélizəm] *n.* [U] 마키아벨리즘〔주의〕 (=**Màch·i·a·vél·li·an·ìsm**).

ma·chìc·o·lá·tion, ma·chi·cou·lis [mətʃìkouléiʃən], [mɑ̀ːʃikúːli] *n.* [C] 〖축성(築城)〗 (입구 · 통로 위에) 돌출된 총안《돌 · 뜨거운 물을 성벽 아래로 퍼붓기 위한 구조물》.

mach·i·nate [mǽkənèit] *vt., vi.* 모의하다, (음모를) 꾀하다(plot).

mach·i·na·tion [mæ̀kənéiʃən] *n.* [C] (보통 *pl.*) 간계, 음모.

‡**ma·chine** [məʃíːn] *n.* [C] **1 a 기계**; 기계 장치: the age of ~ 기계 (문명) 시대 / by ~ 기계로《무관사》/ *Machines* saves a lot of labor. 기계 덕분에 많은 노력을 덜 수 있다. **b** 자동판매기: a drinks ~ 음료자동판매기.
2 《구어》 자동차, 자전거; 비행기.

3 기구, 기관: the social ~ 사회기구.
4 (정당 등의) 조직; 그 지배 집단, 파벌.
5 기계적으로 일하는 사람; (어떤 일에) 아주 적당한 사람: He's a mere ~. 그는 단지 자주성 없는 인간일 뿐이다.
by ~ 기계로. ***like a well-oiled*** ~ 매우 순조롭고 능률있게.
—*a.* Ⓐ **1** 기계(용)의; 기계에 의한: ~ parts 기계 부품. **2** 컴퓨터의〔에 의한, 용의〕: ~ translation 컴퓨터(에 의한) 번역.
—*vt.* 《~+目/+目+보》 …을 기계에 걸다〔로 가공하다, 로 만들다〕; 재봉틀에 박다: ~ a thing smooth 기계로 물건의 표면을 매끄럽게 다듬다.

machíne còde 〖컴퓨터〗 =MACHINE LANGUAGE.

machíne gùn 기관총〔포〕, 기총.

machíne-gùn *vt.* 기관총으로 쏘다〔소사(掃射)하다〕.

machíne-indepéndent *a.* 〖컴퓨터〗 특정 기계에 의하지 않는.

machíne lànguage 〖컴퓨터〗 기계어.

machíne lèarning 〖컴퓨터〗 기계 학습《과거의 작동 축적을 통해 자신의 동작을 개선할 수 있는 슈퍼 컴퓨터의 능력》.

machíne·lìke *a.* 기계 같은; 정확한.

machíne-màde *a.*기계로 만든(↔ *handmade*).

machíne-rèadable *a.* 〖컴퓨터〗 컴퓨터로 처리〔해독〕할 수 있는.

ma·chin·ery [məʃíːnəri] *n.* Ⓤ **1** 《집합적》 **기계류**(machines): a great deal of ~ 많은 기계류/install ~ in a factory 공장에 기계를 설치하다. **2** (시계의) **기계 장치**; (기계의) 가동 부분: the ~ *of* a watch 시계의 구조. **3** 기관, 기구, 조직《***of, for*** (사회·정치 따위)의》: the ~ *of* the law 사법 기관/the ~ *of* government 정치 기구/What is the ~ *for* processing correspondence? 통신을 처리하는 기관은 어느 것이냐.

machíne tìme (컴퓨터 등의) 총작동 시간, 연(延)작동 시간.

machíne tòol 공구, 공작 기계.

machíne-tòoled *a.* **1** 공작 기계로 만들어진(듯한). **2** 정확한, 매우 정교한.

machíne wòrd 〖컴퓨터〗 기계어.

ma·chin·ist [məʃíːnist] *n.* Ⓒ 기계 기술자, 기계 제작자〔수리공〕; (공작)기계공; 기계 운전자; 《특히》 미싱공(工).

ma·chis·mo [mɑːtʃíːzmou] *n.* 《Sp.》 Ⓤ 사내다움, 남성으로서의 의기〔자신〕.

Mách nùmber 〖물리〗 마하수.

ma·cho [máːtʃou] (*pl.* **~s**) *n.* 《Sp.》 **1** Ⓒ (건장한) 사나이. **2** =MACHISMO. —*a.* 사내다운, 늠름한.

Ma·chu Pic·chu [máːtʃuːpíːktʃuː] *n.* 마추픽추《페루 중남부의 고대 잉카 요새 도시 유적》.

mack [mæk] *n.* 《英구어》 =MAC(K)INTOSH.

mack·er·el [mǽkərəl] (*pl.* **~(s)**) *n.* **1** Ⓒ 고등어《북대서양산》. **2** Ⓤ 고등어 살.

máckerel ský 〖기상〗 조개구름(이 덮인 하늘).

mack·i·naw [mǽkənɔ̀ː] *n.* Ⓒ 《美》 바둑판무늬 담요(=**Máckinaw blànket**); 그것으로 만든 짧은 상의(=**Máckinaw còat**).

mac(k)·in·tosh [mǽkintɑ̀ʃ/-tɔ̀ʃ] *n.* **1** Ⓤ 고무 입힌 방수포(防水布). **2** Ⓒ 《英》 방수외투《생략: mac(k)》.

macr- [mækr], **mac·ro-** [mǽkrou, -rə] '긴, 큰' 의 뜻의 결합사. ↔ *micr-*, *micro-*.

mac·ra·me, -mé [mǽkrəmèi/məkráːmi] *n.* 《F.》 Ⓤ 매듭실 장식, 마크라메 레이스.

màcro·biótic *a.* 장수식(長壽食)의: ~ food 장수〔건강〕 식품.

màcro·biótics *n.* Ⓤ 장수식(長壽食) 연구〔이론〕《동양의 음양설에 의한 식품의 배합》.

mácro·còde *n.* Ⓒ 〖컴퓨터〗 모듬 (명령) 부호, 모듬 명령(macroinstruction).

mac·ro·cosm [mǽkroukɑ̀zəm/-kɔ̀z-] *n.* **1** (the ~) 대우주. ↔ *microcosm*. **2** Ⓒ 전체, 총체, 복합체. ㊕ **màc·ro·cós·mic** [-mik] *a.*

màcro-económic *a.* 거시적 경제학의.

màcro·económics *n.* Ⓤ 〖경제〗 거시 경제학. ↔ *microeconomics*.

mac·ron [méikrɑn, -rən, mǽk-/mǽkrɔn] *n.* Ⓒ 〖음성〗 (모음 위쪽에 붙는) 장음부호(¯)《보기: cāme, bē》.

mac·ro·scop·ic, -i·cal [mæ̀krəskɑ́pik/-skɔ́p-], [-əl] *a.* 육안으로 보이는(↔ *microscopic*); 〖물리·수학〗 거시적인. ㊕ **-i·cal·ly** *ad.*

mad [mæd] (**-dd-**) *a.* **1 미친, 실성한**: a ~ man/become 〔go〕 ~ 발광하다/make 〔send, drive〕 a person ~ 아무를 미치게 하다. SYN. ⇨ CRAZY, INSANE.
2 미칠 지경인, 몹시 흥분한《***with*** …으로》: He was ~ *with* joy 〔pain〕. 그는 기뻐〔아파〕 미칠 지경이었다.
3 열광적인, 열중한, 열을 올리고 있는《***about, on*** …에》; 몹시 탐내고 있는《***for, after*** …을》: He is ~ *about* her. 그는 그녀에게 홀딱 반하여 열을 올리고 있다/He was ~ *for* a new car. 그는 새 차를 몹시 갖고 싶어했다/He's ~ *on* gambling. 그는 도박에 미쳐 있다/He's opera 〔photography〕 ~. 그는 오페라〔사진〕광이다.
4 앞뒤를 헤아리지 않는, 무모한, 바보 같은《***to*** do》; 무분별한:~ efforts 무모한 노력/in a ~ rush 마구 서둘러/She's full of ~ ideas. 그녀는 어리석은 생각으로 머리가 꽉 차 있다/*It* was ~ *of* you *to* do that. =You were ~ *to* do that. 그런 짓을 하다니 너도 주책이다.
5 Ⓟ 《구어》 성난, 골난《***at, with*** …에게; ***for, about*** …(일)로》: make 〔send, drive〕 a person ~ 아무를 화나게 하다/Don't be ~ *at* me. 나한테 화내지 마라/Our teacher was ~ *at* 〔*with*〕 us *for* breaking a windowpane. 유리창을 깨뜨렸다고 선생님이 우리들에게 화를 내셨다.
6 (개가) 광견병에 걸린.
(***as***) ~ ***as a*** (***March***) ***hare*** ⇨HARE. ***go*** 〔***run***〕 ~ ***after*** 〔***over***〕 …에 열중하다. ***like*** ~《구어》 미친 듯이; 맹렬히. ~ ***keen*** 《英구어》 열중한《***on*** …에》.
—(**-dd-**) *vt.* 《美》 (아무)를 성나게 하다.
—*n.* (a ~) 《美구어》 분개, 노염. ***have a*** ~ ***on*** …에 성〔화〕내고 있다.

Mad·a·gas·car [mæ̀dəgǽskər] *n.* 마다가스카르《아프리카 남동의 섬나라; 공화국; 수도 Antananarivo; 구칭 the Malagasy Republic》.

mad·am [mǽdəm] *n.* **1** (*pl.* ***mes·dames*** [meidáːm, -dǽm/méidæm]) (종종 M-) 아씨, 마님, …부인, 여성…: *Madam* Chairman 여성 의장〔단장〕/*Madam* President 대통령〔회장, 총장〕님《여성 대통령〔회장, 총장〕에 대한 경칭》.

NOTE (1) 본디 부인에 대한 존칭이었으나 지금은 미혼 여성에게도 씀: May I help you, ~?

M

(점원이 손님에게) 무얼 찾으시죠. (2) Madam 또는 Dear Madam으로 (미지의) 여성 앞으로의 편지 허두에 '근계(謹啓)' 따위의 뜻으로도 씀.

2 Ⓒ a《美》(한 집안의) 주부, 처. b《완곡어》여자 포주.
3 Ⓒ (보통 *sing.*)《英구어》중뿔나게 나서는 처녀, 되바라진 계집아이: a proper (little) ~ 되바라진 여자.

mad·ame** [mǽdəm, mədǽm mədɑ́ːm, mæ-] (*pl.* ***mes·dames [meidɑ́ːm, -dǽm]) *n.* 《F.》Ⓒ (흔히 M-) **아씨, 마님, …부인**《프랑스에서는 기혼부인에 대한 호칭·경칭; 영어의 Mrs.에 해당함; 생략: Mme., (*pl.*) Mmes.》: *Madame* Curie 퀴리 부인.

Mádame Tussáud's ⇨ TUSSAUD'S.

mád·càp *n.* Ⓒ 무분별한 사람, 《특히》무모한 아가씨, 바람기 있는 처녀. **—***a.* Ⓐ 무분별〔무모〕한, 경솔한, 충동적인, 혈기에 찬.

mad·den [mǽdn] *vt.* 발광시키다; 성나게 하다.

mád·den·ing *a.* **1** 미치게 하는, 미칠 듯한; (바람 등이) 맹렬한: a ~ pain 격렬한 아픔〔쓰라림〕. **2** 화나게 하는, 불쾌한: ~ delays on the highway 안달복달〔초조〕하게 하는 하이웨이에서의 지체. ㊕ **~·ly** *ad.*

mad·der [mǽdər] *n.* Ⓤ **1** 〖식물〗 꼭두서니. **2** 〖염색〗 인조 꼭두서니 물감; 꼭두서니색, 진홍색.

mad·ding [mǽdiŋ] *a.* Ⓐ 《고어》발광한; 광란의: far from the ~ crowd 광란의 속세를 멀리 떠나서.

‡**made** [meid] MAKE 의 과거·과거분사. **—***a.* **1** 만들어진; 조작한: a ~ story 〔excuse〕 꾸며낸 이야기〔변명〕. **2** 인공적인, 인공의; 매립한《땅 따위》; 여러 가지 섞은《요리 따위》: ~ fur 모조 모피 / ~ land 〔ground〕 매립지 / a ~ road 포장도로. **3** 성공이 확실한: a ~ man 성공한〔이 확실한〕 사람. **4** 〔합성어〕 …로 만든, …제의; 몸집이 …한: a Swiss-~ watch 스위스제 시계 / hand-~ 손으로 만든 / ready-~ 기성품의 / slightly-~ 날씬한 몸매의 / a well-~ chair 잘 만들어진 의자 / home-~ goods 국산품. **5** 알맞은, 잘 어울리는《*for* …에》: ~ *for* each other 아주 잘 어울리는《두 사람》/ He is ~ *for* adventure. 그는 타고난 모험가다 / a day ~ *for* a picnic 소풍가기에 더할 나위 없는 날. ***have*** (***got***) 〔***get***〕 ***it*** ~ 《구어》성공이 확실하다, 잘 될 조건이 갖추어져 있다. ~ ***of money*** 《구어》굉장한 부자인.

Ma·dei·ra [mədíərə] *n.* Ⓤ 마데이라《포루투갈령인 대서양의 군도(群島)에서 나는 백포도주》.

Madéira càke 《英》= POUND CAKE.

mad·e·leine [mǽdəlin, mæ̀dəléin] *n.* Ⓤ (낱개는 Ⓒ) 작은 카스텔라.

°**ma·de·moi·selle** [mæ̀dəmwəzél, mæmzél] (*pl.* **~s** [-z], ***mes·de·moi·selles*** [mèidə-]) *n.* 《F.》Ⓒ **1** (M-) …양, 마드무아젤《영어의 Miss에 해당함; 생략: Mlle., (*pl.*) Mlles.》. **2** 프랑스인 여자 (가정 교사).

máde-to-méasure [-tə-] *a.* Ⓐ 몸에 맞게 만든《옷·구두 따위》.

máde-to-órder [-tə-] *a.* Ⓐ 주문해 만든, 맞춘(↔ *ready-made, ready-to-wear*); 꼭 맞는: a ~ suit 주문복.

máde-úp *a.* **1** 만든, 만들어낸; 조작한; 결심한; 화장한; 메이크업한: a ~ story 꾸며낸 이야기 / a ~ tie (처음부터) 매어 있는 넥타이 / a heavily ~ woman 짙게 화장한 여성. **2** 완성된; 포장(鋪裝)된.

Madge [mæ(ː)dʒ] *n.* 매지《여자 이름; Margaret 의 애칭》.

mád·hòuse *n.* Ⓒ (보통 *sing.*)《구어》(옛날의) 정신 병원; 너저분한〔소란스러운〕 장소: The office is a ~. 그 사무실은 매우 어수선하다.

Mad·i·son [mǽdəsən] *n.* **James ~** 매디슨《미국 제4대 대통령; 1751-1836》.

Mádison Ávenue 1 미국 뉴욕 시의 광고업 중심가. **2** (미국의) 광고업(계).

***mad·ly** [mǽdli] *ad.* **미친 듯이;** 《구어》맹렬히, 몹시, 극단적으로: I'm ~ in love with you. 나는 너를 죽도록 사랑해.

mad·man** [mǽdmən, -mæ̀n] (*pl.* ***-men [-mən, -mèn]) *n.* Ⓒ **미친 사람**《남자》, 광인; (흥분해서) 눈이 뒤집힌 사람.

***mad·ness** [mǽdnis] *n.* Ⓤ **1 광기(狂氣)**, 정신 착란. **2** 열광, 열중; 격노: love a person to ~ 아무를 열애(熱愛)하다.

Ma·don·na [mədɑ́nə/-dɔ́nə] *n.* **1** (the ~) 성모 마리아. **2** (또는 m-) Ⓒ 그 상(像): ~ and Child 어린 그리스도를 안은 성모 마리아의 (화)상.

Madónna lìly 〖식물〗 흰 백합.

Ma·dras [mədrǽs, -drɑ́ːs] *n.* **1** 마드라스《인도 남동부의 주》. **2** (m-) Ⓤ 마드라스 무명.

Ma·drid [mədríd] *n.* 마드리드《스페인의 수도》.

mad·ri·gal [mǽdrigəl] *n.* Ⓒ 〖음악〗 짧은 연가(戀歌); 서정단시, 소곡(小曲); 마드리갈《무반주 합창곡의 일종》.

mád·wòman (*pl.* ***-wòmen***) *n.* Ⓒ 미친 여자.

mael·strom [méilstrəm] *n.* **1** Ⓒ 큰 소용돌이. **2** (the M-) 노르웨이 근해의 큰 화방수. **3** Ⓒ (보통 *sing.*)《비유적》큰 동요, 대혼란: a ~ *of* traffic 교통의 대혼란 / the ~ *of* war 전란(戰亂).

m(a)e·nad [míːnæd] *n.* Ⓒ **1** (종종 M-) 〖그리스신화〗 마이나스《Bacchus 의 시녀(bacchante)》. **2** 광란하는 여자.

ma·es·to·so [maistóusou] *a., ad.* 《It.》〖음악〗 장엄한(majestic); 장엄하게.

mae·stro [máistrou] (*pl.* **~s, *-stri*** [-triː]; *fem.* ***-tra*** [-trə]) *n.* 《It.》Ⓒ 대음악가, 대작곡가, 명지휘자; (예술 따위의) 대가, 거장(巨匠).

Mae·ter·linck [méitərlìŋk] *n.* **Comte Maurice ~** 마테를링크《벨기에의 시인·극작가; Nobel 문학상(1911); 1862-1949》.

Máe Wést [méi-] (종종 m- w-) Ⓒ 《속어》해상 구명조끼. ★ 유방이 큰 미국의 여배우 이름에서.

Ma(f)·fia [mɑ́ːfiːə, mǽfiːə] *n.* 《It.》Ⓒ **1** (the ~) 〔집합적〕 마피아단(團)《19세기에 시칠리아 섬에 근거지를 두었던 폭력단; 이탈리아·미국을 중심으로 하는 국제적 범죄 조직》. **2** (보통 m-) 비밀 지배조직, (표면에 나타나지 않는) 유력자 집단, 파벌.

mag[1] [mæg] *n.* 《구어》= MAGAZINE.

mag[2] *a.* 〖컴퓨터〗 자기(磁氣)의, 자성(磁性)을 띤: ~ tape 자기 테이프. [◂*magnetic*]

mag. magazine; magnetism; magnitude.

‡**mag·a·zine** [mæ̀gəzíːn, ⌐-⌐] *n.* Ⓒ **1 잡지:** a woman's 〔hobby〕 ~ 여성〔취미〕 잡지 / *Time Magazine* 타임지《★ 관사 없이》/ Do you get any ~*s*?—Yes, we subscribe to Time. 구독하는 잡지가 있습니까—예, 타임을 구독합니다.

[M]

2 (군용) 창고, 《특히》 탄약〔화약〕고. 3 (연발총의) 탄창. 4 〖영화 · 사진〗 필름 감는 틀. 5 (인터뷰 · 해설 · 오락 따위를 섞은) 버라이어티 프로.

Mag·da·len [mǽgdəlin] *n.* 1 마그달린《여자 이름》. 2 (m–) [C] 《문어》 갱생한 창녀.

Mag·da·lene [mǽgdəlin] *n.* 1 마그달렌《여자 이름》. 2 (the ~) [mǽgdəlìːn, mæ̀gdəlíːni] 〖성서〗 막달라 마리아(Mary ~)《누가복음 VII-VIII》. 3 (m-) =MAGDALEN 2.

Ma·gel·lan [mədʒélən] *n.* **Ferdinand** ~ 마젤란《포르투갈의 항해가; 1480?–1521》. ***the Strait of*** ~ 마젤란 해협.

ma·gen·ta [mədʒéntə] *n.* [U] 〖화학〗 빨간 아닐린 물감; 아닐린 빨강, 자홍색. **—***a.* 자홍색의.

Mag·gie [mǽgi] *n.* 여자 이름《Margaret 의 애칭》.

mag·got [mǽgət] *n.* [C] 1 구더기. 2 변덕; 공상.

Ma·ghreb, -ghrib [mʌ́grəb] *n.* (the ~) 머그레브《북아프리카 북서부 곧 모로코 · 알제리 · 튀니지, 때론 리비아를 포함하는 지방》.

Ma·gi [méidʒai] (*sing.* ***-gus*** [-gəs]) *n. pl.* (the three ~) 〖성서〗 (동방의) 박사들《마태복음 II: 1》.

⁑**mag·ic** [mǽdʒik] *a.* [A] **1 마법의**, 마법에 쓰는; 기술(奇術)의: ~ arts 마술/a ~ wand 요술 지팡이/~ words 주문(呪文)/do ~ tricks 요술을 부리다. 2 마법과 같은, 이상한; 매력적인: ~ beauty 기막힌 아름다움.

— (***-ick-***) *vt.* 1 …에 마법을 걸다; …을 마법으로 바꾸다〔만들다〕. 2 《+[목]+[부]》 마법으로 지우다〔없애다〕 (*away*).

— *n.* [U] **1 마법**, 마술, 주술(呪術): black 〔white〕 ~ (해로운〔무해한〕) 마술《악마의 힘을 빌린〔빌리지 않은〕》. **2 기술**(奇術), 요술: I can do some ~. 요술을 조금 부릴 수 있다. **3 마력**, 불가사의한 힘: the ~ *of* music 음악의 마력. ***as*** (***if***) ***by*** ~ 마법처럼, 신기하게: I thought of him and *as if by* ~ he appeared at the door. 그를 생각하고 있으려니까 신기하게도 그가 문에 모습을 드러냈다. ***like*** ~ 즉석에서, 순식간에《듣다 등》: I gave him an aspirin, and it worked *like* ~. 그에게 아스피린을 한 알 주었더니 영락없이 효과가 나타났다.

***mag·i·cal** [mǽdʒikəl] *a.* **마법으로 일어난** (듯한), 마법에 걸린 듯한, 이상한; 매혹적인: a ~ smile 매혹적인 웃음/The effect was ~. 효과는 즉각적이었다. [파] **~·ly** *ad.*

Mágic Éye 매직아이《라디오 · 텔레비전 등의 동조(同調) 지시관; 상표명》; (m– e–) 광전지 (photoelectric cell).

***ma·gi·cian** [mədʒíʃən] *n.* [C] **1 마법사**, 마술사. 2 기술사, 요술쟁이.

mágic lántern (구식) 환등(幻燈)기《지금의 projector》.

Mágic Márker 매직펜《상표명》.

mágic númber 〖야구〗 매직넘버《프로 야구의 종반에서, 제2위 팀이 나머지 경기를 전승해도 제1위 팀이 우승할 수 있는 승수(勝數)의 숫자》.

mágic squáre 마방진(魔方陣)《수의 합이 가로 · 세로 · 대각선이 같은 숫자 배열표》.

mag·is·te·ri·al [mæ̀dʒəstíəriəl] *a.* magistrate 의; (의견 · 문장 따위가) 권위 있는, 엄연한; (태도 따위가) 거만한, 고압적인. [파] **~·ly** *ad.*

mag·is·tra·cy [mǽdʒəstrəsi] *n.* [U] magistrate 의 직〔임기, 관구〕; (the ~) 《집합적》 magistrate들.

°**mag·is·trate** [mǽdʒəstrèit, -trit] *n.* [C] **1** (사법권을 가진) 행정 장관, 지사, 시장. **2** 치안 판사《justice of the peace 나 police court 의 판사 등》.

mag·lev, mag-lev [mǽglev] *n.* (종종 M–) [U] 자기 부상식(磁氣浮上式) 고속 철도. [◀ *mag*netic *lev*itation]

mag·ma [mǽgmə] *n.* [U] 〖지질〗 마그마.

Mag·na C(h)ar·ta [mǽgnə-kάːrtə] 《L.》 **1** [U] 〖英역사〗 마그나카르타, 대헌장《1215년 John 왕이 국민의 권리와 자유를 인정한 것》. **2** [C] 〖일반적〗 권리 · 특권 · 자유를 보장하는 기본적 율령(律令)〔문서〕.

mag·na cum lau·de [mǽgnə-kʌm-lɔ́ːdi] 《L.》 (대학 졸업 성적이) 우등으로, 제2위로.

mag·na·nim·i·ty [mæ̀gnənímәti] *n.* **1** [U] 도량, 아량, 너그러움; 배짱이 큼: It is ~ of you to make such an offer. 그와 같은 제안을 해주시니 당신은 참 관대한 분이군요. **2** [C] 관대한 행위. [SYN.] ⇨ TOLERANCE.

mag·nan·i·mous [mægnǽniməs] *a.* 도량이 넓은, 관대한, 아량 있는. [파] **~·ly** *ad.*

°**mag·nate** [mǽgneit, -nit] *n.* [C] 《종종 경멸적》 실력자, 권력자; 거물, …왕: an oil ~ 석유왕/a coal ~ 석탄왕.

mag·ne·sia [mægníːʃə, -ʒə] *n.* [U] 〖화학〗 마그네시아, 고토(苦土); 산화 마그네슘.

°**mag·ne·si·um** [mægníːziəm, -ʒəm] *n.* [U] 〖화학〗 마그네슘《금속 원소; 기호 Mg; 번호 12》.

⁑**mag·net** [mǽgnit] *n.* [C] **1 자석**, 자철, 마그넷: a bar ~ 막대자석/a horseshoe 〔U〕 ~ 말굽〔U형〕자석/a natural 〔permanent〕 ~ 천연〔영구〕 자석. **2** 마음을 끄는 사람〔물건〕《***for, to*** …의》: The new theme park will be a great ~ *for* holidaymakers. 새로운 테마파크는 주말 행락객을 많이 모이게 하는 곳이 될 것이다.

***mag·net·ic** [mægnétik] *a.* **1 자석의**, 자기의; 자기를〔자성(磁性)을〕 띤: a ~ body 자성체/a ~ needle 자침/(a) ~ recording 자기 녹음/~ induction 자기 유도. **2 마음을 끄는**, 매력 있는: a ~ personality 매력 있는 인물. [파] **-i·cal·ly** [-kəli] *ad.*

magnétic cómpass 자기(磁氣) 컴퍼스〔나침의〕.

magnétic córe 〖컴퓨터〗 자심(磁心)《기억 소자의 일종》; 〖전기〗 자심; 자극 철심(磁極鐵心).

magnétic-córe mémory 〖컴퓨터〗 자기 코어 기억 장치《초기 컴퓨터에 사용되었던 자기 코어를 이용하여 만든 주 기억 장치》.

magnétic dísk 〖컴퓨터〗 자기 디스크.

magnétic drúm 〖컴퓨터〗 자기 드럼.

magnétic fíeld 〖물리〗 자기장(磁氣場), 자계(磁界).

magnétic héad (테이프 리코더 따위의) 자기 헤드.

magnétic levitátion propúlsion sỳstem 자기 부상 추진 시스템《초고속 철도에 쓰임》. [cf.] maglev.

magnétic nórth (the ~) 자북(磁北).

magnétic póle 〖물리〗 자극(磁極); 자기극(磁氣極): the North 〔South〕 *Magnetic Pole* 북〔남〕자극.

magnétic stórm 자기 폭풍.

magnétic tápe 〖전자〗 (녹음 · 녹화용의) 자기 테이프.

M

°**mag·net·ism** [mǽgnətìzəm] *n.* Ⓤ 자기(磁氣); 자기성(磁氣性); 자력; 자기학(磁氣學); (지적·도덕적) 매력: induced ~ 유도 자기/terrestrial 〔earth〕 ~ 지구 자기(磁氣)/the ~ of France 프랑스의 매력.

mag·net·ite [mǽgnətàit] *n.* Ⓤ 〖광물〗 자철광, 마그네타이트.

màg·ne·ti·zá·tion *n.* Ⓤ 자성을 띰, 자기화(化).

mag·net·ize [mǽgnətàiz] *vt.* 자력을 띠게 하다, 자기화(磁氣化)하다, 여자(勵磁)하다; 매혹하다.

mag·ne·to [mægní:tou] (*pl.* **~s**) *n.* Ⓒ 〖전기〗 (내연 기관의) 고압 자석 발전기, 마그네토.

magnèto·eléctric, -trical *a.* 자기전기(磁氣電氣)의.

mag·ne·tom·e·ter [mæ̀gni:tάmitər/-tɔ́-] *n.* Ⓒ 자기력계(磁氣力計), 자기계(磁氣計).

magneto·mótive fórce 〖물리〗 기자력(起磁力), 동자력(動磁力).

mag·ne·to·sphere [mægní:təsfìər] *n.* (the ~) (지구 따위의) 자기권《대기권의 최상층부》. ㊕ **mag·nè·to·sphér·ic** *a.*

mag·ne·tron [mǽgnətràn/-trɔ̀n] *n.* Ⓒ 마그네트론, 자전관(磁電管)《단파용 진공관》.

mágnet schóol 《美》 마그넷 스쿨《훌륭한 설비와 광범위한 교육 과정을 특징으로 하며 인종 구별 없이, 또 기존의 통학 구역에도 구애됨이 없이 통학할 수 있는 대규모 공립 학교》.

Mag·nif·i·cat [mægnífikæ̀t, mɑ:gnífikὰ:t] *n.* **1** (the ~) 〖성서〗 성모 마리아 찬가《누가복음 I: 46–55》. **2** (m–) Ⓒ 찬가(讚歌).

mag·ni·fi·ca·tion [mæ̀gnəfikéiʃən] *n.* **1** Ⓤ 확대; 과장; Ⓒ 확대도〔사진〕. **2** Ⓤ (구체적으로는 Ⓒ) 〖광학〗 배율(倍率): binoculars of 10 ~*s* 배율 10의 쌍안경/step up the ~ of a microscope 현미경의 배율을 서서히 높이다.

*__mag·nif·i·cence__ [mægnífəsns] *n.* Ⓤ **장대**, 웅대, 장엄, 장려, 호화: live in ~ 호사한 생활을 하다.

‡**mag·nif·i·cent** [mægnífəsənt] *a.* **1 장대한** (grand), 장엄한, 장려한; 호화로운: a ~ spectacle 장관(壯觀). **2** (생각 따위가) 고상한, 격조 높은: a ~ manner 의젓한 태도. **3 엄청난**, 막대한: a ~ inheritance 막대한 유산. **4** 《구어》 **굉장한**, 멋진, 근사한:a ~ opportunity. ㊕ **~·ly** *ad.* 웅대하게, 호화롭게; 《구어》 훌륭하게, 멋지게.

mag·ni·fi·er [mǽgnəfàiər] *n.* Ⓒ 확대하는 물건〔사람〕, 과장하는 사람; 확대경〔렌즈〕, 돋보기.

‡**mag·ni·fy** [mǽgnəfài] *vt.* **1** 《~+목/+목+전+명》 **확대하다**; 크게 보이게 하다《*with* …으로》: ~ a thing *with* a lens 렌즈로 물건을 확대하다/A loudspeaker *magnifies* the human voice. 확성기는 사람의 목소리를 크게 한다. **2** 과장하(여 말하)다: Don't ~ the danger. 그 위험성을 과장하지 마라.

mágnifying glàss 확대경, 돋보기.

mágnifying pòwer 〖광학〗 배율(倍率).

mag·nil·o·quence [mægníləkwəns] *n.* Ⓤ (문체 따위의) 과장; 호언장담, 흰소리.

mag·nil·o·quent [mægníləkwənt] *a.* 호언장담하는, 흰소리치는, 허풍떠는; 과장한. ㊕ **~·ly** *ad.*

*__mag·ni·tude__ [mǽgnətjù:d] *n.* Ⓤ **1** (길이·규모·수량) **크기**; 거대함: the ~ of the universe 우주의 거대함/an area of great ~ 엄청나게 넓은 지역. **2** 중대(성), 중요함; 위대함: the ~ of a problem 문제의 중대성. **3** 〖천문〗 등급, 광도(光度)《1~6등성까지가 눈에 보임》. **4** (지진의) 마그니튜드, 진도(震度): an earthquake of ~ 3.5, 진도 3.5의 지진. ★ 수치는 뒤에 옴. ***of the first*** ~ 가장 중요한; 일류의; 〖천문〗 일등성의.

°**mag·no·lia** [mægnóuliə, -ljə] *n.* Ⓒ 〖식물〗 목련·자목련·백목련 따위 목련속(屬)의 꽃나무; 그 꽃.

mag·num [mǽgnəm] *n.* 《L.》 Ⓒ 큰 술병《약 1.5리터들이》; 매그넘 탄약통〔화기(火器)〕《반경에 비해 강력함》.

mágnum ópus [-óupəs] 《L.》 (문학·예술 따위의) 대작, 걸작; (개인의) 대표작; 큰 사업.

mag·pie [mǽgpài] *n.* Ⓒ **1** 〖조류〗 까치《총칭》; 까치를 닮은 새. **2** 《구어》 수다쟁이(idle chatterer); 잡동사니 수집가.

mag·uey [mǽgwei] *n.* Ⓒ 〖식물〗 용설란.

Ma·gus [méigəs] (*pl.* **-gi** [-dʒai]) *n.* Ⓒ **1** Magi의 한 사람. **2** (m–) 조로아스터교(敎)의 사제, (고대의) 점성술사, 마술사.

Mag·yar [mǽgjɑ:r, mɑ́:g-] (*pl.* **~s**) *n.* Ⓒ **1** 마자르 사람《헝가리의 주요 민족》. **2** Ⓤ 마자르 말. —*a.* 마자르 사람〔말〕의.

ma·ha·ra·ja(h) [mὰ:*h*ərɑ́:dʒə] *n.* Ⓒ (인도의) 대왕, 《특히》 인도 토후국의 왕.

ma·hat·ma [məhǽtmə, -hɑ́:t-] *n.* **1** 《Sans.》 Ⓒ (인도의) 대성(大聖). **2** (M–) 인도의 성자(의 이름에 붙이는 경칭): *Mahatma* Gandhi.

Ma·ha·ya·na [mὰ:həjɑ́:nə] *n.* 《Sans.》 Ⓤ 〖불교〗 대승(불교). ㏄ Hinayana.¶~ Buddhism 대승불교.

mah-jong(g) [mɑ́:dʒɔ́:ŋ, -dʒɑ́ŋ/-dʒɔ́ŋ] *n.* 《Chin.》 Ⓤ 마작(麻雀).

Mah·ler [mɑ́:lər] *n.* **Gustav** ~ 말러《보헤미아 태생의 오스트리아의 작곡가·지휘자; 1860–1911》.

mahl·stick [mɔ́:lstìk, mɑ́:l-] *n.* Ⓒ 팔받침(maulstick)《화가가 화필 쥘 때 괴는》.

°**ma·hog·a·ny** [məhάgəni/-hɔ́g-] *n.* **1** Ⓒ 〖식물〗 마호가니. **2** Ⓤ 마호가니재(材). **3** Ⓤ 마호가니색, 적갈색.

Ma·hom·et, -ed [məhάmət/-hɔ́m-], [-əd] *n.* =MUHAMMED.

‡**maid** [meid] *n.* Ⓒ **1** 《고어·문어》 **소녀**, 아가씨; 처녀. **2 하녀**, 가정부; 시녀(lady's ~); 여급《★ 종종 합성어에 쓰임》: bar~, house~. **3** 미혼 여성, 독신녀《old ~의 형태로만 쓰임; old miss는 틀린 영어》. ***a ~ of honor*** 공주〔여왕〕의 시녀; 《美》 신부의 들러리《미혼의 여성》. ㏄ best man.

°**maid·en** [méidn] *n.* **1** Ⓒ 《고어·시어》 소녀; 처녀; 미혼 여자. **2** 〖경마〗 한 번도 이겨본 적이 없는 경주마. —*a.* Ⓐ **1** 소녀의; 미혼 여성용의; 처녀의; 처녀다운, 순진한: a ~ lady 미혼 여성/~ innocence 때묻지 않은 순진함/one's ~ name 구성(舊姓)《여성의 처녀 때의 성》. **2** 《비유적》 처음의, 처녀…: a ~ flight 처녀 비행/a ~ speech (특히 의회에서의) 처녀 연설/a ~ voyage 처녀 항해/a ~ work 처녀작/a ~ soldier 전투 경험이 없는 신병. **3** 이겨본 적이 없는 (경주마의): ~ stakes 처음으로 출전한 말에 거는 돈/a ~ horse 이겨본 적이 없는 경주마/a ~ race 이겨본 적이 없는 말끼리의 레이스.

máiden·hàir (fèrn) 〖식물〗 애디앤텀(adiantum)《섬공작고사리 · 공작고사리 따위의 고사리류》.

máidenhair trèe 〖식물〗 은행나무(gingko).

máiden·hèad *n.* 〖-head는 -hood의 쌍생(雙生)접미사〗 **1** Ⓒ 처녀막(hymen). **2** Ⓤ 처녀성(virginity).

maid·en·hood [méidnhùd] *n.* Ⓤ 처녀성(virginity); 처녀 시절; 청신(freshness), 순결.

máid·en·ly *a.* 처녀다운; 얌전한, 온순한, 내성적인: ~ grace 처녀〔소녀〕다운 단아함.

máid-in-wáiting (*pl.* ***máids-***) *n.* Ⓒ (여왕 · 공주에게 시중드는) 미혼 궁녀〔시녀〕.

máid·sèrvant *n.* Ⓒ 하녀. ⓒⓕ manservant.

⁑**mail**[1] [meil] *n.* **1** Ⓤ **a** 〖집합적〗 **우편물**: I had a lot of ~ this morning. 오늘 아침에는 많은 우편물이 왔다 / electronic ~ 전자 우편 / open one's 〔the〕 ~ 우편을 개봉하다 / Is there any ~ for me this morning? 오늘 아침 나에게 온 우편이 있습니까 / There was a letter from my father in today's ~. 오늘 우편물 중에 아버지가 보낸 편지가 있었다. **b** (1회의) 우편물 집배: When does the next ~ come? 다음 우편은 언제 옵니까. ★ 영국에서는 외국으로 가는 우편에만 쓰며, 국내우편은 post.

2 Ⓤ 우편, 우편 제도(《英》 post): send by ~ 우송하다 / domestic 〔foreign〕 ~ 국내〔외국〕 우편 / first〔second〕-class ~ 제1〔2〕종 우편 / send a book by surface ~ 책을 (철도우편 · 선편 따위의) 보통 우편으로 보내다.

3 Ⓒ 우편물 수송 열차〔선, 비행기〕, 우편 배달인: a night ~ 야간 우편 열차.

4 (M-) …신문: The Daily *Mail*.

— *vt.* 《~+목/+목+목/+목+전+명》 《美》 (소포 따위)를 우송하다; 투함하다(《英》 post)《***to*** (아무)에게》: ~ a person a parcel =~ a parcel *to* a person 아무에게 소포를 우송하다.

mail[2] *n.* Ⓤ 쇠미늘갑옷(coat of ~), 갑옷.

máil·a·ble *a.* 우송할 수 있는.

máil·bàg *n.* Ⓒ 우편 행낭; 《美》 우편 배달용 가방(《英》 postbag).

máil bòmbing 〖컴퓨터〗 우편 폭탄 보내기《어떤 사람에게 단시간 내에 대량의 e-mail을 쇄도하게 하여 상대방 컴퓨터의 정상 가동을 막는 것》.

⁑**mail·box** [méilbàks/méilbɔ̀ks] *n.* Ⓒ 《美》 **우체통**(《英》 postbox); (개인용) 우편함(《英》 postbox, letter box); 〖컴퓨터〗 편지 상자《전자 우편을 일시 기억해 두는 컴퓨터 내의 기억 영역》.

máil càrrier 《美》 (우체국 상호간의) 우편물 집배원; =MAILMAN; 우편물 수송차.

máil còach 《英》 (옛날의) 우편 마차; 우편차.

máil dròp 《美》 우편함; 우체통의 편지 넣는 곳.

máiled físt (the ~) 무력(에 의한 위협), 위압.

máil·er *n.* **1** Ⓒ 《美》 우편물 발송계. **2** (파손되기 쉬운 것을 우송할 때 쓰는) 봉투, 용기.

Máil·gràm *n.* Ⓤ (구체적으로는 Ⓒ) 《美》 메일그램《Teletype형 전자 우편; 상표명》.

máiling lìst 우편물 수취인 명부; 〖컴퓨터〗 우편 리스트.

máiling lìst mànager 〖컴퓨터〗 우편 리스트 매니저《우편 리스트를 관리 · 운영하는 소프트웨어》.

mail·lot [maijóu, mæ-] *n.* 《F.》 Ⓒ (무용 · 체조용) 타이츠; (원피스식의 어깨끈이 없는) 여자 수영복.

⁑**mail·man** [méilmæ̀n] (*pl.* ***-mèn*** [-mèn]) *n.* Ⓒ 《美》 **우편물 집배원**(《英》 postman).

máil·mèrge *n.* Ⓤ (구체적으로는 Ⓒ) 〖컴퓨터〗 메일 머지《내용이 똑같은 편지를 받는 사람의 이름만 달리하여 여러명에게 보낼 때 사용하는 방법》.

máil òrder 통신 판매〔주문〕.

máil-òrder *a.* Ⓐ 통신 판매제〔회사〕의.

máil-order hòuse 〔**firm**〕 통신 판매점〔회사〕.

máil·shòt *n.* Ⓒ 메일숏《다이렉트 메일에 의한 팸플릿류(類); 그 송부(送付)》.

máil tràin 우편 열차.

°**maim** [meim] *vt.* **1** (아무)를 불구가 되게 하다; …에게 상해를 입히다: He was badly *~ed* in the accident. 그는 그 사고로 심한 불구가 되었다. **2** (아무)의 감정을 상하게 하다.

⁑**main** [mein] *a.* Ⓐ **주요한, 주된**(principal); (제일) 중요한; 주요 부분을 이루는: the ~ body 〖군사〗 주력, 본대; (서류의) 본문 / the ~ force 〖군사〗 주력 / a ~ event 〔《속어》 go〕 주요 경기, 메인 이벤트《권투 따위의》 / the ~ office 본사, 본점 / the ~ plot (연극 따위의) 본 줄거리 / the ~ point (토론 따위의) 요점 / the ~ road 주요도로; 간선도로; 본선(本線). ⓈⓎⓃ. ⇨CHIEF.

— *n.* **1 a** Ⓒ (수도 · 가스 등의) **본관**(本管), **간선**: a gas 〔water〕 ~ 가스〔급수〕 본관. **b** (the ~s) (건물로 끄는 수도 · 가스 · 전기 따위의) 본선: turn the gas 〔water〕 off at the *~s* 가스〔급수〕를 본선에서 끊다. **2** (the ~) 《시어》 큰 바다, 대양(大洋). ***in*** 〔***for***〕 ***the*** **~** 대개는, 주로. ***with*** 〔***by***〕 ***might and*** **~** 전력을 다하여.

máin chánce (the ~) 절호의 기회; 사리(私利), 이익.

máin cláuse 〖문법〗 주절(主節).

máin cóurse 주요 요리; 〖항해〗 (가로돛배의) 주범(主帆).

máin déck (the ~) 〖항해〗 주(主)갑판.

máin drág 《美속어》 중심가, 번화가.

Maine [mein] *n.* 메인《미국 북동부의 주; 생략: Me., 〖우편〗 Me; 속칭 the Pine Tree State; 주도는 Augusta》. ***from* ~ *to California*** 미국 전역에 걸쳐서.

máin·fràme *n.* Ⓒ 〖컴퓨터〗 메인프레임, 대형 컴퓨터.

⁑**main·land** [méinlæ̀nd, méinlənd] *n.* Ⓒ (the ~) **대륙**, 본토《부근의 섬 · 반도와 구별하여》: the Chinese ~ 중국 본토. ⓟ **~·er** *n.* Ⓒ 본토 주민.

máin líne **1** (철도 · 도로 · 항공로 · 버스 노선 따위의) 간선, 본선. **2** 《구어》 돈; 〖집합적〗 부자. **3** 《속어》 정맥(에의 마약 주사).

máin·lìne *vi.* 《속어》 마약을 정맥에 주사하다.

— *vt.* 《속어》 (마약)을 정맥에 주사하다.

— *a.* Ⓐ 간선(연도)의; 주류〔체제측〕의.

*__main·ly__ [méinli] *ad.* **1** **주로**(chiefly): The book is ~ about Scotland. 그 책은 주로 스코틀랜드를 다루고 있다. **2** 대개, 대체로(mostly), 대부분.

máin·màst *n.* Ⓒ 〖항해〗 큰돛대.

máin mémory 〖컴퓨터〗 주기억 장치(main storage).

máin·sàil *n.* Ⓒ 큰돛대의 돛, 주범(主帆).

máin·sprìng *n.* Ⓒ **1** (시계 따위의) 큰 태엽. **2** (보통 *sing.*) 주요 동기, 주인(主因); 추진력.

máin·stày *n.* Ⓒ (보통 *sing.*) **1** 〖항해〗 큰돛대의 버팀줄. **2** 의지물(物), 대들보; 주요한 생업: Joe was the ~ *of* the team. 조는 그 팀의 대들

보였다 / Wool is the ~ *of* Australian exports. 양모는 오스트레일리아의 수출의 주력(主力)이다.

máin stém 《美구어》 큰 거리, 중심가(main drag).

máin stóre 〔**stórage**〕 【컴퓨터】 주기억 장치.

máin·strèam *n.* **1** Ⓒ (강의) 본류, 주류. **2** (the ~) (활동 · 사상의) 주류; (사회의) 대세: the ~ *of* American culture 미국 문화의 주류. **—** *a.* Ⓐ 주류의. **—***vt.*, 《美》 (장애아)를 보통 학급에 넣다, 특별〔차별〕 교육을 하지 않다.

máin strèet 《美》 중심가, 큰 거리.

⁑main·tain [meintéin, mən-] *vt.* **1** **지속**〔**계속**〕**하다, 유지하다**(keep up): I wanted to ~ my friendship with her. 그녀와의 우정을 계속 유지하고 싶었다 / ~ a speed of 50 miles an hour, 1시간 50마일의 속도를 유지하다. SYN. ⇨ SUPPORT. **2** 속행하다, 계속하다: ~ an attack 공격을 속행하다. **3** (권리 · 주장 따위)를 옹호하다, **지지하다**: ~ one's rights 자기의 권리를 지키다 / They ~*ed* their ground. 그들은 그들의 입장을 계속 지켜나갔다. **4** (보수(補修)하여) **간수하다**, 건사하다, 보존하다: ~ the house 〔roads〕 집 간수〔도로 보수〕를 게을리하지 않다. **5** **부양하다**, 보육하다; (생명 · 체력 등)을 지탱하다: ~ life 〔one's strength〕 생명〔체력〕을 지탱하다 / ~ one's family 가족을 부양하다 / ~ a son at the university 대학 다니는 아들의 바라지를 하다. **6** 《~+목/+*that* 절/+목+*to be* 보》 **주장하다**, 고집하다; 단언하다, 언명하다: ~ one's innocence = ~ *that* one is innocent 자기의 무죄를〔결백을〕 주장하다 / He ~*ed that* people were not always equal. 사람은 반드시 평등한 것은 아니라고 그는 주장했다 / I ~ *that* this is true. 그것은 사실이라는 것을 단언한다 / He ~*ed* the theory *to be* wrong. 그는 그 이론은 잘못이라고 주장했다.

maintáined schóol 《英》 공립학교.

⁑main·te·nance [méintənəns] *n.* Ⓤ **1** **유지**, 지속: health ~ 건강 유지 / the ~ *of* peace 평화의 유지 / *Maintenance of* quiet is necessary in a hospital. 병원에서는 조용히 해야 한다. **2** **보수** (**관리**), **건사**, 보존, **정비**: cost *of* ~ 유지비 / car ~ 차량 정비 / the ~ *of* a building 건물 관리. **3** **부양**(**비**); **생계**, 생활비: His small income provides only a ~. 그의 적은 수입으로는 겨우 생계나 꾸려나갈 뿐이다.

máintenance òrder 【법률】 부양비 지급 명령《처자식을 부양하라는》.

máin·tòp *n.* Ⓒ 【항해】 주범(主帆) 망대《메인마스트의 아래 돛대 정상에 있는》.

màin-tópmàst *n.* Ⓒ 메인마스트의 가운데 돛대《lower mainmast 위에 닮》.

máin vérb 【문법】 본동사, 주동사《보통의 동사를 조동사와 구별하는 명칭》.

máin yàrd 【항해】 큰 돛대의 아래 활대.

mai·so(n)n·ette [mèizounét] *n.* 《F.》 Ⓒ 《英》 (보통 상하층 공용의) 복식 아파트(《美》 duplex apartment).

maî·tre d' [mèitrədí:] (*pl.* **~s**) *n.* 《구어》 = MAÎTRE D'HÔTEL.

maî·tre d'hô·tel [mèitrədoutél, -tər-] (*pl.* ***maî·tres d'-*** [-trəz-]) 《F.》 집사(執事), 하인의 우두머리; 호텔 지배인; 급사장(headwaiter).

°maize [meiz] *n.* Ⓤ **1** 옥수수; 그 열매(《美》 Indian corn). ★ 미국 · 캐나다 등지에서는 그냥 corn이라고 함. **2** 옥수숫빛《황색》.

Maj. Major.

***ma·jes·tic, -ti·cal** [mədʒéstik], [-əl] *a.* **장엄한**, 위엄 있는(dignified), 웅대한, 당당한. 파 **-ti·cal·ly** *ad.*

***maj·es·ty** [mǽdʒisti, -dʒəs-] *n.* **1** Ⓤ **위엄** (dignity); 장엄: ~ *of* bearing 당당한 태도 / the ~ of the Alps 알프스 산맥의 웅대함. **2** Ⓤ 주권, 지상권(至上權): the ~ *of* the law 법의 지상권. **3** Ⓒ (M−) 《대명사의 소유격과 함께》 **폐하**: Her *Majesty* the Queen 여왕 폐하《★ 엘리자베스 여왕 폐하처럼 이름을 붙일 때는 Her *Majesty* Queen Elizabeth Ⅱ와 같이 함》.

His* 〔*Her*〕 (*Imperial*) *Majesty 황제〔황후〕 폐하 《생략: H.I.M., H.M.》. ***His* 〔*Her*〕 *Majesty's Service*** 영국 관용《우편물에 인쇄함; 생략: H.M.S.》. ***His Majesty's Ship*** 제국(帝國) 군함 《생략: H.M.S.》. ***Their* (*Imperial*) *Majesties*** 양(兩)폐하《생략: T.I.M., T.M.》. ***Your Majesty*** 폐하《호칭》.

ma·jol·i·ca [mədʒálikə, -jál-/-jɔ́l-, -dʒɔ́l-] *n.* Ⓤ 마욜리카 도자기《이탈리아산 장식적 칠보 도자기》.

⁑ma·jor [méidʒər] *a.* **1** Ⓐ (수량 · 정도가 둘 중에서) **큰 쪽의**, 보다 큰; 과반의, 대부분의. ¶the ~ part of …의 대부분, 과반수 / a ~ vote 다수표 / the ~ opinion 다수 의견 / a ~ improvement 전면적인 개량. **2** Ⓐ **주요한**, 중요한, 일류의: a ~ poet 일류 시인 / a ~ question 중요한 문제 / the ~ industries 주요 산업 / a ~ company 대(大)회사. **3** Ⓐ (효과 · 범위 따위가) 큰, 두드러진: a ~ alteration 큰 변경〔개조〕 / a ~ improvement 전면적인 개량. **4** (법률상) 성년의, 성년이 된. **5** 《英》 (학교 같은 데서 성이 같은 사람 중) 연장(年長)의: Smith ~ 형〔나이 많은〕 쪽의 스미스. **6** Ⓐ 【음악】 장조의: the ~ scale 장음계 / a ~ interval 장음정 / ~ third 장(長) 3도. **7** 【美대학】 전공의《과목 따위》: a ~ field of study 전공 분야. **8** 중한《병》, 생명의 위험을 수반하는《수술》: a ~ operation 대수술. ⇔ *minor*.

—*n.* Ⓒ **1** 소령《해군 제외; 생략: Maj.》. **2** 【법률】 성년자, 성인《미국 21세 이상, 영국 18세 이상》. **3** 【美대학】 전공 과목〔학생〕: take history as one's ~ 역사학을 전공하다 / a fine arts ~ 미술 전공 학생 / a politics ~ 정치학 전공 학생. **4** 【음악】 장조: in A ~ 가장조로〔의〕. **5** = MAJOR LEAGUE.

> **DIAL.** ***What's your major in college?—I am an English major.*** 대학에서 전공은 무엇입니까—전공은 영어입니다.

—*vi.* 《+전+명》 【美대학】 전공하다《*in* …을》: ~ *in* economics 경제학을 전공하다.

ma·jor·ette [mèidʒərét] *n.* Ⓒ 《美》 밴드걸 (drum ~)《행진이나 응원단 따위의》.

májor géneral 소장(少將).

⁑ma·jor·i·ty [mədʒɔ́(:)rəti, -dʒár-] *n.* **1** Ⓤ (보통 the ~, 때로 a ~) 《집합적; 단 · 복수취급》 **대부분**, 대다수: the great ~ 대다수 / a ~ decision 다수결 / in the ~ *of* cases 대부분의 경우, 대개 / The ~ *of* people prefer(s) peace to war. 대다수의 사람들은 전쟁보다 평화를 좋아한다 / The (great) ~ is 〔are〕 for the mayor. 대부분의 사람들이 시장을 지지하고 있다 / Joe spends the ~ *of* his time in sports. 조는 대부분의 시간을 스포츠에 소비하고 있다. The ~ *of* its members are women. 회원 대부분이 여자다《of 다음

에 복수형이 오면 동사는 보통 복수취급》. **2** Ⓒ〖집합적; 단·복수취급〗다수당, 다수파. ↔ *minority*. **3** Ⓒ (보통 *sing.*) **a** (전투표수의) **과반수**, 절대다수(absolute ~). ⓒⓕ plurality. ¶ an overall ~ 절대다수 / win a ~ 과반수를 얻다. **b** (이긴) **득표차**: by a large ~ 많은 차로 / He was elected by a ~ of 2,000. 그는 2,000표 차로 당선되었다. **4** Ⓒ (보통 *sing.*)〖법률〗성년《보통 미국 21세, 영국 18세》: reach 〔attain〕 one's ~ 성년에 달하다. **5** Ⓒ (보통 *sing.*) 소령의 지위〔직〕《《美》 육군·공군·해병대의》. ◇ major *a.*
be in the ~ (by...) (몇 사람〔표〕만큼) 다수이다; 과반수를 차지하다. ***join* 〔*go over to, pass over to*〕 *the* (*great* 〔*silent*〕) ~** ① 다수파에 가담하다. ②《완곡어》 죽다.

majórity lèader 《美》 (상원·하원의) 다수당 원내 총무.

májor kéy 〔móde〕 〖음악〗 장조.

májor léague 《美》 **1 a** Ⓒ 메이저리그《2 대 프로야구의 하나; National League 또는 American League 중 하나를 말함》. ⓒⓕ minor league. **b** (the ~s) (National League 와 American League 를 합친) 메이저리그. **2** Ⓒ (프로 스포츠의) 대(大)리그.

májor-léaguer *n.* Ⓒ 《美》 메이저리그의 선수.

májor prémise 〔prémiss〕 〖논리〗 대전제.

Májor Próphets 〖성서〗 (the ~, 때로 the m- p-) 구약 중의 4대 예언자《Isaiah, Jeremiah, Ezekiel, Daniel》; (the ~) 대예언서(書).

†**make** [meik] (*p.*, *pp.* **made** [meid]) *vt.* **1** 《~+[목]/+[목]+[목]/+[목]+[전]+[명]》 **만들다**, 제작〔제조〕하다; 짓다; 건설〔건조, 조립〕하다: ~ sandwiches 샌드위치를 만들다 / God *made* man. 하느님이 인류를 창조하셨다 / I am not *made* that way. 나는 그런 인간이 아니다 / I *made* him a new suit. =I *made* a new suit *for* him. 그에게 양복을 새로 맞춰 주었다 / Wine is *made from* grapes. 포도주는 포도를 원료로 하여 만든다 / What is your dress *made of*? 네 드레스의 재료는 무엇이니 / Mother *made* a stew *with* vegetables. 어머니는 야채를 넣어 스튜를 만들었다 / Glass is *made into* bottles. 유리는 가공이 되어서 병이 된다.

> NOTE 일반적으로 (out) of는 재료의 형태가 제품에 남아 있는 경우, from은 재료의 형태가 알아볼 수 없게 변한 경우에 쓰며, into 뒤에는 제품이 옴.

SYN. **make** 가장 일반적이며 적용 범위가 넓은 말. 비물질적인 것도 목적어로 취함: *make* friends 친구로 삼다. *make* one's character 인격을 형성하다. **form, shape** 외부에서 모양·구성을 부여하다. 양자간에는 서로 대치가 가능하나 구성에 중점이 있을 때는 form을, 특정한 외형에 중점이 있을 때에는 shape를 씀: *form* 〔*shape*〕 clay into a cup 점토(粘土)로 컵을 만들다. *form* 〔*shape*〕 a plan 계획을 마무르다. *form* a cabinet 조각(組閣)하다. *shape* a shoe on a last 골로 구두의 모양을 만들다. **fashion** 위의 두 말과 근사하나 어떤 의도를 염두에 두고 형성하다. 형성 과정에 중점이 있음: The teacher *fashioned* the student into a fine pianist. 스승은 제자를 훌륭한 피아니스트로 만들었다. **construct, fabricate** (설계·계획 따위에 맞추어서) 조립하여 만들다. fabricate에는 '인위적(人爲的)으로 만들다'라는 뜻이 부가됨: *construct* a building 빌딩을 건축하다. **manufacture** 기계를 써서 제조하다. 작업 공정, 앞으로 있을 제품의 판매 따위가 암시되어 있음.

2 a 만들어내다, 발달시키다; 성공시키다, 더할 나위 없게 하다: ~ one's own life 생활 방침〔일생의 운〕을 정하다 / Her presence *made* my day. 그녀가 있어서 즐거운 날이 되었다 / This performance could ~ you. (잘만 하면) 이 연주〔연기〕로 너는 성공할〔부자가 될〕 것이다. **b** 정돈하다, 정비하다: ~ a bed 침대를 정돈하다, 잠자리를 펴다. **c** 《~+[목]/+[목]+[목]/+[목]+[전]+[명]》 마련〔준비〕하다《***for*** …에게》: ~ dinner 정찬 준비를 하다 / He *made* her a cup of tea. =He *made* a cup of tea *for* her. 그는 그녀에게 차를 한 잔 끓여 주었다.

3 창작하다, 저술하다; (유언장)을 작성하다; (법률)을 제정하다, (가격 등)을 설정하다; (세)를 부과하다: ~ verses 시작(詩作)하다.

4 a 《~+[목]/+[목]+[목]/+[목]+[전]+[명]》 …이 되다《***for*** (아무)에게》: He will ~ an excellent scholar. 훌륭한 학자가 될 것이다 / She will ~ (him) a good wife. =She will ~ a good wife *for* him. 그녀는 (그에게) 좋은 아내가 될 것이다 / ~ lieutenant general 중장이 되다 / Good health and faith ~*s* a happy life. 건강과 신앙이 있으면 행복해진다. ★ She will *make* (herself) a good wife.의 목적어 herself가 표면에 나타나지 않고, make가 자동사화하여 become의 뜻에 가까워져, a good wife는 보어가 되는 셈임. **b** (총계가) …이 되다; 구성하다; 모아서 …을 형성하다〔…이 되다〕: Ten members ~ a quorum. 10인이 정족수(定足數)이다 / Iced Coke ~*s* an excellent refresher in summer. 냉콜라는 여름철의 좋은 청량 음료다 / Two and two ~(*s*) four. 2+2=4 / One more shot ~*s* a score. 한 방만 더 쏘아 맞히면 20(점)이 된다. **c** …(번째)가 되다: That ~*s* the third time he has failed. 그의 실패는 이것으로 세 번째이다. **d** 《~+[목]/+[목]+[목]》 …에 충분하다, …에 소용되다: One swallow does not ~ a summer. ⇨ SWALLOW[2] / This length of cloth will ~ you a suit. 이 길이의 천이 있으면 너의 옷이 한 벌 될 거다. **e** (팀)의 일원이 되다: ~ the baseball team 야구 팀의 일원이 되다.

5 (리스트·신문 등)에 실리다: ~ the headlines 표제에 (이름이) 나다 / The story *made* the front page 〔the nine o'clock news〕. 그 이야기는 제1면에 실렸다〔9시 뉴스에 보도되었다〕.

6 일으키다, 생기게 하다, …의 원인이 되다; (손해)를 입다; (소리 따위)를 내다: ~ an impression 인상을 주다 / ~ a fuss 소란을 피우다 / ~ a fire 불을 피우다 / ~ trouble 소동을 〔문제를〕 일으키다 / ~ peace 화해하다 / ~ war on 〔against〕 …에 대해 전쟁을 일으키다 / It ~*s* no difference (which side may win). (어느 쪽이 이기든) 마찬가지야 / It doesn't ~ (good) sense. 그런 일은 해도 (별로) 의미가 없다 / Don't ~ so much noise. 그렇게 성가시게 소리 좀 내지마라.

7 a (돈)을 벌다, 획득하다, 얻다; 〖크리켓〗 (…점) 올리다; (친구·적 등)을 만들다: He ~*s* $10,000 a year. 그의 연수입은 1만 달러이다 / ~ much money on the deal 그 거래로 큰 돈을 벌다 / ~ a fortune 재산을 모으다 / ~ friends 〔enemies〕 친구를〔적을〕 만들다 / ~ good marks at school 학교에서 좋은 성적을 올리다 / ~ one's 〔a〕 living 생계를 세우다. **b** 《+목+목》 …에게 …을 얻게 하다: His cold behavior *made* him many enemies. 그는 쌀쌀한 태도 때문에 많은 적이 생겼다.

8 a 《+목+(*to be*) 보》 어림하다; …을 ―라고 생각하다, 간주하다: I ~ him an American. 그가 미국 사람이라고 생각한다/What time do you ~ it? 몇 시입니까(What time is it?)/I *made* his profit one million dollars to say the least. 줄잡아도 그의 수익이 100만 달러는 되리라 추정하였다/How far do you ~ it from here to the mountain? 여기서 산까지는 얼마나 되리라 생각하십니까. **b** 《+목+전+명》 ―로 보다 〔추단하다〕, 판단하다《**of** …을》: I could ~ nothing *of* his words. 나는 그의 말을 전혀 알 수 없었다/What do you ~ *of* this? 자네는 이를 어떻게 생각하나.

9 a 《+목+보/+목+*done*》 (…을 ―으로) **하다**; …을 ―로 보이게 하다; …을 ―하게 하다: He *made* her his wife. 그는 그녀를 아내로 삼았다/He thinks to ~ one of his son a banker. 그는 아들 중 하나를 은행가로 만들려고 생각하고 있다/Flowers ~ our rooms cheerful. 꽃을 두면 방이 밝아진다/This portrait ~*s* him too old. 이 초상화에서 그는 너무 늙어 보인다/I took pains to ~ myself understood. 내가 말한 것을 이해시키기 위해 애먹었다/*Make* yourself at home 〔comfortable〕. 자 편히 하시오. **b** 〖+목+전+명〗 …이 되게 하다《**of** …을》: She *made* a lawyer *of* her son. 그녀는 아들을 변호사로 만들었다/~ a habit *of doing* …을 습관화하다.

10 《+목+*do*》 **…하게 하다, …시키다**: I'll ~ him *go* there whether he wants to or not. 원하든 원치 않든 그를 거기에 가게 하겠다〔보내겠다〕/The springshower ~*s* the grass *grow*. 봄비는 풀을 자라게 한다/His jokes *made* us all *laugh*. 그의 농담은 우리를 모두 웃겼다.

> **NOTE** (1) 이 때의 make에는 강제의 뜻이 있을 때도 없을 때도 있음. (2) 수동형에는 to가 붙음: I *was made to* do my duty. 나는 의무를 강요당했다.

11 a (길·거리 등)을 가다, 나아가다, 답파(踏破)하다: ~ the round of …을 순회하다/Some airplanes can ~ 500 miles an hour. 어떤 비행기는 1시간에 500마일 난다/He *made* his way home. 그는 귀가 길에 올랐다. **b** 《구어》 …에 도착하다, 들르다; (열차 따위)의 시간에 대다: We'll ~ Boston on the way to New York. 뉴욕에 가는 도중 보스턴에 들를 것이다/~ port 입항하다/~ a train 기차(시간)에 대다.

12 a 〖동사에서 파생한 명사를 목적어로 하여〗 …하다, …을 행하다: ~ an attempt 시도하다/~ amends 보상하다/~ an appointment (시간·장소를 정해) 만날 약속을 하다/~ a contract 계약하다/~ a bad start 출발을 그르치다(start badly)/~ a choice 선택하다/~ a decision 결정〔결의, 재결〕하다/~ a demand 요구하다/~ a discovery 발견하다/~a guess 추측하다/~ haste 급히 서둘다(hasten)/~ a move 행동하다; 수단을 취하다; 나서다/~ progress 진보〔전진〕하다/~ a search 수색하다. **b** 해내다, 수행하다: Now, he challenges the bar for the third time. Oh, he *made* it! 자 세 번째로 바에 도전합니다, 앗 뛰어 넘었습니다. **c** 《~+목/+목+목/+목+전+명》 (행동 따위)를 하다《**to** …에게》: make an address 연설을 하다/~ a person an offer =~ an offer *to* a person 아무에게 제안을 하다.

> **NOTE** (1) 12 a의 관용구는 한 동사로써 바꿔 말할 수 있음: to *make* an answer≒to answer, to *make* efforts 〔*make* an effort〕≒to endeavor, to *make* haste≒to hurry. 단, *make* a(n)... 처럼 목적어의 명사가 가산 명사로 취급될 때에는, 구체성이 강해짐. 예컨대 to *make* journey는 그저 일반적인 '여행하다'이지만, to *make* a journey 〔two journeys〕는 '1회〔2회〕 여행하다'와 같이 구체적인 사례가 되며, 사례의 단복(單複)도 구분됨. (2) 위에 보인 '하다'에 해당하는 동사는 make가 가장 으뜸가며, 비슷한 기능을 가진 동사로 give, have가 있음: *give* an answer, *have* a talk. 물론 do도 있으나, 관용구 형성상 make만큼 광범위하게 쓰이지 않음: *do* work, *do* one's duty.

13 《속어》 (여자)를 구슬리다, 유혹하다.

―*vi*. 1 (가공되어) …이 되다, 만들어지다, 제조되다: Nails are *making* in this factory. 이 공장에서 못이 제조된다/Hay ~*s* better in small heaps. 건초는 너무 쌓아올리지 않는 편이 잘 된다.

2 《+전+명》 나아가다, 향해 가다, 향하다《**for, toward(s)** (어느 방향)으로》; 덤벼들다《**at** …에게》; 가리키다: He *made toward(s)* the door. 그는 문 쪽으로 나아갔다/The dog *made* straight *at* him. 그 개는 곧장 그에게 덤벼들었다.

3 《+*to* do》 …하려고 하다, …하기 시작하다: As I *made to* leave the tent, I heard a sound again. 천막을 나오려는 순간 또 소리가 들렸다.

4 (조수가) 밀려들기 시작하다; (썰물이) 빠지기 시작하다: The tide is *making* fast. 조수가 빠르게 밀려들고 있다.

5 《+보》…로 보이게 하다, …하게 행동하다; (어떤 상태)가 되다: ~ free 스스럼〔무람〕없이 굴다/~ merry 명랑하게 행동하다/~ ready to depart 떠날 준비를 하다/~ certain 〔sure〕 확인하다. ★ (1) 이것들은 재귀목적어가 생략된 것으로서 많은 동사구를 만듦. (2) 명사〔형용사〕를 쓴 관용구로, 이 곳에 없는 것은 해당 명사〔형용사〕를 참조.

6 《+전+명》 영향을 미치다, 작용하다《**for** …에 유리하게; **against** …에 불리하게》: It ~*s for* 〔*against*〕 his advantage. 그것은 그의 이익이 된다〔에 반한다〕.

~ a fool of …을 바보 취급하다, …을 속이다. ***~ as if*** 〔***as though***〕***...*** 《구어》 …처럼 굴다. ***~ away*** 급히 가버리다〔떠나다〕(make off). ***~ away with*** ① …을 가져〔데려〕가 버리다, 날치기하다, 훔치다: The thief ~ *away with* their diamonds. 도둑은 그들의 다이아몬드를 날치기하여 도망쳤다. ② …을 죽이다: ~ *away with* oneself 자살하다. ***~ believe*** …하는 체하다, …처럼 가장하다《**that**/**to** do》(cf. make-believe): Let's ~ *believe that* we're Red Indians. 자아 인디언 놀이를 하자/The boys *made believe that* they were 〔*made believe to* be〕 explorers. 소년들은 탐험가 놀이를 했다. ***~ do*** (부족하지만) 그런대로 때우다〔해나가다〕《**with** (대용품 따위)로》: I can't afford a new car, so I'll have to ~ this one *do*. 새 차를 살 수 없으므로 이것으로 아쉬운 대로 견딜 수밖에 없다/We can ~ *do with* less money. 우리들은 좀더 적은 비용으로 할 수 있

M

다. ~ **do without** …없이 때우다: We had to ~ *do without* a telephone for some time. 당분간은 전화 없이 참을 수 밖에 없었다〔참지 않으면 안 되었다〕. ~ **for** 〖수동태 가능〗 ① 나아가다 (⇨*vi*. 2). ② …에 도움이 되다, 기여하다, 촉진하다: The Olympic Games ~*for* good relations between nations. 올림픽 경기는 국가간의 우호 관계에 기여한다. ~ **it** ① 《구어》 잘 해내다; 성공〔출세〕하다: I *made it!* 잘 해냈다/He'll never ~ *it* in business. 그는 사업에 결코 성공하지 못할 것이다. ② (열차 시간 따위에) 대가다, 제시간에 도착하다; (모임 따위에) 어떻게든 출석하다: You'll ~ *it* if you hurry. 서두르면 제시간에 대갈 수 있다. ③ 사정〔형편〕에 맞추다: Can you ~ *it*? 사정〔형편〕에 맞출 수 있겠느냐. ④ 《속어》 성교하다《**with** …와》. ~ **it up** 화해하다《**with** …와》; 보상하다《**for** …에 대해; **to** …에게》: How can we ~ *it up to* you *for* all that you have suffered because of us? 우리로 인해 당하신 고생에 대해서 어떻게 보상해 드릴 수 있을까요. ~ **like...** 《美구어》 …을 흉내내다, …식으로 하다, …역을 하다: He *made like* (he was) Chaplin. 그는 채플린 역을 했다. ~ **much of** …을 중(요)시하다. ~ **nothing of** ① …을 아무렇게도 생각지 않다: He ~*s nothing of* being laughed at. 그는 남이 비웃어도 대단하게 여기지 않는다. ② …을 전혀 알 수 없다: I can ~ *nothing of* his words. 그가 말하는 것을 전혀 알 수 없다. ~ **off** 《*vi*.+뷔》 (급히) 떠나다, 도망치다. ~ **off with** =~ away with ①. ~ **or break** 〔**mar**〕 …의 성패를 결정하다, 운명을 좌우하다: He is *made or marred* by his wife. 그를 살리느냐 죽이느냐는 아내에게 달려 있다. ~ **out** 《*vi*.+뷔》 ① 《美구어》 (일 따위를) 잘 해나가다; (살림·생활을) (그럭저럭) 지내다〔꾸려나가다〕: How are you *making out* in 〔with〕 your new job? 새로운 일은 잘 해나가고 있느냐/His wife managed to ~ *out* on his salary. 그의 아내는 그의 급료로 그럭저럭 살림을 꾸려나가고 있다. ② 《속어》 키스〔애무〕하다, 성교하다《**with** …와》. ── 《*vt*.+뷔》 ③ (표·서류 따위)를 작성하다, 써 넣다, 쓰다: ~ *out* a check 수표를 떼다/ ~ *out* a form 양식에 내용을 기입하다/~ *out* a list of members 회원 명부를 작성하다. ④ 〖보통 can, could와 함께 써서〗 …을 가까스로 판독하다〔구분하다, 판별하다〕: I can't ~ *out* this inscription. 이 묘비명은 판독할 수 없다. ⑤ 《구어》 (아무의 생각·성격 따위)를 이해하다, 알다: I can't ~ her *out*. 그녀가 무엇을 생각하고 있는지 알 수가 없다/I can't ~ *out* what she wants. 그녀가 무엇을 원하는지 전혀 모르겠다. ⑥ …을 명백히 하다, 입증〔주장〕하다, 결론짓다; 《구어》 우겨대다, …라고 말하다《**that**》: ~ *out* one's case 자기의 입장을 명백히 하다/How do you ~ that *out*? 어떻게 그런 결론을 내릴 수 있느냐/He *made out that* she was a friend of mine. 그는 (잘 모르면서) 그녀가 나의 친구라고 우겨댔다. ⑦ (아무가) …인 체하다, 마치 …인 것처럼 말하다〔행동하다〕; …으로 묘사하다.: He ~*s* himself *out* (*to* be) richer than he really is. 그는 실제 이상으로 자기가 부자인 체한다/The play *made* her *out to* be naive. 연극에서 그녀는 순진한 여성으로 묘사되어 있다. ~ **over** 《*vt*.+뷔》 ① (재산 따위)를 양도하다, 이관하다; 기증하다《**to** …에》: ~ one's property *over to* one's wife 아내에게 재산을 양도하다. ② 변경〔개조〕하다, 고쳐 만들다: ~ *over* an old dress 낡은 드레스를 고쳐 만들다/~ *over* a page layout 지면의 레이아웃을 변경하다. ~ **up** 《*vt*.+뷔》 ① …을 꾸리다, 다발짓다; 조립하다《**into** …으로》: ~ *up* a parcel 소포를 만들다〔꾸리다〕/~ *up* hay *into* bundles 건초를 다발짓다/~ *up* a model plane 모형 비행기를 조립하다; (옷)을 짓다; (천 따위로) 만들다《**into** …을》. ② (약)을 조제하다: I got my medicine *made up* at the drug store. 나는 약국에서 약을 조제토록 했다. ③ (목록·책 따위)를 만들다, 작성〔편집〕하다, 기초하다; (계획 따위)를 세우다: ~ *up* a list of... …의 목록을 만들다/~ *up* a schedule for the trip 여행 계획을 세우다. ④ (잠자리·식사 따위)를 준비하다, 정돈하다: ~ a bed *up* for the guest 손님 잠자리를 준비〔마련〕하다. ⑤ (불·보일러 따위)에 연료를 추가하다: ~ *up* the fire 불을 지피고 꺼뜨리지 않다/The fire needs *making up*. 불에 연료를 추가해야 한다. ⑥ 〖흔히 수동태〗 (전체)를 구성하다, 형성하다《**of** (각 부분)으로》: Eleven players ~ *up* a team. 선수 11명이 하나의 팀을 구성한다/All things in our universe *are made up of* atoms. 우리 우주의 모든 것들은 원자로 구성되어 있다. ⑦ (이야기·구실 따위)를 그럴 듯하게 지어내다, 날조하다; (노래·시 따위)를 즉석에서 창작하다: ~ *up* a story 〔an excuse〕 이야기를〔구실을〕 지어내다/~ *up* a poem 시를 즉흥적으로 읊다/The story is *made up*. 그 이야기는 날조된 거짓말이다. ⑧ 〖흔히 수동태 또는 ~ oneself〗 화장하다; (아무)를 분장시키다, 분장하다: That woman *is* very much *made up*. 저 여인은 너무 짙은 화장을 하고 있다/She *was made up* 〔She *made* herse*lf up*〕 for the part of a young girl. 그녀는 젊은 여성으로 분장했다. ⑨ …을 메꾸다, (보완하여) 완전하게 하다: We need one more person to ~ *up* the number. 수를 채우기 위해서는 한 사람이 더 필요하다/We must ~ the loss *up* next month. 다음 달에는 손실을 메꿔야 한다. ⑩ 《美》 (청강 과목 따위)를 다시 이수하다, (시험)을 다시 치르다. ⑪ (분규·싸움 따위)를 중재하다, 해결하다《**with** …와》: He has *made up* his differences *with* her. 그는 그녀와의 불화를 원만히 해결했다. ⑫ 〖인쇄〗 (페이지·난)을 짜다, 정판하다. ── 《*vi*.+뷔》 ⑬ 화해하다, 사이가 다시 좋아지다《**with** …와》: Why don't you ~ *up with* her? 그녀와 화해하면 어때. ⑭ 화장하다, 분장하다. ~ **up for** …을 보충하다, 메꾸다: ~ *up for* lost time 지체된 시간을 메꾸다. ~ **up to** (이성)에게 접근하다, 구애하다. ~ **with ...** 《美속어》 〖the+명사와 함께 써서〗 (손·발 등)을 쓰다, 움직이다; (생각 따위)를 낳게〔갖게〕 하다, 제안하다; …을 하다: ~ *with the* feet 걷다/~ *with the* big ideas 굉장한 아이디어를 내놓다/~ *with the* joke 농담을 하다.

> **DIAL.** ***Make it two.*** 같은 것으로 주세요《음식점에서 다른 사람과 같은 것으로 주문할 때》.
> ***Make mine ...*** 나는 …을 주세요《음식점에서 다른 사람과 다른 것을 주문할 때》: I'll have vanilla ice cream.—*Make mine* coconut milk. 나는 바닐라 아이스크림을 주시오—나는 코코넛 밀크를 주세요.

── *n*. Ⓤ (구체적으로는 Ⓒ) **1** 제작, 제조, …제(製): goods of foreign 〔home〕 ~ 외국〔국산〕 제품/a car of Korean ~ =a Korean ~ of car 한

국제 차 / our own ~ 〖상업〗 자가제 / Is this your own ~? 이것은 당신이 손수 만든 것입니까. **2** 만듦새, 지음새; 체격(build); 종류, 형(型), 식(式): a man of sturdy 〔slender〕 ~ 튼튼한〔날씬한〕 체격의 사람 / cars of all ~*s* 여러 종류의 차. **3** 성격, 기질. **4** 〖전기〗 회로의 접속〔개통〕. [cf.] break.

on the **~** 《구어》 돈벌이〔승진, 출세〕에 열을 올려; 섹스 상대를 구하여.

máke-belìeve *n.* [U] 치레, 가장, 거짓; (아이들 놀이 따위에서의) 흉내, 놀이; 〖심리〗 공상벽(癖). **—** *a.* [A] 거짓의; 가공의, 상상의: ~ sleep 꾀잠 / ~ war 가상전 / You live in a ~ world. 너는 허구의 세계에서 살고 있어.

máke-dò (*pl.* **~*s***) *a.* [A], *n.* [C] 임시변통의 (물건), 대용의 (물건).

máke-or-bréak *a.* [A] 성패 양단간의, 운명을 좌우하는: a ~ issue 성패를 판가름하는 문제.

máke·òver *n.* [C] 개조, 개장, 새 단장; 변신, (전문가에 의한) 인상 바꾸기.

⁑mak·er [méikər] *n.* **1** [C] **a** (흔히 *pl.*) **제조업자**, 메이커, 제조원. **b** 《흔히 합성어》 **제조자**, 만드는 사람: a trouble*maker* 말썽꾸러기, dress*maker*. **2** (the 〔one's〕 M-) 조물주, 신. ***go to*** 〔***meet***〕 ***one's Maker*** 죽다.

◇máke·shìft *n.* [C] 임시변통의 물건〔방책〕. **—** *a.* 임시변통의, 일시적인: a ~ bookcase.

◇máke-ùp, máke·ùp *n.* **1** [C] (보통 *sing.*) **a** 조립; 구성, 구조, 조직: the ~ of a sentence 문장의 구조 / the ~ of committee 위원회의 구성. **b** 체질, 성질, 기질: a nervous ~ 소심한 기질 / a national ~ 국민성. **2** [U] **a** (또는 a ~) (여자 · 배우 등의) 메이크업, 화장, 분장: apply 〔put on〕 ~ 메이크업하다 / What nice 〔(a) clever〕 ~! 대단히 훌륭한〔좋은〕 메이크업이다 / She wears no ~. 그녀는 전연 화장을 안 하고 있다. **b** 《집합적》 (여자 · 배우 등의) 화장용구; 화장품: She uses too much ~. 그녀는 화장을 지나치게 한다. **3** [C] (보통 *sing.*) 〖인쇄〗 (페이지 따위의) 정판, 조판(물). **4** [C] 《美구어》 추가〔재〕 시험.

máke·wèight *n.* [C] 부족한 중량을 채우는 물건; 첨가물, 메우는 것; 무가치한 사람〔물건〕.

máke-wòrk *n.* [U] 《美》 (노동자를 놀리지 않게 하기 위해 시키는) 불필요한 작업, (실업자를 위해) 만들어 낸 일.

mak·ing** [méikiŋ] *n.* **1** [U] **제조**, 제조법, 조립, 조직. **2** [C] 제작물; 1회의 제조량. **3** (the ~) 성공의 원인〔수단〕: Hard work was the ~ *of* her. 근면이 그녀의 성공의 원인이 되었다. **4** (the ~s) 요소, 소질, 소인(素因): He has the ~*s of* an artist. 그에게는 예술가의 소질이 있다. **5** (*pl.*) 이익, 벌이. **6** (*pl.*) 원료, 재료《for*** …의》.

in the **~** ① 제조중의; 발달중의, 수업중의: a doctor *in the* ~ 수련중의 의사. ② 기다리고 있는《***for*** …을》. ***of one's own*** **~** 자기자신이 만들어낸, 자업자득의: These troubles are all *of* your *own* ~. 이러한 트러블은 모두 네 자신이 초래한 것이다.

mal- [mæ:l] *pref.* '악(惡), 비(非), 불(不), 불완전' 등의 뜻: *mal*treat, *mal*content.

Mal. 〖성서〗 Marachi.

Ma·lac·ca [məlǽkə] *n.* 말라카《Malaysia 연방의 서쪽에 위치한 한 주; 그 주도》. ***the Strait of*** **~** 말라카 해협.

Malácca cáne 등(籐) 줄기 등으로 만든 스틱.

Mal·a·chi [mǽləkài] *n.* 〖성서〗 말라키《헤브라이의 예언자》; 말라기서《구약성서의 한 편; 생략: Mal.》.

mal·a·chite [mǽləkàit] *n.* [U] 〖광물〗 공작석(孔雀石).

màl·adápted [-id] *a.* (특정 조건 · 환경에) 순응〔적응〕하지 않는, 부적합한.

màl·adjústed [-id] *a.* 조절이 잘 안 되는; 〖심리〗 환경에 적응이 안 되는, 적응 장애의: a ~ child 환경 부적응아.

màl·adjústment *n.* [U] 조절〔조정〕 불량; 〖심리〗 적응 장애, 환경 부적응.

màl·admínister *vt.* (공무 등)을 잘못〔부정하게〕 수행하다; (정치 · 경영)을 잘못하다.

màl·administrátion *n.* [U] 실정(失政), 악정.

màl·adróit *a.* 솜씨 없는, 서투른, 졸렬한. [파] **~·ly** *ad.* **~·ness** *n.*

◇mal·a·dy [mǽlədi] *n.* [C] **1** (만성적인) 병, 질병: a fatal ~ 불치병. [cf.] ailment, disease. **2** 《비유적》 (사회의) 병폐: a social ~ 사회의 폐해.

Mal·a·ga [mǽləgə] *n.* [U] Málaga《스페인 남부의 항구 도시》산(産) 포도; 말라가 포도주.

Mal·a·gasy [mæ̀ləgǽsi] *a.* 마다가스카르(사람, 말)의. **—** (*pl.* **~, *-gas·ies***) *n.* [C] 마다가스카르〔말라가시〕 사람; [U] 마다가스카르 말.

mal·aise [mæléiz, mə-] *n.* 《F.》 [U] (또는 a ~) **1** (앓을 징조의) 으스스한 느낌, 불쾌감: I feel (a certain) ~. 왠지 몸이 개운치 않다. **2** 활기없는 상태, 침체: a general economic ~ 경제의 전반적인 침체.

Mal·a·mud [mǽləməd, -mùd] *n.* **Bernard ~** 맬러머드《미국의 소설가; 1914–86》.

mál·a·pròp·ism *n.* **1** [U] (구체적으로는 [C]) 말의 우스꽝스러운 오용(誤用). **2** [C] 그와 같은 말.

mal·ap·ro·pos [mæ̀læprəpóu] 《F.》 *a.*, *ad.* 시기가 적절하지 않은〔게〕, 부적당한〔하게〕.

◇ma·lar·ia [məlέəriə, -lǽər-] *n.* [U] 〖의학〗 말라리아.

ma·lar·i·al [məlέəriəl] *a.* 말라리아〔학질〕의; 말라리아에 걸린.

ma·lar·k(e)y [məlɑ́:rki] *n.* [U] 《구어》 과장된〔허황한〕 이야기; 터무니 없는〔허튼〕 소리.

Ma·la·wi [məlɑ́:wi] *n.* 말라위《동남 아프리카의 공화국; 1964년 독립; 수도 Lilongwe》. [파] **~·an** *a.*, *n.*

Ma·lay [məléi, méilei] *n.* [C] 말레이 사람; [U] 말레이 말. **—** *a.* 말레이 반도의; 말레이 사람〔말〕의.

Ma·laya [məléiə] *n.* 말라야; 말레이 반도.

Ma·lay·an [məléiən] *n.* [C] 말레이 사람. **—** *a.* = MALAY.

Maláy Archipélago (the ~) 말레이 제도.

Maláy Península (the ~) 말레이 반도.

Ma·lay·sia [məléiʒə, -ʃə] *n.* 말레이시아 연방 (the Federation of ~)《수도 Kuala Lumpur》.

Ma·lay·sian [məléiʒən, -ʃən] *n.* [C] 말레이시아인. **—** *a.* 말레이시아(사람)의.

Mál·colm X [mǽkəm-] 맬컴엑스《미국의 흑인 민권 운동 지도자; 1925–65》.

màl·contént *a.* 불평을 품은, (현상에) 불만인, 반항적인(rebellious). **—** *n.* [C] 불평가, 불평 분자; 반항자, 반체제 활동가.

Mal·dives [mɔ́:ldaivz] *n.* 몰디브《인도양 상에 있는 공화국; 수도 Malé》.

Mal·dív·i·an *n.* [C] 몰디브 사람. **—** *a.* 몰디브 (사람)의.

⁑male [meil] *n.* [C] **1 남성**, 남자; 수컷. ↔

M

female. 2 웅성(雄性) 식물. —*a*. 1 남성의, 남자의; 수컷의: the ~ sex 남성. 2 남성적인, 남자다운. 3 〖식물〗 수술만 있는. 4 〖기계〗 수…: a ~ screw 수나사. ㊕ ∠·ness *n*. Ⓤ 남성(다움).

mal·e- [mǽlə] *pref*. =MAL-.

mále cháuvinism 남성 우월〔중심〕주의.

mále cháuvinist 남성 우월〔중심〕주의자.

mále cháuvinist píg 《경멸적 · 우스개》 남성 우월주의자《생략: MCP》.

mal·e·dic·tion [mæ̀lədíkʃən] *n*. Ⓒ 저주(詛呪) (curse), 악담, 중상, 비방. ↔ *benediction*.

mal·e·fac·tor [mǽləfæ̀ktər] (*fem*. **-tress** [-tris]) *n*. Ⓒ 죄인, 범인, 악인. ↔ *benefactor*.

ma·lef·i·cent [məléfəsənt] *a*. Ⓐ 유해한, 나쁜 《**to** …에》; 나쁜 짓을 하는, 범죄의. ↔ *beneficent*. ㊕ **-i·cence** *n*.

ma·lev·o·lence [məlévələns] *n*. Ⓤ 악의(惡意), 적의(敵意), 해칠 마음. ↔ *benevolence*.

ma·lev·o·lent [məlévələnt] *a*. 악의 있는, 심술궂은. ↔ *benevolent*. ㊕ ~·**ly** *ad*.

mal·fea·sance [mælfíːzəns] *n*. 1 Ⓒ 〖법률〗 위법 행위, (특히 공무원의) 부정〔배임〕 행위. 2 Ⓤ 나쁜 짓.

màl·formátion *n*. 1 Ⓤ 기형임〔이 됨〕. 2 Ⓒ 기형; 기형이 된 부분.

màl·fórmed *a*. 흉하게 생긴, 볼꼴 사나운; 기형의(deformed): ~ character 이상 성격 / ~ flowers 기형화(花).

màl·fúnction *n*. Ⓤ (구체적으로는 Ⓒ) (기계 등의) 부조(不調), 기능 부전(不全); 〖컴퓨터〗 기능 불량. —*vi*. (기계 · 장치 등이) 제대로 움직이지 않다.

Ma·li [mάːliː] *n*. 말리《아프리카 서부의 공화국; 수도 Bamako》. ㊕ **Má·li·an** *n*., *a*.

málic ácid 〖생화학〗 말산(酸), 사과산.

***mal·ice** [mǽlis] *n*. Ⓤ (의도적인) 악의, 해할 마음, 적의(敵意); 원한: bear ~ to 〔toward, against〕 a person for something 어떤 일로 아무에게 적의를〔원한을〕 품다.

málice afórethought 〔**prepénse**〕 〖법률〗 예모(豫謀)의 범의, 살의(殺意): with *malice aforethought* 예모의 살의를 가지고.

***ma·li·cious** [məlíʃəs] *a*. 악의 있는, 심술궂은 《사람 · 행위》; 〖법률〗 부당한《체포 따위》. SYN. ⇨BAD. ㊕ ~·**ly** *ad*. ~·**ness** *n*.

°**ma·lign** [məláin] *a*. Ⓐ 1 유해한; 〖의학〗 악성의《병 따위》. 2 악의 있는. ↔ *benign*. —*vt*. 중상〔비방〕하다, 헐뜯다(speak ill of). ㊕ ~·**ly** *ad*. 악의로, 유해하게.

ma·lig·nan·cy, -nance [məlígnənsi], [-s] *n*. 1 Ⓤ 강한 악의, 적의. 2 Ⓤ 〖병리〗 (질병의) 악성; Ⓒ 악성 종양.

***ma·lig·nant** [məlígnənt] *a*. 1 악의〔적의〕 있는; (영향 따위가) 아주 해로운: cast a ~ glance 악의에 찬 눈으로 흘끗 보다. 2 〖의학〗 악성의. ↔ *benignant*. ¶ a ~ tumor 악성 종양. ㊕ ~·**ly** *ad*.

ma·lig·ni·ty [məlígnəti] *n*. 1 Ⓤ 악의; 원한; (병의) 악성. 2 Ⓒ 악의에 찬 언동.

ma·lin·ger [məlíŋgər] *vi*. (특히 군인 등이) 꾀병을 부리다. ㊕ ~·**er** [-rər] *n*.

mall [mɔːl / mæl] *n*. 1 Ⓒ (나무 그늘이 있는) 산책로. 2 Ⓒ 보행자 전용 상점가; 《美》 대형 쇼핑 센터. 3 [mæl] (the M-) 런던 St. James 공원에 있는 나무 그늘이 많은 산책로.

mal·lard [mǽlərd] (*pl*. ~**s,** 〖집합적〗 ~) *n*. Ⓒ 〖조류〗 청둥오리(wild duck).

mal·le·a·ble [mǽliəbəl] *a*. 펴 늘일 수 있는, 전성(展性)이〔불릴 수〕 있는; 순응성이 있는, 유순한. ㊕ **mal·le·a·bil·i·ty** [mæ̀liəbíləti] *n*.

mal·le·o·lus [məlíːələs/məlíːələs] (*pl*. **-li** [-lài]) *n*. Ⓒ 〖해부〗 복사뼈.

mal·let [mǽlit] *n*. Ⓒ 나무메; (croquet나 polo의) 타구봉; 타악기용 작은 망치.

mal·le·us [mǽliəs] (*pl*. **-lei** [-liài]) *n*. Ⓒ 〖해부〗 (중이(中耳)의) 망치뼈, 추골(槌骨).

mal·low [mǽlou] *n*. Ⓒ 〖식물〗 당아욱속(屬)의 식물.

malm·sey [mάːmzi] *n*. Ⓤ Madeira 원산의 독하고 단 백포도주.

màl·nóurished [-t] *a*. 〖의학〗 영양 부족〔실조〕의.

màl·nutrítion *n*. Ⓤ 영양실조〔장애, 부족〕.

màl·ódorous *a*. 악취 있는.

mal·práctice *n*. Ⓤ (구체적으로는 Ⓒ) 1 〖법률〗 배임〔위법〕 행위. 2 (의사의) 부정 치료, 오진(誤診); 의료 과오(過誤)〔사고〕.

°**malt** [mɔːlt] *n*. 1 Ⓤ 맥아(麥芽), 엿기름. 2 Ⓤ (종류는 Ⓒ) 《구어》 맥주. 3 MALTED (MILK). —*a*. Ⓐ 엿기름의〔이 든, 으로 만든〕. cf. maltose.

—*vt*., *vi*. 엿기름으로 하다〔이 되다〕; (술을) 엿기름으로 만들다; 엿기름을 만들다.

Mal·ta [mɔ́ːltə] *n*. 몰타 섬; 몰타 공화국《1964년 독립; 수도 Valletta》.

málted (**mílk**) 맥아유(를 넣은 분유).

Mal·tese [mɔːltíːz, -tíːs] *a*. 몰타(사람〔어〕)의. —(*pl*. ~) *n*. 1 Ⓒ 몰타 사람. 2 Ⓤ 몰타어(語). 3 =MALTESE CAT. 4 =MALTESE DOG.

Máltese cát 몰타 고양이《털이 짧은 청회색》.

Máltese cróss 몰타 십자《십자가의 일종》.

máltese dóg 몰타섬 토종의 애완용 개.

mált·hòuse *n*. Ⓒ 맥아 제조소〔저장소〕.

Mal·thus [mǽlθəs] *n*. **Thomas Robert** ~ 맬서스《영국의 정치 경제학자; 1766-1834》.

mált lìquor 맥아(양조)주, 엿기름으로 만든 술《ale, beer, stout 등》.

malt·ose [mɔ́ːltous] *n*. Ⓤ 〖화학〗 맥아당, 말토오스.

mal·tréat *vt*. 학대〔혹사〕하다.

mal·tréatment *n*. Ⓤ 학대, 혹사, 냉대: ~ of children 아동 학대.

malt·ster [mɔ́ːltstər] *n*. Ⓒ 엿기름 만드는〔파는〕 사람.

malty [mɔ́ːlti] (***malt·i·er; -i·est***) *a*. 엿기름의; 엿기름을 함유한.

mal·ver·sa·tion [mæ̀lvəːrséiʃən] *n*. Ⓤ 〖법률〗 독직, 배임, 수회(收賄).

mam [mæm] *n*. Ⓒ 《英구어》 =MAMMA[1].

ma·ma [mάːmə, məmάː] *n*. Ⓒ 《美구어 · 소아어》 =MAMMA[1].

máma's bòy 《美속어 · 경멸적》 여자 같은 아이, 응석꾸러기, 과보호의 남자 아이.

mam·ba [mάːmbaː] *n*. Ⓒ 〖동물〗 맘바《남아프리카산 코브라과의 큰 독사》.

mam·bo [mάːmbou] (*pl*. ~**s**) *n*. Ⓒ 맘보(춤); 그 음악. —*vi*. 맘보를 추다.

°**mam·ma**[1] [mάːmə, məmάː] *n*. Ⓒ 《소아어 · 구어》 엄마. ↔ *papa*.

mam·ma[2] [mǽmə] (*pl*. **-mae** [-miː]) *n*. Ⓒ (포유동물의) 유방, 젖 먹이는 기구.

***mam·mal** [mǽməl] *n*. Ⓒ 포유동물.

M

mam·ma·li·an [mæméiliən, -ljən] *a.* 포유 동물의.

mam·ma·ry [mǽməri] *a.* Ⓐ 유방의: ~ cancer 유방암/the ~ gland 유선(乳腺), 젖샘.

mam·mon [mǽmən] *n.* **1** Ⓤ (악덕으로서의) 부(富). **2** (M-) 〖성서〗 부(富)·탐욕의 신(神)《마태복음 VI: 24》: worshipers of *Mammon* 배금주의자들/the *Mammon* of unrighteousness 사악한 부, 악전(惡錢).

mám·mon·ìsm *n.* Ⓤ 배금〔황금만능〕주의.

◇**mam·moth** [mǽməθ] *n.* Ⓒ 〖고생물〗 매머드《신생대 제4기 홍적세의 거상(巨象)》; (같은 종류 중에서) 거대한 것. **—***a.* Ⓐ 매머드와 같은; 거대한.

◇**mam·my, mam·mie** [mǽmi] *n.* Ⓒ《美》 **1** 《소아어》 엄마. **2** (예전의 백인집의) 흑인 유모〔할멈〕.

†**man** [mæn] (*pl.* ***men*** [men]) *n.* **1 a** Ⓒ **남자**, 사내: *men* and women 남녀 (함께), 사람들. **b** Ⓤ 〖관사 없이 총칭적〗 남성. cf. woman. ¶*Man* is stronger than woman. 남성은 여성보다 강하다.

2 Ⓒ 성년의 남자. cf. boy. ¶He is no longer a boy, but a ~. 그는 이제 아이가 아니고 어른이다.

3 Ⓒ 제구실을 하는 남자; 사내다운 남자, 대장부: He is every inch a ~. 그는 어느 점으로 보아도 사나이다운 사나이다/be a ~ =play the ~ 사나이답게 행동하다/like a ~ 사나이답게.

4 a Ⓤ 〖관사 없이 총칭적〗 (동물과 구별하여) **인간**, 사람: *Man* is mortal. 인간은 죽게 마련이다/*Man* cannot live by bread alone. 사람은 빵만으로는 살 수 없다.

> NOTE *Man* hopes for peace, but *he* prepares for war. 에서와 같이, man은 성별에 관계없이 '사람'을 의미하지만, 대명사로는 he를 씀. 인간이 아니고 남성 일반을 표시할 때는 원칙적으로 men을 씀.

b Ⓒ (남녀 구별 없이 일반적으로) 사람, 인간: All *men* must die. 모든 인간은 죽게 마련이다. **c** (a ~, one's ~) (회사·조직 따위의) 대리인: our ~ in London 우리 회사의 런던 주재 대표자/We have a ~ in New York. 우리 회사는 뉴욕에 대리인이 있다. **d** Ⓤ (선사 시대의) 원인(原人): Peking ~ 북경 원인.

5 a Ⓒ 〖a, any, every, no 등과 함께〗 (누구든) 사람《성별에 관계없이》: *No* ~ knows. 아무도 모른다/*A* ~ can only die once. 《속담》 사람은 오직 한 번 죽을 뿐이다/*any* 〔*no*〕 ~ 누구든지 〔아무도 …아니다〕/What can *a* ~ do in such a case? 이런 경우 어떻게 하면 좋을까. ★ 부정(不定)대명사적 용법. **b** Ⓒ 〖수식 어구와 함께 써서〗 (특정한 일·성격 따위를 가진) 사람, …하는 사람, …가(家)《★ 남성을 의식하는 경우가 많음》: a ~ of action 활동가/a ~ of science 과학자/a medical ~ 의학자.

6 Ⓒ (보통 *pl.*) 병사, 하사관; 수병, 선원: officers and *men* 장교와 사병.

7 Ⓒ 하인, 머슴(manservant); **부하**; (흔히 *pl.*) 노동자, 종업원: masters and *men* 주인과 하인/The *men* are on a strike. 종업원이 파업 중이다/The *men* accepted the employer's offer. 종업원은 고용자의 제안을 받아들였다.

8 Ⓒ 남편; 《구어》 애인《남자》, 정부: ~ and wife 부부.

9 a (one's ~, the (very) ~) 안성맞춤인 사람, 적임자: He is the ~ for the job. 그는 그 일에 적임자다/If you're looking for somebody strong, I'm your ~. 힘이 센 사람을 찾고 있다면 나야말로 적임자다. **b** (the ~) 《구어》 그자, 그놈《★ 좋아하지 않는 남성을 가리켜 he나 him 대신에 씀》: I hate the ~. 그자는 질색이다.

10 《구어》 〔남성에 대한 호칭〕 어이, 이봐, 자네: Cheer up ~! 이봐 기운을 내게/Quick, ~! 어이 빨리 해. ★ 속어로는 연령·남녀 불문.

11 《구어》 어렵쇼, 이런《놀람·열의·짜증·경멸 등의 소리》: *Man*, what a game! 저런, 이 무슨 게임이람.

12 Ⓒ (대학의) 재학생, 출신자: an Oxford 〔a Harvard, etc.〕 ~.

13 Ⓒ (체스 등의) 말(piece).

14 (the ~, the M-) 《美속어》 경찰관; 〖집합적〗 (흑인쪽에서 본) 백인.

as one* ~** 일제히, 만장일치로. ***be* ~ *enough 충분한 용기가〔능력이〕 있다: *Are* you ~ *enough for* 〔*to* do〕 the job? 자네 그 일을 할 만한 용기가〔능력이〕 있는가. ***be* one*'s own* ~** 남의 구속을〔지배를〕 받지 않다, 자기 뜻대로 하다; 꿋꿋하다. **~ *and boy*** 〖부사적〗 어릴 적부터: I've lived here, ~ *and boy*, for nearly 60 years. 어린 시절부터 거의 60년간 이곳에 살고 있다. **~ *for* ~** 일 대(對) 일로서는; 한 사람 한 사람 비교하면: *Man for* ~ our team is better than theirs. 한 사람 한 사람씩 비교해 보면 우리 팀이 그들 팀보다 낫다. **~ *of God*** 성직자, 목사; 성인. **~ *to* ~** 솔직하게, 속을 터놓고(cf. man-to-man): as ~ *to* ~ 솔직하게 말하면. ***the* ~ *in the moon*** 가공의 인물. ***the* ~ *in*** 〔《美》 ***on***〕 ***the street*** ① 세상의 일반인, 보통 사람. ② 보통 사람의 생각; 여론. ***to a* ~** 한 사람의 예외도 없이, 만장일치로; 최후의 한 사람까지. ***to the last* ~** 최후의 한 사람까지.

> DIAL. ***A man's got to do what a man's got to do.*** 《우스개》 사람은〔남자는〕 해야 할 일은 해야 한다《스타인벡의 '분노의 포도'에서》.
> ***Are you a man or mouse?*** 용기를 내(←너는 남자냐 쥐냐).
> ***It's every man for himself.*** 각자 자기 일밖에 모른다, 남의 일에 상관 않는다《서로 돕지 않는다는 뜻》: In journalism *it's every man for himself*. 저널리즘에서는 각자 자기 일하기 바쁘다.

—(**-nn-**) *vt.* **1** (임무·방어를 위해) …에 사람을〔병사를, 경관을〕 배치하다, 배속하다: ~ the oars 선원에게 노를 잡히다/*Man* the guns! (각자 지정된 포에) 정위치.
2 (배·우주선 따위)에 사람을 태우다: a *~ned* spaceship 유인(有人) 우주선/~ a space shuttle 우주 왕복선에 승무원을 태우다.
3 《~+목/+목+전+명》 〖~ oneself〗 용기를 돋구다, 격려하다; 분기하다, 마음을 다잡다《*for* …에 대하여》: He *~ned* himself *for* the ordeal. 그는 그 시련을 견뎌내기 위해 마음을 다잡았다.

-man [mən, mæ̀n] (*pl.* ***-men*** [mən, mèn]) *suf.* **1** '…국인(人), …의 주민'이란 뜻: English*man* [-mən] 영국인, country*man* [-mən] 시골 사람. **2** '직업이 …인 사람'이란 뜻: business*man* [-mæ̀n] 실업가, post*man* [-mən] 우편 집배원, clergy*man* [-mən] 목사; 성직자.

M

NOTE 단수에서 [-mən]으로 발음될 경우는 복수에서도 [-mən], 단수에서 [-mæ̀n]으로 발음될 경우 복수에서는 [-mèn]이 되는 것이 보통임.

mán-abòut-tówn (*pl.* ***mén-*** [mén-]) *n.* Ⓒ 건달, 플레이보이.

man·a·cle [mǽnəkl] *n.* Ⓒ (보통 *pl.*) 수갑; 속박, 구속. **—** *vt.* 수갑을 채우다; 속박하다.

‡**man·age** [mǽnidʒ] *vt.* **1** (사람·말·도구 따위)를 **잘 다루다**, 마음대로 움직이다; (기계·배 따위)를 조종[운전]하다, (무기·도구)를 잘 쓰다; (말)을 조련하다, (짐승)을 길들이다: ~ a tool 도구를 사용하다 / ~ a boat efficiently 보트를 잘 조종하다 / ~ a spirited horse 마구 날뛰는 말을 잘 길들이다 / She ~*s* the child with exemplary skill. 그녀는 그 아이를 기술적으로 매우 잘 다룬다.
2 (사무)를 **처리하다, 관리하다**; (사업 따위)를 경영[운용]하다(conduct); (팀 따위)를 통솔하다; (일 따위)를 감독하다: ~ one's investments 투자 자금을 운용하다 / ~ an estate 토지를 관리하다 / ~ a household 살림을 꾸려 나가다 / She ~*s* a company. 그녀는 회사를 경영하고 있다.
3 (어려운 일)을 **해내다**, 실현하다: Somehow we must ~ the suppression of our baser instincts. 어떻게든 우리의 야비한 본능을 억눌러야 한다.
4 a ⟪+*to* do⟫ **그럭저럭 …하다**, 곧잘 …하다; ⟪반어적⟫ 멍청하게[불행히]도 …하다: I ~*d to* get there in time. 나는 그럭저럭 시간에 맞게 그곳에 닿았다 / He ~*d to* make a mess of it. 그녀석 멍청스레 큰 실수를 저질렀어. **b** 〖종종 can, could와 함께〗 (회합 따위)의 시간을 어떻게든 내다; (휴가 따위)를 어떻게든 얻다; (웃음·태도 따위)를 겨우[가까스로] 짓다: ~ a smile 웃음을 억지로 짓다 / *Can* you ~ 2 p.m. on Wednesday? 수요일 오후 두 시에 시간을 낼 수 있느냐.
5 〖can, be able to와 함께〗 먹어치우다; 처리하다, 해치우다: *Can* you ~ another slice of cake? 케이크 한 조각 더 먹겠니.
— *vi.* **1** (일)을 처리하다, 관리[경영]하다: Who will ~ while the boss is away? 사장이 부재중일 때 누가 관리[대리]를 하지.
2 ⟪+전+명⟫ 〖흔히 can, could와 함께〗 (이럭저럭) 잘 해나가다⟪***on, with*** …으로⟫: ~ *on* one's income 수입으로 생계를 세우다 / ~ *with* a rent-a-car 렌트카로 임시 변통하다 / She won't be able to ~ *without* help. 그녀는 도움 없이는 해나가지 못할걸.

DIAL. ***May I help you?—No, thanks. I can manage.*** 도와드릴까요—아니요, 괜찮습니다. 내가 할 수 있겠어요.

man·age·a·ble [mǽnidʒəbəl] *a.* 다루기[제어하기] 쉬운, 유순한; 관리[처리]하기 쉬운.
㊀ **màn·age·a·bíl·i·ty** *n.*

‡**man·age·ment** [mǽnidʒmənt] *n.* Ⓤ **1 취급**, 처리, 조종; 다루는 솜씨; 통어: the skillful ~ of a gun 총을 다루는 숙련된 솜씨. **2 관리, 경영**: personnel ~ 인사 관리. **3** 경영력, 지배력, 경영수완; 경영의 방법; 경영학: The company's success was the result of good ~. 그 회사의 성공은 훌륭한 경영 수완의 결과였다. **4** 〖집합적; 단·복수취급〗 **경영자(측)**, 경영진(↔ *labor*): under new ~ 새로운 경영진 하에서 / between labor and ~ 노사간에 / The ~ refused to come to terms. 경영자측은 타협을 거절했다 / Successful business requires (a) strong ~. 사업이 성공하는 데는 강력한 경영진이 필요하다.

mánagement informàtion sỳstem (컴퓨터를 사용한) 경영정보 체계⟪생략: MIS⟫.

‡**man·ag·er** [mǽnidʒər] *n.* Ⓒ **1 지배인, 경영[관리]자**(director); 부장; (은행) 지점장; (스포츠 팀의) 감독; 간사; 이사; (예능인의) 매니저: a sales ~ 판매부장 / a stage ~ 무대 감독. **2** 〖보통 형용사를 수반하여〗 (살림을) 꾸려 나가는 사람: My wife is a bad[poor] ~. 내 아내는 살림이 서투르다. **3** (*pl.*) 〖英의회〗 양원 협의회 위원.

man·ag·er·ess [mǽnidʒəris/mæ̀nidʒərés] *n.* Ⓒ 여자 manager.

man·a·ge·ri·al [mæ̀nədʒíəriəl] *a.* Ⓐ manager 의; 경영(상)의, 관리(상)의: a ~ position [society] 관리직[사회].

man·ag·ing [mǽnidʒiŋ] *a.* **1** 관리[경영]하는. **2** Ⓐ 처리를 잘 하는, 잘 꾸려 나가는.

mánaging diréctor 전무이사, 상무이사, 사장.

mánaging éditor 편집장, 편집주간.

Ma·na·gua [mənáːgwə] *n.* 마나과⟪니카라과의 수도⟫.

ma·ña·na [mənjáːnə] *n.* Ⓤ, *ad.* ⟪Sp.⟫ 내일, 언젠가.

mán-at-árms (*pl.* ***mén-*** [mén-]) *n.* Ⓒ (중세의) 병사, 중기병(重騎兵).

man·a·tee [mǽnətiː, mæ̀nətíː] *n.* Ⓒ 〖동물〗 해우(海牛).

Man·ches·ter [mǽntʃèstər, -tʃəs-] *n.* 맨체스터⟪영국 서부 Greater Manchester 주의 주도; 방적업의 중심지⟫. ◇ Mancunian *a.*

Man·chu [mæntʃúː] *a.* 만주(사람, 말)의.
— (*pl.* **~, ~*s***) *n.* Ⓒ 만주 사람; Ⓤ 만주 말.

Man·chu·ria [mæntʃúəriə] *n.* 만주⟪중국 동북부의 옛 지방명⟫. ㊀ **-ri·an** [-riən] *a.*, *n.*

Man·cu·ni·an [mænkjúːniən, -njən] *n.* Ⓒ Manchester 의 주민. **—** *a.* Manchester (주민)의.

-man·cy [mæ̀nsi] '…점(占)'이란 뜻의 결합사: necro*mancy*.

M & A mergers and acquisitions (기업 인수 합병).

man·da·la [mʌ́ndələ] *n.* ⟪Sans.⟫ Ⓒ 〖힌두교·불교〗 만다라(曼荼羅).

man·da·rin [mǽndərin] *n.* **1** Ⓒ (중국 청나라의) 상급 관리. **2** (M-) Ⓤ (중국의) 관화(官話); 베이징 관화⟪표준 중국어⟫. **3** Ⓒ 〖식물〗 만다린 귤(나무) (= ∠ **órange**). **—** *a.* Ⓐ (옛날 중국의) 고급 관리(풍)의; (문체가) 지나치게 기교를 부린.

mándarin cóllar 〖복식〗 만다린칼라⟪목 앞이 꼭 맞지 않고 폭이 좁고 바로 선 옷깃⟫.

mándarin dúck 〖조류〗 원앙새⟪동아시아산⟫.

mándarin sléeve 〖복식〗 만다린 소매⟪중국 옷의 넓고 헐렁한 소매⟫.

°**man·date** [mǽndeit] *n.* Ⓒ (보통 *sing.*) **1** (공식의) 명령, 지령(command); 임무: a royal ~ 왕의 명령. **2** (선거 구민이 의원에게 주는) 권한: The party has a ~ to implement these policies. 그 정당에는 이러한 정책을 시행할 권한이 있다. **3** 위임 통치(령). **4** (상급 법원으로부터 하급 법원에로의) 직무 집행 영장.
— [mǽndeit, -∠] *vt.* **1** (영토 따위)의 통치를 위임하다⟪***to*** …에⟫: a ~*d* territory 위임 통치령. **2** …에게 권한을 위양(委讓)하다⟪***to*** do⟫.

M

man·da·to·ry [mǽndətɔ̀ːri / -təri] *a.* 명령의, 지령의; 위탁의, 위임의; 의무적인, 강제적인(obligatory); 〚법률〛 필수(必須)의: a ~ power 위임 통치국/~ rule 〔administration〕 위임통치/~ import quotas 강제적인 수입 할당량/a ~ clause 필수 조항/It's not ~ to appear in person. 반드시 본인이 출두할 필요는 없다.

mán-dày *n.* Ⓒ 한 사람의 하루 노동량. ㊀ man-hour.

Man·de·la [mændélə] *n.* **Nelson** (**Rolihlahla**) ~ 만델라《남아프리카 공화국의 정치가; 27년간의 옥고를 치르고 1994년 첫 흑인 대통령이 됨; Nobel 평화상 수상(1993); 1918- 》.

man·di·ble [mǽndəbəl] *n.* Ⓒ (포유동물·물고기의) 턱, 《특히》 아래턱(jaw), 아래턱 뼈; (새의) 윗〔아랫〕부리; (곤충의) 위턱, 큰 턱.

man·do·lin, -line [mǽndəlin, ˌ-ˈ-], [mæ̀ndəlíːn, ˈ-ˌ-] *n.* Ⓒ 만돌린. ㊕ **man·do·lin·ist** [mæ̀ndəlínist] *n.*

man·drake [mǽndreik] *n.* Ⓒ 〚식물〛 흰독말풀《지중해 지방산(産)의 유독 식물》.

man·drel, -dril [mǽndrəl, -dril] *n.* Ⓒ 〚기계〛 (선반의) 굴대, 축(軸), 맨드릴; 《英》 (광부의) 곡괭이(pick).

man·drill [mǽndril] *n.* Ⓒ 〚동물〛 맨드릴《서아프리카산의 큰 비비(狒狒)》.

◇**mane** [mein] *n.* Ⓒ (사자 따위의) 갈기; (갈기 같은) 머리털.

mán-èater *n.* Ⓒ 식인종(cannibal); 사람을 잡아먹는 동물《상어·호랑이·사자 따위》.

mán-èating *a.* Ⓐ 인육(人肉)을 먹는: a ~ shark 식인 상어.

maned [meind] *a.* 갈기가 있는.

ma·nège, ma·nege [mænéʒ, -néiʒ] *n.* 《F.》 Ⓤ 마술(馬術); Ⓒ 마술(馬術) 연습소, 승마학교; Ⓤ 조련된 말의 보조(步調).

Ma·net [mənéi] *n.* **Édouard** ~ 마네《프랑스의 인상파 화가; 1832-83》.

◇**ma·neu·ver,** 《英》 **-noeu·vre** [mənúːvər] *n.* Ⓒ **1 a** 〚군사〛 (군대·함대의) 기동(機動) 작전, 작전적 행동; (흔히 *pl.*) 대연습, 기동 연습. **b** 기술을 요하는 조작(방법); 살짝 몸을 피하는 동작. **2** 계략, 책략, 책동, 공작; 교묘한 조치: a business ~ 경영 전략/a political ~ 정치 공작. **3** (비행기·로켓·우주선의) 방향 조종.

— *vi.* **1** 〚군사〛 연습하다, 군사 행동을 하다: The soldiers *~ed* along to the hilltop. 부대는 산 정상을 향해 군사행동을 했다. **2** 책략을 쓰다 《***for*** …을 위하여》: Politicians are *~ing for* position. 정치가들은 유리한 지위를 얻으려고 책략을 쓰고 있다. **—** *vt.* **1** (군대·함대)를 기동〔연습〕시키다; (부대)에게 군사 행동을 하게 하다. **2** (사람·물건)을 교묘하게 유도하다〔움직이다〕《***into*** …으로; ***from, out of*** …에서》: ~ a person *into* a room 책략을 써서 아무를 방 안으로 꾀어들이다/He *~ed* his car *into* the garage. 그는 차를 교묘하게 운전하여 차고에 넣었다/She *~ed* her car *out of* the narrow street. 그녀는 차를 교묘하게 운전하여 좁은 길을 빠져나갔다/We *~ed* the boat away *from* the shoals. 우리는 보트를 잘 조종하여 여울목에서 빠져나왔다. **3** 〚~ oneself로〛 빠져나오다《***out of, from*** …에서》: He *~ed* him*self out of* this difficult situation. 그는 이 어려운 상황에서 교묘히 빠져나왔다. ㊕ **~·er** *n.* Ⓒ 책략가, 모사.

ma·neu·ver·a·ble [mənúːvərəbəl] *a.* 기동성 있는; (자동차 따위를) 조종할 수 있는. ㊕ **ma·nèu·ver·a·bíl·i·ty** *n.*

mán Fríday (종종 M-) 충복(Friday 2); 심복, 측근.

man·ful [mǽnfəl] *a.* 남자다운, 씩씩한, 단호한(resolute). ㊕ **~·ly** *ad.*

man·ga·nese [mǽŋgəniːz, -niːs] *n.* Ⓤ 〚화학〛 망간《금속 원소; 기호 Mn; 번호 25》.

mánganese nódule 망간 단괴(團塊).

mange [meindʒ] *n.* Ⓤ (개·소 따위의) 옴.

man·gel(-wur·zel) [mǽŋgəl(-wə́ːrzəl)] *n.* Ⓒ 《英》 〚식물〛 근대의 일종《사료용》.

◇**man·ger** [méindʒər] *n.* Ⓒ 여물통, 구유.

man·gle[1] [mǽŋgəl] *vt.* **1** 토막토막 베다, 난도질하다. **2** 《비유적》 망쳐버리다, 결딴내다; (발음이 나빠) (말)을 못 알아듣게 하다.

man·gle[2] *n.* Ⓒ 압착 롤러, 맹글《세탁물의 주름을 펴는》; (종전의) 세탁물 탈수기. **—** *vt.* 압착 롤러〔탈수기〕에 걸다.

man·go [mǽŋgou] (*pl.* **~(e)s**) *n.* **1** Ⓒ 〚식물〛 망고《열대산 과수》. **2** Ⓒ (식품은 Ⓤ) 그 열매.

man·go·steen [mǽŋgəstiːn] *n.* Ⓒ 〚식물〛 망고스틴《말레이 원산의 과수》; 그 열매.

man·grove [mǽŋgrouv] *n.* Ⓒ 〚식물〛 맹그로브《열대산 홍수과(紅樹科) 리조포라속의 교목·관목의 총칭; 습지나 해안에서 많은 뿌리가 지상으로 뻗어 숲을 이루어 홍수림으로도 불림》.

man·gy [méindʒi] (**-gi·er; -gi·est**) *a.* (짐승이) 옴에 걸린; (옴에 걸려) 털이 빠진; (카펫 따위가) 닳아빠진; 누추한, 더러운. ㊕ **mán·gi·ly** *ad.* **mán·gi·ness** *n.*

mán·hàndle *vt.* 인력으로 움직이다〔운전하다〕; 거칠게〔난폭하게〕 다루다, 학대하다.

Man·hat·tan [mænhǽtn] *n.* **1** 맨해튼《뉴욕시(市)의 주요한 상업 중심 지구》; 맨해튼 섬(=**~ Ísland**). **2** (때로 m-) Ⓒ 칵테일의 일종《위스키와 감미(甘味)가 있는 베르무트의 칵테일》.

mán·hòle *n.* 맨홀; 잠입구(口).

***man·hood** [mǽnhùd] *n.* Ⓤ **1 인간임**, 인격. **2 a 남자임**; 사나이다움(manliness): be in the prime of ~ 남자로서 한창때다. **b** 《완곡어》 (남성의) 성적 능력, 정력. **3** 〚집합적〛 (한 나라의) 성년 남자. **4** (남자의) **성년**, 성인, 장년: arrive at 〔come to〕 ~ 성인이 되다.

mán-hòur *n.* Ⓒ 〚경영〛 인시(人時)《1인당 1시간의 노동량》. ㊀ man-day.

mán·hùnt *n.* Ⓒ (조직적인) 범인 추적〔수색〕.

◇**ma·nia** [méiniə, -njə] *n.* **1** Ⓤ 〚의학〛 조병(躁病). **2** Ⓒ 열중, 열광, …열, …광《***for*** …에 대한》: a ~ *for* speculation 〔dancing〕 투기〔댄스〕열/the baseball ~ 야구광.

-ma·nia [méiniə, -njə] '…광(狂), 강박 관념〔충동〕, 열광적 성벽, 심취(心醉)'란 뜻의 결합사: biblio*mania*; klepto*mania*.

ma·ni·ac [méiniæ̀k] *a.* 미친, 발광한, 광기의(insane); 광란의. **—** *n.* Ⓒ 미치광이; 《구어》 (편집광적인) 애호가, …광(狂): a fishing 〔car〕 ~ 낚시〔자동차〕광(狂).

ma·ni·a·cal [mənáiəkəl] *a.* =MANIAC. ㊕ **~·ly** *ad.*

man·ic [mǽnik, méi-] *a.* 〚의학〛 조병(躁病)의.

mánic-depréssive *a.* 〚정신의학〛 조울병의. **—** *n.* Ⓒ 조울병 환자.

◇**man·i·cure** [mǽnəkjùər] *n.* Ⓤ (구체적으로는 Ⓒ) 미조술(美爪術), 매니큐어: a ~ parlor 미조원(院). **—** *vt.* 매니큐어를 하다; (손·손톱)을

손질하다; (잔디·생울타리 따위)를 짧게 가지런히 깎다. ⓟ **-cur·ist** [-kjùːrist] *n.* Ⓒ 미조사.

*__man·i·fest__ [mǽnəfèst] *a.* **명백한**, 분명한, 일목요연한: a ~ error 명백한 과오/a ~ lie 빤한 거짓말/His anger was ~. 그의 노여움이 분명히 간파되었다/It's ~ to all of us. 그것은 우리들 누구에게나 분명한 것이다. SYN. ⇨EVIDENT.

—*vt.* **1 명백히 하다**; 명시하다; 증명하다; (감정)을 나타내다, 보이다: This ~*s* the truth of his statement. 이것은 그의 진술이 진실한 것임을 증명한다/~ displeasure 〔contentment〕 불쾌감〔만족감〕을 얼굴에 나타내다/~ interest in ... …에 관심을 보이다.

2 〖상업〗 적하(積荷) 목록에 기재하다.

3 《~ oneself》 (유령·징후 따위가) 나타나다: The tendency ~*ed* it*self* in many ways. 그 경향은 여러가지 형태로 나타났다.

—*n.* Ⓒ 〖상업〗 적하 목록〔송장(送狀)〕; (비행기의) 승객 명단: on 〔in〕 a ~ 적하 목록〔승객 명단〕에 실려 있는. ⓟ **~·ly** *ad.* 분명히, 명백히.

man·i·fes·ta·tion [mæ̀nəfestéiʃən] *n.* **1 a** Ⓤ 표시, 표명, 명시. **b** Ⓒ 현상, 낌새, 징후. **2** Ⓒ 시위 행위, 데모. **3** Ⓒ 〖심령〗 (영혼의) 현시(顯示), 현현(顯現).

mánifest déstiny 1 영토 확장론. **2** (M- D-) 〖美역사〗 (19세기 중엽 영토 확장의) 명백한 운명〔천명〕.

man·i·fes·to [mæ̀nəféstou] (*pl.* **~(e)s**) *n.* Ⓒ (국가·정당 따위의) 선언서, 성명서; 포고문: issue a ~ 성명서〔선언서〕를 발표하다.

*__man·i·fold__ [mǽnəfòuld] *a.* **1** (다종)**다양한**, 여러 가지의, 잡다한. SYN. ⇨MANY. **2** 많은 부분으로 이루어지는, 다수의; 용도가 넓은: a ~ writer 복사기. —*n.* Ⓒ 〖기계〗 다기관(多岐管). [◂ many+fold] ⓟ **~·ly** *ad.* **~·ness** *n.*

man·i·kin [mǽnikin] *n.* Ⓒ 난쟁이, 꼬마; 인체 해부 모형; =MANNEQUIN.

Ma·nila [mənílə] *n.* **1** 마닐라《필리핀의 수도; 1975년 Quezon City 등과 합병(合倂)해 Metropolitan Manila로 됨》. **2** (때로 m-) Ⓤ =MANILA HEMP; (m-) =MANILA PAPER.

Maníla hémp 마닐라삼《abaca의 잎에서 뽑은 섬유》.

Maníla páper 마닐라지(紙)《마닐라삼제(製) 또는 그 모조품》.

◇**ma·nip·u·late** [mənípjəlèit] *vt.* **1** (사람·여론 등) (부정하게) 조종하다; (시장·시가 등)을 조작하다: ~ public opinion 여론을 교묘히 조종하다. **2** (기계 등)을 능숙하게 다루다〔조종하다〕; (문제)를 솜씨있게 처리하다. **3** (장부·숫자·자료 등)을 속이다, 개찬하다: ~ accounts 계정을 속이다. **4** 〖의학〗 …을 손을 써서 행하다《촉진·탈구의 바로잡기 등》.

ma·nìp·u·lá·tion *n.* Ⓤ (구체적으로는 Ⓒ) 교묘히 다루기; 〖상업〗 시장〔시세〕 조작; (장부·계정·보고 등의) 속임; 솜씨 있는 다루기; 〖의학〗 (태아의 위치 등의) 바로잡기, 정골(整骨); 〖컴퓨터〗 조작《문제 해결을 위해 자료를 변화시키는 과정》.

ma·nip·u·la·tive, -la·to·ry [mənípjəlèitiv/-lət-], [-lətɔ̀ːri/-təri] *a.* 교묘히 다루는, 조종하는.

ma·nip·u·la·tor [mənípjəlèitər] *n.* Ⓒ **1** 손으로 교묘히 다루는 사람; 조종자. **2** 〖상업〗 시세 조작자. **3** 머니퓰레이터《방사성 물질 등 위험물을 다루는 원격 기계 장치》.

Man·i·to·ba [mæ̀nətóubə] *n.* 매니토바《캐나다 중남부의 주; 생략: Manit., M.》.

‡**man·kind** [mænkáind] *n.* Ⓤ 《집합적》 **1** 《보통 단수 취급; 앞에 형용사가 없으면 관사를 안 붙임》 **인류, 인간**, 사람: all ~ 전인류/promote the welfare of ~ 인류 복지를 증진하다. **2** [ㅡㅅ] 《드물게》 남성, 남자. ↔ *womankind*.

mán·lìke *a.* 남자다운; 남성적인; (동물이) 사람 같은.

*__man·ly__ [mǽnli] (**-li·er; -li·est**) *a.* **1 남자다운**, 대담한, 씩씩한: ~ behavior 남자다운 행동. **2** 남성적인, 남자를 위한: ~ sports 남성 스포츠. **3** (여자가) 남자 같은. ⓟ **-li·ness** *n.* Ⓤ 남성적임.

mán-machine sýstem 〖전자〗 **1** 인간·기계 시스템《인간과 기계·장치를 구성 요소로 하는 체계》. **2** 인간과 컴퓨터와의 대화형식에 의해 작업을 진행시키는 시스템.

mán-máde *a.* 인조의, 인공의; 인위의; 합성의: a ~ satellite 〔moon〕 인공 위성/~ fibers 합성 섬유/~ calamities 인재(人災).

Mann [mɑːn, mæn] *n.* **Thomas ~** 만《독일의 소설가; 1875-1955; Nobel 문학상(1929)》.

man·na [mǽnə] *n.* Ⓤ 〖성서〗 만나《옛날 이스라엘 사람이 광야를 헤맬 때 신(神)이 내려준 음식; 출애굽기 XVI: 14-36》. ***~ from heaven*** 하늘의 은총.

manned [mænd] *a.* (우주선 따위가) 승무원이 탄, 유인의: ~ lunar landing 유인 우주선의 달 착륙/a ~ spacecraft 〔spaceship〕 유인 우주선/~ space flight 유인 우주 비행.

man·ne·quin [mǽnikin] *n.* Ⓒ 마네킹(걸); (양장점 따위에서 쓰는) 모델 인형.

‡**man·ner** [mǽnər] *n.* **1** Ⓒ (보통 *sing.*) **방법**, 방식, 투: his ~ of speaking 그의 말투/in a graceful ~ 우아하게/in a singular ~ 묘한 방법으로/after the ~ of …류(流)의, …에 따라서/after this ~ 이런 식으로/In what ~ ...? 어떤 방법으로 …. SYN. ⇨METHOD.

2 (a ~, one's ~) **태도**, 거동, 모양: an awkward ~ 어색한 태도/He was businesslike in his ~. 그의 태도는 사무적이었다.

3 (*pl.*) **예절, 예의**: He has no ~*s*. 그는 예의범절을 모른다.

4 (*pl.*) **풍습**, 관습, 관례: a comedy of ~*s* 풍속희극/~*s* and customs 풍속습관.

5 Ⓒ (예술 따위의) 양식, 수법; 작풍(作風): a picture in the ~ of Picasso 피카소풍(風)의 그림/The painter has a ~ of his own. 그 화가는 독자적인 수법을 가지고 있다.

6 (*sing.*) 《고어》 종류: What ~ *of* man is he? 그는 도대체 어떤 사람이냐.

all ~ of 모든 종류의(all kinds of). ***by all ~ of means*** ⇨MEANS. ***by no ~ of means*** ⇨MEANS. ***in a ~*** 어떤 의미로는; 얼마간. ***in a ~ of speaking*** 《구어》 말하자면, 어떤 의미에서는《발언의 내용을 부드럽거나 약하게 하려고 할 때》: Is he your husband?—Yes, *in a ~ of speaking*. 그는 당신 남편입니까—예, 말하자면 그렇지요. ***no ~ of*** 조금의 …도 아니다. ***to the ~ born*** 《구어》 타고난; 나면서부터 알맞은: He is a soldier *to the ~ born*. 그는 타고난 군인이다.

> DIAL. ***Remember your manners.*** ① 얌전히 굴어라《특히 밖에 나가는 아이에게 하는 말》. ② 이럴 땐 뭐라고 하지《아이에게 '고맙습니다'와 같은 말을 하게 할 때》.

mán·nered *a.* 1 〔보통 복합어에서〕 몸가짐이 …한: well-〔ill-〕~*ed* 뱀뱀이가 좋은〔나쁜〕. 2 (작품 따위가) 개성이 강한, 독특한 버릇이 있는; 젠체하는: a ~*ed* literary style 거드름피운 문체/a ~*ed* walk 〔speech〕 젠체하는 걸음걸이〔말투〕.

◇**man·ner·ism** [mǽnərìzəm] *n.* 1 Ⓤ 매너리즘《특히 문학 · 예술의 표현 수단이 틀에 박힌 것》. 2 Ⓒ 독특한 버릇《태도 · 언행 따위의》.

mán·ner·less *a.* 버릇 없는.

mán·ner·ly *a.* 예모 있는, 정중한. —*ad.* 예의 바르게, 정중하게.

man·ni·kin [mǽnikin] *n.* =MANIKIN.

man·nish [mǽniʃ] *a.* (여자가) 남자 같은, 여자답지 않은; (복장 따위가) 남성풍(風)인: She has a ~ walk. 그녀는 (마치) 남자처럼 걷는다.

manoeuvre ⇨MANEUVER.

mán-of-wár (*pl.* ***mén-***) *n.* Ⓒ (옛날의) 군함. ★ 현재는 warship이 더 일반적.

ma·nom·e·ter [mənɑ́mitər/-nɔ́m-] *n.* Ⓒ 압력〔혈압〕계, 기압계.

◇**man·or** [mǽnər] *n.* Ⓒ 〖英역사〗 장원(莊園), 영지; =MANOR HOUSE; 《英구어》 경찰의 관할 구역; (살거나 일하고 있어) 잘 아는 곳.

mánor hòuse 장원 영주의 저택.

ma·no·ri·al [mənɔ́ːriəl] *a.* Ⓐ 장원의, 영지의; 장원 부속의.

mán·pòwer, mán pòwer *n.* Ⓤ 유효 총인원; 인적 자원; (한 나라의) 군사 동원 가능 총인원; (유효) 노동력: How much ~ do we need? 어느 정도의 인원〔노동력〕이 필요한가.

man·qué [mɑ̃ːkéi] (*fem.* ***-quée*** [—]) *a.* 《F.》〔명사 뒤에 붙여〕 되다 만, 반거들충이의; …지망의(would-be): a poet ~ 덜된 시인.

mán·sard [mǽnsaːrd] *n.* Ⓒ 〖건축〗 망사르드 지붕(=∠ **ròof**)《물매가 하부(下部)는 싸고 상부(上部)는 뜨게 2단으로 경사진 지붕》.

manse [mæns] *n.* Ⓒ 목사관(館)《스코틀랜드 교구의》.

mán·sèrvant (*pl.* ***mén·sèrvants***) *n.* Ⓒ 하인, 머슴. ⓒⓕ maidservant.

-man·ship [mənʃip] *suf.* '…재주, …기량(技量), …수완' 의 뜻: pen*manship*.

‡**man·sion** [mǽnʃən] *n.* Ⓒ **대저택.**

mánsion hòuse (영주 · 지주(地主)의) 저택 (mansion); (the M– H–) 런던 시장 관저.

mán·sìze(d) *a.* Ⓐ 《구어》 1 어른형〔용〕의. 2 (광고문 중에서) 큰, 특대의.

mán·slàughter *n.* Ⓤ 살인; 〖법률〗 《특히》 살의(殺意) 없는 살인, 고살(故殺)《일시적 격정에 의하는 따위》. ★ murder 보다 가벼운 죄.

man·ta [mǽntə] *n.* Ⓒ 1 맨터《스페인 · 라틴 아메리카 · 북아메리카 남서부 등지에서 입는 외투 · 어깨걸이》. 2 〖어류〗 쥐가오리(devilfish)(=∠ **rày**).

man·tel [mǽntl] *n.* =MANTELPIECE.

*__man·tel·piece__ [mǽntlpìːs] *n.* Ⓒ 벽로 선반.

mántel·shèlf (*pl.* ***-shèlves*** [-ʃèlvz]) *n.* = MANTELPIECE.

man·til·la [mæntílə, -tíːə] *n.* Ⓒ 만틸라《스페인 · 멕시코 여성의 머리 · 어깨를 덮는 베일》; (여성용의) 작은 망토〔케이프〕.

man·tis [mǽntis] (*pl.* ~***·es, -tes*** [-tiːz]) *n.* Ⓒ 〖곤충〗 버마재비(mantid).

◇**man·tle** [mǽntl] *n.* Ⓒ 1 망토, 외투. 2 덮어 가리는 것: a ~ of darkness 어둠의 장막. 3 (가스 등의) 맨틀; 〖동물〗 (연체 동물의) 외투막(膜). 4 〖지질〗 맨틀《지각(地殼)과 중심핵 사이의 층》. —*vt.* 덮다, 싸다; 가리다: The roofs were ~*d* in 〔with〕 snow. 지붕은 온통 눈에 덮여 있었다.

mán-to-mán [-tə-] *a.* Ⓐ 흉금을 터놓은; 솔직한: a ~ talk 흉금을 터놓은〔솔직한〕 논의〔교섭〕. —*ad.* 솔직히, 흉금을 터놓고.

mán-to-mán defénse 맨투맨 방어《농구 따위에서의 대인 방어법》. ⓒⓕ zone defense.

man·tra [mǽntrə, mɑ́ːn-] *n.* Ⓒ 〖힌두교〗 만트라, 진언(眞言)《신비한 위력이 있는 주문》.

mán·tràp *n.* Ⓒ 덫《특히 침입자를 잡는》, 함정.

*__man·u·al__ [mǽnjuəl] *a.* **손의**; 손으로 하는〔움직이는〕; 손으로 만드는: ~ labor 손일, 근육 노동/a sign ~ 서명/a ~ fire engine 수동식 소화 펌프/a ~ worker 근육〔육체〕 노동자. —*n.* Ⓒ **소책자**; 편람, 입문서: a ~ for students 학생용 참고서/a teacher's ~ (교과서의) 교사용 지도서. ⊕ ~**·ly** *ad.*

mánual álphabet (농아자가 쓰는) 수화(手話) 문자(deaf-and-dumb alphabet).

mánual tráining 공예 · 수예의 훈련; (초 · 중학교의) 실과(實科).

*__man·u·fac·ture__ [mæ̀njəfǽktʃər] *vt.* 1 **제조**〔**제작, 생산**〕**하다**《특히 대규모로》: The cars ~*d* in this factory are mostly exported overseas. 이 공장에서 생산되는 자동차의 거의 대부분은 해외로 수출된다. ⓈⓎⓃ ⇨MAKE. 2 (이야기 따위)를 꾸며내다, 날조하다: ~ an excuse 구실을 만들다. —*n.* 1 Ⓤ (대규모의) **제조; 제조(공)업**: of home 〔foreign〕 ~ 국산〔외국제〕의/steel ~ 제강업. 2 Ⓒ (보통 *pl.*) **제품**: silk ~*s* 견제품(絹製品).

‡**man·u·fac·tur·er** [mæ̀njəfǽktʃərər] *n.* Ⓒ 1 **제조(업)자**〔**회사**〕, 생산자: a car 〔clothing, computer, television〕 ~ 자동차〔의류, 컴퓨터, TV〕 제조업자〔회사〕. 2 제작자.

màn·u·fác·tur·ing [-riŋ] *a.* Ⓐ 제조(업)의: a ~ industry 제조 공업/a ~ town 공업 도시. —*n.* Ⓤ 제조〔가공〕(공업)《생략: mfg.》.

man·u·mis·sion [mæ̀njəmíʃən] *n.* Ⓤ (농노 · 노예의) 해방.

man·u·mit [mæ̀njəmít] (***-tt-***) *vt.* (농노 · 노예)를 석방〔해방〕하다.

◇**ma·nure** [mənjúər] *n.* Ⓤ 거름, 비료; 똥거름: artificial ~ 인조 비료/barnyard 〔farmyard〕 ~ 퇴비/chemical ~ 화학 비료/complete 〔general, normal〕 ~ 완전 비료/liquid ~ 수비(水肥)/nitrogenous ~ 질소 비료. —*vt.* …에 비료를 주다. ⊕ **ma·nú·rial** *a.*

*__man·u·script__ [mǽnjəskrìpt] *n.* Ⓒ 1 **원고**《생략: MS., *pl.* MSS.》: edit a ~ 원고를 편집하다/His work is still in ~. 그의 작품은 아직 원고인 채로 있다. 2 사본, 필사본. ⓒⓕ print. —*a.* Ⓐ 필사의, 사본의.

Manx [mæŋks] *a.* 맨 섬(the Isle of Man)의; 맨 섬 사람〔말〕의. —*n.* 1 (the ~) 〔집합적; 복수 취급〕 맨 섬 사람. 2 Ⓤ 맨 섬 말.

Mánx cát 맨 섬 고양이《꼬리의 퇴화가 현저함》.

Mánx·man [-mən, -mæ̀n] (*pl.* ***-men*** [-mən, -mèn]) *n.* Ⓒ 맨 섬 사람.

†**many** [méni] (***more*** [mɔːr]; ***most*** [moust]) *a.* 1 〔복수명사 앞에 써서〕 **많은, 다수의**, 여러. ↔ *few*. ⓒⓕ much. **a** 〔긍정문에서; 주어의 수식어로서 또는 too, so, as, how 따위와 함께〕:

Many people die of cancer. 암으로 죽는 사람이 많다/Too ~ cooks spoil the broth. 《속담》 요리사가 많으면 수프가 맛이 없다《사공이 많으면 배가 산으로 오른다》/There are ~ such birds in the park. 공원에는 그러한 새들이 많다《★ many such 어순에 주의》/Take as ~ sheets as you want. 몇 장이건 원하는 대로 가지시오. **b** 〖흔히 부정·의문문에서〗: How ~ eggs are there in the kitchen? 주방에는 달걀이 몇 개 있습니까/He does *not* have ~ friends. 그는 친구가 그다지 많지 않다.

> NOTE (1) 긍정 평서문일 때, 구어에서는 many 대신에 a lot of, lots of, plenty of, a great 〔good〕 many, a (large) number of 따위를 흔히 씀: There are *a lot of* flowers in the garden.
> (2) 한 마디로 하는 응답에는 many를 써서는 안 됨: How ~ books do you have? —A lot 〔Lots〕. 부정일 때에는 역으로 many만 사용함: Not ~. 〔×a lot, ×lots〕. 별로 없습니다.
> (3) '많은'의 뜻은 large로 표현될 때가 많음: He has a large 〔×many〕 family. 그는 식구가 많다《many families는 '여러 가구·세대'》/Seoul has a large population. 서울은 인구가 많다.

2 〖many a 〔an〕에 단수형 명사를 수반하여; 단수취급〗 여러; 수없는: ~ *a* time 여러 번 자주/~ and ~ *a* time 몇 번이고, 여러 번〔차례〕 (many times)/~ *a* day 며칠이고/(for) ~ *a* long day 실로 오랫동안/*Many a* man has failed. 실패한 사람은 많다.

SYN. **many** 가장 일반적인 말. 강조형은 a great many. **numerous** 거의 a great many에 가깝고 좀 형식적인 말: *numerous* visits 거듭된 방문. **innumerable** 이루 헤아릴 수 없는, 막대한: the *innumerable* stars in the sky 하늘의 무수한 별(들). **manifold** 다양한, 복잡한: *manifold* duties 잡다(雜多)한 임무. **plentiful** 풍부한.

a good ~ 꽤 많은 수의. ***a great ~*** 대단히 많은, 다수의. ***as ~...*** 〖선행하는 수사와 대응하여〗 (그것과) 같은 수의: make ten mistakes in *as* ~ pages 열 페이지에 10개의 미스를 범하다. ***as ~ as...*** …와 동수의 (것, 사람); …이나 되는(no less than): *as* ~ *as* ten books 열 권이나 되는 책. ***as many ... as*** ① …과 동수의 …: I have *as* ~ friends *as* you have. 나는 너만큼 친구가 많다. ② …할 만한 수의 …: You can have *as* ~ stamps *as* you want. 네가 원하는 만큼의 우표를 주겠다. ***as*** 〔***like***〕 ***so ~*** 동수의〔그만큼의〕; …처럼: Three hours went by *like so* ~ minutes. 세 시간이 3분간처럼 빨리 지나갔다. ***be one too ~*** 하나만큼 더 많다; 군더더기다, 불필요하다, 방해가 되다《★ one은 two, three 따위가 될 때도 있음》: There are *three too* ~. 셋이나 더 많이 있다. ***be*** (***one***) ***too ~ for...*** 《구어》 …의 힘에 겹다〔벅차다〕: They *are* (*one*) *too* ~ *for* me. 그들은 내 힘에 벅차다. ***in so ~ words*** 확실히, 분명히. ***Many's*** 〔***Many is***〕 ***the...*** (***that***) 〔***who***〕 ***....*** …한 일이 여러 번 있다; 자주 …하곤 했다: *Many's the* time I have seen them together. 그들이 함께 있는 것을 나는 여러 번 보았다. ***so ~*** ① 그렇게 많은: I can't eat *so* ~ cakes. 나는 그렇게 많은 케이크를 먹을 수 없다. ② 같은 수의, 동수의, 그만큼의: *So* ~ men, *so* ~ minds. 《속담》 각인각색(各人各色)/The twelve men gathered like *so* ~ ghosts. 열두 명의 남자가 마치 열두 명의 유령처럼 모였다.

—*n., pron.* **1** 〖흔히 there are ~; 복수 취급〗 (막연히) **많은 사람들**: *There are* ~ who dislike ginger. 생강을 싫어하는 사람은 많다《주어의 위치로 올 때엔 *Many* people dislike ginger.와 같이 흔히 people을 붙임》.

2 많은 것〔**사람**〕: Did ~ come? 사람들이 많이 왔나/How ~ have you got? 얼마나 갖고 계십니까/Do you have ~ to finish? 끝내야 할 일이 많이 있습니까/*Many* of the students are good swimmers. 많은 학생들이 수영을 잘한다《many of 다음에 오는 명사에는 the, these, my 따위와 같이 뜻을 한정하는 말이 붙음》.

3 (the ~) 〖복수 취급〗 대중, 서민; (소수에 대한) 다수. ↔ *the few*.

a good ~ 상당히 많은 수, 꽤 많은 수. ***a great ~*** 대단히 많은 수, 다수: There are *a great* ~ of them. 그와 같은 것들이 상당히 많이 있다. ***as ~*** 그와 같은 수. ***as ~ again*** 그 외에 같은 수만큼, 2배의 수: There were three of us and *as* ~ *again* of them. 우리들은 3사람이었지만 그들은 그 수의 배인 6사람이었다. ***as ~ as*** ① …와 같은 수의 것: I have *as* ~ *as* you. 너와 같은 수만큼 가지고 있다. ② …하는 만큼의 수의 것, …만큼 전부: You can take *as* ~ *as* you like. 네가 갖고 싶은 만큼 가져도 좋다. ***have one too ~*** 《구어》 조금 많이 마시다. ***so ~*** ① 그렇게 많은 것: You shouldn't eat *so* ~. 그렇게 많이 먹으면 안 된다. ② 어느 일정수: I can make only *so* ~ a day. 하루에 어느 일정 수밖에 만들 수 없다. ③ 몇 씩: They sell apples at *so* ~ (for) a dollar. 사과는 1달러에 몇 개씩 판다.

mány-síded [-id] *a.* 다방면의〔에 걸친〕, 다재다능한; 〖수학〗 다변(多邊)의. ㊞ **~·ness** *n.*

MAO 〖생화학〗 monoamine oxidase (모노아민 옥시다아제).

Mao·ism [máuizəm] *n.* Ⓤ 마오쩌둥주의〔사상〕.

Máo·ist *n.* Ⓒ 마오쩌둥주의〔신봉〕자. **—***a.* 마오쩌둥주의의.

Mao·ri [máuri, máːɔːri, máːou-] (*pl.* **~, ~s**) *n.* Ⓒ 마오리 사람《New Zealand 원주민》; Ⓤ 마오리 말. **—***a.* 마오리 사람〔말〕의.

Mao Tse-tung, Mao Ze·dong [máuzədúŋ, -tsə-/-tséitúŋ], [-zʌ́dɔ́ːŋ] 마오쩌둥(毛澤東)《중국의 정치가, 전 주석; 1893-1976》.

†**map** [mæp] *n.* Ⓒ **1 지도**; 천체도; 도해(圖解); 설명도. cf. atlas, chart. ¶a road 〔street〕 ~ 도로〔시가〕 지도. **2** 〖컴퓨터〗 사상(寫像)《기억장치의 각 부분이 어떻게 사용되는지를 보여주는》.

off the ~ 《구어》 (도시·간선 도로에서) 멀리 떨어진, 가기 힘든; 잊혀진, 중요치 않은. ***on the ~*** 《구어》 중요〔유명〕한: put ...*on the* ~ (사람·지역 따위)를 유명하게 하다. ***wipe... off the ~*** (사람·지역 따위)를 파괴〔말살〕하다, 지워 없애다.

— (**-pp-**) *vt.* …의 지도〔천체도〕를 만들다.

~ *out* ① (계획 따위)를 면밀히 세우다: ~ *out* one's ideas 자기 생각을 면밀히 정리하다. ② …의 계획을 면밀히 세우다: ~ *out* a new career 새로운 생활의 설계를 하다.

***ma·ple** [méipəl] *n.* **1** Ⓒ **단풍**(丹楓)**나무**(속(屬)의 식물). **2** Ⓤ 단풍나무 재목.

máple lèaf 단풍나무 잎《캐나다의 표장(標章)》.

máple súgar 단풍당.

M

máple sýrup 단풍 당밀《주로 캐나다의》.

map·per, -pist [mǽpər], [-pist] *n.* [C] 지도 작성자.

map·ping [mǽpiŋ] *n.* [U] 지도 작성; 〖수학〗 사상(寫像); 〖컴퓨터〗 매핑, 사상.

mar** [mɑːr] (**-rr-**) *vt.* **1 손상시키다**, 훼손하다: a painting *~red* by cracks 금이 가서 훼손된 유화. **2** 망쳐놓다, 못쓰게 만들다: The new power station *~s* the beauty of the countryside. 새 발전소가 들어서서 시골 풍경을 망치고 있다. ***make or ~ ⇨MAKE.

Mar. March. **mar.** marine; maritime; married.

mar·a·bou, -bout [mǽrəbùː] *n.* **1** [C] 〖조류〗 무수리(=∠ **stòrk**)《황샛과; 열대 아시아·아프리카산》. **2** [U] 그 깃털《여성 모자 따위의 장식용》; [C] 그 깃털로 만든 장식품.

ma·ra·ca [mərɑ́ːkə, -rǽkə] *n.* [C] (보통 *pl.*) 〖음악〗 마라카스《흔들어 소리내는 리듬 악기; 보통 양손에 하나씩 가지기 때문에 복수형으로 씀》.

mar·a·schi·no [mæ̀rəskíːnou] (*pl.* **~s**) *n.* 《It.》 [U] 마라스키노《야생 버찌로 만든 리큐르술》; =MARASCHINO CHERRY.

maraschíno chérry maraschino에 담근 체리.

mar·a·thon** [mǽrəθɑ̀n, -θən] *n.* [C] **1** (때로 M-) **마라톤 경주**(=∠ **ràce**)《표준 거리 42.195 km》. **2** 〔일반적〕 장거리 경주, 내구(耐久) 경쟁, 지구전(持久戰): a swimming ~ 원영(遠泳)《경기》/a dance ~ 댄스의 장시간 경기. **—a.* [A] 마라톤의, 장시간에 걸친: a ~ runner 마라톤 주자〔선수〕/a ~ speech 장시간의 연설.
[파] **~·er** *n.* [C] 마라톤 선수.

ma·raud [mərɔ́ːd] *vt., vi.* 약탈하다; 습격하다.

ma·ráud·er *n.* [C] 약탈자, 습격자.

‡**mar·ble** [mɑ́ːrbəl] *n.* **1** [U] **대리석**《종종 냉혹 무정한 것에 비유됨》: a heart of ~ 냉혹〔무정〕한 마음. **2** (*pl.*) 〔집합적〕 **대리석 조각**. **3** [C] **공깃돌**《아이들의 장난감》; (*pl.*) 〔단수취급〕 공기놀이: play *~s* 공기놀이하다. **4** (*pl.*) 《속어》 정상의 판단력; 분별: lose one's *~s* 이성을 잃다, 머리가 돌다. ***as cold*** 〔***hard***〕 ***as ~*** 대리석같이 차가운〔단단한〕; 냉혹한. ***have all*** one***'s ~s*** 《속어》 지각 있다, 빈틈이 없다, 제정신이다: He would not go to town barefooted if he *had all his ~s*. 그가 제 정신이라면 맨발로 읍에 가지는 않을걸.
—*a.* [A] **1** 대리석(제)의; 대리석 같은: a ~ statue 대리석상(像). **2** 단단한; (희고) 매끄러운: a ~ brow 흰 이마. **3** 냉혹한, 무정한: a ~ heart 〔breast〕 냉혹한 마음.

márble càke 〖제과〗 짙고 옅은 얼룩무늬가 있는 케이크.

már·bled *a.* 대리석으로 마무리한〔덮은〕; 대리석 무늬의; (고기가) 차돌박이인.

mar·bling [mɑ́ːrbliŋ] *n.* [U] 대리석 무늬(의 착색).

marc [mɑːrk] *n.* [U] (과일 특히 포도의) 짜고 남은 찌끼; 그 찌끼로 만든 브랜디.

mar·ca·site [mɑ́ːrkəsàit] *n.* [U] 〖광물〗 백철광.

†**March** [mɑːrtʃ] *n.* 3월《생략: Mar.》: in ~ 3월에/on ~ 1 =on 1 ~ =on the 1st of ~ 3월 1일에.

†**march**[1] [mɑːrtʃ] *n.* **1 a** [U] **행진**, 행군: a line of ~ 〖군사〗 행진로. **b** [C] (각종 형태의) 행진, 행군: a forced ~ 강행군/a peace ~ 평화 행진. **c** [C] 행군〔행진〕 거리: a ~ of ten miles 10마일의 행군/one day's ~ 하루의 행정(行程). **2** (*sing.*) (행진의) 보조: at a quick 〔slow, double〕 ~ 속보로〔보통걸음으로, 구보로〕. **3** [C] 〖음악〗 **행진곡**: a funeral 〔military, wedding〕 ~ 장송〔군대, 결혼〕 행진곡. **4** (the ~) (사물의) **진전, 진행**, 발달: the ~ *of* the events 〔time〕 정세의 진전〔시간의 경과〕/the ~ *of* civilization 문명의 진보. ***be on the ~*** 행진〔진행, 발전, 진전〕중이다. ***Double ~ !*** 《구령》 뛰어갓. ***Quick ~ !*** 《구령》 속보. ***steal a ~ on*** 〔***upon***〕 《구어》 …을 앞〔꼭뒤〕지르다.
—*vi.* **1** 《+[부]/+[전]+[명]》 (대열을 지어) **행진하다**; 당당하게 걷다; 행군〔진군〕하다: ~ *by* 〔*in, out, off*〕 행진해서 지나가다〔들어오다, 나가다, 떠나가다〕/~ *along* the street 가로를 행진하다/~ *on* a fortress 〔*against* the enemy〕 요새를〔적을〕 향해 전진하다/The speaker *~ed up to* the platform. 연사(演士)는 유유히 연단을 향해 갔다/The soldiers *~ed* 30km by sunset. 병사들은 해가 질 때까지 30km 진군했다. **2** 《~/+[부]》 (사건 따위가) **진전하다**: The work is *~ing on*. 일이 착착 진행되고 있다.
—*vt.* 《+[목]+[부]/+[목]+[전]+[명]》 **1 행진시키다, 행군시키다**: They *~ed* the soldiers *through* the town. 병사들에게 읍내를 행진케 했다. **2** 연행하다, 구인(拘引)하다: The thief was *~ed off* 〔*away*〕 *to* the police station. 도둑은 경찰서로 연행되었다. ***~ past*** 분열 행진하다.

march[2] *n.* **1** [C] (특히 전쟁중의) 국경, 변경, 경계 지방. **2** (the Marches) 〖英역사〗 잉글랜드와 스코틀랜드 또는 웨일스와의 경계 지방.

márch·er[1] *n.* [C] 행진하는 사람.

márch·er[2] *n.* [C] 국경지대 거주자, 변경의 주민.

márching òrders 출발〔진격〕 명령; 《英구어》 해고 통고(《美구어》 walking papers).

mar·chion·ess [mɑ́ːrʃənis, mɑ̀ːrʃənés] *n.* 후작 부인〔미망인〕; 여후작. [cf] marquis.

márch-pàst *n.* [C] 퍼레이드, 행렬; (특히 군대의) 분열 행진.

Mar·co·ni [mɑːrkóuni] *n.* **Guglielmo ~** 마르코니《이탈리아의 전기 기술자; 무선전신 발명; 노벨 물리학상 수상(1909); 1874-1937》.

Márco Pólo [mɑ́ːrkou-] ⇨POLO.

márc tàpes 마크테이프《컴퓨터에 직접 걸 수 있는 기계 가독(可讀) 카탈로그 테이프》.

Mar·di Gras [mɑ́ːrdigrɑ́ː] 《F.》 참회 화요일 (Shrove Tuesday)《사육제(謝肉祭) 마지막날》.

◇**mare**[1] [mɛər] *n.* [C] 암말; (당나귀·노새 따위의)암컷: Money makes the ~ (to) go. 《속담》 돈만 있으면 귀신도 부릴 수 있다.

ma·re[2] [mɑ́ːrei, mɛ́əri] (*pl.* ***ma·ria*** [-riə]) *n.* 《L.》 [C] 〖천문〗 (달·화성의) 바다《표면이 검게 보이는 부분》.

máre's-nèst [mɛ́ərz-] *n.* [C] (대발견처럼 보이나 실은) 보잘것 없는 것, 기대 밖인 것; 날조된 것.

Mar·ga·ret [mɑ́ːrgərit] *n.* 마거릿《여자 이름; 애칭 Madge, Meg, Maggie 따위》.

◇**mar·ga·rine, mar·ga·rin** [mɑ́ːrdʒəriːn, -rìːn, ∸-∠], [mɑ́ːrdʒərin] *n.* [U] 인조 버터, 마가린.

marge [mɑːrdʒ] *n.* [U] 《英구어》 마가린(margarine).

‡**mar·gin** [mɑ́ːrdʒin] *n.* [C] **1 가장자리**, 가, 변

두리; (호수 등의) 물가: on the ~ of a river 강가〔변〕에. SYN. ⇨EDGE. **2** (페이지의) **여백**, 난외: notes written in the ~ 여백에 쓴 주석. **3** (능력·상태 등의) 한계: on the ~ of subsistence 근근히 살아가는/the ~ of endurance 〔sanity〕 인내의 한계〔광기 바로 직전〕. **4** (시간·경비 따위의) **여유**, (잘못 따위의) 여지: a ~ of 5 minutes, 5분의 여유/leave a ~ of 10 minutes, 10분의 여유를 남겨 두다/a ~ of error 잘못이 발생할 여지. **5** 〖상업〗 **판매 수익, 이문**: a fair ~ of profit 상당한 이익/~s on liquors 주류 판매 이익금. **6** (시간·득표 따위의) 차(差): by a ~ of 0.5 of a second, 0.5초 차로. **7** 〖컴퓨터〗 여백《신호가 일그러져도 바른 정보로 인식할 수 있는 신호의 변형 한계》. ***by a narrow ~*** 아슬아슬하게, 간신히.

—*vt.* (페이지)에 여백을 두다, 난외(欄外)를 설정하다.

◇**mar·gin·al** [máːrdʒənəl] *a.* **1** 가장자리의, 가의: a ~ space 가의 여백. **2** Ⓐ 난외의〔에 쓴〕: a ~ note 난외 주, 방주(旁註). **3** 한계의, 《특히》 최저한의; 〖경제〗 겨우 수지가 어상반한, 한계 수익점의: ~ ability 최저한의 능력/ ~ land 한계 토지《수지가 안 맞을 정도의 메마른 땅》/~ profits 한계 수익《생산비가 겨우 나올 정도의 이윤》/~ subsistence 최저 생활/~ cost 〔utility〕 한계 비용〔효용〕. **4** 〖英정치〗 (의석 따위를) 근소한 차로 얻은: a ~ seat 〔constituency〕 불안정한 의석〔선거구〕. **5** 중요하지 않은, 이차적인; 약간의: a matter of ~ importance to us 우리들에게는 그다지〔크게〕 중요하지 않은 사항.

mar·gi·na·lia [màːrdʒənéiliə, -ljə] *n. pl.* 방주(旁註), 난외에 써넣기.

már·gin·al·ìze *vt.* …을 무시하다, 중요시하지 않다, 짐짓 과소평가하다, 쓸모없는 것으로 치다. ㊞ **màr·gin·al·i·zá·tion** *n.*

már·gin·al·ly *ad.* 조금, 약간: It's much more expensive but only ~ better. 그것은 가격은 훨씬 비싸지만 가격만큼 좋지는 못하다.

Mar·got [máːrgou, -gət] *n.* 마고(트)《여자 이름》.

mar·gue·rite [màːrgəríːt] *n.* 《F.》 Ⓒ 〖식물〗 마거리트《데이지의 일종》.

Ma·ria [məráiə, -ríə] *n.* 마리아《여자 이름》.

ma·ria [máːriə] MARE[2] 의 복수.

Mar·i·an [méəriən] *a.* 성모(聖母) 마리아의. **—***n.* 메리언《여자 이름》.

Mar·i·á·na Íslands [mὲəriǽnə-, mæ̀r-] (the ~) 마리아나 제도《서태평양 Micronesia 북서부의 화산 열도》.

Ma·rie [məríː, máːri] *n.* 마리《여자 이름》.

Marie An·toi·nette [məríː-æ̀ntwənét] 마리 앙투아네트《프랑스 루이 16세의 왕비(1755–93); 혁명 재판에서 처형됨》.

◇**mar·i·gold** [mǽrəgòuld] *n.* Ⓒ 〖식물〗 **a** 금잔화(金盞花), 금송화(金松花). **b** 진륜화(轉輪花)속의 식물.

ma·ri·jua·na, -hua·na [mæ̀rəhwáːnə, màːr-] *n.* Ⓤ 삼, 대마《인도산》; 마리화나: smoke ~ 마리화나를 피우다.

Mar·i·lyn [mǽrəlin] *n.* 매럴린《여자 이름》.

ma·rim·ba [mərímbə] *n.* Ⓒ 마림바《목금(木琴)의 일종》. ⓒⓕ xylophone.

ma·ri·na [məríːnə] *n.* Ⓒ (해안의) 산책길; 계류장(繫留場), (요트·모터보트용의) 독(dock).

mar·i·nade [mæ̀rənéid] *n.* **1** Ⓤ (종류는 Ⓒ) 마리네이드《초·포도주·식용유·향신료 따위를 섞어서 만든 절임용 액체; 조리에 앞서 생선·고기·채소 등을 이에 절임》. **2** Ⓒ 마리네이드에 절인 고기〔생선〕.

mar·i·nate [mǽrənèit] *vt.* (고기·생선)을 마리네이드에 담그다; (샐러드에) 프렌치 드레싱을 치다.

***ma·rine** [məríːn] *a.* Ⓐ **1 바다의**, 해양의; 바다에서 사는〔나는〕; 〖기후〗 해양성의: ~ ecology 해양생태학/~ geology 해양 지질학/~ products 해산물/a ~ cable 해저 전선/~ life 해양생물/~ animals 해양 동물/~ soap 해수용 비누/~ plants 해초/a ~ laboratory 임해(臨海) 실험소/~ vegetation 해초류. **2** 해상의; 해사(海事)의, 해운업의; 선박의; 항해(용)의;해상 근무의; 해군의, 해병대(원)의: ~ corps 해병대/~ transportation 해운/~ supplies 항해〔선박〕용품/the ~ court 해난(海難) 심판소/a ~ policy 해상 보험증권/~ power 해군력.

—*n.* Ⓒ 해병대원《★《美》의 the Marine Corps 또는 《英》의 the Royal Marines 의 일원》.

Tell that 〔***it***〕 ***to the*** (***horse***) ***~s!*** =***That will do for the ~s!*** 《구어》 그런 소리를 누가 믿는담, 거짓말 마라.

maríne biólogy 해양 생물학.

Maríne Còrps (the ~) 〖집합적〗 《美》 해병대.

maríne insùrance 해상 보험.

◇**mar·i·ner** [mǽrənər] *n.* **1** Ⓒ 선원, 해원(海員)(sailor). **2** (M–) 미국의 화성·금성 탐사 우주선.

maríne snów 〖해양〗 바다눈《죽은 플랑크톤이 분해되거나 작은 덩어리가 되어 눈오듯이 바다 밑으로 가라앉는 현상》.

maríne stòre 선박용 물자《선구(船具)·양식(糧食) 따위》; 선구류(船具類)를 취급하는 상점.

mar·i·o·nette [mæ̀riənét] *n.* 《F.》 Ⓒ 마리오네트, 망석중이, 꼭두각시.

mar·i·tal [mǽrətl] *a.* Ⓐ 남편의; 혼인의(matrimonial), 부부간의: ~ status 배우자의 유무/a ~ portion 결혼 지참금/~ vows 결혼 서약. ㊞ **~·ly** *ad.* 남편으로서, 부부로서.

◇**mar·i·time** [mǽrətàim] *a.* Ⓐ **1** 바다의, 바다에 관한, 해상의; 해사(海事)의, 해운의; 해상 무역의: ~ affairs 해사/~ power 제해권/~ insurance 해상 보험/~ law 해상법/a ~ association 해사 협회. ⓒⓕ marine. **2** 해변의, 해안의; 해안에 사는〔서식하는〕; 바다에 접한: a ~ people 해양 민족.

Máritime Próvinces (the ~) (캐나다의) 연해주(沿海州)(the Maritimes)《Nova Scotia, New Brunswick 및 Prince Edward Island 의 3주(州)》.

mar·jo·ram [máːrdʒərəm] *n.* Ⓤ 〖식물〗 마요라나《박하 종류; 관상용·약용·요리용》.

Mar·jo·rie [máːrdʒəri] *n.* 마저리《여자 이름》.

Mark [maːrk] *n.* **1** 마크《남자 이름》. **2** 〖성서〗 마가《사도(使徒) Paul 의 친구》; 마가복음《신약성서 중의 한 편》.

†**mark**[1] [maːrk] *n.* **1** Ⓒ **a** 〖보통 수식어와 함께〗 **표, 기호, 부호**(sign);〖컴퓨터〗 표지, 마크; 각인(刻印), 검인; (우편의) 소인(消印): punctuation ~s 구두점/put a ~ on …에 부호를 붙이다. **b** (글 못 쓰는 이의 서명 대신 쓰는) 기호, ×표, 《우스개》 서명: make one's ~ on a document 서류에 ×표의 서명을 하다.

2 Ⓒ **a** 흔적(trace), 자국; 상처 자국(the ~ of a

wound); 얼룩(spot): scratch ~*s* 긁힌 상처자국/put 〔rub off〕 pencil ~*s* 연필 자국을 내다〔없애다〕/Who made these dirty ~*s* on my new suit? 누가 내 새 양복을 이렇게 얼룩지게 만들었나. **b** (몸의) 반점; 검버섯, 기미: ⇨BIRTHMARK.

3 [C] 《비유적》 (성질·감정 등을 나타내는) **표시**(token), **특징**(peculiarity), 표정, 특색: bow as a ~ of respect 존경의 표시로서 머리를 숙이다/~*s* of old age on a face 얼굴에 나타난 늙은 티/a ~ of Roman influence 로마의 영향을 드러내는 특색.

4 [C] (M-) 〖숫자를 수반하여〗 (무기·전차·비행기 따위의) 형(型); 그 형을 나타내는 기호: a *Mark*-4 tank, M4형 탱크《an M-4 Tank로도 씀》.

5 [C] (성적의) **평점, 점수**(grade): a good 〔bad〕 ~ 좋은〔나쁜〕 점수/full ~*s* 만점/get 100 ~*s* in English 영어에서 100점을 따다.

6 [C] (흔히 the ~) 〖경기〗 출발점(의 선).

7 [C] **a** 목표, 표적(target); 안표, 표지(標識): put a ~ on a map 지도에 안표(眼標)를 하다. **b** (조소의) 대상; 《구어》 (속는) 상대, 봉: an easy 〔a soft〕 ~ 얼간이, 잘 속는 사람.

8 (the ~) (중요한) 단계, 수준, 한계; 표준: Unemployment was well over the one million ~. 실업자는 100만 명의 단계를 거뜬히 넘어섰다/above 〔below〕 the ~ 표준 이상으로〔이하로〕.

beside* 〔*wide of*〕 *the* ~** 과녁을 벗어나서, 빗맞아서; 얼토당토 않게. ***beyond the* ~** 과도하게. ***cut the* ~** (화살이) 과녁까지 미치지 못하다. ***fall short of the* ~** 표준〔목표〕에 못 미치다. ***get off the* ~** 스타트하다; (일을) 시작하다. **(*God* 〔*Heaven*〕) *bless* 〔*save*〕 *the* ~!** ① 아이고 실례했소, (지나친 말을 했을 때 잘못을 빌어) 미안하오. ② 원 기가 막혀, 원 저런, 대단한데, 놀랐는데《놀람·조소·빈정댐을 나타냄》. ***hit the* ~** 적중〔성공〕하다. ***leave* one's ~ *on …에 흔적〔큰 영향〕을 남기다〔주다〕: *leave* one's ~ *on* one's students 학생들에게 영향을 주다. ***make* one's ~** ① 성과를 올리다; 야심을 이루다; 명성을 얻다. ② (글 모르는 자가 ×표로) 서명하다(⇨*n*. 1 b). ***miss the* ~** 빗나가다; 실패하다. ***near* 〔*close to*〕 *the* ~** 진실에 가까운; (농담 따위가) 좀 지나쳐, 아슬아슬한. ***off the* ~** 과녁을 벗어나서; 스타트를 끊어: be quick 〔slow〕 *off the* ~ 스타트가 빠르다〔느리다〕; 민첩하다〔하지 못하다〕. ***of* ~** 유명한: a man *of* ~ 저명 인사. ***on the* ~** (재빨리) 자리를 잡아〔착수 준비를 하여〕. ***On* (*your*) ~(*s*)!** 〖경기〗 제자리(에 섯)!: *On your* ~! Get set! Go! 제자리, 준비, 땅! ***over the* ~** 허용 범위를 넘어서. ***quick off the* ~** 이해가 빠른, 두뇌 회전이 빠른. ***short of the* ~** 과녁에 미치지 못하고; 표준에 이르지 못하고. ***slow off the* ~** 이해가 더딘, 두뇌 회전이 느린. ***up to the* ~** 〖보통 부정문〗 표준에 달하여; 기대에 부응하여; (몸의 컨디션이) 매우 좋아서: I don't feel *up to the* ~. 몸의 컨디션이 좋지 않다.

—*vt*. **1 a** 《~+[목]/+[목]+[보]》 …에 **표**〔**표시**〕**를 하다**: ~ the sheep 양에 소유인을 찍다/~ the date (잊지 않으려고) 그 날짜에 표시를 하다/Dogs urinate to ~ their territory. 개는 자기의 영역을 표시하기 위하여 오줌을 눈다/~ pupils present or absent 학생들의 출석 여부를 표하다/The door is ~*ed* E.P. Smith. 문에 E.P. Smith란 문패가 걸려 있다. **b** 《+[목]+[전]+[명]》 (표시로서) 찍다, 누르다《***with*** (도장·스탬프·각인 따위)를; ***on*** …에》: ~ one's clothes *with* one's name =one's name *on* one's clothes 옷에 이름을 찍어 넣다/The prices are ~*ed on* the goods. 정가는 상품에 표시되어 있습니다.

2 …에 얼룩〔반점〕의 흔적〔모양〕을 남기다: Be careful. Hot dishes will ~ the table. 조심해요. 뜨거운 접시는 식탁에 자국을 남기니까.

3 a (부호·점 등으로) 나타내다; (지도 따위에) 표시하다: X ~*s* the spot. 엑스는 그 지점을 나타낸다. **b** (계기 따위가 도수·수준)을 보이다, 기록하다: ~ an all-time high 최고 수준을 기록하다. **c** (감정·의향 등)을 드러내다: ~ one's approval by nodding 고개를 끄덕여 동의를 표하다.

4 a (득점 따위)를 기록하다: ~ the score in a game 경기의 점수를 기록하다. **b** (답안)을 **채점하다**: ~ a paper 답안을 채점하다.

5 a 특징짓다, 특색을 이루다: the qualities that ~ a great leader 위대한 지도자의 특색을 이루는 자질. **b** 〖보통 수동태〗 《~+[목]/+[목]+[전]+[명]/+[목]+*as* [보]》》 특징지우다, 두드러지게 하다: A leopard *is* ~*ed with* black spots. 표범은 뚜렷한 검은 반점이 있다/The tendency *is* strongly ~*ed*. 그 경향은 분명하게 인정된다/He *was* ~*ed as* an enemy of society. 그는 사회의 적이라는 낙인이 찍혀졌다.

6 《~+[목]/+*wh*. [절]/+*wh*. *to* do》 …에 **주목하다**, 주의를 기울이다, (…인지) 잘 생각하다: *Mark* my words. =*Mark* what I'm telling you. 내 말 잘 들으시오/*Mark what* you do 〔*what* I want you to do〕. 무엇을 해야 할지〔내가 당신에 무엇을 하기를 원하는지〕 잘 생각해 보시오.

7 《英》 (축구 등에서 상대)를 마크하다.

—*vi*. **1** (연필 따위로) 표를 하다. **2** 자국〔흠〕이 나다: This table ~*s* easily. 이 테이블은 쉽사리 흠이 난다.

~ *down* 《*vt*.+[부]》 ① …을 기록하다; 써두다. ② …의 값을 내리다, …에 값을 내린 표를 붙이다: ~ *down* books by 10% 책값을 10% 내리다. ③ (학생 등)의 평점을 내리다. ④ …을 인정하다, 간주하다《***as*** …으로》: I ~*ed* her *down* as a Russian. 나는 그녀를 러시아 사람이라고 생각했다〔생각하고 있었다〕. **~ *off*** 《*vt*.+[부]》 ① (경계선 따위로) …을 구분〔구별, 구획〕하다: ~ *off* a boundary 경계선을 긋다 ② (리스트에서) …에 선을 그어 지우다, (표에) …의 완료〔종료〕를 표기하다; (사람·물건)을 구별하다《***from*** …와》: ~ *off* certain items on a list 일람표의 어느 항목을 선을 그어 지우다/What ~*s* her *off from* her brother is her concentration. 그녀를 오빠와 구별지어 주는 것은 그녀의 집중력이다. **~ *out*** 《*vt*.+[부]》 ① (경기장 등)의 선을 긋다, 줄을 치다: ~ *out* a racecourse 경주로의 라인을 긋다. ② (아무)를 눈에 띄게 하다, 두드러지게 하다. ③ (아무)를 발탁하다《***for*** …으로》: The company ~*ed* him *out for* promotion. 회사는 그를 발탁하여 승진시키기로 했다. **~ *time*** ① 〖군사〗 제자리걸음을 하다. ② (좋은 기회가 올 때까지) 기다리다; (사물이) 진행되지 않다, 정돈(停頓)하다. **~ *up*** 《*vt*.+[부]》 ① (물건)의 값을 올리다. ② (학생·답안 등)의 평점을〔점수를〕 올리다. **~ *you*** 〖삽입적으로 써서〗 알겠느냐; 잘 듣거라《상대방에게 다짐하는 말》.

mark[2] *n*. [C] 마르크《독일의 화폐 단위》. [cf.]

Deutsche mark.
márk càrd 〖컴퓨터〗 마크 카드《광학 판독기를 써서 데이터를 입력하기 위한 카드》: a ~ reader 마크 카드 판독기.
márk·dòwn *n.* Ⓒ 〖상업〗 가격 인하(액). ↔ *markup.* ¶ a substantial ~ 대폭적인 가격 인하.
marked [-t] *a.* **1** 기호〔표〕가 있는. **2** 현저한, 명백한(conspicuous); 두드러진: a ~ difference 〔change〕 현저한 차이〔변화〕/in ~ contrast to …와 명백한 대조를 이루어. **3** Ⓐ 주의를 끄는, 주목받는: a ~ man 요주의(要注意) 인물; 유망〔유명〕 인물. **4** Ⓟ 흔적〔자국〕이 있는《*with* (얼룩 · 반점 등)의》: a face ~ *with* smallpox 천연두 자국이 있는 얼굴. **5** 〖언어〗 유표(有標)의. ↔ *unmarked.* ㊕ **mark·ed·ly** [mɑ́ːrkidli] *ad.* 현저하게, 눈에 띄게, 뚜렷하게. **márk·ed·ness** *n.*
márk·er *n.* Ⓒ **1** 표를 하는 사람〔도구〕; (시험의) 채점자; (게임 따위의) 계산하는 사람(counter); 득표 기록원; 출석 점검원. **2** 표시가 되는 것 《서표(bookmark) · 안표: 묘비 · 이정표 등》: a stone ~ 비석. **3** 〖군사〗 (지상 · 해상에서의) 위치 표지(標識); 〖英군사〗 (폭격의 목표를 확실하게 하기 위한) 조명탄(flare). **4** 《美》 사인(sign)이 있는 약속 어음, 약식(略式) 차용증(서)(IOU). **5** 마커, 매직펜: a felt-tipped ~ 사인펜. **6** 〖언어〗 표지(標識); 〖유전〗 =GENETIC MARKER.
†**mar·ket** [mɑ́ːrkit] *n.* **1** Ⓒ **장**; 장날(~ day); 시장《★ 팔고 사는 것을 목적으로 할 때에는 종종 관사 없이 쓰임》: The last ~ was on Thursday. 전번 장은 목요일에 열렸다〔섰다〕/The farmer took his pigs to (the) ~. 그 농부는 돼지를 (팔기 위해) 장으로 몰고 갔다/She goes to ~ every morning. 그녀는 매일 아침 (물건 사러) 시장에 간다.
2 Ⓤ (또는 a ~) 거래처, 판로, **수요**(demand) 《*for* …의》: find a new ~ *for* …의 새 판로를〔시장을〕 개척하다/There's a good ~ *for* used car. 중고차 수요가 많다/There's not much (of a) ~ *for* this kind of word processor. 이런 종류의 워드 프로세서는 그다지 판로가 많지 않다.
3 (the ~) (특정 상품 · 지역의) **매매**(賣買) **시장**: the stock ~ 주식 시장/the car 〔housing〕 ~ 자동차〔주택〕 시장/This product doesn't appeal to the foreign 〔home〕 ~. 이 제품은 해외〔국내〕 시장에는 먹혀 들어가지 않는다.
4 Ⓒ **a** (보통 the ~) 시가, 시세: raid the ~ 시세를 혼란시키다/The ~ has fallen. 시세〔시가〕가 하락했다. **b** 시황, 경기: a dull 〔a sick〕 ~ 침체 시장/an active 〔a brisk〕 ~ 활발한〔활기 있는〕 시황.
5 Ⓒ (보통 특정의) **식료품점**, 마켓: a meat ~ 고깃간, 푸줏간/a fish ~ 생선 가게/⇨HYPERMARKET, SUPERMARKET.
be in the* ~ *for (아무가) …을 사는 쪽이다, …을 사려고 하다: He's *in the* ~ *for* a good used car. 그는 좋은 중고차를 사려고 하고 있다. ***come onto the* ~** (상품이) 매물(賣物)로 나오다. ***in the* ~** ① (사람 · 회사가) 구하여, 찾아서《*for* …을》: He's *in the* ~ *for* a good used car. 그는 좋은 중고차를 구하고 있다. ② (사람 · 회사가) 바라서, 원하여《*to* do》: Many companies are *in the* ~ *to* hire cheap labor. 많은 회사들이 값싼 노동력을 고용하고 싶어한다. ***on the* ~** 시장에 출하하여, 팔려고 내놓아: go *on the* ~ (상품이) 시장에 나오다/put 〔bring〕 goods *on the* ~ 상품을 팔려고 내놓다. ***on the open* ~** (상품이) 시판되어.
—*vi.* 《美》 (가정 용품 따위) 물건을 사다, 쇼핑하다: go ~ 물건을 사러 가다. **—***vt.* 시장에 (팔려고) 내놓다; (시장에서) 팔다: ~ small cars 소형차를 팔려고 내놓다/We are trying to ~ American beef in Korea. 우리들은 미국의 쇠고기를 한국에서 판로를 넓히려 하고 있다.
màr·ket·a·bíl·i·ty *n.* Ⓤ 시장성(性).
már·ket·a·ble *a.* 팔리는, 팔 수 있는; 시장성이 높은; 시장의《가격 따위》.
márket dày (정기) 장날.
mar·ket·eer [mɑ̀ːrkitíər] *n.* Ⓒ 시장 상인.
már·ket·er *n.* Ⓒ 장보러 가는 사람; 시장 상인; 마켓 경영자; 마케팅 담당자. ⓒⓕ shopper.
márket gàrden 《英》 (시장에 내기 위한) 채원(菜園), 과수원(《美》 truck farm).
márket gàrdener (시장 판매를 위한) 채원〔과수원〕 재배업자.
márket gàrdening 시장 원예(園藝)(업).
már·ket·ing *n.* Ⓤ **1** (시장에서의) 매매, 시장 거래; 《美》 (일용품 따위의) 쇼핑: do one's ~ 장보다/go ~ 장보러 가다. **2** 〖경제〗 마케팅《제조에서 판매까지의 과정》; (회사의) 마케팅 부문.
márket·plàce *n.* **1** Ⓒ 시장, 장터. **2** (the ~) 경제〔상업〕계: the international ~ 국제 시장.
márket prìce 시장 가격, 시가: issue at the ~ (주식의) 시가 발행.
márket resèarch 시장 조사《새 상품 발매 전의》.
márket shàre 〖경제〗 시장 점유율.
márket tòwn 장이 서는 거리.
márket vàlue **1** 시장 가치(↔ *book value*). **2** =MARKET PRICE.
márk·ing *n.* **1** Ⓤ 표하기; 채점. **2** Ⓒ (보통 *pl.*) 표(mark), 점; (조류 등에 붙이는) 표지(標識); (새의 깃이나 짐승 가죽의) 반문(斑紋), 무늬; (우편의) 소인; (항공기 등의) 심벌 마크.
márking ìnk (빨아도 지워지지 않는 의류용) 불변색 잉크.
márk·shèet *n.* Ⓒ 《英》 (시험 · 앙케이트 등에 쓰이는) 마크시트《해당 개소를 검게 칠하여 답하는 용지》.
márks·man [-mən] (*pl.* ***-men*** [-mən]) *n.* Ⓒ 사수(射手); 저격병; 사격의 명수. ㊕ **~·ship** [-ʃip] *n.* Ⓤ 사격술〔솜씨〕, 궁술.
Mark Twain [mɑ́ːrktwéin] 마크 트웨인《미국의 작가; 1835–1910; Samuel L. Clemens 의 필명》.
márk·ùp *n.* Ⓒ **1** 〖상업〗 가격 인상(↔ *markdown*); 가격 인상폭〔액〕; (판매 가격을 정하는) 원가에 대한 가산액《보통, 판매 가격을 기준으로 백분율로 나타냄》. **2** 《美》 법안의 최종 절충(단계).
márkup lánguage 〖컴퓨터〗 표지 언어《인터넷에서 사용되는 특별한 표지 기능을 제공하는 언어》.
marl [mɑːrl] *n.* Ⓤ 이회(泥灰), 이회토(土)《비료용》.
mar·lin [mɑ́ːrlin] (*pl.* ~(**s**)) *n.* Ⓒ 〖어류〗 청새치류(類).
Mar·lowe [mɑ́ːrlou] *n.* **Christopher** ~ 말로 《영국의 극작가 · 시인; 1564–93》.
°**mar·ma·lade** [mɑ́ːrməlèid, ˋ-ˊ] *n.* Ⓤ 마멀레이드《오렌지 · 레몬 등의 껍질로 만든 잼》; 〖형용사적〗 오렌지 색의(줄무늬가 있는)《고양이》: toast and ~ 마멀레이드를 바른 토스트/a ~ cat

오렌지색 고양이.

mar·mo·re·al, -re·an [mɑːrmɔ́ːriəl], [-riən] *a.* 《시어》 대리석의; 대리석같이 흰〔차가운, 매끄러운〕.

mar·mo·set [mάːrməzèt] *n.* [C] 【동물】 명주원숭이《라틴 아메리카산(產)》.

◇**mar·mot** [mάːrmət] *n.* [C] 【동물】 마멋《설치류(齧齒類); woodchuck, groundhog 따위》. ★ 모르모트(guinea pig)와는 다름.

ma·roon[1] [mərúːn] *vt.* 〖보통 수동태〗 (홍수 따위가) 고립시키다, 좌초시키다; (섬으로) 귀양보내다: *be ~ed* on a desolate island 외딴섬으로 유배되다 / I *was ~ed* in a group of strangers. 낯선 사람들 속에 나홀로 고립되었다.

ma·roon[2] *a.* 밤색〔고동색, 적갈색〕의. **—***n.* [U] 밤색, 적갈색; [C] 《주로 英》 (선박·철도의 경보용) 폭죽, 꽃불.

mar·quee [mɑːrkíː] *n.* [C] 《英》 (서커스·원유회용의) 큰 천막; 《美》 (극장·호텔 따위의 출입구의) 차양.

mar·quess [mάːrkwis] *n.* =MARQUIS.

mar·que·try, -te·rie [mάːrkətri] *n.* [U] 상감(象嵌) 세공, (가구 장식의) 쪽매붙임 세공.

◇**mar·quis** [mάːrkwis] (*fem.* ***mar·chio·ness*** [mάːrʃənis]) *n.* [C] (영국 이외의) 후작《★ 영국에서는 현재 자국의 후작에게는 보통 marquess를 씀》.

⁑**mar·riage** [mǽridʒ] *n.* **1** [U] (구체적으로는 [C]) **결혼**(wedlock); 결혼 생활, 부부 관계: (an) early ~ 조혼 / (a) late ~ 만혼 / a ~ of convenience 정략 결혼 / one's uncle by ~ 처〔시〕삼촌; 고〔이〕모부 / His second ~ lasted only a year. 그의 두 번째 결혼 생활은 1년밖에 지속되지 못했다 / Which would you prefer, an arranged ~ or a love match? — A love match. 중매 결혼과 연애 결혼 중 어느 쪽이 좋다고 생각해 — 연애 쪽이지.

[SYN] **marriage** 문어체·구어체에서 두루 쓰이는 '결혼'의 뜻의 가장 일반적인 말. **matrimony** 종교·법률에서 흔히 쓰이는 말. **wedding** 주로 결혼 의식을 나타냄.

2 [C] **결혼식, 혼례**(wedding): perform a ~ 결혼식을 거행하다. **3** [U] (구체적으로는 [C]) (밀접한) 결합(union): the ~ of form and content 형식과 내용의 융합. ◇marry *v.* ***give*** a person ***in* ~** 아무를 시집〔장가〕 보내다《***to*** …에게》. ***take*** a person ***in* ~** 아무를 아내로〔남편으로〕 삼다〔맞다〕.

már·riage·a·ble *a.* 결혼할 수 있는, 결혼에 적당한《연령 따위》, 혼기의, 묘령의: (be of) ~ age 혼기(에 달하다) / a ~ daughter 혼기의 딸. [파] **màr·riage·a·bíl·i·ty** *n.* [U] 결혼 적령.

márriage certìficate 결혼 증명서.

márriage guìdance 결혼 생활 지도.

márriage lìcense (교회 따위의) 결혼 허가증.

márriage lìnes 《英》 결혼 증명서.

⁑**mar·ried** [mǽrid] *a.* **1 결혼한**, 기혼의, 배우자가 있는(↔ *single*): a ~ woman 기혼 여성 / Are you ~ or single? 당신은 결혼했습니까, 아니면 독신입니까 / They have been ~ for 14 years. 두 사람은 결혼한지 14년 되었다 / He's ~ with three children. 그는 결혼하여 3자녀가 있다. **2** 부부(간)의(connubial): ~ life 부부 생활 / ~ love 부부애. ***get* ~** 결혼하다《***to*** …와》《★ marry보다 구어적》: I'm 〔We're〕 *getting* ~ next month. 나는〔우리는〕 다음달 결혼한다. **—**(*pl.* **~s,** ~) *n.* [C] (보통 *pl.*) 기혼자: young ~*s* 젊은 부부.

mar·rons gla·cés [marɔ̃ːŋglaséi] 《F.》 마롱글라세《설탕에 절인 밤 과자》.

◇**mar·row** [mǽrou] *n.* **1** [U] 【해부】 뼈골, 골수(medulla). [cf] pith. ¶ (a) bone ~ transplant 골수 이식. **2** (the ~) **a** 정수(精髓), 알짜, 정화(精華): the pith and ~ of a speech 연설의 골자. **b** 힘, 활력(vitality): the ~ of the land 국력(國力). **3** [C] (음식은 [U]) 《英》 서양 호박의 일종(vegetable ~; 《美》 squash). ***to the* ~** (***of*** ***one's bones***) 뼛속〔골수〕까지; 완전히, 철저히: be chilled *to the* ~ 뼛속까지 추위가 스며들다.

márrow·bòne *n.* [C] 골이 든 뼈; 소의 정강이뼈《골을 먹음》.

márrow·fàt *n.* [C] 【식물】 큰 완두의 일종(=~ **péa**).

†**mar·ry** [mǽri] *vt.* **1** …와 **결혼하다**《수동태 불가》: Susan *married* Edd. 수잔은 에드와 결혼했다 / John asked Grace to ~ him. 존은 그레이스에게 결혼을 신청했다. **2** 《~+[목]/+[목]+[부]/[목]+[전]+[명]》 결혼시키다《***to*** …와》; 시집〔장가〕 보내다(*off*)《***to*** …에게》: She has *married* all her daughters. 그녀는 딸을 모두 시집보냈다 / get *married* 결혼하다 / Her father *married* Susan *off to* an architect's son. 수잔 아버지는 그녀를 건축가의 아들에게 시집보냈다 / She's *married to* a diplomat. 그녀는 외교관과 결혼했다〔에게 시집갔다〕.

3 (목사 따위가) …의 결혼식을 거행하다〔주례하다〕: The minister *married* Susan and Edd. 목사가 수잔과 에드의 결혼식을 주례했다.

4 《~+[목]/+[목]+[전]+[명]》 굳게 결합〔합체〕시키다《***with, to*** …와》: Common interests ~ the two countries. 공동 이해 관계는 두 나라를 결합시킨다 / ~ traditional morality *to* the latest technology 전통적인 도덕관을 최신의 과학기술과 융합시키다.

—*vi.* 《~/+[보]/+[전]+[명]》 결혼하다, 시집가다, 장가들다: ~ again 재혼하다 / ~ young 젊어서 결혼하다 / We *married* early 〔late〕 (in life). 우리는 일찍〔늦게〕 결혼했다 / She *married out of* her class. 그녀는 지체가 맞지 않는 결혼을 했다. ◇marriage *n.*

~ *for love* 연애 결혼하다. **~ *for money*** 돈을 노리고 결혼하다. **~ *into*** 결혼하여 (어떤 가족의) 일원이 되다, (다른 집으로) 시집가다: ~ *into* a rich family 부잣집으로 시집가다.

◇**Mars** [mɑːrz] *n.* **1** 【천문】 화성: the size of ~ 화성의 크기《★ 관사 없이》. **2** 【로마신화】 마르스《군신(軍神); 그리스신화의 Ares에 해당; [cf] Bellona》.

Mar·sa·la [mɑːrsάːlə] *n.* 《It.》 [U] 마르살라 백포도주《Sicily섬 서부의 마르살라산(產)》.

Mar·seilles [mɑːrséilz] *n.* **1** 마르세유《프랑스 지중해안의 항구 도시》. **2** (때로 m-) [U] 마르세유 무명.

*****marsh** [mɑːrʃ] *n.* [U] (낱개는 [C]) **습지**, 소택지, 늪. [cf] bog, swamp.

◇**mar·shal** [mάːrʃəl] *n.* [C] **1 a** 【군사】 (프랑스 등의) 육군 원수(《美》 General of the Army, 《英》 Field Marshal). **b** 《英》 공군 원수(Marshal of the Royal Air Force). **2** 《美》 (연방 재판소의) 집행관, 연방 보안관; (어떤 주에서) 시경찰〔소방〕 서장. **3** 《英》 (법원의) 사법 서기. **4** (영국 궁정의) 전례관(典禮官); 의전계원, 의식 진행계; 의전관.

—(***-l-,*** 《英》 ***-ll-***) *vt.* **1** 정렬시키다, 집합시키다.

2 (생각 · 의론 · 서류 등)을 정리〔정돈〕하다: ~ facts 사실을 정리하다/~ one's arguments before debating 토론을 하기 전에 논점들을 정리하다. 3 (예의 바르게) 안내하다, 인도하다(usher): be *~ed* before 〔into the presence of〕 the Queen 여왕 앞에 안내되다.

márshaling yàrd 《英》 철도의 조차장(操車場).

Már·shall Íslands [má:rʃəl-] (the ~) 마셜 제도《태평양 서부 Micronesia 동부의 산호초의 섬들》.

mársh fèver 말라리아.

mársh gàs 메탄, 소기(沼氣).

mársh·lànd *n.* Ⓒ 습지대, 소택지.

marsh·mal·low [má:rʃmèlou, -mæ̀l-] *n.* Ⓤ (낱개는 Ⓒ) 마시멜로《전에는 양아욱의 뿌리로, 지금은 녹말 · 젤라틴 · 설탕 따위로 만드는 연한 과자》.

marshy [má:rʃi] (*marsh·i·er; -i·est*) *a.* 1 습지〔소택〕의; 늪이 많은; 늪 같은. 2 늪에 나는: ~ vegetation 습원(濕原) 식물.

mar·su·pi·al [ma:rsú:piəl/-sjú:-] *n.* Ⓒ, *a.* Ⓐ 〖동물〗 유대류(有袋類)(의); 주머니(모양)의.

mart [ma:rt] *n.* Ⓒ 상업 중심지(emporium); 시장.

mar·tél·lo (tòwer) [ma:rtélou(-)] (또는 M-) 〖역사〗 원형 포탑(砲塔)《해안 방어용》.

mar·ten [má:rtən] (*pl.* ~(**s**)) *n.* 1 Ⓒ 〖동물〗 담비(=∠ **càt**). 2 Ⓤ 담비의 모피.

Mar·tha [má:rθə] *n.* 마서《여자 이름; 애칭 Mart, Marty, Mat, Matty, Pat, Pattie, Patty》.

◇**mar·tial** [má:rʃəl] *a.* Ⓐ 전쟁의, 군사(軍事)의; 용감한, 호전적인; 군인다운: ⇨MARTIAL ART / ~ rule 군정/~ music 군악/a ~ song 군가/a ~ people 호전적인 국민. ㊥ **~·ly** *ad.* 용감하게.

mártial árt (동양의) 무술, 무도(武道)《태권도 · 쿵후 · 유도 등》.

mártial láw 계엄령: be under ~ 계엄령 하에 있다.

Mar·tian [má:rʃən] *a.* 군신 Mars의; 화성(인)의. **—***n.* Ⓒ 화성인《SF 소설 따위에서》.

Mar·tin [má:rtən] *n.* 마틴《남자 이름》.

mar·tin *n.* Ⓒ 〖조류〗 흰털발제비.

mar·ti·net [mà:rtənét, ∠-∠] *n.* Ⓒ 규율에 엄격한 사람《특히 군인》, 몹시 까다로운 사람.

mar·ti·ni [ma:rtí:ni] *n.* Ⓤ (낱개는 Ⓒ) (때로 M-) 마티니(=∠ **còcktail**)《진 · 베르무트를 섞은 것에 레몬 등을 곁들인 칵테일》: dry ~ 쌉쌀한 마티니.

Mar·tin·mas [má:rtənməs] *n.* 성(聖)마르탱의 축일(St. Martin's Day)《11월 11일》.

◇**mar·tyr** [má:rtər] *n.* Ⓒ 1 순교자《특히 기독교의》; 순난자(殉難者), 희생자(victim)《**to** (주의 · 운동 따위)의》: a ~ *to* a cause 어떤 주의〔목적〕에 한 몸을 바친 사람/die a ~ *to* the cause of social justice 사회 정의를 위하여 목숨을 바치다. 2 《구어》 끊임없이 시달리는 사람《**to** (병 따위)에》: He was a lifelong ~ *to* rheumatism. 그는 일생 동안 류머티즘으로 고생했다. ***make a ~ of oneself*** (신용 · 평판 따위를 얻기 위해) 순교자인 체하다.

—*vt.* 〔보통 수동태〕 (신앙 · 주의 때문에) 죽이다, 박해하다, 괴롭히다.

mártyr·dom [-dəm] *n.* Ⓤ 순교, 순난(殉難), 순사(殉死); 수난, 고통, 고난.

***mar·vel** [má:rvəl] *n.* 1 Ⓒ **놀라운 일**, 경이, 이상함: *~s* of nature 자연의 경이/You've done *~s*. 놀라운 일을 했구나.
2 (보통 a~) 놀라운 것〔사람〕, 비범한 사람: a baseball ~ 야구계의 천재/The new bridge is an engineering ~. 이 새 다리는 공학 기술의 경이이다/She's a ~ with children. 그녀는 아이들을 다루는 솜씨가 아주 뛰어나다. ***do*** 〔***work***〕 **~s** (약 따위가) 꽤 잘 듣다.

— (**-l-,** 《英》 **-ll-**) *vi.* 《+전+명》 **놀라다**《**at** …에》: I ~ *at* your courage. 너의 용기에는 놀랐다.

—*vt.* 1 《+*that* 절/+*wh.* 절》 …을 **기이**〔**이상**〕**하게 느끼다**, …에 호기심을 품다: I ~ *that* he could do so. 그가 그런 일을 할 수 있었다니 놀랍다/I ~ *how* you could agree to the proposal. 네가 어떻게 그 제안에 찬성을 하였는지 이상하구나. 2 《+*that* 절》 …에 **감탄하다**, 놀라다, 경탄하다: I ~ *that* you were able to succeed against such odds. 자네가 그런 불리한 상황에서 성공하였다니 놀랍군 그래.

⁑**mar·vel·ous,** 《英》 **-vel·lous** [má:rvələs] *a.* 1 **불가사의한**, 이상한, 놀라운: ~ power 불가사의한 재능. SYN. ⇨WONDERFUL. 2 《구어》 훌륭한, 최고의, 굉장한: a ~ dinner 〔suggestion〕 훌륭한 저녁 식사〔제안〕/have a ~ time at a party 파티에서 멋진 시간을 보내다. ㊥ ***~·ly** [-li] *ad.* **불가사의하게**, 이상하게; 훌륭하게.

Marx [ma:rks] *n.* **Karl** ~ 마르크스《독일의 경제학자 · 사회주의자; 1818-83》.

Marx·ism [má:rksizəm] *n.* Ⓤ 마르크스주의, 마르크시즘. ㊥ **-ist** *a.*, *n.*

Márxism-Léninism *n.* Ⓤ 마르크스레닌주의. ㊥ **Márxist-Léninist** *n.*, *a.*

Mary [méəri] *n.* 1 메리《여자 이름》. 2 〖성서〗 성모 마리아. 3 ~ ***Stuart*** 메리 스튜어트《스코틀랜드의 여왕; 1542-87》.

Mary·land [mérələnd] *n.* 메릴랜드《미국 동부대서양 연안의 주(州); 주도 Annapolis; 생략: Md.》. ㊥ **~·er** *n.*

Máry Mágdalene 〖성서〗 막달라 마리아.

mar·zi·pan [má:rzəpæ̀n, -tsəpà:n] *n.* Ⓤ (낱개는 Ⓒ) 설탕 · 달걀 · 밀가루 · 호두와 으깬 아몬드를 섞어 만든 과자.

Ma·sai [ma:sái] (*pl.* ~(**s**)) *n.* 1 **a** (the ~(s)) 마사이족《남아프리카 Kenya 등지에 사는 유목민족》. **b** Ⓒ 마사이족 사람. 2 Ⓤ 마사이어(語).

masc. masculine.

mas·cara [mæskǽrə/-ká:rə] *n.* Ⓤ (속)눈썹에 칠하는 물감, 마스카라.

***mas·cot** [mǽskət, -kat] *n.* Ⓒ **마스코트**, 행운의 신〔부적〕, 행운을 가져오는 물건〔사람, 동물〕.

***mas·cu·line** [mǽskjəlin] *a.* 1 **남성의**, 남자의; 남자다운, 힘센, 용감한; (여자가) 남자 같은, 남자 못지 않은. 2 〖문법〗 남성이: a ~ noun 남성 명사. ⇔*feminine*.

—*n.* 〖문법〗 1 (the ~) 남성. 2 Ⓒ 남성형(形).

másculine énding 〖운율〗 남성 행말(行末)《시의 행 끝 음절에 강세가 있는 것》. cf. feminine ending.

másculine génder 〖문법〗 (the ~) 남성.

másculine rhýme 〖운율〗 남성운(韻)《강세가 있는 1 음절만의 압운》.

mas·cu·lin·i·ty [mæ̀skjəlínəti] *n.* Ⓤ 남자다움, 남성미, 어기참.

ma·ser [méizər] *n.* Ⓒ 〖물리〗 메이저, 분자 증

폭기(增幅器). [◂microwave amplification by stimulated emission of radiation]

°**mash** [mæʃ] *n.* **1** Ⓤ 밀기울·탄 보리 따위를 더운 물에 갠 가축의 사료. **2** Ⓤ 매시, 엿기름 물 《맥주·위스키의 원료》. **3** Ⓤ 《英구어》 매시트포테이토《으깬 감자》. **4** Ⓤ (또는 a ~) 흐물흐물[질척질척, 걸쭉걸쭉]한 상태. **—***vt.* **1** (감자 따위)를 짓찧다, 짓이기다, 찧어 섞다(*up*): *~ed* potatoes 매시트포테이토 / Please ~ (*up*) the potatoes. (삶은) 감자를 갈아서 으깨주십시오. **2** 눌러 으깨다: I *~ed* my hand in the machine. 기계에 손이 끼어 으스러졌다.

MASH [mæʃ] Mobile Army Surgical Hospital (육군 이동 외과 병원).

másh·er *n.* Ⓒ 짓이기는 사람[도구].

‡**mask** [mæsk, mɑːsk] *n.* Ⓒ **1 탈; 복면**, 가면: an iron ~. **2** 방독면(gas ~); (보호용) 마스크 《포수·심판 등이 쓰는》; 산소 마스크(oxygen ~); 데스마스크(death ~); 수중 마스크(swim ~). **3** (보통 *sing.*) 《비유적》 **가장**, 변명, 구실; 〖일반적〗 덮어가리는 것: Her tears were only a ~. 그녀의 눈물은 거짓 눈물에 지나지 않았다[불과했다]. ***put on*** [***wear, assume***] ***a*** **~** 가면을 쓰다; 정체를 숨기다. ***throw off*** [***put off, take off, remove, drop***] one***'s*** **~** 가면을 벗다; 정체를 드러내다. ***under the*** **~** ***of*** …의 가면을 쓰고, …을 가장하여: He conceals his ambition *under the* ~ *of* humility. 그는 겸손을 가장하여 자기의 야심을 숨기고 있다.

—*vt.* **1** …에 가면을 씌우다, 가면으로 가리다: The robbers *~ed* their faces with stockings. 강도들은 얼굴을 스타킹으로 숨기고 있었다. **2** 《~+목/+목+전+명》 (감정 따위)를 가리다, 감추다《***with, behind*** …으로》: ~ one's intentions 의도를 숨기다 / He *~ed* his anger *with* [*behind*] a smile. 그는 씩 웃으면서 노여움을 감추었다.

masked [-t] *a.* **1** 가면을 쓴, 변장한: a ~ ball 가장 무도회 / All the robbers were ~. 강도들은 모두 복면을 하고 있었다. **2** (진상을[진의를]) 숨긴, 감춘: Keep your intentions ~. 의도는 숨기세요.

másk·er *n.* Ⓒ 복면을 한 사람; 가면극 배우; 가면 무도회 참가자.

másking tàpe 보호 테이프《도료를 분사하여 칠할 때 다른 부분의 오손을 막기 위해 사용되는 접착 테이프》.

másk RÒM 〖컴퓨터〗 마스크 롬《반도체 ROM의 일종》.

mas·och·ism [mǽsəkìzəm, mǽz-] *n.* Ⓤ **1** 마조히즘, 피학대 음란증. ↔ *sadism*. **2** 자기 학대(경향). ㊎ **-ist** *n.* Ⓒ 피학대 음란증 환자. **màs·och·ís·tic** [-tik] *a.* **-ti·cal·ly** *ad.*

°**ma·son** [méisən] *n.* Ⓒ **1** 석수, 벽돌공. **2** (M-) 비밀 공제(共濟) 조합원.

Má·son-Díx·on lìne [méisəndíksən-] (the ~) 〖美역사〗 Pennsylvania주와 Maryland주의 경계(=**Máson and Díxon's lìne**)《옛날 미국의 북부와 남부의 분계선으로 간주했음》.

Ma·son·ic [məsánik / -sɔ́n-] *a.* 프리메이슨(Freemason)의[같은].

ma·son·ry [méisənri] *n.* Ⓤ **1** 석공술(術); 석수[벽돌공]의 직(職); 돌[벽돌]로 만든 것[부분, 건축], 석조 건축(stonework); 돌 쌓기[공사], 벽돌 공사. **2** (흔히 M-) 프리메이슨 조합(Freemasonry), 그 제도[주의].

masque [mæsk, mɑːsk] *n.* Ⓒ (16-17세기에 영국에서 성행했던) 가면극; 그 각본; 가장 무도회.

°**mas·quer·ade** [mæ̀skəréid] *n.* Ⓒ **1** 가장[가면] 무도회; 가장(용 의상). **2** 거짓 꾸밈, 허구: Their apparent friendliness was a ~. 그들은 언뜻 보기에는 사이가 좋은 것 같으나 그것은 겉으로 보기에 그럴 뿐이었다. **—***vi.* **1** 가장[가면] 무도회에 참가하다[를 열다]. **2** 가장하다, 변장하다; …척하다《***as*** …으로, …인》: ~ *as* a beggar 거지인 척하다. ㊎ **-ád·er** *n.* Ⓒ 가장[가면] 무도회 참가자.

‡**mass**[1] [mæs] *n.* **1** Ⓒ **큰 덩어리**: a ~ *of* iron 쇳덩이. **2** Ⓒ **모임**, 집단, 일단: a ~ *of* troop 일단의 병사. **3** (a ~; 《구어》 ~es) **다량**, 다수, 많음 《***of*** …의》: a ~ *of* letters 산더미 같은 편지 / a ~ *of* blond hair (탐스럽게) 늘어진 금발 / *~es of* food [time] 많은 음식물[시간]. **4** (the ~) 대부분, 주요부《***of*** …의》: the ~ *of* people 태반의 사람들. **5** (the ~es) (엘리트에 대하여) **일반 대중**(populace), 근로자[하층] 계급: The true makers of history are the *~es*. 진실로 역사를 만드는 자들은 일반 대중이다. **6** Ⓒ **a 부피**(bulk); 양, 크기(size): Among mammals whales have the greatest ~. 포유동물 중에서는 고래가 제일 크다. **b** Ⓤ 〖물리〗 질량.

be a **~** ***of*** …투성이다: He *is a* ~ *of* bruises. 온몸에 타박상 투성이다. ***in a*** **~** 하나로 합쳐서, 한 덩어리가 되어. ***in the*** **~** 통틀어, 대체로, 전체로.

—*a.* Ⓐ 대량의, 대규모의; 집단의; 대중의: ~ murder 대량 학살 / ~ migrations 집단 이주 / the ~ mind 민중 정신 / ~ unemployment 대량 실업 / ~ data 〖컴퓨터〗 대량 자료.

—*vt., vi.* 한덩어리로 만들다[가 되다]; 한 무리로 모으다[모이다]; 집중하다; 집합시키다[하다].

°**mass**[2] *n.* (또는 M-) **1** Ⓤ (구체적으로는 Ⓒ) 미사《보통 가톨릭의 성찬 의식》: High [Solemn] *Mass* 장엄 미사 / attend [go to] ~ 미사에 참례하다. read [say] ~ (성직자가) 미사를 올리다. **2** Ⓒ 미사곡.

Mass. Massachusetts.

Mas·sa·chu·setts [mæ̀sətʃúːsits] *n.* 매사추세츠《미국 동북부 대서양 연안의 주; 주도 Boston; 생략: Mass.》.

°**mas·sa·cre** [mǽsəkər] *n.* Ⓒ **1** 대량 학살. **2** 《구어》 (경기 따위의) 완패. ***the Massacre of the Innocents*** 무고한 아이들의 학살《Bethlehem에서 일어났던 Herod왕의 사내아이 대학살; 성서 「마태복음」》.

—*vt.* (사람·동물)을 대량 학살하다, 몰살시키다; 《구어》 호되게 무찌르다, 완패[참패]시키다, 압도하다.

máss àction 〖화학〗 질량 작용; 〖사회〗 대중 행동.

°**mas·sage** [məsɑ́ːʒ / mǽsɑːʒ] *n.* Ⓤ (구체적으로는 Ⓒ) 안마, 마사지: give [have] (a) ~ 안마를 해주다[받다]. **—***vt.* **1** 마사지[안마]하다. **2** (숫자·증거 따위)를 부정하게 고치다: Somebody has evidently *~d* the figures. 누군가가 숫자를 고쳐 바꾼 것이 분명하다.

máss communicátion 매스 커뮤니케이션, 매스컴, 대량[대중] 전달(수단)《신문·라디오·텔레비전 따위》.

máss cúlture 대중 문화, 매스컴 문화.

massed [-t] *a.* (식물이) 밀집한, 군생(群生)한;

(사람 · 물건이) 무리를 이룬, 결집한.

mas·seur [mæsə́ːr] (*fem.* **-seuse** [-sə́ːz]) *n.* 《F.》 Ⓒ 마사지사, 안마쟁이.

mas·sif [mæsíːf, mǽsif] *n.* 《F.》 Ⓒ 『지질』 대산괴(大山塊); 단층 지괴(斷層地塊).

*__mas·sive__ [mǽsiv] *a.* **1 부피가 큰**(bulky), 큰; 육중한(ponderous), 묵직한: a ~ pillar 굵고 육중한 기둥. **2 단단한**, 힘찬; (용모 · 체격 · 정신이) 올찬, 굳센(solid); 당당한, 훌륭한(imposing): a man of ~ character 성격이 중후한 사람. **3 대량의**; 대규모의: ~ layoffs 대량의 일시 해고/on a ~ scale 대규모로. **4** 『지질』 괴상(塊狀)의: a ~ rock 괴상암. **5** 『의학』 (병이) 조직의 넓은 범위에 미치는. ㊕ **~·ly** *ad.* **~·ness** *n.*

mássively parállel 『컴퓨터』 초(超)병렬의.

máss·less *a.* 『물리』 (소립자(素粒子)가) 질량이 없는, 질량 제로의.

máss média (the ~) 매스 미디어, 대량 전달의 매체: The ~ have changed the nature of politics. 매스 미디어는 정치의 성격을 바꾸었다.

máss nòun 『문법』 질량 명사《불가산의 물질 · 추상 명사》.

máss observátion 《英》 여론(輿論) 조사《생략: M.O.》.

máss-prodúce *vi.* 대량 생산하다, 양산(量産)하다. ㊕ **-dúced** [-t] *a.* 양산된.

máss prodúction 대량 생산, 양산(量産).

máss psychólogy 군중 심리(학).

máss stórage devìce 『컴퓨터』 대용량 기억 장치.

*__mast__[1] [mæst, mɑːst] *n.* Ⓒ **1 돛대**, 마스트. **2** 기둥, 장대, 깃대. ***before*** [***afore***] ***the*** ~ 평선원으로서.

mast[2] *n.* Ⓤ 《집합적》 너도밤나무의 열매 · 도토리 따위《돼지의 먹이》.

mas·tec·to·my [mæstéktəmi] *n.* Ⓒ 『외과』 유방 절제(술).

mást·ed [-id] *a.* 《주로 합성어》 (돛대) …대박이의: three-~ 세 돛대의.

‡**mas·ter** [mǽstər, mɑ́ːstər] *n.* Ⓒ **1 주인**; 영주(lord); 지배자; 고용주(employer); (노예 · 가축 등의) 소유주, 임자(owner): Like ~, like man. 《속담》 그 주인에 그 머슴, 용장 밑에 약졸 없다.

2 (집)주인, 가장(家長)(↔ *mistress*); 선장; 교장.

3 《英》 (남자) **선생**, 교사(school master): the head ~ of a school 교장 선생/a music [dancing] ~ 음악[댄스] 교사.

4 (the M-) 주 예수 그리스도.

5 대가, 명수, 거장(expert); (특수한 기예에) 정통한[환한] 사람; 달인(達人), 숙련자; 솜씨 좋은 장색: He was a ~ with a bow. 그는 활의 명수였다/a ~ of five languages, 5개 국어에 능통한 사람.

6 (M-) …님; 도련님《하인 등이 미성년 남자를 부를 때의 경칭》; 《Sc.》 작은 나리, 서방님, 도련님《자작 · 남작의 장자(長子) 경칭》: young *Master* George 조지 도련님.

7 승리자, 정복자(victor); 상대방에게 제멋대로 구는 사람; (정신적인) 지도자.

8 (흔히 M-) 석사(의 학위): *Master* of Arts 문학 석사《생략: M.A., A.M.》/*Master* of Science 이학 석사《생략: M.S., M.Sc.》/a ~'s degree 석사 학위.

9 (Oxford, Cambridge 대학의) 학부장; (각종 단체의) 회장, 단장, 원장.

10 a 모형(matrix), 원판, (레코드의) 원반, (테이프의) 마스터테이프. **b** (다른 장치의 작동을 컨트롤하는) 모(母)장치(ⓒⓕ slave); 『통신』 주국(主局).

be ~ ***in*** one***'s own house*** 한 집의 가장이다; 남의 간섭을 받지 않다. ***be*** ~ ***of*** ① …을 소유하다: He's ~ *of* a hundred million dollars. 그는 1억 달러를 가지고 있다. ② …을 지배하다, 마음대로 할 수 있다: She's ~ *of* the situation. 그녀는 상황을 장악하고 있다. ③ …에 정통하다: *be* ~ *of* the subject 그 문제에 정통(精通)하다. ***be*** ~ ***of*** one***self*** 자제하다; 침착을 잃지 않다. ***be*** one***'s own*** ~ 마음대로 할 수 있다, 남의 제재를[속박을] 받지 않다. ***make*** one***self*** ~ ***of*** … 에 정통하다, …에 숙달하다. ~ ***and man*** 주인과 고용인, 주종(主從). ~ ***of ceremonies*** ⇨CEREMONY. ***serve two*** ~***s*** 《흔히 cannot을 수반하여》 두 주인을 섬기다; 두 가지 상반하는 주의를 신봉하다.

—*a.* Ⓐ 주인의, 우두머리의; 달인의; 뛰어난(excellent); 주된, 지배적인(commanding): a ~ plan 종합 기본 계획/a ~ carpenter 도목수/a ~ speech 명연설/a ~ touch 명인의 일필(一筆)[솜씨]/a ~ disk 『컴퓨터』 마스터 디스크.

—*vt.* **1** …을 **지배[정복]하다**, …의 주인이 되다; (동물)을 길들이다. **2** (격정 따위)를 억누르다, 참다(subdue): ~ one's anger. **3** …에 **숙달하다**, 정통하다: ~ a foreign language [driving a car] 외국어를[자동차 운전을] 습득하다. **4** 『녹음』 …의 원반 디스크[테이프, 레코드]를 만들다.

SYN. **master** 마음대로 구사할 수 있을 정도로 습득하다, 몸에 배게 하다: *master* a foreign language 외국어에 정통하다. **acquire** 노력의 결과로 습득하다.

máster anténna 마스터 안테나《텔레비전의 전파를 대형 안테나로 수신하여 케이블을 통해 가입자에게 분배하는》.

máster-at-árms (*pl.* ***másters-at-árms***) *n.* Ⓒ 『英해군』 선임 위병 부사관.

máster bédroom 주(主)침실《집에서 가장 큰 침실; 부부용》.

máster buílder 건축 청부업자; (뛰어난) 건축가; 도편수.

máster cárd 『카드놀이』 (브릿지에서) 으뜸패; 『컴퓨터』 으뜸 카드.

máster cláss 1. 지배층, 지배계급. **2** (일류 음악가가 지도하는) 상급 음악 세미나.

máster còpy (모든 복사물의) 원본.

máster file 『컴퓨터』 기본 파일.

°**mas·ter·ful** [mǽstərfəl, mɑ́ːs-] *a.* **1** 독선적인, 오만한, 전횡의(domineering): He's too ~ for her. 그는 그녀에게 지나치게 독선적이다. **2** 솜씨가 능숙한, 노련한, 교묘한. ㊕ **~·ly** *ad.* **~·ness** *n.*

máster-hànd 1 Ⓒ 명수, 명인《*at* …의》: be a ~ *at* carpentry 목수일의 명인이다. **2** Ⓤ 명인의 기술, 전문가의 수완.

máster kèy 맞쇠, 곁쇠; (난문제의) 해결, 해결의 열쇠.

más·ter·less *a.* 주인이 없는; 방임된.

más·ter·ly *a.* 숙달한, 훌륭한; 명인의[다운]: Olivier's Hamlet was a ~ performance. 올리비에가 연기한 햄릿은 훌륭했다. ㊕ **más·ter·li·ness** *n.*

máster máriner (상선의) 선장.

máster·mìnd *n.* [C] 지도자, 주도자, 주모자, 조종자; (계획의) 입안자; 위대한 지능(의 소유자). **—** *vt.* (배후에서) 지휘〔조종〕하다.

***mas·ter·piece** [mǽstərpìːs, mɑ́ːs-] *n.* [C] **걸작**, 명작; 대표작.

máster plán 종합 기본 계획, 전체 계획.

máster's *n.* (*pl.* ~) [C] (흔히 M-) 《구어》 석사 학위.

máster sérgeant 《美》 (미 육군 · 해병대의) 상사, (미공군의) 1등 상사.

mas·ter·ship [mǽstərʃìp, mɑ́ːs-] *n.* **1** [U] master 임. **2** [C] master 의 직〔지위〕. **3** [U] 숙달, 정통, 수완《***of, in*** …의》. **4** [U] 지배(력), 통제, 통어(력)《***over*** …에 대한》.

máster·stròke *n.* [C] (정치 · 외교 등의) 훌륭한 솜씨〔수완〕, 멋진 조처: That idea was a ~. 그것은 절묘한 착상〔고안〕이었다.

máster swìtch 마스터 스위치.

máster tàpe 마스터 테이프.

máster·wòrk *n.* =MASTERPIECE.

mas·tery** [mǽstəri, mɑ́ːs-] *n.* **1** [U] **지배(력)** (sway), 통어(력); 제어《over, of*** …에 대한》: (the) ~ *of* the air 〔seas〕 제공〔해〕권 / gain ~ *over* the whole land 전토를 제압하다. **2** [U] 수위(首位), 우세(superiority), 우승《***of, over*** …에 의》: gain 〔get〕 the ~ 승리를 거두다, 우승하다. **3** [U] (또는 a ~) **숙달**, 뛰어난 기능; 전문적 지식, 정통(精通) 《***of*** …에의》: have a ~ *of* French 〔the piano〕 프랑스 어〔피아노〕에 정통하다〔뛰어나다〕.

mást·hèad *n.* [C] **1** 〖항해〗 돛대머리, 장두(檣頭); 장두 감시원. **2** 《美》 발행인란《신문이나 잡지의 명칭 · 발행 장소 · 발행인 · 날짜 따위를 인쇄한 난》.

mas·tic [mǽstik] *n.* **1** [C] 〖식물〗 유향수(乳香樹)《옻나무과의 관목》. **2** [U] 유향(乳香)《향료 · 바니스용》. **3** [U] (방수 · 충전용) 회반죽.

mas·ti·cate [mǽstəkèit] *vt.* (음식물)을 씹다, 저작(咀嚼)하다; 분쇄하다《★ chew 쪽이 일반적》. [파] **màs·ti·cá·tion** *n.* [U] 저작(咀嚼).

mas·tiff [mǽstif] *n.* [C] 큰 맹견(猛犬)의 일종.

mas·ti·tis [mæstáitis] *n.* [U] 〖의학〗 유선염(乳腺炎).

mas·to·don [mǽstədɑ̀n/-dɔ̀n] *n.* [C] 〖고생물〗 마스토돈《신생대 제3기의 거상(巨象)》.

mas·toid [mǽstɔid] *n.* [C] 〖해부〗 유양돌기(= ∠ **bóne**).

mas·toid·i·tis [mæ̀stɔidáitis] *n.* [U] 〖의학〗 유양돌기염(乳樣突起炎).

mas·tur·bate [mǽstərbèit] *vi.*, *vt.* (자신 또는 남에게) 수음(手淫)을 하다.

màs·tur·bá·tion *n.* [U] 수음(手淫).

‡**mat**[1] [mæt] *n.* [C] **1 a 매트**, 멍석, 돗자리, (현관에 깔린) 신바닥 문지르개(doormat); 욕실용 매트(bath ~); (레슬링 · 체조용) 매트: Wipe your boots on the ~. 신바닥 문지르개에 구두를 닦으세요. **b** (접시 · 꽃병 따위의) 장식용 받침, = TABLE MAT. **2** (a ~) (머리카락 · 잡초 따위의) 뭉치, 엉킨 것: a ~ *of* hair 엉킨 머리 / a ~ *of* weeds 엉켜 나 있는 잡초. ***be*** (***put***) ***on the*** ~ 《구어》 (견책 · 심문을 위해) 소환되다, 꾸중 듣다.
— (***-tt-***) *vt.* **1** …에 매트를 깔다; …을 매트로 덮다. **2** 《~+[목]/+[목]+[부]》 엉키게 하다(*together*): The swimmer's wet hair was ~*ted together*. 수영자의 머리는 젖어서 엉클어졌다. **—** *vi.* 엉키다.

mat[2], **matte** *a.* 광택이 없는, 윤을 없앤.

mat·a·dor [mǽtədɔ̀ːr] *n.* 《Sp.》 [C] (검으로 소를 죽이는 주역) 투우사. [cf.] picador, toreador.

‡**match**[1] [mætʃ] *n.* [C] **성냥**(한 개비): a box of ~*es* 성냥 한 갑 / a safety ~ 안전 성냥 / strike 〔light〕 a ~ 성냥을 긋다.

‡**match**[2] *n.* **1** [C] **경기**, 시합(game): a ~ between A and B, A와 B의 경기 / play a ~ 경기를 하다.
[SYN.] **match** 경기자〔팀〕 상호간의 짝짓기→경기. **competition** 능력 · 기술 따위를 겨루는 일→경기. **contest** competition과 거의 같은 뜻이지만 솜씨 겨루기보다는 상 따위를 겨루는 노력에 중점.
2 (a ~, one's ~) **a 대전 상대**, 호적수《***for*** …의》; (성질 따위가) 필적하는〔동등한〕 사람〔것〕: I'm a 〔no〕 ~ *for* you in swimming. 수영에서는 너에게 지지 않는다〔당해낼 수 없다〕 / He is more than a ~ *for* me. 그는 나보다는 상수다 / We shall never see her ~. 그녀에게 필적할 사람은 이제 나타나지 않을 것이다. **b** 쌍의 한 쪽 《***to*** …의》; 꼭닮은 것, 빼쏜 것《***to*** …와》; 어울리는〔조화된〕 것〔사람〕《***for*** …와》; 걸맞는 쌍〔짝〕의 사람〔것〕《두 사람〔놀〕 이상》: In habits Tom is his father's ~. 톰은 버릇이 아버지를 꼭 닮았다 / a ~ *to* this glove 이 장갑의 한 짝 / The new tie is a good ~ *for* the shirt. =The new tie and the shirt are a good ~. 새 넥타이와 셔츠는 잘 어울린다.
3 [C] (보통 *sing.*) 〖수식어를 수반하여〗 혼인, 결혼; 결혼의 상대〔후보자〕; (잘 어울리는) 배우자《***for*** (아무)의》: She will make a good ~ *for* you. 그녀는 자네 부인으로서 어울리는 좋은 상대야.
— *vt.* **1** 《~+[목]/+[목]+[전]+[명]》 …에 **필적하다**, …의 호적수가 되다《***for, in, at*** …으로는》: My talent does not ~ his. 나의 재능은 그에게 미치지 못한다 / No one can ~ him *in* strength. 힘으론 아무도 그를 당할 수 없다 / *For* wine, no country can ~ France. 포도주에 관해서는 프랑스에 필적할 나라가 없다.
2 《+[목]+[전]+[명]》 맞붙게 하다, 경쟁〔대결〕시키다《***against, with*** …와》: Father ~*ed* me *with* 〔*against*〕 John in the lessons. 아버지는 공부로 나와 존을 대결시켰다 / I was ~*ed against* a formidable opponent. 만만찮은 적수와 맞붙게 되었다.
3 a (색깔 · 모양 따위가) …에 **어울리다**, 걸맞다: His tie doesn't ~ his shirt. 넥타이가 셔츠와 안 어울린다. **b** 《+[목]+[전]+[명]》 …을 조화시키다, 맞추다《***to, with*** …와》; …에 맞는 것을 찾아내다; …와 어울리는 것을 찾아내다《***for*** …을 위해》: ~ wallpaper *with* the carpet 융단과 벽지를 조화시키다 / ~ supply *to* demand 공급과 수요를 맞추다 / Please ~ this silk *for* me. 이 실크에 어울리는 것을 찾아 주세요 / a well-~*ed* pair 잘 어울리는 부부.
— *vi.* **1** (둘이) 대등하다, 어울리다: Our talents ~. 우리의 능력은 비슷하다.
2 《+[전]+[명]》 (물건이 크기 · 모양 · 색 등에서) 조화되다, 어울리다《***with*** …와》: The napkins do not ~ *with* the tablecloth. 냅킨이 식탁보와 어울리지 않는다.
~ ***up*** 《*vi.*+[부]》 ① (두 개의 것이) 일치하다, 조화되다. **—**《*vt.*+[부]》 ② …을 합해서 완전한 것〔전체〕를 만들다: ~ *up* the two ends 양 끝을 이어 하나로 만들다. ~ ***up to*** (예상 · 계산 따위)에 일치하다; …의 기대대로 되다: The orchestra's

performance didn't ~ *up to* my expectations. 관현악단의 연주는 나의 기대에는 미치지 못했다.

mátch·bòok *n.* [C] 종이 성냥《한 개비씩 뜯어 쓰게 된 성냥》.

mátch·bòx *n.* [C] 성냥통; 《속어》 작은 집.

matched [-t] *a.* 조화된; 동등한 힘을 가진: The teams were well ~. 대전 팀은 전력이 비슷했다.

mátch·ing *a.* [A] (색 · 외관이) 어울리는, 조화된.

◇**match·less** [mǽtʃlis] *a.* 무적의, 무쌍의, 비할 데 없는: a girl of ~ beauty 절세미인. [파] ~·**ly** *ad.* ~·**ness** *n.*

mátch·lòck *n.* [C] 화승총.

mátch·màker *n.* [C] **1** 결혼 중매인. **2** (특히 권투 · 레슬링의) 대전 계획을 짜는 사람.

mátch·màking[2] *n.* [U] 결혼 중매, 인연을 맺어줌.

mátch plày 〖골프〗 득점 경기《쌍방이 이긴 홀의 수대로 득점을 계산》. [cf] medal play.

mátch póint 〖경기〗 승패를 결정하는 최후의 1점《특히 테니스 · 배구의》. [cf] game point, set point.

mátch·stìck *n.* [C] 성냥개비.

mátch·wòod *n.* [U] 성냥개비 재료; 산산조각: The house was smashed to ~. 집은 산산이 부서졌다.

⁑**mate**[1] [meit] *n.* [C] **1** 상대; 《특히》 배우자(spouse)《남편이나 아내》: a faithful ~ to him 그의 성실한 아내. **2** 짝〔한 쌍〕의 한 쪽《**to** …의》: Where is the ~ *to* this glove? 이 장갑의 한 짝은 어디 있나. **3** (노동자 등의) **동료**, 친구; 여보게《친밀한 호칭》. [cf] playmate, classmate, roommate. ¶ have a drink with one's ~*s* 동료들과 한 잔 하다 / Hand me the glass, ~. 여보게, 잔 좀 이리 주게. **4** (상선의) 항해사《선장을 보좌함》; (장인의) 조수, 견습공; 《美해군》 부사관: the chief 〔first〕 ~ 1등 항해사 / the cook's ~ 요리사 조수 / a gunner's ~ 포병 사관.

―*vt.* 《+[목]+[전]+[명]》 **1** (새 · 동물)을 짝지어주다, 교미시키다. **2** 일치〔합치〕시키다; (우주선)을 결합하다《**with** …와》: ~ one's words *with* deeds 언행을 일치시키다.

―*vi.* 《~/+[전]+[명]》 결혼하다, 교미하다《**with** …와》: Birds ~ in (the) spring. 새는 봄철에 교미한다.

mate[2] *n.* (M-) 〖체스〗 외통장군(checkmate).

―*vt.* …에 외통장군을 부르다.

ma·té [mɑ́:tei, mǽt-] *n.* [U] 마테차(茶).

ma·ter [méitər] *n.* [C] 《英속어》 〖우스개 또는 점잔 빼는 말로〗 어머니(mother). [cf] pater.

⁑**ma·te·ri·al** [mətíəriəl] *a.* **1 물질(상)의**, 물질에 관한(physical); 구체적인, 유형의: a ~ being 유형물 / ~ civilization 물질 문명 / the ~ universe 〔world〕 물질계 / a ~ noun 〖문법〗 물질명사 / ~ evidence 물적 증거. **2** 육체상의〔적인〕(corporeal); 감각적인, 관능적인. ↔ *spiritual*. ¶ ~ comforts 육체적 안락을 가져다 주는 것《음식 · 의복 따위》 / ~ needs 생리적 요구(물) / ~ pleasure 관능적 쾌락. **3** 〖논리 · 철학〗 질료(質料)적인, 실체상의; 유물론의. ↔ *formal*. **4 중요한**, 필수의; 실질적인《**to** …에》: at the ~ time 중대한 시기에 / facts ~ *to* the interpretation 그 해석에 있어서 중요한 사실 / a ~ factor 중요한 요인 / It's not ~ whether the applicant is male or female. 응모자는 남성이든 여성이든 문제가 되지 않는다 / That's not ~ *to* our decision. 그것은 우리들이 결정을 내리는 데 있어서 필수적인 것은 아니다. [SYN.] ⇨ IMPORTANT.

―*n.* **1** [U] (구체적으로는 [C]) **원료**, **재료**; (양복의) 감: building ~*s* 건축 자재 / There's enough ~ for two suits. 양복 두 벌 감으로 충분하다. [SYN.] ⇨ SUBSTANCE. **2** [U] **요소**, **제재**(題材), 자료(data)《**for** …의》: ~ *for* thought 사고(思考)의 내용 / collect ~ *for* a dictionary 사서(辭書)의 자료를 모으다. **3** (*pl.*) 용구(用具), 도구: writing ~*s* 필기 용구. **4** [U] 인재(人材): She is potential executive ~. 그녀는 장차 중역이 될 인재이다.

ma·té·ri·al·ìsm *n.* [U] **1** 〖철학〗 유물주의; 유물론. **2** (정신보다 물질을 중히 여기는) 실리주의, 물질주의. ↔ *idealism*, *spiritualism*.

ma·té·ri·al·ist *n.* [C] 유물론자. ―*a.* 물질주의적인; 유물론(자)의.

ma·te·ri·al·is·tic [mətìəriəlístik] *a.* 유물론의; 유물주의적인. [파] **-ti·cal·ly** *ad.*

ma·te·ri·al·i·ty [mətìəriǽləti] *n.* **1** [U] 실질성, 구체성, 유형; 중요(성). **2** [C] 실재물(實在物), 유형물(有形物).

ma·tè·ri·al·i·zá·tion *n.* [U] (구체적으로는 [C]) 형체를 부여하기, 실체화, 구체화; 물질화; (영혼의) 체현; 실현, 현실(화).

ma·te·ri·al·ize [mətíəriəlàiz] *vt.* …에 형체를 부여하다, …을 실체〔물질〕화하다; 체현시키다; (소망 · 계획 등)을 실현하다; 물질〔실리〕적이 되게 하다. ―*vi.* 가시화(可視化)하다; 나타나다, 사실화하다, 실현되다; (영혼 등이) 체현(體現)하다; 유형화하다: A black car ~*d* out of the mist. 안개 속에서 검은 자동차가 불쑥 나타났다 / Nothing ~*d* from his suggestion. 그의 제안으로는 아무것도 실현되지 않았다.

◇**ma·té·ri·al·ly** *ad.* **1** 크게, 현저하게. **2** 〖철학〗 질료(質料)적으로, 실질적으로. **3** 물질적〔유형적〕으로; 실리적으로.

ma·te·ria med·i·ca [mətíəriə-médikə] 《L.》 **1** 〖집합적, 복수취급〗 약물(藥物), 의약품. **2** 〖단수취급〗 약물학; 약물학 논문.

ma·té·ri·el, -te- [mətìəriél] *n.* 《F.》 [U] (물질적) 재료, 설비; (군의) 장비(equipment), 군수품. ↔ *personnel*.

***ma·ter·nal** [mətə́:rnl] *a.* **어머니의**; 모성의, 어머니다운; 어머니 쪽의; 어머니로부터 받은: a ~ association 어머니회(會) / ~ love 모성애 / on the ~ side 어머니 쪽의 / ~ traits 어머니로부터 받은 (성격적, 신체적) 특징. [cf] paternal. [파] ~·**ly** [-nəli] *ad.*

◇**ma·ter·ni·ty** [mətə́:rnəti] *n.* [U] **1** 어머니임, 모성(motherhood); 어머니다움; 모성애. **2** 〖의학〗 산과 병동. ―*a.* [A] 임산부를 위한: a ~ apparatus 출산 기구 / a ~ benefit 출산 수당 / a ~ center 임산부 상담소 / ~ leave 출산 휴가 / a ~ ward 〔hospital〕 산과 병동〔병원〕 / a ~ home 산원(産院) / a ~ dress 〔wear〕 임산부복.

matey [méiti] *a.* 《英구어》 허물없는, 다정한, 친한《**with** …와》: He was very ~ *with* us. 그는 우리들과 아주 허물없는 사이였다. ―*n.* [C] 〖보통 호칭으로 써서〗 동료, 동무.

math [mæθ] *n.* [U] 《美구어》 수학(《英》 maths).

math. mathematical; mathematician; mathematics.

***math·e·mat·ic, -i·cal** [mæ̀θəmǽtik], [-əl]

a. **1** 수학(상)의, 수리적인: a ~ formula 수학 공식 / *mathematical* instruments 제도(製圖) 기구《컴퍼스 · 자 등》. **2** 매우 정확한, 엄밀한; 완전한; 명확한, 확실한. ㊎ **-i·cal·ly** *ad*.

°**math·e·ma·ti·cian** [mæ̀θəmətíʃən] *n*. Ⓒ 수학자.

‡**math·e·mat·ics** [mæ̀θəmǽtiks] *n*. **1** Ⓤ 수학: applied 〔mixed〕 ~ 응용 수학 / pure ~ 순수 수학. **2** (one's ~) 《단 · 복수취급》 수학적 계산〔처리, 속성〕, 수학의 이용: My ~ are 〔is〕 weak. 수학(계산)에 약하다.

maths [mæθs] *n*. 《英구어》 = MATHEMATICS.

Ma·til·da, -thil- [mətíldə] *n*. 마틸다《여자 이름》.

mat·in [mǽtən] *n*. **1** (*pl*.) 〖영국국교회〗 조도(朝禱), 아침 기도《종종 mattins 라고 씀》; 〖가톨릭〗 (성무(聖務) 일과의) 조과(朝課), 아침 기도. **2** (종종 *pl*.) 《고어 · 시어》 (새의) 아침 노래. **—***a*. 아침의; 아침 예배의.

°**mat·i·nee, -née** [mæ̀tənéi/ˊ-ˋ] *n*. 《F.》 Ⓒ (연극 등의) 낮 흥행, 마티네.

matinée coat 〔**jacket**〕 [ˊˋ〔ˋ〕] 마티네 코트《유아용 모직물 상의》.

matinée idol [ˊˋ] (나이 많은 여자에게 인기 있는) 미남 배우.

Ma·tisse [*F*. matis] *n*. **Henri** ~ 마티스《프랑스의 화가 · 조각가; 포비즘 운동 추진자; 1869–1954》.

ma·tri·arch [méitriɑ̀ːrk] *n*. Ⓒ 여가장(女家長), 여족장(女族長). ⓒⓕ patriarch.

mà·tri·ár·chal [-kəl] *a*. 여가장의, 모권제(母權制)의: a ~ culture 〔society〕 모권 문화〔사회〕.

ma·tri·archy [méitriɑ̀ːrki] *n*. **1** Ⓤ (구체적으로는 Ⓒ) 여가장제, 여족장제; 모계 가족제. **2** Ⓒ 모권 사회.

ma·tric [mətrík] *n*. 《英구어》 = MATRICULATION.

ma·tri·ces [méitrəsìːz, mǽt-] MATRIX의 복수.

ma·tri·cide [méitrəsàid, mǽt-] *n*. **1** Ⓤ 모친 살해《죄 · 행위》. **2** Ⓒ 모친 살해범.

ma·tric·u·late [mətríkjəlèit] *vt*. …에게 대학 입학을 허가하다; 정규 회원으로 입회를 허가하다. **—***vi*. 입학〔입회〕하다《**at, in** (대학 · 클럽)에》.

mat·rìc·u·lá·tion *n*. Ⓤ (구체적으로는 Ⓒ) 대학 입학 허가.

màtri·líneal *a*. 모계(母系)의, 어머니 쪽의: a ~ society 모계 사회.

mat·ri·mo·ni·al [mæ̀trəmóuniəl] *a*. 결혼의; 부부의: a ~ agency 결혼 상담소 / adjudicate ~ disputes 부부간의 싸움을 중재하다.

°**mat·ri·mo·ny** [mǽtrəmòuni] *n*. Ⓤ 결혼, 혼인; 결혼 생활; 부부 관계: enter into ~ 결혼하다 / unite two persons in holy ~ 두 사람을 정식으로 결혼시키다. SYN. ⇨MARRIAGE.

ma·trix [méitriks, mǽt-] (*pl*. **~·es, -tri·ces** [-trəsìːz]) *n*. Ⓒ **1** 모체, 기반; 〖해부〗 자궁. **2** 〖광물〗 모암(母岩), 맥석(脈石). **3** 〖인쇄〗 자모형(字母型), 지형(紙型); 주형(鑄型); (레코드의) 원반. **4** 〖수학〗 행렬; 〖컴퓨터〗 행렬《입력 도선과 출력 도선의 회로망》.

mátrix prìnter 〖컴퓨터〗 행렬 인쇄기.

°**ma·tron** [méitrən] *n*. Ⓒ (나이 지긋한 점잖은) 부인, 여사; 가정부; 보모; 요모(寮母); 수간호사; (교도소에서 여죄수를 감독하는) 여간수; (여종업원의) 여감독. **a ~ of honor** 신부를 돌보는 기혼 부인.

má·tron·ly *a*. matron 다운; (부인이) 관록〔품위〕 있는(dignified); 침착한.

Matt [mæt] *n*. 매트《남자 이름; Matthew 의 애칭》.

Matt. 〖성서〗 Matthew; Matthias.

matte ⇨MAT².

mat·ted [mǽtid] *a*. **1** 매트를 깐, 돗자리를 깐. **2** (머리 따위가) 헝클어진, 엉킨《**with** …으로》: ~ hair 헝클어진 머리 / The dog's hair was ~ *with* mud. 개털은 진흙으로 엉켜 있었다.

†**mat·ter** [mǽtər] *n*. **1** Ⓤ **물질**, 물체. ⓒⓕ mind, spirit. ¶ The common state of ~ is solid, liquid or gaseous. 물질의 보통 상태는 고체, 액체, 기체이다. SYN. ⇨SUBSTANCE.

2 Ⓤ 《수식어를 수반하여》 …질(質), …소(素), …체(體), …물(物): vegetable ~ 식물질 / coloring ~ 색소, 염색제 / organic 〔inorganic〕 ~ 유기〔무기〕질 / solid ~ 고체 / waste ~ 노폐〔배설〕물.

3 Ⓤ (논의 · 저술 따위의) 내용(substance); **제재**(題材), 주제: ⇨SUBJECT MATTER / His speech contained very little ~. 그의 연설은 별로 내용이 없었다.

4 Ⓒ **a** **문제**(subject), 사항, 일: money ~*s* 금전 문제 / a ~ *of* life and death 사활이 걸린 문제 / a ~ *of* time 시간 문제 / a ~ *of* opinion 견해의 문제 / a ~ in dispute 〔question〕 계쟁(係爭) 중인 문제 / a ~ in hand 당면 문제 / That's quite another ~. 그것은 전혀 별개 문제다. **b** 원인; 일거리《**for, of** …의》: It's a ~ *for* 〔*of*〕 regret that ... 이라는 것은 유감이다 / It's no laughing ~. 그것은 웃을 일이 아니다.

5 Ⓒ 사건; (*pl*.) 사태(circumstances), 사정: a serious ~ 중대사 / This is how ~*s* stand. 사태는 이와 같다 / take ~*s* easy 〔seriously〕 매사를 쉽게〔진지하게〕 생각하다 / *Matters* went from bad to worse financially. 사태는 재정적으로 점점 악화되고 있었다.

6 (the ~) **지장**, 장애, 사고; 어려움, 걱정《★ 주어가 되지 않음》: What's the ~ with you? 어찌된 일인가 / Is there anything the ~ with the car? 차에 무슨 일이 있느냐.

7 Ⓤ 《집합적》 …물(物)《인쇄 · 출판 · 우편 등의》: printed ~ 인쇄물 / postal ~ 우편물 / first-class ~ 제1종 우편물.

8 Ⓤ 《보통 no ~로 써서》 중요한 일: It is 〔makes〕 *no* ~ whether he comes or not. 그가 오든 안 오든 상관 없다 / She's not here.—No ~. 그녀는 여기 없는데요—상관 없습니다.

9 Ⓤ 〖의학〗 (종기 · 상처의) 고름.

a* ~ *of ① …의 문제(⇨4). ② …의 범위; 몇…: He will arrive in *a* ~ *of* minutes. 그는 몇 분 있으면 도착할 것이다. ③ 약, 대충: *a* ~ *of* five miles 〔dollars〕 약 5 마일〔달러〕. **(*as*) *a* ~ *of course*** 당연한 일(로서): Freedom of speech is now taken *as a* ~ *of course*. 언론의 자유는 지금은 당연한 것으로 여겨지고 있다. ***as a* ~ *of fact*** ⇨FACT. ***for that* ~** 그 일이면, 그 문제〔점〕에 관해서는《★ 전술한 일에 관하여 덧붙일 때 쓰임》: He's very clever. So is his sister, *for that* ~. 그는 아주 머리가 좋다. 그 점에 있어서는 그의 여동생도 그렇다. ***in* ~*s of*** = ***in the* ~ *of*** …에 관해서는: He was very strict *in the* ~ *of* money. 그는 금전 문제에 관해서는 참 까다로웠다. ***no* ~ *what*** 〔***when, where, which, who, how***〕 ... 비록 무엇이〔언제, 어디에서, 어느 것이,

누가, 어떻게] …한다 하더라도: *No ~ what* he says, don't go. 그가 뭐라고 말하든 가지 마라/You'll never be in time, *no ~ how* fast you run. 아무리 빨리 뛰어도 절대로 시간에 대지 못할거요/*No ~ how* hard he may try, ... 그가 아무리 열심히 한다 해도…. ★ 구어에서는 may try 대신 tries를 쓰기도 함. ***What ~ (is it)?*** 그러니 어떻단 말인가, 상관 없지 않은가.

DIAL. ***No matter.*** 대단한 일이 아니다, 별일 아니다: Jim had a nosebleed.—*No matter.* 짐이 코피를 흘렸어—별것 아니야.
There is nothing the matter with A. = ***Nothing is the matter with*** A. A는 아무렇지도 않다.
There is something the matter (with A). (A에는) 무언가 탈이 생겼다; (A는) 어딘가 이상하다.
What's the matter? ① 어찌된 거냐, 무슨 일이 있느냐. ② 무슨 짓을 하는 거냐《비난의 뜻을 나타냄》.
What's the matter with A? A(사람·물건)는 어떻게 된거냐, 무슨 문제가 있느냐.

—*vi.* 《~/+부/+전+명》〔보통 부정·의문문에서〕 **중요하다, 문제가 되다,** 중대한 관계가 있다: It *~s little to* me. 내게는 별 관계가 없다/It does*n't ~ about* me. 나에 대해서는 아무래도 상관 없다/Your age does*n't ~*. 너의 나이는 문제가 아니다.

DIAL. ***What does it matter?*** 그것이 어떻다는 말인가, 상관 없지 않은가.

Mat·ter·horn [mǽtərhɔ̀ːrn] *n.* (the ~) 마터호른《알프스의 고산; 해발 4,478m》.

mátter-of-cóurse *a.* 당연한, 말할 나위 없는, 불가피한; 태연한, 침착한: in a ~ manner 〔way〕 당연한 일처럼, 아무렇지 않게, 태연히.

◇**mátter-of-fáct** *a.* 사실의, 실제의; 사무적인, 인정미 없는; 평범한, 무미건조한: a ~ account of the political rally 정치 집회의 사무적인 보고/in a ~ voice 인정미 없는 목소리로. 파 **~·ly** *ad.* **~·ness** *n.*

Mat·thew [mǽθjuː] *n.* **1** 매슈《남자 이름; 애칭 Matt》. **2** 〖성서〗 마태《예수의 12제자 중의 한 사람》; 마태 복음《신약 성서의》.

mát·ting *n.* Ⓤ **1** 〔집합적〕 매트, 멍석, 돗자리, 깔개. **2** 그 재료.

mat·tins [mǽtənz, -tinz] *n. pl.* 《英》 = MATINS 1.

mat·tock [mǽtək] *n.* Ⓒ 곡괭이의 일종.

***mat·tress** [mǽtris] *n.* Ⓒ (솜·짚·털 따위를 넣은) 침대요, **매트리스.**

Mat·ty [mǽti] *n.* 매티《여자 이름; Martha, Matilda의 애칭》.

mat·u·rate [mǽtʃərèit] *vi.* 〖의학〗 곪다; 익다; 성숙하다. 파 **màt·u·rá·tion** *n.*

****ma·ture** [mətjúər, -tʃúər] *a.* **1** (과일·술 따위가) 익은(ripe), 숙성한; (사람·동물이) 잘 발육〔성숙〕한; 원숙한, 분별 있는: a ~ woman 다 자라 어른이 된 여성/(of) ~ age 〔years〕 분별 있는 나이(의). SYN. ⇨RIPE. **2** (계획·생각 따위) **심사숙고한,** 신중한: a ~ scheme 빈틈없는 계획/~ consideration 숙고. **3** (어음 따위가) 만기가 된(due). **—** *vt.* **1** 익히다; 성숙〔발달〕시키다: Life at sea *~d* the boy into a man. 바다 생활을 통해 소년은 어엿한 남성으로 성장했다. **2** (심사숙고하여) 완성시키다: ~ a plan 계획을 완성하다. **—***vi.* **1** 성숙하다; 익다: She has *~d* into an exquisite woman. 그녀는 멋쟁이 여성으로 성숙했다/Wine takes several years to ~. 포도주는 숙성하는 데 수년이 걸린다. **2** (어음 따위가) 만기가 되다. 파 **~·ly** *ad.* **~·ness** *n.*

matùre stúdent 성인 학생《고교 졸업 후 직장 생활을 하다 대학·전문 학교에 입학한 학생》.

***ma·tu·ri·ty** [mətjúərəti, -tʃúː-/-tjúərə-] *n.* Ⓤ **1 성숙(기),** 숙성; 완전한 발달〔발육〕; 원숙(기), 완성: precocious ~ 조숙/reach 〔come to〕 ~ 성숙하다, 원숙해지다, 완전히 자라다. **2** (어음) 만기: the date of ~ 만기일.

ma·tu·ti·nal [mətjúːtənəl] *a.* (이른) 아침의; 이른(early).

maud·lin [mɔ́ːdlin] *a.* 눈물 잘 흘리는, 감상적인; 취하면 우는.

Maugham [mɔːm] *n.* (**William**) **Somerset ~** 몸《영국의 작가; 1874–1965》.

maul, mall, mawl [mɔːl] *n.* Ⓒ 큰 나무망치, 메. **—***vt.* …에 쳐서 상처를 내다; (나무)를 쳐서 빼개다; (사람)을 몰매주다; 혹평하다.

mául·stìck *n.* = MAHLSTICK.

maun·der [mɔ́ːndər] *vi.* 종작〔두서〕없이 이야기하다, 중얼중얼하다(*on*); 멍하니 방황하다 (*along*), 꾸물거리다(*about*). 파 **~·er** *n.*

Maun·dy [mɔ́ːndi] *n.* Ⓤ 〖교회〗 세족식(洗足式)《빈민의 발을 씻는》.

Máundy mòney 〔**còins**〕 《英》 세족식날 왕실로부터 하사되는 빈민 구제금.

Máundy Thúrsday 〖교회〗 세족 목요일《부활절 직전의 목요일》.

Mau·pas·sant [móupəsɑ̀ːnt] *n.* **Guy de ~** 모파상《프랑스의 작가; 1850–93》.

Mau·rice [mɔ́(ː)ris, mɑ́-] *n.* 모리스《남자 이름》.

Mau·ri·ta·nia [mɔ̀(ː)ritéiniə, -njə, mɑ̀ri-] *n.* 모리타니《서북 아프리카의 공화국; 수도 Nouakchott》.

mau·so·le·um [mɔ̀ːsəlíːəm] (*pl.* **~s, -lea** [-líːə]) *n.* Ⓒ 장려한 무덤, 영묘(靈廟), 능(陵); (the M-) 대영묘《세계 7대 불가사의의 하나》.

mauve [mouv] *n.* Ⓤ, *a.* 엷은 자주색 염료의 일종; 담자색(淡紫色)(의), 엷은 자주(의).

ma·ven, ma·vin [méivən] *n.* Ⓒ 《美속어》 전문가, 그 방면에 정통한 사람, 숙련자.

mav·er·ick [mǽvərik] *n.* Ⓒ **1** 《美》 (임자의) 소인(燒印)이 없는 소. **2** 독자적 입장을 취하는 지식인〔예술가·정치가 등〕; 이단자, 비동조자.

maw [mɔː] *n.* Ⓒ 반추 동물의 넷째 위(胃); 《우스개》 (걸신들린 사람의) 밥통.

mawk·ish [mɔ́ːkiʃ] *a.* (사람·행동이) 느글거리는, 역겨운(sickening); 몹시 감상적인, 눈물을 잘 흘리는. 파 **~·ly** *ad.* **~·ness** *n.*

Max [mæks] *n.* 맥스《남자 이름; Maximilian, Maxwell의 애칭》.

max 《美속어》 *n.* 〔다음 관용구로〕 ***to the ~*** 《美속어》 극도로, 극히, 아주; 처음부터 끝까지 내리. [← maximum]

max. maximum.

maxi [mǽksi] (*pl.* ***max·is***) *n.* Ⓒ 《구어》 긴 치마, 맥시(maxiskirt), 맥시코트.

max·i- [mǽksi] '최대(最大)의, 최장(最長)의'란 뜻의 결합사: *maxi*coat.

max·il·la [mæksílə] (*pl.* ***-lae*** [-liː], **~s**) *n.* Ⓒ 〖해부〗 악골(顎骨), 턱뼈, 위턱.

max·il·lary [mǽksəlèri, mæksílə-/mæksílə-] *a.* 턱의; 턱뼈의; 작은 턱의.

ᵒ**max·im** [mǽksim] *n.* Ⓒ **1** 격언, 금언. SYN. ⇨SAYING. **2** 처세훈(訓), 좌우명.

max·i·ma [mǽksəmə] MAXIMUM 의 복수.

max·i·mal [mǽksəməl] *a.* Ⓐ 가장 효과(效果)적인〔완전한〕; 최고(값)의, 최대한의, 극대(極大)의. ↔ *minimal*.

max·i·mize [mǽksəmàiz] *vt.* 극한까지 증가〔확대, 강화〕하다. ↔ *minimize*. ㊞ **màx·i·mi·zá·tion** *n.*

⁑**max·i·mum** [mǽksəməm] (*pl.* **-ma** [-mə], **~s**) *n.* Ⓒ **최대**, 최대한(도), 최대량〔수〕, 최고치; 〖수학〗 극대(점): the rainfall ~ 최대 강우량/increase the speed of the car to the ~ 자동차의 속도를 최고로 내다. **—***a.* Ⓐ 최대의, 최고의; 극대의: the ~ value 〖수학〗 극대값/a ~ dose 〖의학〗 극량(極量)/excitement at its ~ 극도의 흥분. **—***ad.* 최대한, 최고: twice a week ~ 최대한 주(週) 2회. ⇔ *minimum*.

max·i·skirt [mǽksiskə̀:rt] *n.* Ⓒ 맥시스커트.

Máxwell Hóuse 맥스웰 하우스《미국제 인스턴트 커피; 상표명》.

†**May** [mei] *n.* **1 5월**: in ~, 5월에/on ~ 1 = on 1 ~ =on the 1st of ~, 5월 1일에. **2** (m-) **a** Ⓒ 〖식물〗 산사나무. **b** Ⓤ 〖집합적〗 산사나무의 꽃. cf. mayflower.

†**may** [mei] (**might** [mait]; may not 의 간약형 **mayn't** [meint], might not 의 간약형 **mightn't** [máitnt])《부정의 간약형 mayn't는 그다지 안 쓰임》. *aux. v.* **1** 〖불확실한 추측〗 **a** …**일〔할〕지도 모른다**《(1) 약 5할의 확률로 일어날 것임을 나타냄. 말하는 이의 확신도는 might, may, could, can, should, ought to, would, will, must 순으로 강해짐. (2) 부정형은 may not》: It ~ rain. 비가 올지도 모른다/It ~ be true. 정말일지도 모른다, 아마(도) 정말일거다/He ~ come, or he ~ *not*. 그는 올지도 모르며 안 올지도 모른다/Mother is afraid that I ~ 〔*might*〕 catch a cold. 내가 감기에 걸릴까봐 어머니는 걱정하고 계신다《가능성이 희박할 때는 might를 씀》/**b** 〖It may be that.... 으로〗 **아마 …일지도 모른다**: *It ~ be that* our team will win this time. 이번엔 우리 팀이 이길는지도 모른다. **c** 〖may have+과거분사로, 과거의 불확실한 추측을 나타내어〗 …**이었〔하였〕는지도 모른다**: Bill ~ *have left* yesterday. 빌은 어제 떠났을 테죠/It ~ *have been* true. 사실이었을는지도 모른다/It ~ *not have been* he 〔《구어》 him〕 who did it. 그렇게 한 것은 그가 아니었을지도 모른다.

> **NOTE** (1) 불확실한 추측을 나타낼 경우 may는 의문문에 쓸 수가 없음: ˣMay you be late coming home? 대신에 Are you likely to be late coming home?/Do you think you'll be late coming home? (귀가(歸家)가 늦어질 것 같은가)처럼 말함. can, could, might는 의문문에도 쓸 수 있음.
> (2) I think, possibly 따위를 사용해서 불확실성, 자신 없음을 강조할 경우가 많음: (*I think*) Bill may (*possibly*) be at the office by now. 빌은 지금쯤 회사에 도착해 있을 거다/*It is possible* he may not come. 그는 안 올는지도 모른다.

2 a 〖허가·허용〗 …**해도 좋다**, …**해도 괜찮다**《★ (1) 부정에는 '불허가'의 뜻으로 may not이나, '금지'의 뜻의 must not이 쓰임. (2) may 대신 can 이 사용될 때가 많음. (3) 간접 화법은 별도로 치고 '허가'의 뜻인 과거형에 might는 쓸 수 없으므로 was allowed to가 사용됨》: You ~ go now. 이제 가도 좋다/You ~ go wherever you like. 어디로든 너 좋아하는 곳으로 가도 좋다/I'll have another biscuit, if I ~. 괜찮으시다면 비스킷을 하나 더 먹겠습니다《문맥상 분명할 때에는 may 다음의 동사를 생략함》/Visitors ~ *not* take photographs. 《박물관 따위에서》 관람객께서는 사진 촬영을 삼가해 주십시오/*May* I help you? 《점원이 손님에게》 어서 오십쇼; 무엇을 (도와) 드릴까요/*May* I smoke here? 여기서 담배를 피워도 좋습니까《이에 대한 대답은 다음 NOTE 참고》/*May* I see your passport, please.—Here you are. 여권을 보여 주시기 바랍니다—여기 있습니다《형태는 의문문이나 이처럼 명령문에 가까운 경우엔 종종 마침표를 붙임. 이에 대한 대답은 ˣYes, you may.라고는 할 수 없음》. **b** 〖흔히 ~ well로 용인을 나타내어〗 …**라고 해도 관계 없다**, …**라고 하는 것은 당연하다**《이런 뜻의 부정은 cannot》: You ~ *well* think so. 네가 그렇게 생각하는 것도 당연하다/*Well* ~ you ask why! 자네가 까닭을〔이유를〕 묻는 것도 무리는 아닐세〔당연하네〕.

> **NOTE** 현대에 있어서는 Can 〔*May*〕 I smoke? 에 대하여 '네 괜찮습니다'는 Yes, you *may*. 로 하면 오만하고 무뚝뚝하게 들리므로, 윗사람이 아랫사람에게 하는 말 외에는 "Yes, certainly 〔please〕."라든가 "Sure." 또는 "Of course you can."이나 "Why not?"으로 대답하는 것이 보통임. 부정은 No, you *may not*.도 쓰이나, may not은 주로 '…일〔할〕지도 모른다'의 뜻으로 쓰이므로 '…해서는 안 된다'의 뜻으로 쓰이는 일은 흔치 않으며 I'm sorry you can't. 따위를 쓰는 것이 좋음.

3 〖의문사와 더불어〗 **a** 〖불확실성을 강조하여〗 (도)대체 (무엇, 누구, 어떻게) …**일까**: I wonder what ~ be the cause. 그 원인은 대체 무엇일까/Who ~ you be? 누구신지요《매우 실례가 되는 말》/How old ~ she be? 그 여자는 대체 몇 살이나 됐을까. ★ 첫번째 예에서처럼 'ask 〔doubt, wonder, think〕+의문사절'의 형식이 많음. **b** 〖표현을 부드럽게 하여〗 …**일까**, …**일지 몰라**: What ~ I do for you? 무슨 일로 오셨습니까.

4 《고어》 〖능력〗 …할 수 있다《특정 표현 외에는 보통은 can을 씀》: as best one ~ 될 수 있는 한〔대로〕, 그럭저럭/Gather roses while you ~. (장미꽃은 딸 수 있는 동안에 따거라→) 젊음은 두 번 다시 오지 않는다.

5 〖목적을 나타내는 that 절에 쓰이어〗 …**하기 위해**, …**할 수 있도록**: He is working hard (*so*) *that* 〔*in order that*〕 he ~ pass the examination. 그는 시험에 합격하고자 열심히 공부하고 있다. ★so 없는 형식은 문어적. 미국에서는 may 대신에 흔히 will, shall, can이 쓰임.

6 〖가능을 나타내는 주절에 따르는 명사절 중에서〗: It is possible that he ~ come tomorrow. 그는 혹시 내일 올는지도 모른다.

7 〖양보〗 **a** 〖뒤에 등위접속사 but 따위가 와서〗 (비록) …**일지도〔할지도〕 모르지만**, …라고 해도 좋다〔좋으나〕: Times ~ change but human nature stays the same. 세월은 변할지언정 사람의 본성은 변하지 않는다. **b** 〖양보를 나타내는

부사절에서》 **비록 …일지라도**, 설사 …라 할지라도: However tired you ~ be, you must do it. 아무리 지쳤더라도 너는 그것을 해야 된다 / Wherever 〔No matter where〕 you ~ go, I'll follow you. 당신이 어디를 가든 저는 따라가겠어요. ★ 구어체에서는 이 may를 쓰지 않을 때가 많음.
8 〖바람·기원·저주〗《문어》 바라건대 …하기를 〔있으라〕, …ㄹ지어다《이 용법에서는 may가 항상 주어 앞에 옴. 현대 영어에서는 I wish 따위를 씀》: Long ~ he live! 그의 장수를 빈다 / *May* you succeed! 성공을 빕니다 / *May* you be happy! 행복을 빈다 / *May* Heaven protect thee! 하느님의 가호가 있으시기를 / *May* he rest in peace! 영혼이여 고이 잠드소서. ★ 3인칭에 있어서 may를 생략할 경우가 많음. 이때 동사 원형을 씀에 주의: God *forgive* me! 신이여 용서하옵소서.
be that as it ~ = ***that is as ~ be*** 어쨌든, 그것은 어떻든(anyway). ***come what ~*** 무슨 일이 있더라도. ***~ (just) as well... as —*** ⇨WELL². ***~ well*** ⇨2 b.

Ma·ya [mɑ́ːjə, mɑ́iə] (*pl.* ~(s)) *n.* **1 a** (the ~(s)) 마야족(族)《중앙 아메리카의 원주민》. **b** [C] 마야족 사람. **2** [U] 마야어(語).

Ma·yan [mɑ́iən] *a.* 마야족〔인·어〕의: ~ civilization 마야 문명. **—***n.* **1** [C] 마야인. **2** [U] 마야어(語).

‡**may·be** [méibiː] *ad.* 〖보통 문두에 두어〗 **어쩌면, 아마**(perhaps): *Maybe* it will rain. 어쩌면 비가 올지도 모른다 / Will he come? — *Maybe* (, or ~ not). 그는 올 것인가 — 올지도 모르지(만, 안 올지도 모른다) / Let's ask somebody else, ~ Tom. 누구 다른 사람한테 물어보자, 톰에게라도 / *Maybe* you'll have better luck next time. 다음 번엔 행운이 있을 테지《이번엔 안됐다》. [SYN.] ⇨PERHAPS.

> [DIAL.] ***(and) I don't mean maybe!*** 농담으로 한 말이 아니야; 이건 절대 명령이야.
> ***That's as maybe.*** 그건 그럴지도 모르지만《그것은 사정에 따라 다르다, 그것은 이렇다 저렇다 말할 수 없다》.

Máy Dày 5월제(祭)《5월 1일》; 노동절, 메이데이.

may·day [méidèi] *n.* (때로 M-) [C] (비행기·선박의 국제 무선 전화) 조난 구조 신호: send (out) a ~ (signal) 메이데이(신호)를 보내다.

May·fair [méifɛ̀ər] *n.* 런던의 Hyde Park 동쪽의 고급 주택지.

May·flow·er [méiflàuər] *n.* **1** (m-) [C] 〖식물〗 5월에 피는 꽃. ★ 영국에서는 산사나무꽃, 미국선 임당자(岩棠子). **2** (the ~) 메이플라워호《1620년 Pilgrim Fathers가 영국에서 신대륙으로 타고 간 배 이름》.

máy·flỳ *n.* [C] **1** 〖곤충〗 하루살이의 일종. **2** 제물낚시의 일종(= **máy flỳ**).

may·hem, mai- [méihem, méiəm] *n.* [U] **1** 〖법률〗《美》 신체 상해(죄). **2** 대혼란, 대소동: create ~ 대혼란을 일으키다.

mayn't [méiənt, meint] 《구어》 may not 의 간약형.

may·on·naise [mèiənéiz, ⌐-⌐] *n.* 《F.》 [U] 마요네즈(소스); 그것으로 조미한 요리.

‡**may·or** [méiər, mɛər] *n.* [C] **시장**, 읍장: ⇨LORD MAYOR. [파] **~·al** *a.* 시장의.

may·or·al·ty [méiərəlti, mɛ́ər-] *n.* [U] 시장〔읍장〕의 직〔임기〕.

may·or·ess [méiəris, mɛ́ər-] *n.* [C] 《美》 여시장〔읍장〕; 《英》 시장 부인(Lady Mayor).

máy·pòle *n.* (종종 M-) [C] 5월제의 기둥《5월제(May Day)를 축하하기 위해서 꽃이나 리본으로 장식한 기둥》.

Máy quèen 〔**Quèen**〕 5월의 여왕(the Queen of (the) May)《5월제에서 여왕으로 뽑힌 처녀》.

mayst [meist] *aux. v.* 《고어·시어》 may의 직설법 2인칭 단수 현재: thou ~ = you may.

*__maze__ [meiz] *n.* **1** [C] **미로**(迷路), 미궁(迷宮)(labyrinth): get lost in a ~ 미로에 빠지다 / find one's way out of a ~ 미로에서 빠져나가다 / a ~ of alleys 미로와 같은 골목. **2** (a ~) 당황, 쩔쩔맴: be in a ~ 어찌할 바를 모르다.

ma·zur·ka, -zour- [məzə́ːrkə, -zúər-] *n.* [C] 마주르카《폴란드의 경쾌한 춤》; 그 춤곡.

ma·zy [méizi] (***-zi·er; -zi·est***) *a.* 미로(迷路)와 같은, (길 따위가) 꾸불꾸불한; 복잡한.

MB 〖컴퓨터〗 megabyte. ★ 기술할 때만 씀. **Mb** 〖컴퓨터〗 megabit. **mb** millibar(s). **M.B.** *Medicinae Baccalaureus* 《L.》 (= Bachelor of Medicine). **M.B.A.** Master of Business Administration (경영학 석사). **MBS** 《美》 Mutual Broadcasting System. **Mbyte, mbyte** 〖컴퓨터〗 megabyte. ★ 기술할 때만 씀.

Mc- ⇨MAC-.

mc megacycle(s). **M.C.** Master of Ceremonies; Member of Congress.

Mc·Car·thy·ism [məkɑ́ːrθiìzəm] *n.* [U] 매카시즘《극단적 반공주의; 미국 상원의원 J.R. McCarthy(1908–57)의 이름에서》.

Mc·Coy [məkɔ́i] *n.* 〖the real ~로〗 《美속어》 본인, 진짜; 진품, 일품.

Mc·Don·ald's [məkdɑ́nəldz] *n.* [C] 맥도널드《미국 McDonald's Corp. 계열의 햄버거 연쇄점; 1965년 설립; 상표명》.

MCI 〖컴퓨터〗 machine check interrupt (기계 검사 인터럽트).

Mc·Kin·ley [məkínli] *n.* (Mount ~) 매킨리《Alaska에 있는 북아메리카 대륙의 최고봉; 6,194 m》.

MCP 《구어》 male chauvinist pig. **MD** 〖美우편〗 Maryland; Doctor of Medicine; Managing Director. **Md** 〖화학〗 mendelevium. **Md.** Maryland. **MDT** 〖컴퓨터〗 mean down time (평균 고장 시간, 평균 동작 불가능 시간). **mdnt.** midnight.

†**me** [miː, 약 mi] *pron.* **1** 〖I의 목적격〗 **나를**; 〖I의 간접목적어〗 **나에게**: They know *me* very well. 그들은 나를 아주 잘 알고 있다 / Father gave *me* a book. 아버지가 나에게 책을 주셨다 / Give it to *me*. 그것을 나에게 주시오 / She spoke to *me*. 그녀는 나에게 말을 걸었다.
2 《고어·시어》 〖재귀동사의 목적어로〗 나 자신을 (myself): I laid *me* down. 나는 누웠다.
3 〖구어의 어떤 종류의 구문에서 주격 I 대신으로〗: It is *me*. 접니다《It's *I*.보다 보통》/ I want to see the movie. — *Me*, too. 나는 그 영화를 보고 싶어 — 나도 / Say, who are you? — *Me?* 이봐, 자네 누구지 — 저 말입니까.
4 《구어》 〖동명사의 의미상의 주어로서〗 나의 (my): Did you hear about *me* getting promoted? 내가 승진한 이야기를 들었나.
5 〖감탄구 중에서〗: Ah 〔Dear〕 *me!* 아, 아이구, 어머나, 이런.

me and mine 나와 나의 가족: He was kind to *me and mine*. 그는 나와 나의 가족에게 친절했다.

ME Middle East; Middle English. **Me.** Maine.

mead[1] [miːd] *n.* 《고어·시어》 =MEADOW.

mead[2] *n.* Ⓤ (이전의 영국의) 꿀술.

mead·ow [médou] *n.* **1 a** Ⓒ **풀밭, 목초지. b** Ⓤ 목초지용 토지. **2** Ⓒ 강변의 낮은 풀밭.

méadow·lànd *n.* Ⓒ 목초지.

méadow·làrk *n.* Ⓒ 〖조류〗 들종다리《찌르레깃과; 북아메리카산》.

méadow·swèet *n.* Ⓒ 〖식물〗 조팝나무속의 관목; 터리풀속의 풀.

mea·ger, 《英》 **-gre** [míːgər] *a.* 빈약한(poor); 야윈(thin), 쇠약한; 불충분한(scanty), 부족한: a ~ meal 빈약한 식사/a ~ salary 불충분한 급료/a ~ argument 불충분한 논의. ㊞ **~·ly** *ad.* **~·ness** *n.*

meal[1] [miːl] *n.* Ⓒ **식사**; 식사 시간; 한 끼(분). ㉡ breakfast, lunch, dinner, supper. ¶three ~*s* a day 하루 세 끼/a square 〔light〕 ~ 충분한〔가벼운〕 식사/at ~*s* 식사 때에/eat 〔have, take〕 a ~ 식사하다/eat between ~*s* 간식하다/eat a ~ out 외식하다. ★ '식사를 했느냐'는 Did you have your *meal*? 보다는 Did you have your breakfast 〔lunch, supper〕?와 같이 말하는 것이 보통임.

make a ~* (*out*) *of ① …을 (음식으로서) 먹다. ② (일 따위)를 필요 이상으로 크게 다루다〔생각하다〕, 큰 일인 것처럼 말하다. ***with a good ~ under*** one***'s belt*** 실컷 먹고.

meal[2] *n.* Ⓤ (옥수수·호밀 따위의) 거칠게 간 곡식(㉡ flour); 거친 가루; =OATMEAL.

méals on whéels 《英》 (노인·신체 장애자를 위한) 급식 택배 서비스.

méal tìcket 식권; 《구어》 생계의 근거, 수입원(源): A radio announcer's voice is his ~. 아나운서에게는 목소리가 그의 밥줄이다.

méal·tìme *n.* Ⓤ (구체적으로는 Ⓒ) 식사 시간: at ~(*s*) 식사 시간에.

mealy [míːli] (***meal·i·er; -i·est***) *a.* 탄 곡식모양의, 가루(모양)의, 푸슬푸슬한, 가루를 뿌린, 가루투성이의.

méaly·bùg *n.* Ⓒ 〖곤충〗 쥐똥나무벌레《포도의 해충》.

méaly-móuthed [-ðd, -θt] *a.* 완곡하게〔듣기 좋게〕 말하는; 에둘러 말하는.

mean[1] [miːn] (*p., pp.* ***meant*** [ment]) *vt.* **1 a** 《~+목/+-*ing*/+*to* do/+*that* 절》 (글·말 따위가) **의미하다**; …의 의미를 나타내다, …을 표시하다: What does this word ~? 이 말은 어떠한 뜻입니까/Success does not ~ merely pass*ing* examinations. 성공이란 단순히 시험에 합격하는 것을 의미하는 것은 아니다/Drug addiction ~*s to* depend on drugs. 마약 중독이란 마약에 의존하는 것을 의미한다/This sign ~*s that* cars must stop. 이 표지는 정차하라는 표시다. **b** 《+목+전+명》 (아무가) …의 의미로 말하다, …에 관하여 말하려고 하다《***by*** …으로》; …을 의도하다《***for*** …을 위하여》: What do you ~ *by* that suggestion? 어떻게 하려고 그런 제안을 한 겁니까/What did he ~ *by* 'coward'? 그가 '겁쟁이'라고 말한 것은 무슨 뜻으로 한 말일까요/I *meant* this picture *for* her. 이 그림은 그녀를 그리려는 것이었습니다.

2 《~+목/+목+전+명/+*that* 절》 의중〔뜻〕으로 말하다《***as, for*** …의》: I know what you ~. 네가 무슨 뜻으로 한 말인지를 안다/*I meant* it *for* 〔*as*〕 a joke. 농담으로 한 말이다/I ~ *that* you are a liar. 넌 거짓말쟁이라는 말이다.

3 a 《+*to* do》 (…할) 작정〔의도〕이다(intend): She ~*s to* be a scientist. 그녀는 과학자가 되려고 한다/What do you ~ *to* do? 무엇을 할 작정입니까/Sorry, I didn't ~ *to* interrupt. 미안해요, 방해하려는 것은 아니었습니다. **b** 《+목+*to* do/+목+전+명》 〖흔히 수동태〗 예정하다, 계획하다《***for*** (어떤 목적)으로》: This book *is* not *meant* to be read by children. 이 책은 아동용으로 제작하는 것이 아니다/I wasn't *meant* to be wealthy. 난 부자는 못 될 팔자다/This champagne *was meant for* tomorrow. 이 샴페인은 내일 마실 예정이었다. **c** 《+목+전+명》 주려고 하다《***for*** (특정한 사람)에게》: Is this present *meant for* me or *for* you? 이 선물은 나에게 온 겁니까 아니면 당신에게 온 겁니까.

4 《+목+전+명》 …의 의미를 갖다, 중요성을 갖다《***to*** (아무)에게》: It ~*s* nothing 〔everything〕 *to* me. 그건 나에게 아무것도 아닌〔아주 중요한〕 일이다/Money ~*s* everything *to* him. 그에게는 돈이 모든 것이나 다름없다.

5 《~+목/+-*ing*》 …을 일으키다, 생기게 하다; …의 전조이다: A breakdown in (the) negotiations will ~ war. 교섭의 결렬이 전쟁을 일으키게 될 것이다/Those clouds ~ rain. 저 구름은 비가 올 전조이다/Missing the train will ~ hav*ing* to spend a night in a hotel. 기차를 놓치게 되면 하룻밤 호텔에 묵어야 할 것이다.

6 《~+목/+목+목/+목+전+명》 (의도·감정 따위)를 품다, 갖다《***to*** (아무)에게》: ~ mischief 악의를 품다; 속셈이 있다/He *meant* you no harm. =He *meant* no harm *to* you. 그는 너에게 아무런 악의도 품고 있지 않았다.

—*vi.* 《~/+전+명》 〖well, ill을 수반하여〗 사실은 선의〔악의〕로 한 일이다; 호의〔악의〕를 품다《***to, by, toward*** …에게》: ~ ill 악의를 품다/Nevertheless, he *meant* well in doing what he did. 그렇지만 그가 그렇게 한 것은 선의에서였다/It's not enough to ~ well. 선의를 보이는 것만으로는 충분치 않다/He *meant* well *to* 〔*by, toward*〕 you. 그는 너에게 호의를 갖고 있었다.

be meant to do 《英》 …하지 않으면 안 되다, …하기로 되어 있다: We *are meant to* be back by 9.00 p.m. 우리는 오후 9시까지 돌아오지 않으면 안 되게 되어 있다. ***I ~ to say*** (*!*) ① 요컨대, 결국, 다시 말해서; 말해 두지만: Something has come up. *I ~ to say*, I can't meet you for lunch today. 좀 볼일이 생겼어. 다시 말해서, 오늘은 너와 점심을 같이할 수가 없겠어/You can't have champagne. *I ~ to say*, this is wartime. 샴페인이라니 당치도 않아. 말해 두지만, 지금은 전시중이야. ② 《英구어》 심하다, 난처하다, 곤란하다: She drank the champagne I'd been saving.—Well, *I ~ to say!* 아껴 두었던 샴페인을 그녀가 마셔버렸어—그거 난처하군. ***~ business*** 진심이다. ***you mean?*** 〖문장 끝에 첨가하여, 자세한 설명을 요구하여〗 …라는 말〔것〕입니까: Could you help me?—Financially, you ~? 도와 주시지 않겠어요—재정적으로 말입니까.

DIAL. ***(Do) you mean ...?*** (그것은) …라는 말입니까. ★ ***How do you mean?*** 그건 (구체적

으로) 무슨 뜻이지요.
(Do) you know what I mean? 내가 말하고자 하는 것을 알겠지.
I know what you mean. 네 말을 알겠다.
I mean 〖삽입구로 써서〗 ①《앞에 한 말을 보충하여》 즉 말하자면: He's an optimist; *I mean* he doesn't even bother to bring his umbrella. 그는 낙천가야; 귀찮다고 우산 같은 건 챙기지도 않으니 말이야. ②《앞에 한 말을 정정하여》 그런게 아니고: I want Mr. Green ..., *I mean* Mr. White, on the phone. 그린씨, 아니 화이트씨와 통화하고 싶은데요.
I mean it. 정말이라니까.
I mean to say! 〖놀라움 · 비난을 나타내어〗 뭐라고, 이거 놀라운데.
What do you mean? ① (그것은) 무슨 뜻입니까. ② (그런 짓을 해서) 어쩔 셈인가.

*__mean__[2] *a.* **1** Ⓐ **a** (재능 따위가) **뒤떨어지는**, 보통의, 하잘것없는 : a ~ scholar 하잘것없는 학자/of ~ understanding 머리가 나쁜. **b** 《드물게》 (신분이) 천한, (집 · 옷 따위가) 초라한: of ~ birth 태생이 비천한/a ~ area of the city 도시의 쇠퇴한 구역.
2 a (사람 · 행위가) **비열한**, 품위 없는, 야비한《***to*** (아무)에게/***to*** do》; 치사한, 인색한《***about, over, with*** …에》: a ~ trick 비겁한 속임수/He was ~ *to* his wife. 그는 마누라에게 모진 짓만 되풀이했다/It was ~ *of* him *to* tell you a lie. =He was ~ *to* tell you a lie. 너에게 거짓말을 했다니 그녀석도 야비한 녀석이다/He's ~ *about* 〔*over, with*〕 money. 그는 돈에 대해서 쩨쩨하다〔인색하다〕. **b** 《구어》 기질이 나쁜, 심술궂은: Don't be so ~! 그렇게 짓궂게 굴지 마라.
3 《구어》 부끄러운; 기분〔몸〕이 시원치 않은: I feel ~ for not doing more for my son. 아들을 위해 좀더 해줄 수가 없어서 마음이 개운치 않다.
4 a 《美구어》 (말 따위가) 버릇이 나쁜, 어거할 수 없는; 《美속어》 골치 아픈, 싫은, 귀찮은: a ~ horse 버릇이 나쁜 말/a ~ street to cross 건너기에 힘이 드는 도로/~ business 지긋지긋한 일. **b** 《美구어》 훌륭한, 대단한: He pitches a ~ curve. 그는 대단한 커브를 던진다.
have a ~ opinion of …을 업신여기다, 경멸하다. ***no ~*** 아주 훌륭한, 대단한: He is *no* ~ scholar. 그는 대단한〔넘보지 못할〕 학자이다.

*__mean__[3] *a.* Ⓐ **1** (시간 · 거리 · 수량 · 정도 따위가) **중간인**; 중용의; 중위의, 보통의(average): take a ~ course 중용의 길을 택하다/for the ~ time 그 동안만, 일시적으로. **2** 〖수학〗 **평균의**: the ~ temperature 평균 온도/~ access time 〖컴퓨터〗 평균 접근 시간. ⓒⓕ meantime.
—*n.* Ⓒ (보통 *sing.*) **1** (양단의) 중앙, 중간, 중위; 중등; 중용(ⓒⓕ golden mean): the happy ~ 중용의 덕. **2** 〖수학〗 **평균**(치).

me·an·der [miǽndər] *n.* Ⓒ **1** (*pl.*) (강의) 구불구불함; 꼬부랑길. **2** (보통 *pl.*) 정처 없이 거닒; 우회하는 여행.
—*vi.* **1** (길 · 강이) 완만히 구부러지다〔굽이쳐 흐르다〕: The brook ~*s through* 〔*across*〕 the meadow. 그 개천은 초원을 굽이쳐 흐르고 있다. **2** 정처 없이 거닐다(*along, around*). **3** (이야기가) 두서없이 이어지다.

me·án·der·ing [-dəriŋ] *n.* Ⓒ (보통 *pl.*) **1** 꼬부랑길, 미로; 정처 없이 거닒. **2** 두서없는 이야기, 만담. **—***a.* 굽이쳐 흐르는; 정처 없이 거니는; 두서없는《이야기》; 만담하는.
㊞ **~·ly** *ad.* 굽이쳐서; 정처 없이.

mean·ie [míːni] *n.* Ⓒ 《구어》 비열한 놈, 구두쇠; 악랄하고 불공평한 비평가; (연극 · 소설 따위의) 악역(惡役).

‡**mean·ing** [míːniŋ] *n.* Ⓤ (구체적으로는 Ⓒ) **1** (말 따위의) **의미**, 뜻(sense), 취지: a word with several ~*s* 여러 가지 의미를 가진 단어/There isn't much ~ in this passage. 이 구절에는 그다지 의미가 없다/Seasickness has no personal ~ for me. 나는 뱃멀미 같은 것은 모른다《나에겐 아무런 의미가 없다는 뜻에서》.
SYN. **meaning** 일반적인 말로서 다른 어느 유어(類語)와도 교환이 가능함: the *meaning* of a glance 일별(一瞥)이 뜻하는 것. **sense** 어 · 구의 특정한 뜻, 나아가서 그 뜻이 이해됨을 나타내는 데 두루 쓰임: be used in this *sense* 이 뜻으로 쓰이다. There's no *sense* in what he says. 그가 하는 말에는 전혀 의미가 없다. **significance** 특별히 암시된 뜻, 또는 그 중대성이 곧 파악되기 어려운 의미: The real *significance* of his words was not grasped at the time. 그의 말의 진의는 그때 이해하지 못했었다. **purport** 책 · 이야기 등의 취지, 행동의 목적 · 의도: the *purport* of one's visit 방문의 의도.
2 의의, 중요성; 의도, 목적(purport): the ~ *of* life 인생의 의의/a glance full of ~ 의미심장한 시선/the ~ *of* education 교육의 목적. **3** 효력, 효능: a law with no ~ 규제력이 없는 법률, 엉성한 법.

DIAL. ***if you take my meaning*** (더이상 말하지 않아도) 알겠지.
What's the meaning of this? (이런 짓을 해서) 어쩌자는 거냐; 이건 무슨 뜻이냐《화가 나서》.

—*a.* **1** Ⓐ (눈초리 따위가) 의미 있는 듯한, 의미심장한. **2** 〖합성어로〗 …할 생각인〔작정인〕: well-〔ill-〕~ 선의〔악의〕의.
㊞ **~·ly** *ad.* 의미 있는 듯이, 일부러.

mean·ing·ful [míːniŋfəl] *a.* **1** 의미 있는, 의미심장한(significant): a ~ glance 의미 있는 듯한 시선. **2** 의의(意義) 있는, 뜻 있는: a ~ outcome 뜻 있는 결과/make a person's life ~ 아무의 인생을 의의 있게 하다. ㊞ **~·ly** *ad.* **~·ness** *n.*

°**méan·ing·less** *a.* 의미 없는, 쓸모없는, 무의미한: a ~ discussion 쓸모없는 의논/The new taxes made the pay raise ~. 그 새로운 세금으로 봉급 인상도 의미가 없어졌다. ㊞ **~·ly** *ad.* **~·ness** *n.*

méan·ly *ad.* 천하게, 비열하게; 인색하게; 볼꼴사납게, 초라하게; 경멸하여.

méan·ness *n.* Ⓤ 천함, 빈약함, 비열함, 야비.

‡**means** [miːnz] (*pl.* ~) *n.* **1** Ⓒ **수단**, 방법《***to, of*** …의/***to*** do》: a ~ *to* an end 목적 달성의 수단/the ~ *of* communication 통신〔전달〕 수단/a ~ *of* livelihood 생계 수단/The quickest ~ *of* travel is by plane. 가장 빠른 여행 수단은 비행기를 이용하는 것이다/The end justifies the ~. 《속담》 목적은 수단을 정당화한다/We have the ~ *to* prevent the disease but not *to* cure it. 그 병을 예방하는 수단〔방법〕은 있으나 그것을 치료하는 방법은 없다.
2 〖복수취급〗 **자금**, **재력**, 자산, 수입, 부(riches), 《특히》 돈《***to*** do》: I don't have ~ *to* buy a

house. 집을 살 만한 돈은 없다/a man of ~ (상당한) 자산가. **by all** ~ ① 반드시. ②〖허가·승낙·동의를 나타내어〗좋고 말고요, 그러시죠(certainly): Shall I ask him?—*By all* ~. 그에게 부탁할까요—암 그러시죠. **by any** ~〖부정문에서〗아무리 해도, 도무지 (… 아니다): He's *not by any* ~ poor. 그는 결코 가난하지 않다/I do*n't* think you can persuade him *by any* ~. 아무리 해도 그를 설득할 수 없을 겁니다. **by fair** ~ **or foul** 무슨 일이 있어도, 꼭. **by** ~ **of** …에 의하여, …으로, …을 써서: We express our thoughts *by* ~ *of* words. 우리들은 말로 사상을 표현한다. **by no** ~**s** =**not by any** ~**s** 결코 …하지 않다〔이 아니다〕: It is *by no* ~*s* easy to satisfy everyone. 모두를 만족시키는 것은 결코 쉽지 않다. **by some** ~**s or other** 이럭저럭 해서. **live within** 〔**beyond, above**〕 one**'s** ~ 분수에 맞게〔지나치게〕 살다.

méans tèst《英》(실업 구제를 받을 사람의) 수입〔가계〕 조사.

meant [ment] MEAN[1]의 과거·과거분사.

mean·time, mean·while** [míːntàim], [-*h*wàil] *n.* (the ~) (그) **동안**. **for the** ~ 당장에는, 당분간. **in the** ~ 이럭저럭 하는 동안에《보통 meantime이 쓰임》, 그때까지. **—ad.* **1** (흔히 -while) **그 사이에**; 이럭저럭 하는 동안에; 이야기는 바뀌어 (한편). **2** 동시에.

***mea·sles** [míːzəlz] *n.* Ⓤ〖의학〗**홍역**, 마진(痲疹); 풍진(風疹)(German ~): catch 〔have〕 ~ 홍역에 걸리다/*Measles* is generally a children's disease. 홍역은 대체로 아이들의 병이다.

mea·sly [míːzli] (*-sli·er; -sli·est*) *a.* 홍역의, 홍역에 걸린; 《구어》 불충분한, 잔단, 하찮은.

***meas·ur·a·ble** [méʒərəbəl] *a.* **잴 수 있는**; 어느 정도의, 상당한: at a ~ distance from the earth 지구에서 측정할 수 있는 거리를 두고/make a ~ difference 상당한 차이를 가져오다. **within a** ~ **distance of** …에 가까이, …에 직면하여.

méa·sur·a·bly *ad.* **1** 눈에 띄게, 뚜렷이. **2** 적당히; 《美》 다소, 어느 정도까지.

****meas·ure** [méʒər] *vt.* **1** 《~+목/+목+전+명》 …을 **재다**, 계량〔측정, 측량〕하다, …의 치수를 재다《**for** …을 위하여》: ~ a room 방을 재다/~ boundaries 경계를 측량하다/~ the distance from A to B. A에서 B까지의 거리를 재다/A thermometer ~*s* temperature. 온도계는 온도를 잰다/She ~*d* her client *for* her new clothes. 그녀는 손님이 맞추려는 새 옷의 치수를 쟀다.

2 《~+목/+목+전+명》 판단하다, 평가〔비교〕하다 《**by** …의 기준에 비추어》; (우열 따위)를 재다〔겨루다〕《**against** (다른 것〔사람〕과 비교하여; **with** …와》: ~ intelligence 지력을 판단하다/~ this *against* that 이것과 저것을 비교하여 평가하다/~ one's strength *with* another's 남과 힘을 겨루다.

3 (아무)를 자세히〔빤히〕 훑어보다: ~ a person from top to toe with one's eyes 아무를 머리끝에서 발끝까지 자세히 훑어보다.

—*vi.* **1** (치수를) 재다, 측정하다.

2 《+보》 **재어서 …이 되다**, …의 길이〔폭, 무게 따위〕이다: The boat ~*s* 20 feet. 그 배의 길이는 20 피트이다/This book ~*s* six inches by four. 이 책은 세로 6 인치 가로 4 인치이다.

~ **off** 《*vt.*+부》 재어서 나누다; 구획〔구분〕하다: ~ *off* a yard of silk 비단을 1야드 잘라내다. ~ **out** 《*vt.*+부》 재어서 나누다〔분배하다〕, 할당하다: ~ *out* ten pounds of flour to each person 각 사람에게 10 파운드의 밀가루를 재어서 분배하다. ~ one**'s length** (**on the ground**) ⇨LENGTH. ~ **up** 《*vt.*+부》 ① 치수를 재다《**for** …의》: She was ~*d up for* a new dress. 그녀의 새 드레스의 치수를 쟀다. ② (가능성 따위)를 추정하다. **—** 《*vi.*+부》 ③ 치수를 재다. ④ 필요한 만큼의 자격〔재능, 능력〕이 있다: We tried him in the position, but he didn't ~ *up*. 그를 그 부서에 맞는지 역량을 시험해 보았지만, 그는 그 부서를 맡을 그릇이 아니었다. ~ **up to** ① 길이〔폭, 높이〕가 …에 달하다: The river ~*s up to* 100 meters across. 그 강은 폭이 100m에 이른다. ② 《美》(표준·이상·기대 등)에 들어맞다, 달하다, 일치〔부합〕하다: He ~*s up to* his new position. 그는 새 지위에 잘 어울린다/The work did not ~ *up to* our expectations. 그 작품은 우리들의 기대에는 미치지 못했다.

—*n.* **1** Ⓤ **치수, 분량**; 크기, 무게, 길이, 말수《斗數》: ~ *of* capacity 용량(容量)/His waist ~ is 26 inches. 그의 허리 치수는 26인치이다.

2 a Ⓒ 도량 단위《미터·인치·그램·쿼터 따위》: A meter is a ~ of length. 미터는 길이의 단위이다/weights and ~*s* 도량형(度量衡). **b** Ⓤ 도량법: metric ~ 미터법/angular ~ 각도/⇨DRY 〔LIQUID〕 MEASURE/SQUARE MEASURE.

3 Ⓒ **되**, (줄)자, 도량형기: a yard ~ 야드자/a tape ~ 줄자.

4 Ⓤ (또는 a ~) (기구(器具)에 의한) 분량, 정도: a ~ *of* sugar 설탕 한 그릇〔한 눈금〕/heaped ~ 고봉/There's a ~ of truth in what he said. 그가 말한 것은 어느 정도는 사실이다.

5 Ⓒ (평가·판단 등의) 기준, 척도: by any ~ 어떤 기준에 비추어도/Wealth is not the only ~ of success. 부(富)만이 오로지 성공의 척도는 아니다/The streaming tears gave the ~ of her sorrow. 흐르는 눈물은 그녀의 슬픔 정도를 나타냈다.

6 Ⓤ **한도**, 한계, 정도; 표준, 적도(適度): a civilized sense of ~ 세련된 절도(節度) 감각/have no ~ 한계를 모르다, 한〔끝〕이 없다/enjoy a full ~ *of* happiness 행복을 만끽하다.

7 Ⓒ 법안(bill), 법령: adopt 〔reject〕 a ~ 법안을 가결〔부결〕하다.

8 Ⓒ (흔히 *pl.*) **수단**, 방책; 조치《**to** do》: a desperate ~ 자포자기적인 수단/an emergency 〔a safety〕 ~ 긴급〔안전〕 조치/take the necessary ~*s to* preserve order 질서 유지에 필요한 조치를 취하다.

9 a Ⓤ〖시학〗운율(韻律)(meter). **b** Ⓒ《시어》선율, 곡조.

10〖음악〗**a** Ⓒ 소절(bar). **b** Ⓤ 박자.

for good ~ 덤으로, 여분으로, 분량을 넉넉하게. **give full** 〔**good**〕 ~ 넉넉히 재어〔달아, 되어〕 주다. **give short** ~ 부족하게 재어 〔달아, 되어〕 주다. **give** 〔**show**〕 **the** ~ **of** …의 정도를〔역량을〕 나타내다, …의 표준이 되다. **have** a person**'s** ~ **to an inch** 아무의 기량〔사람됨〕을 속속들이 알고 있다. **in** (**a**) **great** 〔**large**〕 ~ 꽤 많이, 대부분. **in a** 〔**some**〕 ~ 다소, 얼마간. **made to** ~ 《英》 치수에 맞추어 지은, 맞춤의《양복 따위》. cf. ready-made. ~ **for** ~ 앙갚음, 보복(tit for tat). **take** 〔**get**〕 a person**'s** ~ 아무의 치수를 재다; 아무의 인물〔사람됨〕을 보다. **to** ~ 치수에 맞추

어, 주문하여: The dress was made *to* ~. 그 드레스는 주문하여 만들었다.

méas·ured *a.* **1** 정확히 잰, 측정한. **2** 신중한, 잘 생각한《말 따위》: speak in ~ terms 신중하게 말하다. **3** 박자가 맞는, 정연한《보조 따위》: walk with a ~ tread 천천히 보조를 맞추어 걷다.

méas·ure·less *a.* 《문어》 무한한, 헤아릴 수 없는.

‡meas·ure·ment [méʒərmənt] *n.* **1** Ⓤ **측량**, 측정: *Measurement* of such distances is extremely difficult. 그와 같은 거리 측정은 지극히 어렵다. **2** Ⓒ **a** (측정한) 치수, 크기, 넓이, 길이, 깊이, 두께: inside [outside] ~(s) 안[바깥] 치수 / The ~*s* of the room are eight feet by five. 방 넓이는 폭이 8피트, 길이가 5피트이다. **b** (보통 *pl.*) 《구어》 (가슴 · 허리 둘레 따위의) 치수: take a person's ~*s* 아무의 치수를 재다 / What are her ~*s*? 그녀의 사이즈는 얼마인가.

méasurement tòn 용적톤《40 cu. ft.》.

méas·ur·er [-rər] *n.* Ⓒ 재는 사람, 측정자; 계량기(器).

méas·ur·ing [-riŋ] *a.* Ⓐ 측정의, 측량용(用)의.

méasuring cùp 계량 컵, 눈금을 새긴 컵.

méasuring tàpe 줄자.

méasuring wòrm 〖곤충〗 자벌레(looper).

‡meat [mi:t] *n.* Ⓤ **1** (종류는 Ⓒ) (식용 짐승의) **고기**. ⓒⓕ flesh. ¶ chilled ~ 냉장육 / ground [《英》 minced] ~ 저민 고기 / butcher('s) ~ 식(용)육《닭고기 · 베이컨 따위는 제외》 / There's not much ~ on that bone. 그 뼈에는 고기가 그다지 붙어 있지 않다. **2** 《美》 (게 · 조개 · 달걀 · 과일 등의) 먹을 수 있는 부분, 속, 알맹이, 살: crab ~ 게살 / inside ~ (고기) 내장 / the ~ of a walnut 호도 속《알맹이》. **3** (생선살 이외의 여러 종류) 살코기: ⇨ WHITE MEAT, RED MEAT. **4** (책 따위의) 내용, 실질: This book is full of ~. 이 책은 내용이 충실하다. **5** 《고어》 (마실 것과 구별하여) 먹을거리; 식사: green ~ 야채 / ~ and drink 음식물 / One man's ~ is another man's poison. 《속담》 갑의 약은 을의 독(毒). ***be ~ and drink to*** a person 아무에게 더할 나위 없는 즐거움이다.

méat and potátoes 〖단 · 복수취급〗 《美구어》 주요[기본] 부분, 기본, 중요 개소; 실질: the ~ of this program 이 프로그램의 기본.

méat-and-potátoes [-ənd-] 《美구어》 *a.* Ⓐ 기본적인, 중요한; 현실적인, 일상적인.

méat·bàll *n.* Ⓒ **1** 미트볼, 고기 완자. **2** 《美속어》 지겨운 녀석; 바보, 얼간이; 쓸모없는 사람.

méat·lòaf *n.* Ⓤ (낱개는 Ⓒ) 잘게 다진 고기와 다른 재료들을 섞어서 빵덩어리 모양으로 틀에 넣어 오븐에 구운 요리(=**méat lòaf**).

méat-píe *n.* Ⓤ (종류 · 낱개는 Ⓒ) 고기 파이, 미트파이.

méat sàfe 《英》 (육류를 보관하는 금속 방충망이 달린) 찬장.

meaty [mí:ti] (***meat·i·er; -i·est***) *a.* **1** 고기의 [가 많은], 근육이 우람한. **2** 내용이 충실한, 요령 있는《연설 따위》: a ~ doctoral dissertation 내용이 충실한 박사 논문. ⓜ **méat·i·ness** *n.*

Mec·ca [mékə] *n.* 메카《사우디아라비아의 도시; Muhammad 탄생지; 이슬람교 성지》; (흔히 m-) 동경의 땅, 사람이 잘 가는 곳; 동경의 대상 《***for, of*** …의》: Hawaii is a ~ *for* vacationing people. 하와이는 휴가를 즐기는 사람들의 낙원이다.

mech. mechanic(al); mechanics; mechanism; mechanized.

***me·chan·ic** [məkǽnik] *n.* Ⓒ **기계공**; (기계) 수리공, 정비사; 《고어》 직공, 장인(artisan): a car ~ 자동차 정비공.

SYN. **mechanic** 기계의 정비나 수리 기술을 지닌 장인. **artisan** artist에 대하여 손을 쓰는 기술직 장인《목수 · 구두장이 등》. **operative** 기계를 쓰는 공장의 장인.

‡me·chan·i·cal [məkǽnikəl] *a.* **1 a 기계(상)의**; 공구의; 기계로 조작하는[만든, 움직이는]: a ~ engineer 기계 기사[공학자] / ~ products 기계 제품 / ~ power 기계력. **b** (사람이) 기계에 밝은. **2 기계적인**, 자동적인, 무의식의, 무감정한: a ~ style of writing 틀에 박힌 문체 / Her reading is very ~. 그녀는 그저 기계적으로 독서를 한다.

mechánical dráwing 기계 제도(製圖), 용기화(用器畫).

mechánical engineéring 기계 공학.

me·chán·i·cal·ly *ad.* 기계(장치)로, 기계적으로; 무의식적[자동적]으로.

mechánical péncil 《美》 샤프펜슬(automatic pencil, 《英》 propelling pencil).

mech·a·ni·cian [mèkəníʃən] *n.* Ⓒ 기계 기사; 기계공(mechanic); 기계학자.

***me·chan·ics** [məkǽniks] *n.* **1** Ⓤ **기계학**; 역학: applied ~ 응용 역학 / ⇨ QUANTUM MECHANICS. **2** (보통 the ~) 〖복수취급〗 기계적인 부분; 테크닉(technique), 기술, 기교: The ~ *of* writing are attained through rigorous training. 작문 기법은 엄격한 수련을 통해 습득된다.

‡mech·a·nism [mékənìzəm] *n.* Ⓒ **1 기계(장치)**, 기구, 구조, 구성, 장치: the ~ of a clock 시계의 장치 / the ~ of government 행정 기구 / the complex ~ of a living cell 살아 있는 세포의 복잡한 구조. **2** (조작의) 절차, 방법, 과정; 〖예술〗 (그림 · 음악 등의) 기법, 기교, 테크닉: There is no ~ *for* chang*ing* the policy. 그 방침을 바꿀 방법은 없다. **3** 〖심리〗 (사고 · 행동 등을 결정하는) 심리 과정: the ~ of invention 발명에 이르는 심리 과정.

méch·a·nist *n.* Ⓒ 〖철학〗 기계론자, 유물론자.

mech·a·nis·tic [mèkənístik] *a.* 기계론적인. ⓜ **-ti·cal·ly** *ad.*

mèch·a·ni·zá·tion *n.* Ⓤ 《특히》 (군대의) 기계화.

mech·a·nize [mékənàiz] *vt.* **1** 기계화하다; (공장 등)에 기계설비를 도입하다: Office work is becoming increasingly ~*d*. 사무는 점점 기계화되고 있다. **2** 〖군사〗 (부대 등)을 기갑화하다, 기동화하다: a ~*d* unit 기계화 부대 / ~*d* forces 〖집합적〗 기계화 부대.

mech·a·tron·ics [mèkətrániks/-trɔ́n-] *n.* Ⓤ 메카트로닉스《기계공학과 전자공학을 결합시킨 학문, 또는 그 연구 결과》.

Med [med] *n.* (the ~) 《구어》 지중해 (지방) (Mediterranean).

Med. Medieval. **med.** medical; medicine; medium.

med·al** [médl] *n.* Ⓒ **메달**, 상패, 기념패, 기장, 훈장: award a ~ to a person 아무에게 메달을 수여하다 / a prize ~ 상패 / ⇨ GOLD MEDAL. ***the Medal for Merit 《美》 공로 훈장《일반 시민에게 수여함; 1942년 제정》. ***the Medal of Free-***

dom 《美》 자유 훈장《국가의 보안·이익, 세계의 평화·문화 등에 공헌이 많은 사람에게 대통령이 수여함; 1945년 제정》. ***the Medal of Honor*** 《美》 명예 훈장《전투원의 희생적 수훈에 대해 대통령이 직접 주는 최고 훈장》.

med·al·ist, 《英》 **-al·list** [médəlist] *n.* Ⓒ 메달 제작〔의장(意匠), 조각〕가; 메달 수령자〔수집가〕: a gold 〔silver〕 ~ 금〔은〕 메달 수상자.

me·dal·lion [mədǽljən] *n.* Ⓒ 큰 메달〔상패〕; (초상화 따위의) 원형 돋을새김.

médal plày 〖골프〗 타수(打數) 경기(stroke play)《한 코스의 타수가 가장 적은 자로부터 순위를 결정함》. ⓒⓕ match play.

***med·dle** [médl] *vi.* **1** 《~/+전+명》 **쓸데없이 참견하다, 간섭하다**《*with, in* …에》: My grandma is always *meddling* (*with* us 〔*in* our affairs〕). 할머니는 늘 (우리에게〔우리 일에〕) 참견하신다. **2** 《+전+명》 만지작거리다, 주무르다《*with* (남의 것)을》: Don't ~ *with* the clock. 시계를 만지작거리지 마라. ⓟ **-dler** *n.* Ⓒ 오지랖 넓은 사람, 간섭자.

med·dle·some [médlsəm] *a.* (진절머리날 정도로) 간섭〔참견〕하기 좋아하는, 오지랖 넓은. ⓟ **~·ly** *ad.* **~·ness** *n.*

med·dling [médliŋ] *n.* Ⓤ (쓸데없는) 간섭, 참견: No more of your ~, please. 다시는 쓸데없는 참견은 그만두게. ── *a.* Ⓐ 참견하는, 간섭하는.

me·dia [mí:diə] *n. pl.* **1** MEDIUM의 복수. **2** (the ~) 〖단·복수취급〗 매스컴, 매스미디어; 〖컴퓨터〗 매체: I think the ~ are 〔is〕 biased. 매스컴은 편파적이라고 생각한다.

me·di·ae·val [mì:dií:vəl, mèd-] *a.* =MEDIEVAL.

média evènt (매스컴 보도를 예상하고) 계획한 행사; (매스컴에 확대〔과장〕 보도된) 조작된 대사건; (텔레비전 등의) 특별 프로.

me·di·al [mí:diəl] *a.* Ⓐ 중간의, 중앙의; 평균치(値)의; 보통의, 중용의: a ~ consonant 〖음성〗 중간 자음(자(字)). ⓟ **~·ly** *ad.*

me·di·an [mí:diən] *a.* Ⓐ 중앙〔중간〕의〔에 있는〕, 중앙을 통과하고 있는: the ~ line 〔point〕 〖수학〗 중선(中線)〔중점(中點)〕. ── *n.* Ⓒ **1** 〖수학·통계〗 중앙값, 메디안; 중점(中點), 중선(中線). **2** 《美》 (도로의) 중앙 분리대(《英》 central reservation): Keep off *Median.* 《게시》 중앙 분리대 진입 금지.

médian stríp 《美》 =MEDIAN 2.

me·di·ate [mí:dièit] *vt.* (분쟁 등)을 조정〔중재〕하다, 화해시키다; (선물·정보 등)을 중간에서 전하다, 전달하다; (협정 따위)를 조정하여 성립시키다: ~ a treaty 조정하여 조약을 맺다. ── *vi.* 중재〔조정, 화해〕하다《*in* (분쟁 따위)에서; *between* …사이를》; 중간에 위치하다, 개재하다: ~ *between* A *and* B, A와 B를 조정하다.

°**mè·di·á·tion** *n.* Ⓤ 중개; 조정, 중재. ⓒⓕ arbitration, conciliation.

me·di·a·tor [mí:dièitər] *n.* Ⓒ 조정자(調停者), 매개자; 중재인.

me·di·a·to·ry [mí:diətɔ̀:ri/-təri] *a.* 중재의, 조정〔매개〕의.

med·ic [médik] *n.* Ⓒ 《구어》 의사(doctor); 인턴, 의과 대학 학생; 《美》 〖군사〗 군의관, 위생병.

med·i·ca·ble [médikəbəl] *a.* 치료할 수 있는.

Med·ic·aid [médikèid] *n.* (때로 m-) Ⓤ 《美》 65세 미만의 저소득자·신체 장애자 의료 보조 제도. ⓒⓕ Medicare. [◂*medical*+*aid*]

‡**med·i·cal** [médikəl] *a.* Ⓐ **1 의학의,** 의술〔의료〕의; 의약의: ~ equipment 의료기구 / the ~ department 의학부(部) / ~ electronics 의학용 전자 공학 / ~ care 치료, 의료 / ~ fertilization 인공 수정 / a ~ corps 의무단 / the ~ art 의술 / a ~ college 의과 대학 / a ~ man 의사 / ~ science 의학 / a ~ compound 약제 / a ~ record 진료 기록, 카르테 / a ~ check up 건강 진단 / a ~ practitioner 개업의(醫) / under ~ treatment 치료중(인). **2 내과의.** ⓒⓕ surgical. ¶ a ~ case 〔ward〕 내과 환자〔병동〕. ◇medicine *n.*
── *n.* Ⓒ 《구어》 **1** 의사; 의과 대학 학생(=∠ **stúdent**). **2** 건강 진단, 신체검사: have 〔take〕 a ~ 건강진단을 받다. ⓟ **~·ly** *ad.* 의학상; 의학〔의약〕으로, 의술로.

médical exáminer 1 〖美법률〗 검시관(檢屍官)〔의(醫)〕(ⓒⓕ coroner). **2** (학교·군대·보험회사 등의) 건강 진단의(醫).

me·dic·a·ment [mədíkəmənt] *n.* Ⓒ 약, 약물, 약제.

Med·i·care [médikὲər] *n.* (때로 m-) Ⓤ 《美·Can.》 (노인) 의료 보장 (제도)《주로 65세 이상의 고령자(高齡者)를 대상으로 함》. ⓒⓕ Medicaid. [◂*medical*+*care*]

med·i·cate [médəkèit] *vt.* …을 약으로 치료하다; …에 약을 넣다〔섞다〕: a ~*d* bath 약탕(藥湯) / ~*d* soap 약용 비누.

mèd·i·cá·tion *n.* **1** Ⓤ 약물 치료〔처리〕: be on ~ for cancer 암으로 약물 치료를 받고 있다. **2** Ⓤ (종류는 Ⓒ) 약물, 의약품: prescribe (a) ~ 약을 처방하다.

Med·i·ci [médətʃi:] *n.* (the ~) 메디치가(家)《15-18세기 이탈리아 Florence의 명문으로서 문예·미술 보호에 공헌했음》.

me·dic·i·nal [mədísənəl] *a.* 의약의, 약용의, 약효 있는, 병을 고치는(curative): ~ herbs 약초 / ~ properties 약효 성분 / ~ substances 약물 / ~ virtues 약효. ⓟ **~·ly** [-nəli] *ad.* 약으로서; 의약으로.

‡**med·i·cine** [médəsən] *n.* **1** Ⓤ (종류·낱개는 Ⓒ) 약, 약물, 《특히》 내복약. ⓒⓕ drug. ¶ (a) patent 〔an over-the-counter〕 ~ 매약(賣藥), 특효약 / prescribe (a) ~ 약을 처방하다 / take (a) ~ for a cold 감기약을 복용하다. **2** Ⓤ 의학, 의술; 《특히》 내과(치료)(ⓒⓕ surgery): clinical 〔preventive〕 ~ 임상〔예방〕의학 / study ~ and surgery 내·외과를 연구하다 / domestic ~ 가정 치료; 가정약 / practice ~ (의사가) 개업하고 있다 / I'm in ~. 나는 의료 분야에 종사하고 있습니다. **3** Ⓤ (아메리카 인디언의) 주술(呪術), 마술; 주물(呪物), 부적. ◇medicinal, medical *a.*
give a person ***a dose*** 〔***taste***〕 ***of*** his ***own*** ~ 《구어》 상대와 같은 수법으로 보복하다. ***take*** one***'s*** ~ (***like a man***) 《구어》 벌을 감수하다, 제 탓이라고 싫은 일을 참다.

médicine bàll 가죽으로 만든 무거운 공《체육용》; 그 공을 사용하는 구기.

médicine càbinet (세면대의) 상비 약품 선반.

médicine chèst 약상자〔선반〕, 구급 상자.

médicine màn (북아메리카 인디언 등의) 주술사.

med·i·co [médikòu] (*pl.* ~*s*) *n.* Ⓒ 《구어》 의사; 의학생.

‡me·di·e·val [mìːdiíːvəl, mèd-] *a.* **1** 중세풍의, 중세의(cf. ancient, modern)¶~ history 중세사. **2** 《구어》 낡은, 구식의.

mè·di·é·val·ìsm *n.* Ⓤ 중세 정신〔사상〕; 중세 존중, 중세 취미〔연구〕.

mè·di·é·val·ist *n.* Ⓒ 중세 연구가〔사학자〕; (예술·종교 등의) 중세 찬미자.

Me·di·na [mədíːnə] *n.* 메디나《사우디아라비아 북서부의 도시; 이슬람교 제2의 성지(聖地)로, Muhammad의 무덤이 있음》.

◇me·di·o·cre [mìːdióukər, ˌ-ˌ-ˊ-] *a.* 좋지도 나쁘지도 않은, 보통의, 평범한; 2류의.

◇me·di·oc·ri·ty [mìːdiákrəti/-ɔ́k-] *n.* **1** Ⓤ 평범, 범용(凡庸). **2** Ⓒ 평범한 사람, 범인(凡人).

Medit. Mediterranean.

med·i·tate** [médətèit] *vi.* 《~/+전+명》 **명상하다**, 묵상하다, 숙려(熟慮)하다《on, upon*** …에 관하여》: ~ deeply 깊이 명상하다/~ *on* one's misfortune 자신의 불운을 곰곰이 생각하다.
—*vt.* 《~+목/+-*ing*》 계획하다, 꾀하다, 기도(企圖)하다: ~ revenge 복수를 꾀하다/I am *meditating* retiring. 나는 은퇴하려고 생각 중이다. SYN. ⇨THINK. ◇meditation *n.*

***med·i·ta·tion** [mèdətéiʃən] *n.* **1** Ⓤ **묵상**, (종교적) 명상; 숙고, 고찰: deep in ~ 묵상에 잠겨. **2** Ⓒ (흔히 *pl.*) 명상록. ◇meditate *v.*

◇med·i·ta·tive [médətèitiv] *a.* 묵상의, 묵상에 잠기는, 명상적인. ㊞ **~·ly** *ad.*

med·i·ta·tor [médətèitər] *n.* Ⓒ 묵상하는 사람, 명상자, 사색가; 고안자, 계획자.

Med·i·ter·ra·ne·an** [mèdətəréiniən] *a.* Ⓐ **지중해의**; 지중해 연안(특유)의, 지중해성(性) 기후의. **—n.* (the ~) 지중해(~ Sea).

Mediterránean frúit flỳ 〖곤충〗 지중해광대파리(Medfly)《과수의 해충》.

Mediterránean Séa (the ~) 지중해.

‡me·di·um [míːdiəm] (*pl.* **~s, -dia** [-diə]) *n.* Ⓒ **1 중간**, 중위(中位): ⇨a HAPPY MEDIUM. **2 매개(물)**, 매체; (정보·통신 등의) 매개, 수단(means), 보도기관: Air is the ~ of sound. 공기는 소리의 매체이다/mass *media* 매스 미디어/the ~ of circulation 〔exchange〕 통화(通貨). **3** (생물 등의) 환경, 생활 조건. **4** (*pl.* **~s**) 무당, 영매(靈媒). **5** (그림 물감의) 용액《물·기름 따위》. **6** 〖생물〗 배양기(基)(culture ~). **7** 《구어》 M사이즈의 의복: Do you have a ~ in this color? 이 색으로 M사이즈 있습니까. **8** 〖물리〗 매질(媒質). **9** 〖미술〗 표현 수단; 재료. ***by*** 〔***through***〕 ***the ~ of*** …의 매개로, …을 통하여.
—*a.* **1** Ⓐ **중위**〔**중등, 중간**〕**의**, 보통의(average): a man of ~ height 중키의 사람. **2** (고기 따위가) 중간 정도로 구워진(cf. rare[2], well-done): cook over ~ heat 뭉근한 불로 요리하다.

médium drý (셰리주·포도주가) 중간 정도로 신맛이 나는.

médium fréquency 〖통신〗 중파(中波), 헥토미터파《300–3000kilohertz; AM 방송에 쓰임; 생략: MF, M.F., m.f.》; 중간 주파수.

médium-sízed *a.* 중형(中型)의, 중판(中判)의, 보통형의.

médium wáve 〖통신〗 중파(中波)《파장 100–1,000m》.

med·lar [médlər] *n.* Ⓒ 〖식물〗 서양모과나무; 그 열매.

◇med·ley [médli] *n.* Ⓒ 잡동사니, 뒤범벅; 잡다한 집단; 〖음악〗 접속곡, 혼성곡; =MEDLEY RELAY: a ~ *of* furniture, Korean and Western 한·양식이 뒤섞인 잡다한 가구류.

médley ràce 〔**rèlay**〕 메들리 경주〔경영(競泳)〕.

Mé·doc [méidɑk/méidɔk] *n.* 《F.》 Ⓤ 붉은 포도주의 일종《프랑스 남서부 Médoc 산(産)》.

me·dul·la [mədʌ́lə] (*pl.* **~s, -lae** [-liː]) *n.* 《L.》 Ⓒ 〖해부〗 골수(marrow), 수질(髓質); 연수(延髓), 숨골; 〖식물〗 고갱이.

Me·du·sa [mədjúːsə, -zə] *n.* **1** 〖그리스신화〗 메두사《세 자매 괴물(Gorgons) 중의 하나》. **2** (m-) (*pl.* **~s, -sae** [-siː]) Ⓒ 〖동물〗 해파리(jellyfish).

meed [miːd] *n.* (*sing.*) 《고어·시어》 보수(reward); 포상, 상여; 충분한 몫.

◇meek [miːk] *a.* **1** (온)순한, 유화한(mild). SYN. ⇨GENTLE. **2** 굴종적인, 기백〔용기〕 없는(spiritless). cf. humble, modest. (***as***) **~ *as a lamb*** 〔***a maid, Moses***〕 양처럼 순한〔순종하는〕. **~ *and mild*** 온순한, 불평을 않는; 기백 없는. ㊞ **ˊ~·ly** *ad.* **ˊ~·ness** *n.*

meer·kat, mier- [míərkæ̀t] *n.* Ⓒ 〖동물〗 몽구스류《작은 육식 동물; 남아프리카산》.

meer·schaum [míərʃəm, -ʃɔːm] *n.* 《G.》 **1** Ⓤ 〖광물〗 해포석(海泡石). **2** Ⓒ 해포석 담배 파이프.

†meet[1] [miːt] (*p.*, *pp.* **met** [met]) *vt.* **1** (우연히) …을 **만나다**, …와 **마주치다**(encounter); …와 스쳐 지나가다, 얼굴을 대하다(confront): turn aside to avoid ~*ing* a person 아무와 마주치기 싫어 외면하다/I *met* him by chance. 그를 우연히 만났다/I *met* her on 〔in〕 the street. 그녀를 길에서 만났다. SYN. ⇨VISIT.

SYN. **meet** 만나다. see와 비교하여 '얼굴을 마주 대하다'라는 행위만이 강조되며, 용무에 대한 관념은 수반되지 않음: We *met* at the front door but passed each other without exchanging words. 우리는 입구에서 마주쳤으나 피차 말없이 지나쳤다. **see** 용무 따위 때문에 만나다: *See* your doctor. 의사의 진찰을 받아봐라. **encounter** 갑자기 맞닥뜨리다, 조우하다. **join** 합치다; 아무와 '약속하여 만나다': The two roads *join* at this place. 두 길은 이 지점에서 만난다. I'll *join* you later. 나중에 여러분과 만나겠습니다.

2 (소개받아) …을 **처음으로 만나다**, …와 아는 사이가 되다: *Meet* my wife. 아내를 소개하겠네/I have already *met* Dr. Eaton. 이튼 선생과는 이미 인사를 나눈 사이다/Mr. Smith, I want you to ~ Mrs. Jones. 스미스씨, 존스 부인을 소개합니다.

3 a (약속하고) **만나다**, (절충 따위를 위해) 면회〔회견〕하다: *Meet* me in Seoul. 서울에서 만납시다/He *met* his employees at his office. 그는 그의 사무실에서 종업원과 회견했다. **b** 마중하다: I'll ~ your train. 역까지 마중나가겠다/You will be *met* at the station by my secretary. 역까지 비서가 맞이하러 갈 것입니다《★수동태는 조금 사무적인 느낌이 있음》.

4 (운명·죽음 따위)에 직면하다, …을 겪다; 조우하다: ~ hostility 적대시(視)당하다/~ one's fate calmly 태연히 운명에 따르다〔죽다〕/She *met* her death in a traffic accident. 그녀는 교통사고로 사망했다.

5 (적·곤란 따위)에 **맞서다, 대처하다**, 대항하다; …와 대전(對戰)하다: ~ the situation 사태에 대처하다/~ a danger calmly 태연히 위험에 맞서

다 / When does Yonsei ~ Korea (in football)? (축구의) 연고전(延高戰)은 언제냐.
6 (주문 · 요구 · 필요 따위)에 응하다, (의무 · 조건 따위)를 채우다, 충족시키다(satisfy): ~ obligations 의무를 다하다 / ~ a person's demands [objections] 아무의 요구[이의]에 응하다 / I'll try to ~ your wishes. 희망하시는 대로 해드리도록 노력하겠습니다.
7 (부채 따위)를 갚다, 지급하다(pay), (어음 등)을 결제하다: ~ a bill 셈을 치르다 / ~ debts 빚을 갚다 / ~ expenses 비용을 치르다 / The traveling expenses will be *met* by the company. 여비는 회사에서 지급할 것이다.
8 a (길 · 강 따위가) …을 **만나다**, 합치다, …와 교차하다, 합류하다: The river ~*s* another below this bridge. 강은 이 다리 하류에서 다른 강과 만난다[합류된다]. **b** (탈것이) …와 연락[연결]하다: The train ~*s* the ship at Dover. 그 열차는 도버에서 배에 연결된다.
9 (물리적으로) …와 접촉하다, …에 부딪치다, …와 충돌하다: The two cars *met* each other head-on. 두 차가 정면 충돌했다.
10 (눈)에 띄다, (귀)에 들리다; (시선 따위가) …와 마주치다: A peculiar sight *met* our eyes. 기묘한 광경이 눈에 띄었다 / There's more in [to] it than ~*s* the ear. 거기에는 귀에 들리는 이상의 것이 있다《감추어진 사실 · 이유 따위가 있다》/ He *met* my glance with a smile. 그는 나와 시선이 마주치자 미소지었다.
—*vi.* **1 만나다**, 마주치다: We seldom ~ now. 요사이는 좀처럼 만나지 않는다.
2 《~/+副》 **회합하다**, 모이다(*together*); (집회 · 수업 따위가) 열리다: Congress will ~ next month. 국회는 다음달 열린다 / They ~ *together* once a year. 그들은 일년에 한번씩 모인다 / The class will not ~ today. 오늘은 휴강이다.
3 (소개받아) 서로 아는 사이가 되다: We first *met* at a party. 우리들은 파티에서 처음 알게 되었다.
4 (몇 개의 길 · 선 등이) **하나로 합쳐지다**, 교차하다; (복수의 것이) 접촉하다; (양끝이) 상접하다: The two roads ~ there. 두 길은 거기에서 합쳐진다 / The two cars *met* head-on. 두 대의 자동차가 정면 충돌했다 / This belt won't ~ round your waist. 이 혁대는 짧아서 너의 허리에는 맞지 않을 것이다.
Fancy ~ing you here. 《구어》 (놀라움을 나타내어) 이런 곳에서 너를 만나다니. **~ *halfway*** ⇨ HALFWAY. **~ *the case*** ⇨CASE. **~ *up*** 《*vi.*+副》 《구어》 우연히 마주치다《***with*** …와》: I hope we ~ *up* (*with* each other) again. 다시 만나 뵈었으면 합니다. **~ *with*** ① (변고 따위)를 당하다, 경험하다, 겪다: ~ *with* an accident 사고를 당하다《★ 일상어에서는 have an accident로 함이 보통임》. ② …을 받다: The plan *met with* approval. 그 계획은 찬성을 얻었다. ③ (아무)와 우연히 만나다. ④ 《美》 (약속하고 아무)와 만나다, 회견[회담]하다: ~ *with* union leaders 조합 간부들과 회담하다. ***Till*** [***Until***] ***we ~ again.*** 《구어》 안녕, 또 만나.

> **DIAL.** ***Nice*** [***Glad, Pleased***] ***to meet you.*** = ***Nice meeting you.*** 처음 뵙겠습니다《초대면 인사; 《英》에서는 'How do you do?' 쪽이 일반적》.
> ***Nice to have met you.*** 만나뵙게 되어 즐거웠습니다《초대면의 사람과 헤어질 때 인사》.

—*n.* Ⓒ **1** 회합, 모임; (스포츠의) 대회, 경기회(會)(《英》에서는 보통 meeting); 《재즈 속어》 연주회: an athletic ~ 운동회 / an air ~ 비행 대회 / a swimming [track] ~ 수영[육상] 경기회. **2** 《英》 (여우 사냥 출발 전의) 총집합. **3** 【수학】 교점, 교차선.

meet[2] *a.* 《고어》 적당한, 적합한, 어울리는《***for*** …에》.

meet·ing [míːtiŋ] *n.* **1** Ⓒ (보통 *sing.*) **a 만남**, 마주침, 면회: a chance ~ on the street 길거리에서의 우연한 만남. **b 모임**, 회합, 집합: a farewell [welcome] ~ 송별[환영]회. **c** 회전(會戰), 대전. **2 a** Ⓒ (토론 등 특별한 목적의) 회(會), 집회, 회의, 대회: a political ~ 정치 집회 / call a ~ 회를 소집하다 / hold a ~ 회의를 개최하다 / open a ~ 개회사를 하다. **b** Ⓤ (the ~) 《집합적; 단 · 복수 취급》 회의 참가자, 회중: address the ~ 회중에게 인사말을 하다.

> SYN. **meeting** 일반적인 말로서 공사(公私) 어느 회합에나 쓰임. **assembly** 주로 공적인 회합. **meet** 원래는 사냥의 회합, 보통 경기대회에 쓰임.

3 Ⓒ 경기, 시합; 경마 대회, 《英》 경기회(《美》 meet): an athletic ~ 운동회. **4** Ⓒ 교차[교류]점; 접점(接點); (강 · 도로의) 합류점: the ~ of two roads [rivers]. **5** Ⓒ (특히 Quaker 교도의) 예배회; 예배당(堂)(meetinghouse).

méeting·hòuse *n.* Ⓒ 공회당, 교회당; 《종종 경멸적》 (Quaker 교도 · 비(非)국교도의) 예배당.

Meg [meg] *n.* 메그《여자 이름; Margaret의 애칭》.

meg- [még], **meg·a-** [mégə] '대(大), 백만(배)'의 뜻의 결합사. ★ 모음 앞에서는 meg-.

méga·bìt *n.* Ⓒ 메가비트, 10^6 bits, 또는 10^{20} bits《컴퓨터의 기억용량 단위; 생략: Mb》.

méga·bùck *n.* Ⓒ 《美속어》 백만 달러; (보통 *pl.*) 거금.

méga·bỳte *n.* Ⓒ 메가바이트《컴퓨터의 기억용량 단위; 10^6 bytes, 또는 10^{20} bytes; 생략: MB》.

méga·cỳcle *n.* Ⓒ 【전기】 메가사이클, 백만 사이클《메가헤르츠(megahertz)의 구칭; 기호 mc, mc., m.c.》.

méga·dèath *n.* Ⓒ 백만 명의 사망자, 메가데스《핵전쟁에서 사망자의 단위로 쓰임》.

méga·hèrtz (*pl.* ~) *n.* Ⓒ 【전기】 메가헤르츠, 백만 헤르츠《주파수의 단위; 기호 MHz》.

méga·hìt *n.* Ⓒ 대(大)[초대] 히트 작품.

méga·lìth *n.* Ⓒ 【고고학】 (유사 이전의) 거석(巨石).

mèga·líthic *a.* **1** 거석의[으로 만든]: a ~ monument 거석 기념비. **2** 거석 문화의.

mègalo·mánia *n.* Ⓤ 【정신의학】 과대망상.

mègalo·mániac *n.* Ⓒ 과대망상증 환자, 과장벽이 있는 사람. **—***a.* 과대망상증(환자)의.

meg·a·lop·o·lis [mègəlápəlis/-lɔ́p-] *n.* Ⓒ 거대 도시; (대도시 주변의) 인구 과밀 지대.

meg·a·lo·pol·i·tan [mègəloupálitən/-pɔ́l-] *a.*, *n.* Ⓒ 거대 도시의 (주민).

Meg·an [mégən] *n.* 메건《여자 이름》.

méga·phòne *n.* Ⓒ 메가폰, 확성기. **—***vt.*, *vi.* 확성기로 전하다, 큰 소리로 알리다.

méga·stàr *n.* Ⓒ 《구어》 초(超)슈퍼스타.

méga·stòre *n.* Ⓒ 거대 점포.

meg·a·ton [mégətʌ̀n] *n.* [C] 백만 톤, 메가톤 《핵무기의 폭발력을 재는 단위; 1 메가톤은 TNT 백만 톤의 폭발력에 상당함; 기호 MT》.
méga·wàtt *n.* [C] 『전기』 메가와트, 백만 와트 《기호 Mw》.
meg·ohm [mégòum] *n.* [C] 『전기』 메그옴, 백만옴《전기 저항 단위; 기호 meg, MΩ》.
mei·o·sis [maióusis] (*pl.* **-ses** [-si:z]) *n.* [U] (구체적으로는 [C]) **1** 『수사학』 =LITOTES. **2** 『생물』 (세포핵의) 감수 분열.
mel·a·mine [méləmì:n] *n.* [U] 『화학』 멜라민 《석회 질소로 만드는 화합물; 도료 따위로 씀》; 멜라민 수지(樹脂)(=∠ **rèsin**).
mel·an·cho·lia [mèlənkóuliə] *n.* [U] 우울증, 우울(상태)《★ 현재는 depression 이라고 함》.
mel·an·chol·ic [mèlənkálik/-kɔ́l-] *a.* 우울한; 우울증의. **—*n.*** [C] 우울증 환자.
◇**mel·an·choly** [méləŋkàli/-kɔ̀li] *n.* [U] (습관적 · 체질적인) 우울, 울적함; 우울증. [SYN.] ⇨ SORROW. **—*a.*** 우울한, 우울하게 하는; 서글픈, 침울한: feel ~ 우울하다 / a ~ smile 서글픈 미소. [SYN.] ⇨ SAD.
Mel·a·ne·sia [mèləní:ʒə, -ʃə] *n.* 멜라네시아 《오세아니아 중부의 군도》.
Mèl·a·né·sian *a.* 멜라네시아(사람 · 말)의. **—*n.*** **1** [C] 멜라네시아 사람. **2** [U] 멜라네시아어(語).
mé·lange [meilá:nʒ, -lá:ndʒ] *n.* 《F.》 [C] (보통 *sing.*) 혼합(물); 잡기(雜記), 문집.
mel·a·nin [mélənin] *n.* [C] 멜라닌, 검은 색소.
Mél·ba tóast [mélbə-] (종종 m-) 얇고 바삭바삭한 토스트.
Mel·bourne [mélbərn] *n.* 멜버른《오스트레일리아 남동부의 항구 도시》.
meld [meld] *vt., vi.* 섞다, 섞이다; 합병〔융합〕시키다〔하다〕(merge).
mel·ee, mê·lée [méilei, ∠/mélei] *n.* 《F.》 [C] (보통 *sing.*) 치고받기, 난투, 혼전; 혼잡, 혼란: the rush hour ~ 러시아워 때의 대혼잡.
me·lio·rate [mí:ljərèit, -liə-] *vt., vi.* 《문어》 좋게 하다, 개선〔개량〕하다; 좋아지다.
mè·lio·rá·tion *n.* [U] 개량, 개선.
me·lio·rism [mí:ljərìzəm, -liə-] *n.* [U] 『철학』 세계 개선론, 사회 개량론.
Me·lis·sa [milísə] *n.* 멜리사《여자 이름》.
mel·lif·lu·ent, -lu·ous [məlífluənt], [-əs] *a.* (소리 · 음악이) 감미로운; 부드럽게 흘러나오는, 유창한. [파] **~·ly** *ad.* **~·ness** *n.*
***mel·low** [mélou] *a.* **1** (과일이) **익어 달콤한, 감미로운.** [SYN.] ⇨ RIPE. **2** (포도주가) 향기로운, 잘 빚어진. **3** (가락 · 소리 · 빛깔 · 문체 따위가) 부드럽고 아름다운: a violin with a ~ tone 부드러운 음조의 바이올린. **4** (토질이) 부드럽고 기름진. **5** (경험을 쌓아서 인격이) 원숙한; 원만한. **6** 《구어》 (취해) 거나한; 명랑한.
—*vt., vi.* 익히다, 익다; 원숙하게 하다〔해지다〕; 기분 좋게 하다〔좋아지다〕. **~ *out*** 《*vi.*+[부]》 《美속어》 (마약으로) 기분이 좋아지다; (사람이) 원만해지다. [파] **~·ly** *ad.* **~·ness** *n.*
me·lod·ic [miládik/-lɔ́d-] *a.* (주)선율의; 가락이 아름다운.
◇**me·lo·di·ous** [məlóudiəs] *a.* 선율이 아름다운, 곡조가 좋은(sweet-sounding), 음악적인 (musical). [파] **~·ly** *ad.* **~·ness** *n.*
mel·o·dist [mélədist] *n.* [C] 선율이 아름다운 성악가(singer)〔작곡가(composer)〕.
mel·o·dra·ma [mélədrà:mə, -dræ̀mə] *n.* [C] 멜로드라마《해피엔드로 끝나는 달콤하고 감상적인 통속극》; 연극 같은 사건〔행동〕.
mel·o·dra·mat·ic, -i·cal [mèloudrəmǽtik], [-əl] *a.* 멜로드라마식의, (신파) 연극 같은, 신파조(調)의, 몹시 감상적인. [파] **-i·cal·ly** [-əli] *ad.*
⁑**mel·o·dy** [mélədi] *n.* 『음악』 **1** [C] **멜로디, 선율**(tune): a haunting ~ 언제나 마음속에 떠오르는 멜로디. **2** [U] 해조(諧調), 아름다운 음악(성). **3** [C] 가곡, 가락, 곡조.
***mel·on** [mélən] *n.* [C] (음식은 [U]) 『식물』 **1 멜론**(muskmelon); 수박(watermelon): a slice of ~ 멜론 한 조각. **2** 오이과의 식물.
Mel·pom·e·ne [melpáməni:/-pɔ́m-] *n.* 『그리스신화』 멜포메네《비극의 여신; Nine Muses 의 하나》.
⁑**melt** [melt] (**~·*ed*** [méltid]; **~·*ed, mol·ten*** [móultən]) *vi.* **1** 《~/+[전]+[명]》 (고체가 열을 받아) **녹다**, 용해하다《***in*** …속에서》; 녹아 …되다《***into*** …으로》: Ice ~*s* at zero degrees Celsius. 얼음은 섭씨 0 도에서 녹는다 / Lead ~*s in* the fire. 납은 불 속에서 녹는다 / The sugar ~*ed into* a sticky pool. 설탕은 녹아서 끈적끈적한 상태가 되었다.
2 《+[전]+[명]》 서서히 사라지다〔보이지 않게 되다〕; 점차 변하다, 녹아들다《***into*** …으로》: The clouds ~*ed into* rain. 구름이 비로 변했다 / The sea seemed to ~ *into* the sky at the horizon. 수평선에서 바다가 하늘 속으로 녹아들어가 있는 것처럼 보였다 / The elephant ~*ed into* the jungle. 코끼리는 정글 속으로 모습을 감추었다.
3 《~/+[전]+[명]》 측은한 생각이 들다; (감정 · 마음 따위가) 누그러지다; (용기 · 결심 따위가) 약해지다: Her heart ~*ed with* pity. 그녀의 마음은 측은한 생각으로 누그러졌다.
4 〖종종 진행형〗 《구어》 찌는 듯이 덥다: I'm simply ~*ing*. 더워서 몸이 나른해질 지경이다.
—*vt.* **1** 《~+[목]/+[목]+[전]+[명]》 **녹이다**, 용해하다; 융합시키다《***into*** …으로》: Heat ~*s* ice. 열은 얼음을 녹인다 / The mist ~*ed* the hills *into* a gray mass. 안개가 끼어 산들이 회색 일색으로 보였다.
2 (마음 · 감정)을 누그러지게 하다, 감동시키다: Pity ~*ed* her heart. 측은한 생각이 그녀의 마음을 풀리게 했다.
~ *away* 《*vi.*+[부]》 ① 점차로〔서서히〕 사라지다〔떠나가다〕: The fog ~*ed away*. 안개가 걷혔다 / The crowd gradually ~*ed away*. 군중은 서서히 사라졌다. **—**《*vt.*+[부]》 ② …을 흩뜨리다, 소산〔소실〕시키다. **~ *down*** 《*vt.*+[부]》 ① (금 · 은 · 금속 따위)를 녹이다, 쇳물로 만들다, 용해하다: Cans can be ~*ed down* and recycled. 깡통은 녹여서 재활용할 수 있다. **—**《*vi.*+[부]》 ② 녹다, 용해하다.
mélt·dòwn *n.* [U] **1** (개개에는 [C]) (원자로의) 노심(爐心)의 용해. **2** 《구어》 (주식 · 시세의) 급락, 폭락.
mélt·ed [-id] *a.* 녹은, 용해된: ~ butter 〔chocolate〕 녹은 버터〔초콜릿〕.
mélt·ing *a.* **1** 녹는, 녹기 시작한. **2** 정에 움직이는, 상냥한, 인정 많은, 정에 무른. **3** 애수(哀愁)를 〔눈물을〕 자아내는, 감동적인: the ~ mood 울고 싶은 심정, 감상적인 기분. [파] **~·ly** *ad.* 녹이는 듯이; 부드럽게 하는 듯이, 상냥하게.
mélting pòint (the ~) 『물리』 녹는점, 『공학』 용해점《생략: m.p.》.

mélting pòt 도가니(crucible); 잡다한 인종 · 문화가 뒤섞여서 동화된 나라(《특히 미국을 가리킴》): a ~ of many races 많은 인종의 도가니. ***in the* ~** 고정되어 있지 않고, 유동적으로.

mélt·wàter *n.* [U] 눈 · 얼음이(《특히》 빙하가) 녹은 물, 눈석임 물.

Mel·ville [mélvil] *n.* **Herman** ~ 멜빌(《미국의 소설가; 1819–91》).

†**mem·ber** [mémbər] *n.* [C] **1 a** (단체 · 사회 따위의) **일원**(一員); 회원, 단원, 동료: a life ~ 종신 회원 / Every ~ of the family came to her wedding. 가족 모두가 그녀의 결혼식에 참석했다. **b** 가맹국(加盟國): a ~ of the EU, EU 가맹국. **c** (M–) (영 · 미 하원의) 의원: a *Member* of Parliament (영국) 하원 의원(《생략: M.P.》) / a *Member* of Congress (미국) 하원 의원(《생략: M.C.》). **2** 구성 부분; 신체(동식물)의 일부(《특히 손발》). **3** 〖수학〗 항(項), 변(邊); (집합의) 요소; 〖건축〗 구재(構材), 부재(部材)(《책상의 다리, 의자의 등 따위》). **4** (《완곡어》) 남근(penis): the male (virile) ~ 남근. **5** 〖컴퓨터〗 원소, 멤버. ***a Member of Christ*** 기독교도.
—*a.* [A] 가맹한: ~ countries 가맹국.

*__mem·ber·ship__ [mémbərʃìp] *n.* **1** [U] **회원 자격**(**지위**), 회원(구성원)임: a ~ card 회원증 / apply for ~ 회원에 응모하다. **2** [C] 〖집합적; 단 · 복수취급〗 (전)회원: The entire ~ oppose(s) the plan. 모든 회원이 그 안에 반대하고 있다. **3** [C] (보통 *sing.*) **회원**(**총**)**수**: The club has a ~ of 18. 클럽 회원은 18명이다 / have a large ~ 많은 회원이 있다.

◇**mem·brane** [mémbrein] *n.* 〖해부〗 **1** [C] 얇은 막(膜), 막피(膜皮), 막; (세포 생물의) 세포막: the mucous ~ 점막. **2** [U] 막조직.

mem·bra·nous [mémbrənəs] *a.* 막의, 막 모양의,막질(膜質)의; 막을 형성하는.

me·men·to [miméntou] (*pl.* ~(**e**)**s**) *n.* [C] 기념물, 기념으로 남긴 물건; 추억거리.

meménto mó·ri [-mɔ́ːrai, -riː] (《L.》) 죽음의 상징(《해골 따위》); 죽음의 경고(remember that you must die).

memo [mémou] (*pl.* ***mém·os***) *n.* [C] (《구어》) 비망록, 메모: a ~ pad 메모장(帳) / make a ~ 메모하다. [◂*memo*randum]

◇**mem·oir** [mémwaːr, -wɔːr] *n.* **1 a** [C] 전기(傳記), 실록; (고인의) 언행록. **b** (*pl.*) 추억의 기록, 회상(회고)록, 자서전. **2 a** [C] 연구 보고(논문)(monograph). **b** (*pl.*) 학회지, 논문집, 기요(紀要).

mem·o·ra·bil·ia [mèmərəbíliə, -ljə] *n.* (《L.》) *pl.* (유명인 · 사건에 관한) 기억(기록)할 만한 사항; 중요 기사.

◇**mem·o·ra·ble** [mémərəbəl] *a.* 기억할 만한; 잊기 어려운, 잊지 못할(《***for*** …으로》); 중대한, 유명한 : a ~ event 잊을 수 없는 사건. ◇ memory *n.* [파] **-bly** *ad.* **~·ness** *n.*

*__mem·o·ran·dum__ [mèmərǽndəm] (*pl.* **~s, -da** [-də]) *n.* [C] **1 비망록**, 메모: make a ~ of an event 사건의 메모를 하다. **2** 〖외교〗 **각서**; 〖상업〗 각서(위탁 판매품) 송장(送狀): ~ trade 각서무역. **3** (조합의) 규약, (회사의) 기본 정관(=**~ of associátion**); (거래의) 적요. **4** (회사내의) 회보, 회장(回章): an interoffice ~ 사내(社內) 연락 통신.

*__me·mo·ri·al__ [məmɔ́ːriəl] *a.* [C] **기념의; 추도**의: a ~ service 추도식(회) / a ~ tablet (고인 추도의) 기념패(牌)(《교회의 벽에 끼워 넣는》); 위패. ◇ memory *n.* **—***n.* [C] **1 기념물, 기념비**(**관**)(《***to*** …에 대한》); 기념 행사(식전): a ~ *to* the dead 위령비. **2** (보통 *pl.*) (역사의) 기록; 비망록; 각서.

Memórial (Decorátion) Dày (《美》) 전몰장병 기념일(《5월의 마지막 월요일; 전에는 30일》); 〖일반적〗 현충일. [cf.] Remembrance Day.

me·mo·ri·al·ize [mimɔ́ːriəlàiz] *vt.* 기념하다; …의 기념식을 거행하다.

memórial párk (《美》) 공동묘지(cemetery).

*__mem·o·rize__ [méməràiz] *vt.*, *vi.* **기억하다**, 암기하다; 명심하다. [파] **mèm·o·ri·zá·tion** *n.* [U] 기억, 암기.

‡**mem·o·ry** [méməri] *n.* **1 a** [U] **기억**: come to one's ~ 머리에 떠오르다, 생각나다 / I have no ~ of my mother. 나에게는 어머니에 대한 기억이 없다 / The incident stuck in my ~. 그 사건은 내 기억에 똑똑히 남아 있다. **b** [C] 〖종종 수식어를 수반하여〗 (개인이 가지는) 기억력: lose one's ~ 기억(력)을 잃다 / He has a good (bad, poor) for names. 그는 이름을 잘 기억한다(기억하지 못한다).

[SYN.] **memory** 가장 일반적인 말로 기억하는 힘을 나타냄. **recollection** 생각해 내는 행위 또는 의식적인 노력. **remembrance** 기억하는 행위 또는 상태를 나타내나 현재는 드물게 쓰고 있음.

2 [C] 추억, 추상, 회상, 기억 내용: one's earliest *memories* 아주 어릴 때의 기억들 / I have warm *memories* of her. 그녀에 대해 마음 훈훈하게 해주는 추억이 있다.
3 (*sing.*; 흔히 the ~) 기억에 남는 기간, 기억의 범위: beyond (within) the ~ of men (man) 유사 이전(이후)의 / within my ~ 내가 기억하고 있는 한은.
4 [U] 추도(追悼); (사후의) 명성, 평판: those who cherish his ~ 그를 추모하는 사람들 / His ~ lives on. 그의 명성은 아직까지도 살아 있다.
5 [C] 기념(물), 유물: as a ~ 기념으로(하여).
6 〖컴퓨터〗 **a** [C] 기억 장치, 메모리: a main ~ 주(主)기억장치 / a built-in ~ 내장된 기억장치. **b** [U] 기억용량. ◇ memorable, memorial *a.*
commit … to* ~** …을 암기하다, 기억하다. ***from* ~** 기억으로, 암기로: speak *from* ~ 암송하다, 기억을 더듬어 말하다. ***if my* ~ *serves me* (*doesn't fail me*)** 내 기억에 틀림이 없다면, 틀림없이. ***in* ~ *of …의 기념으로, …을 기념하여: a monument *in* ~ *of* Columbus 콜럼버스 기념비. ***of beloved* (*blessed, happy, glorious*) ~** 고(故)…(《죽은 왕후 · 명사 따위의 이름에 붙여 덕을 기리는 말》): King Charles *of blessed* ~. ***to the best of* one's ~** …이 기억하고 있는 한: *To the best of* my ~, he wore glasses. 내가 기억하기로는 그는 안경을 끼고 있었다. ***to the* ~ *of* =*to*** a person***'s* ~** …의 영전에 바치어: a monument dedicated *to the* ~ *of* those who died in war 전몰자 영전에 바치는 기념비. ***within living* ~** 지금도 사람들의 기억에 남아; 지금 사람들이 기억하고 있는 한은.

mèmory addréss règister 〖컴퓨터〗 메모리 번지 레지스터(《데이터의 메모리 번지가 저장된 CPU 내의 레지스터》).

mémory bànk 〖컴퓨터〗 기억 장치, 메모리 뱅크.

mémory bùffer règister 〖컴퓨터〗 메모리

버퍼 레지스터《기억시키거나 읽어낼 데이터를 임시 저장해 두는 CPU 내의 레지스터》.

mémory càrd 〖컴퓨터〗 메모리 카드《자기(磁氣) 테이프 대신 반도체 메모리 칩(chip)을 내장한 카드》.

mémory cèll 1 〖면역〗 기억 세포. 2 〖컴퓨터〗 기억 소자, 메모리 셀.

mèmory chìp 메모리 칩《컴퓨터의 초소형 기억 장치》.

mémory drùm 〖컴퓨터〗 기억 드럼《학습할 사항이 주기적으로 제시되는 회전식 장치》; =MAGNETIC DRUM.

mémory màp 〖컴퓨터〗 기억 배치도. ㊕ **mémory màpping** 기억장치 대응.

men [men] *n.* MAN 의 복수.

***men·ace** [ménəs] *vt.* 《~+목/+목+전+명》 (아무)를 **위협하다**, 으르다《*with* …으로》: ~ a person *with* a knife 칼로 아무를 위협하다/The installations ~ the national existence. 그 군사시설은 국가의 존립을 위협한다. SYN. ⇨THREATEN.

—*n.* 1 Ⓤ (구체적으로는 Ⓒ) 협박, 위협, 공갈《*to* …에 대한》: a ~ *to* world peace 세계 평화에 대한 위협/There was ~ in his eyes. 그의 눈에는 위협의 기색이 보였다. 2 Ⓒ 위험한 존재; 귀찮은 존재, 골칫거리: That boy's a little ~. 저 아이에게 애를 먹고 있다.

mén·ac·ing *a.* 위협〔협박〕적인: a ~ attitude 위협적인 태도/The sky looks ~. 폭풍우가 한바탕 올 것 같은 날씨다.

mén·ac·ing·ly *ad.* 위협하듯; 험악하게, 절박하게.

mé·nage [meiná:ʒ] *n.* 《F.》 1 Ⓤ 살림, 가정(家政). 2 Ⓒ 가정(家庭), 세대(household).

me·nag·er·ie [minǽdʒəri] *n.* 《F.》 Ⓒ 1 (이동)동물원. 2 〚집합적〛 (동물원 따위의) 동물.

men·ar·che [mináːrkiː] *n.* Ⓤ 〖생리〗 초경(初經), 초조(初潮).

Men·ci·us [ménʃiəs] *n.* 맹자(372?–289? B.C.).

****mend** [mend] *vt.* 1 **수선하다**, **고치다**(repair): ~ shoes 〔a tear〕 구두〔터진 데〕를 고치다〔깁다〕/I had my shoes ~*ed*. 구두를 수리했다/~ one's skirt 스커트를 깁다.

SYN. **mend** 가장 일반적임. 비물질적인 것도 목적어로 취하며, improve '개선하다'의 뜻: You had better *mend* your manners. 좀더 얌전히 구는 것이 좋겠다. **repair** mend에 비하여 거창하며, 기술을 필요로 하는 경우가 많음: *repair* an old run-down house 오래된 낡은 집을 수리하다. **restore** 원상태로 수리〔복원〕하다. **fix** 구어로 흔히 쓰임. '본래의 기능을 발휘하도록 잘 맞추다, 조절하다'라는 뜻: *fix* a leak 지붕의 비 새는 곳을 고치다.

2 개선하다(improve); (소행·결점 등)을 고치다(reform); (잘못 따위)를 정정하다: ~ matters 〔the matter〕 사태를 개선하다〔바로잡다〕/~ a fault 결점을 고치다/Least said, soonest ~*ed*. 《속담》 '말은 적을수록 좋다'《정정하기가 쉽다는 뜻에서》/Regrets will not ~ matters. 《속담》 후회해 봤자 소용 없다; 사후 약방문/Crying won't ~ matters. 운다고 사태가 나아지는 것은 아니다. —*vi.* 1 (사태가) **호전되다**; (날씨가) 회복되다, 좋아지다: Things are ~*ing*. 사태는 호전되고 있다. 2 (환자·상처 따위가) 회복되다, 좋아지다, 낫다: The patient is ~*ing* nicely. 환자는 차차 회복되고 있다. 3 **개심하다**: It's never too late to ~. 《속담》 허물 고치기를 꺼리지 마라. —*n.* Ⓒ 수선 부분. ***be on the*** ~ (병·사태 따위가) 호전되고〔좋아지고〕 있다.

men·da·cious [mendéiʃəs] *a.* 허위의; 거짓말 잘 하는《사람 따위》: a ~ report 거짓 보고.

men·dac·i·ty [mendǽsəti] *n.* 1 Ⓒ 허위, 거짓말. 2 Ⓤ 거짓말하는 버릇〔성격〕.

Men·del [méndl] *n.* **Gregor Johann** ~ 멘델《오스트리아의 사제(司祭)·생물학자·유전학자; 1822–84》.

men·de·le·vi·um [mèndəlíːviəm] *n.* Ⓤ 〖화학〗 멘델레븀《방사성 원소; 기호 Md, Mv; 원자번호 101》.

Men·de·li·an [mendíːliən, -ljən] *a.* 멘델의; 멘델 법칙의: ~ factor 〔unit〕 유전자(gene).

Men·del·ism [méndəlizəm] *n.* Ⓤ 〖생물〗 멘델의 유전설; 멘델 법칙.

Méndel's láws 〖유전〗 멘델의 (유전)법칙.

Men·dels·sohn [méndlsn, -sòun] *n.* **Felix** ~ 멘델스존《독일의 작곡가; 1809–47》.

ménd·er *n.* Ⓒ 수선자, 수리자; 정정〔개량〕자.

men·di·can·cy [méndikənsi] *n.* Ⓤ 거지 생활; 구걸, 동냥; 탁발.

men·di·cant [méndikənt] *a.* 구걸하는, 빌어먹는, 탁발하는: a ~ friar (가톨릭의) 탁발 수사(修士)/a ~ order 탁발 수도회. —*n.* Ⓒ 거지, 동냥아치; (종종 M–) 탁발 수사.

ménd·ing *n.* Ⓤ 1 수선; 바느질. 2 〚집합적〛 수선할 것, 바느질거리.

Men·e·la·us [mènəléiəs] *n.* 〖그리스신화〗 메넬라오스《스파르타의 왕; Helen 의 남편, Agamemnon 의 동생》.

men·folk [ménfòuk] *n.* 〚집합적; 복수취급〛 남자들《특히 가족의》《★ 이 말의 복수형은 없지만 《美구어》에서는 ~s 형을 사용하기도 함》.

men·hir [ménhiər] *n.* Ⓒ 〖고고학〗 멘히르, 선돌.

me·ni·al [míːniəl, -njəl] *a.* 천한, 비천한; 천한 일을 하는: a ~ servant 하인/a ~ occupation 천한 직업. —*n.* Ⓒ 머슴, 하인, 하녀; 비굴한 사람. ㊕ ~**·ly** *ad.*

me·nin·ges [miníndʒiːz] (*sing.* ***men·inx*** [míːniŋks]) *n. pl.* 〖해부〗 뇌막, 수막(髓膜).

men·in·gi·tis [mènindʒáitis] *n.* Ⓤ 〖의학〗 수막염(髓膜炎), 뇌막염.

me·nis·cus [minískəs] (*pl.* **~·es, -ci** [-nískai]) *n.* Ⓒ 〖광학〗 요철(凹凸) 렌즈; 〖물리〗 메니스커스《원통 속의 액체가 표면장력에 의하여 오목〔볼록〕하게 되는 현상》.

Men·non·ite [ménənàit] *n.* Ⓒ 메노(Menno)파 교도《16세기 Friesland에서 일어난 신교의 일파》.

men·o·pause [ménəpɔ̀ːz] *n.* (보통 the ~) 폐경(閉經)(기), 갱년기(change of life, climacteric); 갱년기 장애: male ~ 남자의 갱년기(장애). ㊕ **mèn·o·páu·sal** *a.*

me·nor·ah [minɔ́ːrə] *n.* Ⓒ (유대교의 제식(祭式) 때 쓰는) 아홉〔일곱〕 가지 달린 촛대.

men·ses [ménsiːz] *n. pl.* (흔히 the ~) 〚단·복수취급〛 〖생리〗 월경(menstruation).

Men·she·vik [ménʃəvìk] (*pl.* **~s, -vi·ki** [-vì(ː)ki]) *n.* 1 (the Mensheviki) 멘셰비키《러시아 사회 민주노동당의 소수파》. 2 Ⓒ 멘셰비키 당원.

mén's ròom (종종 M– r–) 《美》 남자 변소(《英》 Gents). cf. ladies' room.

men·stru·al [ménstruəl] *a.* 월경의: ~ periods 월경 기간/the ~ cycle 월경 주기.
men·stru·ate [ménstruèit] *vi.* 월경하다, 달거리하다.
mèn·stru·á·tion *n.* Ⓤ (구체적으로는 Ⓒ) 월경; 월경 기간.
men·su·ra·ble [ménʃərəbəl] *a.* 〖수학〗 측정할 수 있는.
men·su·ra·tion [mènʃəréiʃən/-sjuər-] *n.* Ⓤ 〖수학〗 측정, 측량; 측정법, 구적(求積)(법).
méns·wèar, mén's wèar *n.* Ⓤ 남성용 의류, 신사복.
-ment [mənt] *suf.* 동사(드물게 형용사)에 붙여서 동작·상태·결과·수단 등을 나타내는 명사를 만듦: pave*ment*, punish*ment*.
‡**men·tal** [méntl] *a.* **1 마음의, 정신의,** 심적인. ↔ *bodily, physical.* ¶ ~ activity 정신 활동/a ~ state 정신 상태/~ effort(s) 정신적 노력/~ culture 정신적 교양, 지적 수양/a ~ disorder 정신 장애/~ health 정신적 건강/~ hygiene 정신 위생(학). **2** 이지의, 이지적인, 지능의: a ~ weakness 정신 박약/~ faculties 지능, 지력/a ~ worker 정신 노동자. **3** Ⓐ 마음으로〔머리로〕 하는, 암기로 하는: ~ arithmetic 〔calculation, computation〕 암산. **4** Ⓐ **정신병의**〔에 관한〕: a ~ specialist 정신병 전문의(醫)/a ~ case 정신병 환자/a ~ home 〔hospital, institution〕 정신병원. **5** Ⓟ 《구어》 정신 박약의; 미친: He must be ~ to do that. 저런 짓을 하다니 그는 머리가 어떻게 된 것이 분명하다. **—*n.*** Ⓒ 《구어》 정신병 환자.
méntal áge 〖심리〗 정신〔지능〕 연령《생략: MA, M.A.》.
méntal blóck 〖심리〗 정신적 블록《감정적 요인에 의한 사고·기억의 차단》: get 〔have〕 a ~ about physics 물리에 대한 생각이〔머리가〕 전혀 돌아가지 않는다.
méntal defective 정신 장애자〔박약자〕.
méntal defíciency 〖심리〗 저능, 정신 박약 《idiocy, imbecility를 전부 포함》.
men·tal·ism [méntəlìzəm] *n.* Ⓤ 〖철학〗 유심론(唯心論); 〖심리〗 멘탈리즘, 의식주의. cf. mechanism, materialism.
◦**men·tal·i·ty** [mentǽləti] *n.* **1** Ⓤ 정신력, 지력(知力); 지성; 심성(心性): people of weak 〔average〕 지력이 약한〔보통인〕 사람들. **2** Ⓒ 사고방식, 성향, 성격: a childish ~ 유치한 사고방식.
mén·tal·ly [méntəli] *ad.* 정신적으로; 마음 속으로; 지적(知的)으로: ~ deficient 〔defective, handicapped〕 정신 박약의.
méntal retardátion 정신 지체, 정신 박약 (mental deficiency).
méntal tést 지능 검사, 멘탈 테스트.
men·thol [ménθɔ(:)l, -θɑl] *n.* Ⓤ 〖화학〗 멘톨, 박하뇌(薄荷腦)《약품·화장품·담배 따위에 쓰임》. ㊐ **mén·tho·làt·ed** [-θəlèitid] *a.* 멘톨을 함유한; 멘톨로 처리한.
‡**men·tion** [ménʃən] *vt.* **1** 《~+목/+목+전+명/+*doing*/+*that* 절/+*wh.* 절》 …을 말하다, …에 **언급하다,** …의 이야기를 꺼내다《*to* (아무)에게》: the book I ~*ed* the other day 일전 내가 이야기한 책/I shall ~ it *to* him. 그에게 이야기해 두겠다/He ~*ed* hav*ing* met me. 그는 나를 만난 적이 있다고 말했다/He ~*ed* (*to* me) *that* he had seen you. 그가 너를 만났다고 말하더라/He ~*ed* (*that*) he was going to lunch. 그는 점심 먹으러 간다고 말했다/He didn't ~ *what* it was. 그는 그것이 무엇인가는 말하지 않았다.
2 …의 이름을 들다; 〖흔히 수동태로〗 …의 이름을 들어 칭찬하다, 경의를 표하다: She ~*ed* all the flowers in the garden. 그녀는 정원의 모든 꽃의 이름을 말했다/She *was* ~*ed* in the report for her noble deed. 그녀는 보고서에서 그녀의 숭고한 행위에 대해 칭찬을 받았다.
not to ~ ... =*without ~ing* …은 말할 것도 없고, …은 물론: He knows French, *not to* ~ English. 그는 영어는 물론 프랑스어도 안다.

> DIAL. ***Don't mention it.*** 천만에《감사하다는 말을 들었을 때 하는 말; 《美》에서는 보통 You are welcome. 을 씀》.

—*n.* **1 a** Ⓤ **기재(記載), 언급, 진술:** He made no ~ *of* your request. 자네 부탁 건에 대해서는 아무 말도 없었다/No ~ was *made of* her achievements. 그녀의 업적에 대해서는 아무런 언급이 없었다. **b** Ⓒ (보통 *sing.*) 《구어》 촌평(寸評). **2** Ⓒ (보통 *sing.*) 표창; 선외 가작(honorable ~): receive an honorable ~ 등외 가작에 들다; 포상을 받다.
men·tor [méntər, -tɔːr] *n.* **1** Ⓒ 현명하고 성실한 조언자; 스승, 좋은 지도자. **2** (M-) 〖그리스 신화〗 멘토르《Odysseus가 그의 아들을 맡긴 훌륭한 스승》.
***menu** [ménjuː, méi-] *n.* Ⓒ **1 식단,** 메뉴, 차림표: What's on the ~ today? 오늘의 메뉴는 무엇입니까. **2** 식사; 요리: a light ~ 가벼운 요리〔식사〕. **3** 〖컴퓨터〗 메뉴《프로그램의 기능 등이 일람표로 표시된 것》.

> DIAL. ***Can I see*** 〔***have***〕 ***the menu, please?*** —***Here you are, sir.*** 메뉴 좀 보여주십시오—여기 있습니다.
> ***Could you bring me the menu, please?***—***Certainly.*** 메뉴 부탁합니다—알겠습니다《'메뉴 부탁합니다'는 그저 Menu, please. 라고 해도 좋음》.

ménu-dríven *a.* 〖컴퓨터〗 (소프트웨어가) 메뉴 구동형(驅動型)의.
me·ow [miáu, mjau] *n.* Ⓒ 야옹《고양이 울음소리》. **—*vi.*** 야옹 하고 울다.
MEP Member of the European Parliament (유럽 의회 의원(議員)).
Mèph·is·to·phé·le·an, -lian [-toufíːliən, -ljən] *a.* 메피스토펠레스의 〔같은〕; 악마 같은, 냉혹한, 냉소적인, 음험한.
Meph·is·toph·e·les [mèfəstáfəlìːz/-tɔ́f-] *n.* 메피스토펠레스《Faust 전설, 특히 Goethe의 *Faust*에 나오는 악마》.
◦**mer·can·tile** [mə́ːrkəntìːl, -tàil, -til] *a.* 상인의; 장사〔상업〕의; 〖경제〗 중상주의(重商主義)의: the ~ school 중상주의 학파/~ selling 업자간 판매.
mércantile maríne (the ~) =MERCHANT MARINE.
mer·can·til·ism [mə́ːrkəntilìzəm, -tail-] *n.* Ⓤ 중상주의; 상인 기질; 〖일반적〗 상업 본위〔주의〕. ㊐ **-ist** *n.*
Mer·cá·tor('s) projéction [məːrkéitər-] 메르카토르식 투영도법(投影圖法)《지구 표면을 직사각형으로 나타내는》.
mer·ce·nary [mə́ːrsənèri] *a.* 보수를 목적으

로 하는, 돈을 위한; 탐욕적인: a ~ soldier 용병(傭兵) / ~ motive 금전상의 동기. **—** *n.* Ⓒ (외국인) 용병; 고용된 사람.

mer·cer [mə́ːrsər] *n.* Ⓒ 《英》 포목상, 《특히》 비단 장수, 고급 복지상.

mer·cer·ize [mə́ːrsəràiz] *vt.* 〖섬유〗 머서법으로 처리하다 《무명을 가성알칼리로 처리하여 광택 · 염료 흡수성을 증가시키다》: ~*d* cotton 광택 가공 무명.

***mer·chan·dise** [mə́ːrtʃəndàiz] *n.* Ⓤ 〘집합적〙 **상품**, 《특히》 제품: general ~ 잡화.
— *vt.* **1** (상품)을 거래[매매]하다. **2** (상품 · 서비스)의 판매를 촉진하다; (상품)의 광고 선전을 하다.

mér·chan·dìs·ing *n.* Ⓤ 상품화 계획; 판매 촉진.

****mer·chant** [mə́ːrtʃənt] *n.* Ⓒ **1 상인**, 《특히》 무역상인; 《美》 소매상인(storekeeper). **2** 〘수식어를 동반하여〙 《구어》 …광(狂): a speed ~ 스피드광. ***The Merchant of Venice*** '베니스의 상인' 《Shakespeare 의 희극》.
— *a.* 상인의; 상업의; 상선의: a ~ seaman 상선 선원 / a ~ tailor 양복감도 파는 양복점.

mér·chant·a·ble *a.* 매매할 수 있는, 시장 상대의.

mérchant bànk 《英》 머천트 뱅크 《환어음 인수, 사채 발행을 주업무로 하는 금융 기관》.

mérchant fléet [《美》 **maríne,** 《英》 **návy**] 〘집합적〙 (일국의) 전체 상선, 그 상선원.

mérchant·man [-mən] (*pl.* **-men** [-mən]) *n.* Ⓒ 상선.

****mer·ci·ful** [mə́ːrsifəl] *a.* **1 자비로운**, 인정 많은 《*to* …에게》: a ~ God 자비로우신 하느님 / Be ~ *to* others. 다른 사람에게는 관대히 하시오 / It was ~ *of* them [They were ~] *to* offer help. 그들은 인정이 많아 도와주겠다고 했다. **2** (고통 · 불행 따위에 종지부를 찍어) 행복한, 다행스러운: a ~ death 고통 없는 죽음, 안락사. ㊕ **~·ness** *n.*

mér·ci·ful·ly *ad.* **1** 자비롭게, 관대히. **2** 〘문장 전체를 수식하여〙 고맙게도, 다행히(도): *Mercifully*, the weather held up. 고맙게도[다행히도] 날씨가 좋았다.

****mer·ci·less** [mə́ːrsilis] *a.* **무자비한**, 무정한, 냉혹한 《*to* …에게》: He's ~ *to* others. 그는 타인에 대해 무자비하다. ㊕ **~·ly** *ad.* **~·ness** *n.*

mer·cu·ri·al [məːrkjúəriəl] *a.* **1** (M-) Mercury 신의; 〖천문〗 수성(水星)의. **2** 변하기 쉬운, 변덕스러운. **3** 민활한, 재치있는; 쾌활한: a ~ wit 기지가 넘치는 사람. **4** 수은(제)의, 수은이 든: ~ poisoning 수은 중독. **—** *n.* Ⓒ 수은제(劑), 승홍제(昇汞劑). ㊕ **~·ìsm** *n.* Ⓤ 수은 중독(hydrargyrism). **~·ly** *ad.*

mer·cu·ric [məːrkjúərik] *a.* Ⓐ 〖화학〗 수은의, 수은이 든; 《특히》 제2수은의.

mercúric chlóride 염화 제2수은, 승홍.

mer·cu·ry** [mə́ːrkjəri] *n.* **1** Ⓤ 〖화학〗 **수은**(quicksilver) 《기호 Hg; 번호 80》. **2** Ⓤ (온도계의) 수은주. **3** (M-) 〖로마신화〗 머큐리신 《신들의 사자(使者); 상인 · 도둑 · 웅변의 신》. ㊎ Hermes. **4** (M-) 〖천문〗 수성: *Mercury* is the nearest planet to the sun. 수성은 태양에 가장 가까운 행성이다. ***The ~ is rising. 온도[경기]가 오르고 있다; 점차 기분이 좋아져[흥분해] 간다.

mércury-vápor làmp 수은등, 수은 램프, 인공 태양등.

****mer·cy** [mə́ːrsi] *n.* **1** Ⓤ **자비**, 연민, 인정: He is a stranger to ~. 그는 눈물도 인정도 없는 녀석이다. **2** Ⓒ (보통 *sing.*) (불행중의) 다행한 일, 행운: What a ~ that they escaped! 그들이 도망가다니 참 운도 좋군 / It was a ~ that he wasn't killed in the accident. 그가 그 사고에서 죽지 않고 살아남은 것은 불행중 다행이었다. **3** 〘감탄사적〙 (놀라움 · 공포를 나타내어) 어머나, 저런, 어이쿠: *Mercy* upon us! 저런, 어쩌나. ***at the ~ of…*** =***at*** a person***'s ~*** …의 마음대로 되어, …에 좌우되어: His life was [lay] *at the ~ of* the king. 그의 목숨은 왕의 수중에 놓여 있었다 / The ship was *at the ~ of* the wind and the waves. 배는 바람과 파도에 이리저리 흔들리고 있었다. ***be left to the*** (***tender***) ***mercies of*** 〘반어적〙 …의 뜻[모진 손, 처분, 학대]에 내맡겨지다, …에 의해 단단히 혼나다. ***be thankful*** [***grateful***] ***for small mercies*** 아주 작은 은혜에도 감사하다, 불행중 다행이라고 여기다. ***for ~*** =***for ~'s sake*** 제발, 불쌍히 여겨서.

mércy flìght 구급비행 《원격지의 중환자나 부상자를 병원까지 항공기로 운반하는》.

mércy kìlling 안락사(술(術))(euthanasia).

****mere**[1] [miər] (**mér·er; mér·est**) *a.* **1** Ⓐ **단순한**, …에 불과한, 단지[다만, 그저] …에 지나지 않는: a ~ child 아직 어린아이 / a ~ halfpenny 겨우 반 페니 / ~ politeness 단지 표면적인 정중함 / The cut was the *merest* scratch. 상처는 그저 벗어진 데 불과했다. **2** 전적인, 다른 어떤 것도 아닌, 순전한: It's a ~ chance. 전혀 우연이다 / That is the *merest* folly. 그야말로 어리석기 짝이 없는 짓이다.

mere[2] *n.* Ⓒ 《고어 · 시어》 *n.* 호수, 연못, 못.

Mer·e·dith [mérədiθ] *n.* **George ~** 메러디스 《영국의 시인 · 소설가; 1828–1909》.

****mere·ly** [míərli] *ad.* **단지**, 그저, 다만; 전혀: I ~ wanted to see it. 단지 그것을 보고 싶었을 뿐이었다 / She's ~ a child. 그녀는 아직 어린애다. ***not ~… but*** (***also***) …뿐 아니라 또: The girl is *not ~* pretty *but* (*also*) clever. 그 소녀는 귀여울 뿐만 아니라 영리하다.

mer·e·tri·cious [mèrətríʃəs] *a.* **1** 난(亂)한, 야한, 저속한. **2** 그럴듯한, 속이 들여다보이는. ㊕ **~·ly** *ad.* **~·ness** *n.*

°**merge** [məːrdʒ] *vt.* **1** 합병하다, 융합시키다 (*together*) 《*into* …에; *with* …와》: ~ the two [A and B] (*together*) 그 둘을[A와 B를] 합병하다 / The companies were all ~*d into* one giant conglomerate. 회사들은 전부 합병되어 거대한 복합기업이 되었다 / ~ a subsidiary *with* its parent company. 자(子)회사를 모(母)회사와 합병하다. **2** 점차 바뀌다 《*into* …으로》: Fear was gradually ~*d into* curiosity. 두려움은 차차 호기심으로 바뀌었다. **—** *vi.* **1** (둘 이상의 것이) 합병하다, 융합되다 (*together*) 《*with* …와》: The sea and the sky ~*d together*. 바다와 하늘(색)이 합쳐 하나를 이루었다 / The immigrants soon ~*d with* the other citizens. 이민자들은 곧 다른 시민들과 융합되었다. **2** 녹아들다 《*into* …에》: Twilight ~*d into* darkness. 땅거미가 짙어져서 어두워졌다.

merg·ee [məːrdʒíː] *n.* Ⓒ (흡수) 합병의 상대방(회사).

merg·er [mə́ːrdʒər] *n.* Ⓒ (회사 등의) 합병, 합동; (기업의) 흡수 합병: form a ~ with …와 합병하다.

mérgers and acquisítions 〖경제〗 기업의

합병과 흡수《생략: M&A》.

°**me·rid·i·an** [mərídiən] *n.* Ⓒ **1** 【천문·지리】 자오선, 경선(經線): the first 〔prime〕 ~ 본초 자오선. **2** 정점, 절정; 전성기: the ~ of life 한창 (일할 수 있을) 때, 장년(기).
—*a.* Ⓐ **1** 자오선의: the ~ altitude 자오선 고도(高度). **2** 정오의, 한낮의: the ~ sun 정오의 태양. **3** 정점의, 절정의: ~fame 명성의 절정.

me·rid·i·o·nal [məridiənəl] *a.* Ⓐ 남부(인)의, 남부 유럽《특히 남부 프랑스》의; 자오선의.
—*n.* Ⓒ 남부 유럽 사람; 《특히》 남프랑스 사람.

me·ringue [məræ̃ŋ] *n.* 《F.》 **1** Ⓤ 머랭《설탕과 달걀 흰자위로 만든 과자 재료》. **2** Ⓒ 그것으로 만든 과자.

me·ri·no [məríːnou] (*pl.* **~s**) *n.* 《Sp.》 **1** Ⓒ 메리노양(羊) (= ∠ **shèep**). **2** Ⓤ 메리노 나사; 메리노 실.

***mer·it** [mérit] *n.* **1** Ⓤ 우수함, 가치: a painting of no ~ 아무 가치도 없는 그림 / This has the ~ of being easy to find. 이쪽이 검색하기 쉽다는 메리트가 있다. **2** Ⓒ **장점**, 취할 점: Frankness is one of his ~*s*. 솔직함은 그의 장점의 하나다 / the ~*s* or demerits of a thing 사물의 장단점. SYN. ⇨WORTH. **3** Ⓒ (보통 *pl.*) **공적**, 공로, 훈공; (학교 등에서 벌점에 대하여) 상점(賞點). **4** Ⓒ (보통 *pl.*) 공과, 공죄(desert), 시비(곡직): consider 〔judge〕 the case on its ~*s* 사건을 시비 곡직에 따라 생각〔판단〕하다.
—*vt.* …의 가치가 있다(deserve): He ~*s* praise. 그는 칭찬받을 만하다.

mer·i·toc·ra·cy [mèritákrəsi/-tɔ́k-] *n.* **1** Ⓒ 수재(秀才) 교육제《월반제 따위》; 능력주의 사회, 실력 사회. **2** Ⓤ (보통 the ~) 〖집합적〗 엘리트 계층.

mer·i·to·ri·ous [mèritɔ́ːriəs] *a.* 공적 있는; 가치 있는; 칭찬할 만한, 기특한, 갸륵한: ~ service 훈공(勳功). ㊞ **~·ly** *ad.* **~·ness** *n.*

mérit sỳstem 《美》 (임용·승진의) 실적〔실력〕 본위제, 능력본위 임명제. cf. spoils system.

Mer·lin [mə́ːrlin] *n.* 멀린. **1** 남자 이름. **2** 아서(Arthur)왕 이야기에 나오는 예언자·마술사.

mer·lin *n.* Ⓒ 【조류】 도롱태《매의 일종》.

°**mer·maid** [mə́ːrmèid] *n.* Ⓒ 인어(人魚)《여자》.

mer·man [mə́ːrmæ̀n] (*pl.* **-men** [-mèn]) *n.* Ⓒ 인어(人魚)《남자》(cf. mermaid).

***mer·ri·ly** [mérəli] *ad.* 즐겁게, 명랑하게, 유쾌하게, 흥겹게.

°**mer·ri·ment** [mérimənt] *n.* Ⓤ **1** 흥겹게 떠들기, 환락. **2** 재미있음, 즐거움.

‡**mer·ry** [méri] (**-ri·er; -ri·est**) *a.* **1** 명랑한, 유쾌한, 재미있는: a ~ laugh 명랑한 웃음 / a ~ person 유쾌한 사람 / the *Merry* Monarch 명랑한 국왕《영국왕 Charles 2세의 속칭》. SYN. ⇨GAY. **2** 떠들썩한, 웃으며 떠드는, 축제 기분의, 들뜬. **3** Ⓟ 《英구어》 거나한: get 〔feel〕 ~ 거나한 기분이 되다〔기분이다〕. ◇ merriment *n.*
make ~ 흥겨워하다, 명랑하게 놀다. ***The Merry Wives of Windsor*** 윈저의 명랑한 아낙네들《Shakespeare 의 희극》. ***The more the merrier.*** 많을수록 더욱 즐겁다; 다다익선(多多益善).

mèrry-ándrew *n.* Ⓒ 어릿광대, 익살꾼; 거리의 약장수의 앞잡이.

°**mérry-go-ròund** *n.* Ⓒ **1** 회전목마, 메리고라운드(carrousel). **2** (일·사회 생활 따위가) 어지럽게 돌아감, 몹시 바쁨.

mérry·màker *n.* Ⓒ 들떠서〔흥겹게〕 떠드는 사람.

mérry·màking *n.* Ⓤ 흥겹게 떠들기, 환락.

mérry·thòught *n.* Ⓒ 《英》 (새 가슴의) 창사골(暢思骨)(wishbone).

Mer·sey·side [mə́ːrzisàid] *n.* 머지사이드 주(州)《잉글랜드 북서부의 주; metropolitan county 의 하나; 주도 Liverpool; 1974 년 신설》.

me·sa [méisə] *n.* Ⓒ 【지질】 메사《주위가 절벽을 이루고 봉우리가 평평한 대지; 미국 남서부 건조 지대에 많음》.

mé·sal·li·ance [meizǽliəns, mèizəlái-] *n.* 《F.》 Ⓒ 신분이 낮은 사람과의 결혼, 강혼(降婚). cf. misalliance.

mes·cal [meskǽl] *n.* **1** Ⓤ 메스칼 술《용설란 액을 발효시켜 만든 멕시코의 증류주》. **2** Ⓒ 【식물】 용설란(maguey); 메스칼《선인장의 일종》.

mes·ca·line [méskəliːn] *n.* Ⓤ 메스칼린《mescal 에서 뽑은 알칼로이드; 흥분제》.

mes·dames [meidáːm, -dǽm] MADAME 또는 MRS. 의 복수.

mes·de·moi·selles [mèidəmwəzél] MADEMOISELLE 의 복수.

°**mesh** [meʃ] *n.* **1 a** Ⓤ 그물코 직물〔편물〕, 메시. **b** Ⓒ 그물 세공, 그물. **2** Ⓒ 그물 눈: a net of 〔with〕 fine ~*es* 눈이 촘촘한 그물. **3** Ⓒ (흔히 *pl.*) **a** 함정, 올가미: be caught in the ~*es* of a woman 여자의 유혹에 걸려들다. **b** 그물 모양의 조직(network), 복잡한 기구: the ~*es* of the law 법망. ***in*** 〔***out of***〕 ~ 톱니바퀴가 맞물려〔벗어져〕. **—***a.* Ⓐ 그물코의: ~ shoes 망사 구두.
—*vi.* **1** (톱니바퀴 따위가) 맞물리다(*together*)《***with*** …와》. **2** (생각·성격 따위가) 잘 어울리다, 조화하다《***with*** …와》: My plan doesn't ~ *with* yours. 내 계획은 네 계획과 잘 맞지 않는다. **—***vt.* (물고기 따위)를 그물로 잡다.

mes·mer·ic [mezmérik, mes-] *a.* 최면술의.

mes·mer·ism [mézmərìzəm, més-] *n.* Ⓤ **1** 최면술(hypnotism). **2** 매력. ㊞ **-ist** *n.* Ⓒ 최면술사.

mes·mer·ize [mézməràiz, més-] *vt.* …에게 최면술을 걸다; 〖흔히 수동태〗 홀리게 하다, 매혹시키다: I *was* ~*d* by her smile. 그녀의 미소에 매료되었다.

mes·o- [mézou, míː-, -zə, -sou, -sə/mésou, -sə] '중앙, 중간' 뜻의 결합사《모음 앞에서는 **mes-**》.

mes·o·carp [mézəkàːrp, més-] *n.* Ⓒ 【식물】 중과피(中果皮).

mes·o·derm [mézədə̀ːrm, més-] *n.* Ⓒ 【생물】 중배엽(中胚葉).

Mes·o·lith·ic [mèzəlíθik, mès-] *a.* 【고고학】 중석기 시대의: the ~ era 중석기 시대.

me·son [míːzɑn, méz-, -sɑn/míːzɔn, mésɔn] *n.* Ⓒ 【물리】 중간자.

Mes·o·po·ta·mia [mèsəpətéimiə] *n.* 메소포타미아《Tigris 및 Euphrates 강 유역의 고대 국가》; 이라크(Iraq)의 옛 이름.

Mès·o·po·tá·mi·an *a.* 메소포타미아의. **—** *n.* Ⓒ 메소포타미아 사람.

mes·o·sphere [mézəsfìər, més-] *n.* (the ~) 【기상】 중간권《성층권과 열권(熱圈)의 중간; 지상 30－80km 층》.

Mes·o·zo·ic [mèzəzóuik, mès-] 【지질】 *a.* 중생대의(cf. Cenozoic): the ~ era 중생대.
—*n.* (the ~) 중생대.

mess [mes] *n.* **1 a** Ⓤ (또는 a ~) **혼란**, 무질서, 난잡: Your room is a ~. Tidy it up. 당신 방은 어수선합니다. 정돈 좀 하세요. **b** (a ~) 어수선한 것; (외모 · 생각 따위가) 흐트러진 사람: This report is a real ~. 이 보고서는 내용을 종잡을 수가 없다/What a ~ you are! 너 정말 칠칠치 못하구나.
2 (a ~) 《구어》 곤란, 곤혹, 궁지: get into a ~ 난처하게 되다, 곤란에 처하다/Our business is in a (fine, pretty) ~. 장사가〔사업이〕 몹시 어려운〔곤란한〕 상태에 처해 있다.
3 Ⓤ (또는 a ~) **더러운 것**, 흩뜨려진 것; (특히 개 · 고양이의) 똥, (사람이) 토한 것: a ~ of papers 흩어져 있는 서류/make a ~ on the street (개가) 거리에 똥을 누다; (사람이) 거리에 구토하다/The workmen cleaned up the ~ before they left. 직공들은 떠나기 전에 쓰레기들을 말끔히 치웠다.
4 a Ⓒ 〖집합적; 단 · 복수취급〗 (군대 등에서) 식사를 함께 하는 동료. **b** =MESS HALL.
in a* ~** 《구어》 ① 더럽혀져서; 어수선하게 흩뜨려: The room was *in a* ~. 방이 어수선했다. ② 궁지에 빠져(⇨2). ***make a* ~ *of 《구어》 …을 더럽히다, 어지럽히다; 엉망으로 만들다, 망쳐 놓다: *make a* ~ *of* everything 무엇이든 엉망으로 만들다/*make a* ~ *of* one's room 방을 더럽히다. ***make a* ~ *of it*** 실수를 저지르다.
—*vt.* 《~+목/+목+부》 **1** 더럽히다, 어수선하게 만들다; 엉망으로〔못쓰게〕 만들다(*up*): ~ *up* a room 방을 어지럽히다/~ *up* matters 사태를 엉망으로 만들다/They ~*ed* (*up*) the deal. 거래를 엉망으로 만들었다.
2 거칠게 다루다, 후려갈기다, 혼내주다(*up*): The gang ~*ed* him *up*. 악당들은 그를 거칠게 다루었다.
—*vi.* **1** 《+전+명》 《구어》 손을 대다; 개입하다, 쓸데없이 참견하다(***in, with*** …에): ~ *with* drugs 마약에 손을 대다/Don't ~ *with* me now. 이제 쓸데없는 간섭은 그만둬라.
2 《+부》 함께 식사하다, 회식하다(*together*): The soldiers ~*ed together*. 병사들은 함께 식사했다.
~ *around* 〔***about***〕 《*vi.*+부》 《구어》 ① 빈둥거리다, 게으름 피우다(loaf). ② 어리석은〔바보 같은〕 말을〔짓을〕 하다. ③ 일시적 기분으로 해 보다; 만지작거리다(***with*** …을): ~ *about with* politics 정치에 손을 대보다/~ *around with* a camera 심심풀이로 사진을 찍고 돌아다니다. ④ 《美》 농탕치다, 성적 관계를 갖다(***with*** …와). —《*vt.*+부》 ⑤ (아무)를 거칠게〔아무렇게나〕 다루다.

mes·sage [mésidʒ] *n.* Ⓒ **1 전갈**, 전하는 말, 전언(***to*** do/***that***): a verbal 〔an oral〕 ~ 전언/send a ~ by mail 〔wire〕 우편으로〔전보로〕 메시지를 보내다/Here's a ~ to you. 당신에게 온 전갈〔연락〕입니다/I got a telephone ~ *to* return at once. 곧 돌아오라는 전화를 받았다/The servant brought him a ~ *that* someone wanted to see him. 하인이 와서 어떤 분이 뵙고 싶어한다고 그에게 전했다. **2** 통신(문), 서신, 전보: a congratulatory ~ 축전, 축사/Wireless ~*s* told us that the ship was sinking. 배가 침몰 중이라는 무전이었다. **3** (공식의) 메시지; 《美》 (대통령의) 교서(***to*** …에의): the President's ~ *to* Congress. **4** (신 · 예언자 · 종교인의) 신탁, 계시. **5** 교훈, 호소: the ~ of H.G. Wells to his age 웰스가 그 시대에 보낸 호소. **6** 전하고자 하는 것, 취지, 뜻; 교훈: The ~ of the book is that life has no meaning. 그 책의 주지는 인생은 무의미하다는 것이다. **7** 〖컴퓨터〗 메시지《정보처리상의 단위》. **8** 〖유전〗 하나의 단백질을 합성하는 유전 코드의 단위. ***get the* ~** 《구어》 (상대의) 진의〔의중 (따위)〕를 파악하다, 이해〔납득〕하다.

> DIAL. ***Would you like to leave a message?* —*No, but just tell him I called.*** 전하실 말씀 있으십니까—별로 없습니다만 그저 제가 전화했었다고 그에게 전해 주십시오.
> ***Can* 〔*Shall*〕 *I take a message?*—*No, thank you. I'll call again later.*** 전하실 말씀 있으십니까—아니오, 괜찮습니다. 나중에 다시 전화하겠습니다.
> ***Do you get the message?*** 알았느냐《상대에게 다짐할 때 씀》.

méssage remóte cóncentrator 〖컴퓨터〗 원격 메시지 집중기.
méssage switching 〖컴퓨터〗 (데이터 통신에서) 메시지 스위칭《어떤 단말(端末) 장치에서 보낸 메시지를 지정된 다른 단말 장치로 보내는 방식》: a ~ unit 메시지 스위칭 장치.
mes·sen·ger [mésəndʒər] *n.* Ⓒ **1 사자**(使者); 심부름꾼: an Imperial ~ 칙사/send a letter by (a)~ 심부름꾼을 통하여 편지를 보내다. **2** (문서 · 전보 · 소포(小包) 등의) 배달인: the King's 〔Queen's〕 ~ 《英》 공문서 송달리.
méssenger RNA 〖생화학〗 전령(傳令) RNA, 메신저 리보 핵산(核酸)《생략: mRNA》.
méss hàll (군대 · 공장 따위의) 식당.
Mes·si·ah [misáiə] *n.* **1** (the ~) 구세주, 메시아《유대 사람이 대망(待望)하는 구세주; 기독교에서는 예수를 이름》. **2** (m-) Ⓒ (국가 · 민족 따위의) 구제자(救濟者), 해방자. ㊕ **Mes·si·an·ic** [mèsiǽnik] *a.*
mes·sieurs [məsjə́:rz] *n. pl.* 《F.》 제군, 여러분, …귀중. ★ MONSIEUR의 복수; Mr.의 복수형으로 쓰임《생략: MM., Messrs.》.
méss kìt 〔**gèar**〕 (군대용 · 캠프용의) 휴대용 식기 세트.
méss·màte *n.* Ⓒ (군대 따위의) 식사 동료.
Messrs. [mésərz] *n. pl.* Messieurs의 간약형. ★ Mr.의 복수형으로 쓰임; 서신을 보낼 때 회사 이름 앞에 붙이기도 하나, 미국에서는 드묾.
méss-ùp *n.* Ⓒ 《구어》 혼란, 분규; 실패, 실책: a bit of a ~ 약간의 실수〔착오〕.
messy [mési] (***mess·i·er; -i·est***) *a.* 어질러진, 더러운; 귀찮은, 성가신, 번잡한; 칠칠치 못한. ㊕ **méss·i·ly** *ad.* **-i·ness** *n.*
mes·ti·zo [mestí:zou] (*pl.* ~(*e*)***s;*** *fem.* ***mesti·za*** [mestí:zə]) *n.* Ⓒ 혼혈아《특히 스페인 사람과 북아메리카 원주민의》.
met[1] [met] MEET[1]의 과거 · 과거분사.
met[2] 《구어》 *a.* METEOROLOGICAL; METROPOLITAN. —*n.* [the M-] **1** 《英》 런던 경시청; =MET OFFICE. **2** 《美》 메트로폴리탄 오페라하우스.
met·a- [métə] *pref.* 'after, with, change' 따위의 뜻. ★ 모음 앞에서는 **met-**.
met·a·bol·ic, -i·cal [mètəbɑ́lik/-bɔ́l-], [-ikəl] *a.* 변화의, 변형의; 〖생물〗 물질 교대의, 신진 대사의.
me·tab·o·lism [mətǽbəlizəm] *n.* Ⓤ 〖생물〗 물질〔신진〕 대사.
me·tab·o·lize [mətǽbəlàiz] *vt.* 〖생물〗 물질

대사로 변화시키다, 신진 대사시키다.

mèta·cárpal 〖해부〗 *a.* 중수(中手)의. **—***n.* [C] 손바닥뼈.

mèta·cárpus (*pl.* **-pi** [-pai]) *n.* [C] 〖해부〗 중수(中手), 《특히》 손바닥뼈.

méta·file *n.* [C] 〖컴퓨터〗 메타파일《컴퓨터 그래픽에서 그래픽 출력의 교환을 위해 사용하는 중간 파일》.

⁑met·al [métl] *n.* **1 a** [U] (종류는 [C]) **금속**: made of ~ 금속제의/a worker in ~s 금속 세공사/base ~s 비(卑)금속/heavy 〔light〕 ~s 중〔경〕금속/noble ~s 귀금속. **b** [C] 〖화학〗 금속 원소. **2** [U] 용해(溶解) 주철; 용해된 유리 원료. **3** [U] 쇄석(碎石), 길에 까는 자갈(road ~). **4** (*pl.*) 《英》 레일, 궤조(軌條): leave 〔run off, jump〕 the ~s (열차가) 탈선하다.

méta·lànguage *n.* [U] (구체적으로는 [C]) 〖언어〗 메타 언어, 언어 분석용 언어.

métal detéctor 금속 탐지기.

mé·taled, 《英》 **-talled** *a.* [A] (쇄석으로) 포장(鋪裝)된: a ~ road.

métal fatìgue 금속의 피로(도).

***me·tal·lic** [mətǽlik] *a.* **금속〔제〕의**; 금속성〔질〕의; 금속과 유사한《색·광택》; 쇳내 나는, 쇳소리의《음성》: a ~ alloy 합금/~ luster 금속 광택/~ sounds 금속성의 소리. ㊎ **-li·cal·ly** *ad.*

met·al·lif·er·ous [mètəlífərəs] *a.* 금속을 산출하는〔함유한〕: ~ mines 광산.

met·al·lur·gic, -gi·cal [mètələ́ːrdʒik], [-əl] *a.* 야금(술)의. ㊎ **-gi·cal·ly** *ad.*

met·al·lur·gy [métələ̀ːrdʒi/metǽlərdʒi] *n.* [U] 야금(학〔술〕). ㊎ **-gist** *n.* [C] 야금가〔학자〕.

métal·wòrk *n.* [U] **1** 《집합적》 금속 세공품. **2** 금속가공, 금공. ㊎ **~·er** *n.* [C] 금속 세공사, 금속공(工).

met·a·mor·phic, -mor·phous [mètəmɔ́ːrfik], [-mɔ́ːrfəs] *a.* 변화의, 변성(變性)의; 변태의; 〖지질〗 변성(變成)의: ~ rock 변성암.

met·a·mor·phose [mètəmɔ́ːrfouz, -fous] *vt.* …을 변형시키다, 변태시키다(transform) 《*into* …으로》: The poet ~s the everyday *into* the universal. 시인은 일상적인 것을 보편적인 것으로 변형시킨다. **—***vi.* 변태〔변형〕하다《*into* …으로》: A caterpillar ~s *into* a butterfly. 나비 유충은 나비로 변태한다.

met·a·mor·pho·sis [mètəmɔ́ːrfəsis] (*pl.* **-ses** [-sìːz]) *n.* [U] (구체적으로는 [C]) 변성(變性), 변태; (마력·초자연력에 의한) 변형, 변신 《*into* …으로의》: the ~ of tadpoles *into* frogs 올챙이가 개구리로의 변태.

met·a·nal·y·sis [mètənǽləsis] (*pl.* **-ses** [-sìːz]) *n.* [U] (구체적으로는 [C]) 〖언어〗 이분석(異分析)《보기: ME *an ekename*>Mod. E *a nickname*》.

◇met·a·phor [métəfɔ̀ːr, -fər] *n.* [U] (구체적으로는 [C]) 〖수사학〗 은유(隱喩), 암유(暗喩): a mixed ~ 혼유(混喩).

> [NOTE] metaphor는 simile(직유)처럼 like, as 따위를 쓰지 않고, '비교'의 뜻이 암시만 되어 있는 비유: a heart of stone《a heart *as hard as stone*은 simile》; Life is a journey. 따위.

met·a·phor·i·cal, -phor·ic [mètəfɔ́(ː)rikəl, -fár-], [-ik] *a.* 은유적〔비유적〕인.

mèt·a·phór·i·cal·ly [-kəli] *ad.* 은유〔비유〕적으로: ~ speaking 비유해서 말하면.

mèta·phýsical *a.* **1** 형이상학의, 순수 철학의; 철학적인. **2** (종종 M-) (시인이) 형이상파(派)의: the ~ poets 형이상파 시인《17세기초 영국의》. **3** (종종 나쁜 의미로) 극히 추상적인, 매우 난해한. **—***n.* (the Metaphysicals) 형이상파 시인들. ㊎ **~·ly** *ad.*

mèta·physícian, -phýsicist *n.* [C] 형이상학자, 순정(純正) 철학자.

mèta·phýsics *n.* [U] 형이상학《물리현상을 초월한 존재·본질을 순수사고로 탐구하는 학문》; 순정〔순수〕 철학; 추상론, 탁상공론.

mèta·sequóia *n.* [C] 〖식물〗 메타세쿼이아《살아 있는 화석이라고 일컬어짐》.

me·tas·ta·sis [mətǽstəsis] (*pl.* **-ses** [-sìːz]) *n.* [U] (구체적으로는 [C]) 〖의학〗 (암 따위의) 전이(轉移).

mèta·társal 〖해부〗 *a.* 척골(蹠骨)의: ~ bone 척골. **—***n.* [C] 척골.

mèta·társus (*pl.* **-si** [-sai]) *n.* [C] 〖해부·동물〗 척골(蹠骨).

me·tath·e·sis [mətǽθəsis] (*pl.* **-ses** [-sìːz]) *n.* [U] (구체적으로는 [C]) 〖문법〗 소리〔글사〕 자리의 전환《음의 순서가 뒤바뀐 것; 보기: OE b*ri*d >Mod. E b*ir*d》.

met·a·zo·an [mètəzóuən] *n.* [C], *a.* 〖동물〗 후생(後生)동물(의).

mete [miːt] *vt.* 《문어》 (상벌·보수 따위)를 할당하다, 주다(allot) (*out*) 《*to* (아무)에게》.

me·tem·psy·cho·sis [mətèmpsəkóusis, mètəmsaik-] (*pl.* **-ses** [-sìːz]) *n.* [U] (구체적으로는 [C]) (영혼의) 재생, 윤회전생(輪廻轉生).

◇me·te·or [míːtiər, -tiɔ̀ːr] *n.* [C] **1** 유성(流星), 별똥별(shooting 〔falling〕 star); 운석, 별똥돌. **2** 〖기상〗 대기 현상《무지개·번개·눈 따위》.

me·te·or·ic [mìːtiɔ́(ː)rik, -ár-] *a.* **1** 유성의, 별똥별의: ~ iron 운철(隕鐵)/a ~ stone 운석. **2** 유성과 같은; 잠시 반짝하는〔화려한〕: the stock's ~ rise 주식의 급격한 상승. **3** 대기의, 기상상의: ~ water 천수(天水), 강수(降水). ㊎ **-i·cal·ly** *ad.*

me·te·or·ite [míːtiəràit] *n.* [C] 운석, 유성체.

me·te·or·oid [míːtiərɔ̀id] *n.* [C] 〖천문〗 운석체, 유성체(流星體).

me·te·or·o·log·i·cal [mìːtiərəlάdʒikəl/-lɔ́dʒ-] *a.* 기상의, 기상학상(上)의: a ~ balloon 〔observatory, station〕 기상 관측 기구〔기상대, 측후소〕/a ~ report 일기 예보, 기상 통보/~ optics 기상 광학/a ~ chart 일기도. ㊎ **~·ly** *ad.*

meteorológical sátellite 기상 위성(衛星) (weather satellite).

me·te·or·ol·o·gy [mìːtiərάlədʒi/-rɔ́l-] *n.* [U] 기상학; 기상 상태《한 지방의》. ㊎ **-gist** [-dʒist] *n.* [C] 기상학자.

méteor shòwer 〖천문〗 유성우(流星雨).

⁑me·ter[1] [míːtər] *n.* **1** [C] **미터**《길이의 SI 기본 단위; =100 cm; 기호 m》. **2** 〖운율〗 [C] 보격(步格), 격조; [U] 운율. **3** [U] 〖음악〗 박자.

***me·ter**[2] *n.* [C] (자동) **계량기, 미터**《가스·수도 따위의》: an electric 〔a gas〕 ~ 전기〔가스〕 계량기.

-me·ter [mətər] *suf.* '계기', 미터법의 '미터'의 뜻: baro*meter*; kilo*meter*.

méter màid 《美》 주차 단속 여경.

meth·ane [méθein] *n.* [U] 〖화학〗 메탄, 소기(沼氣)《무미·무취·무색의 기체》.

meth·a·nol [méθənɔ̀:l, -nòul, -nɑ̀l] *n.* Ⓤ 〖화학〗 메탄올.
me·thinks [miθíŋks] (*p.* ***me·thought*** [miθɔ́:t]) *vi.* 《고어·시어·우스개》 나에게는 생각된다, 생각건대 …이다(it seems to me). ★ 비인칭 동사로, 주어 it는 생략됨.
meth·od [méθəd] *n.* **1** Ⓒ **방법,** 《특히》 조직적 방법, 방식: after the American ~ 미국식으로 / a teaching ~ 교수법 / a ~ *of* learning English 영어 학습법 / this ~ *of* electing the chairperson 의장 선출의 이 방법.
SYN. **method** 제대로 순서를 밟은 조직적 방법, 방식, 계획: the best *method* to learn English 영어를 배우는 최선의 방법. **mode** 사회적 또는 개인적 습관으로 확립된 방식: a *mode* of life 생활 양식. **manner** mode와 꼭 같은 뜻으로 쓰이는 외에, 습관으로 고정되어 있지 않은 단 한 번에 한한 방식에도 쓰임: in this *manner* 이런 식으로. **fashion** 개성적이며 특이한 방법: He does everything after his own *fashion*. 그는 모든 걸 자기 독자적인 방법으로 한다. **way** 위 네 말과 대치할 수 있는 가장 일반적인 말: the best *way* to learn English. a peculiar *way* of life. in this *way*. He does everything after his own *way*.
2 Ⓤ (일을 하는) 순서, (생각 따위의) 조리; 규칙 바름, 질서정연함; 꼼꼼함: He works with ~. 그는 순서 있게 일을 한다 / a man of ~ 꼼꼼한 사람 / There is ~ in his madness. 미친 것 치고는 조리가 있다《Shakespeare 작 *Hamlet* 중 Polonius의 대사》.
◇**me·thod·ic, -i·cal** [məθɑ́dik/miθɔ́d-], [-əl] *a.* 질서 있는, 조직적인(systematic); 규칙 바른, 질서정연한(orderly); 방법론적인. ㊕ **-i·cal·ly** *ad.*
Meth·od·ism [méθədìzəm] *n.* Ⓤ 감리교파(의 교의).
◇**Meth·od·ist** [méθədist] *n.* Ⓒ 메서디스트 교도, 감리교 신자. **—*a.*** 감리교파의: the ~ Church 감리교회.
méth·od·ìze *vt.* 방식화〔조직화〕하다, 순서를〔조직을〕 세우다.
meth·od·ol·o·gy [mèθədɑ́lədʒi/-dɔ́l-] *n.* Ⓤ (구체적으로는 Ⓒ) 방법론, 방법학.
㊕ **meth·od·o·log·i·cal** [mèθədəlɑ́dʒikəl/-lɔ́dʒ-] *a.* 방법론의〔적인〕. **-i·cal·ly** *ad.*
meths [meθs] *n.* Ⓤ 《英구어》 변성 알코올(methylated spirits).
Me·thu·se·lah [miθjú:zələ] *n.* **1** 〖성서〗 므두셀라《969 세까지 살았다는 전설상의 사람; 창세기 V: 27》. **2** (m-) Ⓒ 《종종 우스개》 (아주) 나이 많은 사람, 시대에 뒤진 사람.
meth·yl [méθəl] *n.* Ⓤ 〖화학〗 메틸(기(基)), 목정(木精).
méthyl álcohol 〖화학〗 메틸알코올(methanol).
méthylated spírit(s) 변성 알코올《마실 수 없음; 램프·히터용》.
me·tic·u·lous [mətíkjələs] *a.* 《구어》 (주의 따위가) 지나치게 세심한, 매우 신중한; 소심한《*in* …에》: He's ~ *in* his work. 그는 업무에 매우〔대단히〕 신중하다. ㊕ **~·ly** *ad.* **~·ness** *n.*
mé·tier [méitjei, -ˊ] *n.* 《F.》 Ⓒ 직업; 전문(분야); 전문 기술.
Mét Òffice (the ~) 《英구어》 기상청.
me·ton·y·my [mitɑ́nəmi/-tɔ́n-] *n.* Ⓤ (구체적으로는 Ⓒ) 〖수사학〗 환유(換喩)《king을 crown으로 나타내는 따위》. cf. synecdoche.
me-too [mí:tú:] *a.* Ⓐ 《美구어》 흉내내는, 모방하는.
mé-tóo·ism *n.* Ⓤ 모방주의, 대세 추종주의.
metre ⇨ METER[1].
met·ric [métrik] *a.* 미터(법)의: go ~ 미터법을 채용하다.
met·ri·cal [métrikəl] *a.* 운율의, 운문의.
㊕ **~·ly** *ad.*
met·ri·cate [métrikèit] 《英》 *vt.* 미터법으로 하다. **—*vi.*** 미터법을 채용하다.
mèt·ri·cá·tion *n.* Ⓤ 미터법화(化)〔이행〕.
met·ri·cize [métrəsàiz] *vt.* 미터법으로 고치다〔나타내다〕.
mét·rics *n.* Ⓤ 운율학, 작시법.
métric sýstem (the ~) 미터법.
métric tón 미터톤《1,000 kg》.
met·ro [métrou] *n.* Ⓒ (때로 M-; the ~) (Paris, Montreal이나 Washington, D.C. 등의) 지하철: by ~ 지하철로《★ 관사 없이》.
Métro·lìner *n.* 《美》 Amtrak의 고속철도《특히 New York과 Washington, D.C. 사이의》.
me·trol·o·gy [mitrɑ́lədʒi/-trɔ́l-] *n.* Ⓤ 도량형학.
met·ro·nome [métrənòum] *n.* Ⓒ 〖음악〗 메트로놈, 박절기(拍節器).
met·ro·nom·ic, -i·cal [mètrənɑ́mik/-nɔ́m-], [-kəl] *a.* 메트로놈의.
◇**me·trop·o·lis** [mitrɑ́pəlis/-trɔ́p-] (*pl.* **~·*es***) *n.* **1** Ⓒ 수도(capital); 주요 도시; (활동의) 중심지: a ~ of religion 종교의 중심지. **2** (the M-) 《英》 런던.
*__met·ro·pol·i·tan__ [mètrəpɑ́litən/-pɔ́l-] *a.* **수도(권)의;** 대도시의; 도시적인, 도시인의; 《英》 (M-) 런던의: ~ newspapers (지방지에 대하여) 중앙지. **—*n.*** Ⓒ 수도의 주민; (대)도회지 사람; 〖교회〗 대주교, 대감독(= ∽ **bíshop**).
-me·try [mətri] '…측정법〔술, 학〕'의 뜻의 결합사: geo*metry*, psycho*metry*.
met·tle [métl] *n.* Ⓤ 기질; 기개, 혈기, 용기, 열의: a man of ~ 기개 있는 사람 / show 〔prove〕 one's ~ 기개를 나타내 보이다 / try a person's ~ 아무의 근성을 알아보다, 기개를 시험하다.
on 〔***upon***〕 ***one's ~*** 분발〔분기〕하여, 단단히 마음먹고: put 〔set〕 a person to 〔*on, upon*〕 his ~ 아무를 분발시키다.
met·tle·some [métlsəm] *a.* 기운찬, 위세〔용기〕 있는, 혈기 왕성한(high-mettled).
meu·nière [mənjέər] *a.* 《F.》 〖요리〗 뫼니에르로 한《생선을 밀가루를 발라 버터로 구운》: sole ~ 넙치 뫼니에르.
MEV, Mev, mev [mev] *n.* Ⓒ 메가 전자(電子) 볼트. [◂ *m*illion *e*lectron *v*olts]
mew[1] [mju:] *n.* Ⓒ 야옹(meow)《고양이의 울음소리》; 갈매기 울음 소리. **—*vi.*** 야옹하고 울다.
mew[2] *n.* Ⓒ 〖조류〗 갈매기(흔히 sea ~).
mewl [mju:l] *vi.* (갓난애 따위가) 약한 울음 소리를 내다.
mews [mju:z] (*pl.* ~) *n.* 《英》 (작은 길의 양쪽·빈터 주위에 늘어선) 마구간; 그것을 개조한 아파트; 이러한 아파트가 있는 광장《★ 종종 Mews로 지명에 사용》.
Mex. Mexican; Mexico.
◇**Mex·i·can** [méksikən] *a.* 멕시코(사람)의. **—*n.*** **1** Ⓒ 멕시코 사람. **2** Ⓤ 멕시코어(語).

*__Mex·i·co__ [méksikòu] *n.* 멕시코(공화국).
México Cíty 멕시코시티《멕시코의 수도》.
mez·za·nine [mézənìːn] *n.* [C] **1** 【건축】 (층 높이가 낮은 발코니풍의) 중이층(中二層)(entresol). **2** 【연극】《美》 2층 정면 좌석;《英》 무대 밑.
mez·zo [métsou, médzou] (*fem.* **mez·za** [métsɑː, médzɑː]) *ad., a.* 《It.》【음악】 반(의)(half); 적도(適度)의〔로〕, 알맞은〔게〕.
—*n.*《구어》[C] 메조 소프라노 가수.
mézzo fórte 【음악】 조금 세게《생략: mf》.
mézzo piáno 【음악】 조금 여리게《생략: mp》.
mézzo-rilíevo (*pl.* **~s**) *n.* 《It.》 [U] (낱개는 [C]) 반돋을 새김, 중부조(中浮彫). [cf] relievo.
mézzo-sopráno (*pl.* **~s, -pra·ni** [-prǽniː, -prɑ́ːniː]) *n., a.* 《It.》 [U] 【음악】 메조 소프라노(의), 차고음(次高音)(의); [C] 메조 소프라노 가수(의).
mézzo·tìnt *n.* **1** [U] 메조틴트〔그물눈〕 동판술. **2** [C] 메조틴트 판화.
MF, M.F. Middle French. **MF, mf, M.F., m.f.** medium frequency (중파). **mf** 【음악】 mezzo forte. **mfd.** manufactured. **mfg.** manufacturing. **MFM** 【컴퓨터】 Modified Frequency Modulation (변형 주파수 변조). **Mg** 【화학】 magnesium. **mg., mg** milligram(s). **Mgr.** (*pl.* ***Mgrs.***) Manager; Monsignor. **MHR** Member of the House of Representatives (하원 의원). **MHz, Mhz** megahertz.
mi [miː] (*pl.* **~s**) *n.* 《It.》 [U] (낱개는 [C]) 【음악】 미《장음계의 제 3 음》, 마음(音).
MI 【美우편】 Michigan. **M.I.** 《英》 Military Intelligence (군사 정보부): *M.I.* 5, 국내 정보부/*M.I.* 6, 국외 정보부. **mi.** mile(s). **M.I.A., MIA** 【군사】 missing in action (전투 중 행방불명된 병사).
Mi·ami [maiǽmi] *n.* 마이애미《미국 Florida 주 남동부의 피한지(避寒地)》.
mi·aow [miáu, mjau] *n., vi.* 《英》 =MEOW.
mi·as·ma [maiǽzmə, mi-] (*pl.* **~s, ~·ta** [-mətə]) *n.* [C] (늪에서 나오는) 독기, 소기(沼氣), 장기(瘴氣); 불쾌한 냄새; 악영향을 끼치는 분위기. ㊕ **mi·ás·mal** [-əl] *a.* 독기의, 유독한.
Mic. 【성서】 Micah.
mi·ca [máikə] *n.* [U] 【광물】 운모, 돌비늘.
Mi·cah [máikə] *n.* **1** 마이카《남자 이름》. **2** 【성서】 헤브라이의 예언자; 미가서《구약 성서 중의 한 편》.
mice [mais] *n.* MOUSE 의 복수.
Mich. Michaelmas; Michigan.
Mi·chael [máikəl] *n.* **1** 마이클《남자 이름; 애칭 Mick(e)y, Mike》. **2** 【성서】 미가엘《대천사의 하나》.
Mich·ael·mas [míkəlməs] *n.* 미가엘 축일《9월 29일; 영국에선 사계(四季)〔4 분기(分期)〕 지급일(quarter days)의 하나》.
Míchaelmas dàisy 【식물】 =ASTER.
Míchaelmas tèrm (보통 the ~) 【英대학】 제1학기, 가을학기《10 월초에서 크리스마스까지의》.
Mi·chel·an·ge·lo [màikəlǽndʒəlòu, mìk-] *n.* **Buonarroti** ~ 미켈란젤로《이탈리아의 조각가 · 화가 · 건축가 · 시인; 1475–1564》.
Mich·i·gan [míʃigən] *n.* **1** 미시간《미국 중북부의 주; 생략: Mich.》. **2** (Lake ~) 미시간호《5대호의 하나》.

Mick [mik] *n.* (또는 m–) [C] 《英속어 · 경멸적》 **1** 아일랜드 사람. **2** 로마 가톨릭 교도.
Mick·ey [míki] *n.* 미키《남자 이름; Michael 의 애칭》.
mick·ey, micky [míki] *n.* 〔다음 관용구로〕 ***take the ~ (out of...)*** 《英구어》 (…을) 놀리다, 들볶다; 모욕을 주다.
Míckey Mòuse **1** 미키 마우스《W. Disney 의 만화 주인공》. **2** 〔형용사적〕 (종종 m– m–) (음악 등이) 감상적인; 시시한; 흔해빠진, 진부한.
mick·le, muck·le [míkəl], [mʌ́kəl] *n.* (a ~) 《고어 · Sc.》 대량, 다량: Many a little 〔pickle〕 makes a ~. =Every little makes a ~. 《속담》 티끌 모아 태산.
MICR 【컴퓨터】 magnetic ink character reader (자기 잉크 문자 판독기).
mi·cra [máikrə] MICRON의 복수.
mi·cro [máikrou] (*pl.* **~s**) *n.* [C] 마이크로 컴퓨터.
mi·cro- [máikrou, -krə] '소(小), 미(微), 【전기】 100만 분의 1…'의 뜻의 결합사《모음 앞에서는 **micr-**》. ↔ *macro-*.
mìcro·análysis (*pl.* **-y·ses**) *n.* [U] (구체적으로는 [C]) 【화학】 미량 분석.
◇**mi·crobe** [máikroub] *n.* [C] 세균; 미생물: ~ bombs 〔warfare〕 세균탄〔전〕.
mìcro·biólogy *n.* [U] 미생물학, 세균학(bacteriology). ㊕ **-gist** *n.* **-biológic, -ical** *a.*
mícro·bùs *n.* [C] 마이크로〔소형〕버스.
mícro·chìp *n.* [C] 【전자】 마이크로칩《전자 회로의 구성 요소가 되는 미소한 기능 회로》.
mìcro·círcuit *n.* [C] 【전자】 초소형〔마이크로〕 회로, 집적(集積) 회로(integrated circuit).
mìcro·compúter *n.* [C] 【컴퓨터】 마이크로〔초소형〕 컴퓨터.
mícro·còpy *n.* [C] 축소복사(물)《서적 · 인쇄물을 microfilm 으로 축사(縮寫)한 것》.
mi·cro·cosm [máikroukɑ̀zəm/-kɔ̀z-] *n.* [C] **1** 소우주, 소세계. ↔ *macrocosm*. **2** (우주의 축도로서의) 인간 (사회); 축도. ***in ~*** 소규모로.
mi·cro·cos·mic [màikrəkɑ́zmik/-kɔ́z-] *a.* 소우주의, 소세계의.
mìcro·económics *n.* [U] 미시(적)(微視(的)) 경제학. ↔ *macroeconomics*. ㊕ **-nomic** *a.*
mìcro·electrónics *n.* [U] 마이크로일렉트로닉스, 극소 전자공학.
mi·cro·fiche [máikrəfìːʃ] (*pl.* **~, ~s**) *n.* [U] (낱개는 [C]) (여러 페이지분을 수록하는) 마이크로 필름 카드.
mícro·film *n.* [U] (낱개는 [C]) 축사(縮寫) 필름, 마이크로필름. [cf] microcopy. **—***vt.* 축사 필름에 찍다.
mícro·fòrm *n.* [U] (인쇄물의) 극소축쇄(縮刷)법; 축소복사(microcopy).
mi·cro·gram [máikrəgræ̀m] *n.* [C] 마이크로그램《100 만분의 1 그램》.
mi·cro·graph [máikrəgræ̀f, -grɑ̀ːf] *n.* [C] 현미경 사진〔그림〕.
mícro·gròove *n.* [C] (LP판의) 좁은 홈.
mícro·mèsh *n.* [U] (스타킹 따위에 쓰는) 그물코가 극히 미세한 재료《나일론 따위》.
mi·crom·e·ter [maikrɑ́mitər/-krɔ́-] *n.* [C] **1** (현미경 · 망원경용의) 측미계(測微計), 측미척(測微尺). **2** =MICROMETER CALIPER.
micrómeter cáliper 【기계】 마이크로미터 캘리퍼, 측미경기(測微徑器).
mi·cro·mini [màikroumíni] *a.* =micro-

miniature. —*n*. Ⓒ **1** 초소형의 것. **2** 초미니 스커트.

mìcro·míniature *a*. (전자 부품이) 초소형인.

mi·cron [máikrɑn/-krɔn] (*pl*. **~s, -cra** [-krə]) *n*. Ⓒ 미크론(1m 의 100만분의 1; 기호 μ).

Mi·cro·ne·sia [màikrəníːʒə, -ʃə] *n*. 미크로네시아《태평양 서부 Melanesia 의 북쪽에 퍼져 있는 작은 군도(群島); Mariana, Caroline, Marshall, Gilbert 따위의 제도를 포함》.

Mi·cro·ne·sian [màikrəníːʒən, -ʃən] *a*. 미크로네시아(사람, 어군(語群))의. —*n*. **1** Ⓒ 미크로네시아 사람. **2** Ⓤ 미크로네시아 어군.

mìcro·órganism *n*. Ⓒ 미생물《박테리아 따위》.

‡**mi·cro·phone** [máikrəfòun] *n*. Ⓒ **마이크(로폰)**(mike), (라디오 따위의) 송화기(送話器).

mìcro·phótograph *n*. Ⓒ 축소 사진; 현미경 사진(photomicrograph).

mìcro·prócessing ùnit 【컴퓨터】 소형 처리 장치.

mìcro·prócessor *n*. Ⓒ 【컴퓨터】 마이크로프로세서《소형 컴퓨터의 중앙 처리 장치》.

mícro·rèader *n*. Ⓒ 마이크로필름 확대 투사 장치.

‡**mi·cro·scope** [máikrəskòup] *n*. Ⓒ **현미경**: a binocular ~ 쌍안 현미경/an electron ~ 전자 현미경/focus a ~ 현미경의 초점을 맞추다.

°**mi·cro·scop·ic, -i·cal** [màikrəskɑ́pik/-skɔ́p-], [-əl] *a*. 현미경의(에 의한); 극히 작은, 극미의; 【물리】 미시적(微視的)인. ↔ *macroscopic*. ¶a ~ organism 미생물. ㊞ **-i·cal·ly** *ad*.

mi·cros·co·py [maikrɑ́skəpi/-krɔ́s-] *n*. Ⓤ 현미경 사용(법)(검사(법)); 현미경에 의한 검사, 검경(檢鏡): by ~ 현미경 검사로.

mícro·sècond *n*. Ⓒ 마이크로세컨드《100만분의 1초》.

mi·cro·state [máikroustèit] *n*. Ⓒ 미소(微小)국가《특히 근래에 독립한 아시아·아프리카의》.

mìcro·súrgery *n*. Ⓤ 현미(顯微)수술《현미경을 써서 하는 미세한 수술(해부)》.

mícro·wàve *n*. Ⓒ **1** 【통신】 마이크로파(波), 극초단파《보통 파장이 1mm–30cm (1m) 인 전자기파》. **2** =MICROWAVE OVEN. —*vt*. 전자 레인지로 요리하다.

mícrowave òven 전자 레인지.

mid**[1] [mid] (míd·most***) *a*. Ⓐ **중앙의**, 가운데(복판)의, 중간의: the ~ finger 중지(中指)/~-October 10월 중순경/in ~ career (course) 중도에/in ~ summer 한여름에.

mid[2], **'mid** *prep*. 《시어》 =AMID.

mid. middle.

mid- [mid] '중간의, 중앙의, 중간 부분의' 란 뜻의 결합사: *mid*night, *mid*summer.

míd·afternóon *n*. Ⓤ 이른 오후《대략 3–4 p.m. 전후》.

mid·áir *n*. Ⓤ 공중, 상공: ~ collision 공중 충돌/~ refueling 공중 급유/in ~ 공중에.

Mi·das [máidəs] *n*. 【그리스신화】 미다스《손에 닿는 모든 것을 황금으로 변하게 했다는 Phrygia 의 왕》. ***the ~ touch*** 돈 버는 재주.

Míd-Atlàntic *a*. **1** (영어가) 영어(英語)와 미어(美語)의 중간 성격의: ~ English 영미 공통 영어. **2** (상품이) 영미 양국에 두루 쓰이게 만든.

míd·còurse *n*. Ⓒ **1** 코스의 중간점. **2** (로켓의) 중간 궤도.

‡**mid·day** [míddèi, ˊˊ] *n*. Ⓤ **정오**, 한낮: at ~ 정오에. —*a*. Ⓐ 정오의, 한낮의: ~ dinner 오찬/a ~ meal 점심 식사.

mid·den [mídn] *n*. Ⓒ 거름 더미; 쓰레기 더미; 【고고학】 패총, 조개무지(kitchen ~).

†**mid·dle** [mídl] *a*. Ⓐ **1 한가운데의**, 중간의(medial), 중앙의: the ~ point of our journey 여행의 중간점/in one's ~ fifties (나이가) 50대 중반에.

2 중위(中位)**의**, 중류의, 중등의, 보통의: a man of ~ stature (height) 중키(보통키)의 사나이/follow (take) a (the) ~ course 중용을(중도를) 취하다.

3 (M–) 【언어】 중기의(cf. Old, Modern).

—*n*. **1** (the ~) **중앙**, 한가운데; 중간(부분); 중도: the ~ of the room 방 한가운데/about the ~ of the 19th century, 19세기 중엽/in the ~ of June, 6월 중순에.

SYN. **middle** center 처럼 엄밀하지 않고 중심 부분을 나타냄. **center** 원, 원형을 이루는 것의 주위나 선의 양극단에서 등거리에 있는 점을 나타냄. **midst** middle 의 뜻으로 보통 관용구 in the *midst* of 따위로 쓰임. **heart** 중심부나 중요지점을 나타냄.

2 (the ~, one's ~) 《구어》 (인체) 몸통, 허리 부위: fifty inches (a)round the ~ 몸통(허리) 둘레 50인치.

down the ~ 반으로; 딱 둘로. ***in the ~ of*** ① …의 가운데에(⇨*n*. 1). ② …을 한창 하는 중에, …에 몰두하여: be *in the ~ of* dinner 한창 식사 중이다. ***in the ~ of nowhere*** 《구어》 마을에서 멀리 떨어진 곳에.

míddle áge 중년, 장년, 초로《대개 40–60세》.

***mid·dle-aged** [mídléidʒd] *a*. **중년의**.

míddle-àge(d) spréad 《구어》 중년에 살찌는 것.

míddle-áger *n*. Ⓒ 《美》 중년인 사람.

Míddle Áges (the ~) 【역사】 중세(기).

Míddle América 중앙 아메리카; 미국의 중서부; (보수적인) 미국의 중산층.

Míddle Atlántic Státes (the ~) New York, New Jersey, Pennsylvania 의 3주(州).

míddle·brow *n*. Ⓒ 평범한 교양을 갖춘 지성인. —*a*. Ⓐ 지식(교양)이 중간 정도의. cf. highbrow, lowbrow.

míddle cláss (the ~(es)) 《집합적; 단·복수 취급》 중류(중간, 중산) 계급(의 사람들): the upper (lower) ~(*es*) 중상류(중하류)층 계급.

míddle-cláss *a*. 중류(중산)(계급)의.

míddle cóurse 중도(中道), 중용: follow (take, steer) a (the) ~ 중도를(중용을) 취하다.

míddle dístance (the ~) **1** 【회화】 (특히 풍경화(畫)의) 중경(中景)(middle ground (plane)) 《그림의 전경과 배경의 중간》. cf. background, foreground. **2** 【경기】 (육상 경기의) 중거리《보통 400–800m 경주》.

míddle éar (종종 the ~) 【해부】 중이(中耳).

Míddle Éast (the ~) 중동《흔히 리비아에서 아프가니스탄까지의 지역을 이름》.

Míddle Éastern 중동의.

Míddle Énglish 중세 영어《약 1100–1500년경의 영어; 생략: ME》.

míddle fínger 가운뎃손가락.

míddle·màn [-mæ̀n] (*pl*. ***-mèn*** [-mèn]) *n*. Ⓒ 중간 상인, 브로커; 중매인, 매개자: the profiteering of the ~ 중간 상인의 폭리 취득/act as a ~ in negotiations 교섭에서 중개 역할을 하다.

míddle mánagement 1 중간(경영)관리직《부·국장급》. 2 (the ~)〖집합적〗 중간 관리자층. [cf] executive.

míddle mánager 중간 관리자.

míddle·mòst *a.* 한가운데의(midmost).

míddle nàme 1 중간 이름《first name과 family name 사이의 이름; George Bernard Shaw의 Bernard》. 2 (one's ~)《구어》 두드러진 특징, 눈에 띄는 성격; 장기(長技): Modesty is her ~. 겸허한 것이 그녀의 특징이다.

míddle-of-the-róad *a.* 중용(中庸)의, 중도의, 온건파의《생략: MOR》. [파] **~·ism** *n.* [U] 중도주의.

míddle schòol 중학교(junior high school).

Mid·dle·sex [mídlsèks] *n.* 미들섹스《이전의 잉글랜드 남부의 주; 1965년 Greater London에 편입》.

míddle-sízed *a.* 중형의, 중간 크기의.

Míddle Státes (the ~) =MIDDLE ATLANTIC STATES.

míddle·wàre *n.* [U]〖컴퓨터〗 미들웨어《컴퓨터 설치자의 특수한 요구에 따라 만들어진 컴퓨터 제조 회사가 제공하는 소프트웨어》

míddle·wèight *n.* [C] 평균 체중인 사람;〖권투·레슬링·역도〗 미들급 선수. **—***a.* 1 평균 체중의. 2 미들급 선수의.

Míddle Wést (the ~)《美》 중서부 지방.

Míddle Wéstern《美》 중서부의.

Míddle Wésterner《美》 중서부 사람.

mid·dling [mídliŋ] *a.* 중등의, 보통의, 2류의, 평범한;《구어·방언》(건강 상태가) 그저 그런〔그만한〕: I feel only ~. 기분은 그저 그렇다.

Middx. Middlesex.

mid·dy [mídi] *n.* [C] 1《구어》 =MIDSHIPMAN. 2 =MIDDY BLOUSE.

míddy blòuse (여성·어린이용) 세일러복 모양의 블라우스.

Míd·éast *n.* (the ~)《美》 =MIDDLE EAST.

Míd·éastern *n.* 중동의.

míd·field *n.* [U] 미드필드, 경기장의 중앙부. [파] **~·er** *n.* [C]〖축구〗 미드필더《포워드와 백의 중간에 있는 선수》.

midge [midʒ] *n.* [C] (모기·각다귀 등) 작은 곤충; 꼬마(둥이).

midg·et [mídʒit] *n.* [C] 난쟁이, 꼬마(둥이); 초소형(超小型)의 것《자동차·보트·잠수정》. **—***a.* [A] 극소형의: a ~ car 소형차/a ~ submarine, 2인승 잠수정.

Míd Gla·mór·gan [-gləmɔ́ːrgən] *n.* 미드 글러모건《웨일스 남부의 주》.

midi [mídi] *n.* [C] (mini와 maxi의) 중간 길이의 스커트〔드레스〕, 미디.

mídi·skìrt *n.* [C] 미디 스커트.

◇**mid·land** [mídlənd] *n.* 1 (the ~) (나라의) 중부 지방, 내륙 지방. 2 (the M-s) 잉글랜드 중부의 제주(諸州). **—***a.* [A] (나라의) 중부(지방)의, 내륙의; (M-) 잉글랜드 중부(지방)의.

Mídland díalect (the ~) 영국 중부 지방의 방언《런던을 포함하여 동부 지방(East Midland) 방언이 근대 영어의 표준이 되었음》.

míd-lìfe *n.* [U] 중년(middle age).

mídlife crísis 중년의 위기《청년기가 끝난다는 자각에서 생기는》.

míd·mòst *a.* [A], *ad.* 한가운데의〔에〕.

mid·night [mídnàit] *n.* [U] **한밤중**《밤 12시》: at ~ 한밤중에. **—***a.* [A] 한밤중의: the ~ hours 한밤중의 시간/a ~ matinée 한밤중의 흥행〔공연〕. ***burn the ~ oil*** 밤늦게까지 공부하다〔일하다〕.

mídnight blúe 짙은 감색.

mìdnight sún (the ~) (극지의 여름철) 심야(深夜)의 태양.

míd·pòint *n.* [C] (보통 *sing.*) 중심점, (선의) 중앙(지)점; (경과·활동·시간의) 중간점: at the ~ 중심〔중간〕에.

mid·riff [mídrìf] *n.* (the ~) [C] 1〖해부〗 횡격막(diaphragm). 2 몸통; (옷의) 몸통부분.

míd·sèction *n.* [C] (몸통 따위의) 중앙부(midriff).

míd·shìp *n.* (the ~) 선체의 중앙부.

míd·shìpman [-mən] (*pl.* ***-men*** [-mən]) *n.* [C]《英》(해군 사관 학교 졸업 후의) 수습 장교, 해군 사관 후보생;《美》 해군 사관 학교 생도.

míd·shìps *ad.* 배의 중앙에(amidships).

◇**midst** [midst] *n.* [U] (보통 the ~, one's ~) 1 중앙, (한)가운데: from 〔out of〕 the ~ of …의 한가운데에서〔로부터〕. 2 한창: in the ~ of perfect silence 쥐죽은 듯 고요한 가운데. ***in the ~ of us*** 〔***you, them***〕 =***in our*** 〔***your, their***〕 ~ 우리〔너희, 그(사람)〕들 사이에: To think there was a spy *in our ~!* 우리 중에 스파이가 있었다니. **—***prep.*《시어》 =AMID(ST).

'midst [midst] *prep.* =AMID(ST).

míd·stréam *n.* [U] 1 강의 한가운데, 중류: keep a boat in ~ (강 기슭에 기울지 않도록) 배를 강 한가운데로 지나가게 하다. 2 (일의) 도중: change one's course in ~ 도중에 방침을 바꾸다. 3 (기간의) 중간쯤: the ~ of life 인생의 중반. ***change horses in ~*** 일의 중도에 사람이나 계획을 바꾸다.

◇**míd·súmmer** *n.* [U] 한여름, 성하(盛夏); 하지(무렵). ***A Midsummer Night's Dream*** '한여름 밤의 꿈'《Shakespeare 작의 희극》.

mídsummer mádness《문어》 극도의 광란《한여름의 달과 열기 때문으로 상상됨》.

Mídsummer('s) Dáy 세례 요한 축일(=**Sàint Jóhn's Dày**)《6월 24일; 영국에서는 사계(四季)〔4분기(分期)〕 지급일(quarter days)의 하나》.

míd·tèrm *n.* 1 [U] (학기·임기·임신 기간 따위의) 중간(기). 2 [C] 중간 고사. **—***a.* [A] (임기·학기 등의) 중간의: a ~ examination 중간 시험.

mídterm eléction《美》 중간 선거《대통령의 임기 4년 중간에 행해지는 국회의원 선거; 임기 2년의 하원 의원은 중간 선거 때에 전의원이 개선되고, 임기 6년의 상원 의원은 1/3이 개선됨》.

míd·tówn *n.* [C], *a.*, *ad.*《美》 상업지역과 주택지역의 중간 지구(의, 에서).

míd-Victórian *a.* 빅토리아조 중기의. **—***n.* [C] 빅토리아 중기의 사람; 빅토리아조 중기의 (이상을〔취미를〕 가진) 사람; 구식인〔도덕적으로 엄격한〕 사람.

◇**míd·wáy** *a.*, *ad.* 중도의〔에〕, 중간쯤의〔에〕: lie ~ between A and B, A와 B 중간에 있다. **—** [⌐⌐] *n.* (종종 M-) [C] (박람회 따위의) 중앙로《여흥장·오락장·매점 따위가 있음》.

Míd·way Íslands [mídwèi-] (the ~) 미드웨이 군도(群島)《하와이 근처에 있는 미국령》.

míd·wèek *n.* Ⓤ 주일 중간쯤《화·수·목요일(특히 수요일)을 가리킴》. **—***a.* Ⓐ 주일 중간쯤의.

Míd·wést *n.* (the ~)《美》중서부.

Míd·wéstern *a.*《美》중서부의.

míd·wìfe (*pl.* **-wìves** [-wàivz]) *n.* Ⓒ 조산사, 산파; (일의 성사에 힘쓴) 산파역의 사람〔것〕.

mid·wife·ry [mídwàifəri, -wìf-] *n.* Ⓤ 조산술, 산과학(學)(obstetrics).

míd·wínter *n.* Ⓤ 한겨울, 동지(무렵).

míd·yèar *n.* **1** Ⓤ 1년의 중간; 학년의 중간. **2** Ⓒ (종종 *pl.*)《美구어》중간 시험. **—***a.* Ⓐ 1년의 중간쯤의; 학년 중간의.

mien [mi:n] *n.* Ⓒ《문어》(성격·감정 따위를 나타내는) 풍채, 태도, 모습, 거동: with a gentle ~ 상냥한 태도〔표정〕으로.

miff [mif] *n.* (a ~) 불끈하기; 분개: in a ~ 불끈하여.

miffed [mift] *a.*《구어》불끈한《*at* …에》: She was ~ *at* her husband's forgetfulness. 그녀는 남편이 잘 잊어버리는 것에 대해 몹시 화가 나 있었다.

MI 5, M.I.5《英》Military Intelligence, section five《영국의 국내 첩보부 제5부; 미국의 FBI에 해당》.

Mig, MIG, MiG [mig] *n.* Ⓒ 미그《옛 소련제 제트 전투기》. [◂ 설계자 *Mi*koyan and *G*urevich]

†**might**[1] [mait] (might not의 간약형 **mightn't** [máitnt]; 2인칭 단수《고어》(thou) **might·est** [máitist]) *aux. v.*

A may의 직설법 과거

1〖시제의 일치에 의한 과거꼴로 종속절에 쓰이어 may의 여러 뜻을 나타냄〗**a**〖가능성·추측〗…**일지도 모른다**: I said that it ~ rain. 비가 올지도 모른다고 말했다(<I said, "It *may* rain.")/I was afraid he ~ have lost his way. 그가 길을 잃지 않았는지 걱정하였다. **b**〖허가·용인〗…**해도 좋다**: I asked if I ~ come in. 들어가도 괜찮은지 어떤지를 물었다(<I asked, "*May* I come in?")/We thought we ~ expect a great harvest. 큰 수확을 기대할 수 있으리라고 생각했다. **c**〖의문문에서 불확실의 뜻을 강조해〗(대체) …**일까**: I wondered what it ~ be. 그것이 대체 무엇일까 궁금히 여겼다/She asked what the price ~ be. 그 여자는 그 가격이 대체 얼마나 되느냐고 물었다.

2〖목적·결과의 부사절에서〗…**하기 위해**, …**할 수 있도록**: We worked hard *so that* we ~ succeed. 우리는 성공하기 위해 열심히 일했다/He was determined to go, come what ~. 무슨 일이 일어나든 그는 가기로 결심하고 있었다.

3〖양보〗**a**〖뒤에 등위접속사 but이 와서〗…**했을(는)지도 모른다**〔**모르지만**〕, …이었는지도 모른다〔모르지만〕: He ~ be rich *but* he was 〔is〕 not refined. 그가 부자였는지는 모르지만 세련미가 없(었)다. **b**〖양보를 나타내는 부사절에서〗**비록**〔**설사**〕…**였다 하더라도**: However hard he ~ try, he never succeeded. 그가 아무리 노력해 보아도 잘 되지 않았다.

> NOTE 직설법의 might는 may의 과거형이기는 하지만, 오직 시제의 일치에 따라 종속절 안에서 쓰이는 것임. 실제 과거에 있어서 추측이나 허가를 뜻할 때, 「…는지도 몰랐다」는 'may 〔might〕 have+과거분사', 「…해도 좋았다」는 'was 〔were〕 allowed to'로 나타냄. 이런 뜻으로 might를 쓰는 것은 옛 용법이며 현재는 드묾.

B may의 가정법

4〖might+동사원형; 현재의 사실과 반대의 가정으로〗**a**〖허가를 나타내어〗…**해도 좋다(면)**; …해도 좋으련만: I would go if I ~. 가도 된다면 가는 건데. **b**〖현재의 추측을 나타내어〗…**할는지도 모르겠는데**, …할 수 있을 텐데: You ~ fail if you were lazy. 게으름을 피우면 실패할는지도 모른다/It ~ be better if we told him the whole story. 그에게 모든 이야기를 해주는 게 좋을지도 모르겠는데. **c**〖might have+과거분사로; 과거 사실과 반대되는 추측의 가정 귀결절에 쓰여〗…**했을지도 모를 텐데**《가정법 과거완료》: I ~ *have gone* to the party, but I decided not to. (가려면야) 파티에 갈 수도 있었지만 가지 않기로 정했었다/I ~ *have come* if I had wanted to. 올 마음이 있었으면 왔을지도 몰랐는데.

5〖조건절의 내용을 언외(言外)에 포함한 주절만의 문장으로; 완곡히〗**a**〖you를 주어로 해서 의뢰를 나타내어〗…**해주지 않겠습니까**: *You* ~ pass me the newspaper, please. 미안하지만 신문 좀 건네주시지 않겠습니까/*You* ~ ask him. 그에게 물어보는 게 어때. **b**〖비난·유감의 뜻을 나타내어〗…**해도 괜찮으련만**〔**좋을 텐데**〕: I wish I ~ tell you. 자네에게 말해줄 수 있으면 좋겠네만 (유감이지만 말을 못 하겠다)/You ~ (at least) help us. (적어도) 우리를 도와줘도 괜찮으련만/I ~ *have been* a rich man. (마음만 먹었다면) 부자가 될 수 있었을 것을(늦었다). **c**〖may보다 약한 가능성을 나타내어〗(어쩌면) …**일지도 모른다**: It ~ be true. 어쩌면 사실일지도 모른다/He ~ *have got* a train already. 그 사람은 이미 열차에 탔을지도 모른다/Do you think he ~ *have* purposely *disappeared*? 그는 의도적으로 자취를 감추었을까요. **d**〖may보다 정중한 허가를 나타내어; 독립문에서는 의문문으로만〗…**해도 좋다**; …**해도 좋겠습니까**: *Might* I ask your name? 성함을 여쭤 보아도 괜찮겠습니까/*Might* I come in?—Yes, certainly. 들어가도 괜찮겠습니까—네, 들어오십시오《응답에는 might를 쓰지 않음》. **e**〖의문문에서, 불확실한 기분을 나타내어〗(대체) …일까: How old ~ she be? 그녀는 대체 몇 살이나 될까.

~ *as well* ⇨WELL[2]. **~ (*just*) *as well ... as*—** ⇨WELL[2]. **~ *well*...** …해도 무리는 아닐 테지〔아니었다〕, …하는 것도 당연하겠지: He ~ *well* ask that. 그가 그렇게 묻는 것도 당연할 테지.

***might**[2] [mait] *n.* Ⓤ **1 힘**, 세력; 권력, 실력; 완력: by ~ 완력으로/*Might* is right.《격언》힘이 정의다. SYN. ⇨POWER. **2** 우세.

(*with* 〔*by*〕 (*all one's*)) ~ *and main* =***with all one's*** ~ 전력을 다하여, 힘껏《★ with all one's might 쪽이 구어적》.

míght-have-bèen *n.* Ⓒ (보통 the ~s)《구어》그렇게 되었을지도 모를 일; 더 위대한〔유명한〕인물이 되었을지도 모를 사람.

might·i·ly [máitili] *ad.* 세게, 힘차게, 맹렬하게;《구어》대단히.

might·i·ness [máitinis] *n.* Ⓤ 위대, 강대, 강력.

mightn't [máitnt] MIGHT NOT의 간약형.

might've [máitəv] MIGHT HAVE의 간약형.

*__mighty__ [máiti] (*might·i·er; -i·est*) *a*. **1** 강력한. SYN. ⇨STRONG. **2** 위대한, 강대한, 거대한: ~ works 〖성서〗 기적(miracle). **3** 《구어》 대단〔굉장〕한(great): a ~ hit 대히트, 대성공/make a ~ bother 대단히 성가신 일을 저지르다.
—*ad*. 《구어》 대단히, 몹시: be ~ pleased 몹시 기뻐하다/He was ~ hungry. 그는 몹시 배가 고팠다.

mi·gnon·ette [mìnjənét] *n*. 《F.》 **1** Ⓤ (낱개는 Ⓒ) 〖식물〗 목서초(木犀草)(reseda). **2** Ⓤ 회록색(灰綠色).

mi·graine [máigrein, míː-] *n*. 《F.》 Ⓒ (병명은 Ⓤ) 〖의학〗 편두통: suffer from ~ 편두통으로 고생하다/I have (got) a ~. 편두통이 있다.

mi·grant [máigrənt] *a*. =MIGRATORY.
—*n*. Ⓒ 철새(migratory bird); 이주자; 이주〔계절〕 노동자.

*__mi·grate__ [máigreit, -ˊ] *vi*. 《~/+전+명》 **1** 이주하다《*from* …에서; *to* …으로》: ~ *from* the Northern *to* the Southern States 북부의 주에서 남부의 주로 이동하다. **2** 이동하다《새·물고기 등이 정기적으로》《*from* …에서; *to* …으로》: The birds ~ southward 〔*to* warmer countries〕 in the winter. 그 새들은 겨울에는 남쪽으로〔더 따뜻한 나라로〕 이동한다.
SYN. **migrate** 사람·동물이 한 지방에서 다른 지방으로 이주함. **emigrate** 사람이 (타국으로) 이주함. **immigrate** 사람이 (타국에서) 이주함.

°**mi·grá·tion** *n*. **1** Ⓤ (구체적으로는 Ⓒ) 이주, 이전; 〖동물〗 (새 따위의) 이동, 옮겨가기. **2** Ⓒ 《집합적》 이주자 무리, 이동중인 동물의 떼.

mi·gra·tor [máigreitər] *n*. Ⓒ 이주자; 철새.

mi·gra·to·ry [máigrətɔ̀ːri/-təri] *a*. **1** 이주〔이동〕하는. ↔ *resident*. ¶a ~ bird 철새/a ~ fish 회유어(回遊魚). **2** 방랑성의.

Mike [maik] *n*. 마이크《남자 이름; Michael의 애칭》.

mike[1] [maik] 《英속어》 *vi*. 게으름 피우다, 빈둥거리다. —*n*. Ⓤ 게으름 피움, 빈둥거림.

mike[2] *n*. Ⓒ 《구어》 마이크(microphone): a ~-side account 실황 방송/Pass round the ~, please. 마이크를 차례로 돌려주세요.

mil [mil] *n*. Ⓒ **1** 〖전기〗 밀《1/1000 인치; 전선의 직경을 재는 단위》. **2** =MILLILITER.

mi·la·dy, -di [miléidi] *n*. **1** (종종 M-) 마님, 아씨, 부인《유럽 대륙 사람의 영국 부인에 대한 호칭; my lady의 와전》. **2** Ⓒ 《美》 상류 부인.

mil·age [máilidʒ] *n*. =MILEAGE.

Mi·lan [milǽn, -láːn] *n*. 밀라노《이탈리아 북부 Lombardy의 한 주; 그 중심 도시》.

Mil·an·ese [mìləníːz, -s] (*pl*. ~) *n*. Ⓒ 밀라노(Milan) 사람. —*a*. 밀라노(사람)의.

milch [miltʃ] *a*. Ⓐ (가축이) 젖 나는, 젖을 짜는.

mílch còw 젖소; 《비유적》 돈줄, 계속적인 수입원(源).

‡**mild** [maild] *a*. **1** 온순한, 상냥한《*of* (태도 따위)가; *in* (성질 따위)가》: a ~ nature 온순한 기질/a ~ person 온순한 사람/He is ~ *of* manner. 그는 태도가 상냥하다/Kate is ~ *in* disposition. 케이트는 마음씨가 곱다. SYN. ⇨GENTLE. **2** (기후 따위가) 온화한, 따뜻한, 화창한: ~ weather 온화한 날씨. **3** (음식·음료가) 부드러운, 자극성이 없는; (술·담배 따위가) 순한, 독하지 않은; (비누·세제 따위가) 피부에 부드러운. ↔ *strong*, *bitter*. ¶a ~ curry 순한 맛의 카레/a ~ cigarette 순한 담배. SYN. ⇨SOFT. **4** (벌·규칙 등이) 관대한, 엄하지 않은; (항의가) 과격하지 않은, 온건한: (a) ~ punishment 관대한 처벌. **5** (병·걱정·놀라움 따위가) 가벼운: a ~ case (of flu) 경증(輕症)(의 독감)/~ regret 가벼운 후회. **6** (약이) 효력이 완만한; 자극성이 약한: a ~ medicine 자극이 적은 약.
—*n*. Ⓤ 《英》 쓴 맛이 적은 맥주. ㊞ **~·ness** *n*.

mil·dew [míldjùː] *n*. Ⓤ 〖식물〗 흰가루병 병균, 노균병균(露菌病菌); 곰팡이(mo(u)ld).

°**míld·ly** *ad*. **1** 온순하게, 온화하게, 친절히, 상냥하게; 조심해서. **2** 조금, 약간: He was ~ surprised. 그는 조금 놀랐다. ***to put it*** ~ 조심스럽게〔삼가서〕 말하면.

míld-mánnered *a*. (태도가) 온순한, 온화한.

míld stéel 연강(軟鋼)《저(低)탄소강》.

†**mile** [mail] *n*. **1** Ⓒ (법정) 마일(statute ~)《약 1,609 km; 기호 m, mi.》: ⇨GEOGRAPHICAL 〔NAUTICAL〕 MILE/the three-~ limit 〔belt, zone〕 영해 3해리/a distance of 10 ~*s*, 10마일의 거리/~*s* of forests 여러 마일이나 이어진 숲. **2** (*pl*.) 《부사적》 훨씬, 몹시, 많이: It's ~*s* better. =It's better by ~*s*. 그것이 훨씬 좋다/Calculation is ~*s* easier if you have a calculator. 계산기가 있으면 계산은 훨씬 편하다/The answer is 75, right?—No, you're ~*s* out. 답은 75, 그렇지요—아니야, 전혀 틀려. **3** (the ~) 1마일 경주(=ˊ ràce): run a four-minute ~ 1마일을 4분에 달리다.
miss by a ~ 《구어》 전혀 목표를 벗어나다, 대실패하다. ***run a*** ~ 《구어》 잽싸게 도망치다. ***see*** 〔***tell***〕 ***…a ~ off*** 〔***away***〕 확실히〔쉽게〕 …임을 알다: You can *see* it *a* ~ *off* that he's a fraud. 그가 사기꾼이라는 것은 바로 알 수 있다. ***stick*** 〔***stand***〕 ***out a*** ~ 매우 두드러지게 겉으로 드러나다: His honesty *sticks out a* ~. 그의 정직함이 그대로 드러난다.

°**mile·age** [máilidʒ] *n*. **1** Ⓤ (또는 a ~) (일정 시간 내의) 총마일수(數), 주행 거리; (마일당의) 운임; 일정 열량에 의한 자동차의 주행 거리, 연비(燃費): in actual ~ 실제의 마일수로/a used car with a small ~ 주행 마일수가 적은 중고차. **2** Ⓤ (또는 a ~) (공무원 등의) 마일당 여비. **3** Ⓤ 《구어》 이익, 유용성, 은혜: get full ~ out of … 을 충분히 활용하다.

míleage allòwance =MILEAGE 2.

mile·om·e·ter [mailámitər/-ɔ́m-] *n*. Ⓒ (차의) 마일 주행 거리계.

míle·pòst *n*. Ⓒ 이정표.

mil·er [máilər] *n*. Ⓒ 《구어》 1마일 경주 선수〔말〕.

mile·stone [máilstòun] *n*. Ⓒ 마일표(標), 이정표; (인생·역사 따위의) 중대 시점, 획기적인 사건.

mi·lieu [miljə́ː, -ljúː/míːljəː] (*pl*. ~***s***, ***mi·lieux*** [-z]) *n*. 《F.》 Ⓒ (보통 *sing*.) 주위, 환경(environment).

mil·i·tan·cy [mílətənsi] *n*. Ⓤ 호전성, 투쟁정신.

°**mil·i·tant** [mílətənt] *a*. 호전적인, 투쟁적인: a ~ demonstration 투쟁적인 시위. —*n*. Ⓒ (특히 정치적) 투사; 호전적인 사람. ㊞ **~·ly** *ad*.

mil·i·tar·i·ly [mìlətέərəli, mílətèrəli] *ad*. 군사적으로, 군사적 입장에서.

°**mil·i·ta·rism** [mílətərìzəm] *n*. Ⓤ 군국주의(↔ *pacifism*); 군인〔상무〕 정신.

míl·i·ta·rist *n*. Ⓒ 군국주의자. ㊞ **mil·i·ta·rís·tic**

[-tik] *a.* 군국주의의〔적인〕. **-ti·cal·ly** *ad.*
mil·i·ta·rize [mílətəràiz] *vt.* 군대화하다; 무장하다, 군국화하다; …에게 군국주의를 고취하다; 군용으로 하다: a ~*d* frontier 무장된 국경 지방. ㊕ **mil·i·ta·ri·zá·tion** *n.* Ⓤ 군국화; 군국주의화.
mil·i·tary [mílitèri/-təri] *a.* **1** Ⓐ **군의, 군대의,** 군사(軍事)의, 군용의; 군인의; 군인다운〔같은〕. ㉹ civil.¶~ affairs 군사/~ aid 군사 원조/~ alliance 군사 동맹/~ arts 무예/~ authorities 군당국/a ~ base 군사 기지/a ~ buildup 군비 증강/a ~ clique 군벌/~ coup 군사 혁명/a ~ court 군사 법정/~ forces 군세, 병력/~ intervention 군사 개입/a ~ junta 군사 혁명 정부/a ~ man 군인/~ powers 병력/a ~ regime 군사 정권/a ~ review 열병식/a ~ uniform 군복. **2** Ⓐ **육군의**: a ~ hospital 육군 병원/a ~ officer 육군 장교. ㉹ naval.
—*n.* (the ~) 〖집합적; 보통 복수취급〗 군, 군대, 군부: The ~ were called out to put down the riot. 폭동을 진압시키기 위하여 군대의 출동이 요청되었다. ㊕ **-i·ness** *n.*
mílitary acàdemy **1** (the M- A-) 육군 사관학교. **2** 《美》 (군대식 훈련을 중시하는) 군대식 (사립) 고등학교.
Mílitary Cróss (흔히 the ~) 《英》 무공(武功) 십자훈장《생략: M.C.》.
mílitary-indústrial cómplex (군부와 군수 산업의) 군산(軍産) 복합체《생략: MIC》.
Mílitary Intélligence 《英》 (육)군 정보부.
mílitary márch 군대 행진곡.
mílitary políce (the ~; 흔히 M- P-) 〖집합적; 복수취급〗 헌병대《생략: MP》.
mílitary polícеman (흔히 M- P-) 헌병.
mílitary schóol =MILITARY ACADEMY.
mílitary scíence 군사(과)학.
mílitary sérvice 병역: do ~ 병역에 복무하다.
mil·i·tate [mílətèit] *vi.* (사실·행동 따위가) 작용하다, 영향을 미치다《***against*** …에 불리하게》: This evidence ~*s against* you. 이 증거는 네게 불리하다/~ *against* achievement 성취를 방해하다.
mi·li·tia [milíʃə] *n.* Ⓒ (보통 the ~) 〖집합적〗 시민군, 민병; 《美》 국민군《18-45세의 남자》.
milítia·man [-mən] (*pl.* ***-men*** [-mən]) *n.* Ⓒ 민병; 국민병.
†**milk** [milk] *n.* Ⓤ **1 젖**; 모유; 우유: a glass of ~ 우유 한 잔/(as) white as ~ 새하얀/a ~ cart 우유 배달차/a ~ diet 우유식/cow's ~ 우유/human ~ 사람 젖/She doesn't have enough ~. 그녀는 모유가 충분히 나오지 않는다. **2** 젖 같은 액체《수액(樹液) 따위》; 유제(乳劑): ~ of almond 〖약학〗 편도유(扁桃乳)/~ of lime 〔sulfur〕 석회〔황〕유/~ of magnesia 〖약학〗 마그네슘 유제《하제·제산제》.
in **~** (소가) 젖이 나오는 (상태의). **~ *and honey*** 젖과 꿀; 풍요: a land of ~ *and honey* 〖성서〗 젖과 꿀이 흐르는 〔풍요의〕 땅《민수기 XVI: 13》. **~ *and water*** (물 탄 우유처럼) 내용이 빈약한 것. ㉹ milk-and-water. ***spilt*** **~** 엎질러진 우유, 돌이킬 수 없는 일: It is no use 〔good〕 (in) crying over *spilt* 〔*spilled*〕 ~. 《속담》 엎지른 물은 다시 담을 수 없다. ***the*** **~ *in the coconut*** 《속어》 불가해한 사실〔시점〕; (사물의) 핵심; 요점: That accounts for *the* ~ *in the coconut*. 과연, 이제 알겠구나. ***the*** **~ *of human kindness*** 따뜻한 인정.

—*vt.* **1** …의 **젖을 짜다**: ~ a cow 쇠젖을 짜다. **2** (식물 따위의) 즙을 짜내다; (뱀 따위의) 독액을 짜내다. **3** 《~+목/+목+전+명》 착취하다, 짜내다, 빼내다《***of*** …을; ***from, out of*** …에서》: ~ a person *of* all his savings 아무에게서 저축한 돈을 모두 착취하다/~ information *from* 〔*out of*〕 a person =~ a person *of* information 아무에게서 정보를 이끌어내다. **—***vi.* 젖을 짜다; 젖이 나오다: The cows are ~*ing* well. 소의 젖이 잘 나온다. **~ *... dry*** …에서 이익을〔정보를〕 짜내다; …을 철저하게 착취하다.
mílk-and-wáter [-ənd-] *a.* Ⓐ 내용이 빈약한, 하찮은.
mílk bàr 밀크바《우유·샌드위치·아이스크림 따위를 파는 가게》.
mílk chócolate 밀크 초콜릿.
mílk·er *n.* Ⓒ 젖 짜는 사람, 착유기; 젖소.
mílk fèver 〖의학〗 (산부의) 젖몸살, 유열(乳熱).
mílk flòat 《英》 우유 배달(마)차.
mílk glàss 젖빛 유리.
mílking machìne 착유기.
mílk lòaf 밀크가 든 흰 빵.
mílk·màid *n.* Ⓒ 젖 짜는 여자(dairymaid); 낙농장에서 일하는 여자.
milk·man** [mílkmæ̀n, mílkmən] (*pl.* ***-men [-mèn, -mən]) *n.* Ⓒ 우유 장수; **우유 배달원**; 젖 짜는 남자.
mílk pòwder 분유(dried milk).
mílk ròund 《英》 우유 배달인의 담당구역; 항상 정해진 코스〔여로〕.
mílk rùn 늘 다녀 익숙한 길.
mílk shàke 밀크 셰이크.
mílk·sòp *n.* Ⓒ 소심한 남자, 뱅충맞이(sissy).
mílk sùgar 〖생화학〗 젖당, 락토오스(lactose).
mílk tòast 《美》 밀크토스트《뜨거운 우유에 적신 토스트》.
mílk-tòast 《美》 *a.* 활기 없는, 무력한. **—***n.* =MILQUETOAST.
mílk tòoth 젖니, 유치(乳齒).
mílk·wèed *n.* Ⓤ (낱개는 Ⓒ) 〖식물〗 유액(乳液)을 분비하는 식물.
mílk-whíte *a.* 유백색의.
mílk·wòrt *n.* Ⓤ 〖식물〗 애기풀속(屬)의 목초《쇠젖을 많이 나게 한다고 믿었음》.
milky** [mílki] (milk·i·er; -i·est***) *a.* **1 젖 같은**; 유백색의; 젖의; (액체가) 뽀얗게 된. **2** 젖을 내는; (식물이) 유액(乳液)을 분비하는. **3** 젖을 섞은. ㊕ **mílk·i·ly** *ad.* **mílk·i·ness** *n.*
Mílky Wáy 〖천문〗 (the ~) 은하(수).
Mill [mil] *n.* **John Stuart ~** 밀《영국의 경제학자·철학자; 1806-73》.
‡**mill**[1] [mil] *n.* Ⓒ **1 맷돌**, 제분기《바람·물·증기에 의한》; 분쇄기: ⇨ COFFEE MILL/No ~, no meal. 《속담》 부뚜막의 소금도 집어넣어야 짜다/The ~*s* of God grind slowly. 《속담》 하늘의 응보도 때로는 늦다《늦어도 언젠가는 반드시 온다는 뜻》. **2 물방앗간**(water ~); **풍차칸**(windmill); 제분소. **3 공장**, 제작〔제조〕소(factory); 제재소. ㉹ sawmill.¶⇨ COTTON 〔STEEL〕 MILL. **4** (사람·물건을) 기계적으로 만들어내는 곳: ⇨ DIPLOMA MILL.
through the **~** 고생하여, 쓰라린 체험을 쌓아; 단련받아: go *through the* ~ 시련을 겪다/put ... *through the* ~ 시련을 겪게 하다; 시험〔테스트〕하다/He has been *through the* ~. 그는 호

된 시련을 겪었다.
—*vt*. **1** 맷돌로 갈다, 빻다, 가루로 만들다: ~ grain 곡물을 빻다. **2** 제분기〔수차, 기계〕에 걸다; 기계로 만들다: ~ paper 종이를 만들다. **3** (강철)을 압연하다, 프레스하다. **4** (주화의 가장자리)를 깔쭉깔쭉하게 하다: A dime is *~ed*. 10센트 동전은 가장자리가 깔쭉깔쭉하다. —*vi*. 《~/+副》 (사람·가축 따위가) 떼를 지어 마구〔빙빙, 어지러이〕 돌아다니다(*about; around*).

mill² *n*. Ⓒ 《美》 밀《1 달러의 1/1000》.

míll·bòard *n*. Ⓤ (표지용 등의) 판지.

míll·dàm *n*. Ⓒ 물방아용 둑〔못〕.

mille·feuille [milfə́:i] *n*. 《F.》 Ⓤ (낱개는 Ⓒ) 크림을 넣은 여러 층의 파이. cf. napoleon.

mil·le·nar·i·an [mìlənέəriən] *n*. Ⓒ 〖기독교〗 천년 왕국설 신봉자.

mil·le·nary [míləneri, məlénəri] *a*. 천의; 천년의. —*n*. Ⓒ 천년간; 천년제(祭). cf. centenary.

mil·len·ni·um [miléniəm] (*pl*. **~s, -nia** [-niə]) *n*. **1** Ⓒ 천년간; 천년제. **2** (the ~) 〖성서〗 천년왕국(기)《예수가 재림하여 지상을 통치한다는 신성한 천년간; 계시록 XX: 1–7》. **3** Ⓒ (이상으로서의 미래의) 정의와 행복과 번영의 황금 시대.

millénnium bùg 〔**pròblem**〕 〖컴퓨터〗 밀레니엄 버그《컴퓨터가 2000년을 1900년으로 잘못 인식하는 현상》.

mil·le·pede, -ped [míləpì:d], [-pèd] *n*. 〖동물〗 =MILLIPEDE.

°**míll·er** *n*. Ⓒ 물방앗간 주인; 제분업자: Every ~ draws water to his own mill. 《속담》 아전인수(我田引水) / Too much water drowned the ~. 《속담》 지나침은 모자람만 못하다.

Mil·let [miléi] *n*. **Jean François** ~ 밀레《프랑스의 화가; 1814–75》.

mil·let [mílit] *n*. Ⓤ 〖식물〗 기장(기장·조·피의 낟알): African 〔Indian〕~ 수수 / German 〔Italian〕 ~ 조.

mil·li- [míli, -lə] '1,000분의 1'의 뜻의 결합사 《기호 m》.

mil·liard [míljɑ:rd, -liɑ̀:rd] *n*. Ⓒ 《英》 10억 (《美》 billion).

mílli·bàr *n*. Ⓒ 〖기상〗 밀리바《1 바의 1/1000, 압력의 단위; 기호 mb》.

mílli·gràm, 《英》 **-gràmme** *n*. Ⓒ 밀리그램 《1 그램의 1/1000; 기호 mg., mg》.

mílli·lìter, 《英》 **-tre** *n*. Ⓒ 밀리리터《1 리터의 1/1000; 기호 ml., ml》.

mílli·mèter, 《英》 **-tre** *n*. Ⓒ 밀리미터《1 미터의 1/1000; 기호 mm., mm》.

mil·li·ner [mílənər] *n*. Ⓒ 여성모(帽) 제조인〔판매인〕《보통 여성》.

mil·li·nery [mílənèri / -nəri] *n*. Ⓤ **1** 〘집합적〙 여성 모자류. **2** 여성모 제조 판매업.

míll·ing *n*. Ⓤ **1** 맷돌로 갈기, 제분. **2** (화폐의) 가장자리를 깔쭉깔쭉하게 하기; (화폐의) 깔쭉이.

⁑**mil·lion** [míljən] *n*. **1** Ⓒ 〘수사 또는 수를 나타내는 형용사를 수반할 때의 복수형은 ~, 때로 ~s〙 백만; 백만 달러〔파운드, 원 등〕: a ~ and a half =one and a half ~(*s*) 150만 / two ~(*s*) and a quarter =two and a quarter ~(*s*) 225만 / He made a ~ 〔two ~〕. 그는 100 〔200〕만(달러, 파운드 따위)을 벌었다.
2 〘복수취급〙 100만 개〔사람〕: There're a 〔one〕 ~. 100만 개〔사람〕 있다.
3 (*pl*.) 수백만; 다수, 무수: *~s of* reasons 무수한 이유 / *~s of* olive trees 수백만의 올리브나무.
4 (the ~(s)) 민중, 대중(the masses): music for the ~ 대중 취향의 음악.
a 〔***one***〕 ***chance in a*** ~ 천재일우의 기회. ***in a*** ~ 최고의: a man *in a* ~ 최고의 남자.
—*a*. Ⓐ **1** 백만의: a 〔three〕 ~ people 100 〔300〕만의 사람 / several ~ people 수백만의 사람. **2** (보통 a ~) 다수의, 무수한: a ~ questions 무수한 문제.
feel like a ~ (***dollars***) 《美구어》 매우 건강하다 〔기분이 좋다〕; 무척 상태가 좋다. ***look*** (***like***) ***a*** ~ ***dollars*** 〔《英》 ***quid***〕 《美구어》 (여자 따위가) 아주 매력 있게 보이다; 아주 건강해 보이다.

mil·lion·fold [míljənfòuld] *a*., *ad*. 백만 배의〔로〕.

°**mil·lion·(n)aire** [mìljənέər] (*fem*. **-(n)air·ess** [-nέəris]) *n*. Ⓒ 백만장자, 대부호(大富豪). cf. billionaire.

mil·lionth [míljənθ] *a*. (보통 the ~) 백만번째의; 100만분의 1의. —*n*. **1** Ⓤ (보통 the ~) 백만번째. **2** 100만분의 1. **3** (the ~) 백만번째의 것〔사람〕.

mil·li·pede, -le-, -ped [míləpì:d], [-pèd] *n*. Ⓒ 〖동물〗 노래기.

míll·pònd, -pòol *n*. Ⓒ (물방아용) 저수지.
(***as***) ***calm*** 〔***smooth***〕 ***as a*** ~ =***like a*** ~ (바다 따위가 거울같이) 잔잔한.

míll·ràce *n*. Ⓒ 물방아용 물줄기〔도랑〕.

míll·stòne *n*. Ⓒ 맷돌; 〖성서〗 연자맷돌《마태복음 XVIII: 6》.

míll whèel 물방아.

míll·wòrk *n*. Ⓤ 물방앗간〔제조소〕의 일; 목공소 제품《문·창틀 따위》.

míll·wrìght *n*. Ⓒ 물방아〔풍차〕 만드는 목수.

mil·om·e·ter [mailɑ́mitər/-lɔ́m-] *n*. 《英》 = MILEOMETER.

mi·lord [milɔ́:rd] *n*. (종종 M–) 각하, 나리《유럽 대륙 사람이 영국 귀족·신사에 대해 쓰는 말; my lord의 와전》.

milque·toast [mílktòust] *n*. (종종 M–) Ⓒ 《美》 마음이 약한 사람, 겁쟁이.

milt [milt] *n*. Ⓤ (물고기 수컷의) 이리, 어백(魚白).

°**Mil·ton** [míltən] *n*. **John** ~ 밀턴《영국의 시인; *Paradise Lost*의 작자; 1608–74》.

Mil·ton·ic, Mil·to·ni·an [miltɑ́nik/-tɔ́n-], [miltóuniən] *a*. 밀턴(시풍)의; 장중한《문체》.

Mil·wau·kee [milwɔ́:ki] *n*. 밀워키《위스콘신주 남동부 미시간 호반의 공업 도시》.

mime [maim, mi:m] *n*. **1** Ⓤ (구체적으로는 Ⓒ) 몸짓, 손짓, 흉내: We managed to communicate in 〔by〕 ~. 우리들은 겨우 몸짓으로 의사를 전달했다. **2** Ⓒ (고대 그리스·로마의) 몸짓 익살극, 무언극, (팬터)마임. **3** Ⓒ 그 배우; 어릿광대(clown). —*vi*. 무언극을 하다. —*vt*. 흉내내다; 무언의 몸짓으로 나타내다《***that***》.

mim·e·o·graph [mímiəgræ̀f, -grɑ̀:f] *n*. Ⓒ 등사판; 등사 인쇄물. —*vt*., *vi*. 등사판 인쇄하다.

mi·me·sis [mimí:sis, mai-] *n*. Ⓤ 〖생물〗 의태(擬態)(mimicry).

mi·met·ic [mimétik, mai-] *a*. **1** 모방의, 흉내내는: a ~ word 의성어《hiss, splash 등》. **2** 〖생물〗 의태의.

*__mim·ic__ [mímik] *a*. Ⓐ **흉내내는**, 모방의; 거짓의; 모의의(imitated); 〖생물〗 의태의: ~ coloring (동물의) 보호색 / the ~ stage 흉내극, 익살

극/a ~ warfare 모의전/~ tears 거짓 눈물.

—*n.* [C] 모방자, 흉내를 잘 내는 사람〔동물〕; 몸짓이 익살스러운 광대: She's a good ~. 그녀는 흉내를 잘 낸다.

—*(-ick-) vt.* 흉내내다; 흉내내며 조롱하다; 모방하다; 〖생물〗 의태하다. [SYN.] ⇨IMITATE.

mímic bóard 미믹 보드《컴퓨터를 이용하여 복잡한 시스템을 램프의 명멸 등으로 도식화하여 나타내는 표시판》.

°mim·ic·ry [mímikri] *n.* [U] 흉내, 모방; 〖생물〗 의태; [C] 모조품.

mi·mo·sa [mimóusə, -zə] *n.* [U] (낱개는 [C]) 〖식물〗 함수초(含羞草), 감응초(sensitive plant), 미모사.

Min. Minister; Ministry. **min.** minim(s); mineralogy; minimum; mining; minor; minute(s).

min·a·ret [mìnərét, ⌐-⌐] *n.* [C] (회교 성원(聖院)의) 뾰족탑, 첨탑.

min·a·to·ry [mínətɔ̀ːri/-təri] *a.* 으르는, 협박하는, 위협적인, 위협의(menacing).

°mince [mins] *vt.* (고기 따위)를 다지다, 잘게 썰다; 저미다: ~*d* meat 잘게 썬 고기, 다진 고기. **—***vi.* 맵시를 내며 걷다, 종종걸음치다. ***not ~ matters*** 〔(one's) ***words***〕 까놓고 말하다, 솔직히〔단도직입적으로〕 말하다. **—***n.* [U] 《英》 잘게 썬〔다진〕 고기, 저민 고기; 《美》 =MINCEMEAT.

mínce·mèat *n.* [U] 민스미트《다진 고기에 잘게 썬 사과 · 건포도 · 기름 · 향료 등을 섞은 것; 파이 속에 넣음》. ***make ~ of*** 되게 혼내주다, 찍소리 못하게 해치우다.

mínce píe 민스미트를 넣은 파이.

minc·er [mínsər] *n.* [C] 고기를 가는 기계.

minc·ing [mínsiŋ] *a.* 점잔빼는, 점잔빼며 걷는〔말하는〕. [파] **~·ly** *ad.*

†mind [maind] *n.* **1** [U] (구체적으로는 [C]) **마음,** 정신《물질 · 육체에 대하여》: ~ and body 심신/the processes of the human ~ 인간의 마음의 작용/apply 〔bend〕 the ~ to …에 마음을 쓰다, …에 고심하다/one's ~'s eye 심안(心眼), 상상/My ~ was on other things. 내 마음은 다른 것을 생각하고 있었다/It's all in the ~. 그것은 모두 기분 문제다〔마음 먹기에 달렸다〕/A sound ~ in a sound body. 《속담》 건전한 정신은 건전한 신체에 깃든다.

[SYN.] **mind** 사물을 생각하는 주체로서의 마음. body의 반의어로서 정신, 주의력: heart의 상대어로서 지성: speak one's *mind* 자기의 생각을 말하다. **heart** mind의 상대어로서 심정, 감정, 정애: My *heart* is full. 가슴이 벅차다, 감개무량하다. **soul** 혼, 영혼. 인간과 동물을 구별하는 것으로서 종교적으로는 불멸〔불사〕한다고 생각함. 윤리감, 숭고한 것에 대한 정열, 인간적 감정을 좌우 또는 장악하는 마음: put one's whole *soul* into one's work 일에 온 정신을 집중하다. **spirit** body, flesh의 반의어로서의 마음. mind, heart, soul의 뜻이 포함된 넓은 의미로서의 정신. 더우기 인간에게만 속하는 것으로 제한된 것이 아니라, 초자연적 존재를 가정한 경우에도 spirit를 씀: evil *spirits* 악마.

2 [U] (또는 a ~) **지성,** 이지, 머리《감정 · 의지에 대하여》: a person of weak ~ 지력이 약한 사람/The boy has a sharp 〔weak〕 ~. 그 소년은 머리의 회전이 빠르다〔느리다〕.

3 [C] (보통 *sing.*) **a** 생각, 의견; 의도, 의향: be of 〔in〕 a 〔one〕 ~ with …와 의견이 같다/be of a person's ~ 아무와 같은 의견이다/be of one 〔a, like〕 ~ (복수의 사람이) 같은 생각이다/change one's ~ 의견〔생각〕을 바꾸다/the public ~ 여론/I am of the same ~. 나는 생각이 (전과) 다름이 없다, 나도 같은 의견이다/So many men, so many ~*s*. 《속담》 각인 각색. **b** (…하고픈) 마음, 성향, 바람《***to*** do》: be of a ~ *to* do …하고 싶은 생각이 들다/have a great 〔good〕 ~ *to* do 대단히 …하고 싶다/He has a 〔no〕 ~ *to* enter politics. 그는 정계에 들어가고 싶은 마음이 있다〔없다〕.

4 [U] **기억**(력), 회상: keep 〔bear〕 ... in ~ …을 명심하다, 잊지 않다/go out of 〔slip〕 a person's ~ (일이) 아무에게서 잊혀지다/come 〔spring〕 to ~ 생각나다/enter 〔cross〕 one's ~ 머리에 떠오르다/put a person in ~ of 아무에게 …을 생각나게 하다/Out of sight, out of ~. 《속담》 헤어지면 마음도 멀어진다.

5 [U] **본정신,** 올바른 마음의 상태: a man of sound ~ 정신이 건전한 사람/lose one's ~ 발광하다/awake to one's full ~ 제정신이 들다, 깨어나다/No one in their right ~ would do such a terrible thing. 제정신인 사람이라면 누구라도 그런 무서운 짓은 하지 않을 게다.

6 [C] (마음 · 지성을 지닌) 사람, 인물: a great ~ 위인/the greatest ~*s* of the time 당대의 일류 지성인.

blow a person***'s ~*** 아무를 몹시 흥분시키다; 《속어》 (마약이) 아무를 도취시키다; 아무에게 환각을 일으키게 하다. ***give*** a person ***a bit*** 〔***piece***〕 ***of*** one***'s ~*** 《구어》 아무에게 기탄 없이 말해 주다, 직언하다, 아무를 나무라다: I'll *give* him *a piece of my* ~ for telling such a lie! 저런 거짓말을 하다니, 한 마디 해 주어야겠다. ***give*** one***'s*** (***whole***) ***~ to*** …에 전념하다. ***have half a ~ to*** do …할까 말까 생각하고 있다. ***have it in ~ to*** do …할 생각〔예정〕이다. ***in two ~s*** 마음이 흔들리어《***about*** …에 대하여》; (…할까를) 결단하지 못하고, 망설이어《***wh. to*** do》: He was *in two ~s about* it 〔*how to* deal with the problem〕. 그는 그것에 대하여〔그 문제를 어떻게 처리할까〕 망설였다. ***know*** one***'s own ~*** 〖종종 부정문〗 의향〔마음〕이 정해져 있다, 결심이 되어 있다. ***make up*** one***'s ~*** ① 결심하다《***to*** do》: Have you *made up* your ~ yet? 이미 결심이 섰습니까/I've *made up* my ~ *to* get up earlier in the morning. 아침에 좀더 일찍 일어나려고 결심했다. ② 정하다, 작정하다《***wh./wh. to*** do》: Early in life, he *made up* his ~ *what* he wanted to be. 아직 어렸을 때에 그는 무엇이 되면 좋을까를 정했다/I couldn't *make up* my ~ *which to* choose. 어느 것을 골라야 좋을지를 정할 수 없었다. ③ 그런 줄로 믿다, 결단하다《***that***》: She *made up* her ~ *that* she was not going to get well. 그녀는 자기의 병이 나아지지 않을 것이라고 믿고 있었다. ***~ over matter*** 물질적〔육체적〕인 어려움을 이겨내는 정신력, 기력: It's just (a case of) ~ *over matter*. 그것은 바로 정신력의 문제다. ***off*** one***'s ~*** 마음을 떠나, 잊혀져. ***on*** one***'s ~*** 마음에 걸려서, 생각하여: have ... *on* one's ~ …을 염두에 두다, 근심〔고민〕하고 있다. ***out of*** one***'s ~*** ① 미쳐서, 제정신을 잃고《***with*** …으로》: She went *out of* her ~. 그녀는 미쳐버렸다/He was *out of* his ~ *with* anxiety. 그는 걱정이 되어 제정신이 아니었다.

② 잊혀져: be 〔go, pass〕 *out of* one's ~ (일이) 잊혀지다. ***with ... in*** ~ …을 마음〔염두〕에 두고: Politicians must act *with* their constituents *in* ~. 정치가는 자기 선거구민을 염두에 두고 행동하지 않으면 안 된다.

> **DIAL.** ***Great minds (think alike).*** 《농으로》 너도 제법 똑똑하구나(← 훌륭한 사람들은 생각이 같다)《상대방과 의견이 같을 때 씀》.
> ***The mind boggles.*** 깜짝이야, 기겁하겠네.

—*vt.* **1** 《~+목/+(*that*) 절/+*wh.* 절》 〔주로 명령문〕 …에 **주의를 기울이다**, 조심하다; 유의하다: *Mind* your language. 말조심해라 / *Mind* the door. (닫히는) 문 조심하세요《차장이》/ *Mind* my words. 내 말을 잘 명심해라 / *Mind* your own business. 참견마라, 네 일이나 잘 해라 / *Mind* you don't spoil it. 그것을 망치지 않도록 조심해라《★ that은 보통 생략》/ *Mind where* you put it. 그것을 어디에 둘지 생각해 보렴. **2** …의 말에 따르다; (명령 따위)를 지키다: Never ~ him. 그 사람 말은 따를 것 없다 / You should ~ your parents. 부모님 말을 따라야 한다 / *Mind* the rules. 규칙을 지켜라. **3** …을 돌보다, **보살피다**: ~ a baby 아기를 돌보다 / *Mind* the house 〔children〕 while I'm out. 내가 외출 중에 집〔아이들〕을 돌보아라 / Would you ~ my bags for a few minutes? 잠시 제 가방 좀 보살펴 주시지 않겠습니까. **4** 《~+목/+*that* 절/+*wh.* 절》 〔보통 부정·명령문〕 …에 신경쓰다, …을 **걱정**〔염려〕**하다**: Never ~ the expense. 비용 걱정은 하지 마라 / We ~*ed* very much *that* he had not come. 우리는 그가 오지 않아 무척 걱정했다 / I don't ~ *what* people say. 남이야 뭐라 하든 개의치 않는다. **5** 《~+목/+*-ing*/+목+*-ing*/+*wh.* 절/+목+보》 〔주로 부정·의문문〕 **꺼리다**, 싫어하다, 귀찮게 여기다: I do*n't* ~ hard work, but I do [dúː] ~ insufficient pay. 일이야 힘들어도 괜찮으나 보수가 적으면 곤란하다 / I shouldn't ~ a cup of tea. 차 한 잔 하는 것도 괜찮겠다 / I don't ~ your 〔you〕 smok*ing* here. 여기서 담배를 피우셔도 괜찮습니다 / I don't ~ start*ing* right away. 곧 출발해도 나는 괜찮다 / I don't ~ *where* you go. 네가 어디를 가든 나는 상관하지 않는다 / You had better ~ *what* you say. 말을 조심하도록 해라 / Do you ~ your steak underdone? 스테이크를 살짝 익혀도 괜찮겠습니까.

—*vi.* **1** 주의하다, 조심하다: *Mind* now, don't be late. 늦지 않도록 조심하시오. **2** 〔보통 부정·의문문〕 신경을 쓰다, 꺼리다; 걱정〔염려〕하다: if you don't ~, … 괜찮으시다면 / It was raining, but we didn't ~. 비가 오고 있었지만 우리는 개의치 않았다 / Do 〔Would〕 you ~ if I open the window? — No, I don't 〔wouldn't〕. 창문을 열어도 괜찮겠습니까 — 괜찮습니다《★ 대답으로는 No, not at all., Certainly not., Of course not. 따위를 쓰는 것이 일반적》/ Do you ~ if I smoke? — Yes, I do (~). 담배 피워도 좋을까요 — 아니오, 곤란합니다. **SYN.** ⇨ CARE.

I don't ~ (어느 것이라도) 상관없다: Tea or coffee? — *I don't* ~. 홍차 아니면 커피 — 어느 것이라도 좋아. ~ ***out*** 《*vi.*+부》 〔흔히 명령문〕 《英》 조심하다, 주의하다《***for*** …에》: *Mind out for* the traffic. 차조심해라. ~ **(*you*)*!*** 〔삽입구〕 ① 알겠나(자네), 잘 들어둬: This is confidential ~. 이거 비밀이야, 알겠지 / He's a nice fellow, ~ you, but I can't trust him. 그는 좋은 친구야, 자네, 그렇지만 어쩐지 그를 믿을 수가 없어. ② 그러나: I like this. *Mind you*, I don't like the color. 이것 마음에 들어. 그러나 색이 마음에 들지 않아. ***never*** ~ 《구어》 ① 〔명령문〕 상관없다, 걱정 마라, 아무 것도 아니다: I'm sorry. — *Never* ~. 미안합니다 — 괜찮습니다. ② …은 물론(이지만), …은 아무래도 좋다〔좋지만〕.

> **DIAL.** ***Don't mind me.*** 내 일일랑 상관 마라: Just get on with your work, *don't mind me*. 내 일일랑 상관 말고 네 일이나 계속해.
> ***Do you mind!*** 그만 좀 해라《남이 하는 짓이 괴로울 때》: *Do you mind!* We are studying. 그만 좀 해라. 우린 공부하고 있어.
> ***Do you mind?*** ① 좀 그만둘 수 없느냐《버릇없이 구는 사람에 대하여 씀》. ② 괜찮겠습니까《자기가 하려는 것에 대해 상대방의 양해를 구할 때》.
> ***I don't mind if I do.*** 그러지요(← 그렇게 해도 괜찮습니다)《음식 따위를 권유받았을 때의 공손한 대답》.
> ***Mind how you go.*** 살펴 가거라《작별 인사》.
> ***Never you mind.*** 《英》 넌 알 것 없다《사적이거나 비밀이니까》.

mínd-bènding *a.* 《구어》 = MIND-BLOWING.

mínd-blòwing *a.* 《속어》 (약 등이) 환각성의; 깜짝 놀랄, 자극적인.

mínd-bòggling *a.* 《구어》 아주 놀라운, 믿어지지 않는.

mínd·ed [-id] *a.* **1** …할 마음이 있는, …하고 싶어(하는)《***to*** do》: If you are so ~, you may do it. 그럴 마음이거든 해도 좋다 / I'm ~ *to* agree to his proposal. 나는 그의 제안에 동의하고 싶은 마음이 있다. **2** 〔합성어〕 …한 마음의, …기질의, …한 성격의: high-~ 고결한 마음의 / strong-~ 의지가 강한 / absent-~ 멍청한, 정신나간.

mínd·er *n.* Ⓒ **1** 〔흔히 합성어〕 돌보는〔지키는〕 사람(tender): a baby-~ 어린아이 보는 사람. **2** 《英》 경호원, 호위병.

mínd-expànding *a.* 《구어》 (약품이) 환각을 일으키는, 지각〔사고〕 장애를 일으키는.

mind·ful [máindfəl] *a.* Ⓟ 주의하는, 마음에 두는, 잊지 않는《***of*** …을/***that***》: He's ~ *of* his duties. 그는 자기 임무에 충실하다. 파 **~·ness** *n.*

mínd·less *a.* **1** 생각 없는, 분별 없는, 무지한. **2** Ⓟ 관심 없는, 부주의한, 유념하지 않는《***of*** …에》: He's ~ *of* his appearance. 그는 옷차림에 유념하지 않는다. 파 **~·ly** *ad.* **~·ness** *n.*

mínd rèader 독심술사(讀心術師).

mínd rèading 독심술〔능력〕.

mínd-sèt *n.* Ⓒ 심적 경향, 사고〔해석〕 방식.

mínd's èye (one's ~) 마음의 눈, 심안(心眼), 상상력: in one's ~ 기억〔상상〕으로.

†**mine**[1] [main] *pron.* 〔1인칭 단수의 소유대명사〕 **1 나의 것**; 나의 소유물《★ 가리키는 내용에 의해 단수 또는 복수취급함》: The game was ~. 승리는 나의 것이었다, 이겼다 / This signature is not ~. 이 서명은 내 것이 아니다 / your country and ~ 당신의 나라와 나의 나라 / What is ~ is yours. 내 것은 당신 것《마음대로 사용해 주십시오》/ *Mine* is broken English. 내가 하는 영어는 엉터리다 / Your eyes are blue and ~ (are) black. 네 눈은 파랗고 내 눈은 까맣다. **2 나의 가**

족들〔편지, 책임(따위)〕: He is kind to me and ~. 그는 내게도 내 가족들에게도 친절히 해 준다 / Have you received ~ of the fifth? 5일자의 내 편지 받았나 / It is ~ to protect him. 그를 보호하는 것은 내 책임이다 / *Mine*'s a gin. 나는 진으로 하겠다. **3** 〔of ~으로〕 나의, 내: a friend *of* ~ 내 친구 / this book *of* ~ 나의 이 책 (★ my는 a, an, this, that, no 등과 나란히 명사 앞에 쓰지 못하므로 of mine으로 하여 명사 뒤에 씀).

—*a.* 《고어·문어》〔모음 또는 h로 시작되는 낱말 앞; 호칭하는 낱말 뒤에서〕 나의(my): ~ eyes 나의 눈 / ~ heart 내 마음 / Lady ~! 여보세요 부인〔아가씨〕.

‡**mine**[2] *n.* **1** Ⓒ **광산**, 광갱(鑛坑), 광상(鑛床); 《英》《특히》 탄광, 철광: ⇨ COAL 〔GOLD〕 MINE. **2** (a ~) **풍부한 자원**, 보고: This book is a ~ *of* information. 이 책은 지식의 보고다. **3** Ⓒ 〔군사〕 갱도(坑道), 뇌갱(雷坑). **4** Ⓒ 〔군사〕 지뢰, 기뢰, 수뢰, (비행기에서 떨어뜨리는) 공뢰(空雷): an antenna ~ 촉각 기뢰 / a floating 〔drifting, surface〕 ~ 부유(浮遊) 기뢰(機雷) / a moored ~ 계류 기뢰 / a submarine ~ 부설 기뢰 / lay a ~ 지뢰〔수뢰〕를 부설하다.

—*vi.* 《+전+명》 채광하다; 채굴하다《*for* …을》.

—*vt.* **1** 《+목+전+명》 (광석 따위)를 채굴하다 《*from* …에서》; (채굴하려고) …에 갱도를 파다 《*for* …을》: ~ iron ore *from* under the sea 해저로부터 철광석을 채굴하다 / ~ a mountain *for* gold 금을 채굴하려고 산을 파다. **2** …의 밑에 구멍을〔갱도를〕 내다. **3** 〔보통 수동태〕 〔군사〕 …에 지뢰〔기뢰〕를 부설하다: The road *is* ~*d*. 도로에 지뢰가 부설되어 있다. ~ **out** 《*vt.*+부》 (광산 따위)를 채굴하여 고갈시키다.

míne detèctor 지뢰〔기뢰〕 탐지기.

míne dispósal 지뢰〔기뢰〕 처리.

míne·field *n.* Ⓒ **1** 〔군사〕 지뢰〔기뢰〕밭, 기뢰〔지뢰〕원(原). **2** 〔비유적〕 숨겨진〔눈에 안 보이는〕 위험이 많은 곳〔사항〕.

míne·làyer *n.* Ⓒ 〔해군〕 기뢰 부설함〔기(機)〕.

***min·er** [máinər] *n.* Ⓒ **광부**, 갱부; 석탄 갱부.

‡**min·er·al** [mínərəl] *n.* **1** Ⓒ **광물**; 무기물; 광석(ore). **2** Ⓤ (구체적으로는 Ⓒ) (영양소로서의) 광물질. **3** (*pl.*) 《英》 = MINERAL WATER 2. **—***a.* **광물의**, 광물을 함유하는; 무기물의: ~ ores 광석 / a ~ vein 광맥 / ~ resources 광물 자원.

míneral kìngdom (the ~) 광물계(界).

min·er·al·og·i·cal [mìnərəládʒikəl/-lɔ́dʒ-] *a.* 광물학(상)의, 광물학적인.

min·er·al·o·gist [mìnərálədʒist/-lɔ́dʒ-] *n.* Ⓒ 광물학자.

min·er·al·o·gy [mìnərálədʒi, -rǽlə-] *n.* Ⓤ 광물학.

míneral òil 광물성(鑛物性) 기름《석유 따위》.

míneral sprìng 광천(鑛泉).

míneral wàter **1** (보통 *pl.*) 광수, 광천. **2** 《英》 탄산수, (탄산) 청량 음료.

míneral wòol 광물면(綿)(mineral cotton) 《건물용 충전재; 절연·방음·내화재용》.

Mi·ner·va [minə́ːrvə] *n.* 〔로마신화〕 미네르바 《지혜·기예(技藝)·전쟁의 여신》. ⓒⓕ Athena.

min·e·stro·ne [mìnəstróuni] *n.* 《It.》 Ⓤ 수프의 일종《마카로니 및 야채 따위를 넣은》.

míne·swèeper *n.* Ⓒ 소해정(掃海艇)《기뢰 탐지·제거용》.

míne·swèeping *n.* Ⓤ 소해(작업).

míne wòrker 광부(miner).

Ming [miŋ] *n.* (중국의) 명(明)나라, 명조(明朝)(1368–1644).

°**min·gle** [míŋgəl] *vt.* **1** (둘 이상의 것)을 섞다; 혼합하다(*together*): ~ A and B *together*, A와 B를 혼합하다 / The two rivers ~*d* their waters there. 두 강은 거기에서 합류했다. SYN. ⇨ MIX. **2** 뒤섞다《*with* …와》: joy ~*d with* pain 고통이 뒤섞인 기쁨. **—***vi.* **1** (뒤)섞이다, 혼합되다(*together*)《*with* …와》: The robber ~*d with* the crowd and escaped. 도둑은 군중 속에 뒤섞여 도망쳤다. **2** 사귀다, 어울리다, 교제하다 《*with* …와》. **3** 참가하다《*in* …에》: ~ *in* the game 경기에 참가하다.

min·gy [míndʒi] (**-gi·er; -gi·est**) *a.* 《英구어》 인색한, 다라운《*about, with* …에》.

mini [míni] (*pl.* **min·is**) *n.* Ⓒ 《구어》 **1** 미니 《minicar, miniskirt, minidress 따위》; (각종) 소형의 것. **2** (흔히 M–) 소형차. **3** 소형 컴퓨터.

min·i- [míni, -nə] '작은, 소형의'란 뜻의 결합사.

°**min·i·a·ture** [míniətʃər, -tʃùər] *n.* **1** Ⓒ 축소 모형, 축소형. **2** Ⓒ 세밀화(畫); Ⓤ 세밀화법. **3** Ⓒ (사본(寫本)의) 채식(彩飾)(화, 문자). ***in*** ~ ① 〔명사 뒤에서〕 소형〔소규모〕의〔로〕. ② 세밀화로.

—*a.* Ⓐ 세밀화의; 소형의, 작은(tiny); 축도의: a ~ camera 소형 카메라 / a ~ railway 〔train〕 (유원지 등의) 꼬마 철도〔기차〕.

míniature pín·scher [-pínʃər] 미니어처 핀셔, 미니핀《작은 애완견; 체고(體高) 10–12.5 인치》.

min·i·a·tur·ist [míniətʃərist, -tʃuər-] *n.* Ⓒ 세밀화가, 미니어처 화가.

min·i·a·tur·ize [míniətʃəràiz, -tʃuər-] *vt.* 소형화하다. ⓜ **mìn·i·a·tur·i·zá·tion** *n.*

míni·bìke *n.* Ⓒ 소형 오토바이.

míni·bùs *n.* Ⓒ 마이크로버스《약 15인승의》.

míni·càb *n.* Ⓒ 《英》 소형 콜택시.

míni·càr *n.* Ⓒ 소형 자동차; (장난감) 미니카.

mìni·compúter *n.* Ⓒ 〔컴퓨터〕 미니컴퓨터. ⓒⓕ microcomputer.

míni·drèss *n.* 미니드레스《길이가 무릎에 못 미치는》.

min·im [mínəm] *n.* Ⓒ **1** 액량(液量)의 최소 단위《1드램(dram)의 1/60; 생략: min.》. **2** 《英》 〔음악〕 2분음표(《美》 half note).

min·i·ma [mínəmə] MINIMUM의 복수.

min·i·mal [mínəməl] *a.* 최소의, 극미한; 최소한도의. ⓜ ~·**ly** *ad.*

mínimal árt 미니멀 아트《단순한 소재와 기하학적 형태에 의한 추상 예술》.

mín·i·mal·ìsm *n.* Ⓤ **1** 〔음악〕 미니멀 양식《최소의 장식과 악기 편성으로 일정한 패턴을 반복하여 맥동적이고 최면적인 효과를 냄; 1960년대 후반 미국에서 일어남》. **2** = MINIMAL ART. **3** 〔문학〕 미니멀리즘《1980년대 미국에 나타난 아주 짧은 형식의 소설 수법》.

°**min·i·mize** [mínəmàiz] *vt.* **1** 최소로 하다, 극소화하다; 최저로 어림잡다〔평가하다〕. ↔ *maximize*. ¶ ~ friction 마찰을 최소한으로 줄이다 / ~ a person's services 아무의 노력을 낮게 평가하다. **2** 경시하다, 얕보다.

‡**min·i·mum** [mínəməm] (*pl.* **-ma** [-mə], ~**s**) *n.* Ⓒ **1 최소**, 최소〔최저〕한도: keep one's expenditure to a 〔the〕 ~ 경비를 최저한으로 억제하다. **2** 〔수학〕 최소〔극소〕점. **—***ad.* 최소〔최저〕한으로: twice a month ~ 최소한 한 달에

두 번. **—a.** Ⓐ 최소〔최저〕 한도의, 극소의. ↔ *maximum*.

mínimum-áccess prògramming 〖컴퓨터〗 최단 불러내기로 프로그램 짜기《불러내는 시간을 최단으로 하는》.

mínimum wáge (법정 · 노동협약) 최저 임금.

◇**min·ing** [máiniŋ] *n.* Ⓤ **1** 광업, 채광(採鑛), 채탄. **2** 탐광. **—a.** 채광의, 광산의: a ~ academy 광산 전문학교/~ industry 광업/~ rights 채굴권/a ~ claim 《美》 (발견자가 채굴권을 갖는) 광구(鑛區)/coal ~ 탄광업.

míning engineèr 광산〔채광〕 기사.

míning engineèring 광산(공)학.

min·ion [mínjən] *n.* Ⓒ **1** 앞잡이, 부하: ~*s* of the police 경찰의 앞잡이. **2** 《경멸적》 총애받는 사람《부하 · 여자 등》.

míni·sèries (*pl.* ~) *n.* Ⓒ 〖TV〗 미니시리즈, 단기 프로《보통 4–14 회》.

míni-skì (*pl.* ~*s*) *n.* Ⓒ (초보자용) 짧은 스키.

míni·skìrt *n.* Ⓒ 미니스커트.

míni·stàte *n.* Ⓒ 신흥 소독립국; 극소(極小) 국가(microstate).

⁑**min·is·ter** [mínistər] (*fem.* **-tress** [-tris]) *n.* Ⓒ **1 성직자**, 목사《《英》에서는 비국교파와 장로파의 성직자를 말함》. **2** (종종 M-) **장관**, 대신, 각료. cf. Secretary, Prime Minister. **3** (외국에 대하여 국가를 대표하는) **공사**(公使)《대사(大使)의 아래》; 외교사절.

~ ***of Cabinet rank*** 《英》 각외상(閣外相)《육군상 · 법무상 등 2급 각료》. ***the Minister for Defense*** 국방 장관. ***the Minister of Foreign Affairs and Trade*** 외교 통상부 장관《한국의》.

—vi. 1 《+전+명》 섬기다, 보살펴 주다《***to*** …을》: ~ *to* the sick 환자를 돌보다. **2** 《+전+명》 힘을 빌리다, 도움이 되다《***to*** …에》: ~ *to* one's vanity 허영심을 만족시키다. **3** 목사〔성직자〕로 일하다.

min·is·te·ri·al [mìnəstíəriəl] *a.* **1** 장관의; 내각의; 정부측의, 여당의: a ~ crisis 내각의 위기/~ level talks 각료급 회담/~ changes 내각 개편, 개각/the ~ party 여당/the ~ benches 《英》 하원의 여당석. **2** 성직자의, 목사의.

㊕ **~·ly** *ad.*

mínistering ángel 구원의 천사《비유적으로, 간호사 등》.

min·is·trant [mínistrənt] *a.* 섬기는, 봉사의, 보좌의. **—n.** Ⓒ 봉사자, 보좌역.

min·is·tra·tion [mìnəstréiʃən] *n.* **1** Ⓤ (성직자의) 직무. **2** Ⓒ (보통 *pl.*) 봉사, 원조; 간호.

***min·is·try** [mínistri] *n.* **1** (the M-) (영국 · 유럽의) **내각**(cf. cabinet); 〘집합적; 단 · 복수취급〙 각료: The *Ministry* has resigned. 내각은 총사직하였다. **2** (보통 M-) Ⓒ (영국 · 일본 정부 등의) 부, 성(department); 청사: the *Ministry* of Defense 국방부. **3** Ⓒ (보통 *sing.*) 장관의 직무〔임기〕. **4** (the ~) **a** 목사의 직무〔임기〕: enter the ~ 목사가 되다. **b** 〘집합적; 단 · 복수취급〙 목사, 성직자.

min·i·ver [mínəvər] *n.* Ⓤ (귀족 예복의) 흰 모피. cf. ermine.

◇**mink** [miŋk] (*pl.* **~s,** ~) *n.* **1** Ⓒ 〖동물〗 밍크《족제비류; 수륙 양서》. **2** Ⓤ 그 모피; Ⓒ 밍크옷: a ~ coat 밍크코트.

mín·ke (whále) [míŋki-, -kə-] 〖동물〗 밍크고래《길이 10m의 소형 고래》.

Minn. Minnesota.

Min·ne·ap·o·lis [mìniǽpəlis] *n.* 미니애폴리스《미국 미네소타 주 최대의 도시》.

Min·ne·so·ta [mìnəsóutə] *n.* 미네소타《미국 북부의 주; 생략: Minn., 〖우편〗 MN》.

Min·ne·so·tan [mìnəsóutən] *a.* 미네소타의. **—n.** Ⓒ 미네소타 주 사람.

min·now [mínou] (*pl.* **~s,** ~) *n.* Ⓒ 황어(黃魚) · 피라미류; 잉어과의 작은 물고기.

throw out a ~ to catch a whale 새우로 고래를 낚다; 큰 이익을 위해 작은 이익을 버리다.

Mi·no·an [minóuən] *a.* 크레타 문명《기원전 3000–1100년경에 번영한》의.

⁑**mi·nor** [máinər] *a.* **1 보다 작은**, 작은 쪽의; 소수파의; 보다 적은 쪽의(smaller, lesser): a ~ share 작은 쪽의 몫/a ~ axis 〖수학〗 (원뿔 곡선의) 단축(短軸)/a ~ party 소수당/~ faults 경(輕)과실. **2** (비교적) **중요치 않은**; 2류의; 심각하지 않은: a ~ question 사소한 문제/a ~ poet 이류 시인. **3** 《美》 (대학 과목이) 부전공의: a ~ subject 부전공 과목. **4** 《英》 (public school에서 이름이 같은 두 사람 중) 손아래의: Jackson ~ 작은 잭슨. **5** (법률상) 미성년의. **6** Ⓐ 〖음악〗 단음계의; 단조의: a ~ scale 단음계/a ~ mode 단선법(短旋法)/A ~ 가 단조. ⇔ *major*.

—n. 1 Ⓒ **미성년자**: No ~*s*. 《게시》 미성년자 사절. **2** Ⓒ 〖음악〗 단조; 단음계. **3** (the ~s) 《美》 = MINOR LEAGUE. **4** Ⓒ 《美》 (대학의) 부전공 과목; 부전공 학생: a history ~ 역사 부전공 학생.

—vi. 《+전+명》 부(副)전공으로 (연구)하다《***in*** …을》: He will ~ *in* history. 그는 역사를 부전공으로 공부할 것이다.

⁑**mi·nor·i·ty** [minɔ́ːriti, -nár-, mai-] *n.* **1** Ⓒ (보통 *sing.*) 〘집합적; 단 · 복수취급〙 **소수**; **소수파**, **소수자의 무리**, 소수당; 소수 민족: a ~ government 소수당 정부/a ~ group 소수자 집단, 소수 민족/~ languages 〔rights〕 소수 민족의 언어〔권리〕/a ~ party 소수당/They were in the 〔a〕 ~. 그들은 소수파였다. **2** Ⓤ 〖법률〗 미성년(기). cf. majority.

mínor kéy 〖음악〗 단조(短調); 음울한 기분.

in a ~ 〖음악〗 단조로; 우울한 기분으로.

mínor léague 《美》 마이너 리그《major league에 속하지 않는 2류 직업 야구단〔선수단〕 연맹》.

mínor-léague *a.* 《美》 마이너 리그의; 《美구어》 2류의, 시원찮은.

mínor plánet 〖천문〗 소(小)행성.

mínor prémise 〖논리〗 (3단논법의) 소전제.

Mínor Próphets (the ~) 〖성서〗 소예언서《Hosea에서 Malachi까지의 12예언서》; (또는 m- p-) 소예언서의 작자, 소예언자.

Min·o·taur [mínətɔ̀ːr, máinə-] *n.* (the ~) 〖그리스신화〗 미노타우로스《인신우두(人身牛頭)의 괴물》.

min·ster [mínstər] *n.* Ⓒ 《英》 수도원 부속 성당; 대교회당, 대성당(cathedral).

◇**min·strel** [mínstrəl] *n.* Ⓒ **1** (중세의) 음유(吟遊)시인〔가인〕, 음창 시인. **2** (보통 *pl.*) 순회 극단 (Negro 〔nigger〕 ~s)《흑인으로 분장한 백인이 흑인 노래와 춤을 춤》.

mínstrel shòw 민스트럴 쇼《백인이 흑인으로 분장해서 하는 춤 · 노래 등 연예》.

min·strel·sy [mínstrəlsi] *n.* Ⓤ 음유시인의 연예《노래 · 음창 · 탄주(彈奏) 따위》; (음유시인 등의) 시, 민요; 시가(poetry).

◇**mint**[1] [mint] *n.* **1** Ⓤ 〖식물〗 박하(薄荷); 박하

향미료(香味料). **2** Ⓒ 박하가 든 사탕.

°**mint**² *n.* **1** Ⓒ 화폐 주조소, (the M-) 조폐국. **2** (a ~) 다대, 거액: a ~ *of* money 막대한 돈/a ~ *of* trouble 허다한 고생. ***in ~ state*** 〔***condition***〕 아주 새로운, 갓 만든《서적·화폐·우표 따위》. **—***vt.* (화폐)를 주조하다(coin); (신어(新語))를 만들어 내다.

mint·age [míntidʒ] *n.* **1 a** Ⓤ (화폐의) 주조, 조폐(coinage); 주화료(鑄貨料). **b** 《집합적》 주조 화폐. **2** Ⓒ (화폐 따위의) 각인(刻印)(mintmark).

mínt júlep 《美》 민트 줄렙, 박하술(julep).

mínt sàuce 민트 소스《설탕·초에 박하 잎을 썰어 넣은 소스; 양 불고기 요리에 씀》.

min·u·et [mìnjuét] *n.* Ⓒ 미뉴에트《3박자의 느린춤》; 그 곡.

⁑**mi·nus** [máinəs] *prep.* **1** 【수학】 마이너스의, **…을 뺀**, …만큼 적은. ↔ *plus*. ¶Seven ~ three is 〔leaves, makes〕 4. 7 빼기 3은 4《7-3=4》. **2** 《구어》 …이 없이〔없는〕(lacking, without): a book ~ its cover 표지가 떨어져 나간 책/He came ~ his hat. 그는 맨머리로 왔다. **3** 빙점하의, **영하의**: The temperature is ~ ten (degree). 온도가 영하 10도이다.

—*a.* **1** Ⓐ **마이너스의**; 【전기】 음(陰)의(negative): ~ two 마이너스 2, -2/a ~ quantity 음의 양(量), 음수(陰數)/~ electricity 음전기/~ charge 음전하(陰電荷). **2** 《성적 평가 뒤에 써서》 …보다 못한, …마이너스: A ~, A마이너스《★ A⁻라고 씀》. **3** Ⓐ 《구어》 없는; 불리한; 모자라는: The profits were ~. 수익은 제로였다.

—*n.* Ⓒ **1** =MINUS SIGN. **2** 음수(陰數): Two *~es* make a plus. 마이너스가 2개 겹치면 플러스로 된다. **3** 《구어》 부족, 손해, 결손, 불리한 점: consider the pluses and *~es* of …의 플러스 면과 마이너스 면을 고려하다.

mi·nus·cule [mínʌskjù:l] *a.* 아주 작은〔적은〕: a ~ quantity 아주 소량/a ~ room 아주 작은 방.

mínus sìgn 【수학】 마이너스 부호(negative sign)《-》.

†**min·ute**¹ [mínit] *n.* **1** Ⓒ (시간의) **분**《1시간의 1/60; 기호 ′》: It's 5 *~s* to 〔before, 《美》 of〕 six. 6시 5분 전이다/10 *~s* past 〔《美》 after〕 five. 5시 10분이다/per ~ 1분마다《★관사 없이》/He enjoyed every ~ of the trip. 그는 그 여행을 한껏 즐겼다.

2 《구어》 **a** (a ~) 《부사적》 잠깐 동안, **잠시**《★ 부사적으로도 씀》: Just 〔Wait〕 a ~. 잠깐만 (기다려 주시오). **b** (*sing.*) **순간**《★ 부사적으로도 씀》: in a ~ 곧/(at) any ~ 지금 당장이라도/I'll write the letter this (very) ~. 지금 곧 편지를 쓰겠다. **c** (the ~) 《접속사적》 …하는 순간에, …하자마자《★ 종종 that을 수반하여》: I recognized him the ~ (*that*) I saw him. 그를 보자마자 그라는 것을 알았다.

3 Ⓒ 각서(note), **메모**; (간단한) 초고(草稿); (*pl.*) 의사록(~ book): be on the *~s* 의사록에 올라 있다/make 〔take〕 a ~ of …의 각서를 만들다, 기록해 두다.

4 Ⓒ (각도의) 분(~ of arc)《1/60도; 기호 ′》: 12° 10′ =twelve degrees and ten *~s* 12도 10분.

at any ~ 지금 당장에라도, 언제라도: He'll turn up *any* ~. 그는 언제라도 달려올 것이다. ***at the last ~*** 시간에 임박해 (빠듯이), 막판에 가서. ***by the ~*** 1분마다; 시시각각. ***not for a*** 〔***one***〕 ***~*** 조금도 …않는(never): I do*n't* believe it *for a* ~. 조금도 그것을 믿지 않는다. ***to the ~*** 1분도 틀리지 않고, 정각에. ***up to the ~*** 최신의(up-to-date): The technology is *up to the* ~. 그 과학 기술은 최신의 것이다.

> **DIAL.** ***when you get a minute*** 시간이 있을 때, 짬이 나거든.

—*vt.* 의사록에 적다.

*__mi·nute__² [mainjú:t, mi-] (***-nut·er; -est***) *a.* **1 자디잔**, 미세한; 사소한, 하찮은: ~ difference 근소한 차이/~ particles 미립자. SYN. ⇨SMALL. **2 상세한; 정밀한**, 엄밀한; 세심한: a ~ observer 세심한 관찰자/with ~ attention 세심한 주의를 기울여.

mínute gùn [mínit-] 분시포(分時砲)《장군·사령관 장례 때 1분마다 쏘는 조포》.

mínute hànd [mínit-] (the ~) 시계의 장침, 분침. cf. hour hand.

°**min·ute·ly**¹ [mínitli] *ad.*, *a.* 1분마다(의); 매분마다(의); 끊임없이.

°**mi·nute·ly**² [mainjú:tli, mi-] *ad.* 세세하게, 상세하게, 정밀하게; 잘게, 작게.

minute·man [mínitmæ̀n] (*pl.* ***-men*** [-mèn]) *n.* (때로 M-) Ⓒ 《美》 (독립전쟁 당시 즉각 출동할 수 있게 준비하고 있던) 민병.

mi·nute·ness [mainjú:tnis, mi-] *n.* Ⓤ **1** 미소, 미세. **2** 상세, 정밀.

mínute stèak [mínit-] (즉석 구이 요리용의) 얇은 고깃점.

mi·nu·tia [minjú:ʃiə, mai-] (*pl.* ***-ti·ae*** [-ʃiì:]) *n.* Ⓒ 사소한 점; 세목; (*pl.*) 사소한 일.

minx [miŋks] *n.* Ⓒ 왈가닥, 말괄량이.

Mi·o·cene [máiəsì:n] *n.*, *a.* 【지질】 마이오세(世)(의).

⁑**mir·a·cle** [mírəkəl] *n.* Ⓒ **1 기적**: by a ~ 기적적으로/to a ~ 《고어》 기적적으로; 신기할 정도로 훌륭히/work 〔do, perform, accomplish〕 a ~ 기적을 행하다. **2 경이**; 불가사의한 물건〔일, 사람〕; 위업; 훌륭한 예(例): a ~ *of* skill 경이적인 기술/the *~s of* modern science 현대 과학의 위업/It's a ~ that …라는 것은 기적이다/His recovery is a ~. 그의 회복은 기적이다.

míracle drùg 영약, (새로 발명된) 특효약.

míracle plày (중세의) 기적극.

*__mi·rac·u·lous__ [mirǽkjələs] *a.* **기적적인**, 불가사의한, 초자연적인, 신기한, 놀랄 만한. SYN. ⇨WONDERFUL. 파 °**~·ly** *ad.*

mir·age [mirá:ʒ/ˊ-] *n.* 《F.》 Ⓒ **1** 신기루; 아지랑이. **2** 망상; 덧없는 희망, 공중누각.

Mi·ran·da [mirǽndə] *n.* 미랜더《여자 이름》.

°**mire** [maiər] *n.* Ⓤ 습지(濕地), 늪, 진창; 수렁. ***drag*** a person 〔a person***'s name***〕 ***through the ~*** 아무의 이름을 더럽히다; 아무의 얼굴에 먹칠을 하다. ***stick*** 〔***find*** one***self***〕 ***in the ~*** 궁지에 빠지다, 곤경에 부딪히다

—*vt.*, *vi.* 진구렁에 빠뜨리다〔빠지다〕; 진흙으로 더럽히다〔더러워지다〕; 곤경에 몰아넣다〔몰리다〕.

Mir·i·am [míriəm] *n.* 미리엄《여자 이름》.

mirk [mə:rk] *n.* =MURK.

⁑**mir·ror** [mírər] *n.* Ⓒ **1 거울**, 반사경: a driving ~ 《英》 (자동차의) 백미러/(as) smooth as a ~ 거울처럼 매끄러운/look at oneself in the ~ 거울로 제 모습을 보다. **2** 있는 그대로 비추는 물건: a ~ *of* the times 시대를 반영하는 것.

—*vt.* **1** 비추다, 반사하다: The still water *~ed*

the trees along the bank. 고요한 수면은 강변 나무들의 모습을 비추고 있었다. **2** 반영하다, 충실히〔있는 그대로〕 비추다: His letter *~ed* his concern. 그의 편지는 걱정을 그대로 드러내주고 있었다.

mírror ímage 경상(鏡像)《거울에 비쳤을 때의 좌우 반대의 상》.

mírror sìte 〖인터넷〗 미러 사이트《어떤 FTP site와 같은 file을 갖는 site; 특정 site의 백업(back up)·혼잡을 피하기 위하여 설정》.

mírror sỳmmetry 거울면 대칭.

◇**mirth** [məːrθ] *n.* Ⓤ 명랑, 유쾌; 환락, 환희; 유쾌한 웃음.

mirth·ful [mə́ːrθfəl] *a.* 유쾌한, 명랑한; 웃으며 떠드는. ㊞ **~·ly** *ad.* **~·ness** *n.*

mírth·less *a.* 즐겁지 않은, 음울한. ㊞ **~·ly** *ad.* **~·ness** *n.*

MIRV [məːrv] *n.* Ⓒ 다탄두 각개 목표 재돌입 미사일. [◂*m*ultiple *i*ndependently targeted *r*eentry *v*ehicle]

miry [máiəri] (***mir·i·er; -i·est***) *a.* 진창 같은; 진흙투성이의; 더러운.

MIS management information system (경영 정보 시스템).

mis- [mis] *pref.* 동사 또는 그 파생어에 붙여서 '잘못(하여), 그릇된, 나쁘게, 불리하게' 따위의 뜻을 나타냄: *mis*take, *mis*represent.

mìs·advénture *n.* **1** Ⓤ 불운: by ~ 운수 나쁘게, 잘못하여. **2** Ⓒ 불운한 일, 불행, 재난: I had a little ~ on the way home. 귀가 중에 경미한 재난을 겪었다〔만났다〕. ***homicide*** 〔***death***〕 ***by*** ~ 〖법률〗 과실 치사.

mìs·allíance *n.* Ⓒ 그릇된 결합; (특히 신분이 다른) 어울리지 않는 결혼.

mis·an·dry [mísændri/misǽndri, mísən-] *n.* Ⓤ 남성 혐오. ㊀ misogyny.

mis·an·thrope, mis·an·thro·pist [mísənθròup, míz-], [misǽnθrəpist, miz-] *n.* Ⓒ 사람을 싫어하는 사람, 교제하기 싫어하는 사람.

mis·an·throp·ic, -i·cal [mìsənθrápik, mìz-/-θrɔ́p-], [-kəl] *a.* 사람을 싫어하는, 염세적인. ㊞ **-i·cal·ly** *ad.*

mis·an·thro·py [misǽnθrəpi, miz-] *n.* Ⓤ 사람을 싫어함《성질》, 인간 불신, 염세.

mìs·applicátion *n.* Ⓤ (구체적으로는 Ⓒ) 오용, 남용, 악용.

mìs·applý *vt.* …의 적용을 잘못하다; …을 악용〔오용〕하다.

mìs·appréhend *vt.* (말·사람 등)을 오해하다, 잘못 생각하다(misunderstand).

mìs·apprehénsion *n.* Ⓤ 오해, 잘못 생각하기. ***under a*** ~ 잘못 생각하여.

mìs·apprópriate *vt.* (남의 돈)을 남용하다; 착복〔횡령〕하다.

mìs·appropriátion *n.* Ⓤ 착복, 횡령; 악용, 남용.

mìs·arránge *vt.* …의 배열을〔배치를〕 잘못하다, …을 틀린 장소에 두다. ㊞ **~·ment** *n.*

mìs·becóme (***-becàme, -becóme***) *vt.* …에 맞지 않다, 적당하지 않다, 어울리지 않다.

mìs·begótten, -gót *a.* **1** 사생아의, 서출(庶出)의(illegitimate). **2** Ⓐ 덜된; 상스러운; 부정하게 얻은; (계획·착상이) 나쁜.

mìs·beháve *vi.* 무례한 행동을 하다; 부정한〔나쁜〕 짓을 하다; 행실이 나쁘다. **—***vt.* 〖다음 용법뿐〗 ~ one***self*** 무례하게 굴다, 버릇없이 행동하다; 나쁜 짓을 하다.

mìs·behávior *n.* Ⓤ 무례; 부정; 나쁜 행실.

misc. miscellaneous; miscellany.

mìs·cálculate *vt.*, *vi.* 계산을 잘못하다, 오산하다; 잘못〔헛〕 짚다.

mìs·càlculátion *n.* Ⓤ (구체적으로는 Ⓒ) 계산〔예상〕 잘못, 오산.

mìs·cáll *vt.* 그릇된 이름으로 부르다, 오칭하다: The whale is often *~ed* a fish. 고래는 자주 물고기로 잘못 불린다.

mis·cárriage *n.* Ⓤ (구체적으로는 Ⓒ) **1** 실패; 실책, 잘못(error). **2** (우편물 따위의) 불착(不着), 잘못 배달됨. **3** 유산(流產), 조산(早產)(abortion): have a ~ (임신부가) 유산하다. ***a*** ~ ***of justice*** 오심(誤審).

mis·cárry *vi.* **1** (사람·계획 따위가) 실패하다(fail). **2**《英》(화물(貨物)·우편물 따위가) 도착하지 않다, 잘못 배달되다. **3** 유산〔조산〕하다.

mis·cást (*p.*, *pp.* ~) *vt.* 〖보통 수동태〗 (배우)에게 부적당한 역을 맡기다; (극)의 배역을 그르치다; (역)에 부적당한 배우를 배정하다: She was somewhat ~ (*as* Lady Macbeth). 그녀에게 (맥베스 부인이라는) 다소 부적당한 역이 맡겨졌다/The play *is* ~. 이 극은 배역이 잘못되어 있다.

mis·ce·ge·na·tion [mìsidʒənéiʃən] *n.* Ⓤ 이(異)종족의 혼교(混交)〔잡혼(雜婚)〕《특히 흑·백인의》.

mis·cel·la·nea [mìsəléiniə] *n. pl.* 〖종종 단수취급〗 (특히 문학 작품의) 잡록(雜錄); 갖가지 물건.

◇**mis·cel·la·ne·ous** [mìsəléiniəs] *a.* **1** 가지가지 잡다한, 이종(異種) 혼합의, 잡동사니의: ~ business 〔goods〕 잡무〔잡화〕. **2** 다방면에 걸친(many-sided): ~ articles 잡기(雜記), 잡록. ㊞ **~·ly** *ad.* **~·ness** *n.*

mis·cel·la·ny [mísəlèini/miséləni] *n.* Ⓒ 잡다, 혼합(mixture), 잡동사니(medley); (한 권에 수록된) 문집, 잡록.

mis·chánce *n.* Ⓤ (구체적으로는 Ⓒ) 불운, 불행, 재난: by ~ 운 나쁘게.

mis·chief** [místʃif] (*pl.* ***~s) *n.* **1** Ⓤ 해악(害惡), 해(harm); 악영향; 손해, 위해: One ~ comes on the neck of another.《속담》 엎친 데 덮친다, 설상가상/inflict great ~ on the community 사회에 큰 해독을 끼치다/The storm did a lot of ~ to the crops. 폭풍은 농작물에 커다란 손해를 입혔다. **2** Ⓒ 해를 주는 물건; 해악의 원인. **3** Ⓤ 장난, 짓궂음: go 〔get〕 into ~ 장난을 시작하다/keep children out of ~ 아이들에게 장난치지 못하게 하다/out of (pure) ~ (그저) 장난삼아/The boy looked at me with eyes full of ~. 소년은 장난기 가득찬 눈으로 나를 바라보았다. **4** Ⓒ 장난이 심한 사람,《특히》 장난꾸러기. ◇ mischievous *a.*

do a person ***a*** ~《英구어》 아무에게 위해를 가하다. ***do*** one***self a*** ~ 《英구어》 상처를 입다. ***make*** ~ ***between*** (소문을 내거나 해서) …의 사이를 이간시키다, …에 찬물을 끼얹다. ***up to*** ~ 장난을 꾀하여: He is *up to* ~ again. 그는 다시 뭔가 못된 일을 꾸미고 있다.

míschief-màker *n.* Ⓒ (소문 등으로) 이간질하는 사람, 찬물을 끼얹는 사람.

***mis·chie·vous** [místʃivəs] *a.* **1** 유해한, 악의 있는: Someone's spreading a ~ rumor about us. 누군가가 우리들에 대해 중상하는 소문을 퍼뜨리고 있다. **2** 장난을 좋아하는, 장

난기가 있는: a ~ child 개구쟁이. **3** 어딘가 행티가 있어 보이는. ◇ mischief *n.* ㊀ **~·ly** *ad.* **~·ness** *n.*

mìs·concéive *vt., vi.* 오해하다, 오인하다, 잘못 생각하다.

mìs·concéption *n.* Ⓤ (구체적으로는 Ⓒ) 오해, 그릇된 생각.

mis·cónduct *n.* Ⓤ **1** 몸가짐〔행실〕이 좋지 않음, 품행이 나쁨; 《특히》 불의, 밀통. **2** 【법률】 (공무원의) 부정 행위, 직권 남용. **3** (기업 등의) 잘못된 관리〔경영〕. **—** [⌐-⌐] *vt.* **1** …의 조처를 그르치다, 실수를 하다. **2** 〖~ oneself〗 품행이 나쁘다; 간통하다《*with* …와》.

mìs·constrúction *n.* Ⓤ (구체적으로는 Ⓒ) (의미의) 잘못된 해석, 오해, 곡해: be open to ~ (말 따위가) 오해를 일으키기 쉽다.

mìs·construe *vt.* 잘못 해석하다, 오해하다; 곡해하다(misunderstand)《*as* …으로》.

mis·cóunt *vt., vi.* 잘못 세다, 잘못 계산하다. **—***n.* Ⓒ 오산(誤算), 계산 착오.

mis·cre·ant [mískriənt] *a.* 사악한. **—***n.* Ⓒ 악한; 악당.

mis·cúe *vi.* 【당구】 (공을) 잘못 치다; 실수하다; 【연극】 대사의 큐를 잘못 받다〔알다〕. **—***n.* Ⓒ 【당구】 잘못 침; 【야구】 에러; 실책, 실수.

mis·dáte *vt.* (편지 · 서류 등)의 날짜〔연대(年代)〕를 틀리다.

mis·déal 【카드놀이】 *n.* Ⓒ 패를 잘못 도르기; 그 카드. **—**(*p., pp.* **-dealt** [-délt]) *vi., vt.* 패를 잘못 도르다.

mis·déed *n.* Ⓒ 악행, 비행, 범죄.

mìs·deméanor, 《英》 **-our** *n.* Ⓒ **1** 【법률】 경범죄(Ⓒf. felony). **2** 비행, 행실〔품행〕이 나쁨.

mìs·diréct *vt.* **1** 잘못 지시〔지휘〕하다. **2** (편지)에 수취인의 주소 · 성명을 잘못 쓰다; (아무)에게 길〔방향〕을 잘못 가르쳐 주다: a *~ed* letter 수취인의 주소 · 성명이 잘못 적힌 편지. **3** 【법률】 (판사가 배심원)에게 잘못 설명하다. **4** (정력 · 재능 등)을 그릇된 방향으로 돌리다, …의 방향을 그르치다: ~ a blow 헛때리다. ㊀ **mis·di·réc·tion** *n.*

mis·dó (**-did** [-díd]; **-done** [-dʌ́n]) *vt.* 잘못하다, 실수하다.

mis·dóing *n.* Ⓒ (보통 *pl.*) 비행, 범죄(misdeed).

mise-en-scène [*F.* mizɑ̃sɛn] (*pl.* **~s** [—]) *n.* 《F.》 Ⓒ 연출(법); 무대 장치(stage setting); (사건 등의) 주위의 상황; 환경.

mìs·emplóy *vt.* …을 오용(誤用)〔악용〕하다; …에게 적성에 맞지 않는 일을 시키다〔주다〕.

***mi·ser** [máizər] *n.* Ⓒ **구두쇠**, 노랑이, 수전노.

⁑**mis·er·a·ble** [mízərəbəl] *a.* **1 불쌍한**, 비참한, 가련한(pitiable); 슬픈: a ~ life 비참한 생활 / ~ news 슬픈 소식 / feel ~ 비참한〔가련한〕 생각이 들다.

2 Ⓐ 초라한, 볼품 없는, 빈약한, 궁핍한: a ~ house 초라한 집 / a ~ meal (먹을 게 없는) 조금의 식사 / ~ pay 불충분한 급료.

3 (생활 따위가) 쓰라린, 괴로운《*with, from* …때문에》; (날씨가) 구질구질한: I was ~ *with* 〔*from*〕 hunger. 굶주림으로 몹시 고생했다 / ~ weather 구질구질한 날씨.

4 Ⓐ 비천한, 야비한; 파렴치한(shameful); 시시한, 서투른: a ~ coward 비열한 겁쟁이 / a ~ performance 시원찮은 연기. ◇ misery *n.*

㊀ ◇**-bly** *ad.* **~·ness** *n.*

mí·ser·ly *a.* 인색한, 욕심 많은. ㊀ **-li·ness** *n.* Ⓤ 인색, 탐욕.

⁑**mis·ery** [mízəri] *n.* **1 a** Ⓤ (정신적 · 육체적) 고통; 고뇌: *Misery* loves company. 《속담》 동병 상련 / suffer ~ from (a) toothache 치통으로 몹시 고생하다. **b** Ⓒ (흔히 *pl.*) (수많은) 고난, **불행**, 고뇌: the *miseries* of life 인생의 고난 / She makes my life a ~. 그녀 탓에 나는 비참한 생활을 보내고 있다. SYN. ⇨SUFFERING. **2** Ⓤ **비참한 신세**, 빈곤; 비참함: live in ~ and want 매우 곤궁하게 살다. **3** Ⓒ 《英구어》 징징거리는 사람, 불평이 많은 사람. ◇ miserable *a.* ***put … out of his*** 〔***her, its***〕 **~** (고통스런 사람 · 짐승을) 죽여서 편하게 해주다; (사실을 말해 주어) 마음 편하게 해주다.

mis·fea·sance [misfíːzəns/miz-] *n.* Ⓤ (구체적으로는 Ⓒ) 【법률】 부당행위, 《특히》 직권 남용; 〖일반적〗 과실.

mis·file *vt.* (서류 따위)를 잘못된 데에 철하다〔정리하다〕.

mis·fíre [⌐⌐] *vi.* (총 따위가) 불발하다; (내연기관이) 점화되지 않다; (계획이) 빗나가다; (작품 등이) 목적하는 효과를 못 내다. **—***n.* Ⓒ 불발; 점화되지 않음; 빗나감, 실패.

mis·fit [mísfit, -⌐] *n.* Ⓒ **1** 맞지 않는 것《옷 · 신발 따위》. **2** 주위 환경 · 일에 잘 적응〔순응〕 못하는 사람.

⁑**mis·for·tune** [misfɔ́ːrtʃən] *n.* **1** Ⓤ **a 불운**, 불행: by ~ 운 나쁘게, 불행하게도. **b** (the ~) 불행〔불운〕하게도 …하는 것《*to* do》: When I was very young, I had the ~ *to* lose my father. 유년시절에 불행하게도 아버지를 여의었다. **2** Ⓒ 불행한 일, 재난: *Misfortunes* never come single 〔singly〕. = One ~ rides upon another's back. 《속담》 화불단행(禍不單行), 엎친 데 덮치다.

◇**mis·gív·ing** *n.* Ⓤ (또는 Ⓒ) (보통 *pl.*) 걱정, 불안, 염려《*about* …에 대한》: a heart full of ~(s) 불안에 가득 찬 마음 / have ~*s about* …에 불안을 품다.

mis·góvern *vt.* …에 악정을 펴다, …의 통치〔지배〕를 잘못하다. **—***vi.* 악정을 펴다.

mìs·góv·ern·ment *n.* Ⓤ 악정, 실정(失政).

mis·guíde *vt.* 잘못 지도〔안내〕하다(mislead).

mis·guíded [-id] *a.* 오도된, 미혹된; 잘못 안《*to* do》: ~ efforts 빗나간 노력 / It was ~ *of* you 〔You were ~〕 *to* trust him. 그를 믿다니 너의 실수였다. ㊀ **~·ly** *ad.*

mis·hándle *vt.* 거칠게 다루다, 서투르게 다루다, 잘못 조처하다; (아무)를 학대〔혹사〕하다.

mis·hap [míshæp, -⌐] *n.* Ⓤ (구체적으로는 Ⓒ) (가벼운) 사고; 불운한 일, 재난: without ~ 무사히 / They met with a (slight) ~ on the way. 도중에 (대수롭지 않은) 사고를 당했다.

mis·héar (*p., pp.* **-heard** [-hə́ːrd]) *vt.* 잘못 듣다, 듣고 오해하다.

mis·hít (**~; -tt-**) *vt., vi.* (구기에서) 잘못 치다. **—** [⌐⌐] *n.* Ⓒ 잘못 치기, 범타.

mish·mash [míʃmæʃ] *n.* (a ~) 《구어》 뒤죽박죽, 뒤범벅(hodgepodge, jumble); 혼란 상태.

mìs·infórm *vt.* 〖보통 수동태〗 잘못 전하다, 오보하다; 오해하게 하다, 잘못 가르치다《*about* …에 대하여》: I *was ~ed about* the result. 그 결과를 잘못 들었다.

mìs·informátion *n.* Ⓤ (의도적인) 오보(誤報), 오전(誤傳).

mìs·intérpret *vt.* 그릇 해석〔설명〕하다, 오해

하다(misunderstand)《**as** …으로》: She ~*ed* my silence *as* consent. 그녀는 나의 침묵을 승낙으로 잘못 생각했다.

mìs·interpretátion *n.* Ⓤ 오해; 오역(誤譯).

MI-6 [èmáisíks] *n.* (영국 정부의) 해외 정보부, 해외 군사 정보 활동 제6부. ⓒⓕ MI-5. [◂ *M*ilitary *I*ntelligence, section *6*]

mis·júdge *vt.* 그릇 판단〔심판〕하다; (사람)을 깔보다; 그릇 대중하다, 잘못 보다.

mis·júdgment, 《英》 **-júdge-** *n.* Ⓤ (구체적으로는 Ⓒ) 그릇된 판단; 오심(誤審).

mìs·kéy *vt.* 『컴퓨터』 (언어 · 데이터)를 틀리게 입력하다.

mis·láy (*p., pp.* **-laid** [-léid]) *vt.* 잘못 두다〔놓다〕; 두고 잊다: ~ one's umbrella 우산을 놔둔 채 잊고 오다.

‡mis·lead [mislí:d] (*p., pp.* **-led** [-léd]) *vt.* **1** **그릇 인도〔안내〕하다**: be *misled* by a map 지도를 의지하다가 길을 잃다. **2** 《~+目/+目+전+명》 오해하게 하다; 현혹시키다; 속이다《**into** …하게》; 나쁜 일에 꾀다: Bad companions *misled* him. 나쁜 친구가 그를 꾀어냈다/You should not be *misled* by a person's apperarance. 사람의 외모에 속아서는 안 된다/Her gentle manner *misled* him *into* trust*ing* her. 그녀의 친절한 태도에 현혹되어 그는 그녀를 믿어 버렸다.

‡mis·lead·ing [mislí:diŋ] *a.* **그르치기 쉬운,** 오해하기 쉬운, 오해하게 하는, 현혹시키는: ~ TV commercials 사람을 현혹시키는 텔레비전 광고/Your word were rather ~. 네 말에는 오해를 일으킬 만한 데가〔부분이〕 있었다.
㊕ **~·ly** *ad.*

mis·mánage *vt.* 잘못 취급〔관리〕하다, 실수하다. ㊕ **~·ment** *n.* Ⓤ 잘못된 관리〔처리〕; 실수.

mis·márriage *n.* Ⓤ (구체적으로는 Ⓒ) 어울리지 않은 결혼, 불행한 결혼.

mis·mátch *vt.* …의 짝을 잘못 짓다; (아무)에게 어울리지 않는 결혼을 시키다: a ~*ed* couple (성격적으로) 어울리지〔조화되지〕 않는 부부/They were badly ~*ed*. 저 부부〔두 선수〕는 전혀 어울리지 않았다. **—***n.* Ⓒ 잘못 짝짓기, 어울리지 않는 결혼.

mis·náme *vt.* 틀린 이름으로 부르다, 오칭(誤稱)하다.

mis·no·mer [misnóumər] *n.* Ⓒ 틀린 이름; 부적절한 이름; (법률 문서 중의) 인명〔지명〕 오기(誤記).

mi·sog·a·my [miságəmi, mai-/-sɔ́g-] *n.* Ⓤ 결혼을 싫어함. ㊕ **-mist** *n.* Ⓒ

mi·sog·y·nist [misádʒənist/-sɔ́dʒ-] *n.* Ⓒ 여성(의 권리 확장)에 적개심을 가지는 사람, 여성 혐오자.

mi·sog·y·ny [misádʒəni, mai-/-sɔ́dʒ-] *n.* Ⓤ 『심리』 강한 여성 혐오(증). ↔ *philogyny*.

mis·pláce *vt.* 〖종종 수동태〗 **1** 잘못 두다; 둔 곳을 잊다(mislay): ~ an accent 악센트를 잘못된 곳에 두다/~ one's glasses 안경 둔 곳을 잊다. **2** (신용 · 애정 등)을 잘못된 대상에 주다: ~*d* confidence 잘못 준〔예상이 빗나간〕 신뢰/My concern *was* entirely ~*d*. 나의 우려는 완전히 예상을 빗나갔다. **3** 잘못 앉히다《**in** (직위 따위)에》: I'm ~*d in* a job like this. 나는 이 같은 직업에는 적합하지 않다. ㊕ **~·ment** *n.*

mis·pláy *n.* Ⓒ (경기 · 연주 등의) 실수, 졸렬한 연기〔연주〕; 『스포츠』 에러, 미스. **—***vt.* 실수하다; (야구 따위에서) 공 처리를 잘못하다, 에러를 저지르다.

***mis·print** [mísprìnt, -ˊ] *n.* Ⓒ 『인쇄』 **오식**(誤植). **—** [misprínt] *vt.* 오식하다: ~ 'of' as 'off', of를 off 로 오식하다.

mis·pri·sion [mispríʒən] *n.* Ⓤ 『법률』 (공무원의) 직무 태만, 부정 행위; 범죄 은닉; (국가 · 법정에 대한) 모욕.

mìs·pronóunce *vt.* …의 발음을 잘못하다.

mìs·pronunciátion *n.* Ⓤ (구체적으로는 Ⓒ) 잘못된 발음.

mìs·quotátion *n.* **1** Ⓤ 틀린〔잘못된〕 인용. **2** Ⓒ 틀린〔잘못된〕 인용구.

mis·quóte *vt., vi.* 그릇〔잘못〕 인용하다.

mis·réad [-rí:d] (*p., pp.* ~ [-réd]) *vt.* 틀리게 읽다, 오독하다; 그릇 해석하다(misinterpret)《**as** …으로》. ㊕ **~·ing** *n.*

mìs·repórt *vt.* 잘못 보고하다; 그릇 전하다. **—***n.* Ⓤ (구체적으로는 Ⓒ) 오보(誤報), 허위 보고.

mìs·represént *vt.* 잘못 전하다《**as** …으로》; 거짓 설명을 하다; 부정확하게 말〔진술〕하다.

mìs·representátion *n.* Ⓤ (구체적으로는 Ⓒ) **1** 오전(誤傳), 허설(虛說); 그릇된 설명. **2** 『법률』 허위〔거짓〕 진술; 사칭(詐稱).

mis·rúle *n.* Ⓤ 실정(失政); 무질서, 혼란, 무정부 상태. **—***vt.* …에 그릇된 정치를 펴다.

†miss[1] [mis] (*pl.* **~·es** [mísiz]) *n.* **1** (M-) Ⓒ …양《미혼 여성의 성(명) 앞에 붙이는 경칭》: *Miss* Smith 스미스 양/《문어》 the *Misses* Smith; 《구어》 the *Miss* Smiths 스미스 자매. ★ 자매를 구분할 경우 장녀는 성만 붙여 *Miss* Smith, 차녀 이하는 성명을 붙여 *Miss* Mary Smith 처럼 씀. **2** Ⓒ 처녀, 미혼 여성《영국에서는 경멸적》: school ~*es* (놀기 좋아하는) 여학생/She's a saucy ~. 건방진 계집애다. **3** 아가씨《주로 여점원 · 웨이트리스 등에게, 또는 점원 등이 여자 손님〔주인〕에게의 호칭》: What do you want ~? 아가씨 무엇을 드릴까요. **4** (M-) (지명 등에 붙여) 그 대표적 아가씨, 미스…: *Miss* Universe 미스 유니버스. **5** 《英》 (때로 M-) (학생이 여선생에의 호칭으로) 선생님: Good morning, ~ ! 선생님 안녕하세요.

‡miss[2] *vt.* **1** (목표)를 **못 맞히다, 빗맞히다**: ~ one's aim 목표물을 맞히지 못하다/~ the point 요점을 벗어나다.
2 (겨눈 것)을 **놓치다**, 잡지 못하다: ~ a catch 공을 놓치다.
3 (상품 따위)를 획득하지 못하다; (기회)를 놓치다; (버스 · 기차 따위)를 타지 못하다; (사람)을 만나지 못하다, …의 모습을 놓치다; (흥행 따위)를 구경하지 못하다; (학교 · 수업 · 회합 따위)에 출석하지 못하다, 결석하다: ~ the bus 버스를 놓치다; 호기를 놓치다/~ a person in a crowd 붐비는 사람 속에서 헷갈려 사람을 놓치다/I have ~*ed* so much school these days. 요즘 결석을 많이 했다.
4 (빠뜨리고) 보지〔듣지〕 못하다; 이해하지 못하다; 깨닫지 못하다: I must have ~*ed* the notice. 공고를 못 봤음에 틀림없다/I ~*ed* the point of his speech. 그의 연설 요지를 이해할 수 없었다.
5 《~+目/+-*ing*》 (기회 따위)를 놓치다, **빼먹다, 빠뜨리다,** (필요한 것 따위)가 빠져 있다: ~ breakfast 아침 식사를 거르다/He never ~*es* go*ing* to the pub. 그는 선술집에 빠지지 않고 간다/It's ~*ing* a couple of screws. 그것은 나사

가 두 개 빠져 있다.
6 《~+[목]/+-*ing*》 (사고 따위)를 피하다, 면하다; 까딱 …할 뻔하다: go early to ~ the traffic jam 교통 정체를 피하려고 일찍 나가다/He *~ed going* to jail. 그는 투옥되는 것을 면했다/He just *~ed* being killed. 까딱하면 죽을 뻔했다.
7 (약속 · 의무 따위)를 지키지〔이행하지〕 못하다, 태만히 하다: The bus was late and I *~ed* the appointment. 버스가 늦어서 약속을 지키지 못했다.
8 …이 없음을 깨닫다: When did you ~ your umbrella? 우산 없어진 것을 언제 알았나.
9 《~+[목]/+-*ing*/+[목]+-*ing*》 …을 **할 수 없어서 아쉽다**〔**유감이다**〕; …이 없어서 적적〔서운, 허전〕하게 생각하다: I ~ you serv*ing* tea at tea breaks. 휴게 시간에 차를 대접해 드리지 못해서 유감입니다/We will leave Korea on Monday next week.—Really? I will ~ you very much. 내주 월요일에 한국을 떠납니다—정말이십니까, 대단히 섭섭하군요.
—*vi.* **1** 과녁을 빗나가다: I fired twice but *~ed* both times. 두 번이나 쏘았지만 두 번 다 과녁을 빗나갔다. **2** (내연기관이) 점화하지 않다.
~ *by a mile* 《구어》 크게 빗나가다; 대실패〔패배〕하다: I aimed at the deer but *~ed by a mile*. 사슴을 겨누고 쏘았으나 크게 빗나갔다. **~ *out*** 《*vt*.+[부]》 ① …을 생략하다, 빠뜨리다: Don't ~ my name *out* (of your list). (자네 명단에서) 내 이름을 빠뜨리지 말아 주게. **—**《*vi*.+[부]》 ② 《구어》 기회를 잃다, 좋은 기회를 놓치다《*on* …의》: I *~ed out on* the picnic. 모처럼의 소풍을 가지 못했다. **~ *the boat*** ⇨BOAT. ***never*** 〔***not***〕 **~ *a trick*** 《구어》 호기를 놓치지 않다; 사소한 것도 놓치지 않고 듣다. ***not* ~ *much*** 빈틈없다; (미처 못 들어도) 별 손실이 없다.

> [DIAL.] A ***doesn't miss much*** A(사람)는 빈틈이 없다.
> ***I wouldn't miss it for the world.*** 무슨 일이 있더라도 꼭 볼테야《경기 · 행사 따위를》.
> ***You can't miss ...*** …을 못찾을 리 없다; 곧 알아차리다: The post office is just around the corner; *you can't miss* it. 우체국은 바로 저 모퉁이를 돌아가면 있으니까, 못찾을 리 없습니다.

—*n.* [C] **못〔빗〕맞힘**; 〖당구〗 미스, 빗맞기: A ~ is as good as a mile. 《속담》 조금이라도 빗나간 것은 빗나간 것이다, 오십보 백보.
give ... a **~** 《英구어》 (아무)를 일부러 피하다; (식사 코스)를 빼다; (회의 등에 고의로) 결석하다: I'll *give* the meeting *a* ~ tomorrow. 내일 모임에는 나가지 않을 테야.

Miss. Mississippi.

mis·sal [mísəl] *n*. (때로 M-) [C] 〖가톨릭〗 미사 전서(典書); 〖일반적〗 (삽화가 있는) 기도서.

mis·sénd (***-sent*** [-sént]) *vt*. 잘못 보내다.

mis·shape [misʃéip] (***~d***; ***~d***, ***-shap·en***) *vt*. 보기 흉하게 하다, 일그러진 모양〔기형〕이 되게 하다; 왜곡(歪曲)하다. [파] **mis·sháp·en** [-ən] *a*. 일그러진, 보기 흉한.

***mis·sile** [mísəl/-sail] *n*. [C] **1 미사일**, 탄도 병기(彈道兵器)(ballistic ~); 《특히》 유도탄(guided ~). **2 날아가는 무기**《화살 · 탄환 · 돌 등》; 《널리》 나는 물체, 비상체.
—*a*. [A] 미사일(용)의〔에 관한〕: a ~ attack 미사일 공격/a ~ silo 〔site〕 미사일 지하 격납고〔기지〕/a ~ killer 미사일 요격용 미사일/a ~ warhead 미사일 탄두/a nuclear ~ 핵 미사일/a ~ vehicle 미사일 운반 기구/~ deployment 미사일 배치.

mís·sile·man [-mən] (*pl*. ***-men*** [-mən]) *n*. [C] 미사일 관계자《설계자 · 제작자 · 발사자 · 조작자 등》.

⁑**miss·ing** [mísiŋ] *a*. **1** (있어야 할 곳에) **없는**, 보이지 않는; 분실한: the ~ papers 분실된 서류/a book with two pages ~ 2 페이지가 빠진 책/He's always ~ when I need him. 그는 필요할 때면 언제나 없다. **2 행방불명의**(lost); 결석한: ~ in action 전투 중에 실종된/Their yacht has been reported (as) ~. 그들의 요트는 행방불명된 것으로 보도되었다. **3** (the ~) 〖명사적; 복수취급〗 행방불명자들.

míssing línk **1** 계열(系列) 완성상 빠져 있는 것. **2** (the ~) 〖생물〗 멸실환(環), 미싱 링크《인류와 유인원(類人猿)의 중간에 있었다는 가상의 동물》.

⁑**mis·sion** [míʃən] *n*. [C] **1** (사절의) **임무**, 직무, 역할; 〖일반적〗 사명, 천직: a sense of ~ 사명감《★ of ~은 관사 없이》/be sent on a ~ 사명을 띠고 파견되다. **2 a** 〖집합적; 단 · 복수취급〗 **사절단**, 파견단《*to* (외국)에의》: an economic 〔a trade〕 ~ *to* China 중국에 보낸 경제〔무역〕 사절단. **b** 재외 대사〔공사〕관. **3** (특히 외국에서의) **전도**, 포교: foreign 〔home〕 ~ 외국〔국내〕 전도/follow the sacred ~ 선교사로서 일하다. **4** 선교회(會), 포교단; 전도구(區). **5** 〖군사〗 특명(特命), (공격) 임무; 〖공군〗 특명 비행; (우주선에 의한) 특무 비행《*to* …에의》: fly a ~ 특명 비행을 하다/a ~ *to* the moon 달에의 특무 비행. ***Mission accomplished***. 임무 완료.
—*a*. [A] 전도(단)의; 포교 단체가 운영하는; (가구가) 미션 양식의: a ~ hospital 전도 단체가 운영하는 병원/a ~ school 미션 스쿨, 종교〔전도〕 학교; 선교사 양성소/~ furniture 미션 양식 가구.

mis·sion·a·ry** [míʃənèri/-nəri] *a*. (외국으로 파견되는) **전도(자)의**, 포교(자)의: a ~ meeting 전도〔포교〕 집회. **—n*. **1** [C] **선교사**, 전도사. **2** (주의 · 사상의) 주창자, 선전자(propagandist). **3** 사절, 대사.

míssionary posítion (the ~) 《구어》 (성교(性交) 체위의) 정상위(正常位).

míssion contròl (cènter) (지상의) 우주 (비행) 관제소.

mis·sis [mísiz, -is] *n*. 《속어》 《호칭》 마님, 아씨(mistress)《하녀 등의 용어》; (the ~; one's ~) 《우스개》 (자기 또는 남의) 마누라, 아내: How's the ~? 마누라는 안녕하신가.

Mis·sis·sip·pi [mìsəsípi] *n*. **1** 미국 중남부의 주(州)《주도 Jackson; 생략: Miss.》. **2** (the ~) 미시시피 강.

Mì·sis·síp·pi·an [-ən] *a*. 미시시피 강〔주〕의, 미시시피 주 사람의. **—***n*. [C] 미시시피 주의 사람.

mis·sive [mísiv] *n*. [C] 《문어》 신서(信書), 서장(書狀), (특히 장황한) 공문서.

Mis·sou·ri [mizúəri] *n*. **1** 미국 중부의 주《주도 Jefferson City; 생략: Mo(.)》. **2** (the ~) 미주리 강《미시시피 강의 지류》.

Mis·sóu·ri·an [-ən] *a*. 미주리 주의, 미주리 주 사람의. **—***n*. [C] 미주리 주의 사람.

mis·spéll (*p*., *pp*. ***-spelled*** [-spélt, -spéld], ***-spelt*** [-spélt]) *vt*. …의 철자를 잘못 쓰다.

mìs·spélling *n.* Ⓤ (구체적으로는 Ⓒ) 틀린 철자.

mis·spénd (*p., pp.* **-spent** [-spént]) *vt.* (시간·돈)을 잘못 쓰다; 낭비하다.

mis·státe *vt.* 잘못 말하다; 허위 진술하다.

mìs·státement *n.* Ⓤ (구체적으로는 Ⓒ) 잘못된〔허위〕 진술.

mis·stép *n.* Ⓒ 실족(失足); 과실, (부주의로 인한) 실수.

mis·sus [mísəz, -səs] *n.* =MISSIS.

mis·sy [mísi] *n.* Ⓒ 《구어》 《호칭》 (친숙하게 농으로 또는 경멸하여) 아가씨.

‡mist [mist] *n.* **1** Ⓤ (상태 또는 기간을 나타낼 때에는 Ⓒ) (엷은) **안개**, 놀, 연무: a thick 〔heavy〕 ~ 농무, 짙은 안개/valleys hidden in ~ 안개로 감춰진 골짜기. **2** 《美》 이슬비.

SYN. **mist** fog보다도 엷은 것. 시 따위에서 많이 쓰이며 비유적으로도 쓰임. **haze** 매우 엷은 mist를 말함. 연기, 먼지, 수증기 따위에서 생김. **fog** 아주 짙은 mist.

3 Ⓤ (또는 a ~) (눈의) 흐릿함, (물방울·수증기 등이 서린 유리·거울 따위의) 흐림; (눈물 따위로 시야가) 흐릿해짐; (스프레이로 뿌리는 향수 따위의) 분무; (추운 날의) 하얀 입김: She smiled in a ~ of tears. 그녀는 눈물로 흐려진 눈으로 미소 지었다. **4** (보통 *pl.*) (판단·이해·기억 따위를) 흐리게 하는 것: in the ~*s of* time 〔the past〕 어렴풋한 과거.

— *vi.* **1** 《~/+뮈》 안개가 끼다; 흐려지다(*over; up*): The scene ~*ed over*. 그 경치는 안개로 어슴푸레하였다. **2** 〖보통 it을 주어로〗 《美》 안개〔이슬비〕가 내리다; 《英》 안개가 끼다(*up; over*): *It* is ~*ing* 이슬비가 내리고 있다. **—** *vt.* 《~+목/+목+뮈/+목+전+명》 안개로 덮다; 흐리게 하다; 어렴풋하게 하다(*up, over*)(*with* …으로): ~*ed* glasses (김이 서려) 흐린 안경/Steam ~*ed up* the mirror. 김으로 거울이 흐려졌다/Her eyes were ~*ed with* tears. 그녀의 눈은 눈물로 흐려졌다.

mis·tak·a·ble [mistéikəbəl] *a.* 틀리기 쉬운, 잘못하기 쉬운, 오해받기 쉬운. ㊞ **mis·ták·a·bly** *ad.*

‡mis·take [mistéik] *n.* Ⓤ (구체적으로는 Ⓒ) **1 잘못**, 틀림, 잘못된 생각, 오해: grammatical ~*s* 문법상의 오류/make a ~ 실수하다, 잘못을 저지르다/There is no ~ about it. 그것은 잘못이 없다/There must be some ~. 무언가 오해가 있었음에 틀림없다/It was a ~ to trust him. 그를 믿은 것이 잘못이었다/I made the ~ of having a second coffee. 커피를 또 마신 것이 잘못이었다. SYN. ⇨ERROR. **2** 〖컴퓨터〗 실수《원치 않는 결과를 초래하는 사람의 조작 실수》. **3** 〖법률〗 착오.

and no ~ 《구어》 〖앞의 말을 강조하여〗 확실히, 틀림없이: She is innocent, *and no* ~! 그녀는 죄가 없다, 절대로. ***beyond*** ~ 확실히, 틀림없이(undoubtedly). ***by*** ~ 잘못하여, 실수로; 무심코: I have taken someone's umbrella *by* ~. 실수로 남의 우산을 가지고 왔다. ***in*** ~ ***for*** … 을 잘못 알아, …와 혼동하여. ***make no*** ~ (***about it***) 《구어》 틀림없이, 확실히: *Make no* ~ *about it*, you'll have to come here again. 틀림없이 또 와야 해.

— (**-took** [-túk]; **-tak·en** [-téikən]) *vt.* **1** 《~+목/+*wh.* 절》 (길·시간 등)을 **틀리다**, 잘못 알다; 오해하다, 해석을 잘못하다〔틀리게 하다〕: ~ the road 길을 잘못 들다/She has *mistaken* me 〔my meaning〕. 그녀는 내 말〔말의 뜻〕을 오해하였다/There was no *mistaking* what he meant by it. 그가 그것으로 말하고자 한 바는 오해할래야 오해할 여지가 없었다/You're *mistaking how* far the responsibility goes. 너는 책임의 범위를 잘못 알고 있다.

2 《~+목/+목+전+명》 잘못 생각하다〔보다〕, 혼동하다《***for*** …으로》: You can't ~ it. 잘못 볼 리가 없어/He *mistook* the cloud *for* an island. 그는 구름을 섬으로 잘못 봤다/That teacher is often *mistaken for* a student. 저 선생은 종종 학생으로 오인된다.

‡mis·tak·en [mistéikən] MISTAKE의 과거분사.

— *a.* **1** (생각·지식 따위가) **잘못된**, (생각이) 틀린; (행동 따위가) 잘못 판단한: a ~ idea/~ identity 사람을 잘못 봄/~ kindness 귀찮은 친절/Unless I'm (very much) ~ 내 생각이 틀리지 않는다면. **2** (사람 등이) 잘못 생각하고 있는, 오해하고 있는《***about*** …에 대하여; ***in*** …을》: You are ~ *about* that. 그 일에 대해서는 자네가 잘못 생각하고 있네/You were ~ in assum*ing* it. 네가 그럴 것이라고 지레 짐작한 것은 잘못이었다《★ in 다음에는 -ing가 오는 경우가 많음》. ㊞ **~·ly** *ad.* 잘못하여; 오해하여.

mis·ter [místər] *n.* **1** (M-) …군, 씨, 선생, 님, 귀하《남자의 성·성명 또는 관직명 앞에 붙임; 흔히 Mr.로 생략》: *Mr.* (John) Smith (존) 스미스 씨/*Mr.* President 대통령 (각하). **2** 《美구어·英방언》 나리, 선생님, 여보세요《호칭》: Good morning, ~. 선생님, 안녕하세요.

Míster Chárlie 〔**Chárley**〕 《美흑인속어》 백인; 우두머리.

mis·tíme *vt.* **1** …의 시기를 그르치다, 때를 놓치다. **2** 좋지 않은 때에 하다〔말하다〕.

mis·tle·toe [mísltòu, mízl-] *n.* Ⓤ 〖식물〗 겨우살이《크리스마스 장식에 씀》.

mis·took [mistúk] MISTAKE의 과거.

mis·tral [místrəl, mistrá:l] *n.* (the ~) 미스트랄《프랑스의 지중해 연안 지방에 부는 건조하고 찬 북서풍》.

mìs·translàte *vt.* 잘못 번역하다, 오역하다.

mìstranslátion *n.* Ⓤ (구체적으로는 Ⓒ) 오역.

mis·tréat *vt.* 학대〔혹사〕하다. ㊞ **~·ment** *n.*

‡mis·tress [místris] *n.* Ⓒ **1 여주인**, 주부. cf. master. **2** (때로 M-) 《비유적》 여지배자, 여왕: a ~ *of* ceremonies 여자 사회자/be the ~ *of* …을 지배하다, …에 군림(君臨)하다/the *Mistress of* the Adriatic 아드리아 해(海)의 여왕《Venice의 속칭》/the ~ *of* the night 밤의 여왕《달》. **3** 가장 뛰어난 여성, 여류 명인〔대가〕《***of*** (…분야)에서의》: ~ *of* cooking 요리의 대가. **4** 《英》 여선생; 여(자)교장: a music ~. **5** 《시어》 사랑하는 여인, 연인. **6** 정부, 첩: keep a ~ 첩을 두다.

be one***'s own*** ~ (여성이) 자유의 몸이다, 속박을 받지 않다. ***the Mistress of the Robes*** 《英》 여관장(女官長)《여왕의 의상 관리자》. ***the Mistress of the Seas*** 바다의 여왕《영국의 별칭》. ***the Mistress of the world*** 세계의 여왕《로마 제국의 별칭》.

mis·tri·al [mistráiəl] *n.* Ⓒ 〖법률〗 오심(誤審); 무효 재판〔심리〕《절차상의 과오에 의한》; 《美》 미결정 심리《배심원의 의견 불일치에 의한》.

°mis·trúst *n.* Ⓤ (또는 a ~) 불신(용), 의혹.

— *vt.* 신용하지 않다, 의심하다: I ~ his motives. 그의 동기가 의심스럽다.

mis·trúst·ful *a*. 신용하지 않는, 의심하는《*of* …을》: He's ~ *of* my motives. 그는 나의 동기를 믿지 않는다. (파) **~·ly** *ad*.

misty [místi] (*mist·i·er; -i·est*) *a*. **1** 안개 낀, 안개 짙은; (비가) 안개 같은: a ~ morning 안개 낀 아침. **2** (생각 · 기억 따위가) 희미한, 또렷하지 않은, 몽롱한, 애매한: a ~ idea 애매한 개념. **3** (눈이 눈물 · 노쇠로) 흐린; (색깔이 안개 낀 듯) 부연. (파) **míst·i·ly** *ad*. **-i·ness** *n*.

mis·un·der·stand [mìsʌndərstǽnd] (*p*., *pp*. **-stood** [-stúd]) *vt*. **오해하다**, 잘못 생각하다: You *misunderstood* me (what I said). 자네는 나를(내가 한 말을) 오해했어/I am *misunderstood*. 오해받고 있다. **—** *vi*. 오해하다: Don't ~. 오해하지 마라.

mis·un·der·stand·ing [mìsʌndərstǽndiŋ] *n*. **1** [U] (구체적으로는 [C]) **오해**, 잘못된 생각《***about, of*** …에 대한》: have a ~ 오해하다/There's a ~ *about* (*of*) the situation. 상황에 대하여 오해가 있다/through a ~ 잘못 생각하여. **2** [C] 의견 차이, 불화(不和)《***with*** …와의; ***between*** …간의》: A ~ arose *between* the two nations. 두 국가간에 불화가 생겼다.

mis·úsage *n*. [U] (구체적으로는 [C]) **1** (어구 따위의) 오용(誤用), 악용. **2** 학대, 혹사.

mis·use [misjúːz] *vt*. 오용(남용)하다; 학대(혹사)하다. ◇misusage *n*. **—** [-júːs] *n*. [U] (구체적으로는 [C]) 오용, 남용; 학대: ~ of authority 직권 남용.

M.I.T., MIT (the ~) Massachusetts Institute of Technology(매사추세츠 공과 대학).

Mitch·ell [mítʃəl] *n*. 미첼《남자 이름》.

mite[1] [mait] *n*. **1** [C] (보통 *sing*.) 적으나마 갸륵한 기부, 빈자(貧者)의 일등(一燈). **2** (a ~)〘부사적〙《구어》 약간, 조금: He is a ~ taller than I am. 그는 나보다 약간 더 크다. **3** [C] 작은 것; 작은 아이, 꼬마. ***not a*** ~ 《구어》 조금도 …아니다.

mite[2] *n*. [C] 〘동물〙 진드기 (무리).

mi·ter, 《英》 **-tre** [máitər] *n*. [C] **1** (가톨릭교의) 주교관(主教冠)《bishop이 의식 때 씀》. **2** = MITER JOINT.

míter jòint 〘건축〙 연귀이음《액자틀의 모서리처럼 잇는 방법》.

mit·i·gate [mítəgèit] *vt*. (고통 · 가혹함 따위)를 누그러뜨리다, 가라앉히다, 완화하다; (형벌 따위)를 가볍게 하다, 경감하다.

mítigating círcumstances 〘법률〙 (손해배상액 · 형기 등의) 경감 사유: plead ~*s* 정상 참작을 청하다.

mìt·i·gá·tion *n*. [U] 완화, (형벌 등의) 경감; 진정(제). ***in*** ~ 〘법률〙 형(刑)의 경감 사유로.

mi·to·sis [maitóusis, mi-] (*pl*. **-ses** [-siːz]) *n*. [U] (구체적으로는 [C]) 〘생물〙 (세포의) 유사 분열(有絲分裂), 간접 핵분열. [cf.] meiosis.

mitre ⇨MITER.

mitt [mit] *n*. [C] **1** (야구용) **미트**. **2** (손가락 부분이 없는) 여성용의 긴 장갑. **3** =MITTEN 1. **4** (종종 *pl*.) 《속어》 주먹, 손.

mit·ten [mítn] *n*. [C] **1** 벙어리장갑. **2** =MITT 2.

Mit·ter·rand [*F*. miterɑ̃] *n*. **François** ~ 미테랑《프랑스의 정치가 · 대통령(1981–95); 1916–96》.

mix [miks] (*p*., *pp*. **~ed** [-t], **~t**) *vt*. **1** 《~+[목]/+[목]+[전]+[명]/+[목]+[부]》 (둘 이상의 것)을 **섞다**, 혼합(혼화)하다(*together*)《***with*** …와》; 첨가하다《***into, in*** …에》: ~ colors 그림물감을 섞다/~ water *in* (*with*) whisky 위스키에(와) 물을 타다/~ some salt *into* the soup 수프에 소금을 조금 넣다/Many different races are ~*ed together* in the U.S. 미국에는 여러 인종이 혼합되어 있다/Don't ~ your drinks. 여러 가지 술을 함께 섞어 마시지 마시오.

[SYN.] **mix** 가장 일반적인 말. 두 가지 이상의 것을 원료를 알 수 없을 만큼 혼합함: *mix* fruit juices 과즙을 섞다. **blend** 같은 종류의 것을 원료를 알 수 없을 만큼 섞음: *blend* whiskys 위스키를 조합하다. **mingle** mix처럼 강하지 않으며, 원료를 알 수 있을 정도로 섞음: *mingle* voices 합창하다.

2 《~+[목]/+[목]+[목]/+[목]+[전]+[명]》 조합하다; 섞어 만들다《***into*** …으로》; 혼합시켜 만들어 주다《***for*** (아무)에게》: ~ a salad 샐러드를 만들다/~ a cocktail 칵테일을 만들다/~ a poison 독을 조합하다/~ the ingredients *into* a paste 재료를 섞어 반죽으로 만들다/The nurse ~*ed* him a bottle of medicine. =The nurse ~*ed* a bottle of medicine *for* him. 간호사는 그에게 물약을 한 병 타주었다.

3 〘레코드 · TV · 영화〙 (여러 개의 음성 · 영상)을 효과적으로 조합하다.

— *vi*. **1** 《~/+[전]+[명]》 **섞이다**, 혼합되다《***with*** …와》: Oil will not ~ *with* water. =Oil and water won't ~. 기름은 물과 섞이지 않는다.

2 《+[전]+[명]》 교제하다, 사귀다, 어울리다, 사이가 좋다《***with*** (아무)와》; 관계하다《***in*** …에》: The couple do not ~ well. 그 부부는 금실이 나쁘다/They didn't ~ *with* the natives there. 그들은 그곳 토착민들과 교제하지 않았다/~ *in* society (politics) 사교계에 드나들다(정치에 발을 들여놓다).

3 《+[전]+[명]》 (파티 따위에서 돌아다니며) 이야기하다《***with*** (손님)과》: She ~*ed with* the guests. 그녀는 손님 속에 섞여 돌아다니며 이야기했다.

be (***get, become***) **~*ed up*** 《구어》 ① 관계(상관)하다, 말려들다《***in*** (못된 일 따위)에; ***with*** (좋지 않은 사람)과》: Unfortunately he *was* ~*ed up in* the affair. 그는 불행스럽게도 그 사건에 말려들었다/Don't *get* ~*ed up with* those people. 저런 사람들과는 관계하지 마십시오. ② 머리가 혼란하다, 뭐가 무언지 모르게 되다. **~ *in*** 《*vt*.+[부]》 ① (음식물 · 음료수를 만들 때 다른 것)을 넣어서 섞다. **—** 《*vi*.+[부]》 ② 다른 사람들과 사이 좋게 지내다; (파티 따위에서) 모든 사람들과 어울리다. ③ 사귀다《***with*** (다른 사람들)과》. **~ *it*** (***up***) 《속어》 뒤섞여 싸우다, 치고 받고 싸우다, (권투에서 클린치 않고) 치고 싸우다. **~ *like oil and water*** (사람 · 일이) 물과 기름의 관계다, 조화가 잘 안 되다. **~ *up*** 《*vt*.+[부]》 ① 잘 섞다, 혼합하다: Don't ~ *up* these papers. 이 서류를 한데 섞지 마시오. ② 혼란(혼동)시키다, 의미를 모르게 하다《★ 종종 수동태로 쓰임》: I *get* ~*ed up* when you speak too fast. 네가 너무 빠르게 이야기하면 나는 혼란해지고 만다. ③ 혼동하다《***with*** …와》: I often ~ her *up with* her sister. 나는 곧잘 그녀를 그녀 여동생과 혼동한다.

— *n*. **1** [C] 혼합(물); 혼합비(比): a ~ *of* two to one, 2대 1의 혼합. **2** [U] (구체적으로는 [C]) 〘보통 복합어 또는 합성어〙 (요리 · 식품의) 혼합소(素), (인스턴트 식품의) 원료: (a) cake ~/(an) ice-cream ~. (파) **∠·a·ble** *a*.

*__mixed__ [mikst] *a.* **1 섞인**, 혼성의, 잡다한(↔ *pure*); 〖금융〗 (시황이) 들쭉날쭉 혼잡한, 뒤섞인, 움직임이 갖가지인: a ~ brigade 혼성 여단 / ~ motives 여러 잡다한 동기 / a ~ drink 혼합주. **2** 여러 잡다한 인간으로 이루어진, 수상한 인물이 섞인; 이종족〔이종교〕간의; (스포츠 · 학교 따위가) 남녀 혼합〔공학〕의; 〖음악〗 혼성의: a person of ~ blood 양친이 이인종인 사람 / a ~ school 남녀공학 학교 / ~ bath (남녀) 혼욕 / a ~ chorus 혼성 합창.

míxed-abílity *a.* Ⓐ 〖교육〗 능력 혼성(방식)의.

míxed bág (a ~) 《구어》 (사람 · 물건의) 잡동사니, 그러모은 것.

míxed bléssing (a ~) 《구어》 크게 유리하지만 크게 불리하기도 한 일〔사정〕, 고마운 것 같기도 하고 그렇지 않은 것 같기도 한 사람〔물건〕.

míxed dóubles 〖테니스〗 남녀 혼합 복식.

míxed drínk 혼합주, 칵테일.

míxed ecónomy 혼합 경제《자본주의와 사회주의의 두 요소를 채택한》.

míxed fárming 혼합 농업《농작물 · 축산 따위의 혼합 경영》.

míxed gríll 여러 종류의 구운 고기에 흔히 야채를 넣은 섞음 요리.

míxed métaphor 〖수사학〗 혼유(混喩)《둘 이상의 조화가 안 된〔모순된〕 metaphors 의 혼용》.

míxed-úp *a.* 《구어》 (머리가) 혼란된, 뒤범벅의; 정신 착란의: a crazy ~ kid 정신 장애가 있는 아이.

míx·er *n.* **1** Ⓒ 혼합기(機); 《특히》 믹서, 거품내는 기구《요리용의》: a cement 〔concrete〕 ~. **2** Ⓒ (라디오 · TV의) 음량 조정 기술자〔장치〕. **3** Ⓒ 《구어》 〘보통 good, bad 의 수식어를 수반하여〙 교제가 …한 사람: a good 〔bad〕 ~ 교제가 좋은 〔서투른〕 사람. **4** 《美구어》 친목회. **5** Ⓤ 칵테일 따위를 묽게 하는 음료《ginger ale 따위》.

míxing bòwl (샐러드 · 쿠키 따위를 만들 때의) 섞음〔반죽〕 그릇.

⁑**mix·ture** [míkstʃər] *n.* **1** Ⓤ **혼합**, 혼화(混和); (여러 가지 커피 따위의) 조합(調合), 섞기: by ~ 혼합하여. **2** Ⓒ (약 · 담배 따위의) **혼합물**, 합성품; 조제약: a cough ~ 감기 조제약 / a smoking ~ 혼합 담배 / a ~ *of* sand and 〔with〕 cement 모래와 시멘트의 혼합물 / Air is not a compound, but a ~ *of* gases. 공기는 몇 가지 기체의 화합물이 아니고 혼합물이다. **3** (a ~) (기분 · 감정 등의) 착잡한 상태.

míx-ùp *n.* Ⓒ 《구어》 혼란: a ~ in the schedule 예정〔시간〕표의 혼란.

miz·zen, miz·en [mízən] *n.* Ⓒ 〖선박〗 뒷돛대의 세로돛(= ∠ **sàil**); = MIZZENMAST.

mízzen·màst *n.* Ⓒ (돛대가 둘 또는 셋 있는 배의) 뒷돛대.

miz·zle[1] [mízəl] *vi.*, *n.* 《방언》 = DRIZZLE.

miz·zle[2] *vi.* 《英구어》 도망치다.

mk., Mk. mark. **mksa, M.K.S.A.** meter-kilogram-second-ampere. **mkt.** market. **ml.** mail; milliliter(s). **MLD** median 〔minimum〕 lethal dose (반수〔최소〕 치사(흡수선)량). **Mlle.** Mademoiselle. **Mlles.** Mesdemoiselles. **MLR** minimum lending rate (Bank of England 의 최저 대출 금리).

mm [mm] *int.* 음, 응《동의 · 동감을 나타냄》. 〔imit〕

mm. millimeter(s). **Mme(.)** (*pl.* ***Mmes(.)***) madame. **Mmes.** Mesdames. **Mn** 〖화학〗 manganese. **MN** 《美우편》 Minnesota.

mne·mon·ic [ni:mánik/-mɔ́n-] *a.* 기억을 돕는; 기억(술)의: a ~ code 〖컴퓨터〗 연상 기호 코드 / a ~ system 기억법. **—***n.* Ⓒ 기억을 돕는 공부《공식 따위》; 〖컴퓨터〗 연상 기호.

mne·món·ics *n.* Ⓤ 기억술.

mo [mou] (*pl.* **~s**) *n.* Ⓒ (보통 *sing.*) 《구어》 = MOMENT: Wait a ~. = Half a ~. 잠깐 기다려.

MO 〖컴퓨터〗 *megaoctet* 《megabyte 의 프랑스어 약자》. **MO, m.o.** 《구어》 = MODUS OPERANDI. **Mo** 〖화학〗 molybdenum. **Mo.** Missouri; Monday. **mo.** (*pl.* ***mos.***) month(s); monthly. **M.O.** Medical Officer (군의관); money order. **M.O., m.o.** mail order; manually operated.

-mo [mòu] *suf.* 〖제본〗 책의 크기를 나타내는 '…절(折)' 의 뜻: 16*mo*, duodeci*mo*. ⓒⓕ folio, quarto.

moa [móuə] *n.* Ⓒ 공조(恐鳥)《멸종된 New Zealand산의 타조 비슷한 날개 없는 거대한 새》.

*__moan__ [moun] *n.* **1 a** Ⓒ **신음 소리**, 끙끙대기. **b** (the ~) (바람 따위의) 윙윙거리는 소리. SYN. ⇨GROAN. **2** Ⓤ **슬퍼함**(lamentation), 비탄. **3** Ⓒ 《구어》 불평, 불만: put on the ~ 불평하다, 투덜거리다.

—*vi.* **1 신음하다**, 끙끙대다: ~ with pain 고통으로 신음하다. **2** 불평을 하다《***about*** …에 대하여》: He's always ~*ing* (*about* his job). 그는 (직업에 대해) 언제나 불평을 하고 있다. **3** (바람 등이) 윙윙거리다. **—***vt.* **1** 《구어》 투덜거리다 《***that***》: She keeps ~*ing that* she has no time. 그녀는 시간이 없다고 늘 투덜거린다. **2** 한탄〔비탄〕하다, 슬퍼하다: ~ one's lost child.

㊕ **∠·ful** [-fəl] *a.* 신음 소리를 내는, 구슬픈.

móan·er *n.* Ⓒ 신음 소리를 내는 사람; 《구어》 불평만 하는 사람.

°**moat** [mout] *n.* Ⓒ (도시나 성곽 둘레의) 해자, 외호(外濠). ㊕ **~·ed** [-id] *a.* Ⓐ 해자가 있는.

*__mob__ [mɑb/mɔb] *n.* 〘집합적〙 〘단 · 복수취급〙 **1** Ⓒ **군중**; 오합지졸, 폭도; 야유하는 무리; 〘형용사적〙 민중(특유)의, 폭도에 의한: stir up 〔subdue〕 a ~ 폭도를 부추기다〔진압하다〕 / ~ psychology 군중 심리. **2** (the ~) 《경멸적》 대중, 민중, 하층민; 잡다한 것의 모임; 〘형용사적〙 대중 취향의: a ~ appeal. SYN. ⇨CROWD. **3** 《속어》 악인의 무리, 갱, 조직적 범죄 집단. **4** Ⓒ 《英구어》 한패, 동아리.

— (***-bb-***) *vt.* 떼를 지어 습격〔야유〕하다; 와글와글 모이다; … 주위에 쇄도하다: The children ~*bed* the baseball star. 아이들은 야구 스타 선수를 둘러쌌다 / The airport counters were ~*bed* by angry tourists. 공항 카운터에 분노한 관광객들이 몰려들었다.

*__mo·bile__ [móubəl, -bi:l/-bail, -bi(:)l] *a.* **1 움직이기 쉬운**, 이동성〔기동성〕이 있는; 유동하는; 〖군사〗 (여기저기) 이동하는: a ~ clinic 〔library〕 이동 진료소〔도서관〕 / a ~ phone 이동〔휴대용〕 전화 / the ~ police (경찰의) 기동대 / ~ troops 기동화 부대. **2** (마음 · 표정 따위가) 변하기 쉬운; 변덕스러운; 감정〔표정〕이 풍부한. **3** 〖미술〗 모빌의《추상파 조각에서 쇳조각 따위를 매달아 운동을 나타내는》.

—*n.* Ⓒ 〖미술〗 모빌 작품《움직이는 부분이 있는 조각》.

móbile communicátion 〖통신〗 이동 통신 《자동차 · 선박 · 비행기 등 이동체에서의 무선

통신》.

móbile compúting 〖컴퓨터〗 이동 컴퓨팅 《휴대용 단말기와 전화를 이용하여, 이동 상태에서 네트워크를 연결하여 컴퓨터를 이용하는 것》.

móbile hóme 〔**hóuse**〕 트레일러 주택, 이동식 주택.

◇**mo·bil·i·ty** [moubíləti] *n.* Ⓤ **1** 가동성, 이동성, 기동성. **2** 〖사회〗 (주민의 주소·직업 따위의) 유동성, 변동성: job ~ 직업의 유동성/social ~ 계층의 변동성.

◇**mò·bi·li·zá·tion** *n.* Ⓤ 동원: industrial ~ 산업 동원. **—***a.* Ⓐ 〖군사〗 동원의: ~ orders 동원령/national ~ 국가 총동원/a ~ scheme 동원 계획.

mo·bi·lize [móubəlàiz] *vt.* **1** 〖군사〗 (군대·함대)를 동원하다; (산업·자원 따위)를 전시 체제로 바꾸다, 동원하다. **2** (지지·힘 따위)를 발휘〔집결〕하다. **—***vi.* (군대·함대가) 동원되다.

Mö·bi·us strip 〔**band, loop**〕 [méibiəs-/mə́ː-] 〖수학〗 뫼비우스의 띠《기다란 직사각형의 종이를 한 번 비틀어 그 대변(對邊)을 붙여 만든 곡면; 면이 하나뿐임》.

mob·oc·ra·cy [mɑbɑ́krəsi/mɔbɔ́k-] *n.* **1** Ⓤ 폭민〔우민〕 정치. **2** Ⓒ 《집합적》 (지배 계급으로서의) 폭민(暴民).

mob·ster [mɑ́bstər/mɔ́b-] *n.* Ⓒ 《美속어》 갱의 한 사람, 폭력단원(gangster).

◇**moc·ca·sin** [mɑ́kəsin, -zən/mɔ́kəsin] *n.* Ⓒ **1** (보통 *pl.*) 북아메리카 원주민의 뒤축 없는 신; (그와 비슷한) 신의 일종. **2** 〖동물〗 독사의 일종《미국 남부산》.

mo·cha [móukə/mɔ́kə] *n.* Ⓤ **1** (때로 M-) 모카(=∠ **cóffee**)《아라비아 원산의 고급 커피》. **2** 아라비아 염소의 가죽《장갑용》. **3** 초콜릿색, 암갈색.

mock** [mɑk, mɔ(ː)k] *vt.* **1** **조롱하다**, 비웃다, 놀리다; 흉내〔입내〕내어 조롱하다. **2** **흉내내다**, 모방하다(mimic). SYN. ⇨ IMITATE. **3** (노력 따위)를 실패로 끝나게 하다, (계획 따위)를 망치다: The problem *~ed* all our efforts to solve it. 그 문제를 아무리 풀려고 애써도 허사였다. **—vi.* 《+전+명》 조롱하다, 놀리다《*at* …을》: He *~ed at* my fears. 그는 내가 무서워하는 것을 놀렸다. **~ *up*** 《*vt.*+부》 …의 실물 크기의 모형을 만들다, …을 임시 변통으로 만들다.

—*n.* Ⓒ **1** 놀림감; 냉소의 대상: He's the ~ of the town. 그는 마을의 웃음거리다. **2** (보통 *pl.*) 《英구어》 모의 시험. ***make a ~ of*** 〔***at***〕 …을 비웃다, 놀리다.

—*a.* Ⓐ **1** **가짜의**, 거짓의, 흉내낸: ~ modesty 거짓 겸손/~ majesty 허세/with ~ seriousness 짐짓 진지한 체하며. **2** 모의의: a ~ battle 모의전/a ~ trial 모의 재판.

—*ad.* 《보통 합성어로》 장난으로, 거짓으로: *mock*-heroic 영웅인 체하는, 가짜 영웅시(詩)의.

móck·er *n.* Ⓒ 조롱하는 사람; 흉내내는 사람〔것〕. ***put the ~(s) on*** 《英속어》 …을 방해하다, 중지시키다; …에게 불운을 가져오다; …을 조롱하다.

◇**mock·ery** [mɑ́kəri, mɔ́(ː)k-] *n.* **1** Ⓤ 비웃음, 냉소, 놀림, 모멸: hold a person up to ~ 아무를 조롱하다. **2** Ⓒ 조소의 대상; 놀림감(laughingstock): make a ~ of …을 놀림감으로 삼다, 우롱하다. **3** (a ~) 흉내; 가짜, 모조품; 엉뚱한 수작: a ~ of an original 원작의 위작. **4** (a ~) 헛수고, 도로(徒勞): The rain made a ~ of our efforts. 비 때문에 우리 노력이 헛수고가 되었다.

móck·ing MOCK의 현재분사.
—*a.* **1** 조롱하는 듯한. **2** 흉내내는.
㊞ **~·ly** *ad.* 조롱하듯이; 조롱〔우롱〕하여.

móck·ing·bìrd *n.* Ⓒ 〖조류〗 입내새《미국 남부·멕시코산》.

móck móon 〖기상·천문〗 환월(幻月).

móck órange 〖식물〗 고광나무속의 식물.

móck sún 〖기상·천문〗 환일(幻日)(parhelion).

móck tùrtle sóup 가짜 자라 수프《송아지 머리로 만듦》.

móck-ùp *n.* Ⓒ 〖공학〗 (비행기·기계류의) 실물 크기의 모형, 모크업《실험·교수 연구·실습용》.

mod [mɑd/mɔd] *n.* (때로 M-) Ⓒ 《英구어》 모드《1960년대에 나타난, 보헤미안적(的)인 옷차림을 즐기던 틴에이저》. **—***a.* (종종 M-) 모드적인; 《구어》 최신(유행)의《복장·스타일·화장·음악 따위》.

M.O.D., M.o.D. 《英》 Ministry of Defence.

mod·al [móudl] *a.* Ⓐ 모양의, 양식의, 형태상의; 〖논리〗 양식의; 〖문법〗 법(mood)의, 상태를 나타내는; 〖음악〗 선법(旋法)의. **—***n.* Ⓒ 〖문법〗 법(法)조동사(modal auxiliary).

módal auxíliary 법(法)조동사《may, can, must, would, should 따위》.

mo·dal·i·ty [moudǽləti] *n.* Ⓤ 양식을〔방식·형태를〕 갖는 일; 〖문법〗 법성(法性).

mod cons, mod. cons. [mɑ́dkɑ́nz/mɔ́dkɔ́nz] 《英구어》 (급온수(給溫水)·난방 따위의) 최신 설비: a house with ~ 최신 설비가 갖추어진 집《매가(賣家) 광고 따위에서》. [◂ *mod*ern *con*veniences]

***mode** [moud] *n.* **1** Ⓒ **양식**, 형식; 나타내는 방식; **하는 식**, 방법: a ~ *of* energy 에너지의 한 형태/the ~ *of* life 〔living〕 생활 양식. SYN. ⇨ METHOD. **2** Ⓤ (구체적으로는 Ⓒ; 보통 the ~) **유행**(형), 모드: follow the ~ 유행을 좇다/It's all the ~. 그것은 대유행이다/in ~ 유행하고(있는)/out of ~ 유행을 지나, 구식이 되어. **3** Ⓒ 〖문법〗 = MOOD². **4** Ⓒ 〖음악〗 선법(旋法), 음계: the major 〔minor〕 ~ 장〔단〕음계. **5** Ⓒ 〖컴퓨터〗 방식.

ModE, Mod. E. Modern English.

****mod·el** [mɑ́dl/mɔ́dl] *n.* Ⓒ **1** **모형**, 본; (이해를 위한) 모델: a ~ of a ship 배의 모형/a working ~ 기계의 운전 모형/an economical ~ 경제 모델. **2** (밀랍·찰흙 등으로 만든) 원형: a wax ~ 밀랍 원형. **3** **모범**, 본보기: a ~ *of* what a man ought to be 모범이 될 인물/make a ~ *of* …을 본보기로 하다/the ~ *of* beauty 미의 전형(典型)/after 〔on〕 the ~ *of* …을 모범으로〔본보기로〕 하여, …을 본따서. **4** (그림·조각·광고 사진·문학 작품 따위의) 모델. **5** (양장점 따위의) 마네킨(mannequin); 패션 모델; (유명 디자이너가 만든) 옷, 의상. **6** 《英속어》 아주 닮은 사람〔물건〕, 빼쏜 것: He is a perfect ~ of his father. 그는 아버지를 빼쏘았다. **7** 방식, 방법; 설계, (자동차 따위의) 형, 스타일: the latest ~ 최신형. **8** 〖컴퓨터〗 모형, 모델.

— (**-l-**, 《英》 **-ll-**) *vt.* **1** 《~+목/+목+전+명》 …의 **모양**〔**모형**〕**을 만들다**; …의 형(型)을 만들다 《***in, out of*** (재료)로; ***into*** (제품)으로》: a beautifully *~ed* figure 아름다운 모양의 자태/~ a figure *in* 〔*out of*〕 wax 밀랍으로 형을 뜨다/~

clay *into* a castle =~ a castle *out of* clay 점토로 성을 만들다. **2** 《+[목]+[전]+[명]》 모방하다; 본뜨다《***after, on, upon*** …을 따라, …을 모범으로》: She *~ed* herself *on* her mother. 그녀는 어머니를 본으로 삼았다/He *~ed* the play *on* a Greek original. 그는 그 극을 그리스 원작을 기본으로 하여 만들었다/The garden was *~ed after* the manner of Versailles. 그 정원은 베르사유를 본떠서 만들었다. **3** (드레스 따위)를 입어 보이다, …의 모델을 하다: He *~s* ski wear. 그는 스키복 모델을 하고 있다.

—*vi.* **1** 《~/+[전]+[명]》 형〔모형〕을 만들다; 형을 그리다《***in*** (재료)로》: ~ *in* clay 찰흙으로 모형을 만들다. **2** 모델이 되다; 마네킨 노릇을 하다《***for*** …의》: ~ *for* a painter 화가의 모델이 되다.

—*a.* [A] **1** 모형의, 본의: a ~ plane 모형 비행기. **2** 모범의; 전형적인, 이상적인: a ~ school 시범 학교/a ~ wife 아내의 귀감.

mód·el·er, 《英》 **~·ler** *n.* [C] 모형〔소상(塑像)〕 제작자.

mód·el·ing, 《英》 **-el·ling** *n.* [U] **1** 모형 제작(술); 원형(原型)거푸집 제작. **2** (그림 등에서 음영(陰影)에 의한) 입체감 표현법〔기술〕; (조각에서) 양감(量感)(의 표현). **3** (패션) 모델업. **4** 〖컴퓨터〗 (어떤 현상의) 모형화.

mo·dem [móudèm] *n.* [C] 〖컴퓨터〗 모뎀, 변복조(變復調) 장치《전화나 다른 통신 회선을 통하여 컴퓨터 상호의 정보 전송을 가능하게 하는 전자 장치》.

⁑mod·er·ate [mádərət/mɔ́d-] *a.* **1 삼가는**, 절제하는(temperate), 절도 있는, 온건한《***in*** …에 있어서》. ↔ *extreme*. ¶a ~ request 무리 없는 요구/~ political opinions 온건한 정견(政見)/Be ~ *in* drink*ing*. 술을 적당히 마시세요. **2** (양·크기·값 따위가) **알맞은**, 적당한: ~ speed 적당한 속도/Was your camera very expensive? —No, I got it at a very ~ price. 네 카메라 굉장히 비쌌겠어—아니, 물건에 비해 아주 싸게 샀어. **3 웬만한**, 보통의: a family of ~ means 중류 가정/people of ~ means 보통의 자력〔수입〕을 가진 사람들. **4** (기후 따위가) 온화한.

—*n.* [C] 온건한 사람; 온건주의자; (정치상의) 중도파.

— [mádərèit/mɔ́d-] *vt.* **1 알맞도록 하다**, 온건하게 하다, 완화하다; 경감하다, 조절하다: ~ the sharpness of one's words 말을 부드럽게 하다/~ one's temper 감정을 가라앉히다/~ one's drinking 술을 적당히 마시다. **2** (토론 따위)를 사회하다, …의 의장직을 맡다. **—***vi.* **1** 누그러지다, 가라앉다; 조용해지다. **2** 조정역을 맡다, 사회하다. ◇ moderation *n.*

[파] **~·ness** *n.* [U] 온건, 적당함.

móderate bréeze 〖기상〗 건들바람.

móderate gále 〖기상〗 센바람.

◇mod·er·ate·ly [mádəritli/mɔ́d-] *ad.* 적당하게, 삼가서, 알맞게; 중간 정도로: a ~ priced camera 적당한 가격의 카메라/express oneself ~ 조심해서 자기 의견을 말하다.

◇mod·er·a·tion [mɑ̀dəréiʃən/mɔ̀d-] *n.* [U] **1** 완화; 절제, 절도: use 〔exercise〕 ~ in drinking 술을 절제하다. **2** 적당, 온건, 중용. ***in* ~** 적당히, 적절히, 삼가하여: Alcohol can be good for you if taken *in* ~. 술도 적당히 마시면 몸에 좋을 수도 있다.

mod·e·ra·to [mɑ̀dərá:tou/mɔ̀d-] *a., ad.* 《It.》 〖음악〗 중간 속도의〔로〕: allegro ~ 적당히 빠르게.

mod·er·a·tor [mádərèitər/mɔ́d-] *n.* [C] **1** 《美》 의장(chairperson). **2** (장로교회의) 대회 의장, (토론회 따위의) 사회자. **3** 조정자, 중재자; 조절기. **4** 〖물리〗 (원자로 속 중성자의) 감속제.

⁑mod·ern [mádərn/mɔ́d-] *a.* **1** [A] **현대의**, 현금의(contemporary): ~ city life 현대의 도시 생활/~ times 현대. **2** (M-) **근대의**, 중세 이후의. **3** 현대식의, 신식의, 최신(식)의(up-to-date): ~ viewpoints 현대적인 견지/the most ~ surgical techniques 최신식 외과 기술. [SYN.] ⇨ NEW.

—*n.* [C] (보통 *pl.*) 현대〔근대〕인; 현대적 사상〔감각〕을 가진 사람: young *~s* 현대 청년.

Módern Énglish 근대 영어《기원 1500년 이후의 영어; 생략: ModE.》.

Módern Gréek 현대〔근대〕 그리스어《기원 1500년 이후》.

módern hístory 근대사《Renaissance 이후의 유럽사(史)》.

mód·ern·ìsm *n.* (종종 M-) [U] **1** (문학·미술 등의) 모더니즘《전통주의에 대립, 새로운 표현형식을 추구하는》. **2** 〖종교〗 근대주의《가톨릭교 내의》. [cf] fundamentalism.

mód·ern·ist *n.* [C] 현대〔근대〕주의자, 현대적인 사람. **—***a.* 현대〔근대〕주의(자)의, 모더니스트〔모더니즘〕의.

mod·ern·ist·ic [mɑ̀dərnístik/mɔ̀d-] *a.* 현대의; 현대적〔근대적〕인; 현대주의(자)의.

mo·der·ni·ty [madə́:rnəti, mou-/mɔd-] *n.* [U] 현대성〔식〕; 현대풍(風).

◇mód·ern·ìze *vt., vi.* 현대화하다, 현대적으로 하다〔되다〕. [파] **mòd·ern·i·zá·tion** *n.* [U] 현대화, 근대화.

módern jázz 모던 재즈《1940년대부터 발달》.

módern lánguages 현대〔근대〕어.

módern pentáthlon (보통 the ~) 〖경기〗 근대 5종 경기《마술, 펜싱, 권총 사격, 자유형 수영, 크로스컨트리》.

⁑mod·est [mádist/mɔ́d-] *a.* **1 겸손한**, 조심성 있는, 삼가는《***in*** …에; ***about*** …에 대하여》: a ~ person 조심성 많은 사람/~ behavior 겸손한 태도/be ~ *in* one's speech 말을 조심하다/He's ~ *about* his achievements. 그는 자기 업적을 자랑하지 않는다. **2** 정숙한, 얌전한, 점잖은. **3** (질·양·정도가) 그다지 많지〔크지〕 않은: a ~ gift 〔income〕 보잘 것 없는 선물〔수입〕. **4** 수수한, 간소한: a ~ little house 조촐한〔아담한〕 집. **5** 절도 있는, 줄잡은《***in*** (요구 따위)가》: The workers were ~ *in* their demands. 종업원들의 요구 사항은 그다지 지나친 것이 아니었다. ◇ modesty *n.* [파] **~·ly** *ad.* 조심성 있게; 삼가서, 적당하게.

***mod·es·ty** [mádisti/mɔ́d-] *n.* [U] **1 겸손**, 조심성; 겸양, 수줍음; **정숙**, 얌전함. **2** 수수함, 검소, 중용. ***in all* ~** 자랑은 아니지만; 조심스럽게 말씀드리더라도.

mod·i·cum [mádikəm/mɔ́d-] *n.* (a ~) 소량, 근소, 소액《***of*** …의》: He doesn't have even a ~ *of* common sense. 그는 상식이라곤 티끌만큼도 없는 사람이다/A ~ *of* patience is necessary. 약간의 겸손은 필요하다.

mod·i·fi·ca·tion [mɑ̀dəfikéiʃən/mɔ̀d-] *n.* [U] (구체적으로는 [C]) **1** (부분적) 수정, 변경, 개수, 개량; 〖생물〗 (환경의 영향에 의한 비유전성의) 일시적 변이; 가감, 조절, 완화. **2** 〖문법〗 수

식, 한정.

mod·i·fi·er [mádəfàiər/mɔ́d-] *n.* Ⓒ 〖문법〗 수식 어구; 〖컴퓨터〗 변경자(變更子).

***mod·i·fy** [mádəfài/mɔ́d-] *vt.* **1** (계획·의견 따위)를 **수정[변경]하다**: ~ one's opinions 의견을 수정하다. **2** (조건·요구 따위)를 완화하다; 가감하다, 조절[제한]하다: ~ one's tone 어조를 조절하다. **3** 〖문법〗 (어구)를 **수식하다**: Adjectives ~ nouns. 형용사는 명사를 수식한다. **4** (기계·장치 등)을 (일부) 개조하다. **5** 〖컴퓨터〗 (명령의 일부)를 변경하다. ◇ modification *n.*

Mo·di·glia·ni [mòːdiljáːni, -dəl-] *n.* **Amedeo** ~ 모딜리아니《이탈리아의 화가; 1884－1920》.

mod·ish [móudiʃ] *a.* 유행의, 최신 모드의, 현대식의. ⓟ **~·ly** *ad.*

mod·u·lar [mádʒələr/mɔ́dʒə-] *a.* **1** module (방)식의[에 의한]: ~ construction. **2** 조립식의[에 의한]: ~ furniture 조립식 가구.

mod·u·late [mádʒəlèit/mɔ́-] *vt.* **1** 조정하다, 바루다; 조절하다, 완화하다. **2** (음성 등의) 음조를 바꾸다《특히 낮은 쪽으로》; 〖통신〗 주파수를 바꾸다, 변조하다. **—***vi.* 〖음악〗 전조(轉調)하다《***from*** …에서; ***to*** …으로》: ~ ***from*** one key ***to*** another 한 조(調)에서 다른 조로 옮기다.

mòd·u·lá·tion *n.* Ⓤ (구체적으로는 Ⓒ) 조음(調音); 조절; (음성·리듬의) 변화, 억양(법); 〖음악〗 전조(轉調); 〖통신·컴퓨터〗 변조; 〖건축〗 module로 척도를 결정하는 일: amplitude ~ 진폭 변조《생략: AM》/ frequency ~ 주파수 변조《생략: FM》.

mod·u·la·tor [mádʒəlèitər/mɔ́-] *n.* Ⓒ 〖음악〗 음계도(音階圖); 〖통신·컴퓨터〗 변조기(變調器).

mod·ule [mádʒuːl/mɔ́-] *n.* Ⓒ **1** (도량(度量)의) 단위, 기준; (공작) 치수의 단위, 기준 치수, 모듈. **2** 〖건축〗 (각 부분의) 산출 기준《원주 기부(圓柱基部)의 반경 따위》. **3** 규격화된 구성 단위; (기계·전자 기기 따위의) 기능 단위로서의 부품 집합; (가구·건축 등의) 조립 단위, 규격 구조; 〖교육〗 특정 학과의 학습 단위. **4** 모듈, …선(船)《우주선의 구성 단위》: a lunar ~ 달 착륙선 / a command ~ 사령선. **5** 〖컴퓨터〗 모듈《장치나 프로그램을 몇 개로 나눈 것 중의 하나》.

mod·u·lus [mádʒələs/mɔ́-] (*pl.* ***-li*** [-lài]) *n.* Ⓒ 〖물리〗 율, 계수; 〖수학〗 (정수론의) 법.

modus ope·ran·di [móudəsàpərǽndiː, -dai, -ɔ̀pə-] 《L.》 절차, 작업 방식; 운용법; (범인의) 수법; (일의) 작용 방법《★ 《구어》에서는 약어로 MO, m.o.를 사용》.

módus vi·vén·di [-vivéndiː, -dai] 《L.》 생활 양식[태도]; 잠정 협정, 일시적 타협.

mog [mag / mɔg] *n.* =MOGGY.

mog·gy, mog·gie [mági/mɔ́gi] *n.* Ⓒ 《英속어》 집고양이.

Mo·gul [móugʌl, -ˊ] *n.* Ⓒ **1** 무굴 사람《특히 16세기의 인도에 침입하였던 몽골족 및 그 자손》: the Great ~ 무굴 황제. **2** (m-) 《구어》 중요 인물, 거물(magnate): a movie *mogul* 영화계의 거물.

mo·gul [móugʌl, -ˊ] *n.* Ⓒ 〖스키〗 **1** 커브에 생긴 굳은 눈더미. **2** 자유형 경기의 종목.

Mógul Émpire (the ~) 무굴 제국《인도 사상 최대의 이슬람 왕조; 1526–1858》.

M.O.H. 《英》 Medical Officer of Health《특정 지역의 공중위생 담당 의사》.

mo·hair [móuhɛər] *n.* Ⓤ 모헤어《앙골라 염소의 털》; 모헤어직(織).

Mo·ham·med [mouhǽmid, -med] *n.* =MUHAMMAD.

Mo·ham·med·an [mouhǽmidən, -med-] *n.*, *a.* =MUHAMMADAN. ⓟ **~·ism** *n.* Ⓤ 마호메트교(敎), 이슬람교.

Mo·hawk [móuhɔːk] (*pl.* **~(s)**) *n.* **1 a** (the ~(s)) 모호크족(族)《New York주에 살았던 북아메리카 원주민》. **b** Ⓒ 모호크족 사람. **2** Ⓤ 모호크어(語).

Mo·hi·can [mouhíːkən] (*pl.* **~(s)**) *n.* **1 a** (the ~(s) 모히칸족(族)《Hudson강 상류에 살던 북아메리카 원주민》. **b** 모히칸족의 사람. **2** Ⓤ 모히칸어(語).

Móhs' scàle [móuz-] 〖광물〗 모스 경도계《광물의 경도(硬度) 측정용》.

moi·e·ty [mɔ́iəti, mɔ́ii-] *n.* Ⓒ (보통 *sing.*) 〖법률〗 (재산 따위의) 절반; 일부분; 몫.

moil [mɔil] *vi.* 억척같이 일하다, 애써 일하다. **—***n.* Ⓤ 고생, 고역.

moi·ré [mwɑːréi, mɔ́ːrei] *a.* 《F.》 물결무늬 있는, 구름무늬 있는; 물결무늬의. **—***n.* Ⓤ (비단·금속면의) 물결무늬.

****moist** [mɔist] *a.* **1** **습기 있는**, 축축한: a ~ wind from the sea 습기 있는 해풍 / ~ colors 수채 그림물감 / grass ~ with dew 이슬에 젖은 풀 / ~ air 습기찬 공기. **2** (계절·지역 등이) 비가 많은: a ~ season. **3** 눈물어린; 감상적인: with a ~ look in one's eyes 눈물어린 눈초리로 / eyes ~ with tears 눈물어린 눈. ⓟ **ˊ·ly** *ad.* **ˊ·ness** *n.*

°**mois·ten** [mɔ́isən] *vt.*, *vi.* 축축하게 하다, 축축해지다; 적시다, 젖다: ~ at one's eyes 눈물을 글썽거리다 / ~ one's lips [throat] 목을 축이다, 술을 마시다. ⓟ **~·er** *n.*

***mois·ture** [mɔ́istʃər] *n.* Ⓤ **습기, 수분**; (공기 중의) 수증기.

mois·tur·ize [mɔ́istʃəràiz] *vt.* …을 축축하게 하다, …에 습기가 차게 하다, 가습하다.

móis·tur·ìz·er *n.* Ⓤ 피부를 촉촉하게 해 주는 크림[로션].

moke [mouk] *n.* Ⓒ 《英속어》 당나귀.

mol [moul] *n.* Ⓒ 〖화학〗 몰, 그램분자.

mo·lar [móulər] *a.* 씹어 부수는; 어금니의. **—***n.* Ⓒ 어금니, 대구치(大臼齒)(=ˊ **tòoth**).

mo·las·ses [məlǽsiz] *n.* Ⓤ **1** 당밀(《英》 treacle). **2** 당액(糖液).

***mold**[1], 《英》 **mould**[1] [mould] *n.* Ⓒ **1** **형(型)**, 금형, **주형(鑄型)**(matrix), 거푸집; (과자 만드는) 틀; (구두의) 골; (석공 등의) 형판(型板).

2 틀에 넣어 만든 것《주물·젤리·푸딩 따위》: a ~ of jelly 젤리 한 개.

3 《비유적》 형, 모양(shape), 모습; 인체.

4 (보통 *sing.*) 특성, 특질, 성격(character): a man of a gentle ~ 상냥한 사람 / be cast in a heroic ~ 영웅 기질의 사람이다 / be cast in the same ~ 똑같은 성질이다.

—*vt.* **1** 《+목+전+명》 (형)을 만들다, 형상짓다《***in*** (재료)로; ***into*** …으로; ***from, out of*** …에서》: ~ a shape *in* clay 점토로 모형을 만들다 / ~ Plasticine *into* a bust 세공용 점토로 흉상을 만들다 / The statue was ~*ed out of* bronze. 그 조상은 청동으로 만들어졌다.

2 (인격)을 도야하다; (인물·성격)을 형성하다: ~ one's character 인격을 도야하다 / The media

~s public opinion. 매스컴은 여론에 큰 영향을 준다〔여론을 형성한다〕.
3 형틀에 넣어 만들다, 주조〔성형〕하다: ~ car bodies 차체를 형틀에 넣어 만들다.
4 (의복)을 몸에 꼭 맞게 하다.
—*vi.* 《+전+명》 (옷 따위가) 꼭 맞다《*to, round* (몸)에》: Her wet clothes ~*ed round* 〔*to*〕 her body. 젖은 옷이 그녀 몸에 딱 달라붙었다.

mold², 《英》 **mould**² *n.* Ⓤ 곰팡이, 사상균: blue 〔green〕 ~ (빵이나 치즈에 생기는) 푸른곰팡이. —*vi.* 곰팡나다.

mold³, 《英》 **mould**³ *n.* Ⓤ (유기물이 많은) 옥토, 경토(耕土).

móld·er¹, 《英》 **móuld·er**¹ *n.* Ⓒ 형〔틀, 거푸집〕을 만드는 사람〔것〕.

móld·er², 《英》 **móuld·er**² *vi.* 썩어 흙이 되다, 썩어 버리다, 붕괴하다(*away*).

móld·ing, 《英》 **móuld-** *n.* **1** Ⓤ mold¹ 하기. **2** Ⓒ mold¹ 된 것; 《특히》 (건축의) 장식 쇠시리.

Mol·do·va [mouldóuvə] *n.* 몰도바《독립 국가 연합 구성 공화국의 하나; 수도는 Kishinev》.

moldy, 《英》 **mouldy** [móuldi] (*mold·i·er; -i·est*) *a.* 곰팡난, 곰팡내 나는; 《구어》 케케 묵은, 진부한; 《英속어》 진저리나는, 하찮은.

mole¹ [moul] *n.* Ⓒ 사마귀, 점, 모반(母斑).

***mole**² *n.* Ⓒ **1** 〖동물〗 **두더지. 2** 《구어》 첩자, 이중 간첩; 비밀 공작원.

mole³ *n.* Ⓒ 방파제; 방파제로 된 항구, 인공항.

mole⁴ *n.* =MOL.

mo·lec·u·lar [moulékjulər] *a.* Ⓐ 분자의; 분자로 된: ~ attraction 분자 인력/a ~ model 〖화학 · 물리〗 분자 모형/~ force 분자력.

molécular biólogy 〖생물〗 분자 생물학(new biology)《분자 레벨에서 생물학적 현상을 연구》.

molécular fórmula 〖화학〗 분자식.

molécular genétics 〖생물〗 분자 유전학.

molécular wéight 〖화학〗 분자량.

◇**mol·e·cule** [máləkjùːl/mɔ́l-] *n.* Ⓒ 〖화학 · 물리〗 분자; 미분자(微分子); 그램 분자.

móle·hìll *n.* Ⓒ 두더지가 파 놓은 흙두둑. ***make a mountain (out) of a ~*** =***make mountains out of ~s*** 침소봉대하여 말하다, 허풍떨다.

móle·skìn *n.* **1** Ⓤ 두더지 가죽. **2** Ⓤ 능직(綾織) 무명의 일종. **3** (*pl.*) 능직 무명으로 만든 바지.

◇**mo·lest** [məlést] *vt.* (짓궂게) 괴롭히다; 성가시게 굴다; 간섭〔방해〕하다; (여자에게 성적으로) 치근거리다. ㊞ **mo·les·ta·tion** [mòulestéiʃən] *n.* Ⓤ 방해; 박해. **mo·lést·er** *n.* Ⓒ 치한(癡漢).

Mo·lière [mòuljέər/mɔ́liεər] *n.* 몰리에르《프랑스의 희극 작가; 본명은 Jean Baptiste Poquelin; 1622-73》.

Moll [mal, mɔ(ː)l] *n.* 몰《여자 이름; Mary의 애칭》.

moll [mal, mɔ(ː)l] *n.* Ⓒ 《속어》 (갱의) 정부(情婦)(gun ~); 매춘부; 《美》 여자(woman).

mol·li·fy [máləfài/mɔ́-] *vt.* (감정)을 누그러지게 하다, 완화〔경감〕하다, 진정시키다; 달래다. ㊞ **mol·li·fi·ca·tion** [màləfikéiʃən/mɔ̀-] *n.*

mol·lusk, -lusc [máləsk/mɔ́l-] *n.* Ⓒ 〖동물〗 연체 동물.

Mol·ly [máli/mɔ́li] *n.* 몰리《여자 이름; Mary의 애칭》.

mólly·còddle *n.* Ⓒ 여자 같은 남자, 나약한 사내, 뱅충맞이; =GOODY-GOODY. —*vt.* 지나치게 떠받들다, 어하다.

Mo·loch [móulak, mál-/móulɔk] *n.* **1** 〖성서〗 셈족의 신(神)《신자는 아이를 제물로 바쳤음》. **2** Ⓒ 《비유적》 큰 희생이 따르는 일.

Mól·o·tov cócktail [málətɔ̀ːf-/mɔ́lətɔ̀f-] 화염병《탱크 공격용》.

molt, 《英》 **moult** [moult] *vt.* (새 · 뱀 따위가 털 · 허물)을 벗다, 갈다. —*vi.* 털을 갈다, 허물을 벗다. —*n.* Ⓤ (구체적으로는 Ⓒ) 털갈이, 탈피; 그 시기: in ~ (동물이) 털갈이할 무렵에.

mol·ten [móultn] MELT 의 과거분사.
—*a.* Ⓐ (금속이) 녹은, 용해된; (동상 따위가) 주조된: ~ ore 용해된 광석/~ lava 용암/a ~ image 주상(鑄像).

mol·to [móultou, mɔ́l-] *ad.* 《It.》 〖음악〗 몰토, 아주(very): ~ adagio 아주 느리게.

mo·lyb·de·num [məlíbdənəm] *n.* Ⓤ 〖화학〗 몰리브덴《금속 원소; 기호 Mo; 번호 42》.

⁑**mom** [mam/mɔm] *n.* 《美구어》 =MOTHER: *Mom*, what time is it?—It's bed time. 엄마, 지금 몇 시예요—잘 시간이다.

móm-and-póp [-ən-] *a.* Ⓐ 《美구어》 **1** (가게가) 부부〔가족〕 경영의. **2** (기업 · 투자 · 계획이) 소규모의, 영세한: a ~ store 작은 가게《★ 대부분이 식료품을 취급함》.

†**mo·ment** [móumənt] *n.* **1 a** Ⓒ **순간**, 찰나, 단시간: for a ~ 잠깐〔잠시〕동안, 당장 그 때만/in a ~ 순(식)간에/at a ~'s notice 즉석에서/A ~ brought her to the station. 순식간에〔눈 깜짝할 사이에〕 그녀는 역에 도착했다. **b** (a ~) 〖부사적〗 잠깐 (사이): (Just) wait a ~. =Half a ~. =One ~ (, please). 잠깐 기다려 주세요. **c** (the (very) ~) 〖접속사적〗 …한〔하는〕 순간에, …하자마자《★ that을 수반할 수 있지만 보통 생략》: The ghost vanished the (very) ~ the cock began to crow. 새벽닭이 울자마자 유령은 사라졌다.
2 a Ⓒ (보통 *sing.*) (어느 특정한) 때, 기회; 시기; 경우: in a ~ of anger 홧김에/at a critical ~ 위기에 처하여/at that ~ 그때에. **b** Ⓒ (보통 *sing.*) (…할) **때, 경우**《*to* do》: This is not the ~ *to* argue 〔for argument〕. 지금은 논쟁이나 하고 있을 때가 아니다. **c** (the ~) **지금, 현재**: at the ~ 지금, 현재《★ 과거형의 때에는 '바로 그때'의 의미가 됨》/the fashions of the ~ 요즈음의 유행/the man 〔woman〕 of the ~ 지금 한창 인기를 끄는 배우; 때를 만난 사람. **d** (*pl.*) 어느 시간, 한때: in leisure ~*s* 한가한 때에/At odd ~*s* I'm struck by his resemblance to you. 문득 그가 너를 매우 닮았다는 생각이 들어 깜짝 놀라는 때가 있다.
3 Ⓤ 〖of ~로〗 **중요성**: affairs *of* great ~ 중대 사건/*of* little 〔no great〕 ~ 그다지〔조금도〕 중요하지 않은.
4 Ⓒ (보통 *sing.*; the ~) 〖물리〗 모멘트, 역률(力率), 능률. ◇ momentary, 3은 momentous *a.*
(at) any ~ 언제라도, 당장에라도: She will turn up *any* ~. 그녀는 당장에라도 나타날 것이다. ***at every ~*** 끊임없이, 늘, 언제나. ***at ~s*** 때때로. ***at the (very) last ~*** 마지막 순간에. ***at the (very) ~*** 마침 그 때; 바로 지금. ***at this ~ (in time)*** 지금 현재, 방금. ***for the ~*** 우선, 당장은; 마침 지금. ***have one's*** 〔***its***〕 ***~s*** 《구어》 한창 좋은 때다, 더없이 행복하다. ***just this ~*** 이제 막, 이제야: I received it *just this* ~. 이제 막 그것을 받았다. ***not for a*** 〔***one***〕 ***~*** 조금도 …아니다(never): I don't believe *for a* 〔*one*〕 ~ that he's a liar. 그가 거짓말쟁이라고는 조금도 생각하지 않는다.

the ~ *of truth* ① 투우사가 투우의 숨통을 끊기 위하여 맞서는 순간. ② 최후의(결정적) 순간, 중요한 때. *the next* ~ 《부사적》 다음 순간에, 곧: *The next* ~ he found himself lying on the ground. 다음 순간 그는 땅바닥에 쓰러져 있는 것을 알았다. *this* (*very*) ~ 방금; 지금 곧: Go *this* (*very*) ~. 지금 당장 가. *to the* (*very*) ~ 1초도 어김없이, 제시각에, 정각에. *upon* (*on*) *the* ~ 당장에, 그 즉석에서.

mo·men·ta [mouméntə] MOMENTUM의 복수.

mo·men·tar·i·ly [móuməntèrəli] *ad.* **1** 순간적으로, 그저 잠깐: She was ~ puzzled. 그녀는 그 순간 당혹스러웠다. **2** 《美》 즉각, 곧: I'll be there ~. 곧 가겠습니다. **3** 《美》 이제나 저제나 하고: The news was expected ~. 그 소식을 이제나 저제나 하고 기다리고 있었다.

***mo·men·tary** [móuməntèri/-təri] *a.* **1 순간의**, 잠깐의, 일시적인; 덧없는(transitory): a ~ joy 찰나의 기쁨 / a ~ impulse 일시적 충동. **2 시시각각의**, 각일각의, 지금이라도 일어날 듯한: in ~ expectation 고대하여.

mó·ment·ly *ad.* 각일각, 시시각각; 이제나 저제나 하고; 잠깐, 잠시.

***mo·men·tous** [mouméntəs] *a.* Ⓐ **중대한**, 중요한, 쉽지 않은: a ~ decision 중대한 결정. SYN. ⇨IMPORTANT. ㊞ **~·ly** *ad.* **~·ness** *n.*

◇**mo·men·tum** [mouméntəm] (*pl.* **~s, -ta** [-tə]) *n.* **1** Ⓤ (구체적으로는 Ⓒ) 〖기계 · 물리〗 운동량. **2** Ⓤ 타성; 여세, 힘(impetus); 추진력; 〖철학〗 모멘트, 계기, 요소: gain (gather) ~ 탄력이 생기다, 기력을 얻다 / lose ~ 기력을 잃다.

mom·ma [mámə/mɔ́-] *n.* 《美구어 · 소아어》 엄마.

◇**mom·my** [mámi/mɔ́-] *n.* 《美구어 · 소아어》 = MAMMY.

mon- [man, moun/mɔn], **mon·o-** [mánou, -nə/mɔ́n-] '단일; 〖화학〗 한 원자를 가진' 의 뜻의 결합사《모음 앞에서는 mon-》. ↔ *poly-*.

Mon. Monastery; Monday.

Mon·a·co [mánəkòu/mɔ́n-] *n.* 모나코 공국(公國)《프랑스 남동부의 소국》; 그 수도.

Mo·na Li·sa [móunəlíːsə, -zə] (the ~) 모나리자(*La Gioconda*)《Leonardo da Vinci가 그린 여인상》.

***mon·arch** [mánərk/mɔ́n-] *n.* Ⓒ **1 군주**, 주권자, 제왕: an absolute ~ 전제군주. **2** 〖곤충〗 제주왕나빗과의 나비의 일종.

mo·nar·chal, -chi·al [mənáːrkəl], [-kiəl] *a.* 군주의; 제왕다운; 군주에 어울리는.

◇**mo·nar·chic, -chi·cal** [mənáːrkik], [-əl] *a.* 군주(국)의, 군주 정치의; 군주제(지지)의; 절대적 권능을 갖는.

mon·ar·chism [mánərkìzəm/mɔ́n-] *n.* Ⓤ 군주주의, 군주제.

món·arch·ist *n.* Ⓒ 군주(제)주의자.

***mon·ar·chy** [mánərki/mɔ́n-] *n.* **1** Ⓤ (보통 the ~) **군주제, 군주 정치**(정체). **2** Ⓒ 군주국: an absolute (a despotic) ~ 전제 군주국 / a constitutional (limited) ~ 입헌 군주국. ↔ *republic*.

mon·as·te·ri·al [mànəstíəriəl/mɔ̀n-] *a.* 수도원의(적인).

◇**mon·as·tery** [mánəstèri/mɔ́nəstəri] *n.* Ⓒ 〖가톨릭〗 (주로 남자) 수도원. ★ 여자 수도원은 보통 nunnery 또는 convent 라 함.

◇**mo·nas·tic** [mənǽstik] *a.* 수도원의; 수도사의; 수도생활의, 은둔적인, 금욕적인. **—***n.* Ⓒ 수도사(monk). ㊞ **-ti·cal** [-əl] *a.* **-ti·cal·ly** *ad.*

mo·nas·ti·cism [mənǽstəsìzəm] *n.* Ⓤ 수도원(금욕) 생활; 수도원 제도.

mon·au·ral [manɔ́ːrəl/mɔn-] *a.* (전축 · 라디오 · 녹음 따위가) 모노럴의, 단청(單聽)의(monophonic). cf. binaural, stereophonic.

†**Mon·day** [mʌ́ndei, -di] *n.* 《원칙적으로 무관사로 Ⓤ; 단 의미에 따라 관사를 붙여 Ⓒ로 되기도 함》 **월요일**《생략: Mon.》: Today is ~. 오늘은 월요일이다 / on ~ (morning) 월요일(아침)에 / on ~*s* 월요일마다, 언제나 월요일에 / on a ~ (과거 · 미래의) 어느 월요일에 / last (next) ~ = 《英》 on ~ last (next) 지난(오는) 월요일에 / on (《英》 the) ~ of next week 내주 월요일에 / on the ~ after next 내내주 월요일에 / (a (the)) ~ morning feeling 《英구어》 (다시 일이 시작되는) 월요일 아침의 권태감. **—***ad.* 《구어》 월요일에: See you ~. 그럼 월요일에 (또 만나세).

Mónday (**mórning**) **quárterback** 《美구어》 미식 축구 경기가 끝난 뒤 에러를 비평하는 사람; 결과를 가지고 이러쿵저러쿵 비평하는 사람.

Món·days *ad.* 《구어》 월요일마다(에는 언제나)(on Mondays).

Mo·net [mounéi] *n.* **Claude** ~ 모네《프랑스 인상파의 풍경 화가; 1840–1926》.

mon·e·tar·ism [mánətərìzəm, mʌ́n-] *n.* Ⓤ 〖경제〗 통화(通貨)주의《통화 정책이 국가의 경제 방향을 결정한다는 이론》. ㊞ **-ist** *n.* Ⓒ 통화주의자.

◇**mon·e·tary** [mánətèri, mʌ́n-/mʌ́nitəri] *a.* 화폐의, 통화의; 금전(상)의; 금융의, 재정(상)의: a ~ unit 화폐 단위 / ~ crisis 통화 위기 / the ~ system 화폐 제도 / ~ reform 화폐 개혁 / a ~ reward 금전적 보수 / in ~ difficulties 재정 곤란으로. SYN. ⇨FINANCIAL.

†**mon·ey** [mʌ́ni] (*pl.* **~s, món·ies** [-z]) *n.* **1** Ⓤ **돈**, 통화, 화폐; 계산 화폐(~ of account). cf. currency, coin, bill[1], bank note. ¶hard ~ 경화(硬貨) / small ~ 잔돈 / paper ~ 지폐 / standard ~ 본위 화폐 / change ~ 환전하다 / *Money* begets ~. 《속담》 돈이 돈을 번다 / Bad ~ drives out good ~. (⇨GRESHAM'S LAW) / *Money* talks. 돈이 힘을 쓴다 / white ~ (위조) 은화 / make (earn) ~ 돈을 벌다 / lose ~ 손해를 보다 / *Money* makes the mare (to) go. 《속담》 ⇨MARE[1].
2 Ⓤ 재산, 부(wealth), (금융)자산; 수입, 소득: have some ~ of one's own 약간의 재산을 갖고 있다 / get good ~ 수입이 좋다 / put ~ on …에 투자하다 / You can't take your ~ with you when you die. 죽을 때 재산을 가져갈 수는 없다.
3 (*pl.*) 〖법률〗 금액, 자금: collect all ~*s* due 지급 만기의 돈을 전부 수금하다.
4 Ⓒ 〖경제〗 교환의 매개물, 물품(자연) 화폐《남양 원주민의 조가비 따위》.
at (***for***) ***the*** ~ (치른) 그 값으로는: The camera is cheap *at the* ~. 카메라가 그 값으로는 싸다. ***be in the*** ~ 부자와 친해지다; 《구어》 돈이 많이 있다, 부유하다, 번영(성공)하고 있다, (경마에서) 입상하다, 상금을 타게 되다. ***be made of*** ~ 《구어》 돈을 엄청나게 많이 갖고 있다: I'm not *made of* ~. 나에게 그렇게 많은 돈이 있을 리가 없어. ***for love or*** ~ ⇨LOVE. ***for*** ~ 돈 때문에, 돈에 팔려서. ***for*** one***'s*** ~ ① 《구어》 …의 생각(기분)으로는. ② 《구어》 마음에 드는, 안성맞춤의: She is the very woman *for my* ~. 그

여자야말로 마음에 꼭 드는 여성이다. ③ 《구어》 …에 관한 한. **get** 〔**have**〕 one**'s ~'s worth** 치른 돈〔노력한〕만큼 얻다, 본전을 찾다: She's *had* her ~*'s worth* out of that dress—she's been wearing it for years. 그녀는 이미 저 옷의 본전은 뽑았다—여러 해 동안 그 옷을 입어 왔으니 말이지. **have ~ to burn** 《구어》 얼마든지〔엄청나게〕 돈이 있다. **marry ~** 부자와〔부자집 딸과〕 결혼하다. **~ down** = **~ out of hand** = **ready ~** 현금: pay ~ *down* 맞돈을 치르다. **~ for jam** 〔**old rope**〕 《英구어》 손쉬운 벌이; 식은 죽 먹기. **~ of account** 계산(計算) 화폐《통화(通貨)로 발행하지 않는 돈; 영국의 guinea, 미국의 mill² 따위》. **put** one**'s ~ where** one**'s mouth is** ⇨MOUTH. **raise ~ on** …을 저당잡히어 돈을 마련하다. (**right**) **on the ~** 《美속어 · Can. 속어》 딱 들어맞아, 마침 그 곳〔때〕에. **There is ~ in it.** 좋은 벌잇감이다; 돈벌이가 된다. **throw** 〔**pour**〕 **good ~ after bad** 손해를 만회하려다 더 손해를 보다. **throw** one**'s ~ about** 〔**around**〕 (부자임을 뽐내려고, 허세를 부려서) 돈을 물처럼 쓰다. **What's the ~?** 얼맙니까.

> **DIAL.** ***Money*** (***is***) ***no object.*** 돈 문제가 아니야, 돈 핑계 대지마.

móney-bàck *a.* Ⓐ (구입자가 만족하지 못할 때) 환불이 가능한, 환불 가능 조건부의: Money-back guarantee if not fully satisfied. 충분히 만족하지 않으실 경우에는 반드시 환불해 드리겠습니다.

móney·bàg *n.* **1** Ⓒ (현금 수송용) 현금 행낭. **2** (*pl.*) 〖단수 취급〗 《구어》 부자.

móney bòx 저금통; 현금함(函), 돈궤.

móney chànger 환전상; 환전기(機).

mon·eyed, mon·ied [mʌ́nid] *a.* Ⓐ 부자의, 부유한; 금전(상)의: the ~ interest 〖집합적〗 재계(財界) / the ~ classes 자본가 계급 / ~ assistance 금전적 원조.

móney·grùbber *n.* Ⓒ 《구어》 수전노, 축재(蓄財)하는 사람.

móney·grùbbing *a.* 악착같이 돈을 모으는.

móney làundering 돈 세탁(money-washing)《주로 마약 거래 등 범죄에 관계되어 얻은 부정한 돈을 금융기관과의 거래나 계좌를 통하여 자금의 출처 등을 모르게 하는 것》.

móney·lènder *n.* Ⓒ 대금업자, 금융업자; 《특히》 전당포(주인).

móney·less *a.* 돈 없는, 무일푼의.

móney machìne 현금 자동 인출기.

móney·màker *n.* Ⓒ 돈벌이가 되는 일; 돈벌이 재주가 있는 사람, 축재가(蓄財家).

móney·màking *n.* Ⓤ, *a.* Ⓐ 돈벌이(가 되는), 축재(蓄財); 조폐.

móney màrket 금융 시장.

móney òrder (송금)환(換), 《특히》 우편환: a telegraphic ~ 전신환.

móney spìnner 《英구어》 돈 잘 버는 사람; 돈벌이 잘 되는 것 〔일〕; (소설이나 영화 따위의) 히트작.

mon·ger [mʌ́ŋgər] *n.* Ⓒ 〖주로 합성어〗 **1** 상인, …상(商), …장수: ⇨FISHMONGER, IRONMONGER. **2** (소문 따위를) 퍼뜨리는 사람: ⇨SCANDALMONGER.

Mon·gol [mάŋgəl, -goul/mɔ́ŋgɔl] *n.* **1** Ⓒ 몽골 사람. **2** Ⓤ 몽골어(語). **—***a.* 몽골 사람〔어〕의.

Mon·go·lia [mαŋgóuliə, -ljə/mɔŋ-] *n.* **1** 몽골《중앙 아시아 동부의 광대한 지역》. **2** 몽골국(國)(the State of Mongolia)《중앙 아시아의 나라; 수도 Ulan Bator》. ***Inner* ~** 내몽고. ***Outer* ~** 외몽고.

Mon·go·li·an [mαŋgóuliən, -ljən/mɔŋ-] *n.* **1** Ⓒ 〖인류〗 몽골 인종에 속하는 사람; 몽골 사람. **2** Ⓤ 몽골말. **—***a.* 몽골 사람〔인종〕의; 몽골말의. ***the ~ People's Republic*** 몽골 인민 공화국.

Món·gol·ìsm *n.* (종종 m-) Ⓤ 〖의학〗 몽골증 (Down's syndrome)《인상이 몽골인 비슷한 선천적인 백치》.

Mon·gol·oid [mάŋgəlɔ̀id/mɔ́ŋ-] *a.* 몽골 사람 같은; 몽골 인종적인. **—** *n.* Ⓒ 몽골 인종에 속하는 사람.

mon·goose [mάŋgu:s, mʌ́n-/mɔ́ŋ-] (*pl.* **-goos·es**) *n.* Ⓒ 〖동물〗 몽구스《인도산의 족제비 비슷한 육식 짐승으로, 뱀의 천적(天敵)》.

mon·grel [mʌ́ŋgrəl, mάŋ-] *n.* Ⓒ (동식물의) 잡종; 《특히》 잡종 개, 《경멸적》 튀기, 혼혈아. **—** *a.* Ⓐ 잡종의; 《경멸적》 혼혈아〔튀기〕의.

monied ⇨MONEYED.

mon·ies [mʌ́niz] MONEY의 복수.

mon·i·ker [mάnikər/mɔ́n-] *n.* Ⓒ 《속어》 인명, 《특히》 별명(nickname), 별칭(alias).

mon·ism [mάnizəm/mɔ́n-] *n.* Ⓤ 〖철학〗 일원론(一元論). cf. dualism, pluralism. ㊞ **-ist** *n.* Ⓒ 일원론자. **mo·nis·tic, -ti·cal** [mounístik, mə-] [-əl] *a.*

mo·ni·tion [mouníʃən] *n.* Ⓤ (구체적으로는 Ⓒ) 충고, 훈계; 경고(warning); 고지, 포고; (법원의) 소환(장)(summons).

***mon·i·tor** [mάnitər/mɔ́n-] *n.* Ⓒ **1 충고자,** 권고자, 모니터; (풍기 문제 따위의) 감독자. **2** (학급의) 반장, **학급 위원,** 지도생. **3** 경고가 되는 것; (새는 가스 따위의) 위험물 탐지 장치. **4** 모니터. **a** 〖방송〗 라디오 · TV의 방송 상태를 감시하는 장치 〔조정 기술자〕; 방송국의 의뢰로 방송의 인상 · 비평을 보고하는 사람. **b** 방사선 감시장치; (위험 방지용) 유도 방사능 검출기; (유독) 가스 검출기. **c** 〖컴퓨터〗 시스템 작동을 감시하는 소프트웨어. **d** 〖의학〗 호흡 · 맥박 따위의 생리적 징후를 관찰 · 기록하는 장치. **5** 외국 방송 청취원, 외전(外電) 방수자(傍受者). **6** 〖동물〗 큰도마뱀의 일종(~ **lizard**)《동남아 · 아프리카 · 오스트레일리아산; 악어가 있는 것을 경고한다고 함》.

—*vt.* **1** (기계 등)을 감시〔조정〕하다, 모니터하다. **2** 〖방송〗 (음질 · 화면)을 모니터로 감시〔조정〕하다. **3** (외국 방송)을 청취〔방수〕하다. **4** 〖일반적〗 감시하다; 검토하다: ~ a child's progress 아이의 진보 상태를 감시하다. **5** (환자의 용태)를 모니터로 체크하다: ~ a patient's heartbeat 환자의 심장 박동을 모니터로 체크하다.

mónitor scrèen (TV 송신 상태의) 감시용 TV 화면.

mon·i·to·ry [mάnitɔ̀:ri/mɔ́nitəri] *a.* 《문어》 권고의, 훈계의, 경고하는.

°**monk** [mʌŋk] *n.* Ⓒ 수사(修士). cf. friar.

‡**mon·key** [mʌ́ŋki] *n.* Ⓒ **1 원숭이**《ape와 구별하여 꼬리 있는 작은 원숭이》. **2** 장난꾸러기; 남의 흉내를 잘 내는 사람: You little ~! 요 장난꾸러기야. **3** 《英속어》 500 파운드; 《美속어》 500 달러.

get* one*'s ~ up 《英속어》 성을 내다. ***have a ~ on* one*'s back*** 《美속어》 ① 마약 중독에 걸려 있다. ② 곤란한 습성이 붙어버리다. ③ 곤란하게 되다. ***make a ~*** (***out***) ***of...*** 《구어》 …을 웃음거리

리로 만들다〔조롱하다〕; 속이다. ***put*** 〔***get***〕 **a** **person's** ~ ***up*** 《英구어》 아무를 성나게 하다.
— *vi.* 《구어》 **1** 《(+[부])+[전]+[명]》 장난하다, 놀리다, 만지작거리다 (*around; about*) 《***with*** …을》: Stop *~ing about with* those tools! 그 기구를 만지작거리지 마라. **2** 《+[부]》 (이성끼리) 희롱거리다, 시시덕거리다 (*about, around*).

mónkey bùsiness 《구어》 **1** 기만, 사기, 수상한 행위. **2** (못된) 장난, 짓궂은 짓.

mon·key·ish [mʌ́ŋkiiʃ] *a.* 원숭이 같은; 장난 좋아하는(mischievous).

mónkey-nùt *n.* 《英구어》 =PEANUT.

mónkey pùzzle 〖식물〗 칠레삼목(杉木).

mónkey·shìne *n.* [C] (보통 *pl.*) 《美구어》 못된 장난; 속임수.

mónkey trìck(s) 《英구어》 (못된) 장난〔속임수〕.

mónkey wrènch 멍키 렌치, 자재(自在) 스패너; 《구어》 장애물. ***throw*** 〔***toss***〕 ***a*** ~ ***into*** 《美구어》 (계획 따위)를 방해하다.

mono [mánou/mɔ́n-] *a.* **1** =MONAURAL. **2** = MONOPHONIC. — *n.* [U] 모노럴 녹음〔재생〕.

mono- ⇨ MON-.

móno·chòrd *n.* [C] 〖음악〗 (중세의) 일현금(一絃琴); 일현의 음향〔청력〕 측정기.

mòno·chromátic *a.* 단색의, 단채(單彩)의.

móno·chròme *n.* **1** [C] 단색화, 단색〔흑백〕 사진; 《英》 흑백의 TV 프로〔영화〕. **2** [U] 단색화〔사진〕법: in ~ 단색으로. — *a.* 단색의; (사진 · TV 따위가) 흑백의: ~ display 〖컴퓨터〗 단색 표시 장치 / ~ monitor 〖컴퓨터〗 단색 화면(표시)기.

mon·o·cle [mánəkəl/mɔ́n-] *n.* [C] 단안경, 외알 안경. [파] **~d** *a.* 외알 안경을 낀.

mòno·cotylédon *n.* [C] 〖식물〗 외떡잎 식물, 단자엽 식물. [cf] dicotyledon.

mo·noc·u·lar [mənákjələr/mɔnɔ́k-] *a.* 단안의, 외눈의; 단안용(單眼用)의. [파] **~·ly** *ad.*

móno·cùlture *n.* **1** [U] 〖농업〗 단일 경작, 단작(單作), 일모작. **2** [C] 단일 문화. [파] **mòno-cúltural** *a.*

móno·cỳcle *n.* [C] 1륜차.

mon·o·dy [mánədi/mɔ́n-] *n.* [C] (그리스 비극의) 서정적 독창부〔가(歌)〕; 추도시, 만가(輓歌); 〖음악〗 (오페라 · 오라토리오 등의) 독창곡; 단성부곡(單聲部曲).

mo·nog·a·mist [mənágəmist/mənɔ́g-] *n.* [C] 일부 일처(一夫一妻)주의자.

mo·nog·a·mous [mənágəməs/mənɔ́g-] *a.* 일부 일처의; 〖동물〗 암수 한 쌍의. [파] **~·ly** *ad.*

mo·nog·a·my [mənágəmi/mənɔ́g-] *n.* [U] 일부 일처제, 일부 일처주의, 단혼(單婚)《사람 · 동물의》. ↔ *polygamy.*

mon·o·glot [mánəglàt/mɔ́nəglɔ̀t] *a., n.* [C] 한 언어〔국어〕만을 말하는 (사람). [cf] polyglot.

móno·gràm *n.* [C] 모노그램《성명 첫 글자 등을 도안화(化)하여 짜맞춘 글자》: a ~ on a shirt 와이셔츠에 새긴 모노그램.

móno·gràph *n.* [C] (특정 테마에 관한) 전공〔연구〕 논문, 모노그래프.

mon·o·ki·ni [mànəkí:ni/mɔ̀n-] *n.* [C] (여성용) 토플리스 비키니; (남성용의) 극히 짧은 팬츠.

mòno·língual *a., n.* [C] 1개 국어를 사용하는 (사람〔책 따위〕).

mon·o·lith [mánəliθ/mɔ́n-] *n.* [C] 한통으로 된 돌; 돌 하나로 된 비석〔기둥〕《obelisk 따위》; (정치적 · 사회적인) 완전한 통일체.

mòno·líthic *a.* **1** 〖건축〗 돌 하나로 된; (형틀에 흘러들어) 한 덩어리가 된; 이음매가 없는. **2** 하나의 단위를 이룬; 《종종 경멸적》 완전히 통제된, 이질 분자가 없는《조직》, 획일적이고 자유가 없는《사회》.

mon·o·log·ist, -logu·ist [mənálədʒist/mənɔ́l-], [mánəlɔ̀:gist, -làg-/mɔ́nəlɔ̀g-] *n.* [C] (연극의) 독백자; 이야기를 독점하는 사람.

mo·nol·o·gize [mənálədʒàiz/mənɔ́l-] *vi.* 독백하다, 혼잣말하다; 이야기를 독점하다.

mon·o·logue, 《美》 **-log** [mánəlɔ̀:g, -làg/mɔ́nəlɔ̀g] *n.* **1** [U] (구체적으로는 [C]) 〖연극〗 모놀로그, 독백, 혼자 하는 대사; 독백〔독연〕극; 독무대. **2** [C] 독백 형식의 시(따위). **3** [C] 《구어》 장광설.

mòno·mánia *n.* [U] 한 가지 일에만 열광하기; 〖의학〗 편집광(偏執狂).

mòno·mániac *n.* [C] 한 가지 일에만 열중하는 사람; 편집광자.

mon·o·mer [mánəmər/mɔ́n-] *n.* [C] 〖화학〗 단량체(單量體), 단위체, 모너머. [cf] polymer.

mòno·metállic *a.* (화폐가) 한 가지 금속으로 된〔을 사용하는〕, 단본위제의.

mon·o·met·al·lism [mànəmétəlìzəm/mɔ̀n-] *n.* [U] 〖경제〗 (화폐의) 단본위제. [cf] bimetallism.

mo·no·mi·al [mounóumiəl, mən-] *a., n.* [C] 〖수학〗 단항(의); 단항식(의).

mòno·phónic *a.* **1** 〖음악〗 단(單)선율의. **2** (녹음 · 재생 따위의 장치가) 모노포닉〔모노럴〕의. [cf] monaural, stereophonic.

mo·noph·o·ny [mənáfəni/-nɔ́f-] *n.* [U] (구체적으로는 [C]) 단(單)선율(곡).

mon·oph·thong [mánəfθɔ̀:ŋ, -θàŋ/mɔ́nəf-θɔ̀ŋ] *n.* [C] 〖음성〗 단모음. [cf] diphthong.

móno·plàne *n.* [C] 〖항공〗 단엽(비행)기. [cf] biplane.

mo·nop·o·lism [mənápəlìzəm/-nɔ́p-] *n.* [U] 전매(專賣) 제도; 독점주의〔조직, 행위〕.

mo·nop·o·list [mənápəlist/-nɔ́p-] *n.* [C] 독점자, 전매자; 독점〔전매〕론자.

mo·nòp·o·lís·tic [-lístik] *a.* 독점적인, 전매의; 독점주의(자)의. [파] **-i·cal·ly** *ad.*

mo·nòp·o·li·zá·tion *n.* [U] (구체적으로는 [C]) 독점(화), 전매.

***mo·nop·o·lize** [mənápəlàiz/-nɔ́p-] *vt.* …을 **독점하다**; …의 **전매〔독점〕권을 얻다**: He *~d* the conversation. 그는 대화를 독차지했다.

mo·nop·o·ly** [mənápəli/-nɔ́p-] *n.* **1** (a ~) **독점, 전매**《of,*** 《美》 ***on*** …을》: make a ~ *of* 〔*on*〕 the trade 거래를 독점하다. **2** [C] (상품 · 사업 따위의) 독점권, 전매권《***to*** do》: hold a ~ *of* salt 〔tobacco〕 소금〔담배〕의 전매권을 갖다 / The company has a ~ *of* truck producing. 그 회사는 트럭 제조 독점권을 갖고 있다 / grant a ~ *to* manufacture 〔market〕 a product 제품을 혼자서 제조〔판매〕할 권리를 부여하다. **3** [C] **a** 독점 사업; 전매품: a government ~ 정부의 독점 사업〔전매품〕 / The postal services are a government ~. 우편 사업은 정부 독점사업이다. **b** 전매〔독점〕 회사〔조합 · 기업〕. **4** (M-) 모노폴리《주사위를 사용하는 탁상 게임의 하나; 상표명》.

móno·ràil *n.* [C] 모노레일, 단궤철도: by ~《★관사 없이》.

mono·sódium glú·ta·mate [-glú:təmèit]

글루탐산나트륨《화학 조미료; 생략: MSG》.

mòno·syllábic *a.* 단음절(어)의; 간결한《평》, 무접 없는《대답 등》: a ~ reply. ㊕ **-ically** *ad.*

móno·sỳllable *n.* Ⓒ 단음절어. ***in ~s*** (yes나 no 등의) 짧은 말로, 퉁명스럽게.

mon·o·the·ism [mánəθiːìzəm/mɔ́n-] *n.* Ⓤ 일신론(一神論); 일신교. ⓒⓕ polytheism. ㊕ **-ist** [-θìːist] *n.* Ⓒ 일신교 신자, 일신론자. **mòn·o·the·ís·tic** [-ístik] *a.*

mon·o·tone [mánətòun/mɔ́n-] *n.* (a ~) **1** (색채 · 문체 따위의) 단조(單調): speak 〔read〕 in a ~ 단조롭게 이야기하다〔읽다〕. **2** 〖음악〗 단조음. **—*a.*** =MONOTONOUS.

*__mo·not·o·nous__ [mənátənəs/-nɔ́t-] *a.* **1** (소리 · 목소리가) **단조로운**. **2** 한결같은, **변화 없는**, 지루한: ~ occupations 〔scenery〕 단조로운 일〔경치〕. ㊕ **~·ly** *ad.* **~·ness** *n.*

◇**mo·not·o·ny** [mənátəni/-nɔ́t-] *n.* Ⓤ 단조로움, 천편 일률; 무미건조, 지루함.

móno·tỳpe *n.* **1** (M-) Ⓒ 〖인쇄〗 모노타이프《자동 주조 식자기; 상표명》. ⓒⓕ Linotype. **2** Ⓤ 모노타이프 인쇄(법).

mòno·válent *a.* 〖화학〗 일가(一價)의. ㊕ **-len·ce** *n.*

mon·ox·ide [manáksaid, mən-/mɔnɔ́k-] *n.* Ⓤ (구체적으로는 Ⓒ) 〖화학〗 일산화물.

Mon·roe [mənróu] *n.* 먼로. **1 James ~** 미국 5대 대통령(1758-1831). **2 Marilyn ~** 미국의 여배우(1926-62).

Monróe Dóctrine (the ~) 먼로주의《1823년 미국의 먼로 대통령이 제창한 외교 방침; 구미 양대륙의 상호 정치적 불간섭주의》.

◇**Mon·sieur** [məsjə́ːr] (*pl.* ***Mes·sieurs*** [mesjə́ːr]) *n.* 《F.》 **1** …씨, …님, …귀하《영어의 Mr.에 해당하는 경칭(敬稱); 생략: M., (*pl.*) MM.》. **2** …님, …선생《Sir에 해당하는 경칭》. ★ 복수형을 영어로 쓸 때는 [mésərz]로 발음하고 보통 Messrs.라고 씀. ⓒⓕ Messrs., messieurs.

Mon·si·gnor [mansíːnjər/mɔn-] (*pl.* **~s, *-gno·ri*** [mὰnsiːnjɔ́ːri/mɔ̀n-]) *n.* 《It.》 **1** 〖가톨릭〗 몬시뇨르《고위 성직자에 대한 경칭, 또 그 칭호를 가지는 사람; 생략: Mgr., Msgr.》. **2** (m-) Ⓒ 몬시뇨르(의 존칭을 허락받은 사람).

mon·soon [mansúːn/mɔn-] *n.* **1** (the ~) 몬순《특히 인도양 및 동남 아시아에 여름은 남서, 겨울은 북동에서 부는 계절풍》: the dry 〔wet〕 ~ 겨울〔여름〕 계절풍. **2 a** (the ~) 우기《인도 및 남아프리카의》. **b** Ⓒ 《구어》 호우(豪雨).

⁑**mon·ster** [mánstər/mɔ́n-] *n.* Ⓒ **1 괴물; 요괴**《상상의 또는 실재하는》. **2** (괴물 같은) 거대한 사람〔동물, 식물〕. **3** 극악무도한 사람: a ~ of cruelty 몹시 잔인한 사람. ◇monstrous *a.*
—*a.* Ⓐ 거대한(gigantic), 괴물 같은: a ~ tree 거목(巨木).

mon·strance [mánstrəns/mɔ́n-] *n.* Ⓒ 〖가톨릭〗 성체 현시대(顯示臺).

mon·stros·i·ty [manstrásəti/mɔnstrɔ́s-] *n.* **1** Ⓤ 기형(奇形), 기괴함; 지독함. **2** Ⓒ 거대〔기괴〕한 것, 추악한 것, 괴물(monster).

*__mon·strous__ [mánstrəs/mɔ́n-] *a.* **1 괴물 같은**, 기괴한, 기형의. **2 거대한**, 엄청나게 큰: a ~ sum 막대한 금액. **3 가공할**, 소름끼치는; 극악무도한: ~ crimes 극악 무도한 범죄. **4** 《구어》 **터무니없는**, 아연할: tell a ~ lie 터무니없는 거짓말을 하다/It's ~ *of* you *to* talk to your teacher like that. 선생님에게 그런 말을 하다니 너도 너무 지나치다. ◇monster *n.* ㊕ **~·ly** *ad.* 엄청나게, 대단히, 몹시.

Mont. Montana.

mont·age [mantáːʒ/mɔn-] *n.* 《F.》 〖회화 · 사진〗 **1** Ⓤ 합성 화법; 〖영화〗 몽타주《심리적으로 관련 있는 몇 개의 화면을 급속히 연속시키는 기법》. **2** Ⓒ 몽타주에 의한 작품《사진, 영화 따위》.

Mon·taigne [mantéin/mɔn-; *F.* mɔ̃tɛɲ] *n.* **Michel Eyquem de ~** 몽테뉴《프랑스의 철학자 · 수필가; 1533-92》.

Mon·tana [mantǽnə/mɔn-] *n.* 몬태나《미국 북서부의 주; 주도 Helena; 생략: Mont.》. ㊕ **-tán·an** [-n] *a.*, *n.* Ⓒ ~주의 (사람).

Mont Blanc [mɔŋbláːŋ] 몽블랑《프랑스 · 이탈리아 · 스위스 국경에 있는 알프스 산맥 중의 최고봉(4,807m)》.

Mon·te Car·lo [mὰntikáːrlou/mɔ̀n-] 몬테카를로《모나코의 휴양 도시; 도박 · 자동차 경주로 유명함》.

Mon·te·ne·gro [mὰntəníːgrou/mɔ̀n-] *n.* 몬테네그로《구 Yugoslavia 연방을 구성한 공화국의 하나; 유고연방 분열 후 1992년 Serbia와 함께 신 유고연방(2002년 세르비아-몬테네그로 개명)을 선언》.

Mon·tes·só·ri mèthod 〔**sỳstem**〕 [mὰntəsɔ́ːri-/mɔ̀n-] 〖교육〗 몬테소리 교육법《이탈리아 교육가 Maria Montessori (1870-1952)가 제창한 유아 교육법; 자주성 신장을 중시함》.

Mont·gom·ery [mantgʌ́məri/mənt-] *n.* 몽고메리. **1** 남자 이름. **2** 미국 Alabama주의 주도. **3 Lucy Maud ~** 캐나다의 아동 문학가(1874-1942)《Anne 시리즈로 유명》.

†**month** [mʌnθ] *n.* Ⓒ **1** (**한**)**달**, 월(月)《생략: m.》: this ~ 이 달/last 〔next〕 ~ 지난달〔다음 달〕/on the third of this ~ 이 달 3일에/What ~ was he born in? 그는 몇월생입니까/⇨CALENDAR 〔LUNAR〕 MONTH. **2** 임신한 달: She is in her eighth ~. 그녀는 임신 8개월이다.
a ~ ago today 지난달 오늘. ***a ~*** (***from***) ***today*** 내달 오늘/***this day ~*** =《美》 ***this day next*** 〔***last***〕 ***~*** 내달〔지난달〕의 오늘. ***in*** 〔***for***〕 ***a ~ of Sundays*** 〖보통 부정문〗 《英구어》 아주 오랫동안: She has*n't* come home *in* 〔*for*〕 *a ~ of Sundays*. 그녀는 오랫동안 집에 돌아오지 않았다. ***~ after ~*** 매달, 매월. ***~ by ~*** =***~ in, ~ out*** 매달, 다달이. ***the ~ after next*** 〔***before last***〕 내훗달〔전전달〕.

⁑**month·ly** [mʌ́nθli] *a.* **1 매달의**, 월 1회의, 월정(月定)의: a ~ salary 월급/a ~ magazine 월간 잡지/a ~ payment 월부. **2** 한 달 동안 유효한: a ~ pass 〔season ticket〕 유효 기간 1개월의 정기권. **—*n.*** Ⓒ **1 월간 간행물**. **2** 1개월 정기권. **—*ad.*** 한 달에 한 번, 다달이.

Mont·re·al [mὰntriɔ́ːl, mʌ̀n-/mɔ̀n-] *n.* 몬트리올《캐나다 Quebec주 남부의 도시》.

⁑**mon·u·ment** [mánjəmənt/mɔ́n-] *n.* **1** Ⓒ **기념비**, 기념 건조물, 기념탑: put up a ~ to (the memory of) a great man 위인을 기리기 위하여 기념비를 세우다. **2** Ⓒ (역사적) **기념물**, 유적, 유물: ⇨NATIONAL MONUMENT/an ancient ~ 옛 기념물/a natural ~ 천연 기념물. **3** Ⓒ (기념비처럼) 영구적 가치가 있는 업적, 금자탑; (개인의) 기념비적 사업〔저작〕, 불후의 작품: a ~ *of* linguistic study 언어 연구의 금자탑. **4** Ⓒ 《반어적으로도 쓰임》 유례가 없는 것, 뚜렷한 예《*of*, *to* …의》: My father was a ~ *of* industry. 나의 아버지는

보기 드문 노력가였다. **5** (the M–) (1666 년의) 런던 대화재 기념탑.

*__mon·u·men·tal__ [mɑ̀njəméntl/mɔ̀n-] *a.* **1** [A] **기념 건조물의, 기념비의**; 기념되는: a ~ mason 석비공(石碑工), 묘석 제작자 / a ~ inscription 비석의 명문(銘文). **2** [A] (예술 작품 따위가) 불후의, 불멸의: a ~ work 불후의 작품, 대걸작 / The moon landing was a ~ achievement. 달 착륙은 역사적 위업(偉業)이었다. **3** [A] (건조물 · 조각 등이) 거대한, 당당한. **4** 《구어》 대단한, 어처구니없는《어리석음 따위》; 대단히 큰. [cf.] heroic. ¶a ~ waste of time 대단한 시간 낭비 / ~ idiocy 어처구니없는 바보. [파] **~·ly** *ad.* 기념비로서; 기념으로; 터무니없이.

moo [mu:] *vi.* (소가) 음매하고 울다(low). —(*pl.* **~s**) *n.* [C] **1** 음매《소 울음소리》. **2** 《英속어》 바보 같은 녀석(여자).

mooch [mu:tʃ] *vi.* 《구어》 배회하다, (정처없이) 헤매다: There were lots of people *~ing about* 〔*around*, *about* the streets〕. 우왕좌왕하고(거리를 배회하고) 있는 사람들이 많았다. —*vt.* 《美속어》 **1** 조르다, 우려내다, 등쳐 먹다《***off, from*** (아무)에게서》. **2** (물건)을 훔치다.

móo-còw *n.* [C] 《소아어》 음매, 소.

⁑**mood**[1] [mu:d] *n.* **1** [C] **a** (일시적인) **기분, 마음가짐**: people in a holiday ~ 휴일 기분의 사람들 / change one's ~ 기분을 전환시키다 / in a merry 〔melancholy〕 ~ 즐거운(우울한) 기분으로. **b** …마음, 의향《***for*** …하려는 / ***to*** do》: I was in the 〔no〕 ~ *for* work. 일하고 싶은 생각이 났다(없었다) / I'm not in the ~ *to* read just now. 지금 당장은 독서할 마음이 안 든다.

[SYN.] **mood, humor** 일시적인 기분. 대개의 경우 두 낱말은 교환 사용이 가능하지만, mood는 특정한 개인의 마음뿐 아니라 그 장소 전체의 분위기를 말할 때에 쓰이며, humor는 주위 분위기와는 관계 없이 특정 개인의 마음 상태인 때가 많음. 따라서 please a person's *humor* '아무의 비위를 맞추다' 라고는 하지만 please a person's *mood* 라고는 하지 않음. **disposition** 마음의 기울음 → …하고 싶은 마음(mood, humor): be in a *disposition* 〔*mood*, *humor*〕 to sing 노래라도 부르고 싶은 기분이다. **temper** 주로 강한 감정에 지배된 기분으로 '찌무룩함' 따위. 기분에 좌우된 태도가 암시됨《화를 내다 따위》: He found his boss in a pleasant *temper*. 그의 상사는 매우 기분이 좋았다. **vein** 변덕. mood, humor 와 비슷하나 머지 않아 다른 기분으로 바뀔 것이라는 뜻이 포함되어 있음: Ask his permission while he is in a good *vein*. 그의 기분이 좋은 때를 봐서 허락을 받아라.

2 [C] (보통 *sing.*) (회합 · 작품 따위의) 분위기, 풍조: The ~ of the meeting was hopeful. 모임의 분위기는 희망에 가득 차 있었다. **3** (*pl.*) **씨무룩함**, 우울, 짜증; 변덕스러움: a man of ~*s* 변덕쟁이 / Are you in one of your ~*s*? 또 기분이 좋지 않으신가요. ***in a* ~** 《구어》 기분이 좋지 않은.

°**mood**[2] *n.* [U] (구체적으로는 [C]) 【문법】 법(法), 서법(敍法)《동작 · 상태에 대한 화자(話者)의 심적 태도를 나타내는 동사의 어형 변화》. [cf.] indicative, imperative, subjunctive.

°**moody** [mú:di] (***mood·i·er; -i·est***) *a.* **1** 변덕스러운: Why are you so ~? 왜 그렇게 변덕스럽지. **2** 언짢은, 뚱한(sullen); 우울한: She's sometimes ~. 그녀는 때때로 우울하다.

[파] **móod·i·ly** *ad.* **-i·ness** *n.*

†**moon** [mu:n] *n.* **1** (보통 the ~) **달**《천체의》《★ 어떤 상태 또는 특정한 시기나 장소의 달은 종종 부정관사를 수반》: ⇨ NEW 〔FULL, HARVEST, OLD〕 MOON, HALFMOON / the age of the ~ 월령(月齡) / land on the ~ 달에 착륙하다 / The ~ came up 〔went down〕. 달이 떴다(졌다) / There's no ~ tonight. 오늘 밤에는 달이 뜨지 않는다 / Was the ~ out that night? 그날 밤에는 달이 뜨지 않았습니까 / A bright ~ was coming up over the hills. 밝은 달이 언덕 위로 떠오르고 있었다 / The ~ was three days old. 달은 초승달이었다. **2** [C] (행성의) 위성(satellite): an artificial ~ 인공 위성 / Jupiter has at least sixteen ~*s*. 목성에는 위성이 적어도 16개 있다. **3** [C] (보통 *pl.*) 《시어》 =MONTH: This is the ~ of roses. 이 달은 장미가 피는 달이다 / many ~*s* ago 여러 달 전에.

bay (***at***) ***the* ~** ⇨ BAY[3]. ***cry*** 〔***ask, wish***〕 ***for the* ~** 불가능한 것을 바라다; 무리한 부탁을 하다. ***once in a blue* ~** 《구어》 극히 드물게, 좀처럼 …않다. ***over the* ~** 《구어》 크게 기뻐하여. ***promise*** a person ***the* ~** 아무에게 되지도 않을 것을 약속하다.

—*vi.* **1** 《+[부]》 멍하니 보다; 헤매다, 정처없이 돌아다니다(*about; around*). **2** 멍하니 시간을 보내다《***over*** …에 열중하여》: He's still *~ing over* her. 그는 그녀에게 빠져(열중하여) 꿈꾸듯 시간을 보내고 있다. **3** 《속어》 (장난이나 모욕하기 위해서 창문 따위에서) 엉덩이를 내보이다. —*vt.* **1** 《+[목]+[부]》 (시간)을 멍하니 보내다(*away*): ~ the evening *away* 저녁 때를 멍하니 보내다. **2** 《속어》 …을 향하여 벌거벗은 엉덩이를 내밀다.

[파] **∠·less** *a.* 달 없는.

°**móon·bèam** *n.* [C] (한 줄기의) 달빛.

móon·càlf (*pl.* ***-càlves***) *n.* [C] (선천적인) 백치;얼간이, 바보; 공상에 빠져 하는 일 없이 지내는 젊은이.

móon-fàced [-t] *a.* 둥근 얼굴의.

móon·flòwer *n.* [C] 【식물】 《美》 메꽃과의 덩굴풀《열대 아메리카 원산; 밤에 향기로운 흰꽃이 핌》.

Moon·ie [mú:ni] *n.* [C] 세계 기독교 통일 신령 협회의 신자, 통일 원리 운동 지지자《통일 교회의 창시자인 한국인 문선명(文鮮明)(Rev. Sun Myung Moon; 1920–)의 이름에서》.

Moon·ism [mú:nizəm] *n.* [U] 세계 기독교 통일 신령 협회주의, 원리 운동.

⁑**moon·light** [mú:nlàit] *n.* [U] **달빛**: by ~ 달빛에, 달빛을 받아 / in the 〔under〕 ~ 달빛 아래(에서). —*a.* **1** [A] 달빛의. **2** 달밤에 일어나는(행하는): the *Moonlight* Sonata 월광곡(曲)《Beethoven 작》. —*vi.* 《구어》 부업(아르바이트, 내직)을 하다《특히 야간에》. [파] **~·er** *n.*.

móonlight flìt(ting) 《英구어》 야반도주: do a ~ 야반도주하다.

móon·lìghting *n.* [U] 《구어》 (낮 근무와는 별도로) 밤의 아르바이트; 이중 겸업; 야습.

moon·lit [mú:nlìt] *a.* [A] 달빛에 비친, 달빛어린: on a ~ night 달 밝은 밤에.

móon·quàke *n.* [C] 달의 지진.

móon·rìse *n.* [U] (구체적으로는 [C]) 달이 뜸, 월출; 그 시각.

móon·scàpe *n.* [C] (망원경으로 보는) 달표면; 월면상(像)(사진). 〔◀ *moon*+land*scape*〕

móon·sèt *n.* Ⓤ (구체적으로는 Ⓒ) 달이 짐, 월입(月入); 그 시각.

móon·shìne *n.* Ⓤ **1** 달빛. **2** 헛소리, 쓸데없는 공상〔이야기〕. **3** 《美구어》 밀조주《특히 위스키》. ㊞ **-shìner** *n.* Ⓒ 《美구어》 주류 밀조〔밀수입〕자.

móon shòt 〔**shòot**〕 달 로켓 발사.

móon·stòne *n.* Ⓤ (낱개는 Ⓒ) 〖광물〗 월장석(月長石), 문스톤.

móon·strùck, -strìcken *a.* 미친, 발광한《점성학에서 미치는 것은 달의 영향 때문이라고 하였음》.

moony [mú:ni] (***moon·i·er; -i·est***) *a.* 멍청한, 꿈결 같은, 멍한; 《英구어》 정신이 좀 이상한.

Moor [muər] *n.* Ⓒ 무어인《아프리카 북서부에 삶》; 8세기에 스페인을 점거한 무어 사람의 일파; (인도의) 이슬람 교도(= ∠·**màn**).

***moor**[1] [muər] *n.* Ⓒ (종종 *pl.*) 《英》 (heather가 무성한) **황무지**, 광야; (뇌조(grouse) 등의) 사냥터.

°**moor**[2] *vt.* (배 · 비행선 등)을 잡아매다, 정박시키다, 계류하다; 〖일반적〗 단단히 고정하다《***at, to*** …에》: ~ a ship *at* the pier 〔*to* the buoy〕 배를 잔교〔부이〕에 잡아매다. **—***vi.* 배를 잡아매다; (배가) 정박하다.

moor·age [mú(:)ridʒ/múər-] *n.* **1** Ⓤ (구체적으로는 Ⓒ) (배 따위의) 계류, 정박; 정박 사용료(料). **2** Ⓒ 정박소.

móor-còck *n.* Ⓒ 〖조류〗 붉은뇌조의 수컷.

móor·fòwl (*pl.* **~s,** 〖집합적〗 ~) *n.* Ⓒ 〖조류〗 붉은뇌조《영국산》.

móor·hèn *n.* Ⓒ 〖조류〗 붉은뇌조의 암컷; 쇠물닭, 흰눈썹뜸부기.

móor·ing [-riŋ] *n.* **1** Ⓤ 계류, 정박. **2** Ⓒ (보통 *pl.*) 계류 장치〔설비〕; (*pl.*) 계류장, 정박장. **3** (*pl.*) 정신적〔도덕적〕 지주: lose one's ~*s* 마음의 지주를 잃다.

Moor·ish [múəriʃ] *a.* 무어인의; 무어인(양)식의《건축 따위》.

móor·lànd [-lænd, -lənd] *n.* Ⓒ (흔히 *pl.*) 광야, 황야, 황무지.

moose [mu:s] (*pl.* ~) *n.* Ⓒ 〖동물〗 큰사슴.

moot [mu:t] *vt.* (문제)를 토의하다; (토의할) 의제로 삼다《★ 보통 수동태로 쓰임》: The issue *was ~ed* on the Senate floor. 그 문제는 상원에 의제로 올랐다.

móot pòint 〔**quéstion**〕 (a ~) (논의의 여지가 있는) 의문점, 문제점, 미해결의 문제: It's a ~ which issue is most important. 어느 문제가 가장 중요한 것이냐라는 것 자체가 논의의 여지가 있는 문제점이다.

mop** [mɑp/mɔp] *n.* **1** Ⓒ **자루걸레, 몹. 2** (a ~) 자루걸레 비슷한 물건: a ~ *of* hair 더벅머리. ***give ... a ~ 자루걸레로 훔치다〔닦다〕.

> **DIAL.** ***That's the way the mop flops.*** 세상〔인생〕이란 그런 거야.

—(-pp-) *vt.* **1** 《~+목/+목+보》 자루걸레로 닦다〔닦아내다, 청소하다〕: He *~ped* the floor dry. 그는 마루의 물기를 대걸레로 닦아냈다. **2** 《+목+전+명》 (눈물 · 땀 따위)를 닦다《***from*** …에서; ***with*** …으로》: She *~ped* the sweat *from* her face *with* a handkerchief. 그녀는 손수건으로 얼굴의 땀을 닦았다. **3** 《~+목/+목+전+명》 (얼굴 · 이마 따위)의 땀을 닦다《***with*** …으로》: He *~ped* his brow (*with* his handkerchief). 그는 (손수건으로) 이마를 닦았다.

~ the floor with ⇨ FLOOR. ***~ up*** 《*vt.*+부》 ① (엎지른 물 따위)를 씻어〔닦아〕내다. ② 《구어》 (일 등)을 끝내다, 마무리하다. ③ 《구어》 (이익 따위)를 착취하다. ④ 〖군사〗 (패잔병)을 소탕하다.

mope [moup] *vi.* 울적해하다, 침울해지다; 지향없이 어슬렁거리다, 돌아다니다(*about; around*). **—***n.* **1** Ⓒ 침울〔음침〕한 사람; 전혀 할 마음〔기력〕이 없는 사람. **2** (the ~s) 의기소침, 우울: have (a fit of) the *~s* 의기소침하다.

mo·ped [móupèd] *n.* Ⓒ 모터 달린 자전거.

mop·ish [móupiʃ] *a.* 풀이 죽은, 침울한, 의기소침한, 걱정스러운 얼굴의, 음침한. ㊞ **~·ly** *ad.* 침울하게. **~·ness** *n.*

mop·pet [mápit/mɔ́p-] *n.* Ⓒ 《구어》 꼬마, 아기; 발바리(개).

móp-ùp *n.* Ⓒ 〖군사〗 (잔당의) 소탕.

mo·quette [moukét] *n.* Ⓤ (의자 · 열차 등 좌석의) 모켓천《두껍고 보풀이 있는 융단》.

MOR middle-of-the-road.

mo·raine [mouréin, mɔ:-/mɔ-] *n.* Ⓒ 〖지질〗 빙퇴석(氷堆石).

⁑**mor·al** [mɔ́(:)rəl, mɑ́r-] *a.* **1** Ⓐ **도덕(상)의,** 윤리(상)의, 도덕〔윤리〕에 관한: ~ culture 덕육(德育) / ~ standards 도덕적 기준 / ~ character 인격, 품격 / a ~ code 도덕률 / a ~ duty 〔obligation〕 도덕상의 의무 / ~ principles 도의 / ~ turpitude 타락, 부도덕한 행위 / ~ virtue 덕; (종교에 의하지 않고 달할 수 있는) 자연 도덕.
2 Ⓐ 교훈적인, 훈계〔교육〕적인: a ~ lesson 교훈 / a ~ tale 우화(寓話) / a ~ play 교훈극.
3 Ⓐ 윤리감을 가진; 선악의 판단이 되는: ~ faculty 선악 식별의 능력 / A baby is not a ~ being. 어린애는 잘잘못의 판단을 못한다.
4 도덕을 지키는, 품행이 단정한, 양심적인; (성적으로) 순결한, 정절을 지키는. ↔ *immoral.* ¶ a ~ man 품행 단정한 사람 / a ~ tone 기품.
5 Ⓐ (법률 · 관습이 아니라) 도의에 기반을 둔; 마음〔정신, 의지〕에 따라 작용하는; **정신적인,** 마음의: ~ support 정신적 지원 / (a) ~ defeat 〔victory〕 정신적 패배〔승리〕.
—*n.* **1** Ⓒ (우화 · 사건 따위에 내포된) **교훈,** 우의(寓意): What's the ~ of that story? 그 이야기의 교훈은 무언가 / draw the ~ (우화 따위에서) 교훈을 얻다 / point a ~ (예를 들어) 교훈을 강조하다.
2 (*pl.*) (사회적인) **도덕,** 윤리; (특히 남녀간의) **품행,** 몸가짐: social ~*s* 공공의 도덕 / a man of loose ~*s* 몸가짐이 나쁜 사람.

móral cértainty (a ~) 거의 틀림없는 일, 강한 확신.

móral cóurage (유혹 · 압박에 항거하는) 도덕〔정신〕적 용기.

°**mo·rale** [mourǽl/mɔrɑ́:l] *n.* Ⓤ (군대 · 국민 등의) 사기, 풍기; (근로자의) 근로 의욕: *Morale* is high 〔low, falling〕. 사기가 높다〔낮다, 떨어지고 있다〕.

móral évidence 개연적(蓋然的) 증거.

mór·al·ìsm *n.* Ⓤ 도덕주의, 도의; 교훈, 설교.

mór·al·ist *n.* Ⓒ 도덕가, 도학자; 윤리학자; 윤리 사상가, 모랄리스트. ㊞ **mòr·al·ís·tic** [-tik] *a.* 교훈적인; 도덕주의의; 도덕가의.

***mo·ral·i·ty** [mɔ(:)rǽləti, mɑr-] *n.* **1** Ⓤ **도덕(성), 도의(성);** 윤리성: public ~ 공중 도덕 / commercial ~ 상도덕 / the ~ *of* abortion 임신 중절의 도의성. **2** (*pl.*) (어떤 사회의) 도덕체계; 도덕 원리, 처세훈. ◇ moral *a.*

morálity plày 도덕 우화극, 교훈극《영국에서 15-16세기에 유행; 미덕·악덕이 의인화되어 등장함》.

mòr·al·i·zá·tion *n.* Ⓤ 교화, 덕화; 도덕적 해석[설명]; 설교.

mor·al·ize [mɔ́(:)rəlàiz, mɑ́r-] *vt.* …을 교화하다; …에게 도덕을 가르치다; …을 도덕적으로 해석하다. **—***vi.* 도덕적 관점에서 고찰하다[쓰다; 말하다]; 설법하다, 설교하다《***on, about*** …에 대하여》. ㊖ **-iz·er** *n.* Ⓒ 도학자; 교훈 작가.

móral láw 도덕법(칙), 도덕률.

◇**mór·al·ly** *ad.* **1** 도덕상으로; 도덕적으로(바르게): live [behave] ~ 도덕적으로(바르게) 살다[행동하다] / That may be legally right, but it's ~ wrong. 그것은 법적으로는 옳을지 모르나 도덕적으로는 잘못돼 있다. **2** 사실상, 어쩌면, 틀림없이: ~ impossible 사실상 불가능한 / It's ~ certain that …은 거의 틀림없다.

Móral Majórity 1 도덕적 다수파《미국의 보수적 기독교도의 정치 활동 단체; 1979년 6월 침례교 목사 Jerry Falwell이 설립》. **2** (the m- m-) 〖집합적〗 보수적 대중《엄격한 도덕 관념을 가졌다고 여겨지는 대다수의 민중》.

móral philósophy [**scíence**] 윤리학, 도덕학.

móral préssure 도덕심에 호소한 설득, 정신적 압력.

Móral Reármament 도덕 재무장 운동《1930년대 미국의 루터파(派) 목사 F. Buchman이 제창한, 도덕에 의한 세계적 정신 개조 운동; 생략: MRA》.

móral sénse 도의 관념, 도의심, 양심.

mo·rass [məræ̀s] *n.* **1** Ⓒ 소택지, 습지, 저습지대. **2** (a ~) 진구렁 같은[벗어나기 어려운] 곤경, 난국: a ~ *of* poverty 가난의 수렁[구렁텅이].

mor·a·to·ri·um [mɔ̀(:)rətɔ́:riəm, mɑ̀r-] (*pl.* ***-ria*** [-riə], **~s**) *n.* Ⓒ **1** 〖법률〗 모라토리엄, 지급 정지[연기], 지급 유예(기간). **2** 일시적 정지[금지(령)]《***on*** (위험한 활동)의》: ~ *on* nuclear testing 핵실험의 일시적 중지.

Mo·ra·via [mɔ:réiviə, -rɑ:-, mou-] *n.* 모라비아《옛 체코슬로바키아 중부의 한 지방; 독일어명은 Mähren》.

Mo·ra·vi·an [mɔ:réiviən, -rɑ:-, mou-] *n.* **1** Ⓒ 모라비아 사람; 모라비아 교도《신교의 일파》. **2** Ⓤ 모라비아 말. **—***a.* 모라비아의, 모라비아 교도의.

mo·ray [mɔ:réi, mou-] *n.* Ⓒ 〖어류〗 곰치류(類)《열대산》.

***mor·bid** [mɔ́:rbid] *a.* **1** (정신·사상 따위가) **병적인**, 불건전한, 음침한; 《구어》 우울한: a ~ interest in death 죽음에 대한 병적인 흥미. **2** **병의**, 병에 기인한: a ~ growth of cells 세포의 병적 증식《암 따위》. **3** 섬뜩한, 소름끼치는: ~ events 소름끼치는 무서운 사건. ㊖ **~·ly** *ad.* **~·ness** *n.*

mórbid anátomy 〖의학〗 병리 해부학.

mor·bid·i·ty [mɔ:rbídəti] *n.* **1** Ⓤ (정신의) 병적 상태[성질], 불건전. **2** Ⓤ (또는 a ~) (한 지역의) 이환율(罹患率)(=∠ **rate**).

mor·dant [mɔ́:rdənt] *a.* (말·기지 따위가) 신랄한, 빈정대는, 독설적인: ~ criticism 신랄한 비평 / a ~ speaker 독설가. ㊖ **~·ly** *ad.*

More [mɔ:r] *n.* Sir **Thomas** ~ 모어《영국의 인문주의자·저작가(1478-1535); *Utopia*의 저자》.

†**more** [mɔ:r] *a.* 〖many 또는 much의 비교급〗 **1 a** (수·양·정도 등이) **더 많은, 더 큰**《***than***》: He has ~ ability [books] *than* his brother. 그는 형[동생]보다 재능이[장서가] 많다 / Don't ask for ~ money *than* you deserve. 당연히 받아야 할 금액 이상의 돈을 청구하지 마라 / There are ~ stars in the sky *than* I can count. 하늘에는 수를 헤아릴 수 없을 만큼 별이 많다 / ~ *than* ten men, 10사람보다 많은 사람《★ '10사람'은 제외됨; 즉, 11사람 이상이라는 뜻》. **b** 보다 많은, 더욱 많은: with ~ attention 더욱 주의하여 / *More* people are drinking wine these days. 요즘 와인을 마시는 사람들이 많아지고 있다 / ten or ~ men =ten men or ~, 10사람 또는 그 이상의 사람《★ '10사람'이 포함됨; 즉, at least ten men과 거의 같은 뜻임; 또한 뒤의 꼴 ten men or *more*의 more는 대명사적 용법임》. ⇔ *less, fewer*.

2 이 이상의, 여분의, 덧붙인: Give me a little ~ money. 좀더 (여분으로) 돈을 주시오 / one word ~ 한 마디만 더 / *More* discussion seems pointless. 이 이상 토론해 봤자 무의미할 것 같다 / I have no ~ to say. 더 말씀드릴 것이 없습니다 / Are there any ~ problems to discuss? 논의할 문제가 아직 더 있습니까.

(***and***) ***what is*** ~ 그 위에 또, 더군다나. ***many*** ~ 〖Ⓒ의 복수형 명사를 수반하여〗 훨씬 많은: There are *many* ~ sheep than people there. 그 곳에는 사람 수보다 양의 수가 훨씬 더 많다. ~ ***and*** ~ 더욱 더 많은, 점점 더: *More and* ~ applicants began to gather. 점점 더 지원자가 모여들기 시작했다.

—*pron.* **1** 〖단수취급〗 **보다 많은 양[정도, 중요성]**: And what ~ do you want? 자네는 이 외에 무엇을 원하지《그것으로 충분치 못한가》/ I'd like a little ~ *of* the whisky? 그 위스키 조금만 더 주세요 / *More* is meant than meets the eye. 언외(言外)에 더 깊은 뜻이 있다 / I hope to see ~ *of* you. 더 자주[또] 만나뵙고 싶습니다.

2 〖복수취급〗 보다 많은 수의 것[사람] (↔ *fewer*): There're still a few ~. 아직 조금 더 이다 / *More* (of them) were present than absent. 결석한 사람보다 출석한 사람이 더 많았다 / I want a few ~ of the biscuits. 그 비슷킷 2, 3개를 더 먹고 싶다.

3 그 이상의 일[것]: May I have ~? 또 하나 주세요 / No ~ *of* your jokes. 이제 농담 그만해 / I don't want any ~. 그[이] 이상은 원하지 않습니다 / There's much ~ here. 여기에는 더 많이 있습니다.

and no ~ 그것에 지나지 않다, 그것뿐이다: It's your fancy *and no* ~. 그것은 네 마음[기분] 탓일 뿐이다. ~ ***and*** ~ 더욱 더 많은 것: We seem to be spending ~ *and* ~. 아무래도 비용이 늘고 있는 것 같다. ~ ***of a*** 훨씬, 한층 더; 오히려《***than*** …보다》: He's ~ *of a* fool *than* I thought (he was). 그는 내가 생각했던 것보다 훨씬 바보다 / He is ~ *of a* poet *than* a novelist. 그는 소설가라기보다는 오히려 시인이다. ~ ***than one*** 하나[한 사람]만 아니라《의미상으론 복수지만 동사는 단수》: *More than one* person has heard the voice. 그 목소리를 들은 사람은 한 사람만이 아니다. ***the*** ~ ... ***the*** ~ …하면 할수록 …이다: *The* ~ he has, *the* ~ he wants. 그는 가질수록 더 갖고 싶어한다.

—*ad*. 1 〘much의 비교급〙 **더욱 많이**, 더욱 ((***than***)): Betty weighs ~ *than* Jack (does). 베티는 잭보다 몸무게가 더 나간다/I want ~ *than* anything to meet her. 그 무엇보다도 그녀를 만나고 싶다/You must work ~. 너는 더욱 더 공부해야 한다/I miss mother ~ *than* anybody else. 나는 그 누구보다도 어머니가 더 그립다.
2 그 위에, 더이상, 게다가; 그리고 또: once ~ 한 번 더/I can't walk any ~. 더이상 걸을 수 없다/They won't hate you any ~. 그들은 더이상 너를 미워하지 않을 것이다/I have something ~ to ask of you. 물어보고 싶은 것이 또 있습니다.
3 〘주로 2음절 이상의 형용사·부사에 붙여서 비교급을 만듦〙 더욱…, 한층 더…((***than***)): ~ earnestly 더욱 열심히/She's ~ beautiful *than* her sister. 그녀는 언니보다 한결 아름답다/Be ~ careful. 더욱 조심해라. ★ 다음 경우에 주의할 것: *more* beautiful flowers (1) 더욱 아름다운 꽃((more는 부사)). (2) 더욱 많은 아름다운 꽃((more는 형용사)).
4 〘2개의 형용사·부사를 비교하여〙 오히려 ((***than***)): She is ~ kind *than* wise. 그녀는 현명하다기보다는 상냥하다/He's ~ like his mother *than* his father. 그는 아버지보다는 오히려 어머니를 닮았다.
all the* ~** 〘보통 이유나 조건의 구 또는 절을 수반하여〙 오히려 더, 한층 더: The girl admired him *all the* ~ for his admission of weakness. 그가 약점을 자인했기 때문에 소녀는 오히려 더 그에게 감복했다. **~ *and* ~** 점점 더, 더욱 더: The moon shone ~ *and* ~ brightly. 달은 점점 더 밝게 빛났다. **~ *or less ① 다소간, 얼마간: He was ~ *or less* drunk. 그는 다소 취했었다. ② 대체로, 대략, 거의: The repairs will cost $50, ~ *or less*. 수리하는 데 대략 50달러 들겁니다/The job ~ *or less* finished. 일은 거의 끝났다. ③ 〘부정어의 뒤에 쓰여〙 조금도 …않다〔없다〕: I could *not* afford to ride, ~ *or less*. 나는 마차는 전혀 탈 수 없었다.

> **NOTE** more or less …가 숙어로서가 아니라 more … 와 less … 가 or에 의하여 접속되는 경우도 있음: Oil is *more or less* expensive depending on global production levels. 석유는 세계의 생산 수준 변화에 따라 비싸지거나 싸진다.

~ *than* ① …보다 많은, …이상으로(의) (⇨*a*. 1, *ad*. 1). ② 〘명사·형용사·부사·동사 앞에서〙 ((구어)) …이상의 것, …하고도 남음이 있을 만큼, 매우(very): His performance is ~ *than* satisfactory. 그의 활동은 더할 나위 없다/He has ~ *than* fulfilled his duty. 그는 의무를 충분히 이행했다. **~… *than*__** —이라기보다 오히려… (⇨*ad*. 4). **~ *than a little*** 꽤, 적잖게, 크게, 대단히: He was ~ *than a little* disappointed at the news. 그는 그 소식을 듣고 적잖게〔크게〕 실망했다. **~ *than enough*** ⇨ENOUGH. **~ *than ever*** 더욱 더, 점점: She loved him ~ *than ever*. 그녀는 더욱 더 그를 사랑했다. ***neither* ~ *nor less than*** …이상도 그 이하도 아니다, 꼭, 정히; …에 지나지 않다: It's *neither* ~ *nor less than* a lie. 그것은 거짓말에 지나지 않는다; 틀림없이 거짓말이다. ***no* ~** ① 그 이상〔이제는, 두 번 다시〕 …(하지) 않다: He'll steal *no* ~. 그는 다시는 도둑질하지 않는다. ② 죽어서, 사망하여: He is *no* ~. 그는 이미 이 세상에 없다. ③ 〘부정문〔절〕의 뒤에서〙 …도 또한—안 하다: If you will *not* go there, *no* ~ will I. 자네가 안 간다면 나도 안 간다. ***no* ~ *than*** ① 〘수사를 수반하여〙 단지, 고작(only): I have *no* ~ *than* two dollars. 고작 2달러밖에 없다. ② =nothing ~ than. ***no* ~… *than*** …이 아닌 것은 …이 아닌 것과 같다: I am *no* ~ mad *than* you (are). 너와 마찬가지로 나도 미치지 않았다. ***none* 〔*not*〕 *the* ~** 그래도 아직, 역시 마찬가지로; …라고 해서 더욱 더 …하지 않다. ***not any* ~** 다시는 …하지 않다; 이미 …아니다. ***not… any* ~ *than*** =no ~… than: I do*n't* understand it *any* ~ *than* you do. 자네(가 이해하지 못하는 것)처럼 마찬가지로 나에게도 이해되지 않아. ***nothing* ~ *than*** …에 지나지 않다: He's *nothing* ~ *than* a liar. 그는 거짓말쟁이에 지나지 않는다. ***not* ~ *than*** 〘수사를 수반하여〙 …보다 많지 않다, …을 넘지 않다; 많아야…; 겨우…: *not* ~ *than* five 많아야 5, 5 또는 그 이하/There were *not* ~ *than* ten people present. 겨우 10명밖에 출석하지 않았다. ***not* ~ … *than*** …만큼 …하지 않다: I was *not* ~ surprised *than* he (was). 나는 (놀라기는 했지만) 그만큼 놀라지는 않았다. ***not* 〔*none*〕 *the* ~** 거기에다 또. ***… or* ~** 적어도 …(의), …또는 그 이상의〔으로〕 (⇨*a*. 1 b). ***still* 〔*much*〕 ~** 〘긍정문 다음에서〙 더욱 더, 하물며. ***the* ~** =all the ~. ***the* ~ … *because* 〔*for, as*〕**— —이므로 더욱 더…: I'm *the* ~ interested in his project *because* he's a friend of mine. 그는 나의 친구이기 때문에 더욱 더 그의 기획에 관심이 있다. ***The* ~, *the better.*** 많으면 많을수록 좋다. ***the* ~… *the less*__** …하면 할수록 —않게 되다: *The* ~ she thought about it, *the less* she liked it. 생각하면 할수록 그녀는 그것이 싫어졌다. ***the* ~…, *the* ~**— …하면 할수록 더욱 더 —하다: *The* ~ I know him, *the* ~ I like him. 나는 그를 알면 알수록 더욱 좋아진다((★앞 절이 종속절, 뒷 절은 주절이며 앞의 the는 관계부사, 뒤의 것은 지시부사임)). ***think* (*all*) *the* ~ *of*** …을 (더욱) 높이 평가하다, 중시하다.

more·ish, mor- [mɔ́:riʃ] *a*. ((英구어)) 더 먹고 싶어지는, 맛있어서 입맛이 당기는.

mo·rel [mərél] *n*. Ⓒ 〖식물〗 곰보 버섯((서양에서는 식용)).

⁑**more·o·ver** [mɔ:róuvər] *ad*. **그 위에**, 더욱이, 게다가: Cycling is good exercise. *Moreover*, it doesn't pollute the air. 사이클링은 좋은 운동이다. 더욱이 공기를 오염시키지도 않는다/The day was cold, and ~ it was raining. 그날은 추웠다. 게다가 비까지 내리고 있었다.

mo·res [mɔ́:ri:z, -reiz] *n. pl*. 〖사회학〗 사회적 관행, 습속, 관습; 도덕적 자세, 도덕관.

Mor·esque [mərésk] *a*. 무어(Moor)식의((건축·장식 등)).

Mor·gan [mɔ́:rgən] *n*. 모건((남자 이름)).

mor·ga·nat·ic [mɔ̀:rgənǽtik] *a*. 귀천간의((결혼)); 귀천상혼(貴賤相婚)의.

morganátic márriage 귀천상혼((왕족과 상민 여자와의 결혼; 그 처자는 신분·재산을 요구·계승할 수 없음)).

morgue [mɔ:rg] *n*. ((F.)) Ⓒ **1** (신원 불명의) 시체 보관〔공시(公示)〕소. **2** (신문사 등의) 자료집, 자료실, 조사부; (자료실의) (참고) 자료.

mor·i·bund [mɔ́(:)rəbʌ̀nd, mɑ́r-] *a*. ((문어))

빈사의, 죽어가는; 소멸해가는; 활동 휴지(休止) 상태의, 정체한.

Mor·mon [mɔ́ːrmən] *n.* [C] 모르몬 교도.

Mór·mon·ìsm [-ìzəm] *n.* [U] 모르몬교 《1830년 미국의 Joseph Smith가 시작; 공식 명칭은 The Church of Jesus Christ of Latter-Day Saints (예수그리스도 후기 성도 교회)》.

◇**morn** [mɔːrn] *n.* 《시어》 아침, 여명: at ~ and (at) even 아침 저녁으로.

†**morn·ing** [mɔ́ːrniŋ] *n.* **1 a** [U] (수식어가 따를 때, 수를 셀 때에는 보통 [C]) **아침, 오전**: in the ~ 아침〔오전〕에/*Morning* dawned 〔came〕. 아침이 되었다/It's a beautiful ~. 아름다운 아침이다/this 〔tomorrow, yesterday〕 ~오늘〔내일, 어제〕아침/on the ~ of April 1st, 4월 1일 아침에《★특정한 날의 아침에는 보통 전치사 on을 씀》/on Sunday 〔Monday〕 ~ 일요〔월요〕일 아침에《★요일 다음에는 관사 없음; 때로 on을 생략하기도 함》./⇨GOOD MORNING. **b** 《부사적》 아침에, 오전중에: She will come back this 〔tomorrow〕 ~. 그녀는 오늘 오전중〔내일 아침〕에 돌아올 것이다/He called on me yesterday ~. 그는 어제 아침에 나를 방문했다.
2 [U] 《시어》 여명(dawn); (M-) 새벽의 여신《Eos 또는 Aurora》.
3 (the ~) 《비유적》 초기; 여명: the ~ *of* life 인생의 아침, 청년 시대.
from ~ till 〔***to***〕 ***evening*** 〔***night***〕 아침부터 저녁〔밤〕까지, 하루 종일. ***~, noon, and night*** 낮이나 밤이나, 하루 종일, 끊일 새 없이. ***of a ~*** =***of ~s*** 《문어》 아침 나절에 흔히《찾아오다 따위》. ***toward ~*** 아침녘에, 아침이 가까워져서.
—*a.* [A] 아침의, 아침에 하는〔쓰는, 나타나는〕: ~ coffee 아침에 마시는 커피/a ~ draught 조반 전에 마시는 술, 아침 술/a ~ assembly 조례/a ~ paper 조간(신문).

mórning áfter (*pl.* ***mórnings áfter***) (the ~) 《구어》 숙취(宿醉).

mórning-áfter pìll (성교 후에 먹는) 경구 피임약.

mórning càll **1** 아침 방문《실제로는 오후에도 하는 사교 방문》. **2** 모닝콜《호텔 따위에서 아침에 잠을 깨워 주는 전화》.

mórning còat 모닝 코트.

mórning dréss 남자의 보통 예복; (여성) 실내복.

mórning-glòry *n.* [U] (낱개는 [C]) 〖식물〗 나팔꽃.

Mórning Práyer (영국 국교회의) 아침 기도 (matins).

mórning ròom (대저택의 주간 가족용) 거실.

mórn·ings *ad.* 《美구어》 아침에(언제나), 매일 아침: I usually take a walk ~. 언제나 아침에는 산책한다.

mórning sìckness 〖의학〗 아침에 나는 구역질, (특히 임신 초기의) 입덧.

mórning stár (the ~) 샛별《금성; 보통 Venus》. [cf.] evening star.

Mo·roc·can [mərákən/-rɔ́k-] *a.* 모로코(사람)의. **—*n.*** [C] 모로코 사람.

Mo·roc·co [mərákou/-rɔ́k-] *n.* **1** 모로코《아프리카 북서안의 회교 왕국; 수도 Rabat》. **2** (m-) [U] 모로코 가죽(=**morócco léather**)《무두질한 염소 가죽》.

mo·ron [mɔ́ːran/-rɔn] *n.* [C] 〖심리〗 노둔(魯鈍)한 사람《지능이 8-12세 정도의 성인; imbecile, idiot 보다는 위》; 《구어》 멍텅구리, 얼간이.
[파] **mo·ron·ic** [mərániк/-rɔ́n-] *a.* 저능의.

◇**mo·rose** [məróus] *a.* 까다로운, 뚱한, 기분이 언짢은; 침울한. [파] **~·ly** *ad.* **~·ness** *n.*

mor·pheme [mɔ́ːrfiːm] *n.* [C] 〖언어〗 형태소(形態素)《뜻을 나타내는 최소의 언어 단위》.

mor·phe·mics [mɔːrfíːmiks] *n.* [U] 〖언어〗 형태소론(形態素論).

Mor·phe·us [mɔ́ːrfiəs, -fjuːs] *n.* 〖그리스신화〗 모르페우스《잠의 신 Hypnos의 아들로, 꿈의 신》; 《속어》 잠의 신. ***in the arms of ~*** 잠들어서 (asleep).

mor·phia [mɔ́ːrfiə] *n.* =MORPHINE.

mor·phine [mɔ́ːrfiːn] *n.* [U] 〖약학〗 모르핀《마취·진통제》.

mor·phin·ism [mɔ́ːrfənìzəm] *n.* [U] 〖의학〗 모르핀 중독.

mor·phol·o·gy [mɔːrfálədʒi/-fɔ́l-] *n.* [U] 〖생물〗 형태학; 〖언어〗 어형론, 형태론.
[파] **mor·pho·log·ic, -i·cal** [mɔ̀ːrfəládʒik/-lɔ́dʒ-], [-əl] *a.* 형태학(상(上))의; 어형론상의.

Mor·ris [mɔ́(ː)ris, már-] *n.* 모리스《남자 이름》.

mórris dánce 《英》 모리스 춤《전설상의 남자 주인공을 가장한 무도의 일종》.

mor·row [mɔ́(ː)rou, már-] *n.* (the ~) 《문어·시어》 **1** 이튿날, 내일; 아침. **2** (사건의) 직후: (on) the ~ of …의 직후에.

Morse [mɔːrs] *n.* **1 Samuel Finley Breese ~** 모스《미국의 전신기 발명자; 1791-1872》. **2** = MORSE CODE.

Mórse códe 〖전신〗 모스 부호(=**Mórse álphabet**): in ~ 모스 부호로.

◇**mor·sel** [mɔ́ːrsəl] *n.* **1** [C] (음식·캔디 따위의) 한 입〔모금〕; 가벼운 식사. **2** (a ~) 《부정·의문·조건문에서》 한 조각, 소량, 조금《***of*** …의》: It wasn't a ~ *of* good. 그것은 조금도 쓸모가 없었다/If you'd had *a ~ of* wit, you would have said so. 조금이라도 네가 현명했더라면 그렇게 말했을 텐데.

***mor·tal** [mɔ́ːrtl] *a.* **1 죽을 수밖에 없는 운명의.** ↔ *immortal.*¶Man is ~. 인간은 죽기 마련이다. [SYN.] ⇨DEADLY. **2** [A] (죽어야 할) 인간의; 인생의; 이 세상의: ~ knowledge 인간의 지식/this ~ life 이 인간 세상/No ~ power can perform it. 그것은 인력으로는 어찌할 수 없는 일이다. **3** (병 따위가) **치명적인**, 생사에 관계된: a ~ blow 치명타/a ~ wound 치명상/a ~ disease 죽을 병/a ~ place 급소(急所)/a ~ weapon 흉기/His wound proved to be ~. 그의 상처는 치명적인 것으로 판명되었다. **4** [A] 영원한 죽음을 초래하는, 지옥에 떨어질, 용서받을 수 없는(↔ *venial*); 죽기까지 싸우는: (a) ~ sin (지옥에 떨어질) 큰 죄/a ~ crime 용서받을 수 없는 범죄/a ~ enemy 불구대천의 원수/(a) ~ combat 사투. **5** [A] 죽음의; 임종의, 죽음에 따르는: the ~ hour 임종/~ agony 〔fear〕 단말마의 고통〔죽음에 대한 공포〕/~ remains 시체, 유해. **6** [A] 《구어》 (몹시) 무서운, 터무니 없는, 대단한; 《속어》 지긋지긋한, 지루한: The lecture lasted two ~ hours. 강의는 지루하게 2시간이나 계속됐다/in a ~ fright 〔funk〕 몹시 겁에 질려서/in a ~ hurry 몹시 서둘러서/in ~ fear 몹시 두려워서. **7** [A] 《any, every, no를 강조하여》 《속어》 대저 생각할 수 있는, 가능한: *every* ~ thing the heart could wish for 바랄 수 있는 모든 것/It's of *no* ~ use. 조금도 쓸모가 없다.

— *n.* Ⓒ **1** (보통 *pl.*) 인간: *Mortals* can't create a perfect society. 인간이란 완벽한 사회를 만들어낼 수 없다. **2** 《英우스개》 놈(person), 사람: a jolly ~ 재미있는 녀석/thirsty ~*s* 술 좋아하는 작자들.

°**mor·tal·i·ty** [mɔːrtǽləti] *n.* **1** Ⓤ **a** 죽어야 할 운명(성질). **b** 《집합적》 (죽을 수 밖에 없는) 인간들, 인류. **2** Ⓤ (또는 a ~) **a** (전쟁 · 병으로 인한) 대량 사망: If the bomb fell, there would be a large ~. 그 폭탄이 투하된다면 대량의 사망자가 생길 것이다. **b** 사망자 수, 사망률, (가축의) 폐사율(=~ **ràte**): reduce (a high) infant ~ (높은) 유아 사망률을 줄이다/This cancer has (a) high ~. 이 암은 사망률이 높다.

mortálity ràte 사망률.

mortálity tàble (보험의) 사망률 통계표.

°**mór·tal·ly** [-təli] *ad.* **1** 치명적으로: be ~ wounded 치명상을 당하다. **2** 《구어》 매우, 심히: She felt ~ offended. 그녀는 몹시 기분이 상했다.

***mor·tar**[1] [mɔ́ːrtər] *n.* Ⓤ **모르타르**, 회반죽. **—** *vt.* …에 모르타르를 바르다, (돌 · 벽돌 따위)를 모르타르로 접합하다(굳히다).

***mor·tar**[2] *n.* Ⓒ **1** 작은 절구통; 막자사발; 유발(乳鉢). **2** 〖군사〗 박격포, 구포(臼砲); 구포 모양의 발사기《구명 밧줄 발사기 따위》.

mórtar·bòard *n.* Ⓒ **1** 모르타르를 이기는 판(흙받기). **2** (대학의 예복용) 각모.

°**mort·gage** [mɔ́ːrgidʒ] *n.* **1** Ⓤ (구체적으로는 Ⓒ) 〖법률〗 (양도) 저당; 저당잡히기(넣기); 담보: lend money on ~ 저당을 잡고 돈을 빌려주다/The bank holds a ~ on the land. 그 은행은 토지를 담보로 잡고 있다. **2** Ⓤ (구체적으로는 Ⓒ) (양도) 저당권; 저당권에 든 상태: take out a ~ on …에 저당권을 설정하다. **3** Ⓒ (가옥 · 토지 구입을 위한) 융자, 대출금: It's difficult to get a ~ these days. 요즘은 융자받기가 힘들다.

— *vt.* **1** 저당잡히다(하다) 《***to*** …에게; ***for*** …을》: ~ one's house *to* a person *for* ten thousand dollars 아무에게 집을 저당잡히고 1만 달러를 빌리다. **2** (생명 · 명예 등)을 내던지고 달려들다: ~ one's life to an object 목숨을 걸고 목적을 수행하다. ㊎ **mort·ga·gee** [mɔ̀ːrgədʒíː] *n.* Ⓒ 〖법률〗 저당권자. **mort·gag·er, mort·ga·gor** [mɔ́ːrgədʒər], [mɔ̀ːrgədʒɔ́ːr, mɔ́ːrgidʒər] *n.* Ⓒ 〖법률〗 저당권 설정자.

mórtgage ràte (은행 등의) 주택 융자 금리.

mortice ⇨MORTISE.

mor·ti·cian [mɔːrtíʃən] *n.* Ⓒ 《美》 장의사(葬儀社)(undertaker)《사람》.

mor·ti·fi·ca·tion [mɔ̀ːrtəfikéiʃən] *n.* Ⓤ **1** 금욕, 난행고행(難行苦行): (the) ~ of the flesh 고행(苦行), 금욕. **2** 치욕, 굴욕; 억울, 울분: To my ~, I failed in the examination. 억울하게도 시험에 떨어졌다. ◇ mortify *v.*

°**mor·ti·fy** [mɔ́ːrtəfài] *vt.* **1** (정욕 · 감정 따위)를 억제하다, 극복하다, 고행정화(苦行淨化)하다: ~ the flesh 정욕을 억제하다, 고행(금욕 생활)을 하다. **2** 분하게 하다, 굴욕감을 느끼게 하다, (기분)을 상하게 하다: He was *mortified* to learn that his proposal had been rejected. 그는 자기 제안이 받아들여지지 않았음을 알고 분해 했다. ◇ mortification *n.*

mór·ti·fỳ·ing *a.* 약 오르는, 원통한, 분한: a ~ failure 분한 실패/It's ~ that nobody offered to help. 아무도 돕겠다고 나서는 사람이 없었다는 것은 분통이 터질 노릇이다.

mor·tise, -tice [mɔ́ːrtis] 〖건축〗 *n.* Ⓒ 장붓구멍. **—** *vt.* 장부촉이음으로 잇다(*together*) 《***to, into*** …에》.

mórtise lòck 파고 집어넣은 자물쇠.

mort·main [mɔ́ːrtmèin] *n.* Ⓤ 〖법률〗 (부동산을 종교 단체 따위에 기부할 때) 영구히 남에게 양도할 수 없게 한 양도 형식; 양도 불능의 소유권.

mor·tu·ary [mɔ́ːrtʃuèri/-tjuəri] *n.* Ⓒ (병원 따위의) 시체 임시 안치소, 영안실; =MORGUE.

— *a.* Ⓐ 죽음의; 매장의: ~ rites 장례식/a ~ urn 유골 단지/a ~ monument 묘비.

mos. months.

Mo·sa·ic, -i·cal [mouzéiik], [-kəl] *a.* 모세(Moses)의: *Mosaic* law 모세의 율법.

***mo·sa·ic** [mouzéiik] *n.* **1** Ⓤ **모자이크**, 모자이크 세공, 쪽매붙임. **2** Ⓒ 모자이크 그림(무늬). **3** Ⓒ (보통 *sing.*) 모자이크식의 것; 그러모아 만든 것《문장 등》: The field is a ~ *of* green and yellow. 들판은 녹색과 노랑색의 모자이크 모양을 이루고 있다.

— *a.* Ⓐ 모자이크(식)의, 쪽매붙임의: a ~ tile/~ work 모자이크 세공/a ~ pavement 모자이크 모양의 보도.

***Mos·cow** [máskou, -kau/mɔ́skou] *n.* **모스크바**《러시아 연방의 수도》.

Mo·selle [mouzél] *n.* **1** (the ~) 모젤 강《프랑스 북동부에서 독일 서부를 흐르는 강》. **2** (때로 m-) Ⓤ 모젤 포도주《프랑스 Moselle강 유역산(産)의 백포도주》.

Mo·ses [móuziz, -zis] *n.* **1** 남자 이름《애칭 Mo, Mose》. **2** 〖성서〗 모세《헤브라이의 지도자 · 입법자》.

mo·sey [móuzi] *vi.* 《속어》 배회하다, 어슬렁거리다, 슬슬 거닐다(*along*).

Mos·lem [mázləm, -lem/mɔ́z-] (*pl.* **~s, ~**) *n., a.* =MUSLIM.

mosque [mɑsk/mɔsk] *n.* Ⓒ 이슬람교 성원(聖院), 회교 사원(回教寺院).

‡**mos·qui·to** [məskíːtou] (*pl.* ~(*e*)*s*) *n.* Ⓒ 〖곤충〗 **모기**: *Mosquitoes* spread disease. 모기는 병을 옮긴다.

mosquíto nèt 모기장.

***moss** [mɔ(ː)s, mɑs] *n.* Ⓤ (종류는 Ⓒ) 〖식물〗 **이끼**; 이끼 비슷한 지의(地衣): A rolling stone gathers no ~. ⇨ROLLING STONE.

móss·bàck *n.* Ⓒ 《美구어》 시대에 뒤진 사람(old fogey), 극단적인 보수주의자.

móss-gròwn *a.* 이끼 낀; 고풍의, 시대에 뒤진.

mossy [mɔ́(ː)si, mási] (***moss·i·er; -i·est***) *a.* 이끼가 낀; 이끼 같은; 《美구어》 시대에 뒤떨어진, 케케묵은, 극단으로 보수적인. ㊎ **móss·i·ness** *n.*

†**most** [moust] *a.* 〖many 또는 much의 최상급〗 **1** (보통 the ~) (양 · 수 · 정도 · 액 따위가) **가장 큰(많은)**, 최대(최고)의. ↔ *least.* ¶He won (the) ~ prizes. 가장 많은 상을 탔다/She made (the) ~ profit. 그녀가 제일 이익을 올렸다. **2** 〖보통 관사 없이〗 **대개의, 대부분의**: ~ people 대부분의 사람들/in ~ cases 대개의 경우는.

for the ~ part ⇨PART.

— *n.* **1** (보통 the ~) 〖단수취급〗 **최대량(수)**, 최대 한도(금액): This is the ~ I can do. 이것이 내가 할 수 있는 한도다/The ~ this room will seat is 50. 이 방이 수용할 수 있는 최대한은 50

명이다 / ask the ~ for it 최고액을 청구하다.
2 〖관사 없이〗 **대부분** (*of* …의): *Most of* Arabic speakers understand Egyptian. 아랍어를 말하는 사람들은 대부분 이집트어를 이해한다 / He spends ~ *of* his time travel*ing*. 그는 대부분의 시간을 여행으로 보낸다 / He has been ill in bed ~ *of* the term. 그는 이번 학기 대부분을 병으로 누워 있었다.
3 〖관사 없이; 복수취급〗 **대개의 사람들**: a subject ~ find too difficult 대다수의 사람이 매우 어렵다고 생각하는 학과 / Life means work for ~. 대부분의 사람들에게는 삶이란 근로이다 / A few people were killed in the accident, but ~ were saved. 그 사고에서 죽은 사람도 몇 사람 있었지만 대부분의 사람들은 구출되었다.
4 (the ~) 《속어》 최고의 것〔사람〕: The movie was the ~. 그 영화는 최고였다.
at (the) ~ = ***at the very ~*** 많아도〔야〕, 기껏해서: She's thirty years old *at* (*the*) ~. 그녀는 고작해야 30살 정도다. ***make the ~ of*** (기회 · 능력 · 조건 따위)를 최대한 이용〔활용〕하다; 가장 중시하다: *Make the ~ of* your opportunities. 《격언》 기회를 최대한 활용하여라.
— *ad.* 〖much의 최상급〗 **1** (흔히 the ~) **가장**, 가장 많이(↔ *least*): This troubles me (the) ~. 이것이 제일 곤란하다.
2 〖2음절 이상의 형용사 · 부사 앞에 붙여 최상급을 만듦〗 **가장** …, 최대한으로 … (★ 부사의 경우에는 the를 붙이지 않는 경우도 많음): the ~ formidable enemy 가장 두려운 적 / She's (the) ~ beautiful of all. 그녀는 모두 가운데 제일 아름답다 / The storm was ~ violent toward morning. 폭풍우는 아침녘에 가장 세찼다 (★ 형용사가 서술적으로 쓰여 동일 인물〔사물〕에 대하여 비교의 최상급을 나타낼 경우에는 the를 붙이지 않음) / Tom has done the work (the) ~ wonderfully. 톰은 그 일을 가장 훌륭하게 해냈다.
3 〖the를 붙이지 않고〗 **대단히** …, 매우, 극히…: a ~ beautiful woman 매우 아름다운 여자 / an argument ~ convincing 대단히 설득력 있는 의론 / He was ~ kind to me. 그는 나에게 매우 친절하게 대해주었다.
4 〖almost의 생략형; all, every, any 따위를 수식하여〗 《美구어》 거의: It appeals to ~ everybody. 거의 누구의 마음에나 든다.
~ of all 제일, 그 중에서도, 유달리: I like English ~ *of all*. 나는 영어를 제일 좋아한다.

-most [mòust, məst] *suf.* '가장 …'의 뜻의 형용사를 만듦: end*most*, top*most*, *in*(*ner*)*most*, fore*most*.

móst fávored nátion 최혜국(最惠國) 《생략: MFN》.

móst-fávored-nátion clàuse (국제법상의) 최혜국 조항.

Most Hon. Most Honorable.

⁑**most·ly** [móustli] *ad.* **대개는**, **대부분은**, 보통은: He goes fishing ~ on Sundays. 그는 대개 일요일에 낚시하러 간다 / The audience were ~ women. 청중은 대부분 여성이었다 / These articles here are ~ made in Korea. 여기에 있는 물품의 대부분은 한국제이다. ⓒⓕ almost.

móst signíficant bít 〖컴퓨터〗 (자릿수가) 최상위 비트 《생략: MSB》.

móst signíficant dígit 최상위 디지트; 〖컴퓨터〗 최상위 숫자 《가장 왼쪽의 숫자; 생략: MSD》.

mot [mou] (*pl.* **~s** [-z]) *n.* 《F.》 Ⓒ 말, 경구, 명언. **~ *à* ~** [moutɑːmóu] 축어적으로.

MOT, MoT 《英》 Ministry of Transport 《현재는 Department of Transport》.

mote [mout] *n.* Ⓒ (한 점의) 티끌; 아주 작은 조각. ***the ~ in another's eye*** 남의 눈 속에 있는 티, 남의 사소한 결점 《마태복음 VII: 3》.

⁑**mo·tel** [moutél] *n.* Ⓒ **모텔** 《자동차 여행자 숙박소》. [◂ *mot*or(ists') ho*tel*]

mo·tet [moutét] *n.* Ⓒ 〖음악〗 모테트 《종교 합창곡의 일종》.

***moth** [mɔ(ː)θ, mɑθ] (*pl.* **~s** [-ðz, -θs]) *n.* **1** Ⓒ 〖곤충〗 **나방**. **2** (the ~) 《주로 英》 좀먹음: get the ~ (옷이) 좀먹다.

móth·bàll *n.* Ⓒ (보통 *pl.*) 둥근 방충제 《둥근 나프탈렌 따위》. ***in ~s*** 넣어〔건사해〕 두어, 퇴장(退藏)하여; (계획 · 행동 등을) 뒤로 미루고.

móth-èaten *a.* 좀먹은; 해어진; 《비유적》 낡은, 시대에 뒤떨어진.

†**moth·er** [mʌ́ðər] *n.* **1 a** Ⓒ **어머니**: the ~ of two children 두 아이의 어머니 / become a ~ 어머니가 되다; 자식을 기르다 / She is now a ~. 그녀도 어머니가 되었다. **b** (M-) 어머니 (★ 가족 간에는 관사 없이 고유명사적으로 쓰임): *Mother* is out. 어머니는 부재중이십니다.
2 Ⓒ 친어머니; 의붓어머니, 시어머니, 장모.
3 Ⓒ **a** 어머니 같은 사람; 돌봐 기르는 여자: She was a ~ to the poor. 그녀는 가난한 사람들의 어머니였다. **b** (종종 M-) 대모(代母), 수녀원장(~ superior): *Mother* Teresa 테레사 수녀원장.
4 (the ~) 모성(애): The ~ in her was aroused. 그녀의 모성애가 솟구쳐 올랐다.
5 (the ~) 근원, 원천(source): Necessity is the ~ *of* invention. 《격언》 필요는 발명의 어머니.
6 (M-) 《구어》 아주머니, 할머니 (★ 특히 남성이 노부인에 대해 쓰는 경칭).
at one's ~'s knee 아주 어릴 적에. ***every ~'s son*** (***of you***) ⇨ EVERY. ***the ~ and father of*** (***all***)... 《구어》 …중에서도 최고〔최하〕의, 대단한 〔지독한〕 …: They had *the ~ and father of all* arguments 〔an argument〕. 그들은 굉장히 말다툼을 했다.

> **DIAL.** ***Shall I be mother?*** 한 잔 따라 드릴까요, 좀 더 드릴까요 《차나 음식 따위를 권할 때 쓰는 장난스런 말투》.

— *a.* Ⓐ **1** 어머니(로서)의; 어머니 같은: ~ earth 자애로운 대지 / ~ love 모성애. **2** 근원의; 모국의, 본국의: one's ~ tongue 모국어 / the ~ company 본사.
— *vt.* **1** …의 어머니가 되다, …의 어머니라고 말하다〔승인하다〕. **2** 어머니로서〔같이〕 돌보다〔기르다〕. **3** (작품 · 사상 따위)를 낳다; …의 작자이다.

Móther Cár·ey's chícken [-kέəriz-] 〖조류〗 작은바다제비.

móther cóuntry (the ~) 모국; (식민지에서 본) 본국.

móther·cràft *n.* Ⓤ 아이의 양육술, 육아법.

móther fígure 어머니 같은 존재.

móther·fùcker *n.* Ⓒ 《美비어》 너절한〔오라질, 어쩔 수 없는〕 놈〔것〕, 망할 놈. ★ 여자에게도 쓰는 일이 있고 또 남자끼리 농하는 소리로도 씀.

Móther Góose 영국 고래(古來)의 민간 동요

집의 전설적 작가; 그 동요집.

Móther Góose rhỳme 《美》 Mother Goose 동요.

moth·er·hood [mʌ́ðərhùd] *n.* Ⓤ 어머니임, 모성(애).

Móthering Súnday 《英》 귀향 일요일《사순절의 제 4 일요일》.

◇**móther-in-làw** (*pl.* **móthers-in-làw**) *n.* Ⓒ 장모, 시어머니; 의붓어머니.

móther·lànd *n.* Ⓒ 모국, 조국.

móther lànguage = MOTHER TONGUE.

móth·er·less *a.* 어머니가 없는.

móther·lìke *a., ad.* 어머니의; 어머니 같은〔같이〕.

◇**móth·er·ly** *a., ad.* 어머니의〔다운〕; 어머니답게. ㊕ **-li·ness** *n.*

Móther Nàture 어머니 같은 자연《만물의 창조주로서 nature를 의인화한 말》.

móther-of-péarl *n.* Ⓤ (진주조개 속의) 진주층(層), 진주모(母), 자개.

móther's bòy 《英구어》 = MAMA'S BOY.

Móther's Dày 《美·Can.》 어머니날《5월의 둘째 일요일; 《英》 사순절 제 4 일요일》.

móther shíp 모함(母艦), 보급선; (우주선의) 모선.

móther's rùin 《英구어》 진(gin[1]).

móther supérior 수녀원장.

móther-to-bè (*pl.* **móthers-to-bè**) *n.* Ⓒ 임신부.

móther tóngue 모국어: His ~ is Spanish. 그의 모국어는 스페인 어이다.

móther wít 타고난 지혜, 상식.

móth·pròof *a.* 벌레〔좀〕 먹지 않는; 방충제를 바른. **—***vt.* 방충식으로 (가공)하다.

mothy [mɔ́(:)θi, mɑ́θi] (**moth·i·er; -i·est**) *a.* 나방이 많은; 나방 비슷한; 벌레〔좀〕 먹은.

◇**mo·tif** [moutíːf] *n.* Ⓒ **1** (미술·문학·음악의) 주제, 테마. **2** (의장(意匠)의) 기조(基調). **3** (점퍼·트레이닝 등의 가슴) 장식, 무늬, 문자; (메이커·형(型) 따위를 나타내는 자동차의) 장식.

⁑**mo·tion** [móuʃən] *n.* **1** Ⓤ **운동,** 활동, 움직임; (기계 따위의) 운전: laws of ~ 〖물리〗 운동의 법칙 / the ~ of a top 팽이의 움직임 / It had no ~. 그것은 움직이고 있지 않았다.

SYN. **motion** 구체적인 운동보다 추상적인 운동을 나타냄. **movement** 구체적으로 정해진 운동.

2 Ⓤ 이동; (천체 따위의) 운행: the ~ of the planets 행성의 운행. **3** Ⓒ **동작,** 거동, 몸짓: a ~ *of* the hand 손짓 / her graceful ~*s* 그녀의 우미한 거동 / make a ~ 〔~*s*〕 몸짓으로 알리다. **4** Ⓒ **동의,** 발의(發議), 제의, 제안《**to** do / **that**》: adopt 〔carry, reject〕 a ~ 동의를 채택〔가결, 부결〕하다 / on the ~ *of* …의 동의로 / make a ~ *to* adjourn 휴회동의를 내다 / The ~ *that* the meeting (should) be continued has been rejected. 회의를 계속하도록 하자는 동의는 부결되었다. **5** Ⓒ 〖법률〗 명령〔재정(裁定)〕신청. **6 a** 《英》 Ⓒ 배변(排便)(《美》 movement): have regular ~*s* 규칙적으로 변을 보다. **b** (*pl.*) 배설물.

go through the **~*s of*** 《구어》 …의 시늉〔짓, 몸짓〕을 하다, 마지못해 …을 해보이다. ***put*** 〔***set***〕 ***in*** **~** 움직이다, 운전시키다; (일)을 시작하다.

—*vt.* 《+목+*to* do / +목+전+명 / +목+부》 …에게 **몸짓으로 알리다**〔신호하다〕: ~ a person *to* go ahead 아무에게 앞으로 가라고 몸짓으로 알리다 / He ~*ed* me *to* a seat. 자리에 앉으라고 몸짓으로 알렸다 / He ~*ed* me *out*. 나가라고 몸짓으로 알렸다 / ~ a person *away* 물러나라고 아무에게 신호하다. **—***vi.* 《+전+명 / +*to* do》 몸짓으로 알리다〔신호하다〕《**to** (아무)에게》: ~ *to* a boy (*to* come nearer) (가까이 오라고) 소년에게 손짓하다.

***mo·tion·less** [móuʃənlis] *a.* **움직이지 않는,** 정지한: stand ~ 까딱도 하지 않고 서 있다. ㊕ **~·ly** *ad.* **~·ness** *n.*

mótion pícture 영화.

mótion sìckness (배·차의) 멀미, 현기증.

mo·ti·vate [móutəvèit] *vt.* …에게 동기를 주다, 자극하다(incite)《**to** do》; 흥미를 일으키게 하다《★ 종종 수동태로 쓰임》: How can we ~ the students? 어떻게 하면 학생들에게 하려는 마음을 일으키게 할 수 있을까 / They *are* only ~*d* by greed. 그들은 다만 욕심에 사로잡혀 행동하고 있을 뿐이다 / What ~*d* you *to* do that? 왜 그런 짓을 했지.

mò·ti·vá·tion *n.* Ⓤ (구체적으로는 Ⓒ) 자극; 유도; 열의, 욕구《**to** do》: He lacks the ~ *to* work. 그에게는 일을 하려는 열의가 없다.

⁑**mo·tive** [móutiv] *n.* Ⓒ **1 동기**(incentive); 동인, 행위의 원인; 목적: a ~ *for* murder 살인의 동기 / the ~ *of* a crime 범죄의 동기 / from 〔through〕 mercenary ~ 이욕지심(利欲之心)으로 / question a person's ~*s* 아무의 동기를 의심하다. **2** (예술 작품의) 주제, 제재(題材).

—*a.* Ⓐ 움직이는, 동기가 되는; 원동력이 되는: ~ power 기동력, 원동력, 동력. ㊕ **~·less** *a.* 동기 없는; 이유 없는.

mot juste [mouʒýst] 《F.》 적절한 말, 명언.

◇**mot·ley** [mɑ́tli / mɔ́t-] *a.* 잡색의, 얼룩덜룩한; **잡다한,** 뒤섞인, 혼성(混成)의: a ~ fool 잡색 옷을 입은 어릿광대. **—***n.* Ⓤ 얼룩덜룩한 색; (어릿광대의) 얼룩덜룩한 옷. ***wear*** (***the***) **~** 어릿광대역을 하다.

mo·to·cross [móutəkrɔ̀(:)s, -krɑs] *n.* Ⓤ (구체적으로는 Ⓒ) 모터크로스《오토바이의 크로스컨트리 레이스》.

⁑**mo·tor** [móutər] *n.* Ⓒ **1 모터,** 발동기, 내연기관; 전동기: a linear ~ 리니어〔선형〕 모터 / start 〔turn off〕 a ~ 모터를 시동시키다〔멈추다〕. **2** 《英》 자동차《현재는 car를 주로 씀》.

—*a.* Ⓐ **1** 모터로 움직이는; 원동의, 발동의: ~ power 원동력 / the ~ force of economic growth 경제 성장의 원동력. **2** 자동차(용)의; 자동차에 의한: a ~ mechanic 자동차공(工) / ~ racing 자동차 경주 / a ~ trip 〔highway〕 자동차 여행〔고속도로〕 / ~ fuels 자동차용 연료 / the ~ industry 자동차 산업 / ~ freight 자동차 화물.

—*vi.* 《~ / +전+명》 자동차를 타다〔로 가다〕: go ~*ing* 드라이브하다 / We ~*ed across* Wales. 우리는 자동차로 웨일스를 횡단했다.

mótor·bìcycle *n.* Ⓒ = MOTORCYCLE.

mótor·bìke *n.* Ⓒ 《美구어》 모터바이크, 모터 달린 자전거, 소형 오토바이; 《英구어》 = MOTORCYCLE.

mótor·bòat *n.* Ⓒ 모터보트, 발동기선.

mótor·càde *n.* Ⓒ 자동차의 행렬(autocade).

⁑**mo·tor·car** [móutərkɑ̀ːr] *n.* Ⓒ 《英》 **자동차.**

◇**mótor·cỳcle** *n.* Ⓒ 오토바이.
㊕ **-cỳclist** *n.* Ⓒ 오토바이 타는 사람.

mótor-drìven *a.* 모터로 움직이는.

mótor·dròme *n.* Ⓒ 자동차〔오토바이〕 경주장.

mótor gènerator 전동 발전기.
mótor hòme (차대(車臺)에 설비한) 이동 주택.
mó·tor·ing [-riŋ] *n.* Ⓤ **1** 《英》 자동차 운전(술). **2** 드라이브, 자동차 여행.
◇**mó·tor·ist** [-rist] *n.* Ⓒ 자동차 운전자.
mó·tor·ize [-ràiz] *vt.* …에 동력 설비를 하다; 동력화하다; 자동차를 배비(配備)하다. ㊞ **mò·tor·i·zá·tion** *n.* Ⓒ 동력화, 전동화; 자동차 배비.
mótor lòdge 《美》 =MOTEL.
mótor·man [-mən] (*pl.* **-men** [-mən]) *n.* Ⓒ **1** 전차〔전기 기관차〕 운전사. **2** 모터 담당자.
mótor mòuth 《美속어》 수다쟁이.
mótor nèrve 〖생리〗 운동 신경.
mótor scòoter 스쿠터.
mótor shìp 발동기선, 《특히》 디젤선《생략: MS》. ㏄ steamship.
mótor shòw (the M- S-) 자동차 전시회.
mótor vèhicle 자동차《승용차 · 버스 · 트럭 따위의 총칭》.
mótor·wày *n.* Ⓒ 《英》 자동차 고속 도로(《美》 expressway).
mot·tle [mátl/mɔ́tl] *vt.* …에 반점을 붙이다, 얼룩덜룩하게 하다. ㊞ **~d** [-d] *a.* 얼룩의.
***mot·to** [mátou/mɔ́tou] (*pl.* **~(e)s**) *n.* Ⓒ **1** **모토**, 표어, 좌우명: a school ~ 교훈. **2** 금언, 격언(maxim); 처세훈. SYN. ⇨SAYING. **3** (방패나 문장(紋章)에 쓴) 제명(題銘). **4** (책 · 논문 따위의 첫머리에 인용한) 제구(題句), 제사(題詞). **5** 〖음악〗 (상징적 의미를 지닌) 반복 악구.
mould 《英》 ⇨MOLD[1, 2, 3].
moulder 《英》 ⇨MOLDER[1, 2].
moulding 《英》 ⇨MOLDING.
mouldy 《英》 ⇨MOLDY.
moult 《英》 ⇨MOLT.
***mound** [maund] *n.* Ⓒ **1** **토루**(土壘); 둑, 제방. **2** **흙무덤**; 석가산(石假山): shell ~s 패총. **3** **작은 언덕**, 작은 산. **4** 산더미처럼 쌓아올린 것: a ~ of hay 한 더미의 건초. **5** (the ~) 〖야구〗 투수판, 마운드(pitcher's ~)《투수가 서는 지면이 주변보다 조금 높은 곳》: take the ~ 투수판을 밟다, 플레이트에 서다.
***mount**[1] [maunt] *vt.* **1** (산 · 계단 따위)를 **오르다**(ascend), (대(臺) · 무대 따위)에 올라가다: ~ a platform 등단(登壇)하다 / ~ a hill 언덕에 오르다 / ~ the stairs 계단을 오르다 / ~ the throne 왕좌에 오르다, 즉위하다.
2 (말 · 자전거 따위)에 타다, 올라타다〔앉다〕, 걸터앉다: ~ a horse.
3 《~+목/+목+전+명》 〖종종 수동태〗 (사람)을 태우다《**on** (말 따위)에》: The police were ~*ed on* horses. 경관은 말을 타고 있었다.
4 《~+목/+목+전+명》 (적당한 곳에) 놓다, 붙박다; (보석 따위)를 끼우다, 박아넣다《**in** …에》; (사진 따위)를 붙이다《**in, on** …에》; (표본 따위)를 고정하다《**on** (슬라이드)에》; (검경물(檢鏡物)을 슬라이드에) 올려놓다; (동상 · 포 따위)를 설치하다《**on** …에》: ~ a statue *on* a pedestal 상(像)을 대좌에 설치하다 / ~ stamps *in* an album 우표를 앨범에 붙이다 / ~ pictures *on* paper 사진을 대지에 붙이다 / ~ specimens *on* a slide (현미경의) 슬라이드에 표본을 올려놓다 / ~ a ruby *in* a ring 루비를 반지에 박아 넣다.
5 (전람회 · 전시회 등)을 개최하다, (극 따위)를 상연하다: ~ a rock concert in a sports stadium 스포츠 스타디엄에서 록 콘서트를 열다.
6 (항의 · 데모 · 공격 · 전투 등)을 준비하다, 시작하다: ~ an attack on the government 정부에 대하여 공격을 개시하다.
7 《+목+전+명》 (보초 · 망)을 세우다《**on, round, over** …에》: ~ guard *over* a gate.
8 (동물의 수컷이 교미하려고 암컷 위)에 올라타다.
—*vi.* **1** 《+전+명》 **오르다**, 올라가다《**to** …에》: ~ *to* the top of a tower 탑 꼭대기에 올라가다 / A flush ~*ed to* her face. 그녀의 얼굴이 확 붉어졌다.
2 《+전+명/+부》 (비용 따위가) 증가하다, 늘다 (*up*)《**to** …까지》; (긴장 따위가) 높아지다, 고조되다; (문제 따위가) 많아지다(*up*): The cost of all those small purchases ~*s up*. 자잘한 구입품 비용이 늘어난다 / His debts ~*ed up to* a million dollars. 그의 빚은 100만 달러에 달했다 / Social problems are ~*ing* these days. 요즈음 사회 문제가 증가하고 있다.
3 《~/+전+명》 말을 타다; 타다《**on** (말 · 자전거 따위)에》: ~ *on* a horse 말을 타다.
—*n.* Ⓒ **1** 승(용)마, 탈것. **2** 물건을 놓는 대, 대지(臺紙); (반지 따위의 보석을 앉히는) 대(臺); 〖군사〗 포가(砲架); (현미경의) 검경판, 슬라이드.
‡**mount**[2] *n.* (M-) 〖산 이름 앞에 붙여〗 …**산**《생략: Mt.》: *Mount* 〔*Mt.*〕 Everest.
†**moun·tain** [máuntən] *n.* Ⓒ **1** **산**, 산악: go up 〔climb, ascend〕 a ~ 등산하다 / go down 〔descend〕 a ~ 산을 내려가다 / We go to the ~*s* in summer. 여름에는 산에 갑니다. ★ 보통 hill 보다 높은 것을 말함; 고유명사 뒤에 쓰이고 앞에는 쓰지 않음.
2 〖the … Mountains 로〗 산맥, 연산(連山): the Rocky *Mountains* 록키 산맥 / The ~*s* have brought forth a mouse. 《속담》 태산 명동(泰山鳴動)에 서일필(鼠一匹)《크게 떠벌리기만 하고 실제의 결과는 작은 경우》.
3 (흔히 *pl.*) **산적**(山積), 다수, 다량: I've got ~*s of* work to do. 할 일이 태산 같다 / a ~ *of* rubbish 쓰레기 더미 / a ~ *of* a wave 산더미 같은 파도.
4 (*pl.*) 〖부사적〗 산처럼: The waves are ~*s* high. 파도가 산더미처럼 높다.
make a ~ (out) of a molehill ⇨ MOLEHILL.
move 〔***remove***〕 ***~s*** 기적을 행하다; 최선을 다하다.
—*a.* Ⓐ **산의**; 산에 사는: a ~ path 산길 / ~ people 산에 사는 사람들.
móuntain àsh 〖식물〗 마가목류.
móuntain bìke 산악 자전거.
móuntain càt =BOBCAT; 퓨마(cougar).
móuntain chàin 산맥, 연산(連山).
móuntain clìmbing 등산(mountaineering).
móuntain déw 《美구어》 (특히 밀조) 위스키.
◇**moun·tain·eer** [màuntəníər] *n.* Ⓒ 등산가, 산악인; 산악민; 산지 사람. **—***vi.* 등산하다.
***moun·tain·eer·ing** [màuntəníəriŋ] *n.* Ⓤ 등산.
móuntain gòat (로키 산맥에 사는) 야생 염소.
móuntain lìon 퓨마.
***moun·tain·ous** [máuntənəs] *a.* **1** **산이 많은**, 산지의: a ~ district 산악 지방. **2** **산더미 같은**, 거대한(huge): ~ waves 산더미 같은 파도.
móuntain ràilway 등산 철도.
móuntain rànge 산맥, 연산(連山).
móuntain sìckness 고산병, 산악병.
moun·tain·side [máuntənsàid] *n.* (the ~) 산허리, 산 중턱: on the ~ 산 중턱에.

Móuntain (Stándard) Tìme 《美》 산지(山地) 표준시《생략: M(S)T》.

móuntain·tòp *n.* Ⓒ 산꼭대기.

moun·te·bank [máuntəbæ̀ŋk] *n.* Ⓒ 돌팔이(약장수, 의사); 사기꾼, 협잡꾼(charlatan).

móunt·ed [-id] *a.* **1** 말 탄: the ~ police 기마 경찰대/a ~ bandit 마적. **2** 대지(臺紙)에 붙인.

Moun·tie, Mounty [máunti] *n.* Ⓒ 《구어》 (캐나다의) 기마 경관.

móunt·ing *n.* **1** Ⓤ (대포 따위의) 설치, 장비. **2** Ⓒ 〖군사〗 포가(砲架), 총가. **3** Ⓒ 대지(臺紙); (반지 따위의 보석을 앉히는) 대(臺). **4** Ⓤ 승마.

Mòunt Vér·non [-vɔ́ːrnən] Potomac 강변의 George Washington의 주택·매장지.

mourn** [mɔːrn] *vi.* 《+전+명》 **1 슬퍼하다**, 한탄하다《*for, over* …에 대하여》: ~ *for* 〔*over*〕 one's misfortune 불행을 한탄하다. **2** 조상(弔喪)하다, 애도하다; 몽상〔거상〕(蒙喪〔居喪〕)하다 《*for, over* …에 대하여》: ~ *for* the dead 죽은이를 애도하다. **—vt.* **1** 슬퍼하다. **2** (죽음)을 슬퍼하다, (사자)를 애도하다: ~ the loss of one's mother 어머니의 죽음을 슬퍼하다.

°**móurn·er** *n.* Ⓒ 슬퍼하는 사람; 애도자; 조객, 회장자(會葬者): the chief ~ 상주, 제주.

***mourn·ful** [mɔ́ːrnfəl] *a.* **1 슬픔에 잠긴**. **2** 애처로운, 슬픔을 자아내는: a ~ occasion 슬픈 때. SYN. ⇨SAD. 파 °**~·ly** *ad.* **~·ness** *n.*

°**móurn·ing** *n.* Ⓤ **1** 비탄(sorrowing), 슬픔; 애도(lamentation). **2** 상(喪), 거상 (기간); 기중(忌中). **3** 〖집합적〗 상복, 상장(喪章). ***be in*** **~** 몽상(蒙喪)중이다, 상복〔거상〕을 입고 있다.

móurning bàdge 〔**bànd**〕 상장(喪章).

móurning dòve 〖조류〗 산비둘기의 일종《북아메리카산》.

‡**mouse** [maus] (*pl.* ***mice*** [mais]) *n.* Ⓒ **1** 생쥐: a house ~ 집쥐/a field 〔wood〕 ~ 들쥐. **2** 겁쟁이: Come on! Don't be such a ~. 어서 오너라. 그렇게 겁먹을 것 없다. **3** 《속어》 (얻어맞은 눈언저리의) 시퍼런 멍. **4** (*pl.* **~*s***) 〖컴퓨터〗 마우스: ~ button 마우스 단추《마우스 위에 있는 단추; 누르면 명령어가 선택·실행됨》/~ cursor 마우스 커서〔깜박이〕/~ driver 마우스 돌리개《마우스의 움직임을 입력받고 처리하는 프로그램》. **(*as*)** ***quiet as a*** **~** (어린애들이) 매우 조용하여. ***like a drowned*** **~** 물에 빠진 쥐 모양의, 비참한 몰골로. **~ *and man*** =***mice and men*** 모든 생물.

— [mauz] *vt.* 《+목+부》 《美》 찾아내다, 몰아내다(*out*). **—***vi.* **1** (고양이 따위가) 쥐를 잡다. **2** 《+부》 찾아다니다(*about*); 헤매다.

móuse còlor 쥐색. 파 **móuse-còlored** *a.*

móuse pàd 〖컴퓨터〗 마우스패드《마우스를 올려 놓고 움직이는 판》.

móuse pòinter 〖컴퓨터〗 마우스 포인터《마우스를 움직일 때 화면에서 지시한대로 움직이는 화살표 모양의 표시》.

móuse potàto 컴퓨터광(狂).

mous·er [máuzər] *n.* Ⓒ 쥐를 잡는 동물《고양이 등》: a good ~ 쥐를 잘 잡는 고양이〔개〕.

móuse tràcking 〖컴퓨터〗 마우스 트래킹《마우스의 이동거리에 대한 화면상의 포인터의 이동거리 지표》.

móuse·tràp *n.* Ⓒ 쥐덫. ***build a better*** **~** 《美》 (경쟁상대를 이기기 위해) 보다 우수한 신제품을 만들다.

mous·sa·ka, mou·sa- [muːsəkáː, musáːkə] *n.* Ⓒ (요리는 Ⓤ) 무사카《양 또는 소의 저민 고기와 얇게 썬 가지를 포개 넣어 치즈·소스를 쳐서 구운 그리스·터키의 요리》.

mousse [muːs] *n.* **1** Ⓒ (요리는 Ⓤ) 거품 이는 크림《얼리거나 젤라틴으로 굳힌 것》. **2** Ⓤ (종류·낱개는 Ⓒ) 무스《미용에 쓰이는 거품 상태의 화장품》.

***mous·tache** [mʌ́stæʃ, məstǽʃ] *n.* 《英》 = MUSTACHE.

mousy, mous·ey [máusi, -zi] (***mous·i·er; -i·est***) *a.* 쥐 같은, 쥐같이 조용한〔겁 많은〕; 쥐 많은; 쥐냄새 나는; 쥐색의.

†**mouth** [mauθ] (*pl.* **~*s*** [mauðz], 〖소유격〗 **~'*s*** [mauθs]) *n.* Ⓒ **1 입**, 구강; 입언저리, 입술: The dentist told him to open his ~ wide. 치과의사가 입을 크게 벌리라고 그에게 말하였다/with a smile at the corner(s) of one's ~ 입가에 미소를 띠고/kiss a person on the ~ 아무의 입술에 입맞추다.

2 (때로 *pl.*) (먹여 살려야 할) 식솔, 부양 가족; 짐승: He has ten ~*s to* feed. 그에게는 먹여 살리지 않으면 안 되는 부양 가족이 10명 있다/a useless ~ 밥벌레, 식충.

3 (보통 *sing.*) 입 같은 것〔부분〕《주머니·병 아가리·출입구·빨대 구멍·총구멍·강 어귀 따위》: at the ~ *of* a river 강 어귀에.

4 (언어 기관으로서의) 입; 발언; 남의 입, 소문: Shut your ~! 《구어》 입닥쳐/have 〔be〕 a big ~ 《구어》 입이 가볍다, 떠벌이이다/in everyone's ~ 소문이 자자하여/in the ~ *of* …의 이야기에 의하면.

5 말투, 어조: in 〔with〕 a French ~ 프랑스 말투로.

by word of **~** 구두로, 말로 전하여. ***down in*** 〔***at***〕 ***the*** **~** 《구어》 풀이 죽은, 의기 소침한. ***foam at the*** **~** 격노하다. ***from*** **~** ***to*** **~** (소문 등이) 입에서 입으로 전하여. ***give*** **~** ① 말하다, 입 밖에 내다《*to* …을》: give ~ *to* a complaint 불평을 입에 담다. ② (개 따위가) 짖다. ***keep*** one'***s*** **~** ***shut*** 《구어》 비밀을 지키다; 입을 다물다. ***make*** a person'***s*** **~** ***water*** 아무로 하여금 군침을 흘리게 하다, 욕심을 일으키게 하다; 부러워하게 하다. ***Out of the*** **~** ***comes evil.*** 《속담》 입이 화근. ***put*** one'***s money where*** one'***s*** **~** ***is*** 《구어》 자신이 말한 것에 대하여 실제 행동으로〔돈을 내어〕 증명하다. ***put*** **(*the*)** ***words into*** a person'***s*** **~** 아무에게 말할 것을 가르치다; 아무의 입을 빌려 말하게 하다, 아무가 말을 한 것으로 치다. ***shoot off*** one'***s*** **~** =***shoot*** one'***s*** **~** ***off*** ⇨SHOOT. ***stop*** 〔***shut***〕 a person'***s*** **~** (뇌물 따위로) 아무를 입막음하다. ***take the words out of another's*** **~** ⇨WORD. ***with one*** **~** 이구동성(異口同聲)으로.

> **DIAL.** ***Me and my big mouth!*** 또 쓸데없는 소리를 지껄여댔군.
> ***Watch your mouth!*** 말 조심해라.

— [mauð] *vt.* **1** (소리내지 않고) 입만 움직여 말하다〔전하다〕: She ~*ed* the word yes. 그녀는 입만 움직여서 '예'라고 대답했다. **2** (음식물)을 입에 넣다, 물다. **—***vi.* **1** 입만 움직여 전하다. **2** 입을 삐쭉거리다; 얼굴을 찌푸리다.

(-)mouthed [mauðd, mauθt] *a.* 〖보통 합성어〗 **1** 입이 …하는; …입의: a foul-~ man 독설가, 말버릇이 고약한 사람/a hard-~ horse 말을 잘 듣지 않는〔사나운〕 말. **2** 말이〔말투가〕 …한: big-~ 호언장담하는.

***mouth·ful** [máuθfùl] *n.* **1** Ⓒ **a 한 입**(의 양), 한 입 가득(한 양): in a 〔one〕 ~ 한입에. **b** 얼마 안 되는 음식; 소량: have just a ~ *of* lunch 점심을 그저 조금 먹다. **2** (a ~) 《구어》 발음하기 어려운 긴 말: That's a bit of a ~. 그것은 길어서 꽤 발음하기 어렵다. **3** (a ~) 《美구어》 당연한〔적절한〕 말; 중대한 말: say a ~ 중요한〔적절한〕 말을 하다.

móuth òrgan 〖음악〗 하모니카; 목적(牧笛(panpipe)).

◇**móuth·pìece** *n.* Ⓒ **1** (악기의) 부는 구멍; (대롱·파이프 따위의) 입에 무는 부분, (물)부리; (전화)의 송화구. **2** 대변자; 《속어》 (형사) 변호사. **3** 〖권투〗 마우스피스.

móuth-to-móuth *a.* (인공 호흡이) 입으로 불어넣는 식의.

móuth·wàsh *n.* Ⓤ (종류·낱개는 Ⓒ) 양치질 약.

móuth-wàtering *a.* 군침을 흘리게 하는, 맛있어 보이는; 구미가 동하게 하는.

mouthy [máuði, máuθi] (*mouth·i·er; -i·est*) *a.* 흰(큰)소리치는; 수다스러운.

mou·ton [múːtɑn/-tɔn] *n.* Ⓤ (beaver나 seal 가죽처럼 가공한) 양 가죽.

mov·a·ble, move-** [múːvəbəl] *a.* **1 움직일 수 있는**; 이동할 수 있는, 가동(성)의. **2** (해에 따라) 날짜가 바뀌는《부활절 따위》: a ~ feast 이동축제일《해에 따라 날짜가 변하는 Easter 따위》. **3** 〖법률〗 동산(動産)의(personal). cf. real. ¶ ~ property 동산. **—n.* Ⓒ (보통 *pl.*) 〖법률〗 동산. ↔ *fixture.*

†**move** [muːv] *vt.* **1 a** 《~+목/+목+부/+목+전+명》 **움직이다**, 이동시키다, 옮기다: ~ troops 부대를 이동시키다 / The police ~*d* us *on.* 경찰은 우리들을 (쉬지 않고) 자꾸 앞으로 나아가게 했다 / Could you ~ your car? 차를 옮겨 주실 수 없을까요 / He ~*d* his chair *away from* the fire. 그는 의자를 불에서 멀리 옮겼다. **b** 시동하다, 진행〔운전〕하다: ~*d* by electricity 전기로 움직이는 / That button ~*s* the machine. 이 버튼을 누르면 기계가 움직인다.
2 《~+목/+목+부/+목+전+명》 이사하다〔시키다〕; (사람을) 전근〔이동〕시키다: ~ house 이사하다 / ~ the main office *from* Daejeon *to* Seoul 본사를 대전에서 서울로 이전하다 / He was ~*d around from* one branch office *to* another. 그는 지점에서 지점으로 전근되었다.
3 《~+목/+목+부》 (뒤)흔들다(*up; down*): ~ a flag *up* and *down* 깃발을 위아래로 흔들다 / The wind ~*d* the branches of the tree. 바람에 나뭇가지가 흔들렸다.
4 (날짜·시간)을 변경하다; (체스 따위에서, 말)을 움직이다: ~ a piece 말을 쓰다〔움직이다〕.
5 《~+목/+목+전+명/+목+*to* do》 **감동〔흥분〕시키다**, …의 마음을 움직이다, 자극하다; …의 결의를 동요시키다; …할 마음이 일어나게 하다(impel): ~ a person *to* anger 〔laughter〕 아무를 성나게 하다〔웃기다〕 / be ~*d* to tears 〔action〕 감동해 눈물을 흘리다〔행동에 옮기다〕 / Nothing will ~ him. 어떤 일이 있어도 그의 결심은 변하지 않을 게다 / The actor ~*d* the audience deeply *with* his performance. 그 배우는 연기로 관객을 깊이 감동시켰다 / be 〔feel〕 ~*d to* do …하고 싶은 생각이 들다 / What ~*d* you *to* do this? 무슨 마음으로 이런 짓을 했나.
6 (상품)을 팔다, 처분하다.
7 《~+목/+*that* 절》 …을 제안〔제의〕하다, …의 동의(動議)를 내다: ~ a resolution at a committee meeting 위원회에서 결의안을 제출하다 / ~ *that* the case be adjourned for a week 심의의 1주간 연기를 제의하다.
8 (얼룩 따위)를 제거하다; 〖의학〗 (창자)의 배설을 잘 되게 하다: ~ the bowels 변(便)을 순조롭게 하다.
—*vi.* **1** 《~/+전+명》 **움직이다**, 몸을 움직이다, (기계 따위가) 회전〔운전〕하다; 흔들리다, 동요하다: It was calm and not a leaf ~*d.* 바람이 없어 나뭇잎 하나 흔들리지 않았다 / ~ *on* a hinge 경첩으로 움직이다.
2 《~/+전+명》 행동하다, 조치를 강구하다《*on* …에 대해》: ~ carefully 신중히 행동하다 / When is the government going to ~ *on* this problem? 이 문제에 대해 정부는 언제 손을 쓸 것인가.
3 《+전+명》 활동〔활약〕하다, 교제하다《*among, in* (특정 사회〔집단〕)에서》: ~ *among* cultured people 교양있는 사람과 교제하다 / ~ *in* high society 상류사회에 출입하다 / ~ *in* musical society 음악계에서 활약하다.
4 《~/+부/+전+명》 이동하다; 이사하다; 전근하다, 전직하다: "*Move along*, please!" said the bus conductress. '안으로 들어가 주세요' 라고 버스 안내양이 말하였다 / The earth ~*s round* the sun. 지구는 태양 주위를 돈다 / ~ *in* 이사오다 / ~ *to* 〔*into*〕 the country 시골로 이사하다 / He has ~*d* (*on*) *to* a new job. 그는 새 일로 전직했다.
5 (상품이) 잘 나가다, 팔리다: The article is *moving* slowly. 그 상품은 잘 나가지 않는다.
6 (사건 따위가) 진전하다, 진행하다: The work is not *moving* as fast as we hoped. 일은 우리가 바라던 대로 빨리 진행되지 않고 있다.
7 《+부/+전+명》 (차·배 따위가) 나아가다, 전진하다: ~ *forward* 〔*backward*〕 전진〔후진〕하다 / The ship ~*d before* the wind. 배는 순풍을 타고 나아갔다. SYN. ⇨ADVANCE.
8 《+전+명》 《美》 (정식으로) 제안하다, 신청하다, 요구하다《*for* …을》: The defense ~*d for* a new trial. 피고측은 재심을 요구했다.
9 (변(便)이) 통하다.
10 〖체스〗 말을 쓰다〔움직이다〕: It's your turn to ~. 이번은 네가 둘 차례다.
get moving 선뜻 떠나다; 곧 행동하다. **~ *about*** 〔***around, round***〕 《*vi.*+부》 돌아다니다; 이곳저곳 주소를〔직업을〕 바꾸다. **~ *away*** 《*vi.*+부》 떠나다, 물러나다; 이사하다. **~ *down*** 《*vt.*+부》 ① (계급·지위에서) 끌어내리다; 격하시키다. **—** 《*vi.*+부》 ② (지위 등이) 내려가다: That department store ~*d* from first in gross sales *down* to third. 그 백화점은 총 매상고가 1위에서 3위로 전락했다. **~ *heaven and earth to*** do 온갖 수단을 다하여 …하다: Bill ~*d heaven and earth to* get a ticket for the concert. 빌은 그 음악회의 입장권을 구하려고 동분서주했다. **~ *in*** ① 이사오다(⇨*vi.* 4). ② 이주하다《***with*** …의 거소에》: He ~*d in with* Mrs. Betts. 그는 베트 부인과 같이 살게 되었다. **~ *in on*** ① …을 습격하다: The jackals ~*d in on* the wounded gazelle. 자칼은 상처 입은 가젤을 습격했다. ② …에 진출하다: ~ *in on* the computer market 컴퓨터 시장에 진출하다. **~ *on*** 《*vi.*+부》 ① 계속 전진하다: *Move on!* 전진. ② 전직(轉職)하다. ③ 옮겨가다《***to*** (새로운 화제 따위)로》. ④ (세월이)

흘러가다. ―《vt.+副》⑤ 계속 나아가게 하다 (⇨vt. 1a). **~ over** 《vi.+副》 좌석을 죄이다; (후배를 위해) 지위를 넘겨주다: *Move over* a little, please. 자리를 조금 죄어주세요. **~ up** 《vi.+副》 ① 승진〔승급〕하다: He *~d up* in society 〔in the company〕. 그는 출세했다〔회사에서 승진했다〕. ② 나아가다: *Move up* to the front 앞쪽으로 나아가 주십시오. ③ 자리를 죄이다. ―《vt.+副》④ (아무)를 승진〔승급〕시키다.

―*n.* Ⓒ **1** (보통 *sing.*) 움직임, 동작, 운동: I don't want a single ~ out of any of you. 그 누구도 꼼짝 말고 있어라.
2 행동; 조처, 수단《***to*** do》: a clever ~ 현명한 조처 / What's our next ~? 우리들이 취할 다음 행동은 무엇입니까 / a ~ *to* settle a dispute 분쟁을 해결할 조처.
3 이동; 이사; 전근, 전직: a ~ into a town 도회지로의 이사.
4 〖체스〗 말의 움직임, 말 쓸 차례, 수; (the ~) 외통수: make the first ~ 선수(先手) 쓰다《★ 비유적으로도 씀》/ It's your ~. 네가 둘 차례다.
5 〖컴퓨터〗 이동.
get a ~ on 《구어》 출발하다; 급히 서둘다, 날쌔게 행동하다; 진척되다. ***make a ~*** ① 떠나다. ② 행동하다, 수단을 쓰다: The government *made a* ~ to increase imports. 정부는 수입 증가 조치를 강구했다. ***make*** one***'s ~*** 행동을 개시하다. ***on the ~*** 항상 움직이고 있는, 활동하고 있는; 이동중인; (일이) 진행중인: The stock market is *on the* ~. 주식 시장은 활기에 차 있다.

moveable ⇨MOVABLE.

⁑**move·ment** [múːvmənt] *n.* **1** Ⓤ **운동, 활동**; 운전(상태). ↔ *quiescence*. ¶ the ~ of heavenly bodies 천체의 운행 / All ~ of the heart had stopped. 심장의 활동은 모두 멈추었다. SYN. ⇨MOTION. **2 a** Ⓤ (구체적으로는 Ⓒ) 이동; 옮김, 이주, (인구의) 동태: the westward ~ of American people 아메리카인의 서부로의 이동. **b** Ⓒ 〖군사〗 기동, 작전 행동. **3** Ⓒ **a** 동작, 몸짓, 몸가짐. **b** (*pl.*) 태도, 자세: her graceful *~s* 그녀의 우아한 몸놀림. **c** (보통 *pl.*) 행동, 동정(動靜): Nothing is known of his *~s*. 그의 동정을 전혀 모른다. **d** (정치적·사회적) **운동**《***to*** do》: a women's liberation ~ 여성 해방 운동 / the anti-slavery ~ 노예 폐지 운동 / a ~ *to* do away with inequality 불평등을 없애는 운동. **e** 〖집합적; 단·복수취급〗 운동 조직〔단체〕. **4** Ⓤ (구체적으로는 Ⓒ) (시대의) 동향, 추세. **5** Ⓤ (사건·이야기 따위의) 진전, 변화, 파란: a play 〔novel〕 lacking in ~ 변화가 적은 연극〔소설〕. **6** Ⓤ (구체적으로는 Ⓒ) 〖상업〗 (시장의) 활황, 상품가격〔주가〕의 변동, 동향: price *~s*. **7** Ⓒ 〖음악〗 악장; 율동, 박자, 템포: the first ~ *of* a symphony 교향곡의 제1악장. **8** Ⓒ (시계 따위 기계의) 작동 기구〔장치, 부품〕. **9** Ⓒ 변통(便通): have a ~ 변이 나오다.

mov·er [múːvər] *n.* Ⓒ **1** 움직이는 사람〔물건〕: a slow ~ 동작이 느린 사람〔동물〕. **2** 발동기; 발기인, 동의(動議) 제출자, 제안자. **3** (흔히 *pl.*) 《美》 이삿짐 운송업자(《英》 remover). **4** 《구어》 잘 팔리는 상품. ***~s and shakers*** 《美구어》 (정계·실업계 따위의) 실력자들, 거물들.

⁑**mov·ie** [múːvi] *n.* 《구어》 **1** Ⓒ (낱개의) **영화** 《★ 주로 《美》에서 쓰이며, 《英》에서는 보통 film, picutre가 쓰임》; (흔히 the ~) 영화관《★ 주로 《美》에서 쓰이며, 《英》에서는 보통 cinema가 쓰임》: a spy 〔war〕 ~ 스파이〔전쟁〕영화 / make a ~ of ... =make ... into a ~ …을 영화화하다 / go to a ~ 영화보러 가다. **2** (the ~s) 《美》 **a** (오락·예술로서의) 영화《★ 《英》 주로 the cinema, films, 《구어》 the pictures가 쓰임》: go to the *~s* 영화 보러 가다 / be fond of the *~s* 영화를 좋아하다 / I have seen the place in the *~s*. 그곳은 영화에서 본 적이 있다. **b** 영화 산업; 영화계: She's in the *~s*. 그녀는 영화계에 발을 들여놓았다.
―*a.* Ⓐ 《美》 영화의: a ~ fan 영화 팬 / a ~ theater 영화관 / a ~ star 영화 스타.

móvie càmera 《美》 영화 카메라(cinecamera).

mov·ie·dom [múːvidəm] *n.* Ⓤ 영화계(filmdom).

móvie·gòer *n.* Ⓒ 《美》 자주 영화 구경 다니는 사람, 영화 팬.

mov·ing [múːviŋ] *a.* **1** 움직이는; 이동하는; 이사의: ~ parts (기계의) 가동부분(可動部分) / ~ costs 이사 비용. **2** 감동시키는, 심금을 울리는: a ~ sight 감동적인 광경. **3** 움직이게 하는, 추진하는: the ~ spirit 중심 인물, 주창자. ㊕ **~·ly** *ad.* 감동적으로.

móving àrm 〖컴퓨터〗 이동 암《이동 머리저장판 장치에서 머리틀을 달고 움직이는 부품》.

móving pávement (벨트식의) 움직이는 보도(步道).

móving pícture 《美》 (개개의) 영화.

móving stáircase 〔**stáirway**〕 에스컬레이터(escalator).

móving vàn 《美》 가구 운반차, 이삿짐 트럭(《英》 removal van).

◇**mow** [mou] (***~ed; ~ed*** or ***~n*** [moun]) *vt.* **1** (풀·보리 따위)를 베다, 베어내다; (들 따위)의 보리〔풀 (따위)〕를 베다: ~ the lawn 잔디를 깎다 / ~ a field 밭의 보리를〔풀을〕 베다. **2** (포화 따위로 군중·군대)를 쓰러뜨리다, 죽이다(*down; off*): Machine guns *~ed down* the enemy. 기관총으로 적군을 소탕하였다. ―*vi.* 풀 베기를 하다.

◇**mow·er** [móuər] *n.* Ⓒ 풀〔보리〕 베는 사람〔기계〕, (정원의) 잔디 깎는 기계(lawn ~).

◇**mown** [moun] MOW의 과거분사.

Mo·zam·bi·can [mòuzəmbíːkən] *a.* 모잠비크(사람)의. ―*n.* Ⓒ 모잠비크 사람.

Mo·zam·bique [mòuzəmbíːk] *n.* 모잠비크《아프리카 남동부의 공화국; 수도 Maputo》.

Mo·zart [móutsɑːrt] *n.* **Wolfgang Amadeus** ~ 모차르트《오스트리아의 작곡가; 1756–91》.

moz·za·rel·la [mɑ̀tsərélə, mɔ̀ːtsə-] *n.* 《It.》 Ⓤ (낱개는 Ⓒ) 모차렐라《희고 연한 이탈리아 치즈》.

MP, M.P. [émpíː] (*pl.* ***M.P.s, M.P.'s*** [-z]) *n.* Ⓒ 《英》 하원의원. [◂*M*ember of *P*arliament]

mp 〖음악〗 mezzo piano. **M.P.** Metropolitan Police; Military Police; Military Policeman.

MPC 〖컴퓨터〗 multimedia personal computer《multimedia 처리 기능을 갖춘 PC》.

MPEG 〖컴퓨터〗 Motion Picture Experts Groups《동화상의 포맷 명칭》. **mpg, m.p.g.** miles per gallon. **mph, m.p.h.** miles per hour.

†**Mr., Mr** [místər] (*pl.* ***Messrs.*** [mésərz]) *n.* **1** …씨, …선생, …님, …군, …귀하《남자의 성·성명·직명 등 앞에 붙이는 경칭》: *Mr.* (John)

Smith (존) 스미스씨《★ 보통 Mr. John처럼 이름(first name) 앞에는 붙이지 않음》/ *Mr.* and Mrs. Miller 밀러씨 부처 / *Mr.* President 대통령 각하; 총장 〔회장〕님 / *Mr.* Speaker 의장(님).

NOTE (1) 기혼 여성이 '(우리 바깥) 주인'이라고 할 때, 예를 들어 그녀가 Mrs. Smith이면, *Mr.* Smith라고 함: *Mr.* Smith is now in France. 우리 집 주인 양반은 지금 프랑스에 가 계십니다.
(2) Mr., Mrs., Dr., Mt. 따위에는 점이 없는 형이 병용됨.

2 미스터, 대표적인 남성, …의 전형(典型): *Mr.* Korea 미스터 코리아 / *Mr.* Baseball 야구의 명수. [◂ mister]

DIAL. ***No more Mr. Nice Guy.*** 사람 좋아봤자 다 소용없어《이제 좋은 일 하려고 애쓰지 않겠다는 말》.

MRA, M.R.A. 《美》 Moral Rearmament.
MRBM medium range ballistic missile (중거리 탄도 미사일). **MRI** magnetic resonance imaging. (자기 공명 영상법(磁氣共鳴映像法).
†**Mrs., Mrs** [mísiz, -is] *n.* **1** (*pl.* ***Mmes.*** [meidáːm]) …**부인**(夫人), 님, 씨, …여사《Mistress의 생략; 보통 기혼 여성의 성 또는 그 남편의 성명 앞에 붙임》: *Mrs.* (John) Smith (존) 스미스 여사《법률 관계에서는 *Mrs.* Mary Smith 메리 스미스 여사; Mrs. John처럼 이름(first name) 앞에는 붙이지 않음》/ Dr. and *Mrs.* Smith 스미스 박사 부처《★ 남편이 남에게 '안사람'이라는 뜻으로는 *Mrs.* ... 라고 함》. **2** 전형적인 기혼부인; 미시즈《지방 · 스포츠 등의 대표적 여성을 나타냄》: *Mrs.* Homemaker 이상적인 주부 / *Mrs.* Universe 미시즈 유니버스. **3** (the ~) 《구어》 (자기의) 아내; (남의) 부인.
MRSA 〖의학〗 methicillin-resistant staphylococcus aureus. **MS** 〖美우편〗 Mississippi.
MS., Ms., ms. manuscript.
⁑**Ms., Ms** [miz] (*pl.* ***Mses*** [mízəz]) *n.* …**씨**《미혼, 기혼의 구별이 없는 여성의 존칭》.
M.S(c). Master of Science.
MSDOS, MS-DOS [émèsdóːs, -dás/-dɔ́s] Microsoft disk operating system (MS 도스) 《Microsoft사가 CPU i 8088용으로 개발한 퍼스널 컴퓨터의 운영 체제; 상표명》. **MSG** monosodium glutamate. **MSI** 〖컴퓨터〗 medium-scale integration (중규모 집적회로). **MSS** 〖컴퓨터〗 mass storage system (대용량(大容量) 기억 시스템〔장치〕). **MSS, Mss, mss** manuscripts. **M(S)T** Mountain (Standard) Time. **Mt.** [maunt] (*pl.* ***Mts.***) Mount: ~ Everest 에베레스트 산. **MT** 〖美우편〗 Montana. **mt., mtn** mountain. **Mts.** Mountains; Mounts. **MTTF** 〖컴퓨터〗 mean time to failure (평균고장시간)《하나의 장치를 구입한 순간에서부터 최초의 수리작업이 발생할 때까지의 평균시간》.
mu [mjuː/mjuː] *n.* Ⓤ (구체적으로는 Ⓒ) 그리스어 알파벳의 12번째 글자《M, μ; 로마자의 M, m에 해당함》.
†**much** [mʌtʃ] (***more*** [mɔːr]; ***most*** [moust]) *a.* 〖셀 수 없는 명사 앞에 붙여서〗 다량(多量)의, 많은. ↔ *little.* cf. many. **1** 〖긍정문에서: 주어의 수식어로서 또는 too, so, as, how 따위와 함께 쓰여〗: *Much* care is needed. 많은 주의가 필요하다 / You spend *too* ~ money. 돈을 너무 쓴다 / I know *how* ~ trouble you have suffered. 자네가 얼마나 고생했는지 나는 아네. ★ 구어의 긍정 평서문에서는 much보다 a lot of, a good 〔great〕 deal of, plenty of 따위가 자주 쓰임. **2** 〖흔히 부정문 · 의문문에서〗: I do*n't* think there is ~ danger. 위험이 많다고는 생각지 않는다 / It was*n't* ~ use. 그다지 도움이 되지 못했다 / Do you take ~ sugar in your coffee? 커피에 설탕을 많이 넣으십니까 / Did your cow give ~ milk today? 댁의 소는 오늘 젖을 많이 냈습니까.
a bit **~** 너무한, 지나친: It's 〔That's〕 *a bit* ~. 《구어》 그건 말이 지나치다, 그건 좀 심하다. ***as* ~ ... *as*** ① …와 같은 양〔정도〕의: There is *as* ~ difficulty in doing this *as* in doing that. 이것을 하는 것은 저것을 하는 것과 같은 정도로 어렵다. ② …하는 만큼의 양의: Drink *as* ~ tea *as* you like. 좋아하는 만큼 차를 마시세요. ***not so* ~ ... *as*** ⇨ SO[1] (관용구). ***not up to* ~** 《구어》 그다지 좋지 않다, 그다지 시원치 않다. ***so* ~** ⇨ SO[1] (관용구). ***too* ~** (***for*** a person) 《구어》 (아무에게는) 벅찬, 힘겨운: The book is *too* ~ (*for* me). 그 책은 (나에게는) 너무 벅차다.
— *n., pron.* 〖단수취급〗 **1 많은 것, 다량**(의 것)《긍정문에서는 보통 주어(의 일부)로서 또는 too, so, as, how 따위와 함께 쓰임》: I have ~ to say about the harm of smoking. 흡연의 해로움에 관해서는 할 말이 많습니다 / I don't see ~ of you these days. 요즈음 그리 만나 뵐 수가 없군요 / Do you have ~ to finish? 끝내야 할 일이 많습니까 / *How* ~ do you want? 얼마나 원하십니까 / He spent *as* ~ *as* 50 dollars. 그는 50달러나 썼다 / Take *as* ~ *as* you like. 좋으실 만큼 가지세요 / Does he know ~ about butterflies? 그는 나비에 대해 많이 알고 있습니까《긍정문에서는 흔히 a lot을 씀: He knows a lot [*much] about butterflies.》/ *Much* of what he says is true. 그의 말에는 진실이 많다. **2** 〖be의 보어로서; 흔히 부정문에 쓰이어〗 대단한 것, 중요한 것〔일〕: The sight is *not* ~ to look at. 대단한 경치는 아니다 / This is *not* ~, but I hope you will like it. 대단한 것은 못 됩니다만 마음에 드시면 다행이겠습니다.
as* ~ *again (***as ...***) 그만큼 더, (…의) 2배만큼: Take 100 grams today and *as* ~ *again* tomorrow. 오늘은 100그램, 내일은 200그램 드세요. ***as* ~ *as ...*** ① …와 같은 양〔정도〕의 것: I have *as* ~ *as* you. 나는 너만큼 가지고 있다. ② …할 만큼의 양의 것, …만큼. ***as* ~ *as*** one ***can*** do … 할 수 있는 최대한의 것: It was *as* ~ *as* he *could* do to keep his temper. 그는 화를 가까스로 참아내었다. ***make* ~ *of ...*** ① …을 중시〔존중〕하다: He *makes* too ~ *of* trifling matters. 그는 극히 보잘 것 없는 일에 야단법석을 떤다. ② …을 몹시 치살리다, …의 응석을 받아주다. ③ 〖부정문에서〗 …을 이해하다: I can*not make* ~ *of* his argument. 그의 논지를 알 수가 없다. ***not* ~ *of a*** 대단한 …은 아니다: He is *not* ~ *of a* scholar. 그는 대단한 학자는 아니다. ***so* ~ *for...*** 《구어》 ① …은 이로써 끝내자: *So* ~ *for* that. 그것에 대하여는 이만. ② 〖깎아 내려〗 …은 그런 정도의 것이다: *So* ~ *for* his learning. 그의 학식이란 그 정도야. ***that* ~** 그만큼〔정도〕: I admit *that* ~. 거기까지는 인정한다. ***this*** 〔***thus***〕 **~** 이것만은, 여기까지는: *This* ~ is certain. 이

것만은 확실하다. ***without so ~ as ...*** …조차 아니하고[없이]: He left *without so ~ as* saying good-bye. 그는 작별 인사조차도 없이 가버렸다.

> **DIAL.** ***Not much!*** 《강한 부정을 나타내는 대답으로서》 당치 않다, 그럴 리는 없다(Certainly not.): Shall we see you at her party?—*Not much* you will. 그녀 파티에서 널 만나게 되겠지—만나지 못할 걸. ★ 반어적으로 '틀림없이 그렇다(Certainly.)'란 긍정의 대답으로 쓸 때도 있음.

— (***more; most***) *ad.* **1** 《동사를 수식하여》 **매우, 대단히, 퍽**: She talks too ~. 그녀는 너무 재잘거린다/ Thank you very ~. 매우 감사합니다《긍정문에서 끝에 much가 올 때엔 흔히 very, so, too 따위가 붙음》/I don't ~ like jazz [like jazz ~]. 재즈를 별로 좋아하지 않는다/Do you see him ~? 그를 자주 만납니까(=... see much of him?)/You don't know how ~ I love you. 얼마나 당신을 사랑하고 있는지 모르십니다/I ~ appreciate your help. 도와 주셔서 매우 감사합니다《much는 prefer, admire, appreciate, regret, surpass 따위 동사와 연결될 경우 긍정문에서도 사용할 수 있음. 단, 위치는 동사의 앞》.
2 《형용사·부사의 비교급·최상급을 수식하여》 **훨씬, 사뭇**: She was ~ older than me. 그녀는 나보다 훨씬 연상이었다/I feel ~ better today. 오늘은 사뭇 기분이 좋다/It is ~ the best I have seen. 내가 본 중에서 그것이 최고다.
3 《과거분사를 강조하여》 **대단히, 매우, 몹시**: He is ~ addicted to sleeping pills. 그는 이제 완전히 수면제 중독이다/I shall be (very) ~ obliged if you will help me. 도와주신다면 대단히 감사하겠습니다/She was ~ surprised. 그녀는 무척 놀랐다.

> **NOTE** (1) 긍정문에서 much는 흔히 바람직하지 않은 말들(distressed, confused, annoyed 등)과 결합됨. 부정·의문문도 역시 much를 씀: I was not ~ pleased.../Were you ~ pleased by what you saw?
> (2) 형용사화한 현재분사(interesting 따위)나 과거분사에는 그 의미에 관계없이 very를 쓸 때가 많은데, 특히 마지막 예에서처럼 감정을 나타내는 과거분사에 있어서는 《구어》에서 very가 차츰 많이 쓰임. pleased, delighted, excited 따위와 같이 형용사화 경향이 센 말은 그러한 경향이 한층 더함.

4 《일부 형용사의 원급을 수식하여》 **매우, 무척**《수식되는 형용사는 비교 관념이 내포된 superior, preferable, different 따위나 서술 형용사 alert, afraid, alike, ashamed, aware 따위》: This is ~ different from [than] that. 이건 저것과는 매우 다르다/I am ~ afraid of dogs. 개를 무척 무서워한다. ★ 《구어》에서는 보통 very, very much를 씀.
5 《too나 전치사구를 수식하여》 매우, 몹시, 아주: He's ~ *too* young. 그는 너무 젊다/This is ~ *to my taste*. 이건 내 취향에 아주 맞는다/~ *to one's annoyance* [*disgust, sorrow, horror*] 무척[매우] 난처하게[불쾌하게, 슬프게, 섬뜩하게]도(=to one's great annoyance...)/We are ~ *in need of new ideas*. 새로운 아이디어를 크게 필요로 하고 있다(=We are very [×much] needful of new ideas.; We need new ideas *very much*.).
6 《유사함을 나타내는 어구를 수식하여》 거의, 대체로: They're ~ the same. 그것들은 거의 비슷하다/~ of an age 거의 같은 나이 또래의/~ of a size 거의 같은 크기인[로]/~ of a sort 거의 같은 종류의.

as ~ 《선행하는 수사에 호응하여》 (…와) 같은 양[액수]만큼: Here is 50 dollars, and I have *as* ~ at home. 여기 50달러 있고 집에도 그만큼 더 있다. ***as ~ (...) as...*** ① …정도[만큼]; …와 같은 정도로(…): Sleep *as* ~ *as* possible. 가능한 한 많이 주무세요/That is *as* ~ her fault *as* his. 그것은 그와 마찬가지로 그녀 잘못도 있다/He earns *as* ~ *as* a million won a month. 그는 월 백만 원이나 벌어들인다. ② 《주동사 앞에 쓰이어》 거의, 사실상: They have *as* ~ *as* agreed to it. 그들은 그 일에 사실상 동의했다. ***as ~ as to say*** ⇨SAY. ***~ as*** 몹시 …하긴 하지만, …하고 싶은 마음은 굴뚝 같지만: *Much as* I'd like to go, I cannot. 가고 싶은 마음은 굴뚝 같지만 갈 수가 없다. ***~ less*** ⇨LESS(관용구). ***~ more*** ⇨MORE(관용구). ***not so ~ (A) as (B)*** ① A라기보다는 오히려 B: His success is *not so* ~ by talent *as* by energy. 그의 성공은 재능에 의한 것이라기보다는 오히려 정력에 의한 것이다. ② B만큼 A가 아니다: I do *not* have *so* ~ money *as* you. 나는 너만큼 돈을 갖고 있지 못하다.

> **DIAL.** ***I thought as much.*** 그럴 거라고 생각했다: I've quarreled with my wife.—*I thought as much*. 아내하고 싸웠다네—그럴 거라고 생각했지.
> ***Not*** (***too***) ***much.*** =***Nothing much.*** 별일 없네, 여전하지, 그럭저럭 지내지《What have you been doing? 따위의 인사말에 대한 대답》.

much·ness [mʌ́tʃnis] *n.* Ⓤ 많음. 《다음 관용구로》 ***much of a ~*** 《구어》 (두 개 이상의 것이) 엇비슷한, 대동소이한.

mu·ci·lage [mjúːsəlidʒ] *n.* Ⓤ 끈적끈적한 물질, (동식물이 분비하는) 점액; 《美》 고무풀.
㊕ **mu·ci·lag·i·nous** [ˌ-lǽdʒənəs] *a.* 점액질의, 끈적끈적한; 점액을 분비하는.

muck [mʌk] *n.* **1** Ⓤ 거름, 퇴비. **2** Ⓤ 쓰레기, 오물; 《英구어》 너절[시시]한 물건, 하찮은 읽을 거리. **3** (a ~) 《英구어》 난잡한 상태.
make a ~ of 《구어》 ① …을 더럽히다, …을 불결하게 하다. ② …을 엉망으로[못쓰게] 만들다; 큰 실수를 저지르다.
— *vt.* (밭 따위)에 비료를[거름을] 주다.
~ about [***around***] 《*vi.*+㊄》 《구어》 ① 빈둥거리다; 빈둥빈둥 시간을 보내다. ② 만지작거리다 《***with*** …을》. ③ (정처없이) 헤매어 돌아다니다. ***~ in with*** 《英》 …와 일[활동]을 같이하다. ***~ out*** 《*vt.*+㊄》 ① (마구간 등)을 청소하다; (동물)의 우리를 청소하다. **—** 《*vi.*+㊄》 ② 마구간 따위의 청소를 하다.

múck·er *n.* Ⓒ 《美속어》 막돼먹은 사람; 《英속어》 동료, 패거리.

múck·hìll, múck·hèap *n.* Ⓒ 거름[오물] 더미.

múck·ràke *vi.* (저명 인사 등의) 추문을 캐고 다니다[폭로하다]. ㊕ **-ràker** *n.* Ⓒ 추문 폭로자.

múck·swèat *n.* Ⓤ 《英구어》 비지땀.

mucky [mʌ́ki] (***muck·i·er; -i·est***) *a.* 거름의,

거름 같은; 더러운; 《英구어》 (날씨가) 구질구질한.

mu·cous [mjúːkəs] *a.* 점액(성)의; 끈적끈적한; 점액을 분비하는: a ~ cough 담이 나오는 기침 / the ~ gland 점액선(腺) / the ~ membrane 점막(粘膜).

mu·cus [mjúːkəs] *n.* Ⓤ (동물의) 점액; (식물의) 진: nasal ~ 콧물.

⁑**mud** [mʌd] *n.* Ⓤ **진흙**, 진창. **(*as*) *clear as* ~** 《구어》 전혀 이해할 수 없는, 종잡을 수 없는. ***fling* 〔*sling, throw*〕 ~ *at*** …의 얼굴에 똥칠하다; …을 헐뜯다, …의 욕을 하다. **(*Here's*) ~ *in your eye!*** 《구어》 축배를 듭시다. ***His name is* ~.** 《구어》 그는 신용이 땅에 떨어졌다, 평이 말 아니다.

múd bàth 흙탕 목욕《류머티즘 따위에 유효》.

°**mud·dle** [mʌ́dl] *vt.* **1** 혼합하다, 뒤섞다; 혼동하다 (*up*) 《***with*** …와》: I often ~ *up* their names. 나는 종종 그들의 이름을 혼동한다 / Don't ~ my books (*up*) *with* his. 나의 책과 그의 책을 뒤섞지 않도록 해라. **2** 혼란시키다, 갈피를 못잡게 하다, (머리)를 흐리멍덩하게 하다 《***with*** …으로》: Please don't ~ me *with* so many questions. 너무 여러가지 질문을 해서 나를 혼란하게 하지 마시오. **~ *on* 〔*along*〕** 《*vi.*+副》 그럭저럭 해 나가다. **~ *through*** 《*vi.*+副》 (뾰족한 수가 없어도) 이럭저럭 헤쳐〔해〕 나가다; …을 어렵사리 해내다.

— *n.* Ⓒ (보통 a ~) 혼란(상태); 어리둥절함, 당혹: in a ~ 어리둥절하여.

múddle·hèad *n.* Ⓒ 멍청이, 바보. 㗊 **~·ed** [-id] *a.* 멍텅구리의, 얼빠진; 당황한, 얼떨떨한.

mud·dler [mʌ́dlər] *n.* Ⓒ (음료의) 휘젓는 막대; 아무렇게나 생각〔행동〕하는 사람.

***mud·dy** [mʌ́di] **(*-di·er; -di·est*)** *a.* **1 진흙의**; 진흙투성이의; 진창의: a ~ road 진창길 / ~ water 흙탕물. **2** (액체가) 탁한; (색깔 · 소리 따위가) 충충한, 흐린. **3** (머리가) **멍한**, 혼란한; (안색이) 흐린. **4** (사고 · 표현 · 문체 · 정세 따위가) 불명료한, 애매한: ~ thinking 뚜렷하지 못한 생각. 㗊 **múd·di·ly** *ad.* **múd·di·ness** *n.*

múd·flàp *n.* Ⓒ (자동차 뒷바퀴의) 흙받기판.

múd·flàt *n.* Ⓒ (흔히 *pl.*) (조수의 간만으로 나타났다 없어졌다 하는, 진흙) 간석지.

múd·flòw *n.* Ⓒ 이류(泥流).

múd·guàrd *n.* Ⓒ (자동차 따위의) 흙받기; = MUDFLAP.

múd·pàck *n.* Ⓒ (미용의) 산성 백토 팩.

múd píe (아이들이 만드는) 진흙 만두.

múd·slìnger *n.* Ⓒ (정치적) 중상모략자.

múd·slìnging *n.* Ⓤ (정치 운동에서의) 중상모략, 추한 싸움.

múd tùrtle 〖동물〗 진흙거북, 담수거북.

mu·ez·zin [mjuːézin] *n.* Ⓒ (회교 사원의) 기도 시각을 알리는 사람.

muff[1] [mʌf] *n.* Ⓒ 머프《양손을 따뜻하게 하는 모피로 만든 외짝의 토시 같은 것》.

muff[2] *n.* Ⓒ 둔재; 얼뜨기, 바보; 서투름, 실수; 〖구기〗 공을 놓치기. **—** *vt.* **1** 《구어》 **a** 그르치다, 망치다 (*up*). **b** 〔~ it 으로〕 실수하다, 기회를 놓치다 (*up*). **2** (공)을 잘못 받다: ~ a catch 공을 놓치다.

muf·fin [mʌ́fin] *n.* Ⓒ 머핀《옥수수 가루 등을 넣어서 살짝 구운 작은 빵》.

°**muf·fle** [mʌ́fəl] *vt.* **1** (따뜻하게 하거나 감추기 위해) 싸다, 감싸다 (*up*) 《***in*** (외투 따위)로》: ~ oneself *up* 몸을 감싸다 / She was ~*d* (*up*) *in* a gray overcoat. 그녀는 회색 외투로 몸을 (푹) 감싸고 있었다. **2** (소리 따위)를 없애다, 둔하게 하다: Snow ~*s* sound. 눈은 소리를 없앤다.

㗊 **~d** *a.* (뒤덮여) 잘 들리지 않는: a ~*d* voice.

***muf·fler** [mʌ́flər] *n.* Ⓒ **1 머플러**, 목도리. **2** (자동차 · 피아노 따위의) 소음기(消音器), 머플러.

muf·ti [mʌ́fti] *n.* **1** Ⓤ (특히 정복을 착용해야 할 군인의) 평상복, 사복, 신사복: in ~ 평복으로. **2** Ⓒ 회교 법률 학자; 법률 고문.

***mug**[1] [mʌg] *n.* Ⓒ **1 원통형 찻잔**, 조끼, 손잡이 있는 컵: a shaving ~ 면도용 컵. **2** 조끼 한 잔의 양: drink a ~ *of* beer 머그로 맥주 한 잔을 마시다. **3** 《속어》 입; 얼굴. **4** 《英속어》 얼간이, 바보; 잘 속는 사람.

— (***-gg-***) *vi.* 표정을 과장하여 짓다. **—** *vt.* **1** (용의자)의 인상서(人相書)를 만들다; 《속어》 (범죄용의자의) 사진을 찍다〔만들다〕. **2** (강도가 아무)를 습격하다, (아무)에게서 강탈하다.

㗊 **∠·fùl** [-fûl] *n.*

mug[2] (***-gg-***) *vi.*, *vt.* 《英구어》 (학과를) 맹렬히 공부하다(*up*).

mug·ger [mʌ́gər] *n.* Ⓒ 《구어》 길〔옥외, 공공장소〕에서 달려드는 강도, 노상 강도.

mug·ging [mʌ́giŋ] *n.* Ⓤ (구체적으로는 Ⓒ) 《구어》 강도《행위》: There is a lot of ~ in these cities. 이들 도시에서는 강도행위가 빈번하게 일어난다.

mug·gins [mʌ́ginz] *n.* (*pl.* ~(***·es***)) Ⓒ 《英구어》 얼간이, 바보《★ 우스개 소리로 상대를 부를 때 붙여 쓰거나, 자기 자신을 가리켜서도 씀》: *Muggins* here left his umbrella in the train. 멍청한 내가〔그 녀석이〕 우산을 전차에 두고 왔구나.

mug·gy [mʌ́gi] (***-gi·er; -gi·est***) *a.* 무더운, 후텁지근한. 㗊 **múg·gi·ness** *n.*

múg's gàme (a ~) 《英구어》 바보짓: Gambling is a ~. 노름은 바보나 하는 짓이다.

múg shòt 《속어》 (범죄 용의자의) 얼굴 사진.

múg·wùmp [-wʌ̀mp] *n.* Ⓒ 《美》 1884년 자당(自黨)에서 추천한 대통령 후보에 반대한 공화당원; 무소속 정치가, 당파에 초연한 사람.

Mu·ham·mad, -med [muhǽməd] *n.* 마호메트(Mahomet, Mohammed) 《이슬람교(敎)의 개조(570–632)》.

Mu·ham·mad·an, -med- [muhǽmədən] *a.* 마호메트의, 이슬람교의. **—** *n.* Ⓒ 이슬람교도.

Mu·hám·mad·an·ìsm *n.* = ISLAM.

mu·lat·to [mju(ː)lǽtou, mə-] (*pl.* ~(***e***)***s***) *n.* Ⓒ (보통 1대째의) 백인과 흑인과의 혼혈아; 〔일반적〕 흑백 혼혈아.

mul·ber·ry [mʌ́lbèri/-bəri] *n.* **1** Ⓒ 〖식물〗 뽕나무; 오디. **2** Ⓤ 짙은 자주색.

mulch [mʌltʃ] *n.* Ⓤ (또는 a ~) 까는 짚, 뿌리덮개《이식한 나무 뿌리를 보호하는》. **—** *vt.* …에 짚을 깔다, …의 뿌리를 덮다.

mulct [mʌlkt] *n.* Ⓒ 벌금, 과료. **—** *vt.* **1** (아무)에게서 속여 빼앗다, 사취하다 《***of*** (돈 따위)를》: ~ a person *of* his money 아무를 속여 돈을 빼앗다. **2** (아무)에게 벌금을 과하다.

°**mule**[1] [mjuːl] *n.* Ⓒ **1** 노새《수나귀와 암말과의 잡종》. ㏇ hinny. **2** 《구어》 바보, 아둔패기. **(*as*) *obstinate* 〔*stubborn*〕 *as a* ~** 몹시 고집통이인.

mule[2] *n.* Ⓒ (보통 *pl.*) 발끝에 걸쳐 신는 슬리퍼.

múle dèer 꼬리가 검은 사슴《북아메리카산》.

mu·le·ta [mjuléitə] *n.* Ⓒ (투우에서 matador

가 쓰는 막대에 다는 붉은 천 조각).
mu·le·teer [mjù:lətíər] *n.* Ⓒ 노새몰이(꾼).
mul·ish [mjú:liʃ] *a.* 노새 같은; 고집센, 외고집의. ㊔ **~·ly** *ad.* **~·ness** *n.*
mull[1] [mʌl] *vt.* 곰곰이(잘) 생각하다, 숙고하다 (*over*).
mull[2] *vt.* (포도주 · 맥주 등)을 데워 향료 · 설탕 · 달걀 노른자 따위를 넣다.
mull[3] *n.* 《Sc.》 Ⓒ 곶(promontory), 반도.
mul·la(h) [mʌ́lə, mú:lə] *n.* Ⓒ 스승, 선생《회교도 사이에서 율법학자에 대한 경칭》; 회교의 신〔율법〕학자.
mul·let [mʌ́lit] (*pl.* **~s,** 〖집합적〗 ~) *n.* Ⓒ 숭어과의 어류.
mul·li·ga·taw·ny [mʌ̀ligətɔ́:ni] *n.* Ⓤ (인도의) 카레가 든 수프(= ∠ **sòup**).
mul·lion [mʌ́ljən, -liən] *n.* Ⓒ 〖건축〗 (유리창 따위의) 멀리온, 세로 중간틀, 중간 문설주.
㊔ **~ed** *a.* ~이 있는.
mult- [mʌlt], **mul·ti-** [mʌ́lti, -tə, tai/-ti] '많은, 여러 가지의'란 뜻의 결합사. ⓒⓕ poly-, mono-, uni-.
múlti·àccess *a.* 〖컴퓨터〗 동시 공동 이용의, 다중 접근의.
mùlti·addréss *a.* 〖컴퓨터〗 다중 주소 방식의 《데이터 처리기의 기억장치가 2개소 이상의 장소에 지시 · 수량을 기억할 수 있는 (방식)》.
múlti·càst *vi., vt.* 다중 전송하다《인터넷상에서 특정한 복수의 사람들에게 동시에 정보를 전송하는 방식》.
mùlti·céllular *a.* 다세포의.
mùlti·chánnel *a.* 여러 채널을 사용한, 다중(多重) 채널의: ~ broadcasting 음성 다중 방송.
mùlti·cólored *a.* 다색(多色)(인쇄)의.
mùlti·cúltural *a.* 다문화의, 여러가지 이문화(異文化)가 병존하는.
mùlti·discíplinary *a.* 각 전문 분야 협력의, 수개 전문 분야 집결의.
mùlti·éthnic *a.* 다민족의, 다민족 공용의.
mul·ti·far·i·ous [mʌ̀ltəfέəriəs] *a.* 가지가지의, 다종다양한, 잡다한, 다방면의: ~ activities 다방면의 활동. ㊔ **~·ly** *ad.* **~·ness** *n.*
múlti·fòrm *a.* 여러 모양을 한, 다양한.
mùlti·láteral *a.* 다변(多邊)의; 다국간의, 여러 국가가 관계〔참가〕하고 있는: ~ agreement 다변적 협정 / ~ nuclear force 다각적 핵전력 / a ~ school 종합 학교《몇 개의 다른 코스를 〔교과 과정을〕 갖추고 있는 중학교》/ a ~ trade 다각(적) 무역 / ~ negotiations 다국간 교섭.
mùlti·língual *a.* 여러 나라 말을 하는; 여러 나라 말로 쓰인: a ~ dictionary 다국어사전. **—***n.* Ⓒ 여러 나라 말을 하는 사람.
mùlti·média *n.* Ⓒ 〖집합적; 단수취급〗 멀티미디어《여러 미디어를 사용한 커뮤니케이션〔오락, 예술〕》; 〖컴퓨터〗 다중 매체.
mùlti·millionáire *n.* Ⓒ 대부호, 억만장자.
mùlti·nátional *a.* 다국적의; 다국간의: a ~ force 다국적군(多國籍軍) / ~ negotiations 다국간 교섭. **—***n.* Ⓒ 다국적 기업(= ∠ **corporàtion**).
mul·tip·a·rous [mʌltípərəs] *a.* 한번에 많은 새끼를 낳는; (사람이) 다산의.
mul·ti·ple** [mʌ́ltəpəl] *a.* Ⓐ **1** **복합의**, 복식의; 다수의, 다양한, 복잡한: ~ operation 다각 경영 / a ~ personality 다중(多重)인격. **2** 〖전기〗 (회로가) 병렬식으로 연결된. **—n.* Ⓒ **1** 〖수학〗 배수, 배량(倍量): 12 is a ~ of 3. 12는 3의 배수 / the lowest 〔least〕 common ~ 최소 공배수《생략: L.C.M.》/ a common ~ 공배수. **2** = MULTIPLE STORE. ◇ multiply *v.*
múltiple ágriculture 다각(식) 농업《농작 · 과수 재배 · 양계 · 양돈 따위를 겸한 농업》.
múltiple-chóice *a.* 다항식 선택의: a ~ system 다항식 선택법, 선다형 시험.
múltiple sclerósis 〖의학〗 다발성 경화증(硬化症)《생략: MS》.
múltiple shóp 〔**stóre**〕 《英》 연쇄점(《美》 chain store).
mul·ti·plex [mʌ́ltəplèks] *a.* Ⓐ 다양의, 복합의; 〖통신〗 다중(多重) 송신의.
mul·ti·pli·cand [mʌ̀ltəplikǽnd] *n.* Ⓒ 〖수학 · 컴퓨터〗 피승수(被乘數). ↔ *multiplier.*
***mul·ti·pli·ca·tion** [mʌ̀ltəplikéiʃən] *n.* Ⓤ (구체적으로는 Ⓒ) **1** **증가**, 증식(增殖). **2** 〖수학〗 **곱셈**, 승법. ↔ *division.* ◇ multiply *v.*
multiplicátion sìgn 곱셈표(×).
multiplicátion tàble 곱셈 구구표《보통 10×10=100 또는 12×12=144까지 있음》.

> **NOTE** 영어로 구구단을 외울 때 문장식으로 One times five is 〔are, make(s)〕 five. (1×5=5), Two times five is 〔are, make(s)〕 Ten (2×5=10), …라고 읽기도 하고, 약식으로 Once 5 is 5, Two 5s are 〔is〕 10, …과 같이 읽기도 함.

mul·ti·pli·ca·tive [mʌ́ltəplikèitiv, mʌ̀ltiplíkət-] *a.* **1** 증가하는, 증식력이 있는; 곱셈의. **2** 〖문법〗 배수사(倍數詞)의. **—***n.* Ⓒ 〖문법〗 배수사 《double, triple 따위》.
mul·ti·plic·i·ty [mʌ̀ltəplísəti] *n.* **1** Ⓤ 다양성. **2** (a ~) 다수; 다양: a ~ *of* ideas 여러 가지 생각 / a ~ *of* uses 다양한 용도.
mul·ti·pli·er [mʌ́ltəplàiər] *n.* Ⓒ **1** 불리는 사람〔물건〕, 증식시키는 사람〔물건〕. **2** 〖수학 · 컴퓨터〗 승수(乘數). ↔ *multiplicand.*
‡**mul·ti·ply** [mʌ́ltəplài] *vt.* **1** **늘리다**, 증가시키다; 번식시키다. SYN. ⇨INCREASE. **2** 《+목+전+명》 〖수학 · 컴퓨터〗 (어떤 수)에 **곱하다**《*by* (어떤 수)를》: *Multiply* 5 *by* 3, and the product is 15. =5 *multiplied by* 3 is 15. 5에 3을 곱하면 15가 된다(5×3=15). **—***vi.* 늘다; 번식〔증식〕하다; 곱셈하다: Rats ~ rapidly. 쥐는 빨리 번식한다.
mùlti·póint *a.* 〖컴퓨터〗 다지점 방식의《여러 대의 단말기를 하나의 통신 선로로 같이 연결하는 (방식)》.
múlti·pròcessing *n.* Ⓤ 〖컴퓨터〗 다중(多重) 처리.
múlti·pròcessor *n.* Ⓒ 〖컴퓨터〗 다중 처리기 《다중 처리를 할 수 있는 장치 · 시스템》.
mùlti·prógramming *n.* Ⓤ 〖컴퓨터〗 다중 프로그램짜기.
mùlti·púrpose *a.* 용도가 많은, 다목적의: ~ furniture 만능 가구 / a ~ robot 다기능 로봇 / a ~ dam 다목적 댐.
mùlti·rácial *a.* 여러 민족의, 다민족의: a ~ society 다민족 사회.
mùlti·séssion *a.* 〖컴퓨터〗 멀티세션(대응)의.
múlti·stàge *a.* 다단식(多段式)의; 여러 단계의, 순차적인《조사 따위》: a ~ rocket 다단식 로켓(step rocket).
múlti·stòry *a.* Ⓐ 여러 층의: a ~ parking

garage 다층식 주차장/a ~ building 고층 건물.
mùlti·thréaded *a.* 〖컴퓨터〗 멀티스레딩의《하나의 프로세스가 복수의 스레딩으로 나뉘어 동작하는》.
***mul·ti·tude** [mʌ́ltitjùːd] *n.* **1** Ⓒ **다수**; 수가 많음; 많은 사람: a ~ *of* people 많은 사람들/the ~ *of* his writings 그의 저작물의 엄청남/The disease has killed ~*s*. 그 병으로 많은 사람이 죽었다. **2** (the ~(s)) **a** 〔집합적; 단·복수취급〕 대중, 서민: appeal to the ~(*s*) 대중에게 호소하다. **b** 붐빔, 북적임.
a noun of** ~* 〖문법〗 군집명사《집합명사 중 구성 요소에 중점을 둔 것을 말하며 복수 취급함: My *family* are all well. 우리 가족은 모두 잘 있다》. ***cover* 〔*hide*〕 *a* ~ *of sins 여러 가지 (좋지 않은) 것을 덮어주다〔숨기다〕; (모든 일에 통하는) 좋은 구실이 되다: The business *covers a* ~ *of sins*. 장사에는 여러 가지 더러운 면이 있는 법이다. cf. 〖성서〗 1 Peter IV: 8.
mul·ti·tu·di·nous [mʌ̀ltətjúːdənəs] *a.* 다수의, 많은, 잡다한: ~ debts 많은 빚. ⓜ **~·ly** *ad.* **~·ness** *n.*
mùlti·úser *n.* Ⓒ 〖컴퓨터〗 다중 사용자《둘 이상의 사용자가 동시에 접근(access)하는》, 하나의 CPU (중앙 처리장치)로 둘 이상의 일(job)을 해내는 시스템.
mul·ti·va·lent [mʌ̀ltivéilənt, mʌltívə-] *a.* 〖화학〗 다원자가(多原子價)의; 〖유전〗 다가(多價)의.
mul·ti·ver·si·ty [mʌ̀ltivə́ːrsəti] *n.* Ⓒ 다원〔매머드〕 대학《교사(校舍)가 각처에 있는 종합 대학》. [◂ *multi*+*university*]
mùlti·vítamin *a.* 종합 비타민의: a ~ capsule 종합 비타민정. **—*n.*** Ⓒ 종합 비타민제.
mùlti·wíndow *n.* Ⓒ 〖컴퓨터〗 다중 윈도, 멀티 윈도《화면을 분할하여 동시에 복수의 문서를 표시할 수 있는 디스플레이》.
mum[1] [mʌm] *a.* 무언의, 말하지 않는: (as) ~ as a mouse 〔an oyster〕 침묵을 지키는/keep ~ about one's plan 계획에 대해 한마디도 않다. **—*int.*** 말 마라!, 쉿! ***Mum's the word!*** 《구어》 남에게 말하지 마라.
⁑**mum**[2] *n.* Ⓒ 《英구어》 **어머니**(《美》 mom).
°**mum·ble** [mʌ́mbəl] *vt.* **1** (입 속에서 기도·말 따위)를 중얼〔웅얼〕거리다《***that***》: ~ a few words 두 세마디 중얼거리다/The old man ~*d that* he was hungry. 그 노인은 배고프다고 입속말을 했다. SYN. ⇨MURMUR. **2** 우물우물 씹다. **—*vi.*** 우물우물〔중얼중얼〕거리다《***to*** (아무)에게》: ~ *to* oneself 혼자 중얼거리다. **—*n.*** Ⓒ 작고 똑똑지 않은 말〔소리〕. ⓜ **-bler** *n.*
Múm·bo Júm·bo [mʌ́mbou-] **1** 서아프리카 흑인이 숭배하는 귀신. **2** Ⓒ (m- j-) 미신적 숭배물, 우상; 공포의 대상. **3** Ⓤ (m- j-) 객쩍은 이야기, 뜻 모를 말; 까다롭고 무의미한 의식, (사람을 현혹시키는) 까닭모를 행동.
mum·mer [mʌ́mər] *n.* Ⓒ (크리스마스 같은 때에 하는 영국의 전통적인) 무언극의 배우.
mum·mery [mʌ́məri] *n.* Ⓒ 무언극.
mum·mi·fi·ca·tion [mʌ̀mifikéiʃən] *n.* Ⓤ 미라화(化).
mum·mi·fy [mʌ́mifài] *vt.* 미라로 만들다.
°**mum·my**[1] [mʌ́mi] *n.* Ⓒ **1** 미라. **2** 바싹 마른 시체〔물건〕. **3** 말라빠진 사람.
⁑**mum·my**[2] *n.* Ⓒ 《英소아어》 **엄마**(《美》 mommy).
***mumps** [mʌmps] *n.* Ⓤ (흔히 the ~) (유행성)

이하선염(耳下腺炎): get 〔have〕 (the) ~ 유행성 이하선염에 걸리다〔걸려 있다〕.
mu·mu, mu-mu [múːmùː] *n.* =MUUMUU.
munch [mʌntʃ] *vt.* 우적우적 먹다, 으드득으드득 깨물다: He ~*ed* it all up. 그는 그것을 모두 우적우적 먹어 치웠다. **—*vi.*** 우적우적 먹다 (*away*)《***at*** …을》: He ~*ed* (*away*) *at* the cookies. 그는 쿠키를 우적우적 먹었다.
mun·chies [mʌ́ntʃiz] *n. pl.* 《美속어》 **1** 가벼운 음식, 스낵. **2** (the ~) (특히 마리화나 흡연 후의) 공복감: have the ~ 배가 몹시 고프다.
mun·dane [mʌ́ndein, ⌐´] *a.* 현세의, 세속적인(earthly); 보통의, 평범한: the ~ era 세계 창조 기원(紀元). ⓜ **~·ly** *ad.*
Mu·nich [mjúːnik] *n.* 뮌헨《독일 Bavaria의 도시; 독일명 München》.
***mu·nic·i·pal** [mjuːnísəpəl] *a.* **시(市)의**, 도시의, 자치 도시의; 시영의; 지방 자치의: ~ bonds 지방채(債)/~ debts 〔loans〕 시채(市債)/a ~ office 시청/~ authorities 〔government〕 시당국〔시정〕/a ~ corporation 지방 자치(단)체/a ~ borough 《英》 자치 도시/~ engineering 도시 공학/a ~ hospital 〔library〕 시립병원〔도서관〕. ⓜ **~·ly** *ad.* 시정상; 시(경영)에 의한.
°**mu·nic·i·pal·i·ty** [mjuːnisəpǽləti] *n.* Ⓒ **1** 자치체《시·읍 등》. **2** 〔집합적; 단·복수취급〕 시〔읍〕당국: The ~ has 〔have〕 closed the hospital. 시 당국은 그 병원을 폐쇄했다.
mu·nic·i·pal·ize [mjuːnísəpəlàiz] *vt.* 시 자치제로 하다; 시유로〔시영으로〕 하다.
mu·nif·i·cent [mjuːnífəsənt] *a.* 인색하지 않은, 아낌없이 주는. ⓜ **-cence** *n.* **~·ly** *ad.*
mu·ni·ments [mjúːnəmənt] *n. pl.* 〖법률〗 부동산 권리 증서.
°**mu·ni·tion** [mjuːníʃən] *n.* (*pl.*) 군수품, 《특히》 탄약: ~*s* of war 군수품. **—*a.*** Ⓐ 군수품의: a ~ factory 〔plant〕 군수 공장. **—*vt.*** …에 군수품을 공급하다.
mu·ral [mjúərəl] *a.* Ⓐ 벽의, 벽 위〔속〕의: a ~ painting 벽화/a ~ decoration 벽 장식. **—*n.*** Ⓒ 벽화. ⓜ **~·ist** *n.* Ⓒ 벽화가.
⁑**mur·der** [mə́ːrdər] *n.* **1 a** Ⓤ **살인**; 〖법률〗 고살(故殺), 모살(謀殺): commit ~ 살인죄를 저지르다〔범하다〕/*Murder* will out. 《속담》 살인〔비밀, 나쁜 일〕은 반드시 탄로난다. **b** Ⓒ 살인(사건): six ~*s* in one month 한 달에 살인 사건 6건. **2** Ⓤ 《구어》 매우 위험〔곤란, 불쾌〕한 것: The exam was ~. 시험은 무척 어려웠다.
cry* 〔*scream, shout*〕 (*blue*) ~** 《구어》 터무니없이 큰 소리를 지르다《'큰일 났다!' '사람 살려!' 따위》. ***get away with ~ 《구어》 나쁜 짓을 해도 벌을 받지 않고 지나다. ~ ***in the first* 〔*second*〕 *degree*** 〖美법률〗 제1 〔2〕급 살인《보통 제1급은 사형, 제2급은 유기형》.
—*vt.* **1** (아무)를 **살해하다**, 학살하다; 〖법률〗 모살하다: He ~*ed* her (with a knife). 그는 (나이프로) 그녀를 살해했다. **2** 《구어》 못쓰게 하다, 잡쳐 놓다: ~ Mozart 모차르트 곡을 서투르게 연주하다. **—*vi.*** 살인을 하다.
mur·der·er** [mə́ːrdərər] (*fem.* ***mur·der·ess [-ris]) *n.* Ⓒ **살인자**; 살인범.
°**mur·der·ous** [mə́ːrdərəs] *a.* **1** 살인의, 살의가 있는: a ~ attack 살인 목적의 공격. **2** 흉악한, 잔인한: a ~ dictator 잔인한 독재자. **3** 《구어》 살인적인, 무시무시한, 지독한: a ~ heat 살

인적인 더위. ㊥ ~·ly ad. ~·ness n.

mu·ri·at·ic [mjùəriǽtik] a. 《구어》 (주로 상업용) 염화수소의: ~ acid 염산(hydrochloric acid).

murk [məːrk] n. Ⓤ 암흑; 음울(gloom; darkness).

murky [mə́ːrki] (*murk·i·er; -i·est*) a. **1** 어두운; 음산(우울)한. **2** (안개·연기 따위가) 자욱한. **3** (물·강 따위가) 탁한, 더러워진. **4** 비밀스러운, 뒤가 구린: He has a ~ past. 그에게는 떳떳하지 못한 과거가 있다.

*__mur·mur__ [mə́ːrmər] n. Ⓒ **1 속삭임**, 중얼거리는 소리: a ~ of conversation from the next room 옆방에서 들리는 주고받는 말 소리. **2** (중얼거리는) 불평: without a ~ 군말 없이 / There are ~s of discontent everywhere. 여기저기서 불만에 차서 수근거리고 있다. **3** (옷·나뭇잎 따위가) 스치는 소리, 솨솨 소리; (시냇물 따위의) 졸졸 소리; (연속적인) 희미한 소리. **4** (a ~) 【의학】 (청진기에 들리는) 잡음.

—vi. **1 졸졸 소리내다**, 속삭이다; 희미하게 소리내다: The brook ~s over the pebbles. 작은 시내가 자갈 위로 졸졸 흐르고 있다. **2** 《+전+명》 **불평을 하다**, 투덜대다《***about*** …을; ***at, against*** …에》: ~ *at* (*against*) an unfair treatment 불공평한 대우에 불평을 하다. —vt. 《~+목/+*that* 절》 속삭이다, 나직하게 말하다: She ~*ed* a prayer. 그녀는 작은 소리로 기도했다 / She ~*ed that* she was tired. 그녀는 피곤하다고 속삭이듯 말했다.

SYN. **murmur** 확실히 알아듣기 어려울 정도의 낮은 소리로 말하다. **mumble** 알아들을 수 없을 만큼 불명료하게 말하다. **mutter** 불평 따위를 충분히 알아들을 수 없을 정도로 낮은 소리로 말하다.

mur·mur·ous [mə́ːrmərəs] a. 살랑거리는, 솨솨 소리내는; 속삭이는; 투덜(중얼)거리는.

mur·phy [mə́ːrfi] n. Ⓒ 《英속어》 감자.

Múrphy's Láw 머피 법칙《경험에서 얻은 몇 가지의 해학적인 지혜; '실패할 가능성이 있는 것은 실패한다' 따위》.

mur·rain [mə́ːrin] n. Ⓤ 가축의 전염병《특히 소의》.

mus. museum; music; musical.

mus·cat [mʌ́skət, -kæt] n. Ⓒ 【식물】 머스캣 종의 포도《포도주를 만듦》.

mus·ca·tel [mʌ̀skətél] n. Ⓤ (종류는 Ⓒ) muscat으로 빚은 포도주.

__mus·cle__ [mʌ́səl] n. **1 Ⓤ (낱개는 Ⓒ) **근육**, 힘줄: the involuntary (voluntary) ~s 불수의(수의)근 / ~ pain 근육통 / Most of the tissue here is ~. 이곳의 조직은 대부분 근육이다 / Physical exercises develop ~. 체조는 근육을 발달시킨다. **2** Ⓤ 완력: a man of ~ 완력이 있는 사람 / It takes a great deal of ~ to lift this weight. 이 무게를 드는 데는 상당한 힘이 든다. **3** Ⓤ 《구어》 압력, 강제: military ~ 군사력 / put ~ into foreign policies 강압 외교 정책을 쓰다. ***not move a*** ~ 꼼짝도 하지 않다. ◇muscular a.

—vt. 《구어》 **1** 《+목+부/+목+전+명》 〖~ one's way로〗 (억지로) 밀고 들어가다(나아가다) (*in*) 《***into*** …에》: He ~*d* his *way in* (*into* the group). 그는 억지로 끼어들었다(그룹에 끼어 들어갔다). **2** 《+목+전+명》 억지로(힘으로) 관철(통과)시키다《***through*** …을》: ~ a bill *through* Congress 법안을 밀어서 억지로 국회를 통과시키다. ~ ***in*** 《vi.+부》 《구어》 억지로 비집고 들어가다《***on*** …에》: ~ *in on* a person's territory 아무의 영역(세력권)을 유린하다.

múscle-bòund a. (과도한 운동으로) 근육이 뻣뻣해진; 탄력성이 부족한《규칙 따위》.

(-)mús·cled a. 근육이 …한: strong-~ 근육이 강한.

múscle·màn [-mæ̀n] (*pl.* ***-mèn*** [-mèn]) n. Ⓒ 근육이 늠름한 남자, 《속어》 고용된 폭력단원.

Mus·co·vite [mʌ́skəvàit] n. Ⓒ 모스크바 시민. —a. 모스크바(시민)의.

*__mus·cu·lar__ [mʌ́skjələr] a. **1 근육의**: ~ contradiction 근육 수축 / the ~ system 근육조직 / ~ strength 근력(筋力). **2** 근육이 늠름한; 억센; 활력 있는, 힘 있는: a ~ arm 억센 팔. **3** (표현·묘사·행위 등이) 박력 있는; 강력한. ◇ muscle n. ㊥ ~·ly ad.

múscular dýstrophy 【의학】 근(筋)위축증.

mus·cu·lar·i·ty [mʌ̀skjəlǽrəti] n. Ⓤ 근육이 늠름함; 억셈, 힘셈.

Muse [mjuːz] n. **1** 【그리스신화】 **a** Ⓒ 뮤즈 《시·음악·학예를 주관하는 9여신 중의 하나》. **b** (the ~s) 뮤즈 신들. **2** Ⓒ (보통 one's ~, the ~) 시적 영감, 시상, 시재.

◇**muse** [mjuːz] vi. 명상하다, 숙고하다, 묵상하다 (reflect)《***on, upon, over, about*** …을》. cf. meditate, ponder. ¶ ~ *over* memories of the past 옛 추억에 잠기다. —vt. 사려깊게(감회에 젖어) 말하다.

mu·sette [mjuːzét] n. Ⓒ 프랑스의 작은 백파이프(bagpipe); 【군사】 (어깨에 걸치는) 작은 잡낭(= ∠ bàg).

__mu·se·um__ [mjuːzíːəm/-zíəm] n. Ⓒ **박물관, 미술관; 전시관; 기념관: a science ~ 과학 박물관 / the *Museum* of Modern Art 근대 미술관. [◂Muse]

muséum pìece 박물관의 진열품; 진품(珍品); 케케 묵은 사람(물건).

mush[1] [mʌʃ] n. Ⓤ **1** 《美》 옥수수 죽. **2** 걸쭉한 것(음식). **3** 《구어》 값싼 감상적인 문장(말 따위).

mush[2] 《美·Can.》 int. 가자《썰매 끄는 개를 추기는 소리》. —n. Ⓒ, vi. 개썰매 여행(을 하다).

◇**mush·room** [mʌ́ʃru(ː)m] n. **1** Ⓒ (식품은 Ⓤ) 버섯; 양송이. cf. toadstool. **2** Ⓒ 버섯 모양의 구름(연기 따위): a nuclear ~ 원폭의 버섯구름.

—a. Ⓐ 버섯 같은; 우후죽순 같은, 급성장하는: a ~ cloud 원폭의 버섯구름 / a ~ town 신흥 도시 / a ~ millionaire 벼락 부자, 졸부 / ~ growth 빠른 성장.

—vi. **1** 버섯을 따다: go ~*ing* 버섯 따러 가다. **2** 갑자기 생겨나다; 발전하다《***into*** …으로》: It ~*ed into* a mass movement. 그것은 대중 운동으로 발전했다. **3** (불·연기 따위가) 확 번지다 (*up; out*)《***in, into, over*** …으로》: Black smoke ~*ed up over* the warehouse. 검은 연기가 창고 위에 버섯처럼 치솟아 올랐다.

mushy [mʌ́ʃi] (*mush·i·er; -i·est*) a. **1** 죽 같은, 흐늘흐늘한. **2** 《구어》 (책·연기 따위가) 값싼, 감상적인.

†**mu·sic** [mjúːzik] n. Ⓤ **1 음악**; 악곡: He has no ear for ~. 그는 음악을 모른다 / compose ~ 작곡하다 / set a poem to ~ 시에 곡을 붙이다 / Play me a piece of ~ 나에게 한 곡 연주해 주세요. **2** 악보: play without ~ 악보 없이 연주하

다 / read ~ 악보를 읽다. **3** 듣기 좋은 소리, 음악적인 음향: the ~ of birds 새 소리. **4** 음감(音感), 음악 감상력: He has no ~ in him. 그는 음악에 대해서는 백지다.

be ~ to** a person**'s ears (흔히 남이 싫어하는 소리나 말이) 아무의 귀에는 즐겁게 들리다. ***face the ~*** 《구어》 자진하여 어려움을 맡다; 자초한 결과를 깨끗이〔미련없이〕 받다. ***the ~ of the spheres*** 천상의 음악《천체의 운행에 따라 일어난다고 Pythagoras 학파의 사람들이 상상했던》.

> DIAL. ***Stop the music!*** 《美》 그만, 잠깐. ★ 이전의 라디오 게임 프로그램의 이름에서 생긴 말.

mu·si·cal [mjú:zikəl] *a.* **1** 음악의, 음악용의, 음악에 관한: a ~ composer 작곡가 / a ~ director 악장, 지휘자 / a ~ instrument 악기 / ~ intervals 음정 / a ~ performance 연주 / ~ scales 음계 / a ~ soirée 음악의 밤. **2** 음악적인, 소리가 고운: a ~ voice 고운 목소리. **3** 음악에 능한; 음악을 좋아하는, 음악을 이해하는: I'm not ~. 나는 음악은 모른다 / Are you ~? 너는 음악을 좋아하니. **4** 음악이 따르는: a ~ entertainment 음악이 따르는 여흥.
—*n.* Ⓒ 음악(희)극, 음악 영화, 뮤지컬.
㊕ **~·ly** *ad.* 음악상; 음악적으로; 장단 맞추어.

músical bòx 《英》 = MUSIC BOX.

músical cháirs 의자빼앗기 놀이: play ~ 의자 빼앗기 놀이를 하다.

músical cómedy 뮤지컬 코미디, 희가극.

mu·si·cale [mjù:zikǽl] *n.* Ⓒ 《美》 음악회《비공개의 사교적인 모임으로서의》.

músical film 음악 영화.

músic bòx 《美》 주크 박스(jukebox, 《英》 musical box).

músic dràma 〖음악〗 악극.

músic hàll **1** 《美》 음악당, 음악회장; 《英》 연예관. **2** 연예.

mu·si·cian [mju:zíʃən] *n.* Ⓒ **1** 음악가, 악사. **2** 작곡가. **3** 음악을 이해〔공부〕하는 사람.
㊕ **~·ship** *n.* Ⓤ 음악의 연주〔이해〕력, 음악적 재능.

mu·si·col·o·gy [mjù:zikálədʒi/-kɔ́l-] *n.* Ⓤ 음악학, 음악 이론.

músic pàper 악보 용지, 5선지.

músic schòol 음악 학교.

músic stànd 보면대(譜面臺), 악보대.

mus·ing [mjú:ziŋ] *a.* 꿈을 꾸는 듯한; 생각에 잠긴. —*n.* Ⓤ 묵상, 숙고. ㊕ **~·ly** *ad.*

musk [mʌsk] *n.* Ⓤ 사향(의 냄새).

músk dèer 〖동물〗 사향노루《중앙아시아산》.

mus·ket [mʌ́skət] *n.* Ⓒ (총강(銃腔)에 선조(旋條)가 없는) 구식 소총.

mus·ket·eer [mʌ̀skətíər] *n.* Ⓒ (예전의) 머스켓총병(銃兵), 보병.

mus·ket·ry [mʌ́skətri] *n.* Ⓤ 〖군사〗 소총 사격(술).

músk·mèlon *n.* Ⓒ 〖식물〗 머스크멜론.

músk·òx (*pl.* **-òx·en**) *n.* Ⓒ 〖동물〗 사향소.

músk·ràt (*pl.* **~, ~s**) *n.* **1** Ⓒ 〖동물〗 사향뒤쥐(=∠ **bèaver**). **2** Ⓤ 그 모피.

músk ròse 사향장미《지중해 지방산(産)》.

musky [mʌ́ski] (***musk·i·er; -i·est***) *a.* 사향의; 사향 냄새 나는; 사향 비슷한.

Mus·lim, -lem [mʌ́zləm, mús-, múz-] (*pl.* **~, ~s**) *n.* Ⓒ 이슬람교도, 회교도. —*a.* 이슬람교(도)의.

mus·lin [mʌ́zlin] *n.* Ⓤ 모슬린, 메린스.

mus·quash [mʌ́skwɑʃ/-kwɔʃ] *n.* 《英》 = MUSKRAT.

muss [mʌs] 《美구어》 *vt.* (머리 · 옷)을 엉망〔뒤죽박죽〕으로 만들다, 짓구겨 놓다(*up*). —*n.* Ⓤ 엉망, 뒤죽박죽; 법석; 혼란, 난잡.

mus·sel [mʌ́səl] *n.* Ⓒ 〖패류〗 홍합; 마합류.

Mus·sorg·sky [musɔ́:rgski, -zɔ́:rg-] *n.* **Modest Petrovich ~** 무소르그스키《러시아의 작곡가; 1839–81》.

mussy [mʌ́si] (***muss·i·er; -i·est***) *a.* 《美구어》 엉망〔뒤죽박죽〕의, 구깃구깃한; 혼잡한.

must[1] [mʌst, 약 məst] (must not의 간약형 ***mustn't*** [mʌ́snt]) *aux. v.* **1** 〖필요〗 **…해야 한다, …할 필요가 있다**《이 뜻의 부정에는 need not, do not have to, haven't got to 등을 씀》: Animals ~ eat to live. 동물은 생존하기 위해서는 먹어야 한다 / We ~ hurry if we're to arrive on time. 제시간에 도착하려면 서둘러야 한다 / *Must* I stay here?—No, You don't have to. 여기에 있어야 합니까—그럴 필요는 없다.

> NOTE (1) 과거 · 미래 · 완료를 나타내는 경우에는 have to를 씀(had to, will 〔shall〕 have to, have had to, having to): She said she ~ 〔*had to*〕 find a job by summer. 그녀는 여름까지는 일을 찾아야 한다고 말했다《간접 화법에서는 과거라도 must를 그대로 쓸 수가 있음》.
> (2) 한 번 사용한 동사는 종종 생략됨: Well, *go* if you *must* (*go*). 글쎄 가야만 한다면 가거라.
> (3) 동사가 go일 때, 방향을 제시하는 부사구가 있으면, 처음부터 생략할 때가 있음: We *must* (*go*) *away*. 우리는 떠나야 된다.

2 〖의무 · 강제〗 **a** **…해야 한다, …하지 않으면 안 된다**: You ~ do as you are told. 말한대로 해야 한다 / I ~ keep my word. 약속을 지켜야 한다. **b** 〖~ not으로, 금지를 나타내어〗 **…해서는 안된다**《이 경우 not은 must가 아니라 동사를 부정함》: You ~ *not* do it. 넌 그것을 해서는 안 된다 / You ~ *not* tell a lie. 거짓말을 해서는 안 된다.

3 〖주어의 주장, 강한 의지〗 **꼭 …하고 싶다〔해야 한다〕**, …않고는 못 배긴다《must가 강하게 발음됨》: I ~ ask your name, sir. 꼭 존함 좀 알았으면 싶은데요 / He ~ always have his own way. 그는 늘 제 뜻대로 하지 않고는 직성이 안 풀린다 / If you ~, you ~. 꼭 해야(만) 한다면 하는 수 없다 / She said that she ~ see the manager. 그녀는 지배인을 꼭 만나야 된다고 말했다《간접 화법에서는 과거라도 must를 쓸 수 있음》.

4 〖2인칭 주어〗〖간청 · 요망 · 충고〗 (부디) **…해 주기 바라다**: You ~ stay to dinner. 부디 식사를 하고 가 주세요 / You ~ know he is quite shrewd about money. 그가 돈벌이에는 빈틈이 없음을 알아두는 것이 좋다.

5 〖논리적 추정〗 **a** **…임〔함〕에 틀림없다**, 틀림없이 …이다〔하다〕《이 때의 부정은 cannot (…일 리가 없다); 또, 이 뜻일 때의 must는 상대의 말에 대한 응답과 부가의문의 경우를 제외하고는 의문문이 없으며, Are you sure?로 대용함》: It ~ be true. 정말임에 틀림없다 / You ~ know this! —*Must* I? 너는 틀림없이 이것을 알고 있을 테지—제가 말입니까 / You ~ know this, mustn't you? 자넨 틀림없이 이걸 알고 있을 테지, 그렇

지/Don't bet on horse races: you ~ lose in the long run. 경마 도박을 해서는 안 된다. 결국 손해볼 것이 뻔하니까. **b** 〖must have+과거분사; 과거에 있어서의 추정〗 …**이었음**〔**했음**〕**에 틀림없다**: You look very tired. You ~ *have been* working too hard. 몹시 피곤하신 것 같군요. 틀림없이 과로 때문일 겁니다/What a sight it ~ *have been!* 틀림없이 장관(壯觀)이었을 테지/How you ~ *have hated* me! 틀림없이 나를 증오했을 테지/I thought you ~ *have lost* your way. 자넨 길을 잃었음에 틀림없다고 여겼다/That woman ~ *have stolen* it! 저 여자가 그것을 훔쳤음에 틀림없다《비교: That woman *cannot* have stolen it! 저 여자는 그것을 훔쳤을 리가 없다》. **c** 〖~ not로〗 …**이 아님에 틀림없다**《이 경우 not은 must가 아니라 동사를 부정함》: He *mustn't* be there. 그는 거기 없을 것임에 틀림없다/He *mustn't* have known it. 그는 그것을 몰랐음에 틀림없다.

[NOTE] (1) 앞으로 있을 일에 대해서 '…일〔할〕 것임에 틀림없다'는 흔히 be bound to로 표현됨: There *is bound to* be trouble. (반드시) 말썽이 있을 것임에 틀림없다.
(2) 시제의 일치에 관해서는 앞에서도 언급했듯이 종속절 중에서는 과거라도 must를 그대로 씀: The doorbell rang. I thought it *must* be Jane. 현관 벨이 울렸다. 나는 제인이 틀림없다고 생각했다. 또한, must는 가정법의 귀결절 중에서는 가정법 과거 완료의 조동사 역할을 함: You *must*(=would surely) *have caught* the ball if you had run. 만약 뛰었더라면 너는 공을 잡았을 텐데.

6 〖필연성·운명〗 **반드시 …하다**, …은 피할 수 없다: Everyone ~ die. 누구나 반드시 죽는 법이다/Bad seed ~ produce bad corn. 나쁜 씨에서는 나쁜 열매가 생긴다.
7 《구어》 〖공교롭게 일어난 일에 대하여〗 곤란하게도 …이 일어나다, 공교롭게 …하다: Just when I was to sleep the phone ~ ring. 막 잠이 들려는데, 심술궂게도 전화가 울렸다《과거를 나타냄》/Why ~ it always rain on Sundays? 일요일만 되면 왜 언제나 비가 오는 것일까.
~ ***needs*** do ⇨NEEDS. ***needs*** ~ do ⇨NEEDS.

[DIAL.] ***if you must*** 꼭 그래야 한다면, 정히 그렇다면《내키지 않지만 허락할 때》: Can I borrow your car, mom?—*If you must.* 엄마, 차 좀 빌려줘요—꼭 그래야 한다면 그래라.

—*a.* 《구어》 절대 필요한, 필수의, 필독의: a ~ book 필독서/~ subjects 필수 과목.
—*n.* (a ~) 《구어》 절대 필요한 것; 필수품, 필독서: English is a ~. 영어는 필수 과목이다/The new edition is a ~ for those who study it. 이 신판은 이 문제를 연구하는 사람에게는 필독서이다.

must² [mʌst] *n.* [U] (포도주가 되기 전의) 포도액, 과즙.

must³ *n.* [U] 곰팡내가 남; 곰팡이.

***mus·tache** [mʌ́stæʃ, məstǽʃ] *n.* [C] (흔히 *pl.*) 《美》 **콧수염**(《英》 moustache). [cf.] beard, whisker. ¶grow 〔wear〕 a ~ 콧수염을 기르다〔기르고 있다〕.

mus·ta·chio [məstɑ́:ʃou] (*pl.* **~s**) *n.* [C] (보통 *pl.*) 《고어》 커다란 콧수염.

mus·tang [mʌ́stæŋ] *n.* [C] (멕시코 등의) 야생마. (***as***) ***wild as a*** ~ 《美구어》 몹시 난폭한.

°**mus·tard** [mʌ́stərd] *n.* [U] **1** 겨자, 머스터드; 겨잣빛, 짙은 황색: English 〔French〕 ~ 물을 탄〔초를 친〕 겨자. **2** 〖식물〗 평지, 갓: wild ~ 개구리자리(charlock). (***as***) ***keen as*** ~ 《구어》 아주 열심인; 열망하여; 이해가 빠른.

mústard gàs 겨자탄, 이피리트《독가스》.

mústard plàster 겨자씨 연고《찜질 약》.

mústard pòt 겨자 단지《식탁용》.

mústard sèed 겨자씨《가루는 조미료·약용》. ***a grain of*** ~ 〖성서〗 겨자씨 한 알, 작지만 발전성 있는 것《마태복음 XIII: 31》.

°**mus·ter** [mʌ́stər] *n.* [C] 소집, 검열, 점호; 집합 인원; 점호 명부. ***pass*** ~ (검사·시험 따위를) 통과하여) 자격을 인정받다, 합격하다.
—*vt.* (검열·점호에 선원·군인)을 소집하다; (힘·용기 따위)를 분발시키다(*up*): ~ *up* all one's courage 한껏 용기를 내다/She managed to ~ a feeble smile. 그녀는 가까스로 미소를 지어 보였다. **—*vi.*** (검열·점호에) 모이다, 응소(應召)하다. ~ ***out*** 《*vt.*+[부]》 《美》 제대시키다.

†**mustn't** [mʌ́snt] must not의 간약형.

musty [mʌ́sti] (***must·i·er; -i·est***) *a.* 곰팡핀, 곰팡내 나는; 케케 묵은, 진부한(stale), 시대에 뒤진. [파] **múst·i·ness** *n.*

mù·ta·bíl·i·ty *n.* [U] 변하기 쉬움; 변덕.

mu·ta·ble [mjú:təbəl] *a.* 변하기 쉬운; 변덕스러운.

mu·ta·gen [mjú:tədʒən] *n.* [C] 〖생물〗 돌연변이원(原), 돌연변이 유발 요인.

mu·tant [mjú:tənt] *a.* 〖생물〗 돌연변이의〔에 의한〕. **—*n.*** [C] 〖생물〗 돌연변이체, 변종.

mu·tate [mjú:teit] *vt.*, *vi.* 변화하다; 〖생물〗 돌연변이하다〔시키다〕; 〖언어〗 모음 변화하다〔시키다〕.

mu·tá·tion *n.* **1** [U] (구체적으로는 [C]) 변화, 변전(變轉); 〖언어〗 모음 변화, 우믈라우트. **2** 〖생물〗 [U] 돌연변이; [C] 변종. **3** [U] (구체적으로는 [C]) (세상의) 변천.

mutátion plúral 〖언어〗 변(모)음 복수《보기: man>men, goose>geese》.

mu·ta·tis mu·tan·dis [mu:tɑ́:tis-mu:tǽndis, mju:téitis-mju:-] 《L.》 **필요한 변경을 가하여**, 준용(準用)해서.

mute** [mju:t] *a.* **1** **무언의**, 말이 없는: ~ resistance 무언의 저항. **2** 말을 못 하는. [SYN.] ⇨VOICELESS. **3** 〖음성〗 발음 안 하는, 묵자〔묵음(默音)〕의《knot의 k, climb의 b 등》: a ~ letter 묵자. **4** 〖법률〗 묵비권을 행사하는: stand ~ 묵비하다. **—*n. [C] **1** 언어 장애인. **2** 〖음성〗 묵자, 묵음. **3** (악기의) 약음기(弱音器). **—*vt.*** …의 음을 없애다〔약하게 하다〕; …의 색조를 약하게 하다. [파] **∠·ly** *ad.* **∠·ness** *n.*

mut·ed [mjú:tid] *a.* 침묵한; (소리·어조 등이) 약한; (색이) 부드러운; (음량 등이) 약해진; 〖음악〗 약음기를 단〔쓴〕: She spoke in ~ tones. 그녀는 목소리를 죽이고 말했다.

°**mu·ti·late** [mjú:təlèit] *vt.* (아무)의 수족을 절단하다; (수족 따위)를 절단하다; 베어 가르다, 망치다, 손상하다; 불완전하게 하다《문서 따위를 일부 삭제하여》: Do not fold or ~. 접거나 흠집을 내지 마시오《우편물 따위 위에 써서》.

mù·ti·lá·tion *n.* [U] (구체적으로는 [C]) (수족 등의) 절단, 절제; 손상; 문서 훼손.

mu·ti·neer [mjù:təníər] *n.* [C] 폭도; 〖군사〗 항명자; 저항자.

mu·ti·nous [mjúːtənəs] *a.* 폭동의; 반항적인, 불온한.

◇**mu·ti·ny** [mjúːtəni] *n.* Ⓤ (구체적으로는 Ⓒ) (특히 군인 · 수병 등의) 폭동, 반란; 〖군사〗 하극상; 반항. **—***vi.* 폭동〔반란〕을 일으키다; 반항하다《**against** …에 대해》.

mutt [mʌt] *n.* Ⓒ《속어》 바보, 얼간이; 《경멸적》 (특히 잡종의) 개, 똥개.

⁑**mut·ter** [mʌ́tər] *n.* (*sing.*) **중얼거림**, 중얼대는 소리; 투덜거림, 불평: in a ~ 낮은 목소리로, 중얼중얼.
—*vi.* **1** 《~/+전+명》 **중얼거리다**; 불평을 말하다《**about, at, against** …에》: ~ *against* a person 아무에 대하여 불평을 하다/Everybody was ~*ing about* the bad food. 모두가 음식이 나쁘다고 투덜대고 있었다. **2** (우레 따위가) 낮은 소리를 내다: Thunder ~*ed* in the distance. 멀리서 천둥이 우르르거렸다. **—***vt.* 《~+목/+목+전+명/+*that* 절》 속삭이다; 투덜투덜하다: He ~*ed* a reply. 그는 중얼중얼 낮은 소리로 대답했다/She ~*ed* (to me) *that* it was too expensive. 그것이 너무 비싸다고 그녀는 (나에게) 투덜거렸다.

*__mut·ton__ [mʌ́tn] *n.* Ⓤ **양고기**. ***a leg-of-~ sleeve*** 양의 다리 모양의 소매《팔꿈치까지는 꼭 맞고 어깨쪽으로는 넓어짐》. (***as***) ***dead as ~*** ⇨DEAD. **~ *dressed*** (***up***) ***as lamb*** 《구어》 잘 보이려고 무리를 한 것, 《특히》 어울리지 않게 젊게 꾸민 중년 여자.

mútton chòp 양의 갈비 고기.

mútton·chòps *n. pl.* 위는 좁고 밑으로 퍼지게 기른 구레나룻(=**múttonchop whískers**).

mútton·hèad *n.* Ⓒ《구어》 바보, 얼간이.
㊕ **~·ed** [-id] *a.* 《구어》 어리석은(stupid).

*__mu·tu·al__ [mjúːtʃuəl] *a.* **1 서로의**, 상호 관계가 있는: ~ aid 상호 부조/~ respect 상호 존경/a ~(-aid) society 공제 조합/~ insurance 〔assurance〕 상호 보험/~ understanding 상호 이해/~ induction (전기 · 자기의) 상호 유도/by ~ consent 쌍방의 합의에 의하여. **2** 공동의, 공통의: He's a ~ friend of ours. 그는 우리들의 쌍방〔공통〕의 친구이다.

mútual fùnd 상호기금; 《美》 투자신탁 회사.

mútual insúrance còmpany 상호 보험 회사.

mu·tu·al·i·ty [mjùːtʃuǽləti] *n.* Ⓤ 상호 관계, 상관.

*__mú·tu·al·ly__ *ad.* **서로**, 공동으로: The two ideas are ~ contradictory 〔exclusive〕. 그 두 생각은 서로 모순된다〔배타적이다〕.

muu·muu [múːmúː] *n.* Ⓒ 《Haw.》 무무《화려한 무늬의 헐거운 드레스》.

Mu·zak [mjúːzæk] *n.* Ⓤ 영업용 배경 음악《라디오 · 전화선을 통해 계약점에 송신; 상표명》.

muz·zle [mʌ́zəl] *n.* Ⓒ **1** (동물의) 입 · 코 부분, 부리, 주둥이. **2** 입마개, 재갈, 부리망. **3** 총구, 포구. **—***vt.* (동물 입)에 재갈을 물리다; (이무)에게 말 못하게 하다; (사람 · 신문 등)의 언론의 자유를 방해하다: ~ the press 보도를 막다.

múzzle-lòader *n.* Ⓒ 전장(前裝)총〔포〕.

múzzle velócity (총포탄의) 총구 속도, 초속(初速)《생략 M.V.》.

muz·zy [mʌ́zi] (***-zi·er; -zi·est***) *a.* 멍한, 기운 없는; (술로) 머리가 띵한; 확실〔선명〕하지 않은.
㊕ **múz·zi·ly** *ad.* **-zi·ness** *n.*

MV motor vessel. **MVP** 〖경기〗 most valuable player. **MW** medium wave. **MWS** 〖컴퓨터〗 management work station (관리자용 단말 장치).

†**my** [mai, məi, mə] *pron.* **1** 《I의 소유격》 **나의**: *my* house 나의 집/*my* teacher (나를 가르치고 있는) 나의 선생님/*my* letter (내가 쓴) 나의 편지/*my* school (내가 다니고 있는) 나의 학교/her and *my father* 그녀와 나의 (공통의) 아버지/her and *my father*(*s*) 그녀 아버지와 나의 아버지/I missed *my* train 〔flight〕. (내가 타려고 했던) 기차〔비행기〕를 놓쳤다.
2 《호칭에 붙여 친근감을 나타내어》 *my* boy 〔friend, man, son, daughter, etc.〕/*my* dear fellow =*my* good man 여보게.
3 《동명사나 동작을 나타내는 명사의 의미상의 주어로》 **나는, 내가**: Heavy rain prevented *my going* out. 폭우로 나는 외출하지 못했다/He insisted on *my* instant departure. 그는 내가 곧 출발해야 한다고 주장했다.

> **NOTE** (1) 다음과 같은 용법에 주의할 것: *my* train 내(가 타고 있는〔있던〕) 열차/*My* brakes didn't work. 내 차의 브레이크가 듣지 않았다/That's *my* problem, not yours. 그건 내 문제이지 네 문제가 아니야/*my* Tom 내 아들인 톰; (내 남편인) 톰; 내 귀여운 톰.
> (2) my friend, a friend of mine, one of my friends에 대하여는 ⇨MINE.
> (3) 발음에는 약형(弱形)으로서 [mə(i)/mi]의 발음도 있음. 자음 앞에서는 [mə], 모음 앞에서는 [məi]가 되는데, 그다지 중시할 필요는 없음. 일반적으로 약하게 발음시는 [mai], 강조시는 [mái]로 알고 있으면 됨.

—*int.* 《구어》 아이고; 야; 저런《놀라움을 나타냄》: *My!* It's beautiful. 야, 참 아름답군.

Myan·mar [mjǽnmàːr] *n.* 미얀마《1989년부터의 Burma의 새 국명; 정식 명칭은 the Union of ~; 수도는 Yangon》.

My·ce·nae [maisíːniː] *n.* 미케네《그리스의 옛 도시》.

My·ce·nae·an [màisəníːən] *a.* 미케네의; 미케네 문명의: ~ civilization 미케네 문명.

my·col·o·gy [maikɑ́lədʒi/-kɔ́l-] *n.* Ⓤ 균학(菌學), 균류학. ㊕ **-gist** *n.* Ⓒ 균(菌)학자.

my·e·li·tis [màiəláitis] *n.* Ⓤ 〖의학〗 척수염.

my·na, -nah [máinə] *n.* Ⓒ 구관조(九官鳥).

my·o·pia, my·o·py [maióupiə], [máiəpi] *n.* Ⓤ **1** 〖의학〗 근시안, 근시. **2** 근시안적인 것, 단견(短見).

my·op·ic [maiɑ́pik/-ɔ́p-] *a.* **1** 근시(안)의: The child is a little ~, I'm afraid. 아무래도 저 아이는 조금 근시인 것 같다. **2** 근시안적인: a ~ view 근시안적인 견해. ㊕ **my·óp·i·cal·ly** *ad.*

myr·i·ad [míriəd] *n.* Ⓒ 만(萬); 무수; 무수한 사람〔물건〕: a ~ of stars 무수한 별들. **—***a.* 무수한; 1만의; 가지각색의: a ~ activity 다채로운 활동.

mýriad-mínded [-id] *a.* 재간이 무궁무진한: ~ our Shakespeare 모든 일에 정통한〔만인의 마음을 가진〕 셰익스피어.

Myr·mi·don [mə́ːrmədɑ̀n, -dən/-dɔ̀n] *n.* (*pl.* **~*s, Myr·mid·o·nes*** [məːrmídəniːz]) Ⓒ **1** 〖그리스신화〗 뮈르미돈 사람《Achilles를 따라 트로이 전쟁에 가담했던 용맹한 Thessaly 부족 사람》. **2** (m-) (명령을 충실히 수행하는) 부하, 수하, 앞잡이.

myrrh [mə:r] *n.* Ⓤ 미르라, 몰약(沒藥).

myr·tle [mə́:rtl] *n.* Ⓤ (낱개는 Ⓒ) 【식물】 도금양(桃金孃)《상록 관목》; 《美》 =PERIWINKLE¹.

‡**my·self** [maisélf] (*pl.* ***our·selves*** [auərsélvz]) *pron.* 《I 의 복합 인칭대명사》 **1** 《강조적으로 써서》 **a** **나 자신**: I ~ saw it. =I saw it ~. 나는 몸소 그것을 보았다《★ 전자의 경우가 좀더 강조적》/I have never ~ been there. 나 자신은 그곳에 간 적이 없다. **b** 《and, as, like, than 뒤에서 I, me 의 대신으로》 나 자신(이, 을): My mother *and* ~ went to the seaside for the summer. 어머니와 나는 피서를 해변으로 갔다/They have never invited Mary *and* ~ to dinner. 그들은 만찬에 메리와 나를 한 번도 초대하지 않았다/No one knows more about it *than* ~. 누구도 그것을 나보다 더 잘 알고 있는 사람은 없다/He's *as* capable *as* ~ in handling a computer. 컴퓨터를 다루는 데 있어서는 그는 나와 마찬가지로 잘한다. **c** 《독립구문의 주어 관계를 특별히 드러내어》 《문어》: *Myself* poor, I understood the situation. 나 자신도 가난했으므로, 나는 그 사정을 이해했다.
2 《재귀적》 **a** 《동사의 목적어로》 내 자신: I introduced ~ to him. 그에게 내자신을 소개하였다. **b** 《전치사의 목적어로》 내 자신: I live *by* ~. 혼자 살고 있다/I was beside ~. 내 정신이 아니었다.
3 《보통 be, feel 의 보어로서》 《구어》 평상시의 나: I *was* not ~ yesterday. 어제는 몸이 정상이 아니었다.
beside ~ ⇨ONESELF (관용구). ***by*** ~ ⇨ONESELF (관용구). ***for*** ~ ⇨ONESELF (관용구). ***to*** ~ ⇨ONESELF (관용구).

‡**mys·te·ri·ous** [mistíəriəs] *a.* **1 신비한**, 불가사의한: Mona Lisa's ~ smile 모나리자의 신비로운 미소. **2** 원인 불명의, 설명할 수 없는: a ~ murder 미궁의 살인 사건. **3** 이유 있는 듯한, 이상한. ◇ mystery *n.* ⓟ **~·ly** *ad.* **~·ness** *n.*

‡**mys·tery** [místəri] *n.* **1 a** Ⓒ 신비한 것, 불가해한 것, 수수께끼: The origins of life remain a ~. 생명의 기원은 여전히 수수께끼로 남아 있다/It's a ~ (to me) why she left. 왜 그녀가 자취를 감췄는지 (나에게는) 이해가 안 간다. **b 신비**, 불가사의: His past is wrapped in ~. 그의 과거는 신비에 싸여 있다. **2** Ⓒ (흔히 *pl.*) (옛 그리스·로마 따위의 이교(異敎)의) 비법, 비결; 【가톨릭】 성사(聖事). **3** Ⓒ 괴기〔탐정, 추리〕 소설, 미스터리; 영험기(靈驗記). ◇ mysterious *a.*

mýstery plày 기적극(ⓒⓕ miracle play)《그리스도의 생·사·부활을 다룬》; 추리극.

mýstery tòur 행선지 불명의 행락 여행.

°**mys·tic** [místik] *a.* =MYSTICAL.
— *n.* Ⓒ 신비가(神秘家), 신비주의자.

mys·ti·cal [místikəl] *a.* **1** 신비적인; 비법의, 비전의, 비결의. **2** 상징적인: (a) ~ significance 상징적인 의미. **3** 신비설의; 영감(靈感)의. ⓟ **~·ly** *ad.* 신비하게, 불가사의하게.

°**mys·ti·cism** [místəsìzəm] *n.* Ⓤ 【철학】 신비설, 신비주의.

mys·ti·fi·ca·tion [mìstəfikéiʃən] *n.* Ⓤ (구체적으로는 Ⓒ) 신비화; 당혹시킴; 속이기.

°**mys·ti·fy** [místəfài] *vt.* 신비화하다; 불가해하게 하다; 어리둥절하게〔얼떨떨하게〕 하다, 미혹시키다: The whole situation *mystifies* me. 모든 상황이 불가해하다.

mýs·ti·fỳ·ing *a.* 현혹〔미혹〕시키는; 불가사의한: a ~ problem 이해하기 어려운 문제/It's really ~ that he didn't appear. 그가 모습을 나타내지 않았다는 것은 정말로 이해할 수 없다. ⓟ **~·ly** *ad.*

mys·tique [mistí:k] *n.* (보통 *sing.*) (어떤 교의(教義)·기술·지도자 등이 지닌) 신비한 매력〔분위기〕, 신비성〔감〕.

***myth** [miθ] *n.* **1 a** Ⓒ (개개의) **신화**: the Greek ~*s* 그리스 신화. **b** Ⓤ 《집합적》 신화《전체》: famous in ~ and legend 신화와 전설에서 유명한. SYN. ⇨LEGEND. **2** Ⓤ (구체적으로는 Ⓒ) 꾸며낸 이야기, (근거가 희박한) 사회적 통념《*that*》: Don't believe it, it is pure ~. 그런 것은 믿지 마라. 그것은 전혀 꾸며낸 이야기다/We must explode the ~ *that* some races were created superior by God. 인종차별은 신이 만들었다는 설은 타파되지 않으면 안 된다. **3** Ⓒ 가공의 인물〔사물〕: The rich aunt she boasts of is only a ~. 그녀가 자랑하고 있는 부자 아주머니라는 것은 가공의 인물일 뿐이다.

myth. mythological; mythology.

°**myth·ic, -i·cal** [míθik], [-əl] *a.* 신화의, 신화적인; 가공의, 공상의: the mythical age 신화 시대. ⓟ **-i·cal·ly** *ad.*

myth·o·log·ic, -i·cal [mìθəlɑ́dʒik/-lɔ́-], [-əl] *a.* 신화의; 신화학(상)의. ⓟ **-i·cal·ly** [-kəli] *ad.*

°**my·thol·o·gy** [miθɑ́lədʒi/-θɔ́l-] *n.* **1** Ⓤ 《집합적》 신화(神話); Ⓒ 신화집. **2** Ⓤ 신화학. ⓟ **-gist** *n.* Ⓒ 신화학자; 신화작가.

N

N, n [en] (*pl.* **N's, *Ns*, n's, *ns*** [-z]) *n.* **1** Ⓤ (구체적으로는 Ⓒ) 엔《영어 알파벳의 열넷째 글자》. **2** Ⓒ N자 모양(의 것). **3** Ⓤ (연속된 것의) 열넷째(의 것)《J를 넣지 않으면 열셋째》.

N 〖물리〗 newton(s); 〖화학〗 nitrogen; 〖전기〗 neutral. **N, N., n, n.** north; northern. **n.** neuter; nominative; noon; note; noun; number.

'n, 'n' [n] *conj.* 《구어》 =AND: rock'*n* roll.

'n [n] 《구어》 *conj.* =THAN. **—***prep.* =IN.

N- nuclear(핵의): *N*-powers 핵무기 보유국 / *N*-test 핵실험.

-n [n] *suf.* =-EN.

Na 〖화학〗 *natrium* 《L.》 (=sodium). **N.A.** North America(n); not applicable; not available. **NA, n/a** 〖은행〗 no account (거래 없음).

N.A.A.F.I., Naa·fi [nǽfi] *n.* (the ~) 《英》 군 후생 기관; 군인 매점〔식당〕(《美》 PX); 군 매점의 경영 단체. [◂ *N*avy, *A*rmy and *A*ir *F*orce *I*nstitute(s)]

nab [næb] (**-bb-**) *vt.* 《구어》 **1** (범인 등)을 붙잡다, 체포하다(arrest)《***for*** …의 이유로》: He was ~*bed for* robbery. 그는 강도죄로 붙잡혔다. **2** 잡아채다, 거머잡다〔쥐다〕.

Na·bo·kov [nəbɔ́:kəf] *n.* **Vladimir** ~ 나보코프《러시아 태생의 미국 소설가 · 시인; 나비 수집가로도 유명; 1899–1977》.

na·celle [nəsél] *n.* Ⓒ 〖항공〗 나셀《항공기의 엔진 덮개》; 비행기〔비행선〕의 승무원실〔화물실〕; (기구에 매단) 곤돌라, 채롱(car).

na·chos [ná:tʃouz] *n. pl.* 나쵸《멕시코 요리; 녹인 치즈 · 고춧가루를 얹어서 구운 tortilla》.

na·cre [néikər] *n.* Ⓤ 진주층(層), 자개.

na·cre·ous, na·crous [néikriəs], [néikrəs] *a.* 진주층의〔과 같은〕; 진주 광택의.

Na·der [néidər] *n.* **Ralph** ~ 네이더《미국의 변호사; 정치 개혁을 주창하고, 소비자 보호 운동을 지도; 1934– 》.

Ná·der·ìsm *n.* Ⓤ 《美》 (Ralph Nader 의) 소비자 (보호) 운동.

na·dir [néidər, -diər] *n.* (the ~) **1** 〖천문〗 천저(天底)(↔ *zenith*). **2** 《비유적》 (역경 · 운명 따위의) 밑바닥, 구렁텅이, 최악의 상태: at the ~ of …의 밑바닥에.

naevus ⇨NEVUS.

naff [næf] *a.* 《英속어》 촌스러운, 유행에 뒤떨어진; 무가치한, 하찮은: That's a bit ~, isn't it? 좀 촌스럽지 않은가.

NAFTA North American Free Trade Agreement (북아메리카 자유 무역 협정).

nag[1] [næg] *n.* Ⓒ 《구어》 말; 늙은 말; (별로 신통치 못한) 경주마.

°**nag**[2] *n.* Ⓒ 《구어》 잔소리꾼; 잔소리가 심한 여자. **—**(**-gg-**) *vi.* **1** 성가시게 잔소리하다, 바가지 긁다《***at*** (아무)에게》: She was always ~*ging at* the maid. 그녀는 하녀에게 항상 잔소리를 해댔다. **2** 괴롭히다, 초조하게 하다《***at*** (아무)를》: Worries ~*ged at* her. 걱정〔근심〕이 그녀를 괴롭혔다. **—***vt.* **1** …에게 잔소리하다; 졸라대다《***for*** …을 / ***to*** do》; 귀찮게 졸라서 …시키다《***into*** …하게》: ~ a person *for* a new car 새 차를 사 달라고 아무에게 조르다 / He ~*ged* her *into* marry*ing* him. 그는 귀찮도록 졸라서 그녀와 결혼했다 / She ~*ged* him *to* buy her a new coat. 그녀는 새 코트를 사 달라고 그에게 귀찮게 졸라댔다. **2** (걱정 따위가) 끈질기게 괴롭히다.

nág·ger *n.* Ⓒ 바가지 긁는 여자.

nág·ging *a.* 성가시게 잔소리하는; (아픔 · 기침 등이) 붙어 떨어지지 않는, 괴롭히는; 끈질긴, 성가신: a ~ pain 좀처럼 낫지 않는 병 / a ~ question 항상 괴롭히는 문제. ⊕ **~·ly** *ad.*

Nah. 〖성서〗 Nahum.

Na·hum [néihəm] *n.* 〖성서〗 나훔《헤브라이의 예언자》; (구약 성서의) 나훔서《생략: Nah.》.

nai·ad [néiəd, nái-, -æd] (*pl.* **~s, *nai·ades*** [néiədì:z]) *n.* Ⓒ 〖그리스 · 로마신화〗 (종종 N–) 물의 요정《강 · 호수 · 샘 따위에 있다는》.

na·ïf, na·if [nɑ:í:f] *a.* 《F.》 =NAIVE, NAÏVE.

⁑**nail** [neil] *n.* Ⓒ **1** (사람의) **손톱, 발톱**; (새 · 짐승의) 발톱. ⓒⓕ claw, talon. ¶cut 〔pare, trim〕 one's ~*s* 손톱〔발톱〕을 깎다. **2** **못**; 대갈못, **징**: drive a ~ 못을 박다 / One ~ drives out another. 《속담》 이열치열하다.

a ~ in** a person**'s coffin 수명을 재촉하는 (원인이 되는) 것《담배 · 술 따위》; 파멸을 재촉하는 것: drive 〔hammer〕 a ~ *into* 〔*in*〕 a person*'s coffin* (사태 등이) 아무의 수명을 단축시키다〔파멸을 앞당기다〕. ***(as) hard*** 〔***tough***〕 ***as ~s*** 《구어》 ① 무자비한, 냉혹한. ② 강건한. ***bite*** 〔***chew***〕 one***'s ~s*** 분해서〔신경질적으로〕 손톱을 깨물다. ***hit the*** (***right***) ***~ on the head*** 〔***nose***〕 =***hit the ~ dead center*** 바로 맞히다, (문제의) 핵심을 찌르다. ***on the ~*** 《구어》 ① 현재의, 당면한 《문제》. ② 즉석에서, 그 자리에서: pay *on the* ~ 즉석에서 지급하다. ***tooth and ~*** ⇨TOOTH.

—*vt.* **1** 《~+목/+목+전+명》 **못**〔**핀**〕**으로 고정하다**《***on, to*** …에》: ~ a lid *on* 〔*to*〕 the box 상자 뚜껑을 못질하여 고정시키다. **2** 《+목+부》 못질하여 포장하다(*up*): ~ goods *up* in a box 상품을 상자에 넣어 못질하다. **3** 《~+목/+목+전+명》 (아무)를 꼼짝 못하게 하다, 멈추게 하다《***to*** (장소)에》; (눈길 · 주의 따위)를 쏟다, 집중시키다《***on, to*** …에》: Surprise ~*ed* him *to* the spot. 그는 깜짝 놀라 그 자리에서 꼼짝달싹 못했다. **4** 《구어》 붙들다, 체포하다: The police ~*ed* him. 경찰이 그를 붙잡았다. **5** 〖야구〗 (주자)를 터치아웃시키다. **6** 《구어》 (거짓 · 악행 등)을 들춰내다; (아무)의 악행 등을 폭로하다: ~ an insurance scam 보험금 사기를 폭로하다.

~ down 《*vt.*+부》 ① …을 못으로 고정시키다; (아무)를 꼼짝 못하게 하다《***to*** …에》: ~ *down* a person *to* a promise 아무를 약속으로 꼼짝 못하게 하다. ② …을 결정적인〔확실한〕 것으로 하

다: ~ *down* a new agreement 새 협정을 매듭짓다. ③ (아무)를 동의하게 하다《*to* …에》; (아무)에게 확실히 말하게 하다《*to* …을》: Try to ~ him *down to* a price. 그에게 값을 확실하게 제시하도록 시키시오. ~ ***up*** 《*vt.*+㊄》 (문·창 등)을 못질하다; 벽에 (게시(揭示) 등)을 못〔핀〕으로 붙이다.

N

náil-bìting *a.* 초조〔조마조마〕하게 하는, 조바심 나게 하는.

náil·brùsh *n.* Ⓒ 손톱솔.

náil clìpper 손톱깎이.

náil·er *n.* Ⓒ **1** 못 제조자. **2** 못 박는 사람; 못 박는 자동식 기계.

náil file 손톱 다듬는 줄.

náil·hèad *n.* Ⓒ 못대가리; 〖건축〗 (Norman 건축 따위의) 못대가리 모양의 장식.

náil pòlish 〔**vàrnish, enàmel**〕 매니큐어 에나멜.

náil scìssors 〔**nìppers**〕 손톱 가위.

Nai·ro·bi [nairóubi] *n.* 나이로비《동아프리카 Kenya의 수도》.

°**na·ive, na·ïve** [nɑːíːv] *a.* 《F.》 **1** 천진난만한, 순진한, 때묻지 않은, 고지식한《*to* do》; 우직한, 잘 속는: It's ~ *of* you 〔You're ~〕 *to* trust everyone. 아무나 믿다니 너도 순진하다. **2** (특정한 분야에) 미경험의; 선입견이 없는. **3** (생각 따위가) 단순한, 여린, 순박한; 《美》 소박한, 원시적인. ㊄ **~·ly** *ad.*

na·ive·té, -ïve- [nɑ̀ːiːvtéi, nɑːíːvətèi] *n.* 《F.》 **1** Ⓤ 천진난만, 순진; 속기 쉬움; 지나치게 고지식함, 우직. **2** Ⓒ (보통 *pl.*) 단순〔소박〕한 말〔행동〕.

na·ive·ty, -ïve- [nɑːíːvəti] *n.* =NAIVETÉ.

na·ked [néikid] *a.* **1 a 벌거벗은**, 나체의: go ~ (야만인 등이) 나체로 지내다/swim ~ 알몸으로 헤엄치다/strip a person ~ 아무를 발가벗기다. **b** (동물의 새끼가) 털〔깃, 껍질, 비늘〕이 없는. SYN. ⇨BARE. **2** Ⓐ **a** 가리개〔덮개〕가 없는: a ~ electric wire 〔bulb〕 나선(裸線)〔알전구(電球)〕. **b** (칼집에서) 뽑은 칼. **c** (나무 따위) 잎이 진. **d** (토지가) 초목이 없는. **3 a** (방이) 가구가 없는; 드러난: a ~ room 가구가 없는 방/a ~ wall 아무 것도 바르지 않은 벽. **b** (도시 따위가) 무방비의: ~ to invaders 침략자들에게 무방비의. **c** 없는, 결여된《*of* …이》: a tree ~ *of* leaves 낙엽진 나무/a life ~ *of* comfort 낙이 없는 생활. **4** Ⓐ **a** (사실·감정 따위가) 꾸밈 없는, **적나라한**, 있는 그대로의: the ~ heart 진심/the ~ truth 있는 그대로의 진실. **b** (행동·상황 등이) 노골적인, 전적인: ~ aggression 〔exploitation〕 노골적인 침략〔착취〕.

with ~ fists (글러브 없이) 맨손으로. ***with the ~ eye*** 육안으로, 맨눈으로: Venus can be seen *with the ~ eye.* 금성은 육안으로 보인다.

㊄ **~·ly** *ad.* 벌거숭이로; 적나라하게.

ná·ked·ness *n.* Ⓤ 벌거숭이; 있는 그대로임, 적나라; 무자력(無資力), 결핍. ***the ~ of the land*** (나라 등의) 무력(無力), 무방비 상태《창세기 XLII: 9》.

nam·a·ble [néiməbəl] *a.* =NAMEABLE.

nam·by-pam·by [nǽmbipǽmbi] *a.* (사람·말 따위의) 매우 감상적인; 나약한. **—***n.* Ⓒ **1** 연약한〔유약한〕 사람. **2** 감상적인 말〔문장〕.

†**name** [neim] *n.* **1** Ⓒ **이름**, 성명; (물건의) 명칭: a common ~ 통칭/a pet ~ 애칭/a technical ~ 전문적 명칭/He deserves the ~ of poet. 그는 시인이라고 부를 가치가 있다/My ~ is John Smith. 제 이름은 존 스미스입니다《첫 대면의 자기 소개》/May I have your ~, please? =Could you tell me your ~, please? 성함이 어떻게 되십니까《★ 면전에서 이름을 물을 때 What is your ~?은 실례가 되는 표현》/What ~ shall I say? =What ~, please? 성함이 어떻게 되시지요, 뉘시라고 할까요《중간에서 전갈할 때》/Tolerance is another ~ for indifference. 관용은 무관심의 별칭이다/What's in a ~? 이름에 무슨 의미가 있는가, 이름 따위는 아무래도 좋다《Shakespeare의 "*Romeo and Juliet*"에서》.

> **NOTE** John Fitzgerald Kennedy에서, 미국식으로는 공식 문서 따위에서 John을 first name, Fitzgerald를 middle name, Kennedy를 last name이라고 부름. 영국식으로는 (또 미국식에서도) John과 Fitzgerald가 given 〔personal, Christian〕 name 또는 forename이며, Kennedy가 family name 또는 surname임.

2 (*sing.*; 보통 the ~) 〖성서〗 하느님〔신〕의 이름《여호와》: praise *the Name* of the Lord 신의 이름을 찬양하세. **3** (a ~) **명성**, 명망(名望); 평판《*for* …라는》: seek ~ and fortune 명성과 부를 추구하다/a good 〔bad〕 ~ 명성〔악명〕/leave one's ~ behind in history 역사에 이름을 남기다/The restaurant has a ~ *for* being cheap and good. 그 식당은 값싸고 맛있기로 평판이 나 있다. **4** Ⓒ 〖보통 big, great, famous 등의 수식어를 수반하여〗 《구어》 유명인, 명사: She is a ~ in show business. 그녀는 연예계에서 이름이 알려져 있다/one of the great ~*s* of the age 당대의 저명인사 중의 한 사람/the great ~*s* of history 역사상의 위인들. **5** Ⓤ (구체적으로는 Ⓒ) 명목, 허명《실질에 대한》: in reality and in ~ 명실 공히. **6** Ⓒ (보통 *pl.*) 악명, 욕: call a person (bad) ~*s* 아무를 거짓말쟁이〔도둑놈이〕라고 욕설하다; 아무의 욕을 하다. **7** Ⓒ 〖컴퓨터〗 이름《철, 프로그램, 장치 따위의 이름》.

by ~ ① …라고 하는 이름의: a man, John Smith *by* ~ 존 스미스라는 (이름의) 사람. ② 이름은: Tom *by* ~ =*by* ~ Tom 이름은 톰/The teacher knows all the pupils *by* (their) ~(*s*). 선생은 학생 전부의 이름을 알고 있다. ③ 지명(指名)하여, 이름을 들어: He was called upon *by* ~ to answer. 그는 답변하도록 지명되었다. ④ 〖흔히 just 〔only〕 by ~으로〗 (안면은 없지만) 이름만은: Do you know her?—Just *by* ~. 그녀를 아십니까—이름만은 (들어서) 알고 있습니다. ***by the ~ of*** …라는 이름으로〔의〕, 통칭은…: a young man *by the ~ of* John Smith 존 스미스라는 이름의 젊은 남자/go 〔pass〕 *by* 〔*under*〕 *the ~ of* …이름으로 통하다, 통칭(通稱)은 …이다. ***have*** one***'s ~ up*** 이름을 날리다, 유명해지다. ***in all but ~*** 사실상, 실질적으론(virtually): He's the boss *in all but* ~. 그는 사실상 우두머리이다. ***in God's*** 〔***heaven's, Christ's, hell's***〕 ***~*** ① 〖의문문을 강조하여〗 《구어》 도대체: Where *in heaven's* ~ have you been? 도대체 어디에 갔었느냐. ② 신에게 맹세코; 원컨대. ***in ~ only*** 명목상으로만: a king *in* ~ *only* 이름뿐인 왕. ***in*** one***'s*** (***own***) ***~*** 자기 명의로; (직책 따위를 떠나) 개인으로서; 자기 혼자서, 독립하여: It stands *in* my ~. 그것은 내 명의로 되어 있다/

He started a new enterprise *in* his *own* ~. 그는 독립하여 새 기업을 시작했다. ***in the ~ of*** =***in a*** person***'s ~*** ① 아무의 이름을 빌어, …에 맹세하여: *in the ~ of* God 신의 이름을 빌어, 맹세코; 제발/This, *in the ~ of* Heaven, I promise. 이것은 하늘에 맹세코 약속한다. ② …의 이름으로, …의 권위(權威)에 의하여: *in the ~ of* the law 법의 이름으로/commit wrongs *in the ~ of* justice 정의의 이름으로 나쁜 짓을 하다. ③ …의 대신으로〔대리로〕; …의 명목으로; …의 명의로: I am speaking *in the ~ of* Mr. Smith. 스미스씨의 대리로서 말하고 있는 것입니다. ④ 《강조적》 도대체: *In the ~ of* mercy, stop screaming! 제발 좀 큰소리 지르지 마라/What *in the ~ of* goodness 〔fortune〕 are you doing? 대체 무얼 하고 있느냐. ***make*** 〔***win***〕 ***a ~*** (***for*** one***self***) 이름을 떨치다, 유명해지다: He wants to *make a ~ for* himself as a pianist. 그는 피아니스트로서 명성을 쌓고 싶어한다. ***~ names*** 《특히 나쁜 일에 가담한 자의》 이름을 들다, 이름을 밝히다. ***not have a penny to*** one***'s ~*** ⇨PENNY. ***of*** 〔***of no***〕 ***~*** 유명한〔무명의〕. ***of the ~ of*** =by the ~ of. ***put*** person***'s ~ down for*** ① …의 후보자〔응모자〕로서 기명(記名)하다; …입학〔입회〕자로서 이름을 올리다: I *put* his ~ *down for* membership. 새 회원 후보자로 그의 이름을 올렸다. ② … 액수를 기부할 것을 약속하다. ***take a*** 〔a person***'s, God's***〕 ***~ in vain*** 함부로 아무〔신〕의 이름을 입에 올리다; 《우스개》 경솔하게 말하다. ***take*** one***'s ~ off*** …에서 탈퇴〔탈회〕하다. ***the ~ of the game*** 《구어》 가장 중요한〔불가결한〕 것, 주목적, 요점, 본질. ***under the ~*** (***of***) …라는 이름으로, (스스로) …라 칭하여.

— *a.* **1** Ⓐ 《美》 유명한, 일류의: a ~ writer 〔hotel〕 일류 작가〔호텔〕/a ~ brand 유명 브랜드의 상품. **2** 이름〔네임〕이 들어〔붙어〕 있는; 명칭 표시용의: a ~ tag (가슴이나 소지품에 다는) 명찰, 꼬리표/a ~ tape (꿰매 붙인) 명찰.

— *vt.* **1** 《~+목/+목+보》 …에 **이름을 붙이다**, …의 **이름을 짓다**, …을 (…라고) 명명하다: ~ a newborn baby 갓난아이의 이름을 짓다/They ~*d* their baby Ronald. 그들은 아기에게 로널드라는 이름을 지어 주었다.

2 《+목+보/+목+전+명/+목+(*as*) 보》 지명하다, 임명하다《***for, to*** (직위)에》: ~ a person *for* 〔*to*〕 an office 아무를 관직에 임명하다/~ a person mayor 아무를 시장으로 임명하다/~ one's daughter *as* one's successor 딸을 후계자로 지명하다.

3 …의 (올바른) **이름을 말하다**, …의 이름을 생각해내다〔밝히다〕: I know his face, but I cannot ~ him. 그의 얼굴은 알고 있지만 이름은 모른다/Police have ~*d* the suspect. 경찰은 용의자의 이름을 공표했다.

4 (사람·일시(日時)·가격 따위)를 **지정하다**; (보기 따위)를 지적하다, 가리키다, 뚜렷이 명시하다, 초들다(mention), 들다: ~ several reasons 몇 가지 이유를 들다/~ one's price 가격을 얼마라고 지정하다/~ the day for the general election 총선거 날짜를 정하다.

... after 〔《美》 ***for***〕 __ —의 이름을 따서 …의 이름을 짓다: He was ~*d* (Ronald) *for* 〔*after*〕 his uncle. 그는 삼촌의 이름을 따서 (로널드라고) 이름지어졌다. ***You ~ it.*** 《구어》 무엇이든지, 어떤 것이든지: Will you do me a favor, Tom? —*You ~* 〔*Name*〕 *it*. 톰, 부탁할게 있는데—무언지 말해 봐.

náme·a·ble *a.* 이름 붙일 수 있는, 명명할 수 있는.

náme-brànd *a.* 유명 브랜드의.

náme chìld (어떤 사람의) 이름을 따서 명명된 아이.

náme dày 1 (아기의) 명명일(命名日). **2** 같은 이름의 성인(聖人)의 축일.

náme·dròp *vi.* 유명한 사람의 이름을 함부로 자기 친구인 양 말하고 돌아다니다. ㊐ **~·per** *n.*

náme-drὸpping *n.* Ⓤ name-drop 하기.

◇**náme·less** *a.* **1** 이름 없는, 이름이 붙여지지 않은: a ~ island. **2** 세상에 알려지지 않은, 무명의: die ~ 무명으로 죽다. **3** (사람이) 이름을 밝히지 않는, 익명의: a well-known person who shall be ~ 이름은 말하지 않겠으나 어떤 유명한 사람. **4** 형언할 수 없는: ~ fears 이루 말할 수 없는 불안. **5** 언어도단의(abominable), 차마 말할 수 없는: a ~ crime 언어도단의 범죄. ㊐ **~·ly** *ad.* **~·ness** *n.*

***name·ly** [néimli] *ad.* 《명사구·문장 등의 뒤에 써서》 (한결 구체적으로) **즉**, 다시 말하자면 (that is to say). ¶Two girls were absent, ~, Nancy and Susie. 두 소녀, 즉 Nancy와 Susie가 결석했다.

náme·plàte *n.* Ⓒ 명찰; 표찰; (신문 1면의) 지명(紙名), (정기 간행물 표지의) 지명(誌名).

náme·sàke *n.* Ⓒ 이름이 같은 사람〔것〕; 《특히》 딴 사람의 이름을 받은 사람.

náme sèrver 『컴퓨터』 이름 서버《인터넷 상의 domain name server》.

Na·mib·i·a [nəːmíbiə] *n.* 나미비아《구칭: South-West Africa; 1990년 독립; 수도 Windhoek》. ㊐ **Na·míb·i·an** *a., n.*

Nan [næn] *n.* 낸《여자 이름; Anna, Ann(e)의 애칭》.

nan [næn], **nana**[1] [nǽnə], **nan·na** [nǽnə] *n.* Ⓒ 《소아어》 할머니; 유모.

na·na[2] [náːnə] *n.* Ⓒ 《英속어》 바보, 얼간이.

Nan·cy [nǽnsi] *n.* **1** 낸시《여자 이름; Anna, Ann(e)의 애칭》. **2** (n–) Ⓒ 《속어》 여자 같은 남자; 동성애의 대상이 되는 남자. — *a.* 《속어》 유약한, 여자 같은; 동성애의.

NAND [nænd] *n.* Ⓤ 『컴퓨터』 부정 논리곱《양쪽이 참인 경우에만 거짓이 되며 다른 조합은 모두 참이 되는 논리 연산(演算)》: a ~ gate 부정 게이트《NAND 연산을 수행하는 문》/~ operation 논리곱 연산. [◂*not AND*]

NÁND cìrcuit 『컴퓨터』 NAND 회로, 부정회로.

Nan·jing, -king [náːndʒíŋ], [nǽŋkíŋ, náːn-] *n.* 난징(南京)《중국 장쑤(江蘇)성의 성도》.

nan·keen [nænkíːn, næŋ-], **-kin** [-kín], **-king** [-kíŋ] *n.* **1** Ⓤ 남경(南京) 목면. **2** (*pl.*) (nankeens) 남경 목면으로 만든 바지. **3** Ⓤ (종종 N–) (담)황색.

Nan·ny [nǽni] *n.* **1** 내니《여자 이름; Anna, Ann(e)의 애칭》. **2** (n–) Ⓒ **a** 《英구어》 유모, 아이 보는여자, 나이 많은 하녀; 《소아어》 할머니. **b** 《구어》 암염소.

nánny státe (때로 N– S–) (the ~) 《경멸적》 복지 국가《국가 기관이 유모처럼 국민 생활을 과보호하는 데서》.

nan·o- [nǽnə, néinə] *pref.* **1** '10억분의 1'의 뜻《기호 n》. **2** '미소(微小)'의 뜻.

náno·mèter *n.* Ⓒ 나노미터《10^{-9}미터; 기

호 nm》.

náno·sècond *n.* Ⓒ 나노초《10 억분의 1 (10^{-9}) 초; 기호 ns, nsec》.

Na·o·mi [neióumi, -mai, néioumài, -mì:/ néiəmi] *n.* **1** 네오미《여자의 이름》. **2** 〖성서〗 나오미《Ruth 의 시어머니》.

***nap**[1] [næp] *n.* Ⓒ **겉잠**, 미수(微睡), 졸기, 낮잠: take (have) a ~ 선잠〔낮잠〕을 자다.
— (*-pp-*) *vi.* **1 졸다**, 낮잠 자다. SYN. ⇨SLEEP. **2** 방심하다, 멍청히 있다. ***catch*** 〔***take***〕 a person ***~ping*** 《구어》 아무의 방심을 틈타다, 불시에 습격하다.

nap[2] *n.* Ⓤ (나사(羅紗) 등의) 보풀; (식물 등의) 솜털 같은 표면.

Napa [næpə] *n.* 내파《미국 California 주의 중서부에 있는 도시; 와인의 산지로 유명》.

na·palm [néipa:m] *n.* Ⓤ 〖화학〗 네이팜《가솔린의 젤리화제(化劑)》: a ~ bomb 〖美군사〗 네이팜탄《강렬한 유지(油脂) 소이탄》. **—** *vt.* …을 네이팜탄으로 공격하다.

nape [neip] *n.* Ⓒ (보통 *sing.*) 목덜미: grab a person by the ~ of the neck 아무의 목덜미를 잡다.

naph·tha [næfθə, næp-] *n.* Ⓤ 〖화학〗 나프타, 석유〔용제(溶劑)〕 나프타《석유 화학 제품의 원료》. ㊕ **náph·thous** *a.*

naph·tha·lene, -line [næfθəlì:n, næp-], **-lin** [-lin] *n.* Ⓤ 〖화학〗 나프탈렌.

nap·kin [næpkin] *n.* Ⓒ **1** (식탁용) **냅킨**(table ~); 작은 수건. ★ 《英》에서는 냅킨을 serviette 라고 종종 씀; 입이나 손가락을 닦을 때는 가장자리를 쓰고, 자리를 뜰 때는 의자 위에, 식사 후에는 식탁의 왼쪽에 놓음. **2** 《英》 기저귀(《美》 diaper). **3** 《美》 =SANITARY NAPKIN.

nápkin rìng 냅킨 링《각자의 냅킨을 감아 걸쳐 두는 고리》.

Na·ples [néiplz] *n.* 나폴리《이탈리아 남부의 항구 도시》. ***See ~ and then die.*** 나폴리를 보고 죽어라《경치를 극찬하는 말》.

Na·po·le·on [nəpóuliən, -ljən] *n.* 나폴레옹 1세(~ Bonaparte; 1769–1821); 또는 3 세 (Louis ~; 1808–73)》.

Na·po·le·on·ic [nəpòuliánik/-ɔ́n-] *a.* 나폴레옹 1세(시대)의; 나폴레옹 1 세 같은〔풍의〕.

nap·py *n.* Ⓒ 《英》 기저귀(napkin) (《美》 diaper): change *nappies* 기저귀를 갈다 / a disposable ~ 일회용 (종이) 기저귀.

náppy ràsh 기저귀로 말미암아 생기는 뾰로지.

narc, nark[3] [na:rk] *n.* Ⓒ 《美속어》 마약 단속관〔수사관〕(narco).

nar·cis·si [na:rsísai, -si] NARCISSUS 의 복수.

nar·cis·sism, nar·cism [ná:rsisìzəm], [ná:rsizəm] *n.* Ⓤ 자기애; 자기중심주의; 〖정신분석〗 나르시시즘, 자기 도취증.
㊕ **nár·cis·sist, nár·cist** [-sist] *n.* Ⓒ 자기 도취자. **nàr·cis·sís·tic** [-sístik] *a.*

Nar·cis·sus [na:rsísəs] *n.* **1** 〖그리스신화〗 나르시스《물에 비친 자기 모습을 연모하다가 빠져 죽어서 수선화가 된 미모의 소년》; 미모로 자부심이 강한 청년. **2** (n-) (*pl.* ~(***·es***), ***-cis·si*** [-sísai, -si]) Ⓒ 〖식물〗 수선화; 수선화속(屬)의 식물.

nar·co·lep·sy [ná:rkəlèpsi] *n.* Ⓤ 〖의학〗 기면(嗜眠) 발작《지랄병의 약한 발작》.

nar·co·sis [na:rkóusis] (*pl.* ***-ses*** [-si:z]) *n.* Ⓤ 〖의학〗 (마취제 따위에 의한) 마취(법), 혼수(상태).

°**nar·cot·ic** [na:rkátik/-kɔ́t-] *a.* 마취성의, 최면성의; 마약의; 마약 중독(치료)의: a ~ drug 마(취)약 / a ~ addict 마약 상용자. **—** *n.* Ⓒ (흔히 *pl.*) 마취제〔약〕, 마약; 최면약, 진정제: smuggle ~*s* 마약을 밀수하다.

narcótic antágonist 〖약학〗 마약 길항제(拮抗劑); 마약 효과를 방해하는 약물.

nar·cot·i·cism [na:rkátəsìzəm/-kɔ́t-] *n.* Ⓤ 〖의학〗 마취 상태; 마약 중독.

nar·co·tism [ná:rkətìzəm] *n.* Ⓤ 마취제〔마약〕의 작용; 이상 최면; 마약 중독; =NARCOSIS.
㊕ **-tist** *n.* Ⓒ 마약 상용자.

nar·co·tize [ná:rkətàiz] *vt.* 마취시키다; 마비〔진정〕시키다.

nark[1] [na:rk] 《美속어》 *n.* Ⓒ 경찰의 앞잡이, 밀정; 밀고자. **—** *vi.*, *vt.* 스파이질을 하다, 밀고하다.

nark[2] *vt.* 《英속어》 〔보통 수동태〕 짜증나게 하다, 불쾌하게 하다; 화나게 하다: She *was ~ed* at 〔by〕 my comment. 그녀는 내 말에 화가 났다 / feel *~ed* at …에 고민하다. ***Nark it !*** 《英속어》 그만둬, 조용히 해.

nark[3] ⇨NARC.

narky [ná:rki] *a.* 《英속어》 화 잘 내는, 기분이 언짢은.

***nar·rate** [næréit, ´-] *vt.* **말하다**, 이야기하다, 서술하다(tell); (영화 · 텔레비전 등)의 내레이터〔해설자〕가 되다.

***nar·ra·tion** [næréiʃən, nə-] *n.* **1** Ⓤ **서술**, 이야기하기. **2** Ⓒ 이야기(story): a gripping ~ 손에 땀을 쥐게 하는 이야기. **3** Ⓤ 〖문법〗 화법: direct ~ 직접 화법 / indirect ~ 간접 화법.
㊕ **~·al** *a.*

nar·ra·tive [nærətiv] *a.* Ⓐ **1** 이야기의: a ~ poem 설화시. **2** 이야기체의, 설화식의: in ~ form 이야기의 형식으로. **3** 화술의: ~ skill 교묘한 화술. **—** *n.* **1** Ⓒ 이야기. SYN. ⇨STORY[1]. **2** Ⓤ 이야기체; 설화 문학. **3** Ⓤ 설화(법), 화술. **4** Ⓤ (책의 회화 부분에 상대적으로) 서술 부분.
㊕ **~·ly** *ad.*

nar·ra·tor, -rat·er** [næréitər, ´--] (*fem.* ***-tress [-tris]) *n.* Ⓒ **이야기하는 사람**, (연극 · 영화 · TV 등의) 해설자, 내레이터.

†**nar·row** [nærou, -rə] (***~·er; ~·est***) *a.* **1 폭이 좁은**. ↔ *wide, broad.* ¶a ~ bridge 〔street, path〕 좁은 다리〔가로, 길〕 / This road is too ~ for cars. 이 길은 자동차가 다니기엔 너무 좁다. **2** (공간 · 장소가) **좁아서 답답한**, 옹색한: ~ quarters 좁아서 답답한 숙소. ★ 보통 '좁은' 이 단순히 '작은' 이란 뜻인 때에는 small 을 씀: a *small* room 비좁은 방. **3** (지역 · 범위가) 한정된: have only a ~ circle of a few friends 몇몇 한정된 범위 내의 친구와 사귀다. **4 a** 마음〔도량〕이 좁은, 편협한: a ~ mind 편협한 마음 / a ~ man 생각이 좁은 사람. **b** 좁은《***in*** (견해 따위)가》: He's ~ *in* his opinions. 그는 생각이 좁다. **5 부족한, 빠듯한**; 궁핍한, 돈에 쪼들리는: in ~ means 〔circumstances〕 궁핍하여 / a ~ market 〖상업〗 한산한 시장. **6** Ⓐ 가까스로의, 아슬아슬한: a ~ victory 신승(辛勝) / win by a ~ majority 가까스로 과반수를 얻어〔근소한 차로〕 이기다. **7** (검사 등이) **정밀한**, 엄밀한(minute): a ~ examination 〔inspection〕 정밀 검사〔감사〕 / a ~ notation 〔transcription〕 〖음성〗 정밀 표기(법).
have a ~ escape 〔***shave, squeak***〕 구사일생하

다. *in a ~ sense* 협의(狹義)로.

—*n.* **1** (*pl.*) 《보통 단수취급》 해협. **2** [C] 골짜기; 좁은 도로〔산길〕, 애로(隘路). **3** (the N-s) 뉴욕만의 Staten Island와 Long Island 사이의 좁은 해협; 다다넬즈 해협.

—*vt.* **1** **좁게 하다**, 가늘게 하다: ~ one's eyes 눈을 가늘게 뜨다, 실눈을 뜨다. **2** 《~+[목]/+[목]+[부]/+[목]+[전]+[명]》 제한하다; (범위)를 좁히다 (*down*); …의 요점에만 국한하다, …의 수를 좁히다《*to* …으로》: ~ *down* the choice *to* four 선택 범위를 4명으로 좁히다/~ the area of one's search 수사 범위를 한정하다. —*vi.* **좁아지다**: The road ~*s* there. 길은 거기에서 좁아진다.

nárrow bóat 《英》 (폭 7피트 이하의 운하 항행용) 거룻배.

nárrow gáuge 〔**gáge**〕 (the ~) 《철도》 협궤 《영·미 모두 1.435미터 이하》. [cf] broad gauge.

nárrow-gáuge(d), -gáge(d) *a.* 《철도》 협궤의; 《비유적》 마음이 좁은, 편협한.

***nar·row·ly** [nǽrouli] *ad.* **1** **좁게**. **2** 주의 깊게, 자세히, 정밀하게, 엄격하게. **3** 협의(狹義)로, 한정하여, 빠듯이: interpret the law ~ 법을 협의로 해석하다. **4** 겨우, 간신히(barely): We ~ escaped death. 우리는 간신히 죽음을 면했다.

nárrow-mínded [-id] *a.* 마음〔도량〕이 좁은, 편협한. [파] **~·ly** *ad.* **~·ness** *n.*

nar·w(h)al, nar·whale [nɑ́ːrhwəl], [-hwèil] *n.* [C] 《동물》 일각과(科)의 고래.

nary [nέəri] *a.* 《구어·방언》 단 …도 없는(not one, never a): ~ a doubt 한 점(點)의 의심도 없는. [◂ne'er a]

NASA [nǽsə, néisə] *n.* 나사, 미국 항공 우주국. [◂*N*ational *A*eronautics and *S*pace *A*dministration]

°**na·sal** [néizəl] *a.* **1** [A] 코의: the ~ cavity 콧구멍. **2** 콧소리의; 《음성》 비음의: ~ vowels 비모음(鼻母音)《프랑스어의 [ɑ̃, ɛ̃, ɔ̃, œ̃] 따위》.

—*n.* [C] 《음성》 콧소리, 콧소리 글자《m, n, ng [ŋ] 따위》. [파] **~·ìsm** *n.* [U] 코에 걸리는 발음; 비음성(性). **~·ly** *ad.* 콧소리로.

na·sal·ize [néizəlàiz] *vi.*, *vt.* 《음성》 콧소리로 말하다; 비음화하다. [파] **nà·sal·i·zá·tion** *n.*

nas·cent [nǽsənt, néi-] *a.* 발생하려고 하는, 발생하고 있는; 초기의, 미성숙한: a ~ talent 막 꽃피려고 하는 재능. [파] **nás·cence, nás·cen·cy** *n.* [U] 발생, 기원.

NASD 《美》 National Association of Securities Dealers (전미 증권업 협회).

NASDAQ [nǽzdæk] *n.* NASD가 증권 시세를 컴퓨터로 알리는 정보 시스템. [◂*N*ational *A*ssociation of *S*ecurities *D*ealers *A*utomated *Q*uotations]

Nash·ville [nǽʃvil] *n.* 내슈빌《미국 Tennessee주의 주도로, 남북 전쟁의 격전지이며 미국 country music 레코드 산업의 중심지》.

nas·tur·tium [nəstə́ːrʃəm, næs-] *n.* [C] 《식물》 한련(旱蓮).

‡**nas·ty** [nǽsti, nɑ́ːs-] (*-ti·er; -ti·est*) *a.* **1** **불쾌한**, 싫은; (주거 따위가) 몹시 불결한, **더러운**. [cf] lousy. ★ disagreeable, unpleasant의 구어적 강의(強意) 표현. ¶a ~ sight 불쾌한 광경/live in ~ conditions 불결한 생활 상태에서 살다. **2** (맛·냄새 따위가) 견딜 수 없을 만큼 싫은, 역한: ~ medicine 먹기 힘든〔쓴〕 약/a ~ smell 악취. **3** (날씨 따위가) 험악한, 거친: ~ weather 궂은 날씨/a ~ storm 거친 폭풍우. **4** **어거하기 힘든**, 성질〔버릇〕이 나쁜; 걸핏하면 화를 내는: a ~ dog 성질이 사나운 개/~ children 난폭한 애. **5** (문제 따위가) 애먹이는, 성가신, 다루기 어려운: ~ situation 골치 아픈 입장/a ~ question 풀기 힘든 문제. **6** (병 따위가) 심한, 중한; 위험한: a ~ cut 심하게 베인 상처. **7** **심술궂은**, 비열한《*to* do》: a ~ trick 심술궂은〔비열한〕 술책/Don't be ~! 짓궂게 굴지 마라/It's ~ *of* you 〔You are ~〕 *to* say so. 그런 말을 하다니 네가 지나치다. **8** [A] (말·책 따위가) 음란한, (도덕적으로) 못된, 악취미의, 추잡한: a ~ story 추잡한 이야기/a ~ film 에로 영화.

a ~ bit 〔***piece***〕 ***of work*** 《구어》 불쾌〔비열〕한 사람. ***a ~ one*** ① 거절, 퇴짜. ② 맹렬한 타격. ③ 곤란한 질문, 난문. ***cheap and ~*** 싼게 비지떡인.

—*n.* [C] 싫은〔질이 나쁜, 형편 없는〕 것〔사람〕. [파] **nás·ti·ly** *ad.* **-ti·ness** *n.*

Nat [næt] *n.* 내트《남자 이름; Nathan, Nathaniel의 애칭》.

nat. national; native; natural(ist).

na·tal [néitl] *a.* [A] 출생〔탄생〕의; 출산〔분만〕의: one's ~ day 탄생일.

na·tal·i·ty [neitǽləti, nə-] *n.* [C] 출생률(birthrate).

na·tant [néitənt] *a.* 《생태》 물에 뜨는, 떠도는; 헤엄치는.

na·ta·to·ri·al, na·ta·to·ry [nèitətɔ́ːriəl], [néitətɔ̀ːri/-təri] *a.* [A] 유영(游泳)하는, 유영의; 유영에 알맞은: ~ birds 물새.

na·ta·to·ri·um [nèitətɔ́ːriəm] (*pl.* **~s, -ria** [-riə]) *n.* [C] 수영장, 《특히》 실내 풀(pool).

Na·than [néiθən] *n.* 네이선《남자 이름; 애칭은 Nat, Nate》.

Na·than·iel [nəθǽnjəl] *n.* 너새니얼《남자 이름; 애칭: Nat, Nate》.

‡**na·tion** [néiʃən] *n.* **1** [C] (보통 the ~) 《집합적; 단·복수취급》 **국민**《정부 아래에 통일된 people》: the British ~ 영국 국민/the voice of the ~ 국민의 소리, 여론/The whole ~ support(s) him. 전 국민이 그를 지지하고 있다.

[SYN] **nation** 정부·법률·제도·관습 따위를 공통으로 하는 인간 집단: the French *nation* 프랑스 국민. 때로 state(국가)와 대립되는 개념일 때도 있음. state는 현실의 정치 형태인데 비하여 nation은 언제라도 state의 형태를 취할 수 있는 잠재적 배경, 즉 state는 망해도 nation은 망하는 일이 없다고 생각됨. **race** 인류〔민족〕학적 개념에 의한 분류, 인종, 민족: the Germanic *race* 게르만 민족. **people** nation과 거의 같은 뜻이나, 제도보다 문화·관습의 공통성이 강조됨. 앞에 붙는 형용사에 따라서 집단의 대소가 크게 변화함: the French *people* 프랑스 국민. an industrialized *people* 공업화된 민족.

2 [C] **국가**(state): Western ~*s* 서방 국가들/⇨UNITED NATIONS. **3** (the ~s) 전 세계 국민, 전 인류. **4** [C] 민족, 종족(race): the Jewish ~ 유대 민족/a ~ without a country 나라 없는 민족《예전의 유대인 따위》. **5** [C] 《美》 (북아메리카 인디언의) 종족; (그들이 정치적으로 결성한) 부족 연합. [파] **~·less** *a.*

‡**na·tion·al** [nǽʃənəl] *a.* (보통 [A]) **1** **국민의**, 온 국민의; **국민 특유의**, 국민적인: a ~ character 국민성/~ customs 민족적 풍습. **2** **국가의**,

N

국가적인; 한 나라의〔에 한정된〕. ↔ *international*.¶~ interests 나라의 이익/~ affairs 국사(國事), 국무, 국내 문제/a ~ news 국내 뉴스/~ power 〔prestige〕 국력〔국위(國威)〕. **3** 국유의, 국영의, 국립의: a ~ enterprise 국영 기업/a ~ hospital 국립 병원/~ railroads 국유 철도. **4** **전국적인**, 나라 전체에 걸친. ↔ *local*.¶a ~ hookup 전국 (중계) 방송/~ newspaper 전국지(紙). **5** 한 나라를 상징〔대표〕하는: the ~ flower 〔flag〕 국화〔국기〕/the ~ poet 일국의 대표적 시인. **—***n*. Ⓒ **1** 국민; (외국 거주의) 동국인, 동포. **2** 전국적 조직(의 본부); 전국지(紙). **3** (흔히 *pl.*) 《美》 (스포츠의) 전국 대회.

Nátional Aeronáutics and Spáce Administràtion 미국 항공 우주국, 나사《항공 우주에 관한 미국 정부 기관; 미군사 전문과 국제 협력 계획을 담당함; 1958년 설립; 전신은 NACA; 생략: NASA》.

nátional ánthem 국가(國歌): the Korean ~ (한국의) 애국가/Ladies and gentleman, the ~! 여러분, 국가 제창이 있겠습니다.

nátional bánk 국립 은행; 전미(全美) 은행《연방 정부 인가》.

nátional cémetery 《美》 국립묘지.

Nátional Convéntion (the ~) 〖프역사〗 국민 의회; (n- c-) 《美》 (정당의 대통령 후보 따위를 결정하는) 전국 대회.

nátional débt (the ~) 국채(國債).

Nátional Fóotball Cónference 내셔널 풋볼 콘퍼런스《미국 NFL 산하의 프로 풋볼 리그; 생략: NFC》.

Nátional Fóotball Léague 내셔널 풋볼 리그《미국 최대의 프로 풋볼 조직; 그 산하에 American Football Conference, National Football Conference가 있음; 생략: NFL》.

Nátional Gállery (the ~) (런던의) 국립 미술관《1824년 개설》.

Nátional Guárd (the ~) 〖집합적; 단·복수 취급〗 《美》 주 방위군《전시에는 정규군에 편입함》.

Nátional Héalth Sèrvice (the ~) 《英》 국민 건강 보험 (제도)《생략: N.H.S.》.

nátional hóliday 국경일, 국민적 축제일.

nátional íncome 〖경제〗 (연간) 국민 소득.

Nátional Insúrance 《英》 국민 보험 제도.

*__na·tion·al·ism__ [nǽʃənəlìzəm] *n*. Ⓤ **국가주의**; **민족주의**; 국수주의; 민족 자결주의; 애국심, 민족의식; 국가 독립〔자치〕주의《특히 아일랜드 자치당의》.

ná·tion·al·ist *n*. Ⓒ 국가〔민족〕주의자; 민족 자결주의자; 아일랜드 자치론자. **—***a*. 국가〔민족〕주의의; 민족 자결주의자의.

na·tion·al·is·tic [næ̀ʃənəlístik] *a*. 《종종 경멸적》 민족〔국가, 국수〕주의(자)의〔적인〕; 국가의, 국가적인(national). ㊞ **-ti·cal·ly** [-əli] *ad*.

⁑**na·tion·al·i·ty** [næ̀ʃənǽləti] *n*. **1** Ⓤ (구체적으로는 Ⓒ) **국적**; 선적: What's his ~? =What ~ is he? 그는 어느 나라 사람이오/He is a Korean in ~, but a German in blood. 그는 국적은 한국인이지만 혈통은 독일인이다/men of all *nationalities* 여러 나라의 사람들/a ship of an unidentified ~ 국적 불명의 배. **2** Ⓒ (공통의 문화·언어를 가진) **국민**, 민족; 국가: various *nationalities* of the Americas 아메리카 대륙의 여러 민족. **3** Ⓤ 국민성, 민족성; 국민적 감정, 민족의식(nationalism).

na·tion·al·ize, 《英》 **-ise** [nǽʃənəlàiz] *vt*. 국유로〔국영으로〕 하다; 전국 규모로 확대하다; 전국(민)화하다; 독립국가로 만들다. ㊞ **nà·tion·a·li·zá·tion** *n*. Ⓤ 전국화; 국민〔국풍(國風)〕화; 국유(화), 국영: the ~ *of* the railroads 철도의 국영(화).

Nátional Léague (the ~) 내셔널 리그《미국 2대 프로 야구 연맹의 하나》. ⓒⓕ American League.

Nátional Liberátion Frònt (the ~) 민족 해방 전선《생략: NLF》.

°**ná·tion·al·ly** *ad*. 국민으로서, 국가로서; 국가적〔전 국민적〕으로; 전국적으로; 거국일치하여; 공공의 입장에서.

nátional mónument 《美》 (국가가 지정한) 천연기념물《명승지·역사적 유적 등》.

nátional párk 국립공원.

Nátional Pórtrait Gàllery (the ~) 국립 초상화 미술관《London의 Trafalgar 광장에 있는 미술관; 영국사에 이름을 남긴 인물의 초상화·사진을 소장; 1856년 설립》.

nátional próduct 〖경제〗 (연간) 국민 생산. ⓒⓕ GNP.

nátional sérvice 《英》 (옛날의) 국민 병역, 징병《18–41세까지; 1959년 폐지》; 《美》 국가에의 봉사《청년층은 어떤 형태로든지 국가에 대해 봉사 활동을 해야 한다는 사고방식》.

Nátional Sócialist Pàrty (the ~) (특히 Hitler가 이끈) 국가 사회당. ⓒⓕ Nazi.

Nátional Trúst (the ~) 《英》 명승(名勝) 사적(史蹟) 보존 단체《1895년 설립》.

Nátional Wéather Sèrvice (the ~) 《美》 기상과(氣象課)《상무부 해양 기상국의 한 과; 생략: NWS》.

nátion-státe *n*. Ⓒ 민족〔국민〕 국가.

nátion·wìde *a*. 전국적인, 전국 규모의: a ~ campaign 전국적인 캠페인/arouse ~ interest 전 국민의 관심을 불러일으키다. **—***ad*. 전국적으로.

⁑**na·tive** [néitiv] *a*. **1** Ⓐ **출생의, 출생지의**, 본국의, 제 나라의: one's ~ place 출생지, 고향/one's ~ country 〔land〕 모국, 본국/a ~ speaker of English 영어를 모국어로 사용하는 사람/one's ~ language 〔tongue〕 모국어, 자국어.

SYN. **native** 본래부터 「어느 곳·나라에 태어난」이란 근원·태생을 강조하는 뜻: a *native* American citizen 본국 태생의 미국 시민. **natural** 손을 대지 않은, 자연 그대로의, 또는 나면서 지니고 있는: *natural* charm 타고난 매력.

2 a 토산의, 그 토지에서 태어난〔산출되는〕: a ~ Bostonian 토박이 보스턴 사람/~ pottery 토산의 도자기. **b** (동식물 따위) …원산의《*to* …의》: Tobacco is ~ *to* America. 담배는 미국의 원산(물)이다.

3 토착의; 그 지방 고유의: a ~ word (외래어에 대해) 본래의 말/~ art 향토 예술/in (one's) ~ dress 민족의상을 입고.

4 (보통 백인·백인 이민의 입장에서 보아) **원주민의**; 토착민의: ~ inhabitants 원주〔토착〕민/~ customs 토착민의 풍습/the ~ quarter 토민 부락.

5 a 나면서부터의, 타고난, 선천적인; 본래의: ~ talent 천부(天賦)의 재능/~ rights 나면서부터의 권리/~ beauty 태어날 때부터〔본래〕의 아름다움. **b** 나면서부터 갖춘, 타고난《*to* …이》: That cheerfulness is ~ *to* her. 저런 쾌활함은 그녀가 타고난 성품이다.

6 (광물 따위가) 자연 산출의, 천연의: ~ copper 자연동(銅) / ~ diamond 천연산 다이아몬드.
7 《경멸적》 (미개한) 원주민의, 토착의: ~ tribes 토착 부족.
go ~ 《구어》 (특히 백인이) 원주민과 같이 생활을 하다《미개지에서》; (여행자가) 현지인처럼 행동하다. ~ *and foreign* 국내외의.
—*n.* Ⓒ 1 (흔히 *pl.*) 《경멸적》 **원주민**, 토착민; 토인; 《남아》 흑인. 2 …**태생의 사람**, 토박이: a ~ *of* Ohio 오하이오 태생의 사람. 3 원산의 동물〔식물〕, 자생종(自生種). 4 (여행객과 구별하여) 토착인.

Nátive Américan 《美》 아메리카 인디언(의).

nátive-bórn *a.* 그 토지〔나라〕 태생의, 본토박이의: a ~ Bostoner 보스턴 토박이.

nátive són 《美》 그 주(州) 출신의 사람〔국회의원〕.

nátive spéaker 모국어를 말하는 사람: a ~ of English 영어를 모국어로 하는 사람.

na·tiv·ism [néitivìzəm] *n.* Ⓤ 1 〖철학〗 선천론, 생득설(生得說). 2 원주민 보호 정책; 토착 문화 부흥〔보호〕.

na·tiv·i·ty [nətívəti, nei-] *n.* 1 Ⓤ 출생, 탄생: of Irish ~ 아일랜드 태생의. 2 (a 〔the〕 N–) 예수 강탄(降誕)(의 그림〔조각〕), 크리스마스; (the N–) 성모 마리아 탄생 축일《9월 8일》, 세례자 요한 탄생 축일《6월 24일》. 3 Ⓒ 〖점성〗 탄생시의 성위(星位)(horoscope), 천궁도(天宮圖). ◇ native *a.*

natívity plày (흔히 N– P–) 예수 성탄극.

natl. national. **NATO, Nato** [néitou] North Atlantic Treaty Organization. (북대서양 조약 기구). cf. SEATO.

nat·ter [nǽtər] 《英구어》 *vi.* 나불나불 지껄이다, 쫑얼쫑얼하다 (*away; on*) 《*about* …에 대하여》. —*n.* (a ~) 지껄임.

nat·ty [nǽti] (*-ti·er; -ti·est*) *a.* 《구어》 (복장 · 풍채가) 산뜻한, 말쑥한, 깨끔한; 재주 있는. ㊕ **-ti·ly** *ad.* **-ti·ness** *n.*

⁑**nat·u·ral** [nǽtʃərəl] *a.* 1 **자연의, 자연계의**, 자연계에 관한: a ~ phenomenon 자연현상 / the ~ world 자연계 / a ~ enemy 천적(天敵) / a ~ weapon 천연의 무기《손 · 발톱 · 이 · 주먹 따위》.
2 천연의, 자연 그대로의, 가공하지 않은. ↔ *artificial, factitious*. ¶ ~ food(s) 자연식품 / ~ blonde (염색하지 않은) 본래의 블론드 / ~ rubber 천연고무.
3 자연의 과정에 의한, 자연적인: a ~ increase of population 인구의 자연 증가 / the ~ course of events 일의 자연적인 결과.
4 a Ⓐ **타고난**, 천부의, 천성의. ↔ *acquired*.¶ ~ gifts 〔abilities〕 타고난 재능 / a ~ poet 천부의 시인. SYN. ⇨NATIVE. b Ⓟ **보통의**, 평상의; 본래의《*to* …에 있어서》: a manner ~ *to* a teacher 교사다운 태도 / as is ~ *to* him 평상시의 그답게.
5 **젠체하지 않는**; 평소와 나름없는, 꾸밈없는(↔ *affected*[2]): ~ behavior 있는 그대로의 태도 / speak in a ~ voice 꾸밈없는 목소리로 말하다.
6 **당연한, 자연스러운**, 지당한; 무리가 없는: a common and ~ mistake 누구나 범하는 어쩔 수 없는 과오 / It is ~ that he should be indignant. =It's ~ *for* him *to* be indignant. 그가 분개하는 것도 당연하다 / It's ~ *for* him *to* disagree with you. 그가 너에게 동의하지 않는 것도 무리가 아니다.
7 (그림 따위가) 자연〔진짜〕 그대로의, 진실에 가까운, 꼭 닮은: This portrait looks very ~. 이 초상화는 실물 그대로다.
8 Ⓐ a (가족이) 낳은, 친: ~ parents 친부모. b 서출(庶出)의, 사생의: a ~ child 사생아, 서자.
9 〖음악〗 제자리의《sharp · flat가 붙지 않은》: a ~ sign 제자리표《♮》.
10 〖수학〗 자연수의, 정수의.
11 《美흑인속어》 Afro 형 머리의.
come ~ *to* 《구어》 …에게는 쉽다〔용이하다〕.
—*n.* Ⓒ 1 (보통 *sing.*) 《구어》 타고난 명수〔재사〕; 적격인 사람〔것〕, 꼭 알맞은 것《*at, for* …에》: a ~ *at* chess 타고난 장기 명수 / He's a ~ *for* the job. 그는 그 일에 적임자다 / Is Sophie good at volleyball? —Yes, she is a ~. 소피는 배구를 잘 합니까—예, 타고난 배구 선수예요. 2 〖음악〗 제자리표(~ sign)《♮》; 제자리음; (피아노 · 풍금의) 흰 건반(white key).
㊕ ~·ness *n.*

nátural-bórn *a.* 타고난, 천부의. cf. native-born.¶a ~ citizen (귀화하지 않은) 토박이 시민, 출생에 의해 시민권을 갖는 시민.

nátural chíldbirth (무통의) 자연 분만(법).

nátural déath (변사에 대하여 병 · 노쇠로 인한) 자연사: die a ~ 자연사하다.

nátural gás 천연가스.

nátural históriàn 박물학자, 박물지(誌)의 저자.

nátural hístory 1 박물학, 박물지(誌). 2 자연지(誌)〔사(史)〕.

nát·u·ral·ìsm *n.* Ⓤ 1 〖예술 · 문학〗 자연주의; 사실(寫實)주의. 2 〖철학〗 자연〔실증, 유물〕주의. 3 〖신학〗 자연론.

°**nát·u·ral·ist** *n.* Ⓒ 1 박물학자. 2 (문학의) 자연주의자.

nat·u·ral·is·tic [nӕtʃərəlístik] *a.* 자연의; 자연주의의〔적인〕; 자연지(誌) 연구(가)의, 박물학(자)의.

*__nat·u·ral·ize__ [nǽtʃərəlàiz] *vt.* 1 《~+목/+목+전+명》 〖흔히 수동태〗 **a 귀화시키다**《*in* …에》, (외국인)에게 시민권을 주다: *be* ~*d in* Canada 캐나다에 귀화하다. b (외국어 · 외국 문화 따위)를 들여오다, 받아들이다《*in, into* …에》: "Chauffeur" is a French word that has *been* ~*d in* English. '쇼퍼'는 프랑스 말이 영어화한 것이다. 2 《+목+전+명》 (식물 따위)를 이식하다 《원산지에서》《*in* …에》: ~*d* daffodils *in* open shade 탁 트인 그늘진 곳에 이식한 나팔수선화. 3 자연을 좇게〔따르게〕 하다. 4 (신비적이 아니고) 자연율(自然律)에 의하여 설명하다, 있는 그대로 보다. —*vi.* 1 귀화하다. 2 풍토에 적응하다. 3 박물학을 연구하다.
㊕ **nàt·u·ral·i·zá·tion** *n.* Ⓤ (외국인 · 외래종의) 귀화; (외국어의) 이입.

nát·u·ral·ìzed *a.* 귀화한; (외국에서) 시민권을 받은: a ~ American citizen 귀화한 미국 시민 / become ~ as Korean 〔a Korean subject〕 한국인으로 귀화하다.

nátural lánguage 〖컴퓨터〗 (인공 · 기계 언어에 대하여) 자연 언어.

nátural lánguage pròcessing 〖컴퓨터〗 자연 언어 처리《인간의 자연적인 언어에 표현된 정보를 처리하기 위한 컴퓨터의 사용》.

nátural láw 자연법칙; 자연의 순리, 천리(天理); 〖법률〗 (실정법에 대한) 자연법.

⁑**nat·u·ral·ly** [nǽtʃərəli] *ad.* 1 **자연히**, 자연의

힘으로, 인력을 빌리지 않고: grow ~ (식물이) 자생하다/thrive ~ 저절로 무성하다. **2** 태어나면서부터, 본래: Her hair is ~ curly. 그녀는 태어날 때부터 고수머리다. **3** 있는 그대로, 꾸밈없이; 무리 없이: Speak more ~. 더 자연스럽게 말하시오/behave ~ 자연스럽게 행동하다. **4** 〖문장 전체를 수식하여〗 **당연히**, 물론: *Naturally*, she accepted the invitation. 물론 그녀는 초대에 응했다/Will you answer his letter?—*Naturally!* 답장을 낼거냐—물론.

come ~ to =*come natural to* ⇨NATURAL.

nátural relígion 자연 종교《기적이나 하늘의 계시를 인정치 않고 이성에 기초를 둔 종교》. cf. revealed religion.

nátural resóurces 천연〔자연〕자원.

nátural scíence (보통 *pl.*) 자연 과학《물리·화학·생물 따위》.

nátural seléction 〖생물〗 자연선택〔도태〕.

†**na·ture** [néitʃər] *n.* **1** Ⓤ **(대)자연**, 천지만물, 자연(현상); 자연계; 자연의 힘〔법칙〕; (종종 N-) 조화; 조물주: the laws of ~ 자연의 법칙/preserve 〔destroy〕 ~ 자연을 보호〔파괴〕하다/harness ~ 자연력을 동력에 이용하다/*Nature* is the best physician. 《속담》 자연은 가장 좋은 의사다/*Nature's* engineering 조화의 묘(妙). ★ 종종 의인화하여 여성 취급함: Mother *Nature* 어머니이신 자연.

2 Ⓤ (문명의 영향을 받지 않은) 인간의 자연의 모습; 미개 상태: Return to ~! 자연으로 돌아가라/a return to ~ 자연으로의 복귀.

3 a Ⓤ (구체적으로는 Ⓒ) **천성**, 인간성, (사람·동물 따위의) **본성**; **성질**, 자질; …기질의 사람: a man of good ~ 성질〔품성〕이 좋은〔친절한〕 사람/the rational 〔moral, animal〕 ~ 이성〔덕성, 동물성〕/It is the ~ of dog to bark. 짖는 것이 개의 본성이다/It is (in) his ~ to be kind to the poor. 가난한 사람에게 친절한 것은 그의 천성이다/Habit is second ~. 《속담》 습관은 제2의 천성이다. SYN. ⇨QUALITY. **b** Ⓒ 〖보통 수식어를 수반하여〗 …기질의 사람: optimistic ~s 낙천적인 사람들.

4 (the ~) **본질**, 특질; 특징《*of* (사물)의》: the ~ *of* love 사랑의 본질/the ~ *of* atomic energy 원자력의 특징.

5 Ⓤ 자연물, 실물: draw 〔paint〕 a thing from ~ 실물을 그리다.

6 (*sing.*) 〖보통 수식어를 수반하여〗 **종류**; 성질: two books *of* the same ~ 같은 종류의 책 두 권/Beauty is *of* a fading ~. 아름다움이란 쉽게 퇴색하는 성질의 것이다.

7 Ⓤ 체력, 활력: food enough to sustain ~ 체력 유지에 충분한 음식/*Nature* is exhausted. 체력이 다했다.

8 Ⓤ 육체적〔생리적〕 요구: the call of ~ 생리적 요구《대소변 따위》/ease 〔relieve〕 ~ 대변〔소변〕을 보다. ◇natural *a.*

against* ~** ① 부자연스러운〔하게〕; 부도덕한〔하게〕: It's *against* ~ to behave like this to your parents. 부모에게 이런 태도를 취하는 것은 부도덕하다. ② 기적적으로. ***all* ~** 만인; 만물: *All* ~ looks gay. 만물이 활기차게 보인다. ***by* ~** 날 때부터, 본래: honest *by* ~ 천성이 정직한. ***by one's (very)* ~** 본질적으로: Medical research is *by* its *very* ~ worthwhile. 의학 연구는 본질적으로 할 만한 가치가 있다. ***contrary to* ~** 기적적인〔으로〕, 불가사의한〔하게〕. ***in a state of* ~** ① 자연〔미개, 야생〕 상태로. ② 벌거숭이로. ***in* ~** ① 본질적으로, 본래: The book is technical *in* ~. 그 책은 본래 전문적인 것이다. ② 현존하고 (있는), 사실상: There is, *in* ~, such a thing as hell. 지옥이라는 것은 사실상 있는 것이다. ③ 〖최상급의 강조〗 온 세상에서, 더없이, 참으로: Love is the *most* wonderful thing *in* ~. 사랑이란 세상에서 제일 멋진 것이다. ④ 〖의문사의 강조〗 도대체: *What in* ~ do you mean? 도대체 무슨 말이냐. ⑤ 〖부정어의 강조〗 어디에도 (없다): There are *no* such things *in* ~. 그런 것은 어디에도 없다. ***in the course of* ~** =in* 〔*by, from*〕 *the* ~ *of things* 〔*the case*〕** 자연의 순리대로; 당연한〔히〕; 사실상; 당연한 결과〔추세〕로서. ***in* 〔*of*〕 *the* ~ *of*** …의 성질을 가진, 본질적으로; …와 비슷하여: His words were *in the* ~ *of* a threat. 그의 말은 마치 협박과 같았다. ***let* ~ *take its course*** 《구어》 자연히 되어가는 대로 맡겨 두다《특히 남녀가 자연히 사랑에 빠지는 경우 등에 이름》. ***or something of that* ~** 혹은 그 부류에 속한 것: He's a TV personality *or something of that* ~. 그는 TV 탤런트 아니면 그 비슷한 뭔가이다.

náture cùre =NATUROPATHY.

(-)ná·tured *a.* 성질(性質)이 …한: good-~ 호인인/ill-~ 심술궂은.

náture resèrve (England 등의) 조수(鳥獸) 보호구(區), 자연보호구.

náture stùdy 자연 공부《초등학교의 생물·물리·지리 따위》; (대학의) 이과.

náture tràil (숲속 등의) 자연 산책길《자연 관찰을 위한》.

náture wòrship 자연 숭배.

na·tur·ism [néitʃərìzəm] *n.* Ⓤ 자연주의; 나체주의(nudism); 자연(신) 숭배(설). ⊞ **-ist** *n.*

na·tur·op·a·thy [nèitʃərápəθi/-ɔ́p-] *n.* Ⓤ 자연 요법《약제를 쓰지 않고 자연치유법을 쓰는》. ⊞ **na·tur·o·path** [néitʃərəpæ̀θ, nǽtʃər-] *n.* Ⓒ 자연요법사. **na·tur·o·path·ic** [nèitʃərəpǽθik, næ̀tʃər-] *a.*

◇**naught, nought** [nɔːt, nɑːt] *n.* **1** Ⓒ 《美》 제로, 영(零)(cipher): get a ~ 영점을 받다. ★ 이 뜻으로 《英》은 nought가 일반적임. **2** Ⓤ 《고어·문어》 **무**(無), 존재치 않음, 무가치(nothing): a man 〔thing〕 of ~ 쓸모없는 사람〔것〕.

***bring … to* ~** (계획 따위)를 망쳐 놓다, 무효로 만들다, (친절 따위)를 헛되이 하다. ***come* 〔*go*〕 *to* ~** 헛되다, 실패〔수포〕로 돌아가다〔끝나다〕. ***set … at* ~** …을 무시하다, 깔보다.

***naugh·ty** [nɔ́ːti, nɑ́ːti] (*-ti·er; -ti·est*) *a.* **1** (아이가) **장난치는**, 말을 듣지 않는; 버릇없는《*to* …에/*to* do》: a ~ boy 장난꾸러기 소년/Don't be ~ *to* her. 그녀에게 짓궂은 장난을 치지 마라/It's ~ *of* you 〔You're ~〕 *to* throw your toys at people. 사람을 향해 장난감을 던지다니 버릇이 없구나. **2** 《구어》 되지못한; 음탕한, 외설의: a ~ book 〔joke〕 음란한 책〔농담〕. ⊞ **-ti·ly** *ad.* **-ti·ness** *n.*

Na·u·ru [nɑːúːruː] *n.* 나우루 공화국《오스트레일리아 동북방의 섬나라; 수도 Nauru》.

◇**nau·sea** [nɔ́ːziə, -ʒə, -siə, -ʃə] *n.* Ⓤ 메스꺼움, 욕지기; 뱃멀미; 〖의학〗 오심(惡心); 혐오: feel ~ 메스껍다, 욕지기나다.

nau·se·ate [nɔ́ːzièit, -ʒi-, -si-, -ʃi-] *vt.* **1** (아무)에게 욕지기나게 하다, (아무)를 메스껍게 하다. **2** 염증을 느끼게 하다: The idea of study

~*s* me. 공부 같은 거 생각만 해도 싫다. **—** *vi.* 욕지기나다; 싫어하다, 꺼리다《***at*** …에, …을》.
[파] **nàu·se·á·tion** *n.*

náu·se·àt·ing *a.* 욕지기나(게 하)는; 오싹할 정도로 싫은: a ~ sight 몹시 불쾌한 광경.
[파] **~·ly** *ad.*

nau·seous [nɔ́:ʃəs, -ziəs] *a.* 메스꺼운; 싫은; 《구어》 욕지기가 나는: feel ~ 욕지기가 나다, 구역질나다/~ cruelty 끔찍한 잔혹성. [파] **~·ly** *ad.* **~·ness** *n.*

°**nau·ti·cal** [nɔ́:tikəl, náti-] *a.* 해상의, 항해〔항공〕의; 선박의; 선원의, 뱃사람의: a ~ almanac 항해력(曆)/a ~ day 항해일《정오부터 다음 날 정오까지》/~ terms 해양〔선원〕 용어. [파] **~·ly** *ad.* 항해상으로.

náutical míle 해리(海里)《국제단위는 1852m; 종전 영국에서는 1853.18m이었음》.

nau·ti·lus [nɔ́:tələs] (*pl.* **~·es, -li** [-lài]) *n.* **1** [C] 〖패류〗 앵무조개(pearly ~); 〖동물〗 =PAPER NAUTILUS. **2** (the N-) 노틸러스호(號)《미국에서 건조한 세계 최초의 원자력 잠수함》.

nav. naval; navigation; navy.

Nav·a·ho, -jo [nǽvəhòu, ná:-] (*pl.* **~(e)s**) *n.* **1** (the ~(e)s) 나바호족(族)《북아메리카 남서부에 사는 원주민의 한 종족》. **2** [C] 나바호족 사람. **3** [U] 나바호어(語).

°**na·val** [néivəl] *a.* [A] **1** 해군의; 해군력이 있는: a ~ base 해군 기지/a ~ bombardment 함포 사격/~ power 〔forces〕 해군력, 제해권/a ~ blockade 해상 봉쇄. **2** 군함의〔에 의한〕: a ~ battle 해전. ◇ navy *n.*
[파] **~·ìsm** *n.* [U] 해군 제일주의. **~·ist** *n.* **~·ly** *ad.* 해군식으로; 해군상〔해사상〕으로.

Nával Acàdemy (the (U.S.) ~) 미국 해군 사관학교.

nával árchitect 조선(造船) 기사.

nával árchitecture 조선학.

nával ófficer 해군 장교; 《美》 세관 관리.

nave [neiv] *n.* [C] 〖건축〗 (교회당의) 본당 회중석(會衆席)《중심부》.

na·vel [néivəl] *n.* **1** [C] 배꼽. **2** (the ~) 중앙, 중심(middle).

nável òrange 네이블《과일》.

nàv·i·ga·bíl·i·ty *n.* [U] (강·바다 등이) 항행할 수 있음; (배·비행기 등의) 내항성(耐航性); (기구의) 조종 가능성.

°**nav·i·ga·ble** [nǽvigəbəl] *a.* (선박·비행기 등이) 항행할 수 있는, 배가 통행할 수 있는《강·바다 따위》; 항행에 알맞은, 항해에 견디는《선박 따위》; 조종할 수 있는《기구(氣球) 따위》.

nav·i·gate** [nǽvəgèit] *vt.* **1** (바다·하늘)을 항행하다: ~ the Pacific 태평양을 항행하다. **2** (배·비행기)를 **조종〔운전〕하다**: ~ a spacecraft 우주선을 조종하다. **3** 《+[목]+[전]+[명]》 (교섭 따위)를 진행시키다; (법안 따위)를 통과시키다《through*** (의회 따위)에》: ~ a bill *through* Parliament 의회에서 법안을 통과시키다. **4** 《구어》 **a** (혼잡 따위)를 빠져나가다, 통과하다: ~ Seoul's crowded streets 혼잡한 서울 거리를 빠져나가다. **b** 《+[목]+[전]+[명]》 〖~ oneself 〔one's way〕 로〗 빠져 나가다《***through*** …을》. **—** *vi.* **1** 항행〔항해〕하다(sail). **2** 조종하다. **3** (차의 동승자가 지도를 보면서) 운전사의 길 안내를 하다: He drove the car while I ~*d*. 그가 차 운전을 하고, 한편 나는 지도를 보면서 길 안내를 했다. ◇ navigation *n.*

***nav·i·ga·tion** [nǽvəgéiʃən] *n.* [U] **1 운항, 항해, 항공**; 항해〔항공〕술〔학〕, 항법; 유도 미사일 조종술: aerial ~ 항공(술)/inland ~ 내국 항로〔항행〕. **2** (차의 동승자에 의한) 주행〔주로〕 지시. **3** (선박·비행기 등의) 교통. ◇ navigate *v.*
[파] **~·al** *a.*

°**nav·i·ga·tor** [nǽvəgèitər] *n.* [C] 항해자, 항행자; 〖항공〗 항공사, 항법사; 항해장(長); 해양 탐험가; (항공기·미사일의) 자동 조종 장치.

nav·vy [nǽvi] *n.* [C] 《英》 토공(土工), 인부《운하·철도·도로 따위의》; (토목 공사용) 굴착기.

N

****na·vy** [néivi] *n.* **1** (종종 (the) N-) [C] 〖집합적; 단·복수취급〗 **해군**: be in the ~ 해군에 복무하다/join the ~ 해군에 입대하다/the Department of the *Navy* =the *Navy* Department 《美》 해군부《국방부 3부문의 하나》/the Royal *Navy* 영국 해군. [cf.] army. **2** [C] 〖집합적〗 전해군력《함선·병력 포함》, 해군 군인. **3** =NAVY BLUE. **4** [C] 《시어》 함대, (상)선대. ◇ naval *a.*

návy bèan 강낭콩의 일종《흰색으로 영양이 풍부하여 미해군에서 식량으로 씀》.

návy blúe 짙은 감색《영국 해군복의 빛깔》.

návy-blúe *a.* 짙은 감색의.

návy yàrd 《美》 해군 공창(工廠).

°**nay** [nei] *ad.* **1** 《고어》 아니, 부(否)(no). ↔ *yea.* **2** 〖접속사적〗 《문어》 (…라고 하기보다) 오히려, 뿐만 아니라: It is difficult, ~, impossible. 어렵다, 아니 불가능하다. ~ ***even*** 조차도, 까지도. ~ ***more*** 그 위에, 그뿐만 아니라. ***say*** a person ~ 아무(의 요구)를 거절하다; 아무(의 행위)를 금지하다.
— *n.* **1** [U] '아니'라는 말. **2** [U] 부정; 거절, 반대. **3** [C] 반대 투표(자). ***The ~s have it!*** (의회에서) 반대자 다수. (***the***) ***yeas and ~s*** 찬부(의 투표). ***will not take*** ~ 거절을 못하게 하다. ***yea and*** ~ 우유부단, 주저, 망설임.

Naz·a·rene [nǽzəri:n] *n.* **1** 〖성서〗 **a** [C] 나사렛 사람. **b** (the ~) (나사렛) 예수. **2** [C] 기독교도《유대인·이슬람 교도들이 쓰는 경멸어》.

Naz·a·reth [nǽzərəθ] *n.* 〖성서〗 나사렛《Palestine 북부의 도시; 예수의 성장지》.

Na·zi [ná:tsi, nǽ-] (*pl.* **~s**) *n.* **1** (the ~s) 나치, 국가 사회주의 독일 노동자당(1919-45). **2** [C] 나치당원. **3** (종종 n-) [C] 나치주의(신봉)자.
— *a.* [A] 나치의: the ~ party 나치당. [《G.》 *Na*tionalso*zi*alist (=National Socialist)]

Na·zism, Na·zi·ism [ná:tsizəm, nǽtsi-], [-ìzəm] *n.* [U] 독일 국가 사회주의, 나치주의(적인 운동), 나치주의자의 정권.

Nb 〖화학〗 niobium. **N.B.** New Brunswick; North Britain 〔British〕. **N.B., NB, n.b.** *nota bene* 《L.》 (=mark 〔note〕 well). **NBA, N.B.A.** 《美》 National Basketball Association; National Boxing Association. **NBC** National Broadcasting Company; nuclear, biological and chemical (핵·생물·화학 병기(兵器)). **NbE** north by east.

N-bòmb *n.* [C] 중성자 폭탄.

NbW, N.bW. north by west. **NC** 〖컴퓨터〗 numerical control (수치 제어). **N.C.** North Carolina; 〖군사〗 Nurse Corps. **NCO, N.C.O.** noncommissioned officer.

NC17 《美》 〖영화〗 No children under 17 (admitted)《17세 미만은 입장 못하는 준(準) 성인 영화》.

'nd [nd] *conj.* 〖발음 철자〗 =AND.

-nd 숫자 2의 뒤에 붙여서 서수(序數)를 나타냄:

2nd/22nd. [◂ second]
ND North Dakota. **Nd** 【화학】 neodymium. **N.D., N.Dak.** North Dakota. **n.d., N.D.** no date; no delivery; not dated. **NE., N.E.** New England; northeast(ern). **Ne** 【화학】 neon.
Ne·án·der·thal màn [niǽndərθɔ̀:l-, -tɔ̀:l-] 【인류학】 네안데르탈인《독일 네안데르탈에서 유골이 발견된 구석기 시대 원시 인류》.
neap [ni:p] *a.* 소조(小潮)의, 조금의. **—***n.* 소조(~ tide), 최저조.
Ne·a·pol·i·tan [nì:əpɑ́lətən/nì:əpɔ́li-] *a.* 나폴리(사람)의. **—***n.* Ⓒ 나폴리 사람.
Neapólitan íce crèam 3색 아이스크림.
néap tìde 소조(小潮)《달이 상현(上弦)·하현(下弦)일 때의 조수》.
†**near** [niər] (**⌐·er; ⌐·est**) *ad.* **1** (공간·시간적으로) **가까이**, 접근하여, 인접하여《**to** …에》. ↔ *far*.¶come 〔draw〕 ~ 접근하다, 다가오다/The station is quite ~. 역은 바로 근방에 있다/New Year's Day is ~. 새해가 다가왔다/Keep ~ *to* me. 내곁을 떠나지 마시오. **2** 거의《★ 이 의미로는 현재 nearly 쪽이 일반적》: a period of ~ 5 years, 5년 가까운 기간/I was very ~ dead. 거의 죽은 것과 다름없었다. **3** 〖부정어를 수반하여〗 아직은〔아무래도〕 …이 아니다: He's *not* ~ so rich. 그는 아직은 그렇게 부유하지는 않다.
(as) ~ as (one) **can do** …할 수 있는 한에서는: *As* ~ *as* I *can* guess, he's about 30 years old. 내가 추측할 수 있는 한, 그는 30세 가량 되어 보인다. ***as ~ as dammit*** 〔***makes no difference***〕《구어》 달라도 큰 차이 없이, 거의 같게: I spent $10,000, *as* ~ *as makes no difference*. 만 달러 썼는데, 틀려도 큰 차이는 없다. ***come*** 〔***go***〕 ~ 필적하다. ***come*** 〔***go, get***〕 ***~ to doing*** =come 〔go, get〕 ~ doing (⇨*prep.*). ***go ~ to*** do 거의 …할 뻔하다, 막 …하려고 하다. ***~ at hand*** 곁에, (시간적·공간적으로) 바로 가까이에; 머지 않아서: He sat ~ *at hand*. 그는 바로 가까이에 앉았다/The exam is ~ *at hand*. 시험이 다가오고 있다. ***~ by*** 가까이에: Christmas is ~ *by*. 크리스마스가 가깝다/A fire broke out ~ *by*. 가까이에서 불이 났다. ★ 주로 미국에서 씀. ***nowhere*** 〔***not anywhere***〕 ~《구어》 (거리, 시간, 관계 등이) 동떨어진, 전혀 …이 아닌: I'm *nowhere* ~ finishing this book. 이 책을 끝내려면〔다 읽으려면〕 멀었다. ***so ~ and yet so far*** 잘 될 것 같으면서 잘 되지 않는.
—*prep.*《★ 원래 형용사·부사인 near to의 to가 생략된 것으로, 전치사임에도 비교 변화가 있음》 **1** 〖공간적〗 …**의 가까이에**, …의 곁에: ~ here 이 근방에/We want to find a house ~*er* (to) the station. 우리는 역에 더 가까운 집을 찾기 원한다《to가 붙으면 부사적》/Who comes ~*est* her in academic ability? 학문적 재능에 있어서 그녀에 버금가는 사람이 누가 있습니까. **2** 〖시간적〗 …의 가까이에, …할〔의〕 무렵: ~ the end of the performance 극이 끝날 무렵/~ the end of year 연말경에. **3** 〖상황 등에의 접근〗 거의 …인, …하려던 참에: ~ completion 완성 직전에/She was ~ tears. 그녀는 울려고 했다/He's ~ death. 그는 죽어 가고 있다.
come 〔***go, get***〕 ***~ doing*** 거의 …할 뻔하다: He *came* ~ *being* drowned. 그는 하마터면 익사할 뻔했다. ***sail ~ the wind*** ⇨SAIL.
—*a.* **1** (장소·거리가) **가까운**, 가까이의; 가까운 쪽의《**to** …에》. ↔ *far*.¶the ~ houses 이웃집/the ~*est* planet *to* the sun 태양에 가장 가까운 행성/a ~ work (눈을 가까이 대야 하는) 정밀 작업/~ sight 근시/take a ~ 〔~*er*〕 view of …을 가까이 가서 보다.
2 (시간적으로) 가까운: on a ~ day 근일〔근간〕에/in the ~ future 가까운 장래에.
SYN. **near** '가까운'의 가장 보편적인 말. **close** 근접한, 박두한. 또 '비슷한'의 뜻으로도 씀: Spanish is *close* to French and Italian. 스페인어는 프랑스어나 이탈리아어에 가깝다. **immediate** 개재하는 것 없이 직접 접해 있는, 바로 곁의: one's *immediate* neighbor 바로 옆의 사람. in the *immediate* future 가까운 장래에. 위의 세 말은 모두 시간적·공간적으로 다 씀.
3 (사이가) 가까운, 근친인; 친한《**to** …에》: one's ~ relation 근친/a ~ friend 친한 벗/He's one of the people ~*est to* the President. 그는 대통령의 측근 중 한 사람이다.
4 (이해 관계가) 깊은, 밀접한: a matter of ~ consequence to me 나에게는 중요한 영향을 끼치는 문제/a ~ concern 깊은 이해관계.
5 Ⓐ 실물〔원형〕에 가까운; 실물과 꼭 같은, 흡사한; 대용의: ~ coffee 대용 커피/a ~ resemblance 아주 닮음; 흡사/a ~ war 전쟁과 흡사한 위협 수단/a ~ guess 그리 빗나가지 않은 추측.
6 Ⓐ (말·차·《英》 도로 따위의) 좌측의. ↔ *off*.¶a ~ wheel 운전자쪽〔좌측〕 바퀴.
7 Ⓐ **a** 거의 일어날 뻔한, 위기일발로 아슬아슬한: a ~ escape 위기일발/a ~ race 접전, 우열을 가리기 힘든 경주. **b** 〖최상급을 써서〗 (경쟁 상대가) 최강의, 최대의: defeat one's ~*est* rival 최강의 라이벌을 무찌르다.
8 인색한《**with** (돈)에》: He's ~ *with* his money. 그는 돈에 인색하다.
make a ~ escape 〔***touch, thing***〕 겨우 도망치다, 구사일생하다. ***~est and dearest*** ① (one's ~) 〖명사적〗 근친《아내·남편·자식·부모·형제자매》. ② (친구·친지 등이) 가장 친밀한.
—*vt.* …에 근접하다〔다가오다〕: ~ one's end 임종이 임박하다/The task is ~*ing* completion. 그 일은 완성에 가까워지고 있다. **—***vi.* 접근〔절박〕하다: as the day ~*s* 그 날이 가까워짐에 따라/The deadline is ~*ing*. 마감이 임박하고 있다. 㖂 **⌐·ness** *n.* Ⓤ 가까움, 접근; 친함, 친밀; 근사.
néar béer 《美》 니어 비어《알코올분이 0.5% 이하의 약한 맥주》.
°**néar·bý, néar-bý** *a.* Ⓐ 가까운, 가까이의: a ~ village 바로 이웃 마을. **—***ad.* 〖《英》에서는 near by라고도 씀〗 가까이에(서): *Nearby* flows a river. 바로 옆에 강이 흐르고 있다/*Near by* I heard somebody singing. 가까이서 누군가 노래부르는 소리가 들렸다.
Néar Éast (the ~) 근동(近東)《서남아시아와 아라비아 반도를 포함하는 지방》.
Néar Éastern 근동의.
‡**near·ly** [níərli] *ad.* **1 거의**, 얼추(almost): ~ dead with cold 추위로 거의 죽게 되어/I ~ caught them. 그들을 거의 잡을 뻔하였다/We're ~ at the top. 우리는 정상에 얼추 다 왔다. **2 긴밀하게**, 밀접하게; 친밀하게: two women ~ related 근친인 두 여성. **3** 겨우, 간신히, 하마터면: I ~ missed the bus. 나는 간신히 버스를 놓

치지 않고 탔다 / I was (very) ~ run over by a car. 하마터면 차에 치일 뻔했다.
not ~ 도저히〔좀처럼〕…아니다: He is *not* ~ so clever as his father. 그는 재주로는 도저히 아버지를 따르지 못한다.
néar míss 1 〖군사〗 (폭격 · 사격의) 지근탄(至近彈). 2 (항공기 등의) 이상(異常) 접근, 니어미스; 위기일발. 3 목표에 가까운 성과, 일보 직전.
néar móney 준화폐《(간단히 현금화할 수 있는) 정기 예금이나 정부 채권 등》.
néar·sìde *n.* (the ~) 《英》 (말 · 차 따위의) 왼쪽; (자동차의) 길가쪽. **—***a.* Ⓐ 왼쪽의.
néar·síghted [-id] *a.* 근시의; 근시안적인, 소견이 좁은. ↔ *farsighted.* ¶ I'm a little ~. 나는 약간 근시이다. ㊞ **~·ly** *ad.* **~·ness** *n.*
néar thíng (a ~) 《구어》 위기일발, 아슬아슬한 일〔행동〕; 접전: The recent election was ~. 지난 번 선거는 접전이었다.
⁑**neat** [niːt] *a.* 1 **산뜻한**, 아담하고 깨끗한, 정연〔말쑥, 깔끔, 단정〕한: a ~ dress 말쑥한 옷 / a ~ little house 조그마하고 아담한 집.
SYN. **neat** 더럽혀지지 않고 청결한, 정연한: The room is *neat*. 방은 말쑥히 정돈되어 있다. **tidy** 청결보다 정돈에 중점을 둠. **trim** 정돈된 외양을 강조함. **clean** 청결한 상태를 강조함.
2 (사람 · 습관 따위가) 깨끗한 것을 좋아하는; (몸가짐이) 단정한: a ~ habit 깔끔한 것을〔상태를〕 좋아하는 습관. 3 (용모 · 모습 따위가) 균형 잡힌. 4 (문체 · 표현 따위가) 적절한; (일 따위가) 교묘한, **솜씨가 좋은**: a ~ worker 솜씨 좋은 일꾼 / a ~ solution 좋은 해결법 / make a ~ job of it 솜씨 있게 해내다. 5 (술 따위가) 순수한, 물타지 않은: drink brandy ~ 브랜디를 스트레이트로 마시다. 6 《드물게》 순…(net): ~ profits 순이익. 7 《美속어》 훌륭한, 멋진, 굉장한: a ~ idea 훌륭한 착상 / What a ~ party! 굉장한 파티 아닌가. ㊞ **∠·ness** *n.*
neat·en [níːtn] *vt.* 깨끗이 정돈하다.
neath, 'neath [niːθ] *prep.* = BENEATH.
°**néat·ly** *ad.* 1 산뜻하게, 깨끗이; 말쑥하게: ~ dressed 말쑥한 복장의. 2 교묘하게, 적절히.
NEB, N.E.B. New English Bible. **Neb., Nebr** Nebraska.
neb·bish, -bisch [nébiʃ] *n.* Ⓒ 《美속어》 무기력한 사람, 쓸모없는 사람, 등신.
NEbE northeast by east (북동미동). **NEbN** northeast by north (북동미북).
Ne·bras·ka [nibrǽskə] *n.* 네브래스카《미국 중서부의 주; 주도 Lincoln; 생략: Neb(r)》.
neb·u·la [nébjələ] (*pl.* **-lae** [-lìː], **~s**) *n.* Ⓒ 〖천문〗 성운; 〖의학〗 각막예(角膜翳).
neb·u·lar [nébjələr] *a.* 〖천문〗 성운의, 성운 모양의.
nébular hypóthesis 〔**théory**〕 (the ~) 〖천문〗 (태양계의) 성운설(星雲說).
neb·u·los·i·ty [nèbjəlɑ́səti/-lɔ́s-] *n.* 1 Ⓤ 성운 상태; Ⓒ 성운 모양의 물체. 2 Ⓒ (사상 · 표현 등의) 애매함, 모호함.
neb·u·lous, -lose [nébjələs], [-lous] *a.* 1 〖천문〗 성운의; 성운 모양의. 2 흐린, 불투명한; 애매한, 모호한: a ~ liquid 흐린 액체. ㊞ **~·ly** *ad.* **~·ness** *n.*
⁑**nec·es·sar·i·ly** [nèsəsérəli, nésisərili] *ad.* 1 **필연적으로**, 반드시; 부득이: Rights ~ entail duties. 권리에는 반드시 의무가 따른다. 2 〖not과 함께 부분 부정으로〗 **반드시** (…은 **아니다**): Learned men are *not* ~ wise. 학자라고 반드시 현명한 것은 아니다 / You don't ~ have to attend. 꼭 출석해야만 할 필요는 없다.
⁑**nec·es·sary** [nésəsèri, -sisəri] *a.* 1 **필요한**, 없어서는 안 될《***for, to*** …에 / ***to*** do》: Medicine is ~ *for* treating disease. 병을 치료하는 데는 약이 필요하다 / Exercise is ~ *to* health. 운동은 건강에 필요하다 / Is it ~ that I (should) go? = Is it ~ *for* me *to* go? 내가 갈 필요가 있을까요.
SYN. **necessary** 필요성을 강조하고 있으나 다음 말에 비하면 약하며, 없어서는 절대로 안 될 경우가 아니라도 very useful 의 의미로 사용함: the knowledge *necessary* to make the work satisfactory 일을 만족스럽게 해내는 데 필요한 지식. **essential, indispensable** '불가결의'. 이 두 말은 서로 바꿔 쓸 수 있으나 essential 이 '그 본질을 형성하고 있다'는 뜻으로 더 강조적임: Air is *essential* to red-blooded animals. 공기는 적혈구를 가진 동물에게는 불가결한 것이다. **requisite** 어떤 조건을 충족시키기 위해 요구되는: the subjects *requisite* for college entrance 대학 입학에 필요한 과목.
2 Ⓐ **필연적인**, 피하기 어려운(inevitable): a ~ conclusion 필연적인 결론 / a ~ condition 필요조건. ***if*** ~ 만일 필요하다면: I'll go, *if* ~. 필요하다면 가겠다.
—(*pl.* **-ries**) *n.* 1 (*pl.*) **필요한 물건**, 필수품; 생활필수품《식료품 · 의류 따위》: daily *necessaries* 일용품 / the *necessaries* of life 생활 필수품. 2 (the ~) 《英구어》 필요한 행동; 무엇보다 필요한 것〔행위, 돈〕: do the ~ 필요한 일을 하다 / provide 〔find〕 the ~ 돈을 마련하다.
nécessary évil 피할 수 없는〔부득이한〕 악폐(惡弊), 필요악.
°**ne·ces·si·tate** [nisésətèit] *vt.* 1 (사물이) 필요로 하다, 요하다《do*ing*》; (결과)를 수반하다: The rise in prices ~*s* greater thrift. 물가 상승으로 더욱 절약을 하지 않을 수 없다 / This plan ~*s* borrow*ing* some money. 이 계획에 따르면 약간의 돈을 꾸지 않을 수 없게 된다. 2 〖보통 수동태〗 《美》 (아무)에게 억지로 …시키다, 꼼짝없이 …하게 하다《***to*** do》: I *am* ~*d to* go there alone. 나는 그곳에 혼자 가지 않으면 안 된다. ㊞ **ne·cès·si·tá·tion** *n.* Ⓤ 필요로 함, 필요화, 강제.
ne·ces·si·tous [nisésətəs] *a.* 가난한, 궁핍한, 곤궁에 처해 있는(needy); 긴급한, 절박한; 필연적인, 피할 수 없는. ㊞ **~·ly** *ad.*
⁑**ne·ces·si·ty** [nisésəti] *n.* 1 Ⓤ (또는 a ~) **필요, 필요성**《***of, for*** …의 / ***to*** do》: urge (on a person) the ~ *for* …의 필요성을 (아무에게) 설득하다 / be under the ~ *of* 〔*for*〕 do*ing* …할 필요에 처해 있다 / *Necessity* is the mother of invention. 《격언》 필요는 발명의 어머니 / *Necessity* knows no law. 《속담》 필요 앞에선 법도 무력, '사흘 굶어 도둑질 안 할 놈 없다' / Is there any ~ (*for her*) *to* do it at once? (그녀가) 그것을 당장 해야 할 필요가 있습니까? SYN. ⇨ NEED. 2 Ⓒ 필요 불가결한 것, **필수품**, 필요한 것. cf. necessary. ¶ Water is a ~. 물은 필요 불가결한 것이다 / daily *necessities* 일용 필수품 / In the United States the automobile is a ~, not a luxury. 미국에서 자동차는 생활필수품이지, 사치품은 아니다. 3 Ⓤ (구체적으로는 Ⓒ) **필연성**; 불가피성, 인과 관계, 숙명: physical 〔logical〕 ~ 물리적〔논리적〕 필연 / the doctrine of ~ 숙명론 / bow to ~ 숙명이라고 체념하다. 4

Ⓤ 궁핍, 곤경, 빈곤: be in great 〔dire〕 ~ 몹시 궁핍해 있다/It was ~ that made him steal. 그가 도둑질을 한 것은 가난 때문이었다. ◇necessary *a*.

by ~ 필요하여; 어쩔 수 없이, 부득이: work not by choice but *by* ~ 좋아서가 아니라 어쩔 수 없이 일하다. ***make a virtue*** (***out***) ***of*** ~ 부득이한 일을 불평 없이 행하다; 부득이한 일을 하고도 공을 세운 체하다. ***of*** ~ 필연적으로, 당연히: The deadline must *of* ~ be postponed for a while. 마감일은 당연히 당분간 연기되어야 한다.

N

†**neck** [nek] *n*. **1** Ⓒ **목**: break a person's ~ 아무의 목을 부러뜨리다《위협의 말로 씀》. **2** Ⓒ (의복의) 옷깃, 목 둘레. **3** Ⓤ (낱개는 Ⓒ) (양 따위의) 목덜미살: (a) ~ *of* mutton. **4** Ⓒ 〖경마〗 목 길이의 차: win 〔lose〕 by a ~ (경마에서) 목길이의 차로 이기다〔지다〕. **5** Ⓒ 목 모양의 부분; 《특히》 (그릇 · 악기 따위의) 잘록한 부분, 목; 해협, 지협; 〖건축〗 기둥 목도리《주두(柱頭)(capital)와 기둥 몸과의 접합부》: the ~ of a bottle 병의 목/a narrow ~ of land 지협. **6** (a ~) 《英속어》 뻔뻔스러움, 강심장.

be up to the 〔one's〕 ~ 《구어》 ① 휘말려들어 있다《***in*** (분쟁 등)에》. ② 몰두해 있다《***in*** (일 등)에》. ③ 옴쭉 못하다, 쪼들리다《***in*** (빚)으로》. ***break*** one's ~ 《구어》 ① 몹시 서두르다. ② 《구어》 전력을 다하다: I'm *breaking* my ~ to finish the work on time. 시간에 맞추어 일을 끝내려고 전력을 다하고 있다. ③ 위험한〔어리석은〕 일을 하여 몸을 망치다. ***breathe down*** (***on***) a person's ~ 아무의 적이 되어〔아무를 괴롭혀〕 궁지에 몰아 넣다; (경주 따위에서) 배후에 바싹 다가가다; 《비유적》 (붙어 다니면서) 감시하다. ***get*** 〔***catch, take***〕 ***it in the*** ~ ① 《구어》 몹시 공격을 받다, 큰 질책〔벌〕을 받다, 되게 맞다〔혼나다〕. ② (get it in the ~) 면직되다. ~ ***and*** ~ (경주에서) 나란히, 비슷비슷하게, 경합하여; (경기에서) 아슬아슬하게, 막상막하로. ~ ***of the woods*** 《구어》 삼림(森林) 속의 부락; 지역, 지방. ~ ***or nothing*** 〔***nought***〕 필사적으로, 목숨을 걸고: It is ~ *or nothing*. 죽느냐 사느냐다, 성공이냐 실패냐다. ***risk*** one's ~ 목숨을 걸고 하다, 위험을 무릅쓰다. ***save*** one's ~ 교수형을 면하다; 목숨을 건지다. ***stick*** one's ~ ***out*** 《구어》 굳이 위험〔고난, 비판〕에 몸을 내맡기다; 위험을 무릅쓰다.

—*vt*. **1** …의 부분을 좁게 하다. **2** …의 목을 베다〔죄다〕. **3** 《구어》 목을 껴안고 애무〔키스〕하다.

—*vi*. **1** 좁아〔좁혀〕지다. **2** 《구어》 (남녀가) 서로 목을 껴안고 애무〔키스〕하다, 네킹하다.

néck·bànd *n*. Ⓒ 셔츠의 깃《칼라를 붙이는 부분》; (여성의) 목걸이 끈; 병의 목에 감는 장식용 끈.

necked [nekt] *a*. 목이 있는; 〖합성어로〗 목이 …인: short-~ 목이 짧은.

neck·er·chief [nékərtʃif, -tʃìːf] (*pl*. **~s**, 《美》 **-chieves** [-vz]) *n*. Ⓒ 목도리, 네커치프.

néck·ing *n*. Ⓤ 《구어》 네킹《껴안고 애무〔키스〕하는 일》.

***neck·lace** [néklis] *n*. Ⓒ **1** (보석 · 금줄 따위의) **목걸이**: a pearl ~ 진주 목걸이. **2** 《속어》 교수형용 밧줄.

neck·let [néklit] *n*. Ⓒ (목에 꼭 맞는 짧은) 목걸이; 모피 목도리.

néck·lìne *n*. Ⓒ 네크라인《드레스의 목둘레에 판 선》.

◇**néck·tìe** *n*. Ⓒ 《美》 넥타이 (《英》 tie).

néck·wèar *n*. Ⓤ 〔집합적〕 〖상업〗 넥타이 · 칼라 · 목도리류 등 목 장식품의 총칭.

necr- [nékr], **nec·ro-** [nékrou, -rə] '시체, 죽음, 괴사(壞死)'의 뜻의 결합사《모음 앞에서는 necr-》.

ne·crol·o·gy [nekrálədʒi/-rɔ́l-] *n*. Ⓒ 사망자 명부; 사망 기사〔광고〕.

nec·ro·man·cy [nékrəmæ̀nsi] *n*. Ⓤ 사령(死靈)과의 영교(靈交)에 의한 점(占), 강신술(降神術); 《특히, 나쁜》 마술, 마법.

nec·ro·phil·ia, ne·croph·i·ly [nèkrəfíliə], [nekráfəli, nə-/-krɔ́f-] *n*. Ⓤ 〖정신의학〗 시체 성애(性愛), 시간(屍姦), 사간(死姦).

ne·crop·o·lis [nekrápəlis, nə-/-krɔ́p-] (*pl*. **-lises** [-lisiːz], **-les** [-lìːz], **-leis** [-lèis]) *n*. Ⓒ 공동묘지《특히 옛 도시의》; 묘지같이 사람이 없는 거리, 사멸 도시.

nec·rop·sy, ne·cros·co·py [nékrapsi/-rɔp-], [nekráskəpi, nə-/-krɔ́s-] *n*. Ⓤ 검시(檢屍)(autopsy), 시체 해부, 부검(剖檢).

nec·tar [néktər] *n*. Ⓤ **1** 〖그리스 · 로마신화〗 신주(神酒). cf. ambrosia. **2** 〔일반적〕 감미로운 음료, 감로(甘露); 과즙, 넥타. **3** 〖식물〗 화밀(花蜜).

nec·tar·ine [nèktəríːn/néktərin] *n*. Ⓒ 〖식물〗 승도(僧桃)복숭아.

nec·ta·ry [néktəri] *n*. Ⓒ 〖식물〗 밀조(蜜槽), 밀선(蜜腺), 꿀샘; 〖곤충〗 밀관(蜜管).

Ned [ned] *n*. 네드《남자 이름; Edmund, Edwin, Edward의 애칭》.

Ned·dy [nédi] *n*. **1** Edward의 통칭. cf. Ned. **2** (n-) Ⓒ 《英구어》 당나귀(donkey); 바보(fool).

nee, née [nei] *a*. 《F.》 구성(舊姓)은, 친정의 성은 …《기혼 여성의 구성을 나타내기 위해, 결혼으로 얻어진 성(姓) 다음에 표시함》: Mrs. John, ~ Adam 존 부인, 구성 애덤.

†**need** [niːd] *n*. **1** Ⓤ (또는 a ~) **필요**, 소용; 요구《***for, of*** …의; ***to*** do》: There is a ~ today *for* this sort of dictionary. 오늘날에는 이런 종류의 사전을 필요로 하고 있다/He felt the ~ *of* a better education. 그는 더 나은 교육의 필요를 느꼈다/There is no ~ (*for* you) *to* apologize. (네가) 사과할 필요는 없다/Is there any ~ *to* hurry? =Is there any ~ *for* 〔*of*〕 hurry*ing*? 서두를 필요가 있습니까/Here is the best chance for you to do the work.—I think so, too. No ~ to miss it. 지금이야말로 그 일을 하는 절호의 찬스입니다—저도 그렇게 생각합니다. 놓칠 수는 없지요.

SYN. **need** 없는 것에 대한 절실한 필요를 나타냄. **necessity** need보다 강한 필요를 나타내나, need가 갖는 감정적인 어감이 없음.

2 Ⓒ (보통 *pl*.) 필요한 물건(the thing needed): our daily ~*s* 일용 필수품/She earns enough to satisfy her ~*s*. 그녀는 자신에게 필요한 물건을 살 만한 돈을 벌고 있다.

3 Ⓤ 결핍, 부족(want, lack): Your composition shows a ~ *of* grammar. 네 글짓기를 보니 문법 공부가 부족하구나.

4 Ⓤ 위급할 때, 만일의 경우(a situation or time of difficulty): A friend in ~ is a friend indeed. 《속담》 어려울 때의 친구야말로 참친구.

5 Ⓤ 빈곤, 궁핍(poverty): He is in (great) ~. 그는 (매우) 곤궁에 처해 있다/Their ~ is greater than ours. 그들은 우리보다 더 곤란에 처해 있다.

6 (*pl.*) (생리적) 욕구, 대[소]변: do one's ~*s* 용변을 보다.
be* [*stand*] *in* ~ *of …을 필요로 하다, …이 필요하다(be in want of): He *is* much *in* ~ *of* help. 그는 매우 도움을 필요로 하고 있다/The economy stands *in* ~ *of* urgent attention. 경제 상태는 긴급한 조치를 필요로 하고 있다. ***have* ~ *of*** [*for*] …을 필요로 하다(require): The refugees *have* ~ *of* a regular supply of food. 피난민은 정기적인 식량의 공급을 필요로 한다. ***if* ~ *be*** [*were*] 《문어》 필요하다면, 일에 따라서는, 어쩔 수 없다면(if necessary): *If* ~ *be*, I'll come with you. 필요하다면 함께 가겠다.
—*vt.* **1** 《~+목/+-*ing*/+목+-*ing*/+목+*done*》 …**을 필요로 하다,** …이 필요하다(want, require): I ~ money. 돈이 필요하다/Do you ~ any help? 무언가 도움이 필요합니까/This chapter ~*s* rewrit*ing* [to be rewritten]. 이 장(章)은 다시 써야겠다/It ~*s* no account*ing* for. 설명할 필요가 없다/I ~ my shoes mend*ing* [mend*ed*]. 구두를 수선시켜야겠다(=My shoes ~ mend*ing*.).
2 《+*to* do/+목+*to* do》 …**할 필요가 있다,** …**하지 않으면 안 되다**(be obliged, must); (아무가) …해 줄 필요가 있다: We all ~ *to* work. 우리는 모두 일하지 않으면 안 된다/She did not ~ *to* be told twice. 그녀에게는 되풀이해 말할 필요가 없었다/I ~ you *to* push my car. 네가 내 차를 밀어 줘야겠다.

> **NOTE** (1) need는 다음과 같이 의문문이나 부정문에서 조동사로서도 쓰임: I ~*n't* keep awake, ~ I? 다만 다음과 같은 뜻의 차가 인정됨: He *doesn't* ~ *to* be told. 그는 (벌써 알고 있으므로) 알려 줄 것까지도 없다《현상(現狀)을 강조함》/He ~*n't* be told. 그에게는 알려 주지 않아도 된다《금후의 행위를 강조함》.
> (2) 2의 need는 have로 바꿔 써도 거의 같은 뜻이며, 특히 긍정문에서는 must나 have to를 쓰는 일이 많음: I ~ [*have*] *to* wax the floor. 마루에 왁스를 칠해야 한다/Do you ~ [*have*] *to* work so late? 그렇게 늦게까지 일해야 하느냐/I didn't ~ [*have*] *to* hurry. 나는 서두를 필요가 없었다.

3 《it을 주어로 하여 비인칭적으로》 필요하다: *It* ~*s* much skill for this work. 이 일에는 많은 기술이 필요하다.

> **DIAL.** ***I need it yesterday.*** 지금 당장에요《'언제 필요합니까'라는 질문의 응답으로》.
> ***That's* [*It's*] *all you need.*** =***That's* [*It's*] *just what you need.*** 그거 고맙긴 한데 그만둬《'그런 것 필요 없다'란 말의 반의어적 표현》.

—*aux. v.* **1** 《부정문(hardly, scarcely 문장 포함)과 의문문에 쓰이지만, 부정 간약형 needn't [níːdnt] 이외에는 《구어》에서는 거의 쓰이지 않고, 타동사를 쓰는 것이 일반적. 또, 과거형도 need》 …**하지 않으면 안 되다,** …할 필요가 있다: *Need* he go?—No, he ~ not. 그는 가야 합니까—아니, 가지 않아도 좋다/We ~ *hardly* tell you that. 우리가 네게 그것을 말해 줄 필요는 없다/You *need not have been* in such a hurry. 그렇게 서두르지 않아도 되었었는데《★ 'need not have+과거분사'는, 그 동작이 실제는 행하여졌으나 그럴 필요가 없었던 것을 나타냄》/There ~ be *no* hurry, ~ there? 서두를 필요 없겠지/They told him that he ~ *not*

answer. 그들은 그에게 대답할 필요가 없다고 말했다《★ 여기서의 need는 과거형이 없으므로 간접화법에서는 그대로 씀》.
2 《only, all 따위 한정사와 함께, 또는 간접 의문문·비교구문에 써서》 …할 필요가 있다: You ~ *only* recall his advice. 너는 그의 충고를 생각해 내기만 하면 된다/That is *all* you ~ know. 그 이상의 것은 알 필요가 없다/The average is lower than it ~ be. 평균점이 필요한 것보다 낮다. ★ 3인칭 현재 단수형에도 -s를 붙이지 않음. 현재분사·과거분사는 없음.

°**need·ful** [níːdfəl] *a.* 필요한, 없어서는 안 될.
—*n.* (the ~) 《구어》 필요한 일; (곧 쓸 수 있는) 돈, 현금: do the ~ (마땅히) 해야 할 일을 하다/I don't have the ~ right now. 지금 당장 써야 할 돈이 없다. 파 **~·ly** *ad.*
‡**nee·dle** [níːdl] *n.* **1** Ⓒ **바늘,** 바느질 바늘; 뜨개바늘: a ~ and thread 실이 꿰어져 있는 바늘《★ 단수취급》/thread a ~ 바늘에 실을 꿰다. **2** Ⓒ (주사·외과·조각·축음기 따위의) 바늘, 수술용 전기침(針); 자침(磁針), 나침(羅針); (계기류의) 지침; (소총의) 격침; needle valve의 바늘: a phonograph ~ 축음기 바늘. ★ 시계의 바늘은 hand. **3** Ⓒ 『식물』 (침엽수의) 잎: a pine ~ 솔잎. **4** Ⓒ 『광물』 침정(針晶), 침상 결정체. **5** Ⓒ 뾰족한 것; 뾰족한 바위; 방첨탑(方尖塔)(obelisk): Cleopatra's *Needle* 클레오파트라의 바늘《고대 이집트의 오벨리스크로, 현재는 London과 New York에 있음》. **6** Ⓒ 《美구어》 주사(의 한 대)(shot); (the ~) 피하주사, 마약: use the ~ 마약을 놓다, 마약 중독이다. **7** (the ~) 《英속어》 초조, 짜증, 걱정, 당황: get [give] the ~ 초조해하다[하게 하다]. **8** (the ~) 가시 돋친 말[농담, 평(評)], 꼬집음.
(***as***) ***sharp as a*** ~ 매우 날카로운, 빈틈(이) 없는; 민첩한. ***look for a* ~ *in a bottle*** [***bundle***] ***of hay*** =***look*** [***search***] ***for a* ~ *in a haystack*** 덤불 속에서 바늘을 찾다, 헛수고를 하다.
—*vt.* **1 바늘로 꿰매다[수술하다].** **2** 《+목+전+명》 《~ one's way》 누비고 나아가다《***through*** …을》: He ~*d* his *way through* the crowd. 그는 군중을 헤치고 나아갔다. **3 바늘로 찌르다;** 바늘에 꿰다; 바늘처럼 찌르다; 《구어》 …에게 주사하다. **4** 《~+목/+목+전+명》 《구어》 (가시 돋친 말로) 놀리다, 속상하게 하다, 괴롭히다《***about*** …에 대하여》; 부추기다; 자극하여 …시키다《***into*** …하게》: We ~*d* him *about* his big ears. 귀가 크다고 그를 놀려댔다/We ~*d* her *into* going with us. 그녀를 부추기어 우리들과 동행하게 했다.
néedle cràft =NEEDLEWORK.
néedle·fish (*pl.* ~, ~**es**) *n.* Ⓒ 『어류』 가늘고 긴 물고기《동갈치 따위》.
néedle gàme [**màtch**] 《英구어》 백병전, 접전.
néedle·pòint *n.* Ⓒ 바늘 끝; Ⓤ 바늘로 뜬 레이스(needle lace).
‡**need·less** [níːdlis] *a.* **필요 없는,** 군: a ~ remark 쓸데없는 말. ~ ***to say*** [***add***] 《보통 문두에 써서》 말할 필요도 없이, 물론: *Needless to say*, he never came again. 물론, 그는 두 번 다시 오지 않았다.
néed·less·ly *ad.* 불필요하게; 공연히.
néedle vàlve 『기계』 니들밸브, 침판(針瓣).
néedle·wòman (*pl.* **-wòmen**) *n.* Ⓒ 바느질

하는 여자, 침모, 재봉부(婦).

◇**néedle·wòrk** *n.* [U] 바느〔뜨개〕질 (기술·작품); 자수.

◇**need·n't** [níːdnt] 《구어》 need not 의 간약형.

needs [niːdz] *ad.* 《고어·문어》 반드시, 꼭, 어떻게든지. ★ 긍정문에서 must 와 함께 쓰임.

must* ~ do** ① = ~ must do. ② 꼭 …한다고 우겨대다: He *must* ~ come. 꼭 오겠다고 우긴다. ~ ***must do 꼭 …해야 하다, …하지 않을 수 없다: *Needs must* when the devil drives. 다급하면 하지 않을 수가 없다, 무엇보다 발등에 떨어진 불이 급하다.

◇**needy** [níːdi] (***need·i·er; -i·est***) *a.* **1** 가난한, 생활이 딱한. **2** (the (poor and) ~) 〘명사적; 복수취급〙 가난한 사람들. ㊞ **néed·i·ly** *a.* 궁핍하여. **-i·ness** *n.*

ne'er [nɛər] *ad.* 《시어》 =NEVER.

ne'er-do-well, 《시어》 **-weel** [nɛ́ərduːwèl], [-wìːl] *a.* [A], *n.* [C] 변변치 못한 (사람), 쓸모없는 (사람), 밥벌레(의).

ne·far·i·ous [nifɛ́əriəs] *a.* 못된, 사악한, 악질인, 극악한. ㊞ **~·ly** *ad.* **~·ness** *n.*

neg. negative; negatively.

ne·gate [nigéit] *vt.* 부정〔부인〕하다(deny); 취소하다, 무효로 하다; 〘컴퓨터〙 부정하다《부정의 작동〔연산(演算)〕을 하다》.

ne·gá·tion *n.* **1** [U] (구체적으로는 [C]) 부정, 부인, 취소(↔ *affirmation*). **2** [U] 무(無), 결여《존재·실재의 반대로서》. **3** [U] 〘문법〙 부정; 〘컴퓨터〙 부정(inversion). ㊞ **~·al** *a.* **~·ist** *n.* [C] 부정론자.

⁑**neg·a·tive** [négətiv] *a.* **1** **부정의,** 부인〔취소〕의. ↔ *affirmative*.¶a ~ sentence 부정문/a ~ answer 부정의 대답. **2** 거부의, 거절적인; 금지의; 반대의: a ~ attitude 반대의 태도/the ~ side 〔team〕 (토론의) 반대측/a ~ order 〔command〕 금지령/a ~ vote 반대 투표. **3** **소극적인;** 비관적인; 조심스러운. ↔ *positive*.¶a ~ character 소극적인 성격/a ~ virtue (나쁜 일을 안 할 뿐인) 소극적인 덕성. **4** 효과가 나지 않는, 쓸모없는: The computer check was ~. 컴퓨터 검색이 쓸모없었다. **5** 〘전기〙 음전기의, 음극의; 〘수학〙 마이너스의; 〘의학〙 음성의; 〘사진〙 음화의, 음(陰)의: a ~ quantity 음수, 음의 양(量); 《속어》 무(無). **6** 〘논리〙 (명제가) 부정을 나타내는, (주사(主辭)를) 부정하는: a ~ proposition 부정 명제.

—*n.* [C] **1** 부정〔거부, 반대〕의 말; 부정 명제. ↔ *affirmative*.¶Two ~*s* make a positive. 부정이 둘이면 긍정이 된다. **2** 거부, 거절, 거부권(veto). **3** 〘문법〙 부정을 나타내는 말《no, not, never, by no means 등》. **4** 〘수학〙 음수, 음의 양(量), 마이너스 부호; 〘전기〙 음전기, 음극판; 〘의학〙 음성: He had HIV test and the result was ~. 그는 HIV 테스트를 받았고, 결과는 음성이었다. **5** 〘사진〙 (사진 찍은) 필름, 원판, 음화.

***double* ~** 이중(二重) 부정. ***in the* ~** 부정〔반대〕하여〔하는〕: answer *in the* ~ 아니라고 대답하다 (return a ~); 부정〔거절〕하다.

—*vt.* **1** …을 부정하다: 거절〔거부〕하다; …에 반대하다. **2** 논박하다, 반증하다; 무효로 하다.

nég·a·tive·ly *ad.* 부정〔소극, 거부〕적으로, 부인하여: answer ~ 아니라고 대답하다/be ~ friendly 사이가 (좋지도 않지만) 나쁘지도 않다.

négative póle 〘전기〙 음극(陰極); (자석의) 남극.

neg·a·tiv·ism [négətivìzəm] *n.* [U] 부정〔회의〕적 사고 경향; 부정주의《불가지론·회의론 등》; 〘심리〙 반항〔반대〕벽(癖), 거절(증). ㊞ **-ist** *n.* [C] 부정론자; 소극주의자.

⁑**ne·glect** [niglékt] *vt.* **1** 《~+[목]/+-*ing*/+*to* do》 (의무·일 따위)를 **게을리하다,** (해야 할 것)을 안 하다, 하지 않고 그대로 두다: ~ one's duty 임무를 게을리하다/He ~*ed* writ*ing* a letter. = He ~*ed to* write a letter. 그는 편지 쓰는 것을 잊었다. **2** 무시하다, 경시하다; 간과하다: ~ an opportunity 호기를 놓치다.

[SYN.] **neglect** 사람이나 무엇에 대하여 충분한 또는 당연한 주의를 하지 않는 일: *neglect* the duties of a citizen 시민으로서의 의무를 소홀히 하다. **disregard** 그것이 존재하는 것을 알면서도 일부러 무시하는 일로서, 그 점은 ignore 와 같은 뜻이 될 수 있으나, 반드시 적의·무시의 감정을 품는 것은 아님: *disregard* a danger 위험을 두려워하지 않다. **ignore** 고의로 무시한다는 뜻으로, disregard 에 비하여 적의·경멸 또는 무시한 편의 인격·주의력의 모자람이 풍김: *ignore* an invitation 초대에 답장도 내지 않다. **overlook** 부주의로 못 보다, (남의 나쁜 행위 따위를) 눈감아 주다: *overlook* a passage in a letter 편지의 일부 사연을 빠뜨리고 보다. **slight** (사람을) 깔〔얕〕보다, (일을) 가벼이 보고 아무렇게나 처리하다: He ignored my words because he *slighted* me. 그가 내 말을 무시한 것은 나를 얕보고 있었기 때문이다.

3 방치하다, 소홀히 하다: ~ one's family 〔appearance〕 가족〔몸치장〕을 소홀히 하다.

—*n.* [U] **1** **태만,** 부주의: ~ of duty 직무〔의무〕를 태만히 함/with ~ 아무렇게나, 되는대로. **2** **무시,** 경시; 간과, 무관심. **3** 방치 (상태): by ~ 방치해 둔 까닭으로/die in fatal ~ 누구 한 사람 돌보지 않는 가운데 죽다.

ne·glect·ful [nigléktfəl] *a.* 게으른, 태만한; 부주의한, 소홀한; 무(관)심한, 냉담한《***of*** …에》: He is ~ *of* his own safety. 그는 몸의 안전을 돌보지 않는다. ㊞ **~·ly** *ad.* **~·ness** *n.*

◇**neg·li·gee, nég·li·gé** [négliʒèi, ˌ-ˈ] *n.* **1** [C] (여자의) 실내복, 네글리제, 화장복. **2** [U] 〘일반적〙 약복(略服), 평상복: in ~ 약복으로, 평소의 차림으로.

*__neg·li·gence__ [néglidʒəns] *n.* [U] **1** **태만,** 등한; 부주의; 되는대로임; 무관심; 단정치 못함: an accident due to ~ 과실〔부주의〕로 인한 사고/~ of dress 복장의 난잡함. **2** 〘법률〙 (부주의로 인한) 과실: gross ~ 〘법률〙 중과실.

*__neg·li·gent__ [néglidʒənt] *a.* **1** 소홀한, **태만한;** 부주의한; 되는대로의; 무관심한《***of, in*** …에》 《★ do*ing* 의 경우는 in 을 씀》: a ~ student 태만한 학생/She was ~ *in* carry*ing* out her duties. 그녀는 직무를 태만히 하였다/He is ~ *of* his obligation. 그는 임무 태만이다. **2** 무관심한, 마음에 두지 않는; 신경을 쓰지 않는《***about*** …에》: a ~ way of speaking 아무렇게나 하는 말투/She's ~ *about* her dress. 그녀는 옷차림에 신경을 쓰지 않는다. ◇neglect *v.* ㊞ **~·ly** *ad.*

*__neg·li·gi·ble__ [néglidʒəbəl] *a.* **무시해도 좋은,** 하찮은, 무가치한, 사소한: be not ~ 무시할 수 없다. ㊞ **-bly** *ad.* **~·ness** *n.*

ne·go·tia·ble [nigóuʃiəbəl] *a.* 협상〔협정〕할 수 있는; (증권·수표 따위가) 양도〔유통〕할 수 있는; (산·길 따위가) 다닐〔넘을〕 수 있는; 극복〔처리〕할 수 있는: a ~ bill 유통 어음/~ instruments 유통 증권. ⓟ **ne·gò·tia·bíl·i·ty** *n.*

ne·go·ti·ate** [nigóuʃièit] *vt.* **1** 《~+目/+目+前+名》 **협상(협의)하다**, 교섭하여 결정하다, 협정하다《*with* …와》: He ~*d* a loan *with* the British Government. 그는 영국 정부와 차관에 대해 협상했다. **2** 〖상업〗 (어음 · 증권 따위)를 매도(양도)하다; 돈으로 바꾸다, 유통시키다: ~ a bill of exchange 환어음을 돈으로 바꾸다. **3** (도로의 위험 개소)를 통과하다; (장애 등)을 뚫고 나아가다; (어려운 일)을 잘 처리하다: The car ~*d* the corner with ease. 차는 거뜬히 모퉁이를 지나갔다. **—vi.* 《+前+名》 **협상(협의)하다**《*with* …와》; 절충하다《*for, on, over, about* …을》: ~ *with* a foreign ambassador *on* a peace treaty 외국 대사와 평화 조약을 협상하다. ◇ negotiation *n.*

***ne·go·ti·a·tion** [nigòuʃiéiʃən] *n.* **1** Ⓤ (구체적으로는 Ⓒ) (흔히 *pl.*) **협상**, 교섭, 절충: peace ~*s* 평화 협상 / ~*s* on trade 무역 절충 / be in ~ with …와 교섭 중이다 / break off (carry on) ~*s* 교섭을 중단(속행)하다 / enter into (open, start) ~*s* with …와 협상(교섭)을 개시하다 / under ~ 협상(교섭) 중에. **2** Ⓤ 〖상업〗 (증권 따위의) 양도, 유통. **3** Ⓤ (장애 · 곤란 따위의) 극복; (도로를) 통과함.

ne·go·ti·a·tor [nigóuʃièitər] (*fem.* ***-a·tress*** [-ʃiətris], ***-a·trix*** [-ʃiətriks]) *n.* Ⓒ 협상(교섭)자; 절충자; (어음 따위의) 양도인.

Ne·gress [níːgris] *n.* Ⓒ 《경멸적》 NEGRO의 여성형.

Ne·gro** [níːgrou] (*pl.* **~*es; *fem.* ***Ne·gress*** [-gris]) *n.* Ⓒ 《경멸적》 **니그로**, 흑인《특히 아프리카(계)의》. ⓒⓕ nigger.

> **NOTE** (1) 흑인은 이 말을 좋아하지 않으며 미국에서는 black person이 일반적임. (2) 완곡하게 colored man (woman, people)이라는 명칭도 종종 쓰임.

—*a.* Ⓐ 니그로의; 흑인(종)의; 흑인이 사는, 흑인에 관한: a ~ car 《美》 흑인용 객차 / a ~ music 흑인 음악 / the ~ question 흑인 문제 / a ~ trader 노예 매매인.

Ne·groid [níːgrɔid] *a.* (때로 n-), *n.* Ⓒ 흑색 인종의 (사람).

Négro spíritual 흑인 영가.

ne·gus [níːgəs] *n.* Ⓤ 니거스주(酒)《포도주 · 끓는 물 · 설탕 · 레몬액 등을 섞어 만든 음료》.

Neh. Nehemiah.

Ne·he·mi·ah [nìːəmáiə] *n.* **1** 네헤미아《남자 이름》. **2** 〖성서〗 느헤미야《기원전 5세기의 헤브라이의 지도자》; 느헤미야서(=**the Book of** ~)《구약성서 중의 한 편; 생략: Neh.》.

°**neigh** [nei] *n.* Ⓒ (말의) 울음. **—** *vi.* (말이) 울다.

‡**neigh·bor,** 《英》 **-bour** [néibər] *n.* Ⓒ **1 이웃**(사람), 이웃집(근처) 사람, 옆의 사람: my next-door ~ 이웃집 사람 / a ~ at dinner 식탁에서 옆자리(에 앉은) 사람 / a good (bad) ~ 좋은(나쁜) 이웃; 사귀기 좋은(나쁜) 사람 / Love your ~, yet pull not down your fence. 《속담》 이웃을 사랑하라, 그러나 담은 두고 지내라. **2** 이웃 나라 (사람): our ~*s* across the Channel (영국 사람이 본) 프랑스 사람. **3** (같은) 동료, 동포: be a good ~ to everyone 누구든 동료처럼 잘 지낸다. **4** 같은 종류의 것.

—*a.* Ⓐ 이웃의, 근처의: a ~ country 이웃 나라 / a good ~ policy 선린 정책.

—*vi.* 《~/+前+名》 **1 서로 이웃하다**, 가까이 살다(있다), 인접하다《*on, upon* …에》: He ~*s on* 5th Street. 그는 5번가 가까이서 살고 있다. **2** 이웃 간에 잘 지내다, 친하게 지내다《*with* …와》: I have no mind to ~ *with* him. 나는 그와 가까이 지낼 생각은 없다. **—***vt.* …의 가까이에 살다, …에 인접하다.

‡**neigh·bor·hood,** 《英》 **-bour-** [néibərhùd] *n.* **1** (*sing.*) **a** (흔히 the ~, one's ~) **근처**, 이웃, 인근: (in) this ~ 이 근처(에), 이 곳(에서는) / that ~ 그 (장소의) 근처, 그곳 / in my ~ 내가 사는 근처에(는). **b** 〖수식어를 수반하여〗 (어떤 특징을 갖는) **지구**, 지역; 《英》 (도시 계획의) 주택 지구: a fashionable ~ 고급 지구. **2** (*sing.*) 〖집합적; 단 · 복수취급〗 **근처의 사람들**: The whole ~ was there. 근처의 사람들이 모두 그곳에 와 있었다. ***in the ~ of*** ① …의 근처에. ② 《구어》 약, 대략…: It'll cost *in the ~ of* $1,000. 약 천 달러 들 것이다.

Néighborhood Wátch (**gròup**) 《美》 자경단(自警團).

***neigh·bor·ing,** 《英》 **-bour-** [néibəriŋ] *a.* Ⓐ **이웃의**, 인접(근접)해 있는, 가까운: ~ countries 인접 제국.

néigh·bor·ly, 《英》 **-bour-** *a.* (친한) 이웃 사람 같은(다운); 우호적인, 친절한, 사교성이 있는. ⓟ **-li·ness** *n.*

†**neither** [níːðər, nái-] *a.* 〖단수명사의 앞에서〗 (둘 중에서) **어느 쪽의 ─도 …아니다(않다)** 《주어를 수식하는 경우를 제외하고 《구어》에서는 not… either를 쓸 때가 많음》: *Neither* statement is true. 어느 쪽 주장도 진실은 아니다 / We support ~ candidate. 우리는 어느 쪽 후보도 지지하지 않는다 / There were any houses on ~ side of the road. 길 어느 쪽에도 집은 없었다 / *Neither* one of you has the right answer. 너희 중 어느 쪽도 옳은 답이 없다.

—*pron.* (둘 중의) **어느 쪽도 …아니다(않다)**: *Neither* (of the books) is (are) good. (그 책의) 어느 쪽(것)도 다 좋지 않다《★ 주어일 경우 원칙적으로 단수취급하나 《구어》에서는 복수취급》 / *Neither* of them could make up his mind (their minds). 두 사람 다 결심이 서지 않았다 / Which did you buy? — *Neither*. 너는 어느 것을 샀느냐 — 어느 것도 사지 않았다 / We are ~ of us poor. 우리들은 아무도 가난하지 않다《~ of us는 주어와 동격으로 뜻을 강조함》. ★ neither는 둘(both)에 대응되는 부정어이므로, 셋 이상의 부정에는 none을 씀.

—*conj.* **1** 〖nor와 결합하여 상관적(的)으로〗 **…도 ─도 아니다(않다)**: *Neither* you *nor* I am to blame. 너도 나도 잘못이 없다《동사는 제일 가까운 주어에 일치》 / *Neither* he *nor* his wife has (《구어》 have) arrived. 그도 그의 부인도 도착하지 않았다 / *Neither* mother *nor* daughter often knows much of the other. 어머니와 딸이 서로를 잘 모르는 일이 자주 있다《대구(對句)를 이룰 때는 관사가 안 붙을 때도 있음》.

> **NOTE** (1) neither… nor ─는 양면 부정, both … and ─는 양면 긍정: *Both* you *and* I are to blame. 당신도 나도 다 나쁘다. (2) 'neither A nor B'가 주어일 경우 술어 동사는 흔히 B에 일치시키지만, 《구어》에서는 B가 단수라도 복수 동사를 쓸 때가 많음. (3) A, B에는 원칙적

으로 같은 품사·같은 문법 기능을 갖는 말이 옴. (4) 때로는 셋 이상의 요소에 쓰이는 수가 있음: I have *neither* talent, good luck, *nor* money. 내게는 재능도, 운도, 돈도 없다.

2 〖부정어 또는 부정의 절 뒤에서〗 **…도 또한 — 아니다〔않다〕** 《neither+(조)동사+주어의 어순이 됨》: I do*n't* smoke, (and) ~ do I drink. 나는 담배도 피우지 않으며 술도 먹을 줄 모릅니다/If you do *not* go, ~ shall I. 당신이 가지 않는다면 나도 안 가겠소/I am *not* tired.—*Neither* am I. 나는 피곤하지 않다—나 역시 피곤하지 않다 《비교: I am tired.—*So* am I. 난 피곤하다—나도 피곤하다》/I did*n't* sleep well last night.—*Neither* did I. 어젯밤에 잠을 잘 못 잤어요—저도 못 잤습니다/Just as I'm *not* tall, so ~ are my sons. 내가 키가 크지 않은 것과 같이 내 아들들도 키가 크지 않다.

—*ad.* 〖앞의 부정어에 이어 이를 강조〗 …도 또한 않다, 게다가 …않다: I do*n't* know that, ~. 나는 그것도 모른다/If he wo*n't* go, I won't ~. 그가 안 가면 나도 안 간다/He has no strength, nor sense ~. 그는 힘도 없는 데다 분별도 없다 《오늘의 표준어법으로는 either를 씀》.

be ~ one thing nor the other 이도 저도 아니어서 분명치 않다. ***~ off nor on*** 우유부단한, 마음 변하기 쉬운; 미결정의.

Nell [nel] *n.* 넬《여자 이름; Eleanor, Helen의 애칭》.

Nel·lie, -ly [néli] *n.* 넬리《여자 이름; Eleanor, Helen의 애칭》.

nel·ly [néli] *n.* 〖다음 관용구로만 쓰임〗 ***Not, on your ~!*** 《英속어》 절대 그렇지 않아; 당치도 않아, 터무니없다.

Nel·son [nélsn] *n.* 넬슨. **1** 남자 이름. **2 Horatio ~** 영국의 제독《Trafalgar 해전의 승리자; 1758–1805》.

nel·son [nélsn] *n.* Ⓒ 〖레슬링〗 넬슨《목조르기; full ~, half ~, quarter ~ 따위가 있음》.

nem con, nem. con. [ném-kán/-kɔ́n] *nemine contradicente* 《L.》 만장일치로(=no one contradicting, unanimously).

Nem·e·sis [néməsis] *n.* **1** 〖그리스신화〗 인과응보·보복의 여신. **2** (n-) (*pl.* ***-ses*** [-sìːz], ***~·es***) **a** Ⓒ 벌을 주는 사람. **b** Ⓤ 천벌, 인과응보: meet one's *nemesis* 천벌을 받다. **c** Ⓒ 강적(強敵), 대적(大敵).

ne·o- [níːou, níːə] '새로운, 근대'란 뜻의 결합사.

nèo·clássic, -sical *a.* 〖경제·미술·문예〗 신고전주의(파)의. ㊞ **-sicism** *n.* **-cist** *n.*

nèo·colónialism *n.* Ⓤ 신식민주의《제2차 세계 대전 후 약소국에 대한 강대국의 정치적·경제적 헤게모니》.

nèo·consérvatism *n.* Ⓤ 《美》 신보수(新保守)주의《거대한 정부에 반대하고 실업계의 이익을 지지하며 사회 개혁에 주력》.

ne·o·dym·i·um [nìːoudímiəm] *n.* Ⓤ 〖화학〗 네오디뮴《희토류 원소; 기호 Nd; 번호 60》.

nèo-impréssionism *n.* (종종 N-I-) Ⓤ 신인상주의《19세기말 프랑스 회화의 일파의 기법》.

Ne·o·lith·ic [nìːoulíθik] *a.* 〖고고학〗 신석기 시대의: the ~ Age 〔Era, Period〕 신석기 시대.

ne·ol·o·gism [niːálədʒìzəm/-ɔ́l-] *n.* **1** Ⓒ (종종 눈살이 찌푸려지는) 신조어(新造語), 신어구(新語句); (기성 어구의) 새 어의(語義). **2** Ⓤ 신어구〔어의〕 채용〔고안〕.

ne·o·my·cin [nìːəmáisin] *n.* Ⓤ 〖생화학〗 네오마이신《방선균(放線菌)에서 얻는 항생 물질의 일종》.

ne·on [níːɑn/-ən, -ɔn] *n.* **1** Ⓤ 〖화학〗 네온《비활성 기체 원소의 하나; 기호 Ne; 번호 10》. **2** =NEON LAMP; NEON SIGN.

ne·o·nate [níːənèit] *n.* Ⓒ (생후 1개월 내의) 신생아.

nèo-Názi *n.* Ⓒ 신나치주의자. ㊞ **~·ism** *n.* Ⓤ 신나치주의.

néon lámp 〔**líght, túbe**〕 네온 램프.

néon sígn 네온사인.

ne·o·phyte [níːəfàit] *n.* Ⓒ **1** 신개종자; 신임 사제(司祭); 〖가톨릭〗 수련 수사. **2** 신참자(新參者), 초심자(beginner).

ne·o·plasm [níːəplæ̀zəm] *n.* Ⓒ 〖의학〗 (체내에 생기는) 신생물(新生物), 《특히》 종양(腫瘍).

Ne·o·ri·can [nìːouríːkən] *n.* Ⓒ, *a.* 푸에르토리코계 뉴욕 시민(의); 뉴욕에서 생활하는〔한 적이 있는〕 푸에르토리코 사람(의).

Ne·pal [nipɔ́ːl, -páːl, -pæ̀l] *n.* 네팔《인도·티베트 사이에 있는 왕국; 수도 Katmandu》.

Nep·a·lese [nèpəlíːz, -líːs] *n.* **1** Ⓒ 네팔 사람. **2** =NEPALI 2. **—*a.*** 네팔(사람〔말〕)의.

Ne·pali [nipɔ́ːli, -páːli, -pæ̀li] (*pl.* ***~, -pal·is***) *n.* **1** =NEPALESE 1. **2** Ⓤ 네팔 말. **—*a.*** =NEPALESE.

***neph·ew** [néfjuː/névjuː] Ⓒ 조카, 생질. ⓒⓕ niece.

ne·phri·tis [nifráitis] *n.* Ⓤ 〖의학〗 신(장)염.

ne·phro·sis [nifróusis] *n.* Ⓤ 〖의학〗 네프로오제, (상피성(上皮性)) 신장증(症).

ne plus ul·tra [níː-plʌs-ʌ́ltrə] 《L.》 (the ~) 최고점, 극치(acme), 극점, 정점.

nep·o·tism [népətìzəm] *n.* Ⓤ (관직 임용 따위에서의) 친척 편중, 연고 채용. ㊞ **nèp·o·tís·tic, nèp·o·tís·ti·cal** *a.*

°**Nep·tune** [néptjuːn] *n.* **1** 〖로마신화〗 바다의 신《그리스 신화의 Poseidon》. **2** 〖천문〗 해왕성.

nep·tu·ni·um [neptjúːniəm] *n.* Ⓤ 〖화학〗 넵투늄《방사성 원소의 하나; 기호 Np; 번호 93》.

nerd, nurd [nəːrd] *n.* Ⓒ 《美속어》 바보, 얼간이; 일에만 열중할 뿐 사회성이 없는 사람.

Ne·re·id [níəriid] (*pl.* ***~s, ~·es*** [-idiːz]) *n.* 〖그리스신화〗 바다의 요정〔여신〕.

Ne·ro [níːrou] *n.* 네로《로마의 황제; 기독교도 박해의 폭군; 37–68》.

‡**nerve** [nəːrv] *n.* **1** Ⓒ 〖해부〗 **신경**; (치수(齒髓)의) 신경 조직, 〖통속적〗 치아의 신경. **2** Ⓤ **용기**, 배짱, 담력《*to* do》; 기력, 정신력: a man of ~ 배짱 있는 남자/A test pilot needs plenty of ~. 테스트 파일럿은 대단한 용기가 필요하다/He didn't have enough 〔the〕 ~ *to* mention it to his teacher. 그는 그것을 선생님께 말할 용기가 없었다. **3** 《구어》 **a** Ⓤ (또는 a ~) **뻔뻔스러움**, '강심장': You've got a ~. 너도 참 뻔뻔스럽구나. **b** (the ~) 뻔뻔스러움《*to* do》: He had the ~ *to* tell me to leave. 그는 뻔뻔스럽게도 나에게 떠나라고 말했다. **4** (*pl.*) **a** 신경과민, 신경 이상; 신경질, 초조감: a war of ~*s* 신경전/calm 〔steady〕 one's ~*s* 초조감을 가라앉히다/He's all ~*s*. 그는 매우 신경질적이다/I always get ~*s* before an exam. 시험 전에는 항상 신경과민이 된다. **b** 신경과민증, 히스테리. **5** Ⓒ 〖식물〗 엽맥(葉脈).

get 〔*jar*〕 *on* a person*'s* ~*s* = *give* a person *the* ~*s* 아무의 신경을 건드리다, 아무를 짜증나게 하다. *get up the* ~ 용기를 내다. *have a fit* 〔*an attack*〕 *of* ~*s* 신경과민이 되다, 무서워하다. *have iron* ~*s* =*have* ~*s of steel* 담력이 있다, 대담하다. *hit a* (*raw*) ~ 극력 노력하다, 전력을 다하다. *lose* one*'s* ~ 기가 죽다. *strain every* ~ 모든 노력을 다하다《*to* do》. *touch a* (*raw*) ~ =hit a (raw) ~.

DIAL. *What* (*a*) *nerve!* =*Of all the nerve!* 정말 뻔뻔스럽군.

—*vt.* 《~+목/+목+*to* do/+목+전+명》 …에게 용기를〔기운을〕 북돋우다; 《~ oneself》 용기를 내다《*for* …을 위하여》: Her advice ~*d* him *to* go his own way. 그는 그녀의 충고로 용기를 얻어 자기가 뜻한 대로 일을 실행했다/Encouragement had ~*d* him *for* the struggle. 그는 격려를 받고 투쟁에 대한 용기가 났다/The players ~*d* them*selves for* the match. 선수들은 용기를 내어 경기에 나갔다.

nérve cèll 〖해부〗 신경 세포.

nérve cènter 〖의학〗 신경 중추; (the ~) (조직·운동 따위의) 중추, 중심, 수뇌부.

nerved *a.* **1** 대담한, 용기 있는, 강건한. **2** 《합성어로》 신경이 …한: strong-~ 용기가 있는, 신경이 강한, 호담(豪膽)한.

nérve fìber 〖해부〗 신경 섬유.

nérve gàs 〖군사〗 신경 가스《독가스》.

nérve·less *a.* **1** 신경〔잎맥, 시맥(翅脈)〕이 없는. **2** 활기〔용기〕가 없는, 소심한, 힘 빠진, 무기력한; (문체 따위가) 산만한. **3** 냉정한, 침착한. ⊕ ~**·ly** *ad.* ~**·ness** *n.*

nérve-ràcking, -wràck- *a.* 신경을 건드리는〔괴롭히는, 피로케 하는〕.

⁑**nerv·ous** [nə́ːrvəs] *a.* **1** Ⓐ **신경(성)의**, 신경 조직으로 된; 신경에 작용하는: a ~ disease 〔disorder〕 신경병. **2 a 신경질적인**, 신경과민의, 흥분하기 쉬운; 초조한: get ~ on the stage 무대 위에서 흥분하다/make a person ~ 아무를 초조하게 하다/He has a ~ disposition. 그는 신경질적이다. **b** 불안해 하는, 겁내는, 무서워하는《*of, about* …을/*that*》: She is ~ *of* going out at night. 그녀는 밤의 외출을 무서워한다/I felt ~ *about* the result. 그 결과에 불안을 느꼈다/He was ~ *that* the reviewers might attack him again. 그는 비평가들이 다시 자신을 공격할까봐 벌벌 떨었다. ⊕ °~**·ly** *ad.* 신경질적으로; 안달이 나서. ~**·ness** *n.*

nérvous bréakdown 신경 쇠약, 노이로제 《neurasthenia 의 속칭》: have 〔suffer〕 a ~ 신경 쇠약에 걸리다.

nérvous sỳstem (the ~) 〖해부·동물〗 신경계(통): ⇨CENTRAL NERVOUS SYSTEM.

nérvous wréck 《英구어》 신경과민으로 얼얼해진 사람; 신경 쇠약으로 허탈 상태에 빠진 사람.

nervy [nə́ːrvi] (*nerv·i·er; -i·est*) *a.* **1** 《美구어》 뻔뻔스러운. **2** 《英구어》 신경질적인, 신경과민의.

nes·cience [néʃiəns] *n.* Ⓤ 무지(無知)(ignorance); 〖철학〗 불가지론(agnosticism).

nes·cient [néʃiənt] *a.* 무학의, 무지한, 모르는; 〖철학〗 불가지론(자)의.

Ness [nes] *n.* (Loch [lɑk/lɔk] ~) 네스 호《스코틀랜드 북서쪽의 호수》.

-ness [nis] *suf.* (복합)형용사·분사 따위에 붙여서 '성질, 상태'를 나타내는 추상명사를 만듦: kind*ness*, tired*ness*.

⁑**nest** [nest] *n.* Ⓒ **1 보금자리**, 둥우리《주로 새·벌레·물고기·거북 따위의》: a wasps' ~ 벌집/build 〔make〕 a ~ 보금자리를 짓다. **2** (쾌적한) 피난처, 휴식처, 은신처; (악당들의) 소굴; 온상: a ~ *of* vice 악의 온상. **3** 《집합적》 **a** (새·벌레 등의) 떼; 집단, 한 무리. **b** (악당들의) 한 패, 동류. **c** 둥우리 속의 것《알·새끼 새 따위》. **4** (찬합처럼 차례로 큰 것에 끼워 넣게 된 기물의) 한 벌〔세트〕: a ~ *of* tables 〔trays, measuring spoons〕 겹끼우는 탁자〔쟁반, 계량용 스푼〕.

feather 〔*line*〕 one*'s* ~ 《구어》 (특히 부정하게) 돈을 모으다, 사복을 채우다. *foul* 〔*befoul*〕 one*'s own* ~ 자기 집안〔당(黨)〕의 일을 더럽히다〔나쁘게 말하다〕.

—*vi.* **1** 보금자리를 짓다, 보금자리에 깃들이다. **2** 편안하게 살다〔자리잡다〕. **3** 새집을 찾다: go ~*ing* 새집을 찾으러 가다. **4** (상자 따위가) 차례로 끼워 넣게 되어 있다: bowls that ~ for storage 포개어 보관할 수 있는 사발.

—*vt.* **1** …에게 보금자리를 지어 주다, …을 보금자리에 깃들이게 하다; 편안하게 살도록 하다. **2** 《과거분사꼴로》 (상자 따위)를 차례로 포개어 넣다.

nést ègg 1 (어미새가 품는) 밑알. **2** (저금 따위의) 밑천, 밑돈; 비상금.

°**nes·tle** [nésəl] *vi.* **1** 깃들이다(nest). **2** 편히 몸을 가누다, 기분좋게 눕다〔앉다, 쪼그리다〕(*down*)《*in, into, on* …에》: She ~*d down in* the armchair 〔*into* bed, *on* the sofa〕. 그녀는 안락의자〔침대, 소파〕에 기분좋게 드러누웠다. **3** 바싹 몸을 갖다대다, 옆에 가까이 가다(*up*)《*to, against, on* …에》: ~ *up to* 〔closely *against*〕 one's mother 어머니에게 바싹 달라붙다〔기대다〕. **4** (집 따위가) 자리잡다, 서 있다《*in, among* (깊숙한 곳)에》: The town ~*s among* the hills. 그 읍은 산으로 둘러싸인 곳에 자리잡고 있다.

—*vt.* **1** 포근히〔편안히〕 자리잡게 하다《*in* …에》《★ 종종 수동태》: ~ oneself *in* bed 잠자리에 편안히 드러눕다/The baby *was* ~*d in* its mother's arm. 아기는 엄마 품에 포근히 안겨 있었다. **2** (머리·얼굴·어깨 따위)를 부벼〔갖다〕 대다《*on, against* …에》: The baby ~*d* its head *on* 〔*against*〕 its mother's breast. 아기는 엄마의 젖에 머리를 갖다 댔다.

nest·ling [néstliŋ] *n.* Ⓒ 갓깬 새끼새, 둥우리를 떠날 수 없는 새끼; 젖먹이, 유아(乳兒).

Nes·tor [néstər, -tɔːr] *n.* **1** 네스터《남자 이름》. **2** 네스토르《Homer 작 *Iliad* 중 Troy 전쟁 때의 현명한 노장(老將)》. **3** (종종 n-) Ⓒ 현명한 노인; 장로, 대가, 제 1 인자.

⁑**net**[1] [net] *n.* **1** Ⓒ (동물 포획용) **그물**: a fishing ~ 어망/an insect ~ 포충망/cast 〔throw〕 a ~ 그물을 던지다/draw in a ~ 그물을 끌어당기다/lay 〔spread〕 a ~ 그물을 치다. **2** Ⓤ (낱개는 Ⓒ) 그물 모양의 것; 그물 세공; 망사(網紗), 그물 레이스; 헤어네트(hair net). **3** Ⓒ **a** (사람을 잡는) 망: ⇨LIFE NET; escape a police ~ 경찰의 수사망을 피하다. **b** 올가미, 함정, 계략: walk 〔fall〕 into the ~ 올가미에 걸리다/be caught in a ~ of deception 속임수에 걸리다. **4** Ⓒ (경기용의) 네트; (축구·하키 등의) 골; 〖테니스〗 네트(볼)《공을 네트에 맞히는 일》, (종종 *pl.*) 〖크리켓〗 삼주문 주위를 그물로 둘러친 연습 구역(에서 하는 연습). **5** Ⓒ 연락망, 통신망; (라디오·TV 따위의) 방송망(network). *cast* one*'s* ~ *wide* 그물을 넓게 치다.

N

—(-tt-) *vt.* **1 그물로 잡다**: ~ fish 투망으로 물고기를 잡다. **2** ((~+목/+목+목)) 얻게 하다: This ~*ted* her a good husband. 이런 식으로 그녀는 좋은 남편을 붙잡았다/This photograph ~*ted* (the newspaper) millions of dollars. 이 사진으로 (그 신문사는) 수백만 달러를 벌었다. **3** (과수 등)을 그물로 덮다. **4** 짜다, 연락망을 구성하다. **5** 〖축구·하키〗 (공)을 슛하다. **6** (테니스에서 공)을 네트에 치다.

N

*__net__² *a.* Ⓐ **1 정미(正味)의**, 알속의(↔ *gross*¹); **에누리 없는**, 정가의: a ~ gain (profit) 순이익/a ~ price 정가(正價)/~ proceeds 실(지)수령액/It weighs 500g ~. 그것은 정미 5백 그램이다((★ 수사가 있을 때는 뒤에 둠))/$5 ~, 정가 5달러. **2** (결과 따위가) 궁극의, 최종적인: ~ conclusion 최종 결론/the ~ result (of ...) (…의) 최종 결과.

—*n.* Ⓒ 정량(正量), 순중량, 순이익; 정가; 최종적인 결과(득점).

—(-tt-) *vt.* ((~+목/+목+목/+목+전+명)) …의 순이익을 올리다; 순이익을 얻게 하다((*for* …에게)): He ~*ted* $20,000 from the transaction. 그는 그 거래에서 2만 달러의 순이익을 올렸다/The sale ~*ted* the company several million(s). =The sale ~*ted* several million(s) *for* the company. 그 판매로 인해 회사는 수백만 (달러, 파운드 따위)의 순이익을 얻었다.

nét báll 〖테니스〗 네트 볼((서브할 때 네트를 스친 공)).

nét·bàll *n.* ((英)) Ⓤ 네트볼((한 팀당 7명이 행하는 농구와 비슷한 경기; 영국 여성이 애호)); Ⓒ (네트볼에 사용하는) 공.

◇**neth·er** [néðər] *a.* Ⓐ ((문어·우스개)) 아래(쪽)의, 하계(下界)의; 지하의, 지옥의, 명부의: the ~ lip 아랫입술/~ garments 바지/~ extremities 다리, 발, 하지/the ~ world (regions) 지옥.

Neth·er·land·er [néðərlæ̀ndər, -lənd-] *n.* Ⓒ 네덜란드 사람((★ Dutchman 쪽이 일반적)).

*__Neth·er·lands__ [néðərləndz] *n.* (the ~) 〖단·복수취급〗 **네덜란드**(Holland)((공식명 the Kingdom of the ~; 속칭 Holland; 수도 Amsterdam, 정부 소재지는 The Hague)); 형용사는 Dutch)).

neth·er·most [néðərmòust, -məst] *a.* Ⓐ ((문어)) 맨 밑(아래쪽)의, 가장 깊은: the ~ hell 지옥의 밑바닥.

nét nátional próduct 〖경제〗 국민 순생산((생략: NNP, N.N.P.)). cf. gross national product.

nett [net] *a., n., v.* =NET².

net·ted [nétid] NET¹ 의 과거·과거분사.

—*a.* 그물로 잡은; 그물로 싼; (창 따위가) 그물을 친; 그물(코) 모양의; 그물 세공의.

net·ting [nétiŋ] *n.* Ⓤ **1** 그물 뜨기; 그물 투망, 그물질. **2** 〖집합적〗 그물, 그물 세공: wire ~ 철망.

◇**net·tle** [nétl] *n.* Ⓒ 〖식물〗 쐐기풀; 〖일반적〗 가시가 많은 식물. ***grasp the*** ~ 자진하여 곤란과 싸우다. —*vt.* 〖보통 수동태〗 초조하게(화나게) 하다: I *was* ~*d by* her persistency. 나는 그녀의 끈덕짐에 화가 났다.

néttle ràsh 〖의학〗 (쐐기풀에 찔려 생기는) 두드러기(urticaria); 발진.

nét tón 순(純)톤.

‡**net·work** [nétwə̀ːrk] *n.* **1** Ⓤ (낱개는 Ⓒ) 그물 세공, 망상 직물. **2** Ⓒ 그물 모양의 것; 망상(網狀) 조직; 〖전기〗 회로망; (상점 따위의) 체인; 연락망; 개인의 정보(연락)망: an intelligence ~ 정보망/a defense ~ 방어망/a ~ *of* railroads 철도망. **3** Ⓒ **방송망**, 네트워크; 정보 교환 그룹: over a TV ~ 텔레비전 방송망을 통하여. **4** 〖통신·컴퓨터〗 네트워크((컴퓨터나 단말 장치, 프린터, 음성 표시 장치, 전화 등이 통신 회선이나 통신 케이블 등으로 접속되는 시스템)).

—*vt.* (철도 따위)를 망상 조직으로 부설하다; …의 방송망을 형성하다; (프로그램)을 방송망으로 방송하다; 〖컴퓨터〗 네트워크에 접속하다. —*vi.* 서로 연락을 취하다, 정보 교환하다, 네트워킹하다((networking에서 역성(逆成))). ㊞ ~·**er** *n.*

nétwork compùter 〖컴퓨터〗 네트워크 컴퓨터((필요한 프로그램을 그때그때 네트워크에서 얻을 수 있도록 기능을 집약한 개인용 컴퓨터)).

nétwork dátabase 〖컴퓨터〗 네트워크 데이터베이스, 망데이터베이스((데이터가 망처럼 연결된 데이터베이스)).

nétwork drìve 〖컴퓨터〗 네트워크 드라이브((오직 네트워크만을 통해서 이용하는 드라이브)).

nét·wòrking *n.* Ⓤ 〖컴퓨터〗 **1** 네트워킹((여러 대의 컴퓨터나 자료 은행(data bank)이 연락하고 있는 시스템)). **2** (타인과의 교제 등을 통한) 개인적 정보망의 형성.

nétwork prìnter 〖컴퓨터〗 네트워크 프린터((오직 네트워크만을 통해서 이용하는 프린터)).

network secúrity 〖컴퓨터〗 통신망 기밀 보호((통신망에 대한 부당한 접근, 우발적 또는 고의적 조작에 의한 개입이나 파괴로부터 네트워크를 보호하기 위한 수단들)).

neur- [njuər], **neu·ro-** [njúərou, -rə] '신경(조직), 신경계' 란 뜻의 결합사.

neu·ral [njúərəl] *a.* **1** 〖해부〗 신경(계)의: the ~ system 신경 조직. **2** 〖컴퓨터〗 신경의((신경 세포의 결합을 모델화한 것)): ~ net 신경망((인간의 신경 세포 반응과 유사하게 설계된 회로)).

neu·ral·gia [njuərǽldʒə] *n.* Ⓤ 〖의학〗 신경통((머리·얼굴의)). ㊞ **neu·rál·gic** [-dʒik] *a.*

neur·as·the·nia [njùərəsθíːniə] *n.* Ⓤ 〖의학〗 신경 쇠약(증). ㊞ **-thén·ic** [-θénik] *a., n.* Ⓒ 신경 쇠약(증)의 (환자).

neu·ri·tis [njuəráitis] *n.* Ⓤ 〖의학〗 신경염. ㊞ **neu·rit·ic** [-rítik] *a.*

neuro- ⇨ NEUR-.

nèuro·biólogy *n.* Ⓤ 신경 생물학((신경계의 해부·생리에 관한 생물학의 한 분야)). ㊞ **-biól·ogist** *n.* **-biológical** *a.*

neu·rol·o·gist [njuərálədʒist/-rɔ́l-] *n.* Ⓒ 신경(병)학자, 신경과 전문 의사.

neu·rol·o·gy [njuərálədʒi/-rɔ́l-] *n.* Ⓤ 신경(병)학. ㊞ **neu·ro·log·i·cal** [njùərəládʒikəl/-rəlɔ́dʒ-], **-lóg·ic** *a.* 신경학상의.

neu·ron, neu·rone [njúəran/-rɔn], [-roun] *n.* Ⓒ 〖해부〗 신경 단위(세포), 뉴런.

nèuro·scíence *n.* Ⓤ 신경 과학((주로 행동·학습에 관한 신경 조직 연구 제(諸)분야의 총칭)). ㊞ **-scíentist** *n.*

neu·ro·sis [njuəróusis] (*pl.* **-ses** [-siːz]) *n.* Ⓤ (구체적으로는 Ⓒ) 〖의학〗 신경증, 노이로제: have a ~ 노이로제에 걸려 있다/a severe case of ~ 중증(重症) 노이로제.

nèuro·súrgery *n.* Ⓤ 신경 외과(학). ㊞ **-súr·gical** *a.*

◇**neu·rot·ic** [njuərátik/-rɔ́t-] *a.* **1** 신경의, 신경계의; 신경증(노이로제)에 걸린. **2** 극도로 신경질적인, 신경과민의((*about* …에 대하여)): They're

~ *about* AIDS. 그들은 에이즈에 대해 신경과민이 돼 있다. **—n.** Ⓒ 신경증 환자; 극도로 신경질적인 사람.

neu·ter [njú:tər] *a.* **1** 〖문법〗 중성의; (동사가) 자동의: the ~ gender 중성. **2** 〖동물〗 생식기 불완전의, 성숙해도 생식 능력이 없는; 〖식물〗 무성(無性)의: ~ flowers 중성화. **3** 중립의: stand ~ 중립을 지키다.
—n. **1** 〖문법〗 **a** (the ~) 중성. **b** Ⓒ 중성 명사〔형용사·대명사〕. **2** Ⓒ 중성 생물, 무성 동물〔식물〕; 중성형(中性型) 곤충《일벌·일개미 따위》; 거세 동물, 거세된 사람. **3** Ⓒ 중립자. **—vt.** 《보통 수동태》 (동물)을 거세하다: a ~*ed* cat 거세된 고양이.

*__neu·tral__ [njú:trəl] *a.* **1 중립의**, 국외(局外) 중립의; 중립국의: a ~ nation 〔state〕 중립국/a ~ zone 중립 지대. **2 불편부당의**, 공평한; 중용의: take a ~ stand 중립적 입장을 취하다. **3** (종류·특징이) 명확하지 않은, 애매한; (색이) 중간색의, 우중충한, 뚜렷치 않은: a ~ tint 중간색, 회색, 쥐색. **4** 〖물리·화학〗 중성의; 〖동·식물〗 무성〔중성〕의, 암수 구별이 없는; 〖전기〗 중성의《전하(電荷)가 없는》. **5** 〖음성〗 (모음이) 중간음의: a ~ vowel 중간음, 중성 모음《[ə]》.
—n. **1** Ⓒ (국외) 중립자; 중립국(민). **2** Ⓤ 〖기계〗 뉴트럴 기어《톱니바퀴의 공전(空轉) 위치》.
㊕ **~·ly** *ad.* **~·ness** *n.*

néu·tral·ìsm *n.* Ⓤ 중립주의〔태도, 정책, 표명〕. ㊕ **-ist** *n.* Ⓒ 중립주의자.

◇**neu·tral·i·ty** [nju:trǽləti] *n.* Ⓤ 중립 (상태); 국외(局外) 중립; 불편부당; 〖화학〗 중성: armed 〔strict〕 ~ 무장〔엄정〕 중립/maintain ~ 중립을 유지하다.

nèu·tral·i·zá·tion *n.* Ⓤ 중립화, 중립 (상태), 중성화(化); 〖화학〗 중화(中和).

◇**neu·tral·ize** [njú:trəlàiz] *vt.* **1** 중립화하다; 중립 지대로 하다; 〖화학·전기〗 중화하다; …에 보색(補色)을 섞다: a *neutralizing* agent 중화제. **2** 무효로 하다, 무력하게 하다. ㊕ **-iz·er** *n.* Ⓒ 중립시키는〔무효로 하는〕 것, 중화물〔제〕.

neu·tri·no [nju:trí:nou] (*pl.* **~s**) *n.* Ⓒ 〖물리〗 중성 미자(微子), 뉴트리노.

neu·tron [njú:tran/njú:trɔn] *n.* Ⓒ 〖물리〗 중성자, 뉴트론.

néutron bòmb 중성자탄.

néutron stàr 〖천문〗 중성자 별.

Nev. Nevada.

Ne·va·da [nivǽdə, -vá:də] *n.* 네바다《미국 서부의 주; 주도 Carson City; 생략: Nev., NV》.
㊕ **Ne·vád·an, Ne·vá·di·an** [-n], [-diən] *a.*, *n.* Ⓒ Nevada 주의 (사람).

†**nev·er** [névər] *ad.* **1 일찍이 …(한 적이) 없다**, 언제나〔한 번도〕 …(한 적이) 없다: It was ~ mentioned. 이제까지 화제에 오른 적이 없다/*Never* 〔It is ~〕 too late to mend. 《속담》 ⇨ LATE/now or ~ 지금이 마지막 기회이다/Better late than ~. 《속담》 늦더라도 안 한 것보다는 낫다/*Never* is a long time 〔word〕. 《속담》 '결코'라는 말은 섣불리 하는 것이 아니다/Have you ever been to China?—No, I ~ have. 중국에 가신 적이 있습니까—아니오, 한 번도 없습니다《★ 본동사가 생략될 때에는 never를 have 앞에 둠》.
2 〔not보다 강한 부정을 나타내어〕 **a 결코 …하지 않다**(not at all): I ~ drink anything but water. 나는 물 이외는 절대로 아무 것도 마시지 않는다/*Never* let him go there. 절대로 그를 그곳에 가게 하지 마라/*Never* mind! 괜찮아, 염려 마라/He ~ takes risks. 그는 결코 위험한 일은 하지 않는다. **b** 〔never a …로〕 한 개〔명〕도 …않다: I ~ had *a* cent. 나는 단 1센트도 없었다/He spoke ~ *a* word. 그는 한마디도 하지 않았다.
3 《구어》 **a** 〔의심·감탄·놀라움을 나타내어〕 설마 …은 아니겠지: You're ~ twenty. 자네 설마 스무 살은 아니겠지/*Never* tell me! 농담이시겠지요/Could such things be tolerated?—*Never!* 이런 일이 용서받을 수 있을까.—말도 안 되는 소리. **b** 〔과거 시제를 써서〕 …이 아니다: I ~ knew that. 그건 몰랐다.
4 〔never the+비교급〕 조금도 않다: He was ~ *the* wiser for his experience. 경험을 하고서도 그는 조금도 현명해지지 못하였다/The patient's condition was ~ *the better*. 환자의 용태는 조금도 좋아지지 않았다.

> **NOTE** (1) 동사의 앞, 조동사 뒤에 옴: I *never* said so. 그렇게 말한 일이 없다. I have *never* seen it. 이제껏 본 일도 없다. (2) 다만, 조동사를 강조할 때에는 그 앞에 둠: You *never* can tell. 알 수 없는 일이군. (3) 글머리에 오면 주어와 동사가 도치됨: *Never* did I tell you. 네게 말한 적이 없다. (4) 종종 after, before, since, yet 등을 수반함: I have *never* yet been there. 나는 아직 거기에 간 일이 없다. (5) 합성어로 쓰임: *never*-to-be-forgotten 언제까지나 잊혀지지 않는/*never*-say-die 지기 싫어하는, 불굴의.

~ … but __ =… without** doing* —하지 않고는 …하지 않다, …하면 반드시 —하다: It ~ rains *but* it pours. 《속담》 비가 오기만 하면 꼭 억수같이 퍼붓는다; 엎친 데 덮치기. ***~, ever 《구어》 결단코 않다《never의 강의형》: I'll ~, *ever* speak to you again. 너와는 절대로 얘기하지 않겠다. ***~ so much as*** do …조차 하지 않다(not even): She ~ *so much as* said "Good morning." 그녀는 '안녕하세요'라고 인사도 하지 않았다. ***~ the …* (for __)** 〔비교급을 써서〕 (—라고 해서) 조금도 … 않다: I was ~ *the* wiser for the explanation. 설명을 들어도 조금도 알 수 없었다.

> **DIAL.** ***(Well,) I never!*** ① 감히 그런 심한 말을 하다니, 그런 모욕이 어디 있어. ② 거짓말, 설마《놀라움·불신을 나타냄》.

néver-énding *a.* 끝없는, 항구적인, 영원한.

◇**nèver·móre** *ad.* 《시어》 앞으로는 결코 …않다, 두 번 다시 …않다.

néver-néver *n.* (the ~) 《英구어》 분할불, 할부: ~ system 할부 구매법/on the ~ 분할불로, 월부로. **—a.** 《美》 비현실적인, 공상의, 가공의; 이상의.

néver-néver lànd 〔**còuntry**〕 (현실에는 없는) 동화의 나라; 공상적〔이상적〕인 곳〔상태〕.

⁑**nev·er·the·less** [nèvərðəlés] *ad.* **그럼에도 불구하고**, 그렇지만(yet): There was no news; ~, she went on hoping. 아무 소식도 없었지만 그녀는 여전히 희망을 갖고 있었다/He's very naughty, but I like him ~. 그는 매우 거만하지만, 그렇더라도 그를 좋아한다.

Nev·il(le), Nev·ile, Nev·ill [névəl] *n.* 네빌《남자 이름》.

ne·vus, 《주로 英》 **nae-** [ní:vəs] (*pl.* **-vi** [-vai]) *n.* Ⓒ 〖의학〗 모반(母斑)(birthmark);

《널리》 반점.

†**new** [nju:] *a*. **1 a** **새로운**; 이제까지 없었던; 처음 나타난. ↔ *old*. ¶a ~ book 신간 서적/a ~ nation 신생 국가/the ~*est* fashion 최신 유행. **b** Ⓐ 최근에 알려진, 새로 발견한: a ~ star 새로 발견한 별. **c** 신식의, 신품의; 새로 손에 넣은; 금방 사들인: a ~ towel 신품 수건/This is our ~ house. 이것이 새로 산 우리 집이다. **d** 금방 나온 《*from* …에서》: a car ~ *from* the factory 공장에서 갓 출고된 차. **e** Ⓐ 금방 따온, 싱싱한, 신선한: ~ potatoes 햇감자/~ bread 오븐에 갓구워 낸 빵.

SYN. **new** '새로운'의 가장 일반적이고 폭이 넓은 말. **novel** 신기한, 참신한: a *novel* idea 기발한 아이디어. **modern** 현대식의, 최신의: *modern* viewpoints 현대적인 사고방식〔견해〕. **original** 독창적인, 색다른. novel에 가까움. **fresh** 갓 된, 최근의, 신규의: *fresh* footprints 새로운 발자국. a *fresh* dress 새로 맞춘 양복.

2 Ⓐ 이번에 새로 온; (어떤 지위에) 새로 취임한, **신임의**, 신입의, 신참의: She is the ~ teacher. 그녀가 이번에 새로 오신 선생님이다/the ~ minister 새로 온 목사님/a ~ member of the club 새로 가입한 회원/a ~ boy 〔girl〕 신입생.

3 Ⓐ **a** 새로 시작되는; **다음의**: a ~ chapter 다음 장/begin a ~ game 다음 경기를 시작하다. **b** (몸과 마음을) 새롭게 한, 갱생한: lead a ~ life 새로운 생활을 하다/feel (like) a ~ man 새 사람이 된 듯한 마음이 들다.

4 a 잘 모르는, 낯선; 처음 듣는〔보는〕《*to* …에게는》: visit a ~ place 낯선 곳을 방문하다/The work is ~ *to* me. 나는 그 일은 처음이다/That information is ~ *to* me. 그 정보는 내게는 금시초문이다. **b** 익숙지 않은; 서투른《*to, at, in* …에》: I'm ~ *to* 〔*at*〕 this job. 이 일은 처음 해 본다/I'm ~ *to* 〔*in*〕 this district. 이 지역에는 처음이다.

5 Ⓐ 새로 추가된; 그 이상의: three ~ centimeters of snow 새로 쌓인 3 센치의 눈.

6 〖the ~〗 현〔근〕대적인, 신식의; 새것을 좋아하는, 혁신적인: *the* ~ economics 신경제학/*the* ~ education 새 교육/*the* ~ man (가사나 육아를 돕는 적극적인) 신식 남자.

7 〖the ~; 명사적; 단수취급〗 새로운 것〔일〕: He always prefers *the* ~ to the old. 그는 언제나 낡은 것보다는 새로운 것을 좋아한다.

as good as ~ (중고품 · 부서진 것이) 신품과 똑같아.

> DIAL. ***That's a new one on me!*** (놀라서) 그건 처음 듣는 말인걸; 그건 몰랐어.
> ***What's new?*** (친한 사람끼리) 요즘 어떤가, 뭐 별다른 일 없는가: *What's new?*—Nothing in particular. How 〔What〕 about you? 요즘 어떤가—별일 없네, 자네는 어떤가《친한 사람끼리의 인사》.

—*ad*. **1** 새로이; 다시 (한 번). **2** 최근, 근래. ★ 주로 과거분사를 수반하여 복합어를 만듦.
㊕ **∠·ness** *n*.

Nèw Áge (때로 n- a-) 뉴 에이지《서양적인 가치관 · 문화에 대한 비판으로서 그에 대신한 종교 · 의학 · 철학 · 환경 등 여러 분야에서 전체론적인 접근을 하려는 1980 년대 이후의 새로운 조류를 지칭함》의: the ~ movement 뉴에이지 운동.

New·ark International Airport [njú:ərk-] *n*. 뉴어크 국제 공항《New York 시 교외에 있는 공항; 코드명: EWR》.

néw blóod (새 활력〔사상〕의 원천으로서의) 젊은 사람들, 신인들.

◇**néw·bòrn** *a*. Ⓐ **1** 갓난, 신생의: a ~ baby 신생아. **2** 재생의, 갱생한. —(*pl*. ~(**s**)) *n*. Ⓒ 신생아.

néw bróom 《英》 개혁에 열중하는 사람〔신임자〕: A ~ sweeps clean. 《속담》 새 비는 잘 쓸린다; 신관은 구악을 일소한다.

Nèw Brúns·wick [-brʌ́nzwik] 뉴브런즈윅《캐나다 남동 연안의 주(州); 생략: N.B.》.

New·cas·tle [njú:kæsəl, -kɑ̀:səl] *n*. 뉴캐슬《⑴ 석탄 수출로 유명한 잉글랜드 북부의 항구 도시(= **∠ upon Týne**). ⑵ 잉글랜드 중서부 Staffordshire의 공업 도시(= **∠ under Lýme**)》.
carry 〔***take***〕 ***coals to*** ~ ⇨COAL.

néw-cóllar *a*. 뉴칼라 근로자층의《서비스 산업에 종사하는 중류 계층의》: a ~ worker. ⓒⓕ blue-collar, white-collar.

◇**néw·còmer** *n*. Ⓒ **1** 새로〔방금〕 온 사람《*to, in* …에》: a ~ *to* the big city 대도시에 방금 온 사람. **2** 신참자, 신인《*to* …의》: a ~ *to* politics 정계(政界)의 신인.

Néw Cómmonwealth (the ~) 신(新)영연방《1954 년 이후 독립하여 영연방에 가입한 나라들》.

Néw Críticism 〖문학〗 신비평《작자보다 작품 자체를 검토하려고 하는 비평》.

Néw Déal (the ~) 뉴딜 정책《미국의 F. D. Roosevelt 대통령이 1933–39 년에 실시한 사회보장 · 경제 부흥 정책》.

Nèw Dél·hi [-déli] 뉴델리《인도 공화국의 수도》.

new·el [njú:əl] *n*. Ⓒ 〖건축〗 (나선 계단의) 중심 기둥; 엄지기둥(= **∠·pòst**)《계단의 최상 또는 최하부에 있는 난간 지주》: ~ stairs 급히 꺾인 층계.

Nèw Éngland 뉴잉글랜드《미국 북동부 Connecticut, Massachusetts, Rhode Island, Vermont, New Hampshire, Maine의 6 주의 총칭》. ㊕ **~·er** *n*. Ⓒ ~ 사람.

Nèw Énglish Bíble (the ~) 신영역 성서《신약은 1961 년, 신구약 합본은 1970 년 간행; 생략: N.E.B., NEB》.

néw·fán·gled [-fǽŋgəld] *a*. **1** 《경멸적》 최신식의, 신유행의, 유행의 첨단을 걷는. **2** 새것을 좋아하는. ㊕ **~·ly** *ad*. **~·ness** *n*.

néw·fáshioned *a*. 신형의, 새 유행의, 최신의 (up-to-date). ↔ *old-fashioned*.

néw·fóund *a*. 새로 발견된; 최근에 현저하게 된.

New·found·land [njú:fəndlənd, -lænd / nju:fáundlənd] *n*. 뉴펀들랜드. **1** 캐나다 동해안에 있는 섬 및 이 섬과 Labrador 지방을 포함하는 주(州)《생략: N.F., NFD, Nfd, Newf.》. **2** Ⓒ 그 섬 원산의 큰 개의 일종(= **∠ dóg**). ㊕ **~·er** *n*. Ⓒ ~ 섬의 사람〔배〕.

Néw Frontíer (the ~) 뉴 프런티어《신개척자 정신; 1960 년 대통령 후보 수락 연설에서 Kennedy가 내세움》.

Nèw Guínea 뉴기니 섬《생략: N.G.》.

Nèw Hámpshire 뉴 햄프셔《미국 북동부의 주; 주도 Concord; 생략: N.H., NH》; 미국산 닭의 일종.

Nèw Há·ven [-héivən] 뉴 헤이븐《미국 Connecticut 주의 도시; Yale 대학 소재지》.

new·ish [njú:iʃ] *a*. 다소 새로운.

Nèw Jér·sey [-dʒə́:rzi] 뉴저지《미국 동부의

주; 주도 Trenton; 생략: N.J., NJ》.
néw-láid *a.* 갓 낳은《달걀》; 《속어》 미숙한, 풋내기의.
Néw Léft (the ~) 〖집합적〗 《美》 신좌익《1960 년대에서 70 년대에 걸쳐 대두한》. ㊞ **Néw Léftist**
néw lóok (흔히 the ~) 《구어》 새로운 양식〔형, 체제 따위〕《*in* …의》: the ~ *in* skirts 스커트의 새 유행형.
*__new·ly__ [njúːli] *ad.* **1 최근**, 요즈음. **2 새로이**; 다시: a ~ appointed ambassador 신임 대사 / a ~ married couple 신혼 부부. **3** 새로운 형식〔방법〕으로《★ 종종 과거 분사와 함께 합성어를 만듦》: *newly*-decorated 신장〔개장(改裝)〕한.
néwly·wèd *a.*, *n.* Ⓒ 갓 결혼한 (사람); (*pl.*) 신혼 부부.
Nèw Méxican 미국 뉴멕시코 주(州)의(사람).
Nèw México 미국 남서부의 주《주도 Santa Fe; 생략: New M., N.Mex., N.M., NM》.
néw móon 초승달.
néw-mówn *a.* (목초 따위를) 갓 벤.
néw òne (a ~) 《구어》 첫 체험《*on* (아무)의》: ~ *on* me 나의 첫 체험.
Nèw Órleans 뉴올리언스《미국 Louisiana 주 남동부의 Mississippi 강변 항구 도시》.
new pénny 《英》 신(新)페니《1971 년에 실시된 새 화폐; 1 파운드의 100 분의 1》.
néw·póor a 1 신빈곤층의. **2** (the ~) 〖명사적; 복수취급〗 사양족(斜陽族).
néw-rích *a.* **1** 벼락부자의. **2** (the ~) 〖명사적; 복수취급〗 신부유층.
Néw Ríght (the ~) 〖집합적〗 신우익《1980 년대에 대두한》. ㊞ **Néw Ríghtist**
†**news** [njuːz] *n.* Ⓤ **1 a 알림, 소식**; 근황(近況), 기별《*of, about, as to* …에 관한 / *that*》《★ 개개의 소식은 a piece 〔a bit〕 of ~의 꼴로 쓰임》: Bad ~ travels quickly. 《속담》 나쁜 일은 곧 세상에 알려지는 법이다 / No ~ is good ~. 《속담》 무소식이 희소식이다 / We have received no ~ *about* 〔*as to*〕 her whereabouts. 그녀의 행방에 관해서는 아무런 소식도 듣지 못했다 / The ~ *that* he had been injured was a shock to us all. 그가 부상당했다는 소식은 우리 모두에게 큰 충격이었다. **b** (신문 · 라디오 등의) **뉴스, 보도**, 정보, 기사《*of, about, as to* …에 관한》《★ 낱개는 an item of ~, a ~ item 의 형태로 쓰임》: foreign 〔home, domestic〕 ~ 해외〔국내〕 뉴스 / suppress the ~ *of* 〔*about*〕 a riot 폭동에 관한 뉴스를 억압하다 / *An item of* ~ in the paper caught his attention. 신문의 한 기사가 그의 주의를 끌었다. **2** (the ~) (라디오 · TV 의) 뉴스(프로): the latest ~ 최신 뉴스 / It was on the ~ at 10. 그것은 10 시 뉴스에 보도되었다 / Here's a summary of the ~. 간추린 뉴스입니다. **3** 《구어》 처음 듣는 것《*to* (아무)에게는》; 새로운 사실, 흥미로운 사건: Is there any ~? = What's the ~ today? 뭔가 별다른 뉴스거리가 있습니까 / Madona is ~ whatever she does. 마돈나는 무엇을 하든 뉴스거리가 된다. **4** (N-) … 신문《신문 이름》: The *Daily News* 데일리 뉴스(지).

> **DIAL** ***That's news to me.*** 그건 금시초문인데, 그것은 몰랐다.

néws àgency 통신사.
néws·àgent *n.* Ⓒ 《英》 신문〔잡지〕 판매업자〔판매점〕(《美》 newsdealer).
néws ànalyst 시사 해설가(commentator).
néws·bòy *n.* Ⓒ 신문팔이, 신문 배달원.
néws·brèak *n.* Ⓒ 보도 가치가 있는 일〔사건〕.
néws·càst *n.* Ⓒ, *vi.*, *vt.* 뉴스 방송(을 하다). ㊞ **~·er** *n.* Ⓒ 뉴스 방송〔해설〕자.
néws cònference 기자 회견(press conference).
néws·còpy *n.* Ⓤ (신문 · TV · 라디오의) 뉴스 원고.
néws·dèaler *n.* Ⓒ 《美》 신문〔잡지〕 판매업자〔점〕(《英》 newsagent).
néws flàsh 〖라디오 · TV〗 뉴스 속보(速報)(flash).
néws·gìrl *n.* Ⓒ 신문배달 소녀, 신문팔이 소녀.
néws·hàwk *n.* Ⓒ 《구어》 = NEWSHOUND.
néws·hòund *n.* Ⓒ 《구어》 (신문 등의) 기자, 신문쟁이(newshawk); 《널리》 보도원.
néws·lètter *n.* Ⓒ (회사 · 단체 등의) 회보, 연보, 월보; (특별 독자 대상의) 시사 통신, 시사 해설.
néws·magazìne *n.* Ⓒ 시사(주간) 잡지《*Time*, *Newsweek* 따위》.
néws·man [-mæ̀n, -mən] (*pl.* **-men** [-mèn, -mən]) *n.* Ⓒ 취재(取材) 기자(《英》 pressman); = NEWSPERSON.
néws·mònger *n.* Ⓒ 소문을 퍼뜨리기 좋아하는 사람; 수다쟁이, 떠버리.
Néw Sòuth Wáles 오스트레일리아 남동쪽의 주《주도 Sydney; 생략: N.S.W.》.
__news·pa·per__ [njúːzpèipər, njúːs-] *n.* **1** Ⓒ **신문**: a daily 〔weekly〕 ~ 일간〔주간〕 신문 / write to a ~ 신문에 투고하다 / a ~ office 신문사(의 건물) / He reads the ~ every day. 그는 신문을 매일 읽는다 / What ~ do you subscribe to 〔get, take〕? — I subscribe to 〔get, take〕 the Washington Post. 무슨 신문을 받아 보십니까 — 워싱턴 포스트지를 봅니다. **2** Ⓒ 신문사: She works for a ~. 그녀는 신문사에 근무한다. **3** Ⓤ 신문지, 신문용지: a sheet of ~ 신문(용)지 1 매 / She wrapped it in ~. 그녀는 그것을 신문지로 쌌다.
néwspaper·màn [-mæ̀n] (*pl.* **-mèn** [-mèn]) *n.* Ⓒ 신문인, 《특히》 신문 기자〔편집자〕; 신문 경영자〔발행인〕.
néwspaper·wòman (*pl.* **-wòmen**) *n.* Ⓒ 여기자; 여성 신문 경영자〔발행인〕.
néw·spèak *n.* (종종 N-) Ⓤ (정부 관리 등이 여론 조작을 위해 쓰는) 일부러 애매하게 말하여 사람을 기만하는 표현법《영국의 작가 G. Orwell 의 소설 '*1984*' 에 나오는 조어(造語)》.
néws·pèrson *n.* Ⓒ (신문) 기자, 보도 (취재) 기자.
néws·prìnt *n.* Ⓤ 신문 (인쇄) 용지.
néws·rèader *n.* 《英》 = NEWSCASTER.
néws·rèel *n.* Ⓒ (단편의) 뉴스 영화.
néws·ròom *n.* Ⓒ (신문사 · 방송국 따위의) 뉴스 편집실; (TV · 방송국 따위의) 보도실.
néws·stànd *n.* Ⓒ 신문〔잡지〕 판매점.
Néw Stýle (the ~) 신력(新曆), 그레고리오력(曆)《생략: N.S.》.
néws vèndor *n.* (가두) 신문 판매원, 신문팔이.
néws·wèekly *n.* Ⓒ 《美》 주간 시사 잡지, 주간 신문.
néws·wòrthy *a.* 보도 가치(news value)가 있는; 기삿거리가 되는.

newsy [njúːzi] (**news·i·er; -i·est**) *a.* 《구어》 뉴스감이 많은; 화제가 풍부한: have a ~ chat on the telephone 전화로 이러쿵저러쿵 두서없이 지껄여대다. ⓟ **néws·i·ness** *n.*

newt [njuːt] *n.* Ⓒ 【동물】 영원(蠑螈)(eft).

Néw Téstament (the ~) 신약성서《생략: N.T.》; 【신학】 신약《인간에 대한 그리스도의 새로운 구원의 계약》. ⓒⓕ Old Testament.

New·ton [njúːtn] *n.* **1 Isaac** ~ 뉴턴《영국의 물리학자 · 수학자; 1642–1727》. **2** (n-) Ⓒ 【물리】 힘의 mks 단위《기호 N》.

New·to·ni·an [njuːtóuniən] *a.* 뉴턴의; 뉴턴 학설〔발견〕의. **—***n.* Ⓒ 뉴턴 학설을 믿는 사람.

néw tówn 《英》 (종종 N– T–) 교외〔변두리〕 주택 단지.

néw wáve (종종 the N– W–) **1** (예술 사조(思潮) · 정치 운동 등의) 새 물결, 누벨바그. **2** 뉴 웨이브《1970 년대 말기의 단순한 리듬 · 하모니, 강한 비트 등을 특징으로 하는 록 음악》.

Néw Wórld (the ~) 신세계, 서반구, 《특히》 남북 아메리카 대륙.

néw yéar** (the ~) **새해**; (N– Y–) 설날: greet the ~ 새해를 맞이하다 / *New Year's* gifts 새해 선물 / the *New Year's* greetings 〔wishes〕 세배, 새해 인사. (I wish you***) ***a happy New Year !*** 새해 복 많이 받으십시오, 근하신년《★ 이에 대한 대답은 Happy New Year ! 또는 Same to you !》.

Néw Yèar's (Dáy) 정월 초하루, 설날《공휴일; 미국 · 캐나다에서는 종종 Day를 생략함》.

Néw Yèar's (Éve) 섣달 그믐날. ★ 영미에서는 파티를 열거나 큰 광장(뉴욕의 Times Square 나 런던의 Trafalgar Square)에 모여서 법석을 떨며 12 시에는 Auld Lang Syne 을 노래함.

‡**New York** [njuːjɔ́ːrk] **1 뉴욕 시**(=**Néw Yòrk Cíty**)《생략: N.Y.C.》. **2 뉴욕 주**(=**Nèw Yórk Státe**)《생략: N.Y., NY》.

Nèw Yórker 뉴욕 주 사람; 뉴욕 시 시민.

Nèw Yórk Stóck Exchànge (the ~) 뉴욕 증권 거래소《Wall Street 에 있는 세계 최대, 미국 제 1 의 증권 거래소; 생략: NYSE》.

‡**Nèw Zéa·land** [-zíːlənd] **뉴질랜드**《남태평양에 있는 영연방내의 독립국; 수도 Wellington》. ⓟ **~·er** *n.* Ⓒ 뉴질랜드 사람.

†**next** [nekst] *a.* **1** 〖시간적으로〗 **a** 〖관사 없이〗 **다음의**, 이번의, 내(來)〔오는〕…: ~ Friday = on Friday ~ 다음〔내주의〕 금요일에 / ~ week 〔month, year〕 내주〔달, 년〕. **b** (보통 the ~) (과거 · 미래의 일정 시점을 기준으로) 그 다음의, 다음〔이듬, 이튿〕…: the ~ week 그 다음 주 / (the) ~ day 〔morning, evening〕 그 이튿날〔아침, 저녁〕.

> **NOTE** (1) *next* Saturday는 '이 다음 토요일' 이며 반드시 내주 토요일로 한정된 것은 아님. (2) 현재를 기점(起點)으로 하여 '다음의'란 뜻인 경우에는 the를 쓰지 않고, 현재 이외의 시점을 기점으로 할 때는 the를 붙이는 것이 보통임. (3) 전치사 뒤에서는 명사 다음에 옴.

2 〖공간적으로〗 **a** (보통 the ~) 가장 가까운; 이웃의; 다음의: the ~ house 이웃집 / the ~ but one 〔two〕 하나〔둘〕 걸러 그 다음의. **b** 접한, 인접한《***to*** …에》: a vacant lot ~ *to* the house 그 집 옆의 빈 터 / the shop ~ *to* the corner 모퉁이에서 두 번째 가게.

3 〖순서 · 가치 등〗 (보통 the ~) 다음의, 다음〔버금〕 가는《***to*** …의》: the ~ chapter 다음 장 / the person ~ (*to*) him in rank 계급이 그의 다음인 사람 / What's the ~ article ? 다음에는 무엇을 드릴까요《점원의 말》.

as… as the ~ fellow 〔***man, woman, person***〕 《구어》 어느 누구에게도 뒤지지 않는〔못지 않게〕: I am *as* brave *as the* ~ *fellow*. 용기에 있어서는 아무에게도 지지 않는다. **~ *door to…*** ① …의 이웃에〔의〕: They lived ~ *door to* us. 그들은 우리 이웃에 살았다. ② 《비유적》 …에 가까운(near to): They are ~ *door to* poverty. 가난뱅이나 진배없다. ③ 〖부정어 앞에서〗 =~ to(관용구) ③. **~ *to …*** ① …에 접한(⇨2b). ② …의 다음 가는(⇨3). ③ 〖부정어 앞에서〗 거의 … (almost): ~ *to* nothing 거의 제로 / It was ~ *to* impossible. 거의 불가능했다. ④ …은 별도로 하고, …을 제하고, …의 다음에는: *Next to* cake, ice cream is my favorite dessert. 케이크 다음으로 아이스크림이 내가 좋아하는 디저트이다. (***the***) **~ *thing*** 다음에, 두 번째로. (***the***) **~ *thing*** one ***knows*** 《구어》 정신을 차리고 보니, 어느 틈엔가: *The* ~ *thing* he *knew*, he was safe in his bed. 정신이 들고 나니 그는 침대에 안전하게 누워 있었다.

—*pron.* 다음 사람〔것〕, 옆의 것, 가장 가까운 사람〔것〕《형용사 용법의 next 다음에 오는 명사가 생략된 것》: *Next*(, please) ! 그 다음을; 다음 분〔것〕; 다음 질문을《순서에 따라 불러들이거나 질문 등을 재촉할 때》 / He was the ~ (person) to appear. 그가 다음에 나타났다 / I will tell you in my ~. 다음 편지에서 말씀드리겠습니다 / To be concluded in our ~ (issue). 다음 호(號) 완결.

—*ad.* **1 다음에**, 이번에: When shall I meet you ~? 다음에는 언제 만날 수 있겠소 / When I ~ saw him …. 다음에 그를 만났을 때에는… / We are getting off ~. 다음에 내립니다《역 · 정류장 따위》. **2** (장소 · 시간 · 정도를 나타내어) 다음으로, 바로 뒤에《***to*** …의》; 접하여, 인접하여《***to*** …에》: the largest state ~ *to* Alaska 알래스카 다음으로 큰 주 / He loved his horses ~ *to* his own sons. 그는 아들들 다음으로 말을 사랑했다 / He placed his chair ~ *to* mine. 그는 의자를 내 의자 옆에 놓았다.

What ~! 〔***?***〕 ⇨WHAT.

—*prep.* 《구어》 …의 다음〔옆〕에, …에 가장 가까운: a seat ~ the fire 난로 옆의 자리 / come 〔sit〕 ~ him 그 사람 다음에 오다〔앉다〕.

néxt bést =SECOND BEST.

néxt-bést *a.* Ⓐ 제 2 위의, 두 번째로 좋은, 차선(次善)의: A good book is the ~ thing to a true friend. 양서는 진실한 친구 다음으로 좋은 것이다.

néxt-dòor *a.* 이웃(집)의: a ~ neighbor 바로 이웃 사람.

néxt tìme 1 〖부사적〗 다음 번에, 다음에: I'll visit the place ~. 다음 번에 그곳을 방문하겠습니다. **2** 〖접속사적〗 이 다음 …할 때에: Come to see me ~ you are in town. 이 다음 상경할 때에는 꼭 오십시오.

néxt wórld (the ~) 내세(來世), 저승.

nex·us [néksəs] (*pl.* **~·es, ~** [-səs, -suːs]) *n.* Ⓒ **1** (집단 · 계열 내의 개인〔개체〕끼리의) 연계(連繫), 유대, 관계: the cash ~ 현금 거래 관계 / the causal ~ 인과 관계. **2** 【문법】 서술적 관계〔표현〕《Jespersen 의 용어로, *Dogs bark.* / I think *him honest.* 등의 이탤릭체 말 사이의 관

계를 말함》.

N.F. 《英》 Newfoundland; Norman-French. **NFC, N.F.C.** 《美》 National Football Conference. **N.F.L.** 《美》 National Football League. **Nfld** Newfoundland. **N.G., n.g.** no good. **N.G., NG** National Guard; New Guinea. **NGO** nongovernmental organization (비정부 조직). **NH** 〖美우편〗 New Hampshire. **N.H.** New Hampshire. **NHS, N.H.S.** 《英》 National Health Service (국민 건강 보험). **Ni** 〖화학〗 nickel. **N.I.** 《英》 National Insurance; Northern Ireland.

ni·a·cin [náiəsin] *n.* [U] 〖생화학〗 니아신(nicotinic acid).

°**Ni·ag·a·ra** [naiǽgərə] *n.* **1** (the ~) 나이아가라《미국과 캐나다 국경의 강》. **2** = NIAGARA FALLS. **3** (n-) [C] 폭포; 급류; 대홍수; 쇄도: a *niagara* of protests 항의의 쇄도.

Niágara Fálls 나이아가라 폭포《★ 보통 단수로 취급하지만, 특히 두 부분으로 이루어진 것을 의식할 때에는 복수취급》.

nib [nib] *n.* [C] **1** (새의) 부리. **2** 펜촉. [cf] pen¹. **3** 〖일반적〗 (도구 따위의) 뾰족한 끝, 첨단.

°**nib·ble** [níbəl] *vt.* **1** (짐승·물고기 등이) 조금씩 물어뜯다〔갉아먹다〕(*off; away*); 갉아서 구멍 등을 내다《*through* …을》: Caterpillars are *nibbling away* the leaves. 모충이 잎을 갉아먹고 있다/The rabbit ~*d* a hole *through* the fence. 토끼가 울타리를 갉아 구멍을 냈다. **2** (재산 따위)를 조금씩 줄이다(*away; off*): Inflation ~*d away* his fortune. 인플레가 그의 재산을 조금씩 줄이고 말았다. **—*vi.*** **1** 조금씩 갉다〔물어뜯다, 쪼다〕, 조금씩 줄이다, 잠식하다(*away, off*) 《*at* …을》: The rabbit was *nibbling away at* a carrot. 토끼가 당근을 갉아먹고 있었다. **2** 마음이 있는 기색을 보이다《*at* (제안 따위)에》: She always ~*s at* our offer 〔temptation〕. 그녀는 언제나 우리의 제의〔유혹〕에 마음 있어 하는 태도를 보인다. **—*n.*** [C] 조금씩 물어뜯기, 한 번 물어뜯기《*at* …을》; 한 번 갉아먹는 양; 아주 작은 양(의 식사); 〖컴퓨터〗 니블《1/2 바이트; 보통 4 비트》: have a ~ *at* …을 조금씩 갉아먹다.

Ni·be·lung·en·lied [níːbəlùŋənlìːt] *n.* 《G.》 (the ~) 니벨룽겐의 노래《13 세기 초에 이루어진 남부 독일의 대서사시(詩)》.

nib·lick [níblik] *n.* [C] 〖골프〗 니블릭《9 번 아이언》.

nibs [nibz] *n.* 〘보통 his 〔her〕 ~로〙 《구어·종종 경멸적》 높으신 분(들), 나리, 보스; 자만심이 강한 사람.

N.I.C., NIC newly industrialized country (신흥 공업국).

ni·cad, Ni·cad [náikæ̀d] *n.* [C] 니켈카드뮴 전지(nickel-cadmium battery) 《상표》. [◂ *ni*ckel+*cad*mium]

Nic·a·ra·gua [nìkərɑ́ːgwə] *n.* 니카라과《중앙 아메리카의 공화국; 생략: Nicar.; 수도 Managua》. [파] **~n** *n.* [C], *a.* 니카라과 사람(의).

Nice [niːs] *n.* 니스《프랑스 남동부 해안의 항구 도시; 요양지》.

†**nice** [nais] (*nic·er; nic·est*) *a.* **1 a 기분 좋은, 즐거운**; 유쾌한, 기쁜《*for* …에/*to* do》: a ~ day 기분 좋은〔맑게 갠〕 날씨/a ~ evening 기분 좋은 저녁; 즐거운 하룻저녁. It's ~ that she is coming. 그녀가 온다니 기쁘군/It's ~ *to* meet you. 만나뵙게 되어 반갑습니다/*Nice* 〔It's been ~〕 seeing 〔meeting〕 you. 뵙게 되어 즐거웠습니다/very ~ weather *for* hiking 하이킹 하기 아주 좋은 날씨/She's ~ *to* work with. 그녀와 함께 일하는 것은 즐겁다. **b 훌륭한**, 좋은, 멋진: a ~ shot 멋진 일격.
2 아름다운, 말쑥한, 매력 있는; 산뜻한: a ~ face 아름다운 얼굴/a ~ piece of work 잘 이루어진 일/The garden looks ~. 뜰이 깨끗하다.
3 맛있는(↔ *nasty*): ~ dishes 맛있는 요리.
[SYN] **nice** 먹어서 맛있는 것《과자·과일·생선·육류 등》에 쓰임. **sweet** 달고 맛있는 것 《과자·과일·술 등》에 쓰임. **delicious** 아주 맛있음《좀 특수하며 과일·과자 등에 쓰임》.
4 인정 많은, 다정한, 친절한《*to* …에게/*to* do》: You're the *nicest* person I know. 당신은 내가 아는 사람 중에 가장 친절하십니다/He is very ~ *to* us. 매우 친절하게 해준다/It is very ~ *of* you 〔You're ~〕 *to* invite us to the party. 파티에 초대해 주셔서 감사합니다.
5 점잖은, 교양 있는, 고상한; (예의 범절·말씨 등이) 적절한, 걸맞은: She has very ~ manners. 그녀는 태도가 고상하다.
6 엄격한, 꼼꼼한; 몹시 가리는, 까다로운《*in, about* …에》: ~ *about* the choice of words 말의 선택에 까다로운/She is ~ *in* her hat. 모자에 대해서 까다롭다.
7 미묘한, 미세한: a ~ distinction 미세한 차이/a very ~ point 실로 미묘한 점.
8 신중을 요하는, 어려운; 수완이 필요한: a ~ issue/a ~ problem 어려운 문제. ◇ nicety *n.*
~ *and…* [náisən, náisn(d)] 〘때로 반어적〙 알맞게〔충분히〕 …하다; 〘다음의 형용사·부사의 뜻 강조〙 매우, 썩: It's ~ *and* warm in here. 이 곳은 아주 기분좋게 따뜻하다/He's ~ *and* drunk. 그는 몹시 취해 있다. ★ and를 생략하기도 함: This is a ~ long one. 길어서 아주 좋다.

> [DIAL] ***Nice one!*** (상대방의 발언이나 행위에 대하여) 그것 좋지, 잘됐군: Dad said he'd give us some money.—*Nice one!* 아빠가 우리에게 돈을 좀 주신대—그거 잘됐다.

[파] **∠·ness** *n.*

°**nice·ly** [náisli] *ad.* **1** 좋게, 잘, 능숙하게; 훌륭히, 아름답게; 쾌적하게: She's doing ~. 그녀는 무사하다; 잘 해 가고 있다. **2** 상냥하게, 친절하게; 호의적으로: speak ~ to a person 아무에게 다정하게 말하다. **3** 세심하게, 면밀히; 세밀〔정밀〕하게, 꼼꼼히: a ~ prepared meal 정성들인 요리/fit ~ 꼭 맞다.

Nícene Créed [náisiːn-] (the ~) 니케아 신조(信條), 니케아 신경(信經).

níce Nélly 〔**Néllie**〕 《美》 점잔빼는 사내〔여자〕; 완곡한 표현〔말〕.

níce-nélly, -Nélly, -Néllie *a.* 《美》 점잔빼는; 완곡한. [파] **níce-néllyìsm** *n.* [U] 《美》 점잔빼기; 완곡한 표현〔말〕.

ni·ce·ty [náisəti] *n.* **1** [U] 정확; 정밀. **2 a** [U] 미묘, 기미(機微): a point of great ~ 매우 미묘한 점; 결정하기 어려운 점. **b** [C] (보통 *pl.*) 미묘한 점. **3** (*pl.*) 고상〔우아〕한 것〔태도〕. ◇ nice *a.*
to a **~** 정확히, 정밀하게.

°**niche** [nitʃ] *n.* **1** 벽감(壁龕)《조각품 등을 놓는》. **2** 적합한 곳, 적소《*for* (사람·물건)에》: She found a ~ *for* herself in this new industry. 그녀는 이 새로운 산업에서 알맞은 일자리를 찾았다. **3** 〖생태〗 생태적 지위. **—*vt.*** 벽감에 안치하

다〔놓다〕; 《~ oneself》 (알맞은 곳에) 자리잡다: She ~d herself down in a quiet corner. 그녀는 조용한 구석에 자리잡았다.

Nich·o·las [níkələs] *n.* **1** 니콜라스《남자 이름; 애칭: Nick》. **2 Saint** ~ 성(聖)니콜라스《러시아·그리스·어린이·선원·여행자 등의 수호 성인; ?-342》. [cf.] Santa Claus.

ni·chrome [náikroum] *n.* [U] 니크롬; (N-) 그 상표명.

Nick [nik] *n.* **1** 남자 이름《Nicholas의 애칭》. **2** (Old ~) 악마.

°**nick**[1] [nik] *n.* **1** [C] 새김눈, 자른 자리(notch): cut ~*s* in a stick 막대기에 눈금을 새기다. **2** [C] (접시·칼날 따위의) 흠, 깨진 곳: ~*s* in a razor 면도 날의 이빠진 곳. **3** (the ~) 《英속어》 감방, 교도소. ***in the*** (***very***) ~ (***of time***) 마침 제때에, 아슬아슬한 때에, 때마침. **—*vt.*** **1** …에 새김눈을 내다; (칼날 따위에) 흠을 내다. **2** 《美속어》 속이다. **3** 《英속어》 빼앗다, 훔치다. **4** 《英속어》 (범인 따위)를 체포하다《***for*** …이유로》.

nick[2] *n.* [U] 《in ... ~》 《英속어》 건강 상태; 상태: my car is secondhand, but *in* good ~. 내 차는 중고지만 상태가 좋다.

*__nick·el__ [níkəl] *n.* **1** [U] 【화학】 **니켈**《금속 원소; 기호 Ni; 번호 28》; 백통. **2** [C] 《美·Can.》 5 센트짜리 백통돈; (a ~) 잔돈. **—*a.*** 니켈의〔을 함유한〕. **—**(**-*l-***, 《英》 **-*ll-***) *vt.* 니켈 도금을 하다.

níckel-and-díme [-ən-] *a.* 《美구어》 소액의; 사소한; 하찮은.

níckel bráss 양은·구리·아연·니켈의 합금.

níckel pláte 니켈 도금.

níckel-pláted [-id] *a.* (…에) 니켈 도금을 한.

níckel sílver 양은(洋銀)(German silver).

níckel stéel 니켈강(鋼).

nick·er (*pl.* ~) *n.* [C] 《英속어》 1 파운드 영국 화폐.

nicknack ⇨ KNICKKNACK.

⁑**nick·name** [níknèim] *n.* [C] **1 별명**; 애칭《Shorty '꼬마', Fatty '뚱뚱이' 따위》. **2** Christian name의 약칭《Robert를 Bob라고 부르는 따위》. **—*vt.*** **1** 《~+[목]/+[목]+[보]》 …에게 별명을 붙이다; …을 별명〔애칭, 약칭〕으로 부르다: They ~*d* him Shorty. 그들은 그에게 꼬마라는 별명을 붙였다. **2** 《드물게》 이름을 잘못 부르다(misname).

Nic·o·sia [nìkəsíːə] *n.* 니코시아《Cyprus 공화국의 수도》.

nic·o·tine [níkətìːn, -tin] *n.* [U] 【화학】 니코틴.

nic·o·tín·ic ácid [nìkətínik-] 【화학】 니코틴산(酸)(niacin).

nic·o·tin·ism [níkətiːnìzəm] *n.* [U] 【의학】 (만성) 니코틴〔담배〕 중독.

⁑**niece** [niːs] *n.* [C] **조카딸**, 질녀. [cf.] nephew.

NIEs Newly Industrializing Economies (신흥공업 경제 지역)《한국·대만·싱가폴·홍콩 등의 총칭》.

Nie·tzsche [níːtʃə] *n.* **Friedrich Wilhelm** ~ 니체《독일의 철학자; 1844-1900》.

[파] **~·ism** [-tʃìizəm] *n.* [U] 니체주의〔철학〕.

niff [nif] *n.* (a ~) 악취. **—*vi.*** 악취가 나다.

[파] **niffy** *a.* 《英구어》 악취 나는.

nif·ty [nífti] (**-*ti·er*; -*ti·est***) *a.* 《구어》 훌륭한, 재치 있는, 멋들어진.

Ni·ger [náidʒər] *n.* 니제르《아프리카 서부의 공화국; 수도 Niamey》.

Ni·ge·ria [naidʒíəriə] *n.* 나이지리아《아프리카 서부의 공화국; 생략: Nig.; 수도 Lagos》.

[파] **Ni·gé·ri·an** [-n] *a.*, *n.* [C] ~의 (사람).

nig·gard [nígərd] *n.* [C] 인색한〔쩨쩨한〕 사람, 구두쇠.

nig·gard·ly *a.* **1 a** 인색한, 쩨쩨한《***with*** (돈 따위)에》: a ~ person 인색한 사람/They're ~ *with* their money. 그들은 돈에 인색하다. **b** [P] 아끼는《***of*** …을》: He is not ~ *of* praise. 그는 아낌없이 칭찬한다. **2** 아주 조금의, 근소한: ~ aid 아주 조금의 원조/a ~ salary 쥐꼬리만한 봉급. **—*ad.*** 인색〔쩨쩨〕하게. [파] **-li·ness** *n.*

nig·ger [nígər] *n.* [C] 《경멸적》 흑인, 검둥이(Negro). ***a*** 〔***the***〕 ~ ***in the woodpile*** 〔***fence***〕 《경멸적》 (계획 따위를 망치는) 숨은〔생각지 않은〕 요인《사람·사물》.

nig·gle [nígəl] *vi.* **1** 얽매이다, 트집을 잡다, 신경을 쓰다《***about, over*** (하찮은 일)에》. **2** 끊임없이 끙끙거리다, 늘 괴로워하다《***at*** …에》. **—*vt.*** 《구어》 끊임없이 괴롭히다, 짜증나게 하다. **—*n.*** [C] 하찮은 불평, 걱정거리.

nig·gling [níglĭŋ] *a.* [A] 하찮은 일에 신경 쓰는〔구애되는〕; 늘 괴로워하는; 하찮은; 사소한.

°**nigh** [nai] *a.*, *ad.*, *prep.* 《고어·방언》 = NEAR.

†**night** [nait] *n.* **1 a** [U] (수식어가 있을 때, 셀 수 있을 때는 [C]) **밤**, 야간, 저녁(때)(↔ *day*; 《감탄사적》《구어》 안녕히 주무세요(Good night): on the ~ of the 14th of December, 12월 14일 밤에/last ~ 간밤/the ~ before last 지지난밤/during the ~ 야간에/all through the ~ 밤새도록/*Night* is a good time for thinking. 밤은 사색에 좋은 시간이다/He stayed three ~*s* with us. 그는 우리 집에서 사흘 밤 묵었다. ★ night는 해질녘부터 해돋이까지, evening은 일몰 또는 저녁 식사 후부터 잘 시간까지. **b** (the ~) 《부사절을 이끌어》 …의 밤에《★ 흔히 that을 수반함》: Father fell ill the ~ (*that*) we arrived in China. 우리가 중국에 도착한 날 밤에 아버지가 병이 나셨다.

2 [U] 야음; 《일반적》 어둠: *Night* falls. 해가 저문다/under (the) cover of ~ 야음을 틈타.

3 [C] (행사 따위의) 밤, (…의) 저녁; (특별한 날의) 밤: a ticket for the first ~ 첫날 밤(공연)의 표/on Christmas ~ 크리스마스 날 밤에.

4 [U] 무지, 몽매, 맹목; 암흑〔실의, 불행〕의 시기. ***all*** ~ (***long***) =***all the*** ~ ***through*** 밤새도록: I dreamed all ~. 밤새도록 꿈을 꾸었다. ***a*** ~ ***out*** 〔***off***〕 ① (하인 등의) 외출이 허락되는 밤. ② 축제의 밤; 밖에서 놀이로 새우는 밤: Let's have *a* ~ *out*. 오늘밤 밖에서 놀아 봅시다. (***as***) ***dark*** 〔***black***〕 ***as*** ~ 새까만, 캄캄한. ***at*** ~ 해질 무렵에; 밤중(에)《특히 6시부터 12시까지》. ***at*** (***the***) ***dead of*** ~ =***in the dead of*** (***the***) ~ 한밤중에. ***at*** ~***s*** 밤마다. ***by*** ~ 밤에는; 밤중에; 야음을 틈타. ***call it a*** ~ 《구어》 그날 밤의 일을 마치다: Let's *call it a* ~. 오늘 밤은 이만 마치자. ***for the*** ~ 밤 동안(은): I stayed there *for the* ~. 그날 밤은 거기서 묵었다. ***Good*** ~***!*** 편히 주무십시오; 안녕《밤에 헤어질 때의 인사》. ***have*** 〔***pass***〕 ***a good*** 〔***bad***〕 ~ 잠을 잘〔잘못〕 자다. ***have an early*** 〔***a late***〕 ~ 밤 일찍이〔늦게〕 자다. ***make a*** ~ ***of it*** 떠들며〔술로〕 밤을 새우다. ~ ***after*** 〔***by***〕 ~ 매일밤, 밤마다. ~ ***and day*** =***day and*** ~ 밤낮(없이). ***of*** 〔***o'***〕 ~***s*** 《구어》 밤에, 밤에 때때로. ***the other*** ~ 며칠 전날 밤. ***turn*** ~ ***into day*** 낮에 할 일을 밤에 하다, 밤새워 일하다〔놀다〕; (불

을 밝혀) 낮처럼 밝게 하다.

> **DIAL** ***Night!*** (밤 인사로) 잘 자라, 잘 있거라〔가거라〕(Good night!).
> ***Night, night!*** (특히 아이에게 하는 밤 인사로) 잘 자라, 잘 있어라〔가거라〕.
> ***Time to call it a night.*** 오늘 밤은 이만 하자, 이만 끝내자《밤에 쓰는 말; 낮에는 Time to call it a day.라고 함》.

—*a*. Ⓐ **1** 밤의, 야간(용)의: a ~ game (야구 따위의) 야간 경기/~ duty 야근, 숙직/a ~ air 밤공기, 밤바람/a ~ train 야간 열차, 밤차. **2** 밤에 일하는; (동물 따위가) 야행성의: a ~ nurse 야근 간호사.

níght·bìrd *n.* Ⓒ 밤에 나다니는〔밤놀이하는〕 사람; 밤도둑.

níght-blìnd *a.* 밤눈이 어두운, 야맹증의.

níght blìndness 〖의학〗 야맹증.

níght·càp *n.* Ⓒ 잠잘 때 쓰는 모자, 나이트캡; 자기 전에 마시는 술; 《美구어》 당일 최종 경기; 〖야구〗 더블헤더의 나중 경기.

níght·clòthes *n. pl.* 잠옷(nightdress).

níght·clùb *n.* Ⓒ 나이트클럽(nightspot).

níght·drèss *n.* =NIGHTGOWN; NIGHTCLOTHES.

°**níght·fàll** *n.* Ⓤ 해질녘, 황혼, 땅거미(dusk): at ~ 해질녘에. SYN. ⇨TWILGHT.

níght fìghter 야간 요격 전투기.

°**níght·gòwn** *n.* Ⓒ (여성·어린이용) 잠옷.

níght·hàwk *n.* Ⓒ **1** 〖조류〗 쏙독새의 일종. **2** 밤놀이〔밤샘〕하는 사람.

night·ie [náiti] *n.* 《구어》 =NIGHTGOWN.

Night·in·gale [náitəngèil, -tiŋ-] *n.* **Florence** ~ 나이팅게일《영국의 간호사; 근대 간호학 확립의 공로자; 1820-1910》.

°**night·in·gale** *n.* Ⓒ 〖조류〗 나이팅게일《유럽산 지빠귓과의 작은 새; 밤에 아름다운 소리로 욺》.

night·jar [náitdʒɑ̀ːr] *n.* Ⓒ 쏙독새《유럽산》.

níght làtch (문 따위의) 빗장의 일종《안에서는 손잡이로, 밖에서는 열쇠로 여닫음》.

níght lètter 《美》 (야간) 간송(間送) 전보《다음날 아침에 배달되며, 요금이 쌈》. cf. day letter.

níght·lìfe *n.* Ⓤ (환락가 등에서의) 밤의 유흥〔환락〕.

níght-lìght *n.* Ⓒ 야간의 희미한 불빛; (침실·복도용의) 철야등.

níght·lòng *a., ad.* 철야의, 철야하여, 밤새우는〔새워〕.

°**níght·ly** *a.* Ⓐ **1** 밤의, 밤에 일어나는, 밤에 활동하는: ~ dew 밤이슬. **2** 밤마다의. **—*ad*.** 밤에; 밤마다: pray ~ 매일 밤 기도하다.

***night·mare** [náitmὲər] *n.* Ⓒ **1** 악몽, 가위눌림: have a ~ 가위눌리다. **2** 악몽 같은 경험〔사태, 상황〕, 불쾌한 것〔사람〕; 공포〔불안〕감: Life with him was a ~. 그와 함께한 생활은 참담 바로 그것이었다. **3** 가위《잠자는 이를 질식시킨다는》. ㊔ **night·mar·ish** [mὲəriʃ] *a.* 악몽 같은; 불유쾌한. **níght·màr·ish·ly** *ad.*

níght òwl 《구어》 밤샘하는 사람.

níght pòrter (호텔의) 야간 근무 보이.

nights *ad.* 《美구어》 매일 밤, (거의) 밤마다; 밤에: study ~ 밤에 공부하다.

níght sàfe 야간 금고《은행 등의 폐점 후의》.

níght schòol (성인 대상의) 야간 학교.

níght·shàde *n.* Ⓤ (낱개는 Ⓒ) 가지속(屬)의 식물.

níght shìft 1 (공장 등의) 야간 근무 (시간); 야근. **2** (the ~) 〖집합적; 단·복수취급〗 야간 근무자. cf. day shift, graveyard shift.

níght·shìrt *n.* Ⓒ (남자용의) 긴 잠옷.

níght sòil 똥거름, 분뇨《야간에 쳐내는》.

níght·spòt *n.* =NIGHTCLUB.

níght·stànd *n.* =NITHT TABLE.

níght stìck 《美》 야경봉(棒), (경관이 가지고 다니는) 곤봉(《英》 truncheon).

níght tàble 《美》 침대 곁 탁자(=**béd·stànd**).

níght·tìme *n.* Ⓤ, *a.* 야간(의), 밤중(의). ↔ *daytime.*

níght·wàlker *n.* Ⓒ 《美》 밤에 배회하는 사람《밤도둑; 매춘부 따위》.

níght wàtch 1 야경(夜警), 야번(夜番). **2** (흔히 the ~) 〖집합적; 단·복수취급〗 야경꾼. **3** (보통 the ~es) 야경 교대 시간《본래 하룻밤을 셋이나 넷으로 나눈 그 하나》.

níght wàtcher 〔**wàtchman**〕 야경원.

níght·wòrk *n.* Ⓤ 밤일, 야근.

nighty [náiti] *n.* =NIGHTIE.

NIH 《美》 National Institutes of Health (국립 위생 연구소).

ni·hil·ism [náiəlìzəm, níːə-] *n.* Ⓤ **1** 〖철학·윤리〗 허무주의, 니힐리즘. **2** 〖정치〗 폭력 혁명〔무정부〕주의. ㊔ **ní·hil·ist** *n.* Ⓒ 허무〔무정부〕주의자. **nì·hil·ís·tic** [-ístik] *a.* 허무주의(자)의; 무정부주의(자)의.

-nik [nik, nìk] *suf.* 《구어·경멸적》 '…와 관계 있는 사람, …한 특징이 있는 사람, …애호자' 의 뜻: beat*nik*, peace*nik*.

Ni·ke [náikiː] *n.* 〖그리스신화〗 니케《승리의 여신》.

nil [nil] *n.* Ⓤ **1** 무(無), 영; 《英》 〖경기〗 영점: three goals to ~, 3 대 0. **2** 〖컴퓨터〗 닐(null).

Nile [nail] *n.* (the ~) 나일 강《아프리카 동부에서 발원, 지중해로 흘러드는 세계 최장의 강》. ***the Blue Nile*** 청나일《에티오피아를 흘러서 Khartoum 에서 본래 강줄기와 합침》. ***the White Nile*** 백나일《수원지에서 Khartom 까지의 본래 강줄기》.

Ni·lot·ic [nailátik/-lɔ́t-] *a.* 나일 강의; 나일강 유역(주민)의.

nim·bi [nímbai] NIMBUS 의 복수.

nim·ble** [nímbəl] (-bler; -blest***) *a.* **1** 재빠른《***of, on*** (발)이》; 민첩한《***in, at*** …에》: a ~ climber 민첩한 등산가/with ~ fingers 민첩한 손으로/be ~ *of* foot =be ~ *on* one's feet 발이 빠르다/I'm getting ~ *at* typing. 타자 속도가 빨라지고 있다. **2** 영리한, 이해가 빠른, 빈틈없는; 재치 있는, 꾀바른: a ~ mind 기민한 두뇌. ㊔ **~·ness** *n.* **-bly** *ad.*

nim·bo·stra·tus [nìmboustréitəs] (*pl.* ***-ti*** [-tai]) *n.* Ⓒ 〖기상〗 난층운, 비층구름, 비구름《생략: Ns》.

nim·bus [nímbəs] (*pl.* ***-bi*** [-bai], **~·es**) *n.* Ⓒ **1** (신·성자 등의) 후광(halo); 원광(圓光)《성인화(聖人畫) 따위의 머리 주위의》; (사람 또는 물건이 내는) 숭고한 분위기, 매력. **2** 〖기상〗 난운(亂雲), 비구름(nimbostratus 의 구칭).

NIM·BY, Nim·by, nim·by [nímbi] *n., a.* 님비(의)《지역 환경에 좋지 않은 원자력 발전소·군사 시설·쓰레기 처리장 등의 설치에 반대하는 사람 또는 주민〔지역〕의 이기적 태도에 관해 말함》. ㊔ **Ním·by·ism** *n.* (또는 n-) Ⓤ 님비주의, 지역 주민 이기. [◂*not in my backyard*]

nim·i·ny-pim·i·ny [nímənipímәni] *a.* 점잔

빼는, 새침한, 얌전빼는.

Nim·rod [nímrɑd/-rɔd] *n.* **1** 〖성서〗 니므롯《여호와께서도 알아주시는 힘센 사냥꾼; 창세기 X: 8-9》. **2** (보통 n-) Ⓒ 수렵가, 사냥꾼.

nin·com·poop [nínkəmpùːp, níŋ-] *n.* Ⓒ 바보, 멍청이.

†**nine** [nain] *a.* **1** Ⓐ 9의, 9명〔개〕의: It is ~ (o'clock). 9시다 / Only ~ (persons) appeared. 9사람만 왔다. **2** Ⓟ 9세인: He's ~. 그는 9세이다. ~ ***tenths*** 10분의 9, 거의 전부. ~ ***times out of ten*** =***in*** ~ ***cases out of ten*** 십중팔구, 대개.

—*n.* **1 a** Ⓤ (또는 Ⓒ; 보통 관사 없이) (기수의) 아홉, 9: *Nine* divided by three makes 〔is〕 three. 9를 3으로 나누면 3이다. **b** Ⓒ 9의 숫자〔기호〕《9, ix, IX》. **2** 〖복수취급〗 아홉 개〔사람〕: There are ~. 아홉 개〔사람〕 있다. **3** Ⓤ 아홉 살; 아홉 시; 9달러〔파운드, 센트, 펜스 (따위)〕: at ~ 아홉시에 / a child of ~ 아홉 살 된 아이. **4** Ⓒ 아홉 개〔사람〕 한 조인 것; 《美》 야구팀; 나인: the Yankees ~ 양키즈나인. **5** (the N-) 뮤즈의 아홉 여신. **6** Ⓒ 〖카드놀이〗 9끗짜리 패: the ~ of hearts 하트의 9.

dial 〔***ring***〕 ***999*** 《英》 구급 전화를 하다《우리나라는 119, 《美》는 911로 긴급 구조를 요청하는 번호》. ***dressed*** (***up***) ***to the*** ~***s*** 잘 차려 입고, 한껏 멋부리고. ~ ***to five***, 오전 9시부터 오후 5시까지의 보통 근무 시간: work ~ *to five*.

níne·fòld *a.*, *ad.* 9배의〔로〕, 아홉겹의〔으로〕.

níne·pìn *n.* 《英》 **1** (*pl.*) 〖단수취급〗 나인핀스, 구주희(九柱戱)《아홉 개의 핀을 세우고 큰 공으로 이를 쓰러뜨리는 놀이》. ⓒⓕ tenpin. **2** Ⓒ 나인핀스용의 핀. ***go down like*** ~***s*** 골패짝 무너지듯하다, 우르르 겹쳐 쓰러지다.

†**nine·teen** [náintíːn] *a.* **1** Ⓐ 19의; 19명〔개〕의: the ~-eighties, 1980년대 / the ~-hundreds, 1900년대. **2** Ⓟ 19세인: He's ~. 그는 19세이다. —*n.* **1 a** Ⓤ (또는 Ⓒ; 보통 관사 없이) 19. **b** Ⓒ 19의 기호《19, xix, XIX》. **2** Ⓤ 19세; 19달러〔파운드, 센트, 펜스 (따위)〕: a young man of ~ 19세의 청년. **3** 〖복수취급〗 19개〔사람〕: There are ~. 19개〔사람〕 있다. ***talk*** 〔***go, run, wag***〕 ~ ***to the dozen*** ⇨DOZEN.

‡**nine·teenth** [náintíːnθ] *a.* **1** (보통 the ~) 제 19의, 열아홉째의. **2** 19분의 1의. —*n.* **1** Ⓤ (보통 the ~) 제19, 19번; (월일의) 19일. **2** Ⓒ 19분의 1. **3** (the ~) 19번째의 사람〔것〕.

***nine·ti·eth** [náintiiθ] *n.* **1** Ⓤ (보통 the ~) 제 90. **2** Ⓒ 90분의 1. —*a.* **1** (보통 the ~) 제 90의. **2** 90분의 1의.

níne-to-fíve *a.* Ⓐ 아침 9시부터 오후 5시까지 일하는 사람〔샐러리맨〕의. ㊥ **-fiv·er** *n.*

†**nine·ty** [náinti] *a.* **1** Ⓐ 90의, 90개〔명〕의. **2** Ⓟ 90세인.

—(*pl.* ***-ties***) *n.* **1 a** Ⓤ (또는 Ⓒ; 보통 관사 없이) 90. **b** Ⓒ 90의 숫자〔기호〕《90, xc, XC》. **2 a** Ⓤ 90세; 90달러〔파운드, 센트, 펜스 (따위)〕: an old man of ~ 90세의 노인. **b** 〖the nineties〗 (세기의) 90년대. **c** 〖one's nineties〗 (연령의) 90대. **3** 〖복수취급〗 90개, 90사람.

nínety-níne *n.* **1 a** Ⓤ (또는 Ⓒ; 보통 관사 없이) (기수의) 99. **b** Ⓒ 99를 나타내는 기호《99, xcix, XCIX》. **2** Ⓤ 99세; 99달러〔센트, 펜스, 파운드 (따위)〕. **3** 〖복수취급〗 99개, 99사람.

—*a.* **1** Ⓐ 99의; 99명〔개〕의. **2** Ⓟ 99세인. ~ ***times out of a hundred*** 거의 언제나.

nin·ny(-ham·mer) [níni(hæ̀mər)] *n.* Ⓒ 바보, 얼간이(simpleton).

†**ninth** [nainθ] *a.* **1** (보통 the ~) 제 9의, 아홉째의. **2** 9분의 1의. —*ad.* 아홉 번째에. —*n.* **1** Ⓤ (보통 the ~) 제 9, 9번; (월일의) 9일. **2** Ⓒ 9분의 1(a ~ part). **3** 〖음악〗 9도 음정. ★ nineth는 잘못. ㊥ ∠·ly *ad.*

Ni·o·be [náioubìː] *n.* 〖그리스신화〗 니오베《자랑하던 14명의 아이들이 전부 살해당하여, 비탄하던 나머지 돌로 변했다는 여인》.

ni·o·bi·um [naióubiəm] *n.* Ⓤ 〖화학〗 니오브《금속 원소; 기호 Nb; 번호 41》.

Nip [nip] *n.* Ⓒ, *a.* 《속어 · 경멸적》 일본 사람(의).

nip**[1] [nip] (-pp-***) *vt.* **1** 《~+목/+목+전+명》 (집게발 따위가) **물다**; 집다, **꼬집다**《***on*** …을》; 끼게 하다《***in*** …에》: The monkey ~*ped* the child's hand. 원숭이가 어린애의 손을 물었다 / ~ a pen *between* one's lips 펜을 입술에 물다 / The dog ~*ped* me slightly *on* the arm. 그 개가 내 팔을 살짝 물었다 / I ~*ped* my finger *in* a train door. 손가락이 전차 문에 끼었다. **2** 《+목+부》 따다, 잘라내다(*off, out*): ~ *off* young leaves 어린 잎을 따다. **3** (바람 · 서리 따위가 식물)을 이울게 하다; (찬 바람 따위가 피부)를 얼게 하다; …의 성장〔발달〕을 저지하다: The cold wind ~*ped* my ears and nose. 찬 바람에 코와 귀가 어는 듯 하였다. **4** 《美속어》 잡아채다; 훔치다. —*vi.* **1** 《+전+명》 (집게발 따위가) 물다, 꼬집다, 집다《***at*** …을》: The dog was ~*ping at* me. 그 개가 끈덕지게 나를 물고 늘어졌다. **2** (추위 · 바람 따위가) 몸〔살〕을 에다: The wind ~*s* pretty hard today. 오늘 바람은 살을 에는 듯하다. **3** 《+부/+전+명》 《英구어》 급히 가다; 재빨리 움직이다: ~ *away* without a word 한 마디 (인사)말도 없이 가버렸다 / When the door opened, somebody ~*ped in*. 문이 열리자마자 누군가가 재빨리 들어왔다 / I'll just ~ *down to* the pub. 잠시 술집에 갔다오겠다.

~ ***in*** 《英》 《*vi.*+부》 ① 재빨리 들어오다(⇨*vi.* 3). ② 비집고 들어오다: Don't ~ *in* front of me. 내 앞에 끼어들지 마라. —《*vt.* +부》 ③ (옷 따위)를 줄이다, 좁게 하다: ~ the waist *in* 허리를 줄이다. ~ ***... in the bud*** ① (식물)을 봉오리 때에 자르다. ② (음모 따위)를 미연에 막다.

—*n.* (a ~) **1** 한 번 꼬집기〔끼우기, 물기〕: have 〔take〕 a ~ at …을 꼬집다〔물다〕. **2** 한 번 집은 분량; 조금: a ~ *of* salt 약간의 소금. **3** 서리 피해; 모진 추위. **4** 《美》 (치즈의) 톡 쏘는 맛. **5** 《英구어》 잠깐 달려가기. ~ ***and tuck*** 《美구어》 아슬아슬하게〔한〕, 호각으로〔의〕, 막상막하로〔의〕: It was ~ *and tuck* but we won. 막상막하의 경기였으나 우리가 이겼다.

nip[2] *n.* Ⓒ (보통 *sing.*) (술 따위의) 한 모금〔잔〕, 소량. —(***-pp-***) *vi.*, *vt.* (술을) 홀짝거리다.

ni·pa [níːpə] *n.* Ⓒ 〖식물〗 니파야자(=∠ **pàlm**) 《동인도산(產)》; Ⓤ 니파주(酒).

níp·per *n.* Ⓒ **1** 집는〔무는, 꼬집는〕 사람〔것〕; 따는 사람〔것〕. **2** (*pl.*) (게 따위의) 집게발; 펜치, 못뽑이, 이 뽑는 집게, 족집게, 겸자. **3** 《英구어》 소년, 아이.

níp·ping *a.* Ⓐ 살을 에는 듯한; 비꼬는, 신랄한.

nip·ple [nípəl] *n.* Ⓒ **1** 유두(乳頭), 젖꼭지; 《美》 (젖병의) 고무 젖꼭지(《英》 teat). **2** 《美》 (파이프의) 접속용 파이프, 니플. **3** 〖기계〗 그리스

의 앞 쪽 위 끝. —*vt.* (화살)을 시위에 메우다.

no-cláim(s) bónus 《英》 (자동차의 상해 보험에서) 일정 기간 무사고로 지낸 피보험자에게 적용되는 보험료의 할인.

nò-cónfidence *n.* [U], *a.* 불신임(의): a ~ vote 불신임 투표.

noc·tam·bu·la·tion, -bu·lism [nɑktæ̀mbjəléiʃən/nɔk-], [-ˊ-lìzəm] *n.* [U] 몽중 보행, 몽유병(sleepwalking).

noc·tam·bu·list [nɑktǽmbjəlist/nɔk-] *n.* [C] 몽유병자.

◇**noc·tur·nal** [nɑktə́ːrnl/nɔk-] *a.* **1** 밤의, 야간의. ↔ *diurnal.* **2** 〖동물〗 밤에 나오는〔활동하는〕, 야행성의. **3** 〖식물〗 밤에 피는. [파] **~·ly** *ad.*

noctúrnal emíssion 〖생리〗 몽정(夢精).

noc·turne [nɑ́ktəːrn/nɔ́k-] *n.* [C] **1** 〖음악〗 야상곡. **2** 〖미술〗 야경(화(畫)).

⁑**nod** [nɑd/nɔd] (**-dd-**) *vi.* **1** 《~/+[전]+[명]/+*to* do》 **끄덕이다**; 끄덕여 승낙〔명령〕하다《**to, at** …에게》: ~ like a mandarin (머리를 흔드는 인형처럼) 연달아 끄덕이다/She *~ded at* me. 그녀는 나에게 고개를 끄덕였다/He *~ded* (*to* me) *to* show that he understood. 그는 (나에게) 고개를 끄덕여 납득했다는 것을 나타냈다. **2** 《~/+[전]+[명]》 끄덕 인사하다《**to** …에게》: He smiled and *~ded to* me. 그는 웃으며 나에게 끄덕 인사했다. **3** **졸다**, 꾸벅꾸벅 졸다; 앉은 채로 졸다: sit *~ding.* **4** 방심하다, 무심코 실수하다: (Even) Homer sometimes *~s.* 《속담》 원숭이도 나무에서 떨어질 때가 있다. **5** 《~/+[전] +[명]》 (식물 따위가) 흔들리다, 너울거리다, 기울다: reeds *~ding* in the breeze 바람에 나부끼는 갈대/The building *~s to* its fall. 그 건물은 금세 쓰러질 듯이 기울어져 있다.

—*vt.* **1** (머리)를 **끄덕이다**, 끄덕끄덕하다. **2** 《~+[목]/+[목]+[목]/+[목]+[전]+[명]/+*that* [절]》 (승낙 등)을 **끄덕여 나타내다**: ~ assent 끄덕여 승낙의 뜻을 나타내다/They didn't even ~ me goodbye. =They didn't even ~ goodbye *to* me. 그들은 나에게 고개를 끄덕여 잘 가라는 인사조차 하지 않았다/He *~ded that* he understood. 그는 알아들었음을 고개를 끄덕여 나타냈다.

~ *off* 《*vi.*+[부]》 잠들다, 자다. **~ *through*** 《*vt.*+[부]》 …을 고개를 끄덕여 승낙하다.

—*n.* [C] (보통 *sing.*) **1 끄덕임**《동의·인사·신호·명령 따위》; 인사: He gave us a ~ as he passed. 그는 지나가면서 우리들에게 끄덕인사했다. **2** 졺, (졸 때의) 꾸벅임.

be at a person***'s* ~** 아무의 지배하에 있다, 아무의 부림을 당하고 있다. ***get the* ~** 《구어》 동의를 얻다. ***give the* ~** 《구어》 동의하다《**to** …에》. ***on the* ~** 《구어》 외상〔신용〕으로《물건을 사는 것 따위》; 형식적 찬성으로, 암묵의 양해로. ***the land of Nod*** 〖성서〗 졸음, 수면《창세기 IV: 16》.

nod·al [nóudl] *a.* 마디(보양)의, 결절(結節)의.

nódding acquáintance (a ~) 만나면 묵례할 정도의 사이《**with** (아무)와》; 피상적(皮相的)인 지식〔이해〕《**with** …의》: I have a ~ *with* Chinese. 나는 중국어를 조금 안다.

nod·dle [nɑ́dl/nɔ́dl] *n.* [C] 《구어》 머리.

nod·dy [nɑ́di/nɔ́di] *n.* [C] 바보, 얼간이.

node [noud] *n.* [C] **1** 마디, 결절; 혹. **2** (극 등)의 줄거리의 갈등, 분규. **3** 〖식물〗 마디《가지나 잎이 나는 곳》; 〖의학〗 결절; 〖천문〗 교점. **4** 〖수학〗 맺힘점, 결절점《곡선·면이 만나는 점》; 〖물리〗 마디, 파절(波節)《진동체의 정지점》. **5** (조직 등의) 중심점. **6** 〖언어〗 절점(節點). **7** 〖컴퓨터〗 노드《네트워크의 분기점이나 단말 장치의 접속점》.

nod·u·lar, -lat·ed [nɑ́dʒulər/nɔ́-], [-lèitid] *a.* 마디의, 마디가〔혹이〕 있는; 〖식물〗 결절 모양의; 〖지질〗 구상(球狀)의, 단괴상(團塊狀)의.

nod·ule [nɑ́dʒuːl/nɔ́-] *n.* [C] 작은 마디; 작은 혹; 〖식물〗 뿌리혹; 〖지질〗 단괴(團塊).

No·el[1] [nóuəl] *n.* 노엘《남자 또는 여자 이름》.

No·el[2], **No·ël** [nouél] *n.* 《F.》 [U] 크리스마스.

nó-fáult 《美》 *n.* [U] (자동차 보험에서) 무과실 손해 배상 제도. —*a.* [A] 무과실 손해 배상 제도의; 〖법률〗 (이혼법에서 당사자 쌍방이) 결혼 해소에 책임이 없는.

nó-fríll(s) *a.* [A] 《美구어》 (항공 운임 따위가) 불필요한〔가외의〕 서비스가 없는, 실질 본위의: ~ air fare 불필요한 서비스를 뺀 항공 운임.

nog[1] [nɑg/nɔg] *n.* [C] 나무못〔마개〕.

nog[2], **nogg** [nɑg/nɔg] *n.* [U] **1** 《英》 (원래 영국 Norfolk 에서 제조된) 독한 맥주. **2** =EGGNOG.

nog·gin [nɑ́gin/nɔ́g-] *n.* [C] **1** 작은 잔, 소형 조끼《맥주 컵》. **2** (술 따위의) 소량《보통 1/4 pint, 약 0.12 *l*》. **3** 《구어》 머리.

nó-gó *a.* **1** 잘 진행되지 않는, 부조(不調)의. **2** 진행 허가가 나오지 않은; 출입 금지의: a ~ area 출입 금지 지역.

nó-gòod *a.*, *n.* [C] 쓸모없는 (것·녀석), 무가치한 (것).

Noh [nou/nəu] *n.* =NO.

nó-hít *a.* 〖야구〗 무안타의, 노히트노런의: a ~ game 무안타 경기.

nó-hítter *n.* [C] 〖야구〗 무안타 경기(no-hit game).

nó·hòw *ad.* 〘보통 cannot 과 함께〙 결코〔조금도〕 …않다《★ 비표준적인 말》: I *can't* do it ~. 아무래도 할 수 없다.

†**noise** [nɔiz] *n.* **1** [U] (구체적으로는 [C]) (특히, 불쾌한) **소리, 소음**, 시끄러운 소리, 법석 떪, 소란: a ~ at the door 문 두드리는 소리/the ~ of airplanes 비행기의 소음/deafening *~s* 귀청이 터질 듯한 소음. [SYN.] ⇨SOUND[1]. **2** [U] (라디오·텔레비전의) 잡음; 〖컴퓨터〗 잡음《회선(回線)의 난조로 생기는 자료의 착오》.

make a* ~** 소리를 내다; 떠들다; 소란 피우다, 불평(不平)하다《**about** …에 대하여》. ***make a* ~ *in the world 세평에 오르다, 유명해지다. ***make ~s*** 의견이나 감상을 말하다.

—*vt.* 《+[목]+[부]》 널리 퍼뜨리다; 소문내다(*about; abroad*): It is *~d abroad* 〔*about*〕 that …. …라고 소문나 있다.

◇**nóise·less** *a.* [A] 소리 없는, 소음(消音)의, 고요한; 잡음이 적은《녹음》: a ~ air-conditioner 저소음 에어컨. [파] **~·ly** *ad.* **~·ness** *n.*

nóise·màker *n.* 소리내는 사람〔것〕.

nóise pollùtion 소음 공해

noi·some [nɔ́isəm] *a.* 《문어》 해로운, 유독한; 악취가 나는, 구린; 불쾌한. [파] **~·ness** *n.*

⁑**noisy** [nɔ́izi] (***nois·i·er; -i·est***) *a.* **1 떠들썩한, 시끄러운**: Don't be ~! 조용히 해/~ streets 시끄러운 거리. **2** 야한, 화려한《복장·색채 따위》. [cf.] loud. ◇noise *n.* [파] ◇**nóis·i·ly** *ad.* **-i·ness** *n.*

nó-knóck *a.* 《美》 (경찰관이) 무단 가택 수색할 수 있는.

nom. 〖문법〗 nominative.

◇**no·mad, no·made** [nóumæd] *n.* [C] 유목민; 방랑자. —*a.* 유목(민)의; 방랑하는(wandering).

no·mad·ic [noumǽdik] *a.* 유목(생활)의; 유목민의; 방랑(생활)의: ~ tribes 유목 민족. ㊞ **-i·cal·ly** [-kəli] *ad.*

nó·mad·ìsm *n.* Ⓤ 유목 생활; 방랑 생활.

nó màn's lànd **1** (양군의) 최전선 사이의 무인 지대. **2** (a ~) (사람이 살지 않는) 황무지; 소유자 부정의 토지《계쟁지》; 어느 쪽에도 들지 않는〔애매한〕 영역.

nom de plume [nàmdəplú:m/nɔ̀m-] (*pl.* ***noms de plume*** [-z-], ***nom de plumes*** [-z]) 《F.》 아호, 필명.

no·men·cla·ture [nóumənklèitʃər, nouménklə-] *n.* **1** Ⓤ (구체적으로는 Ⓒ) (분류학상의) 학명 명명법. **2** Ⓤ 〖집합적〗 전문어, 학명, 술어.

◇**nom·i·nal** [námənl/nɔ́m-] *a.* **1 a** 이름의, 명의상의, 공칭의: a ~ list of officers 직원 명부 / ~ horsepower 공칭 마력. **b** (주식 따위) 기명(記名)의: ~ shares 기명 배당주. **2** 이름뿐인, 유명무실한; 보잘것없는; 얼마 안 되는, 명색뿐인: a ~ sum 아주 적은 액수 / ~ peace 이름뿐인 평화. **3** (가격 따위) 액면(상)의, 명목(名目)의: a ~ price 〖상업〗 명목 가격 / ~ wages 〖경제〗 명목 임금. **4** 〖문법〗 명사의, 명사적인. **—***n.* Ⓒ 〖문법〗 명사 상당어, 명사류. ㊞ **~·ly** *ad.* 이름뿐으로, 명목상.

nóm·i·nal·ìsm *n.* Ⓤ 〖철학〗 유명론(唯名論), 명목론. cf realism. ㊞ **-ist** *n.*

nom·i·nate** [námənèit/nɔ́m-] *vt.* **1** 《~+목/+목+전+명/+목+*to* do》 **지명하다**《for, as*** (후보자)에 / ***to*** do》: be ~*d for* the Presidency 〔*for* President〕 대통령 후보로 지명되다 / Bill Clinton was ~*d* by the Democrats *to* run against George Bush. 빌 클린턴은 조지 부시에 대항할 입후보자로 민주당에서 지명받았다. **2** 《+목+전+명》 추천하다《***for, as*** (지위·수상 따위)에》: The song was ~*d for* a Grammy. 그 노래는 그래미상에 추천되었다. **3** 《~+목/+목+전+명/+목+*as* 보/+목+(*to be*) 보》 **임명하다**《***to, for*** (직위)에》: ~ a person *to* 〔*for*〕 a post 아무를 어떤 지위에 임명하다 / The President ~*d* him *as* (*to be*) Secretary of State. 대통령은 그를 국무 장관으로 임명했다. **4** 《+목+*as* 보》 (일시·장소 등)을 정하다, 지정하다: ~ September 17 *as* the day of the election. 9월 17일을 선거일로 지정하다. ◇nomination *n.*

◇**nòm·i·ná·tion** *n.* **1** Ⓤ (구체적으로는 Ⓒ) 지명, 추천, 임명: She received an Oscar ~ for best supporting actress. 그녀는 아카데미상의 최우수 여자 조연상에 추천되었다 / His ~ was rejected by the committee. 그의 지명〔임명〕은 위원회에서 부결되었다. **2** Ⓤ 임명〔추천〕권.

nom·i·na·tive [námənətiv/nɔ́m-] *a.* **1** 〖문법〗 주격(主格)의: the ~ case 주격. **2** [+-nei-] 지명〔임명〕의: Is it ~ or elective? 지명으로 할 것인가 선거로 할 것인가. **—***n.* Ⓒ 〖문법〗 **1** (보통 *sing.*) 주격. **2** 주격 명사; 주어.

nom·i·na·tor [námənèitər/nɔ́m-] *n.* Ⓒ 지명자, 임명자, 추천자.

nom·i·nee [nàməní:/nɔ̀m-] *n.* Ⓒ 지명〔임명·추천〕된 사람; (연금 따위의) 수취명의인(受取名義人); (주권의) 명의인.

nom·o·gram, -graph [náməgræ̀m, nóum-], [-græ̀f, -grà:f] *n.* Ⓒ 계산 도표, 노모그램.

-no·my [nəmi] '…학(學), …법(法)'의 뜻의 결합사: astro*nomy*, eco*nomy*, taxo*nomy*.

non-[1] [nan/nɔn] *pref.* '무, 비(非), 불(不)'의 뜻. ★ 보통 in-, un-은 '반대'의 뜻을, non-은 '부정, 결여'의 뜻을 나타냄.

non-[2] [nán/nɔ́n], **non·a-** [nánə, nóunə/nɔ́nə] '9(번째)'의 뜻의 결합사. [《L.》 *nonus* ninth]

non·age [nánidʒ, nóun-] *n.* Ⓤ (법률상의) 미성년(기); 미성숙(기), 발달의 초기.

non·a·ge·nar·i·an [nànədʒənέəriən, nòun-] *a., n.* Ⓒ 90 대의 (사람).

nòn·aggréssion *n.* Ⓤ 불침략: a ~ pact 〔treaty〕 불가침 조약.

non·a·gon [nánəgàn/nɔ́nəgɔ̀n] *n.* Ⓒ 9 변형.

nòn·alcohólic *a.* 알코올을 함유하지 않은: ~ beverages 비 알코올성 음료.

nòn·alígn *vt., vi.* 제휴하지 않다, 중립을 지키다. ㊞ **~ed** *a.* 중립을 지키는, 비동맹의: ~*ed* nations 중립국들. **~·ment** *n.* Ⓤ 비동맹: ~*ment* policy 비동맹 정책.

nòn·appéarance *n.* Ⓤ 불참, (특히 법정에의) 불출두.

nòn·atténdance *n.* Ⓤ 결석, 불참; (특히 의무 교육에의) 불취학.

nón·bánk *a.* 은행 이외의 금융 기관의.

nòn·belíever *n.* Ⓒ (신·이념·임무 등에 대한) 믿음이 결여된 사람; 신앙이 없는 사람.

nòn·bellígerent *n.* Ⓒ, *a.* 비(非)교전국(의).

nón·bóok *a.* 책이 아닌《마이크로필름 따위》. **—***n.* Ⓒ 《美》 책답지 않은 책; 가치 없는 책.

non·cándidate *n.* Ⓒ 비후보자, 《특히》 불출마 표명자.

nonce [nans/nɔns] *n.* 〖보통 다음 관용구로〗 ***for the ~*** 《문어》 당분간, 임시로.
—*a.* Ⓐ 임시의, 1회〔그 때〕만의.

non·cha·lance [nànʃəlá:ns, nánʃələns/nɔ́n-] *n.* Ⓤ 무관심, 냉담, 태연: with ~ 냉정하게, 태연히.

non·cha·lant [nànʃəlá:nt, nánʃələnt/nɔ́n-] *a.* 무관심〔냉담〕한; 태연한, 냉정한. ◇nonchalance *n.* ㊞ **~·ly** *ad.*

nòn·chrístian *a.* 비기독교(도)의. **—***n.* Ⓒ 비기독교도.

non·com [nánkàm/nɔ́nkɔ̀m] *n.* 《구어》 = NONCOMMISSIONED OFFICER.

nòn·combátant *n.* Ⓒ, *a.* 〖군사〗 비(非)전투원(의).

nòn·commércial *a.* 비영리적인. ㊞ **~·ly** *ad.*

noncommíssioned ófficer 〖군사〗 부사관《생략: N.C.O.》. ★ 해군에서는 petty officer.

nòn·commíttal *a.* 확실한 의견을 말하지 않는, 언질을 주지 않는; 어물쩍거리는, 애매한, 막연한《***about*** …에 대하여》: He's very ~ *about* that. 그는 그것에 대해서는 매우 애매하다. ㊞ **~·ly** *ad.*

non com·pos men·tis [nan-kámpəs-mèntis/nɔn-kɔ́mpɔs-] 《L.》 (=not having control of one's mind) 〖법률〗 심신 상실의, 정신 이상의, 《특히》 재산관리 능력이 없는《정상적인 사고능력·행동의 책임 능력이 없는 상태》.

nòn·concúrrence *n.* Ⓤ 부동의(不同意).

nòn·condúctor *n.* Ⓒ 〖물리〗 부도체《열·전기·소리 따위의》, 절연체.

nòn·confórmism *n.* = NONCONFORMITY.

nòn·confórmist *n.* Ⓒ 일반적 사회 규범에 따르지 않는 사람; 비협조주의자; (흔히 N-) 《英》 비국교도. **—***a.* 일반 사회 규범에 따르지 않는; 《英》 (흔히 N-) 비국교도의.

nòn·confórmity *n.* Ⓤ **1** 불일치, 부조화, 모순《*to* (일반 사회 규범 따위)에의》. **2** (흔히 N-) 《英》 국교를 따르지 않음, 비국교주의; 〘집합적〙 비국교도들.

nòn·contríbutory *a.* Ⓐ (연금 · 보험 제도 등이) 무갹출의, (고용자측의) 전액 부담인.

nòn·cooperátion *n.* Ⓤ 비협력《*with* …와의》. ⓟ **nòn·coóperative** *a.* 비협력적인.

nòn·dáiry *a.* 우유를〔유제품을〕 함유하지 않은.

nòn·delívery *n.* Ⓤ 인도(引渡) 불능; 배달 불능, 무배달.

nòn·denominátional *a.* 특정 종교〔종파〕에 관계가 없는.

non·de·script [nàndiskrípt/nɔ̀n-] *a.* 이렇다 할 특징이 없는, 거의 인상에 남지 않는; 막연한. **—***n.* Ⓒ 이렇다 할 특징이 없는 사람〔것〕.

nòn·distínctive *a.* 〖음성〗 불명료한, 비변별(非辨別)적인, 이음(異音)의.

nòn·dúrable *a.* 비(非)내구성의, 오래 가지 못하는: ~ goods 비내구재(非耐久財)《식료품 · 의류 따위 소모품》. **—***n.* (*pl.*) 비내구재.

†**none** [nʌn] *pron.* **1** 〖보통 복수 취급〗 **아무도 …않다〔없다〕, 아무것도 …않다〔없다〕**: There were ~ present. 출석한 사람은 아무도 없었다/ *None* appear to realize it. 아무도 눈치 채지 않은 것 같다/*None* have left yet. 아직 아무도 출발하지 않았다/No news today?—*None*. 오늘은 뉴스 없느냐—하나도 없다.

2 〖~ of+복수(대)명사 꼴로 단 · 복수취급〗 어느 것〔아무〕도 …않다〔없다〕: *None of* those buses goes 〔go〕 to Oxford. 저 버스는 어느 것도 옥스퍼드에 가지 않는다/*None of them is* 〔*are*〕 lost. 누구 하나 죽지 않았다. ★ 《구어》에서는 흔히 복수 취급.

3 〖~ of+단수(대)명사〗 **조금도 …않다〔없다〕**《★ of 뒤에 Ⓤ의 명사 또는 단수(대)명사가 오므로 단수 취급; 명사에는 반드시 the, my, this 등 한정어구가 앞에 붙음》: She has ~ *of* her mother's beauty. 그녀는 모친의 아름다움을 전혀 물려받지 않았다/It is ~ *of* your business. 네가 상관할 바 아니다/*None of* this concerns me. 이것은 나와는 전혀 관계가 없다.

4 〖"no+명사"의 명사 생략꼴; 단 · 복수취급〗 전혀 …없다〔않다〕: He's ~ *of* my friends. 그는 내 친구도 아무 것도 아니다/You still have money but I have ~ (=no money) left. 자네에겐 아직 돈이 있으나 나에겐 한푼도 안 남았네/ Is there any sugar left?—No, there's ~ left. 설탕이 좀 남아 있느냐—아니, 전연 남아 있지 않다.

have* ~ *of ① …을 갖고 있지 않다. ② 〖will, would 뒤에서〗 (문제 · 제안 등)을 받아들이지 않다, 인정하지 않다: I *will have* ~ *of* it. 그것은 전적으로 거절합니다. **~ *but*** …외는 아무도—않다; —하는 것은 …의 정도다: *None but* fools have ever believed it. 바보가 아닌 이상 아무도 그것을 믿는 녀석은 없다. ***None of…!*** …일랑 마라〔그만둬라〕: *None of* your impudence! 건방진 소리 마라, 무례한 짓 마라/*None of* your nonsense! 허튼수작 마라/*None of* that! 그 따위 짓은 그만둬. **~ *other than*** 다름 아닌〔바로〕 그것〔그 사람〕: The visitor was ~ *other than* the king. 방문자는 다름 아닌 국왕 그분이었다.

—*ad.* **1** 〖the+비교급 또는 so, too를 수반하여〗 **조금도〔결코〕 …않다,** (…하다고 해서) 그만큼 …한 것은 아니다: He is ~ *the better* for his experience. 경험을 쌓았다고 해서 특히 더 나아진 것도 없다/She is ~ *so* pretty. 그녀는 조금도 예쁘지 않다/I arrived there ~ *too* soon. 꼭 알맞은 때에 도착했다《오히려 조금 늦을 정도로》. **2** 〖단독으로 쓰이어〗 조금도〔결코〕 …않다: I slept ~ last night. 어젯밤 한잠도 못 잤다.

~ *the less* 그럼에도 불구하고(nonetheless).

nòn·effèctive *a.* 효력이 없는.

nòn·éntity *n.* **1 a** Ⓒ 하잘것없는 사람〔것〕. **b** Ⓤ 하잘것없는 일〔상태〕. **2 a** Ⓤ 존재〔실재〕하지 않음. **b** Ⓒ 실재하지 않는 것, 상상의 산물, 날조한 것.

nòn·esséntial *a.* 비본질적인, 중요하지 않은.

nóne·sùch *n.* Ⓒ (보통 *sing.*) 비길 데 없는 것〔사람〕, 뛰어난 사람, 일품(逸品).

no·net [nounét] *n.* Ⓒ 〖음악〗 9중주〔창〕(곡)(ⓒⓕ solo); 9중주〔창〕단.

◇**none·the·less** [nʌ̀nðəlés] *ad.* =NEVERTHELESS.

nón-Euclídean *a.* 비(非)유클리드의: ~ geometry.

nòn·evént *n.* Ⓒ 기대에 어긋난 일〔행사〕.

nòn·exístence *n.* Ⓤ 존재〔실재〕치 않음; 무(無). ⓟ **-ent** *a.* 존재〔실재〕하지 않는.

non·fea·sance [nɑnfíːzəns/nɔn-] *n.* Ⓤ 〖법률〗 의무 불이행, 부작위(不作爲), 해태(懈怠).

nòn·férrous *a.* 비철(非鐵)의; 철을 함유하지 않은: ~ metals 비철금속.

nòn·fíction *n.* Ⓤ 논픽션, 실록, 소설이 아닌 산문 문학《전기 · 역사 · 탐험 기록 · 기행문 등》. ⓟ **~·al** *a.*

nòn·flámmable *a.* 불연성(不燃性)의.

nòn·fulfíllment *n.* Ⓤ (의무 · 약속의) 불이행.

nòn·governméntal *a.* 비(非)정부의, 정부와 무관한; 민간의: a ~ organization 비정부 조직, 민간 공익 단체《생략: NGO》.

nòn·húman *a.* 인간이 아닌, 인류 외의.

nòn·inflámmable *a.* =NONFLAMMABLE.

nòn·interférence *n.* Ⓤ (특히 정치상의) 불간섭.

nòn·intervéntion *n.* Ⓤ (외교 · 내정상의) 불간섭, 불개입, 방임.

nòn-íron *a.* 《英》 다리미질이 필요 없는(drip-dry).

nòn·línear *a.* 직선이 아닌, 비선형(非線形)의.

nòn·mémber *n.* Ⓒ 회원〔당원(黨員)〕 이외의 사람, 비(非)회원.

nòn·métal *n.* Ⓒ 〖화학〗 비금속 원소. ⓟ **nòn·metállic** *a.* 비금속의: *nonmetallic* elements 비금속 원소.

nòn·móral *a.* 도덕에 관계없는, 윤리 · 도덕적 범주 외의. ⓒⓕ amoral, immoral.

nòn·nátive *n.* Ⓒ, *a.* 본국〔본토〕 태생이 아닌 (사람), 외국인(의).

nòn·negótiable *a.* 교섭〔협정〕할 수 없는.

nòn·núclear *a.* 비핵(非核)의, 핵무기를 안 가진; 핵 병기 외의: a ~ nation 비핵(무장)국.

nòn-numérical *a.* 〖컴퓨터〗 비수치(非數値)의.

nó-nò (*pl.* **~'s, ~s**) *n.* Ⓒ 《구어》 (부적절 · 위험 등의 이유로) 금지된 것〔일〕; 해서는〔말해서는, 써서는〕 안 되는 것〔일〕.

nòn·objéctive *a.* 비객관적인, 비구상적인, 추상적인.

nòn·obsérvance *n.* Ⓤ 불준수(不遵守); 위반.

nò-nónsense *a.* Ⓐ 근엄한, 실제〔현실, 사무〕적인.

non·pa·reil [nànpərél/nɔ́npərəl] *a.* Ⓐ 비할〔비길〕 데 없는, 무류(無類)의, 천하일품의.
—*n.* Ⓒ 비할 바 없는 사람〔것〕; 극상품.

nòn·pártisan, -zan *a.*, *n.* Ⓒ 당파에 속하지 않은 (사람), 무소속의 (사람): ~ diplomacy 초당파 외교.

nòn·párty *a.* 무소속의; 불편부당의, 당파심이 없는.

nòn·páyment *n.* Ⓤ 지급하지 않음, 미납.

non·plus [nanplʌ́s, ⌐-/nɔn⌐, ⌐-] (**-s-,** 《英》 **-ss-**) *vt.* 어찌 할 바를 모르게 하다: He was completely ~*ed*. 그는 아주 난처했다. —*n.* (a ~) 당혹, 난처: at a ~ 난처하여.

nòn·póisonous *a.* 독이 없는, 무해(無害)한.

nòn·polítical *a.* 정치에 관계하지 않는〔관심이 없는〕, 비정치적인.

nòn·pórous *a.* 작은 구멍이 없는, 통기성(通氣性)이 없는.

nòn·prescríption *a.* (약을) 처방전 없이 살 수 있는.

nòn·prodúctive *a.* 비생산적인, 생산성이 낮은; (사원 등이) 생산에 직접 관계하지 않는, 비생산 부문의.

nòn·proféssional *a.* 직업(적)이 아닌; 전문이 아닌. —*n.* Ⓒ 비전문가, 생무지, 생(生)꾼.

nòn·prófit *a.* Ⓐ 이익이 없는, 비영리적인: a ~ organization 비영리 단체〔조직체〕.

nón-prófit-màking *a.* 《英》 =NONPROFIT.

nòn·proliferátion *n.* Ⓤ (핵무기 등의) 확산 방지: a ~ treaty 핵확산 방지조약《생략: NPT》.

nòn·réader *n.* Ⓒ 독서를 하지 않는〔할 수 없는〕 사람; 책읽기를 깨우치는 것이 더딘 어린이.

nòn·representátional *a.* 〖미술〗 비구상주의적인, 추상적인.

nòn·résident *a.* (어떤 장소 · 임지 등에) 거주하지 않는, 부재의; (대학의) 학외 거주의; (호텔의) 숙박객 이외의: =NONRESIDENTIAL. —*n.* Ⓒ 학외 거주자; (호텔의) 비숙박객, 외래객.

nòn·residéntial *a.* 주택용이 아닌; 직장에 거주할 필요가 없는.

nòn·resístance *n.* Ⓤ (권력 · 법률 등에 대한) 무저항(주의), 소극적 복종.

nòn·resístant *a.* 무저항(주의)의. —*n.* Ⓒ 무저항주의자.

nòn·restríctive *a.* 〖문법〗 비(非)제한〔한정〕적인(↔ *restrictive*): a ~ relative clause 비한정적 관계사절.

nòn·retúrnable *a.* (빈 병 등을) 회수할 수 없는, 반환할 필요 없는.

nòn·schéduled *a.* 예정(표) 이외의; 부정기의《항공로 따위》, 임시의: a ~ airline 부정기 항공로〔항공 회사〕.

nòn·sectárian *a.* 무종파(無宗派)의, 파벌성이 없는.

nón·sélf *n.* Ⓒ 〖의학〗 비자기(非自己)《몸 안에 침입하여, 면역계(免疫系)에 의한 공격성을 유발하는 외래성 항원 물질》.

‡**non·sense** [nánsens/nɔ́nsəns] *n.* **1** Ⓤ (《英》 또는 a ~) **허튼말**, 실없는 소리: speak 〔talk〕 sheer ~ 아주 실없는 소리를 하다. **2** Ⓤ 터무니없는 생각〔행위〕, 시시한 일, 하찮은 것: None of your ~! 바보짓 작작 해라 / It's ~ to trust him. 그를 신용한다는 것은 난센스다. **3** Ⓤ 난센스 시(詩). ***make* (*a*) ~ *of*** (계획 등)을 망쳐 놓다.
—*a.* Ⓐ 무의미한, 엉터리없는. —*int.* 바보같이, 그만둬.

non·sen·si·cal [nansénsikəl/nɔn-] *a.* 무의미한, 부조리한; 엉터리없는. ⊕ **~·ly** [-kəli] *ad.*

non se·qui·tur [nan-sékwitər/nɔn-] 《L.》 (전제와 연결이 안 되는) 불합리한 추론〔결론〕《생략: non seq.》; (지금까지의 화제와는) 관계가 없는 발언.

nòn·séxist *a.* 성 차별을 하지 않는.

nòn·séxual *a.* 성에 관계없는, 무성(無性)의. ⊕ **~·ly** *ad.*

non·sked [nánskéd/nɔ́n-] *n.* Ⓒ 《구어》 부정기 항공로선〔편, 기〕. [◂*nonscheduled*]

nón·skíd *a.* 미끄러지지 않는, 미끄럼 방지 처리를 한《타이어 · 도로 등》.

nòn·slíp *a.* (길 따위가) 미끄럽지 않은; 미끄럼 방지가 된.

nòn·smóker *n.* Ⓒ 비(非)흡연자; 금연가; (열차의) 금연실.

nòn·smóking *a.* Ⓐ (차량 따위가) 금연의: I'd like a seat in the ~ section. 금연석으로 해 주시오.

nòn·sócial *a.* 비사교적인; 사회와 관련이 없는. ⓒⓕ unsocial.

nòn·stándard *a.* **1** (제품 따위가) 표준〔기준〕에 맞지 않는. **2** (언어 · 발음 따위가) 표준어가 아닌: ~ English 〔pronunciation〕 비표준 영어〔발음〕.

nòn·stárter *n.* Ⓒ (보통 *sing.*) 《英구어》 가망이 없는 사람〔생각 (따위)〕, 쓸모없는 것〔사람〕.

nòn·steróid *a.* 〖약학〗 비(非)스테로이드성(性)의.

nón·stíck *a.* (냄비 · 프라이팬이 특수 가공으로) 음식물이 눌어붙지 않게 되어 있는.

nón·stóp *a.* 도중에서 멎지 않는, 직행의, 도중 무착륙의; 연속의, 안 쉬는: a ~ flight 무착륙 비행, 직행편(便) / ~ talk 쉴새없는 지껄임. —*ad.* 직행〔무착륙〕으로; 연속해서, 쉬지 않고: fly ~ from Seoul to London 서울에서 런던까지 직행편으로 (날아)가다.

non·such [nʌ́nsʌ̀tʃ] *n.* =NONESUCH.

non·súit 〖법률〗 *n.* Ⓒ 소송 각하(却下)〔취하〕.
—*vt.* …의 소송을 기각〔취하〕하다.

nòn·suppórt *n.* Ⓤ 원조〔지지〕하지 않음; 〖법률〗 부양 의무 불이행.

non-táriff bárrier 비관세 장벽《생략: NTB》.

nòn·téchnical *a.* 전문이 아닌, 비(非)전문의; 비(非)기술적인.

nòn·ténured *a.* (대학 교수가) 종신 재직권이 없는.

non·tóxic *a.* 독이 없는, 중독성이 아닌.

nòn·transférable *a.* 양도할 수 없는.

nòn tróp·po [-trápou/-trɔ́pou] 《It.》 〖음악〗 과도하지 않게.

nòn-Ú *a.* 《구어 · 주로 英》 상류 계급답지 않은, 서민적인《U자는 upper 에서》.

nòn·único *a.* Ⓐ 노동조합에 속하지 않은; 노동조합을 인정치 않는; 조합원이 만든 것이 아닌. ⊕ **~·ism** *n.* Ⓤ 노동조합 무시, 반(反)노조주의 (적 이론〔행동〕). **~·ist** *n.* Ⓒ 노동조합 반대자; 비노동조합원.

nonúnion shóp 노조를 승인 않는 회사; 노조 거부 기업체《노조와 관계없이 고용주가 고용 조건을 결정함》.

nón·úse, -úsage *n.* Ⓤ 사용치 않음.

nòn·vérbal *a.* 말을 쓰지〔필요로 하지〕 않는, 비언어적인: ~ communication 비언어적 커뮤니케이션《몸짓 · 표정 따위》. ⊕ **~·ly** *ad.*

nòn·víolence *n.* Ⓤ 비폭력(주의). ㉺ **-lent** *a.*

nòn·vóter *n.* Ⓒ 투표하지 않는 사람, 투표 기권자; 투표권이 없는 사람.

nòn·whíte *n.* Ⓒ, *a.* 비(非)백인(의), 《특히》 흑인(의).

***noo·dle**[1] [nú:dl] *n.* Ⓒ **바보, 멍청이;** 《속어》 머리: use one's ~ 머리를 쓰다.

noo·dle[2] *n.* Ⓒ (보통 *pl.*) 누들《달걀을 넣은 국수의 일종》.

nook** [nuk] *n.* Ⓒ **1** (방 따위의) **구석,** 모퉁이(corner). **2** 외진 곳, 벽지(僻地). **3** 사람 눈에 띄지 않는 곳. ***every ~ and corner 〔*cranny*〕 도처, 구석구석: search *every ~ and cranny* 구석구석 샅샅이 뒤지다.

†**noon** [nu:n] *n.* Ⓤ **1 정오,** 한낮(midday): at (high) ~ (딱) 정오에 / at 12 ~ 낮 12 시에. **2** (the ~) 한창, 전성기, 절정: at the ~ *of* one's life 한창때에, 장년기에 / at the ~ *of* one's career 생애의 전성기에. ***the ~ of night*** 한밤중.
— *a.* Ⓐ 정오의, 한낮의: the heat of ~ 한낮의 더위.

nóon·dày *n.* Ⓤ, *a.* Ⓐ 정오(의), 대낮(의): the ~ sun 한낮의 태양 / (as) clear 〔plain〕 as ~ 《구어》 아주 명백한.

‡**nó òne, nó-òne** *pron.* **아무도 …않다**(nobody): *No one* can do it. 아무도 하지 못한다 《비교: *No one* [nóu-wʌ́n] man can do it. 아무도 혼자서는 못 한다》 / They saw ~. 그들은 아무도 못 보았다.

nóon·tìde *n.* **1** (*sing.*) 정오, 한낮. **2** (the ~) 전성기, 절정: the ~ *of* happiness 행복의 절정.

nóon·tìme *n.*, *a.* =NOONDAY.

noose [nu:s] *n.* **1 a** Ⓒ (당기면 조이게 된) 올가미 밧줄; 올가미. **b** (the ~) (교수형의) 목매다는 밧줄; 교수형. **2** Ⓒ 《우스개》 (부부의) 유대, 기반(羈絆), 얽매임. ***put*** one***'s neck*** 〔***head***〕 ***into*** 〔***in***〕 ***the ~*** 자승자박하다, 피할 수 없는 처지에 빠지다.
— *vt.* 올가미로 잡다; (새끼줄로) 고리를 짓다; 올가미를 씌우다.

NOP [nɑp/nɔp] *n.* Ⓤ 〖컴퓨터〗 무작동, 무연산(無演算). [◂ *no-operation*]

nope [noup] *ad.* 《美구어》 아니, 아니요(no). ↔ *yep.*

nó·plàce *ad.* 《美구어》 =NOWHERE.

NOR [nɔ:r] *n.* Ⓤ 〖컴퓨터〗 부정 논리합: ~ circuit 부정 논리합 회로 / ~ gate 부정 논리합 게이트《NOR 연산을 수행하는 문》 / ~ operation 부정 논리합 연산. [◂ *not*+*or*]

†**nor** [nɔ:r, 약 nər] *conj.* **1** 〖neither 또는 not 과 상관적으로〗 …**도 또한** …**않다:** I have *neither* money ~ job. 돈도 직업도 없다 / *Not* a man, woman ~ child could be seen. 남자도 여자도 아이도 한 사람도 안 보였다 / *Neither* she ~ I am happy. 그녀나 나나 행복하지 않다 / She's *neither* tall ~ short. 그녀는 키가 크지도 작지도 않다.

> **NOTE** 동사는 nor 로 연결된 주어가 둘 다 단수이면 단수로, 둘 다 복수면 복수로 받고, 인칭 · 수가 일치하지 않을 때는 가장 가까운 주어에 일치시킴.

2 〖앞의 부정문을 받아서 다시 부정이 계속됨〗 …도 ─하지 않다: You do*n't* like it, ~ do I. 너도 그것을 안 좋아하지만 나도 그렇다 / I said I had *not* seen it, ~ had I. 그것을 못 보았다고 했는데, 실제로 보지 못했다 / I have *never* been to Thailand. ─*Nor have I.* 태국에 가본 적이 없습니다 ─ 저도요.
3 〖긍정문 뒤에 또는 문장 첫머리에서〗 그리고 … 않다(and not): The tale is long, ~ have I heard it out. 그 이야기는 길어서 끝까지 들은 적이 없다 / *Nor* is this all. 그리고 또〔그러나〕 그것뿐만이 아니다《논설 등의 중간에 삽입하여》.
★ 2, 3 는 'nor+(조)동사+주어' 의 어순이 됨.

Nor. Norman; North; Norway; Norwegian.

No·ra [nɔ́:rə] *n.* 노라《여자 이름; Eleanor, Honora, Leonora 등의 애칭》.

Nor·dic [nɔ́:rdik] *a.* **1** 북유럽(사람)의: the ~ countries 북유럽 여러 나라 / ~ mythology 북유럽 신화. **2** 〖스키〗 노르딕의. **—** *n.* Ⓒ 북유럽 사람《장신 · 장두(長頭)로 금발 · 벽안(碧眼)이 특징》.

Nor·folk [nɔ́:rfək] *n.* 노퍽. **1** 잉글랜드 동부의 주. **2** 미국 Virginia 주의 해항.

Nórfolk jácket 〔**cóat**〕 허리에 띠가 달리고 앞뒤에 주름이 있는 남자의 헐렁한 재킷.

norm [nɔ:rm] *n.* Ⓒ **1** (보통 the ~) (사회의) 표준적인 상태: Working women are the ~ in that nation. 그 나라에서는 직장을 가진 여성이 표준이다. **2** (보통 *pl.*) (행동 양식의) 규범, 기준, 모범: conform to the ~*s* of behavior in society 사회의 행동 규범에 따르다. **3** (보통 the ~) 일반적 수준, 평균, 표준: above 〔below〕 the ~ 표준 이상으로〔이하로〕. **4** 노르마《기준 노동량〔생산고〕》. **5** 〖컴퓨터〗 기준.

‡**nor·mal** [nɔ́:rməl] *a.* **1 정상의,** 보통의, 통상(通常)의; 평균의. ↔ *abnormal.* ¶ a ~ temperature (인체의) 평온(平溫) / a ~ condition 정상적인 상태. SYN. ⇨COMMON. **2 표준적인,** 전형적인, 정규의: ~ working hours 표준 노동 시간. **3** (사람이) 정상적으로 발달한. **4** 〖수학〗 법선(法線)의; 수직의. **5** 〖화학〗 (용액이) 노르말의《1 리터 중에 1 g 의 용질을 포함》. ◇normalcy, normality *n.* **—** *n.* **1** Ⓤ **평상 상태:** return 〔be back〕 to ~ 평상〔정상〕상태로 돌아가다. **2** Ⓤ 표준, 전형; 평균; 평온(平溫): below 〔above〕 (the) ~ 표준〔평균〕 이하로〔이상으로〕. **3** Ⓒ 〖수학〗 법선, 수선(垂線): an equation of ~ 법선 방정식. **4** Ⓤ 〖컴퓨터〗 정규.

nor·mal·cy [nɔ́:rməlsi] *n.* =NORMALITY.

nor·mal·i·ty [nɔ:rmǽləti] *n.* Ⓤ 정상, 정규; 정상 상태.

nor·mal·ize [nɔ́:rməlàiz] *vt.* (관계 · 상태 등)을 (이전의) 표준으로 되돌리다, 정상화시키다; …을 기준에 맞추다, 통일시키다. **—** *vi.* 정상화하다. ㉺ **nòr·mal·i·zá·tion** *n.* Ⓤ 표준화; 정상화.

°**nór·mal·ly** *ad.* **1** 표준적으로, 정상적으로, 평소〔관례〕대로: The patient is eating ~. 환자는 평소대로 식사하고 있다. **2** 평상 상태로는, 보통은: Father ~ comes home at 7 o'clock. 아버지는 보통 7 시에 집에 오신다.

nórmal schòol 《美》 사범 학교《2 년제 대학; 현재는 4 년제의 teacher's college 로 개칭》.

Nor·man [nɔ́:rmən] (*pl.* **~s**) *n.* **1 a** (the ~*s*) 노르만족(族)〔민족〕《10 세기경 Normandy 지방을 정복하여 거기에 정주한 스칸디나비아 출신의 북유럽 종족》. **b** Ⓒ 노르만족 사람. **2** Ⓒ 노르만 프렌치 사람《1066 년 영국을 정복한 노르만 사람과 프랑스 사람의 혼합 민족》. **3** Ⓤ 노르만프렌치어(語). **—** *a.* **1** 노르만족〔사람〕의. **2** 노르망디(사람)의; 〖건축〗 노르만 양식의.

Nórman Cónquest (the ~) 노르만 정복

《1066년의 William the Conqueror에게 인솔된 노르만인의 영국 정복》.

Nor·man·dy [nɔ́ːrməndi] *n.* 노르망디《영국 해협에 면한 프랑스 북서부의 지방》.

Nórman Énglish 노르만 영어《노르만 정복 후, Norman-French에 영향받은 영어》.

Nórman Frénch 노르만프렌치어(語)《노르만족이 쓰던 프랑스어》.

nor·ma·tive [nɔ́ːrmətiv] *a.* 기준을 세운, 표준의; 규범적인, 규범에 따르는: ~ grammar 〖문법〗 규범 문법.

Norn [nɔːrn] *n.* 〖북유럽신화〗 노른《운명을 맡아보는 세 여신의 하나》.

Norse [nɔːrs] *a.* 옛 스칸디나비아(사람〔어〕)의; 옛 노르웨이(사람〔어〕)의: ~ mythology 북유럽 신화. **—***n.* **1** (the ~) 〘복수취급〙 노르웨이 사람; 북유럽 해적, 바이킹. **2** Ⓤ 노르웨이어(語).

Nórse·man [-mən] (*pl.* ***-men*** [-mən]) *n.* =NORTHMAN 1.

†**north** [nɔːrθ] *n.* **1** (the ~) **북**, 북방; 북부《생략: N, N., n.》: the true ~ 진북(眞北)/the magnetic ~ 자북(磁北)/on the ~ of …의 북쪽에 접하여/(to the) ~ of …의 북쪽에 (위치하여). ★ '동서남북'은 보통 north, south, east and west라고 함. **2** **a** (the ~) (어느 지역의) 북부 지방〔지역〕; (the N–) 《英》 북부《Humber강 이북》. **b** (the N–) 《美》 북부 여러 주《Mason-Dixson line, Ohio 강 및 Missouri주 이북; 남북전쟁 때의 자유주》. **3** (the N–) 북반구; 《특히》 북극지방. ~ ***by east*** 북미(微)동《생략: NbE, N.bE.》. ~ ***by west*** 북미서《생략: NbW, N.bW.》. **—***a.* Ⓐ **1 북쪽의**, 북방에 있는; 북향의. **2** 북쪽에서의《바람 따위》: a ~ wind. **3** (흔히 N–) 북부의; 북국의: *North* Korea 북한.
—*ad.* **북으로**, 북방으로, 북쪽에: travel ~ 북쪽으로 여행하다/due ~ 정북(正北)에/It is two miles ~ *of* Rome. 그건 로마에서 2마일 북쪽에 있다. ~ ***by east*** 〔***west***〕 북미(微)동으로〔서로〕.

Nórth América 북아메리카《미국·멕시코·캐나다》. ⊕ ~ **Américan** *a.*, *n.* Ⓒ 북아메리카(사람)의; 북아메리카 사람.

Northámpton·shire [nɔːrθhǽmptənʃiər, -ʃər] *n.* 노샘프턴셔《잉글랜드 중부의 주; 생략: Northants.》.

Northants. [nɔ́ːrθhænts] Northamptonshire.

Nórth Atlántic Tréaty Organizàtion (the ~) 북대서양 조약 기구《1949년의 북대서양 조약에 바탕을 둔 북미·서유럽 여러 나라의 집단 방위 체제; 본부 Brussels; 생략: NATO》.

nórth·bòund *a.* 북쪽으로 가는: ~ trains.

Nórth Brítain 북영(北英), 스코틀랜드《생략: N.B.》.

Nórth Cápe 노르곶《노르웨이 북단》; 노스곶《뉴질랜드의 북단의 곶》.

Nórth Carolína 노스캐롤라이나《미국 남동부의 주; 생략: N.C.》. ⊕ **-lín·i·an** *n.* Ⓒ, *a.* 노스캐롤라이나 주〔사람〕(의).

Nórth Còuntry (the ~) **1** 《美》 알래스카 주와 캐나다의 Yukon 지방을 포함하는 지역. **2** 《英》 잉글랜드 북부; 대브리튼(섬)의 북부.

nórth-cóuntryman [-mən] (*pl.* ***-men*** [-men]) *n.* (또는 N–C–, N–c–) Ⓒ 《英》 잉글랜드 북부지방 사람.

Nórth Dakóta 노스다코타《미국 중서부의 주; 생략: N. Dak., N.D.》. ⊕ ~ **Dakótan** *n.* Ⓒ, *a.* 노스다코타 주〔사람〕(의).

north·east** [nɔ̀ːrθíːst, 《해사》 nɔ̀ːríːst] *n.* **1** (the ~) **북동**《생략: NE》. **2** (the ~) 북동부〔지방〕; (the N–) 《美》 미국 북동부〔지방〕, 《특히》 뉴잉글랜드 지방. ~ ***by east 〔***north***〕 북동미(微)동〔북〕《생략: NEbE〔N〕》. **—***a.* Ⓐ 북동(에서)의, 북동에 있는〔에 면한〕. **—***ad.* 북동쪽으로〔에서〕, 북동부에서〔으로〕.

north·east·er [nɔ̀ːrθíːstər, 《해사》 nɔ̀ːríːst-] *n.* Ⓒ 북동풍; 북동의 폭풍〔강풍〕. ⊕ **~·ly** *ad.*, *a.* 북동의〔에〕, 북동에서(의).

◇**north·east·ern** [nɔ̀ːrθíːstərn, 《해사》 nɔ̀ːríːst-] *a.* 북동(부)의; (N–) 《美》 미국 북동부 지방(특유)의.

north·east·ward [nɔ̀ːrθíːstwərd, 《해사》 nɔ̀ːríːst-] *a.*, *ad.* 북동(쪽)에 있는; 북동쪽의〔에〕. **—***n.* (the ~) 북동쪽〔부〕. ⊕ **~·ly** *ad.*, *a.* =northeastward. **~s** *ad.* 북동쪽에〔으로〕.

north·er [nɔ́ːrðər] *n.* Ⓒ 《美》 센 북풍《특히 가을·겨울에 Texas·Florida주 및 멕시코 만에서 부는 차가운 북풍》.

◇**north·er·ly** [nɔ́ːrðərli] *a.* 북쪽의; 북쪽에서 오는. **—***ad.* 북으로(부터). **—***n.* Ⓒ 북풍.

⁑**north·ern** [nɔ́ːrðərn] *a.* **1 북쪽에 있는**, 북부의; 북향의; 북으로부터 오는〔부는〕: a ~ constellation 북쪽에 있는 별자리. **2** (흔히 N–) 북부 지방에 사는, 북부 특유의. **3** (N–) 《美》 북부 방언의《독특한》; 북부 여러 주의. **—***n.* (보통 N–) = NORTHERNER; Ⓤ 《美》 북부 방언.

Nórth·ern·er *n.* Ⓒ 북국〔북부〕 사람; 《美》 북부 여러 주의 사람.

Nórthern Hémisphere (the ~) 북반구.

Nórthern Íreland 북아일랜드《영국의 일부인 아일랜드 북부의 6개주》.

nórthern líghts (the ~) =AURORA BOREALIS.

Nórthern Mariána Íslands (the ~) 북마리아나 제도(諸島)《태평양 서부에 있는 미국의 자치 연방; 수도 Saipan》.

nórthern·mòst *a.* 〘northern의 최상급〙 가장 북쪽의, 최북단의, 극북의.

Nórthern Térritory (the ~) 노던 주(州)《오스트레일리아 중북부 연방 직할지; 수도 Darwin》.

north·land [nɔ́ːrθlənd] *n.* **1** (종종 N–) **a** Ⓒ 북국; 극북(極北). **b** (the ~) 북부 지방. **2** (N–) 스칸디나비아 반도. ⊕ **~·er** *n.*

Nórth·man [-mən] (*pl.* ***-men*** [-mən]) *n.* Ⓒ **1** 고대 스칸디나비아 사람; 북유럽 해적. **2** (현재의) 북유럽 사람, 《특히》 노르웨이 사람.

north-north·east [nɔ́ːrθnɔ̀ːrθíːst, 《해사》 nɔ́ːrnɔ̀ːríːst] *n.* (the ~) 북북동《생략: NNE》. **—***a.*, *ad.* 북북동의〔에〕.

north-north·west [nɔ́ːrθnɔ̀ːrθwést, 《해사》 nɔ́ːrnɔ̀ːrwést] *n.* (the ~) 북북서《생략: NNW》. **—***a.*, *ad.* 북북서의〔에〕.

Nórth Póle (the ~) **1** (지구의) 북극. **2** (n– P–) (하늘의) 북극; (자석의) 북극, N극.

Nórth Séa (the ~) 북해《영국·덴마크·노르웨이에 에워싸인 해역》.

Nórth Stár (the ~) 〖천문〗 북극성(Polaris).

Northumb. =NORTHUMBERLAND.

North·um·ber·land [nɔːrθʌ́mbərlənd] *n.* 노섬벌랜드《잉글랜드 북동부의 주; 생략: Northum(b)., Northld.》.

North·um·bria [nɔːrθʌ́mbriə] *n.* 노섬브리아《중세기 영국의 북부에 있었던 왕국》.

North·úm·bri·an [-ən] *a.* 노섬브리아(사

람 · 방언)의; 노섬벌랜드(사람 · 방언)의. —*n.* **1** Ⓒ 노섬브리아 사람; Ⓤ 노섬브리아 방언. **2** Ⓒ 노섬벌랜드 사람; Ⓤ 노섬벌랜드 방언.

***north·ward** [nɔ́ːrθwərd, 《해사》 nɔ́ːrðərd] *ad.* **북쪽에〔으로〕**. —*a.* 북쪽에의, 북향의. —*n.* (the ~) 북부 (지역), 북방: to 〔from〕 the ~ 북방으로〔에서〕. ㊊ **~·ly** *ad., a.* **~s** [-z] *ad.* =northward.

north·west** [nɔ̀ːrθwést, 《해사》 nɔ̀ːrwést] *n.* **1** (the ~) **북서**《생략: NW, N.W.》. **2** (the ~) 북서(北西) 지방; (the N-) 《美》 미국 북서부 《Washington, Oregon, Idaho 의 3주》. **~ *by north 북서미(微)북《생략: NWbN, N.W.bN.》. **~ *by west*** 북서미(微)서《생략: NWbW, N.W.bW.》. —*a.* Ⓐ 북서(에서)의. —*ad.* 북서로〔에〕.

north·west·er [nɔ̀ːrθwéstər, 《해사》 nɔ̀ːr-wést-] *n.* Ⓒ 북서의 폭풍〔강풍〕.

nòrth·wést·er·ly *a., ad.* 북서의; 북서로〔에서〕.

°**north·west·ern** [nɔ̀ːrθwéstərn, 《해사》 nɔ̀ːrwést-] *a.* 북서의; 북서쪽에 있는; 북서로부터의; (N-) 《美》 미국 북서부(특유)의.

Nórthwest Térritories (the ~) 노스웨스트 주《캐나다 북서부의 연방 직할지; 주도 Yellowknife; 생략: N.W.T.》.

north·west·ward [nɔ̀ːrθwéstwərd, 《해사》 nɔ̀ːrwést-] *a., ad.* 북서에 있는; 북서쪽의〔에〕. —*n.* (the ~) 북서쪽. ㊊ **~·ly** *a., ad.* =northwestward. **~s** [-z] *ad.* 북서쪽에〔으로〕.

Nórth Yórkshire 노스요크셔《잉글랜드 북부의 주(州)》.

Norw. Norway, Norwegian.

***Nor·way** [nɔ́ːrwei] *n.* **노르웨이**《북유럽의 왕국; 수도 Oslo; 생략: Nor(w).》.

°**Nor·we·gian** [nɔːrwíːdʒən] *a.* 노르웨이의; 노르웨이 사람〔말〕의. —*n.* Ⓒ 노르웨이 사람; Ⓤ 노르웨이 말《생략: Nor(w).》.

nor'-west·er [nɔːrwéstər] *n.* =NORTHWESTER; Ⓒ (선원용의) 유포모(油布帽)《폭풍우 때 쓰는 챙이 넓은 방수모》.

Nor·wich [nɔ́ːritʃ, -idʒ/nɔ́r-] *n.* 노리치《잉글랜드 동부 Norfolk 주의 주도(州都)》.

Nos., N^os, nos. numbers.

†**nose** [nouz] *n.* **1** Ⓒ **코**: an aquiline ~ =a Roman ~ 매부리코/the bridge of the ~ 콧대, 콧마루/a long ~ 긴〔높은〕 코/a short 〔flat〕 ~ 낮은 코/a cold in the ~ 코감기/blow one's ~ 코를 풀다/pick one's ~ 코를 후비다/a ~ ornament 코장식《코고리 따위》/a ~ warmer 《속어》 짧은 담배 파이프. ★ 개 · 말 따위의 코는 muzzle, 돼지 따위 코는 snout, 코끼리의 코는 trunk 임. **2** (a ~) 후각; 낌새 채는 힘, 직감력, 육감(***for*** …에 대한): a dog with a good ~ 냄새 잘 맡는 개/a ~ *for* news 뉴스를 탐지해 내는 힘/a good ~ *for* discovering …을 발견하는 예민한 제6감. **3** Ⓒ 돌출부; 관의 끝, 총구; 뱃머리, 이물; (비행기의) 기수; 탄두(彈頭); 자동차(따위)의 앞쪽 끝. **4** (one's ~) 주제넘게 나섬, 간섭, 쓸데없는 참견: put 〔poke, push, stick, thrust〕 one's ~ into …에 주제넘게 나서다. **5** Ⓒ 《英속어》 (경찰의) 앞잡이, 밀고자.

(***always***) ***have one's ~ in a book*** 언제나 책만 읽고 있다. (***as***) ***plain as the ~ in*** 〔***on***〕 ***one's face*** 명명백백하여. ***by a ~*** (선거나 경마 따위에서) 근소한 차이로《이기다》. ***cannot see beyond*** (***the end*** 〔***length***〕 ***of***) ***one's ~*** =***see no further than*** (***the end of***) ***one's ~*** 앞일을 내다보지 못하다, 상상력〔통찰력〕이 없다. ***count*** 〔***tell***〕 ***~s*** 인원수를 세다《출석자 · 찬성자 따위의》. ***cut off one's ~ to spite one's face*** 남을 해치려다 도리어 제가 불이익을 입다. ***follow one's ~*** 곧바로 앞으로 나아가다; 본능〔직감〕에 따라 행동하다. ***get up a person's ~*** 《구어》 아무를 초조하게 만들다. ***hold*** 〔***have, keep, put***〕 ***a person's*** 〔***one's***〕 ***~ to the grindstone*** ⇨GRINDSTONE. ***have*** 〔***hold, stick***〕 ***one's ~ in the air*** 잘난체하다, 거만한 태도로 나오다, 오만하게 행동하다. ***keep one's ~ clean*** 《속어》 분규에 말려들지 않도록 하다. ***lead a person by the ~*** 아무를 마음대로 다루다. ***look down one's ~ at*** ⇨LOOK. ***make a long ~ at a person*** =《美》 thumb one's ~ at a person. ***on the ~*** 《美속어》 조금도 어김없이, 정확하게. ***pay through the ~*** 터무니없는 돈을 치르다, 바가지를 쓰다《***for*** …을 구하기 위해》. ***powder one's ~*** 《완곡어》 (여성이) 화장실에 가다. ***put a person's ~ out of joint*** 《구어》 아무의 감정을 상하게 하다, 아무를 당혹하게 하다. ***rub a person's ~ in it*** 아무에게 싫어하는 것을 거침없이 말하다. ***show one's ~*** 얼굴을 내밀다. ***thumb one's ~ at a person*** 코 끝에 엄지손가락을 대고 다른 손가락을 펼쳐 아무를 모욕하다; 아무를 조롱하다. ***turn up one's ~ at*** …을 경멸〔멸시〕하다; …을 상대조차 않다. ***under a person's*** (***very***) ***~*** 아무의 코 앞〔면전〕에서; 아무의 불쾌함을 아랑곳 않고, 넉살좋게: I thrust the paper *under his* (*very*) ~. 그는 그 서류를 바로 그의 코앞에 내밀었다. ***with one's ~ in the air*** 거만하게.

—*vt.* **1** 《~+목/+목+부》 냄새 맡다, 냄새를 맡아내다; 《구어》 찾아내다, 간파하다 (*out*): The cat ~*d out* a mouse. 고양이가 쥐 냄새를 맡았다/He has ~*d out* some interesting information. 그는 뭔가 재미있는 정보를 찾아냈다. **2** 《~+목/+목+부/+목+보》 …을 코로 밀다〔움직이게 하다〕; …에 코를 비벼대다: The dog ~*d* the box *aside* 〔open〕. 개는 코로 상자를 밀어냈다〔열었다〕. **3** 《+목+전+명》 **a** 조심스럽게 전진시키다: He ~*d* the car *into* 〔*out of*〕 the parking space. 그는 조심스럽게 차를 주차 장소에 넣었다〔에서 빼냈다〕. **b** 〖~ one's way〗 조심스럽게 전진하다: The boat ~*d* her way *through* the fog. 배는 안개 속을 조심스럽게 나아갔다.

—*vi.* **1 a** 《+전+명》 냄새 맡다(***at*** …을): ~ *at* a bone 뼈 냄새를 맡다. **b** 《+부/+전+명》 《구어》 냄새 맡고 다니다; 탐색하고 다니다: He is always *nosing about* 〔*around*〕 (*for* news). 그는 늘 (뉴스가 없나 하고) 돌아다닌다/The dog kept *nosing about* the room. 개는 방 안을 킁킁거리며 냄새 맡고 돌아다녔다. **2** 《+전+명》 파고들다; 참견〔간섭〕하다(***about, into*** …을): Don't ~ *into* another's affair. 남의 일을 캐고 들지 마라. **3** 《+부/+전+명》 (배 따위가) 조심스럽게 전진하다: The boat ~*d* slowly *forward* between the rock. 배는 암벽 사이로 천천히 나아갔다/I had been *nosing along* the shores in pinnace. 소형 범선으로 해안을 따라 나갔었다.

~ ***down*** 〔***up***〕 《*vi.*+부》 (비행기가) 기수를 아래로 하고 내려가다〔위로 하고 올라가다〕. ~ ***out*** 《*vt.*+부》 ① (낌새 맡아) 찾아내다(⇨*vt.* 1). ② 〖경마〗 간발의 차로 이기다; 성공하다. ③ 《美》 근소한 차로 이기다; 신승하다.

nóse bàg 꼴 자루《말목에 거는》.

nóse·bànd *n.* Ⓒ (말의) 코굴레 가죽띠.
nóse·blèed *n.* Ⓒ 코피, 비(鼻)출혈: have [stop] a ~ 코피가 나다[멎다].
nóse càndy 《美속어》 코로 흡입하는 마약, 코카인.
nóse còne (미사일·로켓 따위의) 원뿔꼴 두부(頭部).
nóse·dìve *n.* Ⓒ **1** 『항공』 (비행기의) 급강하: go into a ~ 급강하하다. **2** 《구어》 (시세·가격·이익 등의) 폭락: take a ~ 폭락하다. **—***vi.* 『항공』 (비행기가) 급강하하다; 《구어》 (이익이) 갑자기 줄다; (가격이) 폭락하다.
nóse·gày *n.* Ⓒ 꽃다발《특히 옷에 다는 조그맣고 향기 좋은》.
nóse·pìece *n.* Ⓒ (말 따위의) 코굴레 가죽띠; (수도관 따위의) 주둥이; (투구의) 코싸개; (현미경의) 대물 렌즈 장치 부분; (안경의) 브리지.
nóse ràg 《속어》 손수건, 콧수건.
nóse rìng (소·돼지 따위의, 또는 사람이 장식으로 쓰는) 코고리.
nóse·whèel *n.* Ⓒ (비행기의) 앞바퀴.
nos·ey [nóuzi] *a.* =NOSY.
nosh [nɑʃ/nɔʃ] 《속어》 *n.* **1** 《英》 **a** Ⓤ 음식. **b** (a ~) 먹는 일, 식사: a quick ~ 황급히 먹는 식사. **2** Ⓒ 《美》 간식, 가벼운 식사. **—***vi.*, *vt.* 《英》 먹다, 마시다; 《美》 간식하다. ㊔ **∠·er** *n.*
nó-shòw *n.* Ⓒ 《구어》 (여객기 등의 좌석 예약을 하고) 나타나지 않는 사람; 불참객.
nosh-up [nɑ́ʃʌ̀p/nɔ́ʃ-] *n.* (a ~) 《英속어》 푸짐한 식사, 진수성찬.
nos·tal·gia [nɑstǽldʒiə/nɔs-] *n.* Ⓤ 고향[고국]을 그리워하는 마음, 향수, 노스탤지어, 향수병(homesickness); 과거에의 동경, 회고의 정《*for* …에 대한》. ㊔ **-gic** [-dʒik] *a.* **-gi·cal·ly** *ad.*
Nos·tra·da·mus [nɑ̀strədéiməs/nɔ̀s-] *n.* **1** 노스트라다무스《프랑스의 점성가; 1503–66》. **2** Ⓒ 점성가, 예언자, 점쟁이.
°**nos·tril** [nɑ́stril/nɔ́s-] *n.* Ⓒ 콧구멍; 콧방울.
nos·trum [nɑ́strəm/nɔ́s-] *n.* Ⓒ **1** (제조자 자찬(自讚)의) 묘약(妙藥), 만능약. **2** (정치·사회 문제 해결의) 묘책, 묘안.
nosy [nóuzi] (***nos·i·er; -i·est***) *a.* 《구어》 **1** 덥적이는, 참견을 좋아하는, 중뿔난: a ~ person 캐묻기 좋아하는 사람. **2** 몹시 알고 싶어하는 《***about*** …을》: Don't be so ~ *about* my affairs. 내 일을 그렇게 캐려고 하지 마라. ㊔ **nós·i·ly** *ad.* **-i·ness** *n.*
Nósy Pár·ker [-pɑ́ːrkər] 《구어》 오지랖 넓은 사람, 참견하기 좋아하는 사람.
NOT [nɑt/nɔt] *n.* Ⓤ 『컴퓨터』 논리 부정《진위(眞僞)를 역으로 한 논리 연산(演算)》: ~ operation 부정 연산.
†**not** [강 nɑt, 약 nt, n/강 nɔt, 약 nt, n] *ad.* **1** 『평서문에서 조동사 do, will, can 따위 및 동사 be, have의 뒤에 와서』 **…않다, …아니다:** I do*n't* know. 나는 모른다/I'm ~ hungry. 나는 배가 고프지 않다/I could*n't* do it. 나는 그것을 할 수 없었다/Did they agree?—No, they did*n't*. 그들은 동의했는가—아니, 하지 않았네/I have*n't* seen him since he got married. 그가 결혼한 이래 만나지 못했다/I have*n't* [do*n't* have] a house of my own. 내 집은 없다(《美》에서는 do*n't* have를 씀)/Do*n't* (you) hesitate. 망설이지 마라/Ca*n't* you come? 올 수 없느냐/He will ~ [wo*n't*] come. 그는 오지 않을 것이다/It's a fine day, is*n't* it? 날씨가 좋지.

> **NOTE** (1) 조동사+not은 구어에서는 부정을 강조하거나 분명히 할 필요가 있을 경우 이외에는 보통 don't, can't 처럼 단축형을 씀.
> (2) not의 전이(轉移): I do*n't* think he will come. 그가 오지 않으리라 생각한다《종속절 he will not come의 not이 주절로 전이; 주절의 동사가 believe, think, expect, imagine, suppose 따위일 경우》/She does*n't* seem to like fish. 그녀는 생선을 좋아하지 않는 것 같다《부정사 not to like의 not이 술어동사 앞으로 전이; 술어동사가 seem, appear, happen, intend, plan, want 따위일 경우》.
> (3) do not의 do를 쓰지 않는 옛 용법: I know [knew] *not*. =I do [did] *not* know.

2 a 『술어동사·문장 이외의 말을 부정해』 **…이 아니고[아니라]; …아닌[않은]:** He went to America ~ long ago. 그는 얼마 전 미국으로 갔다/He is my nephew, (and) ~ my son. 그는 내 조카이지 아들이 아니다(=He is ~ my son but my nephew.)/He stood ~ ten yards away. 그는 10야드도 채 안 떨어진 곳에 서 있었다. **b** 『부정사·분사·동명사 앞에 와서 그것을 부정(否定)하여』 (…하지) **않다:** I asked her ~ *to* go. 나는 그 여자에게 가지 말라고 요청했다 (≠I did ~ ask [tell] her *to* go. 그 여자에게 가 달라는 요청은 안 했다)/*Not* know*ing* where to sit, he kept standing for a while. 어디 앉아야 될지 몰라서 그는 잠시 서 있었다/He regretted ~ hav*ing* done it. 그는 그것을 하지 않은 것을 후회했다.
3 『완곡한 또는 조심스러운 표현으로』 **…않게[않은]:** ~ a few (수(數)가) 적지 않게, 적지 않은/~ a little (양·정도가) 적지 않게[않은]/~ once or twice 한두 번이 아니라 자주/~ seldom 왕왕, 자주(≒often)/~ unknown 안 알려진 게 아닌/~ too good 그다지 좋지 않은/~ without some doubt 다소 의구심을 가지고.
4 『부정의 문장·동사·절 따위의 생략 대용어로서』: I am afraid ~. (유감스럽게도) 그렇진 않은 것 같다/Is he coming?—Perhaps ~. 그는 오는가—아마 안 올 테지《Perhaps he is ~ coming.의 생략임; perhaps 외에 probably, certainly, absolutely, of course 따위도 같은 구문에 쓰임》/Is she ill?—I think ~. 그녀는 병인가—병이 아니라고 생각한다《I think she is ~ ill.의 생략; I don't think so.가 더 일반적임; expect, think, hope, believe, imagine, suppose, be afraid 따위 뒤에 이러한 구문을 취함.》/Right or ~, it is a fact. 옳든 그르든 그건 사실이다《Whether it is right or ~, … 의 생략》.
5 『all, both, every, always 따위를 수반, 부분부정을 나타내어』 **모두가[언제나, 아주] …하다는 것은 아니다,** (…라고 해서) **반드시 —하다고는 할 수 없다:** I do*n't* want *all* [*both*] of them. 그것들 전부가[양쪽 다] 필요한 것은 아니다《일부면[한쪽이면] 족하다》(≠I do*n't* want *any* [*either*] of them. 어느 것[쪽]도 원하지 않는다《전면부정》)/*Not everybody* likes him. 모두가 그를 좋아하는 것은 아니다《일부만》(≠*Nobody* likes him. 아무도 그를 좋아하지 않는다《전면부정》)/The rich are ~ *always* happy. 부자라고 해서 반드시 행복하다고는 할 수 없다/I do*n't quite* understand. 나는 완전히는 모른다(≠I do*n't*

understand at all. 나는 전혀 모른다《전면부정》.

> **NOTE** 이 밖의 부분부정 표현에는 *not* entire, *not* whole, *not* wholly, *not* altogether, *not* absolutely, *not* completely, *not* entirely, *not* necessarily 따위가 있으며, 부분부정에 관계되는 표현으로 not ... too (…도 …한다는 것은 아니다)가 있음.

6 〔다른 부정어와 병용하여〕 **a** 《속어·방언》: I did*n't* do *nothing*. 나는 아무것도 하지 않았다《바르게는 I did*n't* do *anything*》. ★ 유례: *No* one *scarcely* knows it. 아무도 그것을 모른다《바르게는 *Hardly anyone* knows it.》. **b** 〔부정의 효과가 상쇄되어〕: He was ~ *un*happy. 그는 불행하지는 않았다 / I rejected her offer and ~ *without* reason. 그녀의 제안을 거부했는데 이유가 없는 것도 아니었다. ★ 다음과 같은 부정사의 겹침은 올바름: There is *no* rule that has *no* exceptions. 예외 없는 규칙은 없다.

~ a ... 하나〔한 사람〕의 …도 없다《no 의 강조형; not a single은 더욱 힘준 형》: There was ~ *a* soul 〔*Not a* soul was〕 to be seen. 사람 하나 보이지 않았다. ***~ at all*** ⇨ ALL. ***~ ... but*** — ⇨ BUT *conj.* A 2. ***~ but*** (***what*** 〔***that***〕) ***...*** ① 단(但) …, 그러나(however); 하긴 …이기는 하지만(although): I cannot help them; ~ *but what* my brother might. 나는 그들을 도와줄 수가 없다; 하긴 형님이면 힘이 되어 줄 수 있을지 모르지만. ② …할 수 없을 만큼—하지 않다〔아니다〕: He is ~ such a fool *but* (*what*) he can see it. 그것을 모를 만큼 바보는 아니다. ***~ only*** 〔***just, merely, simply***〕 ***... but*** (***also***) — …뿐 아니라—도 (또한): It is ~ *only* beautiful, *but also* useful. 그것은 아름다울 뿐 아니라 유익하기도 하다 / *Not only* did he hear it, *but* he saw it as well. 그는 그 소리를 들었을 뿐 아니라 그것을 보았던 것이다《not only가 글머리에 오면 도치가 일어남》/ *Not only* you *but* (*also*) I am guilty. 자네뿐 아니라 내게도 죄가 있다《동사의 인칭·수는 뒤의 주어에 일치》. ***~ that ...*** 《구어》 그러나〔그렇다고〕 …하다는 건 아니다: If he said so — ~ *that* he ever did — he lied. 만일 그가 그렇게 말했다면—그렇게 말했다는 건 아니지만—거짓말을 한 것이다. (It is) ***~ to say ...*** ⇨ SAY (관용구).

no·ta be·ne [nóutə-bíːni] 《L.》 단단히 주의하라, 주의《생략: N.B., n.b.》.

nò·ta·bíl·i·ty *n.* **1** Ⓤ 현저, 저명. **2** Ⓒ (보통 *pl.*) 저명 인사, 명사.

no·ta·ble** [nóutəbəl] *a.* **주목할 만한**; 두드러진, 현저한, 유명한《for*** …으로; ***as*** …으로서》: a ~ event 유명한 사건 / a ~ surgeon 저명한 외과의사 / This district is ~ *for* its pottery. 이 지방은 도자기로 유명하다. **—***n.* Ⓒ (보통 *pl.*) 저명한 사람, 명사. ㊞ °**-bly** *ad.* 현저하게; 명료하게; 그 중에서도 특히.

no·tar·i·al [noutɛ́əriəl] *a.* 공증인의; 공증의; 공증인에 의해 작성된: a ~ deed 공정(公正)증서.

no·ta·ri·za·tion [nòutərizéiʃən/-ràiz-] *n.* Ⓒ (공증인에 의한) 공증(서).

no·ta·rize [nóutəràiz] *vt.* 《美》 (공증인이) 증명〔인증〕하다: a ~*d* document 공증 증서 / have a document ~*d* 문서를 공증받다.

no·ta·ry [nóutəri] *n.* = NOTARY PUBLIC.

nótary públic (*pl.* ***nótaries públic,*** **~s**) 공증인《생략: N.P.》.

no·tate [nóuteit/-ˊ] *vt.* 기록하다, 적어두다; 〖음악〗 악보에 적다.

no·tá·tion *n.* **1 a** Ⓤ 기호법, 표시법《수·양을 부호로 나타냄》; 〖수학〗 기수법; 〖음악〗 기보법; 〖컴퓨터〗 표기법: broad 〔narrow〕 phonetic ~ 〖음성〗 간이〔정밀〕 표음법 / decimal ~ 10진 기수법. **b** Ⓒ 표기, 표시. **2** Ⓒ 《美》 주석, 주해; 각서, 기록.

°**notch** [natʃ/nɔtʃ] *n.* Ⓒ **1** V자 모양의 새김눈, 벤자리, 움푹 팬 곳. **2** 《美》 (산골짜기 따위의) 좁은 길. **3** 《구어》 단(段), 단계, 급(級): He is a ~ above the others. 그는 다른 사람들보다 한 급수 위다. **—***vt.* **1** …에 금〔자국〕을 내다. **2** (득점 따위)를 올리다, (표·승리·지위 따위)를 획득하다, 얻다(*up*): ~ *up* many more votes 더 많은 표를 얻다 / ~ *up* a series of victories 연전연승하다. ㊞ **~·y** *a.* 새긴 금이 있는; 〖동·식물〗 톱니 모양의.

nótch·bàck *n.* Ⓒ 뒤쪽 트렁크가 차의 내부와 독립된 세단형 자동차의 형; 그런 차. ⓒⓕ fastback.

notched [natʃt/nɔtʃt] *a.* **1** 새김눈〔벤 자국〕이 있는. **2** 〖동·식물〗 톱니 모양을 한.

‡**note** [nout] *n.* **1** Ⓒ **a** (짧은) **기록**: make 〔take〕 a ~ of …을 기록〔필기〕하다. **b** (흔히 *pl.*) 비망록, 메모; (여행 등의) 수기, 기록; (강연 등의) 초고, 문안, 원고: take ~*s* 메모를 하다 / speak from 〔without〕 ~*s* 원고를 보고〔원고 없이〕 연설하다 / make ~*s* for a lecture 강의용 초고를 만들다.

2 Ⓒ (외교상의) 문서, 통첩: a diplomatic ~ 외교 문서.

3 Ⓒ (약식의) 짧은 편지: a ~ of invitation 초대장 / a thank-you ~ 감사장.

4 Ⓒ 주(註), 주석, 주해: a margin(al) ~ 방주(旁註) / ~*s* to a text 텍스트의 주 / a new edition of King Lear with abundant ~*s* 주석이 풍부한 '리어 왕'의 신판.

5 Ⓤ **주목**, 주의: a thing worthy of ~ 주목할 만한 일.

6 Ⓤ 〔of ~로〕 저명, 유명: a man *of* ~ 저명인사.

7 Ⓤ 〔of ~로〕 중대한 일, 알려진 일: a matter *of* (some) ~ (상당히) 알려진 일.

8 Ⓒ 《英》 (보통 금액이 표시된) **지폐**(bank ~; 《美》 bill); 어음, 증권: a ten-pound ~, 10파운드지폐 / a ~ of hand 약속 어음 / ~*s* in circulation 은행권 발행고 / pay in ~*s* 지폐로 지불하다.

9 Ⓒ **a** (악기의) 소리, 가락, 음색: The ~ was too high to hear. 그 (악기) 소리는 너무 높았다. **b** (새의) 울음소리. **c** (보통 *sing.*) 기색; 특색, 특징: There was a ~ *of* anxiety in his voice. 그의 목소리에는 걱정하는 기색이 있었다. **d** 〖음악〗 음표; (피아노 따위의) 건, 키: the black 〔white〕 ~ 검은〔흰〕 건 / strike a ~ on a piano (건을 두드려) 피아노로 어떤 음을 내다.

10 Ⓒ (구두점 따위) 부호, 기호: a ~ of exclamation 감탄부《!》.

compare ~s 의견을〔정보를〕 교환하다; 감상을 서로 말하다《***with*** …와》. ***make a mental ~*** ① 명심하다, 주의하여 외우다《***of*** …을》. ② 잊지 않고 (…하도록) 마음먹다《***to*** do》: He *made a mental* ~ *to* ask his boss what was wrong. 그는 잊지 않고 상사에게 무엇이 잘못되었는지를

물어보려고 생각했다. ***strike a ~ of*** …을 표명하다, 주창하다: The article *struck a ~ of* warning about the dangers of rearmament. 그 기사는 재무장의 위험성에 대한 경고를 표명하고 있었다. ***strike*** 〔***hit***〕 ***the right ~*** 적절한 견해를 말하다〔태도를 취하다〕. ***take ~ of*** …에 주의〔주목〕하다.

— *vt.* **1** 《~+목/+목+부》 **적어두다**, 써놓다 (*down*): He *~d down* the main points of the lecture. 그는 강연의 요점을 적어두었다. **2** 《~+목/+*that* 절/+*wh.* 절/+*wh. to* do》 …에 **주목하다**, 주의하다; 특히 언급하다, …을 특필하다: Please ~ my words. 내 말을 잘 들어라/*Note how* words should be used. 말을 어떻게 써야 할지 주의하여라/*Note how to* do it. 어떻게 하는지 주의해라/*Note that* a day's delay will result in a fine of ten dollars. 하루 늦으면 10달러의 벌금을 물게 됨을 잊지 말도록. SYN. ⇨ NOTICE. **3** 《~+목/+목+*-ing*/+*that* 절》 알아차리다, 깨닫다: She *~d* a change in his behavior. 그녀는 그의 태도에 변화가 있다는 것을 알아챘다/I *~d* her eyes fill*ing* with tears. 그녀의 눈에 눈물이 넘쳐 흐르는 것을 알아차렸다/I *~d that* there was blood on his clothes. 나는 그의 옷에 피가 묻어 있는 것을 알았다.

†**note·book** [nóutbùk] *n.* Ⓒ **1 노트**, 공책, 필기장, 수첩, 비망록. **2** 노트북 PC.

nóte·càse *n.* Ⓒ 《英》 지갑(《美》 billfold).

not·ed** [nóutid] *a.* **저명한**, 유명한, 이름난《*for* …으로; ***as …으로서》: a ~ pianist 유명한 피아니스트/~ *for* beauty 〔*as* a pianist〕 아름다움으로〔피아니스트로서〕 유명한. 파 **~·ly** *ad.* **~·ness** *n.*

nóte·less *a.* **1** 무명의, 평범한. **2** 음악적이 아닌, 음조가 나쁜.

nóte pàd (떼어 쓰게 된) 메모 용지첩.

nóte·pàper *n.* Ⓤ 편지지, 메모 용지. SYN. ⇨ LETTER PAPER.

°**nóte·wòrthy** *a.* (특히 사건 · 사물 따위가) 주목할 만한, 현저한. 파 **-wòrthiness** *n.*

nót-for-prófit *a.* 《美》 비영리적인.

NÓT gàte 【컴퓨터】 부정 게이트《논리 연산 NOT을 수행하는 회로로서 inverter라고도 함》.

†**noth·ing** [nʌ́θiŋ] *pron.* **1 아무것〔아무일〕도 … 아님〔하지 않음〕**: He said ~. 그는 아무 말도 하지 않았다/*Nothing* is easier than to cheat him. 그를 속이는 것만큼 쉬운 일은 없다/There is ~ to be done. 할 일이 아무것도 없다/*Nothing* worth doing is easy. 할 가치가 있는 일치고 쉬운 일은 없다.

> **NOTE** (1) nothing을 수식하는 형용사는 뒤에 옴: I have *nothing particular* to do. 별로 할 일이 없다.
> (2) 주어로서의 nothing이나, have nothing, there is nothing은 구어에서도 쓰이나 보통 목적어, 특히 동사의 목적어로서는 구어에서 not anything을 즐겨 씀: He did*n't* say *anything*. 그는 아무 말도 안 했다.

2 《~ of로》 조금도〔전혀〕 …않다: He is ~ *of* a poet. 그는 시인다운 데가 전혀 없다.

all to ~ 더할 나위 없이, 충분히. ***be for ~ in*** …에 조금도 영향을 미치지 않다. ***be ~ to*** …에게는 아무것도 아니다, 무관계하다; …와는 비교가 안 되다. ***be ~ to do with*** =have ~ to do with. ***do ~ but*** do …하고만 있다. ***for ~*** 거저, 무료로; 무익하게, 헛되이; 이유〔까닭〕없이《싸우다 따위》: They quarreled *for ~*. 그들은 아무런 이유 없이 말다툼했다/He did not go to college *for ~*. 그는 대학을 무익하게 다닌 것이 아니었다《'다닌 보람이 있었다'의 뜻》. ***good for ~*** 아무 짝에도 못 쓰는. ***have ~ on*** ① …을 유죄로 할 증거가 없다; 《구어》 …보다 나을 것이 없다〔훨씬 못하다〕. ② 아무것도 걸치지 않다. ③ 아무 약속도 없다. ***have ~ to do but*** 〔***except***〕 do …할 수밖에 없다: The children *had ~ to do but* wait. 그 아이들은 기다리는 수밖에 없었다. ***have ~ to do with*** ⇨DO[1]. ***in ~ flat*** ⇨FLAT[1]. ***like ~ on earth*** 〔***in the world***〕 몹시 이상한〔참혹한, 흉한 (따위)〕: feel *like ~ on earth* 몹시 이상한 기분이다; 몹시 불쾌해지다; 당황하다. ***make ~ of*** ⇨ MAKE. ***~ but*** 〔***except***〕 =~ ***else than*** 〔***but***〕 …밖에 없는〔아닌〕; 다만 …뿐, …에 불과한 (only). ***~ doing*** 《구어》 ① (요구를 거절하여) (절대로) 안 된다, 거절한다, 무슨 말씀. ② 허락되지 않다. ③ 《there is로》 성과가〔가능성이〕 없다; 아무것도 행해지고 있지 않다; 틀렸다: We drove through the town but *there* seemed to *be ~ doing*. 읍을 차로 통과하였으나 별로 새로운〔재미있는〕 것은 없는 듯했다. ~(,) ***if not*** ① 《형용사 앞에서》 더할 나위 없이, 매우: He's ~ *if not* critical. 비판적인 것이 그의 큰 장점이다. ② 《명사 앞에서》 완전한, 전형적인: They're ~ *if not* professionals. 그들은 전형적인 프로다. ***~ less than*** ⇨LESS. ***~ more than*** ⇨MORE. ***~ much*** 매우 적은, 별것 아닌. ***~ of the kind*** 〔***sort***〕 ① (예상과는) 아주 다른 사람〔것〕. ② 천만에, 당치않다. ③ 《nothing을 강조하여》 그런 것은 아무것도 없다: You've ruined my life.—Nonsense; I've done ~ *of the sort*. I've simply pointed out what you know already. 자네가 내 인생을 망쳤네—천만에, 그런 일은 절대로 하지 않았네, 단지 자네가 이미 알고 있는 것을 지적했을 뿐이야. ***~ other than*** =~ but. ***~ to speak of*** 말할 것조차 없는, 사소한. ***There is ~ for it but to*** (do) …하는 수밖에 다른 도리가 없다. ***think ~ of*** …을 아무렇지 않게 생각하다; 예사로 …하다: *Think ~ of* it. 감사〔사과〕할 것까지는 없습니다, 별말씀. ***to say ~ of*** …은 말할 것도 없이, …은 물론.

> **DIAL** ***Here goes nothing.*** (안 될지 모르나) 해보겠다.
> ***(It's) better than nothing.*** 아무것도 없는 것보다는 낫다(고 할 정도의 것이다).
> ***Nothing doing.*** 안 된다《거절》: Lend me your bicycle, will you?—*Nothing doing*. I need it myself. 자전거를 좀 빌려주겠소—안 되겠는데요, 제가 써야 합니다.
> ***It's nothing.*** 아무것도 아니다, 별것 아니다: What's the matter?—*It's nothing*. I just felt a bit dizzy. 무슨 일입니까—아무것도 아닙니다, 좀 어지러울 뿐입니다.
> ***Nothing of the sort!*** 터무니없다, 당치않다《상대방의 응답으로, 조금도 그런 일은 없다는 뜻》.
> ***There is nothing in it.*** (말 따위가) 전혀 엉터리〔터무니〕 없다(It's not true).
> ***There is nothing to it.*** (일 따위가) 간단하다, 아주 쉽다.

— *n.* **1** Ⓤ 무(無), 공, 【수학】 영(零): Man returns to ~. 사람은 무로 돌아간다/The sound faded to ~. 소리는 차츰 사라져버렸다/*Nothing*

comes from 〔of〕 ~. 《속담》 무에서 유(有)는 생기지 않는다. **2** Ⓤ 《美》 (경기 득점의) 영점(《英》 nil): We won the game 8 to ~. 우리는 8:0으로 시합에 이겼다. **3** Ⓒ **a** 하찮은 사람〔일, 물건〕: a mere ~ 아주 하찮은 일 / the little ~*s* of life 하찮은 세상 일들. **b** (보통 *pl.*) 쓸데없는 말: He murmured a few tactful ~*s*. 그는 눈치있게 어련무던한 말을 중얼거렸다.
no **~** 〖부정 어구를 열거한 뒤에서〗 《구어》 전혀 …없다: There is no bread, no butter, no cheese ... *no* ~. 빵도 버터도 치즈도 … 아무것도 없다.
—*ad.* **1** 조금도〔결코〕 …이 아니다: It helps ~. 아무 소용없다. **2** 〖명사 · 형용사 뒤에서 그것을 강하게 부정하여〗 《구어》 …도 아무것도 아니다: Is it gold? — Gold ~. 그거 금이냐 — 천만에.
~ *like* 전혀 …와 닮지 않다, …와는 거리가 멀다: It was ~ *like* what we expected. 예상한 바와는 거리가 멀었다 / There are ~ *like* enough experts. 전문가가 몹시 부족하다.

nóth·ing·ness *n.* Ⓤ 존재하지 않음; 무, 공허; 무가치〔의미〕; 인사불성; 사망; Ⓒ 무가치〔무의미〕한 것.

†**no·tice** [nóutis] *n.* **1** Ⓤ **주의, 주목**(《***that***》): attract 〔deserve〕 (one's) ~ 사람의 눈을 끌다 〔주목할 만하다〕 / Please take ~ *that* your manuscript must be in our hands by February 28. 옥고(玉稿)를 2월 28일가지 꼭 보내주시도록 유의하시기 바랍니다.
2 a Ⓤ **통지**, 통고(《***that***》): give 〔have〕 ~ of … 의 통지를 하다〔받다〕 / The letter gave ~ *that* my contract had been terminated. 편지로 내 계약이 끝났음을 통고했다. **b** Ⓒ 통지서, 고지서: send a ~ 통지를 내다.
3 Ⓤ (해직 · 퇴직 · 이전 따위의) 예고; 경고(warning)(《***to*** do / ***that***》): without (previous) ~ 예고 없이 / give a servant ~ 하인에게 해고를 통고하다 / He's under ~ (to leave). 그는 휴가를 얻기로 되어 있다 / We were given ~ *to* move out. 퇴거하라는 예고를 받았다 / He gave us ~ *that* he would leave on Thursday. 그는 목요일에 그만두겠다고 우리에게 예고했다.
4 Ⓒ **공고; 게시,** 벽보: put up 〔post〕 a ~ 게시〔공고〕하다 / The ~ says, "Beware of pickpockets." 게시에는 "소매치기 조심"이라고 쓰여 있다.
5 Ⓤ 후대, 돋보이게 함, 정중: I commend her to your ~. 그녀를 여러분에게 추천합니다.
6 Ⓒ (신간 · 극 · 영화 따위의) 지상 소개, 비평, 단평(短評): The new film got good ~*s*. 새 영화는 호평을 얻었다.
at a moment's **~** 그 자리에서, 즉각, 당장에. ***at* 〔*on*〕 *short*** **~** 충분한 예고 없이; 급히. ***take*** **~ *of*** …을 주목하다; 알아차리다. I want to be *taken* ~ *of* occasionally. 이따금 나도 주목받고 싶다 / People *took* little ~ *of* his warning. 사람들은 그의 경고를 거의 유념하지 않았다.
—*vt.* **1** 〖~+目/+*that* 절/+*wh.* 절/+目+*-ing*/+目+*do*〗 …을 **알아채다**(perceive), …을 인지하다; …에 **주의하다,** …을 유의하다: ~ a defect in a method 어떤 방법의 결점을 깨닫다 / I ~*d* *that* he had a peculiar habit. 그에게 이상한 버릇이 있는 것을 알게 되었다 / I didn't ~ *whether* she was there or not. 나는 그녀가 그곳에 있었는지 없었는지를 알아채지 못했다 / ~ a person go*ing* out 아무가 밖으로 나가는 것을 알아채다 / They ~*d* me come in. 그들은 내가 들어간 것을 알아차렸다.
SYN. **notice** 다음 말들에 비하여 뜻이 제일 가볍다. '…의 눈에 띄다': Did you *notice* her new hat? 그녀가 새 모자 쓴 것을 보았나. **note** 머리 속에 기억되도록 주목하다. 따라서 명령형으로 쓰일 때가 많음: *Note* the fine brushwork in his painting. 그의 페인트 붓 놀리는 멋진 솜씨를 잘 보시오. **discern** 흔히는 애쓴 끝에 겨우 구별해 내다: In spite of the mist, we finally *discerned* the top of the hill. 안개가 자욱했으나 마침내 산봉우리를 찾아냈다. **perceive** '오관으로 감지하다. →이해하다, 알아채다.' 실제로는 notice나 see와도 바꾸어 쓸 수 있는 약간 딱딱한 말: After examining the evidence he *perceived* 〔*noticed, saw*〕 its significance. 증거물을 조사해 보고 비로소 그는 그 중요성을 알았다.
2 〖+目+*to* do / +*that* 절〗 《美》 (아무)에게 통지〔예고〕하다: The police ~*d* him *to* appear. 경찰은 그에게 출두하라고 통고했다 / ~ a person *that* his taxes are overdue 아무에게 납세 기간이 넘은 것을 통지하다. **3** …에 언급하다, …을 지적하다; (신문 따위에서 신간 · 영화 따위)를 논평하다.
—*vi.* 주의하다, 주의가 미치다, 알아채다: Was she there? — I didn't ~. 그녀가 그곳에 있었니 — 주의해 보지 않았어.

***no·tice·a·ble** [nóutisəbəl] *a.* **1 눈에 띄는,** 이목을 끄는; 두드러진, 현저한. **2** 주목할 만한, 중요한. ㊕ **-bly** *ad.*

nótice bòard 《英》 게시판, 고지판, 팻말(《美》 bulletin board).

no·ti·fi·a·ble [nóutəfàiəbəl] *a.* 통지해야 할; 신고할 의무가 있는(《전염병 등》).

no·ti·fi·ca·tion [nòutəfikéiʃən] *n.* Ⓤ 통지, 통고, 고시; 최고(催告); Ⓒ 신고서, 통지서, 공고문(notice).

°**no·ti·fy** [nóutəfài] *vt.* **1** …에게 통지하다, …에 공시(公示)하다; …에 신고하다(《***of*** …을 / ***that*** / ***to*** do / ***wh.***》): We have been *notified that* ... 우리는 …라는 통지를 받았다 / ~ the authorities *of* a fact 당국에 사실을 알리다 / The teacher *notified* pupils *to* assemble in the auditorium. 선생은 학생들에게 강당에 집합하도록 통고했다 / The committee will ~ us *when* the next meeting is to be held. 위원회는 다음 회의 개최일을 우리에게 통지해 줄 것이다 / The authorities will ~ you *when to* appear in court. 법정에 출두할 날짜와 시간은 당국으로부터 통지가 있을 것이다. **2** 《英》 …을 알리다, 공고〔발표〕하다: The sale was *notified* in the papers. 신문지상에 매각 공고가 났다.

‡**no·tion** [nóuʃən] *n.* **1** Ⓒ **관념,** 개념: He has no ~ of time. 그는 시간관념이 없다. SYN. ⇨ IDEA. **2** Ⓒ **생각,** 의견; 이해(《***that*** / (***of***) ***wh.***》): He has a ~ *that* life is a voyage. 그는 인생은 항해다라는 생각을 품고 있다 / She has no ~ (*of*) *what* I mean. 그녀는 내 말이 의도하는 바를 전혀 이해 못한다. **3** Ⓒ 의지, 의향(《***of*** …라는 / ***to*** do》): I had no ~ (*of*) risk*ing* my money. 돈을 걸어보겠다는 생각은 전혀 없었다 / She took a sudden ~ *to* go abroad. 그녀는 갑자기 해외에 가 보고 싶어졌다. **4** Ⓒ 어리석은 생각, 변덕: a head full of ~*s* 어리석은 생각으로 꽉찬 머리. **5** (*pl.*) 《美》 방물, 자질구레한 실용품(《바늘 · 실 ·

단추 · 리본 따위》.

no·tion·al [nóuʃənəl] *a.* **1** 관념적인, 개념상의; 추상적인, 순이론적인(speculative); 공상적인; 비현실적인. **2** 《美》 변덕스러운(fanciful). **3** 〖문법〗 개념을 나타내는; 개념어의; 의미상의. ㊞ **~·ly** *ad.*

no·to·ri·e·ty [nòutəráiəti] *n.* Ⓤ 악명, (나쁜 의미에서의) 평판, 유명; Ⓒ 《英》 악명 높은 사람.

*__no·to·ri·ous__ [noutɔ́:riəs] *a.* (보통 나쁜 의미로) 소문난, 유명한, 이름난; 주지의《*for* …으로; *as* …으로서》: a ~ rascal 소문난 악당 / The district is ~ *for* malaria. 그 지방은 말라리아로 악명 높다 / He was ~ *as* a liar. 그는 거짓말쟁이로 유명했다. ★ 좋은 의미에서의 '유명한'에는 보통 famous를 씀. ㊞ ◇**~·ly** *ad.* (나쁘게) 널리 알려져서. **~·ness** *n.*

No·tre Dame [nòutrə dá:m, -déim] 《F.》 성모 마리아(Our Lady); 성모 성당《특히 파리의 노트르담 성당》.

nó-trúmp *a.* Ⓐ, *n.* Ⓒ 〖카드놀이〗 으뜸패가 없는 (승부 · 수).

Not·ting·ham [nátiŋəm/nɔ́t-] *n.* 노팅엄. **1** =NOTTINGHAMSHIRE. **2** 그 주도(州都).

Not·ting·ham·shire [nátiŋəmʃìər, -ʃər/nɔ́t-] *n.* 노팅엄셔《잉글랜드 중북부의 주; 생략: Notts.》.

Notts. [nats/nɔts] Nottinghamshire.

◇**not·with·stand·ing** [nàtwiðstǽndiŋ, -wiθ-/nɔ̀t-] *prep.* …에도 불구하고(in spite of): He is very active ~ his age. 그는 나이에도 불구하고 대단히 활동적이다. ★ 본래 ~은 현재분사로 취급되었기 때문에 목적어 뒤에 위치시키는 구문도 허용된다: He is very active, his age ~.= His age ~, he is very active. **—*ad.*** 그럼에도 불구하고(nevertheless), 그래도: We were invited ~. 그래도 우리는 초대받았다. **—*conj.*** 〖보통 that절을 수반하여〗 …이라 해도(although): He bought the car ~ (*that*) the price was very expensive. 값이 비쌌음에도 불구하고 그는 그 차를 샀다.

nou·gat [nú:gət, -gɑ:] *n.* Ⓤ (낱개는 Ⓒ) 누가《호도 따위가 든 캔디의 일종》.

◇**nought** ⇨NAUGHT.

nóughts-and-crósses [-ən-] *n.* Ⓤ 《英》 =TICK-TAC(K)-TOE.

⁑**noun** [naun] *n.* Ⓒ, *a.* Ⓐ 〖문법〗 명사(의): a ~ of action 동작명사《arrival, confession 따위》/ a ~ of multitude 집합(集合)명사 / a ~ clause 〔phrase〕 명사절〔구〕.

*__nour·ish__ [nə́:riʃ, nʌ́r-] *vt.* **1** 《~+목/+목+전+명》 …에 자양분을 주다, …을 기르다, 살지게 하다: ~ an infant *with* milk 어린애에게 우유를 주다 / Milk ~*es* a baby. 우유는 어린애의 영양이 된다. **2** …에 비료를 주다; (예술 따위)를 육성하다, 장려하다(promote). **3** (희망 · 원한 · 노염 등)을 마음에 품다(cherish). ㊞ **~·ing** *a.* 자양분이 있는.

◇**nóur·ish·ment** *n.* Ⓤ 자양물, 음식물, 영양(물); (정신적인) 양식; 양육, 육성, 조장. ⓒⓕ nutrition.

nous [naus, nu:s] *n.* Ⓤ 《英구어》 상식, 기지.

nou·veau riche [nú:vourí:ʃ] (*pl.* ***nou·veaux riches*** [—]) 《F.》 벼락부자, 졸부.

nou·velle cui·sine [nu:vélkwizí:n] 《F.》 누벨퀴진《밀가루와 지방을 억제하고 담백한 소스를 쓰는 새로운 프랑스 요리》.

nou·velle vague [nu:vélvá:g] (*pl.* ***nouvelles vagues*** [—]) 《F.》 새물결, 누벨바그《1960년대 초에 유행한 프랑스 · 이탈리아 영화의 전위 운동》.

Nov. November.

no·va [nóuvə] (*pl.* **-vae** [-vi:], **~s**) *n.* Ⓒ 〖천문〗 신성(新星).

No·va Sco·tia [nóuvəskóuʃə] 노바스코샤《캐나다 남동부의 반도; 이를 포함하는 주; 생략: N.S.》.

*__nov·el__[1] [návəl/nɔ́v-] *a.* **신기한**(strange), 새로운(new); 기발한; 이상한: a ~ idea 기발한 생각, 참신한 아이디어 / a ~ technique 지금까지 없던 새로운 수법 / That's ~ to me. 그것은 금시초문이다. SYN. ⇨NEW.

⁑**nov·el**[2] *n.* Ⓒ (장편) **소설**: a popular ~ 통속〔대중〕 소설 / a detective ~ 추리 소설.

SYN. **novel** 어느 정도의 상당한 길이와 복잡한 구성을 지닌 소설, 장편 소설: a historical novel 장편 역사 소설. **short story** 단편 소설《보통 1만 단어 미만》. **romance** 처음에는 중세기의 전설 · 기사도 이야기를 운문으로 쓴 것을 가리켰으나 현재에는 현실과 동떨어진 공상적인 이야기, 남녀간의 애정 문제를 다룬 소설을 가리키며 realistic novel과 상대됨. **fiction** 만들어진 것이란 뜻으로 documentary(기록물)에 대비되는 말로서, novel, tale, romance 따위 전부를 포함함. 별명으로 fictitious literature 〔narrative〕라고도 하며 fantasy fiction (공상 소설), scientific fiction (과학 소설) 따위의 분야도 있음.

nov·el·ette [nàvəlét/nɔ̀v-] *n.* Ⓒ 단편〔중편〕 소설.

*__nov·el·ist__ [návəlist/nɔ́v-] *n.* Ⓒ **소설가**.

nov·el·is·tic [nàvəlístik/nɔ̀v-] *a.* 소설의, 소설적인.

nov·el·ize [návəlàiz/nɔ́v-] *vt.* (연극 · 영화 따위)를 소설화하다.

no·vel·la [nouvélə] (*pl.* **-le** [-lei]) *n.* 《It.》 Ⓒ 중편소설; 소품(小品).

*__nov·el·ty__ [návəlti/nɔ́v-] *n.* **1** Ⓤ **신기함**, 진기함; 새로움: the ~ of a first plane trip 첫 비행기 여행의 신기함. **2** Ⓒ **새로운 것**; 색다른 것〔일〕, 새로운 경험: It's no ~ to our town. 우리 마을에 흔히 있는 일이다. **3** Ⓒ (*pl.*) 새 고안물《색다른 취향으로 제작한 장식품 · 장신구 따위》.

†**No·vem·ber** [nouvémbər] *n.* **11월**《생략: Nov.》.

no·ve·na [nouví:nə] (*pl.* **~s, -nae** [-ni:]) *n.* Ⓒ 〖가톨릭〗 9일간의 기도.

nov·ice [návis/nɔ́v-] *n.* Ⓒ **1** 신참자, 초심자, 풋내기《*at, in* …의》: a political ~ 정치 초년병 / a ~ *at* skating 스케이트 초심자. **2** (경주에) 첫 출장하는 말〔개〕. **3** 수련 수사(修士)〔수녀〕; 새 신자. **—*a.*** Ⓐ 풋내기의, 신출내기의: a ~ reporter 신출내기 신문 기자.

no·vi·ti·ate, -ci·ate [nouvíʃiət, -èit] *n.* Ⓤ 수습 기간; (수사 · 수녀의) 수도 기간.

No·vo·cain(e) [nóuvəkèin] *n.* (또는 n-) Ⓤ 노보카인《국부 마취약; 상표명》.

†**now** [nau] *ad.* **1** 〖현재 시제의 동사와 더불어〗 **a** 지금, 현재; 목하: I'm busy ~. 나는 지금 바쁘다 / He isn't here right ~. 그는 지금 여기에 없다 / It's ten years ~ since I met her last. 그녀를 마지막 만난 지 이제는 10년이나 되었다. **b** 지금 곧, 바로: Do it right ~. 지금 당장해라 / You

must post the letter ~. 지금 곧 그 편지를 부쳐야 한다/Travel ~, pay later. 지금 곧 여행을 떠나시오, 여비는 후불로《항공사의 광고》.
2 〖현재완료와 함께 써서〗 **이제는 벌써**〔**이미**〕: I have lived here twenty years ~. 이제는 벌써 여기에 20년이나 살았다.
3 〖과거시제의 동사와 더불어〗 **a** 〖보통 just 〔only〕를 수반하여〗 **바로 금방, 이제 막**, 방금: She was here *just* ~. 그녀는 방금 여기 있었다/I saw him *just* ~ on the street. 방금 전에 길에서 그를 보았다. **b** 〖사건 · 이야기 등의 속에서〗 바야흐로, 그때, 이번엔, 그리고 나서: He was ~ a national hero. 바야흐로 그는 국민의 영웅이었다.
4 〖now ... now 〔then〕 ... 로 상관적으로 써서〗 때로는 … 또 때로는 …: It was ~ hot, ~ 〔*then*〕 cold. 때로는 더웠고 때로는 추웠다.
5 〖접속사적〗 **한데**, 그래서《화제를 바꾸기 위해》; 그런데, 실은《설명을 더하기 위해》: *Now* for the next question. 자, 그럼 다음 문제로 넘어갑니다.
6 〖감탄사적〗 자, 애, 우선《명령에 수반》; 글쎄…, 우선, 대저《언명 · 의문에 수반》: *Now* let's go. 자 가자/*Now* listen to me. 우선 내 말을 들어요/*Now*, ~, gently, gently. 자 자, 조용히 조용히《달래는 말》/*Now*, don't slam the door when you leave! 나갈 때 문을 쾅 닫지 말아다오.
Come ~! ① 자 자《재촉 · 권유》. ② 저런, 어이 이봐《놀람 · 항의》. ***(every) ~ and then*** =***(every) ~ and again*** 때때로, 가끔: He still gave a shiver ~ *and then*. 그는 아직도 이따금 떨고 있었다. ***(It's) ~ or never!*** =***Now for it!*** 지금이 절호의 기회다, 때는 지금이다. ***~ for*** 그럼 다음은 …이다: *Now for* todays topics. 그럼 다음은 오늘의 화제를 말하겠다. ***Now ~*** =***there ~*** 얘 얘, 이봐, 뭘《부드럽게 항의 · 주의하는 말》: *Now* ~, don't be so hasty. 뭘 그렇게 서두느냐. ***Now then*** ① 그렇다면: *Now then*, who's next? 그럼 다음은 누구냐. ② = Now ~.

> **DIAL.** ***Now what?*** =***What now?*** 이번엔 뭔가, 무슨 일이 생겼는가.

—*conj*. 〖종종 ~ that〗 **…이니(까)**, …인〔한〕 이상은: *Now* (*that*) you're here, why not stay for dinner? 모처럼 왔으니 식사나 하고 가시지요.
—*n*. Ⓤ 〖주로 전치사 뒤에 써서〗 지금, 목하, 현재: *Now* is the time for action! 지금이야말로 행동할 때다. as of ~ 지금(으로서는)/from ~ (on) =from ~ forward 금후, 앞으로는/till 〔up to, until〕 ~ 지금까지(는). ***for ~*** 당분간; 지금은, 지금으로서는(for the present).
—*a*. Ⓐ 《美》 **1** 《구어》 현재의, 지금의: the ~ king 현(現)국왕/the ~ leader 현재의 지도자 **2** 《속어》 최첨단의, 최신 유행의: ~ music 〔look〕 최신 음악〔복장〕.

NOW, N.O.W. 《美》 National Organization for Women.

‡now·a·days [náuədèiz] *ad*. 〖현재형 동사와 함께 써서〗 **현재에는**, 오늘날에는: Students ~ don't work hard. 요즘엔 학생들이 열심히 공부하지 않는다. **—***n*. Ⓤ 현재, 현대, 오늘날: the houses of ~ 오늘날의 집들/the youth of ~ 요즘 젊은이들.

no·way(s) [nóuwèi(z)] *ad*. 조금도 …아니다, 결코 …않다: He was ~ responsible for the accident. 그는 그 사고에 대해 조금도 책임이 없었다.

‡no·where [nóuhwɛ̀ər] *ad*. **아무데도 …없다**: He was ~ to be found. 아무데서도 그를 찾아내지 못했다. ***be*** 〔***come in***〕 ***~*** 《구어》 (경기에서) 입상하지 못하다; 들어갈 여지가 없다. ***~ near*** 전혀 …아니다: This is ~ *near* enough food to go around. 모두에게 돌아가기에 충분한 식량이라고는 도저히 말할 수 없다. ***That will get*** 〔***carry***〕 ***you ~.*** 그런 일 해도 아무 효과도 없을 것이다.
—*n*. Ⓤ **1** 아무데도 …없음: There was ~ to go but to school. 학교 이외에는 갈 데가 없었다. **2** 어딘지도 모르는 곳: A man appeared from ~. 어디에서인지도 모르게 한 사나이가 나타났다. **3** 무명(의 상태): He came from ~ to win the championship. 이름도 없던 그가 선수권을 획득했다. ***in the middle of ~*** =***miles from ~*** 마을에서 멀리 떨어져.

nó-wín *a*. Ⓐ 승산이 없는: a ~ situation 이길 가망이 없는 상황.

NOx [nɑks/nɔks] *n*. =NITROGEN OXIDE(S).

°nox·ious [nákʃəs/nɔ́k-] *a*. 유해한, 유독한; 해독을 끼치는; 도덕적으로 불건전한: ~ fumes 〔chemicals〕 유독 가스〔화학 물질〕/a ~ movie 부도덕한 영화. ㊞ **~·ly** *ad*. **~·ness** *n*.

°noz·zle [názəl/nɔ́zəl] *n*. Ⓒ (끝이 가늘게 된) 대통〔파이프 · 호스 · 주전자〕 주둥이, 노즐; 《속어》 코.

NP noun phrase. **Np** 〖화학〗 neptunium. **NPT** Nonproliferation Treaty (핵확산 방지 조약). **nr, nr.** near; number. **N.S.** New Style; Nova Scotia. **ns** nanosecond. **NSC** 《美》 National Security Council (국가 안전 보장 회의). **nsec** nanosecond. **N.S.P.C.C.** National Society for the Prevention of Cruelty to Children (영국 아동 애호회). **N.S.W.** New South Wales. **NT, N.T.** National Trust. **NT** New Testament.

-n't [nt] *ad*. NOT의 간약형.

NTB non-tariff barrier (비관세 장벽).

nth [enθ] *a*. Ⓐ 〖수학〗 제n번째의; n배(倍)의; 《구어》 몇 번째인지 모를 정도의(umpteenth). ***to the ~ degree*** 〔***power***〕 〖수학〗 n차(次)〔n제곱〕까지; 《비유적》 극도〔최고도〕로, 무한히, 최대한으로, 어디까지나, 극도로.

NTP, n.t.p. 〖물리〗 normal temperature and pressure (상온(常溫) 정상 기압). **nt. wt., ntwt** net weight.

nu [nju:] *n*. Ⓤ (구체적으로는 Ⓒ) 그리스어 알파벳의 열세번째 글자《*N*, *ν*; 로마자의 N, n에 해당》.

nu·ance [njúːɑːns, -ˊ] *n*. Ⓒ 빛깔의 엷고 짙음 정도, 색조; (말의 뜻 · 감정 · 소리 등의) 미묘한 차이, 뉘앙스: various *~s of* meaning 의미의 여러 가지 뉘앙스/emotional *~s* 감정의 미묘한 차이.

nub [nʌb] *n*. **1** Ⓒ 작은 덩이(lump)《특히 석탄의》. **2** (the ~) 요점, 핵심: the ~ *of* the matter 문제의 핵심.

nub·bin [nʌ́bin] *n*. Ⓒ (과일 · 옥수수 등의) 작고 덜 여문 것; 쓰다 남은 것, 끄트러기《몽당연필 · 담배꽁초 따위》.

Nú·bi·an Désert [njúːbiən-] (the ~) 누비아 사막《Africa의 Sudan 북동부에 있는 사막》.

nu·bile [njúːbil, -bail] *a*. (여자의) 결혼 적령기의, 나이 찬; 성적 매력이 있는. ㊞ **nu·bil·i·ty**

[njuːbíləti] *n.* Ⓤ 혼기(婚期), 묘령, 방년.

‡**nu·cle·ar** [njúːkliər] *a.* **1** 〖생물〗 **(세포)핵의:** ~ division 핵분열. **2** 〖물리〗 **원자핵의;** 핵무기의; 원자력(이용)의; 핵을 보유하는, 핵무장의: a ~ charge 원자핵의 양전하(陽電荷) / a ~ base 핵기지 / a ~ bomb 핵폭탄, 원수폭 / a ~ bomb shelter 핵폭탄 대피소 / a ~ (exclusion) clause 〖보험〗 원자력 재해 제외 조항 / ~ disarmament 핵군축 / ~ energy 원자력, 원자핵 에너지 / ~ fallout 핵폭발의 방사능재 / ~ fission 핵분열 / ~ fuel 핵연료 / ~ fusion 〖물리·화학〗 핵융합 / ~ power (동력으로서의) 원자력 / a ~ power plant 〔station〕 원자력 발전소 / ~ propulsion 핵추진(력) / a ~ scientist 원자 과학자 / a ~ ship 원자력선 / ~ reaction (원자)핵반응 / a ~ test(ing) 핵실험 / a ~ umbrella 핵우산 / ~ war 핵전쟁 / ~ waste(s) 핵폐기물 / ~ weapon 〔arms〕 핵무기. ***go*** **~** 핵보유국이 되다; 원자력 발전을 채용하다. **—***n.* Ⓒ 핵무기; 핵보유국.

núclear fámily (부모와 미혼 자녀만으로 구성된) 핵가족. cf. extended family.

núclear-frèe *a.* Ⓐ 핵무기나 원자력의 사용이 금지된, 핵 위협이 없는, 비핵의: ~ zone 비핵(무장) 지대.

Núclear Nonproliferátion Trèaty 핵확산 금지 조약《생략: NPT》.

núclear phýsicist 핵물리학자.

núclear phýsics (원자)핵물리학.

núclear reáctor 원자로(reactor).

Núclear Tést-Bàn Trèaty 핵실험 금지 조약.

núclear wínter 핵 겨울《핵전쟁 후에 일어나는 전지구의 한랭화 현상》.

nu·cle·ate [njúːklièit] *vt.* …을 핵으로 하다. **—***vi.* 핵이 되다. **—** [-kliit, -èit] *a.* 핵이 있는.

nu·clei [njúːkliài] NUCLEUS의 복수.

nu·clé·ic ácid [njuːklíːik-, -kléi-] 〖생화학〗 핵산(核酸). cf. DNA, RNA.

nu·cle·on [njúːkliàn/-kliɔ̀n] *n.* Ⓒ 〖물리〗 핵자(核子), 핵입자《양성자와 중성자의 총칭》.

nu·cle·on·ics [njùːkliániks/-kliɔ́niks] *n.* Ⓤ (원자)핵공학.

nu·cle·us** [njúːkliəs] (*pl.* ***-clei [-kliài], ***~·es***) *n.* Ⓒ **1** 핵, 심; 중심, 핵심, 중심 부분: the ~ *of* a story 〔speech〕 이야기〔연설〕의 요점. cf. core, kernel. **2** (발전의) 기초, 토대. **3** 〖물리·화학〗 (원자)핵; 〖생물〗 세포핵.

nu·clide [njúːklaid] *n.* Ⓒ 〖물리〗 핵종(核種). ㊕ **nu·clíd·ic** [njuːklídik/njuː-] *a.*

nude [njuːd] *a.* **1** 발가벗은, 나체의; 노출된, 있는 그대로의; 발가벗은 사람의: a ~ stature 나상(裸像) / a ~ model 나체 모델. SYN. ⇨ BARE. **2** 수목이 없는《야산 등》. **3** 장식이〔가구가〕 없는《방 등》. **4** 〖식물〗 잎이 없는; 〖동물〗 털이〔깃, 비늘 따위가〕 없는. **—***n.* **1** Ⓒ 발가벗은 사람; 〖미술〗 나체화〔상〕, 누드. **2** (the ~) 나체《상태》: swim in the ~ 발가벗고 수영하다. ㊕ **∠·ly** *ad.* **∠·ness** *n.*

nudge [nʌdʒ] *n.* Ⓒ (주의를 끌기 위해) 팔꿈치로 슬쩍 찌르기: give a person a ~ 아무를 팔꿈치로 슬쩍 찌르다. **—***vt.* **1** (주의를 끌려고 팔꿈치 따위로 아무)를 슬쩍 찌르다〔밀다〕《***in, on*** (몸의 일부)를 / ***into*** …하도록 / ***to*** do》: He ~*d* me *in* the ribs. 그는 내 옆구리를 슬쩍 찔렀다 / He ~*d* me *into going* ahead. 그는 살짝 밀어서 내가 앞서 가도록 했다 / My mother ~*d* me *to* keep silent. 어머니는 내가 입을 다물도록 살짝 찌르셨다. **2** 살짝 밀어 움직이다; 《~ one's way》 팔꿈치로 밀며 나아가다: He ~*d* me aside. 그는 팔꿈치로 나를 밀어냈다 / We ~*d our way through* the crowd. 우리는 군중 속을 팔꿈치로 밀어젖히고 나아갔다. **—***vi.* 살짝 찌르다〔밀다〕. ㊕ **núdg·er** *n.*

nud·ism [njúːdizəm] *n.* Ⓤ 나체주의.

nud·ist [njúːdist] *n.* Ⓒ 나체주의자: a ~ colony 〔camp〕 나체촌(村).

nu·di·ty [njúːdəti] *n.* Ⓤ 벌거벗음, 나체; 벌거벗은 상태.

nu·ga·to·ry [njúːgətɔ̀ːri/-təri] *a.* 무가치〔무의미〕한, 쓸모없는; 무효의.

nug·get [nʌ́git] *n.* Ⓒ (광상(鑛床)에 박힌) 금괴(金塊); (천연의) 귀금속 덩어리; 귀중한 것〔정보〕: a gold ~ 금괴 / ~*s* of wisdom 귀중한〔가치 있는〕 지혜〔견식〕; 금언집.

nui·sance** [njúːsəns] *n.* Ⓒ **1** **난처한**〔성가신, 골치 아픈〕 **것**〔**일**〕, 귀찮은 행위〔사람〕: Mosquitoes are a ~. 모기란 귀찮은 존재다 / make a ~ of oneself =make oneself a ~ 폐〔방해〕가 되다, (남에게) 눈총맞다. **2** 〖법률〗 불법 방해: a public 〔private〕 ~ 공적〔사적〕인 불법 방해. ***Commit no ~! 《英》 《게시》 소변 금지, 쓰레기 버리기 금지.

> **DIAL.** ***What a nuisance!*** 정말 귀찮군, 정말이지 지겹다.

núisance tàx (과세 횟수가 많은) 소액 소비세《보통 소비자가 부담》.

núisance válue 성가시게 한 만큼의 효과〔가치〕; 방해 효과, 억제 가치.

nuke [njuːk] *n.* 《구어》 **1** Ⓒ 핵무기(nuclear weapon); 원자력 잠수함. **2** Ⓒ 원자력 발전소. **3** Ⓤ 원자력. **—***vt.* 《구어》 핵무기로 공격하다; 《美속어》 (음식)을 전자 레인지로 조리하다〔데우다〕.

null [nʌl] *a.* (법률상) 효력이 없는, 무효의; 무익한; 가치 없는; 〖수학〗 영의; 공집합(空集合)의; 〖컴퓨터〗 널, 공백《정보의 부재》: ~ character 널 문자《모든 비트가 0인 문자; 자료 처리에 있어서의 충전용 제어 문자》 / ~ string 공백문자열《길이가 0인, 아무 문자도 없는 문자열》. **~ *and void*** 〖법률〗 무효인.

nul·li·fi·ca·tion [nʌ̀ləfikéiʃən] *n.* Ⓤ 무효화; 폐기, 취소.

◇**nul·li·fy** [nʌ́ləfài] *vt.* 무효로 하다《특히 법률상》, 파기〔취소〕하다; 무가치하게 만들다, 수포로 돌리다.

nul·li·ty [nʌ́ləti] *n.* Ⓤ 무효; 무가치; 무, 전무(全無): a ~ suit 혼인 무효 소송.

Num. 〖성서〗 Numbers.

numb** [nʌm] *a.* **1** (추워서) **곱은**, 언《with*** (추위)로》: ~ fingers 곱은 손가락 / My fingers were ~ *with* cold. 추워서 손가락이 곱았다. **2** **감각을 잃은**, 마비된《***with*** (슬픔·피로 따위)로》: a~ mind 마비된 마음 / She was ~ *with* grief. 그녀는 슬픔으로 인해 멍해 있었다. **—***vt.* …의 감각을 없애다, …을 마비시키다, 곱게 하다; 어리둥절하게 하다, 망연케 하다《★ 종종 수동태로 쓰며, 전치사는 *with, by*》: My lips *were ~ed with* cold. 내 입술은 추위로 감각이 없어졌다. ㊕ **∠·ly** *ad.* 감각을 잃고, 저려서, 마비되어. **∠·ness** *n.* Ⓤ 저림, 마비, 곱음; 무감각.

†**num·ber** [nʌ́mbər] *n.* **1 a** Ⓒ (추상적 개념의) **수**: a high 〔low〕 ~ 큰〔작은〕 수 / in ~ 수로〔수는〕 / in great 〔small〕 ~*s* 여럿이서〔소수로〕 / an

even 〔odd, imaginary〕 ~ 짝〔홀, 허〕수/cardinal 〔ordinal〕 ~ 기수〔서수〕. **b** Ⓤ (흔히 the ~) 총수, 총원, 개수《***of*** (사람·물건)의》: The ~ *of* students has been increasing. 학생 수가 늘어나고 있다. **c** Ⓤ 계수, 수리: a sense of ~ 수의 관념.

2 a (*pl.*) **산수**(arithmetic): the science of ~*s* 산수/be good 〔poor〕 at ~*s* 산수를 잘 한다〔잘 못한다〕. **b** Ⓒ 숫자, 수사(數詞)(numeral).

3 a Ⓒ **번호**; 전화번호; 번호표: a phone ~ 전화번호/(The) ~ is engaged. 《英》 (전화에서) 통화중입니다/You have the wrong ~. 전화 잘못 거셨네요. **b 제 …번〔호, 권, 번지〕**《보통 No., N° 또는 《美》에서는 #를 숫자 앞에 붙임; 생략: No. (*pl.* Nos.)》: Room No. 303, 303호실/in the June ~ (잡지의) 6월호에/live at (No.) 21 Newton Rd 뉴턴로 21번지에 살다《★ 미국에서는 번지 숫자 앞에 No.를 쓰지 않음》.

4 a (a ~) **다수**, 약간《***of*** …의》: ⇨a ~ of(관용구). **b** (*pl.*) 다수《***of*** …의》: He made ~*s of* experiments. 그는 많은 실험을 했다. **c** (*pl.*) 수의 우세: win by sheer force 〔weight〕 of ~*s* 순전히 인원수의 우세로 이기다/There is safety in ~*s*. 《속담》 수가 많은 편이 안전하다.

5 Ⓒ 프로그램 중의 하나; (연주회의) 곡목: the last ~ 최후의 곡목.

6 (보통 *sing.*) 〚수식어와 더불어〛 《구어》 **a** 상품; 팔 물건, 《특히》 의복: a chic 〔smart〕 ~ 멋진 옷. **b** (일반적으로) …한 것, 일: a cushy ~ 쉬운 일/a fast little ~ 속력을 내는 조그만 차. **c** …한 사람, 《특히》 여성: a little blond ~ 예쁜 금발의 아가씨.

7 Ⓒ 패, 동아리, 동료: He isn't of our ~. 그는 우리 패가 아니다.

8 Ⓤ (구체적으로는 Ⓒ) 【문법】 수《단·복수의》: singular 〔plural〕 ~ 단〔복〕수.

9 (*pl.*) 《고어》 음률; 운율; 어구, 운문, 시, 노래: in mournful ~*s* 슬픈 시구(詩句)로.

a large 〔***great***〕 ***~ of*** 다수의, 많은. ***a ~ of*** 다수의, 꽤 많은, 몇몇의: *a* small *~ of* 소수의/*a ~ of* times 종종, 몇 번이나/There are *a ~ of* books in his study. 그의 서재에는 많은 책이 있다. ***any ~ of*** 꽤 많은(quite a few): He has shown me *any ~ of* kindness. 내게 여러 가지로 친절하게 해 주었다. ***a small ~ of*** 소수의, 몇 안 되는: He has only *a small ~ of* friends. 그는 오로지 몇 사람밖에 친구가 없다. ***beyond ~*** 셀 수 없는〔없이〕, 무수한〔히〕. ***by ~*** 번호로(는). ***by ~s*** ① 수의 힘으로(⇨4c). ② 《英》 =by the ~s. ***by the ~s*** 《美》 ① 【군사】 구령에 맞추어; 보조를 맞추어서. ② 규칙대로. ***do a ~ on*** 《美속어》 깎아내리다, 헐뜯다, 혼내주다. ***get*** 〔***have***〕 ***a person's ~*** 《구어》 아무의 의중〔성격, 본심〕을 간파하다. ***in ~*** 수에 있어서, 수효는. ***in ~s*** ① (잡지 등을) 분책(分冊)하여; 몇 번에 나누어서. ② 떼를 지어서; 〚수식어를 수반하여〛 …의 수로: migrate *in ~s* (동물이) 대거 이동하다. ③ 수가 많으면(⇨4c). ***out of ~*** =***without ~*** 무수한: times *without ~* 수없이 여러 번. ***One's ~ is*** 〔***has come***〕 ***up.*** 《구어》 운〔수명〕이 다하다, 절대절명이다, 죽음이 다가왔다. ***~s of*** 많은 수의, 다수의(⇨4b). ***to the ~ of*** …수에 이르도록, …수만큼(as many as): live *to the ~ of* eighty 여든까지 살다.

—*vt.* **1 세다**: ~ stars 별을 세다.

2 열거하다.

3 《+목+전+명》 (세어) 넣다《***among*** …속에; ***with*** …에》: ~ a person *among* one's friends 아무를 친구의 한 사람으로 치다.

4 (총계) …이 되다, …의 수에 달하다: We ~ ten in all. 우리는 모두 열 명입니다.

5 …의 수가 있다, (수 가운데) 포함하다: The town ~*s* two thousand people. 그 읍에는 2천 명의 주민이 있다.

6 〚보통 수동태〛 …의 수를 제한하다: His days *are ~ed*. 그의 여생은 얼마 안 남았다.

7 《~+목/+목+보/+목+전+명》 …에 **번호〔숫자〕를 매기다**《***from*** …에서; ***to*** …까지》: ~ the houses 집에 번호를 매기다/The platforms are *~ed* 1, 2, 3 and 4. 플랫폼에는 1, 2, 3, 4란 번호가 매겨져 있다/~ the boxes (*from*) 1 *to* 10. 상자에 1에서 10까지 번호를 매기다.

—*vi.* **1** 《+전+명》 수에 달하다《***in*** …의》: His supporters ~ *in* the thousands. 그의 지지자는 천명에 달한다.

2 《+전+명》 포함되다《***among*** …의 속에; ***with*** …에》: That record ~*s among* the top ten. 저 음반은 톱텐에 올라 있다.

~ off (*vi.*+부) 《英》 【군사】 (점호 때) 번호를 부르다(《美》 count off).

númber crùncher 복잡한 계산을 하는 기계〔사람, 컴퓨터〕.

númber-crùnching *n.* Ⓤ (컴퓨터에 의한) 복잡한 계산.

númbering machìne 번호 인자기(印字機), 넘버링(머신).

◇**num·ber·less** [nʌ́mbərlis] *a.* **1** 셀 수 없는 (innumerable), 무수한. **2** 번호 없는.

númber óne 1 제1번〔호〕. **2** 《구어》 제1인자, 중심 인물; 최상급의 것: The company is ~ in plastics. 그 회사는 합성수지에서는 일류다. **3** 《구어》 (이기적인 입장에서) 자신, 자기; 자기 이해(利害): look after 〔take care of〕 ~ 자기 이익만을 신경쓰다〔돌보다〕, 자기 위주로만 생각하다. **4** 《구어·소아어》 쉬, 소변. **—***a.* Ⓐ 《구어》 으뜸가는, 일류의, 특출한: the 〔a〕 ~ rock group 일류의 록 그룹.

númber plàte 《英》 (가옥의) 번지 표시판; (자동차 따위의) 번호판(《美》 license plate).

Num·bers [nʌ́mbərz] *n. pl.* 〚단수취급〛 【성서】 (구약의) 민수기(民數記)《생략: Num.》.

Númber Tén (**Dówning Stréet**) 영국 수상관저.

númber twó 《구어》 제2의 실력자; 이류의 것; 《소아어·완곡어》 응가, 대변.

numb·ing [nʌ́miŋ] *a.* Ⓐ 마비시키는, 저리게 하는; 아연〔망연〕케 하는.

numbskull ⇨NUMSKULL.

nu·mer·a·ble [njúːmərəbəl] *a.* 셀 수 있는, 계산할 수 있는(countable).

nu·mer·a·cy [njúːmərəsi/njúː-] *n.* Ⓤ 《英》 수학의 기초 지식이 있음.

◇**nu·mer·al** [njúːmərəl] *a.* 수의; 수를 나타내는: a ~ adjective 수(數)형용사. **—***n.* **1** Ⓒ 숫자; 【문법】 수사(數詞): the Arabic 〔Roman〕 ~*s* 아라비아〔로마〕숫자. **2** (*pl.*) 《美》 (학교에서 운동 선수 등이 사용하게 되어 있는) 졸업년도의 숫자.

nu·mer·ate [njúːmərèit] *vt.* 세다, 계산하다; 【수학】 (수·식)을 읽다. **—** [njúːmərit] *a.* 《英》 수학의 기초 지식이 있는.

nù·mer·á·tion *n.* **1** Ⓤ 계수(計數), 계산(법);

〖수학〗 명수법(命數法): decimal ~ 십진법. 2 Ⓤ (구체적으로는 Ⓒ) (인구 따위의) 계산, 통계.

nu·mer·a·tor [njú:mərèitər] *n.* Ⓒ 1 〖수학〗 (분수의) 분자. cf. denominator. 2 계산하는 사람; 계산기.

°**nu·mer·ic, nu·mer·i·cal** [nju:mérik], [-əl] *a.* 수의, 수를 나타내는, 숫자상의; 숫자로 나타낸: in ~ order 번호순으로/We have ~ strength over the enemy. 우리 편이 적보다 병력수가 많다. ⓟ **-cal·ly** *ad.*

nu·mer·ol·o·gy [njù:mərɑ́lədʒi/-mərɔ́l-] *n.* Ⓤ 수비학(數秘學), 수점(數占).

*__nu·mer·ous__ [njú:mərəs] *a.* 1 〖복수명사를 수반하여〗 **다수의**, 수많은; 많은 사람의: Similar instances are ~. 비슷한 예는 많다. SYN. ⇨MANY 2 〖단수형 집합명사를 수반하여〗 다수로 이루어진: a ~ army 대군. ⓟ **~·ly** *ad.*

nu·mi·nous [njú:mənəs] *a.* 초자연적인, 신령한, 신비적인.

nu·mis·mat·ic, -i·cal [njù:məzmǽtik, -məs-], [-əl] *a.* 화폐의; 고전학(古錢學)의.

nù·mis·mát·ics *n.* Ⓤ 화폐학; 고전학(古錢學).

nu·mis·ma·tist [nju:mízmətist, -mís-] *n.* Ⓒ 화폐〔고전(古錢)〕 학자.

num·skull, numb- [nʌ́mskʌ̀l] *n.* Ⓒ 《구어》 바보, 멍텅구리.

*__nun__ [nʌn] *n.* Ⓒ **수녀**. cf. monk.

nun·cio [nʌ́nʃiòu] (*pl.* **~s**) *n.* Ⓒ (외국 주재의) 로마 교황 대사.

nun·nery [nʌ́nəri] (*pl.* **-ner·ies**) *n.* Ⓒ 수녀원. ★ 남자 수도원은 monastery.

nup·tial [nʌ́pʃəl, -tʃəl] *a.* 결혼(식)의, 혼례의. —*n.* (*pl.*) 결혼식, 혼례(wedding).

‡**nurse** [nə:rs] *n.* Ⓒ 1 **유모**(wet ~); 보모(dry ~); =NURSEMAID. 2 **간호사**, 간호인: a hospital ~ 병원 간호사/a male ~ (정신병원 등의) 남자 간호사. 3 〖곤충〗 보모충《유충을 보호하는 곤충; 일벌·일개미 따위》.

—*vt.* 1 《~+목/+목+전+명》 (아이)를 **보다**, 돌보다; …에게 젖을 먹이다; …을 키우다, 양육하다: ~ a baby *at* the breast 아기를 모유로 키우다/He has been ~*d in* luxury 〔poverty〕. 그는 호사스럽게〔가난하게〕 자랐다. 2 어르다, 애무하다, 끌어안다: ~ a baby 〔puppy〕 아기〔강아지〕를 끌어안다. 3 (원한·희망 따위)를 **품다**: ~ a grudge 〔ambitions〕 원한〔야망〕을 품다. 4 (환자)를 **간호하다**, 병구완하다: ~ a patient back to life 환자를 간호하여 소생시키다. 5 (병·환부)를 고치다, 치료에 힘쓰다: ~ a cold 감기 치유를 위해 조리하다. 6 (식물 따위)를 기르다, 배양하다; (문예(文藝) 따위)를 육성하다, 장려하다; (재능 따위)를 키우다; (파손된 탈것 등)을 잘 운전해 가다. 7 (재산 따위)를 소중하게 관리하다; (자원·정력)을 절약하다, 소중히 하다; (술 따위)를 홀짝홀짝 마시다; (선거구민)의 비위를 맞추다.

—*vi.* 1 젖을 먹이다. 2 《~/+전+명》 (어린애가) 젖을 먹다: The baby was *nursing at* its mother's breast. 갓난아이가 엄마 품에서 젖을 먹고 있었다. 3 간호하다, 간호사로 일하다: She has been *nursing* for twenty years. 그녀는 20년간 간호사 일을 해 왔다.

nurse·ling [nə́:rsliŋ] *n.* =NURSLING.

núrse·màid *n.* Ⓒ 아이 보는 여자; 《비유적》 남을 잘 도와주는 사람.

núrse-practítioner *n.* Ⓒ 《美》 임상 간호사 《생략: NP》.

*__nurs·ery__ [nə́:rsəri] *n.* Ⓒ 1 **아이 방**, **육아실**; 탁아소(day ~); 보육원; (병원의) 신생아실. 2 (흔히 *pl.*) 묘상(苗床), 못자리; 종묘원; 양어장; 동물 사육실. 3 양성소, 훈련소《*of, for* …의》. 4 온상 《*of, for* (범죄 따위)의》: Slums are *nurseries for* young criminals. 슬럼가(街)는 나이어린 범죄자들의 온상이다.

núrsery gàrden 묘목밭.

núrsery·màid *n.* =NURSEMAID.

núrsery·man [-mən] (*pl.* **-men** [-mən]) *n.* Ⓒ 종묘원 주인〔정원사〕.

núrsery nùrse 《英》 보모.

núrsery rhỳme 〔**sòng**〕 전승 동요, 자장가.

núrsery schòol 보육원(nursery)《의무교육 이전의 3세－5세의 유아를 위한 학교》.

núrsery slòpes 〖스키〗 초보자용 (활강) 코스.

núrsery tàle 옛날 이야기, 동화.

núrse's áide 간호 보조원, 보조 간호사.

nurs·ing [nə́:rsiŋ] *n.* Ⓤ 간호, 간병; (직업으로서의) 간호사직; 육아〔보육〕(기간); 수유(授乳)(기간).

núrsing bòttle 포유〔젖〕병(甁).

núrsing hòme 1 《英》 (소규모의) 개인 병원 〔산원(産院)〕. 2 (노인·병자의) 사립 요양소.

núrsing mòther 양어머니, 젖먹이 아이의 어머니.

núrsing schòol 간호 학교, 간호사 양성소.

nurs·ling [nə́:rsliŋ] *n.* Ⓒ 1 (유모가 기르는) 젖먹이, 유아. 2 귀하게 자란 사람, 귀염둥이; 비장품.

°**nur·ture** [nə́:rtʃər] *n.* Ⓤ 양육; 양성, 훈육, 교육; 영양(물), 음식: nature and ~ 선천적 자질과 생육 환경, 가문과 성장 (과정). —*vt.* 1 양육하다, 기르다; …에 영양물을 주다. 2 (식물)을 소중히 기르다; (토지)를 소중하게 관리하다. 3 (사람)을 교육〔양성〕하다; (사고력 등)을 소중하게 키우다.

‡**nut** [nʌt] *n.* Ⓒ 1 **견과**《호두·개암·밤 따위》. cf. berry. 2 〖기계〗 너트, 고정나사. 3 〖음악〗 (현악기의 활의) 조리개; 현악기 지판(指板) 상부의 줄을 조절하는 부분. 4 《속어》 대가리; 괴짜, 바보, 미치광이, 열광적 애호가〔신봉자〕 (cf. nuts): work one's ~ 머리를 쓰다/a golf ~ 골프광(狂). 5 (보통 *pl.*) 《英》 (석탄·버터 등의) 작은 덩이; 《비어》 (보통 *pl.*) 불알.

a hard 〔***tough***〕 ***~ to crack*** 어려운 것〔문제〕; 만만찮은 사람: I have *a hard ~ to crack* with you. 너와 잘 상의할 어려운 일이 있다. ***do* one's *~*** 《속어》 불같이 노하다, 격분하다. ***for ~s*** 《英속어》〖보통 can't를 수반하여〗 조금도, 아무리 해도. ***not care a*** (***rotten***) ***~*** 조금도 상관〔개의치〕 않다. ***~s and bolts*** (the ~) ① 기본, 근본. ② 실제 운영〔경영〕. ***off* one's *~*** 《속어》 미쳐서; 화나서.

—(**-tt-**) *vi.* 나무 열매를 줍다: go ~*ting* 나무 열매를 주우러 가다.

nút càse 《속어》 미치광이.

nút·cràcker *n.* Ⓒ (보통 *pl.*) 호두 까는 기구.

nút·hàtch *n.* Ⓒ 〖조류〗 동고비.

nút hòuse 《속어》 정신 병원.

nút·meg [-meg] *n.* 1 Ⓒ 〖식물〗 육두구; 그 열매의 씨《약용·향료로 씀》. 2 Ⓤ 너트메그《육두구 씨의 분말로 만든 향신료》.

nu·tria [njú:triə] *n.* Ⓒ 〖동물〗 뉴트리아《남아메리카산의 비버 비슷한 설치(齧齒) 동물》; Ⓤ 그

모피.

nu·tri·ent [njú:triənt] *a.* 영양〔자양〕이 되는. **—***n.* Ⓒ 영양제, 자양물.

nu·tri·ment [njú:trəmənt] *n.* Ⓤ (구체적으로는 Ⓒ) 영양물, (영)양분, 음식물.

*__nu·tri·tion__ [nju:tríʃən] *n.* Ⓤ **1 영양**; 영양 공급〔섭취〕. **2 자양물**, 음식물. **3** 영양학. ㊕ **~·al** [-ʃənəl] *a.* Ⓐ 영양의, 자양의; 영양학의. **~·al·ly** *ad.* **~·ist** *n.* Ⓒ 영양사〔학자〕.

◇**nu·tri·tious** [nju:tríʃəs] *a.* 영양분이 있는, 영양이 되는. ㊕ **~·ly** *ad.* **~·ness** *n.*

nu·tri·tive [njú:trətiv] *a.* 영양이 되는, 영양분이 있는; 영양의, 영양에 관한.

nuts [nʌts] *int.* 《美속어》 〖경멸·혐오·거부·실망 등을 나타내어〗 쯧쯧, 시시하군, 제기랄, 바보같이, 어이없군(nonsense): *Nuts* (to you)! 말도 안 돼/That's ~. 그거 시시하군. **—***a.* Ⓟ 《속어》 **1** 미친, 미치광이의; 하찮은, 시시한: He went ~. 그는 미쳤다. **2** 열중한, 열을 올리는 《***about, on, over*** (사람·물건)에》: He's ~ *about* her 〔*over* the new car〕. 그는 그녀에게〔새 차에〕 빠져 있다.

nút·shèll *n.* Ⓒ 견과(堅果)의 껍질. ***in a* ~** 아주 간결하게; 요컨대: put ... *in a* ~ …을 짧게〔요약해서〕 말하다/This, *in a* ~, is the situation. 요컨대 사정은 이렇다.

nut·ter [nʌ́tər] *n.* Ⓒ 《英속어》 미치광이.

nut·ting [nʌ́tiŋ] *n.* Ⓤ 나무 열매〔호두〕줍기.

nut·ty [nʌ́ti] (*-ti·er; -ti·est*) *a.* **1** 견과(堅果)가 많은; 견과 맛이 나는. **2** 《속어》 머리가 돈, 미치광이의; 열중하는《***about, on, over*** …에》. ㊕ **-ti·ly** *ad.* **-ti·ness** [-nis] *n.*

nuz·zle [nʌ́zəl] *vt.* **1** 코로 비비다; (머리·얼굴·코 등)을 디밀다, 비비대다《***against*** …에》. **2** 〖~ oneself〗 …에 다가붙다, …에 붙어 자다(nestle): ~ one*self* 다가붙다. **—***vi.* **1** 코로 비비〔밀어〕대다(*up*)《***against, at, into*** …에》: The puppy ~*d against* his shoulder. 강아지가 그의 어깨에 코를 비비댔다. **2** 다가붙다, 붙어 자다. **—***n.* Ⓒ 포옹.

NV 〖美우편〗 Nevada. **n.w., NW, N.W.** northwest(ern). **NWbN**〔**W**〕**, N.W.bN**〔**W**〕**.** northwest by north 〔west〕. **NY** 〖美우편〗 New York. **N.Y.** New York (State). **N.Y.C.** New York City.

*__ny·lon__ [náilɑn/-lɔn] *n.* Ⓤ **나일론**; Ⓒ 나일론 제품; (*pl.*) 여자용 나일론 양말(=∠ **stóckings**).

*__nymph__ [nimf] *n.* Ⓒ **1** 〖그리스·로마신화〗 님프, 요정(妖精). **2** 《시어》 아름다운 처녀. **3** 〖곤충〗 애벌레.

nymph·et [nímfit, nimfét] *n.* Ⓒ (10–14세의) 성적 매력이 있는 소녀.

nym·pho [nímfou] (*pl.* **~s**) *n.* Ⓒ 《구어》 음란한〔색정증의〕 여자(nymphomaniac).

nym·pho·ma·nia [nìmfəméiniə] *n.* Ⓤ 〖의학〗 여자 음란증, (여자의) 색정광(色情狂). ㊕ **-ni·ac** [-niæ̀k] *a.* Ⓐ, *n.* Ⓒ 여자 색정증의 (환자).

NYSE, N.Y.S.E. New York Stock Exchange.

N.Z., N.Zeal. New Zealand.

O

O

O[1]**, o** [ou] (*pl.* **O's, Os, o's, o**(**e**)**s** [-z]) *n.* **1** Ⓤ (낱개는 Ⓒ) 오《영어 알파벳의 열다섯째 글자; cf. omicron, omega》. **2** Ⓤ (연속된 것의) 15 번째(의 것)《J를 빼면 14 번째》.

O[2] (*pl.* **O's, Os** [-z]) *n.* **1** Ⓒ O자형(의 것); 원형; (전화번호 등의) 제로, 영: a round 0원; 제로/50032 =five-double O-three-two. **2** Ⓤ (ABO식 혈액형의) O형.

◇**O**[3] *int.* 〖항상 대문자로 쓰며 콤마·감탄부 따위는 붙이지 않음; cf. oh〗 **1** 오!, 앗!, 저런!, 아!《놀람·공포·찬탄·비탄·애소·간망(懇望) 따위를 나타냄》: *O* indeed! 정말; 참으로/*O* for wings! 아, 날개가 있었으면/*O* for (a rest)! =*O* that (I may rest)! 아, (쉬고) 싶구나《문어적인 말투》/*O* to be in England! 아, 영국에 있다면《국외에서 고국을 그리는 표현》/*O* that I were rich! 아, 부자라면 (좋으련만). **2** 오…, …(이)여《특히 부를 때 어세를 높이는 시적 표현》: Praise the Lord, *O* Jerusalem. 주를 찬미하라, 오 예루살렘이여.

O 〖문법〗 object; 〖화학〗 oxygen; 〖전기〗 ohm. **o** 〖전기〗 ohm. **O.** Observer; Ocean; October; Ohio; Old; Ontario; Order.

O' [ə] *pref.* 아일랜드 사람의 성 앞에 붙임《son of의 뜻》: *O*'Connor, *O*'Hara. cf. Fitz-, Mac-.

◇**o'** [ə, ou] *prep.* **1** OF의 생략: *o*'clock; man-*o*'-war. **2** 《방언》 on의 생략: *o*'nights 흔히 밤에.

o- [ə, ou] *pref.* =OB-《m 앞에서의 꼴》: omit.

-o- [ou, ə, á/ou, ə, ɔ́] 〖합성어를 만들 때의 연결사〗 **1** 합성어 제1요소 끝에 붙여 동격(同格)관계를 나타내는 연결 문자: Franco-Italian, Russo-Chinese. **2** -cracy, -logy 따위 그리스계 어미에 붙어 합성어를 이루는 연결 문자: technocracy, technology.

OA 〖컴퓨터〗 office automation (사무 자동화).

oaf [ouf] (*pl.* **~s, oaves** [ouvz]) *n.* Ⓒ 기형〔저능〕아; 백치, 바보; 멍청이: a big ~ 덩치만 크고 쓸모없는 사람.

oaf·ish [óufiʃ] *a.* 바보 같은, 멍청이의, 얼빠진.

Oa·hu [ouɑ́:hu:] 오아후 섬《하와이 제도 중의 한 섬; 주도(州都) Honolulu가 있음》.

⁑**oak** [ouk] (*pl.* **~s, ~**) *n.* **1** Ⓒ 〖식물〗 **오크**《떡갈나무·참나무·가시나무 무리; 과실은 acorn》. **2** Ⓤ 오크 재목(=~ **timber**); 오크 제품《가구 따위》. **3** Ⓤ (특히 관(冠)의 테로 쓰는) 오크 잎. **4** Ⓤ 〖英대학〗 (오크제의 견고한) 바깥문짝.
—*a.* Ⓐ **오크(제)의**: ~ furniture 오크제 가구.

óak àpple 오크의 몰식자(沒食子), 오배자(五倍子)《예전의 잉크 원료》.

oak·en [óukən] *a.* 오크(제)의.

Oaks [ouks] *n.* (the ~) 《英》 잉글랜드의 Surrey주 Epsom에서 매년 열리는 4살짜리 암말의 경마.

oa·kum [óukəm] *n.* Ⓤ 〖항해〗 뱃밥《낡은 밧줄을 푼 것; 누수 방지용으로 틈새를 메움》.

OAP, O.A.P. old-age pension 〔pensioner〕 (노령연금〔수급자〕). **OAPEC** [ouéipek] Organization of Arab Petroleum Exporting Countries (아랍 석유 수출국 기구).

⁑**oar** [ɔ:*r*] *n.* Ⓒ **1** 노, 오어. cf. scull. **2** 노 젓는 사람(oarsman): a good 〔practiced〕 ~ 노질 잘하는〔노질에 익숙한〕 사람.
put 〔***shove, stick***〕 ***in*** one***'s*** **~** =***put*** 〔***shove, stick, thrust***〕 one***'s*** **~** ***in*** 쓸데없는 참견을 하다. ***rest*** 〔***lie, lay***〕 ***on*** one***'s*** **~*s*** 노를 수평으로 하고 잠시 쉬다; 일을 쉬다. ***toss*** **~*s*** (경의 표시로) 노를 세우다.
—*vi.* **1** 노를 젓다. **2** 노를 젓는 것처럼 움직이다. —*vt.* **1** (노로 배)를 젓다: ~ the boat forward. **2** 〖~ one's way로〗 노를 저어 나아가다. **3** (손 따위)를 노처럼 움직이다: ~ one's arms 〔hands〕 양손을 헤엄치듯이 움직이다.

óar·lòck *n.* Ⓒ 《美》 놋좆, 노받이(《英》 rowlock, thole).

óars·man [-mən] (*pl.* **-men** [-mən]) *n.* Ⓒ 노 젓는 사람(rower). ㊞ **~·shìp** *n.* Ⓤ 조정술(漕艇術); 노 젓는 솜씨.

OAS, O.A.S. Organization of American States (아메리카 주 기구).

***oa·sis** [ouéisis] (*pl.* **-ses** [si:z]) *n.* Ⓒ **1 오아시스**《사막 가운데의 녹지》. **2** 《비유적》 휴식처, 위안의 장소.

oast [oust] *n.* Ⓒ 건조로(爐)《홉(hop)·엿기름·담배 등의》.

óast·hòuse (*pl.* **-hous·es** [-hàuziz]) *n.* Ⓒ 홉 건조장; =OAST.

***oat** [out] *n.* **1** Ⓒ (보통 *pl.*) 〖식물〗 **귀리**, 메귀리; 메귀리속(屬) 식물의 총칭《oatmeal의 원료나 가축, 특히 말의 사료로 재배》. cf. barley. **2** (*pl.*) 〖단·복수취급〗 =OATMEAL.
be off one***'s*** **~*s*** 《구어》 식욕을 잃다. ***feel*** one***'s*** 〔***its***〕 **~*s*** 《구어》 원기왕성하다; 《美》 잘난 체하다. ***know*** one***'s*** **~*s*** 《구어》 잘 알고 있다, 자세히 알다. ***sow*** one***'s*** (***wild***) **~*s*** 젊은 혈기로 난봉부리다.

óat·càke *n.* Ⓒ 귀리로 만들어 딱딱하게 구운 비스킷류(類).

oat·en [óutn] *a.* 귀리의, 귀리로 만든; (귀리)짚으로 만든: an ~ pipe 보리피리.

oat·er [óutə*r*] *n.* Ⓒ 《美구어》 서부극(horse opera).

oath** [ouθ] (*pl.* **~s** [ouðz, ouθs]; 〖소유격〗 **~'s** [-θs]) *n.* Ⓒ **1 맹세**, 서약《to*** do/***that***》; 〖법률〗 (법정의) 선서, 선서를 한 증언〔진술〕: a false ~ 거짓 맹세(perjury)/an ~ of office 취임 선서/an ~ of allegiance 충성의 맹세/He took an ~ *to* give up smoking. 그는 담배를 끊겠다고 맹세했다/I took an ~ *that* I would obey the regulations. 규칙에 따르겠다고 서약했다. **2** (분노, 욕설 등에서) 신명 남용(神名濫用)《보기: God damn you! 따위》. **3** 저주, 욕설.
on 〔***upon, under***〕 (***Bible***) **~** 맹세하고: be *under* ~ to tell the truth 진실을 말하기로 맹세하고 있다. ***on*** one***'s*** **~** 맹세코, 확실히. ***put***

〔*place*〕 a person *under* 〔*on*〕 ~ 아무에게 맹세시키다.

*__oat·meal__ [óutmìːl] *n.* Ⓤ **오트밀**; 곱게 탄〔빻은〕 귀리; 오트밀 죽(~ porridge)《우유와 설탕을 넣어 조반으로 먹음》.

OAU, O.A.U. Organization of African Unity (아프리카 통일 기구).

ob- [ɑb, əb/ɔb, əb] *pref.* '노출, 대면, 충돌, 방향, 저항, 반대, 적의(敵意), 완전, 억압, 은폐' 따위의 뜻. ★ c, f, p, t 앞에서는 각기 *oc-*, *of-*, *op-*, *os-*가 되고, m 앞에서는 *o-*가 됨: *oc*cur, *of*fer, *o*mit, *op*press, *os*tensible.

Ob., Obad. 〖성서〗 Obadiah. **ob.** *obiit* 《L.》(=died)《*ob.* 1860, 1860 년에 사망하다》.

Oba·di·ah [òubədáiə] *n.* **1** 남자 이름. **2** 〖성서〗 오바댜《헤브라이 예언자》; 오바댜서(書)《구약성서 중의 한 편》.

ob·bli·ga·to, ob·li- [ɑ̀bligáːtou/ɔ̀b-] (*pl.* **~s, -ti** [-tiː]) *n.* Ⓒ 〖음악〗 오블리가토, 불가결한 성부(聲部); 조주(助奏); 《비유적》 반주음, 배경음: a song with (a) flute ~ 플루트 반주의 가곡.

ob·du·ra·cy [ɑ́bdjurəsi/ɔ́b-] *n.* Ⓤ 억지, 완고, 외고집(stubbornness); 냉혹.

ob·du·rate [ɑ́bdjurit/ɔ́b-] *a.* 억지센, 완고한, 고집센; 냉혹한: an ~ refusal 완강한 거절/an ~ criminal 냉혹한 범인. ㊕ **~·ly** *ad.*

*__obe·di·ence__ [oubíːdiəns] *n.* Ⓤ **복종**; 공순; 순종; (법률 · 명령의) 준봉. ↔ *disobedience*. ¶active 〔passive〕 ~ 자발〔수동〕적으로 하는 복종/blind ~ 맹종(盲從). ***demand*** 〔***exact***〕 ~ ***from*** …에게 복종을 강요하다. ***hold ... in*** ~ …을 복종시키고 있다. ***in*** ~ ***to*** …에 복종〔순종〕하여.

*__obe·di·ent__ [oubíːdiənt] *a.* **순종하는**, 유순한, 고분고분한, 말 잘 듣는《**to** (아무)에게》: an ~ child 양순한 아이/Are you ~ *to* your parents? 부모 말씀에 순종하는가. ◇ obey *v.* ***Your*** ~ ***servant*** 《英》 경구(敬具)《공용 서한문의 옛날식 맺음말》.

obé·di·ent·ly *ad.* 고분고분하게; 정중하게: *Obediently* yours =Yours ~ 여불비례《공식 서신을 끝맺는 말》.

◇__obei·sance__ [oubéisəns, -bíː-] *n.* **1** Ⓒ 경례, 절, 인사: make an ~ to ... 아무에게 절하다. **2** Ⓤ 경의(敬意), 존경, 복종: do 〔give, make, pay〕 ~ to …에게 경의를 표하다.

obei·sant [oubéisənt, -bíː-] *a.* 경의를 표하는, 공손한. ㊕ **~·ly** *ad.*

ob·e·lisk [ɑ́bəlìsk/ɔ́b-] *n.* Ⓒ **1** 오벨리스크, 방첨탑(方尖塔)《이집트 등지의》; 오벨리스크 모양의 것. **2** 〖인쇄〗 단검표(短劍標)(dagger)《†》: double ~ 이중 단검표《‡》.

Ober·on [óubərɑ̀n, -rən] *n.* 〖중세전설〗 오베론《요정의 왕으로 Titania 의 남편》; 〖천문〗 오베론《천왕성의 넷째 위성》.

obese [oubíːs] (***obe·ser; -sest***) *a.* 지나치게 살찐, 뚱뚱한.

obe·si·ty [oubíːsəti] *n.* Ⓤ 비만, 비대.

‡**obey** [oubéi] *vt.* **1** …**에 복종하다**, 따르다; …의 명령〔가르침, 소원〕에 따르다: You should ~ your parents. 부모의 말을 잘 들어야 한다/The orders must be strictly ~*ed*. 명령은 엄격히 따라야 한다. **2** (법칙)에 따르다, (이성 따위)에 따라 행동하다, (힘 · 충동)대로 움직이다: ~ the laws of nature 자연 법칙에 따르다. **—***vi.* 복종하다, 말을 잘 듣다: The sailor ~*ed* reluctantly. 수병은 마지못해 복종했다. ◇ obedience *n.*

ob·fus·cate [ɑbfʌ́skeit, ɑ́bfəskèit/ɔ́bfʌskèit] *vt.* **1** (마음 · 머리)를 어둡게〔몽롱하게〕 하다, (판단 등)을 흐리게 하다; (문제 따위)를 불명료하게 하다, 이해하기 어렵게 만들다. **2** (마음)을 어지럽게 하다, 당혹〔혼란〕하게 하다. ㊕ **ob·fus·ca·tion** [ɑ̀bfəskéiʃən/ɔ̀b-] *n.*

obit [óubit, ɑ́b-/ɔ́b-] *n.* Ⓒ 《구어》 사망 기사(記事).

óbiter díc·tum [-díktəm] (*pl.* ***-dic·ta*** [-díktə]) 《L.》 **1** 〖법률〗 (판사가 판결할 때에 말하는) 부수적 의견. **2** 〖일반적〗 부수적 의견〔감상〕, 부언(附言).

obit·u·ary [oubítʃuèri] *a.* Ⓐ 사망(기록)의, 사망자의: an ~ notice 사망 기사〔고시〕. **—***n.* Ⓒ (신문에 싣는) 사망 기사, 사망 광고(obit), 사망자 약력.

obj. object; objection; objective.

‡**ob·ject**[1] [ɑ́bdʒikt/ɔ́b-] *n.* Ⓒ **1** (지각할 수 있는) **물건**, **물체**, 사물: an art ~ 미술품/inanimate ~*s* 무생물/a distant 〔minute〕 ~ 먼 데에 있는 물건〔미세한 물체〕. **2** 대상《**for, of** (동작 · 감정 등)의》: an ~ *of* pity 〔love〕 동정〔사랑〕의 대상/an ~ *of* study 연구의 대상/become an ~ *for* 〔*of*〕 …의 대상이 되다. **3** **목적**, 목표(goal); 동기: Some people work with the ~ of earning fame. 명성을 얻는 것을 유일한 목표로 일하는 사람도 있다/attain 〔succeed in〕 one's ~ 목적을 달성하다. SYN. ⇨PURPOSE. **4** 〖철학〗 대상, 객체; 객관. ↔ *subject*. **5** 〖문법〗 **목적어**: an ~ clause 목적절. **6** 《英구어》 우스운 것, 불쌍한 놈; 싫은 사람〔것〕: What an ~ you look in that old hat! 그런 낡은 모자를 쓰고 무슨 꼴이냐.
have an ~ ***in view*** 계획을 품고 있다. ***no*** ~ …은 아무래도 좋다, …을 묻지 않음《3 행 광고 따위의 용어》: Distance *no* ~. 거리 불문/Money 〔Expense〕 *no* ~. 보수〔비용〕에 대해서 특별한 요구 없음.

‡**ob·ject**[2] [əbdʒékt] *vi.* 《~/+전+명》 **1 반대하다**, 이의를 말하다, 항의하다《**to, against, about** …에》: If you don't ~, ... 만약 이의가 없다면…/~ *about* 〔*to*〕 the food in a restaurant (손님이) 레스토랑에서 음식물에 대해 불평하다/I ~. 이의 있음《영국 하원의 용어》. **2** 반감을 가지다, 싫어하다, 불만이다《**to** …에》: I ~ *to* all this noise. 이런 소란은 딱 질색이다/I don't ~ *to* waiting another year. 1 년 더 기다려도 좋아요/Do you ~ *to* my smoking? 담배를 피워도 되겠습니까/I'll open the window if you don't ~. 괜찮으시다면 창문을 열겠습니다.
—*vt.* **1** 《+*that* 절》 반대하여 …라고 말하다, 반대 이유로서 …라고 주장하다: I ~*ed that* his proposal was impracticable. 그의 제안은 실행이 불가능하다고 반대했다. **2** 《+목+전+명》 반대의 이유로 들다, 난점으로 지적하다, 비난하다: What have you got to ~ *against* him? 그의 어디가 나쁘다는 것인가. ◇ objection *n.*

óbject fìle 〖컴퓨터〗 목적 파일《목적 부호만을 보관하고 있는 파일》.

óbject glàss 〔**lèns**〕 〖광학〗 대물 렌즈.

ob·jec·ti·fy [əbdʒéktəfài] *vt.* 객관화하다; 구체화하다, 구상화(具象化)하다.

‡**ob·jec·tion** [əbdʒékʃən] *n.* **1** Ⓤ (구체적으로는 Ⓒ) **반대**; 이의, 반론; 불복(不服): by ~ 이의를 내세우고, 불복하여/*Objection!* (의회 따위에

서) 이의 있습니다. **2** Ⓒ 반대 이유; 난점《**to, against** …에 대한》: Her only ~ *to* 〔*against*〕 the plan is that it costs too much. 그 계획에 대한 그녀의 유일한 반대 이유는 비용이 너무 많이 든다는 것이다. **3** Ⓒ 결함; 장애, 지장《**to** …에 대한》: the chief ~ *to* the book 그 책의 주된 결함. ◇ object *v*.

feel an ~ to doing …하고 싶지 않다, …하기를 좋아하지 않다. ***make*** 〔***raise***〕 ***an ~ to*** 〔***against***〕 = ***take ~ to*** 〔***against***〕 …에 이의를 주장하다〔제기하다〕, 반대하다.

*__ob·jec·tion·a·ble__ [əbdʒékʃənəbəl] *a*. **1** 반대할 만한, 이의가 있는. **2** 싫은, 못마땅한, 불쾌한《**to** …에게는》: an ~ manner 불쾌한 태도 / That would be ~ *to* her. 그것은 그녀에게는 불쾌할 게다. ㊕ **-bly** *ad*.

*__ob·jec·tive__ [əbdʒéktiv] *a*. **1** 객관적인(↔ *subjective*); 편견〔선입관〕이 없는, 공평한: an ~ analysis 객관적인 분석 / ~ evidence 객관적 증거 / You must be more ~. 너는 사물을 더욱 더 객관적으로 보아야 한다. **2** 외적(外的)인, 외계(外界)의; 물질적인; 실재의, 현실의: the ~ world 외계, 자연계 / ~ reality 현실. **3** 목적〔목표〕의: an ~ point 〖군사〗 목표 지점, 목적지. **4** 〖문법〗 목적(격)의: the ~ case 목적격 / the ~ complement 목적(격) 보어. **—***n*. Ⓒ **1** 목적, 목표: educational ~*s* 교육 목표 / attain 〔gain, win〕 an ~ 목표를 달성하다. SYN. ⇨PURPOSE. **2** 〖철학〗 객체; 〖문법〗 목적격〔어〕. **3** 〖군사〗 목표 지점(objective point). **4** 〖광학〗 (현미경·망원경 따위의) 대물 렌즈. ㊕ **~·ly** *ad*. 객관적으로.

objéctive glàss 〔**lèns**〕 =OBJECTIVE *n*. 4.

ob·jec·tiv·ism [əbdʒéktəvìzəm] *n*. Ⓤ 〖철학〗 객관주의, 객관론(↔ *subjectivism*). ㊕ **-ist** *n*. Ⓒ 객관주의자.

ob·jec·tiv·i·ty [àbdʒiktívəti, -dʒek-/ɔ̀b-] *n*. Ⓤ 객관(적 타당)성; 객관주의적 경향〔지향〕; 객관적 실재. ↔ *subjectivity*.

óbject lèsson **1** 실물〔직관(直觀)〕 교육〔교수〕. **2** 교훈이 되는 좋은 실례〔본보기〕《**in** …의》: The Swiss are an ~ *in* how to make democracy work. 스위스 사람들은 민주주의 운영법에 대한 좋은 본보기이다.

ob·jec·tor [əbdʒéktər] *n*. Ⓒ 반대자, 항의자: a conscientious ~ 양심적 병역 거부자.

óbject prògram 〖컴퓨터〗 목적 프로그램《프로그래머가 쓴 프로그램을 compiler나 assembler에 의해 기계어로 번역한 것》.

ob·jet d'art [*F*. ɔbʒɛdaːr] (*pl*. ***ob·jets d'art*** [—]) 《F.》 작은 미술품; 골동품.

ob·jur·gate [ábdʒərgèit/ɔ́b-] *vt*. 《문어》 심하게 꾸짖다, 격렬히 비난하다. ㊕ **òb·jur·gá·tion** *n*. Ⓤ 질책, 비난. **ób·jur·gà·tor** [-tər] *n*. Ⓒ 비난자, 질책자.

ob·jur·ga·to·ry [əbdʒə́ːrgətɔ̀ːri/-təri] *a*. 질책하는, 심하게 비난하는.

ob·late [ábleit, -ˊ/ɔ́bleit, -ˊ] *a*. 〖수학〗 구체(球體)가 편평한, 편원(扁圓)의: an ~ sphere 〔spheroid〕 편구(扁球); 편구면.

ob·la·tion [abléiʃən/ɔb-] *n*. **1** Ⓤ (신에 대한) 봉헌, 봉납; Ⓒ 봉납물, 공물(offering)《기독교에서는 주로 포도주와 빵》. **2** Ⓤ (자선적인) 기부.

ob·li·gate [ábləgèit/ɔ́b-] *vt*. 〖보통 수동태〗 **1** (법률·도덕상의) 의무를 지우다《**to** do》: A witness in court *is ~d to* tell the truth. 법정의 증인은 진실을 말할 의무가 있다. **2** 감사의 마음을 일으키게 하다《**to** (아무)에게; **for** …에 대하여》: I feel ~*d to* him *for* his help. 그가 도와준 데 대하여 고맙게 생각한다. ㊕ **-gà·tor** *n*. **~·ly** *ad*.

‡**ob·li·ga·tion** [àbləgéiʃən/ɔ̀b-] *n*. **1** Ⓤ (구체적으로는 Ⓒ) 의무, 책임《**to** …에 대한/**to** do》: a moral ~ 도덕상의 의무 / sense of ~ 책임 의식 / assume 〔take on〕 an ~ 의무를〔책임을〕 떠맡다 / a wife's ~ *to* her husband 남편에 대한 아내의 의무 / Civil servants have an ~ *to* serve the people. 공무원은 국민에 봉사할 의무가 있다. SYN. ⇨DUTY. **2** Ⓒ 〖법률〗 채무, 채권(채무) 관계; 채권, 증권(bond); (금전) 채무 증서; 계약(서): meet one's ~*s* 채무를 정리하다. **3** Ⓤ (구체적으로는 Ⓒ) 은의(恩誼), 의리: repay an ~ 은혜에 보답하다. ◇ oblige *v*.

be 〔***lie***〕 ***under*** (***an***) ~ (***to***) (…에게) 갚아야 할 의무〔의리〕가 있다; (…에게) 신세를 지고 있다. ***put*** 〔***place, lay***〕 a person ***under an ~*** 아무에게 의무를 지우다; 아무에게 은혜를 베풀다.

㊕ **~·al** [-ʃənəl] *a*. **ób·li·gà·tive** *a*.

obligato ⇨OBBLIGATO.

°**ob·lig·a·to·ry** [əblígətɔ̀ːri, ábligə-/əblígətəri, ɔ́blig-] *a*. **1** 의무 지워진, 의무적인《**on, upon** …에》: make it ~ *on* a person to do …할 것을 아무의 의무로 하다 / an ~ promise 이행 의무가 따르는 약속 / It's ~ for us to protect the world from nuclear war. 핵전쟁으로부터 세계를 지키는〔보호하는〕 것이 우리들의 의무다. **2** (과목 따위가) 필수의(↔ *optional*): an ~ subject 필수 과목. ㊕ **-ri·ly** *ad*.

‡**oblige** [əbláidʒ] *vt*. **1** 《+목+*to* do/+목+전+명》 〖종종 수동태〗 (아무)에게 **별〔어쩔〕 수 없이 …하게 하다**; …하도록 강요하다《**to** …을》; 의무를 지우다: I *am ~d to* go. 아무래도 가지 않을 수 없다 / The law ~*s* us *to* pay taxes. 법률에 따라 세금을 내지 않으면 안 된다 / Necessity ~*d* him *to* that action. 그는 불가피한 사정 때문에 그런 행동을 하였던 것이다. SYN. ⇨COMPEL. **2** 《~+목/+목+전+명》 (아무)에게 **은혜를 베풀다**; 친절하게 해주다《**with** …으로》; …의 소원을 이루어 주다《**by** do*ing* …에 의하여》: Will any gentleman ~ a lady? 어느 분이 부인께 자리를 양보해 주실 수 없겠습니까 / *Oblige* us *with* your presence. 부디 참석해 주십시오 / Will you ~ me *by* open*ing* the window? 창문을 열어 주시겠습니까. **3** 〖수동태〗 (남에게) 감사하다〔하게 여기다〕, 은혜를 입다: I *am* much ~*d to* you *for* the ride. 차를 태워 주셔서 참으로 고맙습니다.

—*vi*. **1** 호의를 보이다: An answer will ~. 답장을 주신다면 감사하겠습니다. **2** 《+전+명》 소원을 들어 주다; 기쁘게 하다《**with** …으로》: Ask John; he will be pleased to ~. 존에게 부탁하면 기꺼이 들어줄 겁니다 / She ~*d with* a song. 그녀는 노래를 들려 주었다.

㊕ **oblíg·er** *n*. Ⓒ 은혜를 베푸는 사람.

> **DIAL.** ***I'd be obliged if …*** …한다면 고맙겠다: *I'd be obliged if* you'd meet with me today. 오늘 만나 주신다면 고맙겠습니다만.

ob·li·gee [àblədʒíː/ɔ̀b-] *n*. Ⓒ **1** 〖법률〗 채권자. ↔ *obligor*. **2** 은혜를 입은 사람.

*__oblig·ing__ [əbláidʒiŋ] *a*. **잘 돌봐 주는**, (마음씨·주의가) 자상하게 미치는, 친절한(accommodating): an ~ nature 〔person〕 남을 잘 돌봐 주는 성질〔사람〕. ㊕ **~·ly** *ad*.

ob·li·gor [àbləgɔ́ːr, ⌐-⌐/ɔ̀b-] *n.* Ⓒ 〖법률〗 채무자. ↔ *obligee*.

◇**ob·lique** [əblíːk, ou-, 《美》 əbláik] *a.* **1** 비스듬한, 기울어진(slanting): draw an ~ line 사선을 긋다/an ~ glance 곁눈질/an ~ surface 경사면. **2 a** 틀린, 부정(不正)한, 바르지 못한: ~ practices 간사한 술책. **b** 빗나간, 벗어난. **3** Ⓐ 간접의, 에두른, 완곡한: an ~ answer 에두른 답변/~ narration (speech) 간접화법. **4** 〖수학〗 사선(斜線)의, 빗각의, 빗면의: an ~ angle 빗각 《예각 또는 둔각》/an ~ prism 빗각기둥. **5** 〖식물〗 (잎 따위가) 부등변의. **—***n.* Ⓒ 비스듬한 것, 사선. ㊕ **~·ly** *ad.* 비스듬히 (기울어); 부정하게; 완곡하게, 간접으로, 에둘러서. **~·ness** *n.*

ob·liq·ui·ty [əblíkwəti] *n.* **1** Ⓤ 경사, 기울기; 경도(傾度). **2** Ⓤ 부정, Ⓒ 부정 행위. **3** Ⓤ 에두른 말; 애매한 기술(記述).

◇**ob·lit·er·ate** [əblítərèit] *vt.* **1** (문자 따위)를 지우다, 말살하다(blot out); (시계(視界)에서) 지우다, (덮어) 감추다; (기억에서) 망각시키다: The spilled ink *~d* his signature. 엎질러진 잉크 때문에 그의 서명이 지워졌다/He tried to ~ all memories of the war. 그는 전쟁의 모든 기억을 잊으려고 했다. **2** …의 흔적을 지워 없애다, …을 제거하다: The tide has *~d* the footprints on the sand. 조수가 모래 위의 발자국을 지워 없앴다. ◇ obliteration *n.*

ob·lìt·er·á·tion *n.* Ⓤ 소멸; 말소, 삭제; 흔적을 없앰; 망각.

◇**ob·liv·i·on** [əblíviən] *n.* Ⓤ **1** 망각; 잊혀짐; (세상에) 잊혀진 상태: be buried in ~ 잊혀져 있다/fall (pass, sink) into ~ 세상에서 잊혀지다/a former movie star now in ~ 지금은 잊혀진 왕년의 영화 스타. **2** 무의식 상태, 인사불성. **3** 〖법률〗 대사(大赦). ⓒⓕ amnesty. ¶the Act (Bill) of Oblivion 일반 사면령. ***the river of ~*** 〖그리스신화〗 황천(Hades)에 있다는 망각의 강, 레테(Lethe).

◇**ob·liv·i·ous** [əblíviəs] *a.* Ⓟ **1** (뭔가에 열중하여) 알아차리지 못하는, 안중에 없는《***of, to*** …을, …이》: I was ~ *to* the noise. 그 소리를 알아듣지 못했다. **2** 잘 잊는; 기억하지 않는《***of*** …을》: He was ~ *of* his promise. 그는 약속을 잘 잊어버렸다. ㊕ **~·ly** *ad.* **~·ness** *n.*

◇**ob·long** [ábləːŋ, -laŋ/ɔ́blɔŋ] *a.* **1** 직사각형의. ⓒⓕ square. **2** 장원(타원)형의. **—***n.* Ⓒ 직사각형; 타원형.

ob·lo·quy [ábləkwi/ɔ́b-] *n.* Ⓤ **1** (일반 대중에 의한) 욕지거리, 악담, 비방. **2** 악평, 오명, (널리 알려진) 불명예(disgrace).

◇**ob·nox·ious** [əbnákʃəs/-nɔ́k-] *a.* 밉살스러운, 불쾌한, 싫은; 미움받고 있는《***to*** (아무)에게》: Such behavior is ~ *to* everyone. 그런 행동은 누구나 불쾌하게 여긴다. ㊕ **~·ly** *ad.* **~·ness** *n.*

oboe [óubou] *n.* Ⓒ 〖음악〗 오보에《고음의 목관악기》. ㊕ **obo·ist** [óubouist] *n.* Ⓒ 오보에 주자.

obs. observation; observed; obsolete.

◇**ob·scene** [əbsíːn] *a.* **1** 외설(음란)한; 추잡한: ~ jokes 음탕한 농담/~ literature 외설 문학/an ~ picture 춘화. **2** 《구어》 역겨운, 지긋지긋한; 꺼림칙한: It's ~ that politicians should accumulate such wealth. 정치가들이 그런 재산을 모은다는 건 역겹다. ㊕ **~·ly** *ad.*

ob·scen·i·ty [əbsénəti, -síːn-] *n.* **1** Ⓤ 외설, 음란. **2** Ⓒ 음탕한 말(행위, 기사, 그림, 사진); 역겨운 일(것): scream (yell) *obscenities* at …에 음탕한 말을 퍼붓다.

ob·scu·rant [əbskjúərənt] *n.* Ⓒ 반(反)계몽주의자, 개화 반대론자; 모호하게 말하는 사람. **—***a.* 개화 반대론(자)의, 반계몽주의적인; 모호하게 하는.

ob·scú·rant·ìsm *n.* Ⓤ **1** 반계몽주의, 개화 반대. **2** 고의로 모호하게 함; (문학 · 미술 따위의) 난해함. ㊕ **-ist** *n.* =OBSCURANT.

ob·scu·ra·tion [àbskjuəréiʃən/ɔ̀b-] *n.* Ⓤ 어둡게 함(됨), 모호하게 함; 희미하게 함, 불명료화.

ob·scure** [əbskjúər] (-scur·er; -est***) *a.* **1** 어두컴컴한(dim); (빛깔 따위가) 거무스름한, 흐릿한, 어스레한: an ~ back room 빛이 안 드는 뒷방/an ~ corner 어두컴컴한 한쪽 구석. **2** (소리 · 형체 · 말 · 의미 따위가) **분명치 않은, 불명료한**, 모호한; (복잡해서) 알기 어려운: an ~ voice 희미한 목소리/the ~ outlines of a mountain 어렴풋한 산의 윤곽/an ~ reference (meaning) 분명치 않은 언급(뜻)/These explanations are rather ~. 이들 설명은 좀 모호하다/His theory is extremely ~. 그의 이론은 지극히 이해하기 힘들다. **3** (장소가) **눈에 띄지 않는**, 인가에서 멀리 떨어진, 궁벽한, 호젓한: His house is in rather an ~ area. 그의 집은 좀 외진 곳에 있다.

ⓈⓎⓃ **obscure** 숨겨져 똑똑히 보이지 않는 것, 또는 분명치 않은 것에 비유적으로 쓰임. **vague** 명확하지 못하거나 애매한 일 등에 쓰임: a *vague* idea 막연한 생각.

4 (사람 · 사물이) 세상에 알려지지 않은, 무명의: an ~ book 세상에 알려지지 않은 책/an ~ poet 무명 시인/of ~ origin (birth, background) 근본(태생)이 미천한. **5** 〖음성〗 모음이 모호한, 모호한 모음의: an ~ vowel 모호한 모음《about 의 [ə] 따위》.

—*vt.* **1** 어둡게 하다, 흐리게 하다. **2** 덮어 감추다, 가리다: Clouds ~ the sun. 구름이 태양을 가린다. **3** (명성 따위)를 가리다, (남)의 영광 따위를 빼앗다, …을 무색하게 하다: His son's achievements *~d* his own. 자식의 업적 때문에 그의 업적은 빛을 잃었다. **4** (사물)을 알기 어렵게 하다, 혼란시키다; (뜻)을 불명료하게 하다; 모호하게 하다: reasoning *~d* by emotion 감정에 의해 모호해진 이성(理性). **5** 모호하게 발음하다, (모음)을 모호한 모음으로 바꾸다. ㊕ **~·ly** *ad.* 어렴풋이, 애매모호하게.

***ob·scu·ri·ty** [əbskjúərəti] *n.* **1** Ⓤ 어두컴컴함; 애매함, 난해함. **2** Ⓒ 어슴푸레한 곳; 불명료한 것. **3** Ⓤ 세상에 알려지지 않음; 무명; 낮은 신분: live in ~ 세상에서 알려지지 않은 채 지내다/rise from ~ to fame 낮은 신분에서 출세하다/retire (sink) into ~ 은퇴하다(초야에 묻히다). **4** Ⓒ 이름 없는(비천한) 사람.

ob·se·quies [ábsəkwiz/ɔ́b-] (*sing.* ***-quy*** [-kwi]) *n. pl.* 장례식.

ob·se·qui·ous [əbsíːkwiəs] *a.* 아첨(아부)하는; 비굴한; 추종하는《***to*** …에게》: an ~ smile 아첨하는 웃음/He's ~ *to* men in power. 그는 권력자들에게 아첨한다. ㊕ **~·ly** *ad.* **~·ness** *n.*

ob·serv·a·ble [əbzə́ːrvəbəl] *a.* **1** 관찰할 수 있는, 눈에 띄는; 식별할 수 있는: There was no ~ change. 눈에 띄는 변화는 없었다. **2** 주목할 만한; 현저한. **3** 지켜야 할《규칙 · 관습 등》. ㊕ **-bly** *ad.* **~·ness** *n.*

***ob·serv·ance** [əbzə́ːrvəns] *n.* **1** Ⓤ (법률 ·

규칙·관습 따위의) **준수**, 지킴, 준봉: the ~ *of* the Sabbath 안식일 엄수/strict ~ *of* the rules 규칙의 엄수. **2** Ⓒ (지켜야 할) 습관, 관례. **3** Ⓒ (흔히 *pl.*) (관례대로의) 의식 (거행); 〖종교〗 식전, 제전. **4** Ⓤ 《美》 관찰, 관측(observation).

◇**ob·serv·ant** [əbzə́ːrvənt] *a.* **1** 관찰력이 예리한, 주의 깊은. **2** Ⓟ 금방 알아차리는, 눈치빠른《**of** …을》. **3** Ⓟ 준수〔엄수〕하는《**of** …을》: ~ *of* the traffic rules 교통 규칙을 지키는. ㊞ **~·ly** *ad.*

ob·ser·va·tion [àbzərvéiʃən/ɔ̀b-] *n.* **1** Ⓤ (구체적으로는 Ⓒ) **관찰**, **주목**, 주시: escape a person's ~ 아무의 눈에 띄지 않다/come 〔fall〕 under a person's ~ 아무의 눈에 띄다/keep ~ on 〔upon〕 …을 주시하다. **2** Ⓤ (구체적으로는 Ⓒ) (과학상의) 관측; 〖항해〗 천체 관측; 〖군사〗 감시, 정찰: an ~ aircraft 관측〔정찰〕기/make ~*s of* the sun 태양을 관측하다. **3** Ⓤ **관찰력**: a man of no ~ 관찰력이 없는 사람. **4** Ⓒ (흔히 *pl.*) 관찰〔관측〕 결과; 관측〔관찰〕 보고: his ~*s* on the life of the savages 야만인의 생태에 관한 관찰 기록. **5** Ⓒ (관찰에 의거한) **의견**, **발언**, 평(評)《**on, about** …에 관한/**that**》: one's personal ~ 개인적인 의견/make an ~ *on* 〔*about*〕 …에 관하여 소견을 말하다/She was correct in her ~ *that* the man was an impostor. 그 남자는 사기꾼이라고 말한 그녀의 말이 옳았다. SYN. ⇨REMARK. ◇observe *v.*

***take an* ~** 〖항해〗 (위치를 알기 위해) 천체를 관측하다. ***under* ~** 관찰〔감시〕 중의, 감시〔관찰〕되어: The suspect was *under* ~ by the police. 용의자는 경찰의 감시하에 있었다.

òb·ser·vá·tion·al [-ʃənəl] *a.* **1** 관찰〔관측, 감시〕의; 관찰〔관측〕에 근거한, 실측적인. **2** 관찰〔관측, 감시〕용의.

observátion ballóon 관측 기구.

observátion càr 《美》 〖철도〗 전망차.

observátion pòst 〖군사〗 감시 초소, (포격을 지휘하는) 관측소《생략: O.P.》.

◇**ob·serv·a·to·ry** [əbzə́ːrvətɔ̀ːri/-təri] *n.* Ⓒ **1** 천문〔기상, 관상〕대, 측후소; 관측소: an astronomical 〔a meteorological〕 ~ 천문〔기상〕대. **2** 전망대; 망대, 감시소.

ob·serve [əbzə́ːrv] *vt.* **1** (법률·풍습·규정·시간 따위)를 **지키다**, 따르다, 준수하다: ~ laws 법률을 준수하다/~ the traffic regulations 교통 법규를 지키다. **2** (명절·축일 따위)를 축하하다, 쇠다《관습·규정에 의해》; (의식·제식)을 거행하다, 올리다: ~ Christmas 크리스마스를 축하하다. **3** (행위 등)을 유지하다, 계속하다: ~ care 주의하다/~ silence 침묵을 지키다. **4** 《~+목/+목+*do*/+목+*-ing*/+*wh.* 절/+*wh.*+*to* do》 **관찰하다**, 관측하다, 잘 보다; 주시〔주목〕하다; 감시하다: ~ an eclipse 일식〔월식〕을 관측하다/~ a person *do*(*ing*) his duty 아무가 의무를 다하도록 감독하다/*Observe how* I do this 〔*how to* do this〕. 어떻게 하는지 잘 보아라. **5** 《~+목/+목+*do*/+목+*-ing*/+*that* 절》 보다, 목격하다; (관찰에 의하여) **인지(認知)하다**, 알아차리다: I ~*d* nothing queer in his behavior. 그의 행동에 이상한 데는 없었다/He ~*d* the thief *open*(*ing*) the lock of the door. 그는 도둑이 문의 자물쇠를 여는 것을 봤다/I ~*d that* he became very pale. 그가 새파랗게 질렸음을 알아차렸다. **6** 《~+목/+*that* 절》 (소견)을 **진술하다**, 말하다: He ~*d that* the plan would work well. 그 계획은 잘되어 갈 것이라고 그가 말했다.

—*vi.* **1** 관찰〔관측〕하다; 주시하다; (잘) 보다: ~ closely 자세히 관찰〔관측〕하다/~ carefully 주의깊게 보다. **2** 《+전+명》 소견을 말하다, 강평하다《**on, upon** …에 관하여》: No one ~*d on* 〔*upon*〕 that. 그 일에 의견을 말하는 사람이 없었다. **3** observer로서 참석하다.

***ob·serv·er** [əbzə́ːrvər] *n.* Ⓒ **1 관찰자**; 관측자; 감시자: an astronomical ~ 천체 관측자. **2** 입회인; 옵서버《회의에 배석은 하나 투표권이 없는》; 참관자, 방청인. **3** 준수자: an ~ *of* the Sabbath 안식일을 지키는 사람.

ob·sérv·ing *a.* 주의 깊은, 방심하지 않는; 관찰력이 예민한. ㊞ **~·ly** *ad.*

ob·sess [əbsés] *vt.* (귀신·망상 따위가 아무)를 사로잡다; 괴롭히다《★ 보통 수동태로 쓰며, 전치사는 *by, with*》: She *was* ~*ed by* 〔*with*〕 jealousy. 그녀는 질투심에 사로잡혔다.

◇**ob·ses·sion** [əbséʃən] *n.* **1** Ⓤ 사로잡힘《**about, with** (귀신·망상·공포 관념 따위)에》: be under an ~ of …에 사로잡히다/Her ~ *with* comics began years ago. 그녀가 만화에 빠져들기 시작한 것은 수년 전부터였다. **2** Ⓒ 망상, 강박관념, 집념《**about, with** …에 대한/**that**》: He has an ~ *about* failing. 그는 실패하지 않을까 하는 강박관념에 사로잡혀 있다/have an ~ *that*... …이라는 망상을 품고 있다.

ob·ses·sion·al [əbséʃənəl] *a.* **1 a** 강박관념〔망상〕을 일으키는. **b** Ⓟ 망상을 품은, 강박관념에 사로잡힌, 집념을 가진《**about** …에 대하여》: He's ~ *about* tidiness. 그는 비정상적일 만큼 청결을 좋아한다. **2** (병이) 강박관념을 수반하는: an ~ neurosis 강박 신경증.

obséssional·ly [-ʃənəli] *ad.* 이상할 만큼, 끈질기게.

ob·ses·sive [əbsésiv] *a.* **1** (관념 따위가) 붙어 떨어지지 않는, 비정상일 정도의, 끈질긴. **2** Ⓟ 사로잡힌, 집념을 가진《**about** …에》: He's ~ *about* winning. 그는 이기는 데 집착해 있다. **3** 강박관념의〔을 일으키는〕. **—***n.* Ⓒ 망상〔강박관념〕에 사로잡힌 사람. ㊞ **~·ly** *ad.*

ob·sid·i·an [əbsídiən] *n.* Ⓤ (낱개는 Ⓒ) 〖광물〗 흑요석(黑曜石): ~ dating 〖지질〗 흑요석 연대 측정법.

ob·so·les·cence [àbsəlésəns/ɔ̀b-] *n.* Ⓤ **1** 노폐(화), 노후(화), 쇠미. **2** 〖생물〗 (기관의) 위축, 퇴화.

ob·so·les·cent [àbsəlésənt/ɔ̀b-] *a.* **1** 쇠퇴해 가고 있는: This technology is ~. 이 기술은 쇠퇴해 가고 있다. **2** 〖생물〗 퇴행성의, 퇴화한.

◇**ob·so·lete** [àbsəlìːt, ⌐-⌐/ɔ́bsəlìːt] *a.* **1** 쓸모없이〔못쓰게〕 된, 폐물이 된: an ~ word 폐어/~ equipment 노후 설비. **2** 시대에 뒤진, 진부한, 구식의. **3** 〖생물〗 퇴화한, 흔적뿐인. ㊞ **~·ly** *ad.* 시대에 뒤져; 폐어로서.

***ob·sta·cle** [ábstəkəl/ɔ́b-] *n.* Ⓒ **장애(물)**, 방해(물)《**to** …에 대한》: an ~ *to* progress 진보를 막는 것/encounter 〔meet with〕 ~*s* 장애물을 만나다.

óbstacle còurse 1 〖군사〗 장애물 통과 훈련장〔과정〕. **2** 장애가 많은 장소〔경우〕.

óbstacle ràce 장애물 경주.

ob·stet·ric, -ri·cal [əbstétrik], [-kəl] *a.* 산과(産科)의; 조산(助産)의; 산과학(學)의: an *obstetric* nurse 산과 간호사. ㊞ **-ri·cal·ly** *ad.*

ob·ste·tri·cian [àbstətríʃən/ɔ̀b-] *n.* Ⓒ 산과의(産科醫).

ob·stét·rics *n.* Ⓤ 산과학(産科學).

***ob·sti·na·cy** [ábstənəsi/ɔ́b-] *n.* **1** Ⓤ **완고,** 강퍅; 고집, 끈질김; Ⓒ 완고한 언행〔태도〕: with ~ 완강히, 끈질기게. **2** Ⓤ (해악 · 병 따위의) 뿌리 깊음, 고치기 힘듦. ◇ obstinate *a.*

***ob·sti·nate** [ábstənit/ɔ́b-] *a.* **1** (태도 따위가) 완고한, 고집 센, 강퍅한, 끈질긴; (저항 따위가) 완강한: an ~ child 고집센 아이 / ~ resistance to …에 대한 완강한 저항.

SYN. **obstinate** 논의나 설득을 배제하고 자기의 의견 · 방침을 고집함으로써 '완고한'. **stubborn** 목적 · 방침 · 상태의 변화에 강력히 저항하여 '완강한'.

2 (병 · 해악 따위가) 고치기 힘든, 다루기 힘든; (얼룩 따위가) 잘 지워지지 않는: an ~ cough 〔rash〕 잘 낫지 않는 기침〔부스럼〕. ***as ~ as a mule*** 몹시 고집불통인. ◇ obstinacy *n.* ㊕ **~·ly** *ad.*

ob·strep·er·ous [əbstrépərəs] *a.* 시끄럽게 떠드는; 날뛰는, 난폭한, 귀찮은, 제어할 수 없는. ㊕ **~·ly** *ad.* **~·ness** *n.*

ob·struct** [əbstrʌ́kt] *vt.* **1** (길 · 입구 따위)를 **막다; 차단하다:** Fallen trees ~ a road 쓰러진 나무들이 길을 가로막고 있다. **2** (일의 진행 · 활동 따위)를 **방해하다**(hinder): ~ a bill 법안 통과를 방해하다 / The crowd *~ed* the police in the discharge of their duties. 군중이 경찰관의 직무 집행을 방해했다. **3** (전망 · 광선 따위)를 가리다: The new building will ~ the view. 새 건물이 경관을 가릴 것이다. **—vi.* 방해하다. ◇ obstruction *n.*

㊕ **~·er, ob·strúc·tor** *n.* Ⓒ 방해자〔물〕.

°**ob·struc·tion** [əbstrʌ́kʃən] *n.* **1** Ⓤ 폐색(閉塞), 차단, 방해; 장애, 지장; 의사 방해《특히 의회의》; 〖의학〗 폐색(증): an ~ in a pipe / intestinal ~ 장폐색. **2** Ⓒ 장애물, 방해물. **3** Ⓤ (구체적으로는 Ⓒ) 〖스포츠〗 오브스트럭션《반칙인 방해 행위》. ◇ obstruct *v.* ㊕ **~·ism** *n.* Ⓤ 의사 진행 방해. **~·ist** *n.* Ⓒ 의사 진행 방해자.

ob·struc·tive [əbstrʌ́ktiv] *a.* 방해하는, 방해되는《*to* …에》: be ~ *to* the progress of …의 진행에 방행가 되는. **—***n.* Ⓒ 방해〔장애〕물; (의사) 방해자. ㊕ **~·ly** *ad.* **~·ness** *n.*

‡**ob·tain** [əbtéin] *vt.* **1** 《~+목/+목+전+명》 **얻다, 손에 넣다, 획득하다**《*from* …에서; *through* …을 통해서》: ~ permission 허가를 얻다 / ~ a prize 상을 타다 / ~ sugar *from* sugarcane 사탕수수에서 설탕을 얻는다 / Knowledge may be *~ed through* study. 지식은 학습을 통해서 얻어진다. **2** 《+목+목/+목+전+명》 (명성 · 지위 등)을 얻게 하다《*for* (아무)에게》: His work *~ed* him great fame. =His work *~ed* great fame *for* him. 그 연구로 그는 명성을 얻었다. SYN. ⇨ GET.

—*vi.* (관습 · 제도 등이) (널리) 행해지다, 유행하다, 통용되다: The custom still *~s* in some districts. 그 풍습은 곳에 따라 아직도 행해지고 있다 / This view has *~ed* for many years. 이 견해는 여러 해 동안 통용되고 있다. ㊕ °**~·a·ble** *a.* 얻을 수 있는, 손에 넣을 수 있는.

ob·trude [əbtrúːd] *vt.* **1 a** (생각 · 의견 따위)를 강요〔강제〕하다, 억지쓰다《*on, upon* (아무)에게》: Don't ~ your opinions *on* 〔*upon*〕 others. 자기의 의견을 타인에게 강요하지 마라. **b** 〖~ oneself〗 (주제 넘게) 참견하다《*on, upon* …에》: He's always *obtruding* him*self on* us. 그는 우리 일에 항상 참견한다. **2** (물건 따위)를 불쑥 내밀다. **—***vi.* 주제넘게 나서다, 중뿔나다《*on, upon* …에》: I'm sorry to ~ (*on* you) at such a time. 이런 시간에 찾아와 미안합니다. ㊕ **-trúd·er** *n.*

ob·tru·sion [əbtrúːʒən] *n.* **1** Ⓤ (의견 따위의) 강요, 강제; 중뿔남. **2** Ⓒ 강요 행위, 주제넘은 참견.

ob·tru·sive [əbtrúːsiv] *a.* **1** 강요하는, 주제넘게 참견하는, 중뿔나게 구는. **2** 눈에 거슬리는. ㊕ **~·ly** *ad.* **~·ness** *n.*

ob·tuse [əbtjúːs] *a.* **1** 둔한, 무딘, 끝이 뭉툭한; 〖수학〗 둔각의(↔ *acute*): an ~ angle 둔각. **2** 머리가 둔한, 우둔한, 둔감한: be ~ in understanding 이해가 더디다 / an ~ pain 둔통(鈍痛). ㊕ **~·ly** *ad.* **~·ness** *n.*

ob·verse [ábvəːrs/ɔ́b-] *n.* (the ~) **1** 거죽, 겉, (화폐 · 메달 등의) 표면(↔ *reverse, verso*); 앞면(↔ *back*). **2** 대응(對應)하는 것, 반대의 것: The ~ of peace is war. 평화의 반대는 전쟁이다.

°**ob·vi·ate** [ábvièit/ɔ́b-] *vt.* (위험 · 곤란 따위)를 없애다, 제거하다; 회피하다, 미연에 방지하다: ~ danger 위험을 피하다. ㊕ **òb·vi·á·tion** *n.* Ⓤ 제거; 회피.

‡**ob·vi·ous** [ábviəs/ɔ́b-] *a.* **1 명백한,** 명확한, 명료한: an ~ drawback 명백한 약점. SYN. ⇨ CLEAR, EVIDENT. **2** (감정 · 농담 따위가) 속이 들여다뵈는, 빤한: one's ~ joke 조심성 없는 농담. **3** 알기〔이해하기〕 쉬운, 금세 알 수 있는: an ~ meaning. ㊕ **~·ness** *n.*

***ób·vi·ous·ly** *ad.* 〖문장 전체를 수식하여〗 **명백히,** 두드러지게: *Obviously*, you don't understand me. 분명히, 너는 내 말을 이해하지 못한다.

oc- [ɑk, ək/ɔk, ək] *pref.* =OB-《c 앞에서: *occasion*》.

Oc., oc. ocean.

oc·a·ri·na [ɑ̀kəríːnə/ɔ̀k-] *n.* Ⓒ 오카리나(sweet potato)《도기(陶器)〔금속제〕의 고구마형 피리》.

‡**oc·ca·sion** [əkéiʒən] *n.* **1** Ⓒ 〖보통 on ... ~ 의 형태로〗 (특정한) **경우, 때,** 시(時); 일: *on* this happy 〔sad〕 ~ 이토록 기쁜〔슬픈〕 때에 / *on* one ~ 일찍이, 어느 때 / *on* several *~s* 몇 번이나, 여러 번.

2 (*sing.*) **기회, 호기**(好機)《*for* …을 위한 / *to* do》, 알맞은 때: This is not an ~ *for* laughter. 지금은 웃을 때가 아니다 / I have never had an ~ *to* meet him. 이때까지 그를 만날 기회가 한 번도 없었다. SYN. ⇨ OPPORTUNITY.

3 Ⓒ 중요한 때, 경사스러운 때; 축전(祝典), **행사,** 의식(儀式): on great *~s* 대축제일에 / celebrate the ~ 경사스런 날을 축하하다 / Those may be the wrong clothes for the ~. 그 복장은 그 행사에 맞지 않는 것 같습니다 / You're awfully dressed up. What's the ~? — Mary's giving a dinner party. 자네 잘 차려 입었군. 무슨 행사라도 있나 — 메리가 디너 파티를 연다네.

4 Ⓤ 유인(誘因), 계기《*of* …의》; (직접적인) **이유;** 원인, 근거《*for* …의 / *to* do》: the ~ *of* an accident 사고의 계기 / There is no ~ *for* her *to* get excited. 그녀가 흥분할 이유는 없다 / Is there any ~ *for* anxiety? 무슨 걱정거리라도 있습니까.

be equal to the ~ 제때에 훌륭히 일을 해내다,

O

임기응변으로 처리하다. **give ~ to** …을 일으키다〔야기하다〕: The tax hike *gave* ~ *to* much grumbling. 증세(增稅)는 많은 불만을 야기했다. **(have) a sense of ~** 때와 장소를 분별할 수 있는 양식(이 있다). **if the ~ arises** 필요하다면. **in honor of the ~** 축하의 뜻을 표하기 위해. **on all ~s** 〔**every ~**〕 모든 경우에. **on ~** 이따금; 때에 따라서(occasionally); 필요한 때는 언제라도: He shows remark ability *on* ~. 그는 필요한 때면 훌륭한 능력을 발휘한다. **on the first ~** 기회 있는 대로; 가급적 빨리: I'll contact him *on the first* ~. 가급적 빨리 그에게 연락을 취하겠습니다. **on the ~ of** …에 즈음하여, …이 필요한 때에: *on the* ~ *of* her wedding 그녀의 결혼식에 즈음하여. **rise to the ~** 난국에 잘〔훌륭히〕 대처하다, 위기에 처하여 수완을 발휘하다; 임기응변의 조치를 취하다. **take** 〔**seize**〕 **the ~ to** do 기회를 틈타〔이용하여〕 …하다: I'd like to *take* this ~ *to* thank you all. 이 기회에 여러분 모두에게 감사드리고 싶습니다.

—*vt.* **1 a** 《~+목/+목+목/+목+전+명》 (걱정 등)을 끼치다《**to** (아무)에게》: ~ a person great anxiety 아무에게 큰 걱정을 끼치다 / Our son's behavior ~*ed* much anxiety *to* us. 아들의 처신이 우리를 몹시 걱정스럽게 했다. **b** 《+목+*to* do》 (아무)에게 …시키다: The aggression ~*ed* them *to* take arms. 그 침략 행위가 그들로 하여금 무기를 들게 했다. **2** …을 야기시키다, …의 원인이 되다: ~ riot 폭동을 일으키다 / It was this remark that ~*ed* the quarrel. 말다툼이 생긴 것은 이 말이 원인이 되었다.

***oc·ca·sion·al** [əkéiʒənəl] *a.* Ⓐ **1 이따금씩의**, 때때로의: an ~ visitor 가끔 오는 손님 / fine except for ~ rain 맑고 때때로 비. **2 임시의**, 예비의: an ~ hand 임시 사무원, 임시공 / an ~ table 〔chair〕 (필요할 때만 쓰는) 예비 책상〔의자〕. **3** 특별한 경우를 위한《시·음악 따위》: ~ decrees 임시 (특별) 법령 / ~ verses (특별한 경우를 위한) 기념시.

⁑**oc·cá·sion·al·ly** *ad.* 이따금, 가끔, 왕왕; 임시로: I go there ~. 가끔 그곳에 간다.

◇**Oc·ci·dent** [áksədənt/ɔ́k-] *n.* (the ~) 서양, 서구, 구미; 서양 문명; 서유럽 제국; 서반구. ↔ *Orient.*

◇**Oc·ci·den·tal** [àksədéntl /ɔ̀k-] *a.* 서양(제국)의, 서양인의, 서방의. ↔ *Oriental.* ¶ ~ civilization 서양 문명. **—***n.* Ⓒ 서양 사람. ㊞ **~·ly** *ad.* 서양적으로.

oc·clude [əklúːd/ɔk-] *vt.* **1** (통로·구멍·틈새 따위)를 막다. **2** 〖화학〗 (고체가 기체)를 흡장(吸藏)하다; 〖기상〗 폐색하다. **—***vi.* 〖치과〗 (아래윗니가) 잘 맞물다.

occlúded frónt 〖기상〗 폐색 전선.

oc·clu·sion [əklúːʒən/ɔk-] *n.* Ⓤ 폐색, 폐쇄; 차단; 〖화학〗 흡장(吸藏); 〖치과〗 (아래윗니의) 맞물림, 교합(咬合); 〖기상〗 폐색 (전선); 〖음성〗 폐쇄.

oc·clu·sive [əklúːsiv/ɔk-] *a.* 폐색시키는, 폐색 작용의.

oc·cult [əkʌ́lt, ákʌlt/ɔkʌ́lt] *a.* 신비로운, 불가사의한; 초자연적인, 마술적인: ~ arts 비술(秘術)《연금술·점성술 따위》/ (the) ~ sciences 비학《점성술 따위》.

—*n.* (the ~) 비학(秘學), 오컬트; 신비, 신비로운 사상(事象).

oc·cult·ism [əkʌ́ltizəm/ɔk-] *n.* Ⓤ 신비주의〔학, 론, 요법, 연구〕《점성술·강신술(降神術) 따위의》, 비밀교. ㊞ **-ist** *n.* Ⓒ 비밀교 신봉자; 신비학자, 비술자.

oc·cu·pan·cy [ákjəpənsi/ɔ́k-] *n.* **1** Ⓤ 점유, 점령. **2** Ⓒ 점유 기간〔건물〕.

◇**oc·cu·pant** [ákjəpənt/ɔ́k-] *n.* Ⓒ **1** 점유자; 거주자; 〖법률〗 선점자(先占者), 점거자. **2** (탈것 등의) 탑승자; (방 등에) 들어 있는 사람: Two of the ~s of the hotel were injured. 호텔에 든 두 사람이 부상당했다.

⁑**oc·cu·pa·tion** [àkjəpéiʃən/ɔ̀k-] *n.* **1** Ⓒ **직업** (vocation), 업무; 일: He has no steady ~. 그는 일정한 직업이 없다 / His ~ is farming. =He is a farmer by ~. 그의 직업은 농업이다《★ by ~은 관사 없이》/ Please write down your name, address and ~. 귀하의 성명·주소와 직업을 써 주시오 / "What is your ~?"—"I'm a doctor." 「직업이 무엇입니까」「의사입니다」.

SYN. **occupation** 규칙적으로 종사하고 그것을 위해 훈련을 받는 직업. **profession** 변호사·의사·교사 등과 같이 전문적인 지식을 필요로 하는 직업. **business** 실업·상업 관계의 영리를 목적으로 하는 직업. **job** 직업을 의미하는 가장 일반적인 말.

2 Ⓒ 소일거리, 종사하는 활동: Knitting is my favorite ~. 뜨개질이 내가 좋아하는 소일거리다.
3 Ⓤ (토지 등의) **점유**, Ⓒ 점유 기간: an ~ bridge 사설 전용 교량.
4 Ⓤ (가옥 등의) 거주; Ⓒ 거주 기간: No one is yet in ~ of the house. 그 집에는 아직 아무도 살고 있지 않다.
5 Ⓤ (직업·직위 등의) 종사, 취업, 취임; Ⓒ 임기, 재직 기간: during his ~ of the Presidency 그의 대통령 임기 중에.
6 Ⓤ **점령**, 점거; Ⓒ 점령 기간: an army of ~ =~ troops 점령군. ◇ occupy *v.*

oc·cu·pa·tion·al [àkjəpéiʃənəl/ɔ̀k-] *a.* Ⓐ 직업(상)의, 직업 때문에 일어나는: an ~ disease 직업병 / an ~ hazard 직업상의 위험. ㊞ **~·ly** *ad.*

occupátional thérapy 작업 요법《적당한 가벼운 일을 주어서 정신·신체 장애의 회복을 꾀하는 요법》.

óc·cu·pied *a.* **1** 점령〔점거〕된. **2** (좌석·화장실 등이) 사람이 차 있는: "Occupied" 사용중《화장실·욕실 등의 표시》. **3** Ⓟ 종사하는《**in, with** …에》《★ doing의 앞에서는 in이 일반적이며 in을 생략할 수도 있음》: He's ~ (*in*) writing a novel. 그는 소설을 집필 중이다.

⁑**oc·cu·py** [ákjəpài/ɔ́k-] *vt.* **1** (장소 따위)를 **차지하다**; (시간)을 요하다: The building *occupies* an entire block. 건물은 한 블록 전체를 차지하고 있다.
2 점령〔점거〕하다, 영유하다: The army *occupied* the fortress. 군대는 그 요새를 점령했다.
3 a (거주자·소유자로서) …에 거주하다; …을 차용하다: The building is *occupied*. 그 건물에는 사람이 살고 있다. **b** (방·화장실 따위)를 사용하다; (자리)를 차지하다: The store *occupies* the entire building. 그 상점은 건물 전체를 사용하고 있다.
4 (지위)를 차지하다, (직)에 있다: ~ an important position 중요한 직위를 차지하다 / ~ a high position 높은 자리에 있다.
5 (마음)을 사로잡다; (주의)를 끌다: Golf has

occupied his mind. 그는 골프에 미쳤다.
6 (시간 · 날 등)을 소비하다: The ceremony *occupied* three hours. 식은 세 시간 걸렸다/The journey there *occupied* three hours. 거기까지 여행하는 데 세 시간 걸렸다.
7 ⦅+[목]+[전]+[명]⦆ 〖보통 수동태〗 종사하다⦅*in, with* …에⦆⦅★ 또 과거분사로 형용사적으로 쓰임⦆: ~ one*self in* physical work 육체노동에 종사하다.
[파] **-pi·er** [-ər] *n.* [C] 점유자; 거주〔차가〕인; 점령군의 일원.

‡oc·cur [əkə́ːr] (*-rr-*) *vi.* **1** ⦅~/+[전]+[명]⦆ (사건 따위가) **일어나다, 생기다**⦅*to* …에게⦆. [cf.] befall. ¶if anything should ~ 만약 어떤 일이 생긴다면; 만일의 경우에는/When did the accident ~? 사고가 언제 일어났는가/An accident ~*red to* him. 그에게 사고가 생겼다. [SYN.] ⇨ HAPPEN.
2 ⦅+[전]+[명]⦆ 나타나다, 나오다; 눈에 띄게 되다; 존재하다⦅*in, on* …에⦆: This word ~*s* twice *in* the first chapter. 이 말은 제1장에 두 번 나온다/The plant ~*s* only *in* Korea. 그 식물은 한국에만 있다.
3 ⦅+[전]+[명]⦆ 〖종종 It ~*s* …*to* do, It ~*s* …*that* 꼴로〗 **떠오르다**, 생각이 나다⦅*to* (아무)에게⦆. [cf.] strike.¶A happy 〔bright〕 idea ~*red to* me. 명안〔묘안〕이 떠올랐다/Didn't *it* ~ *to* you *to* lock the door? 문을 잠가야 한다는 생각은 나지 않았습니까/*It* never *occurred to* him *that* she would be so displeased. 그녀가 그토록 불쾌했으리라고는 그로서는 생각조차 못했다.

***oc·cur·rence** [əkə́ːrəns, əkʌ́r-] *n.* **1** [C] **사건**, 생긴 일: unexpected ~*s* 뜻밖의 사건/a happy ~ 경사. **2** [U] 〖종종 수식어를 수반하여〗 (사건의) **발생**, 일어남: an accident of frequent ~ 자주 발생하는 사건/Earthquakes are of rare ~ in Britain. 지진은 영국에서는 좀처럼 발생하지 않는다.

‡ocean [óuʃən] *n.* **1 a** [U] (보통 the ~) **대양**, 해양: a boundless expanse of ~ 끝없이 펼쳐진 대양⦅★ of ~은 관사 없이⦆. **b** (the … O-) …양⦅5대양의 하나⦆: the Pacific 〔Atlantic, Indian〕 *Ocean* 태평〔대서, 인도〕양. **c** (the ~) ⦅美⦆ 바다(sea): go swimming in the ~ 해수욕하러 가다.
2 a (an ~) 끝없이 넓음; (…의) 바다: an ~ *of* grass 드넓은 초원/an ~ *of* pale moonlight 온통 내리비치는 어스름 달빛. **b** (*pl.*) ⦅구어⦆ 막대한 양, 많음⦅*of* …의⦆: ~*s of* money 막대한 돈/They drank ~*s of* beer. 그들은 맥주를 듬뿍 마셨다. ***be tossed on an ~ of doubts*** 오리무중 속을 헤매다.

ocea·nar·i·um [òuʃənɛ́əriəm] (*pl.* **~s, -nar·ia** [-riə]) *n.* [C] 해양 수족관.

ócean engìneering 해양 공학.

ócean·gòing *a.* (선박이) 외양〔원양〕 항행의.

Oce·an·ia [òuʃiǽniə, -áːniə] *n.* 오세아니아주, 대양주⦅오스트레일리아와 그 주변의 섬⦆. [파] **-i·an** *a., n.* [C] 오세아니아의 (사람〔주민〕).

oce·an·ic [òuʃiǽnik] *a.* **1** 대양의, 대해의; 대양산(産)의, 원해(遠海)에 사는; (기후가) 해양성의: an ~ climate 해양성 기후⦅연간 기온의 변화가 적고 온화하며 강우량이 많음⦆. **2** (대양처럼) 광대한; 막대한. **3** (O-) 대양주의.

Oce·a·nid [ousíːənid] (*pl.* **~s, Oce·an·i·des** [òusiǽnədìːz]) *n.* [C] 〖그리스신화〗 대양의 여정(女精)〔님프〕⦅Oceanus 의 딸⦆.

ocea·nog·ra·pher [òuʃiənágrəfər/-nɔ́g-] *n.* [C] 해양학자.

ocea·nog·ra·phy [òuʃiənágrəfi/-nɔ́g-] *n.* [U] 해양학. [파] **-no·graph·ic, -i·cal** [òuʃənəgrǽfik], [-əl] *a.*

Oce·a·nus [ousíːənəs] *n.* 〖그리스신화〗 오케아노스⦅대양의 신; 천신 Uranus 와 지신 Gaea 의 아들⦆.

ocel·lus [ouséləs] (*pl.* **-li** [-lai]) *n.* [C] 〖동물〗 (곤충의) 홑눈; 눈알처럼 생긴 무늬⦅나비 · 공작의 깃 따위의⦆.

oce·lot [óusəlàt, ás-/óusəlɔ̀t] *n.* [C] 〖동물〗 표범 비슷한 스라소니⦅라틴 아메리카산⦆.

ocher, ⦅英⦆ **ochre** [óukər] *n.* [U] **1** 황토(黃土), 석간주(石間硃)⦅그림물감의 원료⦆. **2** 황토색(yellow ~), 오커. [파] **ocher·ous** [óukərəs] *a.* 황토의; 황토를 함유한; 황토색의.

ochre *n.* ⇨OCHER.

-ock [ək, ɑk/ək, ɔk] *suf.* '작은 …'의 뜻: hill*ock*.

†o'clock [əklák/əklɔ́k] *ad.* **1** …**시**(時): at two ~, 2시에/It's two ~. 지금 두 시다/from two ~ to three, 2시에서 3시에 (걸쳐)/the Nine O'clock News, 9시 뉴스. [SYN.] ⇨TIME.

> [NOTE] (1) dine at two (2시에 점심을 먹다)처럼 오해의 우려가 없는 경우에는 생략할 수 있음; '…시 …분'으로 분까지 말할 때는 o'clock는 쓰지 않음: It's ten (minutes) past eight. 8시 10분이다/It's half past six. 6시 반이다/It's four minutes before 〔to, of〕 five. 5시 4분 전이다.
> (2) the 8:00 express (8시 급행열차)는 the eight o'clock express라고 읽고, the 10:20 express는 the ten-twenty express라고 읽음.

2 〖목표의 위치 · 방향을 시계 문자반 위에 있다고 간주하여〗 …**시 방향**: a plane flying at nine ~, 9시 방향을 나는 비행기. ***know what ~ it is*** 만사를 이해하고 있다. ***like one ~*** ⦅구어⦆ 활발히, 빨리. [◂*of* the *clock*]

OCR 〖컴퓨터〗 optical character reader 〔recognition〕 (광학 문자 판독기). **Oct.** October.

oct. octavo.

oct- [ɑkt/ɔkt], **oc·ta-** [áktə/ɔ́k-] '8'의 뜻의 결합사.

oc·ta·gon [áktəgàn, -gən/ɔ́ktəgən] *n.* [C] **1** 〖수학〗 8변형; 8각형. **2** 팔각당(堂)〔정, 탑〕.

oc·tag·o·nal [ɑktǽgənl/ɔk-] *a.* 8변형의, 8각형의. [파] **~·ly** *ad.*

oc·ta·he·dral [àktəhíːdrəl/ɔ̀k-] *a.* 8면이 있는, 8면체의.

oc·ta·he·dron [àktəhíːdrən/ɔ̀k-] (*pl.* **~s, -dra** [-drə]) *n.* [C] 8면체; 정(正)팔면체의 것〔결정체〕: a regular ~ 정 8면체.

oc·tam·e·ter [ɑktǽmitər/ɔk-] 〖운율〗 *a., n.* [C] 팔보격(八步格)의 (시).

oc·tane [áktein/ɔ́k-] *n.* [U] 〖화학〗 옥탄⦅석유 중의 무색 액체 탄화수소⦆.

óctane nùmber 〔**ràting**〕 〖화학〗 옥탄가.

oc·tant [áktənt/ɔ́k-] *n.* [C] 팔분원(八分圓)⦅중심각 45도의 호(弧)⦆; 〖항해 · 항공〗 팔분의(八分儀).

°oc·tave [áktiv, -teiv/ɔ́k-] *n.* [C] **1** 〖음악〗 옥타브, 8도음정; 옥타브의 8개의 음; (어떤 음으로부터 세어) 제8음; 옥타브 화음. **2** 〖운율〗 8행 연구(聯句)(octet)⦅sonnet 의 처음의 8행⦆.

O

oc·ta·vo [ɑktéivou/ɔk-] (*pl.* **~s**) *n.* Ⓤ 8절판(折版), 옥타보판(版)《보통 15.3×24cm; 생략: 8 vo, 8°, oct.》; Ⓒ 8절판의 책〔종이〕《생략: O., o., oct., 8vo; 기호: 8°》. ⓒⓕ folio. ¶crown ~ 사륙판(四六判) / medium ~ 국판(菊判). **—***a.* 8절판의.

oc·tet(te) [ɑktét/ɔk-] *n.* Ⓒ **1** 〖음악〗 8중창(重唱), 8중주(奏); 8중창단, 8중주단. **2** 〖운율〗 8행 연구(聯句)(octave)《sonnet (14행 시)의 처음의 8행》, 8행의 시. **3** 8개 한 벌의 물건, 8명으로 구성된 1조.

oc·to- [áktou, -tə/ɔ́k-] =OCT(A)-.

†**Oc·to·ber** [ɑktóubər/ɔk-] *n.* **10월**《생략: Oct.》: in ~ 10월에 / on ~ 6 =on 6 ~ =on the 6th of ~, 10월 6일에.

oc·to·ge·nar·i·an [àktədʒənέəriən/ɔ̀ktə-] *a., n.* Ⓒ 80세의 (사람); 80대의 (사람).

◇**oc·to·pus** [áktəpəs/ɔ́k-] (*pl.* **~·es, -pi** [-pài], ***oc·top·o·des*** [ɑktápədì:z/ɔktɔ́-]) *n.* **1 a** Ⓒ 〖동물〗 낙지; 〖일반적〗 팔각목(八脚目)의 동물. **b** Ⓤ (식용으로서의) 낙지(의 살). **2** Ⓒ 여러 면에 (유해한) 세력을 떨치는 사람〔단체〕.

oc·to·roon [àktərú:n/ɔ̀k-] *n.* Ⓒ (흑인의 피를 1/8 받은) 흑백 혼혈아. ⓒⓕ mulatto, quadroon.

òcto·syllábic *a.* 8음절의《시구》.

ócto·sỳllable *n.* Ⓒ 8음절어(語)〔시구〕.

oc·u·lar [ákjələr/ɔ́k-] *a.* Ⓐ 눈의; 눈에 의한, 시각의: an ~ witness 목격자 / the ~ proof 〔demonstration〕 눈에 보이는 증거. **—***n.* Ⓒ 접안 렌즈; 눈. ㊞ **~·ist** *n.* Ⓒ 의안(義眼) 제조자. **~·ly** *ad.*

oc·u·list [ákjəlist/ɔ́k-] *n.* Ⓒ 안과 의사; 검안사(檢眼士).

OD, O.D. [òudí:] (*pl.* **~s, ~'s**)《美속어》*n.* Ⓒ (마약 따위의) 과용(자). **—** (*p., pp.* ***OD'd, ODed; OD'ing***) *vi.* 과용하다《*on* (마약)을》, 마약의 과용으로 몸이 나빠지다〔입원하다, 죽다〕. [◂ overdose]

OD Officer of the Day. **OD, O.D.** 〖상업〗 overdraft; 〖상업〗 overdrawn. **ODA** Official Development Assistance ((선진국의 개발 도상국에 대한) 정부 개발 원조).

oda·lisque, -lisk [óudəlìsk] *n.* Ⓒ (옛날 이슬람교국의) 여자 노예; 첩《특히 터키 황제의》.

‡**odd** [ad/ɔd] *a.* **1 기수〔홀수〕의**(↔ *even*), 2로 나누어 우수리가 남는: an ~ number 홀수 / ~ months 큰달《31일이 있는 달》.

2 (어림수를 들어) …**여(餘)의**, …**남짓의**, …와 얼마의, 여분의: thirty(-)~ years, 30여 년 / a hundred-~ dollars, 100여 달러 / 15 dollars ~, 15달러 남짓, 15-16달러.

3 우수리의, 나머지의: You may keep the ~ change 〔money〕. 우수리는 그냥 넣어 두시오.

4 Ⓐ **외짝〔한 짝〕의**, 짝이 모자라는: an ~ glove 〔stocking〕 한 짝만의 장갑〔양말〕 / an ~ player 원수(員數) 외의〔대기〕 선수.

5 Ⓐ (한 세트로 된 물건이) 짝이 안 맞는, (전집물이) 낙질(落帙)인, 끄트러기의, 자투리의: ~ volumes 〔numbers〕 낙질본.

6 (일부러 준비한 것이 아니라) 마침 있는, 그러모은, 잡다한: any ~ piece of cloth 마침 가진 천 조각 / ~ pieces of information 주워 모은 정보, 잡보(雜報).

7 Ⓐ (규칙적이 아니라) **그때그때의**, 임시의, 우연한: an ~ hand《英》 임시공 / at ~ times 〔moments〕 이따금, 가끔, 틈틈이, 여가에 / ~ jobs 틈틈이 하는 일, 임시 일, 잡무.

8 Ⓐ (우연히 찾아낸 물건이) 뜻밖의, 생각지 못한: I picked up the 〔an〕 ~ bargain at this stall. 이 노점에서 뜻밖의 물건을 싼 값에 입수했다.

9 기묘한, 이상한; 유별난, 이상야릇한: an ~ young man 기묘한 젊은이 / How ~! 정말 우스꽝스럽군 / ~ in the head 머리가 이상해서〔미쳐서〕 / It's ~ you don't know it. 네가 모르다니 이상하다 / ~ choice 묘한 취미.

10 Ⓐ (장소 따위가) 궁벽한, 멀리 떨어진: in some ~ corner 어느 한 구석에.

~ *and* 〔*or*〕 *even* 홀짝《아이들의 먹국놀이의 일종》.

—*n.* Ⓒ **1** 귀〔짝〕 안 맞는 물건, 끄트러기, 자투리, 나머지. **2** 〖골프〗 **a** (상대보다) 많은 한 점. **b** 계산에 들지 않은 일타(一打)《약한 편에 핸디캡으로서 허용함》. ⓒⓕ odds.

㊞ **∠·ness** *n.* ⇨ODDITY.

ódd·bàll *n.* Ⓒ《美구어》기인(奇人), 별난 사람.

◇**odd·i·ty** [ádəti/ɔ́d-] *n.* **1** Ⓤ 기이함, 괴상함, 기묘함. **2** Ⓒ 이상〔기이〕한 사람, 괴짜; 기묘한 일〔점〕; (보통 *pl.*) 기벽, 기습(奇習).

ódd jóbber =ODD-JOBMAN.

ódd-jòb·man [-mən] (*pl.* ***-men*** [-mən]) *n.* Ⓒ 임시 고용인; 잡일꾼.

◇**ódd·ly** *ad.* **1** 기묘〔기이〕하게, 이상하게: She was ~ dressed. 그녀는 이상한 옷차림을 하고 있었다. **2** 〖문장 전체를 수식하여〗 묘한 일로, 이상하게도: *Oddly* (enough), she has forgotten her own phone number. 묘한 일이지만, 그녀는 자기 전화번호를 잊어버렸다.

ódd màn óut 1 동전을 던져서 3명 이상 중에서 1명을 뽑는 방법〔게임〕, (the ~) 그 방법으로 뽑힌 사람. **2** 한 패에서 고립된 사람, 빙퉁그러진 사람, 짝짓기에서 남은 사람, 괴짜.

ódd·ment *n.* Ⓒ (흔히 *pl.*) 남은 물건; 짝이 맞지 않는 물건; 쓸모없는 것, 잡동사니: ~*s* of food 〔information〕 잡다한 음식〔정보〕.

***odds** [adz/ɔdz] *n. pl.* **1** Ⓤ《英》〖종종 단수취급〗 **차이**, 우열의 차; **불평등**〔불균등〕(한 것): It makes no ~. 별차이가 없다; 대수롭지 않다 / make the ~ even 우열을 없애다, 비등하게 하다. **2** 우세, 승산: The ~ were against us. 형세는 우리에게 불리했다. **3** (경기 등에서 약자에게 주는) 유리한 조건, 접어주기, 핸디캡: give 〔receive〕 the ~ 핸디캡을 주다〔받다〕. **4** 가망, 가능성, 확률《*that*》: It is ~ 〔The ~ are〕 that he will come soon. 그는 아마 곧 올 것이다 / It is within the ~. 그렇게 될 것 같다 / What are the ~ *that* he'll win? 그가 이길 가능성은 얼마나 됩니까. **5** (내기에서) 상대의 돈보다 더 많이 걺, (건 돈의) 비율: at ~ of 7 to 3, 7대 3의 비율로.

against all* (*the*) ~** 곤란을 무릅쓰고. ***against longer* 〔*fearful*〕 ~** 강적에 대항하여: fight *against longer* 〔*fearful*〕 ~ 대적을 상대로 싸우다. ***be at* ~** ① 다투고 있다, 사이가 좋지 않다《with*** (아무)와; ***about, over, on*** …일로》: They *were* usually *at* ~ *over* political issues. 그들은 정치 문제로 항상 반목했다. ② 조화〔일치〕하지 않다《***with*** …와》. ***by* (*all*) ~** =***by long* ~** 아마도, 십중팔구; 분명히, 틀림없이: Dora will be the next Miss Universe *by all* ~. 도라는 틀림없이 다음번 미스 유니버스가 될 것이다. **~ *and ends*** 우수리; 잡동사니, 남은 것. ***over the***

~ 《英구어》 한도를 넘어서, (값 따위가) 보통〔예상〕보다 (…만큼) 높게〔많이〕: pay *over the* ~ for …에 예상보다 많은 돈을 치르다. ***What's the ~?*** 《英구어》 대수로운 일은 아니다, 무슨 차가 있겠나.

ódds-ón *a.* 승산〔가능성〕이 있는: an ~ favorite 유력한 우승 후보말; 당선이 확실한 후보자/an ~ best seller 베스트셀러가 될 공산이 큰 책.

°**ode** [oud] *n.* Ⓒ 송시(頌詩), 오드, 부(賦)《특정 인물이나 사물을 읊은 고상한 서정시》: *Ode* to the West Wind 서풍에의 송시《Shelley의 시》. ***the Book of Odes*** '시경(詩經)'《중국의》.

Odin [óudin] *n.* 【북유럽신화】 오딘《예술·문화·전쟁·사자(死者) 등의 신》.

°**odi·ous** [óudiəs] *a.* 싫은, (얄)미운, 밉살스러운, 가증한; 불쾌한: an ~ job 싫은 일/an ~ smell 악취/His behavior is ~ to me. 그가 하는 짓이 밉살스럽다. ㊞ **~·ly** *ad.* **~·ness** *n.*

odi·um [óudiəm] *n.* Ⓤ 증오, 혐오; 지겨움; 비난, 악평. ***expose*** a person ***to*** ~ 아무를 비난의 대상으로 삼다.

odom·e·ter [oudámitər/oudɔ́-] *n.* Ⓒ (자동차 따위의) 주행(走行) 거리계.

odon·tol·o·gy [òudantálədʒi, àd-/ɔ̀dɔntɔ́l-] *n.* Ⓤ 치과학; 치과 의술. ㊞ **-gist** *n.*

*__odor,__ 《英》 **odour** [óudər] *n.* **1** Ⓒ **냄새, 향기**; 방향(芳香); 좋지 못한 냄새, 악취: body ~ 체취, 액취(腋臭), 암내. SYN. ⇨SMELL. **2** (an ~) …의 기색〔기미〕《*of* …의》: An ~ *of* suspicion surrounded his testimony. 그의 증언에는 어딘가 미심스러운 데가 있었다. ***be in good*** 〔***bad, ill***〕 ~ 평판이 좋다〔나쁘다, 좋지 않다〕《***with*** …에게》.

㊞ **~ed** *a.* 〖합성어로〗 …의 냄새가 나는: ill-~*ed* 악취가 나는. **~·ful** [-fəl] *a.* **~·less** *a.*

odor·if·er·ous [òudərífərəs] *a.* 향기를 풍기는, 향기로운. ㊞ **~·ly** *ad.* 향기롭게. **~·ness** *n.*

odor·ous [óudərəs] *a.* 향기로운; 악취가 나는. ㊞ **~·ly** *ad.*

Odys·se·us [oudísiəs, -sjuːs] *n.* 【그리스신화】 오디세우스《라틴명은 Ulysses》.

Od·ys·sey [ádəsi/ɔ́d-] *n.* **1** (the ~) 오디세이《Troy 전쟁 후 Odysseus의 방랑을 노래한 Homer의 서사시》. **2** (종종 o-) Ⓒ 긴〔파란만장한〕 방랑〔모험〕 여행, 편력(遍歷).

OE, OE., O.E. Old English. **OECD, O.E.C.D.** Organization for Economic Cooperation and Development (경제 협력 개발 기구).

oec·u·men·i·cal [èkjuménikəl/ìːk-] *a.* = ECUMENICAL.

Oed·i·pus [édəpəs, íːd-] *n.* 【그리스신화】 오이디푸스《부모와의 관계를 모르고 아버지를 죽이고 어머니를 아내로 삼은 Thebes의 왕》.

Óedipus còmplex 【정신의학】 오이디푸스 콤플렉스《자식이 이성의 어버이에 대하여 무의식적으로 품는 성적인 사모; 특히 아들의 어머니에 대한 성적 사모》. cf. Electra complex.

OEM original equipment manufacturing 〔manufacturer〕 (주문자 상표에 의한 생산〔생산자〕).

oe·no·phile, oe·noph·i·list [íːnəfàil], [iːnáfəlist/-nɔ́f-] *n.* Ⓒ (특히 감정가로서의) 와인 애호가.

o'er [ɔːr, óuər] *ad., prep.* 《시어》 =OVER.

oe·soph·a·gus [isáfəgəs/-sɔ́f-] (*pl.* ***-gi*** [-dʒài, -gài]) *n.* =ESOPHAGUS.

oestrogen ⇨ESTROGEN.

†**of** [av, ʌv/ɔv; 《약음·보통》 əv] *prep.* **1 a** 〖기원·출처〗 **…로부터,** 출신〔태생〕의, …의《특정 연어(連語)를 제외하고 현재는 from이 보통》: a man *of* 〔*from*〕 Oregon 오리건 출신의 사람/the wines *of* 〔*from*〕 France 프랑스산(産)의 포도주/come *of* 〔*from*〕 a good family 지체 있는 집안〔명문〕의 출신이다/I asked a question *of* 〔*×to*〕 her. 그녀에게 질문을 했다(=I asked her a question.)/You expect too much *of* 〔*from*〕 her. 너는 그녀에게 지나치게 기대를 한다. **b** 〖원인·이유·동기〗 **…로 인해, …때문에,** …(으)로: be sick *of*… …에 넌더리가〔신물이〕 나다, …이 싫어지다/be afraid *of* dogs 개를 무서워하다/I went there (out) *of* necessity. 나는 할 수 없이 그곳으로 갔다/die *of* cancer 암으로 죽다. ★ 외부적·원인(遠因)적·간접적 사인(死因)을 나타낼 때는 from을 씀: He died *from* a wound. 상처로 인해 죽었다.

2 a 〖거리·위치·시간〗 **…에서, …로부터,** …의: within ten miles 〔hours〕 *of* the city 시에서 10마일〔시간〕 이내의 거리〔곳〕에/twenty miles (to the) south *of* Seoul 서울의 남쪽(으로) 20마일/The arrow fell short *of* the mark. 화살은 과녁에 미치지 못하였다. **b** 〖시각〗 《美》 (…분) 전(cf. TO 4 b): It's ten minutes *of* 〔*to*〕 seven. 7시 10분 전이다.

3 〖분리·박탈·제거〗 **a** 〖동사와 함께 쓰이어〗 (…에게서) ―을 (하다): cure him *of* his disease 그의 병을 고치다/deprive a person *of* his money 아무에게서 돈을 빼앗다/cheat him (out) *of* his money 그를 속여 돈을 빼앗다. **b** 〖형용사와 함께 쓰이어〗 **…로부터,** …에서: free *of* charge 무료로/ a room bare *of* furniture 가구(家具) 없는 방/be guiltless *of* … …을 모르다, …의 경험이 없다/independent *of*… …로부터〔에서〕 독립하여.

4 〖of+명사로 부사구를 이루어〗 《구어》 **a** 〖때를 나타내어 흔히 습관적 행위를 보임〗 …에〔이면〕 (잘), …(같은) 때에, …의: your letter *of* May 1, 5월 1일자 귀하의 편지/*of* old 옛날/*of* late 최근, 요새/*of* recent years 근년/He died *of* a Saturday. 그는 토요일에 죽었다/He can't sleep *of* a night. 그는 밤이면 잠을 못 잔다. **b** …히: (all) *of* a sudden 갑자기, 돌연(히)/*of* a certainty 확실히.

5 〖소유·소속〗 **…의,** …이 소유하는, …에 속하는: the daughter *of* my friend 친구의 딸/industrial areas *of* Glasgow 글래스고의 공업 지대/a disease *of* plants 식물의 병/the Tower *of* London 런던 탑/At the foot *of* the candle it is dark. 《속담》 등잔 밑이 어둡다.

> **NOTE** 소유의 of는 주로 무생물에 대해 씀. the boy's pen이지 the pen of the boy라고는 안 함. 그러나 다음과 같은 경우에는 무생물이라도 종종 's가 쓰이는데 특히 신문 영어에서 흔히 쓰임. (1) 때·시간: today's menu 〔paper〕 오늘의 메뉴〔신문〕/a ten hours' delay, 10시간의 지체(=a ten-hour delay). (2) 인간의 집단: the government's policy 정부의 정책/the committee's report 위원회의 보고. (3) 장소나 제도: Korea's history (=the history of Korea)/Korea's climate 한국의 기후. (4) 인간의 활동: the plan's importance 그 계획

의 중요성/the report's conclusions 그 보고의 결론. (5) 탈것: the yacht's mast 요트의 마스트《the doctor's house는 a house of the doctor's로 바꿀 수 있지만 (1)—(5)는 그렇게 바꾸지 못함》.

6 a 〖of+명사로 형용사구를 이루어〗 …의, …한 《나이·성질·색채·직업·크기·가격 따위를 나타내는 명사와 함께 쓰이며 of는 생략될 때가 많음》: a man *of* courage 용기 있는 사람(=a courageous man)/a man *of* character 인격자/a matter *of* importance 중대한 문제(=an important matter)/a girl *of* ten (years) 열살의 소녀(=a girl (*of*) ten years old, a ten-year-old girl)/a man (*of*) his age 그와 같은 또래의 남자/a farm *of* 100 acres, 100 에이커의 농지/potatoes *of* my own growing 내가 재배(栽培)한 감자(=potatoes I grew myself)/We are (*of*) the same age. =We are *of* an age. 우리는 동갑내기이다/I am glad I have been *of* some use to you. 다소라도 도움이 돼드려 다행입니다. **b** 〖명사+of a ...로〗《앞부분의 명사+of가 형용사 구실을 함》 …**(와) 같은**: an angel *of a* boy 천사와 같은 소년/a mountain *of a* wave 산더미 같은 파도.

7 〖관계·관련〗 **a** 〖명사에 수반하여〗 …**에 관해서**〔**대해서**〕, …**한 점에서**: a long story *of* adventures 긴 모험 이야기/He is thirty years *of* age. 그는 30세이다/There is talk *of* peace. 평화 회담이 열린다. **b** 〖형용사에 수반하여〗 …**한 점에서**(in respect of): swift 〔nimble〕 *of* foot 발이 빠른/quick *of* eye 눈이 빠른〔밝은〕/be slow *of* speech 말이 느리다/be blind *of* one eye 한 쪽 눈이 안 보이다, 애꾸이다《구체적으로 부분을 말할 때에는 in: be blind *in* the right eye》/be guilty *of* murder 살인을 범하다. **c** 〖allow, approve, accuse, complain, convince, inform, remind, suspect 등의 동사에 수반하여〗 …**한 점에서**: *approve of* his choice 그의 선택이 옳다고 생각하다/*suspect* her *of* lying 거짓말을 한다고 그녀를 의심하다/She *complains of* a headache. 그녀는 두통을 호소하고 있다.

8 〖주격 관계〗 **a** 〖동작의 행위자·작품의 작자〗 …가, …이; …의: the rise *of* the sun 해돋이, 일출(The sun rises.의 명사화)/the works *of* Shakespeare 셰익스피어의 작품/the stories *of* Poe 포의 단편 소설/the love *of* God 하느님의 사랑《God's love로 고쳐 쓸 수 있음; 9 a의 예와 비교》. **b** 〖it is+형용사+of+(대)명사(+*to* do)〗 (아무가 …하는 것은) **—이다〔하다〕**《(1) 이 때의 형용사는 careless, foolish, clever, good, kind, nice, polite, rude, wise 따위 성질을 나타내는 것. (2) (대)명사는 의미상의 주어》: *It was* kind *of* you *to* do so. 그렇게 해 주시다니 친절하셨습니다/*It was* very kind *of* you indeed! 정말이지 친절하시게도《상황으로 보아 자명할 때에는 흔히 to 이하는 생략함》.

9 〖목적격 관계〗 **a** 〖동작 명사 또는 동명사에 수반되어서〗 …을, …의: a statement *of* the facts 사실의 진술/the love *of* God 하느님에 대한 사랑《8 a의 예와 비교》/the ringing *of* bells 종을 울림/the bringing up *of* a child 어린아이를 기름. **b** 〖afraid, ashamed, aware, capable, conscious, envious, fond, greedy, jealous, proud 등의 형용사에 수반되어〗 …을, …**에 대하여**: He is *proud of* his daughter. 그는 딸을 자랑으로 여기고 있다/He is *desirous of* going abroad. 그는 외국에 가기를 바라고 있다/I am *doubtful of* its truth. 나는 그 진위를 의심하고 있다.

10 〖동격 관계〗 …**라(고 하)는**, …**인〔한〕**, …**의**: the city *of* Seoul 서울(이라는) 시(市)/the name *of* Jones 존스라는 이름/the fact *of* my having seen him 내가 그를 만났다는 사실/the five *of* us 우리 다섯 사람《12 a의 five *of* us와 비교》/the crime *of* murder 살인(이라는) 죄.

11 〖재료·구성 요소〗 …**로 만든**, …**로 된**, …**제(製)의**: a table *of* wood 목제(木製) 테이블(=a wooden table)/made *of* gold 〔wood〕 금제(金製)〔목제〕의/built *of* brick(s) 벽돌로 지은. ★ 재료의 원모양을 잃었을 때에는 from을 씀: Brandy is made *from* grapes. 브랜디는 포도로 만든다.

12 a 〖부분〗 …**의 (일부분)**, …**중의**, …중에서: many *of* the students 그 학생들 중의 다수《many of students라고는 못 함》/the King *of* Kings 왕(王)중(의) 왕《그리스도》/the most dangerous *of* enemies 적 중에서도 가장 위험한 적/five *of* us 우리들 중의 다섯 사람《the가 붙지 않는 점에 주의할 것. 붙으면 of는 동격이 되어 전부를 가리킴; 10의 예 the five *of* us와 비교》/some *of* my money 내 돈 중의 일부/everyone *of* you 당신들 중의 누구라도/either *of* the two 둘 중의 어느 하나〔어느 것이라도〕. **b** 〖날짜를 나타냄〗 (…의): the 30 th *of* May, 5월 30일.

13 〖분량·단위·종류를 나타내어〗 (수량·단위를 나타내는 명사 다음에 와서) …**의**: a basket *of* strawberries 딸기 한 바구니; 딸기가 든 바구니/a piece *of* furniture 가구(家具) 1점/a pint 〔glass〕 *of* wine, 1 파인트〔글라스 한 잔〕의 포도주/a cup *of* tea 한 잔의 차《구어에서는 a tea, two teas도 사용됨》/a pair *of* trousers 바지 한 벌/three pounds' worth *of* stamps, 3 파운드 분〔어치〕의 우표.

of all men ① =of all PEOPLE. ② 누구보다도 먼저: He, *of all men*, should set an example. 누구보다도 먼저 그가 모범을 보여야 한다. ***of all others*** ⇨OTHER. ***of all things*** ⇨THING.

OF, O.F. Old French.

of- [ɑf, əf/ɔf, əf] *pref.* =OB-《f 앞에 올 때의 꼴: *of*fer》.

†**off** [ɔːf, ɑf/ɔf] *ad.* **1** 〖위치〗 (시간·공간적으로) **떨어져**, 저쪽으로, 멀리, 앞에, 앞으로: far 〔a long way〕 ~ 훨씬 멀리/a town (which is) five miles ~, 5마일 떨어진 데에 있는 읍내/Stand ~! 떨어져 있어, 접근하지 마라/The holidays are a week ~. 앞으로 1주일이면 휴가다.

2 〖이동·방향·출발〗 (어떤 곳에서) **저쪽으로, 떠나 (버려), 가 버려**: see a friend ~ 친구를 배웅〔전송〕하다/Be ~ (with you)! 꺼져, 가 버려, 나가/Where are you ~ to? 어디(로) 가십니까/He went ~. 그는 가 버렸다《강조는 *Off* he went.로 됨》/I've got to be ~ now. 이제 가야 한다/They're ~! 출발하였습니다《경마 등의 실황 방송》.

3 a 〖분리·이탈〗 **분리하여, 떨어져**, 벗어〔벗겨〕져, 빠져, 벗어나: get ~ (차 따위에서) 내리다, 하차하다/peel ~ the skin 껍질을 벗기다/take ~ one's hat 〔clothes〕 모자를〔의복을〕 벗다/come ~ 떨어지다; (손잡이 따위가) 빠지다/ fall ~ (사람·무엇이) 떨어지다/lay ~ workers 노동자를 일시 해고하다. **b** 〖절단·단절을 나타내는 동사와

함께》 **잘라(떼어) 내어**, 끊어 내어; 끊겨져: bite ~ the meat 고기를 (입으로) 물어 떼다(찢다) / break ~ diplomatic relations with ... …와 외교 관계를 단절하다 / turn ~ the gas (radio) 가스(라디오)를 잠그다(끄다) / Our water supply was cut ~. 수도가 끊어졌다, 단수(斷水)되었다. **4** 《분할》 (하나이던 것을) **나누어**, **갈라**, 분리하여: marry ~ two daughters 두 딸을 시집보내다 / Mark it ~ into equal parts. 그것을 등분하여라. **5** 《저하 · 감소》 **a 줄(이)어**; 끊어져; 없어져; 빼어; 덜하여: cool ~ (열이) 식어 가다, 냉각하다 / take ten percent ~, 1할 할인하다 / Sales dropped ~ badly. 매상(賣上)이 몹시 줄었다. **b** (아무가) 의식을 잃고, 정상적이 아닌, 몸상태가 좋지 않아: doze ~ for a while 잠시 동안 조리치다 / drop ~ 잠들다 / I feel a bit ~. 몸의 상태가 좀 이상하다. **6** 《해방》 (일 · 근무 등을) **쉬어**, 휴가를 얻어: take time ~ for lunch 점심 식사를 위한 휴식 시간을 가지다 / give the staff a week ~ 직원들에게 1주일 휴가를 주다. **7 a** 《동작의 완료 따위를 나타내어》 **…해 버리다**, …을 다하다; …을 끝내다: drink ~ 다 마시다 / finish ~ the work 일을 끝내 버리다. **b** 《관계가 끊어짐을 나타내어》 《美》 관계가 끊어지다 《***with*** …와》: She has broken ~ *with* him. 그녀는 그와 관계를 끊었다. **8** 《휴지(休止) · 정지》 끊어져, 끊기어, 멈추어; 중지하여: call ~ the strike 파업을 중지하다 / leave ~ work (하던) 일을 중단하다 / put ~ the match 경기를 연기하다. **9** 《강조》 끝까지 (…하다), 깨끗이, 완전히(entirely); 단숨에, 즉각: dash ~ a letter 편지를 후딱 써 버리다 / pay ~ the debts 빚을 전부 갚다 / clear ~ the table 식탁을 깨끗이 치우다. **10** 《well, ill 따위 양태(樣態)의 부사와 함께》 **a** 살림살이가(생활 형편이) …하여: The woman is better (worse) ~. 그 여자는 전보다 생활 형편이 낫다(못하다). **b** …상태인 《***for*** (물품 · 돈 따위)가》: We are well ~ *for* butter. 버터는 충분히 있다 / She is badly ~ *for* money. 그녀는 돈이 몹시 궁하다. **11** 『연극』 무대 뒤에서(offstage): voices ~ 무대 뒤(에서)의 사람들 소리 / Knocking is heard ~. 무대 뒤에서 노크 소리가 들린다. **12** 《형용사적》 **a 벗어나, 빠져**; (몸의) 상태가 좋지 않아; (계산 · 추측 따위가), 잘못되어, 틀리어; (식품이) 상하여: The handle is (has come) ~. 손잡이가 빠져 있다 / I'm feeling rather ~ today. 오늘은 좀 (기분이) 이상하다 / The fish is (has gone) a bit ~. 생선이 약간 상해 있다(버렸다) / The contractor was ~ in his estimate. 도급업자의 견적이 잘못되어 있었다. **b 비번(非番)인, 휴가인**: I'm ~ today. 오늘은 비번이다(쉰다). **c** (수도 · 가스 · 전기 따위가) 끊기어, 멈추어져. **d** (행사 · 약속 따위가) 취소되어: I'm afraid tomorrow's picnic is ~. 안됐지만 내일 소풍은 취소되었다. **e** (식당 따위에) 요리가 품절되어. **f** (연극 따위가) 상연(上演)이 끝나.

It's (***That's***) ***a bit ~*** 《英구어》 그것은 심하다(불만이다): *It's a bit* ~ not apologizing to you. 네게 사과하지 않은 것은 나쁘다. **~ *and*** do 《구어》 갑자기 …하다: He ~ *and* disappeard. 그는 돌연 실종되었다. **~ *and on*** =***on and ~*** 단속적으로, 때때로: It rained *on and* ~ all day. 하루 종일 비가 내리다 그치다 했다. **~ *of*** (***from***) ***...*** 《속어》 …에서 (떨어져): Take your feet ~ *of* the table! 테이블에서 발을 내려놓아라. ***Off with...!*** 《명령문》 …을 벗어라(없애라); …을 쫓아 버려라: *Off with* your hat! 모자를 벗어라 / *Off with* his head! 그의 목을 베어라 / *Off with* the old, on with the new. 낡은 것을 몰아내고 새것을 맞이하라. ***Off with you!*** 꺼져. ***right*** (***straight***) ***~*** 《구어》 즉각, 곧. ***take oneself ~*** 떠나다, 달아나다.

—*prep.* A 《분리 · 이탈》 **1** 《떨어진 위치 · 상태를 나타내어》 **a …로부터(에서) (떨어져, 벗어나)**, …을 격하여, …을 떠나(away from): three miles ~ the main road 간선도로에서 3마일 떨어져 / streets ~ Myeong-dong 명동의 뒷거리 / Keep ~ the grass. 잔디에 들어가지 마시오 《게시》. **b** (기준적 · 정상적인 것 · 주제 따위)**에서 벗어나**: be ~ the mark 과녁에서 벗어나 있다, 과녁을 빗맞히다 / go (get) ~ the subject (고의 · 실수로) 본제(本題)에서 벗어나 있다 / Your remarks are ~ the point. 자네의 발언은 주제에서(요점을) 벗어나 있네. **c** (일 · 활동 따위)**로부터 떨어져**, …을 안 하고, 쉬고: He is ~ duty. 그는 비번이다 / He is ~ work. 그는 일을 하고 있지 않다 《out of work 면 '실직 상태의' 의 뜻》 / ~ guard 방심하고. **d** (시선 따위를) **…에서 떼어**(돌려): Their eyes weren't ~ the king for a moment. 그들은 한 순간도 임금에게서 눈을 떼지 않았다. **e …의 앞(난)바다에**: ~ the coast *of* Busan 부산 앞바다에 / The ship sank two miles ~ Cape Horn. 그 배는 케이프혼 2마일 앞바다에서 침몰했다. **2** 《고정된 것으로부터의 분리를 나타내어》 **a** (고정 · 붙어 있는 것)**으로부터 (떨어져)**: ~ the hinges 경첩이 떨어져서 / take a ring ~ one's finger 손가락에서 반지를 빼다(뽑다) / There's a button ~ your coat. 자네 상의의 단추 하나가 떨어져 있네. **b** 《위에서 아래로》 (탈것에서) **내리어**; (위)에서 떨어져: get (step) ~ a bus (train) 버스(열차)에서 내리다 / fall ~ one's horse 말에서 떨어지다 《미국 구어에서는 off 뒤에 of 또는 from을 사용해 fall *off of* (*from*) a horse로 하는 때도 있음》. **c …에 실려(올려) 있지 않은**: ~ the record 기록에 올리지 않게, 비공식으로. **d** (본래의 상태에서) **벗어나**; (심신의) 상태가 좋지 않아: ~ balance 균형을 잃고 / He was ~ his game. 그는 경기에서 컨디션이 나빴다 / He is ~ his head. 그는 머리가 돌았다.

B 《기타》 **3 …에서 빼어(덜하여, 할인하여)**, …이하로(less than): at 20% ~ the price 정가의 20퍼센트를 할인하여 / take five percent ~ the list price 정가에서 5퍼센트를 할인하다. **4** 《dine, eat와 함께 사용되어》 《구어》 **a** (식사(의 일부))를 (먹다), …로 (식사하다): *eat* ~ beefsteakes 비프스테이크를 먹다 / *dine* ~ some meat 식사에 고기를 좀 먹다. **b** (접시 따위)에서 집어(떠, 퍼, 잘라)(먹다): *eat* ~ silver plate 은접시의 음식을 먹다; 호화판 생활을 하다. **5** 《live와 함께 쓰이어》 …에(을) 의지(의존)하여, …에 얹혀 살아; …을 희생으로 하여: make a *living* ~ the tourists 관광객을 상대로 생활하다 / He *lives* ~ his pension. 그는 연금으로 생활한다. **6** 《근원》 《구어》 …로부터, …에게서 《쓰기에서는 from을 사용함》: borrow five dollars ~ a friend 친구에게서 5달러를 빌리다 / She bought the book ~ me. 그녀는 나에게서 그 책을 샀다.

7 〖중단·휴지〗《구어》 **a** (아무가) …을 싫어하여, …이 싫어져: I am ~ fish. 생선이 싫어졌다, 생선을 안 먹고 있다. **b** (아무가) …을 안 하고〔삼가고〕, …을 끊고: go ~ narcotics 마약에서 손을 떼다/I am ~ gambling now. 이제 노름은 안 하고 있다.

be ~ one's food ① 식욕이 없다. ② 고기를 먹지 않다. ***from ~...*** 《문어》 …로부터, …에서 (from): I got the idea *from* ~ television. 그 착상을 나는 TV에서 얻었다.

—*a*. **1** 먼 쪽의, 저쪽의: the ~ side of the wall 〔building〕 벽〔건물〕의 저쪽.
2 (본길에서) 갈라진; (중심에서) 벗어난, 지엽적인〔말절의〕; 틀린: an ~ road 옆길/an ~ issue 지엽말절의 문제.
3 철이 지난, 제철이 아닌, 한산한; 흉작의, 불황의: the ~ season 제철이 아닌 시기, 한산기/an ~ year 흉작〔불경기〕의 해, 흉년.
4 벗겨진, 끊겨진, (스위치 따위를) 끈, 중단된: The switch is in the ~ position. 스위치는 끊겨져〔꺼져〕 있다.
5 a 한가한, 비번(非番)〔난번〕의; 쉬는: one's ~ hours 휴게 시간. **b** 순조롭지〔만족스럽지〕 못한, 상태가 나쁜: an ~ day 쉬는 날; 상태가 좋지 않은 날, 재수없는〔불운의〕 날.
6 (활동 따위를) 개시하여: ~ on a spree 신이 나기 시작하여.
7 《구어》 (기회 따위가 좀처럼) 있을 법하지〔것 같지〕 않은: an ~ chance 거의 가능성이 없음/There is an ~ chance that... …이라는〔하다는〕 것은 있을 법하지 않다.
8 (말·차를) 탄 사람의 오른쪽의; (크리켓 타자의) 우측의. ↔ *near*.¶the ~ front wheel 오른쪽 앞바퀴/the ~ side of the bicycle 자전거의 우측.
9 앞(난)바다로 나아가는〔향하는〕.
—*n*. **1** Ⓤ 떨어져〔끊겨〕 있음. **2** (the ~) (경마의) 출발; 〖크리켓〗 타자의 오른쪽 전방. ↔ *on*. **3** Ⓤ 〖컴퓨터〗 끄기.
—*vt*. **1** 《英구어》 그만두다, 중지〔중단〕하다. **2** 《美속어》 죽이다, 없애다. **—***vi*. 《美》 〖명령법〗 나가다, 떠나다.

off. office; officer; official.

off- [ɔːf/ɔf] *pref*. **1** '…에서 떨어진': *off*-street. **2** '(색이) 불충분한': *off*-white.

óff-áir *a*., *ad*. (녹음·녹화 따위) 방송에서 직접의〔으로〕; 유선 방송의〔으로〕.

of·fal [ɔ́(ː)fəl, ɑ́fəl] *n*. Ⓤ **1** 부스러기, 찌꺼기. **2** 고깃부스러기, (새·짐승의) 내장; 썩은 고기.

óff·béat *a*. **1** 상식을 벗어난, 색다른, 엉뚱한. **2** 〖음악〗 오프비트의. **—** [´–] *n*. Ⓒ 〖음악〗 오프비트《재즈의 4박자곡으로 강세를 붙이지 않는 박자》.

óff-Bróadway *a*., *ad*. 오프브로드웨이의〔에서〕. **—***n*. Ⓤ 〖집합적〗 오프브로드웨이《미국 뉴욕시 브로드웨이 이외의 지구에 있는 비상업적 극을 상연하는 극장, 또는 그 연극》.

óff-cénter(ed) *a*. **1** (도안 인쇄가 종이의) 중앙에서 벗어난. **2** (사람·성격 따위가) 균형을 잃은.

óff chànce 만에 하나의 가능성, 도저히 있을 것 같지 않은 기회《***that***》: There's only an ~ *of* get*ting* the money back. 돈을 돌려받을 가망은 거의 없다. ***on the ~*** 혹시 …할지 모른다고 생각하고: I'll go *on the ~ of* seeing her. 어쩌면 그녀를 만날 수 있을 것 같아서 가야겠다.

óff-cólor *a*. **1** 안색이 나쁜, 기분이 좋지 않은; (보석 따위가) 빛깔이 좋지 않은, 품질이 나쁜: feel ~ 좀 기분이 나쁜/an ~ diamond 품질이 나쁜 다이아몬드. **2** (성적으로) 점잖지 못한, 음탕한: an ~ joke 음탕한 농담.

óff·cùt *n*. Ⓒ 잘라낸 것, 지스러기《종이·나무·천 따위 조각》.

óff-dày *n*. Ⓒ **1** 비번 날, 쉬는 날. **2** 《구어》 (one's ~) 액일(厄日), 수사나운 날.

óff-dúty *a*. 비번의, 휴식의: an ~ policeman 비번 경찰관/He's ~. 그는 비번이다.

of·fence *n*. ⇨OFFENSE.

‡of·fend [əfénd] *vt*. **1** …을 **성나게 하다**; …의 기분을 상하게 하다; 감정〔정의감〕을 해치다《종종 수동태로 쓰며, 전치사는 *at*, *by*, *with*》: Has he done anything to ~ you? 그가 당신에게 무슨 기분상할 일이라도 했습니까/He's easily ~*ed*. 그는 화를 잘 낸다/I *am* ~*ed by* 〔*at*〕 his blunt speech. 그의 무례한 말에 화가 난다.

SYN. **offend** 상식적으로 또는 예의상 당연하고도 옳은 일을 태만히 하여 감정을 해치다. 악취미가 남의 마음을 거스르는 것도 offend: tasteless billboards that *offend* the eye 눈에 거슬리는 몰취미한 간판. **affront** 상대편 면전에서 감정을 해치다, 모욕하다. **insult** 상대의 감정을 해칠 목적으로 개인의 명예를 손상시키다. affront 보다 insult가 계획적인 경우가 많음.

2 (감각적으로) …을 불쾌하게 하다, …에 거스르다: The noise ~*s* the ear. 그 소리는 귀에 거슬린다. **3** (법·규칙 따위)를 위반하다, 범하다: ~ a statute 규칙을 위반하다.
—*vi*. **1** 불쾌감을 주다, 감정을 상하다. **2** 《+전+명》 죄〔과오〕를 저지르다; 어긋나다《***against*** (법·규칙·예절·습관 따위)에》: ~ *against* the custom 관습을 어기다.
㊕ **~·ed·ly** [-idli] *ad*. **~·ing** *a*. Ⓐ 불쾌한, 눈에 거슬리는; 화가 치미는.

***of·fend·er** [əféndər] *n*. Ⓒ **1** (법률상의) **위반자**; **범죄자**: the first ~ 초범자/an old 〔a repeated〕 ~ 상습범. **2** 남의 감정을 해치는 사람〔것〕, 무례한 자.

‡of·fense, 《英》 **-fence** [əféns] *n*. **1** Ⓒ **a** (가벼운) 범죄: a traffic ~ 교통 위반/a previous ~ 전과/a minor ~ 경범죄/a criminal ~ 범죄/a first ~ 초범. **b** 위반, 반칙《***against*** (풍습·의무 따위)의》: an ~ *against* the law 〔rule〕 법률〔규칙〕 위반/an ~ *against* good manners 예의에 어긋나는 행위. **2** Ⓤ **화냄**(resentment), 기분상함; 무례, 모욕; Ⓒ 기분을 상하게 하는 것, 불쾌한 것: without ~ 상대방의 기분을 상하게 하지 않고/If I gave you any ~, please forgive me. 기분을 상하게 해드렸다면, 부디 용서해 주십시오/That will give 〔cause〕 ~ (to him). 그런 짓을 했다가는 (그가) 화낼 것이다/an ~ to the ear 〔eye〕 귀〔눈〕에 거슬리는 것. **3** [+ɑ́fens, ɔ́(ː)-] **a** Ⓤ **공격**(↔ *defense*): The most effective defense is ~. 공격은 최상의 방어. **b** Ⓒ (the ~) 〖집합적; 단·복수취급〗 공격군〔팀, 측〕.

No ~ (***was meant***). 나쁜 뜻으로 (말)한 것은 아니다: *No* ~ (to you), but I don't like the film. (당신의) 기분을 상하게 하려고 하는 말은 아니지만, 그 영화를 좋아하지 않습니다. ***take ~*** (***at***) (…에) 성내다: He *took* ~ *at* what I said. 그는 내가 한 말에 화를 냈다.

of·fénse·less *a.* **1** 남의 감정을 건드리지 않는; 악의가 없는. **2** 공격력이 없는. **3** 위반하지 않는, 죄가 없는. ㊕ **~·ly** *ad.*

*__of·fen·sive__ [əfénsiv] *a.* **1** **불쾌한**, 싫은《*to* …에게》: an ~ odor 악취/an ~ sight 불쾌한 광경/Tobacco smoke is ~ *to* me. 담배 연기는 싫다. **2** **무례한**, 감정을 상하게 하는; 모욕적《*to* …에게》: an ~ remark 모욕적인 말/That's ~ *to* women. 그것은 여성에게는 모욕적이다. **3** (도덕적으로) 더러운, 비열한; (취미가) 저속한; 음란한. **4** [+ǽfensiv, ɔ́(ː)-] **공격적인**, 공격〔공세〕의; 공격측의; 공격용의. ↔ *defensive*. ¶ ~ tactics 공격 전술/~ weapons 공격용 무기.
an ~ and defensive [ɔ́(ː)fensivəndifénsiv] ***alliance*** 공수 동맹.
—*n.* **1** (the ~) (군대에 의한 대규모의) **공격**; 공격 태세: be on the ~ 공격으로 나오다/take 〔assume〕 the ~ 공격 태세를 취하다. **2** Ⓒ (비군사적인) 공세; (적극적) 활동, 사회 운동: make 〔carry out〕 an ~ *against* organized crime 조직 범죄 일소에 나서다.
㊕ **~·ly** *ad.* 무례하게, 공세로. **~·ness** *n.*

⁑**of·fer** [ɔ́(ː)fər, ɑ́f-] *vt.* **1** 《~+목/+목+목/+목+전+명》 **권하다, 제공하다**《*to* (아무)에게》: ~ information 〔service〕 정보〔봉사〕를 제공하다/~ a person a book =~ a book *to* a person 아무에게 책을 권하다.
2 《~+목/+목+부/+목+전+명》 바치다; (기도)를 드리다(*up*)《*to* (신)에게》: ~ *up* a sacrifice 희생〔제물〕을 바치다/~ (*up*) prayers *to* God 신에게 기도를 드리다. SYN. ⇨GIVE.
3 《~+목/+목+전+명》 (감사·동정·복종·존경 따위)를 표현하다《*to* …에게》: ~ homage 복종의 뜻을 보이다/We ~*ed* our sympathy *to* them. 우리는 그들에게 깊은 동정심을 표시했다.
4 《~+목/+목+목》 (안(案)·회답 등)을 제출하다, (의견 등)을 제의하다, 제안하다; 신청하다: ~ an opinion 의견을 제출하다/We ~*ed* her a better position. 그녀에게 더 좋은 지위를 주겠다고 제의했다. SYN. ⇨PROPOSE.
5 《+*to* do》 (…하겠다고) **말하다**; (…하려고) 시도하다: I ~*ed to* accompany her. 그녀와 함께 가겠다고 말했다/He ~*ed to* strike me. 그는 나를 때리려고 했다.
6 (폭력·위해 등)을 가하려고 하다; (저항 등)의 기세를 보이다: ~ battle 도전하다/~ resistance 저항하다.
7 a 야기하다, 생기게 하다; 나타내다: The plan ~*s* difficulties. 이 안은 어려운 점이 있다. **b** 〖~ oneself〗 생기다, 일어나다, 나타나다: till a good chance ~*s* it*self* 좋은 기회가 나타날 때까지.
8 《+목+전+명/+목+목+전+명》 〖상업〗 팔려고 내어놓다《***for*** (어떤 값)으로》; (값·금액)을 부르다《***for*** (물건)에》: ~ $5,000 *for* a car 자동차 값으로 5,000 달러를 부르다《사겠다고》/~ a car *for* $5,000, 자동차를 5,000 달러에 내놓다/~ him ten dollars *for* a radio 그에게 라디오를 10 달러에 팔겠다고 하다.
—*vi.* **1** 제언〔제안〕하다. **2** 《+전+명》 구혼〔청혼〕하다《***to*** (아무)에게》: ~ *to* a lady 숙녀에게 청혼하다. **3** 생기다, 나타나다: as occasion ~*s* 기회가 있을 때/Take the first opportunity that ~*s*. 어떤 기회라도 놓치지 마라. **4** (신에게) (산)제물을 바치다.
~ itself to view 출현하다. **~ one*'s hand*** (악수 따위를 위해서) 손을 내밀다; 결혼을 신청하다. ***You ~.*** 당신 편에서 값을 부르시오.
—*n.* Ⓒ **1** **제언**, 신청; 제의, 제안《*to* do》; 제공: a kind ~ 친절한 제의/an ~ *to* help 돕겠다는 제의/a job ~ 구인(求人)/an ~ of food 음식 제공/accept 〔decline〕 an ~ 제안을 수락〔거절〕하다. **2** 기부: an ~ of $1,000, 1,000 달러의 기부. **3** 〖상업〗 오퍼, 매매 제의; (매물(賣物)의) 제공; 매긴 값: a special ~ 특가 제공/He made an ~ of $10,000 for the car. 그는 그 차에 1만 달러의 값을 매겼다. **4** 결혼 신청.
be open to an ~ 제안을 수락할 용의가 있다: I *am open to an ~*. 값을 매겨 주면 고려하겠습니다. ***on ~*** (싼값의) 매물(賣物)로 나와: cars *on* ~ 매물 자동차. cf. on SALE. ***under ~*** 《英》 (팔 집이) 값이 매겨져; 계약이 끝난.

óf·fer·er, -or [-rər] *n.* Ⓒ 신청인, 제공자; 제의자.

°**óf·fer·ing** [-riŋ] *n.* **1** Ⓤ (신에의) 봉헌, 헌납; Ⓒ 공물, 제물, 봉납물. **2** Ⓒ (교회에) 헌금, 헌납물: an ~ plate (교회에서의) 헌금 접시. **3** Ⓤ 신청, 제공. **4** Ⓒ 팔 물건, 매물(賣物). **5** Ⓒ (개설된) 강의 과목; 연극의 공연.

of·fer·to·ry [ɔ́ːfərtɔ̀ːri, ɑ́f-/ɔ́fətəri] *n.* Ⓒ (종종 O-) 〖기독교〗 **1** (빵과 포도주의) 봉헌; 헌금; 그 때 봉창하는 성가〔성구〕: an ~ box 헌금함(函). **2** 〖가톨릭〗 봉헌송(誦); 제헌경(祭獻經).

°**óff·hánd** *a.* 아무렇게나 하는, 되는대로의; 무뚝뚝한: in an ~ manner 대수롭지 않게, 냉담한 태도로. **—***ad.* **1** 즉석에서(extempore); 준비 없이: decide ~ 즉석에서 결정하다. **2** 아무렇게나, 되는 대로, 소홀히.

óff·hánded [-id] *a.* =OFFHAND. ㊕ **~·ly** *ad.* **~·ness** *n.*

†**of·fice** [ɔ́(ː)fis, ɑ́f-] *n.* **1** Ⓤ (구체적으로는 Ⓒ) **임무, 직무**, 직책; 역할《★ of 다음의 명사 Ⓒ에는 보통 관사를 붙이지 아니함》: act in the ~ *of* adviser 조언자 역할을 하다/the ~ *of* chairman 의장의 임무/a purely honorary ~ 순수한 명예직.
2 Ⓤ 관직, 공직; (공직의) 지위: be 〔stay〕 in ~ 재직하다; (정당이) 정권을 잡고 있다/enter (《英》 upon) ~ 공직에 취임하다/go 〔be〕 out of ~ 정권〔공직〕을 내놓다/hold 〔fill〕 (public) ~ (공직에) 재직하다/leave 〔resign from〕 ~ (공직을) 사임하다/retire from ~ (공직에서) 물러나다/take (public) ~ (공직에) 취임하다. SYN. ⇨ POSITION.
3 Ⓒ 〖보통 복합어〗 **관공서**, 관청; 국; (O-) 《美》 (관청 기구의) 청, 국; 《英》 성(省): the War *Office* 《英》 (예전의) 육군성/the (Government) Printing *Office* 《美》 (정부) 인쇄국/the Patent *Office* 특허국.
4 Ⓒ **a** (흔히 *pl.*) (공장과 구별하여) **사무소**〔실〕, 오피스; 회사; 영업소: a fire 〔life〕 insurance ~ 화재〔생명〕 보험회사(의 영업소)/the head 〔main〕 ~ 본사, 본점/a branch ~ 지점. **b** 〖보통 수식어를 수반하여〗 …소, …취급소: an inquiry 〔information〕 ~ 안내소/⇨ BOOKING OFFICE, BOX OFFICE, TICKET OFFICE.
5 a Ⓒ (변호사 등의) 사무실, 집무실. **b** Ⓤ (the ~) 〖집합적; 단수취급〗 (사무실의) 전(全)직원, 전종업원.
6 Ⓒ 《美》 진료실, (개업 의사의) 의원; (대학 교수의) 연구실: a dentist's ~ 치과 의원/a doctor's ~ 진료실.
7 (*pl.*) 《英》 가사실(家事室)《부엌·헛간·세탁

장·식료품실 따위》.

8 a (the ~, one's ~) (종교) 의식, 예배(식); 〖가톨릭〗 성무일도(聖務日禱); 〖영국국교회〗 (조석(朝夕)) 기도: say the 〔one's〕 divine ~ 〖가톨릭〗 성무일도를 외다. **b** 〖the last ~s〗 장례(식): perform *the last ~s* for the deceased 고인의 장례식을 거행하다.

9 Ⓒ (보통 *pl.*) 진력, 알선, 주선: by 〔through〕 the good 〔kind〕 *~s* of …의 호의로〔주선으로〕/ count on a person's good *~s* 아무의 호의를 기대하다.

10 (the ~) 《英속어》 (남에게) 꾀를 일러줌, 암시, (비밀) 신호: give 〔take〕 the ~ 암시를 주다〔받다〕.

óffice automátion 오피스 오토메이션, 사무(처리의) 자동화《생략: OA》.

óffice-bèarer *n.* 《英》 = OFFICEHOLDER.

óffice blòck 《英》 = OFFICE BUILDING.

óffice bòy (사무실의) 사환.

óffice building 《美》 사무실용 큰 빌딩(《英》 office block).

óffice gìrl (사무실의) 여자 사환.

óffice·hòlder *n.* Ⓒ 《美》공무원, 관공리.

óffice hòurs 집무〔근무〕 시간, 영업 시간; 《美》 진료 시간.

⁑of·fi·cer [ɔ́(:)fisər, ɑ́f-] *n.* Ⓒ **1** (육·해·공군의) **장교**, 사관. cf. soldier, private. ¶a military 〔naval〕 ~ 육군〔해군〕 장교/an ~ of the deck 〖해군〗 당직 장교/the ~ of the day 〔week〕 일직〔주번〕사관. **2** (상선의) 고급 선원《선장·항해사·기관장·사무장·선의 등》; (항공기의 기장을 비롯한) 운항 승무원: the chief ~ 1등 항해사/a first 〔second〕 ~ 1등〔2등〕 항해사. **3** 공무원, 관리; 경관, 순경; 집달관: a public ~ 공무원/an ~ of the court 법원 직원; 집달관/a customs ~ 세관원/an ~ of the law = a police ~ 경찰관/Would you help me, ~? —What's wrong, sir? 경찰관 아저씨, 좀 도와주시겠습니까—무슨 일입니까. ★경관 등에 대한 가장 보편적인 호칭으로 씀. **4 a** 〖종종 수식어를 수반하여〗 …관, …사: an executive ~ 행정관/a public-relations ~ 홍보관/a customs ~ 관제사. **b** (회사·단체 등의) 임원, 간부: a company ~ 회사 임원.

an ~ of the guard 위병 사령《일직사관의 지휘를 받음; 생략: O.G.》. ***an ~ on probation*** 사관 후보생.

óffice wòrker 사무 종사자, 회사(사무)원, (관청 따위의) 사무직원.

⁑of·fi·cial [əfíʃəl] *a.* **1** Ⓐ **공무상의**, 직무상의, 관(官)의, 공식의(↔ *officious*); 공인의: an ~ announcement 공식 발표/an ~ report 〔return〕 공보(公報)/~ duties 공무/an ~ position 공직/an ~ note (외교) 공문/~ documents 공문서/an ~ price 공정 가격/an ~ record 공인 기록/an ~ residence 관저, 관사/an ~ statement 공식 성명/an ~ visit 공식 방문/~ funds 공금(公金)/~ affairs 〔business〕 공무(公務)/~ language 공용어/one's ~ life 공적 생활. **2** 관직에 있는; 관선(官選)의: an ~ receiver 관선 파산 관리인. **3** Ⓐ (이유·설명 등이) 표면적인; 관청식의: That's only the ~ explanation. 그것은 표면적인 설명에 지나지 않는다. **4** 〖약학〗 약전에 의한.

—*n.* Ⓒ **1 공무원**, 관공리; (회사·단체 따위의) 임원, 직원: government 〔public〕 *~s* 관(공)리/a local ~ 지방 공무원/a city ~ 시 공무원/a high ~ 고관/a union ~ 조합 임원. **2** 《美》 (운동 경기의) 심판, 임원.

offícial bírthday (the ~) 《英》 (군주의) 공식 탄생일《현재는 6월 두번째 토요일; 공휴일은 아님》.

of·fi·cial·dom [əfíʃəldəm] *n.* Ⓤ **1** 관공리의 지위; 관공리 사회, 관계(官界). **2** 〖집합적〗 공무원; 관료.

of·fi·cial·ese [əfìʃəlíːz, -s] *n.* Ⓤ 관청용어(법)《까다로운 것이 특색》. cf. journalese.

of·fi·cial·ism [əfíʃəlizəm] *n.* Ⓤ **1** 관리 기질, 관료〔형식〕주의. **2** 관제(官制).

***of·fi·cial·ly** [əfíʃəli] *ad.* **1 공무상**, 직책상; 직권으로. **2** 공식으로, 정식으로: The hotel was ~ opened last month. 그 호텔은 지난달에 정식으로 개업했다. **3** 〖문장 전체를 수식〗 (당국의) 발표로는, 표면상으로는: *Officially* the president retired, but actually he was dismissed. 표면상으로 사장은 사퇴했지만, 실제로는 해임당했다.

Offícial Recéiver (the ~) 〖법률〗 (법원의 중간 명령에 의한) (파산) 관재인, 수익 관리인.

of·fi·ci·ant [əfíʃiənt] *n.* Ⓒ (종교 의식의) 집전자, 사제(司祭).

of·fi·ci·ate [əfíʃièit] *vi.* **1** 직무를 집행하다; 맡은 책임〔구실〕을 하다; 사회하다《*as* …로서》: ~ *as* chairman 〔host〕 의장으로서〔주최자로서〕 사회하다. **2** (성직자가) 집전하다; 집행하다《*at* (식)을》: ~ *at* a wedding 〔marriage〕 결혼식을 집행하다. **3** 《美》 (경기에서) 심판을 보다.

of·fic·i·nal [əfísənəl] *a.* **1** (약이) 약국 상비의, 약전에 의한《지금은 보통 official》. **2** 약용의《식물 따위》: ~ herbs 약초. ㊞ **~·ly** *ad.*

of·fi·cious [əfíʃəs] *a.* **1** (쓸데없이) 참견〔간섭〕하는: She's very ~. 그녀는 무척 참견하기를 좋아한다. **2** 〖외교〗 비공식의. ↔ *official*. ¶an ~ talk 비공식 회담. ㊞ **~·ly** *ad.* **~·ness** *n.*

off·ing [ɔ́(:)fiŋ, ɑ́f-] *n.* (the ~) (연안에서 보이는) 앞바다. ***in the ~*** 가까운 장래에; 슬슬 나타날〔일어날〕 것 같아: with spring *in the ~* 봄이 다가와서.

off·ish [ɔ́(:)fiʃ, ɑ́f-] *a.* 《구어》 무접없는, 새침한, 쌀쌀한. ㊞ **~·ly** *ad.* **~·ness** *n.*

óff-kéy *a.* **1** 음정이〔가락이, 곡조가〕 고르지 못한. **2** 정상이 아닌, 불규칙한.

óff-lìcense *n.* Ⓒ 《英》 주류 판매 허가(를 받은 상점)《점포 내에서의 음주는 불가》.

óff-límits *a.* 《美》 출입 금지인《*to* …에게》. cf. on-limits. ¶a bar ~ *to* soldiers 군인 출입 금지의 바.

óff-lìne *a.*, *ad.* 〖컴퓨터〗 오프라인의〔으로〕《컴퓨터의 중앙 처리 장치에서 독립, 또는 그것에 직결하지 않고 작동하는》.

óff-lòad *vt.* **1** 《英》 (쓸모없는 것·귀찮은 사람)을 떠맡기다《*on, onto* …에게》: He *~ed* the work *onto* me. 그는 그 일을 나한테 떠맡겼다. **2** (…의) 짐을 부리다.

óff-òff-Bróadway *a.*, *ad.* 오프오프브로드웨이의〔에서〕. **—***n.* Ⓤ 〖집합적〗 오프오프브로드웨이《New York 시의 소형 홀·카페 등에서 상연되는 초전위 연극》.

óff-péak *a.* Ⓐ 출퇴근 시간(rush hours) 외의, 한산할 때의, 피크 때가 아닌.

óff-príce *a.* Ⓐ 《美》 할인의.

óff·prìnt *n.* Ⓒ (잡지·논문의) 발췌 인쇄(물).

óff-pùtting *a.* 당혹하게 하는; 혐오를 느끼게

하는.

óff-róad *a.* Ⓐ 비포장 도로나 황무지를 달리는, 공도(公道) 이외를 달리기 위한: an ~ vehicle 오프로드 차《설상차(雪上車) · 사상차(砂上車) 따위》/ ~ racing 오프로드 경주.

óff-ròading *n.* Ⓤ 일반〔포장〕도로가 아닌 곳에서 하는 드라이브〔레이스〕.

óff-ròad rácing ⇨ OFF-ROADING.

óff·scréen *a.* 영화〔텔레비전〕에 나타나지 않는 (곳에서의); 사〔실〕생활의. **—** *ad.* 영화〔텔레비전〕에 나오지 않고; 사〔실〕생활에서.

óff-séason *a., ad.* 한산기의〔에〕, 철이 지난 (때에); (운동 따위가) 제철이 아닌 (때에): an ~ job for a baseball player 야구 선수의 계절 외 부업. **—** *n.* Ⓒ 한산기, 시즌 오프, 계절 외: travel in the ~ 관광철이 아닌 때에 여행하다.

◇**òff·sét** (*p., pp.* **~;** **~·ting**) *vt.* **1** 차감 계산을 하다, 상쇄〔상계〕하다《*by* …으로》; …으로 벌충하다《*against* …을》: ~ losses *by* gains 손실을 이익으로 상쇄하다 / We ~ the better roads *against* the greater distance. 도로가 좋으면 거리가 먼 것도 벌충된다. **2** 〚인쇄〛 오프셋 인쇄로 하다. **—** [ˊˋ] *n.* Ⓒ **1** 차감 계산, 상계〔상쇄〕하는 것, 벌충하기. **2** 갈라짐, 분파; (가로 뻗친 산(山)의) 지맥(支脈); 〚식물〛 단복지(短匐枝), 분지(分枝). **3** 〚인쇄〛 오프셋 인쇄(법).

óff·shòot *n.* Ⓒ **1** 〚식물〛 분지(分枝), 곁가지. **2** (씨족의) 분파, 분가. **3** 파생물(derivative), 파생적인 결과: an ~ *of* one's research 연구의 부산물.

óff·shòre *a.* **1** 앞바다의; 앞바다로 향하는《바람 따위》: ~ fisheries 근해 어업 / an ~ wind (해안에서) 앞바다로 부는 바람. **2** (상품 · 기술 따위가) 국외에서의, 해외에서의: ~ purchases 해외 매입 / ~ manufacture of car parts 자동차 부품의 국외 제조. **—** [ˊˊ] *ad.* …의 앞바다로 (향하여). ↔ *in-shore*.

óff·síde *a., ad.* **1** 〚축구 · 하키〛 오프사이드의〔에〕《경기자의 위치가 반칙이 되는》. ↔ *onside*. **2** 반대측의〔에〕. **—** *n.* **1** Ⓤ 〚스포츠〛 오프사이드. **2** (the ~) 《英》 (말 · 마차의) 우측; (자동차의) 도로 중앙측(↔ *nearside*).

***off·spring** [ɔ́(ː)fspriŋ] (*pl.* **~(s)**) *n.* Ⓒ **1** 〚집합적으로도 씀〛 **자식**, 자녀; 자손, 후예; (동물의) 새끼《★ 부정관사는 쓰지 않음》. **2** 생겨난 것, 소산(fruit), 결과(result).

óff·stáge *a., ad.* **1** 〚연극〛 무대 뒤의〔에서〕. **2** 사생활의〔에서〕; 은밀한〔하게〕; 비공식의〔으로〕.

óff-stréet *a.* Ⓐ 큰길에서 들어간, 뒷〔옆〕골목의.

óff-the-bóoks *a.* 장부 외의, 기장되지 않은.

óff-the-cúff *a.* 《구어》 (연설 등이) 즉석의, 준비 없는: an ~ speech 즉석 연설.

óff-the-pég *a.* 《英》 = OFF-THE-RACK.

óff-the-ráck *a.* (옷이) 기성품인(ready-made).

óff-the-récord *a.* 비공개의; 기록에 남기지 않는; 비공식의: an ~ report 〔briefing〕 비공개 보고〔브리핑〕.

óff-the-shélf *a.* (특별 주문이 아닌) 재고품의, 출하 대기의; 기성품인.

óff-the-wáll *a.* 《속어》 색다른, 엉뚱한; 머리가 돈〔이상한〕.

óff·tráck *a., ad.* 《美》 (경마 내기에서) 경마장 밖에서 하는, 장외의〔에서〕.

offtráck bétting 장외 경마 도박《생략: OTB》.

óff-whíte *n.* Ⓤ, *a.* 회색〔황색〕을 띤 흰빛(의).

off yèar 《美》 (대통령 선거 같은) 큰 선거가 없는 해; (농작 · 경기(景氣) 등이) 부진한 해.

óff-yèar *a.* Ⓐ 《美》 off year 의: an ~ election 중간 선거.

oft [ɑft, ɔ(ː)ft] *ad.* 《주로 합성어》 = OFTEN: an ~-quoted remark 자주 인용되는 말.

†**of·ten** [ɔ́(ː)ftən, ɑ́ftən/ɔ́f-] (**~·er, more ~; ~·est, most ~**) *ad.* **1 자주, 종종**, 가끔; 왕왕 《★ 문장 중의 정위치는 보통 동사 앞, be 및 조동사 뒤지만, 강조나 대조를 위해 문장 첫머리 · 문장 끝에도 둠》: He ~ comes here. 그는 자주 여기 온다 / He is ~ late. 그는 자주 늦는다 / He has ~ visited me. 그는 자주 나를 방문했다 / I have visited him quite ~. 여러 번 그를 방문했었다 / Don't bother him too ~. 너무 자주 그에게 폐를 끼치지 마라. **2** 〚흔히 복수형의 명사 · 대명사와 함께 써서〛 대체로, 대개의 경우에: Children ~ dislike carrots. 아이들은 대체로 당근을 싫어한다 / This kind of wound ~ heals up in a week or two. 이런 종류의 상처는 대개의 경우 1, 2 주면 낫는다.

SYN. **often** '자주' 의 뜻의 가장 일반적인 말. 횟수가 많음을 강조, 간격은 문제삼지 않음. '왕왕, 흔히(in many cases)' 의 뜻으로는 frequently 가 그렇게 많이 쓰이지 않음에 주의: He bought numerous pictures, *often* in oil. 그는 수많은 그림, 그것도 흔히 유화를 샀다. **frequently** 짧은 간격으로 빈번히 되풀이됨을 강조함: It happens *frequently*. 그건 자주 일어난다.

as ~ as ① …할 때마다(whenever): He failed *as* ~ *as* he tried. 그는 할 때마다 실패했다. ② 〚강조적〛 …번이나: He brushes his teeth *as* ~ *as* five times a day. 그는 하루 다섯 번이나 이를 닦는다. ***as ~ as not*** 종종, 자주《★ 빈도는 적어도 두 번에 한 번 꼴의 경우》: *As* ~ *as not*, he forgets to bring something. 종종 그는 뭔가 (필요한) 물건을 갖고 오는 것을 잊어버린다. ***how ~*** 몇 번이나, 얼마나 자주: *How* ~ have you met him? 그를 몇 번이나 만났습니까. ***more ~ than not*** 대체로, 보통《★ 빈도는 50 퍼센트 이상의 경우》: You can find him in his office *more* ~ *than not*. 그는 대개 사무소에 있습니다. **~ *and ~*** 〔***again***〕 몇 번이고 자주.

óften·tìmes, óft·tìmes *ad.* 《고어 · 문어》 = OFTEN.

ogle [óugəl] *n.* Ⓒ (보통 *sing.*) 추파. **—** *vt., vi.* (특히 여성에게) 애교 있는 윙크를 하다, 추파를 던지다. ㊕ **ógler** *n.*

ogre [óugər] (*fem.* **ogress** [-gris]) *n.* Ⓒ (민화 · 동화의) 사람 잡아먹는 귀신《거인 · 괴물》; 귀신 같은 사람; 무서운 것〔일〕. ㊕ **ógr(e)·ish** [óugəriʃ] *a.* 귀신 같은. **ógr(e)ish·ly** *ad.*

†**oh** [ou] *int.* **1 오오**, 아, 어허, 앗, 아아, 여봐《놀람 · 공포 · 찬탄(讚嘆) · 비탄 · 고통 · 간망(懇望) · 부를 때 따위의 감정을 나타냄》: *Oh*, boy! 《속어》 아차, 아뿔싸 / *Oh* dear (me)! 아이구〔어머〕 저런 / *Oh* that I were young again! 아아 다시 한번 젊어졌으면 / *Oh* God! 오 하느님. **2** 어이《직접적인 부름》: *Oh* Tom, get it for me. 어이 톰, 그걸 가져와. **3** 참, 응《망설이거나 말이 막힐 때》: I went with George and Clinton, *oh*, and Jim. 조지와 클린턴, 참 짐도 함께 갔지. ***Óh for...!*** …이 있으면 좋겠다: *Óh for* a cup of tea! 차 한 잔 마셨으면 좋겠다. ***Óh, no.*** 당치도 않다(certainly not). ***Oh, nó.*** 이런, 끔찍해《공포

O

따위). *Oh, oh.* 큰일났군《곤란한 사태 따위》. *Oh-oh!* 아하《실망 · 낙담》. *Oh well!* 뭐가 어때, 이런 일도 있군《체념》. *Óh, yes* 〔*yeah*〕. 그렇고 말고요, 참말이다. *Oh, yés* 〔*yéah*〕*?* (어이) 그래, 허 그런가, 설마(Really?)《불신 · 회의 · 말대답 따위》. ★O는 언제나 대문자로 쓰고 휴식부《,》나 감탄부《!》를 붙이지 않으나, oh, Oh의 뒤에는 붙임. [cf] O³.

OH 〖美우편〗 Ohio.

O'·Háre Áirport 오헤어 공항《미국 Chicago에 있는 국제 공항; 코드명: ORD》.

O. Henry [óu hénri/óu-] *n.* 오헨리《미국의 단편 작가; 본명 William Sydney Porter; 1862–1910》.

Ohio [ouháiou] *n.* 오하이오《미국 동북부의 주; 생략: OH》. (파) **~·an** [ouháiouən] *a.*, *n.* Ⓒ ~주의 (사람).

ohm [oum] *n.* Ⓒ 〖전기〗 옴《전기 저항의 MKS 단위; 기호Ω; 생략: O, o.》.

ohm·ic [óumik] *a.* 〖전기〗 옴의; 옴으로 잰.

óhm·mèter *n.* Ⓒ 〖전기〗 옴계(計), 전기 저항계.

O.H.M.S. 《英》 On His 〔Her〕 Majesty's Service(공용)《공문서 등의 무료 배달 표시》.

oho [ouhóu] *int.* 오호, 야아, 저런《놀람 · 기쁨 · 놀림 따위를 나타냄》.

OHP overhead projector (두상(頭上) 투영기).

-oid [ɔid] *suf.* '…같은 (것), …모양의 (것), …질(質)의 (것)' 의 뜻: alkal*oid*, cycl*oid*.

†**oil** [ɔil] *n.* **1 a** Ⓤ (종류는 Ⓒ) 기름: animal 〔vegetable, mineral〕 ~ 동물성〔식물성, 광물성〕 기름/cooking ~ 식용유/machine ~ 기계유/feed ~ to …에 기름을 붓다. **b** Ⓤ 《美》 석유: lamp ~ 등유/heavy 〔light〕 ~ 중〔경〕유. **2 a** (*pl.*) 유화물감(~ colors): paint in ~*s* 유화를 그리다. **b** Ⓒ 《구어》 유화(~ painting). **3** (*pl.*) 유포(油布); 비옷, 방수복.

burn 〔***consume***〕 ***the midnight ~*** ⇨MIDNIGHT. ***~ and vinegar*** 〔***water***〕 기름과 초, '물과 기름'《서로 맞지 않는 것》. ***pour ~ on the flame***(***s***) 불에 기름을 붓다, 싸움을〔화를〕 선동〔부채질〕하다. ***pour*** 〔***throw***〕 ***~ on the troubled waters*** 《비유적》 분란〔싸움〕을 가라앉히다. ***smell of ~*** 애쓴 흔적이 엿보이다. ***strike ~*** ① 유맥(油脈)을 찾아내다; 《비유적》 행운을〔부를〕 찾아내다. ② (투기에서) 노다지를 잡다, (새 기업 따위가) 들어맞다〔성공하다〕.

—*vt.* **1** …에 기름을 바르다〔치다〕: ~ a bicycle 자전거에 기름을 치다. **2** 《美구어》 …에게 뇌물을 쓰다; (경관 등)에게 쥐어주다: ~ the knocker 《英속어》 문지기에게 팁을 주다.

have a well ~ed tongue 수다를 떨다. ***~ a person's hand*** 〔***palm***〕 아무에게 뇌물을 쓰다 (bribe). ***~ one's*** 〔***the***〕 ***tongue*** 아첨하다. ***~ the wheels*** 〔***works***〕 ① 차바퀴에 기름을 치다. ② (뇌물을 주거나 아첨을 하여) 일을 원활하게 해 나가다.

óil-bèaring *a.* 석유를 함유한《지층 따위》.

óil càke 기름 (짜고 난) 찌꺼기, 깻묵《가축 사료 · 비료》.

óil·càn *n.* Ⓒ 기름 치는 기구; 기름통.

óil·clòth *n.* **1** Ⓤ 유포(油布), 방수포. **2** Ⓒ 오일 클로스《식탁보 · 선반 씌우개 따위》.

óil còlor (보통 *pl.*) 유화 그림물감; 유화.

óil dòllars 오일 달러(petrodollars)《중동 산유국이 석유 수출로 벌어들인 달러》.

óil drúm 석유(운반)용 드럼통.

óil èngine 석유 엔진.

óil·er *n.* **1** Ⓒ 주유자(注油者); 급유기(oilcan); 유조선, 탱커(tanker). **2** (*pl.*) 《美》 방수복(oilskins). **3** Ⓒ 유정(油井)(oil well).

óil fènce 오일펜스《수면에 유출된 기름을 막는 방책》.

óil field 유전(油田).

óil-fired *a.* 기름을 땔감으로 하는.

óil·màn [-mæ̀n, -mən] (*pl.* **-mèn** [-mèn, -mən]) *n.* Ⓒ 유전 소유〔경영〕자; 제유업자; 기름 장수.

óil mèal 깻묵가루《사료 · 비료》.

óil pàint 유화 그림물감; (유성) 페인트.

óil pàinting 유화; 유화 그리는 법: She's 〔It's〕 no ~. 《英구어》 아무래도 그림으로는 되지 않는다, 예쁘지 않다, 추하다.

óil pàlm 〖식물〗 기름야자나무《열매에서 야자유(palm oil)를 채취》.

óil·pàper *n.* Ⓤ 유지, 동유지(桐油紙).

óil prèss 착유기(搾油機).

óil-prodúcing *a.* 석유를 산출하는: ~ countries 산유국.

óil·rìg *n.* Ⓒ (특히 해저) 석유 굴착 장치.

óil sànd 〖지질〗 오일 샌드, 유사(油砂)《중질(重質) 석유를 함유하는 다공성 사암(多孔性砂岩)》.

óil·sèed *n.* Ⓒ (깨 · 피마자 · 목화처럼) 기름을 얻는 씨앗.

óil shàle 〖광물〗 석유 혈암(頁岩), 유모(油母) 혈암, 오일 셰일.

óil·skìn *n.* **1** Ⓤ 유포(油布), 방수포. **2** (*pl.*) 방수복.

óil slìck (해상 · 호수 따위에 떠 있는 석유의) 유막(油膜).

óil-tànker *n.* Ⓒ 유조선〔차〕, 탱커.

óil wèll 유정(油井).

°**oily** [ɔ́ili] (**oil·i·er; -i·est**) *a.* **1** 기름〔유질(油質) · 유성(油性) · 유상(油狀)〕의, 기름칠한〔투성이의〕, 기름에 담근; (피부가) 지성(脂性)의: ~ wastewater 유성〔함유(含油)〕 폐수. **2** (태도 따위가 매끄럽게) 아첨하는 것 같은; (말이) 입에 발린, 구변 좋은. (파) **óil·i·ness** *n.*

oink [ɔiŋk] *n.* Ⓒ 돼지의 울음소리. **—***vi.* (돼지가) 꿀꿀거리다. [imit.]

°**oint·ment** [ɔ́intmənt] *n.* Ⓤ (종류 · 낱개는 Ⓒ) 〖약학〗 연고, 고약(膏藥).

O.J. 《美구어》 orange juice.

OK 〖美우편〗 Oklahoma.

†**OK, O.K.** [òukéi, ㅅ] 《구어》 *a.* Ⓟ, *ad.* 〖종종 감탄사적〗 좋아(all right); 알았어(agreed); 이제 됐어(yes)《납득 · 승낙 · 찬성 따위를 나타냄》; 순조로운〔롭게〕, 잘: That's ~. (그건) 됐어, 이제 걱정 마《사과에 대해서》/Everything will be ~. 모든 것이 잘 돼 갈거야/The machine is working ~. 그 기계는 순조롭게 움직이고 있다/Is it ~ if I bring a friend to the party? 파티에 친구를 한 명 데려와도 되겠니.

— [ㅅㅅ] (*pl.* **OK's**) *n.* Ⓒ 승인, 동의, 허가《*on* …에 대한; …의/*to* do》; 교료(校了): They couldn't get 〔receive〕 his ~ *on* it. 그것에 대하여 그의 승인을 얻지 못하였다/They gave their ~ to her leave of absence. 그녀의 휴가를 허락하였다/He gave me the ~ *to* go ahead. 그는 나에게 먼저 가도 좋다고 승낙했다.

— [ㅅㅅ] (*p.*, *pp.* **OK'd, O.K.'d; OK'ing, O.K.'ing**) *vt.* **1** 승인하다: The boss ~'d it. 사장

은 그것을 승인했다. **2** …에 O.K.라고 쓰다《교료의 표시 따위로》.

o·ka·pi [ouká:pi] *n.* Ⓒ 【동물】 오카피《기린과(科); 중앙 아프리카산(産)》.

okay, okeh, okey [òukéi] *a., ad., n., vt.* 《구어》 =OK.

okey-doke(y) [óukidóuk(i)] *a., ad.* 《美구어》 =OK.

Okhotsk [oukátsk/-kɔ́-] *n.* ***the Sea of ~*** 오호츠크 해.

Okla. Oklahoma.

Okla·ho·ma [òukləhóumə] *n.* 오클라호마《미국 중남부의 주; 주도 Oklahoma City; 생략: Okla.》.

Òkla·hó·man [-mən] *n.* Ⓒ 오클라호마주 사람. **—***a.* 오클라호마주(사람)의.

okra [óukrə] *n.* Ⓒ 【식물】 오크라《아프리카 원산의 콩과 식물; 그 꼬투리는 수프 따위에 쓰임》.

†**old** [ould] (***óld·er; óld·est;*** 《형제자매의 장유(長幼)의 순서를 말할 때, 특히 《英》》 ***éld·er; éld·est***) *a.* **1 a 나이 먹은,** 늙은; 노령〔노년〕의, 노후의. ↔ *young.* ¶an ~ man of eighty, 80세의 노인/~ age 노년, 노후/grow ~ 나이를 먹다, 늙다/He looks ~ for his age. 그는 나이에 비해 늙어 보인다. **b** (the ~) 《명사적; 복수취급》 노인들: a hospital for the ~ 노인 병원/Be kind to the ~. 노인들에게 친절히 하시오.

SYN. **old** '늙은, 나이를 먹은'의 뜻의 가장 보편적인 말로 young 및 new와 대립되는 말. '노인의'라는 뜻으로는 aged, elderly와 유의어이며, '오래된'이라는 뜻으로는 ancient, antique와 유의어임. **aged** old보다 품위가 있고 나이가 강조되며 흔히 노쇠의 뜻을 풍김: my *aged* father 나이드신 내 아버지. an *aged* tree 노목(老木). **elderly** '연배의, 나이 지긋한'. 중년이지만 나이로서 원숙미를 나타냄. **ancient** modern의 반대어로 '고대의, 고풍의', 또는 old의 힘줌말로서 '옛날부터의' 뜻임: *ancient* civilization 고대 문명. an *ancient* custom 옛날부터의 습관. **antique** ancient와 거의 같은 뜻으로, 오래되어 희소가치가 있음을 시사할 때가 있음. 또 '구식인'이라는 좋지 않은 뜻도 있음. *antique* furniture 제작 연대가 오래된 귀중한 가구.

2 Ⓟ 《기간을 나타내는 말, 또는 how와 함께 써서》 (만) …세〔월, 주〕의〔인〕 (of age); (사물이) …년 된〔지난〕: a boy (of) ten years ~ =a ten-year-~ boy, 10살 된 소년/How ~ is the baby?—He is three months 〔weeks〕 ~. 애는 몇 살입니까—3개월〔주〕 되었다.

3 《비교급·최상급으로 써서》 연장(年長)의, **연상(年上)의**: one's *~est* sister (美) 큰누나/He is two years *~er* than I (am). 그는 나보다 두 살 연상이다.

4 a 낡은, 오래된; (써서) 헌, 닳은, 중고의; 구(舊)(식)의, 시대에 뒤진. ↔ *new.* ¶~ shoes 헌 신발/~ wine 오래된 포도주/an ~ school 오래된 학교/~ family 구가(舊家)/an ~ model 구(식)형(모델)/an ~ joke 케케 묵은 농담. **b** (the ~) 《명사적; 단수취급》 오래된 것, 옛날 것; 낡은 것.

5 이전의, 원래의: one's ~ job 원래 하던 일/one's ~ school 모교.

6 Ⓐ 예로부터의, 오랜 세월 동안의; 여느 때와 같은 예(例)의: an ~ enemy 숙적(宿敵)/~ traditions 오랜 전통/an ~ ailment 해묵은 병/It's the ~ story. 늘 듣는 이야기다/the same ~ excuse 예의 그 변명.

7 이전부터 친한, 그리운; 《구어》 친한: ~ boy 〔chap, fellow〕 =《속어》 ~ bean 〔egg, fruit, thing, stick, top〕 (친밀한 마음으로) 여보게/an ~ friend (of mine) (나의) 옛 친구/the ~ familiar faces 전에 친했던 사람들/~ England 그리운 영국.

8 Ⓐ 고대의, 전시대의; (O-) (언어사적으로) 옛날의, 고대의: an ~ civilization 고대 문명/⇨ OLD ENGLISH.

9 노련한, 숙련된; 노회(老獪)한; 노후한; 사려깊은, 침착한: an ~ sailor 노련한 선원/an ~ hand 노련한 사람/~ in diplomacy 외교에 능한.

10 Ⓐ 《구어》 《다른 형용사 뒤에 붙여 힘줌말로서》 굉장한, 훌륭한: We had a fine 〔high, good〕 ~ time. 굉장히 즐거운 시간을 보냈다.

any ~ 《구어》 어떤 …이라도: *Any* ~ thing will do. 어떤 것이라도 상관없다/Come *any* ~ time. 어느 때라도 오시오. ***(as) ~ as the hills*** 〔***world***〕 매우 오래된. ***for ~ times' sake*** 옛날의 정의로. ***~ beyond*** one***'s years*** 나이에 비해 영리한〔깜찍한〕.

—*n.* Ⓒ 《…-year-old의 형태로》 …살〔세〕난 사람〔동물, 《특히》 경주마〕: a 3-year-~ 세 살난 어린애. ***of ~*** ① 옛날, 이전: men *of* ~ 옛날 사람/in days *of* ~ 옛날에, 이전에. ② 《부사구로》 옛날부터: I know her *of* ~. 옛날부터 그녀를 알고 있다.

óld áge 노년, 노령《대체로 65세 이상》; 【지리】 노년기《침식 윤회의 최종 단계》.

óld-áge *a.* 노년의: an ~ pensioner 노령 연금 수령자《생략: OAP》.

óld àge pénsion (the ~) 《英》 노령 연금 《65세 이상 남자, 60세 이상의 여자에게 지급됨》.

Old Bill 《英속어》 경찰관.

óld bóy 《英》 **1** [⌐⌐] Ⓒ 동창생, 교우, 졸업생 (alumnus): an *~s'* association 동창회. **2** [⌐⌐] 《친밀히 부르는 말》 여보게. ㊋ old *a.* 7. **3** Ⓒ 《구어》 정정한 노인, 나이 지긋한 남성.

óld bóys' nètwork (the ~) 《英구어》 (public school 따위의) 교우간의 유대〔연대, 결속〕; 학벌; 동창 그룹.

óld cóuntry (the ~, one's ~) (이민의) 본국, 조국, 고국《특히 유럽 나라》; (역사 있는) 오래된 나라; (미국에서 본) 유럽.

old·en [óuldən] *a.* Ⓐ 《고어·문어》 오래된, 옛날의: in (the) ~ days =in ~ times 옛날엔.

Óld Énglish 고대 영어(Anglo-Saxon)《700-1100년 사이; 생략: OE; ㊋ Middle English, Modern English》.

ol·de-worl·de [óuldiwə́:rldi] *a.* 《英구어》 《종종 우스개》 일부러 예스럽게 한, 영국적인 고풍의.

***old-fash·ioned** [óuldfǽʃənd] *a.* **1 구식**〔고풍〕**의**, 시대〔유행〕에 뒤진: ~ clothes 유행에 뒤진 옷/~ ideas 시대에 뒤진 생각. ↔ *new-fangled.* **2** Ⓐ 《英구어》 (눈초리·표정 등이) 책망〔비난〕하는 듯한: give a person an ~ look 아무를 책망하는 듯한 눈으로 보다.

óld fóg(e)y 완고한 사람; 시대〔유행〕에 뒤진 사람《주로 노인》.

Óld Frénch 고대 프랑스어《800-1400년 사이; 생략: OF》.

óld gírl 《英》 **1** (여자) 졸업생, 교우(校友). **2 a**

(the ~, a person's ~)《구어》 아내, 마누라; (the ~)《구어》 여주인; 노파. **b**〔여성에게 친밀히 부르는 말〕 이봐.

Óld Glóry《美》 성조기(Stars and Stripes).

óld guárd (the ~)〔집합적; 단·복수취급〕 보수파.

óld hánd 숙련자, 노련가, 경험자, 전문가(veteran)《*at* …의》: an ~ *at* bricklay*ing* 능숙한 벽돌공.

Óld Hárry (the ~)《구어》 악마(Old Nick).

óld hát《구어》 구식의; 시대에 뒤진; 평범한, 진부한.

O

old·ie, oldy [óuldi] *n.* Ⓒ《구어》 낡은〔옛〕 것〔사람〕;《특히》 낡은〔옛〕 영화〔노래, 농담, 속담〕.

old·ish [óuldiʃ] *a.* 좀 늙은; 예스러운.

òld lády《구어》 (the ~, one's ~) 아내, (늙은) 마누라; (특히 함께 사는) 여자 친구; 어머니; 잔소리꾼(old maid): I haven't seen your ~ for a long time, Bill. 빌, 자네 어머니를〔부인을〕 못 뵌 지 오래됐네. ***the Old Lady of Threadneedle Street***《英》 잉글랜드 은행《속칭》.

òld lág《英구어》 상습범, 전과자.

óld-líne *a.*《美》 보수적인; 전통적인. ⊕ **-líner** *n.* Ⓒ 보수적 인물; 보수당원.

óld máid 1 올드 미스, 노처녀. **2**《구어》 깐깐하고 잔소리가 심한 사람《남녀에 똑같이 씀》. **3**〖카드놀이〗 도둑잡기〔뽑기〕.

óld-máidish *a.* 노처녀 같은; 딱딱한; 잔소리 심한, 성가신.

òld mán《구어》 **1** (the ~, one's ~) 부친; 남편; (the~) 고용주; 두목, 보스(boss), 윗사람; 지배인; 대장; 선장. **2**〔친근하게 부를 때 써서〕 이봐, 여봐.

óld máster 유럽의 유명 화가《특히 13세기에서 17세기까지》; 그 화가의 작품.

Óld Níck (the ~) 악마(Satan).

óld òne (an ~)《구어》 악마; 진부한 익살〔농담〕.

óld péople's hòme 양로원.

óld schòol 1 (one's ~) 모교(母校). **2** (the ~)〔집합적〕 보수파, 전통 지지자들: people of the ~ 보수파 사람들.

óld schòol tíe 1 (영국의 public school 출신자가 매는) 모교의 빛깔을 표시하는 넥타이. **2** (the ~) 학벌〔상류 계급〕 의식; 보수적인 태도〔생각〕.

óld sóldier 1 노병, 고참병: *Old soldiers* never die; they only fade away. 노병은 죽지 않고 사라질 뿐이다《맥아더 장군이 인용하여 유명해진 말》. **2**《비유적》 (어떤 분야의) 숙련자.

óld-stáger *n.* Ⓒ《구어》 경험자, 숙련자.

old·ster [óuldstər] *n.* Ⓒ《구어》 노인; 고참. ↔ *youngster*.

óld stýle 고문체(古文體);〖인쇄〗 구체 활자; (the O- S-) 구력(舊曆)《율리우스력(曆)》.

Óld Téstament (the ~) 구약 (성서)《생략: O.T., OT; cf. New Testament》.

óld-tíme *a.* 이전의, 예전(부터)의.

óld-tímer *n.* Ⓒ 고참, 선배;《美》 노인.

Óld Víc (the ~) 올드 빅《런던의 레퍼토리 극장; 셰익스피어 극의 상연으로 유명함》.

óld wíves' tàle〔stòry〕 (노파의 말 같은) 허튼 이야기〔미신〕.

óld wóman 1 노파. **2** (the ~, one's ~)《구어》 마누라; 모친. **3** (the ~)《구어》 여주인; 잔소리쟁이(old maid); (노파처럼) 곰상스런 남자.

òld-wómanish *a.*《속어》 (남자가) 노파 같은, 잔소리 많은(old-maidish).

Óld Wórld (the ~) 구세계《유럽, 아시아, 아프리카》(cf. New World); (the ~) 동반구(東半球),《특히》 유럽.

óld-wórld *a.* Ⓐ **1** 태고의, 고대(풍)의; 시대에 뒤진. **2** 구세계의,《특히》 유럽의, 동반구(東半球)의.

ole·ag·i·nous [òuliǽdʒənəs] *a.* **1** 기름을 함유하는〔이 생기는〕, 유질(油質)의, 유성(油性)의, 기름기가 있는. **2** 말주변이 좋은, 간살부리는.

ole·an·der [òuliǽndər, ⌐-⌐-] *n.* Ⓒ〖식물〗 서양협죽도(夾竹桃)《지중해 지방산의 유독 식물; 흰색·분홍색·보라색의 방향성 꽃을 피움》.

óle·o·gràph [óuliəgræ̀f/óuliəgrɑ̀:f] *n.* Ⓒ 유화식(油畫式) 석판화(石版畫). ⊕ **ole·og·ra·phy** [òuliɑ́grəfi/-ɔ́g-] *n.* Ⓤ 유화식 석판 인쇄법. **òleo·gráphic** *a.*

òleo·márgarin(e) *n.* Ⓤ《美》 올레오마가린《인조 버터》. ⊕ **-margáric** *a.*

ol·fac·tion [ɑlfǽkʃən/ɔl-] *n.* Ⓤ〖생리〗 후각(嗅覺), 후감(嗅感)(smelling).

ol·fac·to·ry [ɑlfǽktəri/ɔl-] *a.* 후각의; 냄새의.

ol·i·garch [ɑ́ləgɑ̀:rk/ɔ́l-] *n.* Ⓒ 과두제 지배자, 과두 정치의 집정자; 과두제 지지자.

ol·i·gar·chic [ɑ̀ləgɑ́:rkik/ɔ̀l-], **-chi·cal** [-əl], **ol·i·gar·chal** [ɑ́ləgɑ̀:rkəl/ɔ́l-] *a.* 과두〔소수〕정치의, 소수 독재 정치의.

ol·i·gar·chy [ɑ́ləgɑ̀:rki/ɔ́l-] *n.* **1** Ⓤ 과두 정치, 소수 독재 정치. **2** Ⓒ 과두 독재 국가〔사회, 단체, 기업, 교회〕. **3** Ⓒ〔집합적; 단·복수취급〕 소수의 독재자 그룹.

Ol·i·go·cene [ɑ́ligousì:n/ɔ́l-] *a.*〖지질〗 올리고세(世)의. ─*n.* (the ~) 올리고세.

ol·i·gop·o·ly [ɑ̀ligɑ́pəli/ɔ̀ligɔ́p-] *n.* Ⓤ (구체적으로는 Ⓒ)〖경제〗 (시장의) 소수 독점, 과점(寡占). ⊕ **-list** *n.* **òl·i·gòp·o·lís·tic** *a.*

ol·i·gop·so·ny [ɑ̀ligɑ́psəni/ɔ̀ligɔ́p-] *n.* Ⓤ (구체적으로는 Ⓒ)〖경제〗 (시장의) 소수 구매 독점, 수요 독점. ⊕ **-nist** *n.* **òl·i·gòp·so·nís·tic** *a.*

olio [óuliòu] (*pl.* ***oli·os***) *n.*《Sp.》 **1** Ⓤ 잡탕찜, 고기와 채소의 스튜. **2** Ⓒ 뒤섞은 것; 잡곡집(雜曲集) (medley), 잡록(雜錄)(miscellany).

***ol·ive** [ɑ́liv/ɔ́l-] *n.* **1** Ⓒ〖식물〗 올리브(나무)《남유럽 원산의 상록수》; 올리브 열매. **2** Ⓤ 올리브색. ─*a.* 올리브의, 올리브색의.

ólive brànch 올리브 가지《평화의 상징; Noah가 방주(方舟)에서 날려 보낸 비둘기가 올리브 가지를 물고 왔다는 구약 성서의 고사에서》. ***hold out the***〔***an***〕 ~ 화의〔화해〕를 제의하다.

ólive cròwn 올리브잎의 관《승리의 상징》.

ólive dráb 1 짙은 황록색. **2** (*pl.*)〖美육군〗 녹갈색의 모〔면〕직물(의 겨울철 군복)《생략: O.D.》.

ólive gréen (덜 익은) 올리브색, 황록색.

ólive òil 올리브유.

Ol·i·ver [ɑ́ləvər/ɔ́l-] *n.* 올리버《남자 이름; 애칭은 Ollie》.

Ol·ives [ɑ́livz/ɔ́l-] *n.* ***the Mount of*** ~〖성서〗 올리브〔감람〕산《예루살렘 동쪽의 작은 산; 예수가 승천한 곳; 마태복음 XXVI: 30》.

ólive trèe〖식물〗 올리브나무(olive).

Oliv·ia [oulíviə] *n.* 올리비아《여자 이름》.

ol·i·vine [ɑ́ləvì:n/ɔ́l-] *n.* Ⓤ (낱개는 Ⓒ)〖광물〗 감람석(橄欖石).

-ol·o·gy [ɑ́lədʒi/ɔ́l-] *suf.* '…학(學), …론(論)'의 뜻: biology, geology.

Olym·pia [əlímpiə, ou-] *n.* 올림피아. **1** 여자

이름. 2 그리스 Peloponnesus 반도 서부의 평원《옛날에 Olympic Games가 열렸던 곳》. 3 미국 워싱턴 주의 주도.

◇**Olym·pi·ad** [əlímpiæ̀d, ou-] *n.* [C] 1 (옛 그리스의) 4년기(紀)《한 올림피아 경기에서 다음 경기까지의 4년간》. 2 국제 올림픽 대회(the Olympic Games); (정기적으로 개최되는) 국제 경기 대회.

Olym·pi·an [əlímpiən, ou-] *a.* 1 올림포스 산(상)의; 올림포스의 신과 같은; 천상(天上)의; (위풍이) 당당한; 거룩한: ~ manners 당당한 행동. 2 올림피아(평원)의; 올림픽 경기의. ―*n.* [C] 1 〖그리스신화〗 올림포스의 12신의 하나. 2 올림픽 경기 선수.

***Olym·pic** [əlímpik, ou-] *a.* [A] 1 (고대) 올림피아 경기의; (근대) **국제 올림픽 경기의**: an ~ athlete 올림픽 선수/the ~ fire 올림픽 성화. 2 올림피아(평원)의; 올림포스 산의. ―*n.* (the ~s) =OLYMPIC GAMES.

Olýmpic Gámes (the ~) 〖단·복수취급〗 1 (고대 그리스의) 올림피아 경기 대회(Olympian Games). 2 (근대의) 국제 올림픽 경기 대회(Olympiad)《1896년부터 4년마다 개최》.

Olym·pus [əlímpəs, ou-] *n.* **Mount** ~ 올림포스 산《그리스 신들이 살고 있었다는 산》.

O.M. 《英》 (Member of the) Order of Merit.

Oman [oumάːn] *n.* 오만《아라비아 동남단의 왕국; 수도는 무스카트(Muscat)》.

om·buds·man [άmbʌ̀dzmən/ɔ́m-] (*pl.* **-men** [-mən]) *n.* [C] 1 옴부즈맨《북유럽 등에서 정부·국가 기관 등에 대한 일반 시민의 고충을 처리하는 입법부 임명의 행정 감찰관》. 2 〖일반적〗 (기업 노사 간의) 고충 처리원; (대학과 학생 간의) 상담역; 개인 권리 옹호자. [파] ~·**ship** *n.*

ome·ga [oumíːgə, -méi-, -mé-] *n.* 1 [U] (구체적으로는 [C]) 그리스 알파벳의 스물 넷째〔마지막〕 글자《Ω, ω; 로마자의 Ō, ō에 해당함》. [cf.] alpha. 2 ((the) ~) 끝, 마지막, 최후(end): alpha and ~ 처음과 끝, 전체.

***om·e·let(te)** [άməlit/ɔ́m-] *n.* [C] **오믈렛**: a plain ~ 달걀만의 오믈렛/a savory ~ 채소가 든 오믈렛/a sweet ~ 잼〔설탕〕이 든 오믈렛/You cannot make an ~ without breaking eggs. 《속담》 계란을 깨지 않고는 오믈렛을 만들 수 없다; 희생 없이는 목적을 달성할 수 없다.

***omen** [óumən] *n.* [U] (구체적으로는 [C]) **전조**, 징조, 조짐: an evil 〔ill〕 ~ 흉조/an ~ of death 죽음의 전조/be of good ~ 징조가 좋다. ―*vt.* …의 전조가 되다.

om·i·cron [άmikrὰn, óum-/ɔ́mikrɔ̀n] *n.* [U] (구체적으로는 [C]) 그리스 알파벳의 열 다섯째 글자《*O*, *o*; 로마자의 O, o에 해당》.

◇**om·i·nous** [άmənəs/ɔ́m-] *a.* 1 불길한, 나쁜 징조의: an ~ sign 흉조/~ silence 기분 나쁜 침묵. 2 전조(前兆)의. 3 (날씨가) 험악한. [파] ~·**ly** *ad.* 불길하게도.

omis·si·ble [oumísəbəl] *a.* 생략〔삭제, 할애〕할 수 있는.

***omis·sion** [oumíʃən] *n.* 1 [U] **생략**; 유루(遺漏), 탈락; [C] 생략된 것, 탈락 부분. 2 [U] 소홀, 태만. ↔ *commission*. ¶sins of ~ 태만의 죄.

‡**omit** [oumít] (**-tt-**) *vt.* 1 《~+[목]/+[목]+[전]+[명]》 **빼다, 빠뜨리다**, 생략하다《*from* …에서》: ~ a letter in a word 단어 철자에서 글자 하나를 빠뜨리다/This chapter may be ~*ted*. 이 장은 생략해도 좋다/Don't ~ his name *from* the list. 명단에서 그의 이름을 빠뜨리지 마라. 2 《+*to* do/+-*ing*》 게을리하다; …하기를 잊다, …할 것을 빼먹다: ~ *to* write one's name 이름 쓰는 것을 잊다/He ~*ted* locking the door. 그는 문 잠그는 것을 잊었다. ◇omission *n.* [파] **omít·ter** *n.*

om·ni- [άmni/ɔ́m-] '전(全), 총(總), 범(汎)'의 뜻의 결합사: *omni*potent.

◇**om·ni·bus** [άmnəbʌ̀s, -bəs/ɔ́m-] (*pl.* ~·**es**) *n.* [C] 1 승합마차; 승합〔합승〕 자동차, 버스《생략: bus》. 2 (한 책으로 꾸민) 대선집, 옴니버스(판)《개인의 작품 또는 여러 작가들의 같은 종류의 작품을 모은 염가판》: an Agatha Christie ~ 아가사 크리스티 대선집. ―*a.* [A] 여러 가지 물건〔항목〕을 포함하는; 총괄〔포괄〕적인: an ~ bill 〔clause, resolution〕 총괄적 의안〔조항, 결의〕.

om·ni·far·i·ous [ὰmnəfέəriəs/ɔ̀m-] *a.* 다방면에 걸친, 가지각색의, 천태만상의.

om·nip·o·tence [αmnípətəns/ɔm-] *n.* 1 [U] 전능, 무한한 힘. 2 (the O-) 전능의 신(God).

◇**om·nip·o·tent** [αmnípətənt/ɔm-] *a.* 전능한(almighty), 절대력을 가진. [파] ~·**ly** *ad.*

om·ni·pres·ence [ὰmnəprézəns/ɔ̀m-] *n.* [U] 편재(遍在)(ubiquity).

om·ni·pres·ent [ὰmnəprézənt/ɔ̀m-] *a.* 편재하는, 동시에 어디든지 있는. [파] ~·**ly** *ad.*

om·nis·cience, -cien·cy [αmníʃəns/ɔm-], [-si] *n.* [U] 전지(全知), 박식(博識).

om·nis·cient [αmníʃənt/ɔm-] *a.* 전지의, 박식의, 무엇이든지 알고 있는. ***the Omniscient*** (전지의) 신. [파] ~·**ly** *ad.*

om·niv·o·rous [αmnívərəs/ɔm-] *a.* 1 무엇이나 먹는, 잡식성의. 2 닥치는 대로 손대는〔탐하는〕, 무엇이든지 좋다는 식의; 남독(濫讀)하는: an ~ reader 남독가(濫讀家). [파] ~·**ly** *ad.* 닥치는 대로.

OMR 〖컴퓨터〗 optical mark reader (광학 마크 판독기); optical mark recognition (광학 마크 인식).

†**on** [αn, ɔːn/ɔn] *prep.* 1 〖장소의 접촉을 나타내어〗 **…의 표면에, …위에, …에; …에서; …에〔을〕 타고**: a paradise *on* earth 지상 낙원/*on* the island 〔continent〕 섬〔대륙〕에/a man *on* the throne of power 권좌(權座)에 있는 사나이/sit *on* a chair 의자 위에 앉다/a scar *on* the face 얼굴의 흉터/play *on* the street 거리에서 놀다/go *on* a bicycle 자전거로 가다/lie *on* one's side 〔back〕 모로〔반듯이〕 눕다/Put your package down *on* the table. 꾸러미를 테이블 위에 내려놓아라.

> [NOTE] *on*은 접촉해 있는 장소에 쓰이는데, 기준이 되는 면의 위에 놓여 있는 경우, 예컨대 a book *on* the desk (책상 위의 책); 하면에 붙어 있는 경우, 예컨대 a fly *on* the ceiling (천정에 붙어 있는 파리), 수직면에 붙어 있는 경우, 예컨대 a picture *on* the wall (벽에 걸려 있는 그림)처럼 '표면에의 접촉'에 중점을 둠.

2 〖부착·소지·착용〗 **…에 붙여**, …에 달리어; …(의 몸)에 **지니고**; …에 걸려〔매어져〕: a handle *on* the door 문의 손잡이/put a bell *on* the cat 고양이에(게) 방울을 달다/I have no money *on* me. 《구어》 돈을 갖고 있지 않다/The dog is *on* the chain. 그 개는 사슬에 매여 있다/Heroin was found *on* her. 그녀가 헤로인을 숨겨 갖고 있는 것이 발각되었다.

3 〖버팀·지점(支點)〗 **a** …로 (버티어), …을 축

(軸)으로 하여: turn *on* a pivot 축을 중심으로 (하여) 회전하다 / crawl *on* hands and knees 〔*on* all fours〕 손발로 기다, 포복하다. **b** (명예 따위)를 **걸고**: *on* one's honor 명예를 걸고 / I swear *on* the Bible. 성서를 두고 맹세합니다.

4 《근접》 **a** 《장소적으로》 …**에 접하여**〔**면하여**〕, …을 따라〔끼고〕, …의 가에, …쪽〔편〕에: an inn *on* the lake 호반(湖畔)의 여관 / the countries *on* the Pacific 태평양 연안의 제국(諸國) / sit *on* my left 나의 왼쪽 곁에 앉다《to my left는 '왼쪽에'의 뜻》/ *on* both sides of the river 강의 양쪽 기슭에 / *on* my right (hand) 오른쪽에. **b** (시간·무게·가격 따위가) …**에 가까운, 대략, 거의**: It's just *on* 6 o'clock. 거의 6시가 되었다.

> SYN. **on**은 '…면에 접하여'의 뜻이 있다: The boat is *on* the river. 보트는 강 위에 떠 있다. **over**는 '…의 위쪽(특히 바로 위)에': build a bridge *over* the river 강에 다리를 놓다. **above**는 '…의 위쪽에'이지만 반드시 바로 위를 가리키는 것은 아님: The waterfall is two miles *above* the bridge. 폭포는 다리에서 2마일 상류에 있다. **up**은 '…을 올라가, …을 올라간 곳에': The waterfall is further *up* the river. 폭포는 좀더 상류에 있다.

5 a 《날·때·기회》 …에, …때에: *on* Sunday(s) 일요일에 / *on* the 1st of May = *on* May 1, 5월 1일에 / *on* and 〔or〕 after the 15th (그달) 15일 이후 / *on* a weekend 주말에 / *on* various occasions 여러 기회〔때〕에 / It happened (*on*) Monday 〔August 15th〕. 그것은 월요일〔8월 15일〕에 일어났다《구어에서는 요일·날짜의 앞에서 on이 생략될 때도 있음》. **b** (특정한 날의 아침·오후·밤 따위)에: *on* that evening 그날 저녁에 / *on* the morning of April 5, 4월 5일 아침에.

> NOTE (1) (*on*) that day (그날에)에서는 보통 on을 붙이지 아니함.
> (2) next 〔last〕 Sunday 따위에서는 그 앞에 on을 붙이지 아니함.
> (3) 일반적으로 말하는 경우에는 in the morning 〔evening〕 처럼 in을 쓰지만 특정의 morning, evening에는 상술한 바와 같이 on을 씀. 그러나 early나 last 따위의 형용사가 붙으면 특정한 날의 아침이라도 in the early morning of the 5th (5일 이른 아침에) 같이 in을 씀.

6 《동명사 또는 동작을 나타내는 명사와 함께》 …**와 동시에,** …**하는 즉시,** …하자 곧, …의〔한〕 바로 뒤에: *on* arrival 도착하자(마자) 곧 / payable *on* demand 요구가 있으면 즉시 지급하는 / *on* receipt of the money 돈을 받자 곧 / *On* arriving in Seoul, I called him up on the phone. 서울에 도착하자 곧 그에게 전화를 걸었다.

7 《기초·근거·원인·이유·조건·의존》 **a** …**에 의(거)하여,** …**에 근거하여**: …한 이유로〔조건으로〕, …하면: *on* equal term 평등한 조건으로 / a story based *on* fact 사실에 의거〔입각〕한 이야기 / *on* condition that … …라는 조건으로 / act *on* her advice 그녀의 충고에 따라 행동하다 / *On* what ground do you think it is a lie? 무슨 이유로 그것을 거짓말이라고 생각하나 / The news comes *on* good authority. 그 뉴스는 확실한 소식통에서 나온 것이다. **b** …**을 먹고,** …**로**: live *on* rice 쌀을 주식(主食)으로 하다 / Cattle live 〔feed〕 *on* grass. 소는 풀로〔풀을 먹고〕 산다.

8 a 《도중을 나타내어》 …하는 도중〔길〕에: *on* one's 〔the〕 way home 〔to school〕 귀가(歸家)하는〔학교로 가는〕 도중에. **b** 《동작의 방향을 나타내어》 …**을 향해,** …**쪽으로;** …**을 목표로 하여,** …을 (노리어): go 〔start, set out〕 *on* a journey 여행을 떠나다 / The storm is *on* us. 폭풍이 닥쳐오고 있다 / She smiled *on* us. 그녀가 우리에게 미소를 지었다 / The army advanced *on* 〔to〕 the town. 군대는 그 시(市)를 향해 진군했다《to는 방향을 나타내지만, on은 덮쳐드는 기분·공격의 뜻이 더함》. **c** 《목적·용건을 나타내어》 …**을 위해**: go *on* an errand 심부름을 가다 / *on* business 사업차, 상용(商用)으로. **d** 《동작의 대상》 …에 대하여, …을, …을〔에〕 빗대어: hit a person *on the* head 아무의 머리를 때리다《몸·옷의 일부를 나타내는 명사 앞에 the를 붙임》/ turn one's back *on* … …에게 등을 돌리다; …을 (저)버리다 / put a tax *on* tobacco 담배에 세금을 (부)과하다 / I am keen *on* swimming. 나는 수영에 열중하고 있다 / She shut the door *on* me. 그녀는 바로 내 코앞에서 문을 쾅 닫았다. **e** 《작용·영향·불이익》 (곤란하게도) …**에 대하여**; …을 버리어: have (a) great effect *on* … …에 큰 영향을 미치다 / The heat told *on* him. 그는 더위에 지쳤다 / The light went out *on* us. (곤란하게도) 전깃불이 나갔다 / The noise gets *on* my nerves. 그 소음이 나의 신경을 건드린다.

9 《관련》 **a** 《관계를 나타내어》 …**에 관〔대〕해서,** …에 관한《about보다는 전문적인 내용의 것에 사용됨》: a book *on* international relations 국제관계에 관한 책 / an authority *on* pathology 병리학의 권위 / take notes *on* the lecture 《美》 강의 내용을 받아쓰다. **b** 《종사·소속》 …**에 관계하고** (있다), …**에 종사하고,** …에서 일하고; …의 일원으로: They are *on* the job. 그들은 일하고 있다 / What are you (working) *on?* 지금 무슨 일을〔일에 종사〕하고 있는가 / We're *on* a murder case. 살인 사건을 담당하고 있다 / We're *on* page 42. 42페이지를 (수업)하고 있는 중이다.

10 《상태·방법》 …**상태로**〔**에**〕, …**하고,** …중에; …하게: *on* sale 판매 중 / *on* strike 파업 중 / He did it *on* the sly. 그것을 몰래 하였다 / They were married *on* the quiet. 그들은 은밀히 결혼하였다 / The garage is *on* fire. 차고가 불타고 있다 / He is *on* the run from the police. 그는 경찰로부터 도피 중이다.

11 a (투약·식이 요법 따위)를 받고: go *on* a diet 식이요법을 시작하다 / He's *on* medication. 그는 약물치료 중이다. **b** (마약 따위)를 상용(常用)하고, …에 중독되어: He's *on* drugs 〔heroin〕. 그는 마약 중독이다.

12 《수단·기구》 …**로**: go *on* foot 걸어가다 / talk *on* the phone 전화로 이야기하다 / play Beethoven *on* the piano 피아노로 베토벤 곡을 치다 / I heard it *on* the radio. 라디오로 들었다 / A car runs on gasoline. 차는 휘발유로 달린다.

13 《구어》 …의 부담〔비용〕으로, …가 내는〔지불하는〕: It's *on* me. 이건 내가 낸다 / Have a drink *on* me! 내가 내기로 하고 한잔하세 / ⇨ on the HOUSE (관용구).

14 《누적·첨가》 …**에 더하여**: heaps *on* heaps 쌓이고 쌓여서 / loss *on* loss 손해에 손해를 거듭하여 / bear disaster *on* disaster 잇따른 재난을 참다.

—*ad.* 《be 동사와 결합될 경우에는 형용사로 볼 수도 있음》. **1** 〖접촉〗 **위에,** (탈것을) **타고.** ↔ *off.* ¶put the tablecloth *on* 테이블보를 덮다 / get *on* (올라)타다, 승차(乘車)하다.

2 〖착용 · 소지〗 **a 몸에 지니고**〔**걸치고**〕**, 입고, 쓰고, 신고.** ↔ *off.* ¶with one's glasses *on* 안경을 쓰고 / put 〔have〕 one's coat *on* 코트를 입다〔입고 있다〕《목적어가 대명사일 경우의 어순은 put 〔have〕 it *on* 이 됨》/ put one's shoes *on* 신을 신다 / She had nothing *on.* 그녀는 몸에 아무것도 걸치지 않고 있었다 / *On* with your hat! 모자를 써라 / She helped me *on* with my coat. 그녀는 내가 상의를 입도록 도와주었다. **b** 〖화장을 나타내어〗: She had *on* too much eye make-up. 그녀는 눈화장이 너무 진했다.

3 〖동작의 방향〗 **a** (공간적 · 시간적으로) **앞(쪽)**〔**전방**〕**으로, 이쪽으로,** 향하여; (시간이) **진행되어;** (시계를) **더 가게**〔**빠르게**〕 **하여;** (편지 따위를) 전송(轉送)하여: later *on* 나중에 / farther *on* 더 앞(쪽)으로 / come *on* 오다, 다가오다 / from that day *on* 그날부터〔이후〕/ put the clock *on* 시계를 더 가게 하다 / He is getting *on* for thirty 〔is well *on* years〕. 그는 나이 30이 다 된다〔웬만큼 나이가 들었다〕/ It was well *on* in the night. 밤이 어지간히 깊었다. **b** 진행 방향으로: move end *on* 후진(後進)하다. **c** 〖강조적〗: Come *on* in! 어서 들어오세요《come in보다 강조적》.

4 〖동작의 계속〗 **계속해서,** 쉴 사이 없이, 끊이지 않고: go *on* talking 계속해서 이야기하다 / sleep *on* 계속해(서) 자다 / Go *on* with your story. 이야기를 계속하시오 / We hurried *on.* 우리는 계속 서둘렀다.

5 〖진행 · 예정〗 **진행하고; 출연하고,** 상연(上演)하고; 예정하고, 시작되고: I have nothing *on* this evening. 오늘 저녁은 아무 예정도 없다 / The new play is *on.* 새 연극이 상연되고 있다 / What's *on*? 무슨 일이 있었나〔시작됐나〕; 무슨 프로니.

6 〖작동 중임을 나타내어〗 (기계 · 브레이크가) 작동되고; (전기 · 수도 · 가스가) **틀어져,** 사용 상태에; (TV · 라디오 따위가) **켜져,** 틀어져: turn *on* the water 〔light〕 수도를 틀다〔전등을 켜다〕/ Is the water *on* or off? 수돗물이 틀어져 있는가 잠겨 있는가 / The radio is *on.* 라디오가 켜져 있다.

7 〖달라붙음〗 **떼지 않고, 단단히,** 꽉: cling 〔hang〕 *on* (꼭) 매달리다 / Hold *on!* 단단히〔꽉〕 붙잡아라 / If you don't hang *on,* you'll fall. 꽉 붙잡고 매달리지 않으면 떨어진다.

8 《구어》 **a** 찬성하여, 기꺼이 참가하고: I'm *on!* 좋아, 찬성이다. **b** 상대가 되기를 몹시 갈망하여, 교섭을 갖기를 몹시 원하여《*with* …와》: He is *on with* Jane. 그는 제인에게 부쩍 열을 올리고 있다.

and so on =and so FORTH. ***be not on*** 《英구어》 있을 수 없다, 불가능하다: It's just 〔simply〕 *not on.* 그런 일은 할 수 없다, 그건 안 된다. ***be on about …*** 《구어》 …에 대해 투덜거리다: What *are* you *on about?* 무엇이 불만인가. ***be on at …*** 《구어》 (아무)에게 (…에 관하여 —하도록) 불평〔잔소리〕하다, 끈질기게 말하다《*to* do》: He *was on at* me again *to* take him with me. 그는 함께 데려가 달라고 자꾸만 투정을 부렸다. ***be on for*** 《구어》 …에 참가하다(take part in): *Are* you *on for* the picnic? 소풍 갈거니. ***be on to …*** 《구어》 (흉계 · 비밀 따위)를 알아차리다: The police *are on to* the secret. 경찰은 비밀을 알아차리고 있다. ***on and off*** ⇨OFF. ***on and on*** 잇따라, 쉬지 않고: We walked *on and on.* 계속해서 걸었다. ***on to …*** =ONTO. ***on with*** 〖명령문〗 ① (옷)을 몸에 걸쳐라: *On with* your coat! 상의를 입으시오. ② …을 시작〔계속〕하라: *On with* the work! 일을 시작〔계속〕하시오.

—*n.* (the ~) 〖크리켓〗 (타자의) 좌전방, 왼쪽 전방. ↔ *off.*

ón-agàin, óff-agàin *a.* Ⓐ 《구어》 나타났다가 곧 사라지는, 단속적인: *on-again, off-again* fads 정신 못 차리게 돌아가는 유행.

onan·ism [óunənìzəm] *n.* Ⓤ 성교중절(coitus interruptus); 자위, 수음(手淫). ㊎ **-ist** *n.* **ònan·ís·tic** *a.*

ón-bóard *a.* **1** 선내〔기내, 차내〕에 적재한, 내장(內藏)한: an ~ computer 탑재 컴퓨터. **2** 선내〔기내, 차내〕에서 제공되는: ~ service.

†**once** [wʌns] *ad.* **1 한 번, 일회,** 한 차례: ~ a week 1주일에 한 번 / ~ a day 하루 1회(回) / *Once* bit, twice shy. 《속담》 자라 보고 놀란 가슴 소댕 보고 놀란다.

2 〖부정문〗 (단) 한 번도 …(안 하는); 〖조건문〗 일단 …(하면), 적어도〔한 번〕 …(하면)(ever, at all): I have*n't* seen him ~. 그를 한 번도 만난 일이 없다 / when 〔if〕 ~ he consents 그가 일단 승낙하면.

> **NOTE** (1) '한 번, 두 번' 할 때는 one time을 쓰지 않고 once를, two times는 twice를 쓰고, '세 번'의 경우는 thrice보다 three times가 보통.
> (2) '한 번도'의 뜻으로는 동사 앞 또는 문장 앞에, '일단'의 뜻으로는 동사 · 조동사의 뒤에 오는 것이 원칙임: I have not been there *once.* 한 번도 거기 가 본 일이 없다. If we *once* 〔If *once* we〕 lose sight of him, … 일단 그를 놓치는 날에는 ….

3 이전에, 일찍이, 원래, 한때(formerly): There ~ lived a beautiful princess. 옛날 한 예쁜 공주님이 있었다 / a ~-famous doctor 일찍이 유명했던 의사 / ~-thriving cities on Mediterranean coast 한때 번창했던 지중해 연안의 도시들.

4 언제 한 번《미래》: I would like to see him ~ before I go. 내가 떠나기 전에 그를 한 번 만나 보고 싶은걸.

5 한 곱: *Once* two is two. 2곱하기 1은 2.

(every) ~ in a while 〔《英》 ***way***〕 《美구어》 때때로: We go swimming together ~ *in a while.* 우리는 때때로 함께 수영하러 간다. ***more than ~*** 한 번뿐이 아니라, 여러 번에 걸쳐. ***~ again*** 한 번 더: Say it ~ *again.* 한 번 더 말해 주시오. ***~ and again*** 한 번뿐 아니라 몇 번이고. ***~ (and) for all*** 딱 잘라서, 단호히, 최종적으로: give up smoking ~ *and for all* 담배를 딱 끊다 / She left her husband ~ *and for all.* 그녀는 남편 곁을 떠나서 다시는 돌아오지 않았다. ***~ more*** 다시 한 번, 또 한 번. ***~ or twice*** 한두 번. ***~ over*** 다시 한 번. ***~ upon a time*** 옛날(옛적)에《옛날 이야기의 첫머리말》.

—*conj.* **1 일단**〔**한번**〕 **…하면,** …해버리면: *Once* you start, you must finish it. 일단 시작했으면 끝장을 내야 한다 / *Once* you learn the basic rules, this game is easy. 일단 기본 규칙을 기억하면, 이 게임은 쉽다. **2** …의 때는 언제

나, …하자마자: *Once* (I was) back in Korea, I found myself busy with the work. 한국에 돌아오자마자 그 일로 매우 바빠졌다. ★ (I was)와 같이 once에 이끌리는 절의 동사가 be이고 주어가 주절의 그것과 일치할 때 이 부분은 종종 생략됨.

Once …, always …. 한 번 …이 되면 영원히 …로 된다: *Once* a beggar, *always* a beggar. 《속담》 동냥질 사흘 하면 그만두지 못한다.

—*n.* Ⓤ 한 번; (this ~, that ~, the ~) 〖부사적〗 (이번) 한 번만: *Once* is enough for me. 나에게는 한 번으로 충분하다.

all at* ~** ① 갑자기(suddenly): *All at* ~, a shark appeared. 갑자기 상어가 나타났다. ② 모두 동시에: Don't speak *all at* ~. 모두 동시에 이야기하지 마라. ***at* ~** ① 즉시, 곧: Do it *at* ~. 즉시 하라. SYN. ⇨ IMMEDIATELY. ② 동시에: Don't do two things *at* ~. 동시에 두 가지 일을 하려고 하지를 마라. ***at* ~… *and* —** …하기도 하고 —하기도 한: *at* ~ interesting *and* profitable 재미있기도 하고 유익하기도 한/She is *at* ~ witty *and* beautiful. 그녀는 재색(才色)을 겸비하였다. ***for that* ~** 그때에 한해서. (just***) ***for* ~** =***for* ~ *in a way*** 《英》 (이번) 한 번만은 (특히): *For* ~ in my life I'd like not to have to worry about money. 내 평생 단 한 번만이라도 돈 걱정을 안 해 봤으면 좋겠다. (***just***) ***for this*** 〔***that***〕 ~ 이번〔그때〕만은: I wish you would come home early *just for this* ~. 이번만은 빨리 귀가해 주세요. ***the* ~** 단 한 번: I've only played rugby *the* ~, and never want to play it again. 난 럭비를 딱 한 번 한 적이 있었지, 그리고 다시는 하고 싶어하지도 않았어.

—*a.* 예전의, 이전의(former): Lord Bradley, my ~ master 나의 전 주인인 브래들리경.

ónce-òver *n.* (*sing.*) 《구어》 대충 훑어봄, 대체적인 조사〔평가〕: give a person a 〔the〕 ~ 아무를 피상적으로 조사하다.

on·co·gene [áŋkədʒìːn/ɔ́ŋ-] *n.* Ⓒ 종양 (형성) 유전자.

ònco·génesis *n.* Ⓤ 〖의학〗 종양(腫瘍) 형성, 발암.

on·col·o·gy [aŋkálədʒi/ɔŋkɔ́l-] *n.* Ⓤ 〖의학〗 종양학(腫瘍學).

ón·còming *a.* Ⓐ 접근하는, 다가오는; 새로 나타나는; 장래의: the ~ car 다가오는 자동차/the ~ generation 신세대. **—*n.*** Ⓤ 접근: the ~ *of* a storm.

ón·còst *n.* Ⓤ 《英》 간접비.

ón-demánd sỳstem 〖컴퓨터〗 즉시 응답 시스템《사용자의 요구가 있으면 즉시 정보 또는 서비스를 제공하는 시스템》.

†**one** [wʌn] *a.* **1** Ⓐ **a 한 사람의, 하나의, 한 개의**(single): ~ pound, 1파운드/~ dollar and a half, 1달러 50센트《~ and a half dollars보다 일반적》/~ or two days 하루나 이틀, 극히 짧은 날수(=a day or two)/~ man ~ vote, 1인 1표(제)/~ man in twenty, 20인에 한 사람/No ~ man can do it. 누구든 한 사람으로는 할 수 없다/*One* man is no man. 《속담》 세상은 혼자 살 수 없다. ★ '1'의 뜻을 강조할 때에는 부정관사 a, an을 쓰지 않고 one을 씀: There is only one [×a] student in the room. 방에는 학생이 한 명밖에 없다. **b** Ⓟ **한 살인**: He is ~. 그 아이는 한 살이다. **c** 〖수사 등을 수식하여〗 1 …《특히 정확히 말하려고 할 때 외에는 a가 보통》: ~ half, 2분의 1/~ third, 3분의 1/~ hundred 〔thousand, million〕 백〔1,000, 100만〕/~ thousand (and) ~ hundred, 1,100. **d** 〖인명 앞에서〗 …라고 하는 사람(a, a certain): ~ Johnson 존슨이라고 하는 사람《형식을 차린 표현이므로, 지금은 경칭을 붙인 a Mr. 〔Dr. *etc.*〕 Johnson으로 하는 것이 일반적》.

2 〖때를 나타내는 명사를 수식한 부사구로〗 **어느, 어떤**: ~ day (미래 또는 과거의) 어느 날; 일찍이; 언젠가《some day는 '언젠가 훗날'이란 뜻으로 미래에 대해서만 씀》/~ fine Sunday 어느 맑게 갠 일요일; (개지 않았어도) 어느 일요일(날)/~ summer night 어느 여름날 밤에(=on a summer night).

3 a 같은, 동일한(the same)《***with*** …와》: ~ and the same person 완전히 동일한 인물《one and the same은 one의 강조형》/in ~ direction 같은 방향에/We are of ~ age. 우리는 동갑이다. **b** Ⓟ 〖all ~로〗 **아주 같은 일인**, 아무래도 좋은 일인: It is *all* ~ to me. 나에게 있어서는 전적으로 마찬가지이다〔어떤 것이든 상관없다〕.

4 일체(一體)의, 합일의, 일치한, 한마음인《***with*** …와》: with ~ voice 이구동성으로/My wife is ~ 〔of ~ mind〕 *with* me. 아내는 나와 일심동체이다/We are all ~ on that point. 그 점에서는 모두 의견이 일치한다.

5 〖the ~, one's ~으로〗 단 하나〔한 사람〕의, **유일한**(the only)《one에 강세를 둠, 강조형(形)은 one and only》: *the* ~ way to do it 그것을 하는 유일한 방법/That is *my* ~ and only hope. 그것이 나의 유일한 희망이다/This is *the* ~ thing I wanted to see. 내가 보고 싶었던 것은 단지 이것뿐이다. ★ the one에는 항상 단수명사가, the only에는 단수 또는 복수명사가 따름.

6 〖one, another, the other와 상관되어〗 **한쪽의, 한편의**: ~ foot in sea, and ~ foot on shore 한 발은 바다에 한 발은 해변에; 양다리 걸치고/on (the) ~ hand … on *the other* (hand) 한편으로는 … 또 한편으로는/Some say ~ thing, some *another*. 이렇게 말하는 사람도 있고 저렇게 말하는 사람도 있다/Knowing is ~ thing, and doing is quite *another*. 아는 것과 (실)행하는 것과는 전혀 별개의 문제이다.

7 《美구어》 〖형용사로 수식된 명사 앞에서〗 정말이지 …한, 드물게 보는 …한, 굉장한: She is really ~ *nice* girl. 그녀는 실로 대단한 미인이다.

become 〔***be made***〕 **~** (…와) 일체가 되다; 부부가 되다. ***for* ~ *thing*** 하나는, 한 가지 이유는: *For* ~ *thing*, I can't speak English. 한 가지 이유는, 내가 영어를 하지 못하기 때문이다. ★ 또 한 가지 다른 이유를 들 때에는 for another라고 함. **~ *and only*** 유일한, 단 하나〔한 사람〕의: my ~ *and only* hope 나의 유일한 희망. **~ *and the same*** 아주〔완전히〕 똑같은: Dr. Jekyll and Mr. Hyde are ~ *and the same* person. 지킬 박사와 하이드씨는 완전히 동일 인물이다. **~ *of a kind*** 유일한 것. **~ *or two*** 하나 또는 둘의; 《구어》 2, 3〔두서넛〕의(a few): in ~ *or two* weeks, 2, 3주 내로. **~ *thing or*** 〔***and***〕 ***another*** 《구어》 이(런) 일 저(런) 일로.

—*n.* **1** Ⓤ (때로 Ⓒ) 〖흔히 관사 없이〗 기수(基數)의 **1**, **하나**, **한 사람**, **한 개**: ~ at a time 한 번에 한 사람〔개〕/~ and twenty =twenty-~, 21/~ fourth, 4분의 1/*One* and ~ make(s) two. 1+1=2/chapter ~ 〔Chapter I〕 제1장

(the first chapter). **2** Ⓒ 1의 숫자〔기호〕: Your *1's* look 7's. 자네가 쓴 1은 7같이 보이네. **3 a** Ⓤ **한 시**(時); **한 살**: at ~ 한 시에/at ~ and forty 마흔 한 살(때)에. **b** Ⓒ 1달러〔파운드〕 지폐. **4** Ⓤ 《구어》 일격, 한 방; 한 잔: He gave me ~ (blow) in the eye. 그는 내 눈에 일격을 가했다. **5** (O-) 신, 하느님, 초인간적인 존재: the Holy *One* 신, 그리스도/the Evil *One* 악마.

all in ~ ① 일치〔동의〕하여. ② 하나로〔한 사람이〕 전부를 겸하여: She was doctor and nurse *all in* ~. 그녀는 의사와 간호사를 겸했다. ***as*** ~ 전원 일치로, 일제히. ***at*** ~ 일치〔동의〕하여《*with* …와》: I'm *at* ~ *with* you on that point. 그 점에서는 자네와 같은 의견이네. ***by ~s*** 하나씩. ***by ~s and twos*** 한 사람 두 사람씩. ***for*** ~ ① 한 예로서, 하나로. ② (적어도) 나 자신은〔개인으로서는〕: I, *for* ~, shall never do so. 나로서는〔적어도 나는〕 결코 그런 일은 안 해. ***get ~ over*** 《구어》 …에 한 발 앞서다, 우위에 서다. ***in*** ~ ① =all in ~ ②. ② 《구어》 단 한 번의 시도로. ***in ~s and twos*** =by ones and twos. (***in***) ***the year*** ~ 아주 옛날, 훨씬 이전에. ~ ***after*** ~ = one by one. ~ ***and all*** 모조리. ~ ***and only*** 〖one's ~으로〗 《구어》 (…에게) 가장 사랑하는 사람, 진정한 연인: John is her ~ *and only*. 존은 그녀의 진정한 연인이다. ~ ***by*** ~ 하나〔한 사람〕씩 (차례로): The children went out of the room ~ *by* ~. 아이들은 한 사람씩 방을 나갔다.

> **DIAL.** ***Got it in one!*** 《英》 바로 그거야《동의의 표시》.

—*pron*. **1** 〖총칭적 인칭으로서〗 (일반적인) **사람, 세상 사람, 누구든지**: *One* should always be careful in talking about ~*'s* (《美》 his) finances. 자신의 경제 사정을 이야기할 때에는 항상 조심하여야 한다/*One* must not neglect ~*'s* duty. 사람은 자기 의무를 소홀히 해서는 안 된다.

> **NOTE** (1) one을 받는 대명사는 《英》에서는 보통 one 및 그 변화꼴(one's, oneself)을 쓰고 《美》에서는 he 〔때로 she〕 및 그 변화꼴(구어에서는 they)을 씀: Can *one* read this without having their emotions stirred? 《구어》 이것을 읽고 마음이 움직이지 않는 사람이 있을까.
> (2) 구어에서는 one보다 you, we, they, people을 쓸 때가 많음.
> (3) one who는 those who와 함께 '…하는〔…한〕 사람'의 뜻으로 쓰임: *One* who is not diligent will never prosper. =*Those* who are not diligent will never prosper. 부지런하지 않은 사람은 잘되지 못한다.

2 〖사전 따위에서 인칭대명사의 대표형으로〗 자기(가): as…as ~ can 될 수 있는 대로/make up ~'s mind 결심하다.
3 〖단수형으로〗 **a** 〖one of+한정복수명사〗 (특정한 사람·것 중의) **하나, 한 개, 한 사람**: *One of* the girls was late in coming. 여자 아이 하나가 늦게 왔다《one과 호응하여 단수동사로 받는 것이 옳지만 복수명사에 이끌려 복수동사로 받을 때도 많음》/I'd like to have ~ *of* those apples. 저 사과를 한 개 먹고 싶다/*One of* them lost *his* watch. 그들 중의 한 사람이 시계를 잃어버렸다《이 one을 받는 대명사는 문맥에 따라 he, she, it》. **b** 〖another, the other(s)와 대응하여〗 한쪽(의 것), 하나, 한 사람: *One*'s as good as 〔much like〕 *another*. 하나는 또 다른 하나와 엇비슷하다/The twin girls are so much alike that I can't tell (*the*) ~ from *the other*. 그 쌍둥이 소녀는 너무도 똑같아서 (누가 누군지) 분간을 할 수가 없다.
4 〖any, some; no, every; such a; many a 또는 다른 형용사를 동반하여〗 (특정한) **사람, 것**: *any* ~ 누구든/dear 〔little, loved〕 ~*s* 귀여운 아이들/the young ~*s* 어린아이들/a right ~ 《英구어》 바보/*many a* ~ 많은 사람들/*no* ~ 아무도 …않다〔아니다〕/*some* ~ 누군가/*such a* ~ 이와 같은 사람/the absent ~ 가족 중 없는 사람.
5 〖동일 명사의 반복을 피해 a+셀 수 있는 명사 대신 써서〗 **그와 같은 사람〔물건〕, 그것**: If you need a dictionary, I will lend you ~. 사전이 필요하면 내가 빌려 드리지/I want a fountain pen, but I have no money to buy ~. 만년필이 필요한데 살 돈이 없다/His principle is ~ of absolute selfreliance. 그의 주의는 절대 자기 의존주의다/Do you have any books on gardening? I'd like to borrow ~. 원예책을 가지고 계십니까. 한 권 빌리고 싶습니다.

> **NOTE** (1) one은 비특정의 것을 가리킬 때 쓰며 특정한 것을 지칭할 때는 it을 사용함. 단, 다음에 형용구가〔절이〕 올 때의 특정어에는 that을 씀: Do you have 〔Have you〕 a watch?—No, but my brother has *one* (=a watch). He bought *it* (=the watch) yesterday. 너 시계 갖고 있니—아니, 나는 없지만 형은 가지고 있어. 어제 샀어/The capital of your country is larger than *that* (=the capital) of mine. 귀국의 수도가 우리 나라 수도보다 크다.
> (2) 다음 6과 달리 복수형은 없고 복수형에 맞먹는 것은 some 임: If you like roses, I'll give you *some*. 장미를 좋아하시면 몇 송이 드리죠.

6 〖the, this, that, which 따위의 지시형용사와 더불어〗 (특정 또는 불특정의) **사람, 것**: Here are three umbrellas. *Which* ~ is yours, *this* ~, (or) *that* ~, or *the* ~ on the peg? 여기 우산이 셋 있는데 어느 것이 자네 것인가? 이건가, 저건가, 아니면 못에 걸려 있는 것인가/Are these *the* ~*s* you were looking for? 이것들이 네가 찾고 있던 것이냐/Give me *the* ~ there. 저기 있는 것을 다오/Which ~ will you take?—I'll take this ~ 〔This ~, please〕. 어느 것으로 하시겠습니까—이걸로 하겠습니다/Which would you like?—The ~*s* on that shelf. 어느 것이 마음에 드십니까—저 선반 위에 있는 것으로 하겠습니다《가게에서 상품을 고를 때》.

> **NOTE** (1) 소유격 또는 「인칭대명사의 소유격+own」 뒤에서는 one을 쓰지 못함: Your house is larger than *mine* 〔*Ted's*〕. 너의 집은 나의 〔테드의〕 집보다 크다. 단, 형용사를 수반할 때는 소유격 뒤에서도 사용함: If you need a dictionary, I will lend you my old *one*. 사전이 필요하면 내 헌것을 빌려 주지.
> (2) 셀 수 없는 명사 대신에 one을 쓰지 못함: I like red wine better than *white*. 나는 백포도주보다 적포도주가 좋다.
> (3) 기수사(基數詞) 뒤에서는 one을 쓰지 못함: I have three cats—one white, and two black. 고양이 세 마리를 기르는데, 한 마리는 희고 두 마리는 검다.

(4) of 앞의 형용사의 비교급 · 최상급에는 one 이 오지 않음: He is the *taller of* the two 〔the *tallest of* them all〕. 그는 둘 중에서 키가 크다〔그들 중에서 가장 키가 크다〕.

7 〘뒤에 수식어구가 와서〙 (불특정의) 사람《복수형 없음; 보통은 a man, a person을 씀》: She lay on the bed like ~ dead. 그녀는 죽은 사람처럼 침대에 누워 있었다/He is not ~ to complain. 그는 불평을 할 사람이 아니다/He was ~ who never told lies. 그는 결코 거짓말을 하지 않는 사람이었다.
8 Ⓤ 《고어》 〘단독으로 쓰이어〙 (불특정의) 어떤 사람, 누군가(some one): *One* came running to her. 누군가가 그녀 쪽으로 달려왔다.
9 〘부정관사 a를 수반하여〙 **a** 《구어》 열렬한 사람, 열망자, 열애자: He is *a* ~ for baseball. 그는 야구라면 사족을 못 쓴다. **b** 〘놀라움을 나타내어〙 《속어》 이상한 사람, 괴짜: You are *a* ~ (to do such a thing)! (그런 짓을 하다니) 자네는 정말 괴짜군.
10 〘짐짓 점잔빼거나 겸손한 뜻으로〙 나, 저(I, me): *One* is rather busy now. 제가 좀 바빠서요/I like to dress nicely. It gives ~ confidence. 나는 말쑥한 옷차림을 좋아하지. 단정해 보이니까.
~ ... after another 하나 또 하나의 …: *One* star *after another* was covered by the cloud. 별이 하나씩 하나씩 구름에 가리어 갔다. ***~ after another*** ① 속속; 차례로, 하나〔한 사람〕씩, 잇따라(셋 이상의 것에 사용됨): I saw cars go past 〔by〕 ~ *after another*. 차들이 잇따라 지나가는 것이 보였다. ② =~ after the other. ***~ after the other*** ① (두 사람 · 두 개의 것이) 번갈아: He raised his hands ~ *after the other*. 그는 좌우의 손을 번갈아 들었다. ② (셋 이상의 것이) 차례로: He swallowed three cups of the water, ~ *after the other*. 그는 그 세 컵의 물을 차례로 마셨다. ***~ another*** 서로《(1) 동사 · 전치사의 목적어 또는 소유격 one another's로 쓰임. (2) each other와 구별 없이 사용》: All three hated ~ *another* 〔each other〕. 세 사람은 서로(를) 미워했다. ***~ of those things*** 《구어》 할 수 없는 〔부득이한〕 일. ***~ ... the other*** (둘 중) 한쪽은 … 다른 한쪽은. ***~ with another*** 평균하여, 대체로: taken 〔taking〕 ~ *with another* 평균하면. ***the ~ that got away*** 아깝게도 놓친 것〔사람, 기회〕, 놓친 물고기. ***the ~ :... the other*** 전자〔후자〕는 … 후자〔전자〕는.

óne-arm(ed) bándit 《구어》 (도박용) 슬롯머신(slot machine).
óne-bágger *n.* Ⓒ 《야구속어》 단타(單打)(single hit).
óne-célled *a.* 〖생물〗 단세포.
óne-diménsional *a.* **1** 1차원의. **2** 깊이가 없는, 피상적인.
óne-hórse *a.* Ⓐ **1** (말) 한 필이 끄는. **2** 《구어》 (마을 따위가) 작은; 하찮은, 빈약한: a ~ town 작은 동네.
O'Neill [ouníːl] *n.* **Eugene ~** 오닐《미국의 극작가; 1936년 노벨상 수상; 1888-1953》.
óne-líner *n.* Ⓒ 《구어》 재치 있는 경구(警句) 〔촌평〕, 기지 있는 익살.
óne-màn [-mǽn] *a.* Ⓐ **1** 단독(조업, 연주)의, 개인용의: a ~ company 〔concern〕 개인 회사/a ~ show 개인전, 원맨쇼/a ~ play 일인극. **2** (동물 등이) 한 사람만 따르는; (여자가) 한 남자만을 사랑하는: a ~ woman 한 남자만을 사랑하는 여자, 정숙한 여자.
óne-màn bánd (여러 악기를 혼자 다루는) 거리의 악사; 《비유적》 무슨 일이든 혼자서 하는 사람.
óne·ness *n.* Ⓤ 단일성, 동일성; 통일성, 전체성; 일치, 조화.
óne-night stánd 《구어》 **1** 하룻밤만의 흥행 〔강연〕(지(地)). **2** 하룻밤〔한 번〕만의 정사(情事)(에 적합한 상대).
óne-óff *a.* Ⓐ 《英》 1회 한, 한 개에 한하는, 한 사람을 위한.
óne-on-óne *a.*, *ad.* (농구 등에서) 맨투맨(man-to-man)의〔으로〕, 1대 1의〔로〕.
óne-pìece *n.* Ⓒ, *a.* Ⓐ (옷이) 원피스(의), (아래위) 내리닫이(의). ㊞ **-píecer** *n.*
óne-pìece swímsùit 원피스 수영복.
on·er·ous [ánərəs, óu-/ɔ́n-] *a.* **1** 번거로운, 귀찮은, 성가신(burdensome). **2** 〖법률〗 의무 부담이 붙은《재산 따위》.
⁑**one's** [wʌnz] *pron.* **1** ONE의 소유격. **2** one is의 간약형.
⁑**one·self** [wʌnsélf] *pron.* **1** [-ˊ] 〘재귀적〙 **자기 자신을〔에게〕**: talk 〔speak〕 to ~ 혼잣말을 하다/amuse ~ 재미있어 하다/kill ~ 자살하다/One is apt to forget ~. 사람은 흔히 제 분수를 잊기가 쉽다.
2 [-ˊ] 〘강조적〙 **자신이,** 스스로: One should do such things ~. 그런 것은 자기가 해야 한다/To do right ~ is the great thing. 스스로 올바로 처신하는 게 중요하다.

NOTE oneself는 각 인칭의 복합 대명사를 대표하며 실제로는 문맥에 맞추어 my*self*, your*self*, him*self*, her*self*, it*self*, our*selves*, your*selves*, them*selves* 따위의 꼴을 취하는 일이 많으나, 문장의 주어가 one일 때는 one*self*가 쓰임.

(all) by ~ ① 〘흔히 all by ~로〙 (완전히) 혼자서, 고독하게: She was *(all) by* her*self*. 그녀는 (완전히) 외톨이였다. ② (완전히) 혼자 힘으로: I did it *by* my*self*. 나는 그 일을 혼자 힘으로 했다. ***be ~*** ① 자제하다; 나를 잃지 않다. ② 자연스럽게〔진지하게〕 행동하다《젠체하지 않음》: You *are* not your*self* tonight. 너 오늘밤은 좀 이상한데. ***beside ~*** 자신을 잃고, 흥분하여《*with* … 으로》: He's *beside* him*self with* joy 〔rage〕. 그는 기쁨으로〔분노로〕 제정신이 아니었다. ***come to ~*** 의식을 되찾다, 제정신이 들다. ***for ~*** ① 혼자 힘으로, 스스로, 자신이: You should decide *for* your*self*. 너 스스로 결정해야 한다. ② 자기를 위하여〔위한〕: He built a new house *for* him*self*. 그는 자신을 위해 집을 지었다. ***in ~*** 본심으로는(at heart), 그 자체는, 기본적으로는(basically): TV *in* it*self* is not necessarily bad for children. 텔레비전 그 자체는 반드시 아이들에게 나쁜 것은 아니다. ***of ~*** 자기 스스로(⇨ of ITSELF). ***teach ~*** 독학하다. ***to ~*** ① 자신에게: I kept the secret *to* my*self*. 나는 그 비밀을 가슴 속에 간직해 두었다. ② 자기에게만, 독점하여: I have a room *to* my*self*. 나 혼자서 방 하나를 쓰고 있다.
óne-shòt *a.* 《구어》 한 번으로 완전〔유효〕한, 1회 한의, 단발(로)의: a ~ sale, 1회만의 매출/a ~ cure. **—***n.* Ⓒ 《구어》 한 회로 끝나는 간행물

〔소설, 기사, 프로〕; 《구어》 1 회만의 출연〔상연〕.

óne-síded [-id] *a.* **1** 한쪽으로 치우친, 불공평한: a ~ view 편견. **2** 한쪽만의; 일방적인; 한쪽만 발달한: a ~ decision 일방적인 결정/The game is ~. 경기는 일방적이다. ㊞ **~·ly** *ad.* **~·ness** *n.*

óne-stèp *n.* Ⓒ (흔히 the ~) 〖댄스〗 원스텝 《2/4 박자의 사교댄스》. **—***vi.* 원스텝을 추다.

óne-tìme *a.* Ⓐ 이전의, 먼저의, 옛날의(former): his ~ partner 이전의 동료/a ~ premier 전 수상.

óne-to-óne *a.* 1대 1의; 한 쌍이 되는, 상관적인, 대조적인: a ~ correspondence, 1대 1의 대응, 상관관계.

óne-tràck *a.* Ⓐ **1** 〖철도〗 단선인. **2** 《구어》 하나밖에 모르는, 편협한: a ~ mind 편협한 마음.

óne-twó *n.* Ⓒ 〖권투〗 원투 (펀치)(= **∠ púnch** 〔**blòw**〕); 〖축구〗 원투 패스.

óne-úp *a.* Ⓟ 《구어》 (상대보다) 유리한, 한 발 앞선, 한 수 위의. **—(-pp-)** *vt.* 한 수 위로 나오다, 한 발 앞서다《**on** …보다》.

one-up(s)·man·ship [wʌ̀nʌ́p(s)mənʃìp] *n.* Ⓤ 《구어》 한 수 위로 나오는 술책, 일보 앞서는〔앞서고 싶어하는〕 일.

óne-wáy *a.* Ⓐ **1** 일방통행의, (차표가) 편도(片道)의; 〖통신〗 한쪽 방향만의: ~ traffic 일방통행/a ~ ticket 편도 승차권(《英》 single ticket). ⓒⓕ roundtrip ticket. **2** (상호적이 아니라) 한쪽으로부터만의; 일방적인: a ~ contract 일방적〔편무〕 계약.

óne-wòman *a.* Ⓐ 여자 혼자서 하는〔운영하는, 사용하는〕; 여성 일인용의; (남자가) 한 여자만을 사랑하는.

ón·flòw *n.* Ⓒ (보통 *sing.*) (세찬) 흐름, 분류.

ón·gòing *a.* Ⓐ 전진하는, 진행하는.

on·ion** [ʌ́njən] *n.* **1** Ⓒ 〖식물〗 **양파. 2** Ⓒ (음식물은 Ⓤ) (양)파: spring ~ 〖식물〗 실파의 일종/beef and boiled ~ 데친 양파를 곁들인 쇠고기. ***know one's **~s** 《구어》 자기 일에 정통하다, 유능하다.

ónion dome (동방 교회의) 양파형 둥근 지붕.

ónion·skìn *n.* **1** Ⓒ 양파껍질. **2** Ⓤ 얇은 반투명지《항공 편지지 · 타자의 카본 복사용지 따위》.

ón-lìcense *n.* Ⓒ 《英》 점내(店內) 주류 판매 허가. ⓒⓕ *off-license*.

ón-line 〖컴퓨터〗 *a.* 온라인(식)의, (인터넷 등에) 연결된(↔ *off-line*): an ~ system/~ processing 온라인 처리/~ processing system 온라인 처리 체계. **—***ad.* 온라인으로.

ón-line sérvice 〖컴퓨터〗 온라인 서비스《통신 회선을 사용한 자료틀〔데이터베이스〕 서비스》.

ón·lòoker *n.* Ⓒ 구경꾼, 방관자. SYN. ⇨BYSTANDER

ón·lòoking *a.* 방관하는, 방관적인, 구경하는.

†**on·ly** [óunli] *a.* Ⓐ **1** (the ~, one's ~) **유일한**, …만〔뿐〕의: He was the ~ child in the room. 그 방 안에서 아이는 그 아이뿐이었다/He's my ~ brother. 그는 나의 유일한 형〔동생〕이다.

2 비할 바 없는(best), **최상의**, 가장 적합한: the ~ master 최고〔유일무이〕의 대가/You're the ~ man for the job. 그 일에는 네가 딱 들어맞는 사람이다.

3 (an ~) 단 한 사람의: an ~ son 〔daughter〕 외동아들〔딸〕. ★ He is *an only* son. 그는 외아들이다(그 외에는 딸도 없다). He is *the only* son. 그는 (딸은 있지만) 단 하나의 아들이다. He is an *only* child. 그는 단 하나의 어린애이다《형용사》. He is *only* a child. 그는 어린애에 지나지 않는다《부사》.

SYN. **only** '하나'임을 나타내는 가장 뜻이 강한 말. **single** '하나'임을 강조하여 그 이상이 아님을 나타냄: a *single* failure 단 한 번의 실패. **sole** only보다 부드럽고 품위가 있음: the *sole* survivor 유일한 생존자. **unique** 그 종류의 것은 하나로서 진귀한 것: a *unique* experience 희한한 경험.

one and ~ 〖only의 강조형〗 ① (one's ~) 유일무이(唯一無二)의: She's my *one and* ~ friend. 그녀는 나의 유일무이한 친구다. ② 〖예능인 · 체육인 등을 소개할 때〗 천하에 단 한 사람밖에 없는: And next, ladies and gentlemen, the *one and* ~ Marilyn Monroe. 신사숙녀 여러분, 다음 (소개할) 분은 불세출(不世出)의 마릴린 몬로 씨입니다. ***the ~ thing*** 단 하나뿐인 것; 최상〔무비〕의 것; 단 한 가지 곤란한 점: *The ~ thing* is that they are expensive. 단지 문제는 비싸다는 것이다.

—*ad.* **1 a** 〖때를 나타내는 부사(구)를 수식하여〗 바로, **단지**, 다만: He came ~ yesterday. 그는 바로 어제 왔을 뿐이다. **b** 〖수량을 수식하여〗 겨우, 불과, 그저 …만: ~ a little 그저 약간/She has ~ one dollar. 그녀는 1달러밖에 갖고 있지 않다/I want ~ ten dollars. 10달러만 갖고 싶다. ★ I ~ want ten dollars. 라고 하면 '요구'의 의미가 약해져서 '10달러 있으면 그걸로 충분하다'의 뜻이 됨.

2 단지, **다만** …**만**, …**일 뿐**: *Only* you can guess. 너만이 추측할 수 있다/I play tennis ~ on Sundays. 일요일에만 테니스를 친다/Ladies *Only* 〖게시〗 여성 전용.

3 〖술어동사를 수식하여〗 그저〔오히려〕 …할 뿐으로: The child ~ cried. 아이는 울기만 했다.

4 〖부정사를 수식하여〗 **a** 〖목적을 나타냄〗 다만 (…하기) 위하여: She went to Hong Kong ~ *to* do some shopping. 그녀는 홍콩에 쇼핑하러 갔을 뿐이다. **b** 〖결과를 나타냄〗 결국 (…하기) 위한 것으로: I went to your house in the rain, ~ *to* find you out. 빗속에 너의 집에 갔더니, 공교롭게도 집에 없더라.

have ~ to do =《구어》 ***~ have to*** do …(하기)만 하면 되다: You *have* ~ *to* wait. 기다리고 있기만 하면 된다. ***not ~*** ***... but*** (***also***) — ⇨NOT. **~ ...** ***if*** 〔***when***〕 …하여야 비로소, …의 경우만 (not ... until): You will ~ succeed *if* 〔*when*〕 you do your best. 전력을 다해야만 비로소 성공할 것이다. **~ *just*** 간신히, 겨우; 지금 막 …한: I ~ *just* caught the bus. 간신히 버스를 탔다/I have ~ *just* come. 지금 막 왔습니다. **~ *not*** 거의〔마치〕 …이나 마찬가지로, …이 아니라고만 할 뿐: I was ~ *not* a boy. 거의 어린애나 마찬가지였다. **~ *too*** ① 〖glad, happy 등과 *to* do로 이어지는 꼴로〗 그저 …할〔일〕 따름, 매우: He will be ~ *too* glad *to* do so. 그가 기꺼이 그렇게 해 주겠지요. ② 유감이지만 (정말로) …: It is ~ *too* true. 유감이지만 정말 사실이다.

—*conj.* 《구어》 **1** …이기는〔하기는〕 하나, 그러나, 그렇지만, 다만: They look very nice, ~ we don't need them. 매우 훌륭하게는 보이나 별로 필요하지는 않다. **2** 〖흔히 that을 수반하여〗 …을 제외하고는, …하지 않으면, …이 없으면 (except that): I would help you with pleasure, ~ I am too busy. 기꺼이 도와 드리고는 싶

지만 제가 몹시 바빠서 …/I should like to go, ~ *that* I am far off. 내가 멀리 떨어져 있지 않다면 가고 싶은데.

o.n.o. 《英》《광고에서》 or near(est) offer (또는 그에 가까운 값으로): For sale, ₩30,000 ~, 3만원 내외로 매출하려 함.

on·o·mat·o·poe·ia [ànəmæ̀təpíːə/ɔ̀n-] *n.* 〖언어〗 **1** [U] 의성(擬聲). **2** [C] 의성어《bowwow, cuckoo 따위》.

on·o·mat·o·poe·ic, -po·et·ic [ànəmæ̀tə-píːik/ɔ̀n-], [-pouétik] *a.* 의성의; 의성어(語)의. ㊊ **-i·cal·ly** [-ikəli] *ad.*

ón·rùsh *n.* [C] (보통 *sing.*) 돌진, 돌격; (강 따위의) 분류(奔流); (감정의) 분출. ㊊ **~·ing** *a.* [A] 돌진하는; 무턱대고 달리는.

ón-scréen *ad., a.* 영화로〔의〕, 텔레비전으로〔의〕.

ón·sèt *n.* (the ~) **1** 개시, 시작, 착수: the ~ of winter 겨울이 옴/at the first ~ 첫 시작으로. **2** (병의) 징후, 발병: the ~ *of* a laryngitis 후두염의 징후. **3** 습격, 공격.

ón·shóre *ad., a.* 육지〔물가〕 쪽으로〔의〕; 육상에서〔의〕.

ón·síde *a., ad.* 〖축구 · 하키〗 바른 위치의〔에〕. ↔ *offside.*

on·slaught [ánslɔ̀ːt, ɔ́(ː)n-] *n.* [C] 돌격, 맹공격, 습격: the ~ of winter 동장군의 내습/make an ~ on …을 맹습(猛襲)하다.

ón·stáge *a., ad.* 〖연극〗 무대의〔에서〕.

ón-stréam *ad.* 활동을 개시하여, 조업 중에: A new plant went ~. 새 공장은 조업을 개시했다. **—** [ˊˋ] *a.* [P] 통과하는, 흐르는, 가동(稼動)하는.

ón-strèet *a.* 노상의《주차》: *On-street* parking is not allowed. 노상주차는 금지한다. ↔ *off-street.*

Ont. Ontario.

On·tar·i·an [antɛ́əriən/ɔn-] *a.* 온타리오 주(州)〔호(湖)〕의. **—***n.* [C] 온타리오 주 주민.

On·tar·io [antɛ́əriòu/ɔn-] *n.* **1** 온타리오《캐나다 남부의 주; 주도 Toronto》. **2 Lake ~** 온타리오 호《북아메리카 5 대호의 하나》.

ón-the-jòb *a.* 수습(修習)〔실습(實習)〕에서 익힌, 직무중의: ~ training 실지 훈련, 현장 연수(研修).

ón-the-scène *a.* [A] (사건) 현장의: an ~ newscast 현장에서의 뉴스 보도.

ón-the-spòt *a.* [A] **1** 현지의, 현장(現場)에서의: ~ inspections 현장 검증/an ~ survey 현지 조사. **2** 즉석의, 즉각의.

***on·to** [강 ántuː, ɔ́(ː)n-, 약 -tə] *prep.* **1** …의 위에: get ~ a horse 말을 타다/step ~ the platform 연단에 오르다. **2** 《구어》 **a** (흉계 따위)를 알아차리고, 알고: I'm ~ your tricks. 너의 속임수는 알고 있다. **b** (좋은 결과 · 발견 따위)에 도달할 것 같은: You may be ~ something. 좋은 결과가 나올지도 모른다. **3** …에 꽉 달라붙어서: hold ~ a rope 밧줄에 매달리다. **4** 《英》 …와 연락을 취하여《*about* …의 일로》: I've been ~ my doctor *about* the headache. 두통이 있다고 주치의에게 알려주었다.

> **NOTE** (1) on과 같은 의미로 쓰이는 일이 있음: put some shampoo *onto* one's hair 머리에 샴푸를 칠하다/We got *onto* the bus. 우리는 버스에 올라탔다.
> (2) 「on [부]+to [전]」과 같은 의미로 쓰이는 일이 있음: The front door opens *onto* the street. 현관문은 거리에 면해 있다/Let's move *onto* the next question. 그럼 다음 문제로 넘어갑시다.

on·tog·e·ny [antádʒəni/ɔntɔ́dʒ-] *n.* [U] (구체적으로는 [C]) 〖생물〗 개체 발생(론).

on·to·log·i·cal, -ic [àntəládʒikəl/ɔ̀ntəlɔ́dʒ-], [-ik] *a.* 〖철학〗 존재론(상)의, 존재론적인. ㊊ **-i·cal·ly** *ad.*

on·tol·o·gy [antálədʒi/ɔntɔ́l-] *n.* [U] 〖철성학〗 존재론〔학〕.

onus [óunəs] *n.* (the ~) 부담, 무거운 짐; 의무, 책임: the ~ *of* proof 입증의 책임/lay 〔put〕 the ~ on …에 책임을 지우다.

on·ward** [ánwərd, ɔ́(ː)n-] *ad.* **앞으로, 전방에〔으로〕,** 나아가서: move ~ 전진하다/from this day ~ 금일 이후. ***ever **~** 쉬지 않고 전진. ***Onward!*** 《구령》 앞으로 (가).
—*a.* [A] **전방으로의;** 전진적〔향상적〕인, 전진하는: an ~ movement 전진/an ~ course 진보적 과정.

on·wards [ánwərdz, ɔ́(ː)n-] *ad.* =ONWARD.

on·yx [ániks, óun-/ɔ́n-] *n.* [U] (낱개는 [C]) 〖광물〗 얼룩마노(瑪瑙).

oo·dles [úːdlz] *n. pl.* 〔때로 단수취급〕《구어》 풍부, 많음(lot)《*of* …의》: ~ *of* money 많은 돈.

oof [uːf] *int.* 〔배를 맞았을 때나 불쾌 · 초조감을 나타내어〕 윽—. **—***n.* [U] 《속어》 돈, 현금.

oofy [úːfi] *a.* 《속어》 부자의.

ooh [uː] *int.* 앗, 어, 아《놀람 · 기쁨 · 공포 등의 강한 감정》.

oo·long [úːlɔ̀(ː)ŋ, -làŋ] *n.* **1** [U] 우롱차, 오룡차(烏龍茶)《중국 · 대만산(産)》. **2** [C] 우롱차 한 잔.

oomph [umf] *n.* [U] 《속어》 성적 매력, 〔일반적〕 매력; 원기, 정력, 활력(vigor).

oops [u(ː)ps] *int.* 아이쿠, 저런, 아뿔싸, 실례《놀람 · 낭패 · 사죄 따위를 나타냄》. [imit.]

°ooze [uːz] *vi.* **1** (물이) 스며나오다; 질금질금 흘러나오다; 분비물을 내다: Water *~d through* the paper bag. 종이 봉지에서 물이 스며나왔다. **2** 수분을 내다, 질척거리다《*with* (액체)로》: My back *~d with* sweat. 등이 땀투성이가 되었다. **3** (비밀 따위가) 새다(*out*): The secret will ~ *out*. 비밀이 점차 새나가겠지. **4** (용기 · 흥미 따위가) 점점〔점차〕 없어지다, 사라지다(*away, out*): His courage *~d away* 〔*out*〕. 그의 용기가 점점 꺾여 갔다. **—***vt.* **1** (땀 · 피 따위)를 스며나오게 하다: ~ sweat 땀을 흘리다. **2** (비밀 등)을 누설하다; (매력 등)을 발산하다: She *~s* charm. 그녀는 매력적이다. **—***n.* [U] **1** 스며나옴, 분비; 분비물. **2** 무두질용 타닌 즙. **3** (바다 밑 · 강바닥 따위의) 개흙(slime).

oo·zy [úːzi] (*-zi·er; -zi·est*) *a.* 질척질척한; 줄줄 흐르는, 새는, 스며나오는.

op [ap/ɔp] *n.* [C] 《英구어》 **1** 수술《*for, on* …에 대한》: have an ~ (환자가) 수술을 받다. **2** 〖군사〗 작전: military *~s* 군사 작전. [◂ *operation*]

op- [ap, əp/ɔp, əp] *pref.* =OB-《p앞에 올 때의 꼴》.

Op., op. opera; operation; opposite; 〖음악〗 opus. **O.P., o.p.** out of print.

opac·i·ty [oupǽsəti] *n.* [U] **1** 불투명(opaqueness); (전파 · 소리 따위를) 통하지 않음; 〖사진〗

불투명도. **2** (의미의) 불명료; 애매; 우둔, 어리석음.

opah [óupə] *n.* Ⓒ 〖어류〗 붉은개복치《대서양산(產)의 대형 식용어》.

°**opal** [óupəl] *n.* Ⓤ (낱개는 Ⓒ) 〖광물〗 단백석(蛋白石), 오팔.

opal·es·cence [òupəlésəns] *n.* Ⓤ 유백광(乳白光), 단백(蛋白)광.

opal·es·cent, -esque [òupəlésənt], [-ésk] *a.* 유백광(乳白光)의, 단백석(蛋白石) 빛을 내는.

opal·ine [óupəlin, -lìːn, -làin] *a.* 단백석(蛋白石)의, 단백석 같은; 단백석 비슷한 빛을 발하는.

°**opaque** [oupéik] *a.* **1** 불투명한(↔ *lucid*): an ~ body 불투명체. **2** (전파·소리 따위를) 통과시키지 않는, 부전도성(不傳導性)의. **3** 광택이 없는; (색 등이) 칙칙한. **4** 분명치 않은; 우둔한(stupid): His intentions remain ~. 그의 의도는 여전히 분명치 않다. ㊞ **~·ly** *ad.* **~·ness** *n.*

óp árt 《美》 옵아트《착각의 효과를 노린 추상 미술의 한 양식》.

op. cit. [áp-sít/ɔ́p-] *opere citato* 《L.》 (=in the work cited) 앞서 말한〔인용한〕 책 중에.

OPEC [óupek] Organization of Petroleum Exporting Countries (석유 수출국 기구).

Op-Ed, op-ed [ápéd/ɔ́p-] *n.* Ⓒ (보통 the ~) 《美》 〖신문〗 (사설란 반대쪽의) 특집쪽〔면〕(= **Óp-Éd** 〔**óp-éd**〕 **pàge**) 《서명이 든 기사가 많음》. [◂*opp*osite *ed*itorial page]

†**open** [óupən] (***more* ~, ~·*er*; *most* ~, ~·*est***) *a.* **1** (문·입·눈 따위가) **열린**, 열려 있는, 열어 놓은. ↔ *shut, closed.* ¶an ~ window 열려 있는 창/throw a door ~ =throw ~ a door 문을 활짝 열어젖히다/with one's mouth wide ~ 입을 크게 벌리고.
2 (상자 등이) 뚜껑이〔덮개가〕 없는, 지붕이 없는; (셔츠 따위가) 단추·지퍼가 달려 있지 않은, 오픈의; (상처 등이) 노출된: an ~ boat 갑판이 없는 작은 배/an ~ shirt 오픈 셔츠.
3 (책·우산·날개 따위를) 펼친; (꽃이) 피어 있는: an ~ newspaper 펼친 신문/with ~ wings 날개를 펴고/The blossoms are all ~. 꽃은 모두 피어 있다.
4 (바다·평야 따위가) **훤히 트인, 광활한**; 막히지 않은, 장애물이 없는: an ~ view 훤히 트인 전망/a vast ~ ocean 광활한 바다.
5 (지위 따위가) **비어 있는**, 공석의; (시간이) 한가한, 선약〔예정〕이 없는: Is the job still ~? 그 일자리는 아직 비어 있나/~ time 한가한 때/I have an hour ~ on Wednesday. 수요일은 한 시간 틈을 낼 수 있습니다.
6 공개된, 공공의, 출입〔통행, 사용〕이 자유로운; 개방되어 있는, 열려 있는《*to* …에게》: an ~ session 공개 회의/an ~ scholarship 공모(公募) 장학금/~ competition (참가 자유의) 공개 경기/This job is ~ only *to* college graduates. 이 직장은 대학 졸업자들만이 취직할 수 있다.
7 이용〔입수〕 가능한: the only course still ~ 아직 남아 있는 유일한 방도(方途).
8 공공연한, 버젓이 하는: ~ disregard of law 공공연한 법률 무시/an ~ secret 공공연한 비밀.
9 (성격·태도 등이) **터놓고 대하는, 솔직한**; 대범한, 활달한, 관용(寬容)적인, 관대한, 활수한; 편견이 없는; 감추지 않는《***with*** …에게; ***about*** …에 대하여》: an ~ manner 솔직한 태도/He is as ~ as a child. 그는 어린애같이 천진난만하다/an ~ mind 편견 없는 마음/an ~ heart 공명, 솔직, 정직/He was ~ *with* us *about* his plan. 그는 자기 계획을 우리에게 감추지 않았다.
10 노출되어 있는《***to*** (영향·공격 따위)에》; 빠지기 쉬운《***to*** (유혹 등)에》; 면할 수 없는《***to*** (비난 등)을》; 여지가 있는《***to*** (의심 따위)의》: ~ *to* doubt 의심스러운/He's ~ *to* temptation. 그는 유혹에 빠지기 쉽다/His behavior is ~ *to* criticism. 그의 행위는 비난을 면치 못할 것이다.
11 〖군사〗 (도시 따위의) 무방비인; 국제법상 보호를 받는.
12 (문제가) 미해결의, 미결정의: an ~ question 미해결의 문제, 현안/Let's leave the date ~. 날짜는 미정으로 해둡시다.
13 (상점·극장·의회 따위가) 열려 있는, 개점〔공연, 개회〕 중인: We are ~. 영업중《게시문》/The shop is not ~ yet. 가게는 아직 열리지 않았다/The show will be ~ till next Saturday. 쇼는 다음 토요일까지 상연합니다.
14 (사냥 등이) 해금(解禁) 중인; 《美》 도박〔술집〕을 허가〔개방〕하고 있는; 공허(公許)의: the ~ season 해금 기간《사냥·어로 등의》.
15 (문·이 사이가) 틈이 나 있는; (직물의) 올이 성긴, 촘촘치 않은; (대형이) 산개(散開)한: be slightly ~ (닫은 문에) 틈이 나 있다/cloth of ~ texture 올이 성긴〔거친〕 천.
16 〖음성〗 (모음이) 개구(開口)(음)의; (자음이 음이) 개구적인; (음절이) 모음으로 끝나는: an ~ consonant 개구 자음《[s, z, θ, ð] 따위》/an ~ syllable 개음절.
17 〖음악〗 (오르간의) 음전(音栓)이 열린; (현악기에서 현이) 손가락으로 눌려 있지 않은; 개방음의, 개방현의: an ~ string 개방현.
18 〖인쇄〗 문자의 배열이 조잡한. ⓒⓕ solid.
19 (항만·수로가) 얼어 붙지 않은, 얼지 않는; (겨울철에) 서리가〔눈이〕 내리지 않는; 안개가 끼어 있지 않은: an ~ winter 얼지 않는〔따뜻한〕 겨울/an ~ harbor 부동항.
20 변비가 아닌, 변이 굳지 않은〔순한〕: keep the bowels ~ 변을 충분히 보아 두다.
be* ~ *to ① ⇨*a*. 10. ② …을 기분좋게 받아들이다: *be* ~ *to* advice 충고를 순순히 받아들이다. ③ …에 개방되어 있다(⇨*a*.6): The library is ~ *to* all. 도서관 출입 개방. ***keep*** one***'s eyes*** ~ 방심하지 않고〔주의해서〕 지키다〔지켜보다〕. ***lay*** one***self wide* ~ *to*** 《구어》 (비난·공격 따위)에 몸을 드러내다; …을 정면으로 받다: *lay* one*self wide* ~ *to* attack 공격에 몸을 드러내다/*lay* one*self wide* ~ *to* criticism 비판의 표적이 되다. ***with* ~ *arms*** 양손을 벌리고; 진심으로 (환영하여).
—*n.* **1** (the ~) **a** 공터, 광장, 수림(樹林)이 없는 한데; 광활한 곳, 아주 너른 지대; 너른 바다. **b** 노천(露天), 야외, 한데, 노지(露地). **2** Ⓒ (경기 따위의) 오픈전: (the O-) (골프 따위의) 오픈 선수권 경기.
come 〔***bring, get***〕 (***out***) ***into the* ~** 숨기지 않다, 털어놓다, 공표하다, 심중을 밝히다: His deep-rooted hatred finally *come out into the* ~. 그의 뿌리깊은 증오가 마침내 드러났다. ***in the* ~** 야외에서; 여러 사람 앞에서. (***out***) ***in the* ~** 공공연하게, 널리 알려져.
—*vt.* **1** 《~+목/+목+보/+목+목/+목+전+명/+목+부》 (문·창 따위)를 **열다**, 열어젖히다; (보자기)를 풀다, (편지 봉투)를 뜯다; (책·신문 따위)를 펴다(*out; up*)《***to,*** 《英》 ***at*** (몇 페이지)에

서》; (병)의 마개를 따다[열다]《**for** (아무)에게》: ~ a gate [window] 대문[창]을 열다/~ a letter 편지를 개봉하다/*Open* your mouth wide. 입을 크게 벌리시오《의사가 환자에게》/*Open* her the bottle. =*Open* the bottle *for* her. 그녀에게 병마개를 따 주시오/*Open* your book *to* [《英》 *at*] page 10. 책의 10페이지를 펴시오/~ *out* a newspaper 신문을 펴다.

2 《~+목/+목+전+명/+목+부》 (토지 등)을 **개간하다, 개척하다**, 장애물을 제거하다(*up*); (길·통로 등)을 개설하다, 통하게 하다: ~ ground 개간하다/~ a path *through* a forest 산림을 뚫고 길을 내다/~ *up* a mine 광산을 개발하다/~ a new highway 새 간선도로를 개통하다.

3 a 《~+목/+목+부/+목+전+명》 **개방하다, 공개하다**(*up*)《**to** …에》: ~ a park 공원을 개방하다/~ (*up*) a port *to* western trade 서양 무역에 문호를 개방하다. **b** (가게 따위)를 열다, 개업하다: ~ a shop [store] 상점을 열다/~ an account 계좌를 개설하다, 거래를 시작하다.

4 《~+목/+목+부/+목+전+명》 **시작하다, 개시하다**(*up*); (회의)를 열다, 개회하다; (공공건물)을 개장[개관]하다: ~ (*up*) a campaign 캠페인을 시작하다/~ fire *on* [*at*] the enemy 적을 향해 사격을 개시하다/~ a debate 토론회를 개최하다/~ Congress [Parliament] 의회를 열다/She ~*ed* the meeting *with* an address of welcome. 그녀는 환영사를 함으로써 회의를 시작했다.

5 《~+목/+목+부/+목+전+명》 털어놓다, (비밀 따위)를 폭로[누설]하다(*out*)《**to** (아무)에게》: ~ one's plan 계획을 누설하다/~ (*out* [*up*]) one's heart *to* a person 아무에게 속마음을 털어놓다.

6 《~+목/+목+전+명》 …을 계발하다, …의 편견을 없애다; 눈을 뜨게 하다《**to** …에》: ~ one's understanding 이해력을 넓히다/~ a person's eyes *to* the fact 아무에게 사실을 깨닫게 하다.

7 〖항해〗 (배를 이동시켜) 잘 보이는 곳으로 나오다.

8 〖의학〗 (종양 등)을 절개하다; 변을 통하게 하다.

—*vi*. **1** (문·창문 따위가) **열리다**: The door won't ~. 그 문은 아무리 해도 열리지 않는다/The curtains ~*ed*. 커튼이 걷혔다.

2 a (꽃이) 피다: The buds were beginning to ~. 봉오리가 피기 시작했다. **b** (물건·상처 따위가) 벌어지다, 터지다; 금이 가다: The wound ~*ed*. 상처가 터졌다.

3 《+전+명》 (방·문이 열려서) **통하다**, 면(面)하다, 향하다《**into, onto, to, upon** …쪽으로》: ~ *upon* a little garden 작은 뜰을 향(向)해 있다/The door ~*s to* [*into*] the street. 그 문은 거리로 통한다/The room ~*s on* the garden. 방은 뜰에 면하고 있다.

4 《~/+보/+전+명》 (상점 따위가) 열리다, 개점[개업]하다; (어떤 상태에서) **시작하다**; 이야기하기 시작하다; 행동을 일으키다: School ~*s* today. 오늘 개학한다/The market ~*ed* strong. 시황은 강세로 시작되었다/The play ~*s with* a brawl. 그 연극은 말다툼으로 시작된다.

5 《~/+부/+전+명》 (가까워짐에 따라) 보이기 시작하다, 뚜렷해지기 시작하다; (경치 등이) 전개되다(*out*): The view ~*ed* (*out*) *before* our eyes. 경치가 눈앞에 전개됐다.

6 《+전+명》 펴다《**to,** 《英》 **at** (몇 페이지)를》: *Open to* [《英》 *at*] page 8. 8페이지를 펴라.

~ ***an account with*** …와 거래를 시작하다. ~ ***out*** 《*vt*.+부》 ① (책·도면 등)을 펼치다: I ~*ed out* the folding map. 접힌 지도를 펼쳤다. **—**《*vi*.+부》 ② (도로·강 등이) 넓어지다; (경치 등이) 훤히 보이다, 전개되다(⇨*vi*. 5). ③ (인생·장사 등이) 발전하다, 확대되다. ④ 마음이 성장하다. ~ ***one's eyes*** 눈을 뜨다; 눈이 둥그래지다. ~ ***up*** 《*vt*.+부》 ① (상자·문 따위)를 열다; (길 등)을 개설하다; (토지 등)을 개발하다; (사업 따위)를 시작하다(⇨*vt*. 4). ② (상처 따위)를 절개하다; 폭로하다(⇨*vt*. 5). **—**《*vi*.+부》 ③ 〖보통 명령문으로〗 문을 열다: *Open up!* 문을 열어라. ④ (기회 등이) 개방되어 있다: Several positions are ~*ing up* to women. 몇몇 자리가 여성에게 개방되어 있다. ⑤ 보이게[통하게, 쓰게] 되다. ⑥《속어》 입을 열다, (속마음을) 털어놓다; 마음대로 지껄이다. ⑦ 〖군사〗 발포를 개시하다.

ópen accóunt 〖상업〗 당좌(當座) 계정(current account).

ópen áir (the ~) 옥외, 야외.

ópen-áir *a*. Ⓐ 옥외의; 야외의, 노천의; 옥외를 좋아하는: the ~ market 노천 시장/an ~ school 임간(林間)[야외] 학교.

ópen-and-shút [-ən-] *a*. 《구어》 명백한, 보고 금방 알 수 있는; 해결이 간단한.

ópen-ármed *a*. (환영 따위의) 양팔을 편[벌린]; 진심에서의 : an ~ welcome 마음으로부터의 환영.

ópen bár 《美》 (결혼 피로연 따위에서) 무료로 음료를 제공하는 바. ⓒⓕ cash bar.

ópen bóok 명백한 것[사항]; 아무 비밀도 없는 사람.

ópen bús 〖컴퓨터〗 오픈 버스《외부 기기를 자유로 접촉할 수 있는 버스》.

ópen·càst *a*. 《英》 〖광산〗 노천 채굴의[에 의한]: ~ mining 노천 채굴.

ópen chéque 《英》 〖상업〗 보통 수표《횡선 수표 (crossed cheque)에 대하여》.

ópen dày (학교·시설 따위의) 수업 참관일; 일반 공개일.

ópen dóor 1 (the ~) (무역·이민 따위의) 문호 개방(주의); 기회 균등. **2** (입장 따위의) 개방.

ópen-dóor *a*. (문호) 개방의; 기회 균등의: an ~ policy 문호 개방 정책.

ópen-énded [-id] *a*. **1** (다항(多項) 선택법에 의하지 않는) 자유 해답식의《질문·인터뷰 등》. **2** (시간·인원수 등의) 제한 없는: an ~ discussion 자유 토론. **3** (상황에 따라) 변경할 수 있는.

ópen·er *n*. Ⓒ **1** 여는 사람, 개시자; 따는 도구, 병[깡통]따개. **2** 《구어》 첫번 경기.

ópen-éyed *a*. 놀란, 눈을 동그랗게 뜬; 빈틈없는; 눈뜨고[알고서] 한: ~ astonishment 몹시 놀람/~ attention 세심한 주의.

ópen-fáced [-t] *a*. 순진[정직]한 얼굴 생김새의.

ópen-hánded [-id] *a*. 손이 큰, 아끼지 않는, 인색하지 않은, 협협한. ㊕ **~·ly** *ad*. **~·ness** *n*.

ópen-héart *a*. 〖의학〗 심장 절개(切開)의.

ópen-héarted [-id] *a*. **1** 숨기지 않는, 솔직한, 거리낌없는. **2** 친절한, 너그러운. ㊕ **~·ly** *ad*. **~·ness** *n*.

ópen hóuse 1 자택 개방 파티《친척·친구들을 대접하는 모임》. **2** 《美구어》 (공장·학교·기숙사 따위의) 일반 공개일. **3** 《美》 팔려고 내놓은 집·아파트를 구입[임대] 희망자에게 공개하는 것. ***keep*** [***have***] ~ (집을 개방해서) 내객은 누구든지 환대하다.

⁑**open·ing** [óupəniŋ] *n.* **1** Ⓤ **열기**; 개방. **2** Ⓒ **열린 구멍**, (들)창(窓), 구멍, 틈; 통로《*in* …의》: an ~ *in* a fence 울타리의 개구멍/an ~ *in* the wall 벽에 낸 구멍. **3** Ⓒ 빈 터, 광장; 《美》 숲 사이의 공지. **4 a** Ⓤ **개시**; 개회, 개장, 개원, 개통: the ~ *of* a new museum 새 박물관 개설. **b** Ⓒ 개회〔개설, 개장〕식. **c** Ⓒ 시작, 첫걸음; 모두(冒頭), 서막: the ~ *of* a speech 연설의 서두/the ~ *of* a day 새벽. **5** Ⓒ **취직 자리**, 결원, 공석《*for, at, in* …의》: an ~ *at* a bank 은행 취직 자리/look for an ~ 취직 자리를 찾다. **6** 좋은 기회, 호기(好機)《*for* …의/*to* do》: good ~*s for* trade 교역의 호기/wait for an ~ *to* give one's opinions 자기 견해를 피력할 기회를 기다린다.

—*a.* Ⓐ 시작의, 개시의, 개회의: an ~ address 〔speech〕 개회사/an ~ ceremony 개회〔개원·개교·개통〕식.

ópening hòurs (건물의) 개방 시간; (은행·상점 등의) 영업 시간.

ópening níght (연극 등의) 첫날밤(의 공연).

ópening tíme (상점·은행·도서관 등의) 업무 개시 시간.

ópen létter 공개장.

***open·ly** [óupənli] *ad.* **1 공공연히**; 드러내놓고: weep ~ 남 앞에서 눈물을 흘리다. **2** 숨김없이, 솔직하게: speak ~ 솔직히 말하다.

ópen márket 〖경제〗 공개〔일반〕 시장.

ópen-mínded [-id] *a.* 편견이 없는, 허심탄회한; 너그러운. ㊕ **~·ly** *ad.* **~·ness** *n.*

ópen-móuthed [-máuðd, -máuθt] *a.* 입을 벌린; (놀라서) 입을 딱 벌린.

ópen plán 〖건축〗 오픈 플랜《다양한 용도를 위해 방에 칸막이를 안 하는 방식》.

ópen pórt 개항장; 부동(不凍)항.

ópen príson 개방 교도소《수감자에게 대폭적인 자유가 주어지는》.

ópen-rèel tàpe (테이프 리코더의) 오픈릴 테이프.

ópen sándwich 오픈 샌드위치《소만 얹고 위쪽에 빵을 얹지 않는》.

ópen séa (the ~) 공해(公海); 〘일반적〙 외양(外洋), 외해.

ópen séason (the ~) (수렵·어업) 허가 기간, 해금(解禁) 기간《*for, on* …의》: the ~ *for* pheasants 꿩의 수렵 허가기.

ópen sécret 공공연한 비밀.

ópen shóp 오픈숍《비노동조합원도 고용하는 사업장; 그 경영자는 open-shopper 라고 함》. ⓒⓕ closed shop, union shop.

ópen sýstems interconnèction 〖통신〗 개방형 시스템 상호 접속《생략: OSI》.

ópen univérsity 《美》 통신제 대학; (the O- U-) (영국의) 방송〔개방〕 대학.

ópen·wòrk *n.* Ⓤ (천 따위의) 내비침 세공.

***op·era**[1] [ápərə/ɔ́p-] *n.* **1 a** Ⓒ **오페라**, 가극: ⇨ COMIC 〔GRAND, LIGHT〕 OPERA/a new ~ 신작 오페라. **b** Ⓤ (예술의 한 형식으로서) 오페라; 오페라 상연〔흥행〕: Italian ~ 이탈리아 가극. **2** Ⓒ 오페라 극장; 가극단: go to the ~ 오페라를 관람하러 가다.

ope·ra[2] [óupərə, áp-/ɔ́p-] OPUS 의 복수형.

op·er·a·ble [ápərəbəl/ɔ́p-] *a.* 수술할 수 있는; 실시〔사용〕 가능한; 조종하기 쉬운.

ope·ra buf·fa [ápərəbú:fə/ɔ́p-] 《It.》 오페라 부파《18세기의 이탈리아 희가극》.

opé·ra co·mique [ápərəkɑmí:k/ɔ́pərəkɔ-] 《F.》 (대화가 포함된, 특히 19세기의) 희가극 (comic opera).

ópera glàsses 오페라 글라스《관극용 작은 쌍안경》.

ópera hàt 오페라 해트《접을 수 있는 실크 해트》.

ópera hòuse 가극장.

op·er·and [ápərӕnd/ɔ́p-] *n.* Ⓒ 〖컴퓨터〗 셈숫자, 피연산자《연산〔컴퓨터 조작〕의 대상이 되는 값》.

⁑**op·er·ate** [ápərèit/ɔ́p-] *vi.* **1** (기계 따위가) **작동하다, 움직이다**, 일하다: This engine does not ~ properly. 이 엔진은 작동이 좋지 않다.

2 《~/+전+명/+*to* do》 **작용하다**, 영향을 주다《*on, upon* …에, *against* …에 불리하게》: Books ~ powerfully *upon* the soul both for good and evil. 책은 좋건 나쁘건 정신에 큰 영향을 미친다/Several causes ~*d to* begin the war. 몇 가지 원인으로 전쟁이 일어났다/The new law ~*s against* us. 새로운 법률은 우리들에게 불리하다.

3 《+전+명》 일〔활동〕을 하다; (회사 따위가) 경영되다: ~ *at* pirate 해적질을 하다/Their firm ~*s in* foreign countries. 그 회사는 외국에서 사업을 한다.

4 《~/+전+명》 (약 따위가) 효과를 나타내다, 듣다《*on* …에》: The medicine did not ~ (*on* me). 약이 (나에게) 듣지 않았다.

5 《~/+전+명》 〖의학〗 **수술을 하다**《*on, upon* (환자·환부)에; *for* (병)의》: ~ *on* 〔*upon*〕 a patient *for* a tumor 환자에게 종기를 수술하다/He had his nose ~*d on*. 그는 코수술을 받았다.

6 〖군사〗 군사 행동을 취하다, 작전하다.

7 《+전+명》 다루다, 조종하다《*with* (사람)을》: a man who knows how to ~ *with* the ladies 여성을 다룰 줄 아는 남자.

—*vt.* **1** 조작하다, **운전하다**, 조종하다: ~ a switchboard 배전반(配電盤)을 조작하다. **2** 《주로 美》 (공장·학교·상점 따위)를 운영〔경영〕하다, 관리하다(run): ~ hotel 〔laundry〕 호텔을 〔세탁소를〕 경영하다.

op·er·at·ic [àpərǽtik/ɔ̀p-] *a.* 가극〔오페라〕의; 가극풍의: ~ music 가극 음악/an ~ singer 오페라 가수. ㊕ **-i·cal·ly** [-kəli] *ad.*

óp·er·àt·ing *a.* **1** 수술의〔에 쓰는〕: an ~ room 수술실/an ~ table 수술대. **2** 경영〔운영〕상의〔에 요하는〕: ~ expenses 운영비.

óperating sỳstem 〖컴퓨터〗 운영 체제《자료의 입출력 등 기본적인 작동에 관계하는; 생략: OS》.

⁑**op·er·a·tion** [àpəréiʃən/ɔ̀p-] *n.* **1 a** Ⓤ **가동**(稼動), **작용**, 기능: a machine in ~ 가동 중인 기계/the ~ *of* breathing 호흡 작용. **b** Ⓒ (흔히 *pl.*) **작업**, 업무, 활동: building ~*s* 건축 공사/sales ~*s* 판매 업무/organize a rescue ~ 구조 활동을 준비하다.

2 Ⓤ **효력**, 효과《*of* (약)의; *on, upon* …에 미치는》: the ~ *of* a drug 약의 효과/the ~ *of* narcotics *on* the mind 정신에 미치는 마약의 영향.

3 Ⓤ (기계 따위의) **조작**, 운전, 작동: careful ~ *of* a motor car 자동차의 조심스런 운전/understand the ~ *of* a word processor 워드프로세서의 작동을 이해하다.

4 a Ⓤ (사업 따위의) **운영**, 경영, 조업: The plant is in full ~. 그 공장은 완전 조업을 하고

있다. **b** Ⓒ 회사, 기업: a huge multinational ~ 거대한 다국적 기업.

5 Ⓤ (법률·제도 따위의) 실시, 시행: put a law into ~ 법을 시행하다.

6 Ⓒ **수술**《***on*** (환자·환부)에의; ***for*** (병)의》: an ~ *on* abdomen 복부 수술 / perform an ~ *on* a patient 환자에게 수술을 하다 / undergo 〔have〕 an ~ *for* cancer 암수술을 받다.

7 a Ⓒ (보통 *pl.*) **군사 행동, 작전**: military ~*s* 군사작전. **b** (*pl.*) 작전 본부; (공항의) 관제실(管制室): a base of ~*s* 작전 기지 / a field of ~*s* 작전 지역 / a plan of ~*s* 작전 계획. **c** (O-) (특정 작전·기획 따위의 암호명에 쓰여) …작전: *Operation* Desert Storm '사막의 폭풍' 작전《1991년 걸프 전쟁에 대한 다국적군의 작전명》.

8 〖수학〗 Ⓒ 운산, 연산; 〖컴퓨터〗 작동, 조작《실행 기본 명령》: a direct 〔reverse〕 ~ 정산(正算) 〔역산(逆算)〕.

come 〔***go***〕 ***into*** ~ 움직이기 시작하다; 실시〔개시〕되다: When will the new law *come into* ~? 새 법은 언제 실시됩니까. ***in*** ~ 운전 중, 작업 중, 시행 중, 활동 중; 실시되어: a law *in* ~ 시행 중인 법률 / The tape recorder was *in* ~. 테이프 리코더가 작동하고 있었다. ***put ... into*** ~ …을 실시하다; 작동〔가동〕시키다.

op·er·a·tion·al [àpəréiʃənəl/ɔ̀p-] *a.* **1** 조작상의; 경영〔운영〕상의. **2** 〖군사〗 작전상의. **3** 운전〔활동〕 중인; 언제든지 행동〔운영〕할 수 있도록 정비된: an ~ missile 현용(現用) 미사일. ⊕ **~·ly** *ad.*

operátion còde 〖컴퓨터〗 명령 코드, 연산 코드.

operátions 〔《英》 **operátional**〕 **resèarch** 과학적 연구에 의한 경영 분석이나 작전 계획《생략: OR》.

◇**op·er·a·tive** [ápərətiv, -rèi-/ɔ́p-] *a.* **1** 작용하는, 활동하는; 운전하는. **2** 효과 있는; 〖법률〗 효력을 발생하는, 실시되는: an ~ dose (약의) 유효 1회량 / The law becomes ~ on April 1. 그 법률은 4월 1일부터 발효한다. **3** Ⓐ (구(句)·문중의 단어가) 가장 중요한〔적절한〕: the ~ word (그야말로) 가장 적절한 단어. **4** 〖의학〗 수술의: ~ surgery 수술.

—*n.* Ⓒ **1** 직공(職工), 공원(工員). **2** 《美》 형사, 탐정, 스파이.

‡**op·er·a·tor** [ápərèitər/ɔ́p-] *n.* Ⓒ **1** (기계의) **조작자, 기사**, (기계의) 운전자: a telegraph ~ 통신사 / a wireless ~ 무선 통신원. **2** 전화 교환원; 무선 통신사, 전신 기사: a telephone ~ / a ham ~ 아마추어 무선가. **3** 〖의학〗 수술자, (수술의) 집도자(執刀者). **4** 경영자, 관리자: a tour ~ 여행업자. **5** 《보통 수식어를 수반하여》《구어》 약고 요령 좋은 사람, 수단꾼: a clever ~ 수완가.

op·er·et·ta [àpərétə/ɔ̀p-] (*pl.* **~s, -ti** [-tiː]) *n.* Ⓒ (단편) 희가극, 경가극, 오페레타. ⊕ **òp·er·ét·tist** *n.*

Ophel·ia [oufíːljə] *n.* 오필리아. **1** 여자 이름. **2** Shakespeare작 *Hamlet*에 나오는 여자.

oph·thal·mic [afθǽlmik, ap-/ɔf-] *a.* 눈의; 안과(眼科)의: an ~ hospital 안과 병원.

oph·thal·mol·o·gy [àfθælmálədʒi, àp-/ɔ̀fθælmɔ́l-] *n.* Ⓤ 안과학. ⊕ **-gist** *n.* Ⓒ 안과 의사.

oph·thal·mo·scope [afθǽlməskòup, ap-/ɔf-] *n.* Ⓒ 〖의학〗 검안경(檢眼鏡)《안구내 관찰용》.

opi·ate [óupiit, -pièit] *n.* Ⓒ **1** 아편제(劑); 《널리》 마취약; 진정제. **2** 정신을 마비시키는 것, 마약. **—***a.* 아편이 섞인; 마취시키는, 졸리게 하는; 진정하는.

opine [oupáin] *vt.* …라고 생각하다(hold), (…라고) 의견을 말하다《***that***》: He ~*d that* the situation would improve. 그는 상황이 개선될 것이라는 의견을 피력했다.

‡**opin·ion** [əpínjən] *n.* **1** Ⓒ **a 의견, 견해** (view)《***of, about*** …에 대한》: hold an ~ 의견을 갖고 있다 / in my ~ 나의 의견으로는 / express 〔give〕 one's ~ 자기 의견을 피력하다 / exchange ~*s* 의견을 교환하다 / We have a slight difference of ~ *about* this point. 이 점에 대하여 우리는 약간의 의견 차이가 있다 / What is your ~ (*of* that)? (그것에 대한) 당신의 의견은 뭡니까. **b** (보통 *pl.*) 지론(持論), 소신: act according to one's ~*s* 소신에 따라 행동하다 / act up to one's ~*s* 소신을 단행하다.

SYN. **opinion** 남이 물었을 때 자기 생각의 결론으로 내놓을 수 있는 의견: my political *opinions* 나의 정론(政論). **view** opinion과 비슷하나 '자기 독자의 것으로 타인이 반드시 동조할 필요가 없다'라는 뜻을 암시하고 있는 견해. **sentiments** 감정이 섞인 생각. opinion이 생각한 결과로서의 의견인 데 반해 이것은 생각하기 전에 이미 갖고 있는 의견, 의향, 감상. **belief, conviction** 위의 셋과 달리 남에게 말할 것을 전제로 하고 있지 않은 신념, 확신.

2 Ⓤ (어떤 일에 대한) 일반의 생각, 여론: local ~ 현지 여론 / public ~ 여론 / *Opinion* turned against the police. 여론은 경찰에 불리해졌다.

3 《흔히 a 〔an〕+형용사 또는 no를 붙여》 (선악의) 판단, 평가, (세상의) 평판; 《보통 부정문》 호의적 평가《★ 보통 다음 구로 쓰임》: have 〔form〕 *a* bad 〔low〕 ~ *of* …을 나쁘게 생각하다, 업신여기다 / have 〔form〕 *a* good 〔high, favorable〕 ~ *of* …을 좋게 생각하다, 신용하다 / have *no* ~ 〔*not* much of *an* ~〕 *of* …을 그다지 좋게 생각하지 않다.

4 Ⓒ 전문적인 의견, 인정, 감정: a medical ~ 의사의 소견 / ask for a second ~ 다른 사람의 의견을 구하다.

a matter of ~ 견해상의 문제, 의론의 여지가 있는 점. ***be of*** (***the***) ~ ***that...*** …라고 믿다〔생각하다〕, …이라는 의견이다. ★ 《英》에서는 주로 the를 생략함. ¶ I'm *of the* ~ *that* in some degree wisdom can be taught. 지혜란 어느 정도 가르칠 수 있다는 것이 나의 견해이다. ***in the*** ~ ***of*** … …의 의견으로는, …의 주장에 의하면: *In the* ~ *of* some people Americans still have the pioneer spirit. 어떤 사람들의 견해로는 미국인은 아직도 개척자 정신을 갖고 있다고 한다.

DIAL. ***Keep your opinions to yourself.*** 쓸데없는 참견이야(← 네 생각은 네 마음 속에 간직해 둬).

opin·ion·at·ed [əpínjənèitid] *a.* 자기 주장을 고집하는. ⊕ **~·ly** *ad.*

opin·ion·a·tive [əpínjənèitiv] *a.* **1** 의견상의, 견해상의. **2** =OPINIONATED.

opínion pòll 여론 조사.

◇**opi·um** [óupiəm] *n.* Ⓤ **1** 아편: smoke ~ 아편을 피우다. **2** 아편과 같은 것, 정신을 마비시키는 것.

ópium dèn 아편굴.

ópium pòppy 〖식물〗 양귀비.

opos·sum [əpásəm/əpɔ́s-] (*pl.* ~**s**, ~) *n.* Ⓒ 〖동물〗 주머니쥐《미국산(產); 별명 possum》. ***play*** ~ 《美속어》 죽은 체하다.

⁑**op·po·nent** [əpóunənt] *n.* Ⓒ (경기 · 논쟁 따위의) **적, 상대**; 대항자; 반대자(opposer): a worthy ~ 호적수 / an ~ *of* the government 정부 반대자.

SYN. **opponent** 토론이나 게임 등의 반대측 사람. 따라서 심각한 적대 관계는 없음. **antagonist** 적대 관계에 있는 사람. 서로 증오 따위의 감정이 얽혀 있음. **rival** 두 사람 사이에서 어떤 일을 성취하는 데 경쟁자가 되어 서로 겨루는 사람.

◇**op·por·tune** [àpərtjúːn/ɔ́pər-] *a.* **1** 형편이 좋은; (때가) 마침 알맞은《***for*** …에》: at the ~ moment 아주 적당한 때에 / The time was ~ *for* chang*ing* the law. 법을 개정하는 데 알맞은 때가 되었다. **2** (말 · 동작 따위가) 적절한: an ~ remark 적절한 말. ◇ opportunity *n.*
㊕ ~**·ly** *ad.*

op·por·tun·ism [àpərtjúːnizəm/ɔ̀pərtjùːn-] *n.* Ⓤ 임기응변주의, 편의〔기회〕주의. ㊕ **-ist** *n.* Ⓒ 편의〔기회〕주의자.

⁑**op·por·tu·ni·ty** [àpərtjúːnəti/ɔ̀pər-] *n.* Ⓤ (구체적으로는 Ⓒ) **기회**, 호기; 가망《***of, for*** …의 / ***to*** do》: miss a great ~ 호기를 놓치다 / find 〔make〕 an ~ 기회를 찾다〔만들다〕/ provide *opportunities for* education 교육의 기회를 부여하다 / take 〔seize〕 an ~ 기회를 잡다 / We have had few *opportunities of* meet*ing* you. 찾아뵐 기회가 거의 없었습니다 / May I take this ~ *to* express my thanks? 이 기회를 빌어 감사드려도 될까요 / *Opportunity* seldom knocks twice. 《속담》 좋은 기회는 두 번 다시 오지 않는다. ◇ opportune *a.*

SYN. **opportunity** 어떤 일을 하기 위하여 모든 상황이 흡족한 것을 나타냄. '…할 것이 허락된 기회'라는 수동적인 어감이 있음: Artists are given *opportunity* to do creative work. 예술가에게는 창조적인 일을 할 기회가 주어진다. **chance** opportunity와 비슷하나 자기에게 상황이 유리하면 남의 입장은 관계없다는 적극성이 있음. **occasion** 양식으로 판단해서 어떤 일을 하기에 적합한 때, …해야 할 때. chance와 달리 자기의 형편만을 생각하지는 않음: find an *occasion* to express one's thanks 감사의 말을 할 기회를 찾다.

⁑**op·pose** [əpóuz] *vt.* **1** 《~+목/+목+전+명/+-*ing*》 …**에 반대하다**, 이의를 제기하다; **대항하다**; 적대하다; …을 방해〔저지〕하다: ~ the enemy 적에 대항하다 / Never ~ violence *to* violence. 폭력에 폭력으로 대항하지 마라 / They ~*d* build*ing* a nuclear power station. 그들은 원자력 발전소 선실에 반대했다. **2** 《+목+전+명》 …와 겨루다, 다투다《***in*** (경기)에서》: I'm *opposing* him *in* the next game. 다음 시합에서 그와 겨룬다. **3** 《+목+전+명》 대비〔대조〕시키다; 대립시키다, 맞서게 하다《***to, against*** …에》: ~ white *to* black 백을 흑과 대비하다 / You should ~ reason *to* 〔*against*〕 prejudice. 편견에는 이성으로 맞서야 한다. **4** (손가락)을 맞대다: ~ the thumb and middle finger 엄지손가락과 가운뎃손가락을 맞대다. **—** *vi.* 반대〔대항〕하다. ◇ opposition *n.* ~ one***self to*** …에 반대하다: He ~*d* him*self to* this view. 그는 이 견해에 반대했다.

op·pósed *a.* 반대인, 적대〔대항〕하는《***to*** …에》; 대립된; 마주 바라보는, 맞선: two ~ opinions 두 개의 대립된 의견 / My father was ~ *to* our marriage. 아버지는 우리의 결혼에 반대했다. ***as*** ~ ***to*** … 에 대립하는 것으로서(의); …과는 대조적으로〔전혀 다르게〕: expenditures *as* ~ *to* income 수입에 대한 지출.

op·pós·ing *a.* 대립하는, 반대의: They have ~ points of view. 그들은 대립적인 관점을 갖고 있다.

⁑**op·po·site** [ápəzit, -sit/ɔ́p-] *a.* Ⓐ **1 마주 보고 있는**, 맞은편의, 반대쪽의《***to, from*** …의》: an ~ angle 대각(對角) / the ~ page 반대쪽 페이지 / the ~ side 〔end〕 of the room 방의 맞은편 / the house ~ *to* 〔*from*〕 ours 우리 집의 맞은편 집. **2** 역(逆)의, **정반대의**, 서로 용납하지 않는: words of ~ meanings 반의어 / in the ~ direction 〔way〕 반대 방향에 / the ~ sex 〖집합적〗 이성 / take the ~ point of view 반대 의견을 지니다.

SYN. **opposite** 둘 사이의 성질 · 뜻 · 위치 · 움직임 따위가 상반되어 대립하고 있음을 말함: the *opposite* ends of a pole 장대의 양 끝. *opposite* views 반대 (성질의) 의견. **contrary** opposite의 뜻 외에 모순 · 적대의 관념이 덧붙여지는 일이 많음: *contrary* statements 상반되는 발언. **reverse** 면(面) · 움직임 · 순서 따위가 opposite한, 즉 '뒷면의, 거꾸로의': the *reverse* side of a disc 음반의 뒷면. a *reverse* movement 거꾸로의 움직임. in the *reverse* order 역순으로.

— *n.* Ⓒ (the ~은 Ⓤ) 정반대의 사람〔사물〕; 반대말(antonym): Black and white are ~*s*. 흑과 백은 반대색이다 / He thought quite the ~. 그는 정반대로 생각했다.

— *ad.* **반대 위치에**, 맞은〔건너〕편에《***to*** …의》: He sat down ~ *to* the teacher. 그는 선생님 맞은편에 앉았다.

— *prep.* **1** …을 격하여 맞은편에〔의〕, …의 반대 위치〔장소, 방향〕에: I went to the post office ~ the hotel. 호텔 건너편 우체국에 갔다. **2** (리스트 등의) …옆에: *Opposite* my name was a cross. 내 이름 옆에 X표가 적혀 있었다.
㊕ ~**·ly** *ad.* ~**·ness** *n.*

ópposite númber (one's ~) (다른 나라 · 직장 · 부서 등에서) 대등한〔동격의〕 지위에 있는 사람〔물건〕, 대등자.

*__op·po·si·tion__ [àpəzíʃən/ɔ̀p-] *n.* **1** Ⓤ **반대**, 반항; 방해《***to*** …에 대한》: meet with strong ~ 거센 반대에 직면하다 / offer a determined ~ *to* …에 단호히 반대하다 / without ~ 반대〔방해〕 없이. **2** Ⓤ 대립; 대항, 적대; 대치(對峙)《***to*** …에 대한》: young people's ~ *to* their elders 젊은이들의 선배에 대한 반발. **3** (the ~) 〖집합적; 단 · 복수취급〗 **a** (종종 the O-) 반대당, 야당: The *Opposition* is 〔are〕 against the bill. 야당은 그 법안에 반대하고 있다. **b** 반대파, 경쟁 상대, 라이벌. ◇ oppose *v.*
have an ~ ***to*** …에 반대이다. ***in*** ~ 야당의, 재야의. ***in*** ~ ***to*** …에 반대〔반항〕하여. ***Her*** 〔***His***〕 ***Majesty's Opposition*** 《英》 반대당, 야당.
㊕ ~**·ist** *n.* Ⓒ 야당의 일원(一員); 반대자.

*__op·press__ [əprés] *vt.* **1 압박하다**, 억압하다, 학대하다: ~ the poor 가난한 자를 학대하다 / The country was ~*ed* by a tyrant. 그 나라는 폭군에게 억압당했다. **2** 《~+목/+목+전+명》 …에 중

압감을 주다, …을 괴롭히다, 답답하게 하다《★ 보통 수동태로 쓰며, 전치사는 *by, with*》: A sense of failure *~ed* him. 좌절감이 그를 괴롭혔다/be [feel] *~ed by* [*with*] anxiety 근심으로 마음이 무겁다. ◇ oppression *n.* [파] ◇**op·prés·sor** [-ər] *n.* [C] 압제자, 박해자.

op·préssed [-t] *a.* 압박[억압]된, 학대받는; 우울해져 있는《*with* …으로》: the ~ 학대받는 사람들/They see themselves as an ~ people. 그들은 스스로를 억압받는 민족이라고 간주한다.

***op·pres·sion** [əpréʃən] *n.* **1** [U] (구체적으로는 [C]) **압박**, 억압, 압제, 탄압, 학대: struggle against ~ 압제와 싸우다. **2** [U] 중압감, 압박감; 무기력, 의기소침: a feeling of ~ 압박감.

***op·pres·sive** [əprésiv] *a.* **1 압제적인**, 압박[억압]하는, 포악한, 가혹한: an ~ ruler 포악한 지배자/~ measures [regulations] 가혹한 조치[규칙]. **2** 답답한; 숨이 막힐 듯한: ~ heat 숨막히는 듯한 더위. **3** (날씨가) 무더운; (더워서) 나른한. [파] **~·ly** *ad.* **~·ness** *n.*

op·pro·bri·ous [əpróubriəs] *a.* 모욕적인, 무례한; 면목이 없는, 부끄러운. [파] **~·ly** *ad.*

op·pro·bri·um [əpróubriəm] *n.* [U] **1** 불명예, 오명, 치욕. **2** 악담, 욕지거리, 비난.

op·pugn [əpjúːn] *vt.* 《문어》 **1** 비난[논박]하다; 공격하다. **2** …에 이의를 제기하다.

opt [ɑpt/ɔpt] *vi.* **1** 고르다, 선택하다《***for*** …을》: The conservatives finally *~ed for* Kennedy. 보수주의자들은 결국 케네디를 선택했다. **2** (골라서) 정하다《***to*** do》: He *~ed to* go alone. 그는 혼자서 가기로 했다. **~ *out* (*of*…)** (활동·단체에서) 탈퇴하다, 손을 떼다: I'd like to ~ *out of* the project. 그 계획에서 손을 떼고 싶은데요.

op·ta·tive [áptətiv/ɔ́p-] 【문법】 *a.* 기원(祈願)을 나타내는: the ~ mood 기원법《God save the Queen! (하느님 여왕을 도우소서) 따위》.

op·tic [áptik/ɔ́p-] *a.* [A] 【해부】 눈의, 시력[시각]의: the ~ angle 시각/the ~ nerve 시신경. **—***n.* [C] **1** (O-) 《英》 (목로 술집의) 술되《상표명》. **2** (광학기계의) 렌즈, 프리즘《따위》.

◇**op·ti·cal** [áptikəl/ɔ́p-] *a.* [A] **1** 눈의, 시각의, 시력의: an ~ defect 시력의 결함. **2** 광학(상)의; op art의: an ~ instrument 광학 기기/~ path difference 광행로차(光行路差). [파] **~·ly** *ad.* 시각적[광학적]으로.

óptical árt =OP ART.

óptical dísk 【컴퓨터·TV】 광(光)디스크(laser disk)《videodisk, compact disk, CD-ROM 따위》.

óptical fíber 【전자】 광(光)섬유《텔레비전·전화·컴퓨터 등의 전기 신호를 빛에 실어 보내는 유리 섬유의 하나》.

óptical gláss 광학 글래스《렌즈용》.

óptical láser dìsk 【컴퓨터】 광(光)레이저(저장)판.

óptical scánning 【컴퓨터】 광학주사(走査).

op·ti·cian [ɑptíʃən/ɔp-] *n.* [C] 광학 기계상(商)[기계 제작자], 안경상(商), 안경사(士).

óp·tics *n.* [U] 광학(光學).

op·ti·ma [áptəmə/ɔ́pt-] OPTIMUM의 복수형.

op·ti·mal [áptəməl/ɔ́pt-] *a.* 최상[최적]의.

◇**op·ti·mism** [áptəmìzəm/ɔ́pt-] *n.* [U] 낙천주의; 낙관(론), 무사태평. ↔ *pessimism*. [파] ◇**-mist** *n.* [C] 낙천가; 낙천주의자. ↔ *pessimist*.

◇**op·ti·mis·tic, -ti·cal** [àptəmístik/ɔ̀pt-], [-əl] *a.* 낙관적인, 낙천적인; 낙천[낙관]주의의《***about, of*** …에 대하여》: He's ~ *about* the future. 그는 장래에 대해 낙관적이다. [파] **-ti·cal·ly** *ad.* 낙관하여.

op·ti·mize [áptəmàiz/ɔ́pt-] *vt.* 완벽하게[가장 효과적으로] 활용하다: We must ~ the opportunities for better understanding. 보다 효과적으로 이해하기 위해서는 완벽하게 기회를 이용해야 한다.

op·ti·mum [áptəməm/ɔ́pt-] (*pl.* ***-ma*** [-mə], **~*s***) *n.* [C] 【생물】 최적 조건《성장·번식 따위의》; 《일반적》 최적도(度)[조건, 량]. **—***a.* [A] 가장 알맞은, 최적의(optimal): ~ levels 적정 수준/~ conditions 최적 조건.

op·tion** [ápʃən/ɔ́p-] *n.* **1** [U] **선택권**, 선택의 자유; 선택, 취사(取捨)《of*** do*ing* …하는/***to*** do》: make one's ~ 선택하다/You have the ~ *of* marry*ing* her or not. 그녀와 결혼하고 안 하고는 너한테 달려 있다/I had no ~ but *to* go back home. 집에 돌아가는 수밖에 없었다. **2** [C] 선택할 수 있는 것, 옵션; 《英》 선택 과목: You have only two *~s*; to go or not to go. 너에게는 2가지 선택밖에는 없다; 가느냐 안 가느냐. **3** [C] 【상업】 선택권, 옵션《부동산·증권·상품 등을 계약서의 가격으로 일정 기간 중 언제든지 매매할 수 있는 권리》: MGM has an ~ on his next script. MGM사는 그의 다음 대본의 옵션을 갖고 있다/⇨ LOCAL OPTION. ***keep*** [***leave***] **one's ~*s open*** 태도 결정을 보류하다. ***leave ... to*** a person***'s ~*** …을 아무의 자의에 맡기다.

op·tion·al [ápʃənəl/ɔ́p-] *a.* **1** 임의(任意)[수의(隨意)]의: Dress ~ 복장 임의《파티 초대장에 첨부되는 주의 사항》/It is ~ with you. 그건 자네 마음대로다. **2** (자동차 따위 장비가) 옵션의: An air conditioner is an ~ extra. 에어컨은 옵션 부속품임. **3** 《英》 (학과가) 선택의(↔ *obligatory*): an ~ subject 선택 과목. **—***n.* [C] 《英》 선택 과목(《美》 elective). [파] **~·ly** *ad.* 마음대로.

op·to·e·lec·tron·ics [àptouilektrániks/ɔ̀ptouilektrɔ́n-] *n.* [U] 광전자(光電子)공학《광통신·광디스크 등 광학과 전자공학을 결합시킨 기술·이론》.

op·tom·e·ter [ɑptámitər/ɔptɔ́m-] *n.* [C] 시력 측정 장치, 시력계(計).

op·tom·e·trist [ɑptámətrist/ɔptɔ́mi-] *n.* [C] 시력 측정자; 《美》 검안사(檢眼士).

op·tom·e·try [ɑptámətri/ɔptɔ́mi-] *n.* [U] 시력 측정; 검안(법).

op·u·lence, -len·cy [ápjələns/ɔ́p-], [-lənsi] *n.* [U] 풍부; 부유(wealth); (음악·문장 등의) 현란(絢爛).

op·u·lent [ápjələnt/ɔ́p-] *a.* 부유한; 풍부한, 풍족한; 현란한, 화려한. [파] **~·ly** *ad.* 풍요[풍족]하게.

opus [óupəs] (*pl.* ***ope·ra*** [óupərə, ápərə/ɔ́p-], **~·*es***) *n.* [C] **1** 【음악】 작품《특히 작품 번호를 표시할 때 씀; 생략: op. Op.》: Beethoven ~ 68 is the *Pastoral Symphony*. 베토벤 작품 제68번은 전원 교향곡이다. **2** (문학·예술상의) 작품, 저작: ⇨ MAGNUM OPUS.

OR [ɔːr] *n.* [U] 【컴퓨터】 논리합(論理合)《둘 중 그 어느 쪽이 참이면 참으로 하고, 양쪽 다 거짓이면 거짓으로 하는 논리 연산》.

†**or** [ɔːr, 약 ər] *conj.* **1** 〔선택〕 **a** 〔긍정·의문문에 쓰이어〕 **혹은, 또는**, …**이나**—: three *or* four miles, 3마일이나[또는] 4마일/Answer yes *or*

no. 예스냐 노냐 대답하여라/John *or* I am to blame. 존인지 난지 어느 쪽인가가 나쁘다《★ 동사는 가까운 주어에 일치》/Are you coming↗ *or* not?↘ 자네는 올 건가 안 올 건가/Which do you like better, tea↗ *or* coffee?↘ 홍차와 커피 중 어느 것을 더 좋아하십니까/Shall we go by bus↗ *or* train?↘ —By bus. 버스로 갈까 열차로 갈까—버스로 가자《비교: Shall we go by bus *or* train?↗—No, let's take a taxi. 버스나 열차로 갈까—아니야, 택시로 가자. 선택을 묻지 않고 yes 또는 no의 대답을 요구할 때에는 끝을 올림》. **b** 〖either와 상관적으로〗 …**나 또는 —나**: *Either* he *or* I am wrong. 그나 나나 어느 쪽인가가 잘못이다(⇨EITHER *ad*.). **c** 〖셋 이상의 선택〗 …**나—나〔건〕 ~나, …든 —든 ~든** 《마지막 or 외에는 보통 생략함》: translations from English, German *or* French 영어, 독일어 또는 프랑스어에서의 번역. **d** 〖부정문에서 전면부정을 나타내어〗 (…도) —도(아니다, 않다, 없다): I do*n't* want any tea *or* coffee. 나는 홍차도 커피도 마시고 싶지 않다/She is *not* witty *or* brilliant. 그녀는 재치가 있지도 머리가 좋지도 않다(=She is *neither* witty *nor* brilliant.)/I have *no* brothers *or* sisters. 나에겐 남자 동기도 여자 동기도 없다《부정어 no를 되풀이할 경우에는 or가 아니라 and: I have *no* brothers *and* *no* sisters.》.

> **NOTE** (1) or의 앞뒤에 두는 것은, 문법적으로 대등한 단어〔구, 절〕: black *or* white (흑과 백)/he *or* I (그든지 나)/To be, *or* not to be: that is the question. (살 것이냐 죽을 것이냐, 그것이 문제로다).
> (2) 대등한 어구 3개가 (또는 그 이상이) or로 연결될 때에는 A, B(,) *or* C로 하든가, A *or* B *or* C로 함.
> (3) 술어동사는 가장 가까운 말의 인칭·수와 일치함: You *or* I am to go. (너나 내가 가야 한다)/Are you *or* I to go? (당신 아니면 내가 가야 합니까) 단 Are you *or* is he to go there? (당신이 거기에 가게 됩니까, 그렇지 않으면 그 입니까)와 같은 경우에는 보통 Are you to go there *or* is he?라는 구문이 선호됨.
> (4) 선택의문의 경우에는 or의 앞은 상승조, 뒤는 하강조로 발음하고 or는 [ɔːr]로 강형으로 발음함. 이 경우의 대답으로는 Yes, No가 쓰이지 않음: Would you like tea↗ *or* coffee↘? (홍차를 드시고 싶습니까, 아니면 커피를 드시고 싶습니까).
> (5) 이에 대하여 Would you like tea *or* coffee↗?와 같이 tea *or* coffee를 한데 묶어 상승조로 발음하고, or는 [ər]로 약형으로 발음하면 '홍차나 커피라도 드시겠습니까, 아니면 필요치 않습니까'의 뜻이 되며, 일반의문문과 마찬가지로 Yes, No로 대답함.

2 〖불확실·부정확〗 …이나 —(쯤), …정도, 또는: four *or* five miles off, 4·5마일 떨어져서/there *or* thereabout(s) 그 주변 어디에, 어딘가 그 주변에.

3 〖명령문 따위의 뒤, 또는 must를 포함하는 서술문 중에서〗《종종 or 뒤에 else가 와서 뜻을 강조함》 **그렇지 않으면**: Make haste, *or* (*else*) you will be late. 서두르시오, 그렇지 않다간 늦습니다/We *must* (either) work *or* (*else*) starve. 일하지 않으면 굶어 죽을 도리밖에는 없다.

4 〖콤마 뒤에서 환언·설명·정정·보완〗〖종종 ~ rather〗 즉, **바꿔 말하면**: botany, *or* the study of plants 식물학, 곧 식물의 연구/They are free, *or* at least they seem to be free. 그들은 자유롭다, 아니 적어도 자유로운 것 같다/He is cautious, *or rather* timid. 그는 신중하다기보단 (차라리) 겁쟁이이다.

5 〖양보구를 이루어〗 …든 —든《'…, —'는 대등한 명사·형용사·동사·구 따위》: Rain *or* shine, I'll go. 비가 오든 해가 나든 나는 간다.

6 〖부가의문의 형태로〗《추가적인 의심을 나타내어》 아니…: I've met him somewhere. *Or* have I? 어디선가 그를 만난 일이 있다, 아냐, 그랬던가.

either ... or ⇨EITHER. ***or else*** ① ⇨3. ② 《구어》〖경고·으름장 등을 나타내어〗 그러지 않았다간 혼난다. ***or rather*** ⇨4. ***or so*** …쯤 〔정도〕, …내외(內外): a year *or so*, 1년쯤/in 5 minutes *or so* =in 5 *or so* minutes, 5분 또는 그 정도에서《(1) 전자가 보통. (2) 단수명사 뒤에서는 or two도 사용됨: a minute *or two*, 1분 정도》. ***... or somebody*** 〔***something, somewhere***〕 《구어》 …인가 누군가〔무언가, 어딘가〕, …인지 누군지〔무언지, 어딘지〕《…는 명사·형용사·부사·구 따위》: He went to Busan *or somewhere*. 그는 부산인지 어딘지에 갔다. ***or two*** 〖단수명사 뒤에서〗 …나 그 정도, 적어도 …, 또는 그 이상: an hour *or two*, 1시간 정도. ***or what?*** 〖의문문 뒤에서 강조를 나타냄〗 …이군, …하군: Is this a good day *or what?* 오늘은 좋은 날이군. ***or whatever*** 《구어》 …인가 무엇인가: He was called an idiot, a fool *or whatever*. 그를 천치니 바보니라고들 했다. ***whether ... or*** ⇨WHETHER.

-or[1] [ər] *suf*. 동사에 붙여 '행위자, 기구'의 뜻의 명사를 만듦: act*or*, elevat*or*.

-or[2], 《英》 **-our** [ər] *suf*. 동작·상태·성질 등을 나타내는 라틴어계 명사를 만듦: col*or* (《英》 col*our*), hon*or* (《英》 hon*our*). ★ 미식 철자는 -or이지만 Saviour가 '그리스도'의 뜻일 때는 그대로 -our임.

OR operating room; 〖美우편〗 Oregon. **OR, O.R.** operations research.

ora [ɔ́ːrə] OS[2]의 복수.

or·a·cle *n*. Ⓒ **1** 신탁(神託), 탁선 (託宣); 탁선소(所)《고대 그리스의》. **2** 〖성서〗 신의 계시; 지성소(至聖所)《유대 신전의》. **3** 하느님의 사자; 사제(司祭); 신탁을 전하는 사람.

orac·u·lar [ɔːrǽkjələr/ɔr-] *a*. **1** 신탁(神託)의 〔같은〕. **2** 수수께끼 같은, 애매한. **3** 엄숙한, 위엄 있는: ~ pronouncements 엄숙한 선언. ㊕ **~·ly** *ad*.

***oral** [ɔ́ːrəl] *a*. **1 구두**(口頭)**의**, 구술의. ↔ *written*. ¶an ~ examination 〔test〕 구두〔구술〕 시험/~ instruction 구두 지시/the ~ method (외국어의) 구두 교수법/~ pleadings 〔proceedings〕 〖법률〗 구두 변론/~ practice 구두〔회화〕 연습/~ testimony 〔evidence〕 구두 증언/~ traditions 구비(口碑). **2** 〖해부〗 입의, 구부(口部)의; 〖심리〗 구순기(口脣期)의; 구순애(口脣愛)의. ≠aural. ¶ the ~ cavity 구강/~ surgery 〔hygiene〕 구강 외과〔위생〕. **3** (약이) 경구(經口)용의: an ~ contraceptive 경구 피임약/~ polio vaccine 소아마비 내복 백신.

—*n*. Ⓒ 《구어》 구술 시험.

㊕ **~·ly** *ad*. 구두로, 말로; 〖의학〗 입을 통하여, 경구적(經口的)으로.

óral hístory (역사적 중요 인물과의 면담에 의한) 녹음 사료(錄音史料), 구술 역사 (문헌).

óral séx 구강 성교(fellatio, cunnilingus 따위).

†**or·ange** [ɔ́(:)rindʒ, ár-] *n.* **1 a** Ⓒ (음식물은 Ⓤ) **오렌지**, 등자(橙子), 감귤류(과실). **b** Ⓒ 〖식물〗 오렌지(나무). **2** Ⓤ 오렌지색, 주황색(=∠ **cólor**). **—***a.* 오렌지의; **오렌지색의**, 주황색의.

or·ange·ade [ɔ̀(:)rindʒéid, àr-] *n.* Ⓤ 오렌지에이드, 오렌지 즙; Ⓒ 오렌지에이드 한 잔.

órange blòssom 오렌지 꽃(신부가 다는 순결의 표시).

órange jùice 오렌지 주스; 오렌지 주스 한 잔.

órange pèel 오렌지 껍질(설탕에 절인 과자 재료, 또는 약용).

órange pékoe 오렌지 피코(인도·스리랑카 산(產)의 잎이 작은 고급 홍차).

or·ange·ry [ɔ́(:)rindʒəri, ár-] *n.* Ⓒ (한냉지의) 오렌지 재배 온실.

orang-utan, -ou·tang [ɔːrǽŋutæ̀n, ərǽŋ-/ɔ́ːrəŋúːtæn], [-tæ̀ŋ] *n.* Ⓒ 〖동물〗 오랑우탄, 성성이.

orate [ɔːréit, ∠-] *vi.* 《우스개》 일장 연설을 하다, 연설하다; 연설조로 말하다.

ora·tion [ɔːréiʃən] *n.* Ⓒ (특별한 경우의) 연설; 식사(式辭)(★ 일반적인 연설은 speech): a funeral ~ 조사, 추도사.

◇**or·a·tor** [ɔ́(:)rətər, ár-] (*fem.* **-tress** [-tris]) *n.* Ⓒ 연설자, 강연자, 웅변가.

◇**or·a·tor·i·cal** [ɔ̀ːrətɔ́ːrikəl, àr-/ɔ̀rətɔ́r-] *a.* 연설의, 웅변의; 연설가의; 연설조의; 수사적(修辭的)인: an ~ contest 웅변 대회/an ~ manner 웅변조. ㊞ **~·ly** *ad.* 연설투로; 수사학적으로.

or·a·to·rio [ɔ̀(:)rətɔ́ːriòu, àr-] (*pl.* **~s**) *n.* Ⓒ 〖음악〗 오라토리오, 성담곡(聖譚曲)(성서에서 제재를 취한 악곡).

◇**or·a·to·ry**[1] [ɔ́ːrətɔ̀ːri, ár-/ɔ́rətəri] *n.* Ⓤ 웅변(술); 수사(修辭), 과장한 언사(문체).

or·a·to·ry[2] *n.* Ⓒ 〖기독교〗 작은 예배당, 기도실(큰 교회나 사저(私邸)의).

◇**orb** [ɔːrb] *n.* Ⓒ **1** 구(球); 천체. SYN. ⇨BALL. **2** (위에) 십자가가 달린 보주(寶珠)(왕권을 상징). **3** (보통 *pl.*) 《시어》 안구, 눈: the ~ of day 태양.

or·bit** [ɔ́ːrbit] *n.* Ⓒ **1** (천체나 인공위성의) **궤도**; 궤도의 일주(一周); 〖물리〗 (원자핵의 주위를 도는) 전자(電子) 궤도. **2** 《비유적》 활동〔세력〕 범위, (인생) 행로, 생활 과정: within the ~ of … 의 세력권 안에. ***in 〔***into***〕 **~** 궤도상에, 궤도에 올라: be *in* ~ 궤도에 올라 있다/put a satellite *in* 〔*into*〕 ~ (round the earth) 인공위성을 (지구를 도는) 궤도에 올리다. ***out of*** **~** 궤도 밖으로〔를 벗어나서〕.
—*vt.* (인공위성 따위)를 궤도에 진입시키다: ~ a satellite. **—***vi.* 궤도에 진입하다; 궤도를 그리며 돌다 (circle).

ór·bit·al [ɔ́ːrbitl] *a.* **1** 궤도의: an ~ flight 궤도 비행/~ velocity 궤도 속도. **2** (도로가) 환상(環狀)의: an ~ expressway 〔《英》 motorway〕 환상 고속도로.

ór·bit·er *n.* Ⓒ (궤도에 오른) 인공위성, 궤도 비행체.

orc, or·ca [ɔːrk], [ɔ́ːrkə] *n.* Ⓒ 〖동물〗 범고래 (grampus).

***or·chard** [ɔ́ːrtʃərd] *n.* Ⓒ **과수원**.

‡**or·ches·tra** [ɔ́ːrkəstrə] *n.* Ⓒ **1** 〔집합적; 단·복수취급〕 **오케스트라, 관현악단**: an amateur ~ 아마추어 관현악단/a string ~ 현악합주단/a symphony ~ 교향악단. **2** (극장의) 관현악단석, 오케스트라 박스(=∠ **pìt**). **3** 《美》 (극장의) 아래층 무대 전면 좌석(parquet).

or·ches·tral [ɔːrkéstrəl] *a.* Ⓐ 오케스트라(용)의, 관현악단이 연주하는: an ~ player 오케스트라 주자(奏者)/~ music 관현악.

órchestra stàlls 《英》 극장의 일층, 《특히》 무대 앞의 특등석.

or·ches·trate [ɔ́ːrkəstrèit] *vt.* **1** 관현악용으로 편곡〔작곡〕하다; (발레 등)에 관현악곡을 붙이다. **2** 통합〔결집〕하다; (교묘하게, 때로 부정하게) 조직화하다, 획책하다: He *~d* the efforts of the employees. 그는 종업원들의 노력을 결집했다/~ a demonstration 데모대를 편성하다.

or·ches·tra·tion [ɔ̀rkistréiʃən] *n.* **1** Ⓤ 관현악(편곡)법; Ⓒ 관현악 편곡. **2** Ⓤ (구체적으로는 Ⓒ) 통합, 결집; (교묘한) 편성, 조직화.

or·chid [ɔ́ːrkid] *n.* Ⓒ 〖식물〗 난초(의 꽃): a wild ~ 야생란.

or·chis [ɔ́ːrkis] *n.* Ⓒ 〖식물〗 난초(특히 야생의).

◇**or·dain** [ɔːrdéin] *vt.* **1** (신·운명 등이) 미리 정하다(***that*** / ***to*** do): God has *~ed that* we (should) die. 신은 우리 인간을 죽어야 할 운명으로 정했다/Fate has *~ed* us *to* meet here. 우리는 여기서 만날 운명이었다. **2** (법률 따위가) 규정〔제정〕하다; 명하다(***that***): He *~ed that* the ban on exports be lifted. 그는 수출 금지를 해제하도록 명했다. **3** 〖교회〗 …에게 성직을 주다, (아무)를 (목사로) 임명하다: ~ a person priest 아무를 성직에 임명하다.

◇**or·deal** [ɔːrdíːəl, ɔ́ːrdiːl] *n.* **1** Ⓒ 호된 시련, 고된 체험. **2** Ⓤ (옛날 튜턴 민족이 썼던) 죄인 판별법(열탕(熱湯)에 손을 넣게 하여 화상을 입지 않으면 무죄로 하는 따위).

†**or·der** [ɔ́ːrdər] *n.* **1** Ⓒ **a** (흔히 *pl.*) **명령**, 지령; 훈령, (의사 등의) 지시(***to*** do / ***that***): give 〔issue〕 *~s* 명령을 내리다/receive *~s* from a person 아무에게서 명령을 받다/follow 〔obey〕 the doctor's *~s* 의사의 지시에 따르다/refuse *~s* 명령을 거부하다/be against *~s* 명령 위반이다/give *~s to* march on 진군을 계속하라는 명령을 내리다/The police gave *~s that* his office should be searched. 경찰은 그의 사무소의 수색을 명했다. **b** 명령서, 지시서(***to*** do); 〖경제〗 환(換)(증서): He received a court ~ *to* give the money to his partner. 그는 동업자에게 그 돈을 인도하라는 법원의 명령서를 받았다 / a postal ~ 《英》 우편환.
2 Ⓒ 〖상업〗 **a 주문**, 주문서〔품〕(***for*** …의): a large ~ 대량 주문/place an ~ with a company *for* an article 회사에 물품을 주문하다. **b** (요리점에서의) 주문(요리)(1 인분): Can 〔May〕 I have your ~, sir? 주문을 받아도 될까요 / Our ~ has come. 주문한 요리가 나왔다.
3 a Ⓤ (정치·사회적) **질서**, 치안(↔ *disorder*): peace and ~ 안녕질서/public ~ 사회 질서/a breach of ~ 질서 문란/keep ~ 질서를〔치안을〕 유지하다. **b** Ⓒ 체제: an old 〔a new〕 ~ 구〔신〕 체제 / the present economic ~ 현재의 경제 체제.
4 Ⓤ **순서**, 순; 〖문법〗 어순(語順)(word ~): in alphabetical 〔chronological〕 ~ 알파벳〔연대〕 순으로/in ~ of age 〔merit〕 연령〔성적〕순으로.
5 Ⓤ **정돈**, 정리, 정열(↔ *confusion*): put one's

ideas into ~ 생각을 정리하다/keep things in ~ 물건을 정리해 두다/put 〔set〕 one's documents in ~ 서류를 정리해 두다/draw up pupils in ~ 생도를 정열시키다.

6 Ⓤ 《보통 수식어를 수반하여》 상태, 형편; 정상적인〔양호한〕 상태: be in good ~ 좋은 상태이다/a machine in smooth working 〔running〕 ~ 양호한 상태로 움직이고 있는 기계.

7 Ⓤ 도리, 이치; 인도: the ~ of nature 〔things〕 자연〔만물〕의 이치.

8 Ⓒ **a** (흔히 *pl.*) (사회적) 지위, 신분, 계급: the higher 〔lower〕 ~*s* 상류〔하층〕 사회/the social ~ 사회 계층/all ~*s* of society 사회의 모든 계층의 사람들. **b** 종류, 등급: intelligence of a high ~ 뛰어난 지능. **c** (the ~s) (직업·목적 등이 같은 사람의) 집단, 사회; (종종 O-) 단체, 결사(結社): the military ~ 군인 사회/the clerical ~ 성직자 사회.

9 Ⓒ (종종 O-) (중세의) 기사단; (종종 O-) 교단, 수도회: a monastic ~ 수도회/the Dominican ~ 도미니크회.

10 a (*pl.*) 성직: be in ~*s* 성직에 종사하고 있다/⇨HOLY ORDERS. **b** Ⓒ (보통 *pl.*) 【신교】 성직 안수식(按手式), 【가톨릭】 서품식(ordination).

11 a Ⓒ (보통 *sing.*) (종교적) 의식: the *Order* of Holy Baptism 세례식/the *Order* for the Burial of the Dead 매장식. **b** Ⓤ (의회·회의 등의) 의사(議事) 진행 절차, 의사 규칙(의 준수): call a meeting to ~ 개회를 선언하다/*Order! Order!* (의회에서) 정숙! 정숙!《의사 규칙 위반에 대한 의장의 경고》.

12 Ⓒ 【생물】 (동식물 분류상의) 목(目)《class와 family의 중간급》.

13 Ⓒ 【건축】 양식, 주식(柱式): the Corinthian ~ 코린트식.

14 (종종 O-) Ⓒ 《英》 훈위(勳位); 훈장: the *Order* of the Garter 가터 훈위/the *Order* of Merit 메리트 훈장〔훈위〕.

15 Ⓤ 《보통 수식어를 수반하여》 【군사】 대형(隊形); (특정한 경우에 사용하는) 군장, 장비: a close 〔an open〕 ~ 밀집〔산개〕 대형/battle ~ = the ~ of battle 전투 대형/in fighting 〔parade〕 ~ 전투용〔열병식〕 군장(軍裝)으로.

16 Ⓤ 【수학】 차수(次數), 도(度).

by ~ of …의 명에 의해. ***call … to ~*** (의장이 아무)에게 정숙을 명하다; (회의)의 개회를 선언하다. ***come to ~*** (이야기 등을 그쳐) 조용해지다: wait for a meeting to *come to* ~ 회의에 참석한 사람들이 정숙해지기를 기다리다. ***in ~*** ① 순서를 따라, 차례대로: Someone moved these books; they're not *in* the right ~. 누군가 책에 손을 댔는지, 순서가 틀려 있다. ② 정연히, 정돈되어(⇨ 5). ③ 정상 상태로(➡ 6). ④ 규칙에 맞아, 합당〔당연〕한: Your passport is *in* ~. 당신의 여권은 유효합니다. ⑤ 바람직한, 적절한; 어울리는: I'm afraid your suggestion is not *in* ~ at this time. 당신의 제안은 이번에는 적절하지 않다고 생각하는데요. ***in ~ for … to*** do =***in ~ that … may*** do (사람·물건)이 …하기 위하여: I'll lend you the translation *in* ~ *that* you *may* 〔*in* ~ *for* you *to*〕 understand the original better. 당신이 원문을 잘 이해할 수 있도록 번역문을 빌려드리겠습니다/*In* ~ *for* the company *to* survive a major reorganization will be necessary. 회사가 살아남기 위해서는 대규모의 조직 개편이 필요할 것이다. ***in ~ to*** do …할 목적으로, …하기 위하여《★ 단순한 to 부정사나 so as to do 보다도 목적의 관념을 강하게 나타냄》: They'd do anything *in* ~ *to* win. 그들은 이기기 위하여 무슨 짓이라도 할 것이다. ***in*** 〔***at, on***〕 ***short*** 〔***quick***〕 ~ 곧, 조속히: cook a meal *in short* ~ 재빨리 음식을 요리하다. ***made to ~*** 주문에 따라 만든, 맞춤의: a jacket *made to* ~ 맞춤 재킷. ***of*** 〔***in***〕 ***the ~ of*** 《英》 대략…, 약 … 《★ 보통 be 동사 뒤에 쓰임》: His annual income is *of the* ~ *of* 50,000 dollars. 그의 연수입은 대략 5만 달러이다. ***on ~*** (물품이) 주문 중인, 발주(發注)를 마친: two pairs of pants *on* ~ 주문 중인 2벌의 바지. ***on the ~ of*** 《美》 ① …와 거의 비슷하여〔한〕: a leader *on the* ~ *of* J.F. Kennedy, J.F. 케네디급의 지도자. ② …의 명령으로: They set out for new lands *on the* ~ *of* the King. 그들은 왕의 명령으로 새로운 땅을 향해 출발했다. ③ =of 〔in〕 the ~ of. ***~ of the day*** (the ~) ① (의회 등의) 의사일정: proceed to *the* ~ *of the day* 의사일정에 넣다. ② (시대의) 풍조, 유행; 최대 관심사. ***out of ~*** ① 순서가 어긋나, 흐트러져: The books on the bookshelf are *out of* ~. 서가의 책들이 순서가 흐트러져 있다. ② (기계가) 상태가 나빠, 고장나; (몸의 일부가) 좋지 않아: The radio is *out of* ~. 라디오가 고장나 있다/My stomach is *out of* ~. 뱃속이 좋지 않다. ③ 소정의 절차를 밟지 않고, 의사(議事) 규칙에 위반하여. ④ 부적당하게, 온당치 않게. ***send for ~s*** 주문을 받기 위해 사람을 보내다. ***to ~*** 주문에 맞추어〔따라〕: made *to* ~ 주문에 따라 만들어진(㊂ made-to-order)/We make genuine leather boots *to* ~. 당점은 주문에 따라 진짜 가죽 장화를 만듭니다. ***under the ~s of*** …의 지휘하에; …의 명령에 의해.

— *vt.* **1** 《~+목/+목+*to* do/+목+부/+목+전+명/+*that* 절》 …에게 **명령하다**, 지시하다; (특정 장소)에 가〔오〕도록 …에게 명하다: ~ an advance 〔a retreat〕 전진〔퇴각〕을 명하다/I ~*ed* them *to* wait. 그들에게 기다리라고 지시했다/The policeman ~*ed* me *back*. 경관은 내게 물러가라고 했다/He was ~*ed to* Africa. 그는 아프리카행을 명령받았다/He ~*ed* the luggage (*to* be) loaded into the taxi. 그는 짐을 택시에 실으라고 말했다/He ~*ed that* no expense (*should*) be spared in the making. 그는 그 제작에 있어서는 비용을 아끼지 말라고 지시하였다《should의 생략은 《美》》.

SYN. **order** '명하다'의 일반적인 말. 사적인 뜻이 짙으며 그다지 강제적이 아님. **command** order보다 형식을 차린 명령투임. 절대적인 권위로써 명령함. **bid** order보다 더 뜻이 약하며 문어적인 표현임. 목적어 다음에서는 부정사 to를 생략할 수 있음. **tell** bid와 같은 뜻으로, 구어적 표현에서는 bid 내신 tell을 쓰는 것이 보통임.

NOTE 명령문을 간접화법으로 바꿀 때 전달동사로 쓰이며, tell보다 명령적인 느낌이 강함: The man *ordered* me *to* get out.《간접화법》(←The man said to me, "Get out!")《직접화법》 그 사람은 나에게 '나가라'고 했다/The president *ordered* Mr. Baker *to* leave for Korea immediately.《간접화법》(←The president said to Mr. Baker, "Leave for Korea immediately.")《직접화법》 사장은 베이커씨에게 '곧 한국으로 출발하세요'라고 말했다.

2 《~+目/+目+目/+目+전+명》 (의사가) (약 · 요법 등)을 명하다, 지시하다《**for** (환자)에게》: The doctor has *~ed* me a change of air. =The doctor has *~ed* a change of air *for* me. 의사는 나에게 전지요양을 지시했다.
3 《~+目/+目+目/+目+전+명》 **주문하다**, 주문해 가져오게 하다, 주문해 주다《**from** …에서; **for** (아무)에게》: ~ a beefsteak 비프스테이크를 주문하다 / ~ a taxi 택시를 부르다 / I will ~ some new books *from* England. 영국에 신간 서적을 주문해야겠다 / She *~ed* her daughter a new dress. =She *~ed* a new dress *for* her daughter. 그녀는 딸에게 새 드레스를 주문해 주었다.
4 (신(神) · 운명 등이) …하도록 정하다, 명하다《**that**》: The fates *~ed that* he (should) spend his old age alone. 그는 늙어서 혼자 살도록 운명지어졌다.
5 배열하다, 정돈하다, 정리하다; 조정하다: ~ one's thoughts 생각을 정리하다 / ~ one's life for greater leisure 여가를 늘리도록 생활을 조정하다.
— *vi*. 주문하다《**for** …을》: Have you *~ed* yet? (요리의) 주문은 하셨습니까.
~ ***about*** [***around***] 《*vt*.+副》 (아무)를 사방에 심부름 보내다; 혹사하다; 지배하다: He likes to ~ people *around*. 그는 사람을 혹사시키길 좋아한다. ***Order arms!*** 【군사】 세워총《구령》.

> DIAL. ***(Are you) ready to order?*** 주문은 결정하셨나요《레스토랑에서》.

órder blànk [**fòrm**] 주문용지.
órder bòok 주문 기록 장부.
ór·dered *a*. **1** 정연한; 규율〔질서〕 바른. **2** 《보통 well, badly와 함께 합성어를 이루어》 정돈된: well-~ 잘 정돈된.
***or·der·ly** [ɔ́ːrdərli] *a*. **1 순서 바른**, 정돈된: an ~ room 정돈된 방. **2 규율 있는**, 질서를 지키는: an ~ assembly of citizens 질서 있는 시민의 모임. **3** 순종하는, 예의바른, 정숙한: ~ behavior 예의 바른 행동. **—** *n*. Ⓒ 【군사】 전령, 연락병; (특히 군의) 병원의 잡역부, 간호병. ㊕ **-li·ness** *n*.
órder pàper 【英의회】 의사 일정표.
or·di·nal [ɔ́ːrdənəl] *n*. Ⓒ 서수(~ number) 《first, second, third 따위; cf. cardinal》. **—** *a*. **1** 순서를 나타내는. **2** 서수의.
órdinal número =ORDINAL.
or·di·nance [ɔ́ːrdənəns] *n*. Ⓒ **1** 법령, 포고; (시읍면의) 조례. **2** 【기독교 · 가톨릭】 의식, 《특히》 성찬식. ***an Imperial ~*** 칙령.
°**or·di·nar·i·ly** [ɔ̀ːrdənérəli, ←-⊥--/ɔ́ːdənrili] *ad*. 《문장 전체를 수식하여》 통상시에(는), 보통(은〔으로〕), 대개(는): *Ordinarily*, he doesn't get up early. 대체로 그는 일찍 일어나지 않는다.
⁑**or·di·nary** [ɔ́ːrdənèri/ɔ́ːdənri] *a*. **1 보통의, 통상의**, 정규의: ~ language 일상 언어 / an ~ meeting 정례회.

> SYN. **ordinary** 별로 딴 것과 다를 바 없는 예사로움, 평범함을 뜻함. **common** '보통의'를 뜻하는 일반적인 말. 많은 것 중에 공통되는 통성(通性)을 말함.

2 범상한, 평범한(commonplace); 좀 못해 보이는: the ~ man 보통의〔평범한〕 사람. ***in an*** [***the***] ***~ way*** 통례로, 여느 때같이〔같으면〕: *In the ~ way* I should refuse. 여느 때 같으면 거절했을 것이다.
— *n*. (the ~) 보통의 상태〔정도〕: ability far above the ~ 비범한 재능. ***in ~*** 상임인, 상무(常務)인《**to** …에》: (a) physician *in ~ to* the Queen 여왕의 시의(侍醫). ***out of the ~*** 예외적인, 이상한, 보통이 아닌: nothing *out of the ~* 하나도 이상하지 않은 것〔일〕.
㊕ **ór·di·nàr·i·ness** *n*. Ⓤ 보통; 평상 상태.
órdinary séaman 【해사】 《英》 2 급 선원.
or·di·nate [ɔ́ːrdənèit, -nit] *n*. Ⓒ 【수학】 세로좌표. cf. abscissa.
òr·di·ná·tion *n*. Ⓤ (구체적으로는 Ⓒ) 【기독교】 성직 수임(授任)〔임명〕식, 서품식, 안수식.
ord·nance [ɔ́ːrdnəns] *n*. Ⓤ **1** 《집합적》 화기, 대포; 병기(weapons), 군수품. **2** 군수품부.
Órdance Sùrvey (the ~) 《英》 (영국 정부의) 육지 측량부.
Or·do·vi·cian [ɔ̀ːrdəvíʃən] *n*. (the ~), *a*. 【지질】 오르도 비스기(紀)〔계〕(의)《고생대의 제2기》; 그 지층군.
or·dure [ɔ́ːrdʒər, -djuər] *n*. Ⓤ 오물; 배설물; 음탕한 일; 상스러운 말.
°**ore** [ɔːr] *n*. Ⓤ (낱개 · 종류는 Ⓒ) 광석: raw ~ 원광(原鑛) / iron ~ 철광석 / ~ deposits 광상(鑛床).
öre [œ́rə] (*pl*. ~) *n*. Ⓒ 외레《덴마크 · 노르웨이 등의 화폐 단위; =1/100 krone》; 1 외레 동전.
ore·ad [ɔ́ːriæ̀d] *n*. Ⓒ 【그리스 · 로마신화】 산의 요정(妖精).
Ore(g). Oregon.
Or·e·gon [ɔ́ːrigàn, -gən, ár-/ɔ́rigən, -gɔ̀n] *n*. 오리건《미국의 태평양 연안 북부의 주; 생략: Ore(g)., OR》. ㊕ **Or·e·go·ni·an** [ɔ̀ːrigóuniən, àr-/ɔ̀r-] *a*., *n*. Ⓒ 오리건 주(州)의 (사람).
Óregon Tráil (the ~) 【美역사】 오리건 산길《Missouri 주에서 Oregon 주에 이르는 3,200km의 도로; 1840-60 년에 개척자들이 많이 이용》.
Ores·tes [ɔːréstiːz] *n*. 【그리스신화】 오레스테스《Agamemnon 과 Clytemnestra 의 아들로, 아버지를 살해한 어머니를 죽임》.
⁑**or·gan** [ɔ́ːrgən] *n*. Ⓒ **1** 【악기】 **오르간**, 《특히》 파이프 오르간: an ~ builder (파이프)오르간 제조인 / ⇨MOUTH ORGAN. **2** (생물의) **기관**(器官), 장기(臟器), 《완곡어》 자지, 남근(男根): internal ~s 내장(內臟) / ~s of digestion [motion] 소화〔운동〕 기관 / an ~ transplant 장기 이식 / the male ~ 남성 성기. **3** (정치적인) 기관; (보도) 기관, 기관지(機關紙): an intelligence ~ 정보 기관 / a government ~ 정부 기관지 / ~s of public opinion 여론 발표 기관《신문 · 라디오 · TV 등》.
órgan bànk 장기(臟器) 은행.
órgan-blòwer *n*. Ⓒ 파이프 오르간의 풀무 개폐인(開閉人)〔장치〕.
or·gan·dy, -die [ɔ́ːrgəndi] *n*. Ⓤ 오건디《얇은 모슬린 천》.
órgan-grìnder *n*. Ⓒ 배럴 오르간 연주자, 거리의 풍각쟁이.
***or·gan·ic** [ɔːrgǽnik] *a*. **1** Ⓐ **유기체〔물〕의**; 유기 비료의; 【화학】 유기의. ↔ *inorganic*. ¶an ~ body 유기체 / ~ fertilizer [compounds] 유기 비료〔화합물〕 / ~ evolution 생물 진화 / ~ farming 유기 농업 / ~ matter 유기물 / ~ mercury poisoning 유기 수은 중독. **2 유기적**, 조직적, 계통적(systematic): an ~ whole 유기적 통일체. **3** 고유의, 근본〔본질〕적인; 구조상의; 타고난: the ~ law (국가 등의) 구성법, 기본법, 헌법. **4**

〖의학〗 기관(器官)〔장기〕의; 〖병리〗 기질성(器質性)의: an ~ disease 기질성 질환. ↔ *functional*.

or·gán·i·cal·ly [-kəli] *ad.* **1** 유기적으로; 유기 비료를 써서: These tomatoes were ~ grown. 이 토마토는 유기 비료로 재배한 것이다. **2** 조직적으로; 근본적으로.

orgánic fóod 자연 식품.

*__or·gan·ism__ [ɔ́ːrgənìzəm] *n.* Ⓒ **1** **유기체**《동물·식물》; (미)생물(체). **2** 유기적 조직체《사회 따위》.

◇**ór·gan·ist** *n.* Ⓒ 오르간 연주자.

⁑**or·gan·i·za·tion** [ɔ̀ːrgənəzéiʃən/-naiz-] *n.* **1** Ⓤ **조직**(화), 구성, 편제, 편성: the ~ *of* a political campaign 정치 운동의 조직화/the ~ *of* club 클럽의 설립. **2** Ⓤ 기구, 체제: social ~ 사회 기구/peace 〔war〕 ~ 평화〔전시〕 체제. **3** Ⓒ **조직체, 단체**, 조합: a charity 〔political, religious〕 ~ 자선〔정치, 종교〕 단체. ㊞ **~·al** [-ʃənəl] *a.* 조직(상)의, 기관의.

Organizátion for Económic Cooperátion and Devélopment (the ~) 경제 협력 개발 기구《1961년 설립된 국제 기구; 생략: OECD》.

organizátion màn (주체성을 잃은) 조직 인간, 회사 인간; 조직 순응자《흔히, 관리직》.

Organizátion of Petróleum Expórting Cóuntries (the ~) 석유 수출국 기구《1960년 결성; 본부 Vienna; 생략: OPEC》.

⁑**or·gan·ize** [ɔ́ːrgənàiz] *vt.* **1** 《~+목/+목+전+명》 (단체 따위)를 **조직하다**, 편제〔편성〕하다 《*into* …으로》: ~ an army 군대를 편성하다/~ students *into* three groups 학생을 세 그룹으로 편성하다. **2** …의 계통을 세우다, 체계화하다; 정리하다: ~ one's knowledge in a coherent system of thought 자기의 지식을 사상 체계화하다. **3** (계획·모임 따위)를 준비하다; (회사 따위)를 창립〔설립〕하다: ~ a protest meeting 항의 집회를 준비하다/~ a traveling theater 연극의 지방 순회를 계획하다. **4** **a** (아무)를 노동조합에 가입시키다; (직장·기업 따위)에 노동조합을 만들다. **b** 《+목+전+명》 (종업원)을 조직화하다 《*into* …으로》. **5** 〖~ oneself〗 《구어》 생각을 집중시키다, 기분을 가라앉히다.

—*vi.* 조직〔유기〕화하다; 조직적으로 단결하다; 《美》 (노동)조합을 결성하다〔에 가입하다〕: Workers have a right to ~. 노동자들에게는 조합을 결성할 권리가 있다. ◇ organization *n.*

ór·gan·ized *a.* **1** 〖종종 합성어〗 조직〔편제〕된, 조직적인: a well-〔badly-〕~ party 조직이 잘된 〔약한〕 정당/~ crime 조직적인 범죄. **2** 머릿속이 정리된. **3** 노동조합으로 조직된〔가입된〕: ~ labor 〖집합적〗 조직 노동자.

◇**ór·gan·iz·er** *n.* Ⓒ **1** 조직자; 창립 위원, 창시자; (노동조합 따위의) 조직책, (흥행 따위의) 주최자. **2** 분류 서류철, 서류 정리 케이스.

órgan lòft (교회·콘서트홀의) 오르간을 비치한 2층.

or·gasm [ɔ́ːrgæzəm] *n.* Ⓤ (구체적으로는 Ⓒ) 격렬한 흥분; 오르가슴《성교시의 성쾌감의 절정》. ㊞ **or·gas·mic, or·gas·tic** [ɔːrgǽzmik], [ɔːrgǽstik] *a.*

ÓR gàte 〖컴퓨터〗 논리합 게이트《논리합 회로를 구현하는 게이트》.

or·gi·as·tic, -i·cal [ɔ̀ːrdʒiǽstik], [-kəl] *a.* 주신(酒神)(Bacchus)제(祭)의, 주신제 같은; 부어라 마셔라 법석대는.

or·gy, or·gie [ɔ́ːrdʒi] *n.* **1** Ⓒ 진탕 마시고 떠들기, 법석대기; 유흥, 방탕. **2** (*pl.*) (고대 그리스·로마에서 비밀히 행하던) 주신제(酒神祭)《마시며 노래하고 춤추는》. **3** Ⓒ (지나치게) 열중함, 탐닉《*of* …에 대한》: an ~ *of* work (정신 없이) 기를 쓰고 일하기/an ~ *of* eating 폭식.

ori·el [ɔ́ːriəl] *n.* Ⓒ 〖건축〗 퇴창, 벽에서 불쑥 튀어나온 창(= ∠ **wíndow**).

⁑**ori·ent** [ɔ́ːriənt, -ènt] *n.* **1** (the O-) **a** **동양** 《지중해의 동쪽 또는 동남 지역; 아시아, 특히 동아시아》(↔ *Occident*); 동양 여러 나라. **b** 《시어》 동방, 동쪽 하늘. **2** Ⓒ (특히 동양산(産)의) 질이 좋은 진주.

—[ɔ́ːriènt] *vt.* **1** (교회 건물)을 동향(東向)으로 짓다《제단이 동쪽, 입구가 서쪽》. **2** 《+목+전+명》 …의 위치를〔방향을〕 정하다, …을 (특정) 방향으로 맞추다: ~ a building south 〔*toward* the south〕 건물을 남쪽으로 향하게 하다. **3** 〖~ oneself〗 방위를 바르게 맞추다, 바른 방향〔위치〕에 놓다: They *~ed* them*selves* (on the map) before moving on. 그들은 전진하기 전에 (지도를 보고) 자기들의 위치를 확인했다. **4** 《~+목/+목+전+명》 적응〔순응〕시키다; 익숙하게 하다; 〖~oneself〗 (스스로) 적응〔순응〕하다《***to, toward*** (새로운 환경 따위)에》: ~ one's ideas *to* new conditions 관념을 새 상황에 적응시키다/help freshmen to ~ them*selves to* college and *to* life 신입생을 대학과 그 생활에 적응할 수 있도록 도와주다. **5** 《+ 목+전+명》 〖종종 수동태〗 …의 흥미를 쏠리게 하다《***to, toward*** …으로》; …을 특별히 만들다《***to, toward*** …용으로》: ~ the students *toward* human sciences 학생들의 흥미를 인문 과학에 쏠리게 하다/This course *is ~ed to* freshmen. 이 교과 과정은 신입생용이다.

*__ori·en·tal__ [ɔ̀ːriéntl] *a.* (보통 O-) **동양의**; 동양식〔풍〕의. ↔ *Occidental*.¶~ art 〔studies〕 동양 미술〔연구〕. —*n.* (O-) Ⓒ 동양인, 아시아인.

Ori·én·tal·ìsm [-təlizəm] *n.* (종종 o-) Ⓤ 동양식; 동양 제풍(諸風); 동양 문화; 동양학, 동양의 지식. ㊞ **Ori·én·tal·ist** *n.* Ⓒ 동양학자, 동양(어)통.

òri·én·tal·ìze *vt., vi.* (종종 O-) 동양식〔풍〕으로 하다〔되다〕, 동양화하다.

ori·en·tate [ɔ́ːrientèit, ⌐-∠-] *vt.* =ORIENT.

*__ori·en·ta·tion__ [ɔ̀ːrientéiʃən] *n.* Ⓤ (구체적으로는 Ⓒ) **1** **동쪽으로 향하게 함**; (교회를) 성단이 동쪽이 되도록 세움; (기도 등을 할 때) 동쪽을 향함. **2** (건물 등의) 방위; 방위 측정. **3** (새로운 환경·사고방식 등에 대한) 적응; (신입생·신입사원 등의) 오리엔테이션, **(적응) 지도**: give 〔receive〕 a week's ~, 1주일 동안 오리엔테이션을 하다〔받다〕. **4** 〖동물〗 정위(定位), 귀소 본능《새 따위의》; 〖심리〗 방향 정위(력)《현재의 환경·시간의 흐름 속에서 자기를 바르게 인식하는 능력》.

orientátion còurse 《美》 (대학 신입생에 대한) 오리엔테이션 과정.

-o·ri·en·ted [ɔ́ːriəntid/ɔ́(ː)r-] '…지향의, 좋아하는, 본위의, 중심으로 한' 의 뜻의 결합사: land-~ 토지 지향의/a male-~ world 남성 지향〔우위〕의 세계/profit-~ 이익 추구형의/diploma-~ 학력 편중의.

ori·en·teer·ing [ɔ̀ːrientíəriŋ] *n.* Ⓤ 오리엔티어링《지도와 나침반으로 목적지를 찾아가는 크로스컨트리 경기》.

or·i·fice [ɔ́ːrəfis, árə-/ɔ́ri-] *n.* Ⓒ 구멍, 빼끔

한 구멍《관(管)·동굴·상처 따위의》.

orig. origin; original(ly); originated.

‡**or·i·gin** [ɔ́ːrədʒin, ɑ́rə-/ɔ́ri-] *n.* **1** Ⓤ (구체적으로는 Ⓒ) **기원**(起源), 발단, 원천; 유래; 원인: a word of Greek ~ 그리스 어원의 말/ the ~(*s*) *of* civilization 문명의 기원/a fever of unknown ~ 원인 불명의 열/(On) *the Origin of Species* '종(種)의 기원(에 관해서)'《Darwin의 진화론에서》.

SYN. **origin, source** 이 두 가지 말은 보통 바꿔 쓸 수 있지만 origin은 '발생한 최초의 형태'를 나타내고, source는 '어떤 것을 발생시킨 근원, 근본, 원인, 출처'를 나타냄: the *origin* of civilization 문명의 기원('최초의 문명 비슷한 것'의 뜻). the *sources* of political unrest 정치 정세 불안의 원인. **beginning** '시작, 시초'의 뜻으로 '시초의 부분'이라는 것이 주된 용법임: English democracy has its *beginning* (=origin) in the Magna Charta. 영국 민주주의의 시작은 마그나 카르타에 있다. about the *beginning* (≠origin) of summer 여름의 시초 무렵에. **cause** source에 어느 정도 가깝지만 source가 '수원(水源)'의 뜻으로부터 비유적으로 '원인'의 뜻을 갖는 데 반해 cause는 effect (결과)의 반대어로서 원인 그 자체를 나타내는 비유적 색채가 없는 말임: the *cause* of much damage 많은 손해의 원인(of 이하의 much damage가 이 경우의 effect와 맞먹음). **root** '뿌리'의 뜻의 비유적 용법으로 source, cause 따위와 비슷하지만 '눈으로 보기에는 분명치 않은 원인'을 나타냄: the *root* of the trouble 분쟁의 원인.

2 Ⓤ (종종 *pl.*) **태생**, 가문, 혈통: of noble [humble] ~(*s*) 귀한[천한] 태생의/He is a Dane by ~. 그는 덴마크 태생이다.

‡**orig·i·nal** [ərídʒənəl] *a.* **1** Ⓐ **최초의**; 본래의, 근원[기원]의, 고유의: the ~ state 원래 상태/the ~ plan 원안/the ~ inhabitants 원주민/an ~ house 본가/~ bid 〖카드놀이〗 최초의 끗수. **2** Ⓐ 원물(原物)의, 원본의, 원형의, 원작의, 원도(原圖)의: the ~ document (증서 등의) 원본/the ~ edition 원판/the ~ picture [text] 원화[원문]《복제·번역이 아닌》. **3 독창적인**, 창의성이 풍부한: an ~ mind 창의가 풍부한 마음/an ~ idea 신안/an ~ writer 독창적 작가. SYN. ⇨NEW. **4** 색다른, 신기한, 기발한, 별난: an ~ person 괴짜.

—*n.* **1** Ⓒ **원물**, 원형. **2** (the ~) 원화, 원문, 원도(原圖), 원서: read Shakespeare in the ~ 셰익스피어를 원서로[원문으로] 읽다. **3** Ⓒ (사진 등의) 본인, 실물; 독창적인 사람.

oríginal ínstrument 오리지널 악기, 고(古)악기.

***orig·i·nal·i·ty** [ərìdʒənǽləti] *n.* Ⓤ **1 독창성**, 독창력, 창조력, 창의: a man of great ~ 독창력이 풍부한 사람/lack [show] ~ 독창성이 결여되다[나타내다]. **2** 참신, 신기[진기]함, 기발.

***orig·i·nal·ly** [ərídʒənəli] *ad.* **1 원래**; 최초에; 최초부터; 독창적으로: as ~ planned 당초 계획대로. **2** 독창적으로; 참신하게: think ~ 독창적으로 생각하다.

oríginal sín 〖신학〗 원죄(原罪)《아담과 이브의 타락에 근거한 인간 고유의 죄업》.

***orig·i·nate** [ərídʒənèit] *vt.* **1 시작하다**, 근원이 되다, 일으키다: ~ a political movement 정치 운동을 일으키다. **2** 창설하다, 창작하다, 발명[고안]하다(invent): ~ a new method of teaching 신교수법을 고안하다.

—*vi.* 《+전+명》 **1** 비롯하다, **일어나다, 생기다**《*in* …에서》; 시작하다《*from, with* …으로부터》: The quarrel ~*d in* [*from*] a misunderstanding. 싸움은 오해에서 비롯되었다/The idea ~*d from* [*with*] him. 이 생각은 그의 착상이다. **2** 《美》 (버스·열차 등이) 시발하다《*at, in* …에서》: The flight ~*s in* New York. 그 항공편은 뉴욕발이다. ㊕ **orìg·i·ná·tion** *n.*

orig·i·na·tive [ərídʒənèitiv] *a.* 독창적인, 창작력 있는; 발명의 재능이 있는; 참신한, 기발한.

orig·i·na·tor [ərídʒənèitər] *n.* Ⓒ 창작[창시]자, 창설자, 발기인, 원조.

ori·ole [ɔ́ːriòul] *n.* Ⓒ 〖조류〗 꾀꼬리의 일종; 《美》 찌르레깃과(科)의 작은 새.

Ori·on [əráiən] *n.* **1** 〖그리스신화〗 오리온《거대한 사냥꾼》. **2** 〖천문〗 오리온자리.

Oríon's Bélt 〖천문〗 오리온자리의 세 별.

Órk·ney Íslands [ɔ́ːrkni-] (the ~) 오크니 제도《스코틀랜드 북동쪽에 있는 여러 섬》.

Or·lando [ɔːrlǽndou] *n.* 올랜도《남자 이름》.

Or·lon [ɔ́ːrlɑn/-lɔn] *n.* Ⓤ 올론《나일론 비슷한 합성 섬유; 상표명》.

or·mo·lu [ɔ́ːrməlùː] *n.* Ⓤ **1** 도금용 금박《구리·아연·주석의 합금》. **2** 〖집합적〗 도금물(鍍金物). **—***a.* Ⓐ 금도금의.

‡**or·na·ment** [ɔ́ːrnəmənt] *n.* **1** Ⓤ **꾸밈**, 장식: by way of ~ 장식으로서. **2** Ⓒ 장식품, 장신구: the Christmas tree ~*s* 크리스마스 트리 장식물/personal ~*s* 장신구. **3** Ⓒ 광채를 더해 주는 사람[물건]《*to* …에》: You will be an ~ *to* your school. 너는 학교에 영예가 될 것이다. **4** Ⓒ 〖음악〗 꾸밈음.

— [-mènt] *vt.* 《~+목/+목+전+명》 **꾸미다**, 장식하다(embellish)《*with* …으로》; …의 장식이 되다: She ~*ed* the table *with* a bunch of flowers. 그녀는 테이블을 한 다발의 꽃으로 장식하였다.

***or·na·men·tal** [ɔ̀ːrnəméntl] *a.* **1 장식의**, 장식적인, 장식용의; 풍치[광채]를 더하는: an ~ plant 관상식물/an ~ plantation 풍치림/~ writing 장식 문자. **2** (실제로는 필요하지 않지만) 단지 장식적인, 장식만의. ㊕ **~·ly** *ad.* 장식용으로, 장식하여, 장식적으로.

or·na·men·ta·tion [ɔ̀ːrnəmentéiʃən] *n.* Ⓤ 장식, 수식; 〖집합적〗 장식품(류).

◇**or·nate** [ɔːrnéit, ∠-] *a.* 잘 꾸민[장식한]; (문체가) 화려한. ㊕ **~·ly** *ad.* **~·ness** *n.*

or·nery [ɔ́ːrnəri] *a.* 《美구어》 **1** 하등(下等)의; 비열한; 상스러운. **2** 짓궂은; 고집센. **3** 화를 잘 내는, 시비조의.

or·ni·thol·o·gy [ɔ̀ːrnəθɑ́lədʒi/-θɔ́l-] *n.* Ⓤ 조류학. ㊕ **or·ni·tho·log·ic, -i·cal** [ɔ̀ːrnəθəlɑ́dʒik/-lɔ́dʒ-], [-əl] *a.* 조류학(상(上))의. **or·ni·thol·o·gist** [ɔ̀ːrnəθɑ́lədʒist/-θɔ́l-] *n.* Ⓒ 조류학자.

ÓR operátion 〖컴퓨터〗 논리합 연산.

oro·tund [ɔ́ːrətʌ̀nd] *a.* **1** 낭랑한《목소리 따위》. **2** (말 따위가) 과장된, 태깔스런: ~ paeans 과장된 찬사. ㊕ **oro·tun·di·ty** [ɔ̀ːrətʌ́ndəti] *n.*

***or·phan** [ɔ́ːrfən] *n.* Ⓒ **1 고아**, 양친이 없는 아이; 《드물게》 부모 중 한 쪽이 없는 아이. **2** 〖컴퓨터〗 오펀《(1) 하나의 문단에서 맨 마지막 하나의 문장이 잘려서 다음 페이지의 맨 위에 나타나는 현상. (2) 제조자에 의해 애프터 서비스되지 않는 컴퓨터 제품》.

—*a.* [A] **1** 어버이 없는, 고아의. **2** 고아를 위한: an ~ asylum (home) 고아원.
—*vt.* 《보통 수동태》 고아로 만들다: The boy *was ~ed* during the war. 그 소년은 전쟁 중에 고아가 되었다.
㊞ **~·age** [-idʒ] *n.* [C] 고아원.

Or·phe·an [ɔːrfíːən] *a.* Orpheus 의(같은); 절묘한 곡조의; 황홀케 하는.

Or·phe·us [ɔ́ːrfiəs, -fjuːs] *n.* 【그리스신화】 오르페우스《하프의 명수; 동물·나무·바위까지 감동시켰다고 함》.

or·rery [ɔ́(ː)rəri, ár-] *n.* [C] 태양계의(儀).

or·ris, -rice [ɔ́(ː)ris, ár-] *n.* [C] 【식물】 흰붓꽃《붓꽃과(科)》; [U] 그 뿌리(orrisroot).

órris·ròot *n.* [U] 흰붓꽃의 뿌리《건조시켜 향료로 씀》.

or·tho- [ɔ́ːrθou, -θə], **or·th-** [ɔːrθ] '정(正), 직(直)' 의 뜻의 결합사《모음 앞에서는 orth-》: *or*-*tho*dox, *orth*icon.

or·tho·don·tics [ɔ̀ːrθədántiks/-dɔ́n-] *n.* [U] 치과 교정학(矯正學)(dental ~); 치열(齒列) 교정(술). ㊞ **òr·tho·dón·tic** *a.*

or·tho·don·tist [ɔ̀ːrθədántist/-dɔ́n-] *n.* [C] 치열(치과) 교정의(醫).

***or·tho·dox** [ɔ́ːrθədàks/-dɔ̀ks] *a.* **1** (특히 종교상의) **정설(正說)의**, 정교(正敎)를 받드는, 정통파의. ↔ *heterodox*. **2** (O-) 동방 정교회의. **3** (관습상) 옳다고 인정된, 정통의; 승인(공인)된; 전통적인; 인습적인.

Órthodox (Éastern) Chúrch (the ~) 동방 정교회《11세기에 로마 교회에서 분리; 그리스 및 러시아 정교회 등》.

or·tho·doxy [ɔ́ːrθədàksi/-dɔ̀ksi] *n.* [U] **1** 정설(正說), 정교(正敎); 정교 신봉. **2** 정통파적 관행; 일반적인 설에 따름.

or·tho·ep·ist [ɔːrθóuəpist, ɔ́ːrθouèp-] *n.* [C] 정음(正音)학자.

or·tho·e·py [ɔːrθóuəpi, ɔ́ːrθouèp-] *n.* [U] 올바른 발음(법); 정음법(正音法), 정음학.

or·tho·graph·ic, -i·cal [ɔ̀ːrθəgrǽfik], [-əl] *a.* 철자법(정자법)의; 철자가 바른. ㊞ **-i·cal·ly** *ad.*

or·thog·ra·phy [ɔːrθágrəfi/-θɔ́g-] *n.* [U] (바른) 철자(법), 정자법(↔ *cacography*).

or·tho·pe·dic, -pae·dic [ɔ̀ːrθoupíːdik] *a.* 【의학】 정형외과의; 정형술의: ~ treatment 정형(외과) 수술(치료). ㊞ **-di·cal·ly** *ad.*

òr·tho·pé·dics, -páe- *n.* [U] 【의학】 정형외과(학). ㊞ **-dist** [ɔ̀ːrθəpíːdist] *n.* [C] 【의학】 정형외과 의사.

or·to·lan [ɔ́ːrtələn] *n.* **1** [C] 【조류】 촉새·멧새류(類). **2** [U] 그 고기《진미로 침》.

Or·well [ɔ́ːrwel, -wəl] *n.* **George** ~ 오웰《영국의 풍자소설가·수필가; 1903-50》.

-o·ry [ɔ̀ːri, əri/əri] *suf.* **1** 《명사·동사에 붙어》 '…의, …의 성질을 가진' 의 뜻의 형용사를 만듦: provis*ory*. **2** 《명사어미》 '…의 장소' 의 뜻의 명사를 만듦: dormit*ory*, laborat*ory*.

oryx [ɔ́ːriks] (*pl.* **~·es**, ~) *n.* [C] 【동물】 오릭스《아프리카산(產) 영양(羚羊)의 일종》.

os[1] [as/ɔs] (*pl.* ***os·sa*** [ásə/ɔ́sə]) *n.* 《L.》 [C] 【해부】 뼈.

os[2] (*pl.* ***ora*** [ɔ́ːrə]) *n.* [C] 【해부】 입, 구멍, 터진 틈: per ~ 입으로(by mouth)《먹는 약의 표시》.

OS 【컴퓨터】 operating system (운영 체제).

OS, O.S. Old Saxon; Old Style; ordinary seaman; 《英》 Ordnance Survey; 【복식】 outsize. **Os** 【화학】 osmium.

Os·car [áskər/ɔ́s-] *n.* **1** 오스카《남자 이름》. **2** [C] 【영화】 오스카《매년 아카데미상 수상자에게 수여되는 작은 황금상(像)》.

os·cil·late [ásəlèit/ɔ́s-] *vi.* **1** (진자(振子)와 같이) 요동하다, 진동하다; (선풍기 따위가) 돌다. **2** (마음·의견 따위가) 동요하다, 흔들리다, 갈피를 못 잡다《***between*** …사이에》: ~ *between* two opinions 두 가지 의견으로 갈팡질팡하다. **3** 왕복하다《***between*** (두 점) 사이를》. **4** 【전기】 발진(發振)(진동)하다: an *oscillating* current 진동 전류. —*vt.* 진동시키다; 동요시키다. [《L.》 *oscillo* to swing]

◇**òs·cil·lá·tion** *n.* [U] **1** (구체적으로는 [C]) 진동; 동요, 변동; 주저, 갈피를 못 잡음. **2** 【물리】 (전파의) 진동, 발진(發振); 진폭(振幅).

os·cil·la·tor [ásəlèitər/ɔ́s-] *n.* [C] 【전기】 발진기; 【물리】 진동자; 동요하는 사람(것). ㊞ **-la·to·ry** [-lətɔ̀ːri/-lətəri] *a.* 진동하는; 흔들리는; 변동하는; 【물리】 진동의.

os·cil·lo·graph [əsíləgræ̀f, -grɑ̀ːf] *n.* [C] 【전기】 오실로그래프《전류의 진동 기록 장치》.

os·cil·lo·scope [əsíləskòup] *n.* [C] 【전기】 오실로스코프, 역전류 검출관《전류·빛·음향 따위의 진동 상태를 기록하는 장치》.

os·cu·late [áskjəlèit/ɔ́s-] *vt.* 《우스개》 입맞추다; 상접(相接)하다. ㊞ **òs·cu·lá·tion** *n.* [U] 《우스개》 입맞춤; 상접.

-ose [òus, ous] *suf.* **1** '…이 많은, …을 가진, …성(性)의' 의 뜻의 형용사를 만듦: verb*ose*, joc*ose*. **2** 【화학】 '탄수화물, 당(糖)' 의 뜻의 명사를 만듦: fruct*ose*, cellul*ose*.

osier [óuʒər] *n.* [C] 【식물】 버드나무의 일종《가는 가지는 광주리를 결는 재료임; 유럽산(產)》; 버드나무의 가지.

Osi·ris [ousáiəris] *n.* 【이집트신화】 오시리스《명부(冥府)의 왕》.

-o·sis [óusis] *suf.* '…의 과정, (병적) 상태' 의 뜻의 명사를 만듦: neur*osis*, tubercul*osis*.

-os·i·ty [ásəti/ɔ́s-] *suf.* -ose, -ous 의 어미로 끝나는 형용사에서 명사를 만듦: joc*osity*.

Os·lo [ázlou, ás-/ɔ́z-, ɔ́s-] *n.* 오슬로《노르웨이의 수도·해항(海港)》.

os·mi·um [ázmiəm/ɔ́z-] *n.* [U] 【화학】 오스뮴《금속 원소; 기호 Os; 번호 76》.

os·mo·sis [azmóusis, as-/ɔz-] *n.* [U] **1** 【물리·화학】 삼투. **2** 《비유적》 (조금씩) 흡수됨, 침투: He never studies but seems to learn by ~. 그는 전혀 공부다운 공부를 하지 않지만, 그 환경 속에서 제물로 터득하는 것 같다.

os·mot·ic [azmátik, as-/ɔzmɔ́t-] *a.* 【화학】 삼투(성)의: ~ pressure 삼투압.

os·pray, -prey [áspri/ɔ́s-] *n.* [C] 【조류】 물수리《매의 일종으로 물고기를 주식으로 함》.

os·se·ous [ásiəs/ɔ́s-] *a.* 뼈의, 골질(骨質)의.

os·si·fi·ca·tion [àsəfəkéiʃən/ɔ̀s-] *n.* [U] **1** 【생리】 뼈로 됨(변함), 골화(骨化). **2** (감정의) 경직화; (사상·신앙의) 고정화.

os·si·fy [ásəfài/ɔ́s-] *vt.* **1** 뼈로 변하게 하다, 골화시키다; 경화시키다. **2** 무정(냉혹)하게 하다; 보수적으로 하다. —*vi.* **1** 골화되다; 경화되다. **2** 무정하게 되다; 보수적으로 되다.

os·su·ary [áʃuèri, ásju-/ɔ́sjuəri] *n.* [C] 납골당; 뼈단지.

os·ten·si·ble [asténsəbəl/ɔs-] *a.* 외면(상)의;

표면의, 거죽만의, 겉치레의. ↔ *real*, *actual*. ¶ an ~ reason 표면상의 이유 / one's ~ purpose 표면상의 목적. ㊕ **-bly** *ad*. 표면상. **os·tèn·si·bíl·i·ty** *n*.

os·ten·sive [asténsiv/ɔs-] *a*. **1** 실물로 나타내는〔보이는〕, 구체적으로 나타내는, 명시하는. **2** =OSTENSIBLE. ㊕ **~·ly** *ad*.

os·ten·ta·tion [àstentéiʃən/ɔ̀s-] *n*. Ⓤ 허식; 겉보기; 겉치장, 과시.

◇**os·ten·ta·tious** [àstentéiʃəs/ɔ̀s-] *a*. 과시하는, 겉보기를 꾸미는, 여봐란 듯한, 눈에 띄게 하는, 야한. ㊕ **~·ly** *ad*.

os·te·o- [ástiou, -tiə/ɔ́s-] '뼈'를 뜻하는 결합사《모음 앞에서는 oste-》: *osteo*logy.

òsteo·arthrítis *n*. Ⓤ 〖의학〗 골관절염.

os·te·ol·o·gy [àstiálədʒi/ɔ̀stiɔ́l-] *n*. Ⓤ 골학(骨學)《해부학의 한 부문》. ㊕ **os·te·o·log·i·cal** [àstiəládʒikəl/ɔ̀stiəlɔ́dʒ-] *a*. 골학(상)의. **-gist** *n*. Ⓒ 골학자.

os·te·o·path, os·te·op·a·thist [ástiəpæ̀θ/ɔ́s-], [àstiápəθist/ɔ̀stiɔ́p-] *n*. Ⓒ 접골사(接骨士).

os·te·op·a·thy [àstiápəθi/ɔ̀stiɔ́p-] *n*. Ⓤ 오스테오파티〔접골〕 요법; 골병(骨病)(증), 골증.

os·te·o·po·ro·sis [àstioupəróusis/ɔ̀s-] *n*. Ⓤ 〖의학〗 골다공증(骨多孔症).

ost·ler [áslər/ɔ́s-] *n*. Ⓒ 《英》 (여관의) 말구종 (hostler).

os·tra·cism [ástrəsìzəm/ɔ́s-] *n*. Ⓤ **1** 〖고대 그리스〗 오스트라시즘, 도편(陶片) 추방《위험 인물을 투표로 국외에 추방한 일; 조가비 · 도기(陶器) 파편에 이름을 썼음》. **2** 추방, 배척: suffer social ~ 사회에서 매장되다.

os·tra·cize [ástrəsàiz/ɔ́s-] *vt*. 도편 추방을 하다; 국외로 추방〔배척〕하다, (아무)를 제쳐놓다.

◇**os·trich** [ɔ́(ː)stritʃ, ás-] *n*. Ⓒ **1** 〖조류〗 타조: an ~ farm (깃털을 위한) 타조 사육장. **2** 《구어》 현실〔위험〕 도피자, 무사안일주의자, 방관자.

bury** one**'s head in the sand like an ~ (머리만 감추고 꼬리는 못 감추는) 어리석은 짓을 하다. ***have the digestion of an*** ~ 위장이 매우 튼튼하다, 대식하다.

OT, O.T. occupational therapy; Old Testament. **OTB** offtrack betting (장외 경마 도박).

Othel·lo [ouθélou] *n*. 오셀로《Shakespeare 작의 비극》.

†**oth·er** [ʌ́ðər] *a*. **1** Ⓐ 〖복수명사의 앞, 또는 no, any, some, one, the 따위와 함께〗 **다른,** (그) 밖〔이외〕의《★ 단수명사를 직접 수식하는 경우에는 another를 씀》: ~ people 다른 사람들《the ~ people처럼 the가 붙으면 '나머지 사람들(전부)'란 뜻. ⇨3 a》/ in *some* ~ place 어딘가 다른 곳에서 / he and *one* ~ person 그와 또 한 사람 / There was *no* ~ way than to surrender. 항복할 수밖에 다른 방도가 없었다 / Do you have *any* ~ questions? 그 밖에 또 다른 질문은 없나요.

> **NOTE** (1) other는 단독으로는 명사의 복수형 또는 셀 수 없는 명사의 앞에 쓰임: There must be *other* ways of solving the problem. 그 문제를 푸는 다른 방법이 있음에 틀림없다 / She has *other* work to do. 그녀에게는 달리 할 일이 있다. 셀 수 있는 명사의 단수형 경우에는 one, some, any, no 등과 함께 쓰이든지, another를 대신 씀: I want to meet *one* 〔*any*〕 *other* teacher. 그 밖에 또 한 사람의 선생〔누군가 다른 선생〕을 만나고 싶다.
> (2) 다음과 같은 문장에서는 any other의 뒤에 복수형도 쓰이지만 단수형 쪽이 보통: She is taller than *any other* girl(s) in the class. 그녀는 반의 어느 소녀보다도 키가 크다.

2 〖~ than의 형태로; 흔히 (대)명사의 뒤 또는 서술적으로 쓰이어〗 (…와는) **다른; …이외의;** …아닌(not): I have no hats ~ 〔~ hats〕 *than* this (one). 모자는 이것 외에는 없다 / This is quite ~ *than* what I think. 내가 생각하고 있는 것과는 전혀 다르다 / He is ~ *than* honest. 그는 정직하지는 않다.

3 Ⓐ **a** (the ~ 또는 one's ~) (둘 중) **다른 하나의,** 딴; (다른) 나머지의; (셋 이상 중) **나머지〔그 밖의〕 전부의**: The ~ three passengers were men. 나머지 세 승객은 남자였다 / Where are the ~ boys? 딴 아이들은 어디 있나 / There are three rooms. One is mine, one 〔another〕 is my sister's and the ~ (one) is my parents'. 방이 3개 있다. 하나는 내 방이고 또 하나는 누이의 방이며 나머지 방은 부모님의 방이다《★ 문맥에 따라 쉽게 이해될 경우 the other 다음의 명사는 생략할 수 있음》/ Shut your 〔the〕 ~ eye. 다른 눈을 감아라. ★ 둘 중 나머지 하나는 the other 이고, 임의의 여럿 중 다른 하나는 another: Show me *another* (one). 다른 것을 보여 주세요. **b** (the ~) **저편〔쪽〕의; …너머〔건너편〕의, 반대의**(opposite): the ~ side of the moon 달의 반대편〔뒷면〕/ the ~ world ⇨OTHERWORLD / A voice at the ~ end of the telephone was low. 전화의 상대편 목소리는 낮았다.

4 a (때 · 세대 따위가) 전의, 이전의, 옛날의: men of ~ days 옛 시대의 사람들 / customs of ~ days 예전의 습관 / in ~ times 이전(은), 옛날(엔). **b** 장래의, 미래의: In ~ days 〔times〕 men will think us strange. 미래의 사람들은 우리를 이상하게 생각할 것이다. **c** (the ~) 〖날 · 밤 · 주(週) 따위를 나타내는 명사를 수식하여 부사적으로〗 **요전의, 얼마 전의**: the ~ evening 〔night〕 요 전번〔며칠 전〕 저녁〔밤〕에는.

among ~ things =AMONG others. ***every ~...*** ① 다른 모든 …: *Every* ~ boy was safe. 다른 모든 소년은 무사했다. ② 하나 걸러(every second): *every* ~ day 〔week, year, door, line〕 하루〔한 주일, 한 해, 한 집, 한 행〕 걸러. ***no ~ than...*** …하는 외에〔…할 밖엔〕 ―아니다(no ― but ...): I can do *no* ~ *than* smile. 웃지 않을 수 없다. ***none ~ than*** 다름 아닌, 바로 …인: It was *none* ~ *than* Mr. Henry. 그는 다른 사람(이) 아닌 바로 헨리씨였다. ***on the ~ hand*** ⇨HAND. ***~ things being equal*** 다른 조건이 같으면: *Other things being equal*, I would choose him. 딴 조건들이 같다고 하면 그 사람을 택하겠다. ***the ~ way about*** 〔***(a)round***〕 거꾸로.

—(*pl*. **~s**) *pron*. **1** 〖흔히 복수형으로; one, some, any를 수반할 때에는 단수형도 있음〗 **다른〔딴〕 사람, 다른〔딴〕 것;** 그 밖〔이외〕의 것《★ 단독으로 단수를 가리킬 때엔 another를 씀》: These pencils are not very good. Give me some *~s* (=~ pencils). 이 연필은 그리 좋지(가) 않군요. 딴 것을 주세요 / Please show me *one* ~. 딴 것을 하나 보여 주세요《one other 대신 another를 써도 무방함》/ This hat doesn't suit me. Do you have *any ~(s)?* 이 모자는 내

게 어울리지 않는군요. 딴 것은 없나요/Think of ~*s*. 남〔딴 사람들〕 생각 좀 해라/Surely some friend or ~ will help me. 필시 어느 친구가 나를 도와줄 것이다.
2 (the ~) (둘 중의) **다른 한쪽〔하나〕(의 사람·것)**; (the ~s) (셋 이상 중에서) **그 밖〔이외〕의 사람들〔물건〕 전부**, 나머지 사람〔것〕(⇨ANOTHER): Each praises the ~. 서로 칭찬한다/Six of them are mine; the ~*s* are John's. 그 중 여섯 개는 내 것이고 그 나머지는 존의 것이다/Virtue and vice are before you; the one leads to misery, the ~ to happiness. 제군의 앞에는 선과 악이 있다. 하나〔후자〕는 불행의 길로 다른 하나〔전자〕는 행복의 길로 제군을 이끈다《★ the one이 '전자', the other가 '후자'를 가리킬 때도 있음》.

> [NOTE] 2개의 물건〔두 명의 사람〕에 대해서는 처음의 물건〔사람〕은 one, 또 한 개〔한 사람〕 쪽은 the other라고 함. 3개의 물건〔3명의 사람〕 이상 중에서 1개〔한 사람〕 또는 몇 개〔몇 사람〕을 제외한 나머지 물건〔사람〕 전부를 가리킬 때는 the others를 씀: There are *two* roses in the vase. *One* is a white one and *the other* (is) red. 꽃병에 장미가 두 송이 있다. 하나는 희고 또 하나는 빨갛다/One 〔two〕 of them remained and *the others* left. 그들 중 한 명〔두 명〕은 남고 나머지 전원은 떠났다.

among ~s ① 그 중의 한 사람〔하나〕으로서, 그 속에 끼여: Eight of us were saved, myself *among ~s*. 우리들 중 여덟 사람이 구출되었는데 나도 그 중의 하나였다. ② 여럿 중에서, 특히: Jones, *among ~s*, was there. (다른 사람들도 있었지만) 존스도 거기 있었다. ***and ~s*** …따위〔등등〕. ***each ~*** 서로: The boy and the girl helped *each* ~. 소년과 소녀는 서로 도왔다. ***each ~'s*** 서로의: The nations respect *each ~'s* independence. 나라끼리 서로 상대의 독립을 존중한다.

> [NOTE] **each other**와 **one another**: 전자는 두 개의 것에, 후자는 셋 이상의 것에 쓰임이 원칙이지만 이 구별은 결정적인 것은 아님: They looked at *one another* soberly, like two children or two dogs. 둘은 마치 어린이나 개처럼 서로 빙긋거리지도 않고 마주보고 있었다.

of all ~s ① 그 중에서도, 특히: You are the one *of all ~s* I have wanted to see. 너야말로 내가 만나고 싶다고 여겨왔던 사람이다. ② 하필이면: on that day *of all ~s* 하필이면 그 날에. ***one after the ~*** ⇨ONE. ***one from the ~*** 둘을 분간〔구분〕하여: I can't tell the twins *one from the* ~. 나는 그 쌍둥이를 분간할 수 없다. ***some ... or ~(s)*** 무언가, 누군가, 언젠가, 어딘가《some 뒤의 명사는 흔히 단수형》: *some* time 〔day〕 *or* ~ 언젠가 후일/*Some* man *or* ~ was looking for you. 누군가가 너를 찾고 있었다. ***this, that, and the ~*** ⇨THIS (*pron.*).
— *ad.* 〖~ than의 형태로; 부정문·의문문에서〗 그렇지 않고(otherwise), (…와는) 다른 방법으로, 달리: I can't do ~ *than* (to) wait. 나는 기다리는 수밖에 없다/How can you think ~ *than* logically? 어찌 논리적이 아닌 생각 따위를 할 수 있을까.
óther-diréctedl [-id] *a.* 남의 기준에 따르는, 타인 지향의, 주체성이 없는. ↔ *inner-directed*.
óther hálf 1 (the ~) (특히 경제적·사회적으로) 정반대의 입장에 있는 계급〔집단〕. **2** (one's ~) 《구어》 아내, 남편.
óth·er·ness *n.* [U] (구체적으로는 [C]) 다름, 별남, 상위(相違); 딴 사람임; 별개의 것.
oth·er·wise [ʌ́ðərwàiz] *ad.* **1 딴 방법으로, 그렇지는 않고**: I cannot do ~. 달리 할 수가 없다/He thinks ~. 그의 생각은 다르다/Judas, ~ called Iscariot 일명 이스가리옷이라는 유다. **2** 〖종종 명령법·가정법 과거 따위를 수반하여〗 **만약 그렇지 않으면**: He worked hard; ~ he would have failed. 그는 열심히 공부했다. 그렇지 않았으면 실패했을 것이다/*Otherwise* he might have won. 조건이 달랐더라면 그가 이겼을지도 모른다/The change made them accept the ~ unpopular proposal. 여느때 같으면 인기 없는 제안이 변화가 생겨 받아들여졌다. ★ 명령문 뒤에서는 or (else)의 뜻으로 접속사적임. **3** 다른 (모든) 점에서는: Irresolution is a defect in his ~ perfect character. 우유부단이 그의 유일한 결점이다/He skinned his shins, but ~ he was uninjured. 그는 정강이가 벗겨졌는데, 그 밖에 다친 데는 없었다.
— *a.* [P] **1** 딴 것의, 다른: Some are wise, some are ~. 영리한 사람도 있지만 그렇지 않은 사람도 있다. **2** 〖~ than의 형태로〗 …와 다르게, 달리: How can it be ~ *than* fatal? 치명적이 아니고 무엇이겠는가.
and ~ …와 그렇지 않은(것), 기타: experiences pleasant *and* ~ 즐거운 경험이나 그렇지 않은 경험/books political *and* ~ 정치 및 그 밖의 책. ***or ~*** …인지 아닌지, 또는 그 반대: We don't know if his disappearance was voluntary *or* ~. 그가 종적을 감춘 일이 자발적인 것인지 그렇지 않은 것인지 모른다.
óther wóman (the ~) (기혼 남성의) 애인, 정부.
óther·wórld *n.* (the ~) 저승, 내세.
óther·wórldly *a.* 저승의, 내세의〔적인〕; 공상적인; 초세속적인. ㊞ **-wórld·li·ness** *n.*
Oth·man [ɑ́θmən, ouθmɑ́ːn] (*pl.* **~s**) *n.* = OTTOMAN.
-ot·ic [ɑ́tik/ɔ́t-] *suf.* **1** '…을 발생하는, (병에) 걸린'의 뜻으로, -osis로 끝나는 명사에 대응하는 형용사를 만듦: neur*otic*, hypn*otic*. **2** '…풍의, …와 비슷한'이란 뜻의 형용사를 만듦: ex*otic*.
oti·ose [óuʃiòus, óuti-] *a.* 불필요한, 무효의, 쓸모없는; 객쩍은. ㊞ **~·ly** *ad.*
oto·lar·yn·gol·o·gy [òutoulæ̀riŋgɑ́lədʒi, əutəulæ̀riŋgɔ́l-] *n.* [U] 〖의학〗 이비인후학(學).
otol·o·gy [outɑ́lədʒi/-tɔ́l-] *n.* [U] 〖의학〗 이과(耳科)(학). ㊞ **-gist** *n.* [C] 이과의(耳科醫).
Ot·ta·wa [ɑ́təwə, -wɑ̀ː/ɔ́təwə] *n.* 오타와《캐나다의 수도》.
ot·ter [ɑ́tər/ɔ́t-] (*pl.* **~s, ~**) *n.* [C] 〖동물〗 수달; [U] 수달피.
Ot·to·man [ɑ́təmən/ɔ́t-] *a.* 오스만 제국의; 터키 사람〔민족〕의. **—** (*pl.* **~s**) *n.* **1** [C] 터키 사람. **2** [C] (o-) 오토만, 긴의자의 일종《등받이·팔걸이가 없는》; 쿠션 달린 발판. **3** [U] 일종의 견직물.
Óttoman Émpire (the ~) 오스만 제국《옛 터키 제국》.
O.U. Open University; Oxford University.
ou·bli·ette [ùːbliét] *n.* [C] 〖역사〗 (옛 성 따위의) 비밀 감옥, (뚜껑을 열고 드나드는) 토뢰(土牢).

ouch [autʃ] *int.* 아야, 아이쿠.

†**ought** [ɔːt] *aux. v.* (부정 단축형: **oughtn't** [ɔ́ːtnt]) 《항상 to가 붙은 부정사를 수반하며, 과거를 나타내려면 보통 완료형부정사를 함께 씀》 **1** 《의무·당연·적당·필요를 나타내어》 **…해야만 하다,** …하는 것이 당연하다, …하는 편이 좋다: You ~ *to* start at once. 즉시 출발해야 한다/Such things ~ not *to* be allowed. 그런 일이 허용되어서는 안 된다/*Oughtn't* we *to* phone for the police? 경찰에 연락해야 되지 않겠는가/You ~ *to* have consulted with me. 나와 의논했어야 했는데《하지 않은 것이 나쁘다》.

SYN. **ought to**는 should 보다 의무 관념이 강함. **should**는 의무 및 타당의 뜻을 말함: You *should* hear it. 너에게 들려 주고 싶다.

2 《가망·당연한 결과를 나타내어》 **…하기로 되어 있다,** (틀림없이) …할 것이다, …임에 틀림없다: It ~ *to* be rainy tomorrow. 내일은 비가 올 것임에 틀림이 없다/She ~ *to* be there by now. 그녀는 지금쯤 도착해 있을 것이다/We're spending our vacation in Hawaii.—That ~ to be nice. 하와이에서 휴가를 보내기로 했어—그것 참 멋있겠군.

ought·n't [ɔ́ːtnt] ought not의 간약형.

Oui·ja [wíːdʒə] *n.* Ⓒ (심령(心靈) 전달에 쓰이는) 점판(占板), 부적판《상표명》.

⁑**ounce** [auns] *n.* **1** Ⓒ (중량 단위의) **온스**《생략: oz.; 상형(常衡)에서는 1/16 파운드, 28.3495g; 단, 금형(金衡)·약국형(藥局衡)에서는 1/12파운드, 31.1035g》. **2** Ⓒ (액량 단위의) 온스(fluid ~)《미국에서는 1/16 파인트, 29.6cc; 영국에서는 1/20 파인트, 28.4cc》. **3** (an ~) 극소량(a bit)《**of** …의》: He hasn't got an ~ *of* humanity. 인정이라고는 털끝만큼도 없다/An ~ *of* practice is worth a pound of theory. 열 마디 말보다 한 번의 실천.

†**our** [auər, ɑːr] *pron.* 《we의 소유격》 **1 우리의,** 우리들의: ~ country 우리 나라/in ~ time 현대에 있어서. **2** (O-) 《신 등에 대한 호칭으로서》 우리의: *Our* Father 우리 아버지, 하느님/*Our* Lady 『가톨릭』 성모 마리아/*Our* Savior 우리의 구세주《그리스도》. **3** 짐(朕)의, 과인(寡人)의《군주가 my 대신 써서》. **4** (신문의 논설·학술 논문 등에서) 우리의, 우리 사(社)의; (이야기 등에서) 문제의; (저자가 쓰는) 필자의: in ~ opinion 우리의 견해로는. **5** 《화제의 인물·가족·서로 흥미나 관계있는 사람을 지칭하여》《英구어》 예(例)의, 우리, 문제의, 화제가 되어 있는: *Our* Tom works here. 예의 톰이 여기서 일하고 있다.

-our ⇨-OR².

†**ours** [auərz, ɑːrz] *pron.* 《we의 소유대명사》 **1** 《명사가 따르지 않음; 가리키는 내용에 따라 단수 또는 복수취급》 **우리의 것. a** 《독립적》: This is ~. **b** 《앞에 나왔거나 뒤에 나올 명사와 관련》: Their *class* is larger than ~. 그들의 반은 우리 것〔반〕보다 사람 수가 많다/*Ours* is an important *task*. 우리들의 것은〔임무는〕 중요한 임무이다/*Ours* are the large ones. **2** 《of ~로》 우리의. ★ our는 a, an, this, that, no 등과 나란히 명사 앞에 둘 수 없으므로 our를 of ours로 하여 명사 뒤에 둠. ¶*a* friend *of* ~ 우리의 친구/*this* country *of* ~ 우리의 이 나라. cf. mine¹, yours, etc.

°**our·self** [àuərsélf, ɑːr-] *pron.* 짐(朕)이 친히; 나 스스로, 본관(本官)《군주·재판관 등의 공식용어 또는 신문 사설의 용어로서 단수의 we와 함께 씀》.

⁑**our·selves** [àuərsélvz, ɑːr-] *pron. pl.* **1** 《강조용법》 **우리 자신. a** 《we와 함께 써서 동격적으로》: We have done it ~. 우리들 자신이 했다/We ~ are responsible for the affair. 그 일에 관해서는 우리 자신에게 책임이 있다. **b** 《and ~로; we, us 대신 써서》《구어》: Both our parents *and* ~ went there. 부모님과 우리 자신이 거기에 갔다. **c** 《as, like, than의 뒤에서; we, us 대신 써서》《구어》: You can do it better *than* ~. 너는 우리(자신)보다 더 잘 할 수 있다. **d** 《독립구문의 주어 관계를 나타내기 위해》《문어》: *Ourselves* poor, we understood the situation. 우리도 가난해서 그런 사정을 알았다.

2 《재귀용법》 우리 자신을〔에게〕. **a** 《재귀동사의 목적어로 써서》: We absented ~ from the meeting. 우리는 모임에 결석했다. **b** 《일반동사의 목적어로 써서》 We enjoyed ~ a good deal. 무척 재미있었다. **c** 《전치사의 목적어로 써서》: We must take care of ~. (남의 신세를 지지 않고) 우리 스스로를 돌봐야 한다.

3 보통 때와 같은 (정상적인) 우리들《★ 보통 be, feel의 보어로 쓰이는 경우가 많음》: We were not ~ for some time. 우리는 잠시 동안 멍하니 있었다.

beside **~** ⇨ONESELF. ***by*** **~** ⇨ONESELF. ***for*** **~** ⇨ONESELF. ***to*** **~** ⇨ONESELF.

-ous [əs] *suf.* **1** '…이 많은, …성(性)의, …의 특징을 지닌, …와 비슷한; 자주 …하는, …의 버릇이 있는'이란 뜻의 형용사를 만듦: danger*ous*, pomp*ous*. **2** 『화학』 (-ic의 어미의 산(酸)에 대하여) '아(亞)'의 뜻: nitr*ous*, sulfur*ous*.

ousel ⇨OUZEL.

°**oust** [aust] *vt.* **1** 내쫓다《**from** …에서》: He was *~ed from* his position as (company) director. 그는 (회사) 중역의 지위에서 쫓겨났다. **2** 『법률』 (아무)에게서 박탈하다《**of, from** (권리 따위)를》; (재산권 등)을 몰수하다, 빼앗다. ㊞ **∠·er** *n.* Ⓤ (구체적으로는 Ⓒ) 추방; 『법률』 (재산 따위의) 몰수, 박탈.

†**out** [aut] *ad.* 《be 동사와 결합된 때에는 형용사로 볼 수도 있음》.

NOTE out의 반의어(反義語)인 in '안에〔에서, 으로〕; …의 속에〔에서, 으로〕'이 부사와 전치사를 겸하고 또한 특히 방향을 명시하는 전치사 into '…의 안〔속〕으로'가 별개의 낱말을 이루고 있는 데 반해 out '밖에〔에서, 으로〕'는 (미국식 용법의 일부를 제외하고는) 부사로만 쓰이며 전치사의 역할은 out of '…의 밖에〔으로〕; …의 안〔속〕에서'라는 복합 전치사〔전치사 상당구〕가 맡게 됨. 이 out과 out of가 한 짝이 되어 in 및 into와 대조를 이루는 구(句)를 만들 때가 많음: look *out* 〔look *out of* the window〕 밖을 내다보다〔창 밖을 내다보다〕—look *in* 〔look *into* the house〕 들여다보다〔집 안을 들여다보다〕. 이러한 뜻에서 본항(本項)에서는 **out**과 **out of**로 나누어 기술함.

A 《안에서 밖으로의 방향·위치》

1 a 《흔히 동사와 결합하여》 **밖에〔으로〕,** 외부에〔로〕, 밖에 나가〔나와〕, 밖에서: bring ~ 내오다/come ~ 나오다, 나타나다/dine ~ 외식하다/go ~ into the garden 〔the corridor〕 뜰〔복도〕로 나가다/help her ~ 그녀를 구출해 내다/set ~ on a journey 여행길을 떠나다/fly ~ to Africa 비행기로 아프리카에 가다/She has her Sundays ~. 그녀는 일요일엔 외출한다〔외출이 허락된다〕. **b** 〖흔히 be 동사와 결합하여〗 **(집) 밖에 나가, 외출하고**, 집에 없어; (집·해안 따위에서) 떨어져, 떠나, 앞〔먼〕바다에: *be* ~ at sea 항해 중이다/Father *is* ~ on business. 아버지는 사업차〔일로〕 외출 중이시다/He *is* ~ fishing. 그는 낚시하러 갔다/The tide *is* ~. 조수가 빠져 있다《썰물이다》/The fishing boats *are* 4 km ~. 어선들은 4 킬로미터 앞바다에 나와 있다/*Out* to lunch 식사 중, 식사하러 나갔음《회사 따위에서의 게시》.

2 a (밖으로) **내밀어**, 나와; 뻗(치)어; 펼치어〔고〕: hold ~ one's hand 손을 내밀다/shoot ~ buds 싹이 트다, 싹이 나오다/roll ~ a carpet 양탄자를 펼치다. **b** (몸의 일부가) **내밀어**, 쑥 나와: His chin jutted ~. 그의 턱은 쑥 나와 있었다/His trousers are ~ at the knees. 그의 바지는 무릎 부분이 (불룩) 나와 있다.

3 a 골라〔뽑아〕내어; 꺼내어, 집어내어; 쏟아〔만들어〕내어: find ~ a mistake 잘못을 찾아내다/pick ~ the most promising students 가장 유망한 학생들을 뽑아내다/pour ~ the water (그릇의) 물을 쏟아내다. **b** 제거하여, 제외하여: leave a word ~ 말을 생략하다.

4 빌려〔내〕주어, 대출(貸出)하여; 임대(賃貸)하여; (여러 사람들에게) 분배하여: hand things ~ 물건을 분배하다/deal ~ justice 정의를 분배하다(→법을 집행하다)/rent ~ rooms 방을 세주다/give ~ the books 책을 배포하다/The book I wanted was ~. 내가 원했던 책은 대출되어 있었다.

5 내쫓아; 정권을 떠나, 재야(在野)에; 공직〔현직〕에서 물러나(not in office): The Democrats were voted ~. 민주당은 투표 결과 퇴진하였다/The Socialists are ~ now. 사회당은 현재 야당이다.

6 《구어》 일을〔학교를〕 쉬고; 파업〔동맹휴학〕을 하고: walk ~ 파업을 하다/He is ~ because of sickness. 그는 병으로 쉬고 있다/The workmen are ~ (on (a) strike). 근로자들은 파업 중이다.

7 (테니스 등에서) (볼이) 아웃되어(↔ *in*).

8 《美》 〖강조하는 뜻으로〗 《뚜렷한 뜻은 없음》: help ~/lose ~.

B 《출현·발생》

1 a (무엇이) **나타나**, 나와, 출현하여; (어떤 일이) 일어나; 《고어》 (젊은 여성이) 사교계에 나와: Stars are ~. 별이 떠 있다/The floods are ~. 홍수가 났다/Riots broke ~. 폭동이 일어났다/The rash is ~ all over him. 그의 온몸에 뾰루지가 돋아 있다/She has come ~ lately. 그녀는 최근 사교계에 나왔다. **b** (비밀 따위가) **드러나**, 탄로가 나: The secret is 〔has got〕 ~. 비밀이 드러났다〔새었다〕/The murder is ~. 살인이 탄로났다. **c 공표되어**; 발표되어서; (책이) **출판되어**, 세상에 나와: His new book will be ~. 그의 새 저서가 나올 것이다. **d** 〖최상급의 형용사+명사 뒤에 와서〗 《구어》 세상에서의, 현존하는 것 중에서: This is the *best* game ~. 이것은 현존하는 최고의 게임이다.

2 a (꽃 따위가) **피어**; (잎이) 나와: Flowers came ~. 꽃이 피었다/The leaves are ~. 잎이 나왔다. **b** (알이 병아리로) 깨어, 부화되어: The chicks are ~. 알에서 병아리가 깨었다.

3 a 큰 소리로; 들릴〔들을〕 수 있도록: cry 〔shout〕 ~ 큰 소리로 울다〔소리치다〕/He bawled me ~. 그는 나에게 호통을 쳤다. **b 분명히**, 똑똑히, 숨김없이(openly): tell him right 〔straight〕 ~ 생각하고 있는 바를 그에게 분명히 말하다/Speak ~ ! 망설이지 말고 털어놓아라.

C 《상태(常態)로부터의 이탈》

1 a (본래의 상태에서) **벗어나**; 부조(不調)를 보이고; (몸의) 상태가 좋지 않아; 틀려《*in* …점에서》; 손해를 보고: My hand is ~. 손이 (잘) 듣지 않는다(평상시의 솜씨가 안 난다)/I am ~ ten dollars 〔ten dollars ~〕. 나는 10달러 손해를 보았다/I was ~ *in* my calculations. 내 계산이 틀려 있었다/The clock is five minutes ~. 그 시계는 5분 틀린다. **b** 불화하여, (사이가) 틀어져 《*with* (아무)와; *over, about* …일로》: fall ~ *about* trifles 사소한 일로 사이가 틀어지다/He is ~ *with* Jack. 그는 잭과 사이가 틀어져〔벌어져〕 있다.

2 (정상 상태를) 잃고, 혼란에 빠져; 의식〔정신〕을 잃고; (권투에서) 녹아웃되어: feel put ~ 갈팡질팡하다/She passed ~ at the sight of blood. 그녀는 피를 보고 실신했다〔까무러쳤다〕.

3 《구어》 (생각·안(案) 등이) 문제가 되지 않아, 실행 불가능하여; 금지되어: The suggestion is ~. 그 제안은 받아들일 수 없다/Smoking on duty is ~. 근무 중의 흡연은 금지되어 있다.

D 《기능의 정지》

1 제 기능을 못 하게 되어: Her backhand is ~. (연습 부족으로) 그녀의 백핸드는 제 기능을 발휘하지 못하고 있다《구기에서》/The road is ~ because of flood. 홍수로 도로가 끊겨 있다.

2 a 없어져, 다하여; 품절되어: The wine is ~. 포도주는 이제 없다/The supplies have run ~. 물자가 바닥났다/They washed all the stains ~. 그들은 얼룩을 빨아 없앴다. **b** (불·촛불 따위가) 꺼져: put ~ the light 등불을 끄다/put ~ a fire 불을 끄다/The light went ~. 불이 나갔다/The fire has burned ~. 불이 다 탔다. **c** (기한 따위가) 다 되어, 끝나, 만기가 되어: before the week 〔year〕 is ~ 금주 중에〔연내에〕/He'll be back before the month is ~. 그는 월말까지는 돌아올 것이다. **d** 《구어》 유행하지 않게 되어, 유행이 가〔스러져〕(↔ *in*): That style has gone ~. 그 스타일은 유행이 지났다〔한물갔다〕/Fashions go ~. 유행은 스러지는 법이다.

3 a 〖야구·크리켓〗 아웃이 되어. **b** 〖크리켓〗 퇴장이 되어.

E 《완료》

1 끝〔최후〕까지; 완전히, 철저하게; (…이) 다하여: try ~ 철저히 해보다/write ~ 다 쓰다; 정서하다/clear ~ the room 방을 말끔히 청소하다/fight it ~ 끝까지 싸우다/fill ~ a form 〔a slip〕 서식(書式)〔용지〕에 완전히 기입하다《fill in '적어 넣다'와 의미가 별로 다르지 않음》/be talked ~ 이야기를 하여 지치다/I'm tired 〔《美구어》 tuckered〕 ~. 기진맥진이다, 녹초가 되어 있다/Please hear me ~. 제발 내 말 좀 끝까지 들어요/She had her cry ~. 그녀는 속이 후련하도록 실컷 울었다.

2 (서류 따위의) 처리를 끝내어, 기결(既決)의(↔ *in*).

3 〖골프〗 (18홀의 코스에서) 전반(9홀)을 마치어, 아웃이 되어: He went ~ in 39. 그는 39스트로크로 아웃을 끝냈다.

all ~ 《구어》 전력을 다하여; 전속력으로; 아주, 완전히. ***be*** ~ ***and about*** 〔***around***〕 (사람이 병후에) 외출〔활동, 일〕할 수 있게 되다(be up and about). ***be*** ~ ***for*** …을 얻으려고 애쓰다: He *is*

~ *for* promotion. 그는 승진을 노리고 있다. ***be out to*** do …하려고 애쓰다: She *is* ~ *to* win the support. 그녀는 지지를 얻으려고 애를 쓰고 있다. ***be*** 〔***get***〕 ***~ from under*** 《구어》 어려움에서〔위기를, 궁지를〕 벗어나다. ***from this*** 〔***now***〕 ~ 금후로는(henceforth). ***~ and away*** 훨씬(by far), 단연(코), 빼어〔뛰어〕나게(far and away): This is ~ *and away* the best. 이것이 단연코 제일 좋다. ***~ and home*** 갈 때나 올 때나, 왕복 다 함께. ***~ and ~*** 철저한〔하게〕, 완전한〔히〕(흔히 바람직하지 않은 뜻으로 쓰임): an ~ *and* ~ fool =a fool ~ *and* ~ 지독한 바보/He is a scoundrel ~ *and* ~. 그는 철저〔지독〕한 악당이다. ***~ loud*** 소리를 내어(aloud): laugh 〔read〕 ~ *loud* 소리내어 웃다〔읽다〕. ***~ of*** ⇨OUT OF. ***~ there*** 저쪽에; 《속어》 싸움터에. ***Out with it!*** 《구어》 말해 버려, 말해.

> DIAL. ***Out, please.*** 내리십시오《엘리베이터를 내릴 때》.
> ***Out you go!*** 나가라, 꺼져.

—*prep*. **1** 《美 · 英구어》 …**으로부터** (**밖으로**); …을 통하여 밖으로(through, out of): come ~ the door 〔window〕 문〔창〕에서 나오다/look ~ the window at the river 창가에서 밖의 강을 바라다보다. **2** 《美》 …의 밖에, …의 바깥측에(outside): hang it ~ the window 창 밖에 그것을 매달다/The garage is ~ this door. 차고는 이 문 바깥에 있다/He lives ~ Elm Street. 엘름가(街) 변두리에 산다. **3** 〖from ~의 형태로〗 《문어》 …에서: It arose *from* ~ the azure main. 그건 질푸른 망망대해(大海)에서 나타났다.

—*a*. **1** Ⓐ 밖의; 바깥 쪽의: the ~ edge 바깥 가장자리/the ~ sign 출구 표지/the ~ side (구기의) 바깥측; 수비측/an ~ match 원정 경기. **2** Ⓐ 멀리 떨어진: an ~ island 외딴섬. **3** 【골프】 (18홀의 코스에서) 전반(9홀)의, 아웃의.

—*n*. **1** (the ~) 바깥쪽, 외부. **2 a** Ⓒ 공직〔현직〕을 떠난 사람; 지위를〔권력을〕 잃은 사람. **b** (the ~s) 《英》 야당(↔ *ins*). **3** (*pl.*) (경기의) 수비측. **4** Ⓒ 【야구】 아웃(된 선수); (테니스의) 아웃된 공. **5** (*sing.*) 《구어》 (일 · 비난 따위를 모면하기 위한) 변명, 구실.

be at 〔***on the***〕 ***~s*** (***with***) (…와) 사이가 나쁘다〔틀어지다〕. ***from ~ to ~*** 끝에서 끝까지, 전장(全長). ***the ins and ~s*** 구석구석, 자세히; 여당과 야당.

—*vi*. 〖보통 will ~의 형식으로〗 나타나다(come out); (좋지 않은 일 따위가) 드러나다: Murder *will* ~. 《속담》 나쁜 짓은 반드시 드러나는 법이다/The truth *will* ~. 《속담》 진상은 반드시 드러난다.

—*vt*. **1** 《구어》 쫓아내다: *Out* that man! 저 사람을 쫓아내라. **2** 【권투】 때려눕히다; 【경기】 아웃이 되게 하다; (테니스에서 공)을 선 밖으로 치다. **3** (불 따위)를 끄다.

out- [àut] *pref*. 〖동사 · 명사 등의 앞에 붙어〗 **1** 바깥(쪽)에, 앞으로, 떨어져: *out*cast, *out*come, *out*side. **2** …보다 훌륭하여, …을 넘어서, 능가하여: *out*bid, *out*do, *out*general, *out*last, *out*rate.

> NOTE 명사 · 형용사에서는 *óut*bòard로 강세가 앞에 위치하고, 동사에서는 *òut*rún으로 양쪽 또는 뒤에 강세가 오는 것이 일반적.

out·age [áutidʒ] *n*. **1** Ⓤ (정전으로 인한) 기계의 운전 중지. **2** Ⓒ 정전〔단수〕 시간.

óut-and-óut [-nd-] *a*. Ⓐ 순전한, 철저한, 탁월한: an ~ liar 순전한 거짓말쟁이. ⊞ **~·er** *n*. Ⓒ 《속어》 철저히 하는 사람, 완전주의자, 극단적인 사람.

óut·bàck *n*. (the ~) 《Austral.》 (미개척의) 오지(奧地), 내지(內地).

òut·bálance *vt*. …보다 더 무겁다; …을 능가하다, …보다 중요하다.

òut·bíd (**-*bid*, -*bade*; -*bid*, -*bidden*; -*bid·ding***) *vt*. (경매에서) …보다 비싼 값을 매기다.

óut·bòard *a*., *ad*. **1** 【해사】 배 밖의〔으로〕; 뱃전의〔으로〕; 기관을 외부에 장치한: an ~ motor 선외(船外) 발동기. **2** 【항공】 날개 끝에 가까운 쪽의〔에〕. **—***n*. Ⓒ 기관을 외부에 장치한 보트.

óut·bòund *a*. (비행기 · 배가) 외국으로 가는; (교통 기관이) 시외로 가는. ↔ *inbound*. ¶an ~ ship 외항선.

òut·bráve *vt*. 용감히 …에 맞서다; …을 조금도 두려워하지 않다; (아름다움 · 빛이) 압도〔능가〕하다.

***out·break** [áutbrèik] *n*. Ⓒ **1** (소동 · 전쟁 · 유행병 따위의) **발발**, 돌발, 창궐; (화산 따위의) 갑작스러운 분출: at the ~ *of* the war 전쟁이 발발했을 때. **2 폭동**, 반란, 소요.

óut·bùilding *n*. Ⓒ 딴채; 헛간.

***out·burst** [áutbə̀ːrst] *n*. Ⓒ **1** (화산 따위의) **폭발**, 파열. **2** (감정 따위의) 격발, (활동 따위의) 돌발: an ~ *of* laughter 폭소/an ~ *of* looting 돌발적인 약탈.

óut·càst *a*. (집 · 사회에서) 내쫓긴, 버림받은; 집없는; 폐기된. **—***n*. Ⓒ 추방당한 사람, 집 없는 사람, 부랑자; 폐물.

óut·càste *n*. Ⓒ (인도에서) 자기 소속 계급에서 추방당한 사람; 카스트 이외의 사람〔천민〕. cf. caste.

òut·cláss *vt*. …보다 고급이다; 훨씬 낫다, …을 능가하다: His performance ~*ed* all the others. 그의 연기는 다른 모든 사람보다 훨씬 뛰어났다.

⁑**out·come** [áutkʌ̀m] *n*. Ⓒ (보통 *sing.*) **결과**; 성과: the ~ *of* the election 선거의 결과/We are anxiously awaiting the ~ *of* their discussion. 우리는 그 토론의 결과를 마음 졸이며 기다리고 있다. SYN. ⇨RESULT.

óut·cròp *n*. Ⓒ **1** 【지질】 (광맥 등의) 노출, 노두(露頭). **2** (사건 등의 급격한) 발생.

◇**óut·crỳ** *n*. Ⓒ **1** 부르짖음, 고함소리; 야유. **2** (대중의) 강렬한 항의《***about, against*** …에 대한》: raise an ~ *against* …에 격렬히 반대하다.

òut·dáted [-id] *a*. 구식의, 시대에 뒤(떨어)진; 쇠퇴해 버린. ⊞ **~·ness** *n*.

òut·dístance *vt*. 훨씬 앞서다《경주 · 경마에서》; 능가하다.

◇**òut·dó** (**-*did*; -*done***) *vt*. **1** …보다 낫다, …을 능가하다; 물리쳐 이기다《***in*** …에서》: ~ a person *in* patience 인내력에서 아무를 능가하다. **2** 〖~ oneself〗 이제까지보다〔의외로〕 잘하다; 열심히 노력하다: You really *outdid* your*self*. 참으로 잘했다. SYN. ⇨EXCEL.

⁑**out·door** [áutdɔ̀ːr] *a*. Ⓐ **집 밖의**, 옥외의, 야외의. ↔ *indoor*. ¶~ exercise 옥외 운동/~ advertising 옥외 광고/an ~ life 〔theater〕 야외 생활〔극장〕/an ~ café 야외 다방.

⁑**out·doors** [àutdɔ́ːrz] *ad*. **문 밖에서**, **야외에서**, 옥외에서. ↔ *indoors*. ¶He stayed ~ until it began to rain. 비가 오기 시작할 때까지 그는 밖에 있었다. —*n.* Ⓤ (보통 the ~) 옥외, 문밖; 야외. ㊕ ~**y** [-zi] *a.* 옥외 운동을 좋아하는; 야외에 알맞은.

outdóors·man [-mən] (*pl.* **-men** [-mən, -mèn]) *n.* Ⓒ 야외 스포츠 애호가; (사냥꾼 · 캠프 생활자 같이) 야외에서 많은 시간을 보내는 사람.

òut·dráw *vt.* (권총 등)을 더 빨리 뽑아들다; (인기 · 청중 등)을 더 많이 끌다.

out·er [áutər] (최상급 **~·most, out·most**) *a.* Ⓐ **1 밖의**, 외부〔외면〕의. ↔ *inner.* ¶ ~ garments 겉옷, 외투/the ~ world 외계(外界); (바깥)세상. **2** (중심에서) 멀리 떨어진, 변두리의: in the ~ suburbs (도심에서) 먼 교외에. SYN. ⇨ OUTSIDE.

óuter éar 〖해부〗 외이(外耳)(↔ *inner ear*).

óuter mán (the ~) (남성의) 외모, 풍채, 복장; 육체.

óuter·mòst *a.* Ⓐ 가장 바깥(쪽)〔외곽〕의, 가장 뒤쪽의, 가장 먼.

óuter spáce 우주 공간《지구 대기권 밖의 공간; 특히 행성 간의 공간》.

óuter·wèar *n.* Ⓤ 〔집합적〕 옷 위에 덧입는 겉옷《sweater, suit, dress 등》; 외투, 비옷《따위》.

óuter wóman (the ~) (여성의) 외모, 자태; 복장.

òut·fáce *vt.* **1** 노려보아 꼼짝 못하게 하다. **2** …에게 대담하게 대항하다; 도전하다.

óut·fàll *n.* Ⓒ 강어귀; 유출〔배출〕구, (물이) 흘러 떨어지는 곳(outlet).

óut·field *n.* (the ~) 〖야구 · 크리켓〗 외야(外野); 〔집합적; 단 · 복수취급〕 외야수. ↔ *infield.* ㊕ **~·er** *n.* Ⓒ 외야수(↔ *infielder*).

òut·fíght (*p., pp.* **-fought**) *vt.* …와 싸워 이기다. ㊕ **óut·fighting** *n.* Ⓤ 〖권투〗 아웃복싱.

out·fit [áutfìt] *n.* Ⓒ **1** (특정한 활동 · 장사 등의) 도구 한 벌; 용품 한 벌; (특정한 경우의) 의상 한 벌; (여행 · 탐험 등의) 장비 일습: a carpenter's ~ 목수의 연장 한 벌/an ~ for a bride = a bride's ~ 신부 의상 한 벌. **2** 〔집합적; 단 · 복수취급〕《구어》 (협동 활동의) 단체, 집단, 일단; 부대, 동료: a publishing ~ 출판사.
—(**-tt-**) *vt.* 《~+목/+목+전+명》 …의 채비를 하다; …에게 공급하다《**with** …을》: ~ a person *with* money for his trip 아무에게 여비를 마련해 주다. ㊕ **~·ting** *n.* Ⓤ 〔집합적〕 채비, 장신구; 옷차림.

óut·fit·ter *n.* Ⓒ 장신구상, 운동〔여행〕용품상: a gentlemen's ~ 신사용품점.

òut·flánk *vt.* 〖군사〗 (적)의 측면을 포위하다; (상대방)의 허를 찌르다, …보다 선수치다.

óut·flòw *n.* Ⓤ 유출; Ⓒ 유출물, 유출량.

òut·fóx *vt.* 《구어》 …을 계략으로 이기다(outsmart); (상대방)의 허를 찌르다.

óut-frónt *a.* 솔직한, 정직한, 숨김없는.

òut·géneral (**-l-**, 《英》 **-ll-**) *vt.* (상대방)을 작전으로〔전술로〕 이기다, (적)을 술책에 빠뜨리다.

óut·gò (**-went; -gone**) (*pl.* **~es**) *n.* Ⓒ **1** 출발, 퇴출(退出). **2** 출비(出費), 지출. ↔ *intake.*

óut·gòing *a.* **1** Ⓐ 나가는, 출발하는; 떠나가는; 사임〔퇴임〕하는: the ~ tide 썰물/an ~ train 출발 열차/an ~ minister 퇴임 장관. **2** 사교적〔개방적〕인. —*n.* **1** Ⓤ 나감; 길을 떠남, 출발; 퇴직. **2** (*pl.*) 출비(出費), 지출: reduce one's ~*s* as far as possible 될 수 있는 대로 지출을 줄이다.

òut·grów (**-grew; -grown**) *vt.* **1** …에 들어가지 못할 정도로 불어나다, 몸이 커져서 (옷)을 입지 못하게 되다: My family has *outgrown* our house. 식구가 늘어서 집이 옹색해졌다/He has *outgrown* his clothes. 그는 몸이 자라 (이전의) 옷을 입지 못하게 되었다. **2** …보다도 커지다〔빨리 자라다〕, 너무 성장하여 …이 뒤따르지 못하다: ~ one's brother 형보다 커지다/The population is ~*ing* its resources. 인구 증가가 자원의 공급을 상회한다. **3** 성장하여 (습관 · 취미 등)을 벗어나다〔잃다〕: The boy has *outgrown* babyish habits. 그 소년은 자라서 어린애 같은 버릇이 없어졌다.

óut·gròwth *n.* Ⓒ **1** 자연적인 발전〔산물〕, 결과; 부산물; 파생물. **2** 〖식물〗 어린 가지, 새싹. **3** 발생〔성장〕하는 것.

òut·guéss *vt.* (상대방의 의도 따위)를 미리 짐작하다, 꿰뚫어보다; 넘겨치다; 간파하다.

òut-Hérod *vt.* …보다 포학하다《흔히 다음 관용구로》. ~ ***Herod*** 포학함이 헤롯 왕을 뺨치다《Shakespeare 작 Hamlet 에서》. ★ 유사구가 많음: out-Solomon Solomon 지혜가 솔로몬 왕 이상이다.

óut·hòuse *n.* Ⓒ (농장의) 딴채; 헛간; 《美》 옥외 변소.

óut·ing *n.* Ⓒ 산놀이, 소풍(excursion); 산책; 행락, (짧은) 유람〔위안〕 여행: go for 〔on〕 an ~ 소풍〔피크닉〕 가다/The regular school ~ to the mountains was fun. 학교의 정규적인 산행은 재미있었다.

óut·lànd *n.* Ⓒ **1** (보통 *pl.*) 원격지(遠隔地), 변경. **2** 외국.

óut·lànder *n.* Ⓒ 외국인; 외래자; 《구어》 외부 사람, 국외자, 문외한.

out·land·ish [autlǽndiʃ] *a.* 이국풍(異國風)의; 이상스러운, 기묘한: ~ clothes 이상한 의복. ㊕ **~·ly** *ad.* **~·ness** *n.*

òut·lást *vt.* …보다 오래 견디다〔가다, 계속하다, 살다〕.

out·law [áutlɔ̀ː] *n.* Ⓒ **1** 〖법률〗 **법익 피박탈자**(法益被剝奪者)《법률상의 보호를 박탈당한 사람》. **2** 무법자; 상습범; 사회에서 버림받은 자.
—*vt.* **1** …에서 법의 보호를 빼앗다; …을 사회에서 매장하다. **2** 불법이라고 (선언)하다, 금지하다; 법적으로 무효로 하다: an ~*ed* debt 《美》 시효가 지난 채무/~ drunken driving 음주 운전을 금지하다.

out·law·ry [áutlɔ̀ːri] *n.* Ⓤ **1** 법익〔공권〕 박탈; 사회적 추방 (처분). **2** 금지, 비합법화. **3** 무법자의 신분〔상태〕; 법률 무시.

óutlaw strìke (조합의 지시에 따르지 않은) 불법 스트라이크(wildcat strike).

óut·lày *n.* Ⓒ (보통 *sing.*) 비용, 경비, 지출액《**on, for** …에 대한》: a large ~ *on* 〔*for*〕 scientific research 다액의 과학 조사비/the ~ *on* clothes 의복비. —[⌐⌐] (*p., pp.* **-laid**) *vt.* 소비하다, 지출하다《**on, for** …에》.

out·let [áutlet, -lit] *n.* Ⓒ **1 배출구**, 출구(↔ *inlet*)《**for** (액체 · 기체 따위)의》; 배수구(↔ *intake*): an ~ *for* water 〔smoke〕 물〔연기〕의 배출구. **2** 배출구《**for** (감정 따위)의》: an ~ *for* one's anger 화풀이할 곳. **3** (상품의) 팔 곳, 판로; 대리점, 직판장, 특약점. **4** 〖전기〗 콘센트.

out·line [áutlàin] *n.* Ⓒ **1 윤곽**, 외형, 약도:

the ~ *of* skyscrapers 고층 건물들의 윤곽. **2** 대요, 개요, 개설, 요강: He gave me a brief ~ *of* what had occurred. 그는 나에게 사건의 개요를 간략하게 설명했다. **3** 〖컴퓨터〗 테두리, 아우트라인. ***in*** **~** 윤곽으로 나타낸; 개략의: a map *in* ~ 약도. **—***vt*. **1** …의 **윤곽을**〔**약도를**〕 **그리다**〔**표시하다**〕; 초안을 쓰다, 밑그림을 그리다: She ~*d* the map of Korea on a sheet of paper. 그녀는 종이에 한국 지도의 윤곽을 그렸다. **2** …을 **개설하다**, …의 대요를 말하다: I ~*d* the plan. 그 계획의 대요를 설명했다.

***out·live** [àutlív] *vt*. **1** …**보다도 오래 살다**; …보다 오래 계속하다〔가다〕: ~ one's children 자식보다 오래 살다. **2** 오래 살아서 …을 잃다: ~ one's fame 만년에 명성을 잃다. **3** …에서 무사히 헤어나다: The ship ~*d* the storm. 배는 폭풍우를 무사히 벗어났다.

‡**out·look** [áutlùk] *n*. Ⓒ (보통 *sing*.) **1 조망**, 전망, 경치《***on, over*** …의》: have a pleasant ~ 전망이 좋다 / a room with an ~ *on* 〔*over*〕 the sea 바다가 훤히 내다보이는 방. **2 예측**, 전망, 전도《***for*** (장래)의》: The economic ~ is bright. 경제적인 전망은 밝다 / The ~ *for* food and energy prices is good. 식량과 에너지 가격의 전망은 양호하다. **3** 사고방식, 견해, 견지, …관(觀)《***on*** …에 대한》: a bright 〔dark〕 ~ *on* life 밝은〔어두운〕 인생관.

óut·lỳing *a*. Ⓐ 중심을 떠난; 동떨어진; 외진, 변경의: an ~ village 외딴 마을.

òut·manéuver, 《英》 **-nóeuvre** *vt*. 책략으로 …에게 이기다, …의 허를 찌르다.

òut·mátch *vt*. …보다 상수이다〔낫다〕, …을 능가하다.

òut·móded [-id] *a*. 유행에 뒤떨어진, 구식의.

óut·mòst *a*. Ⓐ 맨 바깥쪽〔바깥 부분〕의; 가장 먼(outermost).

°**òut·número** *vt*. …보다 수가 많다; 수적(數的)으로 우세하다: The girls in the class ~ the boys two to one. 반의 여학생은 남학생보다 2 대 1로 많다.

‡**out of** [áutəv] *prep*. *equiv*. **1** 〘운동·위치〙 …**의 안에서 밖으로**, …**의 밖으로**, …**의 안으로부터** (↔ *into*); …의 밖에서, …에서 떨어져《문맥상 명백할 때는 of가 생략됨: go out 밖으로 나가다》: a few miles ~ 〔away from〕 Seoul 서울에서 몇 마일 떨어져(서) / get ~ a car 차에서 내리다 / come ~ from the room 방에서 나오다《★ out of는 안에서 밖으로의 운동을, from은 기점(起點)을 강조함》/ Fish cannot live ~ water. 물고기는 물 밖에서는 살 수 없다.

2 〘어떤 수에서의 선택〙 …**에서**, …**중**(**에서**): one ~ many 많은 것 가운데서 하나 / (in) nine (cases) ~ ten 십중팔구 / two ~ every five days 닷새에 이틀 꼴〔비율〕로 / pay twenty dollars and fifty cents ~ thirty dollars, 30 달러 중 20달러 50센트를 지불하다 / This is only one instance ~ several. 이것은 몇 가지 예 중 한 예에 지나지 않는다.

3 〘범위〙 …**의 범위 밖에**〔범위를 넘어〕, …**이 미치지 않는 곳에**. ↔ *within*. ¶~ reach 손이 미치지 않는 곳에 / The plane was ~ sight. 비행기는 보이지 않게 되었다 / Never let these children ~ your sight. 이 아이들로부터 눈을 떼어서는 안 된다.

4 a …(상태)**에서 떠나**, …을〔에서〕 벗어나; …이 없어; …을 잃고: ~ breath 숨이 차, 헐떡이고 / ~ danger 위험을 벗어나 / ~ date 시대에 뒤져 / ~ doubt 의심의 여지 없이, 확실히 / ~ heart 기가 죽어, 의기소침하여 / ~ work 〔a job〕 실직하여. **b** (일시적으로) …**이 없어져**〔**떨어져**〕, …**이 부족하여**〔**달리어**〕: ~ stock 재고가 없어 / We're ~ tea. 홍차가 떨어졌다 / We have run ~ sugar. 설탕이 떨어졌다.

5 〘동기·원인〙 …**에서**〔**으로**〕, …**때문에**: ~ curiosity 호기심으로〔에서〕 / do it ~ pity 〔spite〕 가엾게 여기는 마음〔원한〕에서〔으로〕 / act ~ necessity 절실한 필요로 인해 행동하다.

6 〘재료를 나타내어〙 …**(으)로**: wine made ~ grapes 포도주 / the house made ~ stone 돌집 / What did he make it ~? 그는 그것을 무엇으로 만들었는가.

7 〘기원·출처·출신〙 …**에서**, …**으로부터**(**의**); …(으)로: drink ~ a cup 컵으로 마시다 / a passage ~ Shakespeare 셰익스피어 작품에서 인용한 일 절 / ~ one's (own) head 스스로 생각하여 / Good can never come ~ evil. 악(惡)에서 선(善)은 결코 나올 수 없다.

8 〘결과〙 **a** …을 잃게; …하지 않도록: cheat a person ~ money 아무를 속여 돈을 우려내다 / We persuaded him ~ going. 우리는 그를 설득하여 가지 않게 했다. **b** …을 제거하여, 벗겨: I helped her ~ her clothes. 그녀가 옷을 벗도록 거들어 주었다.

~ *it* ① (계획·사건 등에) 관여〔관계〕하지 않고, 그것에서 제외되어: It's a dishonest scheme and I'm glad to be ~ *it*. 그것은 부정한 계획이므로 그것에서 빠져 나와〔제외되어〕 기쁘다. ② 《구어》 따돌림을 받아, 고립하여, 외로운: She felt ~ *it* as she watched the others set out on the picnic. 모두 소풍을 떠나는 것을 보고 그녀는 소외된 것 같은 감정을 느꼈다. ③ 《美》 틀려, (진상을) 잘못 알고, 추측을 잘못하고: You're absolutely ~ *it!* 자넨 전혀 진상을 모르는군. ④ 어찌 할 바를 몰라; 곤란하여.

> **DIAL.** ***I'm out of here.*** 이제 가야겠군.

óut-of-bòunds *a*., *ad*. 〖구기〗 필드〔코스〕 밖의〔으로〕, 제한 구역 밖의〔으로〕.

óut-of-cóurt *a*. 법정 외의, 소송에 의하지 않는, 화해에 의한: an ~ settlement 법정외 화해.

óut-of-dáte *a*. 구식인, 시대에 뒤떨어진, 낡은. ⓒⓕ up-to-date.

óut-of-dóor *a*. =OUTDOOR.

óut-of-dóors *a*. =OUTDOOR. **—***n*., *ad*. = OUTDOORS.

óut-of-pócket *a*. 현금 지급의, 맞돈의.

óut-of-the-wáy *a*. 외딴, 벽촌의; 괴상한, 진기한(eccentric).

óut-of-tówn *a*. 시외의, 지방의. ⊞ **~·er** *n*.

òut·páce *vt*. …보다 빨리 걷다; …을 앞지르다; …보다 낫다.

óut·pàtient *n*. Ⓒ (병원의) 외래 환자. ⓒⓕ inpatient.

òut·perfórm *vt*. (기계 따위가) …보다 성능이 우수하다; (사람이) …보다 기량이 위다.

òut·pláce *vt*. 《美》 (해고 전에) 새 직장에 취직시키다. ⊞ **~·ment** *n*. Ⓤ 전직〔재취직〕 알선.

òut·pláy *vt*. 〖경기〗 (상대)를 이기다.

òut·póint *vt*. (경기에서) …보다 점수를 많이 따다; 〖권투〗 …에게 판정승하다.

óut·pòst *n*. Ⓒ **1** 〖군사〗 전초(前哨), 전초 부대

〔지점〕, 전진 기지. **2** 변경의 식민〔거류〕지.

òut·póur *vt., vi.* 흘러나오게 하다; 흘러나오다; 유출시키다; 유출하다. **—** [ˊˋ] *n.* [C] 유출; 유출물.

óut·pòuring *n.* **1** [C] 흘러나옴, 유출(물). **2** (*pl.*) (감정 등의) 발로, 토로: *~s of* grief 〔rage〕 끓어오르는 슬픔〔분노〕.

*‡***out·put** [áutpùt] *n.* [U] (또는 an ~) **1 산출**, 생산(품); 산출〔생산〕량; (문학 등의) 작품수〔량〕: increase 〔curtail〕 ~ 생산량을 높이다〔줄이다〕. **2** 〖기계·전기〗 **출력**, 발전력. **3** 〖컴퓨터〗 출력 《컴퓨터 내에서 처리된 정보를 외부 장치로 끌어냄; 또 그 정보》. ↔ *input*. **—***vt.* 산출하다; 〖컴퓨터〗 (정보)를 출력하다.

óutput devìce 〖컴퓨터〗 (인쇄기, VDU 등의) 출력 장치.

*****out·rage** [áutrèidʒ] *n.* **1** [U] (구체적으로는 [C]) **a 침범**, 위반; 불법 행위《***against*** …에 대한》: ~ *against* the law 위법/an ~ *against* humanity 인도에 반하는 불법 행위. **b 난폭**, 폭행, 유린, 능욕《***on, upon*** …에 대한》: commit an ~ *on* a girl 소녀에게 폭행을 가하다《★ rape 보다 완곡한 표현》. **2** [C] 분개할〔모욕적인〕 행위; [U] (폭력·모욕 등에 대한) 격노,분개.

—*vt.* **1** (법률·도의 등)을 **범하다**, 어기다. **2** …에 **난폭한 짓을 하다**, 폭행〔학대〕하다; …에게 모욕을 주다. **3 격분시키다**, 격노하게 하다: I was *~d* by his behavior. 그의 태도에 화가 났다.

*****out·ra·geous** [autréidʒəs] *a.* **1 버르장머리 없는**, 괘씸한, 언어도단의: They have ~ manners. 그들은 버르장머리가 없다/It's ~ that… …라는 것은 언어도단이다. **2** 지나친, **터무니없는**: an ~ price 터무니없는 가격. **3** 난폭한, 포학한, 잔인무도한: an ~ crime 포학한 범죄. **4** 별난, 이상한: ~ clothes 괴상한 옷. [파] **~·ly** *ad.* 터무니없이, 난폭하게. **~·ness** *n.*

òut·ránge *vt.* (대포·비행기 등이) …보다 착탄〔사정, 항행〕 거리가 멀다.

òut·ránk *vt.* (계급·신분 등이) …의 윗자리에 있다.

ou·tré [u:tréi] *a.* 《F.》 상궤를 벗어난, 지나친, 과격한; 야릇한, 기괴한, 색다른.

òut·réach *vt.* …보다 멀리 미치다, …의 밖에까지 퍼지다; …보다 낫다.

òut·ríde (***-rode; -rid·den***) *vt.* …보다 잘〔빨리, 멀리〕 타다, …을 앞지르다; (배가 폭풍우)를 헤치고 나아가다.

óut·rìder *n.* [C] (차의 앞·옆의) 오토바이를 탄 선도자〔호위〕, 기마 시종(侍從)《마차의 옆·앞의》.

óut·rìgger *n.* [C] 〖해사〗 (전복 방지용) 현외(舷外) 장치, 아우트리거; 현외 장치가 달린 마상이; 현외로 내민 노걸이 받침쇠(가 있는 보트).

°**out·right** [áutráit] *ad.* **1** 철저하게, 완전히, 충분히. **2** 솔직히, 터놓고, 공공연히: laugh ~ 터놓고 웃다. **3** 곧, 당장, 즉시(at once): buy ~ 즉석에서 돈주고 사다/be killed ~ 즉사하다. **—** [ˊˋ] *a.* [A] 솔직한, 명백한; 철저한; 무조건의: give an ~ denial 딱 잘라 거절하다/an ~ rogue 철저한 악당. [파] **~·ly** *ad.*

òut·ríval (***-l-***, 《英》 ***-ll-***) *vt.* 경쟁에서 …에게 이기다.

°**òut·rún** (***-ran; -run; -running***) *vt.* **1** …보다 빨리〔멀리〕 달리다, 달리어 …을 앞지르다; (추격자)에게서 달아나다: They managed to ~ the police. 그들은 경찰을 따돌리고 도망쳤다. **2** …의 범위를 넘다, 초과하다(exceed): Expenses *outran* income. 지출이 수입을 초과했다.

òut·séll (*p., pp.* ***-sold***) *vt., vi.* …보다 많이〔비싸게, 빨리〕 팔다〔팔리다〕: Are Korean cars still *~ing* European ones? 한국차는 유럽차보다 여전히 잘 팔립니까.

°**óut·sèt** *n.* (the ~) 착수; 시작, 최초: at 〔from〕 the ~ 최초에〔부터〕.

òut·shíne (*p., pp.* ***-shone***) *vt.* …보다 강하게 빛나다; 우수하다(surpass); …을 무색케 하다.

*‡***out·side** [áutsáid, ˋˊ] *n.* (*sing.*; 보통 the ~) **1 바깥쪽, 외면**; 외부, 외계, 밖: from the ~ 바깥쪽에서/paint the ~ of a house 집의 외부에 페인트를 칠하다. **2** (사물의) 외관, 표면, 겉모양; (사람의) 겉보기, 생김새: He seems gentle on the ~. 겉모습으로 보아 그는 상냥한 것 같다. ⇔ *inside*.

at the (***very***) **~** 기껏 해야, 고작: ten people *at the* ~ 많아야 10명. ***on the*** **~** 《英》 (자동차 따위가) 중앙 분리대 쪽의 차로를 이용하여: I overtook his car *on the* ~. 추월 차로로 들어가 그의 차를 앞질렀다. **~ *in*** 뒤집어서《입다》(inside out): turn a sock ~ *in* 양말을 뒤집다. ***those on the*** **~** 국외자, 문외한.

— [ˊˋ, ˋˊ] *a.* [A] **1** 바깥쪽의, 외면의; 외부의, 밖의; 밖으로부터의: get ~ help 외부로부터의 원조를 얻다/~ work (회사 따위의) 작업 범위외 작업, 나가서 하는 일, 외근/~ measurement 바깥 치수/an ~ antenna 옥외 안테나/an ~ address 겉봉의 주소·성명/the ~ lane (도로의) 중앙 분리대 쪽의 차로.

[SYN] **outside** 입구 등에서 한 발 나간 발의 '바깥쪽의'의 뜻. **outer** inner에 대한 말: the *outer* world 세상. **external** outer와 똑같이 쓰이나 internal에 비한 말: *external* angles 외각. **outward** 바깥쪽을 향한 뜻: an *outward* room 바깥방.

2 표면상의, 외관만의, 겉모양의. **3** 국외(자)의, (사건·문제 따위와) 관계없는; 단체〔조합·협회〕에 속하지 않은; 원외의: an ~ broker 〖증권〗 외부〔비회원〕 브로커. **4** (견적·가격 등이) 최대(한도)의, 최고의: an ~ estimate 최고로 봐 준 견적/an ~ price 최고값. **5** 본업〔학업〕 이외의, 여가로 하는: ~ interests 여가의 취미. **6** (가망·기회 따위가) 있을 것 같지 않은, 극히 적은〔드문〕: an ~ chance 만에 하나의 기회.

— [ˋˊ] *ad.* **밖에〔으로〕**, 바깥쪽〔외부〕에; 집 밖으로〔에서〕; 해상으로〔에서〕: take the dog ~ 개를 밖으로 데리고 나가다/Come ~! 밖으로 나와라《싸움을 걸 때》; 밖에서 놀자.

be 〔***get***〕 **~ *of*** 《속어》 …을 먹다, 마시다. **~ *of*** 《美구어》 …을 제외하고(는); …의 바깥쪽에.

— [ˊˋ, ˋˊ] *prep.* **1** …**의 밖에〔으로, 의〕**: go ~ the house 집 밖으로 나가다. **2** …의 범위를 넘어, 이상으로: go ~ the evidence 증언 이상으로 언급하다. **3** 《구어》 …을 제외하고, 이외에: ~ working hours 근로시간 외에/No one knows it ~ two or three persons. 2, 3명을 제외하고는 아무도 그것을 모른다.

óutside bróadcast 《英》 스튜디오 밖의 방송.

°**òut·síder** *n.* [C] **1** 부외〔국외〕자, 한 패가 아닌 자; 당〔조합〕 외의 사람; 문외한, 생무지. ↔ *insider*. **2** (경마 등에서) 승산이 없는 말〔기수(騎手)〕.

óut·sìze *a.* [A] (의복 따위의) 특대(特大)(형)의. **—***n.* [C] 특대(품).

◇**óut·skìrts** *n. pl.* (도시·읍 따위의) 변두리, 교외: on 〔at, in〕 the ~ *of* …의 변두리에.
SYN. **outskirts**는 시가지에서 떨어진 교외의 뜻. **suburbs**는 시가지에 연속되어 있는 변두리의 뜻.

òut·smárt *vt.* **1** …보다 약다〔수가 높다〕, …을 압도하다; 속이다, …의 의표를 찌르다. **2** 《~ oneself》 자기 꾀에 자기가 넘어가다.

òut·sóurce *vt.* …을 외국 회사에서 사다; (부품)을 해외에서 조달하다. ㊞ **òut·sóurcing** *n.*

óut·spóken *a.* **1** (말·의견 등이) 거리낌없는; 솔직한(frank). **2** Ⓟ 숨김없이〔거리낌없이〕 말하는《*in* …을》: He's ~ *in* his remarks. 그의 말에는 거리낌이 없다. ㊞ **~·ly** *ad.* **~·ness** *n.*

òut·spréad (*p.*, *pp.* **-spread**) *vt.* 펼치다; 넓히다; 늘이다. **—** *a.* 펼쳐진, 뻗친: with ~ arms =with arms ~ 팔을 벌리고.

⁑**out·stand·ing** [àutstǽndiŋ] *a.* **1 걸출한**, 탁월한, 뛰어난《*at* …에》: an ~ figure 탁월한 인물/be ~ *at* mathematics 수학에 뛰어나다. **2** Ⓐ 돌출한, 튀어나온: an ~ ledge 튀어나온 바위 벼랑. **3** (부채가) 미불의, 미결제의; (문제가) 미해결의: ~ debts 미불(未拂) 부채/There're problems still ~. 문제가 미해결로 남아 있다. ㊞ **~·ly** *ad.* 눈에 띄게, 현저하게.

òut·stáre *vt.* (상대방)을 노려보다, 노려보아 당황하게 하다.

óut·stàtion *n.* Ⓒ (본대에서) 떨어진 주둔지; (도시에서 먼) 출장소, 지소; 《Austral.》 큰 목장 밖의 멀리 떨어진 방목장.

òut·stáy *vt.* (다른 손님)보다 오래 앉아 있다, 오래 머무르다. ~ one's ***welcome*** 오래 머물러 있어 미움을 사다.

òut·strétched [-t] *a.* 펼친, 편, 뻗친: with ~ arms 양팔을 쭉 뻗쳐/lie ~ on the ground 땅바닥에 큰대자로 눕다.

◇**òut·stríp** (**-pp-**) *vt.* **1** (상대방)을 앞지르다, 추월하다. **2** …보다 낫다, …을 능가〔초월〕하다.

óut·tàke *n.* Ⓒ (영화·텔레비전의) 촬영 후 상영 필름에서 컷한 장면.

òut·tálk *vt.* …보다 많이〔큰 소리로, 잘〕 지껄이다, …을 말로 이기다, 마구 지껄여대다.

óut-tràу *n.* Ⓒ 기결 서류함. ↔ *in-tray.*

óut·tùrn *n.* Ⓤ (또는 an ~) 생산량, 산출(產出)(액)(output).

òut·vóte *vt.* (투표)수로 이기다.

óut·vòter *n.* Ⓒ 《英》 거주지외(外)〔부재〕 유권자.

òut·wálk *vt.* …보다 빨리〔멀리, 오래〕 걷다; …을 앞지르다.

⁑**out·ward** [áutwərd] *a.* Ⓐ **1 밖을 향한**, 외부로의; 밖으로 가는: an ~ motion 바깥쪽으로의 움직임/an ~ voyage 외국행의 항해. SYN. ⇨ OUTSIDE. **2** 외부의, 바깥쪽의. ↔ *inward.* ¶an ~ room 바깥쪽 방. **3 표면적인**; 외면만의, 겉의: to ~ seeming 보기에는, 외견상〔표면상〕으로는/An ~ reformation took place. 눈에 띄는 개혁이 일어났다. **4** 외면상의, 표면의, 외형의: ~ things 외계(外界)/an ~ form 외형, 외관. **5** (정신계에 대해서) 육체의, 물질의: an ~ eye 육안(cf. mind's eye)/the ~ man 〖종교〗 육체. ***to*** (***all***) **~ *appearances*** 겉으로 보기에, 표면상으로는, 외견상.
— *n.* **1** Ⓒ **외면**, 외부; 외견, 외관. **2** (the ~) 물질〔외적〕 세계.
— *ad.* **1 바깥쪽에**〔**으로, 에서**〕: The window opens ~. 그 창문은 바깥쪽으로 열린다. **2** 밖을 향하여; (배가) 국외〔해외〕로: a train traveling ~ from Seoul 서울발 하행 열차.
㊞ **~·ness** *n.* Ⓤ 외면성; 객관적 존재, 객관성.

óutward-bóund *a.* 외국행의, 해외로 향하는. ↔ homeward-bound. ㊞ **~·er** *n.* Ⓒ 외항선(外航船).

óut·ward·ly *ad.* **1** 밖에, 밖을 향하여; 외면에. **2** 외견상(은), 겉보기에는: look ~ happy 겉보기에는 행복해 보이다.

out·wards [áutwərdz] *ad.* =OUTWARD.

òut·wéar (**-wore; -worn**) *vt.* **1** …보다 오래 가다: This suit has *outworn* all my others. 이 양복은 지금까지 입었던 다른 옷들보다 오래 입었다. **2** 《보통 과거분사로》 입어 해어뜨리다, 써서 낡게 하다. **3** (풍습 따위)를 쇠퇴하게 하다; (체력 따위)를 소모시키다.

òut·wéigh *vt.* **1** …보다 무겁다. **2** …보다 중요하다; 가치가 있다: Let nothing ~ your love of truth. 진실에 대한 사랑을 무엇보다 중요하게 여겨라.

òut·wít (**-tt-**) *vt.* …보다 선수치다, …의 의표〔허〕를 찌르다, …을 속이다: The burglar *~ted* the police and got away. 강도는 경찰을 따돌리고 도망쳤다.

óut·wòrk *n.* **1** Ⓒ (보통 *pl.*) 〖축성(築城)〗 외보(外堡), 외루(外壘). **2** Ⓤ 《英》 옥외〔직장외〕 작업〔일〕《가내 부업 따위》, 출장 작업. **—** [⌐⌐] (*p.*, *pp.* **-worked, -wrought**) *vt.* …보다 잘〔열심히, 빨리〕 일을〔연구를〕 하다, 더 공부하다: Industrial robots can ~ skilled labor. 산업 로봇은 숙련공보다 빨리 일할 수 있다. ㊞ **~·er** *n.* Ⓒ 직장 밖에서 일하는 사람; 사외(社外)〔옥외〕 근무자〔노동자〕; 《英》 하청 받은 일을 하는 사람.

òut·wórn OUTWEAR의 과거분사. **—** [⌐⌐] *a.* Ⓐ 써서 낡은, 케케묵은, 진부한, 시대에 뒤진; 입어서 해진.

ou·zel, -sel [úːzəl] *n.* Ⓒ 〖조류〗 지빠귀류의 작은 새, 《특히》 검은지빠귀(blackbird).

ou·zo [úːzou] (*pl.* **~s**) *n.* Ⓤ (낱개는 Ⓒ) anise의 열매로 맛을 들인 그리스산 리큐르.

ova [óuvə] OVUM의 복수.

***oval** [óuvəl] *a.* **달걀 모양의**, 타원형의: an ~ face 갸름한 얼굴/an ~ ball (럭비용) 타원형 공. **—** *n.* Ⓒ 달걀 모양; 달걀 모양의 물건, 타원체.

Óval Óffice 〔**Ròom**〕 (the ~) 《美》 (백악관의) 대통령 집무실《방이 달걀 꼴임》.

ovar·i·an, -al [ouvέəriən], [-əl] *a.* Ⓐ **1** 〖식물〗 씨방의. **2** 〖해부〗 난소의: ~ cancer 〖의학〗 난소암(癌).

ova·ry [óuvəri] *n.* Ⓒ 〖식물〗 씨방; 〖동물·해부〗 알집, 난소(卵巢).

ovate [óuveit] *a.* 〖생물〗 달걀 모양의: an ~ leaf 달걀 모양의 잎.

ova·tion [ouvéiʃən] *n.* Ⓒ (대중의) 열렬한 환영, 대단한 갈채, 대인기: receive a standing ~ (관객 등의) 기립 박수를 받다.

⁑**ov·en** [ʌ́vən] *n.* Ⓒ **솥**, 가마, 화덕, **오븐**: a microwave ~ 전자 레인지/an electric 〔a gas〕 ~ 전기〔가스〕 오븐/a cake hot 〔fresh〕 from the ~ 따끈따끈한〔갓 구워낸〕 케이크. ***in the same ~*** 《속어》 같은 처지〔환경〕에. ***like an ~*** (불쾌할 정도로) 몹시 더운.

óven-pròof *a.* 오븐에 사용할 수 있는《식기 등》.

óven-rèady *a.* 오븐에 넣기만 하면 되는《즉석 식품》.

óven·wàre *n.* Ⓤ 〖집합적〗 오븐용 접시.

†**over** [óuvər], 《시어》 **o'er** [ɔ́ːr/óuər] *prep.*

A 《위치》

1 〖공간 위치〗 **a** 〖떨어진 바로 위의 위치를 보여〗 …(의) **위에**〔의〕, …(의) **위쪽에**〔의〕, …의 머리〔바로〕 위에〔의〕(↔ *under*): the bridge ~ 〔across〕 the river 강에 걸려 있는 다리/A lamp was hanging ~ 〔above〕 the table. 램프가 테이블 위에 걸려〔매달려〕 있었다/The moon is ~ the roof of our house. 달은 우리집 지붕의 바로 위에 있다. SYN. ⇨ON. **b** (무엇이 덮치듯) …**의 위를**〔**에**〕, …**위에 쑥 나와**〔**내밀어**〕, 돌출해: She leaned ~ the fence. 그녀는 울타리 밖으로 몸을 내밀었다/The balcony juts out ~ the street. 그 발코니는 길 위로 튀어나와 있다.

2 〖접촉 위치〗 **a** …**의 위를 덮어**〔가리어, 걸치어〕; …의 위를: a rug (lying) ~ 〔on〕 the floor 마루를 덮은 깔개/with one's hat ~ one's eyes 모자를 깊숙이 눌러쓰고/A man came to paint ~ the cracks in the wall. 벽의 균열에 칠을 하기 위해 사람이 왔다/She put her hands ~ her face. 그녀는 두 손으로 얼굴을 가렸다/She wore a coat ~ her sweater. 그녀는 스웨터 위에 코트를 입고 있었다《이 때 above도 쓸 수 있지만 over가 보다 일반적임》. **b** (발이) …에 걸려〔채어〕: fall ~ a stone 돌부리에 발이 채어 넘어지다.

3 〖종종 all ~〗 …**전면**(全面)**에, 온** …**에,** 온통, …에 걸치어; …의 여기저기를, 샅샅이: *all* ~ the country 전국 도처에〔를〕/travel (*all*) ~ Europe 유럽을 샅샅이 여행하다/show a person ~ the house 아무를 집안 곳곳으로 안내하다/(*all*) ~ the world (온)세계에/look *all* ~ a house 집안을 샅샅이 보다〔찾다〕/(*all*) the world *over* 세계 도처에《★ over가 뒤에 올 때도 있는데 이 때는 부사로 볼 수도 있음》.

4 〖동작을 나타내는 동사와 함께〗 …**을 넘어,** …을 건너; 〖상태를 나타내는 동사와 함께〗 …**저편의**〔**에**〕, …건너〔너머〕의〔에〕; 《비유적》 …을 지나〔통과하여〕; (변화 따위가) …에게 닥쳐: climb ~ the wall 벽을 기어올라 타고 넘다/jump ~ a brook 〔fence〕 시내〔울타리〕를 뛰어넘다/look ~ a person's shoulder 아무의 어깨 너머로 보다/pass ~ the frontier 국경을 넘다/They live just ~ 〔across〕 the road. 그들은 길 저쪽에 살고 있다/A sudden change came ~ him. 갑작스러운 변화가 그에게 닥쳐왔다.

SYN. **over** 떨어진 곳을 거리적으로 '넘어서' 오가는 것을 뜻함. **beyond** 거리적으로 떨어져 있는 곳을 '넘어서'의 뜻과, 이해나 한도 등을 넘는 뜻이 있음.

B 《초과》

1 〖초과〗 **a** 〖수량 · 정도 · 범위가〗 …**을 넘어,** …보다 많은, 더 되는《비교: more than이 일반적임》(↔ *under*): ~ a mile, 1마일 이상《1마일은 포함 안 됨. 포함될 때엔 a mile and 〔or〕 ~로 함》/He might have been any age ~ 40. 그는 아무리 보아도 40은 넘었었다/He gave the man a dollar ~ his fare. 그는 요금에 1달러 얹어서 운전사에게 주었다. **b** (소리를) 뚫고, (소리 따위가) 한층 더 크게: We could hear their voices ~ 〔above〕 the rain. 빗소리 속에서도 그들의 목소리를 들을 수 있었다.

2 〖지배 · 우월 · 우위를 나타내어〗 …**을 지배하고;** …**의 위**〔**상위**(上位)〕**에;** (능력 따위가) …**보다 나아,** …을 능가하여(↔ *under*); …을 회복〔극복〕하여: reign ~ a country 일국을 지배하다/man's control ~ nature 자연에 대한 인간의 지배/win the victory ~ ... …에(게) 이기다/They want a strong man ~ them. 그들은 강력한 지배자를 원하고 있다/I am ~ my cold. 이제 감기는 나았다.

3 〖우선〗 …에 우선하여: He was chosen ~ all other candidates. 그는 다른 모든 후보자에 우선하여 선출되었다.

C 《기간 · 종사 · 관련》

1 〖기간〗 …**동안** (죽), …**에 걸쳐**《비교적 짧은 특정 시기를 나타내는 말과 함께 쓰임》: We stayed there ~ Sunday. 일요일까지 거기 머물렀다《월요일 아침까지 있었다는 뜻을 함축함》/The dictionary was in production ~ a period of several years. 그 사전은 몇 해 걸려(서) 만들어졌다.

2 〖종사〗 …**하면서,** …**에 종사하고**《흔히 '이야기하다 · 자다'의 뜻의 동사와 함께》: talk ~ a cup of tea 홍차를 마시며 이야기하다/go to sleep ~ one's work 〔book〕 일을 하면서〔책을 읽으며〕 꾸벅꾸벅 졸다/We'll discuss it ~ our supper. 저녁 식사를 들면서 논의합시다.

3 〖관련〗 **a** …**에 관해서**〔대해서〕, …을 둘러싸고 (about)《about에 비해 장시간의 분쟁 · 언쟁을 암시함》: problems ~ his income tax 그의 소득세에 관한 문제/talk ~ the matter with ... …와 그 일에 관해(서) 서로 이야기하다. **b** …**의 일로:** quarrel ~ money 돈 문제로 말다툼하다/She is crying ~ the loss of her son. 그녀는 아들을 잃고 울고 있다.

D 《기타》

1 a 〖거리 따위〗 …에 걸쳐; (길을) 따라 (끝에서 끝까지 내내)(along): The message was sent ~ a great distance. 그 메시지는 아주 멀리까지 전해졌다. **b** …을 통하여: a pass ~ the company's line 《美》 사선(社線)의 전구간 통용 패스.

2 〖수단〗 …**에 의해서,** …**으로;** …에 전해져《전화 · 라디오에 관해서 쓰임. 현재는 on을 쓰는 것이 보통》: speak ~ 〔on〕 the telephone 전화로 이야기하다/I heard the news ~ 〔on〕 the radio. 라디오로 그 뉴스를 들었다.

3 (나눗셈에서) …으로 나누어〔제하여〕: 12 ~ 4, 12 나누기 4《12÷4》.

all ~ 《속어》 (아무)에게 미쳐〔빠져〕: He is *all* ~ her. 그는 그녀에게 푹 빠졌다《비교: *ad.* all over》. ~ ***all*** 끝에서 끝까지, 전체에 걸쳐. cf. overall. ~ ***and above*** …에 더하여, …이상으로, …외에(besides): The waiters get good tips ~ *and above* their wages. 웨이터들은 자기 급료 외에 상당한 팁을 받는다.

—*ad.* (비교 없음)《be 동사와 결합할 때는 형용사로 볼 수도 있음》. **1 a 위**(**쪽**)**에,** 바로 위에; **높은 곳에,** 높이: A plane flew ~ 비행기가 머리 위로 날아갔다. **b 위에서 아래로;** 튀어〔쑥〕 나와, 돌출하여, 내밀어;기대어: lean 〔bend〕 ~ (몸을) 구부리다/a window that projects ~ 쑥 나와 있는 창(문).

2 a 멀리 떨어진 곳에, 넘어서, 건너서; (너머) **저쪽으로:** jump ~ 뛰어넘다/He is ~ in France. 그는 (바다 저쪽의) 프랑스에 있다/I'll be ~ in a minute. 곧 갑니다(=I'll be right ~.)/She walked ~ to the door. 그녀는 문 쪽으로 걸어갔다/Come ~ here, it's warmer. 이리로 오지, (여기가) 따뜻해. **b 이쪽으로,** (말하는 이의) **집으로:** call a person ~ 아무를 불러들이다/Come

~ and have a drink. 우리집에 와서 한잔하세/I asked them ~ for dinner. 그들을 저녁 식사에 초대했다. ★ to my place 〔house〕가 생략되었음.

3 건네주어; 물려주어: He made his business ~ to his son. 그는 자신의 사업을 아들에게 물려주었다/He was turned ~ to the police. 그는 경찰에 인도되었다.

4 뒤집어, 거꾸로, 넘어져; 접(히)어: fall ~ 넘어〔쓰러〕지다/turn ~ the page 페이지를 넘기다/knock a pot ~ 항아리를 뒤엎다/*Over.* 《美》 = Please turn ~. 뒷면에 계속《P.T.O.로 생략》.

5 온 …에〔이〕, 온통, 뒤덮여; 도처에, 여기저기 《흔히 all이 앞에 와서 뜻을 강조》: *all* the world ~온 세계 도처에/paint a wall ~ 온 벽에 페인트를 칠하다/travel *all* ~ 여기저기 여행하다/He was aching *all* ~. 그는 온 삭신이 쑤시고 아팠다/The pond was frozen ~. 못은 온통 얼어붙어 있었다.

6 처음부터 끝까지, 완전히, 자세히: read a paper ~ 신문을 죽 훑어보다/Think it ~ before you decide. 결정하기 전에 잘 생각해 보라.

7 a (물이) **넘치어**: flow ~ 넘쳐 흐르다/boil ~ 끓어 넘치다/The coffee spilled ~. 커피가 넘쳐 흘렀다. **b** 《구어》 (수량을) **초과하여**, 남짓; 남아: children of twelve and ~, 12살 이상의 어린이 《12살도 포함》/I paid the bill and have 20 dollars (left) ~. 셈을 치르고 나니 20달러 남짓 남았다. **c** 〖형용사·부사 앞에서 흔히 부정문에〗 그다지, 그리: grieve ~ much 몹시 슬퍼하다/He is *not* ~ anxious. 그는 그다지 걱정하고 있지 않다/Do you understand now? *Not* ~ well. 이제 알았나요—그다지 잘 모르겠는데요.

8 되풀이하여, 《주로 美》 다시〔또〕 한 번(again): Count them ~. 또 한 번 세어 봐라/Go back and do it ~. 처음부터 다시 해라/He read the book four times ~. 그는 네 번이나 그 책을 읽었다.

9 끝나, 지나(가): His sufferings will soon be ~. 그의 괴로움은 곧 끝날 것이다/Winter is ~. 겨울이 갔다/The good old days are ~. 즐거운 옛시절은 지나갔다/Is the game ~ yet? 경기가 벌써 끝났습니까.

10 《美》 (어떤 기간) 죽: stay a week ~, 1주일 죽 머물다.

all* ~** 온 …에, 온통, 전면에; 완전히; 다 끝나. **(*all*) ~ *again 다시〔또〕 한 번, 되풀이해서. **~ *against…*** ① …와 마주보고, …에 대〔면〕하여; …의 앞〔근처〕에: ~ *against* the church 교회의 바로 맞은편에. ② …와 대조〔비교〕하여: quality ~ *against* quantity 양에 대한 질/set A ~ *against* B, A를 B와 대조시키다. **~ *and above…*** 그 위에, 거기에 더하여. **~ *and done with*** 완전히 끝나: The whole thing is ~ *and done with.* 모든 것이 끝났다. ***Over and out!*** 통신 끝《무선 교신에서》. **~ *and* ~ (*again*)** 몇 번이고 되풀이하여. **~ *here*** 이쪽으로. **~ *there*** 저기〔저쪽〕에(서는): Who's the boy standing ~ *there?* 저기서 있는 소년은 누구지. ***Over* (*to you*)!** 응답 바란다《무선 교신에서》.

over- [òuvər, ˊ-] *pref.* **1** '과도히, 너무'의 뜻: *over*crowded, *over*cunning, *over*work. **2** '위의〔로〕, 외부의〔로〕, 밖의〔으로〕, 여분의〔으로〕' 따위의 뜻: *over*coat, *over*board, *over*flow, *over*come, *over*time. **3** '넘어서, 지나서, 더하여' 따위의 뜻: *over*shoot, *over*balance. **4** '아주, 완전히'의 뜻: *over*master, *over*persuade.

òver·abúndance *n.* Ⓤ 과잉, 남아돎.

òver·abúndant *a.* 과잉의, 남아도는.

òver·achíeve *vt., vi.* 기대 이상으로 좋은 성적을 올리다. ㊞ **-achíever** *n.*

òver·áct *vt., vi.* 지나치게 하다; 과장하여 연기하다. ㊞ **òver·áction** *n.*

òver·áctive *a.* 지나치게 활동하는. ㊞ **~·ly** *ad.*

over·age [óuvəréidʒ] *a.* 적령기를 넘은; (선박·기계 등이) 노후한.

***over·all** [óuvərɔ̀ːl] *n.* **1** (*pl.*) (가슴받이가 달린) **작업 바지**. ⓒⓕ coverall, boiler suit. **2** Ⓒ 《英》 작업복, 덧옷《여자·어린이·의사·실험실용의》: in an ~ 작업복 차림으로.

— [ˋ-ˊ] *ad.* **1** 〖종종 문장 전체를 수식하여〗 전체적〔종합적, 일반적〕으로(보면): *Overall*, it's a good hotel. 전체적으로 보아, 좋은 호텔이다/consider a plan ~ 종합적으로 계획을 검토하다. **2** 끝에서 끝까지: The bridge measures nearly two kilometers ~. 그 다리는 전장(全長) 약 2킬로미터이다.

— [ˋ-ˊ] *a.* Ⓐ **1 전부의**; 종합〔일반, 전면〕적인: ~ inflation 전면적인 인플레이션/~ peace 전면 강화(講和)/~ production 전반적인 생산고/My ~ impression of his work is good. 그의 일에 관한 내 전반적인 평가는 양호하다. **2** 끝에서 끝까지의, 전체 길이의: the ~ length of a bridge 다리의 전장(全長).

òver·ambítious *a.* 지나치게 야심적인. ㊞ **~·ly** *ad.*

óver·ánxious *a.* 지나치게 걱정하는. ㊞ **~·ly** *ad.*

òver·árch *vt.* …의 위에 아치를 만들다; …을 아치형으로 덮다: The street is *~ed* by ginkgoes. 길에는 은행나무가 아치처럼 덮고 있다.

óver·àrm *a., ad.* 〖야구〗 어깨 위로 손을 들어 공을 던지는〔던져서〕; 〖수영〗 손을 물 위에 내어 앞으로 쭉 뻗치는〔뻗쳐서〕.

òver·áwe *vt.* 위압하다, 무서워하게 하다: I was *~d* by his self-confidence. 그의 자신감에 놀랐다.

òver·bálance *vt.* 중심〔균형〕을 잃게 하다: Sit down, or you'll ~ the boat. 앉으세요, 그렇지 않으면 보트가 기웁니다. — *vi.* 균형을 잃다〔잃고 넘어지다〕: He *~d* and fell down. 그는 중심을 잃고 쓰러졌다.

òver·béar (***-bore; -borne***) *vt.* **1** (무게·압력으로) 내리누르다. **2** 위압〔제압〕하다, 압도하다; 눌러 으깨다〔찌그러뜨리다〕. — *vi.* 자식을 너무 많이 낳다; 열매가 너무 많이 열리다.

˚òver·béaring *a.* 거만〔오만〕한, 건방진, 횡포한, 뽐내는(haughty); 압도적인. ㊞ **~·ly** *ad.*

òver·bíd (***-bid; -bid, -bid·den; -bid·ding***) *vt.* **1** (경매에서) 남보다 높은 값을 매기다《***for*** …에》. ⓒⓕ underbid. **2** 〖카드놀이〗 (들고 있는 패) 이상으로 값을 올리다. — *vi.* (물품에) 비싼 값을 매기다; (카드놀이에서) 값을 올리다.

óver·blòuse *n.* 오버블라우스《옷자락을 스커트나 바지 위로 내어 입는》.

òver·blówn *a.* **1** 부풀린; (사람이) 몸집이 큰, 지나치게 살찐. **2** (문체·표현 등이) 과장된. **3** (꽃이) 활짝 핀 때를 지난; (여자·미모가) 한창 때가 지난.

˚óver·bòard *ad.* 배 밖으로, (배에서) 물속으로; 《美》 열차에서 밖으로: fall ~ 배에서 (물속으로) 떨어지다/Man ~! 사람이 떨어졌다/wash …

~ (파도가) …을 배로부터 휩쓸어가다. **go** ~ 《*vi.*+副》《구어》 ① 극단으로 나가다. ② 열중하다, 열을 올리다《**about, for** …에》. **throw** ~ 《*vt.*+副》 ① (사람·물건)을 배 밖으로〔물속으로〕 던지다. ②《구어》…을 내버려둔 채 돌보지 않다, 유기하다.

òver·bóld *a.* 지나치게 대담한, 무모한; 철면피의, 뻔뻔스러운.

òver·bóok *vt.* (해약자를 예상하여 비행편·호텔 객실 따위)의 예약을 정원 이상으로 받다: My flight was *~ed*. 내가 탈 비행편은 정원 이상으로 예약되어 있었다. **—** *vi.* 지나치게 예약을 받다.

óver·brím (**-mm-**) *vt.*, *vi.* (용기에) 넘쳐흐를 정도로 붓다; 넘치다.

òver·buíld (*p.*, *pp.* **-built**) *vt.* (토지)에 집을 너무 많이 짓다.

òver·búrden *vt.* **1** 〖보통 수동태〗 …에게 과중한 짐을 지우다; …을 과로시키다《**with** …으로》: Hospital nurses *are* often *~ed with* work. 병원 간호사들은 과로하는 일이 많다. **2** (짐)을 너무 많이 쌓아올리다.

òver·búsy *a.* 너무 바쁜.

òver·búy (*p.*, *pp.* **-bought**) *vt.* (물건)을 필요 이상으로 많이 사다; 지불능력 이상으로 많이 사다.

òver·cáme OVERCOME의 과거.

òver·cápitalize *vt.* (회사 따위)의 자본을 과대하게 평가하다; (기업 따위)에 자본을 너무 들이다. ㊎ **óver·capitalizátion** *n.*

óver·càre *n.* Ⓤ 지나친 걱정. ㊎ **~·ful** *a.* 지나치게 조심〔걱정〕하는. **~·ful·ly** *ad.*

òver·cást (*p.*, *pp.* **-cast**) *vt.* 구름으로 덮다, 흐리게 하다: Clouds began to ~ the sky. 구름은 하늘을 덮기 시작했다. **—** [⌐-⌐, ⌐-⌐] *a.* **1** (날씨가) 흐린: an ~ day 흐린 날 / It was ~. 날씨가 흐렸었다. **2** 우울한, 음침한《**with** (슬픔 따위)로》: a face ~ *with* sorrow 슬픔으로 어두워진 얼굴. **—** [⌐-⌐] *n.* Ⓤ 〖기상〗 흐림.

óver·càsting *n.* Ⓤ 〖재봉〗 휘갑치기.

òver·cáutious *a.* 지나치게 조심하는, 소심한.

òver·chárge *vt.* **1** …에게 부당한 값을 청구하다〔받다〕《**for** …에 대하여》: He *~d* me *for* repair*ing* the television set. 그는 텔레비전 수리비로 내게 바가지를 씌웠다 / They *~d* me 5 dollars *for* the meal. 그들은 식사 대금으로 나에게 5달러를 더 받았다. **2** (전지 등)에 너무 많이 충전하다. **—** *vi.* 부당한 대금을 요구하다.
— [⌐-⌐] *n.* Ⓒ **1** 지나친 값의 청구〔요구〕, 과잉 청구. **2** 적하(積荷) 초과; 과충전(過充電).

òver·clóud *vt.* **1** 〖보통 수동태〗 (하늘)을 온통 구름으로 뒤덮다, 흐리게 하다: The sky *was ~ed*. 하늘이 온통 흐려 있었다. **2** 《비유적》 침울하게 하다, 음산하게〔어둡게〕 하다. **—** *vi.* 흐려지다.

****over·coat** [óuvərkòut] *n.* Ⓒ 오버(코트), 외투; 보호막《페인트·니스 등》.

****over·come** [òuvərkʌ́m] (**-came; -come**) *vt.* **1** (적·악습·곤란 등)을 **이겨내다**, 극복하다; 정복하다: He *overcame* all those difficulties. 그는 그 모든 어려움을 극복했다. SYN. ⇨DEFEAT. **2** 압도하다, (정신적·육체적으로) 지게 하다《★ 보통 수동태로 쓰며, 전치사는 *by, with*》: *be* ~ *by* laughter 포복절도하다 / *be* ~ *with* liquor 술에 만취되다. **—** *vi.* 이기다, 정복하다.

òver·cómpensate *vt.* …에게 과도하게 보상하다. **—** *vi.* 과잉 보상하다《**for** …에 대하여》.

óver·compensátion *n.* Ⓤ 과잉 보상; 〖심리〗 과잉 보상《열등감을 가진 사람의 지나친 반발 심리》.

òver·cónfidence *n.* Ⓤ 과신(過信), 자만.

òver·cónfident *a.* 자신만만한, 자만심이 강한. ㊎ **~·ly** *ad.*

òver·cóok *vt.* (음식)을 너무 익히다〔굽다〕.

òver·crítical *a.* 너무 비판적인, 혹평하는.

òver·cróp (**-pp-**) *vt.* (땅)을 연작(連作)〔과도 경작〕하여 토질을 저하시키다.

òver·crówd *vt.* (장소·탈것)에 사람을 너무 많이 들이다, …을 혼잡하게 하다, 초만원이 되게 하다《**with** …으로》: The train was *~ed with* tourists. 열차는 관광객으로 붐볐다. ㊎ **~·ing** *n.* Ⓤ 대혼잡, 초만원.

òver·crówded [-id] *a.* 초만원의, 과밀한, 혼잡한: an ~ bus 만원 버스 / an ~ city 인구 과잉 도시.

òver·cúrious *a.* 미주알고주알 캐묻는, 호기심이 지나치게 강한. ㊎ **~·ly** *ad.*

òver·délicacy *n.* Ⓤ 신경과민.

òver·délicate *a.* 신경질이 심한; 너무 섬세한; 지나치게 화려한. ㊎ **~·ly** *ad.*

òver·devélop *vt.* **1** (장소)를 과도하게 개발시키다. **2** 〖사진〗 현상을 지나치게 하다. ㊎ **~·ment** *n.* Ⓤ 개발 과잉; 〖사진〗 현상 과다.

***over·do** [òuvərdúː] (**-does; -did; -done**) *vt.* **1** …을 지나치게 하다, …의 도를 지나치다; …을 **과다 사용하다**: The joke is *overdone*. 농담이 지나치다 / ~ the pepper 고춧가루를 너무 많이 치다. **2** (표현·말·연기 등)을 **과장하다**: The comic scenes were *overdone*. 희극적인 장면의 연기가 과장되었다. **3** (음식)을 너무 굽다〔삶다〕. **~ it** 〔**things**〕 지나치게 하다; 과장하다; 무리를 하다: I have been *~ing it* recently. 최근 내가 좀 지나치게 무리했다.

òver·dóne OVERDO의 과거분사. **—** *a.* 지나치게 구운〔삶은〕(↔ *underdone*; cf. well-done): ~ beef 바짝 구운 쇠고기.

óver·dòse *n.* Ⓒ (약의) 지나친 투여(投與), 과다 복용: She took an ~ *of* sleeping pills. 그녀는 수면제를 과다 복용했다《자살하려고》. **—** [⌐-⌐] *vt.* …에게 지나치게 먹이다, 과다 투여하다《**with** (약)을》. **—** *vi.* 지나치게 먹다《**on** (약)을》. ㊎ **-dósage** *n.* Ⓤ (약의) 과잉 투여〔과량 섭취〕(에 의한 증상).

óver·dràft *n.* Ⓒ 〖상업〗 (은행 계정 등의) 초과 인출; 당좌 대월(액); (어음의 한도액) 초과 발행 《생략: OD, O.D., O/D》.

òver·dráw (**-drew; -drawn**) *vt.* **1** 〖상업〗 (예금 따위)를 초과 인출하다, 차월(借越)하다; (어음)을 초과 발행하다: ~ one's account (당좌) 예금을 차월하다. **2** 과장하다: His account is somewhat *overdrawn*. 그의 이야기는 좀 과장된 것이다. **—** *vi.* 당좌 차월을 하다.

òver·dráwn *a.* 〖상업〗 (당좌 예금이) 대월〔차월〕의; (어음이) 초과 발행된《생략: OD, O.D., O/D》: an ~ account 당좌 대월〔차월〕 계정 / I'm $100 ~ 〔~ by $100〕. 100달러를 차월했다.

òver·dréss *vi.* 지나치게 옷치장을 하다. **—** *vt.* **1** 〖~ oneself〗 지나치게 화려한 옷차림을 하다. **2** (아무)에게 옷을 많이 껴입히다.

òver·drínk (**-drank; -drunk**) *vt.*, *vi.* 과음하다. ~ one**self** 과음하여 몸을 해치다.

óver·drìve (**-drove; -driv·en**) *n.* Ⓤ (자동차의) 오버드라이브《주행 속도를 떨어뜨리지 않고 엔진의 회전수를 줄이는 기어 장치; 연료 소비 절약형》. **go into** ~ ① (자동차) 기어를 오버드라이브

로 넣다. ② 맹렬하게 일하다〔활동을 개시하다〕.

òver·dúe *a.* **1** (지급) 기한이 지난, 미불의《어음 따위》: an ~ gas bill 지급 기한이 넘은 가스 요금 청구서. **2** 늦은, 연착한: The train is long ~. 열차가〔의 도착이〕 오래 지연되고 있다/The baby is several days ~. 아기의 출산이 며칠 늦어지고 있다. **3** Ⓟ 시기가 무르익은, 준비가 되어 있는 《***for*** …의》: The electoral system is ~ *for* change. 선거 제도는 개혁할 때가 되었다.

óver·éager *a.* 지나치게 열심인, 너무 열중하는. ㊀ **~·ly** *ad.* **~·ness** *n.*

óver éasy (달걀이) 한쪽을 프라이한 후 뒤집어 살짝 익힌. ⓒⓕ sunny-side up.

over·eat** [òuvəríːt] (-ate; -eaten***) *vi.* **과식하다.** —*vt.* 〖~ oneself〗 과식하다: The food was so tasty we *overate* ourselves. 음식이 하도 맛있어 과식했다.

óver-emótional *a.* 지나치게 감정적〔정서적〕인, 감정이 너무 풍부한. ㊀ **~·ly** *ad.*

òver·émphasis *n.* Ⓤ (구체적으로는 Ⓒ) 지나친 강조.

òver·émphasize *vt.* 지나치게 강조하다.

òver·enthúsiasm *n.* Ⓤ 과도한 집중〔열광, 의욕〕. ㊀ **-enthusiástic** *a.* **-tical·ly** *ad.*

òver·éstimate *vt.* **1** (가치 · 능력)을 과대평가하다, 높이 사다. **2** (수량 따위)를 과대하게 견적하다. —*vi.* 과대평가하다. ㊀ **-mátion** *n.* Ⓤ 과대평가.

òver·excíte *vt.* 지나치게 자극하다〔흥분시키다〕. ㊀ **-ed** *a.* **~·ment** *n.*

òver·exért *vt.* 〖~ oneself〗 과도하게 노력하다. ㊀ **-exértion** *n.* Ⓤ 지나친 노력.

òver·expóse *vt.* 〖사진〗 (필름 따위)를 과다하게 노출하다. ㊀ **~d** *a.*

òver·expósure *n.* Ⓤ (구체적으로는 Ⓒ) 〖사진〗 노출 과다(↔ *underexposure*).

óver·fàll *n.* Ⓒ **1** (운하나 댐 등의) 낙수하는 곳〔장치〕. **2** (*pl.*) 단조(湍潮)《바닷물이 역류에 부딪쳐서 생기는 해면의 물보라 파도》.

òver·famíliar *a.* 지나치게 친한. ㊀ **~·ly** *ad.*

òver·fatígue *n.* Ⓤ 과로.

òver·féed (*p., pp.* ***-fed***) *vt., vi.* …에 너무 많이 먹이다; 너무 많이 먹다: ~ oneself 과식하여 탈나게 하다.

òver·fíll *vt., vi.* 넘치도록 가득하게 하다〔되다〕.

óver·flìght *n.* Ⓒ (특정 지역의) 상공 통과, 영공 비행〔침범〕.

‡**over·flow** [òuvərflóu] (***-flowed; -flown***) *vt.* **1** (물 따위가) …**에서 넘쳐 흐르다**; …에 넘치다, 범람하다: The river sometimes ~*s* its bank. 그 강은 가끔 범람한다. **2** (사람이나 물건이) 다 들어가지 못하고 …에서 넘쳐 나오다: The goods ~*ed* the warehouse. 상품이 넘쳐서 창고에 다 못 들어갔다. —*vi.* 《~/+전+명》 **1 넘치다,** 넘쳐 흐르다, 범람하다《***into*** …에》: The ponds often ~ in the spring. 그 연못은 봄에 자주 범람한다/The crowd ~*ed into* the hall. 군중은 홀까지 들어찼다. **2** 《+전+명》 남아돌다, 가득 차다《***with*** (상품 · 자금 따위)로》; 충만하다《***with*** (기쁨 · 슬픔 따위)로》: The market is ~*ing with* goods. 시장에는 상품이 남아돈다/My heart was ~*ing with* gratitude. 감사한 마음으로 가슴이 벅찼다.

— [ˊ-ˋ] *n.* **1** Ⓤ (하천 등의) 범람, 홍수; Ⓒ 넘쳐〔흘러〕 나오는 것: There seems to be an ~ from the oil tank. 기름 탱크가 넘치는 것 같다. **2** Ⓒ 과다, 과잉, 충만: an ~ *of* goods 〔population〕 상품 〔인구〕의 과잉. **3** Ⓒ (여분의 물의) 배수로〔구, 관〕.

òver·flów·ing *a.* 넘쳐 흐르는, 넘칠 정도의: ~ kindness 넘쳐 흐르는 친절/~ production 과잉 생산.

óverflow pìpe (싱크대나 목욕통의 물이 넘치지 않도록 가장자리의 구멍에 연결된) 배수관.

òver·flý *vt.* (비행기가) …의 상공을 날다; (외국령)의 상공을 침범하다.

òver·fónd *a.* Ⓟ 지나치게 좋아하는《***of*** …을》.

óver·fúll *a.* 너무 가득 찬; 지나치게 많은.

óver·génerous *a.* 너무 관대한; 지나치게 활수한. ㊀ **~·ly** *ad.*

òver·gráze *vt., vi.* (목초지의) 풀을 가축에게 마구 먹게 하다, …에 과도 방목하다.

°**òver·grówn** *a.* **1** 온통 무성한《***with*** (풀 따위)가》: an ~ garden 풀이 무성하게 자란 정원/The wall was ~ *with* ivy. 담벽은 담쟁이로 온통 뒤덮여 있었다. **2** Ⓐ 지나치게 자란, (키가) 너무 커진《사람 · 식물 따위》; (너무 커서) 볼꼴 사나운: He's just an ~ baby. 그는 키만 컸지 (정신 연령은) 어린애나 마찬가지이다.

óver·gròwth *n.* **1** Ⓤ 무성, 만연. **2** (an ~) 땅〔건물〕을 뒤덮듯이 자란 풀〔것〕. **3** Ⓤ 너무 자람, 지나치게 살찜.

óver·hànd *a.* **1** 〖테니스〗 (공 따위를) 위에서 내려치는; 〖야구〗 어깨 위로 손을 들어 공을 던지는(↔ *underhand*); 〖수영〗 손을 물 위로 쭉 뻗는: ~ pitching 〖야구〗 오버핸드 투구/the ~ stroke 〖수영 · 테니스〗 오버핸드 스트로크. **2** 〖재봉〗 휘갑치는, 사뜨는. —*ad.* 위에서 손을 대고; 손을 위로 치켜서; 양손을 번갈아 물 위에 빼어; 〖재봉〗 휘갑쳐서: grasp one's fork ~ 위에서 포크를 쥐다. —*n.* Ⓒ 〖야구〗 오버핸드 투구; 〖테니스〗 내리치는 스트로크.

over·hang** [òuvərhǽŋ] (*p., pp.* ***-hung [-hʌ́ŋ], ***-hanged***) *vt.* **1** …의 위에 걸치다; **위에 쑥 내밀다**: The cliff ~*s* the stream. 절벽이 강 위에 쑥 내밀고 있다. **2** (위험 · 흉사 따위가) 위협하다, 절박하다: A pestilence ~*s* the land. 나쁜 질병이 국내를 위협하고 있다. —*vi.* 위에 덮이듯 돌출하다〔쑥 내밀다, 드리우다〕. — [ˊ-ˋ] *n.* Ⓒ 쑥 내밂, 돌출; 〖건축〗 현수(懸垂); 〖항공〗 돌출익(翼); 〖등산〗 오버행《경사 60° 이상의 암벽》.

°**òver·hául** *vt.* **1** (조직 · 방법 · 생각 등)을 철저히 조사〔검토〕하다, (기계)를 분해 검사〔수리〕하다; (신체)를 정밀 검사하다: ~ the annuity system 연금 제도를 전면 재검토하다/I must have the car's engine ~*ed*. 차의 엔진을 분해 수리받아야 한다. **2** (상대방)을 뒤쫓아 앞지르다(overtake). — [ˊ-ˋ] *n.* Ⓒ 철저한 조사, 분해 검사〔수리〕, 정밀 검사: go to a doctor for an ~ 정밀 검사를 받으러 의사한테 가다.

***over·head** [óuvərhéd] *ad.* **머리 위에,** 높이, 상공에, 위층에: *Overhead* the moon was shining. 머리 위에 달이 빛나고 있었다.

— [ˊ-ˋ] *a.* Ⓐ **1** 머리 위의〔를 지나는〕; 고가(高架)(식)의; 머리 위에서 내리치는《타구 따위》: an ~ railway 《英》 고가 철도(《美》 elevated railroad)/~ wires 가공선(架空線)〔전선〕. **2** 〖경제〗 경상(經常)의; 모든 비용을 포함한, 총…, 간접비로서의: ~ expenses 총경비, 경상비.

— [ˊ-ˋ] *n.* Ⓒ **1** (《英》에서는 보통 *pl.*) 〖경제〗 간접비, 제경비. **2** 〖테니스〗 머리 위에서 내리치

기, 스매시(smash).

óverhead projéctor 오버헤드 프로젝터《그래프 따위를 투영하는 교육용 기기; 생략: OHP》.

óverhead tìme 〖컴퓨터〗 오버헤드 시간《operating system 의 제어 프로그램이 컴퓨터를 사용하는 시간》.

***over·hear** [òuvərhíər] (*p., pp.* **-heard**) *vt.* 《~+목/+목+-*ing*》 **귓결에**〔어쩌다〕 **듣다**; (몰래) 엿듣다, 도청하다: I accidentally ~*d* their conversation. 우연히 그들의 얘기를 들었다/He ~*d* her say*ing* she was quitting her job. 그는 그녀가 직장을 그만 둔다는 얘기를 우연히 들었다.

òver·héat *vt., vi.* 너무 뜨겁게 하다, 과열시키다〔하다〕; 《종종 수동태》 몹시 흥분시키다, 몹시 초조하게 하다: Things *got* a bit ~*ed* at the meeting. 그 모임은 좀 과열되었다.

òver·indúlge *vt.* 지나치게 방임하다, 멋대로 하게 놔두다. **—***vi.* 멋대로〔하고 싶은 대로〕 행동하다; 너무 열중하다, 탐닉하다《*in* …에》: He ~*s in* whiskey. 그는 위스키를 너무 많이 마신다.

òver·indúlgence *n.* Ⓤ **1** 지나친 방임, 멋대로 굶, 방종. **2** 지나친 열중, 탐닉《*in* …에의》.

òver·indúlgent *a.* 지나치게 방임하는, 너무 멋대로 (하게) 하는. ㊞ **~·ly** *ad.*

òver·insúre *vt.* …에 지나치게 보험을 들다.

òver·insúrance *n.* Ⓤ 〖상업〗 초과 보험.

óver·ìssue *n.* Ⓒ (지폐 · 주권의) 남발, 한외(限外) 발행(물〔액〕).

òver·jóyed *a.* Ⓟ 대단히 기쁜, 미칠 듯이 기쁜《*at, with* …에/*to* do/*that*》: He was ~ *at* the news. 그는 그 소식을 듣고 몹시 기뻤다/He was ~ *to* see me. =He was ~ *that* he had seen me. 그는 나를 만나 미칠 듯이 기뻐했다.

óver·kìll *n.* Ⓤ **1** (핵무기에 의한) 과잉 살상력〔파괴력〕; 과잉 살육. **2** 불필요하게 강력〔잔학〕한 방법〔반응〕, (대응의) 과다, 과잉, 지나침.

òver·láden *a.* 짐을 지나치게 실은.

óver·lànd [-lǽnd, -lənd] *a.* 육로〔육상〕의. **—***ad.* 육로로; 육상으로: Shall we drive ~ to California, or fly? 캘리포니아까지 육로로〔차로〕 갈까, 비행기로 갈까.

***over·lap** [òuvərlǽp] (*-pp-*) *vt.* **1** 부분적으로 덮다; **부분적으로 …위에 겹치다**, …와 마주 겹치다; 중복되다: Tiles are laid ~*ping* each other. 기와는 서로 겹쳐 이어져 있다/My vacation ~*s* his. 나의 휴가와 그의 휴가가 일부 겹친다. **2** (식탁보 따위가) …보다 밖으로 나오다〔내밀다〕. **—** *vi.* 《~/+전+명》 부분적으로 겹쳐지다, 일부분이 일치되다; (시간 따위가) 중복되다《*with* …와》: Your vacation ~*s with* mine. 네 휴가는 내 휴가와 겹친다. **—** [⌐-⌐] *n.* Ⓤ (구체적으로는 Ⓒ) **1** 부분적 중복〔일치〕; 겹쳐진 부분, 중복도. **2** 〖영화〗 오버랩《한 장면과 다음 장면의 겹침》.

òver·láy (*p., pp.* **-laid**) *vt.* …에 틀씌우다, 입히다; …의 위에 깔다; …에 바르다; …을 도금하다《*with* …으로》: The outside is *overlaid with* a mahogany veneer. 바깥쪽은 마호가니 베니어판으로 붙였다. **—** [⌐-⌐] *n.* Ⓒ **1** (장식용으로) 덮어 대는〔까는〕 것, 덮어 씌우는 것. **2** 겉, 표면; 외관, 외면: an ~ of good temper 기분 좋은 겉모습.

óver·lèaf *ad.* (종이의) 뒷면에; 다음 페이지에: continued ~ 다음 면에 계속.

òver·léap (*p., pp.* **~ed, -leapt**) *vt.* **1** 뛰어넘다. **2** 못 보고 빠뜨리다, 생략하다, 간과하다, 무시하다.

òver·líe (**-lay; -lain; -lying**) *vt.* …의 위에 눕다〔엎드리다〕, …의 위에서 자다; (어린애)를 깔고 누워 질식시키다.

òver·lóad *vt.* **1** …에 너무 많이 싣다, 너무 많이 주다(overburden)《*with* (짐 · 부담 따위)를》: The boat was ~*ed with* refugees. 그 보트는 피난민을 너무 많이 태웠다. **2** (시설 등)을 한도 이상으로 사용하다: The Gimpo Airport was already ~*ed*. 김포 공항은 이미 만원이었다. **3** 〖전기〗 (회로)에 지나치게 부하(負荷)를 걸다, 과충전하다. **—** [⌐-⌐] *n.* Ⓒ 과적재; 과중한 부담; 지나친 사용; 〖전기〗 과부하(過負荷).

óver·lóng *a.* 지나치게 긴; 매우 긴. **—***ad.* 너무나 오랫동안.

‡**over·look** [òuvərlúk] *vt.* **1 바라보다**, 내려다보다; (건물 · 언덕 따위가) 내려다보는 위치에 있다: We can ~ the sea from here. 여기서 바다가 바라다보인다. **2** 감독〔감시〕하다, 검열〔시찰〕하다: She ~*s* a large number of workers. 그녀는 많은 종업원을 감독한다. **3 빠뜨리고 보다**; (결점 따위)를 **눈감아 주다**, 너그럽게 보아 주다: ~ a misspelled word 틀린 철자를 빠뜨리고 보다/~ a fault 과실을 눈감아 주다. SYN. ⇨ NEGLECT. **—** [⌐-⌐] *n.* Ⓒ 《美》 전망이 좋은 곳; 경치, 풍경.

óver·lòrd *n.* Ⓒ (봉건제 영주(lord)의 위에 있는) 대군주(大君主). ㊞ **~·shìp** *n.* Ⓤ 대군주의 지위〔신분〕.

óver·ly *ad.* 《美》 과도하게, 지나치게.

òver·mánned *a.* (작업 · 직장 등에) 필요 이상의 인원이 배치된(↔ *undermanned*): The company is heavily ~. 그 회사는 사원이 필요 이상으로 너무 많다. ㊞ **-man·ning** *n.* Ⓤ 인원 과잉.

óver·màntel *n.* Ⓒ 벽로(壁爐) 위의 장식 선반.

òver·mástering *a.* 지배적인, 압도하는, 억제하기 힘든: an ~ passion 〔desire〕 (억누르기 힘든) 격렬한 정열〔욕망〕.

òver·mátch *vt.* …보다 더 우수하다〔낫다〕, …을 이기다, 압도하다.

óver·múch *a.* 과다한, 과도의, 너무 많은. **—***ad.* 과도하게; 《부정문》 그다지〔별로〕《…이 아니다》: He does*n't* like me ~. 그는 날 별로 좋아하지 않는다.

‡**over·night** [óuvərnàit] *a.* Ⓐ **1 밤을 새는**, 밤새껏의: an ~ debate 밤새도록 벌이는 토론. **2** 하룻밤 사이의〔에 출현한〕, 돌연한: an ~ millionaire 벼락부자. **3 일박의**; 단기 여행용의: an ~ guest 하룻밤 묵는 손님/an ~ bag 〔case〕 (일박용의) 소형 여행가방/make an ~ stop at London 런던에서 일박하다. **—** [⌐-⌐] *ad.* **1 밤새껏**, 밤새도록; 하룻밤: stay ~ 일박하다/The fish will not keep ~. 생선이 아침까지 못 갈 것이다《상할 것이다》. **2 하룻밤 사이에**, 돌연히: become famous ~ 하룻밤 사이에 유명해지다.

óver·pàss *n.* Ⓒ 《美》 구름다리, 육교; 고가 도로; 오버패스. cf. underpass.

òver·páy (*p., pp.* **-paid**) *vt.* …에 더 많이 지불하다, …에게 과분하게 보수를 주다《*for* …에 대하여》. ↔ *underpay*. ㊞ **~·ment** *n.*

òver·pláy *vt.* 과장되게 연기하다; (실제보다) 과장하다. ~ one*'s* **hand** 〖카드놀이〗 무리하게 패를 쓰다가 지다; 제 힘을 과신해서 지나치게 하다.

óver·plùs *n.* Ⓒ 과잉, 과다.

òver·pópulate *vt.* …에 사람을 과밀하게 살게 하다, …을 인구 과잉이 되게 하다. ㊞ **-làted** *a.*

인구 과잉의. **òver·populátion** *n.* Ⓤ 인구 과잉.

òver·pówer *vt.* **1** (힘으로) 눌러 버리다, 이기다, 제압하다. **2** (더위 · 슬픔 등이) 짓누르다, 견딜 수 없게 하다: be ~*ed* by one's emotions 감정을 억누를 수 없다/She was ~*ed* by the heat. 그녀는 더위에 지쳐 버렸다.

òver·pówering *a.* **1** (감정 등이) 저항할 수 없는, 강렬한, 압도적인: ~ grief 견딜 수 없는 슬픔/an ~ smell 지독한 냄새. **2** (사람이) 강한 성격의. ⓟ **~·ly** *ad.* 압도적으로.

òver·príce *vt.* …에 너무 비싼 값을 매기다.

òver·prínt *vt., vi.* 〖인쇄〗 (인쇄한 후에 글자나 색을) 겹쳐 인쇄하다, 덧인쇄하다. ── [⌐-⌐] *n.* Ⓒ 덧인쇄; (우표 · 수입 인지 위의) 덧인쇄한 문자〔무늬〕.

òver·prodúce *vt., vi.* 과잉 생산하다. ⓟ ◇**òver-prodúction** *n.* Ⓤ 생산 과잉. ↔ *underproduction.*

óver·próof *a.* (주류가) 표준 이상의 알코올을 함유한(↔ *underproof*). ⓒⓕ proof spirit.

òver·protéct *vt.* (아이)를 과(過)보호하다. ⓟ **-protéction** *n.* Ⓤ 과보호. **-protéctive** *a.*

◇**òver·ráte** *vt.* 과대평가하다, 지나치게 어림잡다: I think that film is ~*d.* 저 영화는 과대평가 되었다고 생각한다. ↔ *underrate.*

òver·réach *vt.* **1** 〖~ oneself〗 (지나치게 하여) 무리를 하다, 무리하여 실패하다. **2** (계략을 써) 앞지르다; 기만하다, 속이다.

òver·reáct *vi.* 과잉〔과민〕 반응하다《*to* …에》. ⓟ **-reáction** *n.* Ⓤ 과민 반응.

òver·ríde (*-rode; -ridden, -rid*) *vt.* **1** (명령 · 권리 등)을 무시하다, 받아들이지 않다: We *overrode* their objections. 우리는 그들의 반대를 무시했다. **2** (결정 등)을 뒤엎다, 무효로 하다. **3** (어떤 일이 다른 일)에 우선하다: Safety measures ~ any other considerations. 안전 대책은 다른 어떤 고려할 사항보다 우선한다. **4** 짓밟다, 유린하다.

òver·ríding *a.* Ⓐ 최우선의; 가장 중요한: an ~ concern 우선적인 관심사/be of ~ importance 가장 중요하다.

óver·rípe *a.* 너무 익은, 무르익은.

◇**òver·rúle** *vt.* **1** 지배하다; 위압하다. **2** (결정 등)을 위압적으로 취소하다, 번복하다; 파기〔각하〕하다; 무효로 하다: ~ a decision 결정을 번복하다/A higher court ~*d* the judgment. 상급 법원이 그 판결을 파기하였다.

◇**òver·rún** (*-ran; -run; -running*) *vt.* **1** (해충이) …에 몰려들다, 들끓다; (잡초가) 우거지다; (병 · 사상 따위가) 급속히 퍼지다《★ 보통 수동태로 쓰며, 전치사는 *by, with*》: The ship *was* ~ *by* 〔*with*〕 rats. 배에는 쥐가 들끓었다/Weeds have ~ the garden. 정원에 온통 잡초가 우거졌다. **2** 〖종종 수동태〗 침략하다, (침략으로) 황폐시키다: The country *was* ~ by the invading army. 그 나라는 침략군에 의해 유린당했다. **3** (하천 따위가) …에 범람하다(overflow); (물이 강변)을 넘쳐 흐르다. **4** (정위치)를 지나쳐 달리다; (제한 시간 · 범위 · 견적 따위)를 넘다, 초과하다, 일탈하다: The airplane *overran* the runway. 비행기는 활주로를 지나쳐 달렸다/~ one's allotted time 소정의 시간을 초과하다. ── *vi.* **1** 넘치다, 범람하다; 한도를 넘다. **2** (엔진이) 오버런하다. ── [⌐-⌐] *n.* Ⓒ **1** (엔진의) 과(過)회전, 오버런. **2** (시간 · 비용 등의) 초과(량): cost ~*s* 비용 초과/an ~ of ten minutes, 10분 초과.

òver·scrúpulous *a.* 너무 세심〔면밀〕한.

⁑**over·sea(s)** [óuvərsíː(z)] *a.* **해외(로부터)의,** 외국의; 해외로 가는〔향한〕: an ~ broadcast 해외 방송/an ~ edition 해외판/~ Koreans 〔Chinese〕 해외 교포〔화교〕/an ~ base 해외 기지/~ trade 해외 무역/an ~ student 해외에서 온 유학생. ── [⌐-⌐] *ad.* **해외로〔에, 에서〕**(abroad): go ~ 해외로 가다.

◇**òver·sée** (*-saw; -seen*) *vt.* (작업 · 근로자 등)을 감독하다, 관리하다.

óver·sèer *n.* Ⓒ 감독《사람》; 직공장, 관리자.

òver·séll (*p., pp. -sold*) *vt.* **1** (거래 가능한 양 이상으로) 지나치게 팔다. **2** 실제보다 높이 평가하다, 지나치게 칭찬하다〔추어 올리다〕.

òver·sénsitive *a.* 너무 민감한, 신경과민인.

òver·sérious *a.* 지나치게 진지한.

òver·sét (*p., pp. -set; -setting*) *vt.* **1** 뒤엎다, 전복시키다. **2** 혼란시키다.

òver·séxed [-t] *a.* 성욕 과잉의, 성적 관심이 지나친.

◇**òver·shádow** *vt.* **1** 그늘지게 하다, 흐리게 하다, 어둡게 하다: clouds ~*ing* the moon 달을 가리고 있는 구름. **2** …의 빛을 잃게 하다, …을 볼품없이 보이게 하다; (비교하여) …보다 중요하다〔낫다〕: Her new book will ~ all her earlier ones. 그녀의 새 책은 모든 그녀의 이전 작품들보다 뛰어날 것이다. **3** 음울하게 하다, 짓누르다: Troubles ~*ed* his life. 여러가지 어려움이 그의 삶을 음울하게 했다.

óver·shòe *n.* Ⓒ (보통 *pl.*) 오버슈즈, 방수용〔방한용〕 덧신.

òver·shóot (*p., pp. -shot*) *vt.* (과녁 따위)를 벗어나게 쏘다; (비행기가 착륙 지점)을 지나쳐 가다: The plane *overshot* the runway. 비행기가 활주로를 지나쳐 갔다.

òver·shót *a.* **1** (물레방아가) 위로부터 물을 받는, 상사식(上射式)의《물레바퀴》. **2** (개 따위가) 위턱이 쑥 내민.

óver·sìde *ad.* 뱃전으로부터〔너머로〕; (레코드의) 뒷면에.

◇**óver·sìght** *n.* **1** Ⓤ (구체적으로는 Ⓒ) 빠뜨림, 못 봄, 실수: by 〔through〕 an ~ 잘못하여, 엉겁결에. **2** Ⓤ (또는 an ~) 감시, 감독: under the ~ of …의 감독 아래.

òver·símplify *vt.* 지나치게 간소화〔단순화〕하다. ── *vi.* 지나치게 간단히 취급하다. ⓟ **òver-simplificátion** *n.*

óver·síze *a.* 너무 큰; 특대의. ⓟ **~d** *a.* = oversize.

óver·skìrt *n.* Ⓒ 오버스커트《드레스 따위에 다시 겹쳐 입는 스커트》.

◇**òver·sléep** (*p., pp. -slept*) *vi., vt.* 너무 오래 자다: ~ oneself 〔one's usual time〕 지나치게 자다/Get up! It's already eight o'clock.—Oh, no! Did I ~ again? 일어나! 벌써 여덟시야—맙소사! 내가 또 늦잠을 잤나.

òver·spénd (*p., pp. -spent*) *vt.* 너무 쓰다: ~ one's salary 월급을 너무 많이 쓰다. ── *vi.* 자력(資力) 이상으로 돈을 쓰다.

óver·spill *n.* Ⓒ (보통 *sing.*) **1** 넘쳐 흐름, 과잉. **2** 《英》 (도시의) 과잉 인구. ── *a.* Ⓐ 《英》 과잉 인구용의: an ~ housing 과잉 인구용 주택단지.

òver·spréad (*p., pp. -spread*) *vt.* …의 일대에 펼치다, …에 만연하다, …을 온통 뒤덮다: The sky was ~ with clouds. 하늘은 구름에 뒤덮여 있었다.

òver·stáffed *a.* (작업 · 직장 등에) 인원이 필

요 이상으로 많은. ↔ *understaffed*.

òver·státe *vt.* 과장하다(↔ *understate*): ~ one's case 자기 주장을 지나치게 늘어놓다.

òver·státement *n.* **1** Ⓤ 허풍, 과장. ↔ *understatement*. **2** Ⓒ 과장된 말〔표현〕.

òver·stáy *vt.* …의 시간〔기간, 기한〕 뒤까지 오래 머무르다; 【상업】 (시장)에서의 팔 시기를 놓치다: ~ one's market 매석(賣惜)하다가 기회를 놓치다. ~ one**'s welcome** 너무 오래 있어서 눈총을 맞다.

óver·stèer *n.* Ⓤ 오버스티어《핸들을 돌린 각도에 비하여 차체가 커브에서 더 안쪽으로 회전하는 조종 특성》. ↔ *understeer*. ── [ˋ-ˊ] *vi.* (차가) 오버스티어하다〔되다〕.

òver·stép (**-pp-**) *vt.* …을 지나가다, 밟고 넘다; …의 한도를 넘다: ~ one's authority 월권 행위를 하다.

òver·stóck *vt.* …에 너무 많이 공급하다; 지나치게 사들이다《***with*** …을》: ~ a shop 가게에 상품을 너무 많이 사들이다 / ~ a show window *with* various merchandise 쇼윈도에 갖가지 상품을 너무 많이 진열하다. ──*vi.* 너무 많이 사들이다. ── [ˊ-ˋ] *n.* Ⓤ 공급〔구입〕 과잉; 재고 과잉.

òver·stráin *vt.* 너무 켕기다, 지나치게 긴장시키다; 무리하게 쓰다.

óver·strùng *a.* 너무 긴장한, 감수성이 예민한, (신경)과민의.

òver·stúff *vt.* …에 지나치게 채워 넣다; (소파 따위)에 속을 많이 채워 넣다. ⓜ **~ed** *a.*

òver·subscríbed *a.* **1** (공채 · 기부 따위가) 모집액 이상으로 신청된. **2** (극장 · 표 따위가) 정원 이상으로 예약된. ⓜ **-scríption** *n.* Ⓤ 신청〔응모〕 초과.

òver·supplý *vt.* …에 지나치게 공급하다. ── [ˊ-ˋ] *n.* Ⓤ 공급 과잉.

overt [óuvəːrt, -ˊ] *a.* 명백한; 공공연한, 역연(歷然)한. ↔ *covert*. ¶a market ~ 공개 시장 / an ~ act 공공연한 행위. ⓜ **~·ly** *ad.* **~·ness** *n.*

⁑**over·take** [òuvərtéik] (***-took; -taken***) *vt.* **1** 따라잡다〔붙다〕; 추월하다, (뒤떨어진 일 따위)를 만회하다: They *overtook* him at the entrance. 그들은 입구에서 그를 따라잡았다 / We were *overtaken* by several cars. 몇 대의 차가 우리 차를 추월했다. **2** 〖보통 수동태로〗 (폭풍 · 재난 따위가) 갑자기 덮치다: *be overtaken by* a storm 〔*in* a shower〕 폭풍을〔소나비를〕 만나다 / Misfortune *overtook* the villagers. 불행이 마을 사람들을 덮쳤다. ──*vi.* 《英》 (차가) 추월하다(pass): No *overtaking*. 추월(追越) 금지《게시》.

òver·táken OVERTAKE의 과거분사.

òver·tásk *vt.* …에게 무리한 일을 시키다, 과중한 부담을 지우다; …을 혹사하다.

òver·táx *vt.* **1** …에게 지나치게 과세하다; …에게서 중세를 거두어들이다. **2** …에 과중한 짐을 지우다, 지나치게 일을 시키다: Mr. Smith has been *~ing* his brain with work and worry. 스미스씨는 요즘 일과 근심으로 머리가 무거워졌다. **3** 〖~ oneself〗 무리를 하다. ⓜ **-taxátion** *n.*

óver-the-cóunter *a.* Ⓐ **1** 【증권】 장외(場外) 거래의《생략: OTC, O.T.C.》; 의사의 처방 없이 팔리는《약 따위》: ~ market 〔stocks〕 장외 시장〔거래주(株)〕. **2** (장사가) 점두(店頭)(에서)의: ~ sales 점두 판매.

óver-the-tóp *a.* 《구어》 (행동 · 복장 등이) 상궤(常軌)를 벗어난, 도가 지나친, 이상한.

òver·thréw OVERTHROW의 과거.

*__over·throw__ [òuvərθróu] (***-threw*** [-θrúː]; ***-thrown*** [-θróun]) *vt.* **1** **뒤집어엎다**, 타도하다, 무너뜨리다; (정부 등)을 전복시키다, (제도 등)을 폐지하다: ~ the government 정부를 전복시키다 / ~ a tyrant 폭군을 타도하다 / ~ slavery 노예 제도를 폐지하다. **2** (공 따위)를 너무 멀리 던지다; 【야구】 (베이스)의 위를 높이 벗어나게 폭투(暴投)하다. ── [ˊ-ˋ] *n.* Ⓒ **1** (보통 *sing.*) **타도, 전복**(upset). **2** 【야구】 폭투, 높이던지기.

*__over·time__ [óuvərtàim] *n.* Ⓤ **1** 규정외 노동 시간; 《특히》 **시간외 노동**, 초과근무, 잔업: do 〔be on〕 ~ 초과 근무를 하다. **2** 초과근무〔잔업〕 수당: earn ~ 잔업 수당을 벌다. **3** 《美》 (경기의) 연장 경기 시간, 연장전. ──*a.* Ⓐ 시간외의, 초과 근무의, 규정 시간을 넘긴: ~ pay 초과근무 수당 / ~ work 초과 근무. ──*ad.* (규정)시간 외에, 규정 시간을 넘겨: work two hours ~ 두 시간 잔업을 하다 / park ~ 규정 시간을 넘겨 주차하다.

óver·tíre *vt.* 과로시키다; 〖~ oneself〗 (환자가) 과로하다.

°**óver·tòne** *n.* Ⓒ **1** 【물리】 상음(上音)《기음(基音)(fundamental) 보다 진동수가 많음》; 【음악】 배음(倍音)《상음의 일종》. **2** (주로 *pl.*) (말 · 사상 따위의) 함축, 부대적 의미, 연상(聯想); 뉘앙스: a reply full of ~*s* 의미심장한 대답.

òver·tóok OVERTAKE의 과거.

òver·tóp (**-pp-**) *vt.* **1** …의 위에 치솟다, …보다 높다. **2** …을 능가하다, …보다 낫다; …을 압도하다.

òver·tráin *vt., vi.* 지나치게 훈련〔연습〕시키다〔하다〕.

òver·trúmp *vt., vi.* 【카드놀이】 (상대보다) 끗수 높은 카드를 내다.

over·ture [óuvərtʃər, -tʃùər] *n.* Ⓒ **1** (흔히 *pl.*) 신청, 제안, 예비 교섭: an ~ *of* marriage 결혼 신청 / make peace ~*s* to …에게 강화를 제안하다. **2** 【음악】 서곡, 전주곡(曲).

*__over·turn__ [òuvərtə́ːrn] *vt.* **1** **뒤집어엎다**, 전복시키다: An enormous wave *~ed* their boat. 큰 파도가 그들의 보트를 전복시켰다. **2** 타도하다; (법안 등)을 부결시키다: The government was *~ed* by the rebels. 정부는 반란군에 전복되었다 / The National Assembly *~ed* this decision. 국회는 이 결의안을 부결시켰다. ──*vi.* 전복하다: The car skidded and *~ed*. 차는 미끄러지면서 전복했다. ── [óuvərtə̀ːrn] *n.* Ⓒ 전복, 타도, 붕괴(collapse).

òver·úse [ˋ-júːz] *vt.* 지나치게 쓰다, 남용하다. ── [ˋ-júːs] *n.* Ⓤ 과도한 사용, 혹사, 남용.

òver·válue *vt.* 너무 비싸게 사다; 과대평가하다. ↔ *undervalue*. ⓜ **òver·valuátion** *n.*

óver·vìew *n.* Ⓒ 개관, 개략; 대요(大要): give an ~ *of* …의 대요를 설명하다.

òver·wátch *vt.* 망보다, 감시하다.

òver·wéen·ing *a.* Ⓐ 뽐내는, 자신만만한; 거들먹거리는, 오만한. ⓜ **~·ly** *ad.*

óver·wèight *n.* Ⓤ 초과 중량; 체중 초과; 지나치게 뚱뚱함: a diet to reduce ~ 체중 감량을 위한 식사. ── [ˋ-ˊ] *a.* **1** 중량이 초과된; 너무 무거운: ~ luggage 중량 초과의 수화물 / be five kilos ~ =be ~ by five kilos, 5 킬로 중량 초과이다. **2** (사람이) 지나치게 뚱뚱한. ⓜ **òver·wéighted** *a.* 중량 초과의, 짐을 너무 실은: The truck is ~ at the back. 트럭은 뒤쪽에 지나치게 무게가 실려 있다.

*__over·whelm__ [òuvərhwélm] *vt.* **1** **압도하다**,

제압하다, 궤멸시키다 《★ 보통 수동태로 쓰며, 전치사는 *by, with*》: The army *was ~ed by* the guerilla troops. 그 군대는 게릴라 부대에 궤멸당했다. **2** …을 (정신적으로) 압도시키다, …의 의기를 꺾다, …을 질리게〔당황하게〕 하다 《★ 보통 수동태로 쓰며, 전치사는 *by, with*》: *be ~ed by* 〔*with*〕 grief 비탄에 짓눌리다 / They *~ed* me with questions. 그들은 질문 공세를 펴서 나를 당황케 했다. **3** (홍수 등이) 집어삼키다, 가라앉히다, 파묻다: The caravan was *~ed* by sand storm. 대상(隊商)은 모래폭풍으로 묻혔다.

*__òver·whélm·ing__ [-iŋ] *a.* Ⓐ **압도적인**, 저항할 수 없는: by an ~ majority 압도적인 다수로 / an ~ victory 압도적 승리. ㊞ **~·ly** *ad.* 압도적으로.

*__over·work__ [òuvərwə́ːrk] (*p., pp.* **~ed, -wrought**) *vt.* **1 과로시키다**, 혹사시키다: Don't ~ your*self* on your new job. 새 일로 너무 과로하지 마라. **2** (특정한 어구 · 표현 등)을 너무 많이 쓰다; 몹시 흥분시키다, 애타게 하다: Don't ~ that excuse. 그런 변명은 어지간히 해둬라 / The constant noise *~ed* my nerves. 끊임없는 소음이 신경을 곤두서게 했다. **—***vi.* 너무 일을 하다. **—***n.* [ˊ-ˋ] Ⓤ **과로**, 과도한 노동: She became ill through ~. 그녀는 과로하여 병이 났다.

òver·wríte (**-*wrote; -written***) *vt., vi.* 너무 쓰다; (다른 문자 위에) 겹쳐서 쓰다; 고쳐 쓰다; 지나치게 공들인 문체로 쓰다. **~ one*self*** 남작(濫作)하다; 남작하여 인기〔문체〕를 손상하다.

òver·wróught *a.* **1** 너무〔잔뜩〕 긴장한; 지나치게 흥분한: ~ nerves 과민한 신경 / We were both a little ~. 우리 둘 다 흥분이 좀 지나쳤다. **2** (문체 따위에) 지나치게 정성〔공〕을 들인.

òver·zéalous *a.* 지나치게 열심인. ㊞ **~·ly** *ad.*

ovi·duct [óuvədʌ̀kt] *n.* Ⓒ 〖해부〗 난관(卵管), 나팔관; 〖동물〗 수란관. ㊞ **òvi·dúc·tal** [-tl] *a.*

ovi·form [óuvəfɔ̀ːrm] *a.* 난형(卵形)의.

ovip·a·rous [ouvípərəs] *a.* 〖동물〗 난생(卵生)의. ⓒⓕ viviparous. ㊞ **~·ly** *ad.* **~·ness**, **ovi·par·i·ty** [òuvəpǽrəti] *n.*

ovu·late [óuvjulèit, ɑ́-] *vi.* 〖생리〗 배란하다. ㊞ **òvu·lá·tion** *n.* Ⓤ 배란.

ovum [óuvəm] (*pl.* ***ova*** [óuvə]) *n.* Ⓒ 〖생물〗 알, 난세포, 난자.

ow [au, uː] *int.* 아야, 앗 아파, 앗 《아픔 · 놀라움 따위를 나타냄》.

⁑**owe** [ou] *vt.* **1** 《~+목/+목+전+명/+목+목》 (대금)을 **빚지고 있다**, 지불할 의무가 있다 《***for, on*** (물건)에 대해; ***to*** (아무)에게》: I ~ the grocer. 식료품점에 갚을 돈이 있다 / I ~ John 10 dollars. =I ~ 10 dollars *to* John. 존에게 10달러 빚이 있다 / I ~ you *for* my dinner. 당신한테 식사값을 빚지고 있다 / He still *~d* $200 *on* that car. 그는 그 자동차 대금으로 아직 200달러 더 갚을 돈이 남아 있었다.

> **NOTE** (1) 직접목적어를 생략할 때도 있음: He *owes* not any man. 그는 아무에게도 빚을 지고 있지 않다.
> (2) 다음과 같은 구문도 있음: I still *owe* you *for* the gas. 당신에게 아직 휘발유 대금을 빚지고 있습니다.

2 《+목+목/+목+전+명》 (은혜 · 의무 등)을 **입고 있다**, 신세지다 《***to*** (아무에게); ***for*** …에 대하여》: I ~ him a great deal. =I ~ a great deal *to* him. 그에게는 대단한 신세를 지고 있다 / I ~ you *for* your service. 당신의 수고에 감사합니다.

3 《+목+전+명》 (성공 등)을 …덕택으로 돌려야 하다 《***to*** …의》: I ~ my present position *to* an accident. 이 지위에 오른 것은 우연에 의한 것이다 / I ~ it *to* you that I am still alive. 내가 오늘날 아직도 살아 있는 것은 당신 덕택이오.

ⓈⓎⓃ **owe** 사람이나 물건에 은혜나 신세를 지고 있음을 말함. **be due to** 원인 따위가 어떤 일에 기인함: His death *is due to* pneumonia. 그의 사인은 폐렴이다. **be obliged to** 도의상의 의무나 책임을 '지고 있는'의 뜻. **be indebted to** …에게 부채나 은덕이 있다: I *am indebted to* him for his kindness. 그의 친절에 은덕을 느끼고 있다.

4 《+목+목/+목+전+명》 (어떤 원한)을 …에게 품고 있다; (충성 따위)를 다할 의무를 지고 있다; (감사 · 경의 따위)를 표시해야 하다: I ~ him a grudge. 그에게 원한이 있다 / I ~ no thanks *to* her. 그녀에게 감사해야 할 이유는 없다 / I ~ you my thanks *for* your help. 도와주신 데 대하여 당신께 감사의 말씀을 드리지 않을 수 없습니다.

—*vi.* 《~/+전+명》 빚지고 있다 《***for*** …을》: He *~s for* three months' rent. 그는 집세를 석 달치 안 내고 있다.

~ *it to* one*self* to do …하는 것이 자신에 대한 의무이다, …하는 것은 자신을 위해 당연하다: We ~ *it to* our*selves to* make the best of our lives. 우리는 최선을 다해 살아야 할 의무가 있다. **(*think*) *the world* ~*s* one *a living*** 세상이 자기를 돌봐 주는 것이 당연하다(고 여기다).

> **DIAL.** ***I owe you one.*** 신세졌습니다.

⁑**ow·ing** [óuiŋ] *a.* Ⓟ **1 빚지고 있는**, 미불로 되어 있는 《***to*** (아무)에게》: Is there still any money ~? 아직 갚지 않은 돈이 있습니까 / I paid what was ~. 빚은 전부 갚았다 / $50 ~ *to* me 내가 빌려 준 50달러. **2 돌려야 할, 기인한** 《***to*** …에》: All this is ~ *to* your carelessness. 이것은 모두 당신의 부주의 탓이오.

~ to ① 〖전치사구로서〗 …때문에, …으로 인하여, …이 원인으로(because of): *Owing to* the snow we could not leave. 눈 때문에 출발하지 못했다. ② 〖술어로서〗 …으로 인하여: My failure was ~ *to* ill luck. 실패의 원인은 운이 나빠서였다.

*__owl__ [aul] *n.* Ⓒ **1** 〖조류〗 **올빼미**. **2** 밤을 새우는 사람, 밤에 일하는 사람, 밤에 다니는 사람(night owl). **3** 점잔빼는 사람, 진지한 체하는 사람: be as grave as an ~ 점잔 빼고 있다. **(*as*) *blind*** 〔***stupid***〕 ***as an*** **~** 전혀 앞을 못 보는 〔극히 아둔한〕. **(*as*) *wise as an*** **~** 아주 영리한.

owl·et [áulət] *n.* Ⓒ 새끼 올빼미, 작은 올빼미.

owl·ish [áuliʃ] *a.* 올빼미 같은; (안경을 끼고) 둥근 얼굴에 눈이 큰; 근엄한 얼굴을 한 《똑똑한 것 같으면서 어리석은》. ㊞ **~·ly** *ad.*

ówl·light *n.* Ⓤ 황혼, 땅거미(twilight).

†**own** [oun] *a.* Ⓐ 〖주로 소유격 다음에 쓰임〗 **1** 〖소유를 강조하여〗 (남의 것이 아니라) **자기 자신의**: This is my ~ house. 이것은 내 소유의 집입니다 / I saw it with my ~ eyes. 바로 내 이 두 눈으로 보았습니다.

2 〖독자성을 강조하여〗 (자기 자신에게) **고유한**, 특유한, 독특한: The orange has a scent all its ~. 오렌지에는 독특한 향기가 있다.

3 〖혈족관계를 강조해서〗 친…, 직접의: his ~ father 그의 친아버지 / She is my ~ sister. 그

녀는 나의 친누이입니다.
4 〖행위자의 주체성을 강조해서〗 남의 도움을 빌리지 않는, 자력으로〔자신이〕 하는: He cooks his ~ meals. 그는 자취를 한다 / reap the harvest of one's ~ sowing 자신이 뿌린 씨를 거두다, 자업자득이다.
of one***'s ~ making*** 자신이 만든 …, 손으로 만든 …: She's wearing a sweater *of* her ~ *making*. 그녀는 자기가 뜬 스웨터를 입고 있다.
—*pron*. 〖독립하여〗 (one's ~) …**자신의 것**, …자신의 소유물〔입장, 책임〕, 자신의 가족: Keep it for your (very) ~. 네 것으로 받아 두어라《아이들에게 물건을 주면서》/ I can do what I will with my ~. 내 것은 어떻게 하건 내 마음대로다 / Only my Sundays are my ~. 일요일만은 내 마음대로 보내도 좋다.
come into one***'s ~*** 당연히 받을 만한 것을 받다《재산·명예·신용·감사》; 실력에 상응하는 평가를 받다; 본래의 특성을 발휘하다: This car *comes into* its ~ on bad roads. 이 차는 험한 길에서도 제 기능을 발휘한다. ***each to*** one***'s ~*** (취미·취향 등이) 각인각색의, (무슨 일을 하든) 엿장수 마음대로. ***get*** 〔***have***〕 (***some*** 〔***a bit***〕 ***of***) one***'s ~ back***《구어》 앙갚음하다《***on*** (아무)에게》: I'll *get* my ~ *back on* him some day. 언젠가 그에게 복수하겠다. ***hold*** one***'s ~*** ① 자기의 입장을 견지하다《***against*** (공격 등)에 대하여》. ② (환자가) 끝까지 버티다. ***of*** one***'s ~*** ① 자기 자신의: The company has a building *of* its ~. 그 회사는 전용 빌딩을 갖고 있다. ② 독특한: Her pictures have a charm *of* their ~. 그녀의 그림은 독특한 매력이 있다. ***on*** one***'s ~***《구어》 ① 자기 힘으로; 자기 재량〔책임〕으로; 자신의 생각으로, 자진하여: do something *on* one's ~ 자기 재량〔책임〕으로 무슨 일을 하다 / My son's been *on* his ~ for several years. 내 아들은 몇 년 동안이나 자립하여 살고 있다. ② 단독으로: If he's going to do something like that, he's *on* his ~. 그가 그런 짓을 할 작정이라면, 혼자 알아서 할 일이다《내가 알 바 아니다》.
—*vt*. **1** (법적 권리로) **소유하다**; 소지하다, 갖고 있다: Who ~*s* the house? 이 집은 누구의 것인가. SYN. ⇨ HAVE.
2 《~+목/+목+전+명/+*that* 절/+목+(*to be*) 보/+목+*as* 보/+목+*done*》 (죄나 사실 등)을 **인정하다**; 자기 것이라고 인정하다; …임을 인정하다; 자인(自認)하다, 고백하다: ~ one's faults 자신의 과실을 인정하다 / His father refused to ~ him. 아버지는 그를 자기 자식이라고 인정하기를 거부했다 / He ~*s that* he has done wrong. 그는 자기가 잘못한 것을 인정하고 있다 / He ~*ed* (*to* me) *that* he had stolen her money. 그는 그녀의 돈을 훔쳤다고 (나에게) 털어놓았다 / He ~*ed* himself (*to be*) in the wrong. 그는 자신이 잘못하였음을 인정하였다 / ~ a boy *as* one's child 소년을 자기 자식으로서 인정하다 / He ~*s* himself *beaten*. 그는 졌다고 자인한다.
3 …의 지배권을 인정하다; …에게 순종의 뜻을 표하다: They refused to ~ the king. 그들은 국왕을 섬기려고 하지 않았다.
—*vi*. 《+전+명》 **인정하다**, 자백하다《***to*** (결점·죄 등)을》: ~ *to* a mistake 잘못을 자인하다 / I ~ *to* being uncertain about that. 나는 그것에 대해 불확실함을 인정한다.
~ ***up*** 《*vi*.+부》《구어》 털어놓고〔깨끗이〕 자백하다《***to*** …을》: ~ *up to* a crime 죄를 자백하다.

ówn-bránd *a*. (제조자의 이름이 아니라) 판매업자의 이름을〔상표를〕 단, 자가〔자사〕 브랜드의: ~ goods 자가〔자사〕 브랜드 상품. **—***n*. Ⓤ 자가〔자사〕 브랜드 상품.

‡**own·er** [óunər] *n*. Ⓒ **1 임자**, 소유(권)자: the ~ *of* a house 집주인. **2** 《英속어》 선장, 함장(captain); 〖상업〗 선주, 화주(貨主). ***at ~'s risk*** (화물 수송의) 손해는 화주 부담으로.

ówner-drìver *n*. Ⓒ 《英》 오너드라이버《자기 소유차의 운전자》; 개인 택시 운전사.

ówn·er·less *a*. 임자가 없는; 부재지주의.

ówner-óccupier *n*. Ⓒ 《英》 자가(自家) 거주자.

***own·er·ship** [óunərʃip] *n*. Ⓤ **소유자임**〔**자격**〕, 소유권: state ~ 국유(國有).

ówn góal 1 〖축구〗 자살골. **2** 자기 편에게 준 손해, 자살적 행위.

‡**ox** [ɑks/ɔks] (*pl*. ***ox·en*** [áksən/ɔ́ks-]) *n*. Ⓒ **수소**, (특히 식용·노역용의) 거세한 수소.

> NOTE bull 거세한 수소. bullock 보통 4세 이하의 거세한 소. cow 암소 또는 일반적으로 소. calf 송아지. cattle 소의 총칭.

ox·al·ic [ɑksǽlik/ɔks-] *a*. 〖화학〗 옥살산의.

oxálic ácid 〖화학〗 옥살산, 수산(蓚酸)(= **èthanedióic ácid**).

ox·a·lis [áksələs/ɔ́ks-] *n*. Ⓒ 〖식물〗 괭이밥.

ox·bow [áksbòu/ɔ́ks-] *n*. Ⓒ **1** 소 멍에의 U자형 부분. **2** (하천의) U자형 만곡부(에 둘러싸인 토지); 우각호(牛角湖)(= ∠ **láke**).

Ox·bridge [áksbridʒ/ɔ́ks-] *n*. Ⓤ 옥스브리지《Oxford 대학과 Cambridge 대학》, (역사가 깊은) 명문 대학. **—***a*. 옥스브리지의(같은).

ox·en [áksən/ɔ́ks-] ox 의 복수.

óx·èye *n*. Ⓒ 〖식물〗 주변화(周邊花)가 있는 국화과 식물의 총칭, 《특히》 프랑스국화(= ∠ **dáisy**).

Ox·fam [áksfæm/ɔ́ks-] *n*. 옥스팸《Oxford 를 본부로 하여 발족한, 세계 각지의 빈민구제 기관》. [◂ *Ox*ford Committee for *Fam*ine Relief]

Ox·ford [áksfərd/ɔ́ks-] *n*. **1** 옥스퍼드《잉글랜드 남부의 도시》; = OXFORDSHIRE. **2** 옥스퍼드 대학(Oxford University). cf. Cambridge. ¶ an ~ don 옥스퍼드 대학 교수. **3** (o-) Ⓒ (보통 *pl*.) 《美》 옥스퍼드화(靴)《발등 쪽에 끈을 매는 신사화》.

Óxford blúe 짙은 감색, 암청색(= **dárk blùe**)《Cambridge blue 에 대하여》.

Ox·ford·shire [áksfərdʃiər, -ʃər/ɔ́ks-] *n*. 옥스퍼드주(州)《잉글랜드 남부; 주도 Oxford》.

Óxford Univèrsity 옥스퍼드 대학《Cambridge 대학과 함께 영국의 가장 오래된 대학; 12세기에 창립; 생략: OU》.

ox·i·dant [áksədənt/ɔ́ks-] *n*. Ⓒ 〖화학〗 옥시던트, 산화체《광화학(光化學) 스모그의 주요 원인이 되는 과산화 물질의 총칭》.

òx·i·dá·tion *n*. Ⓤ 〖화학〗 산화 (작용).

ox·ide [áksaid, -sid/ɔ́ksaid] *n*. Ⓤ (구체적으로는 Ⓒ) 〖화학〗 산화물: iron ~ 산화철.

òx·i·di·zá·tion *n*. Ⓤ 산화 (작용).

ox·i·dize [áksədàiz/ɔ́ks-] *vt*., *vi*. **1** 산화시키다〔하다〕. **2** 녹슬(게 하)다.

ox·lip [ákslìp/ɔ́ks-] *n*. Ⓒ 〖식물〗 앵초(櫻草)의 일종.

Ox·on [áksɑn/ɔ́ksɔn] *a*. (학위 등의 뒤에 붙여) 옥스퍼드 대학의: John Smith, M.A., ~ 옥스퍼드 대학 석사 존 스미스.

Oxon. *Oxonia* 《L.》 (= Oxford); Oxonian;

Oxfordshire.

Ox·o·ni·an [ɑksóuniən/ɔks-] *a.* Oxford (대학)의. **—***n.* Ⓒ Oxford 대학 학생〔출신자〕, 옥스퍼드 대학 (구(舊))교원; 옥스퍼드의 주민. ㊂ Cantabrigian.

óx·tàil *n.* Ⓒ (음식은 Ⓤ) 쇠꼬리《수프의 재료로 씀》.

óx·tòngue *n.* Ⓒ (요리는 Ⓤ) 쇠서《요리용》; 소의 혀.

ox·y- [ɑ̀ksi/ɔ̀k-] '산소를 함유하는, 수산기를 함유하는' 이란 뜻의 결합사.

òxy·acétylene *n.* Ⓤ 산소 아세틸렌 가스. **—** *a.* Ⓐ 산소 아세틸렌 혼합물의: an ~ blowpipe 〔torch〕 산소 아세틸렌 토치《금속의 절단·용접용》/ ~ welding 산소 아세틸렌 용접.

⁑ox·y·gen [ɑ́ksidʒən/ɔ́ks-] *n.* Ⓤ 〖화학〗 산소《비(非)금속 원소; 기호 O; 번호 8》. **—***a.* Ⓐ 산소의: an ~ tank 산소 탱크/an ~ breathing apparatus 산소 흡입기.

ox·y·gen·ate [ɑ́ksidʒənèit/ɔ́ks-] *vt.* 〖화학〗 산소로 처리하다, 산소와 화합시키다, 산소화하다: *~d* water 과산화수소수. ㊞ **òx·y·ge·ná·tion** *n.* Ⓤ 〖화학〗 산소화, 산소 첨가 (반응).

ox·y·mo·ron [ɑ̀ksimɔ́ːrɑn/ɔ̀ksimɔ́ːrɔn] (*pl.* ***-ra*** [-rə], ~***s***) *n.* Ⓒ 〖수사학〗 모순 어법《crowded solitude, cruel kindness 등과 같이 서로 모순되는 어휘를 병렬하여 특수한 효과를 노림》.

ox·y·tet·ra·cy·cline [ɑ́ksitétrəsáikli(ː)n/ɔ̀ksi-] *n.* Ⓤ 〖약학〗 옥시테트라사이클린《방선균(放線菌)에서 생긴 항생 물질; 황색의 결정성 분말; 생략: OTC》.

oyes, oyez [óujes, -jez] *int.* 들어라, 조용히《광고인 또는 법정의 정리(廷吏) 등이 사람들의 주의를 환기시키기 위해 3번 연속 외치는 소리》.

oys·ter** [ɔ́istər] *n.* Ⓒ **1** (음식은 Ⓤ) 〖패류〗 굴; 굴과 비슷한 쌍각류(雙殼類)의 조개류. **2** 진주조개. **3** 《구어》 입이 무거운 사람, 비밀을 지키는 사람. ***as close as an ~ 입이 매우 무거운. ***The world is*** one's ~. 세상은 …의 생각대로이다《Shakespeare 작 *The Merry Wives of Windsor* 에서》.

óyster bèd 굴 양식장.

óyster fàrm 〔**fàrming**〕 굴 양식장〔양식〕.

oz. ounce(s).

ozone [óuzoun, -ˊ] *n.* Ⓤ **1** 〖화학〗 오존. **2** 《구어》 (해변 등지의) 신선(新鮮)한 공기.

ózon-frìendly *a.* 오존층 보호의, 오존층을 파괴하지 않는.

ózone hòle 오존 홀《오존층 파괴로 오존 농도가 희박해진 부분; 지상에 내려쬐는 자외선이 증가하여 인체에 해를 줌》.

ózone làyer (the ~) 오존층(ozonosphere)《대기 오존이 지상 10–50 km에 집중되어 있는 대기층; 태양으로부터의 자외선을 흡수함》.

ozo·nize [óuzounàiz, -zə-] *vt.* 〖화학〗 (산소)를 오존화하다; …을 오존으로 처리하다. ㊞ **ozo·ni·za·tion** [òuzənizéiʃən/-naiz-] *n.*

ozo·no·sphere [ouzóunəsfìər] *n.* 오존층(層).

ozs. ounces. ㊂ oz.

P

P, p [piː] (*pl.* **P's, Ps, p's, ps** [-z]) *n.* **1** Ⓤ (구체적으로는 Ⓒ) 피《영어 알파벳의 열여섯째 글자》: *P* for Peter, Peter 의 P《국제 전화 통화 용어》. **2** Ⓒ P자 모양(의 것). **3** Ⓤ 열여섯 번째(의 것)《J를 제외할 경우에는 열다섯 번째》. ***mind*** 〔***watch***〕 one***'s P's and Q's*** 〔***p's and q's***〕 언동을 조심하다.

P 〖유전〗 parental (generation); (car) park; parking; 〖화학〗 phosphorus; (Philippine) peso; 〖물리〗 power; 〖물리〗 pressure; 〖군사〗 prisoner. **p** 《구어》 new penny 〔pence, pennies〕. **p.** page; 《It.》 〖음악〗 *piano* (=softly); 〖야구〗 pitcher.

°**Pa, pa** [pɑː, pɔː] *n.* 〔보통 호칭〕 《구어》 아빠 《papa 의 간약형》.

PA personal assistant; 《英》 public address (system). **Pa** 〖물리〗 pascal(s); 〖화학〗 protactinium. **Pa.** Pennsylvania. **p.a.** participial adjective; per annum.

pab·u·lum [pǽbjələm] *n.* Ⓤ 음식, 영양물; 정신적 양식; (의론 · 논문 등의) 기초 자료: mental ~ 마음의 양식.

Pac. Pacific.

pace[1] [peis] *n.* **1** Ⓒ (한) **걸음**; 1 보폭《$2^1/_2$ ft.》: He advanced twenty ~*s*. 그는 20 보 전진했다. **2** (a ~) **걸음걸이, 걷는 속도**, 보조: go at a ~ of 3 miles an hour 시간당 3 마일의 속도로 나아가다/a fast ~ in walking 빠른 걸음/a double-time ~ 구보/an ordinary ~ 정상〔보통〕 걸음/a quick ~ 속보. **3** (*sing.*) 〔일반적〕 **페이스**, 속도《생활 · 일의》; 템포: at one's own ~ 자기 페이스로. **4** Ⓒ (보통 *sing.*) (말의) 걸음걸이, 보태(步態); 측대보(側對步)《한쪽 앞뒷다리를 동시에 드는 걸음걸이》, 《특히》 측대속보. ★ 말의 pace 에는 walk, amble, trot, canter, gallop 따위가 있음.

at a good ~ 잰 걸음으로, 상당한 속도로; 활발하게. ***force the*** ~ 〔***running***〕 (경주에서 상대를 지치게 하기 위해) 무리하게 페이스를 빨리하다. ***go through*** one***'s*** ~ 《구어》 역량을 나타내다, 솜씨를 (드러내) 보이다. ***hold*** 〔***keep***〕 ~ ***with*** …와 보조를 맞추다, …에 뒤지지 않도록 하다. ***put*** a horse 〔a person〕 ***through*** its 〔his〕 ~***s*** 말의 보조를〔아무의 역량을〕 시험하다. ***set the*** ~ ① (선두에 서서) 보조를 정하다, 선도(先導)하다, 조정하다. ② 모범을 보이다. ***show*** one***'s*** ~***s*** (말이) 보태(步態)를 보이다; (사람이) 역량을 보이다. ***stand*** 〔***stay***〕 ***the*** ~ 보조〔페이스〕를 맞추다, 뒤지지 않고 따라가다.

—*vi.* **1** 《+副/+前+名》 (고른 보조로) **천천히 걷다**; 왔다갔다하다: ~ *along* a road 길을 따라 천천히 걷다/~ *up and down* (the room) (방 안을) 서성거리다. SYN. ⇨WALK. **2** (말이) 측대속보로 걷다. **—***vt.* **1** (고른 보조로) 천천히 걷다, 왔다갔다하다: ~ the floor 마루 위를 천천히 걷다〔왔다갔다하다〕. **2** 《~+目/+目+副》 (거리)를 보측(步測)하다(*out; off*): ~ *off* 〔*out*〕 the track 트랙을 보측하다. **3** (운동 선수에게) 컨디션을 조절시키다; 정조(整調)하다; (말)의 보조를 조정하다; (말이 얼마간의 거리)를 일정한 보조로 달리다.

pa·ce[2] [péisi] *prep.* 《L.》 〔반대 의견을 말할 때〕 …에게는 실례지만: ~ Mr. Smith 스미스씨에게는 실례지만.

páce·màker *n.* Ⓒ **1** (경주에서) 선두에 서서 속도 조정을 하는 주자, 페이스메이커. **2** 모범을 보이는 사람, 선도자, 주도자. **3** 〖의학〗 페이스메이커, 심장 박동 조절 장치, 맥박 조정기《전기적 자극으로 심장의 고동을 계속시키는 장치》.

pac·er [péisər] *n.* Ⓒ (고른 보조로 천천히) 걷는 사람; 보측자; 보조(步調) 조정자; 측대보로 걷고 있는 말; =PACEMAKER.

páce·sètter *n.* =PACEMAKER 1, 2.

pach·y·derm [pǽkidəːrm] *n.* Ⓒ 〖동물〗 후피(厚皮) 동물《코끼리 · 하마 등》.

pach·y·der·ma·tous [pækidə́ːrmətəs] *a.* 〖동물〗 후피 동물의; (피부가) 비후(肥厚)한; 《비유적》 둔감한, 무신경한, 낯두꺼운. ㊕ **~·ly** *ad.*

pa·cif·ic** [pəsífik] *a.* **1 평화로운**, 평온한, 태평한(peaceful); (바다 따위가) 잔잔한: a ~ era 태평 시대. **2 평화를 사랑하는**, 화해적인, (성질 · 말 따위가) 온화한: ~ overtures 강화〔화해〕의 제의/a man of ~ disposition 성질이 유순한 사람. **3** (P-) 태평양의; 미국 태평양 연안(지방)의: the *Pacific* War 태평양 전쟁. ***the Pacific coast 〔***states***〕 미국 태평양 연안의 여러 주《California, Oregon, Washington 의 3 주》.

—*n.* (the P-) **태평양**(Pacific Ocean).

㊕ **-i·cal·ly** *ad.* 평화롭게, 평화적으로; 온화하게.

pa·cif·i·cate [pəsífikèit] *vt.* =PACIFY. ㊕ **-cà·tor** [-tər] *n.* Ⓒ 화해〔진정〕자, 중재자, 조정자. **-ca·tò·ry** [-kətɔ̀ːri/-kətəri] *a.* 화해적인, 조정의; 유화적인.

pac·i·fi·ca·tion [pæ̀səfikéiʃən] *n.* Ⓤ 강화, 화해; 화평 공작, 분쟁 제거〔해결〕, 조정; 진정, 평정.

Pacífic Básin (the ~) =PACIFIC RIM.

Pacífic Íslands, the Trust Territory of the ~ 태평양 신탁 통치 제도(諸島)《서태평양 중의 옛 미국 신탁통치령; Caroline, Marshall, Mariana 등의 섬으로 이루어져 있었음》.

Pacífic Ócean (the ~) 태평양.

Pacífic Rìm (the ~) 환태평양《특히 태평양 연안의 산업 제국(諸國)을 일컬음》.

Pacífic (Stándard) Tìme 《美》 태평양 표준시《Greenwich time보다 8시간, Eastern Standard Time보다 3시간 늦음; 생략: P.(S.)T., P(S)T》. cf. standard time.

pac·i·fi·er [pǽsəfàiər] *n.* Ⓒ 달래는 사람〔물건〕, 진정자, 조정자; (공복 등을) 채우는 것, 진정제; 《美》 (유아용) 고무 젖꼭지.

pac·i·fism [pǽsəfìzəm] *n.* Ⓤ 평화주의, 반전론, 전쟁〔폭력〕 반대주의; 무저항주의.

pac·i·fist [pǽsəfist] *n.* Ⓒ 평화주의자, 반전론

자; 무저항〔비폭력〕주의자.

°**pac·i·fy** [pǽsəfài] *vt.* **1** 달래다, 진정시키다, 가라앉히다: ~ a crying child 우는 아이를 달래다. **2** (식욕 따위)를 채우다, (갈증 따위)를 풀다 (appease). **3** …에 평화를 회복시키다, (반란 따위)를 진압〔진무, 평정〕하다: ~ a rebellion 반란을 진압하다.

⁎**pack** [pæk] *n.* **1** Ⓒ **꾸러미, 보따리,** 포장한 짐〔묶음〕, 짐짝; 팩, 포장 용기; 륙색, 배낭; (낙하산을 접어 넣은) 꾸러미: a peddler's ~ 행상인의 등짐〔보따리〕/carry a ~ on one's back 등에 짐을 짊어지고 옮기다. SYN. ⇨PACKAGE.
2 Ⓒ 팩《양의 단위; 양털 · 삼은 240파운드, 곡물 가루는 280파운드, 석탄은 3부셸》.
3 Ⓒ (사냥개 · 이리 등의) **한 떼**〔무리〕; (비행기 · 군함 등의) 1편대; 함대; (악당 따위의) 일당, 한패: a ~ *of* hounds 사냥개의 한 무리/a ~ *of* thieves 도둑의 일당/I shall dismiss the whole ~ *of* them. 나는 그들을 모조리 해고해 버리겠다.
4 Ⓒ (카드의) 한 벌; 《美》 (담배 등의) 한 갑; (같은 종류의 것의) 한 꾸러미: a (new) ~ of cards (새) 카드 한 벌/a ~ of cigarettes 담배 한 갑/vegetables in five-pound ~*s* 꾸러미당 5파운드씩 들어간 야채.
5 (a ~) 다수, 다량《*of* (나쁜 사람〔물건〕)의》: a ~ *of* lies 거짓말투성이.
6 =PACK ICE.
7 Ⓒ 〚럭비〛 〖집합적〗 전위.
8 Ⓒ Cub Scouts 〔Brownie Guides〕의 편성 단위.
9 Ⓒ 〖보통 복합어로〗 찜질(에 쓰는) 천, 습포; 강(腔)〔상처〕에 충전하는 탈지면〔거즈 따위〕; 얼음주머니(ice pack); (미용술의) 팩(용 화장품): a cold 〔hot〕 ~ 냉〔온〕습포/⇨FACE PACK, MUD-PACK.
— *vt.* **1** 《~+목/+목+부/+목+전+명》 (짐)을 **싸다, 꾸리다,** 묶다, 포장하다(*up*); 채워 넣다《*in, into* (가방 · 용기)에; *with* …을》: ~ *up* one's things 소지품을 꾸리다/He ~*ed* the trunk *with* the clothes. =He ~*ed* the clothes *into* the trunk. 그는 트렁크에 옷을 챙겨 넣었다.
2 《~+목/+목+전+명》 (사람이) 꽉 채우다〔메우다〕; 채워〔틀어〕 넣다, 무리하게 넣다《*into* (장소)에; *with* (사람)을》: The audience ~*ed* the hall. 청중이 홀에 꽉 찼다/The theater is ~*ed* out. 극장은 만원이다/~ men *into* a small room 사람들을 좁은 방에 밀어넣다.
3 통조림으로 하다: ~ fruit 과일을 통조림으로 하다/Meat, fish, and vegetables are often ~*ed* in cans. 고기 · 생선 · 야채 등은 종종 통조림으로 만들어진다.
4 《~+목/+목+전+명》 …을 메워 틀어막다, …에 패킹을 대다; (충전물)을 채워 넣다《*around, round* …(주위)에》; …의 주위를 채우다《*in* (충전물)로》: ~ a leaking joint 물이 새는 이음매를 틀어막다/~ paper *round* chinaware = ~ chinaware *in* paper 도자기 주위에 종이를 채워 넣다.
5 …에 찜질하다; (상처)에 거즈를 대다; (얼굴)에 미용 팩을 하다.
6 (포장하여) 나르다; 《속어》 (총 · 권총 따위)를 휴대하다(carry): ~ a piece 총을 갖고 있다.
7 《구어》 (강타 · 충격 등)을 가할 수 있다; (위력 등)을 갖추고 있다: ~ a hard punch (권투 선수가) 강타를 가하다.
8 〚컴퓨터〛 압축하다《현행 자료를 보다 적은 비트(bit)수로 압축하여 기억시키다》.
— *vi.* **1** 짐을 꾸리다; (물건이) 꾸려지다, 포장되다〔할 수 있다〕, (상자 따위에) 담겨지다: Have you finished ~*ing*? 짐 꾸리기를 다 마쳤느냐/Do these articles ~ easily? 이 품목들은 간단히 포장되나.
2 (땅 · 눈 따위가) 굳어지다; (동물이) 떼〔무리〕를 짓다: The ground ~*s* after the rain. 비가 온 뒤에는 땅이 굳어진다.
3 《+전+명》 밀집하다, 몰려들다《*in, into* …에》: More than 10,000 people ~ *in* this small land. 만 명 이상의 사람이 이 작은 지역에 몰려 살고 있다/The audience ~*ed into* the hall. 청중이 강당에 빽빽이 들어찼다.
4 〚럭비〛 스크럼을 짜다.
~ ***away*** 《*vt.*+부》 거두어 두다; 《구어》 (음식)을 먹어 치우다. ~ ***in*** 《*vt.*+부》 ① 《英구어》 포기하다, 그만두다. ② (많은 관중)을 끌다. ~ ***it in*** 〔***up***〕 《英구어》 ① 끝내다, 그만하다: It's not like him to ~ *it in*. (일을) 도중에 그만두다니 그답지 않다. ② 〖명령형〗 (귀찮아) 그만둬, 닥쳐. ~ ***off*** 《*vt.*+부》 《구어》 내보내다, 돌려보내다《*to* …으로》: She ~*ed* her children *off to* school. 그녀는 아이들을 학교로 보냈다. ~ ***up*** 《*vt.*+부》 ① (짐)을 채워 넣다, 꾸리다, 포장하다. ② …을 그만두다: ~ *up* drink*ing* 〔one's job〕 술을 끊다〔직장을 그만두다〕. **—**《*vi.*+부》 ③ (짐을 싸가지고) 나가다: ~ *up* and leave 짐을 꾸려 떠나다. ④ 《구어》 일을 끝내다; 은퇴하다, 일체 손을 떼다. ⑤ 《구어》 (엔진 따위가) 멎다, 고장나다. ***send*** a person ~***ing*** 아무를 데꺽 해고하다, 쫓아내다.

⁎**pack·age** [pǽkidʒ] *n.* Ⓒ **1 꾸러미, 소포,** 소화물; 포장한 상품: a ~ of cigarettes 담배 한 갑/a ~ of goods 한 꾸러미의 상품/a special 〔an express〕 delivery ~ 속달 소포/A small ~ reached me today. 오늘 작은 소포가 왔다.
2 포장지, (상자 등 포장용) 용기.
SYN. **package** 판매를 위해 상자나 그릇 따위에 포장한 것. **pack** 행상인 따위가 등에 짊어지기 알맞게 꾸린 것: a mule's *pack*. **parcel** 수송할 목적으로 상자 따위에 작게 꾸린 꾸러미, 특히 소포 우편. **packet** 비교적 작은 꾸러미로, 주로 편지 따위의 묶음. **bundle** 운반 · 저장 따위를 위해 여럿을 한데 대충 묶은 것: a *bundle* of straw. **bunch** 같은 종류로 많은 것을 한데 묶은 것: a *bunch* of flowers. **bale** 솜 · 건초 따위를 네모지게 압축하여 단단히 묶은 화물: a *bale* of cotton.
3 《구어》 =PACKAGE TOUR. **4** 일괄하여 팔리는〔제공되는〕 것: an aid 〔a contract〕 ~ 일괄 원조〔계약〕. **5** 〚전자〛 반도체 소자(素子)를 봉입하는 용기; 〚컴퓨터〛 패키지《범용(汎用) 프로그램》.
— *vt.* **1** 《~+목/+목+전+명》 꾸리다, 포장하다; (물건)을 채워넣다, 담다《*in* (용기)에》: The chocolates were ~*d in* a beautiful box. 초콜릿은 예쁜 상자에 담겼다. **2** 일괄하다; 일괄 프로로서 제작하다. ㊕ **páck·ag·er** *n.* **páck·ag·ing** *n.* Ⓤ 짐꾸리기; (상품의) 포장〔용기〕류.

páckage dèal (취사선택을 허용하지 않는) 일괄 거래〔교섭, 제안〕; 일괄 거래 상품〔계약〕.

páckage stòre 《美》 주류 소매점(《英》 off-license)《가게에서는 마실 수 없음》.

páckage tòur 〔**hòliday**〕 패키지 투어《운임 · 숙박비 등을 일괄 지급하는 여행사 주관의 단체 여행》.

páck ànimal 짐 싣는 동물《짐을 운반하는 소 ·

말·낙타 따위).

packed [-t] *a*. **1** 만원인; 채워 넣은: a ~ train 만원 열차. **2** 《보통 합성어》 …으로 꽉찬 : an action-~ movie 액션이 넘치는 영화. **3** (눈 따위가) 굳어진. **4** (식품이) 팩〔상자〕에 든.

pácked lúnch 도시락.

páck·er *n*. Ⓒ **1** 짐 꾸리는 사람; 포장업자. **2** 통조림업자〔공〕. **3** 《美》 식료품 포장 출하업자《정육·과일 등을 포장하여 시장에 출하하는 도매업자》: a fruit ~. **4** 포장기〔장치〕.

⁑**pack·et** [pǽkit] *n*. Ⓒ **1** **소포**; (편지 따위의) **한 묶음**, 작은 상자〔갑〕, 작은 다발; 《英》 급료(봉투)(pay ~). SYN. ⇨PACKAGE. ¶a cigarette ~ 담배갑/a ~ *of* biscuits 비스킷 상자/a ~ *of* envelopes 봉투 다발. **2** 우편선, 정기선(~ boat)《우편·여객·화물용》. **3** 〖컴퓨터〗 패킷《컴퓨터 정보〔데이터〕 통신에서 한 번에 전송하는 정보 조작 단위(량)》. **4** 《英구어》 큰돈: cost a ~ 큰돈이 들다/make a ~ 큰돈을 벌다.

pácket bòat 〔**shìp**〕 (정부가 용선 계약한) 우편선; (연안·하천에서 여객·우편물·화물을 나르는 흘수(吃水)가 얕은) 정기선.

páck·hòrse *n*. Ⓒ 짐말, 핫길 말.

páck ìce 군빙(群氷), 총빙(叢氷)(ice pack)《바다의 부빙(浮氷)이 모여 얼어붙은 것》.

páck·ing *n*. Ⓤ **1** 짐꾸리기, 포장; 식료품 포장 출하업《정육·과일 등을 포장하여 시장에 출하하는 도매업》: ~ charges 〔paper〕 포장비〔지〕. **2** 포장용품〔재료〕, (포장용) 충전물, 패킹《삼 부스러기·솜 등》.

pácking bòx 〔**càse**〕 수송용 포장 상자, 《특히》 포장품 위에 씌우는 나무틀.

páck ràt **1** 큰 쥐의 일종《북아메리카산》. **2** 《美구어·비유적》 무엇이든 모아 두는 사람.

páck·sàddle *n*. Ⓒ (보통 가죽제의) 길마.

páck·thrèad *n*. Ⓤ 짐 꾸리는 (노)끈.

°**pact** [pækt] *n*. Ⓒ 계약, 협정, 조약: a peace ~ 평화 조약/a nonaggression ~ 불가침 조약.

pad**[1] [pæd] *n*. Ⓒ **1** (충격·마찰·손상을 막기 위해) **덧대는 것, 메워 넣는 것**, 받침, 패드; (상처에 대는) 거즈, 탈지면《따위》; (흡수성) 패드《생리용구》. **2** 안장 대신 쓰는 방석, 안장 받침; 〖구기〗 가슴받이, 정강이받이《따위》; (옷옷의) 어깨심, 패드《padding이 정식》. **3** 스탬프 패드, 인주. **4** 대(臺); 발착대, 발사대, 헬리콥터 이착륙장; (노면에 박힌) 교통 신호등 제어 장치《차가 그 위를 통과하면 신호가 바뀜》: a launching ~ 로켓〔미사일〕 발사대. **5** (한 장씩 떼어 쓰게 된) **종이철**(綴): a writing ~ 편지지철. **6** (동물의) 육지(肉趾), (여우·토끼 따위의) 발; 발자국. **7** 《美》 (수련 따위의) 부엽(浮葉). **8** 《속어》 (자기가 살고 있는) 방, 하숙, 아파트, 집; (자기) 침대. **9** (자동차의 disc brake의) 패드《마찰로 disc를 조임》. **10** 〖컴퓨터〗 패드《자료 기록란의 불필요한 부분을 빈자리 등으로 채우는 일》. ***knock 〔***hit***〕 ***the*** ~ 《美속어》 잠자리에 들다, 자다. ***on the*** ~ 《美속어》 (경관이) 뇌물을 받고.

—*vt*. (***-dd-***) …에 **덧대다**〔**메우다**〕; 패드를 넣다〔대다〕, (옷 따위)에 솜을 두다, 심을 넣다: ~*ded* field uniform 〖군사〗 (솜을 넣고 누빈) 방한복. ~ ***down*** 《속어》 자다; (총기를 가졌는지) 신체 검사〔보디 체크〕를 하다. ~ ***out*** 《*vt*.+副》 (문장·말 따위)에 채워 넣다《***with*** (불필요한 것)을》; (문장·연설 따위)를 공연히 길게 하다, 불리다《***with*** (군말 따위)로》: The article is ~*ded out with* quotations from magazines. 그 논문은 잡지에서 인용한 것 때문에 불필요하게 길어졌다.

pad[2] *vi*. 발소리내지 않고 걷다(*along*): The dog ~*ded along* beside me. 개는 조용히 내 옆에서 따라왔다.

pád·ded [-id] *a*. 패드를 댄〔넣은〕; 덧댄 것 같은, 푹신한: a ~ bra (유방이 커보이게 하려고) 두껍게 덧댄 브래지어.

pádded céll 다치지 않도록 벽에 완충물(緩衝物)을 댄 정신병자나 죄수의 방.

pád·ding *n*. Ⓤ 채워 넣기, 패드를 댐〔넣음〕, 심을 넣음; 심, (옷옷의) 어깨심, 충전물《헌솜·털·짚 등》; (신문·잡지의) 여백 메우는 기사(filler(s)); (저작·연설 등에서) 불필요한 삽입 어구.

⁑**pad·dle**[1] [pǽdl] *n*. **1** Ⓒ (카누 따위의) **짧고 폭 넓은 노**; 노〔주걱〕 모양의 물건; (세탁용) 방망이; 《美》 (탁구의) 라켓, (패들 테니스의) 패들: a double ~ 양끝에 젓는 부분이 있는 노. **2** Ⓒ (물레방아·외륜선의) 물갈퀴; 〖동물〗 (거북·집오리·펭귄 따위의) 지느러미 모양의 발(flipper). **3** (a ~) 노로 젓기, 한 번 저음: Now, let's have a ~ before we leave for home. 우리 집에 가기 전에 배나 좀 타자. **4** Ⓒ 《美구어》 노 모양의 막대기《체벌용》; (a ~) 철썩 때리기. **5** Ⓒ 〖컴퓨터〗 패들《깜박이(cursor) 조정 장치》.

—*vi*. **1** 노를 젓다; 조용히 젓다. **2** 개헤엄치다.

—*vt*. **1** 노로〔외륜으로〕 움직이게 하다. **2** (보트·카누)를 패들〔노〕로 젓다: He ~*d* the canoe down the river. 그는 카누의 노를 저어 강을 따라 내려갔다. **3** 《美구어》 (체벌로서) 철썩 때리다(spank). ~ ***one's own canoe*** 자립 독행하다.

pad·dle[2] *vi*. 얕은 물속에서 철벅거리(며 놀)다; 《美》 얕은 여울을 첨벙첨벙 건너가다: children *paddling* through the slush 눈 녹은 진창길을 철벅거리며 가는 아이들.

páddle·bòat *n*. Ⓒ 외륜선.

páddle·fìsh *n*. Ⓒ 〖어류〗 주둥이가 주걱같이 생긴 철갑상어《특히 Mississippi 강에 서식하는 것과 중국 양쯔강(揚子江)에 서식하는 것》.

páddle stèamer 외륜선(side-wheeler).

páddle whèel (외륜선의) 외차, 외륜.

páddling pòol 《英》 (공원 등의) 어린이 물놀이터(《美》 wading pool)《얕은 풀》.

pad·dock [pǽdək] *n*. Ⓒ 《美》 (마구간에 딸린) 작은 방목장《말에게 운동을 시키는》; 경마장 부속의 울친 잔디밭《출장마를 선보이는 곳》.

Pad·dy [pǽdi] *n*. 패디《남자 이름; Patrick의 애칭; 여자 이름; Patricia의 애칭》; Ⓒ 《속어; 종종 경멸적》 아일랜드(계) 사람《별명》.

pad·dy[1] [pǽdi] *n*. Ⓤ 쌀, 벼; Ⓒ 논(=~ field): a rice ~ 논.

pad·dy[2] *n*. (a ~) 《英구어》 불쾌함; 격노(激怒): in a ~ (하찮은 일로) 진노하여.

páddy wàgon 《美속어》 (죄수·범인) 호송차(patrol wagon).

pád·lòck *n*. Ⓒ 맹꽁이자물쇠. —*vt*. …에 맹꽁이자물쇠를 잠그다; …을 맹꽁이자물쇠로 채우다《***to*** …에》.

pa·dre [pɑ́:drei, -dri] *n*. (흔히 P-) Ⓒ (스페인·이탈리아 등지의) 신부, 목사; 《구어》 군목(軍牧), 종군 신부(chaplain).

pae·an [pí:ən] *n*. Ⓒ 승리〔감사〕의 노래, 찬가《***to*** …에 바치는》《본디 Apollo에게 바친 노래》.

paed·er·ast [pédəræ̀st, pí:d-] *n*. =PEDERAST.

paed·e·ras·ty [pédəræ̀sti, píːd-] *n.* =PEDERASTY.

pae·di·at·ric [pìːdiǽtrik, pèd-] *a.* =PEDIATRIC.

pae·di·a·tri·cian [pìːdiətríʃən, pèd-] *n.* =PEDIATRICIAN.

pàe·di·át·rics *n.* =PEDIATRICS.

pa·el·la [pɑːéilə, -élə, -éiljə] *n.* Ⓒ (요리는 Ⓤ) 파에야《쌀·고기·어패류·야채 등에 사프란향(香)을 가미한 스페인 요리》.

◇**pa·gan** [péigən] *n.* Ⓒ **1** 이교도(異敎徒)《기독교·유대교·마호메트교의 신자가 아닌 사람》, 《특히》 비기독교도; (고대 그리스·로마의) 다신교도, 우상 숭배자. ⓒⓕ heathen. **2** 신앙(심)이 없는 사람, 무종교자; 쾌락주의자. **—*a.*** 이교(도)의; 우상 숭배의; 무종교(자)의.

Pa·ga·ni·ni [pæ̀gəníːni, pɑ̀ːg-/pæ̀g-; *It.* paganíːni] *n.* **Niccolo** ~ 파가니니《이탈리아의 작곡가·바이올리니스트; 1782-1840》.

pá·gan·ìsm *n.* Ⓤ 이교도임; 이교도의 신앙·관습; 우상 숭배; 이교 사상〔정신〕; 무종교; 관능 예찬.

†**page**[1] [peidʒ] *n.* Ⓒ **1 페이지, 쪽**《생략: p., *pl.* pp.》; (인쇄물의) 한 장: on ~ 5, 5 페이지에/open the book to 〔at〕 ~30 책의 30 페이지를 펼치다/turn the ~*s* 책장을 넘기다. **2** (흔히 *pl.*) **a** (신문 따위의) …난, 면: the sports ~(*s*) 스포츠 난. **b** (책 등의) 한 절(passage): the last ~*s* of the book 그 책의 마지막 부분. **c** 책, 문서: in the ~*s* of history 역사책 속에/in the ~*s* of Shakespeare 셰익스피어의 작품 중에. **3** (인생·일생의) 에피소드, (역사상의) 사건, 시기: a brilliant ~ in his life 그의 생애에서 빛나는 시기. **4** 〖컴퓨터〗 페이지《기억 영역의 한 구획; 그것을 채우는 한 뭉뚱그려진 정보》.
—*vt.* …에 페이지를 매기다. **—*vi.*** 《(+전+명)》 페이지를 휙 훑어보다《***through*** (책 따위)의》: ~ *through* a magazine 잡지를 대충 훑어보다.

page[2] *n.* Ⓒ (제복 입은) 보이(~ boy), 급사; 시동(侍童), 근시(近侍); 〖역사〗 수습 기사(騎士)《기사의 수종 소년》; (신부 들러리 서는) 소년; 《美》 (국회의원의 시중을 드는) 사환 (아이).
—*vt.* (급사가 하는 식으로) 이름을 불러 (아무)를 찾다; (급사에게) 이름을 불러 (아무)를 찾게 하다: *Paging* Mrs. Sylvia Jones. Will Mrs. Sylvia Jones please come to information. 실비아 존스 부인을 찾습니다. 실비아 존스 부인께서는 안내소로 와 주십시오《★ 호텔·백화점 등에서의 사람을 찾는 안내 방송》.

◇**pag·eant** [pǽdʒənt] *n.* **1** Ⓒ (역사적 장면을 표현하는) 야외극, 패전트. **2** Ⓒ (축제 따위의) 화려한 행렬, 가장행렬, 꽃수레; 화려한 구경거리. **3** Ⓤ 장관, 장려함; 허식, 겉치레: pomp and ~ 과시와 허식.

pag·eant·ry [pǽdʒəntri] *n.* Ⓤ 〖집합적〗 화려한 구경거리; 장관; 허세, 허식, 겉치레.

páge bòy 보이, 급사; 시동(侍童).

páge·bòy *n.* Ⓒ 안말이《안쪽으로 말아넣은 여자 머리 모양》; =PAGE BOY.

pag·er [péidʒər] *n.* Ⓒ 무선 호출 신호기.

páge thrée gìrl 《英》 타블로이드판 대중지의 3면에 나오는 풍만한 여성 누드 사진 모델.

páge tùrner 기막히게 재미있는 책.

páge ùp kèy 〖컴퓨터〗 페이지 업 키《일반적으로 커서(cursor)를 정해진 행수만큼 위로 이동하는 키》.

pag·i·nal, pag·i·nary [pǽdʒənl], [-nèri/-nəri] *a.* 페이지의; 페이지로 된; 한 페이지씩의, 페이지마다의: a ~ translation 대역.

pag·i·nate [pǽdʒənèit] *vt.* …에 페이지를 매기다.

pàg·i·ná·tion *n.* Ⓤ 페이지 매김; 〖집합적〗 페이지를 나타내는 숫자; 페이지 수, 매수(枚數); 〖컴퓨터〗 페이지 나누기.

pag·ing [péidʒiŋ] *n.* 〖컴퓨터〗 페이징《필요시 보조 기억 장치에서 주기억 장치로 페이지를 전송하고 불필요해지면 페이지를 되돌리는 기억 관리 방법》.

pa·go·da [pəgóudə] *n.* Ⓒ 탑《불교·힌두교의 여러 층으로 된》; 탑 모양의 정자.

pah [pɑː] *int.* 흥, 체《경멸·불쾌 등을 나타냄》.

paid [peid] PAY의 과거·과거분사. ★ pay out ((로프 따위를) 풀어내다)의 경우에만 과거형을 payed로 씀. **—*a.*** **1** 유급의; 고용된(hired); 유료의: a ~ vacation 유급 휴가/highly-~ 높은 급료를 받는. **2** 지급〔정산, 환금〕을 끝낸(*up*).
put ~ to 《英구어》 …의 끝장을 내다; (계획 등)을 틀어지게 하다, 좌절시키다《…에 '지급필(paid)의 도장을 찍다'의 뜻에서》.

páid-úp *a.* (회원이) 회비〔입회금 등〕 납입을 끝낸: ~ insurance 납입필 보험.

***pail** [peil] *n.* Ⓒ **1** (손잡이 달린) **들통, 버킷. 2** 한 들통(의 양). ⓜ **∠·fùl** [-fùl] *n.* Ⓒ 한 들통(가득한 양): a ~*ful* of water 물 한 들통.

pail·lasse [pæljǽs, ∠-] *n.* Ⓒ 짚을 넣은 요.

⁑**pain** [pein] *n.* **1 a** Ⓤ (신체적) **아픔, 고통**: Do you feel any 〔much〕 ~? 좀〔몹시〕 아픕니까/Where is the ~? 어디가 아픕니까. **b** Ⓒ (국부적인) 통증, 아픔: have a ~ in one's leg 다리가 아프다/a ~ in the back 등의 통증/I have a slight ~ in the stomach. 배가 약간 아프다/What's the problem?—I feel a sharp ~ in my chest. (병원에서) 어디가 아프신가요—가슴이 찌르듯이 아파요.

> SYN. **pain** 갑자기 오는 쑤시는 듯한 아픔: a *pain* in one's ankle 발목의 쑤시는 듯한 아픔. **ache** 오래 계속되는 예리한 또는 둔한 아픔: head*ache* 두통. muscular *aches* 근육통. **agony** 장시간 계속되는 참기 어려운 괴로움, 고민: in *agony* from a wound 상처 때문에 괴로워하여. the *agony* of death 죽음의 괴로움. **anguish** 심신의 격심한 고통, 절망적 기분을 수반할 때가 많음. 고뇌.

2 Ⓤ (정신적) **고통**, 고뇌; **괴로움**, 비탄; 근심: the ~ of parting 이별의 쓰라림/cause 〔give〕 a person ~ 아무를 괴롭히다. **3** (보통 *pl.*) **노력, 노고**, 고심; 수고: No ~*s*, no gains. 《속담》 수고가 없으면 이득도 없다《현재는 No ~, no gain. 꼴이 많음》. SYN. ⇨EXERTION. **4** (*pl.*) 산고(產苦), 진통. **5** (a ~) 《구어》 싫은 것〔일, 사람〕, 골칫거리; 불쾌감: You're a ~! 넌 골칫거리야.
a ~ in the neck 《구어》 =***a ~ in the ass*** 〔***arse***〕 《속어》 싫은〔지겨운〕 녀석〔것〕, 눈엣가시, 두통거리: give a person *a ~ in the neck* 아무를 지겹게 하다/Don't be *a ~ in the neck*. 짜증나게 하지 마. ***be at ~s to*** do =***be at the ~s of*** doing …하려고 고심하다, 애써서 …하다: I *was at* great ~*s to* do the work well. 그 일을 잘 하려고 무진 애를 썼다. ***for*** one's ***~s*** ① 수고값으로, 수고한 대가로: He was well rewarded *for* his ~*s*. 그는 수고한 대가로 좋은 보수를 받았다. ② 〖반어적〗 애쓴 보람 없이: be a fool *for* one's

~s ⇨ FOOL[1]. **in ~** 아파서, 고통스러워서. **on** 〔**upon, under**〕 **~ of** 위반하면 반드시 …의 처벌을 받게 된다는 조건으로: It was forbidden *on ~ of* death. 그 금지된 법을 어긴 자는 사형에 처해졌다. **spare no ~s to** do 수고를 아끼지 않고 …하다: *No ~s* have been *spared to* ensure accuracy. 정확성을 기하기 위해 온갖 노력을 했다. **take** (**much**) **~s** 수고하다, 애쓰다.

—*vt*. …을 **괴롭히다**, …에 고통을 주다; …을 걱정〔근심〕시키다, 비탄에 잠기게 하다: Do your teeth ~ you? 이가 아프십니까/My finger *~s* me. 손가락이 아프다/Your betrayal *~ed* him. 너의 배반은 그를 괴롭혔다. **—***vi*. 아프다, 괴로워하다: My wound is *~ing*. 내 상처가 아프다.

pained *a*. 화난, 기분 나쁜; 마음 아픈; 감정이 상한; 괴로워하는: a ~ expression 화난 표정/He looks ~. 그는 기분 나쁜 얼굴을 하고 있다.

⁑pain·ful [péinfəl] *a*. **1 a 아픈**: a ~ wound 아픈 상처/My tooth is still ~. 이가 아직도 아프다. **b** 아프게 하는: These shoes are ~. 이 구두는 (발에 닿아서) 아프다. **2 괴로운**, 쓰라린; 고생스러운, 힘드는《**to** (아무)에게》: a ~ experience 괴로운〔쓰라린〕 경험/The news was ~ *to* her. 그 소식은 그녀에게 쓰라린 것이었다. **3 애처로운**, 가슴아픈, 불쌍한: a ~ life 애처로운 생애/avoid a ~ topic 가슴 아픈 화제를 피하다. ㊞ ***~·ly** *ad*. **고통스럽게**; 고생해서; 애써; 진력나서, 지겹게; 아픈〔괴로운〕 듯이. **~·ness** *n*.

páin·kìller *n*. Ⓒ 진통제.

páin·less *a*. 아프지 않은, 무통의; 《구어》 힘 안 드는, 쉬운: ~ childbirth 무통 분만. ㊞ **~·ly** *ad*. 고통 없이.

***pains·tak·ing** [péinztèikiŋ, péins-] *a*. **1** 수고를 아끼지 않는, 근면한, 성실한: a ~ student 근면한 학생/He's ~ with his work. 그는 그의 일에 성실하다. **2** (일 · 작품 따위에) **정성을 들이는**, 공들인; 힘드는, 고심한: with ~ care 정성을 들여/a ~ work 고심한 작품/a ~ task 힘드는 일. ㊞ **~·ly** *ad*.

†paint [peint] *n*. **1** Ⓤ (종류는 Ⓒ) **a 페인트**, 도료: give the doors two coats of ~ 문에 페인트를 두 번 칠하다/Wet 〔《英》 Fresh〕 ~! 칠 주의 《게시》. **b 그림물감**, 채료: oil ~ 유화물감. **2** Ⓤ 화장품; 《종종 경멸적》 《입술》 연지.

—*vt*. **1** 《~+목/+목+보》 …에 **페인트를 칠하다**; …을 페인트로 그리다; (색으로) 칠하다: ~ graffiti on walls 담벽에 페인트로 낙서하다/~ a gate green 대문을 초록색으로 칠하다. **2** 《~+목/+목+전+명》 **그리다**《**in** …으로》: ~ a picture 〔a still life〕 그림을〔정물화를〕 그리다/~ a landscape *in* oils 〔watercolors〕 풍경을 유화〔수채화〕로 그리다. ★ 선으로 그리는 것은 draw. **3** 《~+목+목》 …에게 (그림)을 그려 주다: She *~ed* me a picture. 그녀는 나에게 그림을 그려 주었다. **4** 《우스개 · 고어》 (입술 · 손톱 등)에 화장품을 바르다, (얼굴)에 화장하다: ~ oneself thick 짙게 화장하다. **5** (생생하게) 묘사〔서술〕하다; 표현하다: ~ a gloomy 〔vivid〕 picture of …을 비관적으로〔생생하게〕 묘사하다.

—*vi*. **1** 페인트로 칠하다. **2** 《~/+전+명》 그림을 그리다《**in** …으로》: ~ *in* oils 〔watercolors〕 유화〔수채화〕로 그리다.

~ a person **black** 아무를 나쁘게 말하다: He's not so 〔as〕 *black* as he's *~ed*. 그는 평판만큼 나쁜 사람이 아니다. **~ from life** 사생하다. **~ it red** 《美》 선정적으로 기사를 쓰다. **~ out** 《*vt*.+부》 …을 페인트로 칠하여 지우다. **~ the town** 〔**city**〕 (**red**) 《구어》 (바 등을 돌며) 술을 진탕 마시며 법석을 떨다.

páint·bòx *n*. Ⓒ 그림물감 상자.

páint·brùsh *n*. Ⓒ 화필(畫筆), 그림 붓; 페인트솔.

⁑paint·er[1] [péintər] *n*. Ⓒ **1 화가**(artist): a lady ~ 여류 화가. **2 페인트공**, 칠장이, 도장공.

paint·er[2] *n*. Ⓒ 〖해사〗 배를 매는 밧줄.

⁑paint·ing [péintiŋ] *n*. **1** Ⓒ (한 장의) **그림**, 회화; 유화, 수채화. SYN. ⇨PICTURE. **2** Ⓤ 그림그리기; 화법. **3** Ⓤ **채색**, 착색; 도장(塗裝), 페인트칠: blast ~ 분무 도장. **4** Ⓤ (도자기에) 그림 그려 넣기.

páint ròller (자루 달린) 페인트 롤러.

páint·wòrk *n*. Ⓤ (자동차 등의) 도장 부분(의 도료).

†pair [pɛər] (*pl*. **~s,** 《구어》 ~) *n*. Ⓒ **1 한 쌍**, (두 개로 된) **한 벌**《**of** …의》《★ a ~ of는 단수취급》: a ~ *of* shoes 〔gloves, oars, socks〕 구두 한 켤레〔장갑 한 켤레, 노 한 벌, 양말 한 켤레〕/this ~ (*of* shoes) 이 한 켤레(의 신)/A ~ *of* gloves is a nice present. 장갑은 멋진 선물이다/three ~(s) *of* shoes 구두 세 켤레《★ 요즈음은 보통 s를 붙임》.

SYN. **pair** 한 쪽이 없으면 딴 쪽은 소용이 없는 상관관계에 있는 한 쌍. **couple** 상관관계가 없는 같은 종류의 두 개: a *couple* of apples 사과 두 개.

2 (대응하는 두 부분으로 되어 가를 수 없는 것의) 하나, 한 개, (바지) 한 벌, 한 자루《**of** …의》《★ a ~ of는 단수취급》: a ~ *of* scissors 가위 한 자루/three ~(s) *of* glasses 안경 세 개/a clean ~ *of* trousers 깨끗한 바지 한 벌. **3** 〖단 · 복수취급〗 **a 한 쌍의 남녀**, 《특히》 **부부**, 약혼 중의 남녀: the happy ~ 신랑 신부. **b** 두 사람 일행, 2인조(二人組): A ~ (*of* thieves) was 〔were〕 planning to rob the bank. 2인조(의 강도)가 은행을 털려고 계획하고 있었다. **c** 〖경기〗 페어, 두 사람 한 조. **d** (동물의) 한 쌍; (한 곳에 맨) 두 필의 말: a carriage and ~ 쌍두마차. **4** 〖카드놀이〗 동점의 카드 두 장 갖춤. **5** (짝진 것의) 한 짝: Where is the ~ to this sock? 이 양말 한 짝이 어디 있지. ***I have only*** (***got***) ***one ~ of hands.*** 손은 둘뿐이오《'너무 많은 일을 맡기지 마시오'의 뜻》. **in ~s,** 2개〔2명〕 1조로 된, 짝을 지어.

—*vt*. **1** 한 쌍으로 하다: *~ed* fins 한 쌍의 지느러미/*Pair* these socks, please. 이 양말의 짝을 맞춰 주시오. **2** 《+목+전+명》 짝지어주다《**with** …와》: I was *~ed with* Tom. 나는 톰과 짝지어졌다. **—***vi*. (물건이) 한 짝이 되다; 짝짓다: Those two will ~ well. 저 두 사람은 좋은 부부가 될 것이다. **~ off** 〔**up**〕 《*vi*.+부》 ① 남녀 한 쌍이 되다; 짝이 되다《**with** …와》: The dancers *~ed off*. 무희들은 두 사람이〔남녀〕 한 쌍이 되었다. **—**《*vt*.+부》 ② (아무)를 남녀 한 쌍으로 하다; 짝이 되게 하다《**with** …와》: I hope to be *~ed up with* her. 나는 그녀와 짝을 이루고 싶다.

pai·sa [paisɑ́ː] (*pl*. **-se** [-séi], **~, ~s**) *n*. Ⓒ 인도 · 네팔 · 파키스탄의 화폐 단위《100분의 1 rupee》; 방글라데시의 화폐 단위《100분의 1 taka》.

pais·ley [péizli] *n*. (때로 P-) Ⓤ 페이즐리 천《부드러운 모직물》; 페이즐리 무늬《다채롭고 섬세한 곡선 무늬》. **—***a*. 페이즐리 천으로 만든;

페이즐리 무늬의.

pa·ja·ma [pədʒɑ́mə, -dʒǽmə] *a.* 파자마의, 파자마 차림의, 파자마 비슷한.

‡**pa·ja·mas,** 《英》 **py·ja·mas** [pədʒɑ́:məz, -dʒǽməz] *n. pl.* **파자마**, 잠옷《★ 윗옷은 jacket, top; 바지는 bottoms, trousers, pants 라고 함》: a suit (pair) of ~ 파자마 한 벌/in ~ 파자마 차림으로.

Paki, Pak·ki, Pak·ky [pǽki] *n.* Ⓒ 《英속어 · 경멸적》 (영국에 이주한) 파키스탄 사람(Pakistani).

Pa·ki·stan [pɑ̀:kistɑ́:n, pǽkistæ̀n] *n.* 파키스탄《공식 명칭은 the Islamic Republic of ~ 파키스탄 회교 공화국; 수도는 Islamabad》.

Pa·ki·sta·ni [pɑ̀:kistɑ́:ni, pæ̀kistǽni] (*pl.* ~, ~*s*) *n.* Ⓒ 파키스탄 사람. —*a.* 파키스탄(사람)의.

***pal** [pæl] 《구어》 *n.* **1** Ⓒ **동아리, 단짝, 친구**; 동료: a pen ~ 펜팔. **2** 《호칭》 여보게, 자네; 너. SYN. ⇨FRIEND. —(*-ll-*) *vi.* 《+부/+전+명》 친구로서 사귀다; 친해지다, 한패가 되다(*up*)《*with* …와》: I ~*led up with* another hiker. 다른 도보 여행자와 동료가 되었다.

PAL 〖컴퓨터〗 peripheral availability list《이용 가능한 주변 장치의 리스트》; phase alternation line《팔 방식; 독일에서 개발하여, 독일 · 영국 · 네덜란드 · 스위스에서 채용된 컬러텔레비전 방식》. **Pal.** Palestine.

‡**pal·ace** [pǽlis, -əs] *n.* **1** Ⓒ (흔히 P-) **a 궁전**, 왕궁, 궁궐: ⇨BUCKINGHAM PALACE. **b** (고관 · bishop 등의) 관저, 공관; 대저택. **2** Ⓒ (종종 P-) (오락장 · 요정 · 식당 따위의) 호화판 건물; 전당. **3** (the P-) 《英》〖집합적〗 궁정의 유력자들, 측근. —*a.* Ⓐ 궁전의; 측근의: a ~ garden/a ~ revolution 측근 혁명.

palae-, palaeo- ⇨PALE-.

pa·lais [pǽlei] (*pl.* ~ [-leiz], ~*es* [-leiz]) *n.* 《F.》 Ⓒ 《구어》 넓고 호화로운 댄스 홀(=~ ***de danse***).

pal·an·keen, -quin [pæ̀lənkí:n] *n.* Ⓒ (중국 · 인도의) 1 인승 가마; 탈것.

pal·at·a·ble [pǽlətəbəl] *a.* **1** (음식 등이) 입에 맞는, 맛난, 풍미 좋은. **2** 기분 좋은, 취향에 맞는; 바람직한, 마음에 드는. ㊎ **-bly** *ad.* **pàl·at·a·bíl·i·ty,** ~**·ness** *n.*

pal·a·tal [pǽlətl] *a.* 〖음성〗 구개(음)의. —*n.* Ⓒ 〖음성〗 구개음《[j, ç] 따위》.

pal·a·tal·ize [pǽlətəlàiz] *vt.* 〖음성〗 구개음으로 발음하다, 구개(음)화하다《[k]를 [ç], [tʃ]로 발음하는 따위》. ㊎ **pàl·a·tal·i·zá·tion** *n.*

pal·ate [pǽlit] *n.* **1** Ⓒ 〖해부〗 구개, 입천장: the hard (soft) ~ 경(硬)(연(軟))구개. **2** Ⓒ (보통 *sing.*) **a** 미각《*for* (음식)에 대한》: have a good ~ *for* coffee 커피의 깊은 맛을 알다. **b** (정신적인) 기호, 취향; 심미안: suit one's ~ 취향에 맞다.

pa·la·tial [pəléiʃəl] *a.* 궁전의, (건물이) 대궐 같은; 호화로운; 광대한(magnificent), 웅장한, 장려(壯麗)한. ㊎ ~**·ly** *ad.* ~**·ness** *n.*

pal·a·tine [pǽlətàin, -tin] *n.* **1** (P-) Ⓒ 팔라틴 백작(count (earl) ~)《자기 영토 안에서 왕권의 일부를 행사할 수 있었던 중세의 영주》. **2** (the P-) =PALATINE HILL.

Pálatine Híll (the ~) 팔라틴 언덕《the Seven Hills of Rome 의 중심으로서 로마 황제가 최초로 궁전을 세운 곳》.

pa·lav·er [pəlǽvər, -lɑ́:vər] *n.* Ⓤ **1** 수다, 잡담; 아첨, 겉치레말. **2** 《속어》 일, 용무. **3** 헛소동, 대소동. —*vi.* 재잘거리다; 아첨하다; 감언으로 속이다.

‡**pale**[1] [peil] *a.* **1** (얼굴이) **핼쑥한, 창백한**: You look ~. 안색이 좋지 않습니다/She went (turned) ~ at the news. 그 소식을 듣고 그녀는 창백해졌다. **2** (빛깔 따위가) **엷은**: a ~ yellow 담황색/~ ale 《英》 알코올 함유량이 적은 맥주/~ wine 백포도주. **3** (빛이) **어슴푸레한**, 희미한: in the ~ moonlight 어슴푸레한 달빛을 받고. **4** 가냘픈, 약한, 힘 없는: a ~ protest 박력 없는 항의. ◇ pallor *n.*

—*vi.* **1** 《~/+전+명》 파래지다; 창백해지다《***at*** …을 보고(듣고)》: Her face ~*d at* the sight (news). 그녀의 얼굴은 그 광경을 보고(소식을 듣고) 창백해졌다. **2** 희미해지다; 어슴푸레해지다. **3** 못해 보이다: This ~*s* in (by) comparison with that. 이것은 저것과 비교해 보면 못해 보인다. —*vt.* 창백하게 하다; 희미하게 하다; 어슴푸레하게 하다.

~ ***before*** (***beside***) …앞에 무색해지다, …보다 못해 보이다: My poetry ~*s beside* (*before*) his. 내 시는 그의 시에 견주면 무색할 정도이다. ~ ***into insignificance*** 존재(의의)가 희미해지다.

㊎ ~**·ly** *ad.* ~**·ness** *n.*

pale[2] *n.* **1** Ⓒ (끝이 뾰족한) 말뚝《우리를 만듦》. **2** (the ~) 경계(boundary), 범위: within (outside) the ~ of …의 범위 내(외)에서. **3** Ⓒ 〖문장(紋章)〗 방패 복판의 세로줄. ***beyond the*** ~ (사람 · 언동이) 사회의 정상적인 궤도를 벗어나서, 온당치 못하여.

pa·le-, pa·lae- [péili, pǽli/pǽli, péili], **pa·le·o-, pa·lae·o-** [péiliou, -liə, pǽl-/pǽl-, péil-] '고(古), 구(舊), 원시'라는 뜻의 결합사.

pále·fàce *n.* Ⓒ 《속어》 백인《본래 북아메리카 원주민이 백인을 이른 말》.

paleo- ⇨PALE-.

pa·le·o·cene [péiliəsì:n, pǽl-] *a.* 〖지질〗 팔레오세(世)의《6500 만년에서 5500 만년 전까지의 시기》. —*n.* (the ~) 팔레오세.

pa·le·og·ra·phy [pèiliɑ́grəfi, pæ̀l-/-ɔ́g-] *n.* Ⓤ 고(古)문서(학); 고서체. ㊎ **-pher** *n.* Ⓒ 고문서 학자. **pa·le·o·graph·ic, -i·cal** [pèiliəgrǽfik, pæ̀l-], [-ikəl] *a.* 고문서(학)의.

Pa·le·o·lith·ic [pèiliəlíθik, pæ̀l-] *a.* 〖고고학〗 구석기 시대의. cf. Neolithic. ¶ the *Paleolithic* era 구석기 시대.

pa·le·on·tol·o·gy [pèiliəntɑ́lədʒi, pæ̀l-/-tɔ́l-] *n.* Ⓤ 고생물학; 화석학. ㊎ **-gist** *n.*

Pa·le·o·zo·ic [pèiliəzóuik, pæ̀l-] *a.* 〖지질〗 고생대(古生代)의. —*n.* (the ~) 고생대(층).

Pa·ler·mo [pələ́:rmou] *n.* 팔레르모《이탈리아 남부 Sicily 섬의 중심 도시 겸 해항》.

Pal·es·tine [pǽləstàin] *n.* 팔레스타인《지중해 동쪽의 옛 국가; 1948 년 이후 Israel 과 아랍 지구로 나뉨》. ㊎ **Pal·es·tin·i·an** [pæ̀ləstíniən, -njən] *a., n.* Ⓒ 팔레스타인 (사람)의; 팔레스타인 해방주의의; 팔레스타인 해방주의자.

Pálestine Liberátion Organizátion (the ~) 팔레스타인 해방 기구《1964 년 창설; 생략: PLO》.

pal·ette [pǽlit] *n.* Ⓒ **1** 팔레트, 조색판(調色板); 팔레트의 채료, (한 벌의) 그림물감. **2** (어느 화가 · 그림의) 독특한 색채(물감의 배합).

pálette knìfe 팔레트 나이프.

Pa·li [pá:li] *n.* Ⓤ 팔리어《Sanskrit와 같은 계통의 언어로서 불교 원전에 쓰임》.

pal·i·mo·ny [pǽləmòuni] *n.* Ⓒ《美》(동서(同棲)하다가 헤어진 여성에게 내는) 위자료, 별거 수당. [◂ *pal*+ali*mony*]

pal·imp·sest [pǽləmpsèst] *n.* Ⓒ 거듭 쓴 양피지의 사본《씌어 있던 글자를 지우고 그 위에 다시 쓴 것》; 뒷면에도 글자를 새긴 황동(黃銅) 기념표.

pal·in·drome [pǽləndròum] *n.* Ⓒ 회문(回文)《역순으로 읽어도 같은 말이 되는 말: eye; madam》.

pal·ing [péiliŋ] *n.* **1** Ⓤ 〖집합적〗 둘러 박은 말뚝; Ⓒ 말뚝. **2** (*pl.*) (말뚝을 박아 만든) 울짱, 울타리.

pal·i·sade [pæ̀ləséid] *n.* **1** Ⓒ (방위를 위한) 울타리, (대나무) 울짱. **2** (*pl.*) (강가의) 벼랑; (the P–s) 미국 Hudson 강 서안의 암벽. **—***vt.* …에 울타리를 치다〔두르다〕.

pal·ish [péiliʃ] *a.* 좀 창백한, 파리한.

pall[1] [pɔ:l] *n.* **1** Ⓒ 관〔영구차, 무덤(등)〕을 덮는 보《보통 검정·자주 또는 흰색의 벨벳》;《美》(특히 시신을 담은) 관; 〖가톨릭〗 성배(聖杯)보〔덮개〕. **2** (a ~) (음침한) 휘장, 장막: a ~ of darkness 어둠의 장막/throw 〔cast〕 a ~ over …에 암영(暗影)을 드리우다. **—***vt.* …에 관뚜껑을 덮다; …을 덮다.

pall[2] *vi.* 시시해지다, 흥미가 없어지다《***on, upon*** (아무)에게》: The lengthy lecture *~ed upon* me. 강연이 길어 흥미를 잃었다.

Pal·la·di·an [pəléidiən, -lá:-] *a.* 〖건축〗 팔라디오(양식)의《이탈리아의 건축가 A. Palladio (1508–80) 이름에서》.

Pal·la·di·um [pəléidiəm] (*pl.* **-dia** [-diə], **~s**) *n.* **1** Ⓒ Pallas 여신상《특히 Troy 의》. **2** (p–) Ⓤ (구체적으로는 Ⓒ) 수호; 보장.

pal·la·di·um [pəléidiəm] *n.* Ⓤ 〖화학〗 팔라듐《금속 원소; 기호 Pd; 번호 46》.

Pal·las [pǽləs] *n.* 〖그리스신화〗 팔라스《Athena 여신의 이름; 지혜·공예의 여신》.

páll·bèarer *n.* Ⓒ 관 곁에 따르는 사람; 운구(運柩)하는 사람.

pal·let[1] [pǽlit] *n.* Ⓒ 짚 요; 초라한 침상.

pal·let[2] *n.* Ⓒ **1** (도공(陶工)의) 주걱; 〖기계〗 (톱니바퀴의) 미늘, 바퀴 멈추개(pawl). **2** (창고 등의 지게차용) 화물의 깔판; =PALETTE 1; (오르간의) 공기 조절판(瓣).

pal·liasse [pæljǽs, ⌐–] *n.* =PAILLASSE.

pal·li·ate [pǽlièit] *vt.* **1** (병세·통증 따위)를 잠시 누그러지게 하다, 편하게 하다, 완화하다. **2** (과실·죄 따위)를 가볍게 하다, 참작하다. ㊞ **pàl·li·á·tion** *n.* **pál·li·à·tor** [-tər] *n.* =PALLIATIVE.

pal·li·a·tive [pǽlièitiv, -liə-] *a.* **1** (치료하지 않고) 고통을 완화〔경감〕하는: a ~ medicine 고통 일시 완화제. **2** 변명이 되는, 고식적인; 정상을 참작할 만한. **—***n.* Ⓒ **1** (일시적) 완화물〔제(劑)〕《***for*** …에 대한》. **2** 변명; 참작할 만한 사정; 고식책(姑息策)《***for*** …에 대한》. ㊞ **~·ly** *ad.*

pálliative cáre ùnit 《Can.》 말기 환자 병동《생략: PCU》.

°**pal·lid** [pǽlid] (**~·er; ~·est**) *a.* 윤기〔핏기〕 없는《얼굴 따위》; (병으로) 핼쑥한, 창백한; 활기 없는. ㊞ **~·ly** *ad.* **~·ness** *n.*

Pall Mall [pǽlmǽl, pélmél] 펠멜가(街)《런던의 클럽 중심지》; 영국 육군성《본디 Pall Mall 가(街)에 있었음》.

°**pal·lor** [pǽlər] *n.* Ⓤ (또는 a ~) (얼굴·피부의) 창백(paleness).

pal·ly [pǽli] (**-li·er; -li·est**) *a.* Ⓟ《구어》 친한, 사이좋은《***with*** …와》: I'm ~ *with* him. 나는 그와 친하다.

***palm**[1] [pa:m] *n.* Ⓒ **1** 손바닥: read a person's ~ 아무의 손금을 보다. **2 a** 손바닥의 폭을 기준으로 한 길이의 단위; 7.5–10cm《handbreadth라고도 함》. **b** 손목에서 손가락까지의 길이를 기준으로 한 척도; 17.5–25cm. **3** 손바닥 모양의 물건〔부분〕; 장갑의 손바닥; 노의 편평한 부분; 스키의 안쪽 바닥.

cross a person***'s*** ~ (***with silver***) 아무에게 뇌물을 살며시 쥐어주다. ***grease*** 〔***oil***〕 a person***'s*** ~ 아무에게 뇌물을 주다, 코밑에 진상하다, 매수하다. ***have an itching*** ~《구어》 뇌물을 탐내다, 욕심이 많다. ***hold*** 〔***have***〕 a person ***in the*** ~ ***of*** one***'s hand*** 아무를 손에 넣고 주무르다, 장악하다, 좌지우지하다. ***in the*** ~ ***of*** a person***'s hand*** 아무에게 지배〔장악〕되어, 좌지우지되어.

—*vt.* **1** 손바닥으로 쓰다듬다, 손에 쥐다, 손으로 다루다. **2** (손 안에) 감추다《요술 따위에서》; (물건)을 슬쩍 훔치다: ~ a card 카드를 손 안에 감추다.

~ ***off*** 《*vt.*+㊀》 ① 속여 안기다《***on, upon*** (아무)에게; ***with*** (가짜 물건)을》: He *~ed off* the painting (as a real Picasso) *on* the shopkeeper. 그는 가짜 그림을 (피카소의 진짜 그림처럼 속여) 가게 주인에게 떠안겼다/He *~ed* me *off with* an old word processor. 그는 나를 속여 낡은 워드프로세서를 사게 했다. ② (사람)을 내쫓다《***with*** (거짓말·핑계)를 하여》.

°**palm**[2] *n.* Ⓒ **1** 〖식물〗 야자, 종려, 야자과의 식물: the date ~ 대추야자/the coconut ~ 코코야자. **2** 종려의 잎〔가지〕《승리의 상징》. ***bear*** 〔***carry off***〕 ***the*** ~ 우승하다, 승리자가 되다.

pal·mar [pǽlmər, pá:*l*-] *a.* 손바닥의.

pal·mate, -mat·ed [pǽlmeit, -mit, pá:*l*-], [-meitid] *a.* 〖식물〗 (잎이) 손바닥 모양의; 〖동물〗 물갈퀴가 있는. ㊞ **-mate·ly** *ad.*

Pálm Béach 팜비치《미국 Florida주 동남 해안의 관광지》.

pal·met·to [pælmétou] (*pl.* **~(e)s**) *n.* Ⓒ 〖식물〗 야자과의 일종《북아메리카 남부산》.

palm·ist [pá:mist] *n.* Ⓒ 수상가(手相家), 손금쟁이.

pálm·is·try [pá:mistri] *n.* Ⓤ 손금보기, 수상술; 《우스개》 (소매치기의 교묘한) 손재주; 요술.

pálm lèaf 종려 잎《모자·부채 등의 재료》.

pálm òil 야자 기름; 《속어》 회뢰(bribe).

Pálm Súnday 〖기독교〗 종려 주일《부활절 직전 일요일; 예수가 예루살렘에 들어간 기념일》.

pálm trèe =PALM[2] 1.

palmy [pá:mi] (**palm·i·er; -i·est**) *a.* **1** 야자의〔같은〕; 야자가 무성한. **2** 번영하는; 의기양양한: one's ~ days (아무의) 전성 시대/~ state 황금시대.

Pal·o·mar [pǽləmà:r] *n.* (Mt.~) 팔로마산《미국 California주 남부의 산; 산정에 200 인치 반사 망원경을 갖춘 헤일(Hale) 천문대가 있음》.

pal·o·mi·no [pæ̀ləmí:nou] (*pl.* **~s**) *n.* (때로 P–) Ⓒ 갈기와 꼬리가 흰 담갈색 말《미국 남서부산(産)》.

pal·pa·ble [pǽlpəbəl] *a.* 손으로 만질 수 있는; 매우 뚜렷한, 명백한, 곧 알 수 있는; 〖의학〗

P

촉진(觸診)할 수 있는. ⊞ **-bly** *ad.* **pàl·pa·bíl·i·ty** *n.* Ⓤ 명백함; 감지할 수 있음.

pal·pate [pǽlpeit] *vt.* 손으로 만져 보다; 〖의학〗 촉진(觸診)하다.

pal·pá·tion *n.* Ⓤ (구체적으로는 Ⓒ) 촉지(觸知); 〖의학〗 촉진.

pal·pi·tate [pǽlpətèit] *vi.* **1** 심장이 뛰다(throb), 고동하다; (가슴이) 두근거리다: My heart was *palpitating* wildly. 가슴이 몹시 두근거리고 있었다. **2** (몸이) 떨리다《**with** …으로》: She was *palpitating with* excitement 〔fear〕. 그녀는 흥분〔두려움〕으로 몸이 떨렸다.

pàl·pi·tá·tion *n.* **1** Ⓤ (심장의) 고동. **2** (*pl.*) 동계(動悸), 가슴이 두근거림; 떨림: The thought gives me ~*s*. 생각만 해도 가슴이 두근거린다.

pal·sied [pɔ́ːlzid] *a.* 마비된, 중풍에 걸린.

pal·sy [pɔ́ːlzi] *n.* Ⓤ 중풍, 마비 (상태): cerebral ~ 뇌성(소아)마비.

pal·sy-wal·sy [pǽlziwǽlzi] *a.* 《속어》 자못 친밀한 듯한《태도 등》, 사이좋은《**with** …와》.

pal·ter [pɔ́ːltər] *vi.* **1** 속이다, 말끝을 흐리다〔얼버무리다〕(equivocate); 어름어름 넘기다《**with** …을》: Don't ~ *with* serious matters. 중요한 문제를 경시하지 마라. **2** 값을 깎다, 흥정하다《**with** …와; **about** …에 대하여》: ~ *with* a person *about* a price 아무와 흥정하여 값을 깎다.

pal·try [pɔ́ːltri] (**-tri·er; -tri·est**) *a.* **1** 하찮은, 지질한, 무가치한(petty): a ~ excuse 하찮은 변명/a ~ trick 쓸모없는 술책. **2** 얼마 안 되는《금액 따위》: a ~ sum.

Pa·mirs [pəmíərz, pɑː-] *n.* (the ~) 파미르 고원《중앙 아시아 소재; 세계의 지붕이라 함》.

pam·pas [pǽmpəz, -pəs] *n. pl.* (the ~) 팜파스, 대초원《남아메리카, 특히 아르헨티나의 나무가 없는》.

pámpas gràss [pǽmpəs-] 〖식물〗 팜파스초(草)《남아메리카 원산의 참억새 비슷한 풀》.

pam·per [pǽmpər] *vt.* **1** (아무)에게 하고 싶은 대로 하게 하다, (아무)를 어하다. **2** 〖~ one-self〗 제멋대로 굴다. **3** (욕망 등)을 충족시키다, 만족시키다. ⊞ **~ed** *a.* 응석받이로 자란, 제멋대로 하는, 방자한.

***pam·phlet** [pǽmflit] *n.* Ⓒ **1** (가철한) 팸플릿, 작은 책자. **2** 시사 논문〔논평〕, 소논문.

pam·phlet·eer [pæ̀mflitíər] *n.* Ⓒ 팸플릿 저자; 격문의 필자.

Pan [pæn] *n.* 〖그리스신화〗 판신(神), 목양신(牧羊神)《목동·산야의 신; 염소 뿔과 염소 다리를 가졌으며 피리를 붊; 로마 신화의 Silvanus 에 해당》.

****pan**[1] [pæn] *n.* Ⓒ **1** 〖보통 복합어를 이루어〗 납작한 냄비: a frying ~ 프라이팬/a stew ~ 스튜 냄비. **2** 납작한 냄비 모양의 것: ⇨ BEDPAN, DUSTPAN, WARMING PAN. **3** 접시 모양의 것, 오븐용 접시; (천칭의) 접시; 증발 접시; (사금 따위) 선광용 냄비; (구식총의) 약실. **4** (접시 모양으로) 움푹 팬 땅, 소택지(沼澤地), 염전(塩田). **5** 《美속어》 얼굴, 상판때기. **6** (무른 땅 아래 있는) 경반(硬盤)(hardpan). **7** 《英》 변기: a lavatory ~ 변기. **8** 《美구어》 혹평(酷評).

(**go**) **down the ~** 《英속어》 못쓰게 (되다), 쓸모없게 (되다). **leap** 〔**fall**〕 **out of the ~ into the fire** 작은 난(難)을 피하고 큰 난을 만나다. **pots and ~s** 취사 도구.

── (**-nn-**) *vt.* **1** 《~+목/+목+전+명》 〖광산〗 (흙·모래)를 냄비로 일다《**for** …을 얻으려고》: ~ the surface dirt *for* gold 표면토(土)를 일어 금을 채취하다. **2** (사금)을 가려내다: ~ gold 금을 물에 일다. **3** 《美》 냄비로 요리하다; 졸여서 …의 엑스를 뽑다. **4** 《구어》 (예술 작품 따위)를 혹평하다, 호되게 공격하다〔꾸짖다〕. ── *vi.* **1** 《+부》 사금이 나다(*out*): The bed ~*ned out* handsomely. 광상(鑛床)에서 사금이 담뿍 나왔다. **2** 《+전+명》 토사를 선광 냄비로 일구다《**for** (사금)을 얻으려고》.

~ off 《*vt.*+부》 =~ out ①, ②. **~ out** 《*vt.*+부》 ① (토사 등)을 선광(選鑛) 냄비로 일구다. ② (사금)을 가려내다. ─《*vi.*+부》 ③ 금을 내다. ④ 〖보통 부정·의문문에서〗 (일이) 잘 되어가다, 전개되다: Things did*n't* ~ *out* as we had expected. 일이 예상한 대로 잘 되지 않았다.

pan[2] *n.* Ⓒ 〖영화〗 팬(촬영)《화면에 파노라마적인 효과를 내기 위해 카메라를 상하좌우로 움직이며 하는 촬영》; 《美속어》 파노라마 사진. ── (**-nn-**) *vt.*, *vi.* (카메라가〔를〕) 팬하다. [◂*panorama*]

pan- [pæn] '전(全), 범(汎), 총(總)'의 뜻의 결합사.

pan·a·cea [pæ̀nəsíːə] *n.* Ⓒ 만병통치약; 만능의 방책《**for** …에 대한》.

pa·nache [pənǽʃ, -nɑ́ːʃ] *n.* **1** Ⓤ 당당한 태도, 겉치레, 허세(swagger). **2** Ⓒ (투구의) 깃털 장식.

Pan·a·ma [pǽnəmɑ̀ː, pæ̀nəmɑ́ː] *n.* **1** 파나마 공화국《중앙 아메리카에 있음》; 그 수도(=~ **City**). **2** (때로 p-) Ⓒ 파나마 모자(~ hat). **the Isthmus of ~** 파나마 지협《남·북아메리카를 이음》.

Pánama Canál (the ~) 파나마 운하《파나마 지협을 통하여 대서양과 태평양을 연결하는 운하; 1914 년 미국인의 손으로 완성》.

Pánama Canál Zòne (the ~) 파나마 운하 지대.

Pánama hát 파나마 모자.

Pan·a·ma·ni·an [pæ̀nəméiniən, -mɑ́ː-] *a.*, *n.* Ⓒ 파나마의, 파나마 사람(의).

Pàn-Américan *a.* 범미(汎美)의《북·중앙·남아메리카의 전부를 포함》: the ~ Congress 전미(연합) 회의. ⊞ **~·ism** *n.* Ⓤ 범미주의.

pan·a·tela, -tel·la [pæ̀nətélə] *n.* Ⓒ 가늘게 만 여송연.

°**pán·càke** *n.* **1** Ⓒ (요리는 Ⓤ) 팬케이크《밀가루에 달걀을 섞어 프라이팬에 얇게 구운 것》. **2** 〖항공〗 =PANCAKE LANDING. **3** Ⓤ (종류·낱개는 Ⓒ) 팬케이크《둥글넓적한 고형분; 상표이름(PanCake)에서》. (**as**) **flat as a ~** 납작한.

── 〖항공〗 *vi.* 실속(失速) 수평 착륙하다(*down*). ── *vt.* 수평 착륙시키다.

Páncake Dày 〔**Tùesday**〕 《英》 참회의 화요일.

páncake lànding 털썩 떨어짐; 〖항공〗 수평 낙하 착륙《지면 가까이서 기체를 미리 수평으로 해서 실속(失速)시켜 낙하 착륙하는》.

páncake màkeup 팬케이크 화장(품).

páncake róll 춘권(春卷)(spring roll)《표고·고기·부추 따위로 만든 소를 넣고 빚어 튀긴 중국 만두》.

pan·chro·mat·ic [pæ̀nkroumǽtik] *a.* 〖물리·사진〗 전정색(全整色)의《필름 따위》.

pan·cre·as [pǽŋkriəs, pǽn-] *n.* Ⓒ 〖해부〗 췌장(膵臟). ⊞ **pàn·cre·át·ic** [-ǽtik] *a.*

pan·da [pǽndə] *n.* Ⓒ 〖동물〗 판다《히말라야 등지에 서식하는 너구리 비슷한 짐승》; 흑백곰의 일종(giant ~)《티베트·중국 남부산》.

páanda càr《英》(경찰의) 순찰차.
pan·dect [pǽndekt] *n.* **1 a** Ⓒ (흔히 *pl.*) 법령 전서, 법전. **b** (the P-s) 유스티니아누스 법전 《A.D. 533년에 편찬된 로마 민법전》. **2** Ⓒ 요람(要覽), 총람.
pan·dem·ic [pændémik] *a.*, *n.* Ⓒ 전국적〔대륙적, 세계적〕으로 유행하는(병). ⓒⓕ endemic, epidemic.
pan·de·mo·ni·um [pæ̀ndəmóuniəm] *n.* **1** (보통 P-) 악마전(殿), 복마전; 지옥. **2** Ⓤ 대혼란; Ⓒ 대혼란의 장소. ⓜ **-ni·àc, -món·ic** [-niæ̀k], [-mánik/-mɔ́n-] *a.*
pan·der [pǽndər] *n.* Ⓒ 뚜쟁이, (갈보의) 조방꾸니, 포주; (못된 짓의) 중개자; 남의 약점을 파고드는 사람. **—***vi.* 뚜쟁이질을 하다; 기화로 삼다《*to* (남의 약점)을》; 영합하다《*to* (남의 저속한 욕망 따위)에》: ~ *to* a person's low tastes 아무의 저급한 취미에 들맞추다.
pán·der·er *n.* Ⓒ 나쁜 일을 중개하는 사람.
Pan·do·ra [pændɔ́ːrə] *n.* 〖그리스신화〗 판도라《Prometheus가 불을 훔쳤기 때문에 인류를 벌하기 위해 Zeus가 지상에 보낸 최초의 여자》.
Pandóra's bóx **1** 판도라의 궤《판도라가 금(禁)을 어기고 열자, 안에서 재앙과 죄악이 튀어나와 온 누리에 퍼지고 궤 속에는 희망만이 남았다 함》. **2** (a ~) 여러 가지 재앙의 씨. ***open*** ~ 뜻밖의 재난을 일으키다〔초래하다〕.
pan·dow·dy [pændáudi] *n.* Ⓒ (요리는 Ⓤ) 《美》 당밀이 든 사과 파이.
P. & P. 《英》 postage and packing (우편 요금 및 포장료) .
***pane** [pein] *n.* Ⓒ **1** (한 장의) **창유리**(windowpane); 판벽널(panel). **2** (네모꼴의) 한 구획, (바둑판의) 눈, (미닫이의) 틀. **3** 우표의 한 시트 또는 시리즈. ⓜ **~d** *a.* 창유리를 끼운; 조각조각 이어 맞춘. **∠·less** *a.* (창에) 유리가 없는.
pan·e·gyr·ic [pæ̀nədʒírik, -dʒái-] *n.* **1** Ⓒ 찬사, 칭찬의 연설(문); 송덕문(頌德文)《***on, upon*** …에 대한》. **2** Ⓤ 격찬. ⓜ **-i·cal** [-əl] *a.* 찬사의, 칭찬의.
pan·e·gyr·ist [pæ̀nədʒírist, -dʒái-, ∠-∠-] *n.* Ⓒ 찬사의 글을 쓰는 사람; 상찬자(賞讚者), 찬양자.
pan·el** [pǽnl] *n.* Ⓒ **1 a** **패널**《문 · 방 · 천정 등의 네모난 틀에 끼우는 간막이》. **b** (패널에 끼운) **널빤지, 판벽널, 머름**. **2** 〔집합적; 단 · 복수취급〕 **a** (퀴즈 프로의) 해답자들: The ~ thinks 〔think〕 that ... 해답자는 …라고 생각한다. **b** (토론회 · 좌담회 등에 예정된) 강사단; 심사원단; (특정 문제) 연구반, 위원단: a ~ of experts 전문위원단 / an interviewing ~ 면접위원단. **3** (자동차 · 비행기 따위의) 계기반, 패널: a control ~ 제어반 / an instrument ~ 계기반. **4** (스커트 등 옷의 색동 장식으로 쓰는) 천, 패널. **5 a** (캔버스 대용의) 화판; 패널화《판자에 그린 그림》. **b** 〖사진〗 패널판《보통보다 길이가 긺; 약 10×20cm》. **6** 〖법률〗 **a** (등록) 배심원 명부. **b** 〔집합적; 단 · 복수취급〕 배심원단. ***go on the ~ 건강 보험 의사의 진찰을 받다. ***on the*** ~ 토론자단〔심사원단〕에 참가하여; 건강 보험 의사 명부에 등록되어.
—(**-*l*-,** 《주로 英》 **-*ll*-**) *vt.* 《~+목/+목+전+명》 …에 머름을 끼우다, …을 벽널로 장식하다《***in, with*** …의》: ~ the saloon *with* rosewood 객실에 자단(紫檀)의 장식 판자를 붙이다.
pánel bèater (자동차의) 판금(板金) 기술자.
pánel discùssion 공개 토론회《예정된 의제로 몇 사람의 연사가 청중 앞에서 하는》. ⓒⓕ symposium.

pánel gàme (TV, 라디오의) 퀴즈 프로그램.
pánel hèating (마루 · 벽으로부터의) 복사식〔방사〕 난방(radiant heating).
pán·el·ing, 《주로 英》 **-el·ling** *n.* Ⓤ 〔집합적〕 판벽널(panels).
pán·el·ist, 《英》 **-el·list** *n.* Ⓒ (공개 토론회 따위의) 토론자, 연사; (퀴즈 프로 따위의) 해답자.
pánel trùck 《美》 라이트밴《소형의 화객(貨客) 승용차》.
pán·frỳ *vt.* 프라이팬으로 튀기다.
°**pang** [pæŋ] *n.* Ⓒ **1** (갑자기 일어나는) 격심한 아픔; 〖의학〗 산통(産痛): be seized by a sudden sharp ~ 갑작스럽게 통증을 느끼다 / the ~*s* of toothache 쿡쿡 쑤시는 치통. **2** 고민, 번민, 상심: feel the ~*s of* conscience 양심의 가책을 느끼다.
pan·go·lin [pæŋgóulin, pǽŋgəlin] *n.* Ⓒ 〖동물〗 천산갑(穿山甲)(scaly anteater).
pán·hàndle *n.* Ⓒ 프라이팬의 손잡이; (종종 P-) 《美》 좁고 길게 타주(他州)에 끼어든 지역.
—*vt.*, *vi.* 《美구어》 (길에서 큰 소리로) 구걸하다(beg). ⓜ **pán·hàndler** *n.* Ⓒ 《美구어》 거지.
***pan·ic** [pǽnik] *n.* **1** Ⓤ (또는 a ~) (원인이 분명치 않은) **돌연한 공포**; 겁먹음; 당황, 낭패: be in 〔get into〕 a ~ 공포 상태에 있다〔빠지다〕 / be seized with a ~ 겁먹다 / There was a ~ when the theater caught fire. 극장에 불이 나자 큰 혼란이 일어났다. **2** Ⓒ 〖경제〗 **공황**, 패닉. **3** (a ~) 《美구어》 아주 우스꽝스러운〔익살맞은〕 것〔사람〕.
—*a.* Ⓐ **1** (공포 따위가) 당황케 하는, 제정신을 잃게 하는. **2** 당황한, 미친 듯한: ~ haste 몹시 허둥댐. **3** 공황적인: a ~ price 공황적인 싼 값. **4** 까닭 없는(unreasonable), 도가 지나친.
—(**-*ck*-**) *vt.* **1** 《~+목/+목+전+-*ing*》 …에게 공포심을 느끼게 하다, …을 당황하게〔허둥대게〕 하다: The school was ~*ked into* expel*ling* her. 학교는 허둥지둥 그녀를 퇴학시켰다. **2** …에 공황이 일어나게 하다. **—***vi.* 《~/+전+명》 당황하다, 허둥대다《***at*** …에》: Don't ~! 당황하지 마라 / They ~*ked at* the first rise in international tension. 국제간의 긴장이 고조되자 그들은 당황했다. ⓜ **pán·icky** *a.* 《구어》 당황하기 쉬운, 전전긍긍하는; 공황의.
pánic bùtton (긴급한 때 누르는) 비상 벨. ***push*** 〔***press, hit***〕 ***the*** ~ 《구어》 몹시 당황하다; 비상수단을 취하다.
pánic státions 공황(혼란) 상태, 위기.
pánic-strìcken, -strùck *a.* 공황에 휩쓸린; 당황한.
Pan·ja·bi [pʌndʒɑ́ːbi] *n.* Ⓒ 펀잡 사람; Ⓤ 펀잡어(語)(Punjabi).
pan·jan·drum [pændʒǽndrəm] (*pl.* **~*s*, -*dra*** [-drə]) *n.* Ⓒ 《우스개》 높은 양반, 나리, 어르신네.
Pank·hurst [pǽŋkhəːrst/-həːst] **Emmeline** ~ 팽크허스트《영국의 여성 참정권 획득 운동 지도자; 1858–1928》.
pan·nier, pan·ier [pǽnjər, -niər] *n.* Ⓒ **1** 옹구《말 · 당나귀 등의 등 좌우에 걸치는》; 등광주리; 짐 바구니《오토바이 뒷바퀴 옆에 매다는》. **2** 옛 여자 스커트를 펼치기 위해 사용한 고래수염 따위로 만든 테; 펼쳐진 스커트.

P

pan·ni·kin [pǽnikin] *n.* [C] 《英》 작은 접시; 작은 냄비; (금속제의) 작은 잔.

pan·o·ply [pǽnəpli] *n.* [U] **1** 성대(훌륭)한 의식: the whole ~ *of* a royal wedding 왕실 결혼식의 성대한 의식. **2** 훌륭한 옷차림: in (full) ~ 정장하여. **3** (사람·물건의) 화려한 모임.

pan·op·tic, -ti·cal [pænάptik/-nɔ́p-], [-əl] *a.* 모든 것이 한눈에 보이는, 파노라마적인.

pan·op·ti·con [pænάptəkὰn/-nɔ́ptikɔ̀n] *n.* [C] **1** 《美》 원형 교도소《중앙에 감시소가 있는》. **2** 망원 현미경.

◇**pan·o·rama** [pæ̀nərǽmə, -rά:mə] *n.* [C] **1** 전경, 넓다란 조망, 파노라마: a breathtaking ~ *of* Mt. Halla 순간적으로 숨을 멈추게 하는 아름다운 한라산의 전경 / Before us was an unbroken ~ *of* azure sea. 눈 앞에는 새파란 바다가 끝없이 전개되어 있었다. **2** (차례로 전개되는) 파노라마 같은 광경. **3** 파노라마화(畫)(사진). **4** (역사 따위의) 개관, 전망; (사건의) 전모.

P

pan·o·ram·ic, -i·cal [pæ̀nərǽmik], [-əl] *a.* 파노라마(식)의(같은), 개관적인: a ~ view 전경 / a ~ camera 파노라마식 사진기 / The position gives a ~ view. 그 위치에서는 광대한 전경을 볼 수 있다. [파] **-i·cal·ly** *ad.*

pan·pipe [pǽnpàip] *n.* [C] (흔히 *pl.*) 갈대피리, 팬파이프《관(管)을 길이의 순서대로 묶은 옛 악기》. [cf.] Pan.

***pan·sy** [pǽnzi] *n.* [C] 【식물】 **팬지**; 《속어·경멸적》 여자 같은 사내, 동성애하는 남자.

pant**[1] [pænt] *vi.* **1** 《~/+[전]+[명]》 **헐떡거리다, 숨차다**; 헐떡이며 달리다《*around* …의 주위를》: They ~*ed around* the track beside his bicycle. 그들은 그의 자전거 곁에서 헐떡이며 경주로를 달려 돌았다. **2** (심장이) 몹시 두근거리다. **3** 《+[전]+[명]》 〖보통 진행형〗 갈망(열망)하다, 그리워하다《*for* …을》: He's ~*ing for* knowledge. 그는 지식을 갈망한다 / I'm ~*ing for* a cold beer. 찬 맥주를 마시고 싶다. **4** (기차·기선이) 증기(연기)를 확 뿜다(뿜으며 나아가다). **—vt.* 《~+[목]/+[목]+[부]》 헐떡거리며 말하다(*out*): She ~*ed out* her message. 그녀는 헐떡이면서 말을 전했다/ "I'm tired," she ~*ed*. 「지쳤어」라고 그녀는 헐떡이면서 말했다. **—***n.* [C] **1** 헐떡거림(gasp), 숨참. **2** 심한 동계(動悸). **3** (엔진의) 배기음.

pant[2] *a.* [A] 바지(pants)의.

◇**pan·ta·loon** [pæ̀ntəlú:n] *n.* **1** [C] (종종 P-) (옛 이탈리아 희극의) 늙은이 역; 늙은 어릿광대《무언극에서 clown 의 상대역》. **2** (*pl.*) 판탈롱, 19세기 홀태바지; 《구어》 바지(pants).

pan·tech·ni·con [pæntéknikὰn, -kən] *n.* [C] 《英》 가구 진열(판매)장(場)(창고); 가구 운반차(= ∠ **vàn**).

pan·the·ism [pǽnθiìzəm] *n.* [U] 범신론, 만유신교(萬有神敎); 다신교, 자연 숭배. [파] **-ist** *n.* [C] 범신(다신)론자.

pan·the·is·tic, -ti·cal [pæ̀nθiístik], [-əl] *a.* 범신론의; 다신교의.

pan·the·on [pǽnθiὰn, -ən/pænθí:ən] *n.* **1** (the P-) 판테온, 만신전(萬神殿)《로마의 신들을 모신 신전》. **2** [C] 판테온《한 나라의 위인들의 무덤·기념비가 있는 전당》. **3** [C] 〖집합적〗 **a** (한 국민이 믿는) 모든 신들: the ancient Roman ~ 고대 로마의 신들. **b** (저명 인사·영웅들의) 화려한 모임(무리): find a place in the ~ *of* great writers 위대한 작가들의 동아리에 끼다.

pan·ther [pǽnθər] (*pl.* ~**s,** 〖집합적〗 ~; *fem.* ~**·ess** [-ris]) *n.* [C] **1** 【동물】 **a** 《美》 퓨마(puma). **b** 표범(leopard); 아메리카표범(jaguar). **2** 《구어》 흉포한 남자.

pántie gìrdle (**bèlt**) 팬티거들《팬티 모양의 코르셋》.

pant·ies [pǽntiz] *n. pl.* (여성·소아용) 팬티; 드로어즈(drawers).

pant·i·hose [pǽntihòuz] *n.* =PANTYHOSE.

pan·tile [pǽntàil] *n.* [C] (보통 *pl.*) 【건축】 왜(倭)기와《보통의 기와를 말함》.

pant·ing·ly [pǽntiŋli] *ad.* 숨을 헐떡이면서, 숨을 몰아쉬면서.

pan·to [pǽntou] *n.* 《英》 =PANTOMIME.

pan·to·graph [pǽntəgræ̀f, -grὰ:f] *n.* [C] 신축 자재의 사도기(寫圖器), 축도기(縮圖器); (전동차 따위의) 팬터그래프, 집전기(集電器). [파] **pàn·to·gráph·ic** [-grǽfik] *a.*

pan·to·mime [pǽntəmàim] *n.* **1** [U] (구체적으로는 [C]) 무언극, 팬터마임; 《英》 크리스마스 때의 동화극(Christmas ~). **2** [U] 몸짓, 손짓. **3** [U] 《英구어》 (무언의) 해학극. [파] **pan·to·mim·ic** [pæ̀ntəmímik] *a.* **pan·tomim·ist** [pǽntəmàimist, -mìmist] *n.* [C] 팬터마임 배우(작자).

◇**pan·try** [pǽntri] *n.* [C] **1** (가정의) 식료품(저장)실. **2** (호텔·여객선·여객기의) 찬방(饌房), 식기실(butler's ~).

****pants** [pænts] *n. pl.* **1** 《美》 **바지**(trousers); 드로어즈. **2** 《英》 속바지, (남자의) 팬츠(underpants); (여성·아이의) 팬티.

beat the ~ off a person 《속어》 아무를 완패시키다, 때려눕다. ***bore the ~ off*** a person 《구어》 아무를 질력나게 하다. ***by the seat of*** one***'s ~*** ⇨SEAT. ***have*** (***take***) ***the ~ off*** a person 《英속어》 아무를 몹시 꾸짖다. ***in long ~*** 《美》 (아무가) 어른이 되어. ***in short ~*** 《美》 (아무가) 아직 어린아이로. ***scare*** (***frighten***) ***the ~ off*** (a person) (아무를) 겁주다, 두려워 흠칫거리게 하다. ***wear the ~*** 《구어》 (부인이) 내주장하다, 남편을 깔고 뭉개다. ***with*** one***'s ~ down*** 《구어》 몹시 난처하여, 뜻하지 않은 허점을 찔려서: He was caught *with* his ~ *down*. 그는 허점을 찔려서 당황했다.

pánt·sùit *n.* [C] 《美》 여성용 재킷과 슬랙스의 슈트(=**pánts sùit**). [파] ~**·ed** [-id] *a.*

pánty gìrdle =PANTIE GIRDLE.

panty·hose [pǽntihòuz] *n.* 〖복수취급〗 팬티스타킹.

panty·waist [pǽntiwèist] *n.* [C] 《美구어》 어린애(계집애) 같은 사내, 열쭝이.

pan·zer [pǽnzər; *G.* pántsər] 《G.》 *a.* 【군사】 기갑(장갑(裝甲))의; 기갑 부대(사단)의: a ~ division 기갑 사단. **—***n.* [C] (기갑 부대를 구성하는) 장갑차, 전차.

pap [pæp] *n.* [U] 빵죽《유아·환자용》; 흐물흐물하게 된 것; 과일의 연한 살(pulp); 어린애 속임수; 저속한 읽을거리.

◇**pa·pa** [pά:pə, pəpά:] *n.* [C] 《소아어》 아빠《pa라고도 함》. [cf.] dad, daddy. ↔ *mamma*[1]. [SYN.] ⇨FATHER.

pa·pa·cy [péipəsi] *n.* **1** (the ~) 로마 교황의 지위(직), 교황권. **2** [C] 교황의 임기. **3** [U] 교황 정치(제도).

◇**pa·pal** [péipəl] *a.* [A] 로마 교황의; 교황 제도의; 가톨릭 교회의: ~ authority 교황권 / a ~ edict 교황령 / ~ encyclical 교황의 회칙(回勅). [파] ~**·ly** *ad.*

pápal cróss 교황 십자가《가로대가 세 개 있는 십자가》.
pa·paw [pɔ́ːpɔː, pəpɔ́ː] *n.* =PAWPAW.
pa·pa·ya [pəpáːjə, -páiə] *n.* **1** Ⓒ 〖식물〗 파파야 나무《열대 아메리카산》. **2** Ⓒ (음식은 Ⓤ) 그 열매.
†**pa·per** [péipər] *n.* **1** Ⓤ **종이**: ruled ~ 인찰지, 괘지 / get on ~ 적바림하다 / a sheet of ~ 종이 한 장 / a bit [piece] of ~ 한 쪽의 종잇조각.

> **NOTE** ★ 물질명사 취급이 원칙. 일정한 형태의 종이를 셀 때는 a sheet of ~를 쓰고, 모양이나 크기에 상관없을 때는 a piece of ~를 쓰는 것이 보통이나 때로는 다음과 같이 말할 경우도 있음: Fetch me *a paper*. 종이 한 장 가져다 주게.

2 Ⓤ 벽지(wallpaper), 도배지; 화장지; (핀·바늘 등을 꽂아두는) 대지(臺紙); 문구(文具).
3 Ⓒ 《구어》 **신문(지)**: a daily ~ 일간(日刊) 신문 / a morning [an evening] ~ 조[석]간지 / today's ~(*s*) 오늘 신문 / get into the ~*s* 신문에 실리다; 기삿거리가 되다 / read ... in the ~*s* 신문에서 …을 읽다 / This ~ says so. 이 신문에 그렇게 보도되어 있다.
4 (*pl.*) **서류**, 문서, 기록; 《美속어》 주차 위반에 대한 호출장: top-secret ~*s* 극비(極秘) 문서 / state ~*s* 공문서 / ⇨SHIP'S PAPERS.
5 (*pl.*) 신분[호적]증명서; 신임장(信任狀): citizenship ~*s*.
6 Ⓒ (연구) **논문**, 논설; (작은) 논문, 리포트《**on** …에 관한》: a ~ *on* currency reform 통화 개혁에 관한 논문 / read [publish] a ~ (학회에서) 논문을 발표하다 / do [give in] a ~ *on* the problem of environmental pollution 환경 오염 문제에 관한 리포트를 쓰다[제출하다] / Mr. Holiday, when are we required to hand in our ~*s*?—The dead line is january 31. 홀리데이 선생님, 언제까지 리포트를 제출해야 합니까—마감은 1월 31일입니다.
7 Ⓒ **시험 문제[답안](지)**; 숙제: mark ~*s* (시험) 답안을 채점하다 / The ~ was a very easy one. 시험 문제는 매우 쉬웠다 / hand back ~*s* to one's students 학생들에게 답안지를 돌려주다.
8 Ⓤ 증서, 증권, (환)어음; 지폐(~ money): commercial [negotiable] ~ 상업[유통] 어음 / lay [hang] ~ 《美속어》 부도 수표를 떼다, 가짜돈을 쓰다.
9 Ⓒ 종이 용기, 포장지: wrapping ~ 포장지.
10 Ⓤ 〖집합적〗 (극장 따위의) 무료 입장권; 무료 입장자.
11 Ⓒ (정부 기관이 발행하는) 간행 문서: ⇨WHITE PAPER.
be not worth the ~ it is printed [written] on (계약서 등이) 전혀 가치가 없다, 휴지나 마찬가지다. ***on ~*** ① (구두 아닌) 서면으로: work things out *on* ~ 사물을 (머리 속에서만 아니고) 서면에 써 보고 생각하다. ② 이론[통계]상으로는, 탁상이론으로는, 가정적으로: *On* ~ the scheme looks good. 탁상이론상으로는 그 계획은 좋아 보인다《그러나 실제상으로는 어떨지》. ***put pen to ~*** 붓을 들다, 쓰기 시작하다.
—*a.* Ⓐ **1** 종이의, 종이로 만든[쓰는]: a ~ napkin 종이 냅킨 / a ~ screen 장지. **2** 종이 같은, 얇은, 취약한. **3** 지상의; 종이에 쓰인[인쇄된]; 장부상으로만의, 공론의, 가공의: a ~ army (실재하지 않는) 유령 군대 / a ~ promise 명목만의 약속 / ~ profits 장부상으로만의 이익.
—*vt.* **1** 《~+목+보/+목+전+명》 (벽)에 벽지를 바르다; (벽)을 도배하다《**with** (벽지)로; **in** (색)으로》: ~ the wall pink =~ a wall *with* pink wallpaper =~ a wall *in* pink 벽에 핑크색 벽지를 바르다. **2** 《속어》 (극장 따위)를 무료 입장권을 발행하여 꽉 채우다.
~ over 《*vt.*+부》 (불화·결점 등)을 숨기다, 호도(糊塗)하다, 얼버무리다; (얼룩 따위)를 벽지를 발라 가리다.
páper·bàck *n.* Ⓒ 종이 표지의 (염가[보급]판) 책. ⓒⓕ hardback, hardcover. **—*a.*** Ⓐ 종이 표지[염가본, 보급판]의.
páper·bòard *n.* Ⓤ 두꺼운 종이, 보르지, 판지.
páper·bòy *n.* Ⓒ 신문팔이 소년, 신문 배달원.
páper chàse =HARE and hounds.
páper clíp 종이 물리개, 클립.
páper cùtter (종이) 재단기; 〖사진〗 커터; =PAPER KNIFE.
páper dóll 종이 인형.
páper fèed 〖컴퓨터〗 (프린터의) 급지(給紙).
páper·hànger *n.* Ⓒ **1** 표구사; 도배장이. **2** 《美속어》 부도 수표[어음] 사용자.
páper·hànging *n.* Ⓤ 도배[표구](업).
páper knìfe (봉투 따위를 째는) 종이칼; paper cutter의 날.
páper móney (경화에 대하여) 지폐(↔ *specie*); 유가 증권《수표·어음 등》.
páper náutilus 〖동물〗 오징어·문어 따위 두족류(頭足類).
páper-púsher *n.* Ⓒ 《구어》 항상 서류 취급만 하는 사람, 서류 취급자; 관료, 공무원.
páper pùsher 《속어》 위조 지폐 사용자.
páper róund (매일매일의) 신문 배달; 신문 배달 구역.
páper-thín *a.* 종이처럼 얇은; (승리 따위가) 아슬아슬한; (핑계 따위가) 불충분한, 빤히 들여다 보이는.
páper tíger 종이호랑이; 허장성세.
páper·wèight *n.* Ⓒ 서진(書鎭), 문진.
páper·wòrk *n.* Ⓤ 문서(文書) 업무, 탁상 사무.
pa·pery [péipəri] *a.* 종이의[같은], 지질의; 얇은; (이유·구실 따위가) 취약한.
pa·pier-mâ·ché [pèipərməʃéi, -mæ-] *n.* 《F.》 Ⓤ 혼응지(混凝紙)《송진과 기름을 먹인 딱딱한 종이; 종이 세공용》. **—*a.*** Ⓐ 틀에 종이를 발라 만든 모형의; 금새 부서지는, 덧없는, 박약한: a ~ mold 〖인쇄〗 지형(紙型).
pa·pil·la [pəpílə] (*pl.* **-lae** [-liː, -lai]) *n.* Ⓒ 〖해부〗 젖꼭지, 유두(乳頭); 젖꼭지 모양의 작은 돌기; 〖식물〗 부드럽고 연한 작은 돌기. ㊐ **pap·il·lar, pap·il·lary** [pǽpələr, pəpílər], [pǽpəlèri, pəpíləri] *a.* 젖꼭지(모양)의.
pap·il·lon [pǽpəlàn/-lɔ̀n] *n.* Ⓒ 스파니엘종의 개《애완용》; 《F.》 [pàːpijɔ́ːŋ] =BUTTERFLY.
pa·pist [péipist] *n.* Ⓒ 교황 절대주의자; 《경멸적》 가톨릭 교도.
pa(p)·poose [pæpúːs, pə-] *n.* Ⓒ (북아메리카 원주민의) 어린애, 〖일반적〗 젖먹이》.
pap·py [pǽpi] (**-pi·er; -pi·est**) *a.* 빵죽 같은, 흐물흐물한, 걸쭉한, 질컥질컥한(mushy).
pap·ri·ka [pæpríːkə, pə-, pǽprəkə] *n.* **1** Ⓒ 〖식물〗 단맛이 나는 고추의 일종. **2** Ⓤ 이것으로 만든 향신료(香辛料). ***Spanish ~*** 피망《양고추》.
Páp tèst [smèar] [pǽp-] (또는 p- t-) 〖의

학】 팹시험〔도말(塗抹) 표본〕《자궁암 조기(早期) 검사법의 하나》.

Pap·ua [pǽpjuə] *n.* 파푸아《New Guinea 섬의 남동부》.

Pap·u·an [pǽpjuən] *a.* 파푸아(섬)의; 파푸아 사람의; 파푸아어의. **—***n.* [C] 파푸아(섬) 사람; [U] 파푸아어《수백의 부족어의 총칭》.

Pápua Nèw Guínea 파푸아뉴기니《New Guinea 동반부를 차지한 독립국; 1975 년 독립; 수도 Port Moresby; 생략: P.N.G.》. [파] **~n** *a.* 파푸아뉴기니(사람)의. **—***n.* [C] 파푸아뉴기니 사람.

pap·ule [pǽpju:l] *n.* [C] **1** 【의학】 구진(丘疹); 여드름, 뾰루지. **2** 【식물】 작은 융기(隆起), 혹.

pa·py·rus [pəpáiərəs] (*pl.* **~·es, -ri** [-rai, -ri:]) *n.* **1** [U] 【식물】 파피루스《고대 이집트 · 그리스 · 로마의 제지 원료》. **2** [U] 파피루스 종이《파피루스로 만든 종이》. **3** [C] 파피루스 사본〔고(古)문서〕.

P

°**par** [pɑ:*r*] *n.* **1** (a ~) 동위(同位), 동등, 동수준, 동가(equality): His work is on a ~ with Einstein's. 그의 업적은 아인슈타인의 업적에 못지않다. **2** [U] 【상업】 액면 동가, 평가; 환(換)평가: nominal 〔face〕 ~ 액면 가격/issue ~ 발행 가격. **3** [U] 평균, 표준(도(度)), 기준량〔액〕; (건강 · 정신의) 상태: His work is above 〔below〕~. 그의 작품은 표준 이상〔이하〕이다/I'm feeling a bit below 〔under〕 ~ today. 오늘은 몸의 상태가 약간 좋지 않다. **4** [U] (또는 a ~) 【골프】 파《홀 또는 라운드의 기준 타수; 각 홀의 파보다 1 타 적게 끝내는 것은 birdie, 2 타 적은 것은 eagle; 1 타 많게 끝내는 것은 bogey, 2 타 많은 것은 double bogey 임》.

above **~** 액면 (가격) 이상으로; 표준 이상으로; 건강하여 (⇨ 3). ***at*** **~** 액면 가격으로; 평가로. ***below*** **~** ① 액면 이하로; 표준 이하로; 건강이 좋지 않아(⇨3). ***on a*** **~** 동등한, 동수준의《*with* …와》: We want this country to be *on a* ~ *with* our neighbors in terms of rights. 우리는 이 나라가 권리면에서 이웃 나라들과 동등해지기를 바란다. **~ *for the course*** 《구어》 보통〔예사로운, 당연한〕 일. **~ *of exchange*** (환의) 법정 평가. ***under*** **~** 표준 이하로; 건강이 좋지 않아서 (⇨3). ***up to*** **~** 〖보통 부정문〗 ① 표준에 달하여. ② (몸 상태가) 좋은, 보통 상태인: I don't feel *up to* ~. 《구어》 건강 상태가 좋지 않다.

— (**-rr-**) *vt.* 【골프】 (홀)을 파로 끝내다.

PAR 【전자】 perimeter acquisition radar (주변 포착 레이더); 【항공】 precision approach radar (정밀 측정 진입 레이더). **par.** paragraph; parallel; parenthesis; parish.

para [pǽrə] *n.* [C] 《구어》 =PARACHUTIST; PARATROOPER.

para. paragraph.

par·a-[1] [pǽrə], **par-** [pǽr] *pref.* **1** '측면, 근접, 초월, 이반' 따위의 뜻: *para*llel; *para*logism. **2** 【화학】 **a** 중합형(重合形)을 나타냄: *para*cymene. **b** 벤젠고리를〔벤젠핵을〕 지닌 화합물에서 1, 4- 위(位) 치환체를 나타냄《생략: P-》. **3** 【의학】 '병적 이상(異狀), 의사(擬似), 부(副)' 의 뜻: *para*cholera. ★ 모음 앞에서는 par-.

par·a-[2] [pǽrə] '방호(防護), 보호, 피난' 의 뜻의 결합사: *para*sol.

°**par·a·ble** [pǽrəbəl] *n.* [C] 우화(寓話), 비유(담): teach in ~*s* 우화를 들려 주어 깨우치다.

pa·rab·o·la [pərǽbələ] *n.* [C] 【수학】 포물선.

par·a·bol·ic, -i·cal [pæ̀rəbɑ́lik/-bɔ́l-], [-əl] *a.* **1** 비유(담)의, 우화 같은. **2** 포물선(모양)의: a ~ antenna 접시형 안테나. [파] **-i·cal·ly** *ad.*

°**par·a·chute** [pǽrəʃù:t] *n.* [C] 낙하산. **—***a.* [A] 낙하산의: a ~ descent 낙하산 강하/a ~ flare 낙하산 투하 조명탄/~ troops =PARATROOPS. **—***vt., vi.* 낙하산으로 떨어뜨리다〔강하하다〕: ~ *out* 낙하산으로 탈출하다.

pár·a·chùt·ist, -chùt·er *n.* [C] 낙하산병〔강하자〕; (*pl.*) 낙하산 부대.

par·a·clete [pǽrəklì:t] *n.* [C] 변호자, 중재자; 위안자; (the P-) 성령(the Holy Spirit).

⁑**pa·rade** [pəréid] *n.* [C] **1 행렬, 퍼레이드, 행진**, 시위 행진: walk in 〔join〕 a ~ 행렬을 지어 걷다〔행렬에 참가하다〕/a political ~ 정치적 시위 행진. **2 열병식**; =PARADE GROUND: hold a ~ 열병식을 거행하다. **3 과시**, 자랑하기: make a ~ of …을 자랑스럽게 내보이다. **4 a** 《英》 광장, 운동장, (해안의) 산책길, 유보장(遊步場) (promenade). **b** 《英》 상점가(街). ***on*** **~** (군대가) 열병을 받아, 열병식 대형으로; (배우 등이) 총출연하여.

—*vt.* **1 a** (열을 지어) **행진하다**: The military band ~*d* the streets. 군악대가 길거리를 행진하였다. **b** (열을 지어) 행진시키다. **2** (군대)를 정열시키다, 열병하다. **3** (지식 · 재산 따위)를 **자랑해 보이다**, 과시하다; (보란 듯이) 걸어 돌아다니다: ~ one's knowledge 자기 지식을 자랑해 보이다. [SYN.] ⇨SHOW.

—*vi.* **1** 《+[전]+[명]》 (줄을 지어) **행진하다**, 누비며 걷다: The brass band ~*d through* the town. 취주 악대가 거리를 행진해 갔다. **2** (열병을 위해) **정렬〔행진〕하다**. **3** 《+[전]+[명]》 버젓이 통하다《*as* …으로서》: international pressure that ~*s as* foreign aid 대외원조의 이름으로 통하는 국제적 압력.

paráde gròund 연병〔열병〕장.

pa·rád·er *n.* [C] 행진자.

par·a·digm [pǽrədim, -dàim] *n.* [C] **1** 보기, 범례, 모범; 패러다임《특정 영역 · 시대의 지배적 사고 방식을 규정하고 있는 과학적 인식 체계 또는 방법론》. **2** 【문법】 어형 변화표, 활용례, 변화 계열; 【언어】 (선택적) 계열 범례.

par·a·dig·mat·ic [pæ̀rədigmǽtik] *a.* 모범이 되는, 전형적인; 【문법】 어형 변화(표)의. [파] **-i·cal·ly** [-kəli] *ad.*

***par·a·dise** [pǽrədàis, -dàiz] *n.* **1** (P-) **천국**, 에덴 동산. **2** (a ~) **낙원**, 파라다이스: a children's ~ 어린이 천국/a nature-lover's ~ 자연 애호가의 낙원. **3** [U] 안락, 지복(至福); 절경: This is ~ on earth. 이것은 지상의 천국이다.

par·a·di·si·a·cal, -dis·i·ac [pæ̀rədisáiəkəl, -zái-], [-dísiæ̀k] *a.* 천국의, 낙원의〔같은〕. [파] **-cal·ly** *ad.*

***par·a·dox** [pǽrədɑ̀ks/-dɔ̀ks] *n.* **1** [U] (구체적으로는 [C]) **역설, 패러독스**《틀린 것 같으면서도 옳은 의론; 예: More haste, less speed. 급할수록 천천히 하라》. [cf.] heterodox, orthodox. **2** [C] 기론(奇論), 불합리한 연설; 자기모순된 말. **3** [C] 앞뒤가 맞지 않는 일, 모순된 인물. [파] **~·er, ~·ist** *n.* [C] 역설가.

par·a·dox·i·cal [pæ̀rədɑ́ksikəl/-dɔ́ks-] *a.* 역설적인, 모순된, 불합리한(absurd), 역설을 농하는〔좋아하는〕.

pàr·a·dóx·i·cal·ly [-kəli] *ad.* **1** 역설적으로〔이지만〕. **2** 〖문장 전체를 수식하여〗 역설적으로 말하면: *Paradoxically* (enough), most of these poor people live in the richest cities in the country. 역설적으로 말하면, 이들 가난한 사람들은 그 나라의 가장 부유한 도시에서 살고 있다.

°**par·af·fin, -fine** [pǽrəfin], [-fìːn, -fən] *n.* Ⓤ 〖화학〗 파라핀, 석랍(石蠟)(~ wax); 파라핀유(油)(~ oil); 《英》 등유(《美》 kerosene); 〖화학〗 파라핀족(族) 탄화수소(alkane), 메탄계(系)(~ series): a ~ lamp 석유 램프. ⊕ **pàr·af·fín·ic** [-fínik] *a.*

páraffin òil 파라핀유《윤활유》; 《英》 등유(《美》 kerosine).

páraffin wàx 〖화학〗 석랍, 파라핀납(paraffin).

pára·glìder *n.* Ⓒ 패러글라이더《굴신 자재익(自在翼)이 있는 삼각 연(鳶) 꼴 장치; 우주선 등의 착륙시 감속용으로 쓰임》.

par·a·gon [pǽrəgɑ̀n, -gən] *n.* Ⓒ 모범, 본보기, 전형(典型): a ~ *of* beauty 미의 전형〔화신〕, 절세의 미인/a ~ *of* virtue 미덕의 귀감.

⁑**par·a·graph** [pǽrəgræ̀f, -grɑ̀ːf] *n.* Ⓒ **1 a** (문장의) **절(節)**, 항(項), 단락《생략: par(a)., *pl.* par(a)s.》. **b** =PARAGRAPH MARK. **2** (신문의) 단편 기사; 단평《표제가 없는》: an editorial ~ 신문 단평. **—***vt.* **1** (문장)을 절로〔단락으로〕 나누다. **2** …의 기사를〔단평을〕 쓰다, …을 신문 기삿거리로 삼다.

⊕ **~·er, ~·ist** *n.* Ⓒ (신문의) 단평〔소논설〕 집필자, 잡보(雜報) 집필자. ⓒⓕ columnist. **pàr·a·gráph·ic** *a.*

páragraph màrk 〖인쇄〗 단락 부호; 참조표《¶》.

Par·a·guay [pǽrəgwài, -gwèi] *n.* 파라과이《남아메리카의 공화국; 수도는 Asunción; 생략: Para.》. ⊕ **Par·a·guay·an** [pæ̀rəgwáiən, -gwéi-] *n.* Ⓒ, *a.* 파라과이 사람(의).

par·a·keet, par·ra- [pǽrəkìːt] *n.* Ⓒ 〖조류〗 (작은) 잉꼬.

⁑**par·al·lel** [pǽrəlèl] *a.* **1 평행의**, 평행하는, 나란한《*to, with* …와》: ~ lines 〔surfaces〕 평행선〔면〕/The road runs ~ *to* 〔*with*〕 the sea. 길이 바다와 나란히 나 있다/in a ~ motion *with* …와 평행으로 운동하여. **2** 같은 방향〔경향〕의, 같은 목적의; 《비유적》 같은, 유사한, 대응하는《*to, with* …와》: a ~ instance 〔case〕 유사한 경우, 유례/a ~ investigation 병행된 조사/Your experience is ~ *to* an experience I had last year. 너의 경험은 작년의 내 경험과 유사하다. **3** 〖전기〗 병렬(竝列)의; 〖음악〗 평행의: ~ fifths 〖음악〗 평행 5도. **4** 〖컴퓨터〗 병렬의《동시에 복수 처리를 하는; 동시에 복수 비트(bit)를 처리하는》.
—*n.* Ⓒ **1 평행선**〔면〕, 평행물《*to, with* …와의》: Draw a ~ *to* this line. 이 선에 평행선을 그으시오. **2 유사(물)**; **필적하는 것**〔사람〕, 대등한 사람《*to, with* …에, …와》: close ~*s* 매우 닮은 것: The country has striking ~*s with* Korea. 그 나라는 한국과 놀랄 만큼 유사한 점이 있다. **3** (비슷함을 나타내기 위한) 비교, 대비(對比)(comparison)《*between* …사이의》: draw a ~ *between* …의 유사점을 비교하다. **4** 위도권(圈), **위도선**(=∼ **of látitude**): the 38th ~ (of latitude) 38도선(線), 38선. **5** 〖군사〗 평행호(壕); 〖인쇄〗 평행 부호《‖》; 〖전기〗 병렬《회로 따위》. **6** 〖컴퓨터〗 병렬.
***have no* ~** 유(례)가 없다, 비할 데 없다. ***in* ~** ① 병행(竝行)하여《*with* …에》; 동시에《*with* …와》. ② 〖전기〗 병렬식으로. ***on a* ~ (*with*)** (…와) 평행하여; 유사하여; 동등하게. ***without* (*a*) ~** 유례 없이; 필적할 것이 없는 (정도의): a triumph *without* (*a*) ~ 유례 없는 대승리.
—(*-l-*, 《英》 *-ll-*) *vt.* **1** …에 평행시키다. **2** …에 필적〔상당〕하다; …와 유사하다: Nobody ~*s* him in swimming. 수영에 있어서 그에 견줄 만한 사람은 없다/His experiences ~ mine in many instances. 그의 경험은 여러 경우에서 내 경험과 비슷하다. **3** …와 병행하다: The road ~*s* the river. 도로는 강과 나란히 나 있다.

párallel bárs (흔히 the ~) (체조의) 평행봉.

par·al·lel·ism [pǽrəlelìzəm] *n.* **1** Ⓤ 병행. **2** Ⓒ 유사; 비교, 대응《*between* …사이의》.

par·al·lel·o·gram [pæ̀rəléləgræ̀m] *n.* Ⓒ 〖수학〗 평행사변형. ***the* ~ *of forces*** 〖물리〗 힘의 평행 사변형.

Par·a·lym·pics [pæ̀rəlímpiks] *n. pl.* 파랄림픽, 신체 장애자 올림픽. [◂*paraplegic*+*Olympics*]

°**par·a·lyse** [pǽrəlàiz] *vt.* 《英》 =PARALYZE.

°**pa·ral·y·sis** [pərǽləsis] (*pl.* **-ses** [-sìːz]) *n.* Ⓤ (구체적으로는 Ⓒ) **1** 〖의학〗 (완전) 마비, 불수(不隨); 중풍: infantile ~ 소아마비/cerebral ~ 뇌성 마비. **2** 활동 불능(의 상태), 무(기)력; (교통·거래 등의) 마비 상태, 정체: moral ~ 도덕심의 마비/a ~ of trade 거래의 마비 상태/a total ~ of the traffic facilities 교통 기관의 완전 마비 상태.

par·a·lyt·ic [pæ̀rəlítik] *a.* **1** 중풍의, 마비 상태의. **2** 《英속어》 곤드레로 취한. **—***n.* Ⓒ 중풍〔마비〕 환자. ⊕ **-i·cal·ly** *ad.*

par·a·ly·za·tion [pæ̀rəlizéiʃən] *n.* Ⓤ 마비시킴; 무력화.

°**par·a·lyze** [pǽrəlàiz] *vt.* **1** 《보통 수동태》 마비시키다, 불수가 되게 하다: *be* ~*d* in both legs 두 다리가 마비되다/He *is* half ~*d*. 그는 반신불수다. **2** 《보통 수동태》 활동 불능이 되게 하다, 무력〔무효〕케 하다: The whole town *was* ~*d* by the transport strike. 시 전체가 교통 파업으로 마비 상태가 되었다.

par·a·me·ci·um [pæ̀rəmíːʃiəm, -siəm] (*pl.* **-cia** [-ʃiə, -siə], **~s**) *n.* Ⓒ 〖동물〗 짚신벌레.

pàra·médic [pæ̀rəmédik] *n.* Ⓒ **1** 의료 보조원《간호사, 심리요법사, 조산원, 검사 기사 등》. **2** (의사가 없을 때 응급 조치를 할 수 있는) 응급 처치사.

pàra·médical *a.* 의료 보조 활동의, 전문의를 보좌하는.

pa·ram·e·ter [pərǽmitər] *n.* Ⓒ **1** 〖수학〗 조변수(助變數), 매개(媒介) 변수; 〖통계〗 모수(母數). **2** 한정 요소, 요인. **3** 《구어》 한계, 제한 (범위). **4** 〖컴퓨터〗 매개 변수, 파라미터. ⊕ **pàr·a·mét·ric** [pæ̀rəmétrik] *a.*

pàra·mílitary *a.* 준(準)군사적인, 준군사 조직의: ~ forces 준군사 부대/~ operation 준군사 작전〔행동〕.

°**par·a·mount** [pǽrəmàunt] *a.* 최고의, 주요한; 최고권〔주권〕이 있는: of ~ importance 가장 중요한/the lord ~ 최고권자, 국왕. ⊕ **~·cy** *n.* Ⓤ 최고권〔위〕, 주권; 최상, 탁월.

par·a·mour [pǽrəmùər] *n.* Ⓒ 《문어·고어》 정부(情夫), 정부(情婦), 애인.

par·a·noia, par·a·noea [pæ̀rənɔ́iə], [-níːə] *n.* Ⓤ 〖정신의학〗 편집병(偏執病), 망상증, 과대망상광(狂). ⊕ **-nói·ac, -nóic** [-nɔ́iæk], [-nɔ́iik] a., n. [C] 편집병의 (환자).

par·a·noid [pǽrənɔ̀id] a. 편집〔망상〕성의; 편집증 환자의; 편협한, 과대망상적인; 병적으로 의심이 많은. —n. [C] 편집증 환자; 병적일 만큼 의심이 많은 사람.

pàra·nórmal a. 과학적〔합리적〕으로 설명할 수가 없는. [파] ~·ly ad.

◇**par·a·pet** [pǽrəpit, -pèt] n. [C] (지붕·다리 등의) 난간, 낮은 울타리; 〖축성(築城)〗 흉벽(胸壁), 흉장(胸牆).

par·a·pher·na·lia [pæ̀rəfərnéiljə] n. **1** [U] 장비, 장치, 설비: camping 〔sports〕 ~ 캠프〔스포츠〕용품. **2** [U] 《구어》 불필요한 물건, 잡동사니. **3** (sing.) 《英구어》 (어떤 일을 하는 데 부득이한) 성가신 일, 귀찮은 일.

◇**par·a·phrase** [pǽrəfrèiz] n. [C] (상세히) 바꿔 쓰기〔말하기〕, 부연(敷衍), 의역(意譯). —vt., vi. (쉽게) 바꿔 쓰다〔말하다〕, 말을 바꿔서 설명하다; 의역하다.

par·a·phras·tic, -ti·cal [pæ̀rəfrǽstik], [-əl] a. 알기 쉽게 바꾸어 말한〔바꾸어 쓴〕, 설명적인. [파] -ti·cal·ly ad.

par·a·ple·gia [pæ̀rəplíːdʒiə] n. [U] 〖병리〗 (양쪽의) 하반신 불수. [파] **pàr·a·plé·gic** [-dʒik] a., n. [C] 하반신 불수의; 하반신 불수 환자.

pàra·proféssional n. [C], a. 전문직 보조원(의); 교사〔의사〕의 조수(의).

pàra·psychólogy n. [U] 초(超)심리학《정신 감응·천리안 따위의 초자연적 심리 현상을 다룸》. [파] **-psychológical** a. **-psychólogist** n.

par·a·quat [pǽrəkwɑ̀ːt] n. [U] 〖화학〗 패러콰트《제초제》.

pára·sàiling n. [U] 파라세일링《모터보트나 자동차로 끌려가다가 하늘높이 날아오르는 낙하산 비행놀이〔스포츠〕》.

◇**par·a·site** [pǽrəsàit] n. [C] **1** 〖생물〗 기생 동〔식〕물, 기생충〔균〕(↔ host[1]); 〖식물〗 겨우살이; 〖조류〗 탁란성(托卵性)의 새《두견이 따위》. **2** 기식자, 식객.

par·a·sit·ic, -i·cal [pæ̀rəsítik], [-əl] a. **1** 기생하는, 기생적인; 기생 동물〔식물〕의, 기생충의; 〖생물〗 기생체〔질〕의([cf.] symbiotic); (병이) 기생충에 의한. **2** 기식하는, 식객 노릇 하는; 아첨하는. [파] -i·cal·ly ad.

par·a·sit·ism [pǽrəsàitizəm, -sitìzəm] n. [U] 〖생태〗 기생 (상태)([cf.] symbiosis).

par·a·si·tol·o·gy [pæ̀rəsaitɑ́lədʒi, -si-/-tɔ́l-] n. [U] 기생충〔체〕학. [파] **-gist** n. **-to·log·ical, -ic** [-sàitəlɑ́dʒikəl/-lɔ́dʒ-], [-ik] a.

***par·a·sol** [pǽrəsɔ̀ːl, -sɑ̀l/-sɔ̀l] n. [C] (여성용) 양산, 파라솔. [cf.] umbrella.

pàra·sympathétic a. 부교감 신경(계)의.

par·a·tac·tic, -ti·cal [pæ̀rətǽktik], [-kəl] a. 〖문법〗 병렬(竝列)의, 접속사 없이 절 따위를 늘어놓은. [파] -ti·cal·ly ad.

par·a·tax·is [pæ̀rətǽksis] n. [U] 〖문법〗 병렬《접속사 없이 절·구 따위를 나란히 늘어놓기; I came—I saw—I conquered. 따위》. ↔ *hypotaxis*.

par·a·thi·on [pæ̀rəθáiɑn/-ɔn] n. [U] 〖농업〗 파라티온《살충제》.

pàra·thýroid a. 〖해부〗 부갑상선(副甲狀腺)의, 갑상선에 인접한; 상피소체의. —n. = PARATHYROID GLAND.

parathýroid glànd 〖해부〗 상피소체, 부갑상선.

pára·tròops n. pl. 〖군사〗 낙하산 부대; 〘집합적〙 낙하산병. —a. [A] 낙하산 부대의. [파] -tròoper n. [C] 〖군사〗 낙하산병.

pàra·týphoid n. [U] 〖의학〗 파라티푸스(= ~ fèver).

par avi·on [pɑ̀ːrævjɔ̃] 《F.》 항공편으로(by air mail)《항공 우편물의 표시》.

par·boil [pɑ́ːrbɔ̀il] vt. 반숙하다, 살짝 데치다, 따끈한 물에 담그다.

⁑**par·cel** [pɑ́ːrsəl] n. **1** [C] **꾸러미, 소포**, 소화물: ~ paper 포장지 / wrap 〔do〕 up a ~ 소포를 만들다 / Will you take this ~ to the post office? 이 소포를 우체국까지 갖다 주겠습니까. [SYN.] ⇨PACKAGE. **2** (a ~) 한 무리, 한 떼, 한 조(組), 한 벌, 한 덩어리《**of** …의》: a ~ *of* fools 바보들. **3** 〖법률〗 (토지의) 1구획, 1필(筆): a ~ *of* land, 1구획의 토지.

a ~ of rubbish 하찮은〔시시한〕 것. ***blue the ~*** 《英속어》 돈을 한푼도 남기지 않고 써버리다. ***part and ~*** ⇨PART.

—(-l-, 《英》 -ll-) vt. 《+[목]+[부]》 **1** 꾸러미〔소포〕로 하다, 뭉뚱그리다(*up*): She weighed and *~ed up* the tea. 그녀는 차를 저울에 달아서 포장했다. **2** 나누다, 구분하다, 분배하다(*out*): the land *~ed out* into small plots 〔for homesites〕 작은 구획〔택지용〕으로 분할된 토지.

párcel póst 소포 우편《생략: p.p., P.P.》; 우편 소포《제4종》: send … (by) ~ 소포 우편으로 보내다.

◇**parch** [pɑːrtʃ] vt. **1** (콩 따위)를 볶다, 굽다; 태우다(scorch), 그을리다: *~ed* peas 볶은 콩. **2** 바싹 말리다. **3** (목)마르게 하다; (곡물 등)을 말려서 보존하다: be *~ed* with thirst 바싹 말라 있다; 목이 타다. —vi. 바싹 마르다; 타다(*up*). [파] **~ed** [-t] a.

párch·ing a. 타는 듯한: ~ heat 염서(炎暑), 작열(灼熱). [파] ~·ly ad.

parch·ment [pɑ́ːrtʃmənt] n. [U] 양피지(羊皮紙); 모조 양피지; [C] 양피지의 문서〔증서, 사본〕《면허장·수료증 등》: virgin ~ (새끼염소 가죽의) 고급 양피.

pard [pɑːrd] n. [C] 《고어·시어》 표범(leopard).

pard·ner [pɑ́ːrdnər] n. [C] 《美구어》 친구《호칭으로》; 짝패.

⁑**par·don** [pɑ́ːrdn] n. **1** [U] **용서**, 허용, 관대(forgiveness)《**for** …에 대한》: ask ~ *for* one's rudeness 무례함에 대해 용서를 빌다 / He begged my ~ *for* stepp*ing* on my foot. 그는 내 발을 밟은 것을 사과했다. **2** [C] 〖법률〗 특사(特赦), 은사(恩赦); 〖가톨릭〗 교황의 대사(大赦); 면죄부; 대사제(大赦祭): general ~ 대사(大赦).

A thousand ~s* (*for*…)** (…하여) 정말 미안합니다. ***I beg your ~. ① 죄송합니다《과실·실례를 사과할 때; 끝을 내려 발음함; Beg your pardon. 또는 Pardon. 이라고 단축하기도 함》. ② 실례지만…《모르는 사람에게 말을 걸거나, 상대방의 의견에 반대할 때; 끝을 내려 발음함》: I *beg your ~*, but which way is the Myeongdong? 실례입니다만 명동은 어느 쪽으로 가면 됩니까. ③ (무슨 말씀인지) 다시 한 번 말씀해 주십시오《끝을 올려 발음함; 간단히 "Pardon?" "Beg your ~?"이라고도 함》.

—vt. **1 용서하다**(forgive): I *~ed* his fault. 그의 과실을 용서했다. [SYN.] ⇨EXCUSE. **2** 《~+[목]/

+목+목/+목(소유격)+-ing/+목+전+명》 관대히 봐 주다《**for** …에 대하여》: *Pardon* me my offence. 잘못을 용서해 주십시오/*Pardon* me *for* interrupting you. =*Pardon* my 〔《구어》 me〕 interrupting you. 폐를 끼쳐 미안합니다/*Pardon* me my interruption, but …. 말씀 중에 대단히 죄송하지만. **3** 〖법률〗 사면〔특사〕하다: The governor will not ~ your crime. 통치자는 너의 죄를 사면하지 않을 것이다. ***There is nothing to ~.*** 천만의 말씀(입니다).

> **DIAL** ***Pardon me for breathing*** 〔***existing, living***〕***!*** 죽을 죄를 졌습니다《야단이나 욕을 먹고 나서 비꼬는 투로 하는 응답; 직역: 제가 숨쉬고〔살아〕 있는 것을 용서하십시오》.

파 **~·a·ble** *a.* 용서할 수 있는(excusable). **~·a·bly** *ad.* **~·er** *n.* Ⓒ 용서하는 사람; 〖역사〗 (중세의) 면죄부 파는 사람.

pare [pɛər] *vt.* **1** (과일 따위의) 껍질을 벗기다. ★ 귤 · 바나나 · 삶은 달걀의 껍질 따위처럼 손으로 벗기는 경우는 peel. ¶~ an apple 사과를 깎다. **2** (손톱)을 깎다; (불필요한 곳)을 잘라〔떼어〕 내다(*off; away*)《**from** …에서》: ~ *away* excess fat *from* a piece of meat 고기 조각에서 여분의 비계를 잘라내다. **3** (비용 등)을 절감하다, 조금씩 줄이다(*away; down*): ~ *down* one's living expenses 생활비를 절감하다. ***~ nails to the quick*** 손톱을 바싹 깎다.

paren. parenthesis.

†**par·ent** [pέərənt] *n.* Ⓒ **1** 어버이《아버지 또는 어머니》; 어린애가 있는 사람; (*pl.*) 양친: one's ~*s*. **2** 선조, 조상(progenitor); (동식물의) 모체(母體). **3** 근원(source), 원인(cause), 근본, 기원: Industry is the ~ of success. 《격언》 근면은 성공의 근원.
—*a.* Ⓐ 어버이의, 어미의; 근원의, 원조의: a ~ bird 어미새/a ~ stem 원종(原種)/a ~ ship 모선/~ company (어떤 회사의) 모회사.
—*vt.* …의 부모 노릇을 하다.

°**par·ent·age** [pέərəntidʒ] *n.* Ⓤ **1** 어버이임, 부모와 자식의 관계. **2** 태생, 출신, 가문, 혈통: come of good ~ 가문이 좋다.

***pa·ren·tal** [pəréntl] *a.* Ⓐ 어버이(로서)의, 어버이다운: ~ authority 친권/~ love 어버이의 사랑. 파 **~·ly** *ad.*

párent èlement 〖물리〗 어미 원소(元素)《방사성 원소의 붕괴나 원자핵 충격에 의해 동위 원소를 낳는 원소》.

pa·ren·the·sis** [pərénθəsis] (*pl.* ***-ses [-sìːz]) *n.* Ⓒ **1** 〖문법〗 **삽입어구**《앞뒤에 콤마 · 괄호 · 대시 등을 넣어서 구별함; 보기: This, *I think*, is what he meant.》. **2** (보통 *pl.*) (원)**괄호**《( )》. cf. bracket. ***in parentheses*** 괄호 안에 넣어서; 덧붙여 말하면.

pa·ren·the·size [pərénθəsàiz] *vt.* **1** (원)괄호 속에 넣다. **2** …에 삽입구를 (많이) 넣다, …을 삽입구로 하다.

par·en·thet·ic, -i·cal [pæ̀rənθétik], [-əl] *a.* 삽입구의〔를 쓴〕; 삽입구적인; 괄호의, 호형(弧形)의. 파 **-i·cal·ly** *ad.* 삽입구적으로, 부가적으로.

par·ent·hood, -ship [pέərənthùd], [-ʃip] *n.* Ⓤ 어버이임, 어버이로서의 신분〔처지〕.

pár·ent·ing *n.* Ⓤ (양친에 의한) 가정 교육; 육아, 양육.

párent-in-làw *n.* Ⓒ 시아버지, 시어머니; 장인, 장모.

párent lànguage 〖언어〗 조어(祖語).

párent plàne (유도탄을 발사하는) 모(母)비행기.

Párent-Téacher Associàtion 《美》 사친회《생략: PTA, P.T.A.》.

par·er [péərər] *n.* Ⓒ 껍질 벗기는 기구〔칼〕.

par ex·cel·lence [pɑːréksəlɑ̀ːns] 《F.》 특히; 뛰어난, 빼어난, 최우수의.

par·fait [pɑːrféi] *n.* 《F.》 Ⓒ (요리는 Ⓤ) 파르페《빙과의 일종》.

par·he·li·on [pɑːrhíːliən, -ljən] (*pl.* ***-lia*** [-ljə]) *n.* Ⓒ 〖기상〗 환일(mock sun, sundog).

pa·ri·ah [pəráiə, pǽriə] *n.* Ⓒ (또는 P-) 남부 인도 · 미얀마의 최하층민; 천민; 〖일반적〗 (사회에서) 추방당한〔버림받은〕 사람, 부랑자.

pa·ri·e·tal [pəráiətl] *a.* **1** 〖해부〗 정수리(부분)의. **2** 《美》 대학 구내 생활〔질서〕에 관한: ~ rules 대학내 질서에 대한 규칙.

paríetal bòne 〖해부〗 정수리뼈.

par·i·mu·tu·el [pæ̀rimjúːtʃuəl] *n.* 《F.》 Ⓒ 〖경마〗 이긴 말에게 건 사람들에게 수수료를 제하고 건 돈 전부를 벼르는〔분배하는〕 방법.

par·ing [pέəriŋ] *n.* **1** Ⓤ 껍질 벗기기; (손톱 등의) 깎기. **2** Ⓒ (보통 *pl.*) 벗긴〔깎은〕 껍질; 대팻밥; 자른〔깎은〕 부스러기.

°**Par·is**[1] [pǽris] *n.* 파리《프랑스의 수도》. ◇ Parisian *a.*

Par·is[2] *n.* 〖그리스신화〗 파리스《Troy 왕 Priam 의 아들; Sparta 왕 Menelaus 의 아내인 Helen 을 빼앗아 Troy 전쟁이 일어났음》.

***par·ish** [pǽriʃ] *n.* Ⓒ **1** 《주로 英》 **본당**(本堂), **교구**(敎區)《각기 그 교회와 성직자가 있음》. **2** 지역의 교회. **3** 〖집합적; 단 · 복수취급〗 《美》 한 교회의 신도; 《英》 교구민 전체(parishioners). **4** 《英》 행정 교구(civil ~)《원래 빈민 구조법 때문에 설치했으나 지금은 행정상의 최소 단위》. **5** 〖집합적; 단 · 복수취급〗 지방 행정 교구민. **6** 《美》 루이지애나주의 군(county).

párish chùrch 《英》 교구 교회.

párish clèrk 교회의 서무계원〔담당자〕.

párish còuncil 《英》 교구회《행정 교구의 자치 기관》.

pa·rish·ion·er [pəríʃənər] *n.* Ⓒ 교구민.

párish prìest 《英》 교구 목사〔사제〕, 주임 사제《생략: p.p.》.

párish pùmp 시골 공동 우물《쑥덕공론장; 지방 근성의 상징》.

párish-pùmp *a.* Ⓐ 《英》 지방적 흥미〔관점〕에서(만)의《정치》.

párish régister 교구 기록부《세례 · 결혼 · 매장 따위의》.

°**Pa·ri·sian** [pərí(ː)ʒiən, pərízìən] *a.* 파리(식)의, 파리 사람의. —*n.* Ⓒ 파리내기, 파리 사람.

par·i·ty [pǽrəti] *n.* Ⓤ **1** 동등, 동격, 동위; 동률, 동량; 등가(等價)《**with** (질 · 양 · 가치)와의》: ~ of treatment 균등 대우/be on a ~ *with* …와 균등하다/Blue-collar workers will demand ~ *with* white-collar workers. 육체 노동자들은 두뇌 노동자들과 동등한 대우를 요구할 것이다. **2** 〖경제〗 평가(平價); 《美》 평형 (가격). **3** 《美》 패리티《농산물 가격과 생필품 가격과의 비율》.

párity bit 〖컴퓨터〗 패리티 비트.

párity chèck 〖컴퓨터〗 패리티 검사《자료 전송 중 또는 컴퓨터 조작 중의 잘못을 발견하는 검사》.

†**park** [pɑːrk] *n.* **1** Ⓒ **공원**; 《美》 유원지; 자연

공원, (공유의) 자연 보존 구역; (the P-) 《英》 = HYDE PARK: a national ~ 국립공원. **2** Ⓒ 《英》 (귀족·호족의) 사원(私園), 대정원. **3** Ⓒ 주차장: a lorry ~ 《英》 화물차 주차장. **4** Ⓤ (자동 변속기의) 파크〔주차〕 위치 《생략: P》. **5** Ⓒ 《美》 운동장, 경기장: a baseball ~ 야구장. **6** Ⓒ (the ~) 《英구어》 축구장.

— *vt.* **1** (잠시) 주차하다; (포차 등)을 한 곳에 정렬시키다, 대기시키다: Where is your car *~ed?* 차는 어디에 주차하셨습니까. **2** 《구어》 **a** 두다, 두고 가다(leave); (아이 등)을 남에게 맡기다: *Park* your hat on the table. 모자를 탁자 위에 두어라. **b** 〖~ oneself〗 (잠시) 머무르다, 앉다: *Park* your*self* there. 거기 좀 있어라.

— *vi.* 주차하다: Where can we ~? 어디에 주차할 수 있는가.

par·ka [páːrkə] *n.* Ⓒ (에스키모 사람의) 두건 달린 모피 옷; 두건 달린 긴 웃옷, 파카.

P

***park·ing** [páːrkiŋ] *n.* Ⓤ **주차**, 주차 허가: No ~ (here). 주차 금지《게시》/a ~ building 주차용 빌딩.

párking lìght 《美》 (자동차) 주차등(《英》 sidelight).

párking lòt 《美》 주차장(《英》 car park).

párking mèter 주차 시간 자동 표시기, 주차 요금계.

párking òrbit 〖우주〗 중계 궤도《최종 목표 궤도에 올리기 전의 일시적 궤도》.

parking space 주차 공간.

párking tìcket 주차 위반 소환장; 주차(이용)권.

Pár·kin·son's disèase 〔**sỳndrome**〕 [páːrkinsənz-] 〖의학〗 파킨슨병, 진전마비.

Párkinson's láw 파킨슨 법칙《공무원의 수는 사무량에 관계없이 자연히 증가한다는 따위》.

párk·lànd *n.* Ⓤ 공원 용지, 풍치 지구; 《英》 대저택 주위의 정원; 수림(樹林) 초원.

párk rànger (국립) 공원 관리자.

párk·wày *n.* Ⓒ 《美》 공원 도로《중앙분리대에 가로수나 조경 공사를 한 큰 길; 트럭이나 대형 차량은 통행이 금지됨》; 《英》 주차장 설비가 있는 역.

parky [páːrki] (***park·i·er; -i·est***) *a.* 《英구어》 싸늘한, 차가운《아침·공기·날씨 등》.

par·lance [páːrləns] *n.* Ⓤ 〖수식어를 수반하여〗 말투, 어법, 어조: in common 〔ordinary〕 ~ 일반적인 말로는/in legal ~ 법률 용어로.

par·lay [páːrlei, -li] *vt.* 《美》 **1** (원금과 상금)을 다시 (다른 말에) 걸다. **2** (자금 따위)를 늘리다, 증식하다《***into*** …으로》: He *~ed* a hundred dollar investment *into* a fortune. 그는 100달러 투자하여 재산을 증식했다.

par·ley [páːrli] *n.* Ⓒ 회담, 상의(相議), 교섭, 협상(conference); (전쟁터에서의) 회견, 담판 《***with*** (적)과의》: a cease-fire ~ 휴전 교섭. ***beat*** 〔***sound***〕 ***a*** ~ (북 또는 나팔로) 적에게 화평 교섭의 뜻을 전달하다. ***hold a ~ with*** …와 교섭〔담판〕하다.

— *vi.* 회담〔상의〕하다, 교섭〔담판〕하다《***with*** …와》: ~ *with* an enemy 적과 화평 교섭을 하다.

****par·lia·ment** [páːrləmənt] *n.* **1** (보통 P-) **a** (영국) **의회**: an Act of *Parliament* (의회에서 제정되고 국왕〔여왕〕의 비준을 거친) 법령/open *Parliament* (국왕〔여왕〕이) 개원식을 행하다/convene 〔dissolve〕 *Parliament* 의회를 소집〔해산〕하다/*Parliament* sits 〔rises〕. 의회가 개회〔산회〕하다. **b** 하원: a Member of *Parliament* 하원 의원《생략 M.P., MP》/enter 〔go into〕 *Parliament* 하원 의원이 되다/be 〔sit〕 in *Parliament* 하원 의원이다.

> **NOTE** (1) Parliament는 상원(the House of Lords)과 하원(the House of Commons)으로 구성되며, 영연방 내 다른 국가 의회에서도 통용됨.
> (2) 한국 국회는 the National Assembly, 미국 의회는 Congress, 일본 국회는 the Diet라고 함.

2 Ⓒ (영국 이외의) 의회, 국회: the Dutch 〔French〕 ~ 네덜란드〔프랑스〕 의회.

par·lia·men·tar·i·an [pàːrləmentέəriən] *n.* Ⓒ 의회법 학자; 의회 법규에 정통한 사람; (종종 P-) 《英》 하원 의원. **—** *a.* 의회(정치)의, 의회파의.

°**par·lia·men·ta·ry** [pàːrləméntəri] *a.* **1** 의회의: ~ debates 의회 토론/~ laws 원내 법규. **2** 의회에서 제정된; 의회의 법규·관례에 의거한: an old ~ hand 의회 법규통(通)/~ proceedings 의사(議事). **3** 의회(제도)를 가지는, 의회제의. **4** (말 따위가) 의회에 적당한; 《구어》 정중한: a ~ manner 정중한 태도/~ language 의회(에서 쓰는) 말; 격식을 차려서 하는 말.

***par·lor,** 《英》 **-lour** [páːrlər] *n.* Ⓒ **1** 《美》 **객실** (drawing room), **거실**(living room). **2** (관저·은행 따위의) 응접실; (호텔·클럽 따위의) 특별 휴게〔담화〕실《개방적이 아닌》; (수도원 등의) 면회실. **3** 〖보통 복합어로〗 《美》 …점(店); (원래는 객실처럼 설비한) 영업〔촬영, 진찰, 시술〕실: a beauty ~ 미장원/a tonsorial ~ 《종종 우스개》 이발소/an ice-cream ~ 아이스크림 가게/a funeral ~ 장의사.

párlor càr 〖美철도〗 특등 객차(chair car)(《英》 saloon (car)).

párlor gàme 실내 게임《퀴즈 등》.

párlor·màid *n.* Ⓒ 《英》 (옛날 가정에서) 잔심부름하는 여자 아이, (방에 딸린) 하녀.

par·lous [páːrləs] *a.* Ⓐ 《고어·우스개》 위험한(perilous); 다루기 힘든; 빈틈없는(shrewd); 놀라운. ㊕ **~·ly** *ad.*

Par·me·san [páːrmizàːn, ⌐-⌐] *a.* 파르마(Parma)《이탈리아 북부의 도시》의. **—** *n.* Ⓤ (낱개는 Ⓒ) 파르마치즈(= ⌐ **chéese**)《Parma 산(産)의 냄새가 강한 경질(硬質) 치즈》.

Par·nas·si·an [paːrnǽsiən] *a.* **1** Parnassus 산의. **2** 시(詩)의, 시적(詩的)인, 고답적(高踏的)인, 고답파(시인)의: the ~ school 고답파《1866–90년경 형식을 중시한 프랑스 시인의 일파》. **—** *n.* Ⓒ (the ~) (프랑스) 고답파 시인, 〖일반적〗 시인. ㊕ **~·ism** *n.* Ⓤ 고답주의〔취미〕.

Par·nas·sus [paːrnǽsəs] *n.* **1** 그리스 중부의 산《Apollo와 Muses의 영지(靈地)로 문인들에게 신성시 됨》. **2** Ⓤ 시단(詩壇); 문단. (***try to***) ***climb*** ~ 시작(詩作)에 힘쓰다.

pa·ro·chi·al [pəróukiəl] *a.* 교구(parish)의; 《美》 가톨릭 종교 단체의 원조를 받는; 《비유적》 (생각·관심 등이) 편협한: a ~ board 교구 위원, 빈민 구제 위원/a ~ school 교구(敎區) 설립 학교《교구에서 운영하는》. ㊕ **~·ly** *ad.*

pa·ro·chi·al·ism [pəróukiəlìzəm] *n.* Ⓤ 교구 제도; 읍면(邑面) 제도; 지방 근성; 편협.

par·o·dist [pǽrədist] *n.* Ⓒ parody 작자. ㊕ **pàr·o·dís·tic** *a.*

par·o·dy [pǽrədi] *n.* **1** Ⓤ (구체적으로는 Ⓒ)

(풍자적 · 해학적인) 비꼰 시문, 희문(戲文), 야유적으로 가사를 고쳐 부르는 노래《**of, on** …에 대한》. **2** Ⓒ 서투른 모방, 흉내. **—***vt.* 익살맞게 흉내내다; 풍자〔해학〕적 시문으로 개작(改作)하다; 비꼬다. ㉻ **pa·rod·ic, -i·cal** [pərádik/-rɔ́d-], [-kəl] *a.*

pa·role [pəróul] *n.* Ⓤ **1** 가석방 (기간〔허가증〕), 가출소; 집행 유예: release a person on ~ 아무를 가석방으로 풀어 주다. **2** 〖언어〗 구체적 언어 행위, 운용 언어; 발화(發話). ⓒⓕ langue. ***break*** one's ~ 선서를 어기다, 가석방 기간이 지나도 교도소에 돌아가지 않다.
—*vt.* 가(假)석방하다.

pa·rol·ee [pəroulí:] *n.* Ⓒ 가석방자, 가출소자.

pa·rot·id [pərátid/-rɔ́t-] 〖해부〗 *n.* Ⓒ 귀밑샘, 이하선(耳下腺)(= ∠ **glànd**).

par·o·ti·tis [pæ̀rətáitis] *n.* Ⓤ 〖의학〗 이하선염, 항아리손님(mumps). ㉻ **pàr·o·tít·ic** *a.*

par·ox·ysm [pǽrəksìzəm] *n.* Ⓒ (주기적인) 발작; 경련; (감정 등의) 격발: a ~ *of* coughing 심한 기침의 발작/a ~ of laughter 〔anger〕 웃음〔분노〕의 폭발. ㉻ **par·ox·ys·mal, -mic** [pæ̀rəksízməl], [-mik] *a.* 발작(성)의.

par·quet [pa:rkéi] *n.* **1** Ⓤ 나무쪽으로 한 모자이크 (마루). **2** Ⓒ 《美》 (극장의) 일층, 《특히》 아래층 앞자리《일등석》.

parquét círcle 《美》 (극장의) 아래층 뒤쪽《2층 관람석 밑》.

par·quet·ry [pá:rkitri] *n.* Ⓤ 나무쪽 세공, (마루의) 쪽나무 깔기.

parr, par [pa:r] (*pl.* **~s,** 〔집합적〕 ~) *n.* Ⓒ 〖어류〗 어린 연어, 어린 대구.

parrakeet ⇨ PARAKEET.

par·ri·cide [pǽrəsàid] *n.* **1** Ⓤ 어버이 살해, 근친자〔존속〕 살인; 군주시역(君主弑逆)《죄》. **2** Ⓒ 존속〔우두머리, 주인, 근친〕 살인자; 반역자. ㉻ **pàr·ri·cíd·al** [-dl] *a.*

*__par·rot__ [pǽrət] *n.* Ⓒ **1** 〖조류〗 **앵무새**. **2** 앵무새처럼〔기계적으로〕 입내내는 사람. **—***vt.* (남의 말)을 앵무새처럼 되뇌(게 하)다; 기계적으로 반복하다. ㉻ **~·ry** *n.* Ⓤ 입내; 남의 말의 되넘김, 비굴한 모방. **~·y** *a.* 앵무새 같은.

párrot-fàshion *ad.* 《英구어》 뜻도 모르고 되받아, 흉내내어.

párrot fèver 〖수의〗 앵무병.

par·ry [pǽri] *vt.* (공격 · 질문)을 받아넘기다, (펜싱 등에서) (슬쩍) 피하다; 회피하다, 얼버무리다: ~ a question 질문을 얼버무리어 대답하다.
—*n.* Ⓒ 받아넘김, (펜싱 따위에서) 슬쩍 피함; 둘러댐, 얼버무림, 핑계. ㉻ **pár·ri·er** *n.*

parse [pa:rs] *vt., vi.* 〖문법〗 (문장 · 어구의) 품사 및 문법적 관계를 분석〔해부, 설명〕하다(analyze).

par·sec [pá:rsèk] *n.* Ⓒ 〖천문〗 파섹《천체간의 거리를 나타내는 단위; 3.26광년; 생략: pc》.

par·ser [pá:rsər] *n.* Ⓒ 〖컴퓨터〗 파서《컴퓨터에 입력된 정보를 번역 · 처리하는 프로그램》.

Par·si, -see [pá:rsi:, -∠] *n.* Ⓒ 〖역사〗 파시교도《8세기에 회교도의 박해를 피해 페르시아에서 인도로 도망간 조로아스터교도의 자손》.

par·si·mo·ni·ous [pà:rsəmóuniəs] *a.* 인색한; 가린스러운(stingy), 지나치게 알뜰한. ㉻ **~·ly** *ad.* **~·ness** *n.*

par·si·mo·ny [pá:rsəmòuni/-məni] *n.* Ⓤ 인색(stinginess); 극도의 절약.

°**pars·ley** [pá:rsli] *n.* Ⓤ 〖식물〗 파슬리.

pars·nip [pá:rsnip] *n.* **1** Ⓒ 〖식물〗 네덜란드〔미국〕 방풍나물《뿌리는 식용》: Fine 〔Kind, Soft〕 words butter no ~*s*. 《속담》 입에 발린 말만으로는 아무 소용이 없다, 말 단 집에 장 단 법 없다(甘言家醬不甘). **2** Ⓒ (음식은 Ⓤ) 파스닙 뿌리.

°**par·son** [pá:rsən] *n.* Ⓒ (영국 국교회의) 교구 목사《rector, vicar 등》; 《구어》 〔일반적〕 성직자, (개신교의) 목사(clergyman).

par·son·age [pá:rsənidʒ] *n.* Ⓒ (교구) 목사관.

párson's nóse 《英구어》 닭〔칠면조 따위〕의 궁둥이 살.

†**part** [pa:rt] *n.* **1** Ⓒ (전체를 구성하는) **부분**: the rear ~ *of* the house 집 뒷부분/in the latter ~ *of* the 20th century, 20세기 후반에/Which ~ *of* the play did you like best? 그 연극의 어느 부분이 가장 마음에 드셨습니까/*Parts* of his article are mistaken. 그의 논문은 군데군데 틀려 있다/I spent the greater ~ *of* my vacation in Canada. 휴가의 대부분을 캐나다에서 보냈다.

> SYN. **part** '일부분'을 말하는 일반적인 말. 전체 중에서 부분을 가리키는 경우. **portion** 어떤 사람이나 물건에 할당된 부분: a marriage ~ 결혼 지참금. **piece** 전체에서 떨어진 부분이지만, 그 부분은 그 자체로 완전한 것. **section** 구분하여 생긴 작은 부분의 것.

2 〖(a) ~ of …로〗 **a** (…의) **일부(분)**: Only (a) ~ of the report is true. 그 보고의 일부분만이 진실이다/*Part* 〔*A* ~〕 *of* the students live in a dormitory. 학생의 일부는 기숙사에 기거한다/A large ~ *of* the money was wasted. 그 돈의 많은 액수가 낭비되었다. **b** 주요 부분, 요소, 성분: A sense of humor is ~ *of* a healthy personality. 유머를 이해하는 마음은 건전한 인품의 중요한 일면이다/Music was (*a*) ~ *of* his life. 음악은 그의 생활의 불가분의 요소였다.

> NOTE (1) 수식어를 수반하지 않는 경우는 part of ... 쪽이 보통.
> (2) 보통 이 구의 뒤에 단수명사가 오면 단수 취급, 복수 명사가 오면 복수 취급. 단, 후자의 경우는 some of ... 를 쓰는 것이 바람직함.

3 Ⓒ (책 · 희곡 · 시 따위의) 부, 편, 권; (연재물의) …회: a novel in three ~*s*, 3부로 된 소설/*Part* 1, 제1부.

4 Ⓒ 몸의 부분, 기관; (보통 *pl.*) 음부(private 〔privy〕 ~*s*); (보통 *pl.*) (기계의) 부품, 부속품, (예비) 부품: the inward ~*s* of the body 내장/spare ~*s* of a machine 기계의 예비 부품/automobile ~*s* 자동차 부품.

5 Ⓒ **a** 〖서수에 붙여〗 …분의 1《지금은 보통 생략함》: two third ~*s*, 3분의 2(two thirds). **b** 〖기수에 붙여〗 (전체 중의 다른 부분에 대한) 비율: three ~*s* of wine to one (~) of water 포도주 3에 물 1의 비율/Take 3 ~*s* of sugar, 5 of flour, 2 of ground rice. 설탕 3, 밀가루 5, 쌀가루 2의 비율로 하라.

6 Ⓤ (또는 a ~) **a 직분**(share), 본분(duty); 역할, 임무: do one's ~ 자기의 본분을 다하다/She plays an important ~ in the company. 그녀는 회사에서 중요한 역할을 한다. **b** 관여, 관계, 상관(*in* …에의): I had no ~ *in* the incident. 나는 그 사건에 관계하지 않았다/I want no ~ *in* it. 그 일에는 상관하고 싶지 않다.

7 Ⓒ (배우의) 역(role); 대사(臺詞): He spoke 〔acted〕 his ~ very well. 그는 맡은 대사를〔역을〕 잘 했다.
8 Ⓤ (논쟁·협정 따위의) **편**, **쪽**(side), 당사자의 한 쪽: an agreement between Jones on the one ~ and Brown on the other (~) 존스 측과 브라운 측 사이의 협정.
9 (*pl.*) **지역**(quarter), 곳, 지구, 지방(district): in these ~*s* 이 곳에서(는)/travel in foreign ~*s* 외지(外地)를 여행하다.
10 (*pl.*) 자질, 재능(abilities): a man of (many 〔good, excellent〕) ~*s* 《문어》 유능한 인사, 재주가 많은 사람.
11 Ⓒ 〖음악〗 음부, 성부(聲部); 악곡의 일부《악장 등의》: sing in three ~*s*, 3부 합창을 하다.
12 Ⓒ 《美》 (머리의) 가르마(《英》 parting).
for* one's ~** (다른 사람은 어쨌든) …로서는: *For* my ~, I am quite satisfied with the contract. 나로서는 그 계약에 지극히 만족한다. ***for the most* ~** 대개, 대체로, 평소에는, 대부분은(mostly): The firm is run, *for the most* ~, by competent men. 회사는 대개 유능한 사람들이 경영한다/They're my friends *for the most* ~. 그들 대부분이 내 친구이다. ***in good* ~** ① 기분 좋게, 호의적으로. ② 대부분은, 크게. ***in large* ~** 크게(largely), 대부분, 주로. ***in* ~** 부분적으로, 일부분, 얼마간(partly): a house built *in* ~ of brick 일부를 벽돌로 지은 집/His success was *in* ~ due to our help. 그는 얼마간 우리의 도움 덕분으로 성공했다. ***look the* ~** 〔앞에 나온 명사를 받아〕 아무리 봐도 …처럼 보이다. ***on* a person's ~** =on the* ~ *of*** a person 아무의 편에서는〔의〕: There is no objection *on* my ~. 나로서는 이의 없다. **~ *and parcel* (*of* ...)** (…의) 본질적인 부분, 요점: These words are now ~ *and parcel of* the English language. 이 말들은 지금 영어의 중요한 부분이 되어 있다. **~ *of speech*** (*pl.* **~*s of speech***) 〖문법〗 품사. ***play* 〔*act*〕 *a* ~** ① 역(할)을 하다《***in*** …에서》: She *played a* ~ *in* the play. 그 극에 출연했다/Salt *plays an* important ~ *in* the functions of the body. 소금은 몸의 기능에서 중요한 역할을 한다. ② 《비유적》 기만적으로 행동하다, 가장하다, 시치미떼다. ***play* one's ~** 맡은 바를 다하다, 본분을 다하다. ***take* ~ *in*** (a thing, do*ing*) …에 관계〔참가, 공헌〕하다: *take* ~ *in* the Olympics 올림픽에 참가하다. ***take* ~ *with*** = ***take the* ~ *of*** …(쪽)을 편들다: *take the* ~ *of* the students 학생들의 편을 들다. ***take*** a person***'s*** (words) ***in good* 〔*ill, evil, bad*〕 ~** 아무의 (말)을 선의〔악의〕로 해석하다, 아무의 (말)에 대해 노하지 않다〔노하다〕. ***take*** a person***'s* ~** 아무를 편들다. ***three* ~*s*** 4분의 3, 거의: The bottle was *three* ~*s* empty. 병은 거의 비어 있었다.
—*ad.* 일부분은, 얼마간, 어느 정도(partly): The statement is ~ truth. 그 진술은 어느 정도 진실성이 있다.
—*vt.* **1** 《~+목/+목+전+명》 나누다, 분할하다; 가르다, 찢다《***from*** …에서》: An islet ~*s* the stream. 작은 섬이 물줄기를 (둘로) 가른다/~ a loaf in pieces 빵을 몇 조각으로 자르다〔가르다〕/The war ~*ed* many people (*from* their families). 전쟁으로 많은 사람들이 이산 가족이 되었다. SYN. ⇨SEPARATE. **2** (머리)를 가르마 타다: He ~*ed* his hair in the middle. 그는 머리를 한가운데에서 가르마를 탔다.
—*vi.* **1** 《~/+전+명》 깨지다, 쪼개지다, 끊어지다, 부서지다; **갈라지다**, 분리하다, 떨어지다: As the cloud ~*ed*, we saw the summit. 구름이 걷히자 산꼭대기가 보였다/The rope ~*ed*. 밧줄이 끊어졌다/~ *into* small fragments 산산이 부서지다. **2** 《~/+전+명/+(*as*) 보》 갈라지다; **헤어지다**, 손을 끊다, 손을 떼다《***from*** (아무)와》: The stream ~*s* there. 강은 그곳에서 갈라진다/Let us ~ (*as*) friends. 사이좋게 헤어지자/~ *from* one's friends 친구들과 헤어지다. **3 내어놓다**, 내주다《***with*** (가진 것)을》: ~ *with* one's possessions 재산을 내놓다.
—*a.* Ⓐ 일부분(만)의, 부분적인, 불완전한: a ~ reply to the question 질문에 대한 불완전한 대답/~ payment 분할 지급.

part. participial; participle; particular.

◇par·take [pɑːrtéik] (**-*took*** [-túk], **-*tak·en*** [-téikən]) *vi.* 《문어》 **1** 참가〔참여〕하다, 함께 하다(participate)《***in*** …에, …을》: ~ *in* an enterprise with a person 아무와 함께 사업을 하다/~ *in* each other's joys =~ *in* joys with each other 기쁨을 함께 나누다. SYN. ⇨SHARE. **2** 먹다, 마시다《***of*** (음식 따위)를》: We *partook of* lunch with them. 그들과 점심을 함께 했다/~ *of* refreshments 다과 대접을 받다. **3** 성질〔기색〕이 좀 있다《***of*** …의》: His words ~ *of* regret. 그의 말에서 후회의 빛을 엿볼 수 있다/The novel ~*s* somewhat *of* a fairy tale. 그 소설은 다소 동화 같은 데가 있다.

par·terre [pɑːrtέər] *n.* Ⓒ 여러 가지 화단을 배치한 정원; 《美》 =PARQUET CIRCLE.

párt-exchànge *n.* Ⓤ, *vt.* 신품(新品)의 대금 일부로 중고품을 인수하기〔하다〕.

par·the·no·gen·e·sis [pɑ̀ːrθənoudʒénəsis] *n.* Ⓤ 〖생물〗 단성 생식(單性生殖), 처녀 생식; 처녀 수태(受胎). 파 **pàrtheno·genétic** *a.* **-ically** *ad.*

Par·the·non [pɑ́ːrθənɑ̀n, -nən] *n.* (the ~) 파르테논《Athens의 Acropolis 언덕 위에 있는 Athena 여신의 신전》.

Pár·thi·an shót 〔**sháft**〕 [pɑ́ːrθiən-] (퇴각할 때 쏘는) 마지막 화살; (헤어질 때) 내뱉는 말.

par·tial** [pɑ́ːrʃəl] *a.* **1 부분적인**, 일부분의, 국부적인; 불완전한: a ~ loss 〔success〕 부분적 손실〔성공〕/a ~ knowledge 어설픈 지식. **2** (판단·견해 따위가) **불공평한**, 편파적인, 한쪽에 치우친(prejudiced)《to, toward*** …에》. ↔ *impartial.* ¶a ~ opinion 편파적인 의견/That teacher is ~ *to* girl students. 저 선생님은 여학생들을 편애한다. SYN. ⇨UNJUST. **3** Ⓟ 특히〔몹시〕 좋아하는《***to*** …을》: be ~ *to* sports 스포츠를 몹시 좋아하다.

◇par·ti·al·i·ty [pɑ̀ːrʃiǽləti] *n.* **1** Ⓤ 편파, 불공평, 치우침(↔ *impartiality*): He showed no ~ in his decisions. 그의 결정에는 불공평한 태도가 보이지 않았다. **2** (a ~) 특별히 좋아함(fondness), 편애함《***for, to*** …을》: have a ~ *for* sweets 단것을 좋아하다.

◇par·tial·ly [pɑ́ːrʃəli] *ad.* **1** 부분적으로, 불충분하게: The attempt was only ~ successful. 그 시도는 부분적인 성공만을 거두었다. **2** 불공평하게, 편파적으로: judge ~ 불공평하게 판정하다.

par·tic·i·pant [pɑːrtísəpənt] *n.* Ⓒ 관여자, 관계〔참여〕자, 협동자, 참가자《***in*** …에의》.

par·tic·i·pate** [pɑːrtísəpèit] *vi.* 《~/+전+명》 **1 참가하다**, **관여하다**, 관계하다《in*** …에; ***with***

《아무)와》: ~ *in* a game 〔discussion〕 경기〔토론〕에 참가하다 / She ~*d with* her friend *in* her sufferings. 그녀는 고통을 친구와 함께 나누었다. [SYN.] ⇨SHARE. **2** 《문어》 성질을 좀 띠다, 기미〔데〕가 있다《***of*** …의, …한》: His speech ~*d of* humor. 그의 연설에는 우스운〔익살스러운〕 데가 있었다. ◇participation *n*.
[파] **par·tíc·i·pà·tive** *a*.

◇**par·tìc·i·pá·tion** *n*. [U] 관여, 참여, 관계, 참가《***in*** …에의》. ◇participate *v*.

par·ti·cip·i·al [pɑ̀ːrtəsípiəl] *a*. 【문법】 분사의, 분사적인: a ~ noun =GERUND. [파] **~·ly** *ad*. 분사로서, 분사적으로.

participíal ádjective 【문법】 분사 형용사《동사의 현재분사 · 과거분사가 형용사 역할을 하는 것; 예: an *interesting* story / a *distinguished* scholar》.

participíal constrúction 【문법】 분사 구문《분사가 접속의 역할을 하는 구문; 보기: *Having finished my homework*, I went out for a walk. 숙제를 마치고 나서 산보하러 나갔다》.

◇**par·ti·ci·ple** [pɑ́ːrtəsìpəl] *n*. [C] 【문법】 분사《생략: p., part.》: a present 〔past〕 ~ 현재〔과거〕분사.

par·ti·cle** [pɑ́ːrtikl] *n*. [C] **1 미립자**, 분자, 극히 작은 조각: ~*s of* sand 모래알. **2 극소(량**(量)), 극히 작음《of*** …의》: not a ~ *of* evidence 티끌만한 증거도 없는. **3** 【물리】 소립자: an elementary ~. **4** 【문법】 불변화사(不變化詞)《관사 · 전치사 · 접속사 따위 어형 변화가 없는 것; on, in, out, over, off 따위》. **5** 소사(小辭), 접두〔접미〕사《un-, out-, -ness, -ship 따위》.

pàr·ti-cólor(ed), pàrty- [pɑ́ːrti-] *a*. 잡색의, 여러 색으로 물들인, 얼룩덜룩한; 《비유적》 다채로운, 파란이 많은.

****par·tic·u·lar** [pərtíkjələr] *a*. **1** [A] **a** 〖this 〔that〕의 뒤에 붙여〗 (몇 가지 같은 종류 중에서) **특히 그〔이〕, 특정한**, 바로 그: in *this* ~ case 특히 이 경우에는 (딴 것과 달라) / Why did you choose *this* ~ chair? 왜 하필 이 의자를 택하였느냐 / She came home late on *that* ~ day. 문제의 그날(따라) 그녀는 늦게 귀가했다. [SYN.] ⇨DEFINITE. **b** (one's ~) **특유의, 독특한**; 개인으로서의: my ~ problem 특히 나만의 문제 / in our ~ case 특히 우리들 경우에는. [SYN.] ⇨SPECIAL. **c 개개의**; 각자의, 개별적인: every ~ item 각 항목. **2** [A] **특별한, 각별한**, 뚜렷한: for no ~ reason 이렇다 할 특별한 까닭 없이 / of ~ importance 각별히 중요한 / There is no ~ evidence. 뚜렷한 증거는 아무 것도 없다. **3** [A] **상세한** (detailed), 정밀한: give a full and ~ account of …에 관하여 상세히 보고〔기술〕하다. **4 꼼꼼한**, 깔끔한; 까다로운《***about, over*** …에 대하여》: a very ~ customer 아주 까다로운 손님 / He's ~ *about* food. 그는 음식에 대하여 매우 까다롭다. **5** 【논리】 특칭의, 특수적인(↔ *general, universal*): a ~ proposition 특칭 명제.

> [DIAL] ***I'm not particular.*** (어느 쪽이든) 나는 상관없다, 나는 아무래도 괜찮다.

—*n*. [C] **1** (보통 *pl*.) **상세**, 상보, 명세《***of*** (일)의》: Everybody wanted to know the ~*s*. 누구나 다 상세한 내용을 알고자 했다 / He gave full ~*s of* the incident. 그는 그 사건에 대한 전모를 밝혔다. **2** (하나하나의) 항목, 점, 사항: His work is accurate in every ~ 〔in all ~*s*〕. 그의 일은 모든 점에서 정확했다 / take 〔write〕 down a person's ~*s* (경찰관이 심문하여) 아무의 인적 사항《주소 · 성명 따위》을 기재하다. **3** (the ~) 【논리】 특칭(特稱), 특수.
from the general to the **~** 총론에서 각론에 이르기까지. ***in*** **~** ① 특히, 각별히《★ in general에 대비됨》: There is one book *in* ~ that may help you. 당신에게 도움이 되리라고 생각되는 책 한 권이 있습니다 / You look pale. What's the matter? — Nothing *in* ~. 안색이 창백한데요, 무슨 일이 있습니까 — 특별히 별다른 일은 없는데요. ② 일일이, 상세히. ***Mr. Particular*** 까다로운 사람, 잔소리꾼.

par·tic·u·lar·i·ty [pərtìkjəlǽrəti] *n*. **1 a** [U] 특별, 독특함, 특수성. **b** [C] 특성, 특징. **2 a** [U] 상세함, 정밀함, 면밀함. **b** [C] 상세한 사항〔내용〕. **3** [U] 까다로움, 꼼꼼함.

par·tìc·u·la·ri·zá·tion *n*. [U] (구체적으로는 [C]) 특수〔개별〕화, 특기, 상술, 열거.

par·tic·u·lar·ize [pərtíkjələràiz] *vt*., *vi*. 상술하다; 열거하다; 특필하다; 특수화하다.

****par·tic·u·lar·ly** [pərtíkjələrli] *ad*. **1 특히**, 각별히; 현저히: I ~ mentioned that point. 특히 그 점을 언급했다 / You look ~ attractive today. 당신은 오늘 특별히 매력적으로 보입니다 / Do you want to go? — No, not ~. 너는 가고 싶으냐 — 아니, 별로. [SYN.] ⇨ESPECIALLY. **2** 상세히, 세목에 걸쳐: go into a matter ~ 일을 자세히 말〔논〕하다.

par·tic·u·late [pərtíkjəlit, -lèit] *a*. 개개의 미립자의〔로 된〕. **—***n*. [C] 미립자.

part·ing** [pɑ́ːrtiŋ] *n*. **1** [U] (구체적으로는 [C]) **헤어짐, 이별**; 사별, 고별: on ~ 이별에 즈음하여 / The ~ of the lovers was very sad. 연인들의 이별은 몹시 슬펐다. **2** [U] **분할**, 분리. **3** [C] (도로의) 분기점; 《英》 (머리의) 가르마; 분할선. ***the ~ of the ways 도로의 분기점; 《비유적》 (선택 · 인생의) 기로.
—*a*. [A] **1 떠나〔저물어〕가는**: a ~ guest 떠나는 손님 / a ~ day 황혼, 해질녘. **2 이별의**; 고별의, 최후의; 임종의: a ~ gift 작별의 선물 / ~ words 고별사; 임종 때의 말 / drink a ~ cup 작별의 잔을 들다. **3** 나누는, 분할〔분리〕하는.

párting shòt =PARTHIAN SHOT.

◇**par·ti·san, -zan** [pɑ́ːrtəzən/pɑ̀ːrtizǽn] *n*. [C] **1** 한동아리, 도당, 일당; 당파심이 강한 사람; 열성적인 지지자. **2** 【군사】 유격병, 게릴라 대원, 빨치산. **—***a*. **1** 당파심이 강한, 한쪽으로 치우친: ~ spirit 당파심〔근성〕/ ~ politics 파벌 정치. **2** 【군사】 유격대의, 게릴라 대원의. [파] **~·ism, ~·shìp** *n*. [U] 당파심, 당파 근성; 가담.

par·ti·ta [pɑːrtíːtə] (*pl*. **~s, -te** [-tei]) *n*. 《It.》 [C] 【음악】 파르티타《17-18세기의 변주곡 · 모음곡의 일종》.

◇**par·ti·tion** [pɑːrtíʃən, pər-] *n*. **1** [U] **분할, 분배**, 구분: the ~ of Poland in 1795, 1795년의 폴란드 분할. **2** [C] 구획(선), 칸막이; 격벽(隔壁): a glass ~ 칸막이 유리벽. **3** [C] 【컴퓨터】 분할《다수의 프로그램을 동시에 수행시키기 위해 주기억 장치를 몇 개의 구역으로 나눈 것. **—***vt*. 분할〔분배〕하다, (토지 등)을 구획하다《***into*** …으로》; 칸막이하다(*off*): ~ a room *into* two small rooms 방을 2개의 작은 방으로 나누다 / ~ *off* a part of a room 방의 일부를 칸막이하다.

par·ti·tive [pɑ́ːrtətiv] *a*. **1** 구분하는. **2** 【문법】 부분을 나타내는: the ~ adjective 부분 형용사

P

《any, some》. —n. [C] 【문법】 부분사(部分詞). [파] ~·ly ad.

‡**part·ly** [pɑ́ːrtli] ad. **1** 부분적으로, 일부(는): It is ~ good and ~ bad. 좋은 점도 나쁜 점도 있다. **2** 얼마간, 어느 정도까지; 조금은: You are ~ right. 네 말도 일리는 있다.

‡**part·ner** [pɑ́ːrtnər] n. [C] **1** 협동자, 한동아리, 패거리《*in, of* (어떤 일)의; *with* (아무)의》: ~s in crime (*with* him) (그의) 공범자. **2** 배우자《남편·아내》: one's life ~ =one's ~ in life 배우자. **3** (댄스 따위의) 상대, 파트너; (게임 따위에서) 자기편, 한패; 《美구어》 (남자끼리의) 친구(들), 동무: be ~s with …와 짝을 이루다: Who is your tennis ~? — It's Jimmy. 테니스의 짝이(파트너가) 누굽니까 — 지미인데요. **4** 【법률】 조합원, (합자·합명 회사의) 사원; 공동 경영(출자)자: an active (a working) ~ 근무 사원/a dormant (sleeping, silent) ~ 익명 사원/a limited ~ 유한 책임 사원/a general ~ 일반(무한 책임) 사원.
—vt. **1** 《+[목]+[전]+[명]/+[목]+[부]》 한동아리로(짝이 되게) 하다(*up; off*)《*with* …와》: He was ~*ed* (*up*) *with* her in a tango. 그는 그녀와 짝이 되어 탱고를 추었다. **2** …와 짜다, …의 상대가 되다《댄스·게임 따위에서》.

°**part·ner·ship** [pɑ́ːrtnərʃìp] n. **1** [U] (일 따위의) 공동, 협력, 제휴: go (enter) into ~ 협력(제휴)하다/in ~ with …와 협력해서(공동으로). **2** [C] 조합, 상회, 합명(합자) 회사: a general ~ 합명 회사/a limited (special) ~ 합자 회사/an unlimited ~ 합명 회사.

par·took [pɑːrtúk] PARTAKE의 과거.

párt òwner 【법률】 공동 소유자《특히 선박의》. [파] ~·ship n. [U] 공동 소유.

par·tridge [pɑ́ːrtridʒ] (pl. **~s,** 《집합적》 ~) n. [C] 【조류】 반시(半翅)·자고(鷓鴣)류《유럽·아시아산 엽조(獵鳥)》; 목도리뇌조; (북아메리카산) 메추라기의 일종; [U] 자고·목도리 뇌조의 고기.

párt-sòng n. [C] 【음악】 합창곡《주로 무반주》.

párt tíme 전시간(full time)의 일부, 파트타임.

*__part-time__ [pɑ́ːrttàim] a. 파트타임의, 정시제(定時制)의, 비상근의. ↔ *full-time*. ¶a ~ job 파트타임의 일/a ~ teacher 시간(비상근) 강사/a ~ high school 정시제 고등 학교/on a ~ basis 시간급으로. —ad. 파트타임(비상근)으로.

párt-tímer n. [C] 비상근을 하는 사람, 정시제 학교의 학생. ↔ *full-timer*.

par·tu·ri·ent [pɑːrtjúəriənt] a. **1** 아이를 낳는, 출산하는; 달이 찬, 만삭의. **2** (사상·문학 작품 등을) 배태(胚胎)하고 있는, 발표하려고 하는. [파] **-en·cy** n.

par·tu·ri·tion [pɑ̀ːrtjuəríʃən] n. [U] 《문어》 분만, 출산.

párt·wáy ad. 《구어》 중도(어느 정도)까지: I'll go ~ with you. 도중까지 함께 가겠습니다.

párt·wòrk n. [C] 《英》 분책(分冊) 형식으로 간행되는 출판물.

†**par·ty** [pɑ́ːrti] n. **1** [C] (사교상의) 모임, 회, 파티: a garden ~ 가든 파티/a Christmas ~ 크리스마스 파티/a birthday ~ 생일 축하 파티/give (have, hold, 《구어》 throw) a ~ 파티를 열다.
2 [C] 《집합적; 단·복수취급》 **a** 당, 당파; 정당: the opposition ~ 야당. **b** 일행, 패거리; 대(隊), 단(團); 【군사】 분견대, 부대: a search (surveying) ~ 수색(측량)대/Mr. Adams and his ~ 애덤스씨 일행/make up a ~ 하나의 단체를 구성하다/The whole ~ was (were) exhausted. 일행은 모두 지쳐 있었다. [SYN.] ⇨COMPANY.
3 [C] 【법률】 (계약·소송 따위의) 당사자, (전화의) 상대편; 한패, 공범자; 관계자《*to* …의》: a ~ *to* a deal 거래의 상대/the third ~ 제삼자/the *parties* (concerned) 당사자들/a ~ interested 【법률】 이해관계인/be (become) (a) ~ *to* … (나쁜 일 등)에 관계하(고 있)다.
4 [C] 《구어》 (문제의) 사람: He's quite a crafty old ~. 그 사람은 아주 교활한 영감이다.
—a. [A] **1** 정당의, 당파의: ~ spirit 당파심/~ government 정당 정치/the ~ system 정당 조직. **2** 파티(용)의: a ~ dress. — vi. 《구어》 파티에 나가다, 파티를 열다.

párty lìne 1 (전화의) 공동(가입)선(party wire); 한 선을 공동으로 쓰는 전화. **2** (토지 등의) 경계선. **3** [´´] (보통 the ~) (정당의) 방침, 주의, 당의 정치 노선.

párty píece (one's ~) 《우스개》 (파티 등에서 하는) 장기(長技), 십팔번《익살, 농담 등》.

párty pólitics 당을 위한 정치《자기 당의 이익만을 생각하는》; 당략.

párty pòop(er) 《속어》 (연회의) 흥을 깨는 사람(killjoy, spoilsport, wet blanket).

párty wáll (옆집과의) 경계벽, 공유벽; 칸막이 벽.

pár válue (증권 등의) 액면 가격(face value).

par·ve·nu [pɑ́ːrvənjùː] n. [C], a. [A] 《F.》 벼락출세자(부자)(upstart)(의).

pas [pɑː] (pl. ~ [-z]) n. 《F.》 [C] (댄스·발레의) 스텝.

Pas·cal [pǽskəl] n. **Blaise** ~ 파스칼《프랑스의 철학자·수학자; 1623–62》.

pas·cal [pæskǽl] n. **1** [C] 【물리】 파스칼《압력의 SI 조립 단위; 1 pascal = 1 newton/m^2, = 10μ bar; 기호 Pa.》. [cf.] SI unit. **2** (P– 또는 PASCAL) [U] 【컴퓨터】 파스칼《ALGOL의 형식을 따르는 프로그램 언어》.

pas·chal [pǽskəl, pɑ́ːs-] a. (때로 P–) (유대인의) 유월절(逾越節)(Passover)의; 부활절(Easter)의.

pas de chat [pɑ́ːdəʃɑ́ː] 《F.》 【발레】 파드샤《고양이처럼 앞쪽으로 도약하는 것》.

pas de deux [pɑ̀ːdədə́ː] 《F.》 【발레】 대무(對舞), 짝춤.

pash [pæʃ] n. [C] 《속어》 **1** (이성에의) 열중, 열올리는 일. **2** 열을 올리게 하는 상대.

pa·sha, -cha [pɑ́ːʃə, pǽʃə, pəʃɑ́ː] n. [C] 파샤《터키의 문무 고관의 존칭》.

pas·quin·ade [pæ̀skwənéid] n. [C] 풍자문(lampoon); 풍자, 빈정거림(satire).

†**pass** [pæs, pɑːs] (p., pp. **~ed** [-t], 《드물게》 *past* [-t]) vi. **1 a** 《~/+[부]/+[전]+[명]》 지나다, 통과하다; 나아가다: Please let me ~. 미안합니다만 지나가겠습니다/I ~ *by* (*behind, in front of*) the shop every day. 나는 매일 그 가게 옆을(뒤를, 앞을) 지나갑니다/They ~*ed through* (the town) without stopping. 그들은 멈추지 않고 (그 읍내를) 통과했다/A startled look ~*ed over* her face. 깜짝 놀란 표정이 그녀의 얼굴을 스쳐갔다. **b** (자동차로) 추월하다: A sports car ~*ed* on the left. 스포츠카 한 대가 왼쪽으로 추월해 갔다/No ~*ing* permitted. 추월금지《도로표지》. **c** (도로·강 따위가) 통하다, 뻗다; (물·전

류가) **흐르다**: A road *~es* through the wood. 한 줄기 도로가 숲 속에 뻗어 있다/The water *~es* through this pipe. 물이 이 파이프를 흐르고 있다.

2 a (때가) **지나다, 경과하다**: How quick time *~es*. 시간이 참 빨리 지나는구나. **b** 《~/+전+명》 **떠나다, 사라지다**, 소멸하다《***from*** …에서; ***into*** …으로》: The storm *~ed*. 폭풍이 지나갔다/The scandal soon *~ed from* public notice 〔*into* oblivion〕. 그 추문은 마침내 세상 이목을 끌지 않게 되었다〔망각의 저편으로 사라졌다〕.

3 《+전+명》 **a** 차례로 돌려지다: The wine *~ed from* hand *to* hand. 와인이 손에서 손으로 돌려졌다. **b** (뉴스 따위가) 퍼지다, (말 따위가) 교환되다: Harsh words *~ed between* them. 격한 말이 그들 사이에서 오갔다.

4 《+전+명》 **변화〔변형〕하다**, 되다《***from*** …에서; ***to, into*** …으로》: Culture *~es from* a primitive *to* a more civilized stage. 문화는 원시적 단계에서 보다 문명화된 단계로 옮아간다/~ *into* a deep sleep 깊은 잠에 빠지다/~ *into* a proverb 속담이 되다.

5 《+전+명》 (재산 따위가) **넘어가다**, 양도되다《***to, into*** …으로》: The company *~ed into* the hands of stockholders. 회사는 주주의 손으로 넘어갔다.

6 《~/+전+명》 (화폐 · 별명 따위가) **통용되다**; 통하고 있다《***for*** …으로; ***as*** …으로서; ***by, under*** …(라는 이름)으로》: For years the picture *~ed as* a genuine Rembrandt. 몇 년 동안 그 그림은 렘브란트의 진품으로 통했다/He *~es by* 〔*under*〕 the name of Gilbert. 그는 길버트란 이름으로 통하고 있다/Cheap porcelains often ~ *for* true china in U.S.A. 미국에서는 종종 싸구려 도자기가 진짜 도자기로 통한다.

7 a 〖보통 let ... pass 로〗 관대히 봐주다, 불문에 부치다: He was unkind but *let* it ~. 그가 불친절하였지만, 그것은 관대히 봐주자. **b** 《+보》 못 보고 지나치다: His insulting look *~ed* unnoticed. 그의 경멸의 표정은 사람들이 눈치채지 못했다.

8 합격〔급제〕하다; (의안 따위가) **통과하다**, 가결되다, 승인〔비준〕되다: He *~ed* at the first attempt. 그는 첫번째 시도에서 합격했다/The bill will ~ by the end of April. 그 의안은 4월 말까지 통과될 것이다/His rude remarks *~ed* without comment. 그의 폭언도 비난받지 않고 넘어갔다.

9 《+전+명》 (판결이) 내려지다《***for*** …에 유리하게; ***against*** …에 불리하게》; (법관이) 판결을 내리다《***on, upon*** …에》.

10 《~/+전+명》 (일이) 일어나다, 생기다《***between*** …사이에》: Nothing *~ed between* Mary and me. 메리와 나 사이에는 아무 일도 없었다.

11 〖구기〗 자기편에 송구하다; 〖카드놀이〗 패스하다《손대지 않고 다음 사람에게 넘김》.

—*vt.* **1 a 통과하다, 지나가다**, 넘어가다〔서다〕; 추월하다, 앞지르다: Turn to the right after *~ing* the post office. 우체국을 지나면 오른쪽으로 돌아 가시오/~ the other runners 다른 주자를 앞지르다. **b** (못 보고) 지나치다: I *~ed* her on the road. 나는 길에서 그녀를 못 보고 지나쳤다.

2 빠져나가다, 건너다, 가로지르다, 넘다; …에서 나오다, 맞스치다: ~ the Alps 알프스를 넘다/The ship *~ed* the channel. 배는 해협을 통과했다/No angry words *~ed* his lips. 그의 입에서 성난 말 한 마디 나오지 않았다.

3 《+목+전+명》 (손 · 빗 · 철사 따위)를 **통과시키다**《***down, through*** …에》: She *~ed* a comb *through* her hair. 그녀는 빗으로 머리를 빗었다/The electrician *~ed* a wire *down* 〔*through*〕 the pipe. 전기공이 파이프에 전선을 꿰었다.

4 《+목+전+명》 **a** (밧줄 따위)를 **감다, 두르다**《***round, around*** …(둘레)에》: *Pass* the rope *round* 〔*around*〕 your waist. 허리 둘레에 밧줄을 감으시오. **b** (눈)으로 훑어보다《***over*** …을》; (손 따위)를 움직이다《***over*** …위에》: ~ one's eyes *over* the account 계산을 대충 훑어보다/She *~ed* her hand *over* her face. 그녀는 손으로 얼굴을 어루만졌다.

5 《~+목/+목(+전)+*ing*》 (시간 · 세월)을 **보내다** (spend), 지내다《***in, by*** (하는 것)으로》《★ 종종 전치사를 생략함》: ~ the time 〔the days, the month〕 pleasantly 유쾌하게 시간〔나날, 그 달〕을 보내다/I *~ed* the evening (*by* 〔*in*〕) watch*ing* TV. 나는 텔레비전을 보면서 저녁을 보냈다.

6 《~+목/+목+목/+목+부/+목+전+명》 **넘겨주다, 건네주다**, 돌리다(*on; around, round; along*)《***to*** (아무)에게》: Please ~ me the salt. = Please ~ the salt *to* me. 소금 좀 집어 주십시오《식탁에서》/Read this and ~ it *to* him. 이것을 읽고서 그에게 넘겨주십시오/The photograph was *~ed round* 〔*around*〕 for everyone to see. 그 사진은 모두가 보도록 회람되었다.

7 a 《~+목/+목+전+명》 (판결 · 판단)을 내리다; (의견 따위)를 말하다《***on, upon*** …에 (대하여)》: ~ a sentence of death *on* a person 아무에게 사형을 선고하다/~ a remark 〔comment〕 (*on* ...) (…에 대하여) 한 마디 논평을 하다. **b** 〖~ one's lips 로〗 (비밀 따위가 입)에서 새다: Your confidence will not ~ my *lips*. 네 비밀은 지켜주마.

8 (의안 따위)를 **가결〔승인〕하다**, 비준하다; (의안이 의회)를 통과하다: ~ a bill 법안을 가결하다/The bill *~ed* the House. 그 법안은 의회를 통과했다.

9 《~+목/+목+목》 (가짜 돈 따위)를 통용시키다, 유통시키다; 받게 하다, 쓰게 하다: ~ forged bank notes 위조지폐를 사용하다.

10 《~+목/+목+(*as*) 보》 (시험 · 검사 따위)에 **합격하다, 패스하다**; (수험생 · 답안)을 합격시키다; (기준 따위)를 넘다: ~ Latin 라틴어 시험에 합격하다/The doctor *~ed* me (*as*) fit. 의사는 내 건강 상태가 양호하다고 합격시켜 주었다/Contributions have *~d* the $10,000 mark. 기부는 1만 달러 목표를 넘었다.

11 (일정 범위 등)을 **넘다**, 초과하다: His story *~es* all belief. 그의 이야기는 통 믿기 힘들다.

12 〖구기〗 (공)을 보내다, 패스하다; 〖야구〗 (4구로 타자)를베이스로 걸려 보내다.

13 배설하다: ~ water (on the road) (길에서) 소변 보다/~ blood 혈뇨기〔혈변이〕 나오다.

~ *away* 《*vi.*+부》 ① 소멸하다, 끝나다: The pain has *~ed away* completely. 아픔이 완전히 가셨다. ② 《완곡어》 죽다: He *~ed away* peacefully. 그는 조용히 숨을 거두었다. **—**《*vt.*+부》 ③ (때)를 보내다, 낭비하다. **~ *by*** 《*vi.*+부》 ① 옆을 지나다; (때가) 지나가다. **—**《*vt.*+부》 ② 무시하다, 모른 체하다(ignore); 못 보고 지나치다(overlook). ③ 너그럽게 봐주다. **~ *down*** 《*vt.*+부》 전하다, 물려주다《***to*** …에》. **~ *off*** 《*vi.*+부》 ① (감각 · 감정 따위가) 차츰 사라지다, 약해지다: The smell of the paint will ~ *off* in a few days. 페인트 냄새는 수일 내로 없어질 것이다. ② (의식·절차 등이) 지체없이 행해지다: The conference *~ed off* very well. 회의는 잘 진행되었다. —《*vt*.+副》 ③ (문제 따위)를 피하다, 받아넘기다: She *~ed* it *off* (as a mere coincidence). 그녀는 그것을 (단순한 우연의 일치라고) 문제삼지 않았다. ④ 속여서 통용시키다《**as** …으로서》: He *~ed off* the picture *as* a Picasso. 그는 그 그림을 피카소의 그림이라고 속여 넘겼다. ⑤ 〖~oneself〗 행세하다《**as** …으로서》: She *~ed herself off as* a doctor. 그녀는 의사로 행세하였다. **~ on** 《*vi*.+副》 ① (그대로) 앞으로 나아가다; 통과하다. ② 옮겨가다《**to** …으로》: Now, let's *~ on to* the next question. 그럼, 다음 질문으로 옮겨갑시다. ③《완곡어》 죽다. —《*vt*.+副》 ④ 옮기다, 전하다《**to** …에게》: Please ~ this information *on to* the boss. 이 정보를 보스에게 전해 주시오. ⑤ (비용 따위)를 떠맡게 하다: ~ *on* the increase in costs *to* the consumer 경비의 증가분을 소비자가 떠맡게 하다. **~ out** 《*vi*.+副》 ① (밖으로) 나가다, 퇴장하다. ②《구어》 의식을 잃다, 기절하다; 취해서 인사불성이 되다. ③《英》 (사관학교 따위)를 졸업하다. —《*vt*.+副》 ④ (물건)을 분배〔배부〕하다《**to** …에게》: Please ~ these handouts *out to* everyone. 이 인쇄물을 모두에게 배부하시오. **~ over** 《*vi*.+副》 ① 머리 위를〔상공을〕 지나가다. —《*vt*.+副》 ② …을 못 보고 빠뜨리다; 무시하다: They *~ed over* the remark in silence. 그들은 아무 말 않고 그 말을 무시했다. ③〖종종 수동태〗 고려의 대상으로 삼지 않다, 제외하다《**for** (승진 따위)에서》: I *was ~ed over for* promotion. 나는 승진에서 제외되었다. **~ through** 《*vi*.+前》 ① …을 통과하다. ② (학교)의 과정을 이수하다: He *~ed through* school with straight As. 그는 올 A학점으로 학교를 졸업했다. ③ (어려운 일 따위)를 경험하다. —《*vi*.+副》 ④ 통과하다(⇨*vi*. 1 a). ⑤ 임시 직장에서 일하고 있다. **~ up** 《*vt*.+副》《구어》 ① (기회 등)을 버리다, 놓치다. ② 거절하다.

—*n*. Ⓒ **1 패스, 무료 승차〔입장〕권**; 우대권, 정기권; 통행〔입장〕 허가증; 〖군사〗 임시 외출증: a ~ to the exhibition 전람회 무료 입장권 / *No* admission without a ~. 패스 없는 자 입장 금지. **2** (시험의) 합격, 급제; 〖英대학〗 보통 학위 시험 합격: I got a ~ in English. 나는 영어에 합격했다. **3** (요술사·최면술사의) 손의 움직임: make *~es* 손을 움직여 최면을 걸다〔요술을 부리다〕. **4** 〖펜싱〗 찌르기. **5** 〖야구〗 4구로 출루하기; 〖구기〗 송구, 패스. **6** 〖카드놀이〗 패스《기권하고 다음 사람으로 돌리는 것》. **7 a 좁은 통로, 산길, 고갯길**: a mountain pass 산길. **b** (P-) 〖보통 지명에 써서〗 …고갯길: Simplon [símplan/sǽmplɔn] *Pass* 심플론 고갯길《이탈리아와 스위스 사이의》. **8** 수로《특히 강 어귀의》; (어살 위의) 고기의 통로. **9** 〖컴퓨터〗 과정《일련의 자료 처리의 한 주기》.

bring … to a pretty* 〔*fine*〕 ~** …을 중대〔곤란〕한 사태에 빠뜨리다. ***bring … to* ~** ① …을 야기시키다: His wife's death *brought* a change *to* ~ in his view of life. 아내의 죽음은 그의 인생관에 변화를 가져왔다. ② 실현하다, 이룩하다. ***come to a pretty* 〔*fine*〕 ~** 중대〔곤란〕한 사태에 이르다. ***come to* ~** (일이) 일어나다; 실현되다: It *came to* ~ that …. …하게 되었다. ***hold the* ~** 주의를〔이익을〕 옹호하다. ***make a* ~ *at (a woman)《구어》 (여자)에게 지분거리다, 구애하다. ***sell the* ~** 주의(主義)를 배반하다.

pass. passage; passenger; passive.

***pass·a·ble** [pǽsəbəl, pɑ́ːs-] *a*. **1 통행할 수 있는**, 건널 수 있는《강 따위》: The mountain road is not yet ~. 그 산길은 아직 통행할 수 없다. **2** 상당한, 보통의, 괜찮은; 그럭저럭 목적에 맞는. **3** (화폐가) 통용〔유통〕되는; (의안이) 통과될 수 있는. ㊊ **-bly** *ad*. 그런대로, 적당하게.

‡**pas·sage** [pǽsidʒ] *n*. **1 a** Ⓤ (또는 *sing*.) **통행, 통과**: The ~ *of* strangers is rare in this valley. 이 계곡은 외지인의 통행이 드물다 / force a ~ through a crowd 군중을 헤치며 나아가다 / No ~ this way. 이 길은 통행을 금함. **b** Ⓤ 통행권. **2 a** Ⓤ 이주(移住), (새의) 이서(移棲): a bird of ~ 철새; 편력자(遍歷者) / At the approach of winter the ~ of the birds began. 겨울이 가까워지자 새들의 이동이 시작되었다. **b** Ⓤ 이행(移行), 이동《**from** …에서의; **to** …으로의》: the ~ *from* barbarism *to* civilization 야만에서 문명으로의 이행. **3** Ⓤ **경과**, 추이, 변천: the ~ *of* time 때의 경과. **4** Ⓤ (또는 a ~) (바다·하늘의) **수송, 운반, 여행**, 도항, 항해; 통행권, 여행할 권리; 통행료, 뱃삯, 차비: have a rough ~ 난항(難航)하다 / make the ~ across to France 프랑스를 향해 항해하다 / book 〔engage〕 ~ by air 항공권을 예약하다 / work one's ~ 뱃삯 대신 승선 중 일하다. **5** Ⓤ (의안(議案)의) 통과, 가결(可決)(passing): the ~ *of* a bill. **6** Ⓒ 통로(way), 샛길; 수로, 항로; 복도; (체내의) 관(管): Don't park your motorbike in the ~.《게시》 오토바이를 통로에 세우지 마시오. **7** Ⓒ (인용·문장 따위의) **일절, 한 줄**: some *~s* from Shakespeare 셰익스피어에서 인용한 몇 마디. **8** Ⓒ 〖의학〗 통변(通便)(evacuation). **9** Ⓒ 〖음악〗 악절.
a* ~ *at* 〔*of*〕 *arms 치고 받기, 싸움; 논쟁.

pássage·wày *n*. Ⓒ 통로; 낭하, 복도.

pas·sant [pǽsənt] *a*. 〖문장(紋章)〗 오른쪽 앞발을 들고 있는 자세의《사자 따위》.

páss·bòok *n*. Ⓒ 은행 통장(bankbook).

pas·sé [pæséi, ˌ-ˊ, pɑ́ːsei] (*fem*. ***-sée*** [—]) *a*. 《F.》 구티가 나는, 한창때가 지난; (여자가) 한물간; 시대에 뒤진.

pássed báll 〖야구〗 (포수의) 패스볼.

pas·sel [pǽsəl] *n*. Ⓒ《美구어》 다수, 대집단《**of** …의》: a ~ *of* persons 많은 사람들.

‡**pas·sen·ger** [pǽsəndʒər] *n*. Ⓒ **승객, 여객**, 선객; 탑승객;《英구어》 (어떤 집단 내의) 짐스러운 존재, 무능자: a ~ agent《美》 승객 담당원 / a ~ boat 객선 / a ~ elevator 승용 엘리베이터 / a ~ machine 〔plane〕 여객기 / a ~ train 여객 열차 / a ~ list 승객 명부.

pássenger sèat (탈것의) 객석;《특히》 조수석, 옆 좌석《운전석 옆》.

passe-par·tout [pæ̀spɑːrtúː] *n*. 《F.》 Ⓒ **1** 사진(을 끼는) 틀; 대지(臺紙); 대지용의 접착 테이프. **2** 곁쇠.

pass·er-by, pass·er·by** [pǽsərbái, pɑ́ːs-] (*pl*. ***pass·ers-) *n*. Ⓒ **지나가는 사람**, 통행인.

pas·sim [pǽsim] *ad*. 《L.》 도처에, 곳곳에.

páss·ing *a*. Ⓐ **1** 통행〔통과〕하는; 지나가는. **2** 눈앞의, 현재의: the ~ day 〔time〕 현대 / ~ events 시사(時事) / ~ history 현대사. **3** 한때의, 잠깐 사이의: ~ joys. **4** 대충의, 조잡한; 우연한. **5** 합격〔급제〕의: a ~ mark 합격〔급제〕점. ***with each* ~ *day*** 하루하루가 지남에 따라, 매일매일.

—*n.* [U] **1 통행, 통과**; (때의) 경과. **2** 소실, 소멸; 《완곡어》 죽음. **3** (의안의) 가결, 통과; (시험의) 합격. ***in*** ~ …하는 김에, 내친걸음에.

pássing bèll (흔히 the ~) 조종(弔鐘), 죽음을 알리는 종.

pássing shòt 〔**stròke**〕 『테니스』 패싱 샷 《전진해 오는 상대의 왼쪽 또는 오른쪽으로 빠지는 타구》.

‡**pas·sion** [pǽʃən] *n.* **1 a** [U] **열정**(熱情), 정열; 격정(激情): a man of ~ 정열가/She played the Beethoven with ~. 그녀는 열정적으로 베토벤을 연주했다. **b** (*pl.*) (이성과 대비되는) 감정, 정감: Let's wait for ~*s* to settle down before deciding. 모두가 냉정해질 때까지 결정을 기다립시다. [SYN.] ⇨FEELING.

[SYN.] **passion** 평상시의 자기를 잊게 할 정도의 강렬한 격정. 맹목적인, 때로 이성에 대한 정열: an ungovernable, childlike *passion* 억제할 수 없는 어린애 같은 격정. **fervor, ardor** 차츰차츰 열을 띠는 감정, 흥분, 열의: speak with *fervor* 신이 나서 말하다. **zeal** fervor, ardor와 비슷하나 구체적인 목표《사람·물건·주의 따위》가 있을 경우가 많음: missionary *zeal* 전도의 정열. **enthusiasm** 열렬한 흥미에서 생긴 열의. 위의 네 단어에 비하여 지적인 관심이 수반됨: He showed marked *enthusiasm* for his studies. 그는 연구에 두드러진 열의를 나타내었다.

2 (a ~) 격노, 격앙, 울화: be in a ~ 격노해 있다/fall 〔get〕 into a ~ 불끈 성을 내다/fly into a ~ 벌컥 화를 내다/put 〔bring〕 a person into a ~ 아무를 격노케 하다, 남의 부아를 돋우다. **3** [U] (흔히 *pl.*) 연정, 색정, 정욕: tender ~ 연정/He felt strong ~(*s*) *for* her. 그는 그녀에 대한 강한 욕정을 느꼈다. **4** (*sing.*) 열망, 열중, 열광 《***for*** …에 대한》; 열망의 대상: have a ~ *for* music 음악을 매우 좋아하다/Golf is his ~. 그는 골프에 정신이 없다. **5** (the P-) (십자가 위의) 예수의 수난(기)《마가복음 XIV-XV 등》.

‡**pas·sion·ate** [pǽʃənit] *a.* **1 열렬한**, 정열적인, 열의에 찬: a ~ advocate of socialism 사회주의의 열렬한 옹호자/a ~ speech 열렬한 연설. **2** 성미가 급한, 성 잘 내는. **3** 정욕에 불타는, 다정다감한: a ~ woman 다정다감한 여성.
[파] °~·**ly** *ad.* °~·**ness** *n.*

pássion·flòwer *n.* [C] 『식물』 시계(時計)풀.

pássion frùit 『식물』 시계풀의 열매.

pássion·less *a.* 열(정)이 없는; 냉정한, 침착한. [파] ~·**ly** *ad.* ~·**ness** *n.*

Pássion plày 예수 수난극.

Pássion Súnday 수난 주일《사순절(四旬節)의 제5일요일로, 부활절의 전전 일요일》.

Pássion Wèek 수난 주간《부활절의 전주》.

*****pas·sive** [pǽsiv] *a.* **1 수동의**, 수동적인, 수세의; 『문법』 수동의. ↔ *active.* ¶ the ~ voice 『문법』 수동태. **2 무저항의**, 거역하지 않는, 소극적인: a ~ disposition 소극적인 성질. **3 활동적이 아닌**, 활기가 없는; 반응이 없는: In spite of every encouragement the boy remained ~. 아무리 고무해 줘도 소년은 도무지 해볼 마음이 생기지 않았다. **4** (빛이) 무이자의. —*n.* **1** (the ~) 『문법』 수동태(= ∠ **vóice**), 수동형, 수동 구문. **2** [C] 수동형의 글. [파] ~·**ly** *ad.* 피동(被動)적으로; 『문법』 수동태로. ~·**ness** *n.*

pássive obédience 절대 복종, 묵종.

pássive smóking 간접적 흡연《타인이 내뿜는 담배 연기를 들이마시는 일》.

pas·siv·i·ty [pæsívəti] *n.* [U] 수동(성); 복종, 무저항; 불활발; 인내.

páss·kèy *n.* [C] 곁쇠; 여벌쇠.

Pass·o·ver [pǽsòuvər, pɑ́ːs-] *n.* 『성서』 유월절(逾越節)《출애굽기 XII: 27》.

‡**pass·port** [pǽspɔ̀ːrt, pɑ́ːs-] *n.* [C] **1 여권**, 패스포트: Show me your ~, please.—Here it is. 여권 좀 보여 주세요—여기 있습니다. **2** 확실한 수단, 보증《***to*** (어떤 목적)을 위한》: a ~ *to* his favor 그의 환심을 사는 수단.

páss·wòrd *n.* [C] 암호(말), 군호; 『컴퓨터』 암호《파일(file)이나 기기(機器)에 접근할 권리를 가진 이용자를 식별하기 위한 문자열(文字列)》: demand 〔give〕 the ~ 암호를 요구하다〔말하다〕.

†**past** [pæst, pɑːst] *a.* **1 지나간, 과거의**, 옛날의, 이미 없어진, 끝난: in ~ years 〔times〕 =in years 〔times〕 ~ 과거에, 옛날/~ experience 과거의 경험/The troubles are ~. 그 고난은 과거의 것이 되었다/My youth is ~. 내 청춘은 끝났다. **2** [A] 방금 지난, (지금부터) …전(前): during the ~ year 과거 일년 동안《'작년'과는 다름》/for the ~ month (or so) 지난 한 달 (남짓한) 동안/the ~ three weeks 지난 3주 동안/He has been sick for some time ~. 그는 근자 얼마 동안 앓고 있었다. **3** [A] 임기가 끝난, (이)전의: a ~ president 전 회장. **4** [A] 『문법』 과거(형)의: the ~ tense 과거시제.

—*n.* **1** (the ~) 과거, 기왕: in the ~ 과거에 있어/the remote ~ 먼 옛날/We cannot undo the ~. 과거의 일은 어쩔 수가 없다. **2** (*sing.*) 과거의 사건; 옛날 이야기; 경력, (특히 어두운) 이력: a woman with a ~ 과거가 있는 여자. **3** (the ~) 『문법』 과거시제〔형〕.

> [DIAL.] ***It's all in the past.*** 그건 이미 끝난 일이야《그러니 모두 잊어버리세》.

—*prep.* **1** (시간적으로) …을 **지나(서)**. [cf.] to. ¶ ~ midnight 한밤중을 지나/half ~ eight, 8시 반/The bus leaves at 10 ~ (the hour). 버스는 매시 10분에 떠난다《★ 《英》에서는 past의 목적어를 생략하기도 함》. **2** (공간적으로) …의 **저쪽에**, …을 **지나서**: I went ~ the house by mistake. 잘못하여 그 집을 지나쳐 버렸다. **3** (나이 따위)를 넘어: a woman ~ middle age 중년이 넘은 여자/Our teacher is now ~ eighty. 우리 선생님은 이제 80이 넘으셨다. **4** …의 **범위를 넘어**, …이 **미치지 않는**(beyond): ~ hope of recovery 치유 가망이 없는/a pain ~ bearing 참을 수 없는 고통/~ endurance 참을 수 없는/It's ~ (all) belief. 그것은 (전혀) 믿을 수 없다. ***be ~ it*** 《구어》 (너무 늙어서〔낡아서〕) 옛날처럼 움직이지 못하게 되다. ***wouldn't put it ~ a person to do*** 《구어》 아무가 능히 …하고도 남으리라고 생각하다: I *wouldn't put it* ~ him *to* betray us. 그는 우리를 배반하고도 남음이 있으리라고 여겨진다.

—*ad.* 옆을 지나(서): hasten 〔run〕 ~ 급하게 〔뛰어서〕 지나쳐 가다/The train is ~ due. 기차는 연착이다.

pas·ta [pɑ́ːstə] *n.* [U] 파스타《달걀을 섞은 가루 반죽을 재료로 한 이탈리아 요리》.

*****paste**[1] [peist] *n.* [U] (종류·낱개는 [C]) **1 풀**. **2 반죽**, 가루 반죽《파이 따위의 재료》. **3** 반죽해서 만든 식품, 페이스트: bean ~ 된장/fish ~ 어묵.

4 반죽 모양의 것; 튜브 치약; (도자기 제조용) 점토; 이긴 흙. 5 (모조 보석용) 납유리. 6 〖컴퓨터〗 붙이기《버퍼(buffer)내의 자료를 파일에 복사함》. **—***vt.* 《+목+부/+목+전+명》 **1** (종이·게시 따위)를 풀로 붙이다(*down; in; up; together*) 《***into, on, to, onto*** …에》: ~ two sheets of paper *together* 종이 두 장을 풀로 붙이다/~ a notice *on* 〔*to*〕 a wall 벽에 게시를 붙이다. **2** (벽·틈 따위)에 풀로 붙이다〔바르다〕(*up; over*) 《***with*** (종이 따위)를》: The walls are *~d over with* posters. 벽에는 온통 포스터가 붙어 있다.

paste[2] 《속어》 *vt.* 때리다, 치다; 맹렬히 포격〔폭격〕하다. **—***n.* Ⓤ (안면 등에의) 강타.

páste·boàrd *n.* Ⓤ 두꺼운 종이, 판지. **—***a.* Ⓐ 판지로 만든; 실질이 없는; 가짜의: ~ pearls 인조 진주.

◇**pas·tel** [pæstél/pǽstl] *n.* **1** Ⓒ 파스텔, 색분필. **2** Ⓒ 파스텔화; Ⓤ 파스텔 화법. **3** Ⓤ (구체적으로는 Ⓒ) 부드러운 옅은 색채: paint the kitchen in ~(s) 부엌(의 벽)을 파스텔풍의 색조로 칠하다. **—***a.* Ⓐ 파스텔화(법)의; (색조가) 파스텔조(調)의. ㊞ **pas·tél·ist,** 《英》 **pas·tél·list** *n.* Ⓒ 파스텔 화가.

pas·tern [pǽstəːrn] *n.* Ⓒ 발회목뼈《말 따위의 발굽과 복사뼈와의 사이》.

páste-ùp *n.* Ⓒ 〖인쇄〗 교료지를 오려붙인 대지(mechanical)《제판용으로 촬영할 수 있게 된》.

Pas·teur [pæstə́ːr] *n.* **Louis ~** 파스퇴르《프랑스의 화학자·세균학자; 1822–95》.

pàs·teur·i·zá·tion *n.* Ⓤ 저온 살균법, 가열 살균.

pas·teur·ize [pǽstəràiz, -tʃə-] *vt.*, *vi.* (우유 등에) 저온 살균을 하다: *~d* milk 저온 살균 우유.

pas·tiche [pæstíːʃ] *n.* Ⓒ 혼성곡(曲); 모조화(畫); 모방 작품《문학·미술·음악 따위의》.

pas·til, pas·tille [pǽstil, -təl], [pæstí(ː)l/pǽstəl] *n.* Ⓒ 정제, 알약(troche); 향정(香錠); 선향(線香)《방취·살균을 위한 방향성 물질이 든》.

⁑**pas·time** [pǽstàim, pɑ́ːs-] *n.* Ⓒ **기분 전환**〔풀이〕, 오락, 유희, 소일거리. SYN. ⇨GAME.

past·ing [péistiŋ] *n.* Ⓒ (보통 *sing.*) 《구어》 강타, 펀치, 맹공격; 완패, 참패: John gets a ~ from his dad if he swears. 존은 욕을 하면 아버지께 혼쭐이 난다/Our team got 〔took〕 quite a ~. 우리 팀은 참패를 당했다.

pas·tis [pæstíːs; *F.* pastis] *n.* Ⓤ (낱개는 Ⓒ) 파스티스《아니스(anise)로 풍미를 낸 프랑스제 리큐어》.

pást máster 명인, 대가《***in, at, of*** …의》.

◇**pas·tor** [pǽstər, pɑ́ːs-] *n.* Ⓒ 목사; 정신적 지도자. ★ 영국에서는 국교파의 목사(clergyman)에 대하여 비국교파의 목사를 이름. cf. minister.

pas·to·ral [pǽstərəl, pɑ́ːs-] *n.* Ⓒ **1** 목가, 전원시; 전원곡〔극, 화〕. **2** =PASTORAL LETTER. **3** =PASTORAL STAFF. **—***a.* **1** 목자(牧者)의; 목축에 적합한; 목축용의; 전원(생활)의, 목가적인: ~ life 〔scenery, poetry〕 전원 생활〔풍경, 시〕/Beethoven's '*Pastoral* Symphony' 베토벤의 전원 교향곡《교향곡 제6번의 별칭》. **2** 목사의; (목사·선생 등의) 정신적인: ~ care (종교 지도자·선생 등의) 정신적인 충고, 조언.

pas·to·ra·le [pæ̀stərɑ́ːli, -rɑ́ːl] (*pl.* ***-li*** [-liː], ***~s***) *n.* Ⓒ 《It.》 〖음악〗 전원곡; 목가적 가극《16–17세기의》.

Pástoral Epístles (the ~) 〖성서〗 목회 서신(牧會書信)《디모데 전·후서 및 디도서》.

pástoral létter 〖기독교〗 교서《bishop이 관구의 성직자에게 또는 성직자가 그 교구민에게 보내는》.

pástoral stáff 〖기독교〗 목장(牧杖)《주교·수도원장이 지니는 지팡이》.

pas·tor·ate [pǽstərit, pɑ́ːs-] *n.* **1** Ⓒ 목사의 직〔임기, 관구〕. **2** (the ~) 〘집합적〙 목사단.

pást párticiple 〖문법〗 과거분사.

pást pérfect 〖문법〗 과거완료《had+과거분사의 시제 형식》.

pas·tra·mi [pəstrɑ́ːmi] *n.* Ⓤ 훈제(燻製) 쇠고기의 일종《등심살을 재료로 한 향기 짙은》.

◇**past·ry** [péistri] *n.* **1** Ⓤ (종류·낱개는 Ⓒ) 가루 반죽으로 만든 빵·과자《pie, tart, turnover 등》; 〘일반적〙 구워서 만든 과자(류). **2** Ⓤ 가루 반죽.

pástry·còok *n.* Ⓒ 빵〔과자〕 장수〔직공〕.

pas·tur·age [pǽstʃuridʒ, pɑ́ːstju-] *n.* Ⓤ **1** 목축(업). **2** 목장, 목초(지). **3** 방목권.

pas·ture** [pǽstʃər, pɑ́ːs-] *n.* **1** Ⓤ (낱개는 Ⓒ) 목장, 방목장; 목초지. **2** Ⓤ 목초. ***put 〔***send, turn***〕 (***out***) ***to*** ~ =put ... out to GRASS. **—***vt.* 《~+목/+목+전+명》 (가축)을 방목하다《***on*** …에》. **—***vi.* (가축이) 풀을 먹다.

pásture·land [-lənd, -læ̀nd] *n.* Ⓤ 목장, 목초지.

pás·tur·er [-rər] *n.* Ⓒ 목장주.

pas·ty[1] [pǽsti, pɑ́ːsti] *n.* Ⓒ (요리는 Ⓤ) 《英》 고기만두〔파이〕.

◇**pasty**[2] [péisti] (***past·i·er; -i·est***) *a.* 풀〔가루반죽〕 같은; 창백한《안색》; 활기가 없는.

pásty-fáced [-t] *a.* 창백한 얼굴의.

P.A. sỳstem =PUBLIC-ADDRESS SYSTEM.

Pat [pæt] *n.* **1** 패트《남자 이름; Patrick의 애칭》. **2** 패트《여자 이름; Patricia, Martha, Matilda의 애칭》.

⁑**pat**[1] [pæt] *n.* **1** Ⓒ **가볍게 두드리기**; 쓰다듬기. **2** (a ~) (편평한 물건·손가락 따위로) 가볍게 치는 소리; 가벼운 발소리. **3** Ⓒ (버터 따위의) 작은 덩어리. ***a ~ on the back*** 격려〔칭찬〕(의 말)《***for*** …에 대한》: give 〔get〕 *a ~ on the back* 칭찬하다〔칭찬을 받다〕.

— (***-tt-***) *vt.* **1** 《~+목/+목+전+명/+목+보》 똑똑 두드리다, 가볍게 치다《***with*** …으로; ***against*** …에》; 두드려서〔쳐서〕 …하다《***into*** …으로》: ~ a ball 공을 튀기다/She *~ted* her mouth *with* her napkin. =She patted her napkin *against* her mouth. 그녀는 냅킨으로 입을 다독였다/I *~ted* the dough *into* a flat cake. 가루 반죽을 쳐서 납작과자 모양으로 만들었다/*Pat* the skin dry (*with* a tissue). 화장지로 피부를 두드려서 말리시오. **2** 《~+목/+목+전+명》 (애정·찬의 따위를 나타내어) 가볍게 두드리다〔치다〕, 쓰다듬다《***on, upon*** …을》: ~ a dog 개를 쓰다듬다/He *~ted* her *on* the shoulder. =He *~ted* her shoulder. 그는 그녀의 어깨를 톡톡 쳤다. **—***vi.* **1** 《+전+명》 가볍게 치다《***on, upon*** …을》. **2** 가볍게 소리내어 걷다〔뛰다〕.

~ a person ***on the back*** 아무의 등을 툭툭 치다《칭찬·격려의 뜻으로》; 아무를 칭찬〔격려〕하다. **~** one***self on the back*** 득의양양하다, 자만하다.

pat[2] *a.* 적절한, 안성맞춤인, 마침 좋은: It's too ~. 말이 너무 그럴싸하다, 믿기 어렵다. **—***ad.* 꼭 맞게, 적절히, 잘; 거침없이: The story came ~ to the occasion. 이야기는 그 경우에 꼭 들어맞았다. ***have ...*** (***down*** 〔***off***〕) **~** 《구어》 =***know***

... ~ …을 완전히 알고 있다, 터득하고 있다. ***stand*** ~ 《美》 【카드놀이】 처음 패로 버티고 나가다; 의견을 굽히지 않다, 끝까지 버티다.

pat. patent(ed).

Pat·a·go·nia [pæ̀təgóuniə, -njə] *n.* 파타고니아《남아메리카 대륙의 남단 지방; 아르헨티나와 칠레의 남부》.

Pat·a·go·ni·an [pæ̀təgóuniən, -njən] *a.* (남아메리카 남단의) 파타고니아 지방의; 파타고니아 사람의. **—***n.* Ⓒ 파타고니아 사람〔원주민〕.

⁑**patch** [pætʃ] *n.* Ⓒ **1** (옷을 깁는) **헝겊 조각**, 깁는 헝겊: trousers with *~es* on 〔at〕 the knees 무릎을 기운 바지. **2** (주위의 색과 다른 색의 불규칙한) **반점, 얼룩**: *~es* of blue sky 군데군데 보이는 푸른 하늘/There're wet *~es* on the ceiling. 천장이 군데군데 (비가 새어) 젖어 있다. **3** 안대; (한 번 붙이는) 고약; 반창고. **4** (경작한) 작은 지면, 한 구획, 밭: a ~ of potatoes =a potato ~ 감자 밭. **5** (다른 문장과 다른) 글의 한 절. **6** 《英구어》 (경찰관의) 순찰 담당 구역. **7** 애교점 (beauty spot)《옛날 여자들이 예쁘게 보이거나 상처를 가리기 위해 얼굴에 붙인 작은 비단 조각 따위》. **8** 【컴퓨터】 패치《프로그램이나 데이터의 장애 부분에 대한 임시 교체 수정(修正)》.

be not a ~ ***on*** 《英구어》 …와는 비교도 안 되다, …보다 훨씬 못하다: He *is not a* ~ *on* her at swimming. 그는 수영에서는 그녀의 발뒤꿈치도 못 따라간다. ***in*** ~***es*** 부분적으로, 군데군데. ***strike*** 〔***hit, go through***〕 ***a bad*** 〔***sticky***〕 ~ 《英》 불행을 당하다, 고초를 겪다.

—*vt.* **1** 《~+목/+목+부》 …에 **헝겊을 대**(고 깁)다; …을 응급으로 고치다〔수선하다〕 (*up*): ~ the trousers 바지를 깁다/windows *~ed* with rags and paper 헝겊 조각과 종이로 너덕너덕 바른 창. **2** 《~+목/+목+부》 **주워〔이어〕 맞추다**, 미봉하다; 《비유적》 날조하다 (*up; together*): ~ a quilt 조각들을 기워 맞추어 이불을 만들다/a *~ed-up* story 꾸민 이야기. **3** 【컴퓨터】 패칭하다《프로그램에 임시 교정을 하다》.

pátch·bòard *n.* Ⓒ 【컴퓨터】 (patch cord로 회로 접속을 하는) 패치보드(=**pátch pànel**).

pátch còrd 【전기】 패치코드《양 끝에 플러그가 있는 오디오 장치 등의 임시 접속 코드》.

patch·ou·li, -ou·ly [pǽtʃəli, pətʃúːli] *n.* Ⓤ 【식물】 꿀풀속(屬)의 식물《인도산(産)》; 그것에서 얻은 향유, 패출리 향유(香油).

pátch pòcket 【양재】 (솔기가 보이는) 바깥 포켓《옷 외부에 덧붙인》.

pátch-ùp *n.* Ⓒ, *a.* 보수(補修)(의), 수선(한).

pátch·wòrk *n.* **1** Ⓤ (종류·낱개는 Ⓒ) 쪽모이 세공. **2** (a ~) 주워 모은 것, 잡동사니.

patchy [pǽtʃi] (***patch·i·er; -i·est***) *a.* **1** 누덕누덕 기운; 주워 모은. **2** (안개·구름 따위가) 조각조각 떨어진, 띄엄띄엄 이어진. **3** 어울리지 않는, 고르지 않은; 군데군데 좋은 데가 있을 뿐인. ㊞ **pátch·i·ly** *ad.* **-i·ness** *n.*

patd. patented.

pate [peit] *n.* Ⓒ 《고어·우스개》 머리; 정수리; 두뇌: a bald ~ 대머리/an empty ~ 멍텅구리.

pâ·té [pɑːtéi, pæ-] *n.* 《F.》 Ⓒ (요리는 Ⓤ) 파테《고기나 간을 갈아서 양념을 넣은 요리》.

pâ·té de foie gras [pɑːtéidəfwɑ̀ːgrɑ́ː] 《F.》 지방이 많은 거위 간으로 만든 요리《진미로 침》.

pa·tel·la [pətélə] (*pl.* ***-lae*** [-liː]) *n.* Ⓒ 【해부】 슬개골(膝蓋骨), 종지뼈.

pat·en [pǽtn] *n.* Ⓒ 【가톨릭】 성반(聖盤), 파테나《성병(聖餠)을 담는 얕은 접시》; 금속제(製)의 납작한 접시.

pa·ten·cy [péitənsi, pǽ-] *n.* Ⓤ 명백.

pat·ent** [pǽtənt, péit-] *n.* Ⓒ **1** (전매)**특허**, 특허권《for, on*** …에 대한》: take out 〔get〕 a ~ *for* 〔*on*〕 a new invention 신안 특허를 얻다/~ pending 특허 출원중. **2** (전매)특허증. **3** (전매)특허품, 특허 물건. **—***a.* **1** Ⓐ (전매)**특허의**; 특허권을 가진: a ~ agent 특허 변리사/⇨LETTERS PATENT. **2 명백한**, 뚜렷한, 빤한: It was ~ to everyone that .... …은 누가 봐도 빤했다. SYN. ⇨EVIDENT. **3** Ⓐ 《구어》 신기한, 신안의, 교묘한: a ~ device. **—***vt.* …의 (전매)특허를 얻다. ㊞ **~·ly** *ad.* 명백히, 공공연히《보통 나쁜 일에 씀》.

pat·en·tee [pæ̀təntíː, pèit-] *n.* Ⓒ 특허권(소유)자.

pátent léather 에나멜 가죽; (*pl.*) 에나멜〔칠피〕 구두.

pátent médicine 특허 의약품; 매약(賣藥).

pátent òffice (또는 the P- O-) 특허청《생략: Pat. Off.》.

pa·ter [péitər] *n.* (때로 P-) Ⓒ 《英구어·우스개》 아버지. ⓒⓕ mater.

pa·ter·fa·mil·i·as [pèitərfəmíliəs, -æs] (*pl.* ***pa·tres-*** [pèitriz-]) *n.* Ⓒ 가장(家長), 호주.

◇**pa·ter·nal** [pətə́ːrnl] *a.* 아버지(로서)의, 아버지다운, 아버지 편〔쪽〕의; 세습의. ⓒⓕ maternal. ¶be related on the ~ side 아버지 쪽의 친척이다/~ care 아버지로서의 보살핌/~ love 부성애. ㊞ **~·ly** *ad.* 아버지로서, 아버지답게.

pa·ter·nal·ism [pətə́ːrnəlìzəm] *n.* Ⓤ (정치·고용 관계에서의) 온정주의.

pa·ter·nal·is·tic [pətə̀ːrnəlístik] *a.* 온정주의의. ㊞ **-ti·cal·ly** [-əli] *ad.*

pa·ter·ni·ty [pətə́ːrnəti] *n.* Ⓤ **1** 아버지임; 부권, 부성(父性); 부계(父系). **2** 《비유적》 (생각 등의) 기원, 근원.

patérnity lèave (맞벌이 부부의) 남편의 출산·육아 휴가.

patérnity tèst (혈액형 등에 의한) 친부(親父) 확인 검사.

Pat·er·nos·ter [pǽtərnɑ̀ːstər/-nɔ̀s-] *n.* Ⓒ (특히 라틴어의) 주기도문, 주의 기도.

⁑**path** [pæθ, pɑːθ] (*pl.* **~s** [pæðz, pæθs/pɑːðz]) *n.* Ⓒ **1 길, 작은 길**, (공원·정원 안의) 보도(步道): clear a ~ through a forest 숲의 나무를 베어 길을 내다. SYN. ⇨ROAD. **2** 통로, 진로; 궤도: a flight ~ 비행 경로/ the ~ of a comet 혜성(彗星)의 궤도. **3** (인생의) 행로; (문명·사상·행동 등의) 진로, 방침; 방향《***of*** …의; ***to*** …에의》: the ~ *of* civilization 문명의 진로/a ~ *to* success 성공에의 길. **4** 【컴퓨터】 길, 경로《파일을 자리에 두거나 판독할 때 컴퓨터가 거치는 일련의 경로》.

beat a ~ 길을 새로 내다; 쇄도하다. ***cross*** a person***'s*** ~ =***cross the*** ~ ***of*** a person 아무를 우연히 만나다; 아무의 앞을 가로지르다.

⁑**pa·thet·ic, -i·cal** [pəθétik], [-əl] *a.* **1** 애처로운, 슬픈, 애수에 찬: a ~ story 슬픈 이야기/a ~ scene 애처로운 광경. **2** 《英구어》 (가엾을 만큼) 서투른〔잘 안 되는〕, 무가치한: a ~ performance 차마 볼 수 없을 만큼 서투른 연기. ◇ pathos *n.* ㊞ **-i·cal·ly** *ad.*

pathétic fállacy (the ~) 【문학】 감상(感傷)적 허위《angry wind, the cruel sea 등과 같이 무

생물에도 감정이 있다고 하는 생각 · 표현법》.

páth·finder *n*. Ⓒ **1** (미개지의) 탐험자; (학문 따위의) 개척자. **2** 【군사】 (폭격 편대 따위의) 선도기; (폭격 지점 지시) 조명탄 투하 비행기.

páth·less *a*. 길 없는.

páth·náme *n*. Ⓒ 【컴퓨터】 경로 이름, 경로명 《path를 포함한 파일명》.

path·o- [pǽθou, -θə], **path-** [pæθ] '고통, 병' 따위의 뜻의 결합사.

path·o·gen, -gene [pǽθədʒən], [-dʒìːn] *n*. Ⓒ 병원균, 병원체.

pàtho·génesis *n*. =PATHOGENY.

path·o·gen·ic [pæ̀θədʒénik] *a*. 발병시키는, 병원이 되는, 병원성(性)의.

pa·thog·e·ny [pəθɑ́dʒəni/-θɔ́dʒ-] *n*. Ⓤ 발병; 병원(病原), 병인.

path·o·log·ic, -i·cal [pæ̀θəlɑ́dʒik/-lɔ́dʒ-], [-əl] *a*. 병리학의, 병리상의; 정신병에 의한; 《구어》 병적인, 이상한. ㊕ **-i·cal·ly** *ad*. 병리적으로.

pa·thol·o·gy [pəθɑ́lədʒi/-θɔ́l-] *n*. Ⓤ 병리학; 병리. ㊕ **-gist** *n*. Ⓒ 병리학자.

◇**pa·thos** [péiθɑs/-θɔs] *n*. Ⓤ 애수; 비애; (예술 작품 따위의) 정념(情念), 파토스. ⓒⓕ ethos. ◇pathetic *a*.

◇**páth·wày** *n*. Ⓒ 통로, 작은 길(path); 【생화학】 경로: metabolic ~ 대사(代謝) 경로.

-pa·thy [pəθi] '감정, 병, 요법' 등의 뜻의 결합사.

⁑**pa·tience** [péiʃəns] *n*. Ⓤ **1 인내(력)**, 참을성; 끈기《**to** do》: a man of great ~ 참을성이 강한 사람/lose one's 〔run out of〕 ~ with …을 더는 참을 수 없게 되다/*Patience* is a virtue. 《속담》 참는 것은 미덕이다/Have ~! 참아라; 진정하고 있어라/She had the ~ *to* hear me out. 그녀는 참을성 있게 끝까지 내 이야기를 들어 주었다.

SYN. **patience** '인내, 참음'을 나타내는 일반적인 말. 자제하면서 고통 따위를 견디는 것. **endurance** 정신적 · 육체적 고통에 견디는 능력을 말함: an *endurance* test 내구력 테스트. **perseverance** 간난(艱難) · 신고(辛苦)를 꿋꿋이 참아 나가는 능력을 말함.

2 《英》 페이션스(《美》 solitaire)《혼자 하는 카드 놀이》. ***My ~!*** 《속어》 어렵쇼, 요것 봐라, 원 저런. ***out of ~ with*** …에 정떨어져. ***the ~ of Job*** (욥과 같은) 대단한 인내심《구약성서 욥기(記)》. ***try*** a person***'s ~*** 아무를 안달나게 하다.

⁑**pa·tient** [péiʃənt] *a*. **1 인내심이 강한**, 끈기좋은〔있는〕《**with** …에》. ↔ *impatient*. ¶ ~ research 끈질긴 조사/Be ~ *with* children. 아이들에게는 성미 급하게 굴지 마시오. **2** 근면한, 부지런한: a ~ worker 부지런한 일꾼. **(as) ~ as Job** 극히 인내심이 강한.

—*n*. Ⓒ (의사측에서 말하는) **병자**, 환자: The Smiths are ~s of mine. 나는 스미스씨 댁의 주치의다/in-〔out-〕~ 입원〔외래〕 환자.

㊕ ◇**~·ly** *ad*. 참을성〔끈기〕 있게.

pat·i·na [pətíːnə, pǽtənə] *n*. Ⓤ (또는 a ~) (청동기 따위의) 푸른 녹, 동록(銅綠), 녹청(綠靑); (오래된 가구 등의) 고색(古色), 그 윤기.

pat·io [pǽtiòu, pɑ́ː-] (*pl*. **~s**) *n*. 《Sp.》 Ⓒ 파티오《스페인식 집의 안뜰》.

pa·tis·se·rie [pətísəri] *n*. 《F.》 **1** Ⓤ 프랑스풍의 파이〔과자〕. **2** Ⓒ 〖집합적〗 파티세리 가게.

pat·ois [pǽtwɑː] (*pl*. ~ [-z]) *n*. 《F.》 Ⓤ (구체적으로는 Ⓒ) (특히 프랑스어의) 방언, 사투리.

pa·tri·arch [péitriɑ̀ːrk] *n*. Ⓒ **1** 가장《matriarch에 대하여》; 족장. **2** 초기 교회의 주교; (보통 P-) (가톨릭 교회 · 그리스 정교의) 총대주교; (보통 P-) 【동방정교회】 총주교. **3** 원로, 장로. ㊕ **pà·tri·ár·chal** [-əl] *a*.

patriárchal cróss 총대주교가 사용하는 십자가(‡꼴).

pa·tri·archy [péitriɑ̀ːrki] *n*. Ⓤ (구체적으로는 Ⓒ) **1** 가장〔족장〕정치; 남자 가장제(家長制). ↔ *matriarchy*. **2** 부권 사회(父權社會).

Pa·tri·cia [pətríʃiə] *n*. 퍼트리샤《여자 이름; 애칭: Paddy, Pat, Patty, Pattie 등》.

pa·tri·cian [pətríʃən] *n*. Ⓒ (고대 로마의) 귀족《plebeian에 대하여》; 〖일반적〗 귀족, 문벌가. —*a*. 귀족의《특히 고대 로마의》; 고귀한.

pat·ri·cide [pǽtrəsàid] *n*. Ⓤ 부친 살해; Ⓒ 부친 살해범《사람》. ⓒⓕ parricide, matricide. ㊕ **pàt·ri·cíd·al** [-sáidl] *a*.

Pat·rick [pǽtrik] *n*. 패트릭. **1** 남자 이름. **2 St.** ~ 아일랜드의 수호(守護) 성인(389?-461?).

pat·ri·mo·ni·al [pæ̀trəmóuniəl, -njəl] *a*. 조상 전래의, 세습적인.

pat·ri·mo·ny [pǽtrəmòuni/-mə-] *n*. Ⓤ (또는 a ~) **1** 세습 재산. **2** 가전(家傳), 전통; 부모가 물려준 것; 전승, 유전. **3** 교회〔사원〕의 기본 재산: the *Patrimony* of St. Peter (고대 이탈리아의) 교황령.

◇**pa·tri·ot** [péitriət, -ɑ̀t/pǽtriət] *n*. Ⓒ 애국자, 우국지사.

◇**pa·tri·ot·ic** [pèitriɑ́tik/pæ̀triɔ́tik] *a*. 애국적인, 애국의, 우국의, 애국심이 강한. ㊕ **-i·cal·ly** [-əli] *ad*.

***pa·tri·ot·ism** [péitriətìzəm/pǽt-] *n*. Ⓤ **애국심**.

pa·tris·tic [pətrístik] *a*. (초기 기독교의) 교부(敎父)의; 교부의 유저(연구)의.

***pa·trol** [pətróul] *n*. **1** Ⓤ **순찰**, 순시, 순회: on ~ 순찰〔순시〕 중에(의). **2** Ⓒ 경계병; 순경; 순시인. **3** Ⓒ 〖집합적; 단 · 복수취급〗 경비대, 순찰대; 정찰대. **4** Ⓒ 순찰차; 초계정(艇); 순찰기. **5** Ⓒ 〖집합적〗 소년단〔소녀단〕의 분대《8명으로 구성》. —**(-ll-)** *vt*., *vi*. **1** 순찰〔순회, 순시〕하다, 초계하다. **2** (길거리 등을) 무리지어 행진하다. ㊕ **∠·ler** *n*.

patról càr 순찰차(squad car).

patról·man [-mən] (*pl*. **-men** [-mən]) *n*. Ⓒ 《美》 순찰 경관, (주경찰의) 순경; 《英》 자동차 순회자《자동차 사고 따위를 보살핌》.

patról wàgon 《美》 범인〔죄인〕 호송차(Black Maria, paddy wagon).

patról·wòman *n*. Ⓒ (*pl*. **-women**) 《美》 여성 (패트롤) 순경.

***pa·tron** [péitrən] (*fem*. **~·ess**) *n*. Ⓒ **1** (개인 · 사업 · 주의 · 예술 따위의) **보호자, 후원〔지지〕자**, 장려자: the ~ *of* the arts 예술의 보호자. SYN. ⇨SPONSOR. **2** (상점 · 여관 따위의) 고객, 단골손님: a theater ~ 관객. **3** (프랑스의 호텔의) 주인, 소유자.

◇**pa·tron·age** [péitrənidʒ, pǽt-] *n*. **1** Ⓤ 보호, 후원, 찬조, 장려: under the ~ of …의 보호〔후원〕 아래. **2 a** Ⓤ 애고(愛顧), 애호. **b** (a ~) 〖집합적〗 단골: The hotel has a large ~. 그 호텔은 단골이 많다. **3** Ⓤ 윗사람 · 보호자인 체하는 태도〔친절〕: with an air of ~ 은혜깨나 베푸는 듯한 태도로. **4** Ⓤ (특히 관직의) 임명〔서임〕권; 《英》 목사 추천권.

pa·tron·ess [péitrənis] *n.* Ⓒ PATRON의 여성형.

◇**pa·tron·ize** [péitrənàiz, pǽt-] *vt.* **1** 보호하다(protect), 후원하다(support), 장려하다. **2** …의 단골손님〔고객〕이 되다. **3** …에게 선심 쓰는 체하다, 은인인 체하다.

pá·tron·iz·ing *a.* 애고(愛顧)하는; 은인인 체하는, 생색을 내는, 어딘지 모르게 건방진(condescending). ㊞ **~·ly** *ad.*

pátron sáint (개인 · 직업 · 토지 따위의) 수호 성인, 수호신.

pat·ro·nym·ic [pæ̀trənímik] *a.*, *n.* Ⓒ 아버지〔조상〕의 이름을 딴 (이름), 부칭(父稱)(의) 《Johnson (=son of John), Williams (=son of William) 등》.

pat·sy [pǽtsi] *n.* Ⓒ 《美속어》 죄를〔책임을〕 뒤집어쓰는 사람; 어수룩한 사람, '봉'(dupe).

pat·ten [pǽtn] *n.* Ⓒ (흔히 *pl.*) 덧나막신《쇠굽 달린 나막신; 진창에서 신 위에 덧신음》.

◇**pat·ter**[1] [pǽtər] *vi.* **1** 또닥또닥 소리가 나다, (비가) 후두두 내리다《***on, against*** …에》: Raindrops ~ *against* the windowpane. 빗방울이 후두두 창유리를 치고 있다. **2** 가볍게〔재게〕 움직이다, 통통거리며 달리다〔걷다〕: He *~ed across* the garden. 그는 정원을 통통걸음으로 건너갔다. **—*n.*** (*sing.*) 후두두《빗소리》, 또닥또닥《발소리》: the ~ *of* rain on the roof 후두두 지붕을 두드리는 빗소리. ***the ~ of tiny feet*** 《우스개》 어린애의 통통거리는 발소리; 아이가 태어나는 것: I'm sure your mother is looking forward to hearing *the ~ of tiny feet.* 당신 어머니는 틀림없이 (당신이) 아이를 낳을 것을 낙으로 삼고 계시겠지요.

pat·ter[2] *n.* **1** Ⓤ (또는 a ~) (코미디언 · 외판원 · 마술사 등의) 재게 재잘거림; 쓸데없는 이야기. **2** Ⓤ (도둑 · 거지 따위의) 은어. **—*vi.*** 재잘대다. **—*vt.*** (주문 등)을 빠른 말로 외다.

⁑**pat·tern** [pǽtərn] *n.* Ⓒ **1** (보통 *sing.*) **모범**, 본보기, 귀감: set the ~ 모범을 보이다/He's a ~ *of* all the virtues. 그는 모든 덕의 귀감이다. **2 형**(型), **형식**; 본, 원형(原型), 모형(model), 목형(木型), 거푸집《***of, for*** …의》: a locomotive of an old ~ 구식 기관차/a machine of a new ~ 신형 기계/a ~ *for* a dress =a dress ~ 드레스의 본/cut out a shirt on a ~ 본을 써서 셔츠를 재단하다.

SYN. **pattern** 원형이 존재하고 그것이 몇 번이고 반복〔모사〕되는 것 같은 형 → (셔츠 따위의) 본, (벽지 따위의) 무늬, (행동 따위의) 양식: a new *pattern* of engine 신형 엔진. **form** pattern과 같이 반복의 뜻이 없는 모양을 나타내는 가장 일반적인 말. 따라서 pattern이 주로 인공적으로 설정된 것에 쓰이는 데 대하여 form은 자연물의 모양도 포함함. form이 인공적인 사물에 쓰일 때는 '형식': the human *form* 인간의 모습. a new *form* of poetry 새 형식의 시. **shape** form이 입체적인 모양을 나타내는 데 대하여 shape는 평면에 투영된 꼴. 따라서 the *shape* of a ball은 '구(球)'가 아니라 '원'이다. 이와 같은 추상성이 shape에 비유적인 용법을 갖게 함: a fox in the *shape* of an old woman 노파 모습으로 둔갑한 여우. get one's ideas into *shape* 생각을 구체화하다. **figure** 모습, 모양. form, shape와 달리 물체(특히 사람의 모습)에만 쓰임. 외계의 사물의 실체로서의 형태라기보다도 그 사물이 눈이나 마음에 준 인상이 지니는 형태임. 따라서 사람의 심미안에 직접 호소하는 형태일 경우가 많음: a slender *figure* of a girl 소녀의 가냘픈 몸맵시.

3 (행위 · 사고 · 글 따위의) 양식, 방식, 경향: behavior ~*s* 행동 방식/a ~ for living 생활양식. **4 도안, 무늬**, 줄무늬; 자연의 무늬: wallpaper ~*s* 벽지 무늬/~*s* of frost on the window 유리창에 생긴 성에의 무늬. **5** (옷감 · 벽지 따위의) 견본: a bunch of ~*s* 옷감 견본 철/a book of ~*s* (양복 따위의) 견본첩. **6** 〖TV〗 테스트 패턴. **7** 〖컴퓨터〗 도형(圖形), 패턴.

—*a.* Ⓐ 모범적인, 본보기가 되는: a ~ wife 모범적인 아내.

—*vt.* 《~+목/+목+전+명》 **1 a** 모조하다, 모방하다《***on, upon, after*** …을 따라》: a dress *~ed upon* 〔*after*〕 a Paris model 파리의 신형을 모방해 만든 드레스. **b** 〘~ oneself〙 본보기로 삼다, 흉내내다《***on, upon, after*** …을》: He *~ed* him*self on* 〔*after*〕 his teacher. 그는 선생님을 본보기로 삼았다. **2** …에 무늬를 넣다《***with*** …의》.

páttern bòmbing 일제〔융단〕 폭격(carpet bombing).

páttern·màker *n.* Ⓒ 모형〔주형(鑄型)〕 제작자; (직물 · 자수) 도안가.

pátter sòng 가극 속에 익살미를 내기 위한 빠른 노래.

Pat·ty [pǽti] *n.* 패티《여자 이름; Martha, Matilda, Patricia의 애칭》.

pat·ty, pat·tie [pǽti] *n.* **1** Ⓒ 작은 파이. **2** Ⓒ (요리는 Ⓤ) 《美》 패티《저민 고기를 납작하게 만든 요리》: a hamburger ~ 햄버거 패티.

pau·ci·ty [pɔ́ːsəti] *n.* (a ~) 소수; 소량; 부족: a ~ *of* imagination 상상력의 부족.

Paul [pɔːl] *n.* **1** 폴《남자 이름》. **2 Saint ~** 바울《예수의 사도로 신약성서 여러 서간들의 필자》.

Pául Bún·yan [-bʌ́njən] 폴 버니언《미국 전설상의 거인이며 초인적인 나무꾼》.

Paul·ine[1] [pɔ́ːlain] *a.* 사도 바울의: the ~ Epistles 바울 서간.

Pau·line[2] [pɔːlíːn] *n.* 폴린《여자 이름》.

paunch [pɔːntʃ, pɑːntʃ] *n.* Ⓒ 올챙이배, 장구통배: have 〔get〕 a ~ 올챙이배이다〔가 되다〕. ㊞ **∠·y** *a.* 배가 나온, 올챙이배의.

pau·per [pɔ́ːpər] *n.* Ⓒ (구빈법(救貧法)의 적용을 받는) 극빈자, 피구호민.

pau·per·ize [pɔ́ːpəràiz] *vt.* 가난〔빈곤〕하게 만들다. ㊞ **pàu·per·i·zá·tion** *n.*

⁑**pause** [pɔːz] *n.* Ⓒ **1 휴지**(休止), **중지**, 끊긴 동안: come to a ~ 중지되다/without a ~ 끊임없이/in the ~*s* of the wind 바람이 멈춘 사이에. **2** (이야기의) 중단; 한숨 돌림; 주저: There was a ~ before he spoke again. 한숨 돌리고 그는 다시 말을 계속했다. **3** 구절 끊기, 구두(句讀), 단락. **4** 〖운율〗 쉼; 〖음악〗 연장, 연장 기호, 늘임표 《◡ 또는 𝄐》. **5** 〖컴퓨터〗 (프로그램 실행의) 정지. ***give*** a person **~** = ***give* ~ *to*** a person 아무를 주저케 하다, 아무에게 재고하기를 촉구하다.

—*vi.* **1** 《~/+전+명/+*to* do》 **휴지〔중단〕하다, 잠시 멈추다**, 한숨 돌리다《***for*** …을 위해》: We *~d* upon the summit *to* look upon the scene. 산꼭대기에서 잠시 멈추고 경치를 보았다/~ *for* breath 멈추어 한숨을 돌리다. SYN. ⇨STOP. **2** 《+전+명》 잠시 생각하다; 머뭇거리다《***on, upon*** …에서》: ~ *on* 〔*upon*〕 a word 어떤 낱말에 이르

러 잠시 머뭇거리다〔생각하다〕. **3** 《+[전]+[명]》 〖음악〗 (소리를) 늘이다, 계속하다《**on, upon** …에서》. [파] ∠·less *a.* ∠·less·ly *ad.*

Pa·va·rot·ti [pæ̀vərɑ́ti/-rɔ́ti] *n.* **Luciano** ~ 파바로티《이탈리아의 테너 가수; 1935– 》.

pave** [peiv] *vt.* 《~+[목]/+[목]+[전]+[명]》 (도로)를 **포장하다**《**with** …으로》; (도로)에 깔다《**with** …을》: ~ a road *with* asphalt 아스팔트로 도로를 포장하다/The road is ~*d with* brick. 그 도로는 벽돌이 깔려 있다. ~ ***the 〔one'**s**〕 ***way for*** 〔**to**〕 …에의 길을 열다; …을 가능〔수월〕케 하다.

paved *a.* 포장된.

⁑**pave·ment** [péivmənt] *n.* [C] **1** 《美》 **포장도로**(↔ *dirt road*); 포장(한 곳). **2** 《英》 (특히 포장한) 인도, 보도(《美》 sidewalk).

pávement àrtist 거리의 화가《포도 위에 색분필로 초상화나 그림을 그려 행인들로부터 돈을 받는》.

◇**pa·vil·ion** [pəvíljən] *n.* [C] **1** 큰 천막. **2** 《英》 (야외 경기장 등의) 관람석, 선수석, 무도자석(席). **3** (공원 · 정원의) 휴게소, 누각, 정자; (박람회 등의) 전시관; (본관에서 내단) 별관; 《美》 별관 병동(病棟): a ~ hospital 병동식 병원.

pav·ing [péiviŋ] *n.* **1** [U] 포장 (공사); 포장 재료. **2** [C] (보통 *pl.*) 포석(鋪石).

páving stòne 포석(鋪石)《포장용》.

Pav·lov [pǽvlɔːf, pɑ́ːv-] *n.* **Ivan Petrovich** ~ 파블로프《러시아의 생리학자; 1849–1936》. [파] **Pav·lov·ian** [pævlɔ́ːviən, -lóu-] *a.* 파블로프(학설)의, 조건 반사(설)의.

***paw**[1] [pɔː] *n.* [C] **1** (발톱 있는 동물의) **발**. **2** 《우스개 · 경멸적》 (거칠거나 무딘) 사람의 손.
—*vt.* **1** (짐승이) 앞발로 할퀴다〔치다〕, (말이) 앞발로 차다〔긁다〕. **2** 《구어》 (여성)을 음탕하게 만지다. —*vi.* 《~/+[전]+[명]》 (발톱이 있는 짐승이) 앞발로 치다〔할퀴다〕《**at** …을》; (말이) 앞발로 땅을 차다.

paw[2] *n.* [C] 《구어》 아버지(papa).

pawky [pɔ́ːki] (**pawk·i·er; -i·est**) *a.* 《英방언》 (농담인지 진담인지 몰라) 우스꽝스런, 익살맞은. [파] **páwk·i·ly** [-li] *ad.* **-i·ness** *n.*

pawl [pɔːl] *n.* [C] 〖기계〗 (톱니바퀴의 역회전을 막는) 톱니멈춤쇠.

pawn[1] [pɔːn] *n.* [U] 전당; [C] 전당물, 저당물; 볼모, 인질: at 〔in〕 ~ 전당〔저당〕 잡혀/give 〔put〕 something in ~ 전당 잡히다. —*vt.* 전당 잡히다; (목숨 · 명예)를 걸고 맹세하다.

pawn[2] *n.* [C] 〖체스〗 졸(卒)《생략: P》; 《비유적》 앞잡이《**in** …의》.

páwn·bròker *n.* [C] 전당포 주인: a ~'s (shop) 전당포.

Paw·nee [pɔːníː] (*pl.* **~, ~s**) *n.* **1 a** (the ~(s)) 포니족(族)《미국 Platte 강가에 살던 원주민》. **b** [C] 포니족의 사람. **2** [U] 포니어.

páwn·shòp *n.* [C] 전당포.

páwn tìcket 전당표.

paw·paw [pɔ́ːpɔ̀ː, pəpɔ́ː] *n.* **1** [C] 〖식물〗 = PAPAW. **2** = PAPAYA. **3** [C] (식품은 [U]) 포포나무의 열매.

pax [pæks] *n.* 《L.》 **1** [U] 평화: (the) *Pax Romana* 로마의 지배에 의한 평화; 강대국에게 강요되는 평화/(a 〔the〕) *Pax Americana* 미국의 지배에 의한 평화. **2** 〖보통 감탄사〗 《英구어》 벗, 우정: make 〔be〕 ~ with …와 친해지다〔친하다〕/*Pax! Pax!* (싸우지 마) 화해다, 화해.

†**pay** [pei] (*p., pp.* **paid** [peid]) *vt.* **1** (빚 따위)를 갚다, 상환하다, 청산하다: ~ one's debts 빚을 갚다/~ one's bill 셈을 치르다.
2 a 《~+[목]/+[목]+[전]+[명]/+[목]+[목]》 (대금 · 임금 · 봉급 · 보수 따위)를 **치르다, 지불〔지급〕하다**《**for** …에 대하여; **to** (아무)에게》: ~ money 〔wages, a fine〕 돈〔임금, 벌금〕을 치르다/I *paid* her $25 *for* her service. 나는 그녀에게 일의 사례금으로 25달러 주었다/I *paid* him money. =I *paid* money *to* him. 그에게 돈을 치렀다/Do what you are *paid for*. 받는 돈 만큼의 일은 하십시오. **b** 《+[목]+*to* do》 (보수)를 치르고 …시키다: I *paid* him (50 dollars) *to* do the work. 나는 그에게 (50 달러의) 돈을 주고 그 일을 시켰다.
3 《~+[목]/+[목]+[목]》 (일 · 행위 따위가) …의 수입을 가져오다; …에게 이익을 주다: This job doesn't ~ me. 이 일은 수지가 안 맞는다《종종 me 는 생략됨》/Her part-time job ~*s* (her) $30 a week. 그녀는 아르바이트로 주당 30달러를 번다/ Your training will ~ you well in the future. 지금 몸을 단련해 두면 장차 효과가 있다.
4 《~+[목]/+[목]+[전]+[명]/+[목]+[목]》 (관심)을 보이다, (경의)를 표하다; (주의)를 하다; (방문 등)을 하다《**to** (아무)를》: ~ attention 〔one's respect〕 *to*… …에 주의하다〔경의를 표하다〕/~ a person honor 〔a compliment〕 아무에게 경의를 표하다〔찬사를 보내다〕/~ a visit *to* a person =~ a person a visit 아무를 방문하다.
5 《~+[목]/+[목]+[전]+[명]》 …에 앙갚음하다, 보복하다; 혼내 주다, 벌하다; 보답하다《**for** …에 대하여》: I'll ~ you *for* this. 이 앙갚음은 반드시 할 것이다/You've been amply *paid for* your trouble. 자네의 노고는 충분히 보상받고 있다.
6 《~+[목]/+[목]+[전]+[명]》 〖~ one's way 로〗 빚 안 지고 살다〔지내다〕: I *paid* my *way through* college. 고학으로 대학을 나왔다.
—*vi.* **1** 《~/+[전]+[명]/*to* do》 **돈을 지불〔지급〕하다**, 대금을 치르다; 빚을 갚다; 변상〔변제〕하다《**for** …에 대하여》: ~ in full 전액을 지급하다/We're ~*ing for* the 'telly' by monthly installments. 텔레비전 값을 월부로 붓고 있다/I *paid to* enter the museum. 박물관에 돈을 내고 들어갔다. **2** (일 따위가) **수지맞다**, 이익이 되다; 일한 보람이 있다: It ~*s* to advertise. 광고는 손해보지 않는다/This stock ~*s* poorly. 이 주식은 이익이 적다. **3** 《~/+[전]+[명]》 **벌을 받다**, 보상을 하다《**for** …에 대한》: You'll ~ *for* your foolish behavior. 너는 그 어리석은 짓으로 벌받게 될 것이다.
~ ***away*** 《*vt.*+[부]》 (돈)을 쓰다. ~ ***back*** 《*vt.*+[부]》 ① (아무)에게 돈을 갚아 주다; (아무에게 돈)을 갚다: Please ~ me *back* as soon as you can. 될 수 있으면 빨리 나에게 돈을 갚아라/Please ~ the money *back* to me. = Please ~ me back the money. 그 돈을 좀 갚아 주시오. ② …에게 앙갚음하다, 보복하다《**for** …에 대하여》: I'll ~ you *back for* this trick. 이 속임수에 대하여 반드시 보복할 것이다. ~ ***dearly*** 비싸게 먹히다〔치이다〕, 혼쭐나다《**for** …으로》. ~ ***down*** 《*vt.*+[부]》 ① 맞돈으로 지불하다. ② (월부에서) 계약금을 치르다. ~ ***for*** 《*vi.*+[전]》 ① …의 지불을 하다, 대금을 치르다; 빚을 갚다, 변제하다: The artist could not ~ *for* a model. 그 화가는 모델료를 지불할 돈이 없었다. ② …의 벌을 받다(⇨*vi.* 3). ~ ***in*** 《*vt.*+[부]》 ① (돈)을 은행(계좌)에 입금하다. —《*vi.*+[부]》 ② 돈을 은행에 입금하다. ~ ***... into***

... (은행 · 계좌 등)에 …을 입금하다. ~ *off* ⦅*vt.*+副⦆ ① (빚)을 전부 갚다〔청산하다〕: ~ *off* one's creditors 채권자에게 빚을 모두 갚다. ② (아무)에게 봉급을 주고 해고하다. ③ ⦅구어⦆ …에게 뇌물을 쓰다; …을 매수하다. ④ ⦅구어⦆ …에게 보복을 하다. ―⦅*vi.*+副⦆ ⑤ 이익을 가져오다; 성과를 올리다; (사업 · 계획 등이) 잘 되다. ~ *out* ⦅*vt.*+副⦆ ① (돈 · 임금 · 빚)을 지불하다. ② =~ back ②. ③ (밧줄)을 풀어 내다. ~ *over* ⦅*vt.*+副⦆ (돈)을 치르다〔납부하다〕⦅*to* …에⦆. ~ *up* ⦅*vt.*+副⦆ ① (빚 · 회비 따위)를 전부 지불하다, 완납하다, 청산하다. ―⦅*vi.*+副⦆ ② 빚 따위를 전액 지불하다.

―*n.* Ⓤ **1 지불, 지급. 2 급료,** 봉급, 임금, 보수: high ~ 많은 봉급 / draw one's ~ 봉급을 타다 / get an increase in ~ 봉급이 오르다 / holiday 〔sick〕 ~ 휴가〔병가〕 급료.

SYN. **pay** 지불 → 급부금. 아래 말의 뜻의 전부를 포함함. **wage, wages** 시간당, 일당, 주당 얼마로 정하고 주로 육체노동에 지급되는 임금. **salary** 월급 · 연봉으로 주로 두뇌 · 기술 노동에 지급되는 급료. **stipend** 목사 · 교사 등의 급료. 연구자의 생활비를 보조하는 연구비도 가리킴. **fee** 의사 · 변호사 · 예술가 기타 전문 직업에 종사하는 자의 서비스(의 청구)에 대하여 지불되는 보수 및 각종 요금: a tuition *fee* 수업료.

in the ~ of …에 (남모르게) 고용되어: an informer *in the ~ of* the police 경찰의 밀고자〔앞잡이〕.

―*a.* Ⓐ 유료의; 화폐를 넣어 사용하는: a ~ toilet 유료 변소 / ~ TV 유료 TV / a ~ telephone 요금 투입식 자동 전화.

°**páy·a·ble** *a.* Ⓟ 지불해야 할⦅*to* (아무)에게⦆; 〖법률〗 지급 만기의: ~ in cash 〔by check〕 현금으로〔수표로〕 지불해야 할 / a check ~ *to* the bearer 지참인불 수표.

páy-as-you-éarn *n.* Ⓤ, *a.* ⦅英⦆ 원천 과세 (제도) (의) ⦅생략: P.A.Y.E.⦆.

páy-as-you-gó *n.* Ⓤ, *a.* ⦅美⦆ (신용 카드 따위를 이용하지 않고) 현금 지불주의(의).

páy·bàck *n.* Ⓤ, *a.* 환불(의); 대충(對充)(의); 원금 회수(의): a ~ period (투자액) 회수 기간.

páy-bèd *n.* Ⓒ ⦅英⦆ (병원의) 자기 부담〔유료〕 침대.

páy·chèck *n.* Ⓒ ⦅美⦆ 봉급 지급 수표, 봉급, 임금.

páy clàim (조합의) 임금 인상 요구.

páy·dày *n.* Ⓒ 〖종종 관사 없이〗 지급일; 봉급날: It's ~ today. 오늘은 봉급날이다.

páy dìrt ⦅美⦆ **1** 함유량이 많은 수지맞는 광석〔사금(砂金) 채취지〕, 유망한 광맥. **2** ⦅구어⦆ 뜻하지 않게 얻은 물건, 횡재, 노다지. ***hit*** 〔***strike***〕 ~ 진귀한 것을〔노다지를〕 찾아내다; 돈줄을 잡다.

P.A.Y.E. pay-as-you-earn.

pay·ee [peiíː] *n.* Ⓒ (어음 · 수표 따위의) 수취인.

páy envelope ⦅美⦆ 봉급 봉투(⦅英⦆ pay packet).

páy·er *n.* Ⓒ 지급인.

páying guèst ⦅英⦆ (특히 단기간의) 하숙인 (boarder) ⦅생략: P.G.⦆.

páy·lòad *n.* Ⓒ **1** 〖항해 · 항공〗 유효 하중(荷重) ⦅선박 · 비행기의 승객 · 수화물 · 화물 따위의 총중량⦆. **2** 〖우주 · 군사〗 유효 탑재량, 페이로드 ⦅미사일의 탄두, 우주 위성의 기기 · 승무원, 폭격기의 탑재 폭탄 등; 그 하중⦆. **3** (로켓 · 미사일 탄두의) 폭발력; 폭발 탄두.

páy·màster *n.* Ⓒ 회계 주임, (급료) 지급 담당자; 〖군사〗 재무관 ⦅생략: P.M.⦆; (흔히 *pl.*) (나쁜 짓을 하는 동아리의) 우두머리, 보스.

Páymaster Géneral (*pl.* ***Páymasters Gén-***) ⦅美⦆ (육해군의) 경리감; ⦅英⦆ 재무성 지급 총감 ⦅생략: Paym. Gen.⦆.

‡**pay·ment** [péimənt] *n.* **1** Ⓤ (구체적으로는 Ⓒ) **지불, 지급,** 납부, 납입: installment ~ = ~ by installments 분할불 / ~ in full 〔part〕 전액〔일부〕 지급 / ~ in kind 현물 지급 / ~ in advance 전도금 / make a ~ (every month) (매달) 지불하다. **2** Ⓒ 지급 금액. **3** Ⓤ **보수,** 보상; 보복, 벌 ⦅*for* …에 대한⦆: in ~ *for* …에 대한 보수로〔보상으로〕.

páy·òff *n.* **1** (*sing.*) (급료 · 빚 따위의) 지급, 청산, 결제. **2** (*sing.*) (행위의) 결과, 결실; 앙갚음; (사건 따위의) 결착(決着), 결말, 절정. **3** Ⓒ ⦅美구어⦆ 헌금; 뇌물: political ~*s* 정치 헌금.

pay·o·la [peióulə] *n.* ⦅美⦆ **1** Ⓤ (또는 a ~) (제품을 선전해 달라고 유력자 등에게 몰래 건네주는) 뇌물, 리베이트. **2** Ⓤ 뇌물로 주는 돈.

páy·òut *n.* Ⓤ 지급(금), 지출(금): the ~ window 지급 창구.

páy pàcket ⦅英⦆ = PAY ENVELOPE.

páy phòne 공중전화.

páy·ròll *n.* Ⓒ (회사 · 공장 · 관청의) 임금 지급 대장; 종업원 명부. ***off the ~*** 실직하여, 해고되어. ***on the ~*** 고용되어.

páy slìp 급료 명세표.

páy stàtion ⦅美⦆ 공중전화 박스.

payt., pay't payment.

páy tèlephone = PAY PHONE.

Pb 〖화학〗 plumbum ⦅L.⦆ (=lead). **P.B.** *Pharmacopoeia Britannica* ⦅L.⦆ (=British Pharmacopoeia); Prayer Book. **PBX, P.B.X.** private branch exchange (구내 교환 전화). **PC** peace Corps. **PC, P.C.** personal computer (개인용 컴퓨터); politically correct. **P.C.** ⦅英⦆ Police Constable; ⦅英⦆ Prince Consort; ⦅英⦆ Privy Council(lor). **pc.** piece; price(s). **p.c.** percent; petty cash; postal card; postcard. **P/C, p/c** percent; petty cash. **PCB** 〖화학〗 polychlorinated biphenyl (폴리 염화 비페닐); 〖컴퓨터〗 printed circuit board (인쇄 회로 기판(基板)). **PCM** 〖전자〗 pulse code modulation (펄스 부호 변조).

P-còde *n.* Ⓒ 〖컴퓨터〗 피 코드 ⦅원시 프로그램 코드를 실행 가능한 목적 코드로 만들기 위해 P 코드 번역기를 써서 번역한 코드⦆.

pct. percent. **Pd** 〖화학〗 palladium. **pd.** paid. **PD, P.D.** ⦅美⦆ Police Department.

PDQ, p.d.q. [píːdìːkjúː] ⦅구어⦆ *ad.* **1** 곧, 즉시. [◂*pretty damn quick*] **2** 몹시 귀여운. [◂ *pretty damn cute*]

PE [píːíː] *n.* Ⓤ ⦅구어⦆ 체육: a *PE* lesson 체육 수업 / do *PE* 체육을 하다. [◂*physical education*]

‡**pea** [piː] (*pl.* **~*s***) *n.* **1** Ⓒ (식품은 Ⓤ) **완두(콩)**: split ~*s* (수프용으로 까서) 말린 완두콩 / shell ~*s* 완두콩의 꼬투리를 까다. **2** Ⓒ 〖식물〗 완두. **(*as*) *like*** 〔***alike***〕 ***as two ~s*** (***in a pod***) 흡사한, 꼭 닮은: The twins are (*as*) *like as two ~s* (*in a pod*). 그 쌍둥이는 정말 꼭 닮았다.

péa bràin ⦅英속어⦆ 바보, 얼간이.

†**peace** [piːs] *n.* **1** Ⓤ (또는 a ~) **평화,** 태평: a

~ advocate 평화론자 / in time of ~ 평화시에 / in ~ and war 평시에도 전시에도 / If you want ~, prepare for war. 《격언》 평화를 원한다면 전쟁에 대비하라. **2** (the ~) **치안**, 안녕, 질서: break [keep] the ~ 치안을 문란케 하다[유지하다] / the King's [Queen's] ~ 《英》 국내 치안 / (the) public ~ 치안. **3** (종종 P-) Ⓤ (또는 a ~) 강화(조약); 화해, 화친: the *Peace* of Paris 파리 강화 조약 / *Peace* was signed between the two countries. 두 나라 사이에 강화 조약이 조인되었다 / ~ with honor (쌍방에 상처를 주지 않는) 명예로운 화해. **4** Ⓤ **평정**, **평온**, 평안, 안심: ~ of mind [soul, conscience] 마음[영혼, 양심]의 평정[편안함] / Do let me have a little ~. 잠깐 동안만 방해하지 말아다오. **5** Ⓤ **정적**, 침묵: the ~ of woods 숲의 고요함 / *Peace!* 조용히, 입닥쳐. ***at* ~** ① 평화롭게; 마음 편히: Her mind is *at* ~. 그녀의 마음은 편안하다. ② 사이좋게《***with*** …와》. ③ 《완곡어》 죽어서. ***hold* [*keep*] *one's* ~** 잠자코 있다, 항의하지 않다. ***make* ~** 화해하다; 강화하다《***with*** …와》. ***make* one's ~ *with*** …와 화해[사화]하다.

> **DIAL.** ***Peace be with you!*** 무사하기를 빈다[바란다].

—*a.* Ⓐ **평화의[를 위한]**: ~ negotiations 화평협상 / The *Peace* Movement 평화[반전]운동.

°**peace·a·ble** [píːsəbəl] *a.* 평화로운, 태평한, 평온한; 평화를 좋아하는, 얌전한, 온순한.
㊎ **-bly** *ad.* 평화롭게.

Péace Còrps (the ~) 《美》 평화 봉사단.

‡**peace·ful** [píːsfəl] *a.* **1 평화로운**, 태평한; 평화적인; 평화를 애호하는《국민 따위》. ↔ *warlike*. ¶ ~ settlement of the dispute 쟁의의 평화적 해결 / ~ use of atomic power 원자력의 평화(적) 이용. **2** 평온한, 온화한; 조용한; 편안한; 온건한: ~ disposition 온건한 성질 / a ~ death 자는 듯한 죽음 / a ~ landscape 고요한 풍경.
㊎ °**~·ly** *ad.* **~·ness** *n.*

péace·kèeping *n.* Ⓤ 평화 유지. **—***a.* Ⓐ 평화 유지의: a ~ force 평화 유지군《생략: PKF》/ ~ operation 평화 유지 활동《생략: PKO》.

péace·màker *n.* Ⓒ 조정자, 중재인; 평화 조약 조인자.

péace·màking *n.* Ⓤ, *a.* Ⓐ 조정(의), 중재(의), 화해(하는).

peace·nik [píːsnik] *n.* Ⓒ 《속어》 평화 운동가, 반전 운동가.

péace òffering 화해[화평]의 선물.

péace òfficer 보안[치안]관; 경찰관.

péace pìpe =CALUMET.

péace·tìme *n.* Ⓤ, *a.* Ⓐ 평시(의). ↔ *wartime*. ¶ ~ industries 평시 산업.

‡**peach**[1] [piːtʃ] *n.* **1** Ⓒ **a** (식품은 Ⓤ) **복숭아**. **b** 복숭아나무(~ tree). **2** Ⓤ 복숭아빛, 노란빛이 도는 핑크색. **3** (a ~) 《구어》 훌륭한[멋진] 사람[것]: a ~ of a cook 훌륭한 요리사 / His wife is an absolute ~. 그의 부인은 아주 멋진 사람이다. ***~es and cream*** 건강하여 복숭아빛을 띤: a ~ complexion 핑크빛의 건강한 얼굴[안색].

> **DIAL.** ***Your copies are done. — You're a peach!*** 복사 다 떠 놓았습니다 — 고마워《직역하면 너 멋진 사람이다란 뜻》.

peach[2] *vi.* 《속어》 밀고[고발]하다《***against, on*** …을》.

péach Mélba 피치 멜바《아이스크림에 복숭아를 얹어 시럽을 뿌린 디저트》.

peach tree 【식물】 복숭아나무.

peachy [píːtʃi] (***peach·i·er; -i·est***) *a.* 복숭아 같은; 복숭아빛의《볼 따위》; 《구어》 훌륭한, 멋진.

*****pea·cock** [píːkɑ̀k/-kɔ̀k] *n.* **1** Ⓒ 【조류】 **공작**《특히 수컷; 암컷은 peahen》. **2** (the P-) 【천문】 공작자리(Pavo). **3** Ⓒ 겉치레꾼《특히, 남자》. ***(as) proud as a* ~** 매우 뽐내어, 득의양양하게.

péacock blúe 광택 있는 녹색을 띤 청색.

peacock butterfly 【곤충】 공작나비.

pea·fowl [píːfàul] (*pl.* **~s**) *n.* Ⓒ 공작《암수 모두》.

péa gréen 연둣빛, 연녹색.

pea·hen [píːhèn] *n.* Ⓒ 공작의 암컷.

péa jàcket (선원 등이 입는) 두꺼운 더블의 모직 상의.

‡**peak**[1] [piːk] *n.* Ⓒ **1** (뾰족한) **끝**, 첨단: the ~ of a beard 수염의 끝 / the ~ of a roof 지붕의 꼭대기. **2** (뾰족한) **산꼭대기**, 봉우리; 고봉(孤峰): the highest ~ of …의 최고봉. **3 절정**, 최고점: the ~ of happiness 행복의 절정 / Traffic reaches the ~ about 5 o'clock. 교통량은 5 시경에 피크에 달한다. **4** 돌출부; (군모 등의) 앞챙. **5** 【항해】 종범(縱帆)의 상외단(上外端); 비낀 활대의 상외단; 이물[고물]의 좁고 뾰족한 부분; 닻혀. **6** 【전기·기계】 피크《주기적 증량(增量)의 최고점》: a voltage ~ 피크 전압. **—***a.* Ⓐ 최고의; 피크의: the ~ year (통계상) 최고 기록의 해 / a ~ load (발전소의) 피크 부하 / in ~ season 시즌 중의 가장 바쁜 때에. **—***vi.* 최고점[피크]에 달하다, 절정이 되다.

peak[2] *vi.* 여위다, 살이 빠지다: ~ and pine (상사병 따위로) 수척해지다.

peaked[1] [piːkt, píːkid] *a.* 앞챙이 있는; 뾰족한, 봉우리를 이루는: a ~ cap 헌팅 캡.

peak·ed[2] [píːkid] *a.* =PEAKY.

péak tíme 피크 타임《텔레비전 방송 등 특정의 서비스에 대하여 수요가 최대로 되는 시간》; (텔레비전의) 골든 아워(prime time).

peaky (***peak·i·er; -i·est***) *a.* 《구어》 수척한, 야윈; 병약한.

°**peal** [piːl] *n.* Ⓒ **1** (종의) **울림**; (천둥·포성·웃음·박수 따위의) 울리는 소리: ~s of laughter 와하고 터지는 웃음소리 / a ~ of thunder 천둥소리. **2** (음악적으로 음률을 맞춘) 한 벌의 종, 그 종의 주명악(奏鳴樂). **—***vt.* (종 따위)를 울리다 (*out*); (웃음·박수 따위)를 울려 퍼지게 하다; (명성 따위)를 떨치다: ~ (*out*) a bell / ~ one's fame. **—***vi.* 울리다, 울려 퍼지다 (*out*).

*****pea·nut** [píːnʌ̀t] *n.* **1** Ⓒ (식품은 Ⓤ) **땅콩**, 낙화생. **2** (*pl.*) 《속어》 아주 적은 액수, 푼돈.

péanut bùtter 땅콩 버터.

péanut gàllery 《美속어》 (극장의) 제일 싼 자리《최상층 맨 뒤의 좌석》.

péanut òil 땅콩 기름.

‡**pear** [pɛər] *n.* **1** Ⓒ (식품은 Ⓤ) **서양배**. **2** Ⓒ 서양배나무(~ tree).

péar dròp 서양배 모양(으로 서양배 향내가 나는) 캔디.

‡**pearl** [pəːrl] *n.* **1** Ⓒ **진주**; (*pl.*) 진주 목걸이: an artificial [a false, an imitation] ~ 모조 진주 / a cultured [cultivated] ~ 양식 진주 / a rope of ~s 한 줄로 꿴 이은 진주. **2** Ⓤ 진주층(層), 진주모(母)(mother-of-~), 자개; 진줏(조갯)

빛. 3 Ⓒ 귀중한 물건〔사람〕, 일품: ~s of wisdom 현명한 충고, 금언(金言). 4 Ⓤ 진주 비슷한 것《이슬·눈물·흰 이 따위》. ***cast*** 〔***throw***〕 ***~s before swine*** 〖성서〗 돼지에게 진주를 던지다《마태복음 VII: 6》.

—a. Ⓐ 진주의〔로 만든〕; 진주를 박은.

péarl bàrley 정맥(精麥)《작은 알로 대낀》.

péarl dìver 진주조개를 캐는 잠수부(pearl fisher).

péarl fìshery 진주조개 채취장(場)〔채취업〕.

péarl gráy 진주색《푸른 빛을 띤 회백색》.

Péarl Hárbor 펄 하버, 진주만《Hawaii 의 Oahu 섬 남안에 있는 미국 군항》.

péarl ònion 아주 작은〔진주만한〕 양파《요리에 곁들임》.

péarl òyster 〔**shèll**〕 진주조개.

◇**pearly** (***pearl·i·er; -i·est***) a. 진주 같은〔모양의〕; 진주색의; 진주로 꾸민. ㊞ **péarl·i·ness** n.

pèarly gátes (보통 the P- G-) 《구어》 천국의 문, 진주의 문《천국의 12 의 문; 각각 한 개의 진주로 되어 있음; 요한 계시록》: I'll meet you at the ~. 저 세상에서 만나세.

péarly náutilus 〖패류〗 앵무조개.

pear·main [pɛ́ərmein] n. Ⓒ 사과의 한 품종.

péar-shàped [-t] a. 1 서양배 모양의. 2 (목소리가) 부드럽고 풍부한, 낭랑한.

Pear·son [píərsn] n. **Lester Bowles** ~ 피어슨《캐나다의 정치가; 노벨 평화상 수상(1957); 1897-1972》.

péar trèe 〖식물〗 서양배나무.

Pea·ry [píəri] **Robert Edwin** ~ 피어리《북극점에 최초로 도달한(1909) 미국의 탐험가; 1856-1920》.

◇**peas·ant** [pézənt] n. Ⓒ 1 농부, 소작농, 농군. ㉥ farmer. 2 《구어》 시골뜨기, 촌사람.

◇**peas·ant·ry** [pézəntri] n. Ⓤ (the ~) 〖집합적; 단·복수취급〗 농민; 소작농, 소작인 계급.

pease [piːz] (pl. ~) n. Ⓒ 《고어》 =PEA.

péase pùdding 콩가루 푸딩.

péa·shòoter n. Ⓒ 콩알총《장난감》.

péa sòup (특히 말린) 완두 수프; 《美구어》 = PEASOUPER.

péa-sòuper n. Ⓒ 《英구어》 (특히 런던의) 황색의 짙은 안개.

peat [piːt] n. Ⓤ 토탄(土炭)《비료·연료용》; Ⓒ 토탄 덩어리《연료용》.

péat béd 〔**bóg**〕 토탄 늪, 토탄지(土炭地).

peaty [píːti] a. 토탄질의; 토탄이 많은.

*__peb·ble__ [pébəl] n. Ⓒ (물의 작용으로 둥글게 된 해변·강바닥의) **조약돌**, 자갈(pebblestone): There are plenty of other ~s on the beach 〔shore〕. 《속담》 해변에는 더 많은 조약돌이 있다《기회는 얼마든지 있다》. ***be not the only ~ on the beach*** 수많은 것 중의 하나에 불과하다, 달리 사람이 없는 것은 아니다《과시〔비관〕할 것 없다》: Don't be so selfish; you'*re not the only ~ on the beach*. 그렇게 네멋대로 말하지 마라. 너 혼자만이 아니니까.

pébble dàsh 〖건축〗 (외벽의 모르타르가 마르기 전에 하는) 잔돌붙임 마무리.

peb·bly [pébli] (***peb·bli·er; -bli·est***) a. 자갈이 많은, 자갈투성이의.

PEC, p.e.c. photoelectric cell.

pe·can [pikǽn, -kɑ́ːn, píːkæn] n. Ⓒ 〖식물〗 피칸《북아메리카산(産) 호두나무의 일종》; 그 열매《식용》.

pec·ca·ble [pékəbəl] a. 죄를 범하기 쉬운; 잘

못을 저지르기 쉬운. ㊞ **pèc·ca·bíl·i·ty** n.

pec·ca·dil·lo [pèkədílou] (pl. ~(***e***)***s***) n. Ⓒ 가벼운 죄, 조그마한 과오.

pec·ca·ry [pékəri] (pl. ***-ries***, 〖집합적〗 ~) n. Ⓒ 〖동물〗 멧돼지류《열대 아메리카산(産)》.

*__peck__[1] [pek] vt. 1 《~+목/+목+부/+목+전+명》 (부리로) **쪼다**, 쪼아먹다《***off, out of*** …에서》; 쪼아 내다(*out*); 쪼아 제거하다(*off*); (구멍 따위)를 쪼아 파다《***in*** …에》: ~ corn (*out*) 낟알을 쪼아 먹다/The bird *~ed* seeds *off* the bird table 〔*out of* the tray〕. 그 새는 모이 그릇〔접시〕의 열매를 쪼아 먹었다/~ a hole *in* a tree 나무에 구멍을 쪼아 파다. 2 《~+목/+목+전+명》 《구어》 급히〔형식적으로〕 입을 맞추다《***on*** …에》: He *~ed* her cheek. 그는 그녀의 볼에 살짝 키스했다/She *~ed* me *on* the cheek. 그녀는 내 볼에 형식적으로 입 맞췄다. 3 《+목+부》 (피아노·타자기의 키 따위를 두드려) 쳐내다(*out*): She *~ed out* the orders on the typewriter. 그녀는 타자기로 주문서를 쳤다. **—**vi. 1 《~/+부/+전+명》 쪼다 (*away*)《***at*** …을》: The hens were *~ing* (*away*) *at* the grain. 암탉이 곡식을 쪼아 먹고 있었다. 2 《~/+전+명》 (쪼아 먹듯이) 조금씩 먹다《***at*** …을》: The child was merely *~ing at* his food. 그 아이는 음식을 조금씩만 먹고 있었다. 3 《~/+전+명》 귀찮게 잔소리하다《***at*** …을》.

—n. Ⓒ 1 쪼기, 쪼아먹기: give a ~ 쪼아 먹다. 2 쪼아서 생긴 구멍〔홈〕. 3 《구어》 (내키지 않는) 가벼운 키스《***on*** …에의》.

peck[2] n. 1 Ⓒ 펙《곡물의 건량(乾量) 단위: 영국에서는 9.092 리터; 미국에서는 8.81 리터; 생략: pk》. 2 (a ~) 많음《***of*** …의》: a ~ *of* troubles 많은 골칫거리(일)/He's a ~ *of* fun. 무척 재미있는 사람이다.

péck·er n. Ⓒ 1 쪼는 새〔사람〕; 딱따구리(woodpecker). 2 《美속어》 자지. ***Keep your ~ up.*** 《英구어》 기운을 잃지 마라.

péck(ing) òrder (the ~) (닭 따위의 새의 세계에서) 쪼는 순위《순위가 높은 쪽이 낮은 쪽을 쫌》; 사회적 서열.

peck·ish [pékiʃ] a. 《英구어》 배가 좀 고픈; 《美구어》 성마른.

Pe·cos Bill [péikəs-] n. 〖美전설〗 페코스 빌《미국 남서부의 전설에 나오는 거인의 카우보이; Rio Grande 강을 파고 6 연발총을 발명했다고 전해 옴》.

pec·tic [péktik] a. 펙틴(pectin)의: ~ acid 펙틴산(酸).

pec·tin [péktin] n. Ⓤ 〖생화학〗 펙틴.

pec·to·ral [péktərəl] a. Ⓐ 가슴의, 흉근(胸筋)의; 가슴에 다는: a ~ fin 가슴지느러미/~ muscles 흉근. **—**n. Ⓒ 가슴 장식《특히 유대 고위 성직자의》; 가슴받이; 〖동물〗 가슴지느러미; (pl.) 흉근(胸筋).

pec·u·late [pékjəlèit] vi., vt. (공금·위탁금을) 잘라 쓰다, 횡령하다. ㊞ **pèc·u·lá·tion** n. Ⓤ (구체적으로는 Ⓒ) 공금〔위탁금〕 횡령.

‡**pe·cu·liar** [pikjúːljər] a. 1 **독특한, 고유의**, 특유한《***to*** …에》. ㉥ singular. ¶ Every society has its own ~ customs. 어느 사회에나 고유의 관습이 있다/an expression ~ *to* Canadians 캐나다 인 특유의 표현. 2 **특별한**; 두드러진. ㉥ particular. ¶ a matter of ~ interest to us 우리에게 특별히 흥미 있는 일/She has a ~ talent for lying. 그녀는 거짓말하는 데 특별한 재능

이 있다. **3 기묘한, 괴상한**, 색다른, 별난, 이상한, 미친: a ~ flavor 묘한[색다른] 맛/ a ~ fellow 괴짜/There is something ~ about her. 그녀에게는 어딘지 별난 데가 있다. SYN. ⇨STRANGE. **4** Ⓟ 《구어》 몸이 불편한[아픈], 상태가 좋지 않은: She was looking distinctly ~. 그녀는 보기에도 몸이 불편한 것 같았다.

***pe·cu·li·ar·i·ty** [pikjù:liǽrəti] *n*. **1** Ⓤ **특유함**, 독특함, 독자성. **2** Ⓒ **특색**, 특성: Pouches are a ~ of marsupials. (배에) 주머니가 있는 것이 유대동물의 특색이다. **3** Ⓒ 이상한 점, 별난 점; 기벽(奇癖).

◇**pe·cú·liar·ly** *ad*. **1** 특(별)히: be ~ sensitive to smell 냄새에 특별히 민감하다/a ~ interesting book 특히 재미나는 책. **2** 고유하게, 독특하게. **3** 기묘하게: behave ~ 기묘한 행동을 하다.

◇**pe·cu·ni·ary** [pikjú:nièri/-njəri] *a*. 금전(상)의, 재정상의: ~ assistance 금전상의 원조/ ~ considerations 금전적 보수/~ embarrassment 재정 곤란.

ped·a·gog·ic, -i·cal [pèdəgádʒik, -góudʒ-], [-əl] *a*. 교육학적인, 교육학(상)의. ㊊ **-i·cal·ly** *ad*.

ped·a·gogue, 《美》 **-gog** [pédəgàg, -gɔ̀:g] *n*. Ⓒ 《고어·경멸적》 교사, 교육자, 선생.

ped·a·go·gy [pédəgòudʒi, -gàdʒi] *n*. Ⓤ 교육학, 교수법(pedagogics); 교직.

ped·al** [pédl] *n*. Ⓒ **1 페달**, 발판《자전거·재봉틀 따위의》. **2** 【음악】 페달《피아노·오르간 따위의》; (파이프오르간의) 발로 밟는 건반. **—a*. **1** 페달의; 【수학】 수족선의: a ~ curve [surface] 수족[페달] 곡선[면]. **2** 【동물·해부】 발의: ~ power 발의 힘/~ extremities 발.

— (*-l-*, 《英》 *-ll-*) *vi*. 《~/+부/+전+명》 페달을 밟다; 페달을 밟아서 가다: He *~ed off* on his bicycle. 자전거를 타고 사라졌다/~ *along* (the road) 자전거로 (길을) 달리다. **—***vt*. 《~+목/+목+부/+목+전+명》 …의 페달을 밟다; 페달을 밟아서 나아가게[움직이게] 하다: I *~ed* my bicycle *up* (the hill). 자전거 페달을 밟아 (언덕을) 올라갔다.

pédal bìn (페달로 뚜껑을 여닫는) 휴지통.

pédal bòat =PEDA(L)LO.

ped·a(l)·lo [pédəlòu] (*pl*. ~(*e*)*s*) *n*. Ⓒ 수상 자전거《오락용의 페달 추진식 보트[뗏목]》.

pédal stéel (**guitàr**) 페달 스틸 기타《페달로 조현(調絃)을 바꾸는 방식의 전기식 스틸 기타》.

ped·ant [pédənt] *n*. Ⓒ 학자연하는 사람, 현학자; (교육에서) 세세한 규칙을 강조하는 사람, 융통성 없는 사람; (상식을 무시하고) 서적의 지식을 고집하는 사람, 공론가.

◇**pe·dan·tic, -ti·cal** [pidǽntik], [-əl] *a*. 아는 체하는, 학자연하는, 현학적인. ㊊ **-ti·cal·ly** *ad*.

ped·ant·ry [pédəntri] *n*. **1** Ⓤ 학자연함, 아는 체함, 현학; 거드름 피움. **2** Ⓒ 학자인 체하는 말[행동].

ped·ate [pédeit] *a*. 【동물】 발이 있는; 발 모양의; 【식물】 새발 모양의《잎》.

ped·dle [pédl] *vt*. 행상하다, 도부치다; (지식·사상 등)을 선전하다; (소문 따위)를 퍼뜨리다; (시중에서 마약)을 밀매하다. **—***vi*. 행상하다, 도부치다.

◇**ped·dler** [pédlər] *n*. Ⓒ **1** 《美》 행상인, 도부상(《英》 pedlar). **2** 마약 밀매인.

ped·er·ast [pédəræ̀st, pí:d-] *n*. Ⓒ (소년을 대상으로 하는) 남색꾼, 계간자. ㊊ **péd·er·às·ty** [-ti] *n*. Ⓤ (특히 소년과의) 남색, 항문 성교.

ped·es·tal [pédəstl] *n*. Ⓒ (조상(彫像) 따위의) 주춧대, 대좌(臺座); 주각(柱脚), (플로어 램프·테이블 따위의) 다리. ***knock*** *a person* ***off*** *his* ~ 아무를 존경받는 입장에서 끌어내리다. ***set*** [***put, place***] *a person* ***upon*** [***on***] ***a*** ~ 아무를 받들어 모시다[존경하다].

pe·des·tri·an** [pədéstriən] *a*. **1** Ⓐ **도보의**, 보행하는; 보행자(용)의: a ~ bridge (보행자용) 육교. **2** (문체 따위가) 저속한, 범속한, 단조로운: a ~ speech 무미건조한 연설. **—n*. Ⓒ **보행자**; 경보자(競步者).

pedéstrian cróssing 《英》 횡단보도(《美》 crosswalk).

pedéstrian précinct 보행자 전용 도로구역.

pe·di·at·ric [pì:diǽtrik, pèd-] *a*. 소아과(학)의: a ~ ward 소아과 병동(病棟).

pe·di·a·tri·cian, -at·rist [pì:diətríʃən, pèd-], [-ǽtrist] *n*. Ⓒ 소아과 의사.

pè·di·át·rics *n*. Ⓤ 【의학】 소아과(학).

ped·i·cab [pédikæ̀b] *n*. Ⓒ (동남아시아 등지의) 승객용 3륜 자전거[택시].

ped·i·cel, -cle [pédəsèl, -səl], [pédikəl] *n*. Ⓒ 【식물】 작은 꽃자루, 소화경(小花梗); 【동물】 육경(肉莖), 병절(柄節).

ped·i·cure [pédikjùər] *n*. **1** Ⓤ (구체적으로는 Ⓒ) 발 치료《티눈·물집·까치눈 따위의》; Ⓒ 발 치료 의사(chiropodist). **2** Ⓤ (구체적으로는 Ⓒ) 페디큐어《발톱 미용술》. cf. manicure.

◇**ped·i·gree** [pédəgrì:] *n*. **1** Ⓒ 계도(系圖); (순종 가축의) 혈통표. **2** Ⓤ (구체적으로는 Ⓒ) 가계(家系), 계통, 혈통; 훌륭한 가문; (가축의) 혈통, 순종: a family ~ 가계(보(譜)), 족보/the expensive dogs with *~s* 혈통 있는 비싼 개/She's by ~ an aristocrat. 그녀는 귀족 태생이다. **3** Ⓒ 《구어》 (사람·물건의) 경력: I have a culinary ~. 나는 요리사의 경력이 있다. **—***a*. Ⓐ 혈통이 분명한: ~ cattle 순종의 소. ㊊ **~d** *a*. 혈통이 명백한, 순종의《말·개 등》.

ped·i·ment [pédəmənt] *n*. Ⓒ 【건축】 박공(벽).

ped·lar [pédlər] *n*. 《英》 =PEDDLER 1.

pe·dom·e·ter [pidámitər/-dɔ́m-] *n*. Ⓒ 보수계(步數計), 보도계(步度計).

pe·dun·cle [pidʌ́ŋkəl] *n*. Ⓒ 【식물】 꽃자루, 화경(花梗); 【동물】 육경(肉莖), 육병(肉柄).

pee[1] [pi:] 《구어》 *vi*. 쉬하다, 오줌 누다. **—***vt*. (오줌)을 누다. **—***n*. **1** (a ~) 쉬, 소변(piss): go for [have] a ~ 오줌 누러 가다[누다]. **2** Ⓤ 오줌.

pee[2] (*pl*. ~) *n*. Ⓒ 《英구어》 (통화 단위의) 페니, 피.

◇**peek** [pi:k] *vi*. **1** 살짝 들여다보다, 엿보다(peep): ~ *in* [*out*] 안[밖]을 엿보다/~ *through* a keyhole *at* 열쇠 구멍으로 …을 들여다보다. **2** 【컴퓨터】 (흔히 PEEK로) PEEK 명령을 써서 메모리를 조사하다. **—***n*. (a ~) 엿봄; 흘끗 봄《***at*** …을; ***into*** …속을; ***through*** …을 통해》: take [get] a ~ *through* a keyhole 열쇠 구멍으로 엿보다.

peek·a·boo [pí:kəbù:] *n*. =BO-PEEP. **—***a*. **1** 구멍 뚫린 천으로 만든; 얇고 투명한 천으로 만든. **2** (머리가) 웨이브로 한쪽 눈을 가린.

⁑**peel** [pi:l] *n*. Ⓤ (과일·야채 따위의) **껍질**: orange ~ 오렌지 껍질/candied ~ (오렌지 따위의) 설탕 절임한 과일 껍질.

—*vt*. **1** 《~+목/+목+목/+목+전+명》 (과일·감

자 등)의 **껍질을 벗기다**〔벗겨 주다〕: ~ a banana 바나나 껍질을 벗기다 / Please ~ me a peach. =Please ~ a peach *for* me. 복숭아 껍질을 벗겨 주시오. **2** 《+목+부/+목+전+명》 (껍질 등)을 벗기다, 벗겨내다 (*away; off*) 《**from** …에서》: ~ *away* the outer layers of an onion 양파 겉껍질을 벗기다 / ~ the bark *from* a tree 나무껍질을 벗기다.

SYN. **peel** 과일이나 삶은 달걀 껍질 따위를 손 또는 날붙이로 벗김. **pare** 과일 등의 껍질을 날붙이로 깎음.

3 《+목+부》 《구어》 (덥거나, 운동을 하려고 옷)을 벗다 (*off*): They *~ed off* their clothes and jumped into the water. 그들은 옷을 벗고 물속으로 뛰어들었다.

—*vi*. **1** 《~/+부/+전+명》 (껍질 · 표면 따위가) **벗어지다**, 벗겨지다 (*away; off*) 《**from, off** …에서》: He got sunburned and his skin *~ed*. 그는 햇볕에 타서 피부가 벗겨졌다 / The paint is *~ing off*. 페인트가 벗겨져 가고 있다. **2** 《+부》 《구어》 옷을 벗다(undress) (*off*). **3** 《+부》 (비행기가) 급히 편대에서 이탈하다 (*off*).

keep** one's **eyes ~ed 방심않고 경계하고 있다.

péel·er *n*. C 〖보통 복합어로〗 껍질 벗기는 사람〔기구〕: a potato ~.

péel·ings *n. pl*. 벗긴 껍질 《특히 감자 따위의》.

***peep**[1] [piːp] *vi*. **1** 《~/+부/+전+명》 **엿보다**, 슬쩍 들여다보다: ~ *in* 〔*out*〕 안〔바깥〕을 엿보다 / ~ *through* a keyhole 〔hedge〕 열쇠 구멍으로 〔울타리에서〕 엿보다 / ~ *into the* room 방안을 엿보다 / Don't ~ *at* the neighbors. 이웃을 엿보지 마라. **2** 《~/+부》 (성질 따위가) 뜻밖에 드러나다, 바탕이 드러나다; (화초 · 해 · 달 따위가) 피기〔나기〕 시작하다 (*out*): His insincerity *~s out* every so often. 그의 불성실함이 간혹 드러나 보인다 / The moon *~ed out* from behind the clouds. 달이 구름 속에서 얼굴을 내밀었다.

—*n*. **1** (a ~) 엿보기, 슬쩍 들여다보기; 흘끗 보기(glimpse): have 〔get, take〕 a ~ at …을 슬쩍 들여다보다. **2** U (아침해 따위가) 보이기 시작함, 출현: (at) the ~ of day 〔dawn, the morning〕 새녘(에), 새벽(에).

peep[2] *n*. **1** C 삐악삐악, 찍찍 《병아리 · 쥐 따위의 울음소리》. **2** (a ~) 〖보통 부정문에서〗 《구어》 작은 소리; 잔소리; 우는소리, 불평: I have*n't* heard a ~ out of him. 그가 우는소리하는 걸 들어 본 적이 없다. **3** 《구어 · 소아어》 뛰뛰, 빵빵 《자동차의 경적 소리》: give (it) a ~ 뛰뛰 울리다. **—***vi*. 삐악삐악 울다; 작은 소리로 말하다.

péep·er[1] *n*. C **1** 들여다보는 사람. **2** (보통 *pl*.) 《속어》 눈.

péep·er[2] *n*. C 삐악삐악〔찍찍〕 우는 새〔동물〕; (시끄럽게 우는) 청개구리.

péep·hòle *n*. C 들여다보는 구멍.

Péep·ing Tóm (종종 p- T-) 엿보기 좋아하는 호색가; 캐기 좋아하는 사람.

péep shòw (보통 확대경으로) 들여다보는 저속한 구경거리, 요지경.

peer**[1] [piər] *n*. C **1** (연령 · 지위 · 능력 따위가) **동등〔대등〕한 사람**; **동료**, 한패: a jury of one's *~s* 자기와 동등한 지위의 배심원 / He has no ~ among contemporary writers. 현대 작가로서 그에 필적할 사람은 없다. **2** (*fem*. **~·ess** [píəris]) **귀족**: a hereditary ~ 세습 귀족. ***a ~ of the Realm 〔***the United Kingdom***〕 영국 상원에 의석을 갖고 있는 세습 귀족. ***without*** (***a***) ***~*** 비길 데 없는, 유례(類例) 없는.

◇**peer**[2] *vi*. 자세히 보다, 응시하다: He *~ed about*, looking for a place to sit. 그는 두리번거리며 앉을 자리를 찾았다 / I *~ed into* every window to find a clue. 단서를 얻기 위해 모든 창 안을 자세히 보았다.

◇**peer·age** [píəridʒ] *n*. **1** (the ~) 〖집합적; 단 · 복수취급〗 귀족; 귀족 계급〔사회〕: be raised to 〔on〕 the ~ 귀족의 반열에 오르게 되다. **2** U (구체적으로는 C) 귀족의 지위〔신분〕, 작위. **3** C 귀족 명감(名鑑).

peer·ess [píəris] *n*. C 귀족 부인, 여귀족: a ~ in her own right 유작(有爵) 부인, 부인 귀족.

péer gròup 〖사회〗 동류(同類)〔또래〕 집단.

péer·less *a*. 비할 데 없는, 무쌍한, 유례 없는. 파 **~·ly** *ad*. **~·ness** *n*.

peeve [piːv] 《구어》 *vt*. 애태우다, 안타깝게 하다, 성나게 하다. **—***n*. C 초조하게 하는 것, 울화가 치밀게 하는 일. 파 **~d** *a*. 《구어》=PEEVISH.

◇**pee·vish** [píːviʃ] *a*. 성마른, 안달하는, 역정내는. 파 **~·ly** *ad*. **~·ness** *n*.

pee·wee [píːwìː] *n*. C 《美구어》 유난히 작은 사람〔것〕, 꼬마.

pee·wit [píːwit] *n*. =PEWIT.

Peg [peg] *n*. 펙 《여자 이름; Margaret의 애칭》.

⁑**peg** *n*. C **1 a** (한쪽 끝이 뾰족하게 된 나무 또는 쇠붙이의) 못, 걸이못: a hat ~ 모자걸이. **b** 천막용 말뚝; 《비어》 자지. **c** (등산용 자일을 거는) 하켄; (토지의 경계를 나타내는) 말뚝; (통 따위의) 나무 마개; (현악기의 줄을 죄는) 주감이. **2** 《英》 빨래집게(《美》 clothespin). **3** 의족(義足). **4** 〖부사적으로〗 《구어》 (평가 따위의) 등급: Our opinion of him went up a ~ or two after he passed the exam. 그가 시험에 합격한 후로 그를 보는 우리의 관점이 올라갔다. **5** 《비유적》 이유, 구실, 핑계: That's a good ~ to hang a claim on. 그것은 요구 사항을 내거는 데 좋은 구실이 된다. **6** 〖야구〗 《구어》 (빠른) 송구.

a round ~ in a square hole =***a square ~ in a round hole*** 부적임자(不適任者). ***come down a ~*** (***or two***) 《구어》 코가 납작해지다, 면목을 잃다. ***take*** 〔***bring, let***〕 a person ***down a ~*** (***or two***) 《구어》 아무의 콧대를 꺾다, 체면을 잃게 하다.

— (***-gg-***) *vt*. **1** …에 나무못〔말뚝〕을 박다; 나무못〔말뚝〕으로 죄다〔고정시키다〕. **2** 《+목+부》 《英》 (세탁물)을 빨래집게로 빨랫줄에 고정시키다 (*up; out*): ~ wet clothes *out* (on a line) 젖은 빨래를 (빨랫줄에) 빨래집게로 찝어 널다. **3** 〖증권〗 (주가 따위)를 고정시키다; 〖재정〗 (통화 · 물가)를 안정시키다: Pay increase were *~ged* at three percent. 임금 인상은 3%로 억제되었다. **4** 《+목+as 보》 《美구어》 (…라고) 판단하다, 확정하다: They *~ged* him *as* a real pest. 그들은 그를 정말 싫은 놈으로 생각하고 있었다. **5** 《구어》 (공)을 빨리 던지다; 〖야구〗 (견제구)를 던지다. **—***vi*. 《+부/+전+명》 열심히 하다 (*away, along*) 《**at** …을》: ~ *away at* Latin 라틴 어를 열심히 공부하다.

~ *down* 《*vt*.+부》 ① (텐트)를 고정시키다. ② 묶어 놓다 《**to** (규칙 · 약속 등)에》. ③ (물가 등)을 낮게 억제하다. **~ *out*** 《*vt*.+부》 ① (세탁물)을 빨래집게로 고정시키다(⇨*vt*. 2). ② (가옥 · 정원 · 채광권지 따위)의 경계를 말뚝으로 명시하다. **—** 《*vi*.+부》 ③ 《英구어》 죽다; (기계 따위가) 멈

추다.

Peg·a·sus [pégəsəs] *n.* **1** 〖그리스신화〗 페가수스《시신(詩神) 뮤즈의 날개 달린 말》. **2** 〖천문〗 페가수스자리(the Winged Horse)《생략: Peg》.

pég·bòard *n.* Ⓒ 나무못 말판《일종의 놀이도구; 못을 꽂을 수 있게 구멍이 뚫림》.

Peg·gy [pégi] *n.* 페기《여자 이름; Margaret의 애칭》.

pég lèg 《구어》 의족(을 한 사람).

pég tòp 1 서양배(pear) 모양의 나무 팽이. **2** (*pl.*) (위는 넓고 밑은 좁은) 팽이 모양의 바지〔스커트〕(=**pég-tòp tróusers** 〔**skírt**〕).

pég-tòp, pég-tòpped [-t] *a.* 위가 넓고 아래가 좁은 팽이 모양의.

PEI Prince Edward Island.

pe·jo·ra·tive [pidʒɑ́rətiv, -dʒɔ́:r-, pédʒə-, pí:dʒə-] *a.* (어구 따위가) 경멸〔멸시〕적인, 비난의 뜻을 가진. **—*n.*** Ⓒ 경멸어(의 접미사)《poet에 대한 poet*aster* 따위》. ㊐ **~·ly** *ad.*

peke [pi:k] *n.* Ⓒ (종종 P-) 《구어》 발바리(Pekingese).

Pe·kin·ese [pì:kiní:z, -s] *a.*, (*pl.* ~) *n.* = PEKINGESE.

***Pe·king, Bei·jing** [pì:kíŋ], [bèidʒíŋ] *n.* **베이징**(北京)《중국의 수도》.

Pe·king·ese [pì:kiŋí:z, -s] *a.* 베이징(사람)의. **—**(*pl.* ~) *n.* **1** Ⓒ 베이징 사람; Ⓤ 베이징어. **2** Ⓒ (종종 p-) 발바리(=peke).

Péking mán 〖인류〗 베이징 원인(北京原人).

pe·koe [pí:kou] *n.* Ⓤ 고급 홍차《스리랑카·인도산(産) 따위》.

pe·lag·ic [pəlǽdʒik] *a.* 대양의, 외양〔원양〕의; 외양〔원양〕에서 행해지는: ~ fishery 원양어업.

pel·ar·go·ni·um [pèlɑ:rgóuniəm, -lərg-] *n.* Ⓒ 〖식물〗 양아욱속(屬)의 식물《속칭: 제라늄(geranium)》.

pelf [pelf] *n.* Ⓤ 《경멸적》 금전, (부정한) 재산.

***pel·i·can** [pélikən] *n.* Ⓒ 〖조류〗 **펠리컨**, 사다새.

pélican cròssing 《英》 보행인이 교통 신호 버튼을 누르고 건너는 횡단보도.

pe·lisse [pəlí:s] *n.* 《F.》 Ⓒ 여성용 긴 외투《특히 가장자리를 모피로 장식한》; (용기병(龍騎兵)의) 털로 안을 댄 외투.

pel·la·gra [pəléigrə, -lǽg-] *n.* Ⓤ 〖의학〗 니코틴산(酸) 결핍 증후군, 펠라그라, 옥수수 홍반(紅斑)《피부병》.

pel·let [pélit] *n.* Ⓒ (종이·빵·초 등의) 둥글게 뭉친 것; 작은 총알, (공기총 따위의) 탄알, 산탄; 《英》 작은 알약.

pell-mell [pélmél] *ad.*, *a.* 난잡하게〔한〕, 엉망진창으로〔인〕, 무턱대고 (하는); 황급히 (하는). **—*n.*** (a ~) 엉망진창, 뒤범벅; 혼란, 난잡.

pel·lu·cid [pəlú:sid] *a.* 투명한, 맑은; 명료한, 명백한《문체·표현 따위》. ㊐ **~·ly** *ad.*

pel·met [pélmit] *n.* Ⓒ 《英》 (커튼의) 금속 부품 덮개천〔판자〕(《美》 valance).

Pel·o·pon·ne·sus, -sos [pèləpəní:səs], **-nese** [-ní:z, -s] *n.* (the ~) 펠로폰네소스 반도《그리스 남쪽의 반도; Sparta 등의 도시 국가가 있었음》.

pe·lo·ta [pəlóutə] *n.* =JAI ALAI.

pelt[1] [pelt] *vt.* **1** 던져서 …을 공격하다; …에 던지다《***with*** (돌 따위)를》; (돌 따위)를 던지다《***at*** …에》: ~ a person *with* stones =~ stones *at* a person 아무에게 돌을 던지다. **2** (비 따위)를 억수로 내리게 하다《***on, upon*** …에》: The clouds began ~*ing* rain *on* us. 구름이 우리에게 비를 억수로 퍼붓기 시작했다. **3** (아무)에게 퍼붓다《***with*** (질문·욕 따위)를》: ~ a person *with* questions 아무에게 질문을 퍼붓다. **—*vi.*** **1** (비 따위가) 억수같이 퍼붓다(*down*)《***against, on*** …에》: The rain is 〔It's〕 ~*ing down*. 비가 세차게 퍼붓고 있다/The rain ~*ed against* the window. 비가 후두두 창에 들이쳤다. **2** 뛰어가다, 서두르다: They ~*ed down* the street. 그들은 거리를 뛰어갔다. **—*n.*** Ⓤ 투척; Ⓒ 강타; 난사. (***at***) ***full*** ~ 전속력으로. ㊐ **~·er** *n.*

pelt[2] *n.* Ⓒ **1** (양·염소 따위의) 생가죽; 모피. **2** 《우스개》 (털 많은 사람의) 피부(skin).

pelt·ry [péltri] *n.* **1** Ⓤ 〖집합적〗 모피류. **2** Ⓒ 모피.

pel·vic [pélvik] *a.* Ⓐ 〖해부〗 골반(pelvis)의.

pel·vis [pélvis] (*pl.* **~·es, -ves** [-vi:z]) *n.* Ⓒ 〖해부〗 골반: the ~ major 〔minor〕 대〔소〕골반.

pem·(m)i·can [pémikən] *n.* Ⓤ 페미컨《말린 쇠고기에 지방·과일을 섞어 굳힌 인디언의 휴대식품》.

†**pen**[1] [pen] *n.* **1** Ⓒ 〖종종 복합어로〗 **펜촉**(nib); **펜**《펜과 펜대(penholder)를 포함한》; 깃촉 펜(quill): a fountain ~ 만년필/a ballpoint ~ 볼펜/write with ~ and ink 펜으로〔잉크로〕 쓰다《★ 대구(對句)로 관사 없이》. **2** (the ~, one's ~) 문필(업): live 〔make one's living〕 by one's ~ 문필로 생계를 꾸려 나가다/wield one's ~ 필력〔건필〕을 휘두르다/The ~ is mightier than the sword. 《격언》 문(文)은 무(武)보다 강하다. ***dip*** one's ~ ***in gall*** 독필(毒筆)을 휘두르다. ***put*** 〔***set***〕 ~ ***to paper*** =***take up*** one's ~ 붓을 들다. **—(-nn-)** *vt.* (펜으로) 쓰다: ~ a letter 편지를 쓰다.

‡**pen**[2] [pen] *n.* Ⓒ 〖종종 복합어로〗 **우리, 어리**, 작은 우리; =PLAYPEN; 잠수함 수리독. **—**(*p.*, *pp.* ***penned, pent; pen·ning***) *vt.* 《~+목/+목+부》 (동물)을 우리〔어리〕에 넣다; (사람)을 가두다, 감금하다(*up; in*).

pen[3] *n.* Ⓒ 《美속어》 교도소(penitentiary).

pen[4] *n.* Ⓒ 백조의 암컷. ↔ *cob*.

Pen., pen. peninsula; penitent; penitentiary. **P.E.N.** (International Association of) Poets, Playwrights, Editors, Essayists, and Novelists (국제 펜클럽)《1922 년 London에 창설》.

◇**pe·nal** [pí:nəl] *a.* Ⓐ **1** 형(刑)의, 형벌의; 형법상의, 형사상의: the ~ code 형법(전)/~ law 형법/a ~ colony 〔settlement〕 유형지, 범죄자 식민지〔수용 시설〕. **2** 형벌의 대상이 되는: a ~ offence 형사 범죄. **3** 가혹한: ~ taxation (형벌처럼) 가혹한 세금. ㊐ **~·ly** *ad.*

pe·nal·ize [pí:nəlàiz, pén-] *vt.* **1** 〖법률〗 …을 벌하다; …에 유죄를 선고하다: The judge ~*d* the speeder. 판사는 그 속도위반자를 처벌하였다. **2** 불리하게 하다, 궁지에 몰아넣다: It's unfair to ~ women. 여성을 불리하게 하는 것은 불공평하다. **3** 〖경기〗 (반칙자·반칙 행위)에 벌칙을 적용하다《***for*** …때문에》: The referee ~*d* him *for* touch*ing* the net. 심판은 네트터치로 그에게 벌칙을 과했다.

pen·al·ty** [pénəlti] *n.* Ⓒ **1 형, 형벌**, 처벌《for*** …에 대한》: The ~ *for* disobey*ing* the law was death. 그 법률을 위반하면 사형이었다. **2 벌금**, 과료(科料)《*for* …에 대한》: a ~ *for* violat*ing* traffic rules 교통 법규 위반의 벌금. **3** 불이익; 응보《*of* …의》: he *penalties of* fame 명성에 따르는 불편/pay the ~ *of* …의 대가를 치르다. **4** 『경기』 반칙의 벌, 페널티; (전번 승자에게 주는) 핸디캡. ***on*** 〔***under***〕 ~ ***of*** (위반하면) …의 벌을 받는 조건으로.

pénalty àrea 『축구』 페널티에어리어《이 구역 안에서의 수비측의 반칙은 상대방에게 페널티킥을 주게 됨》.

pénalty bòx 『아이스하키』 페널티박스《반칙자 대기소》; 『축구』 =PENALTY AREA.

pénalty clàuse 『상업』 (계약상의) 위약 조항.

pénalty kìck 『축구 · 럭비』 페널티킥.

◇**pen·ance** [pénəns] *n.* **1** Ⓤ 참회, 회개; 속죄; 고행; 『가톨릭』 고백 성사. **2** Ⓒ 싫지만 꼭 해야 할 일, 고통스러운 것〔일〕. ***do*** ~ ***for*** …을 속죄하다.

pén-and-ínk [-ənd-] *a.* Ⓐ 펜으로 쓴, 필사(筆寫)한: a ~ drawing 펜화(畫).

Pe·nang [penǽŋ] *n.* 페낭《(1) 말레이시아 반도 서해안 밖의 섬. (2) 페낭 섬과 반도의 일부를 포함한 말레이시아 연방의 한 주; 주도 George Town》.

pence [pens] PENNY 의 복수.

pen·chant [péntʃənt] *n.* 《F.》 Ⓒ (보통 *sing.*) 경향(inclination); 취미, 기호(liking)《*for* …에 대한》.

†**pen·cil** [pénsəl] *n.* Ⓒ **1 연필**《석필 · 색연필도 포함》: a ~ case 연필통/a colored ~ 색연필/write in 〔with a〕 ~ 연필로 쓰다《★ in ~ 일 때는 관사 없이》. **2** 연필 모양의 것; (막대기 꼴의) 눈썹먹, 입술 연지: a diamond ~ 유리 절단기/a lip ~ (막대기 꼴의) 입술 연지. **3** 『광학』 광속(光束). **—** (***-l-***, 《英》 ***-ll-***) *vt.* **1** 연필로 쓰다〔그리다, 표를 하다〕: ~ down a note 각서를 연필로 쓰다. **2** (눈썹)을 눈썹먹으로 그리다: *~ed* eyebrows 그린 눈썹.

~ ***in*** 《*vt.*+㊄》 (예정으로서) 써 넣다: He *~ed in* May 20 for the meeting. 그는 5 월 20 일을 모임 날짜로 기입했다.

péncil pùsher 《경멸적》 필기를 업으로 하는 사람《사무원, 필생, 서기, 기자, 작가 따위》.

péncil shàrpener 연필깎이.

◇**pend·ant** [péndənt] *n.* Ⓒ **1** 펜던트, 늘어뜨린 장식《목걸이 · 귀고리 따위》. **2** 매다는 램프, 샹들리에; 『英해군』 삼각기(三角旗)(pennant).

pend·ent [péndənt] *a.* **1** 매달린, 늘어진; (절벽 따위가) 쑥 내민(overhanging). **2** (문제 따위가) 미결의, 미정의.

pend·ing** [péndiŋ] *a.* Ⓟ **1 미정〔미결〕인**, 심리 중인; 『법률』 계쟁 중인: Patent ~. 신안 특허 출원 중. **2** (위험 · 재난 등이) 생길 듯한, 임박한: War is ~. 전쟁이 임박해 있다. **—prep.* …중, …의 사이; …까지는: ~ the negotiations 교섭 중/~ his return 그가 돌아올 때까지는.

pénding trày 《英》 미결 서류함.

pen·du·lous [péndʒələs] *a.* 매달린; 흔들리는, 흔들흔들하는. ㊕ **~·ly** *ad.*

pen·du·lum** [péndʒələm, -də-] *n.* Ⓒ (시계 따위의) **추**; 몹시 흔들리는 것: the ~ of public opinion 여론의 변화. ***the swing of the ~ 《비유적》 (인심 · 여론 따위의) 격변.

Pe·nel·o·pe [pinéləpi] *n.* **1** 피넬러피《여자 이름; 애칭 Pen, Penny》. **2** 『그리스신화』 페넬로페《Odysseus 의 아내; 남편이 없는 20 년 간을 수절함》.

pen·e·tra·ble [pénətrəbəl] *a.* 침입〔침투, 관입, 관통〕할 수 있는; 간파〔통찰〕할 수 있는. ㊕ **pèn·e·tra·bíl·i·ty** *n.* Ⓤ (억지로) 들어갈 수 있음, 관통할 수 있음; 침투 〔관통〕성.

pen·e·trate** [pénətrèit] *vt.* **1 a 꿰뚫다**, 관통하다: The arrow *~d* the warrior's chest. 화살은 전사의 가슴을 꿰뚫었다. **b** (군대 따위가) 돌진〔침입〕하다: The rebels *~d* the inner city. 반란군이 도심부에까지 침입했다. **c** (향수 따위가) …에 스며들다. **2** (빛 · 소리 따위가) 통과하다, 지나가다: The flashlight *~d* the darkness. (회중전등 불) 빛이 어둠 속을 비췄다. **3** (사상 · 감정 따위가) …에 침투하다: Unspeakable horror *~d* my whole being. 말할 수 없는 공포가 내 온몸을 엄습했다. **4** (눈이) 꿰뚫어 보다; (남의 마음 · 진의 · 진상 · 위장 따위)를 간파하다, 통찰하다; 이해하다: The eyes of owls can ~ the dark. 올빼미의 눈은 어둠을 꿰뚫어 볼 수 있다/~ a person's disguise 아무의 거짓말을〔정체를〕 간파하다. **5** 『컴퓨터』 (컴퓨터)에 부당한 정보를 넣다. **—vi.* **1** 《~/+㊄/+㊅+㊆》 **통과하다**, 꿰뚫다, 침투하다, 스며들다; 간파하다, 통찰하다: Bad odor *~d through* the building. 악취가 건물에 온통 퍼졌다/Rain *~d through to* the ceiling. 비가 천장까지 스며들었다/He could not ~ *into* its secret. 그 비밀을 알아낼 수 없었다. **2** (소리가) 멀리까지 들리다. **3** 《구어》 의미가 통하다, 이해되다: My suggestion didn't ~. 내 의견은 통하지 않았다. ◇ penetration *n.* ㊕ **-trà·tor** *n.*

◇**pén·e·tràt·ing** *a.* **1** 꿰뚫는, 관통하는. **2** 통찰력이 있는, 예리한, 예민한: a ~ observation 〔view〕 예리한 관찰〔의견〕. **3** (목소리 따위가) 잘 들리는, 새된, 날카로운. **4** (바람 따위가) 몸에 스미는, 살을 에는 듯한. ㊕ **~·ly** *ad.*

◇**pèn·e·trá·tion** *n.* Ⓤ 꿰뚫고 들어감; 침투(력); 『군사』 (적진으로의) 침입, 돌입; (탄알 따위의) 관통; 통찰(력); 간파(력)(insight), 안식(眼識); 『정치』 (세력 따위의) 신장; 『컴퓨터』 침해: peaceful ~ (무역 따위에 의한) 평화적 세력 신장/a man of ~ 통찰력 있는 사람. ◇ penetrate *v.*

pen·e·tra·tive [pénətrèitiv] *a.* 꿰뚫고 들어가는, 침투하는; 안목이 예민한, 통찰력이 예리한. ㊕ **~·ly** *ad.*

pén frìend 《英》 펜팔(《美》 pen pal).

***pen·guin** [péŋgwin, pén-] *n.* Ⓒ 『조류』 **펭귄**.

pén·hòlder *n.* Ⓒ 펜대; 펜걸이: a ~ grip 『탁구』 펜처럼 탁구채를 쥐는 법.

pen·i·cil·lin [pènəsílin] *n.* Ⓤ 『약학』 페니실린.

pe·nile [píːnail] *a.* 음경(陰莖)의, 남근(男根)의.

***pe·nin·su·la** [pinínsələ, -sjə-] *n.* Ⓒ **반도**; (the P-) 이베리아 반도《스페인과 포르투갈》; (the P-) Gallipoli 반도《터키의》.

pe·nin·su·lar [pinínsələr, sjə-] *a.* 반도(모양)의.

pe·nis [píːnis] (*pl.* ***-nes*** [-niːz], **~·*es***) *n.* Ⓒ 『해부』 음경, 페니스.

pen·i·tence [pénətəns] *n.* Ⓤ 후회, 참회: with ~ 후회하여.

◇**pen·i·tent** [pénətənt] *a.* 죄를 뉘우치는, 참회하는. **—***n.* Ⓒ 개전한 사람, 참회하는 사람; 『가톨릭』 고백자. ㊕ **~·ly** *ad.*

pen·i·ten·tial [pènəténʃəl] *a.* 회오의, 참회의; 속죄의; 『가톨릭』 고백 성사의. ㊕ **~·ly** *ad.*

pen·i·ten·tia·ry [pènətén∫əri] *n.* Ⓒ《美》(주 · 연방의) 교도소. **—***a.* 후회의; 개과(改過)의, 갱생을 위한; 《美》(죄가) 교도소에 들어가야 할.

pén·knìfe (*pl.* ***-knives***) *n.* Ⓒ 주머니칼《옛날에는 깃펜을 깎는 데 썼음》.

pén·lìght, -lìte *n.* Ⓒ 만년필형(型) 회중전등.

pen·man [pénmən] (*pl.* ***-men*** [-mən]) *n.* Ⓒ 필자; 서가(書家), 능서가(能書家); 문사, 묵객; 필기를 업으로 삼는 자: a good ~ 능필가(能筆家). ㊎ **~·ship** [-∫ìp] *n.* Ⓤ 서법, 필법; 습자; 필적.

Penn., Penna. Pennsylvania.

pén nàme 펜네임, 필명, 아호.

pen·nant [pénənt] *n.* Ⓒ 페넌트, 길고 좁은 삼각기(旗); (취역함(就役艦)의) 기류(旗旒), 기드림; 《美》(스포츠 따위의) 우승기, 응원기: the ~ chasers 프로 야구단/the broad ~ 제독〔함장〕기/win the ~ 우승하다.

***pen·ni·less** [pénilis] *a.* **무일푼의**, 몹시 가난한.

Pén·nine Álps [pénain-] (the ~) 페닌 알프스《스위스와 이탈리아 국경에 있는 알프스 산맥의 일부》.

Pen·nines [pénainz] (the ~) 페나인 산맥《잉글랜드 북부에 남으로 뻗은 산맥》.

pen·non [pénən] *n.* Ⓒ 길쭉한 삼각기, 제비꼬리 같은 작은 기; 창에 다는 기;〖일반적〗기(旗).

pen·n'orth [pénərθ] *n.*《英구어》=PENNYWORTH.

Penn·syl·va·nia [pènsilvéiniə, -njə] *n.* 펜실베이니아《미국 동부의 주; 생략: Pa., Penn(a).;〖우편〗PA; 속칭 the Keystone State》.

Pennsylvánia Dútch 1 (the ~)〖집합적; 복수취급〗독일계 Pennsylvania 사람. **2** 그들이 쓰는 독일 방언(=**Pennsylvánia Gérman**).

Penn·syl·va·ni·an [pènsilvéiniən, -njən] *n.* Ⓒ, *a.* Pennsylvania 사람(의).

‡pen·ny [péni] (*pl.* ***pen·nies*** [-z], ***pence*** [pens]) *n.* **1** Ⓒ **페니**, 1 페니의 청동화(青銅貨)《영국의 구화 단위로, 종래 1/12 shilling = 1/240 pound 로; 생략: d; 1971 년 2 월부터 1/100 pound 로 되어 shilling 은 폐지됨; 생략: p [piː]》: A ~ saved is a ~ earned.《격언》한 푼의 절약은 한푼의 이득/In for a ~, in for a pound.《속담》일단 시작한 일은 끝까지/Take care of the *pence* 〔*pennies*〕, and the pounds will take care of themselves.《속담》푼돈을 아끼면 큰돈은 저절로 모이는 법.

> **NOTE** (1) 금액을 말하는 복수는 pence; 동전(銅錢)의 개수를 말하는 복수는 pennies: Please give me six *pennies* for this *sixpence*. 이 6 펜스를 동전 6 개로 바꾸어 주시오. (2) twopence [tʌ́pəns], threepence [θrépəns, θríp-]에서 twelvepence 까지와 twentypence 는 한 단어로 쓰고, -pence 는 약하게 [-pəns]로 발음함. 그 외의 것은 두 단어로 떼어 쓰든지 하이픈을 넣어 [-péns]로 발음함. (3) 숫자 뒤에서는 p로 생략하지만, 구(舊)단위에서는 d로 생략했음: 5p [piː] (=fivepence), 5펜스. (4) halfpenny 는 [héipəni]로 발음함.

2 Ⓒ《美구어 · Can. 구어》1센트 동전《복수는 pennies》. **3** (a ~)〖보통 부정문에서〗피천, 푼돈: It is*n't* worth a ~. 그것은 피천 한 닢의 가치도 없다. **4** Ⓒ《구어》금전: a pretty ~ 상당한 돈.

not have a ~ (to bless oneself ***with)*** =***not have a ~ to*** one's ***name*** 매우 가난하다. ***pennies from heaven***《구어》하늘이 준〔뜻밖의〕행운, 횡재. ***spend a ~***《英완곡어》(유료) 변소에 가다. ***turn*** 〔***earn, make***〕 ***an honest ~*** 정직하게 일하(여 돈을 벌)다. ***turn up like a bad ~*** (마음에 들지 않는 사람 · 물건이) 여러 번 나타나다, 환영받지 못하는데 모습을 드러내다. ***two*** 〔***ten***〕 ***a ~***《英구어》흔한, 하찮은, 싸구려의.

> **DIAL.** ***A penny for your thoughts*** 〔***them***〕. (아무 말 없이 생각하고 있는 사람에게) 뭐라고 말 좀 해봐, 의견을 말해 봐.
> ***The penny (has) dropped.***《英》(말한 뜻을) 이제 알았다《자동판매기에 동전이 들어갔다는 뜻에서》.

-pen·ny [pèni, pəni] *suf.* '값이 …페니〔펜스〕의' 의 뜻: a ten*penny* supper.

pénny arcáde《美》(동전으로 즐길 수 있는) 오락장(《英》amusement arcade).

pénny dréadful (범죄 · 폭력 등을 다룬) 값싸고 선정적인 소설〔잡지〕.

pénny-fárthing *n.* Ⓒ《英》페니파딩《앞바퀴가 크고 뒷바퀴가 작은 1870–90 년경의 구식 자전거》.

pénny-hálfpenny *n.* Ⓒ (구통화 시대의) 1 펜스 반.

pénny-in-the-slòt *a.* (기계가) 동전을 넣으면 작동하는.

pénny pìncher《구어》지독한 구두쇠〔노랑이〕.

pénny-pìnching *n.* Ⓤ, *a.* 인색(한); 긴축 재정(의).

pénny·wèight *n.* Ⓒ 페니웨이트《영국의 귀금속 · 보석의 중량 단위, 24 grains = 1.555 g; 생략: dwt., pwt.》.

pénny whístle (장난감) 호루라기(=**tín whístle**)《생철 또는 플라스틱제의》.

pénny-wíse *a.* 푼돈을 아끼는: *Penny-wise* and pound-foolish.《속담》푼돈 아끼다 큰돈 잃기, 기와 한 장 아끼다 대들보 썩는 줄 모른다.

pénny·wòrth *n.* **1** Ⓒ 1 페니어치(의 양); 1 페니짜리 물건: a ~ of salt 소금 1 페니어치. **2** (a ~)〖보통 부정문〗소액; 조금, 소량: *not* a ~ of 조금도 …이 아니다.

pe·nol·o·gy [piːnɑ́lədʒi/-nɔ́l-] *n.* Ⓤ 행형학(行刑學); 교도소 관리학.

***pén pàl** [pénpæ̀l]《구어》**펜팔**, 편지를 통하여 사귀는 친구(《英》pen friend).

pén-pùsher *n.* Ⓒ《구어 · 경멸적》서기.

pén pùshing《구어 · 경멸적》서기의〔사무적〕일.

‡pen·sion[1] [pén∫ən] *n.* Ⓒ **1 연금**, 양로 연금: an old-age ~ 양로 연금/draw one's ~ 연금을 타다/retire (live) on a ~ 연금을 받고 퇴직하다〔연금으로 생활하다〕. **2** (학자 · 예술가 등에게 주는) 장려금, 보조금. **—***vt.* …에게 연금을 주다. **~ *off*** 《*vt.*+㊀》① …에게 연금을 주어 퇴직시키다. ② (낡은 것)을 버리다.

pen·sion[2] [pɑːnsjɔ́ːŋ/∸-] *n.*《F.》Ⓒ (프랑스 · 벨기에 등지의) 하숙집, 기숙사.

pén·sion·a·ble *a.* 연금을 받을 자격이 있는.

pen·sion·ary [pén∫ənèri/-əri] *a.* 연금을 받는, 연금으로 생활하는; 연금의; 고용된. **—***n.* Ⓒ =PENSIONER; 고용인, 부하; 용병.

°**pén·sion·er** *n.* [C] 연금 수령자〔생활자〕.
°**pen·sive** [pénsiv] *a.* 생각에 잠긴, 시름에 잠긴; 구슬픈; 애수에 잠긴. [파] ~·**ly** *ad.* ~·**ness** *n.*
pén·stòck *n.* [C] 수문(sluice); 수로; 《美》 (물방아 · 터빈의) 도수로(導水路).
pent [pent] PEN² 의 과거 · 과거분사.
pen·ta- [péntə] '다섯' 의 뜻의 결합사《모음 앞에서는 **pent-**》.
pen·ta·gon [péntəgàn/-gɔ̀n] *n.* **1** [C] 〖수학〗 5각형, 5변형. **2** (the P-) 미국 국방부《건물이 오각형임》; 미국 국방부; 미국 국군 당국. [파] **pen·tag·o·nal** [pentǽgənəl] *a.* 5각〔변〕형의.
pen·ta·gram [péntəgræ̀m] *n.* [C] 별표《☆표; 중세에는 부적으로 썼음》.
pen·ta·he·dron [pèntəhí:drən/-héd-] (*pl.* **~s, -dra** [-drə]) *n.* [C] 〖수학〗 5면체.
pen·tam·e·ter [pentǽmitər] *n.* [C] 〖운율〗 오운각(五韻脚)(의 시), 오보격(五步格). **—***a.* 오보격의.
Pen·ta·teuch [péntətjù:k] *n.* (the ~) 〖성서〗 모세 5경(經)《구약성서의 첫 5편; Genesis (창세기), Exodus (출애굽기), Leviticus (레위기), Numbers (민수기), Deuteronomy (신명기)》.
pen·tath·lon [pentǽθlən, -lɑn] *n.* [U] (또는 *sing.*; 보통 the ~) 5종 경기(競技). [cf] decathlon.
Pen·te·cost [péntikɔ̀(:)st, -kɑ̀st] *n.* **1** 〖유대교〗 유대의 수확절, 수장절(收藏節)(=**Shabúoth**) 《Passover 의 둘째날로부터 50일째의 날》. **2** 《美》 〖기독교〗 성령 강림절, 오순절(Whitsunday)《Easter 후의 제7일요일》《생략: Pent.》.
Pen·te·cos·tal [pèntikɔ́(:)stəl, -kɑ́st-] *a.* Pentecost 의; 오순절 교회파《20세기초 미국에서 시작한 fundamentalist 에 가까운 한 파》의.
pént·hòuse *n.* [C] **1** 벽에 붙여 비스듬히 내단 지붕〔작은 방〕. **2** (빌딩의) 옥상의 (고급) 주택; (호텔의 꼭대기 층) 특실; 탑옥(塔屋)《빌딩 옥상의 엘리베이터 기계실 · 환기 장치 따위가 있는》.
pént-úp *a.* 울적한《감정 따위》: ~ fury 〔rage〕 울분.
pe·nult, pe·nul·ti·ma [pí:nʌlt, pinʌ́lt], [pinʌ́ltəmə] *n.* [C] 〖음성 · 시학〗 어미(語尾)에서 둘째의 음절. [cf] antepenult.
pe·nul·ti·mate [pinʌ́ltəmit] *a.* [A] 어미에서 둘째의 (음절의).
pe·num·bra [pinʌ́mbrə] (*pl.* **-brae** [-bri:], **~s**) *n.* [C] **1** 〖천문〗 반음영(半陰影), 반영(半影) 《(일식 · 월식의) 그늘진 부분; 태양 흑점 주위의 반영부》. **2** 〖회화〗 명암 · 농담(濃淡)의 경계 (부분). **3** 그늘(*of* (의혹 따위)의): A ~ *of* doubt surrounds the incident. 그 사건은 의혹의 그늘에 싸여 있다《진상이 밝혀지지 않는다》.
pe·nu·ri·ous [pinjúəriəs] *a.* 다라운, 인색한; 빈곤한, 궁핍한. [파] ~·**ly** *ad.*
pen·u·ry [pénjəri] *n.* [U] 빈곤, 빈궁, 궁핍: live in ~ 가난하게 살다.
pe·o·ny, pae- [pí:əni] *n.* [C] 〖식물〗 모란, 작약(芍藥): blush like a ~ 낯이 빨개지다, 얼굴을 붉히다.
†**peo·ple** [pí:pl] *n.* **A** 〔복수꼴 없음; 집합적; 복수취급〕 **1 a** 〔일반적〕 **사람들**: a lot of ~ 많은 사람들/streets crowded with ~ 사람들로 혼잡한 거리/Some ~ are tall, and others 〔other ~〕 are short. 키 큰 사람이 있는가 하면 작은 사람도 있다/Several ~ were hurt. 몇 사람이 다쳤다/They are good ~. 그들은 좋은 사람들이다/you ~ 당신들. ★ 수사에 수반될 때는 person 으로 대용될 경우도 많으나 《구어》에서는 people 이 일반적임: five ~, 5인(five persons). **b** 〔부정대명사 용법; 관사 없이〕 (막연하게) 세인(世人), **세상 사람들**: *People* don't like to be kept waiting. 사람들은 대개가 기다리는 것을 싫어한다/*People* say that.... 세상에서는 …라고들 말한다/She doesn't care what ~ say. 그녀는 세상 사람들이 무어라 말하건 개의치 않고 있다. **c** 〔보통 the 또는 수식어와 함께〕 (어느 장소 · 계급 · 단체 · 직업 · 민족 따위에 속한) **주민**, 사람들: the village ~ 촌민(村民)/the ~ here 이 지방 사람들/the best ~ 상류 사회 사람들/theater ~ 연극인.
2 a (the ~) (한 국가에 속한) **국민**, 선거민: government of the ~, by the ~, for the ~ 국민의, 국민에 의한, 국민을 위한 정치《Gettysburg Address 에서》/a man of the (common) ~ 국민과 한편인 사람. [SYN] ⇨NATION. **b** (one's ~) 가족, 친형제; 일족; 선조: my ~ at home 내 고향 사람들/Will you meet my ~? 우리집 가족들을 만나 보시겠어요. **c** (the ~) 서민, 인민, 하층 계급: the nobles and the ~ 귀족과 서민. **d** (one's ~) (군주에 대하여) 신하; 부하, 종자(從者); (목사에 대하여) 교구민: the king and his ~ 국왕과 그의 신하/He's tough with his ~. 그는 부하에게 엄격하다.
3 (동물과 구별하여) 사람, 인간(human being): The police, too, are ~. 경관도 사람이다.
4 (P-) 《美》 〖법률〗 (형사 재판의) 검찰측: *People* v. John Smith (검찰측 대(對)) ← 존 스미스 사건/*People's* exhibit A 검찰측 증거 제1호.
B [C] (문화적 · 사회적으로 본 사람들의 집단으로서의) **국민**, **민족**, 종족: the English-speaking ~s 영어 사용 민족들/the ~s of Asia 아시아의 제(諸)국민/They're a nomadic ~ who follow their herds. 그들은 가축떼를 뒤쫓아 이동하는 유목민족이다.
***go to the* ~** (정치 지도자가) 국민의 신임을 묻다. ***of all* ~** 〔삽입구처럼〕 많은 사람 중 하필이면; 특히.
—*vt.* **1** 《~+[목]/+[목]+[전]+[명]》 〔보통 수동태〕 …에 살게 하다〔식민하다〕《*with* …을》: The place is *~d with* the sick. 거기에는 병자가 살고 있다. **2** …에 살다《★ 보통 과거분사형을 형용사적으로 씀》: The country is thickly 〔sparcely〕 *~d*. 그 나라는 인구 밀도가 높다〔낮다〕.
pep [pep] 《구어》 *n.* [U] 원기; 기력: full of ~ 기운이 넘치는. **—** (**-pp-**) *vt.* 원기를 북돋우다, 격려하다(*up*). [◂*pepper*]
pep·lum [pépləm] (*pl.* **~s, -la** [-lə]) *n.* [C] 블라우스 · 재킷의 가슴 부분에 다는 장식천.
‡**pep·per** [pépər] *n.* **1 a** [U] **후추**; [C] 〖식물〗 후추나무: black 〔white〕 ~ 검은〔흰〕 후춧가루/round ~ 껍질째로의 후추. **b** [C] 〖식물〗 고추: green ~ 피망. **2** [U] 신랄함(pungency); 혹평; 성급함. ***Chinese* 〔*Japanese*〕 ~** 산초나무.
—*vt.* **1** …에 후춧가루를 뿌리다, …에 후춧가루로 양념하다. **2** 《+[목]+[전]+[명]》 …에 퍼붓다《*with* (질문 · 총탄 등)을》: The enemy *~ed* our lines *with* gunfire. 적은 우리 전선에다 포탄을 퍼부었다.
pépper-and-sált [-rən-] *a.* [A] (옷감이) 희고 검은 점이 뒤섞인; (머리가) 희끗희끗한.
pépper·bòx *n.* [C] 《美》 (식탁용) 후춧가루통

(《英》 pepper pot).

pépper·còrn *n.* Ⓒ **1** (말린) 후추 열매. **2** 《비유적》 신통찮은 물건.

péppercorn rént 《英》 명목뿐인 아주 적은 집세〔땅세〕.

pépper mìll (손으로 돌리는) 후추 빻는 기구.

pep·per·mint [pépərmìnt] *n.* Ⓤ 〖식물〗 박하; 박하유(= ∠ **òil**); 페퍼민트《술》; Ⓒ 박하사탕.

pépper pòt 《英》 =PEPPERBOX.

pep·pery [pépəri] *a.* **1** 후추의, 후추 같은; 매운, 얼얼한. **2** 신랄한, 통렬한, 열렬한《연설 따위》; (사람이) 화 잘 내는, 성급한.

pép pìll 《구어》 흥분제, 각성제《특히 amphetamine》.

pep·py [pépi] (**-pi·er; -pi·est**) *a.* 《구어》 원기 왕성한, 기운이 넘치는. ⓒⓕ pep. ㊕ **pép·pi·ly** *ad.* **-pi·ness** *n.*

pep·sin(e) [pépsin] *n.* Ⓤ 〖생화학〗 펩신《위액 속의 단백질 분해 효소》; 펩신제.

pép tàlk 《구어》 (감정에 호소하는) 격려 연설, 격(檄).

pep·tic [péptik] *a.* Ⓐ 소화를 돕는; 소화력이 있는; 소화성의; 펩신의: ~ glands 위액 분비선(腺) / ~ juice 소화액.

péptic úlcer 〖의학〗 위〔십이지장〕궤양.

pep·tone [péptoun] *n.* Ⓤ 〖생화학〗 펩톤《단백질이 펩신에 의해 가수분해된 것》.

Pepys [pi:ps] **Samuel ~** 피프스《영국의 일기 작가 · 해군 관료; 1633－1703》.

⁑**per** [pə:r, 약 pər] *prep.* 《L.》 **1** 〔수단 · 행위자〕 …에 의하여, …으로: ~ post 〔rail〕 우편으로〔철도로〕 / ~ steamer 배편으로 / ~ Mr. Han 한씨에 의해 / ~ bearer 심부름꾼에 들려. **2** 〔배분〕 …에 대해, …마다: $10 ~ man 〔week〕, 1인〔주〕당 10달러 / sixty miles ~ hour 시속 60마일 / the crops ~ acre 에이커당 수확 / What are the charges for copying?—100 won ~ page. 복사료가 얼마입니까—페이지당 100원이오. **3** …에 의하면; 《구어》 …에 따라서: ~ inventory 목록에 의하면 / ~ your advice 충고대로. ★ 라틴어 관용구 속에 쓰일 때는 보통 이탤릭체로 함.

as ~ 〖상용문〗 …에 의하여: *as* ~ enclosed account 동봉 계산 서대로. ***as ~ usual*** 《구어》 평상시대로〔와 같이〕.

per- [pər, pə:r] *pref.* **1** '완전히, 끝까지 (…하다)'의 뜻: *per*fect, *per*vade. **2** '매우, 몹시'의 뜻: *per*fervid. **3** 〖화학〗 '과(過)'의 뜻: *per*oxide.

per·ad·ven·ture [pə̀:rədvéntʃər/pèr-] *ad.* 《고어》 아마; 우연히, 혹시라도. ***if ~*** 혹시 …하는 일이 있으면: *If* ~ you meet him ... 혹시 그를 만나면…. ***lest ~*** …하는 일이 없도록.

per·am·bu·late [pərǽmbjəlèit] *vt.*, *vi.* **1** 소요〔배회〕하다, 바장이다. **2** 순회하다; 답사하다.

per·àm·bu·lá·tion *n.* Ⓤ (구체적으로는 Ⓒ) 배회, 빈둥빈둥 걷는 일; 순회, 답사.

per·am·bu·la·tor [pərǽmbjəlèitər] *n.* Ⓒ 《英》 유모차(《美》 baby carriage)《생략: pram》.

per an·num [pər-ǽnəm] 《L.》 1년에 대해, 1년마다(yearly)《생략: per an(n)., p.a.》.

per cap·i·ta [pər-kǽpitə] 《L.》 1인당의, 머릿수로 나눈: income ~, 1인당 수입 / annual ~ consumption of beer, 1인당 연간 맥주 소비량.

per·ceiv·a·ble [pərsí:vəbəl] *a.* 지각〔감지, 인지〕할 수 있는. ㊕ **-bly** *ad.* 감지할 수 있을 만큼, 분명히.

⁑**per·ceive** [pərsí:v] *vt.* **1** 《~+목/+목+-*ing* / +목+*do*》 (오관으로) **지각(知覺)하다**, 감지하다; …을 눈치채다, 인식하다: ~ danger 위험을 눈치채다 / ~ an object loom*ing* through the mist 안개 속에 뭔가 아련히 나타나는 것이 보이다 / You will ~ the fish *rise* out of the water. 물고기가 수면에서 뛰어오르는 것을 보게 될 거다. SYN. ⇨NOTICE, RECOGNIZE. **2** 《~+목/+*that* 절/+*wh.* 절/+목+(*to be*) 보》 이해하다, 파악하다; 깨닫다, 알다: We ~*d* by his face *that* he had failed in the attempt. 그의 얼굴에서 그 시도가 실패했음을 알았다 / At first I couldn't ~ *what* he meant. 처음에는 그가 한 말이 무슨 뜻인지 이해하지 못했다 / On entering his house, she at once ~*d* him (*to be*) a methodical person. 그의 집에 들어서자마자, 그녀는 그가 꼼꼼한 사람임을 알게 되었다. ◇perception *n.* ㊕ **per·céiv·er** *n.*

⁑**per·cent, per cent** [pərsént] (*pl.* ~, 2는 ~***s***) *n.* **1** Ⓒ **퍼센트**, 100분《★ 주어가 되는 경우 그에 호응하는 동사의 수는 보통 ~ (of)에 이어지는 명사가 단수형이면 단수취급, 복수형이면 복수취급; 기호 %; 생략: p.c., pct.》: 5 ~, 100분의 5 / a 〔one〕 hundred ~ =cent ~, 100 퍼센트 / Twenty ~ of the products are exported. 제품의 20 퍼센트는 수출된다 / Nearly 30 ~ of the wheat crop was damaged. 밀수확의 30 퍼센트 가까이가 피해를 입었다. **2** (*pl.*) 《英》 (일정 이율의) 공채: funds in the three ~*s*, 3분 이자 공채 자금.

—*a.* Ⓐ 〔숫자를 수반하여〕 백분의; …퍼센트의: a five ~ increase, 5 퍼센트의 증가 / make 10 ~ discount for cash 현금에는 1할 할인하다 / Genius is one ~ inspiration and ninety-nine ~ perspiration. 《격언》 천재는 1 퍼센트의 영감과 99 퍼센트의 땀의 결정이다.

—*ad.* 백에 대하여: at a rate of 25 cents ~, 100에 대해 25센트의 비율로.

a* 〔*one*〕 *hundred ~, 100 퍼센트, 전적으로, 완전히: We agreed with her suggestions *a hundred* ~. 그녀의 제안에 전적으로 동의했다.

***per·cent·age** [pərséntidʒ] *n.* **1** Ⓒ (보통 *sing.*) **백분율**, 백분비: What ~ *of* the population of Korea lives in Seoul? 서울에는 한국 인구의 몇 퍼센트가 살고 있습니까. **2** Ⓒ (보통 *sing.*) **비율**, 율: Only a small ~ *of* the workers are unskilled. 노동자 중 숙련공이 아닌 사람은 불과 몇 명 안 된다. **3** Ⓤ 〔보통 부정문〕 《구어》 이익; (이길) 가망. There's *no* ~ in being passive. 수세로만 있으면 가망이 없다.

per·cen·tile [pərséntail, -til] *n.* Ⓒ 〖통계〗 변수 구간의 100분의 1, 백분위수(百分位數).

◇**per·cep·ti·ble** [pərséptəbəl] *a.* **1** 인지〔지각〕할 수 있는. **2** 눈에 띄는, 상당한.
㊕ **-bly** *ad.* 감지할 수 있을 정도로; 눈에 띄게, 두드러지게. **per·cèp·ti·bíl·i·ty** *n.* Ⓤ 지각〔감지, 인식〕할 수 있는 것〔성질, 상태〕.

per·cep·tion** [pərsépʃən] *n.* **1** Ⓤ **지각(작용)**; 지각력: a man of keen ~ 지각이 예리한 사람. **2** Ⓤ (구체적으로는 Ⓒ) 인식, 견해: His ~ of the matter was wrong. 그 문제에 대한 그의 견해는 잘못되었다. **3** Ⓒ 이해(력)《of*** …에 대한 / ***that***》. ◇perceive *v.* ㊕ **~·al** [-əl] *a.* =PERCEPTIVE.

per·cep·tive [pərséptiv] *a.* 지각〔감지〕하는,

지각력 있는; 통찰력이 있는, 명민한. ㊣ ~·ly *ad.* ~·ness *n.* **per·cep·tiv·i·ty** [pə̀ːrseptívəti] *n.* Ⓤ 지각(력), 명민함.

per·cep·tu·al [pərséptʃuəl] *a.* 지각의; 지각에 의한. ㊣ ~·ly *ad.*

perch**[1] [pəːrtʃ] *n.* Ⓒ **1** (새의) **횃대**(roost): take one's ~ (새 따위가) 횃대에 앉다. **2** 《비유적》 높은 곳〔지위〕, 안전한 지위, 편안한 자리. **3** 《英》 퍼치《길이의 단위, 약 5.03 m; 면적의 단위, 약 25.3 m²》. ***Come off your **~.** 거만하게 굴지 마라. ***knock*** a person ***off*** his ~ 아무를 지우다, 해치우다, 아무의 콧대를 꺾다.

—*vi.* 《+전+명》 (새가) **앉다**; (사람이) 앉다, 자리를 잡다《***on*** …에》: A bird ~*es on* a twig. 새가 가지에 앉는다 / ~ *on* a high stool 높은 걸상에 앉다. —*vt.* 《+목+전+명》 **1** …을 두다, 놓다, 앉히다《***on*** (불안정한〔높은, 좁은〕 곳)에》: The house is ~*ed on* a hilltop. 그 집은 언덕 꼭대기에 위태롭게 서 있다. **2** 〖~ oneself〗 앉다, 좌정하다《***on*** …에》: He ~*ed* him*self on* the railing. 그는 난간에 걸터앉았다.

perch[2] (*pl.* ~·**es,** 〖집합적〗 ~) *n.* Ⓒ 〖어류〗 농어류의 식용 담수어; Ⓤ 농어의 살.

per·chance [pərtʃǽns, -tʃáːns] *ad.* 《고어·시어》 **1** 어쩌다가; 아마. **2** 〖if 또는 lest 의 절 안에서〗 우연히.

per·cip·i·ence [pərsípiəns] *n.* Ⓤ 지각 (능력), 식별(력).

per·cip·i·ent [pərsípiənt] *a.* 지각하는, 지각력〔통찰력〕 있는, 의식적인. —*n.* Ⓒ 지각자; 천리안〔감식안〕이 있는 사람.

per·co·late [pə́ːrkəlèit] *vt.* **1** (액체)를 여과하다, 스며나오게 하다; 침투(浸透)시키다. **2** (퍼컬레이터로 커피)를 끓이다.

—*vi.* **1** (액체)가 여과되다; 스며나오다, 스며들다《***through*** …에》: Water ~*s through* sand. 물은 모래에 스며든다. **2** (사상 따위가) 번지다, 서서히 퍼지다, 침투하다《***through*** …에》: His ideas have ~*d through* to every level of society. 그의 사상은 사회의 모든 계층에까지 침투해 있다. **3** (퍼컬레이터로 커피가) 끓여지다.

pèr·co·lá·tion *n.* Ⓤ (구체적으로는 Ⓒ) 여과(濾過); 침투; 퍼컬레이터로 커피 끓이는 방법.

pér·co·là·tor [-tər] *n.* Ⓒ 여과기, 추출기(抽出器); 여과기 달린 커피 끓이개, 퍼컬레이터; 여과하는 사람〔것〕.

per·cuss [pərkʌ́s] *vt., vi.* 두드리다; 〖의학〗 타진하다.

per·cus·sion [pərkʌ́ʃən] *n.* **1** Ⓤ (물체의) 충격, 충돌. **2** Ⓤ (충돌에 의한) 진동, 격동; 음향. **3** (the ~) 〖집합적; 단·복수취급〗 〖음악〗 타악기(의 연주); (악단의) 타악기부(部). **4** Ⓤ (또는 a ~) 〖의학〗 타진(법).

percússion càp 뇌관; (어린이의 장난감용) 화약.

percússion ìnstrument 〖음악〗 타악기.

per·cús·sion·ist *n.* Ⓒ (오케스트라의) 타악기 연주자.

percússion sèction 타악기부(部).

per·cus·sive [pərkʌ́siv] *a.* 충격의, 진동의, 충격에 의한《울림·악기 등》; 〖의학〗 타진(打診)(법)의. ㊣ ~·ly *ad.* ~·ness *n.*

Per·cy [pə́ːrsi] *n.* 퍼시《남자 이름》.

per di·em [pər-díːəm, -dáiəm] 《L.》 하루에 대해(per day), 날로 나누어; 일급(의, 으로); 일당 임차〔임대〕료, 일당.

◇**per·di·tion** [pərdíʃən] *n.* Ⓤ **1** 《고어》 파멸. **2** 지옥에 떨어짐; 지옥.

per·dur·a·ble [pə(ː)rdjúː(ː)rəbəl/-djúər-] *a.* 오래가는; 영속의; 불변의, 불멸〔불후〕의. ㊣ **-bly** *ad.* **per·dùr·a·bíl·i·ty** *n.*

per·e·gri·nate [pérəgrənèit] *vi.* 《문어·우스개》 (도보로) 여행〔편력〕하다. ㊣ **pèr·e·gri·ná·tion** *n.* Ⓤ (구체적으로는 Ⓒ) (흔히 *pl.*) 《우스개》 여행, 편력. **pér·egri·nà·tor** [-tər] *n.* Ⓒ 《고어》 편력〔여행〕자.

per·e·grine [pérəgrin, -grìːn] *n.* 〖조류〗 송골매(= ~ fálcon).

per·emp·to·ry [pərémptəri, pérəmptɔ̀ːri] *a.* **1** (말·태도 따위가) 단호한, 독단적인, 엄연한; 거만한, 강제적인. **2** 〖법률〗 확정된, 최종적인, 결정적인, 절대의: a ~ decree 최종 판결 / a ~ mandamus 〔writ〕 강제 집행 영장. ㊣ **-ri·ly** *ad.* **-ri·ness** *n.*

◇**per·en·ni·al** [pəréniəl] *a.* **1** 연중 끊이지 않는, 사철을 통한; 여러 해 계속하는, 영원한《젊음 따위》. **2** 〖식물〗 다년생의, 숙근성(宿根性)의(cf. annual, biennial); 1년 이상 사는《곤충》. —*n.* Ⓒ 〖식물〗 다년생 식물; (여러 해) 계속되는 것, 재발하는 것. ㊣ ~·ly *ad.* **per·èn·ni·ál·i·ty** [-ǽləti] *n.* Ⓤ 여러 해 계속함, 영속성.

pe·res·troi·ka [pèrestrɔ́ikə] *n.* 《Russ.》 Ⓤ 페레스트로이카《Gorbachev 의 경제 재건 정책》. [◂ pere-(re-)+stroika(construction)]

perf. perfect; perforated; performance.

‡**per·fect** [pə́ːrfikt] *a.* **1** **완전한**, 더할 나위 없는, 결점이 없는, 이상적인: a ~ wife 더할 나위 없는 아내 / a ~ crime 완전 범죄 / The weather was ~. 날씨는 그만이었다. SYN. ⇨COMPLETE. **2** 숙달한, 완전히 터득한《***in*** …에》: be ~ *in* one's duties 직무에 숙달해 있다 / Practice makes ~. 《속담》 배우기보다 익혀라. **3** 정확한, 순수한, 조금도 틀림이 없는: a ~ circle 완전한 원 / a ~ copy 진짜와 똑같은 사본(寫本). **4** Ⓐ 《구어》 전적인, 굉장한: ~ nonsense 아주 실없는 소리 / a ~ stranger 전혀 낯선 사람. **5** Ⓐ 〖문법〗 완료의: the ~ tense 완료 시제. **6** 가장 적합한, 안성맞춤의《***for*** …에》: He's the ~ man *for* the position. 그는 그 지위에 최적임자다 / This color is ~ *for* our bedroom. 이 색이 우리 침실에 안성맞춤이다.

> **DIAL.** ***Nobody's perfect.*** 누구에게라도 실수는 〔결점은〕 있다.

—*n.* Ⓒ 〖문법〗 **1** (보통 *sing.*) 완료 시제: the present 〔future, past〕 ~ 현재〔미래, 과거〕 완료. **2** 완료형.

— [pə(ː)rfékt] *vt.* **1** **완성하다**; 수행하다; 완전히 하다: Inventions are ~*ed* with time. 발명품은 시일이 지남에 따라 완벽해진다. **2** 《+목+전+명》 (아무)를 숙달시키다; 〖~ oneself〗 숙달하다《***in*** …에》: He has ~*ed* him*self in* English. 그는 영어를 완전히 자기 것으로 만들었다. ◇ perfection *n.* ㊣ ~·ness *n.*

per·fec·ta [pərféktə] *n.* Ⓒ 《美》 〖경마〗 쌍승식(雙勝式)(exacta).

pérfect gáme 〖야구·볼링〗 퍼펙트 게임, 완전 시합: pitch a ~ (투수가) 완전 시합을 이루다.

per·fect·i·ble [pəːrféktəbəl] *a.* 완전히 할〔완성시킬〕 수 있는. ㊣ **per·fèct·i·bíl·i·ty** *n.* 완전히 할 수 있음, 완전성〔론〕.

***per·fec·tion** [pərfékʃən] *n.* **1** Ⓤ **완전**, 완벽: remain in ~ 온전한 채로 남아 있다. **2** Ⓤ 완성,

마무리; 성숙: busy with the ~ of detail 세부의 마무리에 바쁜 / bring ... to ~…을 완성하다 / come to ~ 완성〔성숙〕하다. **3** Ⓤ 숙달, 원숙함 《*in* (기예(技藝) 따위)에》. **4** (the ~) 극치, 전형(典型), 이상 (상태): She is the ~ *of* beauty. 그녀는 아름다움의 극치이다. ◇perfect *v*.

to **~** 완전히, 더할 나위 없이: He sang it *to* ~. 그는 그 노래를 완벽하게 불렀다.

per·féc·tion·ìsm *n*. Ⓤ **1** 〖철학〗 완전론《사람은 현세에서 도덕·종교·사회·정치상 완전한 영역에 도달할 수 있다는 학설》. **2** 완벽주의, 깊이 골몰하는 성격.

per·féc·tion·ist *n*. Ⓒ 완벽론자; 완벽을 기하는 사람; (매사에) 의심이 많은 사람.

***pér·fect·ly** *ad*. **1 완전히**, 더할 나위 없이: He answered the question ~. 그는 그 문제를 완벽하게 풀었다. **2** 《구어》 전혀, 정말로: He is ~ dreadful. 그는 정말 불쾌한 사람이다.

per·fec·to [pərféktou] (*pl*. **~s**) *n*. 《Sp.》 Ⓒ 퍼펙토《양 끝이 가늘고 뾰족한 중간형의 여송연》.

pérfect párticiple 〖문법〗 완료 분사(past participle)《생략: perf. part.》.

pérfect pítch 〖음악〗 절대 음감(absolute pitch).

per·fer·vid [pə:rfə́:rvid] *a*. 매우 열심인, 열렬한.

per·fid·i·ous [pərfídiəs] *a*. 불신의, 불성실한; 배반하는, 딴 마음이 있는. ㊕ **~·ly** *ad*. **~·ness** *n*.

per·fi·dy [pə́:rfədi] *n*. Ⓤ 불신, 불성실, 배반; Ⓒ 불신〔배반〕 행위.

per·fo·rate [pə́:rfərèit] *vt*. **1** 구멍을 내다, 꿰뚫다, 관통시키다: The bullet ~*d* his lung. 탄환이 그의 폐를 관통했다. **2** (우표 따위에) 미싱 바늘구멍을 내다, (종이에) 눈금 바늘구멍을 내다: a ~*d* line 절취선. **—** *vi*. 구멍내다, 꿰뚫다 《***into, through*** …에, …을》. ㊕ **pér·fo·rà·tive** [-tiv] *a*. 구멍을 내는, 꿰뚫는; 꿰뚫을 수 있는. **pér·foràtor** [-tər] *n*. Ⓒ 구멍을 내는 사람〔기구, 기계〕; 개찰 기구《가위》.

pér·fo·ràt·ed [-id] *a*. 구멍이 뚫린, 꿰뚫은; 미싱 바늘 구멍이 있는.

per·fo·ra·tion [pə̀:rfəréiʃən] *n*. **1** Ⓤ 구멍을 냄, 천공(穿孔), 관통. **2** Ⓒ (흔히 *pl*.) (찍어낸) 구멍, 미싱 바늘구멍, 절취점선: tear off a row of stamps along the ~*s* 미싱 눈금을 따라 우표의 한 줄을 뜯어내다.

per·force [pərfɔ́:rs] *ad*. 《고어》 억지로, 무리로, 강제적으로; 부득이, 필연적으로.

***per·form** [pərfɔ́:rm] *vt*. **1** (임무·약속·명령 따위)를 **실행하다, 이행하다**, 수행하다, 다하다; (의식 따위)를 거행하다: ~ a task 〔one's duties〕 일을〔임무를〕 다하다 / ~ one's promise 약속을 이행하다.

SYN. **perform** 정해진 조건을 예정대로 성취하다→이행〔연기〕하다. 결과보다는 남에게 보이고 싶을 만큼 실수 없는 과정에 중점을 둠. **accomplish, achieve** perform과 비슷하나, 중간 과정에서의 솜씨는 고려하지 않음. 여러 가지 곤란에도 굴하지 않고 일을 성취시켰다는 칭찬의 뜻이 포함됨. achieve 쪽이 보다 큰 곤란의 극복을 암시함. **execute** 목적·일·계획·명령 따위를 달성시켰다는 순수한 사실만이 고려되며, 솜씨나 곤란의 극복 따위는 고려하지 않음. 따라서 사무적이며 냉정한 말. **discharge** 의무를 이행하여 무거운 짐을 벗었다는 안도감이 내포된 말.

2 (기술이 필요한 일)을 행하다, 하다: ~ a surgical operation 외과 수술을 행하다.
3 (연극)을 **공연하다**, (연극의 역(役))을 **연기하다** (act); (음악)을 **연주하다**; (악기)를 켜다, 타다: ~ a piece of music (on the violin) 곡을 (바이올린으로) 연주하다.

— *vi*. **1** 일을 하다, 명령〔약속〕을 실행하다, 일을〔임무를〕 해내다.
2 《~/+전+명》 극을 공연하다; 연기하다《***on, in*** … 에서》; (악기를) 연주하다, 노래부르다: ~ before a large audience 많은 관중 앞에서 연기하다〔연주하다, 노래부르다〕 / ~ skillfully *on* the flute 피리를 잘 불다.
3 (동물 등이) 재주를 부리다: The seals ~*ed* well at the circus. 물개가 서커스에서 재주를 잘 부렸다.
4 〖well 따위의 양태부사와 함께〗 (기계가) 작동하다; (사람이 능숙하게) 일하다: This new car ~*s* well on bad roads. 이 신형차는 험한 길에서도 잘 달린다.
㊕ **~·a·ble** *a*. ~할 수 있는.

***per·form·ance** [pərfɔ́:rməns] *n*. **1** Ⓤ **실행**, 수행, 이행; (의식 따위의) 거행: faithful in the ~ of one's duty 〔promise〕 직무〔약속〕의 수행〔이행〕에 충실한. **2** Ⓒ **상연**, 연주, 연기; 흥행; 퍼포먼스: No entrance during ~. 상연 도중 입장 금지. **3** Ⓒ **성과**, **성적**, 실적: a fine ~ 좋은 성과 / a company's business ~ 회사의 영업 실적. **4** Ⓤ (기계·컴퓨터 따위의) 성능: We need to improve this car's ~ on hills. 이 자동차의 언덕 길에서의 성능은 개선할 필요가 있다. **5** (a ~) 《구어》 우스꽝스런〔꼴사나운〕 행동; 떠들썩한 일, 성가신 일: What a ~! 정말 꼴불견이군. **6** Ⓤ 〖언어〗 언어 운용. **7** 〖형용사적〗 고성능의: a ~ car 고성능 차.

perfórmance àrt 퍼포먼스 아트《육체의 행위를 음악·영상·사진 등을 통하여 표현하려는 1970년대에 시작된 예술 양식; body art, video art 등》.

per·fórm·er *n*. Ⓒ **1** 행위자, 실행〔이행, 수행, 성취〕자. **2** 연예인; 연주자, 가수. **3** 숙달된 사람, 명인, 선수.

perfórming árts 공연〔무대〕 예술《연극·음악·무용 따위》.

***per·fume** [pə́:rfju:m, pərfjú:m] *n*. **1** Ⓤ **향기**, 방향(芳香)(fragrance). **2** Ⓤ (종류·낱개는 Ⓒ) **향료**, 향수(scent). **—** [-ˊ, ˊ-] *vt*. **1** (꽃 따위가 방)에 향기를 풍기다〔피우다〕. **2** …에 향기가 나게 하다, 향수를 바르다〔뿌리다〕: ~ one's handkerchief 손수건에 향수를 뿌리다. ㊕ **~d** *a*. 향수를 바른, 향내 나는〔를 풍기는〕. **per·fum·er** [pərfjú:mər, pə́:rfju:mər] *n*. Ⓒ 향료〔향수〕 제조인, 향수 판매상.

per·fum·ery [pərfjú:məri] *n*. **1** Ⓤ 〖집합적〗 향료류(香料類); 향수. **2** Ⓒ 향료 제조(소); 향료 판매점. **3** Ⓤ 향수 제조〔판매〕업.

per·fum·i·er [pərfjú:miər/pəfjú:miə] *n*. 《英》 =perfumer.

per·func·to·ry [pə:rfʌ́ŋktəri] *a*. **1** (행위 따위가) 형식적인, 마지못한, 겉치레인. **2** (사람이) 열의 없는, 피상적인: a ~ teacher 열의 없는 교사. ㊕ **-ri·ly** *ad*. **-ri·ness** *n*.

per·go·la [pə́:rgələ] *n*. 《It.》 Ⓒ 퍼골라《덩굴을 지붕처럼 올린 정자 또는 작은 길》; 덩굴시렁.

***per·haps** [pərhǽps, pərǽps] *ad*. 〖문장 전체

를 수식하여》 **1** 아마, 형편에 따라서는, 혹시, 어쩌면: *Perhaps* he has lost it. =He has ~ lost it. 아마 그는 그것을 잃어버렸을 것이다/*Perhaps* that's true. 어쩌면 그것은 사실인지도 모른다/Will it rain tomorrow?—*Perhaps*. 내일 비가 올까요—올지도 모르지요/Doesn't she speak German?—*Perhaps* not. 그녀는 독일말을 못합니까—못할지도 모르겠군요.

SYN. **perhaps, maybe, possibly** '…일〔할〕는지도 모르겠다, 형편에 따라서는'. 이 세 말은 추측에 들어맞을 가망이 반반에 안 되어 말하는 이에게 별로 자신이 없을 경우에 쓰임: *Perhaps* 〔*Maybe, Possibly*〕 he knows. 그는 알고 있을지도 몰라(모르고 있을지도 모르나). Quite *possibly* it's true. 그것이 사실이라는 것도 충분히 생각할 수 있다. 또한 구어(口語)에 있어서 maybe는 미국에서, perhaps는 영국에서 즐겨 쓰는 경향이 있다. **probably** '아마' '십중팔구'는 추측함에 있어서 말하는 이에게 상당한 자신이 있을 때 쓰임: *Probably* 〔*Very probably*〕 he will succeed. 아마 그는 성공할 것이다.

2 혹시라도, 가능하다면: Did you throw it away ~? 그것을 혹시라도 버린 것 아닙니까/*Perhaps* you would be good enough to write to me. 가능하다면 저에게 편지를 해 주시면 좋겠는데요.

per héad 각자, 제각각; 머릿수대로 나누어서.

per·i- [péri] *pref*. '주변, 근처'의 뜻.

per·i·carp [pérəkὰːrp] *n*. Ⓒ 〖식물〗 과피(果皮)《★바깥쪽부터 외과피(epicarp), 중과피(mesocarp), 내과피(endocarp)로 구별됨》.

Per·i·cles [pérəklìːz] *n*. 페리클레스《아테네의 정치가; 495?-429 B.C.》.

per·i·dot [pérədὰt/-dɔ̀t] *n*. Ⓤ (낱개는 Ⓒ) 〖광물〗 감람석(橄欖石)《8월의 탄생석; olivine의 일종》.

per·i·gee [pérədʒìː] *n*. Ⓒ (보통 *sing*.) 〖천문〗 근지점《달·행성이 지구에 가장 가까워지는 지점》. ↔ *apogee*.

per·i·he·li·on [pèrəhíːliən, -ljən] (*pl*. **-lia** [-liə, -ljə]) *n*. Ⓒ 〖천문〗 근일점《행성이 태양에 가장 가까워지는 지점》. ↔ *aphelion*.

***per·il** [pérəl] *n*. Ⓤ (구체적으로는 Ⓒ) (목숨을 건) **위험**, 위난; 모험: in the hour of ~ 위험한 때/the ~*s* of such an alliance 이러한 동맹에 따르는 위험/Glory is the fair child of ~.《속담》 호랑이굴에 가야 호랑이 새끼를 잡는다. SYN. ⇨DANGER.

at all* ~(s)** 온갖 위험을 무릅쓰고. ***at* one's ~** 《경고 따위에 쓰여》 위험을 무릅쓰고, 목숨을 걸고: Touch that *at your* ~. 거기 손대면 위험. ***at the* ~ *of …을 (내)걸고: You do it *at the* ~ *of* your life. 그걸 하면 목숨이 위험해질걸. ***by* 〔*for*〕 *the* ~ *of my soul*** 맹세코.

°**per·il·ous** [pérələs] *a*. 위험한, 위험이 많은, 모험적인. ㊕ **~·ly** *ad*. 위험을 무릅쓰고, 위험하게. **~·ness** *n*.

pe·rim·e·ter [pərímitər] *n*. Ⓒ **1** 둘레, 주계(周界), 둘레의 길이; 〖군사〗 (군사 기지·비행장 따위의) 경계선: What is the ~ of this polygon? 이 다각형의 둘레의 길이는 얼마입니까. **2** (전선의) 돌출부. ㊕ **per·i·met·ric, -ri·cal** [pèrəmétrik], [-kəl] *a*.

per·i·na·tal [pèrənéitl] *a*. 분만 전후의, 주산기(周產期)의《임신 20주째부터 분만 후 28일째까지 사이의》.

per·i·ne·um [pèrəníːəm] (*pl*. **-nea** [-níːə]) *n*. Ⓒ 〖해부〗 회음(會陰)(부). ㊕ **per·i·ne·al** [pèrəníːl] *a*.

‡**pe·ri·od** [píəriəd] *n*. **1** Ⓒ **기간**, 기(期): for a short ~ 잠시 동안/by ~*s* 주기적으로/at stated ~*s* 정기적으로/for a 〔the〕 ~ of five years =for a five-year ~, 5년간/a ~ of change 〔rest〕 변화〔휴지〕기/a transition ~ 과도기.

2 a Ⓒ (역사상 특색이 있는) **시대, 시기**: the ~ of the Renaissance 문예부흥 시대/the Reformation ~ 종교개혁 시대. **b** Ⓒ (발달 과정의) 단계: Shakespeare's early ~ 셰익스피어의 초기 단계. **c** (the ~) 현대; 문제가 되어 있는 시대: the customs of *the* ~ 당시〔현대〕의 풍습.

SYN. **period** 길이에 관계없이 구분된 시간·기간을 나타내는 말. **epoch** 기억될 만한 획기적인 사건이 있었던 기간 또는 그 시작: an *epoch* of revolution 혁명 시대. **era** 지금까지와는 질서를 달리한 새로운 시대. **age** 중심되는 인물·물질이 관련됨: the Stone *Age* 석기 시대.

3 Ⓒ (학교의) **수업 시간**, 교시(校時); 경기의 구분《전반·후반 따위》: the second ~ 제2교시/We have five ~*s* on Monday. 월요일에는 5교시 수업이 있다.

4 (a ~) 끝, 종결: come to a ~ 끝나다/bring a thing to a ~ 어떤 것을 끝내다.

5 Ⓒ 《美》 〖문법〗 **마침표**, 종지부, 생략점, 피리어드(full stop).

6 Ⓒ 월경(기), 생리: a menstrual ~ 월경/She's having a 〔her〕 ~. 그녀는 지금 생리 중이다.

7 Ⓒ 〖천문·물리〗 주기; 자전〔공전〕주기: a natural ~ 자연 주기.

8 Ⓒ 〖의학〗 과정; 주기; 단계: the incubation ~ 잠복기.

9 Ⓒ 〖수사학〗 도미문(掉尾文)(cf. periodic 3); (*pl*.) 미문(美文).

10 Ⓒ 〖지질〗 기(紀)《대(era)의 하위 구분이자 세(epoch)의 상위 구분》; 〖수학〗 (순환 소수의) 주기; 〖음악〗 악절.

put a* ~ *to …에 종지부를 찍다, …을 종결시키다.

—*a*. **1** (가구·의상·건축 따위가) 어느 (과거) 시대의, 역사물의: ~ furniture 그 시대(특유)의 가구/a ~ novel 〔play〕 역사 소설〔극〕. **2** 월경〔생리〕(시)의: ~ pains 생리통.

—*int*. 《美구어》 《담화의 끝을 강조하는 말》 (이상) 끝; 그것뿐(《英구어》 full stop): I will not say another word. *Period*. 더 이상 할 말이 하나도 없다. 이만.

pe·ri·od·ic [pìəriάdik/-ɔ́dik] *a*. **1** 주기적인, 정기의: a ~ wind 계절풍. **2** 단속적인, 간헐적인, 이따금의. **3** 〖수사학〗 도미문(掉尾文)의, 장문(長文)의: a ~ sentence 도미문《문미에 이르러서야 처음으로 글 뜻이 완성되는 문장》.

pe·ri·od·i·cal** [pìəriάdikəl/-ɔ́d-] *a*. **정기 간행의**; =PERIODIC. **—n*. Ⓒ **정기 간행물**《일간지 제외》, 잡지: a trade ~ 업계 잡지. ㊕ **~·ly** *ad*. 주기〔정기〕적으로.

pe·ri·o·dic·i·ty [pìəriədísəti] *n*. Ⓤ 정기적임; 주기성, 정기성.

periódic láw (the ~) 〖화학〗 (원소의) 주기율.

periódic táble (the ~) 〖화학〗 (원소의) 주기표.

per·i·o·don·tal [pèriədάntəl/-dɔ́n-] *a*. 〖치과〗 치주(齒周)〔치근막〕의〔에 일어나는〕: (a) ~ disease 치주병.

per·i·o·don·ti·tis [pèriədantáitis/-dɔn-] *n*.

Ⓤ 〖치과〗 치주염(齒周炎), 치근막염(齒根膜炎).

périod pìece 과거의 어느 시대를 소재로 한 작품, 역사물《영화 · 극 · 소설 따위》; 《구어 · 우스개》 구식 사람〔물건〕.

per·i·pa·tet·ic [pèrəpətétik] *a.* **1** 걸어 돌아다니는, 순회하는. **2** (P-) 〖철학〗 소요(逍遙)학파의. **—***n.* Ⓒ **1** 걸어 돌아다니는 사람; 도붓장수, 행상인; 순회 교사. **2** (P-) 소요학파의 학도(學徒). ㊞ **-i·cal·ly** [-əli] *ad.*

pe·riph·er·al [pərífərəl] *a.* **1** 주위의, 주변의; 그다지 중요하지 않은: ~ vision 주변 시야. **2** 〖해부〗 말초(성)의; 〖컴퓨터〗 주변 장치의: a ~ nerve 말초 신경/a ~ equipment 주변 장치. ㊞ **~·ly** *ad.*

pe·riph·ery [pərí:fəri] *n.* Ⓒ **1** (보통 *sing.*) **a** 주위, 바깥 둘레; 표면, 외면; 주변. **b** (the ~) 주변부〔층〕《**of** (정계 · 단체 따위)의》: Only people on the ~ *of* the movement have advocated violence. 폭력을 옹호하고 있는 것은 그 운동의 주변층에 속한 사람들뿐이었다. **2** 〘집합적〙 〖해부〗 (혈관 · 신경의) 말초.

pe·riph·ra·sis [pərífrəsis] (*pl.* **-ses** [-sì:z]) *n.* **1** Ⓤ 〖수사학〗 완곡법(婉曲法). **2** Ⓒ 빙 돌려 말하기, 에두르는 표현.

per·i·phras·tic [pèrəfrǽstik] *a.* 에둘러 말하는, 완곡한, 용장(冗長)한; 〖문법〗 완곡한: a ~ conjugation 〖문법〗 조동사의 도움을 빌리는 활용《went 대신의 did go》/a ~ genitive 전치사에 의한 소유격《Caesar's 대신의 of Caesar 따위》. ㊞ **-ti·cal·ly** *ad.*

per·i·scope [pérəskòup] *n.* Ⓒ (잠수함의) 잠망경; (참호 따위의) 전망경(展望鏡); 잠망경〔전망경〕 렌즈. ㊞ **per·i·scop·ic, -i·cal** [pèrəskápik/-skɔ́p-], [-əl] *a.* 잠망경의〔같은〕; 전망용의《렌즈 등》; 전망적인, 객관적인.

per·ish [péri∫] *vi.* **1 **멸망하다**, (비명(非命)에) 죽다; **썩어 없어지다**, 사라지다; 썩다, 타락하다: ~ by the sword 칼로 망하다/~ in battle 전사하다/Houses *~ed* in flame. 집이 화염에 싸여 무너졌다. **2** 《英》 (고무 제품 따위가) 품질이 떨어지다〔나빠지다〕. SYN. ⇨DIE[1]. **—***vt.* 《英》 **1** 몹시 괴롭히다《★ 보통 수동태로 쓰며, 전치사는 *with*》: *be ~ed with* thirst 목이 말라 죽을 지경이다. **2** (고무 제품 따위)의 품질을 떨어뜨리다〔나쁘게 하다〕.

DIAL. ***Perish the thought!*** 집어치워, 그만둬《바람직하지 않은 제안에 대한 대답》.

°**pér·ish·a·ble** *a.* 썩기 쉬운; 말라 죽는; 죽을 운명의. **—***n.* (*pl.*) 썩기 쉬운 것《특히 운송되는 야채 · 생선 등》.

pér·ish·er *n.* Ⓒ 《英속어》 골치아픈 사람〔아이〕, 귀찮은 녀석.

pér·ish·ing *a.* 《英구어》 **1** **a** (사람이) 몹시 추운《**with** …으로》: I'm ~ (*with* cold). 나는 몹시 춥다. **b** (날씨가) 몹시 추운: It's ~ today. 오늘은 지독하게 춥다. **2** Ⓐ 지독한, 격심한, 싫은; 참기 어려운: a ~ nuisance 귀찮은 방해물. **—***ad.* 《英구어》 지독히, 몹시: It's ~ cold outside. 바깥은 지독히 춥다. ㊞ **~·ly** *ad.*

per·i·stal·sis [pèrəstǽlsis, -stɔ́:l-] (*pl.* **-ses** [-si:z]) *n.* Ⓒ 〖생리〗 (소화관 등의) 연동(蠕動). ㊞ **-stál·tic** [-tik] *a.*

per·i·style [pérəstàil] *n.* Ⓒ 〖건축〗 주주식(周柱式); (건물 · 안마당을 둘러싼) 열주(列柱); 기둥으로 둘러싸인 안마당.

per·i·to·ne·um [pèrətəní:əm] (*pl.* **~s, -nea** [-ní:ə]) *n.* Ⓒ 〖해부〗 복막(腹膜).

per·i·to·ni·tis [pèrətənáitis] *n.* Ⓤ 〖의학〗 복막염.

per·i·wig [périwìg] *n.* Ⓒ 가발《17-19 세기 남자용》.

per·i·win·kle[1] [périwìŋkl] *n.* Ⓒ 〖식물〗 협죽도과(科)의 식물.

per·i·win·kle[2] *n.* Ⓒ 〖패류〗 경단고둥 종류.

per·jure [pə́:rdʒər] *vt.* **1** 위증(僞證)케 하다; 맹세를 저버리게 하다. **2** 〘~ oneself〙 거짓 맹세하다, 위증하다; 맹세를 깨뜨리다. ㊞ **-jur·er** [-dʒərər] *n.* Ⓒ 거짓 맹세하는 사람, 위증자.

per·ju·ry [pə́:rdʒəri] *n.* Ⓤ 〖법률〗 거짓 맹세, 위증(죄); 맹세를 깨뜨림; Ⓒ 새빨간 거짓말: commit ~ 위증죄를 범하다.

perk[1] [pə:rk] *vi.* 《구어》 (낙담 · 병(病) 뒤에) 생기를 되찾다, 건강해지다; 활기 띠다(*up*): The patients all *~ed up* when we played the piano for them. 환자들은 우리가 피아노를 연주하자 생기가 났다.

—*vt.* **1** (복장 · 방 따위)를 돋보이게 하다(*up*): This will ~ *up* your dress. 이것을 달면 네 옷이 돋보일 것이다. **2** (머리 · 귀 등)을 곧추 쳐들다(*up*): ~ one's head *up* 머리를 척 쳐들다, 새치름하다, 거드름 부리다. **3** …을 기운나게 하다, …의 원기를 회복시키다(*up*): I need a drink to ~ me *up*. 기운차리게 한잔해야겠다.

perk[2] *n.* Ⓒ (보통 *pl.*) **1** 《美》 임직원의 특전《주로 상급 관리직 임직원에게 주어지는 혜택》. **2** (급료 이외의) 임시 수입; 팁, 촌지. ★ perquisite 의 간약형.

perk[3] 《구어》 *vi.* (커피가) percolator 에서 끓다. **—***vt.* (커피)를 percolator 로 끓이다.

perky [pə́:rki] (**perk·i·er; -i·est**) *a.* 의기양양한; 쾌활한; 젠체하는, 건방진; 자신에 넘치는. ㊞ **pérk·i·ly** *ad.* **-i·ness** *n.*

perm[1] [pə:rm] 《구어》 *n.* Ⓒ 파마(permanent wave): go for a ~ 파마하러 가다. **—***vt.* (머리)를 파마하다: have one's hair *~ed* (남을 시켜) 머리를 파마하다.

perm[2] 《英구어》 *n.* Ⓒ (축구 도박에서) 이기는 팀의 대전 편성. **—***vt.* (팀)을 골라 대전을 짜다 《**from** …에서》.

per·ma·frost [pə́:rməfrɔ̀:st/-frɔ̀st] *n.* Ⓤ (한대 · 아(亞)한대의) 영구 동토층(凍土層).

°**per·ma·nence** [pə́:rmənəns] *n.* Ⓤ 영구, 영속(성); 항구불변, 내구(성), 영속성.

per·ma·nen·cy [pə́:rmənənsi] *n.* **1** Ⓤ = PERMANENCE. **2** Ⓒ 영속적(永續的)인 사람〔것, 지위〕, 종신관(終身官).

per·ma·nent [pə́:rmənənt] *a.* **1** **영구한, 영속하는**; 불변의, 내구성의: ~ peace 항구적 평화/one's ~ address 본적/a ~ neutral country 영세 중립국/~ residence 영주(永住)/~ use 상용(常用). SYN. ⇨EVERLASTING. **2** 상설의, 상치(常置)의. ↔ *temporary*.¶a ~ committee 상임 위원회. **—***n.* Ⓒ 《美구어》 =PERMANENT WAVE: Give her a ~. 그 손님에게 파마를 해드려요. ㊞ °**~·ly** *ad.* 영구히, 언제까지나.

pérmanent mágnet 〖물리〗 영구 자석.

pérmanent wáve 파마.

pérmanent wáy (the ~) 《英》 (철도의) 궤도.

per·man·ga·nate [pə:rmǽŋgənèit] *n.* Ⓤ 〖화학〗 과망간산염(塩): potassium ~ =~ of potassium 과망간산칼륨.

pèr·me·a·bíl·i·ty *n.* Ⓤ 침투성; 투과성; 〖물리〗 도자성(導磁性), 투자율(透磁率).

per·me·a·ble [pə́ːrmiəbəl] *a.* 침투성〔투과할 수〕 있는.

◇**per·me·ate** [pə́ːrmièit] *vt.* **1** (액체 따위가) …에 스며들다, 침투하다: These chemicals ~ the soil. 이런 화학 약품은 흙 속에 침투한다. **2** (냄새 · 연기 따위가) …에 꽉 차다, 충만하다: The smoke ~*d* the factory. 연기가 공장 안에 꽉 찼다. **3** (사상 따위가) …에 고루 미치다, 퍼지다: Cynicism ~*d* his report. 비꼬는 투가 그의 보고에 넘쳐 있었다. **—***vi.* **1** 침투하다, 번지다 《***through*** …에》: Rain ~*d through* the cracks in the roof. 비가 지붕 틈새로 스며들었다. **2** 퍼지다, 고루 미치다《***among, through*** …에》.
㊕ **pèr·me·á·tion** [-ʃən] *n.* Ⓤ 침투; 보급.

Per·mi·an [pə́ːrmiən] 〖지질〗 *a.* 페름기〔계〕의: the ~ period 페름기. **—***n.* (the ~) 페름기〔계〕.

per·mis·si·ble [pəːrmísəbəl] *a.* 허용할 수 있는; 지장 없을〔무방한〕 정도의《잘못 따위》: a maximum ~ level of radiation 방사능의 최대 허용 범위. ㊕ **per·mìs·si·bíl·i·ty** *n.* **per·mís·si·bly** *ad.*

⁑**per·mis·sion** [pəːrmíʃən] *n.* Ⓤ **허가**, 허락; 허용, 인가《***to*** do》: ask for 〔grant, give〕 ~ 허가를 청하다〔해 주다〕/get 〔obtain〕 ~ *to* do … 하는 허가를 얻다/without ~ 허가를 받지 않고, 무단히/with your ~ 허락을 얻어, 허락을 얻을 수 있다면/He gave ~ *for* them *to* go out. 그는 그들에게 외출을 허가해 주었다. ◇permit *v.*

per·mis·sive [pəːrmísiv] *a.* **1** 관대한, 관용의: a ~ society (성도덕의 규제가) 관대한 사회/Many parents are too ~ with their children. 많은 부모가 자식에게 지나치게 관대하다. **2** (규칙 따위가) 허용하는, 묵인하는; 임의의. ㊕ **~·ly** *ad.* **~·ness** *n.*

⁑**per·mit** [pəːrmít] (**-tt-**) *vt.* **1** 《~+목/+목+*to* do/+do*ing*/+목+부/+목+전+명/+목+목》 **허락하다, 허가하다**, 인가하다: Smoking is not ~*ted* in the room. 이 방에서는 금연이다/*Permit* me *to* ask you a question? 한 가지 질문해도 괜찮을까요/My work doesn't ~ my call*ing* on you. 일 때문에 찾아뵙지 못합니다/The doctor won't ~ me *out* (*of* the house). 의사는 내가 외출하는 것을 허용하지 않겠지요/He wouldn't ~ me any excuse. 그는 나에게 어떤 변명도 허락하려 들지 않았다. **2** 《~+목/+목+전+명》 (…하도록) 내버려두다, 방임〔묵인〕하다: I do not ~ noise in my room. 내 방에서는 소음을 내지 못하게 하고 있다/Don't ~ yourself *in* dissipation. 방탕해서는 안 된다. **3** …을 가능케 하다, …의 기회를 주다; …의 여지가 있다: Circumstances do not ~ my leaving to a summer resort. 여러 가지 사정으로 나는 피서를 갈 수 없다.
—*vi.* **1** (사물이) 허락하다, 가능케 하다: if circumstances ~ 사정이 허락한다면, 형편이 좋다면/weather ~*ting* 날씨가 좋다면/If time had ~*ted*, I would have walked there. 시간이 있었더라면 거기에 걸어갔을 것이다. **2** 《~/+전+명》 (사물이) 여유가 있다《***of*** …의》: It ~*s of* no delay. 일각도 지체할 수 없다/It ~*s of* no excuse. 변명할 여지가 없다.

> **DIAL.** ***Permit me.*** 주제넘은 것 같지만, 어떻습니까《상대방이 부탁하기 전에 자기 쪽에서 뭔가 해 주고 싶을 때 하는 말》.

— [pə́ːrmit, pərmít] *n.* Ⓒ 면허〔허가〕장; 감찰(鑑札): a residence ~ 거주 허가증/parking ~ 주차 허가증/an international driving ~ 국제 운전 면허증.

per·mu·ta·tion [pə̀ːrmjutéiʃən] *n.* Ⓤ (구체적으로는 Ⓒ) **1** 바꾸어 넣음, 교환; 변경; (특히 축구 도박 팀의) 대전 편성. **2** 〖수학〗 순열; 치환(置換).

per·mute [pə(ː)rmjúːt] *vt.* 변경〔교환〕하다, 바꾸어 넣다; 〖수학〗 순열로 배치하다, 치환하다.
㊕ **-mút·a·ble** *a.*

◇**per·ni·cious** [pəːrníʃəs] *a.* 유해한, 유독한, 치명적인《***to*** …에》; 악성의: a ~ lie 악질적인 거짓말/thoughts ~ *to* society 사회에 해를 끼치는 사상. ㊕ **~·ly** *ad.* **~·ness** *n.*

pernícious anémia 〖의학〗 악성 빈혈.

per·nick·e·ty [pərníkəti] *a.* 《구어》 옹졸한, 소심하고 겁많은; 곰살궂은, 꼼꼼한; 까다로운; 다루기가 힘든.

Per·nod [pɛərnóu] *n.* Ⓤ (낱개는 Ⓒ) 페르노《프랑스 원산의 리큐어; 상표명》.

per·o·rate [pérərèit] *vi.* (연설에서) 결론을 맺다; 장광설을 늘어놓다, 열변을 토하다.
㊕ **pèr·o·rá·tion** *n.* Ⓒ (강연의) 결론 (부분); 열띤 연설. **pér·o·rà·tor** [-tər] *n.* Ⓒ 길게 연설하는 사람, 열변가.

per·ox·ide [pərάksaid/-rɔ́k-] *n.* Ⓤ 〖화학〗 과산화물, 〘일반적〙 과산화수소(hydrogen ~).
—*vt.* (머리털 등)을 과산화수소로 표백하다.

peróxide blónde 과산화수소로 금발을 만든 여자.

◇**per·pen·dic·u·lar** [pə̀ːrpəndíkjələr] *a.* **1** 수직의, 직립한; 직각을 이루는《***to*** …에》: The wall must be ~ *to* the floor. 벽은 마룻바닥에 직각을 이루어야 한다/a ~ line 수직선. **2** (종종 P-) 〖건축〗 수직식의. ⓒⓕ vertical. ¶*Perpendicular* style 〖건축〗 수직식《영국 고딕 말기의 양식》. **3** 깎아지른, 매우 험한: a ~ cliff 깎아지른 절벽.
—*n.* **1** Ⓒ 수선(垂線); 수직면. **2** Ⓤ (보통 the ~) 수직, 수직의 위치〔자세〕: out of (the) ~ 경사져서. **3** (the ~) 〖건축〗 수직식 건축 (양식).
㊕ **~·ly** *ad.* **pèr·pen·dìcu·lár·i·ty** [-lǽrəti] *n.* Ⓤ 수직, 직립.

per·pe·trate [pə́ːrpətrèit] *vt.* **1** (나쁜 짓 · 과실 따위)를 행하다, 범하다: ~ a swindle 사기를 치다. **2** 《우스개》 실없는 짓을 저지르다; (익살)을 부리다: ~ a pun 〔joke〕 《구어》 (장소도 가리지 않고) 농지거리하다. ㊕ **pér·pe·trà·tor** [-tər] *n.* Ⓒ 범죄자, 가해자, 흉행자(兇行者).

pèr·pe·trá·tion *n.* **1** Ⓤ 나쁜 짓을 저지르기. **2** Ⓒ 나쁜 짓, 범행.

***per·pet·u·al** [pərpétʃuəl] *a.* (보통 Ⓐ) **1 영구의**, 영속하는, 종신의: ~ snow(s) 만년설/a country of ~ spring 상춘(常春)의 나라/~ income 종신 수입/~ punishment 종신형/a ~ annuity 종신 연금. **2 부단한, 끊임없는**, 중지하지 않는: a ~ stream of visitors 계속 들이닥치는 손님들/her ~ chatter 그녀의 쉴새 없는 수다. ⓈⓎⓃ. ⇨CONTINUAL. **3** 〖원예〗 사철 피는 : a ~ rose 사철장미. ㊕ **~·ly** *ad.* 영구히, 영속적으로; 종신토록; 끊임없이. **~·ness** *n.*

perpétual cálendar 만세력.

perpétual mótion 〖물리〗 (기계의) 영구 운동.

◇**per·pet·u·ate** [pə(ː)rpétʃuèit] *vt.* 영속시키다, 불멸〔불후(不朽)〕케 하다. ㊕ **per·pèt·u·á·tion** *n.* Ⓤ 영속시킴, 불후케 함, 영구화〔보존〕.

per·pe·tu·i·ty [pə̀ːrpətjúːəti] *n.* **1** Ⓤ 영속, 영존(永存); 불멸; 영원. ↔ *temporality*. ¶ in [to, for] ~ 영구히, 영원히. **2** Ⓤ 〖법률〗 (재산의) 영구 구속; 영구 재산[소유권]: a lease in ~ 영대 차지권(借地權). **3** Ⓒ 종신 위계(位階); 영구 연금.

*__per·plex__ [pərpléks] *vt.* **1** 《~+목/+목+전+명》 **당혹케 하다**, 난감[난처]하게 하다; 혼란에 빠뜨리다《*with* …으로/*to* do》《★ 흔히 수동태로 쓰며, 전치사는 *at, with*》: His strange silence ~*es* me. 그의 기묘한 침묵이 나를 당혹하게 한다/~ a person *with* a difficult question 어려운 질문으로 아무를 난감하게 하다/~ oneself *to* do …하는 데 당황하다/I'm ~*ed at* the result. 나는 그 결과에 당혹해하고 있다/I *was* sorely ~*ed to* account for the situation. 그 사태를 설명하는 데 몹시 난처했다.

SYN. **perplex** '어떻게 해야 좋을지 갈피를 못 잡게 하다'. 이 말이 딱 들어맞는 고상한 말: Such contradictions *perplex* the historian. 이러한 모순된 사실(史實)은 역사가를 당혹하게 한다. **bewilder** 침착성을 잃을 만큼 당황하게 하다, 어리둥절하게 하다: So many questions *bewildered* him. 그 많은 질문을 받고 그는 당황하였다. **puzzle** 어쩔 줄 모르게 하다. 주로 머리, 즉 지적인 곤혹에 씀. '머리를 짜내게 하다'. **confound** 생각하고 있던 것과 전혀 다른 결과·상황을 당하여 낭패케 하다.

2 (사태·문제 따위)를 복잡하게 하다, 시끄럽게 하다: ~ an issue 문제를 복잡하게 만들다.

per·pléxed [-t] *a.* **1** 당혹한, 어찌할 바를 모르는, 갈피를 못잡는: with a ~ expression 당혹한 표정으로. **2** (문제 따위가) 복잡한, 성가신: a ~ question 복잡한 문제. ㊞ **per·pléx·ed·ly** [-idli] *ad.* 곤란하여, 당혹하여, 어찌할 바를 모르고.

per·pléx·ing *a.* 난처하게[당혹케] 하는; 복잡한, 까다로운. ㊞ **~·ly** *ad.*

*__per·plex·i·ty__ [pərpléksəti] *n.* **1** Ⓤ **당혹**, 곤혹; 혼란: in ~ 당혹하여/to one's ~ 〖독립구〗 난처하게도. **2** Ⓒ 당혹하게 하는 것, 곤란한 일, 난국: the *perplexities* of life 인생의 곤란한 일. **3** Ⓤ 복잡, 성가심; Ⓒ 복잡한[번거로운] 일.

per·qui·site [pə́ːrkwəzit] *n.* Ⓒ (흔히 *pl.*) 팁, 임시 수당; 부수입; (고용인에게 주는) 행하(行下), 정표; 《구어》 (지위에 따른) 부수입, 특권.

Per·ry [péri] *n.* 페리《남자 이름》.

per·ry [péri] *n.* Ⓤ (낱개는 Ⓒ) 《英》 배로 빚은 술.

Pers. Persia(n).

per se [pəːr-séi, -síː] 《L.》 그 자체로서, 본질적으로; 본래.

*__per·se·cute__ [pə́ːrsikjùːt] *vt.* **1** 《+목/+목+전+명》 **박해하다**, **학대하다**《*for* (종교·주의 따위의) 이유로》: The Nazis ~*d* the Jews. 나치스는 유대인을 박해했다/They were ~*d for* their beliefs. 그들은 신앙 때문에 박해받았다. **2** 《+목+전+명》 **성가시게 하다**, **괴롭히다**《*with*…으로》: ~ a person *with* questions 질문 공세로 아무를 괴롭히다. ◇ persecution *n.* ㊞ **-cù·tive** [-tiv] *a.* 박해[학대]하는. **-cù·tor** [-tər] *n.* Ⓒ 박해자, 학대자.

°**per·se·cu·tion** [pə̀ːrsikjúːʃən] *n.* Ⓤ (구체적으로는 Ⓒ) **1** (특히 종교상의) 박해: suffer ~ 박해를 받다 / the ~*s* of Christians by the Romans 로마인의 기독교도 박해. **2** 성가시게[끈질기게] 졸라댐, 괴롭힘. ◇ persecute *v.*

persecútion còmplex [**mània**] 〖심리〗 피해[박해] 망상.

Per·seph·o·ne [pəːrséfəni] *n.* 〖그리스신화〗 페르세포네《Zeus 와 Demeter 의 딸; Hades 의 아내로 명부(冥府)의 여왕》.

Per·seus [pə́ːrsjuːs, -siəs] *n.* **1** 〖그리스신화〗 페르세우스《Zeus 의 아들로 여괴(女怪) Medusa를 퇴치한 영웅》. **2** 〖천문〗 페르세우스자리.

*__per·se·ver·ance__ [pə̀ːrsəvíːrəns] *n.* Ⓤ **인내(력)**, 참을성, 버팀: with ~ 참을성 있게. SYN. ⇨PATIENCE. ㊞ **pèr·se·vér·ant** *a.* 견인불발의.

*__per·se·vere__ [pə̀ːrsəvíər] *vi.* 《~/+전+명》 **참다, 견디다**, 버티다《*at, in, with* …을, …에》: He ~*d in* his studies [*with* the treatment]. 그는 꾸준히 연구에 힘썼다[끈기 있게 치료를 계속했다]. ◇ perseverance *n.*

per·se·ver·ing [pə̀ːrsəvíəriŋ] *a.* 참을성 있는, 끈기 있는. ㊞ **~·ly** *ad.*

Per·sia [pə́ːrʒə, -ʃə] *n.* 페르시아《1935 년에 Iran 으로 개칭》.

°**Per·sian** [pə́ːrʒən, -ʃən] *a.* 페르시아의; 페르시아어(語)[사람]의. **—***n.* Ⓒ 페르시아 사람; Ⓤ 페르시아어.

Pérsian blínds *pl.* 〖건축〗 =PERSIENNES.

Pérsian cárpet =PERSIAN RUG.

Pérsian cát 페르시아고양이.

Pérsian Gúlf (the ~) 페르시아 만(灣).

Pérsian rúg 페르시아 융단(Persian carpet).

per·si·ennes [pə̀ːrziénz] *n. pl.* 덧문, 널빤지발(Persian blinds).

per·si·flage [pə́ːrsəflɑ̀ːʒ, pɛ̀ərsiflɑ́ːʒ] *n.* 《F.》 Ⓤ (가벼운) 야유, 희롱; 농담.

per·sim·mon [pəːrsímən] *n.* **1** Ⓒ 〖식물〗 감(나무). **2** Ⓒ (식품은 Ⓤ) 감(열매).

‡**per·sist** [pəːrsíst, -zíst] *vi.* **1** 《~/+전+명》 **고집하다**, (끝까지) **주장하다**, **관철하다**《*in, with* …을》: ~ *in* one's belief 자기의 신념을 밀고 나아가다/~ *in* folly 잘못을 고치려고 하지 않다/The government ~*ed with* the economic reform. 정부는 그 경제 개혁을 밀고 나가려고 했다. **2** 《~/+전+명》 **지속하다**, 존속하다, 살아남다: The legend has ~*ed for* two thousand years. 그 전설은 2000년 동안 이어져 오고 있다/The smog ~*ed throughout* the day. 스모그는 온종일 끼어 있었다. SYN. ⇨CONTINUE. **—***vt.* (…라고) 주장하다, 우겨대다: "You are wrong," she ~*ed*. 그녀는 "당신이 틀렸습니다"라고 우겼다. ㊞ **~·er** *n.*

per·sist·ence, -en·cy [pəːrsístəns, -zíst-], [-ənsi] *n.* Ⓤ **1** 끈덕짐, 고집, 완고, 버팀: Great ~ is necessary for success. 성공하려면 상당한 끈기가 필요하다. **2** 영속, 지속(성), 내구(력); 꾸준함.

*__per·sist·ent__ [pəːrsístənt, -zíst-] *a.* **1** **고집하는**, **완고한**, 끈덕진, 버티는《*in* …에》: ~ efforts 끈덕진 노력/He was ~ *in* his questions. 그는 끈질기게 질문했다. **2** Ⓐ **영속하는**, **끊임없는**: a ~ headache 계속적인 두통/a ~ cough 멈추지 않는 기침. ㊞ **~·ly** *ad.* 끈질기게, 고집스럽게; 지속[영속]적으로.

per·snick·ety, -i·ty [pərsníkəti] *a.* 《美구어》 까다로운, 귀찮은, 안절부절 못하는, 소심한 (pernickety).

†**per·son** [pə́ːrsən] *n.* **1** Ⓒ **사람**《개성을 가진 개인으로서의》, **인간**, 《경멸적》 놈, 녀석《★ 복수형으로 persons 를 쓰는 것은 격식차린 표현이며,

흔히 people을 씀》: No ~ saw it. 그것을 본 사람은 아무도 없다/a private ~ 사인(私人)/a very important ~ 요인, 거물《생략: VIP》/Who is this ~? 이분은 누굽니까, 《경멸적》 이 녀석은 누구냐/a very interesting ~ 아주 흥미 있는 사람.
2 Ⓒ **a** (보통 *sing.*) **몸**, 신체; 용자(容姿), 풍채: all over one's ~ 온몸에/a lady of a fine ~ 용모 단려한 부인. **b** 《완곡어》 성기, 치부.
3 Ⓤ (수식어가 수반될 때는 Ⓒ) 〖문법〗 인칭: the first 〔second, third〕 ~, 1 〔2, 3〕 인칭.
4 (때로 P-) Ⓒ 〖신학〗 (3 위일체의) 위(位), 위격(位格): the three ~*s* of the Godhead 신의 3 위《성부와 성자와 성신》.
5 Ⓒ 〖법률〗 (자연인 · 법인의) 인(人): an artificial 〔a legal, a juridical, a juristic〕 ~ 법인/a natural ~ 자연인.
in ~ ① 본인 자신이, 몸소: He had better go *in* ~. 본인이 가는 것이 좋다. ② (사진이 아닌) 실물로: She looks better *in* ~ than on the screen. 그녀는 영화에서보다 실물이 더 곱다. ***in** one's **own*** 〔***proper***〕 ~ =in ~ ①. ***in the*** ~ ***of***... …라는 사람으로; …의 대신으로: a faithful servant *in the* ~ *of* James 제임스라는 이름의 충실한 하인/I acted *in the* ~ *of* him. 그를 대신해서 행동했다. ***on** one's* ~ 몸에 지녀, 휴대하여.

-per·son [pə̀ːrsən] '사람'의 뜻의 결합사. ★ 주로 성(性) 차별을 피하기 위해 -man, -woman 대신, 특히 여성에 대해 씀: sales*person*, chair*person*.

per·so·na [pərsóunə] (*pl.* **-nae** [-niː], ~**s**) *n.* 《L.》 Ⓒ **1** (흔히 *pl.*) (극 · 소설 따위의) 등장인물. **2** 〖심리〗 페르소나, 외적 인격《가면을 쓴 인격》.

pér·son·a·ble *a.* 풍채가 좋은, 품위 있는, 잘생긴. ㊕ **-a·bly** *ad.* ~**·ness** *n.*

°**per·son·age** [pə́ːrsənidʒ] *n.* Ⓒ 명사, 요인; (극 · 소설 중의) 인물.

⁑**per·son·al** [pə́ːrsənəl] *a.* **1** Ⓐ **a 개인의**, 자기만의, 나의, 일신상의, (특정) 개인을 위한: a ~ history 이력/a ~ matter 〔affair〕 사사(私事)/~ errors 개인적인 오류/one's ~ stuff 사물(私物). **b** (편지 따위가) 개인 앞으로의, 친전(親展)의: a ~ letter 친전 편지, 사신(私信). SYN. ⇨PRIVATE.
2 Ⓐ (행위가) **본인 스스로의**, 직접의: a ~ call 〔interview〕 직접 방문〔면회〕/ one's ~ experience 자기의 직접 경험.
3 (특정) 개인에 관한, (남의) 사적인 일에 관한; 인신공격의: ~ tastes 개인적인 취미/~ abuse 〔remarks〕 인신공격/become 〔get〕 ~ 《구어》 (이야기 따위가) 개인적인 일에까지 언급하게 되다, 빈정대는 투가 되다/Don't be too ~. 너무 사적인 일에 이르지 않도록 해 주시오.
4 Ⓐ **신체의**; 용모〔풍채〕의: ~ ornaments 장신구/~ injury 인신 상해(人身傷害)/~ appearance 용모, 풍채.
5 Ⓐ 〖문법〗 인칭(人稱)의. ⇨PERSONAL PRONOUN.
6 Ⓐ 〖법률〗 (재산 따위가) 사람에 속하는, 인적인, 대인(對人)의; 동산(動産)의. ↔ *real*. ¶ ~ rights 개인적 권리/⇨〖법률〗 PERSONAL ESTATE 〔PROPERTY〕/PERSONAL EFFECTS/~ principle 〖법률〗 속인(屬人)주의.

> **DIAL.** (***It's***) ***nothing personal.*** 개인적인 원한은 없으니 나쁘게 생각지 마시오《상대방이 불만스럽게 생각할 일을 어쩔 수 없이 해야 할 경우에 쓰는 말》.

—*n.* Ⓒ **1** 〖문법〗 인칭 대명사. **2** (보통 *pl.*) 동산. **3** 《美》 (신문 따위의) 인물 소식《기사》; (연락용의) 개인 광고; (*pl.*) =PERSONAL COLUMN.

pérsonal assístant 개인 비서《생략: PA》.

pérsonal cáll 지명 통화.

pérsonal cólumn (신문 · 잡지의) 개인 소식〔광고〕란.

pérsonal compúter 〖컴퓨터〗 개인용 컴퓨터, 퍼스널 컴퓨터《생략: PC》.

pérsonal dígital assístant 개인용 정보 단말기《전자 시스템 수첩, 퍼스널 통신기 따위를 말함; 생략: PDA》.

pérsonal efféсts 〖법률〗 개인 소지품, 사물(私物).

pérsonal equátion 〖천문〗 (관측상의) 개인(오)차; 〖일반적〗 개인적 경향〔개인차〕에 의한 판단〔방법〕의 차이.

pérsonal estáte 〖법률〗 동산(動產), 인적 재산; 소지품.

pérsonal fóul 〖스포츠〗 퍼스널 파울《농구 등 단체 경기에서, 신체상의 접촉 반칙》.

pérsonal identificátion nùmber 〖금융〗 개인 식별 번호, (은행 카드의) 비밀 번호《생략: PIN》.

⁑**per·son·al·i·ty** [pə̀ːrsənǽləti] *n.* **1** Ⓤ (구체적으로는 Ⓒ) **개성**, **성격**, 인격: dual 〔double〕 ~ 이중인격/a man with little ~ 개성이 뚜렷하지 않은 남자/an actress with a strong ~ 개성이 강한 여배우. SYN. ⇨CHARACTER.
2 Ⓤ 사람임, 사람으로서의 존재; 인간(성); (사람의) 실재(성): respect the ~ of a child 아이의 인간성을 존중하다.
3 a Ⓤ **강렬한〔매력적인〕 개성**, 매력: She has a lot of ~. 그녀는 매력적인 개성이 있다. **b** Ⓒ 강렬한〔매력적인〕 개성의 소유자: He is quite a ~. 그는 두드러진 매력을 지닌 사람이다.
4 Ⓒ (세상에 알려진) **유명인**, 명사, 탤런트: a TV ~ 텔레비전의 인기 탤런트.
5 (*pl.*) 인물 비평, 인신공격: indulge in *personalities* 인신공격만을 일삼고 있다.
6 Ⓤ (장소 · 사물 따위의) 독특한 분위기: The curtains gave her room ~. 그 커튼이 그녀의 방에 독특한 분위기를 자아내었다.

personálity cúlt 개인 숭배.

personálity tèst 〖심리〗 인격 검사.

per·son·al·ize [pə́ːrsənəlàiz] *vt.* **1** …을 개인화하다; …에 이름을〔머리글자를〕 넣다〔붙이다〕; …을 개인 전용으로 하다. **2** 인격화하다; 의인화하다. **3** (논의 따위)를 개인적인 문제로 받아들이다: Let's not ~ this argument. 이 논의를 개인적인 문제로 생각하지 맙시다. ㊕ **pèr·son·al·i·zá·tion** *n.*

*__per·son·al·ly__ [pə́ːrsənəli] *ad.* **1 몸소**, 스스로, 직접: The curator took me ~ through the museum. 관장이 몸소 나에게 박물관을 안내해 주었다/I will thank him ~. 직접 그를 만나서 인사하겠다. **2** 〖보통 문두에 두어 전체를 수식하여〗 **나 개인적으로(는)**, 자기로서는: *Personally*, I don't care to go. 나로서는 가고 싶지 않다. **3 자기의 일로서**, (개인에) 빗대어: take his comments ~ 그의 말을 자기에게 빗댄 것으로 받아들이다. **4 인품으로서(는)**, 개인적으로: I like him ~, but dislike the way he conducts business. 그의 인품은 개인적으로 좋아하지만, 사업하는 방법이 마음에 들지 않는다.

pèrsonal órganizer (개인용) 전자 수첩, 시

스템 수첩.

pérsonal prónoun 〖문법〗 인칭 대명사.

pérsonal próperty 〖법률〗 동산《금전 따위》.

pérsonal stéreo (휴대용) 초소형 스테레오 카세트 플레이어.

per·son·al·ty [pə́ːrsənəlti] *n.* [U] 〖법률〗 동산 (personal estate [property]). ↔ *realty.*

per·so·na non gra·ta [pərsóunə-nɑn-grɑ́ːtə/-nɔn-] (*pl.* **~, *per·so·nae non gratae*** [-tiː, -tai]) 《L.》 마음에 안 드는 사람; 〖외교〗 주재국 정부가 기피하는 외교관.

per·son·ate [pə́ːrsənèit] *vt.* **1** (극중 인물)의 역을 맡아 연기하다, …으로 분장하다. **2** …라고 속이다, …인 체하다, …의 이름을 사칭하다.
[파] **pèr·son·á·tion** *n.* [U] (극의) 역을 맡아 하기; 분장; 인명〔신분〕 사칭. **pér·son·à·tive** [-tiv] *a.* (연극에서) 역을 연기하는. **pér·son·à·tor** [-tər] *n.* [C] 연기〔분장〕자, 배우; (신분) 사칭자.

◇**per·son·i·fi·ca·tion** [pəːrsɑ̀nəfikéiʃən/-sɔ̀-] *n.* **1** [U] (구체적으로는 [C]) 의인(擬人)화, 인격화; 〖수사학〗 의인법. **2** (the ~) 권화(權化), 화신: He's the ~ of pride 〔selfishness〕. 그는 오만〔이기주의〕의 화신이다.

per·son·i·fy [pəːrsɑ́nəfài/-sɔ́-] *vt.* **1 a** (인간 이외의 것)을 인격화〔의인화〕하다: Animals are often *personified* in fairy tales. 옛날 이야기에서 동물은 곧잘 의인화된다. **b** (특질 따위)를 사람의 모습으로 표현하다《***as*** …으로서》: Justice is *personified as* a blindfolded woman. 정의는 눈가림을 한 여성의 모습으로 표현된다. **2** …을 구체화하다, 상징하다, …의 화신〔전형〕이 되다: She *personified* chastity. 그녀는 절개의 귀감이다.

pèrson·kínd *n.* [U] 〖집합적; 흔히 우스개로 써서〗 인간, 인류《성차별을 피하여 mankind 대신 쓰이는 말》.

***per·son·nel** [pə̀ːrsənél] *n.* [U] **1** 〖집합적; 복수취급〗 (관청 · 회사 따위의) **전직원, 사원**; (군대의) 인원, 대원: All the ~ were given an extra week's vacation. 전직원이 1주일의 특별 휴가를 받았다/We don't have enough ~ to cope with the increased workload. 증가된 노동량에 대처할 인원이 없다. **2** 〖집합적; 단 · 복수취급〗 인사과, 인사부: She works in ~. 그녀는 인사과에서 일한다. **3** 〖복수취급〗 《美》 사람들: Five ~ were transferred. 다섯 사람이 이동되었다.
—*a.* [A] 직원의, 인사의; 병사(兵士)용의: a ~ carrier 병사 수송차/a ~ manager (회사의) 인사 담당 이사; 《美》 대학의 취직 지도 주임/the ~ department 인사부〔과〕.

pérson-to-pérson *a.* **1** 직접의, 무릎을 맞대고 하는. **2** 개인 대 개인의, 개별의: ~ diplomacy 개인 대 개인 외교. **3** 〖전화〗 (장거리 전화가) 지명 통화의: a ~ call 지명 통화. [cf.] station-to-station. **—***ad.* (장거리 전화를) 지명 통화로; 개인 대 개인으로, 마주 보고.

***per·spec·tive** [pəːrspéktiv] *n.* **1** (*sing.*) 〖수식어를 수반하여〗 (…한) **사고방식**, 관점, 견지, 시각: a distorted 〔strange〕 ~ 비뚤어진〔이상한〕 시각〔견지〕/I can't identify with his religious ~. 그의 종교관에는 공감할 수 없다.
2 [U] (사물을 꿰뚫어 보는) **균형잡힌 시각**: He lacks ~. 그는 사물에 대한 균형잡힌 시각이 없다.
3 a [U] **원근(화)법**, 투시 화법. **b** [C] 원근〔투시〕도.
4 [C] **a 전망**, 앞날의 예측, 전도(前途). [SYN.] ⇨VIEW. **b** 원경(遠景)을 내다봄, 조망: A fine ~ opened out before us. 아름다운 전망이 우리 앞에 전개되었다.
in **~** ① 원근화법에 의하여: paint *in* ~ 원근법으로 그림을 그리다. ② 전체적 시각으로; 진상을 올바르게: see 〔look at〕 things *in* ~ 사물을 옳게 보다; 사물을 균형잡힌 시각으로 보다/The author sees the international situation *in* (its right) ~. 저자는 국제 정세를 올바르게 꿰뚫어 보고 있다. ***out of*** **~** ① 원근법을 무시하고. ② 치우친 견지〔시각〕으로.
—*a.* [A] 투시(화법)의, 원근 화법의〔에 의한〕: ~ representation 원근〔투시〕 화법.
[파] **~·ly** *ad.* 원근법에 의해; 명료하게.

Per·spex [pə́ːrspeks] *n.* 방풍 유리《항공기 따위의 투명부에 씀; 상표명》.

per·spi·ca·cious [pə̀ːrspəkéiʃəs] *a.* 이해가 빠른, 총명한, 통찰력〔선견지명〕이 있는. [SYN.] ⇨CLEVER. [파] **~·ly** *ad.*

per·spi·cac·i·ty [pə̀ːrspəkǽsəti] *n.* [U] 명민, 총명; 통찰력.

per·spi·cu·i·ty [pə̀ːrspəkjúːəti] *n.* [U] (언어 · 문장 따위의) 명석함, 명료함, 명쾌함.

per·spic·u·ous [pəːrspíkjuəs] *a.* (언어 · 문체 등이) 명쾌한, 명료한; (사람이) 명쾌하게 말하는. [파] **~·ly** *ad.*

***per·spi·ra·tion** [pə̀ːrspəréiʃən] *n.* [U] **발한(작용)** (sweating); 《완곡어》 땀.

***per·spire** [pərspáiər] *vi.* **땀을 흘리다**, 발한(發汗)하다. [cf.] sweat. ◇ perspiraton *n.*

per·suád·a·ble *a.* 설득할 수 있는.

‡**per·suade** [pəːrswéid] *vt.* **1** 《~+[목]/+[목]+*to* do/ +[목]+[전]+[명]》 **설득하다, 권유〔설득〕하여 …시키다**《***to, into*** …하게; ***out of*** …을 하지 못하게》: We could not ~ him *to* wait. 그에게 기다리도록 권하였으나 듣지 않았다/He was ~*d to* change his mind. 그는 설득당해 결심을 바꾸었다/He ~*d* her *into* 〔*out of*〕 going to the party. 그는 그녀가 파티에 가도록〔가지 말도록〕 설득하였다. ↔ *dissuade.* [SYN.] ⇨URGE.
2 《+[목]+[전]+[명]/+[목]+*that* [절]》 **a** (아무)에게 **납득시키다, 믿게 하다**, 확신시키다《***of*** …을》: How can I ~ you *of* my sincerity 〔*that* I am sincere〕? 저의 성실함을 어떻게 하면 믿어 주실지. **b** 〖~ oneself〗 …을 확신하다《★ 수동태로도 쓰며 '…을 확신하고 있다'의 뜻이 됨》: I ~*d myself* 〔I *was* ~*d*〕 *of* his innocence. 그가 무죄임을 확신했다〔확신하고 있었다〕/I ~*d myself* 〔I *was* ~*d*〕 *that* he was innocent. 그가 무죄임을 확신했다〔확신하고 있었다〕. ◇ persuasion *n.*
[파] **per·suád·er** *n.* [C] 설득자; 《우스개》 말하는 것을 듣게 하는 것, 강제 수단《박차 · 채찍 · 권총 따위》.

‡**per·sua·sion** [pərswéiʒən] *n.* **1** [U] **설득**(함〔됨〕); 설득력. ↔ *dissuasion.* ¶ No ~ could move him. 어떤 설득도 그의 마음을 움직일 수 없었다. **2 a** [C] 〖수식어와 함께〗 **신념**; 의견: people with different political ~s 여러 가지 정치적 신념을 지닌 사람들. **b** (*sing.*) (…라는) **확신**, 신념《***that***》: I have a strong ~ *that* this is true. 이것이 옳다는 강한 신념을 가지고 있다. **3** [C] 종지(宗旨), 교파; 《구어》 집단, 동료: He's of the Roman Catholic ~. 그는 가톨릭 신자다. **4** [C] (보통 *sing.*) 《구어》 종류: a painter of the abstractionist ~ 추상파 화가. ◇ persuade *v.*

◇**per·sua·sive** [pərswéisiv] *a.* 설득 잘 하는, 설득력 있는, 구변이 좋은. [파] **~·ly** *ad.* **~·ness** *n.* [U] 설득력.

pert [pə:rt] *a.* (아이가) 방자한, 건방진; 오지랖 넓은《젊은 여자》; (옷 따위) 멋진, 세련미 있는; 활발〔민첩, 팔팔〕한. ㊕ **∠·ly** *ad.* **∠·ness** *n.*

◇**per·tain** [pərtéin] *vi.* **1** 속하다, 부속하다《**to** …에》: He owns the house and the land *~ing to* it. 그는 가옥과 이에 딸린 땅을 소유하고 있다. **2** 관계하다《**to** …에》; 적합하다, 어울리다《**to** …에》: a disease which *~s to* uncleanness 불결에 붙어다니는 질병/Your remark does not *~ to* the question. 자네의 발언은 이 문제와 관계가 없다.

per·ti·na·cious [pə̀:rtənéiʃəs] *a.* **1** (사람·행동·의견 따위가) 집요한, 완고한, 외고집의; 끈기 있는, 불굴의: ~ salesman 끈질긴 외판원. **2** (병 따위가) 끈질긴, 지독한: a ~ fever 좀처럼 내려가지 않는 신열. ㊕ **~·ly** *ad.* **~·ness** *n.* = PERTINACITY.

per·ti·nac·i·ty [pə̀:rtənǽsəti] *n.* [U] 집요함, 완고, 외고집, 불요불굴; 끈질김.

◇**per·ti·nent** [pə́:rtənənt] *a.* **1** 타당한, 적절한《**to** …에》. ↔ *impertinent.* ¶a ~ remark 적절한 말/Your answer is not ~ *to* the question. 너의 답변은 그 질문에 적합하지 않다. [SYN.] ⇨PROPER. **2** 관련된; 관계된, 관한《**to** …에》: ~ evidence 관련 증거/some questions ~ *to* his remark 그의 비평에 관한 몇 가지 질문. ㊕ **~·ly** *ad.* 적절하게. **-nence, -nen·cy** *n.* [U] 적절, 적당.

◇**per·turb** [pərtə́:rb] *vt.* **1** (마음)을 어지럽히다, (사람)을 낭패시키다, 당황하게 하다《★ 종종 수동태》: She *was* much *~ed* by her son's illness. 그녀는 아들이 병이 난 것을 알고 어쩔 줄을 몰랐다. **2** 혼란하게 하다; 불안하게 하다.

per·tur·ba·tion [pə̀:rtərbéiʃən] *n.* **1** [U] (마음의) 동요, 혼란; 낭패, 불안. **2** [C] 〖천문〗 섭동(攝動)《행성이 그 인력에 의하여 다른 행성의 운행을 어지럽히는 것》.

Pe·ru [pərú:] *n.* 페루《남아메리카의 공화국; 수도 Lima》. ◇Peruvian *a.*

pe·ruke [pərú:k] *n.* [C] (17-18세기의) 남자 가발(wig).

pe·rus·al [pərú:zəl] *n.* [U] (구체적으로는 [C]) 읽음, 숙독, 정독. ◇peruse *v.*

pe·ruse [pərú:z] *vt.* **1** 숙독〔정독〕하다. **2** 《우스개》 (안색·마음 따위)를 읽다(scan). ◇perusal *n.* ㊕ **pe·rús·er** *n.*

Pe·ru·vi·an [pərú:viən, -vjən] *a.* 페루(Peru)의; 페루 사람의. ― *n.* [C] 페루 사람.

perv [pə:rv] *n.* [C] 《속어》 색정적인 눈; 성적 도착자.

***per·vade** [pərvéid] *vt.* **1** (사상·활동·영향 따위가) …에 **널리 퍼지다**, 고루 미치다, 보급하다: Revolutionary ideas *~d* the land. 혁명적 사상이 전지역에 퍼졌다. **2** …에 가득 차다; 스며들다: Spring *~d* the air. 봄 기운이 대기에 넘쳐 있었다. ㊕ **per·vá·sion** [-ʒən] *n.* [U] 보급, 충만; 침투.

per·va·sive [pərvéisiv] *a.* 널리 퍼지는, 어디에나 있는, 널리 스며 있는: a ~ smell of damp 온통 퍼져 있는 습한 냄새. ㊕ **~·ly** *ad.* **~·ness** *n.*

◇**per·verse** [pərvə́:rs] *a.* **1** 외고집의, 심술궂은, 성미가 비꼬인, 빙퉁그러진, 완미한. **2** 정도(正道)를 벗어난; 사악한; 불법의; 잘못된: a ~ verdict 〖법률〗 부당한 재결《법관의 지시·증거에 반(反)하는 것》. **3** (결과 따위가) 마음대로 안되는. ◇perversity *n.* ㊕ **~·ly** *ad.* **~·ness** *n.*

per·ver·sion [pərvə́:rʒən, -ʃən] *n.* [U] (구체적으로는 [C]) (의미의) 곡해; 악용, 남용; 악화; 전도(轉倒), (성)도착(倒錯): a ~ of the facts 사실의 곡해/sexual ~ 〖심리〗 성적 도착, 변태 성욕. ◇pervert *v.*

per·ver·si·ty [pərvə́:rsəti] *n.* [U] 심술궂음, 외고집; [C] 빙퉁그러진 행동.

per·ver·sive [pərvə́:rsiv] *a.* 전도(轉倒)시키는; 나쁜 길로 이끄는; 곡해하는; 그르치게 하는; 도착(倒錯)의.

◇**per·vert** [pə:rvə́:rt] *vt.* **1** (상도(常道)에서) 벗어나게 하다. **2** 악용하다; 곡해하다: ~ a person's words 아무의 말을 곡해하다. **3** 나쁜 길로 이끌다; (판단 따위)를 그르치게 하다. ◇perversion *n.* ― [pə́:rvə:rt] *n.* [C] 타락자; 배교자; 변절자; 〖심리〗 성욕 도착자: a sexual ~ 성적 도착자.

per·vért·ed [-id] *a.* 〖의학〗 이상의, 변태의, 도착의; 《일반적》 사도(邪道)에 빠진, 비뚤어진: a ~ version of an occurrence 사건에 대한 비뚤어진 해석. ㊕ **~·ly** *ad.*

per·vi·ous [pə́:rviəs] *a.* **1** 통과시키는, 통하게 하는《**to** (빛·물 따위)를》: Glass is ~ *to* light. 유리는 빛을 통과시킨다. **2** 받아들이는, 아는《**to** (도리 따위)를》. ⇔ *impervious.* ¶~ *to* reason 도리를 아는. ㊕ **~·ness** *n.*

pe·se·ta [pəséitə] *n.* 《Sp.》 [C] 페세타《스페인·안도라의 화폐 단위; =100 centimos; 생략: pta, P》; 페세타 은화.

pes·ky [péski] (**-ki·er; -ki·est**) *a.* [A] 《美구어》 성가신, 귀찮은.

pe·so [péisou] (*pl.* **~s**) *n.* 《Sp.》 [C] **1** 페소《필리핀·멕시코 및 중남미 여러 나라의 화폐 단위; 기호 $(필리핀은 P)》. **2** 페소 은화〔지폐〕.

pes·sa·ry [pésəri] *n.* [C] 〖의학〗 페서리《자궁위치 교정용·피임용 기구》; 질좌약(膣坐藥).

◇**pes·si·mism** [pésəmìzəm] *n.* [U] 비관주의; 비관설〔론〕, 염세관, 염세 사상. ↔ *optimism.* ㊕ ◇**-mist** *n.* [C] 비관론〔주의〕자, 염세가.

***pes·si·mis·tic** [pèsəmístik] *a.* **비관적인**, 염세적인《**about** …에》; 염세론의: take a ~ view of …을 비관하다/He is ~ *about* the future. 그는 장래에 관하여 비관적이다. ㊕ **-ti·cal·ly** [-tikəli] *ad.*

◇**pest** [pest] *n.* [C] **1** 유해물; 해충, 유해 짐승; 《구어》 골칫거리: a garden ~ 식물의 기생충. **2** 《드물게》 악역(惡疫); 페스트, 흑사병. **3** (보통 *sing.*) 귀찮은 사람, 두통거리. ***Pest on*** 〔***upon***〕 ***him!*** 저런 염병할 놈.

Pes·ta·loz·zi [pèstəlɑ́tsi/-lɔ́tsi] *n.* **Johann H.** ~ 페스탈로치《스위스의 교육 개혁자; 1746-1827》. ㊕ **Pès·ta·lóz·zi·an** [-ən] *a., n.* [C] 페스탈로치(식)의 (교육론 신봉자).

◇**pes·ter** [péstər] *vt.* **1** …을 괴롭히다, …에 고통을 주다: We were *~ed* by flies. 파리가 우리를 괴롭혔다. **2** 괴롭히다, 성가시게 하다《**for** …을 요구하여; **with** …으로/**to** do》: Stop *~ing* me! ―But you said you'd take me to the park an hour ago. 자꾸 졸라대지 마라―하지만 한 시간 전에는 공원에 데려간다고 했잖아요/He *~ed* me *for* money. 그는 내게 돈을 달라고 졸랐다/Don't ~ me *with* silly questions. 어리석은 질문으로 나를 괴롭히지 마라/He *~ed* me *to* help. 그는 도와 달라고 나를 성가시게 졸랐다.

pest·i·cide [péstəsàid] *n.* [U] (종류 · 낱개는 [C]) 농약《살충제 · 살균제 · 제초제 · 살서제(殺鼠劑) 따위》.

pes·tif·er·ous [pestífərəs] *a.* 유독한, 유해한, 위험한; 《구어》 성가신, 귀찮은.

pes·ti·lence [péstələns] *n.* [U] (구체적으로는 [C]) 악역(惡疫); 페스트; 유행병.

pes·ti·lent [péstələnt] *a.* **1** 치명적인; 전염성의《병 등》; 유해한《사상 등》. **2** 《구어》 성가신, 귀찮은. ㊞ **~·ly** *ad.*

pes·ti·len·tial [pèstəlénʃəl] *a.* =PESTILENT.

pes·tle [pésl] *n.* [C] 막자; 절굿공이.

⁑**pet**[1] [pet] *n.* [C] **1 페트**, 애완동물《개 · 고양이 · 작은 새 따위》: a ~ shop 애완동물 상점 / No ~ (admitted). 《게시》 애완동물 반입 금지. **2** 총아, 마음에 드는 사람; 《구어》 매우 멋진〔훌륭한〕 것《여성어》: a teacher's ~ 선생의 총애를 받는 아이 / What a ~ of a hat! 정말 멋진 모자구나. **3** (보통 *sing.*) 《구어》 《호칭》 착한 애, 귀염둥이. ***make a ~ of*** …을 귀여워하다.

—*a.* [A] **1** 애완의, 애완동물(용)의: a ~ kitten 애완 고양이 / a ~ shop 애완동물 판매점. **2** 득의의, (가장 자신 있는) 특기의: one's ~ theory 지론(持論). **3** 애정을 나타내는. *one's ~ aversion* 〔*hate*〕 《우스개》 아주 싫은 것〔사람〕.

—(-tt-) *vt.* **1** 귀여워하다, 총애하다, 애무하다; 응석부리게 하다: We cannot ~ anything much without doing it mischief. 무엇이든 너무 귀여워하면 해가 되는 법이다. **2** 《구어》 (이성)을 껴안고 키스하다, 페팅하다. **—***vi.* 《구어》 페팅하다. ㊞ **pét·ting** *n.* [U] 애무.

pet[2] *n.* [C] (아이가) 부루퉁함, 뚱함: be in a ~ about …일로 부루퉁하다.

Pet. 〖성서〗 Peter. **pet.** petroleum.

***pet·al** [pétl] *n.* [C] **1** 〖식물〗 꽃잎. **2** (*pl.*) 《속어》 음순(陰脣) (labia): the inner ~s 소음순. ㊞ **~(l)ed** *a.* 꽃잎이 있는; 〖합성어〗 …판(瓣)의: six-~, 6 판의.

pe·tard [pitá:rd] *n.* [C] 〖역사〗 폭약의 일종《성문 따위의 파괴용》. ***be hoist with*** 〔***by***〕 ***one's own*** ~ 자기가 논 덫에 걸리다, 자승자박이 되다.

Pete [pi:t] *n.* 피트《남자 이름; Peter 의 애칭》. ***for ~'s sake*** 제발.

Pe·ter [pí:tər] *n.* **1** 피터《남자 이름》. **2** (St. ~) 〖성서〗 베드로《예수의 12 제자 중의 한 사람; Simon Peter 라고도 부름》; 베드로서(書)《신약성서 중의 한 편; 생략: Pet.》. **3** (~ the Great) 표트르(Pyotr) 대제《러시아 황제; 1672 – 1725》. ***rob ~ to pay Paul*** 한 쪽에서 빼앗아 다른 쪽에 주다, 빚으로 빚을 갚다.

pe·ter[1] *n.* [C] **1** 《속어》 독방; 금고; (법정의) 증인석. **2** 《비어》 음경(陰莖).

pe·ter[2] *vi.* 《구어》 (광맥 등이) 다하다, 없어지다 (*out*); 점차 소멸하다(*out*).

péter·man [-mən] (*pl.* ***-men*** [-mən]) *n.* [C] 《英속어》 금고털이; 도둑, 강도.

Péter Pán **1** 피터팬《J. M. Barrie 작 동화의 주인공》. **2** 언제까지나 아이 같은 어른.

Péter Pàn cóllar 〖복식〗 피터팬 칼라《여성 · 아동복의 작고 둥근 깃》.

pet·i·ole [pétiòul] *n.* [C] 〖식물〗 잎꼭지, 엽병 (leafstalk); 〖동물〗 육경(肉莖).

pet·it [péti] *a.* 《F.》 (주로 법률 용어로) 작은; 가치 없는; 시시한, 사소한(little).

pe·tit bour·geois [pətí:búərʒwa:] (*pl.* ***pe·tits bour·geois*** [-z]) 《F.》 프티 부르주아(의), 소시민.

pe·tite [pətí:t] *a.* 《F.》 〖petit 의 여성형〗 몸집이 작은《여자》.

pe·tite bour·geoi·sie [pətí:tbuərʒwa:zí:] 《F.》 소시민 계급, 프티 부르주아 계급.

pet·it four [pétifɔ́:r] (*pl.* ***pet·its fours*** [-z]) 《F.》 [C] (요리는 [U]) 소형의 케이크.

***pe·ti·tion** [pitíʃən] *n.* [C] **1 청원, 탄원**, 진정; (신에의) 기원: a ~ to the king 〔House〕 국왕〔의회〕에 보내는 탄원서 / a ~ in bankruptcy 〖법률〗 파산 신청 / on ~ 청원에 의하여 / make (a) ~ 청원하다 / grant 〔reject〕 a ~ 청원을 승낙〔기각〕하다. **2 청원**〔**탄원, 진정**〕**서**; (법정에의) 신청(서), 소장(訴狀): a ~ of appeal 공소장 / file a ~ against 〔for〕 …에 반대〔찬성〕하는 탄원서를 제출하다.

the Petition of Right 〖英역사〗 권리 청원《1628 년 의회가 Charles I 에게 승인시킴》; 〖英법률〗 대(對)정부 권리 회복 소원(訴願).

—*vt.* 《~+[목]/+[목]+[전]+[명]/+[목]+*to* do/+[목]+*that* [절]》 …에 청원〔탄원, 진정, 신청〕하다《***for*** …을》: ~ the mayor 시장에게 청원하다〔청원서를 보내다〕 / They *~ed* the governor *for* help 〔*to* help them, *that* he (should) help them〕. 그들은 지사에게 도움을 청하였다. **—***vi.* 《+[전]+[명]/+*to* do》 원하다, 빌다《***for*** …을》: ~ *for* pardon 용서를 빌다 / They *~ed for* his release. 그들은 그의 석방을 탄원했다 / ~ *to* be allowed to go 가게 해 달라고 빌다.

㊞ **~·a·ry** [-èri/-əri] *a.* 청원〔탄원〕의. **~·er** *n.* [C] 청원자; (이혼 소송의) 원고.

pétit júry 〖법률〗 소배심(小陪審)《12 명으로 된 보통의 배심》. [cf] grand jury.

pétit lárceny =PETTY JURY.

pét náme 애칭《Bob, Bill, Kate 따위》.

petr- [petr] '바위, 돌, 석유' 의 뜻의 결합사.

Pet·rarch [pí:tra:rk/pét-] *n.* **Francesco ~** 페트라르카《이탈리아의 시인; 1304 – 74》.

Pe·trár·chan sónnet [pitrá:rkən-] 〖시학〗 (Petrarch 가 창시한) 이탈리아식 소네트.

pet·rel [pétrəl] *n.* [C] 〖조류〗 바다제비류. ***snow***(***y***) **~** 눈새. ***storm***(***y***) **~** ① =petrel. ② 나타나면 궂은 일이 생긴다고 생각되는 사람.

pet·ri- [pétri] =PETR-.

pet·ri·fac·tion, pet·ri·fi·ca·tion [pètrəfǽkʃən], [-fikéiʃən] *n.* **1** [U] 돌로 되게 함, 석화(石化) (작용); [C] 화석. **2** [U] 망연자실; 기절초풍.

pet·ri·fy [pétrəfài] *vt.* **1** 석화(石化)하다, 석질(石質)로 하다; 돌같이 굳게 하다. **2** 깜짝 놀라게 하다; 움츠러들게 하다; 망연자실하게 하다《★ 보통 수동태로 쓰며, 전치사는 *with*》: She *was petrified with* fear. 그녀는 무서워서 몸이 움츠러들었다. **3** (아무의 마음)을 무정〔무신경〕하게 하다; (사회 · 조직 따위)를 경직시키다. **—***vi.* 돌이 되다; 돌처럼 굳어지다; 깜짝 놀라다, 망연자실하다; 몸이 움츠러들다. ㊞ **-fied** *a.*

pet·ro- [pétrou, -rə] =PETR-.

pètro·chémical *n.* [C] (보통 *pl.*) 석유 화학 제품. **—***a.* 석유 화학(제품)의: ~ industry 석유 화학 공업.

pètro·chémistry *n.* [U] 석유 화학.

pétro·dòllar *n.* [C] 오일 달러《원유 수출국이 벌어들이는 외화》.

pe·trog·ra·phy [pitrágrəfi/-trɔ́g-] *n.* [U] 암석 기술학(記述學); 암석 분류학. ㊞ **pet·ro·graph·ic** [pètrəgrǽfik] *a.*

***pet·rol** [pétrəl] *n.* Ⓤ 《英》 가솔린(《美》 gasoline): a ~ engine 가솔린 엔진 / a ~ motor 경유 발동기 / a ~ pump 가솔린 펌프 / a ~ tank (자동차의) 휘발유 탱크.

pet·ro·la·tum [pètrəléitəm] *n.* Ⓤ 【화학】 바셀린; 광유(鑛油).

pétrol bòmb 《英》 화염병(Molotov cocktail).

***pe·tro·le·um** [pitróuliəm] *n.* Ⓤ 석유: crude 〔raw〕 ~ 원유, 중유 / a ~ engine 석유 발동기.

petróleum jélly = PETROLATUM.

pe·trol·o·gy [pitrálədʒi/-trɔ́l-] *n.* Ⓤ 암석학. ㊞ **pet·ro·log·ic, -i·cal** [pètrəládʒik/-lɔ́dʒ-], [-əl] *a.* **pe·trol·o·gist** [pitrálədʒist/-trɔ́l-] *n.* Ⓒ 암석학자.

pétrol stàtion 《英》 가솔린 스테이션; 주유소 (《美》 gas station).

°**pet·ti·coat** [pétikòut] *n.* Ⓒ **1** 페티코트《스커트 속에 입는》; (*pl.*) 소아복, 여성복. **2** 《속어》 여자, 계집아이; (*pl.*) 여성. ***wear*** 〔***be in***〕 **~s** 여성〔계집애〕이다, 여성답게 행동하다.
— *a.* Ⓐ 《우스개 · 경멸적》 여자의, 여성적인: a ~ affair 정사(情事); 염화(艶話) / ~ government 내주장, 여인 천하《가정 · 정계에서의》. ㊞ **~·ism** *n.* Ⓤ 여성 세력, 여인 천하.

pet·ti·fog [pétifàg, -fɔ̀(ː)g] (**-gg-**) *vi.* 궤변을 늘어놓다; 엉터리 변호를 하다. ㊞ **~·ger** [-ər] *n.* Ⓒ 궤변꾼, 엉터리 변호사.

pét·ti·fòg·ging *a.* 협잡적인, 속이는, 되잖은 이치를 말하는; 시시한.

pétting zòo (어린이들이 동물을 쓰다듬을 수 있는) 동물원.

pet·tish [pétiʃ] *a.* 토라진; 골내기 잘하는; 안달복달하는. ㊞ **~·ly** ad. **~·ness** *n.*

°**pet·ty** [péti] (**-ti·er; -ti·est**) *a.* **1** 사소한, 대단찮은: ~ troubles 시시한 걱정거리 / ~ expenses 잡비. **2** 마음이 좁은(narrow-minded), 쩨쩨한: ~ malice 쩨쩨한〔더러운〕 악의 / Don't be so ~. 그렇게 쩨쩨하게 굴지 마라. **3** 소규모의; 하층의, 하급의: a ~ current deposit 소액 당좌 예금 / a ~ farmer 소농 / ~ states 약소국 / ~ people 하층민. ㊞ **-ti·ly** *ad.* 인색〔비열〕하게. **-ti·ness** *n.*

pétty bourgèois = PETIT BOURGEOIS.

pétty cásh 잔돈, 용돈; (사무용 잡비에 쓰이는) 소액 현금.

pétty júry = PETIT JURY.

pétty lárceny 좀도둑질; 가벼운 절도죄.

pétty òfficer (해군의) 부사관; (상선의) 하급 선원.

pet·u·lance, -lan·cy [pétʃələns], [-si] *n.* Ⓤ 성마름, 토라짐, 불쾌함《***at*** …에》.

°**pet·u·lant** [pétʃələnt] *a.* (사소한 일에) 성마른, 화 잘내는, 토라진. ㊞ **~·ly** *ad.*

pe·tu·nia [pitjúːniə, -njə] *n.* Ⓒ 【식물】 피튜니아; Ⓤ 암자색(暗紫色).

pew [pjuː] *n.* Ⓒ (교회의) 신도석; 《英구어》 의사, 사리: a family ~ 교회 안의 가족석 / take a ~ 자리에 앉다.

pe·wee [píːwiː] *n.* Ⓒ 【조류】 딱새의 일종《미국산》.

pe·wit, pee·wit [píːwit] *n.* Ⓒ 【조류】 댕기물떼새(lapwing); 갈매기의 일종.

pew·ter [pjúːtər] *n.* Ⓤ **1** 백랍(白鑞)《주석과 납 · 놋쇠 · 구리 따위의 합금》. **2** 〘집합적〙 백랍제의 기물〔술잔〕. ㊞ **~·er** [-tərər] *n.* Ⓒ 백랍 세공장이.

pe·yo·te, -yotl [peióuti], [-tl] *n.* Ⓒ 【식물】 (멕시코 · 미국 남서부산의) 선인장의 일종; Ⓤ 그것에서 채취하는 환각제.

pf. perfect; pfennig; 【음악】 pianoforte; perfect; piano. **Pfc.** Private First Class (《美》 육군 상등병).

pfen·nig [pfénig] (*pl.* **~s, -ni·ge** [-nigə]) *n.* Ⓒ 페니히《독일의 동전; 1마르크의 1/100》.

PG 《美》 Parental Guidance《부모의 지도를 요하는 미성년자 부적당 영화》. **Pg.** Portugal; Portuguese. **pg.** page. **Pg Dn** 【컴퓨터】 page down. ★ 기술할 때만 씀.

PGP 【컴퓨터】 pretty good privacy《송신 내용을 암호화하는 프로그램》.

PG-13 [piːdʒiːθəːrtíːn] 《美》 【영화】 13세 미만의 어린이에게는 부모의 지도가 요구되는 영화. ㊟ PG.

Pg Up 【컴퓨터】 page up. ★ 기술할 때만 씀.

pH [piːéitʃ] 【화학】 피에이치, 페하《수소 이온 농도를 나타내는 기호》.

Ph 【화학】 phenyl. **PH** (Order of the) Purple Heart. **ph.** phase.

Pha·ë·thon [féiəθən] *n.* 【그리스신화】 파에톤 《Helios(태양신)의 아들; 아버지 마차를 잘못 몰아 Zeus의 번갯불에 맞아 죽음》.

pha·e·ton [féiətn/féitn] *n.* Ⓒ 쌍두 4륜 마차; 페이튼형 자동차.

phag·o·cyte [fǽgəsàit] *n.* Ⓒ 【생리】 식세포 《백혈구 따위》.

pha·lan·ger [fəlǽndʒər] *n.* Ⓒ 【동물】 팔란저속(屬)의 동물《오스트레일리아산(産) 유대(有袋) 동물》.

pha·lanx [féilæŋks, fǽl-] (*pl.* **~·es, pha·lan·ges** [fəlǽndʒiːz/fə-]) *n.* Ⓒ **1** 〘집합적〙 (고대 그리스의) 방진(方陣)《창병(槍兵)을 네모꼴로 배치하는 진형》; 밀집 대형. **2** (*pl.* ***pha·lan·ges***) 【해부 · 동물】 지골(指骨), 지골(趾骨).

phal·a·rope [fǽləròup] *n.* Ⓒ 【조류】 깝작도요류(類).

phal·lic [fǽlik] *a.* 음경(陰莖)의; 남근 모양의, 남근을 상징하는: ~ worship 남근 숭배.

phal·lus [fǽləs] (*pl.* **-li** [-lai], **~·es**) *n.* Ⓒ 남근상(像); 【해부】 음경.

phan·tasm [fǽntæzəm] *n.* Ⓒ **1** 곡두, 환영(幻影), 환상(幻想); 공상. **2** (죽은 사람 · 부재자의) 환상(幻像), 유령.

phan·tas·ma·go·ria [fæ̀ntæzməgɔ́ːriə] *n.* Ⓒ 주마등같이 변하는 광경《환영 · 꿈 · 공상 따위의》; 환등의 일종《화면이 변화하는》. ㊞ **-gór·ic** [-ik] *a.*

phan·tas·mal, -tas·mic [fæntǽzməl], [-mik] *a.* 환영의; 유령의; 공상의, 환상적인.

phantasy ⇨ FANTASY.

°**phan·tom** [fǽntəm] *n.* Ⓒ **1** 환영(幻影), 유령. **2** 환각, 착각, 망상. **3** (P-) 【美군사】 팬텀 전폭기《기종은 F-4등이 있음》. **—** *a.* Ⓐ **1** 환상의, 망상의; 유령의: a ~ ship 유령선. **2** 실체가 없는, 겉뿐인: a ~ company 유령 회사 / a ~ employee 유령 사원.

phántom límb 【의학】 환지(幻肢)《절단 후에도 아직 수족(手足)이 있는 것 같은 느낌》: ~ pain 환지통(痛).

phántom prégnancy 상상 임신. ★ false pregnancy라고도 함.

Phar·aoh [fέərou] *n.* Ⓒ (고대 이집트의) 왕, 파라오《왕의 칭호》.

Phar. B. *Pharmaciae Baccalaureus* 《L.》(=

Bachelor of Pharmacy). **Phar. D.** *Pharmaciae Doctor* ⟪L.⟫ (=Doctor of Pharmacy).

Phar·i·sa·ic, Phar·i·sa·i·cal [fæ̀rəséiik], [-əl] *a.* 바리새인[주의]의; (p-) 허례를 중시하는; 위선의. ㊕ **-i·cal·ly** [-ikəli] *ad.*

Phar·i·sa·ism [fǽrəseiìzəm] *n.* [U] 【성서】 바리새주의, 바리새파(派); (p-) (종교상의) 형식주의; 위선, 독선. ㊕ **-ist** *n.*

Phar·i·see [fǽrəsìː] *n.* [C] 바리새인(人); (p-) (종교상의) 형식주의자; 위선자. ㊕ **~·ism** *n.* = PHARISAISM.

phar·ma·ceu·tic, -ti·cal [fɑ̀ːrməsúːtik/-sjúːt-], [-əl] *a.* [A] 제약(학)의, 약사(藥事)의; 약제(藥劑)(사)의. **—***n.* (-tical) [C] (보통 *pl.*) 조제약, 의약, 약. ㊕ **-ti·cal·ly** *ad.*

phàr·ma·céu·tics *n.* [U] 조제학(pharmacy); 제약학.

phar·ma·ceu·tist [fɑ̀ːrməsúːtist] *n.* [C] 조제자; ⟪英⟫ 약사(藥師)(⟪美⟫ druggist).

phar·ma·cist [fɑ́ːrməsist] *n.* =PHARMACEUTIST.

phar·ma·col·o·gy [fɑ̀ːrməkɑ́lədʒi/-kɔ́l-] *n.* [U] 약리학(藥理學), 약물학. ㊕ **phar·ma·co·log·i·cal** [ˌ-kəlɑ́dʒikəl/-lɔ́dʒi-] *a.* **phar·ma·col·o·gist** [ˌ-kɑ́lədʒist/-kɔ́l-] *n.* [C] 약리학자.

phar·ma·co·poe·ia, -pe·ia [fɑ̀ːrməkəpíːə] *n.* **1** [C] 약전(藥典), 조제서(調劑書). **2** [U] 약종(藥種), 약물류(stock of drugs).

phar·ma·cy [fɑ́ːrməsi] *n.* **1** [U] 조제술[법], 약학. **2** [C] 약국([cf] drugstore); 약종상.

pha·ros [fέərɑs/-rɔs] *n.* **1** [C] ⟪시어·문어⟫ 등대; 항로 표지(beacon). **2** (the P-) 파로스 등대⟪옛날 알렉산드리아 만의 Pharos 섬에 있었음; 세계 7대 불가사의의 하나⟫.

pha·ryn·gal [fəríŋgəl] *a.* =PHARYNGEAL.

pha·ryn·ge·al [fəríndʒiəl, fæ̀rindʒíːəl] *a.* 【해부】 인두(咽頭)의: the ~ artery 경(頸)동맥.

phar·yn·gi·tis [fæ̀rindʒáitis] *n.* [U] 【의학】 인두염.

phar·ynx [fǽriŋks] (*pl.* **~·es, pha·ryn·ges** [fəríndʒiːz]) *n.* [C] 【해부】 인두.

***phase** [feiz] *n.* [C] **1** (발달·변화의) **단계, 국면,** 시기: several ~*s* of physical development 신체 성장의 몇 가지 단계/enter on [upon] a new ~ 새로운 국면으로 들어가다.

[SYN] **phase** 변화하는 과정의 한 양상을 가리키며 관찰자는 특별히 시사되지 않음. **aspect** 관찰자의 시점(視點)에서 볼 수 있는 면을 강조하며, 사물의 한 국면밖에 보고 있지 않다는 시야의 한계를 시사함. **side** 관찰자와는 관계없이 사물·현상·문제 따위가 지니고 있는 면: Few men know this *side* of his character. 그의 성격의 이런 면을 아는 사람은 거의 없다. **facet** 한 국면. 전체의 이해를 돕기 위한 많은 면의 하나. 몇 개의 facets를 동시에 볼 수 있는 가능성이 시사됨. **angle** 관찰자의 의도적인 관찰법, 관점이 강조됨.

2 (물건·문제 따위의) **면**(面), **상**(相): the best ~ of one's character 성격의 가장 좋은 면. **3** 【천문】 (달의) 상(相), 위상(位相), (천체의) 상(像): the ~*s* of the moon 달의 위상(位相)⟪초승달(new moon)·반달(half moon)·만월(full moon) 따위⟫. **4** 【물리·전기】 (음파·광파·교류 전류 따위의) 위상, 상. **5** 【생물】 상(相). **6** 【컴퓨터】 위상, 단계. ***in*** ~ ① 【물리】 위상이 같아 ⟪*with* …와⟫. ② 동조하여, 일치하여 ⟪*with* …와⟫. ***out of*** ~ ① 【물리】 위상을 달리하여 ⟪*with* …와⟫. ② 조화되지 않아, 동조적이 아니고, 불일치하여 ⟪*with* …와⟫.

— *vt.* **1** (단계적으로) 실행[계획]하다: a ~*d* withdrawal of troops 군대의 단계적 철수. **2** ⟪美⟫ (국면)에 순응시키다, 조정하다. **3** 위상에 맞추다. **~ *down*** ⟪*vt.*+[부]⟫ …을 단계적으로 축소[삭감]하다. **~ *in*** ⟪*vt.*+[부]⟫ …을 단계적으로 도입하다. **~ *out*** ⟪*vt.*+[부]⟫ …을 단계적으로 제거하다; 점차로 철거[폐지, 삭감]하다.

[DIAL] ***It's just a phase he's [she's] going through.*** (저 애도) 그럴 만한 나이야.

phásed-arráy ràdar 【전자·군사】 페이즈드 어레이형(型) 레이더, 위상 단열(位相段列) 레이더.

pháse·òut *n.* [C] (작전·계획 따위의) 단계적 철퇴[삭감, 제거].

phat·ic [fǽtik] *a.* 【언어】 (말이) 교감(交感)적인, 사교적인: ~ communion 교감적[사교적] 언어 사용⟪인사 따위⟫.

Ph. D. PhD [píːèitʃdíː] *Philosophiae Doctor* ⟪L.⟫ (=Doctor of Philosophy)⟪★ 글자 그대로 해석하면 '철학 박사'이지만, 이 때 philosophy는 '고등 학문'이라는 뜻으로 박사 학위에 해당함; 그러므로 철학 박사라면 He has a *Ph.D.* in philosophy.라고 함; 미국에서는 대학 교수의 자격증으로 봄⟫.

***pheas·ant** [fézənt] (*pl.* **~s,** ⟦집합적⟧ ~) *n.* [C] 【조류】 **꿩;** [U] 꿩고기.

phe·nac·e·tin(e) [finǽsətin] *n.* [U] 【약학】 페나세틴⟪해열·진통제⟫.

Phenicia(n) ⇨ PHOENICIA(N).

phenix ⇨ PHOENIX.

phe·no- [fíːnou, -nə], **phen-** [fiːn] 'benzene의[으로부터의]'의 뜻의 결합사. ★ 모음 앞에서는 phen-.

phèno·bárbital *n.* [U] ⟪美⟫ 페노바르비탈⟪수면제·진정제⟫.

phèno·bárbitone *n.* ⟪英⟫ =PHENOBARBITAL.

phe·nol [fíːnoul, -nɑl, -nɔ(ː)l] *n.* [U] 【화학】 페놀, 석탄산(酸).

phe·nom [finɑ́m/-nɔ́m] *n.* [C] ⟪美속어⟫ 천재, 굉장한 사람⟪스포츠계 따위에서⟫.

phe·nom·e·na [finɑ́mənə/-nɔ́m-] PHENOMENON의 복수.

phe·nom·e·nal [finɑ́mənl/-nɔ́m-] *a.* **1** ⟪구어⟫ 놀라운, 경이적인, 굉장한: ~ speed 굉장한 속도/make a ~ recovery 놀랍도록 빨리 회복하다. **2** 자연현상(現象)의[적인], 현상에 관한: the ~ world 현상[자연]계. **3** (감각으로) 인지[지각]할 수 있는, 외관상의. ㊕ **~·ly** *ad.* 현상적으로; 지각할 수 있도록, 명백히; 이상하게, 드물게, 비상하게.

phe·nóm·e·nal·ìsm *n.* [U] 【철학】 현상론(現象論); 실증[경험]주의. [cf] positivism.

phe·nom·e·nol·o·gy [finɑ̀mənɑ́lədʒi/-nɔ̀mənɔ́l-] *n.* [U] 【철학】 현상학.

***phe·nom·e·non** [finɑ́mənɑ̀n/-nɔ́mənən] (*pl.* **-e·na** [-nə]) *n.* [C] **1 현상,** 사상(事象): a natural ~ 자연현상. **2** 【철학】 현상, 외상(外象). **3 a** (*pl.* **~s**) 놀라운 사물. **b** ⟪구어⟫ 비범한 사람: an infant ~ 신동.

phe·no·type [fíːnətàip] *n.* [C] 【생물】 표현형(型)⟪육안으로 보이는 생물의 형질⟫. [cf] genotype.

phen·yl [fénəl, fíːn-] *n.* [U] 【화학】 페닐기(基)

《기호 Ph》.

pher·o·mone [férəmòun] *n.* Ⓒ 〖생물〗 페로몬《동물의 몸 안에서 만들어져서 몸 밖으로 분비, 방출되어 특수한 행동이나 생리 작용을 일으키는 유기 물질》.

phew [fjuː] *int.* 체《불쾌·놀람 따위를 나타냄》; (피곤·숨가쁨을 나타내어) 어유.

phi [fai] *n.* Ⓤ (구체적으로는 Ⓒ) 그리스 알파벳의 21 째 글자《Φ, φ; 로마자의 ph에 해당》.

phi·al [fáiəl] *n.* Ⓒ 작은 유리병; 《특히》 약병, 앰플. ⓒⓕ vial.

Phí Béta Káppa [fái-bèitə-kǽpə/-bìːtə-] (우수한 성적의) 미국 대학생 및 졸업생의 클럽《1776 년 창설》; 그 회원.

Phil [fil] *n.* 필《남자 이름; Philip 의 애칭》.

Phil. Philip; 〖성서〗 Philippians; Philippine(s); Philadelphia.

-phil [fil] *suf.* = -PHILE.

Phil·a·del·phia [fìlədélfiə, -fjə] *n.* 필라델피아《미국 Pennsylvania 주의 도시; 생략: Phil., Phila.》.

Philadélphia chrómosome 〖생물〗 필라델피아 염색체《만성 골수성 백혈병 환자의 배양 백혈구에 보이는 미소한 염색체》.

Philadélphia láwyer 《美》 민완 변호사, 수완 있는 법률가.

phi·lan·der [filǽndər] *vi.* (남자가) 여자를 쫓아다니다, 엽색하다; 연애에 빠지다《*with* …와》. ㊕ **~·er** [-dərər] *n.* Ⓒ 연애에 빠진 남자; 난봉꾼.

phil·an·throp·ic, -i·cal [fìlənθrápik/-θrɔ́p-], [-əl] *a.* 박애(주의)의, 인정 많은, 인자한. ㊕ **-i·cal·ly** [-kəli] *ad.*

phi·lan·thro·pism [filǽnθrəpìzm] *n.* Ⓤ 박애주의, 자애.

phi·lán·thro·pist [-pist] *n.* Ⓒ 박애가〔주의자〕, 자선가.

phi·lan·thro·py [filǽnθrəpi] *n.* **1** Ⓤ 박애, 인자(仁慈), 자선. **2** Ⓒ (흔히 *pl.*) 자선 행위〔사업, 단체〕.

phi·lat·e·ly [filǽtəli] *n.* Ⓤ 우표 수집〔연구, 애호〕. ㊕ **phil·a·tel·ic, -i·cal** [fìlətélik], [-əl] *a.* ~의. **phi·lát·e·list** *n.* Ⓒ 우표 수집〔연구〕가.

-phile [fàil] *suf.* '좋아하는, 좋아하는 사람' 의 뜻의 형용사·명사를 만듦: Anglo*phil(e)*, biblio*phil(e)*.

Philem. 〖성서〗 Philemon.

Phi·le·mon [filíːmən, fai-/-mɔn] *n.* 〖성서〗 빌레몬서《신약성서 중의 한 편》.

phil·har·mon·ic [fìlhaːrmánik, fìlər-/-mɔ́n-] *a.* Ⓐ (종종 P-) 음악 애호의; 《특히》 교향악단의《종종 교향악단·음악 협회 등의 명칭에 쓰임》: a ~ orchestra 교향악단/a ~ society 음악 협회/the London Philharmonic Orchestra 런던 필하모닉 오케스트라. **—***n.* Ⓒ 음악 애호가, 음악 협회; 음악회《음악 협회가 개최하는》, 교향악단.

phil·hel·lene, phil·hel·len·ist [filhéliːn, ⌐-⌐], [filhélənist, filhelíːn-] *n.* Ⓒ 그리스 애호가〔심취자〕. ㊕ **phil·hel·le·nic** [fìlhelénik, -líːn-] *a.* 그리스 애호의, 친(親)그리스의.

-phil·ia [fíliə] *suf.* '…의 경향, …의 병적 애호' 의 뜻: hemo*philia*.

-phil·i·ac [fíliæ̀k] '…의 경향이 있는 사람, …에 대하여 병적인 식욕·기호를 가진 사람' 의 뜻의 결합사.

Phil·ip [fílip] *n.* **1** 필립《남자 이름; 애칭은 Phil》. **2** (St. ~) 〖성서〗 빌립《예수의 12 사도 중의 한 사람》.

Phi·lip·pi·ans [filípiənz] *n. pl.* 《단수취급》 〖성서〗 빌립보서《신약성서 중의 한 편; 생략: Phil.》.

Phi·lip·pic [filípik] *n.* **1** Demosthenes 가 마케도니아 왕 Philip 을 욕한 12 연설의 하나. **2** Cicero가 Mark Anthony를 공격한 연설의 하나; Ⓒ (p-) 격렬한 탄핵 연설, 통론(痛論).

Phil·ip·pine** [fíləpìːn, fìləpíːn] *a.* **필리핀**(사람)의. **—n.* (the ~s) **1** 필리핀 군도. **2** 필리핀 공화국《공식명은 the Republic of the Philippines; 수도 Manila》.

Phílippine Íslands (the ~) 필리핀 군도《약 7000 개의 섬으로 이루어진 서태평양상의 군도》.

Phi·lis·tine [fíləstìːn, filístiːn, fílistàin] *n.* Ⓒ **1** 필리스틴 사람《옛날 Palestine 의 남부에 살던 민족이며 유대인의 강적》; 《우스개》 잔인한 적《집달관·비평가 등》. **2** (때로 p-) 속물, 실리(實利)주의자; 교양 없는 사람. **—***a.* 필리스틴(사람)의; (또는 p-) 속물적인, 교양 없는. ㊕ **-tin·ism** [fíləstinìzəm] *n.* Ⓤ (또는 p-) 속물근성, 무교양; 실리주의.

phil·o- [filou, -lə] '사랑하는, 사랑하는 사람' 의 뜻의 결합사.

phi·log·y·ny [filádʒəni/-lɔ́dʒ-] *n.* Ⓤ 여자를 좋아함, 여성 숭배. ↔ *misogyny*. ㊕ **-nist** *n.* Ⓒ 여자를 좋아하는 사람. **-nous** [-nəs] *a.*

phil·o·log·i·cal [fìləládʒikəl/-lɔ́dʒ-] *a.* 언어학〔문헌학〕(상)의. ㊕ **~·ly** [-kəli] *ad.*

phi·lol·o·gist [filálədʒist/-lɔ́l-] *n.* Ⓒ 언어학자(linguist); 문헌학자.

phi·lol·o·gy [filálədʒi/-lɔ́l-] *n.* Ⓤ **1** 문헌학; 언어학(linguistics): the comparative ~ 비교언어학/English ~ 영어학. **2** 《드물게》 학문·문학을 좋아함.

phil·o·mel [fíləmèl] *n.* (때로 P-) Ⓒ 《시어》 = NIGHTINGALE.

Phil·o·me·la [fìloumíːlə] *n.* **1** 〖그리스신화〗 필로멜라《나이팅게일이 된 왕녀》. **2** (종종 p-) = NIGHTINGALE.

‡**phi·los·o·pher** [filásəfər/-lɔ́s-] *n.* Ⓒ **1 철학자**: a natural ~ 물리학자/a moral ~ 윤리학자. **2 현인**, 달관〔체념〕한 사람: You're a ~. 넌 체념이 빨라《따위》/take things like a ~ 세상을 달관하다. **3** (곤란할 때) 냉정한 사람; 사물을 깊이 생각하는 사람. ***the ~s'*** 〔**~'s**〕 ***stone*** 현자의 돌《보통의 금속을 금으로 만드는 힘이 있다고 믿어 옛날 연금술사가 애써 찾던 것》.

◇**phil·o·soph·ic, -i·cal** [fìləsáfik/-sɔ́f-], [-əl] *a.* **1** 철학(상)의, 철학자의〔와 같은〕; 철학에 통달한. **2** 이성적인; 냉정한. **3** 달관한, 체념한《***about*** …을》: He was ~ *about* his losses. 그는 그의 손실을 체념하고 냉정히 받아들였다. ◇ philosophy *n.* ㊕ **-i·cal·ly** *ad.* 철학적으로; 달관하여, 체관(諦觀)하여.

phi·los·o·phize [filásəfàiz/-lɔ́s-] *vi.* **1** 철학적으로 연구〔설명, 사색〕하다《***about*** …에 대하여》: ~ *about* life 인생에 대하여 사색하다. **2** 철학자인 체하다.

‡**phi·los·o·phy** [filásəfi/-lɔ́s-] *n.* **1** Ⓤ **철학**; 철학 체계: the Kantian ~ 칸트 철학/metaphysical ~ 형이상학/empirical ~ 경험 철학/practical ~ 실천 철학/the ~ of Aristotle 아리스토텔레스의 철학. **2** Ⓒ 철학서. **3** Ⓒ 철리, 원

리, (근저) 사상: the ~ of grammar (economics) 문법(경제학)의 원리. **4** Ⓒ (경험 따위로 얻은) 인생철학, 인생관, 처세관: develop a ~ of life 인생관을 갖(게 되)다. **5** Ⓤ (철학자와 같은) 냉정함, 달관, 깨달음; 체념: meet misfortunes with ~ 불행을 냉정히 맞아들이다. ***Doctor of Philosophy*** 철학 박사; 박사(《*in* …의》)(《생략: Ph.D., PhD》).

phil·ter, (《英》) **-tre** [fíltər] *n.* Ⓒ 미약(媚藥), 춘약(春藥).

phiz, phiz·og [fiz], [fizág/-zɔ́g] *n.* Ⓒ (보통 *sing.*) (《英구어》) 얼굴; 표정: a ~ snapper (《美속어》) 사진사. [◂ *phys*iognomy]

phle·bi·tis [fləbáitis] *n.* Ⓤ 【의학】 정맥염(炎). ㊕ **phle·bít·ic** [-bítik] *a.*

phle·bot·o·my [fləbátəmi/-bɔ́t-] *n.* Ⓤ (구체적으로는 Ⓒ) 【의학】 자락(刺絡)(《팔꿈치 관절의 정맥을 찔러 나쁜 피를 빼는 옛 의료법》), 사혈(瀉血)(bloodletting).

phlegm [flem] *n.* Ⓤ **1** 담(痰)(ⓒⓕ saliva); 【생리학】 (《고어》) 점액(粘液); 점액질. **2** 느리고 둔함; 무기력; 느릿함; 냉정, 침착.

phleg·mat·ic, -i·cal [flegmǽtik], [-əl] *a.* **1** 쉬이 흥분치(격하지) 않는; 냉담한; 무기력한; 차분한: a *phlegmatic* temperament 차분한 기질. **2** 점액질인; 담(痰)이 많은.
㊕ **-i·cal·ly** [-ikəli] *ad.* 무기력하게, 냉담하게.

phlox [flaks/flɔks] (*pl.* **~, ∠·es**) *n.* Ⓒ 【식물】 플록스(《꽃창포과(科)의 화초》).

Phnom Penh, Pnom Penh [*p*námpén, pənɔ́:m-/*p*nɔ́m-] 프놈펜(《Cambodia 의 수도》).

-phobe [fòub] *suf.* '…을 두려워하는, …을 두려워하는 사람'의 뜻의 형용사·명사를 만듦: hydro*phobe*, Russo*phobe*.

pho·bia [fóubiə] *n.* Ⓤ (구체적으로는 Ⓒ) (특정 사물·활동·상황에 대한) 병적 공포(혐오), 공포병(증): (a) school ~ 학교(등교) 공포증 / I have a ~ for ((《英》) about) airplanes. 나는 비행기 공포증이 있다.

-pho·bia [fóubiə] *suf.* '…공(恐), …병(病)'의 뜻의 명사를 만듦: Anglo*phobia*.

pho·bic [fóubik] *a.* 공포증의, 병적으로 두려워하는. **—***n.* Ⓒ 공포증이 있는 사람.

Phoe·be [fí:bi] *n.* **1** 【그리스신화】 포이베(《달의 여신; Artemis, Diana 의 호칭의 하나》). **2** (《시어》) 달. **3** 피비(《여자 이름》).

Phoe·bus [fí:bəs] *n.* 【그리스신화】 포이보스(《해의 신; Apollo 의 호칭의 하나》); (《시어》) 태양.

Phoe·ni·cia, Phe- [finíʃə, -ní:-/-ʃiə] *n.* 페니키아(《지금의 시리아 연안에 있던 도시 국가》).

Phoe·ni·cian, Phe- [finíʃən, -ní:ʃ-/-níʃiən] *a.* 페니키아(사람)의. **—***n.* Ⓒ 페니키아 사람; Ⓤ 페니키아 말.

Phoe·nix [fí:niks] *n.* 피닉스(《미국 애리조나주의 주도》).

phoe·nix, phe- [fí:niks] *n.* **1** Ⓒ 【이집트신화】 (종종 P-) 피닉스, 불사조(《아라비아 사막에서 500년 또는 600년에 한 번씩 스스로 향나무를 쌓아 타 죽고, 그 재 속에서 다시 태어난다는 영조(靈鳥)》); 불사의 상징; 불사(불멸)의 것(사람). **2** (the P-) 【천문】 봉황새자리.

phon [fan/fɔn] *n.* Ⓒ 【물리】 폰(《음 강도의 단위》).

⁑**phone**[1] [foun] (《구어》) *n.* **1** Ⓤ (흔히 the ~) 전화(ⓒⓕ telephone): speak to a person over (on) the ~ 전화로 아무와 이야기하다 / contact a person by ~ 전화로 아무와 연락하다(《★ by ~은 관사 없이》) / You are wanted on the ~. 전화 왔습니다. **2** Ⓒ **전화기**, 수화기: a car ~ 자동차 전화 / an answer ~ 부재중의 전화 응답기 / a touch-tone desk ~ 푸시버튼식 전화기 / hang up the ~ 수화기를 내려놓다.
—*vt.* **1** (《~+목/+목+부/+목+목/+목+*to* do/+목+*that*》) …에게 **전화를 걸다**; 전화로 불러내다(*up*); 전화로 이야기하다: I'll ~ him (*up*) tonight. 오늘 밤 그에게 전화하겠다 / I ~*d* her the news. 전화로 그녀에게 그 뉴스를 이야기했다 / I ~*d* him *to* come at once. 그에게 빨리 오라고 전화했다 / I ~*d* him *that* I would visit him this evening. 오늘 저녁 그를 방문하겠다고 전화했다. **2** (《+목+부》) 전화로 알리다(*in*): I ~*d in* the result of the exam. 시험 결과를 전화로 알려 주었다.
—*vi.* **1** (《~/+전+명》) **전화를 걸다**(《*to* …에게》): Did anybody ~? 전화 없었느냐 / You should ~ *to* your teacher soon. 곧 선생님에게 전화를 거는 것이 좋겠다. **2** (《+*to* do》) 전화를 걸어 (…라고) 말하다: I ~*d to* say I couldn't come. 전화를 걸어 갈 수 없다고 말했다. **~ *for*…** (의사·택시·경찰 등)을 전화로 부르다. **~ *in sick*** (《구어》) (직장 따위에) 전화로 결근(결석)을 알리다.

phone[2] *n.* Ⓒ 【음성】 음, 단음(單音)(《모음 또는 자음》).

-phone [fòun] '음(音)'의 뜻의 결합사: gramo*phone*, micro*phone*.

phóne bòok 전화번호부.

phóne bòoth (공중)전화 박스((《英》) phone box).

phóne·càll *n.* Ⓒ 전화 호출, 통화: make a ~ to …에게 전화를 걸다 / get a ~ from …으로부터 전화를 받다.

phóne·càrd *n.* Ⓒ cardphone용 삽입 카드, 공중전화 카드.

phóne-ìn *n.* (《英》) CALL-IN.

pho·neme [fóuni:m] *n.* Ⓒ 【음성】 음소(音素), 포님(《어떤 언어에 있어서 음성상의 최소 단위》).

pho·ne·mic [fəní:mik, fou-] *a.* 【음성】 음소(phoneme)의; 음소론의.

pho·ne·mi·cist [fəní:məsist, fou-] *n.* Ⓒ 음소론(학)자.

pho·né·mics *n.* Ⓤ 【언어】 음소론(音素論); (한 언어의) 음소 조직. ⓒⓕ morphemics.

phóne nùmber 전화번호.

◇**pho·net·ic, -i·cal** [fənétik, fou-], [-əl] *a.* 음성의, 음성상의, 음성을 표시하는; 음성학의; 음성대로 철자한: ~ notation 음성 표기(법) / ~ spelling 표음식 철자(법) / ~ signs (alphabet, symbols) 음표 문자, 음성 기호 / ~ value 음가(音價). ㊕ **-i·cal·ly** *ad.* 발음대로; 음성학상.

pho·ne·ti·cian [fòunətíʃən] *n.* Ⓒ 음성학자.

pho·nét·ics *n.* Ⓤ 음성학, 발음학; (한 언어·어족의) 발음 조직(체계).

pho·ney [fóuni] *a.*, *n.* =PHONY.

phon·ic [fánik, fóun-] *a.* 음의; 음성(상)의; 유성(有聲)의(voiced); 발음상의.

phon·ics [fániks, fóun-] *n.* Ⓤ 발음 중심의 어학 교수법; 음향학; =PHONETICS.

pho·no [fóunou] (*pl.* **~s**) *n.* =PHONOGRAPH.

pho·no- [fóunou, -nə] '음(音), 성(聲)'의 뜻의 결합사.

pho·no·gram [fóunəgræ̀m] *n.* Ⓒ 표음 문자 (ⓒⓕ ideogram).

◇**pho·no·graph** [fóunəgræ̀f, -grɑ̀:f] *n.* Ⓒ 《美》 축음기(《英》 gramophone); 《英》 (에디슨이 발명한) 납관식(蠟管式) 축음기.

pho·nol·o·gist [fənɑ́lədʒist, fou-/-nɔ́l-] *n.* Ⓒ 음운〔음성〕학자.

pho·nol·o·gy [fənɑ́lədʒi, fou-/-nɔ́l-] *n.* Ⓤ (한 언어의) 음운 조직; 음운론, 음성학. ㊕ **pho·no·log·ic, -i·cal** [fòunəlɑ́dʒik/-lɔ́dʒ-], [-əl] *a.* 음운론의, 음운 체계의. **-i·cal·ly** *ad.*

pho·ny [fóuni] (***-ni·er; -ni·est***) 《구어》 *a.* 가짜의, 엉터리의, 거짓의: a ~ cheque 가짜 수표 / a ~ excuse 거짓 핑계. ━*n.* Ⓒ 가짜, 엉터리; 사기꾼.

-pho·ny [fəni, fòuni] '음, 목소리'의 뜻의 결합사: tele*phony*.

phoo·ey [fú:i] *int.* **1** 《구어》 피, 체, 흥《거절 · 경멸 · 혐오 등을 나타냄》. **2** (실망 등을 나타내어) 체.

phos·phate [fɑ́sfeit/fɔ́s-] *n.* **1** Ⓤ (종류는 Ⓒ) 〖화학〗 인산염(塩); 인산 광물; 인산이 든 탄산수. **2** Ⓒ (보통 *pl.*) 인산 비료.

phos·phor [fɑ́sfər/fɔ́s-] *n.* **1** Ⓤ 〖물리〗 형광체, 인광체(燐光體). **2** (P-) 〖그리스신화〗 포스포로스《샛별의 의인화(擬人化); 로마신화의 Lucifer에 상당》. **3** 《시어》 샛별(morning star, Venus).

phos·pho·resce [fɑ̀sfərés/fɔ̀s-] *vi.* 인광을 내다.

phos·pho·res·cence [fɑ̀sfərésəns/fɔ̀s-] *n.* Ⓤ 인광(을 냄); (푸른빛) 발광성. ⓒⓕ fluorescence.

phos·pho·res·cent [fɑ̀sfərésənt/fɔ̀s-] *a.* 인광을 내는; 푸른빛을 발하는; 인광성의: a ~ lamp 형광등. ㊕ **~·ly** *ad.*

phos·phor·ic [fɑsfɔ́:rik, -fɑ́r-/fɔsfɔ́rik] *a.* 〖화학〗 (5가) 인(燐)의, 인을 함유한.

phosphóric ácid 〖화학〗 인산.

◇**phos·pho·rus** [fɑ́sfərəs/fɔ́s-] (*pl.* ***-ri*** [-rai]) *n.* **1** Ⓤ 〖화학〗 인(燐)《비금속 원소; 기호 P; 번호 15》. **2** (P-) =PHOSPHOR.

phot [fɑt, fout] *n.* Ⓒ 포트《조명 단위; 1 cm^2 당 1 lumen》.

⁑**pho·to** [fóutou] (*pl.* **~s**) 《구어》 *n.* Ⓒ **사진**: take a ~ of …의 사진을 찍다 / have 〔get〕 one's ~ taken 사진을 찍게 하다. ━*vt.*, *vi.* (…의) 사진을 찍다.

pho·to- [fóutou, -tə] '빛, 사진, 광전자'의 뜻의 결합사.

phóto·cèll *n.* Ⓒ 〖전기〗 광전지.

phòto·chémical *a.* 광화학(光化學)(작용)의: ~ smog 광화학 스모그. ㊕ **~·ly** *ad.*

phòto·chémistry *n.* Ⓤ 광화학《빛의 화학 작용을 취급하는 화학의 한 분야》.

phòto·compóse *vt.* 〖인쇄〗 사진 식자하다. ㊕ **-compóser** [-ər] *n.* Ⓒ 사진 식자기. **-compo·sítion** *n.* Ⓤ 사진 식자.

phóto·còpier *n.* Ⓒ 사진 복사기.

phóto·còpy *n.* Ⓒ 사진 복사. ━*vt.* (서류 · 사진 등)을 복사하다.

phòto·eléctric, -trical *a.* 〖물리〗 광전자(光電子)의; 광전 효과의: a ~ tube 광전관 / ~ effect 광전 효과.

photoeléctric céll 광전지《생략: p.e.c.》.

phòto·engráve *vt.* …을 사진 제판하다; …의 사진 판화를 만들다. ㊕ **-gráver** *n.*

phòto·engráving *n.* Ⓤ 사진 제판(술); Ⓒ 사진 제판물〔화(畫)〕.

phòto éssay 〖사진〗 포토 에세이《사진을 중심으로 한 수필〔작품, 기사〕》. ㊕ **phóto èssayist** 포토 에세이 작가.

phóto fínish 〖경기 · 경마〗 (결승점에서의) 사진 판정(을 요하는 경기).

phóto·flàsh *a.* (사진 촬영용) 섬광 전구의. ━*n.* =PHOTOFLASH LAMP.

phótoflash lámp 〔**búlb**〕 섬광 전구《사진용》.

phóto·flòod lámp 〔**búlb**〕 촬영용 일광등(溢光燈), 사진 촬영용 조명 전구.

pho·to·gen·ic [fòutədʒénik] *a.* 사진 촬영에 적합한《얼굴 등》, (사람이) 사진발이 잘 받는.

⁑**pho·to·graph** [fóutəgræ̀f, -grɑ̀:f] *n.* Ⓒ **사진**: a color 〔black and white〕 ~ 컬러〔흑백〕 사진 / take a ~ of …의 사진을 찍다 / have 〔get〕 one's ~ taken (자기의) 사진을 찍게 하다. ━*vt.* …의 **사진을 찍다**; …을 촬영하다: I don't like being *~ed*. 나는 사진 찍히는 것이 싫다. ━*vi.* **1** 사진 찍다. **2** 〘보통 well, badly 따위의 양태 부사를 수반하여〙 사진발이 …하다: I always ~ badly 〔well〕. 나는 늘 사진발이 잘 받지 않는다〔받는다〕.

*****pho·tog·ra·pher** [fətɑ́grəfər/-tɔ́g-] *n.* Ⓒ (신문 · 잡지 등의) **사진 기자**, 촬영자; 카메라 맨.

*****pho·to·graph·ic, -i·cal** [fòutəgræ̀fik], [-əl] *a.* **1 사진의**, 사진 촬영(용)의, 사진에 의한〔관한〕: a ~ studio 촬영소 / ~ paper 인화지, 감광지 / a ~ plate 사진 건판(乾板). **2** 사진 같은; 정밀한: a ~ memory 정확한 기억 / with ~ accuracy 사진처럼 정밀하게 ◇photography *n.* ㊕ **-i·cal·ly** *ad.* 사진으로; 사진과 같이.

*****pho·tog·ra·phy** [fətɑ́grəfi/-tɔ́g-] *n.* Ⓤ **사진술**; 사진 촬영.

phòto·gravúre *n.* Ⓤ 〖인쇄〗 그라비어 인쇄, Ⓒ 그라비어 사진.

phòto·jóurnalism *n.* Ⓤ 사진 보도를 주체로 하는 신문 · 잡지(업); 사진 뉴스. ㊕ **-ist** *n.* Ⓒ 사진 기자〔보도자〕.

pho·to·litho [fòutəlíθou] (*pl.* ***-líth·os***) *n.* = PHOTOLITHOGRAPHY; PHOTOLITHOGRAPH. ━*a.* =PHOTOLITHOGRAPHIC.

phòto·líthograph *n.* Ⓒ 사진 석판(화(畫)). ━*vt.* 사진 석판〔평판〕으로 하다. ㊕ **-litho·gráphic** *a.* **-lithógraphy** *n.* Ⓤ 사진 석판술, 사진 평판(平版)(법).

phòto·mechánical *a.* 〖인쇄〗 사진 제판(법)의: the ~ process 사진 제판(법).

pho·tom·e·ter [foutɑ́mitər/-tɔ́-] *n.* Ⓒ 광도계(光度計); 〖사진〗 노출계(計).

phòto·mícrograph *n.* Ⓒ 현미경 사진; 미소(微小) 사진.

phòto·montáge *n.* Ⓤ 합성 사진 제작법; Ⓒ 몽타주 사진, 포토몽타주.

pho·ton [fóutɑn/-tɔn] *n.* Ⓒ 〖물리〗 광양자(光量子), 광자(光子)《빛의 에너지》.

phóto opportúnity (정부 고관 · 유명 인사 등이) 사진사에게 주는 사진 촬영 기회; 사진 촬영에 할당된 시간(photocall).

phòto·sénsitive *a.* 감광성(性)의: ~ glass 〔paper〕 감광유리〔지〕.

phòto·sénsitize *vt.* 감광화하다, 광감작하다.

Phóto Shòp 〖컴퓨터〗 포토샵《스캐너로 입력한 사진의 합성 · 수정 또는 색상을 바꾸거나 형태를 바꾸는 프로그램; 상표명》.

pho·to·sphere [fóutousfìər] *n.* Ⓒ 〖천문〗 광구(光球)《태양 · 항성 등의 빛을 발하는 표면층》.

pho·to·stat [fóutoustæ̀t] *n.* Ⓒ 복사 사진기 《건판을 사용치 않고 직접 감광지에 찍는》; 직접 복사 사진. **—***vt., vi.* 복사 사진기로 찍다, 사진 복제하다.
phòto·sýnthesis *n.* Ⓤ 【식물】 (탄수화물의) 광합성(光合成).
phòto·sýnthesize *vt., vi.* 【식물】 광합성하다.
phòto·synthétic *a.* 【생물】 광합성의: ~ bacteria 광합성 세균.
phòto·télegraph *n.* Ⓒ 사진 전송기; 전송 사진. **—***vt., vi.* (사진 따위를) 전송하다. ㊞ **phòtotelégraphy** *n.* Ⓤ 사진 전송(술).
pho·to·trop·ic [fòutoutrápik/-trɔ́p-] *a.* 【생물】 굴광성(屈光性)의, 향광성(向光性)의. ㊞ **-i·cal·ly** *ad.* **pho·tot·ro·pism** [foutátrəpìzəm/-tɔ́t-] *n.* Ⓤ 【생물】 굴광성, 향광성. ⓒⓕ heliotropism.
phòto·voltáic *a.* 광전지의: a ~ cell 광전지.
phr. phrs. phrase.
phras·al [fréizəl] *a.* 구(句)의, 구에 관한, 구로 된: a ~ verb 【문법】 동사구《동사와 부사가 결합한 것; verb-adverb combination 이라고도 함》/ a ~ preposition 【문법】 구전치사《보기: in front of》.
phrase** [freiz] *n.* Ⓒ **1** 【문법】 **구**(句): an adjective 〔adjectival〕 ~ 형용사구 / an adverb(ial) ~ 부사구. **2** 관용구, 숙어; 정해진 문구: a set 〔stock〕 ~ 상투적인 문구, 진부한 문구 / an idiomatic ~ 숙어. **3** **말씨**, 말솜씨, 말주변; 어법, 표현(법): felicity of ~ 말솜씨의 교묘함 / in Clinton's ~ 클린턴의 표현법으로 / a happy 〔an unhappy〕 turn of ~ 훌륭한〔서툰〕 말솜씨. **4** 경구, 명언; 간결한 말: turn a ~ 재치 있는 말을 하다 / In a ~, he's a dishonest man. 한마디로 말해서 그는 정직하지 못하다. **5** 【음악】 작은 악절(樂節). ***to coin a **~** (진부한 말을 할 때 농조로) (제) 독창적인 어법으로 한다면.
—*vt.* **1** (어떤 특정한 표현으로) 말하다; 말로 표현하다, 진술하다: He ~*d* his criticisms carefully. 그는 조심스레 그의 평을 말하였다 / He ~*d* a cutting attack against them. 그들에 대해 통렬한 비난의 말을 퍼부었다. **2** 【음악】 각 악절로 나누다; (…의 표현으로) 연주하다.
phráse bòok 숙어〔관용구〕집: an English-Spanish ~ 영어 · 스페인어 (대조) 숙어집.
phra·se·ol·o·gy [frèiziálədʒi/-ɔ́l-] *n.* Ⓤ **1** 말씨, 어법; 표현법. **2** 《집합적》 (개인 · 특수 사회의) 용어; 전문어: legal ~ 법률용 문체, 법률 전문어. ㊞ **phra·se·o·log·i·cal** [frèiziəládʒikəl/-lɔ́dʒ-] *a.* 말씨의, 어법의.
phras·ing [fréiziŋ] *n.* Ⓤ 어법; 말씨; 표현법; 【음악】 구절법.
phre·nol·o·gy [frinálədʒi/-nɔ́l-] *n.* Ⓤ 골상학. ㊞ **-gist** *n.* Ⓒ 골상학자.
Phryg·ia [frídʒiə] *n.* 프리지아《소아시아에 있었던 고대 왕국》.
Phryg·i·an [frídʒiən] *a.* 프리지아(사람)의. **—***n.* Ⓒ 프리지아 사람; Ⓤ 프리지아어(語).
phut(t) [fʌt] *ad., n.* Ⓒ 《英》 빵〔뿅〕(하는 소리). ***go*** 〔***be gone***〕 **~** 《英구어》 실패하다, (TV · 기계 등이) 못쓰게 되다, 고장나다; 피로해지다; (타이어가) 펑크 나다.
phy·lac·tery [filǽktəri] *n.* Ⓒ (유대교의) 성구함(聖句函)《성서의 구절을 기록한 양피지를 넣은 작은 가죽 상자》.
Phyl·lis [fílis] *n.* 여자 이름.
phy̆·lo·génesis, phy·lóg·e·ny [fìlou-, -lə-], [failádʒəni-/-lɔ́dʒ-] *n.* Ⓤ (구체적으로는 Ⓒ) 【생물】 계통 발생(론). ↔ *ontogeny*.
phy·lum [fáiləm] (*pl.* **-la** [-lə]) *n.* Ⓒ 【생물】 문(門)《동식물 분류의 단위》; 【언어】 어족(語族) (family).
phys·ic [fízik] *n.* Ⓤ (종류 · 낱개는 Ⓒ) 《구어》 약, 의약; 《특히》 하제(下劑).
***phys·i·cal** [fízikəl] *a.* **1** **육체의**, 신체의(↔ *mental, psychic*): ~ beauty 육체미 / a ~ checkup 건강 진단 / ~ constitution 체격 / ~ exercise 체조, 운동 / ~ force 완력 / ~ attraction 육체적 매력.
SYN. **physical** 넓은 생물학적 관점에서 본 것. 따라서 동물에 대해서도 쓰이며 비난의 뜻은 없음: *physical* strength 체력. **bodily** 인간의 육체에 대하여 쓰며, 비난의 뜻이 포함될 때가 있음: *bodily* comfort 육체적 안락. **corporeal** 형태를 구비한 물질로서의 육체를 강조함.
2 (정신적인 것에 대하여) **물질의**, 물질적인, 물질계(界)의(↔ *spiritual, moral*); 형이하(形而下)의 (↔ *metaphysical*): the ~ world 물질계 / ~ evidence 물적 증거. **3** Ⓐ **물리학(상)의**, 물리적인: a ~ change 물리적 변화 / a ~ impossibility 물리적으로 불가능한 사항. **4** **자연의**, 자연에 관한; 자연의 법칙에 따른. **5** (스포츠에서 사람 · 행위가) 거치른.
—*n.* Ⓒ 신체검사: pass 〔fail〕 a ~ 신체검사에 합격〔불합격〕하다.
phy̆sical anthropólogy 자연 인류학.
phy̆sical chémistry 물리 화학.
phy̆sical educátion 〔**tráining**〕 (학교의 교과로) 체육《생략: P.E. 〔P.T.〕》.
phy̆sical examinátion 신체검사, 건강진단.
phy̆sical geógraphy 지문학(地文學), 자연 지리학.
phy̆sical jèrks 《英구어》 체조, 운동.
°**phy̆s·i·cal·ly** *ad.* **1** 물리적으로, 자연의 법칙에 따라: It's ~ impossible. 그것은 물리적으로 불가능하다. **2** 육체적으로, 신체상: ~ and mentally 심신 공히.
phy̆sical scíence 자연 과학《생물학은 제외; ⓒⓕ natural science》.
***phy·si·cian** [fizíʃən] *n.* Ⓒ **1** 《美》 **의사**: one's (family) ~ 단골 의사 / consult a ~ 의사의 치료를〔진찰을〕 받다. **2** **내과의**(사). ⓒⓕ surgeon.
°**phys·i·cist** [fízisist] *n.* Ⓒ 물리학자; 유물론자; 자연 과학자.
phys·i·co·chem·i·cal [fìzikoukémikəl] *a.* 물리 화학의〔에 관한〕.
***phys·ics** [fíziks] *n.* Ⓤ **물리학**: nuclear ~ 핵물리학.
phys·io [fízìou] (*pl.* **-i·os**) *n.* Ⓒ 《구어》 = PHYSIOTHERAPIST; PHYSIOTHERAPY.
phys·i·og·nom·ic, -i·cal [fìziəgnámik/-ənɔ́m-], [-əl] *a.* 인상(학)의; 관상술의, 외관의. ㊞ **-i·cal·ly** *ad.* 인상학상; 인상상.
phys·i·og·no·my [fìziágnəmi/-ɔ́n-] *n.* **1** Ⓤ 인상학, 골상학, 관상학. **2** Ⓒ 인상; 《비어》 상판, 얼굴. **3** Ⓤ (토지 따위의) 형상, 지상(地相); 외관, 외면; 특색, 특징. ㊞ **-mist** *n.* Ⓒ 인상학자, 관상가.
phys·i·og·ra·phy [fìziágrəfi/-ɔ́g-] *n.* Ⓤ 자연 지리학, 지문학; 《美》 지형학.
phys·i·o·log·ic, -i·cal [fìziəládʒik/-lɔ́dʒ-], [-əl] *a.* 생리학(상)의, 생리적인. ㊞ **-i·cal·ly** *ad.*

phys·i·ol·o·gist [fìziálədʒist/-ɔ́l-] *n.* [C] 생리학자.

◇**phys·i·ol·o·gy** [fìziálədʒi/-ɔ́l-] *n.* [U] 생리학; 생리 기능〔현상〕.

phỳsio·thérapy *n.* [U] 〖의학〗 물리 요법. [파] **-pist** *n.* [C] 물리 요법사.

◇**phy·sique** [fizí:k] *n.* [C] (특히 남성의) 체격, 체형: a man of strong ~ 체격이 튼튼한 사람.

pi [pai] *n.* **1** [U] (구체적으로는 [C]) 그리스 알파벳의 16째 글자《Π, π; 로마자의 p에 해당》. **2** [U] 〖수학〗 파이《원주율, 약 3.1416; 기호 π》.

P. I. Philippine Islands.

pi·a·nis·si·mo [pì:ənísəmòu] 《It.》 〖음악〗 *ad., a.* 피아니시모로, 매우 약하게〔약한〕《생략: pp.》. [cf.] fortissimo. **—** (*pl.* **-mi** [-mì:], **~s**) *n.* [C] 최약음으로 연주하는 악구.

⁑**pi·an·ist** [piǽnist, pí:ən-, pjǽn-] *n.* [C] **피아니스트**, 피아노 연주자: She is a good ~.

⁑**pi·ano**¹ [piǽnou, pjǽnou] (*pl.* **~s** [-z]) *n.* [C] **1 피아노**: a (concert) grand ~ (연주회용) 그랜드 피아노 / play (on) the ~ 피아노를 치다 / give 〔take〕 ~ lessons 〔lessons on the ~〕 피아노 레슨을 하다〔받다〕. **2** [U] (종종 the ~) **피아노 연주**《이론·실기》: a piece for (the) ~ = a ~ piece 피아노(연주)곡 / teach 〔learn〕 (the) ~ 피아노(연주)를 가르치다〔배우다〕.

pi·a·no² [piá:nou] 《It.》 〖음악〗 *ad.* 피아노로, 약하게, 부드럽게《생략: p.》. ↔ *forte.* **—** *a.* 약음의, 부드러운. **—** (*pl.* **~s**) *n.* [C] 약음(부).

pi·an·o·for·te [piǽnəfɔ̀:rt, piæ̀nəfɔ́:rti] *n.* = PIANO¹.

Pi·a·no·la [pì:ənóulə] *n.* [C] 자동 연주 피아노《상표명》.

piáno òrgan 핸들을 돌리며 치는 오르간(hand organ).

pi·as·ter, 《英》 **-tre** [piǽstər] *n.* [C] 이집트·시리아·레바논·수단 등지의 화폐 (단위); 스페인 및 스페인계 라틴아메리카의 옛 은화.

pi·az·za [piǽzə/-ǽtsə] *n.* [C] **1** 광장, 시장《특히 이탈리아 도시의》. **2** 〖건축〗 회랑《광장의 주위와 건물 정면의》, 복도.

pic [pik] (*pl.* **pix** [piks], **~s**) *n.* [C] 《구어》 사진; 영화. [◂*picture*]

pi·ca [páikə] *n.* [U] 〖인쇄〗 파이카《12 포인트 크기의 활자》.

pic·a·dor [píkədɔ̀:r] *n.* [C] 기마(騎馬) 투우사.

pic·a·resque [pìkərésk] *a.* 악한을 제재로 한《소설 등》: a ~ novel 악한 소설.

pic·a·roon [pìkərú:n] *n.* [C] 악한, 도둑; 산적, 해적(선).

Pi·cas·so [piká:sou, -kǽ-] *n.* **Pablo** ~ 피카소《스페인 태생의 화가·조각가; 1881-1973》.

pic·a·yune [pìkəjú:n] *n.* [C] **1** (옛날 미국 남부에서 유통했던) 스페인 소화폐. **2** 《美》 소액 화폐, 5센트 화폐; 보잘것없는 물건〔사람〕. **—** *a.* 《美구어》 보잘것없는, 무가치한; 마음이 좁은, 째째한.

Pic·ca·dil·ly [pìkədíli] *n.* 런던의 번화가의 하나.

Píccadilly Círcus 피커딜리 광장《런던 번화가 중심의 광장; 극장가》.

pic·ca·lil·li [píkəlìli] *n.* [U] 야채의 겨자 절임.

pic·ca·nin·ny [píkənìni] *n.* = PICKANINNY.

pic·co·lo [píkəlòu] (*pl.* **~s**) *n.* [C] 〖음악〗 피콜로《높은 음이 나는 작은 피리》. [파] **~·ist** *n.* [C] 피콜로 연주자.

†**pick** [pik] *vt.* **1** 《~+[목]/+[목]+[목]/+[목]+[전]+[명]》 (화초 따위)를 **따다, 뜯다**(pluck), 채집하다; 따서 주다《**for** (아무)에게》: ~ flowers 〔fruit〕 꽃〔과일〕을 따다 / She ~*ed* him some strawberries. = She ~*ed* some strawberries *for* him. 그녀는 그에게 딸기를 따다 주었다.

2 a 《~+[목]/+[목]+[전]+[명]》 (신중히) **고르다, 골라잡다**《**from** …에서; **for** …을 위하여》: ~ one's words carefully 말을 신중히 하다 / ~ only the best 제일 좋은 것만 고르다 / You can ~ three courses *from* these. 너는 이 중에서 3코스를 고를 수 있다 / He ~*ed* a nice ring *for* me. 그는 나를 위해 멋진 반지를 골라 주었다. **b** 《+[목]+*to do*》 뽑아서 …시키다: I ~*ed* her *to* do the work. 그녀를 뽑아 그 일을 시켰다. **c** 《+[목]+[전]+[명]》 〘~ one's way 〔steps〕로〙 (발디딜 데를 골라) 조심스럽게 나아가다: He crossed the room, ~*ing* his way *through* a tangle of wires. 그는 뒤얽혀 있는 전깃줄 사이를 주의깊게 한걸음씩 걸어서 방을 가로질렀다.

3 《+[목]+[전]+[명]/+[목]+[보]》 (고기)를 발라내다《**from, off** (뼈)에서》; …의 고기를 깨끗이 뜯어내다: I ~*ed* the meat *from* 〔*off*〕 the bone. 뼈에서 고기를 발라냈다 / Vultures had ~*ed* the carcass clean (of flesh). 독수리들이 짐승의 사체에서 고기를 깨끗이 쪼아 먹었다.

4 (새가 모이·벌레 따위)를 쪼(아 먹)다; (사람이 음식)을 조금씩 먹다: ~ worms.

5 (지갑·포켓)에서 훔치다, 소매치기하다([cf.] pickpocket): ~ a pocket 회중품을 소매치기하다 / He had his pocket ~*ed* in the crowd. 그는 혼잡한 사람들 속에서 소매치기 당했다.

6 《+[목]+[전]+[명]》 …을 뽑아내다, 집어내다《**from, out of, off** …에서》: She ~*ed* a cigarette *from* the pack. 그녀는 담뱃갑에서 담배 한 개비를 뽑았다 / I ~*ed* the hairs *off* my jacket. 재킷에 붙은 머리털을 집어냈다 / ~ a thorn *out of* one's finger 손가락의 가시를 뽑아내다.

7 《~+[목]/+[목]+[전]+[명]》 (싸움)을 걸다(provoke) 《**with** (아무)에게》: ~ a fight 싸움을 걸다 / ~ a quarrel *with* a person 아무에게 싸움을 걸다.

8 《~+[목]/+[목]+[전]+[명]》 (이·귀·코 따위)를 쑤시다, 후비다《**with** …으로》: ~ one's teeth *with* toothpick 이를 이쑤시개로 쑤시다 / ~ one's nose 코를 후비다.

9 《~+[목]/+[목]+[전]+[명]》 …에 구멍을 파다《**with** (곡괭이 따위)로》: ~ rock 바위에 구멍을 뚫다 / ~ the ground *with* a pickax 곡괭이로 땅을 파다.

10 《~+[목]/+[목]+[전]+[명]》 (자물쇠)를 억지로 열다《**with** (열쇠 이외의 도구)로》: ~ a lock *with* a hairpin 머리핀으로 자물쇠를 열다.

11 (손·끈 따위)를 풀다: ~ wool 털실을 풀다 / ~ fibers 섬유를 풀어 헤치다.

12 《美》 (기타 따위)를 손가락으로 퉁기다, 손톱으로 뜯어 울리다: *Pick* the strings gently in this passage. 이 악절에서는 현을 살짝 퉁겨 연주하시오.

— *vi.* **1** 《~/+[부]/+[전]+[명]》 후비다, 쑤시다; 쪼다: Hens are busily ~*ing about in* the yard. 암탉들이 뜰 안에서 이리저리 분주히 모이를 쪼고 있다.

2 《~/+[전]+[명]》 조금씩 먹다; (새가) 쪼아 먹다《**at** …을》: She had no appetite and only ~*ed at* her food. 그녀는 식욕이 없어서 음식을 아주 조금만 집어 먹었다.

3 〘양태부사를 수반하여〙 따지다, 채집되다: These grapes ~ easily. 이런 포도는 따기 쉽다.

have a bone to ~ *with* ⇨BONE. ~ ***and choose*** 신중히 고르다, 좋아하는 것을 가리다. ~ ***apart*** = ~ to pieces. ~ ***at*** ① …을 당기다. ② …을 쑤시다. ③ …을 조금씩〔쪼아〕 먹다(⇨*vi.* 2). ④《구어》…에게 잔소리하다; …의 흠을 잡다. ~ ***holes*** 〔***a hole***〕 ***in ...*** ① …에 구멍을 뚫다. ② …의 흠을 잡다. ~ ***off***《*vt.*+[부]》① …을 잡아 따다, 쥐어뜯다. ② …을 (한 사람〔마리〕씩) 겨누어 쏘다: The hunter ~*ed off* several of the duck. 사냥꾼은 오리를 몇 마리 쏘아 잡았다. ③〖야구〗(주자)를 견제구로 터치아웃시키다. ~ ***on*** ①《구어》…에게 잔소리를〔꾸지람을〕 하다, …의 흠을 잡다: Stop ~*ing on* me. 내 흠 좀 그만 잡아라. ② (사람)을 골라내다《수동태 가능》: I *was* ~*ed on* to do the hard work. 중노동을 하는 데 내가 걸리고 말았다. ~ ***out***《*vt.*+[부]》① …을 골라내다, 선별하다. ② …을 분간하다, 식별하다: ~ *out* a well-known face in a crowd 군중 속에서 잘 아는 얼굴을 분간하다. ③ (의미)를 알다: ~ *out* the meaning of a passage 문장의 뜻을 이해하다. ④〖종종 수동태〗…을 돋보이게 하다《***in, with*** (다른 색)으로》: The tree in the painting *was* ~*ed out in* dark blue. 그 그림의 나무는 검은 청색으로 그려져 있어서 돋보였다. ⑤ (악곡)을 듣고 외운 대로 연주하다: I can just ~ *out* the *Moonlight Sonata* on the piano. '월광곡'을 들은 기억대로 피아노로 연주할 수 있다. ~ ***over***《*vt.*+[부]》(물건)을 자세히 점검하다《골라내기 위해》; 가려내다: ~ *over* the shirts on the bargain tables 싸구려 판매장의 셔츠를 열심히 고르다. ~ ***... to pieces*** …을 갈기갈기 찢다; …을 혹평하다. ~ ***up***《*vt.*+[부]》① …을 집어 들다〔올리다〕, 줍다: ~ *up* the receiver 수화기를 집어 들다. ② …을 (차 따위에) 태우다; 차로 마중나가다; (물건)을 도중에서 받아〔사〕 가다: I'll ~ you *up* at your hotel. 호텔로 마중 나가겠습니다/I'll ~ it *up* on my way to school. 학교에 가는 도중에 받아 가겠습니다. ③ (이야기·활동 따위)를 다시 시작하다: We ~*ed up* the discussion after a break. 잠시 쉰 다음에 토론을 계속했다. ④ (건강·원기)를 회복하다; (용기)를 불러일으키다; (아무)를 기운차리게 하다. ⑤ (속력)을 더하다, 내다: ~ *up* speed (차 따위가) 스피드를 내다. ⑥〖~ oneself up으로〗(넘어졌다가) 일어나다, 다시 일어서다. ⑦ (명예·상·수입 따위)를 얻다, 손에 넣다, 벌어들이다: ~ *up* $500 a week 한 주에 500달러를 벌어들이다/~ *up* a livelihood 생활비를 벌다/~ *up* a degree (힘 안 들이고) 학위를 따다. ⑧ (한 번 잃었던〔놓쳤던〕 자국·냄새)를 발견하다. ⑨ (범인)을 붙잡다, 연행하다, 검거하다. ⑩ (아무)를 호되게〔엄하게〕 꾸짖다《***for*** …때문에》. ⑪ (지식·외국어 따위)를 귀동냥으로 익히다, 몸에 배게 하다: Where did you ~ *up* that information? 그 정보는 어디서 입수했지. ⑫ …을 사다, 무난히〔싸게〕 손에 넣다: ~ *up* a bargain 특가품을 손에 넣다. ⑬ (무선·레이더·탐조등 따위로) 포착하다, 방수(傍受)하다: He ~*ed up* an SOS signal. 그는 SOS 신호를 수신했다. ⑭ (조난자)를 구출하다. ⑮ (대금)의 지급을 떠맡다. ⑯《구어》(여자를 잠깐 만난 후) 친한 사이가 되다, (여자)를 낚다. ⑰ (병)에 걸리다, 옮다, (버릇 따위)를 들이다, 붙이다: I seem to have ~*ed up* a cold. 아무래도 감기에 걸린 것 같다. ⑱ (잘못 따위)를 찾아내다, 끄집어내다. ⑲ (아무가 말한 것)을 정정하다《***on*** …일로》: May I just ~ you *up on* what you said now? 당신이 방금 말한 것을 좀 정정해도 좋을지요. ⑳ (방)을 치우다, 정돈하다. —《*vi.*+[부]》㉑ (병자·날씨 따위가) 회복하다, 원래의 상태로 돌아가다. ㉒ (경기·건강·성적 따위가) 향상하다, 호전되다, 원상 복귀하다: Auto sales are ~*ing up*. 자동차 판매량이 늘어나고 있다. ㉓ (중단된 후) 이야기(따위를) 계속하다: We ~*ed up* where we had left off. 우리는 (이야기가) 중단됐던 데서부터 다시 시작했다. ~ ***up and leave***《구어》짐을 꾸려서 지체 없이 떠나다. ~ ***up on ...*** ① (경주 따위에서) …을 따라붙다; 따라오다. ②《美구어》…을 눈치채다, 깨닫다, 이해하다. ~ ***up with*** …와 아는 사이가 되다.

—*n.* **1 a** (one's ~) (자기가) 골라낸 것: You can have your ~. 무엇이든 마음대로 골라도 좋다. **b** (the ~) 정선된 것, 정수(精粹): the ~ *of* the flock 한 무리 가운데서 가장 좋은 것/These grapes are the ~ *of* the crop. 이 포도는 금년에 수확한 중에서 최고이다. **2** [C] **a** 곡괭이, 자동채굴기. **b**〖보통 복합어〗작은 쪼는 도구, 후비는 물건《이쑤시개 따위》: an ice ~ 얼음 깨는 송곳. **3** [C]《구어》(현악기의) 채, 픽.

pick·a·back [píkəbæ̀k] *a.*, *ad.*, *n.* =PIGGYBACK.

pick·a·nin·ny [píkənìni] *n.* [C]《보통 경멸적》흑인 아이;《남아·Austral.》《보통 경멸적》원주민 아이.

píck·àx, (英) **pick·axe** *n.* [C] 곡괭이.

picked [pikt] *a.* 정선한, 골라 뽑은, 최상의; (털 따위를) 잡아 뜯은.

pick·el [píkəl] *n.*《G.》[C]〖등산〗피켈.

pík·er *n.* [C] **1** 쪼는 새〔사람〕; 후비는 사람. **2**〖보통 복합어〗따는 사람: a hop ~ 홉 따는 사람.

pick·er·el [píkərəl] (*pl.* ~***s,***〖집합적〗~) *n.* [C]〖어류〗《美》작은 창꼬치류;《英》새끼창꼬치.

°pick·et [píkit] *n.* [C] **1** (흔히 *pl.*) (끝이 뾰죽한) 말뚝, 긴 말뚝《울타리·목책용》. **2**〖군사〗전초(前哨), 경계초(哨)(병); 초계기〔정〕;〖집합적〗경비대(隊): an inlying ~ 보초 교대병/an outlying ~ 경계초(哨), 전초대(前哨隊). **3** (노동 쟁의 등의) 피켓, 감시원《노동 쟁의 때 방해자를 감시하는 조합원》;〖집합적〗감시대(隊).

—*vt.* **1** …에 말뚝을 박다, 말뚝으로 울타리를 치다. **2** (파업 중 공장·노동자 등)을 감시하다; …에 감시원을 배치하다; 전초선을 치다. **3** (초병)을 …의 임무〔부서〕에 배치하다. —*vi.* 감시원으로 서다《노동 쟁의 등에서》; 보초서다; 감시원이 되다.

pícket fénce 말뚝 울타리, 울짱.

pícket lìne〖군사〗전초선; 피켓의 경계선, 피켓라인《노동 쟁의의》.

pícket shìp 초계함, 미사일 감시선.

píck·ing *n.* **1** [U] 따기, 채집. **2** (*pl.*) 따고 남은 것; 이삭, 잔물. **3** (*pl.*) (직위를 이용한) 부정 수입; 장물. **4** [U] (곡괭이 따위로) 파기; (자물쇠 따위를) 억지로 열기.

***pick·le** [píkəl] *n.* **1** [C] (요리명은 [U]; 흔히 *pl.*) **절인 것**《오이지 따위》, **피클**: mixed ~*s*. **2** [U] (야채·생선 따위를) 절이는 물《소금물·초 따위》. **3** (a ~)《구어》곤경, 당혹: be in a (sad 〔sorry, nice, pretty〕) ~ 곤경에 처해 있다. **4** [U] (금속 따위를 닦는) 묽은 산(酸) 용액. **5** [C]《英구어》장난꾸러기: Stop that, you little ~! 이 장난꾸러기야, 그만두지 못하겠니.

—*vt.* (오이지 따위)를 소금물에 절이다, 담그다: ~*d* onions. [파] **~d** *a.* **1** 소금물〔초〕로 절인. **2** [P]《속어》만취한.

píck·lòck *n.* Ⓒ 자물쇠를 (비틀어) 여는 사람〔도구, 도둑〕.

píck-me-ùp *n.* Ⓒ《구어》(피로) 회복약, 흥분〔강장〕제, 알코올 음료; 힘을 돋우는 좋은 소식〔경험〕.

píck-òff *n.* Ⓒ **1**〖야구〗견제에 의한 척살(刺殺). **2**〖전자〗픽오프《기계 운동을 신호로 바꾸는 감지 장치》.

***pick·pock·et** [píkpὰkit/-pɔ̀k-] *n.* Ⓒ **소매치기.**

píck·ùp *n.* **1** Ⓒ 픽업(=∠ trùck)《덮개 없는 소형 트럭》. **2** Ⓒ《구어》**a** 우연히 알게 된 사람《특히 여성》, 어쩌다 만난 여자. **b** 자동차 편승자, 히치하이커. **c** (택시 따위의) 손님 태우기, 태운 손님. **3** Ⓤ《美》(자동차의) 가속 (성능): This car has good ~. 이 차는 가속이 잘 붙는다. **4** Ⓒ (장사가) 잘 되는 것, (건강이) 좋아지는 것; 회복, 호전《*in* …의》. **5** Ⓒ (전축 · TV 등의) 픽업《소리 · 빛을 전파로 바꾸는 장치》. **6** Ⓒ〖야구 · 크리켓〗픽업《타구를 바운드 직후에 치는〔잡는〕것》: make a good ~ 잘 픽업하다.
—*a.* Ⓐ《美》당장 있는 재료만으로 만든《요리 따위》, 긁어 모은《팀 따위》; 집배의; 집어〔끌어〕올리는: ~ service (세탁물 따위의) 집배 서비스/~ tongs 집게/a ~ device〖농업〗건어올림 장치.

Pick·wick [píkwik] *n.* Dickens 작 *Pickwick Papers* 의 주인공《성실 · 소박하며 덤벙거리는 정정한 노인》.

Pick·wick·i·an [pikwíkiən] *a.* (선의와 익살에 넘친) Pickwick 식의; 그 경우만의 (특수한) 뜻으로 쓰인《말 따위》.

picky [píki] (*pick·i·er; -i·est*) *a.*《구어》까다로운; 매우 곰상스러운.

pick-your-own *a.* Ⓐ (과일 · 채소를) 구매자가 산지에서 직접 따는.

‡**pic·nic** [píknik] *n.* Ⓒ **1 a 피크닉**, 소풍: go (out) on〔for〕a ~ 피크닉 가다. **b** 야외〔옥외〕에서 먹는 간단한 식사. **2** 저마다 먹을 것을 가져오는 연회. **3**〖no ~으로〗《구어》유쾌한〔즐거운〕일; 쉬운 일: It's *no* ~ finishing the work in a day. 하루에 그 일을 마친다는 것은 장난이〔쉬운 일이〕아니다.
—*a.* Ⓐ 피크닉용의: a ~ table 피크닉용 식탁.
—(*p., pp.* ***pic·nicked*** [-t]; ***pic·nick·ing***) *vi.* **소풍 가다**; (각자 먹을 것을 가져와) 피크닉 식으로 식사하다.
㊕ **píc·nick·er** [-ər] *n.* Ⓒ 피크닉 가는 사람, 소풍객. **píc·nicky** [-i] *a.* 피크닉의.

pi·co- [pí:kou, -kə, pái-] '피코, 1 조분의 1《10^{-12}》' 의 뜻의 결합사《생략: p》: *picogram.*

pi·cot [pí:kou]《F.》*n.* Ⓒ〖복식〗피코《편물 · 레이스 따위의 가장자리 장식의 작은 동그라미》.
—*vi., vt.* (…에) 피코로 가장자리 장식을 하다.

Pict [pikt] *n.* **1** (the ~s) 픽트족《옛날 스코틀랜드의 북동부에 살던 민족》. **2** Ⓒ 픽트 사람.

pic·to·graph [píktəgræ̀f, -grὰ:f] *n.* Ⓒ 그림 문자《원시 시대의 벽면 등에 그린》, 상형 문자; 그림문자로 된 문서;〖수학〗그림 그래프; 통계 도표. ㊕ **pic·to·graph·ic** [pìktəgrǽfik] *a.*

***pic·to·ri·al** [piktɔ́:riəl] *a.* **그림의**; 그림을 넣은; 그림으로 나타낸; 그림 같은, 생생한: ~ art 회화(술)/a ~ magazine 화보/a ~ puzzle 그림 퀴즈, 그림찾기.◇ picture *n.* —*n.* Ⓒ 화보, 그림〔사진〕이 든 잡지〔신문〕. ㊕ **~·ly** *ad.*

†**pic·ture** [píktʃər] *n.* **1** Ⓒ **그림**, 회화; 초상화: a ~ postcard 그림엽서/draw〔paint〕a ~ 그림을 그리다/sit for one's ~ (자기의) 초상화를 그리게 하다.

SYN. **picture** 어원은 painting과 같으나 '사물의 모습을 그리어 낸 것' 이란 뜻으로 아래 두 말 외에 사진 · 영화까지 포함하는 가장 일반적인 말. **painting** (붓과 채료를 써서) 칠한 것→유화, 수채화. **drawing** (연필 · 펜 · 목탄 · 크레용 따위로) 그은 선→소묘(素描), 데생; 도면.

2 Ⓒ **사진**: May I take your ~? 당신 사진을 찍어도 좋습니까/I had my ~ taken. (남에게) 내 사진을 찍게 했다/Are we allowed to take ~*s* in here?—I'm afraid not. 여기서 사진을 찍어도 됩니까—미안합니다만 안 됩니다.

3 a Ⓒ **영화**(movie): a silent ~ 무성 영화/make a ~ 영화를 만들다/There is a good ~ on TV tonight. 오늘 밤 TV에서 좋은 영화를 한다. **b** (the ~s)《英》(오락 · 예술로서의) 영화: go to the ~*s* 영화 보러 가다.

4 Ⓒ (보통 *sing.*) (거울 따위의) **영상**; 심상(心像); (TV · 영화의) **화면, 화상**(畫像): The ~ is out of focus. 그 화면은 초점이 흐리다.

5 Ⓒ (보통 *sing.*) (사실적인) **묘사**, 서술: The story gives a vivid ~ *of* Moscow in the 1890's. 이 이야기는 1890년대의 모스코바를 생생하게 묘사하고 있다.

6 (a ~) 그림같이 아름다운 것〔사람, 풍경, 장면〕; 경치, 미관: She was a ~ in her new blue dress. 푸른 색 새 드레스를 입은 그녀는 한 장의 그림 같았다.

7 (the ~) 꼭 닮은 것; (눈에 보이도록) 구현된 것; 화신: She is the (very) ~ *of* her dead mother. 그녀는 돌아가신 어머니를 꼭 닮았다/He is the very ~ *of* health. 그는 바로 건강의 화신이다.

8 (*sing.*) 상황, 사태, 정황, 정세: The political ~ is far from good. 정치 정세는 지극히 나쁘다.
(as) pretty as a ~ 아주 예쁜. ***come*** 〔***enter***〕 ***into the*** ~ ① 모습을 드러내다, 등장하다. ② 중요한 역할〔의의, 관계〕를 갖게 되다. ***get the*** ~《구어》사태를 파악〔이해〕하다, 상황을 알다: Do you get the ~? 사태를 파악하겠느냐. ***in the*** ~ ① 두드러지게. ② 중요하여; 충분히 알려져, 숙지하여: I'd better put you *in the* ~. 너에게는 사정을 알려 두는 게 좋겠다. ***out of the*** ~ ① 두드러지지 않아. ② 관계없어, 중요치 않게. ③ 충분히 알려지지 않아. ***paint a*** ~ 상황을 설명하다.

DIAL. ***Do I have to paint*** (*you*) ***a picture?*** 자세히 설명해야 알아듣겠는가(← 그림까지 그려 줘야 알겠느냐).

—*vt.* **1 그리다**, 그림으로 그리다. **2**《~+목/+목+*as* 보/+목+*-ing*/+*wh.* 절》**마음에 그리다, 상상하다**: I couldn't ~ myself do*ing* such a thing. 내 자신이 그런 짓을 하리라고는 상상도 못했다/She ~*d* herself *as* a mother. 그녀는 자기가 어머니가 된 모습을 상상해 보았다/They could hardly ~ *how* terrible the earthquake must have been. 그들은 그 지진이 얼마나 무서웠던 것인지 조차 상상할 수 없었다. **3** 묘사하다; 생생하게 표현하다: He ~*d* the blessed life of Heaven. 그는 천국의 축복된 생활을 그려 보였다/agony ~*d* on his face 그의 얼굴에 나타난 고뇌.
~ *to* one***self*** 마음속에 그리다, 상상하다: He ~*d* the scene *to* him*self*. 그 장면을 마음에 그려 보았다.

pícture bòok (특히 어린이들의) 그림책.
pícture càrd (트럼프의) 그림패.
pícture gàllery 그림 진열실, 미술관, 화랑.
pícture-gòer *n.* Ⓒ 영화팬.
pícture hàt 화려한 장식이 달린 챙이 넓은 여성모.
pícture póstcard 그림엽서.
pícture-póstcard *a.* Ⓐ 그림엽서 같은; 아름다운: a ~ landscape 아름다운 경치.
***pic·tur·esque** [pìktʃərésk] *a.* **1 그림과 같은,아름다운. 2** (말·문체 등이) 생생한. **3** 보고 재미있는〔즐거운〕; (풍채 따위가) 눈에 띄는, 두드러진: a ~ Indian 보기에 멋진 인디언. ◇ picture *n.* ㊎ **~·ly** *ad.* **~·ness** *n.*
pícture tùbe (TV) 수상관(受像管), 브라운관.
pícture wíndow 전망창《바깥 경치가 보이도록 설치한》.
pícture wrìting 그림 문자; 상형 문자; 그림 문자 기록(법).
pic·tur·ize [píktʃəràiz] *vt.* 《美》 그림으로 그리다〔나타내다, 장식하다〕; 영화화하다. ㊎ **pìc·tur·i·zá·tion** *n.*
pid·dle [pídl] *vi.* **1** 쓸데없이 시간을 낭비하다 (*away*). **2** 《구어》 오줌 누다, 쉬하다. **—***n.* Ⓤ (또는 a ~) 《구어》 쉬, 오줌.
píd·dling *a.* 《구어》 보잘것없는, 사소한.
pidg·in [pídʒin] *n.* Ⓤ (구체적으로는 Ⓒ) 혼합어《2개 이상 언어의 단순화된 혼성어; 공통어를 갖지 못한 사람들이 전달 수단으로 쓰는 언어》: ⇨ PIDGIN ENGLISH.
pídgin 〔**Pídgin**〕 **Énglish** 피진 영어《영어 단어를 상업상 편의로 중국어(또는 Melanesia 원주민어)의 어법에 따라 쓰는 엉터리 영어》.
⁑**pie**[1] [pai] *n.* **1** Ⓤ (종류·낱개는 Ⓒ) **파이**《밀가루 반죽에 과일 또는 고기를 넣어서 구운 것》: bake an apple ~ 사과파이를 굽다/Don't eat too much ~. 파이를 너무 많이 먹지 마라.

> **NOTE** 파이는 미국 주부가 자랑하는 요리이며, 특히 apple pie는 디저트로 인기가 있음. 추수감사절의 pumpkin pie, 크리스마스의 mince pie 등 종류가 많음. 영국에서는 주로 식사용.

2 Ⓒ 파이 모양의 것. **3** Ⓤ (나누어 가질 수익 따위의) 전체, 총액: He wants a bigger share of the ~. 그는 보다 많은 몫을 바라고 있다.
(*as*) ***easy as*** ~ 《구어》 아주 간단한. ***eat humble*** ~ 굴욕을 달게 받다. ***have a finger in every*** ~ 여러 가지 일에 관여하다; 쓸데없는 참견을 하다. ~ ***in the sky*** 《구어》 그림의 떡; (이루어질 수 없는) 장래의 즐거움〔행복〕.
pie[2] *n.* Ⓒ 〖조류〗 까치(magpie).
píe·bàld *a.* (말 따위가 백색과 흑색의) 얼룩의, 잡색의; 혼합한. **—***n.* Ⓒ 《특히》 얼룩말; 잡종 동물.
†**piece** [piːs] *n.* **1** Ⓒ **조각, 단편,** 파편. ㊌ bit[1]. ¶in ~*s* 산산이 부서져서, 뿔뿔이/break 〔tear〕 … in 〔to, into〕 ~*s* 산산이 부수다, 갈기갈기 찢다/come to ~*s* 산산이 부서지다/fall to ~*s* 떨어져서 박살나다.
2 Ⓒ **a** (한 벌로 된 물건 중의) **한 개**: a dinner service of 50 ~*s*, 50개 한 벌의 정찬용 식기/cost ten cents a ~ 한 개 10센트를 지불하다. **b** (기계의) 부분, 부품: take a machine to ~*s* 기계를 분해〔해체〕하다.
3 Ⓒ 〖Ⓤ의 명사를 수반하여 뭉뚱그려진 수량의 표시로〗 **a 한 조각, 한 개,** 한 장, 한 편, 한 절(節): a few ~*s of* chalk 분필 두세 개/five ~*s of* furniture 가구 다섯 점/a ~ *of* string 한 가닥의 끈/a ~ *of* paper 한 장의 종이. **b** 〖보통 a ~ of로〗 (동작·성질 등의) 한 예(例): *a* useful ~ *of* advice 유익한 충고/*a* ~ *of* folly 어리석은 행위/*a* strange ~ *of* news 하나의 이상한 뉴스. **c** (토지 따위의) 한 구획: a ~ *of* land 한 구획의 토지/a ~ *of* water 작은 호수.
4 Ⓒ **a** 한 편의 작품〔시, 산문, 작곡, 극〕, 한 장의 그림, 한 개의 조각 (따위): a violin ~ 바이올린곡/a ~ *of* poetry 한 편의 시/a fine ~ by Rembrandt 렘브란트의 훌륭한 그림/a dramatic ~ 희곡 1편. **b** (보통 *sing.*) 신문〔잡지〕의 기사: I read his ~ in today's paper. 오늘 신문에서 그의 기사를 읽었다.
5 a Ⓒ (옷감·지물 따위의 단위) 한 필, 한 통: a ~ *of* linen 린넨 한 필/a ~ *of* wallpaper 벽지 한 통. **b** (the ~) (일의) 성과: pay a person by 〔on〕 the ~ 일의 성과로 임금을 지급하다.
6 Ⓒ 경화(硬貨): a ~ of gold ~ 금화/a penny ~ 페니 동전 한 닢.
7 Ⓒ 〖군사〗 총, 포: a fine ~ 야포/a fowling ~ 엽총.
8 Ⓒ (장기·체스 따위의 졸 이외의) 말.
9 (one's ~) 의견, 견해: say 〔speak〕 one's ~ 의견을 말하다.
10 Ⓒ (보통 *sing.*) 〖보통 수식어를 수반하여〗 《속어》 여자: a nice little ~ 귀여운 여자.
a ~ of ass 《美속어·비어》 ① (성교의 대상으로서의) 여자. ② 성교. ***a ~ of cake*** 《구어》 간단히 할 수 있는 일, 손쉬운 일. ***a ~ of flesh*** 인간, 《특히》 여자, 년. ***a ~ of goods*** 《속어》 인물, 미인. ***a ~ of the action*** 《美구어》 이권, 몫. ***a ~ of work*** 〖보통 수식어를 수반하여〗 ① 작품: *a* fine ~ *of work* 훌륭한 작품. ② 《구어》 힘드는 일; 싫은 녀석: *a* nasty ~ *of work* 싫은〔더러운〕 녀석. ***by the ~*** 일한 성과에 따라, 삯일로(⇨5 b). ***cut ... to*** 〔***in***〕 ***~s*** …을 난도질하다; 혹평하다; 분쇄하다. ***give*** a person ***a ~ of*** one's ***mind*** ⇨ MIND. ***go to ~s*** ① 산산조각이 나다; 엉망이 되다. ② (육체적·정신적으로) 맥을 못추다, 자제심을 잃다. ***in one ~*** 《구어》 ① 부서진 데 없이; 상처 없이. ② 무사히: He was lucky to get back *in one* ~. 그가 무사히 돌아온 것은 행운이었다. ***of a*** 〔***one***〕 ~ 같은 종류의; 일치하여《***with*** …와》. ***pick*** 〔***pull***〕 ***... to ~s*** …을 분해하다, 갈기갈기 찢다; 《구어》 혹평하다, 마구 욕하다. ***pick up the ~s*** ① 파편을 주워 모으다. ② 사태를 수습하다. ***~ by ~*** 하나씩 하나씩, 조금씩. ***take a ~ out of*** a person (아무)를 엄하게 꾸짖다.
—*vt.* **1** 《~+목/+목+부》 …을 이어 수선〔수리〕하다, …에 바대를 대다(*up*); (이야기 따위)를 이어 보태어 완성하다; 보충하다(*out*): ~ a quilt (천을) 이어붙여 누비이불을 만들다/~ a hole in the coat 상의의 (터진) 구멍에 천조각을 대어 깁다. **2** 《+목+부/+목+전+명》 접합하다; 연결하다; 서로 이어 맞추다(*together*): ~ *together* a jigsaw 지그소 퍼즐을 이어서 풀다〔맞추다〕/~ one thing *to* another 서로 이어 맞추다.
—*a.* Ⓐ 〖합성어〗 (악기·가구·식기 따위가) 한 벌〔조〕의: a 50-~ orchestra, 50명으로 구성된 오케스트라/a three-~ suite, 3점 1세트의 가구 《소파와 안락의자 2개 따위》.
pièce de ré·sis·tance [pjéisdərezístɑ̃ːs] 《F.》 가장 주되는 요리《정찬(正餐)의》, 주요 요리; 《비유적》 주요 사건; 주요한 작품.

Pílgrim Fáthers (the ~) 〖美역사〗 1620년 Mayflower호로 미국에 건너가 Plymouth에 주거를 정한 102명의 영국 청교도단.

pil·ing [páiliŋ] *n.* Ⓤ 말뚝박기 (공사); 〔집합적〕 말뚝(piles).

*__pill__ [pil] *n.* **1** Ⓒ **환약**, 알약. ⓒⓕ tablet. **2** Ⓒ 싫은 것, 괴로운 일; 《속어》 싫은 사람: a bitter ~ (to swallow) 참아야만 할 싫은 것〔일〕. **3** Ⓒ **a** 《속어》 (야구·골프 따위의) 공. **b** 《우스개》 (대포·소총의) 탄알; 폭탄. **4** (the ~, 종종 the P-) 《구어》 경구(經口) 피임약: go 〔be〕 on the ~ 피임약을 먹기 시작하다〔상용하다〕. ***a ~ to cure an earthquake*** 무익한 대책. ***sugar*** 〔***sugarcoat, sweeten, gild***〕 ***the ~*** 당의(糖衣)를 입히다; 싫은 일을 받아들이기 쉽게 하다, 싫은 일의 고통을 완화시키다.

pil·lage [pílidʒ] *n.* Ⓤ 약탈, 강탈《특히 전쟁 중의》. **—***vt., vi.* 약탈〔강탈〕하다. ㊕ **-lag·er** [-ər] *n.* Ⓒ 약탈자, 강탈자.

*__pil·lar__ [pílər] *n.* Ⓒ **1** **기둥**; 지주(支柱), 표주(標柱), 기념주(紀念柱). **2** 기둥 모양의 것; 불기둥: a ~ *of* cloud 구름 기둥. **3** 《비유적》 대들보, 주석(柱石), 중진《***of*** (국가·사회)의》: a ~ *of* the Liberal Party 자유당의 중진. ***from ~ to post*** =***from post to ~*** 여기저기 정처 없이, 잇따라 《몰리다 따위》. ***the Pillars of Hercules*** 헤라클레스의 기둥《Gibraltar 해협 동쪽 끝 양쪽에 서 있는 2개의 바위》.

píllar bòx 《英》 (기둥 모양의 빨간) 우체통.

píll·bòx *n.* Ⓒ **1** (판지로 만든 둥근) 환약 상자. **2** (위가 납작한) 테 없는 여자용 모자. **3** 〖군사〗 토치카.

pil·lion [píljən] *n.* Ⓒ (같이 타는 여성용의) 뒤안장; (오토바이의) 뒷자리: a ~ passenger 오토바이 동승자. ***ride ~*** (on a motorcycle) (오토바이의) 뒤에 동승하다.

pil·lock [pílək] *n.* Ⓒ 《英속어》 바보, 얼간이.

pil·lo·ry [píləri] *n.* Ⓒ 칼《죄인의 목과 양손을 끼워 사람 앞에 보이게 한 판자의 옛 형구》; 《비유적》 오명(汚名), 웃음거리. **—***vt.* 칼을 씌워 여러 사람 앞에 보이다; 웃음거리로 만들다.

‡**pil·low** [pílou] *n.* Ⓒ **베개**; 베개가 되는 물건 《쿠션 따위》; (특수 의자 등의) 머리 받침대. **—** *vt.* **1** 《+목+전+명》 올려놓다《***on*** …위에》; 베개로 받치다: ~ one's head *on* one's arm 팔베개를 베다. **2** (물건이) 밑에서 받치다.

píllow·càse *n.* Ⓒ 베갯잇.

píllow fight (아이들의) 베개던지기 놀이; 《비유적》 시시한 싸움〔논쟁〕, 모의전.

píllow slìp =PILLOWCASE.

píllow tàlk (잠자리에서 부부·연인의) 다정한 이야기.

‡**pi·lot** [páilət] *n.* Ⓒ **1** (비행기·우주선 따위의) **조종사, 파일럿**: ⇨TEST PILOT. **2** **수로 안내인**, 도선사(導船士): In a calm sea every man is a ~. 《속담》 잔잔한 바다에서는 모두가 수로 안내인이 될 수 있다. **3** 지도자, 안내인.

—*vt.* **1** (배·비행기 등)을 조종하다. **2** 《~+목/+목+전+명》 (배)의 수로 안내를 하다, …을 인도하다; 안내하다: ~ a tanker *into* 〔*out of*〕 a harbor 탱커를 수로 안내하여 입항〔출항〕하게 하다. **3** 《~+목/+목+전+명》 (일)을 진행하다, 달성하다, 주재하다; (특히 법안)을 통과시키다: ~ a bill *through* Parliament 법안을 의회에서 통과시키다. **4** 시험적으로 해보다〔행하다〕, 시험하다.

—*a.* Ⓐ 지도〔안내〕의; 시험적인, 예비의; 표지〔지표〕의〔가 되는〕: ⇨PILOT BALLOON, PILOT LAMP / a ~ farm 시험 농장 / a ~ plant (새 생산 방식 등의) 시험〔실험〕 공장 / a ~ scheme (큰 계획을 위한) 예비 계획.

pi·lot·age [páilətidʒ] *n.* Ⓤ **1** 항공기 조종(술). **2** 지도. **3** 수로 안내(료); 《美》 조종사의 급료〔수당〕.

pílot ballòon 〖기상〗 측풍 기구(測風氣球).

pílot bòat 수로 안내선.

pílot bùrner (가스 스토브 따위에서 항상 점화시켜 두는) 점화용 불씨, 점화용 보조 버너.

pílot·fish *n.* Ⓒ 〖어류〗 방어류의 물고기《흔히 상어가 있는 곳에서 볼 수 있음》.

pílot·hòuse *n.* Ⓒ 〖선박〗 조타실(wheelhouse).

pi·lo·ti(s) [pilάti/-lɔ̀ti] *n.* 《F.》 Ⓒ 〖건축〗 필로티《건물의 높은 지주(支柱); 밑을 툭 틔워 놓음》.

pílot làmp 표시등.

pílot lìght **1** =PILOT BURNER. **2** =PILOT LAMP.

pílot òfficer 《英》 공군 소위.

pi·men·to [piméntou] (*pl.* **~s,** ~) *n.* **1** = ALLSPICE. **2** =PIMIENTO.

pi·mien·to [pimjéntou] (*pl.* **~s**) *n.* 《Sp.》 Ⓒ 피망《스페인산(産) 고추의 일종》.

pimp [pimp] *n.* Ⓒ 갈봇집 주인, 포주; 뚜쟁이, 유객꾼; (매춘부의) 기둥서방. **—***vi.* 뚜쟁이질을 하다; 매춘의 알선을 하다《***for*** (여자)에게》.

pim·per·nel [pímpərnèl, -nəl] *n.* Ⓒ 〖식물〗 별봄맞이꽃.

pim·ple [pímpl] *n.* Ⓒ 여드름, 구진(丘疹), 뾰루지. ㊕ **~d, pím·ply** [-i] *a.* 여드름이 난〔투성이의〕.

‡**pin** [pin] *n.* Ⓒ **1** 핀, 못바늘; 장식 바늘. **2** 장식핀《핀이 달린 기장(記章)·넥타이핀·머리핀 따위 장식물》; 브로치. **3** 마개(peg); 못; 빗장(bolt); 열쇠의 열쇠 구멍에 들어가는 부분. **4** 〖해사〗 (밧줄 따위를 비끄러매는) 말뚝(belaying pin); (보트의) 노 끼우는 쇠; (현악기의) 주감이; 빨래 무집게; 쐐기; 〖목공〗 열장장부촉(dovetail); (수류탄의) 안전핀(safety ~). **5** 볼링의 표적〔표주〕, 핀. **6** (보통 *pl.*) 《구어》 다리(legs). **7** 〖골프〗 hole을 표시하는 깃대. **8** 〔보통 부정형〕 소량, 보잘것없는 것: There is *not* a ~ to choose between the two. 그 두 개는 차이가 없다. **9** 밀방망이(rolling pin); (고리 던지기 놀이의) 표적봉(棒).

(***as***) ***bright*** 〔***clean, neat***〕 ***as a new ~*** 매우 산뜻〔말쑥〕한. ***be on ~s and needles*** (불안·걱정 따위로) 마음을 졸이고〔안달복달하고〕 있다. ***for two ~s*** 《구어》 만일에 기회가 있으면, 당장에, 쉽게: He made fun of me. *For two ~s* I could have boxed him on the nose. 그가 나를 놀렸다. 조금이라도 기회가 있었으면 놈의 콧대를 갈겼을 텐데. ***not care a ~*** 〔***two ~s***〕 조금도 개의치 않다: I do*n't care a* ~ what you think. 네가 어떻게 생각하든 전혀 개의치 않는다. ***~s and needles*** 손발이 저려 따끔따끔한 느낌: I've got *~s and needles* in my legs. 다리가 저려서 따끔따끔하다.

—(**-nn-**) *vt.* **1** 《~+목/+목+부/+목+전+명》 핀으로 꽂다〔고정시키다〕 (*up, together*)《***on, to*** …에》: ~ *up* a notice *on* the board 게시판에 게시물을 (핀으로) 꽂다 / ~ papers *together* 종이를 핀으로 꿰매다 / ~ a rose *on* a dress 옷에 장미꽃을 핀으로 꽂다.

2 《+목+전+명》 꼭 누르다; 움직이지 못하게 하다《***to, against, under*** (어디)에》: The tree fell

and ~*ned* him *to* the ground. 나무가 쓰러지면서 그를 땅바닥에 메다꽂았다/He ~*ned* me *against* the wall. 그는 나를 벽에 밀어붙였다/In the accident I got ~*ned under* the car. 그 사고에서 나는 차 밑에 깔렸다.
3 《+목+전+명》 **a** (신뢰·희망 따위)를 걸다《***on*** …에》: The widow ~*ned* her hopes *on* her only son. 그 미망인은 외아들에게 희망을 걸었다. **b** (죄·책임 따위)를 덮어 씌우다, 지우다《***on*** (아무)에게》.
~ (...) *down* 《*vt.*+부》 ① 핀으로 꽂다; (아무)를 억누르다, 윽박다. ② (아무)를 묶어 두다, 속박하다《***to*** (약속 따위)로》. ③ (아무에게) 상세한 설명을〔명확한 의견·태도를〕 요구하다《***to*** …에 대한》. ④ (사실 따위)를 분명히 밝히다〔설명하다, 구명하다〕. **~ *one's ears back*** 《英구어》 주의 깊게 듣다, 귀를 기울이다. **~ *up*** 《*vt.*+부》 ① …을 핀으로 꽂다(⇨*vt.* 1). ② (머리 따위)를 묶어서 핀을 꽂다.

PIN [pin] *n.* Ⓒ (보통 the ~) (은행 카드의) 비밀번호, 개인별 식별 번호(= **~ còde**). ★ 일상적으로는 ID number. [◂*p*ersonal *i*dentification *n*umber]

pin·a·fore [pínəfɔ̀ːr] *n.* Ⓒ **1** (소아용) 에이프런. **2** 에이프런 드레스《에이프런 모양의 여성복》(= **~ drèss**).

pín·ball machìne 〔**gàme**〕 《美》 핀볼놀이기, 코린트게임기(《英》 pin table).

pince-nez [pǽnsnèi] (*pl.* ~ [-z]) *n.* 《F.》 Ⓒ 코안경.

pin·cers [pínsərz] *n. pl.* **1** 펜치(nipper), 못뽑이, 족집게(a pair of ~). **2** 〖동물〗 (새우·게 따위의) 집게발.

píncer(s) mòvement 〖군사〗 협공 (작전).

pinch** [pintʃ] *vt.* **1** 《~+목/+목+전+명》 **꼬집다**, (두 손가락으로) **집다**; (사이에) 끼다, 물다, 끼워 으깨다《in*** …에》: He ~*ed* the boy's cheek. 그는 소년의 뺨을 꼬집었다/I ~*ed* my finger *in* the doorway. 문틈에 손가락이 끼었다. **2 a** 《+목+부》 (곁가지 등의 성장 촉진을 위해 어린 싹 등)을 잘라내다, 따내다(*back; off; out*): ~ *out* 〔*off*〕 young shoots 새싹을 따다. **b** 《+목+전+명》 집어내다《***off, out of*** …에서》: She ~*ed* the aphids *off* the rose. 그녀는 장미에서 진디를 잡아냈다. **3** (장갑·구두 따위가) 빡빡하게 죄다, 꽉 끼다: These shoes ~ my toes. 구두가 꽉 끼어 발이 아프다. **4** 《~+목/+목+전+명》 답답하게 하다, 괴롭히다; (추위·고통 등으로) 움츠러들게 하다, 위축시키다; (사람)을 곤궁하게 하다《★ 보통 수동태로 쓰며, 전치사는 *for, with*》: *be ~ed for* money 돈이 없어 곤란받다/*be ~ed with* cold 추위로 오그라들다/a face ~*ed with* hunger 굶어서 여윈 얼굴. **5** (서리 따위가 식물)을 시들게 하다: A heavy frost ~*ed* the flowers. 된서리로 꽃이 시들었다. **6** 《~+목/+목+전+명》 훔치다, 후무리다《***from*** …에서》: Who's ~*ed* my dictionary? 누가 내 사전을 훔쳐갔나/~ money *from* the till 돈궤에서 돈을 훔쳐내다. **7** 《~+목/+목+전+명》〔종종 수동태〕《속어》 (경찰이) …을 체포하다《***for*** …때문에》: He *got ~ed for* parking violation. 그는 주차 위반으로 걸려들었다.
—*vi.* **1** (구두 등이) **죄다**, **빡빡해서 아프다**: My new shoes ~. 새 구두가 너무 꽉 낀다. **2 꼬집다**, **집다**. **3** 《~/+전+명》 인색하게 굴다《***on*** …에》: ~ and save 돈에 인색하다/He even ~*es on* necessities. 그는 필수품을 사는 데도 인색하게 군다. **4** 《+부》 (광맥이) 가늘어지다, 소멸하다(*out*): The vein of iron ore ~*ed out*. 철광맥(鐵鑛脈)이 바닥났다. **~ *pennies*** 《美》 극도로 절약하다.

> **DIAL.** ***I had to pinch myself.*** 꿈이 아닌가 싶었다, 꿈꾸고 있는 것 같았다(←(꿈이 아닌가 싶어) 꼬집어 봐야 했다).

—*n.* **1** Ⓒ **a** 꼬집음, (두 손가락으로) 집음, 사이에 끼움: He gave me a ~. 그는 나를 꼬집었다. **b** 두 손끝으로 집을 만한 양, 조금《***of*** …의》: a ~ *of* salt 소량의 소금. **2** (the ~) 압박, 고통, 곤란; 위기; 절박함: the ~ *of* hunger 〔poverty〕 굶주림〔가난〕의 고통. **3** Ⓒ 《美속어》 포박, 체포; Ⓤ 《속어》 도둑질.
at 〔***in, on***〕 ***a ~*** 만약의 경우에, 위급한 고비에 당면하여. ***feel the ~*** 경제적 곤경에 빠지다. ***take with a ~ of salt*** ⇨SALT. ***when*** 〔***if***〕 ***it comes to the ~*** 만일의〔위급한〕 경우에는.

pínch·bèck *n.* **1** Ⓤ 금색동(金色銅)《구리와 아연의 합금; 금의 모조용》. **2** Ⓒ 값싼 보석류; 가짜, 위조품. **—***a.* 금색동의; 가짜의; 값싸고 번지르르한.

pinched [-t] *a.* (허기·추위 따위로) 여윈; 움츠러든; 고통스러워하는: a ~ look 여윈 표정.

pínch-hít (*p., pp.* ***-hit; -hitting***) *vi.* 〖야구〗 핀치히터〔대타〕로 나가다; 《美》 (절박한 경우에) 대역(代役)을 하다《***for*** …의》.

pínch hítter 1 〖야구〗 핀치히터, 대(代)타자. **2** 《비유적》 대역, 대리자《***for*** …의》.

pínch rúnner 〖야구〗 핀치러너, 대주자(代走者).

pín cùrl 핀컬《핀 또는 클립을 꽂아 만드는 곱슬머리》.

pín·cùshion *n.* Ⓒ (재봉용) 바늘겨레.

pine**[1] [pain] *n.* **1** Ⓒ 〖식물〗 **솔**, **소나무**(= **píne trèe**): a ~ forest 송림(松林). **2** Ⓤ 소나무 재목: ⇨DOUGLAS PINE. **3** Ⓒ 《구어》 파인애플(pineapple). **—a.* Ⓐ 소나무 재목의.

°**pine**[2] *vi.* **1** (슬픔·사랑으로) 파리〔수척〕해지다, 한탄하며 지내다(*away*): Disappointed in love, she has ~*d away*. 그녀는 실연으로 몹시 수척해졌다. **2** 그리워 하며 애태우다, 연모하다《***for, after*** …을》: She secretly ~*d for* his affections. 그녀는 남모르게 그를 연모했다. **3** 갈망하다《***to*** do》: He ~*s to* return home. 그는 고향으로 돌아가기를 갈망하고 있다.

pin·e·al [píniəl, páiniəl] *a.* Ⓐ 〖해부〗 송과선(松果腺)의. ***a ~ body*** 〔***gland, organ***〕 〖해부〗 (뇌의) 송과선, 송과체(體).

***pine·ap·ple** [páinæ̀pl] *n.* **1** Ⓒ (식품은 Ⓤ) **파인애플**; 그 열매: canned 〔《英》 tinned〕 ~ 통조림한 파인애플. **2** Ⓒ 파인애플 초본.

píne còne *n.* Ⓒ 솔방울.

píne màrten 〖동물〗 솔담비《유럽·북아메리카·아시아산(產)》.

píne nèedle (보통 *pl.*) 솔잎.

píne nùt 잣; 북아메리카 서부의 소나무 열매《식용》.

pin·ery [páinəri] *n.* Ⓒ 파인애플 밭〔온실〕; 솔밭.

píne·wòod *n.* Ⓒ (흔히 *pl.*) 솔밭; Ⓤ 소나무 재목.

piney ⇨PINY.

ping [piŋ] *n.* (a ~) **1** 핑《총알이 날아가는 소리;

유리에 딱딱한 물건이 닿는》. **2** 『방송』 땡《시보(時報)의 마지막 소리》. cf. pip⁴. **3** (내연 기관의) 노크 (소리)(knock). **—***vi.* 핑〔땡〕 소리가 나다; 휙 날다; (엔진이) 노킹을 일으키다.
PING 『컴퓨터』 Packet Internet Groper《인터넷과의 접속을 확인하기 위한 프로그램》.
◇**ping-pong** [píŋpàŋ, -pɔ̀(ː)ŋ] *n.* Ⓤ 탁구, 핑퐁(table tennis); (P- P-) 탁구 용품《상표명》.
pín·hèad *n.* Ⓒ **1** 핀의 대가리. **2**《비유적》사소한〔하찮은〕 물건. **3**《구어》바보; 멍청이.
pín·hòle *n.* Ⓒ 작은 구멍; 바늘구멍.
pínhole cámera 핀홀 카메라.
pin·ion[1] [pínjən] *n.* Ⓒ 새 날개의 끝 부분; 날개 깃; 칼깃; 《시어》날개. **—***vt.* **1** (날지 못하도록) …의 날개 끝을 자르다; 두 날개를 동여매다. **2** (사람의 양팔)을 묶다; (사람)을 속박하다. **3** 단단히 붙들어매다; …의 팔 · 다리를 비틀어〔묶어서〕 움직이지 못하게 하다《**to** …에》: be *~ed to* bad habits (좀처럼) 나쁜 버릇을 버리지 못하다.
pin·ion[2] *n.* Ⓒ 『기계』 피니언 톱니바퀴《작은 톱니바퀴》; 톱니가 있는 축: a lazy ~ (두 톱니바퀴 사이의) 유동 톱니바퀴.
⁑**pink**[1] [piŋk] *n.* **1** Ⓤ (종류는 Ⓒ) **분홍색**, 핑크색(옷). **2** Ⓒ《구어》좌익에 기운 사람. cf. red. **3** (the ~) 정화(精華), 전형(典型); 최고 상태, 극치: the ~ of perfection 완전의 극치 / the ~ of fashion 유행의 정수(精粹). **4** Ⓒ 『식물』 **패랭이꽃**, 석죽. ***in the ~*** (***of condition*** 〔***health***〕)《구어》아주 기력이 왕성〔건강〕하여: My grandfather is still *in the ~ of condition* 〔*health*〕. 할아버지께선 아직 기력이 아주 왕성하시다.
—*a.* **1** 연분홍〔핑크〕색의. **2**《구어》좌경사상에. **3** 홍분한, 성난: go 〔turn〕 ~ with anger 〔confusion, embarrassment〕 화가 나서〔곤혹스러워, 당황하여〕 얼굴이 벌개지다.
pink[2] *vt.* **1** (칼 끝으로) 찌르다, 꿰뚫다: ~ a man through the heart 사람의 심장을 꿰뚫다. **2** (가죽 따위)에 구멍을 뚫어 장식하다(*out*); 《英》…의 가장자리를 톱니 모양으로 자르다.
pink[3] *vi.* 《英》(엔진이) 노킹하다, 통통거리다(knock)(《美》ping).
pínk-cóllar *a.* (전통적으로) 여성만이 종사하는 직종의: a ~ job 전통적인 여성의 직업《비서 · 타이피스트 등》.
pínk élephant (흔히 *pl.*)《구어》술이나 마약에 의한 환각.
pínk·èye *n.* Ⓤ **1** 삼눈《일종의 전염성 결막염》. **2** (말의) 유행성 감기.
pínk gín 핑크 진《진에 칵테일용 쓴 술을 섞은 음료》.
pink·ie [píŋki] *n.* Ⓒ《美》새끼손가락.
pínk·ing *n.* Ⓤ 핑킹《천 · 가죽 따위의 가장자리를 톱니 모양으로 잘라 꾸민 장식》.
pínking shèars 〔**scìssors**〕 『양재』 핑킹용(用) 가위.
pink·ish [píŋkiʃ] *a.* 핑크색〔분홍색〕을 띤.
pinko [píŋkou] (*pl.* ***pink·o(e)s***) *n.* Ⓒ《美구어 · 경멸적》빨갱이, 좌경한 사람(pink).
pín mòney 《일반적》용돈, 푼돈; (아내나 딸 등에게 주는) 용돈. cf. pocket money.
pinn- [pin], **pin·ni-** [píni] '날개, 깃, 지느러미'란 뜻의 결합사.
pin·nace [pínis] *n.* Ⓒ 『해사』 피니스《함선에 싣는 중형 보트》, 함재정.
◇**pin·na·cle** [pínəkəl] *n.* Ⓒ **1** 『건축』 (지붕 · 탑 위의) 작은 뾰족탑; 뾰족한〔높은〕 산봉우리. **2** (보통 *sing.*) (명성 · 경력 등의) 정점(頂點), 절정:

the ~ *of* power 권세의 절정.
pin·nate, -nat·ed [píneit, -nit], [-eitid] *a.* 『식물』 (잎이) 새의 깃 모양의, 깃꼴잎이 달린; 『동물』 날개 · 지느러미류를 가진, 깃 모양의. ㊕ **~·ly** *ad.*
pin·ny [píni] *n.*《구어》= PINAFORE 1.
Pi·noc·chio [pinákiòu/-nɔ́k-] *n.* 피노키오《이탈리아의 작가 Carlo Collodi가 지은 동화의 주인공인 나무 인형》.
pi·noc(h)·le [píːnəkl, -nʌkl] *n.* Ⓤ《美》bezique 비슷한 카드놀이; 이 게임에서 spade의 queen과 diamond의 jack으로 된 짝《40점》.
pín·pòint *n.* Ⓒ 핀〔바늘〕 끝; 아주 작은 물건; 소량; 정확〔정밀〕한 위치 결정; 작은 표적; 정밀 조준 포격(= ∠ **bòmbing**). **—***a.* Ⓐ 정확하게 목표를 정한; 아주 작은, 정확〔밀〕한. **—***vt.* 핀을 꽂아 …의 위치를 나타내다; 정확히 …의 위치를 지적하다; …에 정밀 폭격을 하다.
pín·prìck *n.* Ⓒ **1** (핀으로) 콕 찌름; 핀으로 찌른 (것 같은) 작은 구멍. **2** 따끔하게 찌르는 말; 좀 성가신 일: a ~ policy 성가시게 구는 정책.
pín·sètter *n.* Ⓒ **1** (볼링에서) 핀을 정리하는 사람. **2** (볼링의) 핀을 나란히 놓는 기계.
pín·strìpe *n.* Ⓒ **1** 세로의 가는 줄무늬. **2** 그 무늬의 옷(= ∠ **sùit**)《전통적으로 실업가가 입음》. ㊕ **~d** [-t] *a.*
⁑**pint** [paint] *n.* Ⓒ **1 파인트**《(1) 액량의 단위; = 1/2 quart, 4 gills; 생략: pt.; 《美》0.473 *l*; 《英》0.568 *l*. (2) 건량(乾量)의 단위; = 1/2 quart; 생략: pt.; 《美》0.550 *l*; 《英》0.568 *l*》. **2** 1파인트들이 그릇. **3**《英구어》1파인트의 맥주〔우유〕.
pinta [páintə] *n.* Ⓒ《英구어》1파인트의 우유〔맥주 따위〕.
pín tàble 《英》= PINBALL MACHINE.
pin·to [píntou] *a.* 《美》(흑백) 얼룩배기의, 반문(斑紋)이 있는. **—**(*pl.* **~s, ~es**) *n.* Ⓒ (흑백의) 얼룩말; 얼룩덜룩한 강낭콩(= ∠ **bèan**).
pínt-sìze(d) *a.* 자그마한, 소형의; 작고 하찮은.
pín tùck 핀 턱《가늘고 길게 꿰맨 장식 주름》.
pín·ùp, pín-ùp *a.* Ⓐ 벽에 꽂는〔거는〕; 벽에 핀으로 꽂아 장식할 만한. **—***n.* Ⓒ (벽에 장식하는) 인기 있는 미인 등의 사진; (사진을 벽에 핀으로 꽂아 장식할 만한) 미인.
pínup gírl 핀업에 적합한 미녀; 핀업 사진.
pín·whèel *n.* Ⓒ 팔랑개비《장난감》; 회전 불꽃(Catherine wheel); 『기계』 핀 톱니바퀴.
pín·wòrm *n.* Ⓒ 『동물』 요충.
piny, piney [páini] (***pin·i·er; -i·est***) *a.* 소나무의〔같은〕; 소나무가 무성한.
Pin·yin [pínjín] *n.* 《Chin.》Ⓤ 병음(倂音)《베이징(北京) 방언에 입각한 중국어의 로마자 표기법의 한 방식》.
pi·o·neer** [pàiəníər] *n.* Ⓒ **1** (미개지 따위의) 개척자. **2 선구자**, 솔선자; 주창자, 선봉《in, of*** (새 분야)의》: a ~ *in* the development of the jet engine 제트 엔진 개발의 선구자. **3** 『군사』 (부대 선발(先發)) 공병(engineer).
—*a.* Ⓐ 초기의; 개척자의; 선구적인: the ~ days 초창기 / ~ wagons 개척자의 포장마차.
—*vt.* **1** (미개지 · 신분야 등)을 개척하다; (도로 등)을 개설하다. **2** 선도하다, 지도하다. **—***vi.* 《+전+명》개척자가 되다; 솔선하다《**in** …에서》.
⁑**pi·ous** [páiəs] *a.* **1 신앙심이 깊은**; 경건한. ↔ *impious*. **2** (세속적인 데 대해) 종교적인. ↔

secular. ¶~ literature 종교 문학. **3** 경신(敬神)을〔종교를〕 빙자한; 위선적인: a ~ fraud 종교를 빙자한 사기; 선의의 거짓. **4** [A] 《구어》 훌륭한, 칭찬할 만한: a ~ effort. **5** [A] 〖특히 다음 구로〗 실현성 없는: a ~ hope. ◇ piety *n.* [파] **~·ly** *ad.*

pip[1] [pip] *n.* [C] (사과·배·귤 따위의) 씨.

pip[2] *n.* [C] (카드·주사위 따위의) 점, 눈; (영국 육군 견장의) 별; 〖레이더〗 =BLIP.

pip[3] *n.* (the ~) 《英구어》 기분이 언짢음, 초조함: get the ~ 기분이 나빠지다/give a person the ~ 아무를 기분 나쁘게 하다/have the ~ 기분이 나쁘다, 성이 나 있다.

pip[4] *n.* [C] (방송 시보(時報)나 통화 중 신호음 따위의) '삐' 소리: *Pip*, ~, ~, ping! 삐삐삐 땡 《시보의 소리》.

pip[5] (*-pp-*) 《英구어》 *vt.* **1** …을 배척하다; …에 반대하다. **2** 총알〔화살〕로 쏘다; (경쟁에서 상대)를 앞지르다, 이기다. ~ a person ***at*** 〔***on***〕 ***the post*** 아무를 막판에서 완전히 이기다.

pip[6] (*-pp-*) *vt.* (껍질)을 깨고 나오다《병아리 따위가》. **—***vi.* (병아리가) 삐악삐악 울다, 껍질을 깨고 나오다; (알이) 깨지다.

pipe [paip] *n.* [C] **1 a (액체·가스 등이 통하는) **파이프, 관**(管), 도관(導管), 통(筒): a water ~ 수도관/a steam 〔gas〕 ~ 스팀〔가스〕관/a distributing ~ 배수관. **b** (인체내의) 관상(管狀) 기관; 맥관. **c** (보통 *pl.*) 《구어》 기관(氣管), 목구멍, 성대; 호흡기. **2 a** (잘게 썬 담배용) **파이프**, 담뱃대; (파이프에) 잰인 담배: light a ~ 파이프에 불을 붙이다, 한 대 붙여 물다. **b** (담배) 한 대: smoke a ~ 한 대 피우다. **3 a 피리**, (파이프 오르간의) 파이프(organ ~). **b** 관악기. **c** (the ~*s*) 백파이프(bagpipe). **4 a** (새의) 지저귀는 소리, 새된 목소리; 피리 소리. **b** 〖해사〗 (갑판장의) 호적(呼笛); 호각 (소리). **5** 큰 술〔기름〕 통; 그 큰 통의 용량《《美》 126 gallons, 《英》 105 gallons》. **6** 《美속어》 음경(penis); (마약을 주사하는) 굵은 정맥. **7** 〖컴퓨터〗 파이프《표준 입력을 다른 프로세스의 표준 출력과 연결시키는 것》.

put* a person*'s* ~ *out 남의 담뱃불을 끄다; 남의 성공을 방해 놓다. ***smoke the* ~ *of peace*** (북아메리카 원주민이) 화친의 표시로 담배를 돌려 가며 피우다, 화친하다.

> [DIAL.] ***Put that in your pipe and smoke it.*** 곰곰이〔천천히〕 잘 생각해 봐라《꾸짖은 후에 하는 말》.

—*vi.* **1** 피리를 불다. **2** (새가) 짹짹 지저귀다; 빽빽 울다; (바람이) 윙윙 불다; 큰 소리로 말하다. **3** 〖해사〗 (갑판장이) 호각으로 신호하다.

—*vt.* **1** 《~+[목]/+[목]+[전]+[명]》 (물·가스 등)을 파이프를 통해 나르다《***from*** …에서; ***to, into*** …으로》: ~ water *from* the lake 파이프로 호수에서 물을 끌다. **2** 《+[목]+[전]+[명]》 (라디오·텔레비전)을 유선 방송하다《***into, to*** …에》: ~ music *into* stores 상점에다 유선 방송으로 음악을 보내다. **3** (곡·노래)를 피리로 불다. **4** …라고 고함지르다; …을 새된 목소리로 노래하다〔말하다〕. **5** 《~+[목]/+[목]+[전]+[명]》 〖해사〗 (선원)을 호각을 불어 부르다〔집합시키다〕: ~ all hands *on* deck 호각을 불어 갑판에 전원 집합시키다/~ the crew aboard 호각을 불어 선원을 승선시키다. **6** 《+[목]+[전]+[명]》 (옷과 과자 따위에) 파이프 모양의 장식 테를 두르다《***with*** …으로》.

~ ***down*** 《*vi.*+[부]》 《구어》 〖보통 명령형〗 조용〔수굿〕해지다; 입을 다물다. ~ ***up*** 《*vi.*+[부]》 취주하기〔노래하기〕 시작하다, 갑자기 큰 소리를 지르다; 《속어》 큰 소리로 지껄이다.

pípe clày 파이프 점토(粘土)《도자기 담배 파이프 제조용; 가죽 제품을 닦는 데도 쓰임》.

pípe clèaner 담배 파이프 청소 용구.

piped [-t] *a.* 파이프로 보내는; 유선 방송되는; 《美속어》 술취한.

píped músic (식당 등에서) 끊임없이 저음으로 흘리는 음악, 백그라운드 뮤직.

pípe drèam 《구어》 (아편 흡연자가 그리는 것 같은) 공상, 몽상, 꿈 같은 계획, 허풍.

pipe·ful [páipfùl] *n.* [C] 파이프 가득(한 분량); (파이프 담배) 한 대분.

pípe·lìne *n.* [C] **1** 도관(導管), 송유관; 송유관로(路), 가스 수송관. **2** (정보 따위의) 루트, 경로; (상품의) 유통〔공급〕 경로. ***in the*** ~ (상품 따위가) 수송〔발송〕 중에; (계획 따위가) 진행〔준비〕 중에; 완성 도중에.

pípe·lìning *n.* [U] 〖컴퓨터〗 파이프라인 방식, 파이프라이닝《여러 개의 연산 장치를 설치하여 명령 실행을 개시한 후에 계속해서 다음 명령의 실행을 중복시키는 일》.

pípe òrgan 〖음악〗 파이프오르간. [cf.] reed organ.

◇**pip·er** [páipər] *n.* [C] 피리 부는 사람; 《특히》 백파이프(bagpipe)를 부는 사람. (***as***) ***drunk as a*** ~ 《구어》 만취하여. ***pay the*** ~ 비용〔책임〕을 부담하다; 응보를 받다: He who *pays the* ~ calls the tune. 《속담》 피리 부는 사람에게 돈을 준 자는 곡을 청할 권리가 있다, 비용을 부담하는 자에게 결정권이 있다.

pípe ràck (담배) 파이프걸이.

pi·pet(te) [pipét] *n.* [C] 〖화학〗 피펫《극소량의 액체를 재거나 옮기는 데 쓰는 눈금 있는 관》.

pip·ing [páipiŋ] *n.* [U] **1** 피리를 붊; 관악(管樂). **2** (종종 the ~) (새 따위가) 지저귀는 소리; 《속어》 욺, 울음소리. **3 a** 〖집합적〗 관(管). **b** 배관(配管). **4** (의복의) 관 모양의 가장자리 장식; (과자 따위의) 파이핑. **—***a.* **1** [A] 날카로운 소리를 내는, 소리가 드높은. **2** 〖부사적; 보통 ~ hot으로〗 펄펄 끓는, 몹시: The tea is ~ *hot*. 차가 몹시 뜨겁다.

pip·it [pípit] *n.* [C] 〖조류〗 할미새; 《특히》 논종다리.

pip·pin [pípin] *n.* [C] 사과의 일종; 《속어》 굉장한 물건〔사람〕; 미인.

píp·squèak *n.* [C] 하찮은 녀석〔것〕; 하잘것없는 놈〔것〕.

pi·quan·cy [píːkənsi] *n.* [U] 얼얼한〔짜릿한〕 맛; 신랄; 통쾌; 마음의 흥미를 북돋움.

pi·quant [píːkənt] *a.* **1** 얼얼한《맛 따위》. **2** 야무진, 신랄한, 통렬한; 흥미를 북돋우는, 자극적인. [파] **~·ly** *ad.* **~·ness** *n.*

◇**pique** [piːk] *n.* [U] 화, 불쾌, 찌무룩함: in a fit of ~ =out of ~ 홧김에/take a ~ against a person 아무에게 악감을 품다. **—***vt.* **1** 〖보통 수동태〗 …의 감정을 상하게 하다, …을 화나게 하다, 흥분시키다: I *was* ~*d* by her refusal. 그녀가 거절해서 부아가 치밀었다. **2** (호기심 따위)를 자극하다.

pi·quet [pikét, -kéi] *n.* 《F.》 [U] 카드놀이의 일종《두 사람이 32장의 패로 함》.

pi·ra·cy [páiərəsi] *n.* [U] (구체적으로는 [C]) 해적 행위; 저작권〔특허권〕 침해; 무허가〔무면허〕로 하는 행위《해적 방송 따위》. [cf.] pirate. ¶literary ~ (저작의) 표절.

pi·ra·nha [pirá:njə] *n.* [C] 〖어류〗 피라니아《남아메리카산의 담수어; 사람·짐승을 떼지어 뜯어먹음》.

pi·ra·ru·cu [pirá:rəkù:] *n.* [C] 〖어류〗 피라루쿠《남아메리카 아마존 강에 서식하는 세계 최대의 담수어; 식용함; 몸길이 5 m, 무게 400 kg》.

pi·rate** [páiərət] *n.* [C] **1** 해적; 해적선. **2** 표절자, 도작자(盜作者), 저작권〔특허권〕 침해자: a ~ publisher 해적판 출판자. **3** 해적 방송국, 해적 방송을 하는 사람. **—vt.* **1** …에게 해적 행위를 하다; …을 약탈하다. **2** …의 저작권〔특허권〕을 침해하다; …을 표절하다; (타사의 종업원)을 빼돌리다. **3** 표절해서 만들다.

pí·rat·ed [-id] *a.* [A] 해적판의: a ~ edition 해적판(도서)/a ~ video tape 해적판 비디오 테이프.

pírate ràdio 해적 방송, 무허가 방송《특히 공해상에서의》: a ~ station 해적 방송국, 해적국.

pi·ra·ti·cal [pairǽtikəl, pi-/pai-] *a.* 해적의〔같은〕, 해적질을 하는; 저작권 침해의, 표절의. [파] **~·ly** *ad.*

pir·ou·ette [pìruét] *n.* 《F.》 [C] (발레의) 발끝으로 돌기; (말타기에서) 급선회. **—***vi.* 발끝으로 맴돌다; 급선회하다.

Pi·sa [pí:zə] *n.* 피사《이탈리아 중부의 도시》. ***the Leaning Tower of ~*** 피사의 사탑.

pis·ca·to·ry, pis·ca·to·ri·al [pískətɔ̀:ri/-təri], [pìskətɔ́:riəl] *a.* 어부〔어업〕의; 낚시질의〔을 좋아하는〕; 어업에 종사하는: ~ rights 어업권. [파] **-ri·al·ly** *ad.*

Pis·ces [písi:z, pái-] *n.* **1** 〖천문·점성〗 물고기자리; 쌍어궁(雙魚宮) ([cf] zodiac). **2** (*pl.* ~) [C] 물고기자리 태생의 사람.

pis·ci·cul·tur·al [pìsəkʌ́ltʃərəl] *a.* 양어(養魚)(법)의. [파] **~·ly** *ad.*

pis·ci·cul·ture [písəkʌ̀ltʃər] *n.* [U] 양어(법), 수산 양식.

pish [piʃ] *int.* 피, 체, 흥《경멸·혐오·불쾌함 따위를 나타냄》.

piss [pis] 《비어》 *vi.* **1** 소변보다. **2** 〖it을 주어로〗 억수로 비가 오다(*down*). **—***vt.* **1** 오줌으로 적시다; 〖~ oneself〗 오줌을 지리다: ~ one*self* laughing 《英》 오줌을 지릴 정도로 자지러지게 웃다. **2** (피 따위)를 오줌과 함께 배설(排泄)하다. **~ *about*** 〔***around***〕 《*vi.*+[부]》 《속어·비어》 ① 어리석게 굴다; 되는 대로 다루다. ② 시간을 헛되이 보내다. **~ *off*** 《*vi.*+[부]》 ① 〖보통 명령형〗 곧 나가다, 사라지다. **—**《*vt.*+[부]》 ② …을 질리게 하다, 진저리나게 하다. ③ (사람)을 괴롭게 하다. **—***n.* **1** [U] 소변(urine). **2** (a ~) 소변보기, 오줌누기: take 〔have, do〕 a ~ 소변보다. ***take the ~*** 《英속어·비어》 조롱하다, 놀려대다《***out of*** …을》.

Pis·sar·ro [pisá:rou; *F.* pisaro] *n.* **Camille ~** 피사로《프랑스의 화가; 1830–1903》.

píss àrtist 《英속어·비어》 **1** 주정뱅이, 술꾼. **2** 어리석은 행동을 하는 사람. **3** 입담이 좋은 사람; 수다쟁이.

pissed [-t] *a.* 《속어·비어》 흠빽 취한, 억병으로 취한; 화가 난. **(*as*) ~ *as a newt*** = **~ *out of*** one***'s mind*** 〔***head***〕 《英속어·비어》 곤드레만드레 취하여. **~ *off*** 진저리가〔짜증이〕 나서; 화가 나서: I was ~ (*off*) at him. 나는 그에게 화를 냈다.

píss·pòt *n.* [C] 《속어·비어》 실내 변기, 요강.

píss-tàking *n.* [C] (보통 *sing.*) 《속어·비어》 조롱, 놀림.

píss-ùp *n.* [C] 《英속어·비어》 주연(酒宴), 술잔치.

pis·ta·chio [pistá:ʃiòu, -tǽʃ-] (*pl.* **~s**) *n.* **1** [C] 〖식물〗 피스타치오《남유럽, 소아시아 원산의 옻나뭇과의 관목》. **2** [C] (식품은 [U]) 그 열매《식용》(= ∠ **nùt**). **3** [U] 담황록색(= ∠ **grèen**).

piste [pi:st] *n.* 《F.》 [C] 밟아서 다져진 길《짐승의 길 등》; 〖스키〗 피스트《다져진 활강 코스》; 〖펜싱〗 피스트《경기하는 바닥면》.

pis·til [pístəl] *n.* [C] 〖식물〗 암술([cf] stamen); 암술의 무리. [파] **pis·til·lary** [pístəlèri] *a.*

pis·til·late [pístəlit, -lèit] *a.* 암술이 있는, 암술만의. ↔ *staminate.* ¶ ~ flowers 암꽃.

****pis·tol** [pístl] *n.* [C] **피스톨, 권총**: a revolving ~ 연발 권총. ★ 보통 revolver 또는 automatic pistol이라고 함. ***hold a ~*** 〔***gun***〕 ***to*** a person***'s head*** ① 아무의 머리에 권총을 들이대다. ② 아무를 위협하여 강제로 시키다.

pístol-whìp *vt.* 권총으로 때리다.

°**pis·ton** [pístən] *n.* [C] 〖기계〗 피스톤; 〖음악〗 (금관 악기의) 판(瓣).

píston rìng 〖기계〗 피스톤 링.

píston ròd 〖기계〗 피스톤 로드, 피스톤간(杆).

pit**[1] [pit] *n.* **1** [C] (자연적 또는 인위적으로 파서 만든) **구덩이, 구멍**: ⇨SAWPIT. **2** [C] 함정(pitfall); 뜻하지 아니한 위험. **3** [C] **a** 〖광산〗 (광산의) 구멍, 갱(坑); 곧은 바닥. **b** 광산, 탄갱; 채굴장, 채석장: ⇨STONE PIT/a clay ~ 점토 채굴장. **4 a** [C] (보통 *sing.*; 보통 the ~) 《英》 (극장의) 일층석《특히 정면의 일층 일등석 뒤의 이층 아래 값싼 좌석》. **b** (보통 the ~) 〖집합적〗 일층석의 관객들. **c** [C] 오케스트라석. **5** [C] **a** (동물원의 맹수를 넣어 두는) 우리. **b** 투견〔투계〕장《따위》. **6** [C] **a** (몸·물건 표면의) 우묵한 곳, 겨드랑이 밑: the ~ of the stomach 명치/⇨ARMPIT. **b** (흔히 *pl.*) (얼굴의) 마맛자국, 얽은 곳. **7** [C] 〖흔히 복합어로〗 《美》 (거래소에서 특정 상품의) 거래장소, (곡물의) 칸막은 판매장: the wheat ~ 밀거래장/a grain ~ 곡물 매장. **8** [C] **a** 피트; 자동차 수리 공장의 작업용 구덩이. **b** (보통 the ~s) (자동차 경주차의) 급유〔수리〕소. **c** ⇨COCKPIT. **9** [C] (보통 *sing.*) 《英속어》 침상, 침대. **10 a** (the ~) 《문어》 지옥: the bottomless ~ = the ~ of darkness = the ~ (of hell) 지옥, 나락. **b** (the ~s) 〖보어로 써서〗 《美구어》 최저, 최악: That disco is the ~*s*. 저 디스코는 최하급이다. ***be at the ~'s brink 다 죽어 가고 있다. ***dig a ~ for*** …을 함정에 빠뜨리려고 하다.

— (**-*tt-***) *vt.* **1** …을 움푹 들어가게 하다, …에 구멍이를 파다, 갱을 뚫다: the ~*ted* surface of the moon 움푹움푹한 달 표면. **2** 〖보통 과거분사로〗 …에 곰보를 만들다: a face ~*ted with* smallpox 얽은 얼굴. **3** 《+[목]+[전]+[명]》 (개·닭)을 싸움 붙이다, 맞붙게 하다; (사람·힘·지혜 따위)를 경쟁시키다《***against*** …와》: ~ a dog *against* another 어떤 개를 다른 개와 싸움 붙이다/You can ~ your brains *against* his strength. 너는 지혜로 그의 힘에 맞설〔대항할〕 수 있다. **4** 갱에 넣다, 움에 저장하다.

pit[2] 《美》 *n.* [C] (살구·복숭아 등의) 씨(stone). [cf] pip[1]. **—** (**-*tt-***) *vt.* …의 씨를 빼다.

pit-a-pat [pítəpæ̀t, ∸-∸] *ad.* 《구어》 팔딱팔딱《뛰다 따위》; 두근두근《가슴이 뛰다 따위》. ***go ~*** (가슴이) 두근두근하다; 종종걸음치다: Her feet 〔heart〕 *went ~*. 그녀는 종종걸음쳤다〔가슴

이 두근거렸다〕.

—*n.* (*sing.*) 팔딱팔딱, 두근두근.

⁑pitch¹ [pitʃ] *vt.* **1** 《~+목/+목+부/+목+목/+목+전+명》 **던지다;** 내던지다: ~ a ball 공을 던지다, 투구하다 / ~ oneself 《방언·구어》 걸터앉다 / ~ a drunkard *out* 취객을 쫓아내다 / ~ a beggar a penny 거지에게 1 페니를 던져 주다 / ~ a letter *into* the fire 편지를 불속에 던지다. SYN. ⇨THROW. **2** 〖야구〗 (공)을 던지다; (경기)의 투수를 맡다: ~ a no-hit game (투수가) 안타를 허용하지 않고 게임을 끝내다. **3** (천막 따위)를 치다; (캠프)를 설치하다(↔ *strike*): ~ a tent 친막을 치다. **4 a** 《+목+보》 …의 **높이를 정하다:** ~ an estimate too low 견적을 너무 낮게 잡다. **b** 《+목+전+명》 설정하다, 조절하다《*at, in* (어느 수준)으로》: ~ a lecture *at* a suitable level 강의를 적절한 수준으로 조절해 놓다. **5** 《~+목/+목+보》 (지붕 따위)를 경사지게 하다: The roof is ~*ed* too steep. 지붕의 경사가 너무 가파르다. **6** 《+목+보/+목+전+명》 〖음악〗 (목소리·음)을 조정하다《*at, in* (어느 높이)로》: ~ one's voice high 목청을 높이다 / ~ a tune *in* a low key 음조(音調)를 낮추다. **7** 《~+목/+목+전+명》 〖골프〗 (공)을 피치샷하다: He ~*ed* the ball *onto* the green. 그는 피치샷으로 공을 그린에 올려놓았다.

—*vi.* **1** 〖야구〗 (투수가) **투구**〔**등판**〕**하다:** ~ for a team 팀의 투수를 하다. **2** 《+부/+전+명》 **거꾸로 떨어지다**〔뛰어들다〕, 곤두박이치다; 앞으로 넘어지다: He ~*ed down* (the cliff). 그는 (절벽에서) 거꾸로 떨어졌다 / ~ *on* one's head 곤두박이치다. **3** (배·항공기가) **뒷질하다,** 수직으로 흔들리다: The ship ~*ed* violently as the storm grew worse. 폭풍우가 강해지자 배는 위아래로 심하게 흔들렸다. cf. roll. **4** 〖골프〗 피치샷을 하다. **5** 천막을〔캠프를〕 치다: They ~*ed* on a hillside. 그들은 산 중턱에 천막을 쳤다. **6** (지붕 따위가) 경사지다: The roof ~*es* sharply. 그 지붕의 물매가 가파르다. **7** 〖크리켓〗 (공이) 땅에 떨어지다.

~ ***in*** 《*vi.*+부》 ① 《구어》 열심히〔힘차게〕 하기 시작하다. ② 《구어》 참가〔협력〕하다; 공헌하다 《***with*** …에》: ~ *in with* contributions of money 기부에 협력하다. ③ 게걸스레 먹기 시작하다. ~ ***into*** 《구어》 ① …에게 치고 덤비다, …을 심하게 공격하다〔꾸짖다〕. ② (일)에 힘차게 착수하다; (음식)을 허겁지겁 먹다.

—*n.* **1** Ⓒ **던짐;** 내던짐. **2** Ⓒ 〖야구〗 투구, 투구 솜씨〔거리, 위치〕: a wild ~ 폭투. **3** (*sing.*) (세기·높이의) **정도,** 도(度), 정점, 한계: a high ~ *of* excitement 상당한 흥분 / Interest in his paintings has reached a high ~. 그의 그림에 대한 일반의 관심이 상당히 높아졌다. **4** Ⓤ (구체적으로는 Ⓒ) 〖음악〗 (음의) **가락,** 음의 고저: a high 〔low〕 ~ 높은〔낮은〕 음조. **5** Ⓤ (또는 a ~) 경사도, 구배(勾配); 비탈, 물매: the ~ of a roof 지붕의 물매 / a slope with a steep ~ 급경사의 비탈. **6** Ⓒ (보통 the ~) (비행기·배의) 뒷질, 상하로 흔들림. cf. roll. **7** Ⓒ (노점 상인 등이) 가게를 벌이는 (고정) 위치〔장소〕. **8** Ⓒ 《구어》 (외판원 등의) 강매: make a ~ for … …을 선전〔추천〕하다. **9** Ⓒ 〖보트〗 노를 젓는 속도. **10** Ⓒ 〖골프〗 피치샷《공이 그린에서 멈춰 서도록 역회전시켜 높이 쳐올리는 어프로치샷》. **11** Ⓒ 《英》 〖스포츠〗 (축구·하키 등의) 경기장. **12** (보통 *sing.*) 〖컴퓨터〗 피치《(1) 글월 처리에서 1 인치에 인자(印字)할 수 있는 문자 수. (2) 점문자 밀도》.

queer the ~ for a person =***queer*** a person***'s*** ~ 몰래 아무의 성공〔계획〕에 흑책질을 하다. ***take up*** one***'s*** ~ 분수를 지키다.

pitch**² *n.* Ⓤ **1** 피치《원유·콜타르 따위를 증류시킨 뒤에 남는 검은 찌꺼기; 방수·도로 포장에 쓰임》: He who touches ~ shall be defiled therewith. 《속담》 근묵자흑(近墨者黑). **2** 〖화학〗 역청(瀝青)물질. **3** 송진; 수지(樹脂). ***as black 〔***dark***〕 ***as*** ~ 새까만, 캄캄한.

pítch-and-tóss [-ən-] *n.* Ⓤ 동전 던지기 놀이.

pítch-bláck, -dárk *a.* (피치처럼) 새까만, 캄캄한. ㊞ **~·ness** *n.*

pítch·blènde *n.* Ⓤ 〖광물〗 역청 우라늄광.

pitched [-t] *a.* (전투 따위가) 정정당당한; 경사진, 물매가 있는; 간격이 있는; 특정 장소에 떨어지게 던진.

pítched báttle 1 (옛날의) 정정당당한 회전(會戰). **2** 대격전; 전면 충돌〔대결〕; 격론.

***pitch·er**¹ [pítʃər] *n.* Ⓒ (귀 모양의 손잡이와 주둥이가 있는) **물주전자:** You are a little ~! 너는 정말 귀가 밝다 / Little ~*s* have long ears. 《속담》 애들은 귀가 밝다 / *Pitchers* have ears. 《속담》 낮말은 새가 듣고 밤말은 쥐가 듣는다.

***pitch·er**² *n.* Ⓒ **1** 〖야구〗 **투수:** a ~'s duel 투수전 / the ~'s mound 피처즈마운드 / the ~'s plate 투수판(板). **2** (보리·건초 따위를 차에) 던져 쌓는 사람. **3** 《英》 포석(鋪石), 까는 돌. **4** 〖골프〗 아이언 7번.

pitch·er·ful [pítʃərfùl] (*pl.* **~s, pítch·ers·fùl**) *n.* Ⓒ 물주전자 하나 가득한 양(量).

pítcher plànt 〖식물〗 낭상엽식물《사라세니아속(屬) 등의 주머니 모양의 잎을 가진 식충 식물》.

pítch·fòrk *n.* Ⓒ 건초용 포크, 갈퀴. **—***vt.* **1** (건초 따위)를 긁어 올리다. **2** (아무)를 억지로 끌어앉히다《***into*** (어떤 지위 따위)에》.

pítch·ing *n.* Ⓤ **1** 포석(鋪石); 돌바닥. **2** 〖야구〗 투구, 피칭. **3** 〖항공〗 (배·비행기의) 뒷질. ↔ *rolling.*

pítching màchine 〖야구〗 (타격 연습용) 투구기(投球機).

pítch·man [-mən] (*pl.* **-men** [-mən]) 《美》 *n.* Ⓒ 노점 상인, 행상인; 《美구어》 (텔레비전·라디오 등에서) 상품을〔주의를〕 선전하는 사람.

pítch shót 〖골프〗 =PITCH¹ *n.* 10.

◇pit·e·ous [pítiəs] *a.* 불쌍한, 슬픈, 비참한, 가엾은, 측은한. ㊞ **~·ly** *ad.* **~·ness** *n.*

◇pít·fàll *n.* Ⓒ **1** (사람·동물 등을 잡는) 함정. **2** 《비유적》 생각지 않은 위험, 함정, 마수, 유혹.

◇pith [piθ] *n.* **1** Ⓤ (초목의) 수(髓), 심; (오렌지 따위의) 껍질 안쪽의 유조직(柔組織). **2** (the ~) 급소, 요점; 중요 (부분): the matter of ~ and moment 극히 중요한 문제 / the ~ (and marrow) *of* a speech 연설의 요점.

pít·hèad *n.* Ⓒ 〖광산〗 곧은바닥의 굿문.

pith·e·can·thro·pus [pìθikǽnθrəpəs, -kənθróu-] (*pl.* **-pi** [-pai]) *n.* Ⓒ 〖인류〗 피테칸트로푸스《원인속(猿人屬); 유인원(類人猿)과 사람의 중간》, 자바 직립 원인(Java man).

pithy [píθi] (**pith·i·er; -i·est**) *a.* **1** 골이 있는. **2** (문장·문체 따위가) 힘찬, 간결하나 함축성 있는. ㊞ **píth·i·ly** *ad.* **píth·i·ness** *n.*

◇pit·i·a·ble [pítiəbəl] *a.* 가련한, 불쌍한; 비루한, 비참한. ★ pitiful 보다 다소 뜻이 강하고 종종 경멸의 뜻을 내포함. ㊞ **-bly** *ad.*

◇**pit·i·ful** [pítifəl] *a.* **1** 인정 많은, 동정적인. **2** 가엾은, 처량한, 불쌍한: The refugees' suffering is ~ to see. 난민들의 참상은 보기에도 너무 불쌍하다. **3** 보잘것없는; 천한. [파] **~·ly** [-fəli] *ad.* **~·ness** *n.*

◇**pit·i·less** [pítilis] *a.* 무자비한, 몰인정한, 냉혹한; (날씨 따위가) 너무도 매서운. [파] **~·ly** *ad.* **~·ness** *n.*

pít·man [-mən] (*pl.* ***-men*** [-mən]) *n.* [C] 갱부; 탄갱부(coal miner).

pi·ton [pí:tɑn/-tɔn] *n.* 《F.》 [C] (등산용의) 바위에 박는 못, 마우어하켄.

Pí·tot tùbe [pí:tou-] 〖물리〗 피토관(管), 유체 총압관(流體總壓管)《유속(流速) 측정에 사용》.

pit·tance [pítəns] *n.* [C] (보통 *sing.*) 약간의 음식〔수입, 수당〕; 약간, 소량《주로 a mere pittance 의 형식으로 쓰임》: work for *a mere* ~ 푼돈을 벌려고 일하다.

pit·ted [pítid] *a.* [P] 얽은 자국이 있는; 구멍이 뚫린《***with, by*** …으로》: a face ~ *with* 〔*by*〕 smallpox 마마로 얽은 얼굴.

pit·ter-pat·ter [pítərpæ̀tər] *n.* (*sing.*), *ad.* 후두두《비 따위의 소리》; 타닥타닥(하는 소리): His heart went ~. 그의 심장이 두근거렸다.

Pitts·burgh [pítsbə:rg] *n.* 피츠버그《미국 Pennsylvania 주의 철공업 도시》.

pi·tu·i·ta·ry [pitjú:ətèri/-təri] *a.* 점액(粘液)의〔을 분비하는〕; 〖해부〗 뇌하수체의. **—***n.* [C] 〖해부〗 뇌하수체(~ gland); [U] 뇌하수체제(劑).

pitúitary glànd 〖해부〗 뇌하수체.

pít vìper 〖동물〗 살무사 아과(亞科)의 독사의 총칭《위턱 양쪽에 온도를 감지하는 오목한 기관이 있음; 살무사 · 방울뱀 따위》.

⁑**pity** [píti] *n.* **1** [U] **불쌍히 여김, 동정**《***for, on*** …을, …에 대한》: feel ~ *for* …을 불쌍히〔가엾이〕 여기다/have 〔take〕 ~ *on* …을 딱하게 여기다/for ~'s sake 제발; 그만둬, 무슨 꼴이야, 당치도 않은/in ~ *for* 〔*of*〕 …을 가엾게 여겨/out of ~ 딱하게 여겨서/Nobody wants ~ from others. 남의 동정을 받고 싶어할 사람은 없다/*Pity* is akin to love. 《속담》 연민은 애정으로 통한다. [SYN.] ⇨SYMPATHY. **2** (*sing.*) **애석한 일, 유감스러운 일**; 유감의 이유: It's a ~ (that) you missed the party. 네가 파티에 못 나온 것은 유감스러운 일이다/The ~ (of it) is that he was not elected. 유감스러운 것은 그가 낙선한 사실이다/What a ~! 정말 가엾다〔유감스럽다〕/*Pity* it's raining. 《구어》 비가 오다니 유감이다《★ Pity 는 It's a pity 의 생략된 표현》. ◇pitiful, piteous *a.* ***It's a ~ to*** do =***The ~ is to*** do … 하다니 애석〔분〕하다: *It is a ~ to* give up the plan. 그 계획을 포기한다는 것은 애석한 일이다.

> [DIAL.] ***more's the pity*** 유감스럽게도: I can't come to the party. I have to work that night. *More's the pity*. 파티에는 갈 수가 없군요. 유감스럽게도 그날 밤 불가피한 일이 있어서요.

—*vt.* 《~+[목]/+[목]+[전]+[명]》 **불쌍히 여기다**, 애석하게 여기다《***for*** …을》: a person to be *pitied* 동정받아야 할 사람, 불쌍히 여겨야 할 사람/I ~ you. 《경멸적》 당신은 불쌍한〔가련한〕 사람이야/We ~ her *for* her distress. 우리들은 그녀가 어려움에 처한 것을 불쌍히 여기고 있다.

pít·y·ing *a.* [A] 불쌍히 여기는, 동정하는: a ~ look 동정하는 표정. [파] **~·ly** *ad.*

◇**piv·ot** [pívət] *n.* [C] **1** 〖기계〗 피벗, 선회축(旋回軸), 추축(樞軸). **2** 추요부(樞要部), 중심점, 요점. **3** 가장 중요한 사람; 〖스포츠〗 중심이 되는 선수〔위치〕. **4** 〖댄스〗 한 발 선회《체중을 딛고 돌던 발에서 다른 발로 옮기는 것처럼 하는 스텝》.
—*vt.* …을 추축(樞軸) 위에 놓다; …에 추축을 붙이다. **—***vi.* **1** 회전하다; 선회하다《***on, upon*** …을 축으로 하여》. **2** 결정되다《***on, upon*** …에 따라》: The whole problem ~*s on* whether he'll come in time. 모든 문제는 그가 제시간에 오느냐에 달려 있다.

piv·ot·al [pívətl] *a.* 추축의; 중추의, 중요한. [파] **~·ly** *ad.*

pix [piks] PIC 의 복수.

pix·el [píksəl] *n.* [C] 〖컴퓨터 · TV〗 픽셀, 화소(畫素)《비디오 화면 표시 체계에서 독립적으로 처리할 수 있는 화상의 최소 요소》. [◂*pix*+*element*]

pix·ie, pixy [píksi:] *n.* [C] (특히 장난을 좋아하는) 작은 요정; 장난꾸러기.

píxie hát 〔**hòod**〕 뾰족모자《요정(妖精)이 쓰는 것 같은》.

pix·i·lat·ed [píksəlèitid] *a.* 머리가 좀 이상한, 별나고 우스운; 술 취한.

Pi·zar·ro [pizá:rou; *Sp.* piθárɔ̃ʒ -sár-] *n.* **Francisco** ~ 피사로《스페인의 탐험가로 잉카 제국 정복자; 1470–1541》.

pizz. 〖음악〗 pizzicato.

piz·za [pí:tsə] *n.* 《It.》 [C] (요리는 [U]) 피자(=∠ **pìe**).

pi(z)·zazz [pizǽz] *n.* [U] 《美구어》 **1** 정력, 활력. **2** 야함, 화려함; 야단스러운 선전.

piz·ze·ria [pì:tsərí:ə] *n.* 《It.》 [C] pizza(를 파는) 가게.

piz·zi·ca·to [pìtsiká:tou] (*pl.* ***-ti*** [-ti:]) 〖음악〗 *n.* [C] 피치카토곡〔악절〕《활을 쓰지 않고 손가락으로 현을 퉁기는 연주법; 생략: pizz.》. **—***a.*, *ad.* 피치카토의〔로〕.

P.J. Police Justice (경찰 법원 판사).

pjs, pj's, P.J.'s, p.j.'s [pí:dʒéiz] *n. pl.* 《美구어》 =PAJAMAS.

pk. pack; park; peak; pike; peck(s). **PKF** (UN) peacekeeping forces (유엔 평화 유지군). **pkg(s).** package(s). **PKO** (UN) peacekeeping operations (유엔 평화 유지 활동). **pkt.** packet; pocket.

PKZIP [pì:kéizip] *n.* [U] 〖컴퓨터〗 disk operating system(DOS)용의 데이터 압축 소프트웨어.

PL product liability. **pl.** place; plate; plural. **P.L.** Poet Laureate; Public Library.

plac·a·ble [plǽkəbəl, pléik-] *a.* 달래기 쉬운; 회유하기 쉬운; 온화한; 관대한. [파] **-bly** *ad.*

***plac·ard** [plǽkɑ:rd, -kərd] *n.* [C] **1 플래카드**. **2** 간판, 벽보, 게시. **3 포스터**(poster); 전단; 꼬리표, 명찰. **—** [plækɑ́:rd] *vt.* **1** …에 간판을 걸다, 벽보를 붙이다. **2** 긴핀으로〔벽보로〕 알리다〔공시하다, 광고하다〕. **3** 게시하다, 간판 모양으로 내걸다.

pla·cate [pléikeit, plǽk-] *vt.* (아무)를 달래다(soothe); 화해시키다; 《美》 회유하다; (분노 · 감정)을 가라앉히다. [파] **pla·cá·tion** *n.*

pla·ca·to·ry [pléikətɔ̀:ri, plǽk-/-təri] *a.* 달래는, 회유적〔유화적〕인.

†**place** [pleis] *n.* **1** [C] **a** (어느 특정한) **장소**, 곳; 장소, …장(場), …소(所): I have no ~ to go. 나는 갈 곳이 없다/This is no ~ for children. 이

곳은 아이들이 올 데가 아니다/a market ~ 시장/a ~ *of* worship 교회/a ~ *of* amusement 오락장〔지〕/a ~ *of* business 영업소. **b** 〖some, any, no, every 따위를 수반하여 부사적으로〗《美구어》 곳: ⇨ EVERYPLACE, NOPLACE, SOMEPLACE/I don't want to go *any* ~. 아무 데도 가고 싶지 않다.

2 a Ⓤ (추상적 개념으로서의) **공간**, 장소: time and ~ 시간과 공간. **b** Ⓤ 여지《***for*** …의》: leave ~ *for* …의 여지를 남기다/There's no ~ *for* doubt. 의심할 여지가 없다. **c** Ⓒ 비어 있는 곳, 공간.

3 Ⓒ **a 지역, 지방**; 시, 읍, 면: one's native ~ 출생지, 고향/go to ~*s* and see things 여러 곳을 구경하고 다니다. **b** (보통 *sing.*; one's ~) 《구어》 **집, 주거**; 방, 실(室): Come to my ~ for supper. 저의 집에 오셔서 저녁을 드십시오. **c** (시골의) 저택, 별장: He has a ~ in the country. 그는 시골에 별장이 있다.

4 Ⓒ **a** (신체 · 물건 표면의) **국소, 부분**: a sore ~ on my cheek 볼의 아픈 부분/a rough ~ in the street 거리의 울퉁불퉁한 데. **b** (얘기 · 책 · 영화 따위의) 한 구절; 한 대목: I've lost my ~. 어디까지 읽었는지 모르겠다/There're several ~*s* in this play where I'm moved to tears. 이 연극에는 눈물겨운 데가 몇 대목 있다.

5 Ⓒ **a 있어야 할 장소**, (물건을) 놔 두는 곳: Return that book to its ~. 그 책을 본디 있던 곳에 되돌려 놓으시오. **b** 〖보통 부정문에〗 적당한 장소〔기회〕《***for*** …에》: A party is *not* the ~ *for* an argument. 파티는 토론에 적합한 장소가 아니다. **c** (차례를 기다리는 줄의) 차례, 자리: Please keep my ~ in the line for a moment. 잠시 제 자리 좀 봐 주세요.

6 Ⓒ **a 좌석**; 위치: Go back to your ~. 제자리로 돌아가시오/take one's ~ at (a) table 식탁에 자리잡다/I changed ~*s* with him. 그와 좌석을 바꾸었다. **b** (호텔 등의) 방: He has a ~ reserved at Savoy in London. 그는 런던의 사보이 호텔에 방을 예약했다.

7 Ⓒ **a** (보통 *sing.*) **직**(職), 직장, 일자리: look for a ~ 일자리를 찾다/lose one's ~ 일자리를 잃다. **b** (학교 · 팀에 들어갈) 자격: She got a ~ at the college. 그녀는 그 대학에 입학했다. **c** 〖one's ~〗 직무, 본분: It's not your ~ to criticize. 네가 비평할 바가 아니다.

8 Ⓒ **입장**, 처지, 환경, 경우: If I were in your ~, I wouldn't put up with it. 내가 네 입장이라면 도저히 참지 못할 텐데.

9 Ⓒ **a** (사회적) **지위, 신분**; 분수: know one's ~ 자기 분수를 알다. **b** (보통 *sing.*) 중요한 지위〔위치〕: China now has a prominent ~ among the economic powers of the world. 중국은 지금 세계 경제 강국 중 중요한 위치를 점유하고 있다.

10 Ⓒ (보통 *sing.*) 〖서수사와 함께〗 **a** 순서: in the second 〔last〕 ~ 둘째〔최후〕로/Adults take second ~ to children in amusement parks. 유원지에서 어른은 어린이 다음. **b** 【경기】 선착〔입상〕 순위《경마 따위에서 1, 2, 3등, 《美》에서는 특히 2등》: get a ~ (3위내에) 입상하다; 《美》 2위로 입상하다/win first 〔third〕 ~ in a race 경주에서 1등〔3등〕으로 입상하다.

11 Ⓒ 【수학】 위(位), 자리: in the third decimal ~ 소수점 이하 셋째 자리에.

12 (P-) 〖고유명사로서〗 광장, 네거리; …가(街): Portland *Place* 포틀랜드가(街)《London의 거리 이름》.

all over the **~** 《구어》 사방에, 도처에; 난잡하게, 어수선하게; 흐트러져. ***a ~ in the sun*** 해가 비치는 곳; 《구어》 유리한 지위. ***fall into ~*** ① 제자리에 들어앉다. ② (이야기 따위가) 제대로 맞다, 앞뒤가 들어맞다; 잘 이해되다: With the new evidence, everything is beginning to *fall into* ~. 새로운 증거가 나오면서, 모든 것이 딱 들어맞기 시작한다. ***from ~ to ~*** 이리저리로, 장소에 따라서는. ***give ~ to*** …에게 자리〔지위〕를 양보하다, …와 교대하다. ***go ~s*** 《구어》 ① 여기저기 여행하다〔돌아다니다〕. ② 〖will go ~s 또는 진행형으로〗 《구어》 성공〔출세〕하다: He *will go ~s*. 그는 성공할 거야. ***in ~*** ① 정해진〔올바른〕 자리에: He looked in the mirror to make sure that his tie was *in* ~. 넥타이가 제대로 매어졌는지 확인하려고 그는 거울을 들여다보았다. ② 적당히, 적절히: Your remark was not *in* ~. 네 말은 적절치 않았다. ***in ~s*** 여기저기에. ***in*** a person***'s ~*** (아무)의 대리로. ***in ~ of*** …의 대신에: use electric lights *in ~ of* lamps 램프 대신에 전등을 사용하다. ***in the first ~*** ① (이유 · 논점 따위를 열거할 때) 첫째로, 우선. ② 애초부터: If boats frighten you, you should never have come *in the first* ~. 보트가 무서우면 애초부터 오지 말았어야지. ***make ~ for*** …이 들어갈〔…을 위한〕 여지를 만들다; …을 위하여 자리를 마련하다. ***out of ~*** 잘못 놓여, 장소가 틀려; 부적절한 (↔ *in* ~): I feel *out of* ~ at expensive restaurants. 비싼 레스토랑에 가면 생소한 느낌이 든다. ***put*** 〔***keep***〕 a person ***in*** his (***proper***) **~** (아무에게) 분수를 알게 하다. ***put*** one***self in another's ~*** 다른 사람의 입장에 서서 생각하다. ***take ~*** ① (행사 따위가) 개최되다: The game *took* ~ before a great crowd of spectators. 그 경기는 많은 관중 앞에서 행해졌다. ② (사건이) 일어나다, 생기다: The Norman Conquest *took* ~ in 1066. 노르만인의 영국 정복은 1066년에 일어났다. SYN. ⇨ HAPPEN. ***take*** one***'s ~*** ① 정해진 제자리에 앉다. ② 한패가 되다《***among, with*** …와》. ***take the ~ of*** …에 대신하다, …의 대리를 하다: Mechanical power *took the ~ of* manual labor. 기계의 힘이 육체 노동을 대신하게 되었다. ***upon the ~*** 즉석에서.

— *vt.* **1** 《~+목/+목+전+명》 **두다**, 놓다《***in, under*** (어떤 상태 · 위치)에》; 배치〔배열〕하다, 정돈하다: ~ a television transmitter 텔레비전 송신기를 설치하다/That ~*s* me *in* an awkward position. 그렇게 되면 나는 난처한 입장에 놓이게 된다/*Place* the names *in* alphabetical order. 이름을 알파벳순으로 배열해 주시오/~ a suspect *under* surveillance 용의자를 감시하다. SYN. ⇨ PUT.

2 a 《+목+전+명/+목+*as* 보》 앉히다; 임명하다《***in*** (직위)에》: He was ~*d in* the government service. 그는 공무원이 되었다/She was ~*ed in* a key position. 그녀는 중요한 지위에 임명되었다/~ a person *as* a professor 아무를 교수로 임명하다. **b** 《+목+전+명》 (아무)에게 일자리를 찾아주다《***as*** …으로서》; (아무)를 취직시켜 주다《***with*** (회사)에》: He was ~*d as* a programer. 그는 프로그래머로서 일자리를 갖게 되었다/They will ~ you *with* a good firm. 그들은 자네를 좋은 회사에 취직시켜 줄 것이다.

3 《~+목/+목+전+명》 (주문)을 내다, …을 주문하다, 신청하다《***with*** (상사 따위)에; ***for*** …의》;

(돈)을 맡기다, 투자하다《*in* …에》: ~ a telephone call 전화 통화를 신청하다/She ~*d* the order *for* the pizza an hour ago. 그녀는 피자를 한 시간 전에 주문했다/We have ~*d* an order *for* the articles *with* the firm. 우리는 그 상사에 그런 물품들을 주문했다/~ two million dollars *in* an enterprise, 200만 달러를 사업에 투자하다.
4 《+[목]+[전]+[명]》 **a** (신용 · 희망 따위)를 두다, 걸다《*in, on, upon* …에》: They didn't ~ much confidence *in* 〔*on*〕 their leader. 그들은 지도자를 그다지 신뢰하지 않았다. **b** (중요성 따위)를 두다《*in, on, upon* …에》: He ~*s* too much importance *on* data. 그는 자료를 지나치게 중시한다. **c** (관리 · 보살핌 따위)를 맡기다, 위탁하다《*in* …에》: The homeless children were ~*d* *in* my charge. 그 고아들은 나에게 맡겨졌다. **d** (의제 · 문제 등)을 내놓다, 제안〔제기〕하다《*before* …에》: ~ the issue *before* the general public 일반 대중에게 그 문제를 제기하다.
5 a 《~+[목]/+[목]+[전]+[명]/+[목]+[보]》 판정하다, 평가하다; 값을 매기다《*at* …으로》: He is a difficult man to ~. 그는 어떤 사람인지 분간하기 힘들다〔정체를 알 수 없다〕/~ the value of the picture *at* 5 million dollars 그 그림의 가치를 5백만 달러로 평가하다/~ the value of the chinaware too high 그 도자기의 가치를 너무 높게 매기다. **b** 《+[목]+[전]+[명]/+[목]+*as* [보]》 생각하다, 여기다, 간주하다《*among* …의 하나라고》: ~ health *among* the greatest gifts of life 건강을 인생 최대의 선물 중의 하나로 여기다/I ~*d* him *as* a New Englander. (말투로 보아) 그를 뉴잉글랜드 출신이라고 생각한다.
6 a 〔보통 부정문 또는 의문문〕 (이전의) 누구라고 〔무엇이라고〕 생각해내다〔기억을 되살리다〕: I know his face, but I can't ~ him. 그의 얼굴은 알겠는데, 그가 누군지 생각나지 않는다. **b** 《+[목]+[보]》 …의 등급을〔위치를〕 정하다: Among many factors this may be ~*d* first. 많은 요인 중에서 이것이 첫째 갈 것이다.
7 〔보통 수동태〕 (경마 · 경주자)의 순위를 정하다: His horse *was* not ~*d*. 그의 말은 입상하지 못했다《1~3등에 못 들었다》.
8 (교환수 중계로 전화)를 걸다: ~ a long-distance call to Los Angeles 로스엔젤레스로 장거리 전화를 걸다.
9 〖야구 · 테니스〗 마음먹은 방향으로 치다; 〖미식축구 · 축구 · 럭비〗 placekick으로 득점하다.
—*vi*. 《~/+[보]》 …등〔착〕이 되다; (경마 등에서) 3등 안에 들다; 《美》 (특히 경마 · 경견(競犬)에서) 2등이 되다: ~ second, 2등이 되다.

pláce bèt (경마 따위에서) 복승식으로 거는 방식《《美》 2등까지, 《英》 3등까지》.

pla·ce·bo [plətʃéibou] (*pl*. **~s, ~es**) *n*. 《L.》 [C] **1** 〖가톨릭〗 죽은 이를 위한 저녁 기도. **2** [pləsíːbou] **a** 〖의학〗 위약(僞藥)《환자를 안심시키기 위해 주는 약》. **b** 약효는 없으나 생체에 유효한 약제의 효용 실험을 위해 대조약으로서 투여하는 물질. **3** 위안(의 말, 행위), 아첨, 알랑거림.

pláce càrd (공식 연회 따위에서의) 좌석표.

pláce·kìck *n*. [C] 〖미식축구 · 럭비 · 축구〗 플레이스킥《공을 땅에 놓고 참》. [cf.] dropkick, punt[2].
—*vt*., *vi*. 플레이스킥하다.

pláce màt 식탁용 접시받침《1인분의 식기 밑에 깖》.

pláce·ment *n*. **1** [U] 놓음, 배치: the ~ of furniture 가구의 배치. **2** [U] (구체적으로는 [C]) 직업소개; 취직 알선; (구직자에게 주는) 일자리; (진학할 학교의) 선정; 학급 나누기. **3** [U] (구체적으로는 [C]) **a** 〖미식축구 · 럭비 · 축구〗 공을 땅 위에 놓기《placekick을 위해》, 그 위치, 그에 의한 득점. **b** 〖테니스〗 쇼트 볼. **—***a*. 직업 소개소의: a ~ agency 직업소개소.

plácement tèst (신입생의) 학급 배치〔분반〕 시험.

pláce-nàme *n*. [C] 지명(地名).

pla·cen·ta [pləséntə] (*pl*. **~s, -tae** [-tiː]) *n*. [C] 〖해부〗 태반(胎盤); 〖식물〗 태좌(胎座).

pláce sètting (식사 때) 각자 앞에 놓인 식기 한 벌〔일습(一襲)〕.

◇**plac·id** [plǽsid] *a*. **1** 평온한, 조용한(calm): a ~ lake 잔잔한 호수. **2** 침착한; 매우 만족한. [파] **~·ly** *ad*.

pla·cid·i·ty [pləsídəti] *n*. [U] 평정, 온화.

plack·et [plǽkit] *n*. [C] (스커트 따위의) 옆을 튼 데.

pla·gi·a·rism [pléidʒiərìzəm] *n*. [U] 표절(剽竊), 도작(盜作); [C] 표절물〔행위〕. [파] **-rist** *n*. [C] 표절자. **plà·gia·rís·tic** [ˌ-rístik, -dʒjə-] *a*.

pla·gi·a·rize [pléidʒiəràiz, -dʒjə-] *vt*., *vi*. (남의 문장 · 설 등을) 표절하다. [파] **-riz·er** *n*.

*__plague__ [pleig] *n*. **1** [C] **역병**(疫病), 전염병. **2** (the ~) 페스트, 흑사병, 선(腺)페스트(bubonic ~): The Great *Plague* (of London) 런던 대역병《1664-65》/the black 〔white〕 ~ 페스트〔폐결핵〕. **3** [C] **재앙**, 천재, 천벌, 저주(curse); (유해 동물의) 대습격: a ~ of locusts 메뚜기 떼의 대내습(大來襲). **4** [C] (보통 *sing*.) 《구어》 말썽꾸러기; 귀찮은 일. **(A) ~ *on* 〔*upon*〕** (it 〔him〕)**!** = ***Plague take*** (it 〔him〕)**!** 염병할 것, 빌어먹을 (것, 놈), 제기랄. ***avoid ... like the ~*** (마치 역병에 걸리기라도 한 것처럼) …가까이 가지 않다, …을 기피하다.
—*vt*. **1** 역병〔재앙 따위〕에 걸리게 하다. **2** 《~+[목]/+[목]+[전]+[명]》 《구어》 **애타게 하다**, 괴롭히다; 성가시게〔귀찮게〕 하다《*with* …으로》: be ~*d* to death 넌덜나게 귀찮다/He was ~*d* *with* questions. 그는 질문 공세를 받았다.

plaice [pleis] (*pl*. **~, pláic·es**) *n*. [C] 〖어류〗 가자미 · 넙치류; [U] 가자미〔넙치〕의 살.

plaid [plæd] *n*. [U] 격자무늬의 스카치 나사《옷감》; [C] 격자무늬의 나사로 만든 어깨걸이《스코틀랜드 고지 사람이 왼쪽 어깨에 걸침》; [U] 격자〔바둑판〕무늬. **—***a*. 격자무늬의: a ~ skirt 격자무늬의 치마.

__plain__[1] [plein] *a*. **1 분명한, 명백한; 평이한, 간단한, 알기 쉬운: in ~ English ⇨ENGLISH (관용구)/in ~ speech 〔words〕 알기 쉬운 말로; 쉽게 말하자면/It is ~ that he will fail. 그가 실패할 것은 뻔하다. [SYN.] ⇨CLEAR.
2 똑똑히 보이는〔들리는: in ~ view 훤히 보이는 (데서)/I made my annoyance ~. 내가 귀찮아 한다는 것을 분명히 보여 주었다.
3 (태도 · 언동 따위가) **솔직한**, 꾸밈〔숨김, 거짓〕 없는: You will forgive my ~ speaking. 솔직히 말씀드림을 용서하십시오/a ~ manner 꾸밈없는 태도.
4 [A] 순전한, 철저한; 순수한, 섞이지 않은: ~ folly 지극히 어리석은 짓.
5 (종이 · 옷감 따위가) **무지**(無地)**의**, 장식〔무늬, 빛깔〕이 없는; 평직(平織)의: ~ beige material 무지(無地)의 베이지색〔회갈색〕 원단/~ wrap-

ping paper 무지의 포장지 / a ~ dress (장식이 없는) 수수한 드레스.
6 보통의, 평범한; 교양이 없는, 무람없는: ~ people 보통 사람, 평민 / In those days he was ~ George Bush. 그 무렵 그는 평범한 조지 부시에 지나지 않았다.
7 검소한, 간소한, 수수한, 소박한, 간단하게 조리한: a ~ meal 검소한 식사 / ~ living 간소한 생활 / ~ cooking 간단한 요리(법).
8 (얼굴이) 예쁘지〔아름답지〕 않은: a ~ face 〔woman〕 예쁘지 않은 얼굴〔여인〕.
(as) ~ as day 〔**a pikestaff, the nose on** one's **face**〕 지극히 명백한. **make** one**self** ~ 생각하는 바를 분명히 밝히다〔말하다〕. **to be ~ with you** 《독립구로》 솔직히 말해서.
— *ad*. **1** 분명히, 알기 쉽게; 솔직히: speak 〔write〕 ~. **2** 아주, 순전히: He is (just) ~ heady. 그는 아주 취해 있다.
— *n*. Ⓒ (흔히 *pl*.) **평지**, 평야, 평원, 광야: ⇨the GREAT PLAINS.
㊕ ~·ness *n*.

plain² *n*. Ⓤ 평직, 메리야스직.

pláin cárd (트럼프의) 보통 패, 숫자패. cf. face card.

plain·chant [pléintʃæ̀nt, -tʃɑ̀:nt] *n*. = PLAINSONG.

pláin chócolate 플레인 초콜릿《밀크를 넣지 않고 설탕도 거의 넣지 않은 초콜릿》.

pláin clóthes (경관의) 사복, 평복, 통상복.

pláin·clóthes *a*. Ⓐ (특히 경관의) 사복〔평복〕의: a ~ detective 사복 형사.

pláin·clóthes·man [-mən, -mæ̀n] (*pl*. **-men** [-mən, -mèn]) *n*. Ⓒ 사복 형사〔경관〕(= **pláinclóthes màn**).

pláin déaling 솔직〔정직, 공정〕한 거래〔관계〕.

pláin flóur 순수한 밀가루《베이킹 파우더가 들어 있지 않은》.

***pláin·ly** *ad*. **1 명백히**, 분명히: It was ~ visible. 그것은 분명해 보였다 / He explained his ideas ~. 그는 자기 생각을 분명하게 설명했다. **2 a** 솔직하게, 꾸밈없이: She said it quite ~. 그녀는 그 일을 솔직하게 말했다. **b** 분명히〔간결하게〕 말하면: You're ~ wrong. 분명히 말해서 너는 옳지 않다. **3** 《문 전체를 수식하여》 명백〔확실〕하게: He looks pale. *Plainly* he must be sick. 그는 창백해 보인다. 확실히 몸이 좋지 않은 게 틀림없다. **4 검소하게**, 수수하게; 간단히: She always dresses ~. 그녀는 항상 검소한 옷차림을 한다.

pláin sáiling 1 순조로운 항해. **2** (일의) 순조로운 진행; 용이함(plane sailing).

Pláins Índian 평원 인디언(Buffalo Indian) 《원래 북미 the Great Plains에서 유목 생활을 함》.

pláins·man [-mən] (*pl*. **-men** [-mən]) *n*. Ⓒ 평원의 주민; 《특히》 북아메리카 Great Plains의 주민.

pláin·sòng *n*. Ⓤ 단(單)선율 성가《무반주로 제창하는 초기 기독교 시대로부터의 교회 음악》.

pláin·spóken *a*. 거리낌 없는, 솔직히 말하는; 노골적인(outspoken). ㊕ ~·ness *n*.

pláins·wòman (*pl*. **-women**) PLAINSMAN의 여성형.

plaint [pleint] *n*. Ⓒ 《시어》 비탄, 탄식, 불평 (complaint); 〖英법률〗 고소; 고소장.

plain·tiff [pléintif] *n*. Ⓒ 〖법률〗 원고(原告), 고소인. ↔ *defendant*.

plain·tive [pléintiv] *a*. 애처로운, 슬픈 듯한, 애조를 띤; 눈물로 호소하는 듯한: a ~ melody 구슬픈 곡〔선율〕. ㊕ ~·ly *ad*. ~·ness *n*.

plait [pleit, plæt] *n*. Ⓒ **1** (천의) 주름(pleat). **2** (흔히 *pl*.) 땋은 머리; 엮은 밀짚(braid); 땋은 끈.
— *vt*. …에 주름잡다, …을 접다(fold); 땋다, 엮다, 엮어서 …을 만들다: ~*ed* work 엮음질 세공.

†**plan** [plæn] *n*. Ⓒ **1 계획, 플랜**, 안(案), 계략 《**for, of** …의 / **to** do》: a rough ~ 대략적인 계획 / a ~ *of* campaign 작전 계획 / a desk ~ 탁상 계획 / a five-year ~, 5 개년 계획 / hit upon 〔think out〕 a good ~ 좋은 안이 생각나다〔을 세우다〕 / make 〔form, lay〕 ~(*s*) *for* the future 장래의 계획을 세우다 / The president has a ~ *to* reduce taxes. 대통령은 감세안(減稅案)을 구상하고 있다 / Have you made any ~*s for* the summer vacation? — Yes, but tough ones. 여름 휴가 계획을 세웠습니까 — 네, 대충만 세웠어요.

> SYN. **plan** 머릿속에 생각하고 있는 것이 실현되었을 때의 예상도. 도면으로 그리면 설계도가 됨. **design** 계획자가 지니는 의도·기획·기호가 강조됨. **scheme** 기획의 실현을 위해 용의주도한 과정까지 고려한 계획. 나쁜 기획이면 '음모'가 됨: a business *scheme* 사업 계획. **project** 현재의 용법으로는 규모가 큰, 때때로 사회성이 있는 계획: a housing *project* 주택 계획.

2 도면, 설계도, 평면도, 약도, 도표, (시가지 등의) 지도. cf. elevation. ¶ ~*s* for a new school 새 학교를 지을 설계도 / the ~ of a garden 정원의 설계도 / ⇨GROUND 〔FLOOR〕 PLAN.
3 모형, 초안; (원근 화법의) 투시면.
4 투; 식(式), 풍(風); 방법, 방식: ⇨INSTALLMENT PLAN / The best ~ would be to do it at once. 가장 좋은 방법은 그것을 즉시 실행하는 것이다.
according to ~ (예정된) 계획대로 (되면): Everything will go *according to* ~. 만사가 예정〔계획〕대로 될 것이다.
— (**-nn-**) *vt*. **1** 《~+목/*to* do/+*wh*.절》 **계획하다**, 궁리하다, 입안하다; 꾀하다, 마음먹다: ~ a trip 여행하기로 하다 / ~ one's vacation 휴가 계획을 짜다 / We are ~*ning to* visit Europe this summer. 이번 여름에는 유럽 여행을 할 작정이다 / We ~*ned* very carefully *how* we would climb the mountain. 그 산을 어떻게 등반할지 아주 신중하게 계획을 짰다.
2 …을 설계하다, …의 설계도를 그리다: ~ a house 집을 설계하다.
— *vi*. **1** 《~/+전+명》 계획을 세우다《**for, on** …의》: ~ *for* a dinner party 만찬회 계획을 세우다.
2 《+전+명》 《구어》 **a** 생각하다, 예정〔작정〕이다 《**on** …하려고》: I'm ~*ning on* visit*ing* New York. 뉴욕을 방문할 예정이다. **b** 예측〔예상〕하다 《**on** …(할 것)을》: We didn't ~ *on* his be*ing* late. 그가 늦으리라고는 예상조차 하지 않았다.
~ ***out*** 《*vt*.+부》 …을 면밀하게 계획하다: We ~*ed* it all *out* before we began. 우리는 시작하기 전에 모든 것을 면밀하게 계획했다.

plan·chette [plænʃét, -tʃét] *n*. Ⓒ 플랑셰트, 점치는 판《작은 바퀴 두 개와 연필이 하나 달린 심장 모양의 판; 여기에 한 손을 얹고, 움직인 궤적(軌跡)으로 점을 침》.

‡**plane¹** [plein] *n*. Ⓒ **비행기**(airplane), 수상기

(hydroplane): a passenger ~ 여객기 / by ~ = in 〔on〕 a ~ 비행기로, 공로로《★ by ~은 관사 없이》/ get on 〔board〕 a ~ 비행기에 타다 / get off a ~ 비행기에서 내리다.
—*vi.* **1** (비행기가 엔진을 안 쓰고) 활공하다, (수상기가) 이수하다. **2** 비행기로 가다〔여행하다〕. **3** (배가) 수면에서 떠오르다《고속으로 달릴 때》.

‡**plane**[2] *n.* Ⓒ **1 평면**, 면, 수평면: an inclined ~ 사면 / a horizontal ~ 수평면. **2** (지식 따위의) **수준**, 정도, 단계; 국면, 상태: a high ~ *of* civilization 고도의 문명 / on the same ~ as …와 같은 정도〔동렬(同列)〕로. **3** 결정체의 일면. **4** 대패, 평삭기(平削機). **5** 〖컴퓨터〗 판.
—*a.* Ⓐ 편평한, 평탄한; 평면 도형의. ⓒⓕ flat[1]. ¶ a ~ surface 평면 / a ~ figure 평면 도형.
—*vt.* **1** 편평하게〔매끄럽게〕 하다: ~ the way 길을 고르다. **2** 《+목+보》 …에 대패질하다: ~ a board smooth 판자를 매끄럽게 대패질하다. **3** 편평하게 깎다(*away; down*). **—***vi.* **1** 대패질하다. **2** 편평하게 깎이다.

plane[3] *n.* Ⓒ 플라타너스(~ tree).

pláne cràsh (비행기의) 추락 사고.

pláne sáiling 〖항해〗 평면 항법; =PLAIN SAILING 2.

***plan·et** [plǽnət] *n.* Ⓒ **1** 〖천문〗 **행성**《태양〔항성〕 주위를 공전하는 9 개의 대형 천체의 하나》; (the ~) 지구; 《본디》 하늘을 이동하는 천체《달 · 태양도 포함했었음》: major 〔minor〕 ~*s* 소〔대〕행성 / primary 〔secondary〕 ~*s* 행성〔위성〕. **2** 〖점성〗 운성(運星)《사람의 운명을 좌우한다는》.

> **NOTE** 태양계의 행성의 이름은 태양에서 가까운 것부터 Mercury (수성), Venus (금성), Earth (지구), Mars (화성), Jupiter (목성), Saturn (토성), Uranus (천왕성), Neptune (해왕성), Pluto (명왕성)이며, the earth 이외는 신화에 나오는 신의 이름을 쓰고 있어서 일반적으로 관사를 안 붙임: Venus is a beautiful star. 금성은 아름다운 별이다. 다만, 신의 이름과 구별하기 위하여 동격적으로 the planet Venus (‘행성 Venus’ 즉 금성)과 같이 할 때도 있음.

plan·e·tar·i·um [plæ̀nətɛ́əriəm] (*pl.* **~s, -ia** [-iə]) *n.* Ⓒ 〖천문〗 플라네타륨, 행성의(儀); 별자리 투영기; 천문관(館).

plan·e·tary [plǽnətèri/-təri] *a.* **1** 〖천문〗 행성의〔같은〕; 행성의 작용에 의한: ~ motions 행성 운동 / ~ year 행성년 / a ~ probe 행성 탐색 인공위성 / the ~ system 태양계(the solar system). **2** 〖점성〗 행성의 영향을 받은. **3** 이 세상의, 지구(상)의, 세계적인(global).

plánetary nébula 〖천문〗 행성상(狀) 성운(星雲).

plan·e·tol·o·gy [plæ̀nətɑ́lədʒi/-tɔ́l-] *n.* Ⓤ 〖천문〗 행성학.

pláne trèe 〖식물〗 플라타너스.

plan·gent [plǽndʒənt] *a.* 밀려와 부딪치는《파도 따위》; 울려 퍼지는; 구슬프게 울리는《종 따위》. ⓟ **~·ly** *ad.*

plan·i·sphere [plǽnəsfìər] *n.* Ⓒ 평면 구형도(球形圖); 〖천문〗 평면 천체도, 성좌 일람표.

°**plank** [plæŋk] *n.* Ⓒ **1** 널, 두꺼운 판자《보통 두께가 2-6 인치, 폭 9 인치 이상; board 보다 두꺼움》; 의지가 되는 것. **2** 정당 강령(platform)의 항목〔조항〕. ***walk the*** **~** 뱃전에서 밖으로 내민 판자 위를 눈가림을 당한 채 걷게 하다《17 세기경 해적이 포로를 죽이던 방법》; 《구어》 강요에 의해 사직하다.
—*vt.* **1** 판자로 깔다: ~ (the floor of) the study 서재를〔의 바닥을〕 판자로 깔다. **2** 《美》 (생선이나 고기)를 판 위에 얹어놓고 요리하(여 내놓)다. **~ *down*** 《*vt.*+부》 《美구어》 ① (물건)을 털썩 내려놓다: The bellboy *~ed down* the baggage. 보이는 그 짐을 털썩 밑에 내려놓았다. ② (돈)을 맞돈으로 치르다: I *~ed down* the money. 나는 맞돈으로 치렀다.

plánk bèd (교도소 따위의) 판자 침대.

plánk·ing *n.* Ⓤ **1** 판자깔기. **2** 〖집합적〗 붙이는 판자, 바닥에 까는 판자; 선체 겉판자.

plank·ton [plǽŋktən] *n.* Ⓤ 〖집합적〗 플랑크톤, 부유 생물. ⓟ **plank·ton·ic** [plæŋktɑ́nik/-tɔ́n-] *a.*

planned *a.* 계획된〔한〕: a ~ economy 계획 경제 / a ~ crime 계획적인 범죄 / ~ obsolescence 계획적 진부화《기술 혁신 · 모델 변경으로 차례로 신제품을 내어 소비자가 새 제품을 사도록 하는 것》/ ~ parenthood 가족 계획, 계획 출산.

plan·ner [plǽnər] *n.* Ⓒ 〖흔히 복합어〗 계획〔입안〕자; 기획자; 설계자: a city ~ 도시 계획 입안자.

plan·ning [plǽniŋ] *n.* Ⓤ (특히 경제적 · 사회적인) 계획(하는 것), 기획, 입안; 설계: family ~ 가족 계획 / town ~ 도시 계획.

plánning permìssion 《英》 건축 허가.

plàno-cóncave *a.* (렌즈가) 평요(平凹)의《한 면만 오목한》.

plàno-cónvex *a.* (렌즈가) 평철(平凸)의《한 면만 볼록한》.

†**plant** [plænt, plɑːnt] *n.* **1** Ⓒ (동물에 대한) **식물**, 초목: ⇨POT PLANT. **2** Ⓒ (수목에 대한) 풀(herb); 묘목, 모종: cabbage ~*s* 양배추의 모종. **3** Ⓒ 〖종종 복합어로〗 **공장**, 제조 공장; 기계 장치, 기계 한 벌: a waterpower ~ 수력 발전소 / a manufacturing ~ 제조 공장 / a nuclear reprocessing ~ 핵연료 재처리 공장 / an air-conditioning ~ 에어컨 장치. **4** Ⓤ (생산 따위의) 설비, 시설; 플랜트《기계류 · 건물 · 부지 등의 전체》: invest in new ~ 새 시설에 투자하다 / the heating ~ for a home 가정의 난방 설비 (일습). **5** Ⓒ (보통 *sing.*) 《구어》 **a** (사람을 죄짓게 하는) 책략, 계략; 함정. **b** (무고한 사람을 모함하기 위하여 그 사람의 물건 속에 넣은) 미끼가 되는 물건, 장물. **c** (범죄 집단 속에 숨어든) 경찰의 첩자.
—*vt.* **1** (묘목)을 **심다**, (씨)를 뿌리다: ~ seeds 〔trees〕 씨를 뿌리다〔나무를 심다〕.
2 《+목+전+명》 심다《***with*** …을; ***in*** (토지)에》: She *~ed* her garden *with* tulips. =She *~ed* tulips *in* her garden. 그녀는 정원에 튤립을 심었다.
3 《+목+전+명》 **a** (사상 · 관념 따위)를 주입하다《***in*** …에》: ~ love for learning *in* growing children 자라는 아이들에게 공부하는 재미를 몸에 배게 하다. **b** 《구어》 (남 몰래 또는 불법으로 정보 · 거짓말 따위)를 흘리다《***in*** …에》: ~ a false story *in* the papers 거짓말을 신문에 흘리다.
4 《+목+전+명》 (굴 따위)를 양식하다; 놓아 기르다, 방류(放流)하다《***with*** (치어 따위)를; ***in*** (강 · 호수 따위)에》: ~ a river *with* fish =~ fish *in* a river 강에 물고기를 방류하다.
5 《~+목/+목+전+명》 (식민지 · 도시 따위)를 창설〔건설〕하다; 식민시키다《***in*** …에》: ~ a colony 식민지를 건설하다 / ~ settlers *in* a colony 식민

지에 이민을 살게 하다.
6 《~+목/+목+전+명》 **a** (물건 따위)를 **놓다**, 세우다; (폭발물 · 도청기 등)을 설치하다; (사람)을 배치하다: ~ a pole *in* the ground 땅에다 기둥을 세우다 / A microphone was *~ed in* his desk. 그의 책상에 마이크가 설치되(어 있)었다. **b** 〖~ oneself〗 앉다, 좌정하다: He *~ed* him*self in* an armchair. 그는 안락의자에 앉았다〔앉아 있었다〕.
7 《+목+전+명》 《구어》 (타격 따위)를 주다《*in*, *on* …에》; (키스)를 하다《*on* …에》: ~ a blow *in* a person's belly 아무의 배에 한방 먹이다 / He *~ed* a kiss *on* her cheek. 그는 그녀의 볼에 키스했다.
8 《+목+전+명》 《속어》 (장물 등)을 파묻다, 감추다, (남에게 혐의가 가도록) 몰래 두다《*on* …에》; (첩자 · 바람잡이 따위)를 잠입시키다《*in* …에》: The pickpocket *~ed* the wallet *on* a passerby. 소매치기는 그 지갑을 지나가는 행인 호주머니에 넣었다 / ~ a spy *in* the gang 갱단에 첩자를 잠입시키다.
~ ***out*** 《*vt*.+부》 ① …을 (화분에서) 땅으로 옮겨 심다. ② (모종)을 간격을 두고 심다.

Plan·tag·e·net [plæntǽdʒənit] *n*. **1** 〖英역사〗 플랜태저넷 왕가(1154–1485). **2** C 플랜태저넷 왕가의 사람.

plan·tain[1] [plǽntin] *n*. C 〖식물〗 질경이.

plan·tain[2] *n*. **1** C 바나나의 일종. **2** C (음식은 U) 그 열매《요리용》.

***plan·ta·tion** [plæntéiʃən] *n*. C **1 재배지, 농원**, 농장《특히 열대 · 아열대 지방의》: a coffee 〔rubber, sugar〕 ~ 커피〔고무, 설탕〕 재배원. **2** 《英》 식림지, 조림지, 인공림.

plánt·er *n*. C **1** 〖보통 복합어〗 씨 뿌리는 사람〔기계〕, 심는 사람, 경작자, 재배〔양식〕자: a potato ~ 감자 파종기. **2** 《美》 (미 남부의) 대농장 주인. **3** 장식용 (실내) 화분.

plánt lòuse 〖곤충〗 진디(aphis); 진디 비슷한 습성을 가진 곤충《나무진디 따위》.

plaque [plæk/plɑːk] *n*. **1** C (금속 · 도자기 · 상아 따위의) 장식판; (벽에 끼워넣는) 기념 명판(銘板); 소판(小板)꼴의 브로치〔배지〕. **2** U 〖의학 · 세균〗 반(斑), 플라크; 〖치과〗 치태(齒苔).

plash [plæʃ] *n*. (*sing*.) 절벅절벅, 철벙, 철썩철썩(splash)《물소리》. **—***vt*. (수면)을 요동시켜 절버절벅〔찰싹찰싹〕 소리를 내다; …에 액체를 튀기다〔끼얹다〕. **—***vi*. 절벅절벅〔찰싹찰싹〕 소리가 나다; (물이) 튀다.

plasm- [plæzm], **plas·mo-** [plǽzmou, -mə] '혈장(血漿), 원형질'의 뜻의 결합사.

plas·ma [plǽzmə] *n*. U 〖생리〗 혈장(血漿), 유장(乳漿)(whey); 〖물리〗 플라스마, 전리 기체《원자핵과 전자가 분리된 가스 상태》.

plas·mid [plǽzməd] *n*. C 〖유전〗 플라스미드《염색체와는 따로 증식할 수 있는 유전 인자》.

***plas·ter** [plǽstər, plɑ́ːs-] *n*. **1** U **회반죽**, 벽토; 석고; 깁스 / in ~ 깁스를 하고. **2** U (종류 · 낱개는 C) 〖의학〗 고약, 경고(硬膏); 《英》 반창고 (sticking ~). **3** 〖형용사적〗 석고(제)의: a ~ figure 석고 모형.
—*vt*. **1 a** 《~+목/+목+부》 …에 회반죽을〔모르타르를〕 바르다(*over; up*): ~ a ceiling 천정에 회를 바르다 / ~ *up* 〔*over*〕 a hole in the wall 회를 발라서 벽의 구멍을 메우다. **b** 《+목+부/+목+전+명》 (잘못된 곳)을 발라서 가리다; 속이다, 얼버무리다(*over; up*)《***with*** …으로》: ~ *over* shortcomings *with* beautiful words 미사여구로 결점을 얼버무리다. **2 a** …에 연고〔반창고〕를 바르다〔붙이다〕: ~ a wound 상처에 연고를 바르다. **b** 《+목+전+명》 짙게 바르다, 온통 발라 붙이다《***with*** …을; ***on, over*** …에》: ~ a wall *with* posters =~ posters *on* a wall 벽에 포스터를 뒤바르다. **3** 《구어》 **a** 때려눕히다, 박살내다; 완패시키다. **b** …에 맹공(猛攻)을 퍼붓다, …을 맹폭격하다. **4** 《+목+부/+목+전+명》 (머리 따위)를 뒤발라 반반하게 하다《***with*** (포마드 따위)를》: ~ one's hair *down* (*with* pomade) 머리를 (포마드를) 뒤발라 붙이다. 파 **~ed** *a*. 《속어 · 우스개》 취한. **~·er** *n*. C 석고 기술자; 미장이.

pláster·bòard *n*. U 석고판《석고를 심(心)으로 넣은 벽의 초벽용 판지》.

pláster cást 〖조각〗 석고상, 석고 모형; 〖의학〗 깁스 (붕대).

plás·ter·ing [-riŋ] *n*. **1** U 회반죽 바르기〔공사〕; 석고 세공; 고약 붙이기. **2** C 《구어》 대패(大敗); 완패.

pláster sáint 《반어적》 (하나도 나무랄 데 없는) 훌륭한 사람, 성인 군자.

plas·tic** [plǽstik] *a*. **1 형성력이 있는;** 형체를 만드는; 빚어 만들 수 있는; 〖미술〗 조형적인; 창조력이 있는: ~ substances 가소(可塑) 물질《점토 · 합성수지 따위》. **2 a** 플라스틱의〔으로 만든〕: a ~ toy 플라스틱 장난감. **b** 비닐의〔로 만든〕: a ~ shopping bag 비닐 쇼핑 백 / a ~ house 비닐하우스. **3** (찰흙 따위로 만든) 소상(塑像)의; 소상술(術)의: ~ figures 〔images〕 소상(塑像). **4** (성격 따위) **유연한;** 온순한, 감수성이 강한: a ~ character 감화되기 쉬운 성질. **5** 〖생물〗 생활 조직을 형성하는; 성형적인; 〖외과〗 성형의: ~ exudation 성형 분비물. **6** 합성적인, 인공적인; 부자연스런, 꾸며낸: a ~ smile 부자연스런 미소. ◇ plasticity *n*. **—n*. **1** U **플라스틱**, 합성수지; 비닐. **2** C (보통 *pl*.) 플라스틱 제품. **3** =PLASTIC MONEY.

plástic árt (보통 the ~) 조형(造形) 미술《조각 · 도예 따위》.

plástic bómb 플라스틱 폭탄.

plástic búllet (폭도 진압 등에 사용되는) 플라스틱 탄환.

plástic crédit 〖상업〗 크레디트 카드에 의한 신용《대출 · 지불 따위》.

plástic explósive 가소성(可塑性) 폭약; =PLASTIC BOMB.

Plas·ti·cine [plǽstəsìːn] *n*. U 소상(塑像)용 점토《상표명》.

plas·tic·i·ty [plæstísəti] *n*. U **1** 〖물리〗 가소성(可塑性), 성형력(成形力). **2** 유연성; 적응성 (adaptability).

plástic móney 크레디트 카드. cf. plastic credit.

plástic súrgery 성형 외과.

plas·tron [plǽstrən] *n*. C (여성복의) 가슴 장식; 풀 먹인 셔츠의 가슴; (펜싱용의) 가죽으로 된 가슴받이; (옛날 갑옷의) 철로 만든 가슴받이; 〖동물〗 (거북의) 복갑(腹甲).

plat[1] [plæt] *n*. C (칸 막은) 토지; (화단 따위로 쓰는) 작은 땅; 《美》 (토지의) 도면, 토지 측량도; 《美》 지도.

plat[2] *n*., *vt*. (*-tt-*) =PLAIT.

plat du jour [plɑ̀ːdəʒúːər] (*pl*. ***plats du jour*** [plɑ̀ːz-]) 《F.》 (레스토랑의) 오늘의 특별 요리.

†**plate** [pleit] *n*. **1** C **접시**(dish)《보통 납작하고

둥근 것》; 접시 모양의 것: a dinner ~ (비교적 큰) 접시/a stack of ~s 접시 더미.
2 [U] 〖집합적〗 접시류; 금은제〔도금〕의 식기류. ★ 2의 경우 그 하나를 가리킬 때는 a piece of ~가 됨.
3 [C] (요리의) 한 접시, 일품; 1 인분(의 요리): a ~ of beef and vegetables 쇠고기와 야채를 곁들인 요리/clean 〔empty〕 one's ~ (한 접시를 다) 먹어치우다.
4 (the ~) (교회의) 헌금 접시(에 모여진 돈); (경마 따위의) 금은 상배(賞盃); 금은의 상배를 주는 경마〔경기〕.
5 [C] **a** (금속 따위의) 판; **판금**, 늘인 쇠: an iron 〔a tin〕 ~ 철〔함석〕판. **b** [U] 〖보통 복합어〗 도금(금속): gold ~ 금도금.
6 [C] 〖종종 합성어〗 **a** (이름 등을 쓴) 표찰; 《특히》 의사의 간판: ⇨ doorplate, nameplate / put up one's ~ (의사로서) 개업하다. **b** (자동차의) 번호판; (책 표지 뒤에 붙이는) 장서표(bookplate).
7 [C] 〖사진〗 감광판; 금속판, 전기판, 스테로판(板); 목〔금속〕판화; 도판; 〖인쇄〗 판; 1 페이지 크기의 인쇄도, 플레이트: a negative ~ 원판, 네가.
8 [C] (파충류 · 물고기 따위의) 갑(甲); 철갑 갑옷.
9 [C] **판유리**(~ glass).
10 [C] (the ~) 〖야구〗 본루(home ~), 투수판 (pitcher's ~).
11 [C] 〖치과〗 의치상(義齒床)(dental ~); 《구어》 의치; (경마의) 가벼운 편자.
12 [U] 소의 갈비 밑의 얇은 고기.
13 [C] 《美》 〖전자〗 플레이트, (진공관의) 양극 (anode).
14 [C] 〖지질〗 플레이트《지구의 표층부를 구성하는 암판》: the Pacific ~ 태평양 플레이트.
on a ~ 《구어》 손쉽게, 간단히, 힘 안 들이고: I won't give you the answers *on a* ~. 자네에게 쉽게 해답을 가르쳐 주지 않겠네. ***on*** **one's** ~ 《구어》 (업무 따위의) 해야 할 일을 떠맡아: I have a lot 〔too much〕 *on* my ~. 해야 할 일을 많이 〔지나치게〕 떠맡고 있다.
— *vt*. **1** 《~+[목]/+[목]+[전]+[명]》 …에 도금하다 《***with*** …으로》: ~*d* spoons / This ring is only ~*d with* gold. 이 반지는 도금한 것에 지나지 않는다. **2** 판금으로 덮다; (군함 따위)를 장갑하다.

pláte àrmor 철갑 갑옷; (군함 등의) 장갑판.

pla·teau [plætóu/ˊ-] (*pl.* **~s, ~x** [-z]) *n.* [C] **1** 고원, 대지(臺地); (심해 밑의) 해대(海臺). **2** (위가 평평한) 여자용 모자. **3** 큰 접시, 쟁반; 장식용 접시. **4** 〖교육〗 학습 고원(高原)《학습 등의 정체기》, 플래토; 슬럼프.

plat·ed [pléitid] *a.* 〖보통 합성어〗 도금(鍍金)한: gold-〔silver〕~ spoons 금〔은〕 도금 수저.

plate·ful [pléitfùl] *n.* [C] 한 접시 가득(분).

pláte gláss (고급의) 두꺼운 판유리. [cf.] sheet glass.

pláte-glass *a.* [A] **1** 판유리의: a ~ window 판유리를 낀 창. **2** (종종 P-) (대학이) 새로운: a ~ university 새 대학교《Oxford, Combridge 같은 석조의 ancient universities와 반대되는 현대식 건물을 일컬음》.

pláte·làyer *n.* [C] 《英》 선로공(工), 보선공(《美》 tracklayer).

plate·let [pléitlit] *n.* [C] 작은 판; 〖해부〗 혈소판(血小板)(blood ~).

plat·en [plǽtən] *n.* [C] 〖인쇄〗 플래튼, (인쇄기의) 압반(壓盤); 〖기계〗 (평삭반(平削盤) 따위의) 테이블; (타자기의) 롤러; 〖고무〗 열판(熱板).

pláte-ràck *n.* [C] 《英》 물기 빼는 접시걸이.

pláte ràil (장식용의) 접시 선반.

pláte tectónics 〖지질〗 플레이트 텍토닉스 《지각(地殼)의 표층이 판상(板狀)을 이루어 움직이고 있다는 학설》.

plat·form [plǽtfɔ̀ːrm] *n.* [C] **1 a (역의) **플랫폼**: an arrival 〔a departure〕 ~ 도착〔출발〕 플랫폼/wait for a train on the ~ 플랫폼에서 열차를 기다리다/What ~ does the train for Washington depart 〔leave〕 from?—Seven, I guess. Ask someone else and make sure. 워싱턴행 기차가 어느 플랫폼에서 떠납니까—7번일 거예요. 다른 사람에게 물어보고 확인하세요. **b** (미국에서는 객차의, 영국에서는 버스 뒷쪽의) 승강단, 덱(vestibule). **2 a 연단, 교단**, 강단(講壇), 단(壇), 고대(高臺). **b** 토론〔의견 발표〕의 장〔기회〕: provide a ~ for …에게 발표의 장을〔기회를〕 주다. **3** (일하기〔감시하기〕 위한) 높은 곳의 발판; (헬리콥터 등의) 발착장; (해저 유전 굴착용) 플랫폼. **4** (보통 *sing.*) (정당 · 후보자의) 강령, 정강; 《美》 정강 선언《후보자 지명 대회에서》. **5** 〖군사〗 포상(砲床), 포좌; 〖우주〗 플랫폼《우주선의 위치 제어 장치》. **6** ＝PLATFORM SOLE; ＝PLATFORM SHOE.

plátform shòe (코르크 · 가죽제의) 창이 두꺼운 여자 구두.

plátform sòle (코르크 · 가죽제의) 두꺼운 창.

plátform tìcket 《英》 (역의) 입장권.

plat·ing [pléitiŋ] *n.* [U] **1** (금 · 은 따위의) 도금(coating), 금〔은〕입히기: a ~ bath 도금 탱크, 도금액 통. **2** (군함 따위의) 장갑.

plat·i·num [plǽtənəm] *n.* [U] 〖화학〗 백금, 플라티나《금속 원소; 기호 Pt; 번호 78》.

plátinum blónde 백금색, 백금색 머리의 여자《염색한 경우가 많음》.

plat·i·tude [plǽtətjùːd] *n.* [U] 단조로움, 평범함, 진부함; [C] 평범한 의견, 상투어.

plat·i·tu·di·nous [plæ̀tətjúːdənəs] *a.* 시시한 말을 하는; 평범한, 진부한《말 따위》. [파] **~·ly** *ad.*

Pla·to[1] [pléitou] *n.* 플라톤《그리스의 철학자; 427?-347? B.C.》.

PLATO, Pla·to[2] [pléitou] *n.* [C] 컴퓨터를 사용한 개인 교육 시스템. [◂Programmed Logic for Automatic Teaching Operation]

Pla·ton·ic [plətánik, pleit-/-tɔ̀n-] *a.* **1** 플라톤의; 플라톤 학파〔철학〕의. **2** (보통 p-) 순정신적〔우애적〕인; (보통 p-) 정신적 연애를 신봉하는; 이상적〔관념적〕인, 비실행적(非實行的)인. [파] **-i·cal·ly** [-əli] *ad.*

Platónic lóve (보통 p- l-) 플라토닉 러브, 이상주의적 사랑, 정신적 연애.

Pla·to·nism [pléitənìzəm] *n.* [U] 플라톤 철학〔학파〕; 플라톤주의; (보통 p-) 정신적 연애 (platonic love). [파] **-nist** *n.* [C] 플라톤 학파 사람.

pla·toon [plətúːn] *n.* [C] 〖집합적〗 (보병 · 공병 · 경관대의) 소대; 일조(一組), 일단(一團).

plat·ter [plǽtər] *n.* [C] (특히 고기를 담는) 큰 접시; 《구어》 (녹)음반, 레코드.

platy·pus [plǽtipəs] (*pl.* **~es, -pi** [-pai]) *n.* [C] 〖동물〗 오리너구리《오스트레일리아산 난생(卵生) 포유동물》.

plau·dit [plɔ́ːdət] *n.* [C] (보통 *pl.*) 박수, 갈채;

칭찬, 찬탄.

plau·si·ble [plɔ́ːzəbəl] *a.* **1** (이유 · 구실 따위가) 그럴듯한, 정말 같은: a ~ excuse 그럴듯한 변명. **2** 그럴듯한 말을 하는, 말재주가 좋은: a ~ liar. ㊕ **-bly** *ad.* **~·ness** *n.* **plàu·si·bíl·i·ty** *n.*

†**play** [plei] *vi.* **1** 《~/+[전]+[명]/+[부]》 **놀다**《**with** …와; **at** …을 하고》: ~ *with* one's friends 친구들과 놀다/~ (*at*) hide-and-seek 숨바꼭질하다/~ *at* keep*ing* shop 가게 놀이를 하다/There're a lot of children *~ing about in* the play ground. 운동장에서 뛰노는 아이들이 많다.

2 《+[전]+[명]》 장난치다; 만지작거리다, 가지고 놀다(trifle)《**with** …와, …을》: ~ *with* fire 불장난을 하다/~ *with* a doll 인형을 가지고 놀다/He isn't a man to be *~ed with*. 그는 놀림을 당할 상대가 아니다.

3 《+[전]+[명]/+[부]》 **경쾌하게 날아다니다**, 춤추다; (바람에) 가볍게 흔들리다; 나부끼다; (빛 따위가) 비치다, 번쩍이다: Leaves ~ *in* the breeze. 나뭇잎이 산들바람에 가볍게 나부낀다/The light *~ed* strangely *over* the faces of the actors. 조명이 배우들의 얼굴을 비쳐 기묘한 효과를 냈다/Her hair *~ed on* her shoulders. 그녀의 머리카락이 어깨 위에서 치렁거렸다/The sun *~s on* the water. 햇빛이 물 위에 반짝이고 있다/A butterfly was *~ing about*. 나비 한 마리가 날아다니고 있었다.

4 (기계 따위가) 원활하게 움직이다, 운전하다(work): The piston rod *~s* in the cylinder. 피스톤축은 실린더 안을 왔다갔다한다.

5 《~/+[전]+[명]》 (분수 · 펌프 따위가) 물을 뿜다; (탄환 따위가) 연속 발사되다: The fire engines were ready to ~. 소방차는 언제나 물 뿜을 준비가 되어 있었다/The machine guns *~ed on* the building. 그 건물을 향해 기관총이 발사되었다/The water of the fountain *~ed on* the children's faces. 분수의 물이 아이들의 얼굴에 끼얹어졌다.

6 a 《+[전]+[명]》 경기를〔시합을〕 하다, 경기에 참가하다〔나가다〕《**as** …으로서》; 대전하다《**against** …와, …을 상대로》: ~ *at* first base 〔*as* first baseman〕, 1루를 지키다/They both *~ed in* the tennis match. 그들은 둘 다 테니스 경기에 나갔다/~ *against* another team 다른 팀과 대전하다. **b** 〘양태부사를 수반하여〙 (구장 따위가) 경기하기에 …하다: The stadium *~ed* well 〔badly〕. 경기장은 상태가 좋았다〔나빴다〕.

7 《~/+[전]+[명]》 도박을〔체스를〕 하다《**with** (아무)와》; 걸고 내기를 하다《**for** (돈)을》: ~ *for* money 돈내기를 하다.

8 《+[보]》 …한 행동을 하다, …한 체하다: ~ fair 〔dirty〕 정정당당〔비겁〕하게 행동하다/~ dead 죽은 체하다.

9 《~/+[전]+[명]》 (사람이) 연주하다, 취주하다, 타다, 켜다, 치다: ~ by ear 암보(暗譜)로 연주하다/Will you ~ for us? 연주해 주시지 않으시렵니까/~ *on* the piano 피아노를 치다.

10 a (악기 · 음악이) 울리다, 연주되다, (녹음이) 재생되다; (레코드 · 테이프가) 걸리다: The piano is *~ing*. 피아노가 연주 중이다/The radio began to ~. 라디오 소리가 나기 시작했다/records *~ing* at $33\frac{1}{3}$ per minute, 1분간에 $33\frac{1}{3}$ 회전하는 레코드/The strings are *~ing* well today. 오늘은 현악기가 잘 연주된다〔좋은 소리를 내고 있다〕.

11 《+[전]+[명]》 **a** 출연하다, 연기하다《**in** …에; **opposite** …의 상대역으로》: He has often *~ed in* comedies. 그는 종종 희극에 출연하고 있다/She *~ed opposite* Charles Chaplin in that film. 그녀는 그 영화에서 찰리 채플린의 상대역을 맡아 했다. **b** (연극 · 영화 따위가) 상연〔상영〕되고 있다《**in, at** …에서》; 방영되고 있다《**on** (TV)에서》: The movie is *~ing at* several theaters. 그 영화는 몇몇 극장에서 상영되고 있다/I saw Hamlet when it *~ed in* London. 나는 '햄릿'이 런던에서 상연되었을 때 관람했다/What's *~ing on* television tonight? 오늘 저녁 TV에서는 무엇이 방영됩니까.

12 〘양태부사를 수반하여〙 (각본 따위가) 상연하기에〔무대에 올려놓기에〕 알맞다: That drama will ~ well. 저 각본은 무대에 올리면 좋은 연극이 될 것이다.

13 《+[전]+[명]》 틈타다, 이용하다《**on, upon** (남의 동정심 · 공포심 따위의 허점)을》: ~ *on* a person's weaknesses 아무의 약점을 이용하다.

14 《+[전]+[명]》《구어》 (제안 · 연설 따위가) 받아들여지다, 먹혀들다《**with** …에게》: His speech *~ed* poorly *with* the voters. 그의 연설은 유권자에게 잘 받아들여지지〔먹혀들지〕 않았다.

15 《구어》 참가하다, 협력하다: He refused to ~. 그는 함께 하기를 거절했다.

★ 뜻이 자명한 때에는 목적어를 생략하여 play를 자동사로 쓰며, *play* tennis, *play* the piano, *play* the record 따위의 뜻이 됨.

—*vt.* **1 a** (구기 · 경기 등)을 **하다**《★ 관사 없이 구기를 나타내는 말을 목적어로 함; skiing, boxing, wrestling, judo, swimming 등은 play에 쓰지 않음》: ~ baseball 〔tennis, golf〕 야구〔테니스, 골프〕를 하다. **b** 《+[목](+[목])/+[목]+[전]+[명]》 (아무)와 경기를 하다; (경기)를 하다《**with, against** (아무)와》: Will anyone ~ me? 누구 나와 시합하지 않을래/I'll ~ you a set of tennis. =I'll ~ a set of tennis *with* you. 너와 한 세트 테니스 경기를 하겠다. **c** 《+[목]+[전]+[명]》 …와 겨루다《**in** (경기)에서》; …와 다투다, 경쟁하다《**for** …을 걸고》: He *~ed* Johnson *in* the tennis match. 그는 테니스 시합에서 존슨과 겨루었다/Dallas *~ed* Chicago *for* the football championship. 댈러스는 풋볼 선수권을 놓고 시카고와 대전했다. **d** 《+[목]+[전]+[명]/+[목]+*as* [보]》 (아무)를 출전시키다, 내보내다《**in** (경기)에》; (아무)를 기용하다《**at** (포지션)에》: We are going to ~ them *in* the next game. 다음 경기에 그들을 출전시킬 참이다/The captain decided to ~ him *at* fullback. 주장은 그를 풀백으로 기용하기로 했다. **e** (어떤 포지션)을 맡다, 지키다《★ 목적어인 명사는 관사 없이》: ~ first base, 1루를 지키다. **f** 《+[목]+[전]+[명]》 (능숙하게 공)을 치다: He *~ed* the ball *between* left and center. 그는 능숙하게 공을 좌중간으로 쳤다.

2 a 《~+[목]/+[목]+[전]+[명]》 (돈)을 걸다《**on** …에》: ~ one's last few dollars *on* …에 최후의 몇 달러를 걸다. **b** …에 돈을 걸다; 투기하다: ~ the horses 〔races〕 경마에 돈을 걸다/~ the stock market 주식에 투기하다.

3 《~+[목]/+*that* [절]》 …놀이하다; …을 흉내내며 놀다: ~ cowboys 카우보이놀이를 하다/~ house 소꿉놀이하다/Let's ~ (*that*) we are pirates. 해적놀이하자.

4 a (극)을 상연하다: ~ *Hamlet* 〔a comedy〕 햄릿〔희극〕을 상연하다. **b** 《~+[목]/+[목]+[전]+[명]》 (…

의 역)을 연기하다《*in* (극)에서》; …으로 분장하다: ~ an important part *in* musical 뮤지컬에서 중요한 배역을 맡다 / She ~*ed* (the part of) Ophelia. 그녀는 오필리아(역)을 연기했다. **c** (극단 등이) …에서 공연하다, 흥행하다; (극·영화가) …에서 상연〔상영〕되다《종종 수동태로》: ~ London 런던에서 흥행하다 / The film was booked to ~ two theaters in New York. 그 영화는 뉴욕의 2개 극장에서 상영하기로 계약되었다.

5 a 《~+목/+목+전+명》 (악기·곡)을 연주하다《*on* (악기)로》: ~ the piano 〔flute〕 피아노를 치다〔플룻을 불다〕/ ~ a sonata *on* the piano 피아노로 소나타를 치다. **b** 《+목+목/+목+전+명》 (곡)을 쳐 주다《*for, to* (아무)에게》: Will you ~ me some Chopin? =Will you ~ some Chopin *for* me? 쇼팽곡을 쳐 주시겠습니까. **c** 《+목+부/+목+전+명》 연주하여 …시키다: They ~*ed* the people *in* 〔*out*, *into* the hall〕. 그들은 음악을 연주하여 사람들을 입장시켰다〔퇴장시켰다, 홀 안으로 들어오게 했다〕. **d** 《~+목/+목+목/+목+전+명》 (레코드·라디오)를 틀다; 틀어 주다《*for, to* (아무)에게》: ~ some popular music (on the radio) 라디오로 포퓰러 뮤직을 틀다 / Please ~ us your favorite record. = Please ~ your favorite record *for* 〔*to*〕 us. 우리에게 당신이 좋아하는 레코드를 틀어 주세요.

6 a 《~+목/+목+전+명》 (본분·역할)을 다하다《*in* …에서》: ~ one's part 본분을 다하다 / Water ~*s* an important part *in* the functioning of the body. 신체의 기능면에서 물은 중요한 역할을 한다. **b** 〖the+단수명사를 목적어로 하여〗 …의 역할을 하다; …답게 행동하다: ~ the host 〔hostess〕 호스트〔호스티스〕의 역할을 맡아하다 / ~ the fool 바보짓을 하다 / ~ the man 남자답게 행동하다. **c** 〖~ it 으로〗 (…의) 태도를 취하다, (…인) 체하다: ~ *it* one's (own) way 제멋대로 〔자기 좋을 대로〕하다 / ~ *it* cool 냉정한 태도를 취하다; 무관심을 가장하다.

7 a 《~+목/+목+목/+목+전+명》 (카드놀이·체스·게임 따위)를 하다《*with* (아무)와》: ~ cards 카드놀이를 하다 / I ~*ed* him a game of chess. =I ~*ed* a game of chess *with* him. 그와 체스를 한 판 두었다. **b** 《+목+전+명》 (아무)와 겨루다, 상대하다《*at* …으로》: Will you ~ us *at* bridge? 우리와 브릿지 게임 할까요. **c** 〖체스〗 (말)을 움직이다. **d** 〖카드놀이〗 (패)를 내놓다, 쓰다.

8 《+목+목/+목+전+명》 (장난·사기)를 치다《*on* (아무)에게》: ~ a person a joke =~ a joke *on* a person 아무에게 장난치다, 아무를 놀리다 / He ~*ed* me a mean trick. 그는 내게 비열한 사기를 쳤다.

9 《+목+전+명》 간주하다, 여기다《*for* …으로》: They ~*ed* him *for* a fool. 그들은 그를 바보로 여기고 있었다.

10 《+목+전+명》 (빛 따위)를 내다, 번쩍이게 하다; (물)을 끼얹다; (포화)를 발사하다: ~ one's flashlight *along* one's way 회중전등으로 가는 길을 비추다 / ~ a hose *on* a fire 불에 호스로 물을 뿌리다 / ~ guns *on* the enemy's lines 적진을 향하여 발포하다.

11 (낚시에 걸린 물고기)를 퍼드덕거려 지치도록 놀리다: ~ a fish.

~ ***about*** 〔***around***〕 《*vi.*+부》 ① 돌아다니며 놀다(⇨*vi.* 1). ② 가지고 놀다; 주물럭거리다《*with* …을》. ③ 《구어》 성적 관계를 가지다, 성생활이 문란하다《*with* (이성)과》. ~ ***along*** 《*vi.*+부》 (즉각) 협력하는 체하다《*with* …와》. ~ ***back*** 《*vt.*+부》 (녹음·녹화 테이프)를 재생하다. ~ ***both ends*** (***against the middle***) 《美》 양다리를 걸치다; (대립자를 다투게 하여) 어부지리를 얻다. ~ ***down*** 《*vt.*+부》 ① …을 가볍게 다루다, 경시하다(cf. ~ up). ―《*vi.*+부》 ② (영합하기 위해) 기세를 누그러뜨리다, 아첨하다. ~ ***false*** 사람을 배신하려고 하다. ~ a person ***false*** ⇨FALSE. ~ ***fast and loose*** ⇨FAST[1]. ~ ***God*** 신같이 굴다, 건방지게 굴다. ~ ***hard to get*** 《구어》 (사람의 권유·이성의 유혹 등에 대하여) 우선 마음에 안 드는 체하다. ~ ***in*** 《*vt.*+부》 ① 연주하면서 (사람 등)을 안으로 인도하다. ② 〖~oneself in 으로〗 (경기·게임 따위에서) 서서히 실력을 발휘하다. ~ ***into each other's hands*** 상호 이익을 도모하다, 짜고 행동하다, 한통속이 되다. ~ ***into the hands of*** a person =~ ***into*** a person***'s hands*** 아무의 이익이 되도록 행동하다; 아무의 계략에 빠지다. ~ ***it by ear*** ⇨EAR[1]. ~ ***off*** 《*vt.*+부》 ① (무승부·중단된 경기)의 결승전을 치르다. ② (자신의 이익을 위하여 남)을 경쟁시키다, 대결시키다《*against* …을 상대로》: He ~*ed* his girlfriends *off against* each other. 그는 여자 친구들을 서로 반목하게 했다. ―《*vi.*+부》 ③ (무승부 경기 따위의) 결승전을 치르다. ~ ***on*** 〔***upon***〕 ① …에 영향을 끼치다. ② …을 이용하다, 틈타다: ~ *on* a person's fear 아무의 공포심을 이용하다. ③ …으로 익살을 부리다: ~ *on* words 익살을 부리다. ~ ***out*** 《*vt.*+부》 ① …을 끝까지 연주하다; (경기 따위)를 끝까지 하다. ② 연주하면서 (사람들)을 내보내다. ③ (아무)를 녹초가 되게 하다; (물건)을 시대〔유행〕에 뒤지게 하다. ④ (밧줄 따위)를 끌어내다, 풀어 주다. ~ ***the game*** ⇨GAME[1]. ~ ***up*** 《*vt.*+부》 ① …을 중시하다, 강조하다, 《美》 선전하다(cf. ~ down). ② 《英구어》 …을 괴롭히다; …에게 귀찮게 하다. ―《*vi.*+부》 ③ 연주를 시작하다. ④ 분투하다, 〖명령문〗 힘내라. ⑤ (기계·신체 따위가) 컨디션이 나빠지다. ⑥ (아이가) 장난치다《*toward* …에》. ⑦ 《英구어》 (환부 따위가) 아프다. ~ ***up to*** …을 지지하다, …에 동조하다; 《구어·비유적》 …에게 아첨 떨다. ~ ***with*** …을 가지고 놀다; 《美속어》 …와 협력하다: ~ *with* edged tools 위험한 짓을 하다. ~ ***with*** one***self*** 자위 행위를 하다.

―*n.* **1** U **놀이**, 유희: The children are at ~. 아이들은 놀고 있다 / All work and no ~ makes Jack a dull boy. 《속담》 공부만 하고 놀지 않으면 아이는 바보가 된다, 잘 배우고 잘 놀아라.

> SYN. **play** '놀이'의 일반적인 말. 육체적·정신적 놀이의 총칭. **sport** 옥외에서의 육체적 운동이나 놀이를 나타냄. **game** 어떤 룰에 따라 승부를 정하는 육체적·정신적인 '놀이'를 말함. **recreation** 근로 뒤의 피로를 풀기 위하여 행하는 '놀이'의 뜻.

2 U (구체적으로는 C) 장난(fun), 농담(joking): I said it in ~, not in earnest. 농남으로 한 말이지 진심은 아니었다.

3 a U 내기, 도박, 노름(gambling): lose much money in one evening's ~ 하룻밤 노름으로 큰 돈을 잃다. **b** C (보통 *sing.*) (트럼프·체스 따위의) 순번: It's your ~. 네 차례다.

4 a U 경기, 시합; (경기의) 솜씨, 플레이: during ~ 경기 중에 / *Play* begins at 1 p.m. 경기는 오후 한 시에 시작한다 / fine 〔rough〕 ~ 파인

〔거친〕 플레이. **b** Ⓒ 《美》 (경기에서의) 계산된 움직임〔동작〕, 경기 태도: There was a lot of rough ~*s* in the football match yesterday. 어제 축구 경기에서는 거친 플레이가 많았다. **c** Ⓤ 〖흔히 합성어〗 (무기 따위의) 다루는 법, 조작술: ⇨ GUNPLAY, SWORDPLAY.

5 Ⓤ (또는 a ~) 행동, 행위: fair ~ 공정한 행위/foul ~ 비열한 행위.

6 Ⓤ **활동**, 작용; 활동의 자유〔여지〕; 느슨해짐: in full ~ 최대한 활동하여/He gave full ~ to his fancy. 그는 실컷 공상에 잠겼다/Give some ~ to the rope. 밧줄을 좀 늦춰 다오/allow full ~ to one's imagination 상상을 자유로이 활동케 하다.

7 Ⓒ (보통 *sing.*) (빛 · 빛깔 따위의) 움직임, 어른거림, 번쩍임: the ~ *of* sunlight upon water 수면에서의 햇빛의 어른거림.

8 Ⓒ **연극**; 각본, 희곡(drama): a musical ~ 음악극/the ~*s* of Shakespeare 셰익스피어 희곡/go to a ~ 연극 구경을 가다.

bring 〔***call***〕 ***... into*** ~ …을 이용하다, 활동시키다. ***come into*** ~ 움직이기〔활동하기〕 시작하다. ***in*** ~ ① 장난〔농담〕으로(⇨*n*. 2). ② 〖구기〗 경기 중에, (공이) 살아; 라인내에서. ***make a*** 〔***one's***〕 ~ ***for*** …을 손에 넣으려고 고심하다〔책략을 쓰다〕; (여자〔남자〕애)를 온갖 수단을 써서 유혹하려 하다. ***make*** ~ 효과적으로 하다. ***make*** ~ ***with*** (흥을 돋우기 위해) …을 연극조로 말하다, 화려하게 이용하다, 과장해서 말하다《보통 play에 great, much 등의 수식어가 따름》. ***out of*** ~ 〖구기〗 아웃이 되어, 공이 라인 밖으로 나가. ↔ *in play*.

pláy·a·ble *a*. play 할 수 있는; (경기장 따위를) 사용할 수 있는.

pláy·àct *vi*. 연기하다; 가장하다, …인 체하다; 과장된 몸짓을 하다. ㊕ **~·ing** *n*. Ⓤ 연극(을 함); 《비유적》 '연극', 겉치레, 가면(pretense).

***pláy·bàck** [pléibæ̀k] *n*. Ⓒ (레코드 · 테이프 등 특히 녹음〔녹화〕 직후의) **재생**; (녹음 · 녹화의) 재생 장치(=∠ **machìne**).

pláy·bìll *n*. Ⓒ (연극의) 광고 전단; 《美》 (극의) 프로그램.

pláy·bòok *n*. Ⓒ 각본; 〖미식축구〗 플레이북 《팀의 공수(攻守) 포메이션을 수록한 책》.

pláy·bòy *n*. Ⓒ (돈과 시간이 있는) 바람둥이, 한량, 플레이보이.

pláy-by-pláy *a*., *n*. Ⓤ (구체적으로는 Ⓒ) (경기 따위의) 자세한 보도(의), 실황 방송(의): a ~ broadcast of a game 경기 실황 방송.

pláyed-óut *a*. Ⓟ 《구어》 지친, 기진한; 더는 해볼 수 없는; 진부한; 시대〔유행〕에 뒤떨어진.

⁑**play·er** [pléiər] *n*. Ⓒ **1** 노는 사람〔동물〕; 게으름뱅이; 도락삼아 하는 사람: a ~ *at* farming 도락삼아 농사 짓는 사람. **2 경기자**, 선수: the most valuable ~ 최우수 선수《생략: MVP》. **3 배우**(actor); 연주자: a piano 〔violin〕 ~ 피아노 〔바이올린〕 연주자. **4** (자동 피아노 따위의) 자동 연주 장치; 레코드플레이어, 카세트플레이어. **5** 도박꾼(gambler); 《美속어》 혼음(混淫)을 일삼는 자, 《특히》 뚜쟁이.

pláyer piáno 〖음악〗 자동 피아노.

pláy·fèllow *n*. =PLAYMATE.

°**play·ful** [pléifəl] *a*. **1** 쾌활한; 놀기 좋아하는, 농담 좋아하는. **2** 장난의, 희롱하는, 농담의, 우스꽝스러운. ㊕ **~·ly** *ad*. **~·ness** *n*.

pláy·gìrl *n*. Ⓒ (쾌락을 찾아) 놀러다니는 여자, 플레이걸.

pláy·gòer *n*. Ⓒ 연극 좋아하는 사람; 연극 구경을 자주 가는 사람, 연극 팬.

⁑**play·ground** [pléigrὰund] *n*. Ⓒ (학교 등의) **운동장**; (아이들의) 놀이터, 공원; 행락지, 휴양지: the ~*s* of Europe 유럽의 휴양지《스위스의 별칭》.

pláy·gròup *n*. Ⓒ (취학 전 어린이의) 사설 보육소.

pláy·hòuse *n*. Ⓒ **1** 극장(theater). **2** (아이들의) 놀이집, 어린이 오락관.

pláying càrd (카드 따위의) 패.

pláying field 경기장, 운동장.

pláy·màte *n*. Ⓒ 놀이친구.

pláy-òff *n*. Ⓒ 〖경기〗 (비기거나 동점인 경우의) 결승 경기; (시즌 종료 후의) 우승 결정전 시리즈.

pláy·pèn *n*. Ⓒ 유아 안전 놀이울《보통 접이식 울》.

pláy·ròom *n*. Ⓒ 오락실(rumpus room).

pláy·schòol *n*. =PLAYGROUP.

pláy·sùit *n*. Ⓒ (여성 · 어린이의) 운동복, 레저웨어.

pláy·thìng *n*. Ⓒ 장난감〔노리개〕 (취급받는 사람): make a ~ of a person 아무를 놀림감으로 삼다.

pláy·tìme *n*. Ⓤ (학교의) 노는 시간; 방과 시간.

pláy·wright *n*. Ⓒ 각본가; 극작가; 각색자.

pla·za [plάːzə, plǽzə] *n*. 《Sp.》 Ⓒ (도시 · 읍의) 광장, (특히 스페인 도시의) 시장(marketplace); 《美》 (은행 · 극장 따위가 있는) 쇼핑 센터; 《美》 (고속도로변의) 서비스 에어리어(service plaza).

plc, PLC 《英》 Public Limited Company.

-ple [pl] *suf*. '배, 겹'의 형용사 어미: sim*ple*, tri*ple*.

°**plea** [pliː] *n*. Ⓒ **1** 탄원, 청원(entreaty); 기원: make a ~ for …을 탄원하다. **2** (보통 *sing.*) **변명**(excuse); 구실, 핑계(pretext)《***that***》: on 〔under〕 the ~ *of* …을 구실삼아, …이라는 핑계로. **3** 〖법률〗 항변, 답변(서), 소송의 신청(allegation); 소송: enter a ~ of guilty 〔not guilty〕 (피고가) 자기 죄를 인정하다〔부인하다〕.

pléa bàrgain(ing) 〖美법률〗 유죄 답변 거래〔홍정〕《검찰측으로부터 가벼운 구형 등을 받기로 하고 그 대신 피고측이 유죄를 인정하는 따위의 거래〔홍정〕》.

pleach [pliːtʃ] *vt*. (가지와 가지)를 얽히게 하다〔하여 산울타리를 만들다〕; 얽다, 엮다; 짜다(plait); (머리)를 땋다.

plead** [pliːd] (*p*., *pp*. ***plead·ed, 《美구어 · 방언》 ***ple(a)d*** [pled]) *vt*. **1 변호하다**, 변론하다: ~ a person's case 아무의 사건을 변호하다/get a lawyer to ~ one's cause 변호사에게 자기의 소송 변호를 의뢰하다. **2** 《~+목/+*that* 절》 **이유로서 내세우다**〔**주장하다**〕: The thief ~*ed* poverty. 그 도둑은 가난을 범행 이유로 내세웠다/She ~*ed* ignorance of the law. 그녀는 법을 몰랐다고 변명했다/He ~*ed that* I was to blame. 그는 나에게 책임이 있다고 주장했다.

—*vi*. **1** 《~/+전+명》 **변론하다**《***for*** …을 위하여》; 항변하다《***against*** …에 대하여》: ~ *for* the accused 〔defendant〕 피고인을〔피고를〕 변호하다/~ *against* increased taxation 증세에 항의하다. **2** 《+전+명/+전+명+*to* do》 탄원하다, 간청하다《***with*** (아무)에게; ***for*** …을》: ~ *with* him *for* pity 〔more time〕 동정을〔유예를〕 그에게 간

청하다 / ~ *for* another chance *to* show one's ability 능력을 발휘할 기회를 다시 한 번 달라고 간청하다.
~ ***guilty*** 〔***not guilty***〕 (피고가) 죄상을 인정하다 〔인정치 않다〕.

pléad·er *n.* [C] **1** 〖법률〗 (법정의) 변호인; 항변자. **2** 주선하는 사람, 탄원자.

pléad·ing *n.* **1** [U] (구체적으로는 [C]) 변론, 변명. **2** 〖법률〗 (법정의) 변론; 소송 절차; (소송 원인이나 항변 사유를 적은) 진술서, 답변서; (*pl.*) (쟁점이 결정될 때까지 원고와 피고가 번갈아 제출하는) 답변 서면: ⇨SPECIAL PLEADING. **—***a.* 호소하는, 탄원적인. ㉺ **~·ly** *ad.* 탄원적으로.

pleas·ant** [pléznt] (more*** **~, ~·*er*; *most*** **~, ~·*est***) *a.* **1** (사물이) **즐거운**, 기분좋은, 유쾌한 《***for, to*** …에 / ***to*** do》; 쾌적한. ↔ *unpleasant.* ¶a ~ afternoon 유쾌한 오후 / ~ news 유쾌한 소식 / the ~ season 〔climate〕 쾌적한 계절 〔기후〕 / lead a ~ life 인생을 즐겁게 보내다 / have 〔spend〕 a ~ time 즐겁게 시간을 보내다 / ~ *to* the eye 〔ear〕 보기에〔듣기〕에 즐거운 / That was very ~ *for* me. 그것은 나에게 무척 즐거웠다 / It was a ~ surprise. 그것은 뜻밖의 즐거움이었다 / The book is ~ *to* read. =It's ~ *to* read the book. 그 책은 읽어서 기분좋은 책이다.
[SYN.] **pleasant, pleasing** '마음을 기쁘게 하는, 쾌적한' 이란 점에서 같으나 pleasant가 객관성이 있는 표현임에 비해 pleasing은 '자기에게 쾌적한' 이란 주관적인 표현. **agreeable** 자기의 기호 · 취미에 꼭맞는→쾌적한, 유쾌한. **enjoyable** 즐길 수 있는, 즐거운: Fishing is *enjoyable* by both young and old. 낚시질은 젊은이나 늙은이나 다 즐길 수 있다.
2 (사람 · 태도 따위가) **호감이 가는**, 상냥한; 쾌활한, 명랑한: a ~ person 호감이 가는 사람 / a ~ companion 상냥한 벗 / make oneself ~ to (visitors) (방문객)에게 상냥하게 대하다.
㉺ **~·ness** *n.*

***pleas·ant·ly** [plézntli] *ad.* **1** **즐겁게**, 유쾌하게, 쾌적하게. **2** **상냥하게**, 쾌활하게.

pleas·ant·ry [plézntri] *n.* **1** [U] (대화의) 기분좋음; 익살; [C] (보통 *pl.*) 농담. **2** [C] (보통 *pl.*) 의례적인 말《인사말 따위》.

†**please** [pli:z] *vt.* **1** …을 **기쁘게 하다**, 즐겁게 하다, 만족시키다(satisfy), …의 마음에 들다: ~ the eye 눈을 즐겁게 하다 / We can't ~ everybody. 모든 사람을 다 만족시킬 수는 없다 / She is hard 〔difficult〕 to ~. 그 여자는 까다롭다.
2 〖it을 주어로 하여〗 …의 기쁨〔희망〕이다, …이 좋아하는 바다: *It* ~d him *to* go with her. 그는 기꺼이 그녀와 동행하였다 / *It* ~d him greatly *that* I accepted his offer. 내가 그의 제안을 받아들여서 그는 매우 기뻐했다.
3 〖as, what 등이 이끄는 관계사절 안에서〗 …**하고 싶어하다, 좋아하다**: Take as much 〔many〕 *as* you ~. 얼마든지 좋아하는 만큼 가지시오 / You may say *what* you please. 하고 싶은 말이 있으면 해도 좋다.
4 〖~ oneself〗 자기 좋을 대로 하다: I am going home. You can ~ your*self*. 나는 집에 갈 테야. 너는 너 좋을 대로 해.
—*vi.* **1** 남을 기쁘게 하다, 호감을 주다: She is anxious to ~. 그녀는 남의 호감을 사려고 애쓰고 있다 / manners that ~ 호감이 가는 몸가짐. **2** 〖as, when, if 따위가 이끄는 종속절에서〗 **좋아하다, 마음에 들다**, 하고 싶어하다: Act *as* you ~. 좋을 대로 하여라 / You can come *when* 〔*if*〕 you ~. 마음 내킬 때〔내키거든〕 오세요. ◇pleasing *a.*
if you **~** ① 〖일을 부탁하여〗 제발, 미안합니다만: Pass me the salt, *if you* ~. 미안합니다만, 소금 좀 집어 주시겠습니까. ② 〖물건을 부탁하여〗 될 수 있다면, 죄송합니다만: I will have another cup of tea, *if you* ~. 죄송합니다만, 차 한 잔 더 부탁합니다. ③ 〖어떤 일을 전달할 때, 비꼬는 투로〗 글쎄 말입니다, 놀랍게도: Now, *if you* ~, he expects me to pay for it. 그리고 말입니다, 저 분은 내가 그 대금을 치를 거라고 생각하고 있습니다. ④ 마음이 내키거든(⇨*vi.* 2). **~ *God*** 《문어》 하느님의 뜻이라면, 순조롭게 나간다면.
—*ad.* 〖감탄사적으로〗 **1** 〖보통 명령문에서〗 **부디, 제발**《★ 때로 위협적인 투의 의미로 쓰이는 일도 있음》: *Please* come in. 들어오십시오 / *Please* don't forget to post the letter. 제발 편지 부치는 것 잊지 말아요 / Come here, ~. 이리 좀 오너라 / You will ~ leave the room. 방에서 나가 주시오.
2 a 〖의문문에서〗 **죄송하지만, 아무쪼록**: Would you mind opening the window, ~? 죄송하지만 창문 좀 열어 주시겠습니까 / May I ~ use your phone? 전화 좀 써도 되겠습니까〔될까요〕 / Will you pass (me) the salt, ~?—Yes, certainly. 소금 좀 건네 주시겠습니까—네, 그러지요. **b** 〖권유에 대한 응답으로서〗 (부디) 부탁드립니다: Will you have another cup of coffee?—(Yes,) ~. 〔《주로 英》 Yes, thank you.〕 커피 한 잔 더 드시겠습니까—예, 그러지요《★ 거절할 때는 No, thank you.》.
3 〖완곡하게 상대방의 주의를 환기시켜〗 **미안합니다만, 실례합니다만**: *Please*, mister, I don't understand. 미안합니다만, 선생님, 이해가 안 가는데요.

> [DIAL.] ***Please.*** ① 제발〔꼭〕 부탁한다《상대방에게 부탁하거나 조를 때》. ② 그만〔작작〕 좀 해라《무례함을 나무랄 때》.

pleased** [pli:zd] *a.* **1** [P] **기뻐하는**, 만족한, 마음에 든; 기꺼이 …하는《with, at, about*** …에 / ***to*** do / ***that***》: He looked very ~. 그는 매우 만족스러워 보였다 / I'm very (much) ~ *with* his work. 그가 하는 일에 아주 만족한다 / He looked ~ *with* himself. 그는 (자기가 한 일에 만족스러워 하는 것처럼 보였다 / I was ~ *at* finding him so well. 그가 잘 있는 것을 알고 기뻤다 / She's ~ *about* her son's scholarship. 그녀는 아들이 장학금을 타서 흡족해 한다 / I'm ~ *to* meet you. 당신을 뵙게 되어 기쁩니다 / I'm ~ (*that*) you have come. 잘 오셨습니다. **2** [A] 기뻐하는 듯한, 만족스러워 보이는: She gave a ~ smile. 그녀는 기쁜 듯이 미소지었다 / He had a ~ look on his face. 그는 만족스러운 표정을 지었다. ***as*** **~ *as Punch*** ⇨PUNCH.

pleas·ing** [plí:ziŋ] *a.* **1** **즐거운**, 기분좋은, 유쾌한, 만족한《to*** …에(게)》: a ~ result 만족스러운 결과 / ~ *to* the eye 보기에 기분 좋은 / ~ *to* the taste 입맛에 맞는 / The view was ~ *to* us. 그 경치가 우리를 즐겁게 해주었다. [SYN.] ⇨PLEASANT. **2** **호감이 가는**, 붙임성 있는; 애교 있는. ㉺ **~·ly** *ad.* **~·ness** *n.*

pleas·ur·a·ble [pléʒərəbəl] *a.* **1** (사물이) 즐거운, 기쁜. **2** (사물이) 기분좋은, 만족한. ㉺ **-bly** *ad.* 즐거운〔만족한〕 듯이. **~·ness** *n.*

****pleas·ure** [pléʒər] *n.* **1 a** Ⓤ **기쁨**, 즐거움(enjoyment), 유쾌함: find ~ in riding 승마를 즐기다/show ~ 즐거워하다/get 〔derive〕 much ~ from books 독서를 마음껏 즐기다/It's my great ~ to introduce to you Dr. Bryson. 여러분께 브라이슨 박사를 소개하게 되어 대단히 기쁩니다. **b** (the ~) (…하는) 즐거움, 영광: May I have the ~ *of* the next dance (with you)? 다음 춤을 함께 추어 주시지 않겠습니까/May we have the ~ *of* your presence? 참석해 주시면 감사하겠습니다.

SYN. **pleasure** 정신적 또는 육체적인 만족감을 나타냄. **delight** 표정·동작 따위에 나타난 기쁨. **joy** 정신적인 깊은 기쁨·행복감을 나타냄.

2 Ⓒ **즐거운 일, 유쾌한 일**: the ~*s* and pains of daily life 일상생활의 즐거움과 고통/It is a ~ to talk to her. 그녀와 이야기하는 것은 즐겁다.
3 Ⓤ (세속적·관능적) 쾌락, 방종: a life given up to ~ 향락의 생활/a woman of ~ 타락한 여자, 매춘부.
4 〖소유격을 수반하여〗 희망, 의향, 욕구(desire): make known one's ~ 자기 의향을 전하다/ask a visitor's ~ 손님의 용건을 묻다/For dessert, what's your ~? 디저트는 무엇으로 하시겠습니까. ***at*** (one***'s***) **~** 하고 싶은 대로. ***consult*** a person***'s*** **~** 아무의 형편을 듣다. ***for*** **~** 재미로, 놀이삼아《딴 이유 없이》. ↔ *on business.* ¶draw pictures *for* ~ 재미삼아 그림을 그리다. ***take*** **~ *in*** …을 즐기다, 좋아하다, 기꺼이 …하다: He *takes* great ~ *in* driv*ing* in the country. 그는 시골을 드라이브하기를 좋아한다/I *take* ~ *in* send*ing* you a copy. 기꺼이 한 부를 보내드리겠습니다. ***with*** **~** ① 즐겁게: He did the work *with* ~. 그는 즐겁게 그 일을 했다. ②〖승낙의 표시로서〗 기꺼이, 쾌히: Will you help me to carry this?—(Yes,) *with* ~. 이 짐을 옮기는 걸 도와 주시겠습니까—(네,) 기꺼이/Will you come to our party?—Thank you, with ~. 파티에 나오시겠습니까—감사합니다, 기꺼이 참석하지요.

> DIAL. ***The pleasure is mine.*** =(***It's***) ***my pleasure.*** =***My pleasure.*** 천만에요《감사의 말에 대한 정중한 대답》: It was very kind of you to give me a lift.—*My pleasure*. 차로 태워다 주셔서 고맙습니다—천만에요.

pléasure bòat 유람선, 놀잇배.
pléasure gròund 유원지.
pléasure prìnciple (the ~) 〖심리〗 (불쾌를 피하고 쾌락을 구하려는) 쾌락 욕구 원칙.
pleat [pliːt] *n.* Ⓒ (스커트 따위의) 주름, 플리트; 주름 모양의 것. cf. plait. **—***vt.* 주름을〔플리트를〕 잡다. ㊞ **~·er** *n.*
pleb [pleb] *n.* 《구어·경멸적》 **1** Ⓒ 평민, 서민《plebeian의 간약형》. **2** (the ~s) (일반) 대중.
plebe [pliːb] *n.* Ⓒ 《美》 육군〔해군〕 사관 학교의 최하급생, 신입생.
ple·be·ian [plibíːən] *n.* Ⓒ 〖고대로마〗 평민《patrician에 대하여》; 서민, 대중. **—***a.* 평민의; 서민의; 평범한, 비속한(vulgar).
pleb·i·scite [plébəsàit, -sit] *n.* Ⓒ (국가적 중요 문제에 관한) 국민〔일반〕 투표(referendum): by ~ 국민 투표로《★ 관사 없이》.

plec·trum [pléktrəm] (*pl.* **-tra** [-trə], **~s**) *n.* Ⓒ (현악기 연주용) 채, 픽(pick).
pled [pled] 《美》 PLEAD의 과거·과거분사.
pledge** [pledʒ] *n.* **1 a** Ⓒ **서약**(vow), 굳은 약속《**to** do/**that**》; (정당 따위의) 공약: redeem 〔honor〕 a ~ 약속을 이행하다/take a ~ *to* stand by each other 상부상조하겠다고 맹세하다/He gave us a ~ *that* he would stop smoking. 그는 우리에게 담배를 끊겠다고 굳게 약속했다. SYN. ⇨PROMISE. **b** (the ~) 《우스개》 금주의 맹세: take 〔sign〕 the ~ 금주의 맹세를 하다/break the ~ 금주의 맹세를 깨다. **2** Ⓤ 저당, 담보, 전당; Ⓒ 저당〔담보〕물: keep a watch as a ~ 시계를 담보물로 잡아 두다/give 〔lay, put〕 … in ~ …을 담보로 넣다; …을 전당잡히다/take … out of ~ 전당잡혔던 …을 찾다. **3** Ⓒ 보증, 증거(token): as a ~ *of* friendship 우정의 표시로서/a ~ *of* love 〔affection, union〕 사랑의 징표《둘 사이에서 태어난 아이》. **4** Ⓒ 《문어》 축배(toast). ***under **~ *of*** …이라는 약속〔보증〕 아래: *under* ~ *of* secrecy 비밀을 (꼭) 지키겠다는 약속하에.
—*vt.* **1** 《~+목/+목+전+명/+목+목/+*to* do/+*that* 절》 **서약〔약속〕하다**《**to** …에》: ~ one's support 지지를 약속하다/~ allegiance *to* the flag 국기에 충성을 서약하다/He ~*d* me his support. 그는 나에게 지원을 약속했다/He ~*d* *to* keep the secret. 그는 그 비밀을 지키겠다고 맹세했다/We ~*d that* we would do our best. 우리는 최선을 다하기로 서약했다. **2** 《+목+전+명/+목+*to* do》 **a** (아무)에게 서약〔맹세〕시키다《**to** …을》: be ~*d to* secrecy 비밀을 지킬 것을 약속하다/~ the signatory powers *to* meet the common danger 가맹국들에게 공동 위협에 대처토록 서약시키다. **b** 〖~ oneself〗 맹세하다《**to** …을》: ~ one*self* *to* secrecy 굳게 비밀을 지킬 것을 맹세하다/He ~*d* him*self* *to* support them. 그는 그들을 원조하겠다고 맹세했다. **3** 《~+목/+목+전+명》 전당잡히다(pawn), 담보로 넣다: ~ a watch *for* $10, 10달러에 시계를 전당잡히다. **4** 《문어》 …을 위해 축배하다(toast): They ~*d* the bride and bridegroom. 그들은 신랑신부의 앞날을 위해 축배를 들었다. **~ one's *word*** (***of honor***) ***that*** 명예를 걸고 …라고 맹세하다: I ~*d* my *word that* I would tell nobody. 나는 아무한테도 말하지 않겠다고 맹세했다.
pledg·ee [pledʒíː] *n.* Ⓒ 〖법률〗 (동산) 질권자.
pledg·er, pledg(e)·or [plédʒər], [pledʒɔ́ːr] *n.* Ⓒ 전당잡힌 사람; 〖법률〗 저당권 설정자.
Ple·iad [plíːəd, pláiəd] (*pl.* **~s, -ia·des** [-ədìːz]) *n.* **1** (the ~es) 〖천문〗 묘성(昴星); 플레이아데스 성단(星團)《황소자리의 산개(散開) 성단》. **2** Ⓒ 〖그리스신화〗 Atlas의 일곱 딸 중의 하나《신들이 묘성으로 자태를 바꾸어 놓았다 함》.
Pleis·to·cene [pláistəsìːn] 〖지질〗 *a.* 플라이스토세(世)의, 홍적세(洪積世)의. **—***n.* (the ~) 홍적세.
ple·na [plíːnə] PLENUM의 복수.
ple·na·ry [plíːnəri, plén-] *a.* 충분〔완전〕한; 무조건의, 절대적인; 전원 출석의; 전권을 가진; 전권의; 〖법률〗 정식의, 본식의(↔ *summary*): a ~ meeting 〔session〕 전체 회의, 총회, 본(本)회의/~ powers 전권. **—***n.* Ⓒ 본회의 총회.
plen·i·po·ten·ti·ary [plènipəténʃəri, -ʃièri] *n.* Ⓒ 전권 대사; 전권 위원〔사절〕. **—***a.* 전권을 가진: an ambassador extraordinary and ~ 특명 전권 대사/the minister ~ 전권 공사.

plen·i·tude [plénətjùːd] *n.* Ⓤ 《문어》 충분, 완전; 충실; 충만; 풍부: the moon in her ~ 『문장(紋章)』 만월.

plen·te·ous [pléntiəs, -tjəs] *a.* 《시어》 = PLENTIFUL. ㊕ **~·ly** *ad.* **~·ness** *n.*

°**plen·ti·ful** [pléntifəl] *a.* 많은, 윤택한, 충분한, 풍부한. ⓒⓕ abundant, copious. ↔ *scanty*.¶ a ~ harvest 풍작. SYN. ⇨MANY. ㊕ **~·ly** *ad.* **~·ness** *n.*

plen·ty [plénti] *n.* Ⓤ **많음**, 풍부, 다량, 충분: a year of ~ 풍년/the days (years) of ~ 물자가 풍부한 시대/There is ~ *of* time (meat). 시간이(고기가) 충분히 있다/Will you have some more cake?—No, thank you. I've had ~. 케이크를 좀더 드시겠습니까—아니오, 고맙습니다. 충분히 먹었어요.

in **~** ① 충분히, 많이, 풍부하게. ② 유복하게: live *in* ~ 유복하게 지내다. **~ *more*** 더(아직도) 많은 것: There is (We have) still ~ *more of* food in the kitchen. 부엌에는 음식물이 아직 많이 있다. **~ *of*** 많은, 충분한: You'll arrive there in ~ *of* time. 충분히 제시간에 댈 수 있다. ★ 의문 · 부정 구문에서는 보통 enough로 대용함: Is there *enough* food? plenty of를 쓰는 것은 《美》.

—*a.* 《美구어》 많은, 충분한: That (Six potatoes) will be ~. 그것으로(감자 여섯 개로) 충분하겠지요/(as) ~ as blackberries 매우 많아서/have ~ helpers 거들어 줄 사람들이 많이 있다/~ time 충분한 시간. **—***ad.* 《구어》 **1** 듬뿍, 충분히: It is ~ large enough. 그거라면 크기는 충분하다/~ good enough 더할 나위 없이 충분히. **2** 《美》 대단히, 아주: I'm ~ thirsty. 나는 몹시 목이 마르다.

ple·num [plíːnəm] (*pl.* **~s, -na** [-nə]) *n.* Ⓒ **1** 물질이 충만한 공간. ↔ *vacuum*. **2** (보통 법인 · 입법부의) 총회, 전체 회의.

ple·o·nasm [plíːənæ̀zəm] *n.* 『수사학』 Ⓤ 용어법(冗語法); Ⓒ 용어구(冗語句), 중복어(重複語)《a false lie 따위》. ㊕ **plè·o·nás·tic** [-nǽstik] *a.*

pleth·o·ra [pléθərə] *n.* **1** (a ~) 과다(過多), 과잉, 과도《*of* …의》: a ~ *of* problems (rice) 많은 문제들(쌀). **2** Ⓤ 『의학』 다혈증(질); 적혈구 과다증.

ple·thor·ic [pliθɔ́ːrik, -θár-, pléθər-/pleθɔ́r-] *a.* 과다한, 과잉의; 다혈증의, 적혈구 과다의.

pleu·ra [plúərə] (*pl.* **-rae** [-riː, rai]) *n.* Ⓒ 『해부』 늑막, 흉막: a costal (pulmonary) ~ 늑골(폐) 흉막.

pleu·ral [plúərəl] *a.* 『해부』 늑막의.

pleu·ri·sy [plúərəsi] *n.* Ⓤ 『의학』 늑막(흉막)염: dry (wet, moist) ~ 건성(습성) 늑막염.

Plex·i·glas [pléksiglæ̀s, -glɑ̀ːs] *n.* Ⓤ 플렉시 유리《비행기 창문 따위에 씀; 상표명》.

plex·us [pléksəs] (*pl.* **~·es, ~**) *n.* Ⓒ 『해부』 (신경 · 혈관의) 총(叢), 망(網), 망상(網狀) 조직: the pulmonary ~ 폐신경총(肺神經叢).

pli·a·ble [pláiəbəl] *a.* **1** 휘기 쉬운, 나긋나긋한, 유연한. **2** 융통성 있는; 유순(온순)한, 고분고분한. **3** 곧 영향을 받는, 순응성이 풍부한. ㊕ **-bly** *ad.* **pli·a·bíl·i·ty** *n.* Ⓤ 유연(성); 유순.

pli·an·cy [pláiənsi] *n.* =PLIABILITY.

pli·ant [pláiənt] *a.* =PLIABLE. ㊕ **~·ly** *ad.*

pli·ers [pláiərz] *n. pl.* 집게, 펜치: a pair of ~*s* 펜치 하나.

°**plight**[1] [plait] *n.* Ⓒ (보통 *sing.*) **곤경**, 궁지; 어려운 입장(처지, 상태): in a sorry (miserable, piteous, woeful) ~ 비참한 처지에/What a ~ to be in! 이거 큰 곤경에 빠졌구나.

plight[2] 《고어》 *n.* Ⓒ 서약, 맹세; 약혼. **—***vt.* 《고어》 서약(맹세, 약속)하다; 《보통 ~ oneself》 약혼하다《*to* …와》: She *~ed* her*self to* him. 그녀는 그와 약혼했다.

plim·soll [plímsəl, -sɔːl] *n.* Ⓒ (보통 *pl.*) 《英》 고무창의 즈크 신, 운동화(《美》 sneakers)《운동용》.

Plímsoll màrk (**lìne**) 『해사』 재화(載貨)(만재(滿載)) 흘수선표.

plink [pliŋk] *vi.*, *vt.* 찌르릉 소리를 내다, 찌르릉하고 울다(울리다); (총 따위) 기분 내키는 대로 쏘다. **—***n.* Ⓒ 찌르릉《울리는 소리》.

plinth [plinθ] *n.* Ⓒ 『건축』 주초(柱礎), (원기둥의) 방형 대좌(方形臺座); (조상(彫像)의) 대좌.

Pli·o·cene [pláiəsìːn] 『지질』 *a.* 플라이오세(世)의. **—***n.* (the ~) 플라이오세; 플라이오통(統)《지층》.

P.L.O. PLO Palestine Liberation Organization (팔레스타인 해방 기구).

°**plod** [plad/plɔd] (**-dd-**) *vi.* **1** 터벅터벅 걷다 (trudge): The old man *~ded along* (the road). 노인은 (길을) 터벅터벅 걸어갔다. SYN. ⇨ WALK. **2** 끈기 있게 일(공부)하다: ~ *along with* work 꾸준히 일하다/He *~ded away at* the day's work. 그는 그 날의 일을 끈기 있게 했다. **—***vt.* 지척거리다, 터벅터벅 걷다: ~ one's (weary) way 지친 다리를 끌고 가다, 애쓰며 나아가다. **—***n.* Ⓒ **1** 무거운 발걸음; 무거운 발소리. **2** 끈기 있게 일함(공부함).
㊕ **∠·der** *n.* Ⓒ 터벅터벅 걷는 사람; 끈기 있게 일하는 사람; 꾸준히 공부(노력)하는 사람.

plód·ding *a.* 터벅터벅(무거운 발걸음으로) 걷는; 끈기 있게 일(공부)하는; 단조로운. ㊕ **~·ly** *ad.*

PL/1 [pìːèlwʌ́n] 『컴퓨터』 Programming Language One《범용(汎用) 프로그래밍 언어의 하나》.

plonk[1] ⇨PLUNK.

plonk[2] [plaŋk/plɔŋk] *n.* Ⓤ (낱개는 Ⓒ) 《英속어》 싸구려 포도주.

plop [plap/plɔp] (**-pp-**) *vi.* **1** 풍덩 물에 떨어지다, 펑하고 소리내며 튀다; 부글거리며 가라앉다. **2** 쿵하고 떨어지다(앉다, 넘어지다): ~ *down into* a sofa 소파에 털썩 앉다. **—***vt.* 풍덩 물에 떨어뜨리다. **—***n.* (a ~) 풍덩, 쿵, 퐁당《소리》. **—***ad.* 풍덩하고, 쿵하고.

plo·sive [plóusiv] 『음성』 *n.* Ⓒ, *a.* 파열음(의)《[p], [b], [t], [d], [k], [g] 따위》.

plot [plat/plɔt] *n.* Ⓒ **1 음모**; (비밀) 계획; 책략《*to* do》: hatch (frame, lay) a ~ (against ...) (…에 대한) 음모를 꾸미다/A ~ *to* assassinate the President was uncovered. 대통령 암살 음모가 발각되었다/I have a ~ to win the game.—Will it work? 게임에 이길 작전이 있어—그게 잘 될까. **2** (극 · 소설 따위의) **줄거리**, 각색, 구상. **3 소구획**, 작은 지면(地面), 소지구: a garden ~ 정원지. **4** 《美》 부지도(敷地圖), 겨냥도.

> DIAL. ***The plot thickens.*** 《우스개》 사건이(얘기가) (복잡해져서) 점입가경이군.

—(**-tt-**) *vt.* **1** 《~+목/+*to* do/+*wh.* 절/+*wh. to* do》 **도모하다**, 꾀하다, 계획하다: ~ treason

반역을 꾀하다 / ~ to overthrow government 정부 전복을 도모하다 / They *~ted how to* obtain the secret documents. 그들은 어떻게 하면 그 비밀 문서를 입수할 수 있는지를 꾀했다. **2** 《~+목/+목+부》 (시 · 소설 따위)의 줄거리를 만들다, 구상을 하다(*out*). **3** 《~+목/+목+부》 (토지)를 구분〔구획〕하다(*out*): a ground *~ted out* for sale 분양지. **4** (토지 · 건물 따위)의 도면을 〔겨냥도를〕 만들다; (비행기 · 배 따위의 위치 · 진로)를 도면에 기입하다; (모눈종이 따위)에 좌표로 위치를 결정하다; 점을〔좌표를〕 연결하여 (곡선)을 그리다; (그래프 따위)를 그리다. **—** *vi.* **1** 《~/+전+명》 음모를 꾸미다, 작당하다《*with* …와; *against* …에 대해》: He *~ted with* the radicals *against* the government. 그는 과격파와 짜고 정부에 대항하는 음모를 꾸몄다. **2** (문학적) 구상을 짜다.

plót·ter *n.* Ⓒ **1** (보통 *pl.*) 음모자, 공모자, 구상을 짜는 사람. **2** 〖컴퓨터〗 도형기《작도 장치》.

plough 《英》 ⇨PLOW.

plóugh·man's lùnch [pláumənz-] 《英》 (빵과 치즈에다 맥주를 마시는) 가벼운 점심.

plov·er [plʌ́vər, plóuvər] (*pl.* **~, ~s**) *n.* Ⓒ 〖조류〗 물떼새.

plow,** 《英》 **plough** [plau] *n.* **1** Ⓒ **쟁기**; 쟁기 모양의 기구; 제설기(機)(snow~); 배장기(排障器)(《美》 cowcatcher). **2** Ⓤ 《英》 경작지, 논밭: 100 acres of ~, 100 에이커의 경작된 토지. **3** (the P-) 〖천문〗 북두칠성; 큰곰자리. ***put 〔***lay, set***〕 ***one's hand to the ~*** 일을 시작하다, 일에 착수하다. ***under the ~*** (토지가) 경작되어 (있는).

— *vt.* **1** 《~+목/+목+부》 (쟁기로) **갈다**(*up*); 갈아 일구다, (뿌리 · 잡초 따위)를 캐내다(*out; up*); 제설(除雪)하다: ~ (*up*) a field 밭을 갈다 / ~ roots *out* 뿌리를 캐내다. **2** 《~+목/+목+부》 (얼굴)에 주름살을 짓다; (쟁기로 간것처럼 주름 · 고랑 따위)를 새기다(*up*): wrinkles *~ed* in the face 얼굴에 새겨진 주름살 / The plane *~ed up* the airstrip during its forced landing. 비행기는 불시착하면서 활주로에 도랑을 새겨 놓았다. **3** 《~+목/+목+전+명》 가르며〔헤치고〕 달리다〔나아가다〕; 〖~ one's way〗 힘들여 나아가다: The fishing boats *~ed* the north sea. 어선들은 북해의 파도를 가르고 나아갔다 / ~ one's *way through* a crowd 군중을 헤치고 나아가다. **4** 《英구어》 (학생)을 낙제시키다; (시험)에 낙제하다.

— *vi.* **1** 땅을 갈다; (토지가) 경작에 적합하다: This field *~s* well. 이 밭은 경작에 적합하다. **2 a** 《+부/+전+명》 힘들여〔헤치고〕 나아가다: They *~ed on to* their destination. 그들은 목적지를 향해 힘들여 나아갔다 / The ship *~ed through* the storm. 배는 폭풍우 속을 어렵게 헤치며 나아가다. **b** 《+전+명》 힘들여 읽다《*through* (책 따위)를》: He *~ed through* the pile of books. 그는 산더미처럼 쌓인 책들을 꾸준히 읽어 나갔다. **3** 《+전+명》 충돌하다; 착수하다《*into* …에》: The truck *~ed into* a parked car. 그 트럭은 주차 중인 차를 들이받았다. **4** 《英구어》 낙제하다.

~ ***a*** 〔***one's***〕 ***lonely furrow*** = ~ ***one's furrow alone*** ⇨FURROW. ~ ***back*** 《*vt.*+부》 ① (파헤친 풀)을 쟁기로 도로 묻다《비료로서》. ② (이익)을 재투자하다. ~ ***under*** 《*vt.*+부》 ① …을 갈아서 파묻다. ② …을 소멸〔매몰〕시키다, 파괴하다.

plów·bòy *n.* Ⓒ **1** 쟁기 멘 소를〔말을〕 끄는 남자〔소년〕. **2** 시골 청년.

plów·lànd *n.* Ⓤ 경작지, 논밭.

plów·man [-mən] (*pl.* **-men** [-mən]) *n.* Ⓒ 농부; 시골뜨기.

plów·shàre *n.* Ⓒ 보습, 쟁기날.

ploy [plɔi] *n.* Ⓒ 《구어》 (상대를 앞지를) 책략, 계획: one's usual ~ 늘 쓰는 수.

P.L.R., PLR 《英》 Public Lending Right.

pluck** [plʌk] *vt.* **1** 《~+목/+목+부/+목+전+명》 (필요 없는 것)을 **뜯다**, **잡아 뽑다**(*out; up; away*)《from, off, out of*** …에서》: ~ *out* 〔*up*〕 weeds 잡초를 뽑아내다 / ~ (*out*) a thorn *from* one's finger 손가락에서 가시를 뽑다. **2** (새 따위)의 털을 뜯다: ~ (feathers from) a chicken 닭털을 뜯다. **3** 《~+목/+목+전+명/+목+목》 (꽃 · 과일 따위)를 따다, 따 주다《***for*** (아무)에게》: She *~ed* me a flower. =She *~ed* a flower *for* me. 그녀는 나에게 꽃을 꺾어 주었다. **4** (현악기)를 뜯다. **5** 《속어》 (아무)에게서 금품을 훔치다〔사취하다〕.

— *vi.* **1** 《+전+명》 확 당기다《***at*** …을》: He *~ed at* my sleeve. 그는 내 소매를 잡아당겼다. **2** 《~/+전+명》 타다《***at*** (현악기)를》.

— *n.* **1** (a ~) 획 당김: give a ~ at …을 확 잡아당기다. **2** Ⓤ 용기, 담력, 원기. **3** Ⓤ (동물의) 내장.

plucky [plʌ́ki] (***pluck·i·er; -i·est***) *a.* 용기 있는, 원기 왕성한, 담력 있는, 대담한. ㊞ **plúck·i·ly** *ad.* **-i·ness** *n.*

plug** [plʌg] *n.* Ⓒ **1 마개**; 귀마개; 소화전(fire ~). **2** 《구어》 〖기계〗 (내연 기관의) 점화전(點火栓), 플러그(spark ~). **3** 〖전기〗 (콘센트에 끼우는) **플러그**; 《구어》 소켓 **4** 《구어》 (라디오 · TV 프로 사이에 넣는) 짧은 광고, 선전. **5** 씹는〔고형(固形)〕 담배. **6** 〖컴퓨터〗 플러그. ***pull the ~ on 《구어》 …을 갑자기 중단하다; (불치 환자)의 생명 유지 장치를 떼어 내다.

— (**-gg-**) *vt.* **1 a** 《~+목/+목+부》 막다(*up*): ~ a leak 새는 데를 막다 / ~ *up* a hole 구멍을 막다. **b** 《+목+전+명》 …을 메우다《***with*** …으로》; …으로 마개를 하다《***in, into*** …에》: ~ a cavity in a tooth *with* cotton 솜으로 충치 구멍을 메우다 / ~ a cork *into* a mouth of bottle 병 주둥이에 코르크로 마개를 하다. **2** 《美속어》 …을 (주먹으로) 한 대 치다; …에 총알을 쏘아 박다. **3** 《+목+전+명》 (플러그로 기구)를 접속시키다《***into*** …에》: ~ a flash gun *into* a camera 카메라에 섬광 장치를 접속시키다. **4** 《구어》 (방송 따위에서) (상품 · 정책)을 되풀이 선전하다. **—** *vi.* 《+전+명》 (기구가 플러그로) 접속되다《***into*** …에》: This computer *~s into* a data bank. 이 컴퓨터는 데이터 뱅크에 접속되어 있다.

~ ***away*** 《*vi.*+부》 ① 부지런히 일하다〔공부하다〕. ② 꾸준히 하다《***at*** …을》: He *~ged away at* his lessons. 그는 학과목 공부를 꾸준히 했다. ~ ***in*** 《*vt.*+부》 ① (기구)를 플러그에 꽂다. ② (기구)를 플러그에 꽂아 전류를 통하게 하다: ~ *in* a television set 플러그를 꽂아 텔레비전을 켜다. **—** 《*vi.*+부》 ③ (플러그로 연결되어) 전류가 통하다.

> **DIAL.** (***I'm***) (***just***) ***plugging along.*** 그럭저럭〔그런대로〕 지내지《How are you?의 답변》.

plúg and pláy 〖컴퓨터〗 플러그 앤드 플레이《하드웨어 장치가 사용자의 중재 없이 포트에 꽂기만하면 운영 체제에 의해 자동적으로 인식되고 구성 · 사용할 수 있는 상태》.

plúg-compátible *a.* 〖컴퓨터〗 플러그가 공통이며 호환성(互換性)의: a ~ peripheral 호환식 주변 기기.

plúg hát 《美》 실크 해트.

plúg·hòle *n.* Ⓒ 《英》 (욕조·싱크대 등의) 마개 구멍.

plúg-ùgly *n.* Ⓒ 《美속어》 깡패, 건달.

***plum** [plʌm] *n.* **1** Ⓒ (식품은 Ⓤ) 플럼, 서양자두; Ⓒ 그 나무. **2** Ⓒ (제과용) 건포도. **3** Ⓒ 《구어》 가장 좋은 것, 정수(精粹); 《특히》 수지 맞는 일. **4** Ⓤ (푸른 빛깔을 띤) 짙은 보라색, 감색.
—*a.* 아주 좋은, 최고의: a ~ job 수지 맞는 일.

plum·age [plúːmidʒ] *n.* Ⓤ 깃털, 우모(羽毛), 깃.

°**plumb**[1] [plʌm] *n.* Ⓒ 연추(鉛錘), 추. ***off*** 〔***out of***〕 ~ 수직이 아닌, 기울어진. —*a.* 수직〔연직〕의; 《美구어》 순전한, 완전한: ~ nonsense 〔foolishness〕 정말 바보 같은 일. —*ad.* 수직〔연직〕으로; 정연하게, 정확히; 《美구어》 전혀, 전연: fall ~ down 수직으로 낙하하다, 곤두박이치다/~ southward 정남(正南)으로/~ crazy 완전히 머리가 돌아.
—*vt.* **1** (연추로) …의 수직을 조사하다. **2** (추로) …의 깊이를 재다; (깊이)를 측량하다: ~ (the depth of) a lake 호수의 깊이를 재다. **3** 알아차리다, 이해하다, 추량(推量)하다. ~ ***the depths (of…)*** (슬픔·고독 등이) 극에 달하다.

plumb[2] *vt.* (건물 등)에 가스·수도의 배관 공사를 하다. —*vi.* 배관공으로서 일하다.

°**plumb·er** [plʌ́mər] *n.* Ⓒ 배관공(配管工), 연관공; 수도업자.

plúmber's hèlper 〔**frìend**〕 《美구어》 (배수관 따위를 뚫기 위한) 긴 자루 달린 흡인용 고무컵 (plunger).

°**plumb·ing** [plʌ́miŋ] *n.* Ⓤ **1** (수도·가스의) 배관 공사; 연관 공사; 수도〔가스〕관 부설〔보수〕. **2** 〖집합적〗 연관류(類).

plúmb lìne 추선(錘線), 다림줄; 연직선, 측연선(測鉛線).

plúm cáke 건포도를 넣은 케이크.

***plume** [pluːm] *n.* Ⓒ **1** (보통 *pl.*) (특히 기다란) **깃털**. **2** 깃털 장식; (모자·투구 등의) 앞에 꽂은 깃털, 꼬꼬마. **3** (구름·연기의) 기둥; 깃털 모양의 것: a ~ of smoke 〔water〕 (폭발에 의한) 버섯 구름〔물기둥〕. **4** 〖지질〗 (맨틀) 플륨《지구의 맨틀 심층(沈層)에서 생긴다고 생각되는 마그마의 상승류(上昇流)》.
—*vt.* **1 a** (새가 부리로 깃털)을 다듬다. **b** 〖~ oneself〗 (새가 날려고) 날개를 다듬다〔고르다〕: A bird was *pluming* it*self*. 새가 날려고 날개를 다듬고 있었다. **2** 《+목+전+명》 〖~ oneself〗 자랑하다《***on, upon*** …을》: She was *pluming* her*self upon* her beauty. 그녀는 자기의 미모를 뽐내고 있었다.

plumed *a.* Ⓐ 깃털이 있는〔로 꾸민〕: white-~ 깃털이 하얀.

plum·met [plʌ́mit] *n.* Ⓒ 낚싯봉; 다림추, 측연(測鉛), 다림줄, 추규(錘規). —*vi.* 수직으로 떨어지다; 갑자기 내려가다《인기·물가 등이》.

plum·my [plʌ́mi] (***-mi·er; -mi·est***) *a.* **1** 서양자두 같은〔가 많은, 맛이 나는〕; 건포도가 든. **2** 《구어》 훌륭한, 매우 좋은, 상등의. **3** 《구어》 (음성이) 낭랑한; 성량이 풍부한.

plu·mose, plu·mous [plúːmous], [-məs] *a.* 깃털을 가진; 깃털 모양의.

***plump**[1] [plʌmp] *a.* **1 부푼**, 부드럽고 풍만한, 살이 잘 찐(fleshy): a baby with ~ cheeks 볼이 포동포동한 아기. **2** 살집이 좋은《요리할 재료가》. —*vi.* 《+부》 포동포동 살찌다(*out; up*): She has ~*ed out* 〔*up*〕. 그녀는 살쪘다. —*vt.* 《+목+부》 불룩하게 만들다(*out; up*): ~ *out* 〔*up*〕 a pillow 베개를 불룩하게 만들다. ㊕ **∠·ness** *n.*

plump**[2] *vi.* **1** 《~/+전+명/+부》 **털썩 떨어지다** 〔주저앉다, 몸을 던지다〕(*down*) 《in, on*** …에》: ~ *down on* a chair 의자에 털썩 주저앉다/~ overboard 뱃전에서 물속으로 풍덩 떨어지다. **2** 《+전+명》 투표하다; 전적으로 찬성하다〔지지하다〕; 뽑다《***for*** …에, …을》: ~ *for* one's favorite candidate 자기가 좋아하는 후보자에게만 투표하다. —*vt.* **1** 《~+목/+목+전+명/+목+부》 털썩 떨어뜨리다, 탁 던지다(*down*)《***in, on*** …에》: ~ a load *down on* a deck 짐을 갑판 위에 털썩 내려놓다. **2** 〖~ oneself〗 털썩 주저앉다〔몸을 던지다〕《***in, on*** …에》.
—*n.* (a ~) 털썩 떨어짐; 털썩하는 소리.
—*a.* 노골적인, 정직한; (말씨 등이) 퉁명스런; 순전한, 새빨간《거짓말 등》: a ~ lie 속들여다보이는 빤한 거짓말. —*ad.* 털썩; 텀벙; 느닷없이, 불시에; 노골적으로, 솔직하게; 곧바로, 바로 아래로: Say it out ~! 빨랑빨랑 말해 버려라/come ~ upon the enemy 불시에 적을 습격하다. ㊕ **∠·ly** *ad.* **∠·ness** *n.*

plump·ish [plʌ́mpiʃ] *a.* (알맞게) 살찐, 포동포동한.

plúm púdding 건포도·설탕조림의 과일을 넣은 연한 과자《크리스마스용》.

plúm trèe 〖식물〗 서양자두나무.

plumy [plúːmi] (***plum·i·er; -i·est***) *a.* 깃털 있는; 깃털 같은; 깃털로 꾸민.

plun·der** [plʌ́ndər] *vt.* **1** 《~+목/+목+전+명》 (사람·장소)로부터 **약탈**〔**수탈**〕**하다** 《of*** …을》; (물건)을 강탈하다, 훔치다《***from*** (사람·장소)로부터》: The pirates began to ~ the town. 해적들은 그 마을을 약탈하기 시작했다/~ a person *of* his property 아무로부터 재산을 빼앗다. **2** (공공의 금품)을 횡령하다, 사적(私的)으로 소비하다. —*vi.* 《~/+전+명》 노략질하다, 훔치다 《***from*** …으로부터》. —*n.* Ⓤ 약탈(품). ㊕ **~·er** [-rər] *n.* Ⓒ 약탈자; 도둑.

‡**plunge** [plʌndʒ] *vt.* **1** 《~+목/+목+전+명/+목+부》 **던져 넣다**, 찔러 넣다(*in*)《***into*** …에》: ~ one's hands *into* cold water 〔one's pockets〕 양손을 찬물에〔주머니에〕 집어넣다/~ a dagger *in* 단도를 세게 찌르다/A sudden stop ~*d* passengers *forward*. 급정거로 인해 승객들은 고꾸라지듯 앞으로 쏠렸다. **2** 《+목+전+명》 **빠지게 하다**, 몰아넣다《***into*** (어떤 상태)에》: ~ a country *into* war 나라를 전쟁으로 몰아넣다.
—*vi.* **1** 《+전+명/+부》 **뛰어들다**(*in*)《***into*** …에》: ~ *into* water 물에 뛰어들다/He ran to the river and ~*d in*. 그는 강으로 달려가 뛰어들었다. **2** 《+전+명》 돌진하다, 맹진하다: The bus ~*d over* the edge of the road. 버스는 도로 바깥으로 굴러 떨어졌다/~ *through* a crowd 군중을 헤치고 돌신하다. **3** 《+전+명》 **a** 빠지다《***into*** (어떤 상태)에》: ~ *into* debt 빚지다. **b** 착수하다, 갑자기 시작하다《***into*** …을》: ~ *into* war 전쟁에 돌입하다/~ *into* the whole story 갑자기 자초지종을 말하기 시작하다. **4** (매상·주가가) 급락하다. **5** (배가) 뒷질하다(pitch), 앞뒤로 흔들리다. **6** 《구어》 큰 도박을 하다; 빚을 지다.
—*n.* (*sing.*) **1 뛰어듦**: take a ~ into a pool 풀에 뛰어들다. **2** 돌진, 돌입; 열심히 시작함: make a ~ into politics 정계에 뛰어들다. **3** (매상·주가 따위의) 급락. ***take the*** ~ 과감히 하다,

모험을 하다.

plung·er [plʌ́ndʒər] *n.* [C] 뛰어드는 사람, 잠수자; (밀펌프·수압기 따위의 피스톤의) 플런저; (주사기의) 피스톤봉(棒); 고무제의 흡인식 청소봉(棒); 《구어》 무모한 도박꾼〔투기꾼〕.

plúnging 〔plúnge〕 néckline (여성복의) 가슴이 깊이 팬 네크라인.

plunk, plonk [plʌŋk], [plaŋk/plɔŋk] *vt.* **1** (현악기 따위)를 치다, 쳐서 퉁퉁 소리를 내다. **2** 홱 내던지다, 쿵 놓다(*down*): ~ a book (*down*) onto the desk 책을 책상에 휙 던지다. **3** 〚~ oneself〛 털썩 주저앉다(*down*): ~ one*self down* on a bench 벤치에 털썩 앉다. **—***vi.* 쿵하고 떨어지다〔앉다〕(*down*); (현악기 따위를) 퉁퉁 치다(*away*): ~ *down* somewhere and take a nap 아무데나 누워 뒹굴며 낮잠을 자다. **—***n.* (a ~) 《구어》 퉁하고 울림〔울리는 소리〕; 쿵하는 소리. **—***ad.* 퉁(소리를 내고); 쿵(하고); 틀림없이, 바로, 꼭.

plu·per·fect [plu:pə́:rfikt] *n.* [U] (낱개는 [C]). *a.* 〚문법〛 과거완료(의), 대(大)과거(의): the ~ tense 대과거, 과거완료 시제.

plur. plural; plurality.

⁑plu·ral [plúərəl] *a.* **복수의**, 둘 이상의. ↔ *singular*.¶the ~ number 〚문법〛 복수/~ offices 겸직, 겸임. **—***n.* 〚문법〛 [U] 복수; [C] 복수형(의 말): in the ~ 복수형으로. [파] **~·ly** *ad.*

plú·ral·ìsm *n.* [U] **1** 〚기독교〛 (몇몇 교회의) 성직 겸임. **2** 〚철학〛 다원론(多元論). ↔ *monism*. **3** (복수의 인종·종교·정치적 조건 따위가 평화적으로 공존하고 있는) 다원적 공존. **4** 복수성(性); 복잡성, 다양성. [파] **-ist** *n.*

plu·ral·is·tic [plùərəlístik] *a.* **1** 복수 인종의: a complex, ~ society 복잡한 다민족 사회. **2** 〚철학〛 다원론의〔적인〕.

plu·ral·i·ty [pluərǽləti] *n.* **1** [U] 복수, 복수성〔상태〕; 〚철학〛 수다성(數多性). **2** [C] 다수; 대다수, 과반수《*of* …의》; 《美》 초과 득표수《당선자와 차점자의 득표차》 ([cf.] majority). **3** 〚기독교〛 [U] (몇몇 교회의) 성직 겸임; [C] 겸임 성직.

⁑plus [plʌs] *prep.* **1** …을 **더하여**. ↔ *minus*.¶3 ~ 2 equals 5. 3에 2를 더하면 5/the debt ~ interest 이자를 더한 부채. **2** 《구어》…에 덧붙여서, …외에(besides): We want something ~ the men, that is, money. 사람 외에 필요한 것이 있는데 그것은 즉 돈이다.

—*a.* **1** [A] 〚수학〛 더하기의, 양수〔플러스〕의. **2** [A] 〚전기〛 양(극)의: the ~ pole 양극. **3** [A] 〚식물〛 (균사체가) 웅성(雄性)의. **4** [A] 《구어》 여분의(extra), 유리한: a ~ value 여분의 가치/a ~ factor 플러스 요인. **5** 〚수사 뒤에서〛 (나이가) …살 이상의; 〚성적 평가 뒤에서〛 플러스의; 〚명사 뒤에서〛 …외에 무엇인가 더한: His mark was B ~. 그의 점수는 B플러스였다/All the boys are 10 ~. 소년들은 모두 10살 이상이다/She has personality ~. 그녀에게는 개성 이외에 무언가가 있다.

—(*pl.* ***plús·es, plús·ses***) *n.* [C] **1** 〚수학〛 더하기표, 플러스 부호(~ sign)《+》. **2** 양수, 양의 양(量). **3** 여분, 나머지; 이익; 플러스 되는 것, 유리한 특질: Your knowledge of English is a ~ in your job. 영어 지식은 네 일에 플러스가 된다. **4** 〚골프〛 (우세한 자에게 주는) 핸디캡.

—*conj.* 《구어》 그리고 또, 게다가: We arrived late, ~ we were hungry. 우리는 늦게 도착한데다 배도 고팠다.

plús fóurs 플러스 포즈《예전에, 특히 골프용의 낙낙한 반바지》.

plush [plʌʃ] *n.* [U] 견면(絹綿) 벨벳, 플러시천. **—***a.* 《구어》 사치스런, 호화로운: a ~ hotel 호화 호텔.

plushy [plʌ́ʃi] (***plush·i·er; -i·est***) *a.* 《구어》 호화로운, 사치스런. [파] **-i·ness** *n.*

plús sìgn 〚수학〛 더하기표, 플러스 기호《+》.

Plu·tarch [plú:tɑ:rk] *n.* 플루타르크《그리스의 전기 작가; 46?-120?; '영웅전'으로 유명》.

Plu·to [plú:tou] *n.* **1** 〚그리스신화〛 플루톤《명부(冥府)의 신》. [cf.] Hades, Dis. **2** 〚천문〛 명왕성.

plu·toc·ra·cy [plu:tɑ́krəsi/-tɔ́k-] *n.* [U] 금권 정치〔지배, 주의〕; [C] 재벌, 부호 계급.

plu·to·crat [plú:toukræ̀t] *n.* [C] 부호 정치가, 금권주의자; 부자, 재산가.

plu·to·crat·ic, -i·cal [plù:toukrǽtik], [-əl] *a.* 금권 정치(가)의; 재벌의.

Plu·to·ni·an [plu:tóuniən] *a.* Pluto의; 명계(冥界)〔하계(下界)〕의〔와 같은〕.

Plu·ton·ic [plu:tɑ́nik/-tɔ́n-] *a.* **1** Pluto의 (Plutonian). **2** (p-) 〚지질〛 (지하) 심성(深成)의: ~ rocks 심성암; 화성암.

plu·to·ni·um [plu:tóuniəm] *n.* [U] 〚화학〛 플루토늄《방사성 원소; 기호 Pu; 원자 번호 94》.

Plu·tus [plú:təs] *n.* 〚그리스신화〛 플루토스《부(富)의 신(神)》.

plu·vi·al [plú:viəl] *a.* 비의; 비가 많은, 다우(多雨)의; 〚지질〛 빗물 작용에 의한.

plu·vi·om·e·ter [plù:viɑ́mitər/-ɔ́m-] *n.* [C] 우량계(rain gauge).

ply**[1] [plai] (plied; ply·ing***) *vt.* **1** (무기·연장 따위)를 **부지런히 쓰다**, 바쁘게 움직이다: ~ one's needle 부지런히 바느질하다/~ the oars 부지런히 노를 젓다. **2** …에 열성을 내다, …을 열심히 하다: ~ a trade 장사를 열심히 하다. **3** 《+[목]+[전]+[명]》 **a** …에게 자꾸 하다, 집요하게 하다《***with*** (질문·간청 따위)를》: ~ a person *with* questions 아무에게 귀찮게 질문하다. **b** …에게 자꾸 주다, 강권하다《***with*** (음식 따위)를》: ~ a person *with* food 음식을 자꾸만 권하다. **4** (강 따위)를 정기적으로 왕복하다: the boats ~*ing* the Mississippi 미시시피강을 오르내리는 배들.

—*vi.* 《+[전]+[명]》 (배·차 등이) **정기적으로 왕복하다**: The bus *plies from* the station *to* the hotel. 그 버스는 정거장과 호텔 사이를 왕복한다.

~ *for hire* 《英》 (택시·짐꾼이) 손님을 기다리다.

ply[2] *n.* [U] 〚보통 합성어로〛 (밧줄의) 가닥; (합판 따위의) 두께; (몇)겹: a three-~ rope 세 가닥의 밧줄/four-~ wood, 4중 합판.

Plym·outh [plíməθ] *n.* 플리머스. **1** 잉글랜드 남서부의 군항. **2** 미국 Massachusetts주의 항구 도시.

Plýmouth Róck **1** Pilgrim Fathers가 처음 상륙했다는 미국 Plymouth에 있는 바위《사적(史跡)》. **2** 플리머스록《닭의 품종; 미국 원산》.

plý·wòod *n.* [U] 합판. [cf.] veneer.

Pm 〚화학〛 promethium.

⁑P.M., p.m. [pí:ém] *ad., a.* **오후(의)**《*post meridiem* 《L.》 (=afternoon)의 간약형》: at 11:00 *p.m.* 오후 11시에/the 9 *p.m.* train 오후 9시 열차. [cf.] A.M., a.m.

P.M. Past Master; Paymaster; Postmaster; Police Magistrate; postmortem; Prime Minister; Provost Marshal. **P.M.G.** Postmaster General. **P/N, p.n.** 〖상업〗 promissory note (약속 어음).

pneu·mat·ic [njumǽtik] *a.* 공기의; (압축) 공기 작용에 의한, 공기식의; 압축 공기를 넣은: a ~ brake 공기 브레이크/a ~ cushion 공기 베개 〔방석〕/a ~ drill 공기 드릴〔착암기〕/a ~ tire 공기가 든 타이어, 고무 타이어. ㊕ **-i·cal·ly** [-ikəli] *ad.*

◇**pneu·mo·nia** [njumóunjə, -niə] *n.* Ⓤ 〖의학〗 폐렴: acute 〔chronic〕 ~ 급성〔만성〕 폐렴.

Pnom Penh ⇨PHNOM PENH.

Po 〖화학〗 polonium.

po [pou] (*pl.* **~s**) *n.* Ⓒ 《소아어》 실내 변기, 요강(chamber pot).

P.O., p.o. petty officer; postal order; 《英》 post office.

poach[1] [poutʃ] *vt.* **1** (남의 토지 따위)에 침입하다《밀렵(密獵)〔밀어(密漁)〕하려고》; …을 밀렵〔밀어〕하다. **2** (남의 생각 따위)를 도용하다, 가로채다; (근로자 따위)를 빼내다. **—***vi.* 밀렵〔밀어〕하다《**for** …을》; 침입하다《**on, upon** (남의 영역 따위)를》: go out ~*ing* 밀렵〔밀어〕하러 가다/~ *for* game 짐승을〔새를〕 밀렵하다/~ *on* a neighbor's land 이웃집 땅에 침입하다/~ *on* another's preserves 남의 사냥터에서 밀렵하다; 남의 세력권을 침범하다. ㊕ **∠·er**[1] *n.* Ⓒ 밀렵자, 밀어자; 침입자; 남의 구역을 침범하는 장사꾼.

poach[2] *vt.* 데치다; (깬 달걀)을 흩뜨리지 않고 뜨거운 물에 삶다: a ~*ed* egg 깨어 삶은 달걀, 수란. ㊕ **∠·er**[2] *n.* Ⓒ 수란짜, 수란 냄비.

POB, P.O.B. post-office box.

PÓ Bóx 《英》 =POST-OFFICE BOX.

po·chette [pouʃét] *n.* 《F.》 Ⓒ 손잡이가 없는 작은 핸드백.

pock [pak/pɔk] *n.* Ⓒ 천연두로 인한 발진; 마맛자국. ⓒⓕ pox. ㊕ **~ed** *a.*

†**pock·et** [pákit/pɔ́k-] *n.* Ⓒ **1 호주머니**, 포켓: a trouser ~ 바지 주머니/search 〔fish in〕 one's ~ 호주머니 속을 뒤지다.
2 (보통 *sing.*) 소지금, =POCKET MONEY; 자력(資力): a light ~ 넉넉하지 못한 호주머니/a deep ~ 충분한 자력, 부/live beyond one's ~ 경제력〔수입〕 이상으로 생활하다/pay out of one's own ~ 자기 개인 돈으로 치르다.
3 포켓 모양의 것; (캥거루의) 주머니; (덧문 · 빈지의) 두껍닫이; (자동차 문 안쪽의) 물건 넣는 곳; 〖당구〗 포켓《대의 귀퉁이나 양쪽에 있는 공받이》; 〖야구〗 (미트의) 포켓《공받는 부분》; 광혈(鑛穴); 광맥류(鑛脈瘤); 광혈의 매장량.
4 〖항공〗 =AIR POCKET; 주위에서 고립된 지구; 〖군사〗 (적 점령하의) 고립 지대.
be* 〔*live*〕 *in each other's* ~*s (두 사람이) 노상 함께 있다. ***be in* 〔*out of*〕 ~** 돈이 있다〔없다〕; 이득을〔손해를〕 보고 있다: We *are* 10 dollars *in* 〔*out of*〕 ~ over the transaction. 우리는 그 거래에서 10달러 흑자〔적자〕를 보았다. ***burn a hole in* one's ~** ⇨HOLE. ***have ... in* one's ~** (물건을) 완전히 제것으로 하고 있다; (사람을) 마음먹은 대로 하다: *have* the audience *in* one's ~ 청중을 완전히 장악하다. ***line* one's (*own*) ~*s*** 〔***purse***〕 《구어》 (부정 수단으로) 큰돈을 벌다, 사복을 채우다. ***pick a* 〔a person's〕 ~** (아무의 소지품을) 소매치기하다. ***put* 〔*dip*〕 one's *hand in*** one's ~ 호주머니에 손을 넣다; 돈을 쓰다. ***put*** one's ***pride in*** one's ~ 자존심을 억누르다〔겉으로 나타내지 않다〕. ***suit every* ~** 누구라도 마련할 수 있는.

—*vt.* **1** 포켓에 넣다; 감추다, 챙겨 넣다: ~ one's keys 열쇠를 주머니에 넣다. **2** (부정하게) 자기것으로 하다, 착복하다: He ~*ed* all the profits. 이익금을 전부 가로챘다. **3** (감정 따위)를 숨기다, 억누르다: He ~*ed* his pride and said nothing. 그는 자존심을 억누르고 아무 말도 안 했다. **4** (모욕 등)을 꾹 참다: ~ one's anger 분을 참다. **5** 〖당구〗 (공)을 포켓에 넣다; 〖기계〗 상자〔구멍〕에 넣다. **6** 《美》 (의안 따위)를 묵살하다.
—*a.* Ⓐ 포켓용〔형〕의; 소형의, 휴대용의; 소규모의, 국지적인: a ~ guide 포켓형의 안내서/a ~ glass 회중경(懷中鏡).

pócket·bòok *n.* **1** Ⓒ (돈)지갑; 《美》 핸드백. **2** (one's ~) 《美》 자력(資力), 재원: It's out of reach of my ~. 그것은 내 자력이 미치지 못한다. **3** Ⓒ (소형) 수첩; 《美》 포켓형의 염가판《문고판 등》.

pock·et·ful [pákitfùl/pɔ́k-] (*pl.* **~s, póck·ets·fùl**) *n.* Ⓒ 한 주머니 가득; 《구어》 많음《***of*** …의》: a ~ *of* money 상당한 금액, 한 재산.

pócket-hándkerchief *n.* Ⓒ 손수건. **—***a.* Ⓐ 《英구어》 네모지고 작은, 좁은: a ~ garden 아주 작은 정원.

pócket·knìfe (*pl.* **-knìves**) *n.* Ⓒ 주머니칼.

pócket mòney 용돈; 《英》 (아이들에게 주는) 용돈. ⓒⓕ pin money.

pócket-sìze(d) *a.* 포켓형의, 소형의.

pócket vèto 《美》 (대통령 · 주지사의) 의안 거부권.

pócket-vèto *vt.* (의안)을 묵살하다.

póck·màrk *n.* Ⓒ 마맛자국. ㊕ **-màrked** [-t] *a.* 얽은; 그런 구멍이 난《***with*** …으로》.

po·co [póukou] *ad., a.* 《It.》 〖음악〗 조금(의): ~ largo 〔presto〕 약간 느리게〔빠르게〕. **~ *a* ~** 〖음악〗 서서히.

◇**pod**[1] [pad/pɔd] *n.* Ⓒ **1** (완두콩 따위의) 꼬투리; 누에고치; 메뚜기의 알주머니. **2** 〖항공〗 연료 · 탄약 등을 넣어 두기 위한 날개〔동체〕 밑에 단 유선형의 용기; 〖우주〗 우주선의 분리가 가능한 구획. ***in* ~** 《구어》 임신하여.
— (**-dd-**) *vi.* 꼬투리가 되다, 꼬투리가 맺다, 꼬투리가 생기다(*up*). **—***vt.* (콩)의 꼬투리를 까다(shell); 껍질을 벗기다.

pod[2] *n.* Ⓒ (바다표범 · 고래 따위의) 작은 떼.

POD, P.O.D. 〖상업〗 pay on delivery (현물 상환불).

podgy [pádʒi/pɔ́dʒi] (***podg·i·er; -i·est***) *a.* 땅딸막한; (얼굴 따위가) 피둥피둥한. ㊕ **pódg·i·ness** *n.*

po·di·a·try [poudáiətri] *n.* Ⓤ 《美》 〖의학〗 발치료, 족병학(足病學)(《英》 chiropody). ㊕ **-trist** *n.* Ⓒ 《美》 족병학자(《英》 chiropodist).

po·di·um [póudiəm] (*pl.* **~s, *-dia*** [-diə]) *n.* Ⓒ 〖건축〗 맨 밑바닥의 토대석(土臺石); 연단(演壇), (오케스트라의) 지휘대.

Poe [pou] *n.* **Edgar Allan ~** 포《미국의 시인 · 소설가; 1809–49》.

†**po·em** [póuim] *n.* Ⓒ **1** (한 편의) 시. ⓒⓕ poetry. ¶ a lyric ~ 서정시/an epic ~ 서사시/a prose ~ 산문시/compose 〔write〕 a ~ 시를 짓다〔쓰다〕. **2** 운문(韻文). ◇ poetic *a.*

po·e·sy [póuizi, -si] *n.* Ⓤ 《고어 · 시어》 **1** 〖집합적〗 시, 시가(詩歌)(poetry, poems). **2** 작시(법)(作詩(法)).

⁑**po·et** [póuit] (*fem.* **~·*ess*** [-is]) *n.* Ⓒ **1** 시

인; 가인(歌人). **2** 시적 재능을 가진 사람.

po·et·as·ter [póuitæ̀stər] *n.* Ⓒ 삼류 시인.

po·et·ess [póuitis] *n.* Ⓒ 여류 시인.

‡**po·et·ic** [pouétik] *a.* **1 시의, 시적인**: ~ diction 시어, 시어법/a ~ drama 시극. **2** 시인(기질)의: ~ feeling 시정(詩情)/~ genius 시재(詩才). **3** 낭만적인; 상상의. ◇poem *n.*

°**po·et·i·cal** [pouétikəl] *a.* **1** =POETIC. **2** Ⓐ 시로 쓰여진: the ~ works of Milton 밀턴의 시집. ★ 보통 '시의'의 뜻으로는 poetical, '시적인'의 뜻으로는 poetic을 씀. ㊐ **~·ly** *ad.* **~·ness** *n.*

poétic jústice 시적인 정의(正義)《이야기 따위에서의 권선징악》.

poétic lícense 시적 허용《시에서 보통의 형식·문법·사실 등을 위반할 수 있는 자유》.

po·ét·ics *n.* Ⓤ 시학(詩學), 시론; 운율학.

póet láureate (*pl.* ***poets laureate, ~s***) (흔히 the ~; 또는 P- L-)《英》계관 시인(桂冠詩人).

‡**po·et·ry** [póuitri] *n.* Ⓤ **1 a** (문학의 한 형식으로서의) **시, 시가**, 운문. ⓒⓕ poem, prose. ¶lyric 〔epic〕 ~ 서정〔서사〕시. **b**〖집합적〗**시**: the ~ of Hardy 하디의 시. **2** 시적 감흥; 시정(詩情), 시심(詩心).

Póets' Córner (the ~) 런던 Westminster Abbey의 1구역《영국의 대시인(大詩人)들 묘와 기념비가 있음》.

po-faced [póufèist] *a.* 《英구어》 자못 진지〔심각〕한 얼굴의; 유난히 새침떼는.

po·go [póugou] (*pl.* ***~s***) *n.* Ⓒ 막대기 끝쪽에 용수철이 있어 타고 뛰어다닐 수 있게 된 놀이 도구(=∠ **stick**).

po·grom [pougrám, -grʌ́m, póugrəm/pɔ́grəm] *n.* 《Russ.》 Ⓒ (소수 민족) 학살《조직적·계획적인》; 《특히》 유대인 학살.

poi [pɔi, póui] *n.* Ⓒ (요리는 Ⓤ) (하와이의) 토란 요리.

poign·an·cy [pɔ́injənsi] *n.* Ⓤ 격렬함, 예리; 신랄; 통렬.

°**poign·ant** [pɔ́injənt] *a.* 매서운, 날카로운, 통렬한《아픔 따위》; 통절한《비애 따위》; 신랄한《풍자 따위》; 얼얼한《맛·냄새 따위》. ㊐ **~·ly** *ad.*

poin·set·tia [pɔinsétiə] *n.* Ⓒ〖식물〗성성목(猩猩木), 포인세티아《멕시코산; 관상 식물》.

†**point** [pɔint] *n.* **1** Ⓒ **뾰족한 끝**, (무기·연장 등의) 끝: the ~ *of* a needle 〔pencil〕 바늘〔연필〕 끝/the ~ *of* the tongue 〔a finger〕 혀〔손가락〕 끝.

2 Ⓒ 돌출한 것; (흔히 P-) 갑(岬), 곶(cape)(=~ of land)《종종 지명》; (사슴뿔의) 갈래.

3 Ⓒ (작은) **점**, 반점, 얼룩: The disease begins as minute ~*s* on the skin. 이 병은 먼저 피부에 작은 반점이 되어 나타난다.

4 Ⓒ (기호로서의) 점; 《특히》〖수학〗소수점(decimal ~); 구두점, 종지부(period), 마침표;〖음악〗음표점; 스타카토 부호; (점자의) 점: four ~ six, 4.6/~ three, 0.3/a full ~ 종지부/an exclamation ~ 느낌표, 감탄부.

5 Ⓒ (온도계 따위의) 눈금; (온도의) 도(度); (물가·주식 시세 등의) 지표(指標), 포인트: The thermometer went up 5 ~*s*. 온도계가 5도 올라갔다/the boiling 〔freezing, melting〕 ~ 끓는〔어는, 녹는〕점/Oil shares went down 5 ~*s*. 석유주는 5포인트 하락했다.

6 Ⓒ (경기의) 득점, 점수; 평점; 《美》 (학과의) 학점, 단위: score 〔gain, win〕 twenty ~*s*, 20점 따다/He needed ten more ~*s* to graduate. 졸업하려면 10학점이 더 필요했다.

7 Ⓒ (면·선·시간상의 위치를 나타내는) **점**, 지점, 개소: the ~ of intersection of two lines 두 선의 교점/the ~ of contact 접점/the shortest distance between two ~*s*, 2 점간의 최단거리/a vantage ~ 유리한 지점/a trading ~ 교역지.

8 Ⓒ 정도, 한계점; (사태·진전의) 단계: up to a certain ~ 어느 정도까지는.

9 Ⓒ (생각해야 할) 점, 사항, 항목; 특징이 되는 점, 특질; (보통 *sing.*) 문제점, 논점: on this ~ 이 점에 관해서는/the weakest 〔strongest〕 ~ in one's character 성격상의 최대의 단점〔장점〕/a doubtful ~ 의문점/the first ~ *of* my argument 내 의론(議論)의 첫째 논점/a ~ *of* conscience 양심의 문제.

10 (the ~) **요점**, 요지, 논지(論旨): miss the ~ 요점을 모르다/keep 〔stick〕 to the ~ 요점에서 벗어나지 않다.

11 Ⓤ 효과, 적절함: The speech lacked ~. 그 연설은 핀트가 맞지 않았다.

12 Ⓤ **목적, 취지**, 의미《*in, of* …의》: What is the ~ *of seeing* him? 그를 만나는 목적은 무엇인가/There's no 〔not much〕 ~ *in doing* that. 그런 일을 해도 아무런〔별〕 의의가 없다.

13 Ⓤ 어떤 특정한 때, 시점(時點); 순간, 찰나: at that ~ 그때(에)/when it comes to the ~ 만약의 경우에는.

14 Ⓤ〖인쇄〗포인트 활자: in 8 ~, 8포인트로〔의〕.

15 (*pl.*) 《英》〖철도〗포인트, 전철기(《美》 switch).

16 Ⓒ〖크리켓〗삼주문(三柱門)의 오른쪽 약간 앞에 서는 야수(野手); Ⓤ 그 위치.

17 (*pl.*)〖발레〗발끝: dance on ~*s* 토 댄스를 하다.

18 Ⓒ〖전기〗접점(接點), 포인트; 《英》 콘센트(《美》 outlet).

19 Ⓒ〖해사〗나침반 주위의 방위를 가리키는 32 점의 하나《두 점 사이의 각도는 11°15′》.

20 Ⓒ〖사냥〗(사냥개의) 사냥감의 방향 지시: make 〔come to〕 a point (사냥개가) 멈춰 서서 사냥감 있는 쪽을 바라보다.

at all ~s 모든 점에서, 철저하게; 철두철미. ***at the ~ of*** …의 순간에, 막 …하려고 하여: *at the ~ of* death 빈사 상태에 이르러, 죽는 순간에/*at the ~ of going* out 막 나가려는 순간에. ***beside the ~*** 요점을 벗어나, 예상이 어긋나. ***carry*** 〔***gain***〕 ***one's ~*** 목적을 달성하다, 주장을 관철하다. ***give ~s to*** a person =***give*** a person ***~s*** ① 아무에게 유리한 조건을 주다, 아무에게 핸디캡을 주다. ② …보다 낫다. ***in ~*** 적절한: a case *in ~* 적절한 예. ***in ~ of*** …의 점에서는, …에 관하여(는): *In ~ of* fact you're wrong. 실제로는 네가 틀렸다. ***make a*** 〔***one's***〕 ***~*** =prove a 〔one's〕 ~. ***make a ~ of*** doing ① …을 주장〔강조, 중요시〕하다. ② 반드시 …하다: I *make a ~ of taking* a walk after breakfast. 아침 식사 후엔 반드시 산책하고 있다. ***make it a ~ to*** do = make a ~ of doing. ***not to put too fine a ~ on it*** ⇨FINE¹. ***off the ~*** 요점을 벗어난, 빗나간. ***on*** 〔***upon***〕 ***the ~ of*** doing 바야흐로 …하려고 하여, …하는 순간에(at the ~ of): He was *on the ~ of leaving*. 그는 마침 출발하려던 참이었다. ***~ by ~*** 한 항목씩, 하나하나: explain a theory *~ by ~* 이론(理論)을 하나하나 자세히 설명하다. ***~ for ~*** 하나하나〔차례대로〕 비교하여.

~ **of honor** 명예에 관한 문제. ~ **of order** 의사 절차〔진행〕상의 문제. ~ **of reference** 평가〔판단〕의 기준. ~ **of view** 관점, 견해. ~ **taken** 알았습니다《정정을 시인하는 경우 등에 씀》. **prove a** 〔one's〕 ~ (의론 등에서) 주장의 정당함을 밝히다, 설득시키다. **score a** ~ 〔~s〕 **off** 〔**against, over**〕 a person ⇨SCORE. **strain** 〔**stretch**〕 **a** ~ 양보하다; 파격적인 취급을 하다. **take** a person's ~ 아무의 말을 이해하다; 아무의 의견에 찬성하다. **the** ~ **of no return** ① 〖항공〗 귀환 불능점《비행기가 출발점에 되돌아갈 연료가 부족하게 되는 점》. ② 뒤로 물러설 수 없는 단계. **to the** ~ 요령 있는, 적절한: Your answer is not *to the* ~. 자네 답변은 요점을 벗어나 있네.

> DIAL. ***Get*** 〔***Give***〕 ***to the point.*** (서론은 그만 두고) 요점을 말해라.
> ***That's the point.*** 그게 중요하다.
> ***You have a point there.*** 그래 네 말에도 일리가 있다, 그 점에선 네 주장도 타당하다.

—*vt.* **1 뾰족하게 하다**, 날카롭게 하다《★ sharpen이 일반적》: ~ a pencil 연필을 뾰족하게 깎다. **2** …에 구두점을 찍다(punctuate); 〖음악〗 점을 찍다〔부호를 달다〕; (숫자)에 소수점을 찍어 끊다. **3** 《~+목/+목+부》 (충고 · 교훈 따위)를 강조하다, …에 힘을〔기세를〕 더하다(*up*): ~ a moral (이야기 끝 따위에) 교훈을 강조하다 / He ~*ed up* his remarks with apt illustrations. 그는 적절한 예를 들어 소론(所論)을 역설했다.
4 《+목+전+명》 **a** (손가락 · 총 등)을 **향하게 하다**《**at, to, toward** …에》: ~ a gun 총부리를 들이대다 / Don't ~ a finger *at* a lady. 부인에게 손가락질해서는 안 된다. **b** (사람)의 주의를 돌리게 하다《**to** …에》: She ~*ed* him *to* the seat. 그녀는 그에게 앉으라고 자리를 가리켰다.
5 (사냥개가 사냥감의 위치)를 멈춰 서서 그 방향을 알리다: ~ game.
6 〖건축〗 …의 이음매에 시멘트〔석회〕를 바르다.
7 (댄서 따위가, 발끝)을 곧두세우다.
—*vi.* **1** 《~/+부/+전+명》 **가리키다**《**at, to** …을》: The needle of a compass ~*s north* 〔*to* the north〕. 컴퍼스의 바늘은 북(쪽)을 가리킨다 / The clock ~*s to* ten. 시계는 10시를 가리키고 있다.
2 《~/+전+명》 나타내다, 시사하다《**to** …을》: Everything seems to ~ *to* success. 모든 것이 성공의 조짐을 나타내고 있는 것 같다 / His conduct ~*s to* madness. 그의 행동을 보니 미친 사람 같다.
3 《~/+전+명》 향해 있다《**to, toward** (어떤 방향)으로》: The house ~*ed* north 〔*to* 〔*toward*〕 the north〕. 그 집은 북쪽을 향하고 있었다.
4 《~/+전+명》 손가락질하다《**at** …에》: It's rude to ~. 사람에게 손가락질하는 것은 실례이다 / Don't ~ *at* people. 사람에게 손가락질하지 마라.
5 (사냥개가) 사냥감이 있는 곳을 가리키다.
~ **out** 《*vt.*+부》 …을 지적하다《**to** …에게 / **that** / **wh.**》: *Point out* any errors *to* me. 잘못이 있으면 무엇이든 지적해 주세요 / I ~*ed out that* the account had still not been settled. 계산이 아직 청산되지 않았음을 지적했다 / He ~*ed out how* important it is to observe law. 법을 지키는 것이 얼마나 중요한가를 그는 지적했다. ~ **up** 《*vt.*+부》 …을 강조하다(⇨*vt.* 3); 눈에 띄게〔두드러지게〕 하다.

póint-blánk *a.* **1** 직사(直射)의, 수평 사격의: a ~ shot 직사 / a ~ range 〔distance〕 표적 거리, 직사정(直射程). **2** 노골적인, 솔직한, 단도직입적인: a ~ question 솔직한 질문 / a ~ refusal 쌀쌀맞은 거절. **—***ad.* **1** 직사하여: fire ~ 직사하다. **2** 정면으로, 드러내어, 단도직입적으로: refuse ~ 딱 잘라 거절하다.

***point·ed** [pɔ́intid] *a.* **1 뾰족한**; 예리한. **2** (비평 따위가) 날카로운, 신랄한: a ~ criticism 날카로운 비평. **3** (표정 · 말 따위가) 빗대는: a ~ remark 빗대는 말. **4** 눈에 띄는; 명백한: ~ indifference 눈에 띄는 무관심. 파 **~·ly** *ad.* **~·ness** *n.*

◇**póint·er** *n.* **1** Ⓒ 지시하는 사람〔물건〕; (교사 등이 지도 · 흑판 따위를 짚는) 지시봉; (시계 · 저울 따위의) 바늘, 지침. **2** Ⓒ 《구어》 조언, 암시, 힌트: give a person a few ~s 아무에게 몇 마디 조언을 하다. **3** Ⓒ 포인터《사냥개》. **4** (the P-s) 〖천문〗 지극성(指極星)《큰곰자리의 α, β의 두 별》. **5** Ⓒ 〖컴퓨터〗 포인터《GUI 등에서 마우스 등의 위치 지시 장치와 연동하여 움직이는 입력 위치를 가리키는 화살표 꼴 등의 상징》.

poin·til·lism [pwǽntəlìzəm] *n.* Ⓤ 〖미술〗 (프랑스 인상파의) 점묘법(點描法), 점묘주의. 파 **-list** *n.* Ⓒ 점묘화가.

póinting devìce 〖컴퓨터〗 display 상의 점(부분)을 가리키는 장치.

póint·less *a.* **1** 뾰족한 끝이 없는, 무딘. **2** 무의미한; 무익한; 요령 없는. **3** 〖경기〗 득점 없는. 파 **~·ly** *ad.* **~·ness** *n.*

póint-of-sále(s) *a.* Ⓐ (선전 · 광고가) 매장(賣場)〔점두〕의《생략: POS》.

póints·man [-mən] (*pl.* **-men** [-mən]) *n.* Ⓒ 《英》 〖철도〗 전철수(轉轍手)(《美》 switchman).

póint sỳstem 〖교육〗 학점(진급)제; (맹인용) 점자법; 《美》 (운전자에 대한 벌칙의) 점수제.

póint-to-póint *n.* Ⓒ **1** 자유 코스의 크로스컨트리 경마. **2** 〖컴퓨터〗 지점 간, 포인트 투 포인트《두 개의 단말기만을 접속하는》.

póint-to-póint connèction 〖컴퓨터〗 두 지점 간 접속《데이터 통신에서 두 데이터 스테이션을 하나의 통신 회선으로 직접 연결하는 것》.

poise** [pɔiz] *vt.* …을 **균형잡히게 하다**, 평형되게 하다, …의 균형을 잡다: ~ oneself on one's toes 발끝으로 서서 균형을 유지하다. **—vi.* 균형이 잡히다; (새 따위가) 공중에서 맴돌다. **—***n.* Ⓤ **1** 평형, 균형. **2** (몸 · 머리 따위의) 가짐새, 태도. **3** 평정(平靜); 안정. 파 **~d** *a.* 침착한, 위엄 있는; 균형잡힌; 태세를 갖춘《**for** …의》; 흔들리는, 동요하는《**between** …사이에서》; 공중에 뜬.

‡**poi·son** [pɔ́izən] *n.* **1** Ⓤ (종류는 Ⓒ) 독, 독물, 독약: a deadly ~ 맹독(猛毒) / slow 〔cumulative〕 ~ 자주 쓰면 독이 되는 것, 효과가 완만한 독약 / kill oneself by taking ~ 음독 자살하다 / One man's meat is another man's ~. ⇨MEAT 5. **2** Ⓤ (구체적으로는 Ⓒ) 폐해, 해독; 해로운 주의〔설(說), 영향〕: a ~ to morals =a moral ~ 풍기를 문란케 하는 것. **3** (one's ~) 《구어 · 우스개》 마실 것; 《특히》 술. **hate... like** ~ …을 지독하게 미워하다.

> DIAL. ***What's your poison?*** =***Name*** 〔***Pick, Choose***〕 ***your poison.*** 무슨 술을 마실까.

—*vt.* **1** 《~+목/+목+전+명》 독살〔독해(毒害)〕하다: ~ an enemy commander 적의 사령관을 독살하다 / ~ a person *to* death 아무를 독살하

다. **2** …에 독을 넣다〔바르다〕: ~ a well 우물에 독을 넣다. **3** 해독을 끼치다, 악화시키다, 오염시키다: ~ the mind of a child 어린애의 마음에 해독을 끼치다/Factory wastes *~ed* the stream. 공장 폐기물이 개천 물을 오염시켰다. **~ a person's *mind against*** 아무에게 …에 대한 편견을 갖게 하다: That *~ed* his mind *against* me. 그 일로 그는 나에 대한 편견을 갖게 되었다.

㊞ **~·ed** *a.* 독을 넣은〔바른〕. **~·er** *n.* Ⓒ 해독을 주는 사람〔것〕, 독살자.

póison gás 독가스.

pói·son·ing *n.* Ⓤ 독살; 중독: gas〔lead〕 ~ 가스〔납〕 중독/(get) food ~ 식중독(에 걸리다).

póison ívy 〖식물〗 옻나무; 덩굴옻나무.

⁑**poi·son·ous** [pɔ́izənəs] *a.* **1 유독한**: a ~ snake 독사/~ wastes 유독 폐기물. **2** 유해한, 파괴적인; 악의의. **3** 몹시 불쾌한.

póison-pén *a.* Ⓐ (편지가 익명으로) 중상적인: a ~ letter (익명으로 된) 중상 편지.

***poke**[1] [pouk] *vt.* **1** 《~+목/+목+전+명》 (손가락·막대기 따위로) **찌르다**, 콕콕 찌르다《*in* …을》: Don't ~ me. 쿡쿡 찌르지 마/~ a person *in* the ribs〔person's ribs〕 아무의 옆구리를 콕콕 찔러 주의시키다.

2 《+목+부/+목+전+명》 (뿔·코·머리 따위)를 바싹 갖다대다; 쑥 넣다; 쑥 내밀다: ~ one's head *out* (*of* a window) (창문 밖으로) 머리를 쑥 내밀다/He *~d* his finger *in*〔*through*〕. 그는 손가락으로 찔렀다〔뚫었다〕.

3 《+목+전+명》 (구멍)을 찔러서 뚫다《***in, through*** …에》: ~ a hole *in* the drum 북을 찔러서 구멍을 내다.

4 《~+목/+목+부》 (묻힌 불 따위)를 쑤셔 일으키다(*up*): ~ *up* the fire 불을 쑤셔 화력을 돋우다.

5 《속어·비어》 (여자)와 성교하다.

6 〖컴퓨터〗 (자료)를 어느 번지에 입력하다.

—*vi.* **1** 《~/+전+명》 (손가락·막대기 등으로) 밀다, 찌르다, 쑤시다《***at*** …을》: He *~d at* the frog with a stick. 그는 막대기로 개구리를 찔렀다.

2 《+부/+전+명》 (물건이) 튀어 나오다, 비어져 나오다(*out; up; down*)《***through, out of*** …에서》: His big toe was *poking through* his sock. 그의 엄지발가락이 양말을 뚫고 나와 있었다/Only the tip of an iceberg *~s up* above water. 빙산의 끝부분만이 수면 위로 솟아 있다.

3 《~/+전+명》 꼬치꼬치 캐다, 조사하다《***into*** …을》: ~ *into* another's affairs 남의 일을 꼬치꼬치 캐다.

~ *about* 〔《美》 ***around***〕 《*vi.*+부》 《구어》 ① 찾다, 찾아다니다; 꼬치꼬치 캐다《***for*** …을》: He *~d about* in his suitcase *for* the key. 그는 슈트케이스에 손을 넣어 열쇠를 찾았다. ② =~ along. **~ *along*** 《*vi.*+부》 《구어》 빈둥거리다, 어슬렁거리다, 느릿느릿 나아가다. **~ *fun at*** …을 놀리다.

—*n.* Ⓒ **1** 찌르기; 콕콕 찌름: give a ~ 콕콕 찌르다. **2** 〖컴퓨터〗 포크.

poke[2] *n.* Ⓒ 《방언》 부대, 작은 주머니. ***buy*** 〔***sell***〕 ***a pig in a ~*** ⇨PIG.

°**pok·er**[1] [póukər] *n.* Ⓒ 찌르는 사람〔물건〕; 부지깽이.

°**pok·er**[2] *n.* Ⓤ 포커《카드놀이의 일종》.

póker fàce 《구어》 무표정한 얼굴(의 사람).

póker-fàced [-t] *a.* 무표정한.

póker wòrk Ⓤ 낙화(烙畫)《공예》; Ⓒ 낙화 장식.

pok(e)y[1] [póuki] *n.* Ⓒ 《美속어》 교도소(jail).

pok(e)y[2] (***pok·i·er; -i·est***) *a.* **1** 활기 없는, 굼뜬, 느린. **2** 〔종종 ~ little〕 비좁은, 갑갑한, 보잘것 없는: a ~ *little* room 비좁은 방. ㊞ **pók·i·ly** *ad.*

pol [pɑl/pɔl] *n.* Ⓒ 《美구어》 (노련한) 정치가.

POL 〖컴퓨터〗 problem oriented language 《어느 문제 풀이에 맞는 프로그램 언어》. **Pol.** Poland; Polish. **pol.** political; politics.

Po·lack [póulæk] *n.* Ⓒ 《속어·경멸적》 폴란드계(系)의 사람.

°**Po·land** [póulənd] *n.* 폴란드《수도 Warsaw》.

***po·lar** [póulər] *a.* Ⓐ **1 극지**(極地)**의, 남극**〔**북극**〕**의**; 극지에 가까운: the ~ route 〖항공〗 북극 항로/the ~ circles (남·북의) 극권(極圈)/the ~ lights 극광/a ~ beaver 《속어》 수염이 흰 사람. **2** 〖전기〗 음극〔양극〕을 가지는; 자극(磁極)의; 극성(極性)의. **3** 정반대의《성격·경향·행동 따위》: ~ opposites 양극의 대립물. ◇pole *n.*

pólar bèar 〖동물〗 흰곰, 북극곰(white bear).

Po·lar·is [pouléəris, -lǽr-] *n.* 〖천문〗 북극성.

po·lar·i·scope [poulǽrəskòup] *n.* Ⓒ 〖광학〗 편광기(偏光器).

po·lar·i·ty [poulǽrəti] *n.* Ⓤ (구체적으로는 Ⓒ) 양극(兩極)을 가짐; 〖물리〗 극성; 양극성; (주의·성격 등의) 정반대, 대립, 양극단: magnetic ~ 자극성(磁極性).

pò·lar·i·zá·tion *n.* **1** Ⓤ 〖물리〗 극성(極性)을 생기게 함〔갖게 됨〕, 분극(分極). **2** Ⓤ (구체적으로는 Ⓒ) (주의·경향 등의) 대립, 분열, 양극화.

po·lar·ize [póuləràiz] *vt.* …에 극성(極性)을 주다, …을 분극하다; …을 편광시키다; (당파 등)을 양극화하다; 분극화〔분열, 대립〕시키다. **—***vi.* 분극화〔분열, 편향, 대립〕하다: Congress *~d* on the issue. 의회는 그 문제로 분열되었다.

Po·lar·oid [póulərɔ̀id] *n.* 《상표명》 **1** Ⓤ 폴라로이드, 인조 편광판. **2** Ⓒ 폴라로이드 카메라(=**~ Càmera**)《촬영과 현상·인화 제작이 카메라 안에서 이루어짐》. **3** (*pl.*) 폴라로이드 안경.

pólar stár (the ~) 북극성.

Pole [poul] *n.* Ⓒ 폴란드(Poland) 사람; (the ~s) 폴란드 국민.

⁑**pole**[1] [poul] *n.* Ⓒ **1 막대기, 장대**, 기둥, 지주; 《특히》 깃대; 전주; (장대높이뛰기의) 장대; (스키의) 폴; (전동차의) 폴《집전용》; (이발소의) 간판 기둥; (수레의) 채: a telegraph ~ 전신주/a bean ~ 콩덩굴의 받침대/a fishing ~ 낚싯대. **2** 척도의 단위《5.03m》; 면적의 단위《25.3m²》. ***up the ~*** 《英속어》 진퇴양난에 빠져; 약간 미쳐서; 잘못되어.

—*vt.* **1** 막대기로 받치다: ~ a bean. **2** (배 따위)를 장대로 밀다. **—***vi.* 《전+명》 (스키에서) 폴을 써서 스피드를 내다; 배를 삿대질하여 나아가다: She *~d down* the slope. 그녀는 폴을 사용하여 사면을 미끄러져 내려갔다/~ *down* the river 강을 삿대질하여 내려가다.

⁑**pole**[2] *n.* Ⓒ **1** 〖천문·지리〗 **극**(極), **극지**: the North〔South〕 *Pole* 북〔남〕극. **2** 〖물리〗 전극; 자극; (전지 따위의) 극판, 극선: the magnetic ~ 자극(磁極). **3** (주의·주장·성격 따위의) 극단, 정반대. ◇polar *a.* ***be ~s asunder*** 〔***apart***〕 (의견·이익 따위가) 완전히 정반대이다, 극단적으로 다르다.

póle·àx, 《英》 **-àxe** (*pl.* ***-ax·es***) *n.* Ⓒ (옛날의 자루가 긴) 전부(戰斧). **—***vt.* **1** 머리를 강타하여

실신시키다. **2** 《보통 수동태》 깜짝 놀라게 하다: She looked absolutely ~*ed* by this announcement. 그녀는 이 발표를 듣고 기절초풍하는 것 같았다.

póle·càt *n.* Ⓒ 〖동물〗 《英》 족제비의 일종《유럽산》; 《美》 =SKUNK.

póle jùmp 〔**jùmping**〕 장대높이뛰기(pole vault).

póle-jùmp *vi.* 장대높이뛰기를 하다.

po·lem·ic [pəlémik, pou-] *n.* Ⓤ 논쟁, 논박; Ⓒ 격론. **—***a.* 논쟁의; 논쟁을 좋아하는; 논쟁술의, 논증법의: a ~ writer 논객/~ theology 논증 신학. ㊕ **-i·cal** [-əl] *a.* **-i·cal·ly** *ad.*

po·lém·ics *n.* Ⓤ 논쟁(술); (신학상의) 논증법.

***pole·star** [póulstɑ̀ːr] *n.* **1** 〖천문〗 (the ~; 종종 P-) **북극성. 2** Ⓒ 지도 원리; 주목의 대상.

póle vàult 1 (the ~) (운동 종목으로서의) 장대높이뛰기. **2** (1 회의) 장대높이뛰기.

póle-vàult *vi.* 장대높이뛰기하다. ㊕ **~·er** *n.*

‡**po·lice** [pəlíːs] *n.* (흔히 the ~) 《집합적; 복수 취급》 **1 경찰**: the water 〔harbor, marine〕 ~ 수상〔해양〕 경찰/go to the ~ 경찰에 통보하다/The ~ are on his track. 경찰은 그를 추적하고 있다. **2** 경찰관《개별적으로는 policeman, policewoman》: call the ~ 경찰관을 부르다/Several ~ are patrolling the neighborhood. 수명의 경관이 그 주위를 순찰하고 있다/There were 4,000 ~ on the spot. 경관 4천 명이 출동했다. **3** 치안, 보안; 《일반적》 경비〔보안〕대: the military ~ 헌병대/the campus ~ 대학 수위/the railway ~ 철도 경찰대.

—*vt.* …에 경찰을 두다; (경찰력 따위로) …을 경비하다, 단속하다; …의 치안을 유지하다; …을 관리〔감시〕하다: United Nations forces ~ several countries in Africa. 아프리카의 몇 나라가 유엔군 관리하에 있다.

políce càr (경찰) 순찰차(squad car).

políce cònstable 《英》 순경《생략: P.C.》.

políce còurt 즉결 재판소《경범죄의》.

políce dòg 경찰견.

políce fòrce 경찰력, 경찰대.

‡**po·lice·man** [pəlíːsmən] (*pl.* **-men** [-mən]) *n.* Ⓒ **경찰관**, 경관: a ~ on guard 경호 경관.

políce òfficer 경관(policeman), 《美》 순경.

políce repòrter 경찰 출입 기자.

políce stàte 경찰 국가.

políce stàtion (지방) 경찰서.

políce·wòman (*pl.* **-wòmen**) *n.* Ⓒ 여자 경찰관, 여순경.

‡**pol·i·cy**[1] [pάləsi/pɔ́l-] *n.* **1** Ⓤ (구체적으로는 Ⓒ) **정책, 방침**: foreign *policies* 외교 정책/the Government's ~ on trade 정부의 무역 정책/~ switch 정책 전환. **2** Ⓤ (구체적으로는 Ⓒ) (일반적인) 방책, 수단: adopt a ~ to his bad manners 그의 버릇없는 행실에 대책을 세우다/Honesty is the best ~. 《속담》 정직은 최선의 방책. **3** Ⓤ 현명, 심려(深慮), 신중: for reasons of ~ 숙고한 결과/It's good ~ not to stay up late at night. 밤에 일찍 자는 것은 현명한 짓이다.

pol·i·cy[2] *n.* Ⓒ 보험 증권(~ of assurance, insurance ~): an endowment ~ 양로 보험 증권/an open 〔a valued〕 ~ 예정〔확정〕 보험 증권/a time 〔voyage〕 ~ 정기 보험〔항해〕 증권/take out a ~ on one's life 생명 보험에 들다.

pólicy·hòlder *n.* Ⓒ 보험 계약자《주로 생명 보험의》.

po·lio [póuliòu] *n.* Ⓤ 《구어》 폴리오, 소아마비 (poliomyelitis).

pol·i·o·my·e·li·tis [pòulioumàiəláitis] *n.* Ⓤ 〖의학〗 (급성) 회백(灰白) 척수염, (척수성) 소아마비.

pólio váccine 《구어》 소아마비 백신.

Po·lish** [póuliʃ] *a.* **폴란드(Poland)의**; 폴란드 사람〔말〕의. **—n.* Ⓤ 폴란드어.

‡**pol·ish** [páliʃ/pɔ́l-] *vt.* **1** 《~+목/+목+부/+목+보》 **닦다**, …의 윤을 내다(*up*): ~ shoes 〔furniture〕/~ (*up*) the floor 마루를 닦다/~ one's bag clean 가방을 깨끗하게 닦다/~*ing* powder 분말 광택제. **2** …을 다듬다, 품위 있게 하다, 세련되게 하다; (문장의 글귀 따위)를 퇴고하다: ~ a speech 연설문을 다듬다/~ a set of verses 시를 퇴고하다. **—***vi.* **1** 윤이 나다: This table won't ~. **2** 품위 있게 되다, 세련되다.

~ ***off*** 《*vt.*+부》 《구어》 ① (일·식사 따위)를 재빨리 마무르다〔끝내다〕: ~ *off* a large plateful of pie 커다란 파이 한 접시를 먹어치우다. ② (상대방 따위)를 해치우다; 낙승하다: ~ *off* an opponent 적을 해치우다. ~ ***up*** 《*vt.*+부》 …을 다듬어 내다, 마무르다; 윤을 내다(⇨*vt.* 1).

—*n.* **1** Ⓤ (또는 a ~) **광택; 닦기**: Her car has a nice ~. 그녀의 차는 번쩍번쩍 윤이 난다/give one's shoes a quick ~ 신발을 급히 닦다. **2** Ⓤ (종류·낱개는 Ⓒ) 광내는〔닦는〕 재료《마분(磨粉)·광택제·니스·옻 따위》: shoe 〔boot〕 ~ 구두약(藥). **3** Ⓤ 마무리; (태도·작법 따위의) 세련, 품위, 우미: Many of his poems lack ~. 그의 많은 시는 세련미가 없다. ㊕ **~·er** *n.* Ⓒ 닦는 사람; 윤내는 기구〔천〕.

pól·ished [-t] *a.* **1** 닦아진; 광택 있는: ~*ed* product 완성품. **2** 품위 있는, 세련된: a ~*ed* gentleman.

‡**po·lite** [pəláit] (**po·lit·er; -est**) *a.* **1 공손한**, 예의 바른《***to*** …에게/***to*** do》: in ~ language 정중한 말씨로/Be *politer* 〔more ~〕 *to* strangers. 낯선 사람들에게는 더욱 예의바르게 대하시오/It was ~ *of* her 〔She was ~〕 *to* offer me her seat. 나에게 자리를 양보해준 걸 보니 그녀는 참 예의 바른 사람이었다.

SYN. **polite** 예의 바름을 외면적으로 본 말. 성의가 있고 없음은 고려되지 않음. **courteous** 더욱 공손하고, 성의 있는 경우가 많음. **civil** 관습으로서의 예의에 맞는. rustic (시골티나는, 무무한)의 반의어로, 사교의 조건을 갖추고 있으면 그것으로 족함.→예의적인: a *civil* but not cordial greeting 무례하지는 않으나 진심이 깃들지 않은 인사.

2 (문장 따위가) 세련된, 우아한: ~ arts 미술/~ letters 〔literature〕 순문학. **3** 교양〔품위〕 있는; 상류의(↔ *vulgar*): ~ learning 교양, 박아(博雅)/the ~ thing 고상한 태도/~ society 상류 사회. ***do the*** ~ 《구어》 애써 품위 있게 행동하다.

***po·lite·ly** [pəláitli] *ad.* **공손히**, 정중히.

***po·lite·ness** [pəláitnis] *n.* **1** Ⓤ **공손**; 예의 바름. **2** Ⓒ 예의바른〔공손한〕 언동.

pol·i·tic [pάlitik/pɔ́l-] *a.* **1** 사려 깊은, 현명한: a ~ decision 사려 깊은 결정/It wasn't very ~ of him to mention it. 그가 그것을 말한 것은 그다지 현명하지 못했다. **2** 책략적인, 교활한(artful). **3** 정치상의《주로 다음 어구로 쓰임》: the body ~ 정치적 통일체, 국가.

‡**po·lit·i·cal** [pəlítikəl] *a.* **1 정치의**, 정치상의; 정치학의: ~ action 정치 활동/~ liberty 정치적

자유/one's ~ enemies 정적/~ theory 정치학 이론. **2** 정치에 관한〔를 다루는〕, 국정의: a ~ writer 정치 평론가, 정치 기자/~ news 정치 기사/a ~ view 정견/a ~ party 정당. **3** 정당의; 정략적인: a ~ campaign 정치 운동/a ~ decision 정략적인 결정. **4** 정치에 관심이 있는, 정치 활동을 하는, 정치적인: Students today are ~. 오늘날의 학생은 정치에 관심이 많다. **5** 시민의: ~ rights 시민의 권리, 시민권. [파] **~·ly** *ad*. 정치〔정략〕상, 정치적으로.

polítical asýlum 정치적 망명자에 대한 보호.

polítical corréctness 정치적인 공정《여성·흑인·소수 민족·장애자 등의 정서나 문화를 존중하고 그들에게 상처 주는 언동을 배제하는 것; 생략: PC》.

polítical ecónomy 정치 경제학; (19세기의) 경제학(economics).

polítical geógraphy 정치 지리(학).

polítically corréct 정치적으로 공정〔타당〕한 《생략: PC》. [cf.] political correctness.

polítical scíence 정치학.

polítical scíentist 정치학자.

⁑**pol·i·ti·cian** [pɑ̀lətíʃən/pɔ̀l-] *n*. [C] **정치가**, 정객; 《경멸적》 정치꾼, 정상배(輩). [SYN.] ⇨STATESMAN.

po·lit·i·cize [pəlítəsàiz] *vt*. 정치 문제화하다, 정치적으로 다루다; (아무)에게 정치에 관심을 갖게 하다. [파] **po·lit·i·ci·zá·tion** *n*.

pol·i·tick [pálitik/pɔ́l-] *vi*. 정치 활동을 하다. [파] **~·ing** *n*. [U] (특히 선거 운동을 위한) 정치 활동, 정치 참여.

po·lit·i·co [pəlítikòu] (*pl*. **~s, ~es**) *n*. [C] 《구어》 정치꾼, 정상배.

⁑**pol·i·tics** [pálitiks/pɔ́l-] *n*. **1** [U] 《단·복수취급》 **정치**: talk ~ 정치 이야기를 하다/*Politics* does 〔do〕 not interest me at all. 나는 정치에 전혀 흥미가 없다. **2** [U] 정치학. **3** [U] 정략; (정당의) 흥정; 책략, 술책: party ~ 당리당략/play ~ 술책을 써 사리를 도모하다. **4** 《복수취급》 정강, 정견: What are his ~? 그의 정견은 어떤가.

pol·i·ty [páləti/pɔ́l-] *n*. **1** [U] 정치 형태〔조직〕: civil 〔ecclesiastical〕 ~ 국가〔교회〕 행정 조직. **2** [C] 정치적 조직체, 국가 (조직).

pol·ka [póu*l*kə/pɔ́l-] *n*. [C] 폴카《댄스의 일종》; 그 곡. **—** *vi*. 폴카를 추다.

pólka dòt (보통 *pl*.) 물방울 무늬. [파] **pólka-dòt, -dòt·ted** *a*.

Poll [pal/pɔl] *n*. 폴. **1** 여자 이름. **2** 앵무새의 전형적인 호칭.

*__poll__ [poul] *n*. **1** [C] (보통 *sing*.) **투표**, 선거: head a ~ 선거에서 최고점이 되다. **2** (*sing*.) 투표수; 투표 결과: a heavy 〔light〕 ~ 높은〔낮은〕 투표율/declare the ~ 선거 결과를 공표하다. **3** (the ~s) 투표소: go to the *~s* 투표소에 가다. **4** [C] 여론 조사: ⇨GALLUP POLL/conduct a ~ 여론 조사를 실시하다. **—** *vt*. **1** (표)를 얻다: The candidate *~ed* over 70% of the vote(s). 그 후보자는 투표수의 70% 이상을 차지했다. **2** 《+[목]+[전]+[명]》 (표)를 던지다: ~ a vote *for* …에게 투표하다. **3** …의 여론 조사를 하다. **4** (초목)의 가지 끝을 자르다; (가축)의 뿔을 짧게 자르다: *~ed* cattle 뿔을 자른 소. **5** 〖컴퓨터〗 폴링하다《입력 포트(port)·기억 장치 등의 상태를 정기적으로 조사하다》. **—** *vi*. 《~/+[전]+[명]》 투표하다 《*for* …에》: ~ *for* a Labor candidate 노동당 후보자에게 투표하다.

pol·lard [pálərd/pɔ́l-] *n*. [C] **1** 뿔을 자른 사슴〔소·양 (따위)〕. **2** 가지를 잘라낸 나무. **—** *vt*. (나무)의 가지를 치다.

°**pol·len** [pálən/pɔ́l-] *n*. [U] 〖식물〗 꽃가루, 화분(花粉).

póllen cóunt (특정 시간·장소의 공기 속에 포함되어 있는) 화분수(花粉數).

pol·len·o·sis [pɑ̀lənóusis/pɔ̀l-] *n*. =POLLINOSIS.

pol·li·nate [pálənèit/pɔ́l-] *vt*. 〖식물〗 …에 수분〔가루받이〕하다. [파] **pòl·li·ná·tion** *n*.

poll·ing [póuliŋ] *n*. [U] 투표(율); 〖컴퓨터〗 폴링: *Polling* was heavy 〔light〕. 투표율이 높았다〔낮았다〕.

pólling bòoth 《英》 (투표장의) 기표소 (《美》 voting booth).

pólling dày 투표일.

pólling plàce (《英》 **stàtion**) 투표소.

pol·li·no·sis [pɑ̀lənóusis/pɔ̀l-] *n*. [U] 〖의학〗 꽃가루 알레르기, 꽃가룻병(病)(pollenosis).

pol·li·wog, -ly- [páliwɑ̀g/pɔ́liwɔ̀g] *n*. [C] 《美》 올챙이(tadpole).

poll·ster [póulstər] *n*. [C] 《구어》 (직업적인) 여론 조사원.

póll tàx [póul-] 인두세.

pol·lu·tant [pəlú:tənt] *n*. [C] 오염 물질.

*__pol·lute__ [pəlú:t] *vt*. **1** 《~+[목]/+[목]+[전]+[명]》 (물·공기 따위)를 **더럽히다**, 불결하게 하다, 오염시키다: ~ the air 〔environment〕 *with* exhaust fumes 배기 가스로 대기를〔환경을〕 오염시키다. **2** (정신적으로) 타락시키다; (신성한 장소)를 모독하다: ~ young people 젊은이들을 타락시키다. ◇ pollution *n*.

⁑**pol·lu·tion** [pəlú:ʃən] *n*. [U] **1 오염**, 공해; 오염하는 것(쓰레기): AIR 〔NOISE, WATER〕 POLLUTION/river ~ 수질 오염/environmental ~ 환경 공해. **2** (정신적인) 타락. ◇ pollute *v*.

pollútion-frée *a*. 무공해의.

Pol·ly [páli/pɔ́li] *n*. 폴리. **1** 여자 이름《Molly의 변형, Mary의 애칭》. **2** =POLL.

Pol·ly·an·na [pɑ̀liǽnə/pɔ̀l-] *n*. [C] 지나친 낙천가, 대낙천가. 〔◂미국 E. Porter(1868–1902)의 소설 Pollyanna의 주인공 소녀 이름에서〕

pollywog ⇨POLLIWOG.

Po·lo [póulou] *n*. **Marco** ~ 마르코폴로《이탈리아의 여행가·저술가; 1254?–1324》.

po·lo [póulou] *n*. [U] **1** 폴로《말 위에서 공치기 하는 경기》: a ~ pony 폴로 경기용의 작은 말. **2** 수구(水球)(water ~).

pol·o·naise [pɑ̀lənéiz, pòul-/pɔ̀l-] *n*. [C] 폴로네즈《3박자 댄스》; 그 곡.

po·lo·neck [póulounèk] 《英》 *a*. 자라목 깃의. **—** *n*. =TURTLENECK.

po·lo·ni·um [pəlóuniəm] *n*. [U] 〖화학〗 폴로늄《방사성 원소; 기호 Po; 번호 84》.

po·lo·ny [pəlóuni] *n*. [C] (요리는 [U]) 《英》 돼지고기의 훈제(燻製) 소시지(=∠ **sàusage**).

pólo shìrt 폴로 셔츠《운동 셔츠의 일종》.

pol·ter·geist [póultərgàist/pɔ́l-] *n*. 《G.》 [C] 시끄러운 소리를 내는 장난꾸러기 요정.

pol·troon [pɑltrú:n/pɔl-] *n*. [C] 비겁한 사람, 겁쟁이(coward).

poly [páli/pɔ́li] *n*. 《英》 =POLYTECHNIC.

pol·y- [páli/pɔ́li] '다(多), 복(複)'이란 뜻의 결합사. ↔ *mono-*.

pol·y·an·drous [pɑ̀liǽndrəs/pɔ̀l-] *a*. 일처

다부의; 〖식물〗 수술이 많은.

pol·y·an·dry [páliæ̀ndri, ←-/pɔ́liæ̀n-, ←-] *n.* Ⓤ **1** 일처다부(一妻多夫). ⓒⓕ polygamy. **2** 〖식물〗 수술이 많음.

pol·y·an·thus [pàliǽnθəs/pɔ̀l-] (*pl.* **~·es, -thi** [-θai, -θiː]) *n.* Ⓤ (낱개 · 종류는 Ⓒ) 〖식물〗 폴리앤서스《앵초의 교배종》.

pol·y·chrome [pálikròum/pɔ́l-] *a.* 다색채(多色彩)의; 다색 인쇄의. **—***n.* Ⓒ 다색화(畫)〔미술품〕, 다색 인쇄물.

pol·y·clin·ic [pàliklínik/pɔ̀l-] *n.* Ⓒ 종합 진료소; 종합 병원.

póly·èster *n.* Ⓤ 〖화학〗 폴리에스테르《고분자 화합물》; 그 섬유(= ∠ **fíber**); 그 수지(= ∠ **résin** 〔**plástic**〕).

pòly·éthylene *n.* Ⓤ 《美》 폴리에틸렌(《英》 polythene).

po·lyg·a·mist [pəlígəmist] *n.* Ⓒ 일부다처자, 일처다부자.

po·lyg·a·mous [pəlígəməs] *a.* 일부다처의, 일처다부의; 〖식물〗 자웅혼주(雌雄混株)의, 잡성화(雜性花)의.

po·lyg·a·my [pəlígəmi] *n.* Ⓤ **1** 일부다처(제), 일처다부(제). ↔ *monogamy.* ⓒⓕ polyandry, polygyny. **2** 〖식물〗 자웅혼주(混株).

pol·y·glot [páliglàt/pɔ́liglɔ̀t] *a.* Ⓐ 수개 국어에 통하는; 수개 국어의, 수개 국어로 쓴. **—***n.* Ⓒ 수개 국어에 통하는 사람; 수개 국어로 쓴 책; 수개 국어 대역서《특히 성서》.

pol·y·gon [páligàn/pɔ́ligɔ̀n] *n.* Ⓒ 〖수학〗 다각형, 다변형《보통 4각 이상》: a regular ~ 정다각형 / a ~ of forces 힘의 다각형《한 점에 작용하는 많은 힘의 합력을 구하는 작도법》. ㉥ **po·lyg·o·nal** [pəlígənl] *a.*

pol·y·graph [páligræ̀f/pɔ́ligràːf] *n.* Ⓒ 거짓말 탐지기.

po·lyg·y·ny [pəlídʒəni] *n.* Ⓤ 일부다처; 〖식물〗 암술이 많음.

pol·y·he·dral, -dric [pàlihíːdrəl/pɔ̀lihíːd-], [-drik] *a.* 다면(체)의.

pol·y·he·dron [pàlihíːdrən/pɔ̀lihíːd-] (*pl.* **~s, -ra** [-rə]) *n.* Ⓒ 〖수학〗 다면체.

Pol·y·hym·nia [pàlihímniə/pɔ̀l-] *n.* 〖그리스신화〗 폴리힘니아《성가(聖歌)의 여신; nine Muses의 하나》.

póly·lìne *n.* Ⓒ 〖컴퓨터〗 폴리라인《컴퓨터 그래픽에서 선분들을 이어서 만든 도형》.

pol·y·math [pálimæ̀θ/pɔ́l-] *n.* Ⓒ 박식가.

pol·y·mer [páləmər/pɔ́l-] *n.* Ⓒ 〖화학〗 중합체(重合體), 폴리머. ⓒⓕ monomer.

pol·y·mor·phic [pàlimɔ́ːrfik/pɔ̀l-] *a.* = POLYMORPHOUS.

pol·y·mor·phous [pàlimɔ́ːrfəs/pɔ̀l-] *a.* 다형태의, 여러 단계를 거친.

Pol·y·ne·sia [pàləníːʒə, -ʃə/pɔ̀l-] *n.* 폴리네시아《대양주의 삼대(三大) 구역의 하나; 하와이 · 사모아 제도 등이 포함됨》.

Poly·ne·sian [pàləníːʒən, -ʃən/pɔ̀l-] *a.* 폴리네시아 사람〔말〕의. **—***n.* Ⓒ 폴리네시아 사람; Ⓤ 폴리네시아 말.

pol·y·no·mi·al [pàlənóumiəl/pɔ̀l-] 〖수학〗 *a.* 다항식의: a ~ expression 다항식. **—***n.* Ⓒ 다항식.

pol·yp [pálip/pɔ́l-] *n.* Ⓒ **1** 〖동물〗 폴립. **2** 〖의학〗 폴립《외피 · 점막(粘膜) 등의 돌출한 종류(腫瘤)》.

Poly·phe·mus [pàləfíːməs/pɔ̀l-] *n.* 〖그리스신화〗 폴리페모스《외눈의 거인 Cyclops의 우두머리》.

pol·y·phon·ic, po·lyph·o·nous [pàlifánik/pɔ̀lifɔ́n-], [pəlífənəs] *a.* 〖음악〗 다성(多聲) 음악의, 다음(多音)의, 대위법의.

po·lyph·o·ny [pəlífəni] *n.* Ⓤ 〖음악〗 다성(多聲) 음악, 대위법(counterpoint). ⓒⓕ homophony.

pol·yp·oid [pálәpɔ̀id/pɔ́l-] *a.* 〖동물 · 의학〗 폴립 비슷한, 폴립 모양의. ⓒⓕ polyp.

pol·yp·ous [páləpəs/pɔ́l-] *a.* = POLYPOID.

pol·y·pro·pyl·ene [pàlipróupəlìːn/pɔ̀l-] *n.* Ⓤ 〖화학〗 폴리프로필렌《수지〔섬유〕의 원료》.

pol·y·pus [pálipəs/pɔ́l-] (*pl.* **-pi** [-pài], **~·es**) *n.* 〖의학〗 = POLYP 2.

pòly·stýrene *n.* Ⓤ 〖화학〗 폴리스티렌《무색 투명(透明)의 합성수지의 일종》: ~ cement 폴리스티렌 접착제.

pòly·syllábic, -ical *a.* 다음절의.

póly·sỳllable *n.* Ⓒ 다음절어《3음절 이상의》. ⓒⓕ monosyllable.

pòly·téchnic *n.* Ⓤ (시설은 Ⓒ) 공예 학교, 과학 기술 전문학교; 《英》 폴리테크닉《대학 수준의 종합 기술 전문학교》. **—***a.* 여러 공예의; 폴리테크닉의: a ~ school 공예 (기술) 학교.

pol·y·the·ism [páliθiːìzəm/pɔ́l-] *n.* Ⓤ 다신교〔론〕, 다신 숭배. ⓒⓕ monotheism. ㉥ **-ist** *n.* **pol·y·the·is·tic, -ti·cal** [pàliθiːístik/pɔ̀l-], [-tikəl] *a.* 다신교〔론〕의; 다신교를 믿는.

pol·y·thene [páləθìːn/pɔ́l-] *n.* 《英》 = POLYETHYLENE.

pòly·úrethane *n.* Ⓤ 〖화학〗 폴리우레탄《합성 섬유 · 합성 고무 따위의 원료》.

póly·vinyl chlóride 〖화학〗 폴리염화비닐《생략: PVC》.

pom [pam/pɔm] *n.* Ⓒ 포메라니아종(種)의 작은 개; 《Austral. 속어》 = POMMY.

pom·ace [pʌ́mis, pám-/pɔ́m-] *n.* Ⓤ 사과즙을 짜고 난 찌끼; 생선의 기름을 짜고 난 찌끼; 피마자유의 찌끼.

po·made, po·ma·tum [paméid, poumáːd], [pouméitəm, -máː-] *n.* Ⓤ 포마드. **—***vt.* …의 머리에 포마드를 바르다.

po·man·der [póumændər, poumǽn-] *n.* Ⓒ 〖역사〗 향료알〔갑〕《방충(防蟲) · 방역(防疫)에 썼음》.

pome [poum] *n.* Ⓒ 이과(梨果)《사과 · 배 따위》.

pome·gran·ate [páməgræ̀nit, pʌ́m-/pɔ́m-] *n.* Ⓒ 〖식물〗 석류(의 열매 · 나무).

Pom·er·a·ni·an [pàməréiniən, -njən/pɔ̀m-] *n.* Ⓒ 포메라니아종의 작은 개.

pom·mel [pʌ́məl, pám-/pɔ́m-] *n.* Ⓒ (칼의) 자루끝(knob); 안장의 앞머리. **—**(**-l-,** 《英》 **-ll-**) *vt.* 주먹으로 연달아 때리다.

pómmel hòrse 〖체조〗 안마(鞍馬).

pom·my, -mie [pámi/pɔ́mi] *n.* 《Austral. 속어 · 경멸적》 (새로 온) 영국 이민《오스트레일리아 및 뉴질랜드에의》.

Po·mo·na [pəmóunə] *n.* 〖로마신화〗 포모나《과수의 여신》.

°**pomp** [pamp/pɔmp] *n.* **1** Ⓤ 화려, 장관(壯觀): with ~ 화려하게. **2** (흔히 *pl.*) 허식, 과시; 허세: ~s and vanities 허식과 공허.

pom·pa·dour [pámpədɔ̀ːr, -dùər/pɔ́mpədùər] *n.* Ⓤ 여자 머리형의 일종; (남자의) 올백

의 일종.

Pom·pe·ian, -pei- [pampéiən, -pí:ən/pɔmpí:ən] *a*. Pompeii의. —*n*. Ⓒ Pompeii 사람.

Pom·peii [pampéii/pɔm-] *n*. 폼페이《이탈리아 Naples 근처의 옛 도시; 서기 79년 Vesuvius 화산의 분화(噴火)로 매몰되었음》.

pom-pom [pámpàm/pɔ́mpɔ̀m] *n*. Ⓒ **1** 자동 고사포, 대공 속사포. **2** =POMPON.

pom·pon [pámpan/pɔ́mpɔn] *n*. Ⓒ (깃털 · 비단실 등의) 방울술《모자 · 구두에 닮》; 〖식물〗 퐁퐁달리아.

pom·pos·i·ty [pampásəti/pɔmpɔ́s-] *n*. Ⓤ 거만, 건방짐; 화려함; Ⓒ 건방진〔거만한〕 언동.

◇**pomp·ous** [pámpəs/pɔ́m-] *a*. 거만한, 건방진, 젠체하는; 과장한《말 따위》. ㊞ **~·ly** *ad*. **~·ness** *n*.

ponce [pans/pɔns] 《英속어》 *n*. Ⓒ (매춘부의) 정부, 기둥서방(pimp); 간들거리는 남자. —*vi*. 기둥서방이 되다; (남자가) 간들거리며 나돌다 (*about; around*). ㊞ **pon·cy** [pánsi/pɔ́n-] *a*.

pon·cho [pántʃou/pɔ́n-] (*pl*. **~s**) *n*. Ⓒ 판초《⑴ 남아메리카 원주민의 한 장의 천으로 된 외투. ⑵ 그 비슷한 우의》.

⁑**pond** [pand/pɔnd] *n*. **1** Ⓒ **못**; 늪; 샘물; 양어지. ★ 영국에서는 주로 인공적인 것, 미국에서는 작은 호수도 포함. **2** (the ~) 《英우스개》 바다, 《특히》 대서양: the herring ~ 북대서양.

***pon·der** [pándər/pɔ́n-] *vi*. 《~/+전+명》 **숙고하다, 깊이 생각하다**《*on, over* …을》: ~ *on* a difficulty 난국에 대하여 깊이 생각하다/He ~*ed* long and deeply *over* the question. 그는 그 문제에 대해 오랫동안 곰곰이 생각했다. —*vt*. 《~+목/+-*ing*/+*wh*. 절/+*wh*. *to* do》 신중히 고려하다: He ~*ed* his next words thoroughly. 그는 그 다음에 할 말을 충분히 음미했다/~ divorc*ing* one's husband 남편과의 이혼을 생각하다/He ~*ed how to* 〔*how* he could〕 resolve the dispute. 그는 어떻게 하면 분쟁을 해결할 수 있을지를 여러 가지로 생각해 보았다. ㊞ **~·er** *n*.

pón·der·a·ble [-rəbəl] *a*. (무게를) 달 수 있는, 무게 있는; 일고의 가치가 있는.

pon·der·ous [pándərəs/pɔ́n-] *a*. **1** 대단히 무거운, 묵직한, 육중한; 다루기에 불편한: a ~ building 육중한 건물. **2** 답답한, 지루한《담화 · 문체 따위》. ↔ *light*. ㊞ **~·ly** *ad*. **~·ness** *n*.

pónd lìfe 〔집합적〕 연못에 사는 동물.

pónd lìly 〖식물〗 서양 수련.

pone [poun] *n*. Ⓒ (요리는 Ⓤ) 《美》 옥수수빵 (corn bread).

pong [paŋ/pɔŋ] *n*. Ⓒ, *vi*. 《英구어》 악취(를 풍기다) (stink). ㊞ **∠·y** *a*.

pon·gee [pandʒí:/pɔn-] *n*. Ⓤ 산누에 실로 짠 명주《견직물의 일종》.

pon·iard [pánjərd/pɔ́n-] *n*. Ⓒ 단검, 비수.

pon·tiff [pántif/pɔ́n-] *n*. Ⓒ 교황: the Supreme 〔Sovereign〕 *Pontiff* 로마 교황.

pon·tif·i·cal [pantífikəl/pɔn-] *a*. 교황의; 독단적인, 거만한. —*n*. (*pl*.) 〖가톨릭〗 주교의 제의(祭衣) 및 휘장: in full ~*s* 주교의 정장을 하고. ㊞ **~·ly** [-kəli] *ad*.

pon·tif·i·cate [pantífikit/pɔn-] *n*. Ⓒ pontiff의 직위〔임기〕. —[-kèit] *vi*. 거드름피우며 말하다〔쓰다〕《***about, on*** …을》.

pon·toon [pantú:n/pɔn-] *n*. **1** Ⓒ (바닥이 평평한) 너벅선, 거룻배; (배다리용의) 납작한 배; (수상 비행기의) 플로트(float). **2** Ⓤ 《英》 카드놀이의 일종(《美》 twenty-one). —*vt*. (강)을 너벅선으로 건너다.

póntoon brídge 배다리, 부교(浮橋) (floating bridge).

***po·ny** [póuni] *n*. Ⓒ **1 조랑말**《키가 4.7 feet 이하의 작은 말》; 〔일반적〕 **작은 말**(small horse). ★ 망아지는 colt임. **2** 《美구어》 (외국어 교과서 · 고전(古典) 따위의) 주해서(crib, trot). **3** (주류(酒類)의) 작은 잔(한 잔). **4** 《英속어》 (주로 내기에서) 25파운드. **5** (*pl*.) 《속어》 경주마(競走馬)(racehorses). —*vt*. 《(+목+부)》 《美구어》 (돈)을 지불하다, 청산하다 (*up*): ~ *up* the balance of the loan 대출금 잔액을 청산하다.

póny·tàil *n*. Ⓒ 포니테일《뒤에서 묶어 아래로 드리운 머리》.

póny trèkking 《英》 조랑말을 타고 하는 여행.

pooch [pu:tʃ] *n*. Ⓒ 《美구어》 개.

poo·dle [pú:dl] *n*. Ⓒ 푸들《작고 영리한 복슬개》.

poof[1] [pu:f] *int*. 쓱《잽싼 출현 · 소실》; =POOH.

poof[2] *n*. 《英속어 · 경멸적》 (남성) 호모; 여자 같은 남자(pouf).

pooh [pu:] *int*. 흥, 피, 체《경멸 · 의문 따위를 나타냄》.

Pooh-Bah [pú:bá:] *n*. (때로 p- b-) Ⓒ 많은 역(役)을 겸하는 사람; 높은 사람, 고관《희가극 *The Mikado* 중의 인물 이름에서》.

pooh-pooh [pú:pú:] *vt*. 《구어》 깔보다, 경멸하다, 비웃다, 코방귀 뀌다.

⁑**pool**[1] [pu:l] *n*. Ⓒ **1 물웅덩이. 2** (인공의) 작은 못, 저수지. **3** (수영용) **풀**(swimming ~). **4** 깊은 늪. **5** 괸 것: a ~ *of* blood (마루 따위에 흐른) 홍건한 피/a ~ *of* sweat 흠뻑 젖은 땀.

***pool**[2] *n*. **1** Ⓒ **합동 자금; 공동 계산**〔출자, 관리〕; 풀제(制); 기업 연합. **2** Ⓒ (공동 이용 · 필요를 위한) 예비; 요원들: a typing ~ 타이피스트 요원들/the labor ~ 예비 노동력. **3** Ⓒ (내기의) 태운 돈 전부: win a fortune from the ~*s* 여러 사람의 판돈을 몽땅 쓸어 한몫 보다. **4** Ⓤ 《美》 (돈을 걸고 하는) 당구의 일종; 《英》 내기 당구. **5** (the ~s) 《英》 축구 도박: ⇨FOOTBALL POOLS. —*vt*. 공동 계산으로 하다; 공동 출자〔부담, 이용〕하다: ~ one's money 〔resources〕 자금을 공동 출자하다.

póol·ròom *n*. Ⓒ 《美》 내기 당구장(=**póol hàll**).

póol tàble (pocket이 6개 있는) 당구대.

poop[1] [pu:p] *n*. Ⓒ 〖해사〗 선미루(船尾樓). ↔ *forecastle*.

poop[2] 《美속어》 *n*. Ⓒ 똥. —*vi*. 똥 누다; 방귀 뀌다.

poop[3] *vt*., *vi*. 《美구어》 몹시 지치(게 하)다 (*out*).

poop[4] *n*. Ⓒ 《美속어》 바보, 멍청이. [◂nincom*poop*]

poop[5] *n*. Ⓤ 《美속어》 (적절한) 정보, 내정, 내막.

pooped [-t] *a*. Ⓟ 《美구어》 지쳐 버린, 녹초가 된 (*out*).

póop(·er) scòoper [pú:p(ər)-] 푸퍼 스쿠퍼《개나 말 따위의 똥을 줍는 부삽》.

†**poor** [puər] *a*. **1 a 가난〔빈곤〕한**. ↔ *rich, wealthy*. ¶ be born ~ 가난하게〔가난한 집에〕 태어나다. **b** (the ~) 〔명사적; 집합적; 복수취급〕 빈민(들). ↔ *the rich*.

2 초라한, 보잘것없는: a ~ house 초라한 집.

3 Ⓐ (사람 · 동물이) **불쌍한**, 가엾은, 불행한: The ~ little puppy had been abandoned. 가엾게도 강아지가 버려져 있었다.
4 Ⓐ (고인을 가리켜) 돌아가신, 고인이 된, 망(亡)…(lamented): My ~ mother used to say …. 돌아가신 어머니가 늘 말씀하셨지만 ….
5 **부족한**, 불충분한, 없는《***in*** …이》: a country ~ *in* natural resources 천연자원의 혜택을 받지 못한 나라.
6 (물건이) 내용이 빈약한, 조악(粗惡)한; (수확이) 흉작의; (땅이) 메마른: a ~ ore 함량이 낮은 광석/a ~ crop 흉작/~ soil 메마른 땅.
7 **서투른**, 어설픈《***at*** …이》: a ~ speaker 말이 서투른 사람/a ~ picture 서투른 그림/a ~ student 공부를 잘 못하는 학생/The girl is ~ *at* English. 그 소녀는 영어를 잘 못한다/I'm a ~ hand *at* conversation. 나는 회화를 잘 못한다.
8 **열등한**, 기력 없는, 건강치 못한: ~ health 좋지 못한 건강, 약질/a ~ memory 건망증이 심한 머리.
9 Ⓐ **a** 비열한: What a ~ creature you are! 너 정말 비열한 인간이구나. **b**《겸손 또는 우스개로》(가치가) 보잘것없는; 겨우 …의: in my ~ opinion 우견(愚見)으로는/a ~ three day's holiday 겨우 3일간의 휴가. ◇ poverty *n.*
(as) ~ as Job 〔***Job's turkey, a church mouse***〕 매우 가난한, 가난하기 짝이 없는.

póor bòx (교회의) 자선함, 헌금함.

póor·hòuse *n.* Ⓒ (예전의) 구빈원(救貧院)(workhouse).

póor làw (예전의) 구빈법(救貧法), 빈민 구호법.

poor·ly** [púərli] *ad.* **1 가난하게**: live ~ 가난하게 살다. **2** 빈약하게; 불충분하게: ~ paid 박봉의/~ dressed 초라한 옷차림을 하고. **3 서투르게**; 졸렬하게: speak 〔swim〕 very ~ 말〔수영〕이 서투르다. **~ *off 생활이 어려운(↔ *well off*); 부족한《***for*** …이》: We're ~ *off for* oil. 석유가 부족하다. ***think ~ of*** …을 시시하게 여기다; …을 좋게 생각지 않다.
—*a.* Ⓟ《구어》 기분 나쁜(unwell), 몸이 찌뿌드드한: look ~ 기분이 나빠 보이다.

póor màn's Ⓐ 대용이 되는, 값싸고 쓸모 있는, 소형판의.

póor mòuth《美구어》(구실 · 변명으로서 자신의) 가난을 강조하는〔핑계대는〕 일〔사람〕: make a ~.

póor-mòuth《美구어》*vi.* 가난을 푸념하다〔핑계삼다〕. **—***vt.* 비방하다, 험담하다.

póor·ness *n.* Ⓤ 결핍, 부족; 불완전, 열등.

póor relátion (동류 중에서) 천덕꾸러기《사람 · 물건》.

póor-spírited [-id] *a.* 마음 약한, 겁 많은.

póor whíte《경멸적》(특히 미국 남부 · 남아프리카의) 무지하고 가난한 백인.

⁑**pop**[1] [pap/pɔp] **(-pp-)** *vi.* **1 a**《~/+보》**펑 소리가 나다**; 뻥 울리다; 펑 열리다: The cork *~ped.* 코르크가 펑 소리를 냈다〔내며 빠졌다〕/The lid *~ped* open. 뚜껑이 펑하고 열렸다. **b**《(+부)+전+명》《구어》 탕 쏘다(*away; off*)《***at*** …을》: I *~ped at* pheasants. 나는 꿩을 탕 쏘았다. **2**《~/+부》〖야구〗 내야 플라이를 치다(*up*), 내야 플라이를 치고 아웃이 되다(*out*). **3**《+부/+전+명》 불쑥 나타나다, 쑥 들어오다〔나가다〕, 갑자기 움직이다: The children are freely *~ping in* and *out*. 어린애들은 강동강동 자유롭게 들락날락하고 있다/His head *~ped out of* the window. 그의 머리가 창문 밖으로 불쑥 나타났다/An idea *~ped into* his head. 문득 좋은 생각이 그의 머리에 떠올랐다. **4**《+부》(놀라움으로 눈이) 튀어나오다(*out*): He looked as if his eyes were going to ~ *out* (in surprise). 그는 (놀라서) 눈알이 튀어나올 것 같았다.
—*vt.* **1** (폭죽 따위)를 펑 터뜨리다; (총)을 탕 쏘다; …에게 발포하다. **2** (마개)를 펑하고 뽑다: ~ the cork 코르크 마개를 펑하고 뽑다. **3**《美》(옥수수 따위)를 튀기다. **4**《+목+전+명/+목+부》 홱 움직이게 하다〔놓다, 내밀다, 찌르다〕: Please ~ the letter *into* the letter box. 그 편지를 우체통에 넣어 주십시오/Just ~ this bottle *in*. 이 병 좀 (얼른) 집어넣어라. **5**《~+목/+목+전+명》(질문 따위)를 갑자기 하다《***at*** (아무)에게》: ~ a question *at* a person 아무에게 갑자기 질문하다. **6**《~+목/+목+부》〖야구〗(볼)을 내야 플라이로 치다(*up*): ~ *up* a fly to shallow center 센터에 내야 플라이를 치다. **7**《英속어》 전당잡히다. **8** (약 따위)를 늘 먹다; (마약 따위)를 맞다; (스낵 과자 따위)를 쉴새 없이 먹다.
~ *back*《*vi.*+부》 급히 돌아가다. **~ *in***《*vi.*+부》 돌연 방문하다; 갑자기 (안으로) 들어가다(⇨*vi.* 3). **~ *off***《*vi.*+부》《구어》 ① 갑자기 나가다〔떠나가다〕. ② 갑자기 사라지다; 갑자기 죽다. ③ 노골적으로〔지지 않고〕 말하다《***at*** (아무)에게; ***about*** …을》. **~ *the question***《구어》 구혼하다《***to*** (여자)에게》. **~ *up***《*vi.*+부》 ①《구어》 갑자기 나타나다〔일어나다〕. ② 〖야구〗 내야 플라이를 치다(⇨*vi.* 2). **—**《*vt.*+부》 ③ 〖야구〗(볼)을 내야플라이로 치다(⇨*vt.* 6).
—*n.* **1** Ⓒ 펑〔빵〕하는 소리: the ~ of a cork 병마개가 뻥하고 빠지는 소리. **2** Ⓒ 탕《총소리》; 발포. **3** Ⓤ《구어》(마개를 뽑으면 뻥 소리나는) 거품이 이는 (청량) 음료《탄산수 · 샴페인 따위》. **4** 〖야구〗 = POP FLY. ***a ~***《속어》 한 개에…, 한 번〔회〕에…: five orchids at $10 *a* ~ 난초 한 촉에 10달러씩 5촉. ***in ~***《英구어》 전당 잡혀.
—*ad.* **1** 펑하고 (소리 내어): *Pop* went the cork. 코르크 마개가 뻥하고 열렸다. **2** 갑자기, 불시에.

pop**[2]《구어》 *a.* Ⓐ **통속〔대중〕적인**; **팝뮤직의**; 팝 아트(조(調))의: ~ culture 대중 문화/a ~ song 팝송, 유행가, 대중가요/a ~ singer 유행가 가수/a ~ concert 팝 콘서트. **—n.* Ⓤ 유행음악, 팝 뮤직, 팝스; = POP ART; Ⓒ 팝송, 팝스 레코드. [◂*pop*ular]

pop[3] *n.* Ⓒ《美구어》 아버지; 아저씨. [◂*pap*pa]

pop[4] *n.* Ⓒ《美속어》 아이스캔디, 막대 달린 빙과.

pop. population.

póp árt《美》 팝 아트, 대중 미술(pop)《광고 · 만화 따위의 기법을 도입한 전위 미술 운동》.

póp·còrn *n.* Ⓤ 팝콘, 튀긴 옥수수(popped corn).

Pope [poup] *n.* **Alexander ~** 포프《영국의 시인; 1688–1744》.

***pope** [poup] *n.* Ⓒ **1** (보통 the P–) **로마 교황**: *Pope* John Paul 요한 바오로 교황. **2** 최고 권위로 간주되는〔자처하는〕 사람: schoolmasters, professors, ... *~s of* knowledge 학식이 많은 학교 선생님, 교수님들 ….

pop·ery [póupəri] *n.* (때로 P–) Ⓤ《경멸적》 천주교(의 제도, 관습).

pópe's nóse《美구어》 = PARSON'S NOSE.

Pop·eye [pápai/pɔ́p-] *n.* 포파이《미국 Elzie Segar의 만화(1929)의 주인공인 선원》.

póp-èyed *a.* 퉁방울눈의; (놀라서) 눈이 휘둥그래진.

póp féstival 팝 뮤직 따위의 음악제.

póp flý 〖야구〗 내야 플라이.

póp·gùn *n.* [C] 장난감총《다치지 않도록 코르크나 종이 따위를 총알로 하는》.

pop·in·jay [pápindʒèi/pɔ́p-] *n.* [C] 수다스럽고 젠체하는 사람, 멥시꾼(fop).

pop·ish [póupiʃ] *a.* (때로 P-) 《경멸적》 로마 교황의, 천주교의.

°**pop·lar** [páplər/pɔ́p-] *n.* 〖식물〗 **1** [C] 포플러; [U] 그 목재. **2** 《美》 =TULIP TREE.

pop·lin [páplin/pɔ́p-] *n.* [U] 포플린《옷감》: double 〔single〕 ~ 두꺼운〔얇은〕 포플린.

póp·òver *n.* [C] 《美》 살짝 구운 과자의 일종.

pop·pa [pápə/pɔ́pə] *n.* [C] 《美구어》 아빠; 아저씨.

pop·per [pápər/pɔ́p-] *n.* [C] **1** 펑 소리를 내는 사람〔것〕. **2** 《美》 옥수수 볶는 그릇, 팝콘 튀기는 기구. **3** 《英》 똑딱단추.

pop·pet [pápit/pɔ́p-] *n.* [C] 《英구어》 귀여운 아이〔동물〕.

pópping crèase 〖크리켓〗 타자선(線).

*__pop·py__ [pápi/pɔ́pi] *n.* **1** [C] 〖식물〗 **양귀비**《양귀비속 식물의 총칭》: ~ seeds 양귀비 씨/a field 〔red〕 ~ =a CORN POPPY/a garden ~=an OPIUM POPPY. **2** [C] (Poppy Day에 가슴에 다는) 양귀비 조화. **3** [U] 황적색(~ red).

póppy·còck *n.* [U] 《구어》 허튼〔당찮은〕 소리, 난센스.

Póppy Dày 《英》 전몰 장병 추도 기념일 (Remembrance Sunday)《조화인 붉은 양귀비 (Flanders poppy)를 몸에 달고 제1차·제2차 대전의 전사자를 애도함》.

póppy réd 황적색.

pops [paps/pɔps] *n.* 〖단·복수취급〗 팝스오케스트라: a ~ concert 팝스 콘서트.

póp·shòp *n.* [C] 《英속어》 전당포.

Pop·si·cle [pápsikəl/pɔ́p-] *n.* [C] 《美》 (가는 막대기에 얼린) 아이스캔디(《英》 ice lolly)《상표명》.

pop·sy, -sie [pápsi/pɔ́p-] (*pl.* **-sies**) *n.* [C] 《英구어》 (애정의 표현으로 써서) 여자 친구, 애인.

póp-tòp *a., n.* [C] (깡통 맥주처럼) 잡아올려 따는 식의 (용기).

pop·u·lace [pápjələs/pɔ́p-] *n.* (the ~) 〖집합적; 단·복수취급〗 민중, 대중, 서민(common people); 전(全)주민(population).

†**pop·u·lar** [pápjələr/pɔ́p-] *a.* **1** [A] **민중의**, 서민의: ~ discontent 민중의 불만/the ~ opinion 〔voice〕 여론, 민중의 소리/a ~ government 민주 정치/~ feelings 서민 감정/~ diplomacy 민간 외교/~ bonds 공모 공채/~ subscription 주식 공모. **2 대중적인**, 통속의; 민간 전승의; 평이한; 값싼: ~ science 통속 과학/in ~ language 평이한 말로/~ prices 대중(적) 가격, 염가/a ~ edition 보급〔염가〕판/~ lectures 통속적인 강의/a ~ magazine 대중 잡지. **3 인기 있는**, 평판이 좋은《***among, in, with*** …에》: a ~ singer 유행가 가수/Tom is ~ *with* other children. 톰은 아이들 사이에 인기가 있다/That song is very ~ *with* 〔*among*〕 young people. 그 노래는 젊은이들에게 아주 인기가 있다.

pópular etymólogy 통속 어원(語源)(설).

pópular frónt (the ~) 인민 전선(the people's front).

‡**pop·u·lar·i·ty** [pàpjəlǽrəti/pɔ̀p-] *n.* [U] **인기**, 인망; 유행: win ~ 인기를 얻다, 유행하다/a ~ vote 인기 투표/enjoy ~ 인기를 누리다/his ~ with young people 젊은이들 간의 그의 인기.

póp·u·lar·ìze [-ràiz] *vt.* **1** 대중〔통속〕화하다; 보급시키다. **2** …의 인기를〔평판을〕 좋게 하다. [파] **pòp·u·lar·i·zá·tion** *n.*

póp·u·lar·ly *ad.* **1** 일반적으로, 널리; 대중 사이에: It's ~ believed that… 일반적으로 …라고 믿는다. **2** 대중에 맞도록, 통속적으로; 평이하게.

pópular vóte 1 《美》 일반 투표《대통령 후보의 선출과 같이 일정한 자격이 있는 선거인이 행하는》. **2** (the ~) 《英》 일반 (대중에 의한) 선거.

pop·u·late [pápjəlèit/pɔ́p-] *vt.* **1** …에 사람을 거주케 하다; …에 식민하다: a sparsely 〔densely〕 ~*d* district 인구 밀도가 낮은〔높은〕 지방/~*d* by ten million people 인구 1천만의/~*d* with immigrants 이민이 거주하는. **2** …에 살다: The cave is ~*d* by bats. 박쥐는 동굴에서 산다. [파] **-làt·ed** *a.*

‡**pop·u·la·tion** [pàpjəléiʃən/pɔ̀p-] *n.* **1** [U] (구체적으로는 [C]) **인구**, 주민수: a rise 〔fall〕 in ~ 인구의 증가 〔감소〕/have a ~ of over a hundred million 인구가 1억을 넘다/What 〔How large〕 is the ~ of Korea? 한국의 인구는 얼마나 되느냐. **2** (the ~) 〖집합적; 단·복수취급〗 (한 지역의) (전)주민, 특정 계급의 사람들: The whole ~ of the town came out to welcome him. 그를 환영하러 읍내 사람들이 모두 나왔다. **3** (*sing.*) 〖생물〗 (어떤 지역 안의) 개체군(個體群), 집단; 개체수.

populátion explósion 인구 폭발.

Pop·u·lism [pápjəlìzəm/pɔ́p-] *n.* [U] 〖美역사〗 인민당(People's party)의 주의〔정책〕. [파] **-list** *n.* [C] 인민당원.

*__pop·u·lous__ [pápjələs/pɔ́p-] *a.* **인구가 조밀한**; 인구가 많은. [파] **~·ness** *n.*

póp-ùp *a.* [A] **1** 펑 튀어나오는 (식의); (책을) 펼치면 그림이 튀어나오는: a ~ toaster 자동식 토스터/a ~ book 펼치면 그림이 튀어나오는 책. **2** 〖컴퓨터〗 팝업(식)의《프로그램 실행 중에 창(window)을 열고 작업 차림표(menu)를 화면상으로 호출하는 방식》: a ~ menu 불쑥 차림표/a ~ window 불쑥창.

°**por·ce·lain** [pɔ́ːrsəlin] *n.* [U] 자기(磁器); 〖집합적〗 자기류, 자기 제품. [cf] china. **—*a.*** [A] 자기로 만든, 자기용의: a ~ insulator 〖전기〗 자기 애자(碍子)/~ clay 도토, 고령토(kaolin).

pórcelain enámel 법랑(琺瑯).

‡**porch** [pɔːrtʃ] *n.* [C] **1 포치, 현관**. **2** 《美》 = VERANDA(H).

por·cine [pɔ́ːrsain, -sin] *a.* 돼지의〔같은〕.

°**por·cu·pine** [pɔ́ːrkjəpàin] *n.* [C] 〖동물〗 호저(豪猪).

°**pore**[1] [pɔːr] *vi.* 숙고하다, 곰곰이 연구하다; 숙독하다《***over*** …을》: He ~*d over* the strange events of the preceding evening. 그는 전날밤에 일어난 이상한 사건을 곰곰이 생각해 보았다/~ *over* a book 열심히 책을 읽다.

pore[2] *n.* [C] (피부·잎 따위의) 세공(細孔); 털구멍; 기공(氣孔).

por·gy [pɔ́ːrgi] (*pl.* **-gies,** 〖집합적〗 ~) *n.* [C] 《美》 〖어류〗 도미의 일종《식용》.

‡**pork** [pɔːrk] *n.* [U] **돼지고기**《식용》.

pórk bàrrel 《美구어》 특정 선거구·의원만을

이롭게 하는 정부 사업〔보조금〕.

pórk bùtcher 《英》 돼지고기 전문점(店).

pórk·er *n.* Ⓒ 식용 돼지; 살찐 새끼돼지.

pórk pìe 돼지고기를 넣은 파이.

pórk·pie hát 꼭대기가 납작한 소프트 모자.

porky [pɔ́ːrki] (***pork·i·er; -i·est***) *a.* 돼지(고기) 같은; 《구어》 살찐.

por·no, porn [pɔ́ːrnou], [pɔːrn] *n.* Ⓤ 《구어》 포르노(pornography): soft 〔hard〕 ~ 덜〔아주〕 노골적인 포르노. **—***a.* 포르노의: ~ novels 〔movies〕 포르노 소설〔영화〕.

por·nog·ra·pher [pɔːrnágrəfər/-nɔ́g-] *n.* Ⓒ 포르노 제작자《작가 · 영화 감독 따위》.

por·nog·ra·phy [pɔːrnágrəfi/-nɔ́g-] *n.* Ⓤ **1** 포르노, 에로 문학. **2** 〖집합적〗 춘화, 외설책, 에로 영화. ㊕ **por·no·graph·ic** [pɔ̀ːrnəgrǽfik] *a.*

po·ros·i·ty [pourásəti, pə-/pɔːrɔ́s-] *n.* Ⓤ 다공성(多孔性).

◇**po·rous** [pɔ́ːrəs] *a.* 작은 구멍이 많은, 다공성의; (물건이, 물 · 공기 등이) 스며들 수 있는, 투과성의: ~ waterproof 통기성 방수. ㊕ **~·ness** *n.*

por·phy·ry [pɔ́ːrfəri] *n.* Ⓤ 〖지질〗 반암(斑岩).

por·poise [pɔ́ːrpəs] (*pl.* **~, -pois·es**) *n.* Ⓒ 〖동물〗 돌고래, 《특히》 참돌고래.

◇**por·ridge** [pɔ́ːridʒ, pár-/pɔ́r-] *n.* Ⓤ 포리지《오트밀을 물이나 우유로 끓인 죽》; 《英속어》 형기: do (one's) ~ 옥살이하다. ***save*** 〔***keep***〕 ***one's breath to cool one's*** **~** 객쩍은 말참견을 삼가다.

por·rin·ger [pɔ́ːrindʒər, pár-/pɔ́r-] *n.* Ⓒ (손잡이가 있는) 작은 죽그릇《주로 어린이들의 수프 또는 porridge 용》.

Por·sche [pɔːrʃ] *n.* Ⓒ 포르셰《독일 Porsche 사(社)제 스포츠카; 상표명》.

⁑**port**[1] [pɔːrt] *n.* Ⓒ **1** (종종 Ⓤ) **항구**, 무역항: ⇨FREE 〔OPEN〕 PORT / a close ~ 《英》 강의 상류에 있는 항구 / a naval ~ 군항 / a ~ office 항만국 / a ~ of arrival 도착항 / a ~ of coaling 석탄 적재항 / a ~ of delivery 화물 인도항(引渡港) / a ~ of departure 적출항(積出港) / a ~ of destination 목적〔도착〕항 / a ~ of distress 피난항 / a ~ of recruit 식료품 적재항 / a ~ of registry 선적항(船籍港) / a ~ of sailing 〔shipment〕 출항지〔선적항〕 / ~ facilities 항만 시설. **2** 〖종종 P- 로 지명에도 쓰임〗 (특히 세관이 있는) **항구 도시**: ⇨PORT SAID.

any* ~ *in a storm 궁여지책, 그나마 의지가 되는 것. ***a* ~ *of entry*** (입국자 · 수입품) 통관항; 입국 관리 사무소가 있는 항구〔공항〕. ***leave* (*a*) 〔*clear a*〕 ~** 출항하다. ***make* 〔*enter*〕 (*a*) ~ =*arrive in* ~ =*come* 〔*get*〕 *into* ~** 입항하다. **~ *of call*** 기항지〔항구〕; 《구어》 (여행 도중의) 체재지; 잘 가는 곳, 오래 들어박혀 있는 곳. ***touch a* ~** 기항하다.

port[2] *n.* Ⓒ **1** (군함의) 포문, (성벽의) 총안(銃眼); (상선의) 하역구(荷役口); 현창(舷窓)(porthole). **2** 〖기계〗 (가스 · 증기 따위의) 배출구: an exhaust ~ 배기구 / a steam ~ 증기구. **3** 〖컴퓨터〗 단자, 포트《컴퓨터 본체와 주변기기 · 외부 회선이 자료를 주고받기 위한 본체측의 접합부》.

port[3] *n.* Ⓤ 〖해사〗 (이물을 향하여) 좌현(左舷); 〖항공〗 (기수를 향하여) 좌측. ⓒⓕ starboard.
—*a.* Ⓐ 좌현의: on the ~ side 좌현쪽으로, 왼쪽으로.

port[4] *n.* Ⓤ (낱개는 Ⓒ) 포트와인(=~ **wíne**)《포르투갈산(産)의 맛이 단 적포도주》.

port[5] *n.* **1** Ⓤ 태도, 거동. **2** (the ~) 〖군사〗 앞에총 자세: at the ~ 앞에총을 하고. **—***vt.* 〖군사〗 (총)을 앞에총하다: *Port* arms! 앞에총《구령》.

Port. Portugal; Portuguese. **port.** portrait.

port·a·ble** [pɔ́ːrtəbəl] *a.* **들고 다닐 수 있는**, 운반할 수 있는; **휴대용의**, 경편(輕便)한; 〖컴퓨터〗 (프로그램이 다른 기종(機種)에) 이식(移植) 가능한. ⓒⓕ stationary. ¶a ~ bed 이동식 침대 / a ~ computer / a ~ telephone. **—n.* Ⓒ **휴대용 기구**, 포터블《타자기, 라디오, 텔레비전 따위》. ㊕ **-bly** *ad.* **pòrt·abíl·i·ty** *n.* Ⓤ 휴대할 수 있음; 〖컴퓨터〗 (프로그램의) 이식(가능)성.

por·tage [pɔ́ːrtidʒ] *n.* **1** Ⓒ 연수 육로(連水陸路)《두 수로를 잇는 육로》; Ⓤ 연수 육로 운반. **2** Ⓤ 운반, 수송; 운반료, 운임.

por·tal [pɔ́ːrtl] *n.* Ⓒ (보통 *pl.*) **1** (우람한) 문, 입구, 정문: death's dark ~ 《문어》 어두운 죽음의 입구. **2** 시발점: We stand at the ~*s of* a new age. 우리는 새 시대의 시발점에 서 있다.

pórtal-to-pórtal páy 구속 시간제(制)로 지급하는 임금, 근무 시간제 임금.

port·cul·lis [pɔːrtkʌ́lis] *n.* Ⓒ 내리닫이 쇠살문《성문으로 썼음》.

porte-co·chere [pɔ̀ːrtkouʃέər] *n.* 《F.》 Ⓒ (지붕이 있는 현관의) 차 대는 곳.

por·tend [pɔːrténd] *vt.* …의 전조(前兆)가 되다, …을 미리 알리다: The street incident may ~ a general uprising. 그 가두 사건은 대폭동의 전조가 될지도 모른다.

por·tent [pɔ́ːrtənt] *n.* Ⓒ (불길한 대사건의) 징조, 전조(omen); 경이적인 사람〔사건, 물건〕; Ⓤ (불길한) 의미.

por·ten·tous [pɔːrténtəs] *a.* 전조의; 불길한; 놀라운, 경이적인; 무서운; 엄숙한《침묵 따위》. ㊕ **~·ly** *ad.*

por·ter[1] [pɔ́ːrtər] (*fem.* ***por·tress*** [-ris]) *n.* Ⓒ 《英》 문지기, 수위(doorkeeper); (공동 주택의) 관리인.

⁑**por·ter**[2] *n.* Ⓒ **1 운반인**; (역의) 짐꾼(redcap); (호텔의) 포터. **2** 《美》(침대차 · 식당차의) 사환. ㊕ **~·age** [-təridʒ] *n.* Ⓤ 운반; 운송업; 운임.

por·ter[3] *n.* Ⓤ (낱개는 Ⓒ) 흑맥주(~s' ale). ⓒⓕ beer.

pórter·hòuse *n.* Ⓒ (요리는 Ⓤ) 큼직한 고급 비프스테이크(=~ **stéak**).

pórter's lódge 《英》 (학교 · 병원 따위의) 수위실〔대기실〕.

◇**port·fo·lio** [pɔːrtfóuliòu] (*pl.* **-li·os**) *n.* Ⓒ **1** 손가방; 서류 가방(안의 서류); (종이집게식) 화집, 화첩. **2** (소유) 유가 증권(일람표). **3** 장관의 지위〔직〕: a minister without ~ 정무(政務) 장관.

pórt·hòle *n.* Ⓒ (배의) 현창(舷窓); (비행기의) 둥근 창; (성벽의) 총안(銃眼).

Por·tia [pɔ́ːrʃə/-ʃiə] *n.* 포샤. **1** 여자 이름. **2** Shakespeare의 삭품 *Merchant of Venice* 에 나오는 여주인공.

por·ti·co [pɔ́ːrtikòu] (*pl.* **~(e)s**) *n.* Ⓒ 〖건축〗 주랑(柱廊) 현관.

por·tiere [pɔːrtjέər, -tiέər] *n.* 《F.》 Ⓒ (문간 등에 치는) 휘장, 막.

⁑**por·tion** [pɔ́ːrʃən] *n.* **1** Ⓒ **한 조각, 일부**, 부분(part): a ~ *of* land 한 구획의 토지; 약간의 땅 / A ~ *of* each school day is devoted to mathematics. 매일 수업의 일부는 수학에 할당된다. SYN. ⇨PART. **2** Ⓒ **몫**(share); (음식의) 1 인분:

a ~ *of* pudding 한 사람분의 푸딩 / eat two ~s *of* chicken 닭고기 2인분을 먹다. **3** (one's ~) 운명, 운(lot): accept one's ~ in life 운명을 받아들이다. **4** [C] 〖법률〗 분배 재산; 상속분. **5** [C] 지참금(dowry): a marriage ~ 결혼 지참금.
—*vt.* 《+[목]+[부]/+[목]+[전]+[명]》 …을 **나누다**, 분할하다, 분배하다(*out*)《***among, between*** …간에》: ~ *out* food 식량을 분배하다 / ~ *out* an inheritance *among* three 〔*between* two〕 poeple 유산을 세 사람〔두 사람〕에게 분배하다.

Pórtland cemént 포틀랜드 시멘트《보통 말하는 시멘트》.

Pórtland stóne 영국 Isle of Portland산(産) 건축용 석회암.

port·ly [pɔ́ːrtli] (***-li·er; -li·est***) *a.* 살찐; 당당한, 풍채 좋은. [파] **-li·ness** *n.*

port·man·teau [pɔːrtmǽntou] (*pl.* **~s, ~x** [-z]) *n.* 《F.》 [C] (양쪽으로 열리게 된) 대형 여행용 가방.

portmánteau wòrd 〖언어〗 혼성어(blend) 《두 말이 합쳐 하나가 된 말; smog, urban, motel 따위》.

‡**por·trait** [pɔ́ːrtrit, -treit] *n.* [C] **1 초상**; 초상화; 초상〔인물〕 사진. **2** (언어에 의한 인물의) 상세한 묘사: The book gives 〔paints〕 a fascinating ~ *of* college life. 그 책은 매력적인 대학생활을 묘사하고 있다. **3** 유사물, 꼭 닮은 것: She's the ~ *of* her mother. 그녀는 어머니를 꼭 닮았다. **4** 〖컴퓨터〗 세로(방향), 포트레이트.
[파] **~·ist** *n.* [C] 초상화가(= ⌐ **pàinter**).

por·trai·ture [pɔ́ːrtrətʃər] *n.* [U] 초상화법.

°**por·tray** [pɔːrtréi] *vt.* **1** (풍경 따위)를 그리다; …의 초상을 그리다. **2** (문장으로 인물)을 묘사하다(depict); (역)을 연기하다《***as*** …으로서》: ~ feelings in words 감정을 말로 묘사하다 / The author ~s the campus *as* a very pleasant place. 그 저자는 대학을 매우 즐거운 곳으로 묘사하고 있다. [파] **~·al** [-tréiəl] *n.* [U] 그리기; 묘사, 기술(記述); [C] 초상(화).

Pórt Sa·íd [pɔ́ːrt-sɑːíːd, -sáid] 포트사이드 《수에즈 운하의 지중해쪽 항구 도시》.

Ports·mouth [pɔ́ːrtsməθ] *n.* 포츠머스. **1** 영국 남부의 군항. **2** 미국 New Hampshire주의 군항《러·일 강화 조약 체결지(1905)》.

***Por·tu·gal** [pɔ́ːrtʃəgəl] *n.* **포르투갈**《수도 Lisbon》.

Por·tu·guese** [pɔ̀ːrtʃəgíːz, -gíːs, ⌐-⌐] (*pl.* ~) *n.* [C] **포르투갈 사람**; [U] **포르투갈 말**. **—a.* 포르투갈의; 포르투갈 사람〔말〕의.

Pórtuguese man-of-wár 〖동물〗 고깔해파리, 《속어》 전기해파리.

por·tu·laca [pɔ̀ːrtʃəlǽkə] *n.* [C] 〖식물〗 쇠비름속(屬)의 일년〔다년〕초《특히 채송화》.

POS point-of-sale.

***pose**[1] [pouz] *n.* [C] **1 자세, 포즈**. **2** 꾸민 태도, 겉치레: Everything he says is only a ~. 그의 말은 모두 겉치레뿐이다.
—*vi.* **1** 《~/+[전]+[명]》 자세〔포즈〕를 취하다; (모델로서) 포즈를 잡다《***for*** …을 위하여》: He ~*d for* his portrait. 그는 초상화를 그리게 하려고 자세를 취했다 / Will you ~ *for* me? 당신의 사진을 찍어도 좋겠습니까. **2** 《~/+*as* [보]》 (어떤) 태도를 취하다, 짐짓 …인 체하다: Stop *posing!* 젠체하지 마라 / ~ *as* a richman 부자인 체하다.
—*vt.* **1** 《~+[목]/+[목]+[전]+[명]》 (아무)에게 자세를 취하게 하다; 적절히 배치하다《***for*** …을 위하여》: ~ a model 모델에게 자세를 취하게 하다 / The group was well ~*d for* the photograph. 그룹은 촬영을 위해 잘 배치되었다. **2** 《~+[목]/+[목]+[목]/+[목]+[전]+[명]》 (요구 따위)를 주장하다, (문제 등)을 제기하다《***to, for*** (아무)에게》: He ~*d* his students a question. =He ~*d* a question *to* 〔*for*〕 his students. 그는 학생들에게 질문을 했다.

pose[2] *vt.* (어려운 문제 따위로) 괴롭히다, 궁지에 빠지게 하다.

Po·sei·don [pousáidən, pə-] *n.* 〖그리스신화〗 포세이돈《해신(海神); 로마 신화의 Neptune에 해당》.

pos·er[1] [póuzər] *n.* [C] 어려운 문제, 난문.

pos·er[2] *n.* [C] 포즈를 취하는 사람; =POSEUR.

po·seur [pouzə́ːr] *n.* 《F.》 [C] 짐짓 점잔빼는 사람, 새침데기.

posh [pɑʃ/pɔʃ] 《구어》 *a.* **1** (호텔 등) 호화로운. **2** 《때로 경멸적》 (복장 등) 우아한, 스마트한, 멋진: your ~ friends 네 멋쟁이 친구들. **—***ad.* 멋드러지게.

pos·it [pɑ́zit/pɔ́z-] *vt.* 〖철학·논리〗 단정〔가정〕하다《***that***》. **—***n.* [C] 가정.

‡**po·si·tion** [pəzíʃən] *n.* **1** [C] **위치**; 장소, 소재지; 진지: the ~of a house 집의 위치 / attack an enemy's ~ 적의 진지를 공격하다.
2 [U] 소정의 위치; 〖경기〗 (수비) 위치, 포지션: put a satellite into ~ 인공위성을 궤도에 올리다 / What ~ do you play?—Shortstop. 어느 포지션을 맡고 있느냐—유격수야.
3 [C] (보통 *sing.*) **처지**, 입장《***to*** do》: be placed in an awkward ~ 곤란한 입장에 놓이다 / I'm not in a 〔I'm in no〕 ~ *to* make a decision. 나는 결정을 내릴 입장에 있지 않다.
4 a [U] (구체적으로는 [C]) **지위**, 경우《***in*** …의》: one's ~ *in* life 〔society〕 사회적 지위, 신분. **b** [U] (높은) 신분: people of ~ 신분 있는 사람들.
5 [C] 직책, 직(職), 근무처《***in, with*** …의》: get a good ~ 좋은 일자리를 얻다 / He has a ~ *in* 〔*with*〕 a bank. 그는 은행에 근무한다.
[SYN.] **position** 어떠한 직업에 대해서도 말하지만 보통은 손으로 하는 일보다 고위의 직종. **job** position의 구어체로서 직종은 한정되지 않음. **place, situation** 구직하는 쪽에서 근무 자리로서의 직. situation은 실업계에 있어서의 일에 대하여 씀: *Situation* wanted. 직업을 구함. place는 가정 내에서의 일에 대한 고용에 씀: He is looking for a *place* as a gardener. 그는 정원사의 일자리를 찾고 있다.
6 [C] 자세; 〖발레〗 포지션《5개의 기본적 자세》: lie in a comfortable ~ 편한 자세로 눕다 / be in a standing ~ 선 자세로 있다.
7 [C] **의견**, 견해, 주장《***on*** (문제 따위)에 대한 / ***that***》: What is your ~ *on* this question? 이 문제에 대한 자네 생각은 어떤가 / We take the ~ *that* the law must be enforced. 우리는 그 법률이 시행되어야 한다는 주장이다.
8 [C] (경기·경쟁 따위에서) 순위, (몇) 등: I finished in third ~ in the slalom. 나는 슬라롬에서 3등으로 마쳤다.
in a false* ~** 달갑잖은〔난처한〕 입장에. ***in* ~** 소정의 장소에; 제자리를 얻어. ***maneuver 〔***jockey, jostle***〕 ***for* ~** 유리한 위치를 차지하려고 꾀하다. ***out of* ~** 부적당한 자리에 놓여; 소정의 장소를 벗어나.
—*vt.* **1** 《~+[목]/+[목]+[전]+[명]/+[목]+*to* do》 적당

한 장소에 두다〔놓다〕; 〖군사〗 (부대)를 배치하다: She ~*ed* the vase carefully *on* the table. 그녀는 꽃병을 테이블 위에 조심스럽게 올려놓았다 / ~ oneself *to* act at once 즉각 행동을 취할 수 있는 곳에 자리잡다. **2** …의 위치를 확인하다.

po·si·tion·al [pəzíʃənəl] *a.* **1** 위치(상)의. **2** Ⓐ 〖경기〗 수비(상)의: make ~ changes 수비 위치를 바꾸다.

posítion pàper (정부 · 노조 등의) 정책 방침서, 해명서.

⁑**pos·i·tive** [pázətiv/pɔ́z-] *a.* **1** Ⓟ **확신하는** ⟪***of, about*** …을 / ***that***⟫: Are you ~ *about* 〔*of*〕 that? 그것은 틀림없느냐 /Are you ~ (*that*) it was after midnight? 확실히 자정 후였는가.
2 단정적인, 명확한, 의문의 여지가 없는: ~ proof =proof ~ 확증 / ~ knowledge 명확한 지식.
3 확실한, 확언한, 단호한: a ~ promise 확약 / ~ orders 단호한 명령 / make a ~ statement of one's position 자기 입장을 분명히 말하다.
4 자신 있는, 자신 만만한: One must be ~, but not too ~. 자신은 가져야 하지만 지나치게 자신 만만하면 안 된다.
5 긍정적인. ↔ *negative*.¶a ~ answer 긍정적인 대답.
6 적극적인, 건설적인, 낙관적인. ↔ *negative*. ¶~ living 적극적인 생활 태도 / a ~ suggestion 건설적인 제안.
7 실재하는: a ~ evil 실재하는 악.
8 실용적인, 실제적〔실증적〕인: a ~ mind 실제적인 사람 / ~ virtue 실행으로 나타내는 덕 / ~ morals 실천 도덕 / a ~ term 실명사(實名辭) / ~ philosophy 실증 철학.
9 〖물리 · 전기〗 양(성)의; 〖의학〗 (반응이) 양성(陽性)의; 〖수학〗 양(陽)의, 플러스의; 〖사진〗 양화(陽畫)의. ↔ *negative*.¶a ~ number 양수(陽數) / the ~ sign 플러스 기호⟪+⟫/ a ~ charge 양전하 / The test was ~. 검사 결과는 양성이었다.
10 〖문법〗 원급(原級)의. ⓒⓕ comparative.¶the ~ degree 원급.
11 Ⓐ ⟪구어⟫ **완전한**, 순전한: a ~ lie 순전한 거짓말 / a ~ nuisance 정말 귀찮은 것 / a ~ fool 진짜 바보.
—*n.* **1** Ⓒ ⟪문어⟫ 현실(물); 실재. **2** Ⓤ (성격 따위의) 적극성, 적극적 측면. **3** (the ~) 〖문법〗 원급. **4** 〖수학〗 정수; 〖전기〗 양전기; (전지의) 양극판; 〖사진〗 양화. ⓜ **~·ness** *n.*

pósitive láw 〖법률〗 실정법(實定法). ⓒⓕ natural law.

°**pós·i·tive·ly** *ad.* **1** 명확히, 확실히, 절대적으로: ~ true 절대 진실한. **2** ⟪구어⟫ 정말로, 몹시, 단연: ~ shocking 몹시 놀라운〔괘씸한〕. **3** 적극적으로; 건설적으로; 실제적으로: think ~ 적극적으로 생각하다. **4** 〖전기〗 양전기로: ~ charged 양전기를 띤. —*int.* ⟪美구어⟫ 단연, 물론: Will you go? —*Positively* [종종 ∸-∸-]! 가겠나—가고말고.

pósitive póle 〖전기〗 양극; (자석의) 북극.

pos·i·tiv·ism [pázətivìzəm/pɔ́z-] *n.* Ⓤ 실증 철학, (철학자 Comte 의) 실증론; 실증주의. ⓜ **-ist** *n.* **pòs·i·ti·vís·tic** [-vístik] *a.*

pos·i·tron [pázətràn/pɔ́zətrɔ̀n] *n.* Ⓒ 〖물리〗 양전자(陽電子). [◂*posi*tive+elec*tron*]

poss. possession; possessive; possible; possibly.

pos·se [pási/pɔ́si] *n.* ⟪L.⟫ Ⓒ **1** =POSSE COMITATUS. **2** ⟪속어⟫ (이해관계가 같은) 일단, 집단.

pósse com·i·tá·tus [-kàmətá:təs, -téi-] ⟪美⟫ (치안 유지 · 범인 체포 · 법의 집행 등을 위해 15세 이상의 남자를 보안관이 소집하는) 자경단(自警團), 민병대.

⁑**pos·sess** [pəzés] *vt.* **1** (재산 · 물건 따위)를 **소유하다, 가지고 있다**(own): ~ a house and a car 집과 차를 가지고 있다 / He was found guilty of ~*ing* cocaine. 그는 코카인을 소지하고 있어 유죄가 되었다. **2** (자격 · 능력)을 지니다, 갖추다 (have): ~ wisdom 지혜가 있다. **3** (마음 · 감정 등)을 억제하다: ~ one's temper 노염을 참다. **4** ⟪+목+전+명⟫ **a** (마음)을 유지하다⟪***in*** (어떤 상태)로⟫: ~ one's soul *in* peace 마음을 편안히 가지다. **b** 〖~ oneself〗 자제하다⟪***in*** (어떤 상태)로⟫: ~ one*self in* patience 꾹 참다. **5** ⟪~+목/ +목+*to* do⟫ (감정 · 관념 따위가) …을 지배하다, …의 마음을 사로잡다: She is ~*ed* by envy. 그녀는 질투심에 사로잡혀 있다 / Rage ~*ed* him. 심한 분노가 그를 사로잡았다 / What ~*ed* her *to* act like that? 그녀는 무엇 때문에 그런 행동을 했을까.

pos·séssed [-t] *a.* **1** 홀린, 씐, 미친, 열중한 ⟪***by, with*** …에⟫: like a man ~ (무엇에) 홀린 사람처럼 / He seemed ~. 정신이 돈 모양이다 / be ~ *by* 〔*with*〕 devils 악마가 들리다. **2** Ⓟ 소유한, 가진⟪***of*** …을⟫: He is ~ *of* a great fortune. 그는 많은 재산을 갖고 있다. ***like one*** 〔⟪美⟫ ***all***〕 **~** 악마에 홀린 듯이; 열심히, 맹렬히.

⁑**pos·ses·sion** [pəzéʃən] *n.* **1** Ⓤ **소유**; 입수; 점령, 점거; 〖법률〗 점유: illegal ~ *of* arms 무기의 불법 소지 / He obtained ~ *of* a small factory. 그는 작은 공장을 입수하였다 / *Possession* is nine tenths 〔points〕 of the law. ⟪속담⟫ 내 칼도 남의 칼집에 들면 찾기 어렵다. **2** (*pl.*) **소유물**, 소지품; **재산**: a man of great ~*s* 대재산가 / lose one's ~*s* 전재산을 잃다. **3** Ⓒ 속령, 영지, 속국: the British ~*s* in Asia 아시아의 영국 영토. **4** Ⓤ 홀림, (감정의) 사로잡힘. ***be in* ~ *of*** …을 소유〔점령, 점유〕하고 있다. ***get*** 〔***take***〕 **~ *of*** …을 입수하다, …을 점유하다. ***in the* ~ *of*** …에 소유되어: The keys are *in the* ~ *of* the caretaker. 열쇠는 관리인이 갖고 있다.

°**pos·ses·sive** [pəzésiv] *a.* **1** 소유의; 소유〔독점〕욕이 강한⟪***about, with, of*** …에 대한⟫: the ~ instinct 소유 본능; 독점욕 / He's terribly ~ *about* 〔*with*〕 his car. 그는 자동차 소유욕이 몹시 강하다. **2** 〖문법〗 소유를 나타내는. —*n.* 〖문법〗 **1** (the ~) 소유격. **2** Ⓒ 소유형용사〔대명사〕. ⓜ **~·ly** *ad.* **~·ness** *n.*

***pos·ses·sor** [pəzésər] *n.* Ⓒ (보통 *sing.*; 종종 the ~) **소유자**; 점유자.

pos·set [pásit/pɔ́s-] *n.* Ⓒ (요리는 Ⓤ) 밀크주 ⟪뜨거운 우유에 포도주 · 향료 등을 넣은 음료⟫.

⁑**pos·si·bil·i·ty** [pàsəbíləti/pɔ̀s-] *n.* **1** Ⓤ (또는 a ~) **가능성**, 실현성⟪***of*** …의 / ***that***⟫: Is there any ~ *of* his gett*ing* the job? 그가 그 일자리에 취직할 가망은 (좀) 있는 거냐 / There's quite a ~ *that* war may break out. 전쟁이 발발할 가능성이 충분히 있다 / There is no ~ *of* her go*ing* there. 그녀가 거기에 간다는 가망은 전혀 없다. **2** Ⓒ 있을 수 있는 것, 실현〔실행〕 가능한 일〔수단〕: Failure is a ~. 실패란 있을 수 있다 / exhaust every ~ 모든 수단을 다하다. **3** Ⓒ (보통 *pl.*) 발전 가능성, 장래성: I see some 〔great〕 *possibilities* in her project. 그녀의 계획에는 다소의〔상당한〕 가능성이 있다고 생각한다.

by any ~ ① 〖조건절에서〗 만일에, 혹시: if *by any* ~ I am absent, ... 혹시 내가 없거든 …. ② 〖부정에서〗 도저히 …, 아무래도 …: I can't *by any* ~ be in time. 아무래도 시간에 댈 수 없다.

pos·si·ble [pásəbəl/pɔ́s-] *a.* **1 가능한**, 할 수 있는(*for, to, with* (아무)에게 / *to* do): a ~ but difficult job 가능은 하지만 어려운 일 / This job is ~ *for* him. 이 일은 그에게는 가능하다 / All things are ~ *to* God. 하느님에게는 모든 것이 가능하다 / Is it ~ *for* him *to* get there in time? 그가 그곳에 제 시간에 도착할 수 있을까 / It is ~ to cure cancer. 암치료의 가능성은 있다.

> NOTE impossible과 달리, 일반적으로 possible은 주어가 to do의 목적어 관계인 표현에는 쓰지 않음. 따라서 마지막 용례를 Cancer is *possible to* cure.라고 바꿀 수는 없음. 그러나 not을 넣으면 가능함: The result was *not possible to* foresee. =The result was *impossible to* foresee. 그 결과는 예견할 수 없었다.

SYN. **possible** 어떤 조건을 갖추면 실현 가능한. **practicable** 현재 조건으로도 실행 가능한. **feasible** 해 보면 실현 가능하고 소기의 효과를 올릴 수 있을 듯한: a *feasible* plan 실현성이 있는 계획.

2 있음직한, 일어날 수 있는: provide for ~ war 만일의 전쟁에 대비하다 / It is ~ to drown in a few inches of water. 단 몇 인치 깊이의 물에도 빠져죽을 수 있다 / It is ~ that he went. 그가 정말로 갔는지도 몰라. SYN. ⇨PROBABLE, LIKELY. **3** 〖최상급, all, every 따위와 함께 그 뜻을 강조하여〗 가능한 한의: with the *least* ~ delay 가능한 한 빨리 / by *all* 〔*every*〕 ~ means 가능한 모든 수단으로. **4** Ⓐ 가망〔가능성〕 있는: a ~ candidate 출마 예상 후보 / a ~ site for a new school 새 교사(校舍) 후보지.

as ... as ~ 되도록(=as ... as one can): *as* quickly *as* ~ 되도록(이면) 속히. ***if*** (***at all***) ~ 만약〔어떻게든〕 가능하다면: Will you come?—Yes, *if* ~. 올겁니까—예, 되도록이면.

> DIAL. ***Would it be possible for you to wait?*** 좀 기다려 주시겠습니까 《정중한 부탁》.

—*n.* **1** (the ~) 가능한 일. **2** Ⓒ 후보자; 적임자 《*for* …의》: Presidential ~*s* 대통령 후보자 / a list of ~*s for* the post 〔job〕 그 자리〔일〕에 적합한 사람들의 리스트.

pos·si·bly [pásəbəli/pɔ́s-] *ad.* **1 a** 〖문장을 수식하여〗 **어쩌면**, 혹은, 아마(perhaps, maybe): He may ~ come. 어쩌면 올지도 모르겠다 / Can you come?—*Possibly*, but I'm not sure. 올 수 있겠나—아마 그럴 것 같네, 그러나 장담은 못하네. SYN. ⇨PERHAPS. **b** 〖의문문에서〗 혹시 《정중한 부탁을 나타내어》: Could you ~ lend me your pen? 혹시 펜 좀 빌려 주실 수 있습니까. **2** 〖can, could와 함께 뜻을 강조하여〗 **a** 〖긍정문에서〗 **어떻게든지** 해서, 될 수 있는 한: Come as soon as you ~ *can*. 될 수 있는 한 빨리 오너라. **b** 〖의문문·조건문에서〗 **어떻게 해서**: How *can* I ~ do it? 어떻게 해서 내가 그것을 할 수 있겠는가. **c** 〖부정문에서〗 **아무리 해도**, 도저히 (…않다): I *cannot* ~ do it. 도저히 할 수 없다(≠ *Possibly* I cannot do it. 할 수 없을지 모르겠다).

> DIAL. ***Could you possibly give me a ride home?*** 죄송하지만 집까지 태워 주시겠습니까 《정중한 부탁》.

POSSLQ [pásəlkjùː/pɔ́s-] (*pl.* ~***s***, ~***'s***) *n.* Ⓒ 《美》 (이성간의) 동거인, 동서인 《미국 인구 조사국의 용어》. [◀*p*erson *o*f the opposite *s*ex *s*haring *l*iving *q*uarters]

pos·sum [pásəm/pɔ́s-] *n.* 《美구어》 =OPOSSUM. ***play*** ~ 《구어》 꾀병부리다; 죽은〔자는〕 체하다; 속이다; 시치미떼다.

post[1] [poust] *n.* **1** Ⓒ 〖흔히 합성어〗 **기둥**, 말뚝, 지주(支柱); 푯말: ⇨GOALPOST, GATEPOST, LAMPPOST. **2** (the ~) (경마 등의) 표주(標柱); 결승점(의 표주): the starting 〔winning, finishing〕 ~ 출발점〔결승점〕 표주 / get beaten at the ~ 막판에 패하다.

—*vt.* **1** 《~+목/+목+부/+목+전+명》 (게시·전단 따위)를 붙이다(*up*) 《*at, on* …에》; (벽 따위)에 붙이다(*over*) 《*with* (전단 따위)를》: *Post* (《英》 Stick) no bills. 광고 게시 금함 / ~ *up* a notice *on* the board 공고를 게시판에 게시하다 / ~ the board (*over*) *with* bills 게시판 전면에 광고를 붙이다. **2** 《~+목/+목+*as* 보》 《美》 게시〔공시〕하다, 공표〔발표〕하다: ~ the final results 최종 결과를 공시하다 / The soldier 〔ship〕 *was* ~*ed* (*as*) missing. 그 병사〔배〕는 행방불명이라고 발표되었다.

post[2] *n.* Ⓒ **1 지위**(position), 직(職), 직장: a diplomatic ~ 외교관직 / hold a ~ at a hospital 병원에 근무하다 / resign one's ~ 사임하다 / at one's ~ 임지에서. **2** (군대의) 부서, 초소, 경계 구역: the sentry at his ~ 경계 구역에서 근무 중인 보초 / Remain at 〔Don't desert〕 your ~ until relieved. 교대시까지 자기 부서를 이탈하지 말 것. **3** (군대의) 주둔지: a frontier ~ 변경(邊境) 주둔지. **4** (미개지 원주민과의) 교역소(交易所)(trading ~). **5** 《美》 (재향 군인회) 지부. **6** 〖英군사〗 취침 나팔: the first ~ 취침 예비 나팔 / the last ~ 소등 나팔; 군장(軍葬) 나팔.

—*vt.* **1** 《~+목/+목+전+명》 (보초병 등)을 배치하다: policemen ~*ed along* the street 연도에 배치된 경찰관. **2** 《+목+전+명》 〖보통 수동태로〗 《英》 배속〔전출〕시키다 《*to* …에》: He has *been* ~*ed to* London.

post[3] *n.* **1** (the ~) 《英》 **우편**, 우편 제도(《美》 mail): by ~ 우편으로 《★ 관사 없이》. **2** Ⓤ (또는 a ~) 〖집합적〗 《英》 우편물; (1 회에 집배되는) 우편물: She gets a lot of ~ every day. 그녀는 매일 많은 우편물을 받는다 / Has any ~ for me? 내게 우편물이 왔느냐. **3** (the ~) 《英》 집배(集配), 편(便) 《우편물의 차편·배편 따위》: I missed the last ~. 마지막 편을 놓쳤다 / When is the next ~ due? 다음 우편은 언제 오나. **4** (the ~) 《英》 **우체국**; **우체통**(《美》 mailbox): take a letter to the ~ 편지를 우체국〔우체통〕에 가지고 가다. **5** (P-) (신문 이름에 써서) …신문: the Washington *Post*.

by return of ~ 《英》 편지 받는 대로 곧: She wrote to me *by return of* ~. 그녀는 편지를 받고 곧 나에게 회답했다.

—*vt.* **1** 《~+목/+목+부/+목+목/+목+전+명》 《英》 **우송하다** 《*to* (아무)에게》; 투함(投函)하다(《美》 mail)(*off*): *Post* (*off*) this letter, please. 이 편지 좀 부쳐 주세요 / I ~*ed* him a Christmas card. =I ~*ed* a Christmas card *to* him. 나는 그에게 크리스카스 카드를 부쳤다. **2** ((~+[목]/+[목]+[부])) 〖부기〗 (사항)을 원장에 기입하다; (원장)에 전기(轉記)하다(*up*): ~ sales 매상을 원장에 기입하다/~ *up* a ledger 원장에 전부 기입하다. **3** ((+[목]+[부]/+[목]+[전]+[명])) 〔보통 수동태〕 ((구어)) …에게 (최근) 정보를 알리다(*up*)((*in, on, about* …의)): keep a person ~*ed* 아무에게 최신 정보를 낱낱이 알리다/He *is* well ~*ed* (*up*) *in* current politics. 작금의 정정(政情)에 밝다/Keep me ~*ed on* his activities. 늘 그의 근황을 알려다오. **—***vi*. **1** ((~/+[부])) 급히 가다; 서두르다(*off*): *Post off* at once. 어서 서둘러라. **2** 〖역사〗 파발마(馬)로 여행하다.

post- [póust] '후, 다음'이란 뜻의 결합사. ↔ *ante-*, *pre-*.

POST 〖컴퓨터〗 power on self test (자체 진단)((컴퓨터의 작동시에 자동적으로 이루어지는 테스트 동작)).

‡post·age [póustidʒ] *n*. [U] **우편 요금**, 우송료: ~ free 〔due〕 송료 무료〔부족〕/~ paid 송료 지급필/What is the ~ for 〔on〕 this parcel? = How much ~ must I pay for 〔on〕 this parcel? 이 소포 우송료는 얼마입니까.

póstage mèter ((美)) (요금 별납 우편물의) 우편 요금 미터 스탬프(=**póstal mèter**)((국명(局名)·일부인 등을 찍어 요금을 집계하는 기계)).

póstage stàmp 우표.

póstage-stàmp *a*. [A] 매우 비좁은.

***post·al** [póustəl] *a*. [A] **우편의**; 우체국의; 우송에 의한: ~ employees 우체국원/~ matters 우편물/~ savings 우편 저금/a ~ delivery 우편물 배달/a ~ tube 기송관(氣送管)으로 우편물을 보내는 통/a ~ application 우편 신청(서)/the International 〔Universal〕 Postal Union 만국 우편 연합.

póstal càrd ((美)) =POSTCARD.

póstal còde =POSTCODE.

póstal òrder ((英)) 우편환((생략: P.O.)).

póstal sérvice 우편 업무; (the (US) P- S-) (미국) 우정(郵政) 공사((1971 년 the Post Office를 개편한 것)).

póst·bàg *n*. ((英)) **1** [C] 우편낭, 행낭(((美)) mailbag). **2** (*sing*.) 〔집합적〕 ((구어)) 1 회에 배달되는 우편물.

póst·bòx *n*. [C] ((英)) 우체통(((美)) mailbox); (각 가정의) 우편함(((美)) mailbox).

‡post·card [póustkà:rd] *n*. [C] **우편엽서**; ((특히)) 그림엽서(picture ~).

póst·còde *n*. [C] ((英)) 우편 번호(((美)) zip code).

pòst·dáte *vt*. (편지·사건 등)의 날짜를 실제보다 늦추어 달다, 날짜를 차례로 늦추다; (시간적으로) …의 뒤에 오다. **—***n*. [C] (증서 등의) 사후 일부(日付).

pòst·dóctoral, -torate *a*. 박사 칭호 취득 후의.

post·er** [póustər] *n*. [C] **포스터**, (큰) 전단(傳單), 광고 전단, 벽보. **—vt*. 전단을〔포스터를〕 붙이다: ~ the walls 벽에 전단을 붙이다.

póster còlor 포스터 컬러((포스터용 그림물감)).

poste res·tante [pòustrestá:nt/ˊˋ-] ((F.)) ((英)) 〖우편〗 유치(留置)((우편물에의 표기)) (((美)) general delivery); (우체국의) 유치 우편을 취급하는 과(課).

°pos·te·ri·or [pastíəriər/pɔs-] *a*. **1** (시간·순서가) 뒤의, 다음의((*to* …보다)). ↔ *prior*[1]. **2** (위치가) 뒤의, 배면(背面)의. ↔ *anterior*. **3** 〖생물〗 미부(尾部)의. **—***n*. [C] (몸의) 후부(後部); (흔히 *pl*.) 엉덩이. [파] **~·ly** *ad*. 다음〔후, 후부〕에.

‡pos·ter·i·ty [pastérəti/pɔs-] *n*. [U] 〔집합적〕 **1** (보통 one's ~) **자손**(descendants). ↔ *ancestry*. **2 후세**〔후대〕 사람들: hand ... down to ~ …을 자손에 전하다.

pos·tern [póustə:rn, pás-] *n*. [C] 뒷문; 협문(夾門).

póster pàint =POSTER COLOR.

Póst Exchànge 〖美육군〗 (주둔지의) 군(軍)매점(((英)) Naafi)((생략: PX)).

póst-frée *a*., *ad*. ((英)) =POSTPAID.

pòst·gráduate *a*. 대학 졸업 후의; 대학원의 (((美)) graduate): the ~ course 대학원 과정/the ~ research institute 대학원. **—***n*. [C] 대학원 학생, 연구(과)생.

pòst·hárvest *a*. (곡물의) 수확(기) 후의.

póst·háste *ad*. 급행〔지급〕으로.

póst hòrn (옛날의) 우편 마차의 나팔.

post·hu·mous [pástʃuməs/pɔ́stju-] *a*. 유복자로 태어난; 저자의 사후에 출판된; 사후의: a ~ child 유복자/one's ~ name 시호(諡號)/a ~ work 유저(遺著)/~ fame 사후의 명성/confer ~ honors on a person 아무에게 증위(贈位)하다. [파] **~·ly** *ad*. 사후에; 유작(遺作)으로서.

pos·til·ion, ((英)) **-til·lion** [poustíljən, pas-] *n*. [C] (마차의) 기수장(騎手長)((쌍두마차에서는 왼쪽 말에, 네 필 이상이 끄는 마차에서는 앞줄 왼쪽 말에 탐)).

pòst-impréssionism *n*. (종종 P- I-) [U] 〖미술〗 후기 인상파. [파] **-ist** *a*., *n*. [C] 후기 인상파의 (화가).

póst·ing *n*. [C] 지위〔부서〕에의 임명〔배속〕.

***post·man** [póustmən] (*pl*. **-men** [-mən]) *n*. [C] **우편물 집배인**(((美)) mailman).

póst·màrk *n*. [C] 소인(消印). **—***vt*. (우편물)에 소인을 찍다: This letter is ~*ed* Seoul. 이 편지는 서울이라고 소인이 찍혀 있다.

°póst·màster (*fem*. **póst·mìs·tress**) *n*. [C] 우체국장((생략: P.M.)); 〖컴퓨터〗 포스트 마스터((전자우편의 처리 서버 사이트에서 전자 메일 관련 문제점을 해결하고 시스템을 관리하는 사람)).

póstmaster géneral (*pl*. **postmasters g-, ~s**) ((美)) 우정 공사 총재, ((英)) 체신 공사 총재 ((영국에서는 1969 년, 미국에서는 1971 년에 우정 사업을 각각 민영화하고 장관직을 폐지함)).

post me·rid·i·em [pòust-mərídièm, -diəm] ((L.)) 오후(afternoon)((생략: P.M., p.m.)). [cf.] ante meridiem.

póst·mìstress *n*. [C] 여자 우체국장.

pòst·módern *a*. 포스트모던의, 포스트모더니즘적인〔에 관한〕; (유행 등의) 최첨단의.

pòst·módernism *n*. [U] 〖문학〗 포스트모더니즘((20 세기의 모더니즘을 부정하고 고전적·역사적인 양식이나 수법을 받아들이려는 예술 운동)).

post·mor·tem [poustmɔ́:rtəm] ((L.)) *a*. [A] 사후(死後)의; 사후(事後)의: a ~ examination 시체 해부, 검시(autopsy). **—** *n*. [C] **1** 시체 해부, 검시(檢屍). **2** 사후(事後) 검토〔분석, 평가〕((*on* …에 대한)).

pòst·nátal *a*. 출생 후의, 출산 후의.

pòst·núptial *a*. 결혼〔혼인〕 후의.

‡póst òffice **1** 우체국. **2** (the P- O-) ((英)) 체

신 공사; 《美》 우정성(郵政省)《1971 년 우정 공사 (the Postal Service)로 개편》.

póst-office bòx 사서함《생략: P.O.B.》.

pòst·óperative *a.* 수술 후의: ~ care 수술 후의 조리.

póst·páid *a.*, *ad.* 《美》 우편 요금 선급의〔로〕; 우편 요금 무료의〔로〕(《英》 post-free).

post·pone [poustpóun] *vt.* 《~+목/+목+전+명/+-*ing*》 **연기하다**(put off), 미루다《*to, until* …까지》: The meeting has been ~*d to* 〔*until*〕 next Sunday. 모임은 다음 일요일까지 연기되었다/You must not ~ answer*ing* his letter any longer. 그의 편지에 대한 회답을 더 이상 미루어서는 안 된다. ㊞ **~·ment** *n.* Ⓤ (구체적으로는 Ⓒ) 연기, 유예.

pòst·posítion *n.* 〖문법〗 Ⓤ 후치(後置); Ⓒ 후치사(詞)《cityward 의 -ward 따위》. cf. preposition.

pòst·prándial *a.* Ⓐ 《문어·우스개》 정찬(正餐)〔식후〕의《연설·수면 등》: a ~ speech.

pòst·prócessor *n.* 〖컴퓨터〗 후처리 프로그램, 포스트 프로세서.

post·script [póustskrìpt] *n.* Ⓒ **1** (편지의) 추신, 추백《생략: P.S.》. **2** (책의) 발문(跋文); 후기(後記). **3** 〖컴퓨터〗 포스트스크립트《Adobe system에서 그래픽용 페이지를 설명하는 언어》.

póst-tàx *a.* Ⓐ 세금 공제 후의.

pos·tu·lant [pɑ́stʃələnt/pɔ́s-] *n.* Ⓒ 지원자, 《특히》 성직(聖職)〔목사〕 지망자.

pos·tu·late [pɑ́stʃəlèit/pɔ́s-] *vt.* **1** (자명한 일로서) 가정하다, (논리를 발전시키기 위해) 전제로 하다《*that*》: ~ the inherent goodness of man 인간은 선천적으로 선량하다고 가정하다/The detective ~*d that* the murderer had left by the back door. 탐정은 그 살인범이 뒷문으로 달아났다고 생각했다. **2** 〖보통 과거분사로〗 요구하다 (demand): the claims ~*d* 요구 사항.
— [-lit, -lèit] *n.* Ⓒ 가정; 자명한 원리, 기초〔선결, 전제〕 조건; 〖논리·수학〗 공리; 공준(公準). SYN. ⇨ THEORY. ㊞ **pòs·tu·lá·tion** *n.* Ⓤ (구체적으로는 Ⓒ) 가정, 전제 조건; 요구.

pos·ture [pɑ́stʃər/pɔ́s-] *n.* **1 a** Ⓤ (몸의) 자세: Good ~ is important for health. 바른 자세는 건강에 중요하다. **b** (a ~) (어느 특정한) 자세: in a sitting 〔standing〕 ~ (모델 등이) 앉은〔선〕 자세로. **2** Ⓒ (보통 *sing.*) (정신적) 태도, 마음 가짐《*on* …에 대한》: the government's ~ *on* the issue 그 문제에 대한 정부의 자세/adopt a pro-Arab ~ 친(親)아랍적 태도를 취하다. **3** Ⓒ 사태, 정세: in the present ~ of affairs 지금의 정세로는. —*vi.* **1** 자세〔태도〕를 취하다. **2** 젠체하다: ~ *as* a critic 비평가인 체하다. —*vt.* …에게 자세를 취하게 하다.

pos·tur·ing [pɑ́stʃəriŋ/pɔ́s-] *n.* Ⓤ (구체적으로는 Ⓒ; 보통 *pl.*) (겉만의) 자세; (변죽 울리는) 언동: His writing has been dismissed as mere intellectual ~. 그의 논문은 단순한 지적(知的) 유희에 불과하였으므로 탈락되었다.

post·war [póustwɔ́ːr] *a.* Ⓐ **전후(戰後)의**: ~ days 전후. ↔ *prewar*.

po·sy [póuzi] *n.* Ⓒ 꽃다발.

pot[1] [pɑt/pɔt] *n.* **1** Ⓒ **a** 〖종종 복합어로〗 (도기·금속·유리 제품의) **원통형 그릇, 단지, 병**; (깊은) 냄비(cf. pan[1]), 화분: a tea~ 찻주전자/a coffee~ 커피 주전자/A little ~ is soon hot. 《속담》 작은 그릇은 쉬이 단다, 소인은 화를 잘 낸다/A watched ~ never boils. 《속담》 기다리는 시간은 긴 법이다《서두르지 마라》/The ~ calls the kettle black. 《속담》 똥 묻은 개가 겨 묻은 개 나무란다/Need for the ~ woke him. 소변이 마려워서 잠을 깼다. **b** 한 잔의 분량〔술〕: a ~ *of* beer.
2 Ⓒ (어린이용) 변기, 요강; 침실용 변기.
3 Ⓒ 《속어》 (경기 등의) 상배(賞盃), 컵.
4 (the ~) (poker 등에서) 한 번에 거는 돈; 《美》 공동 자금.
5 Ⓒ (흔히 *pl.*) 《구어》 큰돈: make ~*s* 〔a ~〕 *of* money 큰돈을 벌다.
6 Ⓒ 《英구어》 배불뚝이(potbelly).
7 Ⓒ 《구어》 마구잡이 총질(potshot)《*at* …을 향한》.
8 Ⓒ 《英》 〖당구〗 포켓(에 넣은 쇼트).
***go* (*all*) *to* ~** 《구어》 영락〔파멸〕하다, 결딴나다, 죽다.
—(**-tt-**) *vt.* **1** (보존하기 위해서) 단지〔병〕에 넣다, 통〔병〕조림하다. **2** 《~+목/+목+부》 화분에 심다(*up*): ~ (*up*) tulips 튤립을 화분에 심다. **3** (사냥감)을 쏘다. **4** (유아)를 변기에 앉히다. **5** 〖당구〗 (공)을 포켓에 넣다. —*vi.* 《+전+명》 《구어》 닥치는 대로 쏘다《*at* …을》: We ~*ted at* alligators in the reeds. 우리는 갈대밭에 있는 악어들을 마구 쏘았다.

pot[2] *n.* Ⓤ 《속어》 마리화나; 대마: smoke ~ 마리화나를 피우다.

po·ta·ble [póutəbəl] *a.* 마시기에 알맞은: The water is not ~. 그 물은 마시기에 알맞지 않다. —*n.* Ⓒ (보통 *pl.*) 음료.

po·tage [poutɑ́ːʒ/pɔ-] *n.* 《F.》 Ⓤ (종류는 Ⓒ) 포타주《진한 수프》. cf. consommé.

pot·ash [pɑ́tæʃ/pɔ́t-] *n.* Ⓤ 〖화학〗 잿물, 가성칼리(caustic ~); = POTASSIUM.

po·tas·si·um [pətǽsiəm] *n.* Ⓤ 〖화학〗 칼륨, 포타슘《금속 원소; 기호 K; 번호 19》. ★ Kalium 이란 말이 있으나 거의 쓰이지 않음.

potássium chlóride 〖화학〗 염화칼륨《무색 결정〔분말〕; 비료》.

potássium cýanide 시안화 칼륨, 청산칼리.

potássium íodide 요오드화칼륨, 요오드칼리.

po·ta·tion [poutéiʃən] *n.* **1** Ⓤ 마시기. **2 a** Ⓒ (보통 *pl.*) 음주. **b** Ⓤ 술.

po·ta·to [pətéitou] (*pl.* **~es**) *n.* **1 a** Ⓒ 〖식물〗 **감자**. **b** Ⓒ (식품은 Ⓤ) **감자**《덩이뿌리》. **2** = SWEET POTATO. **3** Ⓒ 《구어》 (양말의) 뒤꿈치 구멍.
small* ~*es ⇨ SMALL POTATOES.

potáto bèetle 〔**bùg**〕 〖곤충〗 감자벌레.

potáto chìp 《美》 (보통 *pl.*) 얇게 썬 감자튀김.

potáto crìsp 《英》 (보통 *pl.*) = POTATO CHIP.

pót·bèllied *a.* 올챙이배의, 똥배가 나온; (그릇이) 아래가 불룩한.

pót·bèlly *n.* Ⓒ 올챙이배; 배불뚝이.

pót·bòiler *n.* Ⓒ 《구어》 돈벌이 위주의 조잡한 문학〔미술〕 작품〔작가〕.

pót-bòund *a.* 화분 전체에 뿌리를 뻗은《식물》; 성장〔발전〕할 여지가 없는.

pót chèese 《美》 = COTTAGE CHEESE.

po·ten·ce, -cy [póutəns], [-i] *n.* Ⓤ 힘, 세력; 권력, 권세; 능력, 잠재력; (약 따위의) 효능, 효력; (남성의) 정력.

po·tent [póutənt] *a.* 설득력 있는; (약 따위가) 효능 있는, 잘 듣는; (남자가) 성적(性的) 능력이 있는(↔ *impotent*); 《문어》 유력한, 힘센: ~ reasoning 그럴싸한 논법.

po·ten·tate [póutəntèit] *n.* Ⓒ (예전의) 주권자, 군주.

◇**po·ten·tial** [pouténʃəl] *a.* Ⓐ **1** 잠재적인; (발달·발전할) 가망이 있는, 가능성이 있는. SYN. ⇨ LATENT. ¶ ~ ability 잠재능력 / a ~ genius 천재의 소질이 있는 사람 / a ~ customer 단골이 될 가망이 있는 사람 / a ~ share 권리주(株). **2** 〖물리〗 위치의, 전위(電位)의: ~ energy 위치 에너지 / (a) ~ difference 전위차.
—*n.* Ⓤ **1** (또는 a ~) (장래의) 가능성, 발전성; 잠재력《*for* …의》: war ~전쟁 잠재력, 전력(戰力) / ~ *for* expansion 발전 가능성. **2** 〖물리〗 전위. ㊕ **~·ly** *ad.* 잠재적으로; 혹시《…일지도 모르겠다》.

***po·ten·ti·al·i·ty** [poutènʃiǽləti] *n.* **1** Ⓤ (장래의) 가능성, 발전성. **2** Ⓒ (보통 *pl.*) 잠재적인 힘; (발전의) 가망: The country has enormous *potentialities*. 그 나라는 막대한 (발전) 가능성이 있다.

pot·ful [pátfùl/pɔ́t-] *n.* Ⓒ 단지〔냄비〕에 가득한 분량.

pót·hèad *n.* Ⓒ 《속어》 마리화나〔대마초〕 중독자.

poth·er [páðər/pɔ́ð-] *n.* Ⓤ (또는 a ~) 《문어》 야단법석, 소동, 혼란: make 〔raise〕 a ~ 떠들어대다.

pot·herb [páthə̀ːrb/pɔ́t-] *n.* Ⓒ 데쳐 먹는 야채《시금치 따위》; 향미용(香味用) 야채.

pót·hòle *n.* Ⓒ **1** (가로·포장도로 등에 생긴) 움푹 팬 곳. **2** 〖지질〗 **a** 지면에서 수직으로 뚫린 동굴. **b** 돌개구멍《강바닥 암석에 생긴 단지 모양의 구멍》. —*vi.* 《英》 동굴을 탐험하다.

pót·hòl·ing *n.* Ⓤ (스포츠로서의) 동굴 탐험.

pót·hòok *n.* Ⓒ 불 위에 냄비 따위를 매다는 고리; (S자형의) 고리 달린 막대기《냄비 등을 들어 올리는》.

pót·hùnter *n.* Ⓒ 닥치는 대로 쏘는 사냥꾼; 상품을 노리는 경기 참가자; 풋내기 고고학자.

po·tion [póuʃən] *n.* Ⓒ (특히 마력 있는) 마시는 약; 그 한 모금: a love ~ 미약(媚藥).

pót·lùck *n.* 《구어》 **1** Ⓤ (손님에게) 있는 것으로만 내놓는 음식. **2** = POTLUCK SUPPER.
take ~ ① 있는 대로의 것을 가지고 먹다(⇨ 1). ② 잘 알지 못하면서 고르다, 무작위로 고르다.

pótluck sùpper 〔**dìnner**〕 《美》 각자가 갖고 와서 하는 저녁 파티.

Po·to·mac [pətóumək] *n.* (the ~) 포토맥강《미국의 수도 Washington 시를 흐르는 강》.

pót·pìe *n.* Ⓒ (요리는 Ⓤ) 고기에다 채소를 곁들여 넣은 파이.

pót plànt 《英》 분재, 관상용 식물(《美》 houseplant).

pot·pour·ri [pòupuríː, poupúəri] *n.* 《F.》 Ⓒ 화향(花香)《방·양복장·화장실 등에 두는, 장미 꽃잎을 향료와 섞어 단지에 넣은 것》; 〖음악〗 접속곡; (문학 등의) 잡집(雜集).

pót ròast 냄비에 익힌 쇠고기 덩이; 그 요리.

pot·sherd [pátʃə̀ːrd/pɔ́t-] *n.* Ⓒ 질그릇 조각《고고학 자료》.

pót·shòt *n.* Ⓒ **1** (잠복 위치 등에서의) 근거리 사격; 마구잡이 총질《*at* …을 향한》. **2** 무책임한 비평《*at* …에 대한》: take a ~ *at* …을 함부로 비난하다.

pot·tage [pátidʒ/pɔ́t-] *n.* Ⓤ (종류는 Ⓒ) 《美》 야채(와 고기)를 넣은 포타주(potage).

pot·ted [pátid/pɔ́t-] *a.* Ⓐ 화분에 심은; 단지〔병〕에 넣은; 통조림의; 《英》 간략화된: a ~ plant 분재, 화분에 심은 식물 / a ~ play 토막극(劇).

Pot·ter [pátər/pɔ́t-] *n.* 포터. **1 Beatrix** ~ 영국의 동화 작가·삽화가(1866–1943). **2 Stephen** ~ 영국의 유머 작가·비평가(1900–70).

pot·ter[1] [pátər/pɔ́t-] *n.* Ⓒ 도공(陶工), 옹기장이, 도예가: ~'s work 〔ware〕 도기 / ~'s clay 〔earth〕 도토(陶土) / a ~'s wheel (도공의) 녹로, 물레.

pot·ter[2] *vi., vt.* 《英》 = PUTTER[3].

pótter's fíeld 무연(無緣)〔공동〕 묘지.

pot·tery** [pátəri/pɔ́t-] *n.* **1** Ⓤ 〖집합적〗 **도기류**, 오지그릇. **2** Ⓤ 〖집합적〗 도기 제조(업). **3** Ⓒ 도기 제조소. ***the Potteries 영국 중부의 도자기 산지.

pótting shèd 육묘장(育苗場)《화분에 심은 식물을 보호·육성하거나 원예 도구를 보관하는 곳》.

pot·ty[1] [páti/pɔ́ti] (*-ti·er; -ti·est*) *a.* **1** Ⓐ 〖보통 ~ little 로〗 시시한, 사소한: a ~ *little* house 작고 보잘것없는 집. **2** (사람·생각 따위가) 좀 이상한, 미친 듯한(crazy); 어리석은. **3** Ⓟ 열중한《***about*** …에》: He's ~ *about* her 〔comics〕. 그는 그녀에게〔만화책에〕 빠져 있다.

pot·ty[2] *n.* Ⓒ 《구어》 어린이용 변기; 《소아어》 변소.

pótty-tràin *vt.* (어린이에게) 용변을 가리게 하다. ㊕ **~ed** *a.* **~·ing** *n.*

pouch [pautʃ] *n.* Ⓒ **1** (가죽제의) 작은 주머니 (SYN. ⇨ BAG); 쌈지; 돈지갑. **2** 〖군사〗 가죽 탄대. **3** 〖동물〗 (캥거루 등의) 육아낭, (원숭이 따위의) 볼주머니, (펠리컨의) 턱주머니; 〖식물〗 낭상포(囊狀胞). **4** 눈밑의 처진 살: *~es* under the eyes of an old man 노인의 눈밑 주름.

pouched [-t] *a.* 주머니 있는; 주머니 모양의: ~ animals 유대류의 동물.

pouf, pouff(**e**) [puːf] *n.* Ⓒ **1** (의자 대용의) 두터운 쿠션. **2** 《英속어》 동성애의 남자(poof).

poul·ter·er [póultərər] *n.* 《英》 = POULTRYMAN.

poul·tice [póultis] *n.* Ⓒ 찜질약; 습포. —*vt.* …에 찜질약을 붙이다, 찜질하다.

***poul·try** [póultri] *n.* **1** 〖집합적; 복수취급〗 **가금**(家禽): keep 〔raise〕 ~ 양계하다. **2** Ⓤ 새〔닭〕고기.

póultry·man [-mən] (*pl.* ***-men*** [-mən]) *n.* Ⓒ 양계가, 가금(家禽) 사육가; 새고기 장수.

pounce**[1] [pauns] *vi.* 《+전+명》 **1 달려들다**, 갑자기 덤벼들다《on, upon*** …에》: The cat *~d on* 〔*upon*〕 a mouse. 고양이가 갑자기 쥐를 덮쳤다. **2** 갑자기 찾아오다〔뛰어들다〕: ~ *into* a room 방 안으로 뛰어들다. **3** 《비유적》 홀닥아세우다《***on, upon*** (잘못 따위)를》: ~ *upon* a mistake 과실(過失)을 낚아세우다. —*n.* Ⓒ (보통 *sing.*) 달려듦; 급습: make a ~ upon …에 와락 덤벼 움키려들다.

****pound**[1] [paund] (*pl.* ***~s,*** ~) *n.* **1** Ⓒ **파운드**《무게의 단위; 생략: lb.; 상형(常衡)(avoirdupois)은 16 온스, 약 453.6 g; 금형(金衡)(troy)·약형(藥衡)은 12 온스, 약 373 g》. **2 a** Ⓒ 파운드(~ sterling)《영국의 화폐 단위; 1971 년 2 월 15 일 이후 100 pence; 종전에는 20 shillings에 해당; 생략: £》: £5, 5 파운드 / a ~ 〔five-~〕 note, 1〔5〕 파운드 지폐.

NOTE 구제도에서는 £4.5s.6d. 혹은 £4-5-6(=four pounds five shillings six pence)처럼 썼으나, 10진법 이후는 £6·10(=six pounds ten (new) pence)처럼 쓰며, 2p 혹은 £0·02, 15p 혹은 £0·15 따위로 씀.

b (the ~) 영국의 통화 제도; 파운드의 시세. **3** Ⓒ 『성서』 므나《셈족(族)의 화폐 단위》. **4** Ⓒ 파운드《이집트·페루·터키 등의 화폐 단위》. ★ 각기 £E, £P, £T라고 씀. ***a ~ of flesh*** 가혹한 요구, 치명적인 대상(代償) 《Shakespeare 작 *The Merchant of Venice* 에서》.

pound[2] *n*. Ⓒ 울(타리)《임자 없는 소·개 따위를 가둬 두는 공공시설》; (압수물의) 유치소; 짐승 우리.

pound**[3] *vt*. **1** 《~+목/+목+전+명》 **탕탕 치다**, 사정없이 치다〔두드리다〕: He *~ed* his desk in a rage. 그는 화가 나서 책상을 탕탕 두드렸다 / ~ the door *with* one's fist =~ one's fist *on* the door 주먹으로 문을 탕탕 두드리다. **2** 《~+목/+목+부/+목+전+명》 때려부수다, 빻다(*up*)《to, into*** …으로》: ~ stones *up* 돌을 부수다 / ~ corn *into* meal 옥수수를 빻아 가루를 만들다 / ~ a brick *to* pieces 벽돌을 산산이 부수다. **3** 《~+목/+목+부》 (북·피아노 따위)를 탕탕 쳐서 울리다; 두드려서〔쳐서〕 …을 만들어내다(*out*): ~ *out* a wonderful tune on the piano 피아노로 멋진 곡을 치다. **4** 맹렬히 포격하다.

—*vi*. **1** 《~/+부/+전+명》 **a** 세게 두드리다, 연타하다, 마구 치다(*away*)《***against, at, on*** …을》: ~ *on* a door 문을 마구 두드리다. **b** 맹렬히 포격하다(*away*)《***at*** …을》: The field artillery *~ed away at* the fortress. 야전 포병대가 요새를 향해서 맹렬한 포격을 가했다. **2** 둥둥 울리다; (심장이) 두근거리다. **3** 《+전+명》 쿵쾅쿵쾅 걷다, 힘차게 나가다: I *~ed down* the hill to catch the bus. 버스를 타기 위해서 언덕을 뛰어 내려갔다. ***~ the pavement*** 《美구어》 (일자리를 찾아) 거리를 돌아다니다.

pound·age [páundidʒ] *n*. Ⓤ (금액·무게) 1 파운드에 대한 수수료〔금액〕《***on*** …의》. cf. tonnage.

pound·al [páundəl] *n*. Ⓒ 『물리』 파운달《야드·파운드계(系)의 힘의 단위; 질량 1 파운드의 질점(質點)에 작용하여 매초 1 피트의 가속도를 일으키는 힘; 생략: pdl》.

póund càke 카스텔라 과자《본디 달걀·버터·설탕·밀가루 1 파운드씩 써서 만들었음》.

póund còin 파운드 화폐.

póund·er *n*. Ⓒ 치는 사람; 빻는 사람.

-póund·er *suf*. (중량이) …파운드의 고기〔사냥감 (따위)〕; …파운드 포(砲).

póund-fóolish *a*. 한 푼을 아끼고 천금을 잃는; 큰돈을 쓸 줄 모르는. cf. penny-wise.

póund·ing *n*. **1** Ⓤ (구체적으로는 Ⓒ) 강타〔연타〕 (소리). **2** Ⓒ 《구어》 심한 타격; 대패: take 〔get〕 a ~ from …에게 참패당하다.

póund nòte 『보통 숫자와 함께』 …파운드짜리 지폐: a 5-~, 5 파운드짜리 지폐.

póund stérling = POUND[1] 2 a.

****pour** [pɔːr] *vt*. **1** 《~+목/+목+부/+목+목/+목+전+명》 (액체 따위)를 **따르다, 쏟다**, 붓다, 흘리다(*away; in; out*)《***from, out of*** …에서; ***into*** …에; ***for*** (아무)에게》: ~ water 물을 따르다 / ~ *out* tea 차를 따르다 / *Pour* yourself another cup of tea. 차 한 잔 더 따라 마셔라 / She *~ed* hot coffee *into* the cup *from* 〔*out of*〕 the thermos. 그녀는 보온병에서 컵에다 뜨거운 커피를 따랐다 / He *~ed* me a glass of beer. =He *~ed* a glass of beer *for* me. 그가 나에게 맥주 한 잔을 따라 주었다. **2** 《~+목/+목+부/+목+전+명》 (탄환·조소·경멸 따위)를 퍼붓다; (빛·열 따위)를 쏟다, 방사하다; (자금 따위)를 쏟아 넣다(*away; down; forth; in; out*)《***on, upon, over, into*** …에》: ~ scorn *on* 〔*over*〕 …을 조소하다 / The sun *~ed down* its warmth *upon* the earth. 햇빛이 대지에 쨍쨍 내리쬐었다. **3** 《~+목/+목+전+명》 (건물 따위가 사람 따위)를 쏟아〔토해〕내다《***into*** …에》: The trains ~ the crowds. 열차에서 군중이 쏟아져 나온다 / The theater *~ed* the people *into* the streets. 극장에서 사람들이 거리로 쏟아져 나왔다. **4** 《+목+부/+목+전+명》 (감정·고뇌·이야기 따위)를 토로하다, 쉴새없이 말하다〔지껄이다〕(*out; forth*)《***to*** (아무)에게》: ~ *out* one's troubles 자기의 괴로움을 늘어놓다 / She *~ed out* her grief *to* us. 그녀는 우리에게 자신의 슬픔을 토로했다. **5** 《+목+전+명》 끼얹다, 뿌리다《***over*** …에》: ~ syrup *over* a pancake 팬케이크에 시럽을 끼얹다.

—*vi*. **1** 《+부/+전+명》 (대량으로) **흐르다**, 흘러나가다〔들다〕; 흐르듯이 이동하다, 쇄도하다: The fresh air *~ed in*. 신선한 공기가 흘러들어왔다 / Tears were *~ing down* her cheeks. 눈물이 그녀의 볼을 타고 흘러내렸다 / The congregation *~ed out of* the church. 회중(會衆)이 교회에서 쏟아져 나왔다 / Letters ~ *in* from all quarters. 각 방면에서 편지가 몰려온다. **2** 《~/+부》 **a** (비가) 억수같이 퍼붓다(*down*): The rain is *~ing down*. 비가 세차게 내린다. **b** 『it을 주어로』 비가 세차게 내리다(*down*): *It* was *~ing down* 〔《英》 *~ing* with rain〕. 비가 억수같이 쏟아지고 있었다 / *It* never rains but *it ~s*. 《속담》 왔다 하면 장대비다, 화불단행(禍不單行). **3** 《+전+명》 (말 따위가) 연발하다: The words *~ed out of* her. 말이 그녀 입에서 쏟아져 나왔다. **4** 『양태 부사와 함께』 (용기가) 따라지다: This teapot *~s* well. 이 찻주전자는 잘 따라진다. ***~ cold water on*** 〔***over***〕 …의 기세를 꺾다, …의 흠을 잡다.

◇**pout** [paut] *vi*. 입을 삐죽거리다; 토라진 얼굴을 하다, 토라지다. **—***vt*. (입)을 삐죽 내밀다, 뿌루퉁해서 말하다: ~ (*out*) the lips 입을 삐죽거리다. **—***n*. Ⓒ 입을 삐죽거림; 샐쭉해진 모습: have the *~s* 토라지다 / be in the *~s* 뿌루퉁〔샐쭉〕하다.

póut·er *n*. Ⓒ 삐죽거리는〔뿌루퉁한, 샐쭉거리는〕 사람; 『조류』 비둘기의 일종《모이주머니를 부풀려서 우는 집비둘기》.

****pov·er·ty** [pάvərti/pɔ́v-] *n*. **1** Ⓤ **가난**, 빈곤(↔ *wealth*): live in ~ 가난하게 살다 / fall into ~ 가난해지다 / be born to ~ 가난한 집에 태어나다. **2** Ⓤ (또는 a ~) **결핍**, 부족《***of, in*** …의》: ~ *of* blood 빈혈 / ~ *in* vitamins 비타민 결핍. **3** Ⓤ 열등, 빈약: ~ of the soil 땅의 메마름. ◇ poor *a*.

póverty lìne 〔**lèvel**〕 (the ~) 빈곤선(《英》 = **póverty dàtum lìne**)《최저 생활 유지에 필요한 소득 수준》.

póverty-strìcken *a*. 매우 가난한, 가난에 시달린.

póverty tràp (the ~) 《英》 빈곤의 함정《수입

증가로 정부 보조금을 받지 못하게 되어 빈곤을 면치 못하는 상황을 이름》.

pow [pau] *int.* 팡, 탕, 찰깍《타격, 파열, 충돌 등을 나타냄》.

POW, P.O.W. prisoner(s) of war. ★ PW로 쓰기도 함.

⁑pow·der [páudər] *n.* **1** Ⓤ **가루**, 분말: grind coffee beans into 〔to〕 ~ 커피콩을 가루로 빻다 / baking ~ 베이킹파우더 / polishing ~ 광〔윤〕내는 가루약 / tooth ~ 가루 치약 / talcum ~ 활석분《화장용》. **2** Ⓤ 분; (베이비) 파우더: skin ~ 땀띠약 / put ~ on one's face 분을 바르다. **3** Ⓒ 가루약: take a ~ after every meal 매 식후 가루약을 복용하다. **4** Ⓤ 화약(gunpowder): black ~.

keep** one's **~ dry 만일에 대비하다. ***take a ~*** 《속어》 휙 도망치다, 자취를 감추다.

—*vt.* **1** (얼굴·살갗)에 분을〔파우더를〕 바르다: ~ a baby 아이에게 파우더를 바르다 / Excuse me while I go and ~ my nose. 실례지만 잠시 화장 좀 고치고 오겠습니다《여자가 화장실에 갈 때 하는 말》. **2** …에 가루를 뿌리다.

pów·dered *a.* 가루가 된, 분말의; 가루를 뿌린; 분을 바른.

pówder kèg 화약통; 위험한 상황.

pówder pùff (파우더) 퍼프, 분첩.

pówder ròom (여성용) 화장실.

pow·dery [páudəri] *a.* 가루(모양)의; 가루투성이의; 가루가 되기 쉬운.

⁑pow·er [páuər] *n.* **1** Ⓤ **a 힘**, 능력; 박력《***to*** do》: the ~ *of* nature 자연의 힘 / one's vital ~ 활력 / a man of ~ 힘센 사람 / a speech of great ~ 박력 있는 연설 / to the best 〔utmost〕 of one's ~ 가능한 한, 힘이 미치는 한 / He has no ~ *to* live on. 그는 벌써 살아갈 힘이 없다. **b** (국가·군대의) 힘, 국력, 군사력: military 〔air, naval〕 ~ 육〔공, 해〕군력.

SYN. **power** 잠재능력도 포함하는 가장 일반적인 말. **force** power가 바깥 힘이 되어 나타나는 힘, 세력, 효력: the *force* of a blow 타격력. by *force* of circumstances 주위의 사정으로, 부득이. **energy** 일을 하는 데 쓰이는 power의 양, force와 달라 외적인 존재물에 대한 작용은 직접 시사되지 않음→정력(精力), 활력: a man of *energy* 정력가. **strength** power 또는 force가 지니는 '강도(強度)': a man of great *strength* 대단히 힘센 사람. tensile *strength* 장력(張力). **might** 인간이 지니는 강한 power. ★ 물리학 용어로서는 force '힘', power '일률, 공률', energy '에너지'로 구별됨.

2 Ⓤ 〖기계〗 **동력**; 물리적〔기계적〕 에너지원(源); 《특히》 전력: electric 〔water〕 ~ 전력〔수력〕 / mechanical ~ 기계력 / a ~ failure 〔suspension〕 정전(停電) / the ~ *of* a blow 타격력.

3 (*pl.*) (특수한) **능력**, 재능; 체력, 지력: a man of great intellectual ~*s* 지적 능력이 뛰어난 사람 / a man of varied ~*s* 재능이 많은 사람 / His ~*s* are failing. 체력이 약해지고 있다.

4 a Ⓤ 권력, 세력, 지배력; 정권(political ~): rise to ~ 권좌에 앉다 / be in a person's ~ 아무의 지배하에 있다 / have ~ over …을 지배하다 / come into 〔to〕 ~ 정권을 잡다. **b** Ⓒ **권한**, 직권《***to*** do》: the ~*s* of Congress 의회의 권한 / The prime minister has the ~ *to* appoint and dismiss cabinet ministers. 국무총리는 각료 임면권이 있다.

SYN. **power** 어떤 일을 할 수 있는 힘. 주로 정치적인 결정 등이 많음: The Swiss executive has no ~ to veto. 스위스 행정부에는 거부권이 없다. **authority** 남에게 명령하고 복종시킬 수 있는 권력. 또 민주주의 사회에서는 위임된 권능: the *authority* of a court 법정의 권위. **influence** 법률적인 권한은 없어도 남에게 영향력을 줄 수 있는 세력, 신망. **sway** 마음대로 지배할 수 있는 힘: under the *sway* of a dictator 독재자의 전제(專制) 아래.

5 Ⓒ 유력한 사람〔것〕, 유력자, 권력자: a ~ in politics 정계의 실력자.

6 Ⓒ (흔히 *pl.*) **강국**: a world industrial ~ 세계의 공업 대국 / the great *Powers* 열강(列強) / the Allied *Powers* 동맹국.

7 Ⓒ 〖수학〗 거듭제곱, 멱(冪): The third ~ of 2 is 8. 2의 3제곱은 8 / raise two to the third ~, 2를 3제곱하다.

8 Ⓤ 〖광학〗 (렌즈의) 배율, 확대력: a lens of high ~ 고배율의 렌즈.

9 (a ~) 《구어》 다수, 다량: a ~ *of* work 많은 일 / a ~ *of* help 큰 도움.

10 Ⓒ (흔히 *pl.*) 신(神); 악마; (*pl.*) 능품(能品) 천사《천사의 제6계급》: the ~*s* above 하늘의 신들 / Merciful ~*s!* 자비로운 신이여 / the ~*s* of darkness 〔evil〕 악마.

11 〖컴퓨터〗 Ⓤ 전원; Ⓒ 제곱.

beyond 〔***out of***〕 one's **~(s)** 힘이 미치지 않는, 불가능한; 권한 밖의. ***do*** a person ***a ~ of good*** 《구어》 아무에게 큰 힘이 되다. ***the ~ behind the throne*** 막후 인물. ***the ~s that be*** 당국(자), (당시의) 권력자(those in ~).

> DIAL. ***More power to you!*** =《英》 ***More power to your elbow!*** 건투를〔성공을〕 빈다, 힘내라, 분발해라.

—*vt.* …에 동력을 공급하다.

~ *down* 〔***up***〕 …의 에너지 소비량을 내리다〔올리다〕.

pówer bàse (정치의) 기반(基盤).

pówer·bòat *n.* Ⓒ 동력선; 모터보트.

pówer bròker 권력자를 움직여 공작하는 사람, 막후 인물.

pówer cùt (일시적) 송전(送電) 정지, 정전.

pówer dìve 〖항공〗 (전투기 따위의 엔진을 건 채 하는) 동력 급강하.

(-)pów·ered *a.* (…) 마력의, 발동기를 장비한; (렌즈 등이) 배율(倍率) …의: a gasoline 〔high〕-~ engine 가솔린〔강력〕 엔진.

⁑pow·er·ful [páuərfəl] *a.* **1 강한, 강력한**; 유력한, 우세한: a ~ enemy 강적 / a ~ smell 강한 냄새 / a ~ voice 힘찬 목소리. SYN. ⇨STRONG. **2** 사람을 감동시키는《연설 따위》, 설득력 있는; 효능 있는《약 따위》: a ~ argument 설득력 있는 논증. **3** 동력〔출력 (따위)〕이 센, 배율이 높은: a ~ engine 강력한 엔진. ㊕ **~·ly** *ad.* **~·ness** *n.*

pówer gàme 권력 쟁탈전.

pówer·hòuse *n.* Ⓒ **1** 발전소. **2** 원동력이 되는 것〔사람〕; 정력가, 세력가.

°pówer·less *a.* 무력한, 무능한; 세력이 없는; 권력이 없는《***to*** do》; 효능이 없는; 마비된: The police were ~ *to* do anything. 경찰은 무력해서 아무 일도 못했다. ㊕ **~·ly** *ad.* **~·ness** *n.*

pówer plànt (로켓·자동차 등의) 동력 장치; 《美》 발전소.

pówer plày **1** (정치·외교·군사·경제 등에서

의) 실력 행사, 공세적 행동, 힘의 정책. **2** 〖미식축구〗 파워 플레이《볼캐리어 앞에 블로커를 내는 런 플레이》.

pówer pòint 《英》 (벽에 붙은) 콘센트(《美》 outlet).

pówer pólitics 무력 외교, 권력〔힘의〕 정치.

pówer-shàring *n.* Ⓤ 권력 분담《다른 그룹이 정부에 참가함으로써 정부가 사회 전체를 대표하는 일》.

pówer shòvel 동력삽《동력을 이용하여 흙 등을 파는 삽》.

pówer stàtion 발전소.

pówer stéering 〖자동차〗 파워 스티어링〔핸들〕, 동력 조향(操向) 장치.

pow·wow [páuwàu] *n.* Ⓒ **1** (북아메리카 원주민과의〔끼리의〕) 교섭, 협의. **2** 《구어》 (사교적인) 모임; 회합, 평의(評議), 회담.
—*vi.* 《구어》 협의하다《***about*** …에 관해서》.

pox [pɑks/pɔks] *n.* **1** Ⓤ 발진(發疹)하는 병《천연두 · 수두(水痘) 따위》. ⓒⓕ pock. **2** (the ~) 《구어》 매독(syphilis).

pp pianissimo. **pp.** pages. **P.P., p.p.** parcel post; 〖문법〗 past participle. **PPB(S)** planning, programming, budgeting (system) (컴퓨터에 의한 기획(企劃) · 계획 · 예산 제도). **ppd.** 〖상업〗 postpaid; prepaid. **ppi** 〖컴퓨터〗 pixels per inch. **P.P.M., p.p.m., ppm(.)** part(s) per million (100만분의 1; 미소 함유량의 단위). **ppm.** 〖컴퓨터〗 pages per minute (페이지 수/분)《쪽 인쇄기의 인자(印字) 속도 단위》. **ppr., p.pr.** 〖문법〗 present participle. **P.Q.** Province of Quebec. **Pr** 〖화학〗 praseodymium. **Pr.** Priest; Primitive; Prince; Provençal. **P.R. PR** Proportional Representation (비례 대표); public relations; 《美》 Puerto Rico.

°**prac·ti·ca·ble** [prǽktikəbəl] *a.* **1** 실행할 수 있는. SYN. ⇨POSSIBLE. **2** 사용할 수 있는, 통행할 수 있는《다리 · 도로 따위》《***for*** …가》: This street is not ~ *for* large vehicles. 이 길은 대형 차량은 통행할 수 없다.
㊎ **-bly** *ad.* 실행할 수 있도록, 실용적으로. **pràc·ti·ca·bíl·i·ty** *n.* Ⓤ (구체적으로는 Ⓒ) 실행 가능성; 실용성.

‡**prac·ti·cal** [prǽktikəl] *a.* **1 실제의, 실제상의**; 현실적인, 실천적인. ⓒⓕ speculative, theoretical. ¶ ~ experience 실지 경험 / ~ value 실제상 가치 / for (all) ~ purposes (이론은 어떻든) 실제상으로는 / You must be more ~. 너는 더 현실적이지 않으면 안 된다 / ~ philosophy 실천 철학. **2 실용적인**, 실제〔실무〕의 소용에 닿는, 쓸모 있는: ~ English 실용 영어 / ~ knowledge 실용적인 지식 / ~ low-heeled shoes 실용적인 굽 낮은 신발 / be of ~ use 실용적이다. **3** Ⓐ 경험이 풍부한, 경험 있는; 노련한: a ~ gardener 노련한 정원사 / a ~ engineer 실지 경험이 있는 기사. **4** (명목은 다르나) 사실상의, 실질적인: the ~ ruler of the country 그 나라의 실질적인 지배자 / a ~ failure 실질적인 실패. SYN. ⇨REAL[1].
—*n.* Ⓒ 《구어》 실지 수업; 실기 시험; 실습.
㊎ **prac·ti·cal·i·ty** [præ̀ktikǽləti] *n.* Ⓤ 실제적임; 실용성; Ⓒ 실제적인 사항, 실제 문제.

práctical jóke (말이 아니라 행동에 의한) 못된 장난: play a ~ on a person 아무에게 장난을 치다. ㊎ **práctical jóker**

*__prac·ti·cal·ly__ [prǽktikəli] *ad.* **1 실제적으로, 실용적으로**, 실지로: consider the problem ~ 문제를 실제적 견지에서 생각하다 / *Practically*, the plan didn't work well. 실제로 그 계획은 잘 이루어지지 않았다. **2 사실상**, 거의 …나 다름없이 (almost): There is ~ nothing left. 사실상 아무것도 남아 있지 않다 / He says he is ~ ruined. 그는 파멸한 거나 다름없다고 말하고 있다.

práctical núrse 《美》 준간호사《경험뿐으로 정규 훈련을 받지 않은》.

†**prac·tice** [prǽktis] *n.* **1** Ⓤ **실행**, 실천; 실지, 실제; (실지에서 얻은) 경험: put 〔bring〕 a plan into 〔in〕 ~ 계획을 실행하다 / Have you had any ~ in teaching students? 실지로 학생을 가르쳐 본 경험이 있습니까 / It looks all right in theory, but will it work in ~. 이론상으로는 괜찮지만 실제로는 잘 될까.
2 Ⓤ (구체적으로는 Ⓒ) **실습**(exercise), 연습; (연습에서 익힌) 기량, 숙련: do ~ (in ...) (…의) 연습을 하다 / daily piano ~ 매일 하는 피아노 연습 / I have three piano ~*s* a week. 일주일에 3번 피아노를 연습한다 / *Practice* makes perfect. 《격언》 배우기보다 익혀라.
3 Ⓤ (구체적으로는 Ⓒ) (개인의) **버릇, 습관**, (사회의) 관례, 풍습; (사회에서 용납되지 않으면서 반복되는) 관행, 악습. ⓒⓕ habit. ¶ a matter of common 〔daily〕 ~ 일상 다반사 / the ~ of closing shops on Sundays 일요일 휴점의 관습 / unfair business ~*s* 불공정한 상관행.
4 a Ⓤ (의사 · 변호사 등의) 개업: retire from ~ 폐업하다 / That doctor is no longer in ~. 그 의사는 이제 더 이상 영업을 하지 않는다. **b** Ⓒ 업무, 영업; 개업 장소〔지역〕: Where is his ~ ? 그가 개업하고 있는 곳은 어디냐? **c** Ⓒ 〔집합적〕 환자, 사건 의뢰인: The lawyer has a large ~. 그 변호사는 사건 의뢰인이 많다.
***be* 〔*get*〕 *out of* ~** (연습 부족으로) 서투르다〔게 되다〕. ***in* ~** 실제로는; 연습을 쌓아; 개업하여(⇨ 4 a): keep *in* ~ 끊임없이 연습하고 있다. ***make a* ~ *of* doing** 항상 …하다; …을 습관으로 하다: He *makes a* ~ *of* tak*ing* a walk in the morning. 그는 항상 아침에 산책한다.
—(《英》에서는 ***-tise***) *vt.* **1 실행하다**, (항상) 행하다; (신앙 · 이념 등)을 실천하다, 신봉하다: ~ economy 절약하다 / *Practice* what you preach. 《속담》 남에게 설교하는 바를 몸소 행하여라.
2 《~+목/+-*ing*》 연습하다, 실습하다: ~ the piano 피아노를 연습하다 / ~ play*ing* baseball regularly 규칙적으로 야구를 연습하다.
3 《~+목/+목+전+명》 …에게 훈련시키다, 가르치다《***in*** (재주 따위)를》: ~ pupils *in* English 학생에게 영어를 가르치다 / ~ dogs *in* guid*ing* the blind 개에게 장님을 인도하는 훈련을 시키다.
4 (법률 · 의술 따위)를 업으로 하다; …에 종사하다: ~ medicine 〔law〕 의사〔변호사〕 개업을 하다.
—*vi.* **1** 항상〔습관적으로〕 행하다, 실행하다.
2 《~/+전+명》 연습하다, 익히다《***at, on, with*** …을》: ~ two hours every day 매일 2시간씩 연습하다 / ~ *at* 〔*on*〕 the piano 피아노 연습을 하다 / ~ *with* the rifle 사격 연습을 하다.
SYN. **practice** 이론이 아니고, 실제의 기술을 습득하기 위해 실지 연습을 하다: *practice* the violin 바이올린 연습을 하다. **exercise** 기관(器官) · 기능 · 지력 따위를 활용시키다→연습시키다〔하다〕: *exercise* oneself in fencing 펜싱 연습을 하다. **drill** 구멍을 뚫다→되풀이하여 주입시키다, 아무를 심하게 훈련하다.
3 ((~/+전+명)) (의사 · 변호사) 영업을 하다[하고 있다]: a *practicing* physician 개업의(醫) / ~ *at* the bar [*as* a lawyer] 변호사를 개업하다.
4 ((+전+명)) 기화로 삼다, 못되게 이용하다((*on, upon* …을)): ~ *on* [*upon*] a person's weakness 아무의 약점을 이용하다.

prác·ticed [-t] *a.* **1** 연습을 쌓은; 경험 있는, 숙련된(skilled)((*in* …에)): a ~ hand [driver] 숙련가[된 운전사] / the ~ *in* trade 장사 잘 하는 사람들. **2** (웃음 등) 일부러 지은, 억지스러운, 부자연스러운: a ~ smile 억지 웃음.

práctice-téach *vi.* 교생[교육] 실습을 하다.

práctice tèacher 교생, 교육 실습생.

práctice tèaching 교생[교육] 실습.

prac·tic·ing [prǽktisiŋ] *a.* **1** (현재) 활동[개업]하고 있는: a ~ physician 개업의(醫). **2** 종교의 가르침을 실천하고 있는: a ~ Catholic 실천적인 가톨릭 교도.

°**practise** ⇨ PRACTICE.

°**prac·ti·tion·er** [præktíʃənər] *n.* Ⓒ 개업자((특히 개업의(醫) · 변호사 따위)): a general ~ 일반 개업의((전문의에 대(對)하여; 생략: GP)) / a medical ~ 개업 의사. SYN. ⇨ DOCTOR.

prae·tor, pre- [príːtər] *n.* Ⓒ (고대 로마의) 집정관(執政官).

prag·mat·ic [prægmǽtik] *a.* **1** 분주한, 활동적인(active); 실제적인(practical). **2** 【철학】 실용주의의, 프래그머티즘의: ~ philosophy 프래그머티즘[실용주의] 철학 / ~ lines of thought 실용주의적인 사고방식. **3** 쓸데없는 참견을 하는, 오지랖 넓은. **4** 자부심이 강한, 독단적인, 완고한.

prag·mat·i·cal [prægmǽtikəl] *a.* =PRAGMATIC 2, 3, 4. ㊕ **~·ly** [-kəli] *ad.*

prag·mát·ics *n.* Ⓤ 어용론(語用論)((기호를 사용자 입장에서 연구하는, 기호론의 한 분과)).

prag·ma·tism [prǽgmətìzəm] *n.* Ⓤ **1** 【철학】 프래그머티즘, 실용주의. **2** 실리[현실]주의.
㊕ **-tist** *n.* Ⓒ 실용주의자.

Prague [prɑːg] *n.* 프라하((Czech 공화국의 수도; 체코명(名)은 **Pra·ha** [prάːhɑː])).

*__prai·rie__ [prέəri] *n.* Ⓒ **1 대초원**((특히 북아메리카 Mississippi 강 연안의)). **2** 목장, 대목초지.

práirie dòg [**màrmot**] 【동물】 프레리도그((marmot의 일종; 북아메리카 대초원산(產))).

práirie òyster ((구어)) 날달걀((숙취(宿醉)의 약으로 먹는)); ((美)) (식용으로 하는) 송아지 고환(睾丸).

práirie schòoner [**wàgon**] ((美)) (개척 시대의 이주민용) 대형 포장 마차.

práirie wòlf 【동물】 코요테.

⁑**praise** [preiz] *n.* **1 a** Ⓤ **칭찬**, 찬양: in ~ of …을 칭찬하여 / win high ~ 크게 칭찬받다 / be worthy of ~ 칭찬받을 만하다 / *Praise* makes good men better and bad men worse. ((속담)) 칭찬하면 선한 사람은 더 선하게 되고 악인은 더 악하게 된다. **b** (*pl.*) **찬사**: be loud [warm] in a person's ~*s* 아무를 절찬하다. **2** Ⓤ ((문어)) 숭배, 찬미: *Praise* be (to God)! 신을 찬미할지어다; 참 고맙기도 해라.
damn … with faint ~ 마음에도 없는 칭찬을 하여 오히려 비난의 뜻을 나타내다. ***sing** one**'s own ~s*** 자화자찬하다. ***sing** a person**'s ~s*** =***sing the ~s of*** a person 아무를 극구 칭찬하다.
— *vt.* **1** ((~+목/+목+전+명/+목+*as* 보)) **칭찬하다**((*for* …때문에)): ~ a person *for* his honesty 아무의 정직함을 기리다 / The professor ~*d* his paper *as* highly original. 교수는 그의 논문을 아주 독창성이 많다고 칭찬했다. **2** ((문어)) (신)을 찬미하다: God be ~*d*! (참) 고맙기도 해라.

*__praise·wor·thy__ [préizwə̀ːrði] *a.* **칭찬할 만한**, 기특한, 갸륵한(praisable).
㊕ **-wor·thi·ly** *ad.* **-thi·ness** *n.*

pra·line [prάːliːn] *n.* Ⓒ (요리는 Ⓤ) 프랄린((편도(扁桃) · 호두 따위를 설탕에 조린 과자)).

pram [præm] *n.* Ⓒ ((英)) 유모차(((美)) baby carriage).

°**prance** [præns, prɑːns] *vi.* **1** (말이) 뒷발을 껑충거리며 뛰어다니다. **2** ((비유적)) 의기양양하게 가다(swagger), 뛰어돌아다니다. — *n.* (a ~) (말의) 도약; 활보.

pran·di·al [prǽndiəl] *a.* ((문어 · 우스개)) 식사의, ((특히)) 정찬(正餐)(dinner)의.

prang [præŋ] ((英속어)) *vt.* (표적)을 정확히 폭격하다; (비행기 · 탈것)을 추락[충돌]시키다.
— *n.* Ⓒ 충돌, 추락; 폭격.

°**prank**[1] [præŋk] *n.* Ⓒ 농담, 못된 장난: play ~*s* on …에게 못된 장난을 하다, …을 놀리다.

prank[2] *vt., vi.* 장식하다(adorn), 모양내다, 성장하다(*out*; *up*): The orchard is now ~*ed* with blossoms. 과수원은 지금 꽃이 만개해 있다.

prank·ish [prǽŋkiʃ] *a.* 장난치는, 희롱거리는.

prank·ster [prǽŋkstər] *n.* Ⓒ 장난꾸러기, 까불이.

pra·se·o·dym·i·um [prèiziou*d*ímiəm, prèisi-] *n.* Ⓤ 【화학】 프라세오디뮴((희토류 원소; 기호 Pr; 번호 59)).

prat [præt] *n.* Ⓒ ((속어)) 궁둥이(buttocks) (cf. pratfall); ((英)) 얼간이.

prate [preit] *vi., vt.* 재잘재잘 지껄이다((*about* …에 관해서)); 쓸데없는 소리하다(chatter).

prát·fàll *n.* Ⓒ ((美속어)) (코미디 등에서 웃음을 유발하기 위한) 엉덩방아; 실수: take a ~ 엉덩방아를 찧다.

prat·tle [prǽtl] *vi.* 쓸데없는 말을 하다, 재잘거리다(*on*)((*about* …에 관해서)). — *vt.* …을 재잘거리다. — *n.* Ⓤ 실없는 소리, 쓸데없는 말.
㊕ **prát·tler** *n.* Ⓒ 잘 지절대는 사람.

Prav·da [prάːvdə] *n.* ((Russ.)) (=truth) 프라우다((옛 소련 공산당 중앙 위원회의 기관지)).

prawn [prɔːn] *n.* Ⓒ 【동물】 참새우 무리((lobster보다 작고 shrimp보다는 큰 것)); Ⓤ 그 살.

prax·is [prǽksis] (*pl.* ***prax·es*** [-siːz], **~·*es***) *n.* Ⓤ (구체적으로는 Ⓒ) 습관, 관례(custom); 연습, 실습.

⁑**pray** [prei] *vi.* **1** ((~/+전+명)) **빌다**, 기도하다((*to* (신)에게; *for* …을 위해)): ~ twice a day 하루에 두 번 기도하다 / ~ *for* a dying person 죽음에 임한 사람을 위해 기도하다 / ~ *to* God *for* mercy 신의 자비를 빌다 / ~ *for* rain 비가 내리기를 빌다. **2** ((+전+명)) **간원(懇願)하다**, 희구하다((*for* …을)): ~ *for* pardon 용서를 빌다.
— *vt.* **1 a** ((~+목/+목+전+명/+목+*to* do/+목+*that* 절)) (신(神))에게 빌다, 기원하다; (사람)에게 간원하다, 탄원하다((*for* …을)): ~ God 신에게 빌다 / We ~*ed* God *for* help. 신에게 도움을 기원하였다 / She ~*ed* me *to* help her. 그녀는 나에게 도와 달라고 탄원하였다 / He ~*ed* God *that* he might win. 그는 이기게 해 달라고 기도했다. **b** ((~+목/+*to* do/(+전+명)+*that* 절)) …을 빌다, 기원하다((*to* (신)에게)); 간원[탄원]하

다: ~ God's mercy 신의 자비를 빌다 / He *~ed to* be given strength and courage. 그는 힘과 용기를 달라고 빌었다 / He *~ed* (*to* God) *that* he might be forgiven. 그는 (신에게) 용서해 달라고 빌었다 / He *~s that* he may do it. 그것을 할 수 있도록 그는 바라고 있다. **2** (기도)를 올리다: He *~ed* a brief prayer. 그는 짧은 기도를 올렸다. **3** 《문어 · 고어》 〖I *pray* you의 간약형〗 제발, 바라건대(please): *Pray* come with me. 제발 저와 함께 가요 / Tell me the reason, ~. 제발 이유를 말해 주십시오.

prayer**[1] [prɛər] *n.* **1** Ⓤ **빌기, 기도**《that***》: kneel down in ~ 무릎 꿇고 기도하다 / morning 〔evening〕 ~ 아침〔저녁〕 기도 / Our ~ *that* she (should) come home safely was heard. 그녀가 무사히 집으로 돌아오기를 바라는 우리의 기도가 이루어졌다. **2** Ⓒ (흔히 *pl.*) 기도 문구, 기도문: be at one's *~s* 기도하고 있다 / give 〔offer up〕 *~s* for a person's safety 〔recovery〕 아무의 무사를〔회복을〕 기원하며 기도문을 외다 / the Lord's *Prayer* 주기도문. **3** Ⓒ 소원, 탄원: an unspoken ~ 비원(秘願). **4 a** (보통 P-) Ⓤ (교회에서의) 기도식: the Evening *Prayer* 저녁 기도. **b** (*pl.*) (학교나 개인의) 예배: family *~s* 가정의 기도(식). **5** (a ~) 《美구어》 〖부정형〗 극히 적은 기회〔가망〕《***to*** do》: *not* have a ~ *of* win*ning* a victory 승리할 가망이 거의 없다 / *not* have a ~ *to* succeed 성공할 가망이 거의 없다.

the Book of Common Prayer = ***the Prayer Book*** (영국 국교의) 기도서.

◊pray·er[2] [préiər] *n.* Ⓒ 기도하는 사람.

práyer bòok [prɛ́ər-] **1** 기도서. **2** (the P- B-) = the Book of Common PRAYER.

prayer·ful [prɛ́ərfəl] *a.* 잘 기도하는, 신앙심 깊은(devout). ㊞ **~·ly** *ad.* **~·ness** *n.*

práyer mèeting 〔**sèrvice**〕 [prɛ́ər-] (신교의) 기도회.

práyer rùg 〔**màt**〕 무릎깔개《이슬람교도가 기도할 때 사용함》.

práyer whèel (라마교의) 기도문통(筒)《기도문을 넣은 회전 원통》.

práy·ing mántis 〖곤충〗 사마귀, 버마재비 (mantis).

PRB, P.R.B. Pre-Raphaelite Brotherhood.

PRC People's Republic of China.

pre- [priː, pri] *pref.* '전, 앞, 미리' 등의 뜻. ↔ *post-*.

preach** [priːtʃ] *vi.* **1** 《~/+전+명》 **전도하다**《to*** …에게》: ~ *to* heathens 이교도에게 전도하다. **2** 《~/+전+명》 **설교하다**《***to*** …에게; ***on, about*** …에 관해서; ***against*** …에 반대하여》: ~ in Westminster Abbey 웨스트민스터 대성당에서 설교하다 / ~ *on* redemption *to* a congregation 청중에게 그리스도에 의한 속죄에 대하여 설교하다 / He *~ed against* sin. 그는 죄를 짓지 말라고 설교했다. **3** 《+전+명》 타이르다, 설유(說諭)하다《***at, to*** …에게; ***about*** …에 관해서》: He's always *~ing at* me *about* being late for school. 그는 늘 나의 지각에 관해 장황하게 타이른다.

—*vt.* **1** (복음 따위)를 전도하다: ~ the Gospel 복음을 전도하다. **2** 《~+목/+목+목/+목+전+명/+*that* 절》 **설교하다**(deliver): ~ a poor sermon 시시한 설교를 하다 / He *~ed* us a sermon. = He *~ed* a sermon *to* us. 그는 우리들에게 설교를 했다 / The priest *~s that* God is love. 사제는 하느님은 사랑이라고 설교한다. **3** 《~+목/+목+목/+목+전+명》 타이르다, 설복하다, 설유하다: Don't ~ me lessons about patience. = Don't ~ lessons about patience *to* me. 나에게 참으라는 말 따위의 설교는 마시오 / ~ economy *to* the nation 국민에게 절약을 권면하다. **4** 《~+목/+목+*as* 보》 창도(唱導)하다, 고취하다, 선전하다 : ~ peace 평화를 부르짖다 / He *~ed* economy *as* the best means of protecting the environment. 그는 검약(儉約)이야말로 환경 보호의 최선책이라고 말했다.

◊préach·er *n.* Ⓒ **1** 설교자, 전도사, 목사. **2** 주창자, 훈계자.

preach·i·fy [príːtʃəfài] *vt.* 《구어》 장황하게 설교하다, 지루하게 이야기하다.

préach·ment *n.* Ⓤ (구체적으로는 Ⓒ) (지루한) 설교, 쓸데없이 긴 이야기.

preachy [príːtʃi] (***preach·i·er; -i·est***) *a.* 《구어》 설교하기 좋아하는; 설교조의.

pre·am·ble [príːæmbəl, priːǽm-] *n.* Ⓒ 서문, 머리말; 전문(前文)《***to*** (조약 따위)의》: without ~ 서문 없이《★ 관사 없이》.

prè·arránge *vt.* 미리 타협〔협정〕하다; 예정하다. ㊞ **~·ment** *n.* Ⓤ 사전 타협.

preb·end [prébənd] *n.* Ⓒ 성직급(給)《성직자회 평의원(canon) 또는 성직자단(chapter) 단원의》.

preb·en·dary [prébəndèri/-dəri] *n.* Ⓒ 수급(受給)(성직)자.

prè·biológical *a.* 생물 발생 이전의.

Prè·Cámbrian *a.* 〖지질〗 선(先)캄브리아기(紀)〔층〕의. **—***n.* (the ~) 선캄브리아기(층).

prè·cáncerous *a.* 전암(前癌) 상태〔증상〕의.

◊pre·car·i·ous [prikɛ́əriəs] *a.* **1** 불확실한, 믿을 수 없는, 불안정한; 위험한, 불안(不安)한《생활 따위》: make a ~ living 그날그날 벌어 살다 / a ~ foothold 위험한 발판. SYN. ⇨UNCERTAIN. **2** 지레짐작의, 근거 없는《가설 · 추측 따위》.

㊞ **~·ly** *ad.* **~·ness** *n.*

pre·cau·tion** [prikɔ́ːʃən] *n.* Ⓤ (구체적으로는 Ⓒ) **조심, 경계**《against*** …에 대한》: as a ~ = by way of ~ 조심하기 위해서 / take the ~ of do*ing* 조심하여 …하다.

take ~s ① 조심〔경계〕하다《***against*** …을》. ② 《구어》 피임에 신경 쓰다.

㊞ **~·ary** [-èri/-əri] *a.* 예방〔경계〕의: take *~ary* measures 예방책을 쓰다.

pre·cede** [prisíːd] *vt.* **1** …에 **선행하다**, …**에 앞서다**, …보다 먼저 일어나다; …을 선도(先導)하다: the calm that *~s* the storm 폭풍우가 닥치기 전의 고요함〔잔잔함〕 / ~ a person's getting out of a bus 아무를 앞서서 버스에서 내리다 / Who *~d* Bill Clinton as President? 빌 클린턴의 전(前) 대통령은 누구였나. **2** …에 우선하다; …의 우위〔상석〕에 있다: A major *~s* a captain. 소령은 대위보다 계급이 높다. **3** 《+목+전+명》 …의 서두로 하다《with, by*** …을》: a book *~d by* a long foreword 긴 서문이 붙어 있는 책.

—*vi.* 앞서다, 선행하다: the words that ~ 그 앞에 있는 어구.

◊prec·e·dence [présədəns, prisíː-] *n.* Ⓤ **1** (시간 · 순서 따위가) 앞서기, 선행; 선임, 상위, 우위; 우선(권)《***of, over*** …보다, …의》: in order of ~ 선임〔우선〕순으로, 석차에 따라 / give a person (the) ~ 아무의 우위를 인정하다 / take 〔have〕 ~ *over* 〔*of*〕 …에 우선하다, …보다 낫다. SYN. ⇨INSTANCE. **2** 〖컴퓨터〗 우선 순위《식이 계

산될 때 각 연산자에 주어진 순위》.

◇**prec·e·dent**[1] [présədənt] *n.* **1 a** Ⓒ 선례, 전례; 관례《*for, of* …의》: be beyond all ~s 전혀 선례가 없다 / make a ~ *of* a thing …을 선례로 삼다 / set 〔create〕 a ~ (*for*) (…에) 전례를 만들다 / There is no ~ *for* it. 그것에 관한 전례는 없다. **b** Ⓤ 선례에 따름: without ~ 선례 없는, 미증유의 / break with ~ 선례를 깨다. **2** Ⓤ (구체적으로는 Ⓒ) 〖법률〗 판례.

pre·ced·ent[2] [prisíːdənt, présə-] *a.* 앞서는, 선행하는.

***pre·ced·ing** [prisíːdiŋ] *a.* Ⓐ (보통 the ~) 이전의; 바로 전의; 전술한. ↔ *following.* ¶ in the ~ chapter 전(前) 장에 / the ~ year =the year ~ 그 전해. SYN. ⇨ PREVIOUS.

pre·cen·tor [priséntər] (*fem.* **-trix** [-triks]) *n.* Ⓒ (성가대의) 선창자(先唱者).

◇**pre·cept** [príːsept] *n.* Ⓤ (구체적으로는 Ⓒ) 가르침, 교훈, 훈계: Practice 〔Example〕 is better than ~. 《격언》 실천〔모범〕은 교훈보다 낫다.

pre·cep·tor [priséptər, príːsep-] (*fem.* **-tress** [-tris]) *n.* Ⓒ 훈계자; 교사.

pre·ces·sion [priséʃən] *n.* Ⓤ (구체적으로는 Ⓒ) 〖천문·물리〗 세차(歲差) (운동): the ~ of the equinoxes 분점(分點)의 세차. ㊕ **~·al** *a.*

pre·cinct [príːsiŋkt] *n.* Ⓒ **1** 《美》 (행정상의) 관구(管區); 학구(學區); 선거구; (경찰서의) 관할 구역. **2** 《英》 (도시 따위의 특정한) 지역, 구역: a shopping ~ 상점가. **3** (보통 *pl.*) (담 따위로 둘러싸인) 구내, 경내(境內). **4** (*pl.*) 《美》 주위, 주변, 부근.

pre·ci·os·i·ty [prèʃiásəti/-ɔ́s-] *n.* **1** Ⓤ (특히 말씨·취미 따위의) 까다로움, 지나치게 세심함, 점잔빼기. **2** Ⓒ (보통 *pl.*) 지나치게 세심한 표현.

‡**pre·cious** [préʃəs] *a.* **1 비싼, 귀중한**, 가치가 있는: ~ words 금언 / ~ knowledge 귀중한 지식 / one's ~ time 귀중한 시간 / It's very ~ to me. 그것은 내게는 아주 소중하다. SYN. ⇨ VALUABLE. **2** 사랑스러운, 둘도 없는: one's ~ child 사랑스런 아이. **3** Ⓐ 《구어》 〖반어적〗 순전한, 대단한: He's a ~ rascal. 그는 여간한 악당이 아니다 / a ~ fool 순바보 / make a ~ mess of it 그것을 엉망으로 만들다. **4** 점잔빼는, 까다로운: a ~ pronunciation 점잔빼며 하는 발음.
— *ad.* 《구어》 〖보통 ~ little 〔few〕로〗 매우, 대단히, 지독히: ~ *few* 아주 적은 / ~ cold 지독히 추운. **—** *n.* 〖(my) ~로〗 《구어》 (나의) 귀여운 사람《호칭》. ㊕ **~·ly** *ad.* 비싸게; 까다롭게; 《구어》 대단히, 몹시. **~·ness** *n.*

précious stóne 보석, 보석용(用) 원석(原石) (gemstone).
SYN. **precious stone** ruby, diamond, sapphire 등과 같은 보석의 넓은 뜻. **gem** precious stone을 연마하거나 하여 가공이 되어 있는 것. **jewel** 장신구에 쓰려고 세공한 보석.

***prec·i·pice** [présəpis] *n.* Ⓒ **1** (거의 수직의) **절벽**, 벼랑. **2** 위기: on the ~ of war 전쟁 발발 직전에 / be 〔stand〕 on the edge of a ~ 위기에 처해 있다.

pre·cip·i·tan·cy, -tance [prisípətənsi], [-təns] *n.* Ⓤ 화급, 황급; 경솔.

pre·cip·i·tant [prisípətənt] *a.* 화급한, 갑작스러운; 덤벙이는, 경솔한. **—** *n.* Ⓒ 〖화학〗 침전제, 침전 시약(試藥).

◇**pre·cip·i·tate** [prisípətèit] *vt.* **1** 거꾸로 떨어뜨리다; 갑자기 빠뜨리다《*into* (어떤 상태)에》: ~ a person *into* misery 아무를 불행에 빠뜨리다. **2** (좋지 않은 것의 도래)를 재촉하다; 촉진시키다, 몰아대다: The outbreak of the war ~*d* an economic crisis. 전쟁의 발발은 경제 위기를 초래했다. **3** 〖화학〗 침전시키다; 〖물리·기상〗 (수증기)를 응결〔강수(降水)〕시키다《*as* (비·안개 따위)로》. **—** *vi.* 갑자기 빠지다《붕괴 상태 따위로》; 〖화학〗 침전하다; 〖물리·기상〗 (공중의 수증기가) 응결하다《*as* (비·안개 따위)로》.
— [prisípətit, -tèit] *a.* 조급히 구는, 덤비는, 경솔한.
— [-tit, -tèit] *n.* Ⓤ (구체적으로는 Ⓒ) 〖화학〗 침전(물).
㊕ **~·ly** [-titli] *ad.*

pre·cip·i·ta·tion [prisìpətéiʃən] *n.* **1** Ⓤ 화급, 조급; 경솔: with ~ 부랴부랴, 황망히. **2** 〖화학〗 Ⓤ 침전; Ⓒ 침전물. **3** Ⓤ 〖기상〗 강우〔설〕, 강수; 강수〔강우〕량.

***pre·cip·i·tous** [prisípətəs] *a.* **1 험한**, 가파른, 절벽의; 직하(直下)하는. **2** 황급한, 경솔한, 무모한. ㊕ **~·ly** *ad.* **~·ness** *n.*

pré·cis [preisíː, ⌐-] (*pl.* ~ [-z]) *n.* 《F.》 Ⓒ 대의(大意), 개략; 발췌, 요약(summary): ~ writing 대의〔요점〕 필기. **—** *vt.* …의 대의를 쓰다; …을 요약하다(summarize).

‡**pre·cise** [prisáis] (**-cis·er; -est**) *a.* **1 정밀한, 정확한**(exact), 엄밀한; 적확한, 명확한: ~ measurements 정밀한 측정(치) / a ~ statement 명확한 진술. SYN. ⇨ CORRECT. **2** Ⓐ 바로 그 … (very): at the ~ moment 바로 그때. **3** 꼼꼼한, 세세한; 딱딱한, 규칙대로의《*in* …에》: a ~ brain 정확하고 치밀한 두뇌 / be ~ *in* one's manner 태도가 딱딱하다 / I was ~ *in* following the instructions. 나는 그 지시를 꼬박꼬박 따랐다. ***to be*** **~** 정확히 말하면. ㊕ **~·ness** *n.*

***pre·cise·ly** [prisáisli] *ad.* **1 정밀하게**, 엄밀히: explain the reason ~ 이유를 정확히 설명하다. **2** 바로, 정확히(exactly): at 2 o'clock ~ 두 시 정각에. **3 틀림없이**, 전혀: This is ~ the truth. 이것은 틀림없는 진실이다. **4** 〖동의를 나타내어〗 바로 그렇다: You have no need for my service.—*Precisely.* 내 도움은 필요없겠군—그래, 그렇다.

***pre·ci·sion** [prisíʒən] *n.* Ⓤ (또는 a ~) 정확, **정밀**; 〖컴퓨터〗 정밀도《수치를 표현하는》: with ~ 정확〔정밀〕히. **—** *a.* Ⓐ 정밀한: ~ engineering 정밀 공학 / a ~ gauge 〔instrument〕 정밀 계기(計器). ㊕ **~·al** *a.*

pre·clude [priklúːd] *vt.* **1** 제외하다, 미리 배제하다: ~ all doubt 모든 의혹을 미리 배제하다. **2** 방해하다, 막다; 못하게〔불가능하게〕 하다《*from* do*ing* …하는 것을》: ~ all means of escape 모든 도피 수단을 차단하다 / ~ a firm *from going* bankrupt 회사의 파산을 막다.
㊕ **pre·clu·sion** [priklúːʒən] *n.* Ⓤ 제외, 배제; 방지; 방해.

pre·clu·sive [priklúːsiv] *a.* 제외하는; 방해하는, 방지하는; 예방의. ㊕ **~·ly** *ad.*

◇**pre·co·cious** [prikóuʃəs] *a.* 조숙한, 일된, 어른다운《아이·거동 따위》; 〖식물〗 조생(早生)의, 일찍 꽃피는. ㊕ **~·ly** *ad.* **~·ness** *n.*

pre·coc·i·ty [prikásəti/-kɔ́s-] *n.* Ⓤ 조숙; 일찍 꽃핌; (야채·과일 따위의) 조생(早生).

prè·cognítion *n.* Ⓤ 예지(豫知), 사전 인지(認知).

prè-Colúmbian *a.* 콜럼버스(의 아메리카대륙 발견) 이전의.
prè·concéive *vt.* …에 선입관을 갖다, 미리 생각하다, 예상하다: ~*d* opinions 선입견.
prè·concéption *n.* [C] 예상; 선입관; 편견.
prè·concért *vt.* 미리 협정하다, 사전에 타협해 놓다.
prè·condítion *n.* [C] 전제〔필수〕 조건.
prè·cóok *vt.* (식품)을 미리 조리하다: ~*ed* food 미리 조리된 식품《뒤에 데워 먹음》.
pre·cur·sor [prikə́ːrsər, príːkəːr-] *n.* [C] **1** 선구자; 선임자, 선배; (기계·발명품 따위의) 전신. **2** 전조(前兆)《**of, to** …의》. ㊞ **-so·ry** [-səri] *a.* 선구의; 전조의.
pred. predicate; predicative(ly).
pre·da·cious, -ceous [pridéiʃəs] *a.* 【동물】 포식성(捕食性)의, 육식의. ㊞ **~·ness** *n.*
pre·dáte *vt.* = ANTEDATE.
pred·a·tor [prédətər] *n.* [C] 약탈자; 육식 동물.
pred·a·to·ry [prédətɔ̀ːri/-təri] *a.* 약탈하는; 약탈을 목적으로〔일로〕 삼는; 약탈〔착취〕로 살아가는; 【동물】 포식성의, 육식의.
pre·dawn [priːdɔ́ːn, ⌒⌒] *n.* [U], *a.* 동트기 전(의).
prè·decéase *vt.* 【법률】 (어느 사람 또는 때)보다 먼저 죽다.
*__pred·e·ces·sor__ [prédisèsər, ⌒⌒⌒/príːdisèsər] *n.* [C] **전임자**(↔ *successor*); 선배; 선행자; 전의 것, 앞서 있었던 것: share the fate of its ~ 전철을 밟다.
pre·des·ti·nate [pridéstənèit] *vt.* = PREDESTINE.
pre·des·ti·na·tion [pridèstənéiʃən] *n.* [U] 예정; 숙명, 운명; 【신학】 운명 예정설.
pre·des·tine [pridéstin] *vt.* 예정하다; (신이 사람)의 운명을 정하다《**to** …에/**to** do》: He was ~*d to* success. 그는 성공할 운명이었다/They were ~*d to* quarrel with each other. 그들은 서로 싸울 운명이었다.
prè·detérmine *vt.* **1** 미리 결정하다, 예정하다《★ 보통 수동태로 씀》: The present *is* ~*d* by the past. 현재는 과거에 의해 결정된다. **2** …의 방향〔경향〕을 예정하다.
㊞ **prè·determinátion** *n.* **-detérminative** *a.*
prè·detérminer *n.* [C] 【문법】 한정사 전치어, 전(前)결정사(詞)《both, all 따위처럼 한정사 앞에 오는 말》.
pred·i·ca·ble [prédikəbəl] *a.* 단정할 수 있는.
—*n.* [C] 단정할 수 있는 것; 속성(attribute).
pre·dic·a·ment [pridíkəmənt] *n.* [C] 곤경, 궁지, 고경: in a ~ 곤경에 빠져.
◇**pred·i·cate** [prédikət] *n.* [C] 【문법】 술부, 술어(↔ *subject*); 【컴퓨터】 술어.
—*a.* [A] 【문법】 술부〔술어〕의: a ~ adjective 서술형용사《보기: Horses are *strong*.; I made him *happy*.》/a ~ verb 〔noun〕 술어 동사〔명사〕.
— [-kèit] *vt.* **1** 단언〔단정〕하다《**that**》: doctrines *predicating* life after death 내세를 단언하는 교의(教義)/Can we ~ *that* a dog has a soul? 개에게 영혼이 있다고 단정할 수 있을까/~ a motive *to be* good 어떤 동기를 좋다고 하다. **2** (어떤 특질)을 속성이라 단언하다〔보다〕: ~ greenness *of* grass 초록을 풀의 속성이라고 보다. **3** 【문법】 진술〔서술〕하다. **4** 내포하다, 함축하다: His retraction ~*s* a change of attitude. 그가 취소한 것은 태도가 바뀌었음을 뜻한다. **5** 《美》 (판단·행동 따위)를 의거하게 하다, 기초를 두다《**on, upon** (어떤 근거)에》: *On* 〔*Upon*〕 what is the statement ~*d*? 무엇을 근거로 그렇게 말하는가.
pred·i·ca·tive [prédikèitiv, -kə-/pridíkətiv] *a.* 단정적인; 【문법】 술사(述詞)의, 서술적인《보기: This dog is *old*.》([cf.] attributive): a ~ adjective 서술형용사/the ~ use 【문법】 (형용사를 보어로서 쓰는) 서술(적) 용법.
—*n.* [C] 술사, 서술어《흔히 보어라고 하는 것》.
㊞ **~·ly** *ad.*
*__pre·dict__ [pridíkt] *vt.* 《~+[목]/+*that* [절]/+*wh.* [절]》 **예언하다**(prophesy); **예보하다**: ~ a good harvest 풍작을 내다보다/~ *that* a storm is coming 폭풍우가 올 것을 예보하다/He ~*ed when* war would break out. 그는 언제 전쟁이 일어날 것인가를 예언했다.
㊞ **pre·dìct·a·bíl·i·ty** *n.* **pre·díct·a·ble** [-təbəl] *a.* 예언〔예상〕할 수 있는; (사람이) 새로운 일이라고는 아무 것도 하지 않는, 범용(凡庸)한.
pre·díct·a·bly [-təbəli] *ad.* 예상대로: *Predictably*, he failed the examination. 예상한 대로 그는 시험에 떨어졌다.
◇**pre·dic·tion** [pridíkʃən] *n.* [U] 예언〔예보〕하기; [C] 예언; 예보《**that**》: weather ~ 일기 예보/The ~ *that* he might succeed came true. 그가 성공하게 될 것이라는 예언이 적중했다.
pre·dic·tive [pridíktiv] *a.* 예언〔예보〕하는, 예언적인.
pre·dic·tor [pridíktər] *n.* [C] 예언자, 예보자.
prè·digést *vt.* (음식)을 소화하기 쉽게 조리하다; (책 따위)를 사용〔이해〕하기 쉽게 요약하다.
㊞ **-géstion** *n.*
pre·di·lec·tion [prìːdəlékʃən, prèd-] *n.* [C] 선입관적 애호, 편애(偏愛), 역성《**for** …에 대한》.
prè·dispóse *vt.* **1** 미리 경향을 주다; 기울게 하다《**to, toward** …으로》; 좋아하도록 하다《**to** do》: Those rumors didn't ~ me in her favor. 그 소문을 듣고 나는 그녀에게 벌써부터 호감이 가지 않았다/His early training ~*d* him *to* a life of adventure. 젊은 시절의 훈련으로 인해 그는 모험에 찬 생활을 즐기게 되었다/What ~*d* you *to* become a doctor? 너는 무엇 때문에 의사가 되고자 했느냐. **2** 걸리기 쉽게 만들다《**to** (병 따위)에》: Fatigue ~*s* one *to* colds. 피로하면 감기에 걸리기 쉽다.
prè·disposítion *n.* [C] **1** 경향, 성질《**to, toward** …의/**to** do》: a ~ *to* violence 폭력으로 치닫는 경향. **2** 【의학】 소질, 체질《**to** (병 따위)에 걸리기 쉬운》: a ~ *to* malaria 말라리아에 걸리기 쉬운 체질.
pre·dom·i·nance [pridɑ́mənəns/-dɔ́m-] *n.* [U] (또는 a ~) **1** 우월, 우위, 탁월; 지배《**over** …에 대한》. **2** (수량적인) 압도, 우세.
*__pre·dom·i·nant__ [pridɑ́mənənt/-dɔ́m-] *a.* **1** **뛰어난, 탁월한**《**over** …보다》: It's an illusion that man is ~ *over* other species. 인간이 다른 종(種)보다 우월하다는 것은 그릇된 생각이다. **2** 유력한, 현저한, 눈에 띄는: the ~ color 〔idea〕 주색(主色)〔주의(主意)〕. **3** 주권을 가진, 세력 있는; 널리 퍼진. [SYN.] ⇨DOMINANT. ㊞ **~·ly** *ad.*
◇**pre·dom·i·nate** [pridɑ́mənèit/-dɔ́m-] *vi.* **1** 뛰어나다, 우세하다, 탁월하다《**over** …보다》; 지배하다《**over** …을》: He soon began to ~ *over* the territory. 이윽고 그는 그 지방에 세력을 떨

치기 시작했다. **2** 주가 되다, 현저하다: Tulips ~ in our garden. 우리 화단에는 튤립이 주로 많다.

prè·eléction *n.* [U] (구체적으로는 [C]) 예선, 예비 선거. **—***a.* 선거 전의《공약·운동 따위》.

pree·mie, pre·mie [príːmi] *n.* [C] 《美구어》 조산아(早産兒), 미숙아.

pre·em·i·nence [priémənəns] *n.* [U] 걸출, 탁월, 발군.

◇**pre·em·i·nent** [priémənənt] *a.* 우수한, 발군의, 탁월한, 굉장한, 현저한《***in, among, at*** …에서》: She's ~ *in* the field. 그녀는 그 분야에서 뛰어나다. ㊫ **~·ly** *ad.*

pre·empt [priémpt] *vt.* **1** 남보다 먼저 사다〔입수하다〕, 선취(先取)하다. **2** 선수를 써 저지〔무효화〕하다: The riot police were sent to ~ trouble. 분쟁을 미리 막기 위해 경찰 기동대가 파견되었다. **3** 《美》 (공유지)를 선매권을 얻기 위해 점유하다. **4** 〖라디오·TV〗 (정기(定期) 프로그램)을 대신하다: Special newscasts often ~ a popular program. 특별 뉴스가 인기 프로그램 대신에 방송될 때가 종종 있다.

pre·emp·tion [priémpʃən] *n.* [U] 선매(권); 《美》 공유지 선매권 행사.

pre·emp·tive [priémptiv] *a.* **1** 선매의, 선취권이 있는. **2** 선제의, 선수를 치는: ~ attacks 선제 공격. ㊫ **~·ly** *ad.*

preen [priːn] *vt.* **1** (새가 깃)을 부리로 고르다. **2** 〖~oneself〗 모양내다, 치장하다; 우쭐대다, 자만하다《***on*** …을》. **—***vi.* (새가) 부리로 깃을 고르다; (아무가) 멋을 부리다, 모양을 내다; 우쭐해지다.

prè·exíst *vi.* 전에 존재하다, 선재(先在)하다. **—***vt.* …보다 전에 존재하다.
㊫ **-tence** *n.* **-ent** *a.*

prè·exísting *a.* [A] 전부터 존재하는.

pref. preface; prefatory; preference; preferred; prefix.

pre·fab [príːfæ̀b] *n.* [C] 《구어》 조립식 주택 (prefabricated house).

pre·fábricate *vt.* (가옥 따위)를 조립식으로 만들다: a ~*d* house 조립식 주택.
㊫ **prè·fabricátion** *n.*

pref·ace** [préfis] *n.* [C] **1** 서문, 서언, 머리말 (foreword)《to*** (책 따위)의》: write a ~ *to* a book 책에 서문을 쓰다. [SYN.] ⇨INTRODUCTION. **2** 전제; 시작의 말《***to*** …의》. **—***vt.* **1** …의 서문을 쓰다. **2** 《+[목]+[전]+[명]》 시작하다《***with, by*** …으로》: He ~*d* his speech *by* an apology. 그는 먼저 사과하고 이야기를 했다.

pref·a·to·ry [préfətɔ̀ːri/-təri] *a.* 서문의, 머리말의.

pre·fect, prae- [príːfekt] *n.* **1** (종종 P-) (고대 로마의) 장관, 제독; (프랑스·이탈리아의) 지사(知事): the *Prefect* of police (파리의) 경시총감. **2** 《英》 (public school 의) 지도생《상급생》.
㊫ **prè·fec·tó·ri·al** [-tɔ́ːriəl] *a.*

***pre·fec·ture** [príːfektʃər] *n.* **1** (종종 P-) [C] 도(道)《지사의 관구》. **2** [U] prefect의 직(職)〔임기·관할지〕. **3** [C] 지사 관저.
㊫ **pre·fec·tur·al** [priféktʃərəl] *a.*

‡**pre·fer** [prifə́ːr] (*-rr-*) *vt.* **1** 《~+[목]/+[목]+[전]+[명]/+*to* do/+[목]+*to* do/+[목]+[보]/+[목]+*done*/+*-ing*/+*that* [절]》 (오히려) …을 **좋아하다, 차라리 …을 택하다**《***to*** …보다》: I ~ an early start. 일찍 떠나고 싶다/I ~ beer *to* wine. 포도주보다 맥주를 좋아한다/I ~ *to* go there alone. 혼자 거기에 가고 싶다/Would you ~ me *to* come next month? 내가 내달에 오면 좋겠소/Would you ~ your milk hot? 뜨거운 우유를 원하세요?/I ~ this work *finished* quickly. 이 일을 빨리 끝내 주었으면 싶다/I ~ swim*ming*. 수영쪽이 좋겠다/I ~ *that* it should be left alone. =I ~ *to* leave it alone. 내버려두는 게 좋겠다. ★ rather를 수반할 경우에는 than을 씀: He ~*red* to stay at home *rather than* go with us. 그는 우리와 함께 가는 것보다 집에 있기를 택했다. [SYN.] ⇨LIKE[1].
2 《~+[목]/+[목]+[전]+[명]》 〖법률〗 (고소·청구 등)을 제기하다《***against*** (아무)를 상대로》: ~ a claim to property 재산 청구를 하다/~ a charge *against* a person 아무를 고소하다.
3 《~+[목]/+[목]+*as* [보]》 등용하다, 승진시키다, 발탁하다《***as*** …으로; ***to*** …에》: ~ him *as* manager 그를 지배인으로 발탁하다/be ~*red* for advancement 승진하다.

pref·er·a·ble** [préfərəbəl] *a.* **차라리 나은**, 오히려 더 나은, 바람직한《to*** …보다》: I find this ~. 나는 이것이 더 좋다/Poverty is ~ *to* ill health. 가난이 병보다 낫다.

◇**préf·er·a·bly** *ad.* 차라리; 즐겨, 오히려, 되도록이면: Write a summary of the story, ~ with comment. 이야기의 개요를 될 수 있으면 감상을 곁들여 써라/So you think we should wait? —Yes, ~. 우리가 기다려야 한다고 생각하는거지 —그래, 되도록이면.

pref·er·ence** [préfərəns] *n.* **1** [U] (또는 a ~) **더 좋아함**, (좋아서) 선택함《to, over*** …보다; ***for, to*** …을》: a ~ *for* learning *to* 〔*over*〕 wealth 부(富)보다 학문을 좋아함/show a marked ~ *for* 〔*to*〕 a clever child 영리한 아이에 대한 현저한 선호를 보이다/His ~ is *for* simple cooking. 그는 담백한 음식을 더 좋아한다/My ~ is *for* chemistry rather than physics. 나는 물리보다 화학을 좋아한다. **2** [C] **좋아하는 물건**, 더 좋아하는 것: Of the two, this is my ~. 둘 중에서 나는 이것이 좋다/I have no particular ~*s*. 어느 것이 특히 더 좋다는 것은 아닙니다; 아무거나 좋습니다. **3** [U] (구체적으로는 [C]) 〖법률〗 우선(권), 선취권《***for*** …에 대한; ***over, to*** …보다 앞서는》; 〖경제〗 (관세 따위의) 특혜: offer 〔afford〕 a ~ 우선권을〔특혜를〕 주다/You should be given ~ *over* them. 그들보다 네가 우선권을 부여받는 것이 마땅하다.
in ~ to …에 우선하여, …보다는 오히려: He chose that picture *in* ~ *to* any other. 그는 다른 어떤 것도 제쳐놓고 그 그림을 택했다.

préference stòck 〔**shàre**〕 (종종 P- S-) 《英》 우선주(株)(《美》 preferred stock).

pref·er·en·tial [prèfərénʃəl] *a.* [A] 선취의, 우선(권)의; (관세 등이) 특혜인: ~ right 선취 특권, 우선권/~ treatment 우대. ㊫ **~·ly** *ad*

pre·fér·ment *n.* [U] 승진, 승급; 발탁《***to*** …에의》.

preférred stòck 〔**shàre**〕 《美》 우선주(株).

pre·fétch *vt.* 〖컴퓨터〗 (CPU 따위가 데이터)를 사전 추출하다; (브라우저가 어느 사이트의 데이터)를 미리 (자동적으로) 읽어 두다.

prè·fígure *vt.* …의 모양을 미리 나타내다; 예시하다; 예상하다. ㊫ **prè·figurátion** *n.*

pre·fix [príːfiks] *n.* [C] **1** 〖문법〗 접두사. [cf.] suffix. **2** (인명 앞에 붙이는) 경칭《Mr., Sir 따위》.

— [pri:fíks, ⌐-] *vt.* **1** 앞에 놓다, 앞에 덧붙이다 《**to** …의》: ~ Dr. *to* a name 이름 앞에 Dr. 라는 경칭을 붙이다. **2** …의 처음〔서두〕에 붙이다 《**with** …을》: ~ an article *with* a quotation 인용구를 기사 첫머리〔앞〕에 달다.

prè·flíght *a.* 비행 전에 일어나는, 비행 전의.

preg·na·ble [prégnəbəl] *a.* 공격〔점령〕하기 쉬운; 약한, 취약한.

preg·nan·cy [prégnənsi] *n.* **1 a** Ⓤ (구체적으로는 Ⓒ) 임신: a ~ test 임신 테스트. **b** Ⓤ 임신 기간. **2** Ⓤ 함축성이 있음, (내용) 충실, 의미심장.

*__preg·nant__ [prégnənt] *a.* **1** 임신한《**with, of** …을》: become 〔《英》 fall〕 ~ (*with* child) 임신하다 / be six months ~ 임신 6개월이다. **2** 가득 찬《**with** …으로》: The garden was ~ *with* trees and bushes. 정원에는 크고 작은 나무들이 울창하게 자라고 있었다. **3** Ⓐ 의미심장한, 함축성 있는《말 따위》; 내포하고 있는《**with** (중대한 결과 따위)를》: an event ~ *with* dangerous consequences 위험한 결과를 낳을 사건. **4** 풍부한《상상력·공상·기지 따위》: a ~ mind 상상력이 풍부한 마음(을 가진 사람). ㊀ **~·ly** *ad.*

prè·héat *vt.* (조작(操作)〔사용〕에 앞서) 미리 가열하다, 예열(豫熱)하다.

pre·hen·sile [prihénsil, -sail] *a.* 【동물】 쥐기에 적당한, 잡는 힘이 있는《발·꼬리 등》: the ~ trunk of an elephant 물건을 잡을 수 있는 코끼리의 코.

*__pre·his·tor·ic, -i·cal__ [prì:histɔ́:rik, -tár-/-tɔ́r-], [-əl] *a.* **1** 유사 이전의, 선사 시대의. **2** 《구어》 아주 옛날의, 구식의. ㊀ **-i·cal·ly** *ad.*

prè·hístory *n.* **1** Ⓤ 선사학(先史學); 선사 시대. **2** (a ~) (어떤 사건·상황에 이르기까지의) 경위.

prè·húman *a.* 인류 발생 이전의.

pre·júdge *vt.* 미리 판단하다; 충분히 심리하지 않고 판결하다; 조급히 결정하다. ㊀ **~·ment** *n.*

‡**prej·u·dice** [prédʒədis] *n.* **1** Ⓤ (구체적으로는 Ⓒ) **편견**, 선입관《**against, toward** …에 대한 (나쁜); **for, in favor of** …에 대한 (좋은)》: racial 〔party〕 ~ 인종적〔당파적〕 편견 / without ~ 편견 없이 / be free from ~ 선입견〔편견〕이 없다 / have 〔show〕 a ~ *in favor of* 〔*against*〕 foreign goods 외래품을 (괜히) 좋아〔싫어〕하다. **2** Ⓤ 【법률】 **침해**, 불리, 손상: in 〔to the〕 ~ of …의 손상이〔침해가〕 되도록 / without ~ to …을 해치지 〔손상하지〕 않고; …의 불이익이 되지 않게.

—*vt.* **1** 《+목+전+명》 (아무)에게 **편견을 갖게 하다**《**against** …에 대해 (나쁜); **in favor of** …에 대해 (좋은)》: be ~*d against* 〔*in favor of*〕 domestic cars 국산 차를 (괜히) 싫어〔좋아〕하다 / The review had ~*d* me *against* the book. 그 서평으로 인해 나는 그 책에 대해 좋지 못한 편견을 갖고 있었다. **2** …을 **손상시키다**, …에 **손해를 주다**, 불리케 하다: He ~*d* his claim by asking too much. 그는 부당한 청구를 하여 오히려 요구를 불리하게 만들었다.

préj·u·diced [-t] *a.* 편견을 가진, 편파적인; 불공평한《**to, toward, against** …에 대해》: a ~ opinion 편견. SYN. ⇨UNJUST. ㊀ **~·ly** *ad.*

prej·u·di·cial [prèdʒədíʃəl] *a.* 해가 되는, 불리한《**to** …에》: ~ *to* a person's interest 아무의 이익을 침해하는, 아무에게 불리한.

prel·a·cy [préləsi] *n.* **1** Ⓤ (the ~) 《집합적》 고위 성직자들. **2** Ⓒ 감독 제도《episcopacy에 대한 악의적인 호칭》.

°**prel·ate** [prélət] *n.* Ⓒ 고위 성직자《archbishop, bishop, metropolitan, patriarch 등》.

prè·láunch *a.* (우주선 따위가) 발사 전의, 발사 준비 단계의.

pre·lim [prí:lim, prilím] *n.* Ⓒ 《구어》 **1** (보통 *pl.*) 예비 시험(preliminary examination); (권투 등의) 예선. **2** (보통 the ~s) 《英》 (책의) 본문 앞 부분《머리말·차례 따위》.

°**pre·lim·i·na·ry** [prilímənèri/-nəri] *a.* 예비의, 준비의: a ~ examination 예비 시험《구어로 prelim》/ ~ expenses 【상업】 창업비 / a ~ hearing 【법률】 예심 / ~ negotiations 예비 교섭.

~ **to** 《전치사처럼》 …에 앞서서.

—*n.* Ⓒ (보통 *pl.*) **1 준비 (행동)**, 예비 행위〔단계〕: take one's *preliminaries* 준비 행동을〔행위를〕 하다. **2** 예비 시험; (권투 등의) 예선; 예비 교섭. ㊀ **pre·lim·i·nar·i·ly** [prilìmənérəli/-nər-] *ad.*

prè·líterate *a.* 문자 사용 이전의, 문헌 이전의.

°**prel·ude** [prélju:d, préi-, prí:-] *n.* Ⓒ **1** 【음악】 전주곡, 서곡(overture). **2** (보통 *sing.*) 전조(前兆)《**to** …의》: the ~ *to* peace 평화가 올 전조.

pre·ma·ri·tal [pri:mǽritl] *a.* 결혼 전의, 혼전의. ㊀ **~·ly** *ad.*

*__pre·ma·ture__ [prì:mətjúər, ⌐-⌐] *a.* **조숙한**; 너무 이른, 때 아닌; 시기상조의, 너무 서두른; 조산(早産)의: a ~ decision 성급한 결정 / a ~ birth 〔delivery〕 조산《임신 28주째 이후》/ a ~ decay 조로(早老) / My baby was two months ~. 내 아이는 2개월 조산이다.

㊀ **~·ly** *a.* **-tú·ri·ty** [-tjúərəti] *n.*

pre·med [prì:méd] 《구어》 *n.* **1** Ⓒ 의과 대학 예과의 학생(=**prè·médic**). **2** =PREMEDICATION.

—*a.* =PREMEDICAL.

prè·médical *a.* 의과 대학 예과의.

prè·medicátion *n.* Ⓤ 【의학】 마취전 투약.

pre·med·i·tate [pri:médətèit] *vt.* 미리 생각〔의논, 연구, 계획〕하다.

prè·méditated [-id] *a.* 미리 생각한, 계획적인: a ~ murder 〔homicide〕 모살(謀殺).

prè·meditátion *n.* Ⓤ 미리 생각〔계획〕하기; 【법률】 고의, 예모(豫謀).

prè·ménstrual *a.* 월경(기) 전의: ~ tension 월경 전의 긴장 증상《두통·골반의 불쾌 등》.

*__pre·mier__ [primíər, prí:mi-] *n.* (종종 P-) Ⓒ (영국·프랑스 등의) **수상**(prime minister); 국무총리; (캐나다·오스트레일리아의) 주지사: the *Premiers'* Conference 영연방 수상 회의. —*a.* Ⓐ 첫째의, 수위의: take 〔hold〕 the ~ place 제1위를〔수석을〕 차지하다.

pre·miere, -mière [primíər, -mjéər] *n.* Ⓒ (연극의) 첫날, 프레미어; (영화의) 특별 개봉.

—*vt.* (연극·영화 등)의 첫 공연〔상연〕을 하다.

°**prem·ise** [prémis] *n.* **1** Ⓒ 【논리】 전제(前提)《**that**》. ↔ *conclusion*. ¶the major 〔minor〕 ~ 대〔소〕 전제 / make a ~ 전제를 달다 / We must act on the ~ *that* the worst may happen. 최악의 사태도 일어날 수 있다는 전제하에 행동하지 않으면 안 된다. **2** (the ~s) 【법률】 이미 진술한 사항. **3** (*pl.*) 가옥, 건물; 구내: on the ~*s* 구내에서 / Keep off the ~*s*. 구내 출입 금지.

*__pre·mi·um__ [prí:miəm] *n.* Ⓒ **1 할증금**; 프리미엄. **2** 포상금, 상여(bonus), 장려금. **3** 보험료《1회분의 지급 금액》, 보험 약조금.

at a ~ 프리미엄을 붙여, 액면 이상으로(↔ *at a*

discount); 《비유적》 수요가 많은, 진귀한. **put** 〔**place, set**〕 **a ~ on** ① …에 프리미엄을 붙이다, …을 높게 평가하다. ② …을 중요시하게 하다.
—*a.* [A] 고가의, 특제의; 프리미엄이 붙은.

Prémium Bònds (종종 p- b-) 《英》 프리미엄 부(附) 국채《이자 대신에 추첨에 의한 상금이 붙음》.

pre·mólar *n.* [C], *a.* 〖해부〗 소구치(小臼齒)〔작은 어금니〕(의); 〖동물〗 전구치〔앞어금니〕(의).

prè·monítion *n.* [C] 예감, 징후, 전조《*that*》: have a ~ *of* …을 예감하다 / I have a ~ *that* something terrible is going to happen. 뭔가 무서운 일이 생길 것 같은 예감이다.

pre·mónitory *a.* 예고의; 전조(前兆)의; 〖의학〗 전구적(前驅的)인: a ~ sign 전조(前兆) / a ~ symptom 전구증(前驅症).

prè·nátal *a.* 태어나기 전의, 태아기의; 임산부를 위한: a ~ checkup 출산 전 건강 진단 / ~ excercises 임산부를 위한 운동. [파] **~·ly** *ad.*

prè·occupátion *n.* **1** [U] (또는 a ~) 몰두, 전심, 열중《*with* …에 대한》: His ~ *with* health isn't normal. 건강에 대한 그의 관심은 보통이 아니다. **2** [C] 몰두〔걱정〕하는 문제〔일〕.

prè·óccupied *a.* 몰두한, 여념이 없는, 열중한《*with* …에》: a ~ expression 무엇에 정신이 팔린 듯한 표정 / She was so ~ *with* cooking that she didn't hear the bell. 그녀는 요리에 정신이 팔려 벨 소리를 못 들었다.

prè·óccupy *vt.* 먼저 점유하다, 선취(先取)하다; …의 마음을 빼앗다, …을 열중케 하다.

prè·ordáin *vt.* 〖보통 수동태〗 예정하다(predetermine), …의 운명을 미리 정하다《*that* / *to* do》: He seemed *~ed to* be our leader. 그는 우리 지도자가 되게 예정된 것 같았다 / It *was ~ed that* we should win. 우리는 이길 운명이었다.

prep [prep] 《구어》 *a.* 진학 준비의(preparatory). **—***n.* **1** 《美》 = PREPARATORY SCHOOL. **2** [U] 《美》 준비. **3** [U] 《英》 (boarding school 등에서의) 숙제. **—**(**-pp-**) *vi.* **1** 준비하다《*for* …에 대비해》. **2** 예비 학교에 다니다. **—***vt.* (아무)에게 준비를 시키다《*for* …에 대한》.

prep. preposition.

pré·pàck *vt.* = PREPACKAGE.

prè·páckage *vt.* (식품 · 제품 등)을 팔기 전에 포장하다〔봉지에 넣다〕.

prè·páid PREPAY의 과거 · 과거분사. **—***a.* 선불의, 이미 치른: a ~ parcel 송료 선불 소포.

*****prep·a·ra·tion** [prèpəréiʃən] *n.* **1 a** [U] (또는 a ~) 준비《*of, for* …을 위한》: in ~ *for* …의 준비로 / a hurried ~ *of* supper 분주한 저녁 준비 / ~ *for* a journey 여행 준비. **b** [C] (흔히 *pl.*) (구체적인) 준비《*for* …을 위한 / *to* do》: We're making *~s for* the school festival. 우리는 학교 축제를 준비하고 있다. **2** [U] 조리; (약의) 조제; [C] 조제약, 조리 식품, 조합제: medical *~s* 조제 약품. **3** [U] 《英》 숙제.

pre·par·a·tive [pripǽrətiv] *a.* 준비〔예비〕의. **—***n.* [U] 준비 행위; 〖군사〗 준비 신호 (소리). [파] **~·ly** *ad.*

*****pre·par·a·to·ry** [pripǽrətɔ̀ːri/-təri] *a.* **준비의**, 예비의: ~ pleadings 〔proceedings〕 〖법률〗 준비 서면〔절차〕 / ~ talks 예비 회담. ◇ prepare *v.* **~ *to*** …의 준비로서, …에 앞서.

preparátory schòol 《美》 대학 예비교《대학 진학 코스의 사립 학교》; 《英》 예비교《public school 따위에 진학하기 위한》.

*****pre·pare** [pripέər] *vt.* **1** 《~+[목]/+[목]+[전]+[명]/+*to* do》 **준비하다**, 채비하다《*for* …에 대비해, …을 위해》: ~ the table 식사 준비를 하다 / ~ a lesson 학과 예습을 하다 / ~ the soil *for* sowing 땅을 씨 뿌릴 수 있게 하다 / ~ a room *for* a guest 손님 맞을 방을 준비하다 / After a short rest we *~d to* climb down. 잠시 쉰 후에 우리는 산을 내려갈 준비를 했다.
2 《+[목]+*to* do / +[목]+[전]+[명]》 (아무)에게 준비를 시키다《*for* …의》: We are *~d to* supply the goods. 현품은 즉시 보내드립니다 / ~ students *to* face real life 학생들을 실생활에 직면할 수 있도록 준비시키다 / ~ a boy *for* an examination 아이에게 시험 준비를 시키다.
3 《~+[목]/+[목]+[목]/+[목]+[전]+[명]》 (식사 따위)를 조리하다, (약 따위)를 만들다《*for* (아무)에게》: ~ dinner 저녁을 마련하다 / My mother *~d* us substantial breakfast. = My mother *~d* a substantial breakfast *for* us. 어머니는 우리들에게 충분한 아침 식사를 마련해 주셨다.
4 《+[목]+[전]+[명]/+[목]+*to* do》 …에게 각오를 갖게 하다《*for* …의》: ~ a patient *for* surgery 환자에게 수술받을 마음의 준비를 시키다 / Nothing has *~d* her *to* be a mother. 그녀에게는 어머니가 될 마음의 준비가 되어 있지 않았다 / He *~d* himself *to* die. 그는 죽을 각오가 되어 있었다.
—*vi.* 《+[전]+[명]》 **1 채비하다**, 준비하다《*for* …을 위해서; *against* …에 대비해》: ~ *for* war 전쟁 준비를 하다, 전쟁에 대비하다 / ~ *against* disaster 재해에 대비하다. **2** 각오하다《*for* …을》: ~ *for* the worst 최악의 경우를 각오하다 / ~ *for* death 죽음을 각오하다. ◇ preparation *n.*, preparatory *a.*

pre·páred *a.* **1** 채비〔준비〕가 되어 있는; 각오하고 있는: a ~ statement 준비된 성명. **2** 조제〔조합(調合)〕한.
[파] **-par·ed·ly** [-pέəridli, -pέərd-] *ad.*

pre·par·ed·ness [pripέəridnis, -pέərd-] *n.* [U] 준비〔각오〕(가 되어 있음), 《특히》 전쟁에 대한 대비, 군비.

prè·páy (*p.*, *pp.* **-paid** [-péid]; **-pay·ing**) *vt.* 선불하다, (운임 따위)를 미리 치르다: ~ a reply to a telegram 전보의 반신료를 선불하다.

pre·pon·der·ance, -an·cy [pripándərəns/-pɔ́n-], [-i] *n.* (a ~) (무게 · 힘에 있어서의) 우위; 우세, 우월《*over* …보다》.

pre·pon·der·ant [pripándərənt/-pɔ́n-] *a.* 무게〔수 · 양 · 힘〕에 있어 우세한, 압도적인《*over* …보다》. [파] **~·ly** *ad.*

pre·pon·der·ate [pripándərèit/-pɔ́n-] *vi.* 무게〔수 · 양 · 힘 따위〕에 있어서 낫다; 중요하다《*over* …보다》.

*****prep·o·si·tion** [prèpəzíʃən] *n.* [C] 〖문법〗 **전치사**《생략: prep.》. [파] **~·al** [-ʃənəl] *a.* 전치사(적)인: a *~al* phrase 전치사구 / *~al* adverb 전치사적 부사. **~·al·ly** *ad.*

pre·pos·i·tive [priːpázitiv/-pɔ́z-] *a.* 〖문법〗 앞에 둔, 전치(前置)의, 접두사적인.

prè·posséss *vt.* …에게 좋은 인상을 주다; (감정 · 생각이) …의 마음을 사로잡다, …에게 선입관을 갖게 하다《흔히 수동태로 쓰며, 전치사는 *with*, *by*》: He *is ~ed with* a queer idea. 그는 묘한 편견을 갖고 있다 / I *was* quite *~ed by* his appearance. 나는 애초부터 그의 외모에 호감을 가졌었다.

㊕ ~·ing *a.* 매력 있는, 호감을 주는.

prè·posséssion *n.* **1** Ⓒ 선입적 호감, 편애; 선입관《***for*** …에 대한》. **2** Ⓤ 열중, 몰두.

◇**pre·pos·ter·ous** [pripástərəs/-pɔ́s-] *a.* 앞뒤가 뒤바뀐; 상식을〔도리를〕 벗어난, 터무니없는; 어리석은: a ~ price 터무니없는 값/That's ~! 저런 어리석기는. ㊕ **~·ly** *ad.* **~·ness** *n.*

prep·pie, -py [prépi] (*fem.* ***prep·pette*** [prepét]) *n.* Ⓒ 《美구어》 preparatory school의 학생〔출신자〕《부유층 자제가 많음》; (복장 · 태도가) ~풍(風)의 사람. **—***a.* ~풍의.

prép schòol 《구어》 = PREPARATORY SCHOOL.

pre·puce [príːpjuːs] *n.* Ⓒ 〖해부〗 (음경 · 음핵의) 포피(包皮).

Pre-Raph·a·el·ite [priːrǽfiəlàit] *a.*, *n.* Ⓒ 라파엘 전파(前派)의 (화가); Raphael 이전 (14세기초)의 (화가): the ~ Brotherhood 라파엘 전파《1848년 사실적 화법을 주장한 영국 화가 D. G. Rossetti, W. H. Hunt, J. E. Millais 등이 결성(結成); 생략: P.R.B.》.

prè·recórd *vt.* 〖라디오 · TV〗 미리 녹음〔녹화〕해 두다.

prè·réquisite *a.* 미리 필요한, 없어서는 안 될, 필수의《***for, to*** …에》: a ~ subject 필수 과목/This qualification is ~ *to* being hired. 이 자격은 고용의 필요 조건이다. **—***n.* Ⓒ 선행〔필요〕 조건《***for, to, of*** …의》.

***pre·rog·a·tive** [prirágətiv/-rɔ́g-] *n.* Ⓒ (보통 *sing.*) (관직 · 지위 따위에 따르는) **특권**, 특전; (영국의) 국왕 대권(the royal ~): the ~ of mercy 사면권.

Pres. Presbyterian; President; Presidency.

pres. present; president; presidency; presidential; presumptive.

pres·age [présidʒ] *n.* Ⓒ 예감, 육감; 전조(omen), 조짐: of evil 〔ominous〕 ~ 불길한, 재수 없는. **—** [présidʒ, priséidʒ] *vt.* **1** …의 전조가 되다, …을 예시(豫示)하다: The dark clouds ~*d* a storm. 그 검은 구름은 폭풍의 전조였다. **2** 예지〔예감〕하다.

pres·by·ter [prézbitər] *n.* Ⓒ (장로 교회의) 장로(elder).

Pres·by·te·ri·an [prèzbitíəriən] *a.* (종종 p-) 장로 교회의. **—***n.* Ⓒ 장로제〔파〕주의자.
㊕ **~·ism** *n.* Ⓤ 장로제〔파〕주의.

pres·by·tery [prézbitèri/-təri] *n.* Ⓒ 〖교회〗 장로회; 장로회 관할구(區); (교회당 동쪽에 있는) 성직자석, 사제석; 〖가톨릭〗 사제관(館).

pré·schóol *a.* Ⓐ 학령 미달의, 취학 전의. **—** [ㅅㅅ] *n.* Ⓒ 《美》 유아원; 유치원(kindergarten). ㊕ **~·er** *n.*

pre·sci·ence [préʃiəns, príː-] *n.* Ⓤ 예지, 선견(foresight). ㊕ **-ent** *a.* 미리 아는, 선견지명이 있는.

pre·scribe** [priskráib] *vt.* **1** 《~+목/+목+전+명/+*wh.* 절/+*wh. to* do/+*that* 절》 **규정하다**, 지시하다, 명하다(order)《to*** (아무)에게》: ~*d* textbooks 지정 교과서/Do what the laws ~. 법의 규정을 지켜라/He always ~*s to* us *what* (we are) *to* do. 그는 늘 우리들에게 어떻게 할 것인가를 지시한다/Convention ~*s that* we (should) wear black at a funeral. 관례에 따라 장례식에서는 상복을 입기로 되어 있다. **2** 《~+목/+목+전+명/+목+목》 (약 · 요법 따위)를 처방하다《***for*** (병)에; ***for, to*** (아무)에게》: ~ a long rest 장기 안정을 명〔권〕하다/The doctor ~*d* some pills *for* my cough. 의사는 내 감기에 알약을 몇 알 처방해 주었다/~ medicine *to* 〔*for*〕 a patient 환자에게 약제를 처방하다/~ a strict diet *to* her = ~ her a strict diet 그녀에게 엄격한 식이 요법을 명하다.
—*vi.* **1** 규칙을 정하다, 지시를〔명령을〕 내리다. **2** 《~/+전+명》 처방을 내리다, 치료법을 지시하다《***for*** (병 · 환자)에 대하여》: ~ *for* a patient.
◇ prescription *n.*
㊕ **~d** *a.* Ⓐ 정해진, 규정된.

pre·script [príːskript] *n.* Ⓒ 명령; 규칙, 규정; 법령, 법률.

***pre·scrip·tion** [priskrípʃən] *n.* **1** Ⓤ **규정**; Ⓒ 법규, 규범, 훈령. **2** Ⓤ 처방; Ⓒ 처방전(箋), 처방약: write out a ~ (의사가) 처방전을 쓰다. **3** Ⓤ 〖법률〗 시효, 취득 시효: negative 〔positive〕 ~ 소멸〔취득〕 시효. ◇ prescribe *v.*

prescríption drùgs 의사 처방전이 없으면 구할 수 없는 약제.

pre·scrip·tive [priskríptiv] *a.* 규정하는; 지령을 내리는; 〖문법〗 규범적인; 〖법률〗 시효에 의하여 얻은; 관례에 의한: a ~ right 시효에 의해 얻은 권리. ㊕ **~·ly** *ad.*

prescríptive grámmar 규범 문법《한 언어의 올바른 용법을 지시하는 문법》.

⁑**pres·ence** [prézəns] *n.* **1** Ⓤ **존재**, **현존**, 실재: I was not aware of his ~. 그가 온 것을 미처 알지 못했다. **2** Ⓤ **출석**, 임석; 참석: Your ~ is requested. 참석해 주시기 바랍니다. ↔ *absence*. **3** (*sing.*) 주둔(군); (경찰관의) 배속, 배치. **4** Ⓤ (사람이) 있는 자리, 면전: in the ~ of a person 아무의 면전에서/Can you say so in his ~? 그 사람 앞에서 그렇게 말할 수 있겠는가. **5** Ⓤ (또는 a ~) 풍채, 인품, 태도: He has a poor ~. 그는 풍채가 보잘것없다/a man of (a) noble ~ 풍채가 기품 있는 사람. **6** Ⓒ (보통 *sing.*) 신령, 영혼, 유령.
make **one's ~ *felt*** 자기 존재를〔중요성을〕 알아보게 하다. **~ *of mind*** (위급시의) 침착, 평정(↔ *absence of mind*): lose one's ~ *of mind* 당황하다/He had the ~ *of mind* to call the fire station. 그는 침착하게 소방서에 전화를 걸었다.

présence chàmber 알현실(謁見室).

†**pres·ent**[1] [prézənt] *a.* **1** Ⓟ **a 있는, 출석하고 있는.** ↔ *absent*. ¶the members ~ 출석 회원/I was ~ at the meeting. 나는 그 집회에 참석했다/*Present*, sir 〔ma'am〕. 예《호명 때 '출석'의 대답으로서》. **b** 잊혀지지 않고 (남아) 있는《***to, in*** (마음 · 기억)에》: ~ *to* the imagination 상상 속에 있는/The accident is still ~ *in* my memory. 그 사건은 지금도 생생하게 기억에 남아 있다. **2** Ⓐ (the 〔one's ~〕) **지금의**, 오늘날의, **현재의**, 현(現)…: the ~ Cabinet 현내각/one's ~ address 현주소/at the ~ day 〔time〕 오늘날에는/the ~ worth of $100 in 20 years, 20년 후에는 100달러가 될 현재의 금액.
3 〖문법〗 현재(시제)의: the ~ tense 현재 시제.
4 당면한, 문제의, 여기 있는, 이: the ~ volume 본서(本書)/the ~ writer 본(本)필자, 나.
~ *company excepted* 여기 있는 여러분은 다르지만《비판 같은 것을 할 때의 변명》.
—*n.* **1** (the ~) **현재**, 오늘날: this ~ 현금(現今)/up to the ~ 지금까지, 오늘에 이르기까지/(There is) no time like the ~. 《속담》 이런 좋은 때는 또 없다《지금이 호기》.
2 Ⓒ (보통 the ~) 〖문법〗 현재 시제.

3 (*pl.*) 〖법률〗 본서류, 본증서: Know all men by these ~*s* that .... 본서류에 의해 …임을 증명함《증서 문구》.

at ~ 목하, 현재. *for the* ~ 현재로서는, 당분간.

pres·ent[2] *n.* Ⓒ **선물.** ★ 보통 present는 친한 사람끼리의 선물; gift는 보통 개인〔단체〕에 대한 정식 선물. ¶a Christmas 〔birthday〕 ~ 크리스마스〔생일〕 선물 / make a person a ~ of... = make 〔give〕 a ~ of ...to a person 아무에게 …을 선사하다.

pre·sent[3] [prizént] *vt.* **1** 《~+목/+목+전+명》 **선물하다,** 증정하다, 바치다《*to* (아무)에게; *with* …을》: ~ a message 메시지를 보내다 / ~ a medal *to* a winner 우승자에게 메달을 수여(授與)하다 / ~ a person *with* a book = ~ a book *to* a person 아무에게 책을 증정하다. SYN. ⇨GIVE.

2 《~+목/+목+전+명/+목+목》 **야기시키다;** (기회 따위)를 제공하다《*to* (아무)에게; *with* …을》: The situation ~*ed* a serious problem. 그 사태로 인해 심각한 문제가 야기되었다 / This sort of work ~*s* no difficulty *to* me. =This sort of work ~*s* me *with* no difficulty. 이런 종류의 일은 나에게는 누워서 떡먹기다 / ~ a person an opportunity for ... 아무에게 …할 기회를 주다.

3 《~+목/+목+전+명》 **제출하다,** 내놓다《*to* …에게; *with* …을》: ~ one's card *to* …에게 명함을 내놓다 / The builder ~*ed* his bill *to* me. = The builder ~*ed* me *with* his bill. 건축업자가 나에게 청구서를 제출했다.

4 《~+목/+목+전+명》 (이유 · 인사 따위)를 진술하다, 말하다; (경의 따위)를 표하다《*to* …에게》: ~ facts 〔arguments〕 사실〔의론〕을 진술하다 / *Present* my compliments *to* him. 그에게 내 안부를 전해 주시오.

5 《~+목/+목+전+명》 〖~ oneself〗 모습을 보이다, 출석하다; (기회 따위가) 찾아오다, 생기다: He ~*ed* himself *at* the party. 그는 모임에 모습을 나타냈다 / If any difficulty ~*s itself*, come to me. 어떤 곤란한 일이 생기면 나한테 오시오.

6 《~+목/+목+전+명/+목+*as* 보》 (광경(光景) 따위)를 나타내다(exhibit), 묘사하다; …라고 느끼게 하다, …한 인상을 주다《*to* …에게》: She ~*ed* a smiling face *to* a crowded audience. 그녀는 만장의 청중에게 미소를 보였다 / He was ~*ed as* very shy. 그는 매우 소심한 사람처럼 보였다.

7 《~+목/+목+전+명》 **소개하다,** 인사시키다《*to* (고위의 아무)에게》: May I ~ Mr. Jones (*to* you)? (당신에게) 존스씨를 소개합니다. SYN. ⇨INTRODUCE.

8 (영화 회사가 영화 등)을 **제공하다,** 공개하다, (연극)을 상연하다; (배우)를 출연시키다; (TV · 라디오에서) …의 사회를 하다: ~ a new play 〔an unknown actor〕 새 연극을 상연하다〔무명의 배우를 출연시키다〕.

9 《~+목/+목+전+명》 향하게 하다, 놀리다《*to* …에》, 겨누다《*at* …을》; 〖군사〗 받들어총을 하다: ~ a firearm 총기를 겨누다 / He ~*ed* his back *to* the audience. 그는 관중에게 등을 돌렸다 / ~ a gun *at* a bird 총으로 새를 겨누다 / *Present* arm! 받들어 총.

pre·sént·a·ble *a.* 남 앞에 내놓을 만한, 외모가 좋은, 보기 흉하지 않은.

㊕ **-bly** *ad.* **~·ness** *n.* **pre·sènt·a·bíl·i·ty** *n.*

pres·en·ta·tion [prèzəntéiʃən] *n.* **1** Ⓤ (구체적으로는 Ⓒ) 증여, 수여, 증정: the ~ day (대학의) 학위 수여일. **2** Ⓤ 소개, 피로(披露), 발표, 제시; 발표〔제시〕 방법, 체재. **3** Ⓤ (구체적으로는 Ⓒ) (극 · 영화 따위의) 상연, 상영, 연출, 공개. **4** Ⓤ (구체적으로는 Ⓒ) 〖의학〗 태위(胎位).

presentátion còpy 증정본.

◇**présent-dáy** *a.* Ⓐ 현대의, 오늘날의: ~ English 현대 영어 / the ~ world 오늘날의 세계.

pres·en·tee [prèzəntíː] *n.* Ⓒ 수증자(受贈者), 수령자.

pre·sént·er *n.* Ⓒ **1** 증여자; 제출자. **2** (TV · 라디오의) 사회자; 뉴스 방송자; 앵커맨(anchorman).

pre·sen·ti·ment [prizéntəmənt] *n.* Ⓒ (불길한) 예감, 예각(豫覺), 육감《*that*》: have a ~ *of* danger 위험한 예감이 들다 / feel a strange ~ *that* …이라는 이상한 예감이 들다.

pres·ent·ly [prézəntli] *ad.* **1 이내, 곧** (soon): He will be here ~. **2** 《美 · Sc.》 **목하, 현재**(at present): She is ~ away from home. 그녀는 지금 집에 없다.

pre·sént·ment *n.* Ⓤ **1** 진술, 서술. **2** (극의) 상연, 연출; 묘사. **3** 〖법률〗 대배심의 고소〔고발〕.

présent párticiple 〖문법〗 현재분사.

présent pérfect (the ~) 〖문법〗 현재완료.

pre·serv·a·ble [prizə́ːrvəbəl] *a.* 보존〔보관, 저장〕할 수 있는.

***pres·er·va·tion** [prèzərvéiʃən] *n.* Ⓤ **1 보존,** 저장; 보호, 보관: for the ~*of* one's health 건강 유지를 위해 / wildlife ~ 야생 생물 보호. **2** 보존 상태: be in good 〔bad〕 ~ 보존 상태가 좋다〔나쁘다〕. ◇preserve *v.*

pre·serv·a·tive [prizə́ːrvətiv] *a.* 보존하는, 보존력 있는; 방부의.

—*n.* Ⓤ (종류 · 낱개는 Ⓒ) 방부(防腐)제: No *Preservatives* 방부제 쓰지 않음《식품 라벨의 문구》.

pre·serve [prizə́ːrv] *vt.* **1 보전하다,** (성질 · 상태)를 유지하다: ~ one's health 건강을 유지하다 / ~ order 〔world peace〕 질서〔세계 평화〕를 유지하다 / ~ one's composure 〔serenity〕 침착〔평정〕을 잃지 않다.

2 보존하다: ~ historical monuments 사적을 보존하다. SYN. ⇨KEEP.

3 《~+목/+목+전+명》 (식품 따위)를 보존하다《*from* (부패)하지 않게》; 졸임으로 하다《*in, with* …의》: Smoking 〔Salting〕 ~*s* food (*from* decay). 훈제는〔소금절임은〕 음식을 (상하게 하지 않고) 보존케 한다 / ~ fruit *in* 〔*with*〕 sugar 과일을 설탕절임하다.

4 《~+목/+목+전+명》 **보호하다,** 지키다《*from* (위험 따위)로부터》: God 〔Saints〕 ~ us! 하느님〔성자(聖者)들이시여〕 우리를 지켜 주소서《종종 놀라움의 소리》/ The dog ~*d* him *from* danger. 개는 그를 위험에서 구했다.

5 (새 · 짐승)을 보호하다, …을 금렵 구역으로 하다: ~ game 조수의 사냥을 금하다 / These woods are ~*d*. 이 숲은 금렵 구역이다.

—*vi.* 〖well 따위의 양태 부사와 함께〗 (식품이) 보존되다: This vegetable doesn't ~ well. 이 야채는 보존이 잘 안 된다. ◇preservation *n.*

—*n.* **1** Ⓤ (또는 *pl.*) 보존 식품, 설탕 조림, 잼(jam), 통〔병〕조림의 과일. **2** Ⓒ 금렵지; 양어장; 《美》 자연 자원 보호 구역. **3** Ⓒ (개인의) 영역, 분야.

㊕ **pre·sérv·er** *n.* Ⓒ **1** 보존자, 보호자. **2** 통〔병〕

조립업자(packer). **3** 금렵지 관리인.

prè·sét *vt.* 미리 세트〔설치, 조절〕하다; 미리 정하다.

prè-shrúnk *a.* 방축(防縮) 가공한《천 따위》.

***pre·side** [prizáid] *vi.* **1** 《~/+전+명》 **의장 노릇하다, 사회를 하다**《**at** (모임 따위)의》: ~ *at* the meeting 모임의 사회를 보다. **2** 《+전+명》 **통할하다**, 관장하다《**over** …을》: ~ *over* the business of the store 상점 경영을 관장하다. **3** 《~/+전+명》 연주를 맡다《**at** (악기)의》: ~ *at* the piano 피아노 연주를 맡다. ◇ president *n.*

°**pres·i·den·cy** [prézidənsi] *n.* [C] president 의 직〔지위, 임기〕.

†**pres·i·dent** [prézidənt] *n.* [C] **1** (종종 P-) **대통령**: the *President* of the United States of America 미합중국 대통령. **2 장**(長), 회장, 총재; 의장; (대학의) 총장, 학장; 《美》 (은행 · 회사 따위의) 사장: the ~ of a society 협회의 회장. **3** 《美》 사회자. ◇ presidential *a.*

président-eléct *n.* [C] 차기 대통령〔회장, 총재 (따위)〕《당선된 때부터 취임시까지의》.

pres·i·den·tial [prèzədénʃəl] *a.* [A] **1** president 의: a ~ election 대통령 선거/a ~ plane 대통령 전용기/a ~ timber 《美》 대통령감/a ~ year 《美》 대통령 선거의 해/a ~ aide 대통령 보좌관. **2** 회장〔총재, 학장〕의. ◇ president *n.*

‡**press**[1] [pres] *vt.* **1** 《~+목/+목+부/+목+전+명》 **누르다**, 밀어붙이다(*down*): ~ the button for help 버튼을 눌러 도움을 청하다/~ *down* the accelerator pedal 액셀러레이터를 밟다/The crowd ~*ed* him *into* a corner. 군중은 그를 한 구석에 밀어붙였다/The cat ~*ed* itself *against* me. 고양이는 내게 몸을 기댔다.

2 《~+목/+목+전+명/+목+보》 눌러 펴다, 프레스하다: ~ flowers (종이 사이에 끼워) 꽃을 눌러 납작하게 하다/~ clothes 옷에 다리미질을 하다/He ~*ed* the clay *into* the figure of a horse. 그는 찰흙을 눌러서 말 모양을 만들었다/~ dough flat 밀가루 반죽을 눌러 납작하게 하다.

3 《~+목/+목+전+명》 껴안다, 꽉 쥐다: She ~*ed* him *in* her arms. 그녀는 그를 꽉 껴안았다/~ a person's hand 아무의 손을 잡다, 악수하다.

4 《~+목/+목+전+명》 (짓눌러) …에서 즙을 내다; (즙)을 짜내다《**from, out of** …에서》: ~ grapes 포도를 짜(내)다/~ the juice *from* a lemon 레몬 즙(汁)을 내다.

5 《~+목/+목+전+명》 **강조〔역설〕하다**, 주장하다; 억지로 받아들이게 하다《**on** (아무)에게》: He ~*ed* his point. 그는 자기 논지를 강력히 주장했다/He ~*ed* his ideas *on* us. 그는 자기 생각을 우리에게 고집했다.

6 《~+목/+목+*to* do/+목+전+명》 **…에게 강요하다**, 조르다《**for** …을》: ~ a request 몹시 조르다/~ a person *to* come 아무를 억지로 오게 하다/The people ~*ed* the king *for* the reform. 국민은 국왕에게 개혁을 강요하였다/I was ~*ed* *into* the role of his assistant. 나는 그의 조수 역할을 억지로 떠맡았다. SYN. ⇨URGE.

7 《+목+전+명》 〖보통 수동태로〗 **a** 괴롭히다《**with** (일 · 문제 따위)로》: ~ him *with* questions 그에게 질문 공세를 하다/He *was* ~*ed* by problems on all sides. 여러 면에서 갖가지 문제에 시달렸다. **b** 압박하다《**for** (경제적 · 시간적인 일)로》: *be* ~*ed for* time 〔money〕 시간〔돈〕에 쪼들리다〔곤란을 받다〕.

8 인쇄하다.

9 《~+목/+목+전+명》 (계획 · 행동 등)을 추진하다; (공격 등)을 강행하다: be hard ~*ed* 공격받다/~ a charge *against* a person 아무를 고발하다/The attack was ~*ed* home. 그 공격은 큰 성과를 거두었다.

10 프레스 가공하다; (음반)을 원판에서 복제하다.

11 《+목+전+명》 〖~ one's way 의 꼴로〗 헤치고 나가다《**through** …을》: ~ one's *way through* a crowd 군중을 헤치고 나가다.

12 〖컴퓨터〗 누르다《글쇠판이나 마우스의 버튼을 아래로 누르다》.

—*vi.* **1 a** 버튼〔벨〕을 누르다: *Press* To Start 누르면 움직입니다《버튼 아래에 써 있는 설명 문구》. **b** 《+부+전+명》 **누르다**(*down*)《**on** …을》, 몸을 기대다: He ~*ed down on* the brake. 그는 브레이크를 밟았다.

2 밀어붙이다《**on, against** …에》: The cat ~*ed* *against* his master's leg. 고양이는 주인의 다리에 다가붙었다.

3 《(+부)+전+명》 압박을 가하다, 짓누르다(*down*)《**on, upon** …에, …을》: The matter ~*ed upon* his mind. 그 문제는 그의 마음을 무겁게 하였다.

4 《+부/+전+명》 **밀어 제치며 나아가다**, 급히 가다; 밀려오다, 몰려들다《**to, toward, around, round** …에》: People ~*ed forward* to see what was happening. 사람들은 무슨 일인가 하고 서로 밀어제치며 앞으로 나아갔다/*Press on* 〔*forward*〕. 서둘러라, 밀고 나가라/A large crowd ~*ed around* him. 많은 군중이 그의 주위에 몰려들었다.

5 《(+부)+전+명》 **서두르다**(*on; forward*)《**with** …을; **to** …에》: He ~*ed on with* his work. 그는 쉬지 않고 계속 일했다.

6 절박하다, 시급을 요하다: Time ~*es*. 시간이 절박하다/Work ~*es* 일이 시급을 요한다.

7 《+전+명》 조르다, 강요하다《**for** …을》: ~ *for* an answer 대답을 강요하다.

8 a 프레스하다, 다리미질하다. **b** 〖well 따위의 양태 부사와 함께〗 (천이) 다려지다: This cloth ~*es* well. 이 천은 잘 다려진다. ◇ pressure *n.*

~ ***home*** 《*vt.*+부》 ① (물건)을 빽빽이 밀어넣다. ② …을 최대한으로 이용하다. ③ (논지 등)을 철저히 납득시키다《**on, upon** …에게》: He ~*ed* *home upon* me the vital importance of my work. 그는 내가 하는 일이 지극히 중요하다는 것을 내게 역설했다. ④ (공격)을 강행하다.

—*n.* **1** (a ~) **누름**; 움켜쥠: Give it a slight ~. 그것을 살짝 눌러라. **2** [C] (의복의) 다리미질. **3** [C] 〖종종 복합어를 이루어〗 압착기, 짜는 기구. **4** [U] **혼잡**, 군집, 붐빔: The little boy was lost in the ~ *of* people. 어린아이를 혼잡한 군중 속에서 잃었다. **5** [U] 분망, 절박, 화급: in the ~ *of* business 일이 분망하여. **6 a** [U] (흔히 the ~) **인쇄**: in 〔at〕 (《英》 the) ~ 인쇄 중인/send to (the) ~ 인쇄에 넘기다. **b** [C] **인쇄기**(《英》 machine): The ~*es* are rolling. 인쇄기가 가동 중이다. **c** (보통 P-) [C] 인쇄소; 출판사: Oxford University *Press* 옥스퍼드 대학 출판부. **7** (the ~) 〖집합적〗 **a 신문**, 잡지, 출판물: freedom of the ~ 출판〔언론〕의 자유. **b** 보도진, 기자단. **8** (a ~) (신문 · 잡지의) 비평, 논평: His drama had a good ~. 그의 극은 (신문 · 잡지에서) 호평을 받았다. **9** [C] (보통 벽에 만들어 넣은) 찬장; 책장; 양복장.

press[2] *vt.* 징발하다; 급한 대로 이용하다, 임시 변통하다《**into** …에, …으로》: ~ one's whole family *into* service (바빠서) 가족을 총동원하다/The old car was ~*ed into* service. 그 고물차가 급한대로 이용되었다.

préss àgency 통신사(news agency).

préss àgent (극단 따위의) 선전원, 보도〔홍보〕 담당원.

préss bàron 《구어》 신문왕.

préss bòx (경기장 따위의) 신문 기자석.

préss-bùtton *a.* 누름버튼식(式)의.

préss clìpping 《美》 신문〔잡지〕 오려낸 것.

préss cònference 기자 회견.

préss còrps (the ~) 〖집합적〗 《美》 신문 기자단, 보도진.

préss cùtting 《英》 =PRESS CLIPPING.

préss·er *n.* Ⓒ 압착기〔공(工)〕.

préss gàllery (의회 따위의) 신문 기자석; 의회 기자단.

préss-gàng *n.* Ⓒ (18세기 영국의) 수병 강제 징모대(徵募隊). **—***vt.* 《구어》 강제적으로 시키다 《*into* …을》.

pres·sie, prez·zie [prézi] *n.* Ⓒ 《英구어》 선물, 선사.

***press·ing** [présiŋ] *a.* **1 절박한**, 긴급한(urgent): a ~ need 절박한 필요/a ~ engagement 급한 용무. **2 간청하는**, 귀찮게 조르는, 집요한: Don't be so ~. 그렇게 귀찮게 조르지 마라.

—*n.* Ⓒ (원판에서 프레스하여 만든) 레코드.

㊞ **~·ly** *ad.* 긴급히, 집요하게.

préss·man [-mən] (*pl.* **-men** [-mən]) *n.* Ⓒ 인쇄공〔업자〕; 《英》 신문 기자(《美》 newsman).

préss·màrk *n.* Ⓒ (도서관의) 서가(書架) 번호.

préss òfficer (큰 기관의) 보도 담당자.

préss relèase (보도 관계자에게 미리 나누어 주는) 보도 자료(news release).

préss·ròom *n.* Ⓒ (신문사 따위의) 인쇄실; 신문 기자실.

préss sècretary (미국 대통령의) 보도 담당 비서, 공보 담당관.

préss-stùd *n.* Ⓒ 《英》 =SNAP FASTENER.

préss-ùp *n.* 《英》 =PUSH-UP.

⁑**pres·sure** [préʃər] *n.* **1** Ⓤ 누름; 몰려듦: the ~ *of* a crowd 북적대는 군중. **2** Ⓤ **압력**; 압축, 압착: give ~ to …에 압력을 가하다. **3** Ⓤ **압박**, 강제: act under ~ 압박을 받고 행동하다. **4** Ⓤ (구체적으로는 Ⓒ) 〖물리〗 압력《생략: P》; 〖기상〗 기압; 〖의학〗 혈압: high 〔low〕 (atmospheric) ~ 고〔저〕기압/water 〔oil, blood〕 ~ 수〔유, 혈〕압. **5** Ⓤ (구체적으로는 Ⓒ) 곤란, 고난: financial ~ 재정난/~ for money 돈에 궁함/~ of poverty 가난의 고통. **6** Ⓤ 긴급, 지급; 분망: (the) ~ *of* business 일의 분망. ◇press[1] *v.*

***put* ~ 〔*bring* ~ *to bear*〕 (*on* a person)** (아무에게) 압력을 가하다, (아무를) 압박하다. ***under* ~** ① (기체·액체 따위가) 압력을 받아. ② 강제〔강요〕되어: agree *under* ~ 강요에 의해 동의하다/be 〔come〕 *under* ~ to do …하도록 압력을 받고 있다〔받다〕.

—*vt.* 《美》 **1** 《~+목/+목+전+명/+목+*to* do》 …에게 압력을 가하다, 강제하다: ~ the students 학생들에게 압력을 가하다/They ~*d* him *into* accepting the contract. 그들은 그에게 그 계약을 받아들이도록 압력을 가했다/~ him *to* confess his crime 그에게 자백을 강요하다. **2** = PRESSURIZE.

préssure càbin 〖항공〗 기밀실(氣密室).

préssure-còok *vt., vi.* 압력솥으로 요리하다, 가압 조리하다.

préssure còoker 압력솥.

préssure gàuge 압력계.

préssure gròup 〖정치〗 압력 단체. ⓒⓕ lobby.

préssure pòint 압점《지혈할 때 누르는》; (피부의) 압각점(壓覺點); 정치 압력의 표적.

préssure sùit 여압복(與壓服)《고공〔우주〕 비행용》, 우주복.

pres·sur·ize [préʃəràiz] *vt.* **1** (고공 비행 중에 기밀실)의 기압을 일정하게 유지하다. **2** 압력솥으로 요리하다. **3** =PRESSURE.

㊞ **près·sur·i·zá·tion** *n.*

préssurized wáter reàctor 가압수형(加壓水型) 원자로《생략: PWR》.

Pres·tel [prestél, ⌐-] *n.* 프레스텔《가입자를 전화로 컴퓨터에 접속하여 텔레비전 스크린에 정보를 표시 제공하는 영국 우편 서비스》.

pres·ti·dig·i·ta·tion [prèstədìdʒətéiʃən] *n.* Ⓤ 요술(sleight of hand). ㊞ **près·ti·díg·i·tà·tor** [-tər] *n.* Ⓒ 요술쟁이.

°**pres·tige** [prestíːdʒ, préstidʒ] *n.* Ⓤ 위신, 위광(威光), 명성, 신망: loss of ~ 위신 손상/national ~ 국위. **—***a.* Ⓐ 명성이 있는, 신망이 두터운 《★ '명성을 과시하는' 이란 나쁜 뜻으로 쓰일 때도 있음》: a ~ car 고급차/a ~ school 명문교.

pres·ti·gious [prestídʒiəs] *a.* 명성〔신망〕 있는. ㊞ **~·ly** *ad.* **~·ness** *n.*

pres·tis·si·mo [prestísimòu] 《It.》 〖음악〗 *ad., a.* 아주 빠르게〔빠른〕. **—**(*pl.* **~s**) *n.* Ⓒ 프레스티시모 악장.

pres·to[1] [préstou] *ad., int.* 즉시로, 빨리《요술쟁이의 기합 소리》. (***Hey***) **~!** 《英》 (뜻밖의 일 따위를 말하기에 앞서) 참으로〔글쎄〕 말이지, 아니 글쎄, 이거참.

—*a.* 빠른, 신속한; 요술 같은.

pres·to[2] 《It.》 〖음악〗 *ad., a.* 빠르게〔빠른〕. **—**(*pl.* **~s**) *n.* Ⓒ 급속곡(急速曲), 프레스토 악장.

prè·stréss *vt.* (콘크리트에 강철선을 넣어서) 압축 응력(應力)을 주다.

préstressed cóncrete 프리스트레스트 콘크리트.

pre·sum·a·ble [prizúːməbəl] *a.* 추측〔가정〕할 수 있는, 있음 직한, 그럴 듯한. ◇presume *v.* ㊞ **-bly** *ad.* 추측상; 아마.

***pre·sume** [prizúːm] *vt.* **1** 《~+목/+(*that*) 절/+목+(*to be*) 보/+목+*to* do》 **추정하다**, 상상하다, …인가 하고 생각하다: ~ a person's guilt 〔innocence〕 아무의 유죄〔무죄〕를 추정하다/I ~ (*that*) you are right. 당신 말이 옳다고 생각합니다/We must ~ her (*to be*) dead. 그녀는 죽은 것으로 추정하지 않을 수 없다/Anyone not appearing is ~*d to* have given up their claims. 출석하지 않은 사람은 권리를 포기한 것으로 간주된다.

SYN. **presume, assume** 양자가 다 '증거가 없는데 …라고 생각하다' 의 뜻. presume 에는 '자기 형편 좋을 대로 단정하다' 라는 어감이, assume 에는 '이야기의 진행을 위해 남에게도 통용되는 가정하에 억측하다' 라는 어감이 있음. **presuppose** '전제로서 가정하다'. 위의 두 말에 비해 색채가 없는 말. 증거의 유무는 시사하지 않고 '당연히 …이어야 한다' 라는 뜻으로도 쓰임: An effect *presupposes* a cause. ⇨ PRESUPPOSE.

2 《~+목/+목+보》 〖법률〗 (반증이 없어) …으로

추정하다, 가정하다: ~ the death of a missing person =~ a missing person dead 행방불명자를 죽은 것으로 추정하다. ◇ presumptive *a.*

—*vi.* **1** 추정하다, 상상하다: Miss Green, I ~? 그린 양이지요. **2** ⟪~/+[전]+[명]⟫ 기화로 삼다 ⟪***on, upon*** …을⟫: Don't ~ *on* her good nature. 그녀의 선량한 성품을 이용 마라/She ~*d upon* his kindness to borrow some money. 그녀는 그의 친절함을 기화로 돈을 좀 빌렸다. **3** 〖보통 부정문 또는 의문문에서〗 **a** ⟪+*to* do⟫ 감히〔대담하게도〕 …하다: I wo*n't* ~ *to* trouble you. 수고를 끼칠 생각은 없습니다/May I ~ (*to* ask you a question)? 실례지만 (한 가지 여쭈어 보겠습니다). **b** 주제넘게 나서다: You're *presuming*. 주제넘게 구는군. ◇ presumptuous *a.*

pre·sum·ed·ly [prizjúːmidli] *ad.* =PRESUMABLY.

pre·sum·ing [prizúːmiŋ] *a.* 주제넘은, 뻔뻔스러운, 건방진. [파] **~·ly** *ad.* **~·ness** *n.*

pre·sump·tion** [prizʌ́mpʃən] *n.* **1** [C] **추정**, 가정, 추측, 억측⟪that***⟫: That is a false ~. 그것은 잘못된 추정이다/The ~ is that he had lost it. 아마 잃어버렸을걸/She took his part on the ~ *that* he was innocent. 그가 무죄라는 가정하에 그녀는 그를 편들었다. **2** [U] 주제넘음, 뻔뻔함⟪***to*** do⟫: We were amazed at her ~ in making such claims. 그런 요구를 하는 그녀의 뻔뻔스러움에 우리는 놀랐다/He had the ~ *to* criticize my work. 그는 건방지게도 내 작품을 비평하였다. ◇ presume *v.*

pre·sump·tive [prizʌ́mptiv] *a.* [A] 추정의, 가정의; 추정의 근거가 되는: an heir ~ =a ~ heir 〖법률〗 추정 상속인.

pre·sump·tu·ous [prizʌ́mptʃuəs] *a.* 주제넘은, 뻔뻔한, 건방진⟪***to*** do⟫: He is ~ *to* give orders. =It's ~ *of* him *to* give orders. 그가 명령을 하다니 주제넘구나. [파] **~·ly** *ad.* **~·ness** *n.*

prè·suppóse *vt.* 미리 가정〔예상〕하다; 필요조건으로 예상하다, 전제로 하다; …의 뜻을 포함하다⟪***that***⟫: An effect ~*s* a cause. 결과는 원인을 전제로 한다/Don't ~ his guilt 〔*that* he is guilty〕. 그가 유죄라고 지레짐작하지 마라/The plan ~*s that* we can get financial support. 그 계획은 우리가 재정적인 지원을 받을 수 있다는 전제로 한다.

prè·supposítion *n.* **1** [U] 예상, 가정. **2** [C] 전제 조건⟪***that***⟫: on the ~ *that*... …라는 전제(조건)으로.

pret. preterit(e).

prêt-à-por·ter [prɛ̀tɑpɔrtéi] *n.* [C], *a.* ⟪F.⟫ (고급) 기성복(의).

prè·táx *a.* 세금을 포함한.

pretence ⇨PRETENSE.

‡**pre·tend** [priténd] *vt.* **1** ⟪~+[목]/+*to* do/+*that* [절]⟫ …인 **체하다**, …같이 꾸미다, 가장하다: ~ illness 꾀병 앓다/~ ignorance 무식을 가장하다; 모르는 체하다/He ~*ed to* be sick. =He ~*ed that* he was sick. 그는 아픈 체했다/She ~*ed* not *to* know me. 그녀는 나를 모르는 체했다. [SYN.] ⇨ASSUME.

2 ⟪+*to* do/+*that* [절]⟫ (아이들이 놀이로서) …흉내를 내다, …흉내를 내며 놀다: The boys ~*ed to* be Indians. 소년들은 인디언 놀이를 했다/Let's ~ (*that*) we're pirates. 해적놀이 하자.

3 ⟪+*to* do⟫ 〖보통 부정문 또는 의문문에서〗 감히 …하다, 주제넘게 …하려고 하다: I can*not* ~ *to* advise you. 나는 당신에게 충고하려는 생각은 없습니다.

—*vi.* **1** 꾸미다, 흉내내다; (아이들이) 흉내놀이를 하다. **2** ⟪+[전]+[명]⟫ 자칭하다, 자부하다, 자처하다⟪***to*** …을⟫: ~ *to* great knowledge 대학자로 자처〔자부〕하다. **3** ⟪+[전]+[명]⟫ 주장〔요구〕하다, 탐내다⟪***to*** …을⟫: ~ *to* the throne 〔Crown〕 왕위를 노리다. ◇ pretense, pretension *n.*

—*a.* [A] ⟪소아어⟫ 상상의, 가공(架空)의: This is my ~ mother. (놀이에서) 이 애가 우리 엄마. [파] **~·ed** [-id] *a.* 외양만의, 거짓의: ~*ed* illness 꾀병. **~·ed·ly** *ad.*

pre·ténd·er *n.* [C] …인 체하는 사람; 사칭자; 왕위를 노리는 자; (부당한) 요구자⟪***to*** …의⟫.

pre·tense** [priténs] *n.* **1** [U] **구실**, 핑계: on 〔under〕 (the) ~ of …을 핑계로. **2** [U] (또는 a ~) **겉치레**, 가면, 거짓⟪to*** do/***that***⟫: He made a ~ of illness. =He made ~ *to* be 〔*that*〕 he was ill. 그는 아픈 체했다. **3** [U] 〖보통 부정문 또는 의문문에서〗 **a 허영**(을 부리기), 자랑해 보임, 허식: a man without 〔with no〕 ~ 허식 없는 사람. **b** 주장, 자처⟪***to*** …의⟫: I make no ~ *to* be*ing* an artist. 내가 예술가라고 자처하지는 않는다. ◇pretend *v.*

°**pre·ten·sion** [priténʃən] *n.* **1** [C] (흔히 *pl.*) 주장, 권리⟪***to*** …에 대한⟫; 자임(自任), 자부⟪***to*** …의⟫: I have 〔make〕 no ~*s to* be*ing* an authority on linguistics. 나는 언어학의 대가라고 자처하지 않는다. **2** [U] (구체적으로는 [C]) 가장, 허식: without 〔free from〕 ~ 수수한〔하게〕; 우쭐대지 않고. ◇ pretend *v.*

°**pre·ten·tious** [priténʃəs] *a.* 자부〔자만〕하는, 우쭐하는; 뽐내는, 허세부리는, 과장된; 거짓의. [파] **~·ly** *ad.* **~·ness** *n.*

pret·er·it(e) [prétərit] *n.* (the ~) 〖문법〗 과거(시제), 과거형⟪생략: pret.⟫: in the ~ 과거 시제로. **—***a.* 〖문법〗 과거(형)의: the ~ tense 과거 시제.

prèter·nátural *a.* 초자연적인; 이상한, 기이한, 불가사의한. [파] **~·ly** *ad.*

pré·tèst *n.* [C] 예비 시험, 예비 검사. **—***vt.*, *vi.* [⌐⌐] (…의) 예비 시험을〔검사를〕 하다.

pre·text** [príːtekst] *n.* [C] **구실**, 핑계⟪for*** …의/***that***⟫: on some ~ or other 이 핑계 저 핑계로/She used a call as a ~ *for* leav*ing* the room. 그녀는 전화가 왔다는 핑계로 방에서 나갔다/He remained home on 〔under〕 the ~ *that* he was sick. 그는 아프다는 핑계로 집에 남았다.

pretor ⇨PRAETOR.

Pre·to·ria [pritɔ́ːriə] *n.* 프리토리아⟪남아프리카 공화국의 행정 수도⟫. [cf.] Cape Town.

pret·ti·fy [prítifài] *vt.* ⟪종종 경멸적⟫ 아름답게〔곱게〕 하다; 천하게 치장하다, 치레하다.

°**pret·ti·ly** [prítili] *ad.* 곱게, 귀엽게; 얌전히.

†**pret·ty** [príti] (***-ti·er; -ti·est***) *a.* **1 예쁜, 귀여운**⟪★ beautiful, handsome 등에 대하여 작은 것에 쓰임⟫: a ~ girl 예쁜 처녀/a ~ child 귀여운 아이/a ~ face 애교 있는 얼굴. [SYN.] ⇨BEAUTIFUL.

2 깔끔한, 훌륭한, 멋진, 재미있는: a ~ tune 멋진 곡조/a ~ stroke 〖크리켓·골프〗 쾌타, 통타(痛打)/say ~ things 엉너리 치다.

3 [A] 〖반어적〗 엉뚱한; 곤란한, 골치 아픈: Here's a ~ mess 〔business〕. 야, 일이 엉뚱〔난처〕하게 되었군.

4 [A] ⟪구어⟫ (수·양이) 꽤 많은, 상당한: a ~

sum of money 꽤 많은 금액/a ~ penny 큰돈, 많은 돈.
5 Ⓐ (남자가) 멋부린, 멋진.
(**as**) ~ ***as a picture*** 아주 예쁜(귀여운).
—*ad*. **꽤**, 비교적, 상당히, 매우: I am ~ well. 나는 상당히 좋은 편입니다/His timing is ~ good. 그의 타이밍은 아주 좋았다/I'm ~ sick about it. 나는 그것이 아주 싫다.
~ ***much*** (***well***) 거의: ~ *much* the same thing 거의 같은 것(일). ***sitting*** ~ 《구어》 좋은 지위에 앉아서; 성공하여; 유복하여.
—*vt*. 《~+목/+목+부》 예쁘게 하다, 장식하다 (*up*): ~ oneself 멋부리다/~ *up* a room 방을 장식하다. ㊕ **-ti·ness** *n*.
prétty-prètty *a*. 지나치게 꾸민; 그저 예쁘기만 한.
pret·zel [prétsəl] *n*. 《G.》 Ⓒ 일종의 비스킷 《짭짤한 맥주 안주》.
prev. previous(ly).
⁑**pre·vail** [privéil] *vi*. **1** 《~/+전+명》 **이기다**, 승리하다《***over, against*** …을》: ~ in a struggle 투쟁에서 이기다/~ *against* the foe 적을 물리치다/They *~ed over* their enemies in the battle. 그 전투에서 적을 압도하였다/Truth will ~. 《격언》 진리는 승리한다. **2** 《~/+전+명》 **널리 보급되다**, 유행하다《***in, among*** …에》: This custom *~s in* the south. 이 풍습은 남부에서 널리 행하고 있다/The idea (superstition) still *~s* (*among* them). 그 생각(미신)은 아직도 (그들 사이에서) 믿어지고 있다/Despair *~ed in* her mind. 그녀 마음은 절망으로 가득 차 있었다. **3** **유력하다**, 효과가 나타나다: Did your prayer ~? 당신의 기도는 효험이 있었습니까. **4** 《+전+명+*to* do》 **설복하다**, 설득하다《***on, upon*** …을》: I *~ed on* her *to* accept the invitation. 나는 초대에 응하도록 그녀를 설득했다. ◇ prevalence *n*., prevalent *a*.
***pre·vail·ing** [privéiliŋ] *a*. **1** **우세한**, 유력한: the ~ opinion 유력한 의견. **2** **널리 보급되어 있는**, 유행하고 있는: the ~ fashion 유행하는 패션. SYN. ⇨PREVALENT. ㊕ **~·ly** *ad*. **~·ness** *n*.
preváiling wínd (the ~) 〖기상〗 탁월풍, 항풍(恒風).
◇**prev·a·lence** [prévələns] *n*. Ⓤ 널리 행해짐, 보급, 유행. ◇ prevail *v*.
prev·a·lent** [prévələnt] *a*. (널리) **보급된**, 널리 행해지는; 유행하고 있는《in, among*** …에》: the ~ belief 세상에서 일반이 품고 있는 신념/Malaria is ~ *in* this part of the country. 이 지방에는 말라리아가 널리 퍼져 있다. ㊕ **~·ly** *ad*.

SYN. **prevalent** 빈도·일반성·유포가 강조됨: Colds are *prevalent* in the winter. 감기는 겨울에 유행한다. **prevailing** 같은 종류의 다른 것을 누르고 우세한: the *prevailing* doctrine of the age 그 시대를 특색 있게 하는 신조. **current** 현재 유통하고 있는. 곧 또 변화할 것이라는 예상이 있음: *current* scientific hypotheses 오늘날의 과학상의 가설(假說).

pre·var·i·cate [privǽrəkèit] *vi*. 얼버무려 넘기다, 발뺌하다, 속이다. ㊕ **pre·vàr·i·cá·tion** *n*. **pre·vár·i·cà·tor** [-ər] *n*.
⁑**pre·vent** [privént] *vt*. **1** 《~+목/+목+전+명/+목+-*ing*》 **막다**, 방지하다, 방해하다, 막아서 … 못 하게 하다: ~ waste 낭비를 막다/~ a plague *from* spreading 전염병 만연을 예방하다/Business *~ed* him *from* going (his going, him going). 일 때문에 그는 못 갔다. **2** (아무)를 저지하다: Before I could ~ him, he opened the door and entered. 저지할 새도 없이 그는 문을 열고 들어왔다. ㊕ **~·a·ble** *a*.
⁑**pre·ven·tion** [privénʃən] *n*. Ⓤ **방지, 예방**: ~ *of* fire 방화(防火)/by way of ~ 예방법으로서; 방해하기 위해/*Prevention* is better than cure. 《속담》 예방은 치료보다 낫다. ◇ prevent *v*.
◇**pre·ven·tive** [privéntiv] *a*. 예방의; 막는, 방지하는《***of*** …을》: be ~ *of* …을 방지하다/~ measures 예방책/a ~ officer 《英》 밀수 단속관(官). **—***n*. Ⓒ 예방법(책, 약)《***for*** …에 대한》. ㊕ **~·ly** *ad*. **~·ness** *n*.
prevéntive deténtion (**cústody**) 〖英법률〗 예비 구금《상습 전과자에 대한》; 〖美법률〗 예비 구류《용의자에 대한》.
prevéntive máintenance 〖컴퓨터〗 예방 유지 보수.
pre·view [príːvjùː] *n*. Ⓒ **1** 예비 검사; 신간 견본의 전시; 내람(內覽). **2** 시연(試演), (영화 등의) 시사(試寫)(회). **3** 《美》 영화(텔레비전)의 예고편, (라디오의) 프로 예고. **4** 예고 기사. **5** 〖컴퓨터〗 미리보기《문서 처리나 전자 출판 풀그림에서 편집한 문서를 인쇄 전에 미리 화면에 출력시켜 보는 일》. **—***vt*. …의 시연을(시사를) 보다(보이다).
⁑**pre·vi·ous** [príːviəs] *a*. **1** 앞의, 이전의《***to*** …보다》: a ~ illness 기왕증(旣往症)/a ~ engagement 선약/on the ~ night (그) 전날 밤에/two days ~ *to* his arrival 그의 도착 2 일 전(에)/a ~ conviction 전과(前科).

SYN. **previous** 시간이나 물건의 순서가 다른 것에 비하여 빠름을 말함. **preceding** 시간과 순서의 바로 앞의 것을 나타냄: the *preceding* chapter 앞장(章). **prior**는 previous보다 문어적인 뜻을 지님. 또한 중요성이 높은 제 1 의 것을 가리킴.

2 너무 일찍 서두른, 조급한《***in*** …에》: You have been a little too ~. 자네는 좀 너무 서둘렀네/Aren't you a little ~ *in* forming such a plan? 당신이 그러한 계획을 세운 것은 조금 서두른 게 아닐까요.
◇**pré·vi·ous·ly** *ad*. 전에(는), 먼저, 미리.
prévious quéstion 〖의회〗 선결(先決) 문제 《본문제의 채결(採決) 여하를 미리 정하는 문제; 생략: p. q.》.
pre·vi·sion [privíʒən] *n*. Ⓤ (구체적으로는 Ⓒ) 선견, 예지, 예감.
pre·vue [príːvjùː] *n*. Ⓒ 《美》 (영화·TV의) 예고편(preview).
◇**pre·war** [príːwɔ́ːr] *a*. 전전(戰前)의. ↔ *postwar*. ¶ in ~ days 전전에는.
prexy, prex·ie [préksi], **prex** [preks] *n*. Ⓒ 《美속어》 학장, 총장.
prey** [prei] *n*. **1** Ⓤ (다른 동물의) **먹이**, 사냥감: in search of ~ 먹이를 찾아. **2** Ⓤ (또는 a ~) 희생, 밥《to, for*** …의》: become (fall) (a) ~ *to* …의 희생이 되다/He was a ~ *to* fears. 그는 공포에 사로잡혀 있었다. **3** Ⓤ 포획; 포식(捕食): a beast of ~ 맹수.
—*vi*. 《+전+명》 **1** 포식하다, 잡아먹다《***on, upon*** …을》: ~ *on* (*upon*) living animals 산 짐승을 잡아먹다. **2** 약탈(수탈)하다《***on, upon*** …을》: ~ *on* (*upon*) the poor 가난한 사람들을 수탈하다/The Vikings *~ed on* coastal settlement. 바이킹들은 연안의 촌락을 약탈했다. **3** (근심·병 따위가) 괴롭히다, 손상하다《***on, upon*** …을》: Care

~*ed on* her mind. 그녀는 근심으로 마음이 아팠다.

prez [prez] *n.* 《美구어》 = PRESIDENT.

prezzie ⇨ PRESSIE.

†**price** [prais] *n.* **1** [C] 가격, 값, 시세, 물가, 시가(市價): a net ~ 정가(正價)/a reduced ~ 할인 가격/a fixed 〔set〕 ~ 정가(定價)/a market ~ 시가/a retail ~ 소매 가격/a special ~ 특가/at cost ~ 원가로/fetch a high ~ 비싼 값에 팔리다/give 〔quote〕 a ~ 값을 부르다/I bought it at the ~ asked. 그것을 부르는 값에 샀다/What is the ~ of this? 이것은 얼마요/*Prices* are rising 〔falling〕. 물가가 오르고〔내리고〕 있다/Can you give me a better ~?—I'm sorry, we can't change the ~. 좀 싸게 안 됩니까—미안하지만 할인은 안 됩니다.

[SYN] **price** 실제로 매매되는 값, 파는 값: a bargain *price* 할인 가격. **value** 물건의 가치에 상당하는 값, 가액(價額): economic *value* 경제 가치. the *value* of a real estate 부동산의 (평)가액. **cost** 지급된 대가, 비용. **charge** 부과된 값→요금, 대금: postal *charge* 우편 요금. **rate** 단위당(當) 기준 가격: buy drapery fabrics at the *rate* of a dollar a yard 야드당 1달러로 피륙을 사다. **fare** 교통 기관의 요금→찻삯, 뱃삯: a railway *fare* 철도 운임. **fee** 각종 수수료, 무형의 봉사에 대한 요금: a school *fee* 수업료.

2 (*sing.*) 대가, 대상(代償); 희생: at the ~ of … 을 희생으로/He gained the victory, but at a heavy ~. 그는 승리는 얻었지만 대가는 컸다〔큰 희생을 치렀다〕.

3 [C] (도박에서) 건 돈의 비율.

4 [C] **a** 상금, 현상금: have a ~ on one's head 목에 현상금이 걸려 있다/set 〔put〕 a ~ on a person's head 아무의 목에 현상금을 걸다. **b** 매수금(買收金), 증여물: Every man has his ~. 《속담》 돈으로 말 안 듣는 사람은 없다.

***above* 〔*beyond, without*〕 ~** 매우 귀중한《가치를 헤아릴 수 없을 만큼》. ***at any* ~** ① 값이 얼마든; 어떠한 희생을 치르더라도: We must win *at any* ~. 어떤 일이 있어도 이겨야만 한다. ② 《부정문에서》 결코 …않다: I would*n't* marry him *at any* ~. 나는 어떤 일이 있어도 그와는 결혼하지 않겠다. ***at a* ~** 비교적 비싸게; 상당한 희생을 치르고. ***What* ~ ... ?** 《英구어》 ① …을 어찌 생각하느냐: *What* ~ fine weather tomorrow? 내일 날씨는 맑을 거라고 생각하느냐. ② (실패한 계획 등을 냉소하여) 꼴 참 좋다, …이 다 뭐냐: *What* ~ armament reduction? 군비 축소가 다 뭐냐.

—*vt.* **1** 《+[목]+[전]+[명]/+[목]+[보]》 〖종종 수동태〗 …에 값을 매기다《*at* (얼마)로》: We have ~*d* the new products as reasonably as possible. 본사는 신제품에 될 수 있는 대로 합당한 가격을 매겼습니다/The ring is ~*d at* $100. 그 반지는 100 달러의 값이 매겨져 있다/These goods won't sell; they are ~*d* too high. 이 상품들은 잘 팔리지 않을 게다. 너무 가격이 비싸게 매겨져 있다. **2** …을 평가하다. **3** 《구어》 (시세를 알기 위해) …의 값을 여기저기 묻다〔조사하다〕.

~... *out of the market* 〖종종 ~ oneself〗 (경쟁업자나 사는 쪽의 제시가(提示價)보다 비싸게 매겨) …에게 장사를 못하도록 하다.

príce contròl (정부에 의한) 물가〔가격〕 통제.

priced [-t] *a.* **1** 정가가 붙은: a ~ catalog(ue) 가격 표시 카탈로그, 정가표. **2** 〖합성어〗 …의 가격의: high-〔low-〕~ 비싼〔싼〕.

príce-éarnings ràtio 〖증권〗 주가(株價) 수익률《생략: PER》.

príce-fixing *n.* [U] (정부나 업자의) 가격 조작〔결정, 고정〕.

príce ìndex 〖경제〗 물가 지수.

príce·less *a.* **1** 대단히 귀중한, 돈으로 살 수 없는. [SYN] ⇨ VALUABLE. **2** 《구어》 아주 걸작인〔재미있는, 어이없는〕, 아주 별난.

[파] **~·ly** *ad.* **~·ness** *n.*

príce lìst 정가표.

príce suppòrt (정부의 수매(收買) 등 경제 정책에 의한) 가격 유지.

príce tàg (상품에 붙이는) 정찰, 정가표; 값, 가격《*on* …의》.

príce wàr (소매상 간의) 에누리 경쟁.

pric·ey, pricy [práisi] (*pric·i·er; -i·est*) *a.* 《구어》 돈〔비용〕이 드는, 비싼.

***prick** [prik] *vt.* **1** 《~+[목]/+[목]+[전]+[명]》 찌르다, 쑤시다《*on, with* (바늘 따위)로》; (바늘 등)을 꽂다: ~ a balloon 풍선을 찌르다/~ a pin *into* the pincushion 바늘을 바늘겨레에 꽂다/The thorn ~*ed* my finger. 가시에 손가락이 찔렸다/I ~*ed* my finger *on* 〔*with*〕 a pin. 나는 손가락을 핀에 찔렸다/He ~*ed* himself *on* a thorn. 그는 가시에 찔렸다. **2** 따끔따끔〔얼얼〕하게 하다; (양심 따위가) 찌르다, …에 아픔을 주다: Pepper ~*s* the tongue. 후추 때문에 혀가 얼얼하다/His conscience ~*ed* him. 그는 양심의 가책을 받았다. **3** 《~+[목]/+[목]+[전]+[명]》 찔러서 (구멍)을 내다《*in* …에》: ~ holes *in* paper 종이를 찔러 구멍을 뚫다.

—*vi.* 따끔하게 찌르다; 콕콕 쑤시(듯이 아프)다, 따끔따끔〔얼얼〕하다; (양심 따위가) 찔리다, 가책을 받다: The smoke made my eyes ~. 연기 때문에 눈이 따끔따끔하다.

~ *a* 〔*the*〕 *bladder* 〔*bubble*〕 기포를〔비눗방울을〕 찔러 터뜨리다; 가면을〔속임수를〕 벗기다. **~ *out* 〔*off*〕** 《*vt.*+[부]》 (모)를 꽂아 심다. **~ *up*** 《*vi.*+[부]》 (귀가) 쫑긋 서다. **~ *up* one's *ears*** (말·개 따위가) 귀를 쫑긋 세우다; (사람이) 주의해서 듣다, 귀를 기울이다.

—*n.* [C] **1** 찌름. **2** (바늘로 찌르는 듯한) 아픔, 쑤심; (양심의) 가책: feel the ~*s* of conscience 양심의 가책을 느끼다. **3** 찔린 구멍; 찔린 상처. **4** 《경멸적》 점, 찌른〔작은〕 점. **5** 찌르는 물건; 바늘, 가시, 꼬치. **6** 《비어》 음경; 《속어》 지겨운〔비열한〕 놈.

kick against the* ~*s (지배자·규칙 등에) 무익한 반항을 하다, 공연히 대항하여 상처받다《소가 자기를 모는 막대기에 대항해서 이를 찬다는 뜻에서》.

[파] **~·er** *n.* [C] 찌르는 도구《송곳 따위》.

príck-èared *a.* (개가) 귀가 선.

prick·le [príkəl] *n.* **1** [C] (동식물의) 가시; 바늘. **2** (*sing.*) 쑤시는 듯한 아픔. **—*vt.*** …을 뜨끔뜨끔 들이쑤시게 하다: This sweater ~*s* my skin. 이 스웨터는 내 피부를 따끔거리게 한다. **—*vi.*** 따끔거리다, 따끔대다.

príck·ly (*-li·er; -li·est*) *a.* 가시가 많은, 바늘투성이의; 따끔따끔 아픈, 욱신욱신 쑤시는; 성가신; 과민한, 성마른. [파] **-li·ness** *n.*

príckly héat 땀띠.

príckly péar 선인장의 일종; 그 열매《모양이 서양배와 비슷함; 식용》.

pricy ⇨PRICEY.

⁑**pride** [praid] *n.* **1** Ⓤ (또는 a ~) **자랑**, 득의, 만족((*in* …에 대한)): ~ of birth 가문의 자랑/take [feel, have] (a) ~ *in* …을 자랑하다.

SYN. **pride** 자기의 존재 가치 · 소유물 · 행위에 대한 자신이나 만족에서 오는 자랑, 자존심을 말하며, 좋은 뜻이지만 이것이 지나치면 교만, 자만이 되기도 함. 외면에 나타내 보이고 싶어한다는 점에서 conceit와는 다름. **vanity** 자기 능력이나 용모에 대해서 실제 이상의 것이라고 생각하고 싶은 심정. 남의 평판에 신경을 쓰는 경우가 많음. **conceit** 과도한 자신이란 점에서 vanity와 비슷하나, 남이 자기를 어떻게 생각하는가에는 개의치 않고 내심 남보다 우수하다고 여기는 자만.

2 Ⓤ **a 자존심**, 긍지, 프라이드(true ~): keep one's ~ 자존심을 지키다/hurt a person's ~ 아무의 자존심을 상하다/swallow one's ~ 자존심을 억누르다. **b** 오만, 거만, 우쭐해함(false ~), 자만심: humble a person's ~ 아무의 (거만한) 콧대를 꺾다/*Pride* goes before a fall. = *Pride* will have a fall. ((속담)) 교만은 패망의 선봉.

3 a (the ~, one's ~) 자랑거리: He is the ~ of his parents. 그는 부모의 자랑거리다. **b** (the ~) 한창때, 전성기: in the ~ *of* life 인생의 전성기에/May was in its ~. 5월이 한창 무르익고 있었다.

4 Ⓒ (보통 *sing.*) (사자 따위의) 떼: a ~ *of* lions.

a person***'s ~ and joy*** 아무의 자랑거리. ***take* [*have*] *~ of place*** 최고위를 차지하다; 최상의 것으로 간주되다.

—*vt.* ((+목+전+명)) [[~ oneself]] 자랑하다((***on, upon*** …을)): She ~*s* her*self on* her skill in cooking. 그녀는 요리 솜씨를 자랑한다.

prie-dieu [príːdjə̀ː] *n.* ((F.)) Ⓒ 기도대(祈禱臺).

⁑**priest** [priːst] (*fem.* **~·ess** [príːstis]) *n.* Ⓒ **1 성직자**; (감독 교회의) 목사; 〖가톨릭〗 사제. **2** 봉사[옹호]자: a ~ of art 예술 애호가/a ~ of science 과학의 사도. **3** (모든 종교의) 승려.

príest·hood [-hud] *n.* Ⓤ **1** (보통 the ~) 성직, 사제직: be admitted to the ~ 성직에 취임하다. **2** [[집합적; 단 · 복수취급]] 성직자, 사제.

príest·ly (***-li·er; -li·est***) *a.* 성직자의; 성직자다운: ~ vestments 성직복(服).

prig [prig] *n.* Ⓒ 딱딱한[깐깐한] 사람, 도덕가연하는 사람.

prig·gish [prígiʃ] *a.* 지독히 꼼꼼[깐깐]한, 딱딱한, 도덕가연하는. 㖦 **~·ly** *ad.* **~·ness** *n.*

prim [prim] (***-mm-***) *a.* 꼼꼼한, 딱딱한; (특히 여자가) 새침떼는, 숙녀연하는, 고상한 체하는.

—(***-mm-***) *vt.* (복장 등)을 단정히 차려 입다; (얌전빼어 입)을 꼭 다물다. 㖦 **∠·ly** *ad.* **∠·ness** *n.*

pri·ma [príːmə] *a.* ((It.)) 제1의, 주된, 첫째 가는.

príma ballerína ((It.)) 프리마 발레리나((발레단의 주역 여성 댄서)).

pri·ma·cy [práiməsi] *n.* **1** Ⓤ 제일, 수위; 탁월, 우위((***of*** …의; ***over*** …보다)): the ~ *of* practice *over* theory 이론보다 실천의 우위. **2** Ⓒ (수석) 대주교(primate)의 직(職)[지위].

pri·ma don·na [prì(ː)mədɑ́nə, prímədɔ́nə] (*pl.* ***~s, pri·me don·ne*** [príːmeidɑ́ːnei/-dɔ́n-]) *n.* ((It.)) 프리마 돈나((가극의 주역 여배우 · 인기 가수)); ((구어)) 간섭[단체 행동, 구속]을 싫어하는 사람; ((구어)) 기분파((특히 여성의)).

primaeval ⇨PRIMEVAL.

pri·ma fa·cie [práimə-féiʃiìː, -ʃiː] ((L.)) 얼핏 보기에는, 첫 인상은; 명백한, 자명한.

pri·mal [práiməl] *a.* **1** Ⓐ 제일의, 최초의, 원시의. **2** 수위의, 주요한; 근본의.

*__pri·ma·ri·ly__ [praimérəli, ∠---/práiməri-] *ad.* **첫째로**, 최초로, 처음에는, 원래; 주로; 근본적으로(는); 본래는.

⁑**pri·ma·ry** [práimèri, -məri] *a.* Ⓐ **1 첫째의, 제1의**, 수위의, 주요한. cf. secondary. ¶a matter of ~ importance 가장 중요한 사항. **2** 최초의, 처음의, 본래의: the ~ meaning of a word 낱말의 원뜻. **3** 원시적인, 근원적인: ~ instincts 원시적인 본능. **4** 제1차적인, 근본적인. **5** 기초적인, 초보적인. **6** 〖교육〗 **초등의**, 초등 교육의. **7** 〖언어〗 제1강세의: ⇨PRIMARY STRESS.

—*n.* Ⓒ ((美)) 예비 선거.

prímary áccent 〖음성〗 제1[주] 악센트. cf. secondary accent.

prímary cáche 〖컴퓨터〗 1차 캐시((마이크로 프로세서 내부의 캐시메모리)).

prímary cólor 원색.

prímary elèction = PRIMARY *n.*

prímary mémory 〖컴퓨터〗 = MAIN STORAGE.

prímary schòol 초등학교((영국은 5-11세까지; 미국은 elementary school의 하급 3[4] 학년으로 구성되며, 때로 유치원도 포함함)).

prímary stréss = PRIMARY ACCENT.

pri·mate [práimit, -meit] *n.* Ⓒ **1** (종종 P-) 〖영국국교회〗 대주교((명예 칭호)); 〖가톨릭〗 수석(首席) 대주교. **2** 영장류(靈長類)의 동물.

the Primate of All England 캔터베리 대주교(the Archbishop of Canterbury). ***the Primate of England*** 요크 대주교(the Archbishop of York).

⁑**prime** [praim] *a.* Ⓐ **1 첫째의, 수위의**, 가장 중요한: of ~ importance 가장 중요한/the ~ agent 주인(主因). **2** 최초의, 원시적인. **3** 기초적인, 근본적인: the ~ axioms of his philosophy 그의 철학의 원리. **4** 일류의, 제1급의, 최량(最良)의; 훌륭한: of ~ quality 최양질의/in ~ conditions 가장 좋은 컨디션으로.

—*n.* **1** (the ~, one's ~) **전성기**, 한창때: in the ~ of life [manhood] 한창 나이 때에, 장년기에/He's already past his ~. 그는 이미 한창 때가 지났다. **2** (the ~) **처음**, 초기: the ~ *of* the moon 초승달/the ~ *of* the year 봄. **3** (종종 P-) Ⓤ 〖가톨릭〗 아침 기도 (시간)((canonical hours의 하나; 오전 6시 또는 해돋이 때)). **4** Ⓒ 소수(素數). **5** Ⓒ 〖인쇄〗 프라임 부호((′)).

—*vt.* **1** 준비하다(prepare). **2** (총)에 화약을 재다; (폭발물)에 뇌관[도화선]을 달다. **3** (벽 · 판자 따위)에 초벌칠하다. **4** (펌프)에 마중물을 붓다; (기화기 따위)에 가솔린을 주입하다. **5** ((~+목/+목+전+명)) …에게 미리 기르쳐[일러] 주다((***with*** …을; ***for*** …에 대비해서; ***about*** …에 관해서)): be well ~*d with* information 정보를 충분히 얻고 있다/His father ~*d* him *for* a life on the stage. 그의 아버지는 무대에서 생활해 갈 수 있도록 그를 가르쳤다/He had been ~*d about* how to answer. 그는 어떻게 대답할지 미리 가르쳐 주어 알고 있었다.

~ the pump (어떤 것의) 생장[작용]을 촉진하는 조처를 취하다; ((특히)) 정부 지출로 경기[경제 활동]의 자극을 도모하다.

[파] ∠·ly *ad*. 최초로; 《구어》 굉장히, 뛰어나게. ∠·ness *n*.

príme cóst 기초 원가(原價); 매입 가격.

príme fáctor 【수학】 소인수(素因數).

príme merídian (the ~) 본초〔그리니치〕 자오선.

prìme mínister 국무총리, 수상(premier).

príme móver 1 【기계】 원동력(《풍력 · 수력 · 전력 등》). **2** 《비유적》 원동력, 주도자.

príme númber 【수학】 소수(素數).

°**prim·er**[1] [prímər/práim-] *n*. [C] 초보 독본, 입문서: a Latin ~ 라틴어 입문서.

prim·er[2] [práimər] *n*. **1** [C] 도화선, 뇌관. **2** [U] (종류 · 낱개는 [C]) (페인트 등의) 초벌칠 원료.

príme ràte (종종 the ~) 프라임 레이트(《미국 은행이 일류 기업에 적용하는 표준〔우대〕 금리》).

príme tíme (라디오 · TV의) 골든 아워.

°**pri·me·val, -mae-** [praimíːvəl] *a*. 초기의, 원시(시대)의(prehistoric, primitive), 태고의: a ~ forest 원시림. [파] **~·ly** *ad*.

⁑**prim·i·tive** [prímətiv] *a*. **1** [A] **원시의**, 원시 시대의, 태고의: a ~ man 원시인/~ culture 원시 문화/the ~ times 원시 시대. **2 원시적인**, 소박한, 미발달의, 유치한: live in ~ fashion 소박한 생활을 하다/~ weapons 원시적 무기(《활 · 창 등》). **3** 구식의, 고풍(古風)의: a ~ car 구식 차. **4** 본원적인, 근본의: the ~ line 【수학】 원선(原線)/the ~ chord 【음악】 기초 화음. **5** 원색의: ~ colors 원색. **6** 【생물】 초생의. **7** 【언어】 원어의: a ~ word 본원어. **—*n*.** [C] **1** 원시인; 소박한 사람. **2** 문예 부흥기 이전의 화가; 그 작품; 소박한 화풍의 화가. [파] **~·ly** *ad*. **~·ness** *n*.

prim·i·tiv·ism [prímətivìzəm] *n*. [U] 원시〔상고(尙古)〕주의.

pri·mo·gen·i·tor [pràimoudʒénətər] *n*. [C] 시조; 조상, 선조(ancestor).

pri·mo·gen·i·ture [pràimoudʒénətʃər] *n*. [U] 장자임; 【법률】 장자 상속(권): by right of ~ 장자 상속권에 의하여.

pri·mor·di·al [praimɔ́ːrdiəl] *a*. 원시(시대부터)의; 최초의; 근본적인. [파] **~·ly** *ad*.

primp [primp] *vt*. (머리 · 복장 등)을 잘 다듬다; 〔~ oneself〕 성장(盛裝)하다(*up*): ~ *oneself* (*up*) 멋부려 입다. **—*vi*.** 몸치장하다; 멋부리다.

°**prim·rose** [prímròuz] *n*. [C] 【식물】 앵초(櫻草); 그 꽃; 금달맞이꽃(evening primrose); [U] 앵초색, 연노랑색.

prímrose páth 〔**wáy**〕 (the ~) 환락의 길; 쾌락의 추구, 방탕(《Shakespeare 작 *Hamlet* 에서》).

prímrose yéllow 앵초색, 연노랑.

prim·u·la [prímjulə] *n*. [C] 【식물】 프리뮬러.

Prímus (**stòve**) 프라이머스(《휴대용 석유 난로; 상표명》).

prin. principal(ly); principle(s).

⁑**prince** [prins] *n*. [C] **1** (*fem*. ***prin·cess***) **왕자**, 황태자, 동궁: the Crown *Prince* (영국 이외의) 왕세자/the *Prince* Regent 섭정 왕자/the ~ royal 왕세자, 제1왕자. **2** (제왕에 예속된 소국의) **군주**, 제후. **3** (영국 이외의) **공작**, …(공)(公): the great 〔grand〕 ~ (제정 러시아 등의) 대공(大公). **4** (보통 *sing*.) 제1인자, 대가: the ~ *of* writers 문호(文豪)/the ~ *of* bankers 은행왕/a merchant ~ 호상(豪商).

the Prince of Wales 웨일스공(公)(《영국 왕세자》).

Prìnce Álbert 1 앨버트공(公). **2** [C] 《美》 일종의 프록코트(=**Prìnce Álbert cóat**).

Príncе Chárming 이상적인 신랑〔남성〕(《Cinderella 이야기의 왕자에서》).

prínce cónsort (*pl*. ***prínces cónsort***) 여왕〔여제〕의 배우자, 부군(夫君); (the P- C-) = PRINCE ALBERT 2.

prince·dom [prínsdəm] *n*. **1** [U] (구체적으로는 [C]) prince의 지위〔신분, 권력〕. **2** [C] 공국(公國).

prince·let, -ling [prínslit], [-liŋ] *n*. [C] 어린 군주; 소공자.

prínce·ly (*-li·er; -li·est*) *a*. **1** [A] 군주다운, 왕후(王侯) 같은, 왕자다운. **2** 기품 높은, 위엄 있는; 관대한; 장엄한, 훌륭한: a ~ mansion 호화 저택. [파] **-li·ness** *n*.

⁑**prin·cess** [prínsis, -səs/prinsés] (*pl*. **~·es** [prínsəsiz, prinsésiz]) *n*. [C] **1 공주**, 왕녀, 황녀(皇女): the ~ royal 제1공주〔왕녀〕/the *Princess* Regent 섭정(攝政) 공주; 섭정비(妃). **2 왕비**, 왕자비. **3** (영국 이외의) 공작 부인; 《비유적》 뛰어난 여성. ★ 인명 앞에 붙일 때 《英》에서도 [prínses].

the Princess of Wales 영국 왕세자비.

—*a*. [A] 【복식】 프린세스 스타일의(《몸에 꼭 맞도록 깃에서 플레어 스커트까지 모두 삼각포(gore)로 만들어진》).

⁑**prin·ci·pal** [prínsəpəl] *a*. [A] **1 주요한**; 제1의; 중요한: a ~ cause 주요한 원인/the ~ offender 【법률】 정범자, 주범/the ~ penalty 【법률】 주형(主刑)/the ~ post 【건축】 주주(主柱), 큰 기둥/the ~ tone 【음악】 주음(主音). [SYN.] ⇨ CHIEF. **2** 【상업】 원금의. **3** 【문법】 주부의: a ~ clause 주절/a ~ verb 본동사.

—*n*. 1 [C] **장**(長), 장관; 사장; 교장; 회장: a lady ~ 여교장. **2** [C] (흔히 *pl*.) (연극 · 오페라의) 주역, 주연자; (오케스트라의) 제1주자; 독주자. **3** [C] 【법률】 **a** (흔히 *pl*.) (대리인에 대한) 본인. **b** (종범에 대한) 정범, 주범(↔ *accessory*): a ~ in the first 〔second〕 degree 제1〔제2〕급 정범. **4** (*sing*.) 【상업】 원금([cf.] interest); 기본 재산. **5** [C] 【건축】 주재(主材), 주된 구조.

[파] °**~·ly** *ad*. 주로; 대개.

príncipal bóy (the ~) 《英》 (무언극에서) 남자역(《보통 여배우가 맡음》).

prin·ci·pal·i·ty [prìnsəpǽləti] *n*. **1** [C] 공국(《prince가 통치하는》); (the P-) 《英》 Wales의 속칭. **2** (*pl*.) 【기독교】 권품(權品)천사.

⁑**prin·ci·ple** [prínsəpəl] *n*. **1** [C] **원리, 원칙**, (물리 · 자연의) 법칙(《***that***》): the first ~*s* 제1〔근본〕 원리/the ~*s* of political science 정치학 원리/the ~ of relativity 상대성 원리/Archimedes' ~ 아르키메데스의 원리/The ~ was established *that* there should be an annual election for the post. 그 자리를 결정하기 위해서는 해마다 선거를 한다는 원칙이 세워져 있었다. [SYN.] ⇨THEORY. **2** [C] 근본 방침, **주의**(《***that***》): as a matter of ~ =by ~ 주의로서(《★ of 〔by〕 ~은 관사 없이》)/against one's ~ 주의〔신념〕에 반하여/ stick to one's ~*s* 주의(主義)를 고집하다/on the ~ *of* making hay while the sun shines 좋은 기회를 놓치지 않는다는 주의로/We adhere to the ~ *that* peace can be attained. 우리는 평화를 달성할 수 있다는 주의를 고수한다. **3** [U] (흔히 *pl*.) 도의, 절조: a man of (high) ~*s* 절조 있는 사람/He has ability but no ~*s*.

그는 수완은 있으나 절조가 없다. **4** Ⓒ 본질, 소인(素因); 원동력: a vital ~ 활력, 정력/the ~*s* of human nature 인간성의 본질.
in ~ 원리적으로는; 원칙적으로는: The jet engine is very simple *in* ~. 제트엔진은 원리상으로는 아주 간단하다. ***on*** ~ 주의〔신조〕로서; 원칙에 따라, 도덕적 견지에서: I avoid strong language *on* ~. 난폭한 말은 쓰지 않는 것이 내 주의이다.

prín·ci·pled *a*. **1** 절조 있는; 주의〔원칙〕에 의거한; 도의에 의거한: She was a strong, ~ woman. 그녀는 강직하고 절조 있는 여자였다/His rejection of the proposal is ~. 그가 그 제의를 거절한 것은 도의에 의거한 것이다. **2** 《합성어로서》 주의가 …한: high-〔loose-〕~ 신조〔주의〕가 고결〔무절조〕한.

prink [priŋk] *vt*. 화려하게 꾸미다, 치장하다(*up*); (새가 깃털)을 부리로 다듬다(preen).
—*vi*. 화장하다, 맵시내다(*up*). cf. primp.

⁑**print** [print] *vt*. **1 인쇄하다**; 출판〔간행〕하다: ~ pictures 그림을 인쇄하다/The interview was not ~*ed* in the local press. 인터뷰는 지방지에 실리지 않았다.
2 《+목+전+명》 (천 따위)에 날염하다《***with*** …을》: ~ calico *with* a flower pattern 사라사에 꽃무늬를 날염하다.
3 《~+목/+목+전+명》 (도장 따위)를 찍다, 눌러서 박다; 자국을 내다《***on, in*** …에》: ~ a kiss *on* the face 얼굴에 키스하다.
4 《+목+전+명》 인상을 주다, 새기다《***on, in*** (마음·기억)에》: The scene is ~*ed on* my memory. 그 광경은 내 기억에 뚜렷이 남아 있다.
5 〖사진〗 인화하다: ~ a negative 네거티브를 인화하다.
6 활자체로 쓰다: Please ~ your name clearly. 이름을 활자체로 똑똑히 쓰시오.
7 〖컴퓨터〗 (문자·숫자·도형으로 하여 자료)를 인쇄〔프린트〕하다.
—*vi*. **1** 인쇄를 직업으로 하다; 출판하다. **2** 《well 따위의 양태부사와 함께》 **a** (기계가) 인쇄하다; (종이 따위가) 인쇄되다: This word processor ~*s* well. 이 워드프로세서는 인쇄가 잘 된다. **b** (사진이) 인화되다; (필름이) 찍히다: The photos have ~*ed* clearly. 이 사진은 깨끗이 나왔다. **3** 활자체로 쓰다: Please ~. 활자체로 써 주시오.
~ ***out…*** 《*vt*.+부》 〖컴퓨터〗 …을 인자(印字)하다, …의 printout을 만들다.
—*n*. **1** Ⓤ **인쇄**: put…into ~ …을 인쇄〔출판〕하다/This book has clear ~. 이 책은 인쇄가 선명하다. cf. script.
2 Ⓤ 인쇄된 글씨체; 활자: in large 〔small〕 ~ 큰〔작은〕 활자로.
3 Ⓒ 제 …쇄(刷): the first ~ 제1쇄, 초쇄.
4 Ⓒ 인쇄물; 출판물《신문·잡지》: weekly ~*s* 주간지.
5 Ⓒ **a** 판화; 〖사진〗 인화: a color ~ 원색 판화, 컬러 인화/I'd like five more ~*s*. 다섯 장 더 인화해 주세요. **b 자국**, 흔적: the ~ of a bicycle tire on the sand 모래 위의 자전거 바퀴 자국. **c** (보통 *sing*.) 인상, 자취, 영향: the ~ of age upon the face 얼굴에 새겨진 연륜. **d** (보통 *pl*.) 《구어》 지문(fingerprint).
6 Ⓤ (낱개는 Ⓒ) 프린트지(地), 날염포(捺染布): cotton ~ 사라사(천).
7 Ⓒ 틀로 눌러 만든 것《버터 따위》.
8 Ⓤ 〖컴퓨터〗 인쇄, 프린트.

in ~ 활자화되어; 인쇄〔출판〕되어; (책이) 입수 가능하여, 절판이 아닌. ***out of*** ~ (책이) 절판되어. ***rush into*** ~ 황급히 출판하다, 서둘러 신문에 발표하다.

prínt·a·ble *a*. **1** 인쇄할 수 있는; 출판할 가치 있는. **2** 인쇄〔출판〕해도 지장이 없는. **3** 〖사진〗 인화할 수 있는.

prínted círcuit 인쇄〔프린트〕 배선 회로.

prínted-círcuit bòard 〖컴퓨터〗 인쇄 회로 기판(PC board).

prínted mátter (특별 요금으로 우송할 수 있는) 인쇄물.

prínted wórd (the ~) 신문〔잡지 따위〕에 쓰여진 것, '활자': the power of the ~ 활자의 힘.

***print·er** [príntər] *n*. Ⓒ **1 인쇄업자**; 인쇄공, 식자공; 출판자. **2** 날염공. **3 인쇄 기계**; 〖사진〗 인화기. **4** 〖컴퓨터〗 프린터.

prínter hèad 〖컴퓨터〗 프린터 헤드.

prínter ínterface 〖컴퓨터〗 프린터 접속기.

prínter pòrt 〖컴퓨터〗 프린터포트《프린터 접속용의 포트》.

prínt fòrmat 〖컴퓨터〗 (인쇄기에 인쇄될) 인쇄 양식.

prínt·hèad *n*. Ⓒ 〖컴퓨터〗 인쇄헤드《용지에 인쇄를 하는 부분》.

⁑**print·ing** [príntiŋ] *n*. **1** Ⓤ **인쇄**, 인쇄술〔업〕: three-colored ~, 3색판. **2** Ⓒ (제) …쇄(刷)《동일 판(版)에 의한》; 인쇄 부수; 인쇄물: a first ~ of 10,000 copies 제1쇄 1만 부. **3** Ⓤ 활자체의 글자. **4** Ⓤ 날염; 〖사진〗 인화.

prínting hòuse 인쇄소.

prínting ìnk 인쇄용 잉크.

prínting machìne 《英》 인쇄기.

prínting òffice 인쇄소: the Government *Printing Office* 《美》 정부 인쇄창《생략: GPO》.

prínting prèss 1 인쇄기, 《특히》 동력 인쇄기. **2** 날염기.

prínt·òut *n*. Ⓒ 〖컴퓨터〗 인쇄 출력《프린터의 출력》.

prínt·shòp *n*. Ⓒ 판화 가게; (작은) 인쇄소.

pri·or**[1] [práiər] *a*. **1** Ⓐ **앞(서)의**, 전의, 사전의(↔ *posterior*): a ~ engagement 선약/~ consultation 사전 협의. **2** 앞선, 우선하는, 중요한 《to*** …보다》: The constitution is ~ *to* all other laws. 헌법은 다른 모든 법에 우선한다. SYN. ⇨ PREVIOUS. ◇ priority *n*.
~ ***to*** 《전치사적》 …보다 전에〔먼저〕: Everything was ready ~ *to* their arrival. 그들이 도착하기 전에 만반의 준비가 갖추어져 있었다.

pri·or[2] (*fem*. **~·*ess*** [-ris]) *n*. (종종 P-) Ⓒ 수도원 부원장《abbot의 다음》; 소(小)수도원(priory)의 원장.

pri·or·i·tize [praiɔ́ːritàiz, -ár-] *vt*. …을 우선시키다, …에 우선권을 주다.

pri·or·i·ty** [praiɔ́(ː)rəti, -ár-] *n*. **1** Ⓤ (시간·순서가) **앞〔먼저〕임**; 우선(함) 《to*** …에게; ***over*** …보다》; 〖법률〗 우선권, 선취권; (자동차 등의) 선행권: according to ~ 순서를 따라/give ~ *to* …에게 우선권을 주다/have 〔take〕 ~ *over* a person 아무보다 우선권이 있다/take ~ of …의 우선권을 얻다. **2** Ⓒ 우선하는 것〔사항〕: a first 〔top〕 ~ 최우선 (사항). ◇ prior[1] *a*.

pri·o·ry [práiəri] *n*. Ⓒ 소(小)수도원《abbey에 버금 감》.

prise *vt*. =PRIZE[3].

*__prism__ [prizəm] *n.* Ⓒ **1** 〖광학〗 **프리즘**; 분광기: a ~ finder 〖사진〗 프리즘식 반사 파인더. **2** 〖수학〗 각기둥: a triangular ~ 삼각기둥.

pris·mat·ic [prizmǽtik] *a.* 프리즘의, 분광(分光)의: ~ colors 스펙트럼의 7가지 빛깔/~ binoculars 〔glasses〕 프리즘 쌍안경.
㊕ **-i·cal·ly** *ad.*

‡**pris·on** [prízn] *n.* **1** Ⓒ **교도소**, 감옥; 구치소: a state ~《美》 주(州)교도소. **2** Ⓤ 금고, 감금, 유폐: be 〔lie〕 in ~ 수감 중이다/break (out of) ~ 탈옥하다/cast into 〔put in〕 ~ …투옥하다/take 〔send〕 to ~ 투옥〔수감〕하다.

príson brèaker 탈옥수.

príson brèaking 탈옥.

príson càmp 포로〔정치범〕 수용소.

‡**pris·on·er** [príznər] *n.* Ⓒ **1 죄수**; 형사 피고인(=~ at the bar): a ~ of conscience 양심수, 정치범(political ~)/a state 〔political〕 ~ =a ~ of state 국사범. **2 포로**: a ~'s camp 포로 수용소/a ~ of war 포로《생략: POW, P.O.W.》/hold a person ~ 아무를 포로로 잡아 두다/take 〔make〕 a person ~ 아무를 포로로 하다. **3** 사로잡힌 자, 자유를 빼앗긴 자: a ~ *of* love 사랑의 포로.

prísoner's báse 진(陣)빼앗기 놀이(=**príson báse**).

pris·sy [prísi] (*-si·er; -si·est*) *a.* 잔소리가 심한, 몹시 까다로운〔깐깐한〕.
㊕ **prís·si·ly** *ad.* **-si·ness** *n.*

pris·tine [prísti:n, -tain] *a.* 원래의(original), 원시 시대의(primitive); 순박한, 청결〔신선〕한.

*__pri·va·cy__ [práivəsi/prív-] *n.* Ⓤ **1 사적〔개인적〕 자유**; 사생활, 프라이버시: (an) invasion of one's ~ 프라이버시 침해/disturb a person's ~ 아무의 사생활을 침해하다. **2** 비밀, 남의 눈을 피함; 은둔. ↔ *publicity*. ¶ I tell you this in ~. 이것은 비밀리에 말씀드리는 것입니다/live in ~ 은둔 생활을 하다. ◇ private *a.*

‡**pri·vate** [práivit] *a.* **1** Ⓐ **사적인**, 일개인의, 개인에 속하는, 개인 전용의; (의료 따위) 자기 부담의. ↔ *public*. ¶ ~ life 사생활/~ property 사유 재산/~ business 사용, 사삿일/a ~ room 사실(私室)/in my ~ opinion 내 개인 의견으로는.

SYN. **private** public, official 의 반의어로서 '특정 개인에 속하는' '독점한' '비밀로 해야 할' 이란 어두운 어감이 있음. **individual** 각 개인의. 다른 유사물로부터의 독립·차이·개성이 강조됨→독자적인: *individual* tastes 각 개인의 취미. **personal** 일개인의, 개인에 관한. private 에 비하여 좀 단순한 말. 비교: *private* affairs 내용을 남에게 알리고 싶지 않은 사삿일. *personal* affairs 누구나 가지고 있는 일신상의 사삿일. one's *private* opinion 남은 달리 생각할 수도 있으므로 반드시 채택되지 않아도 좋은 사적(私的) 의견. one's *personal* opinion 남에게서 존중받기를 기대하는 사견(私見).

2 공개하지 않는, 비공식의, **비밀의**. ↔ *public*. ¶ ~ papers 수기/~ feeling 가슴 속의 감정/a ~ letter 사신/~ conversation 밀담.
3 Ⓐ **사영(私營)의**, 사유의, **사립의**, 사설의, 민간의: ~ enterprise 사〔민간〕기업/a ~ detective 〔《구어》 eye〕 사립 탐정/a ~ school 사립학교.
4 Ⓐ 공직〔관직〕에 있지 않는; 공직에서 물러난; 평민의: a ~ man 사인(私人), 서민/~ clothes 평복, 사복/as a ~ person 개인으로서, 비공식으로.
5 혼자 있기 좋아하는, 비사교적인: (장소가) 남의 눈에 띄지 않는, 조용한. ◇ privacy *n.*
—*n.* Ⓒ **1** 병사, 병졸. ★ 영국 육군에서는 부사관의 아래; 미국 육군에서는 이등병으로 *private* first class 의 아래, recruit 의 윗 계급. **2** (*pl.*) 《구어》 음부. ***in*** **~** 내밀히, 비공식으로.
㊕ °**~·ly** *ad.* 일개인으로서; 내밀히: a *~ly* financed corporation 민간 자본에 의한 법인.

pri·va·teer [pràivətíər] *n.* Ⓒ 사략선(私掠船)《전시에 적의 상선을 나포할 수 있는 허가를 받은 민간 무장선》; 사략선 선장; (*pl.*) 사략선 승무원.

prívate fírst cláss 〖美육군〗 일병《생략: PFC, Pfc》; 〖美해병〗 병졸.

prívate hotél 《英》 알거나 소개받은 사람만 묵을 수 있는 호텔.

prívate láw 사법(私法).

prívate méans 불로 소득《투자에 의한 수입 따위》.

prívate mémber (of Párliament) (종종 P- M-) (영국 하원의) 비(非)각료 의원, 평의원.

prívate párts 음부(陰部)(privy parts).

prívate pátient 의료비 자기 부담 환자.

prívate práctice 《英》 (의사의) 개인 개업.

prívate séctor (the ~) 민간 부문.

prívate sóldier 병졸.

prívate víew (미술품 따위의 일반 공개 전의) 초대전.

Prívate Vírtual Círcuit 〖컴퓨터〗 개인 기상회선《각 개인마다 전용선이 존재하는 것과 같이 서비스를 제공하는 것; 생략; PVC》.

pri·va·tion [praivéiʃən] *n.* **1** Ⓤ (구체적으로는 Ⓒ) (생활 필수품 등의) 결여, 결핍; 궁핍: suffer many ~*s* 많은 궁핍을 겪다/die of ~ 궁하여 죽다. **2** Ⓒ (사는 데 긴요한 것의) 상실; 박탈, 몰수.

pri·va·tism [práivətìzəm] *n.* Ⓤ 사생활 중심주의, 개인주의.

priv·a·tive [prívətiv] *a.* 결여된; 어떤 성질이 결여된; 소극적인; 빼앗는; 〖문법〗 결성(缺性)(사(辭))의. —*n.* Ⓒ 결성어, 결성사(辭)《속성의 결여를 나타내는 dumb 등; 또 부정의 접두사·접미사 a-, un-, -less 등》; 〖논리〗 결여 개념.

pri·va·tize [práivətàiz] *vt.* (기업 따위)를 사영화〔민영화〕하다. ㊕ **pri·va·ti·zá·tion** *n.*

priv·et [prívit] *n.* Ⓤ 〖식물〗 쥐똥나무의 일종.

*__priv·i·lege__ [prívəlidʒ] *n.* **1** Ⓤ (구체적으로는 Ⓒ) **특권**; **특전**, 특별 취급: parental ~ 친권/exclusive ~ 전유권/a breach of ~ (의원의) 특권 남용/abuse a 특권을 남용하다. **2** (*sing.*) (개인적인) 특혜, 명예, 영광. **3** (the ~) 기본적인 인권: the ~ of equality 평등권. **4** Ⓒ 〖美증권〗 특권 매매, 옵션(option).
—*vt.* 《~+목/+목+*to* do》 …에게 특권〔특전〕을 주다: He was ~*d to* come at any time. 그는 언제 와도 좋은 특권이 주어져 있었다.

priv·i·leged *a.* 특권〔특전〕이 있는《*to* do》; 〖법률〗 면책 특권의《발언·정보 등》: the ~ classes 특권 계급/We are very ~ *to* have you with us today. 오늘 우리와 자리를 함께 해주시니 큰 영광입니다.

privy [prívi] (*priv·i·er; -i·est*) *a.* Ⓟ 내밀히 관여하는〔하여 아는〕《*to* …에》: be ~ *to* the plot 음모에 가담하고 있다/I was ~ *to* the secret. 나는 그 비밀을 은연중 알고 있었다.

—*n*. Ⓒ《美·英 고어》(특히, 수세식이 아닌) 변소; 옥외 변소(outhouse).

Prívy Cóuncil (the ~)〖집합적〗《英》추밀원.

Prívy Cóuncillor 〔**Cóunsellor**〕《英》추밀 고문관《생략: P.C.》.

Prívy Pùrse (the ~)《英》(왕실의) 내탕금(內帑金).

Prívy Séal (the ~)〖英역사〗옥새(玉璽).
the keeper of the ~ 옥새 관리인.

†**prize**[1] [praiz] *n*. Ⓒ **1 상품**, 상, 상금; (학교에서 주는) 우등상: the Nobel *Prize* for literature 노벨 문학상 / a ~ for good conduct 선행상 / win 〔gain, get〕 the first ~, 1등상을 타다. **2** 현상금; 경품: draw a ~ in a lottery 복권에 당첨되다. **3** (경쟁·노력·소망의) 목적물: the ~*s* of life 인생의 목표《명예·부 등》. **4** 훌륭한〔귀중한〕 것: Good health is an inestimable ~. 건강은 더없이 귀중한 것이다.
—*a*. Ⓐ **1** 현상의, 입상의, 상품으로 받은: a ~ medal 우승 메달 / a ~ novel 〔poem〕 현상〔입선〕 소설〔시〕. **2**《구어·우스개》〖종종 반어적〗 상을 탈 만한, 훌륭한: a ~ idiot 큰 바보.
—*vt*. 《~+목/+목+*as* 보》 **높이 평가하다, 존중하다**; 소중히 여기다: I ~ him for his good sense. 그의 양식(良識) 때문에 나는 그를 높이 평가한다 / ~ a ring *as* a keepsake 반지를 기념품으로서 소중히 여기다.

prize[2] *n*. Ⓒ **1** 노획물〔재산〕, 전리품; 나포선. **2** 의외의 소득, 횡재.

prize[3] *vt*. **1** 지레로 움직이다, 비집어 들다(*up; off*): ~ *up* 〔*off*〕 a lid 뚜껑을 비틀어 열다 / ~ *off* a box 상자 뚜껑을 지레로 비집어 열다 / ~ a lock open 자물쇠를 비틀어 열다. **2** (비밀 따위)를 탐지하다, 알아내다(*out*)《***out of*** …에게서》: ~ information *out* (*of* a person) 정보를 (아무에게서) 알아내다.

príze dày 연간 학업 성적 우수자의 표창일.

príze·fight *n*. Ⓒ 프로 권투 경기.
㊕ **~·er** *n*. Ⓒ 프로 권투 선수. **~·ing** *n*. Ⓤ 프로 복싱; (예전의) 현상 권투 경기.

príze-gìving *n*. Ⓒ **1** 상품〔상금〕 수여식, 표창식. **2** =PRIZE DAY. —*a*. Ⓐ 상품〔상금〕 수여의: a ~ ceremony 상품 수여식, 표창식.

príze·man [-mən] (*pl*. **-men** [-mən]) *n*. Ⓒ《英》(대학의) 우등상 수상 학생.

príze mòney 현상금, 상금.

príze rìng 프로 권투의 링.

príze·wìnner *n*. Ⓒ 수상자, 우승자.

pro[1] [prou] (*pl*. **~s**)《구어》*n*. Ⓒ 프로, 전문가, 직업 선수. —*a*. 직업적인, 직업 선수의, 프로의: a ~ golfer 프로 골프 선수. [◂*professional*]

pro[2] (*pl*. **~s**) *n*. 《L.》 Ⓒ 찬성(론); 찬성 투표; 찬성자: the ~*s* and cons 찬부 양론(贊否兩論).
—*ad*. 찬성하여. ↔ *con*[3], *contra*. ¶ ~ and con 찬반으로.

pro[3] *n*. Ⓒ《英구어》매춘부. [◂ *prostitute*]

pro [prou] *prep*. 《L.》 (=for) …을 위한; …에 따라; …에 찬성하여.

PRO., P.R.O. public relations officer.

pro-[1] [prou] *pref*. **1** '대신, 대용으로; 부(副)…'의 뜻: *pro*noun. **2** '찬성, 편드는'의 뜻: *pro*-slavery. ↔ *anti-*. **3** '앞(에), 앞으로'의 뜻: *pro*ceed. **4** '공공연히; 밖으로'의 뜻: *pro*claim. **5** '…에 따라'의 뜻: *pro*portion.

pro-[2] [prə, prou, prɑ/prə, prou, prɔ] *pref*. 그리스어계의 말 및 학술어에 붙어 '앞'의 뜻: *pro*logue, *pro*gnathous.

pro-am [próuǽm] *n*. Ⓒ 프로와 아마추어 합동 시합.

prob·a·bil·i·ty** [prɑ̀bəbíləti/prɔ̀b-] *n*. **1 a** Ⓤ (또는 a ~) **가망**, **공산**《of*** …의 / ***that***》: Is there any ~ *of* his coming? 그가 올 것 같으냐 / There's every 〔no〕 ~ *that* he will agree with us. 그가 우리 의견에 동조할 가능성이 매우 크다〔전혀 없다〕 / There is only a remote ~ *that* an earthquake will hit this town. 이 도회지에 지진이 일어날 가능성은 거의 없다. **b** Ⓒ **있음**〔**일어남**〕**직한 일**〔**사항**〕: It's a ~. 그것은 있음직한 일이다 / The ~ is that she will forget it. 아마 그녀는 그것을 잊을 것 같다 / The *probabilities* are against us 〔in our favor〕. 아마도 우리에게 불리〔유리〕할 가능성이 있다 / What are the *probabilities*? 가망성은 어떤가. **2 a** Ⓒ 〖수학·컴퓨터〗 확률. **b** Ⓤ 〖수학〗 확률론; 〖철학〗 개연성. ◇ probable *a*.
in all ~ 아마, 십중팔구는: *In all* ~, business will pick up next year. 십중팔구 내년에는 경기가 좋아질 것이다.

⁑**prob·a·ble** [prɑ́bəbəl/prɔ́b-] *a*. **1 개연적인**, 있음직한, 사실 같은: a ~ evidence 〖법률〗 개연 증거《상황 증거를 말함》 / It is possible but not ~ that he will succeed. 그는 성공 못 한다고는 할 수 없으나 가망성은 적다.
SYN. **probable** 이치로 따져서, 또 주위 사정이나 증거 따위로 미루어 보아 '아마 …이 틀림없는': one's *probable* future 예상되는 자기 장래. the *probable* cause of the explosion 폭발의 추정되는 원인. **possible** '일어날 수 있는, 일어나지 않는다고는 단언할 수 없는'. 즉 possible 한 것도 어떤 조건이 갖추어져서 비로소 probable이 되는 것임. **likely** 있음직한, 정말 같은. probable의 구어적 표현으로 '…할〔일〕 것 같으므로 그에 대해서 준비해 두는 것이 좋다'는 실제적인 의미를 내포함: a *likely* result 있음직한 결과. It is *likely* to rain. 비가 올 것 같다. 대체로 possible, likely, probable 의 순으로 확실성이 강함.
2 틀림없을 것 같은, 예상되는: a ~ winner 이길 듯한 사람, 당선 가망이 있는〔우승〕 후보자 / the ~ cost 예상 비용 / a ~ error (통계상의) 확률 오차. —*n*. Ⓒ《구어》있음직한 일; 예상되는 승리자〔후보자 (따위)〕.

⁑**prob·a·bly** [prɑ́bəbli/prɔ́b-] *ad*. **아마, 필시,** 대개는: The case will ~ be dropped for lack of evidence. 사건은 증거 불충분으로 필경 각하(却下)될 것이다 / Will you come tomorrow?—*Probably* (not). 내일 오겠느냐—아마 (못) 가게 될거야. SYN. ⇨PERHAPS.

pro·bate [próubeit] 〖법률〗 *n*. **1** Ⓤ 유언의 검인(檢認). **2** Ⓒ 유언 검인증. —*vt*. **1**《美》(유언서)를 검인하다. **2** (집행 유예자)를 보호 관찰에 돌리다.

pro·ba·tion [proubéiʃən] *n*. Ⓤ **1** 검정(檢定), 시험; 입증. **2** 수습 기간, 실습 (기간); 가채용 (기간). **3** 〖법률〗 판결〔집행〕 유예, 보호 관찰: the ~ system 집행 유예〔보호 관찰〕 제도 / place 〔put〕 under ~ 보호 관찰 아래 두다. **4**《美》(실격·처벌 학생의) 가급제(假及第) 기간, 근신 기간.
on ~ 수습으로서, 시험 삼아; 보호 관찰 아래; 《美》가급제로.

pro·ba·tion·al, -tion·ary [proubéiʃənəl],

[-ʃənèri/-nəri] *a.* Ⓐ **1** 시도(試圖)의; 시련의, 수습 중인. **2** 보호 관찰〔집행 유예〕 중의.

pro·bá·tion·er *n.* Ⓒ **1** 수습생, (특히 종교 단체 따위의) 가(假)입회자; 수습 간호사. **2** 집행 유예 중인 피고인.

probátion òfficer 보호 관찰관.

◇**probe** [proub] *n.* Ⓒ **1** 〖의학〗 소식자(消息子), 탐침(探針)《상처 따위를 살피는 기구》; 탐사침(探査針)《전자 공학·물리 실험용의》. **2** 우주 탐사용 로켓, 우주 탐사기(機)〔장치〕. **3** 엄밀한 조사, 정사(精査); 탐사: a ~ into mysteries of the sun 태양의 수수께끼에 대한 면밀한 조사. **4** 〖컴퓨터〗 탐침.

—*vt.* 탐침으로 찾다; 탐사하다, 조사하다《*with* …으로》; 정사(精査)하다, 음미하다: ~ the space *with* rockets 로켓으로 우주를 탐사하다/~ one's conscience 자기 양심에 물어보다. —*vi.* 면밀히 조사하다, 탐구하다《*into* …을》: ~ deep *into* things 사물을 깊이 탐사하다.

prob·ing [próubiŋ] *n.* Ⓤ 엄밀한 조사.
—*a.* 엄밀한, 철저한. ㊕ **~·ly** *ad.*

pro·bi·ty [próubəti, práb-] *n.* Ⓤ 정직, 성실, 염직(廉直).

†**prob·lem** [prábləm/prɔ́b-] *n.* Ⓒ **1** (특히, 해결하기 어려운) **문제**, 의문; (시험 따위의) 문제: the unemployment ~ 실업 문제/ solve a ~ 문제를 풀다/set 〔put〕 a person a ~ 아무에게 문제를 내다/The ~ is that …. 문제는 …이다/We had a little ~ with the employees. 종업원들과 약간의 문제가 있었다. SYN. ⇨QUESTION. **2** (보통 *sing.*) 귀찮은〔골치아픈〕 일〔사정, 사람〕: That child is a ~ to his parents. 저 애는 그의 부모에게 골칫거리다.

> DIAL. ***No problem.*** ① (부탁에 대하여) 그러지요, 상관없습니다, 알았습니다(=Sure.). ② (감사에 대하여) 천만의 말씀을, 원 별말씀을(=You're welcome).
> ***That's your problem.*** 그것은 네 자신의 문제다.
> ***What's the problem?*** 어찌 된 거야(← 무엇이 문제야).

—*a.* Ⓐ **1** 문제의, 다루기 어려운, 문제가 많은: a ~ child 문제아. **2** (개인·사회적으로) 어려운 문제를 다룬: a ~ novel 〔play〕 문제 소설〔극〕.

prob·lem·at·ic, -i·cal [pràbləmǽtik/prɔ̀b-], [-əl] *a.* 문제의; 문제가 되는, 미심쩍은, 불확실한. ㊕ **-i·cal·ly** *ad.*

pro·bos·cis [proubásis/-bɔ́s-] (*pl.* **~·es** [-iz], **-ci·des** [-sidì:z]) *n.* Ⓒ (코끼리·맥(貘) 따위의 비죽 나온) 코; (곤충 따위의 긴) 주둥이; 《구어·우스개》 (사람의) 큰 코.

probóscis mónkey 〖동물〗 긴코원숭이.

procédural lánguage 〖컴퓨터〗 절차언어 《주어진 문법에 따라 일련의 처리 절차를 차례로 기술해 나가는 프로그래밍 언어》.

‡**pro·ce·dure** [prəsí:dʒər] *n.* **1** Ⓒ **순서**, 수순, (진행·처리의) **절차**《*for* …의》: follow the prearranged ~ 미리 정해진 수순대로 하다/What's the ~ *for* obtaining a visa? 비자를 받는 절차는 어떻게 되어 있습니까. **2** Ⓤ (구체적으로는 Ⓒ) 〖법률〗 소송 절차; 의회 의사(議事) 절차: legal 〔parliamentary〕 ~ 소송〔의사〕 절차/the code of civil 〔criminal〕 ~ 민사〔형사〕 소송법/summary ~ 약식 재판 절차.

㊕ **-dur·al** [-dʒərəl] *a.* 절차상〔처리상〕의.

‡**pro·ceed** [prousí:d] *vi.* **1** 《~/+부/+전+명》 (앞으로) **나아가다**, 가다, 전진하다; 이르다《*to* …에》: She *~ed downstairs*. 그녀는 아래층으로 내려갔다/Let's ~ *to* the dining room. 식당으로 가십시다/~ *to* extremes 극단에 이르다/~ *to* violence 폭력 사태에 이르다. SYN. ⇨ADVANCE.
2 (일 따위가) 진행되다, 속행되다, 계속되다: The construction project was *~ing* with surprising speed. 그 건설 공사는 놀라운 속도로 진행되고 있었다.
3 《~/+전+명/+*to* do》 **계속하여 행하다**, 계속하다《*with* …을》; 말을 계속하다: Proceed *with* your story. 이야기를 계속하시오/Let's ~ *with* our lesson. 수업을 계속합시다/He *~ed to* tell the rest of the story. 그는 다시 나머지 이야기를 계속했다/"In any case," he *~ed* "our course has been settled." "어떻든" 하고 그는 말을 이었다, "우리의 방침은 결정되었습니다"라고.
4 《+전+명》 처분하다, 절차를 밟다《*with* …의》; 〖법률〗 소송을 일으키다《*against* …을 상대로》: ~ *against* a person for trespass 아무를 불법 침입죄로 고소하다.
5 《+전+명》 생기다, 일어나다, 기인(起因)하다《*from* …에서》: diseases that ~ *from* dirt 불결함에서 생기는 병/Screams *~ed from* the cellar. 비명소리는 지하실에서 들려왔다.
6 《+전+명》 《英》 학위를 얻다《*to* (보통 B.A.보다 높은) …의》: ~ *to* (the degree of) M.A. 문학 석사 학위를 얻다. ◇process, procession *n.*

◇**pro·ceed·ing** [prousí:diŋ] *n.* **1** Ⓒ (흔히 *pl.*) (일의) 진행, (일련의) 사건: watch the *~s* 일의 추이를 지켜보다. **2** (*pl.*) 〖법률〗 소송 절차〔행위〕: summary *~s* 약식 (재판) 절차/take 〔institute〕 *~s* against …에 대하여 소송을 제기하다. **3** (*pl.*; 종종 P-) 의사록, 회의록, (학회의) 회보.

◇**pró·ceeds** *n. pl.* 수익, 수입, 매상액: net ~ 순익금/the ~ of a business 영업 수익.

‡**proc·ess**[1] [práses/próu-] *n.* **1** Ⓤ (구체적으로는 Ⓒ) (현상(現象)·사건 등의) **진행**, 진전; **과정**, 경과: the ~ *of* history 역사의 진행〔흐름〕/the ~ *of* digestion 소화 작용/in ~ 진행 중에/in (the) ~ of …의 진행〔과정〕 중에. **2** Ⓒ 공정, 순서, 처리, **방법**《*for, of* …의》: ~ *of* manufacture 제조 공정/a new ~ *of* dyeing 새로운 염색법/The ~ *for* 〔*of*〕 making steel is complex. 강철 제조 공정은 복잡하다. **3** Ⓒ 〖인쇄〗 사진 제판술: the three-color ~ 삼색 인쇄법. **4** Ⓒ 〖법률〗 소송 절차; 영장: serve a ~ on …에게 영장을 발부하다. **5** Ⓒ 〖생물〗 융기, 돌기. ◇proceed *v.* ***in ~ of time*** 시간이 흐름에 따라.

—*a.* Ⓐ **1** 《美》 가공(처리)한(《英》 processed): ~ butter 〔cheese〕 가공 버터〔치즈〕/~ food 가공 식품. **2** 사진 제판법에 의한: ~ printing 원색판 인쇄.

—*vt.* **1** 일정한 절차에 따라 조사하다: ~ insurance claims 보험 청구를 조사하다. **2** (식품)을 가공(저장)하다; (원료 따위)를 화학적으로 (가공) 처리하다. **3** (필름)을 현상하다. **4** 〖컴퓨터〗 (자료)를 처리하다: ~ information 정보를 처리하다. **5** 《美》 (곱슬곱슬한 머리)를 (약품으로) 펴다.

㊕ **~·er** *n.* =PROCESSOR. **~·ing** *n.* Ⓤ 가공: food ~ 식품 가공.

pro·cess[2] [prəsés] *vi.* 줄지어 걷다.

prócessed bútter 〔**chéese**〕 가공 버터〔치즈〕.

‡**pro·ces·sion** [prəséʃən] *n.* **1** Ⓒ **행렬**: a

fessor Smith 스미스 교수《★ 성만 말할 때에는 약어 Prof.는 쓰지 않음; 이름까지 말할 때는 *Prof.* John Smith》/a ~ of French at London University 런던 대학교의 프랑스어 교수. **2** 〖과장한 호칭〗 선생《댄스 · 권투 · 요술 따위의》: a ~ of dancing. ㊎ **~·shìp** *n.* Ⓒ 교수의 직〔지위〕.

pro·fes·so·ri·al [pròufəsɔ́:riəl, prɑ̀f-/prɔ̀f-] *a.* 교수의; 교수다운.

prof·fer [prɑ́fər/prɔ́fər] *vt.* 내밀다; 제의하다; 제공하다, 진상하다《*to* …에게》: ~ services 〔help〕 봉사를〔도움을〕 제의하다/He barely touched the *~ed* hands of his counterparts. 그는 상대자들의 내어민 손을 마지못해 잡았다/He *~ed* me the information. =He *~ed* the information *to* me. 그는 나에게 그 정보를 제공해 주었다.

pro·fi·cien·cy [prəfíʃənsi] *n.* Ⓤ 숙달, 능숙(skill)《*in, at* …의》: a test of ~ *in* English 영어 실력 테스트.

°**pro·fi·cient** [prəfíʃənt] *a.* 숙달된, 능숙한, 능란한《*in, at* …에》: She's very ~ *in* English. 그녀는 영어를 아주 잘한다/He's ~ *at* repartee. 그는 재치있게 즉답하는 재간이 있다. SYN. ⇨ EXPERT. ㊎ **~·ly** *ad.* 능숙하게.

***pro·file** [próufail] *n.* Ⓒ **1** (조상(彫像) 따위의) **옆모습**, 측면; 반면상. **2 윤곽**(outline), 소묘(素描); (신문 · TV에서의) 인물 단평〔소개〕.
in ~ 측면에서 보아; 옆모습으로는.
—*vt.* **1** …의 윤곽〔측면〕을 그리다; 인물평을 쓰다: The magazine will ~ the candidate in its next issue. 그 잡지에서는 다음 호에 그 후보자의 프로필을 소개할 예정이다. **2** 《+목+전+명》 〖수동태로〗 …의 윤곽을 드러내 보이다《*against* …을 배경으로》: The skyscrapers *were ~d against* a starry sky. 마천루들이 별이 총총한 하늘을 배경으로 윤곽을 드러냈다.

‡**prof·it** [prɑ́fit/prɔ́f-] *n.* **1** Ⓤ (구체적으로는 Ⓒ) (금전상의) **이익, 수익**, 이윤, 소득: net 〔clear〕 ~ 순익/gross ~ 총수익/sell at a ~ 이익을 보고 팔다/make a ~ of $300 on the deal 그 거래로 300달러의 이익을 내다.
SYN. **profit** 경제적, 물질적인 이익. **advantage** 다른 것보다 우수하기 때문에 생기는 이익, 이점. **benefit** 개인이나 사회 전체에 유익한 이익.
2 Ⓤ 득(得), 덕: I have read it with ~ 〔to my great ~〕. 나는 그것을 읽고 덕〔큰 덕〕을 보았다/What ~ is there in doing it? =What is the ~ of doing it? 그것을 해서 무슨 득이 있느냐.
—*vt.* 《~+목/+목+목》 …의 이익이 되다, …의 득〔도움〕이 되다: What can it ~ him? 그것이 그에게 어떤 도움이 되는가/It *~ed* me nothing. 그것은 나에게 아무 도움도 되지 못했다.
—*vi.* 《+전+명》 이익을 보다, 소득을 얻다, 덕을 입다《*by* …으로; *from* …에서》: ~ *by* a transaction 거래에서 이익을 보다/He *~ed* greatly *from* his schooling. 그는 학교 교육에서 많은 득을 보았다.

***prof·it·a·ble** [prɑ́fitəbəl/prɔ́f-] *a.* **1 유리한**, 이문이 있는: a ~ deal 유리한 거래. **2 유익한**, 이로운: ~ instruction 유익한 교훈.
㊎ **-bly** *ad.* 유리〔유익〕하게: spend one's vacation *profitably* 휴가를 유익하게 보내다. **pròf·i·ta·bíl·i·ty** *n.* Ⓤ 이익, 수익.

prof·it·eer [prɑ̀fitíər/prɔ̀f-] *n.* Ⓒ 부당 이득자《특히 전시 따위의》; 모리배, 간상(奸商).
—*vi.* 부당 이득을 취하다, 폭리를 보다.

prófit·less *a.* 이익 없는; 무익한.
㊎ **~·ly** *ad.* **~·ness** *n.*

prófit màrgin 〖상업〗 이윤폭(幅).

prófit shàring (노사간의) 이익 분배(제).

prof·li·ga·cy [prɑ́fligəsi/prɔ́f-] *n.* Ⓤ 방탕, 품행이 나쁨; 낭비, 과소비.

prof·li·gate [prɑ́fligit, -gèit/prɔ́f-] *a.* 방탕한, 품행이 나쁜; 낭비가 심한. —*n.* Ⓒ 방탕아, 난봉꾼, 도락자; 낭비가. ㊎ **~·ly** *ad.* **~·ness** *n.*

***pro·found** [prəfáund] *a.* **1 깊은**, 밑바닥이 깊은; (병 따위가) 뿌리 깊은: ~ depths 깊은 밑바닥/~ sleep 깊은 잠. **2** 뜻깊은, 심원한. ↔ *superficial.* ¶a ~ thinker 심오한 사색가/~ knowledge 박식/~ meaning 의미심장함. **3** 충심으로부터의, 심심한, 정중한: ~ grief 〔anxiety〕 깊은 슬픔〔걱정〕/~ sympathy 〔regrets〕 마음으로부터의 동정〔후회〕/a ~ bow (머리를 깊이 숙인) 정중〔공손〕한 인사. **4** (변화 · 영향 따위가) **중대한, 심한**: a ~ change 중대한 변화/have a ~ effect on …에 중대한 영향을 끼치다.
㊎ °**~·ly** *ad.* 깊이; 심오하게; 간절히, 크게.

pro·fun·di·ty [prəfʌ́ndəti] *n.* **1** Ⓤ 깊음, 깊이; 깊숙함; 중대함. **2** Ⓒ (보통 *pl.*) 심오한 사상.

°**pro·fuse** [prəfjú:s] *a.* **1** 아낌없는, 마음이 후한, 통이 큰; 돈의 씀씀이가 헤픈《*in, of* …에》: be ~ *in* expenditure 돈 씀씀이가 헤프다/be ~ *in* hospitality 아낌없이 사람을 대접하다/be ~ *of* one's money 함부로 돈을 쓰다. **2** 많은, 풍부한: ~ apologies 〔thanks〕 귀찮을 정도로 되풀이 하는 사과〔감사〕. ◇profusion *n.*
㊎ **~·ly** *ad.* 아낌없이; 풍부하게. **~·ness** *n.*

°**pro·fu·sion** [prəfjú:ʒən] *n.* Ⓤ (또는 a ~) 대량, 풍부: a ~ *of* gifts 많은 선물/in ~ 풍부하게, 대단히 많이. ◇ profuse *a.*

pro·gen·i·tor [proudʒénətər] (*fem.* **-tress** [-tris]) *n.* Ⓒ 조상, 선조; 창시자, 선각자, 원조.

prog·e·ny [prɑ́dʒəni/prɔ́dʒ-] *n.* Ⓤ 〖집합적; 단 · 복수취급〗 자손; (사람 · 동물의) 자식〔새끼〕들.

pro·ges·ter·one [proudʒéstəròun] *n.* Ⓤ 〖생리〗 프로게스테론《주요 황체 호르몬의 일종》.

prog·na·thous [prɑ́gnəθəs, prɑgnéi-/prɔgnéi-, prɔ́gnə-] *a.* 〖해부〗 턱이 튀어나온.

prog·no·sis [prɑgnóusis/prɔg-] (*pl.* **-ses** [-si:z]) *n.* Ⓤ (구체적으로는 Ⓒ) **1** 예지(豫知), 예측. **2** 〖의학〗 예후(豫後).

prog·nos·tic [prɑgnɑ́stik/prɔgnɔ́s-] *a.* 전조를 나타내는; 예지하는《*of* …을》; 〖의학〗 예후(豫後)의. —*n.* Ⓒ 전조; 예측, 예지; 〖의학〗 예후.

prog·nos·ti·cate [prɑgnɑ́stikèit/prɔgnɔ́sti-] *vt., vi.* (전조에 의해) 예지하다, 예언〔예측〕하다《*that*》; …의 징후를 보이다. ㊎ **prog·nòs·ti·cá·tion** *n.* Ⓤ 예측, 예언; Ⓒ 전조, 징후. **prog·nós·ti·cà·tor** [-ər] *n.*

†**pro·gram,** 《英》 **-gramme** [próugræm, -grəm] *n.* Ⓒ **1 프로그램**, 차례표: a theater ~ 극장의 프로그램/on a ~ 프로그램이 실린. **2 계획**(표), 예정(표)《*for* …의/*to* do》: What's the ~ *for* today? 오늘 예정은 어떻게 되어 있나/a ~ *to* stamp out terrorism 테러 박멸 계획. **3** (강의 따위의) 요목; (교육 · 과목의) 과정(표): a postgraduate ~ 대학원 교육 과정(표)/a school ~ 학과 과정표. **4** 정당의 강령, 정강. **5** 〖컴퓨터〗 풀그림, 프로그램.
—(**-gramed, -gram·ing;** 《특히 英》 〖컴퓨터〗

-grammed, -gram·ming) vt. 1 《~+목/+목+to do》 …의 프로그램을 짜다; …의 계획을 세우다: A rest period is ~ed after dinner. 저녁 식사 후에 휴식 시간이 예정되어 있다/Children seem to be ~ed to learn language. 어린아이들이 말을 배울 수 있도록 프로그램되어 있는 것 같다. 2 〖컴퓨터〗 풀그림〔프로그램〕을 공급하다. —vi. 프로그램을 만들다.

prógram dirèctor (라디오·텔레비전의) 프로그램 편성자.

prógram gènerator 〖컴퓨터〗 (다른 프로그램 작성을 위한) 프로그램 생성기.

prógram lànguage =PROGRAMMING LANGUAGE.

prógram lòading 〖컴퓨터〗 프로그램 로딩 《프로그램을 미리 주기억 장치에 기억시키는 것》.

pró·gram·ma·ble, -gram·a·ble a. 〖컴퓨터〗 프로그램 가능한.

prógram màintenance 〖컴퓨터〗 프로그램 유지 보수.

pro·gram·mat·ic [pròugrəmǽtik] a. 표제(標題) 음악의; 프로그램의.

prógrammed cóurse 〖교육〗 프로그램 학습.

prógrammed léarning 〖교육〗 프로그램 학습.

pró·gram·(m)er n. Ⓒ 1 《美》 (영화·라디오 따위의) 프로그램 작성자. 2 〖컴퓨터〗 프로그래머.

pro·gram·met·ry [próugræmətri, -grəm-] n. Ⓤ 〖컴퓨터〗 프로그램 효율 측정.

pró·gram·(m)ing n. Ⓤ 〖컴퓨터·교육〗 프로그래밍; 〖라디오·TV〗 프로그램 편성.

prógramming lànguage 〖컴퓨터〗 프로그램 언어.

prógram mùsic 〖음악〗 표제 음악.

prógram stàtement 〖컴퓨터〗 프로그램 문 《작업 지시를 위한 명령문》.

‡**prog·ress** [prágres/próug-] n. Ⓤ 1 **전진**, 진행: in (the) ~ of time 시간이 흐름에 따라/make slow ~ toward the north 북쪽으로 천천히 전진하다. 2 **진보**, 발달, 발전《*in, of* …의》: the ~ *of* science 과학의 발달/He's making good ~ *in* English. 그는 영어 실력이 점점 늘고 있다. 3 경과, 추이: the ~ *of* the controversy 그 논쟁의 추이.

in ~ 진행 중: An investigation into the cause of the accident is *in* ~. 그 사고의 원인 조사는 진행 중이다.

— [prəgrés] vi. 《~/+전+명》 1 **전진하다**, 진행하다; 진척하다, 잘 되어가다. ↔ *retrogress*.¶ The cold front ~*ed* south. 한랭전선이 남하했다/~ *towards* health 건강해지다. SYN. ⇨ ADVANCE. 2 진보하다, 발달하다《*in, with* …가》: ~ *in* knowledge 지식이 늘다.

pro·gres·sion [prəgréʃən] n. 1 Ⓤ (또는 a ~) 전진, 진행; 진보, 발달, 진척: the slow ~ of the demonstrators 데모대의 느린 행진/~ from childhood to adulthood 아이에서 어른으로의 발달/in ~ 점차, 차츰. 2 Ⓒ 연속, 계속: a long ~ *of* rainy days 오래 계속되는 비오는 날. 3 Ⓒ 〖수학〗 수열: an arithmetic 〔a geometric(al)〕 ~ 등차〔등비〕수열.

*__pro·gres·sive__ [prəgrésiv] a. 1 (부단히) **전진하는**. ↔ *retrogressive*.¶ make a ~ advance 전진하다. 2 **진보적인**, 혁신적인; 진보주의의. ↔ *conservative*.¶ a ~ nation 진취적인 국민. SYN. ⇨ LIBERAL. 3 점진적; 누진적: ~ taxation 누진 과세(법). 4 〖의학〗 진행성의: a ~ disease/~ paralysis 진행성 마비. 5 〖문법〗 진행형의: the ~ form 진행형. —n. Ⓒ 진보〔혁신〕주의자〔론자〕. ㊕ ~·ly ad. ~·ness n.

pro·gres·siv·ism [prougrésivìzəm] n. Ⓤ 진보주의.

*__pro·hib·it__ [prouhíbit] vt. 1 a 《~+목/+-ing》 …을 **금지하다**: ~ the sale of alcoholic liquors 주류 판매를 금지하다/Smoking is ~*ed*. 흡연을 금지함. SYN. ⇨ FORBID. b 《+목+전+명》 …에게 금지하다《*from* …을》: Students are ~*ed from* smok*ing* inside school. 학생은 교내 흡연이 금지되어 있다. 2 《~+목/+목+전+명》 불가능하게 하다; 방해하다《*from* …못하게》: Heavy rain ~*ed* any possibility of continuing the game. 호우로 인해 시합을 계속하는 것이 아무리 해도 불가능했다/Snow ~*ed* us *from* go*ing*. =Snow ~*ed* our go*ing*. 눈 때문에 우리는 갈 수가 없었다. ◇ prohibition n.

*__pro·hi·bi·tion__ [pròuhəbíʃən] n. 1 Ⓤ **금지**, 금제(禁制); Ⓒ 금(지)령《*against* …의》: a ~ *against* the use of DDT. DDT 사용 금지령. 2 (종종 P-) Ⓤ 주류 양조 판매 금지; 《美》 금주법 기간(1920–33). ◇ prohibit v. ㊕ ~·ist n. Ⓒ (주류 양조 판매) 금지론자.

°**pro·hib·i·tive** [prouhíbətiv] a. 금지〔금제〕의; 금지하는 것이나 다름없는, 엄청나게 비싼: a ~ price 금지적 가격, (사지 말라는 말과도 같은) 비싼 값/a ~ tax 금지적 중세(重稅). ㊕ ~·ly ad.

pro·hib·i·to·ry [prouhíbətɔ̀ːri/-təri] a. 금지〔금제〕의(prohibitive).

‡**pro·ject**[1] [prədʒékt] vt. 1 **입안하다, 계획하다**, 기획하다: ~ a new dam 새로운 댐을 계획〔설계〕하다. 2 《~+목/+목+전+명》 **발사〔사출〕하다**, 내던지다《*into, through* …으로》: ~ a missile *into* space 공중으로 미사일을 발사하다. 3 《~+목/+목+전+명》 투영하다; **영사하다**《*on, onto* …에》: We ~ tonight's movie at 7 o'clock. 오늘밤 영화 상영은 7시부터다/~ a picture *on* a screen 스크린에 그림을 영사하다. 4 a 《~+목/+목+as 보》 표현하다, 그리다, 전하다: Do the BBC Overseas Services adequately ~ Great Britain? BBC 해외 방송은 영국의 올바른 모습을 소개하고 있는가/He tried to ~ Korea *as* a peace-loving nation. 그는 한국을 평화를 사랑하는 나라로 묘사하려고 했다. b 〔~ oneself〕 자기 생각을 전하다. 5 《~+목/+*that* 절/+목+*to* do》 **예측〔추정〕하다**, (미래·비용 따위)를 산출하다: a ~*ed* population growth 추정되는 인구 증가/~ expenditure at $20,000. 경비를 2만 달러로 예측하다/We ~ *that* our life will be better next year. 내년에는 생활이 더 나아지리라고 예상한다/The population is ~*ed to* decrease. 인구는 감소될 것으로 예상된다. 6 불쑥 내밀다, 툭 튀어나오게 하다. 7 《+목+전+명》 (마음·상상 따위)를 놓고 보다《*into* …에》: She ~*ed* her mind *into* the future. 그녀는 마음속으로 장래를 그려 보았다/~ oneself *into* the past 과거의 자신을 생각해 보다. 8 (음성·연기)를 강조하여 관객에게 호소하다. 9 《+목+전+명》 〖심리〗 (무의식의 감정·관념 따위)를 투사(投射)하다《*on, onto* (다른 대상)에》: It is false to ~ our own feelings *on* every animate creature. 어떤 생물에게도 우리와 같은 감정이 있다고 생각하는 것은 잘못이다. 10 〖수학·지도〗 투영하다, 투영법〔평면도법〕으로 나타내다, 그리다.

— *vi.* 《~/+[전]+[명]》 삐죽〔불쑥〕 나오다《***into, over*** …으로》: The breakwater ~*s* far *into* the sea. 방파제가 멀리 바다 가운데로 삐죽 나와 있다. ◇ projection *n.*

⁑**proj·ect**² [prádʒekt/prɔ́dʒ-] *n.* [C] **1 안**(案), 기획; 예정: carry out a ~ 계획을 실행하다/draw up 〔form〕 a ~ 계획을 세우다. [SYN.] ⇨ PLAN. **2** 계획 사업; 《美》 주택 단지(housing ~): engineering ~ 토목 사업/a ~ for constructing an airport 공항 건설 사업. **3** 〖교육〗 연구 계획〔과제〕; 자습 과제: a home ~ 가정 실습/a ~ method 구안(構案) 교수법《과제를 주고 학생에게 자주적인 학습을 하게 함》. **4** 〖컴퓨터〗 과제.

pro·jec·tile [prədʒéktil, -tail] *a.* [A] 사출〔발사〕하는; 추진하는: ~ force 〔movement〕 추진력〔운동〕/a ~ weapon 발사(무)기. **—***n.* [C] 투사물, 사출물; 발사체《로켓 · 어뢰 · 미사일 등》.

pro·jec·tion [prədʒékʃən] *n.* **1** [U] 사출(射出), 투사, 발사. **2** [U] 〖물리 · 컴퓨터〗 사영(射影), 투영(법); 〖영화〗 영사 (映寫): a ~ booth 〔《英》 room〕 영사실/a ~ machine 영사기(projector). **3** [C] 투영화. **4** [C] 돌출(부), 돌기(부). **5** [U] 계획, 고안. **6** [U] (구체적으로는 [C]) (관념 따위의) 구체화; 〖심리〗 주관의 객관화. **7** [C] 예상, 추정. ◇ project¹ *v.* [파] **~·ist** *n.* [C] 영사〔텔레비전〕 기사.

pro·jec·tive [prədʒéktiv] *a.* 〖기하〗 투영의; 〖심리〗 주관을 반영하는: a ~ figure 투영도. [파] **~·ly** *ad.*

pro·jec·tor [prədʒéktər] *n.* [C] 계획자; 투사기, 투광기(投光器), 영사기: a flame ~ 〖군사〗 화염 방사기.

prole [proul] *n.* [C] 《경멸적》 =PROLETARIAN.

◇**pro·le·tar·i·an** [pròulətɛ́əriən] *a.* 프롤레타리아의, 무산 계급의: ~ dictatorship 프롤레타리아 독재. **—***n.* [C] 프롤레타리아, 무산자.

pro·le·tar·i·at(e) [pròulitɛ́əriət] *n.* [U] (보통 the ~) 〖집합적〗 프롤레타리아트, 무산 계급. ↔ *bourgeoisie.*

prò-lífe *a.* 임신 중절 합법화에 반대하는. ↔ *pro-choice.* [파] **-lífer** *n.*

pro·lif·er·ate [proulífərèit] *vi.* 〖생물〗 (분아(分芽) · 세포 분열 등으로) 증식〔번식〕하다; 급격히 늘다.

pro·lìf·er·á·tion *n.* **1** [U] 〖생물〗 분아〔분열〕 번식. **2** [U] (또는 a ~) 급증; 확산: the ~ of nuclear weapons 핵병기의 확산.

◇**pro·lif·ic** [proulífik] *a.* 다산(多産)의; 열매를 많이 맺는; (작가가) 다작의; 풍년의; 풍부한, 많은《***of, in*** …이》: (as) ~ as rabbits 실로 다산인/a ~ writer 다작 작가/a period ~ *in* great scientists 위대한 과학자가 많이 나온 시대. [파] **-i·cal·ly** [-əli] *ad.*

pro·lix [proulíks] *a.* 지루한, 장황한. [파] **~·ly** *ad.* **pro·lix·i·ty** [proulíksəti] *n.*

PROLOG, Pro·log [próulɑg/-lɔg] *n.* [U] 〖컴퓨터〗 프롤로그《논리형 프로그래밍 언어》. [◂ *pro*gramming in *log*ic]

◇**pro·logue,** 《美》 **-log** [próulɔːg, -lɑg/-lɔg] *n.* [C] **1** 머리말, 서언; 서막; (긴 시 따위의) 서시(序詩). ↔ *epilogue.* **2** 조짐, 발단《***to*** (사건 따위)의》. **3** 〖음악〗 프롤로그, 전주곡, 도입곡.

***pro·long** [proulɔ́ːŋ, -lɑ́ŋ] *vt.* **늘이다,** 오래 끌다, 연장하다(lengthen): ~ a line 선을 연장하다/~ a visit 방문을 연장하다/a means of ~*ing* life 수명(壽命)을 길게 하는 방법. [SYN.] ⇨ EXTEND. ◇ prolongation *n.*

pro·lon·ga·tion [pròulɔːŋgéiʃən, -lɑŋ-] *n.* [U] 연장; [C] 연장한 부분.

pro·longed *a.* 연장한; 장기의: a ~ stay 장기 체류.

PROM [prɑm/prɔm] 〖컴퓨터〗 programmable read-only memory (피롬).

prom [prɑm/prɔm] *n.* [C] 《구어》 **1** 《英》 해변 산책길(promenade); =PROMENADE CONCERT. **2** 《美》 (대학 · 고교 따위의) 무도회, 댄스 파티.

prom·e·nade** [prɑ̀mənéid, -nɑ́ːd/prɔ̀m-] *n.* [C] **1 산책,** 산보; (말 · 수레를 탄) 행렬, 행진. **2** 해변 산책길; 유보장(遊步場), 산책하는 곳. **3** 《美》 =PROM 2. **—vi.* 《~/+[부]/+[전]+[명]》 슬슬 거닐다, 산책하다: ~ *about* (the town) (시내를) 뽐내며 걷다/~ *in* the streets 거리를 산책하다. **—***vt.* **1** …을 산책하다. **2** 《+[목]+[전]+[명]》 (아무)를 산책시키다; (미인 따위)를 여봐란 듯이 데리고 다니다: He ~*d* her *before* the jealous eyes of her suitors. 그녀의 구혼자들이 선망의 눈으로 지켜보는 앞에서 여봐란 듯이 그녀를 데리고 산책했다. [파] **-nád·er** *n.* [C] 산책하는 사람; 《英》 프롬나드 콘서트의 손님.

promenáde cóncert 유보(遊步) 음악회《산책이나 댄스를 하면서 듣는 음악회》.

promenáde dèck 유보 갑판《1등 선객용》.

Pro·me·the·an [prəmíːθiən] *a.* Prometheus 의〔같은〕.

Pro·me·the·us [prəmíːθiəs, -θjuːs] *n.* 〖그리스신화〗 프로메테우스《하늘에서 불을 훔쳐 인류에게 주었기 때문에, Zeus 신의 분노를 사서 Caucasus 산의 바위에 묶인 채 독수리에게 간을 먹히었다고 함》.

pro·me·thi·um [prəmíːθiəm] *n.* [U] 〖화학〗 프로메튬《희토류 원소; 기호 Pm; 번호 61》.

◇**prom·i·nence, -nen·cy** [prɑ́mənəns/prɔ́m-], [-i] *n.* **1** [U] 두드러짐, 현저, 걸출, 탁월: a man of ~ 명사. **2** [C] 돌기, 돌출부, 두드러진 곳. **3** [C] 〖천체〗 (태양 주변의) 홍염(紅焰), 프로미넌스.

⁑**prom·i·nent** [prɑ́mənənt/prɔ́m-] *a.* **1 현저한,** 두드러진; **저명한,** 걸출〔탁월〕한《***in*** …에》: a ~ writer 저명한 작가/Dr. O is ~ *in* microsurgery. O박사는 현미경 수술에 있어서는 뛰어난 분이다〔유명하다〕. **2** 돌기한, 돌출한: ~ eyes 퉁방울눈/~ teeth 뻐드렁니. [파] **~·ly** *ad.*

prom·is·cu·i·ty [prɑ̀məskjúːəti, pròum-/prɔ̀m-] *n.* [U] 뒤범벅, 난잡, 무차별; 상대를 가리지 않는 성행위, 난교(亂交).

pro·mis·cu·ous [prəmískjuəs] *a.* **1** (성관계가) 문란한, 난교(亂交)의. **2** 난잡〔혼잡〕한; 뒤죽박죽인, 무차별한: a ~ mass 어중이떠중이의 군중/~ hospitality 아무나 가리지 않는 대접. **3** 그때그때의, 불규칙한, 되는대로의: ~ eating habits 불규칙한 식사 습관. [파] **~·ly** *ad.* **~·ness** *n.*

⁑**prom·ise** [prɑ́mis/prɔ́m-] *n.* **1** [C] **약속,** 계약; 보증《***to*** do/***that***》: He claimed my ~. 그는 약속을 지키라고 말했다/A ~ is a ~. 약속은 약속《약속은 지켜야 한다》/He broke his ~ *to* give the book back to me within a week. 그는 나에게 일주일 내에 그 책을 돌려주겠다고 한 약속을 어겼다/I made your father a ~ *that* I would look after you. 나는 너의 아버지에게 너를 보살펴주겠다고 약속했다.

[SYN.] **promise** '약속'이란 뜻의 가장 일반적인 말. 특정인이 특정인에게 하는 약속 이외에 '앞

으로의 가망' 이라는 의미의 '약속'도 있음: give a *promise* of help 원조할 약속을 하다. a lad full of *promise* 장래가 촉망되는 청년. **engagement** 정식 통고를 받아 그 이행이 의무로 생각된 약속. 따라서 막연한 (구두) 약속은 포함되지 않음→약혼. **assurance** 보증. 구두로 하는 경우가 많아 깨질 가능성도 있음. **contract** 문서로 정식 교환된 약속으로서 법에 의한 강제력을 지닐 때가 많음. **pledge, vow** 공약, 서약(誓約). pledge는 자신의 명예 따위를 걸고, vow는 신(神) 앞에 서약함.

2 [U] (또는 a ~) (성공에 대한) 기대, 희망, 가망: a youth of great ~ 전도유망한 청년 / give 〔afford, show〕 ~ of …의 가망이 있다 / There is not much ~ *of* good weather. 날씨가 좋아질 가망은 적다.

the Land of Promise =PROMISED LAND.

> [DIAL.] ***Promises, promises!*** 만날 말로만 약속한다지.

—*vt.* **1** 《~+[목]/+*to* do/+[목]+[목]/+[목]+[전]+[명]/+[목]+*to* do/+(*that*) [절]/+[목]+(*that*) [절]》 **약속하다**, 약정하다; 준다는 약속을 하다《*to* (아무)에게》: I ~ (you) *to* come. =I ~ (you) (*that*) I will come. 오기로 약속하지 / ~ a donation 기부를 (하기로) 약속하다 / He ~*d* me a reward. =He ~*d* a reward *to* me. 그는 나에게 사례를 하겠다고 약속했다 / "I will do my best," he ~*d*. 그는 "최선을 다하겠다"고 약속했다.

2 《+[목]+[목]》 〔~ oneself〕 마음속에 기약하다, 기대하다: I ~*d* my*self* a restful weekend. 나는 한적한 주말을 마음속으로 기대하고 있었다.

3 《~+[목]/+*to* do》 …의 가망〔희망〕이 있다, …할 듯하다(be likely): The clouds ~ rain. 그 구름을 보니 비가 올 전조이다 / It ~*s to* be warm. 따뜻해질 것 같다.

—*vi.* **1** 약속〔계약〕하다.

2 《+[부]》 〔종종 well, fair따위를 동반하여〕 가망이 있다, 유망하다: The scheme ~*s well* 〔*ill*〕. 그 계획은 전망이 좋다〔나쁘다〕 / The crops ~ *well*. 풍작일 듯하다.

> [DIAL.] ***I can't promise anything.*** (해 보겠지만) 뭐라 약속할 수는 없다.
> ***I promise (you).*** 확실히, 꼭, 정말로; 단언하지만: I'll be back at ten, *I promise*. 10시에는 꼭 돌아오겠다 / Don't tell my mother.— All right, *I promise*. 어머니한테 말하지 마— 알았어, 약속할게.

Prómised Lánd **1** (the ~) 〖성서〗 약속의 땅 (Canaan) 《창세기 XII: 7》, 천국(Heaven). **2** (the 〔a〕 p- l-) 이상적 땅〔경지〕.

‡**prom·is·ing** [prάməsiŋ/prɔ́m-] *a.* **가망 있는**, 유망한, 믿음직한: a ~ youth 유망한 청년 / The weather is ~. 날씨가 갤 듯하다 / in a ~ state 〔way〕 가망 있는; 병이 회복되어 가는. [파] **~·ly** *ad.*

prom·is·so·ry [prάməsɔ̀:ri/prɔ́-] *a.* 약속하는, 약속의; 〖상업〗 지급을 약속하는: a ~ note 〖상업〗 약속 어음《생략: p.n.》.

pro·mo [próumou] (*pl.* **~s**) *n.* 《구어》 =PROMOTION 3.

prom·on·to·ry [prάməntɔ̀:ri/prɔ́məntəri] *n.* [C] 곶, 갑(岬).

‡**pro·mote** [prəmóut] *vt.* **1 증진〔촉진〕하다**, 조장〔증진〕하다, 장려하다: ~ world peace 세계 평화를 촉진시키다 / ~ health 건강을 증진하다. **2** 《~+[목]/+[목]+[전]+[명]/+[목]+(*to be*) [보]》 **승진**〔승급, 진급〕**시키다**《***from*** …에서; ***to*** …으로》. ↔ *demote*.¶be ~*d* (*to be*) captain =be ~*d to* captaincy 〔*to* the rank of captain〕 대위로 승진하다 / ~ a pupil *to* a higher grade 학생을 진급시키다. **3** (회사 따위)를 발기〔창립〕하다; (법안)의 통과에 노력하다. **4** (프로복싱·극 따위)의 흥행을 주최하다. **5** (상품)의 판매를 촉진하다. **6** 〖체스〗 (졸)을 queen으로 승격시키다. ◇ promotion *n.*

°**pro·mót·er** *n.* [C] 촉진자〔물〕, 조장자; 장려자, 후원자; (새 회사의) 발기인, 창립자; (권투 등의) 흥행주, 프로모터.

‡**pro·mo·tion** [prəmóuʃən] *n.* **1** [U] (구체적으로는 [C]) **승진**, 승격, **진급**: get 〔obtain, win〕 ~ 승진하다 / *Promotion* goes by seniority 〔merit〕. 승진은 연공〔공적〕에 의한다. **2** [U] **조장**, 증진, 진흥, 장려; 선동: the ~ *of* learning 학술 진흥 / the ~ *of* health 건강 증진. **3 a** [U] **판매 촉진**: sales ~ 판매 촉진. **b** [C] 판매 촉진 상품〔캠페인〕: do a special ~ *of* …의 특별 판매 촉진 캠페인을 벌이다. ◇ promote *v.*
[파] **~·al** *a.* 판매를 촉진하는.

pro·mo·tive [prəmóutiv] *a.* 증진하는, 조장하는, 장려하는.

‡**prompt** [prɑmpt/prɔmpt] *a.* **1 신속한**, 기민한, 재빠른《***in*** …에 / ***to*** do》; 즉석의: a ~ reply 즉답 / He's ~ *in* carry*ing* out his duties. 그는 맡은 일을 척척 해낸다 / They were ~ *to* volunteer. 그들은 즉시 지원했다. [SYN.] ⇨QUICK. **2** 〖상업〗 즉시불의: for ~ cash 맞돈으로 / a ~ note 일람불 어음.

—*n.* [C] **1** (배우가 대사를 잊었을 때) 숨어서 대사를 일러줌. **2** =PROMPTER. **3** 〖컴퓨터〗 프롬프트 《컴퓨터가 조작자에 대하여 입력을 요구하고 있음을 나타내는 단말 화면상의 기호〔글〕》.

—*vt.* **1** 《~+[목]/+[목]+[전]+[명]/+[목]+*to* do》 **자극하다**, 격려〔고무〕하다《***into, to*** (행동)하게》: ~*ed* by the whim of the moment 순간적으로 일어난 마음에 이끌려 / ~ a person *to* decision 아무를 재촉하여 결심하게 하다 / What ~*ed* him *to* steal it? 어떤 동기로 그것을 훔치게 되었을까. **2** (생각 따위)를 떠오르게 하다; (감정 따위)를 불러일으키다: The sight ~*ed* regret. 그 광경을 보고 후회하게 되었다. **3** (아무)에게 해야 할 말을 암시해〔가르쳐〕 주다; (학습자)에게 옆에서 주의를 주다; (배우 따위)에게 뒤에서 대사를 일러주다.

—*ad.* 정확히: at five o'clock ~ 정확히 5시에.
[파] **∠·ness** *n.*

prómpt·er *n.* [C] 〖연극〗 (배우에게) 대사를 일러주는 자, 프롬프터.

promp·ti·tude [prάmptətjù:d/prɔ́m-] *n.* [U] 민첩, 신속: with ~ 신속하게.

***prompt·ly** [prάmptli/prɔ́mpt-] *ad.* **1 신속히**, 재빠르게. **2** 즉석에서, 즉시. **3** 정확히, 정시에: arrive ~ at 6 o'clock =arrive at 6 o'clock ~, 6시 정각에 도착하다.

prom·ul·gate [prάməlgèit, proumΛ́lgeit/prɔ́məlgèit] *vt.* (법령 따위)를 반포〔공포〕하다, 공표하다; (교리 따위)를 널리 펴다, 보급하다.
[파] **pròm·ul·gá·tion** *n.* [U] 반포(頒布), 공포; 보급. **próm·ul·gà·tor** [-tər] *n.*

pron. pronominal; pronoun; pronunciation.

°**prone** [proun] *a.* **1** 수그린, 납작 엎드린; 납작해진. ↔ *supine*.¶lie ~ 엎드리다 / ~ shooting

(사격의) 엎드려 쏘기. **2** …하기 쉬운《*to* do》; 경향이 있는《*to* …의》; 걸리기 쉬운《*to* …에》: He's ~ *to* get angry. 그는 화를 잘 낸다/be ~ *to* err (error) 과오를 저지르기 쉽다/be ~ *to* idleness 나태해지기 쉬운/be ~ *to* accidents 사고를 일으키기 쉽다. ㊕ **∠·ness** *n*.

-prone [proun] '…의 경향이 있는, …하기 쉬운' 이란 뜻의 결합사: strike-*prone*, accident-*prone*.

prong [prɔːŋ/prɔŋ] (*pl*. ~(**s**)) *n*. Ⓒ (포크 따위의) 갈래, 날; (사슴뿔 따위의) 가지.
—*vt*. (포크·뿔 따위로) 찌르다, 꿰찌르다.
㊕ **~ed** *a*. 갈래진: a three-~*ed* fork 세 갈래진 포크, 삼지창.

próng·hòrn *n*. Ⓒ 【동물】 가지뿔 영양(羚羊) 《북아메리카 서부산(産)》.

pro·nom·i·nal [prounɑ́mənəl/-nɔ́m-] *a*. 대명사의; 대명사적인: a ~ adjective 대명사적 형용사/a ~ adverb 대명사적 부사.
㊕ **~·ly** *ad*. 대명사적으로, 대명사로서.

‡pro·noun [próunàun] *n*. Ⓒ 【문법】 **대명사** 《생략: pron.》: an adjective ~ 형용 대명사/a possessive ~ 소유 대명사. ◇ pronominal *a*.

‡pro·nounce [prənáuns] *vt*. **1 발음하다**, 소리 내어 읽다: The 'b' in 'doubt' is not ~*d*. doubt의 b는 발음하지 않는다. **2** 《~+목/+목+전+명》 언도하다, 선고하다《*on, upon* …에》: Then judgment was ~*d*. 그리고 판결이 내려졌다/The judge ~*d* a fine *on* the prisoner. 재판관은 형사 피고인에게 벌금형을 내렸다. **3** 《+목+보/+that 절/+목+*to be* 보/+목+*done*》 **선언하다**, 단언하다; 언명하다; 공표하다; 진술하다: I ~ him honest. =I ~ *that* he is honest. 분명히 말하지만 그는 정직하다/He ~*d* the signature *to be* a forgery. 그는 그 서명이 위조라고 단언했다/The doctor ~*d* the baby *cured*. 의사는 그 아이가 회복됐다고 단언했다.
—*vi*. **1** 발음하다: ~ clearly 똑똑히 발음하다. **2** 《+전+명》 의견을 표명하다, 판단을 내리다《*on, upon* …에 관해서; *for, in favor of* …에 유리하게; *against* …에 불리하게》: ~ *on* a proposal 제안에 대한 의견을 말하다 / The judge ~*d against* (*for, in favor of*) the accused. 재판관은 피고에게 불리(유리)하게 판결을 내렸다.
㊕ **~·a·ble** *a*. 발음할 수 있는.

◇pro·nóunced [-t] *a*. 뚜렷한, 현저한; 명백한; 단호한, 확고한: a ~ tendency 두드러진 경향/a ~ opinion 강경한 의견.
㊕ **-nóunc·ed·ly** [-sidli] *ad*. 현저히; 단호히.

pro·nóunce·ment *n*. Ⓒ 선언, 선고; 표명, 판결《*on, upon* …에 관한/*that*》.

pron·to [prɑ́ntou/prɔ́n-] *ad*. 《Sp.》 《구어》 신속히, 재빨리, 급속히.

‡pro·nun·ci·a·tion [prənʌ̀nsiéiʃən] *n*. **1** Ⓤ (구체적으로는 Ⓒ) **발음**; 발음하는 법. **2** Ⓤ (또는 a ~) (개인의) 발음: Your ~ is very good. 네 발음은 아주 좋다. ◇ pronounce *v*.

‡proof [pruːf] (*pl*. **~s**) *n*. **1** Ⓤ (구체적으로는 Ⓒ) **증명, 증거**《*of* …의; *against* …에 반하는/*that*》: be not susceptible of ~ 증명할 수 없다/give (a) ~ *of* one's affection 애정이 진실임을 보이다/make ~ *of* …을 입증하다/produce ~ *against* an allegation 주장(진술)에 대한 반증을 제출하다/ There's no ~ *that* he's guilty. 그가 유죄라는 증거는 없다.

SYN. **proof** (진실·정당성 따위를) 증명하는 것, 입증하는 것: One who believes in you doesn't need any *proof* at all. 당신을 믿고 있는 사람이기에 증거 따위는 전혀 필요 없다. **evidence** 눈에 보이는 형식으로 제출된 믿을 만한 근거: There is no *evidence* of corruption. 독직의 증거는 없다. **demonstration** 구체적인 형식으로 표시된 증거, 실증. **testimony** '법정에서의 선서 증언' →단언→증거: His smile is *testimony* of joy. 그의 미소는 즐거움을 단언하고 있다.→즐거움의 증거다.

2 Ⓒ 시험, 테스트, 음미(trial); 【수학·논리】 증명, 검산: stand the ~ 시험에 합격하다/The ~ of the pudding is in the eating. 《속담》 백문이 불여일견《푸딩의 맛은 먹어봐야 안다》. **3** Ⓒ (흔히 *pl*.) 【인쇄】 교정쇄: read ~*s* 교정하다/in ~ 교정쇄로《★ 관사 없이》/pass the ~*s* for press 교료(校了)하다. **4** Ⓤ (술의) 표준 도수(강도): above (below) ~ 표준 강도 이상(이하)의. ◇ prove *v*.
—*a*. Ⓟ 막는, 통과 안 시키는《*against* (불·총알 따위)를》; 견디어내는《*against* …에》: ~ *against* temptation 유혹에 안 넘어가는. ★ 흔히 합성 형용사를 만듦: ⇨ WATERPROOF, BULLETPROOF.
—*vt*. 《~+목/+목+전+명》 (섬유류)에 내구력을 부여하다《*against* …에 대한》; 《특히》 (천 따위)를 방수 가공하다.

-proof [prùːf] '…을 통과시키지 않는, 내(耐)…, 방(防)…' 이란 뜻의 결합사: bullet*proof*, fire*proof*, water*proof*.

próof·rèad [-rìːd] (*p*., *pp*. **-read** [-rèd]) *vi*., *vt*. 교정보다, …의 교정쇄를 읽다.
㊕ **~·er** *n*. Ⓒ 교정원. **~·ing** *n*. Ⓤ 교정.

próof shèet 【인쇄】 교정쇄.

próof spìrit 표준 강도의 알코올 음료《100 proof는 알코올 함량이 미국에서는 50%, 영국에서는 57.1%》.

◇prop[1] [prɑp/prɔp] *n*. Ⓒ **1** 지주(支柱), 버팀목, 버팀대. **2** 지지자, 후원자, 의지(가 되는 사람): the ~ and stay of the home 집안의 큰 기둥/A child is a ~ for one's old age. 자식은 노후에 의지가 된다.
—(**-pp-**) *vt*. **1** 버티다, …에 버팀목(木)을 대다(*up*)《*with, by* …으로》: ~ the wall *up* 담에 버팀목을 대다/~ (*up*) a tree with a pole 나무를 장대로 버티다/ Use this chair to ~ the door open. 이 의자를 버티어 놓아 문이 닫히지 않도록 해라. **2** 기대 놓다(*up*)《*against, on* …에》: ~ the bicycle (*up*) *against* the wall 벽에 자전거를 기대어 놓다. **3** …을 지지(支持)하다, 지원하다(*up*): ~ *up* democracy 민주주의를 지지하다.

prop[2] *n*. Ⓒ 《구어》 =PROPELLER.

prop[3] *n*. Ⓒ (보통 *pl*.) 【연극】 소품(property).

***prop·a·gan·da** [prɑ̀pəgǽndə/prɔ̀p-] *n*. Ⓤ (주의·신념 따위의) **선전**: a ~ film 선전 영화/spread ~ for (against) …을 선전(비난 선전)을 하다.

pròp·a·gán·dist *n*. Ⓒ 선전자; 전도사, 선교사.

prop·a·gan·dize [prɑ̀pəgǽndaiz/prɔ̀p-] *vt*., *vi*. 선전하다; 선교(전도)하다.

◇prop·a·gate [prɑ́pəgèit/prɔ́p-] *vt*. **1** 번식시키다, 늘(불)리다; 《~ oneself》 번식하다: How do these plants ~ them*selves*? 이러한 식물들은 어떻게 번식하는 것일까. **2** 널리 펴다, 선전(보급)하다: ~ the story all over the town 그

소문을 온 읍내에 퍼뜨리다. **3** (빛 · 소리 따위)를 전파하다, 전하다. **4** (성질 따위)를 유전시키다, 전염시키다. **—***vi.* 늘다, 붇다, 번식〔증식〕하다. ◇ propagation, propaganda *n.* ㉥ **-gà·tor** [-gèitər] *n.* Ⓒ 번식자; 선전자, 포교자.

pròp·a·gá·tion *n.* Ⓤ **1** (동물 따위의) 번식, 증식. **2** 보급, 전파; 선전. **3** 유전.

pro·pane [próupein] *n.* Ⓤ 〖화학〗 프로판《메탄계 탄화수소의 하나; 액화 가스는 연료용》.

***pro·pel** [prəpél] (**-ll-**) *vt.* 《~+목/+목+*to* do》 **추진하다**, 몰아대다: ~*ling* power 추진력/He was ~*led* by the desire of glory. 그는 명예욕에 급급하였다/Urgent need of money ~*led* him *to* take a job. 긴급히 돈이 필요해서 그는 일자리를 구했다.

pro·pel·lant [prəpélənt] *n.* Ⓤ (낱개는 Ⓒ) (총포의) 발사 화약, 장약(裝藥); (로켓 등의) 추진제; (분무기용) 고압 가스.

pro·pel·lent [prəpélənt] *a.* 추진하는, 추진용의. **—***n.* =PROPELLANT.

***pro·pel·ler** [prəpélər] *n.* Ⓒ **프로펠러**, 추진기.

propélling péncil 《英》 =MECHANICAL PENCIL.

pro·pen·si·ty [prəpénsəti] *n.* Ⓒ (타고난) 경향, 성질, 성벽(inclination), 버릇《***for, to, toward*** …을 좋아하는/***to*** do》: a ~ *to* exaggerate 〔exaggeration〕 과장하는 버릇/a ~ *for* saving things 물건을 소중히 간수하는 경향.

⁑**prop·er** [prápər/prɔ́p-] *a.* **1 적당한, 타당한,** 마땅한, 상응하는《***for*** …에》: a ~ measure to take 취해야 할 조치, 지당한 처사/the ~ word 꼭 들어맞는 말/Is this the ~ tool *for* the job? 이 연장이 그 일을 하기 위한 것입니까/This dress wouldn't be ~ *for* a ball. 이 드레스는 무도회에는 어울리지 않을 것이다.

SYN. **proper** 본래 그 자체가 갖고 있는 성질이나 또는 사회의 관습상으로 보아 적절한 것: administer *proper* punishment 죄에 적절한 벌을 내리다. **appropriate** 어떤 특정한 목적 · 상황으로 보아 적절한: select an *appropriate* word 그 경우에 알맞은 말을 고르다. **pertinent, relevant** 현재의 화제 · 목적 등에 관계가 있는, 무관계가 아닌. relevant 쪽이 보다 논리적 관계를 시사함: a topic *relevant* to the subject matter 주제에 관련된 화제.

2 올바른, 정식의: a ~ way of skiing 올바른 스키 타기.

3 예의바른, 품위 있는: ~ behavior 예의바른 태도/It's not ~ to eat with a knife. 나이프로 먹는 것은 예의에 벗어난다.

4 고유한, 특유한, 독특한《***to*** …에》: Suicide is ~ *to* mankind. 자살은 인간 특유의 것이다/This custom is ~ *to* the country. 이런 풍습은 그 나라 특유의 것이다.

5 본래의; 정확한, 엄밀한, 진정한; 〖명사 뒤에 쓰여〗 엄격한 의미로서의: the ~ owner 본래의 소유자/in the ~ sense of the word 그 말의 본래의 뜻에 있어서/This watch keeps ~ time. 이 시계는 정확하다/France ~ 프랑스 본토/music ~ 음악 그 자체.

6 Ⓐ 〖문법〗 고유의; 고유 명사적인: ⇨PROPER NOUN.

7 Ⓐ 《英》 순전한, 완전한: a ~ rogue 순전한 악당/in ~ rage 노발대발하여. ◇ propriety *n.*

—*ad.* 《英방언 · 구어》 완전히, 전혀; 예의바르게.

próper fráction 〖수학〗 진분수.

⁑**prop·er·ly** [prápərli/prɔ́p-] *ad.* **1 당연히,** 정당하게: He very ~ refused. 그가 거절한 것은 아주 당연한 일이다. **2 똑바로,** 올바르게, 정확히; 완전하게: Do it ~ or not at all. 완전하게 하라, 아니면 아예 손을 대지 마라. **3** 훌륭하게, 단정히, 예의 바르게: be ~ dressed 단정하게 옷차림을 하고 있다/behave ~ 예의 바르게 행동하다. **4 적당하게,** 온당하게, 원활히, 알맞게. **5** 《英구어》 철저하게; 아주, 몹시: He got himself ~ drunk. 몹시 취해 있었다.

~ ***speaking*** =***speaking*** ~ =***to speak*** ~ 정확히〔사실대로〕 말하면; 본래.

próper mótion 〖천체〗 고유 운동.

próper nóun 〔**náme**〕 〖문법〗 고유 명사.

prop·er·tied [prápərtid/prɔ́p-] *a.* Ⓐ 재산이 있는: the ~ class(es) 유산 계급.

⁑**prop·er·ty** [prápərti/prɔ́p-] *n.* **1** Ⓤ **재산,** 자산: a man of ~ 재산가/personal 〔real〕 ~ 동〔부동〕산/private 〔public〕 ~ 사유〔공유〕 재산. **2** Ⓤ 〖집합적〗 소유물: Is this your ~? 이것은 당신 것입니까. **3** Ⓤ (구체적으로는 Ⓒ) **소유지,** 대지, 토지(건물): He has a small ~ in the country. 그는 시골에 조그마한 땅마지기를 갖고 있다. **4** Ⓤ 〖법률〗 소유(권)《***in*** …의》: ~ *in* copyright 판권 소유/*Property* has its obligations. 소유권에는 의무가 따른다; 소유할 바에는 잘 간수해야 한다. **5** Ⓒ (고유한) **성질, 특성**: the chemical *properties of* iron 철의 화학적 여러 가지 성질/the *properties of* metal 금속의 특성/herbs with healing *properties* 효능이 있는 약초. SYN. ⇨QUALITY. **6** Ⓒ (흔히 *pl.*) 〖연극〗 소품.

common ~ 누구나 알고 있는 것: The news 〔secret〕 is *common* ~. 그 소식〔비밀〕은 누구나 알고 있다.

próperty màn 〔**màster**〕 〖연극〗 소품 담당; 《英》 의상 담당.

próperty tàx 재산세.

proph·e·cy** [práfəsi/prɔ́-] *n.* **1** Ⓤ **예언**(함), 예언 능력: the gift of ~ 예언의 재능. **2** 예언 《that***》: His ~ *that* war would break out came true. 전쟁이 일어나리라는 그의 예언이 들어맞았다.

proph·e·sy** [práfəsài / prɔ́-] *vt.* 《~+목/+*that* 절/+*wh.* 절/+목+목》 **예언하다;** 예측하다: He *prophesied* war. 그는 전쟁을 예언했다/They *prophesied that* he would do great things. 그들은 그가 위대한 일을 하리라고 예언했다/We cannot ~ *what* may happen. 무슨 일이 일어날지 예측할 수가 없다/The gypsy *prophesied* her a happy marriage. 집시는 그녀에게 행복한 결혼을 예언했다. **—vi.* 《+전+명》 예언하다《***of*** …을》: He *prophesied of* disasters to come. 그는 대참사가 일어난다고 예언했다.

***proph·et** [práfit/prɔ́-] (*fem.* **~·ess** [-is]) *n.* Ⓒ **1 예언자;** 신의(神意)를 전달하는 사람. **2** (주의 따위의) 제창자. **3** 《구어》 (경마의) 예상가, 예측가; 예보자. **4** (the P-) 마호메트(Mohammed). **5** (the P-s) (구약 성서 중의) 예언자〔서〕.

pro·phet·ic, -i·cal [prəfétik], [-əl] *a.* 예언의, 예언적인; 예언하는《***of*** …을》; 예언자의: a *prophetic* statement 예언적인 진술/a sign *prophetic of* good 〔evil〕 길〔흉〕조. ◇ prophecy *n.* ㉥ **-i·cal·ly** *ad.* 예언적으로.

pro·phy·lac·tic [pròufəlǽktik, pràf-/prɔ̀f-]

〖의학〗 a. (질병) 예방의. —n. Ⓒ 예방약; 예방법〔조치〕; 《美》 피임 용구. ㊎ **-ti·cal·ly** *ad.*

pro·phy·lax·is [pròufəlǽksis, pràf-/prɔ̀-] (*pl.* **-lax·es** [-lǽksiːz]) *n.* Ⓤ (구체적으로는 Ⓒ) 〖의학〗 (병 따위의) 예방(법).

pro·pin·qui·ty [prəpíŋkwəti] *n.* Ⓤ (때 · 장소 따위가) 가까움, 근접; 친근; 유사, 근사《**of** …의; **to** …에의》.

pro·pi·ti·ate [prəpíʃièit] *vt.* …을 달래다; …의 비위를 맞추다.

pro·pì·ti·á·tion *n.* Ⓤ 달램, 화해.

pro·pi·ti·a·to·ry [prəpíʃiətɔ̀ːri/-təri] *a.* 달래는, 달래기 위한; 화해의.

pro·pi·tious [prəpíʃəs] *a.* 순조로운, (형편) 좋은(favorable); 상서로운, 길조인《**for, to** …에》: The weather was ~ *for* our trip. 날씨는 우리가 여행하기에 좋았다/a ~ sign 길조.
㊎ **~·ly** *ad.* **~·ness** *n.*

prop·jet [prɑ́pdʒèt/prɔ́p-] *n.* =TURBOPROP.

próp·màn [-mæ̀n] (*pl.* **-mèn** [-mèn]) *n.* = PROPERTY MAN.

prop·o·lis [prɑ́pəlis/prɔ́p-] *n.* Ⓤ 밀랍(蜜蠟).

pro·po·nent [prəpóunənt] *n.* Ⓒ 제안자, 제의자, 발의자; 옹호자, 지지자. ↔ *opponent.*

pro·por·tion [prəpɔ́ːrʃən] *n.* **1** Ⓤ (구체적으로는 Ⓒ) **비(比), 비율**《**of** …의; **to** …에 대한》: ~ *of* three *to* one, 1 대 3 의 비율/the ~ *of* the expenditure *to* the income 수입에 대한 지출의 비율/What is the ~ of boys to girls in your class?—Three to two. 너희 반 남녀 학생의 비는 얼마나 되느냐—남학생 3 에 여학생 2 야.
2 Ⓤ 조화, **균형**《**to** …와의》: bear no ~ *to* …와 균형이 잡히지 않다/a sense of ~ 평형 감각.
3 Ⓒ (일정 비율의) **부분; 몫,** 할당〔배당〕분: do one's ~ *of* the work 일에서 자기 몫을 하다/obtain a ~ *of* the profit 이익의 할당을 받다.
4 (*pl.*) **크기,** 넓이; (미적 관점에서 본) 균형: a tower of majestic ~*s* 웅장한 탑/a woman of beautiful ~*s* 아름다운 몸매의 여성.
5 Ⓤ 〖수학〗 비례(산(算)). cf. ratio. ¶ direct 〔inverse〕 ~ 정〔반〕비례.
in* ~** ① 균형이 잡힌《**to** …와》. ② 비례하여《**to** …에》: Energy use increases *in* ~ *to* the rise in temperature. 기온이 상승함에 따라서 에너지 소비가 증가한다. ③ 과장하지 않고, 일의 경중을 그르치지 않고: see things *in* ~ 사물을 바르게 보다. ***in* ~ *as …함에 따라: *In* ~ *as* the sales increase the profit will rise. 판매가 증가함에 따라 수익도 늘 것이다. ***out of* (*all*) ~** (전혀) 균형이 잡히지 않은《**to** …와》.
—*vt.* 《~+목/+목+전+명》 균형잡히게 하다, 조화〔비례〕시키다《**to** …에》: These rooms are well ~*ed*. 이 방들은 균형이 잘 잡혀 있다/~ one's expenses *to* one's income 지출과 수입의 균형을 맞추다.

pro·por·tion·al [prəpɔ́ːrʃənəl] *a.* 균형이 잡힌, 조화된; 비례의, 비례하는《**to** …에》: be directly 〔inversely〕 ~ *to* …에 정〔반〕비례하다/a ~ quantity 비례량. ㊎ **~·ly** *ad.*

propórtional representátion 비례 대표제《생략: P.R.》.

propórtional spácing 〖컴퓨터〗 비례 간격《크기가 다양한 글자의 출력 결과를 보기 좋도록 여백을 미세한 비율로 삽입하는 기능》.

pro·por·tion·ate [prəpɔ́ːrʃənit] *a.* = PROPORTIONAL. ㊎ **~·ly** *ad.*

pro·por·tioned [prəpɔ́ːrʃənd] *a.* 균형 잡힌; 균형이 …한: well- 〔ill-〕~ 균형이 잘〔안〕 잡힌.

pro·pos·al [prəpóuzəl] *n.* **1** Ⓤ (구체적으로는 Ⓒ) **신청; 제안,** 제의; 계획《**for** …의/**to** do/**that**》: a ~ *for* a ban on the use of nuclear weapons 핵무기 사용 금지 제안/present a ~ *to* carry on negotiations 협상을 계속하자고 제안하다/The ~ *that* tariffs (should) be lowered was unanimously accepted. 관세를 내려야만 한다는 제안이 만장일치로 받아들여졌다. **2** Ⓒ 청혼《**to** (여자)에게의》: make a ~ (of marriage) *to* a woman 여자에게 청혼하다. ◇ propose *v.*

pro·pose [prəpóuz] *vt.* **1** 《~+목/+*to* do/+*-ing*/+*that* 절/+목+전+명》 **신청하다; 제안하다,** 제의하다《**to** (아무)에게》; 제출하다: I ~ an early start 〔*to* start early, start*ing* early, *that* we (should) start early〕. 난 일찍 출발할 것을 제의한다/~ marriage *to* a woman 여자에게 청혼하다.
SYN. **propose** 고려 · 토의 · 채택해 주도록 제안하다: *propose* terms of peace 정전(停戰) 조건을 제안하다. *propose* a friend for a club 친구를 클럽에 추천하다. **offer** 제출하다.→의견 · 안 따위를 제의하다. give 의 딱딱한 표현으로서도 사용됨: *offer* an apology 변명을 하다. **suggest** 시사하다.→…은 아닌가, …하면 어떤가라고 제언하다《사교적 표현》: *suggest* a stroll after lunch 식후 산책을 제안하다.
2 《~+목/+*to* do/+*-ing*》 **꾀하다,** 기도하다: ~ an attack 공격을 꾀하다/I ~ *to* take 〔tak*ing*〕 a week's holiday. 나는 1주일간 휴가를 얻을 생각이다.
3 《+목+*as* 보/+목+전+명》 추천하다, 지명하다《**for** …에; **as** …로서》: Mr. Smith was ~*d as* president of the society. 스미스씨는 회장에 지명되었다/~ a person *for* membership 아무를 회원으로 추천하다.
4 (축배)를 제의하다: ~ a toast 〔a person's health〕 축배〔아무의 건강을 위해 축배〕를 제의하다.
—*vi.* **1** 《~/+전+명》 제안하다, 건의하다, 발의하다: Man ~*s*, God disposes. ⇨DISPOSE. **2** 《+전+명》 청혼하다《**to** (여자)에게》: I ~*d to* her. 나는 그녀에게 청혼했다. ◇ proposal, proposition *n.*
㊎ **pro·pós·er** *n.* Ⓒ 신청인, 제안자.

prop·o·si·tion [prɑ̀pəzíʃən/prɔ̀p-] *n.* Ⓒ **1** **제안,** 건의《**to** do/**that**》: make ~*s of* peace 강화를 제의하다/make a person a ~ 아무에게 제안하다/a ~ *to* pool part of the earnings 이익금의 일부를 공동자금으로 하자는 제안/Nobody supported his ~ *that* part of the earnings (should) be pooled. 이익금의 일부를 공동자금으로 하자는 그의 제안을 아무도 지지하지 않았다. **2** 계획, 안(案). **3** 진술, 주장《**that**》: defend the ~ *that* all men are created equal 사람은 모두 평등하게 창조되었다는 주장을 옹호하다. **4** 〖수학〗 정리, 명제: a ~ in algebra 대수의 정리. **5** (a ~) 일, 문제, 것; 상대: a delicate ~ 미묘한 문제/It's a payable 〔workable〕 ~. 그것은 벌이가 되는〔실행 가능한〕 일이다/He is a tough ~. 그는 만만찮은 상대다. **6** 《구어》 (여성에 대한 성교섭의) 꾐, 유혹: He made her a ~. 그는 그녀를 유혹했다. ◇ propose *v.*
***be not a* ~** 가망이 없다.

—*vt.* ⦅구어⦆ (여자)에게 유혹을 하다.
⓯ ~·al [-ʃənəl] *a.*

pro·pound [prəpáund] *vt.* (학설·문제 따위)를 제출하다, 제의하다. ◇ proposition *n.*

pro·pri·e·tary [prəpráiətèri/-təri] *a.* Ⓐ **1** 소유자의, 소유의; 재산이 있는: the ~ classes 유산 계급, 지주 계급/~ rights 소유권. **2** 독점의, 전매(특허)의: ~ articles 전매품/~ medicines (drugs) 특허 매약(賣藥).

propríetary náme (상품의) 특허명, 상표명.

°**pro·pri·e·tor** [prəpráiətər] (*fem.* **-tress** [-tris]) *n.* Ⓒ 소유자, 주인; 경영자, 사업주: a landed ~ 지주/a peasant ~ 소농(小農).

pro·pri·e·to·ri·al [prəprài ətɔ́:riəl] *a.* 소유(권)의; 소유자의: ~ rights 소유권.

***pro·pri·e·ty** [prəpráiəti] *n.* **1** Ⓤ **타당**, 적당; 적정, 적부: doubt the ~ *of* …의 적부를 의심하다. **2** Ⓤ **예의바름**, 예모, 교양: a breach of ~ 예의에 어긋남/with ~ 예의바르게. **3** (the proprieties) 예의범절, 예절: observe (offend against) the *proprieties* 예의범절을 지키다(어기다). ◇ proper *a.*

pro·pul·sion [prəpʌ́lʃən] *n.* Ⓤ 추진(력): jet ~ 제트 추진.

pro·pul·sive [prəpʌ́lsiv] *a.* Ⓐ 추진하는, 추진력이 있는.

próp wòrd 〖문법〗 지주어(支柱語)⦅형용사나 형용사 상당어에 붙어 이를 명사화하는 말; 이를테면 a red one의 one⦆.

pro ra·ta [prou-réitə, -rá:tə] ⦅L.⦆ 비례하여, 비례한.

pro·rate [prouréit, ⌐⌐] *vt., vi.* 비례 배분하다, 할당하다: on the ~*d* daily basis 날 수 계산으로.

pro re nata [prou-réi:-ná:tə] ⦅L.⦆ 임기응변으로; 필요에 따라⦅생략: p.r.n.⦆.

pro·rogue [prou*r*óug] *vt.* (특히 영국에서 의회)를 정회하다. ⓯ **prò·ro·gá·tion** [-géiʃən] *n.* Ⓤ (구체적으로는 Ⓒ) 정회.

pros- [prɑs/prɔs] *pref.* '앞으로, …쪽으로', '그 위에' 라는 뜻: *prosody.*

pro·sa·ic, -i·cal [prouzéiik], [-əl] *a.* **1** 산문(체)의; 산문적인. ↔ *poetical, poetic.* **2** 평범한, 단조로운; 살풍경한, 활기(재미) 없는, 지루한: a ~ life 무미건조한 생활/a ~ speaker 지루하게 말하는 사람. ◇ prose *n.* ⓯ **-i·cal·ly** *ad.*

pro·sce·ni·um [prousi:niəm] (*pl.* **-nia** [-niə]) *n.* Ⓒ (보통 the ~) 앞무대⦅막과 오케스트라석 사이⦆.

pro·scribe [prouskráib] *vt.* 인권을 박탈하다, 법률의 보호 밖에 두다, 추방하다; 금지(배척)하다.

pro·scrip·tion [prouskrípʃən] *n.* Ⓤ 인권 박탈; 추방; 금지.

***prose** [prouz] *n.* **1** Ⓤ **산문**; 산문체. ⓒⓕ verse. **2** Ⓒ ⦅英⦆ (외국어로의) 번역 연습 문제: a Spanish ~ (영문의) 스페인어 번역 문제. —*a.* Ⓐ 산문의: ~ style 산문체/a ~ poem 산문시.

***pros·e·cute** [prásəkjù:t/prɔ́-] *vt.* **1** 해내다, 수행하다: ~ a difficult investigation 어려운 수사를 수행하다. **2** ⦅~+목/+목+전+명⦆ 〖법률〗 기소하다, 고소하다, 구형하다⦅*for* …이유로⦆: Trespassers will be ~*d.* 무단 침입자는 고소함⦅게시문⦆/He was ~*d for* smuggl*ing* drugs. 그는 마약 밀수로 기소되었다. —*vi.* 기소하다, 고소하다. ◇ prosecution *n.*

prósecuting attórney ⦅美⦆ 지방 검사.

°**pros·e·cu·tion** [prɑ̀səkjú:ʃən/prɔ̀-] *n.* **1** Ⓤ 실행, 수행: the ~ *of* one's duties 의무 수행. **2** Ⓤ 종사, 경영. **3** Ⓤ (구체적으로는 Ⓒ) 기소, 고소; 고발: a criminal ~ 형사 소추/a malicious ~ 무고(誣告). **4** Ⓤ (the ~) 〔집합적; 단·복수취급〕 기소자측, 검찰 당국. ↔ *defense.* ¶a witness for the ~ 검찰측 증인. ◇ prosecute *v.*

°**pros·e·cu·tor** [prásəkjù:tər/prɔ́-] (*fem.* **-cu·trix** [-triks]; *fem. pl.* **-tri·ces** [-trisì:z]) *n.* Ⓒ 〖법률〗 소추자, 기소자, 고발자; 검찰관.

pros·e·lyte [prásəlàit/prɔ́-] *n.* Ⓒ 개종자; (정치적) 변절자.

pros·e·lyt·ize [prásələtàiz/prɔ́s-] *vt.* 개종(변절, 전향)시키다. —*vi.* 개종(변절)하다.

Pro·ser·pi·na, Pros·er·pi·ne [prousə́:rpənə], [prousə́:rpəni] *n.* 〖로마신화〗 프로세르피나⦅지옥의 여왕; 그리스의 Persephone⦆.

pro·sit [próusit] *int.* ⦅L.⦆ 축하합니다, 건강을 빕니다⦅축배 들 때의 말⦆.

pro·sod·ic, -i·cal [prəsádik/-sɔ́d-], [-əl] *a.* Ⓐ 작시법(作詩法)의; 운율법에 맞는.

pros·o·dy [prásədi/prɔ́s-] *n.* Ⓤ 시형론, 운율학, 작시법.

⁑**pros·pect** [práspekt/prɔ́s-] *n.* **1** Ⓒ (보통 *sing.*) **조망**(眺望); 경치; (집 따위의) 향(向): command a fine ~ 전망이 훌륭하다, 경치가 좋다/The church has a western ~. 교회는 서향이다. ⓈⓎⓃ ⇨VIEW.

2 Ⓤ (또는 a ~) **예상**, 전도, 전망. ↔ *retrospect.* ¶a rosy ~ 장밋빛 전도/I see no ~ *of* his recovery. 그는 회복할 가망이 없다/They set up the company in the ~ *of* large profits. 그들은 많은 이익을 예상하고 그 회사를 세웠다.

3 (*pl.*) (성공·이익·출세 따위의) 가망, 장래성: His ~*s* are brilliant. 그의 장래는 밝다/The business has no ~*s.* 그 사업은 (성공할) 가망이 없다.

4 Ⓤ (머지않아 일어날 일에 대한) **기대**: They were thrilled at the ~ *of* foreign travel. 그들은 외국 여행에 대한 기대로 가슴이 설렜다.

5 Ⓒ 단골손님이 될 듯한 사람, 팔아줄 듯싶은 손님; 가망이 있는 사람.

6 Ⓒ 〖광산〗 채광 유망지.

in ~ 예상(예기, 기대)되어; 기도하여: He had no other alternative *in* ~. 그에게는 기대할 대안이 없었다.

— [prəspékt] *vi.* ⦅(+전+명)⦆ 답사하다, 시굴하다⦅*for* (금·석유 따위)를 찾아⦆: ~ *for* gold 금을 시굴하다.

—*vt.* ⦅~+목/+목+전+명⦆ (지역)을 답사(조사)하다; (광산)을 시굴하다⦅*for* (금·석유 따위)를 찾아⦆: ~ a region *for* gold ore (oil) 금광을(석유를) 찾아 어떤 지역을 조사하다.

°**pro·spec·tive** [prəspéktiv] *a.* Ⓐ 예기되는, 가망이 있는; 장래의. ↔ *retrospective.* ¶a ~ customer 팔아줄 만한 사람/a ~ mother 곧 어머니가 될 사람/my ~ son-in-law 나의 사위가 될 사람/~ change 예기되는 변화.

pros·pec·tor [práspektər/prəspék-] *n.* Ⓒ 탐광자(探鑛者), 답사자, 시굴자.

pro·spec·tus [prəspéktəs] (*pl.* **~·es**) *n.* Ⓒ (새 회사 등의) 설립 취지서; (사업·계획 등의) 발기서; (신간 서적의) 내용 견본; 학교안내서.

***pros·per** [práspər/prɔ́s-] *vi.* **번영하다**, 성공하다; 잘 자라다, 번식하다: a ~*ing* breeze 순풍

(順風) / His business has ~*ed*. 그의 사업은 번창했다. —*vt*. 《고어》 번영(성공)시키다: May God ~ you! 하느님의 은총이 함께 하기를. SYN. ⇨SUCCEED.

***pros·per·i·ty** [prɑspérəti/prɔs-] *n*. U **번영**, 번창, 융성; 성공. ↔ *adversity*. ¶ in one's days of ~ 행복하게 지내어.

***pros·per·ous** [prɑ́spərəs/prɔ́s-] *a*. **1 번영하는**, 성공한: ~ business 번창하고 있는 사업 / He looks ~. 그는 경기가 좋은 것 같다, 건강한 것 같다. **2** 부유한: a ~ family 부유한 집안. **3** 잘 되어 가는, 순조로운: ~ weather 좋은 날씨 / a ~ gale 순풍.

pros·tate [prɑ́steit/prɔ́s-] *n*. C 전립샘. ⊕ **pro·stat·ic** [prɑstǽtik/prɔ́s-] *a*. 전립샘의.

próstate glànd = PROSTAE.

pros·the·sis [prɑ́sθəsis/prɔ́s-] (*pl*. **-ses** [-sìːz]) *n*. U (의족(義足) · 의치 등의) 보철(補綴)(술); C 보철물: dental ~ 치과 보철술.

pros·thet·ic [prɑsθétik/prɔs-] *a*. 보철(補綴)의.

pros·ti·tute [prɑ́stətjùːt/prɔ́s-] *n*. C 매춘부; 절개를 파는 사람, 돈의 노예. —*vt*. **1** 《~ oneself》 매음하다, 몸을 팔다. **2** (명예 등)을 이익을 위해 팔다; (능력 따위)를 악용하다.

pros·ti·tu·tion [prɑ̀stətjúːʃən/prɔ̀s-] *n*. U 매춘, 매음; 타락, 퇴폐; 악용.

◇**pros·trate** [prɑ́streit/prɔstréit] *vt*. **1 a** 넘어뜨리다, 뒤엎다. **b** 《~ oneself》 엎드리다: ~ one*self* before the altar 제단 앞에 엎드리다. **2** 쇠약하게 하다, 극도로 피로케 하다: be ~*d* by the heat 더위에 지치다.

—[prɑ́streit/prɔ́s-] *a*. **1** 엎어진, 엎드린, 부복(俯伏)한. **2** 패배한, 항복한. **3** 기진맥진한, 기운을 잃은《*with* …으로》: They were ~ after the long climb. 오랜 등반으로 그들은 피곤했다 / be ~ *with* grief 비탄에 젖다. **4** 『식물』 포복성의.

pros·trá·tion *n*. **1** U (구체적으로는 C) 부복(俯伏), 엎드림: ~ before the altar 제단(祭壇) 앞에 부복함. **2** U 피로, 쇠약: general (nervous) ~ 전신(신경) 쇠약.

prosy [próuzi] (**pros·i·er; -i·est**) *a*. 산문의, 산문체의; 몰취미한, 평범한, 지루한(prosaic). ⊕ **prós·i·ly** *ad*. **-i·ness** *n*.

Prot. Protestant.

pròt·actínium *n*. U 『화학』 프로탁티늄《방사성 원소; 기호 Pa; 번호 91》.

pro·tag·o·nist [proutǽgənist] *n*. C **1** (보통 the ~) 『연극』 주역, (소설 · 이야기 따위의) 주인공. **2** 주창자, 주도자《*of, for* (사상 · 주의 따위)의》.

prot·a·sis [prɑ́təsis/prɔ́t-] (*pl*. **-ses** [-sìːz]) *n*. C 『문법』 전제절(前提節), 조건절. ↔ *apodosis*.

Pro·te·an [próutiən, proutíːən] *a*. Proteus 의(같은); (p-) 변화무쌍한; 다방면의.

⁑**pro·tect** [prətékt] *vt*. **1** 《~+목/+목+전+명》 **보호(수호, 비호)하다, 막다**, 지키다《*against, from* (공격 · 위험 따위)에서》: a ~*ed* state 보호국 / They ~*ed* their own claims with perfect unity. 그들은 굳게 단결하여 자신들의 권리를 지켰다 / May God ~ you! 신의 가호가 있기를 빈다 / She wore a hat to ~ her skin *from* the sun. 그녀는 햇볕에서 피부를 보호하기 위해 모자를 썼다. **2** (기계)에 안전(보호) 장치를 하다: a ~*ed* rifles 안전 장치가 된 소총. **3** 『경제』 (보호 관세 등에 의하여) 보호하다《국내 산업을》: ~*ed* trade 보호 무역. **4** 《+목/+목+전+명》 보험에 들어 …을 보호하다《*against* …에 대하여》.

⁑**pro·tec·tion** [prətékʃən] *n*. **1** U **보호**, 비호, 옹호《*against* …에 대한; *from* …으로부터의》: under the ~ of …의 보호 아래 / the ~ of one's country *against* potential enemies 가상 적(敵)에 대한 국토 방위 / ~ *of* the village *from* storms 폭풍으로부터의 부락 보호. **2** U 후원, 두둔. **3** (a ~) 보호하는 물건《*against* …에 대해》: a ~ *against* cold 방한구. **4** U 보호 무역 (제도). **5** U 《구어》 (폭력단의 보호에 대해 바치는) 보호료(= ∠ mòney); (폭력배가 하급 관리에게 주는) 뇌물, 묵인료. **6** U 『컴퓨터』 보호《프로그램 · 연성판(floppy disk) 복사의》. ◇ protect *v*. ⊕ **~·ìsm** *n*. U 보호 무역주의(론). **~·ist** *n*. C 보호 무역론자.

protéction ràcket 《구어》 폭력단이 행패를 부리지 않는 대신 상점 · 음식점 등으로부터 돈을 뜯어내는 행위.

***pro·tec·tive** [prətéktiv] *a*. **1 보호하는**; 보호하고 싶어하는《*toward* …을》: a ~ vest 방탄 조끼 / He felt very ~ *toward* her. 그는 그녀를 보호하고자 하는 욕망을 강하게 느꼈다. **2** A 보호 무역(정책)의: ~ trade 보호 무역 / ~ duties (tax) 보호 관세. —*n*. C 보호물《*against* …에 대한》; 《특히》 콘돔: a ~ *against* the devil 마귀 쫓는 물건; 부적(符籍).

protéctive colorátion (cóloring) 『동물』 보호색.

protéctive cústody 『법률』 보호 구치(拘置).

protéctive táriff 보호 관세(율).

◇**pro·tec·tor** [prətéktər] (*fem*. **-tress** [-tris]) *n*. C **1** 보호자, 옹호자, 후원자. **2** 보호 장치(물(物)), 안전 장치: a plant ~ 식물의 바람(눈)막이 / a point ~ 연필(펜) 깍지. **3** 『야구』 가슴받이 (chest ~), 프로텍터.

pro·tec·tor·ate [prətéktərit] *n*. C 보호령, 보호국.

pro·té·gé [próutəʒèi, ∸-∸] (*fem*. **-gée** [-təʒèi]) *n*. 《F.》 C 피보호자; 부하.

◇**pro·tein** [próutiːin] *n*. U (종류는 C) 단백질.

pro tem [prou-tém] 《구어》 = PRO TEMPORE.

pro tem·po·re [prou-témpərìː] 《L.》 당분간; 일시적인(으로); 임시의《생략: p.t.》.

Prot·er·o·zo·ic [prɑ̀tərəzóuik/prɔ̀t-] *n*. (the ~), *a*. 『지질』 원생대(代)(계(界))(의), 선(先)캄브리아대(代)(의).

⁑**pro·test** [prətést] *vi*. 《~/+전+명》 **항의하다**, 이의를 제기하다《*about, against, at* …에》: What were the students ~*ing against*? 학생들은 무엇에 항의하고 있었는가 / ~ *about* the expense 비용에 관해 이의를 제기하다 / I strongly ~ *at* being called a liar. 나는 거짓말쟁이라고 불리는 것에 대해 강하게 항의한다.

—*vt*. **1** 《~+목/+*that* 절》 주장(단언, 확언)하다: He ~*ed* his innocence. 그는 자신의 결백을 주장했다 / "You're to blame," he ~*ed*. "네가 잘못이다"라고 그는 잘라 말했다 / The defendant ~*ed that* he was innocent of the crime. 피고는 그 범죄에 대해 결백하다고 주장했다. **2** 《美》 …에 항의(이의를 제기)하다: ~ a witness 증인에 대해 이의를 신청하다. ◇protestation *n*.

—[próutest] *n*. **1 a** U (구체적으로는 C) **항의**, 이의《*against* …에 대한》: ~ *against* increased taxation 증세에 대한 항의 / make (enter, lodge)

a ~ *against* the verdict 평결에 이의를 제기하다. **b** [C] 이의서: register a ~ 이의서에 기명하다. **2** [C] 이의 신청《*that*》: The ~ *that* he had an alibi was rejected. 그에게 알리바이가 있다는 이의 신청은 기각되었다. **3** [C] 항의 집회〔데모〕: stage a ~ 항의 집회를 열다.
under ~ 이의를 내세우고; 마지못해: He carried out the manager's order *under* ~. 그는 마지못해 지배인의 명령을 따랐다. ***without*** ~ 항의〔반대〕하지 않고, 순순히.
[파] **pro·test·er, -tes·tor** [prətéstər] *n.*

***Prot·es·tant** [prátəstənt/prɔ́-] *n.* [C], *a.* **1** 〖기독교〗 **프로테스탄트**(의), 신교도(의). **2** (p-) 이의를 제기하는 (사람). [파] **~·ism** *n.* [U] 신교(의 교리).

prot·es·ta·tion [prὰtistéiʃən, prὸutes-/prɔ̀t-] *n.* **1** [C] 주장, 단언《*of* …의 / *that*》: make a ~ *of* one's innocence 결백을 주장하다. **2** [U] 항의, 이의《*against* …에 대한》.

Pro·teus [próutjuːs, -tiəs] *n.* **1** 〖그리스신화〗 프로테우스《바다의 신; 갖가지 모습으로 둔갑하며 예언력이 있었다고 함》. **2** (종종 p-) [C] (모양·성질이) 변하기 쉬운 것; (모습·생각이) 잘 변하는 사람, 변덕쟁이. ◇ Protean *a.*

pro·to- [próutou, -tə] *pref.* '제1·주요한·원시적·최초의·최저의'란 뜻: *proto*type.

pro·to·col [próutəkɔ̀l, -kɔ̀ːl/-kɔ̀l] *n.* **1** [C] (문서의) 원본, 프로토콜, 의정서(議定書); (국가간의) 협정; (조약 따위의) 원안: a peace ~ 평화 의정서. **2** [U] 외교 의례, 전례(典禮), 의전(儀典). **3** [C] 〖컴퓨터〗 (통신) 규약《컴퓨터 간의 통신을 위해 자료의 형식·통신 방법 등을 미리 정한 규약》. **4** [C] 《美》 (실험·치료의) 실시 요강〔계획〕.

pro·ton [próutɑn/-tɔn] *n.* [C] 〖물리〗 양성자(陽性子), 프로톤. [cf] electron.

pro·to·plasm [próutouplæ̀zəm] *n.* [U] 〖생물〗 원형질.

pro·to·type [próutoutàip] *n.* [C] 원형(archetype); 표준, 모범, 본(보기)(model); 〖생물〗 원형(原形); 〖컴퓨터〗 원형.

Pro·to·zoa [prὸutouzóuə] *n. pl.* (*sing.* ***-zo·on*** [-zóuɑn/-ɔn]) 〖동물〗 원생 동물. [파] **prò·to·zó·an** [-n] *n.* [C], *a.* 원생 동물(문(門))(의).

pro·to·zo·on [prὸutəzóuɑn/-ɔn] (*pl.* ***-zóa***) *n.* =PROTOZOAN.

pro·tract [proutrǽkt] *vt.* 오래 끌게 하다, 연장하다(prolong): a futile argument serving only to ~ a conference 회의를 오래 끌게만 한 쓸데없는 논의.

protrácted [-id] *a.* 오래 끄는, 질질 끄는: a ~ illness 〔discussion〕 오래 끄는 병〔논의〕.
[파] **~·ly** *ad.* **~·ness** *n.*

pro·trac·tile [proutrǽktil, -tail] *a.* 〖동물〗 길게 늘일 수 있는, 내밀 수 있는《동물의 기관(器官) 따위》. ↔ *retractile*.

pro·trac·tion [proutrǽkʃən] *n.* [U] (구체적으로는 [C]) 오래 끌게 하기, 연장.

pro·trac·tor [proutrǽktər] *n.* [C] **1** 각도기. **2** 오래 끄는 사람〔것〕.

◇**pro·trude** [proutrúːd] *vi.* 불쑥 나오다, 비어져 나오다《*from* …에서》: His shirttail ~*d from* beneath his coat. 셔츠 자락이 그의 상의 밑으로 비어져 나와 있었다. **—***vt.* 밀어내다, 내밀다: ~ one's tongue 혀를 내밀다.

pro·tru·sion [proutrúːʒən] *n.* [U] 내밂, 돌출, 비어져 나옴; [C] 돌기(부〔물〕), 융기(부〔물〕).
[파] **~·ly** *ad.* **~·ness** *n.*

pro·tru·sive [proutrúːsiv] *a.* 내민, 돌출한; 주제넘게 나서는, 눈꼴사나운.
[파] **~·ly** *ad.* **~·ness** *n.*

pro·tu·ber·ance [proutjúːbərəns] *n.* [C] 혹, 결절(結節).

pro·tu·ber·ant [proutjúːbərənt] *a.* 돌출〔돌기〕한, 불룩 솟은, 융기한: a ~ stomach 불룩한 배.

‡**proud** [praud] *a.* **1 거만한**(haughty), 잘난 체하는(arrogant), 뽐내는《*of* …을》: a ~ man 거만한 사람 / She is too ~ to ask questions. 그녀는 너무 도도해서 질문을 않는다 / What makes you so ~ *of* yourself? 뭔데 그리 뽐내는 거냐.
[SYN.] **proud** 자존심을 가지고 우쭐하는 것에서부터 한 걸음 더 나아가 거만함까지를 포함하는 뜻이 있음. **haughty** 자기를 위대하다고 생각하고 상대방을 냉담하게 내려다보는 기분을 나타냄. **arrogant** 자기를 우수하다고 자부하고 상대방을 모욕적인 태도로 다루는 일.
2 자존심이 있는, 명예를 중히 여기는; 식견 있는: He's poor but ~. 그는 가난하지만 자존심이 있다.
3 자랑으로 여기는, 영광으로 여기는《*of* …을 / *to* do / *that*》: a ~ father (장한 자식을 두어) 자랑스러워하는 아버지 / I'm ~ *of* you for telling the truth. 사실대로 말해 주어 나는 네가 자랑스럽다 / The publisher is ~ *to* present …. (책 서두에서) 폐사가 …를 펴냄을 영광으로 여깁니다 / I'm ~ *that* you told the truth. 네가 사실대로 말한 것을 자랑스럽게 여긴다.
4 [A] **자랑할 만한**, 당당한(imposing), 훌륭한(splendid): a ~ achievement 빛나는 업적 / ~ cities 당당한 도시. ◇ pride *n.*
(*as*) ~ *as Punch* 〔*a peacock, a turkey*〕 의기양양하여, 크게 기뻐서. ***do*** a person ~ 《구어》 아무를 기쁘게 해주다, 아무의 면목을 세워 주다: It will *do* me ~. 그것으로 매우 만족합니다 / You *do* me ~. (그렇게 말씀하시니) 영광입니다. ***do*** one***self*** ~ 《구어》 훌륭하게 처신하다, 면목을 세우다.
[파] ***próud·ly** *ad.* **거만하게**, 잘난 듯이, 의기양양해서, **자랑스럽게**; 당당히.

próud flésh 〖의학〗 (상처가 아문 뒤에 생기는) 새살, 육아(肉芽).

Proust [pruːst] *n.* 프루스트. **1 Joseph Louis ~** 프랑스의 화학자《정비례의 법칙을 제창함; 1754-1826》. **2 Marcel ~** 프랑스의 소설가 (1871-1922).

Prov. Provençal; 〖성서〗 Proverbs; Providence; Provost. **prov.** proverb; provincial; provisional; provost.

prov·a·ble [prúːvəbəl] *a.* 증명〔확인, 입증〕할 수 있는. [파] **-bly** *ad.* **~·ness** *n.*

‡**prove** [pruːv] (***~d; ~d, prov·en*** [prúːvən]) *vt.* **1** 《~+[목]/+[목]+[전]+[명]/+[목]+(*to be*) [보]/+*that* [절]/+*wh*. [절]》 **증명하다**, 입증(立證)하다: ~ one's identity 신원을 증명하다 / I can ~ my alibi (*to* you). 나는 알리바이를 증명할 수 있다 / She ~*d* it (*to be*) false. =She ~*d* (*that*) it was false. 그녀는 그것이 거짓임을 입증했다 / He ~*d himself* (*to be*) a capable businessman. 그는 유능한 실업가임을 입증하였다 / I can ~ *where* I was yesterday. 나는 어제 어디 있었는지 증명할 수 있다. **2 시험하다**, 실험〔검사〕하다: ~ one's courage 아무의 용기를 시험해 보다 / ~ gold 금

의 품질을 시험하다 / ~ a new gun 새 총을 쏴 보다. 3 『법률』 (유언장)을 검인하다. 4 『수학』 검산하다: ~ a sum.
—vi. 1 《(+(to be) [보]/+to do》 (…임을) **알다,** (결과가) **판명되다,** (…이) **되다**(turn out): It ~*d* (*to be*) insufficient. 그것이 불충분하다는 것을 알았다 / The experiment ~*d* (*to be*) successful. 실험은 성공적이었다 / He will ~ *to* know nothing about it. 그는 그것에 대해 아무것도 모른다는 사실을 알게 될 것이다. 2 (가루 반죽이) 부풀다, 발효하다. ◇ proof *n.*

[DIAL.] ***What does that prove?*** 그게 무엇이란〔어떻단〕 말인가(← 그게 무엇을 증명하느냐).

*__prov·en__ [prú:vən] PROVE의 과거분사.
—a. [A] **증명된**(demonstrated). ★ 주로 법률 용어. ¶ ~ ability 시험을 거친 능력.

pro·ve·nance [právənəns/prɔ́v-] *n.* [U] 기원(起源)(origin), 출처, 유래: of doubtful ~ 출처가 의심스러운.

Pro·ven·çal [pròuvənsá:l, pràv-/prɔ̀vɑ:n-] *a.* Provence 의; 프로방스 사람〔말〕의.
—n. [C] 프로방스 사람; [U] 프로방스 말.

Pro·vence [prouvá:ns] *n.* 프로방스《프랑스 남동부의 옛 주(州); 중세의 서정 시인의 한 파(troubadours)와 기사도로 유명》.

prov·en·der [právindər/prɔ́v-] *n.* [U] 여물, 꼴(fodder); 《구어 · 우스개》 음식물(food).

*__prov·erb__ [právə:rb/prɔ́v-] *n.* 1 [C] **속담, 격언**(adage), 금언(金言)《*that*》: as the ~ goes〔runs, says〕 속담에 있듯이 / I now saw the truth of the ~ *that* time is money. 이제서야 시간이 돈이란 속담의 진리를 깨달았다. [SYN.] ⇨ SAYING. 2 [C] 정평 있는 사람〔것〕《*for* …에 관하여》: His punctuality is a ~. =He's a ~ *for* punctuality. 그는 시간 잘 지키기로 정평이 나 있다. 3 (P-s) 『성서』 잠언《구약 성서의 한 편; 생략 Prov.》.

pro-verb [próuvə̀:rb] *n.* [C] 『문법』 대동사(代動詞)《He writes better than you *do.*의 *do* 따위》.

◇**pro·ver·bi·al** [prəvə́:rbiəl] *a.* 속담의; 속담투의; 속담에 있는; 소문난, 이름난: the ~ London fog 유명한 런던의 안개 / ~ wisdom 금언.
[파] **~·ly** *ad.* 속담대로; 널리 알려져서.

⁑**pro·vide** [prəváid] *vt.* 1 《~+[목]/+[목]+[전]+[명]》 (필요품)을 **주다,** 공급〔제공〕하다(supply)《*with* …을; *for,* 《美》 *to* (아무)에게》: ~ a person *with* food =~ food *for* a person 아무에게 식사를 내놓다 / Cows ~ milk *for* us 〔*to* us〕. 암소는 젖을 제공한다. ★ 《美》에서는 이중 목적어를 취하기도 함: They ~*d* us food and drink. 우리에게 음식을 제공해 주었다. [SYN.] ⇨ GIVE.
2 《+*that* [절]》 규정하다(stipulate): The rule ~*s that* a driver (should) be fined for speeding. 운전자는 속도위반에 벌금을 물린다고 법규에 규정되어 있다.
—vi. 《+[전]+[명]》 1 **준비하다**《*for* (장래 일)을 위해서》, **대비하다,** 예비 수단을 취하다《*against* (장래 위험 따위)에》: ~ *for* one's old age 노후를 위해 준비하다 / ~ *against* a rainy day 만약의 불행에 대비하다.
2 생활의 자금〔필요물〕을 공급하다《*for* …에게》, 부양하다《*for* …을》: ~ *for* dependents 가족을 부양하다 / He is well ~*d for.* 그는 아무 부족함 없이 산다.
3 『법률』 규정하다《*for* …을》; 금지하다《*against* …을》: That is ~*d for* in the contract. 그것은 계약에 규정되어 있다. ◇ provision *n.*

⁑**pro·vid·ed** [prəváidid] *conj.* 〖종종 ~ that 으로〗 …을 **조건으로**(on the condition); **만약 …이면**(if, if only): I will come ~ (*that*) it is fine tomorrow. 내일 날씨가 좋으면 가겠다. ★ provided는 if보다 문어적임.

◇**prov·i·dence** [právədəns/prɔ́v-] *n.* 1 (종종 P-) [U] (또는 a ~) 섭리, 하느님의 뜻: a special ~ 천우(天佑) / by divine ~ 신의 섭리로 / a visitation of *Providence* 천재(天災), 불행 / tempt ~ 《英》 신의 뜻에 거스르다, 위험을 무릅쓰다. 2 (P-) 하느님(God), 천주, 신.

prov·i·dent [právədənt/prɔ́-] *a.* 선견지명이 있는(foreseeing), 신중한; 검소한(thrifty)《*of* …에》: be ~ *of* the future 장래의 일에 신중하다.
[파] **~·ly** *ad.* 조심스럽게.

prov·i·den·tial [pràvədénʃəl/prɔ̀-] *a.* 섭리의, 신의 뜻에 의한; 천우의, 행운의. [파] **~·ly** *ad.*

pro·víd·er *n.* [C] 공급자; 설비자, 준비자; (가족의) 부양자: a good 〔bad〕 ~ 가족에게 윤택〔곤궁〕한 생활을 시키는 사람.

pro·víd·ing *conj.* 〖종종 ~ that으로; 조건을 나타내어〗 만약 …라면《★ if보다는 문어적이나 provided보다는 구어적임》: I'll take the job ~ (*that*) I am given Saturdays off. 토요일을 쉬는 날로 해 준다면 그 일자리를 맡겠다.

*__prov·ince__ [právins/prɔ́v-] *n.* 1 (the ~s) (수도 · 대도시에 대해서) **지방,** 시골: Seoul and the ~*s* 수도 서울과 지방. 2 [C] (행정 구획으로서의) **주**(州), **성**(省), **도**(道). 3 [U] (학문의) **범위**(sphere), **분야**(branch); 직분(duty): the ~ of political science 정치학 분야 / That question is outside my ~. 그 문제는 내 전문 밖이다. 4 [C] (교회 · 수도회의) 대교구. ◇ provincial *a.*

*__pro·vin·cial__ [prəvínʃəl] *a.* 1 [A] **지방의,** 시골의; 지방민의. [cf.] local. ¶ ~ taxes 지방세 / ~ newspapers 지방 신문. 2 [A] 주(州)의, 성(省)의, 도(道)의: a ~ government 주정부. 3 지방적인, 시골티 나는; 편협한, 옹졸한: a ~ accent 시골 사투리 / a ~ point of view 편협한 견해.
—n. [C] 지방민, 시골뜨기, 촌뜨기; 『교회』 대교구장. [파] **~·ly** *ad.*

pro·vín·cial·ìsm *n.* 1 [U] (구체적으로는 [C]) 지방적 특성〔관습〕, 지방색, 시골풍(風). 2 [C] 사투리, 방언. 3 [U] 지방 근성; 편협(성).

pro·vin·ci·al·i·ty [prəvìnʃiǽləti] *n.* =PROVINCIALISM.

próving gròund (무기 · 차 등의) 성능 시험장, 실험장; (이론 등의) 실험의 장(場), 실험대.

⁑**pro·vi·sion** [prəvíʒən] *n.* 1 [U] **예비, 준비**《*for, against* (장래)에 대비한》: make ~ *for* one's old age 노년에 대비하다 / make ~ *against* accidents 사고에 대비하다. 2 [U] 공급, 지급: (the) ~ *of* food 식량 공급. 3 [C] 지급량: a ~ *of* food 양식의 일정량. 4 (*pl.*) **양식, 식량:** run out of 〔short of〕 ~*s* 식량이 떨어지다 / *Provisions* are plentiful 〔scarce〕. 식량은 충분〔불충분〕하다. 5 [C] **규정,** 조항(clause); 조건《*that*》: the ~*s* in a will 유언장의 조항 / an express ~ (법률의) 명문(明文) / He took the post with the ~ *that* he could work in Seoul. 그는 서울에서 근무할 수 있다는 조건으로 그 직책을 맡았다. ◇ provide *v.*
—vt. 《~+[목]/+[목]+[전]+[명]》 …에게 양식을 공급

하다; …에게 공급하다《*with* (양식)을》: ~ an army 군대에 식량을 공급하다 / They are fully *~ed with* food and water. 그들은 식량과 물을 충분히 공급받고 있다.

pro·vi·sion·al [prəvíʒənəl] *a.* 일시적인, 가(假)…, 잠정적인, 임시의(temporary): a ~ contract 〔treaty〕 가계약〔조약〕/ a ~ government 임시 정부. [파] **~·ly** *ad.*

pro·vi·so [prəváizou] (*pl.* **~(*e*)*s***) *n.* [C] 단서(但書)《보통 provided로 시작됨》; 조건(condition)《***that***》: I make it a ~ *that* …. …을 조건으로 한다.

pro·vi·so·ry [prəváizəri] *a.* 단서가 붙은; 조건부의(conditional); 일시적인, 임시의(provisional): a ~ clause 단서.

◇**prov·o·ca·tion** [prɑ̀vəkéiʃən/prɔ̀v-] *n.* **1** [U] 성나게 함; 성남, 약오름, 분격: feel ~ 성나다 / give ~ 성나게 하다. **2** [C] 성나게 하는 원인〔이유, 것〕: angry at 〔on〕 the slightest ~ 사소한 일에 노하여. ◇provoke *v.*

pro·voc·a·tive [prəvɑ́kətiv/-vɔ́k-] *a.* 성나게 하는, 약올리는; 도발적인(irritating), 자극적〔선동적〕인《말·태도 등》: ~ remarks 도발적인 말 / a ~ girl (성적으로) 도발적인 여자. [파] **~·ly** *ad.*

*****pro·voke** [prəvóuk] *vt.* **1** (감정·행동 따위)를 일으키다; 선동하다: ~ pity 동정을 끌다 / ~ amusement 즐겁게 해 주다 / ~ a laugh 웃음이 나오게 하다 / ~ a revolt 반란을 선동하다. **2 성나게 하다**(enrage), 신경질나게 하다: ~ a dog 개를 성나게 하다 / I was *~d* at his impudence. 그의 무례함에 화가 났다. [SYN.] ⇨ IRRITATE. **3** 《+[목]+[전]+[명] / +[목]+*to* do》 **유발시키다**(bring about), 이끌다, 자극하여 …시키다(incite)《***to, into*** (행동)하게》: ~ a person *to* anger 아무를 성나게 하다 / The false accusation *~d* him *into* answer*ing*. 사실무근의 비난을 받고 그는 앙갚음을 하지 않을 수 없었다 / He was *~d to* write a poem. 그는 흥취에 이끌리어 시를 썼다. ◇provocation *n.*

pro·vók·ing *a.* 자극하는, 약오르는, 짜증나는, 귀찮은. [파] **~·ly** *ad.*

prov·ost [próuvoust, prɑ́vəst] *n.* [C] **1** 〖英대학〗 학료장(學寮長); 〖美대학〗 (교무) 사무장. **2** 《Sc.》 시장(市長).

próvost guàrd [próuvou-] 〖집합적〗 《美》 헌병대.

próvost màrshal [próuvou-] 헌병 사령관〔대장〕.

prow [prau] *n.* [C] 뱃머리, 이물(bow); (항공기 따위의) 기수(機首).

prow·ess [práuis] *n.* [U] **1** 용감, 무용(武勇)(valor). **2** 훌륭한 솜씨.

◇**prowl** [praul] *vi.* (먹이를) 찾아 헤매다; 배회하다(wander) (*about; around*): ~ after one's prey 먹이를 찾아 헤매다 / Homeless dogs *~ed about* in the streets. 들개가 거리를 헤매고 다녔다. **—***vt.* 헤매다, 배회하다: ~ the streets 거리를 헤매다. **—***n.* (a ~) (도둑 따위가 기회를 찾아) 헤맴; 배회: take a ~ 배회하다.
***be* 〔*go*〕 *on the* ~** (도둑 따위가 기회를 노리고) 배회하다.
[파] **∠·er** *n.* [C] 배회하는 사람〔동물〕; 좀도둑, 빈집털이《따위》.

prówl càr 《美》 (경찰의) 순찰차(squad car).

prox. [prɑ́ks(əmòu)/prɔ́ks(-)] proximo.

prox·e·mics [prɑksí:miks/prɔk-] *n.* [U] 근접학《인간이 타인과의 사이에 필요로 하는 공간 및 이 공간과 환경이나 문화와의 관계를 연구함》.

prox·i·mal [prɑ́ksəməl/prɔ́k-] *a.* 〖해부·식물〗 기부(基部)의, 몸 중심에 가까운 (위치의). ↔ *distal*.

prox·i·mate [prɑ́ksəmit/prɔ́k-] *a.* **1** 가장 가까운《***to*** …에》. **2** [A] 직접의: the ~ cause 근인(近因); 〖법률〗 주인(主因). [파] **~·ly** *ad.*

◇**prox·im·i·ty** [prɑksíməti/prɔk-] *n.* [U] 근접《***of, to*** …의》: in the ~ *of* a park 공원 부근에 / ~ *to* a station 역 근처 / in close ~ to …에 근접하여.

prox·i·mo [prɑ́ksəmòu/prɔ́k-] *a.* 《L.》 내달의《생략: prox.》. [cf.] instant 4, ultimo. ¶ on the 10th ~ 내달 10일에.

proxy [prɑ́ksi/prɔ́ksi] *n.* **1** [U] 대리(권). **2** [C] 대리인(agent); 대리 투표; 위임장.
by* 〔*per*〕 ~** 대리로 하여금. ***stand* 〔*be*〕 ~ *for …의 대리가 되다, …을 대표하다.
—*a.* [A] 대리(인)의〔에 의한〕: (a) ~ marriage 대리 결혼 / a ~ war 대리 전쟁.

próxy sèrver 〖컴퓨터〗 프락시 서버《LAN 사용자가 인터넷에 간접적으로 접속할 수 있도록 만들어 둔 네트워크 컴퓨터》.

prude [pru:d] *n.* [C] (남녀 관계에) 얌전한 체하는 여자, 숙녀연하는 여자. ↔ *coquette*.

*****pru·dence** [prú:dəns] *n.* [U] **신중**, 세심, 사려, 분별, 현명함: a man of ~ 분별 있는 남자 / with ~ 조심해서.

*****pru·dent** [prú:dənt] *a.* **1 신중한**, 조심성 있는, 현명한《***in*** …에 / ***to*** do》: a ~ man / Be ~ *in* deal*ing* with him. 그를 상대할 때는 조심해라 / He's very ~ *to* do so. =It is very ~ *of* him *to* do so. 그가 그렇게 한 것은 현명하다. [SYN.] ⇨ CAREFUL, WISE[1]. **2** 검약한, 경제적인. [파] **~·ly** *ad.*

pru·den·tial [pru:dénʃəl] *a.* **1** 신중한, 조심성 있는, 세심한. **2** 《美》 고문의, 자문의: a ~ committee 자문 위원회. [파] **~·ly** *ad.*

prud·ery [prú:dəri] *n.* **1** [U] 얌전한〔숙녀인〕 체함. **2** [C] (보통 *pl.*) 얌전 빼는 행위〔말〕.

prud·ish [prú:diʃ] *a.* 숙녀인〔얌전한〕 체하는; 지나치게 얌전빼는. [파] **~·ly** *ad.* **~·ness** *n.*

prune[1] [pru:n] *vt.* **1** (가지·뿌리 등)을 잘라내다, 치다; (나무 따위)를 잘라내다(*away; off*); 가지치기〔전지(剪枝)〕하다(*back*): ~ *off* dead branches 죽은 가지를 잘라내다. **2** (불필요한 부분)을 제거하다; (비용 따위)를 바싹 줄이다(*away; down*): ~ *away* superfluities 없어도 될 물건을 제거하다. **3** (문장 따위)를 간결히 하다《***of*** …을 삭제하여》: ~ an essay *of* superfluous matter 없어도 될 내용을 삭제하여 논문을 간결히 하다.

prune[2] *n.* **1** [C] (식품은 [U]) 말린 자두(dried plum). **2** [C] 《英구어》 바보, 얼간이.

prúning hòok 가지치는 낫, 전지용 낫《긴 장대 끝에 붙인 것》.

prúning shèars 〔**scìssors**〕 전정(剪定) 가위.

pru·ri·ent [prúəriənt] *a.* 호색의, 음란한; 외설스러운. [파] **-ence, -en·cy** [-əns], [-ənsi] *n.* [U] 호색, 색욕, 음란. **~·ly** *ad.*

Prus·sia [prʌ́ʃə] *n.* 프로이센《독일 북부에 있었던 왕국(1701–1918)》.

◇**Prus·sian** [prʌ́ʃən] *a.* 프로이센의; 프로이센 사람〔말〕의; 프로이센식의, 훈련이 엄격한.

—*n.* Ⓒ 프로이센 사람.
Prússian blúe 감청(紺靑)《청색 안료》.
prus·sic [prʌ́sik] *a.* 감청(紺靑)의; 〖화학〗 청산의, 시안화수소산의.
prússic ácid 〖화학〗 청산(靑酸)(hydrocyanic acid), 시안화수소산.
°**pry**[1] [prai] *vi.* **1** 엿보다(peep); 파고들다, 캐다《**into** …을》: ~ *into* other people's affairs 남의 일에 꼬치꼬치 파고들다. **2** 엿보며 다니다《**about** …을》: ~ *about* the house 집 주위의 동정을 살피다.
pry[2] *vt.* 《美·Can.》 **1** 지레로 올리다〔움직이다〕(*up; off*): ~ a lid *up* 〔*off*〕 뚜껑을 비틀어 열다〔떼내다〕/ ~ a door open 문을 억지로 열다. **2** (비밀·돈 따위)를 힘들여 입수하다〔캐내다〕《**out of** …에게서》: ~ a secret *out of* a person 아무에게서 비밀을 알아내다.
pry·ing [práiiŋ] *a.* 들여다보는, 응시하는; 캐기 좋아하는.
PS, P.S. Police Sergeant; postscript; private secretary; Privy Seal; 《美》 Public School. **Ps, Ps., Psa.** Psalm(s).
P.S. [píːés] *n.* Ⓒ (편지의) 추신; 후기(後記), 발문(跋文). [◂postscript]
***psalm** [sɑːm] *n.* **1** Ⓒ **찬송가**, 성가(hymn). **2 a** (P-s) 〘단수취급〙 〖성서〗 (구약성서의) 시편(詩篇)(=the **Bóok of Psálms**)《생략: Ps., Psa., Pss.》. **b** (the P-s) (시편 중의) 성가.
psálm·ist *n.* Ⓒ 찬송가 작자.
psal·mo·dy [sɑ́ːmədi, sǽlmə-] *n.* **1** Ⓤ 성가 영창(법). **2** Ⓒ 〘집합적〙 찬송가, 찬송가집.
Psal·ter [sɔ́ːltər] *n.* **1** (the ~) 시편(詩篇)(= the Book of Psalms). **2** (p-) Ⓒ (기도서 중의) 시편.
psal·tery [sɔ́ːltəri] *n.* Ⓒ 옛날의 현악기.
PSAT 《美》 Preliminary Scholastic Aptitude Test (대학 진학 적성 예비 시험).
pse·phol·o·gy [sifálədʒi/-fɔ́l-] *n.* Ⓤ 선거학(選擧學).
pseud [suːd] 《英구어》 *a.* 거짓의, 가짜의. —*n.* Ⓒ 잘난 체하는 사람, 거드름 피우는 사람.
pseu·do [súːdou] 《구어》 *a.* 가짜의, 모조의. —(*pl.* **~s**) *n.* Ⓒ 겉을 꾸미는 사람, 거짓으로 속이는 사람.
pseu·do- [súːdou, -də/sjúː-], **pseud-** [suːd/sjuːd] *pref.* '위(僞), 의(擬), 가(假)'의 뜻.
pseu·do·nym [súːdənim] *n.* Ⓒ (저작자의) 아호(雅號), 필명(penname).
pseu·don·y·mous [suːdánəməs/-dɔ́n-] *a.* 필명의, 아호를 쓴.
pshaw [ʃɔː] *int.* 피, 체, 바보 같으니, 뭐야《경멸·불쾌함 따위를 나타냄》.
psi [*p*sai] *n.* Ⓤ (구체적으로는 Ⓒ) 그리스어 알파벳의 스물셋째 글자(*ψ*, *Ψ*; 발음은 [ps]에 해당함).
psit·ta·co·sis [sìtəkóusis] *n.* Ⓤ 〖의학〗 앵무병《폐렴과 장티푸스 비슷한 전염병》.
pso·ri·a·sis [səráiəsis] *n.* Ⓤ 〖의학〗 마른버짐, 건신(乾癬).
psst, pst [pst] *int.* 저, 여보세요, 잠깐《살짝 주의를 끌기 위해 부르는 말》.
P.(S.)T. Pacific Standard Time (태평양 표준시).
psych [saik] *vt.* 《구어》 **1** 불안하게 하다, 무서운 생각이 들게 하다(*out*). **2** 직감〔관〕적으로 이해하다, …의 심리를 꿰뚫어보다(*out*). **3** 〘~ oneself〙 마음의 준비를 하다(*up*): ~ one*self up* for a match 경기에 임할 마음의 준비를 하다. [◂*psych*oanalyze]
Psy·che [sáiki] *n.* **1** 〖그리스신화〗 사이키, 프시케《영혼을 인격화한 것으로서, 나비 날개를 단 미녀의 모습을 취함; Eros의 애인》. **2** (p-) Ⓒ (보통 *sing.*) (육체에 대해서) 영혼, 정신.
psy·che·del·ic [sàikidélik] *a.* **1** 환각을 일으키는, 환각제의. **2** (색채·무늬가) 사이키델릭조(調)의《환각 상태를 연상시키는》: a ~ painting. —*n.* Ⓒ 환각제《LSD 따위》. ㊕ **-i·cal·ly** *ad.*
psy·chi·a·ter, -trist [saikáiətər], [-trist, si-] *n.* Ⓒ 정신병 의사〔학자〕.
psy·chi·at·ric, -ri·cal [sàikiǽtrik], [-əl] *a.* 정신병학의, 정신병 치료의, 정신과의: a ~ clinic 정신병 진료소.
psy·chi·a·try [saikáiətri, si-] *n.* Ⓤ 정신 의학; 정신병 치료법.
psy·chic, -chi·cal [sáikik], [-íkəl] *a.* **1** 마음의, 심적인. ↔ *physical*. **2** 영혼의, 심령(현상)의(supernatural); 심령 작용을 받기 쉬운; 초능력이 있는: a ~ medium 영매 / ~ phenomena 심령 현상. —*n.* Ⓒ 심령력이 강한 사람, 초능력자; 무당, 영매. ㊕ **-chi·cal·ly** *ad.*
psýchical reséarch 심령 연구.
psy·cho [sáikou] (*pl.* **~s**) *n.* Ⓒ 《구어》 정신 신경증 환자, 광인. —*a.* Ⓐ 정신 신경증의.
psy·cho- [sáikou, -kə] *pref.* '정신, 영혼, 심리학'의 뜻.
psỳcho·análysis *n.* Ⓤ 정신 분석(학〔법〕)《생략: psychoanal.》.
psỳcho·ánalyst *n.* Ⓒ 정신 분석가〔학자〕, 정신 분석 전문의(醫).
psỳcho·analýtic, -ical *a.* 정신 분석(학)의. ㊕ **-ically** *ad.*
psỳcho·ánalyze *vt.* (아무)의 정신 분석을 하다.
psy·cho·gen·ic [sàikoudʒénik] *a.* 심인성(心因性)의.
psỳcho·kinésis *n.* Ⓒ 염력(念力)《정신력으로 물체를 움직임》. ㊕ **-kinétic** *a.*
psỳcho·linguístics *n.* Ⓤ 언어 심리학.
***psy·cho·log·i·cal, -log·ic** [sàikəládʒikəl/-lɔ́dʒ-], [-dʒik] *a.* **1** Ⓐ **심리학(상)의**, 심리학적인. **2** 심리적인, 정신적인: a ~ effect 심리적 효과. ㊕ **-i·cal·ly** *ad.*
psychológical móment (the ~) 〖심리〗 심리적 호기; 절호의 기회〔순간〕.
psychológical wárfare 심리〔신경〕전.
‡**psy·chol·o·gy** [saikálədʒi/-kɔ́l-] *n.* **1** Ⓤ **심리학**. **2** Ⓤ (구체적으로는 Ⓒ) **심리** (상태); 성격, 성질: mass 〔mob〕 ~ 군중 심리 / He has a complex ~. 그는 복잡한 성격의 소유자다. **3** Ⓤ 《구어》 사람의 마음을 읽는 힘, 통찰력.
㊕ °**psy·chól·o·gist** [-dʒist] *n.* Ⓒ 심리학자.
psỳcho·neurósis *n.* Ⓤ 정신 신경증, 노이로제.
psy·cho·path [sáikoupæ̀θ] *n.* Ⓒ (반사회적 또는 폭력적 경향을 지닌) 정신병질자.
㊕ **psỳ·cho·páth·ic** [-ik] *a.* 정신병질(質)의.
psỳcho·pathólogy *n.* Ⓤ 정신 병리학.
㊕ **-gist** *n.*
psy·chop·a·thy [saikápəθi/-kɔ́p-] *n.* Ⓤ 정신병질.
psỳcho·physiólogy *n.* Ⓤ 정신 생리학.
psỳcho·séxual *a.* 성(性)심리의. ㊕ **~·ly** *ad.*
psy·cho·sis [saikóusis] (*pl.* **-ses** [-siːz]) *n.*

Ⓤ (구체적으로는 Ⓒ) 정신병, 정신 이상.

psỳcho·sócial *a.* 심리 사회적인. ㊐ **~·ly** *ad.*

psỳcho·somátic *a.* **1** 정신 신체(의학)의, 심신(상관)의. **2** (병 따위가 육체적 장애보다) 정신 상태에 영향을 받는. ㊐ **-i·cal·ly** *ad.*

psỳcho·thérapy *n.* Ⓤ 정신〔심리〕 요법. ㊐ **-apist** *n.* Ⓒ 정신〔심리〕 요법 의사.

psy·chot·ic [saikátik/-kɔ́t-] *a.* 정신병의, 정신 이상의. **—***n.* Ⓒ 정신 이상자. ㊐ **-i·cal·ly** *ad.*

psỳcho·trópic *a.* 정신에 영향을 주는, 향(向)정신성의《약제》.

Pt 〖화학〗 platinum. **Pt.** Part; Port. **pt.** part; payment; point; port. **P.T., PT** Pacific Time; 〖군사〗 physical training. **p.t.** past tense; *pro tempore*. **PTA, P.T.A.** Parent-Teacher Association. **Pta** 〖화폐〗 peseta.

ptar·mi·gan [tá:*r*migən] (*pl.* **~(s)**) *n.* Ⓒ 〖조류〗 뇌조(雷鳥).

pter·o·dac·tyl [tèro*u*dǽktil] *n.* Ⓒ 〖고생물〗 익수룡(翼手龍).

P.T.O., p.t.o. please turn over (이면(裏面)〔다음 페이지〕에 계속).

Ptol·e·ma·ic [tàləméiik/tɔ̀l-] *a.* 프톨레마이오스(Ptolemy)의; 천동설(天動說)의. ⓒⓕ Copernican. ¶ the ~ system 〔theory〕 천동설.

Ptol·e·my [táləmi/tɔ́l-] *n.* **Claudius ~** 프톨레마이오스《2 세기경 Alexandria 의 천문학자 · 수학자 · 지리학자》.

pto·main(e) [tóumein, -ˊ] *n.* Ⓤ 〖화학〗 프토마인《단백질의 부패로 생기는 유독물》.

pts. parts; payments; pints; points; ports.

Pu 〖화학〗 plutonium.

pub [pʌb] *n.* Ⓒ 《英구어》 술집, 대폿집, 목로주점. [◂*pub*lic house]

pub. public; publication; published; publisher; publishing.

púb-cràwl *vi.* 술집 순례를 하다(barhop, make the rounds (of pubs)). ㊐ **~·er** *n.*

pu·ber·ty [pjú:bə*r*ti] *n.* Ⓤ 사춘기, 묘령(妙齡): reach (the age of) ~ 사춘기에 이르다.

pu·bes[1] [pjú:bi:z] (*pl.* **~**) *n.* **1** Ⓤ (때로 the 〔one's〕 ~) 음모, 거웃. **2** Ⓒ 음부(pubic region).

pu·bes[2] PUBIS 의 복수.

pu·bes·cence [pju:bésəns] *n.* Ⓤ 사춘기에 이름, 묘령(妙齡).

pu·bes·cent [pju:bésənt] *a.* 묘령의; 사춘기에 달해 있는.

pu·bic [pjú:bik] *a.* 음모〔거웃〕의; 음부(陰部)의: the ~ region 음부/the ~ bone 치골/~ hair 음모.

pu·bis [pjú:bis] (*pl.* **-bes** [-bi:z], **-bi·ses** [-bisi:z]) *n.* Ⓒ 〖해부〗 치골(恥骨).

†**pub·lic** [pʌ́blik] *a.* **1 공중의,** 일반 국민의, **공공의,** 공공에 속하는: a ~ bath 공중 목욕탕/a ~ lavatory 〔toilet〕 공중변소/a ~ telephone 공중전화/a ~ holiday 공휴일/~ property 공공물〔재산〕/~ safety 치안/~ welfare 공공 복지/at the ~ expense 공비(公費)로.
2 공립의, 공설의: a ~ market 공설 시장/ a ~ park 공원/a ~ enterprise 공기업.
3 공적인, 공무의, 국사의: a ~ official 〔officer〕 공무원, 관리/~ document 공문서/a ~ offense 국사범/~ life 공적인 생활.
4 공개의, 공공연한; (장소가) 사람 눈에 띄는: a ~ auction 〔sale〕 경매, 공매/a ~ debate 공개토론회/make a ~ protest 공공연하게 항의하다/This place is too ~. 이곳은 사람 눈에 너무 잘 띈다.
5 소문난, 모르는 사람이 없는: a ~ scandal 모르는 사람이 없는 추문/a matter of ~ knowledge 널리 알려진 일. ↔ *private*.
go* ~** (회사가) 주식을 공개하다; 공표하다《*with* (미공개 정보 따위)를》. ***in the* ~ *eye ⇨ EYE. ***make* ~** 공표〔간행〕하다.
—*n.* **1** Ⓤ (the ~) 〖집합적; 단 · 복수취급〗 **일반인들, 일반 대중, 공중,** 국민: the general ~ 일반 대중/The ~ is 〔are〕 requested not to enter the premises. 일반인은 구내에 들어가지 않기를 바랍니다.
2 Ⓤ (또는 a ~) 〖집합적〗 …계(界), …사회, …동아리: the cinemagoing ~ 영화 팬들/the reading ~ 일반 독자.
3 《英구어》 =PUBLIC BAR; PUBLIC HOUSE.
***in* ~** 공공연히. ↔ *in private*.
㊐ **~·ly** *ad.* 공공연히; 여론〔공적〕으로.

públic áccess 시청자 제작 프로그램《시청자가 제작한 프로그램을 방송할 수 있도록 방송기관이 시청자 단체에 시간대(時間帶)를 제공하는 일》.

públic-addréss sỳstem (강당 · 옥외 등의) 확성 장치.

pub·li·can [pʌ́blikən] *n.* Ⓒ (고대 로마의) 수세리(收稅吏); 《英》 선술집〔여인숙〕 (public house) 의 주인.

públic assístance 《美》 (사회 보장법에 의한) 생활 보호《빈곤자, 장애자, 노령자 등에 대한 정부 보조》.

‡**pub·li·ca·tion** [pʌ̀bləkéiʃən] *n.* **1** Ⓤ **발표,** 공표; 발포(發布): the ~ *of* a person's death 아무의 사망 공표. **2** Ⓤ **간행, 출판,** 발행: the date of ~ 발행일. **3** Ⓒ 출판〔간행〕물: a government ~ 정부 간행물/a monthly 〔weekly〕 ~ 월간〔주간〕 출판물. ◇ publish *v.*

públic bár 《英》 (선술집의) 일반석.

públic bíll 공공 관계 법안.

públic cómpany 《英》 주식회사.

públic convénience 《英》 (역 따위의) 공중 변소(《美》 comfort station).

públic corporátion 공공 기업체, 공사(公社), 공단(公團).

públic defénder 《美》 공선(公選) 변호인.

públic domáin (보통 the ~) 〖법률〗 공유(公有)《시간 경과 등으로 특허 · 저작권 등의 권리 소멸 상태》: be in the ~ 공유에 속하다.

públic énemy 사회의 적, 공개 수사 중인 범인, 공적(公敵).

públic hòuse 《英》 술집, 대폿집(pub); 여인숙(inn).

pub·li·cist [pʌ́blisist] *n.* Ⓒ 선전〔광고〕 담당원.

***pub·lic·i·ty** [pʌblísəti] *n.* Ⓤ **1 주지**(周知)(의 상태), 널리 알려짐: avoid 〔shun〕 ~ 세평을 피하다. **2 명성,** 평판: a ~ hound 《美》 신문에 이름을 올리고 싶어하는 사람/court 〔seek〕 ~ 자기 선전을 하다. **3** 공표, 공개. **4 선전, 광고:** a ~ campaign 공보〔선전〕 활동.

publícity àgent 〔**màn**〕 광고 대리업자〔취급자〕.

pub·li·cize [pʌ́bləsàiz] *vt.* 선전〔공표, 광고〕하다.

públic láw 공법.

Públic Lénding Rìght 〖도서〗 (보통 the ~) 공대권(公貸權)《공공 도서관의 대출에 대하여 저

자가 보상을 요구할 수 있는 권리; 생략: PLR》.

públic límited cómpany 《英》 주식회사 《생략: plc, PLC》.

públic-mínded [-id] *a.* 공공심이 있는.

públic núisance 〖법률〗 공적(公的) 불법 방해《소음·악취 따위》; 《구어》 모두 귀찮아하는 것.

públic óffice 관공서; 관청.

públic opínion 여론: a ~ poll 여론 조사.

públic ównership 공유(제), 국유(화).

públic prósecutor 검사.

públic relátions 〖단수취급〗 홍보〔선전〕 활동; 섭외 (사무), 피아르《생략: PR》: a ~ officer 섭외〔홍보〕관, 홍보 장교《생략: PRO》.

públic sále 《美》 공매(公賣), 경매(auction).

públic schóol 《美》 (초·중등) 공립학교; 《英》 사립 중·고등학교《상류 자제들을 위한 자치·기숙사 제도의 대학 예비교로 Eton, Winchester 등이 유명》.

públic séctor (the ~) 공공 부문.

públic sérvice **1** 공공 사업, 공익 기업《가스·전기·수도 등》. **2** 공공〔사회〕 봉사. **3** 공직, 관공서 근무.

públic-sérvice corporàtion 《美》 공익 법인, 공익 사업 회사.

públic spéaking 화술, 변론술; 연설법.

públic spírit 공공심(公共心).

públic-spírited [-id] *a.* =PUBLIC-MINDED.

públic télevision (영리를 목적으로 하지 않는) 공공 텔레비전 방송.

públic utílity 공공 사업(체), 공익 기업(체).

públic wórks 공공 토목 공사, 공공 사업.

***pub·lish** [pʌ́bliʃ] *vt.* **1 발표〔공표〕하다**, 피로하다; (약혼 등)을 발표하다: The news of the scandal was ~*ed*. 그 스캔들 소식이 공표되었다. **2** (법률 등)을 공포하다: ~ an edict 〔a law〕 칙령〔법령〕을 공포하다. **3** 《~+목/+목+전+명》 (책 따위)를 **출판하다**《*with* …에서》: ~ a book *with* Minjungseorim 민중서림에서 책을 출판하다/To be ~*ed* in May. 5월 발행 예정. **4** 《美》 (가짜돈 등)을 사용하다.
—*vi.* **1** 출판 사업을 하다: The new house will start to ~ next month. 새 회사는 내달에 출판 사업을 시작한다. **2 a** 출판하다. **b** 《+전+명》 (저자가) 책을 내다《*with* …에서》: She has decided to ~ *with* another house. 그녀는 다른 출판사에서 작품을 출판하기로 작정했다. ◇ publication *n.*

***pub·lish·er** [pʌ́bliʃər] *n.* Ⓒ **1** (흔히 *pl.*) **출판업자; 발행자**, 출판사; a magazine ~ 잡지사. **2** 《美》 신문업자, 신문사주.

púb·lish·ing *n.* Ⓤ 출판(업): a ~ house 〔company, firm〕 출판사.

Puc·ci·ni [puːtʃíːni] *n.* **Giacomo** ~ 푸치니《이탈리아의 오페라 작곡가; 1858–1924》.

puce [pjuːs] *n.* Ⓤ, *a.* 암갈색(의).

puck [pʌk] *n.* Ⓒ 〖아이스하키〗 퍽《고무제 원반》; 〖컴퓨터〗 퍽《dizitizing tablet용의 위치 지시기》.

°puck·er [pʌ́kər] *vt.* …에 주름을 잡다, 주름살지게 하다; (입술 따위)를 오므리다(*up*): ~ (*up*) one's brow 〔lips〕 눈살을 찌푸리다〔입을 오므리다〕. **—*vi.*** 주름잡히다, 주름살지다; 오므라들다(*up*): Her face ~*ed* (*up*). 그녀는 온통 찌푸린 얼굴을 하고 있었다.
—*n.* Ⓒ 주름, 주름살: in ~*s* 주름이 져.
㊞ **~y** [pʌ́kəri] *a.* 주름이 생기게〔지게〕 하는, 주름이 많은.

puck·ish [pʌ́kiʃ] *a.* 꼬마 요정 같은, 장난꾸러기의, 멋대로 구는. ㊞ **~·ly** *ad.* **~·ness** *n.*

pud [pʌd] *n.* 《英구어》 =PUDDING.

***pud·ding** [púdiŋ] *n.* **1** Ⓤ (종류·낱개는 Ⓒ) 푸딩《밀가루에 우유·달걀·과일·설탕·향료를 넣고 찐〔구운〕, 식후에 먹는 과자》: *Pudding* rather than praise. 《속담》 금강산도 식후경/The proof of the ~ is in the eating. 《속담》 백문이 불여일견. **2** Ⓤ (종류·낱개는 Ⓒ) (오트밀·선지 따위를 넣은) 순대〔소시지〕의 일종. **3** Ⓒ 《구어》 땅딸보, 뚱뚱보.
in the* (*pudding*) *club ⇨CLUB.

púdding fàce 《구어》 무표정하고 둥글넓적한 얼굴.

púdding-hèad *n.* Ⓒ 《구어》 멍청이.

púdding stòne 〖지질〗 역암(礫岩)(conglomerate).

pud·dle [pʌ́dl] *n.* Ⓒ 웅덩이; Ⓤ 이긴 흙《진흙과 모래를 섞어 이긴 것》. **—*vt.*** (진흙·모래)를 개어 진흙으로 만들다.

pu·den·da [pjuːdéndə] (*sing.* ***-den·dum*** [-dəm]) *n. pl.* 〖해부〗 (여성의) 외음부(vulva).

pudgy [pʌ́dʒi] (***pudg·i·er; -i·est***) *a.* 《구어》 땅딸막한, 뚱뚱한.

pueb·lo [pwéblou, puéb-] (*pl.* **~*s***) *n.* **1** Ⓒ 푸에블로《돌·벽돌로 만든 원주민 부락; 미국 남서부에 많음》. **2** (*pl.* **~(*s*)**) **a** (the P–(s)) 푸에블로인디언《미국 남서부에 사는 원주민의 종족》. **b** Ⓒ (P–) 푸에블로인디언 사람.

pu·er·ile [pjúːəril, -ràil] *a.* 어린애의〔같은〕, 앳된; 철없는, 미숙한.

pu·er·il·i·ty [pjùːəríləti] *n.* **1** Ⓤ 어린애 같음; 철없음, 유치. **2** Ⓒ (보통 *pl.*) 유치한 행위〔생각〕.

pu·er·per·al [pjuːə́ːrpərəl] *a.* Ⓐ 〖의학〗 해산의, 분만의, 산욕(產褥)의: ~ fever 산욕열.

Puer·to Ri·co [pwέərtəríːkou/pwə́ːrtə-] 푸에르토리코《서인도 제도의 섬; 미국 자치령; 수도 San Juan》. ㊞ **Puér·to Rí·can** [-ríːkən] *a., n.* Ⓒ 푸에르토리코의 (사람).

***puff** [pʌf] *n.* Ⓒ **1 훅 불기**; 한 번 불기〔부는 양〕; (담배의) 한 모금: a ~ of wind 한바탕 휘부는 바람/give a few ~*s* to put out the candle 촛불을 끄려고 몇 번 불다/He took 〔had〕 a ~ at 〔on〕 his ciger. 그는 시가를 한 모금 빨았다. **2** 불룩한 부분《머리털·드레스 따위의》; 부푼 것《혹·종기(腫氣) 따위》: a ~ of hair 부풀게 한 머리. **3** 퍼프, 분첩(powder ~). **4** 《美》 깃털 이불. **5** 부풀린 과자: a cream ~ 슈 크림. **6** 《구어》 과장된 칭찬, 비행기 태우기; 자기 선전: give a ~ (특히 신문 등에서) 추어올리다/get a good ~ 크게 칭찬받다.
out of ~ 《구어》 헐떡거려.
—*vi.* **1** 《+부/+전+명》 **a** 뻐끔뻐끔 피우다(*away*) 《*at, on* (담배 따위)를》: ~ (*away*) *at* one's pipe 파이프를 (뻐끔뻐끔) 빨다. **b** (연기 따위가) 뭉게뭉게 나오다《*from, out of* …에서》: Steam ~*ed out* (*of* the kettle). (솥에서) 김이 무럭무럭 나왔다/Smoke ~*ed up from* his pipe. 그의 파이프에서 연기가 푹푹 올라갔다. **c** 푹푹 소리내며 움직이다: The train ~*ed* slowly *away* 〔*into* the station〕. 열차가 푹푹 연기를 뿜으며 천천히 출발했다〔역으로 들어왔다〕. **2** 헐떡이다: He was ~*ing* hard when he jumped on to the bus. 그는 버스에 뛰어올라 헐떡거리고 있었다. **3** 《+부》 부풀어오르다(*up; out*): My hair won't ~ *out*.

머리가 부풀지 않는다.
—*vt.* **1** 《~+목/+목+전+명/+목+부》 (연기 따위)를 내뿜다《***to, into*** …에》; 훅 불어버리다(*away*); (담배)를 뻐끔뻐끔 피우다: ~ cigarette smoke *into* a person's face 아무의 얼굴에다 담배 연기를 뿜어대다 / ~ *away* dust 먼지를 훅 불어버리다 / ~ a cigar 시가를 뻐끔뻐끔 피우다. **2** 《~+목/+목+전+명/+목+부》 부풀게 하다(*out*)《***with*** …으로》: ~ *out* one's cheeks 볼을 불룩하게 하다 / He ~*ed* (*out*) his chest *with* pride. 그는 우쭐하여 가슴을 폈다. **3** 《구어》 마구 추어올리다; (과대) 선전하다. **4** 《~/+목+부》 헐떡이며 말하다: "I'm tired," he ~*ed*. "피곤하다"라고 그는 헐떡이며 말했다 / manage to ~ *out* a few words 헐떡이며 겨우 몇 마디 말하다.
~ ***and blow*** 〔***pant***〕 헐떡이다. ~ ***out*** 《*vt.*+부》 ① (성냥·불 따위)를 훅 불어 끄다. ② 부풀리다(*vt.* 2). ~ ***up*** 《*vt.*+부》 ① …을 부풀리다: ~ *up* a cushion 쿠션을 부풀리다. ② (아무)를 우쭐대게 하다, 잘난 척하게 하다《***with*** …으로》: She's ~*ed up with* self-importance. 그녀는 자기가 잘났다고 여기고 우쭐대고 있다. —《*vi.*+부》 ③ 부풀어오르다; (상처 따위가) 부어오르다: The next day her face had puffed up. 그 다음날 그녀의 얼굴은 부어올랐다.

púff àdder 【동물】 아프리카산(産)의 큰 독사《성나면 몸이 부풂》.

púff·bàll *n.* Ⓒ 【식물】 말불버섯.

puffed [pʌft] *a.* Ⓟ 《英구어》 숨이 찬(*out*): When we got there we were quite ~ (*out*). 우리는 거기 도착했을 때 꽤 숨이 찼다.

púffed-úp *a.* Ⓐ 우쭐해진, 자만에 빠진.

púff·er *n.* Ⓒ 훅 부는 사람〔물건〕; 【어류】 복어류; 《소아어》 (기차의) 칙칙폭폭.

puf·fin [pʌ́fin] *n.* Ⓒ 【조류】 섬새의 일종.

púff pàste 〔**pàstry**〕 층을 지어 부풀게 굽는 과자용 반죽.

púff-pùff *n.* Ⓒ 《英소아어》 칙칙폭폭《기차》, 기관차.

puffy [pʌ́fi] (***puff·i·er; -i·est***) *a.* **1** 부풀어오른; 비만한: ~-eyed from poor sleep 수면 부족으로 눈이 부은. **2** 자만하는, 허풍떠는, 과장된. **3** 숨이 찬, 헐떡이는, 씨근거리는. **4** 훅 부는; 한바탕 부는《바람 따위》. ㊞ **púff·i·ly** *ad.* **-i·ness** *n.*

pug[1] [pʌg] *n.* Ⓒ 퍼그(=**púg-dòg**)《불독 비슷한 얼굴의 발바리의 일종》.

pug[2] *n.* Ⓒ 《속어》 복서(boxer).

Pú·get Sóund [pjú:dʒit-] 퓨젓 사운드《워싱턴 주 북서부의 만》.

pu·gil·ism [pjú:dʒəlìzəm] *n.* Ⓤ (프로) 권투.

pú·gil·ist *n.* Ⓒ 권투 선수(boxer), 《특히》 프로 복서. ㊞ **pù·gil·ís·tic** [-tik] *a.*

pug·na·cious [pʌgnéiʃəs] *a.* 싸움하기 좋아하는. ㊞ **~·ly** *ad.* **~·ness** *n.* **pug·na·ci·ty** [pʌgnǽsəti] *n.* Ⓤ 싸움을 좋아함.

púg nòse 사자코, 들창코.

púg-nòsed *a.* 사자코의.

pu·is·sance[1] [pjú:isəns, pwísəns] *n.* Ⓒ 【마술(馬術)】 장애물 비월(飛越) 경기.

pu·is·sance[2] *n.* Ⓤ 《고어·문어》 권력, 세력.

pu·is·sant [pjú:isənt, pwísənt] *a.* 《고어·문어》 세력이 등등한, 권력이 있는. ㊞ **~·ly** *ad.*

puke [pju:k] 《속어》 *n.* Ⓤ 구토. —*vi.*, *vt.* 토하다(vomit) (*up*).

pul·chri·tude [pʌ́lkrətjù:d] *n.* Ⓤ 《문어》 (육체의) 아름다움(physical beauty). ㊞ **pùl·chri·tú·di·nous** [-dənəs] *a.*

pule [pju:l] *vi.* 《문어》 가냘픈 소리로 울다.

Pu·litz·er [pjú:litsər] *n.* **Joseph** ~ 퓰리처《헝가리 출생의 미국의 신문업자; 1847–1911》.

Púlitzer Príze 《美》 퓰리처상《문학·음악과 신문·잡지계에 우수한 업적을 남긴 사람에게 해마다 수여됨》.

†**pull** [pul] *vt.* **1** 《~+목/+목+보/+목+전+명/+목+부》 **당기다**, 끌다; **끌어당기다**, 당겨서 움직이다. ↔ *push*. ¶ ~ a cart 짐수레를 끌다 / ~ the trigger 방아쇠를 당기다 / ~ a bell 줄을 당겨 종을 울리다 / ~ a door open 〔shut〕 문을 당겨서 열다〔닫다〕 / ~ a person's sleeve =~ a person *by* the sleeve 아무의 소매를 끌다《★ 거의 같은 뜻이나, 뒤의 예문은 끄는 동작이 상대방 몸 전체에 미침을 나타냄》 / ~ a person *out of* bed 아무를 침대에서 끌어내다 / ~ the curtains *across* 커튼을 치다.

SYN. **pull** 물건을 '끌다' 의 일반적인 말. draw에 비해 순간적이고 힘이 들어 있음: *pull* a door open 문을 잡아당겨 열다. *pull* an oar 노를 당기다〔젓다〕. **drag** 무거운 것을 질질 끌다. 끄는 동작에 전신의 힘이 가하여질 때가 많음: *drag* a heavy box along the corridor 무거운 상자를 복도를 따라 질질 끌다. **draw** 물건을 잡아당기는 데 그다지 많은 힘을 들이지 않아도 됨을 나타냄: *draw* a curtain 커튼을 당기다《열다, 닫다》. **trail** 자기의 뒤에서 물건을 질질 끌고 감을 나타냄: *trail* one's skirt 스커트 자락을 끌다. **tug** 힘을 들여 당기다. 단, 대상이 반드시 움직인다고 할 수 없음: He *tugged* at the rope to no avail. 밧줄을 당겼으나 헛수고였다. **haul** 무거운 물체를 기계 따위로 서서히 끌다.

2 (주문·손님)을 끌어들이다, 끌다; (투표 따위)를 끌어 모으다, (후원 따위)를 얻다: How many votes can he ~? 그는 몇 표나 모을 수 있을까.
3 a (보트·노)를 젓다; (배에 …개의 노가) 달려 있다: He ~s a good oar. 그는 노를 잘 젓는다 / This boat ~s six oars. 이 보트는 여섯 개의 노로 젓는다. **b** 《+목+부/+목+전+명》 노저어 나르다: I ~*ed* him *over to* the island. 나는 노를 저어 그를 섬에 태워다 주었다.
4 《+목+부/+목+전+명》 (차)를 움직이다, 몰다: He ~*ed* his car *away from* the garage. 그는 차고에서 차를 몰고 나갔다.
5 《~+목/+목+부/+목+전+명》 **떼어놓다**; 빼내다, 뽑아내다(*out; up*); (잡아) 찢다: ~ a tooth (*out*) 이를 뽑다 / He was ~*ing* (*up*) weeds in the garden. 그는 정원에서 풀을 뽑고 있었다 / ~ the kids *apart* (싸우고 있는) 아이를 떼어놓다 / ~ a cloth *to* pieces 천을 갈기갈기 찢다.
6 《+목+전+명》 (꽃·열매 따위)를 따다《***from, off*** …에서》: I ~*ed* some apples *from* the tree. 나는 나무에서 사과 몇 개를 땄다.
7 (새 따위)의 털을 뜯다, (새)의 내장을 꺼내다.
8 《+목+목/+목+전+명》 (일정량의 맥주)를 통에서 뽑다〔따르다〕《***for*** (아무)에게》: ~ a person a pint of beer =~ a pint of beer *for* a person 아무에게 맥주 1 파인트를 통에서 따라 주다.
9 (근육 따위)를 무리하게 쓰다; (여러 가지 얼굴)을 하다: ~ a face 〔faces〕 찌푸린 얼굴을 하다 / ~ a muscle 근육을 다치다.
10 【인쇄】 수동 인쇄기로 찍어 내다: ~ a proof.
11 【경마】 (고의로 이기지 못하게 말)을 제어하다.
12 【권투】 (펀치)의 힘을 줄이다.

13 〚야구·골프〛 (공)을 (오른손잡이는) 왼쪽 방향으로〔(왼손잡이는) 오른쪽 방향으로〕 끌어당겨서 치다.
14 《~+목/+목+전+명》 (나쁜 일 따위)를 행하다, (강도짓)을 하다, (계략)을 쓰다《*on* (아무)에게》: ~ a bank robbery 은행 강도질을 하다/ ~ a dirty trick (*on* a person) (아무에게) 치사스러운 수법을 쓰다.
15 《~+목/+목+전+명》 (칼·권총 등)을 빼어들다, 들이대다《*on* …을 향하여》: She *~ed* a gun *on* the man. 그녀는 권총을 빼들어 그 사나이를 겨누었다.
16 《구어》 (부적절한 것)을 제거하다, 빼내다: ~ an ineffective player 별로 활약하지 않는 선수를 빼내다.
—*vi.* **1** 《+전+명》 끌다, 당기다, 잡아당기다 《*at, on* …을》; 〚종종 well 따위의 부사와 함께 써서〛 (말·엔진 따위가) 끄는 힘이 있다, 마력이 있다. ↔ *push*. ¶ Stop *~ing!* 끌지마/~ *at* 〔*on*〕 a rope 밧줄을 잡아당기다/This horse *~s* well. 이 말은 끄는 힘이 대단하다.
2 《~/+전+명》 (사람이) 배를 젓다(row), (배가) 저어지다: The boat 〔crew〕 *~ed for* the shore. 보트는〔선원들은 배를 저어〕 기슭을 향해 나아갔다.
3 《+전+명/+부》 (차·열차 따위가) 나아가다; (사람이) 차를 몰다: The train *~ed away from* the station. 열차는 역에서 나갔다.
4 《+전+명》 빨다《*at, on* (담배 따위)를》; 술을 꿀꺽 마시다《*at* (병 따위)에서》: ~ *at* a bottle 병째로〔에서 직접〕 마시다/~ *at* a pipe 파이프 담배를 피우다.
5 《+전+명》 《구어》 지지〔성원〕하다《*for* …을》: We are *~ing for* you, John. 존, 우리는 너를 응원하고 있다.
6 〚야구·골프〛 공을 끌어당겨서 치다.
7 (말이) 말을 듣지 않다.
~ *about* 〔***around***〕 《*vt.*+부》 ① 여기저기 끌고 다니다. ② 거칠게 다루다. **~ *a fast one*** 감쪽같이 속이다《*on* (아무)를》. **~ *ahead*** 《*vi.*+부》 앞서 가다; 앞서다《*of* …보다》: ~ far *ahead of* the other runners 다른 주자보다 훨씬 앞서 달리다/He is *~ing ahead of* the others in English. 그는 영어에서 다른 사람들보다 앞선다. **~ *apart*** =~ to PIECES. **~ *around*** 《*vt.*+부》 ① (아무의) 생기를 되찾게 하다; 건강〔의식〕을 회복하다: This brandy will ~ you *around*. 이 브랜디를 마시면 기운이 날 것이다. **—**《*vi.*+부》 ② 생기를 되찾다; 건강을 회복하다. **~ *away*** 《*vi.*+부》 ① 몸을 떼어놓다《*from* …에서》. ② 떨어지다, 빠지다, 벗어나다《*from* …에서》. ③ (노상의 차가) 움직이기 시작하다; (아무가) 차를 끌어내다; (보트가 물가 따위를) 떠나다, 멀어져 가다. ④ 앞서다, …을 떼어놓다《*from* …보다, …을》. **—**《*vt.*+부》 ⑤ 억지로 떼어놓다《*from* …에서》: ~ a child *away from* TV 어린이를 텔레비전에서 떼어놓다. **~ *back*** 《*vi.*+부》 ① 생각을 고쳐 먹고 그만두다, 앞서 한 말을 취소하다, 약속을 어기다. ② 뒤로 물러서다; (군대가) 후퇴하다. ③ 경비를 절약하다. **—**《*vt.*+부》 ④ (내밀었던 것)을 당겨 들이다〔빼다〕. ⑤ …을 (자기) 앞쪽으로 끌어당기다: ~ a person *back* from the fire 화상을 입지 않도록 아무를 앞쪽으로 끌어당기다. ⑥ (군대)를 후퇴시키다. **~ *down*** 《*vt.*+부》 ① 허물어뜨리다; (정부 따위)를 넘어뜨리다. ② (블라인드 따위)를 끌어내리다. ③ 쇠약하게 하다. ④ 《美구어》 (일정 수입)을 얻다, 벌다. ***pull*** one***'s finger out*** ⇨FINGER. **~ *in*** 《*vi.*+부》 ① (보트·차 따위가) 한쪽 편으로 대다〔대서 서다〕; (아무가) 차를 한쪽 편으로 대다: He *~ed in* for gas. 그는 급유를 위해 차를 댔다. ② (기차가) 역에 도착하다. **—**《*vt.*+부》 ③ …을 안으로 끌어들이다. ④ (고객 따위)를 끌다, 불러들이다. ⑤ (배)를 당기면서 허리를 쭉 펴다. ⑥ 〚~ oneself〛 차렷 자세를 취하다. ⑦ (말 따위)의 속도를 늦추다; (말 따위)를 멈추게 하다. ⑧ 《구어》 (용의자)를 체포하다. ⑨ 《구어》 (돈)을 벌어들이다. **~ *a person's leg*** ⇨LEG. **~ *off*** 《*vt.*+부》 ① 끌어당겨서 벗기다, 잡아〔비틀어〕 따다, 벗겨〔떼어〕내다. ② (옷 따위)를 급히 벗다. ③ (어려운 일)을 훌륭히 해내다: ~ *off* a deal 거래를 훌륭히 성공시키다. **—**《*vi.*+부》 ④ 차를 길가에 대다. ⑤ (배·차 따위가) 떠나다, 멀어져 가다. **—**《*vi.*+전》 ⑥ 차를 (길)가에 대다: ~ *off* a road. **~ *on*** 《*vt.*+부》 (옷)을 입다, (장갑)을 끼다, (양말)을 신다: She *~ed* her stockings *on*. 그녀는 스타킹을 급히 신었다. **~ *out*** 《*vi.*+부》 ① (열차가) 역을 빠져 나가다. ② (배가) 저어나가다; (차가) 움직이기 시작하다; (아무가) 배를 젓기 시작하다, 차를 끌어내다. ③ (추월하기 위해) 차선에서 벗어나다. ④ (군대 따위가) 철수하다. ⑤ (계획·사업 따위에서) 손을 떼다, 물러서다. **—**《*vt.*+부》 ⑥ …을 빼내다, 뽑아내다 (⇨*vt.* 5). ⑦ (군대 따위)를 철수시키다. ⑧ 손을 떼게 하다, 물러서게 하다. **~ *over*** 《*vi.*+부》 ① 차를 길 한쪽으로 다가서 대다. ② (차가) 길 한쪽으로 다가서다. **—**《*vt.*+부》 ③ (차)를 한쪽으로 대다《*to* (길)의》. **~ *round*** =~ around. **~ *the other leg*** 〔***one***〕 (***, it's got bells on***) 〚명령형〛 (속이 들여다보인다) 좀 더 그럴 듯한 말을 해라. **~ *through*** 《*vt.*+부》 ① (아무)에게 난관을 헤쳐 나가게 하다. ② (아무)에게 중병〔심한 부상〕 따위를 이겨 나가게 하다. **—**《*vi.*+부》 ③ 난관을 헤쳐 나가다. ④ 중병〔심한 부상〕 따위를 이겨내다. **~ *together*** 《*vi.*+부》 ① 협력하며 일하다, 사이좋게 해 나가다. **—**《*vt.*+부》 ② (조직체 따위)의 협조를〔단결을〕 도모하다, (조직)을 통합하다. ③ 〚~ oneself〛 감정을 가라앉히다, 냉정을 되찾다, 침착해지다. **~ *to pieces*** ⇨PIECE. **~ *up*** 《*vt.*+부》 ① …을 잡아뽑다(⇨*vt.* 5). ② 끌어당기다; 끌어올리다, (옷깃 따위)를 세우다: ~ *up* a chair 의자를 끌어당기다. ③ (말·차 따위)를 멈추다, 세우다. ④ (그릇된〔잘못된〕 짓을 하고 있는 사람)을 말리다, 제지하다, 생각을 고쳐먹게 하다: His remark *~ed* me *up* short 〔sharply〕. 그의 말을 듣고 나는 생각을 확 바꿨다. ⑤ 꾸짖다, 비판하다《*on* …일로》. ⑥ (아무)의 성적을〔석차를〕 올리다. ⑦ 〚~ oneself〛 똑바로 일어서다, 차렷 자세를 취하다. **—**《*vi.*+부》 ⑧ (말·차 따위가) 멎다, 서다; (운전수가) 차를 멈추다. ⑨ 성적이〔석차가〕 오르다; (성적이 올라서) 따라잡다 《*to* …을》, 어깨를 나란히 하다《*with* …와》.
—*n.* **1** Ⓒ 잡아당기기, 한차례 당기기〔끌기〕《*at, on* …을》: give a ~ *at* a rope 밧줄을 한 번 잡아당기다.
2 a (a ~) 당기는 힘, 견인력: keep a steady ~ on a rope 밧줄을 팽팽히 당기다. **b** Ⓤ (자연의) 인력: the ~ of the moon 달의 인력.
3 (a ~) 배를 한 번 젓기, 뱃놀이.
4 (a ~) 노력, 수고: It was a long, hard ~ to go up the mountain. 그 산을 오르는 것은 길고도 힘든 산행이었다.
5 Ⓒ 한 모금《*at* (술·담배 따위)의》: have

〔take〕 a ~ *at* a bottle 병째로 쭉 들이켜다.
6 [C] 《보통 복합어》 (문의) 손잡이, 당기는 줄: a drawer ~ 서랍 손잡이/a bell ~ 종 치는 줄.
7 [C] (보통 *sing.*) 【인쇄】 교정쇄; 수쇄(手刷).
8 [U] (또는 a ~) 《구어》 연줄, 빽, 연고(緣故): use one's ~ 빽을 쓰다/have ~ 〔not much ~〕 with the company 회사에 연고가〔연줄이〕 있다〔그다지 없다〕.
9 [U] (구체적으로는 [C]) 매력: the ~ of golf 골프의 매력.
10 [C] 【골프 · 야구】 잡아당겨치기.
[파] ∠·**er** *n.*

púll·bàck *n.* [C] (군대의) 후퇴.

púll-by dàte 《美》 판매 유효 기한 날짜(《英》 sell-by date).

pul·let [púlit] *n.* [C] (한 살 이하의) 어린 암탉.

◇**pul·ley** [púli] *n.* [C] 도르래, 활차(滑車): a compound ~ 겹도르래/a driving ~ 주(主)움직 도르래/a fast 〔fixed〕 ~ 고정 도르래.

púlley blòck 【기계】 도르래 장치.

púll-ìn *n.* [C] 《英구어》 (특히 트럭 운전사용의) 드라이브인(《美》 truck stop).

Pull·man [púlmən] (*pl.* **~s**) *n.* [C] 【철도】 풀먼차(= ∠ **càr** 〔**còach**〕)《쾌적한 설비의 침대차》.

púllman kìtchen (또는 P-) [C] 《美》 (아파트 따위에서 벽을 이용한) 소형 간이 부엌.

púll-òn *n.* [C] 잡아당겨 입는〔신는, 끼는〕 것《스웨터 · 장갑 따위》. **—** [∠∠] *a.* [A] 잡아당겨 착용하는.

púll·òut *n.* [C] (책 가운데의) 접어 넣은 페이지〔그림판〕; (군대 · 거류민 등의) 철수(撤收), 이동.

*****pull·o·ver** [púlòuvər] *n.* [C] **풀오버**《머리로부터 입는 스웨터 따위》. **—***a.* [A] 풀오버식의

pul·lu·late [pʌ́ljəlèit] *vi.* **1** 싹트다, 움트다. **2** 우글거리다《*with* (동물 따위)가》. **3** (동물 따위가) 번식하다. **4** (주의 따위가) 퍼지다.

púll-ùp *n.* [C] **1** 【체조】 턱걸이. **2** =PULL-IN.

pul·mo·nary [pʌ́lmənèri, púl-/pʌ́lmənəri] *a.* [A] 폐의; 폐질환의: ~ complaints 〔diseases〕 폐질환.

◇**pulp** [pʌlp] *n.* **1** [U] 과육(果肉). **2** [U] 펄프《제지 원료》. **3** [U] (또는 a ~) 걸쭉걸쭉한 물건: be reduced to (a) ~ 걸쭉해지다/mash beans into (a) ~ 콩을 갈아 걸쭉하게 하다. **4** [C] 싸구려 잡지〔서적〕. ***beat*** a person ***to a ~*** (아무)를 늘씬하게 패 주다. ***reduce*** a person ***to*** (***a***) **~** 아무를 (정신적으로) 때려눕히다〔박살내다〕.
—*a.* [A] 저속한: ~ novels 저속한 소설.
—*vt.* 펄프화하다, 걸쭉하게 하다; (출판물 따위)를 펄프로 재생하다.

pul·pit [púlpit, pʌ́l-] *n.* **1** [C] 설교단(壇). **2** (the ~) 《집합적》 목사; 종교계. **3** (the ~) 설교.

púlp·wòod *n.* [U] 펄프재(材).

pulpy [pʌ́lpi] (***pulp·i·er; -i·est***) *a.* 과육(果肉)의; 과육질〔모양〕의, 걸쭉한. [파] **púlp·i·ly** *ad.* **-i·ness** *n.*

pul·sar [pʌ́lsɑːr, -sər] *n.* [C] 【천문】 펄서《전파 천체의 하나》.

pul·sate [pʌ́lseit/-∠] *vi.* **1** (맥박 등이) 뛰다, 고동치다. **2** 가슴이 두근거리다〔뛰다〕《***with*** …으로》: ~ *with* excitement 흥분하여 가슴이 두근거리다. **3** 【전기】 (전류가) 맥동(脈動)하다.

pul·sá·tion *n.* [U] (구체적으로는 [C]) 맥박, 동계(動悸).

*****pulse**[1] [pʌls] *n.* [C] **1** (보통 *sing.*) **맥박**, 고동, 동계: feel 〔take〕 a person's ~ 아무의 맥을 짚어 보다/His ~ is still beating. 그의 맥은 아직 뛰고 있다. **2** (광선 · 음향 따위의) 파동, 진동; 【전기】 펄스《지속 시간이 극히 짧은 전류 또는 변조 전파》. **3** (생명 · 감정 따위의) 맥동, 율동; 【음악】 율동; 박(拍). **4** (생기 · 감정 따위의) 약동, 흥분: stir a person's ~ 아무를 흥분시키다. **5** 의향, 기분; 동향, 경향. **6** 【컴퓨터】 펄스.
have 〔***keep***〕 one***'s finger on the* ~** 실상에 정통하다, 현황을 파악하고 있다.
—*vi.* 《~/+[전]+[명]》 **1** 맥이 뛰다《***with*** …으로》: Her heart *~d with* pleasure. 그녀의 가슴은 기쁨으로 뛰고 있었다. **2** 고동치다《***through*** …속을》: The exercise sent the blood *pulsing through* his veins. 그 운동으로 피가 그의 혈관 속에서 고동쳤다.

pulse[2] *n.* [C] (보통 *pl.*) 콩류; 콩.

púlse-còde modulátion 【통신】 펄스 부호 변조《생략: PCM》.

pul·ver·ize [pʌ́lvəràiz] *vt.* 가루로 만들다, 빻다; 《비유적》 (의론 따위)를 분쇄하다; 해치우다.
—*vi.* 가루가 되다, 부서지다.
[파] **pùl·ver·i·zá·tion** *n.* [U] 분쇄(粉碎). **-ìz·er** *n.* [C] 분쇄기; 분무기; 분쇄자.

pu·ma [pjúːmə] *n.* [C] 【동물】 퓨마(cougar).

pum·ice [pʌ́mis] *n.* [U] 속돌, 경석(輕石), 부석(浮石)(~ stone).

púmice stòne = PUMICE.

pum·mel [pʌ́məl] (**-l-,** 《英》 **-ll-**) *vt.* (연달아) 주먹으로 치다(pommel), 연타하다.

‡**pump**[1] [pʌmp] *n.* **1** [C] 《흔히 복합어》 **펌프**, 흡수기, 양수기, 압출기: a bicycle ~ 자전거 펌프/a centrifugal 〔centripetal〕 ~ 원심(遠心)〔구심〕 펌프/a feed 〔feeding〕 ~ 급수 펌프/a force 〔suction〕 ~ 밀〔흡입, 빨〕 펌프/a pressure ~ 압력 펌프/fetch 〔prime〕 a ~ 펌프에 마중물을 붓다. **2** (a ~) 펌프로 빨아올리는 일.
All hands to the* ~(*s*)!** 전원 총력을 기울여 분투하라. ***give a person***'s hand a* ~** 손을 상하로 흔들어 악수하다. ***prime the* ~** ⇨PRIME.
—*vt.* **1 a** 《~+[목]/+[목]+[부]》 (물 · 공기 따위)를 펌프로 퍼 올리다〔내다〕(*up; out*): ~ water (*up* 〔*out*〕) 물을 퍼내다. **b** 《+[목]+[전]+[명]》 (액체 · 공기 따위)를 펌프로 주입하다《***into*** …에》; 펌프로 빨아내다《***out of, from*** …에서》: ~ air *into* a tire 타이어에 바람을 넣다/~ water *out of* a cellar 지하실에서 물을 퍼내다. **c** 《+[목](+[부])》 (음독자의 위)를 세척하다(*out*).
2 《+[목]+[보]》 …에서 물을 펌프질해 …상태로 만들다: ~ a well dry 펌프로 우물을 치다.
3 《~+[목]/+[목]+[부]》 …에 펌프로 공기를 넣다(*up*): ~ (*up*) a ballon 풍선에다 바람을 잔뜩 넣다.
4 《+[목]+[부]/+[목]+[전]+[명]》 (물 · 가스 따위)를 펌프질해 보내다: ~ water *back to* a dam 펌프로 물을 댐에 되돌리다/The heart *~s* blood *around* the body. 심장은 (펌프처럼) 피를 전신에 돌게 한다.
5 (펌프질 하듯) …을 상하로 움직이다: He *~ed* my hand warmly. 그는 따뜻하게 내 손을 잡고 악수했다.
6 《+[목]+[전]+[명]》 **a** (지식 따위)를 틀어넣다, 주입하다《***into*** (머리)에》: ~ facts *into* the heads of one's pupils 학생들 머리속에 사실을 심어주다. **b** …을 물어 알아내다《***out of*** (아무)에게서》; …에게 끈질기게 묻다《***for*** …을 얻기 위해》: I couldn't ~ any news *out of* him. 그에게서 아무런 뉴스도 캐내지 못했다/He *~ed* me *for* the

information. 그는 정보를 캐내려고 나를 유도 신문했다.
7 …의 속마음을 떠보다: Don't let him ~ you. 그에게 너의 속마음을 드러내지 마라.
— *vi.* **1** 《~/+副》 펌프질하다(*away*).
2 《+副》 (액체가 계속) 흘러나오다, 분출하다: The blood 〔oil〕 kept ~*ing out*. 피가〔기름이〕 콸콸 계속 솟구쳐 나왔다.
3 펌프 작용을 하다: The heart goes on ~*ing* as long as life lasts. 심장은 생명이 존속하는 한 펌프 작용을 계속한다.
4 급격히 오르내리다《기압계의 수은 따위》.
~ ***iron*** ⇨IRON.

pump[2] *n.* Ⓒ (보통 *pl.*) 끈 없는 가벼운 신《야회용 · 무도용》, 펌프스; 《英》 운동화.

pum·per·nick·el [pʌ́mpərnikəl] *n.* Ⓤ (낱개는 Ⓒ) 밀기울이 들어간 호밀빵.

púmp hàndle 《구어》 (힘있게 아래위로 흔드는) 과장된 악수.

púmp-hàndle *vt.* 《구어》 (악수할 때 남의 손)을 과장되게 아래위로 흔들다.

***pump·kin** [pʌ́mpkin, pʌ́ŋkin] *n.* Ⓒ (식품은 Ⓤ) 〖식물〗 (서양) **호박**: a ~ pie 호박 파이.

púmp prìming 펌프에 마중물 붓기식의 경기 회복책《미국 대통령 F.D. Roosevelt가 경기 회복을 위해 공익 토목 사업을 시행한 데서》.

púmp ròom (온천장의) 광천수(鑛泉水) 마시는 홀.

pun [pʌn] *n.* Ⓒ 결말, 신소리, 동음이의(同音異義)의 익살. **—** (-*nn*-) *vi.* 결말을〔신소리를〕 하다, 익살을 떨다, 재담하다《***on, upon*** …을 가지고》.

⁑**punch**[1] [pʌntʃ] *n.* **1** Ⓒ **구멍 뚫는 기구**; 타인기(打印器); 표 찍는 가위(ticket ~), 펀치; 〖컴퓨터〗 천공기: bell ~ (차장이 표 찍는 것을 알리는) 방울 달린 펀치/figure 〔letter〕 ~ 숫자〔문자〕 타인기. **2 a** Ⓒ **타격**, 펀치, 주먹으로 치기, 때리기《***in, on*** …에의》: give 〔get〕 a ~ *on* …을 한 대 갈기다〔맞다〕. **b** (*sing.*) 펀치의 힘. **3** Ⓤ (말 따위의) 박력, 효과: a cartoon without ~ 박력이 없는 만화.
beat a person ***to the*** ~ 〖권투〗 아무에게 선제 펀치를 먹이다; 아무의 기선을 제압하다. ***pack a*** (***hard***) ~ 《구어》 ① (아무가) 한 방 강타할 힘이 있다. ② (의론 따위에서) 강렬한 말을 쓰다; (알코올 따위가) 상당한 효력이 있다, 사정을 두지 않다. ***pull*** one***'s*** ~***es*** (공격 · 비평 등에서) 사정을 봐주다.
— *vt.* **1** 《~+目/+目+前+名》 (구멍 뚫는 기구로) …에 구멍을 뚫다; (구멍)을 뚫다《***in*** …에》: ~ a ticket 표를 개찰하다《구멍을 내어》/~ holes *in* an iron plate 철판에 구멍을 뚫다. **2** 《~+目/+目+前+名》 주먹으로 치다, 후려갈기다《***about, on, in*** (신체의 일부)를》: ~ a person *about* the body 아무의 몸뚱이를 때리다/~ a person's chin =~ a person *on* the chin 아무의 턱에 펀치를 가하다. **3 a** (타자기 따위(의 키))를 치다; 〖컴퓨터〗 (프로그램)을 입력하다. **b** 《~+目/+目+副》 쳐내다(*out*): ~ *out* numbers 숫자를 쳐내다. **4** 《美》 (막대기 따위로 찔러가며 가축)을 몰다, 유도하다.
~ ***in*** 《*vi.*+副》 《美》 타임리코더로 출근 시각을 기록하다: I ~ *in* at 9 o'clock. 나는 9시에 출근한다. ~ ***out*** 《*vi.*+副》 《美》 타임리코더를 누르고 퇴근하다.
㊞ **∠·er** *n.* Ⓒ 구멍 뚫는 사람〔기구〕; 펀처.

punch[2] *n.* Ⓤ (낱개는 Ⓒ) 펀치《레몬즙 · 설탕 · 포도주 등의 혼합 음료》.

Punch *n.* 펀치《영국 인형극 *Punch-and-Judy show*의 주인공》; 펀치지(誌)《풍자 만화를 실은 영국의 주간지; 1841 년 창간, 1992 년 폐간》.
(***as***) ***pleased*** 〔***proud***〕 ***as*** ~ 아주 기뻐서〔의기양양하여〕: She was *as pleased as* ~ about the news. 그녀는 그 소식을 듣고 무척 기뻐했다.

Púnch-and-Júdy shòw [-ən-] 익살스러운 영국의 인형극《주인공 Punch는 매부리코에 곱추로 아이와 아내 Judy를 죽이고 끝내는 교수형을 받음》.

púnch·bàll *n.* 《英》 = PUNCHING BAG.

púnch bòwl 펀치 담는 그릇. ⓒⓕ punch[2].

púnch càrd 〖컴퓨터〗 천공 카드: ~ reader 천공 카드 판독기/~ system 천공 카드 체제.

púnch-drùnk *a.* (권투 선수 등이 얻어맞고) 비틀거리는(groggy); 혼란한, 얼떨떨한.

púnched cárd = PUNCH CARD.

pun·chi·nel·lo [pʌ̀ntʃənélou] (*pl.* ~(***e***)***s***) *n.* **1** (종종 P-) 펀치넬로《17세기, 이탈리아 인형 희극에 나오는 어릿광대》. **2** Ⓒ 땅딸막하고 괴상하게 생긴 사내〔동물〕.

púnching bàg 《美》 (권투 연습용) 샌드백.

púnch lìne (농담 · 연설 · 광고 등의) 급소가 되는 문구.

púnch-ùp *n.* Ⓒ 《英구어》 싸움, 난투.

punchy [pʌ́ntʃi] (***punch·i·er, -i·est***) *a.* **1** 힘센, 힘찬, 박력있는: a ~ style 힘 있는 문체. **2** = PUNCH-DRUNK.

punc·til·io [pʌŋktíliòu] (*pl.* ~***s***) *n.* Ⓤ (구체적으로는 Ⓒ) (형식 · 의식(儀式) 등에서) 미세한 점까지 격식을 차림, (지나치게) 딱딱함.

punc·til·i·ous [pʌŋktíliəs] *a.* 격식을 차리는, 꼼꼼한, 딱딱한. ㊞ ~·**ly** *ad.* ~·**ness** *n.*

⁑**punc·tu·al** [pʌ́ŋktʃuəl] *a.* **시간〔기한〕을 엄수하는**; 어김없는, 꼼꼼한《***in*** …에》: (as) ~ as the clock 시간을 엄수하는/~ to the minute 1 분도 안 어기는, 꼭 제시간에/I was always ~ for class. 수업에는 언제나 늦는 일이 없었다/be ~ *in* the payment of one's rent 집세를 꼬박꼬박 내고 있다. ㊞ ***~·ly** [-i] *ad.* 제시간에, 정확히.

punc·tu·al·i·ty [pʌ̀ŋktʃuǽləti] *n.* Ⓤ 시간〔기간〕 엄수; 정확함, 꼼꼼함.

punc·tu·ate [pʌ́ŋktʃuèit] *vt.* **1** …에 구두점을 찍다. **2** (말 따위)에 힘을 주다, …을 강조하다《***with*** …으로》: He ~*d* his remarks *with* gestures. 그는 이야기 도중에 제스처를 쓰며 말을 강조했다. **3** (말 따위)를 중단시키다《***with*** …으로》: ~ a speech *with* cheers 박수를 쳐서 연설을 중단시키다/~ one's talk *with* sobs 이야기하며 흐느끼다.

***punc·tu·a·tion** [pʌ̀ŋktʃuéiʃən] *n.* Ⓤ **구두(법)**; 〖집합적〗 **구두점**.

punctuátion màrk 구두점.

***punc·ture** [pʌ́ŋktʃər] *n.* Ⓒ (찔러서 낸) 구멍; **펑크**《타이어 따위의》: I 〔My car〕 had a ~ on the way. 내 차가 도중에 펑크가 났다. **—** *vt.* (바늘 따위로) …을 찌르다, …에 구멍을 뚫다; (타이어)를 펑크내다; (자존심 따위)를 손상시키다, 망쳐 놓다, 결딴 내다: a ~*d* wound 찔린 상처/He had his car tire ~*d*. 그는 자동차 타이어에 펑크가 났다. **—** *vi.* 펑크나다; 구멍이 뚫리다.

pun·dit [pʌ́ndit] *n.* Ⓒ 박식한 사람, 전문가; 권위자; 현자.

°**pun·gent** [pʌ́ndʒənt] *a.* **1** 매운, 얼얼한, 자극성의《맛 따위》: a ~ sauce 매운 소스. **2** 날카로

운, 신랄한《말 따위》: ~ sarcasm 날카로운 풍자. ㊛ **-gen·cy** [-si] *n.* **~·ly** *ad.*

Pu·nic [pjúːnik] *a.* Ⓐ 카르타고(Carthage)(사람)의; 신의가 없는, 불신의: ~ faith [fidelity] 배신.

Púnic Wárs (the ~) 포에니 전쟁《264–146 B.C.; 로마와 카르타고의 3회에 걸친 전쟁, 최후에 로마가 승리했음》.

⁑**pun·ish** [pʌ́niʃ] *vt.* **1** 《~+목/+목+전+명》 (사람 또는 죄)를 **벌하다**; 응징하다《***by, with*** …으로; ***for*** …때문에》: ~ a person *with* a fine [*by* death] 아무를 벌금형[사형]에 처하다 / ~ a person *for* his offense 아무의 죄과를[반칙을] 벌하다. **2** 《구어》 혼내주다, 난폭히 다루다; 혹사하다. ㊛ **~·er** *n.*

pún·ish·a·ble *a.* 벌 줄 수 있는, 처벌할 만한, 처벌해야 할《***by*** …으로》: a ~ offense 처벌해야 할 죄 / This crime is ~ *by* death. 이 죄는 사형에 처해야 한다.

pún·ish·ing *a.* Ⓐ 《구어》 고통을 주는, 곤비하게 하는. **—***n.* (a ~) 《구어》 심한 타격, 혹사: take a ~ 심한 타격을 입다.

pun·ish·ment** [pʌ́niʃmənt] *n.* **1** Ⓤ **벌, 형벌**, 처벌《for*** …에 대한》: capital ~ 극형 / corporal ~ 체형 / disciplinary ~ 징계 / divine ~ 천벌 / inflict ~ on [upon] a person *for* a crime 죄과에 대해 아무를 벌하다. **2** Ⓒ 응징, 징계, 본보기《***for*** …에 대한》: as a ~ *for* …에 대한 징벌로. **3** Ⓤ 《구어》 혹사, 학대: This car will take a lot of ~. 이 차는 마구 써도 끄떡없을 것이다.

pu·ni·tive [pjúːnətiv] *a.* 형벌의, 징벌의, 응보의; (과세 따위가) 가혹한: a ~ force 토벌군(軍) / ~ justice 인과응보. ㊛ **~·ly** *ad.*

Pun·jab [pʌndʒáːb, ⌐⌐] *n.* (보통 the ~) 펀자브《인도 북서부의 한 지방; 현재는 인도와 파키스탄에 나뉘어 속해 있음》. ㊛ **Pun·ja·bi** [-dʒáːbi, ⌐⌐–] *n., a.* Ⓒ 펀자브 사람(의); Ⓤ 펀자브어(의).

punk[1] [pʌŋk] *n.* Ⓤ 《美》 (불쏘시개로 쓰는) 썩은 나무; (막대기 모양의) 불쏘시개.

punk[2] *a.* **1** 《속어》 보잘것없는, 쓸모없는. **2** 《美속어》 건강이 나쁜, 병의. **3** Ⓐ 펑크조(調)의. **—***n.* **1** Ⓒ 《속어》 쓸모없는 사람; 풋내기, 애송이; 젊은 불량배; 남색의 상대가 되는 소년. **2** = PUNK ROCK = PUNK ROCKER. **3** Ⓤ 《속어》 하찮은 것; 허튼소리.

pun·ka(h) [pʌ́ŋkə] *n.* 《Ind.》 Ⓒ 큰 부채《천장에 매달고 노끈으로 움직임》.

púnk ròck 〖음악〗 펑크록《1970년대 후반에 영국에서 일어난 사회 체제에 대한 반항적인 음악의 조류; 강렬한 박자, 괴성과 과격한 가사가 특징》. ㊛ **~·er** *n.*

pun·net [pʌ́nit] *n.* Ⓒ 《주로 英》 (가벼운 나무로 엮은) 넓적한 광주리《과일을 담음》.

pun·ster [pʌ́nstər] *n.* Ⓒ 신소리를[곁말을] 좋아하는 사람, 익살을 잘 부리는 사람.

punt[1] [pʌnt] *n.* Ⓒ (삿대로 젓는) 너벅선. **—***vt.* (너벅선 등)을 삿대로 젓다; 너벅선으로 나르다. **—***vi.* 너벅선으로 가다; 너벅선을 타고 놀다.

punt[2] 〖미식축구 · 럭비〗 *vt., vi.* (손에서 떨어뜨린 공을) 땅에 닿기 전에 차다, 펀트하다. **—***n.* Ⓒ 펀트하기. ㊛ **⌐·er**[1] *n.*

punt[3] *vi.* 물주를 상대로 돈을 걸다《faro 등의 트럼프에서》; 《英구어》 (경마 등에서) 돈을 걸다. ㊛ **⌐·er**[2] *n.*

pu·ny [pjúːni] (***-ni·er; -ni·est***) *a.* 자그마한; 허약한; 하잘것없는.

◇**pup** [pʌp] *n.* Ⓒ **1** 강아지; (여우 · 바다표범 따위의) 새끼. **2** 《英구어》 건방진 풋내기. ***in*** [***with***] ~ (개가) 새끼를 배고. ***sell*** a person ***a*** ~ 《주로 英》 아무를 속여 유사품[무가치한 것]을 팔다. **—**(***-pp-***) *vi.* (개가) 새끼를 낳다. [◂*puppy*]

pu·pa [pjúːpə] (*pl.* ***-pae*** [-piː], ***-pas***) *n.* Ⓒ 번데기. ㊛ **pu·pal** [pjúːpəl] *a.*

pu·pate [pjúːpeit] *vi.* 번데기가 되다.

†**pu·pil**[1] [pjúːpəl] *n.* Ⓒ **학생**《흔히 초등학생 · 중학생》; 제자《화가 · 음악가에게 개인지도를 받는》.
SYN. **pupil** 선생의 개인적인 감독 · 지도가 강조됨. 영국에서는 초등 · 중학생, 미국에서는 주로 초등학생. **student** 학생. 영국에서는 대학생, 미국에서는 고등학생 이상. **scholar** 일반적으로는 '학자'의 뜻이지만 학교 제도 밑에서 공부하는 사람도 연령의 구별 없이 scholar라고 부를 때가 있음. cf. scholarship.

pu·pil[2] *n.* Ⓒ 〖해부〗 눈동자, 동공(瞳孔).

◇**pup·pet** [pʌ́pit] *n.* **1** Ⓒ 작은 인형; 꼭두각시; 괴뢰, 앞잡이. **2** 《형용사적》 괴뢰[앞잡이]의: a ~ government [regime, state] 괴뢰 정부[정권, 국가]. ㊛ **pùp·pe·téer** [-pətíər] *n.* Ⓒ 꼭두각시 부리는 사람.

◇**pup·py** [pʌ́pi] *n.* Ⓒ **1 강아지**: a ~ dog 《소아어》 멍멍이. **2** 건방진 애송이.

púppy fàt 유아기 · 사춘기의 일시적 비만.

púppy lòve (연상인 사람에 대한 일시적인) 풋사랑(calf love).

púp tènt (1 · 2인용) 소형 천막.

pur·blind [pə́ːrblàind] *a.* 반(半)소경의, 눈이 침침한; 《비유적》 우둔한.

pur·chas·a·ble [pə́ːrtʃəsəbəl] *a.* 살 수 있는, 구매 가능한; 매수할 수 있는.

⁑**pur·chase** [pə́ːrtʃəs] *vt.* **1 사다**, 구입하다: ~ a book (for ten dollars) 책을 (10달러 주고) 사다. **2** (노력 · 희생을 치르고) **획득하다**, 손에 넣다: ~ freedom [victory] with blood 피 흘려 자유[승리]를 쟁취하다 / a dearly ~*d* success 큰 희생을 치르고 얻은 성공.
—*n.* **1** Ⓤ **사들임**, 구입, 매입: the ~ price 구입 가격 / ~ money 〖상업〗 구입 대금 / the ~ *of* a house 주택 구입. **2** Ⓒ (흔히 *pl.*) **구입[매입]품**: make a good [bad] ~ 물건을 싸게[비싸게] 사다 / fill the basket with one's ~s 산 물건들을 광주리 가득히 채우다. **3** Ⓤ (또는 a ~) 힘이 되는 것, 손[발]을 붙일 만한 곳: get [secure] a ~ on …을 단단히 붙들다 / get a ~ with one's feet [hands] (오르거나 할 때) 발[손]붙일 만한 데가 생기다.

púr·chas·er *n.* Ⓒ 사는 사람, 구매자.

púrchasing pòwer 구매력.

⁑**pure** [pjuər] *a.* **1 순수한**. ↔ mixed. ¶ ~ gold 순금.
2 맑은, 깨끗한, 청결한: ~ water 맑은 물 / ~ skin 깨끗한 피부.
3 청순한, 순결한, 정숙한: ~ in body and mind 몸과 마음이 청순한.
4 순종의; 순혈(純血)의: ~ blood 순혈 / a ~ Englishman 토박이 영국인.
5 (소리가) 맑은, 순음(純音)의; 순색(純色)의: Her voice is ~ and clear. 그녀 목소리는 맑고 깨끗하다 / ~ white 순백색.
6 Ⓐ (학문 따위가) 순수한, 순이론적인. cf. applied. ¶ ~ mathematics 순수[이론] 수학 / a ~ painting 〖미술〗 순수 회화 / ~ poetry 순수시 /

~ reason (칸트 철학의) 순수 이성/~ science 순수 과학.
7 Ⓐ《구어》 전적인, 순전한, 단순한: a ~ accident 순전한 우연/sing for ~ joy 그저 기쁘기만 하여 노래하다/out of ~ necessity 순전한 필요에 의하여. ◇ purity *n.*
(*as*) ~ ***as the driven snow*** 매우 청순한(순수한). ~ ***and simple*** 〖명사 뒤에 두어〗 순전한, 섞인 것이 없는: a scholar (mistake) ~ *and simple* 참된 학자(진짜 실수).
㊞ ∠·**ness** *n.*
púre·blòod(ed) [-(id)] *a.* = PUREBRED.
púre·bréd *a.* (동물이) 순종의; 순계(純系)의.
—[∠∸] *n.* Ⓒ 순종(의 동물).
pu·rée, pu·ree [pjuréi, pjúrei, -ríː] 《F.》 *n.* Ⓒ (요리는 Ⓤ) 퓌레《야채·고기를 삶아 거른 것; 수프 따위에 씀》; 퓌레 수프. —*vt.* 퓌레로 하다.
pure·ly** [pjúərli] *ad.* **1 순수하게**, 섞임이 없이: from a ~ theoretical standpoint 순이론적인 입장에서/be ~ English 토박이 영국인이다. **2 맑게, 깨끗하게**, 순결하게: live ~ 깨끗하게 살다. **3** 전연, 순전히, 단순히: be ~ accidental 전연 우연이다. ~ ***and simply 에누리 없이; 전연.
pur·ga·tion [pəːrgéiʃən] *n.* Ⓤ 깨끗하게 하기, 정화(淨化); (하제를 써서) 변이 잘 통하게 하기; 〖가톨릭〗 정죄(淨罪)《연옥에서의》.
pur·ga·tive [pə́ːrgətiv] *a.* 정화의; 하제의: ~ medicine 하제(下劑). —*n.* Ⓒ 하제.
pur·ga·to·ri·al [pə̀ːrgətɔ́ːriəl] *a.* 연옥(煉獄)의.
pur·ga·to·ry [pə́ːrgətɔ̀ːri/-təri] *n.* **1** (흔히 P-) Ⓤ 〖가톨릭〗 연옥. **2** Ⓤ (구체적으로는 Ⓒ) 고해, 고난(의 장소).
***purge** [pəːrdʒ] *vt.* **1** 《~+목/+목+전+명》 (몸·마음)을 **깨끗이 하다**《*of, from* (죄 따위)를 제거하여》: ~ the mind *of* (*from*) false notions 마음속의 옳지 않은 생각을 깨끗이 씻다/He felt ~*d of* (*from*) sin. 그는 죄가 없어지는 기분이 들었다/He was ~*d of* all suspicion. 그는 모든 혐의가 풀렸다. SYN. ⇨WASH. **2** 《~+목/+목+부》 (죄(罪)·더러움)을 제거하다, 일소하다 (*away*): ~ *away* one's sins 죄를 씻다. **3** 《~+목/+목+전+명》 〖정치〗 (불순분자 등)을 **숙청하다**《*from* (정당 따위)에서》; (정당 따위)에서 **추방하다**《*of* (불순분자 따위)를》: ~ corrupt members *from* a party =~ a party *of* its corrupt members 당에서 부패분자를 추방하다/be ~*d from* public life 공직에서 추방당하다. **4** (위장)에 하제를 쓰다; (아무)를 변이 잘 통하게 하다. **5** 〖법률〗 (죄)를 속죄하다; (죄)의 값을 치르다: ~ one's contempt (사죄하여) 법정 모독죄를 면하다.
—*n.* Ⓒ **1** 깨끗하게 함, 정화. **2** 추방, 숙청. **3** 하제(下劑).
pu·ri·fi·ca·tion [pjùərəfikéiʃən] *n.* Ⓤ 정화; 정제(精製).
pu·rif·i·ca·to·ry [pjuərífəkətɔ̀ːri] *a.* 깨끗이 하는, 정화하는.
pu·ri·fy [pjúərəfài] *vt.* **1** 깨끗이 하다, 정화하다: ~ the air. **2** 세련(정제)하다: ~ metals 금속을 제련하다. **3** …에서 제거(일소)하다《*of, from* …을》: He was *purified from* (*of*) all sins. 그는 모든 죄를 깨끗이 씻어버렸다/~ a country *of* undesirable aliens 국내의 불량 외국인을 일소하다. ◇purification *n.* ㊞ **pú·ri·fi·er** [-fàiər] *n.* Ⓒ 청정기(장치).
Pu·rim [púərim] *n.* 《Heb.》 퓨림절(節)《2월 또는 3월에 행해지는 유대인의 축절; 에스더서(書) IX》.
pur·ism [pjúərizəm] *n.* Ⓤ (구체적으로는 Ⓒ) (언어의) 순수주의《오용·외래어 따위의 배척》.
㊞ **púr·ist** *n.* Ⓒ 순수주의자.
***Pu·ri·tan** [pjúərətən] *n.* Ⓒ **퓨리턴, 청교도**《16-17세기에 영국에 나타난 신교도의 한 파》; (p-) (종교·도덕적으로) 엄격한 사람. —*a.* 청교도의(같은); (p-) 엄격한.
pu·ri·tan·ic, -i·cal [pjùərətǽnik], [-əl] *a.* 청교도적(금욕적)인, 엄격한. ㊞ **-i·cal·ly** *ad.*
Pu·ri·tan·ism [pjúərətənìzəm] *n.* Ⓤ 퓨리터니즘, 청교(주의); 청교도 기질; (p-) 엄정주의《특히, 도덕·종교상의》.
***pu·ri·ty** [pjúərəti] *n.* Ⓤ **1 순수**. **2 깨끗함, 청결**, 청정, 맑음: the ~ of water/~ of life 깨끗한 생활. **3** (금속·빛깔의) **순도**; (말의) 순정(純正). **4** 청렴, 결백.
purl[1] [pəːrl] 〖편물〗 *n.* Ⓤ 뒤집어뜨기. —*vt., vi.* (골이 지게) 뒤집어 뜨다.
purl[2] *n.* (*sing.*) 졸졸《물 흐르는 소리》. —*vi.* (시내가) 졸졸 소리 내며(소용돌이치며) 흐르다.
púrl·er *n.* (a ~) 《英구어》 곤두박질, 전락(轉落): come a ~ 곤두박질치다.
pur·lieu [pə́ːrljuː] *n.* **1** Ⓒ 세력권내; 자주 드나드는 곳. **2** (*pl.*) 근처, 주변.
pur·loin [pərlɔ́in, pə́ːrlɔin] *vt.* 《우스개》 절취하다, 훔치다.
púrl stìtch *n.* =PURL[1].
****pur·ple** [pə́ːrpəl] *a.* **1 자줏빛의**. **2** 제왕의; 귀인(고관)의. **3** 화려한, 현란한.
—*n.* **1** Ⓤ (종류는 Ⓒ) **자줏빛**: ancient ~ 심홍색/royal ~ 청자색. **2** (the ~) 제위, 왕권, 고위; 추기경의 직: be raised to the ~ 추기경이 되다.
be born (***cradled***) ***in*** (***to***) ***the*** ~ 왕가(귀족의 집안)에 태어나다.
Púrple Héart 〖美육군〗 명예 상이(傷痍) 기장; 《英구어》 (p- h-) 보랏빛 하트형의 흥분제.
pur·plish, pur·ply [pə́ːrpliʃ], [-pli] *a.* 자줏빛을 띤.
pur·port [pərpɔ́ːrt, pə́ːrpɔːrt] *vt.* (실제는 어떻든 …이라고) 칭하다, 주장하다《*to* do》: The document ~*s to* be official. 그 서류는 공문서로 되어 있다. —[pə́ːrpɔːrt] *n.* Ⓤ 의미, 취지, 요지: the ~ *of* the statement 그 성명의 취지. SYN. ⇨MEANING.
pur·pórt·ed [-id] *a.* (…이라는) 소문(평판)의: a ~ biography 자서전이라는 책. ㊞ ~·**ly** *ad.* 소문(평판)에 따르면.
†**pur·pose** [pə́ːrpəs] *n.* **1** Ⓒ **목적**(aim), 의도; 용도: answer (fulfill, serve) the (one's) ~ 목적에 합치하다, 소용에 닿다/bring about (attain, accomplish, carry out) one's ~ 목적을 이룩하다/serve various ~*s* 여러 가지 용도로 쓰이다/He bought the land for (with) the ~ of building a store on it. 그는 가게를 지을 목적으로 그 땅을 샀다.

SYN. **purpose** 마음속에 확실히 정한 목적, 결심한 의도. 지적이라기보다 심정적. **intention** 머리속에 계획하고 있는 것, 목표. 결과·효과까지 생각하고 있는 경우가 있음. **intent** 법률 용어·시어(詩語)로 쓰일 때가 많음: criminal *intent* 범의(犯意). **aim** 목표로 하고 있는 것, 목표, 목적(고상한 말씨): selfish *aims* 이기적인 목적. **end** aim과 거의 같지만 수단(means)의 반의어(語)인 것이 특징: The *end* justifies

the means. 목적은 수단을 정당화한다. **object** 감정·사고(思考)·행동의 대상→목적, 목표. **objective** 추구·노력의 목적. aim의 격식 차린 표현.
2 Ⓤ (목적 달성의) **의지**; 결심, 결의: weak of ~ 의지 박약한/renew one's ~ 결의를 새롭게 하다. **3** Ⓤ 효과: to some 〔good〕 ~ 상당히 효과〔성공〕적으로/work to no 〔little〕 ~ 일을 해도 전혀〔거의〕 성과가 오르지 않다.
on ~ 의도하여, 고의로, 일부러(↔ *by accident*); …목적으로, …하기 위해《***to*** do》: accidentally *on* ~ 우연을 가장하여/He came up to Seoul *on* ~ *to* meet me. 그는 나를 만나러 일부러 서울에 왔다. ***to the*** ~ 요령 있게; 적절히.
—*vt.* 《~+목/+*to* do/+*-ing*/+*that* 절》 의도하다, 꾀하다, 결심하다: ~ a trip abroad 해외 여행을 꾀하다/He ~*d to* change 〔chang*ing*〕 his way of life radically. 생활 양식을 근본적으로 바꾸려고 결심했다/His father ~*d that* he (should) be an engineer. 그의 아버지는 그를 기술자로 만들기로 작정했다. SYN. ⇨INTEND.

púrpose-bùilt, -màde *a.* 《英》 특정 목적을 위해 세워진〔만들어진〕.

pur·pose·ful [pə́:rpəsfəl] *a.* 목적이 있는; 고의의; 결단력〔과단성〕 있는. 파 **~·ly** *ad.*

púrpose·less *a.* 목적이 없는; 무의미한, 무익한; 결의가 없는. 파 **~·ly** *ad.*

púr·pose·ly *ad.* 목적을 갖고, 고의로, 일부러.

pur·pos·ive [pə́:rpəsiv] *a.* **1** 목적에 합치한. **2** = PURPOSEFUL. 파 **~·ly** *ad.*

pur·pu·ra [pə́:rpjurə] *n.* Ⓤ 〖의학〗 자반병(紫斑病).

°**purr** [pə:r] *vi.* **1** (고양이가 기분 좋은 듯이) 목을 가르랑거리다. **2** (자동차 엔진 따위가) 붕하고 저음을 내다. **—***vt.* …라고 만족스러운 듯이 말하다. **—***n.* Ⓒ 고양이가 가르랑거리는 소리; (자동차 엔진 따위의) 붕하는 낮은 소리.

‡**purse** [pə:rs] *n.* **1** Ⓒ **돈주머니**, 돈지갑; 《美》 핸드백: a lean 〔light, slender〕 ~ 《비유적》 가난, 빈곤/a long 〔fat, heavy〕 ~ 《비유적》 부유, 부자/open 〔close〕 one's ~ 돈을 쓰다〔쓰기 싫어하다〕/Who holds the ~ rules the house. 《속담》 돈이 제갈량(諸葛亮)《세상 일이 돈으로 좌우됨을 비유》. **2** (*sing.*) 금전; 자력: a common ~ 공동 자금/the public ~ 국고/That big car is beyond my ~. 저 큰 차는 내 자력으로는 도저히 살 수 없다. **3** Ⓒ 기부금, 현상금, 증여금: win the ~ in a race 경주에서 상금을 타다/put up 〔give〕 a ~ of $1,000 천 달러의 상금〔기부금〕을 주다〔내놓다〕/make up 〔raise〕 a ~ of …을 위해 기부금을 모으다.
—*vt.* 《~+목/+목+부》 (입 따위)를 오므리다; (눈살)을 찌푸리다(*up*): ~ (*up*) the lips.

púrse-pròud *a.* 부유함〔돈〕을 자랑하는〔내세우는〕.

purs·er [pə́:rsər] *n.* Ⓒ (선박·여객기의) 사무장.

púrse-snàtcher *n.* Ⓒ 지갑〔핸드백〕 날치기《사람》.

púrse strìngs (the ~) 주머니 끈; 재정상의 권한: hold the ~ 금전 출납을 맡다/loosen 〔tighten〕 the ~ 돈을 잘 쓰다〔안 내놓다〕.

purs·lane [pə́:rslin, -lein] *n.* Ⓤ (낱개는 Ⓒ) 〖식물〗 쇠비름《샐러드용》.

pur·su·ance [pərsú:əns/-sjú:-] *n.* Ⓤ **1** 추적, 추구. **2** 속행, 이행; 종사: in (the) ~ *of* …을 따라서; …을 이행하여; …에 종사하여.

pur·su·ant [pərsú:ənt/-sjú:-] *ad.* 의하여, 따라서, 준하여《***to*** …에》: ~ *to* Article 12, 제12조에 의하여.

‡**pur·sue** [pərsú:/-sjú:] *vt.* **1 뒤쫓다**, 추적하다; 추격하다: ~ a robber 강도를 뒤쫓다. **2 추구하다**: ~ pleasure 쾌락을 추구하다/~ one's ends 목적을 추구하다. **3** 《~+목/+목+전+명》 (아무)에게 귀찮게 따라다니다; (아무)를 끊임없이 괴롭히다《***with*** …으로》: Misfortune ~*d* him whatever he did. 무엇을 하여도 불운이 뒤따랐다/He ~*d* the teacher *with* a lot of questions. 그는 갖가지 질문으로 선생님을 괴롭혔다. **4** (일·연구 등)을 **수행하다**; 종사하다; 속행하다: He prudently ~*d* a plan. 그는 세심한 주의를 기울여 계획을 수행했다/~ one's studies 연구에 종사하다. **5** 《+목+부/+목+전+명》 가다, (길)을 찾아가다: We ~*d* the path *up to* the peak. 우리는 정상으로 길을 찾아 올라갔다. **—***vi.* 쫓아가다, 따라가다, 추적하다. ◇ pursuit *n.*

°**pur·sú·er** *n.* Ⓒ **추적자**; 추구자; 종사자, 연구자.

‡**pur·suit** [pərsú:t/-sjú:t] *n.* **1** Ⓤ **추적**; 추격; 추구: the ~ *of* happiness 행복의 추구/in hot ~ *of* …을 맹렬히 추적〔추격〕하여/a dog in the ~ *of* rabbits 토끼를 쫓아가는 개. **2** Ⓤ **속행**, 수행, 종사: the ~ *of* plan 계획의 수행/in the ~ *of* one's business 업무 수행 중에. **3** Ⓒ 일, 직업, 연구; 취미, 오락: daily ~*s* 일상 일/literary ~*s* 문학의 일〔연구〕.

pu·ru·lence, -len·cy [pjúərələns], [-i] *n.* Ⓤ 화농(化膿); 고름.

pu·ru·lent [pjúərələnt] *a.* 고름의, 화농성(化膿性)의, 곪은. 파 **~·ly** *ad.*

pur·vey [pərvéi] *vt.* (식료품 따위)를 공급하다, 조달하다, 납품하다《***for, to*** …에》: ~ food *for* an army 군대에 식량을 납품하다. **—***vi.* 식품 따위를 조달하다《***for*** …에》.

pur·vey·ance [pərvéiəns] *n.* Ⓤ (식료품의) 공급, 조달.

pur·vey·or [pərvéiər] *n.* Ⓒ (식료품) 조달자; 조달 상인, 조달〔납품〕 업자.

pur·view [pə́:rvju:] *n.* Ⓤ 범위; 권한: within 〔outside〕 the ~ *of* …의 범위 안〔밖〕에.

pus [pʌs] *n.* Ⓤ 고름.

†**push** [puʃ] *vt.* **1** 《~+목/+목+부/+목+보/+목+전+명》 **밀다**, 밀치다; 밀어서 …하다: ~ a wheelbarrow 손수레를 밀다/~ *up* a window 창을 밀어 올리다/Don't ~ me *forward*. 앞으로 밀지 마라/~ a boat *into* water 보트를 물로 밀어넣다/~ a door open 문을 밀어 열다.
SYN. **push** pull의 반의어. 사람·물건을 움직이기 위해 그것들을 미는 일: She went *pushing* the perambulator along the pavement. 그녀는 포장도로를 따라서 유모차를 밀고 갔다. **shove** 장애물이나 사람을 난폭하게 밀어제치는 일: Don't *shove*, wait your turn. 밀지 말고 순번을 기다려라. **thrust** 갑자기 힘껏 미는 일: *thrust* him off 그를 밀쳐내다.
2 《+목+전+명》 (일 따위)를 떠맡기다, 강요하다《***on, onto*** (아무)에게》: ~ a task *onto* a person 일을 아무에게 떠맡기다.
3 《+목+부/+목+전+명》 **a** 〖~ one's way로〗 (장애물을 제치고) 밀고 나아가다: I ~*ed* my way *through* the crowd. 나는 군중 속을 헤치고 나아갔다. **b** 〖~ oneself〗 밀어제치고 나아가다;

(적극적으로) 남의 눈에 띄게 행동하다: He ~*ed* him*self to* the front of the crowd. 그는 군중 앞으로 밀치고 나갔다 / Don't ~ your*self forward* too much. 너무 주제넘게 나서지 마라.
4 《+목+부/+목+전+명》 (물가 · 실업률 따위)를 끌어올리다(*up*), 끌어내리다(*down*): The slump ~*ed up* unemployment *to* 10%. 불황으로 실업률이 10%로 올랐다.
5 《~+목/+목+전+명》 (제안 · 목적 따위)를 밀고 나아가다; 관철〔통과〕시키다《***through*** …에》: ~ a bill *through* (Congress) 법안을 억지로 (의회에) 통과시키다 / ~ a project *to* completion 계획을 강력히 밀고 나가 완성시키다.
6 《+목+전+명》 …에게 재촉하다《***for*** …을》; 〖수동태〗 부족으로 곤란받다《***for*** …의》: ~ a person *for* payment 〔an answer〕 아무에게 지급〔회답〕을 재촉하다 / *be* ~*ed for* time 〔money〕 시간〔돈〕에 쪼들리다.
7 a 《+목+*to* do / +목+전+명》 …에게 **강요하다**; …을 몰아넣다《***to, into*** (상태)로》: ~ a child *to* do his homework 어린애에게 숙제를 하라고 성화같이 야단치다 / ~ the nation *into* war 국민을 전쟁으로 몰아넣다. **b** 《+목+*to* do》 〖~ oneself〗 어찌할 수 없이 …할 마음이 나다: I had to ~ my*self to* accept the offer. 어찌할 수 없이 나는 그 제의를 받아들이지 않을 수 없었다.
8 (상품 등)을 적극적으로 팔다; 판매를 촉진하다: The store is ~*ing* dry goods. 그 가게는 피륙 판매에 적극적이다.
9 후원하다: He has no supporters to ~ him. 그에게는 밀어줄 후원자가 없다.
10 (한도 이상으로 차)를 몰다, 달리게 하다: ~ a car to over eighty miles an hour. 차를 시속 80마일 이상으로 몰다.
11 《속어》 (마약 따위)를 밀매하다.
12 〖진행형〗 《美구어》 (연령)에 접근하다: He is ~*ing* sixty. 그는 예순 살을 바라본다.
—*vi.* **1** 밀다, 밀치다: Don't ~ at the back! 뒤에서 밀지 마라.
2 《~/+전+명》 밀고 나아가다, 전진하다: ~ *to* the front 앞으로 밀고 나아가다; 입신출세하다 / ~ *through* the crowd 군중을 헤치며 나아가다.
3 《+전+명》 강력히 요구하다, 강요하다《***for*** …을》: They're ~*ing for* wage increases. 그들은 임금 인상을 요구하고 있다.
4 《속어》 마약 밀매를 하다.
~ ***ahead*** 《*vi.*+부》 척척 나아가다; 추진하다《***with*** (일 따위)를》. ~ ***along*** 《*vi.*+부》 ① 밀고 나아가다, 전진하다《***to*** …을 향해》. ② 《구어》 떠나다, 돌아가다: I must be ~*ing along*. 이제 서서히 물러가야겠습니다. **—**《*vt.*+부》 ③ …을 밀고 나가게 하다. ~ ***around*** 〔***about***〕 《*vt.*+부》 《구어》 (사람)을 매정하게 다루다, 혹사하다. ~ ***aside*** 《*vt.*+부》 ① …을 옆으로 밀어 놓다. ② (문제 따위)를 뒤로 미루다. ~ ***away*** 밀어제치다; 계속해 밀다. ~ ***back*** 《*vt.*+부》 ① …을 뒤쪽으로 밀어내다, (흘러내린 머리)를 치켜올리다. ② (적)을 후퇴시키다: ~ *back* the demonstrators. **—**《*vi.*+부》 ③ 뒤쪽으로 밀치어지다. ~ ***in*** 《*vi.*+부》 ① (아무가) 떼밀고 들어가다, 앞으로 끼어들다. ② 《구어》 버릇없이 말참견하다. **—**《*vt.*+부》 ③ (아무)를 떼밀어 넣다. ~ ***off*** 《*vi.*+부》 ① (작은 배로) 출범하다. ② 〖보통 명령형〗 《구어》 떠나다, 출발하다. **—**《*vt.*+부》 ③ (배 따위)를 떼밀어 내보내다. ④ (아무)를 출발시키다. ~ ***on*** 《*vi.*+부》 ① (곤란을 물리치고) 전진하다. ② 서두르다. ③ 계속해서 하다, 재개하다《***with*** (일 따위)를》. **—**《*vt.*+부》 ④ (아무)를 격려하다. ⑤ (아무)를 격려하여 …하게 하다《***to*** do》: He ~*ed* me *on to* complete the work. 그가 격려해 주는 데 힘입어 일을 완성했다. ~ ***out*** 《*vt.*+부》 ① (보트 따위)를 밀어내다; …을 밀어서 떼어 놓다〔떼어내다〕. ② 〖종종 수동태〗 (아무)를 쫓아내다, 해고하다. ③ (물건)을 잇따라〔자꾸자꾸〕 만들어 내다. **—**《*vi.*+부》 ④ (작은 배로) 출범하다. ~ ***over*** 《*vt.*+부》 밀어 넘어뜨리다, 뒤집어엎다. ~ ***through*** 《*vt.*+부》 ① (의안(議案) 따위)를 끝까지 밀어 통과시키다. ② (아무)를 끝까지 밀어 주다; (학생)을 합격〔급제〕시키다. **—**《*vi.*+부》 ③ (속을) 뚫고〔헤치며〕 나아가다. ④ (식물이) 땅에서 자라나다; (싹이) 움트다.
—*n.* **1** Ⓒ **a** (한 번) 밀기; (한 번) 찌르기: give a ~ 한 번 찌르다. **b** (곤란을 무릅쓴) 전진.
2 (보통 the ~) 미는 힘, 압력.
3 a Ⓒ 한바탕의 앙버팀, 분발, 용씀: make a ~ 분발하다. **b** Ⓤ 《구어》 기력, 진취적 기상, 억지가 셈: He's full of ~. 그는 정력이 왕성하다. **c** Ⓤ 추천, 후원.
4 Ⓒ (군대 따위의) 공격, 공세: a big advertising ~ 대대적인 광고 공세.
at a ~ 《英구어》 위급할 때에는, 긴급시에는. ***get the*** ~ 《英구어》 해고당하다; 절교당하다. ***give*** a person ***the*** ~ 《英구어》 아무를 해고하다, 아무와 절교하다. ***if*** 〔***when***〕 ***it comes to the*** ~ =***if*** 〔***when***〕 ~ ***comes to shove*** 일단 유사시에는, 만일의 경우에는, 필요하다면〔하게 되면〕: *If* ~ *comes to shove*, the government will impose quotas on imports. 만일 필요하게 된다면 정부는 수입 제한 조치를 취할 것이다.

> **DIAL.** ***It'll be a push.*** (시간이 없어) 일이 어렵겠는데: I'll do my best, but *it'll be* a bit of *a push*. 최선을 다해보겠지만 좀 어렵겠는데.

púsh·bàll *n.* Ⓤ 《美》 푸시볼《지름 6피트의 큰 공을 서로 상대편의 골에 발로 차지 않고 밀어넣는 경기》.
púsh-bìke *n.* Ⓒ 《英구어》 (페달식 보통의) 자전거. cf. motorbike.
púsh bròom 자루가 길고 폭이 넓은 비.
púsh bùtton (벨 · 컴퓨터 등의) 누름단추.
púsh-bùtton *a.* Ⓐ 누름단추식의; 자동화된; 원격 조종에 의한: a ~ telephone 버튼식 전화 / ~ tuning 〘전자〙 누름단추식 동조(同調) / a ~ war(fare) 누름단추식 전쟁《유도탄 등 원격 조종에 의한》.
púsh·càrt *n.* Ⓒ (노천 상인 · 장보기용 등의) 미는 손수레.
púsh·chàir *n.* Ⓒ 《英》 (접는 식의) 유모차(《美》 stroller).
púsh·er *n.* Ⓒ **1** 미는 사람〔것〕. **2** 《구어》 억지가 센 사람, 오지랖 넓은 사람. **3** 《속어》 마약 밀매꾼.
push·ful [pú∫fəl] *a.* =PUSHY.
púsh-ìn *a.* Ⓐ 《美》 (문이 열리기를 기다렸다) 침입하는: a ~ crime 〔job〕 가택 침입 강도.
púsh·ing *a.* 미는, 찌르는, 활동적인, 진취적인; 배짱이 센, 주제넘은. ㊞ **~·ly** *ad.*
púsh·òut *n.* Ⓒ 《美구어》 (학교 · 가정 · 직장에서) 쫓겨난 사람.
púsh·òver *n.* (a ~) 《구어》 식은 죽 먹기, 낙승(樂勝); 잘 속는〔넘어가는〕 사람《***for*** …에》: I'm a ~ *for* pretty girls. 나는 예쁜 아가씨들에게 약

하다.

púsh·pìn *n.* Ⓒ 《美》 제도용〔도화지용〕 핀.

púsh-stàrt *vt., n.* Ⓒ (자동차를) 밀어서 시동을 걸다〔걸기〕.

púsh-ùp *n.* Ⓒ 《美》 【체조】 (엎드려) 팔굽혀펴기(《英》 press-up): do twenty ~*s*.

pushy [púʃi] (***push·i·er; -i·est***) *a.* 《구어》 억지가 센; 뻔뻔스런. ㊞ **púsh·i·ly** *ad.* **-i·ness** *n.*

pu·sil·la·nim·i·ty [pjùːsələnímәti] *n.* Ⓤ 무기력, 비겁, 겁많음.

pu·sil·lan·i·mous [pjùːsəlǽnəməs] *a.* 무기력한, 겁 많은, 소심한.

◇**puss**[1] [pus] *n.* Ⓒ 《구어》 **1** 고양이, 나비《주로 호칭》. **2** 소녀, 계집애.

puss[2] Ⓒ (보통 *sing.*) 《美속어》 *n.* 상판대기, 낯짝; 주둥이.

◇**pussy**[1] [púsi] *n.* Ⓒ 《구어·소아어》 고양이.

pus·sy[2] 《속어·비어》 **1** Ⓒ 여성의 음부; Ⓤ 성교. **2** Ⓒ 성교 상대인 여자.

pússy·càt [púsi-] *n.* Ⓒ 고양이; 《구어》 호인.

pússy·fòot *vi.* 《구어》 살그머니 걷다(*around; round*); 모호한 태도를 취하다.

pússy wíllow [púsi-] 【식물】 땅버들의 일종《미국산(產)》.

pus·tule [pʌ́stʃuːl] *n.* Ⓒ 【의학】 농포(膿疱).

†**put** [put] (*p., pp.* ***put; pút·ting***) *vt.* **1** 《+목+전+명/+목+부》 (어떤 위치·입장에) **놓다**, 두다, 얹다: ~ a book *on* the shelf 책을 선반 위에 얹다 / ~ the car *into* 〔*out of*〕 the carport 차를 차고에 넣다〔에서 빼내다〕 / This case will ~ him *in* a serious position. 이 사건 때문에 그는 어려운 입장에 놓이게 될 것이다 / *Put* your pencils *down*. 연필을 내려놓아라.

SYN. **put** 물건을 어떤 장소나 상태에 두는 것으로, 놓는 동작 그 자체를 강조하는 때가 있음. **set** 사물을 어떤 상태로 몰고 감을 말함: *set* a ball rolling 공을 굴리다. **place** 물건이 놓이는 상태나 장소 쪽을 강조하는 뜻을 지님. **lay** put과 비슷한 뜻이나, '물건을 깔아 놓다' 라는 뜻이 있음.

2 《+목+전+명/+목+부》 (어떤 방향으로) 향하게 하다, 움직이다: ~ one's horse *to* 〔*at*〕 a fence (뛰어넘게 하려고) 말을 담쪽을 향하게 하다 / ~ the clock *back* 〔*forward, ahead*〕 시계 바늘을 뒤로〔앞으로〕 돌리다 / Don't ~ yourself *forward!* 몸을 내밀지 마라; 나서지〔참견〕 마라.

3 a 《+목+전+명/+목+부》 **놓다**《***at, in, to*** (어떤 상태·관계)에》: ~ the names *in* alphabetical order 이름을 알파벳 순으로 배열하다 / ~ a room *in* 〔*out of*〕 order 방을 정돈하다〔어지르다〕 / ~ a person *at* ease 〔*to* shame〕 아무를 편하게 하다〔창피주다〕 / ~ a person *out of* temper 아무를 화나게 하다 / ~ the matter *to* a vote 그 문제를 투표에 부치다 / The news ~ him *in* a very good humor. 그 소식을 듣고 그는 기분이 매우 좋아졌다 / ~ a thing *upside down* 물건을 거꾸로 놓다. **b** 《+목+보》 (어떤 상태로) 하다: She ~ his tie straight. 그녀는 그의 넥타이를 똑바로 해 주었다 / These mistakes can be ~ right. 이런 잘못은 고칠 수 있다.

4 《+목+전+명》 **a** (목적을 위하여) 보내다, 가게 하다《***through, to, on*** (장소)에》: ~ a person *through* college 아무에게 대학을 졸업시키다 / ~ one's children *to* bed 애들을 재우다 / ~ a play *on* the stage 극을 상연하다. **b** (아무)를 종사〔착수〕시키다《***to*** (일 따위)에》: ~ one's son *to* a trade 아들에게 직업을 갖게 하다 / ~ the group *to* digging 그 그룹에게 구덩이를 파게 하다 / ~ oneself *to* work 일에 착수하다.

5 《+목+전+명》 (아무)에게 받게〔당하게〕 하다 《***to, on, through*** (고통·시련 따위)를》: ~ a person *to* torture 아무를 고문하다 / ~ a person *to* embarrassment 아무를 당황케 하다 / ~ a person *to* death 아무를 죽게 하다 / ~ a person *on* trial 아무에게 재판을 받게 하다 / ~ students *through* an examination 학생들에게 시험을 치르게 하다.

6 《+목+전+명》 더하다, 넣다, 타다, 치다《***to, in*** …에》: ~ water *to* wine 술에 물을 타다 / ~ sugar *in* tea 홍차에 설탕을 치다.

7 《+목+전+명》 달다, 끼우다, 덧붙이다, 대다《***to*** …에》: ~ a new handle *to* a knife 칼자루를 새로 끼우다 / ~ a horse *to* a cart 짐수레에 말을 매다 / ~ one's eye *to* the telescope 망원경에 눈을 대다.

8 《+목+전+명》 박다, 처넣다《***into, in, through*** …에》: ~ a nail *into* a board 판자에 못을 박다 / ~ a satellite *into* orbit 위성을 궤도에 진입시키다 / What ~ such an idea *into* your head? 무엇 때문에 그런 생각이 들었느냐.

9 《+목+전+명》 **a** (이름 따위)를 기입하다, 서명하다《***to*** …에》, 기재하다《***on*** (목록 따위)에》: ~ one's name *to* a document 서류에 서명하다 / He put the name *on* the list. 그는 그 이름을 표에 기재했다. **b** (표 따위)를 표시하다, 찍다《***in, at, on, against*** …에》: ~ a comma *in* a sentence 문장에 쉼표를 찍다 / ~ a tick 〔check〕 *against* a name 이름에 체크를 하다.

10 《+목+전+명》 **a** (주의·정력 따위)를 기울이다, 쏟다《***to, into*** …에》: Let us ~ our minds *to* international affairs. 국제 문제에 관심을 기울이자 / Why don't you ~ your talent *to* a better use? 네 재능을 좀더 선용하면 어떤가. **b** (돈)을 투자하다《***in, into*** …에》, 걸다《***on*** …에》: ~ one's money *into* land 토지에 투자하다 / I ~ my last penny *on* the horse. 나는 그 말에 마지막 돈을 걸었다.

11 《+목+전+명》 **a** (문제·의견 등)을 **제출하다**, 제기하다, 내다《***to, before*** …에》: ~ a case *before* a tribunal 사건을 법정에서 진술하다 / ~ a question *before* a committee 위원회에 질문을 제출하다 / I ~ it *to* you that you have told a lie. 너 거짓말을 하고 있었구나(그렇지 않으냐)《상대방에게 재고를 촉구하는 말》. **b** (의안·계획 따위)를 통과시키다《***through*** …에》: ~ a law *through* Parliament 법안을 의회에 통과시키다. **c** (한도·단락)을 짓다《***to*** …에》: ~ an end 〔a stop〕 *to* …에 종지부를 찍다 / ~ an end *to* one's life 생을 마치다.

12 a 〖보통 put it으로 양태 부사(구)와 함께〗 표현〔진술〕하다: Let me ~ *it* in another way. 다른 표현을 써 보기로 하자 / To ~ *it* briefly 〔mildly〕 간단히〔조심스럽게〕 말하자면. **b** 《+목+전+명》 번역하다, …을 서술하다《***in, into*** …으로》: *Put* the following *into* English. 다음을 영역하라 / He ~ his experience *into* a novel. 그는 자신의 체험을 소설로 썼다 / Can you ~ this well *in* French? 이것을 프랑스말로 잘 말할 수 있느냐.

13 《+목+전+명》 **a** 눈어림하다, 어림잡다, 평가(評價)하다《***at*** …으로》: I ~ our damage *at* $7,000. 나는 손해액을 7,000 달러로 어림했다 /

They ~ the distance *at* five miles. 그들은 거리를 5마일로 어림잡았다. **b** (값)을 매기다《**on, upon** …에》: He ~ a price *on* the painting. 그는 그 그림값을 매겼다.
14 《+목+전+명》 **a** 맡기다, 위임하다《**in, into** …에》: ~ matters *in* [*into*] the hands of the police 사건을 경찰의 손에 맡기다. **b** (세금 · 압력 · 비난 등)을 과하다, 가하다《**on, upon** …에》: They ~ a heavy tax *on* luxury goods. 사치품에 중과세했다 / Don't ~ a wrong construction *on* his action. 그의 행동을 곡해해서는 안 된다. **c** (책임 따위)를 돌리다《**on, to** …에》: They ~ all the blame *on* me. 그들은 모든 책임을 내게 전가했다 / She ~ her failure *on* me [*to* my carelessness]. 그녀는 자기 실패를 내[나의 부주의의] 탓으로 돌렸다. **d** (신뢰)를 두다《**in, on** …에》: ~ one's trust *in* a persn 아무를 신뢰하다 / Don't ~ too much reliance *on* him [his statement]. 그를[그의 말을] 너무 믿지 마라.
15 〖경기〗 (포환 따위)를 던지다: ~ the shot 포환던지기를 하다.
not know where to ~ oneself 매우 당황하다. **~ *about*** 《*vt.*+부》 ① (배)의 항로를 바꾸게 하다. ② (소문 따위)를 퍼뜨리다: It has been ~ *about* that he will resign. 그가 사직하리라는 소문이 파다하게 퍼져 있다. **—**《*vi.*+부》 ③ (배가) 항로를 바꾸다. **~ *across*** 《*vt.*+부》 ① 잘 전달하다, 이해시키다《**to** (아무)에게》: I couldn't ~ my idea *across to* my students. 학생들에게 내 생각을 잘 이해시킬 수가 없었다. ② 〖~ oneself across〗 자기 생각을 잘 전달하다《**to** (아무)에게》. ③ 《구어》 훌륭히 해내다, 성공시키다: ~ a project *across* 계획을 성공시키다. **—**《*vt.*+전》 ④ (강 따위)를 건네주다: He ~ me *across* the river. 그는 (나를) 강을 건네 주었다. **~ *ahead*** 《*vt.*+부》 촉진하다, …의 생육을 빠르게 하다; …의 날짜를 당기다; (시계)의 바늘을 앞으로 돌리다. **~ *aside*** 《*vt.*+부》 ① (일시) 제쳐놓다, 치우다, 제거하다: She ~ *aside* her sewing and looked at me. 그녀는 재봉일감을 옆으로 치우고 나를 보았다. ② (후일을 위해) 따로 남겨[떼어]두다: We must ~ *aside* money for the future. 우리들은 장래를 위해 돈을 저축하여야 한다. ③ (불화 · 증오 따위)를 무시하다, 잊다. **~ *away*** 《*vt.*+부》 ① (언제나 두는 곳에) 치우다; (장차를 위해) 떼어두다, 비축하다: ~ a little money *away* 조금 돈을 모으다. ② 투옥하다, 감금하다, 격리하다《**to** (교도소 · 정신 병원 따위)에》. ③ (늙은 개 따위)를 죽이다, (사람)을 처치하다; (사자(死者))를 묻다(bury). ④ (생각 등)을 포기하다, 버리다. ⑤ (음식)을 먹어치우다. **~ *back*** 《*vt.*+부》 ① (물건)을 제자리에 갖다 놓다. ② 후퇴[정체]시키다, 늦어지게 하다: The earthquake has ~ *back* the development of the city (by) ten years. 지진이 그 도시의 발전을 10년 늦어지게 했다. ③ (시계)의 바늘을 되돌리다: *Put* the clock *back* five minutes. 시계를 5분 늦게 해라. ④ 연기하다《**to, till, until** …까지》. ⑤ (배)를 회항시키다, 되돌아가게 하다《**to** …으로》. ⑥ 《구어》 (술)을 많이 마시다. **—**《*vi.*+부》 ⑦ (배가) 돌아가다, 회항하다《**to** …으로》. **~ *by*** 《*vt.*+부》 제쳐놓다; 떼어두다, (돈 따위)를 모아두다: ~ *by* money for the future 장래를 위해 돈을 모으다. **~ *down*** 《*vt.*+부》 ① 내려놓다: He ~ the phone *down*. 그는 (통화를 끝내고) 수화기를 내려놓았다. ② 《英》 (승객)을 내리게 하다《**at** …에서》: *Put* me *down at* …, please. …지점에서 내려 주십시오. ③ (비행기)를 착륙시키다. ④ 《英》 (음식물)을 비축[저장]하다: ~ *down* vegetable in salt 채소를 소금에 절여 저장하다. ⑤ 억누르다, 가라앉히다; 꼼소리도 못하게 하다: ~ *down* a riot 폭동을 진압하다. ⑥ (물건값 · 집세 따위)를 내리다. ⑦ 쓰다, 기록[기입]하다: ~ *down* an address 주소를 적어 두다. ⑧ …(의 이름)을 쓰다《**for** …의 기부[예약 · 출장 · 입학] 신청자로서》: *Put* me *down for* 50 dollars. 50달러 기부하는 것으로 제 이름을 적어 두시오 / I have ~ my name *down for* the 100-meter dash. 100미터 경주에 나가기로 신청했다. ⑨ (비용)을 달(아 놓)다《**to** …에》: *Put* the bill *down to* my account. 그 셈은 내 앞으로 달아 놓으세요. ⑩ …을 계약금으로서 지불하다. ⑪ (아무)를 생각하다, 여기다, 보다《**at** …살로; **as, for** …으로》: I ~ the woman *down at* thirty. 그 여성을 서른 살로 보았다 / They ~ him *down as* an idiot. 그들은 그를 바보로 여겼다. ⑫ 탓으로 돌리다《**to** …의》: He ~ the mistake *down to* me. 그는 그 잘못이 내 탓이라고 했다 / All the troubles in the world can be ~ *down to* money. 세상의 모든 다툼질은 따지고 보면 돈이 원인이라고 할 수 있다. ⑬ (늙은 개 따위)를 처치하다, 죽이다. ⑭ 《구어》 (아무)에게 비굴한 생각이 들게 하다; (사람 · 물건)을 헐뜯다: You seem to like ~*ting* people *down*. 자네는 남을 헐뜯기를 좋아하는 것 같군. **—**《*vi.*+부》 ⑮ (비행기 · 조종사가) 착륙하다. **~ *forth*** 《*vt.* +부》 ① 내밀다, 뻗치다; (싹이)나오다: Plants ~ *forth* buds in March. 3월에는 식물의 싹이 돋아 나온다. ② (빛 · 열)을 발하다: The sun ~*s forth* its rays. 태양은 빛을 발한다. ③ 《문어》 (제안 · 결론 따위)를 내다, 말하다: ~ *forth* a question 문제를 내다. ④ (힘)을 내다, 발휘하다: We should ~ *forth* all our best efforts. 최선의 노력을 해야 한다. **~ *forward*** 《*vt.*+부》 ① (생각 · 안(案) 따위)를 내놓다, 제창하다: ~ *forward* a new theory 새로운 설을 제창하다. ② (시계) 바늘을 앞으로 돌리다: ~ a clock *forward* ten minutes 시계를 10분 빠르게 하다. ③ 앞당기다《**to** …까지》. ④ 눈에 띄게 하다. ⑤ 천거(薦擧)하다《**for** …으로》: ~ *forward* a candidate 후보자를 천거하다 / ~ a person *forward for* chairman 아무를 의장으로 추천하다. **~ *in*** 《*vt.*+부》 ① 넣다, 끼워[밀어, 질러] 넣다: He ~ his head *in* at door. 그는 문에서 머리를 안으로 밀어넣었다. ② (설비 따위)를 설치하다: ~ an air conditioner *in* 에어 컨디셔너를 설치하다. ③ (관리인 등)을 두다, 들이다: ~ *in* guards 경비원을 두다. ④ (말 따위)를 참견하다. ⑤ (…라고) 말을 끼워넣다: "I'll go, too," he ~ *in*. "나도 가겠다"며 그가 끼어들었다. ⑥ (요구 · 탄원서 따위)를 제출하다, 신청하다: ~ *in* a plea 탄원서를 내다. ⑦ (타격 따위)를 가하다, 더하다. ⑧ (일 따위)를 하다: ~ *in* an hour's weeding 1시간 동안 풀뽑기를 하다. ⑨ (시간)을 보내다: ~ *in* an hour on one's studies 1시간 동안 공부를 하다. ⑩ (씨)를 뿌리다, 심다. ⑪ 선거를 통해 (정당 · 정부)를 선출하다. **—**《*vi.*+부》 ⑫ 입항하다《**at** …에》: The ship ~ *in at* Incheon for repair. 배는 수리하기 위해 인천에 입항했다. **~ *in a good word for*** a person ⇨WORD. **~ *in for*** ① …을 신청하다: ~ *in for* a two-week vacation, 2주간의 휴가를 신청하다. ② …을 (경기 대회 · 품평회 따위)

에 참가〔출품〕하게 하다: We ~ him *in for* the race. 우리는 그를 경주에 참가시켰다. ③ (아무)를 …의 후보로 천거〔추천〕하다: We ~ him *in for* a scholarship. 우리는 그를 장학생 후보로 천거했다. **~ into** ① …의 안에 넣다, …에 삽입하다; …에 주입(注入)하다: ~ a knife *into* it 칼을 푹 찌르다. ② (배가) …에 입항하다. **~ *it across*** a person 아무를 속이다. **~ *it on*** 《구어》〖보통 ~ it on thick〗 ① 《구어》 감정을 과장해서 나타내다, 태깔부리다; 허풍떨다. ② 살찌다. **~ *off*** 《*vt.*+부》 ① 연기하다, 늦추다; 기다리게 하다 《***till, until*** …까지》: Don't ~ *off till* tomorrow what you can do today. 오늘 할 수 있는 일을 내일로 미루지 마라. ② 연기하다, 미루다《***doing***》: Don't ~ *off* answer*ing* the letter. 그 편지의 답장을 미루지 마라. ③ (아무)를 넘어가게 하다《***with*** (변명·구실 따위)로》: He is not to be ~ *off with* words. 그는 변명 따위로 넘어갈 사람이 아니다. ④ (아무)의 의욕을 잃게 하다, 흥을〔흥미를〕 깨다: Anxiety ~ him *off*. 그는 불안한 심사 때문에 (일 따위에) 정성을 쏟을 수 없었다. ⑤ (아무)를 질색하게 하다, 섬뜩〔오싹〕하게 하다: The smell ~ me *off*. 그 냄새는 질색이다. ⑥ (수도·가스 따위)를 잠그다; (라디오·전등 따위)를 끄다. ⑦ (차에서 아무)를 내리게 하다, 하차〔하선〕시키다: Please ~ me *off at* the next stop. 다음 정거장에서 내려 주십시오. —《*vi.*+부》 ⑧ (배·선원 따위가) 출범하다. —《*vt.*+전》 ⑨ (아무)에게 …에 대한 의욕을 잃게 하다: The noise ~ me *off* my studies. 그 소음 때문에 공부에 정신을 쏟을 수 없었다/The accident ~ him *off* drink*ing*. 그 사고로 그는 술을 끊었다. **~ *on*** 《*vt.*+부》 ① (옷)을 입다, (신발 따위)를 신다; (모자 따위)를 쓰다; (장갑 따위)를 끼다; (화장 따위)를 하다: ~ *on* one's clothes 옷을 입다/~ *on* one's shoes 신발을 신다/~ *on* one's glasses 안경을 쓰다/ ~ some lipstick *on* 입술연지를 좀 바르다. ② (태도·외관 따위)를 몸에 갖추다, 거드름 피우다, …하는 체하다: ~ *on* an innocent air 순진한 체하다. ③ (체중 등)을 늘리다; (속도)를 내다; (득점 따위)를 더 얻다: ~ *on* speed 속력을 내다/~ *on* years 나이가 들다, 늙다/He's ~*ting on* weight. 그는 체중이 늘고 있다. ④ (시계)의 바늘을 앞으로 당겨 놓다, 빠르게 하다: ~ one's watch *on* 10 minutes 손목시계를 10분 빠르게 하다. ⑤ (연극)을 상연하다, (전시회 따위)를 개최하다: ~ *on* a new play 새 연극을 상연하다. ⑥ (무대·경기 따위에 아무)를 내보내다: I'm ~*ting* you *on* next. 다음은 자네가 나가 주어야겠어. ⑦ (수도·가스 따위)를 틀다; (라디오·전등 따위)를 켜다. ⑧ (레코드·테이프·음악 따위)를 틀다. ⑨ (물건)을 올려놓다, 얹다, 싣다; (불에 주전자 따위)를 올려놓다. ⑩ (식사)를 준비하다. ⑪ (임시 열차 따위)를 운행하다. ⑫ (브레이크)를 밟다. ⑬ 《美구어》 (아무)를 속이다, 놀리다. —《*vi.*+전》 ⑭ 《英》 (아무)에게 폐를 끼치다. **~*one across*** a person =~ it across a person. **~ *one over on*** 《구어》 (아무)를 속이다. **~** a person ***on to*** 〔***onto***〕 **...** 《구어》 …을 아무에게 주선〔소개〕하다, …을 아무에게 알리다: He ~ me *onto* a good hotel. 그는 나에게 좋은 호텔을 소개해 주었다. **~ *out*** 《*vt.*+부》 ① (전등·불 따위)를 끄다; (시력)을 잃게 하다: ~ *out* a light 〔candle〕 전등〔촛불〕을 끄다/The firemen soon ~ *out* the fire. 소방관들은 금세 불을 껐다. ② 내놓다, 내밀다: ~ *out* an ashtray 재떨이를 내놓다/~ *out* one's hand (악수를 청하면서) 손을 내밀다. ③ (싹 따위)를 내다, 트다. ④ (아무)를 내쫓다, 몰아내다; 해고하다. ⑤ (관절)을 탈구(脫臼)시키다; 삐게 하다: He ~ his shoulder *out* during the match. 그 경기 중에 어깨가 빠졌다. ⑥ 밖에 내(놓)다; (일)을 외주(外注)하다《***to*** …에》: ~ *out* a garbage can 쓰레기통을 밖에 내놓다/~ *out* one's work 일을 외주로 주다. ⑦ (물건)을 생산하다; (힘)을 발휘하다; (정력)을 내게 하다. ⑧ 출판하다; 발표하다, 발령을 내다; 방송하다: They're ~*ting out* a new model in April. 그들은 4월에 새 모델을 발표할 예정이다. ⑨ (이자를 받고 돈)을 빌려 주다, 투자하다《***to*** …에》. ⑩ (아무)를 당황하게 하다; 난처하게 하다《★ 종종 수동태로 쓰임》: He was so calm that nothing ~ him *out*. 그는 냉정해서 무슨 일이 일어나도 당황하는 기색이 없었다. ⑪ (아무)에게 폐를 끼치다, 번거롭게 하다: I hope I'm not ~*ting* you *out*. 폐를 끼치게 되는 것은 아니겠지요. ⑫ 〖야구·크리켓〗 (타자)를 아웃시키다. ⑬ (의사가 아무)의 의식을 잃게 하다; 〖권투〗 (상대)를 녹아웃시키다. ⑭ (견적·결과 따위)를 틀어지게 하다, 틀리게 하다. —《*vi.*+부》 ⑮ 출범하다: The ship ~ *out to* sea. 배는 출범했다. **~ *over*** 《*vt.*+부》 ① 건너편에 건네주다. ② 《美》 지체시키다, 연기하다. ③ 《구어》 (생각 따위)를 이해시키다《***to*** …에게》. **~ *paid to*** ⇨PAID. **~ one*self about*** 시달리다, 고생하다. **~** 〔***set***〕 one***self forward*** 주제넘게 나서다. **~ one*self in for*** (경기 따위)에 참가하다. **~ one*self out*** (남을 위해) 무리를 하다: Don't ~ your*self out* for me. 저를 위해 일부러 이렇게 하시지 마십시오《미안해서》. **~ one*self up*** 입후보하다《***for*** …에》. **~ *through*** 《*vt.*+부》 ① (일)을 해내다, 성취하다: ~ *through* a business deal 상거래를 성립시키다. ② (전화로) 연결시키다《***to*** (아무)에게》: Please ~ me *through to* Mr. Baker. 베이커 씨에게 연결해 주시오. ③ (전화)를 걸다《***to*** …에》: ~ *through* a call *to* Seoul 서울에 전화를 걸다. **~** a person ***through it*** 《구어》 아무를 엄히 조사〔검사〕하다. **~ *together*** 《*vt.*+부》 ① (부분·요소)를 모으다, 구성하다; 조립하다. ② (생각)을 종합하다; 합계하다; 편집하다: ~ *together* a dictionary 사전을 편집하다. ③ 합치다, 결합하다: All the money ~ *together* still won't be enough. 돈을 전부 합쳐도 충분치 않을 것이다. **~ *under*** 《*vt.*+부》 (마취하여) 의식을 잃게 하다; (아무)에게 최면술을 걸다. **~ *up*** 《*vt.*+부》 ① (기·돛 따위)를 올리다; (천막 따위)를 치다; (우산)을 받다: ~ *up* a flag 기를 올리다〔달다〕/~ *up* a tent 천막을 치다/*Put up* your hands! 손들어. ② (집·비석 따위)를 짓다, 세우다, 건립하다: ~ *up* a fence 〔memorial〕 울타리를〔위령탑을〕 세우다. ③ (가격·집세 따위)를 올리다; (미사일 따위)를 쏘아올리다; (머리)를 땋아 올리다〔손질하다〕. ④ (게시 사항 따위)를 내걸다, 게시하다; (장식물)을 장식하다: ~ *up* Christmas decorations 크리스마스 장식을 하다. ⑤ (의견·탄원서)를 제출하다. ⑥ (저항 따위)를 보여 주다, 나타내다; (싸움)을 계속하다: ~ *up* opposition 반론을〔이의를〕 내세우다/~ *up* a fight against a new airport 신공항 건설 반대 투쟁을 하다. ⑦ (태도 따위)를 보이다, 가장하다, …체하다: ~ *up* a bluff 허세를 부리다. ⑧ (상품)을 매물로 내놓다: ~ furniture *up* for auction 가구를 경매에 붙이다. ⑨ (식료품 따위)를 저장하다, 비축하다. ⑩

(식료품 · 약품 따위)를 포장하다, 짐 싸다. ⑪ (아무)를 후보자로 지명하다 《**for** …의》; 추천하다 《**for** …으로》: He was ~ *up for* president. 그는 회장으로 추천되었다. ⑫ (자금)을 제공하다. ⑬ 치우다, 넣어 두다; (칼)을 칼집에 넣어 두다: We must ~ *up* the garden chairs for the winter. 정원용 의자를 겨울 동안 치워 두어야 한다. ⑭ (아무)를 묵게 하다: Will you ~ us *up* for the weekend? 요번 주말에 우리가 묵을 수 있게 해 주시지 않으렵니까. ⑮ (기도)를 올리다. ⑯ (사냥감)을 몰아내다. ―《*vi.*+副》 ⑰ 묵다, 숙박하다 《**at, with** …에》: We ~ *up at* the hotel [*with* friends] for the night. 그날 밤은 호텔 [친구집]에서 묵었다. ⑱ 《英》 입후보하다 《**for** …에》: ~ *up for* Parliament 국회의원에 입후보하다. **~ upon** (아무)를 속이다, (아무)의 약점을 이용하다; 《英》 (아무)에게 폐를 끼치다: I will not be ~ *upon*. 나는 결코 속지 않을 것이다. **~ ... up to** a person …을 아무에게 제안하다; …을 아무의 뜻에 맡기다. **~** a person **up to** 아무를 선동하여 …시키다; 아무에게 …을 알리다[가르치다]: They ~ him *up to* this mischief. 그들이 그를 꼬드겨서 이런 나쁜 짓을 하게 했다/I'll ~ you *up to* this secret. 너에게 이 비밀을 가르쳐 주지. **~ up with** …을 (지그시) 참다: I can't ~ *up with* this treatment any longer. 이런 대우에는 더 이상 참을 수 없다. **~** a person **wise** 아무에게 알려[가르쳐] 주다 《**to** …을》: He ~ me *wise to* the way they run the company. 그는 나에게 그 회사의 경영 방법을 말해 주었다. ***would not ~ it past*** a person ***to*** do ⇨ PAST.

> **DIAL.** ***Put up or shut up.*** 돈을 걸 테면 걸고 그렇지 않으면 가만 있어; 할 테면 하고 그렇지 않으면 가만 있어.

―*a.* 《구어》 자리잡은, 정착한(fixed): stay ~ 꼼짝 않고 있다, 안정되어 있다.

―*n.* Ⓒ (보통 *sing.*) (포환 따위의) 던지기.

pu·ta·tive [pjúːtətiv] *a.* Ⓐ 상상속[추정상]의, 억측의; 소문의: his ~ father 그의 추정상의 아버지. ㊞ **~·ly** *ad.*

pút-dòwn *n.* Ⓤ **1** (비행기의) 착륙. **2** 《구어》 악담, 비난.

pút-òff *n.* Ⓒ 《美구어》 핑계, 발뺌.

pút-ón *a.* 겉만의, 거짓의. ―[스̀] *n.* 《구어》 **1** (*sing.*) 눈비움, 겉치레. **2** Ⓒ 《美》 농담.

Pu·tong·hua [púːtɑ́ŋhwáː] *n.* Ⓤ 보통화(普通話) 《중국의 표준어》.

pút-òut *n.* Ⓒ 〖야구〗 척살, 아웃시킴.

put-put [pʌ́tpʌ̀t, 스̀] 《구어》 *n.* Ⓒ (소형 엔진의) 펑펑[통통]하는 소리. ―(*-tt-*) *vi.* 펑펑거리는 소리가 나다; 펑펑[통통]거리며 나아가다.

pu·tre·fac·tion [pjùːtrəfǽkʃən] *n.* Ⓤ 부패(작용); 부패물. ㊞ **pù·tre·fác·tive** [-tiv] *a.* 부패의, 부패시키는.

pu·tre·fy [pjúːtrəfài] *vt.* 썩이다. ―*vi.* 썩다; (도덕적으로) 타락하다. ㊞ **-fi·er** [-ər] *n.*

pu·tres·cent [pjuːtrésənt] *a.* 썩어가는; 부패한. ㊞ **-cence** *n.* Ⓤ 부패.

pu·trid [pjúːtrid] *a.* 부패한; 타락한; 《속어》 지독한, 고약한, 불쾌한. ㊞ **pu·trid·i·ty** [pjuːtrídəti] *n.* Ⓤ 부패.

putsch [putʃ] *n.* 《G.》 Ⓒ (정치적인) 반란, 폭동.

putt [pʌt] *vt., vi.* 〖골프〗 퍼트하다 《green 에서 hole 을 향하여 가볍게 침》. ―*n.* Ⓒ 경타(輕打), 퍼트.

put·tee, put·tie [pʌtíː, pʌ́ti], [pʌ́ti] *n.* Ⓒ (보통 *pl.*) 각반; 가죽 각반.

put·ter[1] [pútər] *n.* Ⓒ 놓는 사람.

putt·er[2] [pʌ́tər] *n.* Ⓒ 〖골프〗 퍼터 《putt 하는 데 쓰는 채[클럽]》; putt하는 사람.

put·ter[3] [pʌ́tər] *vi.* 《美구어》 어정버정 거닐다, 빈둥거리다 (*about; around*).

pútting grèen 〖골프〗 퍼팅 그린 《hole의 주위 20야드 이내의 구역》; 골프 연습장.

put·to [púːtou] (*pl.* **-ti** [-tiː]) *n.* Ⓒ 〖미술〗 푸토 《큐피드와 같은 어린이의 화상(畫像)》.

put·ty [pʌ́ti] *n.* Ⓤ 퍼티 《접합제》: glaziers' ~ 유리창용[도장(塗裝) 공사용] 퍼티/jewelers' ~ 퍼티분(粉) 《유리 · 금속을 연마하는 주석 분말》. ***be ~ in*** a person***'s hand*** 아무의 말대로 되다.

―*vt.* 퍼티로 접합하다[메우다] (*up; in*).

pút-ùp *a.* Ⓐ 《구어》 미리[살짝] 꾸며낸: a ~ job 짜고 하는 일, 함정.

pút-upòn *a.* Ⓟ 학대받은, 혹사당한; 이용당한: I felt rather ~. 어딘지 이용당한 기분이다.

⁑**puz·zle** [pʌ́zl] *n.* **1** Ⓒ 〔보통 복합어〕 **수수께끼**, 퍼즐: ⇨ CROSSWORD PUZZLE, JIGSAW PUZZLE. **2** Ⓒ (보통 *sing.*) 난문, 난제. **3** (*sing.*) **당혹**, 곤혹: be in a ~ 어리둥절하고 있다.

―*vt.* **1** 《~+목/+목+*wh. to* do》 **당혹게 하다**, 난처하게 만들다: This question ~*s* me. 이 문제는 아무리 해도 모르겠다/He was ~*d what to* do. =It ~*d* him *what to* do. 어떻게 하면 좋을지 난감했다.

> **SYN.** **puzzle** 일이 복잡하여 사람을 당혹게 함. **perplex** puzzle보다도 품위 있는 말. 어려워서 어찌하면 좋을지 모름. **bewilder** 사물이 복잡하고 어려워 결단 · 행동에 곤혹을 느끼게 함.

2 《+목+전+명》 (머리 · 마음)을 아프게 하다 《**about, over** …일로》: ~ one's mind [brains] *over* [*about*] the solution of a problem 문제 해결에 부심하다.

―*vi.* 《+전+명》 이리저리 생각하다, 머리를 짜내다 《**over, about, as to** …일로》: ~ *over* a problem.

~ out 《*vt.*+副》 (수수께끼 따위)를 풀다; (해답 따위)를 찾아[생각해] 내다 《**wh.**/**wh. to** do》: ~ *out* the meaning of unfamiliar words 생소한 말의 뜻을 생각해내다/Do you ~ *out how to* open it? 그것을 어떻게 여는지 알아냈느냐.

†**puz·zled** *a.* 당황한, 당혹한 《**about, as to** …일로/**that**/**to** do/**wh.**》: a ~ expression 당황하는 표정/He was ~ *about* it. 그는 그 일로 당황했다/I am ~ (*that*) she left without a word to me. 그녀가 나한테 아무 말도 하지 않고 가버려 어리벙벙하다/They were ~ *to* learn of his decision. 그들은 그의 결심을 알고 당황했다/I was ~ (*about*) *what to* do next [*what* I had to do next]. 나는 다음에는 무엇을 해야 할지 몰랐다.

púz·zle·ment *n.* Ⓤ 당황, 당혹: in ~ 당황하여.

púz·zler *n.* Ⓒ 《구어》 당혹게 하는 사람[것], 《특히》 난문제.

púz·zling *a.* 당혹게 하는, 어리둥절케 하는: a ~ question 난문.

PVC 〖화학〗 polyvinyl chloride (염화 비닐).

Pvt. private. **PW, P.W.** 《英》 policewoman; prisoner(s) of war (포로); public works. **pw** per week. **PWA** persons with AIDS (에이즈 보균자[환자]) 《의사가 환자의 프라이버시 보호를

위해 씀》. **pwt(.)** pennyweight. **PX, P.X.** 〖美육군〗 Post Exchange.

py·e·li·tis [pàiəláitəs] *n.* Ⓤ 〖의학〗 신우염(腎盂炎).

Pyg·ma·lion [pigméiljən, -liən] *n.* 〖그리스신화〗 피그말리온《자기가 만든 상(像)에 반한 키프로스의 왕 · 조각가》.

Pyg·my, Pig- [pígmi] *n.* Ⓒ **1** 피그미족 사람《아프리카 적도 부근에 사는 작은 흑인》. **2** (p-) 왜인, 난쟁이; 보잘것없는 사람〔물건〕. **—***a.* (p-) Ⓐ 난쟁이의; 아주 작은; 하찮은.

pyjamas ⇨PAJAMAS.

py·lon [páilɑn/-lɔn] *n.* Ⓒ 탑문(塔門)《고대 이집트 신전의》; (고압선용) 철탑; 〖항공〗 (비행장의) 지시탑, 목표탑.

py·or·rhoea, py·or·rhea [pàiəríːə] *n.* Ⓤ 〖의학〗 농루(膿漏); 《특히》 치조(齒槽) 농루.

pyr- [pair], **py·ro-** [páirou, -rə/páiər-] '불, 열, 열작용에 의한, 초성(焦性)의' 의 뜻의 결합사.

****pyr·a·mid** [pírəmid] *n.* Ⓒ **1** (종종 P-) (고대 이집트의) 피라미드. **2** 〖수학〗 각뿔, 각추(角錐): a right ~ 직각뿔. **3** 〖일반적〗 뾰족탑 모양의 것. **4** 〖사회〗 피라미드형 조직.

py·ram·i·dal [pirǽmədəl] *a.* 피라미드 모양의.

pýramid sélling 피라미드식(다단계) 판매.

Pyr·a·mus [pírəməs] *n.* 〖그리스신화〗 피라무스《Thisbe를 사랑한 바빌론의 청년; 그녀가 사자에게 잡아먹힌 줄로 믿고 자살하였음》.

pyre [paiər] *n.* Ⓒ 화장용(火葬用) 장작(더미).

Pyr·e·ne·an [pìrəníːən] *a., n.* Ⓒ 피레네 산맥의 (주민).

Pyr·e·nees [pírənìːz/ˌ--ˊ] *n. pl.* (the ~) 피레네 산맥《프랑스 · 스페인 국경의》.

py·re·thrum [paiəríːθrəm] *n.* Ⓒ 〖식물〗 제충국(除蟲菊); Ⓤ 그 가루《약용》.

py·ret·ic [paiərétik] *a.* 열의, 열이 있는; 〖의학〗 발열(성)의.

Py·rex [páiəreks] *n.* Ⓤ 파이렉스《내열 유리의 일종; 상표명》.

py·rite [páiərait] *n.* Ⓤ 황철광(黃鐵鑛).

py·ri·tes [paiəráitiːz, pə-, páiraits] *n.* Ⓤ 〖광물〗 황화(黃化) 광물: copper ~ 황동광 / iron ~ 황철광 / white iron ~ 백철광 / tin ~ 황석광(黃錫鑛).

pyro- ⇨PYR-.

pỳro·clástic *a.* 〖지질〗 화쇄암(火碎岩)의, 화산쇄설(碎屑)암으로 된: a ~ rock 화산 쇄설암, 화쇄암 / ~ flows 화쇄류(火碎流) / ~ deposits 화산쇄설물.

py·ro·ma·nia [pàiərəméiniə] *n.* Ⓤ 〖정신의학〗 방화벽(放火癖), 방화광. ㊞ **-ma·ni·ac** [-méiniæ̀k] *n.* Ⓒ 방화광《사람》.

pỳro·téchnic, -nical *a.* 꽃불의, 꽃불 같은; 눈부신, 화려한.

pỳro·téchnics *n.* **1** Ⓤ 꽃불 제조술. **2** 〖복수취급〗 불꽃(쏘아올리기); (변설 · 기지 등의) 화려함.

Pyr·rhic [pírik] *a.* Pyrrhus 왕의(같은).

Pýrrhic víctory 피루스의 승리《막대한 희생을 치른 승리; 보람없는 승리》.

Pyr·rhus [pírəs] *n.* 피루스《옛 그리스 Epirus의 왕(318?-272 B.C.); 로마와 싸워 이겼으나 많은 전사자를 냈다고 함》.

Py·thag·o·ras [piθǽgərəs] *n.* 피타고라스(580?-500? B.C.)《그리스의 철학자 · 수학자》.

Py·thag·o·re·an [piθæ̀gəríːən] *a.* 피타고라스의.

Pythagoréan proposítion 〔**théorem**〕 (the ~) 〖수학〗 피타고라스의 정리.

Pyth·i·an [píθiən] *a.* 아폴로의; 아폴로의 신탁(神託)의.

Pyth·i·as [píθiəs] *n.* = DAMON AND PYTHIAS.

py·thon [páiθɑn, -θən] *n.* Ⓒ 〖동물〗 비단뱀《열대지방의 거대한 뱀》; 이무기.

pyx [piks] *n.* Ⓒ 〖가톨릭〗 성합(聖盒)《성체(聖體) 용기》.

Q

Q[1], **q** [kju:] (*pl*. **Q's, *Qs*, q's, *qs*** [-z]) **1** Ⓤ (구체적으로는 Ⓒ) 큐《영어 알파벳의 17째 글자》. **2** Ⓤ 제 17 번째(의 것)《J를 뺄 때는 16번째》.

Q[2] *n*. (*pl*. ***Qs, Q's*** [-z]) *n*. Ⓒ Q자형(의 것).

Q, Q. Queen; question. **q.** quarto; quart(s); query; question.

Q and A, Q&A 질문과 대답, 질의 응답(question and answer).

Qa·tar [ká:tɑ:*r*, kətá:*r*] *n*. 카타르《페르시아만 연안의 토후국; 수도 Doha》. ㊥ **Qá·ta·ri** [-ri] *n*. Ⓒ 카타르 사람. **—*a***. 카타르의.

QB, q.b. 【미식축구】 quarterback. **Q.C., QC** Queen's Counsel; quality control. **QMG, Q.M.G., Q.M.Gen.** Quartermaster General. **qq.** questions. **qr(s).** quarter(s); quire(s). **qt.** quantity; quart(s).

Q.T., q.t. [kjú:tí:] *n*. (the ~) 《구어》 내밀, 비밀: on the *q.t.* 살짝, 몰래.

qty. quantity. **qu.** query; question.

qua [kwei, kwɑ:] *prep*. 《L.》 …의 자격으로, …으로서(as): He stated the opinion as a private individual, not ~ president. 그는 의견을 대통령으로서가 아니라 개인으로서 이야기한 것이다.

quack[1] [kwæk] *n*. Ⓒ 꽥꽥《집오리 우는 소리》. **—*vi***. 꽥꽥 울다; 《구어》 시끄럽게 지껄이다; 객쩍은 수다를 떨다.

quack[2] *n*. Ⓒ 가짜 의사, 돌팔이〔엉터리〕 의사(charlatan); 사기꾼. **—*a***. Ⓐ 가짜 의사의, 사기〔엉터리〕의: a ~ doctor 가짜〔돌팔이〕 의사/a ~ medicine 〔remedy〕 가짜 약〔엉터리 요법〕.

quack·ery [kwǽkəri] *n*. Ⓤ 엉터리 치료.

quad [kwɑd/kwɔd] *n*. 《구어》 =QUADRANGLE 2; =QUADRUPLET.

quád dénsity 【컴퓨터】 4배 기록 밀도.

quadr- ⇨QUADRI-.

Quad·ra·ges·i·ma [kwɑ̀drədʒésəmə/kwɔ̀d-] *n*. 【교회】 4순절(Lent)의 첫째 일요일 (=∠ **Súnday**).

quad·ran·gle [kwádræ̀ŋgəl/kwɔ́d-] *n*. Ⓒ **1** 4각형, 4변형《특히 정사각형과 직사각형》. **2** (특히 대학의) 안뜰; 안뜰을 둘러싼 건물.

quad·ran·gu·lar [kwɑdrǽŋgjələ*r*/kwɔd-] *a*. 4변〔각〕형의.

quad·rant [kwádrənt/kwɔ́d-] *n*. Ⓒ 【수학】 사분원(四分圓), 상한(象限); 【천문·항해】 사분의(儀), 상한의(儀)《옛 천체 고도 측정기》.

quàdra·phónic *a*. (녹음·재생이) 4채널의.

qua·drat·ic [kwɑdrǽtik/kwɔd-] *a*. 【수학】 2차의: solve a ~ equation 2차 방정식을 풀다.

qua·dren·ni·al [kwɑdréniəl/kwɔd-] *a*. 4년간의, 4년마다의.

quad·ri- [kwádrə/kwɔ́d-], **quadr-** [kwɑdr/kwɔdr], **quad·ru-** [kwádru/kwɔ́d-] '4'라는 뜻의 결합사《모음 앞에서는 quadr-》.

quád ríght (컴퓨터 조판에서, 행이) 오른쪽 정렬인.

quàdri·láteral *a*. 4변형의. **—*n***. Ⓒ 사변형; 사변형 요새지: a complete ~ 【수학】 완전 사변형.

qua·drille [kwədríl, kwə-] *n*. Ⓒ 카드리유《네 사람이 한 조로 추는 square dance》; 그 곡(曲).

qua·dril·lion [kwɑdríljən/kwɔd-] *n*. Ⓒ, *a*. 《英·獨·프》 백만의 4제곱(10^{24})(의); 《美》 천의 5제곱(의), 천조(10^{15})(의).

qua·droon [kwɑdrú:n/kwɔd-] *n*. Ⓒ 백인과 반백인과의 혼혈아; 4분의 1흑인. ㉠ mulatto, octoroon.

quad·ru·ped [kwádrupèd/kwɔ́d-] *n*. Ⓒ 【동물】 네발짐승《보통 포유류 동물을 일컬음》. **—*a***. 네발 가진.

qua·dru·ple [kwɑdrú:pəl, kwádru-/kwɔ́dru-pəl] *a*. 4배의; 네 겹의; 4부로〔사람으로〕 된; 【음악】 4박자의: a size ~ *of* 〔*to*〕 that of the earth 지구의 네 배 크기/~ time 〔measure, rhythm〕 【음악】 4박자. ㉠ triple, quintuple. **—*n***. Ⓤ (the ~) 4배: the ~ *of* …의 4배. **—*vt*., *vi***. 4배로 하다〔되다〕. ㊥ **-ply** [-i] *ad*.

quad·ru·plet [kwádruplit, kwɑdrʌ́p-, -drú:p-/kwɔ́drup-] *n*. **1** Ⓒ 네 개 한 조〔벌〕. **2 a** Ⓒ 네 쌍둥이 중의 한 사람. **b** (*pl*.) 네쌍둥이.

quad·ru·pli·cate [kwɑdrú:plikit/kwɔd-] *a*. 4배〔겹〕의; 네 통 복사한《증서 따위》. **—*n***. Ⓒ 4조〔통〕 중의 하나. ***in*** ~ (같은 문서를) 네 통으로 하여.

quaff [kwɑ:f, kwæf] 《문어》 *vt*. 쭉〔꿀꺽꿀꺽〕 들이켜다, 단숨에 마시다(*off; out; up*): ~ *off* a glass of beer 맥주 한 잔을 단숨에 마시다. **—*vi***. 들이켜다.

quag·mire [kwǽgmàiə*r*] *n*. **1** Ⓒ 늪지대, 질퍽질퍽한 땅. **2** (a ~) 꼼짝할 수 없는 곤경, 진구렁: be in a ~ of debt 빚이 많아 옴짝달싹 못 하다.

quail[1] [kweil] (*pl*. **~s,** 〘집합적〙 **~**) *n*. 【조류】 Ⓒ 메추라기; Ⓤ 그 고기.

quail[2] *vi*. 기가 죽다, 겁내다, 주춤〔움찔〕하다(shrink)《***at, before*** …에》: The boy *~ed* (with fear) *at* the sight. 소년은 그 광경을 보고 (겁에) 질렸다/I *~ed before* her angry looks. 나는 그녀의 성난 표정을 보고 기가 꺾였다.

***quaint** [kweint] *a*. **1** 기묘한, 기이한, 이상한(incongruous, strange): the ~ notion that … …라는 기묘한 생각. **2** 색다르고〔야릇하고〕 재미있는; 예스런 멋이〔아취가〕 있는: a ~ old house. ㊥ **∠·ly** *ad*. **∠·ness** *n*.

◇**quake** [kweik] *vi*. **1** 흔들리다(shake), 진동하다(vibrate): The earth began to ~ suddenly. 땅〔지면〕이 갑자기 흔들리기 시작했다. **2** 전율하다(tremble), 떨다(shudder)《***with*** (공포·추위 따위)로; ***at*** …에》: He is *quaking with* fear *at* the sight. 그는 그 광경을 보고 공포로 떨고 있다. **—*n***. Ⓒ 흔들림, 동요, 진동; 전율; 《구어》 지진(earthquake).

quáke·pròof *a*. 내진성의. **—*vt***. (건물)을 내

진으로 짓다.

◇**Quak·er** [kwéikər] (*fem.* ~·**ess** [-kəris]) *n.* Ⓒ, *a.* 퀘이커교도《17세기 중엽 영국의 George Fox가 창시한 Society of Friends 회원의 별칭》(의).

Quák·er·ìsm *n.* Ⓤ 퀘이커 교리의 관습(생활).

quáking ásh 〔**áspen, ásp**〕 =ASPEN.

*__qual·i·fi·ca·tion__ [kwὰləfəkéiʃən/kwɔ̀l-] *n.* **1** Ⓒ (흔히 *pl.*) **자격**, 능력, 지식《*for* (직업 따위에 대한)/*to* do》: the ~*s for* a job 일할 수 있는 자격(능력)/gain a medical ~ 의사 자격을 취득하다/These are the ~*s for* entering a university. 이것들은 대학 입학을 위한 자격이다/She has no ~(*s*) *for* the post. 그녀에게는 그 지위에 어울리는 자격(능력)이 없다/ He has outstanding ~*s to* be president. 그는 사장이 될 탁월한 자격이 있다. **2** Ⓤ (구체적으로는 Ⓒ) **조건**, 제한(restriction): endorse a plan without ~ 무조건으로 계획에 찬성하다. **3** Ⓤ 자격 부여.

◇**qual·i·fied** [kwάləfàid/kwɔ́l-] *a.* **1** 자격 있는, 적임의; 적당한(fitted)《*for, in* …에; *as* …으로서/*to* do》; 면허의, 검정을 거친: a ~ doctor 유자격 의사/a person ~ *for* the post 그 지위에 적임자/He's ~ *in* medicine. 그는 의사 자격이 있다/He's ~ *to* be a lawyer. 그는 변호사 자격이 있다/He's ~ *as* a lawyer. 그는 변호사로서의 자격이 있다. SYN. ⇨ABLE. **2** 제한(한정)된, 조건부의: ~ acceptance 〖상업〗 (어음의) 제한 인수/~ approval 조건부 찬성.

qual·i·fi·er [kwάləfàiər/kwɔ́l-] *n.* Ⓒ **1** 자격(권한)을 주는 사람(것); 한정하는 것. **2** 〖문법〗 한정사, 수식어《형용사·부사 따위》. **3** 〖컴퓨터〗 수식자.

⁑**qual·i·fy** [kwάləfài/kwɔ́l-] *vt.* **1** 《+목+*to* do/+목+전+명/+목+*as* 보》 …에게 **자격**(**권한**)**을 주다**; 적격(적임)으로 하다《*in, for* (일·지위 등)에》; 《~ oneself》 자격을 갖추다(따다)《*in, for* …의》: His skill *qualifies* him *for* the job. 그의 재능은 그 일에 안성맞춤이다/What *qualifies* us *to* receive pensions? 어떤 자격이 있어야 연금을 받을 수 있습니까/Her experience *qualifies* her *as* a teacher. 그녀가 쌓은 정도의 경험이라면 선생이 되기에 충분하다/I *qualified* my*self for* the office (*in* medicine). 나는 그 일(의사)의 자격을 획득했다.

2 누그러뜨리다, 진정하다(soften): ~ one's anger 노여움을 누그러뜨리다.

3 (진술 따위)를 수정하다; 〖문법〗 수식하다, 꾸미다(modify): He *qualified* his earlier statement. 그는 전에 한 발언을 수정했다/Adjectives ~ nouns. 형용사는 명사를 수식한다.

4 《+목+*as* 보》 …으로 보다, …라고 부르다(평하다) (describe): Their actions may be *qualified* as irrational. 그들의 행동은 불합리하다고 여겨질(보일) 수도 있다/~ a person *as* a faker 아무를 사기꾼이라고 하다.

—*vi.* **1** 《~/+전+명/+*as* 보/+*to* do》 자격을(면허를) 따다; 적임이다《*for, in* …에》: He has not yet *qualified in* law. 아직 변호사 자격이 없다/~ *for* the job 그 일에 적격이다/~ *as* a doctor (solicitor) 의사(변호사) 자격을 따다/He *qualified to* join the club. 그는 클럽에 가입할 자격을 얻었다. **2** 〖경기〗 예선을 통과하다.

quál·i·fy·ing *a.* Ⓐ **1** 자격을 주는: a ~ examination (match) 자격 검정 시험(예선 경기). **2** 한정적인, 제한하는: a ~ statement 한정적 진술.

qual·i·ta·tive [kwάlətèitiv/kwɔ́lətə-] *a.* 질의, 질에 관한, 질적인; 정성(定性)의, 정질(定質)의. ↔ *quantitative*.¶~ analysis 〖화학〗 정성 분석. ㊞ ~·**ly** *ad.*

⁑**qual·i·ty** [kwάləti/kwɔ́l-] *n.* **1** Ⓤ **질**, **품질**. ↔ *quantity*.¶of good (high) ~ 질이 좋은/of poor (low) ~ 질이 나쁜/(the) ~ of life 생활의 질; (질면에서 본) 생활 수준/the ~ of students 학생의 질/*Quality* matters more than quantity. 양보다도 질이다. **2** Ⓒ **특질**, **특성**, 속성(attribute), 자질《*of, for* …의》: the ~ *of* love 사랑의 본질/the *qualities of* a leader 지도자의 자질/I don't have the right *qualities for* the job. 나는 그 일에 적합한 자질을 갖추고 있지 않다.

SYN. **quality** quantity에 대응하는 말로서 '성질'을 나타내는 가장 보편적인 말. 일상어로서는 주로 '품질'을 가리킴: a fine *quality* of cigar 고급 담배. **property** 특정한 것이 가지고 있는 독자적인 성질, 특성: the *properties* of iron 철의 여러 특성. **character** 성격, 개인 또는 계급·종족·생물 따위의 특질. 물질에도 property와 같은 뜻으로 쓰일 때가 있으나 비유적 용법임: Each town has a *character* of its own. 각 도시는 제각기 특성을 갖고 있다. **characteristics** character를 만들고 있는 여러 특징. **nature** 타고난 또는 본질적인 성질이므로 잘 변치 않음을 표시.

3 Ⓤ **양질**(fineness), 우수성(excellence): goods of ~ 질 좋은 물건.

—*a.* Ⓐ **1** 질 좋은, 고급의: ~ goods 우량품/a ~ magazine 고급 잡지. **2** 《보통 복합어로》 …질의: low ~ paper 저질지/high (top) ~ wine 상질의 포도주.

quálity contròl 품질 관리《생략: QC》.

◇**qualm** [kwa:m, kwɔ:m] *n.* Ⓒ (흔히 *pl.*) **1** (행동에 대한) 불안한 마음, 주저함; 양심의 가책《*about* …에 대한》: She had no ~*s about* lying to the police. 그녀는 경찰에게 거짓말을 하면서도 아무렇지도 않게 생각했다. **2** (돌연한) 불안, 염려《*about* …에 대한》: He felt ~*s about* letting her go alone. 그는 그녀를 홀로 보내는 것이 불안했다. **3** (돌연한) 현기증, 메스꺼움: ~*s* of seasickness 배멀미. ㊞ ∠·**ish** *a.* 느글거리는; 마음의 가책을 느끼는.

quan·da·ry [kwάndəri/kwɔ́n-] *n.* Ⓒ 곤혹, 당혹; 궁지, 곤경(dilemma), 진퇴유곡: be in a ~ (about (over)) (…일로) 어찌할 바를 모르다.

quan·go, Quan·go, QUANGO [kwǽŋgou] (*pl.* ~*s*) *n.* Ⓒ 《英》 특수 법인《정부로부터 재정 지원과 상급 직원의 임명을 받으나 독립된 권한을 가진 기관》. [◂*qu*asi-*n*on-*go*vernmental organization; *qu*asi-*a*utonomous *n*ational *go*vernment organization]

quan·ta [kwάntə/kwɔ́n-] QUANTUM의 복수.

quan·ti·fi·ca·tion [kwὰntəfəkéiʃən/kwɔ̀n-] *n.* Ⓤ 정량화(定量化), 수량화.

quan·ti·fi·er [kwάntəfàiər/kwɔ́n-] *n.* Ⓒ **1** 〖언어·문법〗 수량(형용)사《some, many 따위》. **2** 〖컴퓨터〗 한정기호, 한정사.

quan·ti·fy [kwάntəfài/kwɔ́n-] *vt.* …의 양(量)을 정하다; 양을 표시하다; 양을 재다. ㊞ **-fi·a·ble** [-əbəl] *a.*

quan·ti·ta·tive [kwάntətèitiv/kwɔ́ntə-] *a.* 양의, 양에 관한, 양적인: ~ analysis 〖화학〗 정

량 분석. [파] ~·ly ad.

‡**quan·ti·ty** [kwántəti/kwɔ́n-] n. **1** [U] **양(量)**: I prefer quality to ~. 양보다 질을 택한다. **2** [C] (특정의) 분량, 수량, 액: a certain ~ *of*... 얼마간의 …/a large 〔small〕 ~ 대〔소〕량/There is only a small ~ left. 조금밖에 안 남았다. **3** [C] (*pl.*) **다량, 다수,** 많음《*of* …의》: a ~ *of* books 많은 책/*quantities of* money 많은 돈/~ production 대량 생산/I had *quantities* of work to do. 해야 할 일이 많았다. **4** [C] 〖수학〗 양; 양을 나타내는 숫자〔기호〕: a known ~ 기지수〔량〕.

an unknown ~ 미지수〔량〕; 《비유적》 (능력 · 의도 따위가) 미지(수)인 사람〔것〕. ***in*** ~ =***in*** (***large***) ***quantities*** 많은〔많이〕, 다량의〔으로〕: Food is cheaper when you buy it *in* ~. 식품은 대량으로 구입하면 싸게 살 수 있다.

quántity survèyor 〖건축〗 견적사(見積士).

quántity thèory (**of móney**) 화폐 수량설.

quan·tum [kwántəm/kwɔ́n-] (*pl.* **-ta** [-tə]) n. 《L.》 [C] 양(量), 《특히》 소량; 〖물리〗 양자(量子): make a ~ of effort 좀 노력하다. **—**a. [A] 획기적인, 비약적인.

quántum compùter 〖컴퓨터〗 양자(量子)〔퀀텀〕컴퓨터《정보를 저장하는 데 입자의 양자 상태를 이용하여 병렬 계산을 하는 컴퓨터》.

quántum jùmp 〔**lèap**〕 〖물리〗 양자(量子) 도약; 《비유적》 돌연한 비약, 약진(躍進).

quántum mechánics 〖물리〗 양자역학.

quántum phýsics 〖물리〗 양자물리학.

quántum thèory (흔히 the ~) 〖물리〗 양자론.

◇**quar·an·tine** [kwɔ́:rəntì:n, kwár-] n. **1** [U] (또는 a ~) 격리《전염병 예방을 위한》; 검역: be in 〔out of〕 ~ 격리 중이다〔검역을 필했다〕/put a person in(to) ~ 아무를 격리하다. **2** [C] 격리 시간, 검역 기간《40 일간》.

—vt. 검역하다; (전염병 환자 등)을 격리하다; (배 · 승객)을 검역하다《★ 종종 수동태로 쓰임》: He *was* ~*d* for a week with dysentery. 그는 이질로 1주일동안 격리되었다.

quark [kwɔ:rk, kwa:rk] n. [C] 〖물리〗 쿼크《hadron 의 구성 요소로 되어 있는 입자》.

‡**quar·rel** [kwɔ́:rəl, kwár-] n. [C] **1 싸움,** 말다툼; 티격남, 불화《***with*** …와의》: have a ~ *with* …와 말싸움하다/make up (after) a ~ 화해하다/It takes two make a ~. 《속담》 맞서는 사람이 없으면 싸움이 되지 않는다《고장난명(孤掌難鳴)》.

2 (보통 *sing.*) 싸움〔말다툼〕의 원인; 불평; 싸움의 구실《***against, with*** …에 대한》: have no ~ *against* 〔*with*〕 …에 대해서 아무 불평이 없다.

— (**-l-,** 《英》 **-ll-**) vi. **1** 《~/+[전]+[명]》 **싸우다,** 다투다, 티격나다《***with*** …와; ***over, about*** …일로》: We ~ quite often. 우리는 자주 다툰다/I don't want to ~ *with* you. 나는 너와 싸우고 싶지 않다/It was not worth ~*ing about*. 그건 싸울 만한 가치도 없는 것이었다/The thieves ~*ed with* one another *about* 〔*over*〕 how to divide the loot. 도둑들은 장물 분배를 놓고 서로 다투었다.

2 《+[전]+[명]》 불평하다, 투덜대다, 이의(異議)를 제기하다《***with*** …에 대하여》: A bad workman ~*s with* his tools. 《속담》 명필은 붓 탓을 안 한다/It's no use ~*ing with* Providence. 하늘을 원망해 봐야 아무 소용이 없다.

***quar·rel·some** [kwɔ́:rəlsəm, kwár-] a. **싸우기를〔말다툼을〕 좋아하는,** 툭하면 싸우는.

[파] ~·ness n.

◇**quar·ry**[1] [kwɔ́:ri, kwári] n. [C] **1** 채석장. **2** 원천; 출처, (인용 등의) 전거: a ~ *of* information 지식의 근원〔보고〕. **—**vt. **1** (돌)을 떠〔잘라〕내다 (*out*): ~ (*out*) marble 대리석을 떠내다. **2** (사실 따위)를 애써 찾아내다《서적 등에서》; (기록 따위)를 애써 찾다. **—**vi. 애써 자료를 찾아내다.

quar·ry[2] n. (*sing.*) (쫓기는) 사냥감; 추구의 목적〔목표〕.

quárry·man [-mən] (*pl.* **-men** [-mən]) n. [C] 채석공, 석수.

◇**quart** [kwɔ:rt] n. [C] **1** 쿼트《액량인 경우는 1/4 gallon; 《美》에서는 0.946 *l*, 《英》에서는 1.136 *l*; 생략 qt.》; 건량(乾量)《보리 · 콩 따위에서는 1/8 peck, 2 pints 《美》에서는 1.101 *l*, 《英》에서는 1.136 *l*; 생략 qt.》. **2** 1 쿼트들이 용기. [cf.] half pint. ***try to put a*** ~ ***into a pint pot*** 불가능한 일을 시도하다.

†**quar·ter** [kwɔ́:rtər] n. [A] **1** [C] **4분의 1**: a ~ of a mile, 4 분의 1 마일/a mile and a ~, 1 과 4 분의 1 마일/a ~ of an hour, 15 분간/a ~ of a pound, 4 분의 1 파운드/for a ~ (of) the price 그 값의 4 분의 1 값으로/the first ~ of this century 금세기의 1 · 4 분기(分期)《2001 년부터 2025 년까지》/three ~*s*, 4 분의 3.

2 [C] **15 분**: at (a) ~ past 〔《美》 after〕 two, 2 시 15 분에/at (a) ~ to 〔《美》 of〕 two, 2 시 15 분 전에《★ a는 종종 생략됨》/three ~*s* of an hour ago, 45 분 전에/The clock strikes the ~*s*. 그 시계는 15 분마다 (시각을) 친다.

3 [C] 4 분기(의 지급); 《美》 (4 학기로 나눈) 1 학기. [cf.] semester. ¶owe two ~*s*' rent 반년치의 집세가 밀리다/send the bills each ~, 4 분기마다 청구서를 보내다.

4 [C] 〖천문〗 현(弦)《달의 공전기의 1/4》: the first 〔last〕 ~ 상현〔하현〕.

5 [C] 《美 · Can.》 25 센트; 25 센트 경화. [cf.] dime, nickel, penny.

6 [C] **a** 《英》 쿼터《곡량(穀量)의 단위; =8 bushels; 생략 qt.》. **b** 쿼터《무게의 단위; =《美》에서는 25 pounds, 《英》 28 pounds》.

7 [C] 4 분의 1 야드〔마일〕; (the ~) 《英》 4 분의 1 마일 경주; 〖항해〗 4 분의 1 길(fathom).

8 [C] 네발짐승 몸뚱이의 4 분체《다리 하나를 포함한》.

9 [C] 나침반의 4방위의 하나, 방위(direction).

10 [C] **방면; 지역,** 지방(地方); (도시의) 지구, …거리(district); 〖집합적〗 (특정 지구의) 거주자들: from every ~ =from all ~*s* 사방팔방에서/What ~ is the wind in? 풍향은 어떤가; 형세는 어떤가/the Chinese ~ of San Francisco 샌프란시스코의 중국인 거리/the residential ~ 주택지구/the slum ~ 빈민굴(窟)/gay ~*s* 환락가.

11 [C] (흔히 *pl.*) 〖밝히기를 꺼릴 때 써서〗 (사회 · 정부 등의) 방면, 통(通), (정보 등의) 출처(source): This news comes from reliable ~*s*. 이 뉴스는 믿을 만한 소식통에서 나왔다.

12 (*pl.*) 숙소, 거처, 주소: an office with sleeping ~*s* 숙직실이 있는 사무실/the servants ~*s* 하인 방/take up one's ~*s* 숙소를 잡다.

13 (*pl.*) 〖군사〗 진영, 병사(兵舍); 〖해사〗 부서.

14 [C] 〖해사〗 고물쪽: on the ~ 고물쪽에.

15 [U] (항복한 적에게 보이는) 자비(mercy), 살려줌, 관대(indulgence): give 〔receive〕 ~ 살려주다〔목숨을 건지다〕/ask for 〔cry〕 ~ (포로 · 패잔

자 등이) 살려 달라고 빌다.
16 Ⓒ 〖문장(紋章)〗 (방패의) 4 반절 무늬.
17 Ⓒ 〖경기〗 경기 시간 전체의 4 분의 1; 〖미식축구〗 = QUARTERBACK.
at close ~s 바싹 접근하여.
—*a*. Ⓐ 4 분의 1 의, 4 반분의: a ~ mile, 4 분의 1 마일 (경주).
—*vt*. **1** 4(등)분하다: ~ an apple 사과를 4 등분하다. **2** (죄인 등)을 사지(四肢)를 찢어 죽이다. **3** 《~+목/+목+전+명》 숙박〔숙영〕시키다《***in, on, with*** …에》: ~ troops *on* 〔*with*〕 the villagers = ~ troops *in* the village 마을 집에 군대를 숙영시키다.

quárter·bàck *n*. Ⓒ (수비 위치는 Ⓤ) 〖미식축구〗 쿼터백《생략: q.b.》.

quárter dày 4 계〔4 분기〕 지급일《《美》 1 월 · 4 월 · 7 월 · 10 월의 첫날; 《英》 Lady Day (3 월 25 일), Midsummer Day (6 월 24 일); Michaelmas (9 월 29 일), Christmas (12 월 25 일); 《Sc.》 Candlemas (2 월 2 일), Whitsunday (5 월 15 일), Lammas (8 월 1 일), Martinmas (11 월 11 일)》.

quárter-dèck *n*. (the ~) 후갑판.

quàrter·fínal *n*. Ⓒ, *a*. 준준결승(의). ⓒⓕ semifinal. ㊞ **~·ist** *n*.

quárter hòrse 《美》 4 분의 1 마일 경주용 말.

quárter-hóur *n*. Ⓒ 15 분간; (어떤 시각의) 15 분 전〔지난〕 시점.

quárter lìght 《英》 (마차 · 자동차의) 삼각창.

***quar·ter·ly** [kwɔ́ːrtərli] *a*. **연(年) 4 회의**, 철마다의: ~ issue 계간(季刊) / a ~ magazine 계간지(誌). **—*ad*.** 연 4 회에, 철마다: This magazine comes out ~. 이 잡지는 연 4 회 발행된다. **—*n*.** Ⓒ 연 4 회 간행물, 계간지(誌).

quárter·màster *n*. Ⓒ 〖육군〗 병참(兵站)〔보급〕 장교《생략: Q.M.》; 〖해군〗 조타수(操舵手).

quártermaster géneral 〖군사〗 병참감《생략: Q.M.G.》.

quárter nòte 《美》 〖음악〗 4 분음표(《英》 crotchet).

quárter sèssions **1** 《英》 (옛) 4 계 재판소《3 개월마다 열린 하급 형사 법원; 1971 년 폐지되고 Crown Court 가 설치됨》. **2** 《美》 (몇 주(州)에서 제한적인 관할권을 갖는) 하급 형사 법원.

quárter·stàff (*pl*. **-staves**) *n*. Ⓒ 옛날 영국 농민이 무기로 쓰던 6－8 피트의 막대.

°**quar·tet,** 《英》 **-tette** [kwɔːrtét] *n*. Ⓒ **1** 〖음악〗 4 중주, 4 중창; 4 중주곡, 4 중창곡; 4 중주단, 4 중창단. **2** 넷 한 짝(을 이루는 것), 네 개 짜리; 4 인조.

quar·to [kwɔ́ːrtou] (*pl*. **~s**) *n*. **1** Ⓤ 4 절판〔지〕《$9^{1}/_{2}\times12^{1}/_{2}$ 인치 크기; 생략: Q., 4 to, 4°》: bound in ~ (책이) 4 절판의〔인〕. **2** Ⓒ 4 절판의 책. **—*a*.** 4 절(판)의: a ~ edition 4 절판. ⓒⓕ folio, octavo.

°**quartz** [kwɔːrts] *n*. Ⓤ 〖광물〗 석영(石英): violet ~ 자수정 / ~ glass 석영 유리.

qua·sar [kwéisɑːr, -zər, -sər] *n*. Ⓒ 〖천문〗 퀘이사, 준성(準星) 전파원.

quash [kwɑʃ/kwɔʃ] *vt*. (반란 따위)를 가라앉히다, 진압하다; 〖법률〗 (판결 · 명령 따위)를 취소하다, 파기하다.

qua·si [kwéisai, -zai, kwɑ́ːsi, -zi] *a*. 유사한, 외견상의, 준하는: a ~ contract 〖법률〗 준계약(準契約) / a ~ member 준회원.

qua·si- [kwéizai, -sai, kwɑ́ːsi, -zi/kwéizai, -sai, kwɑ́ːzi] *pref*. '유사(類似), 의사(擬似), 준(準)' 등의 뜻: *quasi*-cholera (유사 콜레라), a *quasi*-war (준전쟁).

quat·er·cen·te·na·ry [kwɑ̀ːtərsénténèri/kwæ̀tərsentíːnəri] *n*. Ⓒ 4 백년제(祭).

qua·ter·nary [kwətɔ́ːrnəri, kwɑ́ːtərnèri] *a*. **1** 4 요소로 되는; 넷 한 조〔짝〕의, 네 개짜리의; 〖화학〗 4 원소 또는 4 기(基)로 되는. **2** (Q-) 〖지질〗 제 4 기(紀)의. **—*n*.** **1** Ⓒ 4 개 한 조의 것, 네 개짜리. **2** (the Q-) 〖지질〗 제 4 기(紀).

quat·rain [kwátrein/kwɔ́t-] *n*. Ⓒ 4 행시.

quat·re·foil [kǽtərfɔ̀il, kǽtrə-] *n*. Ⓒ 사판화(四瓣花), 네잎꽃; (클로버 따위의) 네 잎; 〖건축〗 사엽(四葉) 장식.

°**qua·ver** [kwéivər] *vi*. **1** (목소리가) 떨(리)다: His voice ~*ed* badly. 그의 목소리는 몹시 떨렸다〔떨리고 있었다〕. **2** 떠는 소리로 말〔노래〕하다(*out*). **—*vt*.** 떨리는 소리로 노래〔말〕하다(*out*): ~ (*out*) a word 떨리는 소리로 한마디 말하다. **—*n*.** Ⓒ 떨리는 소리; 진동음; 《英》 〖음악〗 8 분음표(《美》 eighth note). ㊞ **-very** [-vəri] *a*.

°**quay** [kiː] *n*. Ⓒ 선창, 부두, 방파제, 안벽(岸壁). ⓒⓕ pier, wharf.

quáy·sìde *n*. Ⓒ 부두 지대.

Que. Quebec.

quea·sy [kwíːzi] (**-si·er; -si·est**) *a*. **1** 구역질나게 하는, 역겨운; (속이) 느글거리는, 음식을 받지 않는: I felt a bit ~ on the bus. 버스에 탔을 때 조금 기분이 좋지 않았다. **2** 불안한; 불쾌한 (uncomfortable)《***at, about*** …에》: She was ~ *at* 〔*about*〕 having to hide the truth. 진실을 숨기지 않으면 안 된다는 것에 대해 그녀는 불안을 느꼈다. ㊞ **-si·ly** *ad*. 메스껍게. **-si·ness** *n*.

Que·bec [kwibék] *n*. 퀘벡《캐나다 동부의 주; 그 주도(州都); 생략: Que.》.

†**queen** [kwiːn] *n*. Ⓒ **1** (종종 Q-) **여왕**, 여제(女帝)(~ regnant); 왕비, 왕후(~ consort): *Queen* Elizabeth Ⅱ 엘리자베스 2 세 여왕 / the *Queen* of England 영국 여왕 / the King and *Queen* 국왕 부처. ⓒⓕ king. ★ 영국에서는 그 때의 군주가 여왕이면 관용구가 King 에서 Queen 으로 변함: King's English → Queen's English.
2 (종종 Q-) (신화 · 전설의) 여신.
3 (여왕에 비길 만한) 뛰어나게 아름다운 것, 미인; 《특히》 미인 경연 대회의 입선자, (사교계 따위의) 여왕, 스타: the rose, ~ of flowers 꽃의 여왕 장미 / a beauty ~ 미의 여왕 / a ~ of society 사교계의 스타 / a movie ~ 은막의 여왕.
4 〖카드놀이 · 체스〗 퀸.
5 〖곤충〗 여왕벌, 여왕개미.
6 《속어》 여자 구실을 하는 남자 동성애자.
—*vt*. **1** 여왕으로〔왕비(王妃)로〕 삼다. **2** 〖체스〗 졸을 여왕으로 만들다. ***~ it*** 여왕으로 행동〔군림〕하다《***over*** …에 대하여》: She ~*s it over* all the other children in the class. 그녀는 학급의 다른 모든 아이들에게 여왕처럼 행동했다.

Quéen Ánne 앤 여왕조(朝) 양식(~ style)《18 세기 초기 영국의 건축 · 가구 양식》(의).

quéen ánt 여왕개미.

quéen bée 여왕벌; 《속어》 여성 리더.

quéen cónsort (국왕의 아내로서의) 왕비.

quéen dówager 국왕의 미망인, 황태후.

quéen·ly (**-li·er; -li·est**) *a*. 여왕 같은〔다운〕, 여왕연하는, 여왕에 어울리는.

quéen móther (금상(今上)의 어머니인) 황태후(ⓒⓕ queen dowager); 왕자〔공주〕를 둔

여왕.

quéen pòst 〖건축〗 쌍대공 트러스, 암기둥. ⓒⓕ king post.

quéen régnant (주권자로서의) 여왕.

Queens [kwi:nz] *n.* 퀸스《미국 New York 시 동부의 구(區)》.

Quéen's Bénch (the ~) 《英》 (여왕 치세하의) 왕좌부(王座部). ⓒⓕ King's Bench (Division).

Quéens·ber·ry rùles [kwí:nzbèri-/-bəri-] 퀸즈베리 법칙《Queensberry 후작이 설정한 권투 규칙》.

Quéen's Cóunsel 《英》 (여왕 치세하의) 칙선(勅選) 변호사《생략: Q.C.》. ⓒⓕ King's Counsel.

Quéen's Énglish (the ~) (여왕 치세하의) 순정〔표준〕 영어. ⓒⓕ King's English.

quéen-sìze *a.* 중특대의《king-size보다 작은》.

Queens·land [kwí:nzlənd, -lǽnd] *n.* 퀸즐랜드《오스트레일리아 북동쪽의 주》.

queer [kwiər] *a.* **1 이상한, 기묘한**(odd, strange); 야릇한, 색다른, 괴상한(eccentric): a ~ way of talking/a ~ sort of fellow 이상한 놈/There's something ~ about this house. 이 집은 어딘지 이상한 데가 있다. **2** 수상한, 의아〔의심〕스러운(suspicious): a ~ story/a ~ character 의심스러운 인물/~ goings-on 수상한 행동. **3** 《구어》 어지러운(giddy), 몸〔기분〕이 좋지 않은(unwell): I felt a little ~. 조금 기분이 좋지 않았다. **4** 《구어》 머리가 좀 돈(deranged): go ~ 머리가 좀 돌다/He's ~ in the head. 그는 머리가 좀 돌았다. **5** 《美속어》 가짜의, 위조의(counterfeit): ~ money 가짜돈. **6** 《속어·경멸적》 동성애의《남자》. **7** 《英속어》 술취한. ***in Queer Street*** 〔~ ***street***〕 《英속어》 돈에 궁색하여, 궁지에 몰려; 평판이 나빠.

—*vt.* 《구어》 (남의 계획·준비·기회 등)을 엉망으로 망치다.

—*n.* Ⓒ 《속어·경멸적》 호모, 동성애의 남자. ⓒⓕ lesbian. ⓟ **∠·ly** *ad.* **∠·ness** *n.*

quell [kwel] *vt.* 《문어》 (억)누르다, 가라앉히다; 진압〔진정〕하다.

quench [kwentʃ] *vt.* **1** (불 따위)를 끄다(extinguish)《***with*** …으로》: ~ a fire *with* water 물로 불을 끄다. **2** (갈증 따위)를 풀다《***with*** …으로》: ~ one's thirst *with* beer 맥주로 갈증을 풀다. **3** (욕망·속력·동작)을 억누르다, 억압〔억제〕하다(suppress)《***with*** …으로》: Her sarcastic remarks *~ed* his passion. =She *~ed* his passion *with* sarcastic remarks. 그녀의 빈정대는 말에 그의 정열도 식었다. **4** 〖야금〗 쇠담금〔담금질〕하다; (달군 쇠 등)을 물〔기름 따위〕로 냉각시키다. **5** (반대자 등)을 침묵시키다. ⓟ **∠·er** *n.* **∠·less** *a.* 끌 수 없는, (억)누를 수 없는.

quer·u·lous [kwérjələs] *a.* 불평을 하는(complaining), 흠〔탈〕잡는(faultfinding); 성 잘 내는(peevish). ⓟ **~·ly** *ad.* **~·ness** *n.*

que·ry [kwíəri] *n.* Ⓒ **1** 질문(inquiry), 의문: raise a few *queries* 몇 가지 질문을 하다/without ~ 질문 없이, 이의 없이《★관사 없이》. **2** 물음표《?》. **3** 〖컴퓨터〗 질의, 조회《자료틀(data base)에 대한 특정 정보의 섬색 요구》: ~ language 〖컴퓨터〗 질의〔조회〕 문자.

—*vt.* **1** 《美》 묻다, 질문하다, 캐어묻다《***about*** …에 대하여》: "How much?" I *queried.* "얼마지요"라고 나는 물었다/They *queried* the prime minister *about* his resolution. 그들은 총리에게 그의 결의를 물었다. **2** (언명·말 따위)를 의심하다, …에 의문을 던지다《***wh./if***》: I *queried* his statement. 나는 그의 성명에 의문을 던졌다/I ~ *whether* 〔*if*〕 his word can be relied on. 그의 말이 믿을 만한 것인지 의심스럽다.

quest [kwest] *n.* Ⓒ **탐색**(search), **탐구**(hunt), 추구(pursuit)《***for*** …의》: a ~ *for* knowledge 지식의 탐구. ***in ~ of*** …을 찾아.

—*vi.* 《(+㊀)+㊉+㊔》 찾아다니다, 탐색하다(*about*)《***for*** …을》: ~ *about for* game 사냥감의 뒤를 밟아 찾아다니다/~ *for* buried treasure 매장된 보물을 찾아다니다/We're still *~ing* (*about*) *for* an answer. 우리들은 아직도 이것저것 해답을 찾고 있다.

ques·tion [kwéstʃən] *n.* **1** Ⓒ **질문**, 심문, 물음(↔ *answer*); 〖문법〗 의문문: ~ and answer 질의 응답《★대구(對句)에는 관사 없이》/He put a difficult ~ to me. 그는 나에게 어려운 질문을 했다/That's a good ~. 그것 참 좋은 질문이다.

2 Ⓤ **a 의심**, 의문《***about, as to*** …에 대한/***that***》: admit (of) no ~ 의심할 여지가 없다/There's no ~ (*about* her sincerity). (그녀의 성실성에 관해서는) 의심할 여지가 없다/There is no ~ (*but*) *that* he will come. 그는 틀림없이 올 것이다/There has been some ~ *as to* whether or not he will accept the offer. 그가 그 제안을 받아들일지 어쩔지에 관해서는 약간의 의문이 있었다. **b** 《부정문에서》 가능성: There's *no* ~ *of* escape. 절대 벗어나지〔피하지〕 못한다/There's absolutely *no* ~ *of* his refusing. 그가 거절하는 일 따위는 생각할 수 없다.

3 Ⓒ **문제**; 문제점《***of*** …의/***wh.***》: an open ~ 미결(未決) 문제/the ~ *of* unemployment 실업 문제/a housing ~ 주택 문제/a ~ *of* long standing 오래된 현안 문제/a ~ *of* time 시간 문제/economic *~s* 경제 문제/the ~ at 〔in〕 issue 계쟁(係爭) 문제, 현안/raise a ~ 문제를 제기하다/The ~ is who will go. 문제는 누가 가느냐이다/There is the ~ (*of*) *how* to raise the funds. 그 자금을 어떻게 마련하느냐 하는 문제가 있다/Let's take the ~ *whether* we should employ him. 그의 고용 여부에 관한 문제를 생각해 봅시다.

ⓢⓨⓝ **question** 토론·회의 등에서의 문제나, 해결을 요하는 문제: a difficult *question* 어려운 문제. It's not a *question* of money. 돈 문제가 아니다. **problem** 해결해야 할 성가신 문제〔인물, 사정〕: social *problems* 사회 문제. This child is a *problem*. 이 아이는 문제아다. **issue** 현재 논의되고 있는 문제, 논쟁의 초점: political *issues* 정치 문제. **quiz** 교실 등에서 출제되는 간단한 질문 형식의 문제.

4 (the ~) 논제(論題); 의제; 표결: That is not the ~. 그것은 문제 밖이다/the ~ before the senate 상원이 채결(採決)할 의제/put the matter to the ~ 문제를 표결에 부치다.

beg the ~ ⇨BEG. ***beyond*** (***all***) 〔***past***〕 ***~*** 틀림없이, 확실히: He's bright, *beyond* (*all*) ~, but is he honest? 그는 두뇌가 총명한 것은 틀림없지만, 성실한 사람입니까. ***call in ~*** ⇨CALL. ***come into ~*** 논의되다, 문제되다. ***in ~*** 문제의, 당해(當該)의: the person *in* ~ 당사자, 본인/the matter *in* ~ 본건(本件). ***out of*** 〔***without***〕 ***~*** = beyond ~. ***out of the ~*** 문제가 되지 않는, 논외에, 전혀 불가능한. ***put the ~*** (가부의) 투표를 요구하다.

DIAL. ***May I ask you a question?—Certainly.*** 질문 하나 해도 되겠습니까—예, 하세요. ***Good question!*** (뭐라고 대답해야 할지 모를 때) 그게 바로 문제입니다: How can afford this?—*Good question*! 이걸 우리가 어떻게 감당할 수 있습니까?—그게 바로 문제입니다. ***Questions!*** (발언자의 탈선을 주의시켜 본제로 돌아가란 뜻으로) 이의 있습니다.

—*vt.* **1** 《~+목/+목+전+명》 …에게 **묻다**, 질문하다《***on, about, as to*** …에 대하여》: ~ the governor *on* 〔*about, as to*〕 his politics 지사에게 정책에 대하여 질문하다. SYN. ⇨ASK.
2 심문하다(inquire of): ~ a suspect 〔witness〕 용의자를〔증인을〕 심문하다.
3 《~+목/+*wh*. 절》 **의문으로 여기다**(doubt), 문제시하다, 이의를 제기하다: ~ the importance of school 학교의 중요성을 의문시하다 / I ~ *whether* 〔*if*〕 it is practicable. 그것이 실행 가능한지 어떤지 의문스럽다 / It cannot be *~ed* (but) that …은 의심할 여지가 없다.
—*vi*. 묻다, 질문하다.
㊉ **~·er** *n*. Ⓒ 질문〔심문〕자.

Q

◇**qués·tion·a·ble** *a*. 의심스러운; (행동 따위가) 수상한, 문제 있는: a ~ statement 의심스러운 진술 / It's ~ whether the rumor is true. 그 소문이 진실인지 어떤지가 의심스럽다 / ~ conduct 수상쩍은 행위. ㊉ **-bly** *ad*.

qués·tion·ing *n*. Ⓤ 질문, 심문. **—***a*. **1** 의심스러운, 수상한: a ~ look 수상쩍은 표정. **2** 알고 싶어하는, 탐구적인: a ~ mind 탐구심. ㊉ **~·ly** *ad*.

quéstion màrk 〔**stòp**〕 의문부, 물음표(?).

quéstion màster 《英》 =QUIZMASTER.

◇**ques·tion·naire** [kwèstʃənέər] *n*. 《F.》 Ⓒ 질문서, 질문표《조목별로 쓰인》, 앙케트; 【통계】 조사표.

quéstion tìme (영국 의회에서) 질의 시간.

quet·zal [ketsάːl] *n*. Ⓒ **1** 【조류】 꼬리 긴 고운 새의 일종(=∠ **bìrd**)《중앙 아메리카산》. **2** (*pl*. ***-zάles*** [-lies]) Guatemala의 화폐 단위《생략: Q》.

queue** [kjuː] *n*. Ⓒ **1 땋아 늘인 머리**, 변발(辮髮). **2** 《英》 **열**, 줄, 행렬(《美》 line)《차례를 기다리는 사람·차 따위의》: stand in a ~ 장사진을 이루다. cf. cue². **3** 【컴퓨터】 대기 행렬, 큐《컴퓨터의 계(系)에서 처리를 기다리는 일련의 자료, 메시지 등》. ***jump the **~** 《英》 (열에) 새치기하다.
—*vt*. 【컴퓨터】 대기 행렬에 넣다. **—***vi*. **1** 《~/+부》 《英》 열〔줄〕을 짓다(*up*): We *~d* for hours to get tickets. 우리들은 표를 구하려고 여러 시간 동안 줄 서 있었다. **2** 《+부/+전+명》 줄서서 기다리다(*up*)《***for*** …을》: ~ *up for* a bus 줄을 지어 버스를 기다리다/ *Queue* here *for* taxis. 택시 탈 분은 여기에 줄을 서세요.

quéue-jùmp *vi*. 《英》 줄에 끼어들다, 새치기하다.

quib·ble [kwíbəl] *n*. Ⓒ **1** 둔사(遁辭), 강변, 핑계, 구차스런 변명; 모호한 말씨. **2** 쓸데없는 비판, 흠구덕 찾기, 트집; 쓸데없는 반대〔이론〕.
—*vi*. 쓸데없는 의론을 하다, 강변하다《***with*** (아무)에게; ***about, over*** …에 관해서》.

quiche [kiːʃ] *n*. Ⓒ (요리는 Ⓤ) 파이의 일종.

†**quick** [kwik] *a*. **1 빠른, 잽싼**, 민첩한《***of*** …이; ***at, in*** …에 / ***to*** do》. ↔ *slow*. ¶Be ~ (about it)! 꾸물거리지 말고 빨리 해라 / a ~ reader 속독가 / in ~ motion 신속하게 / ~ on one's feet (발)걸음이 빠른 / walk at a ~ pace 빠른 걸음으로 걷다 / a ~ reply 즉답 / a ~ grower 생장이 빠른 식물 / be ~ *of* foot 발이 빠르다 / ~ *of* hearing 〔sight〕 귀가 예민한〔눈치 빠른〕 / He's ~ *in* his decisions. 그는 결단을 빨리 내린다 / He's ~ *at* figures 〔learning languages〕. 그는 계산〔언어 습득〕에 빠르다 / He's ~ *to* understand. 그는 이해가 빠르다.
2 민감한; 눈치〔**약삭**〕**빠른**, 머리가 잘 도는, 영리한: have a ~ ear 귀가 예민하다 / have ~ wits 재치 있다 / She has a ~ mind. 그녀는 두뇌 회전이 빠르다 / The boy is not very ~. 그 소년은 그다지 머리가 좋지 않다.
SYN. **quick** 선천적인 점이 강조됨: a *quick* mind 이해가 빠른 머리. be *quick* at hearing 귀가 밝다. **prompt** 반사적인 행동임. 훈련, 익숙해진 결과 요구 따위에 곧 응할 수 있음을 말함: a *prompt* reply 즉답. **ready** 미리 예상하여 마음의 준비를 하고 있기 때문에 '즉석에서', prompt 보다 자발성이 있음: He is too *ready* to promise. 그는 무엇이든 너무나 쉽게 약속을 해버린다.
3 성미 급한, 괄괄한: have a ~ temper 성마른 사람이다.
4 (굽이 따위가) 급한, 급커브의: make a ~ turn 급하게 진로를 바꾸다.
5 《고어》 **a** 살아 있는. **b** (the ~) 〖명사적; 복수 취급〗 살아 있는 사람들: the ~ and the dead 산 사람과 죽은 사람.
~ *one* 《구어》 쭉 한 잔, 들이켜 마시는 술.
—*ad*. **1** 빨리, 급히: run ~ 빨리 뛰다 / Come ~. 빨리〔곧〕 오세요. ★ 늘 동사 뒤에 옴. **2** 〖분사와 결합하여〗 빨리: a ~-acting medicine 곧 듣는 약 / a ~-firing gun 속사포.
(**as**) **~ *as thought*** 〔***lightning, wink, a flash***〕 눈깜짝할 사이에, 번개처럼.
—*n*. Ⓤ (닿으면 아픈) 생살; (특히 손톱 밑의) 민감한 속살; (상처 따위의) 새살. ***to the*** **~** ① 속살까지: cut one's nails *to the* ~ 손톱을 바짝 깎다. ② 골수에 사무치게, 절실히: Their callous treatment cut her *to the* ~. 그들의 냉대는 그녀를 몹시 가슴아프게 했다. ③ 철저한, 토박이의: a British *to the* ~ 토박이 영국 사람.
㊉ **∠·ness** *n*. Ⓤ 기민, 민속; 급속, 신속; 성급.

quíck-and-dírty 《美》 *a*. 《구어》 싸게 만들어진; 질이 나쁜. **—***n*. Ⓒ 《속어》 싸구려 식당.

Quíck·Bàsic *n*. Ⓒ 【컴퓨터】 퀵 베이직《마이크로 소프트사의 대표적인 베이직 컴파일러》.

quíck-chànge *a*. Ⓐ 재빨리 변장하는《배우 등》.

quick·en** [kwíkən] *vt*. **1 빠르게 하다**, 서두르게 하다(hasten): ~ one's steps 걸음을 빨리하다. **2 활기 띠게 하다**, 북돋우다, 자극〔고무〕하다: The illustration *~ed* my interest. 그 삽화는 나의 흥미를 돋구었다. **3** 《~+목/+목+전+명》 되살리다, 소생시키다(revive): The spring rains *~ed* the earth. 봄비가 대지를 소생시켰다 / ~ the dying fire *into* flames 꺼져 가던 불을 다시 타오르게 하다. **—vi*. **1 빨라지다**: The patient's pulse *~ed*. 환자의 맥박이 빨라졌다. **2** 활기 띠다, 생기 띠다. **3** 살아나다, 소생하다. **4** (태아가) 태동하다, 놀다.

quíck-fire *a*. 속사(速射)의; 속사포 같은, 잇따른.

quíck fíx 《구어》 임시 변통의〔손쉬운〕 해결(책),

응급 조치.
quíck-frèeze *vt.* (식품)을 급속 냉동하다《보존을 위해》.
quíck fréezing 급속 냉동(법).
quick·ie, quicky [kwíki] *n.* Ⓒ《구어》급히 만든 날림 영화·소설《따위》; 서두른 여행(일); 간단히 할 수 있는 것; (술 따위의) 빨리 마시기. **—***a.* Ⓐ 급히 만든, 속성의.
quíck·lìme *n.* Ⓤ 생석회.
†**quick·ly** [kwíkli] *ad.* **빠르게**, 급히; 곧: Please don't speak so ~. 그렇게 빨리 말씀하지 말아주세요/Can't you finish your work more ~? 좀더 빨리 일을 끝낼 수 없겠니/He recovered astonishingly ~. 그는 놀랄 만큼 빨리 회복했다/The doctor came ~. 의사는 빨리(곧바로) 와 주었다.
quíck·sànd *n.* Ⓒ (흔히 *pl.*) 유사(流砂)《그 위를 걷는 사람·짐승을 빨아들임》.
quíck·sèt 《英》 *n.* Ⓒ (특히 산사나무의) 산울타리(=∠ **hèdge**). **—***a.* 산울타리의.
◇**quíck·sìlver** *n.* Ⓤ 수은(mercury).
quíck sòrt 〖컴퓨터〗 신속 정렬, 퀵 소트.
quíck·stèp *n.* Ⓒ **1** (보통 *sing.*) 〖군사〗 속보(행진곡). **2** 〖댄스〗 퀵스텝(의 곡).
quíck-témpered *a.* 성급한, 성 잘 내는.
quíck tìme Ⓤ 〖군사〗 속보, 빠른 걸음.
quíck-wítted [-id] *a.* 기지에 찬, 약삭빠른, 재치 있는.
quid[1] [kwid] (*pl.* ~(**s**)) *n.* Ⓒ《英구어》1 파운드: five ~, 5 파운드. ***be* ~*s in***《英구어》운이 좋다; 제대로 잘 하다; 더할 나위 없다.
quid[2] *n.* Ⓒ 한번 씹을 분량《씹는 담배의》.
quid pro quo [kwìd-prou-kwóu] 《L.》 (=something for something) 대상(물)(compensation), 응분의 대상(代償), 보상《***for*** …의》: as a ~ *for* …의 보상으로서.
qui·es·cence, -cen·cy [kwaiésəns], [-sənsi] *n.* Ⓤ 정지(靜止); 무활동(inactivity).
qui·es·cent [kwaiésənt] *a.* 정지(靜止)한; 무활동의. ⊕ **~·ly** *ad.*
†**qui·et** [kwáiət] (**~·*er*; ~·*est***) *a.* **1 조용한, 고요한**, 소리 없는. ↔ *noisy*.¶a ~ street 한적한 거리/It's very ~ here. 이 곳은 매우 조용하다.

SYN. **quiet** 소음이 없는 조용한 소리면 이 부류에 듦. 고요함 외에도 정신적인 평온, 안식을 시사하는 경우가 많음: a *quiet* engine 조용한 엔진. a *quiet* evening at home 집에서 보내는 조용한 밤. **still** 소리 없이 조용한, 흔히 움직임도 멈춰 있음: the *still* lake 잔잔한 호수. **silent** 소리 하나 들리지 않는, 매우 조용한, 사람이 침묵할 때에도 쓰임: a *silent* house.

2 정숙한, 얌전한, 말수가 없는: a ~ person 과묵한 사람/in a ~ voice 조용한 목소리로/~ boys (neighbors) 얌전한 아이들(이웃 사람들)/~ manners 조용한 태도.
3 온화한, **평온한**; 마음 편한: live a ~ life 평온한 생활을 하다/a ~ conscience (mind) 거리낄 것 없는 (떳떳한) 마음/a ~ sea 잔잔한 바다.
4 숨겨진, 은밀한: ~ resentment 내심의 노여움/have a ~ talk with …와 은밀한 이야기를 나누다/Can you keep it ~ (keep ~ about it)? 그것을 비밀로 해둘 수 있느냐.
5 수수한, 눈에 띄지 않는, 은근한: a ~ color 차분한 색(빛깔)/a ~ irony 은근히 꼬집기(빈정대기).
6 (거래가) 한산한, 활발치 못한: a ~ market 한산한 시장.
7 비공식적인(informal): a ~ dinner party 비공식 만찬회.
8 (환경·생활 따위가) 단조로운, 변화가 없는.

DIAL. ***Quiet!*** =***Be quiet!*** 조용히 해라.

—*n.* Ⓤ **1 고요함**, 정적(stillness): in the ~ of the night 밤의 정적 속에/the ~ after a storm 폭풍 후의 정적/There isn't much ~ in this neighborhood. 이 주변(부근)은 그다지 조용하지 않다.
2 평정, 평온, 마음의 평화, 안식; (사회적인) 평화, 태평: rest and ~ 안식/live in peace and ~ 평온 무사하게 살다.
***on the* ~** 몰래, 은밀하게, 가만히《속어에서 on the Q.T. (q.t.)로 생략》.
—*vt.* **1** 《~+목/+목+부》 진정시키다, 가라앉히다; 달래다, 안심시키다(*down*): ~ a crying baby 우는 애를 달래다/~ (*down*) the excited crowd 흥분한 군중을 진정시키다. **2** 누그러지게 하다(mollify), (소란 따위)를 가라앉히다. **—***vi.* 《+부》 고요해(조용해)지다, 가라앉다(*down*): The excitement *~ed down*. 흥분이 가라앉았다.
⊕ **~·en** [kwáiətn] *vt., vi.* 《英》 =quiet.
quí·et·ìsm *n.* Ⓤ **1** 〖철학〗 정적(靜寂)주의. **2** 무저항주의. ⊕ **quí·et·ist** *n.*
‡**qui·et·ly** [kwáiətli] *ad.* **1 조용히**, 고요히, 살짝, 가만히: Close a door ~ 가만히 문을 닫다/“Come along ~,” said the policeman. ‘얌전히 따라와’라고 경찰관이 말했다. **2** 침착하게, 서두르지 않고: “I'm not afraid of death,” he answered ~. ‘나는 죽음이 두렵지 않아요’라고 그가 침착하게 대답했다. **3** 검소하게, 수수하게: She was ~ dressed. 그녀는 수수한 옷차림을 하고 있었다. **4** 내밀히. **5** 간소하게, 집안끼리.
qui·et·ness *n.* Ⓤ **1** 조용함, 고요함, 정적. **2** 온화함, 평온. **3** 얌전함, 수줍음.
qui·e·tude [kwáiətjù:d] *n.* Ⓤ 조용함, 평온, 정적(quietness).
qui·e·tus [kwaií:təs] *n.* Ⓒ (보통 *sing.*) (마지막의) 숨통끊기, 마지막 일격, 결정타; 소멸: get one's ~ 죽다/give a rumor its ~ 소문을 근절시키다.
quiff [kwif] *n.* Ⓒ 《英》 (앞이마에 늘어붙인 주로 남성의) 고수머리.
quill [kwil] *n.* Ⓒ **1** 깃촉, 우경(羽莖); (날개깃·꼬리 따위의 튼튼한) 큰 깃. **2** 깃촉펜(=∠ **pèn**). **3** (보통 *pl.*) 호저(豪猪)의 가시.
◇**quilt** [kwilt] *n.* Ⓒ (솜·털·깃털 따위를 둔) 누비이불; 누비 침대 커버(coverlet). **—***vt.* 속을 두어서 누비다; (화폐·편지 따위)를 옷 갈피(따위)에 넣어 꿰매다: He *~ed* money *in* his belt. 그는 돈을 띠에 넣고 꿰맸다.
quílt·ed [-id] *a.* quilt 풍의.
quim [kwim] *n.* Ⓒ《英속어·비어》 =VAGINA.
quin [kwin] *n.* 《英구어》 =QUINTUPLET 1.
quince [kwins] *n.* Ⓒ 〖식물〗 마르멜로(의 열매).
quin·cen·te·na·ry, -ten·ni·al [kwinsénténèri/kwìnsentí:nəri], [kwìnsenténiəl] *a.* 500년(째)의; 500년제(祭)의. **—***n.* Ⓒ 500년제.
qui·nine [kwáinain/kwiní:n] *n.* **1** Ⓤ 퀴닌. **2** Ⓤ (낱개는 Ⓒ) 키니네《말라리아의 특효약》.
quin·qua·ge·nar·i·an [kwìŋkwədʒinέəriən] *a., n.* Ⓒ 50 대(세)의 (사람).
Quin·qua·ges·i·ma [kwìŋkwədʒésəmə] *n.* 〖가톨릭〗 오순절(의 주일); 〖영국국교회〗 4순

절(Lent) 직전의 일요일(=∠ **Súnday**).

quin·quen·ni·al [kwiŋkwéniəl] *a.* 5년마다의; 5년의, 5년간의, 5년간 계속되는.

quin·sy [kwínzi] *n.* Ⓤ 〖의학〗 편도선염, 후두염.

quint [kwint] *n.* 《美구어》 =QUINTUPLET 1.

quin·tal, 《고어》 **kin·tal** [kwíntl], [kín-] *n.* Ⓒ 무게의 한 단위《미국에서는 100 lb., 영국에서는 112 lb., 미터법에서는 100 kg》.

quin·tes·sence [kwintésəns] *n.* (the ~) **1** 정수, 진수(眞髓). **2** 전형: the ~ of virtue 도덕의 귀감. ㊕ **quin·tes·sen·tial** [kwìntəsénʃəl] *a.* Ⓐ 전형적인. **-tial·ly** *ad.*

quin·tet, -tette [kwintét] *n.* Ⓒ **1** 〖음악〗 5중주(곡); 5중창(곡); 5중주단(의 멤버). **2** 5인조; 5개 한 벌.

quin·til·lion [kwintíljən] *n.* Ⓒ, *a.* 《美》 백만의 3제곱(10^{18})(의); 《英·獨·프》 백만의 5제곱(10^{30})(의).

quin·tu·ple [kwintjú(:)pl/kwíntju:pl] *a.* 5배의, 5배 양(量)〔액〕의; 5중의. **—***n.* Ⓒ 5배; 5배 양〔액〕. ⓒⓕ sextuple. **—***vt., vi.* 5배로 하다〔되다〕.

Q

quin·tu·plet [kwintʌ́plət, -tjú:-/kwíntju-plit] *n.* Ⓒ **1** 다섯 쌍둥이 중 한 사람; (*pl.*) 다섯 쌍둥이. **2** 5개〔사람〕 한 조.

quip [kwip] *n.* Ⓒ 경구, 명언; 빈정거리는 말, 신랄한 말. **—***(-pp-) vi.* 명언을 하다; 빈정거리다, 비꼬다.

qui·pu [kí:pu:, kwípu:] *n.* Ⓒ (옛 페루인의) 결승(結繩) 문자.

quire [kwaiər] *n.* Ⓒ 1첩(帖), 1권(卷)《종이 24 또는 25매》《생략: q., qr.》.

quirk [kwə:rk] *n.* Ⓒ **1** 버릇, 괴벽: have a strange ~ of doing …하는 괴상한 버릇이 있다. **2** 우연, 운명의 장난: by a ~ of fate 기구한 운명의 장난으로.

quirky [kwə́:rki] (*quirk·i·er; -i·est*) *a.* 기벽(奇癖)이 있는; 기묘한. ㊕ **quírk·i·ly** *ad.* **-i·ness** *n.*

quirt [kwə:rt] *n.* Ⓒ, *vt.* 《美》 엮어 꼰 가죽 말채찍(으로 치다).

quis·ling [kwízliŋ] *n.* Ⓒ 매국노; 배반자.

⁑**quit** [kwit] (*p., pp.* ∠**·ted,** 《주로 美》 ~; ∠**·ting**) *vt.* **1** 《~+목/+-*ing*》 **그치다, 그만두다,** 끊다, 중지하다(discontinue); **단념하다,** 포기하다(give up): ~ one's job 사직하다 / We ~ work at five. 우리는 5시에 일을 마친다 / *Quit* that! (그것을 하는 것을) 그치시오 / *Quit* worrying about me. 내 일은 상관 말아 주게 / ~ smok*ing* 담배를 끊다. **2** (장소에서) **떠나다,** 물러나다: He ~ his room in anger. 그는 화가 나서 방을 나갔다 / She ~ London for Paris. 그녀는 런던을 떠나 파리로 갔다. **—***vi.* 일을 그만두다; 사직하다: give 〔have〕 notice to ~ 사직 통고를 하다〔받다〕.

—*a.* Ⓟ 벗어난《*of* …에서》: At last I'm ~ *of* her 〔my debts〕. 마침내 그녀에게서〔빚에서〕 벗어났다.

†**quite** [kwait] *ad.* **1 완전히, 아주, 전혀**(completely): He has ~ recovered from his illness. 그는 완쾌되었다 / I ~ agree with you. 전적으로 찬성입니다 / *Quite* the reverse is the case. 사실은 정반대다.

2 〘not와 함께 부분 부정으로〙 (전적으로가 아니라) 완전히는 …않다, 아주 …하지는 않다: I am *not* ~ well. 아직 좀 덜 좋다 / He 〔She〕 isn't ~. 《英구어》 좀 신사〔숙녀〕라고는 할 수 없다《a gentleman 〔lady〕를 보충함》.

3 《英》 (생각보다) 꽤, 상당히; 《美》 대단히, 매우(very): Are you ~ sure? 정말 자신이 있나 / I've been ~ busy. 요즘 꽤 바빴다 / I am ~ tired. 매우 피곤하다 / She's ~ a pretty girl. 그녀는 정말 예쁜 소녀다.

> **NOTE** quite가 부정관사가 따른 「형용사+명사」에 붙을 때에는, *quite* a(n) …과 a *quite*… 두 가지 어순이 가능한데, 특히 《美구어》에서는 a quite…를 많이 씀: It's *a quite* 〔*quite a*〕 good book. 아주 좋은 책이다.

4 〘흔히 but을 수반하여〙 《英》 확실히〔상당히〕 …(그러나): She is ~ pretty, *but* uninteresting. 그녀는 확실히 예쁘긴 하나 재미가 없다.

5 〘~ a 〔some〕+명사〙 보통 이상으로, 상당히, 제법: ~ *some* time ago 상당히 이전에 / That was ~ *a* 〔*some*〕 party. 그 파티는 훌륭한 파티였다 / She is ~ *a* lady. (신분에 어울리지 않게) 제법 귀부인 같다 / You are ~ *a* man! 너는 이제 어른 축에 끼일 수 있다, 어른 구실을 할 나이다.

6 《주로 英》 그렇다, 그럼은요, 그렇고말고요, 동감입니다《대화에서》: Yes, ~. =Oh, ~. =*Quite* (so). 그럼은요, 동감이오, 그야 그렇지요 / *Quite* right. 좋소, 괜찮소, 그렇소.

~ *a bit* 〔***a few, a little***〕 《구어》 어지간히, 꽤 많이〔많은〕: He knows ~ *a little* about it. 그 일에 대해 어지간히 알고 있다. **~ *another*** 완전히 다른〔틀린〕. **~ *a number of*** 상당한 수의. **~ *other*** 아주 다른〔틀린〕. **~ *something*** 《구어》 대단한 것〔일〕: It's ~ *something* to graduate with honors. 우등으로 졸업을 하다니 참 대단한 일이다.

> **DIAL** ***I'm having quite a time.*** ① 아주 즐겁게 지내고 있다. ② 심적으로 큰 고통을 겪고 있다.

Qui·to [kí:tou] *n.* 키토《Ecuador의 수도》.

quits [kwits] *a.* Ⓟ 대등〔팽팽〕하게 되어, 피장파장인《갚음·보복에 의해》; 비기어: Now we are ~. 자 이제 비겼다 / Now I'm ~ with you. 자 이로써 너와는 비겼다. ***cry*** 〔***call it***〕 **~** 무승부로 하다; 중단하다, 그만두다. ***double or*** **~** 〔***nothing***〕 ⇨DOUBLE.

quit·tance [kwítəns] *n.* Ⓒ 〖법률〗 (채무·의무로부터의) 면제, 해제.

quit·ter [kwítər] *n.* Ⓒ 중지〔포기〕하는 사람; 게으름뱅이; 무기력〔비겁〕한 사람(poltroon).

quiv·er**[1] [kwívər] *vi.* 《~/+전+명》 **떨리다,** 흔들리다《*with* …으로 / *at* …에》: The leaves ~*ed* in the wind. 나뭇잎이 바람에 흔들렸다 / His voice ~*ed* when he began to speak. 그가 말하기 시작했을 때 그의 음성이 떨렸다 / She was ~*ing with* fear 〔rage〕. 그녀는 두려움〔노여움〕으로 떨고 있었다 / We ~*ed at* the sight. 우리들은 그 광경을 보고 떨었다. ⓈⓎⓃ ⇨SHAKE. **—vt.* (날개·촉각 따위)를 떨다, 떨게 하다: The moth ~*ed* its wings. 나방이 날개를 떨었다. **—***n.* Ⓒ (보통 *sing.*) 떨림, 떪, 진동; 떨리는 소리.

quiv·er[2] *n.* Ⓒ 화살통, 전동(箭筒). ***have an arrow*** 〔***a shaft***〕 ***left in*** one's **~** 아직 수단〔자력〕이 남아 있다.

qui vive [ki:ví:v] 《F.》 누구야《보초의 수하(誰何)의 말》. ***on the*** **~** 경계하여(on the lookout), 방심치 않고.

Qui·xo·te [kihóuti, kwíksət/kihɔ́:te] *n.* 돈키호테(Don Quixote).

quix·ot·ic [kwiksátik/-sɔ́t-] *a.* (또는 Q-) 돈키호테식의; 극단적으로 의협심이 강한; 공상적인, 비실제적인(unpractical).
㊕ **-i·cal·ly** [-kəli] *ad.*

quix·ot·ism, quix·ot·ry [kwíksətìzəm], [-sətri] *n.* Ⓤ 돈키호테적인 성격; Ⓒ 기사연(然)하는〔공상적인〕 행동〔생각〕.

⁑**quiz** [kwiz] (*pl.* **∼·zes**) *n.* Ⓒ **질문**, 간단한 테스트; (라디오 · TV의) 퀴즈. SYN. ⇨QUESTION.
— (**-zz-**) *vt.* 《∼+목/+목+전+명》 …에게 질문하다《**about** …에 관해서》; ∼ several suspects *about* the missing money 없어진 돈에 관해서 용의자 몇 명을 심문하다 / ∼ a person *on* English 아무에게 영어 테스트를 하다.

quíz·màster *n.* Ⓒ 퀴즈의 사회자.

quíz prògram 〔**shòw**〕 《美》 (라디오 · TV의) 퀴즈 프로그램: take part in a television ∼ 텔레비전 퀴즈 프로그램에 나오다

quiz·zi·cal [kwízikəl] *a.* **1** 의심스러운, 수상쩍은《표정 따위》: He gave me a ∼ look. 그는 의심스러운 눈으로 나를 보았다. **2** 놀리는(bantering), 조롱하는(chaffing): a ∼ smile 조소. **3** 야릇한(odd), 기묘한(queer), 우스운(comical).
㊕ **∼·ly** *ad.* **∼·ness** *n.*

quod [kwad/kwɔd] *n.* Ⓒ 《英속어》 교도소: in 〔out of〕 ∼ 수감되어〔출감하여〕《★관사 없이》.

quod vi·de [kwad-váidi/kwɔd-] 《L.》 (=which see) …을 보라, …참조《생략: q.v.》. ★ 참조할 곳이 둘 이상일 때에는 quae vide《생략: qq.v.》.

quoin [kwɔin] *n.* Ⓒ 〖건축〗 (벽 · 건물의) 외각(外角); (방의) 구석; 귀돌; 홍예석. **—** *vt.* 귀돌로 버티다.

quoit [kwait/-ɔit] *n.* **1** Ⓒ 고리《쇠 또는 밧줄로 만든》. **2** (*pl.*) 〘단수취급〙 고리던지기《땅 위에 세운 말뚝에 쇠 또는 밧줄 고리를 던지는 놀이》.

quon·dam [kwándəm/kwɔ́n-] *a.* 《L.》 Ⓐ 원래의, 이전의: a ∼ friend of mine 나의 옛 친구.

Quón·set (**hùt**) [kwánsət(-)/kwɔ́nsət(-)] 《美》 반원형 막사, 퀀셋(cf. Nissen hut)《상표명》. [◂*Quonset* Point《최초의 건설지인 Rhode Island 주의 해군 항공 기지》]

quor·ate [kwɔ́:rit] *a.* 《英》 정족수에 미치고 있는. [◂*quorum*+*-ate*]

quo·rum [kwɔ́:rəm] *n.* Ⓒ (의결에 필요한) 정족수(定足數): have 〔lack〕 a ∼ 정족수가 되다〔에 모자라다〕.

quot. quotation; quoted.

quo·ta [kwóutə] *n.* Ⓒ **1** 분담분, 할당, 배당. **2** 규정〔할당〕 수량《제조 · 수출입 따위의》: an import ∼ 수입 할당량 / fulfill a production ∼ 제조 할당량을 채우다. **3** 정수(定數), 정원(定員)《받아들일 이민 · 회원 · 학생 따위의》: The school has exceeded its ∼ of students. 그 학교는 학생을 정원 이상으로 받아들였다.

quot·a·ble [kwóutəbəl] *a.* 인용할 수 있는, 인용 가치가 있는; 인용에 알맞은. ㊕ **quot·a·bíl·i·ty** *n.* Ⓤ 인용 가치.

quóta sỳstem (the ∼) 할당 제도《수출입액 · 이민수 따위의》.

***quo·ta·tion** [kwoutéiʃən] *n.* **1** Ⓤ **인용**; Ⓒ 인용구〔어, 문〕《**from** …으로부터의》: a ∼ *from* Shakespeare 셰익스피어로부터의 인용구〔문〕. **2** Ⓒ 〖상업〗 시세(표), 시가《**on** …의》; 견적(액)《**for** …의》: ask for the latest ∼*s on* several stocks 몇 개 주의 시세를 묻다.

quotátion màrks 따옴표, 인용부: single ∼ 작은따옴표《' '》/ double ∼ 큰따옴표《" "》.

⁑**quote** [kwout] *vt.* **1** 《∼+목/+목+전+명》 (남의 말 · 문장 따위)를 **인용하다**, 따다 쓰다《**from** …에서》: ∼ Shakespeare 셰익스피어의 말을 인용하다 / ∼ a verse *from* the Bible 성서에서 일절을 인용하다. **2** 《∼+목/+목+목/+목+*as* 보》 예시(例示)하다: He ∼*d* many facts in support of his argument. 그는 많은 사실을 들어 자기 주장을 뒷받침〔증명〕했다 / He ∼*d* me some nice examples. 그는 나에게 좋은 예를 보여주었다 / This instance was ∼*d as* important. 이 예가 중요하다고 들어졌다. **3** 《∼+목/+목+목/+목+전+명》 〖상업〗 (가격 · 시세)를 부르다, 매기다《**at** (얼마)로》; 어림치다, 견적하다《**for** …에 대하여》: ∼ a price 값을 매기다 / Please ∼ me your lowest prices. 최저 값을 불러보세요 / ∼ a thing *at* $100. 물건 값을 백 달러로 매기다 / They ∼*d* $100 *for* repairing my car. 그들은 내 차 수리비로 100달러를 견적했다. **—** *vi.* **1** 《∼/+전+명》 인용하다《**from** …에서》: ∼ *from* the Bible 성서에서 인용하다. **2** 〘보통 명령형〙 인용(문)을 시작하다《 인용문을 시작할 때 씀; 끝날 때는 unquote》: He said ∼ I will not run for governor *unquote*. 그는 "나는 지사 출마를 않겠습니다"라고 말했다. ***be* ∼*d as saying*** …라고 말했다(고 전해지다)《★ 신문 따위에서 흔히 씀》.
— *n.* Ⓒ 《구어》 **1** 인용구〔문〕. **2** (보통 *pl.*) 따옴표, 인용부: in ∼*s* 따옴표로 싸서. **3** 시세, 시가; 가격표, 견적액.
SYN. **quote** 남의 말 등을 인용함에 있어 그 사람의 이름을 들 경우를 말함. **cite** 저자, 서적, 논제 등의 이름을 예로 들지만, 그 내용은 인용하지 않을 경우를 말함.

quoth [kwouθ] *vt.* 《고어》 말하였다(said)《★ 1인칭 및 3인칭의 직설법 과거; 항상 주어의 앞에 둠》: "I am happy," ∼ she. '나는 행복해요' 라고 그녀는 말했다.

quo·tid·i·an [kwoutídiən] *a.* Ⓐ 매일의, 매일같이 일어나는; 흔해빠진, 평범한: ∼ duties 일상 업무〔임무〕.

quo·tient [kwóuʃənt] *n.* Ⓒ 〖수학 · 컴퓨터〗 몫; 지수(指數), 비율: differential ∼ 〖수학〗 미분 몫.

Qu·ran, Qur'·an [kurá:n] *n.* =KORAN.

q.v. *quod vide* 《L.》 (=which see).

QWER·TY, qwer·ty [kwə́:rti] *a.* (키보드가) QWERTY 배열의, 타이프라이터식(式) 키 배열의《영자 키의 최상렬이 좌측으로부터 q, w, e, r, t, y의 순으로 되어 있는 일반적인 것》: a ∼ keyboard 《구어》 (타이프라이터 문자의) 통상 배열(通常配列) 키보드. **—** *n.* Ⓒ 표준형 키보드.

Qy., qy. query.

R

R, r [ɑːr] (*pl.* **R's, Rs, r's, rs** [-z]) *n.* **1** Ⓤ (구체적으로는 Ⓒ) 아르《영어 알파벳의 열여덟째 글자》. **2** Ⓒ R자 모양의 것. **3** Ⓤ (연속된 것의) 제 18번째(의 것)《J를 빼면 17번째》. ***the r months,*** 9월부터 4월까지《달 이름에 모두 r자가 들어 있음; 굴(oyster)의 계절》. ***the three R's*** (기초 교육으로서의) 읽기·쓰기·셈《reading, writing, arithmetic》.

R 【전기】 resistance; 《美》 Restricted (《【영화】 준(準)성인 영화; 17세 미만의 입장에는 부모 또는 보호자의 동반이 필요한 영화》); reverse; 《기호》 rial; riyal; ruble; rupee. **R, r** response; 【체스】 rook. **R.** Radius; Railroad; Railway; Ratio; Regina; Elizabeth *R* 여왕 엘리자베스 《서명 등에 쓰임》; Republic(an); Rex; River; Royal. **®** 《기호》 registered trademark (등록 상표). **r.** right; 《기호》 ruble; rupee.

Ra [rɑː] *n.* 【이집트신화】 라《태양신; 머리 위에 태양의 원반과 뱀 모양의 표장을 붙인 매의 머리를 한 인간 모습으로 형상화한 것》.

R.A. Rear Admiral; 《英》 Royal Academy 〔Academician〕; 《英》 Royal Artillery (영국 포병대). **Ra** 【화학】 radium.

rab·bet [rǽbit] 【목공】 *n.* Ⓒ 사개; 은촉홈《널빤지와 널빤지를 끼워 맞추기 위해서 그 단면에 낸 홈 따위》; 은촉붙임, 사개맞춤(=∠ **jòint**). **—** *vt.* 사개맞춤을 하다, 은촉붙임하다.

rab·bi [rǽbai] (*pl.* **~(e)s**) *n.* 【유대교】 **1** Ⓒ (직업적인) 유대교회의 목사, 유대의 율법 박사; 라비. **2** 선생《존칭》: *Rabbi* Golden 골든 선생.

Rab·bin·ic [rəbínik] *n.* Ⓤ (중세의 라비(rabbi)가 사용한) 헤브라이 말; 후기 헤브라이 말(=∠ **Hébrew**). **—***a.* (r-) 라비의; 라비의 교의(敎義)〔말투, 저작〕의.

rab·bin·i·cal [rəbínikəl] *a.* =RABBINIC.

⁑**rab·bit** [rǽbit] *n.* **1** Ⓒ (*pl.* **~(s)**) **집토끼**《hare보다 몸집이 작고 혈거성(穴居性)임; 다산(多産)·겁쟁이의 상징; 그 발(rabbit's foot)은 마귀를 쫓는 부적으로 쓰였음》. **2** Ⓤ 토끼의 모피; 그 고기. **3** Ⓒ 《英구어》 (골프·테니스 따위의) 서투른 경기자. **4** Ⓒ (장거리 경주에서) 선도역을 맡는 페이스 메이커. **5** =WELSH RABBIT.

(as) scared 〔***weak, timid***〕 ***as a ~*** (토끼처럼) 겁을 내며〔소심하게, 겁쟁이로〕. ***breed like ~s*** 애를 많이 낳다.

—(**-tt-**) *vi.* **1** 토끼 사냥을 하다. **2** 《~/+副/+前+名》 《英구어》 지루하게 되뇌다〔투덜대다〕 (*on*) 《***about*** …에 대하여》: He's always *~ting on about* the poor pay. 그는 봉급이 작다고 항상 투덜댄다.

rábbit èars 《美구어》 V자형 실내용 텔레비전 소형 안테나.

rábbit hùtch 토끼장《상자꼴의》.

rábbit pùnch 【권투】 래빗 펀치《뒤통수를 치기; 반칙임》.

rábbit wàrren **1** 야생 토끼의 번식지, 양토장. **2** 《비유적》 혼잡한 장소, 붐비는 곳.

rab·ble [rǽbəl] *n.* **1** Ⓒ 〚집합적; 단·복수취급〛 구경꾼, 오합지졸, 어중이떠중이; 군중. **2** (the ~) 하층민, 천민, 대중.

rábble-ròuse *vi.* 민중을 선동하다. ㊞ **-ròuser** *n.* Ⓒ 민중 선동가. **-ròusing** *a.* 민중을 선동하는. **—***n.* Ⓤ 민중을 선동하기.

Rab·e·lais [rǽbəlèi, ∠-∠] *n.* **François ~** 라블레《프랑스의 풍자 작가; 1494?-1553》.

Rab·e·lai·si·an, -lae- [ræ̀bəléiziən, -ʒən] *a.* 라블레(풍)의; 야비하고 익살맞은. **—***n.* Ⓒ 라블레 숭배자〔모방자, 연구가〕. ㊞ **~·ism** *n.*

rab·id [rǽbid] *a.* **1** Ⓐ 맹렬한, 미친 듯한; 열광적인, 광포한; 외고집인: a ~ teetotaler 철저한 금주가. **2** 광견(狂犬)의; 광견병에 걸린: a ~ dog. ㊞ **~·ly** *ad.* **~·ness** *n.*

ra·bies [réibiːz] *n.* Ⓤ 【의학】 광견병, 공수병(恐水病) (hydrophobia).

RAC 《英》 Royal Automobile Club (왕립 자동차 클럽).

rac·coon [rækúːn, rə-] (*pl.* **~(s)**) *n.* **1** Ⓒ 【동물】 미국너구리, 완웅(浣熊). **2** Ⓤ 그 모피.

raccóon dòg 【동물】 너구리《동부 아시아산(產)》.

⁑**race**[1] [reis] *n.* **1** Ⓒ (속도를 겨루는) **경주**; (각종) 레이스《보트〔요트〕 레이스, 경마, 경견(競犬), 경륜(競輪), 자동차 레이스 따위》《***with, against*** …와의》: ride a ~ 경마〔경륜〕에 출전하다/run a ~ *with* 〔*against*〕 …와 경주하다/win 〔lose〕 a ~ 경주에 이기다〔지다〕.

2 (the ~s) 경마〔경견(競犬)〕(대회): go to the *~s* 경마에 가다.

3 Ⓒ 〚일반적〛 **경쟁**; 급히 서두름, 노력《***for*** …을 위한; ***against*** …에 대한/***to*** do》: a ~ *for* power 권력 투쟁/a ~ *against* time 시간과의 경쟁《기한까지 완성시키기 위한 필사의 노력》/an armament ~ 군비 경쟁/the TV ratings ~, TV 시청률 경쟁/the ~ *to* abolish nuclear weapons 핵무기 폐기 경쟁/We had a ~ *for* the train. 열차 시간에 대기 위해 서둘렀다.

4 Ⓒ 《고어》 인생 행로, 생애: Your ~ is nearly run. 당신 수명도 거의 끝장이오.

5 Ⓒ 《고어》 (천체의) 운행; 시간의 경과; (사건·이야기 등의) 진행.

6 Ⓒ 급류, 여울; 수로, 용수로: a mill ~ 물레방아용 수로.

in 〔***out of***〕 ***the ~*** 성공할 가망이 있어〔없어〕. ***make the ~*** 《美》 (공직에) 입후보하다. ***play the ~s*** 《美》 경마에 돈을 걸다.

—*vi.* **1** 《~/+前+名》 **경주하다**; 다투다, 경쟁하다《***with, against*** …와; ***for*** …을 얻으려고》: ~ *with* a person 아무와 경주하다/~ *for* the presidential nomination 대통령 후보 지명을 받기 위해 다투다.

2 《+副/+前+名》 **질주하다**, 달리다: ~ *about* 〔*around*〕 뛰어다니다/~ *after* a ball 공을 잡으려고 쫓아가다/~ *for* a train 기차를 타려고 뛰다.

3 경마〔경륜〕하다; 경마〔경륜〕에 출장하다; 경마

에 몰두하다.

4 (기계가) 헛돌다.

—*vt.* **1** 《~+목/+목+전+명》 …와 **경주하다**: I *~d* him *to* the tree. 나무가 있는 데까지 그와 경주했다.

2 《~+목/+목+전+명》 경주시키다《*against* …와》; 경주에 내보내다《*in* …의》: I *~d* my dog *against* his. 내 개와 그의 개를 경주시켰다/He *~d* his horse *in* the Derby. 그는 자기 말을 더비에 출장시켰다.

3 전속력으로 달리게 하다: ~ one's car on the free way 고속도로에서 차를 빨리 몰다.

4 《+목+전+명》 (상품 등)을 급송하다; (사람)을 급히 실어 나르다; (의안 등)을 서둘러 통과시키다: The ambulance *~d* her *to* the hospital. 구급차는 급히 그녀를 병원으로 실어 갔다/~ a bill *through* the House 의안을 하원에서 급히 통과시키다.

5 (기계)를 헛돌게 하다; 전속력으로 돌리다: ~ a motor.

6 《+목+부》 《英》 (재산)을 경마(따위)로 날리다 (*away*): He *~d* his property *away*. 그는 경마로 재산을 없앴다.

~ ***away*** ⇨*vt.* 6. ~ ***up*** (기온·비용이) 급상승하다《*into, to* …까지》.

‡**race**[2] *n.* **1** Ⓤ (구체적으로는 Ⓒ) **a 인종**, 종족: the Mongolian ~ 몽고 인종/the white 〔yellow, black〕 ~ 백〔황, 흑〕인종《★ 민족학적으로는 ethnic group 〔stock〕이라는 과학적 명칭을 사용함》/It's wrong to discriminate against people because of their ~. 인종을 이유로 인간을 차별하는 것은 잘못이다. **b** (문화상의 구별로) **민족**: the Korean ~ 한국 민족. SYN. ⇨NATION.

2 Ⓒ 〖수식어를 수반하여〗 (생물의) 종속(種屬), 종류; (생물의) 품종: the feathered 〔finny〕 ~ 조류〔어류〕/the reptile ~ 파충류.

3 Ⓒ 씨족, 일족, 자손; Ⓤ 가계(家系), 가문: the ~ of Abraham 아브라함의 자손/a man of noble ~ 고귀한 가문 출신자.

4 Ⓒ (직업·취미 따위가 동일한) 부류, 패거리, 동아리, 동업자: the ~ *of* artists 예술가 부류〔족속〕.

—*a.* Ⓐ 인종의, 인종적인(racial): a ~ problem 인종 문제/a ~ riot 인종 폭동/~ discrimination 〔prejudice〕 인종적 차별〔편견〕/~ relations (나라 안에서의) 인종 관계.

ráce càrd (경마 등의) 출전표〔프로그램〕.

ráce·cóurse *n.* Ⓒ **1** 《美》 경주로(路), 경조(競漕)로, 《英》 경마장. **2** (물레방아의) 수로.

ráce·hòrse *n.* Ⓒ 경마말, 경주마(racer).

ráce mèeting 《英》 경마회; (자동차 따위의) 경주 대회.

rac·er [réisər] *n.* Ⓒ **1** 경주자, 경조(競漕)자. **2** 경마말, 경조용 보트, 경주용 자전거〔자동차, 비행기, 요트〕.

ráce·tràck *n.* Ⓒ 경주장, 경마〔경견〕장, 레이스 코스.

Ra·chel [réitʃəl] *n.* **1** 레이첼《여자 이름; 애칭 Rae》. **2** 〖성서〗 라헬《Jacob의 처》.

Rach·ma·ni·noff, -nov [rækmǽnənɔ̀ːf, rɑːkmɑ́ːnə-, -nɔ̀ːv/-nɔ̀f] *n.* **Sergei W** (**assilievitch**) ~ 라흐마니노프《러시아의 작곡가(作曲家)·피아니스트; 1873–1943》.

***ra·cial** [réiʃəl] *a.* **인종(상)의**, 종족의, 민족(간)의: ~ discrimination 〔segregation〕 인종 차별/~ integration 인종 차별 철폐. ㊕ **~·ly** *ad.* 인종적으로, 인종상.

rá·cial·ìsm *n.* Ⓤ 인종주의, 민족성; 인종적 편견, 인종 차별. ㊕ **-ist** *n.* Ⓒ 민족주의자.

Ra·cine [rəsíːn] *n.* **Jean Baptiste** ~ 라신《프랑스 고전주의 극작가; 1639–99》.

rac·ing [réisiŋ] *n.* Ⓤ 질주(疾走) 경기《경주·경마·경륜(競輪)·자동차 경주 따위》. **—***a.* 경주(용)의, 경마(용)의; 경마광의: a ~ boat 경조용 보트/a ~ yacht 경조용 요트/a ~ cup (경마 등의) 우승배/a ~ man 경마광〔팬〕/the ~ world 경마계(界).

rácing fòrm 경마 신문〔전문지(誌)〕.

rac·ism [réisizəm] *n.* Ⓤ 민족〔인종〕 차별주의〔정책〕; 인종적 편견.

rác·ist *n.* Ⓒ 민족〔인종〕 차별주의자. **—***a.* 민족주의적인, 인종 차별적인: ~ policies 인종 차별 정책.

‡**rack**[1] [ræk] *n.* **1** Ⓒ **선반**《그물·막대·못으로 만든》; (열차 따위의) 그물 선반, 격자(格子) 선반; **걸이**《모자걸이·칼걸이·총걸이 따위》; (격자로 된) 사료 선반; (서류 따위의) 분류 상자; 접시 걸이(plate ~). **2** Ⓒ 〖기계〗 (톱니바퀴의) 래크: Abt ~ 〖철도〗 아프트식 레일. **3** (the ~) 고문대《중세에 팔다리를 잡아늘이는》; 고문; 격통, 고통; 비틀어 구부림: put a person on 〔to〕 the ~ 아무를 고문하다/a tree twisted by the ~ of storms 여러 차례의 폭풍에 휘어 뒤틀린 나무.

on the ~ ① 고문당하여(⇨3). ② 매우 괴로워하고, 고생하여; 긴장하여: We will all be *on the* ~ until the exam results are published. 시험 결과가 발표될 때까지 우리 모두는 긴장을 늦추지 못할 것이다. ***stand up to the*** 〔one's〕 ~ 《美》 운명을 감수하다, 의무를 불평 없이 받아들이다.

—*vt.* **1** 선반〔대, 걸이〕에 얹다〔걸다〕. **2 고통을 주다**, 괴롭히다, 고문하다《종종 수동태로 쓰며, 전치사는 *by, with*》: *~ed with* jealousy 질투로 마음이 흐트러진/The world *is* still *~ed with* 〔*by*〕 poverty. 세계는 아직도 빈곤으로 고통받고 있다. SYN. ⇨TORMENT. **3** (머리 따위)를 극도로 긴장시키다, 혹사하다: ~ one's brains for an answer 답을 알아내려고 머리를 쥐어짜다. ~ ***up*** 《*vt.*+부》 《구어》 (득점·이익 따위)를 올리다.

rack[2] *n.* Ⓤ 바람에 날리는 구름, 조각구름.

rack[3] *n.* Ⓒ (말의) 가볍게 뛰는 걸음《속보(trot)와 보통 걸음(canter)의 중간 보조(步調)》; 측대보(側對步)(pace). **—***vi.* (말이) 측대보로〔가볍게〕 뛰어가다.

rack[4] *n.* Ⓤ 파괴, 황폐(destruction)《보통 다음 관용구로》 ***go to*** ~ (***and ruin***) 파멸하다, 황폐해지다: The unoccupied house *went to* ~ *and ruin*. 사람이 안 사는 집은 황폐했다.

‡**rack·et**[1] [rǽkit] *n.* **1** Ⓒ (테니스·배드민턴·탁구용) **라켓**. **2** (*pl.*) 〖단수취급〗 라켓 구기《사방이 벽으로 둘러싸인 코트에서 하는 스쿼시 비슷한 구기》. **3** Ⓒ (라켓 모양의) 눈신(snowshoe).

***rack·et**[2] *n.* **1** (a ~) **떠드는 소리**, 큰 소리, 소음; 야단법석: make 〔kick up, raise〕 a ~ 야단법석을 피우다/Don't make such a ~ at night. 밤에 그렇게 소란을 피우지 마라. **2** Ⓤ 유흥, 떠들고 놀기. **3** Ⓒ 부정; 부정한 돈벌이〔방법〕, 공갈, 사기, 밀수, 밀매, 협박, 횡령: work a ~ 나쁜 짓을 하다/a drugs ~ 마약 밀매. **4** Ⓒ 《구어》 직업, 일, 장사: It isn't my ~. 내가 알 바 아니다/What's your ~? 당신은 무슨 일을 하지요.

be 〔***go***〕 ***on the*** ~ 들떠 놀아나다, 방탕하다. ***stand the*** ~ 시련을 이겨 내다; 책임을 지다; 셈

을 치르다.

rack·et·eer [rӕkitíər] n. Ⓒ 조직 폭력배, 공갈단, 부정하게 돈벌이하는 사람, 갱.

ràck·et·éer·ing [-tíəriŋ] n. Ⓤ 공갈, 협박; 부정한 돈벌이; 밀매.

rack·et(·t)y [rӕkiti] a. **1** 소란스러운(noisy); 떠들기 좋아하는. **2** 놀기 좋아하는; 방탕한.

ráck·ing a. 고문하는; 몸을 괴롭히는; 심한《치통·두통·기침 등》. ㊞ **~·ly** ad.

ráck ràilway 〔**ràilroad**〕 (급경사에 쓰이는) 아프트식 철도.

ráck rènt 엄청나게 비싼 지대〔집세, 소작료〕.

ráck-rènt vt. 불법적인 지대〔집세〕를 받다. ㊞ **~·er** n.

ráck whèel 큰 톱니바퀴(cogwheel).

ra·con [réikan/-kɔn] n. Ⓒ 레이콘《radar 용 beacon》.

rac·on·teur [rӕkantə́:r/-kɔn-] (*fem.* **-teuse** [-tə́:z]) n. 《F.》 Ⓒ 이야기 잘하는 사람, 이야기꾼, 담화가.

ra·coon [rӕkú:n, rə-] n. ＝RACCOON.

rac·quet [rӕkit] n. ＝RACKET[1].

rácquet·bàll n. Ⓤ 라켓볼《2-4명이 자루가 짧은 라켓과 handball보다 조금 큰 공으로 하는, squash 비슷한 구기》.

racy [réisi] (**rac·i·er; -i·est**) a. **1** (음식·술 따위가) 독특한 풍미가 있는: a ~ flavor 독특한 풍미(風味). **2** (이야기·문체 등이) 활기찬, 발랄한; 생기 있는: a ~ description 생생한 묘사. **3** (이야기가) 외설한, 음탕한; 도발적인: a ~ joke 음탕한 농담. ㊞ **rác·i·ly** ad. **-i·ness** n.

rad[1] [rӕd] n. Ⓒ 【물리】 래드《방사선 흡수선량의 단위; ＝0.01 gray》. [◂ *radiation*]

rad[2] n. Ⓒ 《美구어》 과격파(radical). **—** a. (**∠·der; ∠·dest**) 《속어》 굉장한, 대단한; 즐거운.

rad 【수학】 radian(s). **rad.** radiator; radical; radio; radius. **RADA** [rá:də] 《英》 Royal Academy of Dramatic Art (왕립 연극 학교).

***ra·dar** [réida:r] n. **1** Ⓤ 【전자공학】 **레이더**, 전파 탐지법. **2** Ⓒ 전파탐지기, 레이더 장치. [◂ *ra*dio *d*etecting *a*nd *r*anging]

rádar·scòpe n. Ⓒ 레이더 전파 영상경(映像鏡). [◂ *radar*+oscillo*scope*]

rádar tràp 【교통】 (레이더에 의한) 속도 위반 탐지 장치〔구간(區間), 장소〕.

ra·di·al [réidiəl] a. **1** 광선의; 광선 모양의. **2** 방사상(放射狀)의, 복사상(輻射狀)의: a ~ axle 복사축. **3** 【수학】 반지름의. **—** n. Ⓒ 레이디얼 타이어(radial(-ply) tire)《고속에서의 안정성이 뛰어남》. ㊞ **~·ly** ad. 방사상으로.

rádial-ply a. ＝RADIAL.

ra·di·an [réidiən] n. Ⓒ 【수학】 라디안《호도법(弧度法)의 각도 단위; 약 57°; 기호 rad》, 호도; 【컴퓨터】 부채각, 라디안《단위》.

◇**ra·di·ance, -an·cy** [réidiəns], [-i] n. Ⓤ 발광, 광휘(光輝); (눈이나 얼굴 따위의) 빛남.

***ra·di·ant** [réidiənt] a. **1** Ⓐ **빛나는**, 밝은; 빛〔열〕을 발하는: the ~ sun 찬란한 태양. **2** (눈·얼굴이) 명랑한, 즐거운 듯한, 생글거리는; 빛나는, 밝은《**with** (행복·희망 따위)로》: a ~ smile 〔face〕 즐거운 미소〔얼굴〕/with ~ eyes 눈을 반짝이며/You look ~! 자네 기분 좋아 보이는 군/She was ~ *with* happiness. 그녀는 행복해 환한 표정이었다. **3** Ⓐ 방사〔복사〕의〔에 의한〕; 방사상(狀)의: ~ energy 【물리】 복사 에너지/~ heat 복사〔방사〕열. **—** n. Ⓒ 【광학】 광점(光點); 광체(光體). ㊞ **~·ly** ad.

rádiant héater 복사〔방사〕 난방기.

***ra·di·ate** [réidièit] vi. 《~/+전+명》 **1** 방사상으로 퍼지다, 사방으로 퍼지다《**from** …에서》: streets *radiating from* the square 광장에서 방사상으로 뻗어 있는 거리. **2** (빛·열 등이) **발하다, 복사(輻射)〔사출〕하다**《**from** …에서》: Heat ~*s from* a heater. 열은 난방 장치에서 나온다. **3** 빛나다; 발산하다《**with** (기쁨 등)을》: She simply ~*s with* good humor. 그녀는 기분 좋음을 온몸으로 발산시키고 있다.
— vt. **1** (빛·열 등)을 **방사하다, 발하다**; (중심에서) 분출〔확산〕시키다; (영향 등)을 주위에 미치다: an element that ~*s* energy incessantly 끊임없이 에너지를 방출하는 원소/The sun ~*s* light and heat. 태양은 빛과 열을 방사한다. **2** (기쁨 등)을 널리 퍼지게 하다, 흩뿌리다: His whole face ~*d* joy and excitement. 그는 얼굴에 기쁨과 흥분을 함빡 나타내고 있었다. ㊞ **~·ly** ad.

***ra·di·a·tion** [rèidiéiʃən] n. **1** Ⓤ (빛·열 등의) **방사, 복사**; 발광(發光), 방열(放熱). **2** Ⓒ 복사선, 방사물〔선〕. **3** Ⓤ 방사능〔성〕.

radiátion chémistry 방사선 화학.

radiátion sìckness 【의학】 방사능증, 방사선병.

radiátion thèrapy 【의학】 방사선 치료.

◇**ra·di·a·tor** [réidièitər] n. Ⓒ **1** 라디에이터, 방열기, 난방기: a single-column ~ 단주(單柱) 방열기/a wall ~ 벽에 장치한 방열기. **2** (자동차·비행기의) 냉각 장치.

rádiator grìlle (자동차의) 라디에이터 그릴《차의 정면에 있는 공기 냉각용 격자》.

***rad·i·cal** [rӕdikəl] a. **1 근본적인**, 기본적인; 철저한: a ~ principle 기본 원칙/a ~ change 〔reform〕 철저한 변화〔개혁〕/a ~ error 근본적인 잘못. **2 급진적인**, 과격한, 혁명적인; (흔히 R-) 급진파의: the *Radical* party 급진당/a ~ program 과격한 정책. SYN. ⇨LIBERAL. **3** 【수학】 근(根)의; 【화학】 기(基)의; 【언어】 어근의: ~ sign 【수학】 근호(根號)(√)/a ~ word 어근어(語). **—** n. Ⓒ **1** (종종 R-) 급진당원, 과격론자. **2** 【수학】 근; 근호; 【화학】 기(基); 【언어】 어근. **3** (한자의) 부수(部首)《변(邊)·방(旁)·윗머리 등》. ㊞ **-ist** n.

rádical expréssion 【수학】 무리식.

rad·i·cal·ism [rӕdikəlìzəm] n. Ⓤ 급진주의.

rad·i·cal·ize [rӕdikəlàiz] vi., vt. 급진적으로〔급진주의로〕 하다〔되다〕, 과격하게 되다; 근본적으로 개혁하다. ㊞ **ràd·i·cal·i·zá·tion** n.

rád·i·cal·ly [-kəli] ad. 철저히, 근본적으로, 완전히: ~ different 근본적으로 다른/change ~ 완전히 변화하다.

ra·di·ces n. RADIX 의 복수.

rad·i·cle [rӕdikəl] n. Ⓒ 【식물】 어린 뿌리, 유근(幼根).

ra·dii [réidiài] RADIUS의 복수.

†**ra·dio** [réidiòu] (pl. **-di·os**) n. **1** Ⓤ (보통 the ~) 라디오 (방송): set the time by the ~ 라디오 방송에 시간을 맞추다/be on the ~ (사람이) 라디오에 출연하다; (프로그램이) 라디오로 방송되다/I heard the news on 〔over〕 the ~ last night. 어젯밤 그 뉴스를 라디오로 들었다.
2 Ⓒ 라디오 (수신기): a portable ~ 휴대용 라디오/turn on 〔off〕 a ~ 라디오를 틀다〔끄다〕.
3 a Ⓤ 무선 전신〔전화〕, 무전: send a message by ~ 무전으로 통신하다. **b** Ⓒ 무선 전신기, 무선

장치: a ship's ~ 선박용 무선 장치.
—*a.* Ⓐ **1** 무선의, 무전의: ~ communication 무선 연락/a ~ signal 무선 신호/a ~ receiver =a ~ (receiving) set 무선 수신기. **2** 라디오의 〔를 사용한〕: a ~ announcer 라디오 아나운서/a ~ play 〔drama〕 라디오 방송극.
—*vt.* 《~+目/+目+前+名/+*that* 節》 무선(통신)으로 보내다; 라디오로 방송하다《*to* …에》: ~ a weather report *to* ships 기상 상황을 배에 무전으로 알리다. —*vi.* 《~/+前+名》 무전을 치다〔으로 알리다〕《*to* …에게; *for* …을》; 라디오 방송을 하다: ~ *to* a person *for* help 아무에게 무전으로 도움을 청하다.

ra·di·o- [réidiou, -diə] '방사, 복사, 광선, 반지름, 라듐, 라디오, 방사능, 방사성, 무선' 따위의 뜻의 결합사. ★ 모음 앞에서는 radi-로 쓰는 경우도 있음: *radio*paque.

ràdio·áctive *a.* 방사성〔능〕의〔이 있는〕: ~ substance 방사성 물질/~ contamination 방사능 오염/~ leakage 방사능 누출/~ dust 방사성 먼지/~ rays 방사선. ㊕ **~·ly** *ad.*

radioáctive dáting 방사능 연대 측정, 방사성 탄소 연대 측정법.

radioáctive wáste 방사성 폐기물.

ràdio·actívity *n.* Ⓤ 〖물리〗 방사능〔성〕: artificial ~ 인공 방사능.

rádio astrómetry 전파 측정 천문학.

rádio bèacon 무선 표지(標識)《선박·항공기의 운항을 돕는》.

rádio bèam 〖통신〗 신호〔라디오〕 전파, 전파빔《방향 지시 따위 무선 유도를 함》.

ràdio·biólogy *n.* Ⓤ 방사선 생물학.

ràdio·bróadcast (*p.*, *pp.* **~**, **~·ed**) *vt.*, *vi.* 라디오 방송을 하다. —*n.* Ⓤ 라디오〔무선〕 방송.

rádio càr 연락용 단파 무선 장비를 갖춘 차.

ràdio·cárbon *n.* Ⓤ 〖화학〗 방사성 탄소; 《특히》 탄소 14.

radiocárbon dàting 방사성 탄소에 의한 연대 측정.

ràdio·chémistry *n.* Ⓤ 방사 화학.

rádio còmpass (선박·항공기용의) 무선 방향 탐지기.

ràdio-contrólled *a.* 무선 조종의: a ~ plane 무인 비행기.

ràdio·élement *n.* Ⓒ 방사성 원소.

rádio fréquency 무선 주파수《10kHz로부터 300GHz까지의》.

rádio·gràm *n.* Ⓒ **1** 무선 전보. **2** =RADIOGRAPH.

rádio·gràph *n.* Ⓒ 뢴트겐 〔감마선〕 사진, 방사선 사진. —*vt.* …의 뢴트겐 사진을 찍다. ㊕ **ra·di·og·ra·pher** [rèidiágrəfər/-ɔ́g-] *n.*

radi·o·graph·ic [rèidiougrǽfik] *a.* 뢴트겐 촬영(법)의. ㊕ **-i·cal·ly** *ad.*

ra·di·og·ra·phy [rèidiágrəfi/-ɔ́g-] *n.* Ⓤ 뢴트겐〔방사선〕 촬영(법), 방사선 사진술.

ràdio·ísotope *n.* Ⓒ 〖물리·화학〗 방사성 동위원소, 라디오아이소토프. ㊕ **-isotópic** *a.*

ràdio·locátion *n.* Ⓤ 전파 탐지기에 의한 탐지〔측정〕 (법).

rà·di·ól·o·gist [-dʒist] *n.* Ⓒ **1** 방사〔X〕선 학자; 방사선 의사. **2** 뢴트겐 기사.

ra·di·ol·o·gy [rèidiálədʒi/-ɔ́l-] *n.* Ⓤ 엑스선학, 방사선(의)학; 〖의학〗 엑스선과(科).

ràdio·pharmacéutical *a.*, *n.* Ⓒ 방사성 의약품(의).

ra·di·o·phone [réidioufòun] *n.* =RADIOTELEPHONE.

ràdio·phóto, -phótograph *n.* Ⓒ 무선 전송 사진. ㊕ **-photógraphy** *n.* Ⓤ 무선 사진 전송.

ra·di·os·co·py [rèidiáskəpi/-ɔ́s-] *n.* Ⓤ 방사선 투시(법), 뢴트겐 진찰〔검사〕. ㊕ **ra·di·o·scop·ic** [rèidiouskápik/-skɔ́p] *a.*

rádio·sònde *n.* Ⓒ 〖기상〗 라디오존데《대기 상층의 기상 관측 장치》.

rádio stàr 〖천문〗 전파별《우주 전파원의 하나》.

rádio stàtion 《美》 무선국; (라디오) 방송국.

ràdio·telégraphy *n.* Ⓤ 무선 전신(술). ㊕ **ràdio·telegráphic** *a.*

ràdio·télephone *n.* Ⓒ 무선 전화(기).

rádio télescope 〖천문〗 전파 망원경.

ràdio·thérapy *n.* Ⓤ 〖의학〗 방사선 요법. ㊕ **-thérapist** *n.* Ⓒ 방사선 치료사.

rádio wàve 〖통신〗 전파, 전자파.

rad·ish [rǽdiʃ] *n.* Ⓒ (식품은 Ⓤ) 〖식물〗 무.

***ra·di·um** [réidiəm] *n.* Ⓤ 〖화학〗 **라듐**《방사성 원소; 기호 Ra; 번호 88》.

rádium·thèrapy *n.* Ⓤ 〖의학〗 라듐 요법 (radiotherapy).

◇**ra·di·us** [réidiəs] (*pl.* **-dii** [-diài], **~·es**) *n.* Ⓒ **1** (원·구의) 반지름; 반지름 내의 범위: What 〔How long〕 is the ~ of this circle? 이 원의 반지름은 얼마인가/every tree within a ~ *of* two miles 반경 2마일 이내의 모든 나무. **2** (행동·활동 따위의) 범위, 구역: the ~ *of* action 〖군사〗 행동 반경; 항속(航續) 거리. **3** 〖해부〗 요골(橈骨).

ra·dix [réidiks] (*pl.* **-di·ces** [-dəsì:z, rǽ-], **~·es**) *n.* Ⓒ **1** 〖수학〗 기(基), 근(根); (통계의) 기수(基數); 〖철학〗 근원. **2** 〖식물〗 뿌리(root).

ra·dome [réidoum] *n.* Ⓒ 레이돔《항공기의 외부 레이더 안테나 보호용 덮개》.

ra·don [réidan/-dɔn] *n.* Ⓤ 〖화학〗 라돈《라듐 붕괴로 발생하는 방사성의 비활성 기체 원소; 기호 Rn; 번호 86》.

RAF, R.A.F. 《英》 (the ~) Royal Air Force.

raff [ræf] *n.* =RIFFRAFF.

raf·fia [rǽfiə] *n.* **1** Ⓒ 〖식물〗 라피아(=⌐ **pàlm**) 《Madagascar산(產)의 야자과 식물》. **2** Ⓤ 그 잎의 섬유《밧줄·바구니·모자 따위를 만듦》.

raff·ish [rǽfiʃ] *a.* **1** (사람·행동이) 평판이 나쁜, 건달인; 바람둥이의. **2** 야비한, 저속한. ㊕ **~·ly** *ad.* **~·ness** *n.*

raf·fle[1] [rǽfəl] *n.* Ⓒ 복권《번호표를 판매하고, 추첨에 당선된 자에게 물품을 주는 판매법》. —*vt.* 복권식으로 팔다(*off*): ~ *off* a television 텔레비전을 복권식으로 매출하다.

raf·fle[2] *n.* Ⓤ 폐물, 잡동사니, 쓰레기(rubbish).

◇**raft**[1] [ræft, rɑ:ft] *n.* Ⓒ **1** 뗏목(배), (고무로 만든) 구명 보트. **2** (수영자를 위한) 부유대. **3** 부잔교(浮棧橋).
—*vt.* **1** 뗏목으로 엮다. **2** (사람·화물·목재 따위)를 뗏목으로 나르다〔건너다〕: ~ goods *across* (a river) 뗏목으로 물건을 (강) 건너쪽으로 나르다.
—*vi.* 뗏목으로 가다; 뗏목을 사용하다: ~ *down* 〔*up*〕 a stream 뗏목으로 개울을 내려가다〔올라가다〕.

raft[2] *n.* (a ~) 《美구어》 다수, 다량《*of* …의》: a ~ *of* trouble 〔worries〕 허다한 걱정거리/a whole ~ *of* people 많은 사람.

raf·ter[1] [rǽftər, rɑ́:ftər] *n.* Ⓒ 〖건축〗 서까래. ㊕ **ráft·ered** *a.* (지붕에) 서까래를 댄.

raft·er[2] *n.* =RAFTSMAN.

ráft·ing *n.* [U] (스포츠로서의) 뗏목타기, 고무 보트로 계류(溪流) 내려가기.

ráfts·man [-mən] (*pl.* **-men** [-mən]) *n.* [C] 뗏사공, 뗏목 타는 사람.

***rag**[1] [ræg] *n.* **1** [U] (낱개는 [C]) **넝마**, 지스러기; 걸레: a dirty ~ =a piece of dirty ~ 더러워진 넝마/His clothes were torn 〔worn〕 to ~*s*. 그의 옷은 갈기갈기 찢어졌다〔해졌다〕. **2** [C] 넝마와 같은 것; 《경멸》 나부랭이, 잡동사니《손수건 · 신문 · 지폐 · 깃발 · (극장의) 막 · 돛 따위를 가리킴》: That magazine is a worthless ~. 그 잡지는 쓸모없는 잡동사니다. **3** (*pl.*) 누더기 옷; 《우스개》 의복: (dressed) in ~*s* 누더기를 입고. **4** [C] 누더기 옷을 입은 사람, 천한 사람. **5** (*pl.*) (제지용 또는 속 메우는 데 쓰는) 극지. **6 a** [C] 단편, 조각: a ~ *of* cloud 조각구름. **b** (a ~) 〖보통 부정문에서〗 조금도〔손톱만큼도〕 (…않다): She did*n't* wear a ~. 그녀는 몸에 아무 것도 걸치지 않고 있었다.

chew the ~ ⇨CHEW. ***feel like a wet ~*** 《구어》 몹시 지쳐 있다. ***from ~s to riches*** 가난뱅이에서 부자로. ***in ~s*** ① 누더기를 입고(⇨3). ② 누더기〔넝마〕가 되어. ***like a red ~ to a bull*** (소에 빨간 천을 보인 것처럼) 흥분〔격분〕시키는. ***lose*** one***'s ~ =get*** one***'s ~ out*** 〔***up***〕 《구어》 불끈 화내다. ***take the ~ off*** 《美》 …을 능가하다, 이기다.

rag[2] (**-gg-**) *vt.* 《구어》 **1** 지근거리다, 놀리다; …에게 지분거리다《***about, for*** …의 일로》: Everybody ~*ged* him *about* his girlfriend. 모두들 여자 친구 일로 그를 놀렸다. **2** (아무)를 꾸짖다, 들볶다. **—*n.*** [C] 《英구어》 짓궂은 장난, 떠들고 놀기; (자선 등을 위한) 학생의 가장 행렬.

rag[3] *n.* [C] 〖음악〗 래그《래그타임(ragtime) 리듬으로 지은 곡》.

rag·a·muf·fin [rǽgəmʌ̀fin] *n.* [C] 누더기를 걸친 사내〔아이〕; 파락호, 부랑아. ㊕ **~·ly** *a.*

rág-and-bóne màn [-ən-] 《英》 넝마주이〔장수〕.

rág·bàg *n.* [C] **1** 헝겊 주머니. **2** (쓸모없는) 너절한 사람; 《속어》 칠칠치 못한 복장의 여자.

rág bòok (찢어지지 않게) 천으로 만든 그림책《씻을 수 있음》.

rág dòll 봉제 인형.

***rage** [reidʒ] *n.* **1** [U] (또는 a ~) **a 격노**, 분격. [cf.] fury, wrath. ¶in a (black) ~ (극도로) 화가 나서/fly into a ~ 벌컥 화를 내다. **b 격정**, 흥분 상태: in a ~ of excitement 흥분하여/the sacred ~ 종교적 황홀 상태/burst into a ~ of tears 〔grief〕 울음을 터뜨리다.

2 (*sing.*) 열망(熱望), 갈망; …광(狂)《***for*** …에 대한》: a ~ *for* power 권력에 대한 열망/a ~ to live 생에 대한 욕구/have a ~ *for* stamps 우표수집광이다.

3 [U] (바람 · 파도 등의) **사나움**, 맹렬함, 맹위: the ~ of Nature 〔the wind〕 대자연〔바람〕의 맹위.

4 ((all) the ~) 《구어》 (일시적) **대유행**: Aerobics is *the* latest ~. 에어로빅이 최신 유행이다/Small cars are (*all*) *the* ~ now. 요즘 소형차가 크게 유행하고 있다.

—*vi.* 《~/+[전]+[명]》 **1 격노하다**; 호되게 꾸짖다 《***at, against*** …에; ***for, about*** …일로》: ~ *against* oneself 자신에 대하여 공연히 화가 나다/He ~*d at* his son *for* tell*ing* lie. 그는 거짓말을 한 아들을 호되게 꾸짖었다. **2** (폭풍우 · 전쟁 · 열정 등이) **사납게 몰아치다**, 맹위를 떨치다; (유행병 따위가) 창궐하다: The storm ~*d* all day. 폭풍우가 하루 종일 사납게 몰아쳤다/The fever ~*d throughout* the country. 그 열병이 온 나라에 만연했다.

㊕ **∠·ful** [-fəl] *a.* 미칠 듯이 화가 난, 맹렬한.

rag·ged** [rǽgid] *a.* **1** (옷 따위가) **누덕누덕한**, 해진: a ~ flag 〔garment〕 다 해어진 기〔옷〕/dressed in a ~ coat 누더기 상의를 입은. **2** (사람이) 누더기옷을 입은, 초라한: a ~ fellow 누더기 옷을 입은 사내. **3** (머리 · 수염이) 텁수룩한, 멋대로 자란: a ~ beard 텁수룩이 자란 턱수염. **4** 깔쭉깔쭉한, 울퉁불퉁한: a ~ shoreline 들쭉날쭉한 해안선/a ~ line 들쭉날쭉한 행렬. **5** (작품 · 연주 따위가) **거친**, 불완전한: a ~ style 세련되지 않은 문체. **6** (소리 따위가) 귀에 거슬리는: The engine sounded ~. 엔진 소리가 귀에 거슬렸다. ***be run ~ (긴장의 연속 등으로) 지치다, 기진맥진하다. ***on the ~ edge*** 위험 직전에: He's *on the ~ edge* of bankruptcy. 그는 파산 직전에 있다. ㊕ **~·ly** *ad.* **~·ness** *n.*

rag·gle-tag·gle [rǽgəltǽgəl] *a.* 긁어모은, 뒤섞인, 잡다한, 색색의.

rag·ing [réidʒiŋ] *a.* [A] **1** 격노한; 거칠어지는, 미친 듯이 날뛰는; 맹렬한: a ~ tempest 거칠게 휘몰아치는 폭풍우. **2** 쑤시고 아픈; 지독한: a ~ headache 지독한 두통. ㊕ **~·ly** *ad.*

rag·lan [rǽglən] *n.* [C] 래글런(외투)《소매 천이 깃까지 이어져 어깨에 꿰맨 자리가 없는 헐렁한 외투》.

rág·màn [-mæ̀n, -mən] (*pl.* **-men** [-mèn, -mən]) *n.* [C] 폐품 회수업자; 넝마장수, 넝마주이.

ra·gout [rægúː] *n.* 《F.》 [C] (요리는 [U]) 스튜 요리의 일종《재료는 고기 · 야채 · 향료》.

rág pàper (넝마를 원료로 한) 래그페이퍼《최고급 종이》.

rág·pìcker *n.* [C] 넝마주이.

rág·tàg *n.* 〖다음 관용구로〗 (***the***) **~ *and bobtail*** 〖집합적〗 사회의 쓰레기; 하층 계급.

rág·tìme *n.* [U] 〖음악〗 래그타임《빠른 박자로 싱코페이션(syncopation)을 많이 사용한 곡; 재즈 음악의 시초》. **—*a.*** 《속어》 칠칠치 못한, 어정쩡한, 열등한.

rág tràde (the ~) 《구어》 복식 산업《특히 여성의 겉옷을 다루는》. ㊕ **rág tràder**

rág·wèed *n.* [C] 〖식물〗 돼지풀, 호그위드《꽃가루는 알레르기의 원인》.

rah [rɑː] *int.* 《美구어》 =HURRAH.

rah-rah [rɑ́ːrɑ́ː] *a.* 《美구어》 열광적으로 응원하는: a ~ cheerleader 열광적인 치어리더.

raid** [reid] *n.* [C] **1** (점령 목적이 아니라 타격을 주기 위한) **급습**, 기습, 습격; (약탈 목적의) 불의의 침입《on, upon, into*** (장소)에의》: an air ~ 공습/The enemy made a ~ *into* our territory. 적군이 우리 영토를 침입했다/a bank ~ 은행 강도. **2** (경찰의) 불시 단속; 일제 검거《***on, upon*** …의》: a drugs ~ 마약 단속/The police conducted a ~ *on* gambling house. 경찰은 도박장 단속에 나섰다. **3** 〖금융〗 (주가 폭락을 노리는 투기꾼의) 투매. **4** (경쟁 회사의) 사원을 빼돌리기〔스카우트하기〕. ***make a ~*** ① 급습하다 《***on*** …을》: *make a ~ on* the enemy lines 적진을 급습하다. ② (경찰이) 단속하다《***on*** (장소)에》: *make a ~ on* a nightclub 나이트클럽을 단속하다.

—*vt.* (장소)를 급습하다; 쳐들어가다; (경찰이)

R

수색하다: ~ a bank 은행을 습격하다.
— *vi.* 《~/+[전]+[명]》 침입〔급습〕하다《*on, upon* …을》; (경관이) 들이닥치다《*into* (장소)로》: Some Indians *~ed on* the settlers. 인디언이 개척자를 습격하였다.

ráid·er *n.* Ⓒ **1** 급습자; 침입자, 침략자; 〖군사〗 특공대(원). **2** 단속〔수색〕하는 경찰관.

RAID 〖컴퓨터〗 redundant array of inexpensive disks《효율화 사고 대책을 위해 일련의 하드 디스크를 연동해서 사용하는 것》.

⁑rail[1] [reil] *n.* **1** Ⓒ (울·수건걸이 따위의) **가로대**, 가로장: ~ fence / towel ~. **2** Ⓒ **난간**; (*pl.*) 울타리. **3** Ⓒ **레일**, 궤조(軌條): run on ~s 레일 위를 달리다 / jump the ~s (열차가) 탈선하다. **4** Ⓤ 철도: by ~ 철도(편)으로.
off the ~s ① (열차가) 탈선하여. ② 《비유적》 상도(常道)를 벗어나서; 사회의 관습을 지키지 않고: go 〔run〕 *off the ~s* 탈선하다; 이상하게 되다. ③ 혼란하여. ④ 미쳐서. ***on the ~s*** ① 궤도에 올라, 순조로이 진행되어. ② 상도를 벗어나지 않고; 사회 관습을 지켜. ***over the ~s*** 〖해사〗 뱃전에 기대어; (뱃전을 넘어) 바닷속으로.
— *vt.* **1** (장소)에 울타리를 치다: ~ a park 〔garden〕 공원〔정원〕에 울타리를 치다. **2** 《+[목]+[부]》 난간〔가로장〕으로 두르다 (*in*); 구획하다 (*off*): The garden is *~ed off* from the path. 정원은 울짱으로 작은 길과 격해 있다.

rail[2] (*pl.* ~(**s**)) *n.* Ⓒ 〖조류〗 흰눈썹뜸부기류(類).

rail[3] *vi.* 욕을 퍼붓다, 악담하다《*at, against* …에게》: ~ *against* 〔*at*〕 one's enemies 적에게 욕을 퍼붓다.

ráil·bìrd *n.* Ⓒ 《美구어》 **1** (울타리에서 경마나 조련을 구경하는) 경마광. **2** 비평가; 관객.

ráil·càr *n.* Ⓒ 궤도차; 《美》 철도 차량《총칭》.

ráil·càrd *n.* Ⓒ 《英》 (어린이·연금 생활자의) 철도 운임 할인 증명서.

ráil fènce 《美》 가로장 울타리.

ráil·gùn *n.* Ⓒ 〖군사〗 레일건《전자 사출(射出) 장치로 발사하는 포》.

ráil·hèad *n.* Ⓒ 철도의 시발점〔종점〕.

ráil·ing *n.* **1** Ⓒ (보통 *pl.*) 난간; 울. **2** Ⓤ 〖집합적〗 레일, 목책, 난간.

rail·lery [réiləri] *n.* Ⓤ 농담, 조롱, 야유.

ráil·man [-mən] (*pl.* **-men** [-mən]) *n.* Ⓒ 철도 종업원; 도크(dock)의 화물 적재 신호계원.

⁑rail·road [réilròud] *n.* Ⓒ 《美》 **1 철도 (선로)**, 궤도(《英》 railway): a ~ car 철도 차량 / a ~ fare 〔tariff〕 철도 운임〔운임표〕 / a ~ line 철도 노선 / a ~ train 열차 / construct a ~ 철로를 부설하다 / a ~ accident 철도 사고 / a ~ carriage 객차 / a ~ man 철도원 / a ~ station 철도역. **2** 철도 회사《생략: R.R.》.
— *vt.* **1** …에 철도를 놓다. **2** 《美》 철도로 수송하다. **3** 《+[목]+[전]+[명]》 **a** 재촉하여〔부당한 방법으로〕 시키다《*into* …을》: We were *~ed into* work*ing* on Sunday. 우리는 다그치는 바람에 일요일에도 일했다. **b** (의안 따위)를 무리하게 통과시키다《*through* (의회 따위)에》: ~ a bill *through* Congress 법안을 의회에서 억지로 통과시키다. **4** 《+[목]+[전]+[명]》 죄명을 씌어 투옥하다《*to* (교도소)에》: He was *~ed to* prison without a fair trial. 그는 아무런 공평한 재판도 받지 않고 투옥되었다. **—** *vi.* **1** 철도로 여행하다. **2** 《美》 철도에서 일하다. ㊕ **~·er** *n.* Ⓒ 《美》 철도 (종업)원.

ráilroad flàt 〔**apàrtment**〕 《美》 복도가 없는 기차칸식 열악한 아파트.

⁑rail·way [réilwèi] *n.* Ⓒ **1** 《英》 **철도**, 철도 선로(《美》 railroad): a strategic ~ 군용 철도 / a tube ~ 지하철. **2** 《美》 경편(輕便)〔시가, 고가, 지하철〕 궤도: a surface ~ 노면 철도 / ~ shares 철도주(株). **3** 철도 회사.

ráilway·màn [-mæ̀n, -mən] (*pl.* **-men** [-mèn, -mən]) *n.* Ⓒ 《英》 철도(종업)원(《美》 railroader).

ráilway-yàrd *n.* Ⓒ 《英》 (철도의) 조차장(操車場).

rai·ment [réimənt] *n.* Ⓤ 〖집합적〗 《고어·시어》 의류, 의상.

†rain [rein] *n.* **1 a** Ⓤ (종류·계속을 나타낼 경우에는 형용사를 수반하여 Ⓒ) **비**; 강우: (a) heavy ~ 호우(豪雨) / (a) fine ~ 가랑비 / (a) pouring ~ 억수 같은 비 / (a) torrential ~ 장대비 / be caught in the ~ 비를 만나다 / go out in the ~ 비가 오는 데도 나가다 / The ~ began to fall. 비가 내리기 시작했다 / We had little 〔lots of〕 ~ this year. 금년에는 비가 적었다〔많았다〕 / The ~ came down in torrents. 비가 억수같이 퍼부었다. **b** Ⓤ 우천(雨天): It looks like ~. 비가 올 것 같다. **2** (*pl.*) 소나기; 한 차례 내리는 비, 장마; (the ~s) (열대의) 우기: spring ~s 봄장마. **3** (a ~) 《비유적》 빗발《*of* …의》: a ~ *of* bullets 빗발치는 총알 / a ~ *of* abuses 마구 퍼붓는 욕설.
(***as***) ***right as ~*** 《英구어》 완전히 건강을 회복하여. ***~ or shine*** 〔***fine***〕 =***come ~, come shine*** =***come ~ or*** (***come***) ***shine*** 비가 오거나 말거나; 어떤 일이 있어도: The party will take place ~ *or shine*. 비가 오든 말든 파티는 열릴 것이다 / I'll be there tomorrow, ~ *or shine*. 무슨 일이 있어도 내일 거기 가 있겠습니다.

— *vi.* **1** 〖it을 주어로〗 **비가 오다**: *It*'s *~ing*. 비가 오고 있다 / *It* never *~s* but it pours. 《속담》 왔다 하면 장대비다, 화불단행(禍不單行). **2** 《+[전]+[명]/+[부]》 비오듯 내리다 (*down*)《*on, upon* …에》: Shells and bullets *~ed upon* us. 총포탄이 비오듯 날아왔다 / The leaves came *~ing down*. 낙엽이 비오듯 떨어졌다. **3** 《+[전]+[명]》 흘러내리다《*down* …을》: I felt tears *~ing down* my cheeks. 눈물이 두 뺨에 흘러내리는 것을 느꼈다.
— *vt.* **1** 〖it을 주어로〗 …의 비를 내리게 하다; 비처럼 쏟아지게 하다: *It ~ed* large drops. 굵은 비가 내렸다 / It *~ed* blood 〔invitations〕. 피가 비오듯 쏟아졌다〔초대장이 쇄도했다〕. **2** 《+[목]+[부]》 〖it을 주어로; ~ oneself〗 비가 그치다 (*out*): *It* has *~ed itself out*. 비가 그쳤다. **3 a** 《~+[목]/+[목]+[부]/+[목]+[전]+[명]》 빗발치듯 퍼붓다 (*down*)《*on, upon* …에》: ~ kisses 키스를 퍼붓다 / Honors were *~ed* (*down*) *upon* him. 수많은 영예가 그에게 주어졌다. **b** (눈물 따위)를 비오듯 흘리다: Her eyes *~ed* tears. 그녀의 눈에서 눈물이 비오듯 쏟아졌다.
be ~ed on 비 맞히다: This box should not *be ~ed on*. 이 상자를 비 맞게 해서는 안 된다. ***be ~ed out*** 〔《英》 ***off***〕 비 때문에 중지〔연기〕되다: Our picnic *was ~ed out*. 비 때문에 소풍이 연기되었다. ***It ~s in*** (at the window). (창문으로) 비가 들이친다.

⁑rain·bow [réinbòu] *n.* Ⓒ **무지개**; 무지개 모양의 것《★ 무지개의 일곱 가지 색깔은 바깥쪽에서부터 차례로 red, orange, yellow, green, blue, indigo, violet》. ***all the colors of the ~*** 갖가지의〔다채로운〕 빛깔. ***chase*** (***after***) ***~s*** 무

지개를 쫓다《이룰 수 없는 소망을 품고 많은 시간을 허비하다》. **—a.** 무지개 빛깔의; 가지각색의.

ráinbow tròut 〖어류〗 무지개송어《캐나다 원산》.

ráin chèck **1** 우천 입장 보상권《야구 경기 등을 우천으로 연기할 때 주는 다음회 유효권》. **2** 후일 우선 물품 구매권《바겐세일에서 물품이 품절되었을 경우의 예약권》. **3** 《구어》 후일의 약속〔초대, 요구〕: give 〔take〕 a ~ 후일에 다시 초대하기로 약속하다〔그 약속에 응하다〕.

ráin clòud 비구름(nimbus).

⁑**rain·coat** [réinkòut] *n.* Ⓒ **레인코트**, 비옷.

ráin dàte 《美》 (옥외 경기나 행사 당일이) 우천일 경우의 변경일.

°**ráin·dròp** *n.* Ⓒ 낙숫물, 빗방울.

*****rain·fall** [réinfɔ̀ːl] *n.* **1** Ⓤ (구체적으로는 Ⓒ) **강우량**, 강수량: a ~ chart 등우량선도(等雨量線圖)/(a) ~ *of* 10 inches a year 연간 10인치의 강수량. **2** Ⓤ 강우(降雨): We had a heavy ~ last night. 어젯밤에는 폭우가 내렸다.

ráin fòrest 〖생태〗 다우림(多雨林), 강우림, 《특히》 열대 다우림.

ráin gàuge 우량계.

ráin·màker *n.* Ⓒ **1** 《구어》 인공 강우 과학자〔전문가〕. **2** 《美》 (마술로) 비를 내리게 하는 사람.

ráin·màking *n.* Ⓤ **1** 인공적으로 비가 오게 하는 것, 인공 강우. **2** 《美》 마술로 비오게 하는 것.

ráin·pròof *a.* 방수의, 비가 새지 않는.

ráin·stòrm *n.* Ⓒ 폭풍우.

ráin·wàter *n.* Ⓤ 빗물.

ráin·wèar *n.* Ⓤ 비옷, 우비.

⁑**rainy** [réini] (*rain·i·er; -i·est*) *a.* **1 비오는**, 우천의; 비가 많이 내리는: It's ~ today. 오늘은 비가 올 날씨다/a ~ district 비가 많이 오는 지방/the ~ season 우기/~ weather 우천. **2** (하늘·구름 등이) 비올듯한, 비를 품은: ~ clouds 비구름. **3** (거리 등이) 비에 젖은: a ~ street 비에 젖은 거리. ***for a ~ day*** (장래의) 만일의 경우를 위하여: Provide 〔Save up〕 *for a ~ day* 만일의 경우를 위해 저축해 두다. ㊞ **ráin·i·ly** *ad.* 비가 와서. **-i·ness** *n.* Ⓤ 비가 많이 내림.

⁑**raise** [reiz] *vt.* **1 a** 《~+목/+목+전+명/+목+부》 (물건)을 **들어올리다**; (깃발)을 **올리다**; (가라앉은 것)을 끌어올리다: ~ a curtain 막을 올리다/~ a flag 깃발을 올리다/~ a sunken ship 침몰선을 인양하다/~ water *from* a well 우물물을 길어올리다/~ *up* one's arms 팔을 들다. **b** (집세·이자·급료·명성 등)을 높이다, 올리다; (온도·혈압 등)을 상승시키다: ~ the rent 집세를 올리다/~ one's reputation 명성을 드높이다/Our salaries were ~*d* a little bit. 우리 급료가 약간 올랐다/The stress ~*d* my blood pressure. 그 스트레스로 내 혈압이 올랐다.

SYN. **raise** 주로 수직 방향으로 들어올리다. 비유적 용법도 많음: *raise* a chair above one's head 의자를 머리 위로 들어올리다. *raise* the standard of living 생활 수준을 높이다. **lift** raise와 비슷하나 들어올렸을 때 밑에 생기는 공간이 암시됨: *lift* a book to dust under it 밑의 먼지를 떨기 위해 책을 들어올리다. *lift* a log onto a truck 통나무를 트럭에 싣다《트럭 높이의 공간이 통나무 밑에 생김을 시사함》. **elevate** raise, lift와 바꿀 수 있는 말이지만, '위치 상승'에 역점이 있음: *elevate* one's eyebrows 눈썹을 치켜 올리다.

2 《~+목/+목+전+명/+목+부》 (안아) 일으키다, (쓰러진 것)을 일으켜 세우다; 〖~ oneself〗 몸을 일으키다(*up*): ~ a fallen child 〔chair〕 넘어진 어린애〔의자〕를 일으키다/~ a person *from* his knees 무릎 꿇은 사람을 일으키다/He ~*d* him*self* (*up*) *to* his full height. 그는 일어나 꼿꼿이 섰다.

3 《+목+전+명》 승진〔출세〕시키다《***from*** …에서; ***to*** …으로》: I'll ~ you *to* manager. 자네를 지배인으로 승진시켜 주겠네/He was ~*d to* a higher position. 그는 더 높은 지위로 승진하였다.

4 《+목+전+명》 분기시키다, 격분시키다: ~ the country *against* the enemy 적에 대항해서 국민을 분기시키다.

5 《~+목/+목+전+명》 (영혼 등)을 불러내다; (아무)를 되살리다《***from*** (죽은 자)에서》: ~ the dead 죽은 사람을 되살리다/~ a person *from* the dead 아무를 소생시키다.

6 (새)를 날개치게 하다; (먼지)를 일으키다, 피우다: ~ a (cloud of) dust (뽀얗게) 먼지를 일으키다.

7 (곤란·문제 따위)를 **일으키다**; (질문·이의)를 제기하다: ~ a moral issue 도덕상의 문제를 제기하다/~ a protest 〔an objection〕 항의〔이의〕를 제기하다/~ an issue at law 소송을 제기하다.

8 (소동·반란 따위)를 일으키다: ~ a revolt 반란을 일으키다.

9 《~+목/+목+전+명》 **a** (생리적·육체적 현상)을 일으키게 하다: ~ a laugh *from* the audience 관객을 웃기다/a story that might ~ a blush *on* a girl 처녀가 얼굴을 붉힐 만한 이야기. **b** (희망)을 불러일으키다; (의혹·불안 등)을 일으키게 하다: ~ a person's hopes 아무에게 희망을 갖게 하다/These facts ~*d* doubts *in* their minds. 이런 사실들은 그들의 마음에 의혹을 품게 했다.

10 (소리)를 지르다, 높이다: ~ one's voice angrily 화가 나서 고함을 지르다/~ a cry 〔voice〕 against …에 항의하다.

11 (집 따위)를 **세우다**, 건축〔건립〕하다: ~ a monument 기념비를 세우다.

12 (아이)를 **기르다**, (가축)을 사육하다; (야채)를 재배하다: ~ five children 다섯 아이를 기르다/The farmer ~*s* crops and cattle. 농부는 농작물을 재배하고 소를 사육한다. SYN. ⇨GROW.

13 (돈)을 마련〔조달〕하다, 모금하다; (병사)를 모집하다: ~ funds for a new scholarship 새로운 장학금을 위해 기금을 모으다/~ an army 모병하다.

14 …을 돋우다, (조각·주물 따위)에 돋을새김을 하다; …의 털〔보풀〕을 곤두세우다: ~ cloth 천에 보풀을 세우다.

15 (반죽한 빵)을 부풀리다《이스트로》: ~ dough.

16 (포위·금지 따위)를 풀다: ~ a siege on the fort 요새의 포위를 풀다/~ an oil embargo 석유 수출 금지를 풀다.

17 〖해사〗 (육지·딴 배 등)이 보이는 곳까지 오다: ~ land 뭍이 보이는 곳으로 다가가다.

18 (통신으로) …을 호출하다, (무선으로〔전화로〕) …와 교신하다.

~ a dust ① 먼지를 일으키다(⇨*vt.* 6). ② 소동을 일으키다. **~ *Cain*** 〔***hell, the roof, the devil,*** etc.〕 《구어》 ① 큰 소동을 일으키다; 말다툼〔분쟁〕을 시작하다. ② 화내다, (큰 소리로) 질책하다, 호통치다. **~ one*'s eyes*** 눈을 치켜 올리다, 올려다보다. **~ one*'s head*** 머리를 들다; 출현하다, 나오다. **~ a person*'s spirits*** 아무의 기운을 북

돋우다. ~ *the wind* ⇨ WIND.

—*n.* Ⓒ 《美》 **1** 높인 곳, 돋운 곳. **2** 가격 인상, 임금 인상, 승급(액)(《英》 rise): a ~ in salary 승급.

ráis·er *n.* Ⓒ 〔보통 합성어〕 **1** 일으키는 사람〔것〕; 사육자, 재배자: a fire-~ 방화범/a fund-~ 기금 조달자〔모금인〕. **2** 《美》 사육자, 재배자: a cattle-~ 소 사육자.

***rai·sin** [réizən] *n.* Ⓒ (식품은 Ⓤ) **건포도.**

rai·son d'ê·tre [réizoundétrə] (*pl.* ***rai·sons d'être*** [réizounz-]) 《F.》 존재 이유.

raj [rɑːdʒ] *n.* 《Ind.》 (the ~) 주권, 지배, 통치 《옛날 영국의》.

ra·ja, ra·jah [rɑ́ːdʒə] *n.* 《Ind.》 (종종 R-) Ⓒ (옛날 인도의) 왕, 왕자, 왕후(王侯), 수장(首長).

***rake**[1] [reik] *n.* Ⓒ **1** (건초·낙엽을 긁어 모으는) **갈퀴**; (땅을 고르는) 고무래; (불지필 때 쓰는) 부지깽이. **2** (도박장의) 판돈 거두어들이는 도구.

—*vt.* **1** 《~+목/+목+부》 **a 갈퀴로 긁어 모으다**; 그러모으다(*together; up*): ~ *up* hay 건초를 긁어 모으다/~ *together* dead leaves 낙엽을 갈퀴로 긁어모으다/~ *together* enough money to pay off a debt 빚을 갚기 위해 충분한 돈을 그러모으다/We have to ~ *up* a few more players. 선수를 몇 명 더 모으지 않으면 안 된다. **b** 《~+목/+목+보》 (흙)을 긁어 고르다: ~ a flower-bed 화단(의 흙)을 긁어 고르다/~ a gravel path smooth 자갈길을 평평히 고르다. **2** 《+목+전+명》 **샅샅이 찾다,** 정성들여 조사하다《***for*** …을 얻으려고》: ~ old magazines *for* facts 묵은 잡지를 뒤져서 사실을 조사하다. **3** 《+목+부》 들추어서 밝히다(*up*): ~ *up* an old scandal 해묵은 추문을 들춰내다. **4** 《~+목/+목+전+명》 (멀리) 바라보다, (죽) 훑어보다《***with*** …으로》: ~ the field *with* a telescope 망원경으로 들을 바라보다. **5** 《~+목/+목+전+명》 할퀴다《***with*** …으로》; (질풍 따위가) 휙 스쳐 지나가다: The cat ~*d* his hand *with* its claws. 고양이가 발톱으로 그의 손을 할퀴었다. **6** 〖군사〗 (총 따위로) 소사(掃射)하다.

—*vi.* **1 갈퀴를 쓰다〔사용하다〕,** 갈퀴로 긁다. **2** 《+전+명/+부》 깊이 파고들다; 샅샅이 뒤지다(*about; around*)《***among, through, over*** …을》: He ~*d into* our life. 그는 우리 생활을 이것저것 조사하였다/I ~*d* (*about*) *among* 〔*through*〕 the old papers. 묵은 서류를 샅샅이 뒤졌다.

~ ***in*** 《*vt.*+부》 《구어》 〔보통 진행형〕 (돈 등)을 긁어들이다: He must be *raking in* over a million dollars a year. 그는 1년에 100만 달러 이상 벌어들이는게 틀림없다. ~ ***it in*** 《구어》 큰돈을 벌다. ~ ***out*** 《*vt.*+부》 ① …을 긁어내다: ~ *out* a fire (화덕의) 불을 긁어내다. ② 《구어》 …을 찾아내다: ~ *out* information 정보를 찾아내다. ~ ***over*** 〔***up***〕 《*vt.*+부》 《구어》 (과거·추문 따위)를 들추어내다. ~ ***over the ashes*** 〔***coals***〕 = ~ ***over old ashes*** 의론을 되풀이하다, 과거의 일에 대해 나무라다.

rake[2] *n.* (*sing.*) **1** 경사(도). **2** 〖해사〗 이물〔고물〕의 비스듬한 돌출; (마스트·굴뚝 따위의) 고물〔뒤〕쪽으로의 경사(도). **—***vt., vi.* **1** (무대가) 관객석 쪽으로 경사지(게 하)다. **2** (돛대가) 고물〔뒤〕쪽으로 경사지(게 하)다.

rake[3] *n.* Ⓒ 난봉꾼, 방탕자(libertine).

ráke-òff *n.* Ⓒ 《구어》 (특히 거래상의 부정한) 구문, 배당, 리베이트(rebate).

rak·ish[1] [réikiʃ] *a.* **1** (배가) 경쾌한, 속력이 빠를 것 같은. **2** 멋진, 날씬한(smart), 쾌활한. ㊕ ~·**ly** *ad.* ~·**ness** *n.*

rak·ish[2] *a.* 방탕한; 건달패 티가 나는. ㊕ ~·**ly** *ad.*

Ra·le(i)gh [rɔ́ːli, rɑ́ːli] *n.* Sir **Walter** ~ 롤리 《영국의 정치가·탐험가; 1552?-1618》.

ral·len·tan·do [rɑ̀ːləntɑ́ːndou/rælentǽn-] *a., ad.* 《It.》 〖음악〗 랄렌탄도, 점점 느린〔느리게〕 《생략: rall.》. **—**(*pl.* ~**s**) *n.* Ⓒ 랄렌탄도(의 악장).

***ral·ly**[1] [rǽli] *vt.* **1** (흩어진 집단 등)을 **다시 모으다,** 재편성하다, 진용을 정비하다: ~ the fleeing troops 패주하는 부대의 진용을 재편성하다. **2** (공통의 목적을 위해) **불러모으다,** 결집하다: The leader *rallied* the workers. 감독은 노무자들을 불러모았다/~ public opinion 여론을 결집하다. **3** (정력 따위)를 **집중시키다,** 분발시키다; (체력·기력 등)을 회복하다: *Rally* your energy for one last effort. 다시 힘내서 최후의 노력을 해봐라.

—*vi.* **1** (흩어진 집단이) **다시 모이다,** 집합하다: The enemy is ~*ing* on the hill. 적은 언덕 위에 다시 집결하고 있다. **2** 《+전+명》 (공통의 목적·주의 또는 아무의 지지를 위하여) **모여들다**; 참가하다, 결집하다《***to*** …에; ***around, round*** …의 주위에》: His partisans *rallied round* him. 그의 일당들이 그를 도우러 모였다. **3** 《~/+전+명》 회복하다《***from*** (병 따위)에서》: ~ *from* illness 병에서 회복하다. **4** 〖경제〗 (증권 등의) 시세가 회복하다〔반등하다〕: The stock market *rallied* today. 주식 시장은 오늘 반등했다.

—*n.* **1** Ⓒ (정치적·종교적) **대회,** 집회; 시위 운동: a political 〔peace〕 ~ 정치〔평화〕 집회/a (work) shop ~ 직장 대회/an anti-government ~ 반정부 시위 운동. **2** (a ~) 재결집, 재거(再擧). **3** Ⓒ 자동차 랠리《규정된 평균 속도로 공로에서 행하는 장거리 경주》. **4** (a ~) (건강·경기 등의) 회복, 만회. **5** Ⓒ (배드민턴·테니스 등에서) 서로 연달아 계속 쳐 넘기기, 랠리; 〖권투〗 서로 연타하기. ㊕ **ral·li·er** [rǽliər] *n.* Ⓒ 집회 참가자.

ral·ly[2] *vt.* 놀리다, 조롱하다《***about, on*** …에 대하여》: Everybody *rallied* me *on* my haircut. 모두들 내 머리깎은 모습을 보고 놀려댔다.

rállying crỳ (정치 운동 등의) 슬로건; 함성.

Ralph [rælf/reif, rælf, rɑːlf] *n.* 랠프《남자 이름》.

ram [ræm] *n.* **1** Ⓒ (거세하지 않은) 숫양《암양은 ewe》. **2** (the R-) 〖천문〗 양자리(Aries), 백양궁(宮). **3** Ⓒ 공성(攻城) 망치(battering ~); 충각(衝角)《옛날, 적함에 부딪쳐 구멍을 내기 위해 군함의 이물에 붙인 쇠로 된 돌기》; 충각함. **4** Ⓒ 말뚝 박는 드롭 해머; (자동) 양수기(hydraulic ~); (수압기·밀펌프의) 피스톤.

— (***-mm-***) *vt.* **1** 심하게 부딪치다, 들이받다《***against, at, on*** …에》: ~ one's head *against* a wall 벽에 머리를 부딪다/The car ~*med* a pole. 차가 기둥을 들이 받았다. **2** (말뚝)을 때려 박다; 쑤셔 넣다《***into*** …에》: ~ piles *into* the riverbed 강바닥에 말뚝을 때려 박다/~ a charge *into* a gun 총에 탄약을 재다. **3** (흙)을 다져 굳히다(*down; in*): ~ earth well *down* 흙을 충분히 다져 굳히다. **4** (지식 등)을 강제로 주입시키다; (법안 등)을 억지로 통가시키다《***through*** …에서》: ~ a bill *through* the Senate 억지로 법안을 상원에서 가결시키다. ~ ***home*** (의론)을 반복

R

하여 충분히 납득시키다〔강조하다〕.

RAM [ræm] *n.* Ⓤ 〖컴퓨터〗 램(즉시 호출 기억 장치). [◂ *r*andom-*a*ccess *m*emory]

R.A.M. 《英》 Royal Academy of Music (왕립 음악원).

Ram·a·dan [ræ̀mədɑ́ːn, -dǽn] *n.* 라마단《이슬람력(曆)의 9월; 이 한 달 동안 이슬람교도는 해돋이로부터 해지기까지 단식함》.

***ram·ble** [rǽmbəl] *n.* Ⓒ (정처 없는) **소요, 산책**: go for a ~ in the neighborhood 근처를 어슬렁거리며 산보하다.

—*vi.* **1** 《~/+副/+전+명》 어슬렁거리며 **거닐다**, 정처 없이 걷다: ~ *about in* a park 공원을 어슬렁어슬렁 거닐다/They ~*d through* the woods. 그들은 숲속을 어슬렁어슬렁 거닐었다. SYN. ⇨ WALK. **2** 《~/+副/+전+명》 두서없이 이야기하다〔쓰다〕 (*on*)《*about* …에 대하여》: ~ *on about* the old days 옛날 일을 두서없이 지껄이다. **3** 《~/+전+명》 (덩굴풀 등이) 퍼지다: Vines ~*d over* the fence. 덩굴이 담장 위로 벋었다. **4** (강 · 길이) 구불구불 뻗어가다, 굽이치다.

rám·bler *n.* Ⓒ **1** (공원이나 시골길을) 어슬렁거리며 걷는 사람. **2** 〖식물〗 덩굴장미.

rám·bling *a.* **1** 어정버정하는; 방랑성의. **2** (이야기 등이) 산만한, 두서없는, 종작없는. **3** (집 · 가로가) 휑뎅그렁한; 무질서하게 뻗어 있는. **4** 〖식물〗 덩굴지는: ~ rose 덩굴장미. ㊕ **~·ly** *ad.*

ram·bunc·tious [ræmbʌ́ŋkʃəs] *a.* 《美구어》 (사람 · 행위가) 어거할 수 없는; 사나운; 사납게 날뛰는; 제멋대로인. ㊕ **~·ly** *ad.* **~·ness** *n.*

ram·e·kin, -quin [rǽməkin] *n.* Ⓒ (요리는 Ⓤ) 치즈에 빵가루 · 달걀 따위를 섞어서 틀에 넣어 구운 것; Ⓒ 이 요리를 굽는 사기 그릇(= ∠ **càse** 〔**dìsh**〕).

ram·ie, ram·ee [rǽmi] *n.* Ⓒ 〖식물〗 모시풀; Ⓤ 그 섬유, 모시.

ram·i·fi·ca·tion [ræ̀məfikéiʃən] *n.* Ⓒ (보통 *pl.*) **1** 분지(分枝), 분기. **2** 지맥(支脈), 지류(支流). **3** 지파(支派), 분파. **4** (파생한) 효과, 결과: The lawmakers should consider the tax bill in all its ~*s*. 입법자들은 그 세법안을 모든 파급 효과까지 포함하여 고려해야 한다.

ram·i·fy [rǽməfài] *vt.* 〔보통 수동태〕 분지(分枝)하다; 분파하다; 그물눈처럼 가르다, 작게 구분하다: The railroads *were* once *ramified* over the whole country. 전에는 온 나라 안에 철도가 그물눈처럼 퍼져 있었다. **—***vi.* 분파하다, 분기하다; 그물눈처럼 갈라지다, 작게 구분되다.

rám·jet (èngine) [rǽmdʒèt(-)] 〖항공〗 램제트 (엔진)《분사 추진 기관의 일종》.

◇**ramp**[1] [ræmp] *vi.* **1** 뒷다리로 일어서다《사자 따위가》; 위협하는 자세를 취하다; 덤벼들다. **2** 《흔히 우스개》 행패를 부리다, 날뛰며 돌아다니다; 격노하다. **3** (물 위를) 질주하다. **4** (식물이) 타고 오르다. **5** 〖건축〗 경사지다, 물매를 이루다.

—*vt.* …을 젖혀지게〔휘게〕 하다; …에 경사로를 만들다; 〖건축〗 사면을 만들다.

—*n.* Ⓒ **1** (건물의 각부를 연락하는) 경사로; 〔일반적〕 경사로, 비탈길. **2** 램프, 입체 교차로 따위의 연결용 경사로. **3** (여객기 따위의) 이동 트랩 (boarding ~). **4** 과속 방지턱《도로면에 가로로 설치한 융기》.

ramp[2] *n.* Ⓒ 《英속어》 사기, 편취; 폭리.

ram·page [rǽmpeidʒ/-∠] *n.* Ⓤ (또는 a ~) (성나서) 날뛰기; 발작적 광포성《보통 다음 관용구로》. **go** 〔**be**〕 **on the** 〔**a**〕 ~ 거칠게 날뛰다.

— [∠-, -∠] *vi.* **1** 사납게 돌진하다(*about*). **2** 행패를 부리다, 날뛰다.

ram·pa·geous [ræmpéidʒəs] *a.* 날뛰며 돌아다니는, 난폭한, 광포한, 휘어잡을 수 없는. ㊕ **~·ly** *ad.*

ramp·ant [rǽmpənt] *a.* **1** (사람 · 짐승이) 과격한, 사나운, 광포한, 날뛰는. **2** (잡초 등이) 무성한, 우거진. **3** (병 · 범죄 · 소문 등이) 만연하는, 마구 퍼지는: AIDS is ~ in the area. 그 지역에는 에이즈가 만연하고 있다. **4** 〖문장(紋章)〗 (사자가) 뒷발로 선: a lion ~ 뒷발로 일어선 사자《문장》. ㊕ **~·ly** *ad.*

ram·part [rǽmpɑːrt, -pərt] *n.* Ⓒ **1** (흔히 *pl.*) 누벽(壘壁), 성벽. **2** 〔비유적〕 수비, 방어.

rám·ròd *n.* Ⓒ 탄약 재는 쇠꼬챙이《옛날 전장총(前裝銃) · 전장포(砲)에 탄약을 재는 도구》; 꽂을대《총구 소제용》. **(*as*)** ***stiff*** 〔***straight***〕 ***as a*** ~ 곧은, 직립부동의; (태도나 외관이) 딱딱한: The man's body was (*as*) *stiff as a* ~ when it was found in the snow. 눈 속에서 발견되었을 때 그 남자의 몸은 뻣뻣하게 굳어 있었다.

—*a.* 딱딱한; 강직한; 유연성이 없는, 직립부동의: have a ~ bearing 직립부동 자세를 취하(고 있)다. **—***ad.* 직립부동으로: stand ~ straight 등을 펴고 꼿꼿이 서다.

Ram·ses [rǽmsiːz] *n.* 람세스《고대 이집트 12왕들의 이름》.

ram·shack·le [rǽmʃæ̀kəl] *a.* 넘어질 듯한 《집 따위》; 흔들〔덜컥〕거리는《차 따위》; 줏대없는, 절조가 없는.

ran [ræn] RUN의 과거.

◇**ranch** [ræntʃ] *n.* Ⓒ **1** (주로 미국 · 캐나다의) (대)목장, 방목장《일체의 부속 시설을 포함함》. **2** 《美》〔보통 특정 동물 · 작물을 나타내는 수식어를 수반하여〕 농장, 사육장: a chicken ~ 양계장/a fruit ~ 과수원. **—***vi.* 목장을 경영하다; 목장에서 일하다.

ránch·er *n.* Ⓒ **1** 목장〔농장〕주. **2** 목장〔농장〕 노동자, 목동; (고용된) 목장 감독. **3** 《美》 = RANCH HOUSE 2.

ránch hòuse 《美》 **1** (목장에 있는) 목장주의 주택. **2** 랜치하우스《일반 주택으로 지붕의 경사가 완만하고 창문이 많은 단층집》.

ránch·man [-mən] (*pl.* **-men** [-mən]) *n.* Ⓒ 《美》 목장 경영자〔감독〕; 목동; 목장 노동자.

ran·cho [rǽntʃou, rɑ́ːn-] (*pl.* **~s**) *n.* 《Sp. · 라틴아메리카》 Ⓒ (목자(牧者) · 농장 노동자용의) 오두막집(의 부락); 목장 노무자 합숙소.

ran·cid [rǽnsid] *a.* (버터 · 식용유 등이 썩어서) 고약한 냄새가 나는; 불쾌한, (맛이) 고약한: go ~ 악취를 풍기다; 썩다. ㊕ **~·ly** *ad.* **~·ness** *n.*

ran·cor, 《英》 **-cour** [rǽŋkər] *n.* Ⓤ 깊은 원한, 적의; 심한 증오: I have no ~ against him. 그에게 아무런 원한도 품고 있지 않다.

ran·cor·ous [rǽŋkərəs] *a.* 원한이 사무친; 악의에 불타는. ㊕ **~·ly** *ad.* **~·ness** *n.*

rand (*pl.* ~) *n.* Ⓒ 랜드《남아프리카 공화국의 화폐 단위》.

R & B, r & b rhythm and blues. **R & D, R and D** research and development (연구 개발).

Ran·dolph [rǽndɑlf, -dəlf/-dɔlf] *n.* 랜돌프《남자 이름; 애칭 Randy, Randie》.

⁑**ran·dom** [rǽndəm] *a.* Ⓐ **1 닥치는 대로의,** 되는 대로의, 임의의: a ~ remark 〔guess〕 되는 대로 하는 말〔억측〕/a ~ shot 난사.

SYN. **random** 일정한 방식 · 계획 · 목적이 없이 행하여진〔선택된〕: a *random* collection 무계획적인 수집. a *random* page 되는 대로 펼친 페이지. **haphazard** random과 비슷하지만 우연성이 강조됨: in a *haphazard* way 무작정 해보는 식으로. **casual** 아무 생각 없고 무관심함이 덧붙여짐: in a *casual* way 무심스럽게, 우연히 하는 태도로. **desultory** 자꾸만 달라져 가는, 종잡을 수 없는: *desultory* reading 산만한 독서.

2 임의의, 무작위(無作爲)의.

—*n*. 〖다음 관용구로〗 ***at*** **~** 되는 대로, 닥치는 대로: speak 〔choose〕 *at* ~ 입에서 나오는 대로 말하다〔되는 대로 고르다〕.

㊐ **~·ly** *ad*. **~·ness** *n*.

rándom áccess 〖컴퓨터〗 임의 접근《데이터를 임의의 순서로 추출 이용할 수 있는 방식》.

rándom-áccess mémory 〖컴퓨터〗 임의 접근 기억 장치《즉시 호출하는 기억 장치; 생략: RAM》.

rándom sámple 〖통계〗 임의 표본, 무작위 표본〔추출〕.

rándom sámpling 〖통계〗 랜덤 샘플링, 임의 표본 추출법.

randy [rǽndi] *a*. 《구어》 호색의, 음탕한. ㊐ **ránd·i·ly** *ad*. **ránd·i·ness** *n*.

ra·nee [rɑ́:ni, rɑ:ní:] *n*. Ⓒ (옛날 인도의) 왕비; 공주.

rang [ræŋ] RING[2]의 과거.

range [reindʒ] *vt*. **1** 《~+목/+목+전+명》 **a** **줄짓게 하다, 정렬시키다,** 늘어놓다, 배치하다 《***on, in, along*** …에》: The commander ~*d* his men *along* the river bank. 지휘관은 병사들을 강둑을 따라 배치하였다. **b** 〖~ oneself〗 줄짓다, 정렬하다: The players ~*d* them*selves* in rows. 선수들은 정렬했다.

2 《~+목/+목+전+명》 〖수동태; ~ oneself〗 들다, 서다《***with, among*** …의 편에; ***against*** …의 반대편에》: Most of the politicians *were* ~*d with* 〔*against*〕 the prime minister. 대부분의 정치가는 수상을 지지하였다〔적대하였다〕/ They ~*d* them*selves* on the side of law and order. 그들은 법과 질서를 지지하는 입장에 섰다.

3 《+목+전+명》 (총 · 망원경 따위)를 돌려 대다, 겨누다, …의 조준을 맞추다《***on, against*** …에》: ~ a telescope *on*… …에 망원경을 맞추다.

4 걸어다니다, 왔다갔다 거닐다; 배회하다.

5 (소 · 말)을 방목하다.

—*vi*. **1** 《+전+명》 **줄짓다,** 일직선이 되다; (산맥 등이) (한 줄로) **연하다, 뻗다**: a boundary that ~*s* north and south 남북으로 뻗은 경계선/ Brick houses ~ *along* the road. 벽돌집들이 길을 연해서 있다.

2 《+전+명》 (동식물이) 분포되어 있다, 서식하다 《***from*** …에서; ***to*** …까지》: This plant ~*s from* Canada *to* Mexico. 이 식물은 캐나다로부터 멕시코에 걸쳐 분포되어 있다.

3 《+전+명》 (사람 · 동물이) 헤매다, 돌아다니다: ~ *through* the woods 숲속을 헤매다.

4 《+전+명》 (활동 범위 · 화제 따위가) 미치다, 걸치다: a speaker who ~*s over* a wide variety of subjects 갖가지 광범위한 화제에 걸쳐 이야기하는 연사.

5 《+전+명》 이동하다, 변동하다, 변화하다《***from*** …에서; ***to*** …까지; ***between*** …의 사이를》: The temperature ~*s from* ten *to* twenty degrees. 기온은 10도에서 20도까지 오르내린다/Prices ~ *between* seven and ten dollars. 가격은 7달러에서 10달러 사이이다.

6 《+전+명》 평행하다; 어깨를 나란히 하다; 동아리에 끼이다《***with*** …와》: He ~*s with* the great writers. 그는 대작가들과 어깨를 나란히 한다.

7 《+보》 (탄알이) 도달하다; 사거리가 …이다: This gun ~*s* 8 miles. 이 포의 사정은 8마일이다.

—*n*. **1** Ⓒ **열**(列), **줄,** 가지런함, 줄지음: a long ~ *of* arches 길게 이어진 아치의 열.

2 Ⓒ **산맥**: a mountain ~ =a ~ *of* mountains 산맥, 연산(連山).

3 Ⓒ 《美》 (대형) 방목장; 목장: a ~ for cattle 소의 방목지.

4 (*sing*.) (동식물의) 분포 구역, 서식 범위.

5 a (*sing*.) (세력 · 능력 · 지식 등이 미치는) **범위,** 한계; 시계(視界): a wide ~ *of* knowledge 광범위한 지식/within one's ~ *of* vision 보이는 범위 내에/be out of ~ 범위 밖이다. **b** Ⓤ (또는 a ~) 음역(音域).

SYN. **range** 활동 · 능력 · 효과 따위가 미치는 '범위' 내에 있는 여러 가지의 변화 · 종류의 존재를 암시함: one's *range* of hearing 들리는 범위《이 범위 내에서는 여러 가지가 들릴 수 있음》. reading of wide *range* 다독(多讀). **reach** '범위'의 크기, 한계까지의 거리, 그 이상은 미치지 못한다는 데 초점이 있음: This is beyond your *reach*. 이것은 너의 손이 미치지 못하는 곳에 있다. **scope** '보다'→'시야'라는 본래 뜻에서 부채꼴의 폭을 시사하며, 그 범위 내에서의 선택의 자유가 강조됨: the wide *scope* for personal initiative in business 실업계에서 개인의 창의를 발휘할 수 있는 폭넓은 가능성.

6 (*sing*.) (변동의) 범위, 한도; 〖수학〗 치역(値域); 〖통계 · 컴퓨터〗 범위: the annual ~ *of* temperature 연간 온도 승강 편차/the narrow ~ *of* prices for steel 변동이 적은 철강 값의 폭.

7 (*sing*.) (제품 따위의) 종류: a wide ~ *of* electric goods 광범위한 종류의 전자 제품.

8 a Ⓤ (또는 a ~) (탄환의) 사거리(射距離), 사정(射程); (미사일 따위의) 궤도: the effective ~ 유효 사거리/out of 〔within〕 ~ 사정거리 밖〔안〕에/This gun has a ~ *of* about 200 meters. 이 총의 사거리는 약 200미터이다. **b** Ⓒ 사격장; 미사일〔로켓〕 시험 발사장: a rifle ~ 소총 사격장.

9 (a ~) 〖항공 · 해사〗 항속 거리.

10 Ⓒ (요리용) **레인지,** 《美》 전자〔가스〕 레인지.

at long 〔***short, close***〕 **~** 원〔근〕거리에서.

outside 〔***out of***〕 a person***'s*** **~** 아무의 손이 미치지 않는; 아무의 지식〔이해의 범위〕 밖에: The book is *out of* my ~. 그 책은 나로서는 이해할 수 없다.

ránge finder (총 · 카메라 등의) 거리계(計); 거리 측정기.

ránge·land *n*. Ⓒ 방목지.

rang·er [réindʒər] *n*. Ⓒ **1** 돌아다니는 사람; 방랑자. **2** 《英》 왕실 소유림의 감시원; 《美》 (국유림의) 순찰 경비대원. **3** (R-) 《美》 (제2차 세계대전 중의) 특별 공격대원; 《美》 (특히 밀림 지대의) 게릴라전 훈련을 받은 병사. **4** (R-) 레인저《미국의 월면 탐사 위성》.

Ran·goon [ræŋgú:n] *n*. Myanmar의 수도 Yangon의 구명.

rangy [réindʒi] (***rang·i·er; -i·est***) *a.* (사람 · 짐승이) 팔다리가 길쭉한; (짐승이) 돌아다니기에 알맞은.

ra·ni [rɑ́:ni, rɑ:ní:] *n.* = RANEE.

rank[1] [ræŋk] *n.* **1** Ⓒ **a 열**, 행렬: a ~ *of* pillars 기둥의 열 / a ~ of taxis 한 줄로 늘어선 택시. **b** (특히 군대의) 횡렬, 횡대(橫隊): the front (rear) ~*s* 전(후)열 / break ~(*s*) 대열을 흐트리다 / Soldiers stood in ~*s* for the inspection. 병사들은 사열을 받기 위해 횡렬로 서 있었다.
2 Ⓤ (구체적으로는 Ⓒ) **a 계급**, (사회적) 지위, 신분: the ~ of major 소령의 계급 / people of all ~*s* 모든 계층의 사람들 / your executive ~*s* 당신들 중역층. **b** 지위, 등급: high in ~ 지위가 높은 / a writer of the first ~ 일류 작가.
SYN. **rank** 상하 관계가 계단식으로 고정되어 있음: the *rank* of colonel 육군 대령의 계급. the lower *ranks* 하층 계급. **degree** 상하 관계가 아니고, 진보 · 증감 · 중요성 따위의 정도 · 경중을 나타냄. 눈금의 도수, 학위 · 범죄의 등급 따위도 여기에서 유래함: a man of low (high) *degree*에서는 rank와 비슷하지만 뚜렷한 계층을 표시하는 것은 아니고 막연히 '신분'을 나타내고 있음. **grade** 품질 · 가치 · 능률 따위의 단계 · 등급을 나타냄. 학업의 성적, 초 · 중 · 고교의 학년급도 grade임: first-*grade* potatoes 최상품의 감자.
3 Ⓤ (구체적으로는 Ⓒ) 높은 지위, 상류 사회: persons of ~ 귀족 / the ~ and fashion 상류 사회.
4 (the ~*s*) **a** (장교 이외의) 군대 구성원, 병사들, 병졸: all the ~*s* 병사 전원 / (the) other ~*s* (장교 이외의) 병졸 / an old acquaintance of the ~*s* 예전의 한 전우. **b** (간부와 구별하여, 정당 · 회사 · 단체의) 일반 당원, 사원, 회원: join the ~*s of* protesters 항의자 무리에 가담하다.
5 Ⓒ 체스판의 가로줄. cf. file[1].
6 Ⓒ 《英》 손님 대기 택시의 주차장.
close the ~s 대열의 간격을 좁히다; (정당 따위가) 동지의 결속을 굳히다. ***pull ~*** (***on*** a person) 《구어》 (아무에게) 지위를 이용하여 강제로 명령하다. ***take ~ of*** …의 윗자리를 차지하다. ***take ~ with*** …와 나란히 서다, …와 어깨를 나란히 하다.
— *vt.* **1** 〖종종 수동태〗 **나란히 세우다**, 정렬시키다: The children *were* ~*ed* according to height. 아이들은 키 순서대로 정렬했다. **2** 《+목+보/+목+전+명/+목+*as* 보》 **위치를 정하다**, 부류에 넣다, 분류하다《***among, with*** …중에》; 등급짓다; 평가하다《***above*** …의 위로; ***below*** …의 아래로》: We ~ his abilities very high. 그의 재능을 높이 평가한다 / She was ~*ed among* the best-dressed women. 그녀는 옷맵시가 가장 좋은 여자 축에 들었다 / I ~ Tom *above* (*below*) John. 톰은 존보다 등급이 위(아래)라고 생각한다 / Byron is ~*ed as* a great poet. 바이런은 대시인으로 평가되고 있다. **3** 《美》 (사관이) …보다 낫다, …의 윗자리에 서다(outrank): The colonel ~*s* all other officers in the unit. 대령은 그 부대의 다른 모든 장교보다 계급이 위다.
— *vi.* **1** 《+*as* 보/+전+명/+보》 **자리잡다**, 지위를 차지하다《***among, with*** …중에; ***above*** …위에; ***below*** …아래에》: ~ *as* an officer 장교 대우를 받다 / ~ *among* the greatest achievement 최대 걸작의 부류에 속하다 / He ~*s* high in his class. 그의 성적은 반에서 상위다. **2** 《美》 윗자리를 차지하다, 제 1 위를 차지하다. **3** 《~/+부》 줄짓다, 정렬하다; 열지어 행진하다(*past; off*): a platoon ~*ing off* 행군하는 소대.

rank[2] *a.* **1** 무성한, 울창한《***with*** (초목)이》; 땅이 지나치게 기름진: The garden is ~ *with* weeds. 그 정원은 잡초가 무성하다. **2** Ⓐ 순전한, 심한, 지독한《나쁜 의미로》: a ~ amateur 순전한 아마추어 / ~ language 심한 말 / ~ stupidity 지독한 어리석음. **3** 싫은 맛의; 고약한 냄새가 나는; 썩은《***with*** (악취)로》: ~ meat 썩은 고기 / The room was ~ *with* cigarette smoke. 그 방은 고약한 담배 냄새가 났다. ㊞ **∠·ly** *ad.* **∠·ness** *n.*

ránk and fíle (the ~) 〖집합적; 단 · 복수취급〗 부사관 및 병; 《비유적》 일반 시민, 평회원(평사원)들, 일반 조합원들, 평당원들.

ránk·er *n.* Ⓒ 《英》 사병; 사병 출신의 (특진) 장교.

°**ránk·ing** *n.* Ⓤ 등급 매기기; 순위, 서열. — *a.* Ⓐ 《美》 **1** 상급의, 간부의: a ~ officer 수석 장교. **2** 뛰어난, 발군(拔群)의, 일류의: a ~ authority 일류의 권위자. **3** 〖종종 합성어로〗 지위가 …인: a high-~ officer 고급 장교.

ran·kle [rǽŋkəl] *vi.* (불쾌한 감정 · 원한 따위가) 끊임없이 마음을 괴롭히다, 마음에 사무치다, 가슴에 맺히다《***with*** (아무)의》: *rankling* regret 언제까지나 마음을 아프게 하는 후회 / Much hatred still ~*s with* me. 강한 혐오감이 아직도 내 속에서 부글거린다.

°**ran·sack** [rǽnsæk] *vt.* **1** 샅샅이(구석구석까지) 뒤지다; 돌아다니다《***for*** …을 찾아》: The police ~*ed* the house, looking for drugs. 경찰은 마약을 찾아 집안을 뒤졌다 / He ~*ed* Seoul *for* the book. 그는 그 책을 찾아 서울을 헤맸다. **2** (장소)에서 물건을 약탈하다(pillage): ~ a town 도시를 약탈하다 / The house was ~*ed* of all its valuables. 집 안의 귀중품이 전부 약탈당했다.

°**ran·som** [rǽnsəm] *n.* **1** Ⓤ (인질 따위의) 몸값을 치르고 자유롭게 하기, (포획물의) 배상금을 치르고 되찾기. **2** Ⓒ 몸값, 배상금: demand a ~ 몸값을 요구하다. ***hold*** a person ***to*** (《美》 ***for***) ~ ① 아무를 억류하고 몸값을 요구하다. ② 아무를 협박하여 양보를 요구하다.
— *vt.* (인질 따위)를 몸값(배상금)을 치르고 되찾다; 몸값을 받고 석방하다.

rant [rænt] *n.* Ⓤ 폭언, 호언장담; 노호(怒號).
— *vi.* **1** 폭언을 하다, 마구 호통치다, 고함치다, 야단치다(*on*)《***at*** (아무)에게; ***about*** …에 관해서》: They ~*ed* (*on*) *at* him *about* his carelessness. 그들은 그에게 경솔했다고 호통쳤다. **2** 열광적으로 설교하다; 호언장담하다. — *vt.* (배우가) 과장해서 떠들어대다(말하다).

ránt·er *n.* Ⓒ **1** 소리치는 사람. **2** (R-) 초기 메서디스트 교도.

rap**[1] [ræp] *n.* **1** Ⓒ **톡톡 두드림**《at, on, against*** (문 · 테이블 따위)를》; 두드리는 소리: There was a ~ *at* the door. (누가) 문을 톡톡 두드렸다. **2** Ⓒ 《속어》 비난, 질책; 고소, 고발; 형사상의 책임, 범죄 혐의; 체포; 징역형: pin a murder ~ on a person 아무에게 살인 혐의를 두다. **3** Ⓒ 《美속어》 지껄임. **4** Ⓤ 랩(뮤직)(rap music).
beat the ~ 《美속어》 벌을 면하다, 무죄가 되다. ***give*** (***get***) ***a ~ on*** (***over***) ***the knuckles*** (벌로) 아이의 손마디를 때리다; 심하게 꾸짖다. ***take the ~*** 《美구어》 비난(벌)을 받다; 죄를 뒤집어쓰다《***for*** (남)을 위해》.
— (***-pp-***) *vt.* **1** 《~+목/+목+부/+목+전+명》 **a**

R

(문 · 책상 등)을 톡톡 두드리다: ~ a door 문을 톡톡 두드리다 / ~ *out* a tune *on* the piano 피아노를 통통거려 곡을 치다. **b** 톡톡 때리다〔치다〕: ~ a person *on* 〔*over*〕 the head 아무의 머리를 톡톡 때리다. **2** 《~+목/+목+전+명》 《구어》 비난〔혹평〕하다《***for*** …일로》: The judge *~ped* the police *for* their treatment of the accused. 판사는 피의자 취급 방법에 관해서 경찰을 비난했다. **3** 《美속어》 (형사범으로) 체포하다, 구속하다.

—*vi.* **1** 《+전+명》 톡톡 두드리다《***at, on*** (문 · 책상 등)을》: ~ *on* a table 〔*at* the door〕 테이블〔문〕을 톡톡 두드리다. **2** 《~/+전+명》 《美속어》 지껄이다, 잡담하다《***with*** (아무)와; ***about*** …에 대하여》: I *~ped with* him *about* baseball for hours. 몇 시간 동안 그와 야구에 관해서 이야기했다.

~ *out* 《*vt.*+부》 ① (메시지 등)을 두드려 전하다 《***on*** (벽 · 책상)을》: The teacher *~ped out* an order *on* the desk. 선생님은 책상을 두드려 조용히 하라고 일렀다. ② 따끔하게 말하다; 내뱉듯이 말하다: The commander *~ped out* orders. 사령관은 엄숙하게 명령을 내렸다.

rap[2] *n.* (a ~) 〔부정문〕 《구어》 피천 한 닢, 조금 (bit). ***not care*** 〔***mind***〕 ***a ~*** 조금도 상관 않다: I don't *care* 〔*mind*〕 *a* ~ for his opinions. 그의 의견 따위는 조금도 상관하지 않는다. ***not worth a ~*** 보잘것없는.

ra·pa·cious [rəpéiʃəs] *a.* **1** 강탈하는, 약탈하는: ~ pirates 약탈하는 해적. **2** 욕심 많은, 탐욕〔게걸〕스러운. **3** 〖동물〗 (다른) 생물을 잡아먹는, 육식하는: a ~ animal 포식성(捕食性) 동물. 파 **~·ly** *ad.* **~·ness** *n.*

ra·pac·i·ty [rəpǽsəti] *n.* U 강탈; 탐욕; 탐식.

rape[1] [reip] *n.* U (구체적으로는 C) **1** 강탈, 약탈; 침범. **2** 성폭행, 강간. **—***vt.* **1** 강탈〔약탈〕하다; 파괴하다. **2** (부녀자)를 강간하다, 성폭행하다. 파 **ráp·er** *n.*

rape[2] *n.* U 〖식물〗 평지《양 · 돼지 등의 사료; 종자에서 기름(rape oil)을 얻음》.

Raph·a·el [rǽfiəl, réi-] *n.* 라파엘. **1** 남자 이름. **2** 〖성서〗 외전(外典)에 기록된 대천사(大天使) (archangel). **3** 라파엘로(Raffaello Santi)《이탈리아 문예부흥기의 화가; 1483–1520》.

‡rap·id [rǽpid] (***more ~, ~·er; most ~, ~·est***) *a.* **1** (속도가) **빠른**, 신속한: a ~ train 쾌속 열차 / a ~ stream 급류 / a ~ growth 급성장 / make ~ progress 급속한 진보를 이루다. SYN. ⇨ FAST. **2** (행동이) 재빠른, 민첩한; 조급한, 서두르는: a ~ worker 일이 빠른 사람 / a ~ decision 즉결 / a ~ journey 황망한 여행. **3** (내리막 경사가) 가파른, 몹시 비탈진: a ~ slope 가파른 비탈. **4** 〖사진〗 급속 촬영의. **—***n.* C **1** (보통 *pl.*) 급류, 여울. **2** 고속 수송(열)차, 고속 수송 체계. ***shoot the ~s*** (보트가) 여울을 건너다. 파 **~·ness** *n.*

rápid éye mòvement 〖생리〗 급속 안구(眼球) 운동《수면 중에 안구가 급속히 움직이는 현상; 뇌파 · 심장 고동의 변화, 꿈 등과 관계가 있다고 함; 생략: REM》.

rápid éye mòvement slèep = REM SLEEP.

rápid-fíre *a.* **1** (총포가) 속사의: a ~ gun 속사포. **2** (질문 · 농담 등이) 연이은: ~ questions.

***ra·pid·i·ty** [rəpídəti] *n.* U **신속**, 급속; 민첩: with ~ 빠르게(rapidly).

‡rap·id·ly [rǽpidli] *ad.* **빠르게**, 재빨리, 신속히: Don't speak too ~. 너무 빨리 지껄여서는 안 된다 / The divorce rate is increasing ~. 이혼율이 급속히 증가하고 있다.

rápid tránsit (고가 철도 · 지하철에 의한 여객의) 고속 수송(법).

ra·pi·er [réipiər] *n.* C 가볍고 가느다란 칼의 일종《찌르기를 주로 한 결투용》: a ~ glance 날카로운 눈매 / a ~ thrust 《비유적》 따끔한 풍자.

rap·ine [rǽpin, -pain] *n.* U 《시어 · 문어》 강탈, 약탈.

rap·ist [réipist] *n.* C 성폭행 범인(raper).

ráp mùsic 랩 뮤직《1970년대 말부터 유행된 팝 뮤직의 한 스타일; 지껄이는 듯한 투로 노래 부름》.

rap·per [rǽpər] *n.* C **1** 톡톡 두드리는 사람〔것〕; (문의) 노커. **2** 《美속어》 지껄이는 사람; 랩 음악가.

rap·port [ræpɔ́ːr] *n.* 《F.》 U (또는 a ~) (친밀한 · 공감적인) 관계, 조화; 일치《***between*** …사이의; ***with*** …와의》: be in ~ *with* …와 마음으로 통하다〔서로 이해하(고 있)다〕 / be in ~ *with* one's surroundings 환경과 조화 관계를 유지하다 / establish a ~ 관계를 수립하다.

rap·proche·ment [ræprouʃmɑ́ːŋ/ræprɔ́ʃmɑːŋ] *n.* 《F.》 C 화해; 친선; 친교〔국교〕 회복.

rap·scal·lion [ræpskǽljən] *n.* C 《고어; 우스개》 악한, 부랑배; 건달.

ráp shèet 《美속어》 (경찰이 보관하는) 전과(前科)〔체포〕 기록.

rapt [ræpt] *a.* **1** 마음을 사로잡는, 넋을 잃은, 황홀한: a ~ audience 넋을 잃고 보는 관중〔듣는 청중〕 / a ~ expression 황홀한 표정. **2** P 열중하는, 몰두하는《***in*** …에》: He was ~ *in* thought 〔study〕. 그는 생각에 사로 잡혀 있었다〔공부에 몰두했다〕. 파 **∠·ly** *ad.* **∠·ness** *n.*

rap·to·ri·al [ræptɔ́ːriəl] *a.* 〖동물〗 육식의 《새 · 짐승 따위》; 〖조류〗 맹금류(猛禽類)의: ~ birds 〔beasts〕 맹금〔맹수〕.

rap·ture** [rǽptʃər] *n.* U (또는 *pl.*) **큰 기쁨**, 환희, 황홀, 열중《at, over, about*** …에 대한》: listen with 〔in〕 ~ 넋을 잃고 듣다. ***fly into ~s*** 기뻐 날뛰다. ***go*** 〔***fall***〕 ***into ~s over*** …에 열광하다: She *fell into ~s over* her son's success. 그녀는 아들의 성공에 기뻐서 어쩔 줄을 몰랐다. ***in ~***(***s***) 열광〔열중〕하여.

rap·tur·ous [rǽptʃərəs] *a.* 기뻐 날뛰는, 미칠 듯이 기뻐하는, 열광적인: a ~ welcome 열광적인 환영. 파 **~·ly** *ad.* 크게 기뻐하여.

‡rare[1] [rɛər] *a.* **1 드문, 진기한**: a ~ event 드문 일 / a ~ bird 진기한 새 / It's ~ for him to go out. = It's ~ that he goes out. 그가 외출하는 일은 드물다. **2** 드물게 보는, 유례 없는: a ~ scholar 드물게 보는 학자. **3** (공기 따위가) 희박한; 띄엄띄엄 있는: the ~ atmosphere 희박한 대기. **4** A 《구어》 멋진: They had ~ fun. 그들은 정말 재미있었다. **5** 〔부사적〕 상당히, 매우: He is a ~ good sort. 매우 좋은 녀석이다. ***have a ~ time*** (***of it***) 즐겁게 지내다, 멋진 시간을 보내다. **~ *and*** 《구어》 〔부사적〕 매우, 몹시: I am ~ *and* thirsty. 몹시 목이 마르다. **~ *old*** 《구어》 아주 좋은〔나쁜〕, 대단한. 파 **~·ness** *n.*

rare[2] *a.* (스테이크가) 덜 구워진, 설익은.

rare·bit [rɛ́ərbit] *n.* = WELSH RABBIT.

ráre éarth 〖화학〗 희토류 원소(의 산화물).

ráre-éarth èlement 〔**mètal**〕 〖화학〗 희토류 원소《원자 번호 57–71》.

R

rar·e·fy, rar·i·fy [réərəfài] *vt*. (기체 따위)를 희박하게 하다; 순화〔정화〕하다. —*vi*. 희박해지다; 정화〔순화〕되다. (파) **rár·e·fied** [-d] *a*. (교양 등이) 고상한, 고원한; 난해〔심원〕한; 선발된; (기체가) 희박한.

‡**rare·ly** [réərli] *ad*. **1 드물게, 좀처럼 …하지 않는**(seldom): It is ~ that he sings. 그는 좀처럼 노래를 부르지 않는다. **2** 매우 (잘), 희한하게: ~ beautiful woman 매우 아름다운 여인/They dined ~. 그들은 굉장한 성찬을 먹었다/It pleased him ~. 그의 마음에 썩 들었다.
~ (***if***) ***ever*** 《구어》 극히〔아주〕 드물게: She ~ *if ever* plays the piano now. 그녀가 요즘 피아노를 치는 일은 극히 드물다. ~ ***or never*** 좀처럼 …하지 않는: He ~ *or never* helps me. 그는 좀처럼 나를 도와 주지 않는다.

rar·ing [réəriŋ] *a*. Ⓟ 《구어》 몹시 …하고 싶어하는, 좀이 쑤셔 하는(eager)《***to*** do》: The dog was ~ *to* get out of the car. 개는 몹시 차 밖으로 나가고 싶어 했다.

◇**rar·i·ty** [réərəti] *n*. **1** Ⓤ 아주 드묾; 진기, 희박: ~ value 희소가치. **2** Ⓒ 진품, 진기한 사람〔것〕.

◇**ras·cal** [rǽskəl/rɑ́:s-] *n*. Ⓒ **1** 악당, 건달, 깡패. **2** 《우스개》 장난꾸러기, 녀석: a little ~ 개구쟁이/You lucky ~! 이 운좋은 녀석 같으니.

ras·cal·i·ty [ræskǽləti/rɑ:s-] *n*. Ⓤ (구체적으로는 Ⓒ) 나쁜 짓, 악행; 악당의 소행; 악당 근성.

rás·cal·ly *a*. 무뢰한의; 악당 같은; 교활한, 야비한, 악랄한.

R

rase [reiz] *vt*. 《英》 =RAZE.

rash**[1] [ræʃ] *a*. **1 경솔한**; 성급한: a ~ act 경솔한 행위/a ~ promise 성급한 약속. **2 분별없는**, 무모한《to*** do》: a ~ scheme 무모한 계획/a ~ youth 무분별한 젊은이/You were ~ *to* say so. =It was ~ *of* you *to* say so. 넌 분별없이 그런 말을 했구나. (파) **∠·ly** *ad*. 분별없게, 무모〔경솔〕하게(도). **∠·ness** *n*.

rash[2] *n*. (a ~) **1** 〖의학〗 발진(發疹), 뾰루지: *a* heat ~ 땀띠/come out in a ~ 뾰루지가 나다. **2** (불쾌한 일의) 다발(多發), 빈발: a ~ *of* strikes 〔burglaries〕 스트라이크〔강도〕의 빈발.

rásh·er *n*. Ⓒ 베이컨〔햄〕의 얇게 썬 조각.

rasp [ræsp, rɑ:sp] *n*. **1** Ⓒ 이가 거친 줄(=**ráspcut fíle**); 강판. **2** (a ~) 줄질하는 소리; 끽끽하는 소리, 삐걱거림.
—*vt*. **1 a** 이가 거친 줄로 갈다; 강판으로 갈다; 쓸어〔갈아〕 내다(*away; off*): ~ *off* 〔*away*〕 corners 모서리를 깎아 내다. **b** 줄질하여 …으로 하다: He ~*ed* the surface smooth. 그는 줄질하여 표면을 매끄럽게 했다. **2** 쉰〔귀에 거슬리는〕 목소리로 말하다(*out*): ~ *out* a denial 신경을 거스르는 목소리로 거절하다. **3** 안타깝게〔초조하게〕 하다. —*vi*. **1** 삐걱거리는〔끽끽거리는〕 소리를 내다《***on, upon*** …으로》: She was ~*ing on* her violin. 그녀는 바이올린으로 깽깽거리고 있었다. **2** 쓸리는〔갈리는〕 소리를 내어 초조하게 하다《***on, upon*** …을》: The noise ~*s on* my nerves. 그 소리가 신경을 거슬리게 했다.

rasp·ber·ry [rǽzbèri, -bəri, rɑ́:z-] *n*. **1 a** Ⓒ 〖식물〗 나무딸기. **b** Ⓒ (음식물은 Ⓤ) 나무딸기 열매《잼을 만들어 먹음》. **2** Ⓒ 《속어》 입술 사이에서 혀를 떨어 내는 소리《경멸·냉소적인 행위》; 조소, 혹평: get 〔give, blow, hand〕 the ~ 조소받다〔하다〕/give a person the 〔a〕 ~ 아무를 조소〔혐오〕하다.

rásp·ing *a*. **1** 삐걱거리는. **2** 귀에 거슬리는; (마음·감정을) 초조하게 하는. (파) **~·ly** *ad*.

raspy [rǽspi, rɑ́:spi] (***rasp·i·er; -i·est***) *a*. **1** 안달나게 하는; 신경질적인, 성마른. **2** 삐걱거리는.

‡**rat** [ræt] *n*. Ⓒ **1** 〖동물〗 쥐, 시궁쥐. (cf.) mouse. **2** 《속어》 비열한 놈, 변절자, 배반자, 탈당자: You old ~! 이 쥐새끼 같은 놈. **3** 《구어》 파업 불참 노동자; 파업을 와해시키는 사람. **4** 《美속어》 스파이, 밀고자. ***like a drowned*** ~ 물에 빠진 생쥐같이 되어. ***smell a*** ~ 《구어》 수상쩍게 생각하다, 이상하다고 느끼다.
—*int*. (~s) 《속어》 〘불신·경멸·실망 등을 나타내어〙 체, 젠장, 우라질, 천만에: Oh ~*s!* 저런, 설마.
—(**-tt-**) *vi*. **1** 쥐를 잡다. **2** 《속어》 《~/+[전]+[명]》 **a** 변절하다; 배반하다, 밀고하다《***on*** …을》: He ~*ted on* his pals. 그는 친구들을 배반했다. **b** 어기다, 깨다《***on*** (약속·협정 따위)를》: Don't ~ *on* the promise. 약속을 어기지 마라.

rat·a·ble, rate- [réitəbəl] *a*. **1** 평가할 수 있는. **2** 비례하는, (일정한) 비율에 따른. **3** 《英》 과세할 수 있는, 과세 대상이 되는. (파) **-bly** *ad*. **~·ness** *n*. **ràt(e)·a·bíl·i·ty** *n*. Ⓤ

ra·tan [rætǽn, rə-] *n*. =RATTAN.

rat-a-tat [rǽtətǽt] *n*. (a ~) 둥둥, 쾅쾅《문, 북 따위를 두드리는 소리》.

rát·bàg *n*. Ⓒ 《英속어》 몹시 불쾌한 놈; 처치 곤란한 녀석.

rát·càtcher *n*. Ⓒ 쥐 잡는 사람〔동물〕.

ratch·et, ratch [rǽtʃət], [rætʃ] *n*. Ⓒ 깔쭉톱니바퀴 (장치); 미늘톱니바퀴 (장치); (톱니바퀴의 역회전을 방지하는) 미늘, 제동기, 제차기.

rátchet whèel 깔쭉톱니바퀴.

‡**rate**[1] [reit] *n*. **1** Ⓒ **율(率), 비율**: at a ~ *of* … 의 비율로/the ~ of discount 할인율/the birth 〔death〕 ~ 출생〔사망〕률.
2 Ⓒ **가격**, 시세: at a high 〔low〕 ~ 비싼〔싼〕 값으로/the ~ of exchange 환(換) 시세/What's the exchange ~ between the dollar and the won?—One dollar is 1,300 won. 달러와 원의 환율은 얼마입니까—1달러에 1,300원입니다. (SYN.) ⇨PRICE.
3 Ⓒ **요금**, 사용료: postal 〔railroad〕 ~s 우편〔철도〕 요금/advance 〔lower〕 the ~ 요금을 올리다〔내리다〕.
4 Ⓒ **속도**, 진도: at a great ~ 고속으로/walk at a leisurely ~ 한가로운 발걸음으로 걷다/at the 〔a〕 ~ of 40 miles an hour 시속 40마일의 속도로.
5 Ⓤ 〘보통 서수를 수반하여〙 (함선·선원의) **등급**, 종류: of the first ~ 일류의.
6 Ⓒ (*pl*.) 《英》 고정 자산세, 지방세: pay the ~s 지방세를 내다.
at all **~s** 기필코, 어떻게든지. ***at an easy*** ~ 싼 값으로; 쉽게: win success *at an easy* ~ 쉽사리 성공하다. ***at any*** ~ ① 하여튼, 하여간: I'll have to meet him *at any* ~. 하여튼 그를 만나야 하겠다. ② 적어도: He didn't do the test very well, but *at any* ~ he passed. 그는 시험을 잘 치루지 못했지만, 적어도 합격은 했다. ***at that*** 〔***this***〕 ~ 《구어》 그런〔이런〕 꼴로는〔상태로는〕: *At that* ~, it'll take him a year to finish the work. 그런 상태로는, 그가 그 일을 끝내는 데 1년이 걸릴 것이다.
—*vt*. **1** 《+[목]+[보]/+[목]+[전]+[명]》 **평가하다**, 어림잡다《***at*** …으로》: ~ a person's merits high 아

무의 공적을 높이 평가하다/It's difficult to ~ a man *at* his true value. 사람의 진가를 평가하기는 어렵다.
2 ⟪+目+(*as*) 보/+目+전+명⟫ 간주하다, 생각하다⟪**among, with** …의 한 사람으로⟫⟪★ as를 생략하는 것은 ⟪美⟫⟫: He is ~*d* (*as*) one of the richest men. 그는 가장 부유한 사람 중의 하나로 여겨진다/be ~*d among* the most influential men 최유력자의 한 사람으로 간주되다.
3 ⟪+目+전+명⟫ ⟪英⟫ 〖보통 수동태〗 과세의 목적으로 평가〔견적〕하다⟪**at** (얼마의 금액)으로⟫; …에게 과세하다: We *are* ~*d* high(ly) for education. 높은 교육세가 부과되었다/His house *is* ~*d at* one million pounds. 그의 집은 백만 파운드로 평가된다.
4 ⟪구어⟫ …만한 가치가〔자격이〕 있다: You ~ special treatment. 너는 특별한 대우를 받을 만한 자격이 있다.
—*vi.* **1** ⟪+(*as*) 보⟫ **어림짐작되다, 평가되다,** 간주되다: He ~*s* high 〔low〕 in my estimation. 나는 그를 높이〔낮게〕 평가하고 있다/The film ~*d as* the best in the year. 그 영화는 그해 최고로 평가되었다. **2** ⟪+(*as*) 보⟫ (…의) 등급을 갖고 있다: The ship ~*s as* first. 그 배는 일급선이다. **3** ⟪+전+명⟫ ⟪구어⟫ 평판이 좋다, 인기가 있다⟪**with** …에게⟫: The new teacher really ~*s with* our class. 새로 오신 선생님은 우리 반에서 정말 인기가 좋다.

rate[2] *vt.* 꾸짖다, 욕설을 퍼붓다.

ráte·a·ble ⇨ RATABLE.

ráte-càpping *n.* Ⓤ ⟪英⟫ 지방 자치체의 지방세 징수액 상한가를 정하는 것.

ráte·pàyer *n.* Ⓒ ⟪英⟫ 지방세 납부자.

rát·fink *n.* Ⓒ ⟪美속어⟫ 꼴보기 싫은 놈(fink), 밀고자, 배반자.

†**rath·er** [rǽðər, rɑ́:ð-] *ad.* **1 a** (…보다는) **오히려**(*than*): He's a writer ~ *than* a scholar. 그는 학자라기보다 문필가다/They're screaming ~ *than* singing. 그들은 노래한다기보다는 오히려 절규하고 있다. **b** 〖would 〔had〕 ~로〗 (…보다는) …한 쪽이 낫다; …하고 싶다(*than*): I *would* stay home ~ *than* go out. 나가기보다는 집에 있고 싶다/I *had* ~ never have been born *than* see 〔have seen〕 this day of shame. 이 날의 수치를 당하기보다 차라리 태어나지 말았으면 좋았을걸/*Rather than* travel by car, I'*d* prefer to walk. 차로 여행하느니보다 오히려 도보 여행이 낫겠다⟪★ rather than이 글머리에 쓰이면 강조⟫. **c** 〖I would 〔had〕 ~로〗 (…이라면) 좋았을 텐데⟪★ that 절 안에서는 가정법 과거형을 씀⟫: I *would* 〔*had*〕 ~ (that) he didn't tell her about it. 그가 그녀에게 그 이야기를 하지 않으면 좋을 텐데.
2 어느 쪽인가 하면, 그보다는 차라리: The attempt was ~ a failure. 그 시도는 오히려 실패했다⟪★ 명사만의 경우 단수 명사 이외에는 쓰이지 않음; a ~ failure의 어순은 불가⟫/It's ~ a good idea. =It's a ~ good idea. 어느 쪽이냐 하면 좋은 생각이다⟪★ 형용사가 붙는 명사를 수식하는 경우의 어순은 quite의 경우와 동일⟫/She's one of the ~ beautiful women who surround me. 그녀는 내 주변의 여자들 중 어느 편인가 하면 미인의 한 사람이다⟪★ 정관사가 있는 경우에는 그 뒤에 rather를 둠⟫/I ~ enjoy doing nothing. 어느 쪽인가 하면 아무 일도 하지 않는 것이 즐겁다⟪★ 동사의 경우는 그 앞에 둠⟫.
3 어느 정도, 다소, 조금; 상당히, 꽤: I'm feeling ~ better today. 오늘은 다소 기분이 좋다/It is ~ hot today. 오늘은 생각보다 꽤 덥다/~ an easy book =a ~ easy book 꽤나 쉬운 책/Mr. Smith is ~ an old 〔a ~ old〕 man. 스미스씨는 꽤 연로하시다.
4 〖문장 전체를 수식하여〗 …기는커녕, 도리어: It wasn't a help, ~ a hindrance. 도움은커녕 방해였었다.
5 〖or ~로〗 더 정확히 말하면: my father, *or* ~, stepfather 내 아버지 아니 정확히 의붓아버지/I returned late last night, *or* ~ early this morning. 나는 엊저녁 늦게, 아니 정확히는 오늘 아침 일찍 돌아왔다.

> **NOTE** **rather than과 better than**: I like peaches *rather than* apples.에서는 '복숭아는 좋아하지만 사과는 좋아하지 않는다'를 의미하고, I like peaches *better than* apples.에서는 '양쪽 다 좋아하지만 복숭아 쪽을 더 좋아한다'를 의미함.

I should ~ think so. 그렇고 말고요. ***the ~ that*** 〔***because***〕 …이기 때문에 더욱: I love him *the* ~ *that* he is weak. 그가 약하기 때문에 더욱 그를 사랑한다.
—*int.* [rǽðə́:r, rɑ́:ð-] ⟪英구어⟫ 〖반어적으로 강한 긍정의 답에〗 그렇고 말고(certainly), 아무렴, 물론이지(Yes, indeed!): Do you know her?—*Rather!* She is my aunt. 저 여자분을 아십니까—물론이지요, 숙모인걸요.

rat·i·fi·ca·tion [rӕtəfikéiʃən] *n.* Ⓤ (조약 따위의) 비준(批准), 재가; 〖법률〗 추인.

°**rat·i·fy** [rǽtəfài] *vt.* (조약 따위)를 비준〔재가〕하다: ~ a peace treaty 평화 조약을 비준하다. ㊞ **rát·i·fi·er** *n.*

rat·ing [réitiŋ] *n.* **1** Ⓤ 등급을 정함, 격(格)〔등급〕 매김: the efficiency ~ system 근무 평정(評定) 제도. **2** Ⓤ 평가, 견적(見積); Ⓒ 평가액: one's academic ~ 학력 평가. **3** Ⓒ ⟪英⟫ 지방세 부과(액). **4** Ⓒ 등급⟪선박 · 기계 등의⟫, 급수, 자격⟪선원 등의⟫. **5** Ⓒ (실업가 · 기업 등의) 신용도; (라디오 · TV의) 시청률; (정치의) 지지율: a high 〔low〕 credit ~ 높은〔낮은〕 신용도/a TV program with a low ~ 시청률이 낮은 TV프로그램/The opinion polls gave the president a high ~. 여론 조사에서 대통령의 지지율은 높았다. **6** Ⓒ 〖英해군〗 수병, 하사관: the officers and ~*s* 장교와 사병.

***ra·tio** [réiʃou, -ʃiòu] (*pl.* **~s**) *n.* Ⓤ (구체적으로는 Ⓒ) **1 비, 비율**⟪**to** …에 대한⟫: nutritive ~ 영양률(率)/They're in the ~ of 3:2. 그것들은 3대 2의 비율이다⟪three *to* two라고 읽음⟫/The ~ of men *to* women was two to one. 남녀의 비는 2대 1이었다. **2** 〖수학〗 비(比), 비례⟪**to** …에 대한⟫: dircet ~ 정비(正比)/inverse 〔reciprocal〕 ~ 반비(反比), 역비(逆比)/simple ~ 단비(單比)/compound ~ 복비(複比).

ra·ti·oc·i·nate [rӕʃiɑ́sənèit, rӕti-, -óus-/rӕtiɔ́si-] *vi.* 논리를 더듬어 사고하다, (삼단논법에 의해) 추리〔추론〕하다. ㊞ **ràt·i·òc·i·ná·tion** *n.* Ⓤ 추리, 추론. **ràt·i·óc·i·nà·tive** [-nèitiv] *a.* 추리의, 추론의; 이론을 캐기 좋아하는. **-nà·tor** [-nèitər] *n.*

rátio cóntrol 〖컴퓨터〗 비례 제어⟪두 양 사이에 어떤 비례 관계를 유지시키려는 제어⟫.

°**ra·tion** [rǽʃən, réi-] *n.* Ⓒ **1** 정액(定額), 정량.

R

2 (식품 등의) 배급(량), 할당(량): a daily ~ 1일의 배급량/a ~ *of* sugar 설탕의 배급량. 3 (*pl.*) 식량, 양식; (보통 *pl.*) 【군사】 휴대 식량, 하루치 식량: ~*s* for two weeks 2주분의 식량/emergency ~*s* 비상 식량/~ bread 군용 빵. ***be put on ~s*** 정액〔할당제〕 지급으로 되다, 배급제로 되다. ***on short ~s*** 양식이 제한되어.

—*vt*. 1 (정량의 식량 따위)를 지급〔배급〕하다 (*out*)《***to, among*** (아무)에게》; (아무)에게 정량의 배급〔급식〕을 하다: When supplies ran short we were ~*ed*. 양식이 부족하여 우리는 정량 배급을 받았다/The remaining food was ~*ed out* carefully *among* the survivors. 남은 음식은 생존자들에게 신중히 분배되었다. 2 …을 배급제로 하다; …의 공급을 제한하다《***to*** …으로》: Water must now be ~*ed*. 이제 급수 제한을 해야 한다/I'm ~*ed to* a bottle of beer a day. 나는 하루에 맥주 한 병으로 제한받고 있다.

***ra·tion·al** [rǽʃənl] *a*. 1 이성이 있는, 이성적인; 제정신의: Man is a ~ being. 인간은 이성적인 존재이다. 2 합리적인; 사리〔도리〕에 맞는, 온당한: a ~ policy 온당한 정책/It's ~ to do so. 그렇게 하는 것이 합리적이다.

SYN. **rational** emotional의 반의어로 '이성적 판단에 의한, 이성에 맞는': a *rational* explanation 합리적인 설명. **reasonable** (사람이) 분별이 있는; 분별 있는 사람이 납득할 수 있는 →알맞은, 적당한. 논리적 이성보다도 분별·양식에 중점이 있음: of a *reasonable* size 알맞은 크기의. **sensible** reasonable에 가깝지만 행동하기 전에 잘 검토됨을 시사함: a *sensible* plan 잘 검토되어 실행이 가능한 계획.

3 순 이론적인; 추리의, 추론의: ~ analysis of the problem 문제의 이론적인 분석/the ~ faculty 추리력. 4 【수학】 유리(有理)의《무리수를 포함하지 않은》: a ~ expression 〔number〕 유리식〔수〕. ↔ *irrational*.

—*n*. Ⓒ 【수학】 유리수(有理數) (~ number).

㊥ **~·ly** *ad*. **~·ness** *n*.

ra·tion·ale [ræ̀ʃənǽl/-nάːl] *n*. (the ~) 이론적 설명〔근거〕; 근본적 이유, 원리: the ~ *of* a policy for increasing taxes 증세 정책의 이론적 근거.

rá·tion·al·ìsm *n*. Ⓤ 합리주의, 이성론, 순리론(純理論); 이성주의. cf. empiricism, sensationalism. ㊥ **-ist** *n*. Ⓒ (특히 신학·철학상의) 이성론자, 순리론자, 합리론자.

ra·tion·al·is·tic [ræ̀ʃənlístik] *a*. 순리〔합리〕적인; 이성주의(적)인; 이성론자의, 순이론자의.
㊥ **-ti·cal·ly** [-tikəli] *ad*.

ra·tion·al·i·ty [ræ̀ʃənǽləti] *n*. Ⓤ 합리성, 순리성; 도리를 앎.

rá·tion·al·ìze *vt*. 1 합리화하다; 합리적으로 다루다〔해석하다〕; 이론적으로 설명하다. 2 【심리】 (행동·생각 등)을 합리화〔정당화〕하다. 3 【수학】 유리화(有理化)하다. —*vi*. 1 합리적으로 설명〔생각, 행동〕하다. 2 (자기 행위를) 합리화〔정당화〕하다. ㊥ **rà·tion·al·i·zá·tion** *n*. Ⓤ (구체적으로는 Ⓒ) 정당화, 합리화.

rátion bòok 배급 통장.

ra·tion·ing [-ʃəniŋ] *n*. Ⓤ 배급.

rat·lin(e), rat·ling [rǽtlin], [rǽtliŋ] *n*. Ⓒ (보통 *pl.*) 【해사】 줄사다리(의 디딤줄).

rát ràce (the ~) 《구어》 격심하고 무의미한 경쟁, 과당 경쟁, 맹렬한 출세 경쟁.

rat·tan [rætǽn, rə-] *n*. 1 Ⓒ 【식물】 등(籐); 그 줄기; 등 지팡이, 등 회초리. 2 Ⓤ 〔집합적〕 등나무《제품용 줄기》.

rat-tat [rǽttǽt], **rat-tat-tat** [rǽtətǽt], **rat-tat-too** [rǽtətúː] *n*. =RAT-A-TAT.

rat·ter [rǽtər] *n*. Ⓒ 1 쥐잡이《사람·개·고양이·기구》. 2 《속어》 변절자, 밀고자; 파업 파괴자.

rat·tle** [rǽtl] *vi*. 1 《~/+전+명》 덜걱덜걱〔우르르〕 소리나다〔내다〕《on, against*** …에 부딪쳐》: The window ~*d*. 창문이 덜거거렸다/The hail ~*d on* the roof 〔*against* the window〕. 우박이 지붕을〔창문에〕 후두두 내리쳤다. 2 《+부/+전+명》 (차 따위가) 덜거덕거리며 달리다〔질주하다〕: An old car ~*d by*. 낡은 차가 덜컹거리며 지나갔다/a train *rattling along* the track 철로 위를 덜컹거리며 달리는 열차. 3 《~/+부》 빠른 말로 지껄이다, (생각 없이) 재잘거리다(*on; away*): The child ~*d away* merrily. 아이는 즐거운 듯이 재잘거렸다.

—*vt*. 1 …을 덜걱덜걱〔우르르〕 소리나게 하다〔울리다〕: The wind ~*d* the window 바람에 창문이 덜걱거렸다. 2 《+목+전+명》 덜걱덜걱 움직이다〔나르다〕: The gale ~*d* the tiles *from* the roof. 거센 바람으로 지붕의 기와가 와르르 떨어졌다. 3 《~+목/+목+부》 (시·이야기·선서 따위)를 줄줄 외다〔읽다, 노래를 하다〕, 재잘거리다 (*off*): ~ *off* a speech 빠른 말로 연설하다. 4 《~+목/+목+부》 (일 등)을 급히 해치우다, 재빨리 처리하다(*through*): ~ a piece of business *through* 일을 척척 해치우다. 5 《구어》 …을 놀라게 하다, 당황케 하다: Don't get ~*d*. 당황하지 마라/Thunders of applause ~*d* the speaker. 우레와 같은 갈채에 연사는 어리둥절했다.

—*n*. 1 Ⓤ (또는 a ~) 드르륵, 덜걱덜걱(거리는 소리): a ~ of machine gun fire 기관총의 드르륵거리는 발사 소리. 2 Ⓒ 재잘거림; 떠들썩함; 쓸데없는 이야기. 3 Ⓒ 달각달각 소리를 내는 기관(器官)《방울뱀의 꼬리 따위》; (장난감의) 딸랑이.

ráttle·bràin, -hèad, -pàte *n*. Ⓒ 입만 살고 머리는 빈 사람, 경박한 사람. ㊥ **ráttle·bràined, -hèaded** [-id] *a*. 머리가 텅 빈.

rát·tler *n*. Ⓒ 덜거덕거리는 것, 수다쟁이; 《美》 =RATTLESNAKE; 《美구어》 화물 열차; 《英속어》 일품(逸品).

ráttle·snàke *n*. Ⓒ 【동물】 방울뱀《아메리카산 독사》.

ráttle·tràp 《구어》 *n*. Ⓒ 털털이 마차〔자동차〕. —*a*. Ⓐ 덜거덕거리는, 낡아빠진.

rát·tling *a*. Ⓐ 1 덜거덕거리는. 2 씩씩한, 활발한; (발이) 빠른. —*ad*. 《구어》 훌륭하게, 아주, 매우: a ~ good story 아주 재미있는 이야기.

rát·tly *a*. 덜거덕덜거덕 소리를 내는.

rát·tràp *n*. Ⓒ 1 쥐덫; 절망적 상황, 난국. 2 《구어》누추하고 헐어빠진 건물.

rat·ty [rǽti] (***rat·ti·er; -ti·est***) *a*. 1 쥐 같은; 쥐 특유의; 쥐가 많은. 2 《속어》 초라〔남루〕한; 비열한. 3 《구어》 안달하는, 성 잘 내는《***with*** …에》. get ~ *with* …에 화를 내다. ㊥ **rát·ti·ness** *n*.

rau·cous [rɔ́ːkəs] *a*. 1 목이 쉰, 쉰 목소리의, 귀에 거슬리는. 2 무질서하고 소란한: a ~ party 떠들썩한 파티. ㊥ **~·ly** *ad*. **~·ness** *n*.

raun·chy [rɔ́ːntʃi, rάːn-] (***-chi·er; -chi·est***) *a*. 《美구어》 칠칠치 못한, 남루한, 누추한; 천격스러운, 외설한, 호색적인. ㊥ **ráun·chi·ness** *n*.

°**rav·age** [rǽvidʒ] *n*. 1 Ⓤ 파괴, 황폐; 파괴의 맹위. 2 (the ~*s*) 손해, 참해(慘害); 파괴된 자취: the ~*s of* war 전화(戰禍). —*vt*. 〔종종 수동태〕

약탈〔파괴〕하다; 황폐하게 하다: a face ~*d* by time 세파에 찌든 얼굴.

°**rave** [reiv] *vi.* **1** 헛소리를 하다; (미친 사람같이) 소리치다, 고함치다《***at, against*** …을 향하여; ***about*** …에 대하여》: ~ *against* 〔*at*〕 the Government 정부를 격렬히 비난하다/He's always *raving about* his misfortunes. 그는 자기의 불행에 대하여 늘 푸념한다. **2** 사납게 날뛰다, 노호(怒號)하다《***against*** …에 부딪쳐》: The sea ~*s against* the cliffs. 파도가 벼랑에 부딪쳐 물보라를 뿌리며 흩어지고 있다. **3** 열심히 이야기하다; 격찬하다《***about, over*** …에 대하여》: They ~*d about* their trip. 그들은 여행에 대해 열심히 이야기하였다. **4** 《英구어》 흥겨운 나머지 지나치게 즐기다, 소란스런 파티를 즐기다. **—***vt.* **1** (미친 듯이) 소리치다, 외치다, 절규하다(*out*): ~ *out* one's grief 슬퍼서 울부짖다. **2** 격찬하다: All the papers ~*d*, "This is the most exciting film ever made." 모든 신문들이 「이것은 일찌기 없었던 가장 재미있는 영화다」라고 격찬했다. **3** 〖~ oneself〗 **a** 소리치다가 …하게 되다: ~ *oneself* hoarse 〔*to* sleep〕 소리치다가 목이 쉬다〔잠들다〕. **b** (폭풍 등이) 사납게 치다가 …(의 상태)가 되다: The storm ~*d* it*self out*. 폭풍우가 몰아치다가 그쳤다. ~ ***it up*** 《英구어》 흥겨운 나머지 지나치게 즐기다, 소란스런 파티를 즐기다. ~ ***with fury*** 격노하다.
—*n.* Ⓤ (구체적으로는 Ⓒ) **1** 사납게 날뛰기, 광란; 노호《사람·파도의》. **2** 《구어》 격찬, 무턱댄 호평. **—***a.* Ⓐ 《구어》 절찬의, 극구 칭찬하는, 열광적인.

Ra·vel [rəvél, ræ-] *n.* **Maurice Joseph** ~ 라벨《프랑스의 작곡가; 1875–1937》.

rav·el [rǽvəl] (***-l-,*** 《英》 ***-ll-***) *vt.* **1** (꼬인 밧줄·편물 등)을 풀다; (얽힌 사건 등)을 밝히다, 해명하다, 분명히 하다(*out*). **2** (실 따위)를 엉클다; (문제)를 혼란〔착잡〕하게 하다(*up*). **—***vi.* **1** 풀리다(*out*). **2** (곤란이) 해소되다(*out*).
—*n.* Ⓒ **1** (피륙 등의) 풀린 끝; (털실 따위의) 엉클림. **2** 혼란, 착잡(complication).

°**ra·ven**[1] [réivən] *n.* Ⓒ 〖조류〗 갈가마귀《crow 보다 크며 불길한 새로 봄》. **—***a.* Ⓐ 검고 윤나는, 칠흑의《머리털 따위》: ~ hair 새까만 머리.

rav·en[2] [rǽvən] *vi.* 강탈하다, 노략질하다《***about*** …을》; 찾아다니다《***for, after*** (먹이)를》. **—***vt.* 게걸스레 먹다.

rav·en·ing [rǽvəniŋ] *a.* Ⓐ 먹이를 찾아다니는; 게걸스럽게 먹는, 탐욕스러운.

rav·en·ous [rǽvənəs] *a.* **1** 게걸스럽게 먹는; 몹시 굶주린, 탐욕스러운: eat with a ~ appetite 게걸스럽게 먹다. **2** Ⓟ 열망〔갈망〕하는《***after, for*** …을》: be ~ *for* affection 애정에 굶주려 있다. ㊕ ~·**ly** *ad.* ~·**ness** *n.*

rav·er [réivər] *n.* Ⓒ 《英구어》 멋대로 살아가는 사람, 방탕아; 열광적인 사람〔팬〕.

ráve-ùp *n.* Ⓒ 《英구어》 떠들썩한 파티.

ra·vine [rəví:n] *n.* Ⓒ 협곡, 산골짜기, 계곡. ⓒⓕ canyon, valley.

rav·ing [réiviŋ] *a.* **1** 헛소리를 하는; 미쳐 날뛰는, 광란의: a ~ gale 미친 듯이 휘몰아치는 폭풍. **2** 《구어》 대단한, 굉장한: a ~ beauty 절세의 미인. **—***ad.* 굉장〔대단〕하게: be ~ mad 아주 미치다. **—***n.* (*pl.*) 헛소리; 노호(怒號) 《바다·바람 따위의》. ㊕ ~·**ly** *ad.*

rav·i·o·li [rævióuli, rɑ̀:-] *n.* 《It.》 Ⓤ 저며서 양념한 고기를 얇은 가루 반죽에 싼 요리.

°**rav·ish** [rǽviʃ] *vt.* **1** 강탈하다; (죽음·환영 따위가 사람)을 이 세상에서 앗아가다. **2** 황홀하게 하다《★ 보통 수동태로 쓰며, 전치사는 *by, with*》: be ~*ed with* joy 미칠 듯이 기뻐하다. **3** (여성)을 성폭행하다. ㊕ ~·**ing** *a.* 매혹적인, 황홀한. ~·**ment** *n.* Ⓤ 황홀하게 함, 뇌쇄, 환희.

⁑**raw** [rɔ:] *a.* **1** 생〔날〕것의(↔ *cooked*); 설구워진, 설익은: eat oysters ~ 굴을 날로 먹다.
2 Ⓐ **a** 가공하지 않은, 원료 그대로의, 다듬지 않은: ~ cloth 표백하지 않은 천/~ silk 생사(生絲)/~ sugar 원당/~ milk 미(未)살균 우유/~ rubber 생고무. **b** (짐승 가죽이) 무두질되지 않은: ~ hides (제혁용) 원료 가죽. **c** (술 따위가) 물을 타지 않은, 희석되지 않은: ~ whiskey 물 타지 않은 위스키. **d** (땅·지역 등이) 개척〔개발〕되지 않은; (도로가) 포장되지 않은: a ~ gravel path 포장되지 않은 자갈길. **e** (자료·서류 등이) 필요한 처리가〔정리가·편집이·수정이〕 되지 않은. **f** (필름이) 노광〔사용〕하지 않은.
3 무경험의, 미숙한; 세련되지 않은: a ~ hand 〔lad〕 풋내기/a ~ recruit 신병(新兵), 풋내기.
4 살갗이 벗겨진, 생살이 나온《***with*** …으로》; 얼얼한, 따끔따끔 쑤시는: a ~ cut 까진 상처/a ~ throat 뜨끔뜨끔 쑤시는 목구멍/hands ~ *with* cold 추위에 튼 손.
5 (날씨가) 습하고 으스스 추운: a ~ February morning 쌀쌀한 2월의 아침.
6 (문장·문체 등이) 생경한, 세련되지 않은; (빛깔이) 원색의.
7 《美》 (묘사가) 노골적인; 음란한: a ~ comedy 야비한 희극.
8 《구어》 (처우가) 지독한, 부당한, 불공평한.
—*n.* (the ~) 살가죽이 벗겨진 곳, 빨간 생살; 아픈 곳. ***in the*** **~** ① 자연 그대로(의), 가공하지 않고〔은〕: nature *in the* ~ 있는 그대로의 자연. ② 벌거숭이로〔의〕, 알몸으로〔의〕: sleep *in the* ~ 알몸으로 자다. ***touch*** 〔***catch***〕 a person ***on the*** ~ 아무의 아픈 데를〔약점을〕 건드리다, 아무의 감정을 해치다.
㊕ **∠·ly** *ad.* **∠·ness** *n.* Ⓤ 생것, 날것, 미숙, 거칢; 냉습.

ráw·bòned *a.* 빼빼 마른, 뼈만 남은.

ráw dáta 〖컴퓨터〗 원 데이터《처리나 집계(集計)가 행해지기 전의 데이터》.

ráw·hìde *n.* Ⓤ 생가죽; Ⓒ 생가죽 채찍〔밧줄〕. **—***a.* Ⓐ 생가죽(제)의: a ~ whip.

ráw matérial (흔히 *pl.*) 원료, 원자재《***for*** …의》; (소설 따위의) 소재(素材).

Ray [rei] *n.* 레이《남자 이름; Raymond의 애칭》.

***ray**[1] [rei] *n.* **1** Ⓒ **광선**: a death ~ 살인 광선/~*s of* sunlight 한 줄기 햇빛. **2** Ⓒ 《비유적》 (생각·희망의) 빛, 서광, 한 가닥의 광명; 약간, 소량: a ~ *of* intelligence 지성의 번득임/There is not a ~ *of* hope. 한 가닥의 희망도 없다. **3** (*pl.*) 〖물리〗 열선, 방사선, 복사선: cosmic ~*s* 우주선(線)/Roentgen 〔X〕 ~*s* 뢴트겐선〔엑스레이〕.

ray[2] *n.* Ⓒ 〖어류〗 가오리.

ráy gùn (SF에 나오는) 광선총.

Ray·mond, -mund [réimənd] *n.* 레이먼드《남자 이름; 애칭: Ray》.

ray·on [réiɑn/-ɔn] *n.* Ⓤ 인조견사, 레이온.

raze [reiz] *vt.* **1** (기억 등)을 지우다, 없애다. **2** (도시·집 등)을 완전히 파괴하다, 무너뜨리다: The houses were ~*d* to the ground by the earthquake. 집들이 지진으로 무너졌다.

R

ra·zor [réizər] *n.* Ⓒ **면도칼**; 전기 면도기: a safety ~ 안전 면도기. ***be on a ~'s edge*** 위기에 처해 있다: His life hangs *on a ~'s edge*. 그는 생사의 기로에 처해 있다.
rázor·bàck *n.* Ⓒ 〖동물〗 큰고래; 《美》 반야생의 돼지(=∠ **hóg**).
rázor blàde 안전 면도날.
rázor-èdge *n.* Ⓒ **1** 면도날; 날카로운 날; 뾰족한 산등. **2** 위기, 아슬아슬한 고비. ***be on a ~*** 위기에 처해 있다, 아주 불안정한 상태이다.
rázor-shàrp *a.* 매우 날카로운; 매우 엄격한: her ~ wit 그녀의 날카로운 지성.
razz [ræz] 《美속어》 *n.* Ⓒ 혹평, 비난; 냉소, 조소. cf. raspberry 2. **—***vt., vi.* 비난〔혹평〕하다; 냉소하다; 들볶다.
raz·zle [rǽzl] *n.* =RAZZLE-DAZZLE.
rázzle-dázzle *n.* (the ~) 《구어》 소동, 야단법석; (대)혼란, 와글거림. ***be* 〔*go*〕 *on the ~*** 야단법석을 떨다.
razz·ma·tazz [ræ̀zmətǽz] *n.* Ⓤ 《구어》 **1** 화려함, 현란함. **2** 생기, 활력, 활기. **3** 속임(수), 변명을 통한 발뺌.
Rb 〖화학〗 rubidium. **RBI, R.B.I., rbi, r.b.i.** 〖야구〗 run(s) batted in (타점(수)). **R.C.** Red Cross; Roman Catholic. **RCMP, R.C.M.P.** Royal Canadian Mounted Police (카나다 기마 경찰대).
ŕ còlor 〖음성〗 (모음의) r 음색《further [fə́ːr-ðər]의 미국 발음 [əːr, ər] 따위》.
ŕ-còlored *a.* 〖음성〗 (모음이) r 음의 영향을 받은〔음색을 띤〕.
rcpt. receipt.
R.D. Rural Delivery. **R/D, R.D.** 〖은행〗 refer to drawer. **Rd.** road.
-rd *suf.* 《3 또는 3으로 끝나는 서수사를 나타내어》 (…) 3번째《13은 제외》: the 23rd of April 4월 23일.
Re [rei, riː] *n.* 〖이집트신화〗 레《태양신 Ra의 별칭》.
re[1]**, ray** [rei, riː], [rei] *n.* Ⓤ (낱개는 Ⓒ) 〖음악〗 레《장음계의 둘째 음》.
re[2] [rei, riː] *prep.* …에 관〔대〕하여《주로 법률 및 상업 용어; 비어(卑語)로도 씀》.
're [ər] ARE의 간약형: we'*re*; you'*re*; they'*re*.
re- [ri, riː, re] *pref.* **1** 라틴계 낱말에 붙어 '반복, 강조, 되, 서로, 반대, 뒤, 비밀, 격리, 가버린, 아래의, 많은, 아닌, 비(非)' 따위의 뜻을 나타냄: *re*cognize, *re*cede. **2** 동사 또는 그 파생어에 붙어 '다시, 새로이, 거듭, 원상(原狀)으로' 따위의 뜻을 나타냄: *re*adjust, *re*arrange.

> **NOTE** **발음:** (1) 2의 뜻을 나타내는 경우 및 re- 다음이 모음으로 시작되는 경우는 [riː]: *re*arrange [rìːəréindʒ]. (2) 위에 해당하지 않는 말 다음에 오는 음절에 악센트가 있는 경우에는 [ri]: *re*flect [riflékt]. (3) re- 다음에 자음으로 시작되며 악센트가 없는 음절이 오는 경우 및 re-에 악센트가 있는 경우는 [re]로 발음함: *re*collect [rèkəlékt].
> **하이픈:** (1) re- 다음이 e로 시작되면 하이픈을 사용함: re-elect. (2) 특히 기성어와 구별하는 경우 및 2의 뜻을 강조하는 경우는 하이픈을 사용함: re-form. cf. reform.

Re 〖화학〗 rhenium. **Re.** rupee.
†**reach** [riːtʃ] *vt.* **1 a** (목적지·행선지)에 **도착하다, 도달하다**, (어떤 상태·결과)에 이르다, …에 닿다; (결의·결론)에 달하다; (수량·정도·범위 등이) …에까지 이르다〔미치다〕: ~ the top of a hill 산꼭대기에 도달하다 / Your letter has ~*ed* me. 네 편지가 왔다 / ~ middle age 중년에 이르다 / ~ an agreement 합의에 도달하다 / a book that has ~*ed* its third edition 제3판까지 이른 책 / The ladder did not ~ the window. 사다리는 창문까지 닿지 않았다. **b** (귀)에 들리다; (시야)에 들어오다: His voice ~*es* everyone in the room. 그의 음성은 실내의 모든 사람 귀에 들렸다 / A rumor ~*ed* her ears that ... …이라는 소문이 그녀의 귀에 들어왔다. **c** (전화 따위로) …와 연락하다: ~ him by phone at the office 전화로 사무실에 있는 그와 연락이 되다.

> SYN. **reach** 어떤 목적·결과 혹은 행선지 등에 도달함을 나타냄: *reach* a conclusion 결론에 이르다. **arrive at** 어떤 장소나 목표에 이름을 말함. 단, 그 장소가 큰 곳에서는 전치사가 in이 됨. **get to**는 reach '도착하다'라는 뜻의 구어적인 표현임.

2 …의 마음을 움직이다, …을 감동시키다, …에 영향을 주다: His words never ~*ed* her. 그의 말은 그녀를 납득시키지 못했다 / That official cannot be ~*ed* by bribery. 저 공무원은 뇌물이 통하지 않는다.
3 《~+목/+목+전+명/+목+부》 **a** (손·가지 따위)를 뻗치다, 내밀다(*out*): a tree ~*ing* its branches *over* the wall 담 너머로 가지를 뻗고 있는 나무 / ~ (*out*) one's hand 손을 뻗치다. **b** (손을 뻗쳐) …에 닿다, …을 잡다(*down*)《*from* …에서》: Can you ~ the top shelf? 맨 윗 선반에 손이 닿느냐 / He ~*ed* the book (*down*) *from* the shelf. 그는 선반에서 책을 내렸다.
4 《+목+목/+목+부/+목+전+명》 (손을 뻗쳐) 건네 주다, 집어 주다(*over*)《*for* (아무)에게》; 《고어》 (타격 따위)를 주다, 가하다: Will you ~ me (*over*) the salt? =Will you ~ the salt *over for* me? 소금 좀 건네주시겠습니까 / *Reach* him a kick. 그를 차버려라.
—*vi.* **1** 《+부/+전+명》 (어떤 물건을 잡으려고) 손〔팔〕을 뻗치다; (손〔팔〕을 뻗쳐서 …에) 닿다, 발돋움하다: A hand ~*ed out* and held me. 손이 뻗치더니 나를 잡았다 / ~ *for* a dictionary 사전을 집으려고 손을 내밀다 / Can you get me down that vase from the top shelf? I can't ~. 맨 위 선반에서 꽃병을 내려주실래요. 나는 손이 안 닿아요.
2 《+전+명/+부》 얻으려고 애쓰다, 구(求)하다: ~ *after* fame 명성을 구하다 / ~ *forward to* an ideal 이상을 추구하다 / ~ *after* happiness 행복을 얻으려고 노력하다.
3 《~/+전+명/+부》 퍼지다; 이르다, 도달하다, 미치다: The expense ~*es to* a vast amount. 비용은 막대한 금액에 달한다 / His garden ~*es down to* the sea. 그의 정원은 바다에까지 이른다.
~ for the stars 불가능한 것을 얻으려 하다. ***~ a person's conscience*** 아무의 양심을 움직이다.
—*n.* **1** Ⓤ (또는 a ~) (잡으려고) 손을 내뻗침; 발돋움: He made a ~ for the pear. 그는 배를 잡으려고 손을 뻗쳤다.
2 Ⓤ 손발을 뻗칠 수 있는〔손발이 닿는〕 범위〔한도〕; (쉽게) 갈 수 있는 거리: Keep medicines out of children's ~ 〔out of ~ *of* children〕. 약은 어린이 손이 닿지 않는 곳에 두시오 / The hotel is within easy ~ *of* the station. 그 호텔

은 역에서 쉽게 갈 수 있는 곳에 있다.
3 Ⓤ (행동 · 지력 · 능력 · 권력 따위의) 미치는〔유효〕 범위; 이해력: an intellect of remarkable wide ~ 대단히 광범위한 지력 / Nuclear physics is beyond 〔out of〕 my ~. 핵 물리학은 도무지 이해가 안 된다. SYN. ⇨RANGE.
4 (a ~) (뻗친) **팔의 길이, 리치**: That boxer has a long ~. 그 권투 선수는 리치가 길다.
5 Ⓒ (보통 *pl.*) 넓게 퍼진 곳, 구역: great *~es* of meadow 광활한 목초지.
6 Ⓒ (보통 *pl.*) (강의 두 굽이 사이의 한눈에 바라볼 수 있는) 직선 유역; (운하의 두 수문 간의) 일직선 구간: the lower 〔upper〕 *~es* of a river 강 하류〔상류〕.
within* a person*'s* ~** = ***within the* ~ *of a person 아무의 손이 닿는 (곳에); 아무의 힘이 미치는 범위에: an abstract concept *within the* ~ *of* his intelligence 그의 지력으로 이해할 수 있는 추상 개념.

réach-me-dòwn *n.* Ⓒ《英구어》(보통 *pl.*) **1** 싸구려 기성복. **2** 윗사람이 물려주는 옷(《英》 hand-me-down).

re·act** [riːǽkt] *vi.* 《~/+전+명》 **1 반작용하다**; 서로 작용하다《on, upon*** …에》: Cause and effect ~ *upon* each other. 원인과 결과는 서로 작용한다. **2** 반대하다, 반항하다《***against*** …에》: ~ *against* a plan 계획에 반대하다. **3** 반응(反應)을 나타내다, 감응(感應)하다《***to*** …에》: The ear *~s to* sound. 귀는 소리에 반응을 나타낸다. **4** 〖화학〗 반응을 나타내다, 반응하다《***on*** …에》: How do acids ~ *on* iron? 산은 철에 어떤 반응을 보이는가.

re-áct *vt.* 다시 행하다; 재연하다.

re·ac·tance [riːǽktəns] *n.* Ⓤ 〖전기〗 리액턴스, 유도(誘導) 저항, 감응 저항.

re·ac·tant [riːǽktənt] *n.* Ⓒ 〖화학〗 반응 물질, 반응체.

****re·ac·tion** [riːǽkʃən] *n.* **1** Ⓤ (구체적으로는 Ⓒ) **반응**, 반작용, 인상, 태도《***to*** …에 대한》: What was his 〔Was there any〕 ~ *to* your proposal? 당신의 제안에 대한 그의 반응은 어떠했습니까〔제안에 대해 어떤 반응이라도 있었습니까〕/ action and ~ 작용과 반작용. **2** Ⓤ (또는 a ~) **a 반항**, 반발《***against*** …에 대한》: a ~ *against* cubism 입체파에 대한 반항. **b** (정치상의) 반동, 역(逆)코스, 보수적 반동《***against*** …에 대한》: the forces of ~ 보수 반동 세력 / a ~ *against* the permissive society 관용 사회에 대한 반동. **3** Ⓤ (또는 a ~) (과로 · 긴장 · 흥분 후의) 활력 감퇴, 무기력. **4** Ⓤ (구체적으로는 Ⓒ) 〖화학〗 반응; 〖물리〗 반작용; 핵반응; 〖의학〗 (나쁜) 반응: a chemical ~ 화학 반응 / a chain ~ 연쇄 반응 / an allergic ~ 알레르기 반응. 파 **~·al** [-əl] *a.* **~·al·ly** *ad.*

°**re·ac·tion·ary** [riːǽkʃənèri/-ʃənəri] *a.* (정치 · 사상에서의) 반동의; 반동주의의, 보수적인: a ~ statesman 반동〔보수〕 정치가. ―*n.* Ⓒ 반동〔보수〕주의자.

re·ac·ti·vate [riːǽktəvèit] *vt.* (유휴 공장 따위)를 재가동시키다; 재활성화시키다; 재개하다, 부활시키다. 파 **rè·ac·ti·vá·tion** *n.*

re·ac·tive [riːǽktiv] *a.* 반동의, 반동적인; 〖화학〗 반응이 있는; 〖물리〗 반작용이 있는. 파 **~·ly** *ad.* 반동적으로. **~·ness** *n.*

re·ac·tiv·i·ty [rìːæktívəti] *n.* Ⓤ 반동(성), 반동력; 반응; 반발; 〖물리〗 반응성〔도〕.

re·ac·tor [riːǽktər] *n.* Ⓒ **1** 〖의학〗 (면역 검사

등의) 반응 양성자. **2** 〖물리〗 반응로; 원자로; 〖화학〗 반응기(器).

†**read**[1] [riːd] (*p.*, *pp.* ***read*** [red]) *vt.* **1** (책 · 편지 따위)를 **읽다**; (외국어 따위)를 독해하다; …의 작품을 읽다: ~ a story 소설을 읽다 / He *~s* Hebrew. 그는 헤브라이어를 읽을 줄 안다 / ~ Shakespeare 셰익스피어의 작품을 읽다.
2 《+목+목/+목+전+명/+목+부/+목+보》 음독〔낭독〕하다, 읽어 (들려) 주다(*out*)《***to*** (아무)에게》; 읽어서 …시키다《***to*** …하게》: *Read* me the letter. 그 편지를 읽어 주시오 / I'll ~ *out* this letter *to* all of you. 이 편지를 너희 모두에게 읽어 주겠다 / ~ oneself hoarse 책을 읽어 목이 쉬다 / ~ a child *to* sleep 아이에게 책을 읽어 주어 잠들게 하다.
3 《~+목/+목+전+명》 (아무의 마음 · 생각 등)을 읽다, 알아차리다《***in, from*** …에서》: I can ~ your thoughts (*from* 〔*in*〕 your face). (얼굴을 보면) 네가 무슨 생각을 하는지 알 수 있다.
4 (카드 따위로) 점치다, (수수께끼 · 꿈 · 징후 따위)를 풀다, 판단하다; (미래)를 예언하다; (날씨 따위)를 살펴보다: ~ the sky 날씨를 살피어 판단하다 / ~ a dream 꿈을 해몽하다 / ~ the future 미래를 예언하다 / ~ a riddle 수수께끼를 풀다.
5 (기호 · 속기 · 악보 따위)를 읽다, 해독(解讀)하다; (점자 따위)를 판독하다: ~ (a piece of) music 악보를 읽다 / Can you ~ maps? 지도를 해독할 수 있습니까.
6 《~+목/+목+*as* 보/+목+*to* do》 (말 · 행위 따위)를 해석(解釋)하다, (…라고) 생각하다: This passage may be *read* two ways. 이 문장은 두 가지 뜻으로 해석할 수 있다 / Your silence will be *read as* consent. 당신의 침묵은 승낙하는 뜻으로 해석될 것이오 / I ~ this letter *to* mean that he won't come. 이 편지는 그가 오지 못한다는 뜻인 것 같다.
7 《+목+전+명》 …라고 정정해서 읽다《***for*** …을》; (원고)를 정정 편집하다; (쇄(刷))를 교정보다 (proofread): *For* wkite, ~ white. (정오표에서) wkite는 white의 잘못임.
8 《+목+전+명》《주로 英》 연구〔전공〕하다, (학위 취득 등을 위해) 공부하다《***at*** (대학)에서》: ~ linguistics *at* university 대학에서 언어학을 전공하다.
9 《+*that* 절/+*wh. to* do / *wh.* 절》 (…라는 것)을 읽어서 알다〔배우다〕: I ~ in the newspaper *that* he had died yesterday. 그가 어제 사망했다는 것을 신문에서 읽고 알았다 / You can ~ in here *what to* do 〔*what* you should do〕 if there's an earthquake. 지진이 일어나면 무엇을 해야 하는지는 여기를 읽어 보면 안다.
10 (온도계 · 시계 따위가 눈금 · 도수)를 나타내다; (게시 · 표 따위가) …라고 적혀 있다: The thermometer *~s* 30 degrees. 온도계는 30도이다 / The wall clock ~ eleven-forty. 벽시계가 11 시40 분을 가리키고 있다 / The ticket *~s* "from Seoul to Busan." 차표에는 '서울발 부산행'이라고 적혀 있다.
11 《+목+전+명》 〖의회〗 〖보통 수동태〗 독회(讀會)에 회부하다: The bill *was read for* the first time. 그 의안은 제1독회에 회부되었다.
12 《~+목/+목+보》 (구화술에서 입술)을 읽다; (전신 · 전화로) 청취하다: Do you ~ me?—We ~ you clear. 들립니까—잘 들립니다.
13 〖컴퓨터〗 (자료 · 프로그램 · 제어 정보)를 읽다

R

《외부 기억 매체 등에서 빼내어 주기억 장치에 입력함》.

—*vi.* **1** 읽다, 독서하다: ~ well 책을 잘 읽다 / I seldom ~. 나는 좀처럼 독서하지 않는다.

2 《+전+명》 음독〔낭독〕하다, 읽어서 들려 주다 《**to** (아무)에게》: ~ *to* a person 아무에게 읽어 주다 / My mother used to ~ *to* me before bed. 어머니는 잠들기 전에 책을 읽어 주시곤 했다.

3 《+전+명》 읽어서 알다, 읽다《**of, about** …을》: ~ *of* a person's death (신문 등을 읽어) 아무의 죽음을 알다.

4 《~/+전+명》 공부〔연구〕하다《**for** (학위 등)을 얻기 위해; **with** (선생님 등)을 붙여》: ~ *for* the bar 변호사 시험을 위한 공부를 하다 / be set to ~ *with* a private tutor 《英》 가정교사를 붙여 공부시키다.

5 《~/+보》 …하게 읽히다, 읽어서 …한 느낌을 주다: The magazine ~*s* interesting. 그 잡지는 재미있게 읽을 수 있다 / The play ~*s* better than it acts. 그 연극은 상연된 것보다 책으로 읽는 편이 낫다.

6 〖양태의 부사(구)와 함께〗 …라고 씌어(져) 있다, …로 해석되다: The rule ~*s* two different ways. 그 규칙은 두 가지 다른 뜻으로 해석된다 / It ~*s as* follows. 그 구절은 다음과 같다.

~ a person ***a lesson*** 〔***lecture***〕 아무에게 잔소리하다. ~ ***back*** 《*vt.*+부》 (확인하기 위해) 다시 〔되풀이〕 읽다: Please ~ *back* your address. 당신의 주소를 다시 한 번 읽어 주세요. ~ ***between the lines*** 숨겨진 뜻을 찾아내다; 의도하는 바를 알다. ~ ***in*** 《*vt.*+부》 (말하거나 글 쓴 사람이 의도하지 않은 것)을 알아내다; 〖컴퓨터〗 (자료·프로그램·제어 정보 등)을 읽어 입력하다《**to** 주기억 장치에》. ~ ***... into*** (책·행동 따위)에서 …을 감지하다《흔히 곡해를 하여》: He ~ an apology *into* my letter. 그는 나의 편지를 사죄의 뜻으로 해석하였다. ~ ***off*** 《*vt.*+부》 (계기로 측정치·기온 등)을 읽어내다; (끝까지) 다 읽다. ~ ***out*** 《*vt.*+부》 ① 읽어 (들려) 주다(⇨*vt.* 2). ② (정보)를 (발신기에서) 송신 하다; 〖컴퓨터〗 (자료·프로그램 등)을 읽다. ~ a person ***out*** (***of ...***) 《美·Can.》 (당·회에서) 아무를 제명하다: They ~ him *out of* the party. 그들은 그를 당에서 제명했다. ~ ***over*** 〔***through***〕 《*vt.*+부》 …을 통독하다, 끝까지 읽다: He ~ *over* my manuscript. 그는 내 원고를 끝까지 읽었다. ~ ***a person's hand*** 〔***palm***〕 아무의 손금을 보다. ~ ***up*** 《*vt.*+부》 …을 공부〔연구〕하다; 읽어 두다《**on** …에 관하여》: You must ~ this *up* before your exam. 시험 전에 그것을 충분히 공부해 두어야 한다 / I had ~ *up on* the subject in case I was asked. 질문받을 것에 대비하여 그 문제에 관해서 충분히 연구해 두었다.

> DIAL. ***Do you read me?*** ① (무선 통신에서) 들립니까. ② (일반적으로) 알았느냐, 이제 됐느냐《상대에게 다짐을 해둘 때》.

—*n.* (a ~) 《구어》 **1** 독서; 《주로 英》 (1 회의) 독서 시간: have 〔take〕 a long 〔short, quiet〕 ~ 장시간〔잠깐, 조용히〕 독서하다. **2** 〖보통 수식어를 수반하여〗 읽을거리: His most recent novel is a good ~. 그의 최신작 소설은 재미있는 읽을거리이다.

read² [red] READ¹의 과거·과거분사.

—*a.* 〖부사를 수반한 합성어로〗 **1** 읽어〔공부하여〕 잘 알고 있는; 정통한《**in** …에》: a well-~ man 박식한 사람 / be deeply 〔well〕 ~ *in* …에 정통하다, 조예가 깊다 / be little 〔slightly〕 ~ *in* …에 대한 지식이 얕다〔빈약하다〕. **2** (책 따위가) (…하게) 읽히는: a widely-〔little-〕*read* magazine 널리 읽히는〔거의 읽히지 않는〕 잡지. ***take ... as*** ~ …을 당연한 것으로 여기다.

réad·a·ble *a.* **1** 읽어서 재미있는, 재미있게 쓰인: a ~ book 재미있는 책. **2** 이해하기 쉬운; (필적 등이) 읽기 쉬운, 또렷한: The instructions are fairly ~. 이 설명서는 이해하기 쉽다. 파 **rèad·a·bíl·i·ty** *n.* Ⓤ 읽기 쉬움; 재미있게 읽힘; 〖컴퓨터〗 판독성(判讀性).

réad-after-wríte vèrify 〖컴퓨터〗 기록후 판독 검사.

rè·addréss *vt.* **1** …에게 다시 이야기를 걸다. **2** (편지의) 주소를 고쳐〔바꿔〕 쓰다. ~ (a letter) **to** (편지)를 전송(轉送)하다.

‡read·er [ríːdər] *n.* **1** Ⓒ 《보통 수식어를 수반하여》 **독자; 독서가**; 읽는 것이 …하는 사람: the common 〔general〕 ~ 일반 독자 / a good ~ 훌륭한 독서가 / a quick ~ 속독가. **2** Ⓒ (초보자용) **리더, 독본**. **3** Ⓒ (직책·신분에는 Ⓤ) (출판 여부를 판정하는) 출판사의 원고 검토인; 교정원. **4** Ⓒ (라디오 방송 등의) 낭독자; 〖교회〗 (예배 때 성서·기도서의) 낭독자. **5** Ⓒ (직책·신분에는 Ⓤ) 《英》 (대학) 강사《**in** (어느 과목)의》; 《美》 (교수를 보좌하는) 조수: a ~ *in* Latin 라틴어 강사. **6** Ⓒ 〖컴퓨터〗 판독기: a card 〔tape〕 ~ 카드〔테이프〕 판독기. **7** =MICROREADER. **8** Ⓒ (가스·전기 등의) 검침원.

réader·shìp *n.* **1** (*sing.*) **a** 독자수: This magazine has a ~ of 50,000. =The ~ of this magazine is 50,000. 이 잡지는 5만 명의 독자수를 갖고 있다. **b** 독자층: The paper has a wide ~. 그 신문은 넓은 독자층을 갖고 있다. **2** Ⓤ (또는 a ~) (대학) 강사(reader)의 직〔신분〕.

réad héad 〖컴퓨터〗 판독 헤드.

***read·i·ly** [rédəli] *ad.* **1 즉시**; 쉽사리: be ~ available 쉬이 입수할 수 있다. **2 이의 없이**, 기꺼이, 쾌히: I would ~ do it for you. 기꺼이 그렇게 해 드리지요.

°read·i·ness [rédinis] *n.* **1** Ⓤ 《보통 in ~로》 준비, 채비《**for** …에 대비한》: Everything is *in* ~. 만반의 준비가 되어 있다 / be *in* ~ *for* an emergency 비상(非常) 사태에 대비하다. **2** Ⓤ (또는 a ~) 재빠름, 신속: ~ *of* wit 임기응변의 재치 / ~ *of* speech 〔tongue〕 구변이 좋음. **3** Ⓤ (또는 a ~) 쾌락(快諾); 자진해서〔기꺼이〕 함《**to** do》: with ~ 기꺼이, 자진해서 / He expressed (a) great ~ *to* adopt the reform bill. 그는 선뜻 그 개혁안을 채택하겠다는 의사를 표명했다. **4** Ⓤ 〖교육〗 준비성, 레디니스《행동·학습에 필요한 일정한 단계의 발달상 조건》. ◇ready *a.*

‡read·ing [ríːdiŋ] *n.* **1** Ⓤ **읽기, 독서**; 낭독: learn ~ and writing 읽기와 쓰기를 배우다 / be fond of ~ 독서를 좋아하다. **2** Ⓤ (독서에 의한) **학식**, 지식《특히 문학의》: a man of wide 〔vast〕 ~ 박식한 사람. **3** Ⓒ (공개) 낭독회, 강독회: a poetry ~ 자작시 낭독회. **4** Ⓒ 〖서수를 수반하여〗 (의회의) 독회: the first 〔second, third〕 ~ 제1 〔제2, 제3〕 독회. **5 a** Ⓤ 〖보통 수식어를 수반하여〗 읽을거리, 읽기에 …한 것: good 〔dull〕 ~ 읽기에 재미있는〔지루한〕 것. **b** (*pl.*) 문선, 독본: ~*s from* Shakespeare 셰익스피어 문선 / ~*s in* economics 경제학 독본. **6** Ⓒ (사본·원고의) 독법(讀法)《**of, for** …의》: There're various ~*s of*

〔*for*〕 this passage. 이 구절은 읽는 법이 여러 가지 있다. **7** Ⓤ (법률·사건 등의) 해석, 견해, (꿈·날씨·정세 등의) 판단; (각본의) 연출: What is your ~ *of* the facts? 그 사실을 어떻게 해석하십니까/My ~ *of* the law is that …. 나의 해석으로는 그 법률은 …이다. **8** Ⓒ 시도(示度), 표시《*on, of* (기압계·온도계 등)의》: The ~ *on* 〔*of*〕 the thermometer was 25 degrees. 온도계는 25도를 가리키고 있었다.
—*a*. **1** 독서하는, 책을 즐기는: the ~ public 독서계. **2** 독서의, 읽기 위한: a ~ lamp 독서용 램프.

réading àge 독서 연령《같은 정도의 독서 능력을 갖는 아동의 평균 연령》.

réading dèsk (서서 읽게 된 경사진) 독서대, 열람 책상; (교회의) 성서대(lectern).

réading glàss 확대경; (*pl.*) 독서용 안경.

réading màtter (신문·잡지의) 기사, 읽을 거리.

réading ròom 독서실, 열람실; (인쇄소의) 교정실.

°**rè·adjúst** *vt*. 새로이〔다시〕 조정〔정리〕하다《*to* …에》: ~ a focus 초점이 맞게 다시 조정하다/~ oneself *to* the job after an illness 앓고 난 후 종전처럼 다시 일에 적응하다. **—***vi*. 다시 순응하다《*to* …에》. ㊕ **~·able** *a*. **~·ment** *n*. 재조정.

réad-ónly *a*. 〖컴퓨터〗 읽기 전용의: a ~ memory 읽기 전용 기억 장치《생략: ROM》.

réad·òut *n*. 〖컴퓨터〗 Ⓤ (기억 장치 또는 기억 소자(素子)로부터의) 정보 읽기; Ⓒ 그 정보.

†**ready** [rédi] (*read·i·er; -i·est*) *a*. **1** Ⓟ **준비가 된**《*for* …의》; (언제든지 …할) 채비를 갖춘《*to* do》; Dinner is ~. 식사 준비가 되었습니다/shoes ~ *for* wear 금방 신을 수 있는 구두, 기성화/I'm ~ *to* go out. 언제라도 외출할 수 있다/The paper is ~ for you *to* sign. 서류는 네가 서명하도록 준비되어 있다.
2 Ⓟ **각오가 되어 있는**《*for* …의》, 언제든지〔기꺼이〕 …하는《*to* do》: I'm ~ *for* death 〔*to* die〕. 죽을 각오가 되어 있다/be ~ *to* forgive one's enemies 기꺼이 적을 용서하다.
3 Ⓟ 금방이라도 …할 것 같은, 걸핏하면 …하는《*to* do》: She seemed ~ *to* cry 〔fall〕. 그녀는 금세 울〔쓰러질〕 것같이 보였다/You're too ~ *to* make promises. 너는 너무 쉽게 약속을 한다.
4 a Ⓐ **즉석에서의**, 신속한, 재빠른: a ~ reply 즉답/a ~ worker 일손이 빠른 사람/have a ~ wit 기지〔재치〕가 있다. **b** Ⓟ 잘하는; 능숙한《*with* …을, …이》: He's ~ *with* excuses. 그는 변명을 잘한다/He's ~ *with* reckoning 〔figures〕. 그는 계산에 능숙하다. SYN. ⇨QUICK.
5 즉시 쓸 수 있는, 즉시 지불하는; 편리한; 손 가까이에 있는: ~ means 〔way〕 손쉬운 방법/Always keep your dictionary ~ (to hand). 사전을 항상 손가까이에 두어라.
6 〖군사〗 준비 자세를 취한.
get* 〔*make*〕 ~** 준비〔채비〕를 하다《*for* …의/*to* do》: Let's get ~ *for* departure. 출발할 준비를 하자/make a room ~ *for* immediate use 즉시 방을 사용할 수 있도록 정리해 두다. **(*Get*) ~!** **(*Get*) *set! Go! = ***Ready, steady, go!*** (경주에서) 제자리에, 준비〔차려〕, 땅《★《英》에서는 (Get) ready 대신에 On your mark(s)를 쓰기도 함》. ***hold* one*self* ~ *to* do** …하려고 준비를 갖추다. **~ *at* 〔*to*〕 (one's) *hand*** 손 가까이에, 즉시 쓸 수 있는: He always has a revolver ~ *to* (his) *hand*. 그는 늘 권총을 곁에 두고 있다. ***Ready,***

present, fire! 겨총, 조준, 발사.

> DIAL. ***I'm ready when you are.*** 너만 좋다면 나는 언제든지 시작해도 좋아《★ you are는 you are ready》.

—*n*. (the ~) 준비 완료의 상태; 《구어》 현금; (the readies) 《英속어》 은행권〔지폐〕. ***at the ready*** ① (총이) 겨눈 자세로: hold a gun *at the* ~ 총을 겨누다. ② 즉시 쓸 수 있는 상태로: have one's camera *at the* ~ 카메라를 언제라도 쓸 수 있게 해 두다.
—*ad*. **1** 〖과거분사를 수반하여; 종종 합성어〗 미리, 준비하여: ~-built 이미 세워진/~-cooked food 미리 요리해 둔 음식. **2** 〖보통 비교급·최상급의 형태로〗 빨리, 신속히: a boy who answers *readiest* 가장 빨리 대답하는 소년.
—*vt*. 《~+목/+목+전+명》 〖~ oneself〗 준비하다《*for* …을》: They *readied* themselves *for* the journey. 그들은 여행 준비를 했다.

réad·y-máde** [-méid] *a*. **1** (옷 따위가) **기성품의**(↔ *made-to-order, custom-made*): ~ clothes 기성복. **2** 아주 편리한, 안성맞춤의: a ~ excuse 그럴 듯한 변명. **3** (사상·의견 따위가) 진부한, 빌려 온, 개성이 없는. **—n*. Ⓒ 기성품.

ready-mix [rédimìks, ⌐-] *a*., *n*. Ⓤ (즉시 쓸 수 있도록) 각종 성분을 조합한 (물건)《식품, 모르타르, 페인트 등》.

réady móney 〔**cásh**〕 현금, 맞돈: pay ~ 현금을 지불하다.

réady réckoner 계산표, (이자·세액 따위의) 보기〔일람〕표.

réady-to-wéar, réady-for-wéar *a*. Ⓐ (의복이) 기성품인; 기성복을 취급하는.

réady-wítted [-id] *a*. 기민한, 꾀바른, 재치〔기지〕 있는.

rè·affórest *vt*. 《英》 다시 조림(造林)하다. ㊕ **rè·afforestátion** *n*. Ⓤ 재조림.

Rea·gan [réigən] *n*. **Ronald Wilson ~** 레이건《미국의 제40대 대통령; 1911–2004》.

re·a·gent [riːéidʒənt] *n*. Ⓒ 〖화학〗 시약(試藥), 시제(試劑); 반응물〔력〕.

‡**re·al**¹ [ríːəl, ríəl] *a*. **1 a 진실의**, 정말의; (모조가 아닌) **진짜의**, 천연의: a ~ friend 참된 친구/~ earning 〔incomes〕 실제 소득/~ gold 순금/~ silk 본견(本絹)/the ~ thing 진짜; 극상품; 본고장 물건/~ stuff 진짜, 훌륭한 것. **b** (표면적이 아닌) 진심으로부터의: feel a ~ sympathy 진정한 동정심을 느끼다/His love was ~. 그의 사랑은 진심이었다.
2 현실의, 실제의, 실재하는; 객관적인(↔ *ideal, nominal*): ~ events 실제 사건/a ~ person in history 역사상의 실존 인물/a tale taken from ~ life 실생활에서 취재한 이야기.

> SYN. **real** 「표면과 내용이 일치할 만큼 진실한〔진짜의〕」이라는 뜻: That's her *real* mother. 저 여자가 그녀를 낳은 어머니이다. **actual** 「현실적으로 존재하고 있는」의 뜻: Those were his *actual* words. 그것이 그가 실제로 한 말이다. **genuine** 「위조가 아닌 진짜의」라는 뜻: a *genuine* $10 bill 진짜 10달러 지폐. **true** 「사실에 비추어 올바른」의 뜻: a *true* story 실화. **practical** 「실제적인, 실제에 입각한」의 뜻, 또는 명목은 틀리지만 「실질상의, 사실상의」라는 뜻도 있음: the *practical* ruler of the country 그 나라의 실질적인 지배자.

R

3 Ⓐ a 〘강의적〙 완전한, 전적인: a ~ idiot 진짜 바보. b 중대한, 대단한: a ~ accident [problem] 중대한 사건[문제].
4 〖법률〗 부동산의, 물적인. ⓒⓕ personal. ¶ ~ rights 물권/⇨REAL ESTATE.
5 〖수학〗 실수(實數)의; 〖광학〗 실상(實像)의: ~ image 실상/a ~ number 실수.
in ~ terms 〖경제〗 실질적으로[인]: a 5% pay rise *in ~ terms*, 5퍼센트의 실질 임금 인상《인플레를 고려한 실질 인상액》. ***It's been ~.*** 《속어》 참으로 즐거웠다, 〘반어적〙 아주 좋았다《형편없었다》.

> DIAL. ***Get real!*** 《美》 현실을 똑바로 봐라.

—*ad.* 《美구어》 정말로, 매우, 아주: We had a ~ good time. 정말로 즐거웠다.
—*n.* (the ~) 현실, 실물, 실체. ***for ~*** 《美구어》 ① 〘형용사적〙 참말의, 실제의; 진짜의: Are you *for* ~? 정말이냐, 꿈[거짓말] 같다/This is *for* ~. 이것은 진짜다. ② 〘부사적〙 정말로, 진지하게: Let's work *for* ~. 열심히 일하자.

re·al² [ríːəl, reiάːl] *n.* Ⓒ **1** (*pl.* **~s, re·a·les** [reiάːleis]) 옛 스페인의 작은 은화; 스페인의 옛 화폐 단위《1/4 peseta》. **2** (*pl.* **re·ais** [*Port.* reáis]) 헤알《Brazil의 통화 단위》.

réal estàte 1 부동산, 물적(物的) 재산《토지·건물 따위》: a piece of ~ (부동산) 물건/acquire a bit of ~ 약간의 부동산을 손에 넣다. 2 〘형용사적〙 《美》 부동산을 매매하는: a ~ agent 부동산 중개인(《英》 estate agent)/a ~ office 부동산 사무소.

re·a·lia [riːéiliə] *n. pl.* 〖교육〗 실물 교재(敎材); 〖철학〗 실재물.

re·a·lign [rìːəláin] *vt.* 재편성[조정]하다. ㊞ **~·ment** *n.*

***re·al·ism** [ríːəlìzəm] *n.* Ⓤ **1** 현실주의. ↔ *idealism*. **2** 〘종종 R-〙 〖문예·미술〗 사실주의, 리얼리즘. ⓒⓕ classicism 1, romanticism 1. **3** 〖철학〗 실재[실념]론. ↔ *nominalism*.

°**ré·al·ist** *n.* Ⓒ 현실주의자(↔ *idealist*); 〖문예·미술〗 사실주의 작가[화가], 리얼리스트.

***re·al·is·tic** [rìːəlístik] *a.* **1** 현실주의의; 현실적인, 실제적인: a ~ plan 실제적인[실행 가능한] 계획/It isn't ~ to expect help from him. 그에게서 원조를 기대하는 것은 현실적이 아니다. **2** 〖문학·예술〗 **사실주의의**, 사실파의. **3** 〖철학〗 실재론(자)의. ㊞ **-ti·cal·ly** [-əli] *ad.*

‡**re·al·i·ty** [riːǽləti] *n.* **1** Ⓤ **현실(성)**, 진실성; 실재: accept [deny] ~ 현실을 받아들이다/believers in the ~ of UFOs 비행접시가 실재한다고 믿는 사람들. **2** Ⓒ **사실, 진실**《*that*》: not a dream, but a ~ 꿈이 아닌 사실/the stern *realities of* life 인생의 엄숙한 사실/the harsh ~ *that* unemployment rate is rising 실업율이 상승하고 있다는 엄연한 사실. **3** Ⓤ 박진성, 실물 그대로임: He describes the scene with startling ~. 그는 그 광경을 놀랄 만한 박진성으로 묘사하고 있다. ***in ~*** 실은, 실제는, 정말로: She looks young, but *in* ~ she is past forty. 그녀는 젊어 보이지만, 실은 40이 넘은 나이이다.

re·al·iz·a·ble [ríːəlàizəbl] *a.* **1** 실현할 수 있는: Is the plan ~? 그 계획은 실현 가능한가. **2** 현금으로 바꿀 수 있는: ~ assets 환금(換金) 가능한 자산.

‡**re·al·i·za·tion** [rìːəlizéiʃən/-lai-] *n.* **1** Ⓤ (또는 a ~) **사실로 깨달음**, 실상을 앎, 인식, 실감《*that*》: have (a) full ~ *of* the situation 상황을 충분히 인식하고 있다/The ~ *that* he had been bribed was a shock. 그가 뇌물을 받았다는 것을 알고 충격을 받았다. **2** Ⓤ (희망·계획 등의) 실현, 현실화; 달성: the ~ *of* a lifelong dream 평생의 꿈의 실현. **3** (the ~) 현금화, 환금; (돈·재산의) 취득: the ~ *of* one's assets 자산의 현금화.

‡**re·al·ize** [ríːəlàiz] *vt.* **1** (소망·계획 따위)를 **실현하다**, 실행하다《★ 종종 수동태》: ~ a long-cherished wish 오랫동안 바라던 소망을 이루다/My worst fears *were* ~*d*. 내가 가장 두려워했던 일이 현실로 나타났다.
2 …을 여실히 보이다; …에 현실감을 주다: The tragic scene was ~*d* by his pen. 그 비극적인 광경이 그의 펜으로 생생히 묘사되었다.
3 《~+목/+*that* 절/*wh.* 절》 **실감하다**, (생생하게) 깨닫다, 분명히 이해하다: ~ one's deficiencies 자기의 결점을 자각하다/I didn't ~ (*that*) he was so ill. 그가 그렇게 아픈지 몰랐다/I didn't ~ *how* much she loved me. 그녀가 나를 얼마나 많이 사랑하는가를 깨닫지 못했다.
4 《~+목/+목+전+명》 (유가증권·부동산)을 현금으로 바꾸다, (재산·이익)을 얻다, 벌다《***on*** (매각·투자 따위)로》: ~ one's shares 주식을 처분하여 현금화하다/~ a good profit *on* the sale of one's house 집을 팔아서 큰 이익을 보다.
5 (얼마)에 팔리다: The goods ~*d* $3,000. 그 물건은 3,000 달러에 팔렸다.

réal-lìfe *a.* Ⓐ 현실의, 실재의.

†**re·al·ly** [ríːəli] *ad.* **1 a 참으로, 정말(로)**, 실제로: Is it ~ so? 정말 그러하냐/I ~ don't like him. 정말 그가 싫다/I don't ~ like him. 그를 정말로 좋아하지는 않는다《really가 not 뒤에 오면 부정이 부드러워짐》/see things as they ~ are 사물을 실제 있는 그대로 보다. **b** 〘ought to, should를 강조하여〙 보다 정확하게는, 사실은: You *ought* ~ *to* have asked the boss first. 사실은 네가 먼저 상사에게 물었어야 했다.
2 〘문장 전체를 수식하여〙 정말: *Really*(,) it was delicious. 정말, 맛있었다.
3 〘강의적〙 정말이지, 확실히, 실로: ~ good weather 참 좋은 날씨/She speaks ~ fast. 그녀는 확실히 말이 빠르다.
4 〘간투사적; 가벼운 놀람·의문·비난을 표현하여〙: Not ~! 설마 (믿어지지 않는다)/*Really?* 정말입니까/*Really!* 그렇고 말고, 물론이지/Well ~! 저런저런.

> DIAL. ***Not really.*** 아니오, 그다지《명확하지 않게 "no"라 말할 때》: Do you like it?—*Not really*. 그게 마음에 드십니까—아니오, 그다지.

°**realm** [relm] *n.* Ⓒ **1** (종종 R-) 《문어》 왕국, 국토. **2** (흔히 *pl.*) 범위, 영역; (학문의) 부문; 〖생물〗 …계(界): within the ~*s of* possibility 가능한 (범위 안에)/ the ~ *of* nature 자연계. **3** (동식물 분포의) 권(圈), 대(帶). ***the ~ of God*** 〖기독교〗 신의 나라.

réal McCóy (the ~) 《英구어》 진짜.

re·al·po·li·tik [reiάːlpòulitìːk, ri-] *n.* 《G.》 (종종 R-) Ⓤ현실적 정책[정치]《power politics의 완곡한 표현》.

réal próperty 〖법률〗 부동산.

réal ténnis 《英》 =COURT TENNIS.

réal tíme 〖컴퓨터〗 판독 시간, 실(實)시간《입력되는 자료를 즉시 처리하는 것》.

réal-tìme *a.* 〖컴퓨터〗 실시간의: ~ operation 실시간 작동〔연산〕.

re·al·tor [ríːəltər, -tɔ̀ːr] *n.* Ⓒ 《美》 부동산 중개업자(《英》 estate agent).

re·al·ty [ríːəlti] *n.* Ⓤ 〖법률〗 부동산(real estate). ↔ *personalty*.

ream[1] [riːm] *n.* **1** Ⓒ 연(連)《영국에서는 480매(short ~), 미국에서는 500매(long ~); 생략: rm.》. **2** (*pl.*) 《구어》 다량《**of** (문서 따위)의》: He has written ~*s of* poetry. 그는 무수한 시를 썼다.

ream[2] *vt.* **1** (reamer 따위로 구멍)을 넓히다. **2** 《美》 …의 과즙을 짜내다; (파이프의 담배통)을 리머로 청소하다. **3** 《美속어》 속이다; 속여 우려내다(cheat).

réam·er *n.* Ⓒ 리머, 확공기(擴孔器); 《美》 과즙 압착기.

rè·ánimate *vt.* …을 소생〔부활〕시키다; 고무하다, …에 활기〔원기〕를 회복시키다.

reap** [riːp] *vt.* **1** (농작물)을 **베어들이다**, 거둬들이다: ~ a harvest 농작물을 거둬들이다. **2** …의 작물을 수확하다: ~ fields 밭의 작물을 수확하다. **3** (성과 · 이익)을 올리다, 거두다; (보답 따위)를 받다: ~ the fruits of one's efforts 노력의 성과를 얻다. **—vi.* 수확하다, 보답받다. **~ *as* 〔*what*〕 one *has sown* =~ *the fruits of* one's *actions*** 뿌린 대로 거두다, 인과응보.

réap·er *n.* **1** Ⓒ 거둬들이는 사람; (자동) 수확기. **2** (the R-) 죽음의 신(the Grim Reaper).

◇**rè·appéar** *vi.* 다시 나타나다, 재등장하다; 재발하다. ㊕ **~·ance** *n.* Ⓤ 재현; 재발.

rè·appráisal *n.* Ⓤ (구체적으로는 Ⓒ) 재검토, 재평가.

⁑**rear**[1] [riər] *n.* **1** (the ~) **a** **뒤**, 배면, 배후, 최후부; 맨 뒤(↔ *front*): go to the ~ 배후로 돌다 / He followed them in the ~. 그는 그들 뒤를 따라갔다. **b** 〖군사〗 (함대 · 부대 등의) 후위, 후미, 후방. ⓒⓕ van[2]. **2** Ⓒ 《구어》 궁둥이: sit on one's ~ 털썩 주저앉다. ***at* 〔*in, on*〕 *the* ~ *of*** …의 뒤에, …의 배후에: The kitchen is *in the ~ of* the house. 부엌은 집 뒤에 있다. ***bring* 〔*close*〕 *up the* ~** 후위를 맡아보다, 맨 뒤에 오다. ***in the* ~ *of*** ① 《美》 …의 뒤에, 배후에(↔ *in front of*): a garden *in the ~ of* a house 집 뒤쪽에 있는 정원. ② …의 후부에: a room *in the ~ of* shop 가게 안쪽에 있는 방.

—*a.* Ⓐ 후방의, 후방에 있는(↔ *frontal*): a ~ gate 뒷문 / the ~ rank 후열(後列) / ~ service 후방 근무. SYN. ⇨BACK.

rear**[2] *vt.* **1** (아이)를 **기르다**; (가축)을 사육하다; (식물)을 재배하다: be ~*ed* in a fine family 양가에서 자라다 / ~ poultry 양계하다. SYN. ⇨GROW. **2 a** 곧추세우다: ~ one's hand 손을 들다. **b** 〖~ oneself〗 일어서다. **3** 《~+목/+목+전+명》 (회당 · 기념비 등)을 세우다: ~ a monument *to* a person 아무를 기념하여 비를 세우다. **—vi.* **1** 《~/+부》 (말 따위가) 뒷다리로 서다; 자리를 박차고 일어서다(*up*): ~ *up* in a temper 분연히 일어서다. **2** 《~/+전+명》 우뚝 솟다《**over** …위로》: The hotel ~*s* high *over* the neighboring buildings. 그 호텔은 주변 건물보다 높이 솟아 있다.

réar ádmiral 해군 소장.

réar énd 후부, 후미; 《구어》 궁둥이(buttocks).

réar guárd 〖군사〗 후위(↔ *vanguard*).

réar-guard áction 〖군사〗 지연 작전, 양동 행동〔전술〕.

re·árm *vt.* 재무장시키다《**with** (신병기)로》: ~ a country *with* nuclear weapons 핵무기로 나라를 재무장하다. **—***vi.* 재무장하다. ㊕ **re·árma·ment** *n.* Ⓤ 재무장, 재군비.

réar·mòst *a.* Ⓐ 맨 뒤〔후미〕의.

rè·arránge *vt.* 재정리〔재정렬〕하다, 재배열〔재편성〕하다. ㊕ **~·ment** *n.* Ⓤ 재정리, 재배열; 재배치.

réar·view mírror (자동차 따위의) 백미러.

rear·ward [ríərwərd] *ad.* 후방으로, 배후로. **~ *of*** …의 후방으로. **—***n.* Ⓤ 후방, 후부, 배후; 〖군사〗 후위. ***in* 〔*at*〕 *the* ~** 후위〔후부〕에. **—***a.* Ⓐ 후방의; 후미〔배후〕에 있는.

rear·wards [ríərwərdz] *ad.* =REARWARD.

†**rea·son** [ríːzən] *n.* **1** Ⓤ (구체적으로는 Ⓒ) 이유(cause), 까닭; 근거, **동기**《***for, of*** …의 / ***to*** do / ***that, why***》: What's the ~ *for* your absence? 결석한 이유가 뭐냐 / He resigned for ~*s of* health. 그는 건강상의 이유로 사직했다 / He has every ~ *to* complain. 그가 불평할 만한 이유는 충분히 있다 / The ~ (*that*) I'm studying so hard is that 〔because〕 I have an exam tomorrow. 이렇게 열심히 공부하고 있는 이유는 내일 시험이 있기 때문이다 / That is the ~ (*why*) I failed. 그것이 내가 실패한 이유이다.

2 Ⓤ **도리**, 조리, 이치: There is little ~ in what you say. 네가 하는 말은 조리가 서지 않는다 / There is ~ in what you say. 네가 말하는 것엔 일리가 있다.

3 Ⓤ **이성**; 추리력; 판단력: lose all ~ 이성을 잃다 / appeal to a person's ~ 아무의 이성에 호소하다.

4 Ⓤ 본정신; 지각, 분별, 상식: come to ~ 제정신이 들다 / lose one's ~ 제정신을 잃다.

be restored to* ~** 제정신이 들다. ***beyond* (*all*) ~** 터무니없는, 도리〔이치〕에 맞지 않는: His demands were *beyond all* ~. 그의 요구는 터무니없는 것이었다. ***bring a person ***to* ~** 아무에게 사물의 도리를 깨치게 하다: He simply can't be *brought to* ~. 아무래도 그에게 사리를 깨우칠 수 없다. ***by* 〔*for*〕 ~ *of*** …의 이유로, …때문에. ***for no other* ~ *but this* 〔*than that*〕** 단지 이것〔…라는 것〕만의 이유로. ***for one* ~ *or another*** 이런저런 이유가 있어서: *For one ~ or another* she was usually absent. 이런저런 이유로 그녀는 늘 결석했다. ***for* ~*s best known to*** one***self*** (타인이 모르는) 자기만의 이유로, 개인적인 이유로: *For ~s best known to* him*self*, he suddenly went abroad. 그만의 이유가 있어서, 그는 돌연 외국으로 떠났다. ***for some* ~ *or other*** 무엇인가의 이유로. ***hear* 〔*listen to*〕 ~** 이치에 따르다. ***in* ~** 도리상; 합당한, 옳은: Everything he said was *in* ~. 그가 한 말은 모두 옳았다. ***It stands to* ~ *that ....*** …은 사리에 맞다, 당연하다: *It stands to ~ that* I should decline the offer. 내가 그 제안을 거절하는 것은 당연하다. ***out of all* ~** 이치에 닿지 않는, 터무니없는. ***past* (*all*) ~** =beyond (all) ~. ***see* ~** 도리를 알다. ***will* 〔*want to*〕 *know the* ~ *why*** 《구어》 화〔역정〕내다, 부아가 나다. ***with* (*good*) ~** 〖문장 전체를 수식하여〗 (…하는 것도) 당연하다, 무리가 아니다: He complains *with* ~. 그가 불평하는 것도 당연하다. ***within* ~** 이치에 맞는, 온당한, 상식 범위 내에서(의): I will do anything *within* ~. 온당한 일이라면 무슨 일이든 하겠다.

> DIAL. ***No reason.*** 별일 아닙니다《이유를 별로 말하고 싶지 않을 때》: Why are you leaving so early?—Oh, *no reason*. 왜 그렇게 빨리 (자리를) 뜨시렵니까—아, 별일 아닙니다.
> ***All the more reason to*** do 〔***for*** do***ing***〕. 그렇다면 더욱이 …해야 하겠지.

—*vt*. **1** 《~+목/+*that* 절/+*wh*. 절》 (논리적으로) **논하다**, 논증하다; 판단하다; **추론하다**: The argument is well *~ed*. 그 논의는 이로(理路)정연했다/We *~ed that* he was guilty. 우리는 그 사람이 유죄라고 판단하였다/~ *whether* it is true or not 그 진부를 생각하다. **2** 《+목+부/+목+전+명》 설득하다(*down*); 설득하여 …시키다《***into*** …하게; ***out of*** …하지 않게》: ~ a person *down* 아무를 설득하다/~ a person *into* compliance 아무를 설득하여 승낙시키다/~ a person *out of* his fear 아무를 설득하여 공포심을 없애 주다.

—*vi*. 《~/+전+명》 **1 논리적으로 생각하다; 추론하다**, 추리하다《***from*** …에서; ***about, on, upon*** …에 대하여》: Human beings have the ability to ~. 인간은 논리적으로 생각할 능력을 갖고 있다/You are *~ing* (*about* it) *from* false premises. 너는 (그 일에 대하여) 그릇된 전제에서 추론하고 있다. **2** 《+전+명》 설득하다《***with*** (아무)를; ***about*** …에 대하여》: I *~ed with* her *about* the dangers of going alone. 혼자 가는 것의 위험성에 대하여 그녀를 설득했다.

ours 〔***yours, theirs,*** etc.〕 (***is***) ***not to ~ why*** 《구어》 우리〔당신들, 그들〕에게는 가타부타할 권리가 없다. **~ *out*** 《*vt*.+부》 논리적으로 생각해내다〔해결하다〕《***wh.***》: ~ *out* the answer to a question 질문에 대한 답을 생각해내다/They could not ~ *out where* they were. 그들은 자기들이 어디에 있었는지 생각해낼 수 없었다.

㊕ **réa·son·er** *n*. Ⓒ 추론자; 논객.

¦rea·son·a·ble [ríːzənəbəl] *a*. **1 분별 있는**, 사리를 아는: a ~ man 분별이 있는 사람. SYN. ⇨RATIONAL. **2** (사고·행동이) **이치에 맞는**, 조리 있는; 정당한: come to a ~ decision 합리적인 결정을 내리다/a ~ excuse 조리 있는 해명. **3 온당한**, 적당한(moderate): on ~ terms 무리 없는 조건으로. **4** (가격 등이) **비싸지 않은**, 알맞은, 타당한: at a ~ price 적당한 값으로. ㊕ **~·ness** *n*.

°réa·son·a·bly *ad*. **1** 합리적으로, 이치에 닿게, 도리에 맞게: think ~ 합리적으로 생각하다/behave ~ 분별 있게 처신하다. **2** 정당하게; 걸맞게: This is ~ priced. 이건 적당하게 가격이 붙여졌다. **3** 〖문장 전체를 수식하여〗 지당하게, 당연히: You can ~ expect promotion. 당신은 당연히 승진을 기대해도 좋습니다.

réa·soned *a*. Ⓐ 사리에 맞는; 심사숙고한.

°réa·son·ing *n*. Ⓤ **1** 추론, 추리. **2** 〖집합적〗 논거, 증명.

réason·less *a*. 이성이 없는; 도리를 모르는, 무분별한; 불합리한.

rè·assért *vt*. (권리·요구 등)을 거듭 주장〔단언, 언명〕하다.

rè·assúrance *n*. Ⓤ (구체적으로는 Ⓒ) **1** 안심시키는 것; 활력을 북돋우어 줌; (새로운) 확신: Everybody's ~s have encouraged me. 모든 사람의 격려가 나에게 용기를 북돋우어 주었다. **2** 재보증; 《英》 재보험.

re·as·sure** [rìːəʃúər] *vt*. **1** 《~+목/+목+전+명/+목+*that* 절》 (아무)에게 **새롭게 자신감을 갖게 하다**; (아무)를 **안심시키다**《about*** …에 대해서》; 〖~ oneself〗 안심하다《***about*** …에 대하여》: The success *~d* him. 그 성공으로 그는 자신감을 되찾았다/The doctor *~d* the patient *about* his condition. 의사는 병상을 설명하여 환자를 안심시켰다/I *~d* my*self about* my health. 나의 건강에 대해 안심했다/He *~d* us *that* the result was not as bad as we thought. 결과는 우리가 생각했던 만큼 나쁘지 않다고 그는 우리를 안심시켰다. **2** …을 재보증하다. **3** 《英》 …에 재보험을 걸다.

rè·assúring *a*. 안심시키는, 기운을 돋우는. ㊕ **~·ly** *ad*.

Re·au·mur, Ré- [réiəmjùər] *a*. 열씨(列氏) 눈금(=**Réaumur scále**)의《프랑스 물리학자 R. Réaumur(1683–1757)가 고안한 온도 눈금으로, 물의 끓는점은 80°, 어는점은 0°; 생략: R.》.

re·bar·ba·tive [riːbáːrbətiv] *a*. 《문어》 어쩐지 마음에 들지 않는, 호감이 가지 않는, 싫은, 정떨어지는. ㊕ **~·ly** *ad*.

re·bate [ríːbeit, ribéit] *n*. Ⓒ **1** (지불액의 일부에 대한) 환불(還拂); 리베이트: claim a tax ~ 세금의 환불을 청구하다. **2** (어음 따위의) 할인(discount).

Re·bec·ca [ribékə] *n*. 레베카《여자 이름; 애칭은 Becky, Reba》.

°reb·el [rébəl] *n*. Ⓒ 반역자, 모반자《***against, to*** …에 대한》. **—***a*. Ⓐ 모반한, 반역의: ~ forces 반란군.

— [ribél] (***-ll-***) *vi*. **1** 모반하다, 배반하다; 반항〔반대〕하다《***against*** …에》: ~ *against* the Establishment 기성 체제에 반대하다/The masses *~led against* the government. 민중은 정부에 대해 반란을 일으켰다. **2** 몹시 싫어하다, 반감을 갖다《***against, at*** …을, …에》: Children ~ *against* 〔*at*〕 staying in on Sunday. 아이들은 일요일에 집안에 있기를 싫어한다.

re·bel·lion** [ribéljən] *n*. Ⓤ (구체적으로는 Ⓒ) **1 모반, 반란**, 폭동《against*** (정부·권력자)에 대한》: rise in ~ 폭동을 일으키다/put down 〔suppress〕 a ~ *against* the government 정부에 대한 반란을 진압하다. **2** 반항, 배반《***against*** (관습·권위)에 대한》: a ~ *against* old tradition 낡은 전통에 대한 반항.

°re·bel·lious [ribéljəs] *a*. **1** 반역하는, 반항적인; 고집센: ~ behavior 반항적인 태도/a ~ temper 반역적인 기질. **2** 반역심이 있는, 모반을 일으킨, 반란에 가담한: ~ subjects 역신(逆臣). ㊕ **~·ly** *ad*. **~·ness** *n*.

re·bínd (*p*., *pp*. ***re·bóund***) *vt*. 다시 묶다; 다시 제본하다.

re·bírth *n*. (*sing*.) **1** 재생, 갱생, 신생. **2** 부활, 부흥: a ~ of Nazism 나치즘의 부활.

re·bórn *a*. Ⓟ (정신적으로) 다시 태어난, 재생한, 갱생한: Suddenly hope was ~ within me. 문득 희망이 되살아났다.

°re·bound[1] [ribáund] *vi*. **1** (공 등이) 되튀다《***from*** …에서》: A ball *~s from* a wall. 공이 벽에 맞아 되튄다. **2** 되돌아오다《***on, upon*** (행동이 본인)에게》: Your lies *~ed on* you. 너의 거짓말이 너에게 되돌아왔다. **3** 원래대로 되돌아가다, 만회하다《***from*** (좌절·실패)에서》: ~ *from* a long recession 장기 불황에서 회복되다.

— [ríːbàund, ribáund] *n*. Ⓒ **1** 되튐, 반발; (감정 등의) 반동. **2** 〖농구·하키〗 리바운드; 리바운드를 잡음.

on the ~ ① 되튀어나올 때에: hit a ball *on the* ~ 되튀어나온 볼을 치다. ② (실연 따위의) 반발로 〔을 기화로 하여〕: He married this girl *on the* ~. 그는 실연의 상처를 입은 반발로 이 아가씨와 결혼했다.

re·bróadcast (*p.*, *pp.* **-cast, -casted**) *vi.*, *vt.* 〖통신〗 중계하다, 중계방송하다; 재방송하다. **—***n.* [U] 중계방송〔재방송(repeat)〕; [C] 중계방송 프로그램.

re·buff [ribʌ́f] *n.* [C] 거절, 퇴짜, 자빠댐. **—** *vt.* (호의 · 제안 등)을 거절하다, 퇴짜 놓다 / He ~*ed* my attempts to help. =He ~*ed* me when I tried to help. 그는 내가 도우려는 것을 거절했다.

◇**re·buíld** (*p.*, *pp.* **-built**) *vt.* (건축물)을 재건하다, 다시 짓다(reconstruct), 개축하다.

◇**re·buke** [ribjúːk] *vt.* 비난하다, 꾸짖다, 견책〔징계〕하다《**for** …에 대하여》: ~ a person *for* his carelessness 아무의 부주의를 나무라다. [SYN.] ⇨REPROACH. **—***n.* [U] (구체적으로는 [C]) 비난, 힐책: give 〔receive〕 a ~ 꾸지람하다〔듣다〕 / without ~ 나무랄 데 없이.

re·bus [ríːbəs] *n.* [C] 수수께끼 그림《그림 · 기호 · 문자 등을 맞추어 어구를 만드는》.

re·but [ribʌ́t] (**-tt-**) *vt.* …을 논박〔반박〕하다, …에 반증을 들다: ~*ting* evidence 〖법률〗 반증.

re·but·tal [ribʌ́tl] *n.* **1** [U] 반증(의 제출): in ~ of a charge 비난에 대한 반증으로서. **2** [C] (제출된) 반증, 반박: offer a ~ 반증을 들다〔제시하다〕.

rec [rek] *n.* 《종종 합성어로; 형용사적》 = RECREATION: a ~ hall 〔room〕 / ~ activities.

rec. receipt; received; receptacle; recipe; record(er); recorded; recording.

re·cal·ci·trant [rikǽlsətrənt] *a.* 완강히 반항〔저항〕하는, 고집센, 말을 잘 안 듣는; 다루기 어려운: a ~ child 말을 잘 안 듣는 아이. **—***n.* [C] 반항자, 고집쟁이. [파] **-trance, -tran·cy** *n.*

***re·call** [rikɔ́ːl] *vt.* **1** 《~+[목]/+-*ing* /+*wh.* [절] / +*wh. to* do /+*that* [절]/+[목]+*as* [보]》 **생각해내다**, 상기하다: I don't ~ her name 〔meet*ing* her, *where* I met her〕. 나는 그녀의 이름이〔그녀를 만났는지, 그녀를 어디서 만났는지〕 생각이 나지 않는다 / I cannot ~ *how to* cook it. 나는 그것을 어떻게 요리하는지 생각이 나지 않는다 / I ~ *that* I read the news. 그 뉴스를 읽은 일을 기억하고 있다 / I ~ you *as* a naughty boy. 나는 네가 장난꾸러기였던 것이 생각난다.

2 《~+[목]/+[목]+[전]+[명]/+[전]+[명]+*that* [절]》 …을 **생각나게 하다**《**to** (아무)에게》; (아무)에게 상기시키다《**to** (의무감 따위)를》: This style ~*s* James Joyce. 이 문체는 제임스 조이스를 떠올리게 한다 / ~ a person *to* a sense of responsibility 아무에게 책임감을 환기시키다 / The picture ~*ed to* me *that* I had been there before. 나는 그 그림을 보니 전에 내가 거기에 갔었던 것이 생각났다.

3 《~+[목]/+[목]+[전]+[명]》 **되부르다**, 소환하다, 귀환시키다《**from** …에서; **to** …으로》: The head office ~*ed* him *from* abroad (*to* Seoul). 본사에서는 그를 해외에서 (서울로) 불러들였다 / The ambassador has been ~*ed* (*from* his post *to* Washington). 대사는 (임지에서 워싱턴으로) 소환당했다.

4 《美》 (공직에 있는 사람)을 **해임하다**; (결함 상품)을 **회수하다**: The defective cars were all ~*ed*. 결함있는 차는 전부 회수되었다.

5 취소하다, 철회하다: ~ an order 주문을 취소하다: He ~*ed* his promise to pay within a month. 그는 1개월 내에 지급하겠다는 약속을 철회했다.

— [+ríːkɔ̀ːl] *n.* **1** [U] (또는 a ~) **되부름**, 소환《대사 등의》: letters of ~. **2** [U] 《美》 (일반 투표에 의한 공직자의) 해임(권); (결함 상품의) **회수**, 리콜. **3** [U] 취소, 철회. **4** [U] **회상**, 상기〔기억〕(력): have total ~ 기억력이 뛰어나다. **5** [C] (the ~) 〖군사〗 (나팔 · 북 따위의) 재집합 신호.

beyond 〔***past***〕 **~** 생각이 나지 않는; 되돌릴 수 없는: The sculpture was destroyed *beyond* ~. 조각품은 돌이킬 수 없을 만큼 부서졌다.

re·cant [rikǽnt] *vt.* (신앙 · 주장 등)을 바꾸다, 취소하다, 철회하다. **—***vi.* 자설(自說)을 철회하다. [파] **re·can·ta·tion** [rìːkæntéiʃən] *n.* [U] (구체적으로는 [C]) 취소, 철회.

ré·càp[1] (**-pp-**) *vt.* 《美》 (헌 타이어)를 수리하여 재생시키다 ([cf.] retread). **—** [스] *n.* [C] 재생 타이어. [파] **re·cáp·pa·ble** *a.*

re·cap[2] [ríːkæ̀p] (**-pp-**) 《구어》 *vt.*, *vi.* =RECAPITULATE. **—***n.* =RECAPITULATION.

re·ca·pit·u·late [rìːkəpítʃəlèit] *vt.*, *vi.* (연설의 마무리에서) 요점을 되풀이하여 말하다, 개괄〔요약〕하다. [파] **rè·ca·pìt·u·lá·tion** *n.* [U] (구체적으로는 [C]) 요점의 반복; 개괄, 요약.

re·cápture *n.* [U] 탈환, 회복. **—***vt.* **1** 되찾다, 탈환하다(retake). **2** 생각해내다; 다시 체험하다; 재현하다.

re·cást (*p.*, *pp.* ~) *vt.* **1** (금속 제품)을 개주(改鑄)하다, 다시 주조하다. **2** 고쳐 만들다; 다시 계산하다; (글)을 고쳐쓰다. **3** (배우)의 역을 바꾸다. **—** [스] *n.* [C] 개주물(物); 개작(품); 재계산; 배역 변경.

rec·ce [réki(ː)] 《軍구어》 *n.* =RECONNAISSANCE. **—***vt.*, *vi.* =RECONNOITER.

rec'd., recd. received.

◇**re·cede** [risíːd] *vi.* **1** 물러나다, 퇴각하다; 멀어지다《**from** …에서》: The tide has ~*d*. 조수가 빠졌다 / A ship ~*d from* the shore. 배가 해안에서 멀어져 갔다. **2** 몸을 빼다; 철회하다; 손을 떼다《**from** …에서》: ~ *from* an agreement 계약을 철회하다. **3** 뒤쪽으로 기울다, 움츠리다, 우묵 들어가다; (머리털이) 벗어져 올라가다. **4** (가치 · 품질 따위가) 떨어지다, 하락하다; (인상 · 기억이) 엷어지다, 희미해지다: The event ~*d* into the dim past. 그 사건은 희미한 과거 속으로 잊혀져 갔다. **5** 감퇴하다, 줄다; 약해지다.

‡**re·ceipt** [risíːt] *n.* **1** [U] **수령**(受領), 영수, 받음: acknowledge the ~ *of* a check 수표 받았음을 알리다 / on ~ *of* payment 돈을 받는 대로. **2** [C] **인수증, 영수증**: make out a ~ 수령증을 쓰다. **3** (*pl.*) 수령〔수입〕액: the total ~*s* 총수입액. ***be in* ~ *of*** 〖상업〗 …을 받다: I *am in* ~ *of* your favor of the 3rd. 3일자(의) 당신의 편지는 받아보았습니다. ★ have received보다 겸손한 표현.

—*vt.* (계산서)에 영수필(Received)이라고 쓰다; …을 받은 영수증을 끊다〔반행하다〕.

re·ceiv·a·ble [risíːvəbəl] *a.* (조건 등을) 받아들일 수 있는; (지급 따위를) 받아야 할: bills ~ 받을 어음. **—***n.* (*pl.*) 〖부기〗 수취 계정, 받을 어음.

‡**re·ceive** [risíːv] *vt.* **1** 《~+[목]/+[목]+[전]+[명]》 **받다**, 수령하다《**from** …으로부터》: ~ a degree 〔an award〕 학위를〔상을〕 받다 / I ~*d* 〔《구어》

got] a letter *from* him. 나는 그에게서 편지를 받았다 / ~ a lot of complaints 고충을 많이 듣다.
SYN. **receive** 아래의 모든 말뜻을 갖는 일반적인 말. take, get에 대하여 약간 사교적이며 기품 있는 어감이 있다: *receive* an invitation 초대장을 받다. *receive* (=accept) a lodger 하숙인을 두다. **accept** 제공받은 것을 (호의로써) 받아들이다: *accept* an invitation 초대에 응하다. **admit** 사실 따위를 인정하여 받아들이다. **adopt** 새로운 이론 · 사상 · 방법 · 의견 · 정책 따위를 받아들이다, 채택하다. **greet** 친애 · 존경 · 환희, 때로는 악의 · 저주 따위로써 받아들이다, 맞이하다: *greet* a person with cheers. **welcome** 기꺼이 받아들이다, 환영하다.
2 (교육 · 주목 · 죄 · 타격 따위)를 **받다**, 입다: ~ a good education [training] 좋은 교육[훈련]을 받다 / He ~*d* a severe beating [blow]. 그는 몹시 구타당했다.
3 (신청 · 탄원 등)을 **수리하다**, 들어주다, 응하다: He ~*d* her offer but did not accept it. 그는 그녀의 신청을 수리하였지만 수락하지는 않았다.
4 《~+目/+目+*as* 보》 (마음에) 받아들이다, 인정하다, 이해하다: ~ new ideas 새 사상을 받아들이다 / I ~*d* it *as* certain. 나는 그것이 확실하다고 믿었다.
5 《+目+전+명》 (힘 · 무게 등)을 버티다, 받아서 막다; (적 · 적기 따위)를 막아내다; 요격하다: ~ a weight *on* one's back 등으로 무거운 것을 받치다.
6 《~+目/+目+전+명/+目+*as* 보》 맞이하다, 환영하다; 맞아들이다, 영입하다《*into* (동료 · 조직 따위)에》: ~ a visitor 손님을 맞다 / ~ a person *into* the church 아무를 교인으로 받아들이다 / ~ a person *as* a member of the club 아무를 클럽의 일원으로 맞아들이다.
7 『통신』 (전파)를 수신[청취]하다; 『컴퓨터』 수신하다: We can ~ the program via satellite. 그 프로그램은 인공위성을 통해서 수신할 수 있다.
8 『테니스』 (서브)를 되받아 치다 (cf. serve).
9 (성체)를 배령하다; (고해)를 듣다: ~ the sacraments 영성체를 받다 / ~ a person's confession (성직자가) 아무의 고해를 듣다.
—*vi.* **1** 받다. **2** 성찬을 받다, 성체 배수를 하다 (take Communion). **3** (손님의) 방문을 받다, 응접하다: She ~*s* on Monday afternoon. 그녀는 월요일 오후를 면회일로 삼고 있다. **4** 『통신』 수신[수상(受像)]하다, 청취하다; (테니스 따위에서) 리시브하다.

re·céived *a.* Ⓐ 받아들여진; 《일반적》 인정받고 있는, 표준이 되고 있는: favorably ~ 호평의 / the ~ text (of a book) 표준 텍스트 / the ~ view 통념(通念).

Recéived Pronunciátion 용인 발음《영국의 음성학자 Daniel Jones의 용어로, Received Standard의 발음; 생략: RP》.

Recéived Stándard (Énglish) 용인 표준(영)어《public school 및 Oxford, Cambridge 양 대학에서, 또 교양인 사이에서 널리 쓰이는》.

***re·ceiv·er** [risíːvər] *n.* Ⓒ **1 수령인**. ↔ *sender*. **2** 수납계원, 회계원(treasurer); 접대자(entertainer). **3** (종종 R-) 『법률』 (파산 또는 계쟁 중인 재산의) 관리인, 관재인(管財人). **4** 『테니스』 리시버; 『야구』 캐처; 응전자. **5** 용기, …받이; 『화학』 (레토르트의) 받는 그릇. **6 수신기**, 수화기, 리시버; (텔레비전의) 수상기; 『컴퓨터』 수신기. ↔ *sender*. 파 **~·shìp** *n.* Ⓤ 관재인의 직[임기]; 재산 관리를 맡음.

re·céiv·ing *n.* Ⓤ 받음; 장물 취득. **—***a.* Ⓐ 받는; 수신[수상]의: a ~ set 수신[수상]기 / a ~ antenna [aerial] 수신 안테나 / a ~ reservoir 집수지(集水池).

recéiving ènd 받는 쪽; 싫어도 받아들이지 않을 수 없는 사람. ***be at* [*on*] *the* ~** 《구어》 (피해 · 비난 · 공격 등을) 받는 쪽이다; 공격의 표적이 되다; 불쾌한 일에 직면해 있다.

recéiving òrder 《英》 (파산 재산의) 관리 명령(서).

‡**re·cent** [ríːsənt] *a.* **1** 근래의, **최근의**(late), 새로운: a ~ event 최근의 사건 / in ~ years 근년(에는). **2** (R-) 『지질』 현세(現世)의: the *Recent* Epoch 현세. ◇ recency *n.* 파 **~·ness** *n.*

‡**re·cent·ly** [ríːsəntli] *ad.* **최근**, 작금; 바로 얼마전: He has ~ returned home from Europe. 그는 최근 유럽에서 귀국했다 / She came to see me ~. 그녀는 최근에 나를 만나러 왔다. ★ 완료형 · 과거형의 어느 것에나 쓸 수 있으나 현재 시제의 동사에는 쓰지 않음. SYN. ⇨ LATELY.

°**re·cep·ta·cle** [riséptəkəl] *n.* Ⓒ **1** 그릇, 용기; 두는 곳, 저장소. **2** 『식물』 화탁(花托), 꽃턱. **3** 『전기』 콘센트; 소켓.

‡**re·cep·tion** [risépʃən] *n.* **1** Ⓤ **받아들임**, 수취, 수령; 수리(受理); 수용. **2** Ⓒ (보통 *sing.*) **응접**, 접대, 접견; 환영: a warm ~ 열렬한 환영; 《반어적》 세찬 저항 / give a person a cool ~ 아무를 냉랭하게 맞이하다. **3** Ⓒ **환영회**, 리셉션: a wedding ~ 결혼 피로연 / hold a ~ 환영회를 열다《for a person》. **4** Ⓤ 《英》 (호텔 · 회사 따위의) 접수구: leave a key at ~ (호텔) 접수부에 열쇠를 맡기다. **5** Ⓤ 입회(허가), 가입, 영입: the ~ of a person into society 아무의 사교계 영입. **6** Ⓒ (보통 *sing.*) (평가되는) **반응**, 인기, 평, 평판, 대우: have [meet with] a favorable ~ 호평을 받다. **7** Ⓤ 『통신』 수신[수상](의 상태), 수신율[력]. ◇ receive *v.*

recéption dèsk (호텔의) 접수부, 프런트.

re·cép·tion·ist *n.* Ⓒ (회사 · 호텔 따위의) 응접계[접수계]원.

recéption òrder 《英》 (정신 병원에의) 입원 명령, (정신 이상자의) 수용 명령.

recéption ròom [hàll] 응접실, 접견실; (병원 따위의) 대합실; 《英》 (가정의) 거실(居室)《건축업자의 용어》.

re·cep·tive [riséptiv] *a.* **1** 감수성이 예민한, 이해력이 빠른: a ~ mind 감수성이 예민한 마음. **2** Ⓟ 잘 받아들이는《***to, of*** …을》: You aren't ~ *to* my ideas, are you? 너는 내 생각을 받아들이려 하지 않는구나. 파 **~·ly** *ad.* **~·ness** *n.*

re·cep·tiv·i·ty [rìːseptívəti, risèp-] *n.* Ⓤ 수용성, 감수성(이 예민함), 이해력.

***re·cess** [ríːses, risés] *n.* **1** Ⓤ (구체적으로는 Ⓒ) **쉼**, 휴식[휴게](시간); (의회의) 휴회: an hour's ~ for lunch 점심을 위한 1시간의 휴식 / at ~ 휴식 시간에. **2** Ⓤ 《美》 (학교의) 휴가; (법정의) 휴정: The court is in ~. 법정은 휴정 중이다. **3** Ⓒ (보통 *pl.*) **깊숙한 곳[부분]**, 구석; 후미진[구석진] 곳; (마음)속: the ~*es* of a cave [the heart] 동굴[마음]의 깊숙한 곳 / lay bare the ~*es* of the soul 심중을 털어놓다. **4** Ⓒ (해안선 · 산맥 등의) 우묵한 곳; 벽의 움푹 들어간 곳, 벽감(niche); 구석진 방(alcove). **5** Ⓒ 『해부』 (기관의) 와(窩), 오목한 데: a ~ under the staircase 층계 밑의 빈 곳.

go into ~ (의회 따위가) 휴회하다: Parliament will *go into* ~ next week. 의회는 다음 주부터 휴회할 것이다.

—*vt*. **1** 오목한 곳에 두다〔감추다〕: ~*ed* lighting 간접 조명. **2** …에 우묵 들어간 곳을 만들다: ~ a wall 벽감을 만들다. **3** 《美》 중단하다, 휴회〔휴정〕하다. **—***vi*. 《美》 휴회〔휴정〕하다 (adjourn), 휴교하다.

re·ces·sion [riséʃən] *n*. **1** Ⓤ 퇴거, 후퇴. **2** Ⓒ (벽면 따위의) 들어간 곳〔부분〕, 우묵한 곳. **3** Ⓒ (일시적인) 경기 후퇴, 불경기: recover from a ~ 경기가 회복되다.

re·ces·sion·al [riséʃənəl] *a*. (예배 후) 퇴장의; 《英》 (의회 등이) 휴회의, 《美》 휴정(休廷)의; 휴가의. **—***n*. Ⓒ 퇴장할 때 부르는 찬송가.

re·ces·sive [risésiv] *a*. 퇴행(退行)의, 역행의; 〖생물〗 열성(劣性)의(↔ *dominant*): a ~ character 〖생물〗 열성 형질(形質) / ~ gene 열성 유전자.

re·charge [riːtʃɑ́ːrdʒ] *vt*. **1** 다시 충전하다; 재장전(再裝塡)하다: ~ one's batteries 전지에 재충전하다. **2** 재습격하다, 역습하다. ㊕ **~·a·ble** *a*.

re·check [riːtʃék] *vt*. 다시 맞춰 보다, 재대조〔재검사〕하다. **—***n*. Ⓒ 재검사.

re·cher·ché [rəʃέərʃei, ─́─] *a*. 《F.》 (어휘 등을) 골라 뽑은; (요리 · 표현이) 멋있는, 공들인.

re·cid·i·vism [risídəvìzəm] *n*. Ⓤ 〖정신의학〗 상습성; 〖법률〗 상습적 범행, 누범. ㊕ **-vist** *n*. Ⓒ, *a*. 〖법률〗 상습범(의).

rec·i·pe** [résəpìː] *n*. Ⓒ **1** (약제 등의) **처방**(전) 《기호 R》; **조리법**《for*** (요리 · 과자 따위)의》: Tell me the ~ *for* this dish. 이 요리의 조리법을 가르쳐 주십시오. **2** 비법, 비결, 묘안, 비책《***for*** …의》.

re·cip·i·ent [risípiənt] *n*. Ⓒ **1** 수취인, 수령자: a ~ *of* a Nobel prize 노벨상 수상자 / a scholarship ~ 장학생. **2** 〖의학〗 수용자(受容者)《donor로부터 혈액 · 장기 등을 받는 사람》.

◇**re·cip·ro·cal** [risíprəkəl] *a*. **1** 상호의(mutual), 호혜적인: ~ action 〔help〕 상호 작용〔원조〕 / a ~ mistake 서로 오해하기 / a ~ treaty 호혜 조약. **2** 교환으로 주는, 답례의, 대상(代償)의; 보복의, 보답으로 얻는: a ~ gift 답례 선물. **3** 〖문법〗 상호 작용을〔관계를〕 나타내는: a ~ pronoun 상호 대명사《each other, one another 따위》. ㊕ **~·ly** [-kəli] *ad*. 상호적〔호혜적〕으로.

re·cip·ro·cate [risíprəkèit] *vt*. **1** 주고받다, 교환하다: ~ gifts 선물을 주고받다. **2** 보답〔답례〕하다; 갚다: ~ her favor 그녀의 호의에 보답하다. **3** 〖기계〗 왕복 운동을 시키다. **—***vi*. **1** 보답〔답례〕하다, 갚다《***with*** …으로; ***for*** …에 대해》: Some day I will ~ *for* these kindnesses. 언젠가 이 친절에 보답하겠소 / To every attack he ~*d with* a blow. 공격을 받을 때마다 그도 되갚겼다. **2** (기계가) 왕복 운동을 하다.

recíprocating èngine 〖기계〗 왕복 기관.

re·cip·ro·cá·tion *n*. Ⓤ **1** 교환, 주고받기. **2** 교호 작용, 되갚음, 응수. **3** 〖기계〗 왕복 운동.

rec·i·proc·i·ty [rèsəprɑ́səti/-prɔ́s-] *n*. Ⓤ **1** 상호성(性), 상호 관계〔의존〕, 상호 작용; 교환. **2** 〖상업〗 상호 이익; 호혜주의〔정책, 관계〕: a ~ treaty 호혜 조약.

***re·cit·al** [risáitl] *n*. Ⓒ **1** (시) 낭독회, 음송. **2** 자세한 설명, 상술(詳述); 이야기(narrative). **3** 〖음악〗 **독주**(**회**), 독창(회); 리사이틀: give a vocal ~ 독창회를 열다.

◇**rec·i·ta·tion** [rèsətéiʃən] *n*. **1** Ⓤ 자세히 이야기함; 열거. **2** Ⓤ 낭독, 음송, 암송; Ⓒ 암송하는 시문(詩文).

rec·i·ta·tive [rèsətətíːv] *n*. 〖음악〗 Ⓤ 서창(敍唱), 레차타티보; Ⓒ 서창부(部)《오페라 · 오라토리오 따위의》. **—***a*. 〖음악〗 서창(조)의; 서창부의.

re·cite** [risáit] *vt*. **1** 《~+목/+목+전+명》 **암송하다**, 음창(吟唱)〔낭송〕하다《to*** …앞에서》: ~ a lesson (선생님 앞에서) 학과를 외다 / He ~*d* the poem *to* the class. 그는 학급생들에게 시를 읊어 주었다. **2** 상세히 이야기하다(narrate), 상술하다, 열거하다(enumerate): ~ one's adventures 모험담을 얘기하다 / ~ the names of all the American states 미국 모든 주의 이름을 열거하다. **—***vi*. 암송하다, 읊다. ◇ recitation *n*.

reck [rek] 《시어 · 문어》 〔부정문 · 의문문〕 *vt*. …에 개의〔주의〕하다: They did *not* ~ what may become of him. 그들은 그가 어찌 되든 상관치 않았다.

reck·less** [réklis] *a*. **1 분별없는**, 무모한: ~ driving 무모한 운전 / It was ~ *of* you *to* go there alone. 거기에 혼자 가다니 너도 무모했다. SYN. ⇨WILD. **2** 염두에 두지 않는, 개의치 않는 《of*** …을》: *Reckless of* danger, he plunged into the river to save her. 위험을 개의치 않고 그는 그녀를 구하려고 강물에 뛰어들었다. ㊕ **~·ly** *ad*. **~·ness** *n*.

reck·on** [rékən] *vt*. **1** 《~+목/+목+부/+목+전+명》 **세다**(count), 낱낱이 세다(*up; over*); 기산(起算)하다《from*** …으로부터》; 합계 …이 되다: ~ the cost of the trip 여비를 계산하다 / The charges are ~*ed from* August 1. 요금은 8월 1일부터 기산된다 / I ~ 50 of them. 세어 보니 50이다 / ~ his wrongs *over* 그가 한 나쁜 짓을 낱낱이 들다. **2** 《+목+(*to be*) 보/+목+(*as*) 보/+목+전+명》 **보다**, 간주하다(consider), 판단〔단정〕하다, 평가하다《***for*** …으로》: ~ a person (*to be*) a genius 아무를 천재로 보다 / I ~ him (*as*) the best swimmer in my class. 나는 그를 우리반 최고의 수영 선수로 본다 / ~ a person *for* a wise man 아무를 현명하다고 판단하다. **3** 《+목+전+명》 셈하다, 셈에 넣다(include) 《***among*** …중의 하나로》: He is not ~*ed among* my friends. 그는 내 친구로 볼 수 없다. **4** 《+(*that*) 절》 《구어》 생각하다《특히 《美》에서는 삽입적으로도 쓰임》; 《英속어》 좋다고〔가망 있다고〕 생각하다: I ~ (*that*) the answer will be in the negative. 회답은 부정적일 것으로 생각한다 / He will come soon, I ~. 그는 곧 올 것이나.

—*vi*. 계산하다; 지불하다, 청산하다 (settle).

~ ***in*** 《*vt*.+부》 …을 계산에 포함시키다: Don't forget to ~ *in* tips. 팁도 계산에 포함시키는 것을 잊지 마시오. ~ ***on*** 기대하다, 믿다: I'm not ~*ing on* her help. 그녀의 도움을 기대하지 않는다 / We did not ~ *on* finding you here. 여기서 너를 만나리라곤 생각지도 못했다. ~ ***up*** 《*vt*.+부》 …을 합산하다, 총계를 내다: ~ *up* the expenses 지출을 합산하다. ~ ***with*** ① …와 청산〔처리〕하다: I have a few things to ~ *with* him. 그와 처리해야 할 일이 몇 가지 있다. ② …을 고려하다《★ 수동태 가능》: We have to ~ *with* a harsh economic climate. 우리는 가혹한 경제 환경을 고려하지 않으면 안 된다. ~ ***without*** …을 문제삼지 않다, 무시하다: They had planned well, but ~*ed without* the weather.

그들은 계획은 잘 짰지만 날씨를 고려하지 않았다. ㊥ ~·er n. Ⓒ 계산하는 사람, 청산인; 계산 조견표(ready ~er).

°**réck·on·ing** n. 1 Ⓤ 계산, 결산; 청산. 2 Ⓒ 계산서((술집 따위의)). 3 Ⓤ 〖해사〗 (천문 관측에 의한) 배 위치의 측정. ***be out in*** (*of*) ***one's*** ~ 계산이 틀리다; 기대가 어긋나다. ***day of*** ~ (종종 the ~) ① 응보가 오는 날, 최후의 심판일. ② 계산〔결산, 청산〕일.

°**re·claim** [rikléim] vt. 1 교정(矯正)하다, 개심케 하다, 교화하다((***from*** (악행)에서)): ~ a person *from* a life of sin 아무를 죄악 생활에서 개심케 하다. 2 (황무지)를 개간〔개척〕하다; (늪지·간석지)를 메우다, 매립하다((***from*** …에서)): *~ed* land 매립지/~ land *from* the sea 바다를 매립하다. 3 (물건)을 재생 이용하다((***from*** (폐물)에서)): *~ed* rubber 재생 고무/~ iron *from* scrap 고철 부스러기에서 철을 재생 이용하다. 4 …의 반환을 요구하다, …을 돌려받다, 회수하다: ~ tax 세금의 환불을 요구하다.

rec·la·ma·tion [rèkləméiʃən] n. Ⓤ 1 교정; 교화. 2 (재)개발, 간척, 개간; 매립. 3 (폐물의) 재생 (이용). ◇ reclaim v.

°**re·cline** [rikláin] vt. 1 기대게 하다, 의지하다, (몸)을 눕히다((***against, on*** …에)): ~ one's head *on* a pillow 머리를 베개에 얹다. 2 (좌석)을 뒤로 젖히다. ── vi. 1 기대다(lean), 눕다((***on, against*** …에)): ~ *upon* 〔*on*〕 the grass 풀밭에 눕다/~ *against* a wall 벽에 기대다. 2 (좌석이) 뒤로 젖혀지다. ㊥ **re·clín·er** n. Ⓒ =RECLINING CHAIR; 기대는〔눕는〕 사람.

reclíning chàir (등받이와 발판이 조절되는) 안락의자.

re·cluse [réklu:s, riklú:s] n. Ⓒ 은둔자, 속세를 떠나서 사는 사람.

⁑**rec·og·ni·tion** [rèkəgníʃən] n. 1 Ⓤ **인지, 인식**((***that***)); **승인**, 허가: the ~ *of* a new government 새 정부 승인/ receive 〔meet with〕 much ~ (세상에) 크게 인정받다/There's (a) growing ~ *that* we should abolish capital punishment. 사형은 폐지해야 한다는 인식이 높아지고 있다. 2 Ⓤ (또는 a ~) (공로 따위의) 인정, 치하, 표창. 3 Ⓤ **알아봄**, 견식: escape ~ 사람 눈에 띄지 않다, 간파되지 않다.

beyond 〔***out of***〕 ~ (옛 모습을) 찾아볼〔알아볼〕 수 없을 만큼: The district had changed *beyond* 〔*out of*〕 ~. 그 구역은 알아볼 수 없을 만큼 변해 버렸다. ***in*** ~ ***of*** …을 인정하여, …의 공로에 의하여: This prize is *in* ~ *of* your efforts. 이 상은 너의 노력을 인정하여 주는 것이다.

°**rec·og·niz·a·ble** [rékəgnàizəbəl] a. 인식〔인지, 승인〕할 수 있는; 알아볼 수 있는: He isn't ~ from the photograph. 사진에서 그를 알아볼 수 없다. ㊥ **-bly** ad. 곧 알아볼 수 있을 정도로.

re·cog·ni·zance [rikágnəzəns/-kɔ́g-] n. Ⓒ 〖법률〗 서약(서); 보석금.

⁑**rec·og·nize** [rékəgnàiz] vt. 1 **알아보다, 보고 곧 알다**, (보고) 알아〔생각해〕내다: ~ an old friend 옛 친구를 알아보다/~ a moth by its coloring 색깔로 나방을 식별하다/I could scarcely ~ my old friend. 나는 옛 벗을 보고도 거의 못 알아볼 정도였다.

SYN. **recognize** 다른 것과 구별하여 인지하다. 또한 몇 개의 전제 조건과 합치되는 것을 인정하다: I *recognized* him from the description. 인상에 대한 설명을 들었으므로 그를 알아보았다. *recognize* a new government 신정부를 승인하다. **perceive** 감각적으로 지각하다, 또는 보이지 않는 것을 생각으로 알다: I *perceived* a note of despair in his voice. 그의 말소리에서 절망을 간취했다. **identify** 무엇〔사람〕이 바로 그것〔본인〕임을 인정하다: Can you *identify* your umbrella among a hundred others? 100개 가까운 우산 중에서 당신의 것을 식별할 수 있겠습니까.

2 (공로 따위)를 **평가하다**, 표창하다: The company *~d* the employee's particular services by raising his salary. 회사는 그 종업원의 특별한 근무를 평가하여 월급을 올려 주었다.

3 ((~+목/+목+*to be* 보/+*that* 절/+목+*as* 보)) (사실)을 인정하다; 인지하다; 승인하다(acknowledge): ~ defeat 패배를 인정하다/~ a person *to be* honest 아무가 정직하다는 것을 인정하다/He *~d that* he had been beaten. 그는 졌다는 것을 인정하였다/~ a country *as* an independent state 나라를 독립국으로 승인하다.

4 ((美)) (의회에서) …에게 발언권을 인정하다, 발언을 허락하다: The chairman *~d* him.

5 (알아보고) 인사하다: They no longer ~ us on the street. 그들은 길거리에서 마주쳐도 더이상 우리에게 인사도 하지 않는다.

°**re·coil** [rikɔ́il, rí:kɔ̀il] n. Ⓤ 1 (용수철 따위의) 되튐; (총포의) 반동, 뒤로 물러남. 2 뒷걸음질, 움찔함, 외축(畏縮), 싫음.

── [rikɔ́il] vi. 1 (용수철 따위가) 되튀다; (총포가 발사 후) 반동하다. 2 (놀라움·공포 따위로) 뒷걸음질치다, 주춤하다((***from*** …에서; ***at*** …을 보고)): She *~ed from* him in horror. 그녀는 겁에 질려 그에게서 물러났다/He *~ed at* the sight. 그는 그 광경을 보고 주춤하였다. 3 (나쁜 일이) 되돌아오다((***on, upon*** …에게)): Our acts ~ *upon* 〔*on*〕 ourselves. 자기 행위의 결과는 자신에게 되돌아온다.

re·cóil·less a. 반동이 없는〔적은〕: a ~ rifle 무반동총.

*__rec·ol·lect__ [rèkəlékt] vt. 1 ((~+목/+-*ing*/+목+-*ing*/+*that* 절/+*wh. to* do/+*wh.* 절)) **생각해내다, 회상하다**(recall): I ~ hav*ing* heard the melody. 나는 그 선율을 들은 적이 있다((★ to have heard처럼 부정사는 쓸 수 없음))/I ~ him 〔his〕 say*ing* so. 그가 그렇게 말한 것을 기억한다((★ 목적격 him을 쓰는 것은 구어))/I ~ *that* I have met her before. 전에 그 여자를 만난 적이 있다는 것이 생각난다/~ *how to* do it 그것을 어떻게 해야 할지 생각해 내다/~ *how* it was done 그것을 어떻게 했는지 생각해 내다. 2 〖흔히 ~ oneself〗 (특히 기도 등에) 전념하다, 종교적 명상에 잠기다((특히 기도 중에)): I couldn't ~ my*self* 〔my mind〕 in church. 나는 예배에 전념할 수 없었다. ── vi. 기억이 있다, 상기하다: As far as I (can) ~, she lives in Mokpo. 내가 기억하기로는, 그녀는 목포에 살고 있지. ≠re-collect. ◇ recollection n.

rè-colléct vt. 1 다시 모으다. 2 〖~ oneself〗 마음을 가라앉히다; 침착해지다. 3 (힘·용기)를 불러일으키다: ~ one's energies 분발하다.

*__rec·ol·lec·tion__ [rèkəlékʃən] n. 1 Ⓤ (또는 a ~) **회상**, 상기, 회고; 기억(력): be vivid in one's ~ 기억에 생생하다/He had a clear ~ *of* hav*ing* witnessed the event. 그는 그 사건을 목격한 것

을 확실히 기억하고 있었다 / be beyond 〔past〕 ~ 생각〔기억〕이 나지 않다 / be in 〔within〕 one's ~ 기억하고 있다 / to the best of my ~ 내가 생각해 낼 수 있는 한에서는. [SYN.] ⇨ MEMORY. **2** [C] (보통 *pl.*) **옛 생각**, 추억되는 일; 회상록: the ~s of one's childhood 어린 시절의 추억.

re·com·bi·nant [riːkámbənənt/-kɔ́m-] 〖유전〗 *a.* 재(再)조합형의. **—***n.* [C] (유전자의) 재조합형, 재조합을 나타내는 개체.

re·com·bi·na·tion [riːkàmbənéiʃən/-kɔ̀m-] *n.* [U] (유전자의) 재조합; 재결합.

⁑**rec·om·mend** [rèkəménd] *vt.* **1** 《~+[목]/+[목]+*as* [보]/+[목]+[전]+[명]/+[목]+[목]》 **추천〔천거〕하다** 《*for, to* …에》: He ~*ed* the young man *to* our firm 〔*for* the post〕. 그는 그 청년을 우리 회사에〔그 자리에〕 추천했다 / ~ him *as* a cook 그를 조리사로 추천하다 / Will you ~ me a good hotel? =Will you ~ a good hotel *to* me? 나에게 좋은 호텔을 소개해 주시겠습니까.
2 《+[목]+*to* do /+*-ing* /+[목]+[목]/+[목]+[전]+[명]/ +*that* [절]》 **권하다**, **권고하다**, 충고하다 《*for* …에》: I ~ you *to* say yes about it. 당신이 그것을 승낙하시는 것이 좋을 것입니다 / I ~ *going* by airplane. 비행기로 가는 것을 권합니다 / ~ a person a long rest =~ a long rest *for* a person 아무에게 장기 휴양을 권하다 / I ~ *that* the work (should) be done at once. 그 일을 즉시 하도록 권합니다 《★ should를 생략하는 것은 주로 《美》용법》.
3 《~+[목]/+[목]+[전]+[명]》 (행위 · 성질 따위가) 호감을 사게 하다, 마음에 들게 하다 《*to* (아무)의》: Her sweet smile ~*ed* her *to* the group. 그녀는 그 상냥한 미소로 친구들의 호감을 샀다 / a plan that has very little to ~ it 거의 매력 없는 계획.
4 《+[목]+[전]+[명]》 맡기다(commit), 위탁하다 《*to* …에》: No one would ~ himself *to* hazard. 아무도 자신을 운명에 맡기려고는 않을 것이다. ◇ recommendation *n.*
[파] **~·a·ble** *a.* 추천할 수 있는, 권할 만한.

⁑**rec·om·men·da·tion** [rèkəmendéiʃən] *n.* **1** [U] **추천**, 추장(推奬). **2** [C] 추천〔소개〕장(letter of ~). **3** [U] (구체적으로는 [C]) **권고**, **충고**, 건의 《*that*》: on the ~ of …의 추천에 의하여 / They made a ~ *that* the minister (should) resign. 그들은 장관의 사임을 권했다. **4** [C] 장점, 취할 점: His chief ~ is his honesty. 그의 주된 장점은 정직이다. ◇ recommend *v.*

rec·om·mend·a·to·ry [rèkəméndətɔ̀ːri/ -təri] *a.* 추천의; 장점이 되는; 권고적인.

rè·commít (*-tt-*) *vt.* **1** (죄)를 다시 범하다. **2** 다시 위탁하다; (의안)을 위원회에 다시 회부하다. [파] **~·ment, ~·tal** *n.* [U] (의안의) 재차 회부; 재범.

°**rec·om·pense** [rékəmpèns] *n.* [U] (또는 a ~) **1** 보수; 보답(reward) 《*for* (행위)에 대한》: work without ~ 무보수로 일하다. **2** 보상, 배상(compensation) 《*for* (손해)에 대한》: How much did you receive in ~ *for* the damage to your car? 당신 차의 파손에 대한 보상으로 얼마나 받았습니까.
—*vt.* **1** …에게 보답하다; 갚다〔대갚음하다〕 《*for* (행위)에 대하여; *with* …으로》: ~ a person *for* his trouble 수고에 대하여 아무에게 보답하다 / ~ good *with* evil 선을 악으로 갚다. **2** 보상〔배상〕하다 《*for* (손해 · 상해)에 대하여》: He was ~*d for* his losses. 그는 손실에 대하여 배상받았다. *in* 〔*as a*〕 ~ *for* …에 대한 보수로〔보상으로〕.

rec·on·cil·a·ble [rékənsàiləbəl, ⌐–⌐––] *a.* 화해할 수 있는, 조정의 가망이 있는; 조화〔일치〕시킬 수 있는. [파] **-bly** *ad.*

*__rec·on·cile__ [rékənsàil] *vt.* **1** 《~+[목]/+[목]+[전]+[명]》 **화해시키다**, 사화(私和)시키다 《*to, with* (아무)와》: They quarreled but were soon ~*d*. 그들은 싸움을 했으나 곧 화해했다 / ~ him *to* 〔*with*〕 her 그를 그녀와 화해시키다. **2** 《~+[목]/+[목]+[전]+[명]》 (싸움 · 논쟁 따위)를 조정하다; (두 가지 의견 · 행동)을 **조화시키다**, 일치시키다 《*with* …와》: ~ disputes 논쟁을 조정하다 / ~ one's work for living *with* one's study 생계를 위한 일과 공부를 양립시켜 나아가다 / ~ one's statements *with* one's conduct 언행을 일치시키다.
3 《+[목]+[전]+[명]/+[목]+*to* do》 〖보통 ~ oneself; 수동태로〗 **만족하다**, 스스로 단념〔만족〕하게 하다 《*to* …에》: He *was* ~*d to* his fate. 그는 자신의 운명을 감수하고 있었다 / She was bound to ~ her*self to* accept*ing* 〔*to* accept〕 the post. 그녀는 그 지위를 감수하지 않으면 안 되었다. ◇ reconciliation *n.*

*__rec·on·cil·i·a·tion__ [rèkənsìliéiʃən] *n.* [U] (또는 a ~) **1 조정**; 화해 《*with* …와의; *between* …사이의》: a ~ *with* the enemy 적과의 화해 / There will be a ~ *between* the two countries. 두 나라 사이에 조정이 가능할 것이다. **2** 조화, 일치: the ~ *of* religion and science 종교와 과학의 조화 / the ~ *of* opinions 의견의 일치. ◇ reconcile *v.*

rec·on·cil·i·a·to·ry [rèkənsíliətɔ̀ːri/-təri] *a.* 화해〔조정〕의; 조화〔일치〕의.

rec·on·dite [rékəndàit, rikándait/rikɔ́n-] *a.* (사상 · 지식 등이) 심원한, 알기 어려운, 난해한(profound). [파] **~·ly** *ad.* **~·ness** *n.*

rè·condítion *vt.* 수리하다; (사람 · 태도)를 고치다; (반응)을 회복시키다: ~*ed* furniture 수리한 가구.

rè·confírm *vt.* 재확인하다, 《특히》 …의 예약을 재확인하다: Don't forget to ~ your ticket. (예약)표의 재확인을 잊지 마시오. **—***vi.* 예약 따위의 재확인을 하다: Please ~ before you leave. 출발 전에 예약을 재확인하세요.

rè·confirmátion *n.* [U] (구체적으로는 [C]) 재확인.

re·con·nais·sance [rikánəzəns, -səns/ -kɔ́n-] *n.* [U] (구체적으로는 [C]) **1** 〖군사〗 정찰, 수색; 정찰대: a ~ plane 정찰기 / make a ~ of …을 정찰하다. **2** 답사, 지형 조사.

recónnaissance sàtellite (군사용) 정찰 위성.

re·con·noi·ter, 《英》 **-tre** [rìːkənɔ́itər, rèk-] *vt., vi.* (적을) 정찰하다; (토지를) 답사하다.

rè·consíder *vt.* 다시 생각하다, 재고하다; (의안 · 투표 등)을 재심의에 부치다. **—***vi.* 재고하다; 재심하다. [파] **rè·considerátion** *n.*

rè·cónstitute *vt., vi.* **1** 재구성〔재조직, 재편성, 재제정〕하다. **2** 물을 타다 《농축한 주스 등에》. [파] **rè·constitútion** *n.*

*__re·con·struct__ [rìːkənstrʌ́kt] *vt.* **1** (파괴 후에) **재건하다**(rebuild); 개조〔개축〕하다; 부흥하다: ~ a ruined castle 황폐한 성을 재건하다. **2** (유물 · 사건 따위)를 복원〔재현〕하다; 재구성하다. ◇ reconstruction *n.*

*__re·con·struc·tion__ [rìːkənstrʌ́kʃən] *n.* **1** [U]

재건, 개축; 개조; 부흥: economic ~ 경제 재건/the building under ~ 개축 중인 건물. **2** Ⓒ 재건[복원]된 것: a huge ~ *of* the skeleton of a mammoth 맘모스 골격의 거대한 복원 표본.

†**rec·ord**[1] [rékərd/-kɔːrd] *n.* **1** Ⓤ **기록**, 기입, 등록: a matter of ~ 기록에 올라 있는 사항/deserve [escape] ~ 기록할 만하다[에서 빠지다]. **2** Ⓒ 기록 (문서); 공판 기록; 의사록; 증거(품), 유물: make a ~ of …을 기록하다/~*s* of ancient civilization 고대 문명의 유물.
3 Ⓒ **이력**, 경력; 전과(前科): medical ~*s* 병력(病歷)/a family ~ 계보/Her ~ is against her. 그녀는 이력에서 불리하다/have a (criminal) ~ 전과가 있다.
4 Ⓒ (학교) **성적**; 경기 기록, 《특히》 최고 기록 《*for, in* (경기 따위)의》: an academic ~ 학업 성적/have a good [bad] ~ at school 학교 성적이 좋다[나쁘다]/set [establish] a new ~ *for* [*in*] … …의 신기록을 세우다.
5 Ⓒ **레코드**, 음반.
6 Ⓒ 〖컴퓨터〗 기록, 레코드《file의 구성 요소가 되는 정보의 단위》.
beat [***break, cut***] ***the*** ~ 기록을 깨다; 전례를 깨뜨리다. ***for the*** ~ 공식적인[으로], 기록을 위한[위해]; 분명히 해두지만: *For the* ~, I disapprove of this decision. 분명히 해두지만, 나는 이 결정에 찬성하지 않는다. ***get*** [***keep, put, set***] ***the*** ~ ***straight*** 기록을 정정하다, 오해를 바로잡다. ***go*** [***place*** one***self***, ***put*** one***self***] ***on*** ~ (기록에 남기기 위해) 공표하다, 언명하다: I'm willing to *go on* ~ against nuclear tests. 핵실험에 반대한다고 공식적으로 언명하는 바이다. ***in*** ~ 기록에 올라, 등록되어. ***off the*** ~ 비공식의[으로], 공표[인용]해서는 안 되는: The statesman made a few remarks *off the* ~. 그 정치가는 비공식적으로 몇 가지 의견을 언급했다. ***on*** ~ ① 기록적인; 미증유의: the heaviest rain *on* ~ 기록적인 폭우/the greatest earthquake *on* ~ 미증유의 대지진. ② 공표되어, 널리 알려져. ***put…on*** ~ 기록에 남기다; 공식으로 발언하다. ***the*** (***Public***) ***Record Office*** 《英》 공(公)기록 보존소.
—*a.* Ⓐ 기록적인: a ~ crop 공전의 대풍작.

***re·cord**[2] [rikɔ́ːrd] *vt.* **1** 《~+[목]/+*that* [절]/+*wh.* [절]/+*wh. to* do》 **기록하다**, 적어두다, 등기[등록]하다: ~ a speech 연설을 기록하다/~ history in books 역사를 책으로 하여 기록하다/The document ~*s that* Shakespeare was born on April 23, 1564. 그 문서에는 셰익스피어가 1564년 4월 23일에 태어났다고 기록되어 있다/*Where* he lived is not ~*ed*. 그가 어디 살았는지는 기록에 없다.
2 《+[목]/+[목]+[전]+[명]》 **녹음[녹화]하다** 《*from* …에서; *on, onto* …에》: The singer has ~*ed* many albums. 그 가수는 많은 앨범을 (녹음) 취입했다/~ (a speech) *on* a recorder 녹음기로 (연설을) 녹음하다/~ music *from* the radio *onto* tape 음악을 라디오에서 테이프에 녹음하다.
3 (계기 등이) 표시하다: The thermometer ~*ed* 15° below zero. 온도계가 영하 15°를 가리키고 있었다.
4 (기록에 남기기 위해) 공식적으로 발표하다.
—*vi.* 기록[녹음, 녹화]하다[되다].

récord brèaker 기록을 깨는 사람.

récord-brèaking *a.* 기록 돌파의, 공전의: a ~ crop 공전의 대풍작.

recórded delívery 《英》 간이 등기 (우편).

re·córd·er *n.* Ⓒ **1** 기록자, 등록자; 《英》 지방 법원 판사. **2** 기록 기계[장치]; 녹음기, 녹화기, 리코더; (전신의) 수신기. **3** 〖음악〗 (옛날의) 플루트의 일종.

récord hòlder (최고) 기록 보유자.

re·córd·ing *a.* 기록하는; 기록용의; 기록 담당의; 자동 기록 장치의: a ~ altimeter 자기 고도계/a ~ manometer 자기 기압계. —*n.* Ⓤ (구체적으로는 Ⓒ) 녹음, 녹화, 취입; Ⓒ 녹음[녹화]된 것《레코드 · 테이프 따위》.

recórding àngel 〖기독교〗 (사람의 선악을 기록하는) 기록 천사.

récord plàyer 레코드 플레이어; 전축.

°**re·count** [rikáunt] *vt.* 자세히 얘기하다; 차례대로 얘기하다; 하나하나 열거하다: He ~*ed* all his adventures in Africa. 그는 아프리카에서의 모험을 자세히 얘기했다.

re-cóunt *vt., vi.* 다시 세다. — [ˊˋ, -ˊ] *n.* Ⓒ 다시 세기, 재계표《투표 등의》.

re·coup [rikúːp] *vt.* **1** 벌충하다, 메우다《*from* …에서》; …에게 보상하다《*for* (손실금 따위)를》: ~ one's expenses *from* a company 경비를 회사에서 돌려받다/The government ~*ed* the farmers *for* the damage done to the crops. 정부는 농작물 피해를 입은 농민들에게 보상했다. **2** 〖법률〗 공제하다. ~ one***self*** 들인 비용[손실]을 되찾다.

°**re·course** [ríːkɔːrs, rikɔ́ːrs] *n.* **1** Ⓤ 의지, 의뢰《*to* …에의》: without ~ *to* outside help 외부의 원조에 의존하지 않고, 자력으로. **2** Ⓒ 의지가 되는 것, 믿는 사람. ***have*** ~ ***to*** …에 의지[호소]하다; (수단으로) …을 쓰다.

⁑**re·cov·er** [rikʌ́vər] *vt.* **1** (빼앗긴 것)을 **되찾다**; (잃은[놓친] 것)을 찾아내다, 발견하다; (매몰되거나 잊었던 것)을 캐내다: ~ a stolen watch 도둑맞은 시계를 되찾다/~ a comet 혜성을 발견하다.
2 (손실)을 만회하다, 벌충하다: ~ lost time 뒤짐을 만회하다.
3 (기력 · 의식 · 건강 등)을 회복하다; 〖~ oneself〗 제정신이 들다; 냉정해지다; 건강을 되찾다: ~ one's health [consciousness] 건강[의식]을 회복하다/~ one's feet [legs] (쓰러졌다가) 다시 일어서다.
4 (유용한 물질)을 재생하다《*from* (폐기물 따위)에서》.
—*vi.* **1** 《~/+[전]+[명]》 **원상태로 되다**, 복구되다 《*from* …에서》: ~ *from* the effects of the earthquake (도시 따위가) 지진의 피해에서 복구되다. **2** 《~/+[전]+[명]》 **회복하다**, 낫다《*from* …에서》: be ~*ing from* one's illness 병이 차도가 있다/The economy is beginning to ~ *from* the depression. 경제는 불황에서 회복하기 시작하고 있다. **3** 〖법률〗 소송에 이기다: ~ in a suit.

re-cóver *vt.* 다시 덮다; 다시 바르다; (의자 등의 천)을 갈아대다, 표지를 갈아붙이다.

re·cov·er·a·ble [rikʌ́vərəbəl] *a.* 되찾을[회복시킬] 수 있는.

***re·cov·ery** [rikʌ́vəri] *n.* **1** Ⓤ (또는 a ~) (경제 상태 따위의) **회복**, **복구**; 경기 회복: (an) economic ~. **2** Ⓤ (또는 a ~) **쾌유**; 회복《*from* (병 따위)에서의》: ~ *from* influenza/be past [beyond] ~ 회복할 가망이 없다/She made a quick ~ *from* her illness. 그녀는 병에서 빨리 회복했다. **3** Ⓤ 되찾음, 만회, 회수: the ~ *of* a lost article 분실물의 회수. 4 Ⓤ (구체적으로는 Ⓒ) 【법률】 재산〔권리〕 회복; 승소.

recóvery ròom (병원의) 회복실.

rec·re·ant [rékriənt] *a.* 《문어》 겁 많은, 비겁한(cowardly); 변절한. **—***n.* Ⓒ 겁쟁이, 비겁한 사람; 배신자.

°**rec·re·ate** [rékrièit] *vt., vi.* **1** 휴양시키다〔하다〕, 심신을 일신시키다〔하다〕. **2** 기분 전환을 시키다〔하다〕, 즐겁게 하다, 즐기다. ~ one***self with*** …을 하며 즐기다.

rè-creáte [rìː-] *vt.* 개조하다, 고쳐〔다시〕 만들다; 재현하다, 재창조하다.

⁑**rec·re·a·tion** [rèkriéiʃən] *n.* Ⓤ (구체적으로는 Ⓒ) **1 휴양**, 보양. **2** 기분 전환, 오락, 레크리에이션: One of my ~*s* is going for a walk. 나의 레크리에이션 중의 하나는 산책하는 것이다. ㊕ **~·al** *a.* 휴양의.

rè-creátion *n.* Ⓤ 개조; 재현(再現).

recreátional véhicle 레크리에이션용 차량 《camper, trailer 따위; 생략: RV》.

recreátion gròund 《英》 운동장, 유원지.

recreátion ròom 〔**hàll**〕 《美》 오락실, 유희실, 게임실(室)(rec room 〔hall〕).

re·crim·i·nate [rikrímənèit] *vi., vt.* 되비난하다, 반소(反訴)하다. ㊕ **re·crìm·i·ná·tion** *n.* **re·crím·i·nà·tive, -na·tò·ry** [-nèitiv/-nət-], [-nətɔ̀ːri/-təri] *a.*

réc ròom 〔**hàll**〕 [rék-] 《美구어》 ＝RECREATION ROOM 〔HALL〕.

re·cru·des·cence [rìːkruːdésns] *n.* Ⓤ (병 · 범죄 등의) 재발, 도짐; 재연. ㊕ **-dés·cent** [-désnt] *a.*

°**re·cruit** [rikrúːt] *vt.* **1** (신병 · 새 회원 따위)를 들이다, 모집하다, 채용하다《***from*** …에서; ***to, for*** …에》: ~ teachers *from* abroad 교사를 해외에서 모집하다 / ~ new member *to* a club 새 회원을 클럽에 들이다. **2** (군대 · 회사 · 단체)를 신인을 모집하여 보강하다《***from*** …에서》: The party was largely ~*ed from* the middle classes. 그 당은 중산층에서 대거 영입하여 보강되었다. **3** 《문어》 (체력 · 건강 따위)를 회복시키다: He ~*ed* himself. 그는 원기를 되찾았다. **—***vi.* 신병〔새 회원〕을 모집하다.

—*n.* Ⓒ **1** 보충병, 신병: a raw ~ 갓 입대한 신병. **2** 신당원; 신입생; 신회원《***to*** …에의》: seek new ~*s to* a club 클럽의 새 회원을 모집하다. ㊕ **~·er** *n.* Ⓒ 신병〔신회원, 신입사원〕 모집자.

re·crúit·ment *n.* Ⓤ 신병 징모; 신규 모집; 보충; 원기 회복: ~ advertising 모집 광고.

rec·ta [réktə] RECTUM의 복수.

rec·tal [réktl] *a.* 직장(直腸)(rectum)의.

*__rec·tan·gle__ [réktæ̀ŋgəl] *n.* Ⓒ 【수학】 **직사각형**. ◇rectangular *a.*

°**rec·tan·gu·lar** [rektǽŋgjələr] *a.* 직사각형의; 직각의.

rec·ti·fi·ca·tion [rèktəfikéiʃən] *n.* Ⓤ (구체적으로는 Ⓒ) **1** 개정, 교정(矯正); (기계 · 궤도 등의) 수정, 조정. **2** 【화학】 정류(精溜); 【전기】 정류(整流).

rec·ti·fi·er [réktəfàiər] *n.* Ⓒ **1** 개정〔수정〕자. **2** 【전기】 정류기(整流器); 【화학】 정류기(精溜器)〔관, 딥〕.

rec·ti·fy [réktəfài] *vt.* **1** 개정〔수정〕하다; (악습 등)을 교정하다, 고치다. **2** 【화학】 (술 · 알코올 등)을 정류(精溜)하다; 【전기】 정류(整流)하다; 【기계】 조정하다: a ~*ing* detector 【전기】 정류(整流) 검파기 / a ~*ing* tube 〔valve〕 【화학】 정류관(精溜管); 【전기】 정류관(整流管). ㊕ **réc·ti·fi·a·ble** [-əbəl] *a.*

rècti·línear, -líneal *a.* 직선의; 직선으로 둘러싸인〔구성된〕; 직진(直進)하는. ㊕ **-línearly** *ad.* **-lineárity** *n.*

rec·ti·tude [réktətjùːd] *n.* Ⓤ 정직, 실직(實直), 청렴: a person of great ~ 청렴결백한 사람.

rec·to [réktou] (*pl.* **~s**) *n.* Ⓒ (펼쳐 놓은 책의) 오른쪽 페이지; 종이의 겉면. ↔ *verso*.

°**rec·tor** [réktər] (*fem.* ***-tress*** [-tris]) *n.* Ⓒ **1** 【영국 국교회】 교구 목사; 《美》 (미국 성공회의) 교구 목사; 【가톨릭】 수도원장. ⓒⓕ vicar. **2** 교장, 학장, 총장; 【가톨릭】 신학교장.

rec·to·ry [réktəri] *n.* Ⓒ rector의 주택, 목사관(館); 《英》 rector의 영지〔수입〕.

rec·tum [réktəm] (*pl.* **~s, *-ta*** [-tə]) *n.* Ⓒ 【해부】 직장(直腸).

re·cum·bent [rikʌ́mbənt] *a.* (자세가) 기댄(reclining), 가로누운: a ~ figure (그림 · 조각의) 옆으로 드러누운 모습〔상(像)〕. ㊕ **-ben·cy** *n.* Ⓤ 기댐, 가로누움; 휴식(repose).

re·cu·per·ate [rikjúːpərèit] *vt.* (건강 따위)를 회복하다; (손실 따위)를 만회하다: ~ one's strength 체력을 회복하다. **—***vi.* 회복〔만회〕하다《***from*** (병 · 손실 따위)에서》: ~ *from* (an) illness 병에서 회복하다.

㊕ **re·cù·per·á·tion** *n.* Ⓤ 회복, 만회.

re·cu·per·a·tive [rikjúːpərèitiv, -rət-] *a.* 회복시키는; 회복력 있는: a ~ period (병의) 회복기.

°**re·cur** [rikə́ːr] (**-rr-**) *vi.* **1** 되돌아가다《***to*** (화제 등)으로》: ~ *to* the matter of cost 다시 비용의 건(件)으로 되돌아가다. **2** (생각 등이) 다시 떠오르다, 상기되다《***to*** …에》: His former mistake ~*red to* him 〔his mind〕. 이전의 실패가 그의 마음에 되살아났다. **3** (사건 · 문제 등이) 재발하다; 되풀이되다: If the condition ~*s*, you will have another operation. 이런 상태가 재발하면, 당신은 한 번 더 수술을 받게 될 것입니다. **4** 【수학】 순환하다(circulate).

°**re·cur·rence** [rikə́ːrəns, -kʌ́r-] *n.* Ⓤ (구체적으로는 Ⓒ) **1** 재기, 재현(repetition), 재발; 반복; 순환: the ~ *of* an illness 〔error〕 병〔잘못〕의 재발. **2** 상기, 회상, 추억.

re·cur·rent [rikə́ːrənt, -kʌ́r-] *a.* 재발〔재현〕하는; 정기적으로 되풀이되는, 순환하는: a ~ fever 【의학】 회귀열 / a ~ error 〔problem〕 되풀이 되는 잘못〔문제〕. ㊕ **~·ly** *ad.*

re·cur·ring [rikə́ːriŋ] *a.* 되풀이하여 발생하는; 【수학】 순환하는: ~ decimals 순환소수《★ 2.131313 … 따위의 경우인데, 쓸 때는 2.1$\dot{3}$으로 끊어서 쓰고 읽을 때는 2.13 recurring이라고 읽음》.

rè·cý·cla·ble *a.* 재생 이용 가능한. **—***n.* Ⓒ 재생 이용 가능한 것; Separate the ~*s*. 《게시》 재생 이용 가능한 것은 분리해 주시오.

re·cy·cle [riːsáikəl] *vt.* 재생 이용하다: ~*d* paper 재생지.

re·cý·cling *n.* **1** Ⓤ (폐기물의) 재생 이용: ~ of spent nuclear fuel 사용이 끝난 핵연료의 재이용. **2** 〘형용사적〙 재생 이용의〔을 취급하는〕: a ~ plant (유리 · 종이 등의) 재생 공장.

†**red** [red] (**-dd-**) *a.* **1 빨간**, 적색의; (얼굴 따위가) 불그스름한《***with*** (노여움 · 수치심 따위)로》: ~ *with* anger 골이 나 빨개진 / (as) ~ as a rose

장미처럼 붉은/The sun rises ~. 태양이 붉게 떠오른다. **2** 붉은 옷을 입은; 붉은 털의, 붉은 피부의: Her hands were ~ with cold. 그녀의 손은 추위로 새빨개졌다. **3** 피로 물든, 핏발이 선; 잔학한, 모진: with ~ hands 살인을 범하여/Her eyes were ~ from crying. 그녀의 눈은 울어서 빨갰다. **4** 《구어》 (종종 R-) 적화한, 공산주의(국)의(cf. pink¹); 좌익의: turn ~ 적화하다/the ~ purge 적색 분자 추방〔숙청〕/*Red* Troops 옛 소련군, 적군(赤軍). **(as) ~ as a beetroot** 얼굴이 새빨개져서. **paint the town ~** 《구어》 ⇨ PAINT.

—*n.* **1** Ⓤ (종류는 Ⓒ) 빨강, 적색: too much ~ in the painting. **2** Ⓤ (구체적으로는 Ⓒ) 빨간 천〔옷〕: be dressed in ~ 빨간 옷을 입다. **3** (종종 R-) Ⓒ 《구어》 공산주의자〔당원〕; 과격주의자; (the Reds) 적군(赤軍). **4** (the ~) 〖회계〗 적자(↔ *black*).

(be) in the ~ 적자를 내고 있다: That company was $1,000,000 *in the* ~. 저 회사는 1 백만 달러 적자를 냈다. **come 〔get〕 out of the ~** 적자에서 헤어나다. **go 〔get〕 into the ~** 적자를 내다, 결손을 보다. **see ~** 격노하다, 살기를 띠다: Suddenly he *saw* ~ and slapped her face. 갑자기 벌컥 화를 내면서 그는 그녀의 뺨을 때렸다.

-red [rəd] *suf.* 상태를 나타내는 명사를 만듦: hat*red*, kind*red*.

réd ádmiral 〖곤충〗 큰멋쟁이《나비》.

réd alért (공습의) 적색 경보; 갑호(甲號) 비상〔경계〕 태세; 긴급 비상 사태.

réd bíddy 《英구어》 싸구려 적포도주; 메틸알코올을 혼합한 술.

réd·bird *n.* Ⓒ 〖조류〗 피리새 무리의 새; 홍관조의 속명(cardinal bird)《되샛과》.

réd blóod cèll 〔còrpuscle〕 〖해부〗 적혈구.

réd-blóoded [-id] *a.* Ⓐ 기운찬, 발랄한, 용감한; 폭력물의《소설》. ⊕ **~·ness** *n.*

réd·brèast *n.* Ⓒ 〖조류〗 울새.

réd·brìck *a.* Ⓐ **1** 붉은 벽돌의〔로 지은〕. **2** (종종 R-) 《英》 (대학이) 근대에 와서 창립된.

—*n.* (종종 R-) Ⓒ 《英》 (Oxford, Cambridge 대학 이외의) 대학, 근대 창설 대학.

réd·càp *n.* Ⓒ **1** 《美》 (역의) 짐꾼, 포터(porter)《빨간 모자를 씀》. **2** 《英》 헌병.

réd cárd 〖축구〗 레드카드《심판이 선수에게 퇴장을 명할 때 보이는 카드》. cf. yellow card.

réd cárpet (귀빈 출입을 위한) 붉은 융단; (the ~) 극진한 예우〔환영〕. **roll out the ~ (for)** (…을) 정중〔성대〕하게 환영하다.

réd-cárpet *a.* Ⓐ (환영 따위가) 정중한; 열렬한: give a person a ~ reception 아무를 열렬히 환영하다.

réd céll =RED BLOOD CELL.

réd cént (a ~) 조금, 피천《부정문에 쓰임》: I do*n't* care a ~. 조금도 상관없다/be *not* worth a ~ 한 푼의 값어치도 없다.

réd clóver 〖식물〗 붉은토끼풀(cowgrass)《사료》.

réd·còat *n.* (종종 R-) Ⓒ (옛날의) 영국 군인《특히 미국 독립전쟁 당시의》.

réd córpuscle 〔corpúscule〕 적혈구(red blood cell).

Réd Créscent (the ~) 적신월사(赤新月社)《회교국의 적십자사에 해당하는 조직》.

Réd Króss **1** (the ~) 적십자사(=∠ **Society**); 적십자장(章); (the ~) 십자군(장(章)). **2** (종종 r- c-) 성(聖)조지 십자장(章)《영국의 국장》.

réd dèer 〖동물〗 고라니.

*__red·den__ [rédn] *vt.* **붉게 하다**, 얼굴을 붉히게 하다. **—***vi.* 얼굴이 붉어지다《**at** …을 보고; **with** (노여움·부끄러움)으로》: She ~*ed at* the sight (*with* anger). 그녀는 그 광경을 보고 (노여움으로) 얼굴이 붉어졌다.

red·dish [rédiʃ] *a.* 불그스레한, 불그레한 갈색을 띤. ⊕ **~·ness** *n.*

red·dle [rédl] *n.* Ⓤ 〖광물〗 대자석(代赭石), 자토(赭土).

réd dúster 《英구어》 =RED ENSIGN.

re·décorate *vt., vi.* 다시 꾸미다, 개장(改裝)하다. ⊕ **rè·decorátion** *n.*

◇**re·deem** [ridíːm] *vt.* **1** (채무 등)을 변제하다, 상환하다; (저당물)을 도로 찾다《**from** …에서》: ~ a dcbt 빚을 청산하다/~ a watch *from* a pawnshop 전당포에서 시계를 찾다. **2** (상품권 등)을 상품으로 교환하다; (주권·어음)을 현금화하다; (지폐)를 태환〔회수〕하다: ~ a coupon 상품권으로 상품을 사다. **3** (명예)를 (노력하여) 회복하다, 다시 찾다; 〖~ oneself〗 만회하다: ~ one's honor 〔rights〕 명예〔권리〕를 회복하다/He worked hard to ~ him*self* for his failure. 그는 실패를 만회하기 위해 열심히 일했다. **4** (노예·포로 등)을 속량(贖良)하다, 구출하다: ~ a slave 노예를 해방하다. **5** (신·그리스도가) 구속(救贖)하다, 속죄하다《**from** …에서》: ~ a person *from* sin 사람을 죄에서 구하다. **6** 벌충하다, 보상하다; 구하다《**from** (결점·과실 등)에서》: His bravery ~*ed* his youthful idleness. 그의 용감한 행동은 젊은 그에게 있을 수 있는 나태를 보상해 주었다/A charm of voice ~*s* her plainness. = A charm of voice ~*s* her *from* plainness. 목소리가 고와서 그녀의 얼굴이 못생겨 보이지 않는다. **7** (약속·의무 등)을 이행하다, 다하다: The government has not ~*ed* any of its election promises. 정부는 선거 공약을 하나도 이행하지 않았다.

re·déem·a·ble *a.* **1** 변제〔상환〕할 수 있는; 전당물을 되찾을 수 있는. **2** 환금할 수 있는, 상품으로 교환할 수 있는. **3** 구제할 수 있는; 속죄할 수 있는.

re·déem·er *n.* **1** Ⓒ 환매(還買)하는 사람; (저당물을) 찾는 사람; 속신(贖身)하는 사람; 구조자. **2** (the R-; our R-) 구세주, 그리스도.

re·déem·ing *a.* (결점·과실 등을) 벌충하는, 만회하는: a ~ feature 〔point〕 다른 결점을 커버〔벌충〕하는 장점.

◇**re·demp·tion** [ridémpʃən] *n.* Ⓤ **1** 되찾음, 되삼; 상환: ~ at maturity 만기 상환/~ by installment 분할 상환. **2** (약속·의무의) 이행. **3** 속전을 내고 죄인을 구제함; 구출; 〖신학〗 (예수에 의한) 구속(救贖)(salvation).

be due for ~ 상환 기한이 되다. **beyond 〔past, without〕 ~** 회복할 가망이 없는; 구제 불능의.

re·demp·tive [ridémptiv] *a.* **1** 되찾는, 되사는; 속전을 내어 몸을 구해 내는; 상환의. **2** 〖신학〗 구제의, 속죄의.

réd énsign (the ~) 영국 상선기(商船旗).

rè·deplóy *vt.* (부대 따위)를 이동(전개)시키다; (노동력 따위)를 배치 전환시키다. ⊕ **~·ment** *n.* Ⓤ 이동, 배치 전환.

rè·devélop *vt.* (지역)을 재개발하다; 〖사진〗 다시 현상하다. ⊕ **~·ment** *n.*

réd-èye *n.* **1** Ⓒ《美구어》 야간 비행편(=**ređ flíght**)《잠을 잘 수 없어 승객의 눈이 충혈된 데서》. **2** Ⓤ《美속어》 하급 위스키.
réd-fáced [-t] *a.* **1** 불그스름한 얼굴의. **2** (화 · 곤혹 따위로) 낯을 붉힌, 상기된.
réd flág 1 적기(赤旗)《혁명기 · 위험 신호》. **2** (the R– F–) 혁명가(歌)《영국 노동당 당가》.
réd fóx 〖동물〗 붉은여우. ⓒⓕ silver fox.
réd gíant 〖천문〗 적색 거성(巨星)《표면 온도가 낮고 붉은 색으로 빛나는 거대한 별》.
réd gróuse 〖조류〗 붉은뇌조(moorfowl)《영국 및 그 주변산(産)》.
réd-hánded [-id] *a.* Ⓟ 손이 피투성이가 된; 현행범의: be caught [taken] ~ 현행범으로 체포되다. ㊕ **~·ly** *ad.*
réd hát 추기경(cardinal)(의 모자[지위, 권위]).
réd·hèad *n.* Ⓒ《구어》 머리가 빨간 사람; 〖조류〗 (머리깃이 빨간) 흰죽지 무리의 새.
réd-hèaded [-id] *a.* 머리칼이 빨간; 〖조류〗 머리깃이 빨간.
réd héat 〖물리〗 적열(赤熱)(상태 · 온도); 격노, 흥분.
réd hérring 훈제한 청어; 《비유적》 사람의 주의를 딴 데로 돌리는 것. ***draw a ~ across*** a person*'s* [***the***] ***track*** [***trail, path***] 관계없는 질문으로 아무의 관심을 딴 데로 돌리다.
◇**réd-hót** *a.* **1** 적열(赤熱)의; 작열의. **2** 몹시 흥분한; 열광적인. **3** (뉴스 등이) 최신의.
Rè·diffúsion *n.* Ⓤ《英》 (유선 방식에 의한 라디오 · 텔레비전 프로의) 중계 시스템《상표명》.
Réd Índian 《경멸적》 북아메리카 원주민(redskin).
rè·diréct *vt.* 방향을 고치다[바꾸다]; 수신인 주소를 고쳐 쓰다(readdress).
rè·distríbute *vt.* 다시 분배[배급, 배포]하다, 재분배하다. ㊕ **rè·distribútion** *n.*
réd léad [-léd] 연단(鉛丹)《산화연(酸化鉛)으로 만든 안료》.
réd-létter *a.* 붉은 글씨의, 붉은 글씨로 씌어진; 기념할 만한. ***a ~ day*** 경축일《달력에 붉은 글씨로 표시된 데서; 기념일, 길일.
réd líght (정지 · 위험을 알리는) 붉은 신호(↔ *green light*): stop at [for] a ~ 붉은 신호로 (차를) 멈추다. ***see the ~*** 위험을 알아차리다.
réd-líght dìstrict 홍등가, 매춘 지구.
red·ly [rédli] *ad.* 빨갛게, 불타듯이.
réd màn = RED INDIAN.
réd mèat 빨간 고기《쇠고기 · 양고기 따위》.
réd·nèck *n.* Ⓒ《美구어; 경멸적》 (남부의 가난한) 백인 노동자.
re·dó (*-did; -done*) *vt.* 다시 하다; 고쳐 쓰다; 개장(改裝)하다.
réd ócher 대자석(代赭石)(terra rossa)《안료용》.
red·o·lent [rédələnt] *a.* **1** 향기로운: ~ odors 방향(芳香). **2** Ⓟ 냄새가 강한《***of*** …의》: a room ~ *of* roses 장미 향기로 가득찬 방. **3** Ⓟ 생각나게 하는, 암시하는(suggestive)《***of*** …을》: scenes ~ *of* the Middle Ages 중세(中世)를 연상케 하는 장면들. ㊕ **-lence, -len·cy** *n.* Ⓤ 방향(芳香), 향기. **~·ly** *ad.*
◇**re·dou·ble** [ri:dʌ́bəl] *vi., vt.* 배가(倍加)하다; 세게 하다; 늘(리)다: ~ one's efforts 노력을 배가하다.
re·doubt [ridáut] *n.* Ⓒ 〖축성(築城)〗 각면보(角面堡); 요새, 성채.
re·dóubt·a·ble *a.* **1** 가공할, 얕잡아 볼 수 없는: a ~ opponent [enemy] 얕잡아 볼 수 없는 상대[적]. **2** 외경(畏敬)을 일으키게 하는.
re·dound [ridáund] *vi.* **1** 높이다, 늘리다《***to*** (신용 · 이익 등)을》: This will ~ *to* your credit. 이 일은 너의 신용도를 높여 줄 것이다. **2** (행위 등의 결과가) 미치다, 돌아가다《***to*** …에》; (명예 · 불명예 등이) 되돌아오다《***on, upon*** …에게》: advantages *~ing to* society 사회에 미치는 여러 이익 / Your bad manners will ~ *on* your parents. 네가 버릇없이 굴면 그것이 부모님에게 그대로 되돌아가는 거야.
réd-péncil (*-l-,* 《특히 英》 *-ll-*) *vt.* …에 붉은 연필로 쓰다; …을 정정[가필]하다, 교정하다] (censor, correct).
réd pépper 〖식물〗 고추.
rè·dráft *vt.* 다시 고쳐 쓰다; 다시 기초하다.
réd rág (소 · 사람 따위를) 화나게[도발] 하는 것.
re·dress[1] [rí:dres, ridrés] *n.* Ⓤ 배상, 구제(책); (부정의) 교정(矯正). **—** [ridrés] *vt.* **1** (부정 · 불균형 따위)를 고치다, 시정하다; (폐해)를 제거하다. **2** (손해 따위)를 배상하다. **~ *the balance*** [***scales***] 평등하게 하다, 불균형을 시정하다; 공평하게 조처하다.
re·dréss[2] *vt.* (옷)을 다시 입히다; 붕대를 고쳐 감다; (머리 따위)를 다시 손질하다.
Réd Ríver (the ~) 레드강《미국 Oklahoma 주와 Texas 주의 경계를 흘러 Louisiana 주에서 Mississippi 강과 합류》.
Réd Séa (the ~) 홍해《아라비아 반도와 아프리카 대륙 사이에 위치》.
réd·skìn *n.* Ⓒ《경멸적》 북아메리카 인디언.
réd squírrel 〖동물〗 붉은다람쥐《북아메리카산(産)》.
réd·stàrt *n.* Ⓒ 〖조류〗 딱새.
réd tápe 관청식, 관료적 형식주의, 번문욕례: cut ~ 사무를 간소화하다.
réd tíde 적조(赤潮)(=**réd wáter**)《어패류에 피해를 입힘》.
⁑**re·duce** [ridjú:s] *vt.* **1** 《~+목/+목+전+명》 (양 · 액수 · 정도 따위)를 **줄이다**, 감소시키다《***from*** …에서; ***to*** …으로》; 축소하다(diminish): a map on a *~d* scale 축척 지도 / ~ one's expenditure 경비를 줄이다 / ~ one's weight 몸무게를 줄이다 / ~ prices *from* 150 dollars *to* 100 dollars 150 달러에서 값을 100 달러로 내리다.
2 《~+목/+목+전+명》 영락하게 하다, 격하시키다(lower)《***to*** …으로》: ~ a person *to* poverty 아무를 영락시키다.
3 《~+목/+목+전+명》 (지위 · 계급)을 **떨어뜨리다**, 몰아넣다; 〖주로 수동태로〗 부득이 …하게 하다《***to*** (어떤 상태)로》: He *was ~d to* the ranks. 그는 병졸로 강등되었다 / Fear *~d* him *to* silence. 공포가 그를 침묵하게 했다 / They *were ~d to* begg*ing* or starv*ing*. 구걸을 하거나 아니면 굶어 죽을 수밖에 없었다.
4 《~+목/+목+전+명》 말라빠지게 하다, 쇠약하게 하다; (강도 · 정도)를 완화시키다《***to*** …으로》; (그림물감 · 페인트)를 묽게 하다, 풀나(thin): He had *~d* himself *to* skin and bones. 그는 여위어 뼈와 가죽만 남아 있었다 / This medicine will ~ your pain quickly. 이 약을 드시면 통증이 곧 가라앉을 것입니다.
5 《+목+전+명》 **진압하다**, 항복시키다《***to*** (어떤 상태)로》: ~ the rebels *to* submission 폭도를

진압하다.
6 《+[목]+[전]+[명]》 (바수거나 하여) 변형시키다; 단순화하다《*to* …으로》: ~ marble *to* powder 대리석을 바수어 가루로 만들다/~ a statement *to* its simplest form 진술을 가장 간단한 형태로 고치다.
7 《+[목]+[전]+[명]》 (정리하여) 바꾸다, 옮기다《*to* …으로》: ~ a speech *to* writing 연설을 원고로 옮기다/~ a theory *to* practice 이론을 실행으로 옮기다.
8 《~+[목]/+[목]+[전]+[명]》 〖수학〗 환산하다《*to* …으로》; 맞줄임〔통분〕하다; (방정식)을 풀다: ~ an equation 방정식을 풀다/~ pounds *to* pence 파운드를 펜스로 환산하다.
9 《~+[목]/+[목]+[전]+[명]》 〖화학〗 환원하다(deoxidize), 분해하다《*to* …으로》; 〖야금〗 정련하다: ~ a compound *to* its elements 화합물을 원래의 원소로 분해하다.
10 〖의학〗 (탈구(脫臼) 따위)를 고치다; 정복(整復)하다: ~ a dislocation 탈구(脫臼)를 정복(整復)하다.
—*vi*. 1 줄다, 축소하다; 내려가다. 2 쇠하다, 약해지다; (식이 요법으로) 체중을 줄이다. ◇ reduction *n*.
[파] **re·dúc·i·ble** *a*. ~할 수 있는.

re·duc·tio ad ab·sur·dum [ridʌ́ktiòu-ǽd-æbsə́ːrdəm] 《L.》 〖논리·수학〗 귀류법(歸謬法) (reduction to absurdity).

re·duc·tion [ridʌ́kʃən] *n*. 1 [U] (구체적으로는 [C]) a 감소, 절감; 삭감; 할인《*of, in* …의》: a ~ of personnel 인원 삭감/price ~*s* =~*s in* prices 값을 내림/at a ~ of 10%, 10% 할인하여. b 축사(縮寫); 축도(縮圖). 2 [U] 환원, 변형; 정리, 분류: ~ of marble into powder 대리석의 분말화. 3 [U] 영락; 쇠미. 4 [U] 정복, 진압, 함락. 5 [U] 〖수학〗 약분; 환산. 6 [C] 〖화학〗 환원(법).

re·dun·dan·cy, -dance [ridʌ́ndənsi], [-dəns] *n*. 1 [U] 과잉, 여분; [C] 잉여물. 2 [U] (특히 말의) 쓸데없는 반복, 용장(冗長); [C] 쓸데없는 수다, 군더더기의 말. 3 《英》 [U] 인원 과잉; [C] (근로자의) 잉여 종업원, (인원 과잉으로 인한) 실업자.

redúndancy chèck 〖컴퓨터〗 중복 검사《부가된 중복 정보를 검사하여 정보의 정확성을 검사하기》.

redúndancy pày(ment) 《英》 (잉여 근로자 해고 시의) 퇴직 수당.

re·dun·dant [ridʌ́ndənt] *a*. 1 여분의, 과다한; (표현이) 용장(冗長)한; 중복되는: a ~ style 용만(冗漫)한 문체. 2 《주로 英》 (근로자가) 잉여 인원이 된, (일시) 해고되는. [파] ~·ly *ad*.

re·du·pli·cate [ridjúːplikèit] *vt*. 1 이중으로 하다, 배가하다; 되풀이하다(repeat). 2 〖문법〗 (문자·음절)을 중복시키다; 음절을 덧붙여 파생어·변화형)을 중복하여 만들다.

re·dù·pli·cá·tion *n*. [U] 1 이중, 배중, 배가; 반복. 2 〖문법〗 (어두·음절의) 중복.

réd wíne 붉은 포도주.

réd·wìng *n*. [C] 〖조류〗 개똥지빠귀의 일종.

réd·wòod *n*. [C] 〖식물〗 미국삼나무; [U] 〖일반적〗 적색 목재.

re·écho *vt*., *vi*. 반복해서 울리다; 울려 퍼지다.

***reed** [riːd] *n*. 1 [C] 〖식물〗 갈대; [U] 갈대밭; (*pl*.) (지붕의) 갈대 이엉. 2 [C] 〖음악〗 (악기의) 혀; (the ~s) (관현악단의) 리드 악기(부)《oboe, bassoon, clarinet 따위》. —*vt*. (지붕)을 갈대로 이다; 갈대로 장식하다.

réed ìnstrument 리드 악기.

réed òrgan 리드 오르간, 페달식 풍금.

réed pìpe (풍금 따위의) 리드관(管); 갈대피리, 목적(牧笛).

re·éducate *vt*. (반체제 사람들)을 재교육하다, 세뇌하다《*to* do》: ~ a person *to* keep up with the times 시세에 뒤지지 않도록 아무를 재교육하다. [파] **rè·educátion** *n*. [U] 재교육.

reedy [ríːdi] (*reed·i·er; -i·est*) *a*. 1 갈대가 많은〔우거진〕. 2 갈대 모양의, 호리호리한, 몹시 약한. 3 높고 날카로운, (목소리가) 피리 소리와 비슷한. [파] **réed·i·ness** [-inis] *n*.

◇**reef**[1] [riːf] *n*. [C] 암초, 사주(砂洲), 모래톱: a coral ~ 산호초. ***strike a*** ~ 좌초하다. [파] **réefy** *a*. ~가 많은.

reef[2] *n*. [C] 〖해사〗 축범부(縮帆部)《돛을 말아 올려 줄일 수 있는 부분》. ***take in a*** ~ 돛을 줄이다; 조심하여 나아가다, 자중하다. —*vt*. (돛)을 줄이다; (topmast, bowsprit 따위를) 짧게 하다; 《美》 (축범하듯이) 접치다.

réef·er[1] *n*. [C] 1 돛을 줄이는〔축범(縮帆)하는〕 사람. 2 두꺼운 더블 웃옷의 일종.

réef·er[2] *n*. [C] 《속어》 마리화나 궐련; 마리화나 궐련을 피우는 사람.

rée·fer[3] *n*. [C] 《美》 (대형) 냉장고, 냉동 트럭, 냉동선.

réef knòt 《英》 〖해사〗 옭매듭(square knot).

reek [riːk] *n*. [U] (또는 a ~) 악취(惡臭): a ~ of rotten onions 썩은 양파의 악취. —*vi*. 1 악취를 풍기다; 냄새가 나다《*of* …의》; 《비유적》 김새가 있다《*of* (불쾌한 것의)》: He ~*ed of* alcohol 〔garlic〕. 그에게서 술〔마늘〕 냄새가 난다/Their deal ~*s of* corruption. 그들의 거래에는 부정의 김새가 있다. 2 투성이가 된《*with, of* (땀·피)로》: hands still ~*ing of* 〔*with*〕 blood (살인 때문에) 아직 피투성이가 되어 있는 손. [파] ∠·y *a*. 냄새가 고약한.

reel**[1] [riːl] *n*. [C] 1 (철사·실 등을 감는) 릴, 얼레. 2 물레, 자새, 실패. 3 (낚싯대의) 감개, 릴; (기계의) 회전부. 4 (필름·테이프의) 1권; 한 두루마리의 양: a picture in three ~*s*, 3권짜리 영화/a ~ *of* sewing cotton 무명실 한 타래. (right*** 〔***straight***〕) ***off the*** ~ 《구어》 막힘 없이 《이야기하다》; 주저 없이, 즉시.
—*vt*. 1 《+[목]+[전]+[명]》 얼레에 감다; (실)을 감다: ~ silk *in* a frame 명주실을 얼레에 감다. 2 《+[목]+[부]》 (물고기·낚싯줄 따위를) 릴로 감아올리다〔끌어당기다〕(*in; up*): ~ a fish *in* 〔*up*〕 릴을 감아 물고기를 끌어올리다.
~ ***off*** 《*vt*.+[부]》 ① (물레로부터) 풀어내다; (실)을 자아내다《고치로부터》. ② 술술〔거침없이〕 이야기하다〔쓰다〕: He ~*ed off* his complaints in the letter. 그는 편지에서 거침없이 불평을 늘어놓았다.

◇**reel**[2] *vi*. 1 (강타·쇼크 등으로) 휘청거리다: The boxer ~*ed* and fell. 복서는 휘청거리더니 쓰러졌다. 2 (전투 대열 등이) 주춤하다, 물러서다, 동요하다: The troops ~*ed* and then ran. 군대는 동요하여 도망쳤다. 3 비틀거리다, 비틀거리며 걷다(*around*)《*along* …을 따라》: ~ *around* in a daze 눈이 부셔서 비틀거리다/He ~*ed* drunkenly *along* the street. 그는 취해서 길을 비틀거리며 걸었다. 4 (주변 사물이) 빙빙 도는 것 같다; 선회하다: The whole room ~*ed* before my eyes. 온 방안이 눈앞에서 빙빙 도는 것 같았다. 5 현기증 나다: My brain ~*ed* at the news.

그 소식을 들었을 때 머리가 어지러웠다.

reel[3] *n.* Ⓒ 스코틀랜드 고지 사람의 경쾌한 춤, 그 곡. **—***vi.* ~을 추다.

°**rè·eléct** *vt.* 재선〔개선〕하다.

°**rè·eléction** *n.* Ⓤ (구체적으로는 Ⓒ) 재선(再選), 개선(改選).

°**re·énter** *vt., vi.* **1** (방 · 장소 등에) 다시 들어가다. **2** 다시 가입〔등록〕하다; 재기입하다; 재입국〔재입장〕하다.

re·éntry *n.* Ⓤ (구체적으로는 Ⓒ) **1** 다시 넣기〔들어가기〕; 재입국; 재등장. **2** (로켓 · 우주선의 대기권에의) 재돌입(atmospheric ~).

reeve *n.* Ⓒ **1** 〖英역사〗 (읍 · 지방의) 장관, 원; 장원(莊園)의 관리인. **2** 《Can.》 (읍 · 면 의회의) 의장.

rè·exámine *vt.* 재시험〔재검사, 재심사〕하다; 〖법률〗 재심문하다. ㉻ **rè·examinátion** *n.*

ref [ref] *n.* 《구어》 =REFEREE.

ref. referee; reference; referred; refining; reformation; reformed.

re·fáce *vt.* (건물 등)에 새로 겉칠을 하다; (옷)에 새로 가선을 두르다.

re·fáshion *vt.* 고쳐 만들다, 개조하다, 개장하다; 모양〔배열〕을 바꾸다.

re·fec·to·ry [riféktəri] *n.* Ⓒ (특히 수도원 · 대학의) 식당; 휴게실.

reféctory tàble 직사각형의 긴 식탁《다리가 굵고 발을 걸치는 가로대가 있음》.

⁑**re·fer** [rifə́ːr] (*-rr-*) *vt.* **1** 《+[목]+[전]+[명]》 **보내다**, 조회하다《*to* (아무)에게; *for* …(정보 등)을 얻기 위해》; (아무)에게 참조시키다, 주목〔유의〕시키다《*to* …을, …에》: I was *~red to* the secretary *for* detailed information. 자세한 정보를 얻으려면 비서에게 문의하라는 것이었다 / The asterisk *~s* the reader *to* a note. 별표는 독자에게 주를 참조하라는 표시다.
2 《+[목]+[전]+[명]/+[목]+[부]》 (사건 · 문제 따위)를 **위탁하다**, 맡기다《*to* …에》; (의안)을 회부하다 (*back*)《*to* …에》: ~ a matter *to* a third party 사건을 제삼자에게 위임하다 / We ~ ourselves *to* your generosity. 관대한 처분을 바랄 뿐입니다 / ~ a bill *back to* a committee 법안을 위원회에 회부하다.
3 《+[목]+[전]+[명]》 **돌리다**, 탓으로 하다《*to* …에, …의》; 속하는 것으로 하다《*to* …에》: ~ the evils *to* the war 악폐를 전쟁의 탓으로 돌리다 / ~ the origin of sculpture *to* Egypt 조각의 기원을 이집트에 두다.
—*vi.* **1** 《+[전]+[명]/+[전]+[명]+*as* [보]》 **언급하다**, 가리키다, 말하다; 인용하다《*to* …을》; (…라고) 부르다: Who are you *~ring to?* 누구 이야기를 하는 거야 / 'Downtown' *~s to* the central business district of a city. '다운타운'은 도시의 상업 중심 지구를 가리킨다 / The author frequently *~s to* the Bible. 저자는 종종 성경을 인용한다 / Gasoline *is referred to as* petrol in Britain. 가솔린은 영국에서 피트롤이라고 부른다《★ 수동태 가능》.
2 《+[전]+[명]》 **참조하다**, 참고로 하다; 물어 확인하다, **조회하다**《*to* …을, …에; *for* …에 대하여》: Always ~ *to* a dictionary when you're doubtful. 의심스러울 배는 항상 사전을 찾아보시오 / *For* proof the author *~s to* the text. 증거로서 저자는 본문을 참조하고 있다 / We *~red to* his former employer *for* information about his character. 그 사람의 됨됨이에 관하여 이전의 고용주에게 조회했다.

3 《+[전]+[명]》 **a** 관련하다, 적용되다《*to* …에》: The regulations ~ only *to* minors. 그 규약은 미성년자에게만 적용된다. **b** 〖문법〗 (대명사가) 가리키다, 받다《*to* …을》: What noun does this 'it' ~ *to?* 이 it은 어떤 명사를 가리킵니까.
㉻ **~·a·ble** [réfərəbəl, rifə́ːrəbəl] *a.* 부탁할〔돌릴, 속하게 할, 관계를 갖게 할〕 수 있는.

ref·er·ee** [rèfəríː] *n.* Ⓒ **1 중재인**, 조정관; 신원 조회를 받는 사람, 신원 보증인. **2** (축구 · 권투 따위의) 주심, 심판원, 레퍼리; 논문 교열자(校閱者). **—vi.* 중재하다; 심판하다.

⁑**ref·er·ence** [réfərəns] *n.* **1** Ⓤ **문의, 참조**, 참고; 조회《*to* …에의》: for easy ~ 쉽게 참조할 수 있도록 / make ~ *to* a guidebook 안내서를 참고하다. **2** Ⓒ **신용 조회처**; 문의처, 신원 보증인. **3** Ⓒ (신원 등의) 증명서, 신용 조회장(狀); 추천서: a banker's ~ 은행의 신용 증명서 / He has a good ~ from his former employer. 그에게는 이전 고용주가 써 준 훌륭한 추천서가 있다. **4** Ⓒ 참고서; 참조 문헌; 참고문; 인용문; 참조 부호(~ mark)《*, †, ‡, ¶, §, ‖ 따위》. **5** Ⓤ (구체적으로는 Ⓒ) **언급**, 논급《*to* …에 대한》: make ~ *to* … 에 대해 언급하다 / There is no ~ *to* the matter in the newspaper. 그 건에 대하여 신문에 아무것도 나지 않았다. **6** Ⓤ **관련**, 관계《*to* …와의》; 〖문법〗 (대명사가) 가리킴, 받음, 지시: This has 〔bears〕 some 〔no〕 ~ *to* our problem. 이것은 우리 문제와 다소 관계가 있다〔아무 관계가 없다〕 / backward 〔forward〕 ~ 앞〔뒤〕의 어구를 받음. **7** Ⓤ 위탁, 회부《*to* …으로의》; 위탁의 조건〔범위〕: ~ of a bill *to* a committee 의안의 위원회 회부. **8** Ⓒ 〖상업〗 문의〔정리〕 번호.
in 〔***with***〕 **~ *to*** …에 관하여〔관련하여〕: Let me ask a few questions *in* 〔*with*〕 ~ *to* your statement. 당신의 진술에 관하여 몇 가지 질문을 하겠습니다. ***without ~ to*** …에 관계없이, 구애 없이: *without* ~ *to* age or sex 남녀노소 구별〔상관〕 없이.

réference bòok 참고 서적(book of 〔for〕 reference)《사서 · 백과사전 · 지도 따위》.

réference lìbrary 참고 도서관《도서관 밖으로 대출이 허용되지 않는》; (특정 테마의) 참고 문헌.

réference màrk 참조 부호(reference 4).

réference ròom (reference book을 비치한) 자료실.

ref·er·en·dum [rèfəréndəm] (*pl.* **~s, -da** [-də]) *n.* Ⓒ 국민〔일반〕 투표: by ~ 국민 투표로《★ 관사 없이》.

ref·er·ent [réfərənt] *n.* Ⓒ (기호의) 지시 대상(물); 〖논리학〗 관계항.

ref·er·en·tial [rèfərénʃəl] *a.* **1** 관한, 관련한《*to* …에》. **2** 참조의, 참고용의; 참조를 첨부한.

re·fer·ral [rifə́ːrəl] *n.* **1** Ⓤ (구체적으로는 Ⓒ) 참조; 조회; (…쪽으로) 보냄, 돌림; 위탁, 부탁. **2** Ⓒ 보내진〔소개받은〕 사람.

re·fill [riːfíl] *vt.* 다시 채우다, (재)충전하다; 보충하다《*with* …으로》. **—** [∠-] *n.* Ⓒ **1** 보충물, 다시 채운 것《*for* (본래의 것)을 이용하기 위해》; (가솔린 · 잉크 따위의) 보급: a ~ *for* a ballpoint pen 갈아 끼운 볼펜 심. **2** 《구어》 (음식물의) 두 그릇〔잔〕째: Would you like a ~? 한 잔 더 드시겠습니까.

***re·fine** [rifáin] *vt.* **1 정련하다**, 정제〔순화〕하다: ~ sugar 〔oil〕 설탕〔기름〕을 정제하다. **2 세**

련되게 하다, 품위 있게 하다, 풍치〔멋이〕 있게 하다; 다듬다: ~ one's language 말씨를 품위 있게 하다/~ one's style of writing 문체를 다듬다. —vi. 1 순수〔청정〕해지다. 2 세련되다, 품위 있게 되다, 다듬어지다: As he grew old, his taste ~d. 나이를 먹음에 따라 그의 취미는 세련되어 갔다. ~ **on** 〔**upon**〕 《vi.+[전]》 ① …을 개량〔개선〕하다: The technique of advertising is continually ~d on. 광고 기술이 끊임없이 개선되고 있다. ② …에 세밀한 구별을 짓다, 상세히 논하다. [파] **re·fín·er** n. [C] ~하는 사람〔기구, 기계〕.

***re·fined** [rifáind] a. 1 **정련한**, 정제한: ~ oil 정유(精油)/~ products 정제품. 2 **세련된**, 땟물을 벗은, 품위(가) 있는: ~ tastes 세련된 취미/a ~ gentleman 품위 있는 신사. 3 **정치(精緻)한**, 정밀한, 정확한: a more ~, new model 더욱 정교해진 신형 모델.

◇**re·fíne·ment** n. 1 [U] 정련, 정제, 순화. 2 [U] 세련, 고상, 우아, 품위 있음: a man of ~ 품위 있는 사람. 3 [C] 개선(부분), 개량(점): We're planning some further ~s for this invention. 이 발명품을 좀더 개량하려 하고 있습니다. 4 a [U] 정밀, 정교; 극치. b [C] 정성들여 꾸민 것, 정교를 극한 것; 미묘한 점; 치밀한 사고: a ~ of cruelty 용의주도한 잔학 행위.

re·fin·ery [rifáinəri] n. [C] 정련〔정제〕소; 정련장치〔기구〕: an oil ~ 정유 공장.

re·fít (-tt-) vt. 수리〔수선〕하다; (배 따위)를 재(再)장비하다, 개장(改裝)하다. —vi. (특히 배가) 수리를 받다; 재장비〔개장〕되다. — [ˊ-] n. [C] (특히 배의) 수리, 개장, 재장비: under ~ 수리중으로《★ 관사 없이》.

refl. reflection; reflective(ly); reflex(ive).

rè·flág vt. (배)의 국적을 바꾸다《분쟁 수역에서의 보호 확보가 목적》.

re·flate [rifléit] vt., vi. (수축된 통화를) 다시 팽창시키다; (정부가) 재팽창 정책을 쓰다. [cf.] deflate, inflate.

re·flá·tion n. [U] 『경제』 통화 재팽창, 리플레이션: ~ policy 경기 부양책. [파] **re·flá·tion·àry** [-èri/-əri] a.

‡**re·flect** [riflékt] vt. 1 (빛·열 따위)를 **반사하다**, (소리)를 반향하다: The pavement ~ed the heat 〔light〕. 포장도로가 열〔빛〕을 반사했다.
2 《~+[목]/+[목]+[전]+[명]》 비추다《in …에》《종종 수동태》: The looking glass ~ed her figure. 거울이 그녀의 모습을 비추었다/The trees are clearly ~ed in the lake. 나무들이 뚜렷이 호수에 비쳤다.
3 《~+[목]/+[목]+[전]+[명]/wh. [절]》 《비유적》 **반영하다**, 나타내다《in …에》: His deeds ~ his thoughts. 그의 행위는 그의 생각을 반영하고 있다/The demand is ~ed in the supply. 수요는 공급에 반영된다/Her face ~ed how shocked she was. 그녀가 얼마나 충격을 받았는지 얼굴에 드러나 있었다.
4 《+[목]+[전]+[명]》 (신용·불명예 따위)를 가져오게 하다, 초래하다《on, upon …에》: His success ~ed credit on his parents. 그가 성공함으로써 그의 부모의 신망이 올라갔다.
5 《+that [절]/+wh. [절]》 **반성하다**, 생각이 미치다; 숙고하다: He ~ed that it was difficult to solve the problem. 그는 그 문제를 해결하는 것은 어렵다고 생각했다/Just ~ how fast time flies. 시간이 얼마나 빨리 지나는지 생각해 보십시오.
—vi. 1 (열·빛이) **반사하다**; (소리가) 반향(反響)하다: light ~ing from the water 수면으로부터 반사되는 빛.
2 《~/+[전]+[명]》 **반성하다**, 곰곰이 생각하여 보다, 회고하다《on, upon …을》: I want time to ~. 깊이 생각할 시간이 필요하다/~ upon a problem 문제를 숙고하다. [SYN.] ⇨THINK, CONSIDER.
3 《+[전]+[명]》 〔well, badly 따위의 부사를 수반하여〕 (나쁜) 영향을 미치다《on, upon …에》: His crime ~ed badly on the whole community. 그의 범죄는 마을 전체의 명예를 손상시켰다.
~ **on** 〔**upon**〕 one**self** 반성하다.

refléctíng tèlescope 반사 망원경(reflector).

‡**re·flec·tion,** 《英》 **re·flex·ion** [riflékʃən] 《reflexion은 주로 과학 용어》 n. 1 [U] (빛·열의) **반사**; (소리의) 반향음: an angle of ~ 반사각. 2 [C] (거울에 비친) 영상, (물에 비친) 그림자: see one's ~ in a mirror 거울에 비친 모습을 보다. 3 [C] (상황·사정 등의) **반영**, 투영, 영향: His rudeness is a ~ of his dissatisfaction. 그의 무례함은 불만의 표시이다. 4 [C] 꼭 닮은 것, 꼭 닮은 동작〔언어, 사상〕: She is a ~ of her mother. 그녀는 어머니를 꼭 닮았다. 5 [U] **반성, 숙고**, 심사, 회상《on, upon …에 대한》: practice ~ on …을 잘 생각하다. 5 [C] (흔히 pl.) 감상, 의견, 생각: I have a few ~s on his conduct. 그의 행동에 대해 나도 두서너 가지 의견이 있다. 6 [C] 비난, 잔소리; 불명예(의 꼬투리)《on, upon …에 대한》: I intended no ~ on your character. 너를 나쁘게 말할 생각은 없었다/cast a ~ on … 을 비난하다, …의 불명예가 되다. **on** 〔**upon**〕 ~ 잘 생각해 보니; 숙고한 끝에. **without** (**due**) ~ 잘 생각하지도 않고, 경솔하게.

◇**re·flec·tive** [rifléktiv] a. 1 반사하는; 반영하는; 반사〔반영〕에 의한; (동작이) 반사적인: This comment is not ~ of the public mood. 이 의견에는 국민 감정이 반영되어 있지 않다. 2 숙고하는; 반성적인, 사려 깊은. [파] ~·**ly** ad. 반성하여, 반사적으로. ~·**ness** n.

re·flec·tor [rifléktər] n. [C] 1 반사물〔기(器), 경〕. 2 『물리』 (원자로 중의) 반사재(材)〔체〕《흑연·중수 따위》; 반사 망원경.

re·flex [ríːfleks] a. 1 반사(작용)의; 반사된: a ~ action 〔movement〕 반사작용〔운동〕. 2 (효과 등이) 되돌아오는, 반동적인, 재귀적(再歸的)인. 3 반성하는; 내향적인, 내성적인. —n. [C] 1 반사운동(=ˊ- **áct**); 반사작용(=ˊ- **áction**); (pl.) 반사 능력; 반사 신경. 2 (습관적인) 사고방식, 행동양식.

réflex ángle 『수학』 우각(優角)《180 도보다 큰 각》.

réflex cámera 『사진』 리플렉스 카메라: a single-〔twin-〕lens ~ 일안(一眼)〔이안(二眼)〕 리플렉스 카메라.

reflexion ⇨REFLECTION.

re·flex·ive [rifléksiv] a. 1 반사성의, 반사적인. 2 『문법』 재귀의: a ~ pronoun 재귀대명사《myself, himself, oneself 등》/a ~ verb 재귀동사. —n. [C] 재귀동사〔대명사〕. [파] ~·**ly** ad.

re·flex·ol·o·gy [rìːfleksálədʒi/-ɔ́l-] n. [U] 『생리』 반사학.

re·flóat vt. 1 다시 뜨게 하다, 떠오르게 하다. 2 (침몰선)을 끌어올리다, 이초(離礁)시키다. —vi. 떠오르다, 이초하다.

re·flux [rí:flʌks] *n.* [U] 역류; 썰물, 퇴조.
re·fórest *vt.* 《美》 (벌채·화재로 훼손된 곳에) 다시 식림(植林)하다, 재조림하다.
[파] **rè·forestátion** *n.* [U]
⁑**re·form** [rifɔ́:rm] *vt.* **1** (제도·사태 등)을 **개혁하다**, 개정〔개량〕하다: ~ an educational system 교육 제도를 개혁하다.
[SYN] **reform** 전체적으로 결함이 있기 때문에 전체(의 형태)를 개변하다, 전면적으로 개량하다: *reform* the administrative system 행정 조직을 쇄신하다. **correct** (전체와는 관계없이) 틀린 부분을 정정하다: *correct* errors. **amend** 전체를 좋게 하기 위해 틀린 부분을 정정하다, 개정하다: *amend* a bill 법안을 수정(修正)하다. **improve, better** (개개의 잘못에는 언급하지 않고) 더 좋게 하다, 개선하다: *improve* one's health 건강을 증진하다.
2 (혼란 따위)를 수습하다; (폐해 따위)를 시정하다, 고치다. **3** 교정(矯正)하다, 개심시키다; 〖~ oneself〗 개심하다: ~ a juvenile delinquent 비행 소년을 선도하다.
—*vi.* **1** 개혁〔개선, 개정〕되다. **2** 개심하다: Do you still smoke? —No, I have *~ed*. 아직도 담배를 피우십니까—아니오, 마음을 고쳐먹고 금연했지요. ◇ reformation *n.*
—*n.* [U] (구체적으로는 [C]) **1 개혁**, 개정, 개량: social ~ 사회 개혁 / the ~ *of* the tax system 세제 개혁. **2** 교정(矯正), 감화; (폐해 따위의) 수습, 구제.
re-fórm *vt.* **1** 다시〔고쳐〕 만들다. **2** 재편성〔개편〕하다. —*vi.* **1** 다시 만들어지다. **2** 재편성〔개편〕되다.
°**ref·or·ma·tion** [rèfərméiʃən] *n.* **1** [U] (구체적으로는 [C]) **a** 개혁, 개정, 개선. ↔ *deformation*. **b** 개심; 교정(矯正). **2** (the R–) 〖역사〗 (16세기의) 종교 개혁.
rè-formátion *n.* [U] 재구성, 재편성; 개조(改造).
re·form·a·tive [rifɔ́:rmətiv] *a.* 개선〔개혁〕의; 교정의, 감화의; 쇄신하는, 혁신적인.
re·form·a·to·ry [rifɔ́:rmətɔ̀:ri/-təri] *n.* [C] 《美》 소년원(《英》 community home)《비행 청소년 갱생 시설》. —*a.* 개혁〔개선, 교정〕을 위한; 교정〔갱생〕의.
re·fórmed *a.* **1** 개혁〔교정, 개선〕된. **2** 개심〔갱생〕한: a ~ alcoholic 갱생한 알코올 중독자 / a ~ character 완전히 개심한 사람.
°**re·fórm·er** *n.* 개혁가; (R–) (특히 16세기의) 종교 개혁의 지도자; (정치, 특히 의회 제도의) 개혁론자.
re·fórm·ist *n.* [C] 개혁〔혁신, 개량〕주의자.
refórm schòol 《주로 美》 감화원, 소년원(reformatory).
re·fract [rifrǽkt] *vt.* 〖물리〗 (광선)을 굴절시키다: Water *~s* light. 물은 빛을 굴절시킨다.
refrácting tèlescope 굴절 망원경(refractor).
re·frac·tion [rifrǽkʃən] *n.* [U] 〖광학〗 굴절(작용), 굴사(屈射): the index of ~ 〖물리〗 굴절률 / the angle of ~ 굴절각.
re·frac·tive [rifrǽktiv] *a.* 굴절하는; 굴절력이 있는; 굴질의. [파] **~·ly** *ad.* **~·ness** *n.*
re·frac·tor [rifrǽktər] *n.* [C] 굴절 매체(媒體); 굴절 망원경; 굴절 렌즈.
re·frac·to·ry [rifrǽktəri] *a.* **1** (사람·동물이) 말을 안 듣는, 다루기 어려운, 고집센. **2** (병이) 난치의, 고질의. **3** (금속이) 용해하기 어려운; 처리하기 힘든; (벽돌이) 내화성(耐火性)의, 내열성의. —*n.* [C] 내화 물질《내화 벽돌 따위》.
***re·frain**[1] [rifréin] *vi.* 《+[전]+[명]》 **그만두다, 삼가다**, 참다《*from* …을》: ~ *from* comment 〔criticism〕 코멘트를〔비평을〕 삼가다 / ~ *from* weeping 울음을 참다.
re·frain[2] *n.* [C] 후렴, (시가의) 반복(구), 첩구(疊句).
⁑**re·fresh** [rifréʃ] *vt.* **1 a** (심신)을 **상쾌하게 하다**, 기운나게 하다, 쉬게 하다: ~ the mind 마음을 유쾌하게 하다 / ~ the eye 눈을 쉬게 하다. **b** 《~+[목]/+[목]+[전]+[명]》 〖~ oneself〗 상쾌해지다, 원기를 되찾다《*with* (음식물·휴식 따위)로》: He *~ed* him*self with* a hot bath. 그는 더운 물에 목욕하고 나니 상쾌해졌다. **2** (기억)을 새로이 하다: ~ one's memory. [SYN] ⇨ RENEW. **3** 《~+[목]/+[목]+[전]+[명]》 …에 새로 공급하다《*with* …을》; (불 따위)를 다시 성하게 하다; (전지)를 충전하다: ~ a battery / ~ a ship *with* supply 배에 식량을 보급하다.
re·frésh·er *n.* [C] **1** 원기를 회복시켜 주는 사람〔것〕; 음식물; 《구어》 청량음료. **2** 〖英법률〗 추가 사례금, 가외 보수《소송을 오래 끌 때 변호사에게 지불하는》.
refrésher cóurse 재교육 과정《전문 지식을 보완·갱신하기 위한》.
°**re·frésh·ing** *a.* **1** 상쾌한, 후련한, 마음이 시원한, 기운나게 하는: a ~ breeze 시원한 산들바람 / a ~ beverage 〔drink〕 청량음료. **2** 참신한; 새롭고 재미있는: one of the most ~ novels this year 금년 간행된 것 중에 가장 참신하고 재미있는 소설의 하나. [파] **~·ly** *ad.*
⁑**re·fresh·ment** [rifréʃmənt] *n.* **1** [U] (또는 a ~) **원기 회복**, 기분을 상쾌하게 함: feel ~ of mind and body 심신이 상쾌해지다 / A hot bath is a great ~ after a day's work. 하루 일과가 끝나고 더운 물로 목욕하는 것은 정말 상쾌한 것이다. **2** [U] (또는 *pl.*) (가벼운) **음식물**, 다과: take some ~(s) 간단한 식사를 하다 / *Refreshments* (will be) provided. 경식〔다과〕 대접함《회합 등의 통지문에 첨부되는 문구》.
refréshment ròom (역(驛)·회관 등의) 식당.
re·frig·er·ant [rifrídʒərənt] *a.* 냉각〔냉동〕하는; 서늘하게〔차게〕 하는; (약이) 해열의. —*n.* [C] 청량제; 냉각〔냉동〕제; 〖약학〗 해열제.
re·frig·er·ate [rifrídʒərèit] *vt.* 냉각하다; 서늘하게〔차게〕 하다; 냉장〔냉동〕하다: a *~d* van 냉장차(車) / Keep *~d*. 냉장 요망《식품 보관의 주의 사항》.
re·frìg·er·á·tion *n.* [U] 냉장, 냉동; 냉각: Keep meat under ~. 고기는 냉장할 것.
⁑**re·frig·er·a·tor** [rifrídʒərèitər] *n.* [C] **냉장고**; 냉장〔냉각〕 장치.
refrígerator càr (철도의) 냉동〔냉장〕차.
re·fúel (*-l-*, 《英》 *-ll-*) *vt., vi.* (…에) 연료를 보급하다, 연료의 보급을 받다.
***ref·uge** [réfju:dʒ] *n.* **1** [U] **피난**, 대피; 보호《*from* (위험·재난)으로부터의》: seek ~ *from* a storm 폭풍으로부터 피난하다 / The fugitive sought ~ in the forest. 도망자는 숲 속으로 숨어 들어갔다 / There is ~ in God for the weary and the sick at heart. 피곤한 자와 마음이 병든 자에게는 신의 가호가 있다. **2** [C] **피난소**, 은신처; 대피막: a mountain ~ for climbers 등산자를 위한 산악 대피막. **3** [C] (가로(街路)의) 안전

지대(safety island). **4** Ⓒ 의지가 되는 사람〔물건〕, 위안물: the ~ of the distressed 괴로운 자의 벗. **5** Ⓒ (궁지를 벗어나기 위한) 수단, 방편, 도피구, 핑계: the last ~ 마지막 수단. ***a house of ~*** 빈민 수용소, 양육원. ***give ~ to*** …을 숨겨주다, …을 보호하다. ***take ~ in*** 〔***at***〕 ① …에 피난하다: *take ~ in* the country from the noise of the city 도시의 소음을 피해 시골에 살다. ② …에서 위안을 구하다: *take ~ in* alcohol 술로 위안을 삼다.

*__ref·u·gee__ [rèfjudʒíː, ⌐–⌐] *n.* Ⓒ **1 피난자**, 난민: ~ camps 난민 캠프. **2** 망명자, 도피자: a ~ government 망명 정권.

re·ful·gent [rifʌ́ldʒənt] *a.* 《문어》 빛나는, 찬란한. ㊕ **~·ly** *ad.* **-gence, -gen·cy** *n.* Ⓤ 광휘, 빛남, 광채(光彩).

◇**re·fund** [ríːfʌnd] *n.* Ⓒ 환불(금), 변상: demand a ~ on a damaged parcel 파손된 소포에 대한 변상을 요구하다.

— [rifʌ́nd, ríːfʌnd] *vt.* **1** (돈 따위)를 환불하다: ~ a deposit 예금을 내주다. **2** (돈)을 돌려주다, 반환하다, 변제하다《***to*** (아무)에게》: They *~ed* me one-third of the medical expenses. 그들은 나에게 의료비 3분의 1을 환불해 주었다.

— *vi.* 환불하다.

re·fúrbish *vt.* 다시 닦다〔윤내다〕, 다시 갈다; 일신〔쇄신〕하다: The house was completely *~ed* for the new tenants. 그 집은 새 임대인을 위해 완전히 새로 단장되었다. ㊕ **~·er** *n.* **~·ment** *n.*

‡**re·fus·al** [rifjúːzəl] *n.* **1** Ⓤ (구체적으로는 Ⓒ) **거절**, 거부, 사퇴《***to*** do》: give a person a flat ~ 아무에게 딱 잘라 거절하다 / meet with a blunt ~ 매정하게 거절당하다 / shake one's head in ~ 머리를 흔들어 거절하다 / They were offended by his ~ *to* attend the party. 그가 파티 참석을 거절하여 그들은 기분이 상했다. **2** ((the) first ~) 우선권, 취사 선택의 권리; 선매권(先買權): buy the ~ of ... (착수금을 주고) …의 우선권을 얻다 / give 〔have, get〕 *(the) first ~* on …의 선매권〔우선적 선택권〕을 주다〔얻다〕. ◇ refuse *v.*

‡**re·fuse**[1] [rifjúːz] *vt.* **1** 《~+목/+목+목/+목+전+명》 (부탁 · 요구 · 명령 등)을 **거절하다**, 거부하다《***to*** …에》; (여자가) …의 청혼을 거절하다: ~ recognition 승인을 거부하다, 승인하지 않다 / ~ orders 명령을 거부하다 / ~ a suitor 청혼자를 거절하다 / ~ permission 허가를 하지 않다 / The bank *~d* the company a loan. =The bank *~d* a loan *to* the company. 은행에서는 그 회사에 대한 융자를 거절했다.

SYN. **refuse** 요구 · 부탁 · 제의 따위를 거절하다: *refuse* an invitation 초대를 거절하다. **decline** 보다 정중한 사교적인 말. 상대방에게 예절을 잃지 않는 배려가 시사됨: *decline* an offer of a chairmanship 회장의 지위를 사퇴하다. **reject** 위의 두 말이 사람을 다소라도 의식하고 있는 데 비해, 계획 · 제안 따위를 각하할 때 씀.

2 (제의 등)을 받아들이지 않다, 사절〔사퇴〕하다: ~ a gift with thanks 선물을 정중히 거절하다 / ~ food 음식물을 받지 않다 / ~ a bribe 뇌물을 물리치다.

3 《+*to* do》 …하려 하지 않다, …하는 경향〔성질〕이 없다: The green wood *~s to* burn. 생나무는 잘 타지 않는다 / I ~ *to* discuss the question. 나는 이 문제를 논하고 싶지 않다 / The horse *~d* to jump the fence. 그 말은 장애물을 뛰어넘으려 하지 않았다.

— *vi.* **거절〔사절〕하다**: I asked her to come, but she *~d*. 오라고 부탁했는데도, 그녀는 오지 않았다.

ref·use[2] [réfjuːs, -fjuːz] *n.* Ⓤ 폐물, 나머지, 찌꺼기, 허섭스레기. — *a.* 폐물의, 폐물을 수집하는〔처리하는〕: a ~ consumer 쓰레기 소각기 / ~ disposal 쓰레기 처리.

re·fus·er [rifjúːzər] *n.* Ⓒ 거절하는 사람, 사퇴자; (장애물 따위를 뛰어넘지 않고) 멈춰 서는 말.

re·fut·a·ble [rifjúːtəbəl, réfjətə-] *a.* (설(說) · 의견 등을) 논파〔논박〕할 수 있는. ↔ *irrefutable*.

ref·u·ta·tion [rèfjutéiʃən] *n.* Ⓤ (구체적으로는 Ⓒ) 논박, 반박.

◇**re·fute** [rifjúːt] *vt.* **1** 논박〔반박〕하다: ~ a statement 진술을 논박하다. **2** (아무)의 잘못을 밝히다, (논파하여) (아무)를 꼼짝 못하게 하다. ㊕ **re·fút·er** *n.*

reg [reg] *n.* 《英구어》 =REGISTRATION NUMBER 〔MARK〕.

reg. regent; regiment; region; register(ed); registrar; registry; regular(ly).

*__re·gain__ [rigéin] *vt.* **1 되찾다**, 회복하다; 탈환하다: ~ one's freedom 〔health〕 자유를〔건강을〕 되찾다 / ~ consciousness 의식을 회복하다. **2** …에 귀착하다, 되돌아가다: ~ the shore 해변에 되돌아오다. **~ one's feet** 〔***footing, legs***〕 (넘어진 사람이) 일어나다〔서다〕.

◇**re·gal** [ríːgəl] *a.* 국왕의, 제왕의; 국왕다운; 장엄한, 당당한. cf. royal. ¶ the ~ government 〔office〕 왕정(王政)〔왕위〕 / the ~ power 왕권. ㊕ **~·ly** *ad.*

re·gale [rigéil] *vt.* **1** (아무)를 아주 기쁘게 해주다《***with*** …으로》: He *~d* us *with* strange stories. 그는 이상한 이야기로 우리를 즐겁게 해주었다. **2** 융숭하게 대접하다, 향응하다《***with, on*** …으로》: They *~d* us *with* champagne. 그들은 우리에게 샴페인을 대접했다. **3** 〖~ oneself〗 먹다, 마시다《***with, on*** …을》: ~ one*self with* a cigar 여송연을 느긋하게 피우다. ㊕ **~·ment** *n.* Ⓤ 향응; 성찬. **re·gál·er** *n.*

re·ga·lia [rigéiliə, -ljə] *n. pl.* **1** 왕위의 표상〔상징〕, 왕보(王寶)《왕관 · 홀(笏) · 보주(寶珠) 따위》. **2** 기장(記章)《관위(官位) · 협회 따위의》, 훈장. **3** (관직을 나타내는 정식) 의복, 화려한 예장(禮裝), 성장(盛裝).

‡**re·gard** [rigáːrd] *vt.* **1** 《~+목/+목+전+명》 **a 주목해서 보다**, 주시〔응시〕하다《***with*** (어떤 감정)을 가지고》: She *~ed* him *with* amusement. 그녀는 흥미 있게 그를 바라보았다 / ~ this seriously 이 일을 중대시하다. **b** 보다, 대하다《***with*** (애정 · 증오 따위의 감정)을 가지고》: I still ~ him *with* affection. 나는 지금도 그에게 호의를 갖고 있다.

2 중시하다, 존중〔존경〕하다; 주의하다: We all ~ him highly. 우리 모두는 그를 존경하고 있다.

SYN. **regard** 사람이나 물건의 가치를 인정하여 그것을 평가함을 말함. **respect**는 regard 보다도 뜻이 적극적이며, 그 가치를 인정하여 상대나 물건에 경의를 표함을 말함. **esteem** 사람이나 물건을 높이 평가하여 존중하는 뜻. **admire** 사람이나 물건의 훌륭한 점을 높이 평가하여 기리는 뜻.

3 〖보통 부정형으로〗 …을 고려〔참작〕하다, …에

주의하다: He *seldom* ~*s* my advice. 그는 나의 충고 따위는 아랑곳하지 않는다 / *Nobody* ~*ed* what she said. 아무도 그녀의 말에 주의하지 않았다.
4 《+目+*as* 補》 간주하다, 생각하다, 여기다: He ~*ed* it *as* a bother. 그는 그것을 귀찮은 것으로 여겼다 / I ~ the situation *as* serious. 나는 그 사태를 중대시한다.
5 (사물이) …에 **관계하다**: It does not ~ me. 그건 나와 관계없다.
as ~s …에 대해서 말하면, …에 관해서는, …의 점에서는: *As* ~*s* the proposal, I am totally opposed to it. 그 제안에 대해서는 전적으로 반대합니다.
—*n*. **1** Ⓤ 주목, 주의; 고려 《***to*** …에 대한》: More ~ must be paid *to* safety on the roads. 교통안전에는 더 주의를 해야 한다.
2 Ⓤ **마음씀**; 유의, 관심 《***to, for*** …에 대한》: He has very little ~ *for* the feelings of others. 그는 남의 기분에는 거의 무관심하다.
3 Ⓤ (또는 a ~) **존경**, 존중; 호의, 호감 《***for*** …에 대한》: I hold him in high 〔low〕 ~. 나는 그를 존경한다〔하지 않는다〕 / They had (a) high ~ *for* his ability. 그들은 그의 재능을 높이 샀다.
4 (*pl*.) (안부 전하라는) 전언, 인사: With best 〔kind〕 ~*s* 경구(敬具) 《편지 말미의 인사》 / Please give my kind(est) ~*s* to Mrs. Brown. — I certainly will. 브라운 부인께 안부 전해 주세요 — 잘 알겠습니다.
5 Ⓤ (고려해야 할) 점, 사항(事項)(point): in this 〔that〕 ~ 이〔그〕 점에서는.
have 〔***pay***〕 ***~ to*** …을 고려하다. ***in*** 〔***with***〕 ***~*** 〔***to***〕 …에 관하여, 대하여: Let me say a few words *in* ~ *to* this point. 이 점에 관하여 몇 마디 말씀드리게 해 주십시오. ***without ~ to*** …을 돌보지 않고, …에 상관없이: Death comes to all *without* ~ *to* age or sex. 죽음은 나이와 성별에 상관없이 모두에게 찾아온다.

re·gard·ful [rigɑ́ːrdfəl] *a*. **1** 개의하는, 주의하는 《***of*** …을》. **2** 경의를 표하는 《***for*** …에》.

◇**re·gárd·ing** *prep*. …에 관하여(는), …의 점에서는: *Regarding* your enquiry of June 17 …, 6월 17일자 귀하의 질문에 관하여는….

⁑**re·gard·less** [rigɑ́ːrdlis] *a*. **무관심한; 부주의한**; 괘념치 않는. **~ *of*** …을 개의〔괘념〕치 않고; …에 관계없이: ~ *of* age or sex 나이·성별에 관계없이 / She carried out her plan, ~ *of* expense. 그녀는 경비에 개의치 않고 자기 계획을 실행하였다.
—*ad*. 《구어》 비용〔반대, 곤란〕을 마다하지 않고 〔개의치 않고〕, 여하튼: We objected, but he went ~. 우리는 반대하였으나 그는 무시하고 갔다 / I must make the decision ~. 어쨌든 결정해야 한다.

◇**re·gat·ta** [rigǽtə] *n*. Ⓒ 레가타 《보트〔요트〕 경조(競漕)(회)》.

re·gen·cy [ríːdʒənsi] *n*. **1** Ⓤ 섭정 정치; 섭정의 지위〔자리〕. **2** Ⓒ 섭정 기간. **3** (the R-) 섭정 시대 《영국에서는 1811-20; 프랑스에서는 1715-23》. **—***a*. Ⓐ (R-) (영국·프랑스의) 섭정 시대풍의 《가구·복장》.

re·gen·er·ate [ridʒénərèit] *vt*. **1** (도덕적·정신적으로) 갱생시키다; 개심시키다; 새사람이 되게 하다. **2** 되살리다, 되찾다: ~ one's self-respect (잃어버린) 자존심을 되찾다 / I feel ~*d* after my holiday. 휴가 후에 생기를 얻었다. **3** (사회·제도 등)을 혁신〔쇄신〕하다. **4** 〖생물〗 (잃어버린 기관(器官))을 재생하다. **—***vi*. 재생하다; 갱생〔개심〕하다.
— [-rit] *a*. Ⓐ **1** 쇄신〔개량〕된. **2** (정신적으로) 갱생한; 개심한.

re·gèn·er·á·tion *n*. Ⓤ **1** 갱생; 개심; 〖종교〗 갱생, 영적 신생. **2** 쇄신, 개혁; 재건, 부흥, 부활. **3** 〖생물〗 재생.

re·gen·er·a·tive [ridʒénərèitiv, -rətiv] *a*. 재생〔갱생〕시키는; 개심시키는; 개조하는.

re·gent [ríːdʒənt] *n*. Ⓒ **1** (종종 R-) 섭정. **2** 《美》 (대학의) 평의원; 《美》 학생감. **—***a*. 〔명사 뒤에 써서〕 섭정의 지위에 있는: the Prince *Regent* 섭정 왕자(王子).

re·ges [ríːdʒiːz] REX의 복수.

reg·gae [régei, réi-] *n*. Ⓤ 레게 《자메이카에서 시작된 록풍의 음악》.

Reg·gie, -gy [rédʒi] *n*. 레지 《남자 이름; Reginald의 애칭》.

reg·i·cide [rédʒəsàid] *n*. **1** Ⓤ 국왕 시해, 대역(大逆)(죄). **2** Ⓒ 대역자; 국왕 시해자. ㊕ **règ·i·cíd·al** [-sáidl] *a*.

◇**re·gime, ré·gime** [reiʒíːm, ri-] *n*. Ⓒ **1** 정권; 정부; 사회 조직〔제도〕; 정체: a dictatorial 〔socialist〕 ~ 독재〔사회주의〕 체제 / the ancient 〔old〕 ~ 구체제 / a puppet ~ 괴뢰 정권. **2** = REGIMEN.

reg·i·men [rédʒəmən, -mèn] *n*. Ⓒ 〖의학〗 양생(養生)법, 식이요법, 섭생: follow a strict ~ 엄격한 식이요법을 지키다.

reg·i·ment** [rédʒəmənt] *n*. Ⓒ **1** 〖군사〗 **연대** 《생략: regt., R.》: the Colonel of a ~ 연대장. **2** (흔히 *pl*.) 다수, 큰 무리 《of*** …의》: ~*s of* tourists 많은 관광객.
— [rédʒəmènt] *vt*. **1** 연대로 편성〔편입〕하다. **2** **조직화하다**, (엄격히) **통제**〔관리〕**하다** 《종종 수동태》: ~ an entire country 나라 전체를 엄격히 통제하다 / I don't like *being* ~*ed*. 나는 통제받는 것이 싫다.

reg·i·men·tal [rèdʒəméntl] *a*. 연대의; 연대에 배속된; 통제적인: the ~ color 연대기. **—***n*. (*pl*.) 연대복, 군복.

reg·i·men·ta·tion [rèdʒəmentéiʃən, -mən-] *n*. Ⓤ **1** 연대 편성. **2** 편성, 조직화; (관리) 통제.

Re·gi·na [ridʒáinə] *n*. 《英》 **1** 〔여왕의 이름 뒤에 써서〕 여왕 《포고 등의 서명에 쓰임; 생략: R.; ㊀ rex》: Elizabeth ~ 여왕 엘리자베스 《생략: E.R.》. **2** 〖법률〗 현여왕 《★ 국가가 당사자가 되는 경우의 소송 사건에 칭호로서 쓰임; ㊀ people, versus》: ~ v. Jones 여왕 대(對) 존즈 (형사 사건).

Reg·i·nald [rédʒənəld] *n*. 레지널드 《남자 이름》.

⁑**re·gion** [ríːdʒən] *n*. Ⓒ **1** (흔히 *pl*.) (명확한 한계 없이 광대한) **지방, 지역**, 지구, 지대: a tropical ~ 열대 지방 / a fertile ~ 비옥한 지역 / a desert ~ 사막 지대 / (the) Arctic ~*s* 북극 지방 / forest ~*s* 삼림지대. **2** (흔히 *pl*.) (세계 또는 우주의) 부분, 역(域), 층, 계; (동식물 지리상의) 구(區); (대기·해수이) 층: the upper ~*s* of the air 대기의 상층부. **3** (학문 따위의) **영역**, 범위, 분야: the ~ of science 과학의 영역. **4** 행정구, 관구, 구(區); (스코틀랜드의) 주. **5** 〖해부〗 (신체의) 국부, 부위: the abdominal ~ 복부(腹部) / the lumbar ~ 허리 부분, 요부(腰部). **6** 〖컴퓨터〗 영역 《기억 장치의 구역》.

in the ~ of ① …의 부근에: I have a pain *in the ~ of* my stomach. 위장 근처가 아프다. ② 거의…, 약 …(about): The population of the city is *in the ~ of* 50,000. 그 시의 인구는 약 5만명이다.

*re·gion·al [ríːdʒənəl] *a.* [A] 지방의; 지역적인; 〖의학〗 국부의: a ~ accent 지역 방언 / ~ organizations 지방 조직. [파] ~·ly *ad.*

ré·gion·al·ism *n.* [U] **1** 지방(분권)주의. **2** 향토애; 지방적 관습〔특질〕. **3** 〖예술〗 지방주의.

reg·is·ter [rédʒəstər] *n.* **1 [C] **기록부**, (출생·선적 등의) 등록〔등기〕부(= ∠ **bòok**); 표, 목록; 기재〔등록〕 사항: a ~ of voters 선거인 명부 / a hotel ~ 호텔 숙박자 명부 / a visitors' ~ 내객 방명록.
2 [C] (공적인) 기록, 등록, 등기.
3 [C] (속도·금전 출납 따위의) 자동 기록기, 레지스터; 기록 표시기: a cash ~ 금전 등록기.
4 [C] 통풍〔온도 조절〕 장치.
5 [C] 〖음악〗 성역, 음역; (오르간의) 음전(音栓), 스톱(stop).
6 [U] (구체적으로는 [C]) 〖언어〗 위상(어), 사용역(域).
— *vt.* **1 a** 《~+[목]/+[목]+[전]+[명]》 **기록〔기입〕하다**; 등록〔등기〕하다《**with** …에; **as** …으로서》: ~ new students 신입생을 학적에 올리다 / ~ a gun *with* the police 총을 경찰에 등록하다 / This house is *~ed* in my name. 이 집은 내 이름으로 등기되어 있다 / I was not *~ed as* a voter. 나는 선거인으로 등록되어 있지 않았다. **b** 〚~ oneself〛 (선거인 따위의) 명부에 등록하다, (호텔에서) 숙박부에 기재하다.
2 (우편물)을 등기로 부치다: get 〔have〕 a letter *~ed* 편지를 등기로 하다.
3 《+[목]+[전]+[명]》 명심하다, 새겨두다《**in** …에》: His face was *~ed in* my memory. 그의 얼굴은 나의 마음속 깊이 새겨졌다.
4 (온도계 따위가) 가리키다; (기계가) 표시〔기록〕하다: The thermometer *~s* five degrees below zero. 온도계는 영하 5도를 가리키고 있다.
5 (표정·몸 따위로 감정)을 나타내다; (견해 등)을 정식으로 표명하다: Her face *~ed* surprise. 그녀 얼굴에는 놀란 기색이 보였다 / We ought to ~ our opposition. 우리는 반대 의사를 표명해야 한다.
— *vi.* **1** 《~/+[전]+[명]》 명부에 등록하다, 등록 절차를 밟다《**for** …의; **with** …에》; 숙박부에 기재하다《**at** (호텔)에서》: A person must ~ before he can vote. 선거인 명부에 등록을 마치지 않으면 투표할 수 없다 / ~ *for* a course 수강 신청 절차를 밟다 / ~ *with* an embassy 대사관에 등록하다 / ~ *at* a hotel 호텔에 묵다.
2 (기계 따위가) 자동적으로 기록〔표시〕하다.
3 《~/+[전]+[명]》〔보통 부정문에서〕《구어》 효과를 나타내다, (효과적인) 인상을 주다, 마음에 새겨지다《**with** …에게》: The name simply did *not* ~ (*with* me). 그 이름이 아무래도 기억되지 않았다.
◇ registration *n.*

rég·is·tered *a.* 등록한, 등기를 필한; 기명의; 등기로 한: a ~ design 〔trademark〕 등록 의장(意匠)〔상표《약호 ®》〕 / a ~ letter 등기 우편물 / a ~ reader 예약 독자.

régistered núrse 《美》 공인 간호사《생략: R.N.》.

régister òffice 등기소; 《美》 직업 소개소.

régister tòn 〖해사〗 등록 톤《배의 내부 용적의 단위; =100 입방 피트》.

reg·is·tra·ble [rédʒəstrəbəl] *a.* 등록〔등기〕할 수 있는; 등기로 부칠 수 있는.

reg·is·trant [rédʒəstrənt] *n.* [C] 등록자.

reg·is·trar [rédʒəstrɑ̀ːr, ∠–∠] *n.* [C] **1** 기록원, 등록〔호적〕계원; 등기 관리; (대학의) 사무 주임, 학적계. **2** 《美》 〖증권〗 (주식의) 등록 기관. **3** 《英》 (병원의) 수련의; 〖英법률〗 등록관.

◇**reg·is·tra·tion** [rèdʒəstréiʃən] *n.* **1** [U] 기입, 등기, 등록; 기명; (우편물의) 등기. **2** [C] 등록〔기재〕 사항; 〖집합적〗 등록자 수.

registrátion nùmber 〔**màrk**〕 (자동차) 등록 번호, 차량 번호.

reg·is·try [rédʒəstri] *n.* **1 a** [U] 기입, 등기, 등록. **b** [C] 등록〔등기〕부; (등록된) 선적(船籍), 선적 증명서: the port of ~ 선적항. **2** [C] 등기소, 등록소: marriage at a ~ (office) (식을 안 올리는) 신고 결혼.

régistry òffice 《英》 호적 등기소.

reg·nant [régnənt] *a.* 〚명사 뒤에 써서〛 통치하는, 군림하는: ⇨ QUEEN REGNANT.

re·gress [ríːgres] *n.* [U] **1** 복귀, 회귀(回歸); 역행. **2** 퇴보; 타락. — [rigrés] *vi.* **1** 되돌아가다; 역행하다; 퇴보하다; 복귀하다. **2** 〖천문〗 회귀〔역행〕하다. **3** 〖심리〗 퇴행하다.

re·gres·sion [rigréʃən] *n.* [U] **1** 복귀; 역행; 퇴보. **2** 〖생물〗 퇴화; 〖심리〗 퇴행; 〖천문〗 역행(운동).

re·gres·sive [rigrésiv] *a.* **1** 후퇴의, 역행하는; 퇴화〔퇴보〕하는; 회귀하는. **2** (세금이) 누감(累減)적인; 〖수학·통계〗 회귀하는.

re·gret [rigrét] *n.* **1 [U] (또는 a ~) **a 유감**; 후회, 회한《**for, at, about** …에 대한》: a keen 〔sharp〕 ~ *for* past deeds 과거의 행위에 대한 통한의 마음 / I have no *~s* 〔feel no ~〕 *about* what I've done. 내가 한 일을 후회하지 않는다 / The prime minister expressed ~ *at* the hardship being caused. 총리는 물의를 일으킨 것에 대하여 유감을 표명했다. **b** 애도, 비탄, 낙담《**at** (불행 등)에 대한》: a letter of ~ 조의문 / Allow us to express our deep ~ *at* your father's death. 부친의 서거에 심심한 애도를 표합니다.
2 (*pl.*) (초대장에 대한) 사절(장): send one's *~s* 사절장을 내다 / Please accept my *~s.* 사절하게 됨을 용서하여 주십시오 / *Regrets* Only. 참석하지 못하실 때만 연락 주십시오《초대장 끝에 쓰는 말》.
3 (*pl.*) 유감의 뜻〔마음〕, 후회의 말《**at, about** …에 대한》: I have no *~s at* 〔*about*〕 having married my present wife. 지금의 아내와 결혼한 일을 후회스럽게 생각지 않는다.
feel ~ for …을 후회하다. ***hear with ~ of*** 〔***that ...***〕 …을 듣고 유감으로 생각하다. (***much*** 〔***greatly***〕) ***to*** **one's** ***~*** (대단히) 유감이지만, (정말) 유감스럽게도: *Much to* my ~, the meeting had to be cancelled. 대단히 유감스럽게도, 그 모임은 취소하지 않으면 안 되었다.
— (***-tt-***) *vt.* **1** 《~+[목]/+*-ing*/+*that* [절]》 (지난 일·잘못 따위)를 **뉘우치다, 후회하다**: ~ one's follies 자신의 어리석은 행동을 후회하다 / I ~ not having worked harder. =I ~ *that* I did not work harder. 더 열심히 일하지 않은 것이 후회된다.
2 《~+[목]/+*to* do/+*that* [절]》 유감으로〔가엾게〕 생각하다, 슬퍼하다: ~ his death 그의 죽음을 애도하다 / I ~ *to* say that he did not pass the

examination. 그가 시험에 합격하지 못하다니 유감스럽다 / We ~ *that* you should have been caused inconvenience. 여러분께 불편을 겪게 해드린 것을 유감으로 생각합니다《예정 따위가 어긋났을 때 사과하는 말》.

3 아쉬워하다: ~ one's happy youth 즐거웠던 청춘을 아쉬워하다.

It is to be ~ted that... …라니 유감스러운〔딱한〕 일이다: *It is to be ~ted that* we were not consulted earlier about this. 이 건에 대해서 좀더 일찍 상담받지 못했다니 유감스러운 일입니다.

> [DIAL.] ***You'll regret it.*** (나중에) 후회할 걸《협박할 때》.

re·gret·ful [rigrétfəl] *a.* 유감으로 생각하는, 후회하는, 애석한, 유감〔애도〕의 뜻을 나타내는 《***for, about*** …에 대하여》: with a ~ look 서운한 표정으로 / We're all ~ *for* the outcome 〔*about* what has happened〕. 우리는 모두 그 결과〔일어난 일〕에 대해 후회하고 있다. [파] **~·ly** *ad.* **~·ness** *n.*

re·grét·ta·ble *a.* 유감스런, 안된; 슬퍼할 만한, 가엾은. [cf] regretful.¶a ~ error 유감스러운 과오 / It was most ~ that he said that. 그가 그런 말을 하다니 참으로 유감이다.

re·grét·ta·bly *ad.* **1** 유감스럽게, 애석할 만큼: a ~ inaccurate report 한심할 만큼 부정확한 보고. **2** 《문장 전체를 수식하여》 유감스럽게도, 안타깝게도: *Regrettably*, he failed the examination. 유감스럽게도, 그는 시험에 떨어졌다.

re·gróup *vt.* 다시 모으다; 〖군사〗 (패배나 공격 후에 군)을 재편성하다. **—** *vi.* 재조직하다, (부대를) 재편성하다.

Regt., regt. regent; regiment.

⁑**reg·u·lar** [régjələr] *a.* **1 규칙적인**, 질서 정연한, 계통이 선; 조직적인, 조화를 이룬, 균형잡힌: lead a ~ life 규칙적인 생활을 하다 / ~ teeth 고르게 난 이 / a ~ pulse 평맥(平脈).

2 a [A] **정례의**, 정기적인: a ~ meeting 정례모임 / a ~ holiday 정기 휴가. **b** [P] 규칙적으로 통변〔월경〕이 있는.

3 [A] **일정한**, 일상의, 불변의; 통례의, 언제나의: a ~ income 일정한 수입 / ~ customers 단골손님 / ~ employ 상시 고용.

4 (사이즈가) 보통의, 표준의; (커피에) 보통 양의 밀크와 설탕이 든: a coat of ~ size 표준 사이즈의 상의.

5 [A] **정규의**, 정식의; 면허 있는, 정시에 일하는, 본직의; 〖군사〗 상비의, 정규의; 《美》(정당 따위의) 공인의. [cf] normal.¶a ~ member 정회원 / a ~ marriage 정식 결혼 / a ~ army 정규〔상비〕군 / a ~ candidate (정당 공천의) 공인 후보.

6 [A] 《구어》 전적인, 완전한; 정말의, 진짜의: a ~ rascal 철저한 악당 / a ~ fool 진짜 바보.

7 《美구어》 기분좋은, 재미있는, 의지가 되는: a ~ fellow 〔guy〕 (붙임성 있는) 좋은 녀석.

8 〖문법〗 규칙 변화를 하는; 〖식물〗 (꽃이) 가지런한; (결정(結晶)이) 등축(等軸)인; 〖수학〗 등각등변(等角等邊)의; (입체의) 각 면의 크기와 모양이 같은: ~ verbs 규칙 동사 / a ~ triangle 정삼각형.

(as) ~ as clockwork 규칙 바른. ***keep ~ hours*** 규칙적인 생활을 하다.

— *n.* **1** [C] 정규〔상비〕병; 상시 고용인〔직공〕; 정규 선수; 《구어》 단골손님, 늘 드나드는 사람. **2** [C] 《美》 (의복 따위의) 표준 사이즈(기성복). **3** = REGULAR GASOLINE. **4** [C] 〖교회〗 수사(修士).

régular gásoline 《美》 레귤러 가솔린《옥탄가가 낮은 보통 가솔린》.

reg·u·lar·i·ty [règjəlǽrəti] *n.* [U] 규칙적임, 질서가 있음; 조화가 이루어져〔균형이 잡혀져〕 있음; 일정 불변. **2** 정규, 보통.

rég·u·lar·ìze [-ràiz] *vt.* 규칙 바르게〔질서 있게〕 하다, 조직화하다; 정리하다. [파] **règ·u·lar·i·zá·tion** *n.* [U]

***reg·u·lar·ly** [régjələrli] *ad.* **1 규칙 바르게**, 바르고 순서 있게; 정식으로; 균형 있게: as ~ as clockwork 대단히 규칙적으로. **2 정기적으로**, 일정하게: go to church ~ 빠지지 않고 교회에 다니다. **3** 《구어》 아주, 철저히: I was ~ cheated. 감쪽같이 속았다.

***reg·u·late** [régjəlèit] *vt.* **1** 규제하다; 통제〔단속〕하다; 규칙 바르게 하다: ~ air pollution 대기 오염을 규제하다 / ~ one's conduct 〔lifestyle〕 처신을〔생활 태도를〕 올바르게 하다. **2 조절하다**, 조정하다, 정리하다: ~ a clock 시계를 맞추다 / ~ the temperature of a room 방의 온도를 조절하다 / ~ the traffic 교통을 정리하다. ◇ regulation *n.* [파] **-la·tive** [-lèitiv, -lə-] *a.* 규정하는; 단속의; 정리하는.

⁑**reg·u·la·tion** [règjəléiʃən] *n.* **1** [C] **규칙, 규정**, 법규, 조례《***that***》: traffic ~*s* 교통 규칙 / There's a ~ *that* large trucks must not use this road. 대형 트럭은 이 도로를 이용해서는 안된다는 규칙이 있다. **2** [U] **조절**, 가감, 조정; 단속, 규제: ~ of prices 물가 조정.

— *a.* [A] **1** 규정대로의, 정규의; 정식의, 표준의: a ~ cap 〔uniform〕 정모〔정복〕 / a ~ game 〔speed〕 정식 시합〔규정 속력〕 / a ~ mourning 정식상(正式喪). **2** 《구어》 언제나 꼭 같은, 보통의, 평범한: a ~ pun 언제나 하는 신소리. ◇ regulate *v.*

reg·u·la·tor [régjəlèitər] *n.* [C] **1** 조정자; 단속자. **2** 〖기계〗 조정기, 조절기; (시계) 조절 장치.

reg·u·la·to·ry [régjələtɔ̀ːri/règjəléitəri] *a.* 규정하는; 단속하는; 조절〔조정〕하는.

Reg·u·lo [régjəlòu] *n.* 《英》 (가스레인지의) 온도 자동 조절 장치《상표명》.

re·gur·gi·tate [rigə́ːrdʒətèit] *vt.* **1** (세차게) 되내뿜다, 역류시키다. **2** (음식물)을 토하다. **3** (앵무새처럼 남의 말)을 되뇌다. **—** *vi.* 세차게 되내뿜다, 역류하다. [파] **re·gùr·gi·tá·tion** *n.*

re·hab [ríːhæ̀b] 《美》 *n.* = REHABILITATION. **—** *vt.* = REHABILITATE.

re·ha·bil·i·tate [rìːhəbílətèit] *vt.* **1** 원상태로 되돌리다, 수복하다, 복원하다: ~ an old house 낡은 집을 복원하다. **2** (지위 · 권리)를 복권〔복직, 복위〕시키다; (명예 따위)를 회복시키다: ~ oneself 명예를 회복하다 / ~ one's reputation 평판〔명성〕을 되찾다. **3** (장애자 · 범죄자)를 사회에 복귀시키다.

°**rè·ha·bìl·i·tá·tion** *n.* [U] **1** 사회 복귀, 리허빌리테이션; 명예〔신용〕 회복; 복위, 복직, 복권. **2** 부흥, 재건.

re·hash [riːhǽʃ] *vt.* 《경멸적》 (특히 문학적 소재)를 개작하다, 고쳐 말하다, 되굽다《***into*** …으로》. **—** [⌒] *n.* [C] (보통 *sing.*) (낡은 작품을) 고쳐 쓰기, 개작, 재탕.

re·héar (*p., pp.* ***-heard***) *vt.* **1** 다시 듣다. **2** 〖법률〗 재심리하다. [파] **~·ing** *n.* [C] 〖법률〗 재심리, 속심(續審).

°**re·hears·al** [rihə́ːrsəl] *n.* **1** [U] (구체적으로는

[C]) 연습, 대본(臺本)읽기, 시연(試演), (극·음악 따위의) 리허설; (의식 따위의) 예행연습: put a play into ~ 연극 연습을 하다/⇨DRESS REHEARSAL/a public ~ 공개 시연(試演). **2** [C] 암송, 복창; 열거; 상세히 이야기함: a ~ *of* one's grievances 불평을 늘어놓음. **3** [C] 설화, 이야기.

re·hearse [rihə́ːrs] *vt.* **1** (극 따위)를 리허설하다, 시연하다; 연습하여 익혀 두다; 예행연습을 하다: ~ an opera 오페라 리허설을 하다. **2** 열거하다; 자세히 이야기하다: ~ one's grievances 불평을 늘어놓다. **3** (마음 속으로) 복창〔암송〕하다, 되풀이해 말하다. **—***vi.* 리허설을 하다, (예행)연습을 하다; 되풀이해 말하다.

re·house [riːháuz] *vt.* (아무)에게 새 집을 주다, (아무)를 새 집에 살게 하다: The victims of the earthquake were immediately ~*d.* 지진 이재민에게 즉시 집이 주어졌다.

Reich [raik; *G.* raiç] *n.* 《G.》 (이전의) 독일 (제국)《the First ~ 제1제국, 신성 로마 제국(962-1806); the Second ~ 제2제국(1871-1918); the Third ~ 제3제국(1933-45)》.

re·i·fy [ríːəfài, réiə-] *vt.* (추상 관념 따위)를 구상화하다, 구체화시켜 생각하다. [파] **rè·i·fi·cá·tion** [-fikéiʃən] *n.* [U] 구상화(具象化).

***reign** [rein] *n.* **1** [C] **치세**, 성대: in 〔under〕 the ~ of King Alfred 앨프레드 왕의 치세에. **2** [U] **통치**, **지배**, 군림; 통치〔지배〕권, 세력, 권세: the ~ of law 법의 지배/under the ~ of Queen Victoria 빅토리아 여왕의 통치하에.

the Reign of Terror ① (R- of T-) 공포 시대《프랑스 혁명의 가장 포악했던 1793년 3월-1794년 7월의 기간》. ② (정치적·사회적) 폭력 공포 시대.

—*vi.* 《~/+[전]+[명]》 **1 군림하다**, **지배하다**《***over*** …에, …을》; 세력을 떨치다, 영향력을 행사하다: The King ~*s*, but he does not rule. 왕은 군림하나 통치하지는 않는다/~ *over* people 국민에 군림하다. [SYN.] ⇨GOVERN. **2** 널리 퍼지다, 크게 유행하다《***in*** …에》: Silence ~*ed in* the large hall. 큰 홀은 쥐죽은 듯했다.

réign·ing *a.* [A] 군림하는, 현재의, 지금의: the ~ beauty 당대의 미인/the ~ emperor 〔king〕 금상(今上) 폐하, 현(現) 국왕.

re·im·burse [rìːimbə́ːrs] *vt.* (빚 따위)를 갚다; 상환〔변제〕하다; 변상〔배상〕하다《***to*** (아무)에게; ***for*** (비용 등)을》: He ~*d* me the cost. = He ~*d* the cost *to* me. 그는 나에게 비용을 변상했다/I ~*d* him *for* the damage to his car. 나는 그의 차에 대한 손해 배상을 했다. [파] **~·ment** *n.* [U] (구체적으로는 [C]) 변제, 상환.

***rein** [rein] *n.* [C] **1** (흔히 *pl.*) **고삐**: Pull (on) the ~*s*. 고삐를 당겨라/with a loose ~ 고삐를 늦추어서, 관대히. **2** (*pl.*) 통제, 제어, 억제: impose ~*s* on …을 제어〔억제〕하다/assume 〔hold, take over〕 the ~*s* of government 정권을 장악〔유지, 탈취〕하다.

draw ~ =***draw in the ~s*** 고삐를 잡아당기다, 속력을 늦추다, 말을 멈추게 하다. ***gather up one's ~s*** 고삐를 죄다. ***give free ~ to*** …에게 자유를 주다, 저 좋을 대로 하게 하다: He *gave free ~ to* his imagination. 그는 자유로이 상상력을 펼쳤다. ***keep a tight ~ on*** …을 엄격히 제어〔통제〕하다: The accountant *kept a tight ~ on* our expenses. 회계 담당자는 우리의 지출을 엄격히 통제했다. ***shorten the ~s*** 고삐를 당기다. ***throw*** (***up***) ***the ~s to …*** (말)의 고삐를 놓다, …의 자유에 맡기다.

—*vt.* **1** (말 따위)를 고삐로 어거〔제어〕하다; 멈추게 하다: ~ a horse well 말을 잘 다루다. **2** 《비유적》 제어〔통어〕하다, (노염 등)을 억제하다: *Rein* your tongue. 말을 삼가라/~ one's temper 감정을 억제하다.

~ ***back*** 〔《美》 ***up***〕 《*vt.*+[부]》 (고삐를 당겨 말)을 멈춰 세우다. ~ ***in*** 《*vt.*+[부]》 ① (고삐를 당겨 말)의 보조를 늦추다. ② …을 억제〔제어〕하다: ~ *in* inflation 인플레이션을 억제하다/~ *in* one's impatience 초조감을 억누르다.

re·in·car·nate [rìːinkáːrneit] *vt.* **1** …에 다시 육체를 부여하다. **2** 〖보통 수동태〗 화신(化身)시키다, 환생시키다《***as*** …로서》: She *was ~d as* a snake. 그녀는 뱀으로 환생했다.

— [rìːinkáːrnit] *a.* 화신을 한; 딴 몸으로 태어난, 환생한.

rè·incarnátion *n.* **1** [U] 다시 육체를 부여함; 영혼 재래설(再來說). **2** [C] 화신(化身), 재생, 환생.

°**rein·deer** [réindìər] (*pl.* **~s,** 〖집합적〗 ~) *n.* [C] 〖동물〗 순록(馴鹿)《북극 지방산; 썰매를 끄는 데 쓰임》.

re·in·force** [rìːinfɔ́ːrs] *vt.* **1** 《~+[목]/+[목]+[전]+[명]》 **보강하다**《with*** (보강재·버팀목 따위)로》: ~ a wall *with* mud 진흙으로 벽을 보강하다. **2** 《+[목]+[전]+[명]》 〖일반적〗 강화하다, 증강하다, 한층 강력하게〔효과적으로〕 하다(strengthen)《***with*** …으로》: ~ one's argument *with* facts 사실을 들어 주장을 강화하다/the enemy ~*d with* three other ships 세 척의 배를 추가 지원받아 증강한 적군. **3** (지시에 따른 실험 동물)에게 상을 주다; 〖심리〗 (자극에 대한 반응)을 강화하다.

reinfórced cóncrete 철근 콘크리트.

rè·in·fórce·ment *n.* **1** [U] 보강, 강화, 증원. **2** (*pl.*) 증원 부대〔함대〕, 원병. **3** [C] 보강(재), 보급(품). **4** [U] (구체적으로는 [C]) 〖심리〗 상을 주는 학습, 강화.

rè·instáte *vt.* **1** 본래대로 하다; 회복하다: ~ a consumption tax 소비세를 부활하다/~ law and order 법과 질서를 회복하다. **2** 복귀시키다, 복위〔복직, 복권〕시키다《***in*** (원래의 직위)로; ***as*** …으로서》: I was ~*d in* my former office. 나는 이전의 직무로 복귀되었다/She was ~*d as* President. 그녀는 사장으로 복직되었다.
[파] **~·ment** *n.*

rè·insúre *vt.* …을 위해 재보험을 들다. [파] **-súrance** *n.* [U] 재보험(액). **-súrer** *n.* [C] 재보험자.

re·íssue *vt.* (증권·서적·통화 따위)를 재발행하다《***as*** …으로서》; …에게 재발행〔재지급〕하다: The book has been ~*d as* a paperback. 그 책은 문고본으로 재발행되었다. **—***n.* [C] 재발행(물)《도서·통화》; 신간(新刊).

re·it·er·ate [riːítərèit] *vt.* (명령·탄원 등)을 되풀이하다, 반복하다: ~ the command 명령을 복창하다. [파] **re·it·er·á·tion** *n.* [U] (구체적으로는 [C]) 반복; 되풀이.

***re·ject** [ridʒékt] *vt.* **1 a** (요구·제의 등)을 **거절하다**, 사절하다, 각하하다. [SYN.] ⇨REFUSE. ¶ ~ an offer 〔a demand〕 제안을〔요구를〕 거절하다. **b** (불량품으로서) 버리다; 퇴짜놓다, 무시하다: ~ fruit that is overripe 너무 익은 과일을 버리다. **2** (지원자 등)을 불합격시키다; (구혼자)의 청혼을 물리치다; …을 따돌리다: ~ applicants 〔candidates〕 지원자〔응모자〕를 불합격시키다. **3** (위가 음식)을 받아들이지 않다, 게우다; 〖생리〗 (이

식된 장기(臟器)·피부 따위)에 거부 반응을 나타내다: The transplanted heart was ~*ed*. 이식된 심장이 거부 반응을 보였다. **—** [rí:dʒekt] *n*. Ⓒ 거부된 물건〔사람〕, 불합격품〔자〕, 파치.
㊕ **re·jec·tive** [ridʒéktiv] *a*.

◇**re·jec·tion** [ridʒékʃən] *n*. **1** Ⓤ (구체적으로는 Ⓒ) 거절, 기각; 부결, 불인가; 배제, 폐기; 〖생리〗 거부 반응. **2** Ⓒ 폐기〔배설〕물. ◇reject *v*.

re·jec·tor, re·ject·er [ridʒéktər] *n*. Ⓒ 거절하는 사람, 거부자.

re·jíg (-*gg*-) *vt*. **1** (공장)에 새로운 시설을 갖추다; 재조정〔재정비〕하다. **2** 《구어》 개조〔수정〕하다.

re·joice** [ridʒɔ́is] *vi*. **1** 《~/+전+명/+*to* do/+*that* 절》 **기뻐하다**, 좋아하다, 축하하다《at, in, over*** …을》: ~ *at* the news 그 소식에 기뻐하다/She ~*d in* her daughter's happiness. 그녀는 딸의 행복을 기뻐했다/They all ~*d over* the victory. 그들은 모두 승리를 축하했다/She ~*d to* hear of his success. =She ~*d* (*to* hear) *that* he (had) succeeded. 그의 성공을 듣고 그녀는 기뻐했다. **2** 《+전+명》 누리고 있다, 부여받고 있다《***in*** …을》: ~ *in* good health 건강을 누리다. **—***vt*. **기쁘게 하다**, 즐겁게 하다: a song to ~ the heart 마음을 즐겁게 하는 노래/I am ~*d* to see you. 만나뵈어 기쁘게 생각합니다.
~ *in the name of* 《우스개》 …이라는 이름〔칭호〕를 갖고 있다, …라고 불리다: The general ~*d in the name of* Coward. 그 장군은 카워드(겁쟁이)란 이상한 이름으로 불렸다. ㊕ **~·er** *n*.

re·jóic·ing *n*. **1** Ⓤ 기쁨, 환희. **2** (*pl*.) 환호, 환락, 축하: public ~*s* 축제. ㊕ **~·ly** *ad*. 기쁘게, 환호하여, 축하하여.

◇**re·join**[1] [ri:dʒɔ́in] *vt*. **1** (분리된 것)을 재결합시키다. **2** …을 다시 함께 되게 하다, 재회시키다; …에 복귀하다: They ~*ed* their ship. 그들은 소속된 배로 돌아갔다.

re·join[2] [ridʒɔ́in] *vt*., *vi*. 대답하다, 대꾸하다; 응답〔답변〕하다《***that***》. SYN. ⇨ANSWER.

re·join·der [ridʒɔ́indər] *n*. Ⓒ 대답, 답변, 응답, 대꾸.

re·ju·ve·nate [ridʒú:vənèit] *vt*. 도로 젊어지게 하다, 활기 띠게 하다, 원기를 회복시키다《★ 종종 수동태》: He *was* ~*d* by his trip. 그는 여행으로 원기를 회복했다. ㊕ **re·jù·ve·ná·tion** *n*. Ⓤ (또는 a ~) 되젊어짐, 회춘, 원기 회복.

re·kíndle *vt*., *vi*. 다시 불붙이다〔불타다〕; 다시 기운을 돋우다〔기운이 나다〕.

rel. relative(ly); religion.

-rel [-rəl] *suf*. '작은'의 뜻의 명사 어미: cock*erel*.

◇**re·lapse** [rilǽps] *n*. Ⓒ **1** 거슬러 되돌아감; 다시 빠짐《***into*** (원래의 나쁜 상태·습관)으로》; 타락, 퇴보: ~ *into* heresy 다시 이단에 빠짐. **2** 〖의학〗 (병의) 재발: have a ~ 병이 도지다.
—*vi*. **1** 되돌아가다, 다시 빠지다《***into*** (원래의 나쁜 상태·습관)으로》: He kept off drink for a few weeks, but now he has ~*d*. 그는 몇 주간 금주했지만, 다시 술을 마시게 되었다/She ~*d into* depression. 그녀는 다시 우울해졌다. **2** (병이) 재발하다.

‡**re·late** [riléit] *vt*. **1** 《~+목/+목+전+명》 **관계시키다, 관련시키다**《***to, with*** …와》; 관련시켜서 설명하다: ~ the result *to* 〔*with*〕 a cause 결과를 어떤 원인과 결부시키다/~ poverty and crime 빈곤과 범죄의 관계를 설명하다. **2** 《+목+전+명》 〖수동태〗 친척이다, 이어져 있다《***to*** …와》: He *is* distantly ~*d to* my father. 그는 아버지의 먼 친척이다. **3** 《~+목/+목+전+명》 **이야기하다**, 말하다《***to*** …에게》: He ~*d* (*to* us) some amusing stories. 그는 (우리에게) 재미있는 이야기를 해 주었다. SYN. ⇨SPEAK.
—*vi*. **1** 《~/+전+명》 관계가〔관련이〕 있다《***to*** …와》: I can't see how these two pieces of evidence ~. 이 두 증거가 어떤 관계가 있는지 알 수 없다/This letter ~*s to* business. 이 편지는 사업상의 것이다. **2** 《+전+명》 〖종종 부정문〗 (타인과) 잘 지내다〔사귀다〕《***to*** …와》; 이해하다《***to*** …을》: Such children don't ~ well *to* other people. 저런 아이들은 다른 사람과 잘 지내지 못한다. **3** 《+전+명》 부합〔합치〕하다《***with*** …와》: Your explanation doesn't ~ well *with* his. 너의 설명은 그의 설명과 잘 부합되지 않는다. ◇relation *n*.
~ back to (법률 따위가) …에 소급하여 적용되다〔발효하다〕. ***relating to*** …에 관하여. ***strange to ~*** 기묘〔이상〕한 이야기지만.
㊕ **re·lát·er, -·or** *n*. Ⓒ 이야기하는 사람.

***re·lat·ed** [riléitid] *a*. **1 관계 있는**, 관련되어 있는; 상관하고 있는: other ~ subjects 딴 관련 과목. **2** 친척의, 동족의; 동류의: ~ languages 동족어/Though they look alike, Mary and Jane are not ~. 메리와 제인은 닮아 보이지만 친척은 아니다. ㊕ **~·ly** *ad*. **~·ness** *n*.

> DIAL. ***How are you two related?*—*We are cousins.*** 두 분은 어떤 관계이십니까—사촌입니다.

‡**re·la·tion** [riléiʃən] *n*. **1** Ⓤ **관계**, 관련《***between*** …사이의; ***to*** …와의》: ⇨POOR RELATION/the ~ *between* cause and effect 인과 관계/have ~ *to* …와 관계가 있다. **2** Ⓒ (*pl*.) (구체적인) 사이, 관계; 교섭《***between*** …사이의; ***with*** …와의》; 성적 관계, 성교《***with*** (이성)과의》: the friendly ~*s between* Korea and the United States 한미간의 우호 관계/have (sexual) ~*s with* …와 성관계를 갖다. **3 a** Ⓤ 친족〔혈연〕 관계, 연고《이 뜻으로는 보통 relationship》. **b** Ⓒ 친척《이 뜻으로는 보통 relative》《***to*** …의》: Is he any ~ *to* you? =Is he a ~ of yours? 그는 네 친척이냐. **4 a** Ⓒ 설화(說話), 이야기. **b** Ⓤ 말〔이야기〕하기: make ~ to …에 언급하다.
bear no ~ to =***be out of all ~ to*** …와 관계가 없다, 전혀 어울리지 않다. ***in*** 〔***with***〕 ***~ to*** …에 관하여: my responsibility *in* ~ *to* the matter 그 일에 관한 나의 책임. ㊕ **~·less** *a*. 관계없는, 친척이 없는, 의지가지 없는, 고독한.

re·la·tion·al [riléiʃənəl] *a*. 관계가 있는; 친척의; 〖문법〗 문법 관계를 나타내는, 상관적인: a ~ database 〖컴퓨터〗 관계 데이터베이스.

‡**re·la·tion·ship** [riléiʃənʃìp] *n*. Ⓤ (구체적으로는 Ⓒ) **1 친족 관계**, 연고 관계《***to*** …와의》: What is your ~ *to* him?—I'm his father. 그와는 어떤 관계입니까—그의 아버지입니다. **2** 관계, 관련《***between*** …간의; ***to, with*** …와의》: establish 〔break off〕 a ~ *with* a person 아무와 관계를 맺다〔끊다〕/the ~ *between* wages and prices 〔*of* wages *with* prices〕 임금과 물가의 관계. ***the degree of ~*** 촌수, 친등(親等).

‡**rel·a·tive** [rélətiv] *a*. **1 비교상의, 상대적인**, 상관적인: They are living in ~ comfort. 그들은 비교적 편하게 살고 있다/~ merits 〔advantages〕 of A and B 〔of the two〕, A와 B 〔양자〕

의 우열. [cf] absolute, positive. **2** 호응하는, 따르는; 비례하는(《*to* …에》): Supply is ~ *to* demand. 공급은 수요에 비례한다 / Beauty is ~ *to* the beholder's eye. 미추(美醜)는 보는 사람의 눈에 따라 다르다. **3** 관계〔관련〕 있는(《*to* …와》): a fact ~ *to* the accident 그 사고와 관련된 사실 / His proposal isn't ~ *to* the problem in hand. 그의 제안은 당면한 문제와 관계가 없다. **4** 〖문법〗 관계를 나타내는, 관계사에 이끌리는: a ~ adjective 〔adverb, clause, pronoun〕 관계 형용사〔부사, 절, 대명사〕.

—*n*. [C] **1** 친척, 친족, 인척. [cf] kinsman. **2** 관계물〔사항〕; 상대적 존재; 상대어. **3** 〖문법〗 관계사(詞). [파] **~·ness** *n*.

◇**rél·a·tive·ly** *ad*. **1** 비교적, 상대적으로: a ~ small difference 비교적 작은 차이. **2** 《문장 전체를 수식하여》 비교해서 말하면, 어느 편인가 하면: She's beautiful; ~ (speaking), I mean. 그녀는 어느 편인가 하면, 미인이지.

rel·a·tiv·ism [rélətəvìzəm] *n*. [U] 〖철학〗 상대주의; 〖물리〗 상대성 이론.

rel·a·tiv·is·tic [rèlətəvístik] *a*. 〖철학〗 상대주의의; 〖물리〗 상대론적인: ~ quantum mechanics 〖물리〗 상대론적 양자론.

***rel·a·tiv·i·ty** [rèlətívəti] *n*. [U] **1** 관련성, 상관성, **상대성**: the theory of ~ 상대성 이론. **2** (종종 R-) 〖철학·물리〗 상대성 (이론).

⁑**re·lax** [rilǽks] *vt*. **1** (육체적·물리적 긴장 따위)를 **늦추다**, 완화하다; …에서 힘을 빼다: ~ one's muscles 근육을 풀다 / ~ one's grip 움켜쥔 것을 늦추다. **2 a** (주의·노력 따위)를 덜하다, 늦추다: You must not ~ your attention. 방심해서는 안 된다. **b** …의 (정신적) 긴장을 풀다, …을 편하게 하다, 쉬게 하다: ~ the mind 마음을 느긋하게 갖다 / A few days in the country will ~ you. 시골에 가서 며칠 지내면 기분이 풀릴 것이다. **3** (법·규율 따위)를 관대하게 하다, 경감〔완화〕하다(mitigate): ~ censorship 검열 제도를 완화하다.

—*vi*. **1** 느슨해지다: His hands ~*ed*. 꽉 쥔 손이 느슨해졌다. **2** 《~/+[전]+[명]》 긴장을 풀고 …되다(《*into* …하게》); 누그러지다, 약해지다(《*in* (힘·노력 따위)가》): ~ *into* a smile 얼굴을 펴다 / Don't ~ *in* your efforts. 방심하지 말고 계속 노력해라. **3** 《~/+[전]+[명]》 **마음을 풀다**, (마음의) 긴장을 풀다, 피로를 풀다: Sit down and ~. 앉아서 편히 쉬시오 / *Relax*, man! 자 좀 진정해요 / They ~*ed into* friendly conversation. 그들은 터놓고 다정히 이야기하기 시작했다. [SYN.] ⇨ REST. ◇ relaxation *n*.

◇**re·lax·a·tion** [rìːlækséiʃən] *n*. **1** [U] 느스러짐, 풀림, 이완(弛緩); 경감, 완화(《*of, in* …의》): the ~ *of* international tension 국제적 긴장 완화 / There must be no ~ *in* our quality control. 우리 회사의 품질 관리에 소홀함이 있어서는 안 된다. **2** [U] 긴장을 풂, 휴양: I play golf for ~. 나는 기분 전환을 위해 골프를 친다. **3** [C] 심심풀이, 오락.

re·láxed [-t] *a*. **1** 느스러진, 누그러진, 긴장을 푼, 격식을 차리지 않은, 편한: in a ~ atmosphere 편한 분위기에서. **2** 완화된, 관대한: ~ rules 관대한 규칙. [파] **~·ly** [-lǽksidli, -stli] *ad*. **~·ness** *n*.

◇**re·lay** [ríːlei] *n*. **1** [C] **a** 교대반〔요원〕; 새로운 공급: work in 〔by〕 ~(*s*) 교대제로 일하다. **b** (여행·사냥 따위에서) 갈아타는 말, 역말(=~ hòrse); (사냥의) 교대용 개. **2** [C] 〖경기〗 = RELAY RACE; 릴레이의 각 선수 분담 거리; (공 따위의) 중계, 패스, 배턴 터치. **3** [U] 중계; [C] 중계 방송; 중계 장치: by ~ 중계로 / listen to a ~ of an opera 오페라 중계 방송을 듣다.

— [ríːlei, riléi] *vt*. **1** (전언(傳言)·공 따위)를 연락하다; 〖통신〗 중계하다(《*from* …에서; *to* …으로, …에게》): The concert was ~*ed* live *from* Carnegie Hall. 그 음악회는 카네기홀에서 생중계되었다 / I ~*ed* the news *to* him. 그 소식을 그에게 전해 주었다. **2** 교대자를 준비하다; 새 사람〔것〕으로 바꾸게 하다.

re-láy (*p*., *pp*. **-laid** [-léid]) *vt*. 다시 놓다〔깔다〕; (철도 따위)를 다시 부설하다; 고쳐 칠하다.

rélay ràce 릴레이 경주〔경영(競泳)〕, 계주.

rélay státion 〖통신〗 중계국(局).

⁑**re·lease** [rilíːs] *vt*. **1** 《~+[목]/+[목]+[전]+[명]》 (고정된 것)을 **풀어놓다**, 떼(어놓)다, (손)을 놓다; (폭탄)을 투하하다; 방출하다(《*from* …에서》): ~ one's hold 잡았던 손을 놓다 / ~ hair *from* pins 핀을 빼고 머리를 풀다 / They ~*d* several bombs *from* the airplane. 그들은 비행기에서 폭탄 몇 개를 투하했다. **2** 《~+[목]/+[목]+[전]+[명]》 방면(放免)하다, 해방〔석방〕하다; 면제〔해제〕하다(《*from* (속박·의무)에서; *into* …으로》): ~ a person *from* prison 아무를 교도소에서 석방하다 / The bird was ~*d from* the cage *into* the sky. 새를 새장에서 하늘로 날려 보냈다 / ~ a person *from* a debt 〔his suffering〕 아무의 빚을 면제하다〔아무를 괴로움에서 구하다〕. **3** 〖법률〗 (재산·권리)를 포기〔기권, 양도〕하다. **4** 《~+[목]/+[목]+[전]+[명]》 (영화)를 개봉하다; (정보·레코드·신간 등)을 공개〔발표, 발매〕하다: ~ a statement *to* the press 보도진에 성명을 발표하다. **5** (식료·물자)를 방출하다; 〖기계〗 배출하다.

—*n*. **1 a** [U] (또는 a ~) 해방, 석방, 면제(《*from* …로부터의》): ~ *from* jail 교도소로부터의 출감. **b** [C] 석방 영장. **2** [U] (또는 a ~) 발사, (폭탄의) 투하. **3 a** [U] (영화의) 개봉; (레코드 등의) 발매; (정보 등의) 발표, 공개. **b** [C] 개봉 영화; 새 음반; 공개된 뉴스: the newest ~*s* 최신의 개봉 영화. **4** 〖법률〗 **a** [U] (재산·권리의) 양도, 기권. **b** [C] 양도 증서, 포기 각서. **5** [C] 〖기계〗 시동〔정지〕 장치(《핸들·바퀴 멈추개 등》); (카메라의) 릴리스.

reléase bùtton (자동차의 사이드 브레이크의) 해제 버튼.

rel·e·gate [réləgèit] *vt*. **1** 퇴거를 명하다, 추방하다; 좌천시키다(《*to* …으로》): ~ a person *to* an inferior post 아무를 좌천하다. **2** (스포츠 팀)을 떨어뜨리다, 격하하다; (지위)를 강등시키다(《*to* (하위 등급)으로》)(《★ 보통 수동태》): The football team *was* ~*d* (*to* the second division). 그 축구팀은 (제2등급으로) 격하되었다 / The officer *was* ~*d to* the ranks. 그 장교는 병졸로 강등되었다. **3** (사건 등)을 이관하다, 위탁하다; 조회시키다(《*to* …에》): ~ a matter *to* another authority 문제를 다른 담당 부서로 이관하다. [파] **rèl·e·gá·tion** *n*. [U] 좌천, 추방; 이관, 위탁(《*to* …에의》).

◇**re·lent** [rilént] *vi*. **1** 상냥스러워지다, 누그러지다; 측은하게 생각하다, 가엾게 여기다: She would not ~ toward him. 그녀는 그를 용서하려들지 않았다. **2** (바람 등이) 약해지다, 가라앉다.

◇**re·lént·less** *a*. 가차없는, 잔인한(《*in* …에》): a ~ enemy 잔인한 적 / He was ~ *in* demanding repayment of the debt. 그는 가차없이 빚을 갚으라고 요구했다. [파] **~·ly** *ad*. **~·ness** *n*.

rel·e·vance, -cy [réləvəns], [-si] *n.* Ⓤ **1** 관련(성); 적당, 적절(성)《*to* …와의, …에의》: have *relevance to* …에 관련되어 있다. **2** 〚컴퓨터〛 (사용자가 필요로 하는 자료의) 적합성.

rel·e·vant [réləvənt] *a.* 관련된; 적절한, 타당한《*to* (당면 문제·주제)에》. SYN. ⇨PROPER. ↔ *irrelevant*¶a ~ question 적절한 질문/What you say is not ~ *to* the matter in hand. 네가 하는 말은 당면한 문제와 관련이 없다. ㊕ **~·ly** *ad.* 적절하게, 요령 있게.

re·lì·a·bíl·i·ty *n.* Ⓤ **1** 신빙성, 확실성, 신뢰도: ~ trial (자동차 등의) 장거리 시험. **2** 〚컴퓨터〛 신뢰성, 신뢰도《고장 없이 기능을 수행할 수 있는 능력의 척도》.

‡**re·li·a·ble** [riláiəbəl] *a.* **의지가 되는**, 믿음직한; 확실한, 신뢰할 수 있는: a ~ man 믿을 수 있는 사람/news from ~ sources 확실한 소식통으로부터의 뉴스. ㊕ **~·ness** *n.*

re·lí·a·bly [-əbli] *ad.* 믿음직스럽게; 확실히: I am ~ informed that he will stand for the next election. 그가 다음 선거에 출마한다는 확실한 정보를 얻었다.

***re·li·ance** [riláiəns] *n.* **1** Ⓤ **믿음**, 의지; 신뢰, 신용《*on, upon* …에 대한》: I put (placed) ~ *on* his statement. 나는 그의 말을 믿었다. **2** Ⓒ 믿음직한 사람(물건), 의지할 곳: His uncle was his only ~ in money matters. 돈 문제로 그가 믿는 것은 아저씨뿐이었다.

re·li·ant [riláiənt] *a.* Ⓟ 믿는, 의지하는, 신뢰하는《*on, upon* …에, …을》: Korea is heavily ~ *on* imported oil. 한국은 수입 석유에 크게 의존하고 있다.

°**rel·ic** [rélik] *n.* **1** Ⓒ (보통 *pl.*) (역사적인) 유적, 유물: ~*s* of prehistoric times 선사 시대의 유물. **2** Ⓒ (과거의 풍속·신앙 따위의) 옛모습, 자취, 유풍(遺風): a ~ of ancient sunworship 고대 태양 숭배의 자취. **3** Ⓒ (성인·순교자의) 성골(聖骨), 성물(聖物); 유품, 기념품. **4** (*pl.*) 《고어·시어》 유해, 유골(remains).

rel·ict [rélikt] *n.* Ⓒ 〚생태〛 잔존 생물《환경 변화로 한정된 지역에만 살아 남은 생물》. **—***a.* Ⓐ 잔존하는: a ~ species of fish 잔존하는 어종(魚種).

‡**re·lief** [rilíːf] (*pl.* **~s**) *n.* **1** Ⓤ (고통·곤란·지루함 따위의) **경감**, 제거: give a patient ~ from pain 환자의 아픔을 덜어 주다.
2 Ⓤ (또는 a ~) **안심**, 안도, 위안: feel a sense of ~ 안도감을 느끼다/What a ~! 이걸로 안심했다/To our great ~ (Much to our ~), the hostages were all rescued. 인질이 모두 구출되어 크게 한시름 놓았다.
3 Ⓤ **구원**, 구조, 구제; 원조 물자: the ~ of tsunami victims 해일 피해자의 구조/provide ~ for refugees 난민에게 구호 물자를 보내다.
4 a Ⓤ **교체**, **증원**; Ⓒ 《집합적; 단·복수취급》 교체자(병): one's ~ 교체하는 사람/a ~ shift 반(半)야근, 오후 교대《오후 4-12시까지》. **b** Ⓒ (버스·비행기 등의) 증편(增便), 임시편.
5 Ⓤ 기분 전환, 한숨돌림; Ⓒ 기분 전환하는 것.
6 Ⓤ 세금 면제: tax ~ 세금 공제.
7 Ⓤ (포위된 도시 등의) 해방, 구원.
8 a Ⓤ (낱개는 Ⓒ) 〚조각·건축〛 **부조**(浮彫); 양각(陽刻): high (low) ~ 높은(얕은) 부조. **b** Ⓒ 부조(양각)세공(무늬): the figure of a lion carved in ~ on the coin 동전에 양각으로 새겨진 사자의 형상.
9 Ⓤ 선명함, 두드러짐, 탁월; (대조에 의한) 강조, 강세; 〚미술〛 돋보이게 그리기, 입체감.
10 Ⓤ (토지의) 고저, 기복. ◇ relieve *v.*
***bring* (*throw*) *into* ~** 눈에 띄게 하다, 선명하게 하다. ***on* ~** (정부의) 생활 보호를 받고: The family is still *on* ~. 그 가족은 아직도 (정부의) 생활 보호를 받고 있다. ***stand in bold* (*sharp*) ~** 뚜렷이 두드러져 보이다: The white tower *stood in sharp* (*bold*) ~ against a darkening sky. 하얀 탑이 어두운 하늘을 배경으로 선명하게 솟아 있었다.
—*a.* Ⓐ **1** 구제(구호)(용)의: a ~ fund 구제 기금/~ goods (supplies) 구호 물자/~ work(s) 실업 대책 사업《토목 공사》.
2 교체의; 〚야구〛 구원의: a ~ crew 교체 승무원/a ~ pitcher 구원 투수.
3 증편(增便)(임시)의: a ~ bus 증편 버스/a ~ service 임시 운행.

relíef màp 기복(起伏)(입체 모형) 지도.

relíef ròad 《英》 (교통 체증을 덜기 위한) 우회로(bypass).

‡**re·lieve** [rilíːv] *vt.* **A 1 a** (고통·고뇌 따위)를 **경감하다**, 덜다, 눅이다: This drug will ~ your headache. 이 약을 복용하면 두통이 나을 것이다/No words will ~ my sorrow. 어떤 위안의 말도 나의 슬픔에 위로가 되지 않는다. SYN. ⇨COMFORT. **b 안도케 하다**, 안심시키다; (긴장 따위)를 풀게 하다: The news ~*d* her parents. 그 소식을 듣고 그녀의 부모는 안심했다.
2 《~+목/+목+전+명》 구해내다, 벗어나게 하다 《*from* (고통 따위)로부터》: Death ~*d* him *from* the pain. 죽음으로써 그는 고통에서 벗어났다.
3 《+목+전+명》 **a** (아무)에게서 제거하다, 해방하다《*of* (무거운 짐·의무 등)을》: Let me ~ you *of* your bag. 당신의 가방을 들어드리지요/That ~*d* him *of* all responsibility. 그 덕분에 그는 모든 책임을 면했다. **b** 《구어》 (아무)에게서 훔치다《*of* (물건)을》: A thief ~*d* him *of* his purse. 도둑이 그의 지갑을 훔쳤다.
4 《~+목/+목+전+명》 (난민 등)을 **구원하다**; 구제(구조)하다《*from* …에서》; …에 보급하다: ~ earthquake victims 지진에 의한 이재민을 구조하다/~ a lighthouse by ship 배로 등대에 (식료품 등을) 보급하다/~ the poor *from* poverty 빈곤으로부터 빈민을 구제하다.
5 《+목+전+명》 (아무)를 **해임**(해직)**하다**《*of* (직)에서》《★ 종종 수동태》: He *was* ~*d of* his post. 그는 해직(해임)되었다.
6 교체(교대)시키다, 교대하여 쉬게 하다; 〚야구〛 (투수)를 구원하다: ~ the guard 수위를 교체시키다/She ~*d* the nurse. 그녀는 간호사와 교대했다/~ the starting pitcher 선발 투수를 구원하다.
7 《~+목/+목+전+명》 …의 단조로움을 덜다, …에 변화를 주다《*with* …으로》: ~ the tension of a drama *with* comic episodes 희극적인 삽화를 넣어 극의 긴장을 풀다.
8 (포위된 도시 따위)를 해방시키다: ~ a besieged town.
B 《~+목/+목+전+명》 **돋보이게 하다**, 눈에 띄게 하다: a mountain ~*d against* the blue sky 창공에 우뚝 솟은 산.
~ *the bowels* (*oneself*) 용변을 보다. **~ *one's feelings*** (울거나 고함치거나 하여) 답답함(울분)을 풀다.

re·líeved *a.* **1** 마음이 놓인, 안심한 표정의: a ~

look 안심한 표정/in a ~ tone 마음이 놓인 어조로. **2** 안심한, 안도한《*at* …에/*to* do/*that*》: He was ~ *at* the news. =He was ~ *to* hear the news. 그는 그 소식을 듣고 안심했다/He was ~ *that* she was smiling. 그는 그녀가 미소짓는 것을 보고 안도했다.

re·líev·er *n.* Ⓒ **1** 구제자(물); 구원 투수. **2** 위안이 되는(완화하는) 사람(것): a pain ~ 진통제.

re·lie·vo [rilíːvou] (*pl.* **~s**) *n.* 〖조각·건축〗 **1** Ⓤ 부조(浮彫)(relief). cf. alto-(basso-, mezzo-)relievo. **2** Ⓒ 부조 세공(무늬).

‡**re·li·gion** [rilídʒən] *n.* **1** Ⓤ **종교**, …교; Ⓒ 종파: the freedom of ~ 종교의 자유/the Christian (Buddhist) ~ 기독교(불교). **2** Ⓤ 신앙(수도) (생활); 신앙심: be in ~ 수사(성직자)이다/lead the life of ~ 신앙 생활을 하다/enter into ~ 수도회(신앙 생활)로 들어가다, 수도자가 되다. **3** (*sing.*) (신앙처럼) 굳게 지키는 것; 귀중한 의무; 신조: He makes a ~ of never wasting a penny. 한 푼이라도 낭비하지 않는 것이 그의 신조이다. ◇religious *a.* ㊕ **~·ìsm** *n.* Ⓤ 종교에 미침, 독실한 체함. **~·ist** *n.* Ⓒ 독실한 신자; 광신자; 사이비 신앙가.

re·li·gi·ose [rilídʒiòus] *a.* 믿음이 깊은; 좀 광신적인. ㊕ **-os·i·ty** [rilìdʒiásəti/-ɔ́s-] *n.*

*__re·li·gious__ [rilídʒəs] *a.* **1 종교(상)의**, 종교적인. ↔ *secular.* ¶ ~ rites 종교적인 의식/~ music 종교 음악. **2 a 신앙의**, 신앙심이 깊은, 경건한: a ~ life 신앙 생활/a ~ man 독실한 신앙인. **b** (the ~) 〖명사적; 복수취급〗 종교가들, 신앙인들. **3** 계율을 따르는, 수도의; 수도회에 속한, 교단의: a ~ order 수도회/a ~ house 수도원. **4** 양심적인, 세심한《*in* …에》: with ~ care (exactitude) 용의주도하게/She's ~ *in* her attendance at the classes. 그녀는 수업에 어김없이 출석했다. ◇religion *n.* ━(*pl.* ~) *n.* Ⓒ 수도자, 수사, 수녀. ㊕ **~·ly** *ad.* 독실하게; 경건히; 양심적으로. **~·ness** *n.*

rè·líne *vt.* 줄을 다시 긋다; (옷에) 안(감)을 다시 대다.

◇**re·lin·quish** [rilíŋkwiʃ] *vt.* **1** (소유물·권리 따위)를 포기하다, 양도하다《*to* …에게》; (계획·습관 따위)를 그만두다; 버리다, 단념하다, 철회하다. cf. abandon¹, renounce. ¶ ~ hope (a habit, a belief) 희망(습관, 신앙)을 버리다/~ the throne *to* a person 왕위를 아무에게 양위하다/~ one's claim 요구를 철회하다. **2** (쥔 손)을 늦추다, 떼다: ~ one's hold (on a rope) (밧줄을) 쥔 손을 늦추다(놓다). ㊕ **~·ment** *n.* Ⓤ 포기, 철회; 양도.

*__rel·ish__ [réliʃ] *n.* **1** Ⓤ (또는 a ~) **a** (음식 특유의) **맛, 풍미**(flavor), 향기: a ~ of garlic 마늘의 맛/have no ~ 맛이 없다/Hunger gives ~ to any food. 배가 고프면 무엇이든지 맛있다. **b** (사물이 갖는) 정취, 재미: A spirit of adventure gives a ~ to the plan. 모험심이 그 계획에 재미를 더해 주었다. **2** Ⓤ 〖보통 부정문으로; 긍정문에는 a ~〗 좋아함, 취미, 흥미《*for* …에 대한》: find no ~ in one's work 일에 취미가 없다/I have no ~ *for* traveling. 여행에는 흥미가 없다. **3** Ⓤ (또는 a ~) 맛있게(즐기면서) 먹음: eat meat with (a) ~ 고기를 맛있게 먹다. **4** Ⓒ (음식물은 Ⓤ) (식욕을 돋우는) 조미료, 양념; (주된 요리에) 곁들이는 것《pickles·olive·생야채 따위》. **5** Ⓤ (또는 a ~) 기미, 기색; 소량: His speech had some ~ *of* sarcasm. 그의 연설에는 약간의 풍자가 섞여 있었다.

━*vt.* **1** (음식)을 **상미(賞味)하다**, 맛있게 먹다: ~ one's food 맛있게 먹다. **2** 《~+目/+-*ing*》 즐기다(enjoy), (…하기)를 좋아하다, 기쁘게 여기다: ~ the sea wind 바닷바람을 만끽하다/~ a long journey 긴 여행을 즐기다/He won't ~ do*ing* so. 그렇게 하는 것을 그는 싫어할 것이다. **3** 풍미가(맛이) 있게 하다.

re·live [riːlív] *vt.* (과거·경험)을 되새기다, 회상하다; 다시 체험하다.

re·lóad *vt., vi.* (…에) 짐을 되싣다; 다시 탄약을 재다.

re·lo·cate [riːlóukeit] *vt.* **1** 다시 배치하다; (주거·공장·주민 등)을 새 장소로 옮기다, 이전시키다《★ 개발 사업에 의한 강제 이주에 잘 쓰임》: We were ~*d* to the other side of town. 우리는 시가지의 반대쪽으로 옮겨졌다. **2** 〖컴퓨터〗 다시 배치하다. ━*vi.* (새로운 장소로) 이전(이동)하다: Many factories are *relocating* to this area. 많은 공장들이 이 지역으로 이전해 오고 있다.

rè·lo·cá·tion *n.* Ⓤ **1** 재배치, 배치 전환; 〖美군사〗 (적(敵) 국민의) 강제 격리 수용: a ~ camp 강제 수용소. **2** 〖컴퓨터〗 재배치: a ~ table 재배치표.

◇**re·luc·tance, -tan·cy** [rilʌ́ktəns], [-i] *n.* Ⓤ **1** 마음이 내키지 않음, 마지못해 함, (하기) 싫음《*to* do》: with ~ 싫어하면서, 마지못해서/without ~ 자진해서, 기꺼이/display extreme (great) ~ 몹시 꺼리다/She showed no ~ *to* help us. 그녀는 우리를 돕기 싫은 기색은 조금도 보이지 않았다. **2** 〖전기〗 자기(磁氣) 저항.

*__re·luc·tant__ [rilʌ́ktənt] *a.* **마음 내키지 않는**(unwilling), 꺼리는, 마지못해서 하는《*to* do》: a ~ answer 마지못해서 하는 대답/She seemed ~ *to* go with him. 그녀는 그와 같이 가는 것이 내키지 않은 것 같았다.

*__re·lúc·tant·ly__ *ad.* **1 마지못해, 싫어하면서**: not ~ 싫어하기는커녕, 기꺼이/She ~ agreed. 그녀는 마지못해 동의했다. **2** 〖문장 전체를 수식하여〗 본의 아니게, 유감스럽게도: *Reluctantly*, I must refuse to accompany you. 유감스럽게도, 절대로 동행하지 못하겠습니다.

‡**re·ly** [rilái] (*p., pp.* **-lied** [-láid]; **-ly·ing** [-láiiŋ]) *vi.* **1** 《+前+名/+前+名+*to* do/+前+名+-*ing*》 믿다, **신뢰하다**《*on, upon* …을》: ~ *on* (*upon*) a person's word 아무의 약속을 믿다/You can ~ *upon* him. =He can *be relied upon*. 그는 신뢰할 수 있다《★ 수동태 가능》/You may ~ *upon* him (his) com*ing*. 그는 틀림없이 올 것이다/I ~ *on* you *to* be there! 네가 거기에 와 줄 것으로 믿는다. **2** 《+前+名》 **a** 의지하다, 의존하다《*on, upon* …에; *for* …을》: ~ *on* one's father *for* his help 아버지의 도움을 기대하다/We ~ *on* the dam *for* our water. 우리는 용수를 그 댐에 의존한다/~ *on* one's own efforts 자신의 노력에 의지하다. **b** 〖~ upon it that …로〗 (…이라는 것을) 믿다: You may ~ *upon it that* he will be here this afternoon. 오늘 오후 그는 꼭 여기에 온다. ◇reliance *n.*

~ ***upon it*** 〖문장 전체를 수식하여〗 확실히, 틀림없이, 꼭: *Rely upon it*, it will be fine tomorrow. 틀림없이, 내일은 날씨가 좋을 것이다.

SYN. **rely** 확실성·능력 따위를 신뢰하고 있으므로 의지하다: *rely* on one's friends 친구에게 의지하다. **depend** 상대의 호의가 있고 없고 간에 의지하다. 의지하는 사람의 의지의 약함, 경제적 무능 따위가 시사되는 경우가 있음: *depend* on one's father for livelihood 생계를 부친에게 의존하고 있다. **count on, reckon on** 기대하다《계산, 타산이 내포됨》. **trust** 상대를 신뢰하여 의지하다. 의지하는 쪽의 무능 따위는 전혀 시사되지 않음. 도리어 의지를 받는 편이 명예스러움.

REM[1] [rem] *n.* Ⓒ 〖심리〗 렘《꿈꿀 때의 급속한 안구 운동》. [◂ *r*apid *e*ye *m*ovement]

REM[2], **rem** [rem] (*pl.* ~) *n.* Ⓒ 〖물리〗 렘《인체에 주는 피해 정도에 입각한 방사선량의 단위》. [◂ *r*oentgen *e*quivalent in *m*an]

REM[3] 〖컴퓨터〗 렘《BASIC어(語)로, 프로그램 중의 첫머리에 쓰이어 연산과 관계없이 프로그램 작성의 주의 사항으로 삽입하는 것》. [◂ *rem*ark]

re·main [riméin] *vi.* **1 a** 《~/+전+명》 **남다,** 남아 있다; 잔존〔존속〕하다; 살아남다《*of* …중에서》: If you take 3 from 8, 5 ~*s.* 8−3=5/~ on 〔in〕 one's memory 기억에 남다/Very little ~*ed of* the original building. 원건물의 자취를 알아볼 만한 것은 거의 남아 있지 않았다. **b** 《+*to* be done》 아직 …해야 한다: Much more still ~ *to* be done. 아직 해야 할 일이 많이 (남아) 있다/It only ~*s for* me *to* say that ... 이제 …라고 말하기만 하면 된다.

2 a 《~/+전+명》 머무르다, 체류하다《★ 이 뜻으로는 stay가 일반적》: ~ abroad 국외에 체류하다/I will ~ *at* the hotel three more days. 3일 더 호텔에 머무를 것입니다. **b** 《~/+*to* do》 남다; (…하려고) 뒤에 남다, 남아서 …하다: Tom went but his sister ~*ed.* 톰은 가고 누이는 남았다/I ~*ed to* help with the dishes. 나는 남아서 설거지를 거들었다.

3 《+보/+-*ing*/+*done*/+전+명》 **…한 대로이다,** 여전히 …이다: ~ silent 침묵을 지키고 있다/~ single 독신으로 지내다/I ~*ed* standing there. 나는 여전히 거기 서 있었다/He ~*ed* undisturbed. 그는 여전히 평온했다/They ~*ed at* peace. 그들은 여전히 평화를 유지하고 있었다.

4 《+전+명》 (결국) …차지가 되다, …수중에 남다《*with, to* …의》: Victory ~*ed with* them. 승리는 그들의 것이었다.

I ~ yours sincerely 〔*truly,* etc.〕. 경구《편지의 결구》. ***Nothing ~s but to*** do... 이제는 …할 수 밖에 없다. **~ *off*** (학교 · 일터 따위에) 가지 않고 있다. **~ *up*** ① (물가 따위가) 높은 수준에서 맴돌고 있다. ② 자지 않고 깨어 있다.

—*n.* (*pl.*) **1** 잔존물; 잔해; 유물, 유적; 화석(fossil ~): the ~*s of* ancient Greece 고대 그리스의 유적. **2** 유체(遺體), 유해(遺骸): the ~*s of* the dead man 사망자의 유제〔유골〕. **3** 유고(遺稿).

re·main·der [riméindər] *n.* **1** (the ~) **나머지,** 잔여: spend the ~ *of* one's life in the country 여생을 시골에서 지내다. **2** (the ~) 잔류자〔물〕, 그 밖의 사람〔물건〕《★ Ⓤ를 가리킬 때는 단수 취급, Ⓒ (복수명사)를 가리킬 때는 복수 취급》: *The* ~ *of* the food was thrown away. 남은 음식은 버렸다/Half of the students have arrived and *the* ~ are coming later. 학생 절반은 도착했고, 나머지 사람들은 후에 올 예정이다. **3** Ⓒ 〖수학 · 컴퓨터〗 (뺄셈 · 나눗셈의) 나머지. **4** Ⓒ 팔다 남은 책, 잔품.

—*vt.* (팔다 남은 책 따위)를 투매품으로 싸게 팔다.

re·máin·ing *a.* Ⓐ 남은, 나머지의: ~ sandwiches 남은 샌드위치/~ snow 잔설(殘雪).

re·make [riːméik] (*p., pp.* **-made**) *vt.* 고쳐 만들다, 개조하다, (특히 옛날 영화)를 개작하다. **—** [스] *n.* Ⓒ 재제조; 개작, 개조; 《특히》 개작한 영화 작품.

re·mand [rimǽnd, -máːnd] *vt.* **1** 돌려보내다, 송환하다. **2** 〖법률〗 (증거를 잡을 때까지 혐의자)를 재유치〔재구속〕하다; (사건)을 하급 법원으로 반송하다: be ~*ed* in custody for five days (형사 피고인이) 5일간 재구속되다. **—***n.* Ⓤ 송환, 귀환; 〖법률〗 재유치〔구류〕: on ~ 재구류 중의〔으로〕.

remánd hòme 〔**cèntre**〕 《英》 미성년자 구치소《1969년 community home으로 개칭》.

re·mark [rimáːrk] *vt.* **1** 《~+목/+목+*do*/+*that* 절》 …에 **주목〔주의〕하다;** …을 **알아차리다,** 인지하다(perceive): Did you ~ the similarity between them? 그들 사이의 유사성을 알겠더냐/~ a boy pass by 한 소년이 지나가는 것을 주시하다/I ~*ed that* it had got colder. 더 추워진 것을 깨달았다. **2** 《~+목/(+전+명)+*that* 절》 (소견으로서) **말하다,** 한마디 말하다: He ~*ed* (*to* me) *that* it was a masterpiece. 그는 (내게) 그것이 걸작이라고 말하였다.

—*vi.* 《+전+명》 의견을 말하다, 비평하다《*on, upon* …에 대하여》: I ~*ed on* his hair style. 그의 머리 모양에 대해서 한마디했다. ***as ~ed above*** 위에(서) 말한 대로.

—*n.* **1** Ⓤ **주의,** 주목; 관찰: worthy of ~ 주목할 만한. **2** Ⓒ **소견, 비평,** 단평《*about, on* …에 관한/*that*》: make ~*s about* 〔*on*〕 …에 관해 비평하다, 소견을 말하다; (짧은) 연설을 하다/The president made the ~ *that* the meeting was a great success. 회장은 그 회담이 아주 성공적이었다는 소견을 피력했다.

SYN. **remark** 느낀 바를 간단히 말하는 것. 간단한 소견, 단평. **comment** 자기의 입장을 내세우기 위해, 혹은 상대방의 이해를 돕기 위해 행하는 짧은 논평. **observation** 관찰하고 나서의 소견.

pass 〔***make, let fall***〕 ***a ~ on*** 〔***about***〕 (a topic) (화제)에 관해서 무엇인가 말하다. ***pass without ~*** 묵과〔묵인〕하다.

re·mark·a·ble [rimáːrkəbəl] *a.* **1 주목할 만한,** 놀랄 만한: Really? How ~! 정말? 이거 놀라운걸/It's ~ that he returned the money. 그가 돈을 갚다니 놀랍다. **2** 두드러진, 현저한《*for* …으로》: The boy is ~ *for* his courage. 그 소년은 이만저만 용감한 게 아니다. **3** 비범한, 남다른, 훌륭한: He has a ~ memory. 그는 훌륭한 기억력을 갖고 있다. SYN. ⇨ EXTRAORDINARY. ㊕ **~·ness** *n.*

re·mark·a·bly [rimáːrkəbli] *ad.* **1** 현저히, 두드러지게, 매우: a ~ fine morning 실로 쾌청한 아침/She sang ~ well. 그녀는 노래를 매우 잘 불렀다. **2** 〖문장 전체를 수식하여〗 주목해야 할 정도로, 놀랍게도: *Remarkably* (enough), he returned the money. 놀랍게도 그는 돈을 갚아 주었다.

re·márry *vt., vi.* 재혼시키다〔하다〕; (헤어진 부부를) 재결합시키다; (헤어진 부부가) 재결합하다. ㊕ **re·márriage** *n.*

Rem·brandt [rémbrænt] *n.* ~ (**Harmenszoon**) **van Rijn** 렘브란트《네덜란드의 화가; 1606−69》.

re·me·di·a·ble [rimíːdiəbəl] *a.* 치료할 수 있

는; 구제〔교정〕 가능한: a ~ defect 고칠 수 있는 결함.

re·me·di·al [rimíːdiəl] *a.* **1** 치료상의, 치료를 위한. **2** 구제〔수정〕적인; 교정〔개선〕하는: ~ measures 개선책. **3** 〖교육〗 보수적(補修的)인; 학력 부족을 보충하는: ~ lessons 보충 수업 / a ~ English course 영어 보습 과정. [파] **~·ly** *ad.*

‡rem·e·dy [rémədi] *n.* [U] (구체적으로는 [C]) **1** **치료**, 요법(療法)《*for, against* …의》: a folk ~ 민간 요법 / an effective ~ *against* 〔*for*〕 cancer 암의 효과적인 치료법. **2** 구제(책), 교정(矯正)법《*for, against* …의》: He is past 〔beyond〕 ~. 이미 틀린 사람이다 / a ~ *for* social evils 사회악의 방지책.

— *vt.* **1** (폐해 따위)를 제거하다; 구제하다, 교정하다, 개선하다; 수습하다: ~ a problem 문제를 개선하다 / ~ a situation 사태를 수습하다. **2** (병·상처 따위)를 치료하다, 고치다.

†re·mem·ber [rimémbər] *vt.* **1** 《~+[목]/+*that* [절]/+*wh.* [절]/+*wh. to* do》 **생각해 내다**, 상기하다(↔ *forget*): I cannot ~ his name. 그의 이름이 생각나지 않는다 / He suddenly *~ed that* he made a promise with her. 그는 갑자기 그녀와의 약속이 생각났다 / I cannot ~ *where* I met him. 그를 어디서 만났는지 생각이 안 난다 / I have just *~ed how to* operate this machine. 이 기계의 작동법이 지금 생각났다.

[SYN] **remember**는 과거의 일을 기억하고 있거나 생각나다란 뜻. **recall**은 노력하여 의식적으로 생각해내다란 뜻. **recollect**는 잊어버린 것을 기억해내려는 노력을 강조한 말임.

2 《~+[목]/+*to* do /+-*ing* /+*that* [절]/+[목]+-*ing* /+*wh.* [절]/+*wh. to* do /+[목]+*as* [보]/+[목]+[전]+[명]》 **기억하고 있다**, 기억해 두다; 잊지 않고 …하다: Do you ~ me? 저를 기억하십니까 / *Remember to* get the letter registered. 그 편지를 잊지 말고 등기로 부쳐라《★ *to* do는 미래의 일을 말할 때 씀》/ I ~ meet*ing* her once. =I ~ *that* I met her once. 그녀와 한 번 만난 적이 있다《★ do*ing*은 과거의 일을 말할 때 씀》/ I ~ you 〔your〕 say*ing* so. 네가 그렇게 말한 것을 기억하고 있다 / I can't ~ *who* mentioned it. 누가 그렇게 말했는지 기억이 안 난다 / Do you ~ *how to* play chess? 체스 두는 법을 기억하고 있습니까 / I ~ him *as* a bright boy. 영리한 소년 시절의 그를 기억하고 있다 / ~ a person *for* his kindness 친절히 해 준 아무를 잊지 않다.

3 《~+[목]/+[목]+[전]+[명]》 …에게 특별히 마음을 쓰다; …에게 선물〔팁〕을 주다; …에 이름을 올리다; …을 위해 기도하다: Please ~ the waiter. 사환에게 팁을 주십시오 / She always *~s* me *with* a Christmas card. 그녀는 항상 나에게 크리스마스 카드를 보낸다 / ~ a person *in* one's prayer 아무를 위해 기도하다.

4 《+[목]+[전]+[명]》 …의 안부를 전하다〔전언(傳言)하다〕《*to* …에게》: *Remember* me *to* your brother. 당신 형님께 안부 전해 주시오 / My mother asked to be *~ed to* you. 어머니가 안부 전하랍디다.

5 …의 기념 행사를 올리다; …을 추도하다: ~ the dead of World of War Ⅱ 제2차 세계 대전의 전몰자를 추도하다.

— *vi.* 기억하고 있다; 회고하다, 생각나다: if I ~ right(ly) 내 기억이 정확하다면, 분명히 (그렇다고 생각되는데) / Be quiet! I'm *~ing.* 조용히! 지금 회고하고 있는 중이야 / Have you ever read that novel? — Not that I ~. 그 소설을 읽은 일이 있습니까 — 제 기억으로는 읽지 않은 것 같은데요.

~ a person ***in*** one***'s will*** 유언장 속에 아무의 이름을 적어 두다. **~** one***self*** 생각해 내다; 제정신이 들다.

***re·mem·brance** [rimémbrəns] *n.* **1 a** [U] (구체적으로는 [C]) **기억**; 회상, 추상, 추억: I have no ~ *of* the incident. 그 사건에 대한 기억이 전혀 없다. **b** [U] 기억력; 기억의 범위. [SYN] ⇨MEMORY. **2** [U] 기념, 추도; [C] 기념품〔비〕, 유품(keepsake): a small ~ 조촐한 기념품 / a service in ~ *of* those killed in the war 전몰자 추도식. **3** (*pl.*) (안부의) 전언, 인사: Give my kind *~s* to .... …에게 안부 전해 주시오. ◇ remember *v.*

bring 〔***call***〕 ***... to ~*** …을 생각해 내다: The photo *brought to* ~ the happy days of my childhood. 그 사진을 보면 즐거웠던 어린 시절이 생각난다. ***in ~ of*** …의 기념으로, …을 기념하여: The celebration is kept *in* ~ *of* the nation's founding. 그 식전은 건국을 기념하여 거행된다.

Remémbrance Dày 현충일(顯忠日)《⑴ 《Can.》 1·2차 세계 대전의 전사자를 기념하는 법정 휴일; 11월 11일. ⑵ 《英》 Remembrance Sunday의 구칭》. [cf] Armistice Day.

re·mém·branc·er *n.* [C] 생각나게 하는 사람〔것〕; 기념품; 추억거리(reminder); 비망록, 메모.

re·mílitarize *vt., vi.* 재군비〔재무장〕하다. [파] **rè·militarizátion** *n.* [U] 재군비(rearmament).

‡re·mind [rimáind] *vt.* 《~+[목]/+[목]+[전]+[명]/+[목]+*to* do /+[목]+*that* [절]/+[목]+*wh.* [절]》 …에게 **생각나게 하다**, …에게 깨닫게 하다, 주의하게 하다 《*of, about* …을》; …에게 다짐하여 말하다: She *~s* me *of* my mother. 그녀를 보니 어머니 생각이 납니다 / Please ~ her *to* call me. 내게 잊지 말고 전화하도록 그녀에게 일러 주시오 / We must ~ him *that* he's on duty tonight. 오늘 저녁 당직임을 잊지 말라고 그에게 다짐해야 한다 / I want to ~ you *why* I said that. 왜 내가 그렇게 말했는지 알려 주고 싶다.

> [DIAL] ***Don't remind me!*** 싫은 것을 자꾸 생각나게 하지 마.
> ***That reminds me.*** 그러고 보니 생각나는군 《상대방의 얘기를 듣고 잊었던 것이 문득 생각날 때》.
> ***Would you remind me?*** 내가 잊어버리면 말해 주게《깜박 잊어버릴 경우에 대비하여》.

re·mínd·er *n.* [C] **1** 생각나게 하는 사람〔것〕: This photo will be a ~ of your stay in the United States. 이 사진을 보면 네가 미국에서 지낸 일을 생각나게 할 것이다. **2** 생각나게 하기 위한 조언〔주의〕, 암시: a gentle ~ 암시. **3** 독촉장: The library sent me a ~ about the overdue books. 도서관은 책의 반환 기일이 넘었다는 독촉장을 보냈다.

re·mind·ful [rimáindfəl] *a.* 생각나게 하는, 추억의 요인이 되는; 기억하고 있는《*of* …을》.

rem·i·nisce [rèmənís] *vi., vt.* 추억에 잠기다; 추억을 말하다〔쓰다〕《*about* …의》: ~ *about* one's childhood 어린 시절의 추억에 잠기다.

***rem·i·nis·cence** [rèmənísəns] *n.* **1** [U] **회상**, 추억. **2** [C] 생각나게 하는 것〔일〕; 옛 생각: There is a ~ *of* her mother in her manners. 그녀의 태도에는 그녀의 어머니를 생각나게 하는 데가 있

다. **3** (*pl.*) 회고담, 회상록: ~*s of* an American soldier 어느 미군의 회고담.

◇**rem·i·nis·cent** [rèmənísənt] *a.* **1** 추억〔회고〕의, 추억에 잠기는: a ~ talk 회고담. **2** 생각나게 하는《**of** …을》: The novel is ~ *of* Dickens. 그 소설은 디킨스의 문체를 연상케 한다. ㊞ **~·ly** *ad.* 회상에 잠겨, 옛날이 그리운 듯.

re·miss [rimís] *a.* Ⓟ 태만한, 부주의한(careless)《**in** …에/**to** do》: be ~ *in* one's duties 직무 태만이다/It was ~ *of* him *to* forget her birthday. 그녀의 생일을 잊어버린 것은 그가 부주의한 탓이었다. ㊞ **~·ly** *ad.* **~·ness** *n.*

re·mis·sion [rimíʃən] *n.* **1** Ⓤ (구체적으로는 Ⓒ) (모범수의) 형기 단축. **2** Ⓤ (구체적으로는 Ⓒ) (병·고통·격정 따위의) 완화, 진정, 누그러짐. **3** Ⓤ 면제, 경감; 〖기독교〗 사면《**of** (채무·형벌·죄 따위)의》: (the) ~ *of* sins 죄의 사(赦)함.

◇**re·mit** [rimít] (**-tt-**) *vt.* **1** (돈·화물 따위)를 보내다, 우송하다《**to** (아무)에게》: *Remit* me the money at once. =*Remit* the money *to* me at once. 지급으로 송금해 주십시오. **2** (소송)을 환송〔이송〕하다; (문제 등)을 위임하다《**to** (법원·위원회 따위)에》. **3** 원상태로 돌이키다. **4** (신이 죄)를 용서하다; (부채·세금·형벌 등)을 면제하다, 감면하다: ~ taxes to half the amount 세금을 반감하다. **5** (노염·고통 따위)를 누그러뜨리다(abate), (노력)을 완화하다, 감하다: keep working without ~*ting* one's efforts 꾸준히 일을 하다. **—***vi.* **1** 송금하다, 지급하다: Enclosed is our bill; please ~. 청구서를 동봉하였사오니 송금해 주시기 바랍니다. **2** (상태가) 누그러지다, 풀리다; (병이) 차도가 있다: The inflation shows no signs of ~*ting* yet. 인플레이션은 아직 풀릴 기미가 보이지 않는다.
—*n.* Ⓤ (위원회 등에 위임된) 권한: It's within the ~ of this committee to investigate the matter. 그 문제를 조사하는 것은 본 위원회의 권한이다.

re·mit·tance [rimítəns] *n.* **1** Ⓤ (또는 a ~) 송금: make (a) ~ 송금하다. **2** Ⓒ 송금액: a small ~ 약간의 송금액.

re·mit·tent [rimítənt] *a.* 〖의학〗 (병세가) 더했다 덜했다 하는, 이장성(弛張性)의, (열이) 오르내리는.

re·mit·ter [rimítər] *n.* Ⓒ 송금자; 수표 발행인; 화물 발송인.

*__rem·nant__ [rémnənt] *n.* **1** (흔히 *pl.*) **나머지,** 잔여(물): the ~*s of* a meal 식사하고 남은 것. **2** Ⓒ 찌꺼기(scrap), 우수리; 자투리. **3** Ⓒ 잔재, 유물, 자취, 유풍: a ~ *of* her former beauty 그녀의 옛 미모의 자취. **—***a.* Ⓐ 나머지(물건)의: a ~ sale 떨이 판매. ◇ remain *v.*

rè·módel (**-l-,** 《英》 **-ll-**) *vt.* 고쳐 만들다, …의 형(型)〔본〕을 고치다, 개조〔개작〕하다, 개축하다: The building was ~*ed into* a department store. 그 건물은 백화점으로 개조되었다.

re·mold, 《英》 **-mould** [riːmóuld] *vt.* (타이어)를 재생하다. **—***n.* Ⓒ 재생 타이어.

re·mon·strance [rimánstrəns/-mɔ́n-] *n.* Ⓤ (구체적으로는 Ⓒ) 항의; 충고; 타이름: say in ~ that …라고 항의하다.

re·mon·strant [rimánstrənt/-mɔ́n-] *a.* 항의의; 간언(諫言)하는, 충고의, 타이르는.

re·mon·strate [rimánstreit, rémənstrèit/rimɔ́nstreit] *vi.* 이의를 말하다, 항의〔질책〕하다《**against** …에》; 충고하다, 간언하다《**with** (아무)에게; **on, upon, about** …에 대하여》: The doctor ~*d with* me *on* 〔*about*〕 my smoking. 의사는 흡연에 대하여 나에게 충고했다/We ~*d against* the corporal punishment of children. 우리는 어린이의 체벌에 대하여 항의했다. **—***vt.* 항의하다《**to, with** (아무)에게/**that**》.
㊞ **rè·mon·strá·tion** *n.* Ⓤ 간언, 항의. **re·mon·stra·tive** [rimánstrətiv/rimɔ́n-] *a.* 간언(諫言)의, 항의의. **-tive·ly** *ad.* **re·mon·stra·tor** [rimánstreitər, rémənstrèitər] *n.*

rem·o·ra [rémərə] *n.* Ⓒ 〖어류〗 빨판상어.

*__re·morse__ [rimɔ́ːrs] *n.* Ⓤ **후회,** 양심의 가책《**for, over** (과오)에 대한》: feel ~ *for* one's crime 죄를 짓고 양심의 가책을 느끼다. ***without*** ~ 가차없이.

re·morse·ful [rimɔ́ːrsfəl] *a.* 몹시 후회하고 있는, 양심의 가책을 받는: ~ tears 회오(悔悟)의 눈물. ㊞ **~·ly** *ad.* **~·ness** *n.*

re·mórse·less *a.* **1** 무자비한, 냉혹〔잔인〕한. **2** 뉘우치지 않는, 개전(改悛)의 빛을 보이지 않는. ㊞ **~·ly** *ad.* **~·ness** *n.*

‡**re·mote** [rimóut] (**-mot·er; -mot·est**) *a.* **1** (공간적으로) **먼,** 먼 곳의; 외딴, 멀리 떨어진(secluded)《**from** …에서》. cf. far. ¶a ~ place 먼 곳/a ~ island in the Pacific Ocean 태평양에 있는 외딴 섬/a village ~ *from* the town 읍에서 멀리 떨어진 마을.
2 (시간적으로) 먼: a ~ future 〔past〕 먼 장래〔과거〕/a ~ ancestor 먼 조상.
3 관계가 적은, 간접적인; 크게 다른, 동떨어진《**from** …와》: ~ causes 원인(遠因)/a ~ relative 먼 친척/a question ~ *from* the subject 주제에서 동떨어진 질문/That's ~ *from* my intentions. 그건 내 의도와는 다르다.
4 〖종종 최상급; 종종 부정문〗 (전망·가능성이) 희미한(faint), 근소한(slight): a ~ resemblance 근소한 유사성〔점〕/a ~ possibility 만에 하나의 가능성/There's *not* the *remotest* chance of success. 성공할 가망은 조금도 없다/have only a very ~ conception of …을 막연히 알고 있을 뿐이다.
5 (태도가) 쌀쌀맞은, 서먹서먹한: with a ~ air 쌀쌀맞은 태도로/She's polite but ~. 그녀는 정중했지만 서먹서먹했다.
6 원격 조작의.

remóte bátch 〖컴퓨터〗 원격 일괄 처리《원격지의 단말기에서 입력된 자료를 중앙 컴퓨터가 일괄 처리하는 방식》: ~ system 원격 일괄 시스템.

remóte contról 원격 제어(遠隔制御)〔조작〕: by ~ 리모콘으로.

*__re·móte·ly__ *ad.* **1 멀리**(떨어져). **2** 관계가 희박하여: a ~ relevant matter 거의 관계없는 사항. **3** 〖종종 부정문으로〗 거의〔전혀〕 (…아니다): He is*n't* even ~ serious. 그는 전혀 진지하지 않다.

re·móte·ness *n.* Ⓤ **1** 멀리 떨어져 있음, 원격. **2** 소원(疎遠), 서먹서먹함, 쌀쌀맞음.

remóte prócessing 〖컴퓨터〗 원격 처리.

remóte sénsor 〖우주〗 원격 측정기《인공위성 등에서 지구나 딴 천체를 관측하는 카메라·레이더 등의 장치》.

remould ⇨REMOLD.

re·mount [riːmáunt] *vt.* **1** (말·자전거)에 다시 타다; (산·사닥다리)에 다시 오르다. **2** (포)를 다시 설치하다, (보석·사진 따위)를 갈아 끼우다. **—***vi.* (말·자전거에) 다시 타다; (산·사닥다리에) 다시 오르다. —[⌐ ⌐, - ⌐] n. Ⓒ 갈아탈 말, 예비 말.

re·mov·a·ble [rimúːvəbəl] a. **1** 이동할 수 있는; 제거할 수 있는. **2** 해임[면직]할 수 있는.

***re·mov·al** [rimúːvəl] n. Ⓤ (구체적으로는 Ⓒ) **1 이동**, 이전, 《英》 이사: the ~ *to* a new office 새 사무소로의 이전/a ~ van 《英》 이삿짐 차(《美》 moving van). **2** 제거; 철수; 철거: the ~ of an obstacle 장애물의 제거. **3** 해임, 면직: his ~ *from* the post 그의 직위 해제.

****re·move** [rimúːv] vt. **1** 《~+목/+목+전+명》 **옮기다**, 이전[이동]시키다《***from*** …에서; ***to*** …으로》: ~ one's eyes *from* the painting 그림에서 눈을 돌리다/~ oneself *from* the room 방을 떠나다/~ the troops *to* the front 군대를 전선으로 이동시키다.
2 《~+목/+목+전+명》 **제거하다**, 치우다《***from*** …에서》; (구두 · 모자 등)을 벗(기)다: ~ one's coat 코트를 벗다/~ the causes of poverty 빈곤의 원인을 제거하다/~ a name *from* a list 명부에서 이름을 빼다.
3 《~+목/+목+전+명》 내어쫓다, 해임[면직, 해고]하다《***from*** …에서》: He was ~*d* (*from* office). 그는 (공직에서) 해임됐다/The lazy student was ~*d from* school. 그 게으른 학생은 퇴학당했다.
4 《구어》 죽이다, 암살하다: The king was ~*d* by poison. 국왕은 독살당했다.
—vi. 《+전+명》 **이동하다; 이전하다**, 이사하다《***from*** …에서; ***to, into*** …으로》: The company has ~*d from* London *to* Oxford. 회사는 런던에서 옥스퍼드로 이전했다/~ *to* [*into*] another apartment 다른 아파트로 이사하다. ★ 《구어》에서는 move.
—n. Ⓒ 〔보통 수를 나타내는 말과 함께 써서〕 **1** 거리, 간격《***from*** …으로부터의》: This is (at) many ~*s from* what I expected. 이것은 기대했던 것과 많은 차이가 난다. **2** 등급; 촌수: a cousin in the second ~ 사촌의 손자, 6촌/a (first) cousin at one ~ 사촌의 아들, 5촌.
but one ~ from …에 가까운; …와 종이 한 장의 차로: He is *but one ~ from* a fool. 바보나 다름없다/Genius is *but one ~ from* insanity. 천재와 광기는 종이 한 장 차이다.

°**re·móved** a. **1** 떨어진(remote), 사이를 둔(distant)《***from*** …에서》(《★ 종종 far ~ 꼴로》): His confession is *far ~ from* the truth. 그의 자백은 사실과는 거리가 아주 멀다. **2** 〔once, twice, …times 등을 수반하여〕 (혈족 관계가) …촌(寸)의: a (first) cousin *once* [*twice*] ~ 사촌의 아들[손자], 5 [6]촌.

re·móv·er n. Ⓒ **1** 《英》 (이삿짐) 운송업자, 이삿짐 센터(《美》 mover). **2** 제거제, (칠 · 얼룩의) 박리제(剝離劑): a hair ~ 탈모제[크림]/a stain ~ 얼룩 빼는 약. **3** 이사[이주]한 사람.

RÉM slèep [rém-] 〖생리〗 렘 수면《꿈을 꿀 때의 빠른 안구 운동을 수반하는; cf. REM[1]》.

re·mu·ner·ate [rimjúːnərèit] vt. **1** …에게 보수를 주다《***for*** …에 대하여》: ~ a person *for* his [her] work 아무에게 일한 보수를 주다. **2** (노고)에 보상하다, 보답하다: Our toil was sufficiently ~*d*. 우리의 노고는 충분히 보상받았다.

re·mù·ner·á·tion n. Ⓤ (또는 a ~) 보수, 보상《***for*** …에 대한》.

re·mu·ner·a·tive [rimjúːnərèitiv/-nərətiv] a. (일 따위가) 보수가 있는; 유리한(profitable), 수지맞는. ㊞ **~·ly** ad. **~·ness** n.

Re·mus [ríːməs] n. 〖로마전설〗 Romulus의 쌍둥이 형제. cf. Romulus.

***Ren·ais·sance** [rènəsɑ́ːns, -zɑ́ːns, ⌐-⌐/rinéisəns] n. **1** (the ~) **a 문예 부흥**, 르네상스《14–16세기 유럽의》. **b** (r-) 르네상스 미술[문예, 건축] 양식. **2** (r-) Ⓒ (문예 · 종교 등의) 부흥, 부활; 신생, 재생. —a. Ⓐ 문예 부흥(시대)의; 르네상스 양식의: *Renaissance* painters 문예 부흥기의 화가.

re·nal [ríːnəl] a. 콩팥의, 신장(腎臟)의; 신장부(部)의: a ~ calculus 신장 결석(結石). ◇ kidney n.

re·náme vt. …에게 새로 이름을 붙이다; …을 개명하다.

re·nas·cence [rinǽsəns, -néi-] n. Ⓤ 재생, 신생(rebirth); 부활, 부흥; (R-) =RENAISSANCE.

re·nas·cent [rinǽsənt] a. 재생하는; 부활[부흥]하는; 재기하는.

rend** [rend] (p., pp. ***rent [rent]) 《고어 · 문어》 vt. **1 째다, 찢다**, 쪼개다: The tree was *rent* by lightning. 벼락 맞아 나무가 쪼개졌다/Terrible screams *rent* the silence. 무서운 비명이 침묵을 깨뜨렸다. **2** 《~+목/+목+전+명》 나누다, 분열[분리]시키다: The country was *rent in* two. 국토는 둘로 갈라졌다. **3** 《~+목/+목+전+명/+목+부》 떼어놓다, 비틀어 떼다, 강탈하다《***from*** …에서》: ~ a child *from* his mother's arm 어머니 팔에서 강제로 아이를 떼어내다/~ *off* ripe fruits 익은 과일을 따다. **4** (옷 · 머리털 따위)를 쥐어뜯다; (마음 따위)를 산란케 하다: ~ one's hair in grief 비탄에 빠져 머리를 쥐어뜯다/His heart was *rent* with remorse. 그의 마음은 회한으로 산란해졌다. **5** (외침 소리 따위가 하늘)을 찌르다.
—vi. 째지다, 쪼개지다; 산산조각이 나다, 분열하다. cf. tear[2]. ¶ ~ asunder 두 동강이 나다, 두 조각으로 갈라지다. ◇ rent[2] n.

***ren·der** [réndər] vt. **1** 《+목+보》 …로 **만들다**, …이 되게 하다: ~ a person helpless 아무를 어쩔 수 없는 상태로 몰다/A bullet ~*ed* his right arm useless. 한 발의 탄환이 그의 오른팔을 불구로 만들었다.
2 《~+목/+목+전+명》 **a** (보답으로서) **주다**, 갚다, 보답하다《***for*** …에》: ~ thanks 답례하다/~ evil *for* good 선을 악으로 보답하다. **b** (세금 따위)를 납부하다, (감사)를 바치다《***to*** …에》: ~ tribute *to* the king 왕에게 조공을 바치다/*Render* (*un*)*to* Caesar the things that are Caesar's. 〖성서〗 가이사의 것은 가이사에게 바치라《마가복음 XII: 17》.
3 《~+목/+목+전+명》 **a** (계산서 · 이유 · 회답 등)을 제출하다, 교부하다《***to*** …에》; (판결 등)을 언도하다; (재판)을 집행하다: ~ a bill (*to* a customer) (손님에게) 청구서를 주다/You will have to ~ an account of your expenditure. 경비 보고서를 제출해야 할 것이다. **b** 명도하다, 양도하다, 포기하다: ~ a fort *to* the enemy 적에게 요새를 내주다.
4 《+목+목/+목+전+명》 (어떤 일)을 하다, 행하다, 다하다; (조력 등)을 주다, 제공하다; (경의 따위)를 표하다《***to*** (아무)에게》: ~ help *to* those in need 곤궁한 사람에게 도움을 주다/~ a service *to* a person =~ a person a service 아무를 위하여 진력하다.
5 a (글 · 그림으로) **표현하다**, 묘사하다; 연주[연

출〕하다: ~ a landscape 풍경을 묘사하다〔그리다〕/ ~ a tune on the violin 바이올린으로 한 곡 연주하다 / ~ *Hamlet* movingly '햄릿'을 감동적으로 연출하다. **b** 《+목+전+명》 번역하다《*into, in* …으로》: *Render* the following *into* Korean. 다음 글을 한국어로 번역하시오.
6 《~+목/+목+부》 (지방 따위)를 녹여서 정제(精製)하다(*down*); …에서 기름을 짜다: ~ *down* fat 지방을 정제하다 / ~ lard.
7 《+목+부》 (빌린 것)을 갚다, 돌려주다: I'll ~ *back* your money. 돈을 돌려주겠소.
8 《~+목/+목+전+명》 (벽에) 초벽질을 하다《*with* …으로》.
9 〖해사〗 (로프 · 도르래를 통하여) 늦추다.
~ *up* 《*vt.*+부》 ① (기도)를 올리다《*to* …에게》. ② 명도하다, 양도하다《*to* …에게》.

ren·der·ing [réndəriŋ] *n.* Ⓒ **1** 번역(문): an English ~ *of* a Latin poem 라틴어 시의 영역. **2** 표현, 묘사; 연출; 연주: The pianist gave a splendid ~ *of* the sonata. 피아니스트는 그 소나타를 멋지게 연주했다.

◇***ren·dez·vous*** [rándivùː/rɔ́n-] (*pl.* ~ [-z]) *n.* 《F.》 Ⓒ **1** (특정한 장소 · 때에) 만날 약속; 약속에 의한 회합 (장소); 〖일반적〗 회합 (장소)《*with* …와의; *for* …의》. ⓒⓕ date. ¶ have a ~ *with* … 와 만나기로 하다 / a ~ *for* artists 예술가들이 곧잘 모이는 장소. **2** 〖우주〗 (우주선의) 궤도 회합, 랑데부. **—***vi.* 약속 장소에서 만나다; 집합〔집결〕하다; (우주선이) 랑데부하다《*with* …와》.

ren·di·tion [rendíʃən] *n.* Ⓒ 번역; 해석; 연출, 연주.

ren·e·gade [rénigèid] *n.* Ⓒ 배교자; 배반자; 탈당자; 반역자. **—***a.* Ⓐ 저버린, 거역한; 배반한, 변절한.

re·nege, 《英》 **-negue** [riníg, -nég, -níːg/-níːg] *vi.* **1** 〖카드놀이〗 (선의 패와 같은 짝의 패를 가지고 있으면서) 딴 패를 내다《반칙》. **2** 어기다; 취소하다《*on* (약속 · 계약 따위)를》.
㊕ **-nég(u)·er** *n.*

***re·new** [rinjúː] *vt.* **1 새롭게 하다,** 갱생〔신생〕시키다, 부활〔재흥〕하다: ~ one's enthusiasm 열의를 새롭게 다지다 / Snakes cast off and ~ their skins. 뱀은 탈피하여 껍질을 바꾼다 / ~ one's old friendship with …와의 옛 우정을 새로이하다.

SYN. **renew** 헌것을 다시 새롭게 하다. 물질 · 정신의 양쪽에 쓰임: *renew* the carpet 카펫을 신품과 바꾸다 / *renew* forgotten sorrows 잊었던 슬픔을 새롭게 하다. **renovate** renew와 거의 같으나 '더욱 활기 있는, 사용에 편리한 상태로 하다' → 혁신하다. **restore** 잃었던 것, 나쁜 상태에 있던 것을 원모습으로 회복하다, 되찾다: *restore* a cathedral 대성당을 수복하다. **refresh** 필요한 것을 공급하여 잃었던 체력 · 원기 등을 회복하다: A brief rest *refreshed* him. 그는 조금 쉬니까 기운이 났다.

2 되찾다, 회복하다: ~ one's hopes 희망을 되찾다 / ~ one's youth 회춘하다, 되젊어지다. **3** 재개하다; 반복하다, 되풀이하다: ~ an argument 〔attack〕 논의를〔공격을〕 재개하다 / ~ one's demands 되풀이 요구하다. **4** (계약 · 면허 · 어음 · 기간 등)을 갱신하다; …의 기한을 연장하다: ~ a lease 차용계약을 갱신하다 / ~ one's membership 회원권을 갱신하다 / ~ the library book for another week 책의 대출을 한 주일 더 연장하다. **5** (낡은 것)을 신품과 교환하다, 새것처럼 만들다; 새로 보충하다: *Renew* the water in the vase. 꽃병의 물을 갈아줘라 / The exploration party had to ~ provisions. 탐험대는 식량을 보급받아야 했다.
—*vi.* **1** 새로워지다; 새로 시작하다(recommence): Their friendship ~*ed*. **2** 회복하다. **3** (계약 · 어음 따위의) 기한을 갱신〔계속〕하다.

re·néw·a·ble *a.* **1** (계약 등을) 갱신〔계속〕할 수 있는; (폐지된 안 등이) 부활〔회복〕할 수 있는. **2** 재생 가능한: ~ energy 재생 가능 에너지《태양열 · 풍력 따위》.

◇**re·new·al** [rinjúːəl] *n.* Ⓤ (구체적으로는 Ⓒ) **1** 새롭게 하기, 일신. **2** 부활, 회복; 재생, 소생. **3** 재개; 고쳐 하기; (도시 따위의) 재개발. **4** (어음 등의) 고쳐 쓰기, 갱신, 기한 연기.

ren·net [rénit] *n.* Ⓤ 응유 효소(rennin)《우유를 응고시켜 치즈를 만드는 물질》.

Re·no [ríːnou] *n.* 리노《미국 Nevada주 서부의 도시; 도박과 이혼 재판소로 유명》. ***go to ~*** 이혼하다.

Re·noir [rénwɑːr] *n.* **Pierre Auguste ~** 르누아르《프랑스의 인상파 화가; 1841 –1919》.

***re·nounce** [rináuns] *vt.* **1** (권리 등)을 (정식으로) **포기하다**(surrender), 선서하여 버리다〔끊다〕; (습관 등)을 버리다, 단념하다: ~ smoking and drinking 흡연과 음주를 끊다 / ~ a purpose 목적을 단념하다. **2 부인하다:** ~ one's faith 신앙을 부인하다 / ~ a debt 채무를 부인하다. **3** …와의 관계를〔인연을〕 끊다: ~ one's son 아들과 의절하다. ㊕ **~·ment** *n.* Ⓤ 포기; 단념; 부인, 거절; 절교.

ren·o·vate [rénəvèit] *vt.* **1** (보수 · 개조 등에 의하여) 새롭게 하다, 혁신하다, 쇄신하다; 고쳐 만들다, 수복하다: ~ an old building 낡은 건물을 개수하다. SYN. ⇨ RENEW. **2** 활기 띠게 하다; 원기를 회복시키다. ㊕ **rèn·o·vá·tion** *n.* Ⓤ 쇄신, 혁신; 수리, 수선; 원기 회복. **rén·o·và·tor** [-ər] *n.* Ⓒ 혁신〔쇄신〕자; 수선자.

***re·nown** [rináun] *n.* Ⓤ **명성,** 영명(令名): have ~ for …로 명성이 있다 / of high 〔great〕 ~ 매우 유명한.

re·nówned *a.* 유명한, 명성이 있는《*for* …으로; *as* …로서》: a ~ scientist 유명한 과학자 / The town is ~ *for* its hot springs. 그 읍은 온천으로 유명하다 / He's ~ *as* a novelist. 그는 소설가로서 유명하다. SYN. ⇨ FAMOUS.

‡**rent**[1] [rent] *n.* Ⓤ (또는 a ~) **1 지대,** 소작료: ground ~. **2 집세,** 방세: pay a ~ for a house 집세를 물다. **3** 〖일반적〗 임대〔임차〕료; (기계 등의) 사용료: at a reasonable ~ 적당한 임대료로 / free of ~ 사용료 없음 / a ~ collector 임대료 수금원.
for ~ 《美》 ① 임대용의: an apartment *for* ~ 임대용 아파트. ② (F– R–) 셋집〔셋방〕 있음《게시문; 《英》 To Let》.
—*vt.* **1** 《~+목/+목+전+명》 (집 · 토지 등)을 **임차하다,** 빌리다《*from* …에서》: ~ a house *from* a person 아무로부터 집을 세얻다 / I ~ my room for $30 a week. 주당 30달러로 방을 세얻어 있다. **2** 《+목+부/+목+목/+목+전+명》 **임대하다,** 빌려 주다, 세놓다(*out*)《*to* (아무)에게》: He ~*ed* the house (*out*) *to* them at $100 a month. 그는 그들에게 월세 100달러로 집을 세놓았다 / He ~*ed* me the room. 그는 나에게 그 방을 빌려 주었다. **3** (차 · 의복 등)을 사용료를 주고 빌리다(ⓒⓕ borrow): We ~*ed* a large car. 우

리는 대형차를 빌렸다.
—*vi*. 《+전+명》 세놓다, 임대되다《**to** …에게; **at, for** (얼마)로》: He refused to ~ *to* us. 그는 우리에게 세를 주지 않았다 / ~ *at* 〔*for*〕 1,000 dollars a year. 1년에 천 달러로 세놓다.
㊕ ∠·a·ble *a*.

◇**rent²** *n*. Ⓒ **1** (의복 등의) 째진 데, 해진 곳: a ~ in a sleeve. **2** (구름 · 바위 따위의) 갈라진 사이, 잘린 곳〔틈〕; 협곡. **3** (의견 · 관계 등의) 분열, 불화. ◇rend *v*.

rent³ REND의 과거 · 과거분사.

rént-a-càr *n*. Ⓒ 렌터카《차를 빌려 주는 회사 또는 빌린 차》.

◇**rent·al** [réntl] *n*. Ⓒ **1** 임대〔임차〕료, 총지대, 총사용료; 임차. **2** 《美》 임대용〔임차용〕의 집〔방, 차〕. —*a*. 임대〔임차〕의; 지대〔집세〕의; 임대 업무를 행하고 있는: ~ system 렌털제, 임대 방식 / a ~ car 렌터카 / a ~ service 대출 서비스.

réntal lìbrary 《美》 (유료) 대출 도서관, 대출 문고점.

rent boy 젊은 남창(男娼).

rént·er *n*. Ⓒ 임차인, 차지인, 소작인; 임대인; 〖일반적〗 빌려 주는 사람, 빌리는 사람.

rént-frée *a*., *ad*. 지대〔집세 · 사용료〕가 없는〔없이〕.

ren·tier [*F*. rɑ̃:tjéi] *n*. 《F.》 Ⓒ 금리 생활자《금리 · 연금 · 지대 · 배당금 따위로 생활하는 사람》.

◇**re·nun·ci·a·tion** [rinʌ̀nsiéiʃən, -ʃi-] *n*. Ⓤ (구체적으로는 Ⓒ) **1** 포기, 기권; 단념. **2** (금욕적인) 극기(克己), 자제. ◇renounce *v*.
㊕ **re·nun·ci·a·tive, re·nun·ci·a·to·ry** [rinʌ́nsièitiv, -ʃi-/-siətiv], [-∠siətɔ̀:ri, -ʃi-/-təri] *a*. 포기의; 기권의; 자제의.

◇**re·ópen** *vt*. 다시 열다; 다시 시작하다, 재개하다: ~ a debate 〔discussion, trial〕 토론을〔논의, 심리를〕 재개하다. —*vi*. 다시 열리다; 재개되다: The store will ~ next week. 그 상점은 내주부터 다시 열린다.

◇**re·organizátion** *n*. Ⓤ 재편, 재조직, 개조.

◇**re·órganize** *vt*., *vi*. 재편성하다, 고쳐 조직하다, 개조하다, 개혁하다; (예산 따위를) 재편성하다.

rep¹, repp [rep] *n*. Ⓤ 렙《골지게 짠 직물》.

rep² *n*. 《구어》 **1** =repertory company 〔theater〕. **2** (극장 · 악단의) 레퍼토리 방식.

rep³ *n*. Ⓤ 《美구어》 명성, 평판(reputation).

rep⁴ *n*. Ⓒ 《구어》 대표(representative); (출판사의) 외판원: a union ~ 조합 대표 / a sales ~ 외판원.

Rep. 《美》 Representative; Republic; Republican. **rep.** repair; repeat; report(ed); reporter; representative; reprint; republic.

re·paid [ri:péid] REPAY의 과거 · 과거분사.

⁑**re·pair¹** [ripέər] *vt*. **1 수리〔수선〕하다**: ~ a motor 〔watch〕 모터〔시계〕를 수리하다 / ~ a house 집을 개축하다. SYN. ⇨MEND. **2** (건강 · 힘 등)을 되찾다, 회복하다. cf. renew. ¶ ~ one's health by resting 휴양하여 건강을 회복하다. **3** (결함 · 오류)를 정정〔교정(矯正)〕하다: ~ an error 잘못을 고치다. **4** (손해 · 부족 등)을 벌충하다; 보상하다, 배상하다: ~ damage 손해를 배상하다 / ~ a wrong done 범한 죄를 보상하다.
—*n*. **1 a** Ⓤ **수리**, 수선, 손질: beyond 〔past〕 ~ 수리할 수 없는〔없을 만큼〕 / Road Under *Repair* 《게시》 도로 공사중 / be in need of ~ 수리를 요하다. **b** Ⓒ (흔히 *pl*.) 수선〔수리, 복구〕 작업: The shop will be closed during ~*s*. 수리 중에는 휴점합니다 / *Repair* done while you wait. 기다리는 동안 수선해 드립니다《광고문》. **c** Ⓒ 수선〔수리〕 부분: The ~ is hardly visible. 수선한 부분이 거의 눈에 띄지 않는다. **2** Ⓤ 손질〔수리〕한 상태: in good 〔bad〕 ~ =in 〔out of〕 ~ 손질이 잘 되어 있어서〔있지 않아서〕.
㊕ **~·a·ble** [-rəbəl] *a*. 수선〔배상〕할 수 있는; 되찾을 수 있는《손해 따위》. **re·pàir·a·bíl·i·ty** [-rəbíləti] *n*. **~·er** *n*.

re·pair² *vi*. 가다, 다니다, 종종 가다; 여럿이 가다《**to** …에》: We ~ *to* Switzerland in winter. 겨울이면 스위스에 간다.

repáir·man [-mæ̀n, -mən] (*pl*. **-men** [-mèn, -mən]) *n*. Ⓒ (기계의) 수리공, 수선인.

rep·a·ra·ble [répərəbəl] *a*. 수선할 수 있는; 배상〔보상〕할 수 있는.

◇**rep·a·ra·tion** [rèpəréiʃən] *n*. **1** Ⓤ 보상, 배상: make ~ *for* …을 보상하다. **2** (*pl*.) (패전국이 지불하는) 배상금: ~*s* in kind 현물 배상.

rep·ar·tee [rèpɑ:rtí:] *n*. Ⓤ 재치 있는 즉답; 재치 있게 즉답하는 재간.

re·past [ripǽst, -pɑ́:st] *n*. Ⓒ 《문어》 식사; (한 번의) 식사량: a dainty 〔rich〕 ~ 미식(美食) / a light 〔slight〕 ~ 간단한 식사.

◇**re·pa·tri·ate** [ri:péitrièit/-pǽt-] *vt*. (사람)을 본국에 송환하다; (자산)을 본국으로 보내다. —*vi*. 본국에 돌아가다. — [ri:péitriit/-pǽt-] *n*. Ⓒ 본국으로의 송환〔귀환〕자.
㊕ **re·pàt·ri·á·tion** *n*. Ⓤ 본국 송환〔귀환〕.

***re·pay** [ripéi] (*p*., *pp*. **-paid** [-péid]) *vt*. **1** 《~+목/+목+목/+목+전+명》 (돈)을 갚다, 반제(返濟)하다《**to** (아무)에게》: ~ a debt 빚을 갚다 / Just lend me 10 dollars, and I'll ~ you tomorrow. 10달러만 빌려 줘, 내일 갚을께 / *Repay* me the money. =*Repay* the money *to* me. 돈을 갚아 주게. **2** 《~+목/+목+전+명》 …에 **보답하다**, 은혜를 갚다; 답례하다, 응답하다《**for** …에 대하여; **with, by** …으로》: Your success will amply ~ him *for* his effort. 너의 성공은 그의 노력에 대한 충분한 보답이 될 것이다 / ~ a visit 답례로서 방문하다 / ~ a compliment *with* a smile 찬사에 미소로 응답하다. **3** (사물이) …에 보답하다, 가치가 있다: This book ~ close study. 이 책은 정독할 만한 가치가 있다. —*vi*. 돈을 갚다; 보답하다.
㊕ **~·a·ble** *a*. 돌려줄〔반제할〕 수 있는; 돌려줘야〔반제해야〕 할.

re·páy·ment *n*. Ⓤ (구체적으로는 Ⓒ) **1** 돌려받음, 반제(금). **2** 보수, 보상; 보답; 되갚음.

◇**re·peal** [ripí:l] *vt*. (법률 등)을 무효로 하다, 폐지하다, 철회하다. —*n*. Ⓤ (법률의) 폐지, 철폐.

⁑**re·peat** [ripí:t] *vt*. **1 a** (행위)를 **되풀이하다**, 반복하다, 재차 경험하다: Don't ~ a mistake. 오류를 되풀이하지 마라 / ~ one's question 되풀이하여 질문하다. **b** 〖~ oneself〗 (사물이) 반복하여 나타나다〔일어나다〕: History ~*s* it*self*. 역사는 반복한다.
2 a 《~+목/+*that* 절》 되풀이해 말하다: I ~*ed* the word for emphasis. 그 말을 되풀이하여 강조했다 / I ~ *that* I can't accede to your demand. 다시 한 번 말하지만 너의 요구에는 응할 수 없다. **b** 〖~ oneself〗 똑같은 말을 되풀이하다: You're ~*ing* your*self*. 넌 똑같은 말을 되풀이하고 있군 / I don't want to ~ my*self*, but …

똑같은 말을 되풀이하고 싶지 않지만….
3 (남이 말한 것)을 복창하다: *Repeat* the following words after me. 나를 따라서 복창하시오.
4 ⟪~+목/+목+전+명⟫ (비밀 따위)를 그대로 전하다⟪***to*** (아무)에게⟫; 딴 사람에게 말하다: Don't ~ the secret. 이 비밀은 다른 사람에게 말하지 마라/She *~ed* what I said *to* everyone. 그녀는 내가 말한 것을 모든 사람에게 퍼뜨렸다.
5 (프로그램)을 재방송〔방영〕하다⟪★ 보통 수동태⟫: The program *is being ~ed* on Channel 9 next Sunday. 그 프로그램은 다음 일요일에 9번 채널에서 재방영된다.
—*vi.* **1** 되풀이하여 말〔행〕하다: Please ~ after me. 내 말을 따라 하시오. **2** ⟪~/+전+명⟫ (음식물이) 뒷맛을 남기다⟪***on*** …에게⟫: I don't like onions because they ~ *on* me. 양파는 먹은 후에도 계속 뒷맛이 남아서 싫다. **3** ⟪美⟫ (불법으로) 이중 투표하다. **4** 〖수학〗 (소수 따위가) 순환하다. **5** (시계가) 시보(時報)를 되풀이하다. **6** (학년을) 유급하다. ◇repetition *n.*
No, ~, no 절대 안 된다〔아니다〕. ***not bear ~ing*** (말·얘기가) 되풀이하여 입에 올릴 수 없을 만큼 지독하다; 남 앞에서 할 얘기가 아니다: The story *won't bear ~ing*. 그 얘기는 다시 입에 담을 것이 못 된다.
—*n.* Ⓒ **1** 되풀이함; 반복; 반복되는 것. **2** 〖음악〗 도돌이(표) ⟪𝄆 𝄇⟫. **3** 〖상업〗 재공급, 재주문. **4** (라디오·텔레비전의) 재방송; (앙코르에 의한) 재연(주).
㊕ **~·a·ble** *a.* 반복할 수 있는, 반복에 적합한.

re·péat·ed [-id] *a.* Ⓐ 되풀이된, 종종 있는: the doctor's ~ warnings 의사의 거듭된 경고.

◇**re·péat·ed·ly** *ad.* 되풀이하여, 몇 번이고, 재삼재사, 두고두고: He knocked ~ on the door. 그는 몇 번이고 문을 두드렸다.

re·péat·er *n.* Ⓒ **1** 되풀이하는 사람〔것〕; 암송자; 연발총; 〖수학〗 순환 소수. **2** ⟪美⟫ (한 선거에서) 몇 번이고 투표하는 부정 투표자; 상습범. **3** ⟪美⟫ 낙제〔유급〕생. **4** 되풀이하여 시보(時報)를 알리는 시계.

re·péat·ing *a.* Ⓐ **1** (소수가) 순환하는: a ~ decimal 순환소수. **2** (총이) 연발의: a ~ rifle 연발총.

◇**re·pel** [ripél] (*-ll-*) *vt.* **1** (공격자·적 등)을 쫓아 버리다, 격퇴하다: ~ an invasion 침략을 격퇴하다. **2** 반박하다; 저항하다; 퇴짜놓다, 거절하다: ~ a request 요구를 거절하다/~ temptations 유혹을 물리치다. **3** (물 따위)를 튀기다, 통과시키지 않다: This fabric *~s* moisture. 이 직물은 수분이 스며들지 않는다. **4** (아무)에게 혐오감〔불쾌감〕을 주다: The odor *~s* me. 냄새가 역하다.
—*vi.* 물리치다, 퇴짜놓다; 불쾌감을 주다. ◇repulse, repulsion *n.*

◇**re·pel·lent, re·pel·lant** [ripélənt] *a.* **1** 혐오감을 주는, 불쾌한, 몹시 싫은⟪***to*** (아무)에게⟫: ~ work 싫은 일/Everything about him was ~ *to* her. 그녀는 그의 일이라면 무엇이건 싫었다. **2** 〖종종 합성어〗 반발하는, 퇴짜놓는; (물을) 튀기는; (벌레 따위를) 가까이 못 오게 하는: a water-~ garment 방수복.
—*n.* **1** Ⓒ 물리치는〔반발하는〕 것. **2** Ⓤ (종류·낱개는 Ⓒ) 방수 가공제⟪헝겊에 바르는⟫; 구충제: an insect ~ 구충〔방충〕제. ㊕ **~·ly** *ad.*

re·pent** [ripént] *vi.* ⟪~/+전+명⟫ **후회하다**, 유감으로 생각하다, 분해하다; 회개하다⟪of*** …을⟫: ~ *of* one's sins 죄를 뉘우치다/He *~ed of* his folly. 자신의 어리석음을 후회했다.
—*vt.* ⟪~+목/+*-ing*/+*that* 절⟫ (잘못)을 후회〔회개, 참회〕하다, 유감으로 생각하다: You shall ~ this. 이것을 곧 후회하게 될거다/I now ~ *having* offended her. =I now ~ *that* I offended her. 그녀의 감정을 상하게 한 것을 지금 후회하고 있다. ㊕ **~·er** *n.*

◇**re·pent·ance** [ripéntəns] *n.* Ⓤ 후회; 회한, 회개: show ~ for …에 회한을 드러내 보이다/It was too late now for ~. 이제 후회해 보았자 너무 늦었다. ⓒⓕ penitence, remorse.

re·pent·ant [ripéntənt] *a.* **1** 후회하는; 회오(悔悟)하는, 유감스럽게 생각하는; 참회하는⟪***of*** …을⟫: a ~ sinner 참회하는 죄인/He's ~ *of* his sins. 그는 자신의 죄를 뉘우치고 있다. **2** 후회의 감정을 나타내는: ~ sighs 〔tears〕 후회의 한숨〔눈물〕. ㊕ **~·ly** *ad.*

re·per·cus·sion [rìːpərkʌ́ʃən] *n.* **1** Ⓤ (구체적으로는 Ⓒ) 되튀기; (소리의) 반향; (빛 따위의) 반사. **2** Ⓒ (보통 *pl.*) (간접적) 영향, (사건 등의) 여파: the ~*s* of World War Ⅱ 제2차 대전의 여파.

rep·er·toire [répərtwàːr] *n.* Ⓒ **1** 연예〔상연〕 목록, 연주 곡목, 레퍼토리. **2** 〖컴퓨터〗 레퍼토리⟪어떤 특정 명령 시스템에 쓰이는 문자나 부호의 범위⟫.

rep·er·to·ry [répərtɔ̀ːri/-təri] *n.* **1** **a** Ⓤ 레퍼토리 방식⟪전속 극단·악단이 레퍼토리를 정기적으로 잇달아 상연하는 방식⟫. **b** =REPERTOIRE. **2** Ⓒ (지식·정보 따위의) 축적; 보고(寶庫): a ~ *of* information 정보의 보고⟪백과사전 따위⟫.

répertory còmpany 레퍼토리 극단⟪레퍼토리 극장 전속의 극단⟫.

répertory thèater 레퍼토리 극장⟪전속 극단으로 하여금 여러 가지의 극을 단기 흥행케 하는⟫.

***rep·e·ti·tion** [rèpətíʃən] *n.* **1** Ⓤ (구체적으로는 Ⓒ) **되풀이**, 반복; 재현: *Repetition* is most necessary in learning a foreign language. 반복은 외국어 학습에 가장 필요하다. **2** Ⓤ 〖음악〗 복주(復奏), 복창. **3** Ⓒ 되풀이 하는 말; 암송문, 암송 시구. **4** Ⓒ 사본, 복사, 모사, 부본. ◇repeat *v.* ㊕ **~·al, ~·a·ry** [-əl], [-èri/-əri] *a.* 반복의, 복창의.

rep·e·ti·tious [rèpətíʃəs] *a.* 자꾸 되풀이하는, 중복하는, 반복성의; 번거로운. ㊕ **~·ly** *ad.* **~·ness** *n.*

re·pet·i·tive [ripétətiv] *a.* 되풀이하는, 반복성의. ㊕ **~·ly** *ad.* **~·ness** *n.*

re·phráse *vt.* 고쳐〔바꾸어〕 말하다.

re·pine [ripáin] *vi.* 불평하다, 투덜거리다; 실망〔낙담〕하다⟪***at, against*** …에 대하여⟫: ~ *at* one's sad fate 자신의 비운을 한탄하다/~ *against* Providence 신의 섭리에 불만을 품다/Do not ~. 실망하지 마라.

repl. replace; replacement.

‡**re·place** [ripléis] *vt.* **1** ⟪~+목/+목+전+명⟫ **제자리에 놓다**, 되돌리다: ~ the book *on* the shelf 책을 책장에 도로 꽂다/~ a receiver 수화기를 제자리에 놓다. **2** ⟪~+목/+목+*as* 보⟫ …에 **대신하다**, …의 후계자가 되다, …에 대체하다: Electricity has *~d* gas in lighting. 조명에 있어서 전기가 가스에 대체되었다/Mr. Major *~d* Mrs. Thatcher *as* Prime Minister. 메이저가 대처의 뒤를 이어 수상이 되었다. **3** ⟪~+목/+목+전+명⟫ 바꾸다, 바꾸어 놓다〔넣다〕, 교체하

다《*by, with* …으로》: ~ a worn tire *by* [*with*] a new one 헌 타이어를 새것으로 갈아 끼우다/a person hard to ~ 교체할 수 없는 사람.

re·pláce·a·ble *a.* **1** 제자리에 되돌릴 수 있는. **2** 바꾸어 놓을 수 있는, 대신이 될 수 있는: ~ parts 교체할 수 있는 부품.

re·pláce·ment *n.* **1 a** Ⓤ 교체, 교환: regular ~ of tires 타이어의 정기적인 교체. **b** Ⓒ 교체[대체]품; 후계자, 대를 잇는 사람《*for* …의》: find a ~ *for* …의 대체품을[후계자를] 찾아내다. **2** Ⓤ 제자리에 되돌림, 반환; 복직, 복위. **3** Ⓒ 〖美군사〗 보충병, 교체 요원.

re·play [riːpléi] *vt.* **1** 재시합하다; 재연(再演)하다. **2** (테이프)를 재생시키다. ── [ríːplèi] *n.* Ⓒ 재(再)경기; 재연; (녹음·녹화 테이프의) 재생.

re·plen·ish [ripléniʃ] *vt.* 다시 채우다; 보충[보급]하다《*with* …으로》: ~ one's stocks 재고품을 보충하다/~ the fire *with* fuel 불에 연료를 지피다. ㊞ **~ed** [-t] *a.* (다시) 가득해진, 가득 찬. **~·ment** *n.*

re·plete [riplíːt] *a.* Ⓟ **1** 가득 찬, 충만한, 충분한《*with* …으로》: a room ~ *with* luxuries 사치품으로 가득 찬 방. **2** 포만한, 포식한《*with* …으로》: No, thanks. I'm ~. 이제 됐습니다. 실컷 먹었습니다/He was ~ *with* food and drink. 그는 음식과 술로 포식했다.

re·ple·tion [riplíːʃən] *n.* Ⓤ 포식, 포만; 충만, 충실, 과다. ***to* ~** 충분히, 물릴 만큼; 실컷: eat *to* ~ 실컷 먹다.

rep·li·ca [réplikə] *n.* Ⓒ **1** 〖미술〗 (원작자의 손으로 된) 복사《그림·상(像) 따위의》. **2** 모사(模寫), 복제(품).

rep·li·cate [répləkèit] *vt.* **1** (잎 등)을 되접다. **2** 복제[복사]하다; …의 복제품을 만들다. ㊞ **rep·li·ca·tion** [rèpləkéiʃən] *n.*

‡**re·ply** [riplái] *vi.* **1** 《~/+전+명》 **a** **답하다**, 회답하다《*to* …에》: ~ *to* a question 질문에 답하다/~ *to* the letter 편지에 답장을 쓰다. **b** **대답하다**《*for* …에 대신하여》; 답사(答辭)하다, 감사의 말을 하다《*on behalf of* …을 대신하여》: ~ *for* one's daughter 딸을 대신하여 대답하다/I would like to ~ *on behalf of* all the guests. 초대받은 일동을 대신하여 감사의 말씀을 드리고자 합니다. [SYN.] ⇨ANSWER.

2 《~/+전+명》 응답하다; 응수하다《*to* …에 대하여; *with* …으로》: She *replied to* my greeting *with* a smile. 그녀는 내 인사에 미소로 응답했다/They *replied to* the enemy's attack *with* heavy gunfire. 그들은 적의 공격에 맹포격으로 응수했다.

── *vt.* 《~+목/+*that* 절》 (…라고) 대답하다, 대꾸하다: He *replied* nothing. =He didn't ~ anything. 그는 아무 대답도 안 했다/She does not know what to ~. 그녀는 무어라고 대답해야 할지 모른다/He *replied that* his mind was made up. 그는 결심이 섰다고 대답하였다.

── *n.* Ⓒ **1** **답**, **대답**, 회답《*to* …에 대한》: He made no ~ *to* my request. 그는 나의 요청에 아무런 대답이 없었다. **2** 응수, 응답: The management's ~ was to close down the factory. 경영자측의 응수는 공장을 폐쇄하는 것이었다.

in* ~** (to***) (…의) 대답으로, (…에) 답하여: He said nothing *in* ~. 그는 아무런 대답도 하지 않았다/*In* ~ *to* the question, he referred me to a recent article in *The Times*. 그 질문에 답하여, 그는 타임지의 최근 기사를 보라고 했다.

replý-pàid *a.* 회신료[반신료]가 첨부된《전보》; 요금 수취인불의《봉투》.

rè·póint *vt.* (벽돌·돌)의 맞춤새에 모르타르를 다시 바르다.

‡**re·port** [ripɔ́ːrt] *vt.* **1** 《~+목/+목+(*to be*) 보/+*that* 절/+*wh.* 절/+목+*to* do/+목+전+명/+-*ing*》 (연구·조사 등)을 **보고하다**; (들은 것)을 전하다, 이야기하다《*to* …에게》; (세상에서) …라고 말하다: ~ a ship missing 배가 행방불명이라고 보고하다/He was ~*ed* (*to be*) killed in the war. 그는 전사했다고 보고되었다《★ to be 를 생략하는 것은 주로 미국 용법》/He ~*ed that* he had met her. =He ~*ed* hav*ing* met her. 그는 그녀를 만났다고 이야기하였다/He ~*ed how* the accident had happened. 그는 그 사고가 어떻게 일어났는지를 보고했다/The weatherman ~*ed* the typhoon *to* have approached the mainland. 일기 예보관은 태풍이 본토에 접근했다고 전했다/He ~*ed* the accident *to* the police. 그는 그 사고를 경찰에 알렸다/She has been ~*ed* injured. 그녀는 부상당했다고 한다.

2 《~+목/+목+전+명》 〖~ oneself〗 (소재·상황)을 통보하다; 출석[출두]하다《*to* …에》: ~ one*self to* the principal 교장에게 갔다.

3 《~+목/+목+전+명》 (기자가) 기사를 쓰다[취재하다], 보도하다《*for* (신문 따위)를 위하여》: ~ a trial (*for* a newspaper) (신문에) 공판 기사를 쓰다[보도하다].

4 《~+목/+목+전+명》 (불법 행위·피해 등)을 신고하다, 상신하다《*to* (당국)에》; 고자질하다《*to* (상사 등)에게; *for* …이유로》: He ~*ed* her disappearance *to* the police. 그는 그녀의 행방불명을 경찰에 신고했다/~ a person *to* his employer *for* laziness 아무가 태만하다고 주인에게 일러바치다.

── *vi.* **1** 《+전+명》 보고하다, 보고서를 작성[제출]하다《*to* …에; *on, about* …에 대하여》: She ~*ed to* the committee *on* the results of the investigation. 그녀는 위원회에 조사 결과를 보고했다.

2 《+전+명》 취재하다, 보도하다《*on, upon* …에 관하여》; 기자 일을 보다《*for* (신문사 등)의》: ~ from Washington *on* the presidential election 워싱턴에서 대통령 선거에 대하여 보도하다/~ *for* the Time 타임지의 통신원이다.

3 《+보/+전+명》 (자기의 거처·상태를) 신고하다, 보고하다: ~ sick 병이 났다고 보고하다/~ *to* the police 경찰에 (소재를) 신고하다.

4 《+전+명》 출석[출근]하다; 출두하다《*to* …에; *for* …을 위하여》: I ~ *to* the office *for* duty at 9:00 a.m. 오전 9시에 출근한다/~ *to* the police *for* interrogation 심문 받으러 경찰에 출두하다.

~ *back* 《*vt.*+부》 돌아와서 보고하다《*that*》; …의 보고를 가지고 돌아오다. ──《*vi.*+부》 조사 후 보고하다《*to* …에》: He ~*ed back to* the committee about accident. 그는 그 사건을 조사한 후 돌아와서 위원회에 보고했다. **~ (*on*) *progress*** 경과 보고를 하다. **~ *out*** (위원회 등이) …의 검토 결과를 보고하다.

── *n.* **1** Ⓒ **a** (조사·연구의) **보고**(서); 통보《*of, on* …에 관한》: the weather ~ 기상 통보/make a ~ *of* …을 보고하다/draw up a ~ *on* an accident 사고 보고서를 작성하다. **b** 《英》 (학교) **성적표**, 통지표(《美》 report card)《★ 한국의 대학생이 리포트라고 부르는 것은 영어로는 paper, 학기말에 제출하는 것은 term paper》: Did you

get a good ~ this term? 이번 학기에 좋은 성적을 받았느냐.
2 Ⓤ 평판, 명성: a man of good (bad) ~ 평판이 좋은(나쁜) 사람/be of good (ill) ~ 평판이 좋다(나쁘다).
3 Ⓤ (구체적으로는 Ⓒ) 소문, 세평《**that**》: idle ~s 쓸데없는 소문/There's a ~ *that* he has links with the Mafia. 그는 마피아와 관련이 있다는 소문이 있다.
4 Ⓒ (보통 *pl.*) 판례집; (강연 · 토론 등의) 속기록; 의사록.
5 Ⓒ (신문 등의) **보도**, 기사; 공보: a press (TV, radio) ~ on …에 관한 신문(텔레비전, 라디오) 보도.
6 Ⓒ 폭발음; 총성, 포성.
on ~ (규칙 위반 따위로) 출석 명령을 받고. ***The ~ goes*** (***runs, has it***) ***that ….*** …라는 소문이다.
㊞ **~·a·ble** *a.* 보고(보도)할 수 있는; 보고(보도) 가치가 있는.

re·port·age [rèpɔːrtáːʒ, ripɔ́ːrtidʒ] *n.* 《F.》 Ⓤ 르포르타주, 보고 문학(문체).

repórt càrd 《美》 성적(생활) 통지표; 《일반적》 성적 평가.

re·pórt·ed·ly [-idli] *ad.* 《문장 전체를 수식하여》 소문에 의하면, 전해지는 바에 의하면《신문 용어》: The Prime Minister is ~ going to resign in a few days. 전해지는 바에 의하면 수상은 며칠 내로 사임할 것이라고 한다.

repórted spéech 〖문법〗 간접 화법(indirect narration).

***re·port·er** [ripɔ́ːrtər] *n.* Ⓒ **1 보고자**, 신고자. **2 보도**(취재) **기자**, 리포터, 통신원, 탐방 기자; 뉴스 아나운서: a police ~ 경찰 출입 기자/an on-the-spot ~ 현장 취재 기자. **3** (의회 · 법원의) 의사(판결) 기록원.

rep·or·to·ri·al [rèpərtɔ́ːriəl] *a.* 《美》 보고자의, 기자의; 기록(속기)자의; 보도의.

***re·pose**[1] [ripóuz] *n.* Ⓤ **1 휴식**, 휴양; 수면: seek (take, make) ~ 휴식하다/Good night and sweet ~. 편히 잘 자요. **2** 침착, 평정(平靜), 평안; (색채 등의) 조화: rural ~ 전원의 고요/~ of mind 마음의 평정. **3** (운동의) 휴지(休止): a volcano in ~ 휴화산.
—*vt.* 《~+목/+목+전+명》 **눕히다**, 재우다; 쉬게 하다; 〖~ oneself〗 눕다, 쉬다《**in, on** …에서》: ~ one's head *on* a pillow 베개를 베고 쉬다/~ oneself *on* a sofa 소파에서 쉬다.
—*vi.* **1** 《~/+전+명》 **쉬다**, 휴식하다《**in, on** …에서》: a girl *reposing in* a hammock 해먹에서 쉬고 있는 소녀/~ *on* (*upon*) a bed 침대에 눕다. SYN. ⇨REST. **2** 《~/+전+명》 **영면하다**, 안치되다: He ~s *at* Arlington Cemetery. 그는 알링턴 묘지에 안장되었다. **3** 《+전+명》 놓이다, 가로놓이다; 기초를 두다《**on, upon** …위에》: The foundations ~ *upon* the rock. 토대는 암반 위에 놓여 있다. **4** 《+전+명》 (증거 · 논의 등에) 의하다, 의존하다《**on** …에》: His argument ~d *on* a close study of the facts. 그의 논의는 사실에 대한 면밀한 연구에 근거했다.

re·pose[2] *vt.* (신뢰 · 희망 따위)를 두다, 걸다《**in** …에》: ~ one's trust *in* a person 아무를 신뢰하다.

re·pos·i·tory [ripázitɔ̀ːri/ pɔ́zitəri] *n.* Ⓒ **1** 용기(容器); 저장소, 창고. **2** 《비유적》 (지식 등의) 보고(寶庫)《사람에게도 씀》. **3** 납골당(納骨堂), 매장소. **4** (비밀 등을) 터놓을 수 있는 사람, 막역한 친구.

rè·posséss *vt.* 다시 손에 넣다, 되찾다; (상품)을 회수하다《할부 계약 따위의 불이행으로》; (아무)에게 도로 찾아(회복시켜) 주다《**of** …을》: ~ one*self of* …을 도로 찾다/~ a person *of* …을 아무에게 도로 찾아 주다. ㊞ **rè·posséssion** *n.* Ⓤ 되찾음, 재(再)소유, 회복.

re·pót (**-tt-**) *vt.* (식물)을 딴 화분에 옮겨 심다.

repp ⇨REP[1].

rep·re·hend [rèprihénd] *vt.* 꾸짖다, 나무라다, 비난하다: ~ a person's conduct 아무의 행위를 꾸짖다.

rep·re·hen·si·ble [rèprihénsəbəl] *a.* 비난할 만한, 괘씸한: ~ conduct 괘씸한 행위/His attitude is most ~. 그의 태도는 실로 무엄하다. ㊞ **-bly** *ad.*

rep·re·hen·sion [rèprihénʃən] *n.* Ⓤ 비난.

rep·re·hen·sive [rèprihénsiv] *a.* 비난하는, 질책하는. ㊞ **~·ly** *ad.*

⁑**rep·re·sent** [rèprizént] *vt.* **1** 《~+목/+목+-ing》 (그림 · 조각 등이) **묘사하다**, 표현하다, 그리다: The prince is ~*ed* in hunting costume. 왕자는 사냥복 차림새로 그려져 있다/This picture ~s a nude repos*ing* on a couch. 이 그림은 긴 의자에서 쉬고 있는 누드를 그리고 있다.
2 《~+목/+목+전+명》 마음에 그리다《**to** …의》: Can you ~ infinity *to* yourself? 무한이라는 것을 상상할 수 있느냐.
3 a 《~+목/+목+*as* 보/+목+*to be* 보/+*that* 절》 **말하다, 기술하다**, 말로 표현하다, 묘사하다, 주장(단언)하다: ~ ideas by words 관념을 말로 표현하다/He ~*ed* himself *as* (*to be*) an intimate friend of the Senator. 그는 자기가 그 상원 의원의 친한 친구라고 했다/Shakespear ~s Richard Ⅲ *as* a cruel and ruthless monarch. 셰익스피어는 리차드 3세를 잔혹하고 무자비한 군주로 묘사했다/He ~*ed that* they were in urgent need of help. 그들에게는 원조(援助)가 절실하다고 그는 말했다. **b** 《+목+전+명》 설명하다, 지적하다; 진정하다《**to** (아무)에게》: He ~*ed* the importance of the bill *to* his audience. 그는 청중에게 그 법안의 중요성을 설명했다.
4 《~+목/+목+전+명》 (그림 · 기호 등이) 표시(상징)하다, 의미하다《**to** …에게는》: X ~s the unknown. X는 미지의 것을 나타낸다/The stars in the American flag ~ the States. 미국기의 별들은 주(州)를 상징한다/His excuses ~*ed* nothing *to* me. 그의 변명은 나에게는 무의미했다.
5 …의 표본(일례)이다: This house ~s the most typical houses in these parts. 이 집은 이 지방의 전형적 가옥의 일례이다.
6 a 대표하다, 대리하다: a union ~*ing* 700 workers, 7백명의 근로자를 대표하는 조합/He ~s our firm. 그는 우리 회사를 대표한다/I hired an attorney to ~ me. 나를 대리하여 변호사를 의뢰했다. **b** …의 대표자(대의원)이다; …의 대표자를 보내다《★ 보통 수동태》: An MP ~s his constituency. 국회 의원은 선거구의 대의원이다/Thirty countries *were* ~*ed* at the conference. 30개국이 그 회의에 대표자를 파견했다.
7 …을 상연하다; …의 역을 맡아 하다, …으로 분장하다: She ~*ed* a queen. 그녀는 여왕 역을 맡아 했다.
8 …에 상당(상응)하다: Camels are ~*ed* in

South America by llamas. 남아메리카에서 낙타에 해당하는 것은 야마이다.

~ (**very**) **much** 〔(**very**) **little, nothing**〕 **to** (me) (나)에겐 크게 의미가 있다〔거의 무의미하다, 전연 무의미하다〕.

re·pre·sent [rìːprizént] *vt.* 다시 선사하다; 다시 제출하다; (극 따위)를 재연(再演)하다.

***rep·re·sen·ta·tion** [rèprizentéiʃən] *n.* **1** [U] **표시**, 표현, 묘사. **2** [C] 초상(화), 조상(彫像), 회화. **3** [C] **설명**, 진술; (*pl.*) 진정; 항의《**to** …에의; **about** …에 대한》: We made forceful ~*s to* the Government *about* the matter. 우리는 그 문제에 대해서 정부에 강력히 항의했다. **4** [U] (구체적으로는 [C]) **상연**, 연출. **5** [U] **대표**(권), 대리(권); 의원 선출(권); 대표 참가〔파견〕; 대의 제도; 《집합적》 대표단: functional 〔vocational〕 ~ 직능 대표/sales ~ 판매 대리권/regional ~ 지역 대표제/proportional ~ 비례 대표제. **6** [U] 《컴퓨터》 표시, 표현《문자 · 숫자 등을 구성하여 어떤 구조나 의미를 나타내는 일》.

[파] **~·al** [-ʃənəl] *a.* 《미술》 구상(具象)주의의; 대의제에 관한. **~·al·ism** *n.* 《연극》 표상주의(表象主義).

****rep·re·sent·a·tive** [rèprizéntətiv] *a.* **1** **대표적인**, 전형적인: a ~ American 전형적인 미국인. **2** 대리〔대표〕하는《**of** …을》; 대의제의: in a ~ capacity 대표자의 자격으로/the ~ system 대의제/The Congress is ~ *of* the people. 의회는 국민을 대표한다. **3** **표시하는**, 표현하는, 묘사하는; 상징하는《**of** …을》: a picture ~ *of* life in medieval Europe 중세 유럽의 생활을 묘사한 그림.

—*n.* [C] **1** **대표자**, 대리인《**for, of** …의》; 재외(在外) 사절: diplomatic ~*s* 외교관/a ~ *of* 〔*for*〕 an American company in Seoul 서울에 있는 미국 기업의 대리인. **2** **대의원**; (R-) 《美》 하원 의원. **3** 견본, 표본; 전형. **4** 판매 대리인; 판매회사, 외판원. ***a legal*** 〔***personal***〕 ~ 유언 집행인. ***a real*** 〔***natural***〕 ~ 가계 상속인. ***the House of Representatives*** 《美》 하원. [파] **~·ly** *ad.*

represénted spéech 《문법》 묘출(描出) 화법《직접 화법과 간접 화법과의 중간적 성격을 가진 화법》.

°**re·press** [riprés] *vt.* **1** (감정 등)을 억누르다, 참다: ~ one's emotions 〔tears, laughter〕 감정〔눈물, 웃음〕을 억누르다. **2** 저지〔제지〕하다; (반란 등)을 진압하다: ~ a revolt 〔riot〕 반란〔폭동〕을 진압하다. **3** 《심리》 (무의식적으로 욕구 등)을 억압하다.

re·préssed [-t] *a.* 억압된, 억제된; 욕구불만의: a ~ child 욕구불만의 아이/~ desires 억압된 욕망.

re·préss·i·ble *a.* 억제〔제압〕할 수 있는.

re·pres·sion [ripréʃən] *n.* **1** [U] 진압, 제지, 억제. **2** 《심리 · 생리》 [U] 억압; [C] 억압 본능.

re·pres·sive [riprésiv] *a.* 억누르는, 억압적인; 진압하는: a ~ law 〔regime〕 억압적인 법률〔정권〕. [파] **~·ly** *ad.* **~·ness** *n.*

re·prieve [ripríːv] *vt.* **1** (특히 사형수)의 형집행을 정지〔연기〕하다. **2** (아무)를 일시적으로 구원〔경감〕하다《**from** …에서》: The medicine ~*d* him *from* pain for a while. 그 약은 그의 통증을 잠시 가시게 해 주었다.

—*n.* [C] **1** 형집행 유예〔연기〕《특히 사형수의》. **2** (곤란 · 위험에서의) 일시적인 구원〔경감, 도피〕.

°**rep·ri·mand** [répramæ̀nd, -màːnd] *n.* [U] (구체적으로는 [C]) (공식적인) 견책, 징계; 질책.
—*vt.* 견책〔징계〕하다; 호되게 꾸짖다《**for** …일로》: The captain ~*ed* the sentry *for* desert*ing* his post. 대장은 자기 초소에서 벗어난 것을 이유로 보초를 질책하였다. [SYN.] ⇨ REPROACH.

°**re·print** [riːprínt] *vt.* (책)을 증쇄(增刷)하다, (개정하지 않고) 다시 인쇄하다《★ 종종 수동태》: The book *is* now *being* ~*ed*. 그 책은 지금 재판 중이다. **—***n.* [C] **1** 증쇄, 재쇄(再刷), 재판. **2** (새 판형에 의한) 재발행, 재간(再刊). **3** (기간본의) 리프린트《동일 출판물을 딴 출판사가 판권을 양도받아 그대로 출판함》.

re·pris·al [ripráizəl] *n.* [U] (구체적으로는 [C]) (정치적 · 군사적) 앙갚음, 보복: a measure of ~ 보복 조치/diplomatic 〔ecconomic〕 ~*s* 외교적〔경제적〕 보복/take 〔carry out〕 ~*s* against … 에 대하여 보복하다.

re·prise [rəpríːz] *n.* [C] 《음악》 (주제의) 재현부(再現部), 반복.

re·pro [ríːprou] (*pl.* **~s**) *n.* 《구어》 =REPRODUCTION 2; REPRODUCTION PROOF.

***re·proach** [riprόutʃ] *vt.* 《~+[목]/+[목]+[전]+[명]》 **비난하다**; 나무라다, 꾸짖다《**for, with** …일로》: You need not ~ yourself. 그렇게 자책할 필요는 없다/~ a person *for* being idle 〔*with* his idleness〕 아무의 나태함을 꾸짖다.

[SYN.] **reproach** 기대를 저버린 것 따위에 대하여 상대의 명예심에 호소하여 반성을 촉구하다. **reprove** 윗 사람의 입장에서 온건하게 상대의 반성을 요청하다. **rebuke** 불찬성을 강하게 주장하여 상대를 힐난하다. **reprimand** 권위를 갖고 공식적으로 비난하다, 견책하다.

—*n.* **1 a** [U] **비난**, 질책: a man without ~ 나무랄 데 없는 훌륭한 인물/above 〔beyond〕 ~ 나무랄 데 없이, 훌륭히. **b** [C] 비난의 말: heap ~*es* on …을 흘닦다, 비난하다. **2 a** [U] 불명예, 치욕: That will bring ~ upon you. 그것이 너에게 치욕을 안겨 줄 것이다. **b** (a ~) 치욕스러운〔불명예스러운〕 것《**to** …에게》: Slums are *a* ~ *to* a civilized society. 빈민가는 문명 사회에 치욕스런 것이다.

[파] **~·a·ble** *a.* 비난할 만한, 나무라야 할. **~·er** *n.*

re·proach·ful [riprόutʃfəl] *a.* 비난하는 (듯한); 책망하는 듯한: She gave him a ~ glance. 그녀는 그를 비난하는 듯한 눈초리로 보았다.

[파] **~·ly** *ad.* =REPROACHINGLY.

re·próach·ing·ly *ad.* 나무라듯이, 비난조로.

rep·ro·bate [réprəbèit] *vt.* 책망하다, 비난하다; (신이 사람)을 저버리다. **—***a.* 신에게 버림받은; 사악한, 타락한. **—***n.* **1** (the ~) 신에게 버림받은 사람. ↔ *the elect*. **2** [C] 무뢰한(漢); 부도덕한 사람; 타락자.

rèp·ro·bá·tion *n.* [U] 비난, 질책; 《신학》 영벌(永罰).

re·proc·ess [riːpráses/-próus-] *vt.* **1** (폐품)을 재생하다, 재가공하다: ~*ed* wool 재생 양모. **2** (핵연료)를 재처리하다; (사용하고 난 핵연료)에서 (다시 사용하기 위해) 우라늄과 플루토늄을 회수하다.

reprócessing plànt (핵연료) 재처리 공장.

***re·pro·duce** [rìːprədjúːs] *vt.* **1** (장면 · 소리 따위)를 **재생하다**; 재현하다: The lizard ~*s* its torn tail. 도마뱀은 끊어진 꼬리를 재생한다/The scene was vividly ~*d* on the film. 그 장면은 필름에 생생하게 재현되었다. **2** 《~+[목]/+[목]+[전]+[명]》 **복사하다**, 모사하다; 모조하다; 복제하다

《**from** …에서》; (극)을 재연하다: ~ a picture *from* an old print 옛 판화에서 그림을 복제하다. **3** 《+목+전+명》 (책)을 재판하다; (글)을 전재하다《**from** …에서》: This article was ~*d from* a certain magazine. 이 기사는 어느 잡지에서 전재되었다. **4** 〖~ oneself〗 (동식물이) 생식〔번식〕하다.

—*vi*. **1** 《~/+전+명》 **생식하다**, 번식하다《**by** …함으로써》: Most plants ~ *by* producing seed. 대부분의 식물은 씨를 만들어 번식한다. **2** 〖양태부사를 수반하여〗 복제〔복사, 재생〕되다: The colors of the original rarely ~ faithfully. 원화의 색깔이 제대로 복제되는 것은 드물다.

㊉ **-dúc·er** *n*. **-dú·ci·ble** *a*.

***re·pro·duc·tion** [rìːprədʌ́kʃən] *n*. **1** Ⓤ **재생**, 재현; 재제작; 재생산: Compact disks give excellent sound ~. 콤팩트 디스크는 훌륭한 음을 재생시킨다. **2 a** Ⓤ 복제, 복사, 모조, 전재(轉載). **b** Ⓒ 복사물, 복제품; 재생품. **3** Ⓤ 생식; 번식; 〖심리〗 재생 작용.

reprodúction pròof 〖인쇄〗 전사(轉寫)(repro proof).

re·pro·duc·tive [rìːprədʌ́ktiv] *a*. Ⓐ **1** 생식의: ~ organs 생식기. **2** 재생의, 재현의. **3** 복제〔복사〕하는.

***re·proof** [riprúːf] (*pl*. **~s**) *n*. **1** Ⓤ **비난**, 질책: a glance of ~ 비난하는 듯한 눈초리: in ~ of …을 비난하여. **2** Ⓒ 잔소리, 꾸지람: receive a sharp ~ 심한 꾸지람을 듣다. cf. reproach. ◇ reprove *v*.

répro pròof ⇨REPRODUCTION PROOF.

***re·prove** [riprúːv] *vt*. 《~+목/+목+전+명》 **꾸짖다**, 비난하다; 질책하다《**for** …일로》: ~ a person *for* his fault 아무의 잘못을 꾸짖다. SYN. ⇨REPROACH. ㊉ **re·próv·ing** *a*. 비난하는, 꾸짖는 듯한. **-ing·ly** *ad*.

◇**rep·tile** [réptil, -tail] *n*. Ⓒ **1** 파충류의 동물; 양서류의 동물. **2** 《비유적》 비열한 인간, 엉큼한 사람.

rep·til·i·an [reptíliən] *a*. 파충류의; 파충류 비슷한; 《비유적》 비열한. **—***n*. Ⓒ 파충류의 동물.

Repub. Republic; Republican.

⁑**re·pub·lic** [ripʌ́blik] *n*. Ⓒ **1 공화국**; 공화 정체. cf. monarchy. ¶ a constitutional ~ 입헌 공화국 / Plato's *Republic* 플라톤의 국가론. **2** (the R-) 〖보통 서수사를 수반하여〗 (프랑스의) 공화제《★ the First Republic 에서 the Fifth Republic 까지의 하나》. **3** (공동 목적을 가진) …사회, …계(界), …단(壇): the ~ of letters 문학계, 문단.

***re·pub·li·can** [ripʌ́blikən] *a*. **1 공화 정체의**; 공화국의; 공화주의의. **2** (R-) 《美》 공화당의.

—*n*. Ⓒ 공화주의자; (R-) 《美》 공화당원; 공화당 지지자.

re·púb·li·can·ìsm *n*. Ⓤ **1** 공화 정체; 공화주의. **2** (R-) 《美》 공화당의 주의〔정책〕.

re·púb·li·can·ìze *vt*. 공화국으로 하다, 공화정체로 하다; 공화주의화하다. ㊉ **re·pùb·li·can·i·zá·tion** *n*.

Repúblican Párty (the ~) 《美》 공화당《the Democratic Party 와 함께 현재 미국의 2 대 정당의 하나; 코끼리로 당을 상징함》.

re·pu·di·ate [ripjúːdièit] *vt*. **1** 거부하다, 부인하다, 받아들이지 않다: He ~*d* the rumor. 그는 그 소문을 부인했다. **2** (채무)의 이행을 거부하다; (국가 · 자치 단체 등이) …의 지급 의무를 부인하다. **3** (아무)와 관계가 없다고 말하다; 인연을 끊다, 의절하다; 이혼하다: ~ an old friend 오랜 친구와 절교하다.

re·pù·di·á·tion *n*. Ⓤ (구체적으로는 Ⓒ) **1** 거부, 거절. **2** 부인: Nobody believed his repeated ~*s*. 그가 아무리 부인해도 아무도 믿지 않았다. **3** 지급 거절; (자식과의) 절연; 이혼.

re·pug·nance, -nan·cy [ripʌ́gnəns], [-nənsi] *n*. Ⓤ **1** 질색, 강한 반감, 혐오: in 〔with〕 ~ 증오하여. **2** 모순, 불일치《**between** … 사이의; **to, with** …와의》.

re·pug·nant [ripʌ́gnənt] *a*. **1** 비위에 거슬리는, 불유쾌한, 싫은《**to** …에게는》: a ~ fellow 지겨운 놈 / He's ~ *to* me. 나는 그가 질색이다 / It's ~ *to* me even to speak to him. 나는 그에게 말하기조차 싫다. **2** 모순된; 일치〔조화〕되지 않는《**to, with** …와》: These actions seem ~ *to* common sense. 이런 행동은 상식에 맞지 않는 것 같다.

◇**re·pulse** [ripʌ́ls] *vt*. **1** (적 · 공격)을 물리치다, 격퇴하다. **2** (남의 선의 · 제안 · 구혼 등)을 거절하다; 퇴박 놓다: He flatly ~*d* my offer to help him. 그는 내가 도와 주겠다는 제의를 딱 잘라 거절했다. **—***n*. (*sing*.) 격퇴; 거절, 퇴짜: meet with 〔suffer〕 (a) ~ 거절〔격퇴〕당하다.

re·pul·sion [ripʌ́lʃən] *n*. Ⓤ **1** 반감, 혐오, 몹시 싫어함《**for** …에 대한》: She feels (a strong) ~ *for* snakes. 그녀는 뱀을 몹시 싫어한다. **2** 〖물리〗 척력(斥力), 반발 작용(↔ *attraction*).

***re·pul·sive** [ripʌ́lsiv] *a*. **1 불쾌한**, 혐오감을 주는, 메스꺼운《**to** …에게》: a ~ smell 메스꺼운 냄새 / He's 〔That's〕 ~ *to* me. 나는 그자가 〔그것이〕 역겹다. **2** 〖물리〗 반발하는. ㊉ **~·ly** *ad*. **~·ness** *n*.

rep·u·ta·ble [répjətəbəl] *a*. 평판 좋은, 이름 높은; 훌륭한, 존경할 만한(respectable): a highly ~ doctor 〔store〕 평판이 좋은 의사〔가게〕. ㊉ **-bly** *ad*. 평판 좋게; 훌륭히.

⁑**rep·u·ta·tion** [rèpjətéiʃən] *n*. **1** Ⓤ (또는 a ~) **평판**, 세평《**of, for** …에 대한》: of great 〔no〕 ~ 평판이 높은〔나쁜〕/ have a good ~ as a doctor 의사로서의 명망이 높다 / make a ~ *for* oneself 유명해지다, 평판이 나다 / a playboy of evil ~ 악평이 난 건달 / Your ~ is 〔stands〕 very high. 너에 대한 평판은 아주 자자하다. **2** Ⓤ **명성**, 신망, 호평: a man of ~ 명망가 / live up to one's ~ 명성에 부끄러움이 없는 생활을 하다.

have* 〔*enjoy*〕 *a* ~ *for = ***have the* ~ *of*** …라는 소문이다, …으로 유명하다: *have the* ~ *of* being a miser 구두쇠로서 통하고 있다.

◇**re·pute** [ripjúːt] *n*. Ⓤ **1** (좋은 또는 나쁜) 평판, 세평: a hotel of good 〔evil〕 ~ 평판이 좋은〔나쁜〕 호텔 / know a person by ~ 아무의 평판은 알고 있다 / be in high 〔of good〕 ~ 평판이 좋다 / through good and ill ~ 세평에 개의치〔구애받지〕 않고. **2** 명성, 호평, 신망(↔ *disrepute*): be held in (high) ~ 명성을 얻다 / a novel of ~ 호평받는 소설.

—*vt*. 〖보통 수동태〗 …이라는 소문이다; (…으로) 여기다, 생각하다; 평하다: *be* well 〔ill〕 ~*d* of 평판이 좋다〔나쁘다〕/ He *is* ~*d* (*to be*) a perfect fool. 그는 아주 숙맥이라는 소문이 있다 / They ~ her 〔She's ~*ed*〕 (*as*) an honest girl. 그들은 그녀를 정직한 소녀라고 생각하고 있다.

re·pút·ed [-id] *a*. (실제와 상관없이) …라 일컬어지는, …이란 평판이 있는: the ~ author of a book 어느 책의 저자로 일컬어지는 사람(=the person who is ~ to be the author of the book)/his ~ father 그의 아버지라는 사람/a ~ pint《英》흔히 말하는 1 파인트(들이 병).

re·pút·ed·ly *ad.* 〖문장 전체를 수식하여〗 평판으로, 세평에 의하면: He's ~ brilliant at mathematics. 평판에 의하면 그는 수학에 재능이 있다고 한다.

‡**re·quest** [rikwést] *n.* **1** Ⓤ (구체적으로는 Ⓒ) **요구**, 요망, 요청, 의뢰, 소망《***to*** do/***that***》: I have a ~ to make (of you). 부탁이 하나 있습니다/grant a ~ *to* examine old records 묵은 기록을 조사하고 싶다는 청을 들어 주다/The Government turned down our ~ *that* the tax (should) be cut. 정부는 그 세금이 삭감되어야 한다는 우리의 요구를 각하했다. **2** Ⓒ 의뢰〔청구〕물; 요망〔청원〕서; 신청곡. **3** Ⓤ 수요(demand): come into ~ 수요가 생기다/This article is in (great) ~. 이 품목은 (많은) 수요가 있다.

at** a person**'s ~ =***at the ~ of*** a person 아무의 의뢰〔요구〕에 의하여: The police came *at the ~ of* the management. 경영자측의 요청에 따라 경찰이 왔다. ***at the urgent ~ of*** …의 간청에 의해. ***by ~*** 의뢰에 의하여, 요구에 응하여: Buses stop here only *by ~*. 버스는 요청이 있을 때만 이곳에 정차합니다. ***make a ~*** 〔***~s***〕 ***for*** …을 간청하다: I'd like to *make a ~ for* your help. 귀하의 도움을 청하고 싶은데요. ***on ~*** 신청에 의하여; 신청하는 대로 곧《드림》: Brochures are available *on ~*. 팸플릿은 신청하는 대로 보내드립니다.

— *vt.* **1 구하다**, **(신)청하다**: ~ a permission to go out 외출 허가를 신청하다. **2** 《~+목/+목+전+명/+*to* do/+목+*to* do/+*that* 절/+목+*that* 절》 **요청하다**, 간청하다, 부탁하다, 바라다《***of, from*** …에》《★ ask보다 격식차린 정중한 말투》: as ~*ed* 요청받은 대로/~ an emergency session 긴급 회의의 개최를 요청하다/~ a loan *from* a bank 은행 대출을 요청하다/What I ~ *of* you is that you should keep it secret. 너에게 부탁하는 것은 그것을 비밀로 해 두라는 것이다/Visitors are ~*ed* not *to* touch the exhibits. 진열품에 손대지 마시오/I ~ you *to* send money at once. =I ~ *that* money (should) be sent at once. 지급 송금 요망/He ~*ed* (us) *that* we (should) pay attention to the fact. (우리들에게) 그 사실을 유의하라고 요청하였다/They ~*ed* (*of* the manager) *that* he (should) withdraw the remark. 그들은 지배인에게 그 말을 철회할 것을 요청했다/I ~ your attention. 여러분 주목해 주시기 바랍니다/Contributions ~*ed*. 기부를 부탁드립니다《자선 모금함의 문구》. SYN. ⇨ BEG.

㊞ **~·er** *n.* Ⓒ 청구자.

> **DIAL.** ***Any request?*** 뭐 필요한 것이 있습니까.

requést prògram 리퀘스트 프로그램《희망 프로》.

requést stòp 《英》(승하차객이 있을 때만 서는) 버스 정류소.

req·ui·em [rékwiəm, rí-, réi] *n.* Ⓒ **1** (때로 R-) 〖가톨릭〗 죽은 이를 위한 미사, 그 미사곡, 위령곡, 레퀴엠. **2** 〖일반적〗 (죽은 이의 명복을 비는) 애가(哀歌)(dirge), 만가(挽歌), 진혼가.

réquiem máss 사망자를 위한 미사.

‡**re·quire** [rikwáiər] *vt.* **1** 《~+목/+목+전+명/+목+*to* do/+*that* 절》 **요구하다**, 명하다《***of, from*** …에게》; 규정하다: I'll do all that is ~*d of* me. 요구하는 대로 무엇이라도 하겠습니다/He ~*d* some more information *from* me. 그는 나에게 더 많은 정보를 요구했다/I was ~*d to* report to the police. 나는 경찰에 출두하라고 요구받았다/The contracts ~ *that* we (should) finish the work in a week. 계약(서)에는 1주일 내에 일을 마치도록 규정하고 있다. SYN. ⇨ DEMAND. **2** 《~+목/+*to* do/+*-ing*/+*that* 절》 **필요로 하다**; …할〔될〕 필요가 있다: He ~*s* medical care. 치료를 받아야 한다/We ~ *to* know it. =We ~ know*ing* it. 그것을 알 필요가 있다/The emergency ~*s that* it (should) be done. 위급한 경우이므로 그것을 하지 않으면 안 된다.

— *vi.* (법률 따위가) 요구하다, 명하다: do as the law ~*s* 법률이 정한 대로 하다.

if circumstances ~ 필요하다면. ***It ~s that....*** …할 필요가 있다.

re·quíred *a.* (학과 등이) 필수의(↔ *elective*): a ~ subject 필수 과목.

re·quire·ment** [rikwáiərmənt] *n.* Ⓒ **1 요구하는[되는] 것**, 요구물, 요건(要件): meet the ~*s* of the time 시대가 요구하는 것에 따르다. **2 필요물**, 필요로 하는 것; 필요 조건《for*** …을 위한》: the ~ *for* admission to a college 대학 입학을 위한 필요 조건.

°**req·ui·site** [rékwəzit] *a.* Ⓐ 필요한, 없어서는 안 될, 필수의(needful)《***to, for*** …에》: ~ qualifications 〔skills〕 필요한 자격〔기술〕/Do you have the ~ patience *for* such work? 너는 이런 일에 필요한 인내력이 있느냐. SYN. ⇨ NECESSARY.

— *n.* Ⓒ (보통 *pl.*) **필요물**, 필수품, 필요 조건, 요소《***for, of*** …의》: traveling ~*s* =~*s for* travel 여행 필수품/Food and water are ~*s for* life. 식량과 물은 생활의 필수품이다. ㊞ **~·ly** *ad.* **~·ness** *n.*

req·ui·si·tion [rèkwəzíʃən] *n.* **1** Ⓤ (특히 군대에 의한) 징발, 징용; 접수: obtain horses by ~ 말을 징발하다/call 〔bring, place〕 ... into ~ =put ... in ~ = lay ... under ~ …을 징발하다. **2** Ⓒ 징발 명령(서)《***for*** …의》: The army made a ~ on the villagers *for* provisions. 군대는 마을 사람들에게 식량 징발 명령을 내렸다. **3** Ⓤ 수요(需要), 소용됨: be in 〔under〕 ~ 수요가 있다; 사용되고 있다.

— *vt.* 〖군사〗 (사람·물자·건물 등)을 징발〔징용〕하다; 접수하다《***from*** …으로부터; ***for*** …에, …을 위해》: ~ supplies *for* troops 군용 물자를 징발하다/~ food 〔trucks〕 *from* villagers *for* the troops 식량〔트럭〕을 마을 사람들로부터 군대에 징발하다. ㊞ **~·er** *n.*

re·quit·al [rikwáitl] *n.* Ⓤ 보수, 보답; 앙갚음, 보복: in ~ of 〔for〕 …의 보답으로; …의 앙갚음으로.

re·quite [rikwáit] *vt.* **1** 갚다, 보상하다, 보답하다《***for*** …에 대하여; ***with*** …으로》: ~ a person's services 아무의 수고에 보답하다/~ good *with* evil 은혜를 원수로 갚다/She ~*d* him *for* his help *with* a kiss. 그녀는 그의 도움의 답례로 키스해 주었다. **2** …에 앙갚음하다, 보복〔복수〕하다; …을 벌하다, 징벌하다《***for*** …에 대하여; ***with*** …으로》: ~ a person *for* his contempt 아무의 경멸에 보복하다/~ a traitor *with* death 배반자를 사형에 처하다.

re·read [riːríːd] (*p.*, *pp.* **-read** [-réd]) *vt.* 다시 읽다, 재독(再讀)하다.
rere·dos [ríərdɑs/-dɔs] *n.* [C] (교회) 제단(祭壇) 뒤의 장식 벽〔병풍〕 (altarpiece).
re·róute *vt.* (사고 등으로) 다른〔새로운〕 길로 수송하다; (항공기의 항로)를 변경시키다.
re·run [ríːrʌ̀n] *n.* [C] **1** 〖영화〗 재상영 (영화); 〖TV〗 재방송 (프로). **2** 〖컴퓨터〗 재실행.
— [-ˊ] (**-ran; -run; -run·ning**) *vt.* **1** 재상영하다; 재방송하다. **2** (경기)를 다시 하다.
re·sale [ríːsèil, -ˊ] *n.* [U] (구체적으로는 [C]) 재판매, 재매각; 전매(轉賣).
résale prìce màintenance 재판매 가격 유지《생략: r.p.m.》.
re·schédule (**-uled; -ul·ing**) *vt.* **1** 스케줄〔계획〕을 다시 잡다. **2** (채무)의 변제를 연장하다.
re·scind [risínd] *vt.* 〖법률〗 (법률 · 조약 등)을 폐지하다; (계약 등)을 무효로 하다, 취소하다.
re·scis·sion [risíʒən] *n.* [U] 폐지, 취소, 무효로 함, 철폐; (계약 등의) 해제.
‡res·cue [réskjuː] *vt.* **1** 《~+[목]/+[목]+[전]+[명]》 **구조하다**, 구하다; 보호하다《**from** (위험 · 감금 상태)에서》: ~ a drowning child =~ a child *from* drowning 물에 빠진 아이를 구출하다. **2** 〖법률〗 (압류 물건)을 불법으로 탈환하다; (죄수)를 탈주시키다; (재산)을 탈환하다.
—*n.* **1** [U] (구체적으로는 [C]) **구조**, 구출, 구제: a ~ home (윤락) 여성 갱생원/~ work (부녀자) 구제 사업/a ~ party 구조대: go 〔come〕 to the ~ of …을 구조〔원조〕하러 가다. **2** [U] 〖법률〗 (압류물 · 죄수의) 불법 탈환〔석방〕.
[파] **rés·cu·er** *n.* [C] 구조자, 구원자.
‡re·search [risə́ːrtʃ, ríːsəːrtʃ] *n.* [U] (보통 *pl.*) (학술) **연구**, **조사**, 탐구, 탐색《**in, into** …의; **on** …에 관한》: *~es in* nuclear physics 핵물리학의 연구/a ~ fellow 연구원/a ~ institute 〔laboratory〕 연구소/Many important pieces of ~ have been done *on* cancer. 암에 관한 많은 중요한 연구가 행해졌다.
—*vi.* 《~/+[전]+[명]》 연구하다, 조사하다《**in, into, on** …을》: ~ *into* a matter thoroughly 문제를 철저하게 조사하다. **—***vt.* 연구하다, 조사하다: ~ the background of a crime 범죄의 배경을 조사하다.
[파] **~·er** *n.* [C] 연구〔조사〕원. **~·ful** [-fəl] *a.* 연구에 몰두하고 있는, 학구적인.
reséarch and devélopment 연구 개발《기업의 신제품 · 신기술 개발을 위한 기초 연구에서 제품〔실용〕화에 이르기까지의 제반 활동; 생략: R&D》.
reséarch-inténsive *a.* 연구 개발에 비용이 드는.
re·séat *vt.* **1** 〖~ oneself〗 다시 착석시키다; 앉은 자세를 고치다《★ 수동태로도 쓰임》. **2** (의자)의 앉는 부분을 갈다.
re·séll (*p.*, *pp.* **-sold**) *vt.* 다시 팔다, 전매하다.
***re·sem·blance** [rizémbləns] *n.* **1** [U] (구체적으로는 [C]) **유사**(성), 닮음《**to** …와의; **between** …사이의》: He has 〔bears〕 little 〔much〕 ~ *to* his father. 그는 아버지와 거의 닮지 않았다〔많이 닮았다〕/There is a close 〔distant〕 ~ *between* them. 그들은 아주〔어딘지 좀〕 닮았다. **2** [C] 닮은 얼굴, 초상화(image).
‡re·sem·ble [rizémbəl] *vt.* 《~+[목]/+[목]+[전]+[명]》 …와 **닮다**, …와 공통점이 있다《**in** …에 있어서》: ~ each other 서로가 닮다/The brothers ~ each other *in* taste. 그 형제는 취미의 면에서 서로 공통점이 있다.
***re·sent** [rizént] *vt.* 《~+[목]/+-*ing*》 …에 **골내다**, …에 **분개하다**; 원망하다: I ~ constant interruptions when I am working. 일하고 있을 때 자꾸만 방해받는 것은 짜증스럽다/He *~ed* be*ing* called a fool. 그는 바보라는 소리에 분개했다.
°re·sent·ful [rizéntfəl] *a.* 분개한, 성마른; 성잘내는《**at, about, of** …에》: He was bitterly ~ *of* his defeat. 그는 패배한 것이 무척 분했다.
[파] **~·ly** *ad.* **~·ness** *n.*
***re·sent·ment** [rizéntmənt] *n.* [U] (또는 a ~) **노함**, 분개; 원한《**against, at, toward** …에 대한》: in ~ 분연히/He felt ~ *at* the way he had been treated. 그는 자기가 받아온 대우에 분노를 느꼈다/The accused bore (a) strong ~ *against* the judge. 피고는 재판관에게 강한 원한을 품었다.
***res·er·va·tion** [rèzərvéiʃən] *n.* **1 a** [C] (흔히 *pl.*) (열차 · 호텔 등의) **예약**, 지정: cancel a ~ 예약을 취소하다/seats without ~ 자유석/I have made all the ~*s* for my trip. 여행 예약은 모두 마쳤다/Are ~*s* necessary at that restaurant? 그 식당의 예약이 필요합니까. **b** [C] 예약석〔실〕. **2** [U] (구체적으로는 [C]) (제한) 조건, 제한; (권리 등의) 유보, 단서《**that**》; 〖법률〗 유보의 권리; 유보 조항〔조건〕: We accepted their conditions without ~. 우리는 그들이 내세운 조건을 선선히 받아들였다/They accepted the plan with the ~ *that* they might revise it later. 그들은 후일 변경할지도 모른다는 조건을 붙여 그 계획을 받아들였다. **3** [C] (남몰래 품는) 의심, 걱정《**about** …에 관한》: I have some ~*s* *about* their marriage. 그들의 결혼이 마음에 좀 걸린다. **4** [C] (특히 인디언의) 특별 보호 거주지: the Indian ~*s*. **5** [C] 《英》 (자동차 도로의) 중앙 분리대: the central ~.
without **~** ① 기탄없이, 솔직히: Please give us your opinion *without* ~. 솔직히 의견을 말씀해 주십시오. ② 무조건(⇨2). ***with*** **~(s)** 유보 조항을 붙여서.

> [DIAL] ***Do you have a reservation?*—*Yes. The name is Brown.*** 예약은 하셨습니까—예, 이름이 브라운입니다.

[파] **rès·er·vá·tion·ist** *n.* [C] (항공사 따위의) 예약 접수계(reservation clerk).
‡re·serve [rizə́ːrv] *vt.* **1** 《~+[목]/+[목]+[전]+[명]》 **떼어 두다**, 비축하다《**for** (미래 혹은 어떤 목적)을 위하여》: ~ some money *for* a vacation 휴가 여행을 위해 돈을 좀 떼어 두다/*Reserve* your strength *for* the climb. 등산에 대비하여 힘을 아껴 둬라. [SYN.] ⇨KEEP, SAVE.
2 《+[목]+[전]+[명]》 〖보통 수동태〗 준비〔마련〕해 두다《**for** (특정한 사람 등)을 위하여》; 예정해 두다; 운명지우다《**for** …에게》: The house *is ~d for* special guests. 이 집은 귀빈을 위한 것이다/This discovery *was ~d for* Newton. 이 발견은 뉴턴에 의해 처음으로 이루어졌다/A disastrous end *was ~d for* him. 그에게는 비극적인 최후가 예정되어 있었다.
3 (좌석 · 방 · 표 등)을 **예약하다**: ~ rooms at a hotel 호텔에 방을 예약하다/~ a ticket for a play 연극표를 예약하다/This table is *~d*. 이 좌석은 예약된 것입니다.

4 (권리 · 판단 등)을 유보하다, 삼가다: All rights ~*d*. 판권 (본사) 소유 / ~ one's judgment on the matter 그 문제에 관한 판단을 유보하다.
5 훗날로 미루다, 연기하다(postpone).
—*n*. **1 a** Ⓤ (장래를 위한) **비축**, **예비**: money in ~ 예비금 / keep [have] food in ~ 식량을 예비로 비축해 두다. **b** Ⓒ (흔히 *pl*.) 예비[보존]품; (석유 · 석탄 등의) 매장량; 『상업』 준비[적립]금: keep a ~ [some ~*s*] *of* oil 석유를 비축해 두다 / the ~(*s*) of a bank 은행 적립금 / the ~ *of* foreign currency 외화 준비금.
2 Ⓒ (종종 R-; the ~; 흔히 *pl*.) 『군사』 예비대[함대]; 예비역[후비역]병; 보결 선수: a soldier in the ~*s* 예비역 군인 / call up the ~(s) 예비군을 소집하다.
3 Ⓤ 제한, 조건, 보류: I'll accept your proposal, but with one ~. 너의 제안을 받아들이겠지만 단 한 가지 조건이 있다.
4 Ⓒ 〔보통 수식어를 수반하여〕 특별 보류지, 지정 보호구《*for* …을 위한》: a game ~ 금렵 지역《아프리카 등지의》/ a ~ *for* wild animals 야생동물 보호 구역.
5 Ⓒ (경매 따위의) 최저 가격: He put a ~ *of* $100,000 on the house. 그는 그 집에 10만 달러의 최저 가격을 부쳤다.
6 Ⓤ (성격 · 언행 등의) **삼감**; 자제; 침묵, 마음에 숨김; (문학 · 예술에서) 과대한 표현을 피하는 것.
7 Ⓤ 『컴퓨터』 예약.
place to **~** 『상업』 준비금[적립금]에 편입하다. ***throw off*** **~** 마음을 터놓다. ***with all*** (***proper***)**~** 시인을[지지를] 보류하여, 보증 없이, 동의하지 않고. ***without*** **~** ① 거리낌 없이; 무조건으로: Tell us your opinion *without* ~. 기탄없이 견해를 얘기하시오. ② (경매 등이) 최저가의 제한 없이: a sale [an auction] *without* ~ 가격 무제한 방매[경매]. ***with*** **~** 삼가서; 조건부로.
—*a*. Ⓐ 예비의, 준비의, 남겨둔: ~ currency 준비 통화 / a ~ fund 적립금, 준비금 / ~ officer 예비역 장교.

reśerve bànk 《美》 준비 은행《연방 준비 은행 (Federal Reserve Banks)의 하나》.

°**re·sérved** *a*. **1** 보류된; 대절의, 예약의; 예비의; 지정된; 제한된: a ~ seat 예약[지정, 전세]석 / *Reserved* 예약필, 예약석《게시 · 표시》/ a ~ car [carriage] 열차의 전세차 / a ~ ration (비상시의) 예비 식량. **2** 겸양하는, 수줍어하는, 말없는, 내성적인: in a ~ manner 조심스런 태도로. **3** 운명지워진. SYN. ⇨ SILENT. ㊐ **~·ness** *n*.

re·sérv·ed·ly [-idli] *ad*. 삼가서, 조심스럽게, 서름서름하게.

reśerve prìce 《英》 『상업』 최저 경매 가격 (《美》 upset price).

re·serv·ist [rizə́ːrvist] *n*. Ⓒ 예비병, 재향 군인, 향토 예비군.

***res·er·voir** [rézərvwàːr, -vwɔ̀ːr] *n*. Ⓒ **1 저장소**, 저장기; **저수지**, 급수소[탱크]: an air ~ 기조(氣槽) / a settling [depositing] ~ 침전지 / a receiving ~ 집수지 / a storing ~ 저수지. **2** (지식 · 부 따위의) 축적, 저장; 보고: a great ~ *of* knowledge 많은 지식의 축적.

re·set [riːsét] (*p*., *pp*. ***-set; -set·ting***) *vt*. **1** 고쳐 놓다; (보석 따위)를 고쳐 박다; (톱)의 날을 다시 갈다; 『인쇄』 (활자)를 다시 짜다; 『의학』 접골[정골]하다. **2** (계기(計器) 등)을 고쳐 맞추다: ~ one's watch by the radio signal 팔목시계를 라디오 시보에 맞추다. **3** 『컴퓨터』 리셋하다《메모리 · 셀(cell)의 값을 제로로 함》.
— [ríːsèt] *n*. Ⓒ **1** 바꾸어 놓기; 고쳐 박기; 옮겨 심은 식물; 『인쇄』 고쳐 짜기[짠 것]. **2** 『컴퓨터』 리셋: a ~ key 리셋 키 / a ~ switch 재시동 스위치.

rè·séttle *vt*. **1** (특히, 피난민)을 다시 정주(定住)시키다《*in* …에》: The refugees were ~*d in* Canada by a U.N. relief organization. 피난민들은 유엔 구조 사업 단체에 의하여 캐나다에 정착했다. **2** 재식민(再植民)하다. —*vi*. 재(再)정주하다. ㊐ **~·ment** *n*. Ⓤ 재정주; 재식민.

rè·shúffle *vt*. **1** (카드의 패)를 다시 치다[섞다]. **2** (내각 등)을 자리바꿈하다, 개각하다.
—*n*. Ⓒ **1** (패를) 다시 침[섞음]. **2** (내각 등의) 인물 교체: a ~ *of* the Cabinet 개각(改閣).

°**re·side** [rizáid] *vi*. **1** (오래) 살다; (공무원이) 주재하다《*at, in* …에》: He ~*s* here *in* Seoul. 그는 이곳 서울에서 살고 있다. SYN. ⇨ LIVE. **2** 존재하다; (성질이) 있다; (권리 등이) 귀속하다, 돌아가다《*in* …에》: The power of decision ~*s in* President. 결정권은 대통령에게 있다.

***res·i·dence** [rézidəns] *n*. **1** Ⓒ (크고 호화로운) **주거**, 주택; 저택: an official ~ 공관(公館), 관저. SYN. ⇨ HOUSE. **2 a** Ⓤ **거주**, 재주(在住); 주재, 거류: *Residence* is required. 임지에 거주함을 요함 / have [keep] one's ~ in …에 거주하다. **b** Ⓒ 체재[체류] 기간: after a ~ of ten years in London 런던에 10년간 체류한 후에. ◇ reside *v*.
in **~** ① 체류하여, 관저[공관]에 살며: The Royal Standard is put up when the Qeen is *in* ~. 여왕 체류 중에 국왕기가 게양되었다. ② (대학 기숙사 내에) 기숙하여, 재학하여: a doctor *in* ~ (병원의) 레지던트. ***take up*** **one's ~ *in*** … 에 주거를 정하다: He *took up* (his) ~ *in* a small country town. 그는 조그만 시골읍에 거처를 정했다.

res·i·den·cy [rézidənsi] *n*. Ⓤ 《美》 전문의(醫) 실습 기간《인턴 과정 다음에 실시되는》; 전문의 수련자의 신분.

****res·i·dent** [rézidənt] *a*. **1 거주하는**, 재주(在住)[거류]하는; 주재하는, 들어가 사는《*at, in* …에》: ~ aliens 재류 외국인 / a ~ tutor 입주 가정교사 / the ~ population of the city 시의 현 거주 인구 / be ~ abroad 외국에 거주하고 있다 / *At* what address [*In* what part of town] are you currently ~? 현재 어느 주소에 거주하느냐. **2** (성질 · 권리 등이) **고유한**, 내재하는《*in* …에》: energy ~ *in* matter 물질에 내재하는 에너지. **3** (탤런트 · 기술자 · 학자 등이) …에 전속된, 전임의: the orchestra's ~ conductor 오케스트라 전속 지휘자. **4** (새나 짐승이) 이주하지 않는 (↔ *migratory*): a ~ bird 유조(留鳥), 텃새. **5** 『컴퓨터』 상주(常駐)의《통로》.
—*n*. Ⓒ **1 거주자**, 정주자, 거류민: British ~*s* in Korea 재한 영국인 / summer ~*s* (장기 체류) 피서객. **2** 『조류』 유조, 텃새《철따라 옮겨가지 않는 새》. cf. migrant, MIGRATORY bird. **3** (호텔 등의) 숙박객, 체류객: Restaurant open to ~*s* only. 레스토랑은 숙박객에 한해서 이용할 수 있음《게시문》. **4** 《美》 전문의(醫) 수련자《intern을 마친 개업 전의 수련의》; 실습생《연구소에 숙식하는》. **5** 『컴퓨터』 상주(常駐)《기억 장치 중에 항상 존재하는 프로그램》.

res·i·den·tial [rèzidénʃəl] *a*. Ⓐ **1** 주거의, 주

택에 알맞은: a ~ quarter 주택지. **2** 거주에 적합한; (업무 · 학업 등이) 임지[학교]에 거주하며 행하는: a summer ~ course at a college 대학 하기 거주 코스. **3** (학생을 위한) 숙박 설비가 있는; (호텔이) 장기 체류객용의: a ~ college 숙박 설비가 있는 대학/a ~ hotel 장기 투숙객 호텔. ***~ qualifications*** (투표에 필요한) 거주 자격. ⊕ **~·ly** *ad.*

résident prógram 〖컴퓨터〗 상주(常駐) 프로그램.

re·sid·u·al [rizídʒuəl] *a.* Ⓐ **1** 나머지의; 잔여의; 잔류의: one's ~ income (세금을 뺀) 실제 수입/~ property 〖법률〗 잔여 재산/~ insecticide 잔류성 살충제. **2** 〖수학〗 나머지의; (계산 오차를) 설명할 수 없는. **—***n.* Ⓒ **1** 잔여; 찌꺼기. **2** 〖수학〗 나머지; 오차. **3** (*pl.*) (영화 · TV의 재방영이나 CM등의 출연자에게 지불하는) 재방송료. **4** (흔히 *pl.*) 〖의학〗 후유증.

re·sid·u·ary [rizídʒuèri/-əri] *a.* Ⓐ **1** 잔여의, 나머지의, 잔류(성)의. **2** 〖법률〗 잔여 재산의: some ~ odds and ends 얼마간의 잔여 재산/a ~ bequest [legacy] 잔여 재산의 유증(遺贈).

°**res·i·due** [rézidjùː] *n.* Ⓒ (보통 *sing.*) **1** 나머지; 찌꺼기. **2** 〖수학〗 나머지; (함수론(函數論)의) 유수(留數); 〖법률〗 잔여 재산; 〖화학〗 찌꺼기, 잔류물. ***for the ~*** 그 밖의 것에 대해서는.

re·sid·u·um [rizídʒuəm] (*pl.* ***-sid·ua*** [-dʒuə]) *n.* =RESIDUE.

⁑**re·sign** [rizáin] *vt.* **1** (지위 · 관직 따위)를 **사임하다**, 사직하다, 그만두다: ~ one's job 일을 그만두다/He ~*ed* his post as headmaster. 그는 교장직을 사임했다. **2** 《~+목/+목+전+명》 (권리 따위)를 **포기하다**, 단념하다, (타인에게 사람 · 일 · 재산 따위)를 넘겨주다, 양도하다: He ~*ed* his right of inheritance. 그는 상속권을 포기했다/I ~ my children *to* your care. 아이를 맡아 돌보아 주시오. **3** 《+목+전+명》 〔보통 ~ oneself 또는 수동태〕 몸을 맡기다, 따르다《*to* (운명 등)에》: ~ one*self* [*be* ~*ed*] *to* one's fate 자기 운명을 감수하여 따르다. ◇ resignation *n.*

—*vi.* **1** 《~/+전+명》 사임[사직]하다, 그만두다《***from, as*** …을》: ~ *from* the Cabinet 내각을 물러나다/He ~*ed as* president. 그는 사장직을 사임했다. **2** 《+전+명》 복종하다, 따르다, 맡기다《***to*** (운명 등)에》: They ~*ed to* the inevitable. 그들은 피할 수 없는 운명에 맡겼다.

res·ig·na·tion** [rèzignéiʃən] *n.* **1** Ⓤ (구체적으로는 Ⓒ) **사직**, 사임: the general ~ *of* the Cabinet 내각의 총사직. **2** Ⓒ (보통 one's ~) 사표(a letter of ~): give in [hand in, send in, tender] one's ~ 사표를 내다. **3** Ⓤ 포기, 단념; **체념**, 인종(忍從)《to*** …의》: meet [accept] one's fate with ~ 체념하고 운명에 맡기다/~ *to* present suffering 현재의 고통의 감수.

re·sígned *a.* **1** 체념한, 감수한《***to*** …을/***to*** do》: be ~ *to* die [*to* one's fate] 죽음을[피할 수 없는 운명이라고] 체념하고 있다. **2** 사직[사임]한: a ~ post (사직하여 자리가 빈) 공석.

re·sígn·ed·ly [-idli] *ad.* 체념하여, 할 수 없이.

re·sil·ience, -ien·cy [rizíljəns, -liəns], [-ənsi] *n.* Ⓤ (또는 a ~) **1** 되튐; 탄성(elasticity), 탄력. **2** (원기의) 회복력: signs of ~ in the economy 경기 회복의 징조.

re·sil·ient [rizíljənt, -liənt] *a.* **1** 되튀는; 탄력 있는(buoyant). **2** 곧 원기를 회복하는; 쾌활한, 발랄한. ⊕ **~·ly** *ad.*

°**res·in** [rézin] *n.* Ⓤ (종류 · 낱개는 Ⓒ) **1** (나무

의) 진, 수지(樹脂), 송진. **2** 합성수지.

res·in·ate [rézənèit] *vt.* 수지로 처리[가공]하다.

res·in·ous [rézənəs] *a.* 수지(질)의, 수지 모양의, 진이 많은, 수지를 함유한, 수지로 만든.

⁑**re·sist** [rizíst] *vt.* **1** 《~+목/+-*ing*》 …에 **저항하다**; 반항하다; 적대하다: ~ an attack 공격에 저항하다/~ temptation 유혹에 저항하다/~ be*ing* arrested 체포되지 않으려고 반항하다. **2** (병 · 화학 작용 등)에 견디다, 침식[영향] 받지 않다: metal that ~*s* acid 산에 침식받지 않는 금속/a constitution that ~*s* disease 병에 걸리지 않는 체질. **3** 《~+목/+-*ing*》 〔주로 부정구문〕 참다: She can*not* ~ sweets. 그녀는 단 과자라면 사족을 못 쓴다/can*not* ~ laugh*ing* 웃지 않고는 못 배기다.

—*vi.* 저항하다; 반항하다; 〖부정적〗 참다: The enemy ~*ed* stoutly. 적은 완강히 반항했다.

⁑**re·sist·ance** [rizístəns] *n.* **1** Ⓤ (또는 a ~) **저항**, 반항; 반대; 방해《***to*** …에 대한》: make [put up] (a) strong ~ *to* the enemy attack 적의 공격에 완강히 저항하다/The new tax met with stiff ~ from the public. 새로운 세금은 민중으로부터 맹렬한 반대에 직면했다. **2** Ⓤ (종종 the R-) 〔집합적〕 〖정치〗 (특히 제2차 세계 대전 중의 나치스 점령지에서의) 레지스탕스, 지하 저항 (운동). **3** Ⓤ (물리적) 저항(력); 저항력[성]; 내성(耐性)《***to*** (화학 작용 · 병 따위)에 대한》: air ~ =the ~ *of* the air 공기 저항/build up ~ *to* (a) diseas 병에 대한 내성을 기르다. **4** Ⓤ 〖전기〗 저항《생략: R》; Ⓒ (전류) 저항기: electric ~ 전기 저항/~ amplification 저항 증폭. **5** Ⓤ 저항감, 반감《***to*** …에 대한》: I feel strong ~ *to* the proposal. 그 제안에는 강한 반감을 느낀다. ***the line of least ~*** (최선은 아니나) 제일 편한 방법: take [choose, follow] *the line of least* ~ 가장 편한 방법을 취하다.

re·sist·ant [rizístənt] *a.* **1** 저항하는, 저항력이 있는; 반항하는《***to*** …에》: They are strongly ~ *to* change. 그들은 변화에 완강히 저항한다. **2** 〔종종 합성어로〕 견디는, 내성(耐性)이 있는: corrosion-~ materials 방부 물질/a fire-~ house 내화(耐火) 가옥.

re·síst·er *n.* Ⓒ 저항자, 항쟁자; 반정부주의자.

re·síst·i·ble *a.* 저항[반항]할 수 있는; 참을 수 있는.

re·sis·tor [rizístər] *n.* Ⓒ 〖전기 · 컴퓨터〗 저항기(器).

re·sole [riːsóul] *vt.* …의 구두창을 갈다.

re·sol·u·ble [rizáljəbəl, rézəl-/rizɔ́l-] *a.* **1** 분해[용해]할 수 있는《***into*** …으로》. **2** 해결할 수 있는.

res·o·lute** [rézəlùːt] *a.* **1 확고한**, 결연한《in*** …에》: He was ~ *in* carry*ing* out his plan. 계획을 실현할 결의가 확고하였다. **2** 굳은, 단호한, 어기찬: a ~ will 불굴의 의지. ⊕ **~·ly** *ad.* 단호히, 결연히. **~·ness** *n.*

⁑**res·o·lu·tion** [rèzəlúːʃən] *n.* **1** Ⓒ **결심**, 결의《***to*** do》: a New Year ~ 새해의 결심/make a ~ *to* give up drinking 술을 끊기로 결심하다.

2 Ⓤ 결단력, 확고한 의지, 과단: a man of great ~ 결단력 있는 사람.

3 Ⓒ 결의(決議), 결의안[문]《***for, in favor of*** …에 찬성하는; ***against*** …에 반대하는/***to*** do/***that***》: pass a ~ *in favor of* [*against*] …에 찬

성〔반대〕하는 결의안을 승인하다 / adopt a ~ *to* build a hospital 병원 건립 결의를 채택하다 / They rejected a ~ *that* the subscription (should) be raised. 그들은 기부금 모집 결의안을 부결했다.
4 Ⓤ **해결**, 해답: the ~ *of* a question 문제의 해결.
5 Ⓤ 분해, 분석《*into* (요소)로의》.

re·solv·a·ble [rizálvəbəl/-zɔ́lv-] *a.* = RESOLUBLE.

re·solve [rizálv/-zɔ́lv] *vt.* **1** 《+목+전+명》 **분해하다**, 분석하다《*into* …으로》: Water may be ~*d into* oxygen and hydrogen. 물은 산소와 수소로 분해할 수도 있다 / We can ~ the problem *into* two parts. 우리는 그 문제를 두 부분으로 분석할 수 있다.
2 《+목+전+명》 (분해하여) 변형시키다; 〖~ oneself〗 변하다《*into* …으로》: The fog was soon ~*d into* rain. 안개는 곧 비로 변했다 / A discussion ~*d* it*self into* an argument. 토론이 논쟁으로 바뀌었다.
3 (문제 · 곤란 따위)를 **풀다**, 해결하다, 해소하다; (의혹을) 풀다, 해명하다: Differences can be ~*d* through discussion. 의견차이는 토론을 통하여 해결할 수 있다 / ~ one's fears 근심을 해소하다.
4 《+*that* 절/+*to* do》 **결의(決議)하다**, 의결하다; 결정하다: The committee ~*d that* the step (should) be authorized. 위원회는 그 조치를 인가하기로 결의했다 / The House ~*d to* take up the bill. 의회는 그 법안의 채택을 결의했다.
5 《+*to* do / +*that* 절》 **결심하다**, 결의(決意)하다: He ~*d to* study law. 그는 법률을 배우기로 결심했다 / I ~*d that* nothing (should) hold me back. 무슨 일이 있어도 물러서지 않겠다고 마음을 다졌다. SYN. ⇨ DECIDE.
— *vi.* 《+전+명》 **1 결심하다**, 결정하다《*on, upon* …하기로; *against* …하지 않기로》: I have ~*d upon going*. 가기로 마음 먹었다 / The workers ~*d against going* on strike. 근로자들은 스트라이크를 계속하지 않기로 결정했다.
2 《+전+명》 분해하다; 환원하다, 귀착하다《*into* …으로》: It ~*s into* its elements. 그것은 분해되어 원소가 된다.
— *n.* **1** Ⓤ (구체적으로는 Ⓒ) **결심**, 결의《*to* do》: be strong 〔weak〕 in ~ 결심이 굳다〔약하다〕 / keep one's ~ 결의를 지키다 / make a ~ *to* stop smoking 담배 끊을 결심을 하다.
2 Ⓤ 《문어》 결단력, 불굴의 의지: a man *of* ~ 결단력이 있는 사람.
3 Ⓒ 《美》 (의회 등의) 결의.

re·sólved *a.* Ⓟ 결심한, 단호한(resolute)《*to* do》: He is ~ *to* carry it out. 그는 그것을 수행할 결심이다. ㊞ **re·sólv·ed·ly** [-idli] *ad.* 단호히, 결연히.

res·o·nance [rézənəns] *n.* **1** Ⓤ (구체적으로는 Ⓒ) 되울림, 반향(echo), 여운. **2** Ⓤ 〖물리〗 공명(共鳴), 공진(共振).

res·o·nant [rézənənt] *a.* 공명하는; 반향하는, 되울리는《*with* (소리)로》: The valley was ~ *with* the sounds of a waterfall. 골짜기는 폭포 소리로 되울렸다. ㊞ **~·ly** *ad.*

res·o·nate [rézənèit] *vi.* **1** 공명하다, 울리다. **2** 〖전자〗 공진(共振)하다.

rés·o·nà·tor [-ər] *n.* Ⓒ 공명기(共鳴器), 공명체; 〖전자〗 공진기, 공진자(共振子).

re·sort [rizɔ́ːrt] *n.* **1** Ⓒ **a 유흥지**, 행락지: a holiday ~ 휴일의 행락지 / a summer 〔winter〕 ~ 피서지〔피한지〕. **b** 〖보통 수식어를 수반하여〗 번화가, 사람이 모이는 곳: a fashionable ~ 상류 인사들이 가는 곳 / The café is a favorite ~ of artists. 그 카페는 화가들이 즐겨 찾는 곳이다.
2 Ⓤ 자주 다님, 사람들의 출입, 인파: a place *of* great 〔general, public〕 ~ 번화한 곳. **3 a** Ⓤ **의지**, 의뢰《*to* …에의》: without ~ *to* …에 의존하지 않고. **b** Ⓒ (바람직하지 않지만) 의지가 되는 사람〔것〕; (어쩔 수 없는) 수단, 방책. ***have*** 〔***make***〕 **~ *to*** (violence) (폭력)에 의존하다. ***in the last* ~** = ***as a*** 〔***the***〕 ***last* ~** 최후 수단으로서, 결국.
— *vi.* 《+전+명》 **1** 가다; 잘 가다〔다니다〕《*to* (장소)에》: ~ *to* a hot spring 온천에 잘 가다. **2 의지하다**, 쓰다, 도움을 청하다, 힘을 빌리다《*to* (수단)으로서》: If other means fail, we shall ~ *to* force. 만일 딴 수단이 실패하면 강압 수단을 쓸 것이다. ㊞ **~·er** *n.*

re-sórt *vt.* 다시 분류〔구분〕하다.

re·sound [rizáund] *vi.* **1** (소리가) 울리다, 반향하다, 공명하다《*through, throughout, in* (장소)에》: The trumpet ~*ed through* the hall. 트럼펫 소리가 홀 안에 울렸다. **2** (장소가) 울려 퍼지다《*with* (소리)로》: The room ~*ed with* the children's shouts. 방은 아이들의 고함소리로 가득 찼다. **3** (사건 · 명성 따위가) 떨치다, 평판이 자자하다《*through, throughout, all over* (장소)에》: His act ~*ed through* the nation. 그의 행동은 전국에 널리 알려졌다 / This discovery ~*ed all over* the world. 이 발견은 전세계에 알려졌다.

re·sóund·ing *a.* Ⓐ **1** (소리가) 반향하는, 울리는: ~ applause 우레와 같은 갈채. **2** (성공 등이) 눈부신, 훌륭한, 결정적인: a ~ victory 눈부신 승리 / with ~ success 대성공을 거두어 / a ~ failure 결정적인 실패. ㊞ **~·ly** *ad.*

re·source [ríːsɔːrs, -zɔːrs, risɔ́ːrs, -zɔ́ːrs] *n.* **1** Ⓒ (보통 *pl.*) **자원**, 물자; 재원, 자산, 자력: mineral 〔natural〕 ~*s* 광물〔천연〕 자원 / human ~*s* 인적 자원 / financial ~*s* 재원. **2** Ⓒ (보통 *pl.*) (교수용 따위의) 자료: a ~(s) room 자료실. **3** Ⓒ (의지하는) **수단**, 방책, 둘러맞춤(shift): exhaust every ~ 백계(百計)가 다하다 / Flight was his only ~. 달아날 수밖에 없었다. **4** Ⓤ 변통하는 재주, 기지(wit), 기략(機略): a man of unlimited ~ 기략이 무진한 사람. **5** Ⓒ 심심풀이, 기분풀이, 오락: She finds an unfailing ~ in music. 음악은 언제나 그녀의 기분을 풀어 준다. **6** Ⓒ (숨겨진) 힘, 재능, 역량: She has the (inner) ~*s* for the job. 그녀에게는 그 일을 처리할 역량이 있다. ***at the end of*** one***'s* ~*s*** 백계(百計)가 다하여. ***leave*** a person ***to*** his ***own* ~*s*** 아무를 좋을 대로 시간을 보내게 놔두다, 아무를 상관하지 않고 놔두다.

re·source·ful [risɔ́ːrsfəl, -zɔ́ːrs-] *a.* 꾀바른, 기략이 풍부한, 책략이 있는. ㊞ **~·ly** *ad.* **~·ness** *n.*

re·spect [rispékt] *n.* **1** Ⓤ (또는 a ~) **존경**, 경의(敬意)《*for* …에 대한》: have (a) deep 〔great〕 ~ *for* …에 대하여 깊은 존경을 품고 있다 / Children should show ~ *for* their teachers. 아이들은 선생님께 경의를 표해야 한다.
2 〖one's ~*s*〗 인사, 안부를 전함: Give my ~*s* to your father. 아버지께 안부 전해라 / They all send you their ~*s*. 그들 모두가 당신에게 안부

전했습니다 / We paid our last ~*s* to him. (장례식에 참석하여) 그에게 애도의 뜻을 표했다.
3 [U] 존중, 중시《***for*** …에 대한》: He has no ~ *for* his promises. 그는 자기의 약속을 중시하지 않는다.
4 [U] 주의, 관심, 고려《***for, to*** …에 대한》: You must have ~ *for* the feelings of others. 너는 남의 감정을 고려할 필요가 있다.
5 [C] 〖in ... ~〗 **점**, 개소, 세목: *in* any [every] ~ 어느[모든] 점에서 / *in* all [many, some] ~*s* 모든[많은, 어떤] 점에서 / *In* that ~ he was mistaken. 그 점에서 그는 잘못했다.
6 관계, 관련《***to*** …와의》: These remarks have ~ *to* his proposal. 이런 발언은 그의 제안과 관련이 있다.
in ~ of [***to***] ① …에 관해서는, …에 대해서는: *In ~ of* your plan, I find it impracticable. 귀하의 계획에 관하여 말씀드리자면, 그것은 실행 불가능하다고 생각합니다. ② 〚상업〛 …의 대가[지불]로서. ***with all ~ for your opinion*** 의견은 지당합니다마는, 송구하지마는. ***without ~ to*** [***of***] …을 무시하고[고려하지 않고]: The right to vote is granted *without ~ to* race, creed or sex. 투표권은 인종, 신조 또는 성별에 관계없이 주어진다. ***with ~ to*** …에 관하여.
—*vt.* **1** 《~+[목]/+[목]+*as* [보]/+[목]+[전]+[명]》 **존중하다**, 존경하다《***for*** …에 대하여》; 〖~ oneself〗 자중하다, 자존심을 갖다: be ~*ed* by …에게 존경받고 있다 / I ~ him *as* my senior. 나는 그를 선배로서 존경하고 있다 / I ~ him *for* what he did. 나는 그가 한 일에 대하여 그를 존경한다.
2 주의[참작]하다, 고려에 넣다: ~ a person's privacy 아무의 사생활을 침해하지 않도록 하다.
[SYN.] **respect** 상대의 인격 · 인품 따위를 훌륭한 것으로 여겨 존경하다. 연장자에 대해서 쓰는 일이 많음. **esteem** 바람직한 목표로서 높이 평가하다, 존중하다: Society knows what it *esteems* and what it despises. 세상 사람은 존중할 것과 무시해 버릴 것을 알고 있는 법이다. **regard** 특별히 고려해 주다. 위의 두 말에 비하면 약하며, 부정문에서 쓰이는 경우가 많음: He does not *regard* the rights of others. 그는 남의 권리를 무시한다.

re·spèct·a·bíl·i·ty *n.* **1** [U] 존경할 만함; 체면; 상당한 사회적 지위가 있음. **2** 〖집합적; 단·복수취급〗 훌륭한 사람들; 〖반어적〗 점잖은 양반들: all the ~ of the city 시의 고관들. **3** (*pl.*) 인습적 의례[관습].

⁑**re·spect·a·ble** [rispéktəbəl] *a.* **1** **존경할 만한, 훌륭한**; 신분이 높은, 품행이 바른: ~ citizens 훌륭한 시민 / a ~ home [upbringing] 올바른 가정[가정교육] / A ~ girl would never behave that way. 제대로 된 아가씨라면 절대로 그런 처신은 하지 않을거야. **2** (복장 · 태도가) 흉하지 않은, 모양새 좋은, 단정한: a ~ suit of clothes 보기흉하지 않은 복장 / We have to be ~ for tonight's party. 오늘 밤 파티에는 단정한 옷차림을 해야 한다. **3** 《우스개》 점잖빼는, 체면에 신경쓰는: Oh, don't be so ~. 오, 그렇게 점잖빼지 마. **4** 《구어》 (질 · 수량 · 크기 등이) 상당한, 꽤 되는: a ~ position 상당한 지위 / a ~ minority 소수이지만 상당한 수 / quite a ~ income 적지 않은 수입. [파] **-bly** *ad.* 훌륭하게, 꽤. **~·ness** *n.*

re·spéct·ed [-id] *a.* 훌륭한, 평판이 좋은, 높이 평가되는: get into a ~ high school 일류 고등학교에 입학하다.

re·spéct·er *n.* [C] **1** 존경[존중]하는 사람. **2** 〖보통 부정구문〗 차별 대우하는 사람, 편들어 주는 사람. ***no ~ of persons*** (지위 · 빈부 등에 의해) 사람을 차별하지 않는 사람《사도행전 X: 34》: Death is *no ~ of persons*. 죽음은 사람을 차별하지 않고 찾아온다.

⁑**re·spect·ful** [rispéktfəl] *a.* **경의를 표하는**, 공손한, 예의 바른, 정중한《***to, toward*** (아무)에게》; 존경하는, 존중하는《***of*** …을》: He is ~ *to* age. 그는 노인을 존경한다 / We should be ~ *of* tradition. 전통을 존중해야 한다. ***keep*** [***stand***] ***at a ~ distance from*** 삼가서 …에 가까이 가지 않다, …을 경원하다. [파] **~·ness** *n.*

re·spéct·ful·ly *ad.* 공손히, 삼가서. ***Respectfully yours*** = ***Yours ~*** 경백(敬白), 경구(敬具) 《편지의 끝맺는 말》.

°**re·spéct·ing** *prep.* 《문어》 …에 관하여; …에 비추어. [cf.] concerning, regarding.

⁑**re·spec·tive** [rispéktiv] *a.* [A] **각각의**, 각기의, 각자의《★ 보통 복수명사를 수반함》: They have their ~ merits. 그들은 각기 자기 장점이 있다.

re·spéc·tive·ly *ad.* 〖보통 문미에 두어〗 각각, 각기, 따로따로: Books and stationary are sold on the second and third floors ~. 서적은 2층, 문방구는 3층에서 각각 팝니다.

res·pi·ra·tion [rèspəréiʃən] *n.* **1** [U] 호흡(작용): artificial ~ 인공호흡. **2** [C] 한 번 숨쉼.

res·pi·ra·tor [réspərèitər] *n.* [C] 마스크《천으로 된》; 방독면(防毒面), 가스 마스크; 인공호흡 장치.

res·pi·ra·to·ry [résp*ə*rətɔ̀ːri, rispáiərə-/rispáiərətəri] *a.* [A] 호흡(작용)의; 호흡을 위한: ~ organs 호흡기(관) / ~ ailments 호흡기 질환.

re·spire [rispáiər] *vi.* 호흡하다; 휴식하다.

res·pite [réspit] *n.* [U] (또는 a ~) **1** 연기; 유예; 〚법률〛 (사형의) 집행 유예 (기간). **2** 잠시 멈춤; 휴식, 중간 휴식《***from*** (일 · 고통 등)의》: take a ~ *from* one's work 일을 멈추고 잠시 쉬다 / without ~ 쉬지 않고.

re·splend·ence, -en·cy [rispléndəns], [-i] *n.* [U] 번쩍임, 광휘, 눈부심, 찬란함.

re·splend·ent [rispléndənt] *a.* 빤짝빤짝 빛나는, 눈부신. [파] **~·ly** *ad.* 번쩍이고, 눈부시게, 찬란히.

*****re·spond** [rispánd/-spɔ́nd] *vi.* 《~/+[전]+[명]》 **1** **응답하다**, 대답하다《***to*** …에》: ~ *to* a question 질문에 대답하다 / ~ *to* speech of welcome 환영사에 답하다. **2** 응하다, 응수하다《***to*** …에 대하여; ***with, by*** …으로》: ~ *to* an insult *with* a blow 모욕에 대해 일격을 가하여 응수하다 / The police did not ~ *to* the terrorist's demands. 경찰은 테러리스트의 요구에 응하지 않았다. [SYN.] ⇨ANSWER. **3** 〚교회〛 (회중이) 답창[응창]하다《***to*** (사제)에게》. **4** 반응하다, (좋은) 반응을 보이다《***to*** (자극 · 약물)에》: Nerves ~ *to* a stimulus. 신경은 자극에 반응한다 / The disease ~*s to* the new drug. 그 병은 신약에 좋은 반응을 보인다.
—*vt.* 《~+[목]/+*that* [절]》 …에 답하다, 응답하다: "That is not true," She ~*ed*. "그것은 거짓입니다"라고 그녀가 대답했다 / He ~*ed that* he didn't love her. 그는 그녀를 사랑하지 않았다고 대답했다.

re·spond·ent [rispándənt/-spɔ́nd-] *n.* [C] 응답자; (조사 등의) 회답자; 〚법률〛 피고《특히 이

혼 소송의》.

‡re·sponse [rispáns/-spɔ́ns] *n.* **1** Ⓒ **응답**, 대답: My letter of inquiry brought no ~. 내 문의 편지에는 아무런 회답도 오지 않았다. **2** Ⓤ (구체적으로는 Ⓒ) 감응, 반응; 〖생리·심리〗 반응 《*to* (자극 따위)에 대한》: a ~ *to* a stimulus 자극에 대한 반응/She got 〔received〕 little ~ from the audience. 그녀는 청중에게서 거의 반응을 얻지 못했다. **3** Ⓒ (보통 *pl.*) 〖교회〗 (회중의) 답창, 화창하는 구절; (신탁을 구하는 자에 대한) 신의 응답. ◇respond *v.* ***in* ~ *to*** …에 응하여, …에 답하여: Contributions poured *in* ~ *to* the appeal. 그 호소에 응하여 기부금이 쇄도했다.

respónse tìme 〖컴퓨터〗 응답 시간.

‡re·spon·si·bil·i·ty [rispὰnsəbíləti/-spɔ̀n-] *n.* **1** Ⓤ **책임**, 책무, 의무《*of, for, to* …에 대한》: a sense of ~ 책임감/avoid ~ 책임을 회피하다/a position of great ~ 책임이 무거운 지위/I feel ~ *to* you. 너에 대한 책임을 느낀다/I will take 〔assume〕 the ~ *of* 〔*for*〕 do*ing* it. 내가 책임지고 그것을 하겠다. SYN. ⇨DUTY. **2** Ⓒ 책임이 되는 것, 부담, 무거운 짐: He is free from heavy *responsibilities* now. 그는 이제 무거운 책임에서 벗어나 있다/To support one's wife and children is the ~ of the head of a family. 아내와 자식을 부양하는 것은 가장의 책임이다. **3** Ⓤ 신뢰성〔도〕; 《美》 의무 이행 능력, 지급 능력.

‡re·spon·si·ble [rispánsəbəl/-spɔ́n-] *a.* **1** **책임 있는**, 책임을 져야 할《*to* (아무)에게; *for* (일)에 대하여》: We must be ~ *to* ourselves. 우리 자신에〔의 행동에〕 책임져야 한다/The pilot of the plane is ~ *for* the passengers' safety. 비행기 조종사는 승객의 안전에 대하여 책임이 있다. **2** 원인이 되는, 탓인《*for* …의》: The weather is ~ *for* the delay. 연기는〔지연은〕 날씨 때문이다. **3** **신뢰할 수 있는**, 책임을 다할 수 있는: Give a task to a ~ man. 신뢰할 수 있는 사람에게 일을 맡기시오. **4** Ⓐ (일·지위 등이) 책임이 무거운: The President has a very ~ position. 대통령은 책임이 매우 무거운 자리이다. ◇responsibility *n.* ***hold*** a person ~ ***for*** 아무에게 …의 책임을 지우다. ***make*** one***self*** ~ ***for*** …의 책임을 맡다. ⊕ **-bly** *ad.* 책임지고, 확실히. **~·ness** *n.*

◇re·spon·sive [rispánsiv/-spɔ́n-] *a.* **1** 대답하는, 응하는: give a ~ nod 머리를 끄덕여 응답하다. **2** 반응〔감응〕하는, 민감한《*to* …에》: be quickly ~ *to* alcohol 취기가 빠르다/a ~ audience 민감하게 반응하는 청중/a ~ smile 호의적인 미소. ⊕ **~·ly** *ad.* **~·ness** *n.*

†rest[1] [rest] *n.* **1** Ⓤ (구체적으로는 Ⓒ) (잠시) 쉼, **휴식**, 휴게, 정양: an hour for ~ 한 시간의 휴식/take a short ~ 잠시 쉬다/~ from hard work 중노동으로부터의 휴식.

2 Ⓤ (또는 a ~) 안정, 안락; 안심, 평안: This medicine will give you some ~. 이 약을 드시면 좀 안정될 것입니다.

3 Ⓤ (구체적으로는 Ⓒ) 수면; 영면, 죽음: She had a good night's ~. 그녀는 밤에 푹 잤다.

4 a Ⓤ (또는 a ~) 휴지, 정지(靜止): bring a car to ~ 자동차를 멈추다/The earth never stands in a state of ~. 지구는 한시도 정지해 있지 않는다. **b** Ⓒ 〖음악〗 휴지(부호).

5 Ⓒ 휴게소, 안식처, 숙박소: a traveler's ~ 여행자 휴게소/a seamen's ~ 선원 숙박소/find one's ~ in the shade of a tree 나무 그늘에 휴식 장소를 찾아내다.

6 Ⓒ 〖종종 복합어〗 받침(대), 지주; …걸이: a book ~ 서가/⇨ARMREST, FOOTREST, HEADREST/a ~ for a billiard cue 당구대 걸이.

at* ~** ① 안정되어, 안심하여: set a person's mind 〔fears〕 *at* ~ 아무의 마음〔불안〕을 가라앉히다. ② (기계 등이) 휴지〔정지〕하여. ③ 해결되어: set a question *at* ~ 문제를 해결하다. ④ (지하에) 잠들어, 영면하여: Here lie the brave soldiers *at* ~. 용사들 여기에 잠들다. ***be called to one***'s*** (***eternal***) **~** 《완곡어》 돌아가시다, 영면하다. ***be laid to* ~** 매장되다. ***come to* ~** 정지하다, 멈추다. ***go to*** (one***'s***) **~** 자다; 죽다, 영면하다. ***lay ... to* ~** ① (시신·유골)을 매장하다, 묻다. ② (사건 등)을 종식시키다; 잊어버리다: It's time these rumors were *laid to* ~. 이 소문도 잊혀질 때가 되었다. ***the day of* ~** 안식일, 일요일.

> DIAL. ***Give it a rest!*** 《英》 조용히 해; 어지간히 해둬.
> ***Give me a rest!*** 이제 그만 좀 해라《상대방이 귀찮게 할 때》.

— *vi.* **1** 《~/+전+명》 **쉬다**, 휴식〔휴양〕하다 《*from* (일 따위)를 그치고》: He ~*ed* (for) an hour after lunch. 그는 점심 후 1시간 쉬었다/~ *from* one's work 일을 (그치고) 쉬다.

SYN. **rest** 활동을 중지하고 쉬다. 잠시 쉬는 것으로부터 취침, 장기간에 걸친 정양까지를 포함함: *rest* of eight hours a night 매일 밤 8시간의 수면. **repose** 육체뿐 아니라 정신의 안정까지를 포함함: She could not *repose*; she sat thinking. 그녀는 마음이 불안하여 앉은 채로 생각에 잠겨 있었다. **relax** 긴장을 풀고 편안히 하다, 편한 몸가짐이 시사됨: Why don't you sit down and *relax*? 앉아서 편히 쉬는 게 어떻습니까.

2 《~/+전+명》 드러눕다, 자다; 영면하다,매장되다《*in* …에》: ~ *in* the grave 〔churchyard〕 지하〔묘지〕에 잠들다/Let him ~ in peace. 그를 고이 잠들게 하소서.

3 〖부정문〗 안심하다, 안심하고 있다: I can *not* ~ until I know the whole truth. 진상을 완전히 알 때까지는 마음을 놓을 수 없다/I can *not* ~ under these circumstances. 이런 상황에서는 안심할 수 없다.

4 휴지〔정지〕하다; 그대로 두다: The waves never ~. 파도는 한시도 멈추지 않는다/We cannot let the matter ~ there 〔as it is〕. 그 문제를 그대로 놓아둘 수 없다.

5 《+전+명》 있다, 놓여 있다, 얹혀 있다, 기대다; (시선 따위가) 쏠리다, 멈추다《*on, upon, against* …에》: stand with one's back ~*ing against* the door 문에 기대어 서다/The columns ~ *on* their pedestals. 원기둥은 각기 받침대 위에 얹혀 있다/His eyes ~*ed on* her doubtfully. 그의 눈이 의심스럽게 그녀를 응시했다.

6 《+전+명》 신뢰를 두다《*in* …에》; 의지하다 《*on, upon* …을》: ~ *on* 〔*in*〕 her promise 그녀의 약속을 믿다/~*in* God.

7 《+전+명》 《문어》 기초를 두다, 의거하다《*on, upon* …에》; (결정 등이) 걸려〔달려〕 있다《*with* (아무)에게》: His fame ~*s on* the pictures. 그 그림으로 그는 명성을 얻었다/The decision ~*s*

with him. 결정권은 그에게 있다.
8 《+[전]+[명]》 (짐 · 책임이) 지워져 있다《***on, upon*** (아무)에게》: No responsibility ~*s on* you. 당신에게는 아무런 책임이 없소.
9 (땅이) 갈지 않은 채로 있다, 휴경하다.
10 〖법률〗 (변호인이) 증거 제출을 자발적으로 중지하다.
—*vt*. 1 a 쉬게 하다, 휴식시키다; 휴양시키다; 그대로〔사용하지 않고〕 놔두다: He stopped to ~ his horse. 그는 말을 쉬게 하기 위해 멈추어 섰다 / (May) God ~ his soul! 신이여 그의 영혼을 쉬게 하소서. **b** 〖~ oneself〗 쉬다, 휴식하다: You'd better ~ your*self*. 너는 쉬는 편이 좋다.
2 《+[목]+[전]+[명]》 **놓다**, 얹다; 세워 놓다, 기대게 하다《***on, upon, against*** …에》: She ~*ed* her elbows *on* the table. 그녀는 테이블에 두 팔꿈치를 얹고 있었다 / *Rest* the ladder *against* the wall. 사닥다리를 벽에 걸쳐 세워 놓아라.
3 《+[목]+[전]+[명]》 (시선 등)을 멈추다, 두다, 향하다《***on*** …에》: ~ one's gaze *on* a person 아무를 응시하다.
4 (희망 등)을 걸다, 두다《***in, on*** …에》: We ~ our hopes 〔trust〕 *in* you. 우리는 너에게 희망을 걸고 있다〔너를 믿고 있다〕.
5 《+[목]+[전]+[명]》 기초를 두다; 의거하다《***on*** …에》: He ~*s* his theory *on* three basic premises. 그의 이론은 세 가지 기본 전제에 의거한다.
6 〖법률〗 …의 증거 제출을 자발적으로 중지하다.
7 (논 등)을 휴경(休耕)하다, 놀리다: ~ the land.
~ assured 안심하다《★ 보통 *Rest* 〔You may ~〕 assured that ...의 꼴로 쓰임》: Rest 〔You may ~〕 *assured* (*that*) I will do my best. 최선을 다할 테니 안심해라. ***~ on one's oars*** ⇨ OAR. ***~ up*** 《美》 휴양하여 힘을 기르다, 충분히 쉬다.

‡**rest²** *n*. (the ~) **1 나머지, 잔여**(殘餘), 여분《★ [U]를 가리킬 때는 단수 취급; [C] (복수명사)를 가리킬 때는 복수 취급》: The ~ (*of* the butter) is in the fridge. (버터의) 나머지는 냉장고에 있다 / The ~ (*of* the books) are on the desk. (책의) 나머지는 책상 위에 있다. **2** 〖집합적; 복수취급〗 잔류자, 그밖의 사람들〔물건〕: The ~ (*of* us) are to stay behind. (우리들 중의) 그 밖의 사람들은 뒤에 남기로 했다. ***and the ~*** =***and all the ~ of it*** 그 밖에 여러 가지, 이것저것, 나머지는. ***(as) for the ~*** 그 밖에는〔에 대해서는〕.

> [DIAL.] ***The rest is history.*** 그 다음은 알고 있는 대로다.

re·stáge *vt*. (극)을 재상연하다.
rést àrea 《美》 (고속도로 등의) 대피소(《英》 lay-by).
rè·státe *vt*. 새로〔다시〕 진술하다; 고쳐 말하다. [파] **~·ment** *n*.
†**res·tau·rant** [réstərənt, -rɑ̀:nt/-rɔ̀nt, -rɔ̀:ŋ] *n*. 《F.》 [C] **요리점**, 음식점, 레스토랑; (호텔 · 극장 등의) 식당: a Chinese ~ 중화 요리점.
réstaurant càr 《英》 식당차(dining car).
res·tau·ra·teur [rèstərətə́:*r*/-tɔ(:)rə-] *n*. 《F.》 [C] 요리점 경영자〔주인〕.
rést cùre 안정 요법《주로 정신병의》.
rést dày 안식일, 휴일.
rest·ful [réstfəl] *a*. 휴식을 주는; 조용한, 편안한, 평온한: (a) ~ slumber 편안한 잠 / a ~ weekend 마음이 홀가분한 주말. [파] **~·ly** *ad*. **~·ness** *n*.
rést hòme (노인 · 환자용) 휴양소, 요양소.
rést hòuse (호텔이 없는 곳의 여행자용) 휴게소, 숙박소; 휴식의 집《휴양지에 있는》.
résting-plàce *n*. [C] 휴식처; 《완곡어》 무덤: one's last ~ 무덤.
res·ti·tu·tion [rèstət*j*ú:ʃən] *n*. [U] **1** 반환, 되돌림, 상환《***of*** (도난품 따위)의; ***to*** …에의》: ~ *of* stolen money *to* the owner 도난당한 돈의 주인에의 반환. **2** 배상, 변상《***for*** (손해 따위)의》: Let me make some kind of ~ *for* the damage. 그 손해에 대해 어떤 형태로든 배상을 하게 해 주시오.
res·tive [réstiv] *a*. **1** (말 따위가) 나아가기를 싫어하는; 다루기 힘든. **2** 말 안 듣는, 반항적인. **3** 침착하지 못한, 마음이 들뜬(restless): in a ~ mood 들뜬 기분으로. [파] **~·ly** *ad*. **~·ness** *n*.
‡**rest·less** [réstlis] *a*. **1 침착하지 못한**, 들떠 있는: We get ~ near the end of the term. 학기말이 되면 마음이 안정되지 않는다. **2** [A] 안면할 수 없는; 잠들지 못하는: a ~ night 잠 못 이루는 밤. **3** 정지하지 않는, 쉬지 않는: ~ waves 쉴새없이 밀려오는 파도 / a man of ~ energy 활동가. [파] **~·ly** *ad*. **~·ness** *n*.
re·stóck *vt*. …을 새로 사들이다; …에 새로 공급하다, 보충하다《***with*** …을》: ~ the freezer *with* meat 냉장고에 고기를 다시 채우다. **—*vi***. 새로 사들이다.
re·stor·a·ble [ristɔ́:rəbl] *a*. 회복〔복구〕할 수 있는, 본래대로 되는.
res·to·ra·tion** [rèstəréiʃən] *n*. **1** [U] **회복**; **복구**, 복고, 부흥, 반환《to*** (아무)에게의》: the ~ *of* money *to* a person 아무에게의 돈의 반환. **2** [U] (구체적으로는 [C]) (미술품 · 문헌 따위의) 수복(修復), 복원(復元). **3** [C] (건축 · 미술품 · 고생물의) 원형 모조, 수복〔복원〕된 것: (the) ~ *of* a painting 그림의 복원. **4** [U] 복직, 복위. **5** (the R–) 〖英역사〗 왕정 복고《1660년 Charles 2세의 즉위》, 왕정 복고 시대(1660–88).
re·stor·a·tive [ristɔ́:rətiv] *a*. [A] (건강 · 원기를) 회복시키는; 부흥의, 복구하는. **—*n*.** [C] 정신나게 하는 약; 강장제. [파] **~·ly** *ad*.
re·store** [ristɔ́:*r*] *vt*. **1** 《~+[목]/+[목]+[전]+[명]》 **원장소에 되돌리다**; 반환〔반송〕하다《to*** …에》: ~ the pot *to* the balcony 발코니에 화분을 도로 가져다 놓다. **2** (도난품 · 신뢰 따위)를 **되찾다**, 다시 손에 넣다: ~ stolen property 도둑맞은 물건을 되찾다 / ~ a person's confidence 아무의 신뢰를 되찾다. **3** 《~+[목]/+[목]+[전]+[명]》 **부흥**〔부활〕**하다**; **복구**〔재건〕**하다**, **복원하다**, 수선〔수복〕하다《***to*** (원래 상태)로》: ~ a custom 〔tradition〕 관습〔전통〕을 부활시키다 / ~ a text 본문을 원문에 가깝게 고치다 / The picture was ~*d to* its original condition. 그 그림은 원래의 상태로 복원되었다. [SYN.] ⇨ MEND, RENEW. **4** 《~+[목]/+[목]+[전]+[명]》 복귀시키다, 복원시키다, 복직시키다《***to*** 원래의 지위 · 상태)로》: ~ laid-off workers *to* his old post 일시 해고된 근로자들을 원직위에 복직시키다 / The officer has been ~*d to* his command. 그 장교는 사령관직에 복위되었다. **5 a** (건강 · 의식 따위)를 회복하다: ~ a person's confidence 아무의 신뢰를 회복하다. **b** 《~+[목]/+[목]+[전]+[명]》 회복시키다《***to*** (건강한 상태 따위)로》: She was soon ~*d to* health. 그녀는 이내 건강을 회복했다 / He felt ~*d to* life after a bath. 목욕 후에 그는 원기를 회복한 느낌이었다.
6 〖컴퓨터〗 복원하다; 재저장하다; 원상태로 돌리

다. ◇ restoration *n*.

re·stór·er [-rər] *n*. [C] 《보통 수식어를 수반하여》 원상 복구시키는 사람〔것〕: a picture ~ 그림 복원가 / a hair ~ 털나는 약.

re·strain** [ristréin] *vt*. **1** 《~+[목]/+[목]+[전]+[명]》 **제지**〔방지〕**하다**, 금〔제한〕하다《from*** …하지 못하게》: They ~*ed* me *from* interfer*ing*. 그들은 나에게 간섭하지 못하게 했다 / ~ a person's activities 아무의 활동을 제한하다. **2** 《~+[목]/+[목]+[전]+[명]》 **억누르다**, 억제하다, 참다《***from*** …하지 못하게》: She could not ~ herself *from* laugh*ing*. 그녀는 웃음을 참을 수 없었다 / ~ one's anger 분노를 참다. **3** 구속하다, 감금하다. **4** 《+[목]+[전]+[명]》 …에게서 **빼앗다**《***of*** …을》: ~ a person *of* his liberty 아무의 자유를 빼앗다. ◇ restraint *n*.

re·stráined *a*. 삼가는, 자제하는; (생각이) 온당한; 구속〔억제〕된. ㊕ **re·stráin·ed·ly** [-idli] *ad*.

◇**re·straint** [ristréint] *n*. **1 a** [U] 제지, 금지, 억제: price ~ 물가 억제 / ~ of trade (협정에 의한) 거래 제한 / lay ~ on …에 억제를 가하다. **b** [C] 억제하는 것, 억제력, 억제 수단〔도구〕: press ~*s* 보도 제한 / put ~*s* on a person's activity 아무의 활동을 억제하다. **2 a** [U] 속박, 구속, 감금; (선박의) 출항〔입항〕 금지: be subject to ~ 속박을 받다. **b** [C] 구속〔속박〕하는 것: the ~*s* of illness 병 때문에 생기는 부자유. **3** [U] 자제, 근신; (문학적 표현의) 신중: show ~ 삼가다, 근신하다 / cast off all ~ 모든 자제심을 버리고 제멋대로 행동하다. ◇ restrain *v*.

in* ~ *of …을 억제하여. ***under* ~** 구속〔속박〕되어; 《완곡어》 (정신 병원에) 감금되어: lay a person *under* ~ 아무를 속박〔구속〕하다 / be put 〔kept〕 *under* ~ 구속〔감금〕되다〔되어 있다〕. ***without*** 〔***free from***〕 **~** 자유로이; 거리낌 없이; 충분히.

re·strict** [ristríkt] *vt*. 《~+[목]/+[목]+[전]+[명]》 **제한하다**, **한정하다**, **금지하다**, **제지하다**《to*** …으로》: ~ a person's activities 아무의 활동을 제한하다 / The speed is ~*ed to* 50 kilometers an hour here. 여기서는 속도가 시속 50킬로로 제한된다 / I ~ myself *to* (drink*ing*) a bottle of beer a day. 하루에 맥주 한 병으로 제한하고 있다. ◇ restriction *n*.

re·stríct·ed [-id] *a*. **1** 한정된, 제한된: a ~ diet 한정된 식사. **2** 국한(된 그룹)의《특히 백인의》: a ~ hotel 백인 (전용) 호텔 / Entrance is ~ to members (only). 입장은 회원에 한정됨 《게시문》. **3** 《美》 (정보 · 문서 따위가) 기밀의, 일반에는 공표되지 않는, 부외비(部外秘)의. ㊕ **~·ly** *ad*. **~·ness** *n*.

restrícted área 〖美군사〗 출입 금지 구역; 《英》 자동차 속도 제한 구역.

restrícted ùsers gróup 〖컴퓨터〗 한정 사용자 그룹《특정한 암호 또는 비밀번호(password) 등을 사용하여 특수한 컴퓨터 시스템이나 정보를 이용할 수 있는 사람들》.

re·stric·tion** [ristríkʃən] *n*. **1** [U] **제한**, **한정**; 제약《of, against*** …에 대한》: without ~ 제한 없이, 무제한으로 / the ~ *of* imports of arms 무기 수입 제한 / the ~ *against* keep*ing* dogs in apartment houses 아파트에서의 개 사육 제한. **2** [C] 제한〔제약〕하는 것: currency ~*s* 통화 제한 / put 〔impose, place〕 ~*s* on …에 제한을 가하다 / remove 〔lift, withdraw〕 ~*s* 제한을 해제하다. ◇ restrict *v*.

restríction ènzyme 〖생화학〗 제한 효소《세포에 침입해 들어오는 외래의 DNA를 특정 부위에서 절단 배제하는 효소》.

re·stric·tive [ristríktiv] *a*. **1** 제한하는, 구속하는, 한정하는: a ~ monetary policy 금융 긴축 정책. **2** 〖문법〗 한정적인, 제한적인(↔ *continuative, nonrestrictive*): ~ use 제한적 용법 / a ~ relative clause 제한적 관계사절. ㊕ **~·ly** *ad*. **~·ness** *n*.

rést ròom (극장 · 백화점 따위의) 화장실, 변소.

re·strúcture *vt*., *vi*. 재구성〔재구축〕하다, 개조하다, 구조개혁하다.

re·strúcturing *n*. (조직 · 제도 · 사업 등의) 재편성, 재구성, 구조 개혁.

****re·sult** [rizʌ́lt] *n*. **1** [U] (구체적으로는 [C]) **결과**, 결말; (*pl*.) 성과, 좋은 결과: What ~*s* do you anticipate in the coming general election? 이번 총선에서 어떤 결과를 예상하십니까 / produce 〔show〕 ~*s* 성과를 낳다〔보이다〕 / obtain good ~*s* from a new method 새로운 방법으로 좋은 성과를 올리다. **2** [C] (보통 *pl*.) (시험 · 경기 따위의) 성적: the football ~*s* 축구 시합의 성적 / The ~*s* of the examination were announced. 시험 성적이 발표되었다.

[SYN.] **result** 조건 · 전제 · 원인에서 생기는 결과. '성과, 성적'으로 나타나게 된 과정이 평가되는 경우가 많음. **issue, outcome** '이루어진 것'의 뜻으로 결과에만 초점을 두며, 그 과정에 대한 평가는 포함되지 않음. **fruit** 좋은 결과, 성과, 결실. **consequence** 잇따라 일어나는, 또는 필연적 결과. 다방면에 미치는 결과라는 뜻으로 복수형으로 많이 쓰임: take the *consequences* 자기의 행위 등의 결과에 책임을 지다. **effect** 직접적이고 단시간에 나타나는 결과, 효과: The *effect* of morphine is to produce sleep. 모르핀은 잠들게 한다.

3 [C] 〖수학〗 (계산의) 결과, (해)답: What is the ~ of the calculation? 계산 결과는 어떻게 나왔습니까. **4** 《英구어》 (축구 경기의) 승리: We need a ~ from this match. 이 경기에서 반드시 이겨야 한다.

as a* ~** 그 결과(로서): He kept on drinking against his doctor's advice; *as a* ~, he is now an alcoholic. 그는 의사의 충고를 어기고 계속 술을 마셨는데, 그 결과 지금은 알코올 중독자가 되어 버렸다. ***as a 〔《드물게》 ***the***〕 **~ *of*** … 의 결과로서: Prices are dropping *as a* ~ *of* oversupply. 공급 과잉의 결과로 물가가 떨어지고 있다. ***in the* ~** 결국. ***without* ~** 헛되게, 보람없이; 공연히: Their efforts were *without* ~. 그들의 노력은 헛되이 끝났다. ***with the* ~ *that* ...** 그 결과 … (하게 되다): I am very busy, *with the* ~ *that* I can't enjoy my family life. 너무 바빠서 가정 생활을 즐길 수 없다.

—*vi*. **1 결과로서 일어나다**(생기다): War will certainly ~. 반드시 그 결과는 전쟁이 될 것이다. **2** 《+[전]+[명]》 **유래**〔기인〕**하다**《***from*** …에서》; **귀착하다**, 끝나다《***in*** …으로》: This tragedy ~*ed from* ignorance. 이 비극은 무지에서 비롯되었다 / ~ *in* heavy loss 〔failure〕 큰 손실〔실패〕로 끝나다.

◇**re·sult·ant** [rizʌ́ltənt] *a*. [A] **1** 결과로서 생기는. **2** 〖물리〗 (힘 따위가) 합성된: ~ force 합성력 / ~ velocity 합성 속도. **—***n*. [C] 〖물리〗 합성력; 합성 운동.

re·sult·ful [rizʌ́ltfəl] *a*. 결과가 생기는, 효과〔성과〕 있는, 유효한. ㊕ **~·ness** *n*.

re·súlt·less *a*. 효과〔보람〕없는. ㊞ **~·ly** *ad*.

*__re·sume__[1] [rizú:m/-zjú:m] *vt*. **1** (자리 따위)를 **다시 차지하다**〔**점유하다**〕: ~ one's seat 자리에 돌아가다. **2** (건강 따위)를 되찾다; 회복하다: ~ one's spirits 〔sway〕 원기를〔세력을〕 회복하다. **3** 《~+[목]/+-ing》 (중단한 후에) **다시 시작**〔**계속**〕**하다**: ~ a story 얘기를 다시 계속하다 / He stopped talking and ~*d* eat*ing*. 그는 말을 멈추고 또 먹기 시작했다. ━*vi*. **1** (이야기 · 일 따위를) **다시 시작하다**, 계속하다: When the audience had become quiet, the speaker ~*d*. 청중이 조용해지자, 연사는 다시 이야기를 계속했다. **2** (의회 등이) 재개하다. ***to*** **~** 〖독립부정사구로서〗 말을 계속하면.

ré·su·mé, re·su·me[2], **re·su·mé** [rèzuméi, ⌐-⌐] *n*. 《F.》 [C] 적요, 요약; 《美》 이력서.

re·sump·tion [rizʌ́mpʃən] *n*. [U] **1** 되찾음, 회수, 회복. **2** 재개(시), 속행. ◇ resume *v*.

re·surface [ri:sə́:rfis] *vt*. …의 표지를 바꾸다, 거죽을 다시 꾸미다; (길)을 다시 포장하다. ━*vi*. (잠수함이) 다시 떠오르다, 재부상하다.

re·sur·gent [risə́:rdʒənt] *a*. [A] 소생〔부활〕하는, 재기하는. ㊞ **re·súr·gence** *n*. [U] (또는 a ~) 재기, 부활.

res·ur·rect [rèzərékt] *vt*. **1** 〖신학〗 (죽은 이)를 소생〔부활〕시키다. **2** 《비유적》 (쇠퇴한 습관 따위)를 부흥시키다. ━*vi*. 소생〔부활〕하다.

◇**res·ur·rec·tion** [rèzərékʃən] *n*. [U] **1** (the R-) 예수의 부활; (최후의 심판일에 있어서의) 전(全)인류의 부활. **2** 재기, 부활; 부흥, 재현(再現), 재유행: the ~ *of* hope. ◇ resurrect *v*.

re·sus·ci·tate [risʌ́sətèit] *vt*. (인공 호흡 따위로) 소생시키다; 의식을〔원기를〕 회복시키다; (과거의 것)을 부흥하다, 부활시키다. ㊞ **re·sùs·citá·tion** *n*.

*__re·tail__ [rí:teil] *n*. [U] **소매**(小賣). ↔ *wholesale*. ¶at 〔《英》 by〕 ~ 소매로.
━*a*. [A] 소매의: a ~ dealer 소매상(商) / a ~ price (index) 소매 물가(지수) / a ~ store 〔shop〕 소매점 / ~ sales 소매 판매(고).
━*ad*. 소매로: sell goods ~ 물품을 소매하다.
━*vt*. **1** 소매하다. **2** [ritéil] (들은 얘기)를 그대로 옮기다; (소문 따위)를 퍼뜨리다: ~ a scandal 스캔들을 퍼뜨리다. ━*vi*. 《+[전]+[명]》 소매되다《***at, for*** …으로》: It ~*s at* 〔*for*〕 60 won. 그건 소매로 60원이나.

◇**re·tail·er** *n*. [C] **1** [rí:teilər] 소매상인. **2** [ritéilər] (소문을) 퍼뜨리는 사람.

⁑**re·tain** [ritéin] *vt*. **1 유지하다**, 지속하다, 보유하다; 지탱하다, 있어야 할 곳에 두다: This vessel won't ~ water. 이 그릇은 아무래도 물이 샌다 / ~ one's control over …에 대한 지배권을 유지하다 / Though an old man now, he ~*s* his former strength. 이제 노인이긴 하지만, 그의 이전의 체력은 변함이 없다 / This thermos bottle ~*s* heat very well. 이 보온병은 보온성이 뛰어나다. [SYN.] ⇨KEEP. **2** (변호사 · 사환)을 고용하다. **3** (폐지하지 않고) 존속시키다; 계속 사용〔실행〕하다. **4** 잊지 않고 있다: ~ the insult in one's memory 수모를 잊지 않고 있다. ◇ retention *n*. ㊞ **~·ment** *n*.

retáined óbject 〖문법〗 보류 목적어《★ 이중 목적어의 수동으로 남아있는 목적어; 보기: He was given the *book* by me. / The book was given *him*.》.

re·táin·er[1] *n*. [C] **1** 보지자(保持者), 보유물. **2** 《고어》 (가족을 오래 섬긴) 하인, 가신(家臣), 종복; 친우(親友). **3** 〖치과〗 (치열 교정용의) 치아 고정 장치.

re·táin·er[2] *n*. [C] 〖법률〗 (변호사 따위의) 고용; 변호 의뢰(료)《예약을 위한》; 변호 약속.

retáining wàll 옹벽(擁壁).

re·take [ri:téik] (***-took; -tak·en***) *vt*. **1** 다시 잡다; 되찾다, 탈환〔회복〕하다. **2** (영화 따위)를 다시 찍다, (사진)을 재촬영하다. **3** (시험)을 다시 치르다. ━ [rí:tèik] *n*. [C] 〖영화 · 사진〗 재촬영(한 장면〔사진〕); 재시험.

◇**re·tal·i·ate** [ritǽlièit] *vi*. 되갚아 주다《***on, upon, against*** (아무)에게》; 보복하다, 앙갚음하다《***for*** (행위)에》; 응수하다《***by, with*** (수단)으로》: ~ *for* an injury 상해에 대해 같은 수단으로 보복하다 / ~ *on* 〔*upon*〕 one's enemy 적에게 복수하다 / We ~*d against* the enemy *by* bomb*ing* them. 우리 군(軍)은 적에게 폭격을 가하여 보복했다. ━*vt*. (위해 · 모욕 등으로) 보복하다, 앙갚음하다.

re·tàl·i·á·tion *n*. [U] 보복, 앙갚음: in ~ of 〔for〕 …에 대한 보복으로.

re·tal·i·a·tive, -a·to·ry [ritǽlièitiv], [-ətɔ̀:ri/-ətəri] *a*. 보복적인: a *retaliatory* measure 〔tariff〕 보복 조치〔관세〕.

◇**re·tard** [ritá:rd] *vt*. **1** 속력을 늦추다; 늦어지게 하다, 지체시키다. ↔ *accelerate*. ¶The traffic congestion ~*ed* our arrival. 교통 정체로 도착이 늦어졌다. **2** …의 성장〔발달〕을 방해하다, 저지하다: Lack of sunlight ~*s* the growth of the crops. 일조량 부족은 농작물 발육을 방해한다.

re·tard·ant [ritá:rdənt] *a*. 〖보통 복합형〗 늦어지게 하는; 저지하는: fire-~ construction materials 연소 지연 건축 재료. ━*n*. [U] (종류 · 낱개는 [C]) 〖화학〗 지연〔억제〕제(劑): a fire ~ 방화(防火)재〔제〕/ a rust ~ 방수제(防銹劑).

re·tar·date [ritá:rdeit] *n*. 《美》 [C] 지능 발달이 뒤진 사람. ━*a*. 지능 발달이 늦은.

rè·tar·dá·tion, re·tárd·ment *n*. [U] (구체적으로는 [C]) **1** 지연; 방해; 저지. **2** 〖정신의학〗 정신 지체(mental ~)《보통 IQ 70미만》.

re·tárd·ed [-id] *a*. (아이가) 지능 발달이 늦은; (지능 등이) 뒤진: a ~ child 지진아.

retch [retʃ] *vi*. 구역질 나다, 억지로 토하려고 하다《★ retch는 구토물이 없이 구역질만 나는 것에 반해 vomit는 실제로 토하는 것을 일컬음》. ━*n*. [C] 구역질 (소리).

retd. retained; retired; returned.

re·tell [ri:tél] (*p*., *pp*. ***-told***) *vt*. 다른 형식으로〔형태를 바꾸어〕 말하다; 다시 말하다: old Greek tales *retold* for children 어린이용으로 다시 꾸민 옛 그리스 이야기.

re·ten·tion [riténʃən] *n*. [U] **1** 보유, 보존; 보류; 유지. **2** 보유력; 기억력. **3** 〖의학〗 정체(停滯): ~ *of* urine 요폐(尿閉).

re·ten·tive [riténtiv] *a*. **1** 보유하는, 보유력이 있는《***of*** …을》: a ~ soil 수분을 잘 간직하는 흙 / The village tends to be more ~ *of* old customs than the city. 시골 마을은 도시보다 옛 습관을 더 보존하려는 경향이 있다. **2** 기억력이 좋은; 기억하고 있는《***of*** …을》: a ~ memory 좋은 기억력 / My memory is not ~ *of* names. 나는 이름을 잘 기억하지 못한다. ㊞ **~·ly** *ad*. **~·ness** *n*.

re·think [ri:θíŋk] (*p*., *pp*. ***-thought***) *vt*., *vi*. 재고하다, 고쳐 생각하다. ━ [rí:θìŋk] *n*. (a ~)

《구어》 재고: have a ~ on 〔about〕 …에 대하여 재고하다.

ret·i·cent [rétəsənt] *a.* **1** 과묵한; 말이 적은 《**on, about** …에 대하여》: a ~ boy 과묵한 소년 / He was ~ *about* his past. 그는 자기 과거에 대해 말하려고 하지 않았다. **2** 삼가는; 억제된. SYN. ⇨SILENT. ㊥ **~·ly** *ad.* **-cence, -cen·cy** [-səns], [-i] *n.* Ⓤ 과묵, (입을) 조심함.

re·tic·u·late [ritíkjəlit, -lèit] *a.* 그물 모양의; 〖생물〗 망상 진화의. **—** [-lèit] *vt., vi.* 그물 모양으로 하다〔되다〕. ㊥ **~·ly** *ad.*

re·tìc·u·lá·tion [-léiʃən] *n.* Ⓤ (흔히 *pl.*) 그물 모양의 것, 망상(網狀) 조직.

ret·i·cule [rétikjùːl] *n.* Ⓒ (여성용) 손가방, 그물 주머니.

ret·i·na [rétənə] (*pl.* **~s, -nae** [-nìː]) *n.* Ⓒ 〖해부〗 (눈의) 망막. ㊥ **-nal** [-nəl] *a.* 망막의.

ret·i·nue [rétənjùː] *n.* Ⓒ 〖집합적; 단·복수취급〗 (특히 왕·귀족의) 수행원, 종자(從者)들.

⁑re·tire [ritáiər] *vi.* **1** 《~/+전+명》 **물러가다**, 떠나다; 칩거하다《**from** …에서; **to** …으로》: Both boxers *~d from* the ring. 두 권투선수는 링에서 물러났다 / The ladies *~d* (*to* their rooms). 부인들은 (방으로) 물러갔다.

SYN. **retire, withdraw** '물러가다'의 뜻으로 거의 구별이 없으나 retire에는 '체념, 양보', withdraw에는 '신중한 고려'라는 어감이 있음. **retreat** '후퇴하다'라는 패배감을 수반하는 경우와 단순히 '물러가다'의 경우가 있음.

2 자다, 자리에 들다, 취침하다: We ~ early. 우리는 일찍 잔다 / ~ for the night 잠자리에 들다. **3** 《~/+전+명》 **퇴직하다**; 퇴역하다, 은퇴하다 《**from** …에서》; 은거하다: The teachers ~ at 62. 교원의 정년퇴직은 62세다 / The president will soon ~ *from* office. 회장은 곧 은퇴할 것이다. **4** 《~/+전+명》 (군대가) 퇴각〔후퇴, 철수〕하다《**from** …에서; **to** …으로》: The enemy *~d from* the field *to* the trenches. 적은 싸움터에서 참호로 후퇴했다. **5** (선수가) 경기 도중 퇴장하다《부상 등으로》.

— *vt.* **1** 퇴직〔퇴역, 은퇴〕시키다: ~ most of the officers after a war 전후 대부분의 장교를 퇴역시키다. **2** (어음·지폐 따위)를 회수하다: ~ worn bills from use 헌 지폐를 회수하다. **3** 〖야구·크리켓〗 (타자)를 아웃시키다. **4** (군대)를 철수〔퇴각〕시키다. ◇ retirement *n.* **~ *from the service*** 퇴직〔퇴역〕하다. **~ *from the world*** 속세를 버리다, 출가하다. **~ *into* one*self*** 사람과 사귀지 않다; (생각에 잠겨) 입을 다물다. **~ *to bed* 〔*rest*〕** 자리에 들다.

°re·tíred *a.* **1** 은퇴한, 퇴직한, 퇴역의(↔ *active*): a ~ teacher 퇴직 교사 / a ~ military offficer 퇴역 육군 장교. **2** 퇴직자의〔를 위한〕: a ~ allowance 〔pay〕 퇴직 연금 / a ~ life 은퇴〔은둔〕 생활. **3** 눈에 띄지 않는; 궁벽한; 한적한: a ~ corner 한쪽 구석 / a ~ village 벽촌.

re·tir·ee [ritaiəríː, -⌐⌐] *n.* Ⓒ 《美》 (정년) 퇴직자; 은퇴자.

re·tire·ment** [ritáiərmənt] *n.* **1** Ⓤ 퇴거; 은퇴, 은거. **2** Ⓤ (구체적으로는 Ⓒ) **퇴직**, 퇴역, 정년(停年)(후의 시기): mandatory ~ at 62 (규칙으로 정해진) 62세 정년 퇴직 / give notice of one's ~ 퇴직 신청서를 내다. ***go into **~** 은거 생활을 시작하다. ***live*** 〔***dwell***〕 ***in*** **~** 한거하다.

— *a.* Ⓐ 퇴직〔은거〕자의: (the) ~ age 정년 / a ~ allowance 퇴직금.

retírement pènsion 《英》 (국민 보험의) 퇴직〔노령〕 연금.

re·tír·ing [-riŋ] *a.* **1** Ⓐ (곧) 은퇴하는, 퇴직하는; 퇴직(자)의, 은퇴의: a ~ employee 퇴직이 가까운 종업원. **2** 내성적인, 암띤; 사교성 없는: a ~ disposition 내향적 성질.

retíring àge (the ~) 퇴직 연령, 정년.

***re·tort**[1] [ritɔ́ːrt] *vt.* **1** 《~+목/+목+전+명》 (반론·의론·장난)을 받아넘기다, 응수하다《**on** … 에게》: ~ a jest *on* a person 아무의 농담을 받아넘기다. **2** 《+*that* 절》 **반론하여 말하다**, 반박하다: He *~ed that* he needed no help. 그는 도움 같은 건 필요 없다고 반박했다.

— *vi.* 《~/+전+명》 반론〔반박〕하다, 말대꾸하다; 반격하다, 응전하다《**on, upon, against** …에》: He *~ed upon* 〔*against*〕 me, saying I was to blame. 그는 내가 나쁘다고 말대꾸했다. SYN. ⇨ANSWER.

— *n.* Ⓤ (구체적으로는 Ⓒ) 말대꾸, 앙갚음; 반박(refutation): make a quick ~ 재빨리 반박하다.

re·tort[2] *n.* Ⓒ 〖화학〗 레토르트, 증류기.

re·touch [riːtʌ́tʃ] *vt.* (사진·그림·문장 따위)를 손질〔수정, 가필〕하다. **—** [⌐⌐, -⌐] *n.* Ⓒ (사진·그림·문장 따위의) 손질〔수정 (부분)〕, 가필.

re·trace [ritréis] *vt.* **1** (길 따위)를 되돌아가다〔오다〕. **2** 근원을 더듬다, 거슬러 올라가 조사하다. **3** 회고〔회상〕하다: ~ one's past 과거를 회상하다. **~ one*'s steps*** 〔***way***〕 온 길로 되돌아가다; 본래대로 하다, 다시 하다.

re·tract [ritrǽkt] *vt.* **1** (안으로 신체의 일부)를 끌어넣다; 수축시키다: The turtle *~ed* his head into his shell. 거북은 등껍질 속으로 머리를 움츠러들었다. **2** (앞서 한 말·약속·명령 등)을 취소〔철회〕하다: ~ one's promise 약속을 취소하다 / He *~ed* what he had said. 그는 앞서한 말을 철회했다. **—** *vi.* 쑥 들어가다; 수축하다; 앞서 한 말을 취소〔철회〕하다.

re·tráct·a·ble *a.* **1** (자동차의 헤드라이트·비행기의 바퀴 따위를) 안으로 들이킬〔접어 넣을〕 수 있는; 신축 자재의. **2** 취소〔철회〕할 수 있는.

re·trac·tile [ritrǽktil, -tail] *a.* (거북·고양이처럼) (목을) 움츠려들일 수 있는, (발톱을) 오므릴 수 있는. ↔ *protractile*.

re·trac·tion [ritrǽkʃən] *n.* **1** Ⓤ (발톱 따위를) 오므림. **2** Ⓤ (구체적으로는 Ⓒ) (앞서한 말·약속 따위의) 취소, 철회.

re·tread [riːtréd] (***-trod*** [-trád/-trɔ́d]; ***-trodden*** [-trádn/-trɔ́dn], ***-trod***) *vt.* (자동차 등의 낡은 타이어)를 재생하다. **—** [ríːtrèd] *n.* Ⓒ (바닥을 갈아 댄) 재생 타이어.

***re·treat** [ritríːt] *n.* **1 a** Ⓤ (구체적으로는 Ⓒ) **퇴각**, 퇴거; 후퇴: be in full ~ 총퇴각하다 / cover the ~ 퇴각을 엄호하다 / after many advances and *~s* 진격과 후퇴를 몇 번이고 거듭한 후에. **b** (the ~) 퇴각 신호: sound the ~ 퇴각 나팔을 불다. **2** Ⓤ **은퇴**, 은둔. **3** Ⓒ 은퇴처, 은신처, 피난처; (취한·미치광이 등의) 수용소: a mountain ~ 산장 / a summer ~ 피서지.

beat a **~** ① 퇴각〔도망〕하다: He saw me coming and *beat a* hasty ~. 그는 내가 오는 것을 보고는 급히 도망쳤다. ② (사업 등에서) 손을 떼다. ***cut off the*** **~** 퇴로를 끊다. ***make good*** **one*'s*** **~** 무사히 벗어나다.

— *vi.* **1** 《~/+전+명》 (군대 등이) **물러가다**, 후퇴하다, 퇴각하다《**from** …에서; **to** …으로》: ~ *from* the front 전선에서 후퇴하다 / The enemy

~*ed from* field *to* the hill. 적군은 싸움터에서 언덕으로 퇴각했다. SYN. ⇨RETIRE. **2** ((+전+명)) 틀어박히다, 죽치다, 은퇴하다((*to* …으로)): ~ *to* one's home town 고향으로 은퇴하다. **3** 그만두다, 물러나다, 손을 떼다((*from* …에서)).

re·trench [ritréntʃ] *vt.* **1** (비용 따위)를 절감〔절약〕하다(reduce). **2** 삭제〔생략〕하다; 단축〔축소〕하다. **—***vi.* 절약〔검약〕하다.

re·trénch·ment *n.* Ⓤ (구체적으로는 Ⓒ) **1** 경비 절약; 삭감: a ~ policy 긴축 정책. **2** 단축, 축소, 삭제.

re·tri·al [riːtráiəl] *n.* Ⓤ (구체적으로는 Ⓒ) 〖법률〗 재심(再審): a petition for ~ 재심 청구.

ret·ri·bu·tion [rètrəbjúːʃən] *n.* Ⓤ (또는 a ~) (악업 등의 당연한) 징벌; 응보, 천벌; 보복((*of, for* …에 대한)): the day of ~ 최후의 심판일; 응보의 날 / ~ *for* one's sin 죄의 응보 / just ~ *of* 〔*for*〕 a crime 인과 응보.

re·trib·u·tive, -to·ry [ritríbjətiv], [-tɔ̀ːri/-təri] *a.* 보복의, 응보의.

re·triev·al [ritríːvəl] *n.* Ⓤ **1** (실추된 명예 등의) 만회, 복구, 회복; (손해 등의) 벌충, 보상: beyond 〔past〕 ~ 회복할 가망이 없는〔없을 만큼〕. **2** 〖컴퓨터〗 (정보의) 검색.

retríeval sỳstem 〖컴퓨터〗 정보 검색 시스템.

◇**re·trieve** [ritríːv] *vt.* **1** 되찾다, 회수하다((*from* …에서)): ~ one's lost purse 잃어버린 지갑을 되찾다 / ~ the black box *from* the ocean 블랙박스를 바다에서 회수하다. **2** 만회〔회복〕하다; (손해)를 보상〔벌충〕하다: ~ one's honor 명예를 회복하다. **3** 갱생〔부활〕시키다; 구하다, 구출하다((*from, out of* (불행 · 악)에서)): ~ a person *from* 〔*out of*〕 ruin 아무를 파멸에서 구하다. **4** 수선하다, 정정(訂正)하다: ~ an error 오류를 정정하다. **5** (사냥개가 잡은 짐승)을 찾아가지고 오다; (낚싯줄)을 감아올리다; (테니스 등에서) (어려운 볼)을 잘 되치다. **6** 〖컴퓨터〗 (정보)를 검색(檢索)하다: The new system can ~ data much faster. 새로운 시스템은 데이터를 한층 빨리 검색한다. **—***n.* Ⓤ 회복, 회수: beyond 〔past〕 ~ 회복할 가망 없는.

re·tríev·er *n.* Ⓒ **1** 되찾은 사람〔물건〕. **2** 잡은 짐승을 찾아가지고 오는 사냥개; 리트리버((사냥개의 일종)).

ret·ro *n.* Ⓤ (구체적으로는 Ⓒ) (복장 등이) 복고조(復古調) 스타일. **—***a.* Ⓐ 회고조〔복고조〕의; (패션 · 음악 등의) 리바이벌의.

ret·ro- [rétrou, -rə] *pref.* '뒤로, 거꾸로, 거슬러, 재복귀의' 등의 뜻. cf. pro-¹.

rètro·áctive *a.* (법률 · 효력 등이) 거슬러 올라가는, 소급하는: a ~ law 〖법률〗 소급법 / ~ to May 1, 5월 1일로 소급하여. ⓟ **~·ly** *ad.*

rétro·fire *vt.* (역추진 로켓)에 점화하다, 발사시키다. **—***vi.* (역추진 로켓이) 점화〔분사〕하다.

ret·ro·fit [rétroufit] *vt.* (비행기 · 자동차 등)에 신부품을 추가 도입하다, …의 구형(舊型) 장치〔장비〕를 개조하다. **—***n.* **1** Ⓤ 신부품의 추가 도입, 장치의 개조. **2** Ⓒ 개조한 부품.

ret·ro·flex(ed) [rétrəflèks(t)] *a.* 뒤로 휜〔굽은〕, 반전(反轉)한; 〖의학〗 후굴의; 〖음성〗 반전음의.

ret·ro·flex·ion, -flec·tion [rètrəflékʃən] *n.* Ⓤ 반전, 뒤로 휨; 〖의학〗 자궁 후굴; 〖음성〗 반전음.

ret·ro·grade [rétrəgrèid] *a.* **1** 후퇴하는, 뒤로 되돌아가는. **2** 퇴보하는, 퇴화하는: a ~ attitude 시대에 역행하는 태도. **3** 〖의학〗 퇴행성의,

(건망증 따위가) 역행성의: ~ cancer 퇴행성 암. **4** (순서 따위가) 거꾸로의: in a ~ order 역순으로. **—***vi.* 뒤로 되돌아가다; 후퇴하다; 퇴보〔퇴화〕하다; 타락하다; (행성 · 위성이) 역행하다.

ret·ro·gress [rétrəgrès, ⌐-⌐] *vi.* 뒤로 되돌아가다, 역행하다, 후퇴하다; 퇴보〔퇴화〕하다; 악화하다. ↔ *progress*. ⓟ **rèt·ro·grés·sion** [-ʃən] *n.* Ⓤ 후퇴, 역행; 퇴화, 퇴보.

ret·ro·gres·sive [rètrəgrésiv] *a.* 후퇴〔역행〕하는; 퇴보〔퇴화〕하는. ↔ *progressive*. ⓟ **~·ly** *ad.*

rétro·ròcket *n.* Ⓒ 〖우주〗 역추진〔역분사〕 로켓.

ret·ro·spect [rétrəspèkt] *n.* Ⓤ 회고, 회상, 회구(懷舊). ↔ *prospect*. ***in*** **~** 뒤돌아 보면, 회고하면. ⓟ **rèt·ro·spéc·tion** *n.* Ⓤ 회고, 회상, 추상(追想).

ret·ro·spec·tive [rètrəspéktiv] *a.* **1** 회고의, 회구(懷舊)의(↔ *prospective*): a ~ exhibition 회고전(回顧展). **2** 〖법률〗 소급하는(retroactive). **—***n.* Ⓒ 회고전(展). ⓟ **~·ly** *ad.*

ret·rous·sé [rètruːséi/rətrúːsei] *a.* ((F.)) (코 따위가) 위로 향한〔젖혀진〕, 들창코의.

ret·ro·vi·rus [rètrəváiərəs, ⌐-⌐] *n.* Ⓒ 〖생화학〗 레트로바이러스((RNA 종양 바이러스; AIDS 바이러스나 발암에 관련한 바이러스가 포함됨)).

†**re·turn** [ritə́ːrn] *vi.* **1** ((~/+전+명)) **돌아가다**, 돌아오다, 귀환하다((*from* …에서; *to* …으로)): ~ *from* Busan *to* Seoul 부산에서 서울로 돌아오다 / ~ home 귀가〔귀국〕하다 / He left home never to ~. 그는 고향을 떠나서 다시는 돌아오지 않았다 / ~ in triumph 개선하다 / ~ safe and sound 무사히 귀환하다.

2 ((~/+전+명)) 되돌아 가다〔오다〕, 복귀하다, 회복하다((*to* (본래의 상태 · 화제)로)): Conciousness ~*ed* gradually. 의식이 차츰 되돌아왔다 / ~ *to* the old customs 옛날 습관으로 되돌아가다 / Everything is slowly ~*ing to* normal after the earthquake. 지진 후에 모든 것이 서서히 정상으로 복귀하고 있다.

SYN. **return** 형식적인 문어체의 말로서, 출발한 곳에서 보면 go back '돌아가다'의 뜻, 도착한 곳에서 보면 come back '돌아오다'의 뜻. go back, come back은 다 구어적 표현임. **get back**은 come back보다 격식차리지 않은 표현임. **be back**도 come back의 뜻으로 회화에서 많이 쓰임. 또 '돌아와 있다'라는 상태에 중점.

3 (계절 따위가) 다시 (찾아)오다, (일이) 다시 일어나다; (병 따위가) 재발하다: The pain 〔bad weather〕 has ~*ed*. 통증이〔악천후가〕 다시 찾아왔다.

—*vt.* **1** ((~+목/+목+목/+목+전+명/+목+보)) **돌려주다**, 도로 보내다, 반환하다((*to* (원래의 주인 · 장소)에)): Please ~ my book. 내 책을 돌려주시오 / I ~*ed* him the book. =I ~*ed* the book *to* him. 그 책을 그에게 돌려주었다 / The stolen goods were ~*ed* undamaged. 도난품은 손상되지 않고 반환되었다.

2 ((~+목/+목+전+명)) 갚다, 보답하다, 답례하다((*for* …에 대하여; *with* …으로)): Don't forget to ~ the money you borrowed. 빌려간 돈을 잊지 말고 갚으시오 / ~ a visit 답방하다 / ~ evil *for* good =~ good *with* evil 은혜를 원수로 갚다.

3 ((~+목/+목+전+명)) 대답하다; 답변하다; 대

꾸하다《**to** …에》: "No," he *~ed* indifferently. =He *~ed* an indifferent "No." "아니"라고 그는 쌀쌀하게 대답했다 / ~ a polite answer *to* question 질문에 공손히 대답하다.

4 (이자·이익 따위)를 낳다: ~ a good interest 상당한 이자를 낳다 / an investment which ~*s* good interest 수지맞는 투자.

5 《~+[목]/+[목]+[보]/+[목]+*as* [보]》 (정식으로) 보고하다, 복명(復命)하다, 신고하다; (배심원이) 답신하다: ~ a verdict of guilty 유죄 평결을 답신하다 / ~ a person guilty 아무를 유죄로 답신하다 / ~ a soldier *as* killed 병사를 전사한 것으로 보고하다.

6 《~+[목]/+[목]+[전]+[명]》 선출하다《**to** (의회·권좌 따위)에; **for** (선거구)에서》: ~ members *to* Parliament 국회 의원을 선출하다 / He was *~ed* 〔They *~ed* him〕 *for* Boston. 그는 보스턴에서 선출되었다.

7 〖카드놀이〗 …에 같은 패로 응하다; 〖테니스〗 (공)을 되받아치다(strike back).

~ *thanks* 감사하다《특히 식탁의 감사 기도·축배의 사례로서》. **~ *to life*** 되살아나다. **~ *to* one*self*** 제정신이 들다. ***To* 〔*Now to*〕 ~** 〘독립부정사〙 본론으로 돌아가서…, 여담은 그만하고….

—*n*. 1 [U] (구체적으로는 [C]) **돌아옴〔감〕**, 귀가, 귀환, 귀국《**to** …으로의; **from** …으로부터의》: on my ~ *from* the trip 내가 여행에서 돌아왔을〔돌아올〕 때 / The wife prayed for her husband's safe ~. 아내는 남편이 무사히 귀가하기를 빌었다 / I'm looking forward to your ~ *from* America. 미국에서의 귀국을 고대하고 있습니다.

2 [U] (구체적으로는 [C]) **회귀**, 복귀; (병의) 재발, 회복: the ~ *of* the season 계절의 회귀 / a ~ to a normal life 정상 생활로의 복귀 / He has had a ~ *of* the disease. 그의 병이 재발했다.

3 [U] **반환**, 되돌림, 반송(返送); (*pl.*) 반품(返品): the ~ *of* books to the library 도서관 대출 서적의 반환 / the ~ *of* a loan 빚의 반제 / on sale or ~ 〖상업〗 팔다 남은 상품의 반품 조건으로.

4 [C] 보답, 답례; 말대꾸, 말대답; 회답: a poor ~ for kindness 친절에 대한 불충분한 보답 / his prompt ~ of my letter 나의 편지에 대한 그의 즉각적인 회답.

5 [C] (공식) 보고(서), 신고(서): an income tax ~ 소득세 신고(서) / The committee made an official ~ of the case. 위원회는 그 건에 대한 공식적인 보고를 했다.

6 [C] 《英》 (국회의원의) 선출; (보통 *pl.*) 개표 보고: election ~*s* 선거 개표 보고(서) / running ~*s* 개표 속보 / official ~ 공보(公報).

7 [C] (흔히 *pl.*) 수입, 수익; 보수: get a good ~ on an investment 투자하여 상당한 이득을 얻다.

8 [C] 〖테니스〗 공을 되받아치기; 〖펜싱〗 되찌르기; 〖경기〗 설욕전(return match).

9 [C] 왕복차표(return ticket); (선전에 대하여) 응답해 온 우편물.

10 〘형용사적〙 돌아가〔오〕는; 《英》 왕복의; 보답〔답례〕의: a ~ passenger 〔voyage〕 귀환객〔귀항(歸航)〕 / a ~ visit 답례 방문 / a ~ half 귀로용의 반쪽표 / a ~ postcard 왕복 엽서.

by* ~ (*of post* 〔《美》 *mail*〕)** (우편에서) 받는 즉시로, 대지급으로: Please let us know your answer *by* ~ (*of post*). (이 편지를 받는) 즉시 네 대답을 알려다오. ***in* ~** 대답으로; 답례로, 보답으로; 그 대신에: write *in* ~ 답장을 쓰다. ***in* ~ *for* 〔*to*〕** …의 답례로, 회답으로. ***make a* ~ *of …의 보고〔신고〕를 하다: *make a* false ~ *of* one's income 허위로 소득 신고를 하다. ***Many* 〔*I wish you many*〕 *happy* ~*s* (*of the day*)!** (생일·축제 등의 축사로) 축하합니다, 장수를 빕니다. ***secure a* ~** (국회 의원으로) 당선되다. ***Small profits and quick* ~*s*.** 박리 다매《상점 표어; 생략: S.P.Q.R.》. ***the point of no* ~** ① 〖항공〗 귀환 불능점. ② 이제 뒤로 물러설 수 없는 단계. ***the* ~ *of a salute*** 답례(포(砲)). ***without* ~** 이익 없이.

re·túrn·a·ble *a*. 되돌릴 수 있는; 대답할 수 있는; 반환〔보고〕해야 할; 〖법률〗 회부해야 할《서류 등》. **—*n*.** [C] 《美》 반환하면 돈을 받을 수 있는 빈 병〔깡통〕.

retúrn càrd (상점 등의 광고용) 왕복 엽서.

re·turn·ee [ritə:rní:, -´-] *n*. [C] (전쟁터·교도소·외국 등에서의) 귀환자; 장기 휴가를 마치고 돌아온 사람.

retúrn gáme 〔mátch〕 (경기의) 설욕전, 리턴 매치.

retúrning òfficer 《英·Can.》 선거 관리관.

retúrn póstage 회신용 우표〔우편 요금〕.

retúrn tícket 《英》 왕복표(《美》 round trip ticket); 《美》 돌아올 때 쓰는 표.

retúrn tríp 《英》 왕복 여행(《美》 round trip).

***re·un·ion** [ri:jú:njən] *n*. **1** [U] **재결합, 재합동**; 재회. **2** [C] (친족·동창 따위의) 친목회, 동창회.

◇**re·unite** [rì:junáit] *vi*., *vt*. 재결합〔재합동〕하다〔시키다〕, 화해〔재회〕하다〔시키다〕.

re·use [ri:jú:z] *vt*. 다시 이용하다, 재생하다. **—** [ri:jú:s, rí:jù:s] *n*. [U] 재사용. [파] **re·us·a·ble** [ri:jú:zəbəl] *a*.

Reu·ters [rɔ́itərz] *n*. (영국의) 로이터 통신사 (=**Réuter's Néws Àgency**).

rev [rev] 《구어》 *n*. [C] (엔진·레코드 등의) 회전. **— (-vv-)** *vt*. **1** …의 회전 속도를 바꾸다(*up; down*): ~ a motor *up* 〔*down*〕 모터의 회전 속도를 빠르게 하다〔줄이다〕. **2** 고속으로 운전하다; 활발하게 하다(*up*). **—*vi*. 1** 회전 속도가 바뀌다(*up; down*): The motor ~*s up* 〔*down*〕. 모터의 회전 속도가 빨라지다〔줄다〕. **2** 활발해지다(*up*). [◂ *revolution*]

Rev. Revelation(s); Reverend. **rev.** revenue; reverse(d); review(ed); revise(d); revision; revolution; revolving.

re·váluate *vt*. …을 재평가하다; …의 (평가) 가치를 변경하다(《특히》 절상하다). [파] **rè·valuátion** *n*. [U] 재평가; (통화 가치의) 개정, 《특히》 평가절상(切上).

rè·válue *vt*. …을 재평가하다; 〖경제〗 …의 평가를 절상하다.

re·vamp [ri:vǽmp] *vt*. 수선하다(patch up); 개조〔개정(改訂)〕하다; (조직 따위)를 개편〔개혁〕하다.

Revd. Reverend.

***re·veal** [rivíːl] *vt*. **1** 《~+[목]/+[목]+[전]+[명]/+[목]+(*to be*) [보]/+[목]+*as* [보]/+*that* [절]》 (알려지지 않은 것)을 **드러내다**; 알리다, 누설하다; 폭로하다, 들추어내다《**to** (아무)에게》: ~ a secret *to* him 그에게 비밀을 누설하다 / Research *~ed* him (*to be*) a bad man. =Research *~ed that* he was a bad man. 조사 결과 그는 나쁜 사람임이 드러났다 / In this book the author ~*s* himself *as* full of insight. 이 책에서 저자는 통찰력이 넘치는 사람임을 보여주고 있다.

SYN. **reveal** 이제까지 숨겨졌던 것을 드러내다, 이제까지 몰랐던 것을 분명히 하다: The rising curtain *revealed* a street scene. 막이 오르니 거리의 광경이 보였다. **disclose** reveal과 비슷하여 '덮개를 벗겨 사람 눈에 보이게 하다'라는 것인데, reveal이 '계시(啓示)'의 뜻을 내포한 데 반해 disclose에는 '폭로'의 뜻도 더해짐: Excavations *disclosed* many artifacts. 발굴에 의하여 많은 공예품이 발견되었다. **divulge** '폭로'의 뜻이 더욱 강조되고 폭로자의 의도가 시사됨. 남에게 나타내 보임: *divulge* a conspiracy 음모를 폭로하다. **betray** 남을 배신하여 폭로하거나 자신에 대해 무의식 중에 폭로함: His facial expression *betrayed* his bewilderment. 그의 얼굴 표정에는 당혹한 기색이 드러났다.

2 《~+목/+목+전+명》 (가려진 것)을 **보이다, 나타내다**《*to* …에》: The moonlight ~*ed* her face. 달빛에 그녀의 얼굴이 보였다/The fog cleared and ~*ed* a distant view *to* our sight. 안개가 걷히고 원경이 모습을 드러냈다. **3** (신이) 묵시하다, 계시하다. ◇ revelation *n*. ㊞ **~·ment** *n*. U 폭로; 〖신학〗 계시, 묵시.

revéaled relígion 계시 종교《유대교·기독교》. ↔ *natural religion*.

re·véal·ing *a*. **1** 뜻이 깊은; 계발적(啓發的)인. **2** (보통 감추어진 부분이) 드러나는, 노출하는: a ~ dress 살갗을 노출시킨 드레스.

rev·eil·le [révəli/rivǽli] *n*. U (종종 the ~) 〖군사〗 기상 신호《나팔·북 따위》.

°**rev·el** [révəl] (**-l-,** 《英》 **-ll-**) *vi*. **1** 주연을 베풀다, 마시고 흥청거리다. **2** 한껏 즐기다, 매우 기뻐하다; 빠지다《*in* …을, …에》: ~ *in* reading 독서를 즐기다/~ in luxury 사치에 빠지다. **—***n*. U (종종 *pl*.) 술잔치; 부산한 잔치, 흥청망청 떠들기, 환락. ㊞ **rév·el·er,** 《英》 **-el·ler** *n*. C 주연을 베푸는 사람, 술마시고 떠드는 사람.

***rev·e·la·tion** [rèvəléiʃən] *n*. **1** U **폭로**; (비밀의) 누설; (비밀이) 샘, 발각: (the) ~ *of* a secret 비밀의 폭로〔발각〕. **2 a** C 폭로된 것, 의외의 새 사실: It was a ~ to me. 실로 의외의 일이었다/What a ~! 정말 의외의 일이다. **b** (the ~) 밝혀진 사실《*that*》: The ~ *that* he had taken bribes shocked everybody greatly. 그가 뇌물을 받았다는 사실을 알고 모두 큰 충격을 받았다. **3** U 〖신학〗 **천계**(天啓), 묵시, 계시(啓示), 신탁(神託). **4** (the R-, (the) R-s) 〔단수취급〕 〖성서〗 요한 계시록(the Apocalypse)《생략: Rev.》. ◇ reveal *v*.

°**rev·el·ry** [révəlri] *n*. U 술마시고〔흥청망청〕 떠들기, 환락(merrymaking).

re·venge** [rivéndʒ] *n*. U **1 보복**, 복수(vengeance), 앙갚음, 분풀이《*on* (아무)에 대한; *for* (행위)에 대한》: I'll have my ~ *on* him *for* this insult. 그자에게 이 모욕에 대한 앙갚음을 하고 말겠다. **2** 원한, 유한(遺恨), 복수심. **3** 복수의 기회; (스포츠·카드놀이 등의) 설욕의 기회. ***give a person his ~ 〖경기〗 아무의 설욕전 요구에 응하다, 설욕전의 기회를 주다. ***have*** 〔***get, take***〕 one***'s*** **~** ***on*** 〔***upon***〕 a person 아무에게 복수하다〔원한을 풀다〕(⇨1). ***in*** 〔***out of***〕 **~** ***for*** …의 앙갚음〔보복〕으로. ***seek*** one***'s*** **~** ***on*** 〔***upon***〕 …에게 복수할 기회를 노리다.

—*vt*. **1** 《+목+전+명》 〔~ oneself 또는 수동태〕 **원수를 갚다**, 앙갚음〔복수〕하다《***on, upon*** (아무)에게》: ~ one*self on* 〔*upon*〕 a person =*be* 〔get〕 ~*d on* 〔*upon*〕 a person 아무에게 원수를 갚다. **2** 〔피해자·부당 행위를 목적어로 하여〕 …의 원수를 갚다, 원한을 풀다: ~ one's brother 〔one's brother's death〕 (죽은) 형의 원수를 갚다/~ wrong with wrong 원수를 원수로 갚다. SYN. ⇨ AVENGE.

re·venge·ful [rivéndʒfəl] *a*. 복수심에 불타는, 앙심 깊은. ㊞ **~·ly** *ad*. **~·ness** *n*.

°**rev·e·nue** [révənjùː] *n*. **1** C (토지·재산 등에서 생기는) 수익; 고정 수입; 수입원. **2** U (또는 *pl*.) **a** 세입(income): ~ and expenditure 세입 세출/⇨ INLAND REVENUE. **b** (국가·단체·개인의) 총수입, 총소득: one's annual ~ 연수(年收). **3** (보통 the ~) 국세청, 세무서. ***defraud the* ~** 탈세하다.

révenue expénditure 〖회계〗 수익 지출《수익을 얻기 위한 지출》. cf. capital expenditure.

révenue stàmp 수입 인지.

révenue tàriff 수입(收入) 관세, 재정(財政) 관세. ↔ *protective tariff*.

révenue tàx 수입세.

re·ver·ber·ant, -a·tive [rivə́ːrbərənt], [-rèitiv, -rətiv] *a*. 반향하는; 반사하는.

re·ver·ber·ate [rivə́ːrbərèit] *vi*. **1** (소리가) 반향하다, 울려 퍼지다; (장소가) 울리다《***with*** (소리)로》: A loud voice ~*s* through the hall. 고함 소리가 회장 안에 울려퍼진다/The hall ~*d with* the sound of the explosion. 회장에는 그 폭발음이 울려퍼졌다. **2** (빛·열이) 반사하다. **3** (소식·소문이) 퍼지다. **—***vt*. (소리)를 반향시키다; (열·빛)을 반사하다: The steam whistle of the train was ~*d* through the hills. 열차의 기적 소리가 이산 저산에 메아리쳤다.

re·vèr·ber·á·tion *n*. **1 a** U 반향; 반사. **b** C 반사광〔열〕. **2** C (보통 *pl*.) 반향음, 여운.

re·ver·ber·a·to·ry [rivə́ːrbərətɔ̀ːri/-təri] *a*. (빛·열 등으로) 반사된; 반사식의《노(爐) 따위》. **—***n*. C 반사로.

re·vere [rivíər] *vt*. 존경하다, 숭배하다: ~ a saint 성인을 우러러보다.

rev·er·ence** [révərəns] *n*. **1** U **숭배, 존경**; 경의《for*** …의》. cf. respect, veneration. ¶feel ~ *for* …에게 존경심을 갖다, …을 존경하다/show profound ~ *for* a person 아무에게 깊은 존경심을 보이다/regard the national flag with ~ 국기에 경의를 표하다. **2** C 공손한 태도; 경례. **3** (보통 your 〔his〕 R-) 신부〔목사〕님《성직자에 대한 경칭; you, he, him 대신에 씀》. ***hold*** a person ***in* ~** 아무를 존경〔숭배〕하다: We should *hold* old people *in* ~. 노인을 존경해야 한다.

—*vt*. 숭배하다.

°**rev·er·end** [révərənd] *a*. A **1** 귀하신, 존경할 만한, 거룩한《사람·사물·장소 따위》. **2** (the R-) …님《성직자에 대한 경칭; 생략: Rev.》: the *Reverend* 〔*Rev.*〕 John Smith 존 스미스 신부님.

> **NOTE** (1) the Most *Reverend*는 archbishop, bishop에 대한, the Right *Reverend*는 bishop에 대한, the Very *Reverend*는 dean, canon 등에 대한 존칭임.
> (2) 성직자에 대한 경칭으로 쓰일 경우에는 성과 이름을 함께 쓰고, 특히 the를 붙이는 것이 정중한 용법: *the Reverend* Martin Luther King (마틴 루터 킹 목사님).

3 성직의, 목사〔신부〕의. *the ~ gentleman* (성직자에 대하여) 그 목사〔신부〕님.
—*n.* Ⓒ《구어》 성직자, 목사, 신부.

rev·er·ent [révərənt] *a.* 경건한, 공손한. ㊞ **~·ly** *ad.*

rev·er·en·tial [rèvərénʃəl] *a.* 경건한, 존경을 표시하는, 공손한: a ~ bow 공손한 인사.
㊞ **~·ly** *ad.* 경건하게, 삼가.

rev·er·ie, rev·ery [révəri] *n.* **1** Ⓤ (구체적으로는 Ⓒ) (깨어 있을 때의) 환상; 몽상; 백일몽《★ dream은 잠 잘 때의 꿈》. **2** Ⓒ 〖음악〗 환상곡.
be lost in (***a***) **~** =***fall into*** (***a***) **~** 공상에 잠기다.

re·vers [rivíər, -véər] (*pl.* ~ [-z]) *n.* 《F.》 Ⓒ (보통 *pl.*) (여성복의) 젖어 젖힌 깃·소매《따위》. ⓒⓕ lapel.

re·ver·sal [rivə́:rsəl] *n.* Ⓤ (구체적으로는 Ⓒ) **1** 반전(反轉), 전도(轉倒); 거꾸로 움직임, 역전. **2** 〖법률〗 (하급심) 원판결의 파기, 취소; 〖사진〗 (네가티브에서 포지티브로, 또는 그 반대의) 반전 (현상). ◇ reverse *v.*

re·verse [rivə́:rs] *vt.* **1 거꾸로 하다**, 반대로 하다; 뒤집다, 뒤엎다: ~ the order 순서를 거꾸로 하다/~ a coat 상의를 뒤집다. **2** 바꾸어 놓다〔넣다〕, 교환하다, 전환하다: Their positions are now *~d.* 그들의 입장이 이제는 바뀌었다. **3** 《~+목/+목+전+명》 (기계 따위)를 역진(逆進)〔역회전〕시키다, (차)를 후진시키다: ~ one's car *into* the garage 차고에 차를 후진하여 넣다. **4** (결정 따위)를 번복하다, 뒤집다; 〖법률〗 (판결)을 취소하다, 파기하다: ~ a decision 판결을 파기하다. **5** 《英》 (통화 요금)을 수신인 지불로 하다: ~ the charges 요금을 수신인 지불로 하다(《美》 call a person collect).
—*vi.* **1** 거꾸로 되다; 되돌아가다, 역행하다. **2** 《~/+부/+전+명》 (기계 따위가) 역회전하다; 차를 후진시키다, (차가) 후진하다: I *~d out.* 차를 후진시켜 밖으로 나갔다/The car *~ed out of* the gate. 그 차는 후진하여 문을 나갔다. **3** 〖댄스〗 거꾸로 돌다. ***Reverse arms!*** 거꾸로(어깨) 총(銃)《장례식 등에서 총을 거꾸로 메라는 구령》.
~ one*self about* 〔***over***〕 …에 대한 생각을 바꾸다.
—*a.* **1 반대의, 거꾸로의**《*to* …와》; 상하 전도된, 역(逆)의: ~ discrimination 역차별/*in* ~ order 역순(逆順)으로/a result ~ *to* what was intended 의도한 것과 정반대인 결과. ⓈⓎⓃ. ⇨ OPPOSITE. **2** 뒤로 향한; 역전하는: a ~ movement/a ~ gear 후진 기어. **3** Ⓐ 뒤의, 이면의, 배후의: the ~ side of a fabric 직물의 안쪽/~ fire 배면 사격〔포격〕.
—*n.* **1** (the ~) **역**(逆), 반대: She is the ~ *of* virtuous. 그녀는 정숙하기는커녕 그와 정반대이다. **2** (the ~) **뒤**, 배면, 배후; (화폐·메달 등의) 이면(↔ *obverse*); (책의) 뒤 페이지, 왼쪽 페이지(verso)(↔ *recto*). **3** Ⓒ 〖댄스〗 역회전. **4** Ⓒ **불운**, 실패, 손실, 패배(defeat): the *~s of* fortune 불운, 패배. **5 a** Ⓤ 〖기계〗 역전(逆轉), 역진, 전환: throw an engine into ~ 엔진을 역회전시키다. **b** Ⓤ (구체적으로는 Ⓒ) (자동차의) 후진: put the car into ~ 차를 후진시키다. **c** Ⓒ 역전〔후진〕 장치. ***in*** **~** ① 거꾸로: run the film *in* ~ 필름을 역회전시켜 감다. ② (차가) 후진하여. ③ 배면(背面)에: take the enemy *in* ~ 적을 등뒤에서 공격하다. ***quite the*** **~** =***the very*** **~** 그 정(正)반대. ***suffer*** 〔***sustain, meet with, have***〕 ***a*** **~** 혼나다; 패배하다.
㊞ **~·ly** *ad.* 거꾸로, 반대로; 이에 반하여, 한편으로는.

revérse-chárge *a.* 《英》 (통화 요금이) 수신인 지불의.

re·vers·i·ble [rivə́:rsəbəl] *a.* **1** 거꾸로〔전도, 전환〕할 수 있는; 뒤집을 수 있는. **2** 취소〔파기〕할 수 있는. **3** 안팎을 다 쓸 수 있는《코트 따위》, 양면의. —*n.* Ⓒ 안팎이 없는 천〔옷〕.

revérsing líght 《英》 (자동차의) 후진등(後進燈)(《美》 backup light).

re·ver·sion [rivə́:rʒən, -ʃən] *n.* **1** Ⓤ 되돌아가기, 복귀《*to* (보통 좋지 않은 습관·상태 등)으로의》. **2** Ⓤ 〖생물〗 격세〔복귀(復歸)〕 유전(atavism), 돌연변이. **3** 〖법률〗 Ⓒ 복귀권; 계승권, 상속권, 복귀 재산; Ⓤ (양도인·상속인에의) 재산 복귀. ㊞ **~·ary** [-əl], [-èri/-əri] *a.* 〖법률〗 장래 복귀〔계승〕할.

re·vert [rivə́:rt] *vi.* 《+전+명》 **1** 되돌아가다《*to* (본래 상태·습관·신앙 따위)로》: ~ *to* the old system 옛 제도로 복귀하다/The region has *~ed to* a wilderness. 그 지방은 본래의 황야로 되돌아갔다. **2** 되돌아가다《*to* (처음 얘기)로》; 다시 생각하다《*to* (본래의 문제)를》: ~ *to* the original topic of conversation 본래의 화제로 되돌아가다. **3** 〖생물〗 격세유전하다《*to* …으로》. **4** 〖법률〗 (부동산이) 복귀하다《*to* (원소유자)에게》.
~ *to type* 본래의 모습으로 되돌아가다.

revery ⇨ REVERIE.

re·vet [rivét] (*-tt-*) *vt.* 〖토목〗 (제방·성벽 따위의 표면)을 돌·콘크리트 따위로 덮다〔굳히다〕.
㊞ **~·ment** *n.* Ⓒ 〖군사〗 방벽(防壁); 〖토목〗 옹벽(擁壁); 호안(護岸).

re·view [rivjú:] *n.* **1** Ⓤ (구체적으로는 Ⓒ) **재조사, 재검토, 재음미**, 재고(再考); 〖법률〗 재심리: a ~ *of* the drug problem 마약 문제의 재검토/a court of ~ 재심 법원.
2 Ⓒ 개관, 전망, 보고: an annual ~ *of* developments in cancer research 암연구의 발전에 관한 연차 보고.
3 Ⓒ 회고; 반성: a ~ of the year's events 그 해의 사건에 대한 회고.
4 Ⓒ 《美》 복습, 연습; 《美》 복습 과제: ~ exercises 연습 문제.
5 Ⓤ (구체적으로는 Ⓒ) 교열; 열병(閱兵), 관병식(觀兵式), 관함식(觀艦式): a military 〔naval〕 ~ 관병〔관함〕식.
6 Ⓒ **비평**, 평론, 논평; 《종종 R-로 서적명에 써서》 평론 잡지: a scientific ~ 과학 평론/write a ~ for a newspaper 신문에 비평을 쓰다.
march in **~** 분열행진하다. ***pass … in*** **~** ① …의 검사를〔검열, 열병을〕 받다〔하다〕: *pass* troops *in* ~ 열병하다, 분열 행진시키다. ② …을 차례차례 기억에 떠올리다, …을 회고하다: *pass* one's life *in* ~ 자기 일생을 회고하다. ***under*** **~** 논평〔조사, 고찰〕 중에 (있는).
—*vt.* **1 재검토〔재조사〕하다**; 〖법률〗 (하급 법원의 판결 등)을 재심리하다: ~ one's manuscript 자기 원고를 재검토하다/~ the facts 사실을 재조사하다/The supreme court *~ed* the case. 대법원은 그 사건을 재심리했다.
2 회고〔회상〕하다; 반성하다: ~ the day's happenings 하루의 일어난 일을 돌이켜보다/He *~ed* his past life. 그는 과거의 삶을 회고했다.
3 《~+목/+목+전+명》 《美》 (학과)를 **복습하다**(《英》 revise)《*for* …에 대비하여》: ~ today's

lessons *for* a test 시험 준비를 위해 오늘 수업 받은 것을 복습하다.
4 (군대)를 열병하다.
5 (책 등)을 비평[논평]하다: ~ a new novel 신간 소설을 비평하다.
—*vi.* ((~/+전+명)) 1 평론[서평, 극평]을 쓰다 ((**for** (신문 · 잡지)에)): She ~*s for* a magazine. 그녀는 잡지의 서평란을 담당하고 있다.
2 ((美)) 복습하다(((英)) revise)((**for** …에 대비하여)): ~ *for* an exam 시험에 대비해 복습하다.
㊞ ~·**er** *n.* Ⓒ 평론[비평]가; 평론 잡지 기자; 검열자; 재심자.

re·vile [riváil] *vt., vi.* 욕하다, 험담하다((**at, against** (아무)에게)). ㊞ ~·**ment** *n.* **re·víl·er** [-ər] *n.*

***re·vise** [riváiz] *vt.* 1 (책)을 **개정하다**; 교정(校訂)하다; 교정(校正)[교열]하다: ~*d* and enlarged 개정 증보의 / ~ a dictionary 사전을 개정하다. 2 (의견 · 규칙 따위)를 바꾸다, 변경하다; 수정하다: ~ one's opinions of a person 아무에 대한 의견을 바꾸다 / ~ our forecast of inflation upwards 인플레이션 예측을 상향 수정하다. 3 ((~+목/+목+전+명)) ((英)) 복습하다(((美)) review)((**for** …에 대비하여)): ~ one's German *for* one's exam 시험에 대비해 독일어를 복습하다. —*vi.* ((~/+전+명)) ((英)) 복습하다((**for** …에 대비하여)): ~ *for* a test 시험에 대비해 복습하다. ◇ revision *n.*
—*n.* Ⓒ 1 교정(校訂), 개정; 교정(校正). 2 【인쇄】 재교쇄: second ~, 3 교쇄.

revísed edítion 개정판(改訂版).

Revísed Stándard Vérsion (the ~) 현대어역 성서((신약은 1946 년, 구약은 1952 년 미국에서 발행; 생략: RSV, R.S.V.)).

Revísed Vérsion (of the Bíble) (the ~) 개역 성서((Authorized Version의 개정판, 신약은 1881년, 구약은 1885년에 발행; 생략: R.V., Rev. Ver.)).

°**re·vi·sion** [rivíʒən] *n.* 1 Ⓤ (구체적으로는 Ⓒ) 개정, 교정(校訂), 교열, 수정. 2 Ⓒ 교정본, 개정판; (the R–) 개역 성서. 3 Ⓤ ((英)) 복습. ◇ revise *v.* ㊞ ~·**ism** *n.* Ⓤ 수정론[주의], 수정 사회주의. ~·**ist** *n.* Ⓒ 수정론자, 수정주의자.

re·vísit *vt.* 재방문하다, 다시 찾아가다; 되돌아오다. —*n.* Ⓒ 재방문.

rè·vítalize, ((英)) **-ise** *vt.* …의 생기를 회복시키다; …을 소생시키다; (사업 따위)를 부활[부흥]시키다. ㊞ **rè·vitalizátion** *n.*

re·viv·al** [riváivəl] *n.* 1 Ⓤ (구체적으로는 Ⓒ) **a** 소생, 재생, 부활; (의식 · 체력의) 회복; 【법률】 (법적 효력의) 부활: the economic ~ *of* Korea 한국의 경제 부흥. **b** 부흥; (예전 건축 양식 · 복장 등의) 재유행; (the R–) 문예 부흥(Renaissance): the ~ *of* an old custom 옛 습관의 부활. 2 Ⓒ 【기독교】 신앙 부흥 (운동); 신앙 부흥 전도 집회(= ~ **mèeting**). 3 Ⓒ 【연극】 리바이벌, 재상연; 【영화】 재상영. ◇ revive *v.* ***the Revival of Learning [***Letters, Literature***] 문예 부흥 (Renaissance).
㊞ ~·**ism** *n.* Ⓤ 신앙 부흥 운동; 부흥 기운. ~·**ist** *n.* Ⓒ 부흥[재흥]자; 신앙 부흥 운동자.

***re·vive** [riváiv] *vt.* 1 **소생하게 하다**; 회복시키다; 기운나게 하다: A cup of coffee ~*d* him. 커피 한 잔으로 그는 기운이 났다. 2 (잊혀진 것 · 유행 · 효력 · 기억 · 관심 · 희망 따위)를 되살아나게 하다, 부활시키다, 부흥시키다. 3 재상연[재상영]하다: ~ a play. —*vi.* 1 **소생하다**, 생기를 되찾다: ~ from a swoon 의식을 되찾다. 2 기운이 나다, 회복하다: His spirits ~*d.* 그의 원기가 되살아났다. 3 부활하다, 되살아나다, 부흥하다, 재유행하다.

re·viv·i·fy [rivívəfài] *vt.* 소생[부활]시키다; 기운나게 하다; 【화학】 환원시키다.

rev·o·ca·tion [rèvəkéiʃən] *n.* Ⓤ (구체적으로는 Ⓒ) 폐지, 취소, 철회.

°**re·voke** [rivóuk] *vt.* (명령 · 약속 · 특권 따위)를 철회[폐지, 취소]하다, 무효로 하다, 해약하다 (repeal, annul): ~ one's previous statement 이전의 진술을 철회하다 / His license was ~*d.* 그의 면허가 취소되었다. —*vi.* 【카드놀이】 (물주가 낸 패와 같은 패를 가지고 있으면서) 딴 패를 내다. —*n.* Ⓒ 【카드놀이】 ~하기: make a ~.

re·volt** [rivóult] *n.* Ⓤ (구체적으로는 Ⓒ) 1 **반란**, 반역; 폭동((against*** …에 대한)): in ~ *against* …에 반항하여 / rise in ~ 반란을 일으키다 / stir the people to ~ 사람들을 선동하여 반란을 일으키게 하다. 2 Ⓤ 반항(심), 반항적인 태도; 혐오감, 불쾌, 반감((***against*** …에 대한)): the ~ of intellectuals *against* old traditions 낡은 전통에 대한 지식인들의 반발.
—*vi.* 1 ((~/+전+명)) **반란을 일으키다**, 반항하다, 배반하다((***against, from*** …에)): The people ~*ed against* the dictator. 국민은 독재자에 반란을 일으켰다 / ~ *from* one's allegiance 충성의 맹세를 저버리다. 2 ((+전+명)) 비위에 거슬리다, 구역질나다, 반감을 품다((***at, against, from*** …에 대하여)): ~ *at* a bad smell 악취에 속이 울컥하다 / Human nature ~*s against* such a crime. 인간의 본성은 그러한 범죄에 대해 혐오감을 갖는다.
—*vt.* 불쾌감을 갖게 하다, 비위에 거슬리게 하다 ((★ 종종 수동태로 쓰며, 전치사는 *at, by*)): Such low taste ~*s* me. 그와 같은 천한 취미는 구역질나게 한다 / She *was* ~*ed at* the scene. 그 광경을 보고 그녀는 불쾌해졌다. ㊞ ~·**er** *n.*

re·vólt·ing *a.* 배반[반란]하는; 혐오할 만한, 불쾌감을 일으키게 하는, 구역질나는((**to** …에)): His methods were ~ *to* her idea of fair play. 그의 방식은 그녀의 페어플레이 정신에 위배되었다. ㊞ ~·**ly** *ad.*

****rev·o·lu·tion** [rèvəlúːʃən] *n.* 1 Ⓤ (구체적으로는 Ⓒ) **혁명**: ⇨ENGLISH REVOLUTION. 2 Ⓒ 대변혁, 격변((**in** …의)): a ~ *in* manufacturing 제조 공업의 혁명 / The invention of the computer has brought about a ~ *in* every field of human life. 컴퓨터의 발명은 인간 생활에 대변혁을 가져왔다. 3 Ⓤ (구체적으로는 Ⓒ) **회전**(운동), 1회전: 45 ~*s* per minute 매분 45 회전. 4 Ⓤ (구체적으로는 Ⓒ) 【천문】 공전(公轉) (주기): the ~ *of* the earth (a)round the sun 지구의 공전. 5 Ⓤ (구체적으로는 Ⓒ) 주기의 회귀(回歸), (계절 따위의) 순환: the ~ *of* the seasons 사철의 순환. ◇ revolve *v.*

***rev·o·lu·tion·ary** [rèvəlúːʃənèri/-nəri] *a.* 1 **혁명의**; **혁명적인**, 대개혁을 일으키는, 획기적인: a ~ discovery 대변혁을 초래하는 발견 / a ~ idea 획기적인 착상 / a ~ army 혁명군. 2 회전하는. 3 (R–) 미국 독립 전쟁(시대)의. —*n.* = REVOLUTIONIST.

rèv·o·lú·tion·ist *n.* Ⓒ 혁명가, 혁명론자[당원, 주의자].

°**rev·o·lu·tion·ize** [rèvəlúːʃənàiz] *vt.* 혁명[대변혁]을 일으키다; 혁명 사상을 고취하다.

***re·volve** [riválv/-vɔ́lv] *vi.* **1** ⟪~/+전+명⟫ **회전하다**, 빙글빙글 돌다; 자전하다⟪**on** (축)을 중심으로⟫: The fan was *revolving* slowly. 선풍기는 천천히 돌고 있었다/The earth ~*s on* its axis. 지구는 지축을 중심으로 자전한다. SYN. ⇨ TURN. **2** ⟪+전+명⟫ 공전하다, 운행하다⟪**about, around, round** (주위)를⟫: The earth ~*s round* [*about*] the sun 지구는 태양 주위를 돈다[공전한다]. **3** 순환하다, 주기적으로 일어나다; (마음속을) 맴돌다: *revolving* seasons 주기적으로 돌아오는 계절/an idea *revolving* in one's mind 마음속을 오락가락하는 생각. **4** ⟪+전+명⟫ (토론·논의 따위가) 행해지다⟪**around** …을 주제로⟫: The debate ~*d around* the morality of abortion. 토론은 임신 중절의 도덕성을 주제로 행해졌다.
—*vt.* **1** 회전[공전]시키다; 운행시키다. **2** 궁리하다, 곰곰이 생각하다: ~ a problem in one's mind 문제를 마음속에서 두루 생각하다.

°**re·vólv·er** *n.* Ⓒ (회전식) 연발 권총; 회전로(爐).

re·vólv·ing *a.* Ⓐ (주기적으로) 돌아오는; 회전[운전]식의: a ~ door 회전문/a ~ stage 회전 무대/a ~ chair 회전의자.

re·vue [rivjúː] *n.* ⟪F.⟫ Ⓤ (구체적으로는 Ⓒ) 레뷔; 시사 풍자의 익살극⟪노래·춤·시국 풍자 따위를 호화찬란하게 뒤섞은 것⟫. ★ review라고도 씀.

re·vul·sion [rivʌ́lʃən] *n.* Ⓤ (또는 a ~) **1** (감정 따위의) 격변, 급변; 급격한 반동: a ~ *of* public opinion 여론의 급변. **2** 극도의 불쾌감, 혐오감⟪**at, against** …에 대한⟫: feel a violent ~ *at* the scenes of bloodshed 유혈 광경에 극도의 혐오감을 느끼다.

Rev. Ver. Revised Version (of the Bible).

****re·ward** [riwɔ́ːrd] *n.* **1** Ⓤ (구체적으로는 Ⓒ) **a 보수**, 포상⟪**for** …에 대한⟫: give a ~ *for* …에 대하여 포상을 주다. **b** 보답, 응보⟪**for** …에 대한⟫: the ~ *for* the virtue 덕에 대한 보답/No ~ without toil. ⟪격언⟫ 고생 끝에 낙(樂). **2** Ⓒ 사례금, 상금⟪**of** …의; **for** …에 대한⟫: a ~ *of* $10,000, 1만 달러 상금/offer a big ~ *for* …에 대하여 막대한 사례금을 주다.
in ~ for [***of***] …의 보상으로, …에 보답하여: She got a new dress from her parents *in ~ for* passing her entrance examination. 입학시험에 합격한 칭찬의 표시로 그녀는 부모에게서 새 옷을 받았다.
—*vt.* ⟪~+목/+목+전+명⟫ …에게 **보답하다**; 보수를[상을] 주다⟪**for** …에 대하여; **with** …으로⟫: He was ~*ed with* a prize *for* his invention of a new medicine. 그는 신약의 발명으로 상을 받았다.

re·wárd·ing *a.* 득이 되는, 할 보람이 있는, (…할 만한) 가치가 있는: a very ~ experience 매우 할 만한 가치가 있는 경험/a ~ book 읽을 만한 가치가 있는 책. ⓟ **~·ly** *ad.*

re·wind [riːwáind] (**-wound,** ⟪드물게⟫ **-ed**) *vt.* (테이프·필름)을 되감다, 다시 감다.

re·wire [riːwáiər] *vt.* …의 배선을 갈다; …에 다시[회신] 전보를 치다.

re·word [riːwə́ːrd] *vt.* 바꾸어 말하다; 환언하다; 되풀이하여 말하다(repeat).

***re·write** [riːráit] (**-wrote; -writ·ten**) *vt.* **1** ⟪~+목/+목+전+명⟫ **고쳐 쓰다**; 다시 쓰다⟪**for** …에 알맞도록⟫: ~ a story *for* children 이야기를 어린이를 대상으로 고쳐 쓰다. **2** ⟪美⟫ (취재 기사)를 기사용으로 고쳐 쓰다. —[ríːràit] *n.* Ⓒ ⟪美⟫ 고쳐 쓴 기사; 완성된 신문 원고.

Rex[1] [reks] *n.* 렉스⟪남자 이름; Reginald의 애칭⟫.

Rex[2] (*pl.* **Re·ges** [ríːdʒiːz]) *n.* ⟪L.⟫ Ⓒ 국왕⟪현국왕(現國王)의 이름 뒤에 붙여; 생략: R.⟫: George ~ 국왕 조지/the action ~ v. Smith 국왕 대 스미스 소송 사건⟪★ 국가가 당사자가 되는 소송 사건의 경우⟫.

Rey·kja·vik [réikjəviːk] *n.* 레이캬비크⟪Iceland의 수도⟫.

Reyn·ard [rénərd, réinɑːrd] *n.* 르나르⟪중세의 서사시 *Reynard the Fox* 중에 나오는 여우의 이름⟫; (r–) Ⓒ 여우(fox).

Reyn·old [rénəld] *n.* 레이놀드⟪남자 이름⟫.

Reyn·olds [rénəldz] *n.* Sir **Joshua** ~ 레이놀즈⟪영국의 초상화가; 1723–92⟫.

r.f. radio frequency; right field; rapid-fire.
R.F.C. ⟪英⟫ Rugby Football Club. **RFD, R.F.D.** ⟪美⟫ Rural Free Delivery. **Rh** 〖생화학〗 rhesus; Rh factor; 〖화학〗 rhodium. **RH, R.H., rh., r.h.** 〖음악〗 right hand (오른손(사용)).

rhap·sod·ic, -i·cal [ræpsádik/-sɔ́d-], [-əl] *a.* 서사시의, 음송시의; 광상문의, 광상시의; 열광[광상]적인; 과장된.

rhap·so·dize [rǽpsədàiz] *vi.* 열광적으로 이야기하다[쓰다]⟪**about, on, over** …에 대하여⟫: He ~*d over* [*about, on*] the victory. 그는 승리에 대하여 열광적으로 말했다.

rhap·so·dy [rǽpsədi] *n.* **1** Ⓒ (옛 그리스의) 서사시, 음송 서사시의 한 절. **2** Ⓒ (흔히 *pl.*) 열광적인 말[문장, 시가], 광상문[시(詩)]. **3** (종종 R–) Ⓒ 〖음악〗 광시곡, 랩소디. ***go into rhapsodies over*** …을 열광적으로 말하다[쓰다]; …을 과장하여 말하다.

Rhea [ríːə] *n.* **1** 여자 이름. **2** 〖그리스신화〗 레아⟪Zeus, Hera, Poseidon 등 그리스 여러 신의 어머니⟫. **3** (r–) Ⓒ 〖조류〗 아메리카타조⟪남아메리카산(産)⟫.

Rhen·ish [réniʃ, ríːn-] *a.* Rhine강(유역)의. —*n.* Ⓤ ＝RHINE WINE.

rhe·ni·um [ríːniəm] *n.* Ⓤ 〖화학〗 레늄⟪망간족 전이원소에 속하는 금속 원소의 하나; 기호 Re; 번호 75⟫.

rhe·o·stat [ríːəstæ̀t] *n.* Ⓒ 〖전기〗 가감 저항기. ⓟ **rhè·o·stát·ic** *a.*

Rhé·sus fàctor [ríːsəs-] ＝RH FACTOR.

rhésus mónkey 〖동물〗 붉은털원숭이⟪의학 실험용; Rh 인자를 가진 원숭이⟫.

***rhet·o·ric** [rétərik] *n.* Ⓤ **1 수사**(修辭); **수사학**; 웅변술. **2** 화려한 문체, 미사(美辭); 과장; 설득력: high-flown ~ 과장된 미사여구.

rhe·tor·i·cal [ritɔ́(ː)rikəl, -tár-] *a.* 수사학의; 수사적인, 미사여구의; 과장적인. ⓟ **~·ly** *ad.* 수사(학)적으로; 과장되게.

rhetórical quéstion 〖문법〗 수사 의문⟪보기: Nobody cares.의 뜻의 *Who cares?*⟫.

rhet·o·ri·cian [rètəríʃən] *n.* Ⓒ 수사학자; 웅변가; 미문가(美文家).

rheum [ruːm] *n.* Ⓤ 〖의학〗 카타르성 분비물⟪콧물·눈물 따위⟫.

rheu·mat·ic [ruːmǽtik] 〖의학〗 *a.* 류머티즘의[에 의한]; 류머티즘에 걸린[걸리기 쉬운]; 류머티즘을 일으키는. —*n.* Ⓒ 류머티즘 환자; (*pl.*) ⟪구어⟫ 류머티즘.

rheu·mat·icky [ruːmǽtiki] *a.* 《구어》 류머티즘으로 고생하는.
◇**rheu·ma·tism** [rúːmətìzəm] *n.* [U] 【의학】 류머티즘(rheumatiz 는 방언).
rheu·ma·toid [rúːmətɔ̀id] *a.* 류머티스성(性)의; 류머티즘에 걸린: ~ arthritis 류머티스성 관절염.
rheumy [rúːmi] (*rheum·i·er; -i·est*) *a.* 점액(粘液)을 분비하는.
Rh fàctor (the ~) 【생화학】 Rh 인자(因子), 리서스 인자《사람이나 rhesus monkey의 적혈구 속의 응혈소》.
Rhine [rain] *n.* (the ~) 라인 강. ★ 독일어 철자는 Rhein.
rhine·stone [ráinstòun] *n.* [U] (낱개는 [C]) 라인석《수정의 일종; 모조 다이아몬드》.
Rhíne wìne 라인 백포도주(Rhenish).
rhi·no (*pl.* ~(*s*)) *n.* 《구어》 =RHINOCEROS.
rhi·noc·er·os [rainásərəs/-nɔ́s-] (*pl.* ~·*es*, 〖집합적〗 ~) *n.* [C] 【동물】 코뿔소, 무소.
rhi·zome, rhi·zo·ma [ráizoum], [raizóumə] *n.* [C] 【식물】 근경(根莖), 뿌리줄기, 땅속줄기.
rho [rou] (*pl.* ~*s*) *n.* [U] (구체적으로는 [C]) 그리스어 알파벳의 열 일곱째 글자《Ρ, ρ; 로마자의 R, r에 해당》.
Rho·da [róudə] *n.* 로다《여자 이름》.
Rhòde Ísland [ròud-] 로드아일랜드《미국 북동부의 주; 생략: R.I.》.
Rhodes [roudz] *n.* 로도스 섬(=**Rhódos**)《에게해의 섬》.
Rho·de·sia [roudíːʒiə] *n.* 로디지아《아프리카 남부의 중앙부 지역; 북로디지아의 잠비아(Zambia) 공화국 및 남로디지아의 짐바브웨(Zimbabwe) 공화국으로 나뉨》.
rho·di·um [róudiəm] *n.* [U] 【화학】 로듐《금속 원소; 기호 Rh; 번호 45》.
rho·do·den·dron [ròudədéndrən] *n.* [C] 【식물】 철쭉속(屬)의 식물《만병초 따위》.
rhomb [ramb/rɔm] *n.* =RHOMBUS.
rhom·bic [rámbik/rɔ́m-] *a.* 마름모의, 사방(斜方)형의.
rhom·boid [rámbɔid/rɔ́m-] 【수학】 *n.* [C] 편능형(偏菱形), 장사방(長斜方)형.
—*a.* 장사방형의.
[파] **rhom·boi·dal** [rambɔ́idl/rɔm-] *a.*
rhom·bus [rámbəs/rɔ́m-] (*pl.* ~·*es* [-iz], *-bi* [-bai]) *n.* [C] 【수학】 마름모, 사방형(斜方形).
rhu·barb [rúːbaːrb] *n.* **1** [U] 【식물】 장군풀, 대황(大黃); 장군풀의 잎자루《식용》; 대황근(大黃根)《하제(下劑)용》. **2** [C] 《美속어》 격론(row), 말다툼. **3** [U] 《구어》 많은 사람들이 동시에 지껄임.
rhumba ⇨RUMBA.
⁑**rhyme, rime** [raim] *n.* **1** [U] (구체적으로는 [C]) 【운율】 운, 압운(押韻), 각운(脚韻): double 〔female, feminine〕 ~ 이중운, 여성운《예를 들면 love와 move》/single 〔male, masculine〕 ~ 단운(單韻), 남성운《disdain과 complain처럼 마지막 1 음절만의 압운》. **2** [C] 동운어(同韻語)《*for* …와의》: "Mouse" is a ~ *for* "house." mouse는 house와 운이 맞는다. **3** [U] 운문; [C] 〖집합적으로도 씀〗 압운시.
~ *or reason* 〖보통 부정문에서〗 이유, 근거: without ~ *or reason* 까닭도 이유도 없이/There's *no* ~ *or reason* to his demands. 그의 요구에는 아무런 이유도 근거도 없다.
—*vi.* **1** 《~/+[전]+[명]》 운을 달다; 운이 맞다《*to, with* …와》: "More" ~*s with* 〔*to*〕 "door." more는 door와 운이 맞는다. **2** 시를 짓다. **—***vt.* **1** 시로 만들다. **2** 《+[목]+[전]+[명]》 …의 운을 맞추다《*with* …와》: ~ "shepherd" *with* "leopard", shepherd를 leopard와 압운시키다.
rhymed *a.* 운을 단, 압운(押韻)한; 압운의: ~ verse 압운시. [cf.] blank verse.
rhyme·ster, rime- [ráimstər] *n.* [C] 엉터리 시인.
rhým·ing *a.* [A] 운이 맞는; 동운어의: ~ words 운이 맞는 말/a ~ dictionary 압운어 사전.
rhýming slàng 압운 속어《tealeaf로 thief를 나타내는 따위; [-iːf]의 음이 같음》.
⁑**rhythm** [ríðəm] *n.* [U] (구체적으로는 [C]) **1** 율동, 리듬, 주기적 반복〔순환〕: the ~ of a heartbeat 심장 고동의 리듬/biological ~ 생체 리듬/the ~ of the seasons 사계의 순환. **2** 【음악】 리듬, 음률. **3** 운율.
rhýthm and blúes 【음악】 리듬 앤드 블루스《흑인 음악의 일종》.
◇**rhyth·mic** [ríðmik] *a.* 율동적인, 리드미컬한: a strong ~ beat 율동적인 강한 박자. [파] **-mi·cal** *a.* **-mi·cal·ly** *ad.*
rhýthmic (**spórtive**) **gymnástics** 리듬 체조.
rhýthm mèthod (the ~) 주기(周期)(피임)법.
rhýthm sèction 【음악】 리듬 섹션《밴드의 리듬 담당 그룹》.
RI 〖美우편〗 Rhode Island. **R.I.** Royal Institution; Rhode Island.
ri·al [riɔ́ːl, -áːl] *n.* [C] **1** 리알《Iran의 화폐 단위; =100 dinars; 기호 R》.
ri·al·to [riǽltou] (*pl.* ~*s*) *n.* **1** [C] 거래소, 시장; 《美》 극장가(街). **2** (the R–) 뉴욕 Broadway의 극장가. **3** (the R–) 이탈리아 베니스의 Grand Canal에 걸린 대리석 다리; (R–) 베니스의 섬의 하나.
⁑**rib** [rib] *n.* [C] **1** 【해부】 **늑골**, 갈빗대. **2** (고기가 붙은) 갈비. **3** 【식물】 주엽맥(主葉脈). **4** 늑골 모양의 것; (선박의) 늑재(肋材); 【건축】 리브, 둥근 지붕의 서까래; (다리의) 가로보; (양산의) 뼈대, 살. **5** (논·밭의) 둑, 이랑; (직물의) 이랑; (모래 위의) 파도 자국. ***poke*** 〔***nudge, dig***〕 a person ***in the ~s*** 이무의 옆구리를 살짝 찔러 주의시키다.
—(*-bb-*) *vt.* **1** …에 늑재(肋材)를 붙이다, …을 늑재로 두르다. **2** …에 이랑을〔이랑 무늬를〕 만들다. **3** 《~+[목]/+[목]+[전]+[명]》 《구어》 괴롭히다, 놀리다, 조롱하다(tease)《***about, for*** …일로》: They ~*bed* me *about* my girlfriend 〔*for* talk*ing* so seriously〕. 그들은 내 여자친구 일로〔아주 심각하게 이야기했다고〕 나를 놀렸다.
rib·ald [ríbəld] *a., n.* [C] 입이 건〔추잡한〕 (사람), 상스러운 (사람), 음란한 (사람).
ríb·ald·ry [-ri] *n.* [U] 품위가 낮음, 상스러움; 야비한〔상스러운〕 말〔농담〕.
ribbed *a.* 〖종종 복합어로〗 늑골〔이랑, 엽맥〕이 있는: ~ fabric 골이 지게 짠 천/close-~ 가는 골이 진.
ríb·bing *n.* **1** [U] 〖집합적〗 늑골; 이랑; 늑상(肋狀) 조직《잎맥·늑재(肋材)·날개맥 따위》. **2** [U] (또는 a ~) 《구어》 (악의 없는) 조롱, 놀림.
⁑**rib·bon** [ríbən] *n.* **1** [U] (낱개는 [C]) **리본**, (장식용) 띠: wear a ~ in one's hair 머리에 리본을 달다. **2** [C] (훈장의) 장식띠, 수(綬); (타이프라

이터 따위의) 잉크 리본; (모자의) 테두리 띠. **3** Ⓒ 끈〔띠〕 모양의 물건, 가늘고 긴 조각, 열편(裂片): a ~ of land 리본처럼 길게 뻗은 토지. **4** (*pl.*) 갈기갈기 (찢어진 상태), 누덕누덕(한 상태): be torn to 〔hang in〕 ~*s* 갈기갈기 찢기다〔찢어져 늘어지다〕/tear a handkerchief to ~*s* 손수건을 갈기갈기 찢다.

ríbbon devèlopment 대상(帶狀) 발전〔개발〕《도시에서 교외로 간선 도로를 따라 띠 모양으로 뻗어가는 건축군(群)》.

ríbbon wòrm 유형(紐形) 동물.

ríb càge 〖해부〗 흉곽(胸廓).

ri·bo·fla·vin [ràibouflέivin, -bə-, ⌐--⌐-] *n.* Ⓤ 〖생화학〗 리보플라빈《비타민 B_2 또는 G》.

ri·bo·nu·clé·ic ácid [ràibounjuːklíːik-, -kléi-] 〖생화학〗 리보핵산(核酸)《생략: RNA》.

†**rice** [rais] *n.* Ⓤ **1** 쌀; (쌀)밥: a ~ crop 미작(米作), 벼농사/hulled 〔brown〕 ~ 현미/polished ~ 백미/boil 〔cook〕 ~ 밥을 짓다. **2** 〖식물〗 벼. ***paddy*** 〔***rough, unhusked***〕 **~** 벼. **—** *vt.* 《美》 (감자 따위)를 ricer로 으깨어서 쌀알 크기만하게 만들다: ~ potatoes.

ríce bòwl 밥 사발〔공기〕; 미작(米作) 지대.

ríce pàper 얇은 고급 종이, 라이스페이퍼.

ríce púdding 우유와 쌀가루로 만든 맛이 단 푸딩.

ric·er [ráisər] *n.* Ⓒ 《美》 라이서《삶은 감자 따위를 으깨어 쌀알 크기로 뽑는 주방 기구》.

†**rich** [ritʃ] *a.* **1 a 부자의**, 부유한: a ~ family 부유한 일가/He is ~ that has few wants. 《격언》 족함을 아는 자가 부자이다. **b** (the ~) 〖명사적; 집합적; 복수취급〗 부자들(↔ the poor): the new ~ 벼락부자들/the ~ and the poor 부자들과 가난한 사람들.

SYN. **rich, wealthy** rich는 wealthy 보다 더 부유〔풍부〕하지만 단기적인 경우가 있음: I am *rich* now. 지금 나는 부자다. 또한 rich는 금전 면 이외의 풍부함도 나타냄. wealthy는 장기적으로 금전을 보유하고 있을 때만 씀. **affluent** 막대한 부(富)에 의해서 얻어지는 안락을 나타냄: an *affluent* society 부유한 사회《미국을 말함》. **well-to-do** 살림이 넉넉한, 유복한. 필요 생활비 이상의 수입이 있음을 나타냄.

2 많은, 풍부한, 윤택한《***in, with*** …이》; (머리가) 탐스런: ~ *in* oil 석유가 풍부한/a ~ crop 〔harvest〕 풍작/~ brown hair 탐스런 갈색 머리/an art gallery ~ *in* paintings by the Dutch masters 네덜란드 거장(巨匠)의 그림이 많은 미술관. **3** (토지가) 비옥한, 기름진; (광산이) 산출이 많은: ~ soil 기름진 땅/a ~ mine 산출이 많은 광산. **4** (보석·의상 등이) 값진, 귀중한, 화려한, 훌륭한, 사치한: a ~ jewel 값비싼 보석/~ dresses 화려한 의상/a ~ banquet 호화로운 연회. **5** (음식·음료가) 영양분이 풍부한; 기름기가 많은: a ~ diet 영양 있는 식사/~ milk 진한 우유. **6** (빛깔이) 짙은, 선명한(vivid); (음성이) 낭랑한, 굵은; (향기가) 강한: a ~ red 선홍색/a design ~ with colors 빛깔이 선명한 디자인/the ~ voice of baritone 성량이 풍부한 바리톤. **7** 《구어》 몹시 우스운, 아주 재미있는: a ~ joke. **8** 〖분사와 결합해 부사적으로〗 훌륭하게, 사치스럽게: ~-clad 화려하게 차려 입은/~-bound 장정(裝幀)이 호화판의.

(***as***) **~** ***as Croesus*** 〔***a Jew***〕 아주 돈 많은. **~** ***and poor*** 부자나 가난한 사람이나 모두.

DIAL. ***That's rich*** (***coming from*** A). (A의 입에서 그런 말이 나오다니) 사돈네 남의 말한다《자기들이 한 짓은 제쳐 두고 이러쿵저러쿵 남의 말만 하니 어처구니 없다는 뜻》.

Rich·ard [rítʃərd] *n.* 리처드《남자 이름; 애칭 Dick, Rich, Richie》.

rich·es [rítʃiz] *n. pl.* 〖보통 복수취급〗 부(富), 재산; 재보(財寶): the ~ of knowledge 〔the soil〕 지식의 보고〔토지의 풍요한 산물〕/*Riches* have wings. 《속담》 돈에는 날개가 있다, 돈은 헤픈 것. ◇rich *a.* ***heap up*** 〔***amass***〕 ***great*** **~** 거만(巨萬)의 부(富)를 쌓다〔모으다〕.

◇**rich·ly** [rítʃli] *ad.* **1** 풍부히, 충분히: reward a person ~ 아무에게 충분히 보답하다/The book is ~ provided with illustrations. 그 책은 삽화가 풍부하게 실려 있다. **2** 호화롭게, 화려하게: a ~ bound book 호화 장정의 책/She was ~ dressed. 그녀는 화려하게 차려 입고 있었다. **3** 짙게, 선명하게. **4** 〖~ deserve로〗 충분히, 완전히: a ~ *deserved* honor 충분히 가치 있는 영예.

◇**rích·ness** *n.* Ⓤ **1** 부유; 풍부, 윤택. **2** 풍요, 비옥. **3** 호화, 화려함. **4** (맛의) 농후; (색의) 질음, 선명함; (음성의) 낭랑함; (향기의) 강함.

Rích·ter scàle [ríktər-] (the ~) 리히터 스케일《진도(震度) 눈금; magnitude 1-10으로 표시》.

rick[1] [rik] *n.* Ⓒ 건초〔짚·곡물 따위〕의 가리《보통, 풀로 이엉을 해 씌운 것》; 장작더미. **—** *vt.* (건초 따위)를 오두막집 모양으로 쌓아 올리다, 가리다.

rick[2] 《英》 *vt.* (목·등뼈·관절 따위)를 통기다, 접질리다, 삐다. **—***n.* Ⓒ 접질림, 삠.

rick·ets [ríkits] *n.* Ⓤ 〖의학〗 구루병(佝僂病), 곱사등.

rick·ett·sia [rikétsiə] (*pl.* ***-si·ae*** [-tsiìː], **~*s***) *n.* Ⓒ 〖의학〗 리케차《발진티푸스 등의 병원체》.

rick·ety [ríkiti] (***-et·i·er; -et·i·est***) *a.* **1** (가구 등이) 망그러질 듯한; 건들거리는. **2** (사람이) 비슬비슬한, 휘청거리는. **3** (사람이) 구루병에 걸린.

rick·shaw [ríkʃɔː, -ʃɑː] *n.* Ⓒ 인력거.

ric·o·chet [ríkəʃèi/-ʃèt] *n.* Ⓒ 도비(跳飛)《탄환 등이 물수제비뜨는 돌멩이처럼 튀면서 날기》; 도탄(跳彈). **—** (*p., pp.* **~*ed*** [-ʃèid], 《英》 **~*·ted*** [-ʃètid]; **~*·ing*** [-ʃèiiŋ], 《英》 **~*·ting*** [-ʃètiŋ]) *vi.* (탄환 등이) 튀면서 날다; 도탄 사격을 하다.

rid** [rid] (*p., pp.* **~**, **~*·ded [rídid]; **⌐*·ding***) *vt.* 《+목+전+명》 **1** …을 **해방하다, 면하게 하다**, 자유롭게 하다《***of*** …에서》; …에서 제거하다《***of*** …을》: ~ a house *of* mice 집에서 쥐를 몰아내다/~ a person *of* fears 아무의 공포심을 제거해 주다. **2** 〖~ oneself 또는 수동태로〗 면하다, 벗어나다《***of*** …에서》: ~ one*self of* bad habit 나쁜 습관에서 벗어나다/He's ~ *of* the fever. 그는 열이 내렸다. ***get*** **~** ***of*** …을 면하다〔벗어나다〕; …을 제거하다; 처분하다; 폐(廢)하다, 죽이다: *get* ~ *of* one's cough 기침이 멎다/He *got* ~ *of* the gun. 그는 총을 처분했다/AIDS must be *got* ~ *of*. 에이즈는 퇴치하지 않으면 안된다.

rid·dance [rídəns] *n.* **1** Ⓤ 면함; (장애물·귀찮은 것을) 제거함. **2 a** 〖a good ~로〗 귀찮은 것을 떨쳐버림: Their departure will be *a good* ~. 그들이 떠나면 귀찮은 짐을 덜게 되는 거야. **b** 〖Good ~!로〗 귀찮은 것을 모면하여 홀가분하

...resigning? *Good* ~ (*to* him)! 사직한다고? 홀가분해서 좋다. ***make ... an* ~ *of*** …을 일소하다: The police tried to *make clean* ~ *of* street roughs. 경찰은 거리의 불량배들을 일소하려 했다.

rid·den [rídn] RIDE의 과거분사.

—*a.* 〖보통 복합어로〗 **1 a** (…에) 지배된, 학대받은: priest-~ 성직자가 횡포를 부리는. **b** (…에) 시달리는, 고통받는: a debt-~ man 빚에 시달리는 사람. **2** (…이) 가득 차 있는, 엄청나게 많은: a weed-~ garden 잡초가 우거진 정원/a rat-~ barn 쥐가 우글거리는 창고.

°**rid·dle**[1] [rídl] *n.* Ⓒ **1** 수수께끼, 알아맞히기: ask 〔propound, set〕 a ~ 수수께끼를 내다/solve 〔read, guess〕 a ~ 수수께끼를 풀다. **2** 난문제; 불가해한 사람〔물건〕: He's a ~ to me. 그는 수수께끼 같은 인물이다. ***speak*** 〔***talk***〕 ***in*** **~*s*** 수수께끼를 내다, 수수께끼 같은 말을 하다.

rid·dle[2] *n.* Ⓒ 어레미, 도드미《자갈·곡물 따위를 치는》. **—***vt.* **1** (자갈·곡물 따위)를 체질해서 거르다. **2** 정사(精査)하다. **3** 구멍투성이로 만들다《***with*** (탄환 따위)로》: The wall was ~*d with* bullets. 벽은 총탄으로 구멍투성이었다/a political system ~*d with* corruption 부패로 얼룩진 정치기구/He's ~*d with* defects. 그는 결점 투성이다.

†**ride** [raid] (***rode*** [roud], 《고어》 ***rid*** [rid]; ***rid·den*** [rídn]) *vi.* **1** 《~/+부/+전+명》 **타다, 타고 가다**: ~ bareback 안장 없이 말을 타다/He jumped on his horse and *rode off* 〔*away*〕. 그는 말에 올라타고 가버렸다/~ *on* horseback 〔a bicycle〕 말을〔자전거를〕 타다/~ *to* and *from* work 탈것으로 통근하다/~ *out to* town 말을 타고 읍에 나가다/~ *on* a bus 〔train, ship〕 버스〔기차, 배〕를 타다/~ *in* a car 〔a taxi, an elevator〕 차〔택시, 엘리베이터〕를 타다. ★ 말·오토바이 등 걸터타는 것엔 on을 쓰며, 또 보통 대형의 탈것에도 on을 쓰지만 안을 의식할 때는 in도 씀.

2 승마하다, 말을 다루다: I can't ~. 나는 말을 못 탄다.

3 《+전+명》 (말 타듯이) 올라타다, 걸터타다《***on*** …위에》: let a child ~ *on* one's shoulders 어린애를 목말태우다/Surfers *rode on* the crests of the waves. 서퍼들은 물마루를 탔다.

4 《~/+보》 (탈것의) 승차감이 …하다; (주로의) 달리는 상태가 …이다: This new model car ~*s* very smoothly. 이 신형차는 승차감이 매우 편안하다/The course will ~ hard today. 오늘의 코스는 험할 것이다.

5 《+전+명》 (배가) 물에 뜨다, 정박하다; (천체·새가) 공중에 뜨다, 걸리다, 떠 있다, 떠오르다: The ship ~*s at* anchor. 배가 정박하고 있다/The moon rode high *in* the heavens. 달이 중천에 떠 있다.

6 《~/+전+명》 (부러진 뼈·인쇄 등이) 겹치다《***on*** …에》: A bone ~*s*. 뼈가 부러져서 서로 겹친다/The red ~*s on* the blue. 붉은색은 파란색에 겹쳐 인쇄된다.

7 《+전+명》 움직이다《***on*** …에 지탱하여》; (일이) 결정되다, 달려 있다《***on*** …에 (의해서)》: The wheel ~*s on* the axle. 차바퀴는 굴대로 돈다/My whole future may ~ *on* the outcome of this single examination. 나의 장래는 모두 이 한 번의 시험에 달려 있는지도 모른다.

8 《+전+명》 나아가다, 달리다《***on*** (흐름·궤도)를 타고》; 잘 타다《***on*** (시류 따위)를》: The new commuter trains ~ *on* elevated monorails. 새 통근 열차는 고가 모노레일을 타고 달린다/The candidate *rode* to victory *on* his personal popularity. 그 후보는 개인적 인기를 타고 승리를 거두었다.

—*vt.* **1** 《~+목/+목+전+명》 (말·탈것 등)을 **타다**, 타고 가다; (말)을 타고 몰다《★ 자동차 따위의 안에 들어가 운전하는 경우는 drive (단 비행기는 fly), 기타 교통기관에 승객으로서 타는 경우는 *vi.* 1의 용법이 일반적》: ~ bus 〔the subway〕 버스를〔지하철을〕 타다/~ a horse 말을 타다/~ one's bicycle *to* school 자전거 타고 등교하다/~ one's horse *at* a fence 펜스를 뛰어넘으려고 말을 몰다.

2 (말·탈것으로) 나아가다, 지나가다, 건너다; (말)을 타고 행하다: ~ the circuit (판사·목사가) 순회하다/~ a ford 얕은 여울을 말타고 건너다/We *rode* a race (with each other). 우리는 경마를 했다.

3 《+목+전+명》 타게 하다, 걸터 태우다, 태워서 실어 나르다《***on*** …위에》: ~ a child *on* one's shoulders 아이를 목말태우다/The injured man was quickly *ridden on* a stretcher. 부상자는 곧 들것으로 운반되었다.

4 (배·새 따위가) …에 뜨다, …을 타고 날다: The ship ~*s* the waves. 배가 파도를 타고 나아간다/A hawk was *riding* the breeze. 매는 산들바람을 타고 날고 있었다.

5 …에 걸리다, 얹혀 있다: His spectacles *rode* his nose low. 안경이 그의 코끝에 걸려 있었다.

6 《+목+전+명》 (배)를 정박시키다: ~ a ship *at* anchor 배를 정박시키다.

7 〖보통 수동태로〗 지배하다; 압박〔학대〕하다; 괴롭히다: a man *ridden* by fear 공포에 사로잡힌 사람/*be ridden* with nightmare 악몽에 시달리다.

8 《+목+전+명》 《美구어》 (짓궂게) 놀리다, 못살게 굴다《***about*** …일로》: They *rode* him *about* his long hair. 그들은 머리가 길다고 그를 놀렸다.

9 (수컷이 암컷)에 올라타다, 《비속어》 (여자)와 성교하다.

let ... **~** 방치하다, 버려두다: He decided to *let* it ~. 되어가는 대로 내버려두기로 했다. **~ *again*** 《*vi.*+부》 《구어》 본디로 돌아가다; 《비유적》 원기를 되찾다. **~ *down*** 《*vt.*+부》 …을 뒤쫓아 잡다; 말로 …을 짓밟다; (말)을 너무 타서 지쳐 쓰러지게 하다: The officers were determined to ~ *down* the thief. 경관들은 도둑을 추격하여 체포하려고 결심했다/The poor old man was *ridden down* by huntmen. 그 가엾은 노인은 사냥꾼들의 말에 밟히어 쓰러졌다. **~ *for a fall*** 《구어》 무모한 짓을 하다, 스스로 파멸을〔화를〕 자초하다《'낙마할 말타기를 하다'의 뜻에서》. **~ *herd on*** ⇨HERD[1]. **~ *high*** 〖주로 진행형으로〗 성공하다, 잘 해내다: The actor is fifty and still *riding high*. 그 배우는 50세지만 아직도 (연기를) 잘하고 있다. **~ *off on side issues*** 〔***a side issue***〕 지엽적인 문제를 꺼내어 요점을 피하다. **~ *out*** 《*vt.*+부》 (폭풍·곤란 따위)를 이겨내다, 견뎌내다: The ship *rode out* the gale in safety. 그 배는 폭풍을 무사히 이겨냈다/The company *rode out* the recession. 그 회사는 불경기를 견뎌냈다. **~ (*roughshod*) *over*** …을 짓밟다; …을 제압하다: The committee *rode over* any scruples expressed by the ordinary members. 위

원회는 평의원이 표명한 어떤 의혹도 묵살했다. ~ *to hounds* ⇨HOUND. ~ *up* 《*vi.*+副》 (의복이) 밀려 올라가다: Her skirt *rode up* when she sat down. 그녀가 앉았을 때 스커트가 밀려 올라갔다.
—*n.* Ⓒ **1** (말 · 탈것 · 사람의 등 따위에) **탐, 태움**; 타고〔태우고〕 감: I'll give you a ~ to school. 학교까지 너를 태워주겠다/pick up a ~ 차를 얻어 타다.
2 타는 시간; 승마〔차〕 여행: It's about 2 hours' ~. 차로 약 2시간 걸린다/a long train ~ 긴 기차 여행.
3 (숲속의) 승마 도로; 교통 수단; (유원지 등의) 탈것.
4 〖수식어를 수반하여〗 (…한) 승차감: This car has 〔gives〕 a rough 〔soft〕 ~. 이 차는 승차감이 나쁘다〔좋다〕.
go for a ~ 승마〔드라이브〕하러 나가다. ***have*** 〔***give*** a person〕 ***a rough*** ~ 호된 꼴을 당하다〔아무에게 호된 꼴을 당하게 하다〕. ***take*** a person ***for a*** ~ ① 《美속어》 (갱 등이) 아무를 차로 납치해서 죽이다: The police assume the victim was *taken for a ride* by some of his enemies. 경찰은 피해자가 적대자들에게 끌려가 살해된 것으로 간주한다. ② 아무를 속이다; 아무를 이용물〔희생물〕로 하다.

rid·er** [ráidər] *n.* Ⓒ **1 타는 사람**, 기수; 《美》 카우보이: a motorcycle ~. **2** 〖수식어를 수반하여〗 (말)타는 것이 …한 사람: He's a good 〔poor〕 ~. 그는 말 타는 것이 능숙하다〔서툴다〕. **3** 추서(追書), 첨서(添書), 첨부 서류; (특히 의회 제3독회의) 보완〔추가〕 조항. ***by way of ~ 추가로서, 첨부하여. 派 ~**·less** *a.* 타는 사람 없는; 추가 조항 없는.

***ridge** [ridʒ] *n.* Ⓒ **1 산마루**, 산등성이; 능선; 분수선. **2** (동물의) 등, 등마루. **3** (파도의) 물마루, 이랑; 콧대. **4** (밭 · 직물의) 두둑, 이랑. **5** (집의) 용마루. —*vt.* …에 용마루를 만들어 대다; 두둑〔이랑〕을 만들다. —*vi.* 이랑지다, 두둑이 되다, 물결치다: The sea ~*s* under the wind. 바람으로 바다에 물결이 일다.

rídge·pòle *n.* Ⓒ 마룻대, 천막의 들보 재목.

rídge tìle 용마루 기와.

rídge·wày *n.* Ⓒ 산마룻길; 논둑길.

rid·i·cule** [rídikjùːl] *n.* Ⓤ **비웃음**, 조소, 조롱: an object of ~ 비웃음거리. ◇ridiculous *a.* ***lay one***self open to*** ~ 남의 웃음거리가 될 만한 짓을 하다. ***turn*** 〔***bring***〕 ***... into*** ~ =***cast*** ~ ***upon...*** =***hold ... up to*** ~ …을 비웃다, 조롱하다, 놀리다.
—*vt.* **비웃다**, 조소하다, 조롱하다, 놀리다: They all ~*d* my new hairstyle. 그들 모두가 나의 새 헤어스타일을 조롱했다.

⁑**ri·dic·u·lous** [ridíkjələs] *a.* **우스운, 어리석은**; 엉뚱한: a ~ suggestion 어리석은 제안/You look ~ in that hat. 너는 그 모자를 쓰니까 꼴불견이다. cf. ludicrous. ◇ridicule *n.* 派 ~**·ly** *ad.* ~**·ness** *n.*

rid·ing[1] [ráidiŋ] *n.* Ⓤ 승마; 승차. —*a.* 승마용의; 기수(騎手)가 부리는: ~ breeches 〔boots〕 승마용 바지〔장화〕/a ~ clothes 〔dress〕 승마복.

rid·ing[2] *n.* Ⓒ **1** (보통 R-) 《英》 구(區)《영국 Yorkshire 주를 동 · 서 · 북으로 3분한 행정 구획; 1974년 폐지》. **2** 영국 본국〔식민지〕에 있어서의 그와 같은 구.

ríding làmp 〔**lìght**〕 〖해사〗 정박등(燈).

ríding schòol 승마 학교.

Ries·ling [ríːzliŋ, ríːs-] *n.* Ⓤ (낱개는 Ⓒ) (종종 r-) 라인산(産) 백포도주.

rife [raif] *a.* Ⓟ **1** (질병이) 유행하는, 퍼지는, (소문 따위가) 자자한: Diseas is ~ in the area. 그 지역에 병이 만연하고 있다. **2** 횡행하는, 충만한《***with*** (나쁜 일)이》: Politics here is ~ *with* corruption. 이곳 정치는 부패로 가득 차 있다.

riff [rif] *n., vi.* 〖재즈〗 반복 악절〔선율〕(을 연주하다).

rif·fle [rífəl] *n.* Ⓒ **1** 《美》 (강의) 얕은 여울; 잔물결. **2** 〖카드놀이〗 두 몫으로 나누어 두 손으로 튀기며 엇갈리게 섞기. —*vt., vi.* **1** (책장을) 펄럭펄럭 넘기다. **2** 〖카드놀이〗 두 몫으로 나누어 엇갈리게 섞다; (강이) 잔물결을 일으키며 흐르다.

riff·raff [rífræf] *n.* (the ~) 〖집합적; 단 · 복수 취급〗 하층민; 어중이떠중이.

***ri·fle**[1] [ráifəl] *n.* Ⓒ **라이플총**; 소총; (*pl.*) 소총부대: a ~ ground 소총 사격장. —*vt.* (총신 · 포신)에 선조(旋條)를 새기다.

ri·fle[2] *vt.* (장소 따위)를 샅샅이 뒤져서 훔쳐가다; …에게서 강탈하다, 몽땅 빼앗아 가다《***of*** …을》: ~ a person *of* money 아무에게서 돈을 강탈하다.

ríf1e·man [-mən] (*pl.* ***-men*** [-mən]) *n.* Ⓒ 소총병; 라이플총 명사수(名射手).

rífle rànge 소총 사정(射程); 소총 사격장.

ri·fling [ráifliŋ] *n.* Ⓤ 선조(旋條) 넣기; 선조.

rift [rift] *n.* Ⓒ **1** 째진 틈, 갈라진 틈, 끊긴 데《***in*** …의》: a ~ *in* the clouds 〔curtains〕 구름〔커튼〕의 틈새. **2** 불화(不和); 단절《***in, between*** (관계 따위)의》: a deep ~ *in* the party 〔*between* the two families〕 당내의〔두 가족 사이의〕 불화.

ríft vàlley 〖지질〗 지구대(地溝帶).

◇**rig**[1] [rig] *n.* **1** Ⓒ 〖선박〗 의장(艤裝), 범장(帆裝). **2** Ⓒ 〖보통 합성어로〗 장비, 장치; 용구 한 벌: ⇨OIL-RIG. **3** Ⓤ 〖수식어를 수반하여〗 (현란한 · 색다른) 몸차림; 복장: bizarre ~ 이상한 복장. **4** Ⓒ 《美》 말을 맨〔준비를 마친〕 마차; 《美》 트레일러차. ***in full*** ~ 《구어》 한껏 모양을 내어.
—(***-gg-***) *vt.* **1** (배)에 돛 · 삭구(索具) 등을 장비〔장착(裝着)〕하다, 의장하다(equip); (자동차 · 항공기)를 조립〔정비〕하다; 장비를 갖추다 (*out*) 《***with*** …으로》: The ship is ~*ged with* new sails. 배에는 새 돛이 달려 있다/They ~*ged out* their cars *with* lights for the parade. 그들은 차를 퍼레이드용 전구로 치장했다. **2** 입히다 (*out; up*)《***in*** …을》; 〖~ oneself〗 치장하다, 차려입다(*out*)《***as*** (특별한〔이상한〕 복장)으로》《★ 수동태를 써서 「치장하고 있다, 차려입고 있다」의 뜻이 됨》: He ~*ged* him*self out as* a clown. 그는 어릿광대로 차려입었다/They *were* ~*ged out in* very old clothes. 그들은 아주 오래된 옷을 걸치고 있었다. **3** …에 공급〔준비〕하다(*out*)《***with*** …을》: The store ~*s* us *out with* everything we need. 그 상점은 우리에게 필요한 것은 무엇이든지 갖추고 있다. **4** 임시변통으로 만들다, 급히〔날림으로〕 짓다(*up*): ~ *up* a hut 오두막집을 임시로 짓다.

rig[2] (***-gg-***) *vt.* (시장 · 가격)을 부정하게〔인위적으로〕 조작하다; (게임 · 선거)에서 부정을 하다; (계획대로 되도록) …을 사전에 짜 만들다: ~ the market 시세를 조작하다/~ an election 선거에서 부정을 저지르다/~ horse race 경마에서 짬짜미 시합을 하다.

(-)rigged [rigd] *a.* …식(式) 범장(帆裝)의:

schooner-~ 스쿠너식 범장의.

rig·ger[1] [rígər] *n.* Ⓒ **1** 삭구(索具) 장비자, 의장자(艤裝者); 〖항공〗 조립 정비공. **2** 〘보통 합성어〙 〖해사〗 …식 범장의 배: a square-*rigger* 횡범선.

rig·ger[2] *n.* Ⓒ (증권시장 등에서) 시세를 조작하는 사람; 부정을 저지르는 사람.

°**rig·ging** [ríɡiŋ] *n.* Ⓤ 〖해사〗 삭구, 장비; 용구 일습, 채비; (무대의) 설비 장치〔도구〕.

†**right**[1] [rait] *a.* **1 옳은, 올바른**, 당연한, (도덕상) 정당한《*in* …에 있어서 / *to* do》. ↔ *wrong*. ¶ ~ conduct 정당한 행위 / You were ~ *in judging* so 〔*in* your judgment〕. 네가 그렇게 판단한 것은〔너의 판단은〕 옳았다 / It's ~ *of* him 〔He's ~〕 *to* do that. 그가 그렇게 하는 것은 당연하다.
2 정확한, 틀리지 않은. ↔ *wrong*. ⓒⓕ correct. ¶ the ~ answer 바른 답 / Am I on the ~ road? 이 길로 가면 됩니까 / My watch isn't ~ 내 시계는 정확하지 않다.
3 곧은, 곧게 선, 직각(直角)의: a ~ line 직선 / a ~ triangle 직각 삼각형.
4 적절한, 제격인, 어울리는《*for* …에》: say the ~ thing 적절한 말을 하다 / He is the ~ man *for* the position. 그는 그 자리에 제격이다.
5 a 형편 좋은, 안성맞춤의, 더할 나위 없는: All will be ~. 만사 잘 될 것이다 / Shall we meet at the usual place?—*Right*. 우리 항상 만나는 곳에서 만날까요—좋습니다. **b** 〘문두(文頭)에 써서〙 《구어》 (납득 · 승낙을 나타내어) 좋다, 괜찮다; 그대로이다: Yor are hungry.—*Right*. 배고프지—그래. **c** 〘문두에 써서〙 《구어》 (주의를 환기시켜) 그런데, 그러면: *Right*, pass me my coat. 그럼 상의를 갖다줘. **d** 〘문미에 부가적으로 ~?의 꼴을 취해〙 《구어》 (자기 발언을 상대방에게 확인시켜) 알았지, 됐지, …이지: Then you won't come, ~? 그럼 오지 않겠다는 거야.
6 가지런한, 정연한; 위치가 올바른, 똑바른: put 〔set〕 things ~ 물건을 정리〔정돈〕하다 / The picture isn't quite ~. 이 그림은 똑바로 걸려 있지 않다.
7 건강한; 몸상태가 좋은; 정상적인, 제정신의《*in* (정신 · 머리)가》: feel (all) ~ 몸상태가 좋다 / Do you think he's ~ *in* the head? 그가 제정신이라고 생각하니 / be not in one's 〔the〕 ~ mind 〔sense〕 제정신이 아니다.
8 겉의, 표면의, 정면의. ↔ *wrong*. ¶ the ~ side of the cloth 천의 겉.
all **~** 괜찮은, 더할 나위 없는: He's all ~. 그는 제대로 된 사람이다〔충분하다, 무사하다〕 / It's 〔That's〕 *all* ~. 그걸로 됐어〔괜찮아〕《사죄 등에 대하여》 / That's *all* ~ *with* me. 그걸로 난 됐어 / *All* ~! You shall remember this. 《반어적》 좋아! 본때를 보여주마. **(*as*) ~ *as a rain*** 〔***trivet***〕 《구어》 아주 씩씩하게, 순조롭게. ***at the*** **~ *time*** 마침 좋은 때에. ***be on the*** **~ *side of*** (30), (30세) 전(前)이다. ***get on the*** **~ *side of*** …의 마음에 들다. ***put*** 〔***set***〕 ***...*** **~** ① …을 정리하다(⇨6). ② …을 교정하다, 정정하다: I *put* my watch ~. 시계를 맞추다 / Please *put* me ~ if I make a mistake. 제가 잘못했다면 바로잡아 주시오. ③ 다시 건강하게 하다, 고치다: A day at a spa will *put* him ~. 하루 온천에 가면 그는 건강해질 것이다. ***put*** 〔***set***〕 one***self*** **~** ① 사이좋게 되다, 화해하다《*with* (아무)와》. ② 자신이 저지른 과오를 바로잡다. **~ *enough*** 만족스러운; 기대한 대로. ***Right oh!*** 《英구어》 좋아, 알았다. **~ *or wrong*** 좋건 나쁘건, 옳든 그르든, 불가불. ***Right you are!*** 《구어》 〘제의 · 명령에 답하여〙 옳은 말씀이오; 좋다, 알았습니다: Two coffees, please.—*Right you are!* 커피 두 잔 주세요—알았습니다. ***Too*** **~*!*** 《英속어》 좋아(okay), 됐어.

> **DIAL.** ***Am I right?*** 그런가요, 그렇겠지요《자기 말이 맞는지 확인하기 위해》.
> ***That's right.*** ① 그렇습니다: Your father's a scholar, isn't he?—Yes, *that's right*. 부친께서 학자시죠—네, 그렇습니다. ② (상대방 언동에 짜증을 내며) 정말 구제할 길 없군, 제멋대로군.

—*ad.* **1** (도덕상) **바르게, 옳게**, 공정하게: act ~ 바르게 행동하다.
2 정확히, 틀림없이: if I remember ~ 만약 내 기억이 틀림없다면 / guess ~ 알아맞히다 / get the meaning ~ 그 의미를 정확히 이해하다.
3 적절히; 바라는 대로, 알맞게, 편리하게, 정연하게: do a thing ~ 일을 제대로 하다.
4 완전히, 온통; 똑바로, 곧바로, 정면으로; 쭉, 내내: The car turned ~ over. 차가 완전히 뒤집혔다 / go ~ home 곧바로 집에 가다 / ~ through the winter 겨울 내내 / The wind was ~ in our faces. 바람이 우리들 얼굴 정면으로 불어왔다.
5 〘부사(구)를 수식하여〙 **바로**, 꼭, 딱: ~ here 바로 여기에(서) / ~ now 지금 곧, 바로 지금 / ~ in the middle 꼭 한가운데에 / ~ opposite 정반대로 / ~ in the middle of one's work 한창 일하는 중에 / I'm ~ behind you. 나는 바로 네 뒤에 있다.
6 《美구어 · 英속어》 참으로, 아주, 매우, 몹시: I'm ~ glad to see you. 만나서 정말 기쁘다.
7 《구어》 당장, 곧, 금방: I'll be ~ back. 곧 돌아가겠습니다 / We left ~ after lunch. 점심식사 후에 바로 출발했다.
8 〘칭호 · 존칭 등과 함께〙 the *Right* Worshipful 〔Worthy〕 각하.

> **NOTE** (1) right가 수식하는 것은 시간이나 장소를 나타내는 부사(구): *right* in time 시간에 맞춰서 / *right* in front of him 바로 그 앞에서 《★ 따라서 보통은 빈도(often, once 따위), 정도(little, much 따위), 양태(fast, slowly 따위)를 나타내는 부사(구)에는 쓰이지 않음》.
> (2) right는 시간이나 장소를 명확히 나타내는 부사(구)와 함께 쓰임. 따라서 이를 명확하게 나타낼 수 없는 부사(구)(recently, far 따위)에는 quite, very, just 따위를 씀: He got married *quite* lately. 그는 최근에 결혼했다 (*right lately).
> (3) right를 강조하는 데는 very나 enough가 아니라 quite를 씀.

all **~** ① 더할나위 없이, 썩: woke *all* ~ 썩 잘하다. ② 〘문미에 써서〙 《구어》 틀림없이, 꼭: I'll be there *all* ~. 꼭 갈게요. ③ 〘문두에 써서〙 《구어》 (다음 화제 · 동작으로 옮기는 것을 나타내어) 그러면: *All* ~, let's move on to the next item. 그러면, 다음 항목으로 넘어갑시다. ***get in*** **~ *with*** a person 《美》 아무의 마음에 들다, 아무에게 빌붙다, 아첨하다. ***go*** **~** 바르게 되다, 좋아지다(↔ *go wrong*); 실현되다. ***go*** **~ *on*** 똑바로 가다. **~ *along*** 《美구어》 쉬지 않고, 줄곧, 끊임없이. **~ *away*** 〔***off, now***〕 곧, 즉시, 당장에: I'll come ~

away 곧 찾아뵙겠습니다. ~ ***down*** 솔직히; 까놓고, 숨김없이. ~ ***on*** 《美구어》 ① 〚찬성·승인을 나타내어; 감탄사적으로〛 찬성이오, 옳소; 잘한다, 힘내라. ② (사람·발언 따위가) 바른, 적절한; 딱 들어맞는. ~ ***out*** 솔직하게.

—*n*. **1** Ⓤ **올바름**, 정당, **정의**, 공정(↔ *wrong*): You're old enough to know the difference between ~ and wrong. 너는 옳고 그름을 충분히 구별할 수 있는 나이이다 / Might is ~. 《비유적》 힘이 정의다.

2 Ⓒ (때로 Ⓤ) (법적·정치적) **권리**, 정당한 요구 《***of, to*** …에 대한 / ***to*** do》. ⓒⓕ rights. ¶ civil ~*s* 공민권 / ~*s* and duties 권리와 의무 / assert 〔stand on〕 one's ~*s* 자기의 권리를 주장하다 / the ~ *to* remain silent 묵비권 / claim a ~ *to* the use of land 토지 사용권을 주장하다 / the ~ *to* pursue happiness 행복을 추구할 권리.

3 (*pl*.) 진상, 실황; 올바른〔본래의〕 상태: the ~*s* of the case 사건의 진상.

as of ~ 당연한 권리로. ***be in the*** ~ 올바르다, 이치에 닿다〔맞다〕(↔ be in the wrong): You are *in the* ~. 네 말도 일리가 있다. ***bring … to ~s*** 《구어》 …을 (본래의 상태로) 하다, 고치다, 바로잡다: How the ill should be *brought to ~s* was the difficulty. 그 병폐를 어떻게 바로잡느냐가 어려운 점이었다. ***by ~ of*** …의 권리로; …의 이유로: He took the chair *by ~ of* seniority. 그는 선임자라는 이유로 의장직을 차지했다. ***by ~(s)*** 올바르게, 정당하게: *By ~(s)*, the property belongs to you. 당연히 그 재산은 당신이 상속받게 됩니다. ***do*** a person ~ 아무를 공평히 다루다〔정당하게 평가하다〕. ***get*** a person ***dead to ~s*** = get a person's NUMBER. ***in*** one***'s*** (***own***) ~ 자기의 (타고난) 권리로; 자기 명의로; 당연히, 의당: a queen *in* her *own* ~ 나면서의 여왕《왕비로서 여왕이 된 것이 아님》/ She has a huge sum of money *in* her *own* ~. 그녀는 자기 명의로 거액의 돈을 갖고 있다. ***Mr. Right.*** 《구어》 (결혼 상대로서) 이상적인 남성. ***put*** 〔***set***〕 ***… to ~s*** ① (사람·사태 등)을 정상으로 되돌리다: The premier's tough policies soon *put* the economy *to ~s*. 수상의 강경한 정책이 마침내 경제를 바로 세웠다. ② (물건·장소 등)을 정돈하다. ***the ~s and wrongs*** 옳고 그름; 진상: We discussed *the ~s and wrongs of* corporal punishment. 우리는 체벌의 옳고 그름을 논의했다. ***with*** one***'s ~s*** (***to*** do) (…할) 권한이 있어; (…하는 것은) 당연히.

—*vt*. **1** (잘못 등)을 **바로잡다**, 고치다; 보상하다: ~ a wrong 잘못을 고치다 / It's too late to ~ the damage. 그 손해를 보상하기에는 너무 늦었다. **2** …의 위치를 바르게 하다, …을 정돈하다, 본래대로 하다; 일으키다, 다시 세우다: We failed to ~ the capsized boat. 우리는 뒤집힌 보트를 바로 세우지 못했다.

—*vi*. (기울어진 나무·보트 따위가) 바로 서다: After the storm the saplings ~*ed*. 폭풍우가 지나고 어린 나무가 다시 바로 섰다.

~ one***self*** ① 원상으로 돌아가다; 바로 서다: The turmoil in the universities will soon ~ it*self*. 대학 분규는 곧 정상을 회복할 것이다. ② 변명하다; 결백을 증명하다, 명예를 회복하다.

‡right² [rait] (⇔ *left*) *a*. **1** Ⓐ **오른쪽〔편〕의**, 우(右)의, 우측의: ⇨ RIGHT-HAND, RIGHT ARM, RIGHT FIELDER / the ~ bank (강의) 오른쪽 둑 / Americans drive on the ~ side of the road. 미국사람은 도로의 우측으로 차를 운전한다. **2** (종종 R-) (정치상의) 우익의, 우파의.

—*ad*. 오른쪽으로, 우측에: turn ~ 오른쪽으로 향하다〔돌다〕/ Keep ~. 《게시》 우측 통행.

~ ***and left*** ① 좌우로: look ~ *and left* 좌우를 보다. ② 사방팔방으로〔에서〕: A blast of wind scattered the papers ~ *and left*. 돌풍이 서류를 사방으로 흩날리게 했다. ***Right face*** 〔***turn***〕***!*** 《구령》 우향우.

—*n*. **1** (the ~, one's ~) 우(右), 오른쪽, 우측: sit on a person's ~ 아무의 오른쪽에 앉다 / on 〔from〕 the ~ of …의 오른쪽에〔에서〕/ to the ~ of …의 오른쪽으로 / Keep to the ~. 《게시》 우측통행. **2** Ⓤ (종종 the R-) 〚집합적; 단·복수취급〛〚정치〛 우익, 우파, 보수당: sit on the *Right* 우파〔보수당〕의원이 되다. **3** 〚야구〛 **a** Ⓤ 우익, 라이트: play ~ 우익을 수비하다. **b** Ⓒ 우익수, 라이트. **4** Ⓒ 〚권투〛 오른손, 오른주먹으로 때리기.

keep on one***'s*** ~ 오른쪽으로 가다. ***make*** 〔***turn***〕 ***a*** ~ 《美》 오른쪽으로 돌다: *Make a* ~ at the next corner, and you will see a white building on the ~. 다음 모퉁이에서 오른쪽으로 도십시오. 그러면 우측에 하얀 건물이 보일 것입니다.

right-about *n*. = RIGHT-ABOUT-FACE. ***send … to the*** ~(*s*) (군대)를 후퇴〔퇴각〕시키다; 쫓아 버리다; 당장 해고하다.

right-about-face〔**-turn**〕 *n*. Ⓒ **1** 〚군사〛 뒤로 돌아(의 구령). **2** (주의·정책 등의 180도) 방향 전환. **3** 재빠른 퇴각.

right alignment 〚컴퓨터〛 오른줄 맞춤.

right-angle(d) *a*. 직각의.

right arm **1** (the ~, one's ~) 오른팔: I would give my ~ for such a chance. 《비유적》 그런 기회가 온다면 무슨 일이든 하겠습니다. **2** (one's ~) 가장 믿는 조력자, 심복.

°right·eous [ráitʃəs] *a*. **1** (도덕적으로) 올바른, 정직한; 공정한, 정의의: ~ anger 의분(義憤). **2** 정당한, 당연한. **3** (the ~) 〚명사적; 복수취급〛 정의의 인사. ⓟ **~·ly** *ad*. **~·ness** *n*.

right field 〚야구〛 우익, 라이트 필드; 우익수의 수비 위치.

right fielder 〚야구〛 우익수.

°right·ful [ráitfəl] *a*. Ⓐ 올바른; 정당한; 당연한; 적법의, 합법의; 공정한: the ~ owner 정당한 소유자. ⓟ **~·ly** *ad*.

right hand **1** (the ~, one's ~) 오른손; (우정·환영을 나타내는) 악수할 때의 손. **2** (one's ~) 믿을 수 있는 사람, 심복. ***put*** one***'s*** ~ ***to the work*** 본격적으로 일하다.

°right-hand *a*. Ⓐ **1** 오른손의, 오른쪽의, 우측의: the ~ side 우측 / (a) ~ drive 우측 핸들(의 차) 《좌측 통행에 적합함》. **2** 오른손을 쓰는, 오른손용의; 오른손잡이의: a ~ glove. **3** 의지가 되는, 한팔이 되는, 심복의: one's ~ man. **4** (고삐가) 오른쪽으로 꼰; 오른쪽 방향의, 시계 방향의: make a ~ turn 시계 방향으로 돌다.

right-handed [-id] *a*. **1** 오른손잡이의(↔ *left-handed*). **2** 오른손으로 하는; 오른손으로 쓰는, 오른손용의《도구 따위》. **3** 오른쪽으로 도는 《시계 바늘과 같은 방향의》, 우선회의. ⓟ **~·ly** *ad*. **~·ness** *n*.

right-hander *n*. Ⓒ **1** 오른손잡이; 〚야구〛 우완 투수〔타자〕. **2** 《구어》 오른손의 일격; 오른손 던지기; 우선회.

right·ist *a.*, *n.* Ⓒ (종종 R-) 우익〔보수파〕의 (사람)(의); 국수주의자(의); 권리 주장자〔확장론자, 옹호론자〕(의).

⁑**right·ly** [ráitli] *ad.* **1 올바르게**, 정당하게, 공정하게: understand ~ 올바르게 이해하다 / You ~ judge people by the company they keep. 그 교우 관계로 사람을 판단해도 틀림이 없다. **2** 〘문장 전체를 수식하여〙 그에 알맞게, 적절히, 당연한(일로서): It's ~ said that time is money. 시간은 돈이라는 것은 적절한 말이다 / *Rightly*, she refused. 당연히〔한 일로서〕, 그녀는 거절했다. **3 a 정확히**, 틀림없이: I cannot say ~. 분명하게 말할 수 없다. **b** 〘부정문에서〙 확실히는, 정확하게는: I don't ~ know whether it was Tom or John. 그 사람이 톰이었는지 존이었는지 정확하게는 모른다.

right-minded [-id] *a.* Ⓐ 마음이 바른, 정직한. ㊞ **~·ly** *ad.* **~·ness** *n.*

right·ness *n.* Ⓤ 공정(성); 정확; 적절; 정의.

right-o, right-oh [ráitòu, ⌐⌐] *int.* 《英구어》 좋다, 그렇다(all right, OK).

right-of-center *a.* (정치적으로) 중도 우파의.

right of (visit and) search (the ~) 〖국제법〗 (교전국의 공해상의 중립국 선박에 대한) 수색권.

right(-)of(-)way (*pl.* ***rights-, ~s***) *n.* **1** Ⓒ (타인 소유지 내의) 통행권, 통행권이 있는 도로. **2** Ⓒ 《美》 도로〔철도, 선로〕용지; 송전선〔수송관〕용지. **3** (the ~, one's ~) 교통상의 선행권〔우선 통행권〕.

right one (a ~) 《英구어》 바보, 얼간이.

right-thinking =RIGHT-MINDED.

right-to-die *a.* 《美》 죽을 권리를 인정하는《회복 불능 환자의 안락사 등과 같은》: a ~ bill '존엄사(尊嚴死)' 법안.

right-to-life *a.* 《美》 임신중절에 반대하는《임신중절 금지법을 지지하는》. ㊞ **-lifer** *n.* Ⓒ 임신중절 반대〔금지법〕 지지자.

right·ward [-wərd] *a.* Ⓐ, *ad.* 오른쪽 방향의〔으로〕, 우측의〔으로〕.

right·wards [-wərdz] *ad.* =RIGHTWARD.

right whale 〖동물〗 큰고래.

right wing 1 (the ~) 〘집합적; 단·복수취급〙 (정당 등의) 우익, 우파, 보수파(↔ *left wing*). **2** 〖경기〗 (the ~) 우익; 우익수.

right-wing *a.* 우익(수)의; 우파〔보수파〕의. ㊞ **~·er** *n.* Ⓒ 우익〔우파〕의 사람.

⁑**rig·id** [rídʒid] *a.* **1 굳은**, 단단한, 경직된, 휘어지지 않는. ↔ *pliable, soft.* ¶ ~ arms 경직된 팔 / a ~ piece of metal 단단한 쇳조각 / His face looked ~ with distress. 그의 얼굴은 고뇌로 굳어진 것 같았다. **2 완고한**, 융통성이 없는《*in* …에 있어서》: He's ~ *in* his opinions. 그는 막무가내로 자기 의견을 굽히지 않는다. **3** 엄격한, 엄정한: a ~ judge 엄정한 재판관 / ~ rules 엄격한 규칙. **4** 엄밀한, 정밀한: a ~ examination 정밀한 검사. ㊞ ◇**~·ly** *ad.* **~·ness** *n.*

ri·gid·i·ty [ridʒídəti] *n.* Ⓤ **1** 견고함, 강직, 경직(성). **2** 엄격, 완고함; 엄밀, 엄정. **3** 〖물리〗 강성(剛性).

rig·ma·role [rígmərὸul] *n.* **1** Ⓤ (또는 a ~) 데데한 긴 이야기. **2** 쓸데없이 장황한 처리 방식〔절차〕.

◇**rig·or** [rígər] *n.* **1** Ⓤ 엄함, 엄격; 엄숙; (법률·규칙 따위의) 엄격한 집행〔적용〕: with the utmost ~ of the law 법률을 극도로 엄하게 적용하여. **2** (the ~; 흔히 *pl.*) (한서(寒暑)의) 혹독함; (생활 따위의) 어려움, 곤궁: the ~*s of* a long winter 긴 겨울의 혹독함 / the ~*s of* life 생활의 곤궁함. **3** Ⓤ (연구 방법 등의) 엄밀〔정밀〕함, 정확성.

rig·or mor·tis [rígər-mɔ́ːrtis/ráigɔːr-] 《L.》 〖의학〗 사후 경직(死後硬直)(stiffness of death).

◇**rig·or·ous** [rígərəs] *a.* **1** (규칙·규율 등이) 엄한, 엄격한: ~ discipline 엄한 규율. **2** 엄밀한, 정밀한, 정확한: ~ scientic methods 정밀한 과학적 방법. **3** (기후·풍토 등이) 혹독한, 가혹한. ㊞ **~·ly** *ad.* **~·ness** *n.*

rig-out *n.* Ⓒ 《英구어》 (이상한) 복장.

rile [rail] *vt.* 《구어》 **1** 휘저어서 흐리게 하다《물 따위를》. **2** 화나게 하다, 짜증나게 하다 (*up*): Don't ~ him *up*. 그를 화나게 하지 마라.

rill [ril] *n.* Ⓒ 시내, 실개천. ㉫ rivulet, stream.

rim** [rim] *n.* Ⓒ **1** (특히 원형물의) **가장자리, 테**: the golden ~ 《시어》 왕관 / the ~ *of* an eyeglass 안경테. SYN. ⇨EDGE. **2** (수레바퀴 따위의 타이어를 끼우는) 테, 외륜(外輪). ── (-mm-***) *vt.* …에 가장자리〔가, 테〕를 달다: Wild flowers ~*med* the little pool. 야생화들이 연못가에 피어 있었다.

rime[1] [raim] *n.* Ⓤ 〖기상〗 무빙(霧氷); 서리, 흰서리(hoarfrost).

rime[2] ⇨RHYME.

rim·less *a.* 테가 없는《안경 따위》.

(-)rimmed [rimd] *a.* …의 테가 있는: gold-~ glasses 금테 안경 / red-~ eyes 울어서 충혈된 눈.

rimy [ráimi] (***rim·i·er; -i·est***) *a.* 서리로 덮인(frosty).

rind [raind] *n.* Ⓤ (낱개는 Ⓒ) 껍질《과실·야채·수목 따위의》, 외피(外皮), 껍데기; 베이컨의 껍질; 치즈의 겉껍질.

rin·der·pest [ríndərpèst] *n.* 《G.》 Ⓤ 〖수의학〗 우역(牛疫).

†**ring**[1] [riŋ] *n.* Ⓒ **1 고리**; 바퀴; 고리 모양의 것: a curtain ~ 커튼 고리. **2 반지**; 귀걸이, 코고리, 팔찌《따위》: a wedding ~ 결혼 반지 / a napkin ~ 냅킨링《냅킨 꿰는 고리》. **3** 원, 원형; 빙 둘러앉은 사람들: form a ~ 원을 이루다; 빙 둘러앉다, 손가락으로 동그라미를 만들다《★ OK를 나타내는 동작》/ The children danced in a ~. 아이들은 원을 그리며 춤추었다. **4** 〖식물〗 나이테: the annual ~ of a tree. **5** (the ~) 경마〔경기, 권투〕장, 씨름판, (서커스의) 원형 연기장; 권투(계); 투쟁장. **6** (비합법적으로 이익을 도모하는) 한패, 도당: a smuggling 〔smugglers'〕 ~ 밀수업의 한 패 / a drug ~ 마약 조직 / a ~ *of* spies =a spy ~ 스파이 조직. **7** (the ~) 〘집합적〙 (경마의) 도박꾼, 사설(私設) 마권업자. **8** 〖수학〗 환(環), 환면(環面); 〖화학〗 고리, 환(cycle)《고리모양으로 결합된 원자 집단》; 〖천문〗 (토성 등의) 환, 고리, 달무리. **9** (*pl.*) 〖체조〗 링, 조환(吊環).

make a* ~** ① 고리 모양으로 에워싸다. ② 동맹하여 시장을 좌우하다: These merchants *made a* ~ on the sugar market. 이 상인들이 동맹하여 설탕 시장을 좌지우지 했다. ***make 〔***run***〕 ***~s around*** a person 《구어》 아무보다 훨씬 뛰어나다, (승부에서) 아무를 여지없이 패배시키다: He can *run* ~*s around* me in tennis. 테니스 실력은 그가 나보다 훨씬 우세하다. ***toss*** 〔***throw***〕 one***'s hat in the* ~** (선거에서) 입후보하다.

── (*p., pp.* ***~ed,*** 《드물게》 ***rung*** [rʌŋ]) *vt.* **1**

《~+[목]/+[목]+[부]/+[목]+[전]+[명]》 둘러싸다, 에워싸다(*about; round*)《*with* …으로》: The police ~*ed* the house. 경찰은 그 집을 에워쌌다/The young singer was ~*ed about* 〔*round*〕 *with* excited girls. 그 젊은 가수는 열광한 소녀들에게 둘러싸였다. **2** (소의 코, 비둘기의 다리 따위)에 고리를 끼우다; (손가락)에 반지를 끼우다. **3** (사과·양파 따위)를 고리 모양으로 썰다. **4** 《~+[목]/+[목]+[부]》 (말을 타고) …을 원을 그리며 돌다, …의 주위를 돌다: ~ (*up*) cattle 말을 그 주위로 몰아 가축을 한 곳으로 모으다. **5** …에 고리〔편자〕를 끼우다《고리던지기 놀이에서》: ~ a post 〔pin〕.

‡ring² (***rang*** [ræŋ], 《드물게》 ***rung*** [rʌŋ]; ***rung***) *vt*. **1** 《~+[목]/+[목]+[부]》 (종·벨·타악기 따위)를 **울리다**, 치다; (소리·음향)을 내다(*out*): ~ a doorbell 〔the church bells〕 초인종〔교회종〕을 울리다/The bells *rang out* a merry peal. 맑은 종소리가 (드높이) 울리고 있었다.

2 《~+[목]/+[목]+[부]/+[목]+[전]+[명]》 (벨 따위를 울려) **부르다**, 불러들이다〔내다〕《***for*** (아무)를》: ~ the bell *for* a servant 벨을 울려 하인을 부르다/~ a maid *in* 하녀를 불러들이다.

3 a 종〔벨〕을 울려 (경고·시간)을 알리다: ~ an alarm 경고음을 울리다/The chimes *rang* noon. 차임벨이 정오를 알렸다. **b** 《+[목]+[부]》 종을 울려 (가는 해)를 보내다(*out*); 종을 울려 (오는 해)를 맞이하다(*in*): *Ring out* the Old year and ~ *in* the New (year). (종을 울려) 묵은 해를 보내고 새해를 맞이하라.

4 《~+[목]/+[목]+[부]》 《英》 …에게 전화를 걸다(*up*): ~ a doctor 〔hospital〕 의사에게〔병원에〕 전화를 걸다/I'll ~ you (*up*) tonight. 오늘 밤에 전화하겠다.

—*vi*. **1** 《~/+[부]》 (종·벨 따위가) **울다**, (소리가) 울려 퍼지다(*out*): The bell ~*s*. 벨이 울린다/Did the telephone ~? 전화가 울렸습니까/A shot *rang out*. 총성이 울려 퍼졌다.

2 《+[전]+[명]》 (장소 따위에 소리가) 울리다; 자자해지다《***with*** (명성·평판 등)이》: The hall *rang with* laughter. 홀에 웃음소리가 울려 퍼졌다/The world *rang with* his fame. 온 세계에 그의 명성이 퍼졌다.

3 (귀가) 울리다: My ears ~. 귀울음이 난다.

4 《+[보]/+[전]+[명]》 (…하게) 울리다, (…하게) 들리다; 소리가 맴돌다, 들려오다〔오는 듯하다〕, 쟁쟁하다《***in*** (귀·마음)에》: His words ~ hollow. 그의 말은 허황되게 들린다/The melody still *rang in* her ears. 그 멜로디가 아직 그녀의 귓가에 맴돌고 있었다.

5 《~/+[전]+[명](+*to* do)》 (신호로서) 초인종〔벨〕을 울리다; 울려서 부르다〔요구하다〕《***for*** …을》: I *rang* at the front door. 현관벨을 울렸다/I *rang for* the maid (*to* bring tea). 초인종을 눌러 (차를 갖고 오라고) 여급을 불렀다.

6 《~/+[부]/+[전]+[명]》 전화를 걸다(*up; through*) 《***to*** …에》; 전화로 부르다《***for*** …을》: ~ *through to* Tom 톰에게 전화하다/We must ~ *for* an ambulance. 전화로 구급차를 불러야겠다.

~ *a bell* ① 종〔벨〕을 울리다(⇨*vt*. 1). ② (이름이) 생각나다, 본〔들은〕 기억이 있다: Olsen? No, it doesn't ~ *a bell*. 올슨? 아니야 (누군지) 기억나지 않아. **~ (*a*)*round* (...)** 《英》 (…에) 차례차례 전화하다. **~ *back*** 《*vi*.+[부]》 ① 다시 전화하다; 되짚어 전화하다. **—**《*vt*.+[부]》 ② 《英》 나중에 (다시) 전화하다(《美》 call back): I'll ~ you *back* later. 나중에 다시 전화하마. **~ *down*** 〔***up***〕 ***the curtain*** ① 〖연극〗 벨을 울려 막을 내리다〔올리다〕. ② 《비유적》 결말을 내다, 중단하다〔시작하다〕《***on*** …을》: Financial troubles *rang down the curtain on* the project. 재정적인 곤란이 그 계획을 중단시켰다. **~ *in*** 《*vi*.+[부]》 ① 전화를 걸다, 전화로 연락하다. ② (타임리코더로) 출근 시각을 기록하다, 일에 착수하다(↔ *ring out*). **—**《*vt*.+[부]》 ③ …을 종을 울려 맞이하다(⇨*vt*. 3 b); …의 도래를 알리다, …을 맞이해 들이다. **~ *in* a person*'s ears*** 〔***head, heart***〕 (말 따위가) 아무의 귀〔머리, 마음〕에 남다: His words of warning still *rang in* her *ears*. 그가 경고한 말이 아직도 그녀의 귀에 남아 있었다. **~ *off*** 《*vi*.+[부]》 《英》 전화를 끊다. **~ *out*** 《*vt*.+[부]》 ① …을 종을 울려 보내다(⇨*vt*. 3 b). **—**《*vi*.+[부]》 ② 타임리코더로 퇴근 시각을 기록하다. ③ 울려 퍼지다. **~ *the bell*** ① 종〔벨〕을 울려 부르다(⇨*vt*. 2). ② 《美》 성공하다, 잘돼 나가다. **~ (*the*) *changes*** ⇨CHANGE. **~ *up*** 《*vi*.+[부]》 ① 전화를 걸다(⇨*vi*. 6). **—**《*vt*.+[부]》 ② …에게 전화를 걸다(⇨*vt*. 4). ③ (매상)을 금전 등록기에 기록하다. ④ 성취하다, 이루다.

—*n*. **1** Ⓒ (종·벨·경화(硬貨) 따위를) **울리기**, **울리는 소리**《땡, 딸랑, 쩔렁 따위》: There was a single ~ at the door. 현관 벨이 한 번만 울렸다/answer a ~ at the door 초인종 소리에 응답하다. **2** (a ~) 전화를 걸기; 전화의 호출: Give me a ~ this afternoon. 오늘 오후에 전화를 걸어 주세요. **3** (*sing*.) (소리의) **울림**, 잘 울리는 소리; (물건의 성질·진위를 나타내는) 소리: the ~ *of* one's laughter 잘 울리는 웃음소리. **4** (*sing*.) (말·문장 등의) (…다운) 울림, 가락, …다움, 느낌, 인상: a ~ *of* assurance in her voice 그녀 목소리의 확신에 찬 울림. **5** Ⓒ (교회의) 한 벌의 종(소리): a ~ *of* six bells, 6개 한 벌인 종. **6** Ⓒ 전화. ***have the true*** 〔***right***〕 **~** 진짜의 소리가 나다.

ríng bìnder 링 바인더《금속제 고리로 끼우는》.

ring·er *n*. Ⓒ **1** 종〔방울〕을 울리는 사람; 명종(鳴鐘)〔방울 울리는〕 장치. **2** 《美》 (신원 등을 속인) 부정 출장 선수; (훔친 차에 다는) 가짜 번호판, 그것을 사용하는 자동차 도둑. **3** (종종 dead ~) 《구어》 아주 닮은 사람〔것〕《***for, of*** …을》: He is a (*dead*) ~ *for* his father. 그는 제 아버지를 빼쏜 것 같다.

ríng fìnger (왼손의) 약손가락《보통 결혼 반지를 끼움》.

ríng·ing *a*. 울리는, 울려퍼지는: a ~ voice 〔laugh, cheer〕. ㊕ **~·ly** *ad*.

ríng·lèader *n*. Ⓒ (폭력 등의) 주모자, 장본인.

ring·let [ríŋlit] *n*. Ⓒ **1** 고수머리. **2** 작은 바퀴, 작은 고리.

ríng·màster *n*. Ⓒ (서커스 등의) 말의 연기 지도자, 곡마단장.

ríng-nèck(ed) [-(t)] *a*. 〖동물〗 목 주위에 고리 무늬가 있는.

ríng nètwork 〖컴퓨터〗 링 네트워크《구성 단말 장치를 폐쇄 루프형으로 접속한 네트워크》.

ríng-pùll *a*. 고리를 당겨 딸 수 있는《캔맥주·캔주스 따위》: a ~ can. **—***n*. Ⓒ (캔을) 당겨 따는 고리.

ríng ròad 《英》 (도시 주변의) 순환 도로(《美》 beltway).

ríng·sìde *n*. (the ~) (서커스·권투 따위의) 링 주변, 링사이드; 〖형용사적〗 링사이드의: a ~ seat.

ríng·wòrm *n*. Ⓤ 〖의학〗 백선(白癬); 완선(頑癬).

rink [riŋk] *n*. Ⓒ (보통, 실내의) 스케이트장, 스케이트링크; 롤러스케이트장; 『빙상』 curling장; 아이스하키장.

rinky-dink [ríŋkidíŋk] *a*., *n*. Ⓒ 《美속어》 케케묵은 (사람, 물건), 싸구려의 (물건), 사소한 (물건).

*__rinse__ [rins] *n*. **1** Ⓒ **헹구기**, 가시기; 씻어내기: give a shirt a good ~ 셔츠를 잘 헹구다. **2** Ⓤ (종류 · 낱개는 Ⓒ) 《美》 린스《머리 헹구는 유성제(油性劑)》; 머리 염색(액).
—*vt*. **1** 《~+[목]/+[목]+[부]》 (옷 · 입 등)을 **헹구다**, 가시다(*out; through*): ~ clothes (*out*) 옷을 헹구다. **2** 《+[목]+[부]/+[목]+[전]+[명]》 (비눗물 · 세제 따위)를 씻어내다(*out; away*)《***from, out of*** …에서》: *Rinse* the soapy water *away*. 비눗물을 씻어내라/*Rinse* the soap *out of* your head. 머리에서 비누를 씻어내라. **3** 《+[목]+[부]》 (물 · 우유 따위로 위(胃) 속에 음식물을) 흘려 넣다(*down*) (《美》 wash down): ~ the food *down* with a glass of milk 한 컵의 우유로 음식물을 위 안에 흘려 넣다.

Rio de Ja·nei·ro [rí:oudeiʒənɛ́ərou, -dədʒəníərou] 리우데자네이루《브라질 공화국의 옛 수도; 생략: Rio》.

Rio Gran·de [rí:ougrǽndi] (the ~) 리오그란데《미국과 멕시코 국경을 이루는 강》.

*__ri·ot__ [ráiət] *n*. **1** Ⓒ (집단적인) **폭동**, **소동**; 『법률』 소요죄: start 〔raise, set off〕 a ~ 폭동을 일으키다/put down a ~ by force 무력으로 폭동을 진압하다. **2** Ⓒ 술마시고 떠듦, 대혼란. **3** (a ~) (색채 · 소리 등의) 난만, 범람; (감정 · 상상 등의) 분방, 분출, 격발: The flower bed was a ~ *of* color. 꽃밭은 갖가지 색깔의 꽃이 난만하였다/a ~ *of* emotion 감정의 분출. **4** (a ~) 《구어》 우스꽝스러운〔재미있는〕 사람〔일〕. ***run*** ~ ① 방탕한 짓을 하다; 함부로 날뛰다〔떠들어 대다〕: The pupils *ran* ~ in the classroom. 학생들이 떠들며 교실 안을 돌아다녔다. ② (병이) 만연하다; (꽃이) 만발하다.
—*vi*. **1 폭동을 일으키다**. **2** 떠들다; 술 마시며 법석을 떨다. **3** 방탕하다, 방탕한 생활을 하다. **4** 《+[전]+[명]》 (지나치게) 빠져들다《***in*** …에》: ~ *in* emotion 마음껏 감동에 젖다. —*a*. Ⓐ 폭동 진압용의: ~ gas 폭동 진압용 최루가스.

Ríot Act **1** (the ~) 《英》 소요 단속법. **2** (the r- a-) 엄한 질책〔비난, 경고〕. ***read the*** ~ 소동을 그치도록 엄명하다《★ 옛날 관헌이 폭도 앞에서 Riot Act를 읽은 데서 유래》.

rí·ot·er *n*. Ⓒ 폭도; 야단법석을 떠는 사람.

◇**ri·ot·ous** [ráiətəs] *a*. **1** 폭동의; 폭동에 가담하고 있는: a ~ crowd 폭도화한 군중. **2** 시끄러운, 술마시고 떠드는: ~ laughter 시끄러운 웃음소리. **3** 매우 유쾌한. ㊕ **~·ly** *ad*. **~·ness** *n*.

ríot squàd 〔**police**〕 폭동 진압 경찰대, 경찰 기동대.

*__rip__[1] [rip] (***-pp-***) *vt*. **1** 《~+[목]/+[목]+[부]/+[목]+[보]》 **쪼개다**, **째다**, **찢다**(*up*): ~ *up* a letter 편지를 찢다/~ open the envelope 편지봉투를 뜯다. **2** 《+[목]+[부]/+[목]+[전]+[명]》 벗겨내다, 떼어내다(*off; out*)《***off, from, out of*** …에서》: ~ *off* the wallpaper 벽지를 벗겨내다/~ bark *from* a tree 나무에서 껍질을 벗기다/~ a page *out of* a book 책에서 한 페이지를 떼어내다. **3** (목재 따위)를 빠개다, 세로로 켜다.
—*vi*. **1** 《~/+[부]》 쪼개지다, 째지다, 찢어지다; 터지다: This cloth ~*s* easily. 이 천은 잘 찢어진다/The sleeve ~*ped away* from the coat. 상의에서 소매가 찢기어 나갔다. **2** 《~/+[부]》 《구어》 (차 · 배 · 사람 따위가) 돌진하다(*along*): The sports car ~*ped along* in a cloud of dust. 스포츠카가 흙먼지를 날리며 질주하였다. **3** 《+[전]+[명]》 격렬히 비난하다〔공격하다〕《***into*** …을》.
Let her 〔***it***〕 **~.** 《구어》 (차 따위)를 전속력으로 〔냅다〕 몰아라. ***let*** **~** 실컷 떠들어 대다; 욕지거리하다, 폭언하다. ***Let things*** **~.** 《구어》 되어 가는 대로〔밥이 되든 죽이 되든〕 내버려두어라. **~ ... *apart*** ① …을 찢어 발기다, 갈가리 흩뜨리다: A bomb ~*ped* the bus *apart*. 폭탄이 터져 버스가 박살이 났다. ② 〖주로 수동태〗 (슬픔이나 고통으로) …을 괴롭히다. ③ …을 몹시 꾸짖다. **~ *into*** ① …을 맹렬히 공격〔비난〕하다, 몰아세우다. ② (칼 · 탄환 등이) …에 박히다. **~ *off*** 《*vt*. +[부]》 ① 《구어》 …을 훔치다, 빼앗다, (돈 · 재물)을 사취하다: That shop really ~*s* its customers *off*. 저 상점은 정말 부당하게 고객한테서 돈을 후려낸다. ② 《속어》 …을 이용물〔제물〕로 삼다; (아무)를 속이다. **~ ... *to shreds*** …을 갈가리 찢다. **~ *up*** ① …을 갈가리 찢다. ② (조약 따위)를 파기하다, 일방적으로 무시하다.
—*n*. Ⓒ 찢음; (옷의) 터짐, 찢어진 곳; 열상(裂傷).

rip[2] *n*. Ⓒ 《구어》 방탕자, 불량배.

rip[3] *n*. Ⓒ 여울에 이는 물결; 격랑(激浪), 격류(激流), 흐름이 빠른 조류(潮流). ***like*** **~*s*** 《美구어》 격렬하게, 정력적으로.

R.I.P. *Requiesca*(*n*)*t in pace* 《L.》 (=May he 〔she, they〕 rest in peace!): Marilyn Monroe RIP 마릴린 먼로 여기에 잠들다《묘비명》.

ri·par·i·an [ripɛ́əriən, rai-] *a*. **1** 강기슭의, 호숫가의: ~ rights 『법률』 하천 부지 소유자의 권리《어업 · 용수 등으로 강을 이용할 수 있는 권리》. **2** 『생물』 강기슭에 나는〔사는〕: ~ life 수변 생물.

ríp còrd 『항공』 (기구(氣球) · 비행선의) 긴급 가스 방출삭(放出索); (낙하산을) 펼치는 줄.

ríp cùrrent 역조(逆潮), 이안류(離岸流)《바닷가에서 난바다 쪽으로 흐르는 강한 조류》.

⁑**ripe** [raip] *a*. **1** (과일 · 곡물이) **익은**, 여문: ~ fruit 익은 과일/a ~ field 수확을 할 수 있는 밭/Soon ~, soon rotten. 《격언》 빨리 익은 것은 빨리 썩는다, 대기만성.

SYN. **ripe** 이 이상의 성숙은 있을 수 없는 최대 한도를 가리킴. **mature** 일단 익은 것을 표시하며, 정신이나 지력(知力)의 원숙을 나타내는 일이 많음. **mellow** 성숙한 상태의 '원만함, 감미로움'을 나타냄.

2 (술 · 치즈 따위가) 숙성한, 먹게 된: ~ wine 〔cheese〕 숙성한 술〔치즈〕. **3** 원숙한, 숙달된《***in*** …에》; 심신이 성숙한: a ~ scholar 원숙한 학자/a person of ~ years (어린이에 대하여) 성숙〔성장〕한 사람/He is ~ *in* the business. 그 일에 매우 숙달되어 있다. **4** 고령〔노령〕의: die at a ~ age 고령으로 죽다. **5** (기회가) 무르익은《***for*** …하기에》; 막 …하게 되어 있는《***to*** do》: The time is ~ *for* action. 실행할 때가 되었다/an opportunity ~ *to* be seized 놓쳐서는 안 될 절호의 기회. **6** 《美구어》 (말 따위가) 섹스를 강조하는; 천한, 상스러운. **7** 《美구어》 (체취 등이) 역겨운 냄새가 나는. ◇ripen *v*. ㊕ **∠·ly** *ad*. 익어서; 원숙하여; 기회가 무르익어. **∠·ness** *n*. Ⓤ 성숙; 원숙; 기회가 무르익음.

*__rip·en__ [ráipən] *vi*. **1 익다**; 숙성하다: The apples

in the garden have ~*ed*. 정원의 사과가 익었다. **2** 《+전+명》 원숙하다, 기회가 무르익다; 무르익어 …되다《*into* …으로》: Friendship often ~*s into* love. 우정은 흔히 애정으로 발전한다/The time ~*s* good for a reformation. 개혁할 시기가 무르익었다. **—***vt*. 익게 하다, 원숙하게 하다: The sun ~*s* the fruit. 햇볕에 과일이 익는다.

ríp-òff *n*. Ⓒ 《구어》 도둑질(한 물건); 착취, 횡령, 사취.

ri·poste [ripóust] *n*. Ⓒ **1** 【펜싱】 되찌르기. **2** 되받아 넘기는 대꾸, 재치 있는 즉답. **—***vi*. 빨리 되찌르다; 되받아 넘겨 대꾸하다, 재치 있는 즉답을 하다.

rip·per [rípər] *n*. Ⓒ **1** 찢는 사람〔노구〕; 살인광. **2** 내릴톱(ripsaw).

rip·ping [rípiŋ] *a*. 《英》 훌륭한, 멋있는.

rip·ple** [rípəl] *n*. **1** Ⓒ **잔물결**, 파문. **2** Ⓒ (머리털 따위의) 곱슬곱슬함, 웨이브. **3** (*sing*.) 잔물결(같은) 소리; 소곤거림: a ~ *of* laughter 왁자한 웃음소리. **4** Ⓒ 《美》 작은 여울. **5** Ⓤ 리플《초콜릿·딸기잼을 물결 모양으로 넣은 아이스크림》. **—vi*. **1** 잔물결〔파문〕이 일다: The lake ~*d* gently. 호수는 조용히 잔물결이 일고 있었다. **2** (시냇물이) 졸졸 흐르다. **3** 웅성거림〔술렁임〕이 번지다〔퍼지다〕: Anxiety ~d through the crowd. 불안감이 군중 사이에 번졌다. **—***vt*. **1** …에 잔물결〔파문〕을 일으키다: ~ the lake (바람 등이) 호수면에 잔물결을 일으키다. **2** (머리털 등)을 곱슬곱슬하게 하다.

rípple effèct 파급 효과, 연쇄 작용.

rípple màrk 모래 위의 파문〔풍문(風紋)〕.

ríp-ròaring *a*. 《구어》 **1** 떠들썩한, 왁자한, 야단법석의: Have a ~ good time. 마음껏 떠들며 즐기시오. **2** 《英》 훌륭한, 멋진.

ríp·sàw *n*. Ⓒ (세로로 켜는) 내릴톱.

rip·snort·er [rípsnɔ̀ːrtər] *n*. Ⓒ 매우 시끄러운〔난폭한〕 사람; 훌륭한〔재미있는〕 사람〔물건〕; 굉장한〔맹렬한〕 것.

ríp·tìde *n*. Ⓒ **1** 다른 조류와 충돌하여 격랑을 일으키는 조류. **2** 심적 갈등.

Rip van Win·kle [rìpvænwíŋkəl] **1** 립 반 윙클《미국의 작가 W. Irving 작 *The Sketch Book* 중의 한 주인공》. **2** Ⓒ 《비유적》 시대에 뒤떨어진 사람, 잠만 자는 사람.

RISC 【컴퓨터】 reduced instruction set computer (축소 명령 집합 컴퓨터)《명령 세트를 간소화하여 고속 동작을 꾀하려는 컴퓨터 (설계)》.

†rise [raiz] (***rose*** [rouz]; ***ris·en*** [rízən]) *vi*. **1** 《~/+전+명》 (눕거나 앉은 상태에서) **일어서다**, 일어나다《***from*** …에서》: ~ to one's feet 일어서다/~ *from* a chair 의자에서 일어서다/~ *from* table (식사가 끝나고) 테이블을 떠나다.

2 (의회·법정 등이) 폐회하다, 산회하다: The House *rose* at five. 의회는 5시에 폐회하였다.

3 (잠자리에서) **기상하다**, 일어나다: ~ early 일찍 일어나다. ★ arise는 시어·문어, get up은 구어, rise는 그 중간.

4 《~/+전+명》 【신학】 부활하다; 다시 살아나다《***from*** (죽음)에서》: Christ is *risen* (again). 그리스도는 부활한다/~ *from* the dead 다시 살아나다.

5 《~/+부/+전+명》 (연기 따위가) **피어오르다**; (새가) 날아오르다; (막이) 오르다: Smoke *rose up into* the sky. 연기가 하늘로 피어올랐다/The noise made the birds ~. 그 소리에 새들이 날아올랐다/The curtain ~*s* at 6:00 p.m. 개막은 오후 6시이다.

6 《+전+명》 (해·달·별이) 떠오르다(↔ *set*): The sun ~*s in* the east. 해는 동쪽에서 뜬다/The moon is *rising above* the horizen. 달이 지평선 위로 떠오르고 있다.

7 《+전+명》 (토지·길이) 오르막이 되다, 치받이가 되다: The ground gradually ~*s toward* the east. 지면은 동쪽으로 차츰 높아진다.

8 《+전+명》 (지위·신용·중요성·평가 따위가) 오르다; 높아지다; 출세하다, 승진하다《***to*** …에; ***in*** …에서; ***from*** …부터》: ~ *to* a high position 높은 지위에 오르다/~ *to* fame 명성을 얻다/~ *to* power 권력을 쥐다/~ *in* the world 〔*in* life〕 출세하다/~ *from* the ranks 사병에서 (장교로) 승진하다.

9 《~/+전+명》 (물가·수치 따위가) 오르다, 등귀하다《***by*** …만큼》; (수요·흥미가) 늘다, 높아지다; (양·부피가) 증대하다; (실업률이) 증가하다: Stocks ~ in price. 주가가 오른다/Prices have *risen by* 10%. 물가가 10퍼센트 올랐다.

10 《~/+전+명》 (감정이) 격해지다; (소리가) 높아지다; (색〔홍조〕 따위가) 짙어지다《***to*** …까지》; (기운이) 나다: His spirits *rose*. 그는 기운이 났다/Her voice *rose to* a shriek. 그녀의 목소리는 날카로워졌다/He felt a flush *rising to* his cheeks. 그는 두 볼이 붉어지는 것을 느꼈다.

11 《~/+전+명》 (온도가) 상승하다; (열이) 오르다《***to*** …으로》; (긴장 등이) 고조되다: The thermometer has *risen* (*to*) above 30°. 온도계가 30도 이상으로 상승했다/Her temperature is *rising* again. 그녀의 체온이 다시 오르고 있다.

12 (바람이) 세어지다, 일다; (강의) 물이 붇다; (조류가) 밀물이 되다: The river *rose* five feet. 강물이 5피트 불어났다/The tide is *rising*. 조류는 밀물이다.

13 《~/+전+명》 (산·건물 등이) **치솟다**《***to*** …으로; ***above*** …위로; ***from, out of*** …에서》: Mt. Seorak ~*s* high. 설악산이 높이 솟아 있다/The tower ~*s above* the other buildings. 그 탑은 다른 건물 위에 우뚝 솟아 있다.

14 (집이) 서다, 세워지다: The houses *rose* quickly. 집들이 이내 들어섰다/Many houses *rose* in this vicinity. 이 부근에 집이 많이 들어섰다.

15 《+전+명》 봉기하다《***in*** (반항·폭동)으로》; (반란·폭동이) 일어나다, 반역하다《***against*** …에 대항하여》: ~ *in* revolt 〔rebellion〕 폭동이 일어나다/~ *against* a king 국왕에게 반기를 들다.

16 《~/+전+명》 **나타나다**, 떠오르다《***to*** …에》, (수평선 위로) 보이기 시작하다: Whales must ~ periodically. 고래는 일정 시간 수면으로 떠오르지 않으면 안 된다/Land *rose to* view. 육지가 시야에 들어왔다/Tears *rose to* her eyes. 그녀의 눈에 눈물이 고이는 것이 보였다.

17 《+전+명》 (생각·정경 따위가) 떠오르다《***before, in, to*** (마음)에》; (맛·냄새가) 느껴지다: The idea *rose to* mind 〔*in* my mind〕. 그 생각이 마음에 떠올랐다.

18 《+전+명》 (사건 따위가) 생기다; (강 따위의) 근원을 이루다《***from, in, at*** …에서》: The river ~*s from* Lake Paro. 이 강의 수원은 파로호이다.

19 (빵이) 부풀다; (육지가) 융기하다: Yeast makes dough ~. 이스트는 빵반죽을 부풀게 한다.

20 《+전+명》 응하다《***to*** (요구 따위)에》; 대처하다《***to*** (위험 따위)에》: ~ *to* the requirements

요구에 응할 수 있다 / ~ *to* the occasion 〔emergency, crisis〕 난국〔위기〕에 대처하다.
21 《~/+전+명》 (소문이) 퍼지다; (불화 · 오해 등이) 생기다《***from*** …에서》: A rumor *rose* that he was going to resign. 그가 사직하려 한다는 소문이 퍼졌다 / The whole problem *rose from* a misunderstanding. 문제는 모두 오해에서 비롯되었다
~ above ① (높은 산 · 건물이) …위로 치솟다 (⇨*vi.* 13). ② (온도계가) …이상 상승하다(⇨*vi.* 11). ③ (곤란 따위)를 극복〔무시〕하다: *~ above* one's difficulties 곤란을 이겨내다 / He *rose above* all this pettiness. 그는 이런 사소한 것들을 일체 무시했다. ***~ and fall*** (배 따위가) 파도에 오르내리다; 융성 쇠퇴하다; (가슴이) 뛰다. ***~ and shine*** 기상하다; 《보통 명령형으로》 기상. ***~ from the ashes*** 타격을 받고 재기하다, (잿더미에서) 부흥하다. ***~ in arms*** 〔***rebellion***〕 무장 봉기하다. ***~ up*** 《*vi.*+부》 ① 폭동을 일으키다; 봉기하다. ② (감정이) 끓어오르다. ③ (사람이) 나타나다: A holy prophet *rose up*. 성스러운 예언자가 나타났다.
—*n.* **1** Ⓤ **상승**; (해 · 달 · 별의) 떠오름; (막이) 오름: at ~ of sun 〔day〕 해뜰 때에 / at the ~ of the curtain 개막 때에.
2 Ⓒ 상승, 등귀《***in*** (물가 · 수치 · 온도 따위)의》; 《英》 승급(액)(《美》 raise): a ~ *in* pay 〔salary〕 승급 / ask for a ~ 승급을 요구하다 / a slight ~ *in* temperature 약간의 온도 상승.
3 Ⓒ 증가, 증대《***in*** (정도 · 강도)의》; 고조, 격앙 《***in*** (감정 · 음성 따위)의》: a ~ *in* population 인구의 증가 / a steady ~ *in* a river 강 수위의 꾸준한 증가 / There was a ~ *in* the volume of sound. 음량이 올라갔다.
4 Ⓤ (또는 a ~) 진보, 향상; 입신 출세; 융성, 번영《***of*** …의; ***to*** …에의》: one's ~ *to* power 권좌에 오름 / the ~ and fall *of* the Roman Empire 로마 제국의 흥망〔성쇠〕 / the ~ *of* political consciousness among the masses 대중 사이의 정치적 의식의 향상.
5 Ⓒ 높은 지대, 고대(高臺), 언덕; 언덕길: a gentle ~ in the road 완만한 언덕길 / a villa on top of a small ~ 조그만 언덕 꼭대기의 별장.
6 Ⓒ (물고기 따위의) 떠오름: I haven't got a single ~. 지금껏 고기 한 마리 낚아 올리지 못했다.
7 Ⓤ 기원, 발생.
get 〔***have, take***〕 ***a*** 〔***the***〕 ***~ out of*** a person 아무를 약올리다, 아무를 애태워서 바라는 답을 하게 하다; 《구어》 아무를 계획적으로 골나게 하다. ***give ~ to*** …을 일으키다, 생기게 하다, 초래하다: Such words will *give ~ to* suspicion. 그런 말을 하면 의심만 생기게 할거야. ***on the ~*** 올라서; 상승하여〔하는〕: Unemployment is *on the ~*. 실업률이 상승하고 있다. ***take*** 〔***have***〕 ***its ~*** 일어나다, 생기다; (강 따위가) …에서 기원하다: The river *has its ~* among the mountains. 그 강은 산간에서 발원한다.
ris·en [rízən] RISE의 과거분사.
ris·er [ráizər] *n.* Ⓒ **1** 기상자(起床者): an early 〔a late〕 ~ 일찍 일어나는 사람〔늦잠꾸러기〕. **2** 반도(叛徒), 폭도. **3** 『건축』 (층계의) 층뒤판, (계단의) 단 사이의 수직 부분.
ris·i·bil·i·ty [rìzəbíləti] *n.* Ⓤ 잘 웃는 성질, 웃는 버릇.
ris·i·ble [rízəbəl] *a.* 웃을 수 있는; 잘 웃는; 웃기는, 우스운.
ris·ing [ráiziŋ] *a.* **1** (태양 따위가) 떠오르는, 오르는: the ~ sun 떠오르는 태양; 아침해. **2** (가격이) 오르는; 증가〔증대〕하는; 증수(增水)하는: the ~ wind 점점 세어지는 바람 / a ~ market 오름세 시세 / the ~ tide 밀물. **3** 승진〔향상〕하는; 신진〔신흥〕의; 인기가 한창 오르고 있는: a ~ novelist 신진 작가 / a ~ comedian 인기 있는 코미디언. **4** 오르막의; 높아지는: ~ ground 경사지. **—*n.*** **1** Ⓤ (해 · 달 등의) 떠오름, 상승: the ~ of the sun 일출(日出), 해돋이. **2** Ⓒ 오르막길; 언덕. **3** Ⓤ 기립; 기상. **4** Ⓤ 부활, 소생; 출현: ~ again 부활. **5** Ⓒ 봉기, 반란. **—*prep.*** (연령 등이) …에 가까운, 거의 …한, 약: a boy ~ ten 곧 10세가 될 소년.
rísing dámp 상승 수분〔습기〕《땅 속으로부터 건물의 벽에 스며드는 습기》.
rísing vòte 기립(起立) 투표.
⁑**risk** [risk] *n.* **1** Ⓒ (추상적으로는 Ⓤ) **위험**; (손상〔손해〕의) 염려, 우려《***that***》: There is the ~ *of* his catch*ing* cold. 그는 감기 걸릴 염려가 있다 / There was a ~ *that* he would lose the election. 그는 선거에서 패배할 위험이 있었다 / a fire ~ 화재를 일으킬 우려가 있는 위험물.
2 Ⓒ 《보통 수식어를 수반하여》 『보험』 피보험자〔물〕: a good 〔bad〕 ~ (보험 회사 측에서 보아) 위험이 적은〔많은〕 피보험자; 《비유적》 의지할 수 있는〔없는〕 사람.
at all ~s = ***at any*** 〔***whatever***〕 ***~*** 어떤 위험을 무릅쓰고라도. ***at ~*** 《英》 위험한 상태로: put a person *at ~* 아무를 위험한 상태로 드러내 놓다. ***at*** one***'s own ~*** 자기가 책임지고: Cross the road *at your own ~*. 차에 치어도 책임지지 않음《횡단 금지의 완곡한 표현》. ***at the owner's ~*** (상품 발송에서) 손해는 소유자의 부담으로. ***at the ~ of*** ① …의 위험을 무릅쓰고, …을 희생하고: The young man saved the drowning child *at the ~ of* his own life. 그 젊은이는 생명의 위험을 무릅쓰고 물에 빠진 아이를 구했다. ② …은 양해하고: *At the ~ of* seeming rude, I must refuse your offer. 실례인 줄은 압니다만, 당신의 제의를 거절할 수밖에 없습니다. ***run*** 〔***take***〕 ***a ~*** 〔***~s, the ~***〕 (***of…***) (…의) 위험을 무릅쓰다, 모험을 하다: The party *ran* great *~s* (in) climbing the mountain. 일행은 커다란 위험을 무릅쓰고 산에 올랐다.
—*vt.* **1 위험에 내맡기다**, 위태롭게 하다, (목숨 등)을 걸다: ~ one's life 〔fortune〕 목숨〔재산〕을 걸다. **2** 《~+목/+*-ing*》 **위험을 무릅쓰고 …하다**, 감행하다: ~ the jump 큰맘 먹고 뛰어보다 / He *~ed* get*ting* knocked out. 녹아웃당할 위험을 무릅썼다.
risky** [ríski] (risk·i·er; -i·est***) *a.* **1 위험한**; 모험적인: undergo a ~ operation 위험한 수술을 받다. **2** 외설스러운(risqué)《이야기 · 장면 등이》. 파 **rísk·i·ly** *ad.* **-i·ness** *n.*
ri·sot·to [risɔ́ːtou/-sɔ́t-] (*pl.* ***~s***) *n.* 《It.》 Ⓒ (요리는 Ⓤ) 리조토《쌀 · 양파 · 닭고기 따위로 만든 스튜의 일종》.
ris·qué [riskéi] *a.* 《F.》 풍속을 해치는, 외설스러운(off-color).
ris·sole [risóul] *n.* 《F.》 Ⓒ (요리는 Ⓤ) 파이피 속에 고기 · 생선 등의 소를 넣어 튀긴 요리.
rit., ritard. 『음악』 ritardando.
Ri·ta [ríːtə] *n.* 리타《여자 이름》.
ri·tar·dan·do [rìtaːrdáːndou] 《It.》 『음악』 *a.*, *ad.* 점점 느린〔느리게〕. **—**(*pl.* ***~s***) *n.* Ⓒ

(악곡의) 리타르단도의 악절.

◇**rite** [rait] *n.* Ⓒ (흔히 *pl.*) (종교적 형식을 취하는 장엄한) 의례, 의식; 전례(典禮); 관례: ~ of reconciliation 〖가톨릭〗 고해 성사/the burial 〔funeral〕 ~*s* 장례식/the ~ of confirmation 견진 성사(堅振聖事), 안수례(按手禮).

◇**rit·u·al** [rítʃuəl] *a.* (교회 따위의) 의식의, 의식에 쓰이는〔관한〕, 제식의. **—***n.* Ⓒ **1** (집합적으로는 Ⓤ) (종교적) 의식, 예배식; 제식. **2** 의식의 거행; 식전. **3** (일상적으로) 정해진 행사〔관습〕, 관례: His family makes an annual ~ of spending New Year's eve in Hawaii. 그의 가족은 섣달 그믐날을 하와이에서 보내는 것을 연중 행사로 삼고 있다. ㊞ **~·ism** *n.* Ⓤ 의식주의〔편향〕. **~·ist** *n.* Ⓒ 의식주의자〔편중자〕. **~·ly** *ad.*

rit·u·al·is·tic [rìtʃuəlístik] *a.* 의식의; 의식주의의, 의례(고수)주의의.

ritzy [rítsi] (*ritz·i·er; -i·est*) *a.* 《구어》 몹시 사치한, 초고급의, 호화로운.

riv. river.

⁑**ri·val** [ráivəl] *n.* Ⓒ **경쟁자**, 라이벌, 적수, 대항자; 필적할 사람〔것〕, 호적수《*in, for* …의》: a ~ *in* love 연적/They're ~*s for* the job. 그 일에서 그들은 경쟁자이다/The book has no ~ *in* its field. 이 분야에서 그 책에 비견할 만한 책은 없다/without (a) ~ 무적으로《★ 종종 관사 없이》. **—***a.* Ⓐ 경쟁자의, 경쟁〔대항〕하는: ~ lovers 연적/a ~ candidate 경쟁 후보.

— (*-l-,* 《英》 *-ll-*) *vt.* 《~+목/+목+전+명》 …와 **경쟁하다, 맞서다**; …에 필적하다, 뒤지지 않다 《*at, in, for* …에서》: She ~*ed* her mother *in* beauty. 그녀는 어머니 못지않은 미인이었다/I once ~*ed* him *for* the championship. 나는 전에 그와 우승을 겨룬 적이 있다. ㊞ **~·ship** *n.* = RIVALRY.

◇**ri·val·ry** [ráivəlri] *n.* Ⓤ (구체적으로는 Ⓒ) 경쟁, 대항, 맞겨룸《*with* …와의; *between* …사이의》: There's intense ~ *between* them for the post. 그 지위를 두고 그들 사이에는 치열한 경쟁 의식이 있다. ***enter into ~ with*** …와 경쟁을 시작하다. ***friendly ~*** 서로 지지 않도록 격려하면서 하는 경쟁.

rive [raiv] (*rived; riv·en* [rívən], *rived*) *vt.* 〖종종 수동태〗 **1** 찢다, (나무·돌 등)을 쪼개다; 잡아뜯다〔떼다〕 (*away; off*)《*from* …에서》: ~ a branch *off* a wisteria 등나무의 가지를 꺾다/The bark of the trunk *was riven off* 〔*away*〕. 나무 껍질이 벗겨졌다. **2** (마음)을 괴롭히다: Her heart was *riven* by the piteous sight. 그 불쌍한 광경에 그녀의 마음은 찢어지듯 아팠다.

riv·en [rívən] RIVE의 과거분사.

†**riv·er** [rívər] *n.* **1 a** Ⓒ 강《★ river는 바다나 호수에 직접 흘러드는 규모가 큰 것을 이름; stream은 시내, brook는 수원지에서 river에 이르는 개천으로 문어적인 말》: swim in a ~ 강에서 수영하다/go boating on a ~ 강으로 뱃놀이 가다. **b** (R-) 〖고유 명사로 써서〗 …강《★ 어순은 보통 영국에선 the *River* Thames, 미국에서는 the Mississippi *River*》: the Yellow *River* 황하. **2** Ⓒ **a** (물 이외의) 흐름: a ~ of mud 진흙의 흐름. **b** (보통 *pl.*) 다량의 흐름: ~*s of* blood 피바다/~*s of* tears 하염없이 흐르는 눈물.

sell a person ***down the ~*** 《구어》 아무를 배반하다, 저버리다, 혹사〔학대〕하다《★ 노예를 Mississippi강 하류의 농장에 팔아먹은 데서》. ***send*** a person ***up the ~*** 《美속어》 교도소에 처넣다 《★ 죄수를 New York에서 Hudson강을 거슬러 올라가 Sing Sing 교도소로 보낸 데서》.

ríver·bànk *n.* Ⓒ 강기슭, 강둑.

ríver bàsin 하천 유역 (집수 지역).

ríver·bèd *n.* Ⓒ 하상(河床), 강바닥.

ríver·bòat *n.* Ⓒ 강(江)배.

ríver·hèad *n.* Ⓒ 강의 수원(지), 원류.

ríver hòrse 〖동물〗 하마(hippopotamus).

riv·er·ine [rívəràin] *a.* 강의; 강변의, 강기슭의; (동식물 따위가) 강가에서 나는〔사는〕.

◇**ríver·sìde** *n.* (the ~), *a.* Ⓐ 강가(의), 강변(의); (도시의) 하안 (지역): a ~ hotel 강변 호텔.

◇**riv·et** [rívit] *n.* Ⓒ 리벳, 대갈못《주로 금속판의 접속에 쓰임》.

—*vt.* **1** 리벳〔대갈못〕을 박아 붙이다(*together; down*)《*to, on, upon* …에》: ~ two pieces of iron *together* 리벳으로 두 쇳조각을 잇다/~ a metal plate *on* a roof 지붕에 금속판을 붙박다. **2** 〖종종 수동태〗 《비유적》 못박다, 단단히 고정시키다《*in, on, to* …에》; (우정 따위)를 굳게 하다: stand ~*ed to* the spot in terror 무서워서 그 자리에 꼼짝 못하고 서다/It *was ~ed in* my memory. 그것은 내 기억에 깊이 새겨졌다. **3** 〖종종 수동태〗 (시선 등)을 끌다《*with* …으로》; (주의)를 집중하다《*on, upon* …에》: Her eyes *were ~ed on* his face. 그녀의 시선은 그의 얼굴에 못박혀 있었다/He ~*ed* his audience *with* his fiery eloquence. 그는 열변으로 청중을 사로잡았다. ㊞ **~·er** *n.* Ⓒ 리벳공(工); 리벳 박는 기계.

rívet gùn (자동식) 리벳 박는 기계.

rív·et·ing *a.* 《구어》 황홀케 하는, 매혹적인, 재미있는.

Riv·i·era [rìviɛ́ərə] *n.* **1** (보통 the ~) 리비에라《프랑스의 Nice에서 이탈리아의 La Spezia에 이르는 지중해안의 유명한 관광 보양지》. **2** (종종 r-) Ⓒ (리비에라 같은) 해안의 관광 보양지.

riv·u·let [rívjəlit] *n.* Ⓒ 개울, 시내. ⓒⓕ rill, brook[1], stream.

Ri·yadh [riːjáːd] *n.* 리야드《사우디아라비아의 수도》.

ri·yal [rijáːl, -jɔ́ːl] *n.* Ⓒ 리얄《사우디아라비아의 화폐 단위; 기호 R.》.

R.L.S. Robert Louis Stevenson. **R.M.** 《英》 Royal Mail; 《英》 Royal Marines.

Ŕ mònths 'R' 달《달 이름에 r자가 있는 9월에서 4월까지의 8개월; 굴(oyster)의 계절》.

rms. reams; rooms. **R.M.S.** 《英》 Royal Mail Service; Royal Mail Steamer 〔Steamship〕. **Rn** 〖화학〗 radon. **R.N.** 《美》 Registered Nurse; Royal Navy.

RNA [áːrènéi] *n.* Ⓤ 〖생화학〗 리보핵산(ribonucleic acid).

roach[1] [routʃ] (*pl.* *∠·es,* 〖집합적〗 ~) *n.* Ⓒ 잉어과의 물고기.

roach[2] *n.* Ⓒ 《美구어》 =COCKROACH; 《속어》 마리화나 담배 꽁초.

†**road** [roud] *n.* **1** Ⓒ **길, 도로**: a dirt ~ 포장되지 않은 도로/a side ~ 옆길, 샛길/a main ~ 주요 도로/take the wrong ~ 길을 잘못 들다/Don't play in 〔on〕 the ~. 길에서 놀지 마라《★ 「길에(서)」의 전치사는 보통 on을 쓰며, in은 통행에 방해가 된다는 뜻이 포함될 경우에 쓰임》/All ~*s* lead to Rome. 《속담》 모든 길은 로마로 통한다/This ~ is always jammed with cars. 이 길은 항상 차로 붐빈다.

[SYN.] **road** 가장 일반적인 말로서 교통의 수단 및 토목 사업의 대상으로서의 길에 초점이 있음. **street** 시가지에 있는 도로 · 차도 · 인도를 모두 포함하는 일이 많음. 교통수단 외에 사교장, 수목 · 건물을 포함하여 거리의 풍경으로서 본 것. **avenue** 양쪽에 나무를 심은 시가지의 큰 길. street와 같은 뜻으로 쓰이는 일도 있고, 동서로 뻗은 길과 남북으로 뻗은 길을 위의 두 말로 각기 구별하여 쓰기도 함. **way** road에서 토목 사업의 대상이 되는 구축물로서의 길을 제외한, 어느 지점에서 다른 지점으로 이동을 가능하게 하는 길 · 방법을 나타내는 약간 추상적인 개념. **path, lane, trail** 모두 사람을 위한 좁은 길. path, trail은 사람이 다녀 자연적으로 생긴 경우가 많음. trail은 특히 사냥꾼 등이 이용하는 숲 속의 좁은 길. lane은 울타리 · 건물 따위의 사이에 통한 것. **alley** lane에 가까우나 빈민가의 뒷골목을 가리키는 일이 많음.

2 a 〖the R–; 특정 장소로 통하는 길에 쓰여〗 《英》 가도(街道): *the* London *Road* 런던 가도. **b** 〖R–; 도시의 주요 가로명에 쓰여〗 가(街)《생략: Rd.》: Victoria *Road* 빅토리아가 / 11 Homer *Rd*., London 런던시 호머가 11번지.
3 (the ~) (목적한 바로 통하는) 길, 방법, 수단 《*to* …으로의》: the ~ *to* peace 평화로 가는 길 / He opened up new ~*s* in the field of nuclear physics. 그는 핵물리학의 영역에 새로운 길을 열었다 / She is on the (high) ~ *to* success. 그녀는 성공으로 가는 도상에 있다.
4 [C] 《美》 철도.
5 [C] (흔히 *pl.*) 〖해사〗 묘지(錨地), 정박지(地): the outer ~ 외항 / anchor in the ~*s* 정박지에 닻을 내리다.
6 〖형용사적〗 도로(상)의: a ~ accident 도로〔교통〕 사고 / a ~ junction 도로의 합류점 / a ~ sign 도로 표지(판).
burn up the **~** 《美구어》 대단한 속도로 운전하다〔나아가다〕. ***by*** **~** 육로로, 자동차로: The castle is accessible *by* ~. 그 성은 차로 갈 수 있다. ***down the*** **~** ① 이〔그〕 길 저 쪽에: There're shops just *down the* ~. 이 길을 쭉 따라가면 그 쪽에 가게들이 있습니다. ② 언젠가 장래. ***hit the*** **~** 《구어》 여행을 떠나다, 출발하다. ***hog the*** **~** 《구어》 도로의 한가운데를 달리다, (자동차 운전으로) 도로를 독차지하다. ***hold*** 〔***hug***〕 ***the*** **~** (차가) 노면에 잘 붙어서 달리다. ***in the*** 〔***one's***〕 **~** ① 도로상에서. ② 길을 가로막고; 《구어》 방해가 되어: Don't stand *in* my ~. 방해하지 마시오. ***on the*** **~** ① 도로상에(서). ② 도상〔도중〕에 《*to* …의》: He is *on the* ~ *to* recovery. 그는 회복 중에 있다. ③ (세일즈맨 · 극단 등이) 지방을 순회하여: He has always been *on the* ~. 그는 세일즈맨으로서 항상 지방을 순회했다. ④ (차가) 아직 사용되어. ***take*** (***to***) ***the*** **~** ① 여행을 떠나다; (극단 따위가) 지방 순회 공연을 하다. ② 방랑 생활을 시작하다.

[DIAL.] ***Get out of the road.*** 《英비어》 비켜요
One for the road. 한 잔씩 들고 이제 가자.

róad àgent 〖美역사〗 노상강도.
róad·bèd *n*. [C] (보통 *sing.*) 노상(路床)《도로의 기초 토대》; (철도의) 노반(路盤); 노면.
róad·blòck *n*. [C] (도로상의) 방책, 도로 봉쇄; 〖일반적〗 장애(물), 방해(물); (통행 규제 및 검문용) 바리케이드.
róad còmpany 지방 순회 극단.
róad fùnd lìcence 《英》 자동차세 납부 증명서.
róad gàme 원정 경기.
róad hòg 《구어》 (다른 차의 통행을 방해하는) 난폭 운전자.
róad·hòlding *n*. [U] 〖자동차〗 로드 홀딩《고속 주행 · 커브길 · 빗길 · 요철 길 등에서 바퀴가 노면에서 뜨지 않는 성능》; 주행 안전 성능.
róad·hòuse *n*. [C] 교외 간선 도로변의 여관〔술집, 나이트클럽〕.
róad hùmp 《英》 (도로의) 과속 방지턱《sleeping policeman의 정식 명칭》.
road·ie [róudi] *n*. [C] 《구어》 (록 그룹 등의) 지방 공연 매니저.
róad·man [-mən] (*pl*. ***-men*** [–mən]) *n*. [C] 도로 인부.
róad mànager = ROADIE.
róad màp (자동차 여행용) 도로 지도.
róad mènder 도로 수리 인부.
róad mètal 도로 포장용 자갈, (자갈 따위) 포장 재료.
róad ràce (자동차의) 도로 경주.
róad ràcer 도로 경수용 차; 도로 경주 선수.
róad ràcing (특히 자동차의) 도로 경주《도로 또는 도로를 본뜬 코스에서 행함》.
róad ròller 도로를 다지는 롤러.
róad·rùnner *n*. [C] 〖조류〗 두견잇과(科)의 일종 《땅 위를 질주하며 뱀을 잡아먹음; 미국 남서부 · 멕시코산(產)》(= **chaparrál bìrd**).
róad sàfety 교통 안전.
róad sènse 도로 이용 능력, 도로 감각《운전자 · 보행자 · 개 등의 교통사고를 피하는》.
róad shòw (극단 따위의) 지방 흥행; 《美》 (신작(新作) 영화의) 독점 개봉 흥행, 로드쇼.
°**róad·sìde** *n*. (the ~) 길가, 노변: by 〔on, at〕 the ~ 길가에, 노변에, 연도에. **—***a*. [A] 연도〔길가〕의: a ~ inn 길가의 여인숙.
róad·stèad *n*. [C] 〖해사〗 난바다의 정박지, 항구 밖의 투묘소(投錨所).
road·ster [róudstər] *n*. [C] 2 · 3인용의 무개(無蓋) 자동차《1920 – 30년대의》.
róad tàx 《英》 (도로) 통행세.
róad tèst (자동차의) 노상 성능 시험, 시운전; (면허를 위한) 도로 운행 시험. [파] **róad-tèst** *vt*.
°**róad·wày** *n*. (the ~) 도로; 차도(의 한가운데), 노선; (철도의) 선로; (교량의) 차도 부분.
róad·wórk *n*. **1** [U] 로드워크《권투 선수 등이 경기에 대비하여 행하는 장거리 러닝에 의한 컨디션 조절》. **2** (*pl.*) 《英》 도로 공사: *Roadworks* ahead. 《게시》 전방 도로 공사중(★《美》 Construction ahead. 또는 Men at work ahead.)
róad·wòrthy (***-thi·er; -thi·est***) *a*. (차가) 도로에 적합한; (사람이) 여행할 수 있는〔에 견디는〕.
roam** [roum] *vi*. 《~/+[부]/+[전]+[명]》 (어슬렁어슬렁) **거닐다**, 방랑〔배회〕하다(*around*)《about, through*** …을》: ~ *around* 여기저기 돌아다니다 / ~ *about* 〔*through*〕 the forest 숲속을 돌아다니다. **—***vt*. 돌아다니다, 방랑〔배회〕하다: ~ the countryside 시골을 돌아다니다. [파] **∠·er** *n*. [C] 배회자, 방랑자.
róam·ing *n*. 〖통신〗 로밍《계약하지 않은 통신 회사의 통신 서비스도 받을 수 있는 것》.
roan[1] [roun] *a*. [A] 회색 또는 흰 얼룩이 섞인 《밤색 말 따위》. **—***n*. [C] 워라말《따위》.
roan[2] *n*. [U] 부드러운 양피(羊皮)《제본용》.
****roar** [rɔːr] *vi*. **1** (맹수 따위가) **으르렁거리다**, 포

효하다. **2** 《~/+전+명》 **고함치다**, 소리지르다《*at* …에게; *for* …을 달라고》, 대갈하다, 큰 소리로 울부짖다: You need not ~ (*at* me). (나한테) 그렇게 큰 소리로 말하지 않아도 된다 / ~ *for* mercy 살려 달라고 아우성치다. **3** 《~/+전+명》 크게 웃다《*at* …에》: ~ *at* a joke 농담에 왁자그르르 웃다 / ~ with laughter 크게 웃다. **4** (대포·천둥 따위가) 울리다, 울려 퍼지다, 굉음을 내다, (파도 따위가) 노호하다: I heard the waves ~*ing*. 노호하는 파도 소리를 들었다. **5** 《+부/+전+명》 (차·기계 따위가) 큰 소리를 내며 가다(움직이다): The truck ~*ed away* (*down* the road). 트럭은 큰 소리를 내며 사라졌다(길을 달려갔다).

—*vt*. **1** 《~+목/+목+부》 큰 소리로 말(노래)하다, 외치다(*out*): He ~*ed* a welcome. 그는 큰 소리로 어서 오라고 말했다 / ~ *out* a command 큰 소리로 명령하다. **2 a** 《+목+부》 〔~ oneself〕 큰 소리를 질러 (어떤 상태로) 되다: ~ one*self* hoarse 외쳐서 목이 쉬다. **b** 《+목+부》 고함쳐 말을 못 하게 하다(*down*): The crowd ~*ed* the speaker *down*. 군중은 소리 질러 연사가 연설을 못 하게 했다.

—*n*. Ⓒ **1** (맹수 따위의) **으르렁거리는 소리**; (대포·천둥·파도 따위의) 굉음, 포효: the ~*s* of a lion 사자의 포효 / the ~ *of* traffic 왕래하는 차들의 굉음 / the ~ *of* the wind and waves 바람과 파도의 거센 소리. **2 고함소리**, 노호; 폭소: a ~ *of* anger 분노의 고함 / ~*s of* laughter 큰 웃음소리. ***in a*** ~ 왁자그르르 떠들어, 크게 웃어대어, 떠들썩하게: set the table (company, room) *in a* ~ 좌중을 크게 웃기다. 파 ~**·er** [rɔ́ːrər] *n*. Ⓒ 포효(노호)하는 것; 소리지르는 사람.

roar·ing [rɔ́ːriŋ] *n*. **1** (a ~) 포효(노호) 소리. **2** Ⓤ 고함; 시끄러움.

—*a*. Ⓐ **1** 포효(노호)하는; 으르렁거리는; 굉음을 울리는, (불이) 훨훨 타는: a ~ tiger 포효하는 호랑이 / a ~ storm 거칠게 휘몰아치는 폭풍우. **2** 부르대는, 법석떠는; 마시며 떠들어대는. **3** 《구어》 번창한, 크게 번성하는; 활기찬: do (drive) a ~ trade 장사가 크게 번창하다 / in ~ health 기운이 넘치어, 매우 건강하여.

—*ad*. 몹시, 극도로: ~ drunk 몹시 취하여.

róaring fórties (the ~) 풍랑이 심한 해역《대서양의 북위 및 남위 40-50도에 해당하는 폭풍우대》.

Róaring Twénties (the ~) 《美》 광란의 20년대《재즈와 광소(狂騷)의 1920 년대》.

⁑roast [roust] *vt*. **1** 《~+목/+목+보》 (고기)를 **굽다, 불에 찌다**, 익히다, 오븐에 굽다; (콩·커피 열매 따위)를 볶다, 덖다: ~ meat (fish) 고기를(생선을) 굽다 / ~ the beans brown 콩을 누르께하게 볶다. **2** (태양이) 그을리다, 뜨겁게 하다. **3** 《+목+전+명》 (손 따위)를 녹이다; 〔~ oneself〕 (불에) 몸을 녹이다: She ~*ed* her hands (her-self) *over* the fire. 손(몸)을 불에 쬐어 녹였다. **4** 《구어》 조롱하다, 놀리다; 혹평하다. **5** (사람)을 화형시키다. **—***vi*. **1** 구워지다, 볶아지다. **2** (햇볕에) 그을리다; 찌는 듯이 덥다: They lay ~*ing* in the sun. 그들은 드러누워 햇볕에 살갗을 그을렸다 / I'm simply ~*ing*. 지독하게 덥다.

fit to ~ an ox (불이) 맹렬히 타올라서. ***give*** a person ***a*** (***good*** (***real***)) ~***ing*** 아무를 (심하게) 꾸짖다.

—*a*. Ⓐ 구운, 불에 찐, 볶은: ~ beef (pork).

—*n*. **1** Ⓒ (요리는 Ⓤ) **불고기**; Ⓒ (불고기용의) 고기(《英》 joint), 로스트 고기《보통 쇠고기》. **2** (a ~) 굽기; 〖야금〗 배소: Give it a good ~. 그것을 잘 구워라. **3** Ⓒ 《美》 불고기를 먹는 피크닉(파티).

róast beef 로스트 비프《일요일에 즐겨 먹는 영국의 대표적 요리》.

róast·er *n*. Ⓒ **1** 굽는 사람; 굽는 기구, 고기 굽는 냄비(오븐); 커피 볶는 기구. **2** 구이용 고기; 《특히》 로스트용 돼지(새) 새끼.

róast·ing *a*. **1** 타서 눌어붙을 것 같은; 몹시 더운(뜨거운): a ~ day 찌는 듯이 무더운 날 / It's ~ today. 오늘은 찌는 듯이 무덥군. **2** 〔부사적〕 타서 눌어붙을 듯이: a ~ hot day 타는 듯이 더운 날. **—***n*. **1** Ⓤ 불에 굽는 것. **2** (a ~) 《구어》 철저히 깎아 내리기.

Rob [rab/rɔb] *n*. 로브《남자 이름; Robert 의 애칭》.

⁑rob (**-bb-**) *vt*. **1** 《~+목/+목+전+명》 …에서 **훔치다, 강탈**(약탈)**하다**《*of* …을》; …을 습격(강도질)하여 털다: ~ a bank *of* one million dollars 은행에서 100만 달러를 강탈하다 / Some burglars ~*bed* the jewelry store. 몇 명의 강도가 그 보석 가게를 털었다 / I've been ~*bed* (*of* my handbag)! (핸드백을) 강탈당했어요. **2** 《+목+전+명》 …에게 잃게 하다, …에서 빼앗다《*of* (금품 이외의 행복·능력 따위)를》: ~ a person *of* his name 아무에게서 명예를 잃게 하다 / The shock ~*bed* him *of* speech. 쇼크로 그는 말을 못했다.

SYN. **rob** '(폭력·협박 따위로) 아무에게서 물건을 훔치다'의 뜻으로, 강한 말. 구문은 *rob* a person *of* something 으로 함. **steal** '(몰래 아무의) 물건을 훔치다'의 뜻으로 일반적인 말. 구문은 *steal* something *from* a person 으로 함. **deprive** '아무의 권리나 지위 따위와 같은 추상적인 것을 빼앗다'의 뜻으로 그 구문은 *deprive* a person *of* something 으로 함.

—*vi*. 약탈하다, 강도질을 하다(plunder).

DIAL. ***I was robbed!*** 더럽게 당했네《오심·반칙 등의 비열한 수법으로 경기에 졌을 때》.

⁑rob·ber [rábər/rɔ́bər] *n*. Ⓒ (보통 폭력을 쓰는) **도둑, 강도**; 약탈자.

⁑rob·bery [rábəri/rɔ́b-] *n*. Ⓤ (구체적으로는 Ⓒ) **강도** (**행위**), **약탈**; 〖법률〗 강도죄: commit ~ 강도질하다 / armed ~ 무장 강도 / ⇨ DAYLIGHT ROBBERY.

Rob·bie, Rob·by [rábi/rɔ́bi] *n*. 로비《남자 이름; Robert 의 애칭》.

robe** [roub] *n*. Ⓒ **1** (남녀가 같이 쓰는) **길고 품이 넓은 겉옷**; 긴 원피스의 여자 옷; 긴 아동복; =BATHROBE. **2** (흔히 *pl*.) (법관·변호사·성직자의) 관복, 예복, 법복: ⇨ LONG (SHORT) ROBE / judges' ~*s* 재판관의 법복. **3** 《美》 (모피·편물 따위의) 무릎덮개: a lap ~ 무릎가리개《차에 탔을 때 쓰는》. ***follow the ~ 법률가가 되다. ***gentlemen of the ~*** 변호사들, 법관들.

—*vt*. 《+목+전+명》 〔~ oneself〕 입다《*in* …을》《★ 수동태로 쓰면 「입고 있다」의 뜻이 됨》: a pine tree ~*d in* snow 눈으로 덮인 소나무 / She ~*d* her*self in* her evening dress. 그녀는 이브닝 드레스를 입었다 / The professors *were* ~*d in* gowns. 교수들은 가운을 입고 있었다.

Rob·ert [rábərt/rɔ́b-] *n*. 로버트《남자 이름; 애칭 Bert, Berty, Bob, Dob, Rob, Robin》.

Ro·ber·ta [rəbə́ːrtə] *n*. 로버타《여자 이름; 애칭 Bobbie, Bobby》.

Rob·in [rábin/rɔ́b-] *n.* 로빈. **1** 남자 이름(Robert의 애칭). **2** 여자 이름(새 robin에서).

*__rob·in__ *n.* [C] 〖조류〗 울새(= (~) **rédbreast**); 《美》 개똥지빠귀의 일종(★ 1960년부터 영국의 국조(國鳥)로 지정).

Róbin Góod·fellow (영국 전설의) 장난꾸러기 꼬마 요정.

Róbin Hòod [-hùd] **1** 로빈후드(중세 영국 전설에 나오는 의적). **2** [C] 가난한 사람을 위해 행동하는 사람.

Rob·in·son [rábinsən/rɔ́b-] *n.* 로빈슨(남자 이름).

Róbinson Crú·soe [-krú:sou] *n.* **1** 로빈슨 크루소(영국의 작가 Daniel Defoe 작의 표류기; 그 주인공). **2** [C] 혼자 살아가는 사람.

*__ro·bot__ [róubət, -bɑt/róubɔt] *n.* [C] **1** **로봇**, 인조인간; 자동 장치: an industrial ~ 산업용 로봇. **2** 기계적으로 일하는 사람. ㊕ **~·ism** *n.* [U] (감정이 없는) 기계적인 행위·성격.

ro·bót·ics *n.* [U] 로봇 공학(工學).

°__ro·bust__ [roubʌ́st, róubʌst] (**~·er; ~·est**) *a.* **1** (몸 따위가) 튼튼한, 강건한; 강한, 왕성한: a ~ physique [frame] 튼튼한 체격/~ appetite 왕성한 식욕. **2** 힘이 드는(일 따위); 건전[확고]한 (사상 따위); (문장·연설 따위가) 힘찬; (말투·농담 따위가) 거친. **3** (술 따위가) 감칠맛이 있는. ㊕ **~·ly** *ad.* **~·ness** *n.*

roc [rɑk/rɔk] *n.* [C] 아라비아 전설의 큰 괴조(怪鳥). ***a ~'s egg*** 이야기뿐이며 실제로는 없는 것, 믿을 수 없는 것.

†__rock__[1] [rɑk/rɔk] *n.* **1** [U] (낱개는 [C]) **바위**, 암석, 암반(岩盤); 암벽: built on ~ 암반 위에 짓다/a mass of ~ 암괴(岩塊). **2** [C] 《美》 돌, 돌멩이: throw ~s at a person 아무에게 돌을 던지다. **3** [C] (흔히 *pl.*) 암초(暗礁): a sunken ~ 암초/go [run] on the ~s 좌초[난파]하다/run against a ~ 좌초하다; 위험한 일을 당하다. **4** (*sing.*) (견고한) 토대, 지지, 지주; 방호[보호]해 주는 것: The Lord is my ~. 주는 나의 반석이시다. **5** (*pl.*) 《美속어》 돈, 《특히》 달러 지폐. **6** [U] (낱개는 [C]) 《속어》 다이아몬드, 보석. **7** [U] 《英》 단단한 사탕 과자, 얼음사탕. **8** (*pl.*) 《비어》 불알. **9** [U] 《속어》 코카인, 헤로인의 결정(끽연용).
(as) firm [steady, solid] as a ~ 극히 단단한; (사람이) 믿을 수 있는. ***off the ~s*** 《구어》 위험에서 벗어나; 파산[파탄]의 염려 없이. ***on the ~s*** ① 좌초[난파]하여. ② 파멸하여; 진퇴양난으로; 돈에 쪼들려, 파산하여: Their marriage went *on the ~s*. 그들의 결혼 생활은 파탄이 났다. ③ 《구어》 (몇 개의) 얼음 덩어리 위에 부은(위스키 따위): Scotch *on the ~s* 얼음 채운 스카치. ***Rocks ahead!*** 〖해사〗 암초다, 위험하다. ***the Rock of Ages*** 예수; '만세 반석되신 주'(찬송가 제목); 신뢰할 수 있는 것[사람].

‡__rock__[2] *vt.* **1** (지진·폭탄 등이) **흔들어 움직이다**, 진동시키다: The house was *~ed* by an earthquake. 그 집은 지진으로 흔들렸다. **2** ((~+[목]/+[목]+[보]/+[목]+[전]+[명])) (요람에 태워) **흔들다**, 흔들어 …하게 하다: ~ a cradle 요람을 흔들다/~ a baby asleep =~ a baby *to* sleep 갓난애를 흔들어 재우다. **3** (감정적으로) 뒤흔들다: The murder case *~ed* the whole country. 그 살인 사건은 온 나라를 뒤흔들었다.
—*vi.* **1** (앞뒤[좌우]로) **흔들리다**; 진동하다; 흔들[비틀]거리다: The boat *~ed* (to and fro) on the waves. 보트는 물결에 실려 (이리저리) 흔들렸다/walk with a *~ing* gait 비틀거리며 걷다/She felt the house ~. 그녀는 집이 흔들리는 것을 느꼈다. [SYN.] ⇨SHAKE. **2** 로큰롤을 추다[부르다, 연주하다]. **3** ((+[전]+[명])) 동요하다, 감동하다 (**with** (흥분·감격 따위)로): The hall *~ed with* laughter. 홀은 웃음소리로 떠들썩했다.
—*n.* **1** [C] 흔들림; 동요; 한 번 흔듦: give a chair a ~ 의자를 흔들다. **2** [U] =ROCK'N' ROLL; 로큰롤에서 파생된 록 음악.

rock·a·bil·ly [rákəbìli/rɔ́k-] *n.* [U] 로커빌리(열정적인 리듬의 재즈 음악). [◂*rock* and roll +hill*billy* song]

róck and róll =ROCK'N' ROLL.

róck bóttom 맨 밑바닥, 최저: Prices hit [reach] ~. 물가가 바닥 시세로 되었다.

róck-bóttom *a.* [A] 맨 밑바닥의, 최저의: the ~ prices 최저 가격.

róck·bòund *a.* 바위로 둘러싸인; 바위투성이의.

róck càke [bùn] 겉이 딱딱하고 꺼칠한 쿠키.

róck cándy 《美》 **1** 얼음사탕(《英》 sugar candy). **2** 막대 모양의 얼음과자.

róck-clìmbing *n.* [U] 〖등산〗 암벽 등반, 바위타기. ㊕ **róck-clìmber** *n.*

róck crỳstal 〖광물〗 (무색 투명의) 수정.

Rock·e·fel·ler [rákəfèlər/rɔ́k-] *n.* **John Davison ~** 록펠러(미국의 자본가·자선 사업가; 록펠러 재단(the Rockefeller Foundation) 창립자; 1839–1937).

Róckefeller Cénter (the ~) 록펠러 센터(New York시 중심지에 있는 상업·오락 지구).

róck·er *n.* [C] **1** (요람 등을) 흔드는 사람; 흔들리는 것, (흔들의자 따위의 밑에 달린) 호상(弧狀)의 다리; 흔들의자(rocking chair); 흔들목마. **2** 《英》 폭주족(의 젊은이)(1960년대에 가죽 잠바를 입고 바이크로 달리던 십대들). **3** 《구어》 록 연주가, 록 팬, 록 음악. ***off** one's* **~** 《속어》 제정신이 아닌; 어리석은; 미친.

rock·ery [rákəri/rɔ́k-] *n.* =ROCK GARDEN.

*__rock·et__ [rákit/rɔ́k-] *n.* **1** [C] **로켓**; 로켓 무기(미사일 따위); 로켓으로 발사되는 우주선: launch a ~ 로켓을 발사하다/a two-stage ~, 2단식 로켓 우주선. **2** [C] 화전(火箭), 봉화; 쏘아 올리는 불꽃. **3** (a ~) 《英속어》 심한 질책, 호된 꾸중: give a person a ~ 아무를 호되게 꾸짖다/get a ~ 야단 맞다.
—*vt.* **1** ((~+[목]/+[목]+[전]+[명])) 로켓으로 나르다[쏴 올리다](**to, into** …으로): ~ an object *into* space 로켓으로 물체를 우주로 쏴 올리다. **2** ((+[목]+[전]+[명])) 급진시키다(**to, into** (바람직한 상태)로): This *~ed* him *to* a top position. 이로써 그는 단번에 최고 지위에 올랐다. **—***vi.* **1** (말·차 등이) 로켓처럼 질주하다, 급속도로 움직이다[상승하다]: The train *~ed* along. 열차가 질주했다. **2** ((~/+[부]/+[전]+[명])) (가격 등이) 갑작스레 치솟다(*up*); 급진하다(**to** (바람직한 상태)로): Prices have *~ed* this year. 금년에 물가가 급등했다/He *~ed to* fame. 그는 갑자기 유명해졌다.

rock·e·teer [ràkitíər/rɔ̀k-] *n.* [C] 로켓 사수(射手)[조종사, 탑승자]; 로켓 기사[연구가, 설계사].

rócket èngine [mòtor] (초음속 비행기 등의) 로켓 엔진.

rócket-propélled *a.* 로켓 추진식의.

rock·et·ry [rákitri/rɔ́k-] *n.* [U] 로켓 공학[실

험, 사용).

rócket shìp 로켓(추진)선; 로켓포를 장비한 소함정; 로켓식 항공기; (SF 에 나오는) 우주선.

róck fàll *n.* Ⓒ (대규모의) 낙석(落石), 낙반, 떨어진〔떨어지는〕 바위덩이.

róck gàrden 암석 정원; 석가산(石假山)이 있는 정원.

Rock·ies [rάkiz/rɔ́k-] *n. pl.* (the ~) = ROCKY MOUNTAINS.

rócking chàir 흔들의자.

rócking hòrse 흔들 목마.

rócking stòne 흔들리는 바위.

rock'n'roll, rock-'n'roll [rάkənróul/rɔ́k-] *n.* Ⓤ 로큰롤《블루스와 민요조를 가미한 박자가 격렬한 재즈곡; 그 춤》.

róck plànt 〖식물〗 암생(岩生) 식물; 고산 식물.

róck pòol (썰물 뒤에 나타나는) 바위 틈에 고인 물.

róck sàlmon 《英》 해산물 식용어의 총칭.

róck sàlt 암염(岩塩). ⓒⓕ sea salt.

róck wòol 암석 섬유, 암면(岩綿)《광석을 녹여 만든 섬유; 단열 · 보온 · 방음용》.

rocky**[1] [rάki/rɔ́ki] (rock·i·er; -i·est***) *a.* **1 암석이 많은**, 바위로 된: a ~ coast / a ~ road. **2 바위 같은**, 튼튼한. **3** 부동의, 태연한; 완고한, 냉혹한, 무정한: a ~ heart 냉혹〔무정〕한 마음.

rocky[2] (***rock·i·er; -i·est***) *a.* **1** 흔들흔들하는, 불안정한: His business is in (a) ~ condition. 그의 사업은 불안정한 상태에 있다. **2** 《구어》 비슬거리는, 현기증 나는: My legs are still a little ~. 아직도 약간 다리가 후들거린다.

Rócky Móuntains (the ~) 로키 산맥《멕시코 국경에서 캐나다를 거쳐 알래스카 북부에 이르는 북미 서부의 최대 산맥; 최고봉 Mckinley (6194 m)》.

ro·co·co [rəkóukou, ròukəkóu] *n.* (종종 R-) Ⓤ 로코코식《18 세기경 프랑스를 중심으로 유행된 화려한 건축 · 미술 · 음악 등의 양식》. **—***a.* 로코코식의; 장식이 지나친.

rod** *n.* **1** Ⓒ **장대**, (가늘고 긴) 막대; 낚싯대; 요술 지팡이: ⇨CURTAIN 〔FISHING〕 ROD / a ~ and line 낚싯줄이 달린 낚싯대. **2** Ⓒ (가느다란) 작은 가지, 애가지. **3 a** Ⓒ 지팡이. **b** (the ~) 회초리로 때리기, 매질, 징계: give the ~ 매질하다 / Spare the ~ and spoil the child. 《속담》 매를 아끼면 자식을 망친다, 귀한 자식 매로 키워라. **4** Ⓒ 〖기계〗 간(桿); 연접봉(連接棒); 측량간, 가늠자. **5** 권장(權杖), 홀(笏); 권력, 권위, 직권. **6** Ⓒ 로드 (perch[1])《길이의 단위; 5 ¹/₂ 야드, 5.0292미터》; 면적의 단위《30 ¹/₄ 평방야드, 25.29평방미터》. **7** Ⓒ 〖해부〗 시신경의 간상체(桿狀體); 〖생물〗 간상균, 간상 염색체. **8** Ⓒ 《美속어》 권총; 자지 (penis). **9** Ⓒ 피뢰침. ***kiss the ~ 고분고분히 벌을 받다. ***make a ~ for oneself*** 〔***for one's own back***〕 화를 자초하다, 사서 고생하다. ***rule with a ~ of iron*** 압정(壓政)〔학정(虐政)〕을 행하다.

rode [roud] RIDE의 과거.

◇**ro·dent** [róudənt] *n.* Ⓒ 설치류 (동물)《쥐 · 토끼 따위》.

ro·deo [róudiòu, roudéiou] (*pl.* **~s**) *n.* Ⓒ 《美》 **1** (낙인을 찍기 위하여) 목우(牧牛)를 한데 모으기; 그 장소. **2** 로데오《(1) 카우보이의 말타기 따위의 공개 경기 대회. (2) 오토바이 등의 곡예쇼》.

Rodge [radʒ/rɔdʒ] *n.* 로지《남자 이름; Roger 의 애칭》.

Ro·din [roudǽn, -dάːn] *n.* **Auguste ~** 로댕《프랑스의 조각가; 1840 - 1917》.

rod·o·mon·tade [ràdəmantéid, ròu-, -tάːd] *n.* Ⓤ 호언장담, 허풍. **—***a.* 자랑하는, 허풍떠는. **—***vi.* 호언장담하다.

roe[1] [rou] (*pl.* **~s,** 〘집합적〙 ~) *n.* Ⓒ 〖동물〗 노루(~ deer); 암사슴.

roe[2] *n.* Ⓤ (낱개의 덩어리는 Ⓒ) 곤이, 어란(魚卵)(hard ~); 어정(魚精), 이리(soft ~).

róe·bùck (*pl.* **~s,** ~) *n.* Ⓒ 노루의 수컷.

róe dèer 〖동물〗 노루.

Roent·gen [réntgən, -dʒən, rʌ́nt-] *n.* 뢴트겐. **1 Wilhelm Konrad ~** 뢴트겐선(線)을 발견한 독일의 물리학자(1845 - 1923). **2** (r-) Ⓒ 방사선의 세기의 단위《기호 R》. ⓒⓕ X ray. **—***a.* (r-) 뢴트겐의, 엑스선의: a *roentgen* photograph 뢴트겐 사진.

ro·ga·tion [rougéiʃən] *n.* Ⓒ (보통 *pl.*) 〖기독교〗 (예수 승천 축일 전의 3일 간의) 기도, 기원.

Rogátion Dàys 기도 성일《예수 승천 축일 전의 3 일 간》.

Rog·er [rάdʒər/rɔ́dʒər] *n.* 로저. **1** 남자 이름《애칭 Hodge, Rodge》. **2** =JOLLY ROGER.

rog·er[1] [rάdʒər/rɔ́dʒər] *int.* (또는 R-) 〖통신〗 알았다(received (and understood)); 《구어》 좋다, 알겠다(all right, O.K.).

rog·er[2] *vi., vt.* 《英속어 · 비어》 (여자와) 동침〔성교〕하다.

◇**rogue** [roug] *n.* Ⓒ **1** 악한, 불량배, 깡패. **2** 《우스개》 개구쟁이, 장난꾸러기. **—***a.* Ⓐ (동물이) 사나운; 단독으로〔외톨로〕 이탈한.

ro·guery [róugəri] *n.* Ⓤ (구체적으로는 Ⓒ) 못된 짓, 부정; 장난, 짓궂음. ***play ~ upon*** …을 속이다.

rógues' gállery (경찰의) 범인 사진 대장.

ro·guish [róugiʃ] *a.* 깡패의, 건달의; 장난치는, 까부는, 짓궂은. ㊞ **~·ly** *ad.* **~·ness** *n.*

roil [rɔil] 《美》 *vt.* **1** (물 · 와인 등)의 침전물을 휘저어 흐리게 하다. **2** (마음)을 어지럽히다. (사회)를 소란케 하다.

rois·ter [rɔ́istər] *vi.* 으스대다; 술 마시며 떠들다. ㊞ **~·er** [-rər] *n.* **~·ing** [-riŋ] *a.* 으스대는, 술 마시고 떠드는.

ROK the Republic of Korea (대한민국).

Ro·land [róulənd] *n.* 롤런드《남자 이름》.

‡**role, rôle** [roul] *n.* 《F.》 Ⓒ **1** (배우의) **배역**: the leading ~ 주역; 지도적 역할. **2** 역할, 임무: one's ~ as a teacher 교사로서의 임무 / play an important ~ in …에서 중요한 역할을 담당하다 / fill the ~ of …의 임무를 완수하다.

róle mòdel 역할 모델《젊은이들이 본받을 이상적 인물상》.

róle-plàying *n.* Ⓤ 〖심리〗 역할 연기《심리극 따위에서》.

‡**roll** [roul] *vi.* **1** 《~/+副/+前+名》 **a** (공 · 바퀴 따위가) **구르다**, 굴러가다, 회전(回轉)하다: ~ *on* 굴러 가다 / The ball *~ed down* the hill. 공이 언덕을 굴러 내려갔다. **b** (눈물 · 땀방울이) 흘러내리다: Tears *~ed down* her cheeks. 눈물이 그녀의 뺨 위를 흘러내렸다. **c** 주사위를 굴리다〔흔들어 던지다〕.

2 《+副/+前+名》 (차가) 나아가다, 달리다, (차로) 가다: The pioneers *~ed along* in covered wagons. 개척자들은 마차를 타고 나아갔다 / The car *~ed through* the streets. 그 차는 도심을 통과했다.

3 a 《+副/+前+名》 (사람 · 동물이) 옆으로 뒹굴

다, (몸을) 뒤척이다: He ~*ed over in* (the) bed. 그는 침대에서 몸을 뒤척였다/The children ~*ed down* the grassy slope. 아이들은 비탈진 잔디밭을 굴러서 내려갔다. **b** 《~/+뮈》《구어》 우스워서 데굴데굴 구르다(*about*): The comedian kept us ~*ing* with laughter 〔~*ing about* in stitches〕. 그 코미디언은 우리를 우스워서 데굴데굴 구르게 했다. **c** 《+전+명》〖be ~ing 로〗《구어》 (하는 일 없이) 빈둥거리다, 호화롭게 지내다 《**in** …속에(서)》: He's ~*ing in* money. 그는 돈 속에 파묻혀 빈둥거리며 지낸다.

4 《+전+명》 (천체가) 주기적으로 운행하다: The planets ~ *around* the sun. 행성은 태양 주위를 공전한다.

5 《+뮈》 (세월이) 경과하다(*on; away; by*); (다시) 돌아오다, 돌고 돌다(*round; around*): Centuries ~*ed on* 〔*by*〕. 수세기가 흘러갔다/Summer ~*ed round* again. 다시 여름이 돌아왔다.

6 《~/+전+명/+뮈》 (땅이 높고 낮게) **기복하다**; (파도 따위가) 굽이치다, 파동하다; (강물이) 도도히 흐르다; (연기 · 안개 따위가) 끼다, 감돌다: The country went on ~*ing* miles and miles. 그 지방은 몇 마일이나 기복이 계속되어 있었다/The wave ~*ed against* the rock. 파도가 몰려와 바위를 쳤다/The Mississippi ~*s* south to the Gulf of Mexico. 미시시피강은 남쪽을 향해 멕시코만으로 도도히 흘러든다/The mist ~*ed away*. 안개가 걷혔다.

7 《~/+뮈/+전+명》 (배 · 비행기가) 옆질하다, 좌우로 흔들리다(cf. pitch[1]); (사람이) 몸을 흔들며 걷다, 비틀거리다: A boat slowly ~*ed over*. 배가 천천히 옆으로 전복했다/The ship ~*ed in* the waves. 배가 파도에 좌우로 흔들렸다/They ~*ed out of* the bar. 그들은 (술취해) 비틀거리며 바를 나왔다.

8 《+뮈/+전+명》 (침대에(서)) 구르듯이 들어가다, 굴러나오다: I was so tired I just ~*ed into* bed. 너무 지쳐서 침대로 굴러들어갔다/~ *out* (*of* bed) (침대에서) 굴러나오다.

9 (천둥이) **우르르 하다**〔울리다〕, (북이) **둥둥 울리다**: Thunder ~*ed* in the distance. 멀리서 천둥이 우르르 울렸다.

10 (이야기 · 변설 등이) 술술 흘러나오다, 도도히 논하다; (새가) 떨리는 소리로 지저귀다.

11 《~/+뮈》 (종이 · 천 · 실이) 똘똘 뭉쳐 말려들다; (고양이 따위가) 등을 동그랗게 구부리다(*up*): The cat ~*ed* (*up*) into a ball.

12 (금속 · 인쇄잉크 · 가루반죽 등이 롤러에 걸려) 늘어나다〔압연되다〕, 퍼지다: This dough ~*s* well. 이 가루반죽은 잘 퍼진다.

13 (눈이) 희번덕거리다: His eyes ~*ed* with fear. 그는 놀라서 눈을 희번덕거렸다.

14 (기계 · 영화 카메라가) 움직이기〔돌기〕 시작하다: The presses are ~*ing*. 윤전기가 돌고 있다/Let them ~! 카메라 스타트《영화 촬영 때》.

— *vt*. **1** 《~+목/+목+전+명/+목+보》 (공 · 주사위)를 **굴리다**, 회전시키다, 흔들다, 던지다: ~ a ball *along* the floor 공을 마루에 굴리다/The tide ~*s* pebbles smooth.

2 《+목+전+명》 **a** 굴려 가다, 굴려나르다; 굴림대로 옮기다: ~ a barrel *to* a warehouse 창고까지 통을 굴려 나르다/~ a ship *into* water 굴림대로 배를 움직여 물에 띄우다. **b** 굴려서 …되게 하다《**into** …으로》: ~ snow *into* a huge snowball 눈을 굴려서 커다란 눈덩어리를 만들다. **c** 〖~ oneself〗 (몸)을 뒤집다, 뒹굴다: He ~*ed* him*self onto* his stomach 〔front〕. 그는 몸을 뒤집어 엎드렸다.

3 《+목+전+명/+목+뮈》 (파도 · 물)을 힘차게 밀어붙이다《**to, onto** …에》; (안개)를 감돌게 하다; (연기 · 먼지 등)을 휘말아 올리다(*up*): The river ~*s* water *into* the ocean. 강물은 굽이굽이 흘러 바다로 간다/The sea ~*s* its waves *onto* the beach. 바다가 파도를 해안에 밀어붙였다/The chimney were ~*ing up* smoke. 굴뚝은 뭉게뭉게 연기를 뿜고 있었다.

4 a 《~+목/+목+뮈/+목+전+명》 **동그랗게 하다**, 말다(*up*); 말아 올리다〔내리다〕(*up; down*); 말아서 …되게 하다(*up*)《**into** …으로》: ~ *up* one's trousers 바지자락을 말아올리다/~ yarn *into* a ball 실을 둥글게 감다. **b** 《~+목/+목+목/+목+전+명》 말아서 만들다; 말아서 만들어 주다《**for** (아무)에게》: ~ pills 환약을 만들다/Please ~ me a cigarette. =Please ~ a cigarette *for* me. 담배를 말아다오. **c** 《+목+뮈/+목+전+명》 감싸다, 둘러 싸다(*up*)《**in** …에》: ~ oneself (*up*) *in* a sheet 시트로 몸을 감싸다. **d** 《+목+뮈/+목+전+명》〖~ oneself〗 (동물이) 등을 둥그렇게 구부리다(*up*)《**into** …이 되게》: The puppy ~*ed* it*self* (*up*) *into* a ball. 강아지가 등을 둥그렇게 구부렸다.

5 《~+목/+목+뮈/+목+보》 롤러를 굴려 …하게 하다; (밀가루 반죽 따위)를 밀어 늘리다; (금속)을 압연하다(*out*): ~ a tennis court 테니스장을 고르다/~ *out* the pastry 밀가루 반죽을 밀어 늘리다/~ the pastry flat 밀가루 반죽을 판판하게 밀다.

6 (기계 · 카메라 등)을 조작하다, 작동시키다: ~ the camera 카메라를 조작하다.

7 《~+목/+목+뮈》 (북 따위)를 **둥둥 울리다**; 낭랑하게 지껄여대다〔노래하다〕(*out; forth*); (r)을 혀를 꼬부려 발음하다: The organ ~*ed out* 〔*forth*〕 a stately melody. 오르간 연주로 장중한 곡이 울려 퍼졌다.

8 《~+목/+목+뮈/+목+전+명》 (눈알)을 부라리다, 희번덕거리다: ~ *up* one's eyes *on* a person 아무에게 눈을 부라리다.

9 《~+목/+목+뮈》 (배 · 비행기)를 옆질하게〔좌우로 흔들리게〕 하다: The waves ~*ed* the ship *along*. 배가 파도에 좌우로 흔들리면서 나아갔다.

10 《美속어》 (술취한 사람 · 잠든 사람에게서) 돈을 훔치다, 강탈하다.

11 《+목+뮈》 (감은 것)을 펴다, 펼치다(*out*): He ~*ed* the map *out* on the table. 그는 책상 위에 지도를 폈다.

~ and pitch (배가) 전후 좌우로 흔들리다. ***~ back*** 《*vt*.+뮈》 ① (카펫 따위)를 말아서 치우다. ② …을 역전〔격퇴〕시키다. ③ 《美》 (통제하여 물가)를 본래 수준으로 되돌리다. **—** 《*vi*.+뮈》 ④ (파도 · 조수 따위가) 빠지다; 후퇴하다. cf. rollback. ***~ down*** 《*vt*.+뮈》 …을 말아서 내리다; (블라인드)를 핸들을 돌려서 내리다: ~ *down* one's sleeves 말아올린 소매를 내리다/*Roll* the blinds *down*. 블라인드를 내리시오. ***~ed into one*** 하나로 합치다: He's an artist and a scientist ~*ed into one*. 그는 예술가와 과학자를 겸한 인물이다. ***~ in*** 《*vi*.+뮈》 ① 꾸역꾸역 모여들다, 많이 들어오다: Presents are ~*ing in*. 선물이 답지하고 있다. ② 자다, 잠자리에 들다. ③ 《구어》 (집 따위에) 겨우 다다르다. ***~ off*** (윤전기 · 복사기 등으로) …을 복사〔인쇄〕하다. ***~ on*** 《*vi*.+뮈》 ① 계속 굴러가다; 나아가다. ② (세월이) 흘

러가다. ③ 《英》〔명령형; 주어를 문장 끝에 놓고〕 (기다리는 날 등이) 빨리 오너라: *Roll on*(,) spring! 봄이여 빨리 오라. —《*vt*.+副》 ④ (페인트 등)을 롤러로 바르다. ⑤ (말아 둔 스타킹 따위)를 펴면서 신다. ~ ***out*** 《*vi*.+副》 ① 굴러나오다. ② 《美속어》 (침대에서) 일어나다, 기상하다. —《*vt*.+副》 ③ (말려 있는 것)을 굴려서 펴다: ~ screen *out* 영사막을 펴다 / ~ *out* the red carpet for …을 정중히 대접하다. ④ …을 롤러로 평평하게 하다〔펼치다〕. ⑤ …을 굵직한 목소리로 말하다〔노래부르다〕. ⑥ 《구어》 …을 대량생산하다. ~ ***over*** 《*vi*.+副》 ① 자면서 몸을 뒤척이다: She ~*ed over* onto her back. 그녀는 몸을 뒤척여 반듯이 누웠다. ② 옆으로 구르다, 뒤집히다: The ship ~*ed over* and sank. 배가 옆으로 뒤집히면서 침몰했다. —《*vt*.+副》 ③ …을 넘어뜨리다, 쓰러뜨리다. ~ ***up*** 《*vi*.+副》 ① 동그래지다, 감싸이다. ② (연기 따위가) 뭉게뭉게 오르다. ③ (돈 따위가) 모이다: His debts were ~*ing up*. 그의 빚은 자꾸 불어갔다. ④ 《구어》 나타나다, (늦게 〔취하여〕) 오다; 〔명령문으로〕 어서 오시오: *Roll up!* (*Roll up*)*!* 자자 어서 오십시오《서커스 · 노점 따위의 외치는 소리》. —《*vt*.+副》 ⑤ …을 둘둘 말다; 말면서 올리다. ⑥ …을 감싸다, 둘러싸다. ~ ***up*** one's ***sleeves*** ⇨SLEEVE.

—*n*. Ⓒ **1** 회전, 구르기.

2 (배 등의) 옆질(↔ *pitch*); (비행기 · 로켓 등의) 횡전(橫轉).

3 (땅 · 파도 따위의) 기복, 굽이침.

4 (걸을 때의 몸의) 흔들림, 비틀거림.

5 두루마리, 권축(卷軸), 한 통, 롤: a ~ *of* printing paper 〔film〕 인쇄지〔필름〕 한 통.

6 명부; 출석부; 표, 기록(부); 공문서; 사본; 목록: call the ~ 출석을 부르다, 점호하다.

7 구형〔원통형〕의 것; 말아서 만든 것, 말려 있는 것《빵 · 케이크 · 담배 · 실 따위》: a ~ *of* butter 〔cake〕 둥글게 만든 버터〔소용돌이 모양의 케이크〕 / a ~ *of* bread 두루마리빵, 롤빵.

8 (지방 등의) 쌓인 덩이: ~*s of* fat 비곗덩어리.

9 롤러, 땅 고르는 기계; 산륜(散輪).

10 (보통 *sing*.) (천둥 등의) 울림; (북의) 연타; (새의) 떨리는 지저귐; (운문 따위의) 낭랑한 낭독: a distant ~ *of* thunder 멀리서 들려오는 천둥 소리 / a fire ~ 화재를 알리는 북소리.

11 《美구어》 지폐 뭉치.

12 주사위를 흔듦; 주사위를 던져서 나온 수의 합계.

be on the ~***s*** 명부에 있다. ***on a*** ~ 《美구어》 ① (도박에서) 계속 이겨, 승운을 타고: Don't stop me now. I'm *on a* ~. 나 말리지 말게. 계속 끗발이야. ② 행운〔성공〕이 계속되어. ~ ***in the hay*** 성교(하다). ***strike*** a person ***off*** 〔***from***〕 ***the*** ~***s*** 아무를 회원 명부에서 제명하다. ***the*** ~ ***of honor*** 영예의 전사자 명부.

róll·awày *a*. 《美》 (가구 따위가) 바퀴 달린, 롤러를 단. —*n*. Ⓒ 접어서 이동시킬 수 있는 침대《롤러가 달린》(=∠ **bèd**).

róll·bàck *n*. **1** Ⓤ 역전, 되돌림. **2** Ⓒ (물가 · 임금의 이전 수준으로의) 인하; (인원의) 삭감; 격퇴, 반격.

róll bàr 롤바《충돌 · 전복에 대비한, 자동차의 천장 보강용 철봉》.

róll bóok (교사가 지니는) 출석부, 교무 수첩.

róll càll 출석 조사, 점호; 〖군사〗 점호 나팔〔북〕, 점호 시간: the morning 〔tattoo〕 ~ 아침〔저녁〕 점호 / skip (the) ~ 점호를 생략하다.

rólled góld (**plàte**) 금을 얇게 입힌 황동판(黃銅板); 황금제의 얇은 전극판.

rólled óats (맷돌로) 탄 귀리《오트밀용(用)》.

***roll·er** *n*. Ⓒ **1** 롤러, 녹로(轆轤); (지도 등의) 권축(卷軸); 굴림대, 산륜(散輪); 땅 고르는 기계; 밀방망이; 압연기(壓延機); 〖인쇄〗 잉크롤러, (지문 채취용) 롤러. **2** 두루마리 붕대(=∠ **bàndage**). **3** (폭풍우 후의) 큰 놀. **4** 〖조류〗 롤러카나리아.

róller bèaring 〖기계〗 롤러베어링.

róller blìnd 《英》 감아올리는 블라인드.

róller còaster 롤러 코스터(《英》 switchback) 《유원지의 환상(環狀) 선로를 달리는 오락용 활주차》.

róller skàte 롤러스케이트 구두; 롤러스케이트. ㊞ **róller skàter** 롤러스케이트 타는 사람.

róller-skàte *vi*. 롤러스케이트를 타다.

róller-skàting *n*. Ⓤ 롤러스케이트 타기.

róller tòwel 고리 타월《타월 양 끝을 맞꿰매어 롤러에 매단》.

róll film 〖사진〗 두루마리 필름. ㏉ plate.

rol·lick [rálik/rɔ́l-] *vi*. 까불다, 신이 나서 떠들다. —*vt*. 《英속어》 몹시 꾸짖다. ㊞ ~·**ing**[1], ~·**some** *a*. 까부는; 쾌활〔명랑〕한.

róllick·ing[2] *n*. Ⓒ 《英구어》 호된 꾸중: get a ~ (from …) (…에게) 호된 꾸중을 듣다.

roll·ing [róuliŋ] *a*. **1 a** 구르는; 회전하는; (눈알이) 두리번거리는; (세월 등이) 되돌아오는. **b** 휘말아 올라가는; 뒤로 젖혀진, 구부러진: a ~ collar 구부러진 칼라. **2** (배 · 비행기가) 옆질하는; (걸음걸이가) 비틀거리는; (바다가) 놀치는; (토지가) 기복이 있는: a ~ country 기복이 진 땅. **3** Ⓟ 《구어》 돈이 엄청나게 많은. —*n*. Ⓤ **1** 구르기, 굴리기; 회전; 눈을 두리번거림. **2** (배 · 비행기의) 옆질. **3** (땅의) 기복; (파도의) 굽이침; (천둥의) 우르르 울림.

rólling mìll 압연기; 압연 공장.

rólling pìn 밀방망이.

rólling stóck 〔집합적〕 (철도의) 차량《기관차 · 객차 · 화차 따위》; (철도 회사〔《美》 운수업자〕) 소유 차량《트럭 · 견인용 트럭 따위》.

rólling stóne 구르는 돌; 진득하지 못한 사람, 주거를〔직업을〕 자주 바꾸는 사람: A ~ gathers no moss. 《속담》 구르는 돌은 이끼가 끼지 않는다《흔히는 직업 등을 자주 옮기는 것이 나쁘다는 뜻으로 쓰이나, 《美》에서는 종종 활동하는 자는 늘 신선하다는 뜻으로 쓰임》.

roll·mops [róulmàp/-mɔ̀p] *n*. Ⓒ 롤몹《청어를 만 피클스》.

róll-òn *a*. Ⓐ (화장품 · 약품이) 회전 도포식(塗布式) 용기에 든.

róll-òn/róll-òff, róll-òn-róll-òff *a*. (페리 등이) 짐 실은 트럭〔트레일러 등〕을 그대로 승 · 하선시킬 수 있는.

róll·òver *n*. Ⓒ (특히 자동차의) 전복 (사고).

Rolls-Royce [róulzrɔ́is] *n*. 롤스로이스《영국에서 생산되는 고급 승용차; 상표명》.

róll-top désk 접이식의 뚜껑이 달린 책상.

róll-ùp *n*. Ⓒ 《英》 손으로 마는 담배.

ro·ly-po·ly [róulipóuli] *n*. **1** Ⓒ (요리는 Ⓤ) 잼 · 과일 등을 넣은 꽈배기 푸딩(=∠ **pùdding**). **2** Ⓒ 《구어》 토실토실한 사람〔동물〕. —*a*. 토실토실 살찐: a ~ puppy 토실토실한 강아지.

Rom [roum] (*pl*. ~***s, Roma*** [róumə]) *n*. Ⓒ (또는 r-) 집시 남자〔소년〕. ㏉ Romany.

ROM [ram/rɔm] 〖컴퓨터〗 read-only memory (읽기 전용 기억 장치, 롬). **Rom.** Roman;

Romance; Romanic; Romans; Rome. **rom.** 〖인쇄〗 roman (type).

Ro·ma [róumə] *n.* 로마. **1** Rome의 이탈리아 명칭. **2** 여자 이름.

***Ro·man** [róumən] *a.* **1** **로마**(시)**의**; (현대) 로마(사람)의; (고대) 로마(사람)의, 로마식〔풍, 기질〕의: the ~ alphabet 로마자, 라틴 문자 / the ~ school 로마파《16-17세기에 Raphael 등이 주동한》. **2** 로마 가톨릭교의. **3** 〖인쇄〗 (보통 r-) 로마 글자(체)의([cf] italic); 로마 숫자의. **4** 고대 로마 건축 양식의, (아치가) 반원형의. **5** (얼굴에서) 콧마루가 높은.

—(*pl.* **~s**) *n.* **1** [C] **로마 사람**; (고대) 로마 사람; [U] (이탈리아 말의) 로마 방언. **2** (the ~s) 〔단수 취급〕 〖성서〗 로마서《생략: Rom.》. **3** [C] 로마 가톨릭교도; (*pl.*) 고대 로마의 기독교도. **4** (보통 r-) [U] 〖인쇄〗 로마체(의 활자)(~ type) 《생략: rom.》.

ro·man à clef [F. rɔmɑ̃nakle] (*pl.* ***ro·mans à clef*** [rɔmɑ̃za-]) 《F.》 실화 소설, 모델 소설.

Róman álphabet (the ~) 로마자, 라틴 문자.

Róman cándle 꽃불의 일종《긴 통에서 불똥이 튀어나옴》.

Róman Cátholic (로마) 가톨릭교의; 천주교의; (로마) 가톨릭교도: the ~ Church 로마 가톨릭 교회《생략: RCC》.

Róman Cathólicism (로마) 가톨릭교, 천주교; 가톨릭의 교의〔의식, 관습〕.

***ro·mance** [roumǽns, róumæns] *n.* **1** **a** [U] (구체적으로는 [C]) **가공적인 이야기**, 꿈 이야기. **b** [C] (중세의) 기사〔모험〕 이야기《시·산문으로 쓰인》; 전기〔공상, 모험〕 소설. [SYN.] ⇨NOVEL. **2** [C] **연애 이야기**〔사건, 소설〕; 정사(情事): She had a ~ with an actor. 그녀는 배우와 로맨스가 있었다. **3** [U] 로맨틱한 기분〔분위기〕. **4** [U] (R-) = ROMANCE LANGUAGES.

—*a.* (R-) 〖언어〗 로망스어의, 라틴계 언어의.

—*vi.* **1** 《~/+[전]+[명]》 로맨틱하게 말하다〔쓰다, 생각하다〕《***about*** …에 대하여》; 공상에 잠기다: ~ *about* one's youth 자기의 젊은 시절에 관해서 로맨틱한 이야기를 (지어내) 하다. **2** 《+[전]+[명]》 새롱거리다, 로맨틱한 시간을 보내다《***with*** (이성)과》.

Rómance lánguages (the ~) 로망스어《라틴어 계통의 근대어; 프랑스어·이탈리아어·스페인어·루마니아어 따위》.

Róman Émpire (the ~) 로마 제국《기원전 27년 Augustus가 건설; 395년 동서로 분열》.

Ro·man·esque [ròumənésk] *a.* 로마네스크 양식의《중세 초기 유럽에서 유행한 건축상·예술상의 양식》. —*n.* [U] 로마네스크 양식.

ro·man-fleuve [F. rɔmɑ̃flœːv] (*pl.* ***romans-fleuves*** [—]) *n.* 《F.》 [C] 대하(大河) 소설(river novel; 《英》 saga novel).

Róman hóliday 남을 희생시키고 얻는 오락〔이익〕: make a ~ 남의 유흥을 위해 희생되다.

Ro·ma·nia [rouméiniə, njə] *n.* =RUMANIA.

[파] **Ro·má·ni·an** *a.*, *n.*

Ro·man·ize [róumənàiz] *vt.* **1** 로마화하다; (로마) 가톨릭교화하다. **2** (r-) 로마 글자체로 쓰다〔인쇄하다〕, 로마자로 고치다: ~ Korean 한국어를 로마자로 쓰다. [파] **Rò·ma·ni·zá·tion** *n.*

Róman láw 로마법.

róman létter 〖인쇄〗 로마체 (활자).

Róman númerals 로마 숫자《I=1, II=2, V=5, X=10, L=50, C=100, D=500, M=1,000 따위》. [cf] ARABIC NUMERALS.

***ro·man·tic** [roumǽntik] *a.* **1** **공상〔모험〕적인**, 소설 같은, **로맨틱한**; 신비적인, 괴기적인: a ~ tale 〔scene〕 로맨틱한 이야기〔장면〕 / He lived a ~ life. 그는 파란만장한 삶을 살았다. **2** **a** (계획·생각 등이) 엉뚱한; 비현실적인, 실행키 어려운: ~ notions 비현실적인 생각. **b** 공상에 잠기는: a ~ girl 꿈꾸는 소녀. **c** (이야기 등이) 가공의, 허구의. **3** 열렬한 연애의, 정사적인: ~ relationship 연애 관계, 정사. **4** (종종 R-) 〖문학·예술〗 낭만주의(파)의: ~ poets 낭만주의 시인 / the ~ school 낭만파. ◇ romanticism.

—*n.* [C] **1** 로맨틱한 사람. **2** (종종 R-) 낭만주의 작가〔시인, 작곡가〕.

[파] **-ti·cal·ly** [-kəli] *ad.* 낭만적〔공상적〕으로.

ro·man·ti·cism [roumǽntəsìzəm] *n.* [U] **1** 로맨틱함, 공상적인 경향. **2** (종종 R-) 〖문학·예술〗 로맨티시즘, 낭만주의《18세기 말에서 19세기 초두에 걸쳐 일어난 사조》. [cf] classicism.

ro·mán·ti·cist *n.* [C] **1** 로맨티시스트, 로맨틱한 사람. **2** (종종 R-) 낭만주의자.

ro·man·ti·cize [roumǽntəsàiz] *vt.*, *vi.* 로맨틱하게 하다〔다루다〕; 낭만적으로 묘사하다.

Rom·a·ny [rámәni, róum-/rɔ́m-] (*pl.* ***Rom·a·nies***) *n.* [C] 집시(gypsy); [U] 집시 말.

Rom. Cath. (Ch.) Roman Catholic (Church).

Rome** [roum] *n.* **1** **로마**《이탈리아의 수도》. **2** (고대의) 로마 제국〔시〕; 고대 로마: All roads lead to ~. 《속담》 모든 길은 로마로 통한다《목적 달성의 방법은 여러 가지가 있다》/ Do in ~ as the Romans do. =When (you are) in ~, do as the Romans do. 《속담》 로마에서는 로마인이 하는 대로 해라《입향순속(入鄕循俗)》/ ~ was not built in a day. 《속담》 로마는 하루 아침에 이루어진 것이 아니다《큰일은 일조일석에 되지 않는다》. **3** (로마) 가톨릭 교회. ***fiddle while ~ is burning 큰일을 제쳐놓고 안일에 빠지다《Nero의 고사(古事)에서》. ***go over to ~*** 가톨릭으로 개종하다.

Ro·meo [róumiòu] *n.* **1** Shakespeare의 비극 *Romeo and Juliet*의 주인공. **2** (*pl.* **~s**) [C] 사랑에 빠진 남자; 애인(lover)《남자》.

Rom·ish [róumiʃ] *a.* 《경멸적》 (로마) 가톨릭교의.

°**romp** [ramp/rɔmp] *n.* [C] **1** 떠들며 뛰어놀기, 소란스런 장난. **2** 장난꾸러기, 《특히》 말괄량이. **3** 낙승: in a ~ 쉽게《이기다》.

—*vi.* **1** (아이들이) 떠들썩하게 뛰놀다, 장난치며 돌아다니다(*about; around*): Don't let the children ~ *about* in the house. 집 안에서 아이들이 뛰놀지 못하게 해라. **2** 《구어》 쉽게 성공하다, 낙승(樂勝)하다《***along, past, through*** …에》: He *~ed through* the entrance exams. 그는 입학 시험에 무난히 합격했다. ***~ home*** 〔***in, away***〕 (*vi.* +[부]) 《구어》 (큰 차이로) 낙승하다.

rómp·er *n.* **1** [C] 뛰어돌아다니는 사람. **2** (*pl.*) 롬퍼스《아이들의 내리닫이 놀이옷; 여자용 체육복》.

Rom·u·lus [rámjələs/rɔ́m-] *n.* 〖로마신화〗 로물루스《로마의 건설자로 초대 왕; 그 쌍둥이 형제인 Remus와 함께 늑대에게 양육되었다 함》.

RÓM·wàre, róm·wàre *n.* [U] 〖컴퓨터〗 ROM용 소프트웨어.

Ron [ran/rɔn] *n.* 론《남자 이름; Ronald의 애칭》.

Ron·ald [rάnəld/rɔ́n-] *n.* 로널드《남자 이름; 애칭 Ron, Ronnie, Ronny》.

ron·deau [rάndou/rɔ́n-] (*pl.* **-deaus, -deaux** [-dou(z)]) *n.* Ⓒ 〖운율〗 론도체(의 시)《10행〔13행〕 시; 두 개의 운(韻)을 가지며 시의 첫말 또는 구가 두 번 후렴(refrain)으로 쓰임》.

ron·do [rάndou/rɔ́n-] (*pl.* **~s**) *n.* 《It.》 Ⓒ 〖음악〗 론도, 회선곡(回旋曲)《주제가 여러 번 반복되는 형식》.

Ron·nie, Ron·ny [rάni/rɔ́ni] *n.* 로니《(1) 남자 이름; Ronald의 애칭. (2) 여자 이름》.

Rönt·gen, etc. [réntgən, -dʒən, rʌ́ntgən] = ROENTGEN, etc.

rood [ruːd] *n.* Ⓒ **1** 예수 수난의 십자가; 십자가 위의 예수상(像)《보통 교회의 rood screen에 설치된》. **2** 《英》 루드《길이의 단위; $5^1/_2$–8yard; 때로 1rod; 토지 면적의 단위: 1 acre의 $^1/_4$, 약 1,011.7m^2, 약 300평》.

róod scrèen (교회의) 강단 후면의 칸막이.

‡**roof** [ruːf, ruf] (*pl.* **~s** [-s]) *n.* Ⓒ **1 지붕**; 옥상; 지붕 모양의 것: a bird's nest on the ~ 지붕 위의 새집 / a thatched ~ 초가 지붕 / Our house has a tile 〔slate〕 ~. 우리 집은 기와〔슬레이트〕 지붕이다. **2** (자동차의) 지붕; (동굴 따위의) 천장; 입천장: the ~ of a cave 〔bus〕 동굴〔버스〕의 천장 / the ~ of the mouth 입천장, 구개(口蓋). **3** 정상, 꼭대기, 최고부: the ~ *of* the world 세계의 지붕《Pamir 고원(高原)》/ the ~ *of* heaven 천공(天空).

be* (*left*) *without a* ~ = *have no* ~ *over* one's *head 거처할 집이 없다. ***hit* 〔*go through*〕 *the* ~** 《구어》 = hit the CEILING. ***leave the parental* ~** 부모 슬하를 떠나다. ***raise* 〔*lift*〕 *the* ~** 《구어》 큰 소동을 일으키다; 고래고래 야단치다. ***under*** a person's **~** 아무의 집에 묵어, 아무의 신세를 지고: I remained *under* their hospitable ~ for a week. 그들의 호의를 받아들여 일주일 동안이나 그 집에 머물었다. ***under the same* ~** 같은 지붕 밑에, 같은 집에. ***You'll bring the ~ down!*** 《구어》 목소리가 높다, 시끄럽구나.

—*vt.* 《~+목/+목+부/+목+전+명》 …에 지붕을 달다, (지붕)을 이다《***with*** …으로》; (빈 터)에 지붕처럼 덮다(*in; over*): ~ a house (*over*) *with* tiles 기와로 지붕을 이다 / ~ *over* 〔*in*〕 the front yard to make a garage 차고를 만들기 위해 앞마당에 지붕을 만들어 덮다 / The parking lot is ~*ed over*. 그 주차장에는 지붕이 있다.

㊕ **~·age** [-idʒ] *n.* = ROOFING. **~·er** *n.* Ⓒ 기와장이.

róof gàrden 옥상 정원; 《美》 옥상 레스토랑.

róof·ing *n.* Ⓤ 지붕 이기; 지붕 이는 재료.

róof·less *a.* **1** 지붕이 없는. **2** 집 없는《떠돌이 등》.

róof ràck 《英》 자동차 지붕 위의 짐 싣는 곳.

róof·tòp *n.* Ⓒ 지붕, 옥상. ***shout ... from the ~s*** 세간에 말을 퍼뜨리다.

róof·trèe *n.* Ⓒ 〖건축〗 마룻대; 지붕; 주거: under one's ~ 자택에서.

◇**rook**[1] [ruk] *n.* Ⓒ **1** 〖조류〗 떼까마귀《유럽산》. **2** 사기꾼; (카드놀이 따위의 도박에서) 속이는 사람. **—***vt.* (카드놀이 따위의 도박이나 부당한 대금을 청구하여) 야바위치다, 속이다; (아무)를 속여서 금품을 후리다.

rook[2] *n.* Ⓒ 〖체스〗 성장(城將)(castle)《장기의 차(車)에 해당; 생략: R》.

rook·ery [rúkəri] *n.* Ⓒ **1** 떼까마귀의 군생지(群生地)〔집단 번식지〕. **2** 바다표범 · 펭귄 따위의 집단 번식지.

rook·ie, rook·ey [rúki] *n.* Ⓒ 《美구어》 신병; 신참자, 신출내기; 〖야구〗 (프로 스포츠의) 신인 선수: ~ of the year (프로 야구 등의) 신인왕. [◂ *recruit*]

†**room** [ruːm, rum] 《[ruːm]이 더 우세하며, 특히 미국에 많음》 *n.* **1** Ⓒ **a 방**《호텔 따위의; 생략: rm.》: a furnished ~ 가구가 비치된 방 / reserve a single 〔double〕 ~ with a bath 목욕실이 딸린 싱글〔더블〕룸을 예약하다. **b** 〔종종 복합어〕 …실〔방〕: ⇨ BATHROOM, DINING ROOM, LIVING ROOM. **2** (*pl.*) (침실 · 거실 · 응접실 따위) 하나로 갖추어져 있는 방; 하숙방, 셋방; 아파트: take ~*s* 하숙하다 / *Rooms* 방 세놓습니다《광고》. **3** (보통 the ~) 방 안의 사람들, 한 자리에 모인 사람들: approved by the whole ~ 방 안에 있는 전원에 승인되어 / set the whole ~ laughing 한 자리에 모인 사람들을 웃기다. **4** Ⓤ (사람 · 물건이 차지하거나 비어 있는) **장소, 공간**《***for*** …을 위한 / ***to*** do》: a garage with ~ *for* three cars 차 세 대분의 공간이 있는 차고 / Do you have ~ for her in your car? —Sure, no problem. 당신 차에 그녀가 탈 자리가 있습니까—아무렴, 있고 말고요 / There is no ~ *for* us *to* sleep. 우리가 잘 장소도 없다 / The children need more ~ *to* play. 그 아이들은 놀이 공간이 더 필요하다. **5** Ⓤ 여지, 기회《***for*** …의 / ***to*** do》: Is there any ~ *for* doubt? 조금이라도 의심할〔의〕 여지가 있나 / There's still ~ *for* 〔*to*〕 hope. 아직 희망은 남아 있다.

give* ~** 물러서다; 물러나서 기회를 주다《to*** (아무)에게》. ***leave* ~ *for*** …의 여지를 남겨 두다. ***make* ~ *for*** …을 위하여 장소〔통로〕를 비우다, 자리를 양보하다: *make* ~ *for* an old man 〔a younger generation〕 노인에게 자리를 양보하다〔젊은이에게 길을 양보하다〕 / Can you make ~ for me? —Sure. (제가 앉도록) 자리를 좁혀 주시겠습니까—그러고 말고요. **~ *and board*** 식사를 제공하는 하숙방. **~ (*and*) *to spare*** 《구어》 충분한 여지〔장소〕. ***take up* ~** 장소를 잡다〔차지하다〕.

—*vi.* 《~/+부/+전+명》 묵다; 동숙〔합숙〕하다; 《美》 하숙하다(*together*)《***with*** (아무)와; ***in, at*** (장소)에》: They ~ *together*. 그들은 동거한다 / He is ~*ing with* my friend Smith. 그는 내 친구 스미스와 합숙하고 있다 / We ~ *in* the same dormitory. 우리는 같은 기숙사에 기거한다.

roomed *a.* 〔수사와 합성어로〕 방이 …개 있는: a three-~ house 방 3개짜리 집. ★ 미국에서는 a three-*room* house의 형식이 보통임.

róom·er *n.* Ⓒ 《美》 세든 사람; (특히 식사 제공을 않는) 하숙인.

room·ette [ru(ː)mét] *n.* Ⓒ 〖美철도〗 (침대차의) 작은 독실《침대 · 세면소가 달린》.

room·ful [rú(ː)mful] *n.* Ⓒ 한 방 가득(한 사람 · 물건); 만장(滿場)의 사람들: a ~ *of* furniture 방 하나 가득한 가구.

room·ie [rú(ː)miː] *n.* 《美구어》 = ROOMMATE.

róoming hòuse 하숙집(lodging house)《취사 설비는 없고 외식하는》.

róom·màte *n.* Ⓒ 동숙인(同宿人), 한방을 쓰는 사람(cohabitee).

róom nùmber (호텔 등의) 객실 번호.

róom sèrvice 1 룸 서비스《(호텔 등에서) 객실에 식사 따위를 운반하는 일》. **2** 〔집합적; 단 ·

복수취급》 그 담당자〔부서〕.

◇**roomy**[1] [rú(ː)mi] (***room·i·er; -i·est***) *a.* (집이) 칸수(數)가 많은; 널찍한, 여유가 있는《차 내부 따위》: a ~ cabin 널찍한 선실. [파] **róom·i·ly** *ad.* **-i·ness** *n.*

roomy[2] *n.* 《美구어》 =ROOMMATE.

roor·back, -bach [rúərbæ̀k] *n.* [C] 《美》 중상적 데마고기《선거 전(前)에 정적에게 퍼붓는》.

Roo·se·velt [róuzəvèlt, róuzvəlt] *n.* 루스벨트. **1 Franklin Delano** ~ 미국의 제32대 대통령(1882–1945)《Theodore의 조카》. **2 Theodore** ~ 미국의 제26대 대통령(1858–1919).

◇**roost** [ruːst] *n.* [C] **1** (새·닭이) 앉는 나무, 홰; 보금자리; 닭장(안의 홰). **2** (사람의) 휴식처; 침소; 임시 숙소. ***come home to*** ~ 원래의 자리에 되돌아오다; 자업자득이 되다: Curses(, like chickens,) *come home to* ~. 《속담》 누워서 침 뱉기. ***go to*** ~ 보금자리〔잠자리〕에 들다. ***rule the*** ~ 지배하다, (가정 따위를) 좌지우지하다.
—*vi.* **1** (홰에) 앉다, 보금자리에 들다; 자리에 앉다. **2** 잠자리에 들다; 숙박하다.

◇**róost·er** *n.* [C] 《美》 수탉(cock[1]).

⁑**root**[1] [ruːt, rut] *n.* **1** [C] **a** (흔히 *pl.*) (식물의) **뿌리**, 지하경(地下莖), 근경(根莖); (*pl.*) 《英》 근채류(根菜類). **b** 밑동; (이·혀·날개·손톱·손가락 따위의) 밑뿌리; 〖기계〗 (나사의) 홈: the ~ of tooth 이촉.
2 [C] (보통 the ~(*s*)) **a 근원**, 원인: The love of money is the ~ *of* all evil. 돈(에 대한 욕심)은 모든 악의 근원이다. [SYN.] ⇨ORIGIN. **b** 근본, 기초; 핵심; 기반: the ~ *of* the matter 사물의 본질, 근본, 가장 긴요한 것.
3 a (*pl.*) (정신적인) 고향; (민족적·문화적·사회적) 기원; (사람들·토지 등의) 깊은 결합: search for one's ~*s* 자신의 뿌리를 찾다. **b** [C] 조상, 시조.
4 [C] 〖수학〗 근(根)《기호: √》《[cf.] square 〔cube〕 ~》: Two is the square ~ *of* four 〔the cube ~ *of* eight〕. 2는 4의 제곱근〔8의 세제곱근〕이다.
5 [C] 〖언어〗 어근, 어원《어휘의 기본을 이루고 있어서 더 이상 분석할 수 없는 궁극적 요소》.
6 [C] 〖문법〗 기본형, 원형《접두사나 접미사를 포함하지 않은 동사의 기본형》.
7 [C] 〖음악〗 (화음의) 바탕음.
by the ~(***s***) ① 뿌리째: pull up a plant *by the* ~*s* 식물을 뿌리째 뽑다. ② 근본적으로, 철저히: That bad practice should be torn out *by the* ~(*s*). 저런 악습은 철저히 근절해야 한다. ***go to*** 〔***get at***〕 ***the*** ~ ***of*** …의 근본을 캐내다, 진상을 밝히다. ***lie at the*** ~ ***of*** …의 근본을 이루다, …의 원천이다. ***pull up*** one***'s*** ~***s*** 고향을 버리다, 정주지를 떠나 새 곳으로 옮기다. ***put down*** ~***s*** 뿌리를 내리다, 자리를 잡다. ~ ***and branch*** 완전히, 철저하게, 근본적으로: These evil practices must be destroyed ~ *and branch*. 이런 악습은 철저히 근절되어야 한다. ***take*** 〔***strike***〕 ~ 뿌리를 빋다; 정착하다. ***to the*** ~(***s***) 충분히, 철저하게, 근본적으로.
—*a.* [A] **1** 근(根)의, 근본적인: a ~ fallacy 근본적인 오류. **2** 〖언어〗 어근(語根)의.
—*vi.* 뿌리박다; 정착하다: Some cuttings ~ easily. 어떤 꺾꽂이는 쉽게 뿌리를 박는다.
—*vt.* **1** 《~+[목]/+[목]+[전]+[명]》 **뿌리박게 하다**; 정착〔고착〕시키다; (공포 등이) (사람)을 꼼짝 못하게 하다, 못박히게 하다《***in, to*** …에》: ~ the seeds *in* a hotbed 온상에서 씨가 뿌리를 내리게 하다/The desire to reproduce is deeply ~ *in* human nature. 생식 본능은 인간성에 깊이 뿌리박고 있다/Terror ~*ed* me *to* the spot. 너무나 무서워서 나는 그 자리에서 꼼짝하지 못했다. **2** 《+[목]+[부]/+[목]+[전]+[명]》 **뿌리째 뽑다**; 근절하다(*up; out*): ~ *out* evils 나쁜 폐단을 근절하다/~ imperialism *out of* the country 제국주의를 나라 안에서 일소하다.

root[2] *vi.* **1** (돼지 등이) 주둥이로 땅을 헤집다; 헤적이다《***for*** …을 찾으려고》: Pigs ~*ed for* food. **2** 뒤지다, 탐색하다(*about; around*)《***in, among, through*** …속을; ***for*** …을 찾으려고》: He ~*ed about in* a drawer *for* the paper. 그는 그 서류를 찾기 위해 서랍을 뒤적였다. **—***vt.* **1** (돼지가) 코로 파다, 파헤집다(*up; out*): The pigs have ~*ed up* the garden. 돼지들이 주둥이로 정원(의 흙)을 파헤집었다. **2** 여기저기 헤치며 찾다; (아무)에게 찾아주다(*out*): ~ *out* something to eat 뭔가 먹을 것을 찾다/I'll ~ you *out* something to wear. 뭔가 입을 것을 찾아주마.

root[3] *vi.* 《美구어》 (요란하게) 응원하다, 성원하다《***for*** (팀)을》: The students were ~*ing for* their team. 학생들은 자기 팀을 응원했다.

root·age [rúːtidʒ, rút-] *n.* [U] **1** 뿌리박음. **2** (전체의) 뿌리.

róot bèer 《美》 루트비어《사르사 뿌리·사사프라스 뿌리 따위로 만드는 청량음료; 알코올 성분이 거의 없음》.

róot cròp 뿌리 채소 작물《감자·순무 등》.

róot dirèctory 〖컴퓨터〗 루트 디렉토리《DOS나 UNIX 등의 계층화된 파일 체계에서 그 기점이 되는 최상위의 자료방(directory)》.

róot·ed [-id] *a.* **1** (식물이) 뿌리가 있는. **2** (사상·습관 등이) 뿌리 깊은; 정착한《***in*** …에》: a ~ opinion 확고한 의견.

róot·er[1] *n.* [C] 코로 땅 파는 동물《돼지 따위》; (도로를) 파헤치는 토목 기계.

róot·er[2] *n.* [C] 《美구어》 (열광적인) 응원자.

róot hàir 〖식물〗 뿌리털, 근모(根毛).

roo·tle [rúːtl] *vt., vi.* 《英》 =ROOT[2].

róot·less *a.* **1** 뿌리가 없는. **2** 불안정한; 사회적 발판이 없는; 환경과 조화되지 않는. [파] ~**·ly** *ad.* ~**·ness** *n.*

root·let [rúːtlit, rút-] *n.* [C] 〖식물〗 가는〔연한〕 뿌리, 지근(支根).

róot·stòck *n.* [C] **1** 〖식물〗 근경(根莖), 뿌리 줄기. **2** 근원, 기원.

rooty [rúːti, rúti] (***root·i·er; -i·est***) *a.* 뿌리가 많은, 뿌리 모양의, 뿌리 같은.

⁑**rope** [roup] *n.* **1** [U] (낱개는 [C]) **새끼**, **(밧)줄**, 끈, 로프《★ 가는 순서대로 thread, string, cord, rope, cable》: (a) climbing ~ 등산용 밧줄〔자일〕/jump 〔skip〕 ~ 《美》 줄넘기를 하다/tie a person with (a) ~ 아무를 밧줄로 묶다. **2** [C] 《美》 올가미 밧줄(lasso); 줄타기 밧줄; (*pl.*) (권투장이 링에 둘러치는) 로프. **3** (the ~) 목매는 밧줄; 교수형. **4** [C] **한 꿰미**, 한 두름: a ~ *of* pearls 진주 한 꿰미. **5** (the ~s) 비결, 요령: know 〔learn〕 the ~*s* 요령을 잘 알고 있다〔배우다〕.
a ~ ***of sand*** 믿을 수 없는 결합〔지지〕. ***be at*** 〔***come to***〕 ***the end of*** one***'s*** ~ 백계무책이다, 진퇴유곡에 빠지다. ***give*** a person ***enough*** 〔***plenty of***〕 ~ (***to hang*** him***self***) (지나쳐 실패할 것을 기대하고) 아무에게 하고 싶은 대로 하게 내버려 두다. ***on the high*** ~***s*** 득의양양하여; 거만하여; 성내어. ***on the*** ~ (등산가가) 밧줄로 몸

을 서로 이어 매고. **on the ~s** ① 〖권투〗 로프에 기대어. ② 《구어》 매우 곤란하게 되어, 궁지에 몰려: have a person *on the ~s* 아무를 매우 곤란하게 하다, 궁지에 몰아넣다.

—*vt*. **1** 《~+[목]/+[목]+[부]/+[목]+[전]+[명]》 **새끼로 묶다**, 밧줄로 묶다〔매다〕(*up; together*)《*to* …에》: ~ *up* a chest 상자를 밧줄로 묶다/~ a cow *to* a tree 소를 나무에 매다. **2** 《+[목]+[부]》 밧줄을 둘러치다, 새끼줄을 치다(*in; off*): ~ *in* a plot of ground 지면의 한 구획에 새끼줄을 치다/The police ~*d off* the entrance to the building. 경찰은 건물 입구에 (출입 금지의) 밧줄을 쳤다. **3** 《美》 (소·말)을 올가미를 던져 잡다; 밧줄로 끌어당기다.

—*vi*. 《+[부]/+[전]+[명]》 (로프를 써서) 등산하다, 로프를 잡고 움직이다(*up; down*): ~ *up* 〔*down*〕 (a cliff) (절벽을) 자일로 올라〔내려〕가다.

~ in 《*vt*.+[부]》 ① (장소)를 밧줄로 둘러치다(⇨ *vt*. 2). ② 《구어》 …을 (동아리에) 꾀어들이다: They ~*d* me *in* to help with the cooking. 그들은 나를 꾀어 요리를 돕게 했다. **~ a person into** 《구어》 꾀어서 …시키다: I was ~*d into* doing the washing-up. 꾀임에 빠져 접시닦이를 했다.

rópe brìdge 로프로 엮어 매단 다리.

rópe·dàncer *n*. [C] 줄타기 광대.

rópe·dàncing *n*. [U] 줄타기《곡예》.

rópe làdder 줄사닥다리.

rópe·wàlk *n*. [C] 새끼〔밧줄〕 공장.

rópe·wàlker *n*. [C] 줄타기 광대.

rópe·wàlking *n*. [U] 줄타기 (곡예).

rópe·wày *n*. [C] (화물 운송용의) 삭도(索道); 로프웨이, 공중 케이블.

rópe yàrd 새끼〔밧줄〕 제조장(rope walk).

ropy [róupi] (***rop·i·er; -i·est***) *a*. **1** 밧줄과 같은. **2** 끈적끈적한, 끈끈한, 점착성이 있는: a ~ consistency. **3** 《英구어》 (몸 상태가) 좋지 않은; (물건이) 질이 나쁜, 빈약한: I feel a bit ~. 몸 상태가 약간 좋지 않다/a ~ restaurant 불결한 싸구려 식당. ㊞ **róp·i·ly** *ad*. **-i·ness** *n*.

Róque·fort (chéese) [róukfərt(-)/rɔ́kfɔːr(-)] 《F.》 로크포르 치즈《양 젖으로 만듦; 상표명》.

Rór·schach tèst [rɔ́ːrʃɑːk-] 〖심리〗 로르샤흐 검사《잉크 얼룩 같은 도형을 해석시켜 사람의 성격을 판단함》.

Ro·sa [róuzə] *n*. 로자《여자 이름》.

Ros·a·lind [rɑ́zələnd, róu-] *n*. 로잘린드《여자 이름》.

ro·sa·ry [róuzəri] *n*. [C] 〖가톨릭〗 로자리오 묵주; (종종 R–; the ~) 묵주의 기도(서).

†**rose**[1] *n*. **1** [C] 〖식물〗 **장미(꽃)**, 장미과의 식물: a wild ~ 들장미/(There is) no ~ without a thorn. 《속담》 가시 없는 장미는 없다《완전한 행복이란 없다》. **2** [C] 장미꽃 무늬; 장미 매듭(~ knot); 장미 모양의 보석·다이아몬드; (물뿌리개·호스의) 살수구(撒水口). **3 a** [U] 장밋빛, 담홍색. **b** (*pl*.) 발그레한 얼굴빛: have ~*s* in one's cheeks 볼이 발그레하다, 건강하다. **4** (the ~) 특출한 미인: the ~ *of* Paris 파리 제일 가는 미인. **5** =ROSETTE.

be not a bed of ~s =***be not all ~s*** 안락한〔즐거운〕 것만은 아니다: Life *is not all ~s*. 인생은 즐거운 것만은 아니다. ***a path strewn with ~s*** 환락의 생활. ***come up ~s*** 〖보통 진행형〗 《구어》 (생각했던 것보다 훨씬) 잘 되다: Everything's *coming up ~s*. 만사가 잘되어 가고 있다. ***the ~ of Sharon*** 〖식물〗 무궁화; 〖성서〗 샤론의 장미《아가(雅歌) II: 1》. ***the Wars of the Roses*** 〖英역사〗 장미 전쟁(1455–85). ***under the ~*** 비밀히, 몰래.

—*a*. [A] **1** 장미의: a ~ garden 장미 화원/a ~ petal 장미꽃잎. **2** 〖보통 합성어〗 장밋빛의, 담홍색의: ⇨ ROSE-PINK, ROSE-RED.

rose[2] RISE의 과거.

ro·sé [rouzéi] *n*. 《F.》 [U] (종류·낱개는 [C]) 로제《장밋빛의 포도주》.

ro·se·ate [róuziit, -èit] *a*. 장밋빛의; 행복한; 쾌활한, 밝은; 낙관적인. ㊞ **~·ly** *ad*.

róse bòwl 1 꺾꽂이 장미를 꽂는 유리분. **2** (the R– B–) 로즈 바울《Los Angeles 교외의 Pasadena에 있는 스타디움; 또 그곳에서 1월 1일 행해지는 미식축구의 대학 패자(霸者) 경기》.

róse·bùd *n*. [C] 장미 봉오리; 《英》 묘령의 예쁜 소녀.

róse·bùsh *n*. [C] 장미 관목〔덩굴〕.

róse-còlored *a*. **1** 장밋빛의, 담홍색의. **2** 유망한, 낙관적인, 명랑한, 쾌활한: see 〔look at, view〕 things through ~ spectacles 〔glasses〕 사물을 낙관적으로 보다《실제보다 찬란하게 보다》/take a ~ view 낙관하다.

róse hìp 〔**hàw**〕 장미의 씨.

róse·lèaf (*pl*. ***-leaves***) *n*. [C] 장미 꽃잎; 장미잎. ***a crumpled ~*** 한창 행복할 때 일어나는 사소한 헤살, '호사다마(好事多魔)'.

rose·ma·ry [róuzmὲəri] *n*. [C] 〖식물〗 로즈메리《상록 관목으로 충실·정조·기억의 상징》; [U] 〖집합적〗 로즈메리의 잎.

róse of Chína 〖식물〗 월계화(China rose).

róse-pìnk *a*. 엷은 장밋빛의, 담홍색의.

róse-réd *a*. 장미처럼 빨간, 심홍색의.

róse-tìnted [-id] *a*. =ROSE-COLORED.

Rosétta stòne [rouzétə-] (the ~) 로제타석(石)《1799년에 Rosetta에서 발견된 비석; 고대 이집트 상형문자 해독의 단서가 됨; 현재 대영박물관 소장》.

ro·sette [rouzét] *n*. [C] **1** 장미꽃 모양의 술〔매듭〕; 장미꽃 장식; 〖건축〗 (벽면(壁面) 따위의) 꽃 모양의 장식; (꽃무늬살의) 장식 원창(圓窓). **2** 〖식물〗 로제트《원좌(圓座)로 된 잎 따위》.

róse wàter 장미 향수.

róse wíndow 〖건축〗 장미창, 원화창(圓華窓)《보통 교회 정면의 원형 장식창》.

róse·wòod *n*. **1** [C] 〖식물〗 자단(紫檀)《콩과(科)의 나무; 열대산》. **2** [U] 자단재(材)《연한 장미 향기가 남》.

Rosh Ha·sha·na(h), -sho·no(h) [rouʃhəʃɑ́ːnə, rɔ́ːʃ-/rɔ́ʃ-] 유대 신년제(新年祭)《유대력 1월 1일, 2일》.

ros·in [rɑ́zən, rɔ́(ː)zn] *n*. [U] 로진《송진에서 테레빈유를 증류시키고 남은 수지(樹脂); 현악기의 활에 바르거나 야구 선수의 피처 손에 발라 미끄러짐을 방지함》. [cf] resin. **—***vt*. 로진으로 문지르다, 로진을 바르다. ㊞ **rós·iny** *a*. 수지가 많은, 로진 모양의.

Ross [rɔ(ː)s, rɑs] *n*. 로스《남자 이름》.

Ros·set·ti [rouséti, -zéti, rə-] *n*. 로세티. **1 Christina** (**Georgina**) ~ 전(前)라파엘파(派)의 영국 여류 시인(1830–94). **2 Dante Gabriel** ~ 전라파엘파의 시인·화가《1의 오빠; 1828–82》.

Ros·si·ni [rousíːni] *n*. **Gioacchino** (**Antonio**) ~ 로시니《이탈리아의 오페라 작곡가; 1792–1868》.

ros·ter [rástər/rɔ́s-] *n.* [C] **1** 《군사》 근무(당번)표. **2** 〔집합적〕 근무 당번표에 실린 사람들; 〔일반적〕 (당번 순서) 명부; 등록부. **—***vt.* 명부에 실리다.

rostra [rástrə/rɔ́s-] ROSTRUM의 복수.

ros·trum [rástrəm/rɔ́s-] (*pl.* **-tra** [trə], **~s**) *n.* [C] **1** 연단, 강단; 설교단; (오케스트라의) 지휘대. **2** (보통 rostra) 〔단수취급〕 《역사》 뱃부리 연단《고대 로마 공회당의 연단; 나포한 적의 뱃부리를 장식으로 했음》. **3** 《동물·해부》 부리 (모양의 돌기). ***take the ~*** 등단(登壇)하다.

⁑rosy [róuzi] (**ros·i·er; -i·est**) *a.* **1 a** **장밋빛의**, 담홍색의; (피부·볼 등이) 불그레한, 홍안의: The children had ~ cheeks. 그 아이들은 (매우 건강한 듯) 볼이 발그스레했다. **b** 장미가 많은; 장미의 향기가 나는: a ~ bower. **2** (장래가) **유망한**, 밝은, 낙관적인: a ~ future 밝은 미래/take a ~ view of things 사물을 낙관적으로 보다. ***~ in the garden*** 이상(異常)이 없는, 좋은. [파] **rós·i·ly** *ad.* 장미처럼; 장밋빛으로; 밝게, 낙천적으로. **-i·ness** *n.*

***rot** [rat/rɔt] *n.* [U] **1 a** **썩음**, 부패, 부식; 부패물. **b** (정신적·사회적) 타락, 퇴폐. **c** 《식물》 부패증, (균류에 의한) 고사(枯死); (the ~) 양의 디스토마병. **2** 《英속어》 잠꼬대 같은 소리, 허튼 소리: Don't talk ~! 바보 같은 소리 마라. **3** (the ~) 실패의 연속, 사태의 악화.
Rot! 당치도 않은(소리), 시시한 (소리). ***stop the ~*** 위기를 막다. ***The ~* 〔*A ~, Rot*〕 *sets in.*** 갑자기 모든 게 잘 안 되어 가다: *The ~ sets in* when he left us. 그가 우리 곁을 떠나고부터 사태가 악화되기 시작했다.
— (**-tt-**) *vi.* **1** 《~/+[부]》 **썩다, 썩어 없어지다**, 부패하다; 말라죽다, 시들다(*away; off*): A fallen tree soon *~s*. 넘어진 나무는 곧 썩는다/At the first frost the last chrysanthemum *~ted off*. 첫서리로 남은 국화꽃도 시들어 떨어졌다. **2** (사회·제도 따위가) 부패〔타락〕하다, 못 쓰게 되다, 붕괴되다. **3** (죄수 따위가) (감방에서) 쇠퇴하다: You will ~ in jail. 너는 감방에서 썩게 될 것이다. **4** 〔진행형〕 《英속어》 허튼소리〔농담〕하다, 빈정대다: He *is* only *~ting*. 그는 농담〔빈정대기〕만 한다.
— *vt.* **1** 썩이다; 부패시키다: Dam *~s* wood. 습기는 목재를 부패시킨다. **2** 못 쓰게 만들다, (계획 따위)를 망쳐 놓다; (도덕적으로) 타락시키다: It has *~ted* the whole plan. 그것 때문에 전체 계획이 엉망이 되었다/Too much drink *~ted* his mind. 지나친 과음으로 그의 정신이 타락했다. **3** 《英속어》 놀리다, 조롱하다; 중상하다.

ro·ta [róutə] *n.* [C] 《英》 (근무) 당번 명부〔표(表)〕; 당번, 순번: organize a ~ 당번을 짜다/We have a ~ (system) for the washing up. 우리는 순번을 정해 접시닦이를 한다.

Ro·tar·i·an [routέəriən] *a., n.* [C] 로터리 클럽의 (회원).

ro·ta·ry [róutəri] *a.* **1** 회전〔선회, 윤전〕하는; 환상(環狀)의: ~ motion 회전 운동/a ~ intersection 환상 교차로. **2** (기계 등에) 회전 부분이 있는; 회전식의: a ~ fan 선풍기/a ~ engine 회전식 엔진. **—***n.* [C] **1** 《美》 로터리, 환상(環狀) 교차로(《英》 roundabout). **2** 《기계》 (윤전기 따위의) 회전 기계; 회전 변류기(= ∠ **convérter**).

Rótary Clùb (the ~) 로터리 클럽《1905년 Chicago에서 창설된 사회 봉사와 세계 평화를 목적으로 하는 실업가 및 지식인 단체; Rotary International의 각지의 클럽》.

ro·tate** [róuteit/-∠] *vi.* **1** (축을 중심으로) **회전하다**; 순환하다; 《천문》 (천체가) 자전하다: The seasons ~. 사철은 순환한다/The earth *~s* on its axis. 지구는 지축을 중심으로 자전한다. **2 교대하다**, 윤번으로 하다: The workers ~ between the day and night shifts. 근로자들은 낮과 밤의 2교대로 일한다. **—vt.* **1** (축을 중심으로) 회전시키다; 순환시키다: ~ a handle 손잡이를 돌리다. **2** 교대시키다; (작물)을 윤작하다: ~ jobs 일을 교대시키다/~ (the position of) the tires 타이어(의 위치)를 바꾸다.

ro·ta·tion** [routéiʃən] *n.* [U] (구체적으로는 [C]) **1 회전**; 순환; (천체의) 자전. **2** (규칙적인) 교대; 윤번: job ~ =~ of jobs 일의 윤번식 교대. **3** 《농업》 돌려짓기, 윤작(= ∠ **of cróps**). **4** 《컴퓨터》 회전《컴퓨터 그래픽에서 모델화된 물체가 좌표계의 한 점을 중심으로 도는 것》. ◇ rotate *v.* ***by* 〔*in*〕 *~ 차례로, 윤번으로. [파] **~·al** *a.*

ro·ta·tor [róuteitər/-∠-] *n.* [C] **1** (*pl.* **~s**) 회전하는〔시키는〕 것; 회전 장치; 《항공》 (헬리콥터·제트엔진의) 회전익; 《물리》 회전자. **2** (*pl.* **~s, ~·es** [ròutətɔ́:ri:z]) 《해부》 회선근(回旋筋). **3** (*pl.* **~s**) (윤번으로) 교대하는 사람〔것〕.

ro·ta·to·ry [róutətɔ̀:ri/-təri] *a.* 회전하는; 회전 운동의; 순환하는; 윤번(제)의.

R.O.T.C. Reserve Officers' Training Corps (예비역 장교 훈련단, 학도 군사 훈련단).

rote [rout] *n.* [U] 기계적 방법〔반복〕; 기계적인 암기(법); (지루한) 되풀이《다음 성구로》. ***by ~*** 기계적으로 (암기하여): learn (off) *by ~* (그냥) 기계적으로 암기하다. **—***a.* 기계적으로 암기한; 기계적인.

róte lèarning 암기.

rot·gut [rátgʌ̀t/rɔ́t-] *n.* [U] 《구어》 (위(胃)를 상하게 하는) 싸구려 술.

ro·tis·ser·ie [routísəri] *n.* 《F.》 [C] 불고기집; (고기를) 꼬챙이에 꿰어 굽는 전기 기구.

ro·to·gra·vure [ròutəgrəvjúər] *n.* **1** [U] 《인쇄》 사진 요판(凹版)(술), 윤전 그라비어(인쇄). **2** [C] 윤전 그라비어 인쇄물; 《美》 (신문의) 그라비어 사진 페이지.

ro·tor [róutər] *n.* [C] **1** 《전기》 (발전기의) 회전자. ↔ *stator*. **2** 《기계》 (증기 터빈의) 축차(軸車). **3** 《항공》 (헬리콥터의) 회전익.

***rot·ten** [rátn/rɔ́tn] *a.* **1** **썩은**, 부패한: ~ bananas 썩은 바나나/a ~ stink 썩은 냄새. **2** 냄새 고약한, 더러운: ~ air 불결한 공기. **3** (도덕적으로) 부패한, **타락한**; 너무 응석을 받아 준: a ~ child. **4** 부서지기 쉬운, 취약한: ~ rock 무른 바위. **5** 《구어》 지독히 나쁜; 불쾌한: a ~ book 시시껄렁한 책/~ weather 궂은 날씨/It's a ~ shame that they didn't give you a prize. 그들이 너에게 상을 주지 않았다니 너무 심한 처사다/It was ~ *of* him *to* say so. 그렇게 말하다니 그도 지독하군. **6** 《구어》 기분이 나쁜: feel ~ 기분이 몹시 나쁘다/look ~ 우울한 얼굴을 하다. [파] **~·ly** *ad.* **~·ness** *n.*

rot·ter *n.* [C] 《英속어》 건달, 변변치 못한 자, 깡패.

ro·tund [routʌ́nd] *a.* **1** (얼굴이) 둥근; (몸이) 토실토실 살찐. **2** (음성이) 낭랑한.

ro·tun·da [routʌ́ndə] *n.* [C] 《건축》 (지붕이 둥근) 원형의 건물; 둥근 천장의 원형 홀.

ro·tun·di·ty [routʌ́ndəti] *n.* [U] 구상(球狀), 둥긂; 비만; 낭랑한 목소리.

rouble ⇨ RUBLE.

°**rouge** [ruːʒ] *n.* Ⓤ **1** 입술연지, 연지: put on 〔wear〕 ~ 연지를 바르다. **2** 〖화학〗 산화제2철, 철단(鐵丹)《금속 연마용(硏磨用)》. **—***vt.*, *vi.* (입술·볼에) 연지를 바르다.

****rough** [rʌf] *a.* **1** (감촉이) **거친**, 거칠거칠한, 껄껄한; (천이) 투박한. ↔ *smooth*.¶ ~ hands 거친 손/~ paper 거칠거칠한 종이, 갱지/a ~ tweed skirt 천이 거친 트위드 스커트.
2 텁수룩한, 털이 많은: a dog with a ~ coat 복슬개/~ hairs 텁수룩한 머리.
3 울퉁불퉁한, 험한: a ~ road 울퉁불퉁한 길.
4 (날씨 따위가) **험악한**; (하늘·바다·바람 따위가) 거친; (악천후 따위로) 흔들리는: ~ waters 거친 바다/The plane had a ~ flight in the storm. 비행기는 폭풍우 속에서 불안정한 비행을 계속했다.
5 가공되지 않은, 손질하지 않은; 공들이지 않은; 미완성의: a ~ diamond 다이아몬드의 원광/~ rice (정미하지 않은) 벼.
6 난폭한《***with*** …에게》; 조야한; 세련되지 않은; 버릇없는, 우악스러운《***of, in*** …이》; 귀에 거슬리는; (맛이) 떫은〔신〕; 변변치 않은《음식 따위》: Boxing is a ~ sport. 권투는 거친 스포츠이다/a ~ tongue 버릇없는 말투/~ food 맛없는 음식, 변변치 못한 음식/~ sounds 귀에 거슬리는 소리/He's ~ *of* 〔*in*〕 speech. 그는 말씨가 우악스럽다/Don't be so ~ *with* the child. 그 애를 그처럼 거칠게 다루지 마라.
7 점잔빼지 않는, 소박한: the ~ kindness of people 서민의 소박한 친절.
8 《구어》 괴로운, 고된, 모진, 운이 없는, 혹독한《***on*** (아무)에게》: a ~ day 고된 하루/Don't be too ~ *on* him. 그에게 그처럼 모질게 굴지 마라/It's ~ *on* him to work 〔working〕 at Christmas. 크리스마스에 일하다니 그도 고생이구나.
9 Ⓐ **대강의**, 대략적인: a ~ estimate 어림셈, 개산/~ coating (벽의) 초벽/a ~ drawing 초벌그림/a ~ sketch 개략도(槪略圖), 소묘(素描).
10 (일 따위가) 막일의; 날림의, 서투른: ~ work 막일, 육체노동.
11 《구어》 기분이 나쁜; 몸상태가 나쁜: I feel ~ today. 오늘은 기분이 좋지 않다.
12 (장소가 범죄 등이 일어나는) 위험한: That area is very ~. 그 부근은 매우 위험하다.
give a person (***a lick with***) ***the ~ side of*** one***'s tongue*** 아무에게 딱딱거리다, 아무를 꾸짖다. ***have a ~ time of it*** 되게 혼나다, 고생을 겪다. ***~ and ready*** = ROUGH-AND-READY. ***~ and tough*** 튼튼한, 다부진.
—*ad.* **1** 거칠게, 난폭하게, 우악스럽게: play ~ 거칠게 경기하다. **2** 대충, 개략적으로(roughly). **3** 《英》 집 밖에서, 노숙하여: live ~ 떠돌이 생활을 하다/sleep ~ 야숙(野宿)〔노숙〕하다. ***cut up ~*** 《구어》 화내다.
—*n.* **1** Ⓤ 울퉁불퉁한 땅; (보통 the ~) 〖골프〗 (fair way 밖의) 잡초 따위가 우거진 곳. **2** Ⓒ 거친 것; 미가공(품); (보석의) 원광(原鑛). **3** Ⓤ 개략, 대략: discuss in ~ 대충 논하다. **4** (the ~) (인생의) 쓰라린 측면, 고생; 학대, 난폭한 취급. **5** Ⓒ 《英》 난폭한 사람, 파락호. **6** Ⓒ (그림 따위의) 밑그림, 스케치.
in ~ 초안으로, 초고(草稿)로: write down one's ideas *in* ~ 자기 생각을 대충 초안 잡다. ***in the ~*** ① 미완성인 채의; 평소 그대로의, 미가공의: a talent still *in the* ~ 아직 단련되지 않은 재능. ② 대략, 대체로: *In the* ~, his plan is not bad. 대체로 그의 계획은 나쁘지 않다. ***take the ~***(***s***) ***and the smooth***(***s***) 인생의 고락을 감수하다.
—*vt.* **1** 거칠게 하다, 꺼칠꺼칠하게 하다: Housework had ~*ed* her once delicate hands. 가사로 그녀의 고왔던 손이 거칠어졌다. **2** 《~+목/+목 +부》 대충 모양을 만들다; 대충 계획을 세우다(*out*); …의 개요를 쓰다, 소묘(素描)하다, 초안을 쓰다(*out, in*): ~ *out* a scheme 대충 계획을 세우다. **3** 《~+목/+목+부》 난잡하게 하다; (털 따위)를 더부룩하게〔부수수하게〕 하다(*up*): Her hair was ~*ed* (*up*) by the wind. 바람에 그녀의 머리가 흐트러졌다. **4** 《~+목/+목+부》 …을 난폭하게 다루다, 학대하다; …에게 폭력을 휘두르다(*up*): The mob ~*ed up* the speaker. 군중들은 연사에게 폭력을 휘둘렀다.
~ *it* 《구어》 (캠프 등에서) 불편한〔원시적〕 생활을 하다〔에 견디다〕. **~ *up*** 《*vt.*+부》 《구어》 ① …을 거칠게 다루다; …에게 폭력을 휘두르다(⇨*vt.* 4). ② …을 난잡하게 하다, 흐트러뜨리다(⇨*vt.* 3).
㊕ **∠·ness** *n.*

rough·age [rʌ́fidʒ] *n.* Ⓤ 조악한 음식물〔사료〕《등겨·짚·과피 따위》; 섬유소를 함유하는 음식《장의 연동 운동을 자극함》.

róugh-and-réady [-ən-] *a.* 조잡한, 날림으로 만든; 졸속주의의, 임시변통의.

róugh-and-túmble *a.* (행동·경쟁이) 난폭한, 무법의, 마구잡이의. **—***n.* Ⓤ (구체적으로는 Ⓒ) 난투, 난전.

róugh·càst (*p.*, *pp.* ***-cast***) *vt.* **1** …에 초벽을 치다, 막칠〔초벌칠〕하다. **2** (계획 등)을 대충 준비하다; (소설 등)의 대강의 줄거리를 세우다. **—***n.* Ⓤ (벽면의) 거친 면 마무리; 애벌칠, 초벽칠.

róugh cóat (벽면의) 애벌칠, 거친 바름.

róugh cópy (원고의) 초안; (그림의) 스케치, 밑그림.

róugh-drý *vt.* 다리지 않고 말리다. **—** [스] *a.* 말리기만 하고 다리지 않은. ㏄ drip-dry.

rough·en [rʌ́fən] *vt.*, *vi.* 거칠게 하다, 거칠어지다, 꺼칠꺼칠하게 하다〔되다〕, 울퉁불퉁하게 하다〔되다〕.

róugh-hàndle *vt.* 거칠게 다루다.

róugh-héw (***-hewed; -hewn, -hewed***) *vt.* 대충 깎다; 건목치다. ㊕ **-hewn** *a.* 대충 깎은; 건목친; 세련되지 못한.

róugh·hòuse 《속어》 *n.* (*sing.*) (옥내에서의) 난장판, 야단법석; 난폭; 큰 싸움. **—***vt.*, *vi.* (사람을) 거칠게 다루다; 큰 소동을 벌이다, 대판 싸우다.

***rough·ly** [rʌ́fli] *ad.* **1 거칠게**, **마구**, 함부로; 버릇없이; 난폭하게: treat a person ~ 아무를 거칠게 대하다/a ~ built hut 허술하게 지은 오두막. **2 대충**, 개략(槪略)적으로: ~ estimated 어림셈한/~ (speaking) 대략 (말하면), 대체로/It's ~ ten miles. 대략 10마일이다.

> **NOTE** 다음의 차이에 주의: He handled it *roughly*, in the same way. 그는 여전히 그것을 거칠게 다루었다. He handled it, *roughly* in the same way. 그는 그것을 거의 전과 같이 다루었다.

róugh·nèck *n.* Ⓒ 《구어》 무작〔우악〕한 사람, 난폭한 사람(rowdy); 유정(油井)을 파는 인부.

róugh pássage 폭풍우 속의 항해; 《비유적》 시련기(期).

róugh·rìder *n.* Ⓒ **1** 사나운 말을 잘 다루는 사람. **2** (야생마) 조련사.

róugh·shód *a.* (말이) 미끄러지지 않게 스파이크 편자를 박은; 포학(무도)한. ***ride ~ over*** …을 거칠게 다루다, 짓밟다; …에 대하여 마구 뻐기다: You can't just *ride ~ over* people's feelings like that. 너는 사람들의 감정을 그처럼 짓밟아 버릴 수는 없다.

róugh stùff 《英구어》 **1** 폭력 (행위), 난폭; 야비(한 일). **2** (스포츠 따위에서의) 반칙.

rou·lade [ruːlɑ́ːd] *n.* 《F.》 Ⓒ **1** 〖음악〗 룰라드, (성악곡의) 급주구(急走句). **2** 잘게 다진 고기를 얄팍한 고깃점에 싸서 만 요리.

rou·lette [ruːlét] *n.* 《F.》 Ⓤ 룰렛《회전하는 원반 위에 공을 굴리는 도박의 일종》.

Rou·ma·nia [ru(ː)méiniə, -njə] *n.* =RUMANIA.

†**round** [raund] *a.* **1 둥근**, 원형의; 구상(球狀)〔원통형, 반원형, 호상(弧狀)〕의: a ~ table 둥근 테이블/His eyes grew ~ with surprise. 그의 눈은 놀라움으로 동그래졌다/a ~ can 원통형 캔/a ~ arch 반원형 아치.
2 둥그스름한; 똥똥한, 토실토실 살찐: ~ cheeks 토실토실한 볼/~ shoulders 새우등.
3 한 바퀴 도는, 차례로 도는; 《美》 왕복의; 《英》 주유(周遊)의: a ~ dance 원무/a ~ tour 주유/ ⇨ROUND TRIP.
4 Ⓐ 우수리 없는, (수·양이) 꼭맞는, 완전한: a ~ dozen 꼭 한 다스/in ~ numbers 〔figures〕 우수리를 떼어버리고, 어림셈으로.
5 (10, 100, 1,000… 단위로) 약; 대략: 500 as a ~ figure (우수리를 떼어버리고) 약 500/a ~ guess 거의 정확한 추측.
6 Ⓐ 꽤 많은, 상당한, 큰: at a ~ price 비싸게/a good ~ sum of money 목돈.
7 a (문체(文體) 따위가) 원숙한; 유창〔유려〕한. **b** (소리·음성이) 풍부한, 쩡쩡 울리는, 낭랑한.
8 활기 있는, 활발한; 신속한, 민첩한: a ~ trot 빠른 발걸음/walk at a ~ pace 활기차게 걷다.
9 솔직한, 곧이곧대로의, 기탄 없는, 노골적인: a ~ statement 솔직한〔노골적인〕 말/~ dealing(s) 공명정대한 처사.
10 엄한, 사정 없는《매질 따위》: have a ~ blow 〔scolding〕 사정 없이 두들겨 맞다〔되게 야단맞다〕.
11 〖음성〗 원순음(圓脣音)의: a ~ vowel 원순 모음《보기: [u, o]》.
be ~ with a person 아무에게 솔직히〔노골적으로〕 말하다.
—*n.* Ⓒ **1 원**(圓), 고리, 구(球), 동그란 것; 원〔구, 원통〕형의 것: sit in a ~ (삥) 둘러앉다/draw a ~ 원을 그리다.
2 한 바퀴, 회전, 순환: the annual ~ 해의 순환/the ~ of the seasons 사철의 순환.
3 연속, 되풀이; 정해진 일〔생활〕: a ~ *of* parties 연이은 파티/one's daily ~ =the daily ~ *of* life 일상의 생활〔일〕.
4 a (흔히 *pl.*) 일주(로(路)) **순시**, 순회, (의사의) 회진: do a paper ~ (일정 구역)을 돌며 신문 배달을 하다/a ~ of night clubs 나이트 클럽 순회/Dr. Smith is out on his ~*s*. 스미스 선생께서는 왕진 나가셔서 안 계십니다/take a ~ 한 바퀴 돌다. **b** 순회〔담당〕 구역; (소문 따위의) 전달 경로: patrol one's ~ (경관이) 담당 구역을 순찰하다.
5 범위, 전역: the whole ~ of knowledge 지식의 전 범위.

6 라운드, (관세 따위에 관한) 일괄 협상; 다각적인 무역 교섭: Kennedy 〔Uruguay〕 *Round* 케네디〔우루과이〕 라운드/The next ~ of talks will be held in Seoul. 다음의 일괄 협의는 서울에서 개최된다.
7 (승부의) **한판**, 한 게임, 1회, 1라운드, (토너먼트전의) …회전: play a ~ of bridge 〔golf〕 브리지〔골프〕를 한판하다/a three ~ bout, 3판 승부/a fight of ten ~*s* (권투의) 10회전.
8 일제 사격(에 필요한 탄알); (탄약의) 한 방분, (탄알의) 한 발: 20 ~*s* of ball cartridge 총알 20 발.
9 (술 따위의) 한 순배(巡杯)의 양: This ~ is on me. 이번엔〔이 한 잔은〕 내가 내지.
10 윤무(輪舞); 윤창(輪唱): dance in a ~ 윤무를 추다.
11 사닥다리의 발판〔가로장〕; 소의 넓적다리살(~ of beef); (둥그스름한) 책의 등〔가장자리〕.
12 (흔히 *pl.*) 떠나갈 듯한 박수; (환성·갈채 따위의) 한바탕: three ~*s* of cheers 만세 삼창/~ after ~ of cheers 연달아 일어나는 함성 소리.
go* 〔*make*〕 *the ~s ① 순시〔순회〕하다; 일정한 코스를 돌다. ② (소문·병 따위가) 퍼지다: The rumor *went the ~s* of the town. 소문이 시내에 쫙 퍼졌다. ***in the ~*** ① 〖조각〗 환조(丸彫)로. ② 개괄적〔전체적〕으로, 모든 각도에서: Seoul *in the ~* 서울의 전모. ③ 스테이지를〔제단을〕 관객〔군중〕이 삥 둘러싸고 있는, 원형식의. ***out of ~*** 완전히 둥글지 않고, 일그러져서.
—*ad.* **1 돌아서**, 회전하여, 빙(그르르): ⇨LOOK round, TURN round.
2 둘레를 (빙), 사방에, 부근 일대에, 여기저기; 《숫자를 수반하여》 둘레가 …로: all the country ~ 온 나라에/show a person ~ 아무를 여기저기 구경시켜 주다/girdled ~ with hills 언덕으로 둘러싸여/10 feet ~ 둘레 10피트.
3 a 한 바퀴〔먼 길을〕 돌아서; 우회하여: go a long way ~ 먼 길을 돌아가다. **b** (어떤 장소에서 다른 데로) 돌아서, 방향을 돌려; 특정 장소에: Will you bring the car ~ to the door? 차를 현관으로 돌려 주시겠습니까/Let's go ~ to John's. 존의 집으로 가자.
4 (계절이) 돌아와; 한 번 돌아서, 순환하여: Spring comes ~ soon. 봄이 곧 돌아온다/The Olympiad comes ~ every four years. 올림픽은 4년 만에 한 번씩 돌아온다.
5 (일동 각자에게) 건네어져, 고루 미쳐, 차례차례: Tea was handed ~. 차를 모든 이에게 돌렸다.
6 처음부터 끝까지: (all) the year ~, 1년 내내.
7 약(約), 대략: ~ there 그 부근에서.
8 자택으로: ask 〔invite〕 a person ~ 아무를 (자택으로) 초대하다/Come ~ sometime. 언젠가 (우리집에) 들러 주세요.
be ~ 돌아오다: Christmas will *be* ~ again. 성탄절이 또 돌아온다. ***be the other way ~*** (…와) 반대이다. ***get ~ to*** …에 가다; (일 따위)에 손대다; (소문이) …에 전해지다. ***~ about*** ① 사방에; 멀리 돌아서. ② 주위에, 가까이에: the houses ~ *about* 근처의 집들. ③ 반대쪽에: turn ~ *about* 등을 돌리다. ④ 대략, 대체로: It will cost ~ *about* 100 dollars. 대략 100 달러가 든다. ***~ and ~*** 빙글빙글 돌아: A carousel goes ~ *and* ~. 회전목마가 빙글빙글 돈다. ***turn* (*short*) *~*** (갑자기) 돌아보다.

—*prep*. **1** …의 **둘레를**〔에〕; …을 돌아서, 일주하여: flying ~ Africa 아프리카 일주 비행/sit ~ the table 테이블 둘레에 앉다.
2 …을 돈 곳에, …을 우회하여: the first house ~ the corner 모퉁이를 돌아 첫 집.
3 …의 **부근에**〔의〕, 주위에; …을 빙 둘러싸서: the lands ~ the city 시 주변의 땅/A fence has been built ~ the garden. 그 정원 주위에 울타리가 빙 둘러쳐져 있다.
SYN. **round, around** 구어 또는 informal한 영어에서는 양자가 같은 뜻으로 쓰이며, 《英》에서는 round, 《美》에서는 around가 많이 쓰임. formal한 영어에서는 round를 "in a circle" (원형을 이루어), "with a rotating movement" (회전하여)의 뜻으로, around를 "on all sides" (사방으로), "here and there" (여기저기에)의 뜻으로 쓰는 경향이 있음. **about** 주위보다도 접근의 뜻이 강하며, 운동·정지의 그 어느 경우에도 사용됨: Her hair hangs *about* her neck.
4 …의 **안을 이곳저곳**: look ~ the room 방 안을 여기저기 둘러보다/show him ~ the town 그에게 시내를 이곳저곳 안내하다.
5 …에 대하여: write a book ~ a subject 어떤 문제에 대하여 책을 쓰다.
6 …정도; …경: pay somewhere ~ $100, 100달러 정도 치르다.
7 …하는 동안 죽: He worked ~ the year. 그는 일년 내내 일했다.
~ ***about*** ① …의 주위에〔를〕: dance ~ *about* a pole 폴 주위를 춤추며 돌다. ② 대략〔대충〕…: ~ *about* five o'clock, 5시경에. ③ …의 근처에: A lot of my friends live ~ *about* here. 이곳 근처에 많은 친구들이 살고 있다. ~ ***and*** ~ …의 주위를 빙글빙글: argue ~ *and* ~ a subject 주제의 핵심은 논하지 않고 주변 문제를 논하다.
—*vt*. **1** 《~+목/+목+부》 …을 **둥글게 하다**; 둥그스름하게 하다, …의 모를 둥글게 하다(*off*); (토실토실) 살찌게 하다(*out*): *~ed* eyes 휘둥그래진 눈/~ *off* the angle 모서리를 따서 둥글게 하다/The sun is *~ing out* the corn. 햇볕을 받아 낟알이 토실토실 여물고 있다.
2 《~+목/+목+부/+목+전+명》 **완성하다**, 마무르다(*out*)《***by, with*** …으로》: ~ *out* one's education *by* traveling 여행을 함으로써 교육을 매듭짓다/He *~ed* the sentence *with* an epigram. 그는 경구를 넣어 문장을 완결지었다.
3 둘러싸다, 포위하다.
4 a 일주하다, (커브·모퉁이)를 돌다: ~ the island 섬을 일주하다/~ the corner 모퉁이를 돌다. **b** 《+목+부/+목+전+명》 …을 돌리다, 바꾸다; …의 방향을 바꾸게 하다, 뒤돌아보게 하다; 소생시키다, 회복시키다(*off*): ~ a boat *off* (파도 따위의 방향으로) 보트를 돌리다/~ one's face *toward* …쪽으로 얼굴을 돌리다.
5 낭랑히 울리게 하다; 〖음성〗 입술을 둥글게 하고 발음하다.
—*vi*. **1 둥글게 되다**, 휘다, 만곡하다.
2 《+전+명》 원숙해지다, 발달하다: The boy *~ed into* manhood. 소년은 성장하여 어른이 되었다.
3 《~/+전+명》 돌다; 돌아보다, 돌아 들어가다: ~ on one's heels 획 돌아보다/The runners *~ed into* the homestretch. 주자들은 결승점 앞 직선 코스로 돌아 들어왔다.
~ ***down*** 《*vt*.+부》 (수·금전 따위)의 우수리를 잘라 버리다. ~ ***off*** 《*vt*.+부》 ① 둥그스름하게 하다(⇨*vt*. 1). ② …을 솜씨있게 마무리〔완결〕하다 《***by, with*** …으로》: Let's ~ *off* the party *with* a song. 노래를 불러서 파티를 마무리합시다. ③ (끝 수)를 반올림하다《***to*** …에》: *Round* the answer *off to* three decimal places. 답은 소수점 이하 세 자리까지 낼 것. ~ ***on*** 〔***upon***〕 …을 꾸짖다, …에게 대들다; …을 배반하다. ~ ***out*** 《*vt*.+부》 ① …을 완성하다, 마무리하다(⇨*vt*. 2). **—** 《*vi*.+부》 ② (특히 여성이) 몸을 토실토실 살찌우다. ~ ***up*** 《*vt*.+부》 ① (가축 따위)를 몰아서 모으다; (흩어진 사람·물건)을 모으다. ② (범인 일당)을 체포하다: The police *~ed up* the members of the gang. 경찰은 폭력배 일당을 체포했다. ③ 《英》 (수·금전)을 우수리가 없게 반올림하다.
㊥ **∠·ness** *n*. U 둥긂, 원형; 구형(球形); 솔직, 정직; 완전, 원만.

round·a·bout** [ráundəbàut] *a*. **1** 에움길의, 우회의: go by a ~ route 멀리 돌아가다. **2** 완곡한《말 따위》, 우원(迂遠)하고 번거로운《표현·절차 따위》: in a ~ way 완곡하게. **—n*. C **1** 에움길; 완곡한 말투〔방법, 표현〕. **2** 《英》 회전목마(木馬)(merry-go-round). **3** 《英》 로터리, 환상교차로(《美》 traffic circle).

róund brácket (보통 *pl*.) 《英》 〖인쇄〗 둥근 괄호.

róund·ed [-id] *a*. **1** (몸 등이) 통통한, 둥그스름한: beautifully ~ breast 예쁘게 부풀어 오른 유방/a ~ hill 둥그스름한 언덕. **2** 〖음성〗 원순(圓脣)의: a ~ vowel 원순 모음. **3** 둥글게 쌓아올린: a ~ teaspoonful of salt 차 숟가락에 가득 담긴 소금.

roun·del [ráundl] *n*. C **1** 둥근 것; 작은 원반; 원형 방패; 원형의 작은 창; (장식용) 둥근 접시. **2** (영국 공군기의 국적을 표시한 빨강·하양·파랑의) 원형 표지.

róund·er *n*. C **1** 《美구어》 주정뱅이, 줄줄이 술집을 순례하는 술꾼. **2** (물건을) 둥글게 만드는〔깎는〕 기계〔연장〕. **3** (*pl*.) 〔단수취급〕 《英》 라운더스《야구 비슷한 어린이 구기》. **4** 〖권투〗 …회전(回戰)의 경기: a 10-~ 십회전.

róund-èyed *a*. (놀라움·감탄 등으로) 눈을 둥그렇게 뜬.

róund hánd (잇대어 쓰지 않은) 동글동글한 글씨체《주로 제도용》.

Róund·hèad *n*. C **1** 〖英역사〗 의회당원《17세기의 내란 때 반(反)국왕파로서 머리를 짧게 깎은 청교도의 별명》. **2** (r-) 짧은 머리의 사람.

róund·hòuse *n*. C **1** (원형·반원형의) 기관차고(庫). **2** 〖해사〗 후갑판 선실. **3** 〖야구〗 큰 커브; 〖권투〗 크게 휘두르는 훅.

round·ish [ráundiʃ] *a*. 둥그스름한, 약간 둥근.

róund·ly *ad*. **1** 둥글게, 원형으로. **2** 노골적으로; 가차없이; 단호히: scold ~ 호되게 꾸짖다. **3** 기운차게, 활발히. **4** 충분〔완전〕히: We were ~ defeated. 우리는 완패했다.

róund-róbin *n*. C **1** 사발통문식 청원서〔탄원서〕《서명자의 순서를 감추기 위한》; (동료 간에 돌려 보는) 회람. **2** 《美》 〖경기〗 리그전(戰).

róund-shóuldered *a*. 새우등의.

róunds·man [-mən] (*pl*. ***-men*** [-mən]) *n*. C **1** 《美》 경사(警査); 순회 감시인, 순시〔순찰〕인. **2** 《英》 (빵이나 우유를) 주문받으러 다니는 사람, 배달원.

róund tàble 1 a 원탁, 둥근 테이블; 원탁회의. **b** 〔집합적〕 원탁회의의 사람들. **2** (the R- T-)

(Arthur왕의 전설에서) 대리석의 원탁; 《집합적》 원탁의 기사단.

róund-tàble *a.* [A] 원탁의: a ~ conference 원탁회의.

róund-the-clóck *a.* 24시간 연속(제)의(《英》 around-the-clock).

róund tríp 주유(周遊) 여행; 왕복 여행.

róund-tríp *a.* [A] 《美》 왕복(여행)의: a ~ ticket 왕복 승차권(《英》 return ticket).

róund ùp 〖컴퓨터〗 올림《수치에 올림을 실시하여 수치를 표시하는 방법》.

róund·ùp *n.* [C] **1** 《美》 (가축을) 몰아 한데 모으기〔모으는 카우보이, 말〕; 몰아서 한데 모은 가축. **2** (범인 등의) 일제 검거; (사람들을) 그러모으기: a ~ *of* suspects 용의자의 일제 검거. **3** (상황·뉴스 등의) 총괄적인 보고, 개요, 요약(summary).

róund·wòrm *n.* [C] 선형(線形) 동물; 회충.

rouse** [rauz] *vt.* **1** 《+[목]+[부]/+[목]+[전]+[명]》 **깨우다, 일으키다**(*up*); …의 의식을 회복시키다《from, out of*** …에서》: ~ *up* one's child 아이를 깨우다/He was ~*d from* the swoon. 그는 기절했다가 의식을 회복했다.

2 《~+[목]/+[목]+[전]+[명]/+[목]+*to* do》 분기(奮起)시키다《***from, out of*** …에서, ***to*** …하게》; (감정)을 돋우다, 선동하다: ~ interest 흥미를 돋우다/~ a person *from* his idleness 아무를 나태에서 벗어나 분발케 하다/~ students *to* study 학생을 격려하여 공부시키다/He was ~*d to* anger. 그는 몹시 화가 났다.

3 《+[목]+[전]+[명]》 (새 따위)를 훽 날게 하다, 몰아내다《***from, out of*** …에서》: The dog ~*d* pheasants *from* the bushes. 개가 꿩을 덤불에서 몰아냈다.

—*vi.* **1** 《+[부]/+[전]+[명]》 깨다, 일어나다(*up*): ~ *up from* sleep 잠에서 깨다. **2** 《+[부]》 분기하다(*up*): He ~*d up* suddenly. 그는 갑자기 분발하였다. **3** 《+[부]》 (감정이) 격발하다(*up*).

rous·ing [ráuziŋ] *a.* **1** 고무시키는; 분기시키는; 감동시키는: a ~ speech 고무적〔감동적〕인 연설. **2** 활발한, 왕성한: a ~ business 활발한 사업. **3** (응원·성원 따위가) 열을 올리는, 열렬한: give three ~ cheers 열렬한 만세 3창을 하다. [파] **~·ly** *ad.*

Rous·seau [ruːsóu] *n.* **Jean Jacques ~** 루소《프랑스의 철학자·저술가; 1712–78》.

róust·abòut [ráust-] *n.* [C] 《美》 부두 노동자, 갑판 일꾼, 화물 운반인; 《美》 미숙련 노동자.

°**rout**[1] [raut] *n.* [U] (구체적으로는 [C]) **1** 궤주(潰走), 패주: put the enemy *to* ~ 적을 패주시키다. **2** 참패, 완패: The game was a complete ~. 경기는 완패였다. **—***vt.* 참패〔패주〕시키다: We ~*ed* the enemy. 우리들은 적을 패주시켰다/The Fascists were ~*ed* in the elections. 파시스트들은 선거에서 참패했다.

rout[2] *vt.* **1** 찾아내다, 발견하다(*out*). **2** 끌어내다(*out*)《***out of*** …에서》: ~ a person *out* (*of* bed) 아무를 두들겨 깨워 (침대에서) 일어나게 하다. **—***vi.* (돼지 따위가) 코끝으로 파헤치다.

‡**route** [ruːt, raut] *n.* [C] **1 a 도로**, 길. **b** (R–) 《美》 (주요 도시 또는 주를 연결하는) 간선도로, …로(路): *Route* 1, 1호선《★ 남북으로 달리는 도로에는 홀수, 동서에는 짝수를 붙임; Route 1은 북쪽으로 Maine주에서 남쪽으로 Florida주까지의 국도》. **2** (일정한) **통로**, 노선, 항로: an air ~ 항공로/His house is on a bus ~. 그의 집은 버스 노선 연변에 있다. **3** 수단, 방법, 길《***to*** …에 이르는》: a ~ *to* peace 평화의 길. **4** 《구어》 (우편·우유·신문 따위 배달의) 배달길〔구역〕: a delivery ~ 배달길/a trade ~ 교역로/run a milk ~ 우유를 배달하다. ***go the ~*** 《美구어》 (임무 따위를) 끝까지 해내다; 〖야구〗 완투(完投)하다.

—*vt.* **1** …의 순서〔절차〕를 정하다: ~ one's tour 여행 루트를 정하다. **2** 《+[목]+[전]+[명]》 (화물)을 발송〔송달〕하다《***by, through*** (루트)로》; (차 따위)를 달리게 하다《***along, around*** (루트)를 따라서》; …을 정해진 루트를 거쳐 보내다《***to*** …으로》: ~ the goods *through* the Panama Canal 파나마 운하 통과 선편으로 물품을 발송하다/Traffic was ~*d around* to avoid the area. 차량은 그 지역을 피하기 위해서 우회했다.

‡**rou·tine** [ruːtíːn] *n.* [U] (구체적으로는 [C]) **1 판에 박힌 일**, 일상의 과정〔일〕: (the) daily ~ 일과/the household ~ 가사. **2 a** 기계적인 절차〔관례〕: break the ~ 상례를 깨뜨리다. **b** 상투적인 말; 틀에 박힌 연기(演技); 일정한 일련의 댄스 스텝. **3** 〖컴퓨터〗 루틴《어떤 작업에 대한 일련의 명령군(群); 완성된 프로그램》.

—*a.* **1** 일상의; 정기의: ~ business 일상적인 업무/a ~ inspection 정기 검사. **2** 판에 박힌, 기계적인: a boring, ~ job 따분하고 기계적인 일. [◂route] [파] **~·ly** *ad.*

rou·tin·ize [ruːtíːnaiz] *vt.* 관례화(慣例化)하다, 일상적인 일로 하다. [파] **rou·tin·i·zá·tion** *n.*

roux [ruː] (*pl.* ~ [-z]) *n.* [C] (요리는 [U]) 루《소스나 스프를 진하게 하는 데 씀》.

°**rove** [rouv] *vi.* **1** (정처 없이) 헤매다, 배회〔유랑〕하다, 떠돌다《***through, over*** …을》: ~ *over* the fields 들판을 배회하다. **2** (눈이) 두리번거리다《***around, about*** …을 두루》: His eyes ~*d around* the room. 그는 눈을 두리번거리며 방을 둘러보았다. **—***vt.* (장소)를 배회하다, 유랑하다; 두리번거리며 보다. [cf] roam. ¶~ the woods 숲속을 배회하다. **—***n.* [U] (종종 the ~) 헤맴, 배회, 유랑: on the ~ 배회하여, 유랑하여.

rove[2] REEVE[1]의 과거·과거분사.

rov·er [róuvər] *n.* [C] 배회자; 유랑자.

rov·ing [róuviŋ] *a.* 방랑하는; 상주하지 않는, 이동하는; (눈이) 두리번거리는: a ~ AMBASSADOR/a ~ minister 《美》 순회〔이동〕 공사〔대사〕. ***have a ~ eye*** 추파를 던지다, 바람기가 있다.

róving commíssion (조사원의) 자유 여행 권한; 《구어》 여기저기 돌아다니는 일.

‡**row**[1] [rou] *n.* **1** [C] **열**, 줄, 횡렬; (극장 따위의) 좌석의 줄: a ~ of poplars 포플라 가로수/a ~ of teeth 치열/in the front 〔third〕 ~ 앞줄〔제3렬〕에. **2** [C] 늘어선 집의 줄; (양쪽에 집이 늘어선) 거리; 시가; 가로수, 늘어선 나무의 줄. **3** (R–) 《英》 …가(街): live at 20 Maple *Row* 메이플가 20번지에 살다. **4** [C] 〖컴퓨터〗 행《화면에 표시된 문자나 기호의 가로줄》.

a hard 〔***long, tough***〕 ***~ to hoe*** 어려운〔지긋지긋한〕 일. ***in a ~*** ① 일렬로: stand *in a* ~ 일렬로 나란히 서다. ② 《구어》 연속적으로: He won three games *in a* ~. 그는 내리 세 판 이겼다. ***in ~s*** 줄지어, 여러 줄로 늘어서서.

‡**row**[2] *vt.* **1** (노로 배)를 **젓다**; (어떤 피치로) 노를 젓다; (어떤 위치에서) 노잡이를 맡다: ~ a boat 배를 젓다/We ~*ed* 30 (strokes) to the minute. 1분간 30번 노를 저었다/~ bow 〔five〕 앞〔5번〕 노잡이를 맡다. **2** 《~+[목]/+[목]+[부]/

+[목]+[전]+[명]》 (배로) 저어 나르다: ~ a person *across* the river 아무를 배로 강을 건네 주다 / He ~*ed* us *up* 〔*down*〕. 그는 우리를 태우고 노를 저어 올라〔내려〕갔다. **3** (보트가) …자루의 노를 사용하다: This boat ~*s* eight (oars). 이 보트는 8자루의 노로 젓는다. **4** (보트레이스에) 출전하다; …와 보트레이스를 하다: We have ~*ed* three races this season. 이번 시즌에 우리는 세 번 보트레이스에 출전했다 / Our crew ~*ed* Yale. 우리 팀은 예일 대학 보트 팀과 싸웠다.

—*vi.* **1** 《~/+[부]/+[전]+[명]》 **배를 젓다**, 배를 저어 가다: ~ *up* 〔*down*〕 (the river) (강을) 저어 올라〔내려〕 가다. **2** (보트가) 저어지다: This boat ~*s* easily. **3** 《~/+[전]+[명]》 보트레이스에서 노를 젓다《***for*** …을 위하여》, 보트레이스에 참가하다《***against*** …을 상대로》: ~ *for* Oxford 옥스퍼드 대학 선수로서 경조하다 / They ~*ed against* the Oxford crew. 옥스퍼드 대학 팀과 경조(競漕)했다.

~ *down* 저어서 따라붙다. ***Rowed of all!*** 노 올려, 노젓기 그만. **~ *out*** 노를 저어 지치게 하다: ~ oneself *out* 지칠 때까지 젓다. **~ *over*** 보트레이스〔경쟁〕에서 손쉽게 이기다; 독주〔독조(獨漕)〕하다. **~ *up*** 역조(力漕)하다, 힘껏 젓다.

—*n.* (a ~) **1** 노〔배〕젓기; 뱃놀이: go for a ~ 보트를 타러 가다. **2** 노젓는 거리〔시간〕: It was a long ~ to the opposite bank. 반대편 둑까지 저어가는 데는 오래 걸렸다.

row³** [rau] 《구어》 *n.* **1** (*sing.*) **법석**, 소동, 시끄러움: Hold your ~! 시끄러워, 조용히 해 / make a ~ 소동을 일으키다; 반대하여 떠들다, 항의하다 / What's the ~? 웬 소란인가, 도대체 무슨 일인가. **2** [C] 말다툼, 논쟁, 싸움《with*** …와의》: He had a ~ *with* his wife. 그는 아내와 말다툼을 했다. **3** [C] 《英》 꾸중, 야단맞음: There will be a ~ if we get found out. 들키면 크게 꾸지람 받을 게다: get into a ~ 야단을 맞다.

—*vi.* 《~/+[전]+[명]》 떠들다; 싸움〔언쟁〕하다《***with*** (아무)와; ***about, over*** …일로》: Stop ~*ing with* him *over* 〔*about*〕 such trifles. 그런 사소한 일로 그와 그만 다퉈라.

row·an [róuən, ráu-] *n.* [C] 〖식물〗 **1** 마가목의 일종. [cf] mountain ash. **2** 그 빨간 열매(= ∠·**bèr·ry**).

°**rów·bòat** [róu-] *n.* [C] 《美》 (손으로 젓는) 보트, 노로 젓는 배(《英》 rowing boat).

row·dy [ráudi] *n.* [C] 난폭한 사람. **—(*-di·er; -diest*)** *a.* 난폭한, 난장치는, 싸움 좋아하는; 떠들썩한: Don't be so ~. 좀 조용히 해라.

[파] **-di·ly** *ad.* **-di·ness** *n.*

rów·dy·ìsm *n.* [U] 난폭, 떠들썩함.

row·el [ráuəl] *n.* [C] (박차(拍車) 끝의) 작은 톱니바퀴.

row·er [róuər] *n.* [C] 노잡이, 노 젓는 사람.

rów hòuse [róu-] 《美》 (단지 등의) 잇대어 지은 같은 형의 집 중의 한 집; (벽으로 칸막이하여 이어진) 연립 주택의 하나.

row·ing [róuiŋ] *n.* [U] 보트 젓기, 조정(漕艇).

rówing bòat 《英》 =ROWBOAT.

row·lock [rálək, rʌ́l-/rɔ́l-, rʌ́l-] *n.* [C] 《英》 노걸이, 노받이, 클러치.

Roy [rɔi] *n.* 로이《남자 이름》.

‡**roy·al** [rɔ́iəl] *a.* [A] **1 a** (종종 R-) **왕〔여왕〕의**; 왕족의, 황족의; 왕실의. [cf] regal. ¶the blood 〔birth〕 ~ 왕족, 왕통 / the ~ family 〔household〕 왕실, 왕가 / a ~ palace 왕궁 / a *Royal* Princess 왕녀 / a *Royal* salute 황례포(皇禮砲). **b** 왕〔여왕〕으로부터 나온〔주어진〕: ~ assent 국왕의 재가.

> [NOTE] 왕가(王家)의 수장(首長)은 King, Queen, Prince of Wales. 수장이 Queen일 때 그 부군은 Prince Consort라 불림.

2 (보통 R-) 《英》 왕립의; 칙허(勅許)의, 국왕의 보호를 받는; 국왕에게 봉사하는: the *Royal* Opera House 왕립 오페라 극장 / the *Royal* Botanic Garden 왕립 식물원 / a ~ charter 〔warrant〕 칙허장(勅許狀) / a ~ edict 칙령(勅令).

> [NOTE] 영국에서는 '국립'이나 '나라의'라고 할 때 royal이라고 하는 일이 많으며, 반드시 '왕립'이라고 뜻이 한정되지는 않음.

3 왕자다운; 당당한, 훌륭한, 고귀한: He lives in a ~ way. 그는 왕자 같은 생활을 한다. **4** 보증된, 안이한: There is no ~ road to happiness. 행복으로 가는 지름길은 없다. **5** 더할 나위 없이 유쾌한; 멋진; 호화로운; 선명한《빛 따위》: a ~ view 멋진 경치 / a ~ feast 진수성찬 / a ~ box (극장 따위의) 귀빈석(席).

have a* ~ *time 매우 즐거운 때를 보내다. ***in* ~ *spirits*** 원기 왕성하여.

—*n.* [C] (보통 *pl.*) 《구어》 왕족〔왕가〕의 사람; (the ~*s*) 왕족.

Róyal Acádemy (of Árts) (the ~) 《英》 왕립 미술원(the Academy)《생략: R.A.》.

Róyal Áir Fòrce (the ~) 영국 공군《생략: R.A.F.》.

róyal blúe 감청색(紺靑色).

Róyal Commíssion 영국 심의회《수상의 추천으로 왕실에 의해 임명된 심의회; 법의 운용·사회·교육 문제를 조사하여 정부에 보고함》.

róyal fámily (the ~) 〖집합적〗 **1** 왕족〔왕실〕(의 사람들). **2** (종종 the R- F-) 영국 왕실(의 사람들).

róyal flúsh 〖카드놀이〗 포커게임에서 같은 한 조(組)의 으뜸패(ace)로부터 연속되는 5장.

Róyal Híghness 〖호칭으로서 Your ~; 보통 His 〔Her〕 ~, Their ~es로〗 전하《황족에 대한 경칭; 생략: R.H.; [cf] highness》: *His* ~, Prince Charles 찰스 황태자 전하.

Róyal Institútion (the ~) 영국 왕립 과학 연구소《1799년 창립; 생략: R.I.》.

róy·al·ìsm *n.* [U] 왕당주의; 군주주의.

°**róy·al·ist** *n.* [C] **1 a** 왕당원; 군주(제) 지지자. **b** (R-) 〖英역사〗 (17세기 영국 청교도 혁명 당시의) 왕당원(Tory). **2** (종종 R-) 〖美역사〗 (독립전쟁 당시의) 영국파.

róyal jélly 로열 젤리《꿀벌이 여왕벌이 될 애벌레에게 주는 영양 있는 분비물》.

róy·al·ly *ad.* 왕〔여왕〕으로서, 왕〔여왕〕답게; 존엄하게, 당당히; 《구어》 훌륭히.

Róyal Máil (the ~) 영국 체신 공사의 공식 명칭.

Róyal Marínes (the ~) 영국 해병대(隊) (= the **Róyals**)《생략: R.M.》.

Róyal Mínt (the ~) 영국 왕립 조폐국.

Róyal Návy (the ~) 영국 해군《생략: R.N.》.

róyal prerógative (the ~; 종종 the R- P-) 왕〔여왕〕의 특권, 대권(大權).

róyal púrple 질푸른 자줏빛.

róyal róad 왕도, 지름길, 쉬운 방법: There is no ~ to learning. 《속담》 배움에 지름길은 없다.

Róyal Socíety (the ~) 영국 학술원《1662년

창립; 생략: R.S.》. ★ 정식 명칭은 The Royal Society of London for the Improvement of Natural Knowledge.

roy·al·ty [rɔ́iəlti] *n.* **1** Ⓤ 왕〔여왕〕임; 왕권, 왕위; 왕의 위엄; 왕자의 위풍. **2** Ⓤ 〘집합적〙 왕족; Ⓒ 왕실의 일원. **3** Ⓒ **a** 특허권〔저작권〕 사용료; (희곡) 상연료; 인세: a ~ of ten percent on a book 저서에 대한 1할의 인세/an advance on *royalties* 인세 선급금. **b** (광물) 채굴권; 광구〔광산, 유전〕 사용료.

roz·zer [rázər/rɔ́z-] *n.* Ⓒ 《英속어》 순경, 형사.

R.P. Received Pronunciation (표준적 발음). **RPM, r.p.m.** revolutions per minute (매분 …회전). **rpt.** report. **R.R.** railroad. **RRP** 〖상업〗 recommended retail price. **R.S., RS** Royal Society. **RSC** 《英》 Royal Shakespeare Company (왕립 셰익스피어 극단). **R.S.P.C.A.** 《英》 Royal Society for the Prevention of Cruelty to Animals (영국 동물 애호 협회). **RSV, R.S.V.** Revised Standard Version (of the Bible). **R.S.V.P., r.s.v.p., rsvp** *Répondez, s'il vous plaît* 《F.》(=Reply, if you please)《★ 초대장에 첨부하는 문구》. **rt.** right. **Ru** 〖화학〗 ruthenium.

rub [rʌb] (**-bb-**) *vt.* **1** 《~+목/+목+부/+목+전+명》 **문지르다**, 마찰하다; 비비다(*together*) 《***against, on, over*** …에》; 문질러〔비벼〕 …을 만들다《***in*** …에》: He *~bed* his eyes and yawned. 그는 눈을 비비며 하품을 했다/~ one's hands *together* 두 손을 비비다/You've *~bed* your coat *against* some wet paint. 당신은 갓 칠한 페인트에 웃옷을 비벼댔군요/The cat was *~bing* itself 〔its head〕 *against* her legs. 고양이는 몸을〔머리를〕 그녀의 발에 대고 문질렀다/You'll ~ a hole *in* the carpet. 그렇게 문지르면 양탄자에 구멍이 나겠다.
2 《+목+부/+목+전+명》 (문질러) **닦다**《***with*** …으로》; 문질러 지우다, 비벼 떼다〔없애다〕; 스쳐 까지게 하다(*off; out*)《***off, from, out of*** …에서》: *Rub out* the pencil marks. 연필 자국을 지워라/I've *~bed* the skin *off*. 나는 피부가 까졌다/She *~bed* her spectacles *with* her handkerchief. 그녀는 손수건으로 안경을 문질러 닦았다/She *~bed off* the dirt *from* her boots. 그녀는 부츠에서 흙을 문질러 떨어뜨렸다.
3 《+목+보/+목+전+명/+목+부》 비벼서〔문질러〕 (…로) 하다: ~ one's glasses clear 안경을 닦아서 깨끗하게 하다/~ a thing (*down*) *to* powder 물건을 비벼서 가루로 만들다.
4 《+목+전+명》 문질러 바르다《***over, on, onto, in, into*** …에》: ~ cream *over* the face 얼굴에 크림을 바르다/*Rub* this oil *on* your skin. 피부에 이 기름을 바르시오.
— *vi.* **1** 《~/+전+명/+부》 **마찰하다, 스치다,** 닿다 (*together*)《***against, on, upon*** …에》: The door ~*s on* the floor. 문이 마루에 닿아 서로 스친다/The dog *~bed against* her. 개가 그녀에게 몸을 비벼댔다. **2** 《+부》 비벼 지우다〔없애다〕; 스쳐서 해지다〔닳다〕 (*off; out*): Blood stains don't ~ *off* easily. 핏자국은 비벼도 잘 지워지지 않는다/Ink stains don't ~ *out*. 잉크 얼룩은 문질러도 좀처럼 지워지지 않는다.
~ ***along*** 《*vi.*+부》《英구어》 ① 그럭저럭 해 나가다: I'm *~bing along* O.K. 나는 그럭저럭 잘해 나가고 있다. ② 사이좋게 지내다《***with*** (아무)와》: We are *~bing along with* the new director. 우리는 새로 취임한 소장과 잘 지내고 있다. ③ (두 사람 이상이) 잘해 나가다 (*together*). ~ ***down*** 《*vt.*+부》 ① (몸)을 마찰하다, 문질러 닦다〔말리다〕《***with*** …으로》: I ~ myself *down with* a rough towel every morning. 나는 매일 아침 건포 마찰을 한다. ② 문질러 갈다〔매끄럽게 하다〕 《***with*** …으로》: ~ *down* a chair *with* sandpaper 사포로 의자를 매끄럽게 갈다. — 《*vi.*+부》 ③ 문질러 닦다〔말리다〕. ~ ***elbows*** 〔***shoulders***〕 ***with*** …와 팔꿈치〔어깨〕를 맞대다; …와 어울리다; (저명인사 등)과 (친하게) 교제하다. ~ ***in*** 《*vt.*+부》 (약 등)을 문질러 바르다; (그림물감)을 뒤발라 그리다. ~ ***it in*** 《구어》 (사실 · 잘못 등을) 짓궂게 되풀이하여 말하다, 상기시키다: All right, all right. There is no need to ~ *it in*. 됐어, 됐어. 알았으니까 자꾸 말하지 마. ~ ***off on to*** 〔***onto***〕 (습관 · 생각 따위가) …에게 영향을 주다: Some of her generosity has *~bed off onto* him. 그녀의 관대함이 차츰 그에게 감화를 주었다. ~ ***out*** 《*vt.*+부》 ① …을 비벼 없애다(⇨*vt.* 2). ② (담뱃불 따위)를 비벼 끄다. ③ 《美속어》 (사람)을 죽이다, 제거하다(murder). — 《*vi.*+부》 ④ 비벼서 없어지다〔떨어지다〕. ~ a person ***the right way*** 아무를 기쁘게 하다; 달래다. ~ (a person) (***up***) ***the wrong way*** (아무의) 신경을 건드리다, 짜증나게 하다, 화나게 하다. ~ ***up*** 《*vt.*+부》 ① 충분히 비비다〔닦다〕; (그림물감 따위)를 섞어 개다. ② (기억 따위)를 분명케 하다, 생각나게 하다, 복습하다: ~ *up* one's Latin 잊은 라틴말을 생각해내다〔복습(復習)하다〕. ~ ***up against*** people 사람들과 접촉하다.
— *n.* (a ~) **1** 마찰, 문지름: give silver plate a good ~ 은식기를 잘 닦다. **2** Ⓒ (the ~) 장애, 곤란: There's the ~. 그것이 문제다《Shakespeare 작 *Hamlet* 에서》/the ~*s* and worries of life 인생의 신산(辛酸) 고초.

rub·ber[1] [rʌ́bər] *n.* **1** Ⓤ **고무**, 생고무, 천연고무, 합성고무. **2** Ⓒ **a** 《英》 고무 지우개(《美》 eraser); 고리 고무줄(~ band); 고무타이어《차한 대분》. **b** 《구어》 풍선; 콘돔. **3** Ⓒ 《美》 (보통 *pl.*) (고무제(製)의) 레인코트, 비옷; 고무덧신. **4** Ⓒ 문지르는〔닦는〕 사람; 안마사. **5** Ⓒ 숫돌 (whetstone); 사포, 연마사(砂). **6** Ⓒ 타월; 행주 (dishcloth); 브러시. **7** (the ~) 〖야구〗 투수판 (pitcher's plate), 홈플레이트(home plate). **8** 〘형용사적〙 고무(제)의: a ~ ball/a ~ boat/~ boots/a ~ plantation 고무나무 재배원.

rub·ber[2] *n.* Ⓒ (카드놀이 따위의) 3판 승부; (the ~) 3판 승부 중의 2승: have a ~ of bridge 브리지의 3판 승부를 하다/We lost the ~ 2 to 1. 우리는 3판승부에서 2대1로 졌다. ★ 줄여서 the rub 라고도 함.

rúbber bánd 고무 밴드.

rúbber chéck 《구어》 부도 수표.

rúbber dínghy 《美》 (소형) 고무 보트.

rúbber góods 《완곡어》 고무 제품《피임용구 따위》.

rúb·ber·ìze [-ràiz] *vt.* …에 고무를 입히다; …을 고무로 처리하다.

rúbber·nèck 《구어》 *vi.* 목을 (길게) 빼고 유심히 보다〔살피다〕; (안내원에 인솔되어) 단체 여행을 가다. — *n.* Ⓒ 목을 길게 빼고 보는 사람; 호기심이 많은 사람; (단체) 관광객.

rúbber plànt 고무나무, 《특히》 (실내장식용) 인도고무나무.

rúbber stámp 1 고무 도장. 2 《구어》 무턱대고 도장을 찍는 사람, 무비판적으로 승인〔찬성〕하는 사람〔관청·의회〕.

rúbber-stámp *vt.* …에 고무 도장을 찍다; 《구어》 …에 무턱대고 도장을 찍다; …을 잘 생각지도 않고 찬성〔승인〕하다.

rúbber trèe 『식물』 고무나무, 《특히》 (생고무를 채취하는) 파라고무나무.

rub·bery [rʌ́bəri] *a.* 고무 같은, 탄력(성) 있는(elastic); 질긴(tough): ~ meat 질긴 고기.

rub·bing [rʌ́biŋ] *n.* 1 [U] (구체적으로는 [C]) 마찰; 연마; 안마, 마사지. 2 [C] (비명(碑銘) 따위의) 탑본, 탁본: do a ~ of …의 탁본을 하다.

rúbbing àlcohol 《美》 소독용 알코올(《英》 surgical spirit).

‡**rub·bish** [rʌ́biʃ] 《英》 *n.* [U] **1 쓰레기, 폐물,** 잡동사니: a pile of ~ 쓰레기〔잡동사니〕 더미. 2 하찮은 것, 부질없는 생각: Oh, ~! 데데하게시리. **—***vt.* 《구어》 …을 얕보다, 경멸하다; 비난하다. [파] **~y** [-i] *a.* 쓰레기의, 잡동사니의; 보잘것없는, 어리석은.

rúbbish bín 《英》 쓰레기통《★ rubbish bin은 옥내용, dustbin은 옥외용》.

rub·ble [rʌ́bəl] *n.* [U] 1 잡석(雜石), 깨진 기와〔벽돌〕 조각. 2 = RUBBLEWORK.

rúbble·wòrk *n.* [U] (기초 공사 등의) 잡석 쌓기.

rub·bly [rʌ́bli] *a.* 잡석의〔같은〕; 잡석으로 된; 잡석이 많은.

rúb·dòwn *n.* (a ~) 1 신체 마찰, 마사지: a ~ with a wet 〔rough〕 towel 냉수〔건포〕 마찰. 2 싹싹〔북북〕 문지르기.

rube [ru:b] *n.* [C] 《美구어》 (도회지로 갓 올라온) 시골뜨기; 풋내기, 철부지.

ru·bel·la [ru:bélə] *n.* [U] 『의학』 풍진(風疹).

Ru·bens [rú:bənz] *n.* **Peter Paul** ~ 루벤스 《Flanders 파의 화가; 1577-1640》.

Ru·bi·con [rú:bikɑ̀n/-kən] *n.* (the ~) 루비콘강《이탈리아 북부의 강; Julius Caesar가 '주사위는 던져졌다' 라고 말하고 건넜던 강》. ***cross* 〔*pass*〕 *the* ~** 단호한 조처를 취하다, 홍망을 걸고 해보다.

ru·bi·cund [rú:bikʌ̀nd] *a.* (사람이) 얼굴이 토실토실하고 붉은, 혈색 좋은.

ru·bid·i·um [ru:bídiəm] *n.* [U] 『화학』 루비듐 《금속 원소; 기호 Rb; 번호 37》.

Rú·bik('s) Cùbe [rú:bik(s)-] 루빅 큐브《정육면체의 색깔 맞추기 장난감; 고안자는 헝가리인 Ernö Rubik(1945-); 상표명》.

ru·ble, rou- [rú:bəl] *n.* [C] 루블《러시아의 화폐 단위; 기호 R, Rub; =100 kopecks》.

rúb·òut *n.* [C] 《美속어》 살인.

ru·bric [rú:brik] *n.* [C] 1 주서(朱書), 붉게 인쇄한 것. 2 (법령 등의) 제목, 항목《원래는 붉은 글씨로 썼음》. 3 〔일반적〕 규정; 예배 규정, 예식법.

ru·bri·cate [rú:brəkèit] *vt.* …을 주서(朱書)하다, 붉게 인쇄하다; …에 붉은 제목을〔표제를〕 달다.

rúb·ùp *n.* (a ~) 문지르기, 갈기.

Ru·by [rú:bi] *n.* 루비《여자 이름》.

°**ru·by** [rú:bi] *n.* 1 [U] (낱개는 [C]) 루비; 홍옥(紅玉). 2 [U] 루비 빛깔, 진홍색. **—***a.* [A] 루비(빛)의, 진홍색의.

ruck[1] [rʌk] *vt., vi.* 주름살투성이가 되(게 하)다 (*up*). **—***n.* [C] (천 등의) 주름살, 주름(crease).

ruck[2] *n.* 1 (the ~) 보통 사람들, 어중이떠중이들: emerge from the ~ 평범한 사람들 사이에서 두각을 나타내다. 2 [C] 다수; 지스러기, 잡동사니. 3 (the ~) (경마에서) 낙오한 말의 떼; (경주 따위에서) 후속 집단. 4 (*sing.*) 『럭비』 럭《지면에 있는 공 주위에 선수들이 밀집하여 밀고 당기기》.

rúck·sàck *n.* 《G.》 [C] 배낭, 륙색.

ruck·us [rʌ́kəs] *n.* [C] 《보통 *sing.*》 《美》 법석, 소동, 논쟁.

ruc·tion [rʌ́kʃən] *n.* 《구어》 1 (*sing.*) 소동, 법석. 2 (*pl.*) 심한 불평; 격론.

°**rud·der** [rʌ́dər] *n.* [C] 1 (배의) 키; (비행기의) 방향타(方向舵). 2 〔일반적〕 이끄는〔조종하는〕 것, 《비유적》 지도자, 지침.

rúd·der·less *a.* 키가 없는; 지도자가 없는.

rud·dle [rʌ́dl] *n.* [U] 홍토(紅土), 대자석(代赭石). **—***vt.* …에 홍토로 표를 하다《특히 양(羊)에게》; 홍토를 바르다.

rud·dy [rʌ́di] (***-di·er; -di·est***) *a.* 1 붉은, 불그스름한; 혈색이 좋은, 건장한. [cf.] rosy. ¶ a ~ sky 붉게 물든 하늘, 놀 / a ~ complexion 혈색 좋은 얼굴. 2 [A] 〔강의적으로 쓰여〕 《英구어》 싫은, 괘씸한, 지긋지긋한《bloody의 완곡어》. **—***ad.* 〔강의적으로 쓰여〕 《英속어》 매우, 몹시: She makes me work ~ hard. 그녀는 나를 심하게 부려먹는다.

‡**rude** [ru:d] *a.* **1 버릇없는,** 무례한(impolite), 실례의《***to*** (아무)에게 / ***to*** do》: ~ manners 무례 / We should not be ~ *to* each other. 우리는 서로 실례되는 짓을 해서는 안 된다 / It was ~ *of* you *to* point at her. =You were ~ *to* point at her. 네가 그녀에게 손가락질한 것은 결례였다 / The clerk in the store ignored me. — How ~! 저 가게 점원이 나를 무시했어—정말 무례하군. 2 교양이 없는, 야만의; 《구어》 (농담이) 상스러운, 음란한: a ~ servant 예의를 모르는 하인 / ~ times 야만 시대 / a ~ joke 상스러운 농담. 3 무뚝뚝한; 거친: ~ realities 냉혹한 현실 / ~ scenery 살풍경. 4 미완성의; 미가공의: ~ ore 원(광)석 / a ~ steam engine 초기의 증기기관 / ~ produce 천연 산물. 5 미숙한, 조잡한; 대강의: a ~ sketch 조잡한 묘사 / a ~ scholar 미숙한 학자 / a ~ estimate 대강의 견적. 6 튼튼한, 건강한. ↔ *delicate*. ¶ ~ health 강건(強健). 7 귀에 거슬리는; (음식이) 맛없는, 소홀한: ~ sounds 비음악적인〔거친〕 소리 / ~ fare 소찬(素饌), 변변치 못한 음식. 8 격심한; 돌연한: ~ passions 격정 / a ~ shock 갑작스러운 충격. [파] **∠·ness** *n.*

*****rude·ly** [rú:dli] *ad.* **1 무례하게,** 버릇없이: behave ~ 버릇없이 굴다 / He spoke very ~. 그는 몹시 무례한 말을 했다. 2 돌연히, 심하게, 느닷없이: I was ~ awakened by a loud noise. 커다란 소리에 갑자기 잠에서 깨어났다. 3 허술하게, 조잡하게.

°**ru·di·ment** [rú:dəmənt] *n.* 1 (*pl.*) 기본, 기초(원리); 초보; 시작: the ~*s of* economics 경제학의 기초 / the ~*s of* a plan 계획의 초기 단계. 2 [C] 『생물』 퇴화〔흔적〕기관. ◇ rudimentary *a.*

°**ru·di·men·ta·ry** [rù:dəméntəri] *a.* 1 근본의, 기본의; 초보〔초등〕의: a ~ knowledge of English 영어의 초보 지식 / ~ mathematics 기초 수학. 2 『생물』 미발달한, 미숙한, 흔적의: a ~ organ 흔적 기관(器官). 3 원시적인; 조잡한.

Ru·dolf, -dolph [rú:dɑlf/-dɔlf] *n.* 루돌프 《남자 이름》.

rue[1] [ru:] *vt.* 한탄하다; 후회하다: You'll live

to ~ it. 언젠가는 그 일을 후회하게 될 거다/I ~ the day (when) I accepted the offer. 나는 그 제안을 받아들였던 것을 후회하고 있다.

rue² *n.* [U] 〖식물〗 루타(*Ruta*)《운향과(芸香科)의 상록 다년초; 예전에 약초로 사용했음》.

rue·ful [rú:fəl] *a.* 슬픈 듯한; 가엾은, 비참한; 후회하는: a ~ smile 슬픈 미소/a ~ sight 비참한 광경. [파] **~·ly** *ad.*

ruff¹ [rʌf] *n.* [C] **1** 풀이 센 높은 주름 칼라《특히 16세기의》. **2** 새 · 짐승의 목 둘레의 고리 모양의 털(깃털).

ruff² *n.* [U] 옛날의 카드놀이의 일종; 으뜸패로 잡기. **—***vi.* 으뜸패로 잡다(를 내 놓다).

rúffed gróuse 〖조류〗 목도리뇌조(雷鳥)《북아메리카산(産)》.

◇**ruf·fi·an** [rʌ́fiən, -fjən] *n.* [C] 악한, 불량배, 폭력배, 무법자. [파] **~·ly** *a.*

ruf·fle¹ [rʌ́fəl] *vt.* **1** (머리털)을 헝클어뜨리다; 물결을 일으키다(*up*): He stood there with his hair ~*d* by the wind. 그는 바람에 머리칼을 흩날리며 그곳에 서 있었다/A breeze ~*d* the water. 미풍이 수면에 물결을 일으켰다. **2** (새가 성을 내어 깃털)을 곤두세우다(*up*); 어지럽히다, 뒤흔들다; 성나게(약이 오르게) 하다: Nothing ~*d* him. 그는 무슨 일에도 동요하지 않았다/The bird ~*d up* its feathers. 새는 성이 나서 깃털을 곤두세웠다. **3** …에 주름을 잡다; 프릴을 달다. **—***vi.* **1** 주름살(구김살)지다, 구겨지다; 물결이 일다. **2** 화나다, 애타다, 약오르다. **~ *it*** 뽐내다. **~ a person's *feathers*** 아무를 성나게 하다.
—*n.* [C] **1** (옷깃 · 소맷부리 따위의) 프릴, 주름 장식; 새의 목털. **2** 물결 일기; 잔물결. **3** 동요, 불안; 화, 애탐: put in a ~ 동요시키다; 애타게 하다, 성나게 하다.

ruf·fle² *n.* [C] 북을 나직이 둥둥 치는 소리. **—***vt.* (북)을 나직이 둥둥 치다.

ruf·fled [rʌ́fld] *a.* **1** 주름(장식)이 있는; 목털이 있는, 목둘레 깃털이 난. **2** 주름져 구겨진; 물결이 이는; 흐트러진.

⁑**rug** [rʌg] *n.* [C] **1** (바닥의) **깔개,** 융단, 양탄자; 까는 모피, 《특히》 난로 앞에 까는 것. **2** 《英》 무릎 덮개(《美》 lap robe). **3** 《美속어》 남성용 가발. ***pull the* ~(*s*) (*out*) *from under*** a person (갑자기 지지를 철회하여) 아무를 좌절케 하다, 아무에게 원조를 중단하다. ***sweep* (*brush, push*) *under the* ~ (*carpet*)** 《美》 ⇨ CARPET (관용구).

Rug·by [rʌ́gbi] *n.* **1** 럭비《잉글랜드 중부의 도시; ~ School 소재지》. **2** (종종 r–) [U] 럭비(~ football). [cf] football.

Rúgby fóotball (종종 r–) 럭비.

rug·ged** [rʌ́gid] (more* ~, ~·*er*; *most* ~, ~·*est***) *a.* **1 우툴두툴한,** 울퉁불퉁한《바위 · 나무껍질 등》; 바위투성이의: a ~ path 울퉁불퉁한 길/a ~ mountain 바위투성이의 산. **2** (성격이) 메부수수한, 소박한, 조야한(rude): a ~ peasant 소박한 농부/~ kindness 무뚝뚝한 친절/~ honesty 솔직. **3** (얼굴이) 딱딱한, 엄숙한; 엄격한, 까다로운: ~ training 엄격한 훈련/~ features 딱딱한 표정. **4** 어려운, 괴로운; 궂은 날씨의; 거친: a ~ life 괴로운 생활/~ weather 궂은 날씨/a ~ competitive exam 치열한 경쟁 시험. **5** (소리가) 귀에 거슬리는: ~ sounds. **6** (기계 따위가) 단단한; 튼튼한: This vehicle is ~ and reliable. 이 차는 튼튼해서 믿을 만하다.
[파] **~·ly** *ad.* **~·ness** *n.*

rug·ger [rʌ́gər] *n.* [U] 《英구어》 러거, 럭비 (Rugby football). [cf] soccer.

⁑**ru·in** [rú:in] *n.* **1** [U] **파멸,** 멸망; 파산, 몰락; 붕괴, 황폐: bring about one's ~ 파멸을 초래하다/bring (reduce) to ~ 실패(영락, 몰락)시키다/fall (go, come) to ~ 멸망(파멸)하다, 황폐하다/plan a person's ~ 아무의 파멸을 획책하다/face financial ~ 파산에 직면하다/The tower fell into ~. 그 탑은 붕괴했다(황폐해졌다).
2 [C] **a** (흔히 *pl.*) **폐허,** 옛터(remains): the ~*s* of a castle 성의 폐허/We visited the ~*s* of ancient Greece. 고대 그리스 유적을 구경했다. **b** 파괴된(황폐한) 것; 잔해: the ~ of a ship 배의 잔해.
3 [C] (옛 모습을 찾을 수 없게) 몰락(영락)한 사람(모습): He is but the ~ *of* what he was. 그는 옛 모습을 찾아볼 수 없을 만큼 몰락했다.
4 (the ~, one's ~) **파멸의 원인,** 화근: Alcohol was his ~. 그는 술 때문에 파멸했다/Women will be the ~ *of* him. 여자 때문에 그는 몰락할 것이다.
in* ~*s ① (건물 등이) 폐허가 되어, 황폐하여: The ancient city lies *in* ~*s*. 그 고도는 황폐되어 있다. ② (계획 · 희망 등이) 무너져: Their hopes were *in* ~*s*. 그들의 희망은 무너졌다.
—*vt.* **1 파괴하다;** 파멸(황폐)시키다; 못쓰게 하다: ~ one's health by excesses 절제를 안 해 건강을 망치다/The crops have been ~*ed* by the storm. 폭풍우로 농작물이 못쓰게 되었다.
2 영락시키다, 망쳐 놓다; 파산시키다: He was ~*ed* by drink. 그는 술로 신세를 망쳤다/The contract ~*ed* them. 그 계약으로 인하여 그들은 파산했다.
3 《고어》 (여자의) 처녀성을 빼앗다, 타락시키다.
—*vi.* **1** 황폐하다, 파멸하다, 망하다. **2** 영락(몰락)하다.

rù·in·á·tion *n.* [U] **1** 파멸, 멸망; 황폐; 몰락, 파산. **2** 파멸(타락)의 원인, 화근.

rú·ined *a.* **1** 파멸(황폐)한: a ~ castle 황폐한 성. **2** 몰락(파산)한; 《고어》 (여자가) 성적으로 타락한.

***ru·in·ous** [rú:inəs] *a.* **파괴적인,** 파멸을 초래하는; 영락(파산)한; 황폐한; 폐허의; 《구어》 턱없이 비싼: a ~ house 황폐한 고옥/~ taxes 엄청난 세금. [파] **~·ly** *ad.*

⁑**rule** [ru:l] *n.* **1** [C] **규칙,** 규정《*that*》; 법칙: the ~*s* of the club 클럽 규칙/a standing ~ 정관(定款)/the ~*s* of decorum 예법/a ~ for the admission of new members 신입 회원 입회 규정/a ~ against smoking 금연 규정/There is no (general) ~ without some exceptions. 《속담》 예외 없는 규칙은 없다/There's a ~ in soccer *that* one mustn't touch the ball with one's hands. 축구에는 공에 손을 대서는 안 된다는 규칙이 있다.

[SYN.] **rule** 질서 · 획일 따위 때문에 일반적으로 가지고 있는 규칙. **regulation** 집단의 관리 · 통제를 위한 규칙으로, 당국자에 의해서 시행되는 규칙.

2 [C] **통례,** 관례, 습관; 원칙, 주의: Rainy weather is the ~ here in June. 이 곳은 6월에 언제나 비가 많이 온다/He makes a ~ *of* read*ing* an hour before breakfast. 그는 아침식사 전에 언제나 1시간 독서하곤 한다/It's against my ~ to compromise. 타협하는 것은 내 원칙에 위반

된다.

3 Ⓒ 〖문법·과학〗 법칙, 방식; 〖수학〗 공식, 해법(解法): the ~*s* of grammar 문법의 법칙.

4 Ⓤ **지배**(control), **통치**: the ~ *of* force 무력 통치/under military ~ 군(軍)의 지배하에/countries that were once under French ~ 일찍이 프랑스 통치 아래에 있던 나라들.

5 Ⓤ 《수식어를 수반하여》 통치 기간, 치세(治世): during the ~ of Queen Elizabeth I 엘리자베스 I 세의 치세 중에/His ~ lasted three days. 그의 천하는 3 일밖에 지속되지 못했다.

6 Ⓒ 〖법률〗 (법정(法廷) 따위의) 명령; 법률 원칙; 재정(裁定).

7 Ⓒ **자**(ruler); 〖인쇄〗 괘선(罫線).

as a* (*general*) ~** ⇨GENERAL. ***by* (*according to*) ~** 규칙에 의하여(대로): You cannot do everything *by* ~. 무슨 일이든지 규칙대로 할 수는 없다. ***make it a ~ to do 언제나 …하기로 하고 있다: I *make it a* ~ never *to* speak ill of a person behind his back. 나는 남의 등뒤에서 험담을 하지 않기로 하고 있다. ***the ~ of the jungle*** 정글의 법칙《약육강식, 난장판》. ***the ~ of three*** 〖수학〗 3수법(數法)《비례의 외항의 적(積)은 내항의 적과 같다는 법칙》. ***work to ~*** 《英》 (노동 조합원이) 준법 투쟁을 하다.

> **DIAL.** ***Rules are rules.*** 규칙은 규칙이야《그러니까 잠자코 따라야 해》.

—*vt.* **1** (국가·국민)을 **다스리다**, 통치〔지배〕하다: ~ a country. SYN. ⇨GOVERN.

2 《보통 수동태》 지도〔설득〕하다, 시키는 대로 하다; (감정 따위가) 좌우하다: *be* ~*d* by advice 충고에 따르다/Don't *be* ~*d* by your passion (emotions). 열정〔감정〕에 좌우되지 마라.

3 (감정 등)을 억누르다, 억제하다: ~ one's desires 욕망을 누르다.

4 《+*that* 절/+목+(*to be*) 보》 (법정 등이) **재정**〔결정, 규정〕**하다**, 판결하다: The court ~*d that*.... 법원은 …라고 판결했다/The demonstration was ~*d* (*to be*) illegal. 그 시위는 불법으로 판결이 내려졌다.

5 《~+목/+목+전+명》 (노트 따위)에 선을 긋다; (선)을 긋다《***on*** (종이)에》; (종이)에 긋다《***with*** (선)을》: ~ a notebook 노트에 선을 긋다/~ lines *on* paper =~ paper *with* lines 종이에 선을 긋다.

—*vi.* **1** 《~/+전+명》 통치〔지배〕하다《***over*** …을》: An Emperor ~*s over* an Empire. 황제가 제국을 지배한다.

2 《~/+전+명》 지배적이다; 우세〔유력〕하다; 널리 행해지다《***in*** …에서》: Crime ~*s in* the city. 그 도시에는 범죄가 성행하고 있다.

3 《+전+명》 재정〔판결〕하다《***on*** …에 대하여; ***against*** …에 반대하여》: The court will soon ~ *on* the matter. 법정은 그 사건에 대하여 곧 판결을 내릴 것이다/The judge ~*d against* him. 판사는 그에게 불리한 판결을 내렸다.

~ *off* 《*vt.*+부》 (난(欄) 따위)를 선을 그어 구획하다; (경기자 등)을 제외하다. **~ *out*** 《*vt.*+부》 ① (규정 등에 따라) …을 제외〔배제〕하다, 무시하다: The police ~*d* him *out* as a suspect. 경찰은 그를 용의자에서 제외했다. ② …을 불가능하게 하다, 방해하다: Rain ~*d* our going *out* a picnic. 비가 와서 피크닉을 갈 수 없었다. **~ *a thing* (*a person*) *out of order*** 무엇을〔아무를〕 위법이라고〔실격으로〕 판단하다. **~ *the roost* (*roast*)** ⇨ROOST. **~ *with a rod of iron* =~ *with an iron hand*** (집단 등)을 엄격히 통제하다.

rúle·bòok *n.* Ⓒ (취업) 규칙서; (the ~) 규칙집(集)《특정 활동·스포츠 따위의》.

rúle of thúmb ((a) ~) 대체적인 방법, 경험에서 얻은 일반 원리〔방식〕: as a ~ 대체로 말해서/Experienced gardners work by ~. 숙련된 정원사는 경험에서 얻은 방식으로 일한다.

⁑**rul·er** [rúːlər] *n.* Ⓒ **1 통치자**, 주권자, 지배자: ~*s* and ruled 지배자와 피지배자. **2 자**: a 12-inch ~, 12 인치 자.

rul·ing [rúːliŋ] *a.* Ⓐ **1** 지배하는, 통치하는: the ~ classes 지배 계급. **2** 주된, 우세한, 유력한; 일반적인, 평균의《시세 따위》: the ~ price 시가, 일반 시세/the ~ spirit 주동자; 수뇌.

—*n.* **1** Ⓤ 지배; 통치. **2** Ⓒ 〖법률〗 판결, 재정(裁定)《***on*** …에 대한; ***for*** …에게 유리한; ***against*** …에게 불리한/***that***》: give a ~ in favor of a person 아무에게 유리한 판결을 내리다/The judge gave (made) a ~ *that* he should pay her £1,000 in damages. 재판관은 그가 그녀에게 1,000 파운드의 배상금을 지불해야 한다는 판정을 내렸다.

°**rum**[1] [rʌm] *n.* Ⓤ (낱개는 Ⓒ) 럼주(酒)《사탕수수·당밀(糖蜜)로 만듦》; 《美》 《일반적》 술.

rum[2] (*∠·mer; ∠·mest*) *a.* 《英구어》 **1** 기묘한(queer), 괴상한(odd): a ~ fellow 괴상한 남자. **2** 위험한; 나쁜(bad): a ~ customer 섣불리 손댈 수 없는 상대(것)/feel ~ 기분이 나쁘다.

㊐ **∠·ly** *ad.* 기묘하게, 괴상하게. **∠·ness** *n.*

Ru·ma·nia [ruːméiniə, -njə] *n.* 루마니아(Roumania)《유럽 남동부의 공화국; 수도는 Bucharest》.

Ru·má·ni·an *a.* 루마니아(사람·말)의. **—***n.* Ⓒ 루마니아 사람; Ⓤ 루마니아 말.

rum·ba, rhum·ba [rʌ́mbə, rú(ː)m-] *n.* 《Sp.》 Ⓒ 룸바《쿠바 원주민의 춤; 그것을 모방한 사교춤》; 룸바곡.

°**rum·ble**[1] [rʌ́mbəl] *n.* **1** (*sing.*) (천둥·수레 따위의) 우르르〔덜커덕덜커덕〕 울리는 소리; 왁자지껄하는 소음: a distant ~ of thunder 멀리서 들려오는 우레소리/a protesting ~ 시끄러운 항의의 소리. **2** Ⓒ 《美속어》 불량배끼리의 싸움.

—*vi.* **1** 우르르 울리다, 덜커덕덜커덕 소리가 나다; (뱃속에서) 꼬르륵 소리가 나다: Thunder (Gunfire) is *rumbling* in the distance. 멀리서 뇌성〔포성〕이 울리고 있다/My stomach ~*d* with hunger. 배가 고파 뱃속에서 꼬르륵 소리가 났다. **2** (수레가) 덜커덕거리며 가다; (차가) 부르릉거리며 지나가다: A cart ~*d along* (the road). 짐 마차가 덜커덕거리며 (길을) 지나갔다. **3** 질질 끌며 이야기하다(*on*). **—***vt.* 낮고 굵은 목소리로 말하다(*out*).

rúm·ble[2] *vt.* 《英속어》 (진상·정체 따위)를 알아차리다, 간파하다.

rúmble sèat 《美》 (구식 자동차 뒤쪽의) 접는 식 보조석.

rúm·bling *n.* Ⓒ **1** (*sing.*) 우르르〔덜거덕〕 소리. **2** (보통 *pl.*) 불평〔불만〕의 소리.

rum·bus·tious [rəmbʌ́stʃəs] *a.* 《英구어》 떠들썩한, 시끄러운(boisterous, rambunctious).

㊐ **~·ly** *ad.* **~·ness** *n.*

ru·men [rúːmin] (*pl.* ***-mi·na*** [-nə]) *n.* 《L.》 Ⓒ (반추 동물의) 혹위(胃)《첫째 위(胃)》.

ru·mi·nant [rúːmənənt] *a.* **1** 되새기는, 반추하는; (동물이) 반추류의. **2** 생각〔묵상〕에 잠긴

(meditative); 심사 숙고하는. —*n.* [C] 반추 동물《소·양 등》.

◇**ru·mi·nate** [rúːmənèit] *vi.* **1** (소 따위가) 되새기다, 반추하다. **2** 곰곰이 생각하다, 생각에 잠기다《**about, on, over** …에 대하여》: He ~d *on* 〔*over*〕 what had happened the day before. 그는 전날 생긴 일을 곰곰이 생각해 보았다.
—*vt.* (소 따위가) 되새기다, 반추하다.

rù·mi·ná·tion *n.* **1** [U] 반추; 생각에 잠김, 묵상. **2** [C] (흔히 *pl.*) 깊이 생각한 결과.

ru·mi·na·tive [rúːmənèitiv/-nətiv] *a.* 반추하는; 묵상적(默想的)인, 묵상에 잠긴(pondering). [파] ~·**ly** *ad.*

rum·mage [rʌ́midʒ] *vt.* **1** 샅샅이 뒤지다〔찾다〕: ~ a house 집안을 샅샅이 뒤지다. **2** 찾아내다, 발견하다(*out; up*): She ~d *out* the pin. 그녀는 핀을 찾아내었다. —*vi.* 뒤적거려 찾다, 샅샅이 찾다; 임검〔수색〕하다(*about; around*)《**through, in, among** …속을; **for** …을 찾으려고》: ~ *for* a ring *in* a drawer 서랍을 뒤적이어 반지를 찾다/~ *about among* the files *for* the letter 편지를 찾으려고 서류철을 뒤적이다.
—*n.* **1** (a ~) 샅샅이 뒤지기, 검색, 임검《**through, in, among** …을, …의》: I had a ~ *in* the attic 〔*through* the papers〕. 고미다락방을 〔서류를〕 샅샅이 뒤졌다. **2** [U] 《美》 폐물, 쓰레기, 잡동사니.

rúmmage sàle 《美》 (자선) 바자; 재고품 정리 판매, 잡동사니 시장(《英》 jumble sale).

rum·my[1] [rʌ́mi] *n.* [C] 《美속어》 주정뱅이, 모주꾼.

rum·my[2] (**-mi·er; -mi·est**) *a.* 《英구어》 =RUM[2]. [파] **rúm·mi·ly** [-li] *ad.*

rum·my[3] *n.* [U] 카드놀이의 일종《같은 패를 갖추어 차례로 늘어놓는》.

⁑**ru·mor,** 《英》 **-mour** [rúːmər] *n.* [U] (구체적으로는 [C]) **소문,** 풍문, 세평, 풍설《**of, about** …에 관한/**that**》: a wild ~ (근거 없는) 유언비어/start a ~ 소문을 내다/There's a ~ *of* a flying saucer having been seen. 비행접시가 목격되었다는 소문이 있다/There's a ~ (circulating) *that* the country has nuclear weapons. 그 나라는 핵무기를 보유하고 있다는 소문이 돌고 있다/*Rumor has it* 〔*says*〕 *that* the Cabinet will be reshuffled next month. 다음 달 개각할 것이라는 소문이다.
—*vt.* 《+[목]+*to* do》 〖주로 수동태〗 남의 이야기를 하다, **소문을 내다**: It *is* ~*ed that* he is ill. =He *is* ~*ed to* be ill. 그는 앓고 있다는 소문이다.

rúmor·mònger *n.* [C] 소문을 내는 사람.

rump [rʌmp] *n.* [C] **1** (새·짐승 따위의) 둔부, 궁둥이; 《우스개》 (사람의) 엉덩이; 엉덩이살《특히 소의》. **2** 잔류물; 잔당, 잔류파.

rum·ple [rʌ́mpəl] *vt.* (옷·종이 따위)를 구기다; (머리)를 헝클어뜨리다: a ~d suit 구겨진 옷/The wind ~d my hair. 바람이 내 머리칼을 헝클어뜨렸다. —*vi.* 구겨지다, 헝클어지다.
—*n.* [C] 구김살, 주름(살).

rúmp stèak 홍두깨살 비프스테이크.

rum·pus [rʌ́mpəs] *n.* (*sing.*) 《구어》 소동, 소란; 격론, 싸움, 언쟁; 소음: kick up 〔make, cause, raise〕 a ~ 소동을 일으키다/What's all this ~ about? 도대체 무엇때문에 이 소동이냐.

rúmpus ròom 《美》 오락실《주로 지하실》.

†**run** [rʌn] (**ran** [ræn]; **run; rún·ning**) *vi.* **1** (사람·동물이) **달리다,** 뛰다: He went ~*ning* to

meet them. 그들을 만나려고 그는 달려갔었다/I *ran* for two miles. 나는 2마일을 뛰었다.
2 《+[전]+[명]/+[부]》 **a** 달려가다, 급하게 가다: He ~s *to* me with all his little problems. 무슨 사소한 문제라도 생기면 그는 나한테 달려온다/He *ran down to* the store. 그는 단숨에 가게로 달려갔다. **b** 잠깐 들르다〔방문하다〕, 급하게 여행하다(*down; up*)《**to** …으로》: ~ *up to* town 급히 읍까지 가다/I'll ~ *over* to see you after dinner. 식사 후에 잠깐 방문하겠습니다.
3 《+[전]+[명]》 힘을 빌리다《**to** …의》; 덤벼들다, 급습하다《**at** …에》: ~ *to* arms 무력의 힘을 빌리다/The dog *ran at* the boy. 그 개는 소년에게 달려들었다.
4 《~/+[전]+[명]》 (차·배가) 달리다, 다니다, 왕복〔운행〕하다(ply)《**between** …사이를; **from... to**— …에서 —까지》: The buses ~ every ten minutes. 그 버스는 10분마다 다닌다/The sailing ship was ~*ning* before the wind. 범선은 순풍을 받아 항해하고 있었다/This bus ~s *between* New York and Washington, D.C. 이 버스는 뉴욕과 워싱턴 사이를 왕래한다.
5 《+[부]/+[전]+[명]》 떠돌아다니다, 헤매다, 배회〔방황〕하다(*about; around*): ~ *about in* the field 들판을 헤매다.
6 《+[전]+[명]》 (길 따위가) 통하다, 뻗어 있다, 이어지다: This road ~s north *to* Munsan. 이 길은 북쪽으로 문산까지 나 있다/The road ~s *through* the woods. 길은 숲을 지나고 있다.
7 《~/+[전]+[명]/+[부]》 **달아나다,** 도망치다(flee) (*away; off*)《**from** …에서》: I was afraid, but I was ashamed to ~. 무서웠으나 달아나기는 부끄러웠다/He *ran away from* his master. 그는 주인에게서 도망쳤다/Seeing me, he *ran off*. 나를 보자 그는 달아났다.
8 《+[부]/+[전]+[명]》 (세월이) 흐르다, (때·인생이) 경과하다, 지나다(*on; by*); (시간이) 걸리다: How fast the years ~ *by!* 세월의 흐름이 참 빠르기도 하구나/Time is ~*ning out*, so we must hurry. 시간이 지나가버리므로 서둘러야 한다/The days *ran into* weeks. 하루 하루 지나 몇 주가 되었다/The whole schedule is ~*ning* (ten minutes) late. 전체 스케줄이 (10분) 늦어지고 있다.
9 《~/+[전]+[명]》 (뉴스·소문 따위가) 퍼지다, 전해지다《**in, over, through** …에》; (기사·사진 등이) 게재되다, 실리다《**in, on** …에》: The news *ran* all *over* the town. 그 소식은 온 읍내에 퍼졌다/The account *ran in* all papers. 그 기사는 모든 신문에 실렸다.
10 《+[전]+[명]》 (생각·기억 따위가) 떠오르다, 스쳐가다《**in, into, through** …에》: A thought *ran through* his mind. 문뜩 어떤 생각이 머릿속을 스쳤다.
11 《~/+[보]》 경주에 출장하다〔나가다〕; (경주에서) …등이 되다: The horse *ran* second. 그 말은 2등 했다/This horse *ran* in the Derby. 이 말은 더비 경마에 출전했다.
12 《+[전]+[명]》 《美》 입후보〔출마〕하다《**for** (국회의원 따위)에; **in** (선거)에; **against** …와 맞서》: ~ *for* Parliament 〔*for* (the) Presidency, *for* President〕 국회의원〔대통령〕에 출마하다/~ *in* the next election 다음 선거에 출마하다.
13 (미끄러지듯) **움직이다,** 이동하다; (공이) 구르다, 굴러가다: Trains ~ on rails. 기차는 레일

위를 달린다/Drawers ~ on ball bearings. 서랍은 볼베어링 위를 움직인다.

14 《~/+[부]》 (기계 따위가) 돌아가다, 돌다, 가동〔운전〕하다; 잘 움직이다: The engine ~*s* on gasoline. 엔진은 휘발유로 작동한다/His tongue *ran on* and *on*. 그는 마구 지절대었다.

15 《~/+[전]+[명]》 (상점 · 호텔 등이) 영업하다; (생활 등이) 잘 영위되다; (영화 · 극 등이) 연속 상영〔공연〕되다《***for*** …동안》: His business ~*s* smoothly. 그의 사업은 순조롭다/The play *ran for* six months. 그 연극은 6개월간 상연되었다.

16 《+[전]+[명]》 **계속하다**〔되다〕(continue); 〖법률〗 (영장 등이) 유효하다: The sale will be ~ *until* January 15th. 대매출은 1월 15일까지 계속할 겁니다/My vacation ~*s from* July 15th *to* August 31st. 내 휴가는 7월 15일부터 8월 31일까지다/The contract ~*s for* twenty-six weeks. 그 계약은 26주간 유효하다.

17 《+[보]/+[전]+[명]》 **되다**, 변하다(become), 기울다, 빠지다《***to, into*** (어떤 상태)로, …에》: ~ loose 뿔뿔이 흩어지다/~ fat 살찌다/~ mad 발광〔실성〕하다/The sea *ran* high. 바다는 사납게 놀쳤다/~ *into* trouble 〔difficulty〕 곤란한 처지에 빠지다/This passage ~*s* somewhat *to* sentimentality. 이 문장은 어딘지 감상에 기울어 있다.

18 《~/+[전]+[명]》 (수 · 액수가) 달하다《***at, to, into*** …에》; 넘다, 초과하다《***over*** …을》: The debt *ran to* $500. 빚이 500달러가 됐다/Unemployment is ~*ning at* 15 percent. 실업률은 15퍼센트에 달한다/Her expenditure *ran over* her income. 그녀의 지출은 수입을 초과한다.

19 《~/+[전]+[명]/+[보]》 대체로〔평균적으로〕 …이다; (사람 · 취미 등이) 경향이 있다《***to*** …의》: Meat still ~*s* high. 고기는 아직 (값이) 비싸다/Potatoes are ~*ning* large this year. 올해에는 감자알이 대체로 굵다/My whole family ~ *to* fat. 내 가족은 전부 살이 찌는 체질이다.

20 《~/+[부]》 〖~ as follows, ~ like this 로〗 (다음과 같이) 씌어 있다; …라고 (말)하다: His statement ~*s as follows*. 그의 성명서는 다음과 같다/How does the first verse ~? 처음 1절은 무어라고 되어 있느냐/So ~*s* the fable. 그 우화는 그처럼 얘기하고 있다.

21 《~/+[전]+[명]》 (식물이) 뻗다, 퍼지다《***over, up*** (지면 따위)에》; (물고기가) 떼를 지어 이동하다《***over, up*** (땅 · 강 따위)를》: Vines ~ *over* the ground. 덩굴풀이 땅을 뒤덮고 있다/The salmon began to ~ (*up* rivers). (산란을 위해) 연어가 (강을) 거슬러 올라가기 시작했다.

22 《~/+[전]+[명]》 (화제가) 미치다, 걸치다《***on, upon*** …에》; (종류 · 범위 · 크기가) 미치다《***from ... to***__ …에서 —까지》: The talk *ran on* scientific subjects. 이야기는 과학적인 화제에 미쳤다/The items ~*from* cars *to* tea. 상품은 자동차에서 차(茶)에 이르기까지 있다.

23 《~/+[전]+[명]/+[보]》 (물 · 강 따위가) 흐르다: This river ~*s into* a lake. 이 강은 호수로 흘러든다/The stream ~*s* clear 〔thick〕. 시냇물은 맑다〔흐리다〕.

24 a 《~/+[전]+[명]》 (눈 · 상처가) 눈물 · 콧물 · 피를 흘리다, (액체 따위가) 흘러 떨어지다〔나오다〕; (장소에) 흐르다《***with*** (액체 따위)가》: My nose ~*s*. 콧물이 나온다/Tears were ~*ning down* her cheeks. 그녀의 두 볼에 눈물이 흘러내리고 있었다/The room *ran with* blood. 방에는 선혈이 낭자했다. **b** 《+[보]》 (액체가 …상태로) 흐르다: His blood *ran* cold. 그는 섬뜩했다.

25 《~/+[부]》 (촛농 따위가) 녹아 흐르다; (색깔이) 배어나오다, 번지다(spread); (그릇 따위가) 새다, 넘치다(*over*); (모래시계의) 모래가 흘러내리다: The butter *ran*. 버터가 녹았다/Will the color ~ if the dress is washed? 이 옷은 빨면 색이 번집니까/Somebody has left the tap ~*ning*. 누군가 수도꼭지를 틀어놓아 물이 새고 있다/The pot began to ~ *over*. 냄비가 끓어 넘치기 시작했다.

26 (직물이) 풀리다; 《美》 (양말이) 올이 풀리다 (《英》 ladder): Silk stockings ~ more easily than nylons. 비단 양말은 나일론 양말보다 올이 더 잘 풀린다.

27 《+[전]+[명]》 **a** 서둘러 하다; 대충 훑어보다《***over, through*** …을》: ~ *through* one's work 일을 빨리 끝내다/His eyes *ran over* the pages. 그는 대충 몇 페이지를 훑어보았다. **b** (통증 · 감각 등이) 전해지다, 느껴지다《***up, down*** …을 따라 위로〔아래로〕》: He felt a pain ~ *up* his arm. 그의 팔을 따라 통증이 느껴졌다.

28 《+[전]+[명]》 (성격 · 특징 등이) 내재하다《***in*** …에》: Courage ~*s in* the family. 그 가족은 용기 있는 혈통의 집안이다.

—*vt*. **1** 《~+[목]/+[목]+[전]+[명]/+[목]+[보]》 (사람 · 말 따위)를 **달리게**〔**뛰게**〕 **하다**, 서두르게 하다; 달려서 …하게 하다: ~ a car *into* the garage 차를 차고에 넣다/~ a horse *to* death 말을 너무 몰아서 죽게 하다/He *ran* himself breathless. 그는 숨이 턱에 닿도록 달렸다.

2 《+[목]+[전]+[명]》 (눈 · 손가락 따위)를 (빨리) 움직이다〔놀리다〕《***over, through*** …에》: ~ one's eyes *over* the list 목록을 죽 훑어보다/~ one's fingers *over* the keys 건반 위에서 손가락을 움직이다.

3 《+[목]+[전]+[명]》 (경마)를 개최하다; (말)을 출전시키다《***in*** (경마)에》; (아무)를 입후보시키다《***in*** (선거)에; ***for*** (국회의원 따위)에》: Three races will be ~ in the afternoon. 오후에 경마가 세 번 개최된다/He *ran* his horse *in* the Derby. 그는 자기 말을 더비 경마에 내보냈다/~ a person *for* the Senate 아무를 상원에 출마시키다.

4 《~+[목]/+[목]+[전]+[명]》 (차 · 배 따위)를 다니게 하다, 왕복〔운행〕시키다: ~ a bus *between* Chicago and Detroit 시카고와 디트로이트 간에 버스를 운행하다/Extra trains are ~ (*to* east coast) during the summer season. 여름철 동안 임시 열차가 (동해안까지) 운행된다.

5 (거리 · 코스)를 달려가다; 주파하다; 달려서 …하다: ~ a street 거리를 달려가다/I can ~ one mile in five minutes. 나는 1마일을 5분에 주파할 수 있다/~ an errand for a firm 줄달음쳐서 회사 심부름을 하다.

6 《~+[목]/+[목]+[전]+[명]》 (아무)와 경주하다《***to*** …까지》: I'll ~ you for ten dollars a side. 서로 10달러씩 걸고 경주하세/I'll ~ you *to* the house. 집까지 경주하자.

7 《~+[목]/+[목]+[전]+[명]》 (사냥감)을 쫓다, 몰다; (추적하여) 출처를 밝혀내다《***to*** …까지》; 몰아내다《***out of*** …에서》: ~ a deer 사슴 사냥을 하다/~ close an enemy 적을 바싹 뒤쫓다/~ a person *out of* village 아무를 마을에서 쫓아내다/~ the rumor back *to* its source 소문의 출처를 밝혀내다.

8 《~+[목]/+[목]+[전]+[명]》 **부딪다**, 부딪치다, 처박다《***against, into*** …에》: ~ one's head *against* a

wall 벽에 머리를 부딪다 / He *ran* his car *into* a tree. 그는 차를 나무에 들이받았다 / He *ran* the ship ashore [aground]. 그는 배를 좌초시켰다.
9 《+[목]+[전]+[명]/+[목]+[부]》 (실 따위)를 꿰다, (못 따위)를 박다, (칼)을 찌르다《***into, through*** …에》: ~ a thread *through* the eye of a needle 바늘귀에 실을 꿰다 / ~ a nail *into* a board 판자에 못을 박다 / ~ a sword *through* (a person) (아무의 몸에) 칼을 찌르다.
10 (달려서) **빠져나가다**, 돌파하다: ~ a blockade 봉쇄선을 뚫다[돌파하다] / ~ a red light 적[정지]신호를 빠져나가다.
11 (차)를 **운전하다**: She ~s her own car. 그녀는 자기 차를 운전한다.
12 (위험)을 무릅쓰다: ~ a risk / ~ the chance [danger] of... …을 위험을 무릅쓰고 모험하다.
13 《+[목]+[부]/+[목]+[전]+[명]》 (차에 실어) 나르다: I'll ~ you home [*to* the station]. 집[역]에 태워다 주겠다.
14 《~+[목]/+[목]+[부]/+[목]+[전]+[명]》 (책 따위)를 찍다, 인쇄하다(*off*); (기사·광고 따위)를 게재하다: *Run off* these posters. 이 포스터를 찍어 주시오 / He *ran* an ad *in* the evening paper. 그는 석간에 광고를 내었다.
15 《+[목]+[전]+[명]》 (어떤 상태로) 몰아넣다: His action *ran* me *into* difficulties. 그의 행동은 나를 궁지에 몰아넣었다.
16 (기계·모터 따위)를 **돌리다**, 움직이다, 회전시키다, 조작하다; 공전(空轉)시키다: ~ a sewing machine 재봉틀을 돌리다 / ~ the engine to prevent stalling 엔진이 멎지 않게 공회전시키다.
17 (실험 따위)를 하다; (문제 따위)를 처리하다; (물건)을 제작하다, 제조하다, 정제하다(refine): ~ a blood test 혈액 검사를 하다 / ~ a problem through a computer 컴퓨터로 문제를 처리하다 / ~ 10,000 gallons of oil a day 하루에 1만 갤런의 석유를 정제하다.
18 (회사·점포)를 **경영하다**, 관리하다; (아무)를 지휘[지배]하다: ~ a business [a school, a hat shop] 사업을[학교를, 모자 가게를] 경영하다 / ~ politics 정치에 관계하다[손을 대다] / He is ~ by his wife. 그는 마누라에게 쥐여 산다.
19 (가축)을 기르다, 치다, 사육하다: They ~ sixty head of cattle on their ranch. 그들은 목장에서 소를 60마리 기르고 있다.
20 《~+[목]/+[목]+[전]+[명]》 (물 따위)를 흘리다, 흘려보내다, 붓다; (호스 따위)에서 물을 뿜어내다《***into, over*** …에》: *Run* the water a bit longer. 물을 좀더 흘려 보내 주시오 / ~ water *into* a bucket 물통에 물을 붓다 / *Run* the hose *over* the lawn. 호스로 잔디에 물을 뿌려라.
21 《~+[목]/+[목]+[전]+[명]》 (금속)을 녹이다; 녹여 (부어) 넣다《***into*** …에》; 주조(鑄造)하다: ~ metal types 활자를 주조하다 / ~ lead *into* molds 납을 녹여 거푸집에 붓다.
22 《+[목]+[목]/+[목]+[전]+[명]》 (욕조 따위)를 가득 채우다: She *ran* him a hot bathtub [a hot bathtub *for* him]. (그를 위해) 그녀는 더운 물을 욕조에 가득 채웠다.
23 《+[목]+[전]+[명]》 (선(線))을 긋다: ~ a line *through* a word 낱말에 줄을 긋다《삭제하려고》.
24 《+[목]+[전]+[명]》《美》 (옷·양말)을 올이 풀어지게 하다: ~ a stocking *on* a nail 양말이 못에 걸려 올이 풀리다.
25 (셈 따위)를 밀리다: ~ an account at the butcher's 푸줏간의 셈을 밀리다.
26 《~+[목]/+[목]+[목]》 …의 비용이 들다, …하게 먹히다: This dress ~*s* $30. 이 옷은 30달러 한다 / The car repair *ran* me dear [$500]. 차 수리비가 비싸게[500달러] 먹혔다.
27 (아편·술·무기 따위)를 밀수입[밀수출]하다《***across, into*** …으로》: ~ drugs (*across* the border) *into* the U.S. 마약을 (국경을 넘어) 미국으로 밀수하다.
28 〖보통 진행형〗 (열)을 내다; (병)에 걸리다: She *was ~ning* a temperature [fever]. 그녀는 열이 나 있었다.
be ~ (clean) off one's feet 《구어》 무척 바쁘다, 서두르지 않으면 안 되다. **~ *across*** …을 우연히 만나다[찾아내다]: I *ran across* Tom in [on] the street today. 오늘 거리에서 우연히 톰을 만났다. **~ *after*** ① …을 뒤쫓다, 추적하다; 《구어》…의 꽁무니를 쫓아다니다: ~ *after* a thief 도둑의 뒤를 쫓다. ② 《구어》 (아무)의 뒤치다꺼리를 하다. **~ *against*** ① …와 충돌하다, 부딪치다. ② …와 우연히 만나다. ③ (선거·경기 등에서) …와 겨루다. **~ *along*** 《*vi.*+[부]》〖어린이에게 명령법으로〗《구어》 떠나(가)다: *Run along* now, Jimmy. 자 저리 가, 지미. **~ *around*** 《*vi.*+[부]》 ① 어울리다, 《특히》 바람피우다《***with*** …와》: Stop *~ning around with* those people. 저 사람들과 어울리지 마라. ━《*vt.*+[부]》 ② 《英》 (아무)를 여기저기 차로 데리고 다니다. **~ *away*** 《*vi.*+[부]》 달아나다, 가출하다; 도망치다《***from*** …에서》; 사랑의 도피를 하다: ~ *away from* prison 교도소에서 탈주하다. **~ *away with*** ① …을 가지고[훔치어] 도망치다: He *ran away with* the pearls. 그는 진주를 가지고 도망쳤다. ② …와 함께 달아나다, …와 사랑의 도피를 하다(elope with): She *ran away with* the gardener. 그녀는 정원사와 사랑의 도피를 했다. ③ (상)을 휩쓸다, 독차지하다; (경기)를 압도적으로 이기다: She *ran away with* all the prizes. 그녀는 모든 상을 휩쓸었다. ④ (감정 등이) …의 자제심을 잃게 하다, …을 극단으로 치닫게 하다: Don't let your feelings ~ *away with* you. 감정에 사로잡히지 마시오. ⑤ 〖보통 부정문으로〗 …을 지레짐작하다: You must *not* ~ *away with* the idea that the examination will be easy. 시험이 쉬울 것이라고 지레짐작해서는 안 된다. ⑥ (일이 돈)을 소비하게 하다, (돈)이 들다. **~ *back*** 《*vi.*+[부]》 ① 뛰어 돌아오[가]다. ② (가계(家系) 등이) 거슬러 올라가다《***to*** …에》. ③ 회상하다, 재고하다《***over*** …을》: ~ *back over* the past 과거를 회상하다. ━《*vt.*+[부]》 ④ (필름·테이프)를 되감다. **~ *before*** ① …에게 쫓겨 달아나다: ~ *before* the enemy 적에게 쫓겨 퇴각하다. ② …을 능가하다. **~ *down*** 《*vi.*+[부]》 ① 뛰어 내려가다; (도회에서) 시골로 내려가다. ② (물이) 흘러내리다; (조수 따위가) 써다, 빠지다. ③ (시계 따위가) 태엽이 풀려 서다, (전지 따위가) 다하다: The batteries in this radio are *~ning down*. 이 라디오의 전지가 다 되어 간다. ━《*vt.*+[부]》 ④ …을 따라잡다, 바싹 뒤쫓다, 몰아대다; 추적하여 붙잡다: The police have *run down* the thief at last. 경찰은 도둑을 추적하여 마침내 체포했다. ⑤ …을 찾아내다, 밝혀내다: I managed to ~ *down* the lost manuscript. 잃어버렸던 원고를 찾아내게 되었다. ⑥ (아무)를 헐뜯다, 욕하다: He was constantly *~ning down* his boss. 그는 줄곧 상사의 험담을 했다. ⑦ …을 부딪쳐[받아] 쓰러뜨리다; …와 충돌하다; (차가 사

람)을 치다; (배)를 충돌하여 침몰시키다: The truck driver *ran down* two cyclists. 트럭운전사가 자전거에 탄 두 사람을 치었다. ⑧ 〖야구〗 (주자)를 협살하다. ⑨ …의 가치〔능률 따위〕를 떨어뜨리다; (인원 따위)를 삭감〔감원〕하다: ~ *down* a factory 공장 조업을 단축하다. ⑩ 〔보통 수동태〕 …을 쇠약하게 하다: I *am* 〔feel〕 much ~ *down*. 몹시 피로하다. ⑪ …을 대충 읽어보다, 속독하다. ~ ***for it*** 《구어》 급히 (위험 등에서) 달아나다. ~ ***for*** one***'s*** 〔***dear***〕 ***life*** 필사적으로 달아나다; 기를 쓰고 도망치다. ~ ***in*** 《*vi.*+[부]》 ① 뛰어들다; 《구어》 잠깐 들르다《***to*** …에》: I'll just ~ *in* and see you about three o'clock. 3시경에 잠깐 들러 뵙겠습니다. ② (공격하여) 돌입하다, 육박하다. ━《*vt.*+[부]》 ③ 〖인쇄〗 …을 행을 바꾸지 않고 이어 짜다; 삽입하다. ④ 《구어》 …을 구류〔체포〕하다: He was ~ *in* for speeding. 그는 속도위반으로 구속되었다. ⑤ (새 기계〔차〕)를 길들이다, 시(試)운전하다. ~ ***in the family*** 〔***in blood***〕 혈통을〔피를〕 물려받다, 유전하다. ~ ***into*** ① …에 뛰어들다; (강이 바다)로 흘러들다; …에 빠지다〔빠지게 하다〕: ~ *into* trouble 곤란하게 되다/~ *into* debt 빚을 지게 되다. ② …에 달하다; …까지 계속하다: ~ *into* five editions 5판을 거듭하다. ③ …와 충돌하다〔시키다〕, …와 우연히 만나다: The two cars *ran into* each other. 두 대의 차가 충돌했다. ④ (바늘·칼 따위가) …에 박히다: A pin *ran into* her finger. 핀이 그녀의 손가락에 박혔다. ~ ***its*** 〔one***'s***〕 ***course*** 갈 데까지 가다, 일생을 마치다. ~ ***off*** 《*vi.*+[부]》 ① 도망치다(⇨*vi.* 7). ② 흘러나오다. ③ 벗어나다, (얘기가) 빗나가다. ④ 《Can.》 (눈·얼음 등이) 녹다. ━《*vt.*+[부]》 ⑤ (물 따위)를 유출시키다; 마르게 하다; 방출하다: *Run* the water *off* when you've had your bath. 목욕을 마치거든 몸의 물기를 닦으시오. ⑥ (경주)의 결승전을 하다; 결선 투표를 하다: The race will be ~ *off* on Friday. 금요일에 결승전을 할 것이다. ⑦ (시·글 따위)를 거침없이〔줄줄〕 읽다〔말하다, 쓰다〕. ⑧ 《美》 (극 따위)를 연속 공연하다. ⑨ …을 타자기로 치다, 인쇄하다: ~ *off* a hundred copies per minute, 1분 간에 100부 인쇄하다. ━《*vt.*+[전]》 ⑩ …에서 유출시키다: It will take weeks to ~ all the water *off* the fields. 들에서 물을 전부 빼려면 몇 주 걸릴 것이다. ~ ***off at the mouth*** 《美구어》 쉴새없이 지껄이다. ~ ***off with*** …을 가지고 달아나다(steal); …와 사랑의 도피행을 하다. ~ ***on*** 《*vi.*+[부]》 ① 계속해서 달리다. ② (때가) 경과하다. ③ (정해진 시간 이상으로) 오래 끌다: The meeting *ran on* until midday. 회의는 정오까지 계속되었다. ④ 쉴새없이〔두서없이〕 지껄이다: Once she began to speak, she would ~ *on* (and *on*) for hours. 한 번 말을 꺼내면, 그녀는 몇 시간이고 지껄인다. ⑤ 〖인쇄〗 절(節)·행(行)을 끊지 않고 계속하다〔되다〕《***to*** …에》: The paragraph ~ *on to* the next page. 그 절(節)은 다음 페이지에 계속된다. ~ ***out*** 《*vi.* +[부]》 ① 달려서 밖으로 나가다. ② (물이) 흘러나가다: All the water had ~ *out*. 물이 전부 새어나가 버렸다. ③ (재고품·보급 등이) 바닥나다, 끊기다: Our food is ~*ning out*. 식량이 바닥나고 있다/My money has ~ *out*. 돈이 다 떨어졌다. ④ (기간·계약 등이) 다되다, 만료〔만기〕가 되다: The subscription has ~ *out*. 예약이 만료되었다/Time is ~*ning out*. 시간이 다 되어 가고 있다. ⑤ (인내심 등이) 다하다. ⑥ 〖해사〗 (밧줄이) 풀려 나가다. ━《*vt.*+[부]》 ⑦ (경주)를 마지막까지 해내다. ⑧ (아무)를 쫓아내다, 추방하다. ⑨ 〖해사〗 (밧줄)을 풀어내다. ⑩ 〖야구〗 (주자)를 아웃시키다. ~ ***out of*** 《*vi.*+[전]》 ① …을 다 써버리다; (물품 따위)를 바닥내다: We have ~ *out of* fuel and food. 연료와 식량이 바닥났다. ━《*vt.*+[전]》 ② (아무)를 …에서 쫓아내다〔추방하다〕(⇨*vt.* 7). ~ ***out on*** 《구어》 …의 지지(支持)를 그만두다, …을 버리다(desert). ~ ***over*** 《*vi.*+[부]》 ① (액체가) 그릇을 넘쳐흐르다; (그릇 따위가) 넘치다(⇨*vi.* 25). ② 잠깐 들르다《***to*** …에》: I have to ~ *over to* the bank. 은행에 잠깐 들러야 한다. ━《*vi.* +[전]》 ③ …을 대충 훑어보다; 복습하다; …의 리허설을 하다: Let's ~ *over* the main points again. 중요한 부분을 다시 복습합시다. ④ …을 넘다, 초과하다(⇨*vi.* 18). ⑤ …에서 넘치다. ⑥ (피아노 건반)을 빨리 계속 두드리다. ⑦ (차·사람이) …을 치다: The truck *ran over* a dog. 그 트럭은 개를 치었다. ━《*vt.*+[부]》 ⑧ (특히 차가 사람)을 치다: I nearly got ~ *over*. 나는 차에 치일 뻔했다. ~ ***oneself out of breath*** 뛰어서 숨이 차다. ~ ***through*** 《*vi.*+[전]》 ① …을 통독(通讀)하다, 대충 훑어보다: He ~*s through* the newspaper before breakfast. 그는 조반 전에 신문을 죽 훑어본다. ② …을 다 써버리다, …을 낭비하다: He *ran through* his inheritance in less than a year. 그는 1년도 안 되어 유산을 다 써버렸다. ③ (철도가) 통하다; (강이) 꿰뚫어 흐르다. ④ (극·장면)을 처음부터 끝까지 연습하다: ~ *through* the last scene. ⑤ (생각·기억 등이) …에 떠오르다, 스치다(⇨*vi.* 10). ━《*vt.*+[전]》 ⑥ …을 꿰찌르다; 처박다(⇨*vt.* 9). ━《*vt.*+[부]》 ⑦ …을 꿰찌르다《***with*** …으로》: I'll ~ you *through with* my sword. 검으로 찌르겠다. ~ ***to*** ① 원조를 구하러 …에 가다: ~ *to* the police 경찰에 도움을 청하러 가다. ② …에 달하다(⇨*vi.* 18). ③ …상태로 되다(⇨*vi.* 17). ④ …을 할 자력〔돈〕이 있다: I can't ~ *to* a trip to Europe. 유럽 여행을 할 돈의 여유가 없다. ⑤ (파멸 등)에 빠지다. ~ ***up*** 《*vi.*+[부]》 ① 뛰어 오르다; 다가가다; 급히 가다《***to*** …에》: He *ran up to* me. 그는 달려서 나에게 왔다. ② (값이) 오르다; (수량 따위가) 달하다; (지출·빚 따위가) 갑자기 늘다《***to*** …까지》: His debts had ~ *up to* more than a hundred pounds. 그의 빚은 무려 1백 파운드에 이르렀다. ③ 부쩍부쩍 자라다. ━《*vt.*+[부]》 ④ (값)을 올리다; (지출·빚 따위)를 늘리다; (수·양)을 불리다. ⑤ 《구어》 (집 따위)를 급히 짓다; 급히 꿰매다: ~ *up* a tent 급히 텐트를 치다. ⑥ (숫자)를 합계하다. ⑦ (기)를 걸다, 올리다. ~ ***up against*** ① …와 충돌하다: He *ran up against* a glass door. 그는 유리문에 부딪쳤다. ② (곤란 따위)에 부딪치다; …와 마주치다: We *ran up against* unexpected problems. 우리는 예상치 못한 문제에 부딪쳤다.

> [DIAL.] ***(It's) time to run.*** 이제 가야지.
> ***Run that*** 〔***it***〕 ***by*** (***me***) ***again.*** 다시 한번 말씀해 주시겠습니까.

━*n.* **1 a** [C] **달리기**, 뛰기, 뜀박질: go for a short ~ across the fields 들판을 한바탕 달리다. **b** [U] 《구어》 달리는 힘, 주력(走力): There's no more ~ left in him. 그에게는 더이상 달릴 힘이 남아있지 않았다.
2 (a ~) (가까운 곳에) 잠깐 감; 단거리 여행

(trip); 드라이브: take a ~ *to* town 잠시 시내 나들이를 하다 / have a trial ~ in the new car 새 차를 시승(試乘)하다.
3 a Ⓒ **경주**, 경마: a ten-mile ~, 10마일 경주. **b** (a ~) (특히 탈것의) 주행 거리〔시간〕: a three mile ~ 3마일 거리 / a day's ~ 하루 걸리는 거리 / London is an hour's ~ from here. 런던은 여기서 (차로) 한 시간 거리이다. **c** (the ~) (열차·버스·배 등의) 운행, 운항; 항행: an express train on the ~ between Seoul and Busan 서울과 부산 간을 운행하는 급행열차.
4 Ⓒ **a 노선**, 코스: The boat was taken off its usual ~. 배는 정상 노선을 벗어났다. **b** (스키 등의) 사면(斜面), 슬로프: a ~ for training beginning skiers 스키 초심자 훈련용 슬로프.
5 Ⓤ 입후보, 출마《*for* (선거 등)에의》.
6 (*sing.*) 조업 (시간), 운전 (시간); 작업량; 제조〔산출〕량: an eight-hour ~, 8시간 조업.
7 a Ⓤ 흐름; 유량(流量). **b** Ⓒ 《美》 개천; 수로. **c** (the ~*s*) 《구어》 설사: She got the ~*s*. 그녀는 설사가 났다.
8 a Ⓤ (특히 산란기의 물고기가) 강을 거슬러 오르는 것, 소하(遡河). **b** Ⓒ (산란기 물고기의) 이동하는 무리: a ~ *of* salmon.
9 (a ~) **연속**, 이어짐: a ~ *of* bad luck 불운의 연속 / a ~ *of* fine weather 좋은 날씨의 계속 / a (long) ~ *of* office (오랜) 재직 기간.
10 (a ~) (영화·연극 등의) 장기 흥행, 연속 공연: a long ~ 롱런, 장기 흥행 / The play had a ~ *of* 3 years. 그 연극은 3년 간 연속 공연을 했다.
11 Ⓒ (가축) 사육장; 방목장; (사슴 등의) 통로; (기자의) 담당 구역: a chicken ~ 양계장.
12 Ⓒ (보통 the ~) 보통의 것〔종류〕: the common 〔ordinary, general〕 ~ of men 보통 인간.
13 Ⓒ (상품 따위의) 종류: a superior ~ of blouses 고급 블라우스.
14 (the ~) **형세**, 추세, (사건의) 귀추(歸趨); (달리는) 방향: the ~ *of* events 일의 귀추 / the ~ *of* a mountain range 산맥이 뻗은 방향.
15 (a ~) 큰 수요, 날개 돋치듯 팔림《*on* …의》; 예금 인출 쇄도《*on* (은행)에 대한》: a great ~ *on* a new novel 신간 소설의 대단한 판매 성적 / a ~ *on* a bank 은행에 대한 예금 인출의 쇄도.
16 (the ~) 출입〔사용〕의 자유: give a person the ~ *of* one's house 아무에게 자기 집을 마음대로 출입하게 하다 / have the ~ *of* a person's library 아무의 서재를 자유로 이용하게 되다.
17 Ⓒ 〖야구·크리켓 등〗 득점, 1점: a two-~ homer, 2점 호머 / ~-scoring 득점에 연결되는, 타점이 되는 / a ~ batted in 타점(打點), 득점타 《생략: rbi, r.b.i.》.
18 Ⓒ 〖음악〗 빠른 연주(roulade).
19 Ⓒ 〖카드놀이〗 같은 종류의 연속된 패 한 벌.
20 Ⓒ 《美》 (양말의) 올의 풀림(《英》 ladder): a ~ in a stocking 스타킹의 올풀림.
21 Ⓒ 〖항공〗 활주; 〖군사〗 (폭격 목표로의) 직선 비행, 접근: a landing ~ 착륙 활주.
at a* 〔*the*〕 ~** 구보로. ***give** a person **a** (**good**) **~ for** his **money 애쓴〔논 들인〕 만큼의 만족〔이익〕을 아무에게 주다; 아무와 격심한 경쟁을 하다. ***have a good* 〔*great*〕 ~** 《美》 굉장한 인기를 얻다, 크게 유행하다. ***have* 〔*get*〕 *a good ~ for* one's *money*** 애쓴〔돈 들인〕 보람이 있다〔을 얻다〕; 격심한 경쟁을 하다. ***in* 〔《美》 *over*〕 *the long ~*** 긴 안목으로 보면, 결국은(in the end): Though more expensive, this suit will be cheaper *in the long* ~. 이 옷 쪽이 더 비싸더라

도 장기적인 안목으로 보면 더 싸다. ***in the short ~*** 단기적 관점에서 보면, 눈앞의 계산으로는; 당장은, 우선은: This will do *in the short* ~. 우선 이걸로 됐다. ***on the ~*** ① 뛰어서, 바삐 움직여: Mother's always *on the* ~. 어머니는 항상 분주하시다. ② 운행하여(⇨*n*. 3c). ③ 서둘러서, 급하게: eat lunch *on the* ~ 서둘러 점심을 먹다. ④ 쫓기어, 도망하여: The suspect has been *on the* ~ for three months. 용의자는 3개월째 도피 중이다. ***out of ordinary* 〔*common, usual*〕 *~ of*** 보통과 다른, 유별난.
rún·abòut *n*. Ⓒ **1** 배회하는 사람, 부랑자. **2** 소형 자동차〔모터보트, 비행기〕.
rún·aròund *n*. (the ~) 《구어》 발뺌, 핑계, 속임수: get the ~ 속다, 배반당하다 / give a person the ~ 아무를 속이다〔배반하다〕.
rún·a·wày [-əwèi] *n*. Ⓒ **1** 도망자, 탈주자; 가출 청소년. **2** 도망친 망아지, 다루기 힘든 말; 폭주차. **3** 도망, 탈주; 사랑의 도피(eloping). **4** 낙승, 일방적 승리.
—*a*. Ⓐ **1** 도주한; 가출한; 다룰 수 없는: a ~ horse 고삐 풀린 말 / a ~ girl 가출 소녀 / a ~ car 〔truck〕 폭주(暴走) 차〔트럭〕. **2** 사랑의 도피의: a ~ marriage 〔match〕 사랑의 도피 결혼. **3** (경기가) 일방적인, 수월하게 이긴, 낙승의: a ~ victory 압승. **4** 〖상업〗 마구 뛰어오르는: a ~ inflation 천정부지의 인플레이션.
rún chàrt 〖컴퓨터〗 실행 절차도.
rún·dòwn *n*. **1** Ⓒ 〖야구〗 런다운, 협살(挾殺). **2** (the ~) (산업·회사 등의) 축소(화), 쇠퇴: the ~ *of* the car industry 자동차 산업의 쇠퇴. **3** 《구어》 개요(의 설명)《*on* …에 대한》: Can you give me the ~ *on* the present situation? 현재의 상황에 대한 개요를 설명해 주시겠습니까.
rún-dówn *a*. **1** 몹시 황폐한, 쇠퇴한: a ~ area 황폐한 지역 / a ~ industry 쇠퇴한 산업. **2** Ⓟ 몹시 피곤한, 기진맥진한; 몸상태가 좋지 않은: You look rather ~. 넌 어쩐지 피곤해 보이는구나. **3** 태엽이 풀려서 선《시계》.
rune [ru:n] *n*. Ⓒ 룬 문자《옛날 북유럽 민족이 쓴》; 룬 문자의 시; 신비로운 기호.
rung[1] [rʌŋ] *n*. Ⓒ **1** (사닥다리의) 발을 딛는 가로장; (의자 따위의) 가로대. **2** (사회적 지위 등의) 단계. ***on the top ~*** (***of the ladder***) 절정에, 최고 단계에. ***start at the bottom ~*** 가장 낮은 지위에서 출발하다.
rung[2] RING[2]의 과거·과거분사.
ru·nic [rú:nik] *a*. 룬 문자(rune)의; 고대 북유럽 사람의; (시·장식 등이) 고대 북유럽(식)의.
rún-ìn (*pl*. **~s**) *n*. **1** Ⓒ 《구어》 싸움, 논쟁《*with* …와의》: have a ~ *with* the police 경찰관과 싸우다. **2** (the ~) 《英》 =RUN-UP 3. **—***a*. 《美》 〖인쇄〗 (행 바꿈 없이) 본문에 추가되는.
run·nel [rʌ́nl] *n*. Ⓒ 시내; 작은 수로(水路).
****run·ner** [rʌ́nər] *n*. Ⓒ **1 달리는 사람**; **경주자**〔말〕; 〖야구〗 러너, 주자(走者)(base runner): a good ~ 빠른 주자; 달리기 명수. **2** 〖보통 합성어〗 밀수입자〔선〕; (마약 등의) 밀매인: a gun-~ 총기 밀수업자. **3** 잔심부름꾼; 수금원, 외판원; 손님 끄는 사람; 주문받는 사람. **4** (기계 등의) 운전자. **5** (스케이트·썰매 따위의) 활주부(滑走部); (기계·커튼 따위의) 홈, 고리; (기계의) 롤러; 움직도르래; (맷돌의) 위짝; 터빈의 날개; 동활차(動滑車)의 활주삭(索). **6** 〖식물〗 **덩굴**, (딸기 따위의) 기는 줄기. **7** 〖조류〗 흰눈썹뜸부기. **8** (양말의) 올

이 풀린 곳. 9 (복도나 홀 따위에 깐) 기다란 융단; 기다란 장식용 테이블 보. ***do a*** **~** 《속어》 급히 가다, 도망치다.

rúnner bèan 《英》 〖식물〗 깍지를 먹는 콩 (string bean)《강낭콩·완두 따위》.

rúnner-úp (*pl.* ***rúnners-***, **~*s***) *n.* Ⓒ (경기의) 차점자, 차위 (次位) 팀.

run·ning** [rʌ́niŋ] *a.* Ⓐ **1 달리는,** 달리면서 하는: a ~ train 주행중인 열차 / a ~ fight 추격전. **2** (물·강 따위가) **흐르는;** (고름·액체가) 흘러나오는: ~ water / a ~ nose 콧물이 흘러나오는 코. **3** (음악이) 유려한; (필적이) 흘림체의: a ~ hand 초서. **4** (열차·버스의) 운행의: ~ time 운행에 요하는 시간. **5** (기계 등이) 가동〔운전〕 중인; (기계·설비를) 운용하는, 유지하는: What are the ~ costs for a computer? 컴퓨터 유지비는 얼마나 듭니까. **6** 대충의, 서두르는: a ~ check 급히 서두른 대조. **7 연속적인,** 계속하는; 장기 공연의: a ~ pattern 연속 무늬 / a ~ battle between the police and the gangs 경찰과 폭력단원 사이의 계속되는 싸움. **8** 널리 퍼져 있는; 현재의, 현행의: ~ rumor 퍼져 있는 소문 / the ~ month 이달 / a ~ price 시가(時價) / a ~ stock 정상(正常) 재고. **9** (식물이) 덩굴로 감는. **10** 동시에 행해지는: a ~ translation 동시 통역. ***in* ~ *order (기계가) 정상적으로 움직이어.
—*ad.* 〔복수명사 뒤에서〕 잇따라, 계속해서: It rained five hours ~. 다섯 시간 줄곧 비가 왔다.
—*n.* Ⓤ **1** 달리기; 경주. **2** 유출(물); 유출량(量). **3** 운전; 경영: the ~ *of* a machine 기계의 운전 / the ~ *of* an office 사무소의 경영. **4** 주력(走力). **5** 〖경기〗 주로(走路)의 상태; 〖야구〗 주루(走壘). ***in*** 〔***out of***〕 ***the*** **~** 경주·경쟁에 참가〔불참〕하여; 승산이 있어〔없어〕: They are no longer *in the* ~. 그들은 더이상 이길 가망이 없다. ***make*** 〔***take up***〕 ***the*** **~** (말이) 선두를 달리다; 솔선하다, 앞장서다.

rúnning accóunt (은행의) 당좌 계정.

rúnning bòard (옛 자동차의) 발판.

rúnning cómmentary 1 〖TV·라디오〗 (스포츠 프로 등의) 실황 방송. **2** 필요에 따라 수시로 하는 해설〔비평, 주석〕.

rúnning fíre (a ~) (이동하면서 하는) 연속 사격; (비평·질문 등의) 연발: keep up a ~ *of* questions 잇달아 질문하다.

rúnning héad(line) 〖인쇄〗 (책의 각 페이지 상단의) 난외 표제(欄外標題).

rúnning júmp 도움닫기 높이〔멀리〕뛰기. (***go and***) ***take a* ~** (***at yourself***) 《구어》 〔명령형〕 가 버려, 꺼져 버려, 뒈져 버려《분노·초조함 따위의 표시》.

rúnning knót 풀 매듭《running noose를 만드는 데 씀》.

rúnning lìght 〖해사·항공〗 야간 항행〔해〕등; (자동차의) 주행등.

rúnning màte 1 〖경마〗 (보조를 조종하기 위해) 같이 뛰게 하는 한 마구간의 말. **2** 《美》 (선거에서) 부(副)… 후보, 하위(下位) 후보자, 《특히》 부통령 후보자. **3** 동반자.

rúnning nóose 당기면 죄어지는 올가미.

rúnning repáirs (운전 중의) 간단한〔응급〕 수리.

rúnning státe 〖컴퓨터〗 실행 상태《프로세스가 CPU를 확보하여 사용하고 있는 상태》.

rúnning títle =RUNNING HEAD.

rúnning wáter 수돗물; 유수(流水).

run·ny [rʌ́ni] (***-ni·er; -ni·est***) *a.* **1** (버터·잼 따위가) 흐르는 경향이 있는; 액체 비슷한. **2** (눈·코가) 점액을 잘 분비하는: a ~ nose 콧물이 나오는 코.

rún·òff *n.* **1** Ⓤ 빗물, 눈석임물; (땅속으로 흡수되지 않는) 배수(排水). **2** Ⓒ (동점자의) 결승전; 결선 투표.

rún-of-(the-)míll *a.* 흔히 있는, 평범한, 보통의: a ~ performance 평범한 연기.

rún-òn *a.* **1** 〖운율〗 행마다 뜻〔문장〕이 끊어지지 않는. **2** 〖인쇄〗 행을 바꾸지 않고 계속하는; 추가의. **—***n.* Ⓒ 추가 (사항)《문·절·행 따위》.

runt [rʌnt] *n.* Ⓒ **1** (발육 불량의) 작은 동물〔식물〕. **2** 《경멸적》 꼬마; 병신.

rún-thròugh *n.* Ⓒ (연극·음악 등의) 예행 연습, 리허설.

rún·tìme *n.* Ⓤ 〖컴퓨터〗 실행 시간《프로그램이 실행되는 시간》.

rún·ùp *n.* **1** Ⓒ 《美》 (주식 시장 등에서의) 가격 상승. **2** Ⓒ 〖경기〗 (멀리뛰기 등의) 도움닫기. **3** (the ~) 《英》 전단계(前段階), 준비 단계《***to*** …의》: the ~ *to* an election 선거 운동 기간.

°**rún·wày** *n.* Ⓒ **1** (멀리뛰기 등의) 주로(走路). **2** 짐승이 다니는 길. **3** 〖항공〗 활주로. **4** 무대에서 관람석으로 돌출한 통로, (패션쇼 등의) 스테이지.

ru·pee [ruːpíː] *n.* Ⓒ 루피《인도·파키스탄·스리랑카의 화폐 단위; 기호 R, Re》; 루피 화폐.

Ru·pert [rúːpərt] *n.* 루퍼트《남자 이름》.

rup·ture [rʌ́ptʃər] *n.* **1** Ⓤ (구체적으로는 Ⓒ) 파열; 단절; 결렬; 불화, 사이가 틀어짐《***between*** …사이의; ***with*** …와의》: the ~ of a blood vessel 혈관의 파열 / a ~ *between* friends 친구들의 불화 / come to a ~ (교섭이) 결렬되다. **2** Ⓒ 〖의학〗 헤르니아(hernia), 탈장.
—*vt.* **1** 파열시키다, 찢다, 째다; (관계 등)을 끊다; ~ a blood vessel 혈관을 파열시키다 / ~ a connection 관계를 끊다, 절연하다. **2** 〖의학〗 헤르니아에 걸리게 하다. **—***vi.* 파열하다, 찢어지다, 갈라지다; 〖의학〗 헤르니아에 걸리다.

***ru·ral** [rúərəl] *a.* Ⓐ **1 시골의,** 지방의, 시골풍의, 전원(田園)의. ↔ *urban.* ¶ ~ life 전원 생활 / a ~ community 농촌 / in ~ seclusion 인가에서 떨어져. **2** 농업의, 농사의: a ~ economy 농업 경제.

rúral déan 〖영국 국교회〗 지방 감독.

rúral delívery sèrvice 《美》 (벽지의) 지방 무료 우편 배달《구칭은 rural free delivery》.

ruse [ruːz] *n.* Ⓒ 책략, 계략(trick).

***rush**[1] [rʌʃ] *vi.* **1** 《~/+副/+前+名/+*to* do》 **서두르다, 급히 가다;** 맥진〔쇄도〕하다, 힘차게〔급히〕 …하다: Don't ~; there is plenty of time. 허둥대지 마라. 시간은 충분히 있다 / ~ *in* 뛰어들다, 난입하다 / ~ *back* 매우 급히 돌아가다 / ~ *to* the scene 현장으로 달려 가다 / ~ *for* a seat 자리를 잡으려고 뛰어가다 / Fools ~ *in* where angels fear to tread. ⇨ANGEL / I ~*ed to* send in my application. 급히 원서를 제출했다.

SYN. **rush** 주어가 복수 또는 양적으로 다량이라고 간주될 때가 많음. 쇄도하다: The brook *rushes* over a precipice in two cascades. 시냇물은 절벽에서 두 줄기의 폭포가 되어 떨어지고 있다. **dash, tear** 맹렬히 돌진하다. dash에서는 목표가, tear에서는 뚫어버릴 듯한 순간적인 속도가 강조됨. **shoot** 총구멍과 같이 한 점을 이루는 출발점이나, 탄도의 직선, 완만한 커브가 강조됨. **charge** 돌진하는 것의 중량이나 에너지가 강조됨: The bull *charged* at the matador. 황소는 투우사를 향해 돌진했다.
2 ⦅+전+명⦆ 돌진〔돌격〕하다⦅***on, upon, at*** …을 향해⦆: ~ *at* the enemy 적을 향해 돌격하다.
3 ⦅+전+명⦆ 급하게〔무모하게〕 행하다⦅***to, into*** (행동 따위)를⦆: ~ *into* extremes 극단으로 흐르다 / ~ *into* marriage 황급하게 결혼하다 / ~ *to* a conclusion 성급하게 결론을 내리다.
4 ⦅+전+명⦆ (생각 따위가) 갑자기〔문뜩〕 떠오르다; 갑자기 일어나다〔나타나다〕⦅***to, into*** …에⦆: ~ *into* one's mind 갑자기 마음에 떠오르다 / Tears *~ed to* her eyes. 그녀의 눈에 눈물이 복받쳤다.
5 〖미식축구〗 공을 가지고 돌진하다.
—*vt.* **1** ⦅~+목/+목+전+명⦆ 몰아대다; 재치다⦅***into*** …하게⦆: Don't ~ me. 재촉하지 마라 / I was *~ed into* signing the contract. 다그치는 바람에 그 계약서에 서명하고 말았다.
2 ⦅~+목/+목+목/+목+전+명⦆ 부랴부랴 보내다〔운반하다, 데리고 가다〕⦅***to*** …으로⦆: ~ a message 지급 전보를 보내다 / We have *~ed* you the catalog. 카탈로그를 지급으로 보내드렸습니다 / We *~ed* him *to* a hospital. 우리는 그를 급히 병원으로 데리고 갔다.
3 …을 향해 돌진하다; 급습〔돌격〕하다, 급습하여 점령하다: ~ the enemy 적을 향해 돌진하다.
4 ⦅美구어⦆ (여자)에게 열렬히〔끈덕지게〕 구혼하다; (대학의 사교 클럽에 학생)을 입회 권유하기 위해 환대하다.
~ a person ***off*** his ***feet*** 〔***legs***〕 아무를 몰아붙이다; 심하게 부려먹다. ~ ***out*** ⦅*vt.*+부⦆ (제품)을 급조하다: Nowadays video recorders are being *rushed out*. 요즈음 비디오 기기가 급조되고 있다. ~ ***through*** ⦅*vt.*+부⦆ (의안 등)을 급히 통과시키다; (일 따위)를 급히 마무리짓다: They *~ed* the bill *through*. 그들은 부랴부랴 그 의안을 통과시켰다.
—*n.* **1** Ⓒ **돌진**, 돌격; 급습; (감정의) 격발: be swept by the ~ of the current 급류에 휩쓸리다 / make a ~ for the door 문을 향해 돌진하다 / a ~ of blood to one's face 얼굴을 붉힘, 상기 / a ~ of anger 격노.
2 (a ~) **쇄도**, 러시⦅***for, to*** (신개척지 · 금광 등)에로의⦆: a gold ~ =a ~ *for* gold 골드 러시, 황금 산지로의 사람의 쇄도.
3 Ⓤ (또는 a ~) **분망**, 몹시 바쁨; 혼잡: the ~ *of* city life 분망한 도시 생활 / What is all this ~? 무엇 때문에 이렇게 어수선하지.
4 (*sing.*) 대수요(需要), 주문의 쇄도⦅***for, on*** …의 / ***to*** do⦆: a ~ *for* 〔*on*〕 new model cars 신형 자동차의 주문 쇄도 / There was a sudden ~ *to* get the best seats. 제일 좋은 자리를 달라는 요청이 갑자기 쇄도했다.
5 Ⓒ (흔히 *pl.*) 〖영화〗 (제작 도중의) 편집용 프린트.
6 Ⓒ 〖미식축구 · 럭비〗 러시⦅공을 갖고 돌진함⦆.
with a ~ 와락 한꺼번에, 갑자기; 황급히: He came at me *with a* ~. 그는 황급히 나에게 덤벼들었다 / She told all of it *with a* ~. 그녀는 단숨에 그 모든 것을 말해 버렸다.

DIAL. ***There's no rush.*** 허둥댈 것 없어.

—*a.* Ⓐ 쇄도하는; 지급〔긴급〕을 요하는, 급한: ~ orders 긴급 주문.
rush[2] *n.* Ⓒ 〖식물〗 골풀⦅등심초속(屬) 돗자리 · 바구니 등 세공품의 재료⦆.
rúsh cándle = RUSHLIGHT.

rúsh hòur (출퇴근 때의) 러시아워, 혼잡 시간: The crowds in the ~*s* are terrible. 러시아워의 혼잡이 엄청나다.
rúsh·lìght *n.* Ⓒ 골풀 양초⦅옛날 골풀심을 밀랍에 담궈 만든 가느다란 양초⦆.
Rush·more [rʌ́ʃmɔːr] *n.* (Mount ~) 러시모어산⦅미국 South Dakota 주 서부에 있는 산; 산 중턱 화강암에 Washington, Jefferson, Lincoln, Theodore Roosevelt의 거대한 흉상이 조각되어 있음⦆.
rushy [rʌ́ʃi] (***rush·i·er; -i·est***) *a.* 등심초가 많은; 골풀로 만든.
rusk [rʌsk] *n.* Ⓒ (요리는 Ⓤ) 러스크⦅얇게 저민 빵을 딱딱하게 구운 것⦆.
Russ. Russia; Russian.
Rus·sell [rʌ́səl] *n.* **Bertrand** ~ 러셀⦅영국의 철학자 · 수학자 · 저술가; Nobel 문학상 수상(1950); 1872–1970⦆.
rus·set [rʌ́sət] *a.* 황갈색의, 적갈색〔고동색〕의. **—***n.* Ⓤ 황갈색, 적갈색.
⁑**Rus·sia** [rʌ́ʃə] *n.* **1 러시아**(연방) (the Russian Federation)⦅유럽 동부에서 아시아 북부에 이르는 세계 최대 면적의 국가; 1991년 소비에트 연방의 해체로 독립; 수도 Moscow⦆. **2** 러시아제국⦅1917년의 혁명으로 멸망; 수도 St. Petersburg⦆.
⁑**Rus·sian** [rʌ́ʃən] *a.* **러시아**(사람 · 말)**의**.
—*n.* Ⓒ **러시아 사람**; Ⓤ **러시아 말**.
Rússian Émpire (the ~) 러시아 제국 (⇨ RUSSIA 2).
Rússian Órthodox Chúrch (the ~) 러시아 정교회(Russian Church).
Rússian Revolútion (the ~) 러시아 혁명 (February Revolution)⦅1917년 러시아력(曆) 2월의 혁명⦆; 10월 혁명(October Revolution) ⦅1917년 러시아력 10월⦆.
Rússian roulétte 러시안 룰렛⦅총알이 한 개만 든 탄창을 돌려서 자기 머리를 향해 방아쇠를 당기는 목숨을 건 승부⦆.
Rússian Sóviet Féderated Sócialist Repúblic (the ~) 러시아 소비에트 연방 사회주의 공화국⦅Russian Federation의 구칭(1917–91)⦆.
Rússian wólfhound = BORZOI.
Rus·so- [rʌ́sou, -sə] '러시아(사람)(의)'의 뜻의 결합사: the ~-Japanese War 러일 전쟁.
⁑**rust** [rʌst] *n.* Ⓤ **1** (금속의) **녹**: remove ~ from …의 녹을 닦다〔없애다〕 / be covered with ~ 녹슬어 있다 / be in ~ 녹슬어 있다 / gather ~ 녹슬다 / get 〔rub〕 the ~ off 녹을 없애다 / keep from ~ 녹슬지 않게 하다. **2** 〖식물〗 녹병(病)(균).
3 적갈색, 고동색.
—*vi.* **1** ⦅~/+부⦆ **녹나다**, 부식하다 (*away*); (쓰지 않아) 둔해지다, 쓸모없이 되다 (*out, away*): talents left to ~ 썩혀 둔 재능 / The lock had *~ed away*. 자물쇠는 녹슬었다 / (It is) better wear out than ~ *out*. ⦅속담⦆ 묵혀 없애느니 써서 없애는 편이 낫다⦅노인의 무위함을 경고하는 말⦆. **2** 〖식물〗 녹병에 걸리다. **3** 녹빛이 되다. **—** *vt.* **1** 녹슬게 하다, 부식시키다. **2** (쓰지 않아) 둔하게 하다; 쓸모없게 하다, 못쓰게 하다. **3** 〖식물〗 녹병에 걸리게 하다.
rúst-còlored *a.* 녹빛의.
***rus·tic** [rʌ́stik] *a.* Ⓐ **1 시골의**; **시골풍의**, 전원 생활의: ~ life 전원 생활 / ~ manners 시골

풍. **2** 단순한, 소박한. **3** 조야한, 야비한, 교양 없는. **4** 거칠게 만든, 통나무로 만든: a ~ bridge (chair) 통나무다리(의자). **—***n.* Ⓒ 시골뜨기; 농부; 메부수수한(거친) 사람; 무례한 사람.
㊕ **-ti·cal·ly** *ad.*

rus·ti·cate [rʌ́stəkèit] *vi.* 시골로 가다; 시골에서 살다. **—***vt.* **1** 시골에서 살게 하다; 시골로 보내다; 시골풍으로 하다. **2** 《英》 (대학에서) 정학을 명하다. ㊕ **rùs·ti·cátion** *n.* Ⓤ 시골살이; 시골로 쫓음; 정학.

rus·tic·i·ty [rʌstísəti] *n.* Ⓤ 시골풍; 소박; 질박; 조야, 야비, 무교양.

rus·tle** [rʌ́səl] *vi.* **1** 《~/+副》 (나뭇잎이나 비단 등이) **와삭**(**바스락**)**거리다**; 바스락거리며 움직이다(걷다): The reeds ~*d* in the wind. 갈대가 바람에 와스스했다/leaves *rustling down* 우수수 떨어지는 나뭇잎. **2** 《~/+副》 《美》 활발히 움직이다, (정력적으로) 활동하다(일하다) (*around*): *Rustle around* and see what you can find. 이리저리 뛰어다니다 보면 뭔가 찾게 될지도 모르지. **3** 《美》 가축을 훔치다《특히 소나 말》. **—vt.* **1** (나뭇잎 · 종이 등을 맞비비는 듯한) 와스스(와삭와삭, 바스락) 소리 내게 하다; 와삭와삭 뒤흔들다: The wind ~*d* the leaves. 바람에 불려 나뭇잎이 와스스 소리를 냈다. **2** 《美》 (가축)을 훔치다.
~ **up** 《*vt.*+副》 《구어》 …을 애써서 모으다: ~ *up* some wood for a fire 모닥불을 피우기 위해 나무를 그러모으다.
—*n.* (*sing.*) 살랑(와삭, 바스락)거리는 소리.

rus·tler [rʌ́slər] *n.* Ⓒ 《美》 소(말)도둑.

rúst·less *a.* 녹슬지 않은(않는).

rus·tling [rʌ́sliŋ] *n.* **1** Ⓤ (또는 *pl.*) 바스락거림; 그 소리. **2** Ⓤ 《美》 가축 도둑질.

rúst·pròof *a.* 녹슬지 않는(않게 해둔).

‡**rusty** [rʌ́sti] (*rust·i·er; -i·est*) *a.* **1** **녹슨**, 녹이 난: a ~ knife. **2** 녹빛의; 색이 바랜: ~ old clothes 색이 바랜 헌 옷. **3** Ⓟ (쓰지 않아) 무디어진, 못쓰게 된《*at, on, in* (…의 지식 · 능력 따위)가》: I'm a bit ~ *at* English. 나는 영어가 좀 서투르다. **4** (목소리가) 쉰. ㊕ **rúst·i·ly** *ad.* **-i·ness** *n.*

rut[1] [rʌt] *n.* **1** Ⓒ 바퀴 자국; 홈. **2** (a ~) 《비유적》 상습, 관례, 상례(常例): be in a ~ 판에 박힌 생활을 하고 있다/get (go) into a ~ 틀에 박히다/move in a ~ 판에 박힌 일을 하다.

rut[2] *n.* **1** Ⓤ 암내, (사슴 · 염소 · 양 등의) 발정(heat). **2** (the ~) 발정기. **—**(**-tt-**) *vi.* 암내 내다, 발정하다.

ru·ta·ba·ga [rù:təbéigə] *n.* Ⓤ (낱개는 Ⓒ) 〖식물〗 황색의 큰 순무의 일종(Swedish turnip).

Ruth [ru:θ] *n.* **1** 루스《여자 이름》. **2** 〖성서〗 룻《시어머니에 대한 효성으로 유명》; 룻기(記)《구약 성서의 한 편》.

ru·the·ni·um [ru:θí:niəm, -njəm] *n.* Ⓤ 〖화학〗 루테늄《금속 원소; 기호 Ru; 번호 44》.

***ruth·less** [rú:θlis] *a.* **무정한**, 무자비한, 인정머리 없는(pitiless); 잔인한: a ~ tyrant 무자비한 폭군. ㊕ **~·ly** *ad.* **~·ness** *n.*

rút·ting *a.* Ⓐ 발정중인, 발정기의《사슴 따위》.

rut·ty [rʌ́ti] (**-ti·er; -ti·est**) *a.* (도로 따위가) 바퀴 자국투성이인.

R.V., RV recreational vehicle; Revised Version (of the Bible).

Rwan·da [ruά:ndə] *n.* 르완다《아프리카 중부의 공화국; 수도는 키갈리(Kigali)》.
㊕ **-dan** [-dən] *a.*, *n.*

Rx [ά:réks] (*pl.* **~'s, ~s**) *n.* Ⓒ 처방(prescription). [《L.》 recipe의 약호 ℞]

-ry [ri], **-ery** [əri] *suf.* 명사를 만드는 어미. **1** '직업 · 일'을 나타냄: dentist*ry*, chemist*ry*. **2** '성질, 행위'를 나타냄: brave*ry*, rival*ry*. **3** '처지, 신분'을 나타냄: slave*ry*, husband*ry*. **4** '유(類)'를 나타냄: jewel*ry*, perfum*ery*. **5** '제조소, 사육소(飼育所)'를 나타냄: bak*ery*, brew*ery*, poult*ry*.

rye** [rai] *n.* Ⓤ **1** **호밀**(의 낟알). **2** ＝RYE WHISKEY. **3** RYE BREAD. **—a.* 호밀로 만든.

rýe bréad 라이 보리 빵, 흑빵.

rýe whískey 라이 위스키《라이 보리가 주원료; 미국 · 캐나다 주산(主産)》.

S

S[1]**, s** [es] (*pl.* **S's, Ss, s's, ss** [ésiz]) *n.* **1** Ⓤ (구체적으로는 Ⓒ) 에스《영어 알파벳의 열아홉째 글자》. **2** Ⓤ (연속된 것의) 제19번째(의 것)《J를 빼면 18번째》.

S[2] (*pl.* **S's, Ss** [-iz]) *n.* Ⓒ S자 모양(의 것).

-s [(유성음의 뒤) z, (무성음의 뒤) s, (s, z, ʃ, ʒ, tʃ, dʒ의 뒤) iz] *suf.* **1** 명사의 복수 어미: desk*s* [-s], cat*s* [-s], dog*s* [-z], box*es* [-iz], church*es* [-iz], judg*es* [-iz]. ★ 보통 복수형으로 쓰이는 명사에 있어서도 같음: trouser*s* [-z], scissor*s* [-z]. **2** 3인칭 · 단수 · 현재의 동사 어미: He laugh*s* [-s]./She teach*es* [-iz]./It rain*s* [-z]. **3** 부사 어미: alway*s* [-z], need*s* [-z], unaware*s* [-z].

⁑**'s**[1] [위 -s의 경우와 같음] **1** 명사의 소유격 어미: cat*'s*, dog*'s*, today*'s*, Korea*'s*. ★ s로 끝나는 고유명사에는 보통 -s's, -s'의 어느 쪽이든 쓰임: James's [dʒéimziz] (또는 James'). **2** 글자 · 숫자 · 기호 따위의 복수 어미: S*'s*, 8*'s*, §*'s*. ★ [']는 생략하는 경우도 있음.

's[2] 《구어》 has, is, us, does, as의 간약형: He*'s* done it./It*'s* time./Let*'s* see./What*'s* he say about it?/so*'s* (=so as) to be in time.

S small; 〖문법〗 subject; 〖화학〗 sulphur (sulfur). **S.** Saint; Saturday; School; Sea; Senate; *Señor*; September; Signor; Socialist; South(ern); Sunday. **s.** section; see; shilling(s); sign; solidus; son; south(ern); steamer; substantive. **s., S.** school; secondary; second(s); signature; singular; society; soprano. **s., S, S.** south; southern.

$, $ dollar(s): $3.00, 3달러. ★ *solidus*의 머리글자인 S의 장식 문자로, 포르투갈 · 남아메리카 등지의 화폐 단위 기호로도 쓰이며, 만화 등에서는 '돈, 큰돈'을 뜻하는 기호로도 씀.

S.A. Salvation Army; South Africa; South America; South Australia.

sab [sæb] 《英구어》 *n.* Ⓒ 살생을 수반한 스포츠를(사냥을) 방해하고 반대하는 사람: a hunt ~ 수렵 반대자.

Sab·ba·tar·i·an [sæ̀bətɛ́əriən] *a.*, *n.* Ⓒ (종종 s–) 안식일(Sabbath)을 지키는 (사람). ㊕ **~·ism** *n.* Ⓤ 안식일 엄수(주의).

◇**Sab·bath** [sǽbəθ] *n.* **1** (보통 the ~) 안식일 (=∠ **dày**)《유대교에서는 토요일, 기독교는 일요일》. **2** Ⓒ (연1회 야밤중에 열린다는) 악마의 연회(witches'~). ***break*** (***keep, observe***) ***the ~*** 안식일을 지키지 않다(지키다).

Sab·bat·ic, -i·cal [səbǽtik], [-əl] *a.* 안식일의(같은); (s–) 안식의, 휴식의. **—***n.* Ⓒ = SABBATICAL YEAR 2.

sabbátical léave =SABBATICAL YEAR 2.

sabbátical yéar **1** (종종 S–) 안식년《이스라엘 사람들이 경작을 쉰 7년마다의 해》. **2** 안식 휴가《휴양 · 여행 · 연구를 위해 보통 7년마다 대학 교수 · 선교사 등에게 주는 1년간의 유급 휴가》.

◇**sa·ber,** 《英》 **-bre** [séibər] *n.* **1** Ⓒ 사브르, 기병 도(刀). ⓒⓕ bayonet. **2** 〖펜싱〗 Ⓒ 사브르 검; Ⓤ 사브르 경기 (종목). **—***vt.* …을 사브르로 베다.

sáber-ràttling *n.* Ⓤ (타국에 대한) 무력의 위협(과시).

sáber-toothed tíger (**kón, cát**) 〖고생물〗 검치호(劍齒虎)《절멸한 고양이과 동물》.

Sá·bin vaccìne [séibin-] 세이빈 백신《소아마비 생(生)백신》.

sa·ble [séibəl] *n.* **1** Ⓒ 〖동물〗 검은담비; Ⓤ 검은담비의 모피. **2** Ⓤ 《시어》 흑색. **—***a.* **1** 검은담비 가죽의(으로 만든): a ~ coat 검은 담비 코트/a ~ brush 검은 담비털로 만든 화필. **2** 《시어》 검은, 흑색의; 암흑의; 무서운: his ~ Majesty 악마 대왕.

sab·ot [sǽbou] (*pl.* **~s** [-z]) *n.* 《F.》 Ⓒ 사보, 나막신; 나무창 가죽신.

sab·o·tage [sǽbətɑ̀ːʒ, -tidʒ] *n.* 《F.》 Ⓤ (쟁의 중의 노동자에 의한) 공장 설비 · 기계 따위의 파괴, 생산 방해; (피점령국측의 공작원 · 지하 운동가에 의한) 파괴(방해) 활동; 〖일반적〗 파괴(방해) 행위. ★ 우리나라에서는 '사보타주'를 '태업(《美》 slow-down, 《英》 go-slow)'의 뜻으로 전용해서 씀. **—***vt.* 고의로 방해(파괴)하다: ~ a person's plan 아무의 계획을 방해하다.

sab·o·teur [sæ̀bətə́ːr] *n.* 《F.》 Ⓒ 파괴(방해) 활동가; 사보타주를 하는 사람.

sa·bra [sɑ́ːbrə] *n.* (때로 S–) Ⓒ 이스라엘 태생의(토박이) 이스라엘인.

◇**sa·bre** [séibər] *n.*, *vt.* 《英》 =SABER.

sac [sæk] *n.* Ⓒ 〖생물〗 낭(囊), 액낭(液囊), 기낭.

SAC, S.A.C. [sæk] 《美》 Strategic Air Command.

sac·cha·rim·e·ter [sæ̀kərímitər] *n.* Ⓒ 검당계(檢糖計).

sac·cha·rin [sǽkərin] *n.* Ⓤ 〖화학〗 사카린.

sac·cha·rine [sǽkərɑ̀in, -rin, -rìːn] *a.* 당질(糖質)의; 설탕 같은(sugary); 지나치게 단; 달콤한《음성 · 태도 · 웃음》, 감상적인.

sac·er·do·tal [sæ̀sərdóutl] *a.* 성직자의, 사제(司祭)의; 사제제(制)의; 성권(聖權) 존중의. ㊕ **~·ism** [-təlìzəm] *n.* Ⓤ 성직자(사제) 제도; 성직자의 관행. **~·ist** *n.* Ⓒ 성직 존중론자.

sa·chem [séitʃəm] *n.* Ⓒ (북아메리카 원주민의) 추장(chief); 정당의 당수, 거물급.

sa·chet [sæʃéi/∠–] *n.* 《F.》 Ⓒ **1** 회용 크림 · 샴푸 등을 넣는 작은 주머니; 향낭(香囊)《서랍 · 옷장 등에 두는》.

⁑**sack**[1] [sæk] *n.* **1** Ⓒ **마대, 자루,** 부대《곡물 · 밀가루 따위를 담는 보통 거친 천의》; 그 한 자루 분량: three ~*s of* potatoes 감자 세 자루. SYN. ⇨BAG. **2** Ⓒ (식품 따위를 넣는) 종이 봉지, 비닐 봉지; 한 봉지(의 양): a ~ *of* candy 캔디 한 봉지. **3** Ⓒ (부녀자용의) 헐렁한 웃옷. **4** Ⓒ 《야구속어》 누(壘), 베이스(base). **5** (the ~) 《구어》 해고, '모가지'; 《구어》 (사랑 따위의) 퇴짜, 박참. **6** (the ~) 《美속어》 침낭, 잠자리; 《속어》 수면: be in the ~ 자고 있다.

S

get 〔***have***〕 ***the*** ~ 《구어》 해고당하다; 퇴짜맞다. ***give the*** ~ ***to*** a person =***give*** a person ***the*** ~ 《구어》 아무를 해고하다, 아무에게 퇴짜를 놓다. ***hit the*** ~ 《구어》 잠자리에 들다.

—*vt*. **1** 부대〔자루〕에 넣다. **2** 《구어》 해고하다 (dismiss): ~ superfluous workers 남아도는 노동자를 해고하다 / You're ~*ed!* 넌 모가지야. ~ ***out*** 〔***in***〕 (*vi*.+부) 《美속어》 잠자리에 들다.

sack² *vt*. (점령군이 도시)를 약탈〔노략질〕하다; (강도 따위가) 금품〔귀중품〕을 빼앗다; 〖미식축구〗 (쿼터백)을 스크리미지 라인의 뒤에서 태클하다. —*n*. (the ~) (점령지의) 약탈; 강탈: put a city to the ~ 도시를 약탈하다.

sack³ *n*. Ⓤ (낱개는 Ⓒ) 색《16-17세기에 영국으로 수입된 백포도주의 일종》.

sáck·clòth *n*. Ⓤ 부대용 거친 마포, 즈크; (옛날 상복 · 뉘우치는 표시로 입던) 삼베옷. ***in*** ~ ***and ashes*** 깊이 뉘우쳐; 비탄에 잠겨.

sáck còat 헐렁한 남성용 상의.

sáck drèss (여성 · 유아용의) 헐렁한 웃옷, 색드레스.

sack·ful [sǽkfùl] (*pl*. ~***s, sácks·fùl***) *n*. Ⓒ 부대 가득한 분량, 한 부대, 한 섬.

sáck·ing *n*. Ⓤ 자루용 마포; (보통 *pl*.) 해고.

sáck ràce 자루 경주《자루에서 목만 내놓고 달림》.

sa·cra [séikrə] SACRUM의 복수.

sa·cral [séikrəl] *a*. 제식(祭式)의, 성례(聖禮)의.

◇**sac·ra·ment** [sǽkrəmənt] *n*. **1** Ⓒ 〖기독교〗 성례전(聖禮典)《세례(baptism) · 성찬(the Eucharist)의 두 예식》; 〖가톨릭〗 성사(聖事)《세례(baptism) · 견진(confirmation) · 성체(the Eucharist) · 고백(penance) · 병자 성사(extreme unction) · 신품(holy orders) · 혼인(matrimony)의 일곱》. **2** (the ~, the S-) 성찬(식); 성체용의 빵, 성체(=the ~ **of the álter**). ***take*** 〔***receive***〕 ***the*** ~ ***to*** do …하기를 맹세하고 영성체하다. ***the last*** ~ 병자(病者) 성사.

sac·ra·men·tal [sæ̀krəméntl] *a*. 성례전(聖禮典)(존중)의; 성찬(식)의: ~ rites 성찬식 / ~ wine 성찬용 포도주. 파 ~**·ism** *n*. Ⓤ 성찬 중시(重視)주의. ~**·ist** *n*. Ⓒ 성찬 중시자. ~**·ly** *ad*. 성례로서; 성찬식풍으로. **sàc·ra·men·tál·i·ty** *n*.

Sac·ra·men·to [sæ̀krəméntou] *n*. 새크라멘토《미국 California주의 주도》.

sa·cred** [séikrid] *a*. **1 신성한**(holy); 신에게 바쳐진, 신을 모신: the ~ altar 성단(聖壇) / a ~ building 〔edifice〕 신전, 교회, 성당. SYN. ⇨ HOLY. **2** Ⓐ 종교적인, 성전(聖典)의; 종교(적 의식)에 관한. ↔ *profane, secular*. ¶a ~ history 성서에 기록된 역사 / ~ music 종교 음악 / a ~ number 성수(聖數)《7 따위》 / a ~ place 묘지. **3** 신성불가침의; 신성시되는. **4** 바쳐진(dedicated); 제사 지내는《to*** (영혼 · 신 · 목적 등)에》: a tree ~ *to* Jupiter 주피터에게 바쳐진 나무 / a fund ~ *to* charity 자선을 위한 기금. **5** (약속 · 의무 따위가 신성하여) 깨뜨릴 수 없는, 존중할: a ~ promise 깨뜨릴 수 없는 약속 / I hold my duty ~. 의무는 존중한다.

be ~ ***from*** …을 면(免)하다: No place *was* ~ *from* outrage. 난동을 면한 곳은 한 군데도 없었다.

> DIAL. ***Is nothing sacred?*** 곤란하게 됐는걸, 그렇게까지 안 해도 될 것을.

파 ~**·ly** *ad*. ~**·ness** *n*.

Sácred Cóllege (**of Cárdinals**) (the ~) 〖가톨릭〗 추기경단《교황의 최고 자문 기관》.

sácredców (인도의) 성우(聖牛); 《비유적》 비판〔공격〕할 수 없는 신성한 것〔사람, 사상, 제도〕.

Sácred Héart (**of Jésus**) (the ~) 〖가톨릭〗 예수의 성심(聖心)《창으로 꿰뚫린 그리스도의 심장; 인류에 대한 사랑의 상징》.

sácred íbis 〖조류〗 (옛 이집트에서 영조(靈鳥)로 삼던) 따오기《나일강 유역산(産)으로, 머리 · 목이 검고 허리에 검은 장식 깃털이 있음》.

sac·ri·fice** [sǽkrəfàis] *n*. **1 a** Ⓤ (구체적으로는 Ⓒ) **희생**(**시키는 것**): make a ~ of …을 희생하다. **b** Ⓒ 희생적인 행위; 희생된 것: Parents often make ~*s* for their children. 부모는 종종 자녀를 위해 희생한다 / fall a ~ to …의 희생이 되다. **2 a** Ⓤ (구체적으로는 Ⓒ) 신에게 산 제물을 바치는 일: make a ~ to God 신에게 제물을 바치다. **b** Ⓒ 산 제물, 제물: kill a goat as a ~ to the gods 신에게의 제물로 염소를 잡다. **3** Ⓒ (손해를 각오한) 투매(投賣)(~ sale); (투매로 인한) 손실: sell at a (considerable) ~ (크게) 밑지고 팔다. **4** Ⓤ (속죄의) 기도, 회오(悔悟). **5** Ⓒ 〖야구〗 희생타, 희생 번트(~ bunt). ***at the ~ ***of*** … 을 희생하여. ***the great*** 〔***last, supreme***〕 ~ 위대한〔최후의, 최고의〕 희생《목숨을 버리기》: make *the supreme* ~ 목숨을 희생하다.

—*vt*. **1** 《~+목/+목+전+명》 **희생하다**〔**시키다**〕, 단념〔포기〕하다《***for, to*** …을 위하여》; 제물로 바치다《***to*** (신 따위)에게》: ~ a sheep 양을 제물로 바치다 / ~ oneself *for* one's country 조국을 위해(서) 몸을 바치다 / ~ accuracy *to* effect (문장 등의) 효과를 노려 정확성을 희생하다 / ~ a lamb *to* a god 어린 양을 신에게 제물로 바치다. **2** 《구어》 투매하다, 헐값에 팔다. **3** 《~+목/+목+전+명》 〖야구〗 (주자)를 희생타로 진루시키다《***to*** …으로》: He ~*d* Tom *to* third base. 그는 희생타를 쳐서 톰을 3루에 나가게 했다. —*vi*. **1** 《~/+전+명》 산 제물을 바치다《***to*** …에게》: ~ *to* God 신에게 산 제물을 바치다. **2** 희생이 되다《***for*** …을 위하여》: A mother will ~ *for* her children. 어머니는 자식들을 위하여서는 자기 몸을 돌보지 않는다. **3** 《구어》 투매하다, 헐값에 팔다. **4** 〖야구〗 희생타를 치다.

파 **sác·ri·fic·er** *n*. Ⓒ 희생자.

sácrifice búnt 〔**hít**〕 〖야구〗 희생 번트, 희생타.

sácrifice flý 〖야구〗 희생 플라이.

sac·ri·fi·cial [sæ̀krəfíʃəl] *a*. 희생의, 산 제물의; 희생적인, 헌신적인; 〖상업〗 투매의: a ~ lamb 〔rite〕 번제(燔祭)의 새끼양〔의식〕 / ~ sales 투매. 파 ~**·ly** *ad*.

sac·ri·lege [sǽkrəlidʒ] *n*. Ⓤ 신성한 것을 더럽힘; (신성) 모독(죄); Ⓒ (보통 *sing*.) 벌받을 행위.

sac·ri·le·gious [sæ̀krəlídʒəs, -líː-] *a*. (신성) 모독의; 벌받을. 파 ~**·ly** *ad*. ~**·ness** *n*.

sa·crist, sac·ris·tan [séikrist, sǽk-], [sǽkrəstən] *n*. Ⓒ 〖가톨릭〗 향방(香房) 관리인, 성당 성물(聖物) 관리인, 성당지기.

sac·ris·ty [sǽkrəsti] *n*. Ⓒ (교회의) 성물(보관)실(聖物室), 성물 안치소.

sac·ro·sanct [sǽkrousæ̀ŋkt] *a*. 지성(至聖)의; 《비유적》 신성불가침의. 파 **sàc·ro·sánc·ti·ty** [-təti] *n*. Ⓤ 신성불가침, 지성.

sa·crum [séikrəm, sǽk-] (*pl*. ~***s, -cra*** [-krə]) *n*. Ⓒ 〖해부〗 천골(薦骨).

†**sad** [sæd] (**-dd-**) *a.* **1** 슬픈, 슬픔에 잠긴(sorrowful), 슬픈 듯한; 슬퍼하는《***about*** …을; ***at*** …에/***to*** do》. ↔ *glad, happy.* ¶a ~ face 슬픔에 잠긴 얼굴/She was ~ *at* the news of his death. 그녀는 그가 죽었다는 소식을 듣고 슬퍼했다/We all felt ~ *about* her death. 우리는 모두 그녀의 죽음을 슬퍼했다/She was ~ *to* see him go. 그가 가는 것을 보고 그녀는 슬펐다.

SYN. **sad, sorrowful** sad가 보다 구어적이며 '유감된(sorry)' 이란 뜻도 가미됨. sorrowful은 약간 시적인 어감(語感)을 풍김: a *sad* 〔*sorrowful*〕 song 비가(悲歌). **mournful** 음울한 어두움을 수반함. 슬픔에 잠긴, 애처로운: a *mournful* occasion 슬픈 일. **depressed** 기가 죽은, 일시적으로 우울한. **melancholy** 장기적·습관적으로 우울한. **dejected** 낙심하여, 뚜렷한 원인에 의해 타격을 받은 경우가 많음: *dejected* over losing one's position 지위를 잃고 낙심하여. **despondent** 미래에 대한 희망을 잃어 실망한: *despondent* about one's failing health 자기의 병약함을 슬퍼하여.

2 슬프게 하는, 슬퍼할, 애절한; 통탄할: a ~ song 〔tale〕 슬픈 노래〔이야기〕/a ~ relaxation of morals 통탄할 도덕심의 해이. **3** Ⓐ 괘씸한, 지독한; 열등한: a ~ rogue 형편없는 악당/a ~ mess 엉망, 뒤죽박죽. **4** (색이) 칙칙한(dull), 충충한 (somber).

a ~der and* 〔*but*〕 (*a*) *wiser man (슬픈 경험을 겪어 현명해진) 고생한 사람. ***~ to say*** 불행하게도, 슬프게도. ***write ~ stuff*** 형편없는 문장을 쓰다.

Sa·dat [sədɑ́:t, -dǽt] *n.* (**Mohammed**) **Anwar el-~** 사다트《이집트의 2대 대통령; Nobel 평화상 수상(1978); 1918–81》.

◇**sad·den** [sǽdn] *vt.* 슬프게 하다; 칙칙한〔충충한〕 색으로 하다: Her death ~*ed* him. 그녀의 죽음이 그를 슬프게 했다. **—*vi.*** 슬퍼지다《***at*** …에》: She ~*ed at* the thought of his departure. 그녀는 그가 떠나버릴 것이라는 생각에 슬퍼졌다.

⁑**sad·dle** [sǽdl] *n.* **1** Ⓒ (말)안장; (자전거 따위의) 안장: put a ~ on a horse 말에 안장을 얹다. **2** Ⓤ (낱개 토막 고기는 Ⓒ) 《英》 (양·사슴의) 등심고기: (a) ~ of mutton 〔venison〕 양〔사슴〕의 등심고기(한 토막). **3** Ⓒ (산의) 안부(鞍部)《두 봉우리 사이의 등성이》, 산등성이.

cast a person ***out of the ~*** 아무를 면직하다. ***in the ~*** 말을 타고; 권력을 휘두르는 자리에 앉아: Who is *in the* ~? 누가 권력을 잡고 있는가. ***take* 〔*get into*〕 *the ~*** 말을 타다; 자리〔직〕에 앉다; 권력을 쥐다.

—*vt.* **1** 《~+목/+목+부》 (말)에 안장을 얹다 (*up*): ~ (*up*) a horse. **2** 《+목+전+명》 **a** 짊어지우다, 과(課)하다《***with*** (책임·부담)을; ***on, upon*** (아무)에게》: ~ a person *with* a heavy task = ~ a heavy task *on* a person 아무에게 막중한 일을 시키다. **b** 《~ oneself》 짊어지다《***with*** (책임 따위)를》: ~ oneself *with* responsibilities 스스로 책임을 지다. **—*vi.*** 《~/+부》 (안장을 얹은) 말을 타다; 말에 안장을 얹다(*up*).

sáddle·bàg *n.* Ⓒ (말 등의 양쪽으로) 매다는 주머니; (자동차·오토바이의) 새들 백.

sáddle·clòth *n.* Ⓒ 경주마 안장에 붙인 번호천; 안장 방석.

sáddle hòrse 승마용 말.

sád·dle·less *a.* 안장 없는 (말의).

sád·dler *n.* Ⓒ 마구 만드는〔파는〕 사람.

sad·dlery [sǽdləri] *n.* **1** Ⓤ 마구 제조업, 마구 장사; 마구 제조 기술. **2** Ⓤ 《집합적》 마구 한 벌, 마구(류). **3** Ⓒ 마구 제조소, 마구점.

sáddle shòes 새들신《구두끈 있는 등 부분을 색이 다른 가죽으로 씌운 Oxford shoes》.

sáddle sòap 가죽 닦는 비누.

sáddle sòre (안장으로 인하여 사람·말에 생긴) 쓸린 상처.

sáddle·sòre *a.* (말 탄 후에) 몸이 아픈〔뻐근한〕; (말이) 안장에 쓸린.

sáddle stìtch 【제본】 주간지처럼 책 등을 철사로 박는 제본 방식.

Sad·du·cee [sǽdʒəsi:, -djə-] *n.* Ⓒ 사두개교도; 《비유적》 물질주의자. ㊞ **~·ism** *n.* Ⓤ 사두개파《옛 유대교의 한 종파; 사자(死者)의 부활, 천사·영혼의 존재를 인정치 않음》. **Sàd·du·cé·an** [-sí:ən] *a.* 사두개파의.

sa·dhu [sɑ́:du:] *n.* 《Ind.》 Ⓒ 성인(聖人), 현인; (힌두교의) 고행자.

sad·ism [sǽdizəm, séid-] *n.* Ⓤ 사디즘, 가학성(加虐性) 변태 성욕; 《일반적》 병적인 잔혹성. ↔ *masochism.* ㊞ **sád·ist** *n.* Ⓒ 가학성 변태 성욕자. **sa·dis·tic** [sədístik, sei-] *a.* 사디스트적인. **sa·dís·ti·cal·ly** *ad.*

⁑**sad·ly** [sǽdli] *ad.* **1** 슬픈 듯이, 구슬프게: She looked at him ~. 그 여자는 슬픈 듯이 그를 보았다/The bell rang ~. 종이 구슬프게 울렸다. **2** 《문장 전체를 수식하여》 슬프게도, 유감스럽게도: *Sadly*, he failed (in) the exam. 유감스럽게도 그는 시험에 떨어졌다. **3** 몹시, 한심할 정도로: He's ~ lacking in common sense. 그는 한심할 정도로 몰상식하다.

***sad·ness** [sǽdnis] *n.* Ⓤ 슬픔, 비애. SYN. ⇨ SORROW.

sa·do·mas·o·chism [sèidoumǽzəkizəm, sæ̀d-, -mǽs-] *n.* Ⓤ 【정신의학】 가학 피학성(被虐性) 변태 성욕. ㊞ **-chist** *n.* Ⓒ 가학 피학성 변태 성욕자. **sà·do·màs·o·chís·tic** *a.*

sád sàck 《美구어》 멍청이; 요령이 없는 사람〔병사〕, 어수룩한 병사.

s. a. e. stamped addressed envelope (회신용 봉투(를 동봉한 것)).

sa·fa·ri [səfɑ́:ri] *n.* Ⓒ (사냥·탐험 등의) 원정여행, 사파리; (동아프리카의) 수렵대(隊), 탐험대; 《구어》 모험 여행.

safári jàcket 사파리 재킷《주머니 네 개와 허리 벨트가 특징인 면(綿)개버딘제 재킷》.

safári pàrk 《英》 (동물을 놓아 기르는) 사파리 공원(《美》 animal park).

safári sùit 사파리 슈트《safari jacket과 같은 천의 스커트〔바지〕의 맞춤》.

†**safe** [seif] *a.* **1** 안전한, 위협(성)이 없는, 피해입을 걱정이 없는《***from*** …으로부터; ***for, against*** …에 대하여/***to*** do》. ↔ *dangerous.* ¶a ~ place 안전한 장소/We're ~ here. 여기 있으면 안전하다/be ~ *from* fire 불날 염려가 없다/This beach is ~ *for* swim*ming*. 이 해변은 수영해도 안전합니다/This building is ~ *against* any kind of earthquake. 이 건물은 어떤 지진에도 안전하다/The lions are ~ in the cage. 사자는 우리 속에 있어서 안전하다/This dog is ~ *to* touch. 이 개는 만져도 괜찮다.

SYN. **safe** 위협이 없는〔없었던〕 상태에 쓰이는 가장 일반적인 말: arrived home *safe* after a rough voyage 험난한 항해를 마치고 무사히 집

S

에 돌아왔다. **secure** 위험으로부터 안전하게 지켜져 있다, 보장돼 있다는 안심감. 대개는 safe의 강조형이지만, feel *secure*(마음 든든하다)처럼 미래의 안전에 관한 보장에 사용되며, arrived home *secure*라고는 별로 쓰지 않음.

2 〖be, come, arrive, bring, keep 따위의 보어〗 **무사한**, 탈없는, 손상 없는: They all arrived ~. 그들은 모두 무사히 도착했다/see a person ~ home 아무를 무사히 집에까지 바래다 주다. ★ safe는 예전엔 부사이기도 했으므로 오늘날에도 safely를 대용하는 일이 있음.

3 (감금 등에 의하여) 도망칠 우려가 없는: in ~ custody 안전하게 보호〔수감〕되어/We have got the criminal ~. 우리는 범인을 (도망치지 못하도록) 단단히 붙잡아 두고 있다.

4 a (추측·투자 등) **틀림없는**, 무난한; 견실한; (약품 따위) 해가 없는: a ~ bet 틀림없이 성공할 일/That's a ~ guess. 《구어》 그렇게 생각해 두면 틀림없다. **b** 틀리지 않은《*in* …해도》: You would be ~ *in* say*ing* that the storm is over. 태풍이 지나갔다고 해도 좋을 것이다. **c** 괜찮은, 지장이 없는《*to* do》: a ~ person *to* confide in 털어놓아도 괜찮을 사람/The weather is a subject quite ~ *to* talk about. 날씨는 화제로서 아주 무난하다.

5 믿을 수 있는; 확실한; 반드시 …하는《*to* do》: from ~ sources 확실한 소식통에서/The president is ~ *to* be reelected. 대통령은 재선이 확실하다.

6 피해가 없는《*for* …에게》; 주의깊은, 신중한: a ~ book *for* children 아이들이 읽어도 안심할 수 있는 책/This medicine is not ~ *for* children. 이 약은 아이들에게는 위험하다/a ~ driver 신중한 운전 기사/a ~ play 신중한 경기 자세.

7 〖야구〗 세이프의: The runner is ~ (at first). 러너는 (1루) 세이프다. ◇ safety *n.*

(as) ~ as anything 〔《구어》 ***houses, a house, the Bank of England***〕 더없이 안전한. ***be on the ~ side*** 신중을 기하다, 조심하다: Let's *be on the ~ side* and take the child to the doctor. 신중을 기하여 그 아이를 의사에게 데리고 가자. ***play (it) ~*** 《구어》 위험을 무릅쓰지 않다, 신중을 기하다; 모험을 하지 않다: We'd better *play* (*it*) ~ and start at once. 신중을 기하기 위해 지금 곧 떠나는 편이 좋겠다. ***~ and sound*** 무사히, 탈없이: He returned home ~ *and sound* from the war. 그는 전쟁터에서 무사히 귀환했다.

> **DIAL.** ***(It's) better (to be) safe than sorry.*** 나중에 후회하느니보다 안전이 제일이야.
> ***Safe journey.*** (여행을 떠나는 사람에게) 무사히 여행 잘 하세요.

— (*pl.* **~s**) *n.* Ⓒ **1 금고**: a fireproof ~ 내화(耐火) 금고/crack 〔break (into)〕 a ~ (강도가 침입하여) 금고를 부수다. **2** (육류 보관용) 파리장(meat safe), 안전 찬장. **3** 《美속어》 =CONDOM.

sáfe bét 틀림없이 이길 내기; 확실한 것.

sáfe·brèaker *n.* Ⓒ 금고 (터는) 도둑.

sáfe-cónduct *n.* Ⓤ (주로 전시의) 안전 통행권(權); Ⓒ 안전 통행증.

sáfe·cràcker *n.* =SAFEBREAKER.

sáfe depòsit (귀중품) 보관소, 보관고(庫).

sáfe-depòsit *a.* 안전 보관의: a ~ company 금고 대여 회사/a ~ box 〔vault〕 (은행의) 대여 금고〔금고실〕.

◇**sáfe·guàrd** *n.* Ⓒ **1** 보호물, 안전 장치; (유혹 따위의) 방위 (수단); 보장 조항〔규약〕《***against*** …에 대한》: a ~ *against* fire 방화 설비/as a ~ *against* accidents 사고 방지 장치로서. **2** 호위병, 호위선(船); 안전 통행증(safe-conduct). **—** *vt.* 보호하다, 지키다《***from, against*** …으로부터》: ~ one's property 재산을 지키다/~ children *against* traffic accidents 자녀를 교통사고로부터 보호하다.

sáfe hóuse (간첩·테러 분자 등의 도청·감시당할 염려가 없는) 아지트, 은신처, 연락처.

sáfe·kèeping *n.* Ⓤ 보호, 보관(custody): be in ~ with a person 아무에게 보관되어 있다.

sáfe·lìght *n.* Ⓒ 〖사진〗 (암실용) 안전광(光).

⁑**safe·ly** [séifli] *ad.* **1 안전하게**, 무사히: arrive ~ 안착하다/The parcel reached me ~. 소포는 무사히 도착했다. **2** 틀림없이, 꼭: It may ~ be said that .... …라고 말해도 틀림〔상관〕없다.

sáfe pèriod (보통 the ~) (월경 전후의 임신 가능성이 가장 적은) 안전 기간.

sáfe séx (성병이나 에이즈 예방을 위해 콘돔을 사용하는) 안전한 섹스.

⁑**safe·ty** [séifti] *n.* **1** Ⓤ **안전**, 무사; 무난(security), 무해: flee for ~ 피난하다/traffic 〔road〕 ~ 교통안전/~ of principal 원금의 안전〔보증〕/There is ~ in numbers. 《속담》 수가 많은 편이 안전하다. **2** Ⓒ (총·기계의) 안전장치, 안전판; 《구어》 안전면도칼; 《속어》 =CONDOM. **3** Ⓒ 〖야구〗 안타(safe hit); 〖미식축구〗 세이프티 《자기편 골라인 뒤에 (잘못) 공을 찍기; 수비팀이 2점을 얻음》. **4** 〖형용사적〗 안전을 보장하는: a ~ device 〔apparatus〕 안전장치/~ measures 안전 조치/road ~ rules 도로 안전 운전 규칙. ***~ first*** 안전제일《위험 방지 표어》. ***seek ~ in*** …에 안전을 찾다, …으로 피난하다.

sáfety bèlt 구명대(帶)(life belt); 안전 벨트〔띠〕《자동차·비행기 등의 좌석용; seatbelt가 더 일반적》; (높은 곳 작업용) 구명삭(索). ***Fasten your ~!*** 안전 벨트를 매시오.

sáfety càtch (기계·총 따위의) 안전장치.

sáfety cùrtain (극장 등의 석면으로 된) 방화(防火)막.

sáfety-depòsit *a.* =SAFE-DEPOSIT.

sáfety glàss 안전유리.

sáfety inspèction 《美》 차량 검사(《英》 M.O.T. (test)).

sáfety ìsland 〔**ìsle**〕 《美》 (도로상의) 안전지대《연석·페인트선 등의 보행자를 위한》.

sáfety làmp (광부용) 안전등.

sáfety lòck 안전 자물쇠; (총의) 안전장치.

sáfety màtch (안전)성냥.

sáfety nèt (서커스 등의) 안전망; 《비유적》 안전책.

sáfety pìn 안전핀.

sáfety ràzor 안전면도(칼).

sáfety vàlve **1** (보일러의) 안전판(瓣). **2** (감정·정력 따위의) 배출구《***for*** …에 대한》: sit on the ~ 안전판을 누르다; (일시 방편으로) 탄압하다/act 〔serve〕 as a ~ *for* …에 대한 안전판 역할을 하다.

sáfety zòne 《美》 (도로 위의) 안전지대(safety island).

saf·flow·er [sǽflàuər] *n.* Ⓒ 〖식물〗 잇꽃; Ⓤ 잇꽃물감《붉은색》.

◇**saf·fron** [sǽfrən] *n.* Ⓒ 〖식물〗 사프란(=∠ cròcus); Ⓤ 그 꽃의 암술머리《과자 따위의 착색

향미료》; [U] 사프란색, 샛노랑(=∠ **yéllow**).

S. Afr. South Africa(n).

sag [sæg] (**-gg-**) *vi.* **1** (무게 때문에 밑으로) 휘다, 처지다, 내려앉다, 굽다(*down*): The ceiling is *~ging*. 천정이 처져 있다/The shelves ~ (*down*) under the weight of the books. 선반이 책 무게로 굽어져 있다. **2 a** (옷·바지 등이) 느슨해지다, 늘어지다: This dress ~*s* in 〔at〕 the back. 이 드레스는 등이 늘어져 있다. **b** (노령·피로 등으로 근육·볼 따위가) 탄력이 없어지다, 축 처지다: with *~ging* shoulders 어깨가 축 처져서. **3** 기운이 빠지다; (정신·기력이) 약해지다, 쇠약해지다: My spirits *~ged* at the news. 그 소식을 듣고 멍해졌다. **4** (소설·극 따위가) 도중에서 재미없어지다. **5** 〖상업〗 (시세·물가 등이) 일시적으로 떨어지다.
—*n.* [U] (또는 a ~) **1** 휨, 처짐, 늘어짐《*in* …이》; (땅 따위의) 꺼짐, 함몰: have a ~ *in* one's trousers 바지가 헐렁해지다. **2** 〖상업〗 (시세의) 하락, 점락(漸落).

sa·ga [sɑ́:gə] *n.* [C] (영웅·왕후(王侯) 등을 다룬) 북유럽의 전설; 무용담, 모험담; 계도(系圖) 〔대하〕 소설 (~ novel); 연대기(年代記).

°**sa·ga·cious** [səgéiʃəs] *a.* 총명〔명민, 현명〕한; 영리한: a ~ choice of personnel 현명한 직원의 인선. [SYN.] ⇨WISE. [파] **~·ly** *ad.* **~·ness** *n.*

°**sa·gac·i·ty** [səgǽsəti] *n.* [U] 총명, 명민.

sága nòvel 대하소설.

°**sage**[1] [seidʒ] *a.* [A] **1** 슬기로운, 현명한; 사려 깊은, 경험이 많은: ~ advice 현명한 충고/a ~ counselor 사려깊은 상담자. **2** 《반어적》 현인인 체하는, 점잔빼는《얼굴 따위》. [SYN.] ⇨WISE. **—** *n.* [C] 현인, 철인; 경험이 풍부한 현자, 박식한 사람; 《반어적》 현인인 체하는 사람. ***the Seven ~s*** (***of ancient Greece***) (고대 그리스의) 7현인.
[파] ∠**·ly** *ad.* ∠**·ness** *n.*

sage[2] *n.* [U] 〖식물〗 세이지《샐비어의 일종》; 그 잎《약용·요리용》; =SAGEBRUSH.

ságe·brùsh *n.* [U] 〖식물〗 쑥의 일종《미국 서부산(産)》.

ságe tèa 샐비어 잎을 달인 건강 음료.

sag·gy [sǽgi] (**-gi·er; -gi·est**) *a.* 처진, 늘어진.

Sag·it·tar·i·us [sædʒətέəriəs] *n.* **1** 〖천문〗 궁수(弓手)자리; 〖점성〗 인마궁(the Archer). **2** [C] 궁수자리 태생의 사람.

sa·go [séigou] (*pl.* **~s**) *n.* [U] 사고《사고야자의 나무 심에서 뽑은 녹말》; [C] 〖식물〗 사고야자 (=∠ **pàlm**)《동인도 제도산(産)》.

sa·gua·ro [səgwɑ́:rou] (*pl.* **~s**) *n.* 《Sp.》 [C] 〖식물〗 키가 큰 선인장의 일종(giant cactus)《기둥꼴로, Arizona산(産)》.

Sa·hara [səhǽrə, səhɑ́:rə, səhέərə] *n.* (the ~) 사하라 사막. [파] **-i·an** [-iən] *a.*

Sa·har·an [səhǽrən, səhɑ́:rən, səhέərən] *a.* 사하라 사막의〔과 같은〕.

sa·hib [sɑ́:hib] (*fem.* **-hi·ba**(**h**) [-ə], ***mém-sà·hib***) *n.* 《Ind.》 **1** (S-) 〖인명·관직명 뒤에 붙여〗 나리《특히 식민지 시대에 인도인이 유럽인에게 쓴 존칭》; 각하, 대감, 선생, …님: Jones *Sahib* 존스 나리/Colonel *Sahib* 대령님. **2** [C] 주인님, 신사.

said [sed] SAY의 과거·과거 분사.
—*a.* [A] (보통 the~) 〖법률〗 전기(前記)한, 상술(上述)한: the ~ person 본인, 당해 인물/the ~ witness 전술한 증인.

Sai·gon [saigɑ́n/-gɔ́n] *n.* 사이공《옛 베트남의 수도; Ho Chi Minh City의 구칭》.

‡sail [seil] (*pl.* **~s,** 2에서는 ~) *n.* **1 a** [C] 돛: with all ~*s* set 돛을 전부 펴고/hoist 〔lower〕 a ~ 돛을 올리다〔내리다〕. **b** [U] 〖집합적〗 배의 돛《일부 또는 전부》: in full ~ 돛을 전부 올리고/strike ~ (강풍시 또는 경의를 표하여) 돛을 내리다. **2** [C] 돛단배, **범선**; 〖집합적〗 선박, …척의 배: a fleet of ten ~, 10척 편성의 선대/There wasn't a ~ in sight. 배는 한 척도 보이지 않았다. **3 a** (a ~) (취미로 하는) 범주(帆走), 항해; 뱃놀이: go for a ~ 뱃놀이하러 가다. **b** [U] (또는 a ~) 항주(航走) 거리, 항정(航程): two days' ~ 이틀의 항정. **4** [C] 돛 모양의 것; 풍차의 날개; (잠수함의) 전망탑. **5** [C] 〖어류〗 돛새치의 등지느러미.
at full **~**(**s**) =***full*** **~** 강한 순풍을 받고, 전속력으로. ***furl a*** **~** 돛을 감다〔말다〕. ***get in a*** **~** 돛을 줄이다. ***get under*** **~** 출항하다, 출범하다. ***in*** **~** 돛을 올리고; 돛배를 타고. ***make*** **~** 돛을 올리다; 돛을 더 달고 빨리 가다; 출항하다. ***set*** **~** 돛을 올리다; 출범하다《***for*** …을 향하여》. ***take the wind out of*** 〔***from***〕 a person***'s*** **~*s*** ⇨WIND[1]. ***under*** (***full***) **~** (온) 돛을 펴고; (전력) 항해 중에.
—*vi.* **1 a** 《~/+[전]+[명]/+[부]》 **범주하다**; 항해하다; 배로 가다: ~ (at) ten knots, 10노트로 항해하다/~ *round* a cape 곶을 돌아 항해하다/The ship is *~ing along*. 배가 항해 중이다/We *~ed against* 〔*before*〕 the wind. 우리 배는 맞바람을 안고〔바람을 등지고〕 나아갔다. **b** (스포츠로서) 요트를 조종하다, 배로 주유(周遊)하다: go *~ing* 범주하러 가다. **2** 《~/+[전]+[명]》 **출범하다**, 출항하다《***from*** …에서; ***for*** …을 향하여》: The ship ~*s* at eight tomorrow morning. 배는 내일 아침 8시에 출항한다/She *~ed* (on the United States) *from* San Francisco (bound) *for* Honolulu. 그녀는 (유나이티드 스테이츠 호를 타고) 샌프란시스코에서 호놀룰루를 향하여 출항했다. **3** 《~/+[전]+[명]》 **a** (새·물고기·구름·비행선 등이) **날다**, 미끄러지듯 나아가다, 헤엄치다, 떠가다: The cloud *~ed across* the sky. 구름이 하늘을 가볍게 흘러갔다/Swans were *~ing* gracefully on the lake. 백조가 호수 위를 우아하게 헤엄치고 있었다. **b** (특히 여성이) 점잔빼며 걷다: She *~ed into* the room. 그녀는 점잔빼며 방으로 들어왔다. **4** 《+[전]+[명]》 《구어》 힘차게 시작하다; 감연히 하다《***into*** …을》: He *~ed into* the work. 그는 힘차게 일을 시작했다. **5** 《+[전]+[명]》 (말로) 세차게 공격하다; 매도하다; 나무라다, 꾸짖다《***into*** …을》: He ~*s into* his wife whenever his work goes badly. 그는 일이 잘 안 되면 언제나 아내를 꾸짖는다. **6** 《+[전]+[명]》 《비유적》 쉽게 통과하다; 성취하다《***through*** (세관·시험·곤란 등)을》: He *~ed through* the difficult examination. 그는 어려운 시험에 쉽게 합격했다. **—***vt.* **1 항해하다**; (사람·배가 바다·강)을 **항행하다**, 건너다, (새·항공기 등이 하늘)을 날다: ~ the ocean 대양을 항해하다. **2** 《~+[목]/+[목]+[부]/+[목]+[전]+[명]》 (배나 요트)를 달리다, 조종하다: He *~ed* his yacht *out to* the island. 그는 섬을 향해 요트를 몰았다. **3** (의논·활동 따위)를 기세좋게 시작하다.
~ *against the wind* ① 〖항해〗 맞바람을 안고 범주(帆走)하다(⇨*vi.* 1 a). ② 《구어》 대세를 거스르다. **~ *before the wind*** 순풍에 돛을 달고 달리다 (⇨*vi.* 1 a); (일이) 순조롭게 되어 가다, 순조롭게 출세하다. **~** 〔***run***〕 ***close to*** 〔***near*** (***to***)〕 ***the wind*** ① 이물을 되도록 바람 방향에 가까이 하고 범주

S

하다. ② (만사를) 알뜰하게 절약하다; 절약하여 살다. ③ 예절을 벗어날듯 말듯이 행하다〔말하다〕. ④ (죄·발각 등을) 간신히 피하다; 위험을 저지르다. ~ **in** 《*vi*.+副》 ① 입항하다. ② 《구어》 논의〔활동 따위〕를 시작하다.

sáil·bòard *n*. Ⓒ 1-2인용 소형 평저(平底)범선; 윈드 서핑용 보드.

°**sáil·bòat** *n*. Ⓒ 《美》 돛배, 범선, 요트(《英》 sailing boat). 㑁 **~·er** *n*.

sáil·clòth *n*. Ⓤ 범포(帆布), 즈크; 질긴 삼베의 일종《여성복·커튼용》.

sáil·er *n*. Ⓒ **1** 범선. **2** 〖흔히 수식어를 수반하여〗 (속력이) …한 배: a good 〔fast〕 ~ 속력이 빠른 배/a heavy 〔bad, poor, slow〕 ~ 속력이 느린 배.

sáil·fish (*pl*. **~, ~·es**) *n*. Ⓒ 〖어류〗 돛새치.

sáil·ing *n*. **1** Ⓤ 범주(帆走)(법); 항해(술); 항행(법): ⇨GREAT-CIRCLE SAILING, PLAIN 〔PLANE〕 SAILING. **2** Ⓤ (구체적으로는 Ⓒ) 항해, 선박 여행; 출항, 출범: the hours of ~ 출항 시간/a list of ~*s* 출항표. **—***a*. 항해의; 출항〔출범〕의: the ~ date 출항일/~ orders 출항〔항해〕 명령.

sáiling bòat 《英》 돛배, 범선, 요트(《美》 sailboat).

sáiling canòe 범주(帆走) 카누.

sáiling dày (객선의) 출항(出港)일; (화물의) 최종 선적일.

sáiling lèngth 요트의 전체 길이《이물에서 고물까지; 때로는 흘수선상의 길이를 이르기도 함》.

sáiling lìst 출항(예정)표.

sáiling màster (《英》 요트·《美》 군함의) 항해장.

sáiling shìp 〔**vèssel**〕 범선.

⁑**sail·or** [séilər] *n*. Ⓒ **1 뱃사람**, 선원, 해원. **2** 수병; 해군 군인. ≠sailer. **3** 〖good, bad 등의 수식어를 수반하여〗 배에 …하는 사람: a good 〔bad, poor〕 ~ 뱃멀미 안 하는〔하는〕 사람. 㑁 **~·ing** [-riŋ] *n*. Ⓤ 선원 생활; 선원〔뱃사람〕의 일. **~·ly** *a*. 뱃사람다운, 선원에 적합한.

sáilor còllar 세일러 칼라《세일러복의 접은 깃》.

sáilor hàt 수병 모자《여성·어린이용 밀짚 모자》.

sáilor·màn [-mæ̀n, -mən] (*pl*. **-men** [-mèn, -mən]) *n*. Ⓒ 《비어·우스개》 =SAILOR.

sáilor sùit 선원〔수병〕복; (어린이용) 세일러복.

sáil·plàne *n*. Ⓒ 세일플레인《익면 하중(翼面荷重)이 작아 상승기류를 타고 멀리까지 나는 글라이더》. **—***vi*. ~으로 활공하다〔날다〕.

⁑**saint** [seint] (*fem*. **∠·ess** [-is]) *n*. Ⓒ **1** 성인, 성자《죽은 후 교회에 의해 시성(諡聖)이 된 사람》; 〖일반적〗 성도: ⇨PATRON SAINT.

2 (S-) 성(聖)…《인명·교회명·지명 따위 앞에서는 보통 St. [seint, sən(자음 앞), sənt(모음 앞)]로 씀》: *St*. Luke 성(聖)누가/*St*. Helena 세인트헬레나; 유형지.

3 〖일반적〗 덕이 높은 사람, 군자(君者), 자비로운 사람; 〖반어적〗 성인인 체하는 사람: ⇨SUNDAY SAINT/I'm no ~. 나는 결점투성이의 인간이다/Young ~*s*, old sinners 〔devils〕. 《속담》 젊은 때의 신앙심은 믿을 수 없다.

4 (보통 *pl*.) 죽은이(의 영혼); 망자(亡者), 고인.

It would provoke 〔***try the patience of***〕 ***a*** **~.** 성인이라도 노하겠다. ***play the*** **~** 믿음이 두터운 사람인 체하다. ***Saints alive!*** 어머나, 정말 놀랍구나. ***the*** (***blessed***) ***Saints*** 천상의 여러 성인; 기독교도들. ***the departed*** **~** 고인, 죽은 사람.

Sáint Bernárd 세인트 버너드《본디 알프스 산 생베르나르 고개의 수도원에서 기르던 구명견(犬)》.

Sáint Chrís·to·pher and Névis [sèint-krístəfərən-] 세인트 크리스토퍼 네비스《서인도 제도의 St. Kitts [kíts] 섬과 Nevis 섬으로 이루어진 나라; 수도 Basseterre》.

sáint·ed [-id] *a*. 성인이 된, 시성(諡聖)이 된 《생략: Std.》; 신성한; 덕망 높은; 승천한, 죽은.

saint·hood [séinthùd] *n*. Ⓤ 성인의 지위; 〖집합적〗 성인〔성도〕들.

Sáint Kítts and Névis =ST. CHRISTOPHER AND NEVIS.

Saint Lu·cia [sèintlú:ʃiə] 세인트루시아《서인도 제도 동부의 독립국; 수도 Castries》.

sáint·ly *a*. 성인 같은〔다운〕; 덕망 높은, 거룩한: ~ behavior 품격 높은 행동거지. 㑁 **sáint·li·ly** *ad*. **-li·ness** *n*.

saint·pau·lia [seintpɔ́:liə] *n*. Ⓒ 〖식물〗 세인트폴리어속(屬)의 각종 화초(African violet)《시화과(科)》.

sáint's dày 성인〔성도〕 축일.

Saint Víncent and the Gren·a·dínes [-grènədí:nz] 세인트빈센트 그레나딘 (제도)《서인도 제도 남동부의 Windward 제도에 있는 독립국; 수도 Kingstown》.

Sai·pan [saipǽn] *n*. 사이판《태평양 서부 마리아나 제도 남부의 섬; 미국과 일본의 격전지 (1944)》.

saith [seθ] *vt*., *vi*. 《고어·시어》 SAY의 3인칭·단수·직설법·현재.

⁑**sake** [seik] *n*. Ⓒ **위함**, 이익; 목적; 원인, 이유.

> **NOTE** (1) 현재는 보통 for the ~ of …; for …'s ~의 형태로 쓰임. (2) for …'s ~의 형태에서 sake 앞의 명사가 [s]음으로 끝날 때는 흔히 소유격 s를 생략: for convenience' ~.

for any **~** 하여튼, 꼭《간절히 원하여》. ***for both our*** **~** 우리들 쌍방을 위해: Give it up *for both our* ~. 우리 두 사람을 위해 (그것은) 단념하게. ***for God's*** 〔***Christ's, goodness', gosh', heaven's, mercy's, Peter's, Pete's, pity's,*** etc.〕 **~** ① 제발, 아무쪼록, 부디《다음에 오는 명령문을 강조함》; 그만둬, 지독하다, 어이없다《불쾌감·노여움의 표현》: *For God's* ~, stop it. 제발 그만해/You are awful.—Oh, *for Pete's* ~! 지독하군—그만둬. ② 도대체《의문문을 강조함》: What are you doing, *for goodness'* ~? 도대체 뭘 하는거지. ***for my*** 〔***your,*** a ***person's***〕 **~** 나를〔당신을, 아무를〕 위하여. ***for old times'*** **~** 옛 정분으로; 즐거웠던 옛 추억으로. ***for the*** **~** ***of...*** = ***for...'s*** **~** …을 위해; …을 봐서: Please come back early today *for the* ~ *of* the children 〔*for* the children's ~〕. 아이들을 위해 오늘은 일찍 돌아오세요/He argues *for the* ~ *of* arguing 〔*for* argument's ~〕. 그는 논쟁을 위해 논쟁을 한다. ***Sakes*** (***alive***)***!*** ⇨ALIVE.

Sa·kha·lin [sǽkəlì:n] *n*. 사할린《러시아 극동부 하바로프스크 주에 속하는 섬》.

sa·laam [səlɑ́:m] *n*. Ⓒ (이슬람 교도 사이의) 인사; (인도 사람의) 이마에 손을 대고 하는 절《오른손을 이마에 대고 몸을 굽힘》. ***make*** one's **~** 이마에 손 대고 절하다, 경례하다. **—***vt*. …에게 이마에 손을 대고 하는 절을 하다, 이마에 손을 대고 하는 절을 하여 (아무)를 맞이하다. **—vi.** 이마에 손을 대는 인사를 하다《**to** (아무)에게》.

sàl·a·bíl·i·ty *n.* Ⓤ 잘 팔림, 시장성.

sal·a·ble [séiləbəl] *a.* 팔기에 적합한; (값이) 적당한; 잘 먹히는, 수요가 많은. ⊕ **-bly** *ad.*

sa·la·cious [səléiʃəs] *a.* 호색의; 외설〔추잡〕한《말씨·서화 등》. ⊕ **~·ly** *ad.* **~·ness** *n.*

sa·lac·i·ty [səlǽsəti] *n.* Ⓤ 호색; 외설.

‡sal·ad [sǽləd] *n.* **1** Ⓒ (요리는 Ⓤ) **생채 요리, 샐러드**: (a) green 〔fruit, chicken〕 ~ 야채〔과일, 치킨〕샐러드/prepare a ~ 샐러드를 만들다/toss 〔mix〕 a ~ (드레싱을 쳐서) 샐러드를 잘 뒤섞다. **2** Ⓒ 샐러드용 생야채; 《방언》 날로 먹을 수 있는 야채《endive, lettuce 등》.

sálad bòwl 샐러드용 보시기.

sálad crèam 크림 모양의 샐러드 드레싱.

sálad dàys (one's ~) (경험 없는) 풋내기〔청년〕 시절; 한창때.

sálad drèssing 샐러드용 드레싱, 샐러드용 소스.

sálad òil 샐러드 기름.

sal·a·man·der [sǽləmæ̀ndər] *n.* Ⓒ **1** 불도마뱀《불 속에 산다는 전설의 괴물》; 불의 정(精). ㏅ nymph, sylph. **2** 〖동물〗 도롱뇽; 영원.

sa·la·mi [səlɑ́:mi] (*sing.* **-me** [-mei]) *n.* 《It.》 Ⓤ (낱개는 Ⓒ) 살라미 소시지《향미가 강한 이탈리아 소시지》.

°sal·a·ried [sǽlərid] *a.* 봉급을 받는; 유급의: a ~ man 봉급 생활자(★ a salary man은 오용)/a ~ office 유급직(職).

‡sal·a·ry [sǽləri] *n.* Ⓤ (구체적으로는 Ⓒ) (공무원·회사원 따위의) **봉급**, 급료: a monthly ~ 월급/a yearly ~ 연봉/get 〔draw〕 a small ~ 싼 급료를 받다/He draws 〔earns, makes〕 a ~ of 50,000 dollars per annum. 그는 연봉으로 5만 달러를 받고 있다/be engaged on 〔at〕 ~ of $20,000 a year 연봉 2만달러로 고용되다/I live on my ~. 나는 봉급으로 살아가고 있다/Give us a raise in ~! 급료를 올려 주시오/What 〔How much〕 ~ does he get? 그는 봉급을 얼마나 받습니까. ★ 노동자의 임금은 wages. SYN. ⇨PAY. ⊕ **~·less** *a.* 무급의.

‡sale [seil] *n.* **1** Ⓤ (구체적으로는 Ⓒ) **판매, 팔기**, 매각; 매매, 거래; (*pl.*) 판매 업무, 판매 부문: ⇨CREDIT SALE, PUBLIC SALE/a ~ ring (경매자 주위에 모이는) 원매자들/(a) cash ~ 현금 판매/the ~ of oil to Korea 한국에의 석유 판매/He works in ~*s*. 그는 판매 부문에서 일한다. **2** Ⓒ **팔림새, 매상**; 판로, 수요; (흔히 *pl.*) 매상고: expect a large ~ for the new product 신제품의 대량 매상을 기대하다/Stocks find no ~. 증권은 전혀 거래가 없다/*Sales* of air conditioners are up this month. 이달에 에어콘의 판매고가 올라갔다. **3** Ⓒ **특매**; 염가 매출, 재고 정리 판매〔처분〕(clearance ~); 세일: a ~ price 특매가/an end-of-season ~ of winter wear 겨울 의류 기말 특매/a closing down ~ 점포 정리 대매출. **4** (*pl.*) 판매(촉진) 활동; 판매 부문. **5** Ⓒ 경매(auction). ◇ sell *v.*

a bargain ~ 염가 대매출: The store is having *a bargain* ~. 그 상점에서는 바겐 세일을 하고 있다. ***a ~ for*** 〔***on***〕 ***cash*** 현금 판매. ***a ~ of work*** 자선시(市), 바자. ***a ~ on credit*** 외상 판매. ***for ~*** (특히 개인이) 팔려고 내놓은, 매물의: used cars *for* ~ 매물 중고차/Not *for* ~ 《게시》 비매품. ***on ~*** ① (점포 등에서) 팔려고 내놓아: These are *on* ~ at any supermarket. 이런 것들은 어느 슈퍼마켓에서나 팔고 있다. ② 《美》 특매로, 싼값으로: The butcher has beef *on* ~ today. 그 정육점은 오늘 쇠고기를 싸게 판다/I bought the camera *on* ~. 그 카메라를 싼값으로 샀다. ***put up for ~*** 경매에 부치다: *put* a house *up for* ~ 집을 팔려고 내놓다. ***~ and*** 〔***or***〕 ***return*** 〖상업〗 (소매상에 넘길 때) 잔고품 인수 조건부 매매 계약; 위탁 판매. ***up for ~*** 《구어》 팔려고 내놓아.

sále·a·ble *a.* =SALABLE.

sále·ròom *n.* 《英》 =SALESROOM.

sales [seilz] *a.* Ⓐ 판매의: a ~ plan 판매 계획/a ~ department 판매부.

sáles chèck 《美》 (소매점의) 매상 전표.

sáles·clèrk *n.* Ⓒ 《美》 점원(《英》 shop assistant).

sáles·gìrl *n.* Ⓒ 《美》 여점원.

sáles·làdy *n.* 《美》 =SALESWOMAN.

‡sales·man [séilzmən] (*pl.* **-men** [-mən]) *n.* Ⓒ **1 판매원**, 남자 점원. **2** 《美》 **세일즈맨**, 외판원.

sáles·man·shìp [-ʃip] *n.* Ⓤ 판매술〔정책〕; 판매 수완.

sáles·pèople *n.* 〖집합적; 복수취급〗 《美》 판매원, 외판원.

sáles·pèrson *n.* Ⓒ 《美》 판매원, 외판원; 점원.

sáles pìtch 《美》 =SALES TALK.

sáles promòtion 〖상업〗 판매 촉진 (활동).

sáles representàtive 외판원〔부〕.

sáles resìstance 《美》 구매〔주문〕 거부; (새로운 사상 등에 대한) 수용 거부.

sáles·ròom *n.* Ⓒ 판〔경〕매장.

sáles slìp 《美》 매상 전표(sales check).

sáles tàlk 《美》 팔기 위한 권유, 상담; 설득력 있는 의론〔권유〕.

sáles tàx 《美》 판매세《물품 자체가 아니고 매상 행위에 부과되며, 보통 판매 가격에 포함시켜 구입자로부터 징수함》.

sáles·wòman (*pl.* **-wòmen**) *n.* Ⓒ 여점원, 여자 판매원.

sa·li- [séilə, sǽlə] '소금(salt)'의 뜻의 결합사.

sal·i·cyl·ic [sæ̀ləsílik] *a.* 〖화학〗 살리실산에서 얻은; 살리실산(酸)의: ~ acid 살리실산.

sa·li·ence, -en·cy [séiliəns, -ljəns], [-ən-si] *n.* **1** Ⓤ 돌출, 돌기; Ⓒ 돌기물. **2** Ⓒ (이야기·의론 등의) (중)요점.

°sa·li·ent [séiliənt, -ljənt] *a.* **1** 현저한, 두드러진: ~ features 특징. **2** 돌출한, 돌각(突角)의; 돌기한. **3** 튀는, 튀어오르는《동물·물고기 따위》, 분출하는《물 따위》; 《비유적》 원기 왕성한. **—*n.*** Ⓒ 돌각(=∠ **ángle**); (전선·요새 따위의) 돌출부. ⊕ **~·ly** *ad.*

sa·lif·er·ous [səlífərəs] *a.* 〖지질〗 염분이 있는《지층 등》.

sal·i·fy [sǽləfài] *vt.* 〖화학〗 염화(塩化)하다; 소금을 섞다, 소금으로 화합하다.

sa·line [séili:n, -lain] *a.* 소금의; 염분이 있는; 염성(塩性)의, 짠: a ~ taste 짠 맛/a ~ lake 염호. **—*n.*** Ⓤ 염류, 약용 염류; 함염 하제(含塩下劑), 마그네슘 하제.

Sal·in·ger [sǽlindʒər] *n.* **J**(erome) **D**(avid) ~ 샐린저《미국의 소설가; 1919-》.

sa·lin·i·ty [səlínəti] *n.* Ⓤ 염분, 염도.

sal·i·nom·e·ter [sæ̀lənɑ́mitər/-nɔ́m-] *n.*

S

Ⓒ 염분계(塩分計).

Sálisbury Pláin (흔히 the ~) 솔즈베리 평원《잉글랜드 남부의 고원 지대; Stonehenge가 있음》.

°**sa·li·va** [səláivə] *n.* Ⓤ 침, 타액(唾液).

sal·i·vary [sǽləvèri/-vəri] *a.* 침의; 타액을 분비하는: ~ glands 【해부】 침샘, 타액선.

sal·i·vate [sǽləvèit] **—***vi.* 침을 내다; 침을 흘리다. ㊞ **sàl·i·vá·tion** *n.* Ⓤ 침을 냄; 타액 분비; 【의학】 유연증(流涎症).

Sálk vaccìne 소크백신《소아마비 예방용; 개발자 Jonas E. Salk의 이름에서》.

°**sal·low**[1] [sǽlou] (~**·er;** ~**·est**) *a.* (얼굴·피부 따위가) 옅은 청황색의, 창백한, 혈색이 나쁜. ↔ *ruddy.* **—***vt.* 누르스름하게〔창백하게〕 하다. ㊞ ~**·ness** *n.*

sal·low[2] *n.* Ⓒ 버드나무속(屬)의 식물; 그 가지.

sal·low·ish [sǽlouiʃ] *a.* (얼굴이) 누르스름한, 혈색이 좀 나쁜.

Sal·ly [sǽli] *n.* 샐리《여자 이름; Sarah의 애칭》.

sal·ly [sǽli] *n.* Ⓒ **1** (농성 부대의) 출격, 돌격: make a ~ 뛰어나가다, 출격하다. **2** 《구어》 외출, 소풍, (짧은) 여행. **3** 돌발, 분출《*of* (행위·감정 등)의》; (재치의) 번득임; 기지에 찬 말; 경구(警句); 비꼼, 농담: a ~ *of* anger 노여움의 폭발.
—*vi.* **1** 치고 나오다, (역습으로) 출격하다(*out*): ~ *out* against a besieging army 포위군을 향해 치고 나오다. **2** 기운차게 나오다; (소풍 등을) 신나게 출발하다(*forth; out*): Let's ~ *forth* and look at the town. 자 나가서 거리를 구경하자/Her warm blood *sallied out* from the wound. 그녀의 상처에서 더운 피가 뿜어 나왔다.

S

Sálly Lúnn [-lʌ́n] (굽는 즉시 먹는 달고 가벼운) 과자의 일종.

sal·mi [sǽlmi] *n.* Ⓒ (요리는 Ⓤ) 새고기 스튜《구운 새고기를 포도주로 찜》.

salm·on** [sǽmən] (*pl.* ~**s,** 〔집합적〕 ~) *n.* Ⓒ 【어류】 연어; Ⓤ 연어 살빛, 노랑빛을 띤 분홍색(=⁓ **pínk**); Ⓤ 연어 고기: canned ~ 연어 통조림. **—a.* Ⓐ 연어의, 연어 살빛의.

sal·mo·nel·la [sæ̀lmənélə] (*pl.* **-lae** [-néli:, -nélai], ~**(s)**) *n.* Ⓒ 살모넬라균《장티푸스·식중독 등의 병원균》.

sálmon làdder 〔**lèap, pàss, stàir**〕 (산란기에) 연어를 방죽 위로 올라가게 하는 어제(魚梯).

sálmon tròut 【어류】 바다송어《유럽산(產)》; 호수송어《북아메리카산(產)》.

Sa·lo·me [səlóumi] *n.* 여자 이름; 【성서】 살로메《Herodias의 딸; Herod 왕에게 청하여 John the Baptist의 목을 얻은 여인; 마태복음 XIV: 3-11》.

°**sa·lon** [səlɑ́n/-lɔ́n] *n.* 《F.》 **1** Ⓒ (대저택의) 객실, 응접실; (대저택의 객실에서 갖는) 명사들의 모임, 상류 부인의 초대회; 상류 사회. **2 a** Ⓒ 미술 전람회장, 화랑. **b** (the S-) 살롱《매년 개최되는 파리의 현대 미술 전람회》. **3** Ⓒ 〔흔히 복합어로〕 (양장점·미용실 따위의) …점〔실〕: a beauty ~ 미용실. ㊞ ~**·ist** *n.*

salón mùsic 살롱 음악《객실 등에서 연주되는 경음악》.

***sa·loon** [səlú:n] *n.* Ⓒ **1** (호텔 따위의) **큰 홀**(hall)《집회·전시회장으로 쓰임》; (여객선의) 담화실, 사교실. **2** 〔흔히 복합어로〕 (일반이 출입하는) …장(場): a dancing ~ 댄스 홀/a billiard ~ 당구장/a hairdressing ~ 이발관. **3** 《美》 (옛날 서부의) 술집, 바《지금은 보통 bar를 씀》; 《英》 (술집의) 특별실(~ bar) **4** (여객기의) 객실; 《英철도》 특별 객차, 전망차: a dining ~ 식당(차); 여객선의 식당.

salóon bàr 《英》 특실《술집·바 안의》.

salóon càr =SALOON CARRIAGE; 《英》 세단형 승용차.

salóon càrriage 《英》 특별 객차, 1등차.

sal·sa [sɔ́:lsə] *n.* Ⓒ 살사《쿠바 기원의 맘보 비슷한 춤곡》; Ⓤ 스페인풍〔이탈리아풍〕의 소스.

sal·si·fy [sǽlsəfài] *n.* Ⓒ (음식은 Ⓤ) 【식물】 선모(仙茅)《유럽산(產); 뿌리는 식용》.

SALT [sɔ:lt] Strategic Arms Limitation Talks (전략 무기 제한 협정).

†**salt** [sɔ:lt] *n.* **1** Ⓤ **소금**, 식염(=**cómmon** ⁓); 【화학】 염(塩), 염류: a pinch of ~ 소량의 소금/spill ~ 소금을 흘리다《재수없다고 함》/Please, pass me the ~.—Here you are. 소금 좀 집어 주시겠습니까—네, 여기 있습니다. **2** (*pl.*) 약용 염류《완하제·방부제 따위》; 각성제. **3** Ⓒ 소금 그릇(saltcellar). **4** Ⓤ 얼얼한〔짜릿한〕 맛; 자극, 활기〔흥미〕를 주는 것; 신랄한 기지(機智): ⇨ ATTIC SALT/the ~ of personality 사람의 독특한 개성/a wit which has kept its ~ 통쾌한 맛을 잃지 않은 기지/a talk full of ~ 재치에 찬 이야기. **5** Ⓒ 〔보통 old ~〕 《구어》 노련한 뱃사람〔선원〕.
eat a person***'s*** ~ =***eat*** ~ ***with*** a person 아무의 손님이 되다; 《드물게》 아무의 식객이 되다. ***like a dose of*** ~***s*** 《구어》 대단히 빨리, 즉시; 효율적으로. ***not made of*** ~ 비에 젖어도 끄떡없는. ***put*** 〔***drop***〕 ~ ***on the tail of*** …을 붙잡다. ***rub*** ~ ***in*** 〔***into***〕 ***the*** 〔a person***'s***〕 ***wound***(***s***) 사태를 악화시키다, 더욱더 치욕스럽게〔비참하게〕 하다. ***take ... with a grain*** 〔***pinch***〕 ***of*** ~ (남의 이야기 따위)를 에누리해서 듣다〔받아들이다〕: You have to *take* everything she says *with a pinch of* ~; she does tend to exaggerate. 그녀가 말하는 것은 모두 에누리하여 들어야 한다. 그녀는 과장하는 경향이 있거든. ***the*** ~ ***of the earth*** 【성서】 세상의 소금《마태복음 V: 13》; 세상을 정화(淨化)하고 숭고하게 하는 사람, 사회의 중견, 엘리트들. ***worth*** one***'s*** ~ 〔종종 부정문〕 보수에 걸맞는; 유능한, 쓸모있는.
—*a.* **1** 소금을〔소금기를〕 함유한(↔ *fresh*); 짠; 소금에 절인: ~ breezes 바닷바람/~ cod 〔pork〕 소금에 절인 대구〔돼지고기〕. **2** Ⓐ (토지 따위가) 바닷물에 잠긴; 짠물의: a ~ meadow 바닷물에 잠긴 풀밭/a ~ lake 염수호.
—*vt.* **1** …에 **소금을 치다**〔**뿌리다**〕; 소금을 쳐서 간을 맞추다: ~ potatoes 감자에 소금을 치다. **2** 《~+목/+목+부》 (생선·고기 따위)를 소금에 절이다(*down; away*): ~ (*down*) meat for the winter 겨울철에 대비하여 고기를 소금에 절이다. **3** (가축)에 소금을 주다: ~ cattle. **4** 《목+전+명》 〔보통 수동태〕 (말·이야기 따위)에 흥미를 돋우다, 재미있게 하다《*with* …으로》: a conversation ~*ed with* wits 재치로 재미를 돋운 대화/Most magazines *are* ~*ed with* sex and violence nowadays. 요즘은 대부분의 잡지들이 섹스와 폭력으로 흥미를 돋우고 있다. **5** (상품 따위)를 실제 이상으로〔진짜같이〕 보이게 하다; 속이다, 헛불리다: ~ a bill 셈을 속이다. **6** 《속어》 (광산·유정(油井))에 질 좋은 광물을〔석유를〕 넣어 속이다. **7** (도로)에 소금을 뿌리다《눈·얼음을 녹

이기 위해》.

~ **away** 〔**down**〕《*vt*.+[부]》 ① …을 소금에 절이다(⇨*vt*. 1). ②《구어》(앞날을 위해 재물 따위)를 비축해 두다, 모아 두다: ~ *away* half of one's pay 급료의 반을 저금하다.

sált-and-pépper [-ən-] *a*. =PEPPER-AND-SALT; 《美속어》 흑인과 백인이 뒤섞인.

sal·ta·tion [sæltéiʃən] *n*. [U] (껑충) 뜀, 도약; 격변, 격동.

sált·bòx *n*. [C] **1** (부엌의) 소금 그릇. **2** 《美》 소금통 모양의 목조 가옥《전면은 2층, 후면은 단층》(=∠ **hòuse**).

sált·cèllar *n*. [C] (식탁용) 소금 그릇.

sált·ed [-id] *a*. 소금에 절인; 짠맛의.

sált·er *n*. [C] 제염업자; 제염소 직공; 소금 장수; 《英》 자반 장수(drysalter).

salt·ine [sɔːltíːn] *n*. [C] 《美》 짭짤한 크래커.

sal·tire [sǽltaiər, sɔ́ːl-, -tiər] *n*. [C] 〖문장(紋章)〗 엑스(X)형 십자, 성(聖)앤드루(St. Andrew) 십자.

salt·ish [sɔ́ːltiʃ] *a*. 소금기가 있는, 짭짤한.

Sált Làke Cíty 미국 Utah주의 주도.

sált·less *a*. 소금기 없는, 짠맛이 없는; 재미없는, 시시한; 활기가〔자극이〕 없는.

sált lìck 함염지(含塩地)《동물이 소금기를 핥으러 모이는 곳》; (목초지에 두는) 가축용 암염(岩塩).

sált·pàn *n*. [C] (천연) 염전; 소금가마; (*pl*.) 제염소.

salt·pe·ter, 《英》 **-tre** [sɔ̀ːltpíːtər/∠–] *n*. [U] 초석(硝石); 칠레 초석.

sált·shàker *n*. [C] 《美》 식탁용 소금 그릇《윗부분에 구멍이 뚫린》.

sált spòon (식탁용의 작은) 소금 숟가락.

sált wáter 소금물, 바닷물; 《우스개》 눈물.

sált·wáter *a*. [A] 소금물의; 바닷물에서 나는: a ~ fish 바닷물고기.

sált·wòrks *n*. [C] (*pl*. ~) 제염소.

salty [sɔ́ːlti] (***salt·i·er; -i·est***) *a*. **1** 짠, 소금기가 있는: ~ butter 짭짤한 버터. **2** 바다의, 바다 냄새가 나는; 해상 생활의; (선원이) 노련한. **3** (말 · 유머가) 신랄한, 재치 있는. **4** (이야기가) 상스러운, 자극적인. [파] **sált·i·ly** *ad*. **-i·ness** *n*.

sa·lu·bri·ous [səlúːbriəs] *a*. (기후 · 토지 따위가) 건강에 좋은, 상쾌한: ~ mountain air 건강에 좋은 산공기. [파] **~·ly** *ad*. **~·ness** *n*. **sa·lú·bri·ty** [-brəti] *n*.

sa·lu·ki [səlúːki] *n*. [C] 살루키《중근동 · 북아프리카 원산인 그레이하운드류의 사냥개》.

◇**sal·u·tary** [sǽljətèri/-təri] *a*. 유익한, 건전한, 이로운; 건강에 좋은: a ~ experience 〔lesson〕 유익한 경험〔교훈〕/~ exercise 건강에 좋은 운동. [파] **sal·u·tar·i·ly** [sǽljutèrəri, sæ̀ljutɛ́(ə)r-/sǽljutəri-] *ad*. **-i·ness** *n*.

***sal·u·ta·tion** [sæ̀ljətéiʃən] *n*. **1** [U] **인사**《모자를 벗고 머리를 숙이는》. ★ 지금은 보통 greeting을 씀. **2** [C] 인사말〔문구〕; 편지의 서두《Dear Sir 따위》. [파] **~·al** *a*.

sa·lu·ta·to·ri·an [səlùːtətɔ́ːriən] *n*. [C] 《美》 (졸업식에서) 내빈에게 인사말을 하는 학생.

sa·lu·ta·to·ry [səlúːtətɔ̀ːri/-təri] *a*. 인사의, 환영의. **—***n*. [C] 《美》 (졸업식에서 내빈에 대한) 인사말《보통 차석 우등 졸업생이 함》.

sa·lute** [səlúːt] *vt*. **1** 《~+[목]/+[목]+[전]+[명]》 …에게 **인사하다**《특히 깍듯이》, 가볍게 절하다《with, by*** (머리)를 숙여, (모자)를 벗어》; 맞이하다《***with*** (웃는 얼굴 · 키스 따위)로》《★ with 뒤에는 명사, by 뒤에는 do*ing*을 씀》: He took his hat to ~ her. 그는 모자를 벗고 그녀에게 인사하였다/They ~*d* each other *with* a bow 〔*by* shak*ing* hands〕. 그들은 머리를 숙여서〔악수함으로써〕 서로 인사했다/~ a person *with* a smile 아무를 미소로 맞이하다. **2** 《(+[목]+[전]+[명])》 〖군사〗 (군기 · 상관 등)에 **경례하다**; …에게 경의를 표하다 《***with, by*** (거수 · 받들어총 · 예포 등)으로》《★ with 뒤에는 명사, by 뒤에는 do*ing*을 씀》: ~ the colors 군기에 경례하다/It's the custom in Britain to ~ the Queen's birthday *with* 〔*by* fir*ing*〕 21 guns. 영국에서는 21발의 예포를 쏘아 여왕의 생일을 축하하는 것이 관습으로 되어 있다. **3** (용기 따위)를 칭송하다, 칭찬하다. ◇ salutation *n*. **—***vi*. **1** 인사〔경례〕하다. **2** 예포를 쏘다.

—*n*. [C] **1 인사**: in ~ 인사로서《★ 관사 없이》. **2** 〖군사〗 경례《총 · 칼 · 포(砲) · 기(旗) 따위로》: come to 〔take〕 the ~ 경례를 하다/raise one's hand in ~ 거수경례를 하다/return a ~ 답례하다; 답례의 예포를 쏘다/fire 〔give〕 a 10-gun ~, 10발의 예포를 쏘다.

Sal·va·dor [sǽlvədɔ̀ːr] *n*. =EL SALVADOR. [파] **Sàl·va·dó·ran** [-rən] *a*., *n*. [C] 엘살바도르 공화국의 (국민). **Sàl·va·dór·ean, -ian** *a*., *n*.

◇**sal·vage** [sǽlvidʒ] *n*. [U] **1** 해난 구조, 난파선 화물 구조; (침몰선의) 인양 (작업); (화재시의) 인명 구조, 《특히》 (피보험) 재화(財貨) 구출: a ~ company 구난(救難) 회사, 침몰선 인양 회사. **2** 침몰〔화재〕로부터의 구조 화물, 구조 재산; 인양 선박. **3** 폐물(廢物) 이용, 폐품 수집: a ~ campaign 폐품 수집 운동. **—***vt*. **1** 구조하다《***from*** (해난 · 화재 따위)로부터》; (침몰선)을 인양하다; 《비유적》 구(救)하다《***from*** (악화된 사태)로부터》. **2** 폐물을 이용하다: ~*d* wastepaper 재생지. **3** (병자)를 구하다; (환부)를 치료하다.
[파] **~·a·ble** *a*. **sàl·vage·a·bíl·i·ty** *n*.

***sal·va·tion** [sælvéiʃən] *n*. **1** [U] **구조**, 구제; [C] (보통 *sing*.) 구조물, 구제자, 구조 수단. **2** [U] 〖신학〗 (죄로부터의) 구원, 구세; 구세주: be the ~ of …의 구조 수단이 되다.

Salvátion Ármy (the ~) 구세군《1865년에 영국인 William Booth가 전도와 사회사업을 목적으로 조직한 군대식 국제 기독교 단체》.

Sal·vá·tion·ist *n*. [C] 구세군 군인; (종종 s-) 복음 전도자.

salve[1] [sæ(ː)v, sɑːv/sælv] *n*. **1** [U] (종류 · 낱개는 [C]) 연고, 고약; 《美속어》 버터. **2** [C] 위안《***for*** …에 대한》: a ~ *for* wounded feelings 상처받은 기분을 달래는 것《특히 위로의 말》.
—*vt*. 《문어》 (고통)을 덜다, 완화하다; (양심 등)을 달래다: ~ one's conscience 꺼림칙한 양심을 달래다.

salve[2] [sælv] *vt*. =SALVAGE.

sal·ver [sǽlvər] *n*. [C] 둥근 쟁반; 명함 그릇《금속제》.

sal·via [sǽlviə] *n*. [U] 〖식물〗 샐비어, 깨꽃.

sal·vo (*pl*. ~(**e**)**s**) *n*. [C] **1** 〖군사〗 일제 사격; (의식에서의) 일제 축포; (폭탄의) 일제 투하. **2** 일제히 일어나는 박수갈채〔함성(따위)〕: a ~ of applause 〔cheers〕 요란한 박수갈채〔함성〕.

sal vo·la·ti·le [sæ̀l-voulǽtəlìː] 《L.》 각성제《탄산암모니아수》.

sal·vor [sǽlvər] *n*. [C] 해난 구조자〔선〕.

Sal·yut [sæljúːt] *n*. 살류트《러시아의 우주 스테이션》. [cf.] Soyuz.

S

Salz·burg [sɔ́:lzbə:rg] *n*. 잘츠부르크《오스트리아 서부의 도시; 모차르트의 출생지》.

SAM [sæm] surface-to-air missile (지(함)대공(地〔艦〕對空) 미사일); 〖컴퓨터〗 sequential access method (순차 접근 방식).

Sam [sæm] *n*. 샘《남자 이름; Samuel의 애칭》.

Sam. Samaritan; 〖성서〗 Samuel.

Sa·man·tha [səmǽnθə] *n*. 사만서《여자 이름》.

Sa·mar·ia [səmέəriə] *n*. 사마리아《옛 Palestine의 북부 지방; 그 수도》.

Sa·mar·i·tan [səmǽrətn] *a*. Samaria(인)의. **—***n*. **1** Ⓒ 사마리아 사람; Ⓤ 사마리아 말. **2 a** (the ~s) 사마리아인 협회《1953년 런던에 창설된, 정신적 고통이 있는 사람들을 구원하는 것을 목적으로 하는 자선 단체》. **b** Ⓒ 사마리아인 협회의 회원. ***a good*** **~** 친절한 사마리아 사람, 자선가《누가복음 X: 30－37》.

sa·mar·i·um [səmέəriəm, -mǽr-] *n*. Ⓤ 〖화학〗 사마륨《희토류 원소의 하나; 기호 Sm; 번호 62》.

sam·ba [sǽmbə] (*pl*. **~s**) *n*. **1** (the ~) 삼바《아프리카 기원의 경쾌한 브라질의 춤》. **2** Ⓒ 삼바의 곡.

sam·bo [sǽmbou/-bəu] *n*. Ⓤ 삼보《유도의 기술을 이용한 레슬링의 일종》.

Sám Brówne (**bèlt**) (멜빵이 달린 장교의) 혁대; 《속어》 장교.

†**same** [seim] *a*. **1** (the ~) **같은**, 마찬가지의(↔ *different*): Three of the girls had the ~ umbrella. 소녀들 중 셋은 같은 우산을 갖고 있었다/She'll give you the ~ advice again. 그녀는 또 같은 충고를 할 게다/He has made the very ~ mistake again. 그는 아주 똑같은 실수를 또 저질렀다.

> **NOTE** (1) the same을 강조할 때는 the very same을 쓰는 일이 있음.
> (2) 별개의 것이지만 종류·외관·질·양 등에서 다르지 않다는 뜻. identical은 동일물임.

SYN. **same** 우리말의 '같은'과 거의 같으며 아주 동일한 것일 때와, 종류·내용이 같을 때가 있음: The *same* committee will check it. 같은 위원회가 조사할 것이다. The present edition is the *same* as the original. 현재 나온 책은 초판본과 다름없다. **selfsame** very same의 강조형으로 동일물에 대해서만 씀. 또한 very는 명사 앞에만 옴. **identical** 성질·외관 따위가 세세한 점에까지 정확히 일치하는: We are not *identical* with our former self. 우리는 본디의 자신과 동일하지는 않다. **equal** 둘 이상의 것이 수량·정도 따위가 같은: two *equal* parts 두 개의 서로 같은 부분. *equal* rights 평등한 권리. **equivalent** 둘 이상의 것이 지니고 있는 가치《양·크기·잠재력 따위를 포함》가 대등한: substitute a term *equivalent* with it but more familiar 뜻은 같지만 좀더 흔한 말로 바꾸다. **similar** 비슷한.

2 (보통 the 〔this, that, these, those〕 ~) **a 동일한**, 바로 그: Bob and I went to the ~ school. 보브와 나는 같은 학교에 다녔다/They met early in 1990 and got married later that ~ year. 그들은 1990년 초에 만나 바로 그해 말께 결혼하였다. **b 방금 말한**, 전술한, 예의: This ~ man was later prime minister. 방금 말한 이 사람이 뒤에 수상이 되었다.

> **NOTE** 종종 as, that, which, who, when, where 등과 함께 쓰임: That's *the* ~ watch *as* 〔*that*〕 I lost. 그것은 내가 잃어버린 것과 같은 시계다《보통 as를 쓰면 같은 종류의 것을, that을 쓰면 동일한 것을 나타냄》/She put the magazine back in *the* ~ place *where* she found it. 그녀는 그 잡지를 발견했던 같은 장소에 도로 놓았다/She's given *the* ~ answer *as* 〔(*that*) she gave〕 last time. 그녀는 먼저와 같은 대답을 했다《주어나 동사가 생략되면 as를 쓰고 that은 불가함》.

3 (보통 the ~) (전과) **다름없는**, 마찬가지: She is always the ~ *to* us. 그녀는 언제나 우리에게 변함없는 태도를 취한다/The patient is much the ~ (*as* yesterday). 환자는 (어제와) 같은 용태이다/His attitude is the ~ *as* ever 〔always〕. 그의 태도는 여느 때나 마찬가지다.

4 〖the 없이〗 단조로운, 변함없는: The life is ~ here. 이곳 생활은 여전하다.

all the **~** ① 〖보통 it을 주어로〗 아주 같은〔한가지인〕, 아무래도〔어느 쪽이든〕 상관없는《***to*** …에게는》: It's *all the* ~ *to* me. 어느 쪽이든 나에겐 상관없다. ② 〖부사적으로〗 그래도 (역시), 그럼에도 불구하고: Days were pleasant *all the* ~. 변함없이〔여전히〕 하루하루가 즐거웠다. ***at the*** **~** ***time*** ⇨TIME. ***just the*** **~** ＝all the ~. ***much the*** **~** 거의 같은, 대차 없는《★ much the ~은 질에, about the ~은 양에 쓰임》. ***one and the*** **~** 아주 동일한: The two parts were played by *one and the* ~ actor. 그 두 가지 역은 동일한 배우에 의하여 연기되었다. (***the***) **~** ***but*** 〔***only***〕 ***different*** 《구어》 아무 차이도 없는, 거의 같은; 조금 다른.

> **DIAL.** ***Same here.*** 《구어》 ① (남이 한 말에 이어) 나도 같다〔그렇다〕: I'm very tired.—*Same here*. 몹시 피곤하군—나도 그래. ② (음식 따위를 주문할 때) 나도 같은 것을 주세요.

—*ad*. **1** (the ~) **a** 똑같이: 'Rain' and 'reign' are pronounced the ~. rain과 reign은 똑같이 발음된다. **b** 〖as와 연관시켜〗 (…와) 마찬가지로: I feel the ~ *as* you (do). 내 기분이 자네와 마찬가지일세. **2** 〖the 없이 as와 연관시켜〗《구어》 똑같게: He has his pride, ~ *as* you (do). 그도 자네와 똑같이 긍지를 가지고 있네.

—*pron*. **1** (the ~) 동일한〔같은〕 것〔일〕: The ~ applies to you. 당신에게도 동일한 것이 적용됩니다. **2** 〖the를 쓰지 않고〗 《우스개》 바로 그것〔사람〕《★ it 등의 대명사를 쓰는 편이 일반적》: The charge is $100; please remit ~. 대금은 100달러입니다. 그것을 송금해 주세요.

> **DIAL.** ***I'll have the same.*** ＝***The same for me.*** 같은 걸로 주세요《음식을 주문할 때》.
> ***Thanks all the same.*** 좌우간〔아무튼〕 고맙소.
> (***The***) ***same again*** (***please***). 같은 것을 하나 더 주세요《주문할 때》.
> (***The***) ***same to you!*** ＝***I wish you the same!*** ＝***Same to you!*** 당신께서도요《Happy New Year!나 Merry Christmas!에 답하여》.

sáme·ness *n*. Ⓤ 동일(성), 마찬가지임; 아주 비슷함, 흡사; 일률, 단조로움.

S. Amer. South America(n).

samey [séimi] *a*. 《英구어》 단조로운, 구별이

안 되는. ⓟ ~·ness *n.*

Sam·my [sǽmi] *n.* 새미《남자 이름; Samuel의 애칭》.

Sa·moa [səmóuə] *n.* 사모아《남서 태평양의 군도; American Samoa와 Western Samoa로 나뉨》.

Sa·mó·an [-n] *a.* Samoa의; 사모아 말[사람]의. **—***n.* Ⓒ 사모아 사람; Ⓤ 사모아 말.

Samóa (Stándard) Time (미국의) 사모아 표준시.

sam·o·var [sǽmouvὰːr, ˌ-ˊ] *n.* Ⓒ 사모바르《러시아의 차 끓이는 주전자》.

Sam·o·yed(e) [sæ̀məjéd, səmáiid] (*pl.* **~(s)**) *n.* **1 a** (the ~(s)) 사모예드족《중앙 시베리아에서 러시아 북부에 걸쳐 분포하는 몽고족》. **b** Ⓒ 사모예드 사람; Ⓤ 사모예드어. **2** [sæ̀məjéd/ səmɔ́ied] Ⓒ 사모예드 개.

samp [sæmp] *n.* Ⓤ 《美》 탄 옥수수(로 끓인 죽).

sam·pan [sǽmpæn] *n.* Ⓒ 삼판《중국의 작은 배》.

⁑**sam·ple** [sǽmpəl/sɑ́ːm-] *n.* Ⓒ **1** **견본**, 샘플, 표본; 시료(試料); 〖컴퓨터〗 표본, 샘플: a ~ *of* dress material 옷감의 견본/a blood ~ 혈액 샘플/buy by ~ 견본을 보고 사다. **2** 실례(實例)(illustration): That's a fair ~ of his manners. 저것이 바로 그가 보이는 태도이다. **3** 〖통계〗 표본 추출, (추출) 표본: a wide [small] ~ of people (앙케이트 따위에서) 많은[소수의] 추출(인구)예(例).

—*a.* Ⓐ 견본의: a ~ piece of cloth 천 견본/a ~ fair 견본시(市).

—*vt.* **1** (견본으로) …의 질을 시험하다, 맛을 보다: ~ wine 와인의 맛을 보다. **2** 경험하다, (경험하여) 시험하다: ~ the pleasures of mountain life 산중 생활의 즐거움을 경험해 보다. **3** 〖통계〗 …의 표본 추출을 하다.

sám·pler *n.* Ⓒ **1** 견본 검사원; 시식[시음]자; 시료(試料) 채취 장치[검사기], 견본 추출 검사 장치[기]; 《美》 견본집, 선집(選集). **2** (본디, 초심자의) 자수(刺繡) 연습[견본] 작품.

sám·pling *n.* **1** Ⓤ 견본 추출, 시료 채취; 시음, 시식: random ~ 〖통계〗 무작위[임의] 표본 추출. **2** Ⓒ **a** 추출 견본; 시식[시음]품. **b** 시식[시음]회.

Sam·son [sǽmsən] *n.* **1** 샘슨《남자 이름》. **2** 〖성서〗 삼손《힘이 장사인 헤브라이의 사사(士師); 사사기(士師記) XIII–XVI》; 힘센 사람. ⓒⓕ Delilah.

Sam·u·el [sǽmjuəl] *n.* **1** 새뮤얼《남자 이름; 애칭 Sam, Sammy》. **2** 〖성서〗 **a** 사무엘《헤브라이의 사사(士師)·예언자》. **b** 사무엘기(記)《구약성서의 **The First** [**Sécond**] **Bóok of** ~ (사무엘기 상[하])의 하나; 생략: Sam.》.

Sa·n'a, Sa·naa [sɑːnɑ́ː] *n.* 사나《예멘 공화국의 수도》.

San An·to·nio [sæ̀n-əntóuniòu, -æn-] 샌안토니오《미국 Texas 주 남부의 도시》.

san·a·to·ri·um [sæ̀nətɔ́ːriəm] (*pl.* **~s, -ria** [-riə]) *n.* Ⓒ **1** 새너토리엄, (특히 병 회복기 및 결핵·정신병·알코올 중독 환자의) 요양소(sanitarium). **2** 보양[요양]지. **3** (학교의) 양호실.

San·cho Pan·za [sǽntʃou-pǽnzə] *n.* 산초 판자《*Don Quixote*의 충실한 하인》; (이상주의적 인물의) 현실적 친구.

sanc·ta [sǽŋktə] *n.* SANCTUM의 복수.

sanc·ti·fi·ca·tion [sæ̀ŋktəfikéiʃən] *n.* Ⓤ 신성화(神聖化); 축성(祝聖); (죄의) 정화(淨化).

sanc·ti·fied [sǽŋktəfàid] *a.* 신성화한; 축성된; 믿음이 두터운 체하는.

sanc·ti·fy [sǽŋktəfài] *vt.* **1** 신성하게 하다, 축성(祝聖)하다, 신에게 바치다. **2** 죄를 씻다: ~ a person's heart 아무의 마음을 정화(淨化)하다. **3** 정당화하다, 시인하다(justify): a custom *sanctified* by long practice 오랜 관행으로 시인되어 있는 관습.

sanc·ti·mo·ni·ous [sæ̀ŋktəmóuniəs] *a.* 신성한 체하는, 신앙이 깊은 체하는, 경건한 체하는. ⓟ **~·ly** *ad.* **~·ness** *n.*

sanc·ti·mo·ny [sǽŋktəmòuni] *n.* Ⓤ 성자연함, 신앙이 깊은 체함.

sanc·tion** [sǽŋkʃən] *n.* **1** Ⓤ (법령 등에 의한) 재가(裁可), 인가(《*to* do》); (여론·관습 등에 의한) 시인, 승인: give ~ to …을 인가[시인]하다/We need the ~ of the law *to* hunt in this place. 이 곳에서 사냥하는 데는 법적 인가가 필요하다. **2** Ⓒ (보통 *pl.*) 〖국제법〗 (보통 수개국 공동의 국제법 위반국에 대한) 제재 (조치); (법령·규칙 위반에 대한) 제재, 처벌: social ~ 사회적 제재/apply economic [military] ~*s* against …에 경제[군사]적 제재를 적용하다. **3** Ⓒ 〖윤리〗 도덕[사회]적 구속력. **—vt.* 재가[인가]하다; 시인[용인]하다: That expression has been ~*ed* by usage. 그런 표현은 관용상 용인되어 왔다.

***sanc·ti·ty** [sǽŋktəti] *n.* **1** Ⓤ **신성**, 존엄; 고결, 경건. **2** (*pl.*) 신성한 의무[감정]《따위》: the *sanctities* of the home 가정의 신성한 의무.

◇**sanc·tu·ary** [sǽŋktʃuèri/-əri] *n.* **1** Ⓒ 거룩한 장소, 성당(聖堂), 신전(神殿), 교회; 예루살렘의 신전; (그 가장 안쪽의) 지성소(至聖所), 성단(holy of holies); (교회의) 성소(聖所). **2** Ⓒ 성역《중세에 법률의 힘이 미치지 못한 교회 등》, 은신처, 피난처. **3** Ⓤ (교회 등의) 죄인 비호(권); (피난처가 제공하는) 보호, 비호. **4** Ⓒ 조수(鳥獸) 보호 구역, 금렵구(禁獵區); 자연 보호 구역: a bird [an animal] ~ 조류[동물] 보호 구역. ***break*** [***violate***] ~ 성역(聖域)을 침범하다[침범하여 도피자를 체포하다]. **~ *privilege*** 면죄 특권. ***seek*** [***take***] ~ 성역으로 도망쳐 들어가다.

sanc·tum [sǽŋktəm] (*pl.* **~s, -ta** [-tə]) *n.* 《L.》 Ⓒ 거룩한 곳, 성소(聖所); 《구어》 (남의 방해를 받지 않는) 밀실, 사실(私室), 서재.

Sanc·tus [sǽŋktəs] *n.* (the ~) 〖기독교〗 상투스《미사에서 쓰이는 '거룩하시도다, 거룩하시도다, 거룩하시도다, 온 누리의 주 하나님' 하는 성가》.

†**sand** [sænd] *n.* **1** Ⓤ **모래**; (흔히 *pl.*) 모래알: a grain of ~ 모래 한 알/a bag filled with ~ 모래를 채운 마대.

2 (보통 *pl.*) 모래밭, 사구(砂丘), 사막; 모래펄; 모래톱: children playing on the ~*s* 모래밭에서 놀고 있는 아이들/the ~*s* of Arabia 아라비아의 사막.

3 (*pl.*) 시각; 수명《모래시계의 모래알의 뜻에서》: The ~*s* of life run fast. 인생은 덧없다; 남은 시간이 별로 없다.

4 Ⓤ 《美구어》 용기, 기개, 근성(根性): a man who has got plenty of ~ 매우 기골이 있는 남자.

5 Ⓤ 모래빛, 적황색.

built on [***upon***] (***the***) ~ 모래 위에 세운, 불안정한: a house *built on* ~ 사상누각(砂上樓閣)《불안정한 것의 표본》. ***bury*** [***hide, have, put***] one***'s***

S

head in the ~ ⇨HEAD. ***sow*** one's ***seed in the*** ~ 무익한 일을 하다.
—*vt.* **1** …에 모래를 뿌리다: ~ a road (빙판) 길에 모래를 뿌리다. **2** 《+[목]+[부]》 모래로 덮다[묻다] (*up*): The harbor is ~*ed up* by the tides. 그 항만은 조류에 밀려 온 모래로 수심이 얕아져 있다. **3** 《~+[목]/+[목]+[부]》 …에 모래를 섞다; …을 모래[샌드페이퍼]로 문지르다(*down*): ~ *down* a door (페인트칠을 하기 전에) 샌드페이퍼로 문을 문질러 닦다.

***san·dal** [sǽndl] *n.* [C] (보통 *pl.*) **1** (여성·어린이용) **샌들**. **2** (고대 그리스·로마 사람의) 짚신 모양의 신발. **3** 《美》 유두가 낮은 덧신; 슬리퍼.
—(***-l-***, 《英》 ***-ll-***) *vt.* …에게 샌들을 신기다.
[파] **sán·dal(l)ed** *a.* 샌들을 신은.

sándal(·wòod) *n.* [U] 〖식물〗 백단향; 그 재목: a red ~ 자단(紫檀).

sánd·bàg *n.* [C] 모래 부대, 사낭(砂囊); (흉기로 쓰이는) 곤봉 모양의 모래 부대. —(***-gg-***) *vt.* **1** 모래 부대로 (틀어) 막다; 모래주머니로 때려 눕히다. **2** 《美》 (아무)를 강제하다(《***into*** …하도록》).

sánd·bànk *n.* [C] (하구의) 모래톱; (바람에 쌓인) 사구(砂丘).

sánd·bàr *n.* [C] (조류 때문에 형성된) 모래톱.

sánd bàth 모래욕(浴), 모래찜.

sánd·blàst *n.* [U] 모래뿜기; [C] 분사기(噴砂機)《유리 표면을 거칠게 하거나 건물의 외면·철골 구조물의 녹 따위를 청소[제거]하기 위한》.
—*vt.* …에 모래를 뿜어대다, 모래를 뿜어 꺼칠꺼칠하게 하다[닦다].

sánd·bòx *n.* [C] 《美》 (어린이) 모래놀이통; 모래 거푸집.

sánd·bòy *n.* [C] 〔보통 다음 관용구로〕 ***(as) jolly*** [***happy, merry***] ***as a*** ~ 《英구어》 아주 명랑한.

sánd·càstle *n.* [C] (어린이가 만드는) 모래성.

sánd dòllar 〖동물〗 성게의 일종.

sánd dùne (바람에 의한) 사구(砂丘), 모래 언덕.

sánd flèa 〖곤충〗 모래벼룩; 갯벼룩.

sánd·flỳ *n.* [C] 〖곤충〗 눈에놀이《주로 흡혈 곤충》.

sánd·glàss *n.* [C] 모래시계. [cf.] hourglass.

sánd hìll 사구(砂丘).

San Di·e·go [sæ̀ndiéigou] 샌디에이고《미국 California주의 군항》.

sánd·hòg *n.* [C] 《美》 모래 파는 인부; (잠함(潛函) 따위에서 일하는) 지하 터널 공사의 작업부.

sánd·lòt *n.* [C] 《美》 (도시 아이들의 놀이·운동용) 빈터. —*a.* [A] 빈터의, 빈터에서 하는: ~ baseball 빈터(에서 하는 동네) 야구. [파] **~·ter** *n.*

S and M, S&M, s&m sadist and masochist; sadomasochism; sadism and masochism.

sánd·màn [-mæ̀n] (*pl.* ***-mèn*** [-mèn]) *n.* (the ~) (어린이 눈에 모래를 뿌려 잠들게 한다는) 잠귀신: The ~ is coming. 이제 잘 시간이다《부모가 아이에게》.

sánd pàinting (Pueblo족이나 Navaho족의) 모래 그림《여러가지로 착색한 모래로 그리는 의식의 장식; 그 화법; 그 의식》.

sánd·pàper *n.* [U] 사포(砂布), 샌드페이퍼.
—*vt.* 사포로 닦다. [파] **~y** *a.* 까칠까칠한.

sánd·pìper *n.* [C] 〖조류〗 삑삑도요·깝작도요의 무리.

sánd·pìt *n.* [C] 모래 채취장; 《英》 (어린이들이 노는) 모래밭.

San·dra [sǽndrə] *n.* 샌드라《여자 이름; Alexandra의 애칭》.

sánd shòe 《英》 즈크신의 일종《모래밭에서 신는》.

sánd·stòne *n.* [U] 〖지질〗 사암(砂岩).

sánd·stòrm *n.* [C] (사막의) 모래 폭풍.

sánd tràp 《美》 〖골프〗 모래 구덩이(《英》 bunker).

†**sand·wich** [sǽndwitʃ/sǽnwidʒ, -witʃ] *n.* [C] (요리는 [U]) **샌드위치**; 샌드위치 모양의 것; 《英》 =SANDWICH CAKE: ham [vegetable] ~ 햄[야채] 샌드위치/a plywood ~ 베니어 합판.
—*vt.* 《+[목]+[부]/+[목]+[전]+[명]》 (사람·일)을 삽입하다, (억지로) 끼우다, 끼워넣다(*in*)《***between*** …사이에》: ~ an appointment *in between* two board meetings 임원회와 임원회 사이에 만날 약속을 끼워넣다/I was ~*ed* (*in*) *between* two large men on the crowded train. 나는 혼잡한 열차에서 체격이 큰 두 남자 사이에 끼어 있었다.

sándwich bàr (카운터식) 샌드위치 전문 레스토랑.

sándwich bóard (몸의 앞뒤로) 샌드위치맨이 걸치는 광고판.

sándwich càke 샌드위치 케이크《사이에 잼이나 크림을 넣은 케이크》.

sándwich cóurse 《英》 〖교육〗 샌드위치 코스《실업 학교에서 실습과 이론 연구를 번갈아 하는 과목》.

sándwich màn 샌드위치맨《몸 앞뒤에 광고판을 달고 다니는 사람》.

Sandy [sǽndi] *n.* 샌디. **1** 남자 이름《Alexander의 애칭》. **2** 여자 이름《Alexandra의 애칭》. **3** [U] 스코틀랜드 사람의 별명.

sandy** [sǽndi] (sand·i·er; -i·est***) *a.* **1 모래의**; 모래땅의; 모래투성이의: a ~ shore 바닷가 모래밭/~ soil 모래흙/a ~ beach 모래사장. **2** 모랫빛(머리털)의. [파] **sánd·i·ness** *n.* **sánd·y·ish** *a.* 모래 섞인, 깔깔한; 모랫빛을 띤, 연한 갈색의.

sánd·yàcht *n.* [C] 사상(砂上) 요트《바퀴 달린》.

***sane** [sein] *a.* **1 제정신의**. ↔ *insane*. ¶He doesn't seem ~. 그는 제정신이 아닌 것 같다. **2** (사상·행동 따위가) **온건한**, 건전한, 분별 있는: a ~ policy 온건한 정책/~ judgment 분별 있는 판단력/No ~ man would do such a thing. 분별 있는 사람이라면 그런 일은 하지 않는다. ◇ sanity *n.* [파] **∠·ly** *ad.* **∠·ness** *n.*

San·for·ized [sǽnfəràizd] *a.* 빨아도 줄지 않게 가공한《천; 상표명》. [cf.] preshrunk.

***San Fran·cis·co** [sǽnfrənsískou/-fræn-] **샌프란시스코**《미국 California주의 항구 도시》.

sang [sæŋ] SING의 과거.

sang·froid [sɑːŋfrwɑ́ː, sæŋ-; *F.* sɑ̃frwɑ́ː] *n.* 《F.》 [U] (=cold blood) 냉정, 침착.

san·gria [sæŋgríːə] *n.* [U] (낱개는 [C]) 붉은 포도주에 주스·탄산수를 타서 냉각시켜 마시는 음료.

san·gui·na·ry [sǽŋgwənèri/-nəri] *a.* **1** 피비린내 나는; 피투성이의(bloody): a ~ battle 피비린내 나는 전투. **2** 피에 굶주린, 잔인한, 살벌한: a ~ disposition [villain] 잔인한 기질[악당]. **3** (법률이) 함부로 사형을 선고하는. [파] **-ri·ly** *ad.* **-ri·ness** *n.*

◇**san·guine** [sǽŋgwin] *a.* **1 쾌활한**, 희망에 찬; 자신만만한, 낙관적(낙천적)인《***about*** …에 대하여/***that***》: He has a ~ attitude to life. 그는 인생에 대하여 낙천적으로 생각하고 있다/He's ~ *about* getting the work finished on time.

그 일을 제 시간에 마칠 것에 그는 자신만만하다/They were ~ *that* they would win. 그들은 이길 것으로 생각하고 있었다. **2** (안색이) 혈색이 좋은; 다혈질의: a ~ complexion 혈색 좋은 안색. **3** 피처럼 붉은, 혈홍색의; 빨간. ㊕ **~·ly** *ad.* **~·ness** *n.* **san·guín·i·ty** [-əti] *n.*

san·guin·e·ous [sæŋgwíniəs] *a.* 피의, 붉은 핏빛의; 다혈질의, 혈기왕성한; 피비린내 나는, 유혈의.

san·i·tar·i·an, san·i·ta·rist [sæ̀nətέəriən], [sǽnətərist] *n.* Ⓒ 위생학자; 위생 개선가.

◇**san·i·tar·i·um** [sæ̀nətέəriəm] (*pl.* **~s, -ia** [-riə]) *n.* 《美》 =SANATORIUM 1, 2.

***san·i·ta·ry** [sǽnətèri/-təri] *a.* **1** Ⓐ (공중) **위생의**, 보건상의: the ~ board 〔commission〕 위생국/~ arrangements 위생 설비/~ regulations 〔laws〕 공중 위생 규칙〔법〕/~ science 공중 위생학/a ~ inspector 위생 검사관. **2 위생적인**, 깨끗한, 청결한(↔ *insanitary*): ~ sewage 수세식 오물〔오수〕 처리/in a ~ condition 청결한 상태로. ㊕ **-ri·ly** *ad.* **-ri·ness** *n.*

sánitary bélt (sanitary napkin을 받치는) 월경대.

sánitary enginéer 위생기사; 배관공(配管工).

sánitary engineéring 위생 공학〔공사〕.

sánitary nápkin 〔《英》 **tówel**〕 생리용 냅킨.

sánitary wáre 위생 도기(陶器)《변기·욕조 등》.

san·i·tate [sǽnətèit] *vt.* 위생적으로 하다; …에 위생 설비를 하다.

◇**sàn·i·tá·tion** *n.* Ⓤ (공중) 위생; 위생 시설(의 개선); 《특히》 하수구 설비; 하수〔오수, 오물〕 처리. ㊕ **-ist** *n.*

san·i·tize [sǽnətàiz] *vt.* (청소·살균 등으로) 위생적으로 하다, …에 위생 설비를 하다.

◇**san·i·ty** [sǽnəti] *n.* Ⓤ **1** 제정신, 정신이 멀쩡함: lose one's ~ 제정신을 잃다; 미치다. **2** (사상 따위의) 건전함, 온건함. ⇔ *insanity.* ◇ sane *a.*

San Jo·se [sæ̀n*h*ouzéi] 새너제이《California 주 서부 San Francisco의 남동부의 도시》.

sank [sæŋk] SINK의 과거.

San Ma·ri·no [sæ̀nməríːnou] 산마리노《이탈리아 동북부에 있는 작은 공화국; 그 수도》.

sans[1] [sænz; *F.* sɑ̃] *prep.* 《고어·우스개》 …없이, 없어서(without): *Sans* teeth, ~ eyes, ~ taste, ~ everything (늙어 빠져서) 이도 눈도 없고 게다가 맛도 없으며 무엇 하나 있는 것이 없이 《Shakespeare 작 *As You Like It*에서》.

sans[2] [sænz] *n.* =SANS SERIF.

San Sal·va·dor [sænsǽlvədɔ̀ːr] 산살바도르《중앙 아메리카 El Salvador의 수도》.

sans·cu·lotte [sæ̀nzk*j*ulάt/-lɔ́t] *n.* 《F.》 Ⓒ (프랑스 혁명 당시의) 과격 공화당원《귀족적인 culotte를 입지 않은 데서 연유》; 과격주의자, 급진 혁명가. ㊕ **-lót·tic** [-tik], **-tish** [-tiʃ] *a.* 혁명적인, 과격파의.

san·ser·if [sænsérif] *n.* =SANS SERIF.

San·skrit, -scrit [sǽnskrit] *n.* Ⓤ 산스크리트, 범어(梵語)《생략: Skr., Skrt., Skt.》. **—***a.* 산스크리트〔범어〕의.

sans serif [sǽnzsérif/sǽnser-] *n.* 〖인쇄〗 Ⓤ 산세리프체; Ⓒ 산세리프체 활자《보기: ABC abc》. ㊂ serif.

San·ta [sǽntə] *n.* (이탈리아·스페인·포르투갈에서) 여자 성인; 《구어》 =SANTA CLAUS.

****Sán·ta Clàus** [sǽntəklɔ̀ːz] **산타클로스**《아이들의 수호 성도(聖徒) Saint Nicholas의 전화(轉化)》.

San·ta Fe [sæ̀ntəféi] 샌타페이《미국 New Mexico주의 주도》.

Sánta Fé Tráil (the ~) 샌타페이 가도(街道)《1880년경의 철도 개통시까지, Santa Fe에서 Missouri주의 Independence에 이르는 교역 산업 도로》.

San·ti·a·go [sæ̀ntiάːgou] *n.* 산티아고《칠레의 수도》.

San·to Do·min·go [sǽntou*d*əmíngou] 산토도밍고《도미니카 공화국의 수도》.

san·to·nin [sǽntənin] *n.* Ⓤ 〖약학〗 산토닌《기생충 약》.

São Pau·lo [sάnpáuluː] 상파울로《Brazil 남부의 주, 그 주도; 커피 산지》.

São To·mé and 〔e〕 Prin·ci·pe [saun təméi ənd 〔e〕 príːnsipə] 상투메 프린시페《서아프리카 기니 만의 두 섬으로 된 공화국, 수도 São Tomé》.

◇**sap**[1] [sæp] *n.* **1** Ⓤ 수액(樹液), (식물의) 액즙. **2** Ⓤ 《비유적》 활력, 원기, 생기: the ~ of life 활력, 정력/the ~ of youth 혈기. **3** Ⓒ 《美속어》 곤봉. **4** Ⓒ 《속어》 바보, 얼간이, 멍청이(saphead). **—**(**-pp-**) *vt.* **1** …에서 수액을 짜내다. **2** 《비유적》 …에서 활력을 없애다, …을 약화시키다: ~ one's energy 정력을 약화시키다. **3** 《美속어》 몽둥이로 때려 눕히다.

sap[2] *n.* Ⓒ 〖군사〗 (적진으로 육박하기 위해 파고 들어가는) 대호(對壕). **—**(**-pp-**) *vt.* **1** 〖군사〗 대호를 파서 (적진에) 접근하다. **2** (담 밑 등)을 파서 무너〔쓰러〕뜨리다(*away*): The foundations were ~*ped away* by termites in a few years. 토대는 2·3년 사이에 흰개미가 파들어가 무너지고 말았다. **3** 《비유적》 서서히 해치다, (건강·기력 등)을 점차 약화시키다: The extreme heat ~*ped* his strength and health. 극도의 더위가 그의 기력과 건강을 서서히 약화시켰다. **—***vi.* 〖군사〗 대호를 파다; 대호를 따라 적진에 접근하다.

sáp·hèad *n.* Ⓒ 《美구어》 바보, 얼간이. ㊕ **~·ed** [-id] *a.* 《속어》 바보 같은, 얼간이 같은.

sa·pi·ence, -en·cy [séipiəns], [-si] *n.* Ⓤ 《문어》 아는 체함; 지혜.

sa·pi·ens [séipiənz] *a.* (화석인(化石人)에 대하여) 현(現)인류의.

sa·pi·ent [séipiənt] *a.* 〔종종 반어적〕 아는 체하는; 《문어》 약은, 영리한. ㊕ **~·ly** *ad.*

sáp·less *a.* 수액이 없는; 시든; 기운 없는, 활기 없는. ㊕ **~·ness** *n.*

sap·ling [sǽpliŋ] *n.* Ⓒ **1** 묘목, 어린 나무. **2** 《비유적》 젊은이, 청년(youth).

sap·o·dil·la [sæ̀pədílə] *n.* Ⓒ 〖식물〗 사포딜라《열대 아메리카산 상록수; 수액에서 추잉 검의 원료 chicle을 얻음》; 그 열매《식용》.

sap·o·na·ceous [sæ̀pənéiʃəs] *a.* 비누 같은, 비누질(質)의.

sa·pon·i·fy [səpάnəfài/-pɔ́n-] *vi.*, *vt.* 〖화학〗 비누화하다〔시키다〕.

sap·per [sǽpər] *n.* Ⓒ 〖군사〗 **1** 《英》 sap[2]하는 사람; (참호·요새 따위를 만드는) 토목 공병(《美》 army engineers); 지뢰〔폭탄〕 해체 작업원. **2** 《美》 잠입자, 적전 공병.

Sap·phic [sǽfik] *a.* Sappho(식)의; 사포 시체(詩體)의; (s-) (여성의) 동성애의, 레즈비언의. **—***n.* Ⓒ 사포 시체(詩體).

◇**sap·phire** [sǽfaiər] *n.* Ⓤ (낱개는 Ⓒ) 사파이

S

어, 청옥(青玉); Ⓤ 사파이어 빛, 푸른 하늘색.

sap·phism [sǽfizəm] *n.* Ⓤ (여성의) 동성애.

sáp·phist *n.* Ⓒ (여성의) 동성애자, 레즈비언.

Sap·pho [sǽfou] *n.* 사포《그리스의 여류 시인; 기원전 600년경의》.

sap·py [sǽpi] (**-pi·er; -pi·est**) *a.* 수액(樹液)이 〔물기가〕 많은; (젊어) 기운이 좋은; 《美속어》 어리석은, 고지식한; 《속어》 감상적인, 연약한.

sáp·wòod *n.* Ⓤ (목재의) 변재(邊材), 백목질(白木質)《나무 껍질 바로 밑의 연한 목재》: ~ trees 변재수(樹).

sar·a·band, -bande [sǽrəbæ̀nd] *n.* Ⓒ 사라반드《느린 3박자의 스페인 춤》; 그 곡.

Sar·a·cen [sǽrəsən] *n.* Ⓒ 사라센 사람《로마 시대 시리아·아라비아의 사막에 사는 유목민》; (특히 십자군 시대의) 이슬람 교도; (넓은 뜻으로) 아랍인. **—** *a.* =Saracenic. ㊕ **Sar·a·cen·ic** [ˌ--sénik] *a.* 사라센(인)의; 사라센식의《건축 등》.

Sar·ah [sέərə] *n.* **1** 여자 이름《애칭 Sadie, Sal, Sally》. **2** 【성서】 사라《Abraham의 아내이며 Isaac의 어머니》.

Sa·ra·je·vo [sæ̀rəjéivou] *n.* 사라예보《보스니아 헤르체고비나 공화국의 수도》.

sa·ran [sərǽn] *n.* Ⓤ 사란《고온에서 가소성(可塑性)을 갖는 합성수지의 일종》; (S-) 그 상표명.

Sa·ra·wak [sərɑ́:wɑ:k, -wæk/-wək] *n.* 사라와크《Borneo 서북부의 말레이시아 연방의 속령; 주도 Kuching》.

***sar·casm** [sɑ́:rkæzəm] *n.* **1** Ⓤ **빈정거림**, 비꼼, 풍자: bitter 〔biting, keen, scathing〕 ~ 통렬한 야유 / in ~ 비꼬아서. **2** Ⓒ 비꼬는 말; 빈정거리는 말재주. SYN. ⇨ WIT[1].

S

◇**sar·cas·tic, -ti·cal** [sɑ:rkǽstik], [-əl] *a.* 빈정거리는, 비꼬는, 풍자의, 신랄한: Are you being *sarcastic?* 비꼬는 거냐 / You did a good job for an amateur.—That sounds a little *sarcastic.* 아마추어치고는 아주 잘 했어—그거 좀 비꼬는 말로 들리는데. ㊕ **-ti·cal·ly** *ad.*

sar·co·ma [sɑ:rkóumə] (*pl.* **-ma·ta** [-mətə], **~s**) *n.* Ⓒ (병명은 Ⓤ) 【의학】 육종(肉腫).

sar·coph·a·gus [sɑ:rkɑ́fəgəs/-kɔ́f-] (*pl.* **-gi** [-dʒài, -gài], **~·es**) *n.* Ⓒ (대리석에 정교하게 조각한 고대의) 석관(石棺).

sard [sɑ:rd] *n.* Ⓤ (낱개는 Ⓒ) 【광물】 홍옥수(紅玉髓).

◇**sar·dine** [sɑ:rdí:n] (*pl.* **~**, **~s**) *n.* Ⓒ 【어류】 정어리; Ⓤ 정어리의 살. ***be packed like ~s*** 빽빽하게〔꽉〕 채워지다.

◇**sar·don·ic** [sɑ:rdɑ́nik/-dɔ́n-] *a.* 냉소〔조소〕적인, 냉소하는, 빈정대는: a ~ laugh 〔smile〕 냉소, 비꼼 / ~ humor 빈정거리는 투의 유머. ㊕ **-i·cal·ly** *ad.*

sar·do·nyx [sɑ́:rdəniks/sɑ́:rdɔ-] *n.* Ⓤ (낱개는 Ⓒ) 【광물】 붉은 줄무늬가 있는 마노(瑪瑙).

saree ⇨SARI.

sar·gas·so [sɑ:rgǽsou] (*pl.* **~(e)s**) *n.* Ⓒ 【식물】 사르가소, 모자반류(類)《바닷말》.

sarge [sɑ:rdʒ] *n.* 《구어》 =SERGEANT《호칭》.

sa·ri, sa·ree [sɑ́:ri(:)] (*pl.* **~s**) *n.* Ⓒ (인도 여성이 어깨에서 허리까지 두르는) 사리.

sa·rin [sɑ́:rən, zɑ:rí:n] *n.* Ⓤ 【화학】 사린《독성이 강한 치명적 신경 가스; $C_4H_{10}FO_2P$》.

sarky [sɑ́:rki] *a.* 《英구어》 =SARCASTIC.

sar·nie [sɑ́rni/sɑ́:-] *n.* 《英구어》 =SANDWICH.

sa·rong [sərɔ́(:)ŋ, -rɑ́ŋ] *n.* Ⓒ 사롱《말레이 군도 원주민의 허리 두르개》.

Sa·roy·an [sərɔ́iən] *n.* **William ~** 사로얀《미국의 작가(1908–81)》.

SARS severe acute respiratory syndrome (중증 급성 호흡기 증후군).

sar·sa, sar·sa·pa·ril·la [sɑ́:rsə], [sɑ̀:rsəpərílə] *n.* Ⓒ 【식물】 청미래덩굴속(屬)의 식물; Ⓤ 그 뿌리《약용》; Ⓤ 그 뿌리로 가미한 탄산수의 일종.

SARSAT [sɑ́:rsæ̀t] *n.* Ⓒ 【우주】 수색 구조용 위성 지원 추적 시스템; 그 장치를 탑재한 위성. [◂*s*earch *a*nd *r*escue *s*atellite-*a*ided *t*racking]

sar·to·ri·al [sɑ:rtɔ́:riəl] *a.* 재봉(사)의, 바느질의; 옷의, 의상의: the ~ art 재봉 기술 / (a) ~ taste 의복 취향.

Sar·tre [sɑ́:rtrə] *n.* **Jean Paul ~** 사르트르《프랑스의 실존주의 작가·철학가; 1905–80》.

SAS [sæs] Scandinavian Airlines System; 《美》 small astronomy satellite (소형 천문 관측 위성). **SASE, s.a.s.e.** 《美》 self-addressed stamped envelope (자기 주소를 쓴 반신용 봉투 (동봉함)).

◇**sash**[1] [sæʃ] *n.* Ⓒ **1** (여성·어린이용) 띠, 장식띠, 허리띠. **2** 【군사】 (어깨에서 내려뜨리는) 어깨띠, 현장(懸章).

sash[2] (*pl.* **~**, **~·es**) *n.* Ⓒ (집합적으로는 Ⓤ) 【건축】 (내리닫이 창의) 창틀, 새시; 장지. **—** *vt.* …에 새시를 달다.

sa·shay [sæʃéi] *vi.* 《美구어》 미끄러지듯 나아가다〔움직이다〕, 돌아다니다(go about); 《구어》 뽐내며 걷다.

sásh còrd 〔**lìne**〕 (내리닫이 창의) 도르래 줄.

sásh wìndow 내리닫이 창(窓). cf. casement window.

SASI [sɑ́:zi] 【컴퓨터】 Shugart Associates Standard Interface《소형 컴퓨터와 하드 디스크를 접속하는 인터페이스 규격》.

Sas·katch·e·wan [sæskǽtʃəwɑ̀n, səs-, -wən] *n.* 서스캐처원《캐나다 중서부의 주; 생략: Sask.》.

Sas·quatch [sǽskwætʃ, -kwɑtʃ] *n.* Ⓒ 새스콰치(Bigfoot, Omah)《북아메리카 북서부 산중에 산다는 손이 길고 털 많은, 사람 비슷한 동물》.

sass [sæs] *n.* Ⓤ 《美구어》 건방진 말대꾸. **—** *vt.* 《美구어》 (윗사람에게) 건방진 말을 하다 〔태도를 취하다〕, 말대꾸하다.

sas·sa·fras [sǽsəfræ̀s] *n.* Ⓒ 【식물】 사사프라스《북아메리카산(産) 녹나뭇과(科)의 식물》; Ⓤ 그 나무〔뿌리〕의 껍질을 말린 것《강장제·향료》.

sas·sy [sǽsi] (**-si·er; -si·est**) 《美구어》 *a.* 건방진, 염치없는; 활발한, 생기가 넘치는. [◂saucy]

sat [sæt] SIT의 과거·과거분사.

SAT 《美》 Scholastic Aptitude Test (대학 진학 적성 검사). **Sat.** Saturday; Saturn.

◇**Sa·tan** [séitən] *n.* 【기독교】 사탄, 악마, 마왕(the Devil).

sa·tan·ic, -i·cal [seitǽnik, sə-], [-əl] *a.* **1** (흔히 S-) 악마의, 마왕의: His *Satanic* Majesty 《우스개》 대마왕님. **2** 악마 같은; 극악무도한: *satanic* features 악마의 형상 / *satanic* cruelties 극악무도한 잔학 행위. ㊕ **-i·cal·ly** *ad.*

Sa·tan·ism [séitənìzəm] *n.* Ⓤ 악마주의; 악마적 행위, 악마 숭배. ㊕ **-ist** *n.*

satch·el [sǽtʃəl] *n.* Ⓒ 작은 가방, 학생 가방.

sate [seit] *vt.* 충분히 만족시키다; 물리게〔넌덜나게〕 하다: be ~*d* with steak 물리도록 스테이크를 포식하다 / ~ oneself with …에 물리다, 충분히 만족하다.

sa·teen, -tine [sætíːn] *n.* [U] 면수자(綿繻子), 모(毛)수자.

*****sat·el·lite** [sǽtəlàit] *n.* **1** [C] 〖천문〗 **위성**; 인공위성(artificial ~): a communications ~ 통신 위성 / a broadcasting 〔military, scientific〕 ~ 방송〔군사, 과학〕 위성 / by ~ 위성 중계로《★ 관사 없이》/ place a ~ into orbit 인공위성을 궤도에 오르게 하다. **2** [U] 위성 TV〔방송〕. **3** [C] 종자(從者); 아첨하는 사람, 식객. **4** [C] 위성국; 위성 도시.
—*a.* [A] **1** (인공)위성의; 위성을 사용한: a ~ station 우주 스테이션 / ~ hookup 위성 중계. **2** 위성과 같은 관계에 있는; 종속된: ~ states 위성국《정치적 · 경제적으로 강대국에 종속되어 있는》/ a ~ city 〔town〕 위성 도시; (도시의) 근교. [파] **sat·el·lit·ic** [sætəlítik] *a.*

sátellite dìsh 90cm－4m의 파라볼라 안테나《위성에서 전파를 직접 수신함》.

sátellite DNÁ 〖생물〗 부수(附隨) DNA《주성분 DNA와는 비중(比重)이 다름》.

sátellite stàtion 인공위성〔우주선〕 기지; 위성 방송 기지.

sa·ti·ate [séiʃièit] *vt.* 물리게 하다, 물릴 정도로 주다; (필요 · 욕망 따위)를 충분히 만족시키다: This book ~*s* the reader's interest. 이 책은 독자의 흥미를 충분히 만족시켜 준다. [파] **sà·ti·á·tion** *n.* [U] 물리게 함, 포만, 포식.

sa·ti·e·ty [sətáiəti] *n.* [U] 물림, 포만, 포식, 만끽: to (the point of) ~ 물릴〔싫증날〕 정도로.

°**sat·in** [sǽtən] *n.* [U] (비단 · 나일론 등의) 견수자(絹繻子), 공단, 새틴. [cf] sateen. —*a.* **1** 견수자로〔공단으로〕 만든. **2** 매끄러운, 광택이 있는.

sátin·wòod *n.* [C] 〖식물〗 (동인도산의) 마호가니류(類)의 나무; [U] 그 목재《가구재》.

sat·iny [sǽtəni] *a.* 수자 같은; 광택이 나는, 매끄러운.

*****sat·ire** [sǽtaiər] *n.* **1** [U] **풍자**, 비꼼《*on, upon* …에 대한》. **2** [U] 〖집합적〗 풍자 문학, [C] 풍자시〔문〕: a ~ *on* modern civilization 현대 문명에 대한 풍자.

sa·tir·ic, -i·cal [sətírik], [-əl] *a.* 풍자적인, 풍자를 좋아하는, 잘 비꼬는; 풍자문을 쓰는: a *satiric* poem 〔novel〕 풍자시〔소설〕/ a *satirical* writer 풍자 작가. [파] **-i·cal·ly** *ad.*

sat·i·rist [sǽtərist] *n.* [C] 풍자시〔문〕 작자; 풍자가, 빈정대는 사람.

sat·i·rize [sǽtəràiz] *vt.* 풍자화하다; …에 대하여 풍자문을 쓰다; 빈정대다, 비꼬다. [파] **sàt·i·ri·zá·tion** *n.* **sát·i·rìz·er** *n.*

*****sat·is·fac·tion** [sætisfǽkʃən] *n.* **1** [U] **만족**(감); 만족하는 것《*at, with, in* …에(대한)》. ↔ *dissatisfaction*. ¶feel ~ *at* having one's ability recognized 자기 재능이 인정된 것을 만족하게 여기다 / express one's ~ *at* 〔*with*〕 the result 결과에 대한 만족감을 표명하다 / Your father will find ~ *in* your success. 당신 부친께서는 당신의 성공에 만족하실 것입니다.
2 [U] 만족시키는 것; 충족《*of* …을, …에 대한》: for the ~ *of* one's curiosity 호기심을 충족시키기 위하여 / Your success will be a great ~ to your parents. 성공하여 부모님께서 매우 만족하시겠다.
3 [C] 만족스러운 일; 즐거움: It is a ~ to know that … …을 알고서 만족합니다 / Listening to music is one of his greatest ~*s*. 음악을 듣는 것은 그에게는 더할 나위 없는 즐거움의 하나이다.
4 〖법률〗 [U] 변제, 배상《*for, of* (빚 · 손해 따위)에 대한》; 이행《*for, of* (의무)의》: in ~ *of* …의 지불〔보상〕으로 / demand ~ *for* …의 배상을 요구하다 / give ~ to 아무에게 배상하다 / make ~ *for* …을 배상하다.
5 [U] 사죄; (결투에 의한) 명예 회복의 기회《*for* (명예 훼손)에 대한》: demand ~ *for* an insult 모욕에 대한 사죄〔결투〕를 요구하다. ◇ satisfy *v.*
to a person's ~ ＝*to the* ~ *of* a person ① 〖보통 문장 앞에 써서〗 아무가 만족스럽게도: *To* our ~, he has passed the exam. 그가 시험에 합격하여 우리는 만족했다. ② 〖보통 문장 뒤에 써서〗 아무가 만족〔납득〕하도록: The chicken was cooked *to* her ~. 닭은 그녀가 만족하도록 요리되었다.

°**sat·is·fac·to·ri·ly** [sætisfǽktərəli] *ad.* 만족하게, 마음껏, 더할 나위 없이, 납득이 가도록.

*****sat·is·fac·to·ry** [sætisfǽktəri] *a.* **1 만족한**, 더할 나위 없는; 납득이 가는《*for* (사물)에; *to* (아무)에게》: ~ results 좋은 결과 / a ~ explanation 납득이 가는 설명 / Is this place ~ *for* a picnic? 이곳은 소풍하기에 적합한가 / The arrangement was ~ *to* both parties. 그 협정은 쌍방에게 다 만족스러웠다. **2** (성적이) 보통의, '미' 의《수우미양가 중》, C 의. [파] **-ri·ness** *n.*

sat·is·fied [sǽtisfàid] *a.* 만족한, 흡족한: a ~ customer 만족한 고객.

*****sat·is·fy** [sǽtisfài] *vt.* **1** 《+[목]/+[목]+[전]+[명]》 …을 **만족시키다**, (아무)의 생각을 들어주다《*by, with* …으로》《★ by 다음에서는 doing을 씀》: Nothing *satisfies* her. 그 어느 것도 그녀를 만족시키지 못한다 / He tried to ~ his master *by* doing all (that) he had been ordered to do. 그는 시키는 일을 모두 해서 주인의 뜻에 맞추려고 애썼다.
[SYN] **satisfy** 약속대로 기대에 어긋나지 않는 점에서 만족시키다: have to sell land to *satisfy* one's creditor (의무를 이행하여) 채권자의 뜻에 어긋나지 않도록 땅을 팔아야 하다. **gratify** 욕망 · 취미 · 이목 따위를 만족시켜 쾌감이 생기게 하다: Beauty *gratifies* the eye. 미(美)는 눈을 즐겁게 해 준다. **content** 모든 욕구가 다 충족되지는 않아도 불만(不滿)이 없을 만큼 만족시키다.
2 《~+[목]/+[목]+[전]+[명]》 (욕망 따위)를 채우다, 충족시키다《*with* …으로》; (요건 · 표준 등)을 맞추다: ~ one's appetite 식욕을 채우다 / ~ the conditions 〔requirements〕 조건〔요건〕을 맞추다 / ~ one's thirst *with* water 물을 마셔 갈증을 풀다.
3 a 《~+[목]/+[목]+[전]+[명]/+[목]+*that* [절]》 (의심 따위)를 풀다; 안심〔확신〕시키다, 납득시키다(convince)《*of, about* …을》: ~ one's doubts 의심을 풀다 / ~ a person *of* a fact 아무에게 어떤 사실을 납득시키다 / He *satisfied* me *that* it was true. 그는 그것이 사실임을 나에게 납득시켰다. **b** 《+[목]+[전]+[명]/+[목]+*that* [절]》 〖~ oneself〗 확신〔납득〕하다《*of, about* …을》: I *satisfied* my*self of* his competence 〔*that* he was competent〕. 그가 능력이 있다는 것을 나는 확신했다.
4 (채권자)에게 변제하다; (빚 등)을 갚다; (배상

요구 등)에 응하다; (의무)를 이행하다: ~ a bill 셈을 치르다/~ a creditor 〔an obligation〕 채권자에게〔채무를〕 변제하다/~ claims for damage 손해 배상 청구에 응하다. 5 〖수학〗 …의 조건을 충족시키다; (방정식)을 만족시키다.

―*vi.* 충분한 만족을 주다, 아무를 만족시키다.

be satisfied 만족하다《***with*** …에/***to*** do》; 납득하다, 확신하다《***of*** …을/***that***》: He *isn't satisfied with* the result. 그는 그 결과에 만족해하지 않는다/I *am satisfied to* hear that. 그 소식을 들으니 만족스럽다/I'm *satisfied of* his innocence 〔*that* he is innocent〕. 나는 그의 무죄를 확신하고 있다. ~ ***the examiners*** (대학 시험에서) 합격점에 달하다, 보통 성적으로 합격하다.

◇**sat·is·fy·ing** [sǽtisfàiiŋ] *a.* **1** 만족한, 충분한. **2** (증거·설명 따위가) 납득할 수 있는, 확실한. ㊞ **~·ly** *ad.*

◇**sat·u·rate** [sǽtʃərèit] *vt.* **1** …을 적시다; 흠뻑 적시다《***with, in*** …으로》; …에 배어들게 하다《***with, in*** …을》: a cloth *~d with* oil 기름이 배어든 천/~ a handkerchief *with* water 손수건에 물을 적시다. SYN. ⇨WET. **2** 가득차게 하다, 충만하게 하다《***with*** (연기·향기 따위)로》: The room was *~d with* the aroma of coffee. 그 방은 커피 향기로 가득차 있었다. **3** …에 스며들게 하다《***with, in*** (전통·편견 따위)를》: a college *~d with* tradition 전통이 스며 있는 학교/His novel is *~d with* prejudice toward Christianity. 그의 소설에는 기독교에 대한 편견이 스며 있다. **4** 〖화학〗 (용액·화합물 따위)를 포화시키다《***with*** …으로》: ~ water *with* salt 물을 소금으로 포화시키다. **5** (시장)에 과잉 공급하다; 만재하다《***with*** (상품 따위)를》: The market for this product is *~d*. 이 제품의 시장은 공급 과잉이 되어 있다. ㊞ **-rated** *a.*

sàt·u·rá·tion *n.* Ⓤ **1** 침투, 침윤(浸潤). **2** 〖미술〗 채도《색의 포화도; 백색과의 혼합 정도》. cf. brilliance, hue[1]. **3** 〖화학〗 포화 (상태). **4** (압도적) 집중《군사력의》; (시장의) 포화《수요를 공급이 충분히 충족하고 있는 상태》.

saturátion pòint (용해·화합 등의) 포화점; 〔일반적〕 한도, 극한: reach a 〔the, its〕 ~ 극도에 달하다.

†**Sat·ur·day** [sǽtərdèi, -di] *n.* 〖원칙적으로는 관사 없이 Ⓤ, 단 의미에 따라 관사가 붙고 Ⓒ도 됨〗 **토요일**《생략: Sat.》: Today's ~. 오늘은 토요일이다/next 〔last〕 ~ =on ~ next 〔last〕 다음〔지난〕 토요일에. ―*a.* Ⓐ 토요일의: on ~ afternoon 토요일 오후에. ―*ad.* 《구어》 토요일에: See you ~. 토요일에 만나자.

Sáturday nìght spécial (쉽게 입수할 수 있는 싸구려) 소형 권총.

Sát·ur·days *ad.* 《구어》 토요일에는 (언제나) (on Saturdays).

◇**Sat·urn** [sǽtərn] *n.* **1** 〖로마신화〗 농업의 신. **2** 〖천문〗 토성. cf. planet.

Sat·ur·na·lia [sæ̀tərnéiliə, -ljə] *n.* **1** (고대 로마의) 농신제(農神祭)《12월 17일경》. **2** (s-) (*pl.* ***-li·as,*** ~) Ⓒ 법석뗾: a ~ of crime 제멋대로 하는 나쁜 짓.

Sa·tur·ni·an [sætə́ːrniən] *a.* 농신(Saturn)의; 황금시대의, 평화로운; 〖천문〗 토성의: the ~ age 황금시대.

sat·ur·nine [sǽtərnàin] *a.* (기질·표정이) 무뚝뚝한, 음침한(gloomy), 냉소적인. ↔ *mercurial*.

sa·tyr [séitər, sǽt-] *n.* Ⓒ **1** (흔히 S-) 〖그리스신화〗 사티로스《반인반수(半人半獸)의 숲의 신; 말의 귀와 꼬리를 가졌고 술과 여자를 좋아함; 로마 신화의 faun》. **2** 호색가.

sa·ty·ri·a·sis [sèitəráiəsis, sæ̀t-] *n.* Ⓤ 〖의학〗 (남자의) 음란증. cf. nymphomania.

sa·tyr·ic, -i·cal [sətírik], [-əl] *a.* satyr의 〔같은〕; 호색의.

⁑**sauce** [sɔːs] *n.* **1** Ⓤ (종류는 Ⓒ) **소스**《★ 요리·과자 따위에 사용하는 조미료로서 샐러드뿐 아니라 아이스크림·고기 요리 등에 쓰이어 종류가 많음》: cranberry ~ with turkey 칠면조에는 크랜베리 소스/ice cream with chocolate ~ 초콜릿을 넣은 아이스크림/Hunger is the best ~. 《속담》 시장이 반찬/Sweet meat will have sour ~. 《속담》 음지가 있으면 양지가 있다/What's ~ for the goose is ~ for the gander. 《속담》 갑에 적용되는 것은 을에도 적용된다. **2** Ⓒ 맛난이, 양념; 자극, 재미: Her affair was a ~ to the monotony of rural life. 그녀의 정사(情事)는 시골의 단조로운 생활에 자극을 주는 것이었다. **3** Ⓤ (구체적으로는 Ⓒ) 《구어》 건방짐, 건방진 말, 뻔뻔스러움(cheek): What ~! 건방지군/None of your ~! 건방진 소리 마라. **4** Ⓤ 《美》 (과일의) 설탕 조림, 과일 통조림.

―*vt.* **1** …에 소스를 치다, …의 맛을 (소스로) 내다: well *~d* meat 소스로 맛을 잘 낸 고기. **2** 《비유적》 …에 흥미를〔자극을〕 더하다: a sermon *~d* with wit 기지〔재치〕로 흥미를 돋운 설교. **3** 《구어》 …에게 무례한〔건방진〕 말을 하다: How dare you ~ your father? (모친이 자식에게) 어찌 감히 아버지께 그런 건방진 말을 하느냐.

sáuce·bòat *n.* Ⓒ (배 모양의) 소스 그릇.

***sauce·pan** [sɔ́ːspæ̀n] *n.* Ⓒ (자루·뚜껑이 달린) **스튜 냄비**.

⁑**sau·cer** [sɔ́ːsər] *n.* Ⓒ **1** (커피 잔 따위의) **받침 접시**; (화분의) 받침(접시): a cup and ~ 받침 접시가 딸린 컵. SYN. ⇨DISH. **2** 받침접시 모양의 것: a flying ~ 비행접시.

sáucer-éyed *a.* (놀라서) 눈이 휘둥그레진, 눈을 부릅뜬.

◇**sau·cy** [sɔ́ːsi] (***-ci·er; -ci·est***) *a.* **1** 건방진, 뻔뻔스런: Don't be ~! 건방진 소리하지 마/*It* was ~ *of* you to contradict your father. 아버지에게 건방진 소리 하는구나. **2** 《구어》 세련된, 맵시 있는, 멋들어진(smart): a ~ car 〔hat〕 멋진 차〔모자〕. **3** 《구어》 (성적으로) 저속한; 외설된. ㊞ **-ci·ly** *ad.* **-ci·ness** *n.*

Sau·di [sáudi, sɔ́ː-, sɑːúː-/sɔ́ː-, sáu-] (*pl.* ***~s***) *n.* Ⓒ 사우디 아라비아의 주민〔사람〕. ―*a.* 사우디 아라비아(사람)의.

Sáu·di Arábia [sáudi-, sɑːúːdi-, sɔ́ːdi-] 사우디아라비아《수도 Riyadh, 종교의 중심은 Mecca》.

sau·er·kraut [sáuərkràut] *n.* 《G.》 Ⓤ 독일 김치《잘게 썬 양배추에 식초를 쳐서 담금》.

Saul [sɔːl] *n.* **1** 솔《남자 이름》. **2** 〖성서〗 사울《사도 바울의 원래 이름; 이스라엘의 초대 왕》.

sau·na [sáunə, sɔ́ːnə] *n.* Ⓒ (핀란드의) 증기욕〔탕〕, 사우나(탕).

◇**saun·ter** [sɔ́ːntər, sáːn-] *vi.* (한가로이) 산책하다(stroll), 어슬렁거리다; 《비유적》 빈둥거리다. SYN. ⇨ WALK. ~ ***about*** 어슬렁어슬렁 산책하다. ~ ***through life*** 빈둥거리며 일생을 보내다.

―*n.* (a ~) 산책(ramble); 어슬렁거림: have a

S

~ in the woods 숲속을 산책하다. ㊕ **~·er** *n.* Ⓒ 산책〔만보〕자. **~·ing·ly** *ad.*

sau·ri·an [sɔ́ːriən] *a.*, *n.* Ⓒ 도마뱀류의 (동물).

⁑**sau·sage** [sɔ́ːsidʒ/sɔ́s-] *n.* Ⓤ (낱개는 Ⓒ) **소시지, 순대**: ⇨VIENNA SAUSAGE / a string of ~*s*.

sáusage dòg 《英구어》 다크스훈트 (개).

sáusage mèat 소시지용 간 고기.

sáusage róll 《英》 소시지 롤빵.

sau·té [soutéi, sɔ-] 《F.》 *a.* 〖요리〗 (버터 따위로) 살짝 튀긴. **—***n.* Ⓒ (요리는 Ⓤ) 소테《살짝 튀긴 고기 요리》. **—**(**~**(**e**)***d;*** **~·*ing***) *vt.* (고기 · 생선 · 야채 따위)를 살짝 튀기다.

Sau·terne(s) [soutə́ːrn] *n.* Ⓤ 백포도주의 일종《프랑스 Sauternes산(産)》.

sav·a·ble, save·a- [séivəbəl] *a.* 구조할 수 있는; 저축〔절약〕할 수 있는.

sav·age** [sǽvidʒ] *a.* **1** Ⓐ **야만의,** 미개한; 미개인의. cf. barbarous. ↔ *civil*.¶ ~ tribes 야만족 / ~ fine arts 미개인의 예술. **2** (동물 · 사람이) 사나운; 잔혹한, 잔인한: ~ beasts 야수 / a ~ temper 잔인한 성격. **3** Ⓐ 《美》 (풍경이) 황량한, 쓸쓸한: ~ mountain scenery 쓸쓸한 산 경치. **4** (동물이) 길들여 있지 않은, 야생의. **5** 《구어》 몹시 성난: That made him ~. 그것으로 그는 몹시 화를 냈다. ***get ~ with …에 몹시 화를 내다. ***make a ~ attack upon*** …을 맹렬히 공격하다.

—*n.* Ⓒ **1** 야만인, 미개인. SYN. ⇨BARBARIAN. **2** 잔인한 사람; 무뢰한, 버릇없는 사람.

—*vt.* **1** (성난 말 · 개 따위가 사람)을 물어뜯다, 짓밟다. **2** 맹렬히 공격〔비난〕하다; 폭력을 휘두르다.

㊕ **~·ly** *ad.* **~·ness** *n.*

sav·age·ry [sǽvidʒəri] *n.* **1** Ⓤ 야만, 미개(상태); 황량한 광경. **2** Ⓤ 흉포성; 거칠고 사나움, 잔인. **3** Ⓒ (보통 *pl.*) 야만적인 행위, 만행.

sa·van·na(h) [səvǽnə] *n.* Ⓤ (낱개는 Ⓒ) (열대 · 아열대 지방의) 대초원, 사바나, (특히 미국 남동부의) 나무 없는 평원, 초원. cf. pampas, prairie, steppe.

sa·vant [sævάːnt, sǽvənt; *F.* savɑ̃] *n.* 《F.》 Ⓒ (특히 전문 분야의) 학자, 석학(碩學).

sav·a·rin [sǽvərin] *n.* Ⓒ (요리는 Ⓤ) 사바랭《럼주나 매실즙 등을 넣어 만든 둥근 스펀지형 케이크》.

†**save¹** [seiv] *vt.* **1** 《~+목/+목+전+명》 **구하다,** 구해 내다; 구조하다, 건지다《***from*** (위험 · 손실 · 재난 등)에서》: ~ a person's life 아무의 목숨을 구하다 / ~ a person *from* drown*ing* 사람이 물에 빠진 것을 구해 내다 / He tried to ~ the country *from* economic ruin. 그는 경제적 파탄에서 나라를 구하려고 했다. SYN. ⇨HELP.

2 (명예 · 신용 따위)를 안전하게 지키다; (궁지)를 용케 빠져나가다; (신이 왕)을 지키다, 오래 살게 하다: ~ one's honor 〔name〕 명예를〔명성을〕 지키다 / ~ the situation 다급한 상황을 빠져나가다 / God ~ the Queen! 여왕에게 신의 가호가 있기를, 여왕폐하 만세.

3 《~+목/+목+전+명》 〖신학〗 구원〔구제〕하다, 건지다《***from*** (죄)에서》: ~ souls 영혼을 구제하다 / Christ came to ~ us *from* our sins. 그리스도는 죄악으로부터 우리를 구원하기 위하여 강림하셨다.

4 《+목+전+명/+목+목》 (돈 · 물건)을 **떼어〔남겨〕 두다**《***for*** (장래)를 위해》; 떼어〔남겨〕 주다《***for*** (아무)에게》: She's *saving* money *for* her old age. 그녀는 노후를 위해 돈을 모아 두고 있다 / He ~*d* what was left of the food *for* supper. 그는 저녁 식사 때 쓰려고 음식을 남겨 두었다 / Save me some fruit. =Save some fruit *for* me. 저에게 과일을 좀 남겨 주시오.

5 (노력 · 비용 따위)를 **절약하다,** 헛되이 쓰지 않도록 하다: It ~*d* us so much time and effort. 그것으로 많은 시간과 노력이 절약되었다 / You'd better ~ as much of your provisions. 될 수 있는 대로 식량을 절약하는 것이 좋겠다.

SYN. **save** 쓰지 않고 따로 남겨〔떼어〕 둔다는 뜻으로, 아껴둔 것을 보존하다. **reserve** 후일의 사용 또는 어떤 목적을 위하여 별도로 떼어 두다: *reserve* money for emergencies 비상금으로 얼마를 남겨 두다. **store** 저장고 따위에 두다. 어느 정도 이상의 양, 장기적 보존이 시사되고 있음: *store* up fuel for the winter 겨울에 대비하여 땔감을 저장하다. **economize** 경제하다, 절약하다.

6 (돈 · 물건)을 **모으다,** 저축하다: ~ money out of one's salary 급료에서 떼어 저금하다 / A penny ~*d* is a penny earned 〔gained〕. 《속담》 티끌 모아 태산.

7 a 《~+목/+-*ing* /+목+목》 (돈 · 시간 · 수고 등)을 **덜다**; 줄이다: ~ trouble 수고를 덜다 / This shirt ~*s* iron*ing*. 이 셔츠는 다림질을 안 해도 된다 / It ~*d* me the trouble of looking for a parking lot. 덕분에 주차장을 찾지 않아도 되었다 / A stitch in time ~*s* nine. 《속담》 적시의 조치는 후환을 막는다, 제 때의 한 땀 아홉 수고 던다. **b** 《+목+-*ing* /+목+전+명》 면하게 하다; 마치게〔끝내게〕 하다《***from*** …하지 않고》: If you telephone, it will ~ you writ*ing* a letter. 전화를 걸면 편지를 쓰지 않아도 될거야 / Thank you; you ~*d* me *from* mak*ing* a gaffe. 고마워, 네 덕분에 실수하지 않고 끝냈어.

8 《~+목/+목+전+명》〔~ oneself〕 체력 소모를 안 하게 하다《***for*** …을 위하여》; 오래 가게〔마디게〕 하다: ~ one's strength 체력이 소모되지 않도록 하다 / *Save* your*self for* the game tomorrow. 내일 시합을 위해서 휴식을 취해 두세요.

9 〖컴퓨터〗 (프로그램 · 데이터)를 저장하다.

—*vi.* **1** 《~/+부/+전+명》 **모으다, 저금하다**; 저축하다 (*up*) 《***for*** …을 위하여, …에 대비하여》: We're *saving* (*up*) *for* a new car. 새 차를 사기 위해 저축하고 있다 / One should ~ *for* a rainy day. 불행한 때에 대비하여 저축해야 한다. **2** 《+전+명》 절약하다, 줄이다《***on*** (연료 따위)를》: Living there will ~ *on* fuel. 거기서 살면 연료비가 절약된다. **3** 〖신학〗 구하다, 구제하다.

~ one*'s bacon* ⇨BACON. **~ one*'s breath*** ⇨BREATH. **~ one*'s face*** 체면을 유지하다〔손상시키지 않다〕. **~ one*'s*** (***own***) ***neck*** 〔***skin***〕 《구어》 《경멸적》 생명을 지키다, 재난을 면하다. **~ one*'s pocket*** 손해〔출비(出費)〕를 면(免)하다.

—*n.* Ⓒ **1** (축구 등에서) 상대편의 득점을 막음: make a good ~ 상대팀의 득점을 선방하다. **2** 〖야구〗 구원 투수가 리드를 지켜 나감, 세이브; 〖컴퓨터〗 저장.

◇**save²** *prep.* 《문어》 …을 제외하고, …이외에, …은 별도로 치고: all ~ him 그 사람 이외는 모두 / the last ~ one 끝에서 둘째. SYN. ⇨EXCEPT. ★《美》에서는 except 다음으로 흔히 쓰이나, 《英》에서는 《고어》 또는 《문어》로 사용됨. **~ *for*** 《문어》 …을 제외하고.

S

—*conj.* 〖~ that〗《문어》 …을 제외하고, …이 아니면(unless): I know nothing ~ *that* she loves you. 그녀가 널 사랑한다는 것 외는 아무것도 모른다/He would have gone, ~ *that* he had no means. 그는 갔을 텐데 다만 자금이 없어서 못 갔다.

sáve-as-you-éarn *n.* Ⓤ《英》 급료 공제 예금《생략: S.A.Y.E.》.

sav·e·loy [sǽvəlɔ̀i] *n.* Ⓒ (요리는 Ⓤ)《英》 새벌로이《조미(調味)한 건제(乾製) 소시지》.

sav·er [séivər] *n.* Ⓒ 구조〔구제〕자; 절약〔저축〕가; 〖합성어로〗 …절약기〔장치〕: labor-~.

sav·ing** [séiviŋ] *a.* **1 a 절약하는,** 알뜰한, 검소한: a ~ housewife 알뜰한 주부. **b** 〖합성어로〗 …을 덜어 주는, …이 절약되는: ⇨LABORSAVING, TIMESAVING. **2 구하는,** 구조〔구제〕하는. **3** Ⓐ 쓸모 있는, 벌충〔장점〕이 되는: a ~ bargain 유익한 거래/a dull person with no ~ characteristics 이렇다 할 장점도 없는 우둔한 인물. **4** 〖법률〗 예외의; 제외하는; 보류의: a ~ clause 유보조항, 단서. ***the ~ grace of (modesty) (겸손)이라는 장점: This novel is very dull, but it has *the ~ grace of* being short. 이 소설은 매우 따분하지만 짧다는 장점이 있다.

—*n.* **1** Ⓤ (구체적으로는 Ⓒ) **절약,** 검약(economy): ~ of 30 percent, 3할의 절약/From ~ comes having. 《격언》 절약은 부의 근본/*Saving* is getting. 《격언》 절약이 곧 돈 버는 것이다. **2** (*pl.*) **저금,** 예금, 저축(액): ~*s* deposits 저축성 예금/I keep my ~*s* in the bank. =My ~*s* are in the bank. 나는 은행에 예금하고 있다. **3** Ⓤ **구조,** 구제; 제도(濟度). **4** Ⓤ 〖법률〗 유보(留保), 보류.

—*prep.* …을 제외하고, …외에: *Saving* that he is slightly deaf, there is nothing wrong with him. 그는 귀가 좀 어두울 따름이지 다른 결점이란 없다. ***Saving your presence....*** 면전에서 실례입니다만….

sávings accòunt 저축 예금《《美》 '보통 예금', 《英》 '적립 정기 예금' 에 상당》.

sávings and lóan associàtion 《美》 저축 대출 조합《생략: S & L》.

sávings bànk 저축 은행.

sávings bònd 《美》 저축 채권.

***sav·ior,** 《英》 **-iour** [séivjər] *n.* **1** Ⓒ **구조자,** 구제자. **2** (the 〔our〕 S–) 구세주, 구주(救主)《예수》. ★ 2의 뜻으로는 《美》에서도 saviour로 쓰는 일이 많음.

sa·voir faire [sǽvwɑːrféər] *n.* 《F.》 Ⓤ (=to know how to do) 임기응변의 재치, 수완.

***sa·vor,** 《英》 **-vour** [séivər] *n.* **1** Ⓤ (또는 a ~) (특유한) **맛, 향기;** 풍미: This soup has a ~ *of* garlic. 이 수프는 마늘 맛이 난다. **2** Ⓤ (또는 a ~) 취향, 흥미, 재미, 묘미: Wit adds (a) ~ to conversation. 회화에는 재치가 묘미를 더해 준다. **3** (a ~) 기미, 느낌, 티: There was a slight ~ of insolence in his manner. 그의 태도에는 어딘지 모르게 거만한 티가 있었다.

—*vt.* (천천히) 맛보다, 완미(玩味)하다: I took a mouthful and ~*ed* the taste. 한 입 먹으면서 그 풍미를 천천히 맛보았다/We ~*ed* (the pleasures of) mountain life to the full. 우리는 산 생활(의 즐거움)을 만끽했다. —*vi.* 《+전+명》 맛이 나다; (보통 나쁜) 기미가 있다, 느낌이 들다 《***of*** …의》: This sauce ~*s of* lemon. 이 소스는 레몬 맛이 난다/His opinion ~*s of* dogmatism. 그의 의견은 일방적인 경향이 있다.

sa·vory[1] [séivəri] *n.* Ⓤ 〖식물〗 꿀풀과(科)의 식물《요리용; 유럽산(産)》.

sa·vory[2], 《英》 **-voury** [séivəri] (***-vor·i·er; -vori·est***) *a.* **1** 풍미 있는, 맛좋은; 향기로운: the ~ smell of roast beef 로스트비프의 맛좋은 냄새. **2** 〖보통 부정문〗《문어》 (도덕적으로) 건전한, (토지가) 쾌적한, (평판이) 좋은: a *not* very ~ district 별로 생활에 쾌적하지 않은 지역/His reputation is *not* very ~. 그의 평판은 그다지 좋지 못하다. **3** 《비유적》 기분 좋은, 재미있는. **4** (음식이) 매콤한, 짭짤한. —*n.* Ⓒ 《英》 (식전 식후의) 짭짤한 맛이 나는 요리, (식후의) 입가심. ㊞ **sá·vor·i·ly** *ad.* **-i·ness** *n.*

Sa·voy [səvɔ́i] *n.* **1** 사부아《프랑스 남동부 지방, 옛 공국》; 사보이 왕가(1861–1946)(의 사람). **2** (s–) Ⓒ (음식은 Ⓤ) 〖식물〗 양배추의 일종 (=~ **càbbage**).

Sa·vóy óperas (the ~) 사보이 오페라《영국의 Gilbert와 Sullivan의 합작으로 만든 일련의 희가극(喜歌劇)》.

sav·vy [sǽvi] 《속어》 *vi.* 알다, 이해하다: *Savvy?* 알겠느냐/No ~. 모르겠다. —*n.* Ⓤ 상식, 분별, 이해; 실제 지식; 임기응변. —*a.* 꾀바른, 사리를 이해한, 정통한, 약은, 경험 있고 박식한.

****saw**[1] [sɔː] *n.* Ⓒ **톱:** a power ~ 전동 톱/set the teeth of a ~ (갈아서) 톱날을 세우다.

— (**~*ed*; ~*n*** [sɔːn], 《드물게》 **~*ed***) *vt.* **1** 《~+목/+목+전+명/+목+부》 톱으로 켜다〔자르다〕 (*off; through; up*), 톱으로 켜서 쓰러뜨리다 (*down*); 톱으로 켜서 잘라내다《***off, from*** …에서》; 톱으로 켜서 만들다《***into*** …으로》: ~ boards 판자를 톱으로 켜다; (나무를 켜서) 판자를 만들다/~ a log *into* boards 통나무를 켜서 판자로 만들다/~ a branch *off* 가지를 톱으로 자르다/~ *up* a pile of wood 쌓아 놓은 나무를 (난로용으로) 잘게 자르다/~ a tree *through* 나무를 완전히 켜다/~ a tree *down* 나무를 톱으로 켜서 쓰러뜨리다. **2** 《+목+부/+목+전+명》 (톱질하듯이) 앞뒤로 움직이다; (현악기)를 연주하다: ~ *out* a tune *on* the violin (활을 앞뒤로 움직여) 바이올린으로 한 곡 켜다/~ one's arm back and forth 팔을 앞뒤로 흔들다〔움직이다〕.

—*vi.* **1** 톱질하다. **2** 〖양태부사를 수반하여〗 톱으로 켜지다: This wood does not ~ well. 이 나무는 톱이 잘 안 받는다. **3** 《+전+명》 (톱질하듯이) 손을 앞뒤로 움직여서 자르다〔켜다〕《***at, on*** …을》: ~ *at* a steak with a knife 나이프로 스테이크를 쓱쓱 자르다/He ~*ed* away dissonantly *on* his violin. 그는 서투른 솜씨로 바이올린을 마구 켜댔다.

saw[2] *n.* Ⓒ 속담(proverb), 격언《보통 old saw 또는 wise saw로서 쓰임》.

saw[3] SEE[1]의 과거.

sáw·bònes (*pl.* **~, ~·es**) *n.* Ⓒ 《속어》 외과의(醫).

sáw·bùck *n.* Ⓒ 《美》 =SAWHORSE; 《美속어》 10 달러 지폐.

°**sáw·dùst** *n.* Ⓤ 톱밥.

sáw·édged *a.* 톱니 모양 칼날의, 가장자리가 들쭉날쭉한.

sáwed-óff *a.* 《美》 **1** 한 끝을 (톱으로) 짧게 자른: a ~ gun 총신을 짧게 자른 갱(gangster)용 소총. **2** 《속어》 (사람이) 보통보다 키가 작은, 자그마한.

sáw·hòrse *n.* Ⓒ 톱질 모탕(bucksaw).

S

sáw lòg 톱으로 켜낼 원목.
sáw·mill *n.* Ⓒ 제재소; 대형 제재(製材)톱.
sawn [sɔːn] SAW¹의 과거분사.
sáwn-òff *a.* 《英》 =SAWED-OFF 1.
sáw·pìt *n.* Ⓒ 톱질하는 구덩이《두 사람이 위아래로 되어 톱질할 때 아래쪽 사람이 들어감》.
sáw-tòothed *a.* 톱니(모양)의, 들쭉날쭉한.
saw·yer [sɔ́ːjər] *n.* Ⓒ 톱장이《목재를 톱질하는 것을 직업으로 삼는 사람》.
sax [sæks] *n.* Ⓒ 《구어》 =SAXOPHONE.
sax·horn [sǽkshɔ̀ːrn] *n.* Ⓒ 【음악】 색스혼《벨기에 사람 Sax가 발명한 금관 악기》. ⓒⓕ saxophone.
sax·i·frage [sǽksəfridʒ] *n.* Ⓤ 【식물】 범의귀류(類).
Sax·on [sǽksən] *n.* **1** Ⓒ 색슨 사람; (the ~s) 색슨족《독일 북부 Elbe강 하구에 살고 있던 게르만족으로, 그 일부는 5-6세기에 영국을 정복했음》. **2** Ⓒ 앵글로색슨 사람(Anglo-~). **3** Ⓒ 영국 사람, 잉글랜드 사람(Englishman)《아일랜드 사람·웨일스 사람에 대하여》. **4** Ⓒ 작센 사람《독일 연방 Saxony 주의》. **5** Ⓤ (영어 본래의) 게르만어(語) 요소; 색슨 말; 앵글로색슨 말; (저지 독일어의) 작센 방언. ***plain*** ~ 간명한 영어.
—*a.* **1** 색슨 사람〔말〕의. **2** 작센(사람)의. **3** 영국의. ~ ***words*** (게르만어계의) 순수한 영어.
sax·o·phone [sǽksəfòun] *n.* Ⓒ 【음악】 색소폰《대형 목관 악기》. ⓟⓐ **sáx·o·phòn·ist** *n.*
†**say** [sei] (*p., pp.* ***said*** [sed]; 3인칭 단수 현재 직설법 ***says*** [sez]) *vt.* **1 a** 《~+목/+(전+명)+*that* 절/+*wh.* 절/+*wh.* *to* do/+목+전+명》 **말하다**, 이야기하다《***about, on*** …에 관하여; ***to*** (아무)에게》《★ 종종 (*to*+대명사)+인용문의 형태를 취하기도 함》: Who *said* that? 누가 그것을 말했는가/What do you expect me to ~ *to* you? 너는 내가 무슨 말을 해주기를 바라는가/I've nothing more to ~ (*to* you). 더 이상 말할 게 없네/What did he ~ next?—He *said* "Get out!" 다음에 그는 뭐라고 그랬지?—'나가라'고 했다/He *said* (*to* John) *that* little damage was caused. 그는 (존에게) 손해는 거의 없다고 말했다/She *said that* she lived alone with her mother. 그녀는 어머니와 단 둘이서 산다고 말했다/He *said to* me, "Thank you, sir." 그는 내게 '감사합니다'라고 말했다/~ a word 한마디 말하다/*Say what* you mean simply. 무슨 말인지 좀더 분명히 말해 주게/I cannot ~ *when* he'll come back. 그가 언제 돌아올지 모르겠다/I cannot ~ *which* way *to* go. 어느 길을 가야 좋을지 모르겠다/*Say* ah. 아아 해 봐《환자의 입을 벌리게 할 때》/Easier *said* than done. 《격언》 말하긴 쉽고 행하긴 어렵다, 말보다 실천/What did he ~ *about* the accident 〔*on* the subject〕? 그 사고〔문제〕에 관하여 그는 뭐라고 말했습니까/The less *said about* it the better. 《격언》 말은 적을수록 좋다/"Will he come?"—"I should 〔would〕 ~ so 〔not〕." 그가 올까요—물론 옵니다〔오지 않을 겁니다〕. 《★ 여기의 so, not는 앞글의 내용을 받아 주는 것으로 that절 대용》/You may well ~ so. 그렇게 말하는 것도 당연하다/So they ~. (자세히는 모르지만) 그렇다고 한다/He *said how* glorious the sunset was. 그는 석양이 굉장히 멋있었다고 했다. **b** 〖be said *to* do로〗 (…라고) 말하여진다: He's *said to* be dead. 그는 죽었다고 한다《★ It's *said* that he is dead.로 바꿔 쓸 수 있음》/He's *said to* have done it. 그가 그것을 했다고 한다《★ It's *said* that he did 〔has done〕 it.으로 바꿔 쓸 수 있음》.
2 (시계 따위가 때를) 가리키다: My watch ~*s* five past nine. 내 시계가 9시 5분을 가리키고 있다.
3 a 《+목+전+명》 (말 이외의 방법으로) 표현하다: *Say* it *with* flowers. 그 마음〔뜻〕을 꽃으로 (전하시오)《꽃집의 선전》. **b** 《+*wh.* 절/+*that.* 절》 (표정 따위가) 나타내다: Your face ~*s how* much you want it. 그것을 얼마나 원하는지 자네 얼굴에 씌어 있군/Her eyes *said that* she was happy. 그녀의 눈이 행복하다는 것을 드러냈다.
4 《+*that* 절》〖종종 인용문〗(신문·게시·편지·책 따위가) …라고 씌어져 있다; (책 따위에) 나 있다: The sign ~*s* "Danger". 그 표지판에는 '위험'이라고 씌어 있다/The Bible ~*s*, "Thou shalt not steal." 성서에 '도둑질하지 마라'라고 씌어 있다/The notice ~*s*, "No school on Tuesday." 게시문에 '화요일은 휴교'라고 나와 있다/The letter ~*s that* her mother is seriously ill. 편지에는 그녀의 어머니가 중병이라고 씌어 있다.
5 《+*that* 절》 (세상 사람들이) 전하다, 말하다, …라고(들) 하다, 평판(評判)하다: They ~ 〔It is *said*〕 *that* he is guilty. 그는 유죄라고 한다/They ~ *that* we're going to have a warmer winter this year. 금년 겨울은 따뜻할 것이라고 한다.
6 (기도문·시 등)을 외다; 암송하다; (성직자가 미사)를 올리다: ~ one's part 대사를 외다/*Say* your prayers. 기도문을 외시오/~ Mass 미사를 올리다.
7 《+*that* 절》〖명령법 또는 let's ~로〗 …으로 가정하여, …라고 한다면: Well, ~ it were true, what then? 그런데 그게 사실이라면 어찌 됩니까.
8 《+*to* do》 《구어》 …을 명하다〔지시하다〕, …하라고 말하다: He *said* (for me) *to* start at once. 그는 나에게 곧 출발하라고 말했다/It ~*s* on the prescription *to* take two pills after every meal. 처방전에 식후 두 알 복용하라고 지시하고 있다.
—*vi.* **1** 말하다, 지껄이다: It is just as you ~. 정말 자네 말대로다/I cannot ~. 모르겠다.
2 a 〖삽입구처럼 써서〗 이를테면, 아마도: She is, I'd ~, in her fifties. 그녀는 아마도 50대인 거다/Will you come to see me, ~, next Sunday? 나한테 놀러오지 않겠나, 이를테면 요번 일요일에라도. **b** 〖수사 예시하는 것 앞에 삽입적으로 써서〗 예를 들면, 말하자면; 약 …: Look at the map of a large city, ~ London or New York. 대도시, 예를 들면 런던이나 뉴욕의 지도를 보시오/You will have to pay some money on account, ~ 〔let's ~〕 five dollars. 착수금을 좀, 글쎄 5달러쯤 내야겠습니다.
3 〖부정문·의문문에서〗 의견을 말하다, 단언하다: I'd rather *not* ~. 나로서는 뭐라고 말 못하겠다.
4 《+전+명》〖It ... that 구문에서〗 (…라고) 씌어 있다《***in*** …에는》: *It* ~*s in* our contract that we get two week's summer vacation. 계약서에는 2주간의 여름 휴가가 있다고 씌어 있다.
5 a 〖감탄사처럼 또는 주의를 끌기 위해서〗《美구어》 이봐, 여보세요, 저어: *Say*, there! 여보세요. **b** 〖감탄 등을 나타내어〗 정말, 참으로: *Say*, that's a good idea! 정말 거 좋은 생각이다.
and so ~ all of us 그리고 그것이 모두의 의견이

S

기도 하다; 정말로 그렇습니다《대표자의 연설 따위에 찬동해서》. ***as much as to*** ~ (마치) …라고나 하려는 듯이. ***As you*** ~***!*** 말씀대로입니다. ***hear*** ~ 소문으로 듣다, …라는 풍문이다. ***How*** ~ ***you?*** (배심원에게) 판결을 청합니다. ***I dare*** ~. 아마 그럴겁니다. ***I mean to*** ~《구어》 더 정확하게 말하면, 즉. ***I'm not*** ~***ing.*** 질문에는 대답할 수 없습니다. ***I must*** ~ 〔문장 뜻을 강조하여〕 정말, 완전히. ***I*** ~. 《英》 ① 〔주의를 환기시켜〕 이봐, 여보세요: *I* ~, look at that girl over there. 이봐, 저기 있는 아가씨 좀 봐. ② 〔가벼운 놀람·분노·동정을 나타내어〕 아이구, 정말: *I* ~! What a surprise! 아이구, 깜짝이야. ***It goes without*** ~***ing that ....*** …(임)은 말할 것도 없다. ***It is not too much to*** ~ ***that ....*** …라고 해도 과언은 아니다. ***I wouldn't*** ~ ***no.*** 《英구어》 네네, 좋고 말고요, 기꺼이: Would you like some beer?—*I wouldn't* ~ *no.* 맥주 좀 드시겠습니까—좋고 말고요. ***I*** 〔***We***〕 ***would*** 〔《英》 ***should***〕 ~ =***I'd*** 〔***We'd***〕 ~ 《완곡어》 아마도 …일거다. ★문장 앞이나 뒤에 씀. ***let us*** ~ 이를테면; 글쎄…. ***Never*** ~ ***die!*** 낙담하지 마라, 기운내라. ***not to*** ~ …라고 할 정도는 아니고; …라고(까지)는 말 못하더라도: It's quite warm, *not to* ~ hot. 상당히 따뜻하군, 덥다고까지는 하지 않더라도. ~ ***a good word for*** ⇨WORD. ~ ***for oneself*** 변명하다, 핑계를 대다: He had nothing to ~ *for himself.* 그는 아무런 변명도 하지 않았다. ~ ***much for*** …을 크게 칭찬하다. ~ ***no*** '아니다'라고 말하다, 동의하지 않다《***to*** …에》. ~ ***on*** 《*vi.*+副》 〔보통 명령형으로〕 이야기를 계속하다《★ go on이 더 일반적》. ~ ***out*** 《*vt.*+副》 숨김없이 말하다, 털어놓다. ~ ***over*** 되풀이해 말하다. ~ ***the word*** 명령을 내리다. ~ ***to oneself*** 스스로 다짐하다, 혼잣말하다; 마음속에 생각하다. ~ ***what you like*** 네가 뭐라 말해도《내 결심은 변치 않는다》. ***Say when.*** 《구어》 〔보통 명령형으로〕 (상대에게 술 따위를 따를 때) 적당하다고 할 때 말하게: "*Say when.*"—"That's fine 〔enough〕." 얼마만큼인가—그거면 됐네〔충분하네〕. ~ ***yes*** 동의하다, 찬성하다《***to*** …에》. ***so to*** ~ 말하자면, 마치, 이를테면. ***that is to*** ~ 즉, 바꿔 말하면; 적어도. ***though I*** ~ ***it*** (***who*** 〔《구어》 ***as***〕 ***should not***) 나의 입으로 말하기는 쑥스럽지만. ***to*** ~ ***nothing of*** …은 말할 것도 없고, …은 물론《★ both ... and나 as well as 쪽이 일반적》: She can speak German and French, *to* ~ *nothing of* English. 그녀는 영어는 물론 독일어와 프랑스어도 말할 줄 안다. ***to*** ~ ***the least of it*** 대충 줄잡아 말해도. ***What do you*** ~ 〔《美구어》 ***What*** ~ ***you***〕 ***to ...?*** 〔권유를 나타내어〕 어떨까요《***to*** …은》《★ 부정사는 쓰이지 않음》: *What do you* ~ *to* a drink? 한잔 어떻소. ***When all is said*** (***and done***) 결국(은), 즉, 요컨대. ***Who shall I*** ~***, sir?*** (손님에게) 누구시라고 여쭐까요.

DIAL. ***Don't make me say it again!*** 몇 번씩 같은 말을 되풀이해야 되겠나.
(***I***) ***can't say that*** 〔***as***〕 ***I do.*** 유감스럽지만 (…아니다)《"No"라고 말할 때의 정중한 표현》.
I'll say! 그렇군, 과연, 정말: He's really unique.—*I'll say.* 그는 참 별난 사람이에요—정말입니다.
Say no more. 알았소, 내게 맡기세요《더 이상 말하지 마시오》.
Says who? 누가 그래《상대방의 말에 반발할 때 씀; 상대방은 Says me! (나야)라고 대답》.
Says you! 그건 네가 말했을 뿐이야(나는 관심 없어).
Say what? 뭐라고 하셨어요, 한 번 더 말해 주세요.
What can I say? ① 나로서는 한마디도 할 말이 없어. ② 네가 그렇게 말하기는 하지만.
What do you say? ① (아이를 타일러서) 그럴 때는 뭐라고 하지《★ Please, Thank you., Sorry. 등의 말을 가르칠 때 씀》: Dad, salt. —*What do you say* when you want salt? —Please pass me the salt, dad. 아빠 소금—소금을 달라고 할 때 뭐라고 말하지—아빠 소금 좀 집어 주세요. ② 야, 어떻게 지내니《스스럼없는 인사》.
Who can say? 아무도 예언할 수 없다《누가 알랴》.
You can say that again! =***You said it!*** 맞았어, 바로 그대로야: We have had a lot of rain this month.—*You can say that again!* 이 달에는 비가 많이 왔어—정말이야.
You don't say (***so***). 설마, 어떨까, 아무려니; 허, 그런가: I'm going to the Olympics.—*You don't say!* 올림픽 경기에 나갈 거야—허, 그런가.

—*n.* **1** 〔have 〔say〕 one's ~로〕 할 말; 주장, 의견: *Say* your ~ 하고 싶은 말을 털어놓으시오. **2** Ⓤ (또는 a ~) 발언권, 발언할 차례〔기회〕: It's your ~ now. 이번엔 네가 말할 차례다. **3** (the ~) (최후의) 결정권《***in, on, about*** …에 대한》: Who has the ~ *in* this matter? 이 일의 결정권은 누구에게 있느냐. 派 **∠·a·ble** *a.*

S.A.Y.E., SAYE 《英》 SAVE-AS-YOU-EARN.

say·ing** [séiiŋ] *n.* **1 a** Ⓤ **말하기**, 발언: ~ and doing 언행/He's better at ~ than at doing. 그는 실행보다 말을 잘 한다. **b** Ⓒ 한 말, 언설(言說): a collection of the ~s of great men 위인의 명언집. **2** Ⓒ **속담**, 격언; 전해 오는 말《that***》: An old ~ tells us *that* 〔According to an old ~,〕 haste makes wastes. 옛 격언에 조급히 굴면 일을 그르친다고 했다/There's an old ~ *that* time is money. 시간은 금이라는 옛 격언이 있다.
SYN. **saying** 격언, 속담의 뜻으로 아래의 모든 뜻을 포함한 가장 일반적인 말. 가장 두루 쓰이는 특색이 있음: as the *saying* goes 흔히 사람들이 말하듯이. **proverb** 거의 saying에 가깝지만 생활의 슬기를 구체적으로 말한 것이 많음. **adage** 예로부터 흔히 써 내려온 saying. **aphorism, epigram** 둘 다 간결한 표현. 독단적인 정의가 특색. aphorism은 그 요령의 좋음, epigram은 마음을 찌르는 것 같은 날카로움이 특색. **maxim** 처세의 지침이 될 만한 격언. **motto** 자신의 좌우명으로 삼은 maxim.

sáy-sò *n.* (*sing.*) 《구어》 **1** 〔보통 on a person's ~로〕 (독단적) 주장, (터무니없는) 발언: I cannot accept it just *on* your ~. 자네 말만으로 그것을 믿을 수는 없네. **2** 〔on the ~로〕 (권위 있는) 언명, 단정; 명령, 허가: *on the* ~ *of* medical specialists 의학 전문가의 언명에 의거하여.

Sb 〖화학〗 stibium 《L.》 (=antimony). **sb.** 〖문법〗 substantive. **S.B.** *Scientiae Baccalaureus* 《L.》 (=Bachelor of Science); simultaneous broadcasting; southbound. **s.b., sb**

〖야구〗 stolen base(s). **SBA, S.B.A.** 《美》 Small Business Administration (중소 기업청). **SBC** 〖컴퓨터〗 single board computer; small business computer. **SbE.**〔**W.**〕, **S.bE**〔**W**〕 South by East 〔West〕. **SBN** Standard Book Number (표준 도서 번호). **SC** Security Council (of the United Nations); 〖美우편〗 South Carolina. **Sc** 〖화학〗 scandium; 〖기상〗 stratocumulus. **Sc.** Scotch; Scotland; Scots; Scottish. **sc.** scene; science; scilicet; screw; scruple. **S.C.** 〖군사〗 Signal Corps; South Carolina; Supreme Court. **s.c.** self-contained; single column; small capitals.

scab [skæb] *n.* **1** Ⓒ (헌데 · 상처의) 딱지. **2** Ⓤ 옴, 개선(疥癬)(scabies), (양 등의) 피부병; 〖식물〗 (감자 등의) 반점병. **3** Ⓒ 《구어 · 경멸적》 노동 조합 비가입자《표준 임금보다 낮은 조건으로 일하는》; 파업을 깨뜨리는 사람. **—** (**-bb-**) *vi.* **1** (상처에) 딱지가 앉다(*over*): The wound *~bed over.* 상처에 딱지가 앉았다. **2** 《구어 · 경멸적》 비조합원으로 일하다; 파업을 깨뜨리다.

scab·bard [skǽbərd] *n.* Ⓒ (칼 따위의) 집(sheath); 《美》 권총집.

scab·by [skǽbi] (**-bi·er; -bi·est**) *a.* **1** 딱지가 있는; 옴〔반점병〕에 걸린. **2** 《구어》 경멸할 만한; 비열한.

sca·bi·es [skéibiiːz, -biːz] *n.* Ⓤ 〖의학 · 수의〗 개선(疥癬), 옴.

sca·bi·ous *n.* Ⓤ 〖식물〗 옴에 좋다는 초본《체꽃 · 망초 따위》.

scab·rous [skǽbrəs/skéi-] *a.* **1** (표면이) 꺼칠꺼칠〔우툴두툴〕한. **2** (문제 따위가) 골치 아픈, 까다로운. **3** (소설 따위가) 외설〔음란〕한.

scad[1] [skæd] *n.* 〖어류〗 전갱이의 일종.

scad[2], **skad** *n.* Ⓒ (보통 *pl.*) 《美구어》 많음, 거액(a lot, lots): a ~ *of* fish / *~s of* money.

◇**scaf·fold** [skǽfəld, -fould] *n.* **1** Ⓒ (공사장 따위의) 비계(scaffolding); (빌딩의 유리창을 닦을 때 쓰는) 밧줄에 매단 발판. **2** Ⓒ 단두대, 교수대; (the ~) (단두 · 교수에 의한) 사형: go to 〔mount〕 the ~ 교수대에 오르다, 사형에 처해지다 / send 〔bring〕 a person to the ~ 아무를 교수대에 보내다〔사형에 처하다〕. **—** *vt.* …에 비계를〔발판을〕 만들다.

scáf·fold·ing *n.* Ⓤ (공사장의) 비계, 발판; 《집합적》 비계 재료.

scag, skag [skæg] *n.* Ⓤ 《속어》 헤로인.

scal·a·ble [skéiləbəl] *a.* (산 따위에) 오를 수 있는.

sca·lar [skéilər] 〖물리 · 수학〗 *n.* Ⓒ 스칼라 《실수(實數)로 표시할 수 있는 수량》. ㉹ vector. **—** *a.* 스칼라의.

scal·a·wag, 《英》 **scal·la-** [skǽləwæ̀g] *n.* Ⓒ **1** 밥벌레, 무뢰한, 깡패(scamp). **2** 〖美역사〗 남북 전쟁 후 공화당에 가담한 남부의 백인《남부 민주당원의 경멸적 용어》.

scald [skɔːld] *n.* **1** Ⓒ (끓는 물 · 김에 의한) 뎀, 화상《★ 불에 데는 것은 burn》. **2** Ⓤ (과일이) 문드러져 상함.

— *vt.* **1** 데게 하다《*on, with* (끓는 물 · 김 따위)에》; 《~ oneself》 (끓는 물 · 김으로) 데다: be *~ed* to death 화상으로 죽다 / He *~ed himself with* boiling water. 그는 끓는 물에 데었다. **2** (기물(器物))을 끓는 물로 씻다〔소독하다〕(*out*): ~ (*out*) a vessel. **3** (과일 · 닭 따위)를 열탕 처리하다《껍질을 벗기거나 털을 뜯기 쉽게 하기 위하여》; (우유 따위)를 끓는점까지 데우다. **—** *vi.* (끓는 물 따위에) 데다. ***like a ~ed cat*** 《구어》 맹렬한 기세로.

scáld·ing *a.* 델 것 같은; (모래밭 등이) 타는 듯한; (비평 따위가) 통렬한: ~ tears (비탄의) 뜨거운 눈물 / The coffee was ~ hot. 커피가 델 정도로 뜨거웠다.

⁑**scale**[1] [skeil] *n.* **1** Ⓒ **눈금**, 저울눈; 척도; 자(ruler): the ~ of a clinical thermometer 체온계의 눈금. **2** Ⓒ (지도 따위의) 축척, 축척선(線); (축소 · 확대의) 비율: a map drawn to a ~ of ten miles to the inch, 10마일 1인치 축척에 의한 지도. **3** Ⓒ (임금 · 요금 · 세금 등의) 율(率); 등급표, 임금표: a ~ of taxation 세율. **4** Ⓤ (구체적으로는 Ⓒ) **규모**, 정도, 스케일: a plan of a large ~ 대규모의 계획 / on a large 〔small〕 ~ 대〔소〕규모로. **5** Ⓒ 계급(rank), 등급, 단계(gradation): rise in the social ~ 사회적인 지위가 오르다. **6** Ⓒ 〖음악〗 음계: a major 〔minor〕 ~ 장〔단〕음계 / chromatic 〔diatonic〕 ~ 반〔전〕음계. **7** Ⓒ 〖수학〗 …진법, 기수법(記數法): the decimal ~ 십진법. **8** Ⓒ 〖컴퓨터〗 눈금, 배율, 축척. ***out of*** ~ 일정한 척도에서 벗어나, 균형을 잃고《***with*** …와》. ***to*** ~ 일정한 비례〔비율〕로.

— *vt.* **1** (산 따위)에 올라가다; (사다리로) 오르다: ~ a wall with a 〔by〕 ladder 사다리로 벽을 오르다. **2** (지도 · 모형 따위)를 축척으로 그리다: ~ a map 지도를 축척하다. **3 a** 《+목+전+명》 조정하다《***to*** …에 맞추어》: ~ a production schedule *to* actual demand 실제 수요에 맞추어서 생산 계획을 세우다. **b** 《+목+부》 비율에 따라 감〔축소〕하다(*down*), 어떤 비율로 증가〔확대〕하다(*up*): Retail prices were *~d up* by 5 percent. 소매가격이 5%씩 올랐다. **4** 〖컴퓨터〗 기준화하다. **—** *vi.* 오르다.

⁑**scale**[2] *n.* **1** Ⓒ 천칭의 접시; (흔히 *pl.*) **천칭**; 저울: a pair of *~s* 천칭 / a beam ~ 대저울. **2** (the S–s) 〖천문〗 저울자리〔궁〕(Libra). **3** Ⓒ (종종 *pl.*) 《비유적》 가치 · 평가의 기준, (운명 · 가치를 결정하는) 저울.

tip 〔***tilt, turn***〕 ***the ~***(***s***) ① 《구어》 무게가 나가다《***at*** …의》: He *tips the ~s at* 60kg. 그는 체중이 60kg 나간다. ② 국면을〔형세를〕 일변시키다: The *~s* were turned in favor of…. 사태가 바뀌어 …이 유리해졌다.

— *vt.* 저울로 달다. **—** *vi.* 《+보》 무게가 나가다(weigh): It *~s* 10 tons. 그것은 무게가 10톤 나간다.

◇**scale**[3] *n.* **1** Ⓒ (어류 · 파충류의) 비늘; 비늘 모양의 것; 얇은 조각; 인편(鱗片); (피부병에 의한) 딱지; 〖식물〗 아린(芽鱗)《싹, 봉오리를 보호하는》, 인포(鱗苞); (갑옷의) 미늘. **2** Ⓤ (보일러 속에 끼는) 물때; 이똥; 치석(齒石)(tartar). **3** =SCALE INSECT; Ⓤ 개각충(介殼蟲) 병. ***remove the ~s from*** **a person*'s eyes*** 아무의 눈을 뜨게 하다, 잘못을 깨닫게 하다. ***The scales fell*** (***off***) ***from his eyes.*** 〖성서〗 그는 자신의 잘못을 깨달았다 《사도행전 IX: 18》.

— *vt.* **1** …에서 비늘을 벗기다; …의 껍질을 까다. **2** (페인트 따위)를 긁어내다(*off*). **3** (치석)을 깎아내다《***from*** (이)에서》: ~ tartar *from* the teeth 치석을 제거하다. **4** …에 물때가〔버캐 등이〕 앉게 하다: a heavily *~d* boiler 물때가 심하게 앉은 보일러. **—** *vi.* **1** (비늘 · 페인트 등이) 벗

겨져 떨어지다(*off; away*): The paint is *scaling off* (the door). (문의) 페인트가 벗겨져 가고 있다. **2** 물때〔버캐 따위〕가 끼다.

scále ìnsect 〖곤충〗 개각충(介殼蟲), 깍지진디(scale).

sca·lene [skeilíːn] *a.* 〖수학〗 (삼각형이) 부등변의: a ~ triangle 부등변 삼각형.

scáling làdder (옛날의) 공성(攻城) 사다리; 소방 사다리.

scal·lion [skǽljən] *n.* Ⓒ 《美》 〖식물〗 부추(leek); 골파.

scal·lop [skáləp, skǽl-/skɔ́l-] *n.* Ⓒ **1** 〖패류〗 가리비; 그 껍질(~ shell); 조개 냄비, 속이 얕은 냄비; (보통 *pl.*) 가리비의 관자《식용》. **2** (보통 *pl.*) 〖복식〗 스캘럽《가장자리 장식으로 쓰이는 부채꼴의 연속 무늬》. **—***vt.* **1** (패류·감자 따위)를 조개 냄비에 소스를 치고 빵가루를 뿌려 끓이다. **2** 부채 모양으로 하다; 〖자수〗 스캘럽으로 꾸미다.

scal·ly·wag [skǽliwæ̀g] *n.* =SCALAWAG 1.

scalp [skælp] *n.* Ⓒ **1** 두피(頭皮); (머리털이 붙은) 머릿가죽《특히 북아메리카 인디언이 적의 시체에서 벗겨내어 전리품으로 삼은》. **2** 전리품(trophy), 무용(武勇)의 징표. **—***vt.* **1** …의 머리가죽을 벗기다. **2** 《美구어》 (주식 등)을 사고 팔아 차익금을 남기고 팔다; (표)를 (매점한다든지 하여) 비싸게 팔다.

scal·pel [skǽlpəl] *n.* Ⓒ 외과용〔해부용〕 메스.

scálp·er *n.* Ⓒ 《美구어》 (주식 따위의 매매로) 차익금을 버는 사람; 암표상(ticket ~).

scaly [skéili] (*scal·i·er; -i·est*) *a.* 비늘이 있는; 비늘 모양의; 〖식물〗 인편(鱗片)이 있는; 비늘처럼 벗겨지는; 깍지진디가 꾀는; 물때가 끼는. ㊕ **scál·i·ness** *n.*

scam, skam [skæm] 《美속어》 *n.* Ⓒ (신용) 사기, 편취. **—**(*-mm-*) *vt.* 속이다, 편취하다. **—** *vi.* 애무하다, 새롱거리다, 성교하다《*on* …와》.

scamp[1] [skæmp] *n.* Ⓒ 《구어》 무뢰한, 깡패; (애칭으로서) 개구쟁이, 장난꾸러기; 말괄량이 처녀.

scamp[2] *vt.* (일을) 되는 대로 하다, 겉날리다; 게으름을 피우다(*over; off*). ㊕ **∠·er**[1] *n.*

scam·per[2] [skǽmpər] *vi.* (어린애·작은 동물 등이) 뛰어 돌아다니다, 뛰놀다(*about*); 당황해서 도망치다(*away*): ~ *about* 여기저기 뛰어 돌아다니다 / I saw a fox ~ into an earth. 나는 여우가 땅굴로 뛰어들어가는 것을 보았다.

—*n.* Ⓒ 뛰어다님: have a ~ (어린애·개 따위가) 뛰어다니다.

scam·pi [skǽmpi] (*pl.* ~) *n.* **1** Ⓒ 참새우. **2** Ⓤ (마늘로 맛을 낸) 새우튀김요리.

scan** [skæn] (*-nn-*) *vt.* **1** 눈여겨〔뚫어지게〕 보다: ~ a person's face 아무의 얼굴을 눈여겨〔뚫어지게〕 보다 / They ~*ned* the sky for the spacecraft. 그들은 그 우주선을 찾아보려고 하늘을 눈여겨 보았다. **2** 자세히〔세밀히〕 조사하다: I ~*ned* the wall for centipedes. 지네가 없는가 하여 담을 세밀히 살폈다. **3** (신문 등)을 대충 훑어보다: ~ the headlines 표제를 대강 훑어보다. **4** 〖TV〗 (영상)을 주사(走査)하다; (레이더나 소나로) 탐지하다; …의 방사능 탐사를 하다; 〖컴퓨터〗 (데이터 따위)를 주사(走査)〔스캔〕하다. **5** 〖의학〗 (인체)를 주사(走査)〔스캔〕하다. **—vi.* **1** 운율을 살피다; 운율〔운각〕이 맞다: This line doesn't ~. 이 행은 운율이 안 맞는다. **2** 훑어 읽다.

—*n.* (a ~) 눈여겨 보기; 정사(精査); 운율 살피기; 〖TV·통신·컴퓨터·의학〗 스캔, 주사(走査).

Scan(d). Scandinavia(n).

***scan·dal** [skǽndl] *n.* **1** Ⓤ (구체적으로는 Ⓒ) 추문, 스캔들, 의옥(疑獄), 독직〔부정〕 사건: Watergate ~ 워터게이트 사건. **2** Ⓒ **불명예**, 창피, 수치(disgrace): to the ~ of …에게 창피한 것은 / What a ~! 무슨 창피람 / Her conduct is a ~ to us. 그녀의 행위는 우리의 수치다. **3** Ⓒ (스캔들에 대한 세상의) 분개, 반감, 물의: cause 〔give rise to〕 a ~ 세상의 반감을 사다, 세간에 물의를 일으키다. **4** Ⓤ **악평**, 중상, 험구, 비방《*about* …에 대한》; 〖법률〗 (증인의) 비방, 중상적 주장: Everyone enjoys a bit of ~. 누구라도 조금은 남의 비방을 듣기 좋아한다 / talk ~ (*about*) (…을) 중상하다.

°**scan·dal·ize** [skǽndəlàiz] *vt.* 분개시키다, 괘씸한 생각이 들게 하다《★ 보통 수동태로 쓰며, 전치사는 *at, by*》: People *were* ~*d at* 〔*by*〕 the slovenly management of the company. 그 회사의 날림 경영에 사람들은 분개하였다.

scándal·mònger *n.* Ⓒ 험담꾼, 추문을 퍼뜨리는 사람.

°**scan·dal·ous** [skǽndələs] *a.* 소문이 나쁜; 수치스러운(shameful); 어처구니없는; 중상적인, 욕을 하는: ~ rumors 나쁜 소문 / ~ prices 어이없는 비싼 값 / ~ reports 중상적인 보도. ㊕ **~·ly** *ad.* **~·ness** *n.*

scándal shèet 《美》 추문·가십을 크게 다루는 신문〔잡지〕.

Scan·di·na·via [skæ̀ndənéiviə] *n.* 스칸디나비아 (반도)《스웨덴과 노르웨이》; 북유럽《스웨덴·노르웨이·덴마크, 때로는 아이슬란드와 그 부근의 섬을 포함함》.

Scan·di·na·vi·an [skæ̀ndənéiviən] *a.* 스칸디나비아의; 북유럽의; 스칸디나비아 사람〔어(語)〕의. **—***n.* Ⓒ 스칸디나비아 사람; Ⓤ 스칸디나비아어.

Scandinávian Península (the ~) 스칸디나비아 반도.

scan·di·um [skǽndiəm] *n.* Ⓤ 〖화학〗 스칸듐《희(稀)금속 원소; 기호 Sc; 번호 21》.

scán·ner *n.* Ⓒ scan하는 사람; 〖TV·통신〗 영상주사기(走査機); 〖의학〗 (인체의 내부를 조사하는) 스캐너.

scán·ning *n.* Ⓤ 정사(精査); 〖TV·통신〗 주사(走査); 〖의학〗 스캐닝, 주사법《복용한 방사성 물질의 체내에서의 동태를 관찰해 이상을 탐지함》.

scan·sion [skǽnʃən] *n.* Ⓤ (시의) 운율 분석.

°**scant** [skænt] *a.* **1** 불충분한, 부족한(deficient), 모자라는《*of, in* …이》: a ~ supply of water 물의 불충분한 공급 / be ~ *of* breath 〔money〕 숨을 헐떡이다〔돈에 궁하다〕 / This paper is ~ *in* documentation. 이 논문은 문헌에 의한 뒷받침이 부족하다. **2** Ⓐ 〖수량을 나타내는 말을 수식하여〗 (전체에) 좀 부족한, (…이) 채 안 되는: We had a ~ hour to pack. 우리는 짐 쌀 시간이 채 한 시간도 안 되었다.

scant·ies [skǽntiz] *n. pl.* 《구어》 (여성용) 짧은 팬티. [◂ *scant*+*panties*]

scant·ling [skǽntliŋ] *n.* **1** Ⓒ (서까래 따위에 쓰이는 5인치 각(角) 이하의 목재·석재의) 각재(角材), 켜낸 재목. **2** Ⓤ 〖집합적〗 작게 켜낸 각재류(角材類).

***scanty** [skǽnti] (*scant·i·er; -i·est*) *a.* (수·양·치수 따위가) **부족한**, 얼마 안 되는, 불충분한

(insufficient). ↔ *plentiful*, *ample*. ¶a ~ harvest 흉작/~ means 얼마 안 되는 자력/The rainfall is ~ this month. 이달 강수량은 부족하다. [파] **scánt·i·ly** *ad*. **-i·ness** *n*.

scape [skeip] *n*. [C] 〖식물〗 (뿌리에서 곧장 나오는) 꽃꼭지, 꽃줄기.

-scape [skèip] '경치'의 뜻의 결합사: land*scape*, sea*scape*, cloud*scape*.

scápe·gòat *n*. [C] **1** 〖성서〗 속죄양《사람의 죄를 대신 지고 광야에 버려진 양》. **2** 남의 죄를 대신 지는 사람, 희생자.

scápe·gràce *n*. [C] 성가신 놈, 밥벌레.

scap·u·la [skǽpjələ] (*pl*. **-lae** [-lìː, -lài], **~s**) *n*. 《L.》 [C] 〖해부〗 견갑골(肩胛骨), 어깨뼈(shoulder blade 〔bone〕).

scap·u·lar [skǽpjələr] *a*. 견갑골의; 어깨의.

***scar** [skɑːr] *n*. [C] **1** (창상·화상·부스럼 따위의) **상처 자국**, 흉터; (가구에 난) 상처: a vaccination ~ 우두 자국. **2** (전쟁 따위의) 상흔(傷痕), 할퀸 자국. **3** (마음·명성 등의) 상처: leave a ~ on one's good name 명성이 손상되다.
— (**-rr-**) *vt*. 《~+[목]/+[목]+[전]+[명]》 …에 상처를 남기다: a face ~*red with* sorrow 슬픈 상처가 남아 있는 얼굴. — *vi*. 《~/+[부]》 상처〔흉터〕를 남기다(*over*): The cut will ~ *over*. 그 벤 상처는 흉터가 남을 것이다. [파] **scarred** *a*. 흉터가 있는.

scar·ab [skǽrəb] *n*. [C] **1** 〖곤충〗 풍뎅이(=∠ **bèetle**). **2** 스카라베《고대 이집트의 신성시된 풍뎅이, 또 그 모양으로 조각한 보석·도기(陶器); 부적이나 장식품으로 썼음》. [◂*scarabaeus*]

Scar·a·mouch, -mouche [skǽrəmùːʃ, -màutʃ] *n*. [C] **1** (옛 이탈리아 희극의) 얼뜨기 어릿광대역(役). **2** (s-) 〖일반적〗 공연히 우쭐대는 겁쟁이; 망나니, 불량자(rascal, scamp[1]).

scarce** [skɛərs] *a*. **1 부족한**, 적은, 결핍한《*of* …이》: be ~ *of* provisions 식량이 부족하다/Money is ~. 돈이 부족하다. **2** 드문, 희귀한: a ~ book 진본(珍本). ◇scarcity *n*. ***make one***self*** **~** 《구어》 슬쩍 (나)가다, 자태를 감추다, 사라지다.

⁑**scarce·ly** [skɛ́ərsli] *ad*. **1 간신히**, 가까스로, 겨우. [cf.] hardly. ¶*Scarcely* ten people were present. 겨우 열 사람밖에 출석하지 않았다/He is ~ seventeen. 그는 겨우 17세가 될까말까 하다. **2** 〖can 따위를 수반하여〗 **거의 …아니다**; 설마 …하는 일은 없다: I *can* ~ see. 거의 안 보인다/He *can* ~ have done so. 아무려니 그가 그러한 짓을 안 했을 테죠. **3** 단연 …아니다: This is ~ the time for arguments! 지금은 토론하고 있을 때가 아니다.
~ *ever* 좀처럼 …않다. **~ *... when*** 〔***before, till***〕 …하자마자〔하기가 무섭게〕, …함과 거의 동시에: I had ~ said the word *when* he entered. 내가 그렇게 말하자마자 그가 들어왔다《★ *Scarcely* had I said ... 처럼 도치되는 경우도 있는데, 이는 문어적 표현임》.

***scar·ci·ty** [skɛ́ərsəti] *n*. **1** [U] (구체적으로는 [C]) **부족**(lack); 결핍: food ~ 식량 부족/a ~ *of* labor 노동력 부족. **2** [U] 드묾(rarity), 바닥남.

⁑**scare** [skɛər] *vt*. **1** 《~/+[목]/+[목]+[보]》 **위협하다**, 놀라게〔겁나게〕 하다: The sudden barking ~*d* him. 개가 갑자기 짖어 그는 놀랐다/The accident ~*d* them senseless. 그 사고로 그들은 기절할만큼 놀랐다. **2** 《+[목]+[전]+[명]/+[목]+[부]》 겁주어〔위협해〕 …시키다《***into*** …하게; ***out of*** …못하게》; 을러대어 쫓아버리다(*away; off*): They ~*d* him *into* sign*ing* the paper. 그들은 그를 위협하여 서류에 서명하게 했다/His threats ~*d* them *out of* carry*ing* out the plan. 그에게 위협당하여 그들은 그 계획의 실행을 중지했다/He ~*d* the salesman *away*. 그는 그 외판원을 위협해 쫓아버렸다. — *vi*. 겁내다, 놀라다: That horse ~*s* easily. 저 말은 잘 놀란다.
~ *at nothing* 아무 것도 아닌 일에 놀라다. **~ *the hell*** 〔***shit***〕 ***out of ...*** 《속어》 …을 몹시 겁나게〔위협〕하다. **~ *up*** 〔***out***〕 《*vt*.+[부]》 《美》 ① (숨어 있는 사냥 짐승)을 몰아내다; …을 밝혀〔들춰〕 내다. ② 《구어》 (자금 따위)를 긁어모으다《***from*** …에서》; (식사 따위)를 마련하다《***from*** (이것저것) 긁어모아》.
— *n*. **1** [C] (근거 없는 소문 따위로 인한) 소란, 소동, (사회적인) 공황(恐慌): a war ~ 전쟁의 불안, 전쟁 소동, 난리. **2** (a ~) (갑작스런) 공포, 겁먹음: give a person a ~ =throw a ~ into a person 아무를 깜짝 놀라게 하다.
— *a*. [A] 《구어》 놀라게〔두렵게〕 하는: a ~ headline 깜짝 놀라게 하는 신문 제목/a ~ story 공포에 싸이게 하는 이야기.

scáre·cròw *n*. [C] **1** 허수아비; 《구어》 초라한 사람, 여윈 사람. **2** 엄포, 헛위세.

scared** [skɛərd] *a*. 겁먹은《at, by*** …에》; 무서워하는《***of*** …을/***to*** do/***that***》: a ~ child 겁에 질린 아이/I was ~ *at* 〔*by*〕 the strange noise. 나는 이상한 소리에 겁이 났다/I'm ~ *of* snakes. 나는 뱀이 무섭다/She was ~ *to* cross the rickety bridge. 그녀는 흔들흔들하는 다리를 건너가기가 무서웠다/I was ~ (*that*) we'd run out of gas. 가솔린이 떨어질까봐 불안했다.

scared·y-cat [skɛ́ərdikæ̀t] *n*. [C] 《구어》 유난스러운 겁쟁이.

scáre·hèad, -hèadline, -hèading *n*. [C] 《美구어》 (신문의) 특대 표제《특종용》.

scáre·mònger *n*. [C] 세상을 시끄럽게 하는 사람, (전쟁·천재 등 위험의) 유언비어를 퍼뜨리는 사람.

scarf** [skɑːrf] (*pl*. **~s** [-fs], ***scarves [-vz]) *n*. [C] **1 스카프**, 목도리, 네카치프. **2** 《美》 (옷장·테이블·피아노 따위의) 덮개, 보《따위》.

scárf·skìn *n*. (the ~) (손톱 뿌리의) 표피.

scarf-wise [skɑ́ːrfwàiz] *ad*. 어깨에서 몸으로 비스듬히.

scar·i·fy[1] [skǽrəfài] *vt*. **1** 〖의학〗 난절(亂切)하다《종두 따위의 피부 절개》. **2** (밭·도로 따위)의 바닥을 파일 구다. **3** 혹평하다, 심하게 헐뜯다.

scar·i·fy[2] *vt*. 《구어》 무서워하게〔겁먹게〕 하다.

Scar·lat·ti [skɑːrlɑ́ːti/-lǽti; *It*. skarlátti] *n*. **Domenico** ~ 스칼라티《이탈리아의 작곡가; 1685–1757》.

***scar·let** [skɑ́ːrlit] *n*. [U] **1 주홍**, 진홍색. **2** 진홍색 옷《대주교·영국 고등 법원 판사·육군 장교 따위의》; 진홍색 옷감. — *a*. **1** 주홍의, 다〔진〕홍색의: turn ~ (with shame) (창피스러워) 얼굴이 새빨개지다. **2** 음란한: ⇨SCARLET WOMAN.

scárlet féver 〖의학〗 성홍열(猩紅熱).

scárlet pímpernel 〖식물〗 나도개별꽃.

scárlet rúnner 〖식물〗 붉은꽃강낭콩.

scárlet wóman 〔**whóre**〕 부정한〔바람기 있는〕 여자, 매춘부, 음녀(淫女).

scarp [skɑːrp] *n*. [C] 〖지학〗 (단층·침식에 의한) 급경사(면), 가파른 비탈.

scárp·er *vi*. 《英속어》 (특히 셈을 치르지 않고) 도망치다, 내빼다.

scár tìssue 〖의학〗 반흔(瘢痕) 조직.

scarves [skɑːrvz] *n*. SCARF의 복수.

scary [skέəri] (***scar·i·er; -i·est***) *a*. 《구어》 **1** 무서운, 두려운. **2** 잘 놀라는, 겁 많은; 두려워하는. ㊕ **scár·i·ly** *ad*. **-i·ness** *n*.

scat[1] [skæt] *vi*. 〖보통 명령형〗《구어》 서둘러 가다: *Scat!* (달라붙는 개·고양이 따위에게) 저리가, 쉿.

scat[2] *n*. Ⓤ 〖재즈〗 무의미한 음절을 반복〔삽입〕하는 노래〔창법〕. ── **(-tt-)** *vi*. ~를 부르다.

scath·ing [skéiðiŋ] *a*. **1** 냉혹한, 가차없는, 통렬한《비평·조소 따위》. **2** Ⓟ 엄격한, 비판적인《***about*** …에》: The paper is ~ *about* the new product. 그 보고서는 새 제품에 비판적이다. ㊕ **~·ly** *ad*.

sca·tol·o·gy [skætálədʒi/-tɔ́l-] *n*. Ⓤ **1** (화석의) 분석학(糞石學); 〖의학〗 분변학(糞便學); 분변(에 의한) 진단. **2** 배설물에 관한 외설. ㊕ **scat·o·log·ic, -lóg·i·cal** [skæ̀təládʒik/-lɔ́dʒ-], [-kəl] *a*.

⁑**scat·ter** [skǽtər] *vt*. **1 a** 《~+目/+目+副》 뿌리다, **흩뿌리다**; (돈)을 낭비하다(*about; around; round*): ~ seeds 씨를 뿌리다/He's ~*ing* his money *about*. 그는 돈을 뿌리고 다닌다〔낭비하고 있다〕. **b** 《+目+前+名》 흩뜨려 놓다《***about, around, round*** …에》: ~ clothes *about* the house 집안 여기저기에 옷을 벗어놓다. **c** 《+目+前+名》 흩뜨리다, 산재(散在)시키다《***with*** …을; ***on, over*** (장소 따위)에》: ~ gravel *on* the road =~ the road *with* gravel 도로에 자갈을 (흩뜨려) 깔다/ ~ a book *with* anecdotes 책의 여기저기에 일화를 삽입하다.

SYN. **scatter** 흩뿌리다. 흩어진 것이 눈에 보이거나 또는 어수선한 상태인 것을 시사함. **disperse** 떼지어 있던 것을 흩어지게 하다. 분산된 결과에는 중점을 안 둠. **dissipate** 분산된 결과 사라지다, 흩어져 없어지다. **distribute** 주위에 고루 뿌리다, 살포하다, 도르다. **sprinkle** 물 따위를 물방울로 하여 뿌리다.

2 (군중·구름 따위)를 **흩어지게 하다**: The police ~*ed* the crowd. 경찰은 군중을 해산시켰다.

── *vi*. **뿔뿔이 되다, 흩어지다.**

── *n*. **1** Ⓤ 흩뿌리기; 흩뿌려진 상태. **2** (a ~) 흩뿌려진 정도의 수〔양〕, 소수, 소량《***of*** …의》: a ~ *of* rain 부슬부슬 내리는 비.

scátter·bràin *n*. Ⓒ 《구어》 머리가 산만한 사람; 차분하지 못한 사람.

scátter·bràined *a*. 침착하지 못한, 머리가 산만한.

scátter cùshion (소파용) 쿠션.

scát·tered *a*. 뿔뿔이 된, 따로따로 떨어진, 산재한, 흐트러진, 드문드문한; 산발적인: ~ hamlets 산재해 있는 작은 마을/It will be cloudy today, with ~ showers in the afternoon. 오늘은 구름이 끼고, 오후에는 가끔 소나기가 오겠습니다.

scát·ter·ing [-riŋ] *a*. 드문드문 있는, 뿔뿔이 흩어진, 산발적인, 분산된. ── *n*. **1** Ⓤ 분산; 산재. **2** (a ~) 흩뿌려진 정도의 수〔양〕, 소량, 소수《***of*** …의》: have a ~ *of* visitors 방문객이 드문드문 있다. ㊕ **~·ly** *ad*. 분산되어, 뿔뿔이.

scátter·shòt *a*. Ⓐ 《美》 난사(亂射)의, 닥치는 대로의, 무차별한.

scat·ty [skǽti] (***-ti·er; -ti·est***) *a*. 《英구어》 덜떨어진, 까불거리고 산만한, 미덥지 못한.

scáup (dùck) [skɔ́ːp(-)] *n*. Ⓒ 〖조류〗 검은머리 흰죽지류.

scav·enge [skǽvəndʒ] *vt*. **1** (거리)를 청소하다. **2** (재활용이 가능한 것)을 폐기물 중에서 가려내 모으다〔수집하다〕. **3** (내연 기관·엔진)을 청소〔배기〕하다. ── *vi*. **1** 찾아다니다《***for*** (이용 가능한 것)을》. **2** (동물이) 찾아 먹다《***on*** (썩은 음식 찌끼 따위)를》. **3** 〖컴퓨터〗 불필요한 데이터(garbage)에서 비밀을 찾아내려 하다.

scáv·en·ger *n*. Ⓒ **1** 썩은 고기를 먹는 동물. **2** 넝마주이; 폐품 수집자.

sce·nar·io [sinέəriòu, -nɑ́ːr-] (*pl*. ***-i·os***) *n*. 《It.》 Ⓒ 〖연극〗 극본; 〖영화〗 시나리오, 영화 각본(screenplay), 촬영 대본(shooting script); (계획·예정의) 개요, 초안.

sce·nar·ist [sinέərist, -nɑ́ːr-] *n*. Ⓒ 영화 각본가, 시나리오 작가.

⁑**scene** [siːn] *n*. **1** Ⓒ **a** (영화·TV 등의 특정) **장면, 신**: a love ~ 연애 장면/the ghost ~ in "Hamlet" '햄릿'의 유령이 나오는 장면. **b** (흔히 *pl*.) (연극·영화 등의) **무대면**, 배경, 무대 장치, 그림으로 그린 배경: shift the ~*s* 배경을〔무대 장치를〕 바꾸다/paint ~*s* 배경을 그리다.

2 Ⓒ **a** (무대면을 연상하게 하는) **경치, 풍경**, 광경. SYN. ⇨VIEW. ¶photographs of street ~*s* 거리 풍경을 찍은 사진. **b** (사회의) **정세, 정황**: the American ~ 미국적 정경《미국의 정치·사회 정세 등》.

3 Ⓒ (the ~) (사건·이야기 등의) **현장**, 장면, 무대; (눈에 어리는) 정경: the ~ *of* an accident 사고 현장/The police arrived quickly on the ~. 경찰이 곧 현장에 도착했다/The ~ *of* this story is laid in Paris. 이 이야기의 무대는 파리다.

4 Ⓒ (연극·영화의 정경을 상기시키는) 사건: A distressing ~ occurred. 참혹한 사건이 생겼다.

5 Ⓒ (극의 막(act)을 이루는) 장《생략: sc.》: Act Ⅲ, *Scene* ii 제3막 제2장《★ act three, scene two라고 읽음》.

6 a (the ~) 《구어》 (…의) 활동 장면, …계(界): the film ~ 영화계. **b** (one's ~) 〖부정문〗《구어》 흥미의 대상, 기호: It's *not* my ~. 그것은 내 취미에 맞지 않는다.

7 Ⓒ 《구어》 큰 소동, 추태: His old girlfriend made a ~ at his wedding. 그의 옛날 여자친구가 그의 결혼식에서 (울고불고) 큰 소동을 벌였다.

◇scenic *a*.

behind the ~s 무대 뒤〔막후〕에서; 이면 사정〔내막〕에 밝아; 남몰래. ***come*** 〔***appear, arrive***〕 ***on the ~*** 무대에 등장하다; 《비유적》 나타나다. ***quit the ~*** 퇴장하다; 죽다. ***set the ~*** 준비를 하다; 무대를 설정하다《***for*** …에 대한》. ***steal the ~*** (예상 밖의 사람이) 인기를 차지하다.

scéne pàinter (무대의) 배경 화가; 풍경 화가.

⁑**scen·ery** [síːnəri] *n*. Ⓤ 〖집합적〗 **1** (연극의) **무대 장면**, 배경, (무대의) 장치. **2** (한 지방 전체의) **풍경**, 경치: natural ~ 자연 풍경/mountain ~ 산 경치.

scéne·shìfter *n*. Ⓒ (연극의) 무대 장치 담당자.

scéne-stèaler *n*. Ⓒ 《구어》 주역보다 더 인기 있는 (조연) 배우; (중심 인물이 아닌데) 대성공을 거둔 사람.

°**sce·nic** [síːnik, sén-] *a*. **1** 경치의; 경치가 좋은: ~ beauty 풍경의 아름다움/a ~ zone 풍치지구. **2** 무대의, 배경의; 무대 장치의: ~ effects 무대 효과/a ~ artist (무대의) 배경 화가. **3** 극적

인, 연극 같은. **4** (그림 · 조각 따위가) 장면을 묘사한. ㊔ **scé·ni·cal·ly** *ad*.

scénic ráilway (유원지 따위의) 꼬마 철도.

⁑**scent** [sent] *n*. **1** Ⓒ **냄새**; (특히 좋은) **향기**, 향내. SYN. ⇨SMELL. ¶a sweet ~ 달콤한 냄새/the ~ of lilac 라일락의 향기. **2** (a ~) (사냥개의) 후각(嗅覺); (사람의) 센스, 직감력(nose)《**for** …에 대한》; 낌새《**of** …의》: have no ~ *for* …에 대한 센스가 무디다/catch a ~ *of* danger 위험한 낌새를 채다. **3** Ⓒ (보통 *sing*.) (짐승 따위의) 냄새 자취; (수사의) 단서: a cold 〔hot〕 ~ 희미한〔강한〕 냄새 자취/lose the ~ 냄새 자취를 놓치다; 단서를 잃다. **4** Ⓤ《英》향수(perfume).
on the ~ 냄새맡고, 단서를 잡아: They were *on the* ~ of a new plot. 그들은 새 음모를 감지하였다. ***put*** 〔***throw***〕 a person ***off the ~*** =***put*** a person ***on the*** 〔***a***〕 ***wrong*** 〔***false***〕 ***~*** 아무를 따돌리다〔헷갈리게 하다, 혼란시키다〕.
— *vt*. **1** 《~+목/+목+부》 냄새를 맡다; …의 냄새를 맡아내다(*out*): ~ *out* a fox. **2** 《~+목/+*that* 절》《비유적》 (비밀 등)의 냄새를 맡다, …을 눈치채다; 의심하기 시작하다; (위험 따위)를 감지하다: ~ danger 위험을 감지하다/He ~*ed that* trouble was brewing. 그는 귀찮은 일이 일어나고 있음을 감지했다. **3** …의 냄새를 풍기다; …에 향수를 뿌리다: ~ spring in the air 부는 바람에 봄이 다가옴을 느끼다.
— *vi*. 《(+부)+전+명》 냄새를 따라 추적하다 (*about*)《***after*** …을》: Dogs ~*ed* (*about*) *after* game. 개들은 냄새를 (여기저기) 맡으며 사냥감을 추적했다.

scént bàg 향주머니; 짐승의 향선(香腺).

(-)scént·ed [-id] *a*. 향수가 든, 향수를 바른, 향기로운; 〖합성어로〗 …냄새가 있는; 후각이 …한: keen-~ 후각이 예민한.

scént·less *a*. **1** 향기〔냄새〕 없는. **2** 후각이 없는, 냄새를 못 맡는. **3** (사냥에서) 냄새 자취가 없어진.

scep·ter, 《英》 **-tre** [séptər] *n*. **1** Ⓒ (제왕의) 홀(笏). **2** (the ~) 왕권, 왕위; 주권: lay down the ~ 왕위를 물러나다/sway 〔wield〕 the ~ 군림〔지배〕하다.

sceptic 《英》 ⇨SKEPTIC.

sceptical 《英》 ⇨SKEPTICAL.

scepticism 《英》 ⇨SKEPTICISM.

sch. scholar; school.

⁑**sched·ule** [skédʒu(:)l/ʃédju:l] *n*. Ⓒ **1** 《美》 **시간표**(timetable): a train ~ 열차 시각〔발착〕표. **2 예정(표)**, 스케줄, 일정: my ~ for tomorrow 나의 내일 일정/a heavy ~ 매우 분주한 일정. **3** 표(list), 일람표; 목록; (본표에 딸린) 별표, 부속 명세서; 부칙: a ~ of price 정가표. (***according***) ***to ~*** 예정대로; 예정에 의하면. ***behind*** 〔***ahead of***〕 ***~*** 예정 시간보다 늦게〔앞서〕. ***on ~*** 시간(표)〔예정〕대로, 정시에.
— *vt*. **1** 《+목+전+명/+목+*to* do》 〖종종 수동태〗 **예정하다**《**for** (특정 일시)에》: The meeting *is* ~*d for* Sunday. 회합은 일요일로 예정되어 있다/I *am* ~*d to* leave here tomorrow. 내일 여기를 떠날 예정이다. **2** …의 표〔일람표, 목록, 명세서〕를 만들다〔작성하다〕; …을 예정(표)에 넣다: The bus company has ~*d* six special buses for hikers. 버스 회사는 도보여행자를 위하여 임시 버스 6대를 예정해 놓았다.

schéduled flíght 〖항공〗 정기편(定期便).

Sche·her·a·za·de [ʃəhèrəzá:də, -hìər-] *n*. 셰에라자드《'천일야화'를 이야기한 술탄의 왕비》.

sche·ma [skí:mə] (*pl*. **~·ta** [-tə]) *n*. Ⓒ 윤곽, 개요; 도해, 도표, 도식.

sche·mat·ic [ski(:)mǽtik] *a*. 개요의; 도해의, 도식적인. ㊔ **-i·cal·ly** *ad*.

sche·ma·tize, -tise [skí:mətàiz] *vt*. 도식화하다.

⁑**scheme** [ski:m] *n*. Ⓒ **1 계획**, 기획, 설계, 안《**for** …을 위한》: adopt a ~ 계획을 채택하다/a ~ *for* building a new highway 새 간선도로의 건설 계획. SYN. ⇨PLAN. **2** 획책, 책략, 음모《**to** do》: Their ~ *to* evade taxes was very crafty. 그들의 탈세 계책은 아주 교활했다. **3** 조직, 기구, 체계; 배합, 구성. **4** 《美》 일람표, 분류표.
— *vt*. 《~+목/+목+부/+*to* do》 계획〔설계, 안출〕하다(*out*): ~ (*out*) a new airline 새 항공 노선을 계획하다/They ~*d to* overthrow the Cabinet. 그들은 내각 타도의 음모를 꾸몄다. — *vi*. 《+전+명》 계획을 세우다; 음모를 꾸미다, 책동하다《**for** …에 찬성하여; ***against*** …에 반대하여》: ~ *for* power 권력 장악을 꾀하다.

schém·er *n*. Ⓒ 계획〔입안〕자; 《특히》 음모가, 책사(策士).

schém·ing *a*. 계획적인, 책동적인, 교활한. ㊔ **~·ly** *ad*.

sche·moz·zle, she- [ʃimázl/-mɔ́z-] *n*. Ⓒ (보통 *sing*.) 옥신각신, 대소동, 싸움, 다툼.

scher·zo [skέərtsou] (*pl*. **~s, -zi** [-tsi:]) *n*. 《It.》 Ⓒ 〖음악〗 스케르초《경쾌하고 해학적인 곡》.

Schil·ler [ʃílər] *n*. **Johann Friedrich von ~** 실러《독일의 시인 · 극작가; 1759–1805》.

schil·ling [ʃíliŋ] *n*. Ⓒ 실링《(1) 오스트리아의 화폐 단위; 기호 S; =100 groschen. (2) 독일의 옛 화폐》.

schism [sízəm, skíz-] *n*. Ⓤ (구체적으로는 Ⓒ) (단체의) 분리, 분열; (특히 교회 · 종파의) 분립, 분파.

schis·mat·ic, -i·cal [sizmǽtik, skiz-], [-əl] *n*. Ⓒ 종파 분리론자; 분리〔분파〕자.

schist [ʃist] *n*. Ⓤ 〖지질〗 편암(片岩).

schizo [skítsou] (*pl*. **schíz·os**) *n*. Ⓒ 《구어》 정신 분열증 환자(schizophrenic).

schiz·oid [skítsɔid] 〖의학〗 *a*. 정신 분열병의 〔같은〕, 분열병질의. —*n*. Ⓒ 분열병질인 사람. [◂ *schizo*phrenia+*-oid*]

schiz·o·phre·nia [skìzəfrí:niə, -tsə-] *n*. Ⓤ 〖의학〗 정신 분열병〔증〕. ㊔ **schìz·o·phrén·ic** [-frénik] *a*., *n*. Ⓒ 정신 분열병의 (환자). **-cal·ly** [-kəli] *ad*.

schlep(p), shlep(p) [ʃlep] (**-pp-**) 《美속어》 *vt*. 억지로〔힘들여〕 나르다. — *vi*. 느릿느릿 움직이다. — *n*. Ⓒ **1** 무능한〔게으른〕 사람. **2** 지루한 일〔여행〕.

schlock, shlock [ʃlak/ʃlɔk] *a*., *n*. Ⓤ 《美속어》 싸구려〔하찮은〕 (것).

s(c)hmal(t)z [ʃma:lts, ʃmɔ:lts] *n*. Ⓤ 《美구어》 (노래 · 방송극 등의) 극단적인 감상주의. ㊔ **∠·y** *a*.

schmo(e), shmo(e) [ʃmou] *n*. Ⓒ 《美속어》 얼간이, 바보.

schmoos(e), schmooze [ʃmu:z] *n*. Ⓒ, *vi*. 《美속어》 수다(떨다), 잡담(하다).

schmuck [ʃmʌk] *n*. Ⓒ 《美속어》 얼간이, 비열한 놈, 시시한 놈.

schnap(p)s, shnaps [ʃnæps, ʃna:ps] *n*.

Ⓤ (낱개는 Ⓒ) 네덜란드 진《술》.

schnau·zer [ʃnáutsər, -zər] *n.* Ⓒ (때로 S-) 슈나우처《독일산(産) 테리어 개》.

schnit·zel [ʃnítsəl] *n.* Ⓒ (요리는 Ⓤ) (보통 송아지 고기의) 커틀릿.

schnook [ʃnuk] *n.* Ⓒ 《美속어》 얼간이, 잘 속는 사람, 멍텅구리.

schnor·kel, -kle [ʃnɔ́ːrkəl] *n.* =SNORKEL.

schnoz [ʃnɑz/ʃnɔz] *n.* =SCHNOZZLE.

schnoz·zle [ʃnɑ́zəl/ʃnɔ́zəl] *n.* Ⓒ 《美속어》 (큰) 코.

‡**schol·ar** [skɑ́lər/skɔ́l-] *n.* Ⓒ **1 학자**《주로 인문계 학자; 이과계 학자는 scientist를 흔히 씀》; 《특히》 고전학자. **2** 《구어》 학식이 있는 사람: I am no ~. 배운 것은 별로 없습니다/He is a good German ~. 그는 독일어에 능숙하다/He is an apt 〔a dull〕 ~. 그는 이해가 빠르다〔느리다〕. **3** 장학생, 특대생. **4** 〖수식어 뒤에서〗 학생; 학습자: a dull 〔poor〕 ~ 성적이 나쁜 학생. SYN. ⇨PUPIL.

°**schól·ar·ly** *a.* **1** 학자다운. **2** 학술적인: a ~ work 학술적인 저작. **3** 학구적인.

‡**schol·ar·ship** [skɑ́lərʃìp/skɔ́l-] *n.* **1** Ⓤ 학문, (특히 고전의) **학식**, 박학. SYN. ⇨LEARNING. **2** Ⓒ **장학금**, 육영자금: a ~ association 육영회/receive 〔win〕 a ~ 장학금을 받다〔획득하다〕/study on a Fulbright *Scholarship* 풀브라이트장학금으로 공부하다.

scho·las·tic [skəlǽstik] *a.* **1** Ⓐ 학교〔대학〕의; 학교 교육의: a ~ year 학년/the ~ profession 교직/~ attainments 〔achievements〕 학업 성적, 학식/a student with a poor ~ record 학업 성적이 나쁜 학생. **2** 학자의, 학문적인: ~ life 학구적인 생활. **3** 학자연하는, 현학적인. **4** (종종 S-) Ⓐ 스콜라철학의. **—***n.* **1** Ⓒ (종종 S-) 스콜라 철학자. **2** 현학자(衒學者); 학자연하는 사람. ㊕ **-ti·cal·ly** *ad.*

scho·las·ti·cism [skəlǽstəsìzəm] *n.* (종종 S-) Ⓤ 스콜라철학.

†**school**[1] [skuːl] *n.* **1** Ⓒ (시설·교사(校舍) 등의) **학교**《★ 보통은 초·중·고의 학교를 가리키지만 미국에서는 대학도 school이라고 하는 경우가 있음》: build a new ~ 새 학교를 세우다/keep 〔run〕 a ~ (사립) 학교를 경영하다/teach in a ~ 학교에서 가르치다/⇨NURSERY SCHOOL, PRIMARY SCHOOL, etc.

2 Ⓤ (학교 교육을 뜻하는) **학교**, 취학(就學)《★ 관사 없이》: start ~ 학교로 들어가다, 취학하다/finish ~ 학교를 마치다, 졸업하다/leave ~ 졸업〔퇴학〕하다/teach ~ 교편을 잡다/send 〔put〕 a child to ~ 아이를 학교에 입학시키다, 취학시키다/His son is old enough for ~. 그의 아들은 취학할 나이이다/He's still in 〔at〕 ~. 그는 아직도 학교에 다닌다.

3 Ⓤ **수업**; 수업이 있는 날《★ 관사 없이》: after ~ 방과 후에/be late for ~ 학교에 지각하다/There's no ~ today. 오늘은 수업이 없다/*School* begins at 8:30. 수업은 여덟 시 반에 시작된다/Do you go to ~ on foot or by bus?—I walk. 학교에 도보로 가니, 버스 타고 가니.—걸어가요.

4 (the ~) 〖집합적; 단·복수취급〗 전교 학생(과 교직원): The new teacher was liked by the whole ~. 새로 부임한 선생님은 전교 학생들이 좋아했다.

5 Ⓒ **a** 〖보통 복합어〗 (특별한 기능을 가르치는) 학교, 양성〔교습, 강습〕소, 연구소: a beauticians' ~ 미용학원/a finishing ~ 신부학교/a trade 〔vocational〕 ~ 직업 훈련소/a driving ~ 자동차 운전 학원. **b** (경험·수련의) 도장, 수련장: the ~ of adversity 역경의 시련장.

6 Ⓒ **a** (대학의) **학부**, (대학원급의) 전문학부; 대학원: the Yale Law *School* =the Yale *School* of Law 예일 대학 법학부(대학원)/a graduate ~ 대학원. **b** 그 건물, 교사(校舍).

7 Ⓒ (학문·예술 등의) **파**, 학파, 유파(流派): the ~ of Plato 플라톤 학파/the classical ~ (예술의) 고전파.

8 Ⓒ (생활 따위의) 격식: a gentleman of the old ~ 구식의 신사.

go to* ~** 학교에 다니다, 등교하다; 취학하다. ***of the old* ~** 구식의; 오랜 전통을 지키는. ***out of* ~** 학교를 나와, 졸업하여. **~ *of thought 생각〔의견〕을 같이하는 사람들, 학파, 유파.

—*a.* Ⓐ 학교(교육)의〔에 관한〕: a ~ library 학교 도서관/~ things 학용품/a ~ cap 학생모.

—*vt.* **1** 《~+목/+목+전+명/+목+*to* do》 가르치다, 훈련〔단련〕하다《*in, to* …을》: ~ a horse 말을 조련(調練)하다/He's well *~ed in* languages. 그는 외국어에 능숙하다/~ oneself *to* 〔*in*〕 patience 인내력을 기르다/*School* yourself *to* control your temper. 뺏성〔역정〕을 참을 수 있도록 수양하여라. **2** …을 교육하다, …에게 학교 교육을 받게 하다: He was *~ed* by adversity. 그는 역경을 통해서 여러 가지를 배웠다.

school[2] *n.* Ⓒ (물고기 따위의) 무리, 떼: a ~ *of* mackerel 고등어 떼/in *~s* 떼지어. **—***vi.* (물고기 따위가) 떼를 짓다, 떼를 이루어 나아가다.

schóol àge 취학 연령; 의무 교육 연한.

schóol bòard 《美》 교육 위원회.

schóol·bòok *n.* Ⓒ 교과서.

‡**school·boy** [skúːlbɔ̀i] *n.* Ⓒ **남학생**《초등학교·중학교·고등학교의》.

schóol bùs 통학 버스.

schóol·chìld (*pl.* ***-children***) *n.* Ⓒ 학동.

schóol dày 1 수업일; (하루의) 수업 시간. **2** (one's ~s) 학교〔학생〕 시절.

schóol dìstrict 《美》 학군(구).

schóol·fèllow *n.* Ⓒ 동창생, 학우(學友)(schoolmate).

‡**school·girl** [skúːlgə̀ːrl] *n.* Ⓒ **여학생**《초등학교·중학교·고등학교의》.

***school·house** [skúːlhàus] *n.* Ⓒ (특히 시골 초등학교의 작은) **교사**(校舍); 《英》 (초등학교 부속의) 교원 주택.

schóol·ing *n.* Ⓤ **1** 학교 교육; (통신 교육의) 교실 수업. **2** 학비, 교육비. **3** (말의) 조련(調練).

schóol·lèaver *n.* Ⓒ 《英》 (의무 교육의) 새 졸업생.

schóol·mà'am, -màrm [-mɑ̀m, -mæ̀m], [-mɑ̀ːrm] *n.* Ⓒ 《美구어》 (고루한) 여교사. ㊕ **~·ish** *a.* 《구어》 엄격하고 잔소리가 많은.

schóol·man [-mən, -mæ̀n] (*pl.* ***-men*** [-mən, -mèn]) *n.* Ⓒ (종종 S-) 스콜라 신학자〔철학자〕.

***school·mas·ter** [skúːlmæ̀stər, -mɑ̀ːs-] *n.* Ⓒ 《英》 (초등·중등·고등학교의) **남자 교사**; 교장.

schóol·màte *n.* Ⓒ 교우, 동창생.

***school·mis·tress** [skúːlmìstris] *n.* Ⓒ 《英》 (초등·중등·고등학교의) **여교사**; 여교장.

schóol repòrt 《英》 성적〔생활〕 통지표(《美》 report card).

schóol·ròom *n.* Ⓒ (학교) 교실《classroom 이 일반적》.

***school·teach·er** [skúːltìːtʃər] *n.* Ⓒ **교사**, 학교 선생《초등·중등·고등학교의》.

schóol·tìme *n.* **1** Ⓤ 수업 시간. **2** Ⓒ (보통 *pl.*) 학교〔학생〕 시절.

schóol·wòrk *n.* Ⓤ 학업, (학교의) 공부: neglect one's ~ 공부를 게을리하다.

schóol·yàrd *n.* Ⓒ 교정, 학교 운동장.

schóol yéar 학년도(academic year)《보통 9월에서 6월까지》.

◇**schoon·er** [skúːnər] *n.* Ⓒ 【해사】 스쿠너《두 개 이상의 마스트를 가진 세로돛 범선》; =PRAIRIE SCHOONER; 《美·Austral.》 맥주용 큰 컵.

Schu·bert [ʃúːbərt] *n.* **Franz** ~ 슈베르트《오스트리아의 작곡가; 1797–1828》.

Schu·mann [ʃúːmaːn] *n.* **Robert** ~ 슈만《독일의 작곡가; 1810–56》.

schuss [ʃu(ː)s] *n.* Ⓒ, *vi.* 【스키】 전속력 직(直)활강(하다).

schwa [ʃwaː] *n.* Ⓒ 【음성】 슈와《악센트 없는 애매한 모음; *a*bout 의 *a* [ə], circ*u*s의 *u* [ə] 따위》.

Schweit·zer [ʃváitsər] *n.* **Albert** ~ 슈바이처《Alsace 태생의 철학자·의사·오르간 연주가; 노벨 평화상 수상(1952); 1875–1965》.

sci [sai] *n.* 【컴퓨터】 사이《유스넷(USENET) 최상위 부류의 하나인 뉴스 그룹 계층의 이름; 학술 정보를 취급》.

sci. science; scientific.

sci·at·ic [saiǽtik] *a.* 좌골의, 좌골 신경(통)의: ~ nerve 【의학】 좌골 신경.

sci·at·i·ca [saiǽtikə] *n.* Ⓤ 【의학】 좌골 신경통, 《널리》 좌골통.

⁑**sci·ence** [sáiəns] *n.* **1** Ⓤ **과학**; 《특히》 자연 과학: a man of ~ 과학자. **2** Ⓤ (구체적으로는 Ⓒ) (세분된 하나하나의) 과학, …학(學): basic 〔applied〕 ~ 기초〔응용〕 과학 / political ~ 정치학 / Aeronautics is the ~ or art of flight. "aeronautics"란 항공학 또는 항공술이다. **3** Ⓤ (경기·요리 따위의 훈련에 의한) 기술, 기량: In boxing ~ is more important than strength. 권투에서는 기술이 힘보다 중요하다.

scíence fíction 공상(空想) 과학 소설《생략: SF, sci-fi》.

Scíence Pàrk 《英》 첨단 과학 산업 밀집 지역. Ⓒⓕ 《美》 Silicon Valley.

⁑**sci·en·tif·ic** [sàiəntífik] *a.* **1 과학적인**, 엄정한: the ~ method 과학적 방법. **2** Ⓐ 과학의, 자연 과학의, 학술상의: a ~ lecture 학술 강연. **3** 정확한, 과학적 논리에 입각한; 체계〔계통〕적인: a ~ argument 계통이 선 논의. **4** 숙련된, 기량이 좋은: a ~ boxer 기량이 좋은 권투 선수. ㊞ **-i·cal·ly** [-əli] *ad.*

sci·en·tism [sáiəntìzəm] *n.* Ⓤ **1** 《종종 경멸적》 과학주의, 과학만능주의. **2** (인문 과학에 있어) 과학적 방법〔태도〕.

⁑**sci·en·tist** [sáiəntist] *n.* Ⓒ (자연) **과학자**.

Sci·en·tol·o·gy [sàiəntálədʒi/-tɔ́l-] *n.* Ⓤ 사이언톨로지《자기 수양을 통하여 능력 개발을 하는 신흥 종교운동; 상표명》.

sci-fi [sáifái] *n.* Ⓤ, *a.* Ⓐ 《구어》 공상 과학 소설(의).

sci·li·cet [síləsèt] *ad.* 《L.》 다시 말하면, 즉 (namely)《생략: scil., sc.》.

scim·e·tar, scim·i·tar, scim·i·ter [símətər] *n.* Ⓒ (터키·아라비아인 따위의) 언월도(偃月刀).

scin·til·la [sintílə] *n.* (a ~) 〖보통 의문문·부정문에서〗 아주 소량, 아주 적음《*of* …의》: There is not a ~ *of* truth. 진리〔진실이〕라곤 털끝만큼도 없다.

scin·til·late [síntəlèit] *vi.* **1** 불꽃을 내다; (다이아몬드처럼) 번쩍이다. **2** 《비유적》 (재치·기지 등이) 번득이다. **3** (사람·문장 등이) 번득이다, 넘치다《*with* (재치)로》: The essay ~*s with* wit. 그 에세이는 재치가 넘쳐 있다.

scín·til·làt·ing *a.* 번쩍이는; (재치 따위가) 넘치는; (이야기·문장 따위가) 기지가 번득이는. ㊞ **~·ly** *ad.*

scìn·til·lá·tion *n.* Ⓤ 불꽃〔섬광〕을 냄; 번쩍임; 재기 발랄.

sci·on, ci·on [sáiən] *n.* Ⓒ 어린 가지, (특히 접목의) 접수(椄穗); 삽수(揷穗); (특히 귀족 등의) 아들, 자손, 상속인.

scis·sion [síʒən, síʃən] *n.* Ⓤ 절단(cutting), 분할, 분리, 분열.

scis·sor [sízər] *vt.* 가위로 베다(*off; out; up*); 베어〔오려〕 내다《*out of* …에서》: ~ *off* a piece of cloth 천 조각을 (가위로) 자르다 / ~ an article *out of* a newspaper 신문에서 기사를 오려내다.

⁑**scis·sors** [sízərz] *n. pl.* **1 가위**《★ 보통 복수로 취급하나 단수로 취급할 때도 있음; 다만 그때에는 a pair of ~가 일반적》: two pairs of ~ 가위 두 자루 / Where are my ~? 내 가위 어디 있지. **2** (a ~) 〖단수취급〗 Ⓤ 【레슬링】 다리로 죄기; 【체조】 (도약할 때) 두 다리를 가위처럼 놀리기(=∠ **hòld**). ~ ***and páste*** (독립적으로 연구하지 않고 남의 저서에서 인용한) 풀과 가위로 한 편집.

scíssors-and-páste [-ənd-] *a.* Ⓐ 풀과 가위의〔를 사용하는〕《남의 책을 오려내어 편집하는 일》; 독창력〔독자성〕이 없는.

scíssors kìck 【수영】 (주로 횡영(橫泳)에서) 다리를 가위처럼 놀리기; 【축구】 시저스킥《점프하여 한 쪽 발을 올리고 계속하여 다른 발로 머리 위에서 볼을 차는 일》.

sclaff [sklæf/sklaːf] 【골프】 *vt., vi.* 타봉이 공에 맞기 전에 지면을 치다〔스치다〕; (타봉)을 공을 치기 전에 지면에 스치게 하다. **—***n.* Ⓒ 그러한 타법.

scle·ro·sis [skliəróusis, sklə-] (*pl.* **-ses** [-siːz]) *n.* Ⓤ (구체적으로는 Ⓒ) 【의학】 (동맥 따위의) 경화(증).

◇**scoff**[1] [skɔːf, skaf] *n.* **1** Ⓒ (보통 *pl.*) 비웃음, 냉소, 조롱. **2** (the ~) 웃음거리: the ~ *of* the world 세상의 웃음거리. **—***vi.* 비웃다, 조소하다, 조롱하다《*at* …을》: ~ *at* others' religious beliefs 남의 신앙을 비웃다.

SYN. **scoff** 남이 존경하는 것에 대해 경멸을 나타내는 데 쓰임. **jeer** 남을 조소하면서 공공연히 모욕하는 경우를 기리킴. **sneer** 웃음이나 목소리 따위로 경멸하는 것.

㊞ **∠·ing·ly** *ad.* 냉소하여.

scoff[2] *n.* Ⓤ 《英구어》 음식물. **—***vt., vi.* 게걸스레 먹다.

scóff·làw *n.* Ⓒ 《美구어》 법을 우습게 아는 사람; 《특히》 벌금 지급에 응하지 않는 사람.

⁑**scold** [skould] *vt.* 《~+목/+목+전+명》 (어린애 따위)를 **꾸짖다**, …에게 잔소리하다《*for* …때문에》: His mother ~*ed* him *for* being naughty. 그의 어머니는 그의 나쁜 행실을 꾸짖었다. **—***vi.*

《~/+전+명》 꾸짖다, 잔소리하다; 호통치다《*at* …을》: ~ *at* each other 서로 욕지거리하다. ―― *n.* Ⓒ (보통 *sing.*) 잔소리 심한 사람; 《특히》 쨍쨍〔앙알〕거리는 여자.

scóld·ing *n.* Ⓤ (구체적으로는 Ⓒ) 잔소리, 질책: give 〔get, receive〕 a good ~ 매우 꾸짖다〔꾸중 듣다〕. ――*a.* (특히 여자가) 쨍쨍〔앙알〕거리는. 파 ~**·ly** *ad.*

scol·lop [skáləp/skɔ́ləp] *n.*, *vt.* =SCALLOP.

sconce [skans/skɔns] *n.* Ⓒ (벽 따위에 설비한) 쑥 내민 촛대; 쑥 내민 촉대 모양의 전등.

scone [skoun, skan/skɔn] *n.* Ⓒ (요리는 Ⓤ) 핫케이크의 일종.

◇**scoop** [sku:p] *n.* Ⓒ **1** 국자; (설탕·밀가루 따위를 퍼내는) 작은 삽; 주걱, 큰 숟가락; (준설기 따위의) 흙 푸는 통; (반구상(半球狀)의) 아이스크림 푸는 기구. **2** 한 번 퍼내기; 한 번 퍼내는 양(量): a ~ *of* ice cream. **3** (신문 따위의) 특종: The newspaper got a ~ on the airplane crash. 그 신문은 비행기 추락사고를 특종으로 냈다. **4** 《구어》 큰 벌이〔이익〕, 대성공: make a big ~ 크게 성공하다.

> **DIAL.** ***What's the scoop?*** 별 일 없는가《스스럼없는 사이의 인사》.

――*vt.* **1** 《~+목/+목+부/+목+전+명》 푸다, 뜨다, 퍼올리다, 퍼내다(*up; out*): ~ *up* snow 눈을 퍼내다 / ~ the center *out of* a melon cut 베어낸 멜론 조각에서 속을 떠내다. **2** 《+목+보》 …에서 물을 퍼내다: ~ a boat dry 배에서 물을 모두 퍼내다. **3** 《~+목/+목+부》 (구멍·도랑 따위)를 파다; 퍼서 …을 만들다(*out*): ~ (*out*) a hole in the sand 모래를 파서 구멍을 만들다. **4** 《+목+부》 《구어》 (남을 앞질러) 큰 돈을 벌다(*in; up*): ~ *in* a good profit 상당한 이익을 보다. **5** 〖신문〗 (특종)을 입수하다, 내다; 특종으로 (다른 신문)을 앞지르다: ~ a rival paper 특종으로 경쟁 신문을 앞지르다.

scoop·ful [skú:pfùl] (*pl.* **~s**) *n.* Ⓒ 한 국자〔큰 숟가락〕 가득(한 분량): a ~ *of* ice cream 한 국자의 아이스크림.

scóop nèck 〔**nèckline**〕 (여성복의) 둥글게 파진 깃.

scóop nèt 건지는 그물, 채그물.

scoot [sku:t] *vi.* 《구어》 뛰어가다, 급히 가다. ――*vt.* 뛰어가게 하다.

***scoot·er** [skú:tər] *n.* Ⓒ **스쿠터**《어린이가 한 쪽 발을 올려놓고 다른 발로 땅을 차며 달리는》; 모터 스쿠터(motor ~); 《美》 (활주) 범선《빙상·수상용》.

***scope**[1] [skoup] *n.* Ⓤ **1** (지력·연구·활동 따위의) **범위**, 영역; (정신적) 시야: the ~ of science 과학이 미치는 범위 / an investigation of wide ~ 광범위에 걸친 조사 / a mind of wide 〔limited〕 ~ 넓은〔좁은〕 시야의 사람 / beyond 〔within〕 one's ~ 자기 능력이 미치는 범위 밖에〔안에〕. SYN. ⇨ RANGE. **2** 여유, 여지, 기회《*for* (활동·사고 따위)의》: give one's fancy full ~ 공상을 마음껏 펴게 하다 / seek ~ *for* one's energy 정력을 쏟을 길을 찾다 / give ~ to one's ability 능력을 발휘하다. **3** 〖컴퓨터〗 유효 범위.

scope[2] *n.* Ⓒ 《구어》 보는〔관찰하는, 관측하는〕 기계《microscope, telescope 따위》.

-scope [skòup] '보는 기계'의 뜻의 결합사: tele*scope*.

scor·bu·tic [skɔ:rbjú:tik] *a.* 〖의학〗 괴혈병(scurvy)의〔에 걸린〕.

***scorch** [skɔ:rtʃ] *vt.* **1 태우다**, 눌리다: You ~*ed* my shirt when you ironed it. 내 셔츠를 다리미질하면서 태웠다. **2** (햇볕 따위가 살갗)을 태우다, (초목)을 시들게 하다, 말라죽게 하다: The long, hot summer ~*ed* the grass. 길고 무더운 여름은 풀을 시들게 하였다. **3** 호되게 헐뜯다, 몹시 꾸짖다, 매도하다. ――*vi.* **1** 타다, 눋다. **2** (열로) 시들해지다, 마르다. **3** 《+부+전+명》 《구어》 (자동차 따위가) 질주하다; (사람이) 마구 달리다(*off; away*)《*on* (자동차·자전거 따위)로》: He ~*ed away on* his motorbike. 그는 오토바이를 타고 마구 달렸다.

――*n.* **1** Ⓒ 탐, 탄 자리〔자국〕. **2** Ⓤ (식물의) 말라죽음.

scórched-éarth pòlicy (침략군이 이용할 만한 것을 모두 태워 버리는) 초토화 작전〔전술〕.

scórch·er *n.* **1** (a ~) 《구어》 굉장히 더운 날. **2** (a ~) 신랄〔통렬〕한 비난, 혹평. **3** Ⓒ (오토바이·자동차 등의) 폭주족(暴走族). **4** (a ~) 《속어》 굉장한〔선풍을 일으키는〕 것〔일〕.

scórch·ing *a.* 《구어》 **1 a** 매우 더운: ~ heat 혹서, 작열. **b** 〖부사적〗 태울 정도로: It's ~ hot. 지독히 덥다. **2** (비난·비평 따위가) 통렬한, 혹독한. 파 ~**·ly** *ad.*

****score** [skɔ:r] *n.* **1 a** Ⓒ (*pl.* ~) 20, 스무 사람〔개〕: more than a ~ of cities, 20개 이상의 도시 / He was nearly four ~ when he died. 그는 죽었을 때 80세에 가까웠다. **b** (*pl.*) 다수, 다대《*of* …의》: ~*s of* times 종종, 가끔 / ~*s of* years ago 수십 년 전에.

2 Ⓒ 새김눈, 새긴 표〔금〕, 칼자국; 긁힌 자국, 베인 상처: The ~ should run with the grain. 칼자국은 나뭇결에 따라서 내어야 한다.

3 Ⓒ **a** (보통 *sing.*) (경기 등에서) **득점**: make a ~ 득점하다. **b** 총득점, 득점 기록, 스코어: win with a ~ of 4 to 2, 4대2로 이기다 / keep (the) ~ 득점을 기록하다《★ 관사 없이도 씀》/ What's the ~ now?—It's 10-0 in our favor. 지금 스코어가 어떻게 됐나—10대0으로 우리가 이기고 있다.

4 Ⓒ **점수**, 성적《*in, on* (시험)의》: He had a perfect ~ *on* 〔*in*〕 the math exam. 그는 수학 시험에서 만점을 받았다.

5 Ⓒ 〖음악〗 악보; 《특히》 총보(總譜)《둘 이상의 성악·기악을 위한》: a vocal ~ 성악용 악보 / in full ~ 총보로《★ 관사 없이》.

6 Ⓒ (예전 술집에서 술값을 기록했던) 엄대, 셈; 빚: Death pays all ~*s*. 《속담》 죽으면 모든 셈이 끝난다 / run up a ~ 빚을 늘리다.

7 Ⓒ 옛〔묵은〕 원한, 숙원(宿怨): I have a few old ~*s* to settle with him. 나는 그에게 풀어야 할 몇 가지 묵은 원한이 있다.

8 Ⓒ 《구어》 **a** (토론에서) 상대방을 꼼짝 못하게 하는 것, 대갚음: make a ~ off one's opponent 상대방을 쑥 들어가게 하다. **b** 성공, 행운(hit): What a ~! 이게 웬 행운이냐.

9 Ⓒ (보통 *sing.*) **점**, **이유**, 근거(ground): on more ~*s* than one 이런저런 이유로 / on the same ~ 같은 이유로.

know the **~** 《구어》 사실〔내막〕을 알고 있다; 일을 낙관하지 않다. ***make a good*** **~** 대량 득점을 하다; 성적이 좋다; 크게 성공하다. ***on that*** 〔***this***〕 **~** 그〔이〕 점에 관해서(는); 그〔이〕 때문에. ***on the*** **~** ***of*** …의 점에 관해서는; …이유로: *On the* ~ *of* money, don't worry. 돈에 관해서는

걱정 마라.
—*vt.* **1 a** 《~+목/+목+전+명》 (몇 점)을 **득점하다**, 따다《*in, at* (경기)에서》: ~ a century *at* cricket 크리켓에서 100점을 따다/The team ~*d* three runs *in* the second half of the ninth inning. 그 팀은 9회말에서 3점을 올렸다. **b** (몇 점)으로 셈하다: A touchdown ~*s* six points. (미식 축구에서) 터치다운은 6점이다. **c** 《+목+목/+목+전+명》 (심판이 점수)를 주다, 따게 하다《*for, to* (경기자)에게》: The judge ~*d* him 10 points. =The judge ~*d* 10 points *to* 〔*for*〕 him. 심판은 그에게 10점을 주었다.
2 a 《+목+전+명》 (점수)를 따다《*on, in* (시험)에서》: She ~*d* 90 points *on* 〔*in*〕 the English exam. 그녀는 영어 시험에서 90점을 땄다. **b** 《美》 (시험 · 지원자 따위)를 채점하다: ~ a test 시험을 채점하다.
3 (이익 · 성공 · 인기 따위)를 얻다, 거두다: ~ an advantage 이익을 얻다/~ a great victory 대승을 거두다/He ~*d* a success with this novel. 그는 이 소설로 성공을 거두었다.
4 a …에 표를 하다, 홈을 새겨두다, 선을 긋다: Mistakes were ~*d* in red ink. 틀린 것은 빨간 잉크로 표시되어 있었다/*Score* the paper before tearing it. 그 종이는 찢기 전에 접은 금을 그어 두시오. **b** 《+목+부》 선을 그어 지우다(*out; through*): ~ *out* 〔*through*〕 the wrong figure 틀린 숫자를 줄을 그어서 지우다.
5 a …에 새김눈〔칼자국, 긁힌 자국〕을 내다: ~ a leg of lamb 새끼 염소 다리 고기에 칼집을 내다. **b** 《+목+부+전+명》 (빚 따위)를 달아두다, 치부해 두다(*up*)《*against, to* …앞으로》: ~ *up* ten dollars *against* 〔*to*〕 a person 아무 앞으로 10달러를 달아놓다/I will ~ *up* that remark *against* you. 그 말은 너에 대한 빚으로 달아놓겠다《언젠가는 보복할 테니까》.
6 《~+목/+목+전+명》 《美구어》 혹독하게 비난하다《*for* …때문에》: The President ~*d* Congress *for* rejecting his plan. 대통령은 자기 계획을 거부한 의회를 규탄했다.
7 《+목+전+명》 〖음악〗 (곡)을 편곡〔작곡〕하다《*for* …용으로》: ~ the music *for* a movie 영화용으로 곡을 만들다.
—*vi.* **1** (경기에서) **득점하다**; 득점을 기록하다: He ~*d* several times. 그는 여러 번 득점하였다.
2 《~/+전+명》 이기다, 앞서 있다《*over, against* …을, …보다》: That's where you ~ *over* others. 그 점이 자네가 딴 사람보다 우수한 점이다.
3 〖양태부사와 함께〗 (시험 따위에서) …성적을 얻다, …라고 평가되다: The car ~*d* well in fuel consumption. 그 차는 연비에서 좋은 평가를 받았다.
4 《~/+전+명》 이익을 얻다, 잘 해내다, 성공하다《*by, with* …으로》: She ~*s by* knowing English well. 그녀는 영어를 잘해서 유리하다.
5 새김눈〔칼집〕을 내다.
6 《속어》 (남자가) 곧잘 성교의 대상을 찾아내다; 불법으로 마약을 손에 넣다.
~ *a point* 〔*points*〕 *off* 〔*against, over*〕 a person (논쟁 등에서) 아무를 능가하다, 아무보다 우위에 서다: He was trying to ~ *a* political *point over* his rivals. 그는 경쟁자보다 정치적 우위에 서려고 노력했다. **~ *off*** a person 《*vt.*+부》 《英》 (의론 따위에서) 아무를 이기다, 꼼짝 못하게 하다.

scóre·bòard *n.* Ⓒ 스코어보드, 득점 게시판.

scóre·bòok *n.* Ⓒ 득점표〔기입장〕.

scóre·càrd *n.* Ⓒ 〖경기〗 채점표, 득점 카드; (상대 팀의) 선수 명단.

scóre·kèeper *n.* Ⓒ (경기의) 득점 기록원.

scóre·less *a.* 무득점의, 0대0의.

scor·er [skɔ́ːrər] *n.* **1** =SCOREKEEPER. **2** Ⓒ (경기의) 득점자.

***scorn** [skɔːrn] *n.* **1** Ⓤ **경멸**, 멸시, 비웃음, 냉소《*for* …에 대한》: hold a person in ~ 아무를 경멸하다/become a ~ of …의 경멸의 대상이 되다/have 〔feel〕 ~ *for* …에 대해 경멸감을 갖다/pour ~ on 〔over〕 …을 경멸하다, 깔보다. **2** (the ~) 경멸의 대상, 웃음거리: He's the ~ *of* his neighbors. 그는 이웃간의 웃음거리다.
—*vt.* **1 경멸하다**, 모욕하다: We ~ liars and hypocrites. 우리는 거짓말쟁이와 위선자를 경멸한다. **2** (경멸하여) 거절하다, 퇴짜놓다: He ~*ed* her advice. 그는 그녀의 충고를 거절했다. **3** 《+*to* do/+*-ing*》 치사하게〔수치로〕 여기다: ~ *to* tell a lie =~ tell*ing* a lie 거짓말을 수치로 여기다/~ *to* take a bribe 뇌물을 거들떠보지도 않다.

***scorn·ful** [skɔ́ːrnfəl] *a.* **경멸하는**, 비웃는《*of* …을》: a ~ smile 〔attitude〕 비웃는 웃음〔태도〕/He's ~ *of* honors. 그는 명예를 경멸한다. ㊕ **~·ly** *ad.* **~·ness** *n.*

Scor·pio [skɔ́ːrpiòu] *n.* **1** 〖천문〗 전갈(全蠍)자리(=**Scór·pi·us**); 〖점성〗 천갈궁(天蠍宮). **2** Ⓒ 천갈궁에서 태어난 사람.

scor·pi·on [skɔ́ːrpiən] *n.* **1** Ⓒ 〖동물〗 전갈. **2** (the S–) 〖천문〗 =SCORPIO.

◇**Scot** [skat/skɔt] *n.* **1** Ⓒ 스코틀랜드 사람(Scotsman); (the ~s) 〖집합적〗 스코틀랜드 사람《전체》. **2** Ⓒ 스코트 사람; (the ~s) 스코트족《6세기경 아일랜드에서 스코틀랜드로 이주한 게일족(Gaels)의 일파; Scotland라는 이름은 이 종족의 이름에서 유래》.

Scot. Scotch; Scotland; Scottish.

◇**Scotch** [skatʃ/skɔtʃ] *a.* **1** 스코틀랜드(산)의, 스코틀랜드 사람〔말〕의. **2** 《구어》 인색한. —*n.* **1** (the ~) 〖집합적; 복수취급〗 스코틀랜드 사람《전체》. **2** Ⓤ 스코틀랜드 영어〔방언〕. **3** Ⓤ (낱개는 Ⓒ) 《구어》 (종종 s–) 스카치 위스키(~ whisky). ★ 스코틀랜드인 스스로는 Scotch를 경멸적으로 생각하여 스코틀랜드 사물 이외에는 Scottish 또는 Scots를 씀.

scotch [skatʃ/skɔtʃ] *vt.* (풍문 따위)를 확실한 증거를 제시하여) 종식시키다; (계획 · 음모 따위)를 실패케 하다; 탄압〔억압〕하다.

Scótch bróth 고기 · 야채 · 보리가 든 수프.

Scótch égg 스카치 에그《삶은 달걀을 저민 고기로 싸서 튀긴 것》.

Scótch fír 〔píne〕 〖식물〗 유럽 소나무.

Scótch-Írish *n.* Ⓒ, *a.* 스코틀랜드계 아일랜드 사람(의).

Scótch·man [-mən] (*pl.* **-men** [-mən]) *n.* Ⓒ 스코틀랜드 사람.

Scótch míst (스코틀랜드 산악 지대의) 짙은 안개, 안개비.

Scótch tápe 《美》 스카치 테이프《접착용 셀로판테이프; 3M 제품으로, 자기(磁氣) 테이프에도 Scotch 명칭을 씀; 상표명》.

Scótch térrier 스카치 테리어《개》.

Scótch whísky 스카치 위스키.

Scótch·wòman (*pl.* **-wòmen**) *n.* Ⓒ 스코틀랜드 여자.

Scótch wóodcock anchovy를 이긴 것과

푼 달걀을 바른 토스트〔크래커〕.

scót-frée *a.* [P] 처벌을 모면한; 무사한; 면세(免稅)의: go 〔get off〕 ~ 무죄 방면되다/escape ~ 무사히 도망치다.

Sco·tia [skóuʃə] *n.* 《시어》 =SCOTLAND.

***Scot·land** [skátlənd/skɔ́t-] *n.* **스코틀랜드.**

Scótland Yárd 런던 경찰국《원래의 소재 지명에서; 공식명은 New ~》; 그 수사과 형사부.

Scots [skɑts/skɔts] *a.* 스코틀랜드의. **—***n.* [U] 《Sc.》 스코틀랜드 영어〔방언〕: broad ~ 심한 스코틀랜드 사투리.

Scóts·man [-mən] (*pl.* ***-men*** [-mən]) *n.* [C] 스코틀랜드 사람.

Scóts·wòman (*pl.* ***-wòmen***) *n.* [C] 스코틀랜드 여자.

Scott [skɑt/skɔt] *n.* **1** 스코트《남자 이름》. **2** Sir **Walter** ~ 스코트《스코틀랜드의 소설가 · 시인; 1771–1832》.

[DIAL.] ***Great Scott!*** 저런, 이런, 어머나《놀라움이나 충격을 나타냄》.

Scot·(t)i·cism [skátisìzəm/skɔ́t-] *n.* [C] 스코틀랜드 어법, 스코틀랜드 사투리.

Scot·tish** [skátiʃ/skɔ́tiʃ] *a.* **스코틀랜드(사람, 말)의.** **—n.* **1** (the ~) 〖집합적; 복수취급〗 스코틀랜드 사람《전체》. **2** [U] 스코틀랜드 영어〔방언〕.

°scoun·drel [skáundrəl] *n.* [C] 악당, 깡패, 불한당. [파] **~·ly** *a.*

°scour¹ [skauər] *vt.* **1** 문질러 닦다; 비벼 빨다 《***with*** …으로》: ~ the floor *with* a brush 마룻바닥을 솔로 문질러 닦다. **2** (냄비 · 병 따위)를 문질러 씻다〔윤내다〕(*out*): ~ *out* a milk bottle 우유병 안을 문질러 씻다. **3** (녹 · 얼룩)을 문질러〔씻어〕 없애다(*off; away*)《***from*** …에서》: He *~ed off* the grease *from* the dishes. 그는 접시의 기름 때를 문질러 없앴다. **4** (파이프 · 도랑 · 수로 따위)를 물로 씻어내다; (물이) 세게 흘러서 (도랑 따위)를 만들다(*out*): ~ a ditch 물을 흘려보내 도랑을 쳐내다/The torrent *~ed* (*out*) a channel. 급류 때문에 수로가 생겼다.
—*n.* (a ~) 문질러 닦기; 씻어내기: give a pot a good ~ 냄비를 잘 문질러 닦다.

°scour² *vt.* 돌아다니다《***for*** …을 찾아서》: They *~ed* the neighborhood *for* the lost child. 그들은 미아를 찾아 그 주변 일대를 찾아다녔다. **—***vi.* 돌아다니다, 헤매다(*about*)《***for, after*** …을 찾아》: The fox *~ed about* in search of food. 여우는 먹을 것을 찾아 헤맸다/~ through the field *after* …을 찾아 들을 헤매다.

scour·er [skáurər, skáuərər] *n.* [C] (나일론 · 철사 따위로 만든) 솔.

scourge [skəːrdʒ] *n.* [C] **1** (옛날, 벌을 줄 때 쓰는) 매, 채찍. **2** (인간을 징계하는) 천벌, 재난, 괴로움《전쟁 · 역병 · 사회악 따위》: the ~ of God 천벌, 신이 내린 벌/the ~ of war 전쟁의 참화. **—***vt.* …을 몹시 괴롭히다; 징계하다; 채찍질하다.

Scouse [skaus] *n.* 《英구어》 **1** [U] 리버풀(Liverpool)의 사투리. **2** [C] 리버풀 출신의 사람. **—***a.* 리버풀의.

Scous·er [skáusər] *n.* =SCOUSE 2.

scout¹** [skaut] *n.* **1** [C] 〖군사〗 **정찰병,** 척후(병); 정찰기〔선, 함〕. **2** (a ~) 정찰, 찾아다님: take a ~ around 〔《英》 round〕 여기저기 정찰하다〔찾아다니다〕. **3** (종종 S-) [C] 보이스카우트의 한 사람《★ 《美》에서는 걸스카웃의 한 사람도 말함》. **4** [C] (경기 · 예능 등의) 신인을 찾는 일, 스카우트. **5** [C] 《英》 Oxford 대학의 사환, 용원(傭員). **6** [C] 《구어》 녀석, 놈. ***be on 〔***in***〕 ***the ~*** 정찰하고 있다.
—*vt.* **1** 《~+[목]/+[목]+[부]/+[목]+[전]+[명]》 (적정 따위)를 정찰하다; (정보 획득을 위해) 조사하다(*out*): ~ the enemy's defenses 적의 방비를 정찰하다/~ (*out*) an area *for* danger 한 지역의 위험 유무를 조사하다. **2** 《+[목]+[부]》 수색하다, 찾아내다(*out*). **—***vi.* **1** 《~/+[부]/+[전]+[명]》 정찰〔척후〕하다; 찾아다니다, 스카우트하다(*around; about*)《***for*** …을》: We *~ed about for* a place to eat. 우리는 음식을 먹을 수 있는 가게를 여기저기 찾아 다녔다. **2** 《~/+[전]+[명]》 스카우트하는 일을 하다《***for*** …을 위해》: ~ *for* a college team 대학 팀을 위해 스카우트를 하다.

scout² *vt.* (제의 등)을 거절하다, 퇴짜놓다.

scóut càr 〖美군사〗 고속 정찰용 장갑차.

scóut·ing *n.* [U] 척후〔정찰〕 활동; 소년단〔소녀단〕 활동.

scóut·màster *n.* [C] 소년〔소녀〕단장; 척후 대장.

scow [skau] *n.* [C] 《美》 대형 평저선(平底船), 거룻배《자갈 · 폐기물 따위의 운반용》.

°scowl [skaul] *n.* [C] 찌푸린 얼굴, 오만상; 험악〔우울〕한 양상. **—***vi.* 얼굴을 찌푸리다, 오만상을 하다《***at*** …에》; 매섭게 쏘아보다, 노려보다《***at*** …을》: The prisoner *~ed at* the jailer. 죄수는 간수를 노려보았다. **—***vt.* 얼굴을 찌푸려 (실망 등)을 나타내다: He *~ed* his disapproval (at me). 그는 (나를 향해) 얼굴을 찌푸려 불찬성을 표시했다.

scrab·ble [skrǽbəl] *vi.* **1** (손톱으로) 할퀴다; 휘갈겨 쓰다. **2** 헤적여 찾다(*about, around*)《***for*** …을》: He *~d about* in the bushes *for* the ball. 그는 덤불 속 여기저기에 공을 찾아다녔다. **—***n.* (a ~) 뒤져 찾음; 쟁탈.

scrag [skræg] *n.* **1** [C] 말라빠진 사람〔동물〕. **2** [U] (양 · 송아지의) 목덜미 고기; [C] 《구어》 사람의 모가지. **—**(***-gg-***) *vt.* 《속어》 **1** (동물)의 목을 졸라 죽이다; (새 따위)의 목을 비틀다. **2** …의 목을 누르고 거칠게 다루다. **3** (사람)을 난폭하게 다루다, 혼내주다.

scrag·gly [skrǽgli] (***-gli·er; -gli·est***) *a.* 터부룩한《수염 따위》; 삐죽삐죽한《바위 따위》, 우툴두툴한.

scrag·gy [skrǽgi] (***-gi·er; -gi·est***) *a.* 말라빠진; 빈약한; 울퉁불퉁한: ~ cliffs 울퉁불퉁한 낭떠러지. [파] **-gi·ly** *ad.* **-gi·ness** *n.*

scram¹ [skræm] (***-mm-***) *vi.* 〖보통 명령문〗 《구어》 도망하다, (급히) 떠나다: *Scram*, you aren't wanted here. 나가거라, 넌 필요없다/Let's ~! 도망치자.

scram² *n.* [C] 스크램(원자로의 긴급 정지).

scram·ble** [skrǽmbəl] *vi.* **1** 《+[부]/+[전]+[명]》 **기어오르다,** 기어가다: ~ *about* 기어다니다/~ *up* the side of cliff 벼랑을 기어오르다/The children *~d over* 〔*under*〕 the fence. 아이들은 담장을 기어올라 넘었다〔밑으로 기어갔다〕. **2** 《+[전]+[명]/*to* do》 **다투다, 서로 빼앗다,** 얻으려고 다투다《for*** …을》: ~ *for* good seats 좋은 자리를 잡으려고 서로 다투다/~ *to* take seats 앞다투어 자리를 차지하려고 하다. **3** 〖공군〗 (내습한 적기의 요격을 위해) 긴급 발진하다.
—*vt.* **1** 《+[목]+[부]》 **긁어모으다,** 그러모으다(*up*): ~ *up* some data 자료를 모으다/He *~d* the

papers *up* on the desk. 그는 급히 책상 위의 서류를 그러모았다. **2 뒤섞다;** (계획)을 혼란시키다: Bad weather *~d* the air schedule. 악천후로 항공 운행이 혼란에 빠졌다. **3** (달걀에) 버터 따위를 넣고 휘저어 익히다. **4** (도청 예방으로 전화·무선 통신)의 주파수를 변경하다. **5** 〖공군〗 (요격기)를 급히 발진시키다.

—*n*. **1** (a ~) 기어오름. **2** (a ~) 쟁탈, 다툼《***for*** …을 위한/***to*** do》: a ~ *for* (*to* get) the best bargains 좋은 특매품을 차지하려는 쟁탈. **3** (a ~) 무질서한 그러모음. **4** Ⓒ 〖공군〗 (전투기의) 긴급 발진. **5** Ⓒ 급경사·울퉁불퉁한 길에서 하는 오토바이 경주, 스크램블 레이스.

scrámbled éggs 1 스크램블드 에그스《달걀을 풀어서 지진 음식》. **2** 《英구어》 장교 모자의 챙을 장식하는 금 몰.

scrám·bler *n*. Ⓒ 〖통신〗 (도청 방지의) 주파수대(帶) 변환기.

scrám·jèt *n*. Ⓒ 초음속 기류를 이용해서 연료를 연소시키는 램제트 엔진. [◀ supersonic *com*bustion *ramjet*]

‡**scrap**[1] [skræp] *n*. **1** Ⓒ **작은 조각;** 토막, 지저깨비; 단편: a ~ *of* paper 종이조각. **2** (*pl.*) 먹다 남은 음식, 찌꺼기. **3** (a ~) 《부정문》 근소, 조금《***of*** …의》: There's *not* a ~ *of* truth in the claim. 그 주장에는 진실성이 조금도 없다. **4** Ⓤ 폐물, 허섭스레기; 파쇠, 스크랩. **5** Ⓒ (보통 *pl.*) (신문·잡지 따위의) **오려낸 것**〔**조각**〕.

—*a*. Ⓐ 폐물이〔허섭스레기가〕 된; 남은 것〔조각〕으로 만든; 작은 조각의, 단편으로 된: ~ iron 쇠부스러기/~ value 〖상업〗 잔존(殘存) 가치.

— (***-pp-***) *vt*. 지스러기로 하여 버리다; 해체하다; 폐기하다; (계획 따위)를 중단시키다, 무효로 하다: ~ an old car 고물차를 해체하다.

scrap[2] (***-pp-***) 《구어》 *vi*. 싸우다, 서로 주먹다짐하다《***with*** …와》. **—***n*. Ⓒ 싸움, 다툼, 드잡이.

°**scráp·bòok** *n*. Ⓒ 스크랩북.

scrape** [skreip] *vt*. **1** 《~+목/+목+부/+목+보/+목+전+명》 **문지르다;** 문질러〔긁어, 깎아서, 닦아서〕 매끈〔깔끔〕하게 하다; 문질러〔긁어〕 벗기다(*off; away*)《from, off*** …에서》: ~ the potatoes 감자를 깎다/~ paint *off* 페인트를 긁어 벗기다/~ one's boots clean 구두를 문질러 깨끗이 하다/~ the mud *from* 〔*off*〕 one's shoes 신발을 문질러서 흙을 떨다.

2 《~+목/+목+전+명》 **문질러서**〔**비벼서**〕 **상처를 내다.** (사납게·삐걱거리며) 끌다《***against, on*** …에》: He fell and *~d* his knee. 그는 넘어져서 무릎이 까졌다/He *~d* his car *against* a wall. 그는 벽에 차를 긁히어 흠집을 냈다/~ a chair *on* the floor 마룻바닥 위로 의자를 질질 끌다.

3 《~+목/+목+부》 긁어내다; 도려내어 만들다, 파다(*out*): ~ (*out*) a hole (in the sand) (모래에) 구멍을 파다.

4 (생활비)를 겨우 벌다: manage to ~ a living 이럭저럭 간신히 생활비를 벌다, 겨우 먹고 살다.

5 《+목+부》 **애써서 긁어 모으다;** (긁어 보아) 마련하다(*up; together*): ~ *together* enough money for …에 쓸 수 있을 만큼의 돈을 애써서 긁어 모으다/She *~d together* a meal from leftovers. 그녀는 남은 음식으로 그럭저럭 식사를 마련했다.

—*vi*. **1** 《+부/+전+명》 스쳐 지나가다(*through*)《***through, past*** …을》: The lane is narrow but I think we can ~ *through*. 길이 좁지만 우리는 지나갈 수 있다고 생각한다/The two buses *~d past* each other. 두 대의 버스는 서로 스칠 듯이 지나갔다.

2 (절을 할 때) 오른발을 뒤로 빼다.

3 《+전+명》 (악기를) 켜다: ~ *on* a violin.

4 《+부/+전+명》 간신히〔가까스로〕 합격〔통과〕하다(*through*)《***through*** (시험 따위)에》: He barely *~d through* (*in* English). 그는 (영어 시험에) 간신히 합격했다/I barely *~d through* the test. 나는 겨우 테스트에 합격했다.

5 《+부/+전+명》 근근이 살아가다(*by; along; through*): The family just *~d by* 〔*along*〕 *on* his small wages. 그 가족은 그의 적은 임금으로 근근이 살아갔다.

bow and ~ ⇨BOW² *v*. ***~ (up) an acquaintance with*** ⇨ACQUAINTANCE.

—*n*. Ⓒ **1** 문지르기; 긁히는 소리. **2** 찰과상, 긁힌 자국: a ~ of the pen 일필(一筆), 휘갈겨 쓰기/get a ~ on the knee 무릎에 찰과상이 생기다. **3** 《구어》 (특히 자초한) 곤란, 곤경: get into 〔out of〕 a ~ 곤경에 빠지다〔에서 빠져나오다〕.

scrap·er [skréipər] *n*. Ⓒ **1** 문지르는〔긁는, 깎는〕 도구; (신발의) 흙떨이 (매트). **2** 〖기계·토목〗 스크레이퍼.

scráp hèap 쓰레기〔폐물, 고철〕더미; (the ~) 쓰레기터〔폐기장〕: go 〔throw, cast, toss ...〕 on the ~ 쓸모없어 버려지다〔버리다〕.

scrap·ing [skréipiŋ] *n*. **1** Ⓤ 깎음, 문지름, 긁음. **2** (*pl.*) 깎은 부스러기; 쓰레기: the *~s* and scourings of the street 거리의 쓰레기; 《비유적》 거리의 불량배.

scráp mèrchant 고철상, 폐품 수집업자.

scráp pàper 재생용 종이; 《英》 메모 용지.

scrap·ple [skrǽpəl] *n*. Ⓤ 《美》 기름에 튀긴 요리의 일종《잘게 저민 돼지고기·야채·옥수수가루 따위로 만듦》.

scrap·py[1] [skrǽpi] (***-pi·er; -pi·est***) *a*. 부스러기의, 지스러기의; 단편적인, 산만한. ㊕ **-pi·ly** *ad*. **-pi·ness** *n*.

scrap·py[2] *a*. 《구어》 툭하면 싸우는, 다투기 좋아하는.

scráp·yàrd *n*. Ⓒ 고철〔폐품〕 하치장.

‡**scratch** [skrætʃ] *vt*. **1** 《~+목/+목+전+명》 **할퀴다,** 긁다; 긁어 떼다《***off*** …에서》; (몸)에 할퀸 상처를 내다《***on, with*** …으로》: The cat *~ed* my face. 고양이가 내 얼굴을 할퀴었다/~ a mosquito bite 모기 물린 데를 긁다/*Scratch* a Russian, and you will find a Tartar. 《속담》 문명인도 한꺼풀 벗기면 야만인/Will you ~ that sticker *off* the car window? 차 창에서 저 스티커를 떼 주겠느냐/He *~ed* his hand *on* a nail. 그는 못에 긁혀 손에 상처를 입었다. **2** 《~+목/+목+부》 (구멍 따위)를 파서 만들다(*out*); (땅에 묻힌 것 따위)를 파내다(*up*): ~ (*out*) a hole 구멍을 파다/The birds *~ed up* worms. 새가 벌레를 파냈다. **3** 《~+목/+목+전+명》 문지르다, 비비다《***on*** …에》: He *~ed* a match *on* the sole of his shoe. 그는 신발 바닥에 성냥을 그었다. **4** 《~+목/+목+전+명》 파서 쓰다〔새기다〕《***on*** …에》; 휘갈겨 쓰다: ~ one's name *on* the wall 벽에 이름을 새기다/~ a few lines 두서너 줄 휘갈겨 쓰다. **5** 《~+목/+목+부/+목+전+명》 **지워 없애다;** 빼다, 삭제하다(*out, off*)《***off, from, out of*** …에서》: ~ *out* 〔*off*〕 a name 이름을 지워 없애다/~ (*out*) a candidate 후보자를 명단에서 빼다, 후보자를 지지하지 않다/We had to ~ him *from* the list because of his

injury. 우리는 그가 부상을 당했기 때문에 명단에서 그를 빼지 않을 수 없었다. **6** (생활비 따위)를 간신히 벌다: ~ a living. **7** 《+[목]+[부]》 (돈 따위)를 긁어 모으다(*together; up*): She *~ed up* some money for holidays. 그녀는 휴가에 쓰려고 돈을 약간 마련했다.

—*vi.* **1** 《~/+[전]+[명]》 **긁다**, 갉다《***at, on*** …을》: ~ *at* 〔*on*〕 the door 문을 긁다. **2** 《~/+[부]/+[전]+[명]》 헤집고 다니다(*about*)《***for*** …을》: The chickens *~ed about for* food. 닭이 여기저기 헤집어 모이를 찾았다. **3** 가려운 데를 긁다. **4** (펜이 닳아서) 긁히다: This pen *~es*. 이 펜은 직직 긁힌다. **5** 《+[부]》 가까스로 살아가다〔타개하다〕(*along*): ~ *along* on very little money 아주 적은 돈으로 근근이 살아가다. **6** (선수 · 경주마 따위가) 경기에서 물러나다, 출장(出場)을 취소하다. **~ *the surface of*** …의 겉을 만지다《핵심에 닿지 않다》.

—*n.* **1** Ⓒ **긁은〔할퀸〕 자국**; 생채기, 찰상(擦傷); 긁는 소리: There were deep *~es* on the desk. 책상 위에는 긁힌 자국이 깊이 나 있었다/a ~ on one's face 얼굴의 생채기. **2** (a ~) (가려운 데를) **긁기**: The dog had a good ~. 그 개는 가려운 데를 충분히 긁었다. **3** Ⓒ 〖경기〗 출장을 취소한 선수〔경주마〕. **4** Ⓤ 《美속어》 돈, 자금. **5** Ⓒ 〖컴퓨터〗 스크래치《작업용 컴퓨터의 내부 또는 외부의 기억 매체(媒體)》. ***from* ~** 《구어》 맨 처음부터, 무(無)에서. ***up to* (*the*) ~** 《구어》〘보통 부정문〙 (시작의) 준비가 되어; 〘보통 부정문〙 상태가 좋아; 어떤 표준에 이른.

> **DIAL.** ***It's only*** 〔***just***〕 ***a scratch.*** 그저 슬쩍 긁혔을 뿐이야.

—*a.* Ⓐ **1** 《구어》 긁어모은; 급히 만든〔편성한〕: ~ dinner 남아 있는 것으로 차린 식사/a ~ team 그러모은〔갑자기 편성한〕 팀. **2** 〖경기〗 대등한, 핸디캡 없는. **3** 〖컴퓨터〗 일시적으로 사용하는: ~ tape 작업용 테이프《일시 사용의》.

scrátch hìt 〖야구〗 범타가 어쩌다 안타가 된 타구.

scrátch pàd 《美》 (낱장으로 떼어 쓰는) 편지지, 메모 용지철.

scrátch·pàd *n.* Ⓒ 〖컴퓨터〗 스크래치패드《고속의 작업용(作業用) 보조적 컴퓨터 메모리》.

scrátch pàper 《美》 메모 용지.

scratchy [skrǽtʃi] (***scratch·i·er; -i·est***) *a.* **1** (글씨 · 그림 따위를) 휘갈긴, 날림의. **2** (펜 따위가) 긁히는, 직직 소리나는. **3** 가려운, 따끔따끔한《옷 따위》. (파) **scrátch·i·ly** *ad.* **-i·ness** *n.*

◇**scrawl** [skrɔːl] *vt.* 휘갈겨〔흘려〕쓰다; 마구 지우다(*out*): ~ a letter 편지를 갈겨쓰다. **—***vi.* 갈겨쓰다, 낙서하다《***on, over*** …에》: The children *~ed* all *over* the wall. 아이들이 담벽에다 온통 낙서를 했다. **—***n.* **1** Ⓒ (보통 *sing.*) 휘갈겨쓴 글씨〔편지〕. **2** (one's ~) 휘갈겨 쓴 필체: Excuse my ~. 제 악필을 용서하십시오.

scraw·ny [skrɔ́ːni] (***-ni·er; -ni·est***) *a.* 야윈, 앙상한: a ~ pine 앙상한 소나무.

⁑**scream** [skriːm] *vi.* **1** 《~/+[전]+[명]》 **소리치다**, 날카로운 비명을 지르다《***in*** (공포)로; ***with*** (노여움 · 고통 · 초조)로; ***for*** …을 구하여; ***at*** …을 향하여》: ~ *in* fright 〔*with* sudden pain〕 공포로 〔갑작스러운 고통으로〕 소리지르다/~ *for* help 도와달라고 소리치다/She lost her temper and *~ed at* her sister. 그녀는 화가 나서 동생에게 소리쳤다. **2** 《~/+[전]+[명]》 깔깔대다, 자지러지게 웃다: ~ *with* laughter 우스워 깔깔대다. **3** (아이들이) 앙앙 울다; (올빼미 따위가) 날카로운 소리를 내다; (기적 따위가) 삐익하고 울리다; (바람이) 씽씽 불다. **4** 《~/+[부]》 《속어》 (비행기 · 차가) 쌩하고 날아가다〔지나가다〕. **5** 《+[전]+[명]》 소리 높여 항의하다; (신문 등이) 요란하게 써대다《***about*** …에 대하여》. **6** (옷 · 색깔 따위가) 야하여 눈에 잘 띄다; (표제 · 포스터 등이) 강렬하게 눈에 띄다. **7** 《구어》 밀고하다.

—*vt.* **1** 《~+[목]/+[목]+[부]/+[목]+[전]+[명]/+*that* [절]》 새된 소리로 말하다, 큰 소리로 외치다(*out*)《***at*** …에게》: ~ conspiracy 음모라고 외치다/~ *out* an order *at* a person 아무에게 큰 소리로 명령을 내리다/She *~ed that* her baby was being killed. 그녀는 아기가 살해된다고 외쳤다. **2** 《+[목]+[보]》〘~ oneself〙 소리질러 …되게 하다: ~ one*self* hoarse 외쳐서 목이 쉬다.

—*n.* **1** Ⓒ **외침(소리)**, (공포 · 고통의) **절규**, 비명; (독수리 · 매의) 날카로운 울음소리, 기적 소리; (타이어 · 브레이크의) 끽 소리; 깔깔대는 소리. **2** (a ~) 《구어》 아주 유쾌한 사람〔일, 물건〕: He is really a ~. 그는 정말 재미있는 친구다.

scréam·er *n.* Ⓒ **1** 날카로운 소리를 지르는 사람〔내는 것〕. **2** 《구어》 웃기는 이야기〔극, 사람 따위〕; 깜짝 놀라게 하는 것. **3** 《美속어》 (신문의 전단 톱에 실린) 센세이셔널한 표제. [cf.] banner (headline).

scréam·ing *a.* **1** 날카롭게 외치는; 외마디소리를 지르는; 꺽꺽 우는, 끼익 소리가 나는. **2** (이야기가) 배를 움켜쥐게 하는, 몹시 웃기는. **3** (빛깔 등이) 야단스러운. **4** (표제가) 과장된, 센세이셔널한. (파) **~·ly** *ad.*

scree [skriː] *n.* Ⓒ (산사태가 난 곳의) 급사면(急斜面); Ⓤ (급사면의) 자갈, 바위 부스러기.

◇**screech** [skriːtʃ] *n.* Ⓒ 날카로운〔새된〕 소리; 비명; 끼익하는 소리: let out a ~ 새된 소리를 내다. **—***vi.* 날카로운〔새된〕 소리를 내다, 비명을 지르다; (새 따위가) 끽끽 울다; (자동차 따위가) 끼익 소리를 내다: The car *~ed* to a halt. 차가 끼익하고 멈췄다. **—***vt.* 날카로운〔새된〕 소리로 외치다〔말하다〕(*out*); (자동차 · 브레이크 따위)를 끽 소리나게 하다: She *~ed out* her innocence. 그녀는 날카로운 목소리로 자기의 결백을 외쳤다.

scréech·ing *a.* 날카로운〔새된〕 소리를 내는; 끼익 소리를 내는.

scréech òwl 부엉이의 일종; ＝BARN OWL.

screechy [skríːtʃi] (***screech·i·er; -i·est***) *a.* 새된 소리의; 끽끽 소리내는.

screed [skriːd] *n.* Ⓒ (흔히 *pl.*) 기다란〔지루한〕 이야기〔보고서, 문장 따위〕.

⁑**screen** [skriːn] *n.* **1** Ⓒ **칸막이**, 병풍, 막; 차폐물, 보호물, 가리개; (창문의) 망, 방충망: a folding ~ of six panels, 6폭으로 된 병풍/a sliding ~ 장지/lay down a smoke ~ 연막을 치다/hide behind a ~ of indifference 모른 체하다, 시치미 떼다. **2** Ⓒ (교회 따위의) 본당 칸막이. **3 a** Ⓒ **스크린**; (영화의) 영사막; (텔레비전 · 전파 탐지기의) 영상면(面); (레이더의) 스크린, 〖컴퓨터〗 화면, **스크린**: ~ dump 〖컴퓨터〗 화면 덤프/~ editing 〔editor〕 〖컴퓨터〗 화면 편집〔편집기〕. **b** (the ~) 〘집합적〙 영화(계): a star of the ~ 영화배우/appear on the ~ 영화에 출연하다. **4** Ⓒ (흙 · 모래 등을 거르는) 어레미. ***under* (*the*) ~ *of*** …에 숨어서, …을 틈타: *under* (*the*) ~ *of* night 야음을 틈타.

—vt. 1 《~+목/+목+전+명/+목+부》 가리다, 막다《from (사람의 눈·빛·열 따위)로부터》; (빛·열·소리 따위)를 차단하다(out): ~ one's view 전망을 가리다/The moon was ~ed by clouds. 달이 구름에 가렸다/The fence ~s our house *from* view. 우리 집은 담장에 가려 보이지 않는다/The curtain ~ed *out* the sunlight. 커튼이 햇빛을 차단했다. 2 《+목+부/+목+전+명》 칸막다, 구획짓다(off)《from …으로부터》: His desk is ~ed off (*from* the rest of the room). 그의 책상은 (방의 다른 부분으로부터) 칸막이로 구분되어 있다. 3 《~+목/+목+전+명》 감싸다, 숨기다; 지키다, 보호하다《from (죄·위험 등)으로부터》: ~ a person's faults 아무의 과실을 감싸주다/~ children *from* the harmful effects of television 아이들을 텔레비전의 해로운 영향으로부터 보호하다. 4 《~+목/+목+전+명》 (창·방 따위)에 (철)망을 설치하다《against …을 막기 위하여》: We must ~ this room *against* flies. 우리는 파리가 들어오지 못하게 방충망을 해야 한다. 5 (곡물·석탄 등)을 체질하여 가르다, 체로 치다. 6 《~+목/+목+부》 (원서·지원자)를 선발〔심사〕하다; (심사하여) 걸러내다(out): ~ visa application 비자 신청서를 심사하다/~ *out* two people who seem unsuitable for the job 그 일에 적합치 않다고 생각되는 두 사람을 가려내다. 7 a (영화·TV 등)을 상영〔방영〕하다《★ 보통 수동태로 쓰임》: The film will *be* ~ed next week. 그 영화는 다음 주에 상영될 것이다. b (극·소설 등)을 영화화하다.

—vi. 《양태부사와 함께》 영화에 (알)맞다: This play 〔actor〕 ~s well. 이 극은〔배우는〕 영화에 잘 맞는다.

—a. Ⓐ 1 철망을 친: a ~ door 철망을 한 문. 2 영화〔은막〕의: a ~ actor 영화 배우/a ~ face 영화에 맞는 얼굴/~ time 상영 시간.

scréen fònt 〖컴퓨터〗 화면자형(字形)《화면 표시용의, 특별히 설계된 문자》.

scréen·ing *n*. 1 Ⓤ (구체적으로는 Ⓒ) (영화·TV 등의) 상영, 영사. 2 Ⓤ 심사, 선발, 전형; 집단 검진: a ~ committee 적격 심사 위원회. 3 Ⓤ (창의) 방충망, 철망. 4 (*pl*.) (곡물 따위의) 체로 친 찌꺼기; 석탄 찌끼.

scréen·plày *n*. Ⓒ 영화 대본, 시나리오.

scréen tèst 스크린 테스트《영화 배우의 적성〔배역〕 심사》.

scréen·wrìter *n*. Ⓒ 시나리오 작가.

screw [skru:] *n*. Ⓒ 1 나사, 나사못: a female 〔male〕 ~ 암〔수〕나사/a wood ~ 나무 나사. 2 (배의) 스크루; (비행기의) 프로펠러. 3 (병의) 코르크 마개뽑이. 4 (나사의) 한 번 틀기〔죔〕, 한 번 돌림: This isn't tight enough yet; give it another ~. 아직 꽉 죄이지 않았다. 한 번 더 죄어라. 5 《英속어》 임금, 급료: draw one's ~ 급료를 타다. 6 《英》 (담배·소금 등을) 양끝을 꼬아 싼 봉투, 한 봉지: a ~ *of* tobacco. 7 《英구어》 구두쇠. 8 《속어》 쇠약하여 못 쓰게 된 말, 폐마, 결점〔흠〕 있는 물건; 《속어》 괴짜, 기인, 어리석은 자. 9 《속어》 교도관(jailer). 10 《비어》 성교, 성교 상대(인 여자).

a ~ loose 〔***missing***〕 《구어》 나사가 헐거움; 정상이 아닌 곳, 고장; (머리·신경의) 탈난 곳: He must have *a ~ loose* to do that. 그런 짓을 하는 것을 보니 그는 정상이 아님에 틀림없다/There is *a ~ loose* somewhere. 어딘가 고장이 있다. ***put*** 〔***tighten***〕 ***the ~s on*** a person 《구어》 (말을 듣게끔) 아무에게 압력을 넣다, (아무)를 위협하다.

—vt. 1 《+목+부/+목+전+명》 나사로 죄다 (up); 나사못으로 고정시키다(*down; on*)《to, on …에》; 나사를 빼고 떼어내다《off …에서》: ~ *up* a handle 손잡이를 나사로 죄다/~ the handle *on* (*to* the door) (문에) 손잡이를 달다/He ~ed the lock *off* the door. 그는 나사를 빼고 문에서 자물쇠를 떼어냈다.

2 a 《~+목/+목+부/+목+전+명》 (몸·팔 따위)를 (비)틀다(*around; round*); 비틀어 죄다〔붙이다〕 (*on*) 《on, to …에》; 틀어 떼다(*off*)《off …에서》; 틀어 잇다(*together*): ~ a person's arm 아무의 팔을 비틀다/~ one's head *round* 고개를 돌리다/~ a lid *on* 〔*off*〕 (the jar) (병) 마개를 돌려 죄다〔빼다〕/~ a hose *to* a hydrant 호스를 소화전에 끼우다/~ the two pipes *together* 두 파이프를 돌려 연결하다. b 《+목+보》 뚜껑을 돌려 …상태로 하다: ~ a bottle open 〔shut〕 뚜껑을 돌려 병을 열다〔닫다〕.

3 《+목+부/+목+전+명》 a (얼굴)을 찡그리다, (입)을 비쭉 내밀다, (눈)을 가늘게 뜨다(*up*); (얼굴)을 찡그려 …하다(*up*)《into …으로》: ~ *up* one's eyes 눈을 가늘게 뜨다/~ *up* one's lips 입(술)을 삐쭉 내밀다/~ one's face (*up*) *into* wrinkles 얼굴을 찡그려 주름살지다. b 꾸깃꾸깃 뭉치다(*up*)《into …으로》: ~ *up* a letter 편지를 꼬깃꼬깃 뭉치다/She ~ed (*up*) her handkerchief *into* a ball. 그녀는 손수건을 꼬기작거려 공처럼 만들었다.

4 《+목+부》 분발시키다; (용기 등)을 불러일으키다(*up*): I ~*ed up* my courage to ask for help. 용기를 내어 도움을 청하였다.

5 《+목+전+명》 (액체)를 짜다; 착취하다, 무리하게 빼앗다《out of, from …에서》: ~ water *out of* a wet towel 젖은 수건에서 물을 짜내다/~ money 〔taxes, consent〕 *out of* a person 아무에게서 돈〔세금, 승낙〕을 억지로 받아내다.

6 《+목+부》 《구어》 a 《英》 긴장시키다, 애타게 하다(*up*): He gets very ~*ed up* before exams. 시험 전에 그는 몹시 긴장한다. b (일)을 실패하다, 잡치다(*up*): ~ *up* one's exam 시험을 잡치다.

7 《+목+부/+목+전+명》 〖보통 수동태로〗 불안하게 하다, 혼란시키다, 비참하게 하다(*up*) 《about …일로》: He *was* ~*ed up about* his first appearance on stage. 그는 처음 무대에 선다는 일로 불안했다.

8 《~+목/+목+전+명》 〖흔히 수동태〗 《속어》 (아무)를 속이다; 속여서 빼앗다《out of …을》: He *was* completely ~*ed*. 그는 완전히 속임을 당했다/I *was* ~*ed out of* 50 dollars. 속임을 당해 50달러를 빼앗겼다.

9 《비어》 …와 성교하다.

—vi. 1 《~/+부/+전+명》 (나사가) 틀어지다, 돌다; 나사로 고정되다〔죄어지다〕 (*on*)《to …에》: The handle won't ~. 손잡이가 돌지 않는다/This lid won't ~ *on* properly. 이 뚜껑은 돌려도 맞지 않는다/This rack ~*s* easily (*on*) *to* the wall. 이 선반은 벽에 나사로 쉽게 달 수 있다.

2 (공이) 방향을 바꾸다, 꺾이다.

3 《+부》 《구어》 실패하다, 잘못되다(*up*).

4 《비어》 성교하다.

have one***'s head ~ed on the right way*** = ***have*** one***'s head well ~ed on*** 《구어》 빈틈이 없다, 분별이 있다; 제정신이다, 이해가 빠르다.

~ around 《vi.+부》 ① 빈들거리며 시간을 낭비하다. ② 《속어·비어》 성교〔난교〕하다.

scréw·bàll *n.* Ⓒ 〖야구〗 스크루볼《변화구의 일종》; 《美속어》 괴짜, 색다른〔이상한〕 사람.

scréw càp = SCREW TOP.

scréw·drìver *n.* **1** Ⓒ 나사돌리개, 드라이버. **2** Ⓤ (낱개는 Ⓒ) 《美》 보드카와 오렌지주스를 섞은 칵테일.

scréw propèller (배의) 스크루, (비행기 따위의) 프로펠러.

scréw thrèad 나사산(山).

scréw tòp (병 따위의) 나사 뚜껑.

scréw·ùp *n.* Ⓒ 《속어》 실패, 실수; 얼빠진 놈, 쓸모없는 녀석.

screwy [skrúːi] (***screw·i·er; -i·est***) *a.* 이상한, 기묘한; 《구어》 정신나간, 어딘가 별난.

scrib·ble** [skríbəl] *n.* **1** Ⓤ (또는 a ~) **갈겨쓰기**, 난필(亂筆), 악필. **2** Ⓒ (흔히 *pl.*) 흘려 쓴 것; 낙서, 잡문. **—vt.* **갈겨쓰다**, 아무렇게나 쓰다 (*down*). **—***vi.* 갈겨쓰다, 아무렇게나 쓰다; 낙서하다.

scrib·bler [skríblər] *n.* Ⓒ 휘갈겨쓰는 사람, 난필〔악필〕가; 삼류 작가.

°**scribe** [skraib] *n.* Ⓒ **1** 필기자, 사자생(寫字生); 서기. **2** 〖성서〗 유대인 율법학자. **3** 《美구어》 저술가, 작가; 저널리스트. **—***vt.*, *vi.* (돌·나무·벽돌 등)의 표면에 화선기(畫線器)로 선을 새기다《그 부분을 자름》. ㊞ **scríb·er** *n.* Ⓒ 화선기.

scrim [skrim] *n.* Ⓤ 면직·마직물의 일종《커튼·무대 배경용》; 《英》 반투명의 무대용 막.

scrim·mage [skrímidʒ] *n.* Ⓒ **1** 격투, 드잡이, 난투; 작은 충돌; 연습 경기. **2** 〖럭비〗 = SCRUMMAGE. ***line of*** **~** 〖럭비〗 스크리미지 라인《공격·수비가 뉴트럴 존을 사이에 두고 대치하는 라인》. **—***vi.* **1** 격투〔드잡이〕를 하다; 연습 경기를 하다. **2** 〖럭비〗 = SCRUMMAGE.

scrimp [skrimp] 《구어》 *vt.* (지나치게) 긴축〔절약〕하다. **—***vi.* 인색하게 굴다, 절약하다. ㊞ **∠·y** *a.* 긴축하는, 조리차하는, 인색한. **∠·i·ly** *ad.*

scrim·shank [skrímʃæŋk] *vi.* 《英속어》 태만히 하다, 게으름〔꾀〕부리다.

scrim·shaw [skrímʃɔː] *n.* **1** Ⓤ (항해 중 선원이 조가비·해마의 엄니 등에 하는) 심심풀이 세공(솜씨). **2** Ⓒ (집합적으로는 Ⓤ) (조가비·고래뼈 등의) 세공품.

scrip [skrip] *n.* Ⓤ (비상시에 발행되는) 임시 지폐; (점령군의) 군표.

°**script** [skript] *n.* **1** Ⓤ 손으로 쓴 글《print에 대해》; 필적; 〖인쇄〗 필기〔스크립트〕체(활자). **2** Ⓒ (극·영화·방송극 등의) 각본, 대본, 스크립트. **3** Ⓒ (보통 *pl.*) 《英》 (시험) 답안. **4** Ⓤ 문자. **—***vt.* (영화 등)의 스크립트를〔대본을〕 쓰다.

scrípt·ed [-id] *a.* (연설·방송 따위) 원고가〔대본이〕 있는, 원고〔대본〕에 의한.

scrip·to·ri·um [skriptɔ́ːriəm] (*pl.* ***~s, -ria*** [-riə]) *n.* Ⓒ (특히 수도원의) 사자실(寫字室), 기록실, 필사실(筆寫室).

scrip·tur·al [skríptʃərəl] *a.* 문서의〔로 한〕; (종종 S-) 성서(聖書)(중시)의.

°**scrip·ture** [skríptʃər] *n.* **1** (the S-(s)) 성서 (Holy Scripture). **2** Ⓒ 성서의 한 절, 성구(聖句): a ~ lesson 일과로서 읽는 성서 구절. **3** Ⓤ (또는 *pl.*; 종종 S-) (기독교 이외의) 경전, 성전: the Mohammedan *Scriptures* 이슬람교 경전.

scrípt·wrìter *n.* Ⓒ (영화·방송의) 각본가, 각색자.

scriv·en·er [skrívnər] *n.* Ⓒ (예전의) 대서인; (예전의) 공증인(notary public).

scrof·u·la [skrɔ́ːfjulə, skrɑ́f-/skrɔ́f-] *n.* Ⓤ 〖의학〗 연주창(King's Evil). ㊞ **-lous** [-ləs] *a.* 연주창의〔에 걸린〕.

°**scroll** [skroul] *n.* Ⓒ **1** 두루마리《파피루스·양피지로 만든 고대의 서적·문서로 양쪽 끝에 굴대가 있음》. **2** 〖건축〗 (기둥 머리의) 소용돌이 장식; (현악기앞 부분 끝의) 소용돌이 머리.

scróll bàr 〖컴퓨터〗 스크롤 바《윈도의 끝이나 하단에 설정한 막대 모양의 영역으로 윈도 내에 표시된 문서가 어느 부분에 있는지를 나타냄》.

scrólled *a.* 소용돌이 장식이 있는.

scróll sàw 곡선용 톱, 실톱.

scróll·wòrk *n.* Ⓤ 소용돌이 장식, 당초 무늬.

Scrooge [skruːdʒ] *n.* **1 Ebenezer ~** 스크루지《Dickens의 소설 *A Christmas Carol*의 주인공인 늙은 수전노》. **2** Ⓒ (보통 s-) 수전노.

scro·tum [skróutəm] (*pl.* ***~s, -ta*** [-tə]) *n.* Ⓒ 〖해부〗 음낭(陰囊). ㊞ **scró·tal** [-təl] *a.*

scrounge [skraundʒ] *vt.* 《구어》 찾아다니다; 우려내다, 등치다《***off*** …에게서》: ~ a cigarette *off* a person 아무에게서 담배 한 대를 얻다. **—***vi.* 여기저기 찾아다니다(*around*). ㊞ **scróung·er** *n.* Ⓒ 등쳐 먹는 사람, 식객.

°**scrub**[1] [skrʌb] (***-bb-***) *vt.* **1** 비벼 빨다〔씻다〕; 북북 문지르다〔닦다〕; 문질러 씻어 내다(*away, off, out*)《***with*** (솔 따위)로; ***off*** …에서》: ~ dirty shirts 더러운 셔츠를 비벼 빨다 / ~ a mark *away* 〔*off, out*〕 얼룩을 문질러 씻어내다 / ~ oneself *with* a towel 타월로 몸을 북북 문지르다 / ~ the floor clean 마루를 문질러 씻어서 깨끗이 하다 / ~ the cold cream *off* one's face with a tissue 콜드크림을 휴지로 얼굴에서 닦아내다. **2** (외과의가 수술 전에 손 따위)를 씻다(*up*). **3** 〖컴퓨터〗 (필요 없는 데이터를 제거하여 파일)을 깨끗이 하다. **4** 《구어》 (계획·명령 등)을 취소하다(*out*); (로켓 발사 등)을 중지〔연기〕하다: The game was *~bed* (*out*) because of rain. 그 경기는 비 때문에 중지되었다. **—***vi.* 문질러서 깨끗이 하다〔씻다〕; (외과의가 수술 전에) 손을 씻다(*up*). **~ *round*** (《*vt.*+副》) (규칙·장애 따위)를 피하다, 무시하다.

—*n.* (a ~) 북북 문지르기, 세게 닦기: give the sink a good ~ 싱크대를 잘 문질러 씻다.

scrub[2] *n.* **1** Ⓤ 〖집합적〗 덤불, 관목숲(brushwood). **2** Ⓒ 지질한 사람〔것〕, 좀스러운〔인색한〕 놈. **3** Ⓒ 《美구어》 보궐〔2군〕 선수.

scrub·ber [skrʌ́bər] *n.* Ⓒ **1** 마루 청소인; 박박 문지르는 도구; 집진기(集塵機). **2** 《英속어》 바람난 여자, 갈보.

scrúb(bing) brùsh 세탁 솔, 수세미.

scrub·by [skrʌ́bi] (***-bi·er; -bi·est***) *a.* 키가 작은, 왜소한; 관목이 우거진, 덤불이 많은; 하등의, 초라한.

scrúb·lànd *n.* Ⓤ 작은 잡목이 우거진 땅, 관목지대(灌木地帶), 총림지(叢林地).

scrúb·wòman (*pl.* ***-wòmen***) *n.* Ⓒ 《美》 청소부(婦).

scruff[1] [skrʌf] *n.* Ⓒ 〘보통 the ~ of the neck로〙 목덜미(nape); 의복의 낙낙한 부분《코트 깃 등》: take 〔seize〕 a person by *the ~ of the neck* 아무의 목덜미를 잡다.

scruff[2] *n.* Ⓒ 《英구어》 궁상맞은〔추레한〕 놈.

scruffy [skrʌ́fi] *a.* 추레한, 꾀죄죄한, 더러운.

scrum, scrum·mage [skrʌm], [skrʌ́midʒ] *n.* Ⓒ 〖럭비〗 스크럼; 《英구어》 (만원 전차·바겐 세일 등에) 쇄도하는 군중. **—***vi.* 스크